the MIDRASH
מדרש רבה

KLEINMAN EDITION

MIDRASH RABBAH

ספר ויקרא
VAYIKRA / LEVITICUS

VOLUME I

ויקרא-מצורע

VAYIKRA — METZORA

DEDICATED BY THE BISTRITZKY FAMILY

ArtScroll Series®

Rabbi Nosson Scherman / Rabbi Meir Zlotowitz
General Editors

A PROJECT OF THE

Mesorah Heritage Foundation

MIDRASH

ויקרא
VAYIKRA / LEVITICUS

VOLUME I:

ויקרא-מצורע

VAYIKRA–METZORA

DEDICATED BY THE BISTRITZKY FAMILY

KLEINMAN EDITION

MIDRASH RABBAH

WITH AN ANNOTATED, INTERPRETIVE ELUCIDATION AND ADDITIONAL INSIGHTS

The Hebrew folios have been newly typeset,
on a redesigned page that combines elements
of the widely used Vilna and Warsaw editions

Published by
Mesorah Publications, ltd

We gratefully acknowledge the outstanding Torah scholars who contributed to this volume:

Rabbi Chaim Malinowitz reviewed and commented on the manuscript, with **Rabbi Avrohom Kleinkaufman** and **Rabbi Yosaif Asher Weiss.**

Rabbis Yaakov Blinder, Yehezkel Danziger, Yoav Elan, Ben Tzion Gliksberg, Aron Meir Goldstein, Eliezer Herzka, Dovid Kaiser, Nesanel Kasnett, Yehuda Keilson, Eliyahu Meir Klugman, Henoch Moshe Levin, Yosef Levinson, Yisroel Londinski, Gershon Meisels, Zev Meisels, Baruch Pomper, Kalman Redisch, Moshe Yosef Ruvel, Beryl Schiff, Yisrael Schneider, Leiby Schwarz, Shaul Shatzkes, Menachem Silber, Shlomo Silverman, Nahum Spirn, and **Yitzchok Stavsky** translated, elucidated, edited, and assisted in the production of this volume.

Rabbi Hillel Danziger and **Rabbi Yosaif Asher Weiss,** assisted by **Rabbi Mordechai Sonnenschein,** Editorial Directors.

Designed by **Rabbi Sheah Brander**

We are also grateful to our proofreaders:
Mrs. Mindy Stern, Mrs. Faigie Weinbaum, Mrs. Judi Dick, and Mrs. Esther Feierstein;
our typesetters: Moishe Deutsch, Mordechai Gutman, Mrs. Chumie Lipschitz, Mrs. Sury Englard, Mrs. Esther Feierstein, Mrs. Toby Goldzweig, Mrs. Ahuva Weiss, Mrs. Estie Dicker, and Mrs. Miryam Stavsky

FIRST EDITION
Six Impressions . . . March 2012 — February 2022
Seventh Impression . . . November 2022

Published and Distributed by
MESORAH PUBLICATIONS, Ltd.
313 Regina Avenue / Rahway, N.J. 07065

Distributed in Europe by
LEHMANNS
Unit E, Viking Business Park
Rolling Mill Road
Jarrow, Tyne & Wear NE32 3DP
England

Distributed in Australia & New Zealand by
GOLDS WORLD OF JUDAICA
3-13 William Street
Balaclava, Melbourne 3183
Victoria Australia

Distributed in Israel by
SIFRIATI / A. GITLER — BOOKS
POB 2351
Bnei Brak 51122

Distributed in South Africa by
KOLLEL BOOKSHOP
Northfield Centre, 17 Northfield Avenue
Glenhazel 2192, Johannesburg, South Africa

THE ARTSCROLL® SERIES / KLEINMAN EDITION MIDRASH RABBAH
SEFER VAYIKRA / LEVITICUS VOL. I — VAYIKRA–METZORA

313 Regina Avenue / Rahway, N.J. 07065 / (718) 921-9000 / FAX (718) 680-1875 / www.artscroll.com

ITEM CODE: MRVY1
ISBN 10: 1-4226-1183-3
ISBN 13: 978-1-4226-1183-8

Typography by CompuScribe at **ArtScroll Studios,** Ltd. / Custom bound by **Sefercraft, Inc.,** Rahway, NJ

This volume is dedicated to the memory of our brother and uncle

Rabbi Levi Bistritzky ז״ל

הרב לוי ז״ל ב״ר יהודה לייב עמו״ש

נפ׳ י״ט מנחם אב תשס״ב

He was the beloved rav of Tzefas, a man who was dedicated to every member of his community, young or old, observant or not-yet observant. He went to Tzefas as an emissary to restore the holy city to its state of spiritual grandeur and succeeded in elevating his kehillah. A great talmid chacham, he wrote sefarim on the Shulchan Aruch Harav. He was taken in the prime of life. He left an inspiring legacy — but the void still aches.

and to the memory of our father and grandfather

Aaron Bergman ז״ל

ר׳ אהרן ב״ר שמואל אלתר ז״ל

נפ׳ כ״ט ניסן תשל״א

He was born in Sanz, and emerged from the churban with his soul and emunah intact. After the War, he settled in Binghamton and then came to New York. He was totally dedicated to the Mesorah and the chinuch of his children. Only such Jews have enabled Klal Yisrael to survive and thrive despite exile, persecution, and Holocaust.

תנצב״ה

Joseph and Sheila Bistritzky

Nesanel and Yehudis Gold   Aron and Sarah Bistritzky

Shlomo and Esther R. Bistritzky   Motty and Chaya Bistritzky

Shlomie and Devorah Brociner

Dedication of

KLEINMAN EDITION

מדרש רבה

THE MIDRASH

This **Edition of Midrash Rabbah** is dedicated to the sacred memory of the *Kedoshim* of our family who were killed *al Kiddush Hashem* in the Holocaust, our own forebears whom we never had the privilege to know but whose memory and example continue to guide and inspire us.

קדושי משפחת קליינמאן־וייס, הי״ד

א״ז ר׳ אלכסנדר בן צבי אריה ז״ל

אמ״ז מרת סימא לאה בת אברהם ע״ה

אחיה משה בן אברהם ז״ל, ואחותה שרה רחל בת אברהם ע״ה

אחי אבינו ז״ל מרדכי בן אלכסנדר ז״ל, שמחה חיים בן אלכסנדר ז״ל

מסרו נפשם על קדושת ה׳ כ״ח אייר תש״ד

קדושי משפחת פישמאן, הי״ד

עטרת ראשינו א״ז מוה״ר אלימלך בן ישראל ז״ל

מחבר ספר ״לחם אבירים״ על התורה ונאמן ביתו של הרה״צ אדמו״ר שעיה׳לה מקערעסטור זי״ע

אמ״ז מרת יוטא ברכה בת אברהם ע״ה

מגזע אדמו״ר מרן חיים יוסף גאטליב מסטראפקוב זי״ע

מסרו נפשם באושוויץ על קדושת ה׳ א׳ שבועות תש״ד

יחד עם בניהם ובנותיהם כולם אנשי שם ואנשי מופת המה

הר׳ ישראל בן אלימלך ז״ל, הר׳ מרדכי בן אלימלך ז״ל, הר׳ דוד בן אלימלך ז״ל,

מרת שרה בת אלימלך רויזינצווייג ע״ה, מרת מרים גיטל בת אלימלך קליין ע״ה

וזוגותיהם ו281 מיוצאי חלציהם

and all the Six Million

יזכרם אלקינו לטובה עם שאר צדיקי עולם וינקום לעינינו נקמת דם עבדיו השפוך

תנצב״ה

The parashiyos of Vayikra show how ordinary creatures and the elements of the earth can be sanctified in the service of Hashem, and how Jews can come close to Him

The Midrash develops and deepens these themes. The Kedoshim of the Holocaust showed in life and in how they accepted the Divine decree that Jews are truly גּוֹי אֶחָד בָּאָרֶץ, a unique and holy nation.

They and their forebears kept Yiddishkeit alive through centuries of exile, persecution, and bloodshed. Their blood and tears watered and gave new life that nurtures and strengthens Jewish communities and a strong, vibrant Jewish way of life in all corners of the globe.

We thank Hashem for enabling us to support Torah life and the institutions that are the very soul of Klal Yisrael. The Gemara teaches that Yaakov Avinu did not die because his future generations still live. Thanks to monumental projects like this Midrash Rabbah, future generations will have the spiritual nourishment to produce new life in the service of Hashem Yisbarach.

Elly Kleinman and Family

PATRONS OF THE CHUMASHIM AND MEGILLOS

Recognizing the need for the holy legacy of the Midrash
to be available to its heirs in their own language,
these generous and visionary patrons have each dedicated
the Chumashim and Megillos.

THE WASSERMAN EDITION OF BEREISHIS / GENESIS

is dedicated by

Stanley and Ellen Wasserman

to their beloved children and grandchildren

Alan and Svetlana Wasserman
Sasha, Jesse, Talya, Jacob, Bella, and Alden

Mark and Anne Wasserman
Joseph, Bailey and Andrew Stein, Zahava and Aaron Sieratzki,
Rebeccah and Moshe Friedman, Jordyn and Dovi Orlofsky

Neil and Yael Wasserman
Yeshayahu and Ariella, Shiri and Zviki Saffer, Yonatan, Ruth, and Aviva

Stuart and Rivka Berger
David, Gabrielle, and Jack

THE MILSTEIN EDITION OF BAMIDBAR / NUMBERS

is lovingly dedicated by

Elisha Shlomo Milstein

in memory of his grandparents

Rabbi Elazar Kahanow ז״ל — הגאון רבי אלעזר בן הגאון ר׳ אורי מאיר הכהן זצוק״ל
Henrietta Milstein ע״ה — מרת הינדא בת אברהם הלוי ע״ה

and his brother

Betzalel Milstein ז״ל — הילד בצלאל בנימין ז״ל ב״ר אליעזר פסח שליט״א

and in honor of his parents **Lazer and Ziporah Milstein שיחי׳**
his grandparents **Monroe and Judy Milstein שיחי׳   Rebbetzin Rochel Kahanow שיחי׳**

THE MILSTEIN EDITION OF THE FIVE MEGILLOS

is lovingly dedicated by

Asher David and Michal Milstein

in memory of his grandparents

Rabbi Elazar Kahanow ז״ל — הגאון רבי אלעזר בן הגאון ר׳ אורי מאיר הכהן זצוק״ל
Henrietta Milstein ע״ה — מרת הינדא בת אברהם הלוי ע״ה
and his brother **Betzalel Milstein ז״ל — הילד בצלאל בנימין ז״ל ב״ר אליעזר פסח שליט״א**
his great-uncles **Aaron Kahan ז״ל — אהרן בן הגאון ר׳ אורי מאיר הכהן ז״ל**
Yankel Basch ז״ל — יעקב בן יהושע ז״ל
and his great-aunt **Hanka Kozlovsky ע״ה — הנקא בת הגאון ר׳ אורי מאיר הכהן ז״ל**
and in honor of their parents **Lazer and Ziporah Milstein שיחי׳   Yossef and Farah Tadmor שיחי׳**
his grandparents **Monroe and Judy Milstein שיחי׳   Rebbetzin Rochel Kahanow שיחי׳**
and in tribute to **Rabbi Jeff and Peninah Seidel, Rabbi Efraim and Freida Weingot,**
and Rabbi Ezriel and Yaffa Munk

PATRONS OF THE MIDRASH

With generosity, vision, and devotion to the perpetuation of Torah study,
the following patrons have dedicated individual volumes of The Midrash

BEREISHIS

BEREISHIS-NOACH **Edward Mendel and Elissa Czuker and Family** (Los Angeles)
in memory of their beloved father
Jan Czuker ז״ל
ר׳ יוסף ב״ר מנחם מענדל ז״ל
נפ׳ פסח שני תש״ע
and תבל״ח in honor of their beloved mother
Mrs. Susanne Czuker שתחי׳

LECH LECHA-TOLDOS **The Ringel Family**
in memory of their uncle
יעקב זאב בן רב מרדכי ז״ל — Jack Ringel ז״ל
נפ׳ י׳ כסלו תשס״ט

VAYEITZEI-VAYISHLACH **Avrum and D'vorah Weinfeld** (Chicago)
Flora Efriam Mordechai Ariella Faige Ita Shoshana Hinda
in honor of Acheinu Bnei Yisrael

VAYEISHEV-VAYECHI **Shlomo Yehuda and Tamar Rechnitz**
Yisroel Zev and Avigail Rechnitz
and families
in memory of their beloved grandparents
Morris and Regina Lapidus ז״ל
חיים משה בן ישראל זאב ז״ל — נפ׳ כ״ט אדר ב׳ תשמ״ו
רבקה בת ישראל הכהן ע״ה — נפ׳ ד׳ טבת תשכ״ז

SHEMOS

SHEMOS-BESHALACH **Dedicated Anonymously**

YISRO-PEKUDEI **Mendy and Ita Klein** (Cleveland)
In honor of their beloved
Klein, Jaffa, and Halpern grandchildren

VAYIKRA

VAYIKRA-METZORA **Joseph and Sheila Bistritzky**
Nesanel and Yehudis Gold Aron and Sarah Bistritzky
Shlomo and Esther R. Bistritzky Motty and Chaya Bistritzky
Shlomie and Devorah Brociner
In memory of their brother and uncle
הרב לוי ז״ל ב״ר יהודה לייב עמו״ש — Rabbi Levi Bistritzky ז״ל
נפ׳ י״ט מנחם אב תשס״ב
and their father and grandfather
ר׳ אהרן ב״ר שמואל אלתר ז״ל — Aaron Bergman ז״ל
נפ׳ כ״ט ניסן תשל״א

ACHAREI-BECHUKOSAI **Nachum Dov and Malkie Silberman**
in memory of their parents
Sidney and Gussie Friedlander ז״ל
ר׳ סיני ב״ר אריה לייב ז״ל　רבקה גיטל בת ר׳ יוסף דוד ע״ה
Harry and Dora Silberman ז״ל
ר׳ צבי ב״ר זאב הלוי ז״ל　דבורה אסתר בת ר׳ ישראל ע״ה

BAMIDBAR

BAMIDBAR-NASSO I **Elly and Shaindy Kleinman**
In honor of our grandmother and parents
Mrs. Pearl Benisch ע״ה
R' Mordechai ז״ל and יבלח״ט Mrs. Mirrel שתחי׳ Eissenberg

NASSO II **Elly and Shaindy Kleinman**
In tribute to our beloved parents
R' Avrohom and Mrs. Ethel Kleinman ז״ל

BEHA'ALOSCHA-MASEI **Steven and Renée Adelsberg**
in memory of their beloved fathers
שמואל שמעלקא בן גדליה ז״ל — Samuel Adelsberg ז״ל
נפ׳ כ״ב אלול תשמ״ה
חיים שמעון בן יוסף ברוך ז״ל — Chaim Fraiman ז״ל
נפ׳ ב׳ פסח תשע״ד
הרב מנחם מענדל בן יוסף זצ״ל — Harav Menachem Mendel Brayer זצ״ל
נפ׳ כ׳ שבט תשס״ז

DEVARIM

Mendel and Ariela Balk
Bayla and Itzik Haskel — Binyamin Shlomo, Yehonatan Moshe
Yoel Daniel Aaron Jenelle Elan Arianna Max
in memory of their beloved father
הרב יואל דוד ב״ר ישראל מיכל ז״ל — Rabbi Joel David Balk ז״ל
נפ׳ ז׳ שבט תשמ״ה
and our grandfather Rav Shlomo David Gopin זצ״ל
And in honor of their beloved parents שיחי׳ לאוי״ט
Mrs. Carole Balk
Rabbi Saul and Mrs. Peggy Weiss

MEGILLOS

SHIR HASHIRIM I **Robin and Warren Shimoff**
in honor of
Jacob Selechnik שיחי׳

Patrons of the Midrash

SHIR HASHIRIM II **Robin and Warren Shimoff**

Lisa Shimoff **Mona Shimoff**

in memory of our aunts and uncles

Rabbi Ephraim Shimoff ז״ל — רב אפרים בן אהרן יעקב ז״ל
כ״ב ניסן תשנ״ח

Shirley Shimoff ע״ה — שרה הענע בת יצחק ליב ע״ה
כ״ח חשון תשס״א

Max Stareshefsky ז״ל — מרדכי בן הלל ז״ל
ה׳ חשון תשי״ג

Norma Stareshefsky ע״ה — נעמי בת אהרן יעקב ע״ה
כ״ב אייר תשס״ט

Harry Shimoff ז״ל — יונה צבי בן אהרן יעקב ז״ל
י״ז תמוז תשנ״ה

Edna Shimoff ע״ה — הינדא ליבא בת בנימין ע״ה
כ״ב אדר ב תשכ״ב

Clara Shimoff ע״ה — חיה בת יוסף ע״ה
י״ז כסלו תשנ״ג

RUTH — ESTHER In loving memory of

Rabbi Isaac L. and Rebbetzin Ruth Swift זצ״ל

הרב יצחק יהודה בן הרב אברהם דב זצ״ל
נפ׳ י״א סיון תשנ״א

הרבנית רחל בת אברהם ע״ה
נפ׳ ב׳ אלול תשס״ה

Nathan and Pearl Sharfman ז״ל

נתן בן משה אליעזר ז״ל
נפ׳ כ״ד כסלו תשמ״ט

יוטא פערל בת יונה אליהו ע״ה
נפ׳ כ״ה תמוז תשמ״ז

Bern Sharfman ז״ל — ישראל דוב בן נתן ז״ל נפ׳ ט״ז אב תשס״ו

Sam and Martha Katz ז״ל

חיים יהושע בן נתן הכהן ז״ל
נפ׳ כ״ג שבט תשד״מ

מייטע בת יום טוב ליפא ע״ה
נפ׳ ט״ז אייר תשס״ד

Brenda Dreyer ע״ה — אסתר ברכה בת חיים יהושע הכהן ע״ה נפ׳ י׳ אלול תשס״ד

Alvin and Irma Heller ז״ל

אברהם צבי בן חיים יהודה ז״ל
נפ׳ ט׳ תשרי תשס״א

איטא בת משה הכהן ע״ה
נפ׳ כ״ח אלול תשע״ג

EICHAH **The Rosedale and Wilheim Families**

in memory of

Harry and Debby Levinson ז״ל

הרב צבי הירש בן הרב יוסף פינחס הלוי ז״ל
נפ׳ כ׳ אב תש״ע

דבורה שרה בת מאיר ע״ה
נפ׳ ט״ז אדר א׳ תשס״ח

KOHELES **Mrs. Judith Lowinger**

Robert Lowinger, Levy Lowinger, Vivian Bollag and grandchildren

in memory of our beloved husband and father

Morris M. Lowinger ז״ל — ר׳ משה יצחק הלוי בן לוי ז״ל

and our parents and grandparents

נתן בן חנוך ז״ל ומרים יטל בת דוד שמואל הלוי ע״ה – קאופמן

לוי בן יהודה הלוי ז״ל וצירל בת מרדכי ע״ה – לאווינגער

Guardians of the Midrash

A society of visionary people who recognize the primacy of the Jewish people's commitment to the word of Hashem — and pursue it by presenting the inner meaning of the Torah, as expounded by the Midrash, in the language of today … for the generations of tomorrow.

This volume commemorates the loving memory of our father and zayde

חיים יהודה בן דוד ז״ל — Allen Gross ז״ל

נפ׳ כ״ט אלול תשס״ז

Rabbi Chanina ben Dosa used to say, "He who is pleasing to his fellow is pleasing to Hashem" (Pirkei Avos 3:13).

His kindness, love, humor and concern for others made him loved and admired by all who knew him. He selflessly dedicated his life to helping others by quietly supporting numerous individuals and Torah institutions. He devoted himself to his family, providing all of us with unconditional love and support. His greatest joy was his grandchildren, all of whom provided him with immeasurable nachas. He was a great father, zayde and role model.

We are honored to support the holy work of the Torah Scholars at ArtScroll / Mesorah. May their efforts and the Torah learned in this volume be a zechus for his neshamah. **תנצב״ה**

Ethan and Yael Gross
Shaina, Jacob and Simcha Mendel

The Written Word is Forever

Midrash Associates

A fellowship of benefactors dedicated to
the dissemination of The Midrash

⁘

Asher David and Michal Milstein

⁘

Dr. David and Jane Novick

⁘

Elliot and Judy Schwartz

⁘

Nathan B. and Malka Silberman

In Memoriam — לזכר נשמת

Dedicated by The Midrash Associates
to those who forged eternal links

⁘

Danziger — ברכה טריינא בת אלחנן ע״ה
Kahanow — הגאון רבי אלעזר בן הגאון ר׳ אורי מאיר הכהן זצוק״ל
Klugman — הרב רפאל בן אברהם
Novick — דוב בער בן אליעזר שרגא ע״ה ורייזעל בת יצחק אייזיק ע״ה
Novick — ראובן אברהם בן דוב בער ע״ה
Henrietta Milstein — מרת הינדא בת אברהם הלוי ע״ה
Milstein — הילד בצלאל בנימין ז״ל ב״ר אליעזר פסח שליט״א
Phillips — בער לב בן יוסף ע״ה ושרה בת שמואל נחום ע״ה
Schwartz — הרב דוד צבי ב״ר חיים שמואל ע״ה
Schwartz — רייזל בת הרב אברהם יצחק ע״ה
Silberman — ר׳ צבי ב״ר זאב הלוי ע״ה
Silberman — דבורה אסתר בת ישראל ע״ה
הרב אהרן ב״ר מאיר יעקב זצ״ל
הרבנית פרומא בת ר׳ חיים צבי ע״ה

The Written Word is Forever

Pillars of the Midrash

We wish to acknowledge in this volume the friendship of the following:

In honor of
Mair and Eva Lieberman

In honor of
Aron and Ruth Mashiyev
and their son **Avrohom Simcha**

Dr. David and Jane Novick

Larry Winter

שמואל קמנצקי
Rabbi S. Kamenetsky

2018 Upland Way
Philadelphia, Pa 19131

Home: 215-473-2798
Study: 215-473-1212

בס״ד

ח׳ ניסן ונרננה ונשמחה לפ״ק

לרומע״ב מכירי הנכבדים והמסורים בלו״נ למען הרבצת התורה וכבוד שמים ר׳ מאיר יעקב זלאטאוויץ שליט״א ור׳ נתן שערמאן שליט״א

שמחתי באומרים לי שאתם עומדים להוציא לאור ביאור רחב על מדרש רבה. שמעתי שאם הזוהר נקרא רזין שהם סודות נכבדים אז המדרש נקרא רזין דרזין שהם סודות נסתרים.

כבר נתחזק שחזקה שאין חבר מוציא דבר שאינו מתוקן אתם כבר מוחזקים להוציא פנינים ממצולות מאוצרות נעלמים.

תצליחו ותתברכו בכל טוב ובפרט שאתם מחזיקים הרבה בני תורה ועלי׳ שהם מתפרנסים על ידיכם

מלונ״ח בידידות נאמנה

שמואל קמנצקי

Rabbi Aaron M. Schechter **אהרן משה שכטר**

Mesivta Yeshiva Rabbi Chaim Berlin
1593 Coney Island Avenue
Brooklyn, N.Y. 11230

ב״ה

כ״ח תשרי תשע״א

כבוד הרבנים הנכבדים הרב מאיר זלאטאוויץ שליט״א והרב נתן שערמַן שליט״א, שזכו להעניק תורת חסד בדורנו, ללמד ולעשות ריבוי פנים חדשות של מבקשי דבר ה׳, גם באלו שמבלי פעולתם זו לא ידעו מה ואיך לבקש — נטלו חלקם בזריחת אור התורה אחר לקיחת האור מאתנו, והחושך של פזור יתירה של שארית ישראל בין הגוים, אשר ביניהם נכבש ונעלם עוד יותר הא דישראל ואורייתא חד הוא. —

והנה חוק ניתן באור דזריחתה נמשך הלאה ועולה ומאיר — ואחר ההארה הגדולה והנוראה של שימת תלמוד בבלי ותלמוד ירושלמי לפני אנשי דורנו אשר לשון הגמ׳ קשה בעדם — שימה יפה כפירוש רש״י (שמות כ״א א׳) להבינם טעמי הדבר ופירושו — פנו הרבנים הנ״ל לעשות כן במדרש רבה.

משרה גדולה נטלו על עצמם, רבת האחריות ורבת התועלת אם נזכה לכך.

בהקדמת רמח״ל למדרשי חז״ל מבואר גודל תוכן המדרש. — בפירוש הגר״א על משלי (כ״ד פסוק ל׳) מבואר הא דהלכה נקרא לחם ואגדה נקרא יין (גימטריא של סוד) שבה טמון הסוד. — והדברים נוראים ופושע אהיה אם לא אעתיק לשון אדוני מו״ר (אגרת נ״ד מאגרות פחד יצחק), שלשונו יועל בעדנו — וזה לשונו.

בדברים י״א פסוק כ״ב נאמר, לאהבה את השם אלקיכם ללכת בכל דרכיו ולדבקה בו. ואיתא על זה בספרי דורשי רשומות אומרים רצונך שתכיר את מי שאמר והיה העולם למוד הגדה שמתוך כך אתה מכיר את הקב״ה ומדביק בדרכיו. מדברי חז״ל הללו למדים אנו כי נתיחד מקום מסויים בתורה ללימוד דרכיו של מקום ולדבקה בו. מתוך יחיד זה נלמד כי גלוייה של תורה נתונים הם בשתי מערכות: א) גילוי ציוויו ית׳ וחקירת ענין זה מופיעה במערכת ההלכה ב) גילוי דרכיו והנהגותיו ית׳ וחקירת ענין זה מופיעה במערכת האגדה. ולא עוד אלא שחזינן כי העדיפות במערכת האגדה על גבי מערכת ההלכה היא בזה שהיא קרובה יותר אל הדביקות בו ית׳ — עכ״ל.

עול האחריות אשר בה נהגתם במה שהוצאתם עד עכשיו, הסייעתא דשמיא שזכיתם לה עד עכשיו לבחור בתלמידי חכמים מובהקים ששמו כל כחם ומעיינם בעבודת ה׳ הלזו, והעיון אחר עיון שסדרתם מתוך היראה שלא להוציא דבר שאינו מתוקן — יהא בעזרכם שתזכו כן גם בעבודה עדינה ואצולה זו של שימת המדרש רבה לפני קהל ישראל — יהי״ר שתהיה מעשיכם לנחת רוח לפניו ית׳, והוספת תוקף הקדושה בין בניו החביבים לו.

אהרן משה שכטר

אהרן משה שכטר

דוד פיינשטיין
ר"מ תפארת ירושלים

Rabbi Dovid Feinstein
477 F.D.R. Drive
New York, N.Y. 10002

כבר איתמחי גברי בפירושם ותרגומם לאנגלית על כמה מספרי תורה שבכתב ובשל על פה ואינם צריכים עוד להסכמות על יתר מלאכתם בקודש אלא ברכה שעכשיו שארט-סקרול מסורה מגישים לתרגם ולפרש מדרש רבה יתברכו לברך על המוגמר ויתקבלו מלאכתם כמו שנתקבלו עד כה

נאום דוד פיינשטיין

נאום דוד פיינשטיין
פ' והיה ברכה תשע"א

יעקב פרלוב
קהל עדת יעקב נאוואמינסק
ישיבת נאוואמינסק - קול יהודא
ברוקלין, נ.י.

RABBI YAAKOV PERLOW
1569 - 47TH STREET
BROOKLYN N.Y. 11219

בס"ד
יום ב' כ"ו תשרי תשע"א

כבוד ידידי האהובים, קרני אורה לדור החדש, המפיצים תורת השם ויראתו לרבבות אלפי העם כש"ת הרה"ג ר' מאיר זלאטאוויץ שליט"א, וכש"ת הרה"ג ר' נתן שערמאן שליט"א, שפעת שלומים וישע רב.

בנועם קבלתי הידיעה על המפעל החדש שהנכם מתכוננים לקראתו, לתרגם ולבאר את המדרש רבה בהוצאה מחודשת, [ע"ש ידידי היקר מוה"ר אלי' קליינמאן שיחי'] וגם ראיתי את הקונטרס לדוגמא על פרשת לך לך המצורף בהערות מאליפות ומאירות עינים.

כך יאה לכם יקירי, שלוחי ההשגחה בימינו, שהבאתם מקודם את הדגן של תורה לאוכלסי ישראל, בהוצאת המקרא והמשנה והגמרא של ארטסקרול, ועתה נגעתם אל התירוש להשקות את המעיינים ביין האגדה המשמחת לבו של אדם ומקרבו אל בוראו, וכדברי חכמינו ז"ל במדרש פ' תולדות על ברכות יצחק אל יעקב, ויתן לך האלקים מטל השמים זו מקרא ומשמני הארץ זו משנה דגן זו תלמוד, תירוש זה אגדה. אשרי חלקכם שנתרבה כבוד התורה וכבוד ישראל סבא על ידיכם, ותזכו לברך על המוגמר ולהשלים את העבודה ברוב פאר והדר שיביאו ברכה לבית ישראל, ויהי נועם ה' עליכם, ותתברכו ממעון הברכות בכל מעשה ידיכם לאורך ימים טובים כעתירת ידידכם עוז בלונ"ח הכותב לכבוד התורה ולומדיה

יעקב פרלוב

יעקב פרלוב

דוד קאהן
ביהמ״ד גבול יעבץ
ברוקלין, נוא יארק

בס״ד

לידידי עז הני תרי צנתרי דדהבא
רב מאיר זלוטוביץ שליט״א ורב נתן שרמן שליט״א

כשנודעתי שהנכם מתכוננים להוציא לאור מדרש רבה הרגשתי...

הנביא ישעיהו עומד וצווח ״כי הנה האדון ה׳ צבאו־ת מסיר מירושלים ומיהודה משען ומשענה כל משען לחם וכל משען מים״ (ג־א) ופירשו בחגיגה (יד, א) שמשען לחם אלו בעלי תלמוד שנאמר לכו לחמו בלחמי ושתו ביין מסכתי ומשען מים אלו בעלי אגדה שמושכין לבו של אדם כמים באגדה.

האדם צריך ללחם ולמים. אנשי חברה ארטסקרול־בעלי מסורה עוד נטויה ידיהם להחזיר העטרה של תורה ליושנה, ז״א להשימה על ראשי בני ישראל, השׂביעו וממשיכים להשׂביע לכלל ישראל במשען לחם דהיינו בתרגום וביאור של שני התלמודים — בבלי וירושלמי — ומכינים את עצמם לדלות מהבאר אשר חפרוה שׂרים שאפשר לדלות ממנה אך ורק על ידי תמיכה מנדיבי העם, להגיש משען מים — מדרשי אגדה — על ידי המחוקקים, אלו התלמידי חכמים המופלגים שאנו נהנים מעבודתם שמהפכים מדבר שממה לגן נהדר.

והנני תפילה שבכל אשר יפנו ישכילו להגדיל תורה ולהאדירה אכי״ר

החותם לכבוד מרביצי תורה

דוד קאהן

דוד קאהן
בין כסה לעשור תשע״א

הלל דייוויד
קהל
ישיבה שערי תורה

RABBI HILLEL DAVID
1118 East 12 Street
Brooklyn NY 11230

כבוד ידידי היקרים
הה״ג ר׳ מאיר זלאטאוויץ שליט״א
וחה״ג ר׳ נתן שערמאן שליט״א

אחדשה״ט: כאשר נתבשרתי על רעיונכם החדש אמרתי אני רחש לבכם דבר טוב, לתרגם המדרשים, מדרש רבה, לשפה המדוברת לשון אנגלית ולפתוח להמון עם הצמאים לדעת בוראם ע״י לימוד אגדה, ספר שהי׳ אצלם עד עתה ספר חתום. מעשיכם למלך מ״ה הקב״ה.

ועכשיו שראיתי קונטרס מודפס (פ׳ לך לך — חיי שרה) ונתקיימה אצלכם חזקתכם הישנה שאין חברים מוציאים מחמת ידיהם דבר שאינו מתוקן-מתוקן כהלכה, מתוקן ביופיו ומתוקן בבהירותו וכו׳ גמרתי, לשונכם, שדברתם מכבר, הי׳ עט סופר מהיר.

וכאשר הנחיצות לסדר כזה, המתורגם עפ״י חבורה של ת״ח מופלגים וגם בקיאים בל׳ אנגלית, מובנת, וגם לרבות החשיבות המיוחדת לספר שגם נדפס בו פירוש עץ יוסף ופי׳ מהרז״ו ועוד ועוד בלה״ק כמקורם, אין מן הצורך להרבות דברים בזה.

ולכן אסיים פה בברכה מעומק הלב שיתן ה׳ שתזכו לסיים מפעל זה ולהתחיל ולסיים מפעלים אחרים ולהמשיך בעבודתכם הק׳ להרביץ תורה לאלפים הצמאים לדבר ה׳ עוד שנים ארוכות עם בריאות הגוף ונחת.

החותם באהבה וידידות

הלל דייוויד

הלל דייוויד

אברהם חיים לוין
RABBI AVROHOM CHAIM LEVIN
5104 N. Drake Avenue • Chicago, IL 60625
ROSH HAYESHIVA/TELSHE-CHICAGO • ראש הישיבה\טלז-שיקגו

ב״ה
יום ב׳ לפ׳ נח תשע״א

לכבוד ידידי מזכי הרבים ומרביצי תורה לאלפים מנהלי וראשי המוסד ארטסקרול-מסורה הרב ר׳ מאיר יעקב זלאטאוויץ והרב ר׳ נתן שערמאן שליט״א.

הש״ס בבלי עם תרגום אנגלי שהוצאתם לאור עשה מהפכה ממש בלימוד התורה באמעריקא, ובשנים האחרונות הוספתם להדפיס גם ש״ס ירושלמי עם תרגום אנגלי וזה נתן להרבה לומדים היכולת לפעם הראשונה ללמוד ולהתבונן בש״ס העמוק הזה.

ועכשיו דעתכם להפדיס מדרש רבה עם תרגום אנגלי עם הערות וביאורים עמוקים ונפלאים וזה יפתח פתח לפני מאות ואלפים להבין הלשון הקשה של כמה מדרשים ולהתעמק בהביאורים העמוקים מלוקטים מגדולי הראשונים ואחרונים להבין עמקות כונת חז״ל בדבריהם הקדושים שפעמים רבות הם סתומים ופעמים רבות יש איזה מילים שאינם מובנים היטיב גם לת״ח מובהקים.

ואמינא לפעלא טבא יישר ותזכו להוציא לאור עוד הרבה ספרים חדשים לתועלת הרבים להגדיל תורה ולהאדירה.

ובזכות לימוד התורה נזכה במהרה לביאת גואל צדק וכדברי הנביא האחרון במלאכי ג׳ זכרו תורת משה עבדי אשר צויתי אותו בחרב על כל ישראל חקים ומשפטים, הנה אנכי שולח לכם את אליה׳ הנביא לפני בא יום ה׳ הגדול והנורה

ידידכם

אברהם חיים הלוי לוין

ישיבה גדולה זכרון לימא ד׳לינדן
Yeshiva Gedolah Zichron Leyma of Linden

הרב אליעזר גינזבורג	Harav Eliezer Ginsburg
הרב גרשון נוימאן	Harav Gershon Neumann
ראשי הישיבה	*Roshei Hayeshiva*

בס״ד

לכבוד ידידים אהובים אלופים ומיודעים
הרב מאיר זלאטאוויץ שליט״א הרב נתן שערמאן שליט״א
הרב יעקב יהושע בראנדר שליט״א

מה מאד צריך לשמוח כמוצא שלל רב
בני יעקב וישראל סלה
כעת שיחידי סגולה, שעליהם שם ה׳ נקרא
ומלא אותם בחכמה ותבונה
לקבל על עצמם עבודה גדולה
להוציא לאור עולם בהסברה והבנה
לעשות חיל **במדרש רבה** שהיתה מכוסה וטמונה
הם הלכו בו כנמושות, לקוטי בתר לקוטי
ואספו מאוצרות של בעלי קבלה ובעלי מסורה,
ובירור וליבנו בשפה ברורה ונעימה בשפת המדינה
כדי שיוכל כל אחד ללקוט בשבלים ממדרשות התנאים.
ברור לנו כמאז כן עתה
שתתקיים ע״י זה ההתפשטות התורה,
וריבוי לומדיה ועוסקיה
להוריד השכינה ממעונה להיות בינינו שרויה
יהי רצון שתתקיים בנו ובהם וערבה לה׳ מנחתם ונסכם
ושיגיע העת שיאמר ליעקב ולישראל הכל פעל אל,
ובא בזכותם במהרה לציון גואל
מי יתן שיהא חלקי עמכם.

יום ב׳ פ׳ לך לך תשע״א

אליעזר גינזבורג

Publisher's Preface

We are proud to present this latest volume of the KLEINMAN EDITION OF MIDRASH RABBAH. This monumental project, with Hashem's help, will provide our people with an unprecedented understanding of the best-known and most widely used classic of Aggadic literature, which assembles several centuries of Tannaic and Amoraic teachings.

Midrash Rabbah is our richest lode of Aggadic comment and exposition on the Torah and the Five Megillos. The Talmud and the Midrash are both parts of the Oral Law, but their emphases are different. The primary emphasis of the Talmud is to expound upon and define the legal parameters of the Torah and the mitzvos. The Midrash delves into the spiritual essence of the revealed Torah, adds detail and information to the Torah's narrative, and provides the ethical tradition that was passed down orally from generation to generation until it was committed to writing. Midrash Rabbah is one of the primary sources of ethical discourse, Chassidic and Mussar teaching, and homiletic literature.

This 17-volume project follows the universally acclaimed approach of the Schottenstein Editions of the Talmud Bavli and Talmud Yerushalmi. It draws upon the classic commentaries to translate and elucidate the Midrash with clarity and accuracy. In addition, it presents "Insights," which elaborate on the lessons of the Midrash, as they were taught and expounded by a host of the great teachers and leaders of early and modern times.

A full Overview explaining the unique nature of the Midrash and how classic commentators understood and interpreted it will be included in the forthcoming Volume 1 of this series. Suffice it to say at this point that, in the words of the contemporary classic *Michtav MeEliyahu,* "In the study of halachah — the learning and in-depth study, the difficulties and the clarifications — all is based on the intellect. In the Aggadah, by contrast, everything depends on the level of one's heart. What is a mystery to one person will be obvious to another. What is difficult to one person will be clear to another, and even utter simplicity." Thus, the complete comprehension of the underlying messages of the Aggadah, not merely the recorded text, has rules of its own.

In this edition, the text of the Midrash and all the commentaries on the page have been newly typeset, for accuracy and ease of reading. The redesigned page combines elements of the widely used Vilna and Warsaw editions, and several special new features, explained below in detail.

This KLEINMAN EDITION OF THE MIDRASH is dedicated by our dear friends ELLY AND BROCHIE KLEINMAN, in tribute to the memory of the *Kedoshim* of their families and the Six Million who were killed in the Holocaust. The Kleinmans are renowned throughout the Torah world for their warmth, integrity, judgment, and generosity. In America and Israel, their names are synonymous with concern for the health of Torah institutions and projects. ArtScroll/Mesorah readers are grateful to them for their dedication of important and popular projects, including individual Talmud volumes, THE KLEINMAN EDITION OF KITZUR SHULCHAN ARUCH, the INTERACTIVE MISHKAN DVD and the beautiful, full-color books on THE MISHKAN, in both English and Hebrew editions, three series of the DAILY DOSE OF TORAH — and now, their most ambitious project of all, the KLEINMAN EDITION OF THE MIDRASH. Thanks to their generosity, a team of outstanding scholars and editors is producing a work that will stand for generations as the definitive treatment of this classic. To us, it is gratifying that these personal friends have become an integral part of our work.

We are proud that our good friends JOSEPH AND SHEILA BISTRITZKY have dedicated this volume. The Book of *Vayikra*/Leviticus deals with the consecration of living creatures and plant life to the service of Hashem. The Bistritzky family epitomizes this ideal in their personal and business lives. Generous, kind, and dedicated to the continuity and thriving of Torah in Klal Yisrael, they bring credit to all who know them and to their distinguished family legacy. They see this volume as a vehicle to spread Torah and these ideals to countless people. We are grateful to them for helping make such works possible.

ACKNOWLEDGMENTS

When the ArtScroll Series came into existence in 1976, it was quickly privileged to gain the warm approbation of the Roshei HaYeshivah and Gedolei Torah of the previous generation, such as the great GEONIM MARANAN VERABBANAN HARAV MOSHE FEINSTEIN, HARAV YAAKOV KAMENETSKY, HARAV GEDALIA SCHORR, and HARAV MORDECHAI GIFTER זצ"ל. They were unstintingly generous with their time, wisdom, and guidance from the inception of the ArtScroll Series thirty-four years ago. They recognized the need to make classic Torah literature available to today's Jews who, knowingly or subconsciously, wanted access to the eternity of Torah. Over the years, their warm expression of support was echoed by the next generation of American Torah leaders and by the eminent and revered Gedolei Torah of Eretz Yisrael, MARAN HAGAON HARAV SHLOMO ZALMAN AUERBACH זצ"ל and להבחל"ח MARAN HAGAON HARAV YOSEF SHOLOM ELIASHIV, MARAN HAGAON HARAV AHARON LEIB SHTEINMAN, MARAN HAGAON HARAV CHAIM KANIEVSKI, MARAN HAGAON HARAV SHMUEL AUERBACH, MARAN HAGAON HARAV MOSHE SHAPIRO, the ADMOR OF VIZHNITZ, and THE ADMOR OF BELZ שליט"א.

A vast investment of time and resources will be required to make this new KLEINMAN EDITION OF THE MIDRASH a reality. Only through the generous support of many people will it be possible not only to undertake and sustain such a huge and ambitious undertaking, but to keep the price of the volumes within reach of the average family and student.

The Trustees and Governors of the MESORAH HERITAGE FOUNDATION saw the need to support the scholarship and production of this and other outstanding works of Torah literature. Their names are listed on an earlier page.

JAY SCHOTTENSTEIN is chairman of the Board of Governors and has enlisted many others in support of several monumental projects. In addition, he and his wife JEANIE, have dedicated the ENGLISH and HEBREW SCHOTTENSTEIN EDITIONS OF TALMUD BAVLI and YERUSHALMI, PEREK SHIRAH, the many liturgy volumes in THE SCHOTTENSTEIN INTERLINEAR SERIES and the recently published one-volume SCHOTTENSTEIN EDITION INTERLINEAR CHUMASH. The newest undertaking is the dedication of the multi-volume SEFER HACHINUCH / THE BOOK OF MITZVOS. In their more recent undertakings, they have been joined by their children JOSEPH AND LINDSAY, JONATHAN, and JEFFREY, thus continuing the family legacy in the next generation. These projects illuminate basic, essential classics that are at the very foundation of Jewish life and faith. In short, the Schottensteins are fostering a renaissance of Orthodox life and a revolutionary advance in Torah study — both *Torah Shebik'sav* and *Torah Sheb'al Peh* — and prayer.

JACOB M.M. AND PNINA (RAND) GRAFF have dedicated the popular-size GRAFF-RAND EDITION OF RAMBAN, in addition to their dedications of both the Hebrew and English editions of the GRAFF-RAND EDITION OF SEDER MOED of TALMUD YERUSHALMI in memory of their parents, who were unselfish builders of Torah life wherever they lived. Mr. and Mrs. Graff are justly respected pillars of the Los Angeles community, where they are renowned and admired supporters of Torah causes, following in the footsteps of their parents.

We are proud that STANLEY AND ELLEN WASSERMAN are the dedicators of SEFER BEREISHIS / GENESIS in this Midrash Series, in honor of their children and grandchildren. The Wassermans are people of uncommon warmth, sensitivity, generosity, and devotion to noble causes, public and private. They have dedicated numerous volumes of the Talmud Bavli and Yerushalmi, and they recently dedicated the new WASSERMAN EDITION COMPLETE ARTSCROLL SIDDUR, which will be the standard Siddur for decades to come. Over the years we have become more and more grateful for the privilege of their friendship.

ASHER MILSTEIN has joined our work as a dear friend and major supporter. He has dedicated the MILSTEIN EDITION OF THE FIVE MEGILLOS in Midrash Rabbah; the MILSTEIN EDITION OF THE LATER PROPHETS, which is now in preparation; and the MILSTEIN EDITION OF SEDER NASHIM in Talmud Yerushalmi. In addition, he is making it possible for his friend and mentor Rabbi Jeff Seidel to bring countless people closer to their heritage by distributing ArtScroll / Mesorah volumes free of charge. Through his vision and generosity Mr. Milstein is a significant force for Torah Judaism.

ELISHA SHLOMO MILSTEIN has joined our work as the dedicator of the MILSTEIN EDITION OF BAMIDBAR / NUMBERS in Midrash Rabbah; and the MILSTEIN EDITION OF SEDER TOHOROS in Talmud Yerushalmi.

We are proud that the CZUKER FAMILY of Los Angeles is the dedicator of BEREISHIS/ GENESIS VOL. I, BEREISHIS-NOACH, of the Midrash Series. They have also dedicated TRACTATE ROSH HASHANAH in TALMUD YERUSHALMI and most recently they have undertaken the CZUKER ELUCIDATION OF THE TORAH'S OBLIGATIONS of SEFER HACHINUCH/ THE BOOK OF MITZVOS. We are glad to welcome EDWARD MENDEL CZUKER to our Board of Governors.

HAGAON HARAV DAVID FEINSTEIN שליט״א has been a guide, mentor, and friend since the first day of the ArtScroll Series, and we are honored that he regards our work as an important contribution to *harbatzas Torah.* Although complex halachic matters come to the Rosh Yeshivah from across the world, he always makes himself available to us whenever we consult him. He is also a Founding Trustee of the Mesorah Heritage Foundation.

We are humbled and honored that this country's senior Roshei HaYeshivah have been so generous with their time and counsel. HAGAON HARAV ZELIK EPSTEIN זצ״ל was always a valued source of wisdom and counsel, as was HAGAON HARAV AVROHOM PAM זצ״ל. HAGAON HARAV SHIMON SCHWAB זצ״ל was a prime source of encouragement and guidance.

HAGAON HARAV SHMUEL KAMENETSKY שליט״א offers warm friendship and invaluable advice; HAGAON HARAV AHARON SCHECHTER שליט״א is unfailingly gracious and supportive; HAGAON HARAV AVROHOM CHAIM LEVIN שליט״א volunteers his friendship and support; the Novominsker Rebbe, HAGAON HARAV YAAKOV PERLOW שליט״א, is a wise counselor, good friend, and staunch supporter of our efforts for *harbatzas Torah.* We are grateful beyond words to them all.

HAGAON HARAV DAVID COHEN שליט״א has been a dear friend for nearly half a century; he places the treasury of his knowledge at our disposal whenever he is called upon, and has left his erudite mark on ArtScroll's projects from its inception. HAGAON HARAV HILLEL DAVID שליט״א is a valued friend, counselor, and source of comment and advice. HAGAON HARAV FEIVEL COHEN שליט״א is a dear friend who gladly interrupts his personal schedule whenever needed. HAGAON HARAV ELIEZER GINSBURG שליט״א has been a loyal friend at critical junctures.

We are deeply grateful to RABBI HESHIE BILLET, a distinguished rav, loyal and effective friend, and devoted servant of Klal Yisrael; RABBI RAPHAEL B. BUTLER, the dynamic founder of the Afikim Foundation; RABBI YISRAEL H. EIDELMAN, a dedicated servant of Torah; RABBI SHLOMO GERTZULIN, an invaluable asset to our people; RABBI MOSHE M. GLUSTEIN, an accomplished *marbitz Torah* and rosh yeshivah; RABBI BURTON JAFFA, who gives hope to children and their parents; RABBI MICHOEL LEVI, an accomplished educator; RABBI PINCHOS LIPSCHUTZ, a leader in Torah journalism; RABBI SHIMSHON SHERER, who inspires his congregation; RABBI DAVID WEINBERGER, who invigorates his community, and whose works we have the honor to publish; and RABBI HOWARD ZACK, who is making an enormous impact for good in Columbus.

We are deeply grateful to JAMES S. TISCH, a Founding Trustee of the Foundation, and a member of the Audit Committee, and THOMAS J. TISCH, a governor, who are a credit to their family tradition of community service; JOEL L. FLEISHMAN, a Founding Trustee of the Foundation, and member of the Audit Committee, who single-handedly brought the Foundation into existence, and whose sage advice is indispensable; BENJAMIN C. FISHOFF, patron of several volumes of the Talmud, and a respected friend and mentor who has enlisted others to support our work; and RABBI ZVI RYZMAN, who epitomizes the Jewish ideal of the man of commerce who is a *talmid chacham.* He is a noted *maggid shiur,* dynamic force for Torah life, and a loyal, devoted friend has dedicated many volumes. Now, he and Mrs. Ryzman have undertaken the dedication of the new RYZMAN EDITION OF THE MISHNAH, in Hebrew.

Loyal friends who have been instrumental in the success of our work and to whom we owe a debt of gratitude are, in alphabetical order:

STEVE ADELSBERG, a governor, friend and dedicator in every edition of the Talmud; SAM ASTROF, a member of the foundation's Audit Committee; REUVEN DESSLER, a good friend and respected leader who adds luster to a distinguished family lineage; JOEL FLEISHMAN, a founding trustee and member of the Audit Committee, who single-handedly brought the foundation into existence, and whose sage guidance is indispensable; HOWARD TZVI FRIEDMAN, a dear friend and dedicator, who places his enormous reservoir of energy and good will at Klal Yisrael's disposal; ABRAHAM FRUCHTHANDLER, who has placed support for Torah institutions on a new plateau; HASHI HERZKA, the inaugural dedicator of a volume in the ARTSCROLL EDITION OF RAMBAN, and the dedicator of a volume in Talmud Yerushalmi; MALCOLM HOENLEIN, one of Jewry's truly great lay leaders, who generously makes time to offer guidance and counsel; SHIMMIE HORN, patron of the HORN EDITION OF SEDER MOED of Talmud Bavli, a self-effacing person to whom support of Torah is a priority; MOTTY KLEIN, dedicator of several volumes and of the OHEL SARAH WOMEN'S SIDDUR, a leader in his community and a force for Torah; MOSHE MARX, a very dear friend who is a respected supporter of Torah causes; RABBI MEYER H. MAY, who has been an invaluable friend at many junctures; ANDREW NEFF, dedicator of several history and Talmud volumes and a leader in his industry, who has made Mesorah his own cause; DR. ALAN NOVETSKY, the very first dedicator of an ArtScroll volume, who has continued his support and friendship over the years; SHLOMO SEGEV of Bank Leumi, who has been a responsible and effective friend; HESHE SEIF, a personal friend and the patron of the SEIF EDITION TRANSLITERATED PRAYER BOOKS, has added our work to his long list of important causes; NATHAN SILBERMAN, a dear friend, and leader in his profession, who makes his skills and judgment available in too many ways to mention; JUDAH SEPTIMUS, a Founding Trustee, and member of the Audit Committee, a *talmid chacham,* who extends himself beyond belief on behalf of our work, and whose wise intervention has been essential at critical junctures; JOSEPH SHENKER, one of New York's preeminent attorneys, a good friend and Torah scholar in his own right, and a member of the Foundation's Board of Trustees and Audit committee; ELLIOT TANNENBAUM, a warm and gracious inaugural patron of several volumes, including the very popular *"Ner Naftali"* Eretz Yisrael Siddur, whose example has motivated many others; JOSEPH WEISS, a *talmid chacham,* dedicator, and astute reader; STEVEN WEISZ, whose infectious zeal and virtual daily contact has brought many others under our banner; and HIRSCH WOLF ז״ל, one of ArtScroll's earliest supporters, a fountain of encouragement and an energetic leader in many causes.

We are grateful, as well, to other friends who have come forward when their help was needed most: YISRAEL BLUMENFRUCHT, YERUCHAM LAX, RABBI YEHUDAH LEVI, RABBI ARTHUR SCHICK, WILLY WEISNER, and MENDY YARMISH.

Enough cannot be said about our dear friend and colleague RABBI SHEAH BRANDER, whose graphics genius sets the standard of excellence in Torah publishing. In addition, he is a *talmid chacham* of note who adds more than one dimension to the quality of every volume he touches. Reb Sheah is involved in every aspect of the project, from scholarship to production. He has earned the respect, trust, and affection of the entire staff, to the point where it is inconceivable to envision the past and future success and quality of the work without him.

We conclude with gratitude to Hashem Yisbarach for His infinite blessings and for the privilege of being the vehicle to disseminate His word. May this work continue so that all who thirst for His word may find what they seek in the refreshing words of the Torah.

Rabbi Nosson Scherman / Rabbi Meir Zlotowitz

Adar, 5772
March, 2012

About This Volume

This volume was written and edited by RABBIS YAAKOV BLINDER, YOAV ELAN, BEN TZION GLIKSBERG, AARON MEIR GOLDSTEIN, DOVID KAISER, NESANEL KASNETT, HENOCH MOSHE LEVIN, YOSEF LEVINSON, BARUCH POMPER, GERSHON MEISELS, MOSHE YOSEF RUVEL, YISRAEL SCHNEIDER, LEIBY SCHWARZ, SHAUL SHATZKES, SHLOMO SILVERMAN, NAHUM SPIRN, and YITZCHOK STAVSKY.

Special contributors and editors included RABBIS HILLEL DANZIGER, ELIYAHU MEIR KLUGMAN, ZEV MEISELS, and MORDECHAI SONNENSCHEIN.

RABBIS AVROHOM KLEINKAUFMAN, BERYL SCHIFF, and KALMAN REDISCH identified the major part of the material incorporated into the Insights section of this work, providing sources with a remarkable range of breadth and content. The material they provided was carefully reviewed by RABBI ZEV MEISELS, with characteristic diligence and discrimination, who then selected the vast majority of pieces ultimately included as Insights in this volume.

The volume was reviewed by RABBI CHAIM MALINOWITZ, who was assisted by RABBI AVROHOM KLEINKAUFMAN, and RABBI YOSAIF ASHER WEISS.

RABBI HILLEL DANZIGER and RABBI YOSAIF ASHER WEISS served with great distinction as Editorial Directors.We specially acknowledge the pivotal role also played in this capacity by RABBI MORDECHAI SONNENSCHEIN, who coordinated many detailed and varied aspects of this volume with his hallmark intelligence, competence, and unassuming manner; assisting him was RABBI MOSHE YEHUDA GLUCK.

We thank RABBI YEHEZKEL DANZIGER and RABBI MENACHEM SILBER for their invaluable advice and suggestions.

This work, like so many others, has been immeasurably enhanced by the prodigious talents of RABBI SHEAH BRANDER. The beautiful design of the Hebrew page is a testament to the surpassing graphics skills of this master artist. But his stamp is evident on every other page as well. From the layout of the book to the most mundane detail of production and schedule, there is virtually no aspect of this edition that does not benefit from his incredibly keen eye and even keener intellect.

MRS. AHUVA WEISS assisted skillfully in the editing.

RABBI MOISHE DEUTSCH paginated the beautiful new Hebrew Midrash;

RABBIS YAACOV BLINDER, and YISROEL LONDINSKI carefully reviewed and corrected the Hebrew text;

MRS. ESTIE DICKER, MRS. ESTHER FEIERSTEIN, MRS. TOBY GOLDZWEIG, and MRS. MIRYAM STAVSKY typed the manuscripts carefully and skillfully; MRS. RACHEL GROSSMAN of Jerusalem provided editorial expertise;

MRS. CHUMIE LIPSCHITZ, who is a key member of our staff, and MRS. SURY ENGLARD paginated and entered corrections with extraordinary skill and diligence, often at great personal inconvenience;

MRS. MINDY STERN, proofread with great skill and judgment, making many important corrections. MRS. FAIGIE WEINBAUM, MRS. JUDI DICK, and MRS. ESTHER FEIERSTEIN also contributed immeasurably to the quality of this work.

RABBI YECHEZKEL SOCHACZEWSKI, ensured the accuracy of this volume, as he has for so many others, with skill and dedication.

SHMUEL BLITZ, director of our Jerusalem office, is always available, always incisive, always decisive. Distance does not impede his intimate involvement in our work.

GEDALIAH ZLOTOWITZ and his staff are responsible for the smooth, friendly, and efficient manner with which our works are made available to the public and the trade.

MRS. LEA BRAFMAN, as comptroller virtually since ArtScroll's creation, is indispensable to the efficient functioning of our work. She is ably assisted by MRS. SARALEA HOBERMAN and MRS. LEYA RABINOWITZ.

ELI KROEN designed the sculpted cover and endpapers. For many years, his innovative and prolific graphics skills have been a hallmark of ArtScroll/Mesorah volumes.

RABBI AVROHOM BIDERMAN does more than can be listed in a brief paragraph.

MENDY HERZBERG, with his customary efficiency, shepherded the production all the way through.

The Standard Midrash Texts

TWO EDITIONS OF MIDRASH RABBAH HAVE BEEN THE MOST WIDELY USED in recent generations. One is the Warsaw edition (1867) printed with the comprehensive commentary *Ein Chanoch* (comprising *Eitz Yosef, Anaf Yosef* and *Yad Yosef*) by *R' Chanoch Zundel* of Bialystok, and the much earlier commentary of *Matnos Kehunah.* The other is the Vilna edition of 1878-1887 (עם כל המפרשים) printed with many commentaries, including the commentaries of *Matnos Kehunah, Maharzu* and an abridgement of *Yefeh To'ar.* These two editions have minor differences in the Midrash text, but differ markedly in how each *Parashah* of Midrash is subdivided into sections. The section numbering system used in the Warsaw edition is the one used by many early commentators (such as *Yefeh To'ar*). The system found in the Vilna edition is the one used in many more recent works on Midrash, and the one which we have followed, as explained below. (A more thorough discussion of the various editions can be found in the Publisher's Preface to the first volume of *Bereishis Rabbah.*)

The Hebrew Page

THE PRESENT HEBREW EDITION OF MIDRASH RABBAH has been completely reset and designed. It features the vowelized Midrash text, flanked by the commentariesof *Eitz Yosef* (from the Warsaw edition) on the right, and of *Maharzu* (from the Vilna edition) on the left. Below them are the commentaries of *Matnos Kehunah, Nechmad LeMareh* (from the Vilna edition) and *Eshed HaNechalim* (the latter work has been out of print and difficult to obtain for many years). In the margins, we present *Chiddushei HaRadal* and *Chiddushei HaRashash* (from the Vilna edition) and *Anaf Yosef* (from the Warsaw edition), as well as *Mesoras HaMidrash,* which references parallels in other Talmudic and Midrashic sources. (The latter work is from the Vilna edition; as stated in the preface to that edition, it incorporates most of what is contained in *Yad Yosef.* To publish both on the page would be redundant, and we have therefore not included *Yad Yosef.*) We have also included in the margin a new section entitled *Eim LaMikrah,* which presents vowelized, and in full, every Scriptural verse cited in part by the Midrash (other than those verses that appear in the passage actually expounded by the Midrash).

Since our elucidation of the Midrash adopts *Eitz Yosef* as our primary commentator (see next section), our Midrash text follows the text of the Warsaw edition, which included *Eitz Yosef.* Moreover, on the whole, the Warsaw text of the Midrash seems somewhat more accurate than the Vilna text. (The *Tiferes Tziyon* commentary on Midrash, published more than a century ago by *Rabbi Yitzchak Zev Yadler,* also uses a Midrash text that appears to be nearly identical to that of the Warsaw edition.)

Occasionally, our elucidation of the Midrash adopts a reading that differs from that of the Warsaw edition. In those cases, we have inserted a degree sign in the all-Hebrew text where the elucidated text diverges. The interested reader can quickly compare the two texts and see what has been changed. Such changes were usually based on one of the following sources: the editions of Constantinople 1512, Venice 1545 and Vilna 1878-1887; and the commentaries of *Os Emes, Matnos Kehunah, Yefeh To'ar, Radal* and *Rashash.* (On occasion, the Warsaw text has a printing error. In these cases, we correct the text according to the Vilna edition and mark the occurrence with an asterisk in the all-Hebrew text.) We have introduced a new marginal section (שינוי נוסחאות), which documents the source of the alternative readings we have followed in the Hebrew or elucidated text. (It should be noted that *Rashash* made emendations to the Vilna edition of 1843, and that some subsequent editions have already incorporated those emendations into the text. Similarly, some Midrash editions have already incorporated in their text some emendations of *Matnos Kehunah.*)

On occasion, the commentators maintain that one or more phrases of Midrash appear in the wrong place. In those cases, on the all-Hebrew page we leave the text as is, however we indicate the emendation of the commentators as follows: the text in question is enclosed by two asterisks and we place a double-asterisk at the point where the indicated text should appear.

The Midrash is separated into divisions (called *parashiyos*), which are further subdivided into sections. While the system of *parashah* divisions is essentially universal, the system of section divisions is not (as mentioned above). We have followed the Vilna convention with regard to numbering the sections both in the text and commentaries. Within the commentary of *Eitz Yosef* (which originally appeared in the Warsaw edition and according to that numbering system), we present both the Vilna numbers (in parentheses) and the Warsaw numbers (in brackets). When the notes reference such works as *Yefeh To'ar* (which does not follow the Vilna section-numbers) we provide the *parashah* number and the heading of the paragraph in which the particular comment appears.

The recent Vagshal edition of Midrash Rabbah includes addenda to *Eitz Yosef* commentary [many of which clearly were not made by *Eitz Yosef* himself]. On occasion, we make mention of those addenda, referencing them as "*Eitz Yosef* as found in the Vagshal edition."

The Elucidated Commentary

ONE OF THE FIRST AND MOST COMPREHENSIVE COMMENTARIES written on *Bereishis Rabbah* is *Yefeh To'ar* by *R' Shmuel Jaffe Ashkenazi.* The full version of this commentary, last printed in Fuerth, 1692 (and recently reissued in facsimile edition by Vagshal Publishing Ltd.) covers more that one thousand pages. The commentary *Yefeh To'ar* printed in the standard Vilna edition is a much condensed abstract of this work. Our references in the notes to *Yefeh To'ar* are to the original *full* version. (A more extensive discussion of the early, classic commentaries can be found in the Publisher's Preface to the first volume of *Bereishis Rabbah.*)

The comprehensive and widely used *Eitz Yosef* is primarily a digest of the earlier classic commentaries. In the elucidation we use it as our primary commentary, often attributing his comments only to him, even when they are taken from earlier sources, such as *Yefeh To'ar.*

We have tried to keep our discussion of alternative interpretations to a minimum, so as not to overly interrupt the flow of the Midrashic narrative and exposition.

Although the Midrash is actually a *commentary* on the Scriptural text, it often cites only a fragment of the verse on which it comments. This leaves the reader without access to the entire verse or the context in which it appears, unless he uses a separate Chumash. To facilitate the reader's study of Midrash we present (in the elucidated text) before each Midrashic commentary of a verse the relevant verse or verses in their entirety and with translation. These verses are indented and in non-bold type, so that the reader can easily see that it is an interpolation and not part of the actual Midrash text. The verse or verse fragment that the Midrash *does* cite is set off in "heading" style, in which the Hebrew text is bolded (as are all the actual words of the Midrash) and the English translation is bolded *and* uppercased. Where we have supplied our own heading, the Hebrew and English text is *not* bolded.

The Insights

AN EXCLUSIVE FEATURE OF OUR ELUCIDATION OF THE MIDRASH is the special Insights section, which contains additional material that supplements the commentary or brings to the fore principles and lessons embedded in the Midrash. These insights have been adapted from a wide variety of sources, ranging from the *Rishonim* to the masters of *Chassidus* and of *Mussar,* the wealth of commentaries on the Midrash and on *Chumash,* as well as contemporary *roshei yeshivah,* authors and thinkers. These sources are duly attributed, and a bibliography of the lesser-known works can be found in back of the volume.

ויקרא-מצורע
VAYIKRA–METZORA

ויקרא
VAYIKRA

Chapter 1

וַיִּקְרָא אֶל מֹשֶׁה וַיְדַבֵּר ה׳ אֵלָיו מֵאֹהֶל מוֹעֵד לֵאמֹר.
He called to Moses and HASHEM spoke to him from the Tent of Meeting, saying (1:1).

§1 וַיִּקְרָא אֶל מֹשֶׁה — ***HE CALLED TO MOSES.***

The Midrash cites various expositions of a verse from *Psalms*, concluding with one that relates that verse to ours:[1]

רַבִּי תַּנְחוּם בַּר חֲנִילָאי פָּתַח — **R' Tanchum bar Chanilai opened** his discourse on our passage by expounding a verse from *Psalms*: ״בָּרְכוּ ה׳ מַלְאָכָיו גִּבֹּרֵי כֹחַ עֹשֵׂי דְבָרוֹ וגו׳״ — ***Bless HASHEM O "malachav"*** (*His malachim*); ***the mighty warriors who do His bidding*** *to obey the voice of His word* (*Psalms* 103:20). בְּמָה הַכָּתוּב מְדַבֵּר — **Regarding what** kind of *malachim* **is Scripture speaking?** אִם בְּעֶלְיוֹנִים הַכָּתוּב מְדַבֵּר — **If** you say **Scripture is speaking of celestial [*malachim*],** i.e., angels, וַהֲלֹא כְּבָר נֶאֱמַר ״בָּרְכוּ ה׳ כָּל צְבָאָיו״ — this cannot be, for regarding them **is it not already stated, *Bless HASHEM, all His legions*** (ibid., v. 21)?[2] הָא אֵינוֹ מְדַבֵּר אֶלָּא בַּתַּחְתּוֹנִים — **Thus** we must conclude that verse 103:20 **speaks only of earthly [*malachim*],** i.e., human beings.[3]

In light of this conclusion, the Midrash explains why the word כָּל, *all*, appears in verse 103:21 in connection with God's *legions* but not in verse 103:20 in connection with His *malachim*:

עֶלְיוֹנִים — Regarding the **celestial [legions],** עַל יְדֵי שֶׁהֵן יְכוֹלִין לַעֲמוֹד בְּתַפְקִידָיו שֶׁל הַקָּדוֹשׁ בָּרוּךְ הוּא — **since they are** all **able to succeed** consistently in executing the **charges of the Holy One, blessed is He,** נֶאֱמַר ״בָּרְכוּ ה׳ כָּל צְבָאָיו״ — **Scripture states** regarding them, ***Bless HASHEM, "all" His legions.***[4] אֲבָל תַּחְתּוֹנִים עַל יְדֵי שֶׁאֵינָן יְכוֹלִין לַעֲמוֹד בְּתַפְקִידָיו שֶׁל הַקָּדוֹשׁ בָּרוּךְ הוּא — **But** regarding **the earthly** *malachim*, i.e., human beings, **since they are not** all **able to succeed** consistently in executing the **charges of the Holy One, blessed is He,**[5] לְכָךְ נֶאֱמַר ״בָּרְכוּ ה׳ מַלְאָכָיו״ וְלֹא ״כָּל מַלְאָכָיו״ — **Scripture therefore states *Bless HASHEM, O His "malachim"*** and does **not** state ***"all His malachim."***[6]

The Midrash presents another exposition of *Psalms* 103:20:

דָּבָר אַחֵר — **Another interpretation** of the verse, *Bless HASHEM, O His "malachim," etc.* נִקְרְאוּ הַנְּבִיאִים מַלְאָכִים — The verse is referring to **prophets,** who **are called angels.** הֲדָא הוּא דִכְתִיב ״וַיִּשְׁלַח מַלְאָךְ וַיֹּצִאֵנוּ מִמִּצְרַיִם וגו׳״ — **Thus it is written, *He sent a "malach" and took us out of Egypt, etc.*** (*Numbers* 20:16). וְכִי מַלְאַךְ ה׳ הָיָה — **Now, was it an angel of God** who took the Israelites out of Egypt? וַהֲלֹא מֹשֶׁה הָיָה — **Was it not Moses?!** וְלָמָּה קוֹרֵא אוֹתוֹ מַלְאָךְ — **Why** then **does Scripture call him an angel?**[7] אֶלָּא מִכָּאן שֶׁהַנְּבִיאִים נִקְרָאִים מַלְאָכִים — **However, from here** we learn **that the prophets are called angels.**[8] וְדִכְוָותֵיהּ ״וַיַּעַל מַלְאַךְ ה׳ מִן הַגִּלְגָּל אֶל הַבֹּכִים״ — **Similarly,** Scripture states, ***A "malach" of HASHEM went up from Gilgal to Bochim*** (*Judges* 2:1).[9] וְכִי מַלְאָךְ הָיָה — **Now, was it an angel** who went up from Gilgal to Bochim?[10] וַהֲלֹא פִּנְחָס הָיָה — **Was it not Phinehas?!**[11] וְלָמָּה קוֹרֵא אוֹתוֹ מַלְאָךְ — **Why then does [Scripture] call him an angel?** אֶלָּא אָמַר רַבִּי סִימוֹן — **However, R' Simone said:** פִּנְחָס בְּשָׁעָה שֶׁהָיְתָה רוּחַ הַקֹּדֶשׁ שׁוֹרָה עָלָיו הָיוּ פָּנָיו בּוֹעֲרוֹת כַּלַּפִּידִים — **When the holy spirit rested on Phinehas, his face flamed like torches,** i.e., like a fiery angel. Scripture calls Phinehas an angel because when the holy spirit rested upon him, his appearance resembled that of an angel.[12]

NOTES

1. This is consistent with Midrashic style, which is to expound more fully any verse that is introduced in the course of its discussions (*Eitz Yosef*).

2. That is, Scripture speaks of celestial angels blessing God in verse 21. [The adds צְבָאָיו, *His legions*, refers to celestial beings.] Perforce the preceding verse (verse 20) is speaking of something else (*Maharzu*). *Eitz Yosef* adds that if verse 20 were also speaking of celestial beings, it would have said כָּל מַלְאָכָיו, *"all" His malachim*, just as verse 21 says כָּל צְבָאָיו, *"all" His legions*. See *Eshed HaNechalim*.

3. The word *malachim* can also mean messengers. [Indeed, angels are called *malachim* because they are God's quintessential messengers.] The *Psalms* verse refers to human beings as God's "messengers" because they have been sent by God into the world to fulfill His will (*Matnos Kehunah, Eitz Yosef*).

4. All celestial beings fulfill God's bidding consistently, for they have no evil inclination that can influence their decision to do otherwise (see *Eitz Yosef* s.v. על ידי). Scripture therefore states that they *all* bless God.

5. For since they are influenced by their evil inclinations, they often sin (ibid.).

6. God does not wish to be praised by the wicked (see Midrash below, 16 §4); hence, v. 103:20 does not state *"all His malachim"* (*Eitz Yosef*). Rather, it states *"His malachim,"* and refers only to the most righteous human beings [who are similar to angels; see *Malachi* 2:7 and *Moed Katan* 17a] (*Maharzu*).

7. The question is exacerbated by the fact that it is Moses himself who is the speaker in the cited verse and who would surely not be calling himself an angel. See *Yedei Moshe*.

8. Prophets are referred to as *malachim* (angels) because when they receive their prophetic message they become like angels, separating from their physical natures and becoming completely spiritual (*Eshed HaNechalim*; *Eitz Yosef*, citing *Yefeh To'ar*).

According to this exposition, as well, the verse's omission of the word *all* is understandable (see preceding note), because not all prophets are righteous and deserving of praising God; some prophets sin [e.g., the prophet who prophesied to Jeroboam in Beth-el and violated God's command not to eat (see *I Kings* Ch. 13), or Hananiah ben Azzur who, although he was once a true prophet (as stated in *Midrash Aggadah* to *Deuteronomy* Ch. 13), turned away from God and became a false prophet (see *Jeremiah* Ch. 28)] (*Eitz Yosef*, citing *Yefeh To'ar*).

9. The *malach* mentioned in this verse went from Gilgal to Bochim to rebuke the Israelites for not driving the Canaanite nations from the Land of Israel; see ibid., vv. 1-3.

10. It could not have been an actual angel. First, an angel would not have come from Gilgal [but from heaven (*Maharzu*)]; and second, angels [generally] appear only to individuals, not to the masses (*Eitz Yosef*).

11. Who was the High Priest and the prophet in that era. See *Judges* 20:28, and see *Seder Olam* Ch. 20 in explanation of *Judges* 6:8 (*Maharzu*; see there further; see also *Eitz Yosef*). And since the verse is speaking of Phinehas it mentions Gilgal, for Gilgal was the place where the Tabernacle was located the first fourteen years after the Israelites entered the Land of Israel, and it was there that Phinehas ascended to the position of High Priest upon the death of his father Elazar; and Bochim is another name for Shiloh, to where Phinehas indeed *went up from Gilgal*, for the Tabernacle was located in Shiloh the following 369 years (*Maharzu*).

[*Maharzu's* statement that Phinehas was "the prophet" in that era cannot be taken to mean that there were no other prophets, for in fact there were many prophets during the period of the Judges. It seems rather to mean that Phinehas, because he was the High Priest, was the one who conveyed to the people the word of God that he received via the *Urim VeTumim*. (See also *Yefeh To'ar* s.v. ולמה, who writes that in fact Phinehas was not an actual prophet altogether, but possessed only the "holy spirit," a lower level than actual prophecy; see Midrash further; see also *Eshed HaNechalim* s.v. פניו בוערות and *Eitz Yosef*, end of s.v. וכי מלאך.)]

12. *Eshed HaNechalim* explains that the Midrash brought a second proof (from Phinehas) that prophets are called "angels" because its first proof (from Moses) could be regarded as insufficient — for one could argue that Moses was an exception, since he was the greatest of all the prophets.

סֵדֶר וַיִּקְרָא

פרשה א

א [א, א] **"וַיִּקְרָא אֶל מֹשֶׁה", רַבִּי תַּנְחוּם בַּר חֲנִילָאי פָּתַח:** (תהלים קג, כ) **"בָּרְכוּ ה' מַלְאָכָיו גִּבֹּרֵי כֹחַ עֹשֵׂי דְבָרוֹ וְגוֹ'", בַּמֶּה הַכָּתוּב מְדַבֵּר, [א]אִם בָּעֶלְיוֹנִים הַכָּתוּב מְדַבֵּר, וַהֲלֹא כְּבָר נֶאֱמַר** (שם כא) **"בָּרְכוּ ה' כָּל צְבָאָיו", הָא אֵינוֹ מְדַבֵּר אֶלָּא בַּתַּחְתּוֹנִים, עֶלְיוֹנִים עַל יְדֵי שֶׁהֵן יְכוֹלִין לַעֲמוֹד בְּתַפְקִידָיו שֶׁל הַקָּדוֹשׁ בָּרוּךְ הוּא נֶאֱמַר "בָּרְכוּ ה' כָּל צְבָאָיו", אֲבָל תַּחְתּוֹנִים עַל יְדֵי שֶׁאֵינָן יְכוֹלִין לַעֲמוֹד בְּתַפְקִידָיו שֶׁל הַקָּדוֹשׁ בָּרוּךְ הוּא לְכָךְ נֶאֱמַר "בָּרְכוּ ה' מַלְאָכָיו" וְלֹא "כָּל מַלְאָכָיו". [ב]דָּבָר אַחֵר, נִקְרְאוּ הַנְּבִיאִים מַלְאָכִים, הֲדָא הוּא דִכְתִיב** (במדבר כ, טז) **"וַיִּשְׁלַח מַלְאָךְ וַיּוֹצִיאֵנוּ מִמִּצְרָיִם וְגוֹ'", וְכִי מַלְאַךְ ה' הָיָה, וַהֲלֹא מֹשֶׁה הָיָה, וְלָמָּה קוֹרֵא אוֹתוֹ מַלְאָךְ, אֶלָּא [ג]מִכָּאן שֶׁהַנְּבִיאִים נִקְרָאִים מַלְאָכִים, וּדְכְוָתֵיהּ** (שופטים ב, א) **"וַיַּעַל מַלְאַךְ ה' מִן הַגִּלְגָּל אֶל הַבֹּכִים", וְכִי מַלְאָךְ הָיָה, וַהֲלֹא פִּנְחָס הָיָה, וְלָמָּה קוֹרֵא אוֹתוֹ מַלְאָךְ, אֶלָּא אָמַר רַבִּי סִימוֹן: פִּנְחָס בְּשָׁעָה שֶׁהָיְתָה רוּחַ הַקֹּדֶשׁ שׁוֹרָה עָלָיו הָיוּ פָּנָיו בּוֹעֲרוֹת כַּלַּפִּידִים,**

עץ יוסף

(א) **פתח ברכו ה' מלאכיו כו'.** משום דבעי לפרש גבורי כח על משה רבינו עליו השלום ששמע קול דבר ה' לבדו והיינו ויקרא אל משה כדלקמן, פתח בהאי קרא ומפרש ואזיל דקרא בנביאים קמיירי, ואגב אורחיה מפרש ברישא גבורי כח בדרשות אחרות, והדר מפרש ליה בנביאים לעניינו כדרך המדרש: **והלא כבר נאמר ברכו ה' כו'.** פירוש והלא כבר נאמר בצבא המרום מלת כל, רצונו לומר שכולם יברכו אותו, ואם כן אם ברכו ה' מלאכיו מדבר בעליונים הוי ליה לכתוב ברכו ה' כל מלאכיו: **אלא בתחתונים.** שנקראו מלאכים ושלוחים של הקדוש ברוך הוא שאלחם לעולם הזה לעשות רצונו: **על ידי שאינן יכולין לעמוד כו'.** כלומר שקשה להם לעמוד בתפקידיו מפני אחור שבטיסה וכאילו אינם יכולים, ולכן החטא מצוי בהם, לכך לא נאמר כל מלאכיו משום דאין ה' חפץ בקילוסו של רשע כדלקמן (טז, ד): **דבר אחר נקראו הנביאים מלאכים.** כי המה לובשים מלאכות בעת התנבאם, כי בעת ההיא המה מתבודדים מחומרם כאילו הם בדמות מלאכים, שהם בעלי נפש לבד. וגם לדרש זה ניחא דלא כתיב כל מלאכיו, דגם בנביאים יש חוטאים, כנביא דבית אל שעבר על נבואתו, וחנניא בן עזור שהיה מתחילה נביא אמת כמו שאמרו חכמינו ז"ל (סנהדרין צ, א) (יפה תואר): **וכי מלאך היה.** דבשלמא אי הוה נביא היינו ויעל מן הגלגל אל הבוכים שנאמרת לו הנבואה בגלגל ובא אל הבוכים להגידה לעם שהיה שם כמו שאמרו המפרשים, אבל אי הוה מלאך מאי טעמא בואו מן הגלגל, ועוד שהמלאך לא ידבר עם עם רב, אלא פנחס היה כדאיתא בסדר עולם (עיין פרק כ) שהוא היה המדבר ברוח הקודש בימים ההם:

פירוש מהרז"ו

(א) **רבי תנחום בר חנילאי.** דבריו מובא פה דרך אגב בשביל הדרש שדרש לקמן בנוהג שבעולם, השייך לפרשת ויקרא, וכן הוא בתנחומא, ועיין מדרש תהלים (מזמור קג): **פתח.** פירוש של תיבת פתח שבכל המדרש כתבתי בריש בראשית. והרי זה נדרש על פי מדה כ', אם אינו ענין לעליונים תנהו ענין לתחתונים, הם הצדיקים שהם מלאכיו גבורי כח שמתגברים על יצרם לעשות דברו ולשמוע וכו': **ולא כל מלאכיו.** אלא הנבחרים של המלאכים, הם הצדיקים היותר שלמים, על דרך הכתוב (מלאכי ב, ז) ותורה יבקשו מפיהו כי מלאך ה' צבאות הוא, פירוש דומה למלאך ה' בקדושתו ובתשוקתו לבוראו ולציוויו, דלא נוכל לפרש וישלח מלאך כמשמעו, דהלא ידענו כי משה הוציאם, על כן דורש ומכריע על פי מדה כ', אם אינו ענין למלאך תנהו ענין למשה, כמו שכתוב אצל פנחס וחגי הנביא. ועיין לקמן (טו, ה) לפני המלאך, זה משה: **והלא פנחס היה.** פירוש דאי כפשוטו מה ענין המלאך אל גלגל, והלא מקומו בשמים, אך בגלגל היה מקום אוהל מועד, ושם היה מקום פנחס הכהן הגדול והנביא, וכמו שכתוב (שופטים כ, יח) וישאלו בני ישראל בה', ושם ארון ברית האלהים וכו', ופנחס בן אלעזר עומד לפניו, ומעשה זה של עליית מלאך ה', הוא בשופטים ב' אחר מיתת אלעזר שמבואר בסוף יהושע (כד, לג), שאז היה פנחס הכהן גדול והנביא, וכמו שכתוב בדברי הימים (א, ט, כ) ופנחס בן אלעזר נגיד היה עליהם לפנים ה' עמו. ומה שכתב בוערות כלפידים, עיין לקמן (יט, א. ל, ב) מראיהם כלפידים, עיין מה שכתבתי שם. (ורש"י על פסוק ויעל מלאך ה', הביא דרשה זו בשם סדר עולם, כמו שכתוב בסדר עולם (פרק כ) שמה שכתב בשופטים [פרק] ו' ופסוק ח' וישלח איש נביא אל בני ישראל, זה היה פנחס, והיינו על כרחך ממה שכתוב בדברי הימים פסוק שהעתקתי לעיל, לפנים ה' עמו, והרואה יראה שלשון שני הנבואות דומים זה לזה, ובשני הנבואות כתוב ולא שמעתם בקולי, ושם פסוק י"א כתוב, ויבא מלאך ה', היינו גם כן הנביא פנחס הנ"ל, הרי שנקרא נביא ומלאך, ומה שכתב שם פסוק י"ב, וירא אליו מלאך ה', בהכרח הכוונה מלאך ממש, ולמוד מסופו. והולך לשיטתו בפרק י"ב שפלגש בגבעה, שכתוב שם שפנחס היה עומד לפני הארון, היה בימי כושן רשעתים שהיה מיד אחר יהושע ואלעזר, ואז היה פנחס כהן גדול ונביא. ויתכן שמה שכתוב (שופטים ב, א) ויעל מלאך ה' מן הגלגל אל הבוכים, פירוש שעליתו והשגתו ברוח הקדש שהיה ה' עמו, היה בגלגל כשהיה אוהל מועד שם, ובוכים היינו שילה כמו שמבואר (זבחים קיח, ב) שנקראת תאנת שילה מלשון תאניה ואניה (ישעיה כט, ב), וכאן דורשין גם על בוכים על שבכו שם, וכתוב שם ויזבחו שם לה' היינו בשילה ודוק). ועיין עוד במדרש רבה (י, ה) שהוא שייך כאן:

חידושי הרד"ל

[א] **נקראו הנביאים מלאכים.** עיין בראשית רבה פרשה סח (יב) ובמדבר רבה פרשה טז (א): **פנחס בשעה שהיה רוח הקדש בו'.** לקמן סוף פרשה כא (יב):

אמרי יושר

[א] **ויקרא אל משה.** הפסוק בא מדרש סוף פרשת נשא (במדבר יד, כא) ריש פרשה טז:

מסורת המדרש

א. ילקוט נ"ך תתס"ה: ב. תנחומא ס' שלח. וסוף מסכת ד"א: ג. ילקוט תשס"ד:

אם למקרא

בָּרְכוּ ה' מַלְאָכָיו גִּבֹּרֵי כֹחַ עֹשֵׂי דְבָרוֹ לִשְׁמֹעַ בְּקוֹל דְּבָרוֹ: בָּרְכוּ ה' כָּל־צְבָאָיו מְשָׁרְתָיו עֹשֵׂי רְצוֹנוֹ: (תהלים קג:כ-כא)

וַנִּצְעַק אֶל ה' וַיִּשְׁמַע קֹלֵנוּ וַיִּשְׁלַח מַלְאָךְ וַיֹּצִאֵנוּ מִמִּצְרָיִם וְהִנֵּה אֲנַחְנוּ בְקָדֵשׁ עִיר קְצֵה גְבוּלֶךָ: (במדבר כ:טז)

וַיַּעַל מַלְאַךְ ה' מִן הַגִּלְגָּל אֶל הַבֹּכִים וַיֹּאמֶר אַעֲלֶה אֶתְכֶם מִמִּצְרַיִם וָאָבִיא אֶתְכֶם אֶל הָאָרֶץ אֲשֶׁר נִשְׁבַּעְתִּי לַאֲבֹתֵיכֶם וָאֹמַר לֹא אָפֵר בְּרִיתִי אִתְּכֶם לְעוֹלָם: (שופטים ב:א)

ידי משה

[א] **וכי מלאך ה' היה וכו' ולמה קורא אותו מלאך.** קשה למה כפל הדברים. ויש לומר דהכי קאמר, **למה קורא** פירוש, שלא תאמר דילמא משה היה לו מעלה יתירה, לזה אמר האיך קרא משה לעצמו מלאך, ומשה היה עניו מאוד, לזה אמר **מכאן שהנביאים נקראו מלאכים,** פירוש הואיל וכל הנביאים נקראים כך, אין בזה מעלה יתירה למשה, והיה מותר לומר כן על עצמו, מה שאין כן אם משה לבד היה לו מעלה זו, היאך היה אומר על עצמו כן. ודוק:

מתנות כהונה

[א] **הא אינו מדבר אלא בתחתונים.** שנקראו מלאכים ושלוחים של הקב"ה, ששולחם לעולם הזה לעשות רצונו:

אשד הנחלים

[א] **ר' תנחום בר חנילאי פתח.** להלן מסיים הדרוש השייך לזה הפסוק על פרשת ויקרא: **אם בעליונים כו'.** אף שפשוטו יתכן שצבאיו המה עולם הגלגלים, שהם צבא השמים, ומלאכיו המה עולם המלאכים, עם כל זה הוקשה לו על מלת כל, הנאמר בצבאיו מה שלא נאמר במלאכיו, כי באמת הלא כל המלאכים המה נקיי חומר, ולא יעדר אחד מכם, והמה נעלים יותר מצבאות הגלגלים, ולכן מוכרח לומר שמוסב על התחתונים, שהמה בעלי בחירה ולא ידמה אדם לאדם, ויש מי שהשלים נפשו לעשות צווי ה' הוא נקרא מלאך ה', ועושה שליחותו יתברך, אבל לא כולם בכלל, אבל צבאות השמים המה כולם שוים וכולם עושים רצונו יתברך כטבעם המוטבע בהם, ולכן נאמר בהם מלת כל. ומה שאומר והלא כבר נאמר, אף שכתוב זה בסוף, באורו והלא כבר נאמר בצבאות מלת כל, ומכל שכן על המלאכים: **הנביאים.** כי המה לובשים מַלְאָכוּת בעת התנבאם, כי המה בעת ההיא מתבודדים מחומרם, כאלו הם בדמות מלאכים שהם בעלי נפש לבד: **ודכוותיה ויעל.** משום דמשה שהיה גדול בנביאים שאין כמוהו, אולי הוא לבדו מכונה בשם זה, לכן יביא ראיה מפנחס גם כן: **פניו בוערות.** לא אמר הטעם גם כן אצל משה, מפני שאצלו הוא כפשוטו, שהנביא בבחינתו נקרא מלאך, שהוא לבוש מַלְאָכוּת, אבל בפנחס לא מצאנו שהיה כי אם בעל רוח הקודש, ולזה מפרש שמעלתו היה שפניו בוערים ועל שם זה נתכנה כך (יפה תואר). ואולי הכוונה להיפך גם כן, מפני שלא מצאנו הנביאים שמכונים בשם מלאכים כי אם משה ופנחס לבד, אבל לא כל הנביאים, והכוונה כי באמת המלאכים המם נקיי חומר לגמרי, ולא כן הנביאים, אף שהם מופשטים מחומרם, עם כל זה פועל בהם ענייני פעולות החומר גם כן, ורק במשה שמצאנו בו קרון עור פניו, שנשתנה גם גופו לספירי מאור נפשו המבהיק בו, וכמו שאמרו ביומא (ד, ב) לא בא הכתוב אלא למרק כו' ולעשותו כמלאכי השרת. וכן פנחס ככה היו

The Midrash cites another view regarding the source of the teaching that prophets had the appearance of angels:

וְרַבָּנָן אָמְרִי — But the Rabbis say that this may be learned from a different source. **אִשְׁתּוֹ שֶׁל מָנוֹחַ מֶה הָיְתָה אוֹמֶרֶת לוֹ — What did Manoah's wife say to him** when the angel of God appeared to her?[13] **"אִישׁ הָאֱלֹהִים בָּא אֵלַי וּמַרְאֵהוּ כְּמַרְאֵה מַלְאַךְ הָאֱלֹהִים" — *A man of God came to me and his appearance was like the appearance of an angel of God*** (*Judges* 13:6). **כִּסְבוּרָה בּוֹ שֶׁהוּא נָבִיא — She** evidently **thought that he was a prophet,**[14] **וְאֵינוֹ אֶלָּא מַלְאָךְ —** while in truth **he was not** a prophet, **but an angel.**[15]

The Midrash cites an explanation for why prophets are called *malachim*:[16]

אָמַר רַבִּי יוֹחָנָן: מִבֵּית אָב שֶׁלָּהֶן נִקְרְאוּ הַנְּבִיאִים מַלְאָכִים — R' Yochanan said: Prophets are called *malachim* based on their main task.[17] **הֲדָא הוּא דִכְתִיב "וַיֹּאמֶר חַגַּי מַלְאַךְ ה' בְּמַלְאֲכוּת ה'" — Thus it is written, *And Haggai, the "malach" of HASHEM in the agency* [מַלְאֲכוּת] *of HASHEM, spoke to the people, saying, etc.*** (*Haggai* 1:13).[18] **הָא עַל כָּרְחָךְ אַתָּה לָמֵד — Thus you are compelled** by this verse **to learn שֶׁמִּבֵּית אָב שֶׁלָּהֶן נִקְרְאוּ הַנְּבִיאִים מַלְאָכִים — that because** it is **their main task** to be God's agents, **the prophets are called *malachim.***

The Midrash continues its exposition of the *Psalms* verse cited above:

"גִּבּוֹרֵי כֹחַ עֹשֵׂי דְבָרוֹ" — *The mighty warriors* [גִּבּוֹרֵי כֹחַ] *who do His bidding.* **בְּמָה הַכָּתוּב מְדַבֵּר —** Regarding **what** people **is Scripture speaking?**[19] **אָמַר רַבִּי יִצְחָק: בְּשׁוֹמְרֵי שְׁבִיעִית הַכָּתוּב מְדַבֵּר — R' Yitzchak said: Scripture is speaking of those** people **who observe the laws of *sheviis.***[20] **בְּנוֹהַג שֶׁבָּעוֹלָם אָדָם עוֹשֶׂה מִצְוָה — It is the way of the world** that when **a person performs a mitzvah,**[21] **לְיוֹם אֶחָד לְשַׁבָּת אַחַת לְחוֹדֶשׁ אֶחָד —** he finds no difficulty in doing so **for one day** or **for a week** or **for a month; שֶׁמָּא לִשְׁאָר יְמוֹת הַשָּׁנָה —** but **could** he do so **for an entire year?**[22] **וְדֵין — But this one** who observes the laws of *sheviis*, **חָמֵי חַקְלֵיהּ בַּיְירָא — he sees his field lying fallow, כַּרְמֵיהּ בַּיְירָא —** and he sees **his vineyard lying fallow, וְיָהֵבֵי אַרְנוֹנָא וְשָׁתֵיק — yet he pays** the royal produce **tax**[23] **and remains silent.**[24] **יֵשׁ לָךְ גִּבּוֹר גָּדוֹל מִזֶּה — Is there a mightier man than he?**[25] **וְאִם תֹּאמַר: אֵינוֹ מְדַבֵּר בְּשׁוֹמְרֵי שְׁבִיעִית — And if you should say:** This verse **is not speaking of those who observe** the mitzvah of ***sheviis*** but of those who observe a different mitzvah, **נֶאֱמַר כָּאן "עֹשֵׂי דְבָרוֹ" —** this is incorrect, for **it is stated here, *they do His bidding*** [דְּבָרוֹ], **וְנֶאֱמַר לְהַלָּן "וְזֶה דְּבַר הַשְּׁמִטָּה" — and it is stated elsewhere, *This is the matter of* [דְּבַר] *the remission*** [of loans at the end of the *shemittah* year] (*Deuteronomy* 15:2).[26] **מָה "דָּבָר" שֶׁנֶּאֱמַר לְהַלָּן בְּשׁוֹמְרֵי שְׁבִיעִית הַכָּתוּב מְדַבֵּר — Just as the word *davar* [דָּבָר] that is stated elsewhere is referring to those who observe** the laws of ***sheviis,*** **אַף "דָּבָר" הָאָמוּר כָּאן בְּשׁוֹמְרֵי שְׁבִיעִית הַכָּתוּב מְדַבֵּר — so too** the word ***davar*** [דָּבָר] **that is stated here is referring to those who observe** the laws of ***sheviis,*** and not to one who performs a different mitzvah.

The Midrash cites another view regarding the identity of *the mighty warriors who do His bidding*:

"עֹשֵׂי דְבָרוֹ" — *The mighty warriors* who do His bidding *to obey the voice of His word.* **רַבִּי הוּנָא בְּשֵׁם רַבִּי אַחָא אָמַר — R' Huna said in the name of R' Acha: בְּיִשְׂרָאֵל שֶׁעָמְדוּ לִפְנֵי הַר סִינַי הַכָּתוּב מְדַבֵּר, שֶׁהִקְדִּימוּ עֲשִׂיָּה לִשְׁמִיעָה — Scripture is speaking of Israel who,** when they **stood before Mount Sinai, placed "doing" before "hearing" וְאָמְרוּ "כֹּל אֲשֶׁר דִּבֶּר ה' נַעֲשֶׂה וְנִשְׁמָע" — and said, *"Everything that HASHEM has spoken, we will do and we will hear"*** (*Exodus* 24:7).[27]

NOTES

13. An angel of God appeared to Manoah's wife to inform her that she would conceive and give birth to a son who would save Israel from the hands of the Philistines. See *Judges* 13:1-5.

14. I.e., a human being and not an angel, for she and her husband offered him a kid-goat to eat; see ibid., verses 15 and 19 (see *Eitz Yosef*).

15. Despite the fact that Manoah's wife considered her guest's appearance to be *like the appearance of an angel of God*, she still believed him to be *a man of God*, i.e., a (human) prophet and not an angel. This tells us that the prophets of the time were known to look like angels (*Eshed HaNechalim, Beur Maharif*; see also *Eitz Yosef*).

16. *Radal*; see also *Maharzu*. (See, however, other commentators for various explanations of this enigmatic segment.)

17. Which is to serve as God's agents in delivering His message to the people (ibid.). [The word *malachim* is thus taken to mean "agents." See next note.]

18. In this verse we see that the prophet Haggai is called a *malach* because he is engaged in מַלְאֲכוּת ה', *the agency of HASHEM*. Now an angel is called *malach* because angels are God's agents or messengers; see above, note 3. (This is possibly also related to the word מְלָאכָה, *work*, for an angel does the work assigned it by God.) A prophet is thus called *malach* as well, for the prophet is God's agent to deliver His message to the people (*Imrei Yosher*).

19. If this verse were speaking of angels, the Midrash would not wonder about their being referred to as *mighty warriors*. It is because the Midrash above explained that the verse is speaking of "earthly" *malachim*, i.e., human beings, that it now asks why they should be referred to that way. What great might is required to *do His bidding*? (*Eitz Yosef*).

Alternatively, the Midrash is to be translated: Regarding what mitzvah is Scripture speaking? (*Maharzu*).

20. The term *sheviis* (lit., the seventh) refers to the *shemittah* (Sabbatical) year. During the *shemittah* year one is forbidden to work the land. See *Leviticus* 25:1-7. Those who observe *shemittah* are called *mighty* because it requires great faith in God and strength of character to forgo working one's land for an entire year (*Eshed HaNechalim*).

21. *Eitz Yosef* writes that the Midrash is referring to the mitzvah of giving charity.

22. *Matnos Kehunah*. Alternatively, this line may be translated: "but he would surely find it difficult **if** he would need to do so **for an entire year"** (*Eitz Yosef*).

23. The *arnona* tax required farmers to remit to the king a fixed amount of produce per field each year (*Rashi* to *Sanhedrin* 26a). If the amount was not forthcoming, the king's collectors would confiscate the field (*Yad Ramah* ad loc.). Although he has no benefit from his fields during the *shemittah* year, the Jewish farmer nevertheless pays his taxes to the non-Jewish king ruling the land (*Eitz Yosef*).

24. I.e., he does not complain or criticize God but faithfully observes the mitzvah (ibid.).

25. A person who conquers his inclinations (even the inclination to complain) is called a גִּבּוֹר, *mighty*; see *Avos* 4:1, *Tamid* 32a (*Eitz Yosef* s.v. במה).

26. The Torah ordains that certain loans are canceled at the end of the *shemittah* year.

27. The *Psalms* verse, like the *Exodus* verse, states "doing" before "hearing": *the mighty warriors who "do" His bidding to "obey" (hear) the voice of His word* (*Matnos Kehunah*). The implication is thus that the *Psalms* verse is speaking of the Israelites. They are called *mighty* because of their ability to conquer their natural inclination to agree to obey only *after* they would hear what God would say; see note 25 (*Eitz Yosef*). See Insight Ⓐ.

INSIGHTS

Ⓐ **The Power of Commitment** It is in the power of a human being to overcome his inclination for a day or two. With great effort, he can manage to do so for a week, or even a month. But standing up to the powerful arguments of the *yetzer hara* for a full year is much more difficult.

Above in the Midrash, our Sages find in those who observe *shemittah* a strength of character attributed only to angels. The farmer sees his land lying fallow, and the yield of his toil rendered ownerless and available for the taking. For a full year, he must see all this and

וְרַבָּנָן אָמְרֵי: אִשְׁתּוֹ שֶׁל מָנוֹחַ מֶה הָיְתָה אוֹמֶרֶת לוֹ, (שופטים יג, ו) "אִישׁ הָאֱלֹהִים בָּא אֵלַי וּמַרְאֵהוּ כְּמַרְאֵה מַלְאַךְ הָאֱלֹהִים", כִּסְבוּרָה בּוֹ שֶׁהוּא נָבִיא, וְאֵינוֹ אֶלָּא מַלְאָךְ, אָמַר רַבִּי יוֹחָנָן: מִבֵּית אָב שֶׁלָּהֶן נִקְרְאוּ הַנְּבִיאִים מַלְאָכִים, הֲדָא הוּא דִכְתִיב (חגי א, יג) "וַיֹּאמֶר חַגַּי מַלְאַךְ ה' בְּמַלְאֲכוּת ה'", הָא עַל כָּרְחָךְ אַתָּה לָמֵד שֶׁמִּבֵּית אָב שֶׁלָּהֶן נִקְרְאוּ הַנְּבִיאִים מַלְאָכִים. (תהלים קג, כ) "גִּבֹּרֵי כֹחַ עֹשֵׂי דְבָרוֹ", בַּמֶּה הַכָּתוּב מְדַבֵּר, אָמַר רַבִּי יִצְחָק: בְּשׁוֹמְרֵי שְׁבִיעִית הַכָּתוּב מְדַבֵּר, בְּנוֹהַג שֶׁבָּעוֹלָם אָדָם עוֹשֶׂה מִצְוָה לְיוֹם אֶחָד לְשַׁבָּת אַחַת לְחוֹדֶשׁ אֶחָד, שֶׁמָּא לִשְׁאָר יְמוֹת הַשָּׁנָה, וְדֵין חָמֵי חַקְלֵיהּ בָּיְרָא כַּרְמֵיהּ בָּיְרָא °וְיָהֵבִי אַרְנוֹנָא וְשָׁתֵיק, יֵשׁ לְךָ גִּבּוֹר גָּדוֹל מִזֶּה, וְאִם תֹּאמַר: אֵינוֹ מְדַבֵּר בְּשׁוֹמְרֵי שְׁבִיעִית, נֶאֱמַר כָּאן "עֹשֵׂי דְבָרוֹ" וְנֶאֱמַר לְהַלָּן (דברים טו, ב) "וְזֶה דְּבַר הַשְּׁמִטָּה", מַה "דָּבָר" שֶׁנֶּאֱמַר לְהַלָּן בְּשׁוֹמְרֵי שְׁבִיעִית הַכָּתוּב מְדַבֵּר אַף "דָּבָר" הָאָמוּר כָּאן בְּשׁוֹמְרֵי שְׁבִיעִית הַכָּתוּב מְדַבֵּר. (תהלים קג, כ) "עֹשֵׂי דְבָרוֹ", רַבִּי הוּנָא בְּשֵׁם רַבִּי אַחָא אָמַר: בְּיִשְׂרָאֵל שֶׁעָמְדוּ לִפְנֵי הַר סִינַי הַכָּתוּב מְדַבֵּר, שֶׁהִקְדִּימוּ עֲשִׂיָּה לִשְׁמִיעָה וְאָמְרוּ (שמות כד, ז) "כֹּל אֲשֶׁר דִּבֶּר ה' נַעֲשֶׂה וְנִשְׁמָע". (תהלים קג, כ) "לִשְׁמֹעַ בְּקוֹל דְּבָרוֹ", אָמַר רַבִּי תַּנְחוּם בַּר חֲנִילָאי: בְּנוֹהַג שֶׁבָּעוֹלָם מַשּׂוֹי שֶׁקָּשֶׁה לְאֶחָד נוֹחַ לִשְׁנַיִם וְלִשְׁנַיִם נוֹחַ לְאַרְבַּע, אוֹ שֶׁמָּא מַשּׂוֹי שֶׁקָּשֶׁה לְס' רִבּוֹא נוֹחַ לְאֶחָד,

עץ יוסף

כסבורה בו שהוא נביא. אחר שעשתה לו גדי עזים והכינה מאכל לפניו, ועם כל זה אמרה ומראהו כמראה מלאך אלהים, מכלל שכל הנביאים היו אז כדמות מלאכים במראיהם, ולכן חשבה שהוא נביא ולא מלאך: **מבית אב שלהן נקראו הנביאים מלאכים.** רצונו לומר בנין אב של כל הדרשות האלו שהביאו כאן שנקראו הנביאים מלאכים, הוא נלמד מדכתיב ויאמר חגי מלאך ה' וגו', וזה הקרא הוא אבהון דכולא שממנו נלמד שכל הנביאים נקראים מלאכים, ולא הוצרך לומר טעם בפנחס למה הוא נקרא מלאך, ואף משה רבינו לא נקרא מלאך על שהיה גדול בנביאים שאין כמוהו, אלא נקרא מלאך על שם שכל נביא נקרא מלאך, כדכתיב ויאמר חגי מלאך ה'. וזה לשון המדרש במדרש בראשית רבה (סח, יב) והנה מלאכי אלהים אלו משה ואהרן, ומנין שהנביאים נקראו מלאכים שנאמר ויאמר חגי מלאך ה' במלאכות ה' עד כאן: **במה הכתוב מדבר.** דבשלמא אי במלאכים ממש מיירי ניחא, דהוו גבורי כח ודאי, אבל למאי דפירש קרא בהתחסים מאי גבורי כח, דמאי גבורה איכא בעשיית המצות, ומשני רבי יצחק דבשומרי שביעית יצדק גבורי כח, שכובש יצרו ושותק, וכדתנן (אבות ד, א) איזהו גבור הכובש את יצרו: **אדם עושה מצוה בו'.** פירוש מצות צדקה: **לשאר ימות השנה.** רצונו לומר אבל שנה תמימה שיהיה נותן צדקה ודאי יקשה בעיניו, וזה רואה לשדהו חרב כל השנה ופירותיו מופקרים לעניים, ונותן ארנונא היינו מס השדה ושותק. ורצונו לומר שאף זה ששדהו בלי זריעה שנה תמימה ומוכרח לפרוע מס למלכות אף על פי שאינו נהנה ממנה ושותק ואינו מהרהר אחר ה', אין לך גבורה גדולה מזה: **וזה דבר השמטה.** ואף על גב דהיא שמיטת כספים, הא מרבינן בפרק קמא דמועד קטן (ג, ב) מדכתיב השמיטה שמוט, דבשתי שמיטות הכתוב מדבר אחת שמיטת קרקע ואחת שמיטת כספים: **בישראל שעמדו לפני הר סיני הכתוב מדבר שהקדימו עשייה לשמיעה.** וטעם גבורי כח, יש לומר שהם כובשים יצרם בקבלם כל אשר דבר ה' קודם שישמעו: **אמר ר' תנחום בו'.** ר' תנחום מפרש קרא במשה. ואם תאמר מאי גבורי כח לשון רבים, כבר אמרו בתנחומא (סימן א) וכן בשמואל כתיב ויבא ה' ויתיצב ויקרא כפעם בפעם שמואל שמואל ויאמר דבר וגו', ולפי זה יאמר גבורי כח על משה ושמואל שכחו גדול גם כן שקראו ה' והיה יכול לשמוע הדבור:

פירוש מהרז"ו

בית אב. הוא מלשון הגמרא (שבת כב א) אבוהון דכולהון דם, וכן בשיר רבה על פסוק ישקני זה אומר בית אב של הלכה וכו', ופירוש הדברים הוא כמו שפירש הרד"ל: **גבורי בח עושי דברו.** דברו משמע דבר אחד שצריך להיות גבור כח לקיימו, ועל זה שאל על איזה דבר כיון, ותירץ שפירש על פי מדה ז' מל"ג, שמדבר בשביעית שנקראת דבר, ולקיומו צריך להיות גבור כח, ורבי הונא בשם רבי אחא בא להוסיף על דברי רבי יצחק ממה שכתב עוד לשמוע בקול דברו, שהיה לו לומר בהיפך שומעי דברו לעשות דברו, על כן דורש על ישראל בהר סיני שהקדימו עשיה לשמיעה. ובתנחומא כאן (סימן א) מקדים דברי רבי אחא לדברי רבי יצחק:

חידושי הרד"ל

מבית אב שלהן. פירוש על שם עיקר ענינם, שהוא שליחות לדבר בשם ה', נקראו מלאכים. כלומר שלוחי ה', (ואשר בשרי הרב מוהר"ר מאיר ברלין ממאהליב, הגיה בית אב שלהן שנקראו הנביאים מלאכים, הדא הוא דכתיב כו'. ופירושו בנין אב של כל הדרשות האלו שהביאו כאן הנה, מקרא זה אבוהן דכולא):

ביירה ויהבי ארנונא. (בסנהדרין כו, א) אמרינן שמותר לזרוע בשביעית משום ארנונא, (ובירושלמי [סנהדרין פ"ג ה"ב] משמע חרישה מועטת. ועיין שם בתוספות ד"ה מפרדין ובערוך ערך ארנא הביא הגירסא, ארנונא, עיין שם פירושו): **לשמוע בקול דברו. אמר רבי תנחום בר חנילאי זה משה בנוהג כו'.** כן צריך לומר. ודרש לשמוע בקול דברו, קאי גם כן על גבורי כח דרישא, זה משה שהיה בכחו לשמוע כל הדבור, וכן דרש על זה להלן, שויתי עזר על גבור (הר"מ ברלין):

חידושי הרש"ש

[א] **ודין חמי חקליא ביירא כו'.** בתנחומא (סימן א) איתא רואה שדהו מופקרת, ואילנותיו מופקרים, והסייגים מפורצים, ורואה פירותיו נאכלים, וכובש את יצרו ואינו מדבר:

באור מהרי"פ

[א] **כסבורה בו שהוא נביא וכו'.** מדסברה על המלאך שהוא נביא, וקאמרה מראהו כמראה מלאך אלהים, שמע מיניה נביא הוא כמלאך: **לשמוע בקול דברו אמר רבי תנחום וכו'.** עכשיו דורש גבורי כח וגו' לשמוע בקול דברו, על משה, ומה שאמר בלשון רבים, עיין יפה תואר:

אם למקרא

וַתָּבֹא הָאִשָּׁה וַתֹּאמֶר לְאִישָׁהּ לֵאמֹר אִישׁ הָאֱלֹהִים בָּא אֵלַי וּמַרְאֵהוּ כְּמַרְאֵה מַלְאַךְ הָאֱלֹהִים נוֹרָא מְאֹד וְלֹא שְׁאִלְתִּיהוּ אֵי מִזֶּה הוּא וְאֶת שְׁמוֹ לֹא הִגִּיד לִי: (שופטים יג:ו)

וַיֹּאמֶר חַגַּי מַלְאַךְ ה' בְּמַלְאֲכוּת ה' לָעָם לֵאמֹר אֲנִי אִתְּכֶם נְאֻם ה': (חגי א:יג)

וְזֶה דְּבַר הַשְּׁמִטָּה שָׁמוֹט כָּל בַּעַל מַשֵּׁה יָדוֹ אֲשֶׁר יַשֶּׁה בְּרֵעֵהוּ לֹא יִגֹּשׂ אֶת רֵעֵהוּ וְאֶת אָחִיו כִּי קָרָא שְׁמִטָּה לַה': (דברים טו:ב)

וַיִּקַּח סֵפֶר הַבְּרִית וַיִּקְרָא בְּאָזְנֵי הָעָם וַיֹּאמְרוּ כֹּל אֲשֶׁר דִּבֶּר ה' נַעֲשֶׂה וְנִשְׁמָע: (שמות כד:ז)

ידי משה

מבית אב שלהם וכו'. פירוש שם מלאך להנביא אינו שם תואר אלא שמו ממש כך, כמו שם של אביו:

אמרי יושר

מבית אב שלהן נקראו הנביאים מלאכים. שהוא מלשון שליחות, או עושי מלאכת ה', אם כן היטב יצדק בנביאים כמו במלאכים. אי נמי לקחו סדר מלמעלה למטה, כמו ברכו ה' מלאכיו, הצדיקים בעלי בחירה שהם למעלה מהמלאכים, צבאיו משרתיו, כנגד מלאכים וגלגלים, כל מעשיו עולם השפל:

מתנות כהונה

במלאכות. משמע שהמלאכיות היו לו מקדם מבית אב שלו: **גבורי כח.** משמע עושי דברו של הקב"ה בכח וגבורה, שמגביר יצר טוב על יצר הרע: **שמא לשאר ימות השנה.** כלומר השנה כולו בתמיה: **ודין כו'.** זה השומר שביעית: **חמי חקליה ביירה.** רואה שדהו בור וריק בלי חרישה וזריעה: **ארנונא.** מס מן השדות, כך וכך כורין למלך מן השדה, כן פירש"י בפרק זה בורר (סנהדרין כו, א ד"ה ארנונא): **אלו ישראל כו'.** וכן כאן כתיב ברישא עושי, והדר לשמוע: **או שמא וכו'.** אבל שמא בתמיה:

אשד הנחלים

פניו בוערות, ולכן הוא מכונה גם כן בשם זה. ואולי הוא כפי הדעת שפנחס זה אליהו, שראינו בו שנתמרק ככה, עד שעלה בסערה השמים. כן נראה לי אחר הבחינה היטב: **כסבורה בו כו'.** אחר שעשתה לו גדי עזים והכינה מאכל לפניו, ועם כל זה אמרה, ומראהו כמראה מלאך אלהים, מכלל שכל הנביאים המה אז כדמות מלאכים במראיהם, ולכן חשבה שהוא נביא ולא מלאך: **מבית אב שלהן.** לפי באורי הכוונה שבאמת רק משה ופנחס הם היו נקראו מלאכים, מפני שהיו פניהם בוערות, ורק שאחר כך נתכנו כל הנביאים ככה שהם על כל פנים מסוגם, וזהו מבית אב שלהם, ולכן גם חגי ואף שלא היה כל כך מסוגם, נקרא גם כן כך. עיין יפה תואר והרד"ל: **בשומרי שביעית.** דרש סוף הפסוק על כלל הכנסיה, ולא על הנביאים לבד, לפי שבעשיה כל הקהל חוקה אחת היא, לנביא ולשאינו נביא, ופה הכתוב משבחן שהם גבורי כח עושי דברו, ולכן מפרש על כלל הכנסיה שהמה חזקים באמונתם ובבטחונם לה', ולכן עושים דברו לקיים מצותיו, ואחזו במצות שמיטה לפי שצריכה תגבורת ואמונת הלב חזקה להניח שדיהו וכרמו בורה לא יזמר ולא יעדר, וכל זה מבטחונו הגדול בה': **ואם תאמר אינו מדבר כו' וזה דבר כו'.** הענין כי יש מצות הנאמרות באמירה ויש בדיבור ויש בצווי, והכלל מסור בידינו שבאמירה הם רכות ובדיבור קשות, ולכן כתיב בשמיטה לשון דיבור, מפני שהוא דבר גדול וכבד מאוד, ולכן אמר הדורש על דברי עצמו, אל תתמה מה שאני אוחז הדרש דוקא על שומרי שביעית, הוא מפני שמצאנו בו לשון דיבור, להורות על קשיותה וגודל ענינה, ולכן אני דורש לכם משם זה, שעל שם זה מכנה הכתוב בשם גבור כח: **הקדימו עשיה לשמיעה.** הענין בכלל בארתי במקום אחר, שזהו מעלה נפלאה לדעת ולהבין, שהעשיה קודם לשמיעה, ואיך דוקא על ידי מצות מעשיות במה שפועל באיברי הגוף, יכון שלימותו בצירוף השמיעה שזהו הכוונה הטובה. וזהו מאמרם מי גילה לבני רז זה שמלאכי השרת משתמשים בו, כי גם המלאכים המה פועלים פעולה מעשית שהם מיני הגלגלים (לפ"ד המחקרים), ועל ידי מעשיהם המה שומעים קול דברו, רצה לומר משיגים כבודו, וזהו שדרשו פה על הכנסיה גם כן בתחילה עושי והדר לשמוע. ואין להאריך פה: **משא שקשה לששים רבוא כו' ומשה כו'.** לכאורה אינו דומה המשל, שָׁמָּה היה קשה לשמוע לכל אחד ואחד ביחוד, ואם כן איך מביא משל למשוי שקשה לששים רבוא ביחד. והנראה לי בזה לפי שהשגות הנבואיות אינן דומות אשה לאחותה, וכל אחד מקבל רק לפי כחו, ואין אחד דומה לחבירו בכחו, על כן אינו דומה בהשגות. ולכן אמרו בחזית (שיר השירים רבה ד, ד) שירדו ששים רבוא מלאכי השרת

The Midrash now expounds the concluding phrase of the *Psalms* verse as related to our verse here in *Leviticus*:

"לִשְׁמֹעַ בְּקוֹל דְּבָרוֹ" — ***To obey (hear) the voice of His word.*** אָמַר רַבִּי תַּנְחוּם בַּר חֲנִילָאי — **R' Tanchum bar Chanilai said:** בְּנוֹהַג שֶׁבָּעוֹלָם מַשּׂוֹי שֶׁקָּשֶׁה לְאֶחָד נוֹחַ לִשְׁנַיִם — **It is the way of the world** that **a burden that is difficult for one** person to bear alone **is easy for two** people to bear, וְלִשְׁנַיִם נוֹחַ לְאַרְבַּע — **and** one that is difficult **for two** people to bear **is easy for four** people to bear. אוֹ שֶׁמָּא מַשּׂוֹי שֶׁקָּשֶׁה לְס׳ רִבּוֹא נוֹחַ לְאֶחָד — **But is it possible that a burden that is difficult for sixty myriads** of people to bear **should be easy for one** person to bear alone?

INSIGHTS

remain silent. This seems beyond human endurance.

Man's strength and resolve tend to weaken over time. But, the Midrash tells us, those who observe *sheviis* are *like angels, mighty warriors who do His bidding*. It is a power that is beyond mortal, a feat for which man must rise to the height of angels.

What is the nature of this power? What empowers the obedience of angels as well as the compliance of the farmer who observes *shemittah*?

Our Midrash tells us that *the mighty warriors who do His bidding* is also a reference to the Jewish people who declared *naaseh* before *nishma* – "we will do" before "we will hear." And the Gemara in *Shabbos* (88a) states that when the Jewish nation said "we will do" before "we will hear," a Heavenly voice came out and declared, *Who revealed to My children this secret that the ministering angels use?* We see, then, that the secret power of this obedience is the ability to put *naaseh* before *nishma*. It is the secret of the angels and the calling of the Jewish nation.

Man is naturally wary of accepting a task before he knows what it entails. How will it affect him? Will he be able to succeed? One who is ready to accept the word of God, however, casts such considerations aside. He embodies the essence of *bitachon*, of faith and trust in God. He commits to do the will of God, whatever it may be. He is like an angel — nothing more than an agent of his Master, completely at His service and secure in whatever He may decree. This goes beyond an intellectual recognition of God's Providence. It involves relating to that Providence as a vivid reality.

The evil inclination pales before the intensity of such commitment. What will we eat in the seventh year? What will become of our livelihood, of all our labor and toil? Ours is not to reason why. Ours is but to do and live — by whatever His will may be.

Shemittah demands that a person achieve this level — not for a week or month, but for an entire year. It demands not only that one achieve this level of commitment, but that he maintain it.

Indeed, it is among the main purposes of the *shemittah* commandment to inculcate such faith in God in every Jew (see *Chinuch*, §84). Once in seven years, every Jew is required to live an entire year without any material or natural assurance. He must place his trust in God alone and use that year to absorb into the fiber of his being the lessons of trust in God. The fire of that trust and resolve can and should remain with him for the next six years. This is the hallmark of a Jew – complete, unwavering faith in God's providence, and the willingness to do God's bidding without question and without concern for the future. This is the stuff of angels on high and of angels that walk the earth (based on R' *Chaim Shmulevitz, Sichos Mussar* §69, pp. 299-300).

כסבורה בו שהוא נביא. אחר שעשתה לו גדי עזים והכינה מאכל לפניו, ועם כל זה אמרה ומראהו כמראה מלאך אלהים, מכלל שכל הנביאים היו אז כדמות מלאכים במראיהם, ולכן חשבה שהוא נביא ולא מלאך: **מבית אב שלהן נקראו הנביאים מלאכים.** רצונו לומר בנין אב של כל הדרשות האלו שהביאו כאן שנקראו הנביאים מלאכים, הוא נלמד מדכתיב ויאמר חגי מלאך ה' וגו', וזה הקרא הוא אבהון דכולא שממנו נלמד שכל הנביאים נקראים מלאכים, ולא הוצרך לומר טעם בפנחס למה הוא נקרא מלאך, ואף משה רבינו לא נקרא מלאך על שהיה גדול בנביאים שאין כמוהו, אלא נקרא מלאך על שם שכל נביא נקרא מלאך, כדכתיב ויאמר חגי מלאך ה'. וזה לשון המדרש במדרש בראשית רבה (סח, יב) והנה מלאכי אלהים אלו משה ואהרן, ומנין שהנביאים נקראו מלאכים שנאמר ויאמר חגי מלאך ה' במלאכות ה' עד כאן: **במה הכתוב מדבר.** דבשלמא אי במלאכים ממש מיירי ניחא, דהוו גבורי כח ודאי, אבל למאי דפירש קרא בתחתונים מאי גבורי כח, דמאי גבורה איכא בעשיית המצות, ומשני רבי יצחק דבשומרי שביעית יצדק גבורי כח, שכובש יצרו ושותק, וכדתנן (אבות ד, א) איזהו גבור הכובש את יצרו: **אדם עושה מצוה כו'.** פירוש מצות צדקה: **לשאר ימות השנה.** רצונו לומר אבל שנה תמימה שיהיה נותן צדקה ודאי יקשה בעיניו, וזה רואה לשדהו חרב כל השנה ופירותיו מופקרים לעניים, ונותן ארנונא היינו מס השדה ושותק. ורצונו לומר שלא זה ששדהו בלי זריעה שנה תמימה ומוכרח לפרוע מס למלכות אף על פי שאינו נהנה ממנה ושותק ואינו מהרהר אחר ה', אין לך גבורה גדולה מזה: **וזה דבר השמטה.** ואף על גב דהיא שמיטת כספים, הא מרבינן בפרק קמא דמועד קטן (ג, ב) מדכתיב השמיטה שמוט, דבשתי שמיטות הכתוב מדבר אחת שמיטת קרקע ואחת שמיטת כספים: **בישראל שעמדו לפני הר סיני הכתוב מדבר שהקדימו עשייה לשמיעה.** וטעם גבורי כח, יש לומר שהם כובשים יצרם בקבלם כל אשר דבר ה' קודם ששמעו: **אמר ר' תנחום כו'.** ר' תנחום מפרש קרא במשה. ואם תאמר מאי גבורי כח לשון רבים, כבר אמרו בתנחומא (סימן א) וכן בשמואל כתיב ויבא ה' ויתיצב ויקרא כפעם בפעם שמואל שמואל ויאמר דבר וגו', ולפי זה יאמר גבורי כח על משה ושמואל שכחו גדול גם כן שקראו ה' והיה יכול לשמוע הדבור:

וְרַבָּנָן אָמְרֵי: אִשְׁתּוֹ שֶׁל מָנוֹחַ מֶה הָיְתָה אוֹמֶרֶת לוֹ, (שופטים יג, ו) "אִישׁ הָאֱלֹהִים בָּא אֵלַי וּמַרְאֵהוּ כְּמַרְאֵה מַלְאַךְ הָאֱלֹהִים", כִּסְבוּרָה בּוֹ שֶׁהוּא נָבִיא, וְאֵינוֹ אֶלָּא מַלְאָךְ, אָמַר רַבִּי יוֹחָנָן: מִבֵּית אָב שֶׁלָּהֶן נִקְרְאוּ הַנְּבִיאִים מַלְאָכִים, הֲדָא הוּא דִכְתִיב (חגי א, יג) "וַיֹּאמֶר חַגַּי מַלְאַךְ ה' בְּמַלְאֲכוּת ה'", הָא עַל כָּרְחָךְ אַתָּה לָמֵד שֶׁמִּבֵּית אָב שֶׁלָּהֶן נִקְרְאוּ הַנְּבִיאִים מַלְאָכִים. (תהלים קג, כ) "גִּבֹּרֵי כֹחַ עֹשֵׂי דְבָרוֹ", בְּמָה הַכָּתוּב מְדַבֵּר, אָמַר רַבִּי יִצְחָק: בְּשׁוֹמְרֵי שְׁבִיעִית הַכָּתוּב מְדַבֵּר, בְּנוֹהַג שֶׁבָּעוֹלָם אָדָם עוֹשֶׂה מִצְוָה לְיוֹם אֶחָד לְשַׁבָּת אַחַת לְחוֹדֶשׁ אֶחָד, שֶׁמָּא לִשְׁאָר יְמוֹת הַשָּׁנָה, וְדֵין חָמֵי חַקְלֵיהּ בָּיְירָא כַּרְמֵיהּ בָּיְירָא °וְיָהֵבִי אַרְנוֹנָא וְשָׁתֵיק, יֵשׁ לְךָ גִּבּוֹר גָּדוֹל מִזֶּה, וְאִם תֹּאמַר: אֵינוֹ מְדַבֵּר בְּשׁוֹמְרֵי שְׁבִיעִית, נֶאֱמַר כָּאן "עֹשֵׂי דְבָרוֹ" וְנֶאֱמַר לְהַלָּן (דברים טו, ב) "וְזֶה דְּבַר הַשְּׁמִטָּה", מַה "דָּבָר" שֶׁנֶּאֱמַר לְהַלָּן בְּשׁוֹמְרֵי שְׁבִיעִית הַכָּתוּב מְדַבֵּר אַף "דָּבָר" הָאָמוּר כָּאן בְּשׁוֹמְרֵי שְׁבִיעִית הַכָּתוּב מְדַבֵּר. (תהלים קג, כ) "עֹשֵׂי דְבָרוֹ", רַבִּי הוּנָא בְּשֵׁם רַבִּי אַחָא אָמַר: בְּיִשְׂרָאֵל שֶׁעָמְדוּ לִפְנֵי הַר סִינַי הַכָּתוּב מְדַבֵּר, שֶׁהִקְדִּימוּ עֲשִׂיָּה לִשְׁמִיעָה וְאָמְרוּ (שמות כד, ז) "כֹּל אֲשֶׁר דִּבֶּר ה' נַעֲשֶׂה וְנִשְׁמָע". (תהלים קג, כ) "לִשְׁמֹעַ בְּקוֹל דְּבָרוֹ", אָמַר רַבִּי תַּנְחוּם בַּר חֲנִילָאי: בְּנוֹהַג שֶׁבָּעוֹלָם מַשּׂוֹי שֶׁקָּשֶׁה לְאֶחָד נוֹחַ לִשְׁנַיִם וְלִשְׁנַיִם נוֹחַ לְאַרְבַּע, אוֹ שֶׁמָּא מַשּׂוֹי שֶׁקָּשֶׁה לְס' רִבּוֹא נוֹחַ לְאֶחָד,

בית אב. הוא מלשון הגמרא (שבת כב א) אבוהון דכולהון הם, וכן בשיר רבה על פסוק ישקני זה אומר בית אב של הלכה וכו', ופירוש הדברים הוא כמו שפירש הרד"ל: **גבורי כח עושי דברו.** דברו משמע דבר אחד שצריך להיות גבור כח לקיימו, ועל זה שאל על איזה דבר כיון, ותירץ שפירש על פי מדה ז' וי"ג, שמדבר בשביעית שנקראת דבר, ולקיומו צריך להיות גבור כח. ורבי הונא בשם רבי אחא בא להוסיף על דברי רבי יצחק ממה שכתב עוד לשמוע בקול דברו, שהיה לו לומר בהיפך שומעי דברו לעשות דברו, על כן דורש על ישראל בהר סיני שהקדימו עשיה לשמיעה. ובתנחומא כאן (סימן א) מקדים דברי רבי אחא לדברי רבי יצחק:

חידושי הרד"ל

מבית אב שלהן. פירוש על שם עיקר ענינם, שהוא שליחות לדבר בשם ה', נקראו מלאכים. כלומר שלוחי ה', (ושאר בשרי הרב מוהר"ר מאיר ברלין ממאהליב, הגיה בית אב שלהן שנקראו הנביאים מלאכים, הדא הוא דכתיב כו'. ופירושו בנין אב של כל הדרשות האלו שהביאו כאן הנה, מקרא זה אבוהן דכולא): **ביירה ויהב ארנונא.** (בסנהדרין כו, א) אמרינן שמותר לזרוע בשביעית משום ארנונא, (ובירושלמי [סנהדרין פ"ג ה"ה] משמע חרישה מועטת. ועיין שם בתוספות ד"ה מערבו) ובערוך ערך הונא הביא הגירסא, אנונא, עיין שם פירושו: **לשמוע בקול דברו. אמר רבי תנחום בר חנילאי זה משה בנוהג כו'.** כן צריך לומר. ודרש לשמוע בקול דברו, קאי גם כן על גבורי כח דרישא, זה משה שהיה בכחו לשמוע כל הדבור, וכן דרש על זה להלן, שויתי עזר על גבור (הר"מ ברלין):

חידושי הרש"ש

[א] ודין חמי חקליא ביירא כו'. בתנחומא (סימן א) איתא רואה שדהו מופקרת, ואילנותיו מופקרים, והסייגים מפורצים, ורואה פירותיו נאכלים, וכובש את יצרו ואינו מדבר:

באור מהרי"פ

[א] כסבורה בו שהוא נביא וכו'. מדסברה על המלאך שהוא נביא, וקאמרה מראהו כמראה מלאך אלהים, שמע מיניה נביא הוא כמלאך: **לשמוע בקול דברו אמר רבי תנחום וכו'.** עכשיו דורש גבורי כח וגו' לשמוע בקול דברו, על משה, ומה שאמר בלשון רבים, עיין יפה תואר:

אם למקרא

וַתָּבֹא הָאִשָּׁה וַתֹּאמֶר לְאִישָׁהּ לֵאמֹר אִישׁ הָאֱלֹהִים בָּא אֵלַי וּמַרְאֵהוּ כְּמַרְאֵה מַלְאַךְ הָאֱלֹהִים נוֹרָא מְאֹד וְלֹא שְׁאִלְתִּיהוּ אֵי מִזֶּה הוּא וְאֶת שְׁמוֹ לֹא הִגִּיד לִי: (שופטים יג:ו)

וַיֹּאמֶר חַגַּי מַלְאַךְ ה' בְּמַלְאֲכוּת ה' לָעָם לֵאמֹר אֲנִי אִתְּכֶם נְאֻם ה': (חגי א:יג)

וְזֶה דְּבַר הַשְּׁמִטָּה שָׁמוֹט כָּל בַּעַל מַשֵּׁה יָדוֹ אֲשֶׁר יַשֶּׁה בְּרֵעֵהוּ לֹא יִגֹּשׂ אֶת רֵעֵהוּ וְאֶת אָחִיו כִּי קָרָא שְׁמִטָּה לַה': (דברים טו:ב)

וַיִּקַּח סֵפֶר הַבְּרִית וַיִּקְרָא בְּאָזְנֵי הָעָם וַיֹּאמְרוּ כֹּל אֲשֶׁר דִּבֶּר ה' נַעֲשֶׂה וְנִשְׁמָע: (שמות כד:ז)

ידי משה

מבית אב שלהם וכו'. פירוש שם מלאך להנביא אינו שם תואר אלא שמו ממש כך, כמו שם של אביו:

אמרי יושר

מבית אב שלהן נקראו הנביאים מלאכים. שהוא מלשון שליחות, או עושי מלאכת ה', אם כן היטב יצדק בנביאים כמו במלאכים. אי נמי לקחו סדר מלמעלה למטה, כמו ברכו ה' מלאכיו, הצדיקים בעלי בחירה שהם למעלה מהמלאכים, לבאיו משרתיו, כנגד מלאכים וגלגלים, כל מעשיו עולם השפל:

מתנות כהונה

במלאכות. משמע שהמלאכיות היו לו מקדם מבית אב שלו: **גבורי כח.** משמע עושי דברו של הקב"ה בכח וגבורה, שמגביר יצר טוב על יצר הרע: **שמא לשאר ימות השנה.** כלומר השנה כולו בתמיה: **ודין כו'.** זה השומר שביעית: **חמי חקליה ביירה.** רואה שדהו בור וריק בלי חרישה וזריעה: **ארנונא.** מס מן השדות, כך וכך כורין למלך מן השדה, כן פירש"י בפרק זה בורר (סנהדרין כו, א ד"ה ארנונא): **אלו ישראל כו'.** וכן כאן כתיב ברישא עושי, והדר לשמוע: **או שמא וכו'.** אבל שמא בתמיה:

אשד הנחלים

פניו בוערות, ולכן הוא מכונה גם כן בשם זה. ואולי הוא כפי הדעת שפנחס זה אליהו, שראינו בו שנתמרק ככה, עד שעלה בסערה השמים. כן נראה לי אחר הבחינה היטב: **כסבורה בו כו'.** אחר שעשתה לו גדי עזים והכינה מאכל לפניו, ועם כל זה אמרה, ומראהו כמראה מלאך אלהים, מכלל שכל הנביאים המה אז כדמות מלאכים במראיהם, ולכן חשבה שהוא נביא ולא מלאך: **מבית אב שלהן.** לפי באורי הכוונה שבאמת רק משה ופנחס הם היו נקראו מלאכים, מפני שהיו פניהם בוערות, ורק שאחר כך נתכנו כל הנביאים ככה שהם על כל פנים מסוגם, וזהו מבית אב שלהם, ולכן גם חגי ואף שלא היה כל כך מסוגם, נקרא גם כן כך. עיין יפה תואר והרד"ל: **בשומרי שביעית.** דרש סוף הפסוק על כלל הכנסיה, ולא על הנביאים לבד, לפי שבעשיה כל הקהל חוקה אחת היא, לנביא ולשאינו נביא, ופה הכתוב משבחן שהם גבורי כח עושי דברו, ולכן מפרש על כלל הכנסיה שהמה חזקים באמונתם ובבטחונם לה', ולכן עושים דברו לקיים מצותיו, ואחזו במצות שמיטה לפי שצריכה תגבורת ואמונת הלב חזקה להניח שדיהו וכרמו בורה לא יזמר ולא יעדר, וכל זה מבטחונו הגדול בה': **ואם תאמר אינו מדבר כו' וזה דבר כו'.** הענין כי יש מצות הנאמרות באמירה ויש בדיבור ויש בצווי, והכלל מסור בידינו שבאמירה הם רכות ובדיבור קשות, ולכן כתיב בשמיטה לשון דיבור, מפני שהוא דבר גדול וכבד מאוד, ולכן אמר הדורש על דברי עצמו, אל תתמה מה שאני אוחז הדרש דוקא על שומרי שביעית, הוא מפני שמצאנו בו לשון דיבור, להורות על קשיותה וגודל ענינה, ולכן אני דורש לכם משם זה, שעל שם זה מכנה הכתוב בשם גבור כח: **הקדימו עשיה לשמיעה.** הענין בכלל בארתי במקום אחר, שזהו מעלה נפלאה לדעת ולהבין, שהעשיה קודם לשמיעה, ואיך דוקא על ידי מצות מעשיות במה שפועל באיברי הגוף, יכון שלימותו בצירוף השמיעה שזהו הכוונה הטובה. וזהו מאמרם מי גילה לבני רז זה שמלאכי השרת משתמשים בו, כי גם המלאכים המה פועלים פעולה מעשית שהם מיני הגלגלים (לפ"ד המחקרים), ועל ידי מעשיהם המה שומעים קול דברו, רצה לומר משיגים כבודו, וזהו שדרשו פה על הכנסיה גם כן בתחילה עושי והדר לשמוע. ואין להאריך פה: **משא שקשה לששים רבוא כו' ומשה כו'.** לכאורה אינו דומה המשל, שָׁמָּה היה קשה לשמוע לכל אחד ואחד ביחוד, ואם כן איך מביא משל למשוי שקשה לששים רבוא ביחד. והנראה לי בזה לפי שהשגות הנבואיות אינן דומות אשה לאחותה, וכל אחד מקבל רק לפי כחו, ואין אחד דומה לחבירו בכחו, על כן אינו דומה בהשגות. ולכן אמרו בחזית (שיר השירים רבה ד, ד) שירדו ששים רבוא מלאכי השרת

כָּל יִשְׂרָאֵל עוֹמְדִים לִפְנֵי הַר סִינַי וְאוֹמְרִים "אִם יֹסְפִים אֲנַחְנוּ לִשְׁמֹעַ וְגוֹ׳ " — Now, **all Israel were standing before Mount Sinai and were saying, *"If we continue to hear*** *the voice of HASHEM, our God, any longer we will die"* (*Deuteronomy* 5:22),[28] וּמֹשֶׁה שׁוֹמֵעַ קוֹל הַדִּבּוּר עַצְמוֹ וְחָיָה — yet **Moses by himself** is able to **hear the voice** of God **speaking and** nevertheless **remain alive.** תֵּדַע לְךָ שֶׁהוּא כֵּן — **You should know that this is so,** שֶׁמִּכּוּלָּן לֹא קָרָא אֶלָּא לְמֹשֶׁה — **for from all [the Israelites] He called only to Moses;** לְכָךְ נֶאֱמַר "וַיִּקְרָא אֶל מֹשֶׁה" — **thus it is stated** in our verse, ***And He called to Moses.***[29]

§2 רַבִּי אַבָּהוּ פָּתַח — **R' Abahu opened** his discourse on our passage by expounding the following verse: *Those who dwell in His shade will return; they will revive [like] grain and blossom like a vine; their repute will be like the wine of Lebanon* (*Hosea* 14:8).[30] "יָשֻׁבוּ יֹשְׁבֵי בְצִלּוֹ" — ***Those who dwell in His shade will return*** — אֵלּוּ הַגֵּרִים שֶׁבָּאִין וְחֹסִין בְּצִילּוֹ שֶׁל הַקָּדוֹשׁ בָּרוּךְ הוּא — **these are the proselytes who come** to accept the Torah **and** thereby merit to **take shelter in the shade of the Holy One, blessed is He;**[31] "יְחַיּוּ דָגָן" — ***they will revive [like] grain*** (ibid.) — נַעֲשׂוּ עִיקָּר כְּיִשְׂרָאֵל — **[the proselytes] will become primary like Israel;**[32] כְּמָה דְתֵימַר "דָּגָן בַּחוּרִים וְתִירוֹשׁ יְנוֹבֵב בְּתֻלוֹת" — this[33] is **as it is stated**, *How goodly and how beautiful will be **the grain of young men and the wine that will make maidens sing*** (*Zechariah* 9:17).[34] "וְיִפְרְחוּ כַגָּפֶן" — ***And blossom like a vine*** — the proselytes will "blossom" like Israel,[35] כְּמָה דְתֵימַר "גֶּפֶן מִמִּצְרַיִם תַּסִּיעַ תְּגָרֵשׁ גּוֹיִם וַתִּטָּעֶהָ" — **as it is stated** regarding Israel, ***You caused a vine to journey out of Egypt, You expelled nations and implanted it*** (*Psalms* 80:9).[36]

NOTES

28. Although the entire nation of 600,000 men were together at Mount Sinai, they were unable to muster the spiritual strength to tolerate the sound of the voice of God speaking to them (see *Eitz Yosef*).

29. Moses alone heard God's voice; see *Rashi* to our verse. Because of his ability to do so without coming to harm he is referred to in the *Psalms* verse as *mighty*. [Regarding the verse's use of the plural (*mighty "warriors"*), see *Eitz Yosef*.]

Eshed HaNechalim asks: The analogy to people carrying a burden seems imprecise. For when many people carry a burden, they are all bearing the same burden *together*, and thus the weight is distributed among the various people. By contrast, each of the 600,000 Israelites had to "bear" hearing the voice of God *separately*! Why should the fact that they were many serve to diminish the burden of each individual? See there for a suggested resolution; see also Insight Ⓐ.

30. One of R' Abahu's expositions of this verse will serve to explain why God chose to call Moses by that name — the name given to him by Pharaoh's daughter — and not by any of his other names [listed by the Midrash below in §3 below] (*Maharzu* below, s.v. שמותם; *Eitz Yosef*). See above, note 1.

31. According to its plain meaning, the verse is referring to the Israelites who are repenting and returning to God. R' Abahu, however, expounds it as referring to proselytes. The Midrash's description of a convert to Judaism as a person who is "taking shelter in God's shade" is based on *Ruth* 2:12 (*Maharzu* to *Bamidbar Rabbah* 8 §1).

[*Yefeh To'ar* wonders how the words *will return* apply to proselytes. As a non-Jew the proselyte was never *in* God's shade that he should be described as "returning"; and *return* cannot mean "repent," because a proselyte is halachically regarded as sinless (כְּקָטָן שֶׁנּוֹלַד דָּמֵי, he is considered like a newborn baby)! *Yefeh To'ar* explains that the nations of the world had refused to accept the Torah when God gave it to Israel, and had in fact *run away* from resting in God's shade at that time (see *Shir HaShirim Rabbah* 2 §10, commenting on *Song of Songs* 2:3, *In His shade I delighted and [there] I sat*). The proselytes are thus properly described as now *returning* to rest in God's shade, helping to fulfill God's original intention that the nations should accept the Torah as well.]

32. Grain is humanity's primary source of sustenance (*Radal*), and Israel is compared to grain (see further) because Israel is God's primary purpose in creation; see *Bereishis Rabbah* 83 §5 (*Yefeh To'ar*). By comparing proselytes to grain the *Hosea* verse is comparing them to Israel, thus indicating that the proselyte will acquire Israel's prominence.

33. I.e., that Israel is compared to grain.

34. In this verse, as taken by the Midrash, "grain" is used as a metaphor for the nation of Israel (*Eitz Yosef*; see, however, *Radal*).

35. [In the parallel Midrash, *Bamidbar Rabbah* 8 §1, the word כְּיִשְׂרָאֵל, *like Israel*, appears after the words "וְיִפְרְחוּ כַגָּפֶן".] The grapevine is also an allusion to Israel, as the Midrash goes on to show from Scripture.

36. I.e., You caused the Israelite nation, who is compared to a vine, to journey out of Egypt. You expelled the seven Canaanite nations out

INSIGHTS

Ⓐ **The Power of Unity** *Be'er Yosef* (*Vayikra*, p. 5) raises an additional question. Our Midrash concludes: *You should know that this is so, for from all [the Israelites] He called only to Moses; thus it is stated, "And He called to Moses."* What proof is the Midrash adding? At Sinai, too, only Moses was able to bear the Divine communication! What is added by pointing out that this was true in the Tabernacle as well?

Be'er Yosef resolves both difficulties. He begins with the well-known Midrash (cited by *Rashi* on *Exodus* 19:2), which teaches that when the verse (there) uses the singular expression: "וַיִּחַן שָׁם יִשְׂרָאֵל נֶגֶד הָהָר", *and Israel encamped there, opposite the mountain*, it is an indication that the entire people did so "as one man, with one heart." *Ohr HaChaim* (ad loc.) explains that we are not being taught simply that the Jewish people were united at that time. Rather, this unity was the *prerequisite* for the Jewish people to receive the Torah. The Torah was not revealed to the individual – not even to 600,000 individuals. The Torah was given only to a single unified nation. Their being of one heart is what transformed 600,000 individuals into one entity. Indeed, the Midrash below (9 §9) states that upon seeing this unified encampment the Holy One, blessed is He, said, *"This is the time* when I will give the Torah to My children." It was their unity that gave them the capacity to receive the Torah.

Be'er Yosef suggests that the reason this unity of heart was necessary for receiving the Torah was that it was not possible for every individual Jew to reach on his own the level of prophecy necessary to hear the word of God. Even the lowest level of prophecy requires great preparation and an exalted spiritual level. Here, the Jews had left Egypt in a low spiritual state, yet shortly thereafter came to Sinai to behold the revelation of God in a most awesome fashion. This became possible only because they were unified, as one man, with one heart, and thus, 600,000 souls came together and formed a new, unified entity with the combined capacity to behold the Revelation.

Yet, even this new entity of 600,000 unified souls was unable to bear the direct communication from God at Sinai, and asked that Moses himself hear the word of God and relay it to them. This is what our Midrash means with the comparison to a load distributed among several people. The pooled capacity of the entire nation was still not equal to the burden of Divine revelation, whereas Moses on his own was.

However, one could still think that Moses' ability in this regard was that he heard the word of God *in the presence* of the Jewish nation. They could not bear the word on their own, but their presence enabled *Moses* to bear it. The Midrash therefore proves that this is not so. Our verse states that the word of God from the *Tabernacle* called to Moses *alone*. Moses alone was superior to the entire nation.

R' Chaim Shmulevitz (*Sichos Mussar*, Essay 71) expounds our Midrash similarly, and sees in it the great secret of Jewish unity, of the combined strength of a *tzibbur* [community]. The power of *tefillah b'tzibbur* [communal prayer] and of prayer in which one includes his needs among those of the *tzibbur* (see *Berachos* 30a with *Rashi*) is that one comes before God with the combined capacity of the *tzibbur*. The individual on his own is flawed; his merit alone might be insufficient for his prayer to be granted. But in unity, there is combined strength. The whole is far greater than the sum of its parts. A *tzibbur* is a new entity, which exalts and empowers each individual who makes himself a part of it.

HASHEM will be an eternal light for you (*Isaiah* 60:19). When will this be? When you will band together in unity . . . Thus you find that Israel will not be redeemed until they band together in unity . . . When they band together they will greet the Divine Presence (*Tanchuma, Nitzavim* §1).

חידושי הרד"ל

[ב] רבי אבהו פתח ישובו כו'. במדבר רבה ריש פרשה ח (א): **שבאין וחוסין בצילו** ותפס לשון המקרא (רות ב, יב) אשר באת לחסות תחת כו': **נעשו עיקר בישראל כמה דאת אמר דגן בחורים כו'.** כמו שהדגן עיקר המאכל שעליו יחיה האדם, כן הבחורים עיקר העם בכחם, ורמיזי גם כן במאי דכתיב לקמיה (הושע יד, ז) ילכו יונקותיו כו', שדרשוהו (ברכות מג, ב) על בחורי ישראל: **תני רבי שמעון בן יוחאי למה נקרא שמו לבנון.** ספרי שם:

חידושי הרש"ש

ומשה שומע קול הדבור עצמו וחיה. כמו בעצמו, רצה לומר יחיד:

באור מהרי"פ

[ב] משוש כל הארץ הר ציון ירכתי צפון וגו'. משום דעיקר השמחה היתה מפני הקרבנות שהיו מתכפרים, והם היו הנשחטים על ירך המזבח צפונה, וזהו משוש כל הארץ וגו' ירכתי צפון וגו', וכן מפורש במדרש שוחר טוב (מזמור מח) וזה לשונו, משוש כל הארץ, ובמה היתה משמחת כל הארץ, היה אדם עובר עבירה היה דואג בלבו, ולבו שח עליו, היה הולך לירושלים ומקריב קרבן, ומתכפר לו ולבו שמח עליו, ויצא משם שמח. עד כאן:

ענף יוסף

(ב) **ולמה נקרא שמו לבנון על שם ההר הטוב הזה והלבנון.** עיין מה שכתבתי בעץ, בשם היפה תואר. ואפשר שהכי פירושו, למה נקרא היין שמתנסך על גבי המזבח, לבנון, וקאמר משום שבית המקדש נקרא לבנון, כדכתיב ההר הטוב הזה והלבנון, וקאמר רבי שמעון בר יוחאי למה נקרא הבית המקדש לבנון, על שם שמלבין עונותיהם של ישראל, על ידי הקרבנות שקרבין בו:

עץ יוסף

כל ישראל עומדים בו'. הכוונה שלהיות קבוץ השלמים מועיל להוסיף כח בשלימותם אשר היה בהם מתחלה, על כן בהיותם ששים רבוא יחד במעמד הר סיני גדול שלימות הכנתם לקבלת השפע האלהי שם, על כן היה אפשר שבסיוע זה אל זה להכנים אל השלימות יותר יוכלו לשמוע קול ה', ומאחר שעם כל זה אמרו אם יוספים אנחנו וגו' נראה שלא הספיק כח כלם יחד לשמוע קול ה', ומשה רבינו עליו השלום לבדו היה כחו מספיק יותר מכולם: **לא קרא אלא למשה.** שאילו קרא אחרים עמו לא היה נודע כחו של משה לגמרי, שהיה אפשר שעל ידי זכות הנלוים אליו היה זוכה משה לזה, אבל לבדו לא, אלא שלא קרא אלא למשה, ומכל מקום היה בו כח לשמוע קול הדבור. ועיין ביפה תואר: **(ב) רבי אבהו פתח ישובו כו'.** רצה לומר, דויקרא אל משה אתא למימר דשם שקראו בת פרעה עדיף מכולהו כדלקמן בפירקין (סוף אות ג), ולהכי מייתי האי קרא דדריש ליה בגרים, וקאמר ששמות הגרים חביבים לפני ה', והוא הדין נמי שהשם שקראו בת פרעה שנתגיירה היה חביב לפני ה': **אלו הגרים.** דמדכתיב ישובו, משמע דעד השתא לא היו יושבים בצלו ועתה שבו לשבת בה, על כרחך דאיירי בגרים, דבמתן תורה ברחו האומות משבת בצלו של הקדוש ברוך הוא כדאיתא בחזית (שיר השירים רבה ב, על פסוק ג) גבי בצלו חמדתי וישבתי, להכי קאמר שעתה ישובו וירצו לשבת בצלו כמו שהיתה הכוונה האלהית במתן תורה שקרא לכל האומות אליו ולא רצו (יפה תואר ועיין שם): **נעשו עיקר בישראל.** שהקישן הכתוב לישראל כדלקמן במדבר רבה פ"ח (א-ב). והתם דגרסינן בישראל בבי"ת, [ו]טעות סופר הוא (יפה תואר): **היך מאי דאת אמר דגן בחורים.** כלומר כיון דישראל איקרו דגן, מקיש להו לישראל. וכן **יפרחו בגפן,** דישראל איקרו גפן. ועיין ביפה תואר: **יחיו דגן בתלמוד כו'.** כטעם שאמרו בספרי (בראשית רבה סו, ג), הדגן זה התלמוד, תירוש זו אגדה. ומשום דבעודם בגיותן לא יוכלו להבין בתורה, כדאיתא בשמות רבה (ל, ט). להכי קאמר דהשתא יזכו לתלמוד ואגדה: **שמותן של גרים.** שלהיות שם הגר נזכר בלי יחוס בית אב, אמר שעם כל זאת הוא חביב, שיסתכל ה' בו, ולא בשרשו, כענין היין שהעץ שהוא יוצא ממנו גרוע מכל העצים בקומתו ואיכותו כי לא יצלח לכל מלאכה, וכמו שאמר הכתוב (יחזקאל טו, ב) מה יהיה עץ הגפן מכל עץ הזמורה, ועם כל זאת היין חביב מצד עצמו, ומתנסך על גבי המזבח (יפה תואר): **ולמה נקרא שמו לבנון על שם ההר הטוב הזה והלבנון.** זה הלשון אינו מכוון, כי לא נתן טעם למה נקרא לבנון משום דכתיב ההר הטוב וגו', דאכתי צריך לתת טעם למה נקרא לבנון ולומר כהני טעמים דבסמוך. ואם לא בא לומר אלא שפירוש לבנון היינו בית המקדש דומיא דההר הטוב הזה והלבנון, הוי ליה למימר ואין לבנון אלא בית המקדש כמו דאת אמר ההר הטוב, כמו שאמר בבראשית רבה (טו, ב). ולקמן בבמדבר רבה (ח, א) לא מייתי האי לישנא (יפה תואר). ועיין בענף: **שמלבין עונותיהם.** על ידי הקרבנות שקרבין בו: **אם יהיו חטאיכם כו'.** כלומר ראיה שכפרת החטא מכונה בהלבנה:

מדרש רבה

כָּל יִשְׂרָאֵל עוֹמְדִים לִפְנֵי הַר סִינַי וְאוֹמְרִים (דברים ה, כב) "אִם יֹסְפִים אֲנַחְנוּ לִשְׁמֹעַ וְגוֹ'", וּמֹשֶׁה שׁוֹמֵעַ קוֹל הַדִּבּוּר עַצְמוֹ וְחָיָה, תֵּדַע לְךָ שֶׁהוּא כֵן, שֶׁמִּכּוּלָּן לֹא קָרָא אֶלָּא לְמֹשֶׁה, לְכָךְ נֶאֱמַר "וַיִּקְרָא אֶל מֹשֶׁה":

ב רַבִּי אַבָּהוּ פָּתַח: (הושע יד, ח) "יָשֻׁבוּ יֹשְׁבֵי בְצִלּוֹ", אֵלּוּ הַגֵּרִים שֶׁבָּאִין וְחוֹסִין בְּצִילּוֹ שֶׁל הַקָּדוֹשׁ בָּרוּךְ הוּא, (שם) "יְחַיּוּ דָגָן", נַעֲשׂוּ עִיקָּר כְּיִשְׂרָאֵל, כְּמָה דְתֵימַר (זכריה ט, יז) "דָּגָן בַּחוּרִים וְתִירוֹשׁ יְנוֹבֵב בְּתֻלוֹת", (הושע שם שם) "וְיִפְרְחוּ כַגָּפֶן", כְּמָה דְתֵימַר (תהלים פ, ט) "גֶּפֶן מִמִּצְרַיִם תַּסִּיעַ תְּגָרֵשׁ גּוֹיִם וַתִּטָּעֶהָ", דָּבָר אַחֵר "יְחַיּוּ דָגָן" בַּתַּלְמוּד, "וְיִפְרְחוּ כַגָּפֶן" בְּאַגָּדָה, (הושע שם שם) "זִכְרוֹ כְּיֵין לְבָנוֹן", אָמַר הַקָּדוֹשׁ בָּרוּךְ הוּא: חָבִיב עָלַי שְׁמוֹתָם שֶׁל גֵּרִים כְּיַיִן נֶסֶךְ שֶׁקָּרֵב לְפָנַי עַל גַּבֵּי הַמִּזְבֵּחַ, וְלָמָּה נִקְרָא שְׁמוֹ לְבָנוֹן, עַל שֵׁם (דברים ג, כה) "הָהָר הַטּוֹב הַזֶּה וְהַלְּבָנֹן", תָּנֵי רַבִּי שִׁמְעוֹן בֶּן יוֹחָאי: לָמָּה נִקְרָא שְׁמוֹ לְבָנוֹן, שֶׁמַּלְבִּין עֲוֹנוֹתֵיהֶם שֶׁל יִשְׂרָאֵל כַּשֶּׁלֶג, הָדָא הוּא דִכְתִיב (ישעיה א, יח) "אִם יִהְיוּ חֲטָאֵיכֶם כַּשָּׁנִים כַּשֶּׁלֶג יַלְבִּינוּ אִם יַאְדִּימוּ כַתּוֹלָע כַּצֶּמֶר יִהְיוּ",

פירוש מהרז"ו

אם יוספים אנחנו. בתנחומא מוסיף לדרוש פה דברים נפלאים עיין שם. ומה שכתב גבורי כח, קאי גם על מה שכתב לשמוע בקול דברו. על פי מדה כ"ב, שהיה גבור כח לשמוע: **(ב) ישובו יושבי בצלו.** במדבר רבה (ח, א) כל הענין: **בתלמוד.** וכמו שהדגן עיקר לחיי עולם הזה למזון, כך התלמוד עיקר לחק התורה לחיי עולם הבא, וכמו שהיין שמחה ותענוג להגוף, כך האגדה שמחה ותענוג להנפש: **שמותם של גרים.** כולל שתי הכוונות השמות החדשים שקוראים לעצמם, וכולל גם השמות שהם קוראים לאחרים, כמו בתיה למשה, כמו שכתב לקמן (סימן ג) בהדיא, וזהו עיקר שייכות דרשה זו לכאן על מה שכתוב ויקרא אל משה. ומה שכתוב (הושע יד, ח) זכרו כיין לבנון, כאלו כתוב שמו כיין לבנון, כי זכר ושם ענין אחד, כמו שכתוב (שמות ג, טו) זה שמי וזה זכרי, וכמו שכתוב (משלי י, ז) זכר צדיק לברכה ושם רשעים ירקב, ודורש על פי גזירה שוה על המקדש והמזבח, ורבי שמעון בר יוחאי דורש על פי מדה ממשל וי"ז, וכן רבי טביומי על פי מדת ממשל וי"ז:

מסורת המדרש

ד. גיטין דף נ"ו. חזית פ"ז סי' ו':

אם למקרא

וְעַתָּה לָמָּה נָמוּת כִּי תֹאכְלֵנוּ הָאֵשׁ הַגְּדֹלָה הַזֹּאת אִם יֹסְפִים אֲנַחְנוּ לִשְׁמֹעַ אֶת קוֹל ה' אֱלֹהֵינוּ עוֹד וָמָתְנוּ: (דברים ה:כב)

יָשֻׁבוּ יֹשְׁבֵי בְצִלּוֹ יְחַיּוּ דָגָן וְיִפְרְחוּ כַגָּפֶן זִכְרוֹ כְּיֵין לְבָנוֹן: (הושע יד:ח)

כִּי מַה טּוּבוֹ וּמַה יָּפְיוֹ דָּגָן בַּחוּרִים וְתִירוֹשׁ יְנוֹבֵב בְּתֻלוֹת: (זכריה ט:יז)

גֶּפֶן מִמִּצְרַיִם תַּסִּיעַ תְּגָרֵשׁ גּוֹיִם וַתִּטָּעֶהָ: (תהלים פ:ט)

אֶעְבְּרָה נָּא וְאֶרְאֶה אֶת הָאָרֶץ הַטּוֹבָה אֲשֶׁר בְּעֵבֶר הַיַּרְדֵּן הָהָר הַטּוֹב הַזֶּה וְהַלְּבָנֹן: (דברים ג:כה)

לְכוּ נָא וְנִוָּכְחָה יֹאמַר ה' אִם יִהְיוּ חֲטָאֵיכֶם כַּשָּׁנִים כַּשֶּׁלֶג יַלְבִּינוּ אִם יַאְדִּימוּ כַתּוֹלָע כַּצֶּמֶר יִהְיוּ: (ישעיה א:יח)

אמרי יושר

לכך נאמר ויקרא אל משה. וזו היה גבורתו, כי הוא גבור שבגבורים, כי אף שנאמר בהם גבורי כח לא יסבלו, כדדרשו לקמן (סימן ד) עליו, שויתי עזר על גבור, ומשה לבדו נשא וגם סבל: **[ב] זכרו כיין לבנון חביב עלי שמותן של גרים.** או שם עצמם, או שם שמכנים הגרים לאחרים, כבתיה בת פרעה שנתגיירה, וכינתה למשה בשם הלז, דכן קראו הקדוש ברוך הוא, אף על פי שהיה לו שבע שמות. אביגדור, וחבר, על שם שהעביר הפורענות מהעולם, כי אותיות א' ה' ו' י' מתחלפות. ואף על גב דתחלה כאשר קראו ה' משה בסנה, לא דרשו ז"ל כן, רק הנה כי כאן קבל התורה וקנה לו שמות אחרים יותר, ועם כל זה לא קראו אלא משה:

מתנות כהונה

[ב] שמותם וכו'. והיינו דכתיב זכרו, שמותם הם זכרונם, שנקראו בשמותם על האדמה:

אשד הנחלים

לששים רבוא ישראל, כי כל אחד זכה למלאך כפי מדרגותו. אך כל זה בהשגות הנפרדות שיצאו מחמת המלאכים, אבל בדיבור עצמו נכלל כל ההשגות, וכמו שאמרו בחזית שמהדיבור למלאך וממלאך לישראל, ואם כן צדקו דברי המדרש במה שהביא ראיה על מעלת משה, שהיה בכחו לקבל ולשמוע כל ההשגות, במה שהיה קשה לישראל לקבל איש איש השגה פרטית ממנה. הבן זה מאוד. והדרש הזה הוא כמו שדרש לעיל מלאכיו המה הנביאים שנקראו מלאכיו, ומה גדול כח משה שהיה שומע קול הדיבור עצמו, שבו נכלל הכל: **לא קרא אלא למשה.** לכאורה יקשה וכי זאת היתה הקריאה הראשונה למשה, הלא כמה פעמים דיבר עמו וצוה אותו, ומה סמך הדרוש ע"ז הפסוק דוקא. ואולי לפי שקריאה מורה על מעלת הנבואה הגדולה והרמה עד למאוד, כי ענין הקריאה הוא מורה על שהוא עומד בריחוק מקום או מדריגה והוא נקרא שיתקרב אליו. והנה משה אבי הנביאים היה עומד תמיד מוכן לנבואה, וכמו שכתוב (דברים ה, כז) ואתה פה עמוד עמדי, ולכן לא נאמר בו לשון קריאה תמיד כי אם אמירה או דיבור סתם, אבל כאן נאמר לשון קריאה, מורה שהגיע אז למדרגה רמה מאוד, עד שהוצרך להקרא, וזהו לשמוע בקול דברו. ודע עוד דכמו אצלינו הקול הוא יותר פנימי מהדיבור, שהוא על ידי מוצאות הפה ועל ידי כלי החושים, וכן מדריגת הנבואה הגדולה מכונה בשם קול, ואשר למטה מעט בשם דיבור, וזהו לשמוע בקול דברו: **[ב] ישובו גו' נעשו עיקר.** כי לא יתכן שהכתוב מבשרן שישבו בצילו של הקב"ה, במה שיתענגו מרב טוב העולם הזה, ורק הכוונה מזון הנפשי המכונה באלו השמות על שם פעולותיהם, למשל כמו הדגן המחייה והסועד הלב, אף שאין בו נועם כל כך, כן מכונה התלמוד שהוא לימוד מעשי המצות על פי פשטן, שהן הן גופי הלכות, והגפן שהוא דבר המשמח הלב, זהו אגדה המדבר משבחו יתברך והשגתו, שזהו משמח בטבע להנפש המשכלת: **חביב עלי שמותם.** כלומר כינויים, במה שמכונים בשם גר להורות שבאו מארץ נכריה להכיר כבוד ה' ומעשיו יתברך, וזהו חביב לפניו יתברך שעל ידי זה יתן חכמה בלבו, להבינו ולהשכילו יותר מיין המתנסך על גבי המזבח, שזה היה תועלת לשאיבת רוח הקודש כנודע:

R' Abahu gives another interpretation of what the *Hosea* verse is telling us about converts:

דָּבָר אַחֵר — Another interpretation: ״יְחַיּוּ דָגָן״ בַּתַּלְמוּד — ***They will revive [through] grain*** — i.e., **through Talmud.**[37] The proselytes will become "revived" when they convert and study Talmud.[38] ״וְיִפְרְחוּ כַגָּפֶן״ בְּאַגָּדָה — ***And blossom like a vine*** — i.e., **through Aggadah,** i.e., the proselytes will blossom and study Aggadah.[39]

R' Abahu now expounds the continuation of the *Hosea* verse: ״זִכְרוֹ כְּיֵין לְבָנוֹן״ — ***Their repute*** [זִכְרוֹ] ***will be like the wine of Lebanon.*** אָמַר הַקָּדוֹשׁ בָּרוּךְ הוּא — **The Holy One, blessed is He, said,** חָבִיב עָלַי שְׁמוֹתָם שֶׁל גֵּרִים כְּיַיִן נֶסֶךְ שֶׁקָּרֵב לְפָנַי עַל גַּבֵּי הַמִּזְבֵּחַ — **The names of the proselytes**[40] **are** as **dear to Me as the wine libations that are offered before Me on the Altar.**[41] וְלָמָּה נִקְרָא שְׁמוֹ לְבָנוֹן — **And why is the [wine that is poured on the Altar] called** ***Lebanon?***[42] עַל שֵׁם ״הָהָר הַטּוֹב הַזֶּה וְהַלְּבָנֹן״ — **Because** the Holy Temple, where the wine is offered, is called *Lebanon*, as Scripture states, ***This good mountain and the Lebanon*** (*Deuteronomy* 3:25).[43] תָּנֵי רַבִּי שִׁמְעוֹן בֶּן יוֹחָאי — And **R' Shimon ben Yochai taught:** לָמָּה נִקְרָא שְׁמוֹ לְבָנוֹן — **Why is the [Holy Temple] called** ***Lebanon*** [לְבָנוֹן]? שֶׁמַּלְבִּין עֲוֹנוֹתֵיהֶם שֶׁל יִשְׂרָאֵל כַּשֶּׁלֶג — **Because it whitens** (מַלְבִּין) **the sins of Israel like snow.**[44] הֲדָא הוּא דִכְתִיב ״אִם יִהְיוּ חֲטָאֵיכֶם כַּשָּׁנִים כַּשֶּׁלֶג יַלְבִּינוּ אִם יַאְדִּימוּ כַתּוֹלָע כַּצֶּמֶר יִהְיוּ״ — **Thus it is written,** ***If your sins are like scarlet they will become white as snow; if they have become red as crimson they will become [white] as wool*** (*Isaiah* 1:18).[45]

NOTES

of the Land of Israel and implanted the Israelite nation in their place (*Metzudas David* ad loc.). This verse highlights God's special Providence over the "vine" (Israel). [See similarly *Psalms* 80:9, cited in *Bamidbar Rabbah* loc. cit.] By comparing proselytes to a vine, the *Hosea* verse is saying that they will share Israel's special Providence (*Yefeh To'ar*).

37. Grain serves as a metaphor for Talmud because just as grain is the primary source of sustenance, so is the Talmud the primary source for Torah law (*Eitz Yosef* to *Bereishis Rabbah* 66 §3). Alternatively: Just as grain is primary for (physical) life in *this* world, the Talmud is the primary part of the Torah study that is essential for earning (spiritual) life in the World to Come (*Maharzu*). [Indeed, the Torah is compared to bread (grain); see *Proverbs* 9:5, as interpreted in *Bereishis Rabbah* 70 §5.]

38. See *Eitz Yosef.*

39. Aggadah is the homiletic teachings of the Sages. The vine (wine) serves as a metaphor for Aggadah because just as man is drawn to wine, so is he drawn to the study of Aggadah (*Eitz Yosef* to *Bereishis Rabbah* 66 §3), more than to the study of Talmud and halachah (see *Sotah* 40a and *Eitz Yosef* ad loc., cited in *Ein Yaakov* there). Alternatively, Aggadah, like wine, gladdens the heart (*Maharzu*). See Insight Ⓐ.

40. That is, their new Jewish names — as well as the names they bestow upon others (*Maharzu, Imrei Yosher,* and *Eitz Yosef* above, s.v. רבי אבהו; see, however, *Yefeh To'ar*, who says it is also possible to explain the Midrash as referring to the proselytes' original, non-Jewish names).

The Midrash is expounding the word זִכְרוֹ to mean *remembrance*, for a person is remembered when his name is mentioned (*Matnos Kehunah*). See *Exodus* 3:15, which states: *This is My name forever and this is My remembrance from generation to generation* (*Maharzu*).

41. R' Abahu's purpose here is to explain our verse's use of the name Moses (*He called to "Moses"*), the name given by Pharaoh's daughter, Bithiah (see below, §3). Although Moses had many names, God called him only by the name Bithiah bestowed upon him (see ibid., end) because she was a proselyte, and "the names of the proselytes are dear to God"; see preceding note (*Maharzu, Imrei Yosher,* and *Eitz Yosef* above).

Yefeh To'ar wonders why the Midrash speaks of the *names* of the proselytes being dear to God rather than the proselytes *themselves* being dear to him. He suggests (in his second approach, cited by *Eitz Yosef*) that the Midrash is making the point that the proselyte is dear to God even though a proselyte's name is always mentioned without that of his father's household. [This is because a proselyte has no legal genealogy; he is not halachically connected to his father.] God holds him in high esteem for his own accomplishments and does not look at his roots. And this, *Yefeh To'ar* adds, is why the proselyte is compared to wine libations (and not to other parts of the Temple service, such as sacrifices and incense). The proselyte may be deemed by some to be inferior. We are therefore to remember: The wood of the grapevine is the most inferior of all trees (see *Ezekiel* 15:2 and *Radak* ibid., v. 1), and yet it produces wine, the most beloved of all fruit products, which is used for libations on the Altar.

42. *Anaf Yosef.* See next note.

43. In this verse, *this good mountain* refers to Jerusalem, and *Lebanon* refers to the Temple (*Rashi* ad loc.). [The Midrash's question, וְלָמָּה נִקְרָא שְׁמוֹ לְבָנוֹן, would seem to be a *different* one, viz., why is the *Holy Temple* called Lebanon. However, *Yefeh To'ar* notes that this does not appear to be correct, for the next line, עַל שֵׁם ״הָהָר הַטּוֹב הַזֶּה וְהַלְּבָנֹן״, does not answer the question. We have therefore followed *Anaf Yosef's* suggested explanation of the Midrash. (It should be noted, as *Yefeh To'ar* points out, that these lines do not appear altogether in the parallel Midrash in *Bamidbar Rabbah* 8 §1.) See *Eitz Yosef.*

44. The word לְבָנוֹן derives from the root לבן, *white*. The Holy Temple whitens (i.e., atones for) the sins of Israel through the sacrifices offered there (*Eitz Yosef*).

45. This verse indicates that *becoming white* is a metaphor for the atonement of sin (ibid.).

INSIGHTS

Ⓐ **Food for Thought** Netziv (*Haamek Davar, Harchev Davar* on *Deuteronomy* 32:4) amplifies the comparison of Talmud to grain and Aggadah to wine:

Grain is the staff of life, and without bread man cannot exist. Just as grain is the primary source of man's nourishment, so too the study of Talmud, with its instructions regarding the laws of living, is to be man's primary focus. Aggadah, on the other hand, is like wine. It can make man happy, but it must be imbibed in proportion. And it is destructive if it is a man's sole source of nourishment.

One who engages primarily in Aggadah risks misunderstanding and misrepresenting the teachings of our Sages, for his life and view of the world are not thoroughly rooted in the firm ground of Talmud.

R' Eliezer exhorted his students, who sought from him "the ways of life ... to merit the life of the World to Come": מִנְעוּ בְּנֵיכֶם מִן הַהִגָּיוֹן וְהוֹשִׁיבוּם בֵּין בִּרְכֵּי תַלְמִידֵי חֲכָמִים, *Restrain your children from "higayon" and place them between the knees of Torah scholars* (*Berachos* 28b). *Rashi* there (in one explanation) explains "restraint from *higayon*" to mean that they should not allow their children to study Scripture more than necessary. Better that they should grow between the knees of Torah scholars. This does not mean that they should not be proficient in Scripture. Rather, they should not be overly involved in its study until they are sufficiently versed in Talmud, which will mold their understanding according to the firm guidelines of Talmudic law and practice.

The analogy to "grain" and "wine" expresses a similar concept. Grain can be consumed at any time, whereas wine drunk on an empty stomach will cause immediate intoxication and impairment of one's faculties. Similarly, before one has "filled his stomach" with the Talmud, one should not invest his efforts in the study of Aggadah, as such study can lead one astray for lack of grounding in the basic tenets of Judaism as explicated in the Talmud.

Divrei Shaarei Chaim (*Vayikra* 1) encapsulates this interplay between Talmud and Aggadah contained in the "grain and wine" metaphor. The foundation of a successful life is the life of fulfilling God's mitzvos as taught in the Talmud and as brought about by its study. This is grain, the staff of life. That life is enhanced and the heart gladdened by the wine of Aggadah, the vehicle that, as taught in *Sifri* (*Eikev* §49), brings us to a heightened recognition of our Creator.

כָּל יִשְׂרָאֵל עוֹמְדִים לִפְנֵי הַר סִינַי וְאוֹמְרִים (דברים ה, כב) "אִם יֹסְפִים אֲנַחְנוּ לִשְׁמֹעַ וגו'", וּמֹשֶׁה שׁוֹמֵעַ קוֹל הַדִּבּוּר עַצְמוֹ וְחָיָה, תֵּדַע לְךָ שֶׁהוּא כֵּן, שֶׁמִּכֻּלָּן לֹא קָרָא אֶלָּא לְמֹשֶׁה, לְכָךְ נֶאֱמַר "וַיִּקְרָא אֶל מֹשֶׁה":

ב רַבִּי אַבָּהוּ פָּתַח: (הושע יד, ח) "יָשֻׁבוּ יֹשְׁבֵי בְצִלּוֹ", אֵלּוּ הַגֵּרִים שֶׁבָּאִין וְחוֹסִין בְּצִלּוֹ שֶׁל הַקָּדוֹשׁ בָּרוּךְ הוּא, (שם) "יְחַיּוּ דָגָן", נַעֲשׂוּ עִיקָּר כְּיִשְׂרָאֵל, כְּמָה דְתֵימַר (זכריה ט, יז) "דָּגָן בַּחוּרִים וְתִירוֹשׁ יְנוֹבֵב בְּתֻלוֹת", (הושע שם שם) "וְיִפְרְחוּ כַגָּפֶן", כְּמָה דְתֵימַר (תהלים פ, ט) "גֶּפֶן מִמִּצְרַיִם תַּסִּיעַ תְּגָרֵשׁ גּוֹיִם וַתִּטָּעֶהָ", דָּבָר אַחֵר "יְחַיּוּ דָגָן" בְּתַלְמוּד, "וְיִפְרְחוּ כַגָּפֶן" בְּאַגָּדָה, (הושע שם שם) "זִכְרוֹ כְּיֵין לְבָנוֹן", אָמַר הַקָּדוֹשׁ בָּרוּךְ הוּא: חָבִיב עָלַי שְׁמוֹתָם שֶׁל גֵּרִים כְּיַיִן נֶסֶךְ שֶׁקָּרֵב לְפָנַי עַל גַּבֵּי הַמִּזְבֵּחַ, וְלָמָּה נִקְרָא שְׁמוֹ לְבָנוֹן, עַל שֵׁם (דברים ג, כה) "הָהָר הַטּוֹב הַזֶּה וְהַלְּבָנֹן", תָּנֵי רַבִּי שִׁמְעוֹן בֶּן יוֹחָאי: לָמָּה נִקְרָא שְׁמוֹ לְבָנוֹן, שֶׁמַּלְבִּין עֲוֹנוֹתֵיהֶם שֶׁל יִשְׂרָאֵל כַּשֶּׁלֶג, הֲדָא הוּא דִכְתִיב (ישעיה א, יח) "אִם יִהְיוּ חֲטָאֵיכֶם כַּשָּׁנִים כַּשֶּׁלֶג יַלְבִּינוּ אִם יַאְדִּימוּ כַתּוֹלָע כַּצֶּמֶר יִהְיוּ":

כל ישראל עומדים כו'. הכוונה שלהיות קבוץ השלמים מועיל להוסיף כח בשלימותם אשר היה בהם מתחלה, על כן בהיותם ששים רבוא יחד במעמד הר סיני גדול שלימות הכנסים לקבלת השפע האלהי שם, על כן היה אפשר שבסיוע זה אל זה להכנים אל השלימות יותר יוכלו לשמוע קול ה', ומאחר שעם כל זה אמרו אם יוספים אנחנו וגו' נראה שלא הספיק כח כלם יחד לשמוע קול ה', ומשה רבינו עליו השלום לבדו היה כחו מספיק יותר מכולם: **לא קרא אלא למשה.** שאילו קרא אחרים עמו לא היה נודע כחו של משה לגמרי, שהיה אפשר שעל ידי זכות הנלוים אליו היה זוכה משה לזה, אבל לבדו לא, אלא שלא קרא אלא למשה, ומכל מקום היה בו כח לשמוע קול הדבור. ועיין ביפה תואר: **(ב) רבי אבהו פתח ישובו כו'.** רצה לומר, דויקרא אל משה אתא למימר דשם שקראו בת פרעה עדיף מכולהו כדלקמן בפירקין (סוף אות ג), ולהכי מייתי האי קרא דדריש ליה בגרים, וקאמר ששמות הגרים חביבים לפני ה', והוא הדין נמי שהשם שקראו בת פרעה שנתגיירה היה חביב לפני ה': **אלו הגרים.** דמדכתיב ישובו, משמע דעד השתא לא היו יושבים בצלו ועתה שבו לשבת בה, על כרחך דאיירי בגרים, דבמתן תורה ברחו האומות משבת בצלו של הקדוש ברוך הוא כדאיתא בחזית (שיר השירים רבה ב, על פסוק ג) בצלו חמדתי וישבתי, להכי קאמר שעתה ישובו וירצו לשבת בצלו כמו שהיתה הכוונה האלהית במתן תורה שקרא לכל האומות אליו ולא רצו (יפה תואר ועיין שם): **נעשו עיקר בישראל.** שהקישן הכתוב לישראל כדלקמן במדרש במדבר רבה פ"ח (א-ב). והתם דגרסינן בישראל בכ"ף, [ו]טעות סופר הוא (יפה תואר): **היך מאי דאת אמר דגן בחורים.** כלומר כיון דישראל איקרו דגן, מקיש להו לישראל. וכן **יפרחו כגפן,** דישראל איקרו גפן. ועיין ביפה תואר: **יחיו דגן בתלמוד כו'.** כטעם שאמרו בספרי (בראשית רבה סו, ג), הדגן זה התלמוד, תירוש זו אגדה. ומשום דבעודם בגיותן לא יוכלו להבין בתורה, כדאיתא בשמות רבה (ל, ט). להכי קאמר דהשתא יזכו לתלמוד ולאגדה: **שמותן של גרים.** שלהיות שם הגר נזכר בלי יחוס בית אב, אמר שעם כל זאת הוא חביב, שיסתכל ה' בו, ולא בזרעו, כענין היין שהעץ שהוא יוצא ממנו גרוע מכל העצים בקומתו ואיכותו כי לא יצלח לכל מלאכה, וכמו שאמר הכתוב (יחזקאל טו, ב) מה יהיה עץ הגפן מכל עץ הזמורה, ועם כל זאת היין חביב מאד עצמו, ומתנסך על גבי המזבח (יפה תואר): **ולמה נקרא שמו לבנון על שם ההר הטוב הזה והלבנון.** זה הלשון אינו מכוון, כי לא נתן טעם למה נקרא לבנון משום דכתיב ההר הטוב וגו', דאכתי צריך לתת טעם למה נקרא לבנון ולומר כהני טעמים דבסמוך. ואם לא בא לומר אלא שפירוש לבנון היינו בית המקדש דומיא דההר הטוב הזה והלבנון, הוי ליה למימר ואין לבנון אלא בית המקדש כמו דלא אמר ההר הטוב, כמו שאמר בבראשית רבה (טו, ב). ולקמן בבמדבר רבה (ח, א) לא מייתי האי לישנא (יפה תואר). ועיין בענף: **שמלבין עונותיהם.** על ידי הקרבנות שקרבין בו: **אם יהיו חטאיכם כו'.** כלומר ראיה שכפרת החטא מכונה בהלבנה:

אם יוספים אנחנו. בתנחומא מוסיף לדרוש פה דברים נפלאים עיין שם. ומה שכתב גבורי כח, קאי גם על מה שכתב לשמוע בקול דברו. על פי מדה כ"ב, שהיה גבור כח לשמוע: **(ב) ישובו יושבי בצלו.** במדבר רבה (ח, א) כל הענין: **בתלמוד.** וכמו שהדגן עיקר לחיי עולם הזה למזון, כך התלמוד עיקר לחם התורה לחיי עולם הבא, וכמו שהיין שמחה ותענוג להגוף, כך האגדה שמחה ותענוג להנפש: **שמותם של גרים.** כולל שתי הכוונות השמות החדשים שקוראים לעצמם, וכולל גם השמות שהם קוראים לאחרים, כמו בתיה למשה, כמו שכתב לקמן (סימן ג) בהדיא, וזהו עיקר שייכות דרשה זו לכאן על מה שכתוב ויקרא אל משה. ומה שכתוב (הושע יד, ח) זכרו כיין לבנון, כאלו כתוב שמו כיין לבנון, כי זכר ושם ענין אחד, כמו שכתוב (שמות ג, טו) זה שמי וזה זכרי, וכמו שכתוב (משלי י, ז) זכר צדיק לברכה ושם רשעים ירקב, ודורש על פי גזירה שוה על המקדש והמזבח, ורבי שמעון בר יוחאי דורש על פי מדה ממעל וי"ז, וכן רבי טביומי על פי מדת ממעל וי"ז:

מתנות כהונה

[ב] שמותם וכו'. והיינו דכתיב זכרו, שמותם הם זכרונם, שנקראו בשמותם על האדמה:

אשד הנחלים

לששים רבוא ישראל, כי כל אחד זכה למלאך כפי מדרגותו. אך כל זה בהשגות הנפרדות שיצאו מחמת המלאכים, אבל בדיבור עצמו נכלל כל ההשגות, וכמו שאמרו בחזית שמהדיבור למלאך וממלאך לישראל, ואם כן צדקו דברי המדרש במה שהביא ראיה על מעלת משה, שהיה בכחו לקבל ולשמוע כל ההשגות, במה שהיה קשה לישראל לקבל איש איש השגה פרטית ממנה. הבן זה מאוד. והדרש הזה הוא כמו שדרש לעיל מלאכיו המה הנביאים שנקראו מלאכיו, ומה גדול כח משה שהיה שומע קול הדיבור עצמו, שבו נכלל הכל: **לא קרא אלא למשה.** לכאורה יקשה וכי זאת היתה הקריאה הראשונה למשה, הלא כמה פעמים דיבר עמו וצוה אותו, ומה סמך הדורש ע"ז הפסוק דוקא. ואולי לפי שקריאה מורה על מעלת הנבואה הגדולה והרמה עד למאוד, כי ענין הקריאה הוא מורה על שהוא עומד בריחוק מקום או מדריגה והוא נקרא שיתקרב אליו. והנה משה אבי הנביאים היה עומד תמיד מוכן לנבואה, וכמו שכתוב (דברים ה, כז) ואתה פה עמוד עמדי, ולכן לא נאמר בו לשון קריאה תמיד כי אם אמירה או דיבור סתם, אבל כאן נאמר לשון קריאה, מורה שהגיע אז למדרגה רמה מאוד, עד שהוצרך להקרא, וזהו לשמוע בקול דברו. ודע עוד דכמו אצלינו הקול הוא יותר פנימי מהדיבור, שהוא על ידי מוצאות הפה ועל ידי כלי החושים, וכן מדריגת הנבואה הגדולה מכונה בשם קול, ואשר למטה מעט בשם דיבור, וזהו לשמוע בקול דברו: **[ב] ישובו גו' נעשו עיקר.** כי לא יתכן שהכתוב מבשרן שישבו בצילו של הקב"ה, במה שיתענגו מרב טוב העולם הזה, ורק הכוונה מזון הנפשי המכונה באלו השמות על שם פעולותיהם, למשל כמו הדגן המחייה והסועד הלב, אף שאין בו נועם כל כך, כן מכונה התלמוד שהוא לימוד מעשי המצות על פי פשטן, שהן הן גופי הלכות, והגפן שהוא דבר המשמח הלב, זהו אגדה המדבר משבחו יתברך והשגתו, שזהו משמח בטבע להנפש המשכלת: **חביב עלי שמותם.** כלומר כינויים, במה שמכונים בשם גר להורות שבאו מארץ נכריה להכיר כבוד ה' ומעשיו יתברך, וזהו חביב לפניו יתברך שעל ידי זה יתן חכמה בלבו, להבינו ולהשכילו יותר מיין המתנסך על גבי המזבח, שזה היה תועלת לשאיבת רוח הקודש כנודע:

חידושי הרד"ל

[ב] רבי אבהו פתח ישובו כו'. במדבר רבה ריש פרשה ח (א): **שבאין וחסין בצילו** ותפס לשון המקרא (רות ב, יב) אשר באת לחסות תחת כו': **נעשו עיקר בישראל כמה דאת אמר דגן בחורים כו'.** כמו שהדגן עיקר המאכל שעליו יחיה האדם, כן הבחורים עיקר העם בכחם, ורמיזי גם כן במאי דכתיב לקמיה (הושע יד, ז) ילכו יונקותיו כו', שדרשוהו (ברכות מג, ב) על בחורי ישראל: **תני רבי שמעון בן יוחאי למה נקרא שמו לבנון.** ספרי שם:

חידושי הרש"ש

ומשה שומע קול הדבור עצמו וחיה. כמו בעצמו, רצה לומר יחיד:

באור מהרי"פ

[ב] משוש כל הארץ הר ציון ירכתי צפון וגו'. משום דעיקר השמחה היתה מפני הקרבנות שהיו מתכפרים, והם היו הנשחטים על ירך המזבח צפונה, וזהו משוש כל הארץ וגו' ירכתי צפון וגו', וכן מפורש במדרש שוחר טוב (מזמור מח) וזה לשונו, משוש כל הארץ, ובמה היתה משוש שהיתה משמחת כל הארץ, היה אדם עובר עבירה היה דואג בלבו, ולבו נוקפו, היה הולך לירושלים ומקריב קרבן, ומתכפר לו ולבו שמח עליו, וזהו משוש שמח. עד כאן:

ענף יוסף

(ב) ולמה נקרא שמו לבנון על שם ההר הטוב הזה והלבנון. עיין מה שכתבתי בעץ יוסף בשם היפה תואר. ואפשר שהכי פירושו, למה נקרא היין המתנסך על גבי המזבח לבנון, וקאמר משום שבית המקדש נקרא לבנון, כדכתיב ההר הטוב הזה והלבנון, וקאמר רבי שמעון בר יוחאי למה נקרא בית המקדש לבנון, על שם שמלבין עונותיהם של ישראל, על ידי הקרבנות שקרבין בו:

מסורת המדרש

ד. גיטין דף נ"ו. חזית פ"ז סי' י':

אם למקרא

וְעַתָּה לָמָּה נָמוּת כִּי תֹאכְלֵנוּ הָאֵשׁ הַגְּדֹלָה הַזֹּאת אִם יֹסְפִים אֲנַחְנוּ לִשְׁמֹעַ אֶת קוֹל ה' אֱלֹהֵינוּ עוֹד וָמָתְנוּ:
(דברים ה:כב)

יָשֻׁבוּ יֹשְׁבֵי בְצִלּוֹ יְחַיּוּ דָגָן וְיִפְרְחוּ כַגָּפֶן זִכְרוֹ כְּיֵין לְבָנוֹן:
(הושע יד:ח)

כִּי מַה טּוּבוֹ וּמַה יָּפְיוֹ דָּגָן בַּחוּרִים וְתִירוֹשׁ יְנוֹבֵב בְּתֻלוֹת:
(זכריה ט:יז)

גֶּפֶן מִמִּצְרַיִם תַּסִּיעַ תְּגָרֵשׁ גּוֹיִם וַתִּטָּעֶהָ:
(תהלים פ:ט)

אֶעְבְּרָה נָּא וְאֶרְאֶה אֶת הָאָרֶץ הַטּוֹבָה אֲשֶׁר בְּעֵבֶר הַיַּרְדֵּן הָהָר הַטּוֹב הַזֶּה וְהַלְּבָנֹן:
(דברים ג:כה)

לְכוּ נָא וְנִוָּכְחָה יֹאמַר ה' אִם יִהְיוּ חֲטָאֵיכֶם כַּשָּׁנִים כַּשֶּׁלֶג יַלְבִּינוּ אִם יַאְדִּימוּ כַתּוֹלָע כַּצֶּמֶר יִהְיוּ:
(ישעיה א:יח)

אמרי יושר

לכך נאמר ויקרא אל משה. וזו היה גבורתו, כי הוא גבור שבגבורים, כי אף שנאמר בהם גבורי כח לא יסבלו, כדדרשו לקמן (סימן ד) עליו, שויתי עזר על גבור, ומשה לבדו נשא וגם סבל: **[ב] זכרו כיין לבנון חביב עלי שמותן של גרים.** או שם עצמם, או שם שמכנים הגרים לאחרים, כבתיה בת פרעה שנתגיירה, וכינתה למשה בשם הלז, דכן קראו הקדוש ברוך הוא, אף על פי שהיה לו שבע שמות. אביגדור, וחבר, על שם שהעביר הפורענות מהעולם, כי אותיות א' ה' ו' י' מתחלפות. ואף על גב דתחלה כאשר קראו ה' משה בסנה, לא דרשו ז"ל כן, רק הנה כי כאן קבל התורה וקנה לו שמות אחרים יותר, ועם כל זה לא קראו אלא משה:

A second reason:

רַבִּי טַבְיוֹמֵי אָמַר: עַל שֵׁם שֶׁכָּל לְבָבוֹת שְׂמֵחִים בּוֹ — R' Tavyomei said: The Holy Temple is called *Lebanon* **since all hearts** (לְבָבוֹת) **rejoice in it.**[46] **הֲדָא הוּא דִכְתִיב "יְפֵה נוֹף מְשׂוֹשׂ כָּל הָאָרֶץ וְגוֹ'" — Thus it is written,** ***Fairest of sites, joy of all the earth,*** *Mount Zion, by the northern side of the great king's city* (*Psalms* 48:3).[47]

A third reason:

וְרַבָּנָן אָמְרֵי: עַל שֵׁם "וְהָיוּ עֵינַי וְלִבִּי שָׁם כָּל הַיָּמִים" — The Rabbis say: The Holy Temple is called *Lebanon* **because** Scripture writes in regard to the Temple, ***and My eyes and My heart shall be there all the days*** (*I Kings* 9:3).[48]

§3 The Midrash shows from a verse in *Chronicles* that although Moses had many names, God referred to him only by the name given to him by Bithiah, daughter of Pharaoh:[49]

רַבִּי סִימוֹן בְּשֵׁם רַבִּי יְהוֹשֻׁעַ בֶּן לֵוִי — R' Simone said **in the name of R' Yehoshua ben Levi, וְרַבִּי חָמָא אֲבוּהָ דְרַבִּי הוֹשַׁעְיָא בְּשֵׁם רַב אָמְרֵי — and R' Chama the father of R' Hoshayah said in the name of Rav: לֹא נִיתַּן דִּבְרֵי הַיָּמִים אֶלָּא לִידָּרֵשׁ** — The Book of ***Chronicles*** **was given only to be interpreted homiletically.**[50] The Midrash illustrates this with an analysis of the following verse: **"וְאִשְׁתּוֹ הַיְהֻדִיָּה יָלְדָה אֶת יֶרֶד אֲבִי גְדוֹר וְגוֹ'" — *And his Judahite wife*** [הַיְהֻדִיָּה][51] ***bore Jered, the father of Gedor,*** *and Heber, the father of Socho, and Jekuthiel, the father of Zanoah. These are the sons of Bithiah, daughter of Pharaoh, whom Mered married* (*I Chronicles* 4:18). **"וְאִשְׁתּוֹ הַיְהֻדִיָּה", זוֹ יוֹכֶבֶד — *And his Judahite wife* — this** is actually **Jochebed. וְכִי מִשִּׁבְטוֹ שֶׁל יְהוּדָה הָיְתָה, וַהֲלֹא מִשִּׁבְטוֹ שֶׁל לֵוִי הָיְתָה — Now was [Jochebed] from the Tribe of Judah? Was she not from the Tribe of Levi?!**[52] **וְלָמָּה נִקְרָא שְׁמָהּ יְהוּדִיָּה — Why then is she called *Yehudiyah*** [הַיְהֻדִיָּה]? **עַל שֵׁם שֶׁהֶעֱמִידָה יְהוּדִים בָּעוֹלָם — Because she brought Jews** (יְהוּדִים) **into the world.**[53]

The Midrash continues to expound the *Chronicles* verse, and explains how each name mentioned in it is actually another name for Moses:

"יָלְדָה אֶת יֶרֶד" זֶה מֹשֶׁה — *[She] bore Jered* [יֶרֶד] **— this is Moses. רַבִּי חֲנִינָא בַּר פַּפָּא וְרַבִּי סִימוֹן — R' Chanina bar Pappa and R' Simone** dispute the reason that Moses is called *Yered.* **רַבִּי חֲנִינָא בַּר פַּפָּא אָמַר: "יֶרֶד", שֶׁהוֹרִיד אֶת הַתּוֹרָה מִלְמַעְלָה לְמַטָּה — R' Chanina bar Pappa said:** He is called ***Yered*** (יֶרֶד) in this verse **because he brought down** (הוֹרִיד) **the Torah** from the heaven **above to** the earth **below.**[54] **דָּבָר אַחֵר, "יֶרֶד", שֶׁהוֹרִיד אֶת הַשְּׁכִינָה מִלְמַעְלָה לְמַטָּה — Another explanation:** He is called ***Yered*** **because he brought down the Divine Presence from** the heaven **above to** the earth **below.**[55] **אָמַר רַבִּי סִימוֹן: אֵין לְשׁוֹן "יֶרֶד" אֶלָּא לְשׁוֹן מְלוּכָה — R' Simone** disagreed and **said: The word *Yered*** in this verse **connotes nothing other than dominion, כְּמָה דְתֵימַר "וְיֵרְדְּ מִיָּם עַד יָם" — as it is stated, *May He dominate*** [וְיֵרְדְּ] ***from sea to sea*** (*Psalms* 72:8), **וּכְתִיב "כִּי הוּא רֹדֶה בְּכָל עֵבֶר הַנָּהָר" — and it is written, *For he ruled*** [רֹדֶה] ***over the entire area beyond the [Euphrates] river*** (*I Kings* 5:4). Accordingly, Moses is called *Yered* because he ruled as king over Israel.[56]

"אֲבִי גְדוֹר", רַבִּי הוּנָא בַּר אַחָא אָמַר: הַרְבֵּה גוֹדְרִין עָמְדוּ לְיִשְׂרָאֵל — *The father of Gedor* [גְּדוֹר] **— R' Huna bar Acha said: There were many fence makers**[57] (גּוֹדְרִין) **who arose for Israel, וְזֶה הָיָה אֲבִיהֶן שֶׁל כּוּלָּן — and [Moses] was the father** (i.e., the chief one) **of them all.** He is therefore called *the father of Gedor* in this verse. **"חֶבֶר" שֶׁחִיבֵּר אֶת הַבָּנִים לַאֲבִיהֶם שֶׁבַּשָּׁמַיִם** — Moses is called ***Heber*** [חֶבֶר] in this verse **because he joined** (חִיבֵּר) **the Children** of Israel **to their Father in heaven.**[58] **דָּבָר אַחֵר, "חֶבֶר", שֶׁהֶעֱבִיר הַפּוּרְעָנִיּוֹת מִלָּבֹא בָּעוֹלָם — Another explanation:** Moses is called *Heber* in this verse **because he averted** (הֶעֱבִיר) **calamity from coming to the world.**[59]

NOTES

46. The word לְבָנוֹן is expounded as related to the word לֵב, *heart.* The Temple is the source of life and joy for the nation, just as the heart is the source of life for the individual (see *Eshed HaNechalim, Eitz Yosef*).

47. The verse refers specifically to the *northern* side as the source of joy, because atonement offerings (the *chatas* and *asham*) were slaughtered on the northern side of the Temple Courtyard (*Rashi* ad loc.).

48. The Rabbis expound the word לְבָנוֹן as a a contraction of the words לֵב, *heart,* and עֵינַיִם, *eyes* (*Eitz Yosef*). The word thus connotes God's Providence, which is manifest most intensely in the Holy Temple (ibid., s.v. שכל לבבות).

49. *Yefeh To'ar.* See above, note 41.

50. The Book of *Chronicles,* which chronicles the genealogies of the Jewish people (starting with Adam), often uses several names for a single individual. Furthermore, most of the narratives that appear in the Book already appeared in the Book of *Kings* or elsewhere, and therefore on the plain-meaning level (פְּשָׁט) they are redundant. Hence, much of *Chronicles* was written for exegetical purposes, as the Midrash proceeds to demonstrate (*Eitz Yosef;* see also *Yefeh Anaf* and *Maharzu* to *Rus Rabbah* 2 §1, and see *Megillah* 13a). See Insight to *Rus Rabbah* 2 §1, "Reading Between the Genealogical Lines."

51. The Midrash currently understands the word הַיְהֻדִיָּה to mean *Judahite,* i.e., from the Tribe of Judah. See further. [As to whom *"his" Judahite wife* refers to, the plain meaning of the verse is that it is referring to *Mered's* wife *Bithiah* — see the end of the verse. However, the Midrash will expound it differently. See note 53.]

52. As *Numbers* 26:59 states: *The name of Amram's wife was Jochebed, daughter of Levi.*

53. The words וְאִשְׁתּוֹ הַיְהֻדִיָּה should thus be translated "his *Jewish* wife" and not "his *Judahite* wife."

When she served as one of the two midwives in Egypt, Jochebed refused to obey Pharaoh's order to kill the male children as they were born (see *Exodus* 1:5 with *Rashi*). Yochebed is called שִׁפְרָה by the Torah (ibid., v. 15) because the Jewish people increased because of her, and שִׁפְרָה is a contraction of the words שֶׁפָּרוּ וְרָבוּ, *they were fruitful and multiplied* (*Eitz Yosef,* based on *Shemos Rabbah* 1 §13; see *Rashi* ad loc. for a different explanation). Alternatively: The Midrash means that Jochebed "brought Jews into the world" *through giving birth to Moses,* for Moses brought all of Israel under the wings of the *Shechinah* (*Zayis Raanan* to *Yalkut Shimoni, Vayikra* §428).

[*Yefeh To'ar* notes a difficulty with our Midrash: How can *his Jewish wife* refer to Jochebed, when Jochebed's husband Amram is not mentioned anywhere in the *Chronicles* passage? Indeed, the Sages (*Megillah* 13a) understood *"his" Jewish wife* as referring to *Caleb* (mentioned in v. 15 in the *Chronicles* passage), and they identified Caleb and his wife with Mered and Bithiah who are mentioned at the end of v. 18 (see note 51).]

54. R' Chanina bar Pappa interprets the root ירד as meaning "to go down." That Moses went up to the heavens to bring down the Torah is alluded to in *Proverbs* 21:22. *The wise one went up to the city of the strong and brought down the strength of its trust*; see below, 31 §5 (*Maharzu*).

For a different explanation of why Moses was called *Yered,* see *Megillah* 13a, cited by *Rashash.*

55. That Moses brought the Divine Presence down from heaven is indicated by *Exodus* 19:11, which states: *Let them be prepared for the third day, for on the third day HASHEM shall descend in the sight of the entire people on Mount Sinai.* See also *Bereishis Rabbah* 19 §7 (*Maharzu*).

56. Scripture refers to Moses as a king. As *Deuteronomy* 33:5 states: *And he became king over Jeshurun* (*Eitz Yosef*). See *Ibn Ezra* ad loc.

57. I.e., people who built fences around the Torah, mending the breaches in the observance of mitzvos (*Matnos Kehunah,* followed by *Eitz Yosef;* see, however, *Eshed HaNechalim*).

58. He did so by building the Tabernacle, as Scripture states (*Exodus* 25:8): וְעָשׂוּ לִי מִקְדָּשׁ וְשָׁכַנְתִּי בְּתוֹכָם, *They shall make a Sanctuary for Me — so that I may dwell among them* (*Eitz Yosef,* citing *Gra*).

59. The name חֶבֶר is expounded as if written with a ה in place of a ח (for guttural letters are interchangeable). It thus sounds like the word הֶעֱבִיר, *removed* (*Matnos Kehunah*). Alternatively: The name חֶבֶר is borrowed from the expression חֹבֵר חָבֶר, the Torah's term for an animal charmer, who gathers ("joins") snakes together to one place (see *Rashi* to *Deuteronomy* 18:11) in order to protect people from harm. Similarly, when Moses received the Torah, the world became protected from destruction (*Yedei Moshe*), for if Israel had not received the Torah, the world would have been destroyed. [See *Rashi* to *Genesis* 1:31; see also *Jeremiah* 33:25, and see *Nefesh HaChaim, Shaar* 4, Ch. 11.] Moses thus "averted calamity from coming to the world" (*Eitz Yosef*). For yet another interpretation see *Eshed HaNechalim.*

רבי טביומי אמר: על שם שכל לבבות שמחים בו, הדא הוא דכתיב (תהלים מח, ג) "יפה נוף משוש כל הארץ וגו'", ורבנן אמרי: על שם (מלכים-א ט, ג) "והיו עיני ולבי שם כל הימים":

ג רבי סימון בשם רבי יהושע בן לוי ורבי חמא אבוה דרבי הושעיא בשם רב אמרי: לא ניתן דברי הימים אלא לידרש, (דברי הימים-א ד, יח) "ואשתו היהדיה ילדה את ירד אבי גדור וגו'", "ואשתו היהודיה", זו יוכבד, וכי משבטו של יהודה היתה, והלא משבטו של לוי היתה, ולמה נקרא שמה יהודיה, על שם שהעמידה יהודים בעולם, "ילדה את ירד" זה משה, רבי חנינא בר פפא ורבי סימון, רבי חנינא בר פפא אמר: "ירד", שהוריד את התורה מלמעלה למטה, דבר אחר, "ירד", שהוריד את השכינה מלמעלה למטה, אמר רבי סימון: אין לשון "ירד" אלא לשון מלוכה, כמה דתימר (תהלים עב, ח) "וירד מים עד ים", וכתיב (מלכים-א ה, ד) "כי הוא רדה בכל עבר הנהר", "אבי גדור", רבי הונא בר אחא אמר: הרבה גודרין עמדו לישראל וזה היה אביהן של כולן, "חבר" שחיבר את הבנים לאביהם שבשמים, דבר אחר, "חבר", שהעביר הפורעניות מלבא בעולם,

עץ יוסף

שכל לבבות כו'. דרש לבנון מלשון לב, ובאה הנו"ן להגדיל ולאהוב הענין, ולכלול את כל הלבבות, כמו אותיות האמנתי"ו הבאה לתפארת הענין (עיין יריעות שלמה), וכאילו אומר הוא לב שלנו, כלומר מקור החיות והשמחה כמו שהלב הוא מקור החיים באדם, כי הוא יפה נוף משוש כל הארץ, כי טבע ארצה טוב מאד, ודעת רבנן מפני ששם עיקר ההשגחה האלקית שורה, שזהו מכונה בשם לב, כלב הנותן חיות לכל הגוף, ויען כי הוא מקור הלב, לכן אמר לבנון במנין הרבוי: **על שם והיו עיני ולבי.** דרש לבנון נוטריקון לב עינים: **(ג) רבי סימון כו'.** משום דבעי לפרש דויקרא אל משה אתא לומר שנקרא בשם משה, ולא בשאר שמות שהיו לו כדלקמן, דרש ואזיל האי קרא למילף מיניה כמה שמות היו למשה: **לא ניתן דברי הימים אלא לידרש.** משום דאשכחן כמה שמות ואינן אלא אחד, כענין ירד ואביגדור וכל הני דמזכיר הכא, וכן ישר ושובב וארדון ויולתס, דמייתי בשמות רבה (א, כב), ובצלאל, ורהיה, ושובל, ויולתס דמייתי שם (שמות רבה מ, ד). ועוד דרוב ענינים הנזכרים בדברי הימים נזכרו בספר מלכים ושאר דוכתי, להכי קאמר שלא ניתן דברי הימים אלא לידרש, ששמות רבים נאמרו על אחד לרמוז הדרשות שנדרשו בהם, ואינם שמות אנשים מחולפים: **שהעמידה יהודים.** שהיתה שפרה, שפרו ורבו ישראל על ידה, וגם ותחיינה את הילדים כדלעיל שמות רבה (א, יז): **שהוריד התורה.** כי התורה העליונה במציאותה היא למעלה כנודע, אך נלבשה במאמרים שיכולים התחתונים לקבלה: **שהוריד את השכינה.** מרקיע השביעי לארץ, וכדאיתא בבראשית רבה (יט, יג): **לשון מלוכה.** ומשה איקרי מלך כדכתיב (דברים לג, ה) ויהי בישורון מלך: **וירד.** פירוש מלך ומושל: **גודרין.** פרצתן של ישראל ועושין גדר לתורה ומצות: **שחיבר את הבנים כו'.** על ידי הקמת המשכן כמו שנאמר (שמות כה, ח) ושכנתי בתוכם (הגר"א): **חבר שהעביר את הפורעניות.** וחבר לשון חובר חבר, שמעכב את פורענות הנחשים על ידי לחישתו. ורצה לומר שאם לא קבלו ישראל את התורה היה נחרב כל העולם, ועל ידי קבלת התורה נתבסס העולם, והיינו דקאמר שהעביר הפורעניות מלבא בעולם:

פירוש מהרז"ו

שכל הלבבות. שמות רבה (לו, א. ח, נב) ובמדבר רבה (ח, א): **(ג) לא נתן דברי הימים כו'.** ועיין בשמות רבה (יח, ג) שהם שייכים להבנת דברי המאמר המופלא הזה: **שהעמידה יהודים בעולם.** כמו שכתב שמות רבה (א, יג) גם כן על יוכבד שנקראת שפרה שהעמידה ישראל וכו' עיין שם. והנה שם יהודים לא נזכר בתורה ונביאים רק באסתר עזרא נחמיה ובתרגום אונקלוס אלהי העברים (שמות ה, ג) תרגם אלהא דיהודאי, וכן העבריות יהודיתא. ובילקוט כאן (רמז תקכ) הגירסא שהעמידה הודיה בעולם, ופירוש גם כן על שהעמידה ישראל שהם מהוללים, וכמו שכתוב בלאה (בראשית כט, לה) באמרה הפעם אודה את ה' על כן קראה את שמו יהודה: **שהוריד את התורה.** כמו שכתוב (משלי כא, כב) עיר גבורים עלה חכם ויורד עוז מבטחה: **שהוריד את השכינה.** כמו שכתוב בסדר יתרו (שמות יט, יא) כי ביום השלישי ירד ה' על הר סיני. וכמו שאמרו בראשית רבה (יט, ז) עמד משה והורידה מלמעלה למטה: **שחבר את הבנים.** וזהו חבר אבי, שחבר לאב, וזהו על פי מדה ט'. גם דורש שתיבת אבי שייך למטה, כי אבי הוא סמוך: **הפורענות.** יתכן שמרומז במה שכתוב שוכו, בשי"ן שמאלית, כאלו הוא בשי"ן ימנית, מלשון וישוכו המים (בראשית ח, א), וחמת המלך שככה (אסתר ז, י) שהעביר הפורענות ושככה חמתו:

חידושי הרד"ל

[ג] **לא ניתן דברי הימים אלא להדרש.** רות רבה פרשה ב, [א] (ועיין מגלה יג, א).

חידושי הרש"ש

[ג] **ירד שהוריד את התורה מלמעלה למטה.** ובמגילה (יג, א) איתא שירד להם לישראל מן בימיו: **אבי סוכו שהיה אביהן כו'.** ושם במגילה איתא שנעשה להם לישראל כסוכה:

באור מהרי"פ

[ג] **רבי יהושע בן לוי וכו' לא ניתן דברי הימים אלא להדרש וכו'.** פירוש משום דבעי לפרש דויקרא אל משה אתא למימר שנקרא בשם משה ולא בשאר שמות שהיו לו כמבואר לקמן, ולכך דריש האי קרא תחלה למילף מיניה כמה שמות היו למשה: **ואשתו וגו'.** [בקרא כתיב] (דברי הימים א' ד, טו יח) **ובני כלב בן יפונה עירו אלה ונעם ובני אלה וקנז. [וכו'] ואשתו היהדיה ילדה את ירד אבי גדור ואת חבר אבי שוכו ואת יקותיאל אבי זנוח ואלה בני בתיה בת פרעה אשר לקח מרד. [ודריש] ואשתו היהודיה זו יוכבד.** תימה דקראי דהתם בכלב משתעי, כמו שהעתקנו המקראות כאן, ואשתו אכלב קאי, כאשר יראה המעיין, וכן דריש בסמוך בסוף הדרש אשר לקח מרד זה כלב, וכן מבואר במגילה (יג, א) וכי ירד שמו אלא כלב שמו, ופירש"י וזה לשונו שבכלב משתעי קרא, אבל עמרם מאן דכר שמיה התם, דקאמר ואשתו היהודיה קאי על יוכבד, צריך עיון מאד מאד:

ליקוטים

[ג] **חבר שעביר הפורענות.** פירוש קרי ביה עבר, חי"ת מתחלף בעי"ן. ומתנות כהונה פירש קרי ביה הבר בה"א, ואחר כך נפל בדוכת אחר, ולא נהירא (מעריך ערך חבר):

אם למקרא

יפה נוף משוש כל הארץ הר ציון ירכתי צפון קרית מלך רב: (תהלים מח:ג)

ויאמר ה' אליו שמעתי את תפלתך ואת תחנתך אשר התחננתה לפני הקדשתי את הבית הזה אשר בנתה לשום שמי שם עד עולם והיו עיני ולבי שם כל הימים: (מלכים א ט:ג)

ואשתו היהדיה ילדה את ירד אבי גדור ואת חבר אבי שוכו ואת יקותיאל אבי זנוח ואלה בני בתיה בת פרעה אשר לקח מרד: (דברי הימים א ד:יח)

וירד מים עד ים ומנהר עד אפסי ארץ: (תהלים עב:ח)

כי הוא רדה בכל עבר הנהר מתפסח ועד עזה בכל מלכי עבר הנהר ושלום היה לו מכל עבריו מסביב: (מלכים א ה:ד)

ענף יוסף

(ג) זו יוכבד. תימה דקראי דהתם בכלב קמשתעי, לפי זה אשתו קאי אכלב, אבל עמרם מאן דכר שמיה התם, דקאמר אשתו היהודיה על יוכבד (יפה תואר): **את ירד זה משה.** וכן תרגם רב יוסף, אלא שאמר שנקרא ירד דאחית מנא לישראל, וכן הוא במגילה (יג, א):

מתנות כהונה

על שם שכל לבבות וכו'. דרש לבנון לשון לב: **והיו עיני ולבי שם.** דרש לבנון נוטריקון לב עינים: [ג] **שהעמידה יהודים וכו'.** כי היתה המילדת במצרים, ולא עשו כאשר דבר אליהן מלך מצרים ותחיין את הילדים, וכל הכופר בעבודה זרה נקרא יהודי, כדאיתא פרק קמא דמגילה (יג, א) ועיין שם כל מאמר זה: **וירד.** פירוש מלך ומושל: **גודרין.** גודרין פרצתן של ישראל, ועושין גדר לתורה ולמצות: **חבר שהעביר.** פירוש קרי ביה הבר בה"א, בחילוף אחה"ע, והוא כמו העביר, שאין הכרת העי"ן ניכרת כל כך:

אשד הנחלים

שכל לבבות שמחין. דרש לבנון מלשון לב, ובאה הנו"ן להגדיל ולאהוב הענין, ולכלול את כל הלבבות. כמו אותיות האמנתי"ו, הבאה לתפארת הענין [עיין יריעות שלמה], וכאלו אומר היא לב שלנו, כלומר מקור החיות והשמחה [כמו שהלב הוא מקור החיים באדם], כי היא יפה נוף משוש כל הארץ, כי טבע ארצה טוב מאוד. ודעת רבנן מפני ששם עיקר ההשגחה האלקית שורה, שזהו מכונה בשם לב כלב הנותן חיות לכל הגוף, ויען כי הוא מקור הלב לכן אמר לבנון במנין הרבוי: [ג] **שהוריד התורה.** כי התורה העליונה במציאותה היא למעלה כנודע, אך נלבשה במאמרים שיכולים התחתונים לקבלה: **שהוריד השכינה.** להיות שפעה למטה בארץ, וידוע כי הדבר הנעלה המשפיל ערכו להזדקק למטה, נקרא בבחינה זו בשם ירידה, והירידה גופה היא מעלתה: **לשון מלוכה.** הוא נובע גם כן משם ירד, כלומר שהכל יורדין מפני גדולתו. ויהיה ירד מבנין הפעיל שהוריד לאחרים, כי מלך על כולם מפני מעלתו: **הרבה גודרים.** שעשו גדרים לישראל למען השלמתם, כי מתחילה היה השבע מצוות שהיו עקרים כוללים, ואחר כך ניתוסף מעט מצוות, מילה וכדומה, אך משה אבי כל הגדרים בתורה הניתנה לנו: **שהעביר את הפורעניות.** הידי ממש פירש מלשון חובר חבר, המעכב ומונע את הפורעניות, וזהו דחוק, ועיין במתנות כהונה. ולי נראה כפשוטו והוא על דרך מליצה, כאלו הפורעניות עומדת מחוברת במקומה ואין לה יכולת לבוא בעולם:

אמרי יושר

[ג] **[ר' סימון וכו'].** איתא בספר הישר, בתיה קראהו משה, עמרם קרא שמו חבר, כי בעבורו חובר עם אשתו אשר גירשה, אמו קראתו יקותיאל, כי אמרה קויתי אל ה' וישיבהו אלהים אליה, מרים קראה לו ירד, כי ירדה אחריו, אהרן קרא שמו אבי זנוח, כי זנח אביו אמו, והיתה מגורשת, קהת אבי עמרם קראהו אביגדור, שבעבורו נגדר הפרץ והגזרה ולא יספו להשליך זכוריהם אל היאור, מניקתו קראהו סוכו, שנצפן בביתה שלשה ירחים, ישראל קרא שמו שמעיה בן נתנאל, כי שמע אחר כך תפלתו בעד ישראל:

ידי משה

[ג] **לא נתנה דברי הימים אלא לדרוש.** דאם לא תאמר הכי למה לו להזכיר המעשים מה דהוה הוה, ועוד שנזכרים הם בשאר דוכתא: **דבר אחר חבר שהעביר הפורענות מלבוא.** פירוש ולשון חבר הוא כמו חובר חבר, שפירושו הוא שמעכב ומונע פורעניות של נחשים מלבוא, ועל שם זה היה נקרא חבר שהעביר פורעניות מלבוא בעולם. ולי נראה ששני טעמים הוא אחד, אחרי שחיבר בנים לאביהם עכב הפורעניות מלבוא, ולפי זה לא צריך לדבר אחר:

״אֲבִי סוֹכוֹ״, שֶׁהָיָה אֲבִיהֶן שֶׁל נְבִיאִים שֶׁסּוֹכִין בְּרוּחַ הַקֹּדֶשׁ — Moses is called *the father of Socho* [סוכו] in this verse **because he was the father of all the prophets who see** (סוֹכִין) **through the Holy Spirit,** i.e., through Divine Inspiration.[60] רַבִּי לֵוִי אָמַר: לָשׁוֹן עֲרָבִי הוּא — **R' Levi said** that **[Socho] is** actually **an Arabic word,** בַּעֲרַבְיָא קוֹרִין לְנָבִיא סַכְיָא — **for in Arabic a prophet is called "sakya,"** a seer.[61]

רַבִּי לֵוִי וְרַבִּי סִימָא אָמְרוּ: שֶׁעָשָׂה אֶת הַבָּנִים מְקַוִּין לַאֲבִיהֶם שֶׁבַּשָּׁמַיִם ״יְקוּתִיאֵל״ — Moses is called *Yekuthiel* in this verse. — **R' Levi and R' Sima said:** This is **because he caused the Children** of Israel to look with **hope toward their Father in heaven.**[62]

״אֲבִי זָנוֹחַ״, זֶה מֹשֶׁה שֶׁהָיָה אָב לַמְזַנִּיחִים — *The father of Zanoah* [זָנוֹחַ] — **this** too is another name for **Moses,** who was called this **because he was the father of** all **those who caused Israel to abandon** (לַמְזַנִּיחִים), שֶׁהִזְנִיחָם מֵעֲבוֹדָה זָרָה — **for he caused them to abandon idol worship.**[63] הָדָא הוּא דִכְתִיב ״וַיִּזֶר עַל פְּנֵי הַמַּיִם וְגוֹ׳ ״ — **Thus it is written** in the context of the Golden Calf, *He ground it to a fine powder* ***and sprinkled it over the water.*** *He made the Children of Israel drink* (*Exodus* 32:20).[64]

The Midrash will now expound the end of the verse from *Chronicles*:

״וְאֵלֶּה בְּנֵי בִּתְיָה בַת פַּרְעֹה״ — *These are the sons of Bithiah, daughter of Pharaoh*.[65] רַבִּי יְהוֹשֻׁעַ דְּסִכְנִין בְּשֵׁם רַבִּי לֵוִי — **R' Yehoshua of Siknin** said **in the name of R' Levi:** אָמַר לָהּ הַקָּדוֹשׁ בָּרוּךְ הוּא לְבִתְיָה בַּת פַּרְעֹה — **The Holy One, blessed is He, said to Bithiah, daughter of Pharaoh,** מֹשֶׁה לֹא הָיָה בְּנֵךְ וּקְרָאתוֹ בְּנֵךְ — **"Moses was not your son,** yet **you called him your son;**[66] אַף אַתְּ לֹא בִתִּי וַאֲנִי קוֹרֵא אוֹתָךְ בִּתִּי — therefore **although you are not My daughter, I will call you My daughter,"**[67] שֶׁנֶּאֱמַר ״אֵלֶּה בְּנֵי בִּתְיָה״, בַּת יָהּ — **as it is written,** ***These are the sons of Bithiah*** [בִּתְיָה], which is to be interpreted as a contraction of two words, ***bas Yah*** [בַּת יָהּ], **daughter of God.**

The Midrash continues its exposition of the verse:

״אֲשֶׁר לָקַח מֶרֶד״, זֶה כָּלֵב — ***Whom Mered*** [מֶרֶד] ***married*** — **[Mered]** is another name for **Caleb.** רַבִּי אַבָּא בַּר כָּהֲנָא וְרַבִּי יְהוּדָה בַּר סִימוֹן — **R' Abba bar Kahana and R' Yehudah bar Simone** give different explanations for why Mered is to be identified with Caleb. חַד אָמַר: זֶה מָרַד בַּעֲצַת מְרַגְּלִים וְזוֹ מָרְדָה בַּעֲצַת אָבִיהָ — **One said: This one** (Caleb) **"rebelled"** (מָרַד) **against the plan of the spies,**[68] **and that one** (Bithiah) **"rebelled" against the plan of her father;**[69] יָבֹא מוֹרֵד וְיִקַּח אֶת הַמּוֹרֶדֶת — it is fitting that **one rebel should come and marry another.**[70] וְחַד אָמַר: זֶה הִצִּיל אֶת הַצֹּאן וְזוֹ הִצִּילָה אֶת הָרוֹעֶה — **And one said: This one** (Caleb) **"rescued" the sheep** (i.e., Israel),[71] **and that one** (Bithiah) **"rescued" the shepherd.**[72]

The Midrash continues to discuss the many names attributed to Moses:

י׳ שֵׁמוֹת נִקְרְאוּ לוֹ לְמֹשֶׁה — **Moses was called by** a total of **ten names:** יֶרֶד, חֶבֶר, יְקוּתִיאֵל, אֲבִיגְדוֹר, אֲבִי סוֹכוֹ, אֲבִי זָנוֹחַ — Six have already been discussed: ***Jered, Heber, Yekuthiel, Avi Gedor, Avi Socho,*** and ***Avi Zanoah.***[73] רַבִּי יְהוּדָה בְּרַבִּי אֶלְעַאי אָמַר: אַף טוֹבִיָּה שְׁמוֹ — The seventh name: **R' Yehudah bar R' Il'ai said: His name is also Tobiah** (טוֹבִיָּה). הָדָא הוּא דִכְתִיב ״וַתֵּרֶא אוֹתוֹ כִּי טוֹב הוּא״ — **Thus it is written** in the context of Moses' birth, ***She saw that he was good*** [טוֹב] (*Exodus* 2:2), כִּי טוֹבִיָּה הוּא — which we are to interpret to mean **"that he was Tobiah."**[74] רַבִּי יִשְׁמָעֵאל בַּר אַמִּי אָמַר: אַף שְׁמַעְיָה שְׁמוֹ — The eighth name: **R' Yishmael bar Ami said: His name is also Shemaiah.**

NOTES

60. All other prophets received God's word in visions or dreams that were somewhat lacking in clarity. Moses' visions, by contrast, were completely clear [אַסְפַּקְלַרְיָא הַמְּאִירָה] (*Eshed HaNechalim, Eitz Yosef*). See also §14 below.

61. [See similarly *I Samuel* 9:9, where Scripture states that prophets were originally called "seers" (*Maharzu*).] The Aramaic (Arabic) word for one who sees, but not so clearly, is "sakya"; see preceding note (*Eshed HaNechalim, Eitz Yosef*). Moses was called *the "father" of Socho ("sakya")* because he was superior in his prophetic vision to other seers.

For a different explanation of why Moses was called *the father of Socho*, see *Megillah* 13a, cited by *Rashash*.

62. The name יְקוּתִיאֵל is expounded as a contraction of the words קִוִּיתִי אֵל, *I hope to God* (*Eitz Yosef*). Because of Moses, the Israelites experienced many miraculous manifestations of Divine Providence. Moses thus caused them to hope that God would continue always to protect them in miraculous ways (*Eshed HaNechalim*).

63. As we see from the verse cited next by the Midrash. Although there were others who caused Israelite sinners to abandon idol worship, such as the Jewish monarchs Asa, Josiah, and Hezekiah, none were as successful as Moses (*Eitz Yosef*); the Israelites never again worshiped idols in Moses' lifetime (*Eshed HaNechalim*). For this reason he is called the "father" of those who caused Israel to abandon idolatry.

64. And those who were guilty of having worshiped the Golden Calf died as a result of drinking the water (see *Rashi* ad loc.).

65. I.e., all the children mentioned previously in the verse are the children of Bithiah. Since these names have been expounded to be referring to Moses, it follows that Moses is considered the son of Bithiah — even though it was Jochebed who gave birth to him. See further.

66. As *Exodus* 2:10 states, *The boy grew up and she brought him to the daughter of Pharaoh and he was a son to her* (*Beur Maharif*, *Eitz Yosef*).

67. Because Bithiah raised Moses and took care of him as if he were her son, God rewarded her in considering her His "daughter" although she was not born an Israelite (see *Eshed HaNechalim*).

68. Caleb was one of the twelve spies whom Moses sent to spy out the Land of Israel. Caleb (and Joshua) refused to join the others in speaking negatively of *Eretz Yisrael*. See *Numbers* 13:1-33, 14:1-10.

69. Her father commanded that the Israelite male children should be killed, but she "rebelled" and saved Moses.

70. The *Chronicles* verse states, *These are the sons of Bithiah, daughter of Pharaoh, whom Mered married.* Given that the word מֶרֶד means "rebellion," and that both Caleb and Bithiah are known to have rebelled (in a positive way), it is logical to posit that Bithiah's husband "Mered" was none other than Caleb, for it is fitting that people of similar qualities should be paired together (*Eshed HaNechalim*).

71. [Scripture often refers to Israel as God's sheep; see, for example, *Ezekiel* 34:31.] The Midrash is referring to the incident of the spies, when Israel would have been instantly destroyed for listening to the ten spies who said they would not be able to conquer the Land. It was Caleb who saved them from that fate by speaking in defense of Moses and the Land. [Although Joshua was on Caleb's side, the people would not listen to Joshua. Caleb's ploy to get the people to hear what he had to say is described in *Bamidbar Rabbah* 16 §19 and *Sotah* 35a; see *Rashi* to *Numbers* 13:30] (*Eitz Yosef*).

72. Bithiah, Pharaoh's daughter, rescued Moses, the shepherd of Israel (ibid.).

This opinion takes the word מֶרֶד as connoting "taking out, rescuing," from the root רדה, which can mean "taking out or taking down, separating" [as in the phrase רְדִיַּית הַפַּת, *taking out* the bread from the oven] (*Matnos Kehunah*; see, however, *Yefeh To'ar*, cited by *Anaf Yosef*). Since both Caleb and Bithiah are known to have rescued others, we may posit that Bithiah's husband "Mered" was none other than Caleb.

73. The Midrash changes the verse's order of these six names (*Avi Gedor, Avi Socho,* and *Avi Zanoah* appear second, fourth, and sixth in the verse) in order to place together all names with *Avi* in them (*Yefeh To'ar*). For further discussion of who gave Moses these six names, and why, see *Imrei Yosher* to §2 above, citing *Sefer HaYashar*.

[See, however, *Beur Maharif*, who suggests that *Avi Gedor, Avi Socho,* and *Avi Zanoah* are each counted as two names. The six names listed here are thus in reality *nine* names. *Beur Maharif's* intention appears to be that these names, along with "Moses" (see below), comprise the ten names of Moses.]

74. The Midrash derives this from the word order of the verse, for if it meant simply that Moses was good, it should have stated, וַתֵּרֶא אוֹתוֹ כִּי הוּא טוֹב (*Eshed HaNechalim*).

"אֲבִי סוֹכוֹ", שֶׁהָיָה אֲבִיהֶן שֶׁל נְבִיאִים שֶׁסּוֹכִין בְּרוּחַ הַקֹּדֶשׁ, רַבִּי לֵוִי אָמַר: לְשׁוֹן עַרְבִי הוּא, בַּעֲרַבְיָא קוֹרִין לִנְבִיָּא סַכְיָא, "יְקוּתִיאֵל", רַבִּי לֵוִי וְרַבִּי סִימָא °אָמַר: שֶׁעָשָׂה אֶת הַבָּנִים מְקַוִּין לַאֲבִיהֶם שֶׁבַּשָּׁמַיִם, "אֲבִי זָנוֹחַ", זֶה מֹשֶׁה שֶׁהָיָה אָב לַמַּזְנִיחִים, שֶׁהִזְנִיחָם מֵעֲבוֹדָה זָרָה, הָדָא הוּא דִכְתִיב (שמות לב, כ) "וַיִּזֶר עַל פְּנֵי הַמַּיִם וְגוֹ'", (דברי הימים-א שם שם) "וְאֵלֶּה בְּנֵי בִּתְיָה בַת פַּרְעֹה", רַבִּי יְהוֹשֻׁעַ דְּסִכְנִין בְּשֵׁם רַבִּי לֵוִי: אָמַר לָהּ הַקָּדוֹשׁ בָּרוּךְ הוּא לְבִתְיָה בַּת פַּרְעֹה: מֹשֶׁה לֹא הָיָה בְנֵךְ וְקָרָאתוֹ בְנֵךְ, אַף אַתְּ לֹא אַתְּ בִּתִּי וַאֲנִי קוֹרֵא אוֹתָךְ בִּתִּי, שֶׁנֶּאֱמַר "אֵלֶּה בְּנֵי בִּתְיָה", בַּת יָהּ, "אֲשֶׁר לָקַח מֶרֶד", זֶה כָּלֵב, רַבִּי אַבָּא בַּר כַּהֲנָא וְרַבִּי יְהוּדָה בַּר סִימוֹן, חַד אָמַר: זֶה מָרַד בַּעֲצַת מְרַגְּלִים וְזוֹ מָרְדָה בַּעֲצַת אָבִיהָ, יָבֹא מוֹרֵד וְיִקַּח אֶת הַמּוֹרֶדֶת, וְחַד אָמַר: זֶה הִצִּיל אֶת הַצֹּאן וְזוֹ הִצִּילָה אֶת הָרוֹעֶה. *ו' שֵׁמוֹת נִקְרְאוּ לוֹ לְמֹשֶׁה: יֶרֶד, חֶבֶר, יְקוּתִיאֵל, אֲבִיגְדוֹר, אֲבִי סוֹכוֹ, אֲבִי זָנוֹחַ, רַבִּי יְהוּדָה בְּרַבִּי אֶלְעַאי אָמַר: אַף טוֹבִיָּה שְׁמוֹ, הָדָא הוּא דִכְתִיב (שמות ב, ב) "וַתֵּרֶא אוֹתוֹ כִּי טוֹב הוּא", כִּי טוֹבִיָּה הוּא, רַבִּי יִשְׁמָעֵאל בַּר אַמִּי אָמַר: אַף שְׁמַעְיָה שְׁמוֹ, אֲתָא רַבִּי יְהוֹשֻׁעַ בַּר נְחֶמְיָה וּפֵירַשׁ הָדֵין קְרָיָא: (דברי הימים-א כד, ו) "וַיִּכְתְּבֵם שְׁמַעְיָה בֶן נְתַנְאֵל הַסּוֹפֵר וְגוֹ'", "שְׁמַעְיָה", שֶׁשָּׁמַע יָהּ תְּפִלָּתוֹ,

שסוכים ברוח הקודש. הבטה שאינה בהירה כל כך נקראת בלשון ארמית סכיה. וכל הנביאים היו בלא אספקלריא המאירה, אך משה היה אבי כל הנביאים באספקלריא המאירה: **מקוים לאביהם.** דרש יקותיאל קויתי אל בסירוס אותיות: **שהיה אב למזניחים.** כי רבים אחרים עשו כך, כגון אסא, יאשיה, וחזקיהו, שהעבירו עבודות זרות, ומשה רבינו הגדיל לעשות מכולם: **וקראתו בנך.** כמה שנאמר (שמות ב, י) ויהי לה לבן: **בתיה בת יה.** אף על פי שלא מצאנו לה שם אחר, ודרשו טעם לשמה כדרכם ז"ל למידרש שמות: **בעצת אביה.** שצוה לאבד ילדי העברים, והיא הצילה את משה: **זה הציל את הצאן.** על ידי שסכל עצת מרגלים, כדכתיב (במדבר יג, ל) ויהס כלב את העם. ואף על פי שגם יהושע היה עמו, לא היו חוששים לו, שהשתיקוהו, כדאיתא בסוטה (לה, א). ועוד שכלב רימה אותם שאמר להם אני עמכם בעצה, ולכן אמרו נאמן עלינו כלב, ועל ידי זה היה יכול להשתיקם, כדלקמן בבמדבר רבה (טז, יט), שעל ידי דבורו של כלב נתרפו ידיהם קצת מתלונותם, ואלולי זה היו נאבדים מיד: **את הרועה.** זה משה: **בן שנתנה לו תורה מיד ליד.** דרש בן נתנאל בן שנתן אל לו התורה מיד ליד. וכתב היפה תואר לא ידעתי מי הזקיקם לפרש מקרא זה על משה שלא כפשוטו, [שפשוטו מדבר מה שהיה בימי דוד שתיקן כל המשמרות הכתובים בדברי הימים שם וכתבם הסופר שמעיה והפיל גורלות], דלא דמי לדלעיל, דמדכתיב אלה בני בתיה איכא הוכחה אל הדרשה:

שסוכן ברוח הקדש. כמו שמבואר מגילה (יד, א) יסכה זו שרה שסוכה ברוח הקדש, וכן הוא בסדר עולם (פרק כא) ומשה היה אב לכל הנביאים, כמו שכתוב סוף בהעלותך (במדבר יב, ז) לא כן עבדי משה וגו': **נביא סכיא.** כמו שכתוב (שמואל א, ט, יב) כי לנביא היום יקרא לפנים הרואה: **הבנים מקוין.** וזהו יקותיאל אבי כנזכר לעיל אלא חבר: **ויזר על פי המים.** וסיפיה דקרא וישק את בני ישראל, שעל ידי זה נתברר מי שחטא בעגל, ועל ידי זה הזניחם מחטאת העגל: **עשר שמות וכו'.** וצריך עיון למה אינו חושב בן נתנאל, וכן הסופר, וכן אביתר: **כי טוביה.** עיין שמות רבה (א, כ) שזהו דעת רבי ישעיה, אך דעת רבי יהודה על שהגון לנביאות, ועיין בפירושי שם, ועיין בסוטה (יב, א) דעת רבי יהודה, וצריך עיון כאן: **אף שמעיה וכו' ויכתבם שמעיה.** פירוש מאמר זה בנוי על יסודי התורה שעל כתוב להבין דברי חכמים וחידותם. על פי המבואר בברייתא דל"ב מדות מדה י"ט, וזה לשונו כיוצא בו ומשפחות בני קהת, ומשפחות בני הגרשוני, ומשפחות בני מררי וכו', אבל לא מצינו שצוה הקב"ה את בניו להיות עשרים וארבע משמרות, והיכן שמענו אלה פקודתם לעבודתם לבא לבית ה', כמשפטם ביד אהרן אביהם כאשר צוה ה' אלהי ישראל, מלמד שמצוה זו מימי משה ואהרן, הרי מפורש שמצוה זו של עשרים וארבע משמרות כהונה היה ביד משה ואהרן, והנה בדברי הימים פרק כ"ד מפסוק ה' ו', שמדבר שם מתיקון המשמרות, כתוב שם ויחלקם בגורלות וגו' ויכתבם שמעיה בן נתנאל הסופר וגו', עד פסוק י"ט אלה פקודתם וגו', והפסוקים מכחישים, תחילה תלה בדוד ושמעיה הסופר והשרים, ואחר כך אמר ביד אהרן, ולא כתב שהמצוה היה על פי משה רק ביד אהרן. ועוד הלא כתיב בשמואל (ב, ח, יז) ושריה סופר, ובשמואל (ב, כ, כה) ושיא סופר, וכאן כתיב שמעיה בן נתנאל הסופר הלוי, משמע הסופר הידוע ולא נזכר בשם זה בכל התנ"ך, ועוד דקדוקים שלא ראיתי להאריך כאן, על כן דרשו להכריע מדת ממעל, שמה שכתוב ויכתבם שמעיה הכוונה באמת על משה, שהוא סופרן של ישראל הידוע, וברא[ש] הענין הודיע שמשה כתב המצוה, ובסוף כתב שהיתה המצוה ממשה ביד אהרן, שיעשה אהרן הסידור שהוא אביהם ושרם, ובזה הכריע הכחשת הפסוקים הנ"ל, ומקצת דברים אלו כתבתי בספרי מדרש תנאים במדה הנ"ל, ומה שקצרתי כאן הארכתי שם וכן בהיפך. **מכל השמות שנקראו.** שמות רבה (א, כו) עיין שם עוד:

מתנות כהונה

שסוכים. שרואין ומסתכלין: **סביא.** לשון סוכו דלעיל: **זה הציל את הצאן.** אלל המרגלים דכתיב (במדבר יג, ל) ויהס כלב וגו', ודרש מרד, לשון הצלה והפרשה, מלשון חז"ל (אין) רודין את הפת, שפירוש מורידין ומפרישין:

אשד הנחלים

שסוכים ברוח הקודש. הבטה שאינה בהירה כל כך, נקראת בלשון ארמית סכיה, וכל הנביאים היה בלא אספקלריא המאירה, אך משה היה אבי כל הנביאים באספקלריא המאירה: **את הבנים מקוים.** אחרי שראו ניסים ונפלאות שלא כטבע הנהוג, לכן קוו לאל שישגיח עליהם תמיד, נעלה מדרך הטבע: **שהזניחם מעבודת כוכבים.** הזניחה הוא הסרה לגמרי, עד שנמאס בעיניו עוד מלעשות זאת. וזה היה אחרי חטא העגל, אחר שהזיר על פני המים, מן אז שבו עוד ולא הזנו אחרי האלילים בימי משה. וחשב כמה ענינים כוללים למאוד, הן בענין מעלתו שהיה אבי הנביאים, ובתועלתו לישראל בגוף שעיכב את הפורעניות, ובנפש שעשה גדרים להם, והסיר לבם מאמונת אלילים, וחברם לה', והגדיל התקוה בלבם: **לא את בתי.** כלומר אף שהיתה בת אל נכר, עם כל זה נקראת בתיה שדבקה בה': **זה מרד כו' וזו מרדה.** להורות שהיה סוגם אחד בתכונתם הטובה, וכי מרדו בעצת זולתם ולקחו דרך הטובה לעצמם, ועל כן נזדווגו יחד, כי הדומים בתכונתם ראוים שיתאחדו יחד: **זה הציל את הצאן.** כלומר שהיה חפץ להציל. כמו שכתוב (במדבר יג, ל) ויהס כלב, ודרש מרד לשון הצלה והפרשה, כי הוא מלשון הורדה משורש רד, מתנות כהונה. וכלומר לא לבד שהיו תכונותיהם בעצמם שוות, כי אם גם פעולותיהם במה שפעלו טובות לישראל, היה שוות ולכן נלקחו זה לזה: **טוביה הוא.** כלומר אינו טוב פשוטי, כי אם טוביה, טובה אלהית יש בו נעלה מכל טוב אנושי. וכאילו אומר ותרא אותו כי טוב הוא, טוב ונעלה מכל האנשים במציאות. ודייק דאם לא כן היה לו לומר, ותרא אותו כי הוא טוב: **ופירש הדין קרא ויכתבם.** לכאורה הוא רחוק מפשוטו לדרוש על משה, והלא הכתוב מספר מה שהיה בימי דוד שכתבם הסופר שמעיה והפיל גורלות. ואולי כי היה שמעיה מן משפחת משה ונתכנה בשם משה, ולכן פרשו אלו הכינוים על משה עצמו, כי כל השמות היה להם בכוונה להורות על ענין מה. וגם כן הכוונה כפשוטו ששמעיה היה כותב לפני המלך דוד ושריו, אלא שדרש ששמעיה היה מן משפחת משה והיה מעט דומה לסוגו, זה היה סופר לישראל שנתן להם התורה, והיה לפני מלך מלכי המלכים ובית דינו עומד לפניהם למליץ, וזה היה סופר לפני המלך דוד. וכלומר זה

חידושי הרד"ל

ופירש הדין קריא ויכתבם שמעיה כו'. לפי זה משמע שמשה כתב ותיקן כל המשמרות הכתובים בדברי הימים שם. אבל (בתענית כז, א) ובירושלמי שם, חולק על זה, עיין שם:

חידושי הרש"ש

אמר לה הקדוש ברוך הוא וכו' לא היה בנך וקראתיו בנך. נראה לי שהוא לנקבה נוכחת בכנוי נסתר והוא שוה למדבר בעדו עם הכנוים השייכים בשניהם כידוע בחכמת הדקדוק עיין לוח הכנוים. ועיין רד"ק בירמיה (ב, לג) על תיבת ומלאחים. כי כן מצינו שאמר הכתוב (שמות ב, י) ויהי לה לבן וכמו שאמרו במדרש (שמות א, כו) שהיתה מנשקת ומחבקת כו' כאלו הוא בנה. וכן האברבנאל פירש (שמות שם) כי מן המים משיתיהו שהיא לנוכחת וביאור שם הביאו עיין שם. בדפוס אחר ראיתי וקראתו, והוא טעות, כי אם אתה קורא קראַתּוּ הוא לנקבה נסתרת ואם קרַאתּוֹ הוא לזכר נוכח:

באור מהרי"פ

וקראתיו בנך. הכוונה על מה שנאמר (שמות ב, י) ויהי לה לבן: **עשרה שמות וכו'.** אולי הוא חושב אבי גדור לשני שמות, וכן אבי סוכו, וכן אבי זנוח: **ופירש הדין קריא** (דברי הימים א, כד, ו) **ויכתבם שמעיה בן נתנאל הסופר מן הלוי לפני המלך והשרים וצדוק הכהן ואחימלך בן אביתר וראשי האבות לכהנים וללוים בית אב אחד אחוז לאלעזר ואחוז אחוז לאיתמר.** וכתב היפה תואר לא ידעתי מי הזקיקם לפרש זה שלא כפשוטו:

מסורת המדרש

ה. פדר"א פמ"ח:
ו. ילקוט שמות:

אם למקרא

וַיִּקַּח אֶת הָעֵגֶל אֲשֶׁר עָשׂוּ וַיִּשְׂרֹף בָּאֵשׁ וַיִּטְחַן עַד אֲשֶׁר דָּק וַיִּזֶר עַל פְּנֵי הַמַּיִם וַיַּשְׁקְ אֶת בְּנֵי יִשְׂרָאֵל:
(שמות לב:כ)

וַתַּהַר הָאִשָּׁה וַתֵּלֶד בֵּן וַתֵּרֶא אֹתוֹ כִּי טוֹב הוּא וַתִּצְפְּנֵהוּ שְׁלֹשָׁה יְרָחִים:
(שמות ב:ב)

וַיִּכְתְּבֵם שְׁמַעְיָה בֶן נְתַנְאֵל הַסּוֹפֵר מִן הַלֵּוִי לִפְנֵי הַמֶּלֶךְ וְהַשָּׂרִים וְצָדוֹק הַכֹּהֵן וַאֲחִימֶלֶךְ בֶּן אֶבְיָתָר וְרָאשֵׁי הָאָבוֹת לַכֹּהֲנִים וְלַלְוִיִּם בֵּית אָב אֶחָד אָחֻז לְאֶלְעָזָר וְאָחֻז אָחֻז לְאִיתָמָר:
(דברי הימים א כד:ו)

ענף יוסף

זה הציל את הצאן. אף על גב דמאי דאקרי כלב מרד, על כרחך משום דמרד בעצת מרגלים, מכל מקום סבירא ליה שאין המרד דמיון לענין בת פרעה, אבל דמיונם בענין ההצלה, ומפני שעל ידו מרדו בעצת מרגלים, היה סיבה להציל את ישראל, קראו כאן מרד (יפה תואר): **בן שנתנה לו תורה.** קשה אמאי לא מני נמי נתנאל בשמות משה, ואי משום דכתיב בן, כמו שכתב המתנות כהונה, הרי אביגדור ואבי סוכו דכתיב בהו אב, ומני להו כיון דמורים על ענייניו, ושמא משום דכתיב שמעיה ברישא, דאי נתנאל נמי שמו הוי ליה לאקדומי, כיון דקבלת התורה, קדמה לעגל והמקומות שהתפלל עליהם:

ידי משה

וזו מרדה בעצת אביה. שאביה גזר כל הבן הילוד היאורה תשליכוהו והיא הצילה למשה: **זה הציל את הצאן.** פירוש, ישראל. **וזו הצילה את הרועה.** פירוש, משה:

אֲתָא רַבִּי יְהוֹשֻׁעַ בַּר נְחֶמְיָה וּפֵירַשׁ הָדֵין קְרָיָא — **R' Yehoshua bar Nechemyah came and expounded the following verse** in accord with R' Yishmael bar Ami's teaching: "וַיִּכְתְּבֵם שְׁמַעְיָה בֶן נְתַנְאֵל הַסּוֹפֵר וְגוֹ׳" — ***And Shemaiah the son of Nethanel the scribe,*** *one of the Levites* [מִן הַלֵּוִי], *recorded them in the presence of the king and the officers and Tzadok the Kohen and Achimelech the son of Eviathar,* ***etc.*** (*I Chronicles* 24:6). "שְׁמַעְיָה", שֶׁשָּׁמַע יָהּ תְּפִלָּתוֹ — Moses is called ***Shemaiah*** [שְׁמַעְיָה] in this verse[75] **because God heard** (שָׁמַע) **his prayer.**[76]

NOTES

75. The *Chronicles* passage tells us that Shemaiah recorded the names of the heads of the *mishmaros* (the weekly division of Kohanim who served in the Temple). The Midrash identifies Shemaiah as Moses, and will shortly interpret *Tzadok the Kohen and Achimelech the son of Eviathar* as referring to Aaron. While some commentators (*Yefeh To'ar*, followed by others) have wondered why the Midrash does so, when the verse's plain meaning is that it is writing about the era of King David, the answer appears to be that it does so because verse 19 in the *Chronicles* passage states that the *mishmaros* system was put together *by the hand of their father,* ***Aaron***. Indeed, the Gemara (*Taanis* 27a) states that Moses and Aaron originated the system of *mishmaros*; King David, mentioned in verse 3 in the *Chronicles* passage as the person who divided up the Kohanim, merely expanded it. See *Maharzu* and ArtScroll commentary to *I Chronicles* 24:6 for further discussion.

76. That is, Moses' prayers on behalf of the Israelites, e.g., after the sin of the Golden Calf [see *Exodus* 32:30-32] (see *Yefeh To'ar* and *Anaf Yosef* s.v. בן שנתנה לו תורה).

"אֲבִי סוֹכוֹ", שֶׁהָיָה אֲבִיהֶן שֶׁל נְבִיאִים שֶׁסּוֹכִין בְּרוּחַ הַקֹּדֶשׁ, רַבִּי לֵוִי אָמַר: לְשׁוֹן עַרְבִי הוּא, בַּעֲרַבְיָא קוֹרִין לְנָבִיא סַכְיָא, "יְקוּתִיאֵל", רַבִּי לֵוִי וְרַבִּי סִימָא °אָמַר: שֶׁעָשָׂה אֶת הַבָּנִים מְקַוִּין לַאֲבִיהֶם שֶׁבַּשָּׁמַיִם, "אֲבִי זָנוֹחַ", זֶה מֹשֶׁה שֶׁהָיָה אָב לַמְזַנְּחִים, שֶׁהִזְנִיחָם מֵעֲבוֹדָה זָרָה, הָדָא הוּא דִכְתִיב (שמות לב, כ) "וַיִּזֶר עַל פְּנֵי הַמַּיִם וְגוֹ'", "וְאֵלֶּה בְּנֵי בִּתְיָה בַת פַּרְעֹה" (דברי הימים-א שם שם), רַבִּי יְהוֹשֻׁעַ דְּסִכְנִין בְּשֵׁם רַבִּי לֵוִי: אָמַר לָהּ הַקָּדוֹשׁ בָּרוּךְ הוּא לְבִתְיָה בַּת פַּרְעֹה: מֹשֶׁה לֹא הָיָה בְּנֵךְ וּקְרָאתוֹ בְּנֵךְ, אַף אַתְּ לֹא אַתְּ בִּתִּי וַאֲנִי קוֹרֵא אוֹתָךְ בִּתִּי, שֶׁנֶּאֱמַר "אֵלֶּה בְּנֵי בִּתְיָה", בַּת יָהּ, "אֲשֶׁר לָקַח מֶרֶד", זֶה כָּלֵב, רַבִּי אַבָּא בַּר כַּהֲנָא וְרַבִּי יְהוּדָה בַּר סִימוֹן, חַד אָמַר: זֶה מָרַד בַּעֲצַת מְרַגְּלִים וְזוֹ מָרְדָה בַּעֲצַת אָבִיהָ, יָבֹא מוֹרֵד וְיִקַּח אֶת הַמּוֹרֶדֶת, וְחַד אָמַר: זֶה הִצִּיל אֶת הַצֹּאן וְזוֹ הִצִּילָה אֶת הָרוֹעֶה. *י' שֵׁמוֹת נִקְרְאוּ לוֹ לְמֹשֶׁה: יֶרֶד, חֶבֶר, יְקוּתִיאֵל, אֲבִיגְדוֹר, אֲבִי סוֹכוֹ, אֲבִי זָנוֹחַ, רַבִּי יְהוּדָה בְּרַבִּי אִלְעַאי אָמַר: אַף טוֹבִיָּה שְׁמוֹ, הָדָא הוּא דִכְתִיב (שמות ב, ב) "וַתֵּרֶא אוֹתוֹ כִּי טוֹב הוּא", כִּי טוֹבִיָּה הוּא, רַבִּי יִשְׁמָעֵאל בַּר אַמִּי אָמַר: אַף שְׁמַעְיָה שְׁמוֹ, אֲתָא רַבִּי יְהוֹשֻׁעַ בַּר נְחֶמְיָה וּפֵירֵשׁ הַדִּין קְרָיָא: (דברי הימים-א כד, ו) "וַיִּכְתְּבֵם שְׁמַעְיָה בֶן נְתַנְאֵל הַסּוֹפֵר וְגוֹ'", "שְׁמַעְיָה", שֶׁשָּׁמַע יָהּ תְּפִלָּתוֹ,

עץ יוסף

שסוכים ברוח הקודש. הבטה שאינה בהירה כל כך נקראת בלשון ארמית סכיה. וכל הנביאים היה בלא אספקלריא המאירה, אך משה היה אבי כל הנביאים באספקלריא המאירה: **מקוים לאביהם.** דרש יקותיאל קויתי אל בסירוס אותיות: **שהיה אב למזניחים.** כי רבים אחרים עשו כך, כגון אסא, יאשיה, וחזקיהו, שהעבירו עבודות זרות, ומשה רבינו הגדיל לעשות מכולם: **וקראתו בנך.** כמה שנאמר (שמות ב, י) ויהי לה לבן: **בתיה בת יה.** אף על פי שלא מצאנו לה שם אחר, ודרשו טעם לשמה כדרכם ז"ל למידרש שמות: **בעצת אביה.** שגזר לאבד ילדי העברים, והיא הצילה את משה: **זה הציל את הצאן.** על ידי שסכל עצת מרגלים, כדכתיב (במדבר יג, ל) ויהס כלב את העם. ואף על פי שגם יהושע היה עמו, לא היו חוששים לו, שהחזיקוהו, כדאיתא בסוטה (לה, א). ועוד שכלב רימה אותם שאמר להם אני עמכם בעצה, ולכן אמרו נאמן עלינו כלב, ועל ידי זה היה יכול להשתיקם, כדלקמן בבמדבר רבה (טז, יט), שעל ידי דבורו של כלב נתרפו ידיהם קלת מתלונותם, ולולי זה היו נאבדים מיד: **את הרועה.** זה משה: **בן שנתנה לו תורה מיד ליד.** דרש בן נתנאל בן שנתן אל לו התורה מיד ליד. וכתב היפה תואר לא ידעתי מי הזקיקם לפרש מקרא זה על משה שלא כפשוטו, ושפשוטו מדבר מה שהיה בימי דוד שתיקן כל המשמרות הכתובים בדברי הימים שם וכתבם הסופר שמעיה והפיל גורלות, דלא דמי לדלעיל, דמדכתיב אלה בני בתיה איכא הוכחה אל הדרשה:

פירוש מהרז"ו

שסוכן ברוח הקדש. כמו שמבואר מגילה (יד, א) יסכה זו שרה שסוכה ברוח הקדש, וכן הוא בסדר עולם (פרק כא) ומשה היה אב לכל הנביאים, כמו שכתוב סוף בהעלותך (במדבר יב, ז) לא כן עבדי משה וגו': **נביא סכיא.** כמו שכתוב (שמואל א, ט, יב) כי לנביא היום יקרא לפנים הרואה: **הבנים מקוין.** וזהו יקותיאל אבי כנזכר לעיל אלא חבר: **ויזר על פי המים.** וסיפיה דקרא וישק את בני ישראל, שעל ידי זה נתברר מי שחטא שעגל, ועל ידי זה הזניחם מחטא העגל: **עשר שמות וכו'.** וצריך עיון למה אינו חושב בן נתנאל, וכן הסופר, וכן אביתר: **כי טוביה.** עיין שמות רבה (א, כ) שזהו דעת רבי נחמיה, אך דעת רבי יהודה על שהגון לנביאות, ועיין בפירושי שם, ועיין בסוטה (יב, א) דעת רבי יהודה, וצריך עיון כאן: **אף שמעיה וכו' ויכתבם שמעיה.** פירוש מאמר זה בנוי על יסודי התורה שעל כתוב להבין דברי חכמים וחידותם. על פי המבואר בברייתא דל"ב מדות מדה י"ג, וזה לשונו כיוצא בו ומשפחות בני קהת, ומשפחות בני הגרשוני, ומשפחות בני מררי וכו', אבל לא מצינו שלוה הקב"ה את בניו להיות עשרים וארבע משמרות, והיכן שמענו אלה פקודתם לעבודתם לבא לבית ה', כמשפטם ביד אהרן אביהם כאשר צוה ה' אלהי ישראל, מלמד שמצוה זו מימי משה ואהרן, הרי מפורש שמצוה זו של עשרים וארבע משמרות בכהונה היה ביד משה ואהרן, והנה בדברי הימים פרק כ"ד מפסוק ה' ו', שמדבר שם מתיקון המשמרות, כתוב שם ויחלקם בגורלות וגו' ויכתבם שמעיה בן נתנאל הסופר וגו', עד פסוק י"ט אלה פקודתם וגו', והפסוקים מכחישים, תחילה תלה בדוד ושמעיה הסופר והשרים, ואחר כך אמר ביד אהרן, ולא כתב שהמצוה היה על פי משה רק ביד אהרן. ועוד הלא כתיב בשמואל (ב, ח, יז) ושריה סופר, ובשמואל (ב, כ, כה) ושיא סופר, וכאן כתיב שמעיה בן נתנאל הסופר הלוי, משמע הסופר הידוע ולא נזכר בשם זה בכל התנ"ך, ועוד דקדוקים שלא ראיתי להאריך כאן, על כן דרשו להכריע מדת ממעל, שמה שכתוב ויכתבם שמעיה הכוונה באמת על משה, שהוא סופרן של ישראל הידוע, וראש הענין הודיע שמשה כתב המצוה, ובסוף כתב שהיתה המצוה ממשה ביד אהרן, שיעשה אהרן הסידור שהוא אביהם ושרם, וזה הכריע הכחשת הפסוקים הנ"ל, ומקצת דברים אלו כתבתי בספרי מדרש תנאים במדה הנ"ל, ומה שקצרתי כאן הארכתי שם וכן בהיפך. מכל השמות שנקראו. שמות רבה (א, כו) עיין שם טוב:

מתנות כהונה

שסוכים. צופין ומסתכלין: **סכיא.** לשון סוכו דלעיל: **זה הציל את הצאן.** אל המרגלים דכתיב (במדבר יג, ל) ויהס כלב וגו'. ודרש מרד, לשון הצלה והפרשה, מלשון חז"ל (אין) רודין את הפת, שפירוש מורידין ומפרישין:

אשד הנחלים

שסוכים ברוח הקודש. הבטה שאינה בהירה כל כך, נקראת בלשון ארמית סכיה, וכל הנביאים היה בלא אספקלריא המאירה, אך משה היה אבי כל הנביאים באספקלריא המאירה: **את הבנים מקוים.** אחרי שראו ניסים ונפלאות שלא כטבע הנהוג, לכן קוו לאל שישגיח עליהם תמיד, נעלה מדרך הטבע: **שהזניחם מעבודת כוכבים.** הזניחה הוא הסרה לגמרי, עד שנמאס בעיניו עוד מלעשות זאת. וזה היה אחרי חטא העגל, אחר שהזיר על פני המים, מן אז שבו עוד ולא הזנו אחרי האלילים בימי משה. וחשב כמה ענינים כוללים למאוד, הן בענין מעלתו שהיה אבי הנביאים, ובתועלתו לישראל בגוף שעיכב את הפורעניות, ובנפש שעשה גדרים להם, והסיר לבם מאמונת אלילים, וחברם לה', והגדיל התקוה בלבבם: **לא את בתי.** כלומר אף שהיתה בת אל נכר, עם כל זה נקראת בתיה שדבקה בה': **זה מרד כו' וזו מרדה.** להורות שהיה סוגם אחד בתכונתם הטובה, וכי מרדו בעצת זולתם ולקחו דרך הטובה לעצמם, ועל כן נזדווגו יחד, כי הדומים בתכונתם ראוים שיתאחדו יחד: **זה הציל את הצאן.** כלומר שהיה חפץ להציל. כמו שכתוב (במדבר יג, ל) ויהס כלב, ודרש מרד לשון הצלה והפרשה, כי הוא מלשון הורדה משורש רד, מתנות כהונה. וכלומר לא לבד שהיו תכונותיהם בעצמם שוות, כי אם גם פעולותיהם במה שפעלו טובות לישראל, היה שוות ולכן נלקחו זה לזה: **טוביה הוא.** כלומר אינו טוב פשוטי, כי אם טוביה, טובה אלהית יש בו נעלה מכל טוב אנושי. וכאילו אומר ותרא אותו כי טוב הוא, טוב ונעלה מכל האנשים במציאות. ודייק דאם לא כן היה לו לומר, ותרא אותו כי הוא טוב: **ופירש הדין קרא ויכתבם.** לכאורה הוא רחוק מפשוטו לדרוש על משה, והלא הכתוב מספר מה שהיה בימי דוד שכתבם הסופר שמעיה והפיל גורלות. ואולי כי היה שמעיה מן משפחת משה ונתכנה בשם משה, ולכן פרשו אלו הכינוים על משה עצמו, כי כל השמות היה להם בכוונה להורות על ענין מה. וגם כן הכוונה כפשוטו ששמעיה היה כותב לפני המלך דוד ושריו, אלא שדרש ששמעיה היה מן משפחת משה והיה מעט דומה לסוגו, זה היה סופר לישראל שנתן להם התורה, והיה לפני מלך מלכי המלכים ובית דינו עומד לפניהם למליץ, וזה היה סופר לפני המלך דוד. וכלומר זה

חידושי הרד"ל

ופירש הדין קריא ויכתבם שמעיה כו'. לפי זה משמע שמשה כתב ותיקן כל המשמרות הכתובים בדברי הימים שם. אבל (בתענית כז, א) ובירושלמי שם, חולק על זה, עיין שם:

חידושי הרש"ש

אמר לה הקדוש ברוך הוא וכו' לא היה בנך וקראתיו בנך. נראה לי שהוא לנקבה נוכחת בכנוי נסתר והוא שוה למדבר בעדו עם הכנוים השייכים בשניהם כידוע בחכמת הדקדוק עיין לוח הכנוים. ועיין רד"ק בירמיה (ב, לד) על תיבת ומלאתים. כי כן מצינו שאמר הכתוב (שמות ב, י) ויהי לה לבן וכמו שאמרו במדרש (שמות א, כו) שהיתה מנשקת ומחבקת כו' כאלו הוא בנה. וכן האברבנאל פירש (שמות שם) כי מן המים משיתיהו שהיא לנוכחת וביאור שם הביאו עיין שם. בדפוס אחר ראיתי וקראתו, והוא טעות, כי אם אתה קורא קְרָאַתּוּ הוא לנקבה נסתרת ואם קְרָאתוֹ הוא לזכר נוכח:

באור מהרי"פ

וקראתיו בנך. הכוונה על מה שנאמר (שמות ב, י) ויהי לה לבן: **עשרה שמות וכו'.** אולי הוא חושב אבי גדור לשני שמות, וכן אבי סוכו, וכן אבי זנוח: **ופירש הדין קריא** (דברי הימים א, כד, ו) **ויכתבם שמעיה בן נתנאל הסופר מן הלוי לפני המלך והשרים וצדוק הכהן ואחימלך בן אביתר וראשי האבות לכהנים וללוים בית אב אחד אחוז לאלעזר ואחוז אחוז לאיתמר.** וכתב היפה תואר לא ידעתי מי הזקיקם לפירוש זה שלא כפשוטו:

מסורת המדרש

ה. פדר"א פמ"ח:
ו. ילקוט שמות:

אם למקרא

וַיִּקַּח אֶת הָעֵגֶל אֲשֶׁר עָשׂוּ וַיִּשְׂרֹף בָּאֵשׁ וַיִּטְחַן עַד אֲשֶׁר דָּק וַיִּזֶר עַל פְּנֵי הַמַּיִם וַיַּשְׁקְ אֶת בְּנֵי יִשְׂרָאֵל: (שמות לב:כ)

וַתַּהַר הָאִשָּׁה וַתֵּלֶד בֵּן וַתֵּרֶא אֹתוֹ כִּי טוֹב הוּא וַתִּצְפְּנֵהוּ שְׁלֹשָׁה יְרָחִים: (שמות ב:ב)

וַיִּכְתְּבֵם שְׁמַעְיָה בֶן נְתַנְאֵל הַסּוֹפֵר מִן הַלֵּוִי לִפְנֵי הַמֶּלֶךְ וְהַשָּׂרִים וְצָדוֹק הַכֹּהֵן וַאֲחִימֶלֶךְ בֶּן אֶבְיָתָר וְרָאשֵׁי הָאָבוֹת לַכֹּהֲנִים וְלַלְוִיִּם בֵּית אָב אֶחָד אָחֻז לְאֶלְעָזָר וְאָחֻז אָחֻז לְאִיתָמָר: (דברי הימים א כד:ו)

ענף יוסף

זה הציל את הצאן. אף על גב דמאי דאקרי כלב מרד, על כרחך משום דמרד בעצת מרגלים, מכל מקום סבירא ליה שאין המרד דמיון לענין בת פרעה, אבל דמיונם בענין ההצלה, ומפני שעל ידו מרדו בעצת מרגלים, היה סיבה להציל את ישראל, קראו כאן מרד (יפה תואר): **בן שנתנה לו תורה.** קשה אמאי לא מני נמי נתנאל בשמות משה, ואי משום דכתיב בן, כמו שכתב המתנות כהונה, הרי אביגדור ואבי סוכו דכתיב בהו אב, ומני להו כיון דמורים על ענייניו, ושמא משום דכתיב שמעיה ברישא, דאי נתנאל נמי שמו הוי ליה לאקדומי, כיון דקבלת התורה, קדמה לעגל והמקומות שהתפלל עליהם:

ידי משה

וזו מרדה בעצת אביה. שאביה גזר כל הבן הילוד היאורה תשליכוהו והיא הצילה למשה: **זה הציל את הצאן.** פירוש, ישראל. **וזו הצילה את הרועה.** פירוש, משה:

"בֶּן נְתַנְאֵל וגו׳" — The verse continues: ***The son of Nethanel, etc.*** **בֶּן שֶׁנִּתְּנָה לוֹ תּוֹרָה מִיָּד לְיָד** — Moses is called *the son of Nethanel* [בֶּן נְתַנְאֵל] in this verse because he was the **son** (בֵּן) **to whom the Torah was given** (נִתְּנָה) **from** the **Hand** of God (אֵל) **to** the **hand** of Moses.[77] **"הַסּוֹפֵר", שֶׁהָיָה סוֹפְרָן שֶׁל יִשְׂרָאֵל** — He is called ***the scribe*** in this verse **because he was the scribe of Israel.**[78] **"הַלֵּוִי", שֶׁהָיָה מִשִּׁבְטוֹ שֶׁל לֵוִי** — He is called ***the Levite*** in this verse **because he was from the Tribe of Levi.**[79]

The Midrash expounds the next part of the verse from *I Chronicles,* which tells us who was present when Moses ("Shemaiah") recorded the names of the Kohanim of the various *mishmaros*:[80] **"לִפְנֵי הַמֶּלֶךְ וְהַשָּׂרִים", לִפְנֵי מֶלֶךְ מַלְכֵי הַמְּלָכִים הַקָּדוֹשׁ בָּרוּךְ הוּא וּבֵית דִּינוֹ** — ***In the presence of the king and the officers*** — this means **in the presence of the King of kings, the Holy One, blessed is He, and His court.**[81] **"וְצָדוֹק", זֶה אַהֲרֹן הַכֹּהֵן** — ***And Tzadok*** — **this is Aaron the Kohen;**[82] **"וַאֲחִימֶלֶךְ", שֶׁהָיָה אָחִיו שֶׁל מֶלֶךְ** — ***and Achimelech*** [אֲחִימֶלֶךְ] refers to Aaron as well, **because he was the brother** (אָח) **of the king** (מֶלֶךְ), i.e., of Moses.[83] **"בֶּן אֶבְיָתָר", שֶׁוִּיתֵּר הַקָּדוֹשׁ בָּרוּךְ הוּא עַל יָדָיו מַעֲשֵׂה הָעֵגֶל** — ***Son of Eviathar*** [אֶבְיָתָר], too, refers to Aaron,[84] **because** our **Father** (אָב), **the Holy One, blessed is He, forgave** (וִתֵּר) Israel for **the sin of the Golden Calf because of him.**[85]

The Midrash completes the list of Moses' ten names: **רַבִּי תַּנְחוּמָא בְּשֵׁם רַבִּי יְהוֹשֻׁעַ בֶּן קָרְחָה אָמַר** — The ninth name: **R' Tanchuma said in the name of R' Yehoshua ben Korchah: אַף לֵוִי הָיָה שְׁמוֹ, עַל עִיקַּר מִשְׁפַּחְתּוֹ — [Moses'] name is also "Levi,"**[86] **after the progenitor of his family,** "הֲלֹא אַהֲרֹן אָחִיךָ הַלֵּוִי" — as it is written, ***Is there not Aaron, your brother, the Levite*** (*Exodus* 4:14). Just as Aaron is called a Levite, so too is Moses.[87] **וּמֹשֶׁה, הֲרֵי י׳** — The tenth name: **And** together with the name **Moses, there are** a total of **ten** names.

The Midrash concludes: **אָמַר לוֹ הַקָּדוֹשׁ בָּרוּךְ הוּא לְמֹשֶׁה — The Holy One, blessed is He, said to Moses, חַיֶּיךָ — "By your life, מִכָּל שֵׁמוֹת שֶׁנִּקְרָא לָךְ — of all the names that that you were called, אֵינִי קוֹרֵא אוֹתְךָ אֶלָּא בַּשֵּׁם שֶׁקְּרָאַתְךָ בִּתְיָה בַּת פַּרְעֹה — I will call you only by the name that you were called by Bithiah, daughter of Pharaoh."** "וַתִּקְרָא שְׁמוֹ מֹשֶׁה" — And since ***she called his name Moses*** (*Exodus* 2:10), "וַיִּקְרָא אֶל מֹשֶׁה" — therefore our verse states, ***He called to "Moses."***[88]

NOTES

77. This is not counted as one of the ten, though it is not clear why (*Maharzu* s.v. עשרה שמות, *Yefeh To'ar,* and *Yefeh Anaf*; see also *Matnos Kehunah* below, s.v. בן אביתר). The same is true for the appellations that follow (*Maharzu* ibid.).

78. Moses is described in *Deuteronomy* 33:21 as "the one who inscribes" [see *Bava Basra* 15a] (*Matnos Kehunah, Eitz Yosef*).

79. The Midrash below will state that "Levi" is one of Moses' names. See note 86.

80. See above, note 75.

81. That is, Moses inscribed the names of each *mishmar* before God and His heavenly court. See *Radal* as to what may have led the Midrash to this exposition.

82. Although the Midrash does not explain why the name צָדוֹק should refer to Aaron, *Radal* suggests that the name is related to צדוק הדין, acceptance of the Divine decree. When Aaron's sons Nadab and Abihu lost their lives for performing an unauthorized incense service, Aaron was silent and accepted the Divine decree without any comment; see *Leviticus* 10:1-4.

83. See above, note 56.

84. *Yefeh To'ar, Eitz Yosef.* [However, see *Matnos Kehunah, Eshed HaNechalim,* and *Maharzu* (above, s.v. עשרה שמות), who write that it is referring to Moses.]

85. By Aaron's agreeing to make the Golden Calf, he was able to mitigate Israel's sin significantly, for he was able to stall the process, thus giving Moses time to return from Mount Sinai and stop [most of] Israel before they could sin; and since he made the Calf in the Name of *God* (not for idolatry), there was further room to forgive Israel. See below, 10 §3 (*Yefeh To'ar*, second interpretation; see also *Eitz Yosef*; see, however, *Yefeh To'ar's* first interpretation, according to which the Midrash is saying that God forgave *Aaron's* sin, not Israel's). [Our explanation that the Midrash is reading אֶבְיָתָר as the two words אב and וִתֵּר follows *Matnos Kehunah's* second explanation, cited by *Eitz Yosef.*]

86. The Midrash sees this alluded to in the phrase מִן הַלֵּוִי in the *Chronicles* verse, for if it meant to say simply that Moses was "one of the Levites," it should have stated מִן הַלְוִיִּם(*Radal*).

87. It is somewhat unclear why the Midrash cites the verse about Aaron. *Yefeh To'ar* (second interpretation, cited by *Eitz Yosef*) explains: There is a view among the Sages that Moses was deemed a Kohen, not a Levite (see *Zevachim* 102a). As such, it seems strange that he should be called a Levite. The Midrash therefore cites the verse about Aaron to show us that even though Aaron was certainly a Kohen (see *Exodus* 28:1), nevertheless he is called a Levite because he descends from (Jacob's son) Levi. It is thus valid for Moses to be called similarly, even according to the view that *he* was a Kohen.

88. Although each of the ten names describes a characteristic or attribute of Moses, God chose to call him only by the name given to him by Bithiah because she was a beloved proselyte; see above, note 41, and see *Eshed HaNechalim.*

[*Eshed HaNechalim* notes that the main purpose of the preceding sections of Midrash (§2-3) is not to speak in praise of proselytes; that is tangential. Their main purpose is rather to highlight the greatness of Moses, who was unique in having ten names (and the attributes they represented), and to point out that this is why God spoke to him alone (as the Midrash states at the end of §1 and at the end of each of the coming sections).]

See Insight Ⓐ.

INSIGHTS

Ⓐ **And She Called His Name "Moses"** Each of Moses' ten names expresses another facet of his greatness. *Yered* commemorates his role in bringing the Torah to earth; *Avi Socho,* his unmatched level of prophecy; *Shemayah,* the special efficacy of his prayers, etc. In contrast, the name "Moses" itself does not seem to signify any special characteristic. This was the name given to him by the Egyptian princess who saved him, and simply refers to the way in which he was saved (see *Exodus* 2:10). And yet, our Midrash teaches that God Himself called him by the name "Moses." Why was this name, above all others, so beloved to God? According to one approach (see above, note 41), this is what R' Abahu means to explain in the Midrash above when he states that the names of proselytes are dear to God.

Shaarei Simchah (*Vayikra,* p. 171) offers us another approach. The name Moses recalls the period in Moses' life where he was raised as the adopted son of the princess of Egypt. At that time, Moses lived with all the protection and prerogatives of the royal class of the land. Certainly he was not obligated to work as were other Jews. In fact, as a prince in the house of Pharaoh he would have done well to keep his distance from the unfortunate slaves. Yet, Scripture teaches, as soon as Moses matured, he *went to his brethren and observed their burdens* (*Exodus* 2:11). He would seek, as much as possible, to lighten their load and take their burdens upon himself. When he could not, he would cry in anguish, "Would that I could take your place in your labor!" (*Shemos Rabbah* 1 §27).

This, writes *Shaarei Simchah,* is the mark of a true Jewish leader: dedication to the welfare of the nation as a whole, and devotion to each individual within the nation. At the moment that Moses left the protection of the palace to share the burdens of his brothers, his leadership of the Jewish people began. Through the many years of Moses' stewardship, he selflessly led the Jews through sea and desert, rebellion and war, trial and tribulation. Even when they sinned with the Golden Calf, Moses pleaded with God to personally suffer their punishment if only his people would be spared (*Exodus* 32:32).

The full greatness of Moses cannot be contained in one name alone;

"בֶּן נְתַנְאֵל וְגוֹ' ", בֵּן שֶׁנִּתְּנָה לוֹ תוֹרָה מִיָּד לְיָד, (שם) "הַסּוֹפֵר", שֶׁהָיָה סוֹפְרָן שֶׁל יִשְׂרָאֵל, "הַלֵּוִי", שֶׁהָיָה מִשִּׁבְטוֹ שֶׁל לֵוִי, "לִפְנֵי הַמֶּלֶךְ וְהַשָּׂרִים", לִפְנֵי מֶלֶךְ מַלְכֵי הַמְּלָכִים הַקָּדוֹשׁ בָּרוּךְ הוּא וּבֵית דִּינוֹ, (שם) "וְצָדוֹק", זֶה אַהֲרֹן הַכֹּהֵן, "וַאֲחִימֶלֶךְ", שֶׁהָיָה אָחִיו שֶׁל מֶלֶךְ, "בֶּן אֶבְיָתָר", שֶׁוִּיתֵּר הַקָּדוֹשׁ בָּרוּךְ הוּא עַל יָדָיו מַעֲשֵׂה הָעֵגֶל, רַבִּי תַּנְחוּמָא בְּשֵׁם רַבִּי יְהוֹשֻׁעַ בֶּן קָרְחָה אָמַר: אַף לֵוִי הָיָה שְׁמוֹ, עַל עִיקַּר מִשְׁפַּחְתּוֹ, (שמות ד, יד) "הֲלֹא אַהֲרֹן אָחִיךָ הַלֵּוִי", וּמֹשֶׁה, הֲרֵי י', אָמַר לוֹ הַקָּדוֹשׁ בָּרוּךְ הוּא לְמֹשֶׁה: חַיֶּיךָ, מִכָּל שֵׁמוֹת שֶׁנִּקְרָא לְךָ אֵינִי קוֹרֵא אוֹתְךָ אֶלָּא בַּשֵּׁם שֶׁקְּרָאַתְךָ בִּתְיָה בַּת פַּרְעֹה, (שמות ב, י) "וַתִּקְרָא שְׁמוֹ מֹשֶׁה", [א, א] "וַיִּקְרָא אֶל מֹשֶׁה":

ד רַבִּי אָבִין בְּשֵׁם רַבִּי בֶּרֶכְיָה סָבָא פָּתַח: (תהלים פט, כ) "אָז דִּבַּרְתָּ בְחָזוֹן לַחֲסִידֶיךָ וְגוֹ' ", מְדַבֵּר בְּאַבְרָהָם יֹשֶׁנִּדְבַּר עִמּוֹ בְּדִבּוּר וּבְחָזוֹן, הֲדָא הוּא דִכְתִיב (בראשית טו, א) "אַחַר הַדְּבָרִים הָאֵלֶּה הָיָה דְבַר ה' אֶל אַבְרָם בַּמַּחֲזֶה לֵאמֹר", "לַחֲסִידֶיךָ", (מיכה ז, כ) "תִּתֵּן אֱמֶת לְיַעֲקֹב חֶסֶד לְאַבְרָהָם", (תהלים שם שם) "וַתֹּאמֶר שִׁוִּיתִי עֵזֶר עַל גִּבּוֹר", שֶׁהָרַג ד' מְלָכִים בְּלַיְלָה אַחַת, הֲדָא הוּא דִכְתִיב (בראשית יד, טו) "וַיֵּחָלֵק עֲלֵיהֶם לַיְלָה וְגוֹ' ", אָמַר רַבִּי יִצְחָק: וְכִי יֵשׁ לְךָ אָדָם רוֹדֵף הֲרוּגִים, חדִּכְתִיב (שם) "וַיַּכֵּם וַיִּרְדְּפֵם עַד חוֹבָה", אֶלָּא מְלַמֵּד שֶׁהַקָּדוֹשׁ בָּרוּךְ הוּא הוֹרֵג וְאַבְרָהָם רוֹדֵף, (תהלים שם שם) "הֲרִימוֹתִי בָחוּר מֵעָם", זֶה אַבְרָהָם שֶׁהָיָה בָּחוּר מֵהַקָּדוֹשׁ בָּרוּךְ הוּא,

עץ יוסף

סופרן של ישראל. שנאמר (דברים לג, כא) כי שם חלקת מחוקק ספון, ומדבר במשה (מתנות כהונה): **שויתר הקדוש ברוך הוא על ידיו כו'.** על דרך דאיתא לקמן (י, ג) שאמר אהרן מוטב שיתלה הסרחון בי ולא בישראל, ואמר הקדוש ברוך הוא לאהרן אהבת לצדק את בני ושנאת מלחייבם, חייך שמכל שבטו של לוי לא נבחר לכהן גדול אלא אתה, עיין שם המשל לזה. הרי שאם עשו ישראל בעצמם את העגל לא היה להם תקנה חס ושלום, אך על ידי שעשה אהרן והקדוש ברוך הוא ידע טוב כוונתו ושבנה את המזבח לשם הקדוש ברוך הוא כדאיתא התם חשב זה לו לזכות וישראל ניצולו גם כן: **שויתר.** דרש אביתר נוטריקון אב יתר, כלומר הקדוש ברוך הוא ויתר על ידו מעשה העגל (מתנות כהונה): **הלא אהרן אחיך הלוי.** רצה לומר דכי היכי דאהרן איקרי לוי על שם משפחתו אף על פי שהיה כהן, כן יצדק לומר במשה אף למאן דאמר שהיה כהן: **(ד) פתח אז דברת כו'.** סבירא ליה שויקרא אל משה אתא לומר שהוא לבדו יבא באהל מועד, ומשם למדנו כחו של משה שהוא לבדו מקבל הדבור, וכשיטת האגדה דריש פרקין (סימן א), ומייתי סמך מהאי קרא דכתיב שויתי עזר על גבור, דמפרש ליה במשה, והגבורה הוא שסבלו הדבור שקשה לששים רבוא כדלקמן, ומכיון דמייתי האי קרא מפרש ליה ברישא בשאר אנפי: **בדיבור ובחזון.** שהם שני לשונות קשות במדרגת הנבואה (כדלעיל בבראשית רבה מג, ז), שהוא מצד תוקף הדין הקשה. ופירש טעמו בלדו באומרו לחסידך, שנקרא חסיד המתחסד עם קונו בהיותו מצד החסד, כמו שנאמר תתן אמת ליעקב חסד לאברהם, ובמדת חסדו היה לו כח להמתיק בטוב אל השני מדות של תוקף הדין ונהפכו לטובה. אך שמא תאמר אם היה מצד החסד איך נעשה דין על ידו בהריגת הארבעת מלכים וחיילותיהם, על זה אמר ותאמר שויתי עזר על גבור, דכתיב ויכם וירדפם שרדף הרוגים שנהרגו כבר מן השמים, כלומר שלא נעשה הדין על ידו אלא הדבר היה בעזרת האל, כי מן השמים נלחמו עמם, ואברהם לא עשה להם מאומה, וממילא נשאר אברהם במדתו מדת החסד כראוי (נזר הקודש): **חסד לאברהם.** ומדתלי חסד ביה, משמע שהיה עושה חסד, והוא מדת החסד: **שהרג ארבע מלכים בלילה אחת.** ולכן נקרא גבור, שהרג כל כך בזמן מעט עם היותו במתי מעט, דהיינו ילידי ביתו שלש מאות ושמונה עשר, וכל שכן למאן דאמר זה אליעזר (בראשית רבה מג, ב). ומהו שהודיעו ה', הוא שמאתו היה הדבר שעזרו, וכדרבי יצחק שה' הורג ואברהם רודף, ולולי זה לא תועילנו גבורתו הטבעית: **רודף הרוגים.** דכתיב ברישא ויכם והדר וירדפם:

פירוש מהרז"ו

(ד) בדבור ובחזיון. עיין בראשית רבה (מד, ו) שיש עשרה לשונות של נבואה, ושתים אלו קשים מהכל ובהם דיבר באברהם: **שהקב"ה הורג.** פירוש של הורג הוא שסר צלם וצלמם. ולכן יכול אברהם לרדפם ולהחרימם. ועיין בראשית רבה (מג, ג):

מתנות כהונה

שהיה סופרן של ישראל. שנאמר (דברים לג, כא) כי שם חלקת מחוקק ספון, ומדבר במשה: **בן אביתר.** זה משה, וטעם הכתוב אחיו של אותו המלך הנקרא בן אביתר, וזה משה שהיה מלכן של ישראל, שנאמר (לג, ה) ויהי בישורון מלך, ועל ידו ויתר הקב"ה על מעשה עגל. ודרש אביתר כמו ויתר, בחילוף ב' בוי"ו, כמשפט אותיות בומ"ף, או אביתר נוטריקון אב יתר, כלומר הקב"ה ויתר על ידו מעשה עגל. וכל אלו שמות דכתיב אצלם בן, לא קחשיב שם בפני עצמו: **[ד] רודף הרוגים דכתיב ברישא ויכם,** והדר **וירדפם:** הכי גרסינן **זה אברהם שהיה בחור מהקדוש ברוך הוא.** וכן הוא בתנחומא וילקוט תלים:

אשד הנחלים

היה במעלה מן מעלות אלהית וזה היה גם כן במעלה אך נופל ממנו, אך דומה במעט מן המעט בסוגו: **וצדוק זה אהרן.** כלומר בבחינת אהרן וכדומה לו. לכן דרש על אחימלך גם כן שהיה בבחינת אהרן שהיה אחיו של מלך, וכן אביתר בבחינת משה, שעל ידו וויתר הקב"ה ומחל להם עון העגל. ואם תרצה להבין זאת על דרך חכמת התולדות, הסוברים בדעת עיבור הנשמות מהאב להבן או בדור האחרון, אז תבין זאת על בוריו, כי אין כוונתם לדרוש זאת על משה בעצמו, כי אם על רוח שמעיה וצדוק, שהם היו בבחינת משה ואהרן, ועל כן נתכנו בשמות ההם לרמוז על זה: **בשם שקראתך בתיה.** כי זה הוא השם הראשון שניצל מהמים, לזכרון תמיד על הצלתה אותו. ודע דכל מה שמביא כאן, הוא רק להורות על מעלת משה שנקרא ביו"ד שמות להורות על מעלתו, ובאגב דרש כמה חביבין הגרים, ולכן חביבה בתיה בת פרעה שנשאר שמה שכינה למשה, וכל זה למען הסיום איך משה גדול מכולם, וכמו שמסיים שמכולן לא קרא הדיבור כו', זאת היא סגנון הדברים: **[ד] דברת בחזון וגו' מדבר באברהם.** כוונת המשורר לפאר מעלת דוד, כמו שאומר אחר כך מצאתי דוד עבדי, וכאומר בשם ה' אז בימים הראשונים, דברת בחזון על אברהם איש חסידך, ונתת לו גבורה גם כן, אך עתה מצאתי דוד עבדי, ליתן לו גבורה תפארת, וכן כשדרשו על משה פירושו גם כן ככה: **בדיבור ובחזון.** ידוע כי הנבואה מעלות מעלות יש, זה למעלה מזה, ונקראת בעשר לשונות, וכל דיבור מיוחד מורה על מעלה מה, ואם כן הדיבור והחזון מורה על שני מעלות ביחד. ויש להסביר מעט, כי יש נבואה ששומע רק קול דיבור לבד, בלי ראייה מאומה, ויש שבאה רק בראייה לבד בלי שמיעה, ומהראייה הוא מבין הענין העטוף בו וזהו החזיון, אך באברהם היו שניהם ביחד דיבור וחזיון: **לחסידך כו' וחסד לאברהם.** באורו שנתת מדת האמת בכח יעקב, ומדת החסד במדת אברהם, שעל ידי זה היה חסיד, ואף שהבחירה ביד האדם, עם כל זה התכונות נולדות בטבע. ודע דהכוונה על מדות עליונות המכוונות למול אלו המדות כנודע, שכפי מדות האדם ופעולותיו למטה יאצל כנגדו מטובו מלמעלה, וזהו הכוונה תתן (מלמעלה אמת על ידי יעקב וחסד על ידי אברהם, והדיבור בו ארוך למבינים: **עזר על גבור שהרג כו'.** רצה לומר אף שהיה גבור בטבע, עם כל זה לא היתה זה על ידי גבורה טבעית כי אם אלהית ניסית, כי אנכי שויתי עזר על גבור, וכי מי יוכל להרוג ארבעה מלכים בעת קטון כזה, אם לא על ידי נס אלקי: **שהקב"ה הורג.** רצה לומר שנהרגו מעצמם על ידי נס אלקי. ולכן כתוב להיפך ויכם וירדפם, להורות שהכם ה', ורק אברהם רדף אחריהם והם נהרגו מעצמם. ומלת ויכם מוסב על ה',

חידושי הרד"ל

לפני המלך זה מלך מלכי המלכים הקב"ה. מפני שכתוב כאן המלך סתם, ולהלן שם במשמרות הלוים כתיב, לפני דוד המלך, לכן דרש ליה על מלך מלכי המלכים: **וצדוק זה אהרן הכהן.** אפשר דרש שהצדיק הדין עליו, כמו שכתוב (ויקרא י, ג) וידום אהרן: **אף לוי היה שמו.** רצה לומר זה שאמר הסופר מן הלוי, לשון יחיד, ולא מן הלוים, כמו שכתוב בכמה מקומות, דדרשינן ליה על לוי יחידי ששמו כן:

באור מהרי"פ

אף לוי היה שמו. פירוש שם העצם שלו היה לוי. צריך עיון דהמקרא שמביא לראיה אינה מוכח ממנו. ועיין יפה תואר: **ומשה הרי עשרה.** ולפי זה אביגדור נחשב רק לשם אחד, וכן אבי סוכו, וכן אבי זנוח: **[ד] שהקדוש ברוך הוא הורג וכו'.** אולי על דרך יפקוד ה' על צבא המרום במרום (ישעיה כד, כא) תחלה, היינו שמפיל השר, ואחר כך על מלכי האדמה באדמה, ועיין יפה תואר:

מסורת המדרש

ז. פדר"א.
ח. ילקוט ס' לך לך.

אם למקרא

וַיִּחַר אַף ה' בְּמֹשֶׁה וַיֹּאמֶר הֲלֹא אַהֲרֹן אָחִיךָ הַלֵּוִי יָדַעְתִּי כִּי דַבֵּר יְדַבֵּר הוּא וְגַם הִנֵּה הוּא יֹצֵא לִקְרָאתֶךָ וְרָאֲךָ וְשָׂמַח בְּלִבּוֹ: (שמות ד:יד)

וַיִּגְדַּל הַיֶּלֶד וַתְּבִאֵהוּ לְבַת פַּרְעֹה וַיְהִי לָהּ לְבֵן וַתִּקְרָא שְׁמוֹ מֹשֶׁה וַתֹּאמֶר כִּי מִן הַמַּיִם מְשִׁיתִהוּ: (שם ב:י)

אָז דִּבַּרְתָּ בְחָזוֹן לַחֲסִידֶיךָ וַתֹּאמֶר שִׁוִּיתִי עֵזֶר עַל גִּבּוֹר הֲרִימוֹתִי בָחוּר מֵעָם: (תהלים פט:כ)

אַחַר הַדְּבָרִים הָאֵלֶּה הָיָה דְבַר ה' אֶל אַבְרָם בַּמַּחֲזֶה לֵאמֹר אַל תִּירָא אַבְרָם אָנֹכִי מָגֵן לָךְ שְׂכָרְךָ הַרְבֵּה מְאֹד: (בראשית טו:א)

תִּתֵּן אֱמֶת לְיַעֲקֹב חֶסֶד לְאַבְרָהָם אֲשֶׁר נִשְׁבַּעְתָּ לַאֲבֹתֵינוּ מִימֵי קֶדֶם: (מיכה ז:כ)

וַיֵּחָלֵק עֲלֵיהֶם לַיְלָה הוּא וַעֲבָדָיו וַיַּכֵּם וַיִּרְדְּפֵם עַד חוֹבָה אֲשֶׁר מִשְּׂמֹאל לְדַמָּשֶׂק: (בראשית יד:טו)

ידי משה

[ד] אלא שהקדוש ברוך הוא מכה ואברהם רודף. פירוש לפי שהמכה היה הקב"ה, לפיכך הקדים המכה לרדיפה משום כבודו של הקב"ה, אבל באמת הרדיפה היתה תחילה. ודוק:

§4 The Midrash cites and offers three interpretations of a verse from *Psalms*. The first expounds it as referring to Abraham:[89]

רַבִּי אָבִין בְּשֵׁם רַבִּי בֶּרֶכְיָה סָבָא פָּתַח — R' Avin in the name of R' Berechyah the Elder opened his discourse on our passage by analyzing the following verse: "אָז דִּבַּרְתָּ בְחָזוֹן לַחֲסִידֶיךָ וגו׳" — ***Then You spoke*** [דִּבַּרְתָּ] ***in a vision*** [בְּחָזוֹן] ***to Your devout [prophets],*** *and said, "I have placed My assistance upon the mighty one, I have exalted the one chosen from among the people"* (*Psalms* 89:20). **מְדַבֵּר בְּאַבְרָהָם שֶׁנִּדְבַּר עִמּוֹ בְּדִבּוּר וּבְחָזוֹן — [This verse] is speaking of Abraham, with whom God spoke through the** prophetic **word** (בְּדִבּוּר) **and** prophetic **vision** (בְּחָזוֹן).[90] **הֲדָא הוּא דִכְתִיב "אַחַר הַדְּבָרִים הָאֵלֶּה הָיָה דְבַר ה׳ אֶל אַבְרָם בַּמַּחֲזֶה לֵאמֹר" — Thus it is written, *After these events, the word*** [דְּבַר] ***of HASHEM came to Abram in a vision*** [בַּמַּחֲזֶה] ***saying,*** *"Fear not, Abram, etc."* (*Genesis* 15:1).[91] "לַחֲסִידֶיךָ" — ***To Your devout [prophets]*** [לַחֲסִידֶיךָ] — this, too, is a description of Abraham, for Scripture writes, **"תִּתֵּן אֱמֶת לְיַעֲקֹב חֶסֶד לְאַבְרָהָם"** — ***Grant truth to Jacob, kindness*** [חֶסֶד] ***to Abraham*** (*Micah* 7:20).[92]

The verse in *Psalms* continues:

"וָתֹּאמֶר שִׁוִּיתִי עֵזֶר עַל גִּבּוֹר" — ***And said, "I have placed My assistance upon the mighty one."*** שֶׁהָרַג ד׳ מְלָכִים בְּלַיְלָה אֶחָת — This, too, describes Abraham, **for he slew four** powerful **kings in one night.** הֲדָא הוּא דִכְתִיב "וַיֵּחָלֵק עֲלֵיהֶם לַיְלָה וגו׳" — **Thus it is written, *and he*** *and his servants* ***deployed against them at night,*** *and struck them as far as Chovah, which is to the north of Damascus* (*Genesis* 14:15).[93]

The Midrash addresses an apparent anomaly in the verse just quoted:

אָמַר רַבִּי יִצְחָק: וְכִי יֵשׁ לְךָ אָדָם רוֹדֵף הֲרוּגִים, דִּכְתִיב "וַיַּכֵּם וַיִּרְדְּפֵם עַד חוֹבָה" — R' Yitzchak said: Now, **is there such a thing as a person who pursues those who are already killed, for it is written, *and he struck them and he pursued them as far as Chovah?***[94] **אֶלָּא מְלַמֵּד שֶׁהַקָּדוֹשׁ בָּרוּךְ הוּא הוֹרֵג וְאַבְרָהָם רוֹדֵף — Rather, this teaches that the Holy One, blessed is He, "slew"** them, **and Abraham** was thus able to **pursue** them and kill them.[95]

The Midrash returns to the *Psalms* verse to expound its conclusion as also speaking of Abraham:

"הֲרִימוֹתִי בָּחוּר מֵעָם" — ***I have exalted the one chosen*** [בָּחוּר] ***from among the people*** — **זֶה אַבְרָהָם שֶׁהָיָה בָּחוּר מֵהַקָּדוֹשׁ בָּרוּךְ הוּא — this** too is referring to **Abraham, for he was the chosen one of the Holy One, blessed is He,**

NOTES

89. The third will expound it as referring to Moses and hence as relevant to our verse. See above, note 1.

90. *Bereishis Rabbah* 44 §6 enumerates ten expressions that Scripture uses to introduce a prophecy, and cites a debate whether דִּבּוּר or חָזוֹן (מַחֲזֶה) is the most "difficult" of the ten. [The meaning of "difficult" is not fully clear. According to *Eshed HaNechalim* (ibid.), some prophecies bring a sense of joy to the prophet, while others convey fear and dread. The latter is what the Midrash refers to as "difficult." Citing *Nezer HaKodesh*, *Eitz Yosef* (here) seems to say that the most "difficult" prophecy is the one that presages the strongest action that will be taken by God reflective of His Attribute of Strict Justice (and is thus most frightening to the prophet; see *Aggadas Bereishis* Ch. 14).] The Midrash is saying that Abraham received the two most "difficult" prophecies at the same time. See next note.

91. It is this prophecy to which the *Psalms* verse is referring, for it is in this prophecy that we find God speaking to Abraham through both דִּבּוּר and מַחֲזֶה. [*Aggadas Bereishis* loc. cit. states that it is because this prophecy was frightening to Abraham that God introduced it with the words, *"Fear not, Abram."*] Regarding what it was about this prophecy that would induce fear, the answer would appear to be that God told Abraham in this prophecy that his descendants would be oppressed for 400 years in a land not their own. See Insight, "Do Not Fear the Vision" in *Bereishis Rabbah* loc. cit.

Each of the ten expressions of prophecy connotes a different prophetic perception on the part of the prophet [and, as explained, both דִּבּוּר and מַחֲזֶה refer to difficult prophecies]. The point of the Midrash is that Abraham was very great, for he received a prophecy that combined two such types of perception at the same time (*Eshed HaNechalim* ibid.; *Eshed HaNechalim* here adds that while some prophecies involve only a voice [דִּבּוּר] or only a vision [מַחֲזֶה], Abraham's included both).

92. The word חָסִיד is related to the word חֶסֶד, both having the root חסד. Since the verse in *Micah* attributes חֶסֶד, *kindness*, to Abraham, we see that Abraham excelled in this area and is to be considered the חָסִיד, *the devout prophet*, of the *Psalms* verse being expounded (see *Eitz Yosef*).

93. Abraham was indeed *mighty*, having slain four powerful kings in just one night with an army of only 318 men (see *Genesis* ibid., v. 14; the feat is even more remarkable according to the Midrashic opinion [*Bereishis Rabbah* 43 §2] that Abraham's "army" consisted of just *one* man, namely Eliezer). In the *Psalms* verse God is saying that despite Abraham's great strength, the feat was accomplished only with His assistance (*Eitz Yosef*; see also *Eshed HaNechalim*).

94. The verse seems to say that *first* Abraham "struck" (i.e., killed) the four kings' men and *then* he pursued them (*Matnos Kehunah, Eitz Yosef*).

95. That is, God decreed that they be slain, and therefore for all intents and purposes they were already dead when Abraham pursued them. (According to *Maharzu*, God removed His protective shade from the four kings, and this is what made it possible for Abraham to kill them; see similarly, *Rashi* to *Numbers* 14:9.) Accordingly, the verse *and "He" struck them* refers to the act of God, not Abraham (*Eshed HaNechalim*).

INSIGHTS

to convey the full spectrum of his qualities Scripture grants him ten. But it was with the name "Moses" that the young prince, who could have hidden in comfort behind this name, went out to share the pain of his people. This quality, that of selfless dedication to his people, was the one that was most beloved to God. *And He called to Moses.* [See also *R' Chaim Shmulevitz* in *Sichos Mussar* §60.]

"בֶּן נְתַנְאֵל וְגוֹ'", בֵּן שֶׁנִּתְּנָה לוֹ תּוֹרָה מִיַּד לְיָד, (שם) "הַסּוֹפֵר", שֶׁהָיָה סוֹפְרָן שֶׁל יִשְׂרָאֵל, "הַלֵּוִי", שֶׁהָיָה מִשִּׁבְטוֹ שֶׁל לֵוִי, "לִפְנֵי הַמֶּלֶךְ וְהַשָּׂרִים", לִפְנֵי מֶלֶךְ מַלְכֵי הַמְּלָכִים הַקָּדוֹשׁ בָּרוּךְ הוּא וּבֵית דִּינוֹ, (שם) "וְצָדוֹק", זֶה אַהֲרֹן הַכֹּהֵן, "וַאֲחִימֶלֶךְ", שֶׁהָיָה אָחִיו שֶׁל מֶלֶךְ, "בֶּן אֶבְיָתָר", שֶׁוִּיתֵּר הַקָּדוֹשׁ בָּרוּךְ הוּא עַל יָדָיו מַעֲשֵׂה הָעֵגֶל, רַבִּי תַּנְחוּמָא בְּשֵׁם רַבִּי יְהוֹשֻׁעַ בֶּן קָרְחָה אָמַר: אַף לֵוִי הָיָה שְׁמוֹ, עַל עִיקַּר מִשְׁפַּחְתּוֹ, (שמות ד, יד) "הֲלֹא אַהֲרֹן אָחִיךָ הַלֵּוִי", וּמֹשֶׁה, הֲרֵי י', אָמַר לוֹ הַקָּדוֹשׁ בָּרוּךְ הוּא לְמֹשֶׁה: חַיֶּיךָ, מִכָּל שֵׁמוֹת שֶׁנִּקְרָא לְךָ אֵינִי קוֹרֵא אוֹתְךָ אֶלָּא בַּשֵּׁם שֶׁקְּרָאַתְךָ בִּתְיָה בַּת פַּרְעֹה, (שמות ב, י) "וַתִּקְרָא שְׁמוֹ מֹשֶׁה", [א, א] "וַיִּקְרָא אֶל מֹשֶׁה":

ד רַבִּי אָבִין בְּשֵׁם רַבִּי בֶּרֶכְיָה סָבָא פָּתַח: (תהלים פט, כ) "אָז דִּבַּרְתָּ בְחָזוֹן לַחֲסִידֶיךָ וְגוֹ'", מְדַבֵּר בְּאַבְרָהָם שֶׁנִּדְבַּר עִמּוֹ בְּדִבּוּר וּבְחָזוֹן, הָדָא הוּא דִכְתִיב (בראשית טו, א) "אַחַר הַדְּבָרִים הָאֵלֶּה הָיָה דְבַר ה' אֶל אַבְרָם בַּמַּחֲזֶה לֵאמֹר", "לַחֲסִידֶיךָ", (מיכה ז, כ) "תִּתֵּן אֱמֶת לְיַעֲקֹב חֶסֶד לְאַבְרָהָם", (תהלים שם שם) "וַתֹּאמֶר שִׁוִּיתִי עֵזֶר עַל גִּבּוֹר", שֶׁהָרַג ד' מְלָכִים בְּלַיְלָה אֶחָת, הָדָא הוּא דִכְתִיב (בראשית יד, טו) "וַיֵּחָלֵק עֲלֵיהֶם לַיְלָה וְגוֹ'", אָמַר רַבִּי יִצְחָק: וְכִי יֵשׁ לְךָ אָדָם רוֹדֵף הֲרוּגִים, [ח]דִּכְתִיב (שם) "וַיַּכֵּם וַיִּרְדְּפֵם עַד חוֹבָה", אֶלָּא מְלַמֵּד שֶׁהַקָּדוֹשׁ בָּרוּךְ הוּא הוֹרֵג וְאַבְרָהָם רוֹדֵף, (תהלים שם שם) "הֲרִימוֹתִי בָחוּר מֵעָם", זֶה אַבְרָהָם שֶׁהָיָה בָּחוּר מֵהַקָּדוֹשׁ בָּרוּךְ הוּא,

עץ יוסף

סופרן של ישראל. שנאמר (דברים לג, כא) כי שם חלקת מחוקק ספון, ומדבר במשה (מתנות כהונה): **שויתר הקדוש ברוך הוא על ידיו כו'.** על דרך דאיתא לקמן (י, ג) שאמר אהרן מוטב שיתלה הסרחון בי ולא בישראל, ואמר הקדוש ברוך הוא לאהרן אהבת לצדק את בני ושנאת מלחייבם, חייך שמכל שבטו של לוי לא נבחר לכהן גדול אלא אתה, עיין שם המשל לזה. הרי שאם עשו ישראל בעצמם את העגל לא היה להם תקנה חס ושלום, אך על ידי שעשה אהרן והקדוש ברוך הוא ידע טוב כוונתו ושבנה את המזבח לשם הקדוש ברוך הוא כדאיתא התם חשב זה לו לזכות וישראל ניצולו גם כן: **שויתר.** דרש אביתר נוטריקון אב יתר, כלומר הקדוש ברוך הוא ויתר על ידו מעשה העגל (מתנות כהונה): **הלא אהרן אחיך הלוי.** רצה לומר דכי היכי דאהרן איקרי לוי על שם משפחתו אף על פי שהיה כהן, כן יצדק לומר במשה אף למאן דאמר שהיה כהן: **(ד) פתח אז דברת כו'.** סבירא ליה שויקרא אל משה אתא לומר שהוא לבדו יבא באהל מועד, ומשם למדנו כחו של משה שהוא לבדו מקבל הדבור, וכשיטת האגדה דריש פרקין (סימן א), ומייתי סמך מהאי קרא דכתיב שויתי עזר על גבור, דמפרש ליה במשה, והגבורה הוא שסבלו הדבור שקשה לששים רבוא כדלקמן, ומכיון דמייתי האי קרא מפרש ליה ברישא בשאר אנפי: **בדיבור ובחזון.** שהם שני לשונות קשות במדרגת הנבואה (כדלעיל בבראשית רבה מג, ז), שהוא מצד תוקף הדין הקשה. ופירש טעמו בלבד באומרו לחסידך, שנקרא חסיד המתחסד עם קונו בהיותו מצד החסד, כמו שנאמר תתן אמת ליעקב חסד לאברהם, ובמדת חסדו היה לו כח להמתיק בטוב אל השני מדות של תוקף הדין ונהפכו לטובה. אך שמא תאמר אם היה מצד החסד איך נעשה דין על ידו בהריגת הארבעת מלכים וחיילותיהם, על זה אמר ותאמר שויתי עזר על גבור, דכתיב ויכם וירדפם שרדף הרוגים שנהרגו כבר מן השמים, כלומר שלא נעשה הדין על ידו אלא הדבר היה בעזרת האל, כי מן השמים נלחמו עמם, ואברהם לא עשה להם מאומה, וממילא נשאר אברהם במדתו מדת החסד כראוי (נזר הקודש): **חסד לאברהם.** ומדתלי חסד ביה, משמע שהיה עושה חסד, והוא מדת החסד: **שהרג ארבע מלכים בלילה אחת.** ולכן נקרא גבור, שהרג כל כך בזמן מעט עם היותו במתי מעט, דהיינו ילידי ביתו שלש מאות ושמונה עשר, וכל שכן למאן דאמר זה אליעזר (בראשית רבה מג, ב). ומהו שהודיעו ה', הוא שמאתו היה הדבר שעזרו, וכדרבי יצחק שה' הורג ואברהם רודף, ולולי זה לא תועילנו גבורתו הטבעית: **רודף הרוגים.** דכתיב ברישא ויכם והדר וירדפם:

פירוש מהרז"ו

(ד) **בדבור ובחזיון.** עיין בראשית רבה (מד, ו) שיש עשרה לשונות של נבואה, ושתים אלו קשים מהכל ובהם דיבר באברהם: **שהקב"ה הורג.** פירוש של הורג הוא ששבר נפש וגלמם. ולכן יכול אברהם לרדפם ולהחרימם. ועיין בראשית רבה (מג, ג):

מתנות כהונה

שהיה סופרן של ישראל. שנאמר (דברים לג, כא) כי שם חלקת מחוקק ספון, ומדבר במשה: **בן אביתר.** זה משה, וטעם הכתוב אחיו של אותו המלך הנקרא בן אביתר, וזה משה שהיה מלכן של ישראל, שנאמר (לג, ה) ויהי בישורון מלך, ועל ידו ויתר הקב"ה על מעשה עגל. ודרש אביתר כמו ויתר, בחילוף ב' בוי"ו, כמשפט אותיות בומ"ף, או אביתר נוטריקון אב יתר, כלומר הקב"ה ויתר על ידו מעשה עגל. וכל אלו שמות דכתיב אלאס בן, לא קחשיב שם בפני עצמו: **[ד] רודף הרוגים דכתיב ברישא ויכם, והדר וירדפם:** הכי גרסינן **זה אברהם שהיה בחור מהקדוש ברוך הוא.** וכן הוא בתנחומא וילקוט תלים:

אשד הנחלים

היה במעלה מן מעלות אלהית וזה היה גם כן במעלה אך נופל ממנו, אך דומה במעט מן המעט בסוגו: **וצדוק זה אהרן.** כלומר בבחינת אהרן וכדומה לו. לכן דרש על אחימלך גם כן שהיה בבחינת אהרן שהיה אחיו של מלך, וכן אביתר בבחינת משה, שעל ידו ויתר הקב"ה ומחל להם עון העגל. ואם תרצה להבין זאת על דרך חכמת התולדות, הסוברים בדעת עיבור הנשמות מהאב להבן או בדור האחרון, אז תבין זאת על בוריו, כי אין כוונתם לדרוש זאת על משה בעצמו, כי אם על רוח שמעיה וצדוק, שהם היו בבחינת משה ואהרן, ועל כן נתכנו בשמות ההם לרמוז על זה: **בשם שקראתך בתיה.** כי זה הוא השם הראשון שניצל מהמים, לזכרון תמיד על הצלתה אותו. ודע דכל מה שמביא כאן, הוא רק להורות על מעלת משה שנקרא ביו"ד שמות להורות על מעלתו, ובאגב דרש כמה חביבין הגרים, ולכן חביבה בתיה בת פרעה שנשאר שמה שכינה למשה, וכל זה למען הסיום איך משה גדול מכולם, וכמו שמסיים שמכולן לא קרא הדיבור כו', זאת היא סגנון הדברים: **[ד] דברת בחזון וגו' מדבר באברהם.** כוונת המשורר לפאר מעלת דוד, כמו שאומר אחר כך מצאתי דוד עבדי, וכאומר בשם ה' אז בימים הראשונים, דברת בחזון על אברהם איש חסידך, ונתת לו גבורה גם כן, אך עתה מצאתי דוד עבדי, ליתן לו גבורה תפארת, וכן כשדרשו על משה פירושו גם כן ככה: **בדיבור ובחזון.** ידוע כי הנבואה מעלות מעלות יש, זה למעלה מזה, ונקראת בעשר לשונות, וכל דיבור מיוחד מורה על מעלה מה, ואם כן הדיבור והחזון מורה על שני מעלות ביחד. ויש להסביר מעט, כי יש נבואה ששומע רק קול דיבור לבד, בלי ראייה מאומה, ויש שבאה רק בראייה לבד בלי שמיעה, ומהראייה הוא מבין הענין העטוף בו וזהו החזיון, אך באברהם היו שניהם ביחד דיבור וחזיון: **לחסידך כו' וחסד לאברהם.** באורו שנתת מדת האמת בכח יעקב, ומדת החסד במדת אברהם, שעל ידי זה היה חסיד, ואף שהבחירה ביד האדם, עם כל זה התכונות נולדות בטבע. ודע דהכוונה על מדות עליונות המכוונות למול אלו המדות כנודע, שכפי מדות האדם ופעולותיו למטה יאצל כנגדו מטובו מלמעלה, וזהו הכוונה תתן (מלמעלה אמת על ידי יעקב וחסד על ידי אברהם, והדיבור בו ארוך למבינים: **עזר על גבור שהרג כו'.** רצה לומר אף שהיה גבור בטבע, עם כל זה לא היתה זה על ידי גבורה טבעית כי אם אלהית ניסית, כי אנכי שויתי עזר על גבור, וכי מי יוכל להרוג ארבעה מלכים בעת קטון כזה, אם לא על ידי נס אלקי: **שהקב"ה הורג.** רצה לומר שנהרגו מעצמם על ידי נס אלקי. ולכן כתוב להיפך ויכם וירדפם, להורות שהכם ה', ורק אברהם רדף אחריהם והם נהרגו מעצמם. ומלת ויכם מוסב על ה',

חידושי הרד"ל

לפני המלך זה מלך מלכי המלכים הקב"ה. מפני שכתוב כאן המלך סתם, ולהלן שם במשמרות הלוים כתיב, לפני דוד המלך, לכן דרש ליה על מלך מלכי המלכים: **וצדוק זה אהרן הכהן.** אפשר דרש שהצדיק הדין עליו, כמו שכתוב (ויקרא י, ג) וידום אהרן: **אף לוי היה שמו.** רצה לומר זה שאמר הסופר מן הלוי, לשון יחיד, ולא מן הלוים, כמו שכתוב בכמה מקומות, דדרשינן ליה על לוי יחידי ששמו כן:

באור מהרי"פ

אף לוי היה שמו. פירוש שם העצם שלו היה לוי. צריך עיון דהמקרא שמביא לראיה אינה מוכח ממנו. ועיין יפה תואר: **ומשה הרי עשרה.** ולפי זה אביגדור נחשב רק לשם אחד, וכן אבי סוכו, וכן אבי זנוח: **[ד] שהקדוש ברוך הוא הורג וכו'.** אולי על דרך יפקוד ה' על צבא המרום במרום (ישעיה כד, כא) תחלה, היינו שמפיל השר, ואחר כך על מלכי האדמה באדמה, ועיין יפה תואר:

מסורת המדרש

ז. פדר"א:
ח. ילקוט ס' לך לך:

אם למקרא

וַיִּחַר אַף ה' בְּמֹשֶׁה וַיֹּאמֶר הֲלֹא אַהֲרֹן אָחִיךָ הַלֵּוִי יָדַעְתִּי כִּי דַבֵּר יְדַבֵּר הוּא וְגַם הִנֵּה הוּא יֹצֵא לִקְרָאתֶךָ וְרָאֲךָ וְשָׂמַח בְּלִבּוֹ: (שמות ד:יד)

וַיִּגְדַּל הַיֶּלֶד וַתְּבִאֵהוּ לְבַת פַּרְעֹה וַיְהִי לָהּ לְבֵן וַתִּקְרָא שְׁמוֹ מֹשֶׁה וַתֹּאמֶר כִּי מִן הַמַּיִם מְשִׁיתִהוּ: (שם ב:י)

אָז דִּבַּרְתָּ בְחָזוֹן לַחֲסִידֶיךָ וַתֹּאמֶר שִׁוִּיתִי עֵזֶר עַל גִּבּוֹר הֲרִימוֹתִי בָחוּר מֵעָם: (תהלים פט:כ)

אַחַר הַדְּבָרִים הָאֵלֶּה הָיָה דְבַר ה' אֶל אַבְרָם בַּמַּחֲזֶה לֵאמֹר אַל תִּירָא אַבְרָם אָנֹכִי מָגֵן לָךְ שְׂכָרְךָ הַרְבֵּה מְאֹד: (בראשית טו:א)

תִּתֵּן אֱמֶת לְיַעֲקֹב חֶסֶד לְאַבְרָהָם אֲשֶׁר נִשְׁבַּעְתָּ לַאֲבֹתֵינוּ מִימֵי קֶדֶם: (מיכה ז:כ)

וַיֵּחָלֵק עֲלֵיהֶם לַיְלָה הוּא וַעֲבָדָיו וַיַּכֵּם וַיִּרְדְּפֵם עַד חוֹבָה אֲשֶׁר מִשְּׂמֹאל לְדַמָּשֶׂק: (בראשית יד:טו)

ידי משה

[ד] אלא שהקדוש ברוך הוא מכה ואברהם רודף. פירוש לפי שהמכה היה הקב"ה, לפיכך הקדים המכה לרדיפה משום כבודו של הקב"ה, אבל באמת הרדיפה היתה תחילה. ודוק:

"שֶׁנֶּאֱמַר "אֲשֶׁר בָּחַרְתָּ בְּאַבְרָם — **as it is stated,** *You are HASHEM the God, You chose* [בָּחַרְתָּ] *Abram* (*Nehemiah* 9:7).[96]

The Midrash begins its second interpretation of the *Psalms* verse, this one expounding it as referring to King David:

"דָּבָר אַחֵר, "אָז דִּבַּרְתָּ בְחָזוֹן לַחֲסִידֶיךָ — **Another interpretation** of the *Psalms* verse: ***Then You spoke*** [דִּבַּרְתָּ] ***in a vision*** [בְחָזוֹן] ***to Your devout [prophets]*** — מְדַבֵּר בְּדָוִד שֶׁנִּדְבַּר עִמּוֹ בְּחָזוֹן וּבְדִבּוּר — this is **speaking of David, with whom God spoke through the** prophetic **word** (בְּדִבּוּר) **and** prophetic **vision** (בְּחָזוֹן). הָדָא הוּא דִכְתִיב "כְּכֹל הַדְּבָרִים הָאֵלֶּה וּכְכֹל הַחִזָּיוֹן הַזֶּה כֵּן דִּבֶּר נָתָן אֶל דָּוִד" — **Thus it is written,** ***In accordance with all these words*** [הַדְּבָרִים] ***and this entire vision*** [הַחִזָּיוֹן], ***so did Nathan speak to David*** (*II Samuel* 7:17).[97] "לַחֲסִידֶיךָ" — ***To Your devout [prophets]*** [לַחֲסִידֶיךָ] — this, too, is a description of David, שֶׁנֶּאֱמַר "שָׁמְרָה נַפְשִׁי כִּי חָסִיד אָנִי" — **for it is stated,** ***Guard my soul for I am devout*** [חָסִיד] (*Psalms* 86:2).[98] "וַתֹּאמֶר שִׁוִּיתִי עֵזֶר עַל גִּבּוֹר" — ***And said, "I have placed My assistance upon the mighty one"*** — רַבִּי אַבָּא בַּר כָּהֲנָא אָמַר: י"ג מִלְחָמוֹת עָשָׂה דָוִד — **R' Abba bar Kahana said:** This verse is referring to David's unusual success in battle, for **David waged thirteen wars** without being defeated; וְרַבָּנָן אָמְרִין: י"ח — **and the Rabbis say it was eighteen.**[99] וְלָא פְּלִיגֵי — **But there is no disagreement** between them: מַאן דְּאָמַר י"ג לְצָרְכֵיהֶן שֶׁל יִשְׂרָאֵל — **The one who says** that he fought **thirteen** wars considers only the wars that **were waged on Israel's behalf,**[100] וּמַאן דְּאָמַר י"ח, חָמֵשׁ לְצוֹרֶךְ עַצְמוֹ י"ג לְצוֹרְכֵיהֶן שֶׁל יִשְׂרָאֵל — **and the one who says eighteen** wars includes **five** that were **on his own behalf** in addition to the **thirteen** that were fought **on Israel's behalf.**[101] "הֲרִימוֹתִי בָחוּר מֵעָם" — ***I have exalted the one chosen*** [בָחוּר] ***from among the people*** — זֶה דָוִד שֶׁנֶּאֱמַר "וַיִּבְחַר בְּדָוִד עַבְדּוֹ וגו'" — **this** clause, too, **is** referring to **David, as it is stated,** ***and He chose*** [וַיִּבְחַר] ***David His servant,*** *and took him from the sheep corrals* (ibid. 78:70).[102]

The Midrash begins its third interpretation of the *Psalms* verse, this one expounding it as referring to Moses:

דָּבָר אַחֵר — **Another interpretation of** the verse: "אָז דִּבַּרְתָּ בְחָזוֹן", מְדַבֵּר בְּמֹשֶׁה שֶׁנִּדְבַּר עִמּוֹ בְּדִיבּוּר וּבְחָזוֹן — ***Then You spoke in a vision*** — this is **speaking of Moses, with whom God spoke through the** prophetic **word** (בְּדִבּוּר) **and** prophetic **vision** (בְּחָזוֹן), שֶׁנֶּאֱמַר "פֶּה אֶל פֶּה אֲדַבֶּר בּוֹ וגו'" — **as it is stated,** ***Mouth to mouth do I speak*** [אֲדַבֶּר] ***to him,*** *in a clear vision*[103] *and not in riddles* (*Numbers* 12:8). "לַחֲסִידֶיךָ" — ***To Your devout [prophets]*** [לַחֲסִידֶיךָ] — this, too, refers to Moses, שֶׁהָיָה מִשִּׁבְטוֹ שֶׁל לֵוִי, שֶׁנֶּאֱמַר "תֻּמֶּיךָ וְאוּרֶיךָ לְאִישׁ חֲסִידֶךָ" — **for he was from the Tribe of Levi** regarding whom **it is stated,** ***Your Tumim and Your Urim befit Your devout one*** [חֲסִידֶךָ] (*Deuteronomy* 33:8).[104] "וַתֹּאמֶר שִׁוִּיתִי עֵזֶר עַל גִּבּוֹר" — ***And said, "I have placed My assistance upon the mighty one"*** — אַתְיָא כִּי הַהִיא דְּאָמַר רַבִּי תַּנְחוּם בַּר חֲנִילַאי — this **corresponds to that which was stated by R' Tanchum bar Chanilai:** בְּנוֹהָג שֶׁבָּעוֹלָם מַשּׂוֹי שֶׁקָּשֶׁה לְאֶחָד נוֹחַ לִשְׁנַיִם — **It is the way of the world that a burden that is difficult for one person** to bear alone, **is easy for two** people to bear, קָשֶׁה לִשְׁנַיִם נוֹחַ לְד' — and one that is **difficult for two** people to bear **is easy for four** people to bear. אוֹ שֶׁמָּא מַשּׂוֹי שֶׁקָּשֶׁה לְס' רִיבּוֹא נוֹחַ לְאֶחָד — **But is it possible that a burden that is difficult for sixty myriads** of people to bear **should be easy for one** person to bear alone? כָּל יִשְׂרָאֵל עוֹמְדִין לִפְנֵי הַר סִינַי וְאוֹמְרִים "אִם יֹסְפִים אֲנַחְנוּ לִשְׁמֹעַ" — Now, **all Israel were standing before Mount Sinai and were saying,** ***"If we continue to hear*** *the voice of HASHEM our God any longer we will die"* (*Deuteronomy* 5:22),[105] וּמֹשֶׁה שׁוֹמֵעַ קוֹל הַדִּיבּוּר עַצְמוֹ וְחָיָה — yet **Moses by himself** was able to **hear the voice** of God **speaking and** nevertheless **remain alive.**[106] תֵּדַע לָךְ שֶׁהוּא כֵן — **You should know that this is so,** שֶׁמִּכּוּלָּן לֹא קָרָא הַדִּיבּוּר אֶלָּא לְמֹשֶׁה — **for from all of them,** i.e., all of Israel, **the Divine word called no one but Moses,** שֶׁנֶּאֱמַר "וַיִּקְרָא אֶל מֹשֶׁה" — **as it is stated,** ***And He called to Moses,*** i.e., only to Moses and to no other person.[107] "הֲרִימוֹתִי בָחוּר מֵעָם" — ***I have exalted the one chosen*** [בָחוּר] ***from among the people.*** "לוּלֵי מֹשֶׁה בְחִירוֹ" — This, too, is referring to Moses, for Scripture states, *He said He would destroy them* ***had not Moses, His chosen one*** [בְחִירוֹ], *stood in the breach before Him to turn away His wrath from destroying* (*Psalms* 106:23).

§5 The Midrash will present a different approach as to why God called to Moses alone:[108]

רַבִּי יְהוֹשֻׁעַ דְּסִכְנִין בְּשֵׁם רַבִּי לֵוִי פָּתַר קְרָא — **R' Yehoshua of Siknin in the name of R' Levi interpreted** our **verse,** *And He called to Moses*, in light of a teaching from *Proverbs*: "כִּי טוֹב אֲמָר לְךָ עֲלֵה הֵנָּה מֵהַשְׁפִּילְךָ לִפְנֵי נָדִיב וגו'" — ***For it is better that it be said to you, "Come up here," than that you be demoted before the prince*** *as your eyes have seen [happen to others]* (*Proverbs* 25:7).[109] רַבִּי עֲקִיבָא מַתְנֵי לָהּ בְּשֵׁם רַבִּי שִׁמְעוֹן בֶּן עַזַּאי — **R' Akiva taught [this teaching]** of the *Proverbs* verse **in the name of R' Shimon ben Azai:** רְחַק מִמְּקוֹמְךָ ב' וּשְׁלֹשָׁה מוֹשָׁבוֹת וְשֵׁב — **Move away two or three seats from your** rightful **place and sit** in a lower place, עַד שֶׁיֹּאמְרוּ לְךָ עֲלֵה — **until they say to you, "Go up** to your place"; וְאַל תַּעֲלֶה שֶׁיֹּאמְרוּ לְךָ רֵד — **but do not go up** to a higher place and put yourself in a position where **they** might **tell you, "Go down** to a lower place."[110]

NOTES

96. God chose Abraham over all mankind to be the progenitor of His chosen people.

97. Although this prophecy was revealed not to David but to Nathan, the Midrash views it as indicative of *David's* greatness that Nathan merited to receive a *word* and a *vision* (see above, note 90), for the prophecy concerned David, and was revealed to Nathan only because of him (*Eitz Yosef*; see also *Matnos Kehunah* and *Eshed HaNechalim*).

98. David is the speaker in this verse (*Psalms* 86:2). His use of the word חָסִיד in reference to himself tells us that the word לַחֲסִידֶיךָ is likewise a reference to David.

99. Although David is referred to as *the mighty one* because of his military prowess, his success was due only to God's assistance (*Eshed HaNechalim, Eitz Yosef*).

100. I.e., to rescue the nation from its enemies or to extend its borders (*Eitz Yosef*, citing *Yefeh To'ar*).

101. See *Maharzu* and *Radal* for two lists of David's eighteen victories. [*Yefeh To'ar*, cited by *Eitz Yosef*, has a different list of the five wars David fought "on his own behalf."]

102. I.e., God chose David to be king over His nation.

103. The word used for *a clear vision* in this verse, בְּמַרְאֶה, is regarded as the same as חָזוֹן, for the roots of the two words (ראה and חזה, respectively) mean the same thing: vision (*Beur Maharif*, citing *Moreh Nevuchim*; *Eitz Yosef*; see *Radal* for another possible approach).

104. Since Moses was a Levite, it stands to reason that he, too, was a חָסִיד, a *devout one*.

105. See above, note 28.

106. It is for this reason that Moses is called *the mighty one* in the *Psalms* verse.

107. See *Eitz Yosef* at the very beginning of the current section (§4).

108. *Eitz Yosef.*

109. The *Proverbs* verse teaches that it is best that a person not take a place of honor for himself but rather wait for others to invite him (*"Come up here"*). Moses, in his humility, was wont to follow this teaching; our verse's statement, *And He called to Moses*, tells us that he did not "go up" to speak to God until God called him (*Maharzu*) and told him that the hour called for him, and him alone, to receive God's communication [see end of section] (*Eitz Yosef*).

110. The disciples would sit in order of their eminence (see e.g., Mishnah *Sanhedrin* 37a, Gemara *Bava Kamma* 117a). R' Akiva was instructing his disciples to sit in a lower place than that appropriate for their level of scholarship, until they are invited to sit in a higher one. They should never take a more eminent seat on their own and then have to be told to move down (*Matnos Kehunah, Eitz Yosef*).

שֶׁנֶּאֱמַר (נחמיה ט, ז) "אֲשֶׁר בָּחַרְתָּ בְּאַבְרָם". דָּבָר אַחֵר, "אָז דִּבַּרְתָּ בְחָזוֹן לַחֲסִידֶיךָ", מְדַבֵּר בְּדָוִד שֶׁנִּדְבַּר עִמּוֹ בְּחָזוֹן וּבְדִבּוּר, הָדָא הוּא דִכְתִיב (שמואל-ב ז, יז) "כְּכֹל הַדְּבָרִים הָאֵלֶּה וּכְכֹל הַחִזָּיוֹן הַזֶּה כֵּן דִּבֶּר נָתָן אֶל דָּוִד", "לַחֲסִידֶיךָ" שֶׁנֶּאֱמַר (תהלים פו, ב) "שָׁמְרָה נַפְשִׁי כִּי חָסִיד אָנִי", "וַתֹּאמֶר שִׁוִּיתִי עֵזֶר עַל גִּבּוֹר", רַבִּי אַבָּא בַּר כָּהֲנָא אָמַר: י"ג מִלְחָמוֹת עָשָׂה דָוִד, וְרַבָּנָן אָמְרִין: י"ח, וְלָא פְלִיגֵי, מַאן דְּאָמַר י"ג לְצָרְכֵיהֶן שֶׁל יִשְׂרָאֵל, וּמַאן דְּאָמַר י"ח, חָמֵשׁ לְצוֹרֶךְ עַצְמוֹ וְי"ג לְצוֹרְכֵיהֶן שֶׁל יִשְׂרָאֵל, "הֲרִימוֹתִי בָחוּר מֵעָם", זֶה דָוִד שֶׁנֶּאֱמַר (שם עח, ע) "וַיִּבְחַר בְּדָוִד עַבְדּוֹ וְגוֹ'". דָּבָר אַחֵר, "אָז דִּבַּרְתָּ בְחָזוֹן", מְדַבֵּר בְּמֹשֶׁה שֶׁנִּדְבַּר עִמּוֹ בְּדִיבּוּר וּבְחָזוֹן, שֶׁנֶּאֱמַר (במדבר יב, ח) "פֶּה אֶל פֶּה אֲדַבֶּר בּוֹ וְגוֹ'", "לַחֲסִידֶיךָ", שֶׁהָיָה מִשִּׁבְטוֹ שֶׁל לֵוִי, שֶׁנֶּאֱמַר (דברים לג, ח) "תֻּמֶּיךָ וְאוּרֶיךָ לְאִישׁ חֲסִידֶךָ", "וַתֹּאמֶר שִׁוִּיתִי עֵזֶר עַל גִּבּוֹר" אַתְיָא כִּי הַהִיא דְּאָמַר רַבִּי תַּנְחוּם בַּר חֲנִילַאי: בְּנוֹהַג שֶׁבָּעוֹלָם מַשּׂוֹי שֶׁקָּשֶׁה לְאֶחָד נוֹחַ לִשְׁנַיִם, קָשֶׁה לִשְׁנַיִם נוֹחַ לְד', אוֹ שֶׁמָּא מַשּׂוֹי שֶׁקָּשֶׁה לְס' רִיבּוֹא נוֹחַ לְאֶחָד, כָּל יִשְׂרָאֵל עוֹמְדִין לִפְנֵי הַר סִינַי וְאוֹמְרִים (דברים ה, כב) "אִם יֹסְפִים אֲנַחְנוּ לִשְׁמֹעַ" וּמֹשֶׁה שׁוֹמֵעַ קוֹל הַדִּיבּוּר עַצְמוֹ וְחָיָה, תֵּדַע לְךָ שֶׁהוּא כֵּן, שֶׁמִּכּוּלָּן לֹא קָרָא הַדִּיבּוּר אֶלָּא לְמֹשֶׁה, שֶׁנֶּאֱמַר [א, א] "וַיִּקְרָא אֶל מֹשֶׁה", "הֲרִימוֹתִי בָחוּר מֵעָם", (תהלים קו, כג) "לוּלֵי מֹשֶׁה בְחִירוֹ":

ה רַבִּי יְהוֹשֻׁעַ דְּסִכְנִין בְּשֵׁם רַבִּי לֵוִי פָּתַר קְרָא: (משלי כה, ז) "כִּי טוֹב אֲמָר לְךָ עֲלֵה הֵנָּה [ט] מֵהַשְׁפִּילְךָ לִפְנֵי נָדִיב וְגוֹ'", רַבִּי עֲקִיבָא מַתְנֵי לָהּ בְּשֵׁם רַבִּי שִׁמְעוֹן בֶּן עַזַּאי: רַחֵק מִמְּקוֹמְךָ ב' *וּשְׁלֹשָׁה מוֹשָׁבוֹת וְשֵׁב עַד שֶׁיֹּאמְרוּ לְךָ עֲלֵה, וְאַל תַּעֲלֶה שֶׁיֹּאמְרוּ לְךָ רֵד,

חידושי הרד"ל

[ד] שמונה עשר כו' חמשה לצורך עצמו. נראה שזהו פרטן. א. גלית (שמואל א', יז). ב. מאתים ערלות (שם, יח). ג. ויצא דוד וילחם בפלשתים (שם, יט). ד. קעילה (שם, כג). ה. גשור גזרי ועמלקי (שם, כז). ו. צקלג (שם, ל). ז. בעל פרצים (שמואל ב, ה). ח. עמק רפאים (שם). ט. מתג האמה (שם, ח). י. מואב (שם). יא. הדדעזר (שם). יב. ארם דמשק (שם). יג. ארם בני מלח (שהיא מלחמה אחרת והוא אדום כמו שכתוב בתהלים). יד. בני עמון (שם, י). ועוד ארבעה הן מלחמות ארבעת בני הרפה (שם, כא), שנאמר בכל אחד מהן ותהי עוד מלחמה, (וכפשטיה שהן מלחמות אחרות עיין רד"ק, ולדרשת חז"ל דויך אלחנן את גלית הגתי (שמואל ב' כא, יט), הוא גלית הפלשתי. אפיק חדא ועייל במקומה, הא דכתיב (שמואל א' יח, ל) ויצאו שרי פלשתים וגו' שכל דוד מכל עבדי שאול), הרי שמונה עשר מלחמות. וחמשה שלצורך עצמו, שבהן נראה שהן: א. מאתים ערלות, שהיה להתחתן במלך. ב. גשורי גזרי עמלקי, שהיו לצורך עצמו לשלול מהם שלל להחיות נפשו, ונפש העם אשר עמו. ג. צקלג. שעל שהיה מתגרה תחלה בעמלק לצורך עצמו הוא, שפשט עמלק בצקלג (ועוד נראה שמלחמה זו באה לנטוש דוד על שאמר לאכיש שיתחבר עמו להלחם בישראל, וכן מפרש אחר כך בתועליות הרלב"ג שם). ד. מלחמת בני עמון, דוד הסבה בעצמו, על שסבר על דברי תורה ושלח לדרוש שלומם, כמו שאמרו ז"ל שם. ה. מלחמת ישבי בנוב מילדי הרפה, שכתוב שם ויאמר להכות את דוד ואמרו (בסנהדרין צה, א) שבשביל דוד היתה, עיין שם. (ולא בעית לאפוקי חד מינייהו ולחושבה לצורך ישראל. ועייל במקומה מלחמת גלית הפלשתי, שמשמעות פשט הלשון שהיה שואל דוד מה יעשה לאיש אשר יכה את הפלשתי וגו', שבשביל זה הוא עלה להלחם בו. לכן חשובה לצורך עצמו): **במשה שנדבר עמו בדבור ובחזון.** לא מצאתי חזון במשה. ואפשר דכוונו על מה שנאמר (שמות יח, כא) ואתה תחזה מכל העם וגו' ואמרו במכילתא שם תחזה בנבואה: **[ה] רבי עקיבא ואית דמתני לה בשם רבי שמעון בן עזאי.** כן צריך לומר. וכן שנויה באבות דרבי נתן (סוף פרק כה) משמיה דבן עזאי:

עץ יוסף

מדבר בדוד שנדבר עמו. על ידי נתן הנביא. ואם תאמר כיון דלאו ממש עמו דבר מה בלא בהיות הדבור בדבור ובחזון, ויש לומר כיון דלצורך דוד באה הנבואה לנתן בשני אלה היתה גדולה לדוד, שבעבורו זכה הנביא שגדל כחו לקבל הנבואה בשני המדרגות הקשות: **שלש עשרה מלחמות.** וגבור בטבע לא יוכל להיות עושה מלחמות רבות ולהצליח בכולם, רק אנכי שויתי עזר על גבור: **לצרכיהן של ישראל.** להצילן מהאויבים, ולהרחיב גבולם: **חמש לצורך עצמו.** היינו, א', מה שהכה לפלשתים מאתים איש והביא ערלותיהם להתחתן במלך שאול (שמואל א' יח, כז). והב', מה שהכה להעמלקים שלכדו את צקלג ולקחו נשיו ובניו (שמואל א' ל, יז). הג', מה שלכד את מצודת ציון היא עיר דוד, שאמרו לא יבא דוד הנה (שמואל ב' ה, ו-ז). והד', מה שהכה בפלשתים בבעל פרצים שנתקבצו לבקש את דוד (שמואל ב' ה, כ). והה', מלחמת אבשלום (שמואל ב' יח) (יפה תואר): **פה אל פה וגו' במראה.** ומראה וחזון היינו אחד, שחזון נגזר מן חזה, ומראה נגזר מן ראה, וחזה וראה ענין אחד הוא. ועיין יפה תואר: **בנוהג שבעולם כו'.** פרשתי לעיל סימן א': **(ה) רבי יהושע כו' פתר קרא.** כלומר פתר קרא דויקרא אל משה בהאי קרא כי טוב אמר לך עלה הנה, ודעתו שנזכר ויקרא אל משה למטוטי אתא, שלו לבדו קרא, וכדעת האגדה הקודמת, אלא דסבירא ליה שהטעם לפי שמשה היה מקיים בעצמו כי טוב אמר לך עלה הנה, ולכן אמר לו שאין השטה מלפה אלא לו: **רחק ממקומך.** ממקום שהיה ראוי לך לפי מעלתך: **ואל תעלה.** מתחילה אל תעלה לישב למעלה, מוטב שתרחק למטה ממקום שראוי לך כדי שיאמרו לך עלה עלה:

פירוש מהרז"ו

מדבר בדוד. מה שכתב סוף פרשה כו (סי' ט): **שלש עשרה מלחמות וכו'.** א, (שמואל א, יז) מלחמת גלית הפלשתי. ב, (שם יח כז) ויך בפלשתים מאתים איש וזה לצורך עצמו. ג, (שם ל) ויצאו שרי פלשתים ויהי מדי צאתם שכל דוד מכל עבדי שאול. ד, (שם יט, ח) ותוסף המלחמה להיות ויצא דוד הלחם בפלשתים. ה, (שם כג, ה) וילך דוד ואנשיו קעילה. ו, (שם כז, ח) ויפשטו אל הגשורי והגריזי. ז, (שם ל) מלחמת צקלג שתים אלו לצורך עצמו. ח, (שמואל ב, ה, ו) וילכוד את מצודת ציון. ט, (שם ה, כ) ויבא דוד בבעל פרצים. י, (שם כה) ויך את פלשתים מגבע עד בואך גזר, ויתכן דגם שתים אלו לצורך עצמו, כמו שכתוב לבקש את דוד אותו לבדו. יא, (שמואל ב, ח, א) ויך את פלשתים. יב, (שם ב) ויך את מואב. יג, (שם ג) ויך את הדדעזר. יד, (שם) ויך דוד בארם. טו, (שם יד) וישם באדום נציבים וגו'. טז, (שמואל ב, י, יח) ויהרוג דוד מארם וגו'. יז, (שמואל ב, יב, כט) וילחם ברבה וילכדה. יח, (שמואל ב, כא טו) וישבו בנוב. והחמשה של צורך עצמו א' מלחמת מאתים ערלות, ב' מלחמות הגשורי והגריזי, ג' מלחמת צקלג, ד' מלחמת בעל פרצים, ה' מלחמת ראשי הככרים: **דאמר רבי תנחומא.** לעיל (סימן א): **(ה) כי טוב אמר לך.** בא לדרוש פסוק ויקרא אל משה, כמו שכתב בסוף הסימן, ולא עלה עד שקרא לו:

מסורת המדרש

ט. תנחומא ויקרא. ילקוט משלי כ"ה:

אם למקרא

אַתָּה הוּא ה' הָאֱלֹהִים אֲשֶׁר בָּחַרְתָּ בְּאַבְרָם וְהוֹצֵאתוֹ מֵאוּר כַּשְׂדִּים וְשַׂמְתָּ שְּׁמוֹ אַבְרָהָם: (נחמיה ט:ז)

כְּכֹל הַדְּבָרִים הָאֵלֶּה וּכְכֹל הַחִזָּיוֹן הַזֶּה כֵּן דִּבֶּר נָתָן אֶל דָּוִד: (שמואל ב ז:יז)

שָׁמְרָה נַפְשִׁי כִּי חָסִיד אָנִי הוֹשַׁע עַבְדְּךָ אַתָּה אֱלֹהַי הַבּוֹטֵחַ אֵלֶיךָ: (תהלים פו:ב)

וַיִּבְחַר בְּדָוִד עַבְדּוֹ וַיִּקָּחֵהוּ מִמִּכְלְאֹת צֹאן: (שם עח:ע)

פֶּה אֶל פֶּה אֲדַבֶּר בּוֹ וּמַרְאֶה וְלֹא בְחִידֹת וּתְמֻנַת ה' יַבִּיט וּמַדּוּעַ לֹא יְרֵאתֶם לְדַבֵּר בְּעַבְדִּי בְמֹשֶׁה: (במדבר יב:ח)

וּלְלֵוִי אָמַר תֻּמֶּיךָ וְאוּרֶיךָ לְאִישׁ חֲסִידֶךָ אֲשֶׁר נִסִּיתוֹ בְּמַסָּה תְּרִיבֵהוּ עַל מֵי מְרִיבָה: (דברים לג:ח)

וְעַתָּה לָמָּה נָמוּת כִּי תֹאכְלֵנוּ הָאֵשׁ הַגְּדֹלָה הַזֹּאת אִם יֹסְפִים אֲנַחְנוּ לִשְׁמֹעַ אֶת קוֹל ה' אֱלֹהֵינוּ עוֹד וָמָתְנוּ: (דברים ה:כב)

וַיֹּאמֶר לְהַשְׁמִידָם לוּלֵי מֹשֶׁה בְחִירוֹ עָמַד בַּפֶּרֶץ לְפָנָיו לְהָשִׁיב חֲמָתוֹ מֵהַשְׁחִית: (תהלים קו:כג)

כִּי טוֹב אֲמָר לְךָ עֲלֵה הֵנָּה מֵהַשְׁפִּילְךָ לִפְנֵי נָדִיב אֲשֶׁר רָאוּ עֵינֶיךָ: (משלי כה:ז)

באור מהרי"פ

חמש לצורך עצמו. עיין יפה תואר דקחשיב חמשה המלחמות שהן לצורך עצמן מי היו, עיין שם: **פה אל פה אדבר בו.** ומראה ולא בחידות וגו'. ומראה וחזון אחד הוא, כמו שכתב המורה נבוכים (חלק ב' פרק מג) שחזון נגזר מן חזה, ומראה נגזר מן ראה:

אמרי יושר

[ה] רחק ממקומך שנים ושלשה מקומות. דייקו מלת הנה, מורה שהריחוק הוא רב, באמרם לו עלה עלה מדרגה אחת, ואומרים לו שוב עלה הנה, וכן משה עמד לו מהלך פעמים רבות, רמז להשפלת והכנעת לבו שנים ושלשה מקומות ומדרגות.

מתנות כהונה

שנדבר עמו בחזון. על ידי נתן הנביא: **פה אל פה אדבר בו וגו'.** במראה דהיינו בחזון: **[ה] מַשְׁנֵי.** היה שונה כמו מתני לה: **ממקומך.** ממקום שהיה ראוי לך לפי מעלתך: **ואל תעלה.** מתחלה אל תעלה לישב למעלה:

אשד הנחלים

שה' הכה אותם: **שנדבר עמו בחזון.** כלומר שהנבואה היתה לנתן הנביא על ידי חזון, ואם כן זה מעלת דוד גם כן, אחר שהיה ענין הנבואה הנדבר למען דוד גדולה מאוד: **שלש עשרה מלחמות.** וגבור בטבע, לא יוכל להיות עושה מלחמות רבות ולהצליח בכולם, רק אנכי שויתי עזרי עליו: **מדבר במשה כו' פה אל פה.** אין הכוונה שהיה מעלת משה שוה לאברהם ולנתן. דהלא נבואת משה היה גדולה מכולם. כמו שנאמר בכתוב (דברים לד, י) ולא קם גו', רק שבחזון ובדיבור גופיה ימצא בו מעלות מעלות, יש גדולה ויש קטנה ממנה, וגם בגדולה אם היא בדיבור ובחזון יחד, היא גדולה יותר, ולכן מביא הפסוק האומר ההבדל שבין נבואת משה לשאר הנביאים, הן בענין הדיבור, פה אל פה אדבר בו, והן בענין החזיון במראה ולא בחידות, כי שאר הנביאים רואים המראה רק על ידי חידות, כלומר שהבינו מהמראה החידה הטמונה בתוכה: **משוי שקשה כו'.** פרשתי לעיל בראש הפרשה עיי"ש. ודע עוד דענין הבחירה מורה על דבר הנבחר, שהוא כסגולה נבחר מכל אנשי דורו במעלתו, ואברהם היה הנבחר מול כולם בימיו, ודוד במעלת המלוכה, ומשה במעלת הנבואה: **[ה] רחק ממקומך.** מה שאמר שנים ושלשה מושבות, כי כן כתיב אל תתהדר לפני מלך, זהו שתחפוץ לישב אצל המלך ממש, ולפני גדולים אל תעמוד,

ענף יוסף

(ה) רבי עקיבא מתני לה כו'. במדרש שעם היפה תואר הגירסא רבי עקיבא משני לה כו', משום שקשה בקרא כי טוב אמור לך עלה, הנה דמשמע דודאי יאמרו לו עלה, ושמא יניחוהו שם ולא יאמרו לו עלה, והכי הוי ליה למימר טוב שלא יאמרו לך רד משיאמרו רד, ולכן משני ומתני רבי עקיבא, שכוונת הכתוב שירד מדרגות רבות, עד שיאמרו לו עלה, והשתא אתי שפיר דקא משמע לן חידושא דסלקא דעתך אמינא, בשלמא מדרגה אחת ירד האדם שיקוה שיאמרו לו עלה, אבל שירד יותר אין זה ראוי, שזה רחוק מהשכל מאד, כי שמא אף שיאמרו לו

שינוי נוסחאות

(ה) רבי עקיבא מתני לה. בד' ונציא של"ו (שבו השתמש בעל מ"כ) היה כתוב "משני לה", ולכן פירש ש"משני" הוא כמו "היה שונה". אבל בדפוסים שלפני זה (אפילו ד' ונציא שמ"ה שמשם הועתק מהדורת של"ו מילה במילה) היה כתוב "מתני", וכן הוא בכמעט כל הדפוסים שלאחריו ג"כ. אחר כך, בד' אמשטרדם ת"א, טעו לכתוב "השני" בדברי המ"כ במקום "משני", וכן הועתק משם לכל הדפוסים אח"כ. אבל הכל ט"ס, והנוסח המקורי והאמיתי במדרש הוא "מתני":

מוּטָב שֶׁיֹּאמְרוּ לְךָ עֲלֵה עֲלֵה, וְלֹא יֹאמְרוּ לְךָ רֵד רֵד — Furthermore, **it is better that they should say to you, "Go up, go up," and they should not say to you, "Go down, go down."**[111]

The Midrash recounts that Hillel used to teach a similar lesson: וְכֵן הִלֵּל אוֹמֵר: הַשְׁפָּלָתִי הִיא הַגְבָּהָתִי הַגְבָּהָתִי הִיא הַשְׁפָּלָתִי — **And so does Hillel say: "My self-abasement is my exaltation,** while **my self-exaltation is my abasement."**[112] מַה טַּעַם — **What is the reason** for this statement? "הַמַּגְבִּיהִי לָשָׁבֶת הַמַּשְׁפִּילִי לִרְאוֹת" — Scripture states: *Who is like HASHEM, our God,* ***Who is enthroned on high*** *— yet* ***deigns to look*** *upon the heaven and the earth* (*Psalms* 113:5-6).[113]

The Midrash cites four incidents that demonstrate Moses' humility and self-abasement, and shows how in each case he was subsequently exalted by God:

אַתְּ מוֹצֵא בְּשָׁעָה שֶׁנִּגְלָה הַקָּדוֹשׁ בָּרוּךְ הוּא לְמֹשֶׁה מִתּוֹךְ הַסְּנֶה — **You find that at the time the Holy One, blessed is He, revealed Himself to Moses from amid the bush,** הָיָה מַסְתִּיר פָּנָיו מִמֶּנּוּ, שֶׁנֶּאֱמַר "וַיַּסְתֵּר מֹשֶׁה פָּנָיו וְגוֹ'" — **[Moses] hid his face from Him,**[114] **as it is stated,** ***Moses hid his face,*** *for he was afraid to gaze toward God* (*Exodus* 3:6). אָמַר לוֹ הַקָּדוֹשׁ בָּרוּךְ הוּא: "לְכָה וְאֶשְׁלָחֲךָ אֶל פַּרְעֹה וְגוֹ'" — **The Holy One, blessed is He,** then **said to [Moses],** *"And now,* ***go*** [לְכָה] ***and I shall dispatch you to Pharaoh,*** *and you shall take My people, the Children of Israel, out of Egypt"* (ibid., v. 10). אָמַר רַבִּי אֶלְעָזָר: הֵ"א בְּסוֹף תֵּיבוּתָא, לוֹמַר שֶׁאִם אֵין אַתָּה גּוֹאֲלָם אֵין אַחֵר גּוֹאֲלָם — **R' Elazar said: The** ***hei*** **at the end of the word** *lechah* [לְכָה] comes **to say** that God told Moses, **"If you will not redeem [the Children of Israel],** then **no one will redeem them."**[115]

The second incident:

בַּיָּם עָמַד לוֹ מִן הַצַּד — When the Children of Israel were trapped **at the Sea** of Reeds, **[Moses] stood to the side** in his humility.[116] אָמַר לוֹ הַקָּדוֹשׁ בָּרוּךְ הוּא: "וְאַתָּה הָרֵם אֶת מַטְּךָ וּבְקָעֵהוּ" — But **the Holy One, blessed is He, said to him,** ***And you lift up your staff*** *and stretch out your arm over the Sea* ***and split it*** (*Exodus* 14:16). לוֹמַר שֶׁאִם אֵין אַתָּה בּוֹקְעוֹ אֵין אַחֵר בּוֹקְעוֹ — The word *v'atah* [וְאַתָּה], *and you,*[117] comes **to say** that God told Moses, **"If you will not split [the Sea],** then **no one will split it."**[118]

The third incident:

בְּסִינַי עָמַד לוֹ מִן הַצַּד — When the Children of Israel assembled **at Sinai** to receive the Torah, **[Moses] stood to the side** in his humility.[119] אָמַר לוֹ "עֲלֵה אֶל ה' " — But **[God] said to him,** ***"Go up to HASHEM,*** *you* [אַתָּה], *Aaron, Nadab, Abihu, and seventy of the elders of Israel"* (ibid. 24:1).[120] לוֹמַר שֶׁאִם אֵין אַתָּה עוֹלֶה אֵין אַחֵר עוֹלֶה — The word *atah* [אַתָּה], *you,*[121] comes **to say that** God told Moses, **"If you will not go up** the mountain to receive the Torah, then **no one will go up."**

A fourth incident:

בְּאֹהֶל מוֹעֵד עָמַד לוֹ מִן הַצַּד — **In the Tent of Meeting, [Moses] stood to the side** in his humility.[122] אָמַר לוֹ הַקָּדוֹשׁ בָּרוּךְ הוּא: עַד מָתַי אַתְּ מַשְׁפִּיל עַצְמְךָ — But **the Holy One, blessed is He, said to him, "Until when will you lower yourself?** אֵין הַשָּׁעָה מְצַפָּה אֶלָּא לָךְ — **The hour is waiting for no one but you."** תֵּדַע לָךְ שֶׁהוּא כֵן — **Know that this is so,** שֶׁמִּכּוּלָּן לֹא קָרָא הַדִּיבּוּר אֶלָּא לְמֹשֶׁה — **for from all of [the Israelites] the Divine word called no one but Moses;** "וַיִּקְרָא אֶל מֹשֶׁה" — therefore, Scripture writes, ***He called to Moses,*** i.e., only to Moses and to no one else.

§6 רַבִּי תַּנְחוּמָא פָּתַח — **R' Tanchuma opened** his discourse on our passage by expounding the following verse:

NOTES

111. Even when the disciple is invited to move to a more eminent seat, he should not go right away to the place that is actually appropriate for his level of scholarship, but should "take it step by step," one seat at a time, and wait for others to speak to him again ("Go up, go up") when they want him to move up further. Conversely, if he is told to go down to a less eminent seat, he should move down many seats at once so that he would not have to be told a second or third time ("Go down, go down") to go down further (see *Maharzu*).

112. That is: Humility and lowliness are in fact exalted spiritual states, and the soul is uplifted when a person acts with humility; the opposite is true of arrogance and self-promotion (see *Eitz Yosef*).

Alternatively, the Midrash is to be translated: *My self-abasement is* going to lead to *my exaltation,* while *my self-exaltation* would lead to *my abasement* (*Matnos Kehunah*; see also *Maharzu* s.v. המגביהי לשבת and *Shemos Rabbah* 45 §5). As an example of this statement, *Imrei Yosher* refers to the story of Hillel recounted in *Sotah* 35b: Lacking the entrance fee to the study hall on a winter day, Hillel went up to the roof in order to hear the Torah being discussed. He was later found by his colleagues covered in snow. But his self-abasement for the sake of Torah led to his [being rewarded by] becoming the great man he became.

113. Although God is most exalted, He concerns Himself with events that take place on earth below (*Eshed HaNechalim, Eitz Yosef* s.v. השפלתי). We see, then, that acting with humility is not a contradiction to a state of exaltedness.

Matnos Kehunah and *Maharzu* explain differently (see preceding note). According to *Matnos Kehunah*, the Midrash takes הַמַּגְבִּיהִי לָשָׁבֶת הַמַּשְׁפִּילִי לִרְאוֹת to mean: *One who exalts himself* will eventually come to a state of lowliness (lit., *being seated*); *one who lowers himself* will eventually be uplifted, such that people will *see* him in his lofty position. According to *Maharzu*, the Midrash is understanding King David (the author of *Psalms*) to be speaking in first person: הַמַּגְבִּיהִי לָשָׁבֶת הַמַּשְׁפִּילִי לִרְאוֹת — *When I lift myself* (on my toes) to be able to see far, they tell me *to sit down*; *when I lower myself*, they raise me to be able *to see* far. See *Shemos Rabbah* loc. cit. For another interpretation see *Rashash* and *Eitz Yosef* s.v. מה טעם.

114. Out of a sense of unworthiness to serve as God's emissary (*Maharzu*).

115. The word לְכָה, translated above as *go*, is expounded by R' Elazar to mean *for you* [לְךָ]. If the Torah had written "לך", it could have been understood either as *go* (if vowelized לֵךְ) or as *for you* (if vowelized לְךָ). But written לכה, it can only be vowelized לְכָה, and it should therefore be translated: *for you* (*Matnos Kehunah, Eitz Yosef*). The words לְכָה וְאֶשְׁלָחֲךָ are accordingly to be interpreted homiletically: *the task (agency) is [specifically] for you* (i.e., yours) (*Matnos Kehunah*; see also *Eshed HaNechalim*).

The Midrash is saying that while Moses lowered himself (declaring himself unworthy of being God's agent to redeem the Israelites from Egypt), God raised him up and told him that in fact *only* he was fitting for the task (see *Eitz Yosef*). In fact, *Maharzu* writes, it was *because* Moses ran from this honor that the honor pursued him (see note 112).

116. Moses felt himself unworthy to perform the miracle at the Sea and thought that an angel should perform it. See *Eitz Yosef* for the reason why. [*Matnos Kehunah* adds that in his desire to run from honor, Moses actually hid himself.]

117. Which is otherwise extraneous (*Maharzu, Eshed HaNechalim, Eitz Yosef*).

118. And the Israelites will (heaven forbid) be destroyed (*Matnos Kehunah*). The Midrash is expounding the seemingly superfluous word וְאַתָּה, *and you*, to mean "specifically you, Moses; the redemption cannot come through anyone else" (*Eshed HaNechalim*).

119. Moses felt himself unworthy of ascending Mount Sinai and believed that he should remain at the foot of the mountain with the rest of Israel (*Eitz Yosef*).

120. *Maharzu* writes that the words *you, Aaron, etc.* must be added to the text of the Midrash.

121. Which is otherwise extraneous (*Eitz Yosef*).

122. He felt unworthy to be inside the Tent of Meeting, and thought that God should speak to him outside the Tent (ibid.).

Our verse (*Leviticus* 1:1) states that God called to Moses and spoke to him *from the Tent of Meeting*, i.e., from the Tabernacle. This communication took place during the Tabernacle's inauguration (see ArtScroll *Ramban* to *Leviticus* 8:2 with note 15 there).

מוּטָב שֶׁיֹּאמְרוּ לְךָ עֲלֵה עֲלֵה, וְלֹא יֹאמְרוּ לְךָ רֵד רֵד, וְכֵן הִלֵּל אוֹמֵר: הַשְׁפָּלָתִי הִיא הַגְבָּהָתִי הַגְבָּהָתִי הִיא הַשְׁפָּלָתִי, מַה טַּעַם (תהלים קיג, ה-ו) "הַמַּגְבִּיהִי לָשָׁבֶת הַמַּשְׁפִּילִי לִרְאוֹת", אַתְּ מוֹצֵא בְּשָׁעָה שֶׁנִּגְלָה הַקָּדוֹשׁ בָּרוּךְ הוּא לְמֹשֶׁה מִתּוֹךְ הַסְּנֶה הָיָה מַסְתִּיר פָּנָיו מִמֶּנּוּ, שֶׁנֶּאֱמַר (שמות ג, ו) "וַיַּסְתֵּר מֹשֶׁה פָּנָיו וְגוֹ'", אָמַר לוֹ הַקָּדוֹשׁ בָּרוּךְ הוּא: (שם שם י) "לְכָה וְאֶשְׁלָחֲךָ אֶל פַּרְעֹה וְגוֹ'" אָמַר רַבִּי אֶלְעָזָר: הֵ"א בְּסוֹף תֵּיבוּתָא, לוֹמַר שֶׁאִם אֵין אַתָּה גּוֹאֲלָם אֵין אַחֵר גּוֹאֲלָם, בַּיָּם עָמַד לוֹ מִן הַצַּד, אָמַר לוֹ הַקָּדוֹשׁ בָּרוּךְ הוּא: (שם יד, טז) "וְאַתָּה הָרֵם אֶת מַטְּךָ וּבְקָעֵהוּ", לוֹמַר שֶׁאִם אֵין אַתָּה בּוֹקְעוֹ אֵין אַחֵר בּוֹקְעוֹ, בְּסִינַי עָמַד לוֹ מִן הַצַּד, אָמַר לוֹ (שם כד, א) "עֲלֵה אֶל ה'", לוֹמַר שֶׁאִם אֵין אַתָּה עוֹלֶה אֵין אַחֵר עוֹלֶה, בְּאֹהֶל מוֹעֵד עָמַד לוֹ מִן הַצַּד, אָמַר לוֹ הַקָּדוֹשׁ בָּרוּךְ הוּא: עַד מָתַי אַתְּ מַשְׁפִּיל עַצְמְךָ, אֵין הַשָּׁעָה מְצַפָּה אֶלָּא לָךְ, תֵּדַע לְךָ שֶׁהוּא כֵּן, שֶׁמִּכּוּלָּן לֹא קָרָא הַדִּיבּוּר אֶלָּא לְמֹשֶׁה, [א, א] "וַיִּקְרָא אֶל מֹשֶׁה":

ו רַבִּי תַּנְחוּמָא פָּתַח (משלי כ, טו) "יֵשׁ זָהָב וְרָב פְּנִינִים וּכְלִי יְקָר שִׂפְתֵי דָעַת", בְּנוֹהַג שֶׁבָּעוֹלָם אָדָם יֵשׁ לוֹ זָהָב וָכֶסֶף אֲבָנִים טוֹבוֹת וּמַרְגָּלִיּוֹת וְכָל כְּלֵי חֶמְדָּה שֶׁבָּעוֹלָם וְטוֹבָה וְדַעַת אֵין בּוֹ,

עץ יוסף

השפלתי היא הגבהתי. הלל כיון בזה מוסר כללי בענין ענוה, שאין הכוונה שמתוך השפלה יבא לידי הגבהה וכבוד, כי גם זה אינו מאומה, כי הוא כבוד המדומה, רק הכוונה כי השפלה היא הגבהת הנפש, שהנפש מתרוממת במעלתה, אם היא משפלת עצמה לבקש חכמה, כי מדת השפלות נעלה מאד, עד שזה ממדותיו יתברך ומכנוייו הגדולים, אף שהוא מגביה לשבת, עם כל זאת משפיל עצמו לראות ולהשגיח בשמים ובארץ: **מה טעם המגביהי כו'.** מהאי לישנא משמע דדריש מרישא לסיפא ומסיפא לרישא, דהכי קאמר המגביהי שבת המשפילי, והמשפילי שבת המגביהי. ועיין בשמות רבה (מה, ה): **אמר הקדוש ברוך הוא לכה כו'.** הרי שהוגבה, שאמר לו שאין כמותו לגאלם: **ה"א בסוף תיבותא כו'.** פירוש, כיון דכתיב ה"א בסוף תיבותא, על כרחינו נקרא אותו לְכָה בקמ"ץ תחת הכ"ף, כלומר עליך הדבר מוטל דווקא, ולא לאחר, מה שאין כן אילו היה כתוב לך, בלא ה"א בסוף, אז אפשר לקרותו לֵךְ גם כן [שהוא ההליכה בציווי], אבל לְכָה, אי אפשר לקרות בציר"י הלמ"ד: **בים עמד לו מן הצד.** דמדאמר ליה אם אין אתה בוקעו כו' כדמפרש ואזיל, שמעינן שמשה היה פורש עצמו מן הדבר, שמשה היה סבור לפי שהיס נברא בשני אינו ראוי להיות נעשה הנס זה על ידי אדם שנברא בששי, ולא חשב שזכותו חשוב מכל העולם, והיה משה סובר שיהיה הנס נעשה על ידי מלאך: **שאם אין אתה בוקעו כו'.** דאם לא כן, ואתה למה לי: **שאם אין אתה עולה כו'.** דייק מדכתיב אתה, דהוי ליה למימר עלה אל ה' ואהרן וכו', ומשה היה סבר שאין מעלתו כל כך גדולה ושלימה שיעלה להר סיני, רק שיעמוד בתחתית ההר: **באהל מועד עמד לו מן הצד.** שסבר שיעמוד בחוץ וידבר עמו ה': **(ו) פתח יש זהב כו'.** טעמו לפרש, דויקרא אל משה למיעוטא אתא, שהוא לבדו יבוא

פירוש מהרז"ו

עלה עלה. להורות שלא יעלה בפעם אחד אל מקומו, אלא יעלה מעט מעט שיאמרו לו עוד הפעם עלה, וכלל בזה כשיתחיל לעלות יעלה ויעלה, וכן כשיצטרך לירד ירד מטה מטה: **המגביהי לשבת.** כשאני מגביה עצמי, הם משפילים ישיבתי, הוי המגביהי לשבת, וכשאני משפיל עצמי, הם מגביהים אותי, שנאמר (תהלים קיג, ו) המשפילי לראות, כן הוא בשמות רבה (מה, ה). ופירוש כי המגביה עצמו מרים אצבעות רגליו, שיוכל לראות מרחוק, ועל כן לשבת משפילים אותי מעמידתי, ומושיבים אותי שלא לראות מרחוק, וכן המשפילי ויושב שלא לראות מגביהים אותי לראות מרחוק, ושעל כן כתיב המגביהי המשפילי, ביו"ד, שפירושו ההגבהה שלי וההשפלה שלי ודו"ק: **מסתיר פניו.** לומר שאינו כדאי לראות, ואינו כדאי לשליחות זו, כי ברח מן הגדולה, ועל כן הגדולה רדף אחריו, שאמר לו לכה אתה ולא אחר, ועיין שמות רבה (ב, ג. מה, ה) באריכות, ובתנחומא כאן (סימן ג) ביתר ביאור: **בסיני וכו' עלה אל ה'.** קיצור מופלג יש כאן, והכי צריך לומר כתיב (שמות כד, א) אתה ואהרן ושבעים מזקני ישראל. וביאר המאמר לקמן (סימן ח) באריכות: **(ו) יש זהב.** שמה שכתב יש זהב, אין פירושו שיש זהב בעולם, ואם כן גם שפתי דעת יש בעולם, אלא פירוש על פי מדה ט', כאלו כתוב יש אדם שיש לו זהב ורב פנינים, אך המה יאבדו, וכלי יקר הקים לעולם, הוא שפתי דעת. עיין ילקוט כאן (רמז תל) כל הענין, ועיין לקמן (סימן יג). והדרך על פי מדה ז' וי"ז, זהב כמו שכתוב (שמות כה, ג) וזאת התרומה אשר תקחו מאתם זהב וכסף ונחשת: **ורב פנינים.** דורש תיבת ורב, שאגל פניניס, על הנשיאים, כי תרגום של נשיא רבא, שהרב הביא פנינים, על פי מדה י"ז, כמו שכתוב (שמות לה, כז) והנשיאים הביאו את אבני השהם, וכמו שכתב שמות רבה (לג, ח), עיין במדבר רבה (יב, טז):

מתנות כהונה

מוטב. שתרחק למטה ממקום הראוי לך, כדי שיאמרו לך עלה עלה: **המגביהי וגו'.** רצה לומר מי שהוא מגביה עצמו, סופו לבא לידי ישיבה ושפלות, והמשפיל עצמו יתנשא למעלה, באופן שהכל יראוהו בגרס מעלתו. וכן הוא בהדיא בשמות רבה פרשה מה) [סימן ה): **ה"א בסוף תיבותא.** פירוש בסוף התיבה, שעל כרחנו נקרא אותו לך, בקמץ תחת הכ"ף, כלומר השליחות לך הוא, מה שאין כן אלו היה כתוב לך, שנוכל לקרותו לך, כמו לך לך: **עמד לו מן הצד.** כלומר החביא עצמו, שלא ליטול לעצמו את השם, כבורח מן הכבוד: **לומר שאם אין אתה בוקעו כו'.** ואתה יתירא קדייק: **אין אחר בוקעו.** ויאבדו ישראל חס ושלום: **עלה אל ה'.** דייק סיפיה דקרא דכתיב (שמות כד, א) אתה ואהרן וגו', אתה יתירא לעיכובא:

אשד הנחלים

זהו הרחקת שני מושבות, לישב אצל הגדולים היושבים ראשונה במלכות, ואחר כך אומר מהשפילך לפני נדיב, היושב אצל הגדול, וזהו הרחקה השלישי. וכיונו בזה, שלכן משה לא הלך כי אם כאשר קראו מרוב ענוותו הגדולה. ועל דרך הציור להיות שהנבואה ממקום אצילותה, יש בה ארבע מדריגות כמו שהאריכו חכמי אמת בספריהם, והרחקת השלשה מושבות הוא כשהיא ממדריגה הרביעי התחתונה מכולם. והנה מי שעולה בהדרגה ואינו דולג במדריגתו, אז יתכן שיעלה מעלה מעלה, וזהו שאמר מוטב שיאמרו לך עלה עלה, אבל בהיפוך אם אינו שומר מדריגתו, אז מורידין אותו ממדריגה למדריגה וזהו רד רד: **השפלתי היא הגבהתי.** כי מדת השפלות נעלה מאוד, עד שזה ממדותיו יתברך ומכינוייו הגדולים, אף שהוא מגביה לשבת, עם כל זה משפיל עצמו לראות ולהשגיח בשמים וארץ: **אין אחר גואלם.** ודרש לכה כמו לך, כלומר לך ראוי ההליכה לפה, כי אין בלעדיך: **ואתה הרם כו'.** כי מלת ואתה הוא מיותר, אם לא שבא לומר ואתה גו' כי אי אפשר הישועה בלעדיך, וכאומר רק אתה: **אין השעה מצפה כו'.** כלומר כל העניינים המה מוכנים להשפיע בעולם, רק השעה מצפה לך שתכון לקבלו: **[ו] יש זהב כו'.** הוא פתיחה למה שנסמך זאת הקריאה אחרי כלות מעשה המשכן והבאת הנדבות: **נוהג שבעולם.** בתחילה מפרש פשט הכתוב, שבאורו יש בעולם זהב, ויש רב פנינים, ויש כלי יקר, אבל העיקר הוא שפתי דעת. ואחר כך מפרש על דרך הרמז, שמדבר במעשי המשכן, כלומר אף שנגמרה המלאכה על ידי הבאת הנדבות מכסף וזהב ואבנים טובות, וזה היה עזר להשראת השכינה, כי נגמרה המקום המוכן לזה על ידי הפעולות והחמרים האלו, והנדבות ההם כל ישראל הביאו, ועם כל זה הדיבור לא היה רק בו, וכאומר יש זהב גו', כלומר בודאי הזהב וכל המכשירים הן המה היו האמצעיים לזה, אבל עם שפתי דעת כי זה היה העיקר:

חידושי הרד"ל

וכן הלל אומר כו'. שמות רבה פרשה מה, סימן ה: **ה"א בסוף תיבותא.** עיין מתנות כהונה. ועיין מה שכתבתי בסייעתא דשמיא בהגהותי לשמות רבה פרשה ג בזה:

חידושי הרש"ש

[ה] וכן הלל אומר כו'. מאי טעמא המגביהי לשבת המשפילי לראות. לכאורה היה נראה דדורש הפסוק מרישיה לסיפיה ומסיפיה לרישיה כעין שאמר רבא (ברכות סג, א) עיין שם ודלא כמתנות כהונה. אך לעיל בשמות רבה (מה, ה) משמע כפירוש המתנות כהונה וכמו שכתבתי שם בהגהותי:

אמרי יושר

וכן הלל אומר השפלתי היא הגבהתי, איפשר שעל עצמו דיבר, כלומר ראו ממני שהושפלתי על דברי תורה בעמדי בארובה בגנה שלג ביום קרה (יומא לה, ב) וזכיתי מזה לגדולה, וזהו יאמרו לך עלה, מסבת השפילך לפני נדיב:

אם למקרא

מִי כַּה' אֱלֹהֵינוּ הַמַּגְבִּיהִי לָשָׁבֶת: הַמַּשְׁפִּילִי לִרְאוֹת בַּשָּׁמַיִם וּבָאָרֶץ: (תהלים קיג:ה-ו)

וַיֹּאמֶר אָנֹכִי אֱלֹהֵי אָבִיךָ אֱלֹהֵי אַבְרָהָם אֱלֹהֵי יִצְחָק וֵאלֹהֵי יַעֲקֹב וַיַּסְתֵּר מֹשֶׁה פָּנָיו כִּי יָרֵא מֵהַבִּיט אֶל הָאֱלֹהִים: (שמות ג:ו)

וְעַתָּה לְכָה וְאֶשְׁלָחֲךָ אֶל פַּרְעֹה וְהוֹצֵא אֶת עַמִּי בְנֵי יִשְׂרָאֵל מִמִּצְרָיִם: (שם שם י)

וְאַתָּה הָרֵם אֶת מַטְּךָ וּנְטֵה אֶת יָדְךָ עַל הַיָּם וּבְקָעֵהוּ וְיָבֹאוּ בְנֵי יִשְׂרָאֵל בְּתוֹךְ הַיָּם בַּיַּבָּשָׁה: (שם יד:טז)

וְאֶל מֹשֶׁה אָמַר עֲלֵה אֶל ה' אַתָּה וְאַהֲרֹן נָדָב וַאֲבִיהוּא וְשִׁבְעִים מִזִּקְנֵי יִשְׂרָאֵל וְהִשְׁתַּחֲוִיתֶם מֵרָחֹק: (שם כד:א)

יֵשׁ זָהָב וְרָב פְּנִינִים וּכְלִי יְקָר שִׂפְתֵי דָעַת: (משלי כ:טו)

ענף יוסף

עלה יעלוהו למדרגה אחת לבד, ולא יעלה למדרגתו, לכן אמר שטוב שיקוה שיאמרו לו עלה עלה, כלומר שיצטרך לעמוד בפחד אולי לא יאמרו לו עלה עלה, משיעמוד במקומו ויורידוהו שני מדרגות או יותר, ולזה חזר ואמר בעל האגדה מוטב שיאמרו לך עלה עלה, כלומר השתא אתי שפיר דהיינו חידושא דקרא, דאף על גב דבקרא ליכא רק פעם אחד, משום דמיירי במדריגה האחרונה, דודאי יאמרו לו עלה, וכמלא שעד מדרגתו יאמרו לו עלה עלה (יפה תואר):

ידי משה

[ה] מוטב שיאמרו לך עלה עלה כו'. מה שאומר כפל עלה עלה, לפי דקאי אלעיל שאמר שנים ושלשה מעלות. וקל להבין:

״יֵשׁ זָהָב וְרָב פְּנִינִים וּכְלִי יְקָר שִׂפְתֵי דָעַת״ — ***There is gold and many pearls, but lips of wisdom are a precious vessel*** (*Proverbs* 20:15).[123] בְּנוֹהַג שֶׁבָּעוֹלָם — **It is the way of the world** אָדָם יֵשׁ לוֹ זָהָב וָכֶסֶף אֲבָנִים טוֹבוֹת וּמַרְגָּלִיּוֹת וְכָל כְּלֵי חֶמְדָּה שֶׁבָּעוֹלָם — that if **a person possesses gold and silver, precious stones and pearls, and all the desirable objects in the world,** וְטוֹבָה וְדַעַת אֵין בּוֹ — **but he does not possess goodness and wisdom,**

NOTES

123. The Midrash will first expound the verse in its plain sense as teaching that wisdom is greater than all the riches in the world. It will then expound the verse homiletically as related to the Tabernacle and to our verse (*Eshed HaNechalim, Eitz Yosef*). See above, note 1.

חידושי הרד"ל

וכן הלל אומר כו'. שמות רבה פרשה מה, סימן ה: **ה"א בסוף תיבותא.** עיין מתנות כהונה. ועיין מה שכתבתי בסייעתא דשמיא בהגהותי לשמות רבה פרשה ג בזה:

חידושי הרש"ש

[ה] וכן הלל אומר כו'. מאי טעמא המגביהי לשבת המשפילי לראות. לכאורה היה נראה דדורש הפסוק מרישיה לסיפיה ומסיפיה לרישיה כעין שאמר רבא (ברכות סג, א) עיין שם ודלא כמתנות כהונה. אך לעיל בשמות רבה (מה, ה) משמע כפירוש המתנות כהונה וכמו שכתבתי שם בהגהותי:

אמרי יושר

וכן הלל אומר השפלתי היא הגבהתי, איפשר שעל עצמו דיבר, כלומר ראו ממני שהושפלתי על דברי תורה בעמדי בארובה בלנת שלג ביום קרה (יומא לה, ב) וזכיתי משם לגדולה, זהו יאמרו לך עלה, מסבת השפילך לפני נדיב:

עץ יוסף

השפלתי היא הגבהתי. הלל כיון בזה מוסר כללי בענין ענוה, שאין הכוונה שמתוך השפלה יבא לידי הגבהה וכבוד, כי גם זה אינו מאומה, כי שוא כבוד המדומה, רק הכוונה כי השפלה היא הגבהת הנפש, שהנפש מתרוממת במעלתה, אם היא משפלת עצמה לבקש חכמה, כי מדת השפלות נעלה מאד, עד שזה ממדותיו יתברך ומכנוייו הגדולים, אף שהוא מגביה לשבת, עם כל זאת משפיל עצמו לראות ולהשגיח בשמים ובארץ: **מה טעם המגביהי כו'.** מהאי לישנא משמע דדריש מרישא לסיפא ומסיפא לרישא, דהכי קאמר המגביהי שבת המשפילי, והמשפילי שבת המגביהי. ועיין בשמות רבה (מה, ה): **אמר הקדוש ברוך הוא לכה לכה כו'.** הרי שהוגבה, שאמר לו שאין כמותו לגאלם: **ה"א בסוף תיבותא כו'.** פירוש, כיון דכתיב ה"א בסוף תיבותא, על כרחינו נקרא אותו לְכָה בקמץ תחת הכ"ף, כלומר עליך הדבר מוטל דווקא, ולא לאחר, מה שאין כן אילו היה כתוב לך, בלא ה"א בסוף, אז אפשר לקרותו לֵךְ גם כן [שהוא ההליכה בציווי], אבל לְכָה, אי אפשר לקרות בציר"י הלמ"ד: **בים עמד לו מן הצד.** דמדאמר ליה אם אין אתה בוקעו כו' כדמפרש ואזיל, שמעינן שמשה היה פורש עצמו מן הדבר, שמשה היה סבור לפי שהים נברא בשני אינו ראוי להיות נעשה הנס זה על ידי אדם שנברא בששי, ולא חשב שזכותו חשוב מכל העולם, והיה משה סובר שיהיה הנס נעשה על ידי מלאך: **שאם אין אתה בוקעו כו'.** דאם לא כן, ואתה למה לי: **שאם אין אתה עולה כו'.** דייק מדכתיב אתה, דהוי ליה למימר עלה אל ה' ואהרן וכו', ומשה היה סבר שאין מעלתו כל כך גדולה ושלימה שיעלה להר סיני, רק שיעמוד בתחתית ההר: **באהל מועד עמד לו מן הצד.** שסבר שיעמוד בחוץ וידבר עמו ה': **(ו) פתח יש זהב כו'.** טעמו לפרש, דויקרא אל משה למיעוטא אתא, שהוא לבדו יבוא

מדרש

מוּטָב שֶׁיֹּאמְרוּ לְךָ עֲלֵה עֲלֵה, וְלֹא יֹאמְרוּ לְךָ רֵד רֵד, וְכֵן הִלֵּל אוֹמֵר: הַשְׁפָּלָתִי הִיא הַגְבָּהָתִי הַגְבָּהָתִי הִיא הַשְׁפָּלָתִי, מַה טַּעַם (תהלים קיג, ה-ו) "הַמַּגְבִּיהִי לָשָׁבֶת הַמַּשְׁפִּילִי לִרְאוֹת", אַתְּ מוֹצֵא בְּשָׁעָה שֶׁנִּגְלָה הַקָּדוֹשׁ בָּרוּךְ הוּא לְמֹשֶׁה מִתּוֹךְ הַסְּנֶה הָיָה מַסְתִּיר פָּנָיו מִמֶּנּוּ, שֶׁנֶּאֱמַר (שמות ג, ו) "וַיַּסְתֵּר מֹשֶׁה פָּנָיו וְגוֹ'", אָמַר לוֹ הַקָּדוֹשׁ בָּרוּךְ הוּא: (שם שם י) "לְכָה וְאֶשְׁלָחֲךָ אֶל פַּרְעֹה וְגוֹ'" אָמַר רַבִּי אֶלְעָזָר: הֵ"א בְּסוֹף תֵּיבוּתָא, לוֹמַר שֶׁאִם אֵין אַתָּה גּוֹאֲלָם אֵין אַחֵר גּוֹאֲלָם, בַּיָּם עָמַד לוֹ מִן הַצַּד, אָמַר לוֹ הַקָּדוֹשׁ בָּרוּךְ הוּא: (שם יד, טז) "וְאַתָּה הָרֵם אֶת מַטְּךָ וּבְקָעֵהוּ", לוֹמַר שֶׁאִם אֵין אַתָּה בּוֹקְעוֹ אֵין אַחֵר בּוֹקְעוֹ, בְּסִינַי עָמַד לוֹ מִן הַצַּד, אָמַר לוֹ (שם כד, א) "עֲלֵה אֶל ה'", לוֹמַר שֶׁאִם אֵין אַתָּה עוֹלֶה אֵין אַחֵר עוֹלֶה, בְּאֹהֶל מוֹעֵד עָמַד לוֹ מִן הַצַּד, אָמַר לוֹ הַקָּדוֹשׁ בָּרוּךְ הוּא: עַד מָתַי אַתְּ מַשְׁפִּיל עַצְמְךָ, אֵין הַשָּׁעָה מְצַפָּה אֶלָּא לָךְ, תֵּדַע לְךָ שֶׁהוּא כֵּן, שֶׁמִּכּוּלָּן לֹא קָרָא הַדִּבּוּר אֶלָּא לְמֹשֶׁה, [א, א] "וַיִּקְרָא אֶל מֹשֶׁה":

ו רַבִּי תַּנְחוּמָא פָּתַח (משלי כ, טו) "יֵשׁ זָהָב וְרָב פְּנִינִים וּכְלִי יְקָר שִׂפְתֵי דָעַת", בְּנוֹהַג שֶׁבָּעוֹלָם אָדָם יֵשׁ לוֹ זָהָב וָכֶסֶף אֲבָנִים טוֹבוֹת וּמַרְגָּלִיּוֹת וְכָל כְּלֵי חֶמְדָּה שֶׁבָּעוֹלָם וְטוֹבָה וְדַעַת אֵין בּוֹ,

פירוש מהרז"ו

עלה עלה. להורות שלא יעלה בפעם אחד אל מקומו, אלא יעלה מעט מעט שיאמרו לו עוד הפעם עלה, ובכלל בזה כשיתחיל לעלות יעלה ויעלה, וכן כשיצטרך לירד ירד מטה מטה: **המגביהי לשבת.** כשאני מגביה עצמי, הם משפילים ישיבתי, הוי המגביהי לשבת, וכשאני משפיל עצמי, הם מגביהים אותי, שנאמר (תהלים קיג, ו) המשפילי לראות, כן הוא בשמות רבה (מה, ה). ופירוש כי המגביה עצמו מרים אצבעות רגליו, שיוכל לראות מרחוק, ועל כן לשבת משפילים אותי מעמידתי, ומושיבים אותי שלא לראות מרחוק, וכן המשפילי ויושב שלא לראות מגביהים אותי לראות מרחוק, ושעל כן כתיב המגביהי המשפילי, ביו"ד, שפירושו ההגבהה שלי וההשפלה שלי ודו"ק: **מסתיר פניו.** לומר שאינו כדאי לראות, ואינו כדאי לשליחות זו, כי ברח מן הגדולה, ועל כן הגדולה רדף אחריו, שאמר לו לכה אתה ולא אחר, ועיין שמות רבה (ב, ג. מה, ה) באריכות, ובתנחומא כאן (סימן ג) ביתר ביאור: **בסיני וכו' עלה אל ה'.** קיצור מופלג יש כאן, והכי צריך לומר כתיב (שמות כד, א) אתה ואהרן ושבעים מזקני ישראל. וביאר המאמר לקמן (סימן ח) באריכות: **(ו) יש זהב.** שמה שכתב יש זהב, אין פירושו שיש זהב בעולם, ואם כן גם שפתי דעת יש בעולם, אלא פירוש על פי מדה ט', כאלו כתוב יש אדם שיש לו זהב ורב פנינים, אך המה יאבדו, וכלי יקר הקים לעולם, הוא שפתי דעת. עיין ילקוט כאן (רמז תל) כל הענין, ועיין לקמן (סימן יג). והדרך על פי מדה ז' וי"ז, זהב כמו שכתוב (שמות כה, ג) וזאת התרומה אשר תקחו מאתם זהב וכסף ונחשת: **ורב פנינים.** דורש תיבת ורב, שאצל פנינים, על הנשיאים, כי תרגום של נשיא רבא, שהרב הביא פנינים, על פי מדה י"ז, כמו שכתוב (שמות לה, כז) והנשיאים הביאו את אבני השהם, וכמו שכתב שמות רבה (לג, ח), עיין במדבר רבה (יב, טז):

אם למקרא

מִי כַּה' אֱלֹהֵינוּ הַמַּגְבִּיהִי לָשָׁבֶת: הַמַּשְׁפִּילִי לִרְאוֹת בַּשָּׁמַיִם וּבָאָרֶץ: (תהלים קיג:ה-ו)

וַיֹּאמֶר אָנֹכִי אֱלֹהֵי אָבִיךָ אֱלֹהֵי אַבְרָהָם אֱלֹהֵי יִצְחָק וֵאלֹהֵי יַעֲקֹב וַיַּסְתֵּר מֹשֶׁה פָּנָיו כִּי יָרֵא מֵהַבִּיט אֶל הָאֱלֹהִים: (שמות ג:ו)

וְעַתָּה לְכָה וְאֶשְׁלָחֲךָ אֶל פַּרְעֹה וְהוֹצֵא אֶת עַמִּי בְנֵי יִשְׂרָאֵל מִמִּצְרָיִם: (שם שם י)

וְאַתָּה הָרֵם אֶת מַטְּךָ וּנְטֵה אֶת יָדְךָ עַל הַיָּם וּבְקָעֵהוּ וְיָבֹאוּ בְנֵי יִשְׂרָאֵל בְּתוֹךְ הַיָּם בַּיַּבָּשָׁה: (שם יד:טז)

וְאֶל מֹשֶׁה אָמַר עֲלֵה אֶל ה' אַתָּה וְאַהֲרֹן נָדָב וַאֲבִיהוּא וְשִׁבְעִים מִזִּקְנֵי יִשְׂרָאֵל וְהִשְׁתַּחֲוִיתֶם מֵרָחֹק: (שם כד:א)

יֵשׁ זָהָב וְרָב פְּנִינִים וּכְלִי יְקָר שִׂפְתֵי דָעַת: (משלי כ:טו)

ענף יוסף

עלה יעלוהו למדרגה אחת לבד, ולא יעלה למדרגתו, לכן אמר שטוב שיקוה שיאמרו לו עלה עלה, כלומר שיצטרך לעמוד בפחד אולי לא יאמרו לו עלה עלה, משיעמוד במקומו ויורידוהו שני מדרגות או יותר, ולזה חזר ואמר בעל האגדה מוטב שיאמרו לך עלה עלה, כלומר השתא אתי שפיר דהיינו חידושא דקרא, דאף על גב דבקרא ליכא רק פעם אחד, משום דמיירי במדריגה האחרונה, דודאי יאמרו לו עלה, ומלא שעד מדרגתו יאמרו לו עלה עלה (יפה תואר):

ידי משה

[ה] מוטב שיאמרו לך עלה עלה כו'. מה שאומר כפל עלה עלה, לפי דקאי אלעיל שאמר שנים ושלשה מעלות. וקל להבין:

מתנות כהונה

מוטב. שתרחק למטה ממקום הראוי לך, כדי שיאמרו לך עלה עלה: **המגביהי וגו'.** רצה לומר מי שהוא מגביה עצמו, סופו לבא לידי ישיבה ושפלות, והמשפיל עצמו יתנשא למעלה, באופן שהכל יראוהו בגרס מעלתו. וכן הוא בהדיא בשמות רבה פרשה מה [סימן ה): **ה"א בסוף תיבותא.** פירוש בסוף התיבה, שעל כרחנו נקרא אותו לך, בקמץ תחת הכ"ף, כלומר השליחות לך הוא, מה שאין כן אלו היה כתוב לך, שנוכל לקרותו לך, כמו לך לך: **עמד לו מן הצד.** כלומר החביא עצמו, שלא ליטול לעצמו את השם, כבורח מן הכבוד: **לומר שאם אין אתה בוקעו כו'.** ואתה יתירא קדייק: **אין אחר בוקעו.** ויאבדו ישראל חס ושלום: **עלה אל ה'.** דייק סיפיה דקרא דכתיב (שמות כד, א) אתה ואהרן וגו', אתה יתירא לעיכובא:

אשד הנחלים

זהו הרחקת שני מושבות, לישב אצל הגדולים היושבים ראשונה במלכות, ואחר כך אומר מהשפילך לפני נדיב, היושב אצל הגדול, וזהו הרחקה השלישי. וכיונו בזה, שלכן משה לא הלך כי אם כאשר קראו מרוב ענותו הגדולה. ועל דרך הציור להיות שהנבואה ממקום אצילותה, יש בה ארבע מדריגות כמו שהאריכו חכמי אמת בספריהם, והרחקת השלשה מושבות הוא כשהיא ממדריגה הרביעי התחתונה מכולם. והנה מי שעולה בהדרגה ואינו דולג במדריגתו, אז יתכן שיעלה מעלה מעלה, וזהו שאמר מוטב שיאמרו לך עלה עלה, אבל בהיפוך אם אינו שומר מדריגתו, אז מורידין אותו ממדריגה למדריגה וזהו רד רד: **השפלתי היא הגבהתי.** כי מדת השפלות נעלה מאוד, עד שזה ממדותיו יתברך ומכינוייו הגדולים, אף שהוא מגביה לשבת, עם כל זה משפיל עצמו לראות ולהשגיח בשמים וארץ: **אין אחר גואלם.** ודרש לכה כמו לך, כלומר לך ראוי ההליכה לפה, כי אין בלעדיך: **ואתה הרם כו'.** כי מלת ואתה הוא מיותר, אם לא שבא לומר ואתה גו' כי אי אפשר הישועה בלעדיך, וכאומר רק אתה: **אין השעה מצפה כו'.** כלומר כל העניינים המה מוכנים להשפיע בעולם, רק השעה מצפה לך שתכון לקבלו: **[ו] יש זהב כו'.** הוא פתיחה למה שנסמך זאת הקריאה אחרי כלות מעשה המשכן והבאת הנדבות: **נוהג שבעולם.** בתחילה מפרש פשט הכתוב, שבאורו יש בעולם זהב, ויש רב פנינים, ויש כלי יקר, אבל העיקר הוא שפתי דעת. ואחר כך מפרש על דרך הרמז, שמדבר במעשי המשכן, כלומר אף שנגמרה המלאכה על ידי הבאת הנדבות מכסף וזהב ואבנים טובות, וזה היה עזר להשראת השכינה, כי נגמרה המקום המוכן לזה על ידי הפעולות והחמרים האלו, והנדבות ההם כל ישראל הביאו, ועם כל זה הדיבור לא היה רק בו, וכאומר יש זהב גו', כלומר בודאי הזהב וכל המכשירים הן המה היו האמצעיים לזה, אבל עם שפתי דעת כי זה היה העיקר:

מַה קְנִיָּה יֵשׁ לוֹ — **what acquisition does he have,** i.e., what is all the wealth he has accumulated worth?[124] מַתְלָא אָמַר דֵּעָה קָנִיתָ מָה חָסַרְתָּ, דֵּעָה חָסַרְתָּ מַה קָּנִיתָ — **As the saying goes: If you have acquired wisdom, what do you lack? If you lack wisdom, what have you acquired?**

The Midrash now relates the *Proverbs* verse to ours: "יֵשׁ זָהָב", הַכֹּל הֵבִיאוּ נִדְבָתָן לַמִּשְׁכָּן זָהָב — ***There is gold*** — this refers to the fact that **all the Israelites brought gold as their voluntary donation to the Tabernacle;** הָדָא הוּא דִכְתִיב "וְזֹאת הַתְּרוּמָה" וגו׳ — **thus it is written, *This is the portion*** *you shall take from them: Gold and silver and copper* (*Exodus* 25:3).[125] "וְרָב פְּנִינִים", זוֹ נִדְבָתָן שֶׁל נְשִׂיאִים — ***And many pearls*** — **this is** referring to **the voluntary donation of the tribal leaders,** דִּכְתִיב "וְהַנְּשִׂאִם הֵבִיאוּ" וגו׳ — **as it is written, *The leaders brought*** *the shoham stones and the stones for the settings for the Ephod and breastplate* (ibid. 35:27). "וּכְלִי יְקָר שִׂפְתֵי דָעַת" — ***But lips of wisdom are a precious vessel*** is referring to Moses, לְפִי שֶׁהָיְתָה נַפְשׁוֹ שֶׁל מֹשֶׁה עֲגוּמָה עָלָיו — **because Moses' soul was distressed** וְאָמַר: הַכֹּל הֵבִיאוּ נִדְבָתָן לַמִּשְׁכָּן וַאֲנִי לֹא הֵבֵאתִי — **and he said, "Everyone has brought their voluntary donations to the Tabernacle, but I have not brought** anything."[126] אָמַר לוֹ הַקָּדוֹשׁ בָּרוּךְ הוּא — **So the Holy One, blessed is He, said to him,** חַיֶּיךָ שֶׁדִּיבּוּרְךָ חָבִיב עָלַי יוֹתֵר מִן הַכֹּל — **"By your life,** do not be distressed, **for your speech is more dear to Me than everything else."**[127] שֶׁמִּכּוּלָּן לֹא קָרָא הַדִּיבּוּר אֶלָּא לְמֹשֶׁה — It is evident that this is so, **for from all of [the Israelites] the Divine word called to no one but Moses;** "וַיִּקְרָא אֶל מֹשֶׁה" — therefore, Scripture writes, ***He called to Moses,*** i.e., only to Moses and to no one else.[128]

NOTES

124. We have translated the Midrash according to what would appear to be its most simple meaning. However, *Yefeh To'ar* says that the expression "the way of the world here" does not seem to fit. He therefore suggests that the Midrash is bothered by the implication of the *Proverbs* verse — which was written by King Solomon, the wisest of all men — that gold and silver are comparable to wisdom (with wisdom being somewhat more valuable). The Midrash resolves this difficulty by positing that the verse is speaking according to "the way of the world," i.e., according to how the masses tend to think. The Midrash is thus to be translated: *"It is the way of the world* that if *a person possesses . . . and all the desirable objects in the world,* he has indeed acquired wealth (according to his way of thinking); *but* if he *does not possess goodness and wisdom, etc."* It is making the point that even the masses understand that ultimately, without wisdom their wealth is worthless. Indeed, there is a popular saying that bears this out, as the Midrash goes on to say. [See the similar aphorism in *Nedarim* 41a.]

125. *Eitz Yosef* writes that the Midrash versions that quote this verse are in error, for this verse states only that the Israelites were *instructed* to donate gold. The correct citation is *Exodus* 35:22, for it is that verse that states that the people actually *donated* the gold.

126. Regarding *why* Moses did not bring anything, *Yefeh To'ar* and *Yedei Moshe* posit that Moses wished to participate as one of the tribal leaders (the נְשִׂיאִים). Now [as *Rashi* to *Exodus* 35:27 explains, based on *Sifrei*] the tribal leaders waited to see what the *rest* of the people would bring for the Tabernacle, intending to donate whatever would still be missing. What ended up happening was that the rest of Israel brought everything that was necessary, leaving nothing for the tribal leaders — and Moses — to donate.

It should be noted that this explanation seems to imply a criticism of Moses, for the Sages express criticism of the נְשִׂיאִים (see *Rashi* ibid.) for their inaction. For other explanations, see Insight Ⓐ.

127. I.e., your speech is more dear to Me than all the gold and silver that the Israelites brought (*Eitz Yosef* above, s.v. יש זהב), for the purpose of the entire Tabernacle was so that God may speak words of Torah with Moses (*Maharzu*).

Eitz Yosef (ibid.) notes that we may learn from this Midrash that good speech (e.g., prayer) is more beloved to God than [donations and other] offerings.

128. *Eitz Yosef* notes that it is not only God's speaking to Moses that is precious to God, but Moses' responses, as well (e.g., the questions he asked God in order to clarify His Torah teachings). Thus the *lips of wisdom* mentioned in the *Proverbs* verse refer to Moses' lips, as the Midrash stated above.

See Insight Ⓑ.

INSIGHTS

Ⓐ **Donating to the Tabernacle** Why did Moses not donate anything for the construction of the Tabernacle? What prevented him from doing so?

According to *Tiferes Tzion* on our Midrash and *Chasam Sofer* (*Toras Moshe* to verse), Moses was actually *prohibited* from contributing to the Tabernacle. The Tabernacle was intended to atone for the sin of the Golden Calf. Thus only those who had participated in that sin could donate to the Tabernacle. *Tiferes Tzion* explains with a parable. If there is an epidemic for which there is a limited supply of medicine, it will be administered only to those afflicted with the disease. If anyone free of the ailment were to take a dose of the medicine, that would in all likelihood be robbing a sick patient of his remedy. Similarly, since donating to the Tabernacle was a means of atonement for those who were guilty of sin, whatever Moses would contribute would *not* be contributed by someone in need of atonement. [See *Chasam Sofer* for a different explanation of why those who did not participate in the sin of the Golden Calf could not donate toward the Tabernacle.]

Shem MiShmuel (*Vayikra* p. 13ff) provides a different, fascinating answer as to why Moses did not contribute. *Shem MiShmuel* explains that the purpose of contributing for the Tabernacle was to cleave to God. By donating for the Tabernacle something that was precious to him, the donator symbolized — and actualized — the dedication to God of his will and inclinations, taking his intense love for God from the realm of thought and feeling and bringing it into the realm of deed, thereby making that love for God more enduring. But such acts were meaningful only when performed by those involved in material matters, who needed to overcome and subjugate their evil inclination. Moses, however, was already completely refined and devoted to God and His service; he had no selfish desires or need to struggle with his evil inclination. Hence, Moses was precluded from bringing gifts for the construction of the Tabernacle. His donation would entail no sacrifice on his part, nor would it engender the devotion of anything more of his being, which was already completely devoted to God. [See *Shem MiShmuel* further for his explanation as to why then Moses was distraught by his inability to contribute and how God's response consoled him.]

The *Gra's* brother *R' Avraham* (author of *Maalos HaTorah*) also attributes Moses' inability to contribute to the fact that he had already reached perfection and complete devotion to God. But R' Avraham explains this on the basis that such perfection disqualified Moses from fulfilling an essential condition of those donations: that they be given with the generosity of spirit indicated by the words כָּל אִישׁ אֲשֶׁר יִדְּבֶנּוּ לִבּוֹ, *every man whose heart motivates him* (*Exodus* 25:2). By definition, "generosity" refers to one sharing with others that which he considers his own. Moses, however, was so elevated and devoted to God that he had nothing that he considered his own, and thus was incapable of such "generous" contribution (cited in *Beis Avos*).

Moses had reached the pinnacle of human achievement. To those still climbing toward the summit, however, there remain many Tabernacles to build, many aspects of our possessions and selves to donate and devote to the service of our Creator.

Ⓑ **Precious Words** As noted (see note 127), the purpose of the Tabernacle was for God to communicate the Torah to Moses, which he in turn would transmit to the Jewish people, as it states (*Exodus* 25:22), *It is there that I will set My meetings with you, and I shall speak with you from atop the Cover, from between the two Cherubim that are on the Ark of the Testimonial-tablets, everything that I shall command you to the Children of Israel.* In essence, the Tabernacle was a continuation of the revelation at Sinai. Sinai was where the Divine Presence rested and where God communicated the Torah to Moses; similarly, the Tabernacle was to be the dwelling place for the Divine Presence and the place where Moses would receive commandments from God

מה קניה יש לו, מתלא אמר: דעה קנית מה חסרת, דעה חסרת מה קנית, "יש זהב", הכל הביאו נדבתן למשכן זהב, הדא הוא דכתיב "וזאת התרומה וגו'" (שמות כה, ג), "ורב פנינים", זו נדבתן של נשיאים, דכתיב "והנשיאים הביאו וגו'" (שם לה, כז), "וכלי יקר שפתי דעת", לפי שהיתה נפשו של משה עגומה עליו ואמר: הכל הביאו נדבתן למשכן ואני לא הבאתי, אמר לו הקדוש ברוך הוא: חייך שדיבורך חביב עלי יותר מן הכל, שמכולן לא קרא הדיבור אלא למשה, [א, א] "ויקרא אל משה":

ז דבר אחר [א, א] "ויקרא אל משה", מה כתיב למעלה מהענין, פרשת משכן, (שמות מ:יט) "כאשר צוה ה' את משה", משל למלך שצוה את עבדו ואמר לו: בנה לי פלטין, על כל דבר ודבר שהיה בונה היה כותב עליו שמו של מלך, והיה בונה כתלים וכותב עליהן שמו של מלך, היה מעמיד עמודים וכותב עליהן שמו של מלך, היה מקרה בקורות והיה כותב עליהן שמו של מלך, לימים נכנס המלך לתוך פלטין, על כל דבר ודבר שהיה מביט היה מוצא שמו כתוב עליו, אמר: כל הכבוד הזה עשה לי עבדי ואני מבפנים והוא מבחוץ, קראו לו שיכנס לפני ולפנים, כך בשעה שאמר לו הקדוש ברוך הוא למשה: עשה לי משכן, על כל דבר ודבר שהיה עושה היה כותב עליו "כאשר צוה ה' את משה", אמר הקדוש ברוך הוא: כל הכבוד הזה עשה לי משה ואני מבפנים והוא מבחוץ, קראו לו שיכנס לפני ולפנים, לכך נאמר [א, א] "ויקרא אל משה":

ח אמר רבי שמואל בר נחמן בשם רבי נתן: שמונה עשר צוויים [יא] כתוב בפרשת משכן, כנגד י״ח חוליות שבשדרה,

עץ יוסף

באהל מועד כטעם האגדות הקודמות, אלא דסבירא ליה דמאי דמתניתנו מאהל, להורות שמשה חביב לפני ה' אף על פי שלא הביא דבר במלאכת המשכן טפי מכל אותם שהתנדבו במשכן, ולהכי דריש האי קרא בענין זה. וברישא דריש ליה דאשמועינן דדעה עדיפא מכל כסף וזהב, והדר מפרש ליה לענין משה שדבורו היה חביב לפני ה' מכל נדבת הכסף והזהב. ומה שאמר יש זהב הכל הביאו כו', פירושא אחרינא הוא, אף על גב דלא קאמר דבר אחר, כי מצינו כיוצא בו רבים במדרש: **מתלא.** פירוש משל אומרים: **דעה קנית מה חסרת.** רצה לומר דקונה דעת לא יחסר כל טוב, וזהו דקאמר קרא וכלי יקר שפתי דעת, פירוש וכלי יקר דאית ביה כלהו, היינו שפתי דעת. ואם תאמר לפירוש זה, מאי טעמא להזכרת השפתים, ויש לומר משום דמינכרת חכמה בהו, כאומר לב חכם ישכיל פיהו: **יש זהב הכל הביאו כו'.** כבר כתבתי שזה פירושא אחרינא, דלפירוש קמא אתא קרא לאשמועינן כי טוב לאדם מכסף וזהב קנין הדעת, אבל לפירוש זה אתא קרא לאשמועינן שדבורו של משה היה חביב לפני ה' מנדבת כל ישראל. ואם תאמר מאי נפקא מינה מאי דהוה הוה, ויש לומר דילפינן מזה דהוא הדין לכל דבור טוב חביב מהקרבנות לפני ה', ונפקא מינה לתפלה דעדיפא מהקרבנות וכמו שאמרו חכמינו ז"ל (ברכות לב, ב תנחומא וירא סימן א) גדולה תפלה מהקרבנות שנאמר [למה לי רוב זבחיכם וגו' וכתיב ובפרשכם כפיכם וגו'] גם כי תרבו תפלה וגו': **הדא הוא דכתיב וזאת התרומה.** לא גרסינן ליה דלית מינה ראיה שהביאו, אלא גרסינן הביאו את תרומת ה' (שמות לה, כא) (יפה תואר): **אלא למשה.** לדבר עמו, והוא גם כן מדבר עם ה', שהיה שואל לו כל ספקותיו בשמועותיו: **(ז) מה כתיב כו'.** דעת אגדה זו, דויקרא אל משה אצטריך כדי שיכנס לאהל מועד, שבזולת הקריאה לא היה יכול ליכנס, וגם לא היה ראוי שיקראהו ה' שיכנס למקום אשר שם השכינה בקבע, לולי כל הכבוד שעשה משה, שעל כל דבר היה כותב כאשר צוה ה', ומפני שאין זה מספיק לזכות ליכנס במקום הזה, כי מאויש הוא בכבוד המקום מצד עצמו, בכל מה שאפשר, לכן הביא משל למלך כו', לומר שאחר שכיוצא בזה יכניסו המלך בהיכלו לכבדו מדרך המוסר, לכן עשה כמו כן הקדוש ברוך הוא, משום האנוש מאלוה יצדק (איוב ד, יז): **לפני ולפנים.** דמדכתיב ויקרא ה' וידבר, משמע שקראו למקום שהיה מדבר עמו משם, דהיינו מעל הכפורת וכו': **(ח) שמונה עשרה צווין כו'.** דעת רבי נתן למפלג אאגדתא הקודמתא בתרתי, חדא, במה שאמר דכאשר צוה ה' את משה אתא למימר שהיה כותב משה כן על כל דבר ודבר, וקאמר איהו דאינו אלא ספור התורה, וכתבו השמונה עשרה צוין כנגד שמונה עשרה חוליות כו'. שנית, במה שאמר דויקרא אל משה אתא למימר שיכנס לפני ולפנים, וקאמר דלא אתא אלא למימר שהוא חביב מכולם, משל למלך כו': **כנגד שמונה עשרה חוליות שבשדרה.** ורמז שראוי להשתדל בכל עוז במצות ה' ובכל חלקי אבריו, על דרך כל עצמותי תאמרנה, ולכן היו הצווים כמנין חוליות שבשדרה, שהן הרכבת גוף האדם, שעל ידן יתנועעו:

פירוש מהרז״ו

שדיבורך חביב עלי. שלתכלית דבורי עמך נעשה המשכן וכליו, וזהו וכלי יקר כלי למעשהו שהוא התכלית, שהוא יקר מהכל, הוא שפתי דעת של דיבור התורה שדבר הקב"ה למשה: **(ז) למעלה מן הענין.** בסדר פקודי, עיין לקמן (כט, טו): **היה כותב עליו.** פירוש השם יתברך כותב עליו על משה, שעשה בשלימות כרצון השם יתברך, עד שהעיד השם יתברך על כל דבר כאשר צוה ה' כן עשה, שגרם לו שיכתוב עליו ה', ולא יתכן לפרש כמו במשל שמשה כתב על המנורה ועל הארון אות אחת שלא נלמוד, ואיך יכתוב שקר שלא מצינו שצוה שיכתוב כן: **לפני ולפנים.** צריך עיון אם נכנס משה לקדשי קדשים, או להיכל לבד שהוא האוהל מועד וכמשל כאן ויקרא וגו' מאוהל מועד. ועיין במדבר רבה (יד, יט) שלא נכנס אלא להיכל, ומה שכתב (לפנים) ולפנים פירוש שישמע מה שידבר מקודש קדשים עיין שם בהדיא:

מתנות כהונה

[ו] מתלא אמר. גרסינן, המשל אומר בפי הבריות **דעה כו':** **עגומה.** לשון עגמת נפש: **[ז] שיכנס לפני ולפנים.** גרסינן:

אשד הנחלים

הכל הביאו. פירש הידי משה כי נצטווה משה שיקח הנדבות דווקא מישראל, ולא משלו, שנאמר קחו מאתכם. וכל כוונת המדרש לבאר מדוע רק כאן כתיב קריאה, הלא בכל הנבואות כתיב רק דיבור לבד, כי באמת משה רבנו עליו השלום היה מוכן תמיד לנבואה, ולא הוצרך לקרוא אליו. ולכן מפרשים שהיתה נפשו עגומה עליו ודימה בנפשו אחר שלא היו הנדבות מאתו, אם כן אינו מוכן לזה, כי אם על ידי מביאי האמצעיים האלו. או יאמר לפי שהנבואה אינו שורה כי אם מתוך שמחה, ובעת ההיא היה נפשו עגומה עליו מפני זה, ולכן הוכרח לקרוא לו ולחזק לבבו שיכין את נפשו לשמוע: **[ז] שמו של מלך.** הענין בכללו כי משה בכל מעשה המשכן היה מכוון בו כוונות אלקית, שזה היה עיקר ההכנה, שעל ידי זה ישרה השכינה בתוכו, וזהו הכוונה כאשר צוה ה', כלומר הכוונה האלקית הנרמז בה ולא החסיר בזה, כי אם מכוון ממש למה שצוה ה', [מלבד פשוטו שעשה הכלים גם כן כפי צווי ה']. ולכן על ידי כוונתו הגדולה זכה שנכנס לפני ולפנים, כי בתחילה כתיב ולא יכול משה לבוא, ורק ה' בחסדו קרא לו שיכנס ונתן לו רשות. ודע דהדבר אחר חולק על האמור לפניו, שבתחילה דעתו שהיה במדריגה הזאת שיכנס רק מפני ענוותו הגדולה, או מפני שהיתה נפשו עגומה עליו על כן לא נכנס, אבל דעת הדבר אחר שכאן היה מדריגה עצומה, שבאמת לא היה יכול לבוא, רק ה' בחסדו קרא לו שיכנס, ודי בזה: **[ח] שמונה עשרה ציווים כו' שמונה עשרה חוליות שבשדרה.** יש להבין מהו ההתקשרות

חידושי הרד״ל

[ו] מתלא אמר דעת קנית כו'. קהלת רבה פרשה ז, (פי"ט) [כג] א), ונדרים מא, א), במדבר רבה פרשה י"ט סימן ג': **שדיבורך חביב עלי כו'.** דבריו בשפתי דעת, להורות לעושי המלאכה. וגם כמו שאמר להלן, שהיה אומר וכותב על כל דבר שמו של מלך, (שהוא היה מיחד השם עליו כפי שנצטווה ביחוד. ובכח זה הוא שהיה ביכלתו של משה לבדו להקים המשכן, כמו שכתב לעיל שמות רבה נב, ד): **[ח] אמר רבי שמואל בר נחמן כו' שמונה עשר צוויים.** ירושלמי דברכות (פ"ד ה"ג):

ענף יוסף

(ו) ואני לא הבאתי. ואם תאמר ולמה לא הביא, ויש לומר שלהיותו עשיר, בקש להשתתף עם הנשיאים, שיאמרו יתנדבו הצבור מה שיתנדבו, ומה שמחסרים אנו משלימים, כדאיתא בספרי. וכשהשלימו צבור את הכל לא מצאו הנשיאים להביא, אלא אבני השהם והמלואים כדאיתא התם, ומשה לא היה לו אבני שוהם ומלואים להביא (יפה תואר): **חייך שדבורך חביב עלי וכו'. מדרש זה דורש טעם של אל"ף זעירא, כאילו נסתלק אות אל"ף, כאילו אינו, ויהיה פירוש הפסוק ויקר אל משה, שנתן הקדוש ברוך הוא למשה כלי יקר, יותר מל"ג כלים שעשו הנשיאים, ומהו היקר וידבר ה' אליו, שהיה הדבור אצלו, וזה חביב יותר ממה שהתנדבו הנשיאים, ומזה הטעם מאהל מועד נאמר, האמירה היה יותר טוב ממה שהתנדבו מאהל מועד בעצמו (מגלה עמוקות): **(ז) כותב עליהם שמו של מלך.** הענין בכללו, כי משה בכל מעשה המשכן היה מכוון בו כוונות אלהית, שזה היה עיקר ההכנה שעל ידי זה ישרה השכינה בתוכו, וזהו הכונה כאשר צוה ה', כלומר הכוונה האלהית הנרמז בה ולא החסיר בזה, כי אם מכוון ממש למה שצוה ה' [מלבד פשוטו שעשה הכלים גם כן כפי צווי ה'], ולכן על ידי כוונתו הגדולה זכה שנכנס לפני ולפנים, כי בתחילה כתיב ולא יכול משה לבוא, ורק ה' בחסדו קרא לו שיכנס ונתן לו רשות:

מסורת המדרש

י. ירושלמי ברכות. פד"א פ"ו. תנחומא ויקרא. ילקוט משלי כ':

יא. תנחומא וירא. ילקוט תהלים תש"ט:

אם למקרא

וְזֹאת הַתְּרוּמָה אֲשֶׁר תִּקְחוּ מֵאִתָּם זָהָב וָכֶסֶף וּנְחֹשֶׁת: (שמות כה:ג)

וְהַנְּשִׂאִם הֵבִיאוּ אֵת אַבְנֵי הַשֹּׁהַם וְאֵת אַבְנֵי הַמִּלֻּאִים לָאֵפוֹד וְלַחֹשֶׁן: (שם לה:כז)

וַיִּפְרֹשׂ אֶת הָאֹהֶל עַל הַמִּשְׁכָּן וַיָּשֶׂם אֶת מִכְסֵה הָאֹהֶל עָלָיו מִלְמָעְלָה כַּאֲשֶׁר צִוָּה ה' אֶת מֹשֶׁה: (שמות מ:יט)

ידי משה

[ו] אמר הכל הביאו ואני לא הבאתי. אם תאמר מאי טעמא לא הביא באמת, ואין לומר מפני שהקב"ה לא אמר לו להביא, אטו כל המצות שנצטוו ישראל מי מפטר משה מנייהו. ויש לומר לפי שביקש משה להשתתף עם הנשיאים, אמרו יתנדבו הציבור ומה שיחסרו אנו משלימים. ונראה לי שזה הוא כיון רש"י בפרשת ויקהל (שמות לה, ד) ויאמר משה זה הדבר אשר צוה ה' קחו מאתכם, פירש רש"י זה הדבר וגו' לי לאמר לכם, פירוש על דרך שמסיים המדרש כאן שהשיב הקב"ה למשה חייך דבורך חביב עלי יותר מן הכל, וזה פירוש לי לאמור לכם, פירוש לי ציוה הקב"ה לאמור, שהאמירה שלי הוא חביב להקב"ה במקום נתינה שלכם. ודוק:

שינוי נוסחאות

(ז) לפני ולפנים. בכל הכי"י כתוב כאן "לפני לפנים" (בלי וי"ו), וגם בדפוסים הישנים כתוב כך בדרך כלל, וכן הוא בכל מקום במדרש:

§7 The Midrash will explain the reason that Moses merited God's invitation to enter the Tent of Meeting to hear the Divine word:[129]

דָּבָר אַחֵר — Another interpretation: "וַיִּקְרָא אֶל מֹשֶׁה", מַה כְּתִיב לְמַעְלָה מֵהָעִנְיָן — Our Torah portion, *Parashas Vayikra*, opens: ***He called to Moses.*** **What is written above this matter,** i.e., in the preceding Torah portion, *Parashas Pekudei*?[130] פָּרָשַׁת מִשְׁכָּן — **The Torah portion** of the building of **the Tabernacle,** "כַּאֲשֶׁר צִוָּה ה׳ אֶת מֹשֶׁה" — with every segment in that portion concluding with the words ***as HASHEM had commanded Moses.***[131] מָשָׁל לְמֶלֶךְ שֶׁצִּוָּה אֶת עַבְדּוֹ וְאָמַר לוֹ: בְּנֵה לִי פַּלְטִין — This can be illustrated by means of **a parable.** It may be compared **to a king who commanded his servant and said to him, "Build a palace for me."** עַל כָּל דָּבָר וְדָבָר שֶׁהָיָה בּוֹנֶה הָיָה כּוֹתֵב עָלָיו שְׁמוֹ שֶׁל מֶלֶךְ — **On every single thing that he would build he would write the name of the king:**[132] וְהָיָה בּוֹנֶה כְּתָלִים וְכוֹתֵב עֲלֵיהֶן שְׁמוֹ שֶׁל מֶלֶךְ **— He would build walls and write on them the name of the king;** הָיָה מַעֲמִיד עַמּוּדִים וְכוֹתֵב עֲלֵיהֶן שְׁמוֹ שֶׁל מֶלֶךְ — **he would set up pillars and write on them the name of the king;** הָיָה מְקָרֶה בְּקוֹרוֹת וְהָיָה כּוֹתֵב עֲלֵיהֶן שְׁמוֹ שֶׁל מֶלֶךְ — and **he would build a roof over it with beams and write on them the name of the king.** לְיָמִים נִכְנַס הַמֶּלֶךְ לְתוֹךְ פַּלְטִין — **After some time, the king entered the palace,** עַל כָּל דָּבָר וְדָבָר שֶׁהָיָה מַבִּיט הָיָה מוֹצֵא שְׁמוֹ כָּתוּב עָלָיו — and **on every single thing that he would look at, he would find his name written.** אָמַר: כָּל הַכָּבוֹד הַזֶּה עָשָׂה לִי עַבְדִּי וַאֲנִי מִבִּפְנִים וְהוּא מִבַּחוּץ — **He said, "My servant arranged all this honor for me, yet I am inside** the palace **while** he remains **outside."** קְרָאוֹ לוֹ שֶׁיִּכָּנֵס לִפְנַי וְלִפְנִים — **He called to him to enter the innermost chambers** of the palace.[133] כָּךְ בְּשָׁעָה שֶׁאָמַר לוֹ הַקָּדוֹשׁ בָּרוּךְ הוּא לְמֹשֶׁה: עֲשֵׂה לִי מִשְׁכָּן — **Similarly, when the Holy One, blessed is He, said to Moses, "Make for Me a Tabernacle,"** עַל כָּל דָּבָר וְדָבָר שֶׁהָיָה עוֹשֶׂה הָיָה כּוֹתֵב עָלָיו "כַּאֲשֶׁר צִוָּה ה׳ אֶת מֹשֶׁה" — **on every single thing that [Moses] would make he would write,** ***as HASHEM had commanded Moses.***[134] אָמַר הַקָּדוֹשׁ בָּרוּךְ הוּא: כָּל הַכָּבוֹד הַזֶּה עָשָׂה לִי מֹשֶׁה — **The Holy One, blessed is He, said, "Moses arranged all this honor for Me,** וַאֲנִי מִבִּפְנִים וְהוּא מִבַּחוּץ — **yet I am inside** the Tabernacle **while he** remains **outside."**[135] קְרָאוֹ לוֹ שֶׁיִּכָּנֵס לִפְנַי וְלִפְנִים — **He called him to enter the innermost chamber** of the Tabernacle.[136] לְכָךְ נֶאֱמַר "וַיִּקְרָא אֶל מֹשֶׁה" — **Therefore it is stated,** ***He called to Moses*** *and HASHEM spoke to him from the Tent of Meeting.*[137]

NOTES

129. Due to the awesome sanctity of the Tabernacle generated by God's presence there, Moses would have been prohibited to enter had God not extended an invitation to him (*Eitz Yosef*). See also note 137 below.

130. *Maharzu*.

131. The phrase *as HASHEM had commanded Moses* appears many times in *Exodus* Chs. 39-40. Specifically, it comes at the conclusion of each segment that recounts: (i) how the craftsmen made a particular vessel, (ii) how Moses erected the Tabernacle, (iii) how Moses placed everything in its proper place, or (iv) how Moses performed a Temple service (see *Yefeh To'ar* s.v. היה כותב).

132. To indicate that everything that he did in constructing the palace was only in honor of the king.

133. I.e., the king's private chambers.

134. It is inconceivable that the Midrash means literally that Moses inscribed the vessels, walls, etc., of the Tabernacle with the phrase *as HASHEM had commanded Moses*, for we do not find anywhere that Moses was commanded to do so, and Moses would not have done anything on his own in constructing the Tabernacle. Furthermore [writing these words on the various parts of the Tabernacle would have implied that God *had* commanded him to do so, and] how could Moses write a lie? Rather, it was God Himself Who wrote these words in the Torah, testifying that Moses dedicated himself to see to it that every single aspect of the construction of the Tabernacle should be done in accord with God's command (*Maharzu*). The Midrash should accordingly be translated: *regarding every single thing that [Moses] would make, [God] would write* in the Torah, *as HASHEM had commanded Moses.*

Alternatively, the Midrash's statement may be understood as saying that from Moses' joy and alacrity in putting up the Tabernacle, it was as clear to everyone *as if* it were written all over the Tabernacle that his intentions were solely to perform God's commandments — not for his own honor, and not even in order that God should speak to him from the Ark that would be placed there [see *Exodus* 25:22] (*Yefeh To'ar*).

The Midrash's statement can also be understood as a Kabbalistic allegory: The Midrash means that Moses invested each and every part of the Tabernacle with the spirituality necessary to make the Tabernacle a fitting place for the Divine Presence to rest (see *Eshed HaNechalim, Anaf Yosef*).

135. As *Exodus* 40:35 states, וְלֹא יָכֹל מֹשֶׁה לָבוֹא אֶל אֹהֶל מוֹעֵד, *Moses could not enter the Tent of Meeting* (*Eshed HaNechalim, Anaf Yosef*).

136. I.e., the Holy of Holies (*Yefeh To'ar, Eshed HaNechalim, Eitz Yosef*). See next note.

137. This verse indicates that God spoke to Moses inside the Holy of Holies, for we know from Scripture (*Exodus* 25:22, *Numbers* 7:89) that God spoke *from atop the Cover that was upon the Ark of the Testimony*, i.e., the *Aron*, which was inside the Holy of Holies (*Yefeh To'ar, Eitz Yosef*). *Eshed HaNechalim* and *Anaf Yosef* explain that it was because

INSIGHTS

(*Ramban*, Introduction to *Parashas Terumah*). The Tabernacle was to be a "portable Mount Sinai." The reason, then, that Moses' "speech" is more precious to God than all the items donated for the Tabernacle is that the transmission of the Torah, which was the very purpose of the Tabernacle, is dearer to God than the material items that served only as the means to that exalted end (*Maharzu, Eshed HaNechalim*).

R' Gedalyah Schorr (*Ohr Gedalyahu, Vayikra* §3) sees a deeper dimension to this Midrash. The commentators cite from the *Zohar* that the Tabernacle and all of its components parallel Man, each component of the Tabernacle representing another part of the human body. Indeed, *Rabbeinu Bachya* (on *Exodus* 40:16) observes that the words with the root עשה, *made*, appear 248 times throughout the various passages dealing with the Tabernacle, corresponding to the 248 limbs in the human body.

Now, man's essence — that which distinguishes him from the animals — is his faculty of speech, through which he communicates and transmits knowledge to others. When the Tabernacle was completed, every component of man was represented by one of the components of the Tabernacle, with one exception – his faculty of speech. Thus, a most integral part of the Tabernacle was missing. It was only after God called to Moses and spoke to him that the Tabernacle's representation of man, including his power of speech, was complete. "Moses' speech" was indeed the most precious of all the Tabernacle's "parts."

[We may better understand the significance of this with the insight of *Nefesh HaChaim*, who explains (1:4, gloss) that the Tabernacle and its various components served as a calling to Israel, signifying that they must examine and learn from the physical Tabernacle to sanctify *themselves*. As it states (*Exodus* 25:8), *They shall make for Me a Sanctuary – so that I may dwell "among them."* It was thus important that the Tabernacle represent all of man's parts, signifying his need to sanctify every aspect of his being and become like a *Mikdash* upon which the *Shechinah* rests.]

Anaf Yosef, citing *Megaleh Amukos*, presents an ingenious explanation of our Midrash's concluding "proof text" — וַיִּקְרָא אֶל מֹשֶׁה. The Midrash is referring to an extended quote of the verse, which reads: וַיִּקְרָא אֶל מֹשֶׁה וַיְדַבֵּר ה׳ אֵלָיו מֵאֹהֶל מוֹעֵד. And it means to expound the word וַיִּקְרָא, whose א is written small in the Masoretic text, as if it were written simply ויקר, which may be rendered *and it was precious* (וְיָקָר). Thus, the verse can be rendered: *More precious than all [was given] to Moses: that HASHEM spoke to him [was more precious] than [all that had been donated for] the Tabernacle [itself].*

Indeed, the right words can be more precious than all the material treasures of the world.

מה קְנִיָּה יֵשׁ לוֹ, מַתְלָא אָמַר: דֵּעָה קָנִיתָ מַה חָסַרְתָּ, דֵּעָה חָסַרְתָּ מַה קָּנִיתָ, "יֵשׁ זָהָב", הַכֹּל הֵבִיאוּ נִדְבָתָן לַמִּשְׁכָּן זָהָב, הָדָא הוּא דִכְתִיב (שמות כה, ג) "וְזֹאת הַתְּרוּמָה וְגוֹ'", "וְרָב פְּנִינִים", זוֹ נִדְבָתָן שֶׁל נְשִׂיאִים, דִּכְתִיב (שם לה, כז) "וְהַנְּשִׂאִים הֵבִיאוּ וְגוֹ'", "וּכְלִי יְקָר שִׂפְתֵי דָעַת", לְפִי שֶׁהָיְתָה נַפְשׁוֹ שֶׁל מֹשֶׁה עֲגוּמָה עָלָיו וְאָמַר: הַכֹּל הֵבִיאוּ נִדְבָתָן לַמִּשְׁכָּן וַאֲנִי לֹא הֵבֵאתִי, אָמַר לוֹ הַקָּדוֹשׁ בָּרוּךְ הוּא: חַיֶּיךָ שֶׁדִּיבּוּרְךָ חָבִיב עָלַי יוֹתֵר מִן הַכֹּל, שֶׁמִּכּוּלָּן לֹא קָרָא הַדִּיבּוּר אֶלָּא לְמֹשֶׁה, [א, א] "וַיִּקְרָא אֶל מֹשֶׁה":

ז דָּבָר אַחֵר [א, א] "וַיִּקְרָא אֶל מֹשֶׁה", מַה כְּתִיב לְמַעְלָה מֵהָעִנְיָן, פָּרָשַׁת מִשְׁכָּן, (שמות מ:יט) "כַּאֲשֶׁר צִוָּה ה' אֶת מֹשֶׁה", מָשָׁל לְמֶלֶךְ שֶׁצִּוָּה אֶת עַבְדּוֹ וְאָמַר לוֹ: בְּנֵה לִי פַּלְטִין, עַל כָּל דָּבָר וְדָבָר שֶׁהָיָה בּוֹנֶה הָיָה כּוֹתֵב עָלָיו שְׁמוֹ שֶׁל מֶלֶךְ, וְהָיָה בּוֹנֶה כְּתָלִים וְכוֹתֵב עֲלֵיהֶן שְׁמוֹ שֶׁל מֶלֶךְ, הָיָה מַעֲמִיד עַמּוּדִים וְכוֹתֵב עֲלֵיהֶן שְׁמוֹ שֶׁל מֶלֶךְ, הָיָה מְקָרֶה בְּקוֹרוֹת וְהָיָה כּוֹתֵב עֲלֵיהֶן שְׁמוֹ שֶׁל מֶלֶךְ, לְיָמִים נִכְנַס הַמֶּלֶךְ לְתוֹךְ פַּלְטִין, עַל כָּל דָּבָר וְדָבָר שֶׁהָיָה מַבִּיט הָיָה מוֹצֵא שְׁמוֹ כָּתוּב עָלָיו, אָמַר: כָּל הַכָּבוֹד הַזֶּה עָשָׂה לִי עַבְדִּי וַאֲנִי מִבִּפְנִים וְהוּא מִבַּחוּץ, קִרְאוּ לוֹ שֶׁיִּכָּנֵס לִפְנַי וְלִפְנִים, כָּךְ בְּשָׁעָה שֶׁאָמַר לוֹ הַקָּדוֹשׁ בָּרוּךְ הוּא לְמֹשֶׁה: עֲשֵׂה לִי מִשְׁכָּן, עַל כָּל דָּבָר וְדָבָר שֶׁהָיָה עוֹשֶׂה הָיָה כּוֹתֵב עָלָיו "כַּאֲשֶׁר צִוָּה ה' אֶת מֹשֶׁה", אָמַר הַקָּדוֹשׁ בָּרוּךְ הוּא: כָּל הַכָּבוֹד הַזֶּה עָשָׂה לִי מֹשֶׁה וַאֲנִי מִבִּפְנִים וְהוּא מִבַּחוּץ, קִרְאוּ לוֹ שֶׁיִּכָּנֵס לִפְנַי וְלִפְנִים, לְכָךְ נֶאֱמַר [א, א] "וַיִּקְרָא אֶל מֹשֶׁה":

ח אָמַר רַבִּי שְׁמוּאֵל בַּר נַחְמָן בְּשֵׁם רַבִּי נָתָן: שְׁמוֹנָה עָשָׂר צִוּוּיִים יאכָּתוּב בְּפָרָשַׁת מִשְׁכָּן, כְּנֶגֶד י"ח חוּלְיוֹת שֶׁבַּשִּׁדְרָה,

באהל מועד כטעם האגדות הקודמות, אלא דסבירא ליה דמאי דמטעינהו מאהל, להורות שמשה חביב לפני ה' אף על פי שלא הביא דבר במלאכת המשכן טפי מכל אותם שהתנדבו במשכן, ולהכי דריש האי קרא בענין זה. וברישא דריש ליה לאשמועינן דדעה עדיפא מכל כסף וזהב, והדר מפרש ליה לענין משה שדבורו היה חביב לפני ה' מכל נדבת הכסף והזהב. ומה שאמר יש זהב הכל הביאו כו', פירושא אחרינא הוא, אף על גב דלא קאמר דבר אחר, כי מצינו כיוצא בו רבים במדרש: **מתלא.** פירוש משל אומרים: **דעה קנית מה חסרת.** כלה לומר דקונה דעת לא יחסר כל טוב, וזהו דקאמר קרא וכלי יקר שפתי דעת, פירוש וכלי יקר דלית ביה כלהו, היינו שפתי דעת. ואם תאמר לפירוש זה, מאי טעמא להזכרת השפתים, ויש לומר משום דמינכרא חכמה בהו, כאומר לב חכם ישכיל פיהו: **יש זהב הכל הביאו כו'.** כבר כתבתי שזה פירושא אחרינא, דלפירוש קמא אתא קרא לאשמועינן כי טוב לאדם מכסף וזהב קנין הדעת, אבל לפירוש זה אתא קרא לאשמועינן שדבורו של משה היה חביב לפני ה' מנדבת כל ישראל. ואם תאמר מאי נפקא מינה מאי דהוה הוה, ויש לומר דילפינן מזה דהוא הדין לכל דבור טוב חביב מהקרבנות לפני ה', ונפקא מינה לתפלה דעדיפא מהקרבנות וכמו שאמרו חכמינו ז"ל (ברכות לב, ב תנחומא וירא סימן א) גדולה תפלה מהקרבנות שנאמר [למה לי רוב זבחיכם וגו' וכתיב ובפרשכם כפיכם וגו'] גם כי תרבו תפלה וגו': **הדא הוא דכתיב וזאת התרומה.** לא גרסינן ליה דלית מינה ראיה שהביאו, אלא גרסינן הביאו את תרומת ה' (שמות לה, כא) (יפה תואר): **אלא למשה.** לדבר עמו, והוא גם כן מדבר עם ה', שהיה שואל לו כל ספקותיו בשמועותיו: **(ז) מה כתיב כו'.** דעת אגדה זו, דויקרא אל משה אצטריך כדי שיכנוס לאהל מועד, שבזולת הקריאה לא היה יכול ליכנס, וגם לא היה ראוי שיקראנו ה' שיכנס למקום אשר שם השכינה בקבע, לולי כל הכבוד שעשה משה, שעל כל דבר היה כותב כאשר צוה ה', ומפני שאין זה מספיק לזכות ליכנס במקום הזה, כי מאויים הוא בכבוד המקום מצד עצמו, בכל מה שאפשר, לכן הביא משל למלך כו', לומר שאחר שכיוצא בזה יכניסו המלך בהיכלו לכבדו מדרך המוסר, לכן עשה כמו כן הקדוש ברוך הוא, משום האנוש מאלוה יצדק (איוב ד, יז): **לפני ולפנים.** דמדכתיב ויקרא ה' וידבר, משמע שקראו למקום שהיה מדבר עמו משם, דהיינו מעל הכפורת וכו': **(ח) שמונה עשרה צווין כו'.** דעת רבי נתן למפלג אאגדתא הקודמת בתרתי, חדא, במה שאמר דכאשר צוה ה' את משה אתא למימר שהיה כותב משה כן על כל דבר ודבר, וקאמר איהו דאינו אלא ספור התורה, וככתבו השמונה עשרה צווין כנגד שמונה עשרה חוליות כו'. שנית, במה שאמר דויקרא אל משה אתא למימר שיכנס לפני ולפנים, וקאמר דלא אתא אלא למימר שהוא חביב מכולם, משל למלך כו': **כנגד שמונה עשרה חוליות שבשדרה.** ורמז שראוי להשתדל בכל עוז במצות ה' ובכל חלקי אבריו, על דרך כל עצמותי תאמרנה, ולכן היו הצווים כמנין חוליות שבשדרה, שהן הרכבת גוף האדם, שעל ידן יתנועע:

שדיבורך חביב עלי. שלתכלית דבורי עמך נעשה המשכן וכליו, וזהו וכלי יקר כלי למעשהו שהוא התכלית, שהוא יקר מהכל, הוא שפתי דעת של דיבור של התורה שדבר הקב"ה למשה: **(ז) למעלה מן הענין.** בסדר פקודי, עיין לקמן (כט, טו): **היה כותב עליו.** פירוש השם יתברך כותב עליו על משה, שעשה בשלימות כרצון השם יתברך, עד שהעיד השם יתברך על כל דבר כאשר צוה ה' כן עשה, שגרם לו שיכתוב עליו ה', ולא יתכן לפרש כמו במשל שמשה כתב על המנורה ועל הארון אות אחת שלא נלמוד, ואיך יכתוב שקר שלא מצינו שלוה שיכתוב כן: **לפני ולפנים.** צריך עיון אם נכנס משה לקדשי קדשים, או להיכל לבד שהוא האוהל מועד וכמשל כאן של ויקרא וגו' מאוהל מועד. ועיין במדבר רבה (יד, יט) שלא נכנס אלא להיכל, ומה שכתב לפנים) ולפנים פירוש שישמע מה שידבר מקדשי קדשים עיין שם בהדיא:

מתנות כהונה

[ו] **מתלא אמר.** גרסינן, המשל אומר כפי הבריות **דעה כו':** **עגומה.** לשון עגמת נפש: [ז] **שיכנס לפני ולפנים.** גרסינן:

אשד הנחלים

הכל הביאו. פירש הידי משה כי נצטווה משה שיקח הנדבות דווקא מישראל, ולא משלו, שנאמר קחו מאתכם. וכל כוונת המדרש לבאר מדוע רק כאן כתיב קריאה, הלא בכל הנבואות כתיב בו דיבור לבד, כי באמת משה רבנו עליו השלום היה מוכן תמיד לנבואה, ולא הוצרך לקרוא אליו. ולכן מפרשים שהיתה נפשו עגומה עליו ודימה בנפשו אחר שלא היו הנדבות מאתו, אם כן אינו מוכן לזה, כי אם על ידי מביאי האמצעיים האלו. או יאמר לפי שהנבואה אינו שורה כי אם מתוך שמחה, ובעת ההיא היה נפשו עגומה עליו מפני זה, ולכן הוכרח לקרוא לו ולחזק לבבו שיכין את נפשו לשמוע: [ז] **שמו של מלך.** הענין בכללו כי משה בכל מעשה המשכן היה מכוון בו כוונות אלקית, שזה היה עיקר ההכנה, שעל ידי זה ישרה השכינה בתוכו, וזהו הכוונה כאשר צוה ה', כלומר הכוונה האלקית הנרמז בה ולא החסיר בזה, כי אם מכוון ממש למה שצוה ה', [מלבד פשוטו שעשה הכלים גם כן כפי צווי ה']. ולכן על ידי כוונתו הגדולה זכה שנכנס לפני ולפנים, כי בתחילה כתיב ולא יכול משה לבוא, ורק ה' בחסדו קרא לו שיכנס ונתן לו רשות. ודע דהדבר אחר חולק על האמור לפניו, שבתחילה דעתו שהיה במדריגה הזאת שיכנס רק מפני ענוותו הגדולה, או מפני שהיתה נפשו עגומה עליו על כן לא נכנס, אבל דעת הדבר אחר שכאן היה מדריגה עצומה, שבאמת לא היה יכול לבוא, רק ה' בחסדו קרא לו שיכנס, ודי בזה: [ח] **שמונה עשרה ציווים כו' שמונה עשרה חוליות שבשדרה.** יש להבין מהו ההתקשרות

חידושי הרד"ל

[ו] **מתלא אמר דעת קנית כו'.** קהלת רבה פרשה ז, (פי"ט) [כג] א), ונדרים מא, א), במדבר רבה פרשה י"ט סימן ג': **שדיבורך חביב עלי כו'.** דבריו בשפתי דעת, להורות לעושי המלאכה. וגם כמו שאמר להלן, שהיה אומר וכותב על כל דבר שמו של מלך, (שהוא היה מיחד השם עליו כפי שנצטווה ביחוד. ובכח זה הוא שהיה ביכלתו של משה לבדו להקים המשכן, כמו שכתב לעיל שמות רבה נב, ד): [ח] **אמר רבי שמואל בר נחמן כו' שמונה עשר צוויים.** ירושלמי דברכות (פ"ד ה"ג):

ענף יוסף

(ו) ואני לא הבאתי. ואם תאמר ולמה לא הביא, ויש לומר שלהיותו עשיר, בקש להשתתף עם הנשיאים, שיאמרו יתנדבו הצבור מה שיתנדבו, ומה שמחסרים אנו משלימים, כדאיתא בספרי. וכשהשלימו צבור את הכל לא מצאו הנשיאים להביא, אלא אבני השהם והמלואים כדאיתא התם, ומשה לא היה לו אבני שוהם ומלואים להביא (יפה תואר): **חייך שדבורך חביב עלי וכו'. מדרש זה דורש טעם של אל"ף** זעירא, כאילו נסתלק אות אל"ף, כאילו אינו, ויהיה פירוש הפסוק ויקר אל משה, שנתן הקדוש ברוך הוא למשה כלי יקר, יותר מל"ג כלים שעשו הנשיאים, ומהו היקר וידבר ה' אליו, שהיה הדבור אצלו, וזה חביב יותר ממה שהתנדבו הנשיאים, ומזה הטעם מאהל מועד נאמר, האמירה היה יותר טוב ממה שהתנדבו מאהל מועד בעצמו (מגלה עמוקות): **(ז) כותב עליהם שמו של מלך.** הענין בכללו, כי משה בכל מעשה המשכן היה מכוון בו כוונות אלהית, שזה היה עיקר ההכנה שעל ידי זה ישרה השכינה בתוכו, וזהו הכונה כאשר צוה ה', כלומר הכוונה האלהית הנרמז בה ולא החסיר בזה, כי אם מכוון ממש למה שצוה ה' [מלבד פשוטו שעשה הכלים גם כן כפי צווי ה'], ולכן על ידי כוונתו הגדולה זכה שנכנס לפני ולפנים, כי בתחילה כתיב ולא יכול משה לבוא, ורק ה' בחסדו קרא לו שיכנס ונתן לו רשות:

מסורת המדרש

י. ירושלמי ברכות. תד"א פ"ו. תנחומא ויקרא. ילקוט משלי כ':

יא. תנחומא וירא. ילקוט תהלים תש"ע:

אם למקרא

וְזֹאת הַתְּרוּמָה אֲשֶׁר תִּקְחוּ מֵאִתָּם זָהָב וָכֶסֶף וּנְחֹשֶׁת: (שמות כה:ג)

וְהַנְּשִׂאִם הֵבִיאוּ אֵת אַבְנֵי הַשֹּׁהַם וְאֵת אַבְנֵי הַמִּלֻּאִים לָאֵפוֹד וְלַחֹשֶׁן: (שם לה:כז)

וַיִּפְרֹשׂ אֶת הָאֹהֶל עַל הַמִּשְׁכָּן וַיָּשֶׂם אֶת מִכְסֵה הָאֹהֶל עָלָיו מִלְמָעְלָה כַּאֲשֶׁר צִוָּה ה' אֶת מֹשֶׁה: (שמות מ:יט)

ידי משה

[ו] **אמר הכל הביאו ואני לא הבאתי.** אם תאמר מאי טעמא לא הביא באמת, ואין לומר מפני שהקב"ה לא אמר לו להביא, אטו כל המצות שנצטוו ישראל מי מפטר משה מנייהו. ויש לומר לפי שביקש משה להשתתף עם הנשיאים, אמרו יתנדבו הציבור ומה שיחסרו אנו משלימים. ונראה לי שזה הוא כיון רש"י בפרשת ויקהל (שמות לה, ד) ויאמר משה זה הדבר אשר צוה ה' קחו מאתכם, פירש רש"י זה הדבר וגו' לי לאמר לכם, פירוש על דרך שמסיים המדרש כאן שהביב הקב"ה למשה חייך דבורך חביב עלי יותר מן הכל, וזה פירוש לי לאמור לכם, פירוש לי ליה הקב"ה לאמור, שהאמירה שלי הוא חביב להקב"ה במקום נתינה שלכם. ודוק:

שינוי נוסחאות

(ז) **לפני ולפנים.** בכל הכי"י כתוב כאן "לפני לפנים" (בלי וי"ו), וגם בדפוסים הישנים כתוב כך בדרך כלל, וכן הוא בכל מקום במדרש:

§8 אָמַר רַבִּי שְׁמוּאֵל בַּר נַחְמָן בְּשֵׁם רַבִּי נָתָן — **R' Shmuel bar Nachman said in the name of R' Nassan:** שְׁמוֹנָה עָשָׂר צִוּוּיִים כָּתוּב בְּפָרָשַׁת מִשְׁכָּן — **There are eighteen "commands" written in the Torah portion** that discusses the **Tabernacle.**[138] כְּנֶגֶד י״ח חוּלְיוֹת שֶׁבַּשִּׁדְרָה — This **corresponds to** the **eighteen vertebrae in the spine.**[139]

NOTES

Moses put such effort into making the Tabernacle — both in the plain sense of making it (physically) just as God wanted, and in the allegorical (spiritual) sense mentioned in note 134 — that he merited to be permitted to enter the Holy of Holies.

Maharzu, however, disagrees: While it is true that God spoke from atop the Ark, the Midrash in *Bamidbar Rabbah* 14 §19 says that Moses would *not* enter the Holy of Holies; rather, he would remain in the Sanctuary, and from *there* he would hear the Divine voice emanating from the Holy of Holies. Our Midrash is to be understood the same way.

138. That is, in *Parashas Pekudei*, there are eighteen occurrences of the expression כַּאֲשֶׁר צִוָּה ה׳ אֶת מֹשֶׁה, *as HASHEM commanded Moses*, or כְּכֹל אֲשֶׁר צִוָּה ה׳ אֶת מֹשֶׁה, *everything that HASHEM commanded Moses*. The expression כֹּל אֲשֶׁר צִוָּה ה׳ אֶת מֹשֶׁה that appears in verse 38:22 is excluded from this count (see below, note 141).

According to *Eitz Yosef*, the current Midrash disagrees with the preceding Midrash's statement that the words *as HASHEM commanded Moses* were written on the vessels of the Tabernacle (see note 133). Rather, these words are simply part of the Torah's narrative and are to be taken in their plain sense. The *number of times* they appear, however, has significance, as the Midrash goes on to say.

139. The Torah wrote the phrase *as HASHEM commanded Moses* the number of times corresponding to the number of vertebrae in the spine in order to teach that just as the spine supports the entire body, so too when one performs a mitzvah, he should use his entire body and all his strength; see *Psalms* 35:10 (see ibid.).

מַה קְּנִיָּה יֵשׁ לוֹ, מַתְלָא אָמַר: דֵּעָה קָנִיתָ מַה חָסַרְתָּ, דֵּעָה חָסַרְתָּ מַה קָּנִיתָ, "יֵשׁ זָהָב", הַכֹּל הֵבִיאוּ נִדְבָתָן לַמִּשְׁכָּן זָהָב, הָדָא הוּא דִכְתִיב "וְזֹאת הַתְּרוּמָה וְגוֹ'" (שמות כה, ג), "וְרֹב פְּנִינִים", זוֹ נִדְבָתָן שֶׁל נְשִׂיאִים, דִּכְתִיב (שם לה, כז) "וְהַנְּשִׂאִם הֵבִיאוּ וְגוֹ'", "וּכְלִי יְקָר שִׂפְתֵי דָעַת", לְפִי שֶׁהָיְתָה נַפְשׁוֹ שֶׁל מֹשֶׁה עֲגוּמָה עָלָיו וְאָמַר: הַכֹּל הֵבִיאוּ נִדְבָתָן לַמִּשְׁכָּן וַאֲנִי לֹא הֵבֵאתִי, אָמַר לוֹ הַקָּדוֹשׁ בָּרוּךְ הוּא: חַיֶּיךָ שֶׁדִּיבּוּרְךָ חָבִיב עָלַי יוֹתֵר מִן הַכֹּל, שֶׁמִּכּוּלָּן לֹא קָרָא הַדִּיבּוּר אֶלָּא לְמֹשֶׁה, [א, א] "וַיִּקְרָא אֶל מֹשֶׁה":

ז דָּבָר אַחֵר [א, א] "וַיִּקְרָא אֶל מֹשֶׁה", מַה כְּתִיב לְמַעְלָה מֵהָעִנְיָן, פָּרָשַׁת מִשְׁכָּן, (שמות מ:יט) "כַּאֲשֶׁר צִוָּה ה' אֶת מֹשֶׁה", מָשָׁל לְמֶלֶךְ שֶׁצִּוָּה אֶת עַבְדּוֹ וְאָמַר לוֹ: בְּנֵה לִי פַּלְטִין, עַל כָּל דָּבָר וְדָבָר שֶׁהָיָה בּוֹנֶה הָיָה כּוֹתֵב עָלָיו שְׁמוֹ שֶׁל מֶלֶךְ, וְהָיָה בּוֹנֶה כְּתָלִים וְכוֹתֵב עֲלֵיהֶן שְׁמוֹ שֶׁל מֶלֶךְ, הָיָה מַעֲמִיד עַמּוּדִים וְכוֹתֵב עֲלֵיהֶן שְׁמוֹ שֶׁל מֶלֶךְ, הָיָה מְקָרֶה בְּקוֹרוֹת וְהָיָה כּוֹתֵב עֲלֵיהֶן שְׁמוֹ שֶׁל מֶלֶךְ, לְיָמִים נִכְנַס הַמֶּלֶךְ לְתוֹךְ פַּלְטִין, עַל כָּל דָּבָר וְדָבָר שֶׁהָיָה מַבִּיט הָיָה מוֹצֵא שְׁמוֹ כָּתוּב עָלָיו, אָמַר: כָּל הַכָּבוֹד הַזֶּה עָשָׂה לִי עַבְדִּי וַאֲנִי מִבִּפְנִים וְהוּא מִבַּחוּץ, קִרְאוּ לוֹ שֶׁיִּכָּנֵס לִפְנַי וְלִפְנִים, כָּךְ בְּשָׁעָה שֶׁאָמַר לוֹ הַקָּדוֹשׁ בָּרוּךְ הוּא לְמֹשֶׁה: עֲשֵׂה לִי מִשְׁכָּן, עַל כָּל דָּבָר וְדָבָר שֶׁהָיָה עוֹשֶׂה הָיָה כּוֹתֵב עָלָיו "כַּאֲשֶׁר צִוָּה ה' אֶת מֹשֶׁה", אָמַר הַקָּדוֹשׁ בָּרוּךְ הוּא: כָּל הַכָּבוֹד הַזֶּה עָשָׂה לִי מֹשֶׁה וַאֲנִי מִבִּפְנִים וְהוּא מִבַּחוּץ, קִרְאוּ לוֹ שֶׁיִּכָּנֵס לִפְנַי וְלִפְנִים, לְכָךְ נֶאֱמַר [א, א] "וַיִּקְרָא אֶל מֹשֶׁה":

ח אָמַר רַבִּי שְׁמוּאֵל בַּר נַחְמָן בְּשֵׁם רַבִּי נָתָן: שְׁמוֹנָה עָשָׂר צִוּוּיִים יאכָּתוּב בְּפָרָשַׁת מִשְׁכָּן, כְּנֶגֶד י"ח חוּלְיוֹת שֶׁבַּשִּׁדְרָה,

עץ יוסף

באהל מועד כטעם האגדות הקודמות, אלא דסבירא ליה דמאי דמטעינהו מאהל, להורות שמשה חביב לפני ה' אף על פי שלא הביא דבר במלאכת המשכן טפי מכל אותם שהתנדבו במשכן, ולהכי דריש האי קרא בענין זה. וברישא דריש ליה דאשמועינן דדעה עדיפא מכל כסף וזהב, והדר מפרש ליה לענין משה שדבורו היה חביב לפני ה' מכל נדבת הכסף והזהב. ומה שאמר יש זהב הכל הביאו כו', פירושא אחרינא הוא, אף על גב דלא קאמר דבר אחר, כי מצינו כיוצא בו רבים במדרש: **מתלא.** פירוש משל אומרים: **דעה קנית מה חסרת.** רצה לומר דקונה דעת לא יחסר כל טוב, וזהו דקאמר קרא וכלי יקר שפתי דעת, פירוש וכלי יקר דאית ביה כלהו, היינו שפתי דעת. ואם תאמר לפירוש זה, מאי טעמא להזכרת השפתים, ויש לומר משום דמינכרא חכמה בהו, כאומר לב חכם ישכיל פיהו: **יש זהב הכל הביאו כו'.** כבר כתבתי שזה פירושא אחרינא, דלפירוש קמא אתא קרא לאשמועינן כי טוב לאדם מכסף וזהב קנין הדעת, אבל לפירוש זה אתא קרא לאשמועינן שדבורו של משה היה חביב לפני ה' מנדבת כל ישראל. ואם תאמר מאי נפקא מינה מאי דהוה הוה, ויש לומר דילפינן מזה דהוא הדין לכל דבור טוב חביב מהקרבנות לפני ה', ונפקא מינה לתפלה דעדיפא מהקרבנות וכמו שאמרו חכמינו ז"ל (ברכות לב, ב תנחומא וירא סימן א) גדולה תפלה מהקרבנות שנאמר [למה לי רוב זבחיכם וגו' וכתיב ובפרשכם כפיכם וגו'] גם כי תרבו תפלה וגו': **הדא הוא דכתיב וזאת התרומה.** לא גרסינן ליה דלית מינה ראיה שהביאו, אלא גרסינן הביאו את תרומת ה' (שמות לה, כא) (יפה תואר): **אלא למשה.** לדבר עמו, והוא גם כן מדבר עם ה', שהיה שואל לו כל ספקותיו בשמועותיו: **(ז) מה כתיב כו'.** דעת אגדה זו, דויקרא אל משה אצטריך כדי שיכנוס לאהל מועד, שבזולת הקריאה לא היה יכול ליכנס, וגם לא היה ראוי שיקראנו ה' שיכנס למקום אשר שם השכינה בקבע, לולי כל הכבוד שעשה משה, שעל כל דבר היה כותב כאשר צוה ה', ומפני שאין זה מספיק לזכות ליכנס במקום הזה, כי מאויים הוא בכבוד המקום מצד עצמו, בכל מה שאפשר, לכן הביא משל למלך כו', לומר שאחר שכיוצא בזה יכניסו המלך בהיכלו לכבדו מדרך המוסר, לכן עשה כמו כן הקדוש ברוך הוא, משום האנוש מאלוה יצדק (איוב ד, יז): **לפני ולפנים.** דמדכתיב ויקרא ה' וידבר, משמע שקראו למקום שהיה מדבר עמו משם, דהיינו מעל הכפורת וכו': **(ח) שמונה עשרה צווין כו'.** דעת רבי נתן למפלג אאגדתא הקודמת בתרתי, חדא, במה שאמר דכאשר צוה ה' את משה אתא למימר שהיה כותב משה כן על כל דבר ודבר, וקאמר איהו דאינו אלא ספור התורה, ונכתבו השמונה עשרה צוין כנגד שמונה עשרה חוליות כו'. שנית, במה שאמר דויקרא אל משה אתא למימר שיכנס לפני ולפנים, וקאמר דלא אתא אלא למימר שהוא חביב מכולם, משל למלך כו': **כנגד שמונה עשרה חוליות שבשדרה.** ורמז שראוי להשתדל בכל עוז במצות ה' ובכל חלקי אבריו, על דרך כל עצמותי תאמרנה, ולכן היו הצווים כמנין חוליות שבשדרה, שהן הרכבת גוף האדם, שעל ידן יתנועע:

פירוש מהרז"ו

שדיבורך חביב עלי. שלתכלית דבורי עמך נעשה המשכן וכליו, וזהו וכלי יקר כלי למעשהו שהוא התכלית, שהוא יקר מהכל, הוא שפתי דעת של דיבור של התורה שדבר הקב"ה למשה: **(ז) למעלה מן הענין.** בסדר פקודי, עיין לקמן (כט, טו): **היה כותב עליו.** פירוש השם יתברך כותב עליו על משה, שעשה בשלימות כרצון השם יתברך, עד שהעיד השם יתברך על כל דבר כאשר צוה ה' כן עשה, שגרם לו שיכתוב עליו ה', ולא יתכן לפרש כמו במשל שמשה כתב על המנורה ועל הארון אות אחת שלא נצטוה, ואיך יכתוב דבר שלא מצינו שצוה שיכתוב כן: **לפני ולפנים.** צריך עיון אם נכנס משה לקדשי קדשים, או להיכל לבד שהוא האוהל מועד וכמשל כאן ויקרא וגו' מאוהל מועד. ועיין במדבר רבה (יד, יט) שלא נכנס אלא להיכל, ומה שכתב (בפנים) ולפנים פירוש שישמע מה שידבר מקדשי קדשים עיין שם בהדיא:

מתנות כהונה

[ו] מתלא אמר. גרסינן, המשל אומר בפי הבריות **דעה כו':** **עגומה.** לשון עגמת נפש: **[ז] שיכנס לפני ולפנים.** גרסינן:

אשד הנחלים

הכל הביאו. פירש הידי משה כי נצטווה משה שיקח הנדבות דווקא מישראל, ולא משלו, שנאמר קחו מאתכם. וכל כוונת המדרש לבאר מדוע רק כאן כתיב קריאה, הלא כל הנבואות כתיב רק דיבור לבד, כי באמת משה רבנו עליו השלום היה מוכן תמיד לנבואה, ולא הוצרך לקרוא אליו. ולכן מפרשים שהיתה נפשו עגומה עליו ודימה בנפשו אחר שלא היו הנדבות מאתו, אם כן אינו מוכן לזה, כי אם על ידי מביאי האמצעיים האלו. או יאמר לפי שהנבואה אינו שורה כי אם מתוך שמחה, ובעת ההיא היה נפשו עגומה עליו מפני זה, ולכן הוכרח לקרוא לו ולחזק לבבו שיכין את נפשו לשמוע: **[ז] שמו של מלך.** הענין בכללו כי משה בכל מעשה המשכן היה מכוון בו כוונות אלקית, שזה היה עיקר ההכנה, שעל ידי זה ישרה השכינה בתוכו, וזהו הכוונה כאשר צוה ה', כלומר הכוונה האלקית הנרמז בה ולא החסיר בזה, כי אם מכוון ממש למה שצוה ה', [מלבד פשוטו שעשה הכלים גם כן כפי צווי ה']. ולכן על ידי כוונתו הגדולה זכה שנכנס לפני ולפנים, כי בתחילה כתיב ולא יכול משה לבוא, ורק ה' בחסדו קרא לו שיכנס ונתן לו רשות. ודע דהדבר אחר חולק על האמור לפניו, שבתחילה דעתו שהיה במדריגה הזאת שיכנס רק מפני ענוותו הגדולה, או מפני שהיתה נפשו עגומה עליו על כן לא נכנס, אבל דעת הדבר אחר שכאן היה מדריגה עצומה, שבאמת לא היה יכול לבוא, רק ה' בחסדו קרא לו שיכנס, ודי בזה: **[ח] שמונה עשרה ציווים כו' שמונה עשרה חוליות שבשדרה.** יש להבין מהו ההתקשרות

חידושי הרד"ל

[ו] מתלא אמר דעת קנית כו'. קהלת רבה פרשה ז, (פי"ט) [כג] א), (ונדרים מא, א), במדבר רבה פרשה י"ט סימן ג': **שדיבורך חביב עלי כו'.** דבריו בשפתי דעת, להורות לעושי המלאכה. וגם כמו שאמר להלן, שהיה אומר וכותב על כל דבר שמו של מלך, (שהוא היה מיחד השם עליו כפי שנצטווה ביחוד. ובכח זה הוא שהיה ביכלתו של משה לבדו להקים המשכן, כמו שכתב לעיל שמות רבה נב, ד): **[ח] אמר רבי שמואל בר נחמן כו' שמונה עשר צוויים.** ירושלמי דברכות (פ"ד ה"ג):

ענף יוסף

(ו) ואני לא הבאתי. ואם תאמר ולמה לא הביא, ויש לומר שלהיותו עשיר, בקש להשתתף עם הנשיאים, שיאמרו יתנדבו הצבור מה שיתנדבו, ומה שמחסרים אנו משלימים, כדאיתא בספרי. וכשהשלימו צבור את הכל לא מצאו הנשיאים להביא, אלא אבני השהם והמלואים כדאיתא התם, ומשה לא היה לו אבני שוהם ומלואים להביא (יפה תואר): **חייך שדבורך חביב עלי וכו'. מדרש זה דורש טעם של אל"ף זעירא, כאילו נסתלק אות אל"ף, כאילו איננו, ויהיה פירוש הפסוק ויקר אל משה, שנתן הקדוש ברוך הוא למשה כלי יקר, יותר מנ"ג כלים שעשו הנשיאים, ומהו היקר וידבר ה' אליו, שהיה הדבור אצלו, וזה חביב יותר ממה שהתנדבו הנשיאים, ומזה הטעם מאהל מועד נאמר, האמירה היה יותר טוב ממה שהתנדבו מאהל מועד בעצמו (מגלה עמוקות): **(ז) כותב עליהם שמו של מלך.** הענין בכללו, כי משה בכל מעשה המשכן היה מכוון בו כוונות אלהית, שזה היה עיקר ההכנה שעל ידי זה ישרה השכינה בתוכו, וזהו הכונה כאשר צוה ה', כלומר הכוונה האלהית הנרמז בה ולא החסיר בזה, כי אם מכוון ממש למה שצוה ה' [מלבד פשוטו שעשה הכלים גם כן כפי צווי ה'], ולכן על ידי כוונתו הגדולה זכה שנכנס לפני ולפנים, כי בתחילה כתיב ולא יכול משה לבוא, ורק ה' בחסדו קרא לו שיכנס ונתן לו רשות:

מסורת המדרש

י. ירושלמי ברכות. תד"א פ"ו. תנחומא ויקרא. ילקוט משלי כ':

יא. תנחומא וירא. ילקוט תהלים תש"ט:

אם למקרא

וְזֹאת הַתְּרוּמָה אֲשֶׁר תִּקְחוּ מֵאִתָּם זָהָב וָכֶסֶף וּנְחֹשֶׁת: (שמות כה:ג)

וְהַנְּשִׂאִם הֵבִיאוּ אֵת אַבְנֵי הַשֹּׁהַם וְאֵת אַבְנֵי הַמִּלֻּאִים לָאֵפוֹד וְלַחֹשֶׁן: (שם לה:כז)

וַיִּפְרֹשׂ אֶת הָאֹהֶל עַל הַמִּשְׁכָּן וַיָּשֶׂם אֶת מִכְסֵה הָאֹהֶל עָלָיו מִלְמָעְלָה כַּאֲשֶׁר צִוָּה ה' אֶת מֹשֶׁה: (שמות מ:יט)

ידי משה

[ו] אמר הכל הביאו ואני לא הבאתי. אם תאמר מאי טעמא לא הביא באמת, ואין לומר מפני שהקב"ה לא אמר לו להביא, אטו כל המצות שנצטוו ישראל מי מפטר משה מנייהו. ויש לומר לפי שביקש משה להשתתף עם הנשיאים, אמרו יתנדבו הציבור ומה שיחסרו אנו משלימים. ונראה לי שזה הוא כיון רש"י בפרשת ויקהל (שמות לה, ד) ויאמר משה זה הדבר אשר צוה ה' קחו מאתכם, פירש רש"י זה הדבר וגו' לי לאמר לכם, פירוש על דרך שמסיים המדרש כאן שהשיב הקב"ה למשה חייך דבורך חביב עלי יותר מן הכל, וזה פירוש לי לאמור לכם, פירוש לי ציוה הקב"ה לאמור, שהאמירה שלי הוא חביב להקב"ה במקום נתינה שלכם. ודוק:

שינוי נוסחאות

(ז) לפני ולפנים. בכל הכי"י כתוב כאן "לפני לפנים" (בלי וי"ו), וגם בדפוסים הישנים כתוב כך בדרך כלל, וכן הוא בכל מקום במדרש:

וּכְנֶגְדָּן קָבְעוּ חֲכָמִים י״ח בְּרָכוֹת שֶׁבִּתְפִלָּה — **And the Sages established** the **eighteen blessings of the** *Shemoneh Esrei* **prayer corresponding to [the eighteen vertebrae];**[140] כְּנֶגֶד י״ח הַזְכָּרוֹת שֶׁבִּקְרִיאַת שְׁמַע — **corresponding to the eighteen mentions** of God's Name **in the reading of the Shema;**[141] וּכְנֶגֶד י״ח הַזְכָּרוֹת שֶׁב״הָבוּ לַה׳ בְּנֵי אֵלִים״ — **and corresponding to the eighteen mentions** of God's Name **in** the psalm, ***Render unto HASHEM, you sons of the powerful, etc.*** (*Psalms* Ch. 29).[142] אָמַר רַבִּי חִיָּיא בַּר אַבָּא — **R' Chiya bar Abba said:** לְבַד מ״וְאִתּוֹ אָהֳלִיאָב בֶּן אֲחִיסָמָךְ לְמַטֵּה דָן״ — The counting of the eighteen phrases *as HASHEM commanded Moses* should start **only from** the verse that begins, ***With him was Oholiab, son of Ahisamach, of the Tribe of Dan*** (*Exodus* 38:23),[143] וְעַד סוֹף סִיפְרָא — **and** continue from there **until the end of the Book** of *Exodus*. מָשָׁל לְמֶלֶךְ שֶׁנִּכְנַס בִּמְדִינָה — This can be illustrated by means of **a parable.** It may be compared **to a king who entered** a certain **province,** וְעִמּוֹ דּוּכְסִים וְאִיפַּרְכִין וְאַסְטְרַטְלִיטִין — **and with him** were **commanders, governors, and generals.** וְאֵין הָעָם יוֹדְעִין אֵיזֶה מֵהֶם חָבִיב מְכוּלָּן — **Now the people do not know which of them is most favored** by the king; אֶלָּא מִי שֶׁהַמֶּלֶךְ הוֹפֵךְ פָּנָיו וּמְדַבֵּר עִמּוֹ הוּא חָבִיב מְכוּלָּן — **however,** when they see to **whom the king turns his face**[144] **and speaks,** they know that **he is the most favored of them all.** כָּךְ ״וְאֶל מֹשֶׁה אָמַר עֲלֵה . . . אַתָּה וְאַהֲרֹן נָדָב וַאֲבִיהוּא וְשִׁבְעִים״ זְקֵנִים — **So it was** at Mount Sinai. Scripture writes, ***To Moses He said, "Go up to HASHEM, you, Aaron, Nadab and Abihu, and seventy of the elders of Israel,"*** (ibid. 24:1), וְאֵין אָנוּ יוֹדְעִים אֵי זֶה מֵהֶן חָבִיב מְכוּלָּן — **but we do not know which of them is most favored** by God. אֶלָּא מִי שֶׁהַקָּדוֹשׁ בָּרוּךְ הוּא קוֹרֵא אוֹתוֹ וּמְדַבֵּר עִמּוֹ — **However,** when we see **whom the Holy One, blessed is He, calls and with whom He speaks,** we know he is the most favored. לְכָךְ נֶאֱמַר ״וַיִּקְרָא אֶל מֹשֶׁה״ — **Thus it is stated,** ***He called to Moses.*** God spoke to Moses and to no one else.[145]

The Midrash gives an additional reason why God chose to speak only to Moses:

מָשָׁל לְמֶלֶךְ שֶׁנִּכְנַס לִמְדִינָה — This can also be illustrated by means of a different **parable:** It may be compared **to a king who entered** a certain **province.** עִם מִי מְדַבֵּר תְּחִלָּה — **With whom does he speak first?** לֹא עִם אַגְרוֹנִימוֹן שֶׁל מְדִינָה — **Is it not with the food commissioner of the province?**[146] לָמָּה — Now, **why** does the king show him priority over the other officials of the province? שֶׁהוּא עָסוּק בְּחַיֶּיהָ שֶׁל מְדִינָה — **Because he is occupied with the life-giving essentials of the province.**[147]

NOTES

140. This teaches us that when one bows during prayer — which we do four times in every *Shemoneh Esrei* — one is to bend all the vertebrae in the spine; see *Yerushalmi Berachos* 4:3 (ibid.).

There is a connection as well between the phrase *as HASHEM commanded Moses*, and *Shemoneh Esrei*. [For if the phrase *as HASHEM commanded Moses* corresponds to the vertebrae, and the vertebrae correspond to *Shemoneh Esrei*, then the phrase *as HASHEM commanded Moses* also corresponds to *Shemoneh Esrei*.] Two explanations of the connection are as follows: (i) The phrase *as HASHEM commanded Moses* is written in the context of the Tabernacle (which was later supplanted by the Temple). Whenever we pray, we are to include a prayer for the rebuilding of the Temple (ibid.). (ii) When the Temple was destroyed, the Sages instituted that prayer should take the place of the sacrifices (see *Hosea* 14:3, *Yoma* 86b). They therefore instituted that *Shemoneh Esrei* would have the same number of blessings as that number which is associated with the Tabernacle/Temple, the place where the sacrifices were offered (*Maharzu, Eitz Yosef*). For other approaches, see *Yerushalmi Berachos* (Schottenstein edition), 48b note 13.

141. There are eleven mentions of the Tetragrammaton (י־ה־ו־ה), and seven mentions of some form of the Name אֱלֹהִים. [As explained by the Gemara *Rosh Hashanah* 32a, the first three phrases of this psalm (which contain the first three mentions of God's Name in the psalm) contain allusions to the first three blessings of the *Shemoneh Esrei* (*Rashi* to *Berachos* 28b).]

142. The number of blessings in the *Shemoneh Esrei* thus correspond to three things: the number of vertebrae, the number of mentions of God's Name in the *Shema*, and the number of mentions of God's Name in *Psalms* Ch. 29. See similarly *Berachos* loc. cit. (*Eitz Yosef*). [Regarding the *nineteenth* blessing of *Shmoneh Esrei* that was added later, see the Gemara there for a parallel among the vertebrae, in the *Shema*, and in *Psalms* 29. For a different explanation of what the number of blessings in *Shemoneh Esrei* correspond to, see *Bereishis Rabbah* 69 §4.]

143. I.e., the count should not include the phrase כֹּל אֲשֶׁר צִוָּה ה׳ אֶת מֹשֶׁה that appears in verse 38:22 (which would be number nineteen). That verse states: *Bezalel, son of Hur, of the Tribe of Judah, did everything that HASHEM commanded Moses* [כֹּל אֲשֶׁר צִוָּה ה׳ אֶת מֹשֶׁה]. The reason that verse should not be counted is that the other eighteen are all written after a *specific* action taken for the construction of the Tabernacle; they make the point that the specific action was done just as God had commanded. By contrast, the Bezalel verse is a *general* statement that *everything* that was constructed for the Tabernacle was done as God had commanded. There is thus no reason to count it separately (*Yefeh To'ar, Beur Maharif, Eitz Yosef*). Alternatively: This verse is not counted because it is not making the same point as the others (that every action was done just as God had commanded). Rather, it is making a point about the greatness of Bezalel: not only did he do what Moses had commanded him directly, but he *did everything that HASHEM had commanded Moses*, i.e., he even intuited instructions that God had given Moses but that had not been told to him; see *Bereishis Rabbah* 1 §14 and *Rashi* to the verse (see *Maharzu*). [This verse does serve as a parallel, however, to the *nineteenth* blessing; see preceding note (see ibid.). For another explanation of why this verse is not counted, see *Rash Sirilio* to *Yerushalmi Berachos* 4:3 (cited in Schottenstein edition, 48b note 14).]

144. I.e., the king turns his attention from everyone else and gives this person his undivided attention (*Maharzu*).

145. *Maharzu* expresses puzzlement regarding the connection between the verse cited previously by the Midrash (*Exodus* 24:1) and our verse (*Leviticus* 1:1). The former mentions Aaron, his sons, and the elders, while the latter does not; the latter states that God *called to Moses*, while the former does not! In addition, the *Exodus* verse took place just before the Torah was given at Mount Sinai (*Rashi* ad loc., from *Mechilta*; see, however, *Ramban*), while our verse took place on the first day of Nissan of the following year (see *Exodus* 40:17), on the eighth day of the inauguration of the Tabernacle!

Maharzu answers that we find that the Torah *does* state that God *called to Moses* at the time of the Giving of the Torah, as *Exodus* 19:3 states: *Moses ascended to God and HASHEM called to him*. And as ibid. 24:2 states, even though Aaron, his sons, and the elders were present at the Giving of the Torah, God said, *"Moses alone shall approach HASHEM, but they shall not approach."* Conversely, it is evident that our verse, *He called to Moses*, indeed *did* take place in the presence of Aaron and his sons and the elders, for *Leviticus* 9:1 states that *on the eighth day* (of the inauguration of the Tabernacle), *Moses summoned Aaron and his sons and the elders of Israel*. (According to *Maharzu*, *Leviticus* 1:1 takes place immediately after 9:1, on the same day. See note to ArtScroll *Ramban* cited in note 122 above.) Thus, we learn that on the eighth day of the inauguration of the Tabernacle, God called to Moses alone to approach and enter — and not to Aaron, his sons, and the elders.

146. This is the person in charge of the food matters of the province, e.g., the market prices and the weights and measures (see *Matnos Kehunah, Radal, Eitz Yosef*).

147. He is thus rewarded by being the first to whom the king speaks. Alternatively: *Maharzu* writes that the king speaks to him first because he is the person who can tell him what can be done to improve the material well-being of his subjects.

וּכְנֶגְדָּן קָבְעוּ חֲכָמִים י"ח בְּרָכוֹת שֶׁבַּתְּפִלָּה, כְּנֶגֶד י"ח הַזְּכָּרוֹת שֶׁבִּקְרִיאַת שְׁמַע, וּכְנֶגֶד י"ח הַזְּכָּרוֹת שֶׁבְּ"הָבוּ לַה' בְּנֵי אֵלִים" (תהלים כט, א), אָמַר רַבִּי חִיָּיא בַּר אַבָּא: לְבַד מִ"וְאִתּוֹ אָהֳלִיאָב בֶּן אֲחִיסָמָךְ לְמַטֵּה דָן" (שמות לח, כג) וְעַד סוֹף סִיפְרָא, מָשָׁל לְמֶלֶךְ שֶׁנִּכְנַס בַּמְּדִינָה וְעִמּוֹ דוּכָּסִים וְאִיפַּרְכִין וְאַסְטְרָטְלִיטִין, וְאֵין הָעָם יוֹדְעִין אֵיזֶה מֵהֶם חָבִיב מִכּוּלָּן, אֶלָּא מִי שֶׁהַמֶּלֶךְ הוֹפֵךְ פָּנָיו וּמְדַבֵּר עִמּוֹ הוּא חָבִיב מִכּוּלָּן, כָּךְ (שמות כד, א) "וְאֶל מֹשֶׁה אָמַר עֲלֵה ... אַתָּה וְאַהֲרֹן נָדָב וַאֲבִיהוּא וְשִׁבְעִים" זְקֵנִים, וְאֵין אָנוּ יוֹדְעִים אֵי זֶה מֵהֶן חָבִיב מִכּוּלָּן, אֶלָּא מִי שֶׁהַקָּדוֹשׁ בָּרוּךְ הוּא קוֹרֵא אוֹתוֹ וּמְדַבֵּר עִמּוֹ, לְכָךְ נֶאֱמַר [א, א] "וַיִּקְרָא אֶל מֹשֶׁה", מָשָׁל לְמֶלֶךְ שֶׁנִּכְנַס לַמְּדִינָה, עִם מִי מְדַבֵּר תְּחִלָּה, לֹא עִם אַגְרוֹנִימוֹן שֶׁל מְדִינָה, לָמָּה, שֶׁהוּא עָסוּק בְּחַיֶּיהָ שֶׁל מְדִינָה,

עץ יוסף

שמונה עשרה ברכות. אפשר דקבעו שמונה עשרה ברכות כנגד השמונה עשרה צווין וכנגד שמונה עשרה חוליות. וטעם קביעת שמונה עשרה ברכות כנגד שמונה עשרה חוליות, איתא בירושלמי (ברכות פ"ד ה"ג) שישוח בהם בתפלה. ומה שקבעו שמונה עשרה ברכות כנגד שמונה עשרה צווין, לפי שראוי להתפלל תמיד על בנין בית המקדש, אי נמי משום דהשתא דבית המקדש חרב, התפלה במקום הקרבנות, קבעו מנין הברכות כנגד המשכן: **שמונה עשרה אזכרות כו'.** אשמונה עשרה ברכות קאי, ששמונה עשרה ברכות הוקבעו כנגד שמונה עשרה צווין, ושמונה עשרה חוליות, כנ"ל, וגם כנגד י"ח אזכרות כו', דלכולהו איכוון מסדרי הברכות. ועיין בפרק תפלת השחר (ברכות כח, ב): **לבד מואתו אהליאב.** אתא לאפוקי הצווי הנזכר תחלה בבצלאל, דאם כן הוי ליה תשעה עשרה, אלא משם והלאה הם השמונה עשרה צווים. והא דלא מני באמת ההוא צווי הנזכר תחלה בבצלאל, הוא מפני שהוא כולל כל המלאכות, והציווים שמזכיר אחר כך מואתו אהליאב ולהלן, בפרט כל מעשה ומעשה שעשו האומנין הם פירושי הצווי הכולל, ואין למנות הכלל עם הפרטים: **דוכסין ואפרכין ואסטרטליטין.** בפסיקתא דזאת הברכה ויאמר המלך סוב התיצב כה ויסוב ויעמוד, אמר ר' אבא בר כהנא אי הוה דוכוס אתעביד איפרכוס, ואי הוה איפרכוס אתעביד איסטרטליטים. וכתב המוסף הערוך, דוכוס בלשון רומי שר צבא, ואיפרכוס בלשון יוני, שר הפרשים, ואיסטרטליטים בלשון יוני, נגיד מלחמה עד כאן. ובערוך ערך אפרכוס כתב שם המוסף הערוך, אפרכוס בלשון יוני שר העיר עד כאן. וכן משמע בילמדנו בסוף [פרשת] אם בחוקתי, מלך ששלח אפרכוס שלו, מי מספיק לאפרכוס צרכיו, בני המדינה, אמר הקדוש ברוך הוא, אפרכוס שלחתי, והן מספיקין להם מן, ובאר, וענן. הרי משמע מזה שאפרכוס הוא שר העיר: **עם מי מדבר תחלה כו'.** גם בזה בא לתרץ אמאי אצטריך לאשמועינן ויקרא אל משה, ולא סבירא ליה כתרוצי האגדות דלעיל, לכן מתרץ דאשמועינן שקרא למשה תחלה, שמדבר עם מנהיג המדינה תחלה. ועיין ביפה תואר: **אגרונימון.** פירוש בלשון יוני פקיד ממונה על דברי מאכל ועל שער השוק (מוסף הערוך ערך אגרנימון ועיין ערוך ערך אגרדמין). וכן כתב בעל כתר כהונה, אגרונימון פירוש בעל השוק, והוא הממונה על המדות והשערים ולפסוק שער שבשוק ולגזור שתמכר האיפה בכך וכך, ויש רשות בידו לענוש העובר על גזירתו, הן בממון הן במכות, כפי מה שירצה:

פירוש מהרז"ו

(ח) **הופך פניו.** פירוש שהופך פניו מכל עסקיו, ומתעסק בזה לבד למי שמדבר עמו, דרך חיבה, וכן בנמשל שכתוב אל משה ויקרא אל משה, היינו שייחד אותו מכל ישראל, וידבר ה' אליו שייחד עצמו אליו כנ"ל. הנה פסוק זה ואל משה אמר וגו', פסוק של סוף פרשת משפטים (שמות כד, א) היה קודם מתן תורה, כמו שכתוב מכילתא יתרו, הובא ברש"י במקומו, ושם לא כתב ויקרא אל משה, וכאן שכתב ויקרא אל משה, לא כתב שיבא אהרן וזקני ישראל, אם כן הדברים רחוקים, ומה זה דורש ומדמה. אך הענין דשם כתוב ומשה עלה אל האלהים ויקרא אליו ה' מן ההר וגו', שלא עלה עד שקרא אותו, ואז קיים מה שנאמר (שמות כד, ב) ונגש משה לבדו אל ה', וכאן שכתיב גם כן ויקרא אל משה, דורש שהיה גם כן באופן זה, היינו ביום השמיני כמו שכתוב (ט, א) ויהי ביום השמיני קרא משה לאהרן ולבניו ולזקני ישראל, עד וירא כבוד ה' אל כל העם, היינו שנכנס למשכן וכולם עמדו שם ומשה עמהם, ואז ויקרא אל משה, שמקום פרשת ויקרא אחר פרשת ויהי ביום השמיני, ואז דיבר עמו מאוהל מועד ולא קודם לכן, וזהו מה שכתב משל למלך שנכנס למדינה, ובנמשל הוא באוהל מועד, ודוק בדברים אמיתים האלו: **לבד מואתו אהליאב.** בסדר פקודי יש תשע עשרה פעמים צוה ה' את משה. הראשון הוא בריש פקודי (שמות לח, כב) ובצלאל בן אורי בן חור וגו' עשה את כל אשר צוה ה' את משה. ואחר כך כתוב (שם כג) ואתו אהליאב בן אחיסמך למטה דן, וצריך עיון למה הזכיר פסוק זה שבו תמם הענין והפרשה, ולא כתוב בו כלל כאשר צוה ה' וגו', כי אם בפרשה הגדולה הסמוכה. אך נראה כוונתו שחושב שמונה עשרה פעמים מה שכתוב כאשר צוה ה' את משה, ובריש פקודי בפסוק ובצלאל כתיב עשה את אשר צוה ה' את משה, ואחר כך מתחיל, ואתו אהליאב עד סוף פקודי של פרשת הכיור, יש שמונה עשרה פעמים כאשר צוה ה' את משה, שכל השמונה עשרה באים להורות שעשו בשלימות כל מעשה כאשר צוה ה', אך מה שכתוב בפסוק ובצלאל וגו' עשה את כל אשר צוה ה', יש בו כונה אחרת, וכמו שכתוב בראשית רבה (א, יד) אפילו דברים שלא שמע מפי רבו הסכימה דעתו למה שנאמר למשה בסיני, ואם כן כולל גם המצות שאינם שייכים למעשה המשכן, והוא פסוק כללי שאינו על מעשה פרטי, על כן אינו בחשבון השמונה עשרה פעמים שהם על מעשים פרטים. ועיין מאמר זה בירושלמי ברכות (פ"ד ה"ג), רמזתי עליו בבראשית רבה (סט, ד). ועיין ביתר ביאור בתנחומא ריש וירא (סימן א), ולפי מה שכתב בגמ' דילן בברכות (כח, ב) שבכל מקום שרמז על שמונה עשרה ברכות, מצאו גם כן רמז על תשע עשרה, גם כאן יש רמז על ברכה י"ט בפסוק ובצלאל הנ"ל, על שהתפלה במקום הקרבנות, והמשכן הוא מקום הקרבנות גם כן, על כן מרומז כאן מספר הברכות, וכן מצאתי בספר שנות אליהו מהגאון זללה"ה מווילנא על המשנה ברכות (פ"ד מ"ג) שמביא הירושלמי, ואמר הטעם שלא חשב פסוק ובצלאל, על שהוא הכלל על כל עניני המשכן, עיין ותראה חדושים נפלאים על המשנה הנ"ל:

חידושי הרד"ל

ואגרנימון של מדינה. פירש במוסף הערוך ממונה על מכירת מאכל ומשקה שבשוק:

באור מהרי"פ

[ח] **לבד מואתו אהליאב וגו'.** פירוש אשר צוה ה' את משה האמור [בפסוק] (שמות לח, כב) ובצלאל בן אורי בן חור למטה יהודה עשה את כל אשר צוה ה' את משה ואתו אהליאב בן אחיסמך למטה דן חרש וחושב ורוקם בתכלת ובארגמן ובתולעת השני ובשש, היה לא קחשיב דאם כן הוו ליה תשעה עשר. והטעם דלא קחשיב ליה כתב היפה תואר מפני דהאי אשר צוה ה', הוא כל המלאכות כוללן ביחד, והצווים שמזכיר אחר כך, הם כולם פרטים פירושים על הכלל, ואין ראוי למנות הכלל עם פרטיו שמפרשים אותו. אך צריך עיון למה שאמר לבד מואהליאב וגו', ולא לבד מבצלאל בן אורי וגו'. והשמונה עשר צווים מתחילים מפרשה כל החכם העשוי למלאכה וגו', ובכל פרשה ופרשה פתוחה או סתומה יש בה צווי אחת, חוץ מפרשה ויביאו את המשכן, יש בה שני צווים, אחת במקרא מ"ב ככל אשר צוה וגו', ואחת בסופה במקרא מ"ג דוק ותשכח: **אגרונימון.** ר' בנימין מוספיא [במוסף הערוך] ערך הנכתב לעיל (אגרונימון), פירש, בלשון יוני פקיד ממונה על דברי מאכל ועל שער שבשוק: **בחייה של מדינה.** פירוש לכך מזכיר מיני מאכל אצל משה שהוא מאכל כמו עיקר חיי המדינה, גם לקמן (יג, ג) דרשינן גבי זאת החיה, שישראל מזומנים לחיי עולם הבא, והוא חיי עולם:

אם למקרא

מִזְמוֹר לְדָוִד הָבוּ לַה' בְּנֵי אֵלִים הָבוּ לַה' כָּבוֹד וָעֹז: (תהלים כט:א)

וְאִתּוֹ אָהֳלִיאָב בֶּן אֲחִיסָמָךְ לְמַטֵּה דָן חָרָשׁ וְחֹשֵׁב וְרֹקֵם בַּתְּכֵלֶת וּבָאַרְגָּמָן וּבְתוֹלַעַת הַשָּׁנִי וּבַשֵּׁשׁ: (שמות לח:כג)

וְאֶל מֹשֶׁה אָמַר עֲלֵה אֶל ה' אַתָּה וְאַהֲרֹן נָדָב וַאֲבִיהוּא וְשִׁבְעִים מִזִּקְנֵי יִשְׂרָאֵל וְהִשְׁתַּחֲוִיתֶם מֵרָחֹק: (שם כד:א)

מתנות כהונה

[ח] **לבד מואתו אהליאב.** משם והלאה הם השמונה עשר צווים: **דוכסין כו'.** מיני שלטונים הם: **אגרונימן.** פירוש חבר העיר ומנהיג שלהם. ומצאתי פירושו, ממונה על המדות והשערים:

אמרי יושר

[ח] **שמונה עשרה ברכות כנגד שמונה עשרה ציווין.** ואם כן דבר חשוב הוא הזכרתו כאשר צוה ה':

אשד הנחלים

שבין שמונה עשרה חוליות שבשדרה, להשמונה עשרה ציווים, ושמונה עשרה אזכרות שבקריאת שמע. ואחר ההתבוננות בדעת חכמי האמת, נוכל לומר לפי שידוע שכלל המציאות מכונה בשיעור קומה של אדם, עד שהמרכבה העליונה תכונה בשם אדם בכלל, כמו שכתוב ביחזקאל (א, כו) דמות כמראה אדם מלמעלה, וכל פרטי האברים שבאדם הן הן לעומת פרטי כל היצורים העליונים, כנודע, והנה השדרה והחוליות הן הן עמודי ויסודי האדם, והחוליות הם הקשרים המקשרים את גוף האדם להיות בחוברת יחד, והנה המשכן וכל כליו הוא המקום השלם, שעל ידו נשלם השראת השכינה למטה, והשמונה עשרה ציווים הן הן המקשרים השפע למטה, שבעשותו לפי צווי ה' היתה האמצעי שעל ידו שרתה השכינה, והן הן השמונה עשרה אזכרות שבקריאת שמע, ושבהבו לה', המדבר מהשתלשלות הנבראים, ופעולתם והתקשרותם יחד. זאת היא תמצית הכוונה בדרך כלל לאיש מבין, ודי בזה: **לבד מואתו.** כלומר משם והלאה הם השמונה עשרה ציווים (מתנות כהונה). וכל זה שלא ידומה אחרי שאהליאב היה בעזר המעשים האלו, ואלו המעשים היו האמצעים להשראה, ואם כן הוא נכלל גם בדיבור ובקריאה, ולכן כתיב השמונה עשרה ציווים בסוף, להורות שרק עיקר ההשראה היה על ידי כוונת משה, שעשה כאשר צוה ה' כמו שבארתי. וזהו טעם אחר על מה

כָּךְ מֹשֶׁה עָסוּק בְּטָרְחוּת שֶׁל יִשְׂרָאֵל — **So it was with Moses,** who was **occupied with the burdens of Israel,**[148] אָמַר לָהֶן: זוֹ חַיָּה תֹּאכְלוּ וְזוֹ לֹא תֹּאכְלוּ — for **he said to them, "This creature you may eat and this** creature **you may not eat."** "אֶת זֶה תֹּאכְלוּ מִכֹּל אֲשֶׁר בַּמָּיִם וְגוֹ׳" — As Scripture records, Moses told the people, ***This may you eat from everything that is in the water, etc.*** (*Leviticus* 11:9). "וְאֶת אֵלֶּה תְּשַׁקְּצוּ מִן הָעוֹף" — ***These shall you abominate from among the birds*** (ibid., v. 13), אֵלֶּה תְּשַׁקְּצוּ וְאֵלֶּה לֹא תְשַׁקְּצוּ — implying that **these** that are listed **shall you abominate and those** that are not listed **you shall not abominate;** "זֶה לָכֶם הַטָּמֵא" — ***these are the contaminated ones*** *among the teeming animals* (ibid., v. 29), זֶה טָמֵא וְזֶה אֵינוֹ טָמֵא — implying **these** that are listed **are the contaminated ones and those** that are not listed **are not contaminated.**[149] לְכָךְ נֶאֱמַר "וַיִּקְרָא אֶל מֹשֶׁה" — **Therefore, it is stated, *He called to Moses.***[150]

§9 וַיִּקְרָא אֶל מֹשֶׁה — *HE CALLED TO MOSES AND HASHEM SPOKE TO HIM FROM THE TENT OF MEETING.*

The Midrash understands our verse to be making the point that Moses' relationship with God was unique, for God took the initiative to speak to him even though he had not made any special preparations or taken any initiatives to speak to God.[151] The Midrash asks that it seems Moses was *not* unique:

וּלְאָדָם לֹא קָרָא, וַהֲלֹא כְּבָר נֶאֱמַר "וַיִּקְרָא ה׳ אֱלֹהִים אֶל הָאָדָם" — **But did not God call to Adam** even though Adam had not made preparations to speak to God? **Does it not already state** regarding Adam, ***HASHEM God called out to the man?*** (*Genesis* 3:9).[152] אֶלָּא אֵין גְּנַאי לַמֶּלֶךְ לְדַבֵּר עִם אֲרִיסוֹ — **However,** the explanation is that Adam was like God's tenant farmer.[153] Although a tenant farmer may not be particularly worthy, **it is not undignified for the king to** call and **speak with his tenant farmer.**[154]

The Midrash asks another question, this time from Noah: "וַיְדַבֵּר ה׳ אֵלָיו" — Our verse states, *He called to Moses* ***and HASHEM spoke to him.***[155] וְעִם נֹחַ לֹא דִבֵּר, וַהֲלֹא כְּבָר נֶאֱמַר "וַיְדַבֵּר אֱלֹהִים אֶל נֹחַ" — **But did not God speak with Noah** even though Noah had not made preparations to speak to God?[156] **Does it not already state** regarding Noah, ***God spoke to Noah, saying*** (ibid. 8:15)?[157] אֶלָּא אֵין גְּנַאי לַמֶּלֶךְ לְדַבֵּר עִם נַקְדּוֹדוֹ — **However,** the explanation is that Noah was like God's shepherd.[158] Although a shepherd may not be particularly worthy, **it is not undignified for the king to speak with his shepherd.**[159]

The Midrash asks another question, this time from Abraham: "וַיִּקְרָא אֶל מֹשֶׁה" — Our verse states, ***He called to Moses*** *and HASHEM spoke to him.* וּלְאַבְרָהָם לֹא קָרָא, "וַיִּקְרָא מַלְאַךְ ה׳ אֶל אַבְרָהָם" — **But did not God call to Abraham** even though Abraham had not made preparations to speak to God? Does it not already state regarding Abraham: ***The angel of HASHEM called to Abraham,*** *etc.* (ibid. 22:15)?[160] אֶלָּא — **Rather,** Abraham was different than Moses, for he was like the king's host.[161] אֵין גְּנַאי לַמֶּלֶךְ לְדַבֵּר עִם פּוּנְדְּקִי שֶׁלּוֹ — Although a host may not be particularly worthy, **it is not undignified for the king to speak with his host.**[162]

NOTES

148. That is, he took responsibility for the food and drink of the nation; indeed, he was the one who brought them the manna, the quail for meat, and the well for water (ibid.). Furthermore, he taught them which animals, birds, fish, and teeming animals are permitted for consumption and which are prohibited, as the Midrash goes on to explain (see, however, note 150).

149. The Midrash is saying that while Scripture records only the *unkosher* birds and teeming animals, it is clear by inference from the word *these* in the two verses that God showed Moses the kosher ones, too [and Moses also had to teach Israel about *them*]. Thus, Moses' "burdens" were great indeed (*Eitz Yosef*). See, however, next note.

150. That is, God spoke to Moses [as a reward] because he was the one who took responsibility for arranging the food needs of the people (see ibid., s.v. עם מי מדבר and s.v. זו חיה תאכלו). Alternatively: *Maharzu* writes that because Moses was the person who always saw to the food needs of the people, God conveyed the laws regarding kosher and nonkosher animals to him so that he could continue providing for them *further.* (Those laws were conveyed to him on the same day that God "called to Moses" in our verse. See note 145.) [According to *Maharzu*, the fact that Moses taught the people the laws of kosher animals does *not* serve as an example of the burdens that Moses took upon himself to provide for the food needs of the people (as presented in note 148); and God's speaking to him in our verse does not serve as a reward for doing so (as explained according to *Eitz Yosef's* approach).]

For a completely different approach to our Midrash, see *Eshed HaNechalim.*

151. *Eitz Yosef.* Cf. *Eshed HaNechalim.*

152. God called to Adam after he had eaten from the Tree of Knowledge. At that time, not only was Adam not seeking to speak to God, he was actually hiding from Him (ibid., v. 8)! What then is unique about Moses?

153. For God had placed Adam in the Garden of Eden *to work it and to guard it* (ibid. 2:15). See next note.

154. Although God called to Adam to speak to him, it was not because He had a special relationship with him as He had with Moses. Just as a king will speak to his tenant farmer and will not feel that he is acting in an undignified manner by doing so, so did God speak with Adam (*Eitz Yosef*). [It would seem that God's word to Adam — excoriating him for having eaten of the Tree of Knowledge — was not related to Adam's role as God's tenant farmer (ibid.). However, according to the Sages, *to work it* refers to the positive commandments, and *to guard it* refers to the negative commandments (*Batei Midrashos, Chelek* 2, *Likkutei Midrashim*; see also *Pirkei DeRabbi Eliezer* §11 and *Yalkut Shimoni, Bereishis* §22). Accordingly, God's speaking to Adam about his having violated the command not to eat from the Tree of Knowledge was very much related to Adam's role as God's tenant farmer (*Eshed HaNechalim, Anaf Yosef*).

155. Which implies that Moses was unique, as explained above.

156. [Although the Midrash above focused on God's "calling" Moses, and here quotes God's "speaking" to Moses, the Midrash is *not* distinguishing between these two terms; it takes them as one and the same (*Eitz Yosef*; see, however, *Eshed HaNechalim*).]

157. In this verse, God spoke to Noah and commanded him to leave the Ark. Here, likewise, Noah had not been seeking to speak with God (*Eitz Yosef*).

158. Noah is considered God's shepherd because God had given him the responsibility of caring for all His creatures that were in the Ark (ibid.).

159. Although God initiated His conversation with Noah, this was not because He had a special relationship with him as He had with Moses. Just as a king will speak to his shepherd and will not feel that he is acting in an undignified manner by doing so, so did God speak with Noah. [Indeed, God's word to Noah was related to Noah's role as His shepherd, for God was telling him that he, together with all the animals, could leave the Ark.]

160. In this passage, God tells Abraham not to slaughter Isaac. Now although it would seem from this verse that it was the *angel* speaking to Abraham here, and not God (see also Midrash below) — in which case the difference between Abraham and Moses is very clear — the Midrash understands that the words in the verse that follows (v. 16), *By Myself I swear — the word of God, etc.,* are God's words and not the angel's (*Anaf Yosef*; see *Eshed HaNechalim* and *Yedei Moshe* for other approaches). [*Anaf Yosef* writes that this explains as well why the Midrash does not cite *Genesis* 22:11, which states, *an angel of HASHEM called to him from heaven*, for in *that* verse it was indeed an angel, and not God, who spoke to Abraham. (And for the same reason, the Midrash does not ask a question from Hagar, about whom ibid. 21:17 states *and an angel of God called to Hagar.*)]

161. Abraham is considered God's host because God had no other place to cause His Divine Presence to rest, since the rest of the world worshiped idols (*Maharzu, Eshed HaNechalim*), and He often caused His *Shechinah* to rest in the tent of Abraham (see *Genesis* 18:1; see also ibid. 17:22, which is expounded in *Bereishis Rabbah* 47 §6 to mean that Abraham's very body served as God's chariot) (*Eitz Yosef*).

Alternatively: The Sages (*Bereishis Rabbah* 54 §6, *Sotah* 10a-b) interpret the verse, *He planted an "Eshel" in Beer-sheba and there he proclaimed the Name of HASHEM* (*Genesis* 21:33) to mean that Abraham had built an inn for lodging [and through giving people to eat and drink he would bring them to recognize the existence of the Creator; thus Abraham was considered "God's host"] (*Matnos Kehunah*).

162. Although God called to Abraham to speak to him, it was not because

כך משה עסוק בטרחות של ישראל, אמר להן: זו חיה תאכלו וזו לא תאכלו (ע' ויקרא יא ב), (שם שם ט) "את זה תאכלו מכל אשר במים וגו'", (שם שם יג) "ואת אלה תשקצו מן העוף", אלה תשקצו ואלה לא תשקצו, (שם שם כט) "וזה לכם הטמא", זה טמא וזה אינו טמא, לכך נאמר [א, א] "ויקרא אל משה":

ט [א, א] "ויקרא אל משה", ולאדם לא קרא, והלא כבר נאמר (בראשית ג, ט) "ויקרא ה' אלהים אל האדם", אלא אין גנאי למלך לדבר עם אריסו. [א, א] "וידבר ה' אליו", ועם נח לא דבר, והלא כבר נאמר (בראשית ח, טו) "וידבר אלהים אל נח", אלא אין גנאי למלך לדבר עם נקדודו, [א, א] "ויקרא אל משה", ולאברהם לא קרא, (בראשית כב, טו) "ויקרא מלאך ה' אל אברהם", אלא אין גנאי למלך לדבר עם פונדקי שלו.

עץ יוסף

זו חיה תאכלו כו'. ומכיון דהוה לריך לדעת מיני מאכלים, הוי ליה כממונה בחיי המדינה, שמתעסק במזונותיהם: **ואלה לא תשקצו.** שאף על פי שלא נזכרו בעופות ובשרלים אלא הטמאים, דייק מדכתיב אלה שהראה ה' למשה גם הטהורים, ואם כן היתה טרחתו מרובה: **(ט) ולאדם לא קרא.** דסבירא ליה דויקרא אל משה אתא לאשמועינן, דהקדוש ברוך הוא קראו מעלמו לדבר עמו, אף שלא בא משה רבינו עליו השלום אל האהל, ולא הכין עלמו לקבל הדבור, כמו שקורא לאדם ההולך לדרכו, וזו מעלה גדולה שלא היתה לו עד עכשיו, שכל הקריאות שעד עכשיו היתה כשהיה משה רבינו עליו השלום מתעסק להקביל פני השכינה. והוקשה לו לפי שיטתו מאדם שקראו ה', עם היותו בלתי משחר פני ה', אדרבה היה מתחבא מפני ה', ולכן היה לו להמתין עד שהוא יבקש פניו, או שהוא לא ידבר עמו כלל אלא יודיעהו ענשו על ידי שליח, ומשני אין גנאי למלך לדבר עם אריסו, שדרכו לדבר עמו תמיד ואין גנאי שיקראהו המלך מעלמו לדבר עמו, ואדם היה אריס דכתיב (בראשית ב, טו) ויניחהו בגן עדן לעבדה ולשמרה, ואף על גב דהשתא לאו בענין אריסותיה דבר עמו, כיון דהיה רגיל לדבר עמו קראו עכשיו. ועיין בענף: **ועם נח לא דבר.** דוידבר ה' אליו ויקרא אל משה, כוליה חד ענינא הוא, דאתא למימר שה' קראו ודבר עמו מבלי שקדם משה לבקש הדבור, ואם כן קשה דמאי רבותיה, הלא גם בנח דבר לומר לו לא מן התבה, מבלי שקדם נח לבקש מלפניו: **עם נקדודו.** פירוש רועהו, מלשון (עמוס א, א) אשר היה בנוקדים, ונח היה רועה שמסר בידו כל הבעלי חיים בתיבה לפרנסם: **עם פונדקי.** וקרי לאברהם פונדקי, משום שה' היה רגיל להשרות שכינתו באהל אברהם, כאומרו (בראשית יח, א) וירא אליו ה' באלוני ממרא והוא יושב פתח האהל, ועוד כתיב (בראשית לה, יג) ויעל מעליו אלהים, ואמר לעיל בבראשית רבה (מז, ח) מכאן שהאבות הן המרכבה, ולכן דומה לפונדקי שרגיל המלך לשהות אללו ולבו גם בו לדבר עמו, אבל משה עד עכשיו לא שרתה שכינה באהלו אלא בסנה וסיני שהוא מקום השכינה היה מדבר עמו:

פירוש מהרז"ו

(ט) כך משה עסוק בטרחות. בטורח חיותם ומזונותם, הוריד להם המן, הגיז להם השליו והבאר, וכמו במשל שהשר שעוסק תמיד להעמיד מזון לבני המדינה, על פי המלך, וכשנכנס המלך למדינה מדבר עם השר אופנים להיטיב מעמד בני המדינה בפרנסתם, וכן בנמשל כשנכנס לאוהל מועד, דיבר עם משה שעוסק כבר במזונותם להיטיב עוד להם, בפרשת שמיני על מחייתם בחיות ועופות, שהרי פרשת חיה ועוף נאמר לאלעזר ולאיתמר לשכר על ששתקו, ביום השמיני במיתת נדב ואביהוא, וקבלו בשמחה, ועל שקבלו תוכחת משה, וכמו שכתב לקמן (יג, א), ולכך קרא למשה, שכל עילוי גדולת משה הכל בעבור ישראל, כמו שכתוב ריש מכילתא וריש תורת כהנים (פרק ב) וכמו שכתוב שמות רבה (מב, ב) באריכות: **אני אני דברתי.** והיכן היה כן ופירש בפסוק הסמוך (פסוק טז), קרבו אלי שמעו זאת לא מראש בסתר דברתי, היינו בסיני שלא היה בסתר כי אם בגלוי לכל העולם, כמו שכתוב במכילתא, ואז קרא ודבר עם משה בעצמו כו', ומה שכתב שתי פעמים אני, כאלו מפורש אני קראתיו אף אני דברתי, על פי מדה ל"א, שתחלה קוראים ואחר כך מדברים, וזהו שכוון המדרש במה שכתב אמר הקב"ה אני הוא הקורא ואני המדבר. גם כוון הפסוק לפי סידורו אף קראתיו, כמו שכתוב המדבר שאל אברהם קרא המלאך, אך במשה אף קראתיו בעצמו כו', וכן במשכן כשדבר עמו בסתר היה גם כן באופן זה. עיין במדבר רבה (א, ג) ושם נבאר: **עם הפונדקי שלו.** עיין מתנות כהונה. גם כלל בזה שהיה בעצמו פונדקי של הקב"ה, שלא היה אז להקב"ה מקום להשרות שכינתו כי אם בבית אברהם. ועיין השלמת הדברים שמות רבה (ל, ט) ובשיר השירים רבה סוף פסוק ישקני, ההפרש הגדול בין הדיבור של אדם ונח ואברהם, ובין הדיבור שהיה למשה לצורך כל ישראל והתורה והמצות כולם:

ענף יוסף

(ט) לדבר עם אריסו. קרא לאדם הראשון אריס, הוא מפני שהאדם ניתן למטה בארץ לעבוד ולשמור מלות ה', ולהיות בעזר להשראת השכינה למטה בארץ, ואדם ניתן בגן עדן לעבדה ולשמרה, וכמו שאמרו חכמינו ז"ל לעבדה במלות עשה, ולשמרה במלות לא תעשה, ולכן קרא לו אריס, ומגלה דבר עמו ה' בענין האריסות, שלא שמר אריסותו כראוי, שעבר ואכל מעץ הדעת: **ולאברהם לא קרא ויקרא מלאך ה' אל אברהם.** קשה מאי קשה ליה, הא במשה היה הקריאה על ידי הקדוש ברוך הוא בעצמו, ובאברהם היה על ידי מלאך, וכמו שאמר המדרש לקמן. ועוד קשה למה לא מקשה המדרש מהקראה הקודם, דכתיב שם ויקרא אליו מלאך ה' מן השמים וגו' ויאמר אל תשלח ידך אל הנער וגו'. לכן נראה שכך לריך לומר ויקרא אל משה וגו' ולאברהם לא דבר ויקרא מלאך ה' אל אברהם וגו'. ורלה לומר שקשה ליה, דמאי רבותיה דכתיב במשה, ויקרא אל משה וידבר ה' אליו, מבלי שקדם משה לבקש הדבור, הא באברהם גם כן כתיב, ויקרא מלאך ה' אל אברהם וגו' ויאמר בי נשבעתי, ולשון בי נשבעתי מורה שהדבור היה על ידי הקדוש ברוך הוא בעצמו, וכמו שאמר המדרש לקמן בסמוך, והיה לו להמתין מלומר לו בשורה זו עד שיכין עצמו לבקש הדבור, ולכן לא הביא המדרש הפסוק הקודם, משום ששם היה גם הדיבור על ידי המלאך. ובזה מתורץ דלא פריך מהגר דכתיב (בראשית כא יז) ויקרא מלאך אלהים אל הגר, משום דהתם גם כן היה הדבור על ידי המלאך, כמדויק שם בפסוק, ויאמר לה מה לך הגר אל תיראי כי שמע אלהים אל קול הנער וגו':

אם למקרא

את זה תאכלו מכל אשר במים כל אשר לו סנפיר וקשקשת במים בימים ובנחלים אתם תאכלו: (ויקרא יא:ט)

ואת אלה תשקצו מן העוף לא יאכלו שקץ הם את הנשר ואת הפרס ואת העזניה: (שם שם יג)

וזה לכם הטמא בשרץ השרץ על הארץ החלד והעכבר והצב למינהו: (שם שם כט)

ויקרא ה' אלהים אל האדם ויאמר לו איכה: (בראשית ג:ט)

וידבר אלהים אל נח לאמר: (שם ח:טו)

ויקרא מלאך ה' אל אברהם שנית מן השמים: (שם כב:טו)

באור מהרי"פ

[ט] ויקרא ולא באברהם וכו'. הוא כמו דבר אחר:

אמרי יושר

[ט] ויקרא אל משה. ואף על פי שקרא לאדם הראשון, היה זה דיבור הכרחי לייסרו שהיה אריסו, לא כמשה להדריכו ולגוותו תורה אלהית:

ידי משה

[ט] אין גנאי למלך שידבר עם פונדקי. לא חש המדרש לתרץ, כמו שאמר אחר זה לא כאברהם וכו', אלא שבא לתרץ לשון ויקרא, שיהיה חידוש גבי משה, ולא כאברהם הוא דרש בפני עצמו. וקל להבין:

מתנות כהונה

[ט] לדבר עם אריסו. ואדם אריסו היה, שהניחו תוך הגן לעבדה ולשמרה, וזה אינו חידוש שמדבר עמו: **נקדודו.** בעל מקנה נקרא כן, כמה דאת אמר (מלכים ב, ג, ד) ומשע מלך מואב היה נוקד, וכן דברי עמוס (עמוס א, א) אשר היה בנוקדים, וכן נח הכניס כל מין חיות ובהמות ופרנסן, בלוויו של הקב"ה: **פונדקי שלו.** דכתיב (בראשית כא, לג) ויטע אשל ויקרא שם בשם ה', ואמרו חז"ל (סוטה י, א) אשל בית אכסניא:

אשד הנחלים

שכתוב כאן ויקרא, לפי שהיתה מלאכת המשכן על ידי אהליאב, דימה משה שגם אליו תהיה ההשראה בשוה, עד שקרא אליו לבדו: **עם מי כו' עסוק בטרחות.** מה שהוצרכו לתת סיבה מפני שעסק בטרחות, ולא אמרו כפשוטו מפני מעלתו שהיה גדול מכולם. הוא מפני שאמרו שבצלאל גם כן כיוון במלאכת המשכן בכוונתו הגדולה על מתכונתו, כמו שאמרו בבצלאל (ברכות נה, א) שמא בצל אל היית, אך פעולת המעשים הגדולים, היה לבד במשה יותר מכולם. ומה שאחז רק במצות המינים הטהורים והטמאים, לפי שהמאכלים הטהורים הן המה העקרים שעל ידם יתקדש האדם במאכלו, ויהיה טהור מוכן לקבל ההשראה, וכן להיפך המינים הטמאים המה המטמטמים את נפש האדם, ולכן כתוב בהם שקץ, ולכן הזהיר משה על זה תיכף אחרי שכלה לצוות את מעשי המשכן והקרבנות, שאז החלה השראת השכינה בישראל. ולכן הוא אומר כי מלבד מעשי המשכן שהיה האמצעי להשראה, עוד מצורף לזה היה זה גם כן עזר להשראה, ואי אפשר מבלעדי זה, ולכן לא היתה הקריאה רק אליו כי היתה נבואתו גדולה לדעת גם זאת, והבן זה מאוד: **[ט] ולאדם לא קרא.** מפני שלעיל העירו על מלת הקריאה שהיא גדולה במעלת הנבואה מאוד, עד שאפילו משה שהיה הדיבור בו בתמידות, עם כל זה היתה אליו הקריאה, ואם כן היה לכאורה מן הפלא, הלא אדם הראשון תיכף אחרי החטא נאמר אליו מלת הקריאה. ומפרש מפני שאין זה גנאי לדבר עם אריסו, וכלומר אף שהיה אחרי החטא, עם כל זה אחר שהוא אריס יציר כפיו של הקב"ה, ולכן היתה השגתו גדולה אף אחרי החטא. ומה שקראו אריסו שהוא העוסק בשדה אחר באריסות ועמל בו לזורעו ולהצמיחו, הוא מפני שהאדם ניתן למטה בארץ לעבוד ולשמור מצוות ה', ולהיות בעזר להשראת השכינה למטה בארץ, ואדם ניתן בגן עדן לעבדה ולשמרה, וכמו שאמרו חז"ל (זוהר ח"א כז, א) לעבדה במצות עשה ולשמרה בחצות לא תעשה, ולכן קרא לו אריס: **ועם נח לא דיבר.** כי מלת דיבור היא נבואה יותר גדולה מאמירה, מה שלא מצאנו בשאר נביאים כי אם אמירה, ואיך יתכן שנח היה גדול מכולם, ולכן מפרש שמפני מעשיו הגדולים זכה לזה: **ולאברהם לא קרא כו'.** אף ששם היה על ידי מלאך, ואם כן אינו דומה להקריאה הנאמר במשה, עם כל זה אחר שלא מצאנו שיכונה בשם קריאה על ידי מלאך רק באברהם, ומפרש מפני שהיה פונדקו. והכוונה בפונדקו שהבעל הבית יתאכסן בו תמיד, כי אין לו מקום אחר להתאכסן כי אם אצלו, וכן אברהם בדורו, שכולם לא הכירו כבוד ה' כי אם הוא לבדו, ולכן לא היה ה' מתקרב כי אם אליו, ולכן זכה לכל זה. וחשב שלש סבות מה שיתכן שיהיה האדם זוכה לנבואה למעלה מערכו, או שיהיה גדול בהשגה בטבע כאדם הראשון, או שיהיה פועל תועליות גדולות מאוד כנח, או מצד שהוא נבחר שאין כמוהו בדורו כאברהם:

NOTES

He had a special relationship with him as He had with Moses. Just as a king will speak to his host and will not feel that he is acting in an undignified manner by doing so, so did God speak with Abraham.

See Insight Ⓐ.

INSIGHTS

Ⓐ **Paths to Perfection** *R' Aharon Leib Shteinman* explains our Midrash differently. Our verse indicates that God's "calling" and "speaking" to Moses was of a special nature. As *Rashi* (on 1:1) comments, it was an expression of fondness – an expression that the ministering angels use to call to one another. God was especially close to Moses — the greatest repository of Torah, which God had revealed to him.

The implication is that God is not as close to those of lesser attainments in Torah. Thus the Midrash asks: But we find these same expressions of God's closeness used in reference to Adam, Noah, and Abraham, who — despite their greatness — did not possess a greatness in Torah comparable to that of Moses! True, the Torah had not been given to them nor had it been fully revealed in their times. Still, the fact remains that they did not possess Moses' greatness in Torah. How, then, do we account for these same expressions of fondness used in regard to them?

The Midrash's answer seems cryptic: It is no embarrassment for a king to speak with his tenant farmer, his shepherd, or his host. What does this mean?

R' Moshe Chaim Luzzatto writes at the end of Chapter 26 of *Mesillas Yesharim*: "And that person can be a חָסִיד גָּמוּר (consummately pious individual) who, because of his need, performs menial work, just as one who does not stop learning for even a moment. And it is written (*Proverbs* 16:4), *Everything HASHEM made [He made] for His sake*. And it is stated (ibid. 3:6): *In all your ways, know Him, and He will smooth your paths." Ramchal* is saying that although the clearest path to spiritual perfection is through unceasing involvement in Torah study, still one can be a *chassid gamur* even if he works at menial tasks. This is what is meant by *"In all your ways," know Him*.

If one engages in his work knowing that there are commandments from God governing that work, and scrupulously fulfilling those commandments, then the very work in which he is engaged is a means through which he can attain the perfection of a *chassid gamur*.

The Gemara (*Taanis* 23b) tells of Abba Chilkiyah, a scholar whose circumstances forced him to toil as a paid laborer from morning to night. His manner of work was a model of scrupulous Torah observance; he was so careful not to steal from his employer that he did not even respond to the greetings of his friends so as not waste the time for which his employer was paying him. Thus, the manual labor in which he was engaged itself became the vehicle for supreme service of God.

Surely, one who is able to devote himself exclusively to Torah study should follow that path to spiritual perfection. But if one must work, he must also know that *any* work, when performed with adherence to the Torah, can lead one to become a *chassid gamur*. This is what the Midrash means with its answer that it is not an embarrassment for a king to speak with his tenant farmer, his shepherd, or his host. The Torah was *not* revealed to Adam, Noah, or to Abraham as it was to Moses. Adam, Noah, and Abraham could *not* attain their perfection in the manner of Moses. But Adam was *His* tenant farmer, Noah was *His* shepherd, and Abraham was *His* host. They engaged in their respective activities to fulfill the will of their King through *their* occupations. And in that manner, they attained their perfection — and found favor before God, Who called to them in love.

The story is told of a group of yeshivah students who were summoned before the draft board of the Russian army. They came to the *Chafetz Chaim* to obtain a blessing that they be rejected from military service. He blessed each one of them that they be released, except for one. To that lone student, the *Chafetz Chaim* turned and said, "So what if one is drafted into the army? Even there one can achieve for Torah Judaism."

Indeed, all of them were released from the draft except for that one student, who was sent to a distant location in Russia. Since all of the army food was nonkosher, that yeshivah student went to the local Rav to complain that he had nothing to eat. The Rav called together the people of the town, who made arrangements for a kosher army kitchen. As a result of that arrangement, not only did that one drafted yeshivah student eat kosher, but so did many other Jewish soldiers in the local army units. Indeed, that student came to appreciate the near-prophetic vision of the *Chafetz Chaim*: Even in the Russian army, one can achieve for Torah Judaism.

There are many paths to God, all of them charted by the Torah. No matter what path one's circumstances in life place him upon, that path can lead him to the summit of spiritual perfection. And it is his obligation to follow that path to its lofty destination (*Yemalei Pi Tehilasecha* II, p. 314).

כך משה עסוק בטרחות של ישראל, אמר להן: זו חיה תאכלו וזו לא תאכלו (ע' ויקרא יא ב), "את זה תאכלו מכל אשר במים וגו'" (שם שם ט), "ואת אלה תשקצו מן העוף", אלה תשקצו ואלה לא תשקצו, (שם שם יג) "וזה לכם הטמא", זה טמא וזה אינו טמא, לכך נאמר [א, א] "ויקרא אל משה":

ט [א, א] "ויקרא אל משה", ולאדם לא קרא, והלא כבר נאמר (בראשית ג, ט) "ויקרא ה' אלהים אל האדם", אלא אין גנאי למלך לדבר עם אריסו. [א, א] "וידבר ה' אליו", ועם נח לא דבר, והלא כבר נאמר (בראשית ח, טו) "וידבר אלהים אל נח", אלא אין גנאי למלך לדבר עם נקדודו, [א, א] "ויקרא אל משה", ולאברהם לא קרא, (בראשית כב, טו) "ויקרא מלאך ה' אל אברהם", אלא אין גנאי למלך לדבר עם פונדקי שלו.

עץ יוסף

זו חיה תאכלו כו'. ומכיון דהוה לריך לדעת מיני מאכלים, הוי ליה כממונה בחיי המדינה, שמתעסק במזונותיהם: **ואלה לא תשקצו.** שאף על פי שלא נזכרו בעופות ובשרלים אלא הטמאים, דייק מדכתיב אלה שהראה ה' למשה גם הטהורים, ואם כן היתה טרחתו מרובה: **(ט) ולאדם לא קרא.** דסבירא ליה דויקרא אל משה אתא לאשמועינן, דהקדוש ברוך הוא קראו מעלמו לדבר עמו, אף שלא בא משה רבינו עליו השלום אל האהל, ולא הכין עלמו לקבל הדבור, כמו שקורא לאדם ההולך לדרכו, וזו מעלה גדולה שלא היתה לו עד עכשיו, שכל הקריאות שעד עכשיו היתה כשהיה משה רבינו עליו השלום מתעסק להקביל פני השכינה. והוקשה לו לפי שיטתו מאדם שקראו ה', אדרבא היה מתחבא מפני ה', ולכן היה לו להמתין עד שהוא יבקש פניו, או שהוא לא ידבר עמו כלל אלא יודיעו ענשו על ידי שליח, ומשני אין גנאי למלך לדבר עם אריסו, שדרכו לדבר עמו תמיד ואין גנאי שיקראנו המלך מעלמו לדבר עמו, ואדם היה אריס דכתיב (בראשית ב, טו) ויניחהו בגן עדן לעבדה ולשמרה, ואף על גב דהשתא לאו בענין אריסותיה דבר עמו, כיון דהיה רגיל לדבר עמו קראו עכשיו. ועיין בענף: **ועם נח לא דבר.** דוידבר ה' אליו ויקרא אל משה, כוליה חד ענינא הוא, דאתא למימר שה' קראו ודבר עמו מבלי שקדם משה לבקש הדבור, ואם כן קשה דמאי רבותיה, הלא גם בנח דבר לומר לו לא מן התבה, מבלי שקדם נח לבקש מלפניו: **עם נקדודו.** פירוש רועהו, מלשון (עמוס א, א) אשר היה בנוקדים, ונח היה רועה שמסר בידו כל הבעלי חיים בתיבה לפרנסם: **עם פונדקי.** וקרי לאברהם פונדקי, משום שה' היה רגיל להשרות שכינתו באהל אברהם, כאומרו (בראשית יח, א) וירא אליו ה' באלוני ממרא והוא יושב פתח האהל, ועוד כתיב (בראשית לה, יג) ויעל מעליו אלהים, ואמר לעיל בבראשית רבה (מז, ח) מכאן שהאבות הן המרכבה, ולכן דומה לפונדקי שרגיל המלך לשהות אצלו ולבו גם בו לדבר עמו, אבל משה עד עכשיו לא שרתה שכינה באהלו אלא בסנה וסיני שהוא מקום השכינה היה מדבר עמו:

פירוש מהרז"ו

(ט) כך משה עסוק בטרחות. בטורח חיותם ומזונותם, הוריד להם המן, הגיז להם השליו והבאר, וכמו במשל שהשר שעוסק תמיד להטמיד מזון לבני המדינה, על פי המלך, וכשנכנס המלך למדינה מדבר עם השר אופנים להיטיב מעמד בני המדינה בפרנסתם, וכן בנמשל כשנכנס לאוהל מועד, דיבר עם משה שעוסק כבר במזונותם להיטיב עוד להם, בפרשת שמיני על מחייתם בחיות ועופות, שהרי פרשת חיה ועוף נאמר לאלעזר ואיתמר לשכר על ששתקו, ביום השמיני במיתת נדב ואביהוא, וקבלו בשמחה, ועל שקבלו תוכחת משה, וכמו שכתב לקמן (יג, א), ולכך קרא למשה, שכל עילוי גדולת משה הכל בעבור ישראל, כמו שכתוב ריש מכילתא וריש תורת כהנים (פרק ב) וכמו שכתוב שמות רבה (מב, ג) באריכות: **אני אני דברתי.** והיכן היה כן ופירש בפסוק הסמוך (פסוק טז), קרבו אלי שמעו זאת לא מראש בסתר דברתי, היינו בסיני שלא היה בסתר כי אם בגלוי לכל העולם, כמו שכתוב במכילתא, ואז קרא ודבר עם משה בעצמו כו', ומה שכתב שתי פעמים אני, כאלו מפורש אני קראתיו אף אני דברתי, על פי מדה ל"א, שתחלה קוראים ואחר כך מדברים, וזהו שכוון המדרש במה שכתב אמר הקב"ה אני הוא הקורא ואני המדבר. גם כוון הפסוק לפי סידורו אף קראתיו, כמו שכתוב המדבר שאל אברהם קרא המלאך, אך במשה אף קראתיו בעצמו כו', וכן במשכן כשדבר עמו בסתר היה גם כן באופן זה. עיין במדבר רבה (א, ג) ושם נכתב: **עם הפונדקי שלו.** עיין מתנות כהונה. גם כלל בזה שהיה בעצמו פונדקי של הקב"ה, שלא היה אז להקב"ה מקום להשרות שכינתו כי אם בבית אברהם. ועיין השלמת הדברים שמות רבה (ל, ט) ובשיר השירים רבה סוף פסוק ישקני, ההפרש הגדול בין הדיבור של אדם ונח ואברהם, ובין הדיבור שהיה למשה לצורך כל ישראל והתורה והמצות כולם:

מתנות כהונה

[ט] לדבר עם אריסו. ואדם אריסו היה, שהניחו תוך הגן לעבדה ולשמרה, וזה אינו חידוש שמדבר עמו: **נקדודו.** בעל מקנה נקרא כן, כמה דאת אמר (מלכים ב, ג, ד) ומשע מלך מואב היה נוקד, וכן דברי עמוס (עמוס א, א) אשר היה בנוקדים, וכן נח הכניס כל מין חיות ובהמות ופרנסן, בלוויו של הקב"ה: **פונדקי שלו.** דכתיב (בראשית כא, לג) ויטע אשל ויקרא שם בשם ה', ואמרו חז"ל (סוטה י, א) אשל בית אכסניא:

אשד הנחלים

שכתוב כאן ויקרא, לפי שהיתה מלאכת המשכן על ידי אהליאב, דימה משה שגם אליו תהיה ההשראה בשוה, עד שקרא אליו לבדו: **עם מי כו' עסוק בטרחות.** מה שהוצרכו לתת סיבה מפני שעסק בטרחות, ולא אמרו כפשוטו מפני מעלתו שהיה גדול מכולם. הוא מפני שאמרו שבצלאל גם כן כיוון במלאכת המשכן בכוונתו הגדולה על מתכונתו, כמו שאמרו בבצלאל (ברכות נה, א) שמא בצל אל היית, אך פעולת המעשים הגדולים, היה לבד במשה יותר מכולם. ומה שאחז רק במצות המינים הטהורים והטמאים, לפי שהמאכלים הטהורים הן המה העקרים שעל ידם יתקדש האדם במאכלו, ויהיה טהור מוכן לקבל ההשראה, וכן להיפך המינים הטמאים המה המטמטמים את נפש האדם, ולכן כתוב בהם שקץ, ולכן הזהיר משה על זה תיכף אחרי שכלה לצוות את מעשי המשכן והקרבנות, שאז החלה השראת השכינה בישראל. ולכן הוא אומר כי מלבד מעשי המשכן שהיה האמצעי להשראה, עוד מצורף לזה היה זה גם כן עזר להשראה, ואי אפשר מבלעדי זה, ולכן לא היתה הקריאה רק אליו כי היתה נבואתו גדולה לדעת גם זאת, והבן זה מאוד: **[ט] ולאדם לא קרא.** מפני שלעיל העירו על מלת הקריאה שהיא גדולה במעלת הנבואה מאוד, עד שאפילו משה שהיה הדיבור בו בתמידות, עם כל זה היתה אליו הקריאה, ואם כן היה לכאורה מן הפלא, הלא אדם הראשון תיכף אחרי החטא נאמר אליו מלת הקריאה. ומפרש מפני שאין זה גנאי לדבר עם אריסו, וכלומר אף שהיה אחרי החטא, עם כל זה אחר שהוא אריס יציר כפיו של הקב"ה, ולכן היתה השגתו גדולה אף אחרי החטא. ומה שקראו אריסו שהוא העוסק בשדה אחר באריסות ועמל בו לזורעו ולהצמיחו, הוא מפני שהאדם ניתן למטה בארץ לעבוד ולשמור מצוות ה', ולהיות בעזר להשראת השכינה למטה בארץ, ואדם ניתן בגן עדן לעבדה ולשמרה, וכמו שאמרו חז"ל (זוהר ח"א כז, א) לעבדה במצות עשה ולשמרה בחצות לא תעשה, ולכן קרא לו אריס: **ועם נח לא דיבר.** כי מלת דיבור היא נבואה יותר גדולה מאמירה, מה שלא מצאנו בשאר נביאים כי אם אמירה, ואיך יתכן שנח היה גדול מכולם, ולכן מפרש שמפני מעשיו הגדולים זכה לזה: **ולאברהם לא קרא כו'.** אף ששם היה על ידי מלאך, ואם כן אינו דומה להקריאה הנאמר במשה, עם כל זה אחר שלא מצאנו שיכונה בשם קריאה על ידי מלאך רק באברהם, ומפרש מפני שהיה פונדקו. והכוונה בפונדקו שהבעל הבית יתאכסן בו תמיד, כי אין לו מקום אחר להתאכסן כי אם אצלו, וכן אברהם בדורו, שכולם לא הכירו כבוד ה' כי אם הוא לבדו, ולכן לא היה ה' מתקרב כי אם אליו, ולכן זכה לכל זה. וחשב שלש סבות מה שיתכן שיהיה האדם זוכה לנבואה למעלה מערכו, או שיהיה גדול בהשגה בטבע כאדם הראשון, או שיהיה פועל תועליות גדולות מאוד כנח, או מצד שהוא נבחר שאין כמוהו בדורו כאברהם:

ענף יוסף

(ט) לדבר עם אריסו. קרא לאדם הראשון אריס, הוא מפני שהאדם ניתן למטה בארץ לעבוד ולשמור מצות ה', ולהיות בעזר להשראת השכינה למטה בארץ, ואדם ניתן בגן עדן לעבדה ולשמרה, וכמו שאמרו חכמינו ז"ל לעבדה במצות עשה, ולשמרה במצות לא תעשה, ולכן קרא לו אריס, ומצא דבר עמו ה' בענין האריסות, שלא שמר אריסותו כראוי, שעבר ואכל מעץ הדעת: **ולאברהם לא קרא ויקרא מלאך ה' אל אברהם.** קשה מאי קשה ליה, הא במשה היה הקריאה על ידי הקדוש ברוך הוא בעצמו, ובאברהם היה על ידי מלאך, וכמו שאמר המדרש לקמן. ועוד קשה למה לא מקשה המדרש מהקרא הקודם, דכתיב שם ויקרא אליו מלאך ה' מן השמים וגו' ויאמר אל תשלח ידך אל הנער וגו'. לכן נראה שכך לריך לומר ויקרא אל משה וגו' ולאברהם לא דבר ויקרא מלאך ה' אל אברהם וגו'. ורלה לומר שקשה ליה, דמאי רבותיה דכתיב במשה, ויקרא אל משה וידבר ה' אליו, מבלי שקדם משה לבקש הדבור, הא באברהם גם כן כתיב, ויקרא מלאך ה' אל אברהם וגו' ויאמר בי נשבעתי, ולשון בי נשבעתי מורה שהדבור היה על ידי הקדוש ברוך הוא בעלמו, [כמו שאמר המדרש לקמן בסמוך], והיה לו להמתין מלומר לו בשורה זו עד שיכין עלמו לבקש הדבור, ולכן לא הביא המדרש הפסוק הקודם, משום ששם היה גם הדיבור על ידי המלאך. ובזה מתורץ דלא פריך מהגר דכתיב (בראשית כא יז) ויקרא מלאך אלהים אל הגר, משום דהתם גם כן היה הדבור על ידי המלאך, כמדויק שם בפסוק, ויאמר לה מה לך הגר אל תיראי כי שמע אלהים אל קול הנער וגו':

אם למקרא

אֶת זֶה תֹּאכְלוּ מִכֹּל אֲשֶׁר בַּמָּיִם כֹּל אֲשֶׁר לוֹ סְנַפִּיר וְקַשְׂקֶשֶׂת בַּמַּיִם בַּיַּמִּים וּבַנְּחָלִים אֹתָם תֹּאכֵלוּ:
(ויקרא יא:ט)

וְאֶת אֵלֶּה תְּשַׁקְּצוּ מִן הָעוֹף לֹא יֵאָכְלוּ שֶׁקֶץ הֵם אֶת הַנֶּשֶׁר וְאֶת הַפֶּרֶס וְאֵת הָעָזְנִיָּה:
(שם שם יג)

וְזֶה לָכֶם הַטָּמֵא בַּשֶּׁרֶץ הַשֹּׁרֵץ עַל הָאָרֶץ הַחֹלֶד וְהָעַכְבָּר וְהַצָּב לְמִינֵהוּ:
(שם שם כט)

וַיִּקְרָא ה' אֱלֹהִים אֶל הָאָדָם וַיֹּאמֶר לוֹ אַיֶּכָּה:
(בראשית ג:ט)

וַיְדַבֵּר אֱלֹהִים אֶל נֹחַ לֵאמֹר:
(שם ח:טו)

וַיִּקְרָא מַלְאַךְ ה' אֶל אַבְרָהָם שֵׁנִית מִן הַשָּׁמָיִם:
(שם כב:טו)

באור מהרי"פ

[ט] ויקרא ולא באברהם וכו'. הוא כמו דבר אחר:

אמרי יושר

[ט] ויקרא אל משה. ואף על פי שקרא לאדם הראשון, היה זה דיבור הכרחי לייסרו שהיה אריסו, לא כמשה להדריכו ולצוותו תורה אלהית:

ידי משה

[ט] אין גנאי למלך שידבר עם פונדקי. לא חש זה המדרש לתרץ, כמו שאמר אחר זה לא כאברהם וכו', אלא שבא לתרץ לשון ויקרא, שיהיה חידוש גבי משה, ולא כאברהם הוא דרש בפני עצמו. וקל להבין:

A different exposition regarding God's communication with Abraham and His communication with Moses:[163]

"וַיִּקְרָא אֶל מֹשֶׁה" — ***He called to Moses** and HASHEM spoke to him* — וְלֹא כְּאַבְרָהָם — **but not in the same manner as** He spoke to **Abraham.** — בְּאַבְרָהָם כְּתִיב "וַיִּקְרָא מַלְאַךְ ה' אֶל אַבְרָהָם" For **regarding Abraham it is written, *The angel of HASHEM called to Abraham*** (ibid.); הַמַּלְאָךְ קוֹרֵא וְהַדִּבּוּר מְדַבֵּר — it was **the angel** who **called and the** Divine **word** that **spoke.**[164] בְּרַם הָכָא אָמַר רַבִּי אָבִין — **However, here,** regarding Moses, **R' Avin said:** אָמַר הַקָּדוֹשׁ בָּרוּךְ הוּא: אֲנִי הוּא הַקּוֹרֵא וַאֲנִי הַמְדַבֵּר — **The Holy One, blessed is He, said, "I am** the One **Who calls and I am** the One **Who speaks,"**[165] שֶׁנֶּאֱמַר "אֲנִי אֲנִי דִּבַּרְתִּי אַף קְרָאתִיו הֲבִיאֹתִיו וְהִצְלִיחַ דַּרְכּוֹ" — **as it is stated, *I, only I, have spoken and even summoned him; I have brought him and his path is successful*** (*Isaiah* 48:15).[166]

§10 מֵאֹהֶל מוֹעֵד — *HE CALLED TO MOSES AND HASHEM SPOKE TO HIM,* ***FROM THE TENT OF MEETING,*** *SAYING, "SPEAK TO THE CHILDREN OF ISRAEL, ETC."*

Throughout Scripture, the word *saying* usually follows immediately after the words *HASHEM spoke to him.* Why does our verse interrupt that phrase with the words *from the Tent of Meeting*?[167] The Midrash answers:

אָמַר רַבִּי אֶלְעָזָר: אַף עַל פִּי שֶׁנִּתְּנָה תוֹרָה סְיָיג לְיִשְׂרָאֵל מִסִּינַי — **R' Elazar said: Even though the Torah was given** already **at Sinai** to serve as **a fence**[168] **for Israel,** לֹא נֶעֶנְשׁוּ עָלֶיהָ עַד שֶׁנִּשְׁנֵית בְּאֹהֶל מוֹעֵד — nevertheless **they were not punished for** transgressing **[its laws] until it was repeated in the Tent of Meeting.**[169]

NOTES

163. *Yedei Moshe, Beur Maharif.*

164. While it was an angel who first "called" to Abraham, God Himself then addressed him (see note 160).

165. I.e., when our verse states, *"He" called to Moses and HASHEM spoke to him,* we should not think that it was an angel who called to Moses; rather it was God Himself. If it were an angel, Scripture would have written so explicitly, as it did in regard to Abraham (*Eitz Yosef*).

166. Although this verse is in the Book of *Isaiah,* it can be used to describe the manner that the Divine word came to Moses because Isaiah was unique in the same way that Moses was: these two prophets both received their ability to prophesy directly from God and not from another prophet. See Midrash below, 10 §2 (*Eitz Yosef*). [This answer is mentioned by *Radal,* as well. However, he maintains that the text should actually read כְּעִנְיָן שֶׁנֶּאֱמַר, *just as it states* (which means that something *similar* is stated regarding Isaiah), and not שֶׁנֶּאֱמַר, *as is stated* (which implies that that which is written in *Isaiah* is considered as if it were actually written about Moses).]

167. Scripture should seemingly have placed the words *from the Tent of Meeting* after the words *He called to Moses* (*Eitz Yosef*; see there for a further difficulty created by the verse's sentence structure).

168. Setting them apart from the other nations, for at Sinai the Israelites committed themselves to being God's nation and fulfilling His covenant (ibid.). [*Maharzu* notes that the word סְיָיג, *fence,* does not appear in other versions of our Midrash. If it is to be included, he writes, it should be understood in the sense of "restrictions."] For a different interpretation, see *Matnos Kehunah.*

169. Although God gave all the commandments to Israel at Mount Sinai, He did so only in general terms. He did not give the details of the commandments until He spoke to Moses at the Tent of Meeting (see note 145), and then Moses taught them to the people. The Midrash is saying that although the Israelites became God's nation at Sinai by accepting the general principles of the Torah (see preceding note), they could not be punished for not fulfilling the mitzvos *completely* because they had not yet been taught how to do so (*Eitz Yosef*).

Eitz Yosef's explanation reflects the plain sense of the Midrash (see further) that the commandments were conveyed in the Tent of Meeting *with more explanation* than at Sinai. This accords with the view of R' Yishmael in *Chagigah* 6a-b and *Zevachim* 115b. [See also *Rashi* to *Song of Songs* 2:4.] R' Akiva, however, holds that the commandments were all given at Sinai *with* their details, and that they were simply repeated (with their details) in the Tent of Meeting. See *Ramban* to *Leviticus* 7:38 with note 131 in ArtScroll edition; see also *Ramban* to ibid. 25:1. See, however, *Eshed HaNechalim,* according to whom our Midrash accords even with the view of R' Akiva. See also *Matnos Kehunah* s.v. סייג.

See Insight Ⓐ.

INSIGHTS

Ⓐ **Punishment for the Golden Calf** An obvious question raised on our Midrash by the commentators is that the Israelites were indeed punished for worshiping the Golden Calf, even though that occurred before the Tabernacle was erected! *Anaf Yosef,* based on his interpretation in *Eitz Yosef,* suggests that while the Israelites were exempt from most commandments before they were taught their details at the Tent of Meeting — since they could not observe them without knowing their details — they nonetheless were immediately held accountable for the fundamental tenets of Jewish faith that served as the basis for the covenant that made them God's nation (see note 168) — such as the prohibition against idolatry. How could they violate this most basic tenet of faith after God had designated them as His people and they had accepted Him as their God?! Therefore, they were held accountable for all such tenets immediately, even before all their details were known. [See discussion there regarding other incidents that occurred before the relevant commandments were repeated at the Tent of Meeting.]

Sfas Emes (to *Song of Songs* 3:4) answers that although the Israelites could not be punished according to *Torah* law before these laws were repeated at the Tent of Meeting, they could still be punished according to *Noahide* law, to which they had hitherto been subject.

Indeed, that the Israelites were punished for the sin of the Calf in accordance with *Noahide* law might be demonstrated by the fact that those who actually worshiped the Golden Calf (e.g., by slaughtering a sacrifice or burning incense to it) were beheaded by sword (*Yoma* 66b), the form of capital punishment to which Noahides are subject for idolatry. A Jew who worships idols, however, is executed by stoning, not beheading. As *Rashi* (ad loc. s.v. זיבח וקיטר) explains, since the Torah laws of capital punishment had not yet been delineated, the perpetrators were punished under Noahide law, according to which all capital punishment is carried out through the sword.

Meshech Chochmah (*Exodus* 35:2) suggests another reason for why those who worshiped the Golden Calf were punished with beheading, in accordance with Noahide law: The Gemara (*Sanhedrin* 52b) derives from the verse (*Deuteronomy* 17:9), וּבָאתָ אֶל הַכֹּהֲנִים הַלְוִיִּם וְאֶל הַשֹּׁפֵט אֲשֶׁר יִהְיֶה בַּיָּמִים הָהֵם, *and you shall come to the Kohanim, the Leviim, and to the judge who will be in those days,* that the Sanhedrin may judge capital offenses only when there is a Kohen serving in the Temple, but not when there is no Kohen serving there. Thus, the Sanhedrin may not judge capital offenses when the Temple is in a state of destruction; or, says *Meshech Chochmah,* at the time of the sin of the Golden Calf, when neither the Tabernacle had yet been erected nor had Aaron yet been appointed Kohen Gadol. Consequently, the Israelites had no right to carry out capital punishment on worshipers of the Golden Calf according to Torah law. Nonetheless, they were allowed to behead the worshipers by the sword, in accordance with Noahide law.

Chasam Sofer (*Teshuvos, Orach Chaim* §84 s.v. אך) and *Beis HaLevi* (*Derashos* §10) go further, suggesting that the reason the Jewish people were subject to the punishment of beheading was that they had actually reacquired the status of Noahides, at least in this regard. This is based on their understanding of a Midrash (*Shemos Rabbah* 46 §1), which explains that the reason Moses broke the Tablets — which the Midrash compares to a marriage contract — was so that the Israelites could then be judged as an umarried woman who acted immorally, and not as a married woman who had committed adultery. According to their interpretation of the Midrash, the Tablets are representative of the covenant between God and the Jewish people, and thus when Moses broke them, the Jewish people, in a sense, were no longer bound by the covenant that had made them "Jews" (see Insight Ⓐ below, on 4 §1, "Status and Stature." Rather, they reverted to their "unmarried" pre-Jewish state and reacquired their previous status as Noahides, who are executed by beheading.

[א, א] "וַיִּקְרָא אֶל מֹשֶׁה", וְלֹא כְּאַבְרָהָם, בְּאַבְרָהָם כְּתִיב (בראשית שם שם) "וַיִּקְרָא מַלְאַךְ ה' אֶל אַבְרָהָם", הַמַּלְאָךְ קוֹרֵא וְהַדִּבּוּר מְדַבֵּר, בְּרַם הָכָא אָמַר רַבִּי אָבִין: אָמַר הַקָּדוֹשׁ בָּרוּךְ הוּא: אֲנִי הוּא הַקּוֹרֵא וַאֲנִי הַמְדַבֵּר, שֶׁנֶּאֱמַר (ישעיה מח, טו) "אֲנִי אֲנִי דִּבַּרְתִּי אַף קְרָאתִיו הֲבִיאֹתִיו וְהִצְלִיחַ דַּרְכּוֹ":

י [א, א] "מֵאֹהֶל מוֹעֵד", אָמַר רַבִּי אֶלְעָזָר: אַף עַל פִּי שֶׁנִּתְּנָה תּוֹרָה סְיָיג לְיִשְׂרָאֵל מִסִּינַי, לֹא נֶעֶנְשׁוּ עָלֶיהָ עַד שֶׁנִּשְׁנֵית בְּאֹהֶל מוֹעֵד, מָשָׁל לְדִיוֹטַגְמָא שֶׁהִיא כְּתוּבָה וּמְחוּתֶּמֶת וְנִכְנְסָה לַמְּדִינָה, אֵין בְּנֵי הַמְּדִינָה נֶעֱנָשִׁים עָלֶיהָ עַד שֶׁתִּתְפָּרֵשׁ לָהֶן בְּדִימוֹסְיָא שֶׁל מְדִינָה, כָּךְ אַף עַל פִּי שֶׁנִּתְּנָה תּוֹרָה לְיִשְׂרָאֵל מִסִּינַי לֹא נֶעֶנְשׁוּ עָלֶיהָ עַד שֶׁנִּשְׁנֵית לָהֶם בְּאֹהֶל מוֹעֵד, הֲדָא הוּא דִכְתִיב (שיר השירים ג, ד) "עַד שֶׁהֲבֵיאתִיו אֶל בֵּית אִמִּי וגו'", "אֶל בֵּית אִמִּי" זֶה סִינַי, "וְאֶל חֶדֶר הוֹרָתִי" זֶה אֹהֶל מוֹעֵד, שֶׁמִּשָּׁם נִצְטַוּוּ יִשְׂרָאֵל בְּהוֹרָאָה:

יא אָמַר רַבִּי יְהוֹשֻׁעַ בֶּן לֵוִי: אִילּוּ הָיוּ אוּמּוֹת הָעוֹלָם יוֹדְעִים מָה אֹהֶל מוֹעֵד יָפֶה לָהֶן יב הָיוּ מַקִּיפִין אוֹתוֹ אֲהָלִיּוֹת וְקַסְטְרִיּוֹת,

עץ יוסף

ולא כאברהם כו'. אגדה זו אתיא לאשמועינן דלא נטעה מדלא קאמר וירא ה' אל משה, שהקריאה לא היה אלא על ידי מלאך אף על פי שהמדבר היה הקדוש ברוך הוא, וכדאשכחן באברהם, דאף על גב דהכי הוא באברהם, הכא במשה לא היה הכי, דאם כן הוי ליה למימר ויקרא מלאך ה' אל משה, ועוד דמאי אני דברתי אף קראתיו שמעינן לה כדרבי אבין: **אני אני דברתי כו'.** ואף על פי שנבואה זו היא בישעיה. אך מפני שישעיה קבל נבואתו כמשה מפי הקדוש ברוך הוא, כדאיתא לקמן (י, ב) לכן למדין ממנו למשה. ועיין מה שפירש היפה תואר בזה: **(י) אמר רבי אלעזר כו'.** משום דקשיא ליה דהיה ליה לומר ויקרא אל משה מאהל מועד וידבר ה' אליו לאמר דבר אל בני ישראל וגו', שלא להפסיק בין וידבר אל לאמר, כדרך הכתובים תמיד, גם קשה ליה קושית הספרי, דכאן משמע שדיבר אתו מאהל מועד, וכתוב אחר אומר ודברתי אתך מעל הכפורת, וכן הקשה לקמן במדבר רבה סוף פרשה י"ד. לכן מתרץ רבי אלעזר דמאהל מועד אינו דבק עם וידבר אלא עם לאמר, שרצונו לומר שמאהל מועד ואילך ניתנה תורה לאמר אמירה גמורה, דהיינו הוראה, מה שאין כן עד השתא: **שנתנה התורה סייג לישראל.** לפי שאף על פי שלא היו יכולים לקיים המצות כתיקונן מפני שלא נתפרשו עדיין, מכל מקום היו מיוחדים להיות לעם ה' ושומרי בריתו, במה שקבלו כללות התורה ונבדלו מאומות העולם, להכי קאמר סייג ניתנה, כגדר שמקיפן ומבדילם. ועיין בענף: **משל לדיוטגמא.** כתב כתוב בו גזירת המלך על בני מדינתו, וצורך המשל הוא לומר, שאף על פי שהיו קצת המצות נודעות לישראל תחלה, כדכתיב (שמות יח, טז) והודעתי את חוקי האלהים ואת תורותיו, עם כל זאת מאחר שלא נצטוו בהוראה עד אהל מועד, לא היו נענשים, דמאי משתמטי לומר לאו אדעתין, כגזירת המלך על בני מדינתו, שאף על פי שהיא כתובה וחתומה ומסתמא ענינה מפורסם לבני המדינה, עם כל זאת אין מעניש על העובר עד שתתפרש להן בפרהסיא, דאם לא כן יאמרו לאו אדעתין: **בדימוסיא של מדינה.** פירוש רחוב העיר, אי נמי מקום המשפט (מעריך ערך דמס): **זה סיני.** שהתורה נקראת אם, כאומרו (משלי ב, ג) כי אם לבינה תקרא ואמרו [חכמינו] ז"ל (במדבר רבה י, ד) אם [כתיב]: **הורתי כו' ישראל בהוראה.** דרש הורתי לשון הוראה: **(יא) אומות העולם יודעים כו'.** משום דבעי למימר מאי דתני רבי חייא שהקול היה נפסק וכו', מייתי נמי הא דרבי יהושע בן לוי, דהוא מהאי טעמא שעל ידי שלא היה הקול יוצא מאהל מועד לא היה נשמע לאומות העולם ונילולו מבהלתם שהיו נבהלים תחלה כשהדבור היה בא לנביא והיותם שומעים, ולכן אילו ידעו שסבת זה היו בנין אוהל מועד היו מקיפין אותו אהליות וכו': **אהליות.** אהלים כמשמעו, כדי שיעמוד בחוזק ויהיה לו סמוכים מפה ומפה: **וקסטריות.** פירוש גוזטראות:

פירוש מהרז"ו

(י) אמר רבי אלעזר וכו'. עיין שיר השירים רבה (פרשה ב) סוף פסוק כתפוח דף י"ד ב', ובפסוק כמעט שעברתי דף י"ט א' (פרשה ג), ובפסוק אנהגך אביאך דף ל"ז א' (פרשה ח), ושם ליתא תיבת סייג, ובילקוט כאן גרים ליה, ולכן יתפרש בדוחק על שבתורה נגדרו ישראל ונתייסגו בסייגים וגדרים: **בדימוסיא של מדינה.** פירש במוסף הערוך לכל העם, עיין שם, עיין בראשית רבה (פד, כב): **בית אמי זה סיני.** כמו שכתוב בשיר השירים רבה פסוק אנהגך דף ל"ז הנ"ל (פרשה ח), אמר רבי ברכיה למה קורין לסיני בית אמי, שמשם נעשו ישראל כתינוק בן יומו, שנולד מחדש כתינוק שצריך לאמו, כך היו עם השכינה: **(יא) אהליות וקסטריות.** אהליות פירוש אוהלים מלאים חיל לשמרו. וקסטריות פירש במוסף הערוך, מגור למחנה של אנשי מלחמה בלשון יוני, עיין במדבר רבה (א, ג), שיר (השירים רבה) פסוק כתפוח הנ"ל:

מתנות כהונה

המלאך קורא כו'. בספר שערי אורה בספירת נצח, פירש בו פירוש מיושב על הדעת, ועיין שם: **[י] סייג.** פירוש מסוייס ומקוייס, בלי חיסור ויתור: **דיוטגמא.** כתב כתוב בו גזרות המלך על בני מדינתו: **בדימוסי של מדינה.** פירוש בבית מושל ומנהיג העיר. ועיין לעיל בבראשית רבה סוף פרשה כ"ד, ובמדרש חזית (שיר השירים רבה ב) פסוק (ג) כתפוח: **הורתי.** דרשו לשון הוראה: **[יא] אהליות.** אהלים כמשמעו, כדי שיעמוד בחוזק, ויהיה לו סמוכים מפה ומפה: **וקסטריות.** בערוך (ערך קסטרה) גרס גוזטראות, וכן פירושו כאן. ומצאתי פירוש יליט, ולפי הכוונה כולה חד מלתא היא:

אשד הנחלים

ולא כאברהם כו'. המלאך קורא והדיבור מדבר. לפי דברי המדרש בחזית (שיר השירים א, יג) שאמרו במעלת ישראל, שהדיבור למלאך וממלאך לישראל, וא"כ הדיבור גדול מהמלאך, לא אדע פה הכוונה, אם הכוונה ששמע הקריאה מהמלאך והדיבור מפי הדיבור, ואם כן בדיבור היתה מעלתו שוה למשה, וקשה מנין להם זה דלמא כפשוטו שהיה הקריאה והדיבור מהמלאך. ואולי שהוקשה להם דבתחילת הנסיון כתוב והאלהים ניסה את אברהם, ואח"כ כשנבחן והיתה מעלתו גדולה יותר, היתה הקריאה על ידי מלאך לבד. גם מדוע רק כאן נאמר מלאך ה' מן השמים, הלא בכל המלאכים שהתראו לנביאים לא מצאנו שיכנו הכתובים שהמה מן השמים. ולזה נוכל לומר לפי שבאמת אין כל המלאכים שוים, כי יש מלאכים ששמו יתברך בקרבם. כמו שכתוב (שמות כג, כ - כא) הנה אנכי שולח מלאך גו', אל תמר בו כי שמי בקרבו, והוא המלאך הגבוה מכולם, ואולי שעל זה מרמז במה שאמר מן השמים רק כאן, להורות שהיתה קריאתו ממנו, והדיבור היה הנבואה המתגלה לו תמיד, אבל במשה היתה הקריאה והדיבור ממקום אחד כן נוכל לומר. אבל באמת הדברים סתומים וחתומים רק ליודעי חן: **[י] כתובה ומחותמה כו' נענשים עליה.** אף שידעו מה כתוב בה, עם כל זה אחרי שלא נכרז עליו, אם כן רצון המלך שיתחילו לעשות משעת הכרזה, כן במצות התורה, אף שבסיני נאמר להם כי השיגו אותה, אך לא באזהרה כי אם בהודעה לבד שיש עליהם מן המצוות האלו, כי אם עד שנשנית באוהל מועד לשמור ולעשות: **בית אמי כו' זה אוהל מועד כו'.** קרא לסיני בית אמי, לפי ששם היתה עיקר התגלות השכינה שנקראת אם, והאוהל מועד חדר ההוריה שמשם יצא ההוראה. ואין זה סותר לפשוטו שמדבר על ההריון, וגם הוא שם מושאל על אמו שהורתה והולידה אותו, לפי שההריון הוא שם כינוי על התחלת הפעולה היוצא ממנו התכלית הטוב, וכמו שכתוב בהפכו, (תהלים ז, טו) הרה עמל וילד שקר, וכדומה, וכן אלו המצות שהם ההכנה להשראה, שעל ידו יצא פעולות ההשראה בעולם נקראת בשם ההריון, ולכן דרשו על אוהל מועד:

חידושי הרד"ל

[ט] **ברם הכא ויקרא אל משה וידבר ה' אליו. אמר רבי אבין כו' בענין שנאמר אני אני כו'.** כן צריך לומר, הר"מ ברלין. (ועיין לקמן [י, ב] פירש שישעיה קבל נבואתו כמשה מפי הקב"ה, לכן למדין ממנו למשה): **[י] אמר ר' אלעזר אף על פי שנתנה תורה סיג כו'.** שיר השירים רבה פרשה ב' (פסוק ג) ופרשה ג (פסוק א): **[יא] אמר רבי יהושע בן לוי אלו עובדי כוכבים יודעים כו'.** במדבר רבה פרשה א (סימן ג) ותנחומא תרומה (סימן ט) (ולזה רמזתי בהגהותי שם שכתבתי, ועיין תנחומא שם)

חידושי הרש"ש

[י] אף על פי שנתנה תורה לישראל מסיני לא נענשו עליה עד שנשנית באוהל מועד. והא דאמרינן (יומא סו, ב) זבח וקטר בסייף כו', היינו משום דאף בני נח נצטוו על עבודת כוכבים, וכל מיתתן היתה בסייף, כדפירש"י שם. ובהמדרש הזה אתי שפיר כל מה שגמגמו המפרשים [ביומא] שם, עיין שם בספר באר אברהם להמחבר משכיל לאיתן. וקשה מהמדרש זה על פירש"י בחומש (שמות לב, כ) שפירש דלכן דנן בסייף כמשפט עיר הנדחת, והיותר תימה דהא איתא (בסנהדרין סוף דף טו, ב) עד כמה עושין עיר הנדחת מעשרה ועד מאה דברי ר' יאשיה כו', ופירש רש"י וטפי ממאה כו' כל אחד נידן בפני עצמן ובסקילה עד כאן, וכאן כתיב שנהרגו כשלשת אלפי איש ואם כן לר' יאשיה על כרחך ליתא לטעם זה, וכן לשמואל דאית ליה שם (מה, ב) דבעינן קרא כדכתיב, משמע ודאי דהכי נמי עיר דוקא כדכתיב, כדאמר שם לענין רחוב:

באור מהרי"פ

[י] בהוראה. פירוש שם נתפרשו להם המצות להלכה ולמעשה: **[יא] מתנות כהונה ד"ה קסטריות.** בערוך גרס גוזטראות. זה לשון הערוך ערך קסטר מביא מדרש שבכאן בשם ילמדנו, ופירש היינו גוזטראות שפירשנו במקומו

מסורת המדרש

יב. תנחומא תרומה. שיר רבה פ"כ סי' יא:

אם למקרא

אֲנִי אֲנִי דִּבַּרְתִּי אַף קְרָאתִיו הֲבִיאֹתִיו וְהִצְלִיחַ דַּרְכּוֹ: (ישעיה מח:טו)

כִּמְעַט שֶׁעָבַרְתִּי מֵהֶם עַד שֶׁמָּצָאתִי אֵת שֶׁאָהֲבָה נַפְשִׁי אֲחַזְתִּיו וְלֹא אַרְפֶּנּוּ עַד שֶׁהֲבֵיאתִיו אֶל בֵּית אִמִּי וְאֶל חֶדֶר הוֹרָתִי: (שיר השירים ג:ד)

ענף יוסף

(י) לא נענשו עליה כו'. עיין בענף. ובהכי אתי שפיר דלא תיקשי אדרבי אלעזר ממה שנענשו בעגל שהיה קודם הקמת המשכן, וכן ממה שנענשו בעמלק על נסותם את ה', כדלעיל בשמות רבה (פרשה כו ב), משום דלא איירי הכא אלא לקיום המצוה פרטית כתקנה, אבל על חטא עבודה זרה, וכן על פקפוק בהשגחה, דעל זה נענשו בעמלק, ודאי שראוים ליענש, שהרי נבדלו להיות לעם לה', ויאמינו בו, ולזה לא היה צריך להתפרש באהל מועד, ולכן נענש גם המקלל, משום שהיה כופר בעיקר, והא דנענש המקושש, שהיה בכ"א לחדש השני בשנה ראשונה, כדאיתא בספרי, יש לומר דהוראת שעה היה, תדע שהרי לא היה יודע באיזה מיתה יומת המקושש, וכן יש לתרץ המקלל, דהיה נמי בזמן מקושש, כמו שאמרו חכמינו ז"ל הוראת שעה היתה, תדע שהרי לא היה ידוע אם חייב מיתה, ואם כן לא מצי אתרו בהו כדין הרוגי בית דין, אלא דהוראת שעה היתה:

מָשָׁל לְדִיוֹטַגְמָא שֶׁהִיא כְתוּבָה וּמְחוּתֶּמֶת וְנִכְנְסָה לַמְּדִינָה — This can be illustrated by means of **a parable.** It may be compared **to a** royal **edict that was written and sealed** by the king **and was introduced into the province** to be carried out. אֵין בְּנֵי הַמְּדִינָה נֶעֱנָשִׁים עָלֶיהָ עַד שֶׁתִּתְפָּרֵשׁ לָהֶן בִּדְימוּסְיָא שֶׁל מְדִינָה — Nevertheless, **the inhabitants of the province cannot be punished for** transgressing **[the edict] until it is clearly explained to them in the streets**[170] **of the province.**[171] כָּךְ אַף עַל פִּי שֶׁנִּתְּנָה תוֹרָה לְיִשְׂרָאֵל מִסִּינַי — **Similarly, although the Torah was given to Israel at Sinai,** לֹא נֶעֶנְשׁוּ עָלֶיהָ עַד שֶׁנִּשְׁנֵית לָהֶם בְּאֹהֶל מוֹעֵד — nevertheless **they were not punished for** transgressing **its laws until it was repeated in the Tent of Meeting.** הָדָא הוּא דִכְתִיב "עַד שֶׁהֲבֵיאתִיו אֶל בֵּית אִמִּי וְגוֹ'" — **Thus it is written,** ***until I brought him to my mother's house*** *and to the chamber of my teaching* (*Song of Songs* 3:4); "אֶל בֵּית אִמִּי" זֶה סִינַי — ***to my mother's house*** **— this** is an allusion to Mount **Sinai;**[172] "וְאֶל חֶדֶר הוֹרָתִי" זֶה אֹהֶל מוֹעֵד — ***and to the chamber of my teaching***[173] **— this is** an allusion to **the Tent of Meeting,** שֶׁמִּשָּׁם נִצְטַוּוּ יִשְׂרָאֵל בְּהוֹרָאָה — **for it was there** that **Israel was commanded through a** clear and absolute **instruction** that they were to keep the Torah.[174]

§11 The Midrash will offer an additional exposition of our verse, but first cites a related teaching:

אָמַר רַבִּי יְהוֹשֻׁעַ בֶּן לֵוִי: אִילּוּ הָיוּ אוּמּוֹת הָעוֹלָם יוֹדְעִים מָה אֹהֶל מוֹעֵד יָפֶה לָהֶן — **R' Yehoshua ben Levi said: If the nations of the world had known how beneficial the Tent of Meeting was for them,** הָיוּ מַקִּיפִין אוֹתוֹ אֲהָלִיּוֹת וְקַסְטְרִיּוֹת — **they would have surrounded it with tents**[175] **and fortifications.**[176]

NOTES

170. I.e., a public place. See *Eitz Yosef* to *Shir HaShirim Rabbah* 2 §11, and see *Maharzu* and *Eitz Yosef* (Vagshal ed.) here. See, however, *Matnos Kehunah* here and *Rashi* to *Bereishis Rabbah* 84 §22, who interpret the word דִימוּסְיָא to mean a ruler.

171. That is, the local ruler has to explain the king's law clearly to the people of his province. Although the general sense of the edict may be public knowledge, if the edict is not publicly read and explained to the people in detail, they cannot be held accountable if they do not carry it out properly (see *Eitz Yosef*).

172. Mount Sinai is compared to a *mother's house* because it was there that the nation was reborn and became attached to the Almighty the way a newborn infant is attached to its mother (*Maharzu*). Alternatively: The *Torah* is compared to a *mother* by the Sages; see *Midrash Mishlei* in exposition of *Proverbs* 2:3. Mount Sinai is thus described in this verse as the *mother's house* (*Eitz Yosef*). For a third interpretation, see *Eshed HaNechalim*.

173. The word הוֹרָתִי actually means "the one who conceived me." However, the Midrash expounds the word as if it were written הוֹרָאָתִי, "my teaching" (*Matnos Kehunah, Eitz Yosef*).

174. With all its details — which they were *not* commanded earlier. The reason, then, that our verse did not place the words *from the Tent of Meeting* earlier in the verse (see note 167) is that its point is not that God called to, or spoke, to Moses from the Tent of Meeting. It placed those words at the end of the verse, right before the words, *saying, "Speak to the Children of Israel, etc.,"* to make the point that it was from the Tent of Meeting that the *saying* — i.e., the clear and absolute instruction — to keep the Torah, with all its details, came forth (*Eitz Yosef* above, s.v. אמר ר׳ אליעזר).

175. I.e., tents filled with soldiers (*Maharzu*; *Eitz Yosef*, Vagshal edition).

176. To protect it [from enemy attack] (*Tanchuma, Terumah* §9).

[א, א] "וַיִּקְרָא אֶל מֹשֶׁה", וְלֹא כְּאַבְרָהָם, בְּאַבְרָהָם כְּתִיב (בראשית שם שם) "וַיִּקְרָא מַלְאַךְ ה' אֶל אַבְרָהָם", הַמַּלְאָךְ קוֹרֵא וְהַדִּבּוּר מְדַבֵּר, בְּרַם הָכָא אָמַר רַבִּי אָבִין: אָמַר הַקָּדוֹשׁ בָּרוּךְ הוּא: אֲנִי הוּא הַקּוֹרֵא וַאֲנִי הַמְדַבֵּר, שֶׁנֶּאֱמַר (ישעיה מח, טו) "אֲנִי אֲנִי דִּבַּרְתִּי אַף קְרָאתִיו הֲבִיאֹתִיו וְהִצְלִיחַ דַּרְכּוֹ":

י [א, א] "מֵאֹהֶל מוֹעֵד", אָמַר רַבִּי אֶלְעָזָר: אַף עַל פִּי שֶׁנִּתְּנָה תּוֹרָה סְיָג לְיִשְׂרָאֵל מִסִּינַי, לֹא נֶעֶנְשׁוּ עָלֶיהָ עַד שֶׁנִּשְׁנֵית בְּאֹהֶל מוֹעֵד, מָשָׁל לְדְיוֹטַגְמָא שֶׁהִיא כְּתוּבָה וּמְחוּתֶּמֶת וְנִכְנְסָה לַמְּדִינָה, אֵין בְּנֵי הַמְּדִינָה נֶעֱנָשִׁים עָלֶיהָ עַד שֶׁתִּתְפָּרֵשׁ לָהֶן בְּדִימוּסְיָא שֶׁל מְדִינָה, כָּךְ אַף עַל פִּי שֶׁנִּתְּנָה תּוֹרָה לְיִשְׂרָאֵל מִסִּינַי לֹא נֶעֶנְשׁוּ עָלֶיהָ עַד שֶׁנִּשְׁנֵית לָהֶם בְּאֹהֶל מוֹעֵד, הָדָא הוּא דִכְתִיב (שיר השירים ג, ד) "עַד שֶׁהֲבֵיאתִיו אֶל בֵּית אִמִּי וגו'", "אֶל בֵּית אִמִּי" זֶה סִינַי, "וְאֶל חֶדֶר הוֹרָתִי" זֶה אֹהֶל מוֹעֵד, שֶׁמִּשָּׁם נִצְטַוּוּ יִשְׂרָאֵל בְּהוֹרָאָה:

יא אָמַר רַבִּי יְהוֹשֻׁעַ בֶּן לֵוִי: אִילּוּ הָיוּ אוּמּוֹת הָעוֹלָם יוֹדְעִים מָה אֹהֶל מוֹעֵד יָפֶה לָהֶן [יב] הָיוּ מַקִּיפִין אוֹתוֹ אֲהָלְיוֹת וְקַסְטְרִיּוֹת,

חידושי הרד"ל

[ט] **ברם הכא ויקרא אל משה וידבר ה' אליו. אמר רבי אבין כו'. בענין שנאמר אני אני כו'.** כן לריך לומר, הר"מ ברלין. (ועיין לקמן [י, ב] פירש שישעיה קבל נבואתו כמשה מפי הקב"ה, לכן למדין ממנו למשה): [י] **אמר ר' אלעזר אף על פי שנתנה תורה סיג כו'.** שיר השירים רבה פרשה ב' (פסוק ג) ופרשה ג (פסוק א): [יא] **אמר רבי יהושע בן לוי אלו עובדי כוכבים יודעים כו'.** במדבר רבה פרשה א (סימן ג) ותנחומא תרומה (סימן ט) (ולזה רמזתי בהגהותי שם שכתבתי, ועיין תנחומא שם).

חידושי הרש"ש

[י] **אף על פי שנתנה תורה לישראל מסיני לא נענשו עליה עד שנשנית באוהל מועד.** והא דאמרינן (יומא סו, ב) זבח וקטר בסייף כו', היינו משום דאף בני נח נלטוו על עבודת כוכבים, וכל מיתתן היתה בסייף, כדפירש"י שם. ובהמדרש הזה אתי שפיר כל מה שגמגמו המפרשים [ביומא] שם, עיין שם בספר באר אברהם להמחבר משכיל לאיתן. וקשה מהמדרש זה על פירש"י בחומש (שמות לב, כ) שפירש דלכן דנן בסייף כמשפט עיר הנדחת, והיותר תימה דהא איתא (בסנהדרין סוף דף טו, ב) עד כמה עושין עיר הנדחת מעשרה ועד מאה דברי ר' יאשיה כו', ופירש רש"י וטפי ממאה כו' כל אחד נידון בפני עצמו ובסקילה עד כאן, וכאן כתיב שנהרגו כשלשת אלפי איש ואם כן לר' יאשיה על כרחך ליתא לטעם זה, וכן לשמואל דאית ליה שם (מה, ב) דבעינן קרא כדכתיב, משמע ודאי דהכי נמי עיר דוקא כדכתיב, כדאמר שם לענין רחוב:

באור מהרי"פ

[י] **בהוראה.** פירוש שם נתפרשו להם המצות להלכה ולמעשה: [יא] **מתנות כהונה ד"ה קסטריות.** בערוך גרס גזוטראות. זה לשון הערוך ערך קסטר מביא מדרש שבכאן בשם ילמדנו, ופירש היינו גזוטראות שפירשנו במקומו

עץ יוסף

ולא כאברהם כו'. אגדה זו אתיא לאשמועינן דלא נטעה מדלא קאמר וירא ה' אל משה, שהקריאה לא היה אלא על ידי מלאך אף על פי שהמדבר היה הקדוש ברוך הוא, וכדאשכחן באברהם, דאף על גב דהכי הוא באברהם, הכא במשה לא היה הכי, דאם כן הוי ליה למימר ויקרא מלאך ה' אל משה, ועוד דמאי אני דברתי אף קראתיו שמעינן לה כדכרי אבין: **אני אני דברתי כו'.** ואף על פי שנבואה זו היא בישעיה. אך מפני שישעיה קבל נבואתו כמשה מפי הקדוש ברוך הוא, כדאיתא לקמן (י, ב) לכן למדין ממנו למשה. ועיין מה שפירש היפה תואר בזה: **(י) אמר רבי אלעזר כו'.** משום דקשיא ליה דהיה ליה לומר ויקרא אל משה מאהל מועד וידבר ה' אליו לאמר דבר אל בני ישראל וגו', שלא להפסיק בין וידבר אל לאמר, כדרך הכתובים תמיד, גם קשה ליה קושית הספרי, דכאן משמע שדיבר אתו מאהל מועד, וכתוב אחר אומר ודברתי אתך מעל הכפורת, וכן הקשה לקמן בבמדבר רבה סוף פרשה י"ד. לכן מתרץ רבי אלעזר דמאהל מועד אינו דבק עם וידבר אלא עם לאמר, שרלונו לומר שמאהל מועד ואילך ניתנה תורה לאמר אמירה גמורה, דהיינו הוראה, מה שאין כן עד השתא: **שנתנה התורה סייג לישראל.** לפי שאף על פי שלא היו יכולים לקיים המצות כתיקונן מפני שלא נתפרשו עדיין, מכל מקום היו מיוחדים להיות לעם ה' ושומרי בריתו, במה שקבלו כללות התורה ונבדלו מאומות העולם, להכי קאמר סייג ניתנה, כגדר שמקיפין ומבדילים. ועיין בענף: **משל לדיוטגמא.** כתב כתוב בו גזירת המלך על בני מדינתו, ונורך המשל הוא לומר, שאף על פי שהיו קצת המצות נודעות לישראל תחלה, כדכתיב (שמות יח, טז) והודעתי את חוקי האלהים ואת תורותיו, עם כל זאת מאחר שלא נלטוו בהוראה עד אהל מועד, לא היו נענשים, דמאי משתמטי לומר לאו אדעתין, כגזירת המלך על בני מדינתו, שאף על פי שהיא כתובה וחתומה ומסתמא ענינה מפורסם לבני המדינה, עם כל זאת אין מעניבין על העובר עד שתתפרש להן בפרהסיא, דאם לא כן יאמרו לאו אדעתין: **בדימוסיא של מדינה.** פירוש רחוב העיר, אי נמי מקום המשפט (מעריך ערך דמס): **זה סיני.** שהתורה נקראת אם, כאומרו (משלי ב, ג) כי אם לבינה תקרא ואמרו [חכמינו] ז"ל (במדבר רבה י, ז) אם [כתיב]: **הורתי כו' ישראל בהוראה.** דרש הורתי לשון הוראה: **(יא) אומות העולם יודעים כו'.** משום דבעי למימר מאי דתני רבי חייא שהקול היה נפסק וכו', מייתי נמי הא דרבי יהושע בן לוי, דהוא מהאי טעמא שעל ידי שלא היה הקול יוצא מאהל מועד לא היה נשמע לאומות העולם וניצולו מבהלתם שהיו נבהלים תחלה כשהדבור היה בא לנביא והיותם שומעים, ולכן אילו ידעו שסבת זה היו בנין אוהל מועד היו מקיפין אותו אהליות וכו': **אהליות.** אהלים כמשמעו, כדי שיעמוד בחוזק ויהיה לו סמוכים מפה ומפה: **וקסטריות.** פירוש גזוזטראות:

פירוש מהרז"ו

(י) אמר רבי אלעזר וכו'. עיין שיר השירים רבה (פרשה ב) סוף פסוק כתפוח דף י"ד ב', ובפסוק כמעט שעברתי דף י"ט א' (פרשה ג), ובפסוק אהגך אביאך דף ל"ז א' (פרשה ח), ושם ליתא תיבת סייג, ובילקוט כאן גרים ליה, וכאן יתפרש בדוחק על שבתורה נגדרו ישראל ונתייסגו בסייגים וגדרים: **בדימוסיא של מדינה.** פירש במוסף הערוך כלל העם, עיין שם, עיין בראשית רבה (פד, כב): **בית אמי זה סיני.** כמו שכתוב בשיר השירים רבה פסוק אהגך דף ל"ז הנ"ל (פרשה ח), אמר רבי ברכיה למה קורין לסיני בית אמי, שמשם נעשו ישראל כתינוק בן יומו, שנולדו מחדש כתינוק שלריך לאמו, כך היו עם השכינה: **(יא) אהליות וקסטריות.** אהליות פירוש אוהלים מלאים חיל לשמרו. וקסטריות פירש במוסף הערוך, מגור למחנה של אנשי מלחמה בלשון יוני, עיין במדבר רבה (א, ג), שיר (השירים רבה) פסוק כתפוח הנ"ל:

מסורת המדרש

יב. תנחומא תרומה. שיר רבה פ"ב סי' יח:

אם למקרא

אֲנִי אֲנִי דִּבַּרְתִּי אַף קְרָאתִיו הֲבִיאֹתִיו וְהִצְלִיחַ דַּרְכּוֹ: (ישעיה מח:טו)

כִּמְעַט שֶׁעָבַרְתִּי מֵהֶם עַד שֶׁמָּצָאתִי אֵת שֶׁאָהֲבָה נַפְשִׁי אֲחַזְתִּיו וְלֹא אַרְפֶּנּוּ עַד שֶׁהֲבֵיאתִיו אֶל בֵּית אִמִּי וְאֶל חֶדֶר הוֹרָתִי: (שיר השירים ג:ד)

ענף יוסף

(י) לא נענשו עליה כו'. עיין בעץ. ובהכי אתי שפיר דלא תיקשי אדרבי אלעזר ממה שנענשו בעגל שהיה קודם הקמת המשכן, וכן ממה שנענשו בעמלק על שנוסו את ה', כדלעיל בשמות רבה (פרשה כו ב), משום דלא מיירי הכא אלא לקיום המצוה פרטית כתקנה, אבל על חטא עבודה זרה, וכן על פקפוקם בהשגחה, דעל זה נענשו בעמלק, ודאי שראוים ליענש, שהרי נבדלו להיות לעם לה', ויאמינו בו, ולזה לא היה צריך להתפרש באהל מועד, ולכן נענש גם המקלל, משום שהיה כופר בעיקר, והא דנענש המקושש, שהיה בכ"א לחדש השני בשנה ראשונה, כדאיתא בספרי, יש לומר דהוראת שעה היה, תדע שהרי לא היה יודע באיזה מיתה יומת המקושש, וכן יש לתרץ המקלל, דהיה נמי בזמן מקושש, כמו שאמרו חכמינו ז"ל הוראת שעה היתה, תדע שהרי לא היה ידוע אם חייב מיתה, ואם כן לא מצי אתרו בהו כדין הרוגי בית דין, אלא דהוראת שעה היתה:

מתנות כהונה

המלאך קורא כו'. בספר שערי אורה בספירת נלח, פירש בו פירוש מיוסד על הדעת, ועיין שם: [י] **סייג.** פירוש מסוייס ומקוייס, בלי חיסור ויתור: **דיוטגמא.** כתב כתוב בו גזרות המלך על בני מדינתו: **בדימוסי של מדינה.** פירוש בבית מושל ומנהיג העיר. ועיין לעיל בבראשית רבה סוף פרשה כ"ד, ובמדרש חזית (שיר השירים רבה ב) פסוק (ג) כתפוח: **הורתי.** דרשו לשון הוראה: [יא] **אהליות.** אהלים כמשמעו, כדי שיעמוד בחוזק, ויהיה לו סמוכים מפה ומפה: **וקסטריות.** בערוך (ערך קסטרה) גרס גזוזטראות, וכן פירושו כאן. ומלאתי פירוש יליע, ולפי הכוונה כולה חד מלתא היא:

אשד הנחלים

ולא כאברהם כו'. המלאך קורא והדיבור מדבר. לפי דברי המדרש בחזית (שיר השירים א, יג) שאמרו במעלת ישראל, שהדיבור למלאך וממלאך לישראל, וא"כ הדיבור גדול מהמלאך, לא אדע פה הכוונה, אם הכוונה ששמע הקריאה מהמלאך והדיבור מפי הדיבור, ואם כן בדיבור היתה מעלתו שוה למשה, וקשה מנין להם זה דלמא כפשוטו שהיה הקריאה והדיבור מהמלאך. ואולי שהוקשה להם דבתחילת הנסיון כתוב והאלהים ניסה את אברהם, ואח"כ כשנבחן והיתה מעלתו גדולה יותר, היתה הקריאה על ידי מלאך לבד. גם מדוע רק כאן נאמר מלאך ה' מן השמים, הלא בכל המלאכים שהתראו לנביאים לא מצאנו שיכנו הכתובים שהמה מן השמים. ולזה נוכל לומר לפי שבאמת אין כל המלאכים שוים, כי יש מלאכים ששמו יתברך בקרבם. כמו שכתוב (שמות כג, כ - כא) הנה אנכי שולח מלאך גו', אל תמר בו כי שמי בקרבו, והוא המלאך הגבוה מכולם, ואולי שעל זה מרמז במה שאמר מן השמים רק כאן, להורות שהיתה קריאתו ממנו, והדיבור היה הנבואה המתגלה לו תמיד, אבל במשה היתה הקריאה והדיבור ממקום אחד כן נוכל לומר. אבל באמת הדברים סתומים וחתומים רק ליודעי חן: **[י] כתובה ומחותמה כו' נענשים עליה.** אף שידעו מה כתוב בה, עם כל זה אחרי שלא נכרז עליו, אם כן רצון המלך שיתחילו לעשות משעת הכרזה, כן במצות התורה, אף שבסיני נאמר להם כי השיגו אותה, אך לא באזהרה כי אם בהודעה לבד שיש עליהם מן המצוות האלו, כי אם עד שנשנית באוהל מועד לשמור ולעשות: **בית אמי כו' זה אוהל מועד כו'.** קרא לסיני בית אמי, לפי ששם היתה עיקר התגלות השכינה שנקראת אם, והאוהל מועד חדר ההוריה שמשם יצא ההוראה. ואין זה סותר לפשוטו שמדבר על ההריון, וגם הוא שם מושאל על אמו שהורתה והולידה אותו, לפי שההריון הוא שם כינוי על התחלת הפעולה היוצא ממנו התכלית הטוב, וכמו שכתוב בהפכו, (תהלים ז, טו) הרה עמל וילד שקר, וכדומה, וכן אלו המצות שהם ההכנה להשראה, שעל ידו יצא פעולות ההשראה בעולם נקראת בשם ההריון, ולכן דרשו על אוהל מועד:

The Midrash explains how the nations of the world benefited from the Tent of Meeting:

אַתְּ מוֹצֵא שֶׁעַד שֶׁלֹּא הוּקַם הַמִּשְׁכָּן — **You find that before the Tabernacle was erected,** הָיוּ אוּמּוֹת הָעוֹלָם שׁוֹמְעִים קוֹל הַדִּיבּוּר וְנִתְרָזִים מִתּוֹךְ פַּנְקְטֵיהוֹן — when **the nations of the world would hear the sound of the Divine word,**[177] **they would** lose control and **defecate in the midst of their palaces.**[178] הָדָא הוּא דִכְתִיב "כִּי מִי כָל בָּשָׂר אֲשֶׁר שָׁמַע קוֹל אֱלֹהִים חַיִּים וְגוֹ׳" — **Thus it is written,** ***for is there any human that has heard the voice of the Living God*** *speaking from the midst of the fire, as we have, and lived?*[179] (*Deuteronomy* 5:23). אָמַר רַבִּי סִימוֹן: דּוּ פַּרְצוּפִין הָיָה הַדִּיבּוּר יוֹצֵא — **R' Simone said: The Divine word would go forth** from God and take **two** different **forms:**[180] חַיִּים לְיִשְׂרָאֵל וְסַם הַמָּוֶת לְאוּמּוֹת הָעוֹלָם — **a life-giving agent for Israel, and a deadly poison for the nations of the world.** הָדָא הוּא דִכְתִיב "כַּאֲשֶׁר שָׁמַעְתָּ אַתָּה וַיֶּחִי" — **Thus it is written,** *Has a people ever heard the voice of God speaking from the midst of the fire* ***as you have heard and survived*** (ibid. 4:33). אַתְּ שָׁמַעְתְּ וְחָיִית, וְאוּמּוֹת הָעוֹלָם שׁוֹמְעִים וּמֵתִים — This implies **you,** Israel, **have heard and lived, but the nations of the world hear and die.**[181] And how was the building of the Tabernacle beneficial for the nations? תָּנֵי רַבִּי חִיָּיא — **R' Chiya taught:** "מֵאֹהֶל מוֹעֵד" מְלַמֵּד שֶׁהָיָה הַקּוֹל נִפְסָק וְלֹא הָיָה יוֹצֵא חוּץ לְאֹהֶל מוֹעֵד — ***From the Tent of Meeting*** — **this teaches that the "voice"** of the Divine word **would stop and did not go outside the Tent of Meeting.**[182]

§12 The Midrash cites another view regarding how the building of the Tabernacle affected the other nations of the world:

אָמַר רַבִּי יִצְחָק: עַד שֶׁלֹּא הוּקַם הַמִּשְׁכָּן הָיְתָה נְבוּאָה מְצוּיָה בְּאוּמּוֹת הָעוֹלָם — **R' Yitzchak said: Before the Tabernacle was erected, prophecy was common among the** other **nations of the world.**[183] מִשֶּׁהוּקַם הַמִּשְׁכָּן נִסְתַּלְּקָה מִבֵּינֵיהֶם — However, **once the Tabernacle was erected, it departed from their midst,**[184] שֶׁנֶּאֱמַר "אֲחַזְתִּיו וְלֹא אַרְפֶּנּוּ" — **as it is stated,** ***I grasped Him, determined not to lose hold of Him*** *until I brought Him to my mother's house and to the chamber of the one who conceived me* (*Song of Songs* 3:4).[185]

The Midrash asks a question on the above, and answers it:

אָמְרוּ לוֹ: הֲרֵי בִּלְעָם מִתְנַבֵּא — **They said to him,** "Is this true? Why, **here is Balaam who prophesied** after the Tabernacle was erected!" אָמַר לָהֶן: לְטוֹבָתָן שֶׁל יִשְׂרָאֵל נִתְנַבֵּא — **He said to them,** "Indeed! Balaam did prophesy after the Tabernacle was erected, but **he prophesied for the benefit of Israel."** For the benefit of Israel God was willing to grant prophecy to a non-Jew after the Tabernacle was erected.[186]

The Midrash cites the blessings with which Balaam prophetically blessed Israel:

"מִי מָנָה עֲפַר יַעֲקֹב" — ***Who has counted the dust of Jacob?*** (*Numbers* 23:10).[187] "לֹא הִבִּיט אָוֶן בְּיַעֲקֹב" — ***He perceived no iniquity in Jacob*** (ibid., v. 21).[188] "כִּי לֹא נַחַשׁ בְּיַעֲקֹב" — ***For there is no divination in Jacob*** (ibid., v. 23).[189] "מַה טֹּבוּ אֹהָלֶיךָ יַעֲקֹב" — ***How good are your tents, O Jacob*** (ibid. 24:5).[190] "דָּרַךְ כּוֹכָב מִיַּעֲקֹב" — ***A star has issued from Jacob*** (ibid., v. 17).[191] "וְיֵרְדְּ מִיַּעֲקֹב" — ***One from Jacob shall rule*** (ibid., v. 19).[192]

NOTES

177. When God spoke to Moses or to the Israelites, He spoke in the same booming voice heard at Mount Sinai [see *Deuteronomy* 5:19] (*Eitz Yosef*). *Some* people among the nations of the world — it is inconceivable that it would be true for *all* — had prepared themselves spiritually such that they were able to hear God's word. See further in §12 below (see *Eshed HaNechalim, Eitz Yosef*).

178. From terror (*Radal, Eitz Yosef*). [*Tanchuma, Terumah* §9 writes that "[the sound of] the Divine word would enter into their *houses*."]

179. I.e., and retained his original state of health (*Eitz Yosef*). The verse implies that non-Jews who heard the Divine word were affected adversely.

180. Lit., *faces.*

181. That is, *many* of them die; alternatively, the Midrash means that they come *close* to death (*Eitz Yosef*).

182. The Tabernacle [and afterward, the Temple (*Tanchuma* loc. cit.)] was beneficial for the nations of the world because it contained the Divine word within its precincts, such that it would not spread out and enter their houses, with the harmful effects described above (*Eshed HaNechalim, Radal* s.v. ונתרזים, and *Eitz Yosef* s.v. אומות העולם and end of s.v. ונתרזים).

183. As indicated by the Midrash above (§11), which states that people from among the nations of the world were able to hear the sound of the Divine word (*Radal*). *Eitz Yosef*, following *Yefeh To'ar*, maintains that this was not the exalted level of prophecy where God's *Shechinah* would appear to an individual, but rather a more general type of prophecy that "flows forth" from God into the world and is discernible by any person who is sufficiently developed spiritually.

184. That is, God took away their ability to obtain prophecy (*Yefeh To'ar*).

[Although *Seder Olam* (Ch. 21) states that prophecy departed from the other nations at the time the Torah was given to Israel (see also *Berachos* 7a in interpretation of *Exodus* 33:16), *Maharzu* explains that this does not contradict our Midrash. The Giving of the Torah and the erecting of the Mishkan took place within a year of each other. The cessation of prophecy took place in stages: it began at the time of the former, and ended at the time of the latter.]

185. That is: I, Israel, determined that the word of God should be exclusively in *my mother's house*; no other nation should hear it (see *Beur Maharif* and *Yefeh To'ar*). *The chamber of the One Who conceived me* is a reference to the Tent of Meeting (as stated in the end of §10 above).

186. *Yefeh To'ar*, cited by *Eitz Yosef*, writes that the Midrash is not asking about the fact that God gave prophecies to Balaam in order to bless Israel, for it is obvious that God would do so for the sake of Israel. Rather, it is asking about the prophecies that Balaam had received *prior* to his encounter with Israel — for his reputation was, as Balak had said, "Whomever you bless is blessed and whomever you curse is cursed" (*Numbers* 22:6). Why was Balaam granted the power of prophecy at *those* times — after the Tabernacle was erected? To this, the Midrash answers that God granted him those prophecies for the benefit of Israel: God wished to have Israel be blessed by a wicked person so that the blessing would be more meaningful: if a wicked person, who hates Israel, blesses them, then the blessings must be true! (see *Devarim Rabbah* I §4). Therefore, He granted Balaam prophecy from early on, (i) so that Balaam would be prepared for [i.e., capable of receiving] the prophecies regarding Israel that he would later receive, and (ii) because the blessings would be meaningful only if the prophet blessing them was already known as a true prophet. In order to build Balaam's reputation as a true prophet in preparation for his encounter with Israel, God gave him the earlier prophecies.

187. I.e., who can count the tender young of the House of Jacob of whom it has been said, *They shall be numerous as the dust of the earth* (*Rashi* ad loc., from *Onkelos*).

188. Balaam was speaking for himself. "I have looked and there are no idolaters among the House of Jacob (*Rashi* ad loc., from *Onkelos*).

189. I.e., Israel is worthy of blessing because there are no diviners or sorcerers among them (*Rashi* ad loc.).

190. Balaam said this because he saw that the entrances of their tents were not aligned one opposite the other [and he was impressed with their modesty and sense of privacy] (*Rashi* ad loc.).

191. The star is referring to a king who will arise from Jacob (*Rashi* ad loc., from *Onkelos*). The king is either David (*Rashi*) or the Messiah (*Ramban*).

192. In addition to David there will be another ruler from Jacob who will destroy Edom. This is the Messiah (*Rashi*).

אַתְּ מוֹצֵא שֶׁעַד שֶׁלֹּא הוּקַם הַמִּשְׁכָּן הָיוּ אוּמוֹת הָעוֹלָם שׁוֹמְעִים קוֹל הַדִּיבּוּר וְנִתְרָזִים מִתּוֹךְ פַּנִּיקְטֵיהוֹן, הֲדָא הוּא דִכְתִיב (דברים ה, כג) "כִּי מִי כָל בָּשָׂר אֲשֶׁר שָׁמַע קוֹל אֱלֹהִים חַיִּים וְגוֹ'", אָמַר רַבִּי סִימוֹן: דּוּ פַּרְצוּפִין הָיָה הַדִּיבּוּר יוֹצֵא, חַיִּים לְיִשְׂרָאֵל וְסַם הַמָּוֶת לְאוּמוֹת הָעוֹלָם, הֲדָא הוּא דִכְתִיב (שם ד, לג) "כַּאֲשֶׁר שָׁמַעְתָּ אַתָּה וַיֶּחִי", אַתְּ שָׁמַעְתָּ וְחָיִיתָ, וְאוּמוֹת הָעוֹלָם שׁוֹמְעִים וּמֵתִים. תָּנֵי רַבִּי חִיָּיא: [א, א] "מֵאֹהֶל מוֹעֵד", מְלַמֵּד שֶׁהָיָה הַקּוֹל נִפְסָק וְלֹא הָיָה יוֹצֵא חוּץ לְאֹהֶל מוֹעֵד:

יב אָמַר רַבִּי יִצְחָק: עַד שֶׁלֹּא הוּקַם הַמִּשְׁכָּן הָיְתָה נְבוּאָה מְצוּיָה בְּאוּמוֹת הָעוֹלָם, מִשֶּׁהוּקַם הַמִּשְׁכָּן נִסְתַּלְּקָה מִבֵּינֵיהֶם, שֶׁנֶּאֱמַר (שיר השירים ג, ד) "אֲחַזְתִּיו וְלֹא אַרְפֶּנּוּ", אָמְרוּ לוֹ: הֲרֵי בִּלְעָם מִתְנַבֵּא, אָמַר לָהֶן: לְטוֹבָתָן שֶׁל יִשְׂרָאֵל נִתְנַבֵּא, (במדבר כג, י) "מִי מָנָה עֲפַר יַעֲקֹב", (שם שם כא) "לֹא הִבִּיט אָוֶן בְּיַעֲקֹב", (שם שם כג) "כִּי לֹא נַחַשׁ בְּיַעֲקֹב", (שם כד, ה) "מַה טֹּבוּ אֹהָלֶיךָ יַעֲקֹב", (שם שם יז) "דָּרַךְ כּוֹכָב מִיַּעֲקֹב", (שם שם יט) "וְיֵרְדְּ מִיַּעֲקֹב":

קול הדבור. כשהיה מדבר עם ישראל, וכשהיה מדבר עם משה שהיה בקול גדול: **ונתרזים.** פירוש הטילו רעי (ערוך ערך תרז). ואין הכוונה שהיו כולם שומעים הקול, כי זה אי אפשר, כי אם המתבודדים החפצים ומייגעים שיבוא עליהם ההתגלות, ולכן מסיים שהיתה הנבואה מצויה באומות העולם, והם כשהיו שומעים היו נתרזים. והכוונה בכללה שהנבואה באה בביטול החוש, עד שנופל תרדימה על הגוף ונשאר בשכלו לבד כידוע, וידוע עוד שמטבע השפע כשבאה בעולם לפעמים היא מאצלת אף לבלתי ראוים באמצעות איש הראוי, כמו שנאמר ואצלתי מן הרוח, ויהיה זה אם רק מכינים ומתבודדים עצמן לזה, ואם כן אין זה מן הפלא שבעת שהיתה ההתגלות בישראל נאצל מהרוח גם כן לאומות העולם, אך לא היה בהם כח, כי נחלש גופם עד שאחזם רעדה ונתרזו על ידי זה, כי כן טבע הרעדה שמביא לידי זה, והוא גם כן היפך הטהרה כמו שנאמר (דברים כג, יד-טו) ויתד תהיה וגו' ויצאת חוץ, כי ה' אלהיך מתהלך בקרב מחניך, אך אחר שהוקם המשכן נפסק עוד הקול, כי נתייחד רק מקום מוכן לזה: **מתוך פניקטיהם.** פירוש היכליהם (ערוך ערך פנקט). שהדבור נכנס בבתיהם כדאמר בתנחומא (תרומה סימן ט): **אשר שמע כו' כמונו ויחי.** ומפרש שכך אמרו, מי הוא ששמע כמונו ועמד בבוריו, דודאי נתחלשו, ולכן אנו יראים שאם עוד נשמע הקול נמות, מאחר שאין בריה יכולה לסובלו. ופירש ויחי לשון בריאות, כמו ויחי מחליו: **דו פרצופים.** פירוש בשני פנים, ורצה לומר שהקול היה נחלק לישראל ולאומות העולם לכל אחד לפי ענינו: **שומעים ומתים.** כלומר רבים מהם, או היו קרובים למיתה, ודייק מיתורא דאתה משמע אתה היתה שמיעתך משונה, ולהכי הכי פירושו מי כמוך ששמע ויחי כמוך, שאתה חיית ולא זולתך, ופירוש ויחי כפשוטו. וגבי כי מי כל בשר, מצי לתרץ דהכי קאמר מכיון דאין מי ששמע ויחי זולתינו שנעשה לנו נס, אם כן אנו יראים פן נמות בפעם אחרת כשידבר עמנו, דלאו בכל שעתא ושעתא מתרחיש ניסא: **(יב) נבואה מצויה באומות העולם.** אין הכוונה בדבור מיוחד בהגלות שכינה, אלא הכוונה על הנבואה הטבעית, והוא השגתם מהשפע השופע על השכל כפי הכנתם, שמתחילה היתה נבואה זו מצויה באומות העולם כי הראוי ומכוין עצמו אליה היה משיג מה שבחקו להשיג, אמנם משהוקם המשכן גם מין השפע הטבעי מהנבואה גם כן נסתלקה מהם, [ולכן היו מרגישין בקול הדבור ומתחלחלין ממנו [כמבואר בסימן י"א], ומשהוקם המשכן לא הרגישו עוד. (רד"ל)]: **הרי בלעם מתנבא כו'.** לא הוקשה מנבואותיו של בלעם המפורשות שדבר ה' בו בהגלות שכינה, כי ידוע שזה לטובת ישראל להשיבו אחור ממחשבתו הרעה, רק מקשי ממה שהיה מתנבא מתחלה שהיה מפורסם באומות למגיד עתידות וכיוצא, ולכן אמר לו בלק כי ידעתי את אשר תברך מבורך, וזה מגד הכנתו בשכלו היה, מכאן הוקשה להם למה לא נסתלקה ממנו השגה זו אחר שהוקם המשכן, אם ה' הסיר ההשגה מכל המוכנים לה משהוקם המשכן, והשיב שנבואת בלעם הוצרכו להגיד טובתן של ישראל, שאילו אחד מישראל ברכם יאמרו אומות העולם שקר דִּבֵּר, אבל בהיות בלעם השונא המברך את ישראל ישימו אומות העולם יד לפה, כדאיתא בדברים רבה פרשה א (סימן ד), ולכן לא הסיר ה' מבלעם כח נבואתו מתחלה כדי שיהיה מוכן באחרונה וגם כדי שיתפרסם באומות העולם אמתת דבריו (יפה תואר):

ונתרזין כו'. ועיין ברא]שית רבה (סה, יט) נשפכו מים על שוקיו, ומה שכתבתי שם, וזהו שיסד הפייטן (יוצר יום א' דפסח) טלטל פונקטי נתרזים קורות בתיו ארזים: **שהיה הקול נפסק.** עיין לעיל (סימן א) שרמזתי על התנחומא. ועיין במדבר רבה (יד, כח), והוא ברייתא תורת כהנים (פרשה ב, טו): **(יב) משהוקם המשכן.** ובסדר עולם (פרק כא) איתא משנתנה התורה וכו', וכן במשה הוא אומר (שמות לג, טז) ובמה יודע איפוא כי מצאתי חן בעיניך הלא בלכתך עמנו ונפלינו אני ועמך וגו', ומנין שעשה הקב"ה רצונו שנאמר (שם לד, י) הנה אנכי כורת ברית נגד כל עמך אעשה נפלאות וגו', באותה שעה פסקה רוח הקדש מעובדי כוכבים עכ"ל, ושניהם אמת. וכמו שכתב כאן מפסוק (שיר השירים ג, ד) אחזתיו ולא ארפנו עד שהביאותיו אל בית אמי וגו', וכמו שכתב לעיל סימן זה אל בית אמי, זה סיני, ואל חדר הורתי, זה אוהל מועד, שהיה הכל בשנה אחת, כי בשנה בסיני נתנה תורה, ואחר כך באחד בניסן הוקם המשכן, ואז נגמר הסילוק:

חידושי הרד"ל

ונתרזים מתוך כו'. עיין מתנות כהונה. והוא מרפיון מטייס מפני החלחלה, כההיא דמגילה (טו, א) על ותתחלחל. וכן כאן כתיב (תהלים כט, ט) קול ה' יחולל כו', שנדרש (מכילתא פרק יט) על שעת מתן תורה. וכתיב בסיפיה ובהיכלו כלו אומר כבוד. כשנקבע הדבור במקומו בהיכלו (במשכן ובמקדש עיין תנחומא שם), אז היה האומר כבוד כלו, שכל מלכי עובדי כוכבים שכנו בכבוד, ולא הזיק להם הדבור עוד כדלהלן: **דיו פרצופין כו'.** שמות רבה פרשה ה' (סימן ח): **מתים. אבל משהוקם אוהל מועד תני רבי חייא כו'.** כן צריך לומר: **תני רבי חייא כו'.** בתורת כהנים כאן. וכן ברוב המקומות שמובא בויקרא רבה תני רבי חייא הוא בתורת כהנים, ומכאן שרבי חייא סדר תורת כהנים, וכן סדר ומסר לרב כל כללי דאורייתא. וכן סדר עולם רבא סדר רבי חייא אליביה דרבי יוסי, כמו שכתבתי בסייעתא דשמיא בהגהות ריש שיר השירים רבה: **[יב] היתה הנבואה מצויה כו'.** לכן היו מרגישין בקול הדבור ומתחלחלין ממנו. ומשהוקם המשכן לא היתה מצויה עוד, לכן לא הרגישו עוד:

מסורת המדרש

יג. רבה סוף נשא שיר רבה פ"ב:

יד. ילקוט נ"כ תתקפ"ו:

אם למקרא

כִּי מִי כָל בָּשָׂר אֲשֶׁר שָׁמַע קוֹל אֱלֹהִים חַיִּים מְדַבֵּר מִתּוֹךְ הָאֵשׁ כָּמֹנוּ וַיֶּחִי: (דברים ה:כג)

הֲשָׁמַע עָם קוֹל אֱלֹהִים מְדַבֵּר מִתּוֹךְ הָאֵשׁ כַּאֲשֶׁר שָׁמַעְתָּ אַתָּה וַיֶּחִי: (שם ד:לג)

כִּמְעַט שֶׁעָבַרְתִּי מֵהֶם עַד שֶׁמָּצָאתִי אֵת שֶׁאָהֲבָה נַפְשִׁי אֲחַזְתִּיו וְלֹא אַרְפֶּנּוּ עַד שֶׁהֲבֵיאתִיו אֶל בֵּית אִמִּי וְאֶל חֶדֶר הוֹרָתִי: (שיר השירים ג:ד)

מִי מָנָה עֲפַר יַעֲקֹב וּמִסְפָּר אֶת רֹבַע יִשְׂרָאֵל תָּמֹת נַפְשִׁי מוֹת יְשָׁרִים וּתְהִי אַחֲרִיתִי כָּמֹהוּ: (במדבר כג:י)

לֹא הִבִּיט אָוֶן בְּיַעֲקֹב וְלֹא רָאָה עָמָל בְּיִשְׂרָאֵל ה' אֱלֹהָיו עִמּוֹ וּתְרוּעַת מֶלֶךְ בּוֹ: (שם שם כא)

כִּי לֹא נַחַשׁ בְּיַעֲקֹב וְלֹא קֶסֶם בְּיִשְׂרָאֵל כָּעֵת יֵאָמֵר לְיַעֲקֹב וּלְיִשְׂרָאֵל מַה פָּעַל אֵל: (שם שם כג)

מַה טֹּבוּ אֹהָלֶיךָ יַעֲקֹב מִשְׁכְּנֹתֶיךָ יִשְׂרָאֵל: (שם כד:ה)

אֶרְאֶנּוּ וְלֹא עַתָּה אֲשׁוּרֶנּוּ וְלֹא קָרוֹב דָּרַךְ כּוֹכָב מִיַּעֲקֹב וְקָם שֵׁבֶט מִיִּשְׂרָאֵל וּמָחַץ פַּאֲתֵי מוֹאָב וְקַרְקַר כָּל בְּנֵי שֵׁת: (שם שם יז)

וְיֵרְדְּ מִיַּעֲקֹב וְהֶאֱבִיד שָׂרִיד מֵעִיר: (שם שם יט)

מתנות כהונה

ונתרזים. פירש הערוך הטילו רעי: **פנוקטיהון.** היכליהם: **דו פרצופין.** פירוש בשני פנים: **ואומות כו'.** דאם לא כן ויחי למה לי: **שהיה הקול נפסק.** עיין בתורת כהנים ובפירוש רש"י (ויקרא א, א) במדבר רבה פרשת נשא (יד, כא) ובביאורי מוריגו הרב אליהו מזרחי:

אשד הנחלים

[יא] **שומעים קול הדיבור ונתרזים כו' וסם המות.** אין הכוונה שהיו כולם שומעים הקול, כי זה אי אפשר, כי אם המתבודדים החפצים ומייגעים שיבוא עליהם ההתגלות, ולכן מסיים שהיתה הנבואה מצויה בעובדי כוכבים, והם כשהיו שומעים היו נתרזים. והכוונה בכללה שהנבואה באה בביטול החוש, עד שנופל תרדימה על הגוף, ונשאר בשכלו לבד כידוע, וידוע עוד שמטבע השפע כשבאה בעולם, לפעמים היא מאצלת אף לבלתי ראוים, באמצעות איש הראוי כמו שכתוב (במדבר יא, יז) ואצלתי מן הרוח, ויהיה זה אם רק מכינים ומתבודדים עצמן לזה, ואם כן אין זה מן הפלא שבעת שהיתה ההתגלות בישראל, נאצל מהרוח גם כן לעובדי כוכבים, אך לא היה בהם כח, כי נחלש גופם עד שאחזם רעדה, ונתרזו על ידי זה, כי כן טבע הרעדה שמביא לידי זה, והוא גם כן היפך הטהרה כמו שכתוב (דברים כג, יד-טו) ויתד תהיה גו' ויצאת חוץ כי ה' אלהיך מתהלך בקרב מחניך. אך אחר שהוקם המשכן נפסק עוד הקול, כי נתייחד רק מקום מוכן לזה, והדיבור בו עמוק מאוד: [יב] **לטובתן של ישראל.** שלכן היה הדיבור נאצל עליו אף שאינו ראוי בכדי שיגיד הטובות ונחמות לישראל:

באור מהרי"פ

עכ"ל הערוך, אבל הוא גורס קסטריות כמו הנוסח שלפנינו, ודלא כמתנות כהונה. וזה לשון ר' בנימין מוספיא ערך הנ"ל, אמר בנימין, קסטריות פירוש בלשון רומי מבצר ומחנה של אנשי מלחמה, ובויקרא רבה סדר בחוקותי (לה, ה) הושיב בו קסטרייטס פירוש אנשי מערכה, ושני ערכין אלו מענין אחד, באלריהם ובטירותם (בראשית כה, טז) תרגום ירושלמי בכפרניהון ובקסטרוותהון עד כאן. ובערוך ערך גזוזטר פירוש גזוזטרא כדכתיב (יחזקאל מא, טו) והגזרה והבניה תרגום גזוזטרא ובנייתא, ועוד מפורש בערך זיז. וזה לשון הערוך ערך זיז א', ותנן בהזיז (אהלות פי"ד מ"א) איזהו הזיז שפניו למטה וגזוזטרא שפניה למעלה, כלומר זיז יוצא מן הכותל וראשה כפוף למטה וגזוזטרא יוצאה מן הכותל וראשה נשואה למעלה עכ"ל הערוך. ור' בנימין מוספיא ערך גזוזטר כתב, וזה לשונו גזוזטר פירוש בלשון יווני בנין בולט מקיר הבתים חוצה עשוי לישב שם לראות. עד כאן לשון ר' בנימין מוספיא: **מתנות כהונה ונתרזים וכו'.** זה לשון הערוך ערך תרז כאן בשותת כאן בנתרזת (חולין לח, א), פירוש הטילה רעי בקילוח בכח הרוח עד כאן: **[יב] אחזתיו ולא ארפנו. עד שהבאתיו אל בית אמי.** פירוש אל בית אמי דוקא ולא אצל אחרים:

§13 The Midrash contrasts God's communication with Jewish prophets and His communication with non-Jewish prophets:

מַה בֵּין נְבִיאֵי יִשְׂרָאֵל לִנְבִיאֵי אוּמּוֹת הָעוֹלָם — What is the difference **between the prophets of Israel and the prophets of the nations of the world? רַבִּי חָמָא בַּר חֲנִינָא וְרַבִּי יִשָּׂשכָר דִּכְפַר מַנְדִּי — R' Chama bar Chanina and R' Yissachar of Kfar Mandi** discussed this issue: **רַבִּי חָמָא בַּר חֲנִינָא אָמַר: אֵין הַקָּדוֹשׁ בָּרוּךְ הוּא נִגְלֶה עַל אוּמּוֹת הָעוֹלָם אֶלָּא בַּחֲצִי דִיבּוּר — R' Chama bar Chanina said: The Holy One, blessed is He, does not appear to** the prophets of **the nations of the world** in any manner **other than with half-speech,**[193] **כְּמָה דְּתֵימַר ״וַיִּקָּר אֱלֹהִים אֶל בִּלְעָם״ — as it is stated,** ***God happened*** **[וַיִּקָּר]** ***upon Balaam*** (*Numbers* 23:4); **אֲבָל נְבִיאֵי יִשְׂרָאֵל בְּדִבּוּר שָׁלֵם, שֶׁנֶּאֱמַר ״וַיִּקְרָא אֶל מֹשֶׁה״ — but** to the **prophets of Israel** He appears **with full speech, as it states,** ***He called*** **[וַיִּקְרָא]** ***to Moses.***[194] **וְרַבִּי יִשָּׂשכָר דִּכְפַר מַנְדִּי אָמַר: כָּךְ יְהֵא שְׂכָרָן — And R' Yissachar of Kfar Mandi said:** Shall **such be the reward of [the prophets of the other nations]?!**[195] **אֵין לְשׁוֹן ״וַיִּקָּר״ אֶלָּא לְשׁוֹן טוּמְאָה —** Rather, **the expression,** ***vayikar*** **[וַיִּקָּר], is nothing other than an expression of impurity,**[196] **כְּמָה דְּתֵימַר ״אֲשֶׁר לֹא יִהְיֶה טָהוֹר מִקְּרֵה לָיְלָה״ — as it is stated,** *If there will be among you a man* ***who will not be clean because of a nocturnal occurrence*** [מִקְּרֵה], *he shall go outside the camp* (*Deuteronomy* 23:11).[197] **אֲבָל נְבִיאֵי יִשְׂרָאֵל בִּלְשׁוֹן קְדוּשָּׁה בִּלְשׁוֹן טָהֳרָה בְּלָשׁוֹן בָּרוּר — But** to **the prophets of Israel,** God speaks **with language denoting holiness, with language denoting purity, with language** that is **clear,**[198] **בְּלָשׁוֹן שֶׁמַּלְאֲכֵי הַשָּׁרֵת מְקַלְּסִין בּוֹ לְהַקָּדוֹשׁ בָּרוּךְ הוּא — with** the type of **language by which the ministering angels praise the Holy One, blessed is He, כְּמָה דְּתֵימַר ״וְקָרָא זֶה אֶל זֶה וְאָמַר״ — as it states,** ***And one*** (angel) ***called*** **[וְקָרָא]** ***to another and said,*** *"Holy, holy, holy is HASHEM"* (*Isaiah* 6:3).[199]

The Midrash continues its discussion of the contrast between Jewish and non-Jewish prophets:

אָמַר רַבִּי אִלְעַאי בַּר מְנַחֵם: כְּתִיב ״רָחוֹק ה׳ מֵרְשָׁעִים״ וּכְתִיב ״וּתְפִלַּת צַדִּיקִים יִשְׁמָע״ — R' Il'ai bar Menachem said: It is written, ***HASHEM is distant from the wicked*** (*Proverbs* 15:29), **and it is written,** ***but He hears the prayer of the righteous*** (ibid.). **״רָחוֹק . . . מֵרְשָׁעִים״ אֵלּוּ נְבִיאֵי אוּמּוֹת הָעוֹלָם —** ***HASHEM is distant from "the wicked"*** **— these are the prophets of the nations of the world.**[200] **״וּתְפִלַּת צַדִּיקִים יִשְׁמָע״ אֵלּוּ נְבִיאֵי יִשְׂרָאֵל —** ***But He hears the prayer of "the righteous"*** **— these are the prophets of Israel.**[201] **אַתָּה מוֹצֵא שֶׁאֵין הַקָּדוֹשׁ בָּרוּךְ הוּא נִגְלֶה עַל הָאוּמּוֹת הָעוֹלָם אֶלָּא כְּאָדָם שֶׁבָּא מֵאֶרֶץ רְחוֹקָה — You find that the Holy One, blessed is He, appears to the nations of the world only as one who comes from a distant land, כְּמָה דְּתֵימַר ״מֵאֶרֶץ רְחוֹקָה בָּאוּ אֵלַי״ — as it is stated,** ***They came*** **[בָּאוּ]** ***to me from a faraway land*** (*Isaiah* 39:3);[202]

NOTES

193. God finds it unpleasant, as it were, to speak with these prophets at length. And just as one cannot properly appreciate what one hears in an incomplete manner from a fellow human being, these prophets do not fully comprehend God's abbreviated messages (*Eitz Yosef*).

194. The word וַיִּקָּר is a shortened form ("half") of the word וַיִּקְרָא, *and He called.* Scripture's use of this truncated term in connection with the non-Jewish Balaam alludes to the brief, incomplete nature of God's communication with him, in contrast to the lengthier, complete communication with Moses.

195. I.e., can it be that the prophecies of Israel are superior to those of the other nations in but this one aspect (*Matnos Kehunah*, first interpretation).

196. R' Yissachar of Kfar Mandi interprets the word וַיִּקָּר, which is used with respect to Balaam's prophecy, as suggestive of impurity, indicating that God views His communication with non-Jewish prophets as contaminating Him, as it were (see *Mizrachi* to our verse; see also *Matnos Kehunah* to *Bereishis Rabbah* 52 §5). R' Yissachar will now cite a source for this association.

197. The Midrash is noting that this verse, which describes one who becomes ritually contaminated through a seminal emission, employs the root קרה to refer to that occurrence.

198. God speaks to them using clear and explicit language that enables them to fully comprehend the Divine messages (*Eitz Yosef*; see also *Eshed HaNechalim* to *Bereishis Rabbah* 52 §5). This is suggested by the word וַיִּקְרָא, *and He called*, with which Jewish prophecies are prefaced.

199. The word וְקָרָא, *and one* (angel) *called*, used in this verse is fundamentally identical to the word וַיִּקְרָא, *and He called*, used in our verse. The word וַיִּקְרָא thus indicates that God *calls* to Jewish prophets using the same elevated manner of speech that the *angels* use in praising *God*. [This exposition appears to be a *gezeirah shavah*.]

See Insight Ⓐ.

200. Since it is obvious that God is distant from the *wicked*, the verse must be referring to the prophets of the nations of the world who *have* spiritual attainments yet still act evilly. Accordingly, the verse teaches that even as God communicates with them, He remains *distant* — in the sense of the Midrash in the immediately following lines (*Eshed HaNechalim*) and in the sense of the Midrash below that a curtain separates Him from these prophets (*Eitz Yosef*, citing *Nezer HaKodesh* to *Bereishis Rabbah* 52 §5).

201. Since there is no curtain between God and the prophets of Israel (see below), their prayers reach Him unobstructed (see *Eitz Yosef*, end of s.v. רחוק ה׳ מרשעים).

202. [In this verse King Hezekiah is speaking to the prophet Isaiah, telling him that the Babylonians had come from far away to visit him.]

INSIGHTS

Ⓐ **Drawing Close** *Shem MiShmuel* (*Vayikra* 5671) and *Ohr Gedalyahu* (*Vayikra* §2) present an illuminating exposition. They suggest that the two words וַיִּקְרָא, *He called*, and וַיִּקָּר, *He happened upon*, used regarding Moses and Balaam respectively, allude to the essential difference between them and, therefore, to the type of prophecy each one received. By *calling* Moses, God was in effect summoning Moses to *His* domain; that is, it was a call of love to Moses, a call to become spiritually elevated and closer to God through his prophecy. By contrast, God *happened upon* Balaam, in whatever state of impurity Balaam happened to be. Balaam was unaffected by the Divine communication; he remained the same Balaam that he was before.

God related to both these prophets in accordance with their desires. Moses, who sought to elevate himself and had separated himself from all worldly matters, was rewarded in kind; God called him, enabling him to rise ever higher, and to become holier with each successive prophecy. Balaam, on the other hand, had no intention of refining himself. And, although he wished to experience closeness to God, he did nothing to perfect his nature or *make* himself nearer to God. Appropriately, the prophecies he received did not transform him in any way. They came to him, descending upon him in his lowly station, where he remained.

And what was Balaam's lowly station? Balaam had "an evil eye, a haughty spirit, and an indulgent nature" (see *Avos* 5:19). How then did he indeed merit a prophetic vision?

R' Elyah Lopian explains that there are two types of prophetic visions. The truest form is the one that comes to a person because he has perfected and elevated his nature. This is the level of prophecy reached by the Jewish prophets discussed by our Midrash. Such prophecy further elevates the prophet; it has a lasting effect. There is, however, another type of prophetic vision. It is one that comes upon a person who is unprepared for it; it is granted to him as a temporary gift from God for whatever reason He might seek to grant it. Such prophecy, too, elevates the recipient, but only for the moment. If such a prophet does not seek to elevate himself, he will revert to his former self and level once the vision is gone. This was the prophecy of Balaam (*Lev Eliyahu*, Vol. 3, p. 153ff).

A person might receive Divine communications in various forms many times in his life. They will have an enduring effect only if one strives to be elevated through them, if he perceives them as a call *from* God, as an invitation to draw closer to *His* domain.

יג מה בין נביאי ישראל לנביאי אומות העולם, [טו]רבי חמא בר חנינא ורבי יששכר דכפר מנדי, רבי חמא בר חנינא אמר: אין הקדוש ברוך הוא נגלה על אומות העולם אלא בחצי דיבור, כמה דתימר (במדבר כג, ד) "ויקר אלהים אל בלעם", אבל נביאי ישראל בדבור שלם, שנאמר [א, א] "ויקרא אל משה", ורבי יששכר דכפר מנדי אמר: כך יהא שכרן, אין לשון "ויקר" אלא לשון טומאה, כמה דתימר (דברים כג, יא) "אשר לא יהיה טהור מקרה לילה", אבל נביאי ישראל בלשון קדושה בלשון טהרה בלשון ברור, בלשון שמלאכי השרת מקלסין בו להקדוש ברוך הוא, כמה דתימר (ישעיה ו, ג) "וקרא זה אל זה ואמר", אמר רבי אלעאי בר מנחם: כתיב (משלי טו, כט) "רחוק ה' מרשעים" וכתיב (שם) "ותפלת צדיקים ישמע", "רחוק ... מרשעים" אלו נביאי אומות העולם, "ותפלת צדיקים ישמע" אלו נביאי ישראל, אתה מוצא שאין הקדוש ברוך הוא נגלה על האומות העולם אלא כאדם שבא מארץ רחוקה, כמה דתימר (ישעיה לט, ג) "מארץ רחוקה באו אלי", אבל נביאי ישראל מיד, (בראשית יח, א) "וירא", [א, א] "ויקרא". אמר רבי יוסי: אין הקדוש ברוך הוא נגלה על אומות העולם אלא בלילה, בשעה שדרך בני אדם פרושים זה מזה, דכתיב (איוב ד, יג) "בשעפים מחזיונות לילה בנפל וגו'", (שם שם יב) "ואלי דבר יגנב וגו'", רבי חנינא בר פפא ורבנן, רבי חנינא בר פפא אמר: משל למלך שהיה הוא ואוהבו בטרקלין וביניהם וילון, כשהיה מדבר עם אוהבו מקפל את הוילון עד שרואהו פנים אל פנים ומדבר עמו,

פירוש מהרז"ו

(יג) מה בין נביאי ישראל. כל דברי סימן זה בבראשית רבה (נב, ה) ושם נדרש ומבואר, ועל כן קצרתי כאן: **כך יהיה שכרן.** שהדיבור האלהי מורה על מתן שכר, מה הדיבור בטומאה כך מתן שכרן: **וקרא זה אל זה.** ואמר קדוש וגו', וזהו הקילוס: **כאדם שבא מארץ רחוקה.** שאין קרבת הדעת ביניהם, ורחוקים זה מזה:

עץ יוסף

(יג) אלא בחצי דבור. שקשה עליו להאריך עמהם בדברים: **אלא בחצי דבור.** עד שאינו יודע האמת על בוריה מזה, כמו מי שמדבר חצי הדברים שאין השומע מבין ממנו עיקר הענין המדובר בו, כן הם לא הבינו על אמיתתו, אבל בישראל הוא בלשון ברור, שהוא מבין הענין על אמיתתו: **כך יהא שכרן.** פירוש בתמיה, וכי כך יהא שכרן של נביאי אומות העולם: **אלא לשון טומאה.** טומאת קרי, שנתלבש את נבואתו במדרגת הטומאה, טומאת קרי (נזר הקודש): **בלשון שמלאכי השרת מקלסין בו.** הענין כי הקריאה הנאמר במלאכים הוא הכוונה על ההתקשרות העילה בעלול לקבל ממנו ההשגה הרוממה, וכן הוא הקריאה הנאמר אצל הנביאים, אין הכוונה קריאה פשוטה, כי אם קריאת ההשגה: **רחוק ה' מרשעים כו'.** דאם כפשוטו אין זה חידוש שרחוק ה' מרשעים, אם לא שמדבר על נביאיהם, שהם על כל פנים עוסקים בהתבודדות השכל, אך מעשיהם רע, ולכן ה' רחוק מהם, דאף על פי שהוא מתגלה להם בנבואה, מכל מקום נקרא רחוק, לפי שהוא דרך מסך מבדיל של מדרגת הטומאה, ולפיכך גם תפלתם אינה נשמעת (נזר הקודש): **כאדם שבא מארץ רחוקה.** רצה לומר, שלכן כתיב בהם בלבן ואבימלך ובלעם לשון ויבא אל כו', שאין זה מקומו הראוי לו, ובא ממרחק עליהם, על ידי אמצעים רבים והסתרות רבות, והמחזה ביניהם הוא בלתי ברור, ואינם מכירים אותו כי אם כמו שמכירים אדם שבא מארץ רחוקה, שאינו ניכר בעיניו: **מארץ רחוקה באו אלי.** והכי כתיב גם כן לשון ויבא: **אבל נביאי ישראל מיד וירא ויקרא.** רצה לומר שנאמר וירא ה' אל אברהם, אף על פי שהיה חולה וטרוד במילתו, נגלה עליו הקדוש ברוך הוא, כאילו כביכול האהבה דחק השורה, וכן ויקרא אל משה (מתנות כהונה): **אלא בלילה.** אשר אז הוא זמן ממשלת החיצונים, והוא הדין במקומות חרבים אשר שם משכנם גם ביום, נהפך לו גם כן מדת היום ללילה, ולפיכך בלעם שהלך שפי ביחידי ביום במקומות חרבים, נתדבק בו רוח הטומאה כמו לשאר נביאי אומות העולם בלילה שאינם זוכים לאור הנבואה מאת ה' לגמרי, אלא בהתלבשות מדריגת החיצונים בזמנן בלילה, או ביום במקומות חרבים כמו בלעם, דמהאי טעמא כתיב ביה לשון ויקר, ומאת ה' היתה זאת לגלגל נבואתו גם ביום על דרך זה לכבודן של ישראל (נזר הקודש): **בנפול וכו'.** שאז דרך בני אדם לפרוש זה מזה: **שהיה הוא ואוהבו כו'.** רצה לומר כמו המלך שאינו מדבר עם מי שאינו אוהבו אלא על ידי הפסק הוילון, כך גם נביאי אומות המתנבאים בלילה בזמן ממשלת החיצונים, אינם מתנבאים אלא בהתלבשות מדרגות החיצונים אשר הם כוילון ומסך מבדיל בינם לבין קונם יתברך, אבל בנביאי ישראל מקפל הוילון, הוא מסך המבדיל של החיצונים, ומדבר עמהם פנים אל פנים:

מתנות כהונה

[יג] כך יהא שכרן. פירוש בתמיה, וכי לא יהא מעלתן של נביאי ישראל אלא מעלה אחת מנביאי אומות העולם. או רצה לומר כך יהא שכרן של נביאי אומות העולם, וכי ראויים הם לחצי דבור: **כמה דתימר מארץ רחוקה.** וכאן כתיב (משלי טו, כט) רחוק ה' מרשעים. ועיין עוד בבראשית רבה פרשה נב (סימן ה), ופרשה עד (סימן ז): **וירא ויקרא.** שנאמר (בראשית יב, ז) וירא ה' אל אברהם, אף על פי שהיה חולה וטרוד במילתו, שאמרו חז"ל בבבא מציעא (פו, ב) דהוה חסר ושרי, ולא היה מכין עצמו לנבואה באותה שעה, מכל מקום נגלה עליו הקב"ה, כאלו כביכול האהבה דחקה השורה, וכן ויקרא אל משה:

אשד הנחלים

[יג] בחצי דיבור כו' לשון טומאה. הבדיל נבואת עובדי כוכבים בשני הבדלים, אחד בענין הנבואה עצמה, שאינו שומע קול הקריאה ממש כי אם כמו במקרה ובחצי דיבור, עד שאינו יודע האמת על בוריה מזה, כמו מי שמדבר חצי הדברים, שאין השומע מבין ממנו עיקר הענין המדובר בו, כן הם לא הבינו על אמיתתו, ולכן נקראו קוסמים, כי הקסם הוא בכח המשער לבד לא לכוון האמת לאמיתו. השני בענין מעמד האדם ומדותיו שאין בו טהרה, כמו שבארתי לעיל, וזה שמסיים אבל בנביאי ישראל היה בלשון קדושה, ובלשון טהרה, ובלשון ברור, שהוא מבין הענין על אמיתתו. ובלשון שמלאכי השרת מקלסים, וזהו לשון קריאה, והענין כי הקריאה הנאמר במלאכים, הוא הכוונה על התקשרות העילה בעליל לקבל ממנו ההשגה הרוממה, וכן הוא הקריאה הנאמר אצל הנביאים, אין הכוונה קריאה פשוטה, כי אם קריאת ההשגה, הבן זה: **רחוק גו' אלו נביאי עובדי כוכבים.** דאם כפשוטו אין זה חידוש שרחוק ה' מהרשעים, אם לא שמדבר על נביאיהם, שהם על כל פנים עוסקים בהתבודדות השכל, אך מעשיהם רע, ולכן ה' רחוק מהם. אף שמתגלה להם, הוא ממקום רחוק על ידי אמצעיים רבים והסתרות רבות, והמחזה בעיניהם הוא בלתי ברור ואינם מכירים אותם, כי אם כמו שמכירים אדם שבא מארץ רחוקה, שאינו ניכר בעיניו: **אלא בלילה.** שאז ביטול החוש גדול מאוד, ואינו משבית אותו טרדות ומחשבות בני אדם, ולכן נקראת אצלם ביאת הנבואה בשם גניבה שהוא בלי ראיית זולתו, כן באה להם בלילה על ידי חלום שאין איש רואהו, מה שאין כן נביאי ישראל רואים ביום, וכולם רואים זאת: **וביניהם וילון כו' פנים אל פנים.** לפי הראות זה המשל איננו הבדל דווקא בין נביאי ישראל לנביאי עובדי כוכבים, כי אם ההבדל בישראל גופא בין נבואת משה לשאר הנביאים, שרק במשה היה בלי הסתרה רק פה אל פה. ואולי לפי שאומר להלן ששאר הנביאים רואים מתוך אספקלריא מלוכלכת, ומשה מתוך אספקלריא מצוחצחת, והנה זה ההבדל בין שאר הנביאים לנבואת משה, שעל כל פנים האספקלריא היא מראה מלוטשת, לראות ממנה העומד נכחה, אלא

חידושי הרד"ל

[יג] מה בין נביאי כו'. בראשית רבה פרשה עד, (סימן ז): **כאדם שבא מארץ רחוקה.** רצה לומר שלכן כתיב בהם בלבן ואבימלך ובלעם, לשון ויבא אל כו', שאין זה מקומו הראוי לו, ובא ממרחק אליהם. ובאנס דחק הידי משה:

באור מהרי"פ

[יג] מארץ רחוקה באו אלי. בבראשית רבה (נב, ה) לא גרסינן זה:

ידי משה

[יג] אין הקדוש ברוך הוא נגלה לאומות העולם אלא כאדם שבא מארץ רחוקה וכו'. ומסיים המדרש **כמו דאת אמר מארץ רחוקה באו.** הרבה יגעתי להבין פירוש זה המדרש, ובעל מתנות כהונה לא הרגיש חסרונו. ונראה לי בסייעתא דשמיא לפרש על דרך שאמרו חכמינו ז"ל (בראשית רבה יט, יא) ארבעה בדקן הקדוש ברוך הוא ומצאן עביט של מי רגלים, אדם הראשון שאמר ליה איכה, [קין שאמר לא ידעתי], ובלעם שאמר ליה מי האנשים וגו', וחזקיהו שאמר ליה גבי שליחות בלאדן מי האנשים האלה, והשיב חזקיהו מארץ רחוקה באו, והוא בישעיה (לט, ג), לפי זה רצון המדרש לתרץ מה שאמר הקב"ה לבלעם מי האנשים האלה, לזה אמר שאין הקב"ה נגלה לאומות העולם אלא כמו שנגלה לאדם הראשון, וכמו שנגלה לזה שבאו מארץ רחוקה והוא חזקיה, כמה דאמר מארץ רחוקה, והקב"ה היה יודע מהיכן באו כן הכא גבי בלעם, מה שאין כן באברהם דכתיב וירא, ובמשה ויקרא, לזה אמר כאדם, פירוש כאדם הראשון, וכמו שנגלה לזה שבאו מארץ רחוקה. ודוק:

מסורת המדרש

טו. ילקוט נ"כ תתל"ז וסדר וירא. תד"א זוטא פ"י:

אם למקרא

וַיִּקָּר אֱלֹהִים אֶל בִּלְעָם וַיֹּאמֶר אֵלָיו אֶת שִׁבְעַת הַמִּזְבְּחֹת עָרַכְתִּי וָאַעַל פַּר וָאַיִל בַּמִּזְבֵּחַ: (במדבר כג:ד)

כִּי יִהְיֶה בְךָ אִישׁ אֲשֶׁר לֹא יִהְיֶה טָהוֹר מִקְּרֵה לָיְלָה וְיָצָא אֶל מִחוּץ לַמַּחֲנֶה לֹא יָבֹא אֶל תּוֹךְ הַמַּחֲנֶה: (דברים כג:יא)

וְקָרָא זֶה אֶל זֶה וְאָמַר קָדוֹשׁ קָדוֹשׁ קָדוֹשׁ ה' צְבָאוֹת מְלֹא כָל הָאָרֶץ כְּבוֹדוֹ: (ישעיה ו:ג)

רָחוֹק ה' מֵרְשָׁעִים וּתְפִלַּת צַדִּיקִים יִשְׁמָע: (משלי טו:כט)

וַיָּבֹא יְשַׁעְיָהוּ הַנָּבִיא אֶל הַמֶּלֶךְ חִזְקִיָּהוּ וַיֹּאמֶר אֵלָיו מָה אָמְרוּ הָאֲנָשִׁים הָאֵלֶּה וּמֵאַיִן יָבֹאוּ אֵלֶיךָ וַיֹּאמֶר חִזְקִיָּהוּ מֵאֶרֶץ רְחוֹקָה בָּאוּ אֵלַי מִבָּבֶל: (ישעיה לט:ג)

וַיֵּרָא אֵלָיו ה' בְּאֵלֹנֵי מַמְרֵא וְהוּא יֹשֵׁב פֶּתַח־הָאֹהֶל כְּחֹם הַיּוֹם: (בראשית יח:א)

וְאֵלַי דָּבָר יְגֻנָּב וַתִּקַּח אָזְנִי שֵׁמֶץ מֶנְהוּ: בִּשְׂעִפִּים מֵחֶזְיֹנוֹת לָיְלָה בִּנְפֹל תַּרְדֵּמָה עַל אֲנָשִׁים: (איוב ד:יב-יג)

אמרי יושר

[יג] בחצי דיבור. ידיעה בלתי שלימה, כאשר פירשתי בפירושי למגלת אסתר (מגלת סתרים, בסוף ספר נוף דבש, פסוק להיות עתודים) מאמר זה: **ר' יששכר אומר כו' לשון טומאה.** כאן מכח הטומאה ומדריגה שפילה, כמשל המטרונה, ואף זו בהפסק רחוק, כדמסיים רחוק מרשעים ה', אלו כחות הטומאה, אלו [נביאי] אומות העולם. או ירמוז לרוב המדרגות המפסיקות והמחילות המבדילות, וכנגד זה הביא משל אחורי הוילון, וכנגד שפלות המדרגה, הביא משל שאינו מדבר אלא בלילה, או כשבא אל פילגשו:

אֲבָל נְבִיאֵי יִשְׂרָאֵל מִיַּד — **but** to **the prophets of Israel** He appears **immediately,**[203] "וַיֵּרָא", "וַיִּקְרָא" — as indicated in Scripture by use of the expression ***He appeared*** or ***He called.***[204]

אָמַר רַבִּי יוֹסֵי — **R' Yose said:** אֵין הַקָּדוֹשׁ בָּרוּךְ הוּא נִגְלֶה עַל אוּמּוֹת הָעוֹלָם אֶלָּא בַּלַּיְלָה, בְּשָׁעָה שֶׁדֶּרֶךְ בְּנֵי אָדָם פְּרוּשִׁים זֶה מִזֶּה — **The Holy One, blessed is He, appears to the nations of the world only at night, at a time when people are normally separate from one another,**[205] דִּכְתִיב "בִּשְׂעִפִּים מֵחֶזְיוֹנוֹת לַיְלָה בִּנְפֹל וְגוֹ׳ " — **for it is written,** ***When thoughts are filled with nocturnal visions, when*** *slumber* ***falls*** *upon men* (Job 4:13), "וְאֵלַי דָּבָר יְגֻנָּב וְגוֹ׳ " — and ***a message surreptitiously reached me*** (ibid., v. 12). רַבִּי חֲנִינָא בַּר פַּפָּא וְרַבָּנָן — **R' Chanina bar Pappa and the** other **Sages** gave different analogies for this phenomenon. רַבִּי חֲנִינָא בַּר פַּפָּא אָמַר: מָשָׁל לְמֶלֶךְ שֶׁהָיָה הוּא וְאוֹהֲבוֹ בִּטְרַקְלִין וּבֵינֵיהֶם וִילוֹן — **R' Chanina bar Pappa said: It may be compared to a king who was situated in a parlor room with his friend, and** there was **a curtain** placed **between them.**[206] כְּשֶׁהָיָה מְדַבֵּר עִם אוֹהֲבוֹ מְקַפֵּל אֶת הַוִּילוֹן עַד שֶׁרוֹאֵהוּ פָּנִים אֶל פָּנִים וּמְדַבֵּר עִמּוֹ — **When he would speak to his friend he would fold away the curtain until he could see him face to face and** then **speak to him.**

NOTES

The Midrash is making the point that the root בוא (coming) is used when someone has come from a distance. Thus, when God speaks to non-Jews, Scripture uses the term וַיָּבֹא, *He came* — see *Genesis* 20:3 in connection with Abimelech, ibid. 31:24 in connection with Laban, and *Numbers* 22:9,20 in connection with Balaam — indicating that their vicinity is not His natural environment, and He has had to come a long distance (so to speak) in order to speak to them. Furthermore, He does not appear to them in a clear vision, and therefore they have difficulty "recognizing" Him — as a person has difficulty recognizing a visitor who comes from a distant land (*Eitz Yosef*).

203. I.e., with alacrity — as if coming from nearby.

204. The term וַיֵּרָא, *He appeared*, appears in *Genesis* 18:1 et al. in connection with Abraham and in ibid. 26:2 et al. in connection with Isaac; the term וַיִּקְרָא, *He called*, appears in our verse in connection with Moses. *Matnos Kehunah*, followed by *Eitz Yosef*, explains: In *Genesis* 18:1 God appears to Abraham in the heat of the day, while Abraham was trying to recover from his circumcision and was not thinking about receiving prophetic revelations. Yet God — against the apparent dictates of logic — appears to him anyway, because of His great love for Abraham. The term וַיֵּרָא thus connotes God's appearing to a person with alacrity, out of love. The word וַיִּקְרָא is to be understood the same way.

205. The Midrash is highlighting the offhand nature of God's appearances to non-Jewish prophets.

206. The drawn curtain represents a lack of clarity and directness in the prophetic vision (*Yefeh To'ar* to *Bereishis Rabbah* 52 §5).

יג מה בין נביאי ישראל לנביאי אומות העולם, [יג] רבי חמא בר חנינא ורבי יששכר דכפר מנדי, רבי חמא בר חנינא אמר: אין הקדוש ברוך הוא נגלה על אומות העולם אלא בחצי דיבור, כמה דתימר (במדבר כג, ד) "ויקר אלהים אל בלעם", אבל נביאי ישראל בדבור שלם, שנאמר [א, א] "ויקרא אל משה", ורבי יששכר דכפר מנדי אמר: כך יהא שכרן, אין לשון "ויקר" אלא לשון טומאה, כמה דתימר (דברים כג, יא) "אשר לא יהיה טהור מקרה לילה", אבל נביאי ישראל בלשון קדושה בלשון טהרה בלשון ברור, בלשון שמלאכי השרת מקלסין בו להקדוש ברוך הוא, כמה דתימר (ישעיה ו, ג) "וקרא זה אל זה ואמר", אמר רבי אלעאי בר מנחם: כתיב (משלי טו, כט) "רחוק ה' מרשעים" וכתיב (שם) "ותפלת צדיקים ישמע", "רחוק ... מרשעים" אלו נביאי אומות העולם, "ותפלת צדיקים ישמע" אלו נביאי ישראל, אתה מוצא שאין הקדוש ברוך הוא נגלה על האומות העולם אלא כאדם שבא מארץ רחוקה, כמה דתימר (ישעיה לט, ג) "מארץ רחוקה באו אלי", אבל נביאי ישראל מיד, (בראשית יח, א) "וירא", [א, א] "ויקרא". אמר רבי יוסי: אין הקדוש ברוך הוא נגלה על אומות העולם אלא בלילה, בשעה שדרך בני אדם פרושים זה מזה, דכתיב (איוב ד, יג) "בשעפים מחזיונות לילה בנפל וגו'", (שם שם יב) "ואלי דבר יגנב וגו'", רבי חנינא בר פפא ורבנן, רבי חנינא בר פפא אמר: משל למלך שהיה הוא ואוהבו בטרקלין וביניהם וילון, כשהיה מדבר עם אוהבו מקפל את הוילון עד שרואהו פנים אל פנים ומדבר עמו,

פירוש מהרז"ו

(יג) **מה בין נביאי ישראל.** כל דברי סימן זה בבראשית רבה (נב, ה) וגם נדרש ומבואר, ועל כן קצרתי כאן: **כך יהיה שכרן.** שהדיבור האלהי מורה על מתן שכר, מה הדיבור בטומאה כך מתן שכרן: **וקרא זה אל זה.** ואמר קדוש וגו', וזהו הקילוס: **כאדם שבא מארץ רחוקה.** שאין קרבת הדעת ביניהם, ורחוקים זה מזה:

עץ יוסף

(יג) **אלא בחצי דבור.** שקשה עליו להאריך עמהם בדברים: **אלא בחצי דבור.** עד שאינו יודע האמת על בוריה מזה, כמו מי שמדבר חצי הדברים שאין השומע מבין ממנו עיקר הענין המדובר בו, כן הם לא הבינו על אמיתתו, אבל בישראל הוא בלשון ברור, שהוא מבין הענין על אמיתתו: **כך יהא שכרן.** פירוש בתמיה, וכי כך יהא שכרן של נביאי אומות העולם: **אלא לשון טומאה.** טומאת קרי, שנתלבש את נבואתו במדרגת הטומאה, טומאת קרי (נזר הקודש): **בלשון שמלאכי השרת מקלסין בו.** הענין כי הקריאה הנאמר במלאכים הוא הכוונה על ההתקשרות העילה בעלול לקבל ממנו ההשגה הרוממה, וכן הוא הקריאה הנאמר אצל הנביאים, אין הכוונה קריאה פשוטה, כי אם קריאת ההשגה: **רחוק ה' מרשעים כו'.** דאם כפשוטו אין זה חידוש שרחוק ה' מרשעים, אם לא שמדבר על נביאיהם, שהם על כל פנים עוסקים בהתבודדות השכל, אך מעשיהם רע, ולכן ה' רחוק מהם, דאף על פי שהוא מתגלה להם בנבואה, מכל מקום נקרא רחוק, לפי שהוא דרך מסך מבדיל של מדרגת הטומאה, ולפיכך גם תפלתם אינה נשמעת (נזר הקודש): **כאדם שבא מארץ רחוקה.** רצה לומר, שלכן כתיב בהם בלבן ואבימלך ובלעם לשון ויבא אל כו', שאין זה מקומו הראוי לו, ובא ממרחק עליהם, על ידי אמצעים רבים והסתרות רבות, והמחזה ביניהם הוא בלתי ברור, ואינם מכירים אותו כי אם כמו שמכירים אדם שבא מארץ רחוקה, שאינו ניכר בעיניו: **מארץ רחוקה באו אלי.** והם כתיב גם כן לשון ויבא: **אבל נביאי ישראל מיד וירא ויקרא.** רצה לומר שנאמר וירא ה' אל אברהם, אף על פי שהיה חולה וטרוד במילתו, נגלה עליו הקדוש ברוך הוא, כאילו כביכול האהבה דחק השורה, וכן ויקרא אל משה (מתנות כהונה): **אלא בלילה.** אשר אז הוא זמן ממשלת החיצונים, והוא הדין במקומות חרבים אשר שם משכנם גם ביום, נהפך לו גם מדת היום ללילה, ולפיכך בלעם שהלך שפי ביחידי ביום במקומות חרבים, נתדבק בו רוח הטומאה כמו לשאר נביאי אומות העולם בלילה שאינם זוכים לאור הנבואה מאת ה' לגמרי, אלא בהתלבשות מדריגת החיצונים שזמנן בלילה, או ביום במקומות חרבים כמו בלעם, דמהאי טעמא כתיב ביה לשון ויקר, ומאת ה' היתה זאת לגלגל נבואתו גם ביום על דרך זה לכבודן של ישראל (נזר הקודש): **בנפול וכו'.** שאז דרך בני אדם לפרוש זה מזה: **שהיה הוא ואוהבו כו'.** רצה לומר כמו המלך שאינו מדבר עם מי שאינו אוהבו אלא על ידי הפסק הוילון, כך גם נביאי אומות המתנבאים בלילה בזמן ממשלת החיצונים, אינם מתנבאים אלא בהתלבשות מדרגות החיצונים אשר הם כוילון ומסך מבדיל בינם לבין קונם יתברך, אבל בנביאי ישראל מקפל הוילון, הוא מסך המבדיל של החיצונים, ומדבר עמם פנים אל פנים:

חידושי הרד"ל

[יג] **מה בין נביאי כו'.** בראשית רבה פרשה עד, (סימן ז): **כאדם שבא מארץ רחוקה.** רצה לומר שלכן כתיב בהם בלבן ואבימלך ובלעם, לשון ויבא אל כו', שאין זה מקומו הראוי לו, ובא ממרחק אליהם. ובחנם דחק הידי משה:

באור מהרי"פ

[יג] **מארץ רחוקה באו אלי.** בבראשית רבה (נב, ה) לא גרסינן זה:

ידי משה

[יג] **אין הקדוש ברוך הוא נגלה לאומות העולם אלא כאדם שבא מארץ רחוקה וכו'.** ומסיים המדרש **כמו דאת אמר מארץ רחוקה באו.** הרבה יגעתי להבין פירוש זה המדרש, ובעל מתנות כהונה לא הרגיש חסרונו. ונראה לי בסייעתא דשמיא לפרש על דרך שאמרו חכמינו ז"ל (בראשית רבה יט, יח) ארבעה בדקן הקדוש ברוך הוא ומצאן עביט של מי רגלים, אדם הראשון שאמר ליה איכה, [קין שאמר לא ידעתי], ובלעם שאמר ליה מי האנשים וגו', וחזקיהו שאמר ליה גבי שליחות בלאדן מי האנשים האלה, והשיב חזקיהו מארץ רחוקה באו, והוא בישעיה (לט, ג), לפי זה רצון המדרש לתרץ מה שאמר הקב"ה לבלעם מי האנשים האלה, לזה אמר שאין הקב"ה נגלה לאומות העולם אלא כמו שנגלה לאדם הראשון, וכמו שנגלה לזה שבאו מארץ רחוקה והוא חזקיה, כמה דאמר מארץ רחוקה, והקב"ה היה יודע מהיכן באו כן הכא גבי בלעם, מה שאין כן באברהם דכתיב וירא, ובמשה ויקרא, לזה אמר כאדם, פירוש כאדם הראשון, וכמו שנגלה לזה שבאו מארץ רחוקה. ודוק:

מסורת המדרש

טו. ילקוט נ"כ תתל"ז וסדר וירא. תד"א זוטא פ"י:

אם למקרא

וַיִּקָּר אֱלֹהִים אֶל בִּלְעָם וַיֹּאמֶר אֵלָיו אֶת שִׁבְעַת הַמִּזְבְּחֹת עָרַכְתִּי וָאַעַל פָּר וָאַיִל בַּמִּזְבֵּחַ:
(במדבר כג:ד)

כִּי יִהְיֶה בְךָ אִישׁ אֲשֶׁר לֹא יִהְיֶה טָהוֹר מִקְּרֵה לָיְלָה וְיָצָא אֶל מִחוּץ לַמַּחֲנֶה לֹא יָבֹא אֶל תּוֹךְ הַמַּחֲנֶה:
(דברים כג:יא)

וְקָרָא זֶה אֶל זֶה וְאָמַר קָדוֹשׁ קָדוֹשׁ קָדוֹשׁ ה' צְבָאוֹת מְלֹא כָל הָאָרֶץ כְּבוֹדוֹ:
(ישעיה ו:ג)

רָחוֹק ה' מֵרְשָׁעִים וּתְפִלַּת צַדִּיקִים יִשְׁמָע:
(משלי טו:כט)

וַיָּבֹא יְשַׁעְיָהוּ הַנָּבִיא אֶל הַמֶּלֶךְ חִזְקִיָּהוּ וַיֹּאמֶר אֵלָיו מָה אָמְרוּ הָאֲנָשִׁים הָאֵלֶּה וּמֵאַיִן יָבֹאוּ אֵלֶיךָ וַיֹּאמֶר חִזְקִיָּהוּ מֵאֶרֶץ רְחוֹקָה בָּאוּ אֵלַי מִבָּבֶל:
(ישעיה לט:ג)

וַיֵּרָא אֵלָיו ה' בְּאֵלֹנֵי מַמְרֵא וְהוּא יֹשֵׁב פֶּתַח הָאֹהֶל כְּחֹם הַיּוֹם:
(בראשית יח:א)

וְאֵלַי דָּבָר יְגֻנָּב וַתִּקַּח אָזְנִי שֵׁמֶץ מֶנְהוּ: בִּשְׂעִפִּים מֵחֶזְיֹנוֹת לָיְלָה בִּנְפֹל תַּרְדֵּמָה עַל אֲנָשִׁים:
(איוב ד:יב-יג)

אמרי יושר

[יג] **בחצי דיבור.** ידיעה בלתי שלימה, כאשר פירשתי בפירושי למגלת אסתר (מגלת סתרים, בסוף ספר נוף דבש, פסוק להיות עתודים) מאמר זה: **ר' יששכר אומר כו' לשון טומאה.** כחן מכח הטומאה ומדריגה שפילה, כמשל המטרוניה, ואף זו בהפסק רחוק, כדמסיים רחוק מרשעים ה', אלו כחות הטומאה, אלו [נביאי] אומות העולם. או ירמוז לרוב המדרגות המפסיקות והמחיצות המבדילות, וכנגד זה הביא משל אחורי הוילון, וכנגד שפלות המדרגה הביא משל שאינו מדבר אלא בלילה, או כשבא אל פילגשו:

מתנות כהונה

[יג] **כך יהא שכרן.** פירוש בתמיה, וכי לא יהא מעלתן של נביאי ישראל אלא מעלה אחת מנביאי אומות העולם. או רצה לומר כך יהא שכרן של נביאי אומות העולם, וכי ראויים הם לחצי דבור: **כמה דתימר מארץ רחוקה.** וכאן כתיב (משלי טו, כט) רחוק ה' מרשעים. ועיין שוב בבראשית רבה פרשה נב (סימן ה), ופרשה עד (סימן ז): **וירא ויקרא.** שנאמר (בראשית יב, ז) וירא ה' אל אברהם, אף על פי שהיה חולה וטרוד במילתו, שאמרו חז"ל בבבא מציעא (פו, ב) דהוה אסר ושרי, ולא היה מכין עצמו לנבואה באותה שעה, מכל מקום נגלה עליו הקב"ה, כאלו כביכול האהבה דחקה השורה, וכן ויקרא אל משה:

אשד הנחלים

[יג] **בחצי דיבור כו' לשון טומאה.** הבדיל נבואת עובדי כוכבים בשני הבדלים, אחד בענין הנבואה עצמה, שאינו שומע קול הקריאה ממש כי אם כמו במקרה ובחצי דיבור, עד שאינו יודע האמת על בוריה מזה, כמו מי שמדבר חצי הדברים, שאין השומע מבין ממנו עיקר הענין המדובר בו, כן הם לא הבינו על אמיתתו, ולכן נקראו קוסמים, כי הקסם הוא בכח המשער לבד לא לכוון האמת לאמיתו. השני בענין מעמד האדם ומדותיו שאין בו טהרה, כמו שבארתי לעיל, וזה שמסיים אבל בנביאי ישראל היה בלשון קדושה, ובלשון טהרה, ובלשון ברור, שהוא מבין הענין על אמיתתו. ובלשון שמלאכי השרת מקלסים, וזהו לשון קריאה, והענין כי הקריאה הנאמר במלאכים, הוא הכוונה על ההתקשרות העילה בעליל לקבל ממנו ההשגה הרוממה, וכן הוא הקריאה הנאמר אצל הנביאים, אין הכוונה קריאה פשוטה, כי אם קריאת ההשגה, הבן זה: **רחוק גו' אלו נביאי עובדי כוכבים.** דאם כפשוטו אין זה חידוש שרחוק ה' מהרשעים, אם לא שמדבר על נביאיהם, שהם על כל פנים עוסקים בהתבודדות השכל, אך מעשיהם רע, ולכן ה' רחוק מהם. אף שמתגלה להם, הוא ממקום רחוק על ידי אמצעיים רבים והסתרות רבות, והמחזה בעיניהם הוא בלתי ברור ואינם מכירים אותם, כי אם כמו שמכירים אדם שבא מארץ רחוקה, שאינו ניכר בעיניו: **אלא בלילה.** שאז ביטול החוש גדול מאוד, ואינו משבית אותו טרדות ומחשבות בני אדם, ולכן נקראת אצלם ביאת הנבואה בשם גניבה שהוא בלי ראיית זולתו, כן באה להם בלילה על ידי חלום שאין איש רואהו, מה שאין כן נביאי ישראל רואים ביום, וכולם רואים זאת: **וביניהם וילון כו' פנים אל פנים.** לפי הראות זה המשל איננו הבדל דווקא בין נביאי ישראל לנביאי עובדי כוכבים, כי אם ההבדל בישראל גופא בין נבואת משה לשאר הנביאים, שרק במשה היה בלי הסתרה רק פה אל פה. ואולי לפי שאומר להלן ששאר הנביאים רואים מתוך אספקלריא מלוכלכת, ומשה מתוך אספקלריא מצוחצחת, והנה זה ההבדל בין שאר הנביאים לנבואת משה, שעל כל פנים האספקלריא היא מראה מלוטשת, לראות ממנה העומד נכחה, אלא

הַיּוֹם" — *HASHEM appeared to him* (Abraham) *in the plains of Mamre* ***while he was sitting at the entrance of the tent in the heat of the day*** (*Genesis* 18:1), and "וַיְהִי בְּיוֹם דִּבֶּר ה׳ אֶל מֹשֶׁה" — ***It was on the day when HASHEM spoke to Moses in the land of Egypt*** (*Exodus* 6:28), and "וְאֵלֶּה תּוֹלְדֹת אַהֲרֹן וּמֹשֶׁה בְּיוֹם דִּבֶּר ה׳ אֶת מֹשֶׁה וְגוֹ׳" — ***These are the offspring of Aaron and Moses on the day HASHEM spoke with Moses, etc.*** (*Numbers* 3:1).

§14 מַה בֵּין מֹשֶׁה לְכָל הַנְּבִיאִים — **What is the difference between** the way **Moses** perceived his prophecy **and** the way **all other prophets** perceived theirs?[208] רַבִּי יְהוּדָה בַּר רַבִּי אִלְעַאי וְרַבָּנָן — **R' Yehudah bar Il'ai and the** other **Sages** discussed this issue. רַבִּי יְהוּדָה אוֹמֵר: מִתּוֹךְ תֵּשַׁע אִיסְפַּקְלַרְיוֹת הָיוּ הַנְּבִיאִים רוֹאִים — **R' Yehudah said:** Other **prophets viewed** their prophecies **through nine screens;**[209] הֲדָא הוּא דִכְתִיב "וּכְמַרְאֵה הַמַּרְאֶה אֲשֶׁר רָאִיתִי וְגוֹ׳" — **thus it is written,** ***It was a vision like the vision I had seen [before],*** *like the vision that I had seen when I came to [prophetically] destroy the city, and visions like the vision I had seen at the River Chebar, and I fell upon my face* (*Ezekiel* 43:3).[210]

אֲבָל לַאֲחֵרִים אֵינוֹ עוֹשֶׂה כֵן, אֶלָּא מְדַבֵּר עִמָּהֶם וּמְחִיצַת הַוִּילוֹן פְּרוּסָה וְאֵינָן רוֹאִין אוֹתוֹ — **But** when speaking **with others, he does not do so;** rather, **he speaks with them while the partition formed by the curtain is** still **spread out and they cannot see him.** וְרַבָּנָן אָמְרֵי: מָשָׁל לְמֶלֶךְ שֶׁהָיָה לוֹ אִשָּׁה וּפִלֶּגֶשׁ — **And the** other **Sages say: It is comparable to a king who had a wife and a concubine.** כְּשֶׁהוּא הוֹלֵךְ אֵצֶל אִשְׁתּוֹ הוֹלֵךְ בְּפַרְהֶסְיָא, וּכְשֶׁהוּא הוֹלֵךְ אֵצֶל פִּלַגְשׁוֹ הוֹלֵךְ בְּמַטְמוֹנִים — **When he went to be with his wife he would go publicly, but when he went to his concubine he would go secretly.**[207] כָּךְ אֵין הַקָּדוֹשׁ בָּרוּךְ הוּא נִגְלֶה עַל אוּמּוֹת הָעוֹלָם אֶלָּא בַּלַּיְלָה — **Similarly, the Holy One, blessed is He, appears to the nations of the world only at night,** שֶׁנֶּאֱמַר "וַיָּבֹא אֱלֹהִים אֶל אֲבִימֶלֶךְ בַּחֲלוֹם הַלָּיְלָה" — **as it is stated,** ***And God came to Abimelech in a dream by night*** (*Genesis* 20:3), and "וַיָּבֹא אֱלֹהִים אֶל לָבָן הָאֲרַמִּי בַּחֲלֹם הַלָּיְלָה" — ***But God had come to Laban the Aramean in a dream by night*** (ibid. 31:24), and "וַיָּבֹא אֱלֹהִים אֶל בִּלְעָם לַיְלָה" — ***God came to Balaam at night*** (*Numbers* 22:20). אֲבָל נְבִיאֵי יִשְׂרָאֵל בַּיּוֹם שֶׁנֶּאֱמַר — **But** to **the prophets of Israel** God appears **by day, as it is stated,** "וְהוּא יֹשֵׁב פֶּתַח הָאֹהֶל כְּחֹם

NOTES

207. Since the Jews are a holy people (see *Leviticus* 11:44 et al.) and thus fitting "mates," as it were, for God, He need not hide His relationship with them, and He therefore appears to them by day. God's communication with the other nations, however, is similar to an improper relationship that is kept hidden from the public; He therefore appears to them at night (*Yefeh To'ar* to *Bereishis Rabbah* loc. cit.).

208. Since in the preceding sections the Midrash clarified the differences between the prophets of Israel and the prophets of the nations of the world, it now wishes to clarify the differences between Moses and the other Israelite prophets. [That there were indeed differences is explicitly stated in *Numbers* 12:6-8] (*Eitz Yosef*).

209. Our translation follows *Eitz Yosef*. See also *Rashi* to *Succah* 45b. [*Targum* to *Job* 28:17, however, uses the word אַסְפַּקְלַרְיָא to translate the Hebrew word זְכוּכִית, *glass*. It is likely that even if it is taken to mean "screen," a vision seen through an אַסְפַּקְלַרְיָא, or even many אִיסְפַּקְלַרְיוֹת, is more direct than one seen through a וִילוֹן, the "curtain" mentioned in the preceding section in the context of *non-Jewish* prophets; see *Eshed HaNechalim* there (s.v. וביניהם וילון).] See Insight Ⓐ for *Rambam's* understanding of this term and of the difference between Moses' level of prophecy and that of all other prophets.

210. The root ראה is used nine times in this verse. [מַרְאֶה, *vision*, appears four times; מַרְאוֹת, *visions*, appears once and counts as two more (since it is plural); רָאִיתִי, *I have seen*, appears three times, for a total of nine.] Each appearance of this root represents an intervening screen (*Matnos Kehunah, Eitz Yosef*). The Midrash takes this verse as a model (בִּנְיַן אָב) for *all* prophets, not just Ezekiel (see *Maharzu*; see, however, *Yefeh To'ar*, who suggests that some prophets may have been greater than Ezekiel and may have had fewer intervening screens — though none as few as Moses).

INSIGHTS

Ⓐ **Levels of Prophecy** According to *Rambam*, the term אַסְפַּקְלַרְיָא refers to a lens which distorts, to some degree, an object viewed through it (*Commentary* to *Keilim* 30:2; see *Michtav MeEliyahu* IV, p. 53, V, p. 452).

For a person to attain prophecy, he must possess not only great intelligence; he must also have strong character and complete and constant control over his evil inclination. Moreover, he must sanctify himself, focus on heavenly matters, and train himself not to have any stray mundane thoughts (see *Rambam, Hil. Yesodei HaTorah* 7:1). In his introduction to Tractate *Avos* (*Shemonah Perakim* Ch. 7), *Rambam* adds that an aspiring prophet must fully develop his intellect and refrain from all negative character traits (e.g., arrogance, anger, pleasure-seeking, brazenness). Based on this, he elaborates that in regard to prophecy the term אַסְפַּקְלַרְיָא, or unclear perception, means that prophecy is "filtered" through the soul of a prophet. Any slight defect or deficiency in his character or intelligence will distort a prophet's vision. Though all the prophets achieved an exceptionally high level of moral and spiritual integrity before they were able to attain prophecy, nevertheless each one retained some imperfection (see *Rambam* there for elaboration), which in turn clouded to some degree his prophetic vision. Moses, however, attained the highest level of personal virtue. As *Rambam* explains elsewhere (*Mishnah Commentary*, Introduction to *Sanhedrin* Ch. 10), Moses had removed all defects and actually ascended to the level of angels; he was a purely spiritual and intellectual being. His prophecy, therefore, was pristine and undistorted (*Rambam, Shemonah Perakim* Ch. 7; see *Michtav MeEliyahu* loc. cit. and *Chidushei Maharil Diskin al HaTorah*, מאמר לסיום התורה [cited in *Avi Ezri, Hil. Yesodei HaTorah* 7:5] for a similar approach. See also *Rabbeinu Bachya to Numbers* 12:6; *Sefer HaIkkarim* Ch.17; and see *Derech Hashem* 3:3-5 and *Daas Tevunos* (§175ff, R' Chaim Freidlander ed.) regarding prophecy in general and the uniqueness of Moses' prophecy.

In his seventh principle of faith (Introduction to *Commentary* to *Sanhedrin* Ch. 10), *Rambam* sets forth four areas in which Moses' prophecy was superior to that of all other prophets (see also *Hil. Yesodei HaTorah* 7:6):

(1) God spoke to all other prophets through an intermediary, but spoke to Moses directly, as He declared regarding Moses (*Numbers* 12:8), *Mouth to mouth do I speak to him.*

(2) Other prophets could receive prophecy only while in a state of sleep: either in a dream, at night, or during the day, after falling into a slumber-like state and losing all sense of consciousness. By contrast, Moses prophesied during the day, and while he was awake, as it states (ibid., vv. 6-7), *If there shall be prophets among you, in a vision shall I, HASHEM, make Myself known to him; in a dream shall I speak to him. Not so is My servant Moses, etc.*

(3) The prophetic experience for other prophets is very traumatic. They would grow weak and enter into a state of terror, as if they were on the verge of death. As Daniel said (*Daniel* 10:8-9), *No strength remained in me; my robustness changed to pallor, and I could retain no strength ... I was in a deep sleep upon my face, with my face toward the ground.* And (ibid., v. 16): *My lord, during the vision my joints shuddered and I could retain no strength.* But when God communicated with Moses, he experienced no dread whatsoever. Rather, *HASHEM would speak to Moses face to face, as a man would speak with his fellow* (*Exodus* 33:11); that is, just as one is completely at ease when speaking to his friend, so too Moses was at ease and did not tremble when experiencing prophecy. This was due to Moses' strong attachment to the spiritual and intellect, which we discussed earlier.

(4) All other prophets could not communicate with God whenever they wanted, no matter how much preparation they made; God would communicate with them when He saw fit. But Moses could speak to God whenever he wished, as he said to a petitioner (*Numbers* 9:8), *Stand by and I will hear what HASHEM will command you.*

אֲבָל לַאֲחֵרִים אֵינוֹ עוֹשֶׂה כֵן, אֶלָּא מְדַבֵּר עִמָּהֶם וּמְחִיצַּת הַוִּילוֹן פְּרוּסָה וְאֵינָן רוֹאִין אוֹתוֹ, וְרַבָּנָן אָמְרִי: מָשָׁל לְמֶלֶךְ שֶׁהָיָה לוֹ אִשָּׁה וּפִלֶגֶשׁ, כְּשֶׁהוּא הוֹלֵךְ אֵצֶל אִשְׁתּוֹ הוֹלֵךְ בְּפַרְהֶסְיָא, וּכְשֶׁהוּא הוֹלֵךְ אֵצֶל פִּלַגְשׁוֹ הוֹלֵךְ בְּמַטְמוֹנִים, כָּךְ אֵין הַקָּדוֹשׁ בָּרוּךְ הוּא נִגְלֶה עַל אוּמּוֹת הָעוֹלָם אֶלָּא בַּלַּיְלָה, שֶׁנֶּאֱמַר (בראשית כ, ג) **"וַיָּבֹא אֱלֹהִים אֶל אֲבִימֶלֶךְ בַּחֲלוֹם הַלָּיְלָה",** (שם לא, כד) **"וַיָּבֹא אֱלֹהִים אֶל לָבָן הָאֲרַמִּי בַּחֲלֹם הַלָּיְלָה",** (במדבר כב, כ) **"וַיָּבֹא אֱלֹהִים אֶל בִּלְעָם לַיְלָה", אֲבָל נְבִיאֵי יִשְׂרָאֵל בַּיּוֹם, שֶׁנֶּאֱמַר** (בראשית יח, א) **"וְהוּא יֹשֵׁב פֶּתַח הָאֹהֶל כְּחֹם הַיּוֹם",** (שמות ו, כח) **"וַיְהִי בְּיוֹם דִּבֶּר ה' אֶל מֹשֶׁה",** (במדבר ג, א) **"וְאֵלֶּה תּוֹלְדֹת אַהֲרֹן וּמֹשֶׁה בְּיוֹם דִּבֶּר ה' אֶת מֹשֶׁה וְגוֹ'":**

יד מַה בֵּין מֹשֶׁה לְכָל הַנְּבִיאִים, רַבִּי יְהוּדָה בַּר רַבִּי אִלְעַאי וְרַבָּנָן, רַבִּי יְהוּדָה אוֹמֵר: מִתּוֹךְ תֵּשַׁע אִיסְפַּקְלַרְיוֹת הָיוּ הַנְּבִיאִים רוֹאִים, הֲדָא הוּא דִכְתִיב (יחזקאל מג, ג) **"וּכְמַרְאֵה הַמַּרְאֶה אֲשֶׁר רָאִיתִי וְגוֹ'", וּמֹשֶׁה רָאָה מִתּוֹךְ אִיסְפַּקְלַרְיָא אַחַת שֶׁנֶּאֱמַר** (במדבר יב, ח) **"וּמַרְאֶה וְלֹא בְחִידֹת", רַבָּנָן אָמְרִין: כָּל הַנְּבִיאִים רָאוּ מִתּוֹךְ אִיסְפַּקְלַרְיָא מְלוּכְלֶכֶת, הֲדָא הוּא דִכְתִיב** (הושע יב, יא) **"וְאָנֹכִי חָזוֹן הִרְבֵּיתִי וּבְיַד הַנְּבִיאִים אֲדַמֶּה", מֹשֶׁה רָאָה מִתּוֹךְ אִיסְפַּקְלַרְיָא מְצוּחְצַחַת, הֲדָא הוּא דִכְתִיב** (במדבר שם שם) **"וּתְמֻנַת ה' יַבִּיט", רַבִּי פִּנְחָס בְּשֵׁם רַבִּי הוֹשַׁעְיָא אָמַר: מָשָׁל לְמֶלֶךְ שֶׁנִּגְלָה עַל בֶּן בֵּיתוֹ בְּאִיקוֹנִין שֶׁלּוֹ, לְפִי שֶׁבָּעוֹלָם הַזֶּה שְׁכִינָה נִגְלֵית עַל הַיְּחִידִים, אֲבָל לֶעָתִיד לָבֹא** (ישעיה מ, ה) **"וְנִגְלָה כְּבוֹד ה' וְרָאוּ כָל בָּשָׂר יַחְדָּו כִּי פִּי ה' דִּבֵּר":**

עץ יוסף

הולך במטמוניות. וכן על נביאי אומות העולם אינו מתגלה אלא בלילה, בזמן ממשלת החיצונים, בהתלבשות מדרגות החיצונים אשר השפע הקדוש בא אליהם במטמוניות בהסתר דרך גניבה: **(יד) מה בין משה כו'.** משום דקאמר לעיל מה בין נביאי ישראל לנביאי אומות העולם, והרבה במעלתם שהם מתנבאים בדבור שלם ובלשון ברור ופנים אל פנים כו', ויקשה אם כן מה יתרון למשה רבינו עליהם, שאי אפשר שאין למשה רבינו עליו השלום מעלה עליהם, דבהדיא כתיב (במדבר יב, ו) אם יהיה נביאכם וגו' לא כן עבדי משה וגו'. ומשני יתרון למשה רבינו עליו השלום עליהם, שהם היו רואים מתוך תשע אספקלריות, ומשה מתוך אחד, או שהם מתוך אספקלריא מלוכלכת כו': **איספקלריות.** פירוש מחיצות. והכוונה שעם היותם שומעים הקול מאת ה' פעמים, ולא על ידי מלאך, מכל מקום לא היה מגיעים הקול רק מאת ה' מן השמים, והרי הם משיגים שה' מדבר עמהם משם. וזה כרואה הדבר מתוך תשע אספקלריות שהתשעה אספקלריות מפסיקין בינו ובין הדבר שמשיג, אמנם משה רבינו היה הדבור מגיע אליו מעל הכפורת מבין שני הכרובים, ורואה שה' מדבר עמו משם, ואין מפריד ביניהם אלא מקום שמבין שני הכרובים עדיו, ולזה אמר שהוא רואה מתוך אספקלריא אחד: **הדא הוא דכתיב וכמראה גו'.** פירוש שמונה פעמים כתיב לשון ראיה בהאי קרא, ומראות תרתי משמע, הרי תשעה: **איספקלריא מלוכלכת כו'.** רצה לומר, שאף שמלא בשאר הנביאים ששמעו הקול מה', מכל מקום היה על ידי אמצעי והוא הכח המדמה שבו יחזה הנביא ששומע הקול, מה שאין כן משה רבינו עליו השלום, שהיה שומע הקול מבין שני הכרובים שלא היה בהשתמשות המדמה, וההשתמשות על ידי כח המדמה נקרא מראה מלוכלכת, לפי שהוא כח גשמי, והשגת משה רבינו עליו השלום שהיתה שכלית לגמרי נקרא אספקלריא מצוחצחת (יפה תואר). ועיין בפרק החולץ (יבמות מט, ב) בעין יעקב: **וביד הנביאים אדמה.** שהנביאים נבואתם בהתמעטות הכח המדמה, אבל משה ראה השגה גמורה, קאמר ותמונת ה' יביט, דמשמע השגה שלימה: **משל למלך כו'.** משום שאמרו לעיל שמשה ראה מתוך אספקלריא מצוחצחת וכדכתיב ותמונת ה' יביט, ועל זה קשה דהא כתיב כי לא ראיתם כל תמונה, אם כן אי אפשר לומר בו יתברך תמונה ותבנית, לכן אמר ר' הושעיא שזה דכתיב ותמונת ה' יביט אינו כפשוטו, אלא דרך משל, על דרך דברה תורה כלשון בני אדם, כי כמו שהמלך נגלה על בן ביתו בתמונתו ממש, שאינו מדבר עמו מתוך הוילון כדרכו עם שאר העם, אבל לבן ביתו על ידי שלבו גם בו נגלה לו בתמונתו ותוארו בלי הפסק וילון, כן ה' גילה כבודו למשה בלי הפסק דברים אחרים, והיינו המראה המצוחצחת, שהשיג מה שאפשר להשיג באמתת מציאותו כל מה שאפשר בחק הנביא, ושמע קולו שלא על ידי אמצעי, שלא כדרך שאר הנביאים שלא השיגו אמיתתו ולא שמעו קולו אלא על ידי אמצעי כדפירשתי לעיל: **לפי שבעולם הזה שכינה נגלית כו'.** דרך המדרש כמה זימני לסיים במילתא דנחמתא:

פירוש מהרז"ו

והוא יושב פתח האהל. ורישא דקרא וירא אליו ה': **(יד) מתוך תשע אספקלריות.** עיין במתנות כהונה, הרי שראה יחזקאל מתוך תשעה מראות, ודורש בנין אב שכן היה כל מראה הנביאים, שמה שכתוב אם יהיה נביאכם ה' במראה אליו אתודע, ועל פי מדה י"ז, שהמראה היא של תשע מראות: **באיקונין שלו.** פירוש שגם אל משה אמר לא תוכל לראות את פני כי לא יראני האדם וחי, אלא שהאיקוני היה ברור ומצוחצח ופשוט, ולא הפנים עצמו: **לפי שבעולם הזה.** בא לחתום הדרשה בענין הפרשה:

חידושי הרד"ל

[יד] מה בין משה כו'. עיין יבמות מט (ע"ב) ובחידושי הרמב"ן שם:

באור מהרי"פ

[יד] לפי שבעולם הזה וכו'. דרך המדרש לסיים בכי טוב הדרשה:

אם למקרא

וַיָּבֹא אֱלֹהִים אֶל אֲבִימֶלֶךְ בַּחֲלוֹם הַלָּיְלָה וַיֹּאמֶר לוֹ הִנְּךָ מֵת עַל הָאִשָּׁה אֲשֶׁר לָקַחְתָּ וְהִוא בְּעֻלַת בָּעַל: (בראשית כ:ג)

וַיָּבֹא אֱלֹהִים אֶל לָבָן הָאֲרַמִּי בַּחֲלֹם הַלָּיְלָה וַיֹּאמֶר לוֹ הִשָּׁמֶר לְךָ פֶּן תְּדַבֵּר עִם יַעֲקֹב מִטּוֹב עַד רָע: (שם לא:כד)

וַיָּבֹא אֱלֹהִים אֶל בִּלְעָם לַיְלָה וַיֹּאמֶר לוֹ אִם לִקְרֹא לְךָ בָּאוּ הָאֲנָשִׁים קוּם לֵךְ אִתָּם וְאַךְ אֶת הַדָּבָר אֲשֶׁר אֲדַבֵּר אֵלֶיךָ אֹתוֹ תַעֲשֶׂה: (במדבר כב:כ)

וַיֵּרָא אֵלָיו ה' בְּאֵלֹנֵי מַמְרֵא וְהוּא יֹשֵׁב פֶּתַח הָאֹהֶל כְּחֹם הַיּוֹם: (בראשית יח:א)

וַיְהִי בְּיוֹם דִּבֶּר ה' אֶל מֹשֶׁה בְּאֶרֶץ מִצְרָיִם: (שמות ו:כח)

וְאֵלֶּה תּוֹלְדֹת אַהֲרֹן וּמֹשֶׁה בְּיוֹם דִּבֶּר ה' אֶת מֹשֶׁה בְּהַר סִינָי: (במדבר ג:א)

וּכְמַרְאֵה הַמַּרְאֶה אֲשֶׁר רָאִיתִי כַּמַּרְאֶה אֲשֶׁר רָאִיתִי בְּבֹאִי לְשַׁחֵת אֶת הָעִיר וּמַרְאוֹת כַּמַּרְאֶה אֲשֶׁר רָאִיתִי אֶל נְהַר כְּבָר וָאֶפֹּל אֶל פָּנָי: (יחזקאל מג:ג)

פֶּה אֶל פֶּה אֲדַבֶּר בּוֹ וּמַרְאֶה וְלֹא בְחִידֹת וּתְמֻנַת ה' יַבִּיט וּמַדּוּעַ לֹא יְרֵאתֶם לְדַבֵּר בְּעַבְדִּי בְמֹשֶׁה: (במדבר יב:ח)

וְדִבַּרְתִּי עַל הַנְּבִיאִים וְאָנֹכִי חָזוֹן הִרְבֵּיתִי וּבְיַד הַנְּבִיאִים אֲדַמֶּה: (הושע יב:יא)

וְנִגְלָה כְּבוֹד ה' וְרָאוּ כָל בָּשָׂר יַחְדָּו כִּי פִּי ה' דִּבֵּר: (ישעיה מ:ה)

מתנות כהונה

ויבא אלהים אל בלעם לילה. ואף על גב שנגלה עליו גם ביום, כבר פירש"י ז"ל (במדבר כג, ד) שזה היה לכבוד ישראל: **[יד] שנאמר וכמראה המראה וגו'.** פירוש שמונה פעמים כתוב לשון ראיה בהאי קרא, ומראות תרתי משמע, הרי תשעה: **באיקונין.** פירוש במראה פניו, בלי מסך מבדיל:

אשד הנחלים

שאינה ברורה כל כך, אבל על כל פנים רואה על ידי המראה, אבל הוילון הוא הסתרה גמורה, שאינו רואה על ידו מאומה, ואם כן אחז ההבדל הרחוק בין שני הקצוות, שנבואת משה היה בהסרת הווילון ובראיה ברורה לגמרי, ונביאי עובדי כוכבים בלי ראיה מאומה, כי אם על ידי הסתרות הווילון. ומה שאמר **הוא ואוהבו בטרקלין**, הוא לפי שנודע כי החומר הוא המחיצה הגדולה המפסיק מדביקת הנפש, והמתבודד הוא כאלו עומד בתוך הטרקלין. ואם תרצה להבין זאת על פי דרך המחקרים, עיין בדברי הרב המורה בפרקי הנבואה ובהבדליהם: **אשה ופילגש כו' אלא בלילה.** כי הפילגש אינה מיוחדת לבעלה לאיזה תכלית נכון, כי אם לבצע חפצו, ולכן הוא בוש לילך אצלה אף שהיא אצלו בהיתר, כי המעשה בעצמה אינה נקייה, כן מכונה נבואתם, אם מביא ההכרח שיהיו נביאים, כמו שאמרו לעיל שהוא לתועלת ישראל, או מפני שהיתה הכנתם ראויה לאותה ההתגלות, כמו שהפלגש מוצאת חן להזקק אליו, עם כל זה אינה מזדקקת הנבואה כי אם בלילה, וכאלו בושה הנבואה להתגלות אליו ביום, כי אין כוחו לקבל זאת כמו שבארתי לעיל: **[יד] מתוך תשע איספקלריות.** הדברים ידועים ליודעי חן בעלי הספירות, שהמחזה באה מספירת המלכות שהיא העשירית, והתשע שלפניה המה האספקלריות, וכמו שרואה מתוך האספקלריא האספקלריא שלפניה, וכן להלאה, וזהו חזון הרביתי מחזה לפנים ממחזה, ולכן באה בדמיון, וזהו וביד הנביאים אדמה, אבל משה ראה מתוך אספקלריא הראשונה. ורבנן נתנו ההבדל בענין האספקלריא עצמה, ורצונם לומר אף שהנבואה הוא ממקום אחד, אבל ההבדל בראיית האספקלריא ואיכותה, ולכן מביא מהפסוק ותמונת ה' יביט, כי התמונה היא הנראית מתוך האספקלריא, אבל הוא ראה במראה הברורה התמונה. ודע דאלו הדברים הן המה סתרי הנבואה באמת, ואינם ידועים כי אם ליודעי חן ובעלי המחקר לפי דעתם, ומדרך באורי להסביר העניינים רק בדרך כלל, כדי שיהיו מובנים רק בהשקפה הראשונה, ולא בעיון פנימי המיוחד רק ליחידי סגולה: **שנגלה על בן ביתו באיקונין שלו.** רצה לומר לבן ביתו בלבד, אבל לעתיד לבא יראו כל בשר יחדיו המראה הברורה, כי יזדככו למאוד ולא יהיה מסך מבדיל בינם לבין הנבואה העליונה:

וּמֹשֶׁה רָאָה מִתּוֹךְ אִיסְפַּקְלַרְיָא אַחַת — **But Moses viewed** his prophecy **through one screen,**[211] שֶׁנֶּאֱמַר "וּמַרְאֶה וְלֹא בְחִידוֹת" — **as it is stated,** ***in a clear vision and not in riddles*** (*Numbers* 12:8).

The Midrash cites the view of the other Sages:

רַבָּנָן אָמְרִין: כָּל הַנְּבִיאִים רָאוּ מִתּוֹךְ אִיסְפַּקְלַרְיָא מְלוּכְלֶכֶת — **The** other **Sages said: All the** other **prophets viewed** their prophecy **through a smudged screen;**[212] הֲדָא הוּא דִכְתִיב "וְאָנֹכִי חָזוֹן הִרְבֵּיתִי וּבְיַד הַנְּבִיאִים אֲדַמֶּה" — **thus it is written,** ***I spoke with the prophets and provided numerous visions and through the prophets I conveyed allegories*** (*Hosea* 12:11). מֹשֶׁה רָאָה מִתּוֹךְ אִיסְפַּקְלַרְיָא מְצוּחְצַחַת — But **Moses viewed** his prophecy **through a polished screen;** הֲדָא הוּא דִכְתִיב "וּתְמֻנַת ה׳ יַבִּיט" — **thus it is written,** ***at the image of HASHEM does he gaze*** (*Numbers* 12:8). רַבִּי פִּנְחָס בְּשֵׁם רַבִּי הוֹשַׁעְיָא אָמַר — **R' Pinchas said in the name of R' Hoshaya:** מָשָׁל לְמֶלֶךְ שֶׁנִּגְלֶה עַל בֶּן בֵּיתוֹ — This may be understood by means of **a parable.**[213] It may be compared **to a king who,** when he **appears to a member of his household,** בְּאִיקוֹנִין שֶׁלּוֹ — he appears **in a clear image of himself.**[214]

The Midrash concludes its discussion of prophetic communication with words of hope and comfort:[215]

לְפִי שֶׁבָּעוֹלָם הַזֶּה שְׁכִינָה נִגְלֵית עַל הַיְּחִידִים — There are differences in the clarity of God's revelations **because in this world the Divine Presence appears** only **to individuals.**[216] אֲבָל לֶעָתִיד לָבֹא "וְנִגְלָה כְּבוֹד ה׳ וְרָאוּ כָל בָּשָׂר יַחְדָּו כִּי פִּי ה׳ דִּבֵּר" — **But in the Messianic future,** ***The glory of HASHEM will be revealed and all flesh together will see that the mouth of HASHEM has spoken*** (*Isaiah* 40:5). At that time, when the Divine Presence will appear to everyone (*all flesh together*), God will be revealed with great clarity to all.[217]

NOTES

211. God's word came to Moses from between the two Cherubim that were on the Cover of the Ark (*Exodus* 25:22, *Numbers* 7:89). Our Midrash refers to the space between Moses and the Ark as a single "screen" (*Eitz Yosef*).

R' Yehoshua Leib Diskin (commentary to *Vayikra*, p. 18) points out that the Midrash below lists eight positive attributes of Moses (see note 222). Each of these provided Moses with the merit to remove one screen. He thus had but one intervening screen during prophecy, while the other prophets had nine.

212. Even though other prophets also saw visions and heard the voice of God, they did not receive these revelations directly [i.e., with actual sights and sounds] but rather through their imaginative faculties; nor did they perceive their visions clearly. The Midrash thus refers to their prophecy as "through a smudged screen." Moses, however, did see and hear directly and clearly [*in a clear vision and not in riddles*, as quoted by the Midrash above]. His prophecy is therefore described as a "polished screen" (see *Yefeh To'ar* and *Eitz Yosef*).

213. That is: The statement of the Sages, which seems to imply that Moses saw the actual *image* [תְּמוּנָה] of God, cannot be taken literally, for Scripture itself (*Deuteronomy* 4:15) tells us that [even at Mount Sinai, where God revealed Himself more clearly to human beings than at any other time] *you did not see any image* [תְּמוּנָה] *on the day HASHEM spoke to you at Horeb* (*Eitz Yosef*). Moreover, God told Moses himself (*Exodus* 33:20), *"You will not be able to see My face, for no human can see Me and live"* (*Maharzu*). Rather, it is to be understood by means of the following parable.

214. The Sages meant only to say that God appears to Moses *more clearly* than to other prophets — just as a human king shows himself to his intimates directly, not from behind a curtain (*Matnos Kehunah, Eitz Yosef*).

215. *Eitz Yosef*; see also *Maharzu*. See, however, note 217.

216. For the individual cannot receive a revelation on a level of clarity beyond that which he, as an individual, is worthy of receiving (*Midrash Rabbah HaMevo'ar*).

217. *Eshed HaNechalim* has a different interpretation of this concluding paragraph, connecting it with the preceding text. The Midrash stated that a king appears clearly only to a member of his household. The Midrash now states that in the Messianic era, *all* will see God clearly, for there will be no screen separating between us and Him.

אֲבָל לַאֲחֵרִים אֵינוֹ עוֹשֶׂה כֵן, אֶלָּא מְדַבֵּר עִמָּהֶם וּמְחִיצַת הַוִּילוֹן פְּרוּסָה וְאֵינָן רוֹאִין אוֹתוֹ, וְרַבָּנָן אָמְרֵי: מָשָׁל לְמֶלֶךְ שֶׁהָיָה לוֹ אִשָּׁה וּפִלֶּגֶשׁ, כְּשֶׁהוּא הוֹלֵךְ אֵצֶל אִשְׁתּוֹ הוֹלֵךְ בְּפַרְהֶסְיָא, וּכְשֶׁהוּא הוֹלֵךְ אֵצֶל פִּלַגְשׁוֹ הוֹלֵךְ בְּמַטְמוֹנִים, כָּךְ אֵין הַקָּדוֹשׁ בָּרוּךְ הוּא נִגְלֶה עַל אוּמּוֹת הָעוֹלָם אֶלָּא בַּלַּיְלָה, שֶׁנֶּאֱמַר (בראשית כ, ג) "וַיָּבֹא אֱלֹהִים אֶל אֲבִימֶלֶךְ בַּחֲלוֹם הַלָּיְלָה", (שם לא, כד) "וַיָּבֹא אֱלֹהִים אֶל לָבָן הָאֲרַמִּי בַּחֲלֹם הַלָּיְלָה", (במדבר כב, כ) "וַיָּבֹא אֱלֹהִים אֶל בִּלְעָם לַיְלָה", אֲבָל נְבִיאֵי יִשְׂרָאֵל בַּיּוֹם, שֶׁנֶּאֱמַר (בראשית יח, א) "וְהוּא יֹשֵׁב פֶּתַח הָאֹהֶל כְּחֹם הַיּוֹם", (שמות ו, כח) "וַיְהִי בְּיוֹם דִּבֶּר ה' אֶל מֹשֶׁה", (במדבר ג, א) "וְאֵלֶּה תּוֹלְדֹת אַהֲרֹן וּמֹשֶׁה בְּיוֹם דִּבֶּר ה' אֶת מֹשֶׁה וְגוֹ'":

יד מַה בֵּין מֹשֶׁה לְכָל הַנְּבִיאִים, רַבִּי יְהוּדָה בַּר רַבִּי אִלְעַאי וְרַבָּנָן, רַבִּי יְהוּדָה אוֹמֵר: מִתּוֹךְ תֵּשַׁע אִיסְפַּקְלַרְיוֹת הָיוּ הַנְּבִיאִים רוֹאִים, הָדָא הוּא דִכְתִיב (יחזקאל מג, ג) "וּכְמַרְאֵה הַמַּרְאֶה אֲשֶׁר רָאִיתִי וְגוֹ'", וּמֹשֶׁה רָאָה מִתּוֹךְ אִיסְפַּקְלַרְיָא אַחַת שֶׁנֶּאֱמַר (במדבר יב, ח) "וּמַרְאֶה וְלֹא בְחִידוֹת", רַבָּנָן אָמְרִין: כָּל הַנְּבִיאִים רָאוּ מִתּוֹךְ אִיסְפַּקְלַרְיָא מְלוּכְלֶכֶת, הָדָא הוּא דִכְתִיב (הושע יב, יא) "וְאָנֹכִי חָזוֹן הִרְבֵּיתִי וּבְיַד הַנְּבִיאִים אֲדַמֶּה", מֹשֶׁה רָאָה מִתּוֹךְ אִיסְפַּקְלַרְיָא מְצוּחְצַחַת, הָדָא הוּא דִכְתִיב (במדבר שם שם) "וּתְמֻנַת ה' יַבִּיט", רַבִּי פִּנְחָס בְּשֵׁם רַבִּי הוֹשַׁעְיָא אָמַר: מָשָׁל לְמֶלֶךְ שֶׁנִּגְלָה עַל בֶּן בֵּיתוֹ בְּאִיקוֹנִין שֶׁלּוֹ, לְפִי שֶׁבָּעוֹלָם הַזֶּה שְׁכִינָה נִגְלֵית עַל הַיְּחִידִים, אֲבָל לֶעָתִיד לָבֹא (ישעיה מ, ה) "וְנִגְלָה כְּבוֹד ה' וְרָאוּ כָל בָּשָׂר יַחְדָּו כִּי פִּי ה' דִּבֵּר":

עץ יוסף

הולך במטמוניות. וכן על נביאי אומות העולם אינו מתגלה אלא בלילה, בזמן ממשלת החיצונים, בהתלבשות מדרגות החיצונים אשר השפע הקדוש בא אליהם במטמוניות בהסתר דרך גניבה: **(יד) מה בין משה כו'.** משום דקאמר לעיל מה בין נביאי ישראל לנביאי אומות העולם, והרבה במעלתם שהם מתנבאים בדבור שלם ובלשון ברור ופנים אל פנים כו', ויקשה אם כן מה יתרון למשה רבינו עליהם, שאי אפשר שאין למשה רבינו עליו השלום מעלה עליהם, דבהדיא כתיב (במדבר יב, ו) אם יהיה נביאכם וגו' לא כן עבדי משה וגו'. ומשני יתרון למשה רבינו עליו השלום עליהם, שהם היו רואים מתוך תשע אספקלריות, ומשה מתוך אחד, או שהם מתוך אספקלריא מלוכלכת כו': **איספקלריות.** פירוש מחיצות. והכוונה שעם היותם שומעים הקול מאת ה' פעמים, ולא על ידי מלאך, מכל מקום לא היה מגיעים הקול רק מאת ה' מן השמים, והרי הם משיגים שה' מדבר עמהם משם. וזה כרואה הדבר מתוך תשע אספקלריות שהתשעה אספקלריות מפסיקין בינו ובין הדבר שמשיג, אמנם משה רבינו היה הדבור מגיע אליו מעל הכפורת מבין שני הכרובים, ורואה שה' מדבר עמו משם, ואין מפריד ביניהם אלא מקום שמבין שני הכרובים עדיו, ולזה אמר שהוא רואה מתוך אספקלריא אחד: **הדא הוא דכתיב וכמראה גו'.** פירוש שמונה פעמים כתיב לשון ראיה בהאי קרא, ומראות תרתי משמע, הרי תשעה: **איספקלריא מלוכלכת כו'.** רצה לומר, שאף שנמצא בשאר הנביאים ששמעו הקול מה', מכל מקום היה על ידי אמצעי והוא הכח המדמה שבו יחזה הנביא ששומע הקול, מה שאין כן משה רבינו עליו השלום, שהיה שומע הקול מבין שני הכרובים שלא היה בהשתמשות המדמה, וההשתמשות על ידי כח המדמה נקרא מראה מלוכלכת, לפי שהוא כח גשמי, והשגת משה רבינו עליו השלום שהיתה שכלית לגמרי נקרא אספקלריא מצוחצחת (יפה תואר). ועיין בפרק החולץ (יבמות מט, ב) בעין יעקב: **וביד הנביאים אדמה.** שהנביאים נבואתם באמצעות הכח המדמה, אבל משה ראה השגה גמורה, קאמר ותמונת ה' יביט, דמשמע השגה שלימה: **משל למלך כו'.** משום שאמרו לעיל שמשה ראה מתוך אספקלריא מצוחצחת ודכתיב ותמונת ה' יביט, ועל זה קשה דהא כתיב כי לא ראיתם כל תמונה, אם כן אי אפשר לומר בו יתברך תמונה ותבנית, לכן אמר ר' הושעיא שזה דכתיב ותמונת ה' יביט אינו כפשוטו, אלא דרך משל, על דרך דברה תורה כלשון בני אדם, כי כמו שהמלך נגלה על בן ביתו בתמונתו ממש, שאינו מדבר עמו מתוך הוילון כדרכו עם שאר העם, אבל לבן ביתו על ידי שלבו גם בו נגלה לו בתמונתו וצורתו בלי הפסק וילון, כן ה' גילה כבודו למשה בלי הפסק דברים אחרים, והיינו המראה המצוחצחת, שהשיג מה שאפשר להשיג באמתת מציאותו כל מה שאפשר בחק הנביא, ושמע קולו שלא על ידי אמצעי, שלא כדרך שאר הנביאים שלא השיגו אמיתתו ולא שמעו קולו אלא על ידי אמצעי כדפירשתי לעיל: **לפי שבעולם הזה שכינה נגלית כו'.** דרך המדרש כמה זימני לסיים במילתא דנחמתא:

פירוש מהרז"ו

והוא יושב פתח האהל. ורישא דקרא וירא אליו ה': **(יד) מתוך תשע אספקלריות.** עיין במתנות כהונה, הרי שראה יחזקאל מתוך תשעה מראות, ודורש בנין אב שכן היה כל מראה הנביאים, שמה שכתוב אם יהיה נביאכם ה' במראה אליו אתודע, ועל פי מדה י"ז, שהמראה היא של תשע מראות: **באיקונין שלו.** פירוש שגם אל משה אמר לא תוכל לראות את פני כי לא יראני האדם וחי, אלא שהאיקונין היה ברור ומצוחצח ופשוט, ולא הפנים עצמו: **לפי שבעולם הזה.** בא לחתום הדרשה בעין הפרשה:

חידושי הרד"ל

[יד] מה בין משה כו'. עיין יבמות מט (ע"ב) ובחידושי הרמב"ן שם:

באור מהרי"פ

[יד] לפי שבעולם הזה וכו'. דרך המדרש לסיים בכי טוב הדרשה:

אם למקרא

וַיָּבֹא אֱלֹהִים אֶל אֲבִימֶלֶךְ בַּחֲלוֹם הַלָּיְלָה וַיֹּאמֶר לוֹ הִנְּךָ מֵת עַל הָאִשָּׁה אֲשֶׁר לָקַחְתָּ וְהִוא בְּעֻלַת בָּעַל: (בראשית כ:ג)

וַיָּבֹא אֱלֹהִים אֶל לָבָן הָאֲרַמִּי בַּחֲלֹם הַלָּיְלָה וַיֹּאמֶר לוֹ הִשָּׁמֶר לְךָ פֶּן תְּדַבֵּר עִם יַעֲקֹב מִטּוֹב עַד רָע: (שם לא:כד)

וַיָּבֹא אֱלֹהִים אֶל בִּלְעָם לַיְלָה וַיֹּאמֶר לוֹ אִם לִקְרֹא לְךָ בָּאוּ הָאֲנָשִׁים קוּם לֵךְ אִתָּם וְאַךְ אֶת הַדָּבָר אֲשֶׁר אֲדַבֵּר אֵלֶיךָ אֹתוֹ תַעֲשֶׂה: (במדבר כב:כ)

וַיֵּרָא אֵלָיו ה' בְּאֵלֹנֵי מַמְרֵא וְהוּא יֹשֵׁב פֶּתַח הָאֹהֶל כְּחֹם הַיּוֹם: (בראשית יח:א)

וַיְהִי בְּיוֹם דִּבֶּר ה' אֶל מֹשֶׁה בְּאֶרֶץ מִצְרָיִם: (שמות ו:כח)

וְאֵלֶּה תּוֹלְדֹת אַהֲרֹן וּמֹשֶׁה בְּיוֹם דִּבֶּר ה' אֶת מֹשֶׁה בְּהַר סִינָי: (במדבר ג:א)

וּכְמַרְאֵה הַמַּרְאֶה אֲשֶׁר רָאִיתִי כַּמַּרְאֶה אֲשֶׁר רָאִיתִי בְּבֹאִי לְשַׁחֵת אֶת הָעִיר וּמַרְאוֹת כַּמַּרְאֶה אֲשֶׁר רָאִיתִי אֶל נְהַר כְּבָר וָאֶפֹּל אֶל פָּנָי: (יחזקאל מג:ג)

פֶּה אֶל פֶּה אֲדַבֶּר בּוֹ וּמַרְאֶה וְלֹא בְחִידֹת וּתְמֻנַת ה' יַבִּיט וּמַדּוּעַ לֹא יְרֵאתֶם לְדַבֵּר בְּעַבְדִּי בְמֹשֶׁה: (במדבר יב:ח)

וְדִבַּרְתִּי עַל הַנְּבִיאִים וְאָנֹכִי חָזוֹן הִרְבֵּיתִי וּבְיַד הַנְּבִיאִים אֲדַמֶּה: (הושע יב:יא)

וְנִגְלָה כְּבוֹד ה' וְרָאוּ כָל בָּשָׂר יַחְדָּו כִּי פִּי ה' דִּבֵּר: (ישעיה מ:ה)

מתנות כהונה

ויבא אלהים אל בלעם לילה. ואף על גב שנגלה עליו גם ביום, כבר פירש"י ז"ל (במדבר כג, ד) שזה היה לכבוד ישראל: **[יד] שנאמר וכמראה המראה וגו'.** פירוש שמונה פעמים כתוב לשון ראיה בהאי קרא, ומראות תרתי משמע, הרי תשעה: **באיקונין.** פירוש במראה פניו, בלי מסך מבדיל:

אשר הנחלים

שאינה ברורה כל כך, אבל על כל פנים רואה על ידי המראה, אבל הוילון הוא הסתרה גמורה, שאינו רואה על ידו מאומה, ואם כן אחז ההבדל הרחוק בין שני הקצוות, שנבואת משה היה בהסרת הווילון ובראיה ברורה לגמרי, ונביאי עובדי כוכבים בלי ראיה מאומה, כי אם על ידי הסתרות הווילון. ומה שאמר **הוא ואוהבו בטרקלין**, הוא לפי שנודע כי החומר הוא המחיצה הגדולה המפסיק מדביקת הנפש, והמתבודד הוא כאלו עומד בתוך הטרקלין. ואם תרצה להבין זאת על פי דרך המחקרים, עיין בדברי הרב המורה בפרקי הנבואה והבדליהם: **אשה ופלגש כו' אלא בלילה.** כי הפילגש איננה מיוחדת לבעלה לאיזה תכלית נכון, כי אם לבצע חפצו, ולכן הוא בוש לילך אצלה אף שהיא אצלו בהיתר, כי המעשה בעצמה אינה נקייה, כן מכונה נבואתם, אם מביא ההכרח שיהיו נביאים, כמו שאמרו לעיל שהוא לתועלת ישראל, או מפני שהיתה הכנתם ראויה לאותה ההתגלות, כמו שהפלגש מוצאת חן להזקק אליו, עם כל זה אינה מזדקקת הנבואה כי אם בלילה, וכאלו בושה הנבואה להתגלות אליו ביום, כי אין כוחו לקבל זאת כמו שבארתי לעיל: **[יד]** **מתוך תשע איספקלריות.** הדברים ידועים ליודעי חן בעלי הספירות, שהמחזה באה מספירת המלכות שהיא העשירית, והתשע שלפניה המה האספקלריות, וכמו שרואה מתוך האספקלריא האספקלריא שלפניה, כן להלאה, וזהו חזון הרביתי מחזה לפנים ממחזה, ולכן באה בדמיון, וזהו וביד הנביאים אדמה, אבל משה ראה מתוך אספקלריא הראשונה. ורבנן נתנו ההבדל בענין האספקלריא עצמה, ורצונם לומר אף שהנבואה הוא ממקום אחד, אבל ההבדל בראיית האספקלריא ואיכותה, ולכן מביא מהפסוק ותמונת ה' יביט, כי התמונה היא הנראית מתוך האספקלריא, אבל הוא ראה במראה הברורה התמונה. ודע דאלו הדברים הן המה סתרי הנבואה באמת, ואינם ידועים כי אם ליודעי חן ובעלי המחקר לפי דעתם, ומדרך באורי להסביר העניינים רק בדרך כלל, כדי שיהיו מובנים רק בהשקפה הראשונה, ולא בעיון פנימי המיוחד רק ליחידי סגולה: **שנגלה על בן ביתו באיקונין שלו.** רצה לומר לבן ביתו בלבד, אבל לעתיד לבא יראו כל בשר יחדיו המראה הברורה, כי יזדככו למאוד ולא יהיה מסך מבדיל בינם לבין הנבואה העליונה:

§15 **״וַיִּקְרָא אֶל מֹשֶׁה וַיְדַבֵּר ה׳״ ,דָּבָר אַחֵר — Another interpretation: *He called to Moses and HASHEM spoke* to him *from the Tent of Meeting, saying.*** מִיכָּן אָמְרוּ: כָּל תַּלְמִיד חָכָם שֶׁאֵין בּוֹ דַּעַת נְבֵלָה טוֹבָה הֵימֶנּוּ — **From here** [the Sages] derived a teaching and **said: Any Torah scholar who lacks wisdom, an animal carcass**[218] **is better than he.**[219] תֵּדַע לְךָ שֶׁכֵּן — **Know that this is so.**[220] צֵא וּלְמַד מִמֹּשֶׁה אֲבִי הַחָכְמָה אֲבִי הַנְּבִיאִים — **Go forth and learn from Moses, the father of wisdom, the father of the prophets,**[221] שֶׁהוֹצִיא יִשְׂרָאֵל מִמִּצְרַיִם וְעַל יָדוֹ נַעֲשׂוּ כַּמָּה נִסִּים בְּמִצְרַיִם וְנוֹרָאוֹת עַל יַם סוּף — **who took Israel out of Egypt, and through whom numerous miracles were performed in Egypt, and awe-inspiring deeds at the Sea of Reeds,** וְעָלָה לִשְׁמֵי מָרוֹם וְהוֹרִיד תּוֹרָה מִן הַשָּׁמַיִם — **and who ascended to the heavens above and brought down the Torah from heaven,** וְנִתְעַסֵּק בִּמְלֶאכֶת הַמִּשְׁכָּן — **and** who was the one **who concerned himself with the work of** constructing **the Tabernacle;**[222] וְלֹא נִכְנַס לִפְנַי וְלִפְנִים עַד שֶׁקָּרָא לוֹ — yet **he did not enter the innermost chamber** of the Tabernacle **until [God] called him,**[223] שֶׁנֶּאֱמַר ״וַיִּקְרָא אֶל מֹשֶׁה וַיְדַבֵּר״ — **as it is stated, *He called to Moses and God spoke to him.***[224]

NOTES

218. Other versions of this Midrash state simply "animal" in place of "animal carcass" (*Maharzu*).

219. The word "wisdom" here refers to proper character and *derech eretz* (*Yefeh To'ar*). [Although the stench of a decaying animal carcass is unbearable,] it is not the animal's fault that it died. However, if a Torah scholar does not conduct himself with *derech eretz*, only he is to blame (*Eitz Yosef*, first interpretation). In addition, he causes a desecration of God's Name [while an animal that died does not]; see *Yoma* 86a (*Yefeh To'ar*). [See *Mishnas Rav Aharon* to *Vayikra, Derech Eretz Kadmah LaTorah* (p. 161), who writes that any person who has learned Torah is included in the category of "Torah scholar" for purposes of this Midrashic teaching.]

Alternatively: The word דַּעַת refers to the development of proper judgment and character. A Torah scholar, and indeed any person, who does not develop these fundamental human attributes is not a full human being (see *Matnos Kehunah*).

R' Yehoshua Leib Diskin (to *Vayikra*, p. 18) writes that דַּעַת refers to fear of heaven (as in *Proverbs* 1:7). He writes that a human being has the responsibility to develop his Godly soul (cf. *Matnos Kehunah*, just cited) and that if he doesn't, he is liable — unlike an animal that did nothing wrong to cause its own death (cf. *Eitz Yosef*, cited above).

For yet other interpretations see *Anaf Yosef, Radal*, and Insight Ⓐ on note 224.

220. I.e., that in addition to Torah scholarship a Torah scholar must conduct himself with *derech eretz* (*Eitz Yosef*).

221. See *Rambam*, Commentary to *Sanhedrin, Perek Chelek*, seventh principle.

222. The Midrash here has listed eight attributes of Moses. See above, note 211.

223. See above, note 137.

224. The Midrash is proving from Moses that Torah scholarship by itself is insufficient; *derech eretz* is necessary as well (*Yefeh To'ar*). Moses would not enter the Tent of Meeting without being called because it would have reflected a lack of *derech eretz* to do so. See also *Shemos Rabbah* 19 §3. [In this note we have followed the first interpretation in note 219; see there, and see Insight Ⓐ.]

INSIGHTS

Ⓐ **The Wisdom of a Torah Scholar** Our teacher Moses refrained from entering the innermost chamber of the Tabernacle until summoned (see notes 136-137). The Midrash attributes this to his "wisdom," and asserts that such wisdom is a quality demanded of every Torah scholar. One who lacks wisdom is no true scholar, but is rather comparable to, and even less than, a decaying carcass.

R' Yitzchak Hutner (*Pachad Yitzchak, Succos* §27) explains why the Midrash rates the scholar as *less* than the carcass. No matter how offensive people find the stench of a carcass, no one would wish that the animal had not been created, or that it had been created as wood rather than a living creature. All recognize the animal's intrinsic worth, even in its presently reduced state. Not so the Torah scholar who lacks wisdom. The damage that he does is potentially of such magnitude that it were better that he had never studied Torah at all. In this respect, the incomplete scholar is more poorly regarded than a carcass.

What is this quality of דַּעַת, *wisdom*, that the Midrash deems so essential to the Torah scholar?

Rav Hutner identifies two distinct areas of *avodas Hashem* (service to God). The first comprises the body of Jewish law and tradition, the actual mitzvos, whose requirements have already been revealed to us, and which are well known as the means by which one honors God and fulfills His will. The second area consists of "elective acts." These are the "ordinary" things that occupy the bulk of a person's time and attention: his myriad deeds and thoughts, his aspirations and desires, his occupation, his dealings, his interactions, his circumstances — all the stuff of everyday life. These non-obligatory matters are not explicitly addressed in the Torah. It would be difficult for one to find in the Torah precise instruction as to the manner of their performance. Their place in the continuum of sacred and non-sacred is not fixed, but depends rather upon how they are performed, whether with indifference as to their effect upon others, or whether with care and with the supreme awareness that one's slightest misstep might sully one's own good name and bring dishonor upon one's Maker.

It is with regard to these elective acts that the Midrash distinguishes between a Torah scholar who possesses wisdom and one who does not. A scholar who has attained wisdom does not merely possess great knowledge of Torah. Rather, he has integrated his knowledge with the events and decisions of daily life, so that his every act is informed by the Torah ethic. His conduct is impeccable. He is kind and compassionate to his fellows. He performs no deed without forethought, and he acts in a manner that sanctifies the mundane and brings honor to God's Name. This scholar takes the dross of the temporal world and refines it, the muddied waters of the earthly spring and distills them. He extracts from the tree of his daily existence the last drop of the sap of holiness. His deeds, his speech, his thought, are imbued with holy purpose, and attest to his refinement of character. As described in a popular saying, this scholar excels in "the fifth [volume of] *Shulchan Aruch*," the one that imparts an understanding of life as lived *outside* the walls of the study hall, and pulls that life too, with pleasantness and grace, into the orbit of Torah teachings.

Compare the Torah scholar who *lacks* the wisdom of the "fifth *Shulchan Aruch*": He has studied the tradition deeply, he has memorized the texts and is conversant in the laws, but that is the extent of his scholarship. He has failed to extend his understanding beyond the bounds of the dry legalities to embrace the mundane and muddled tasks of daily life. Vast as may be the scholarship at his disposal, it is without effect in his daily life. In his interactions with others, in his business dealings, in his manner of speech, there is nothing that speaks of holiness, nothing that indicates compassion, nothing that adds to the glory of the Creator. The daily deeds of this person — indifferent, uncaring — bring no honor to God's Name, but rather the opposite, by creating the impression that one steeped in His Torah could remain without refinement of character. The Midrash therefore declares this person worse than a carcass, for it would have been better had he never studied Torah at all!

As with the individual, so it is in the communal realm. The sources of authority in the community are two: The first is the Sanhedrin and the system of courts, who are charged with ruling on questions of law. It is they who adjudicate disputes and administer the law of the Torah to the letter, precisely as passed down from Sinai. The other is the king, who claims authority and provides guidance (wisdom) in matters of day-to-day life, and who, where necessary, can issue an *ad hoc* judgment that overrides normative law (see *Derashos HaRan, Derush* §11). The king and the Sanhedrin complement each other. Together, they represent, in the communal realm, the Torah scholar who has mastered the twin disciplines of Torah law and Torah wisdom.

This brings us to the Midrash's statement regarding Moses; namely, that in waiting to be summoned to the Tabernacle, he exemplified the wisdom of the Torah scholar. Moses, who received the Torah from God and transmitted it to Israel, must perforce have encompassed *all* aspects

חידושי הרד"ל

[טו] **שאין בו דעת.** פירוש דרך ארץ וענוה, שלא יתגאה בחכמתו וקרבתו לפני המקום, וכדרשת האבות דרבי נתן שהביא המתנות כהונה לזה, מאס נבלת בהתנשא. ועיין תנא דבי אליהו רבה (פרשה ו) משם הועתק מאמר זה לכאן:

באור מהרי"פ

[טו] **להלן הוא אומר** (שמות ג, ד) **וירא ה' כי סר לראות.** ויקרא אליו אלהים מתוך הסנה ויאמר משה משה ויאמר הנני: **בסנה הפסיק וכו'.** (ויקרא א, א) ויקרא אל משה וידבר ה' אליו מאהל מועד לאמר. וזה לשון היפה הפסיק אליו, לאו למימר דכתיב מלת אליו בין קריאה לדבור, דאילו באהל מועד נמי כתיב אליו בתר וידבר, דהא התם נמי כתיב אל משה בין קריאה לדיבור, אלא היינו מה שאמר מתוך הסנה בין קריאה לדבור, משמע דלאתא לומר שמשם קראו והסנה מפסיק ביניהם, והיינו דקאמר ליה אל תקרב הלום וגו', באהל מועד אין הפסקה שקורא שיבא באהל מועד אשר שם האלהים, ולכן אמר מאהל מועד בתר וידבר למשה מקרבין דלא אתא למימר דאהל מועד מפסיק ביניהם, אלא אתא למימר שהדבור לא היה יוצא חוץ לאהל מועד. עד כאן. אמר הכותב סוף סוף הענין מוקשה לפי עניות דעתי:

ידי משה

[טו] **אבל באהל מועד דומה למלך ששמח עם בנוי.** כן צריך לומר: **כמו שהוא מושיבו בין ברכיו.** פירוש שכתב הדבר לגלית כאילו הושיבו בין ברכיו וכיד אב על בנו:

עץ יוסף

(טו) נבילה טובה הימנו. פירוש לפי שהנבלה נתנבלה בטומאה, וזה התלמיד חכם מתנבל בידיו (מעריך המערכות). או יבואר על דרך שאמרו בפסחים (קיג, א) הפוך בנבילתא ולא תיפוך במילי, וזה שאמרו כל תלמיד חכם שאין בו דעה, רלה לומר שאין לו דעה קיימת ומיושבת עליו שאין בו מוסר ודרך ארץ, אבל הוא הפכפך בדבוריו, נבלה טובה הימנו רצונו לומר טוב לו יותר להפוך בנבלה (מהגאון מורינו הרב שאול מווילנא). והרד"ל כתב שלא יתגאה בחכמתו, וכדרשת האבות דרבי נתן (יא, ב) מאס נבלת בהתנשא: **תדע לך שכן הוא.** פירוש תדע לך שראוי להיות דרך ארץ ומוסר בתלמיד חכם ולא סגי ליה בתלמוד תורה, דהא משה רבינו עליו השלום שהיה גדול החכמים והנביאים, הוצרך ליזהר גם בדרך ארץ: **להלן הוא אומר כו'.** הוא דרוש אחר, להבדיל בין מלות הקריאה שהיתה למשה בתחילת נבואתו, [שגם שמה היתה בלשון קריאה שהיא נבואה גדולה], לבין קריאה הנאמר כאן שהיא מדריגה היותר רמה, כי בסנה כתיב ויקרא אליו אלהים מתוך הסנה ויאמר משה משה, הרי דמתוך הסנה מפסיק בין קריאה לדבור, דמשמע דלאתא לומר שמשם קראו והסנה מפסיק ביניהם, והיינו דקאמר ליה אל תקרב הלום, אבל באהל מועד אין כאן הפסקה שקוראו שיבא באהל מועד אשר שם האלהים, ולכן אמר מאהל מועד בתר וידבר, לאשמועינן דלא אתא למימר דאהל מועד מפסיק ביניהם, אלא אתא למימר שהדבור לא היה יוצא לחוץ לאהל מועד כדלעיל סימן י"א, דלא היה צריך הכנת משה לזה כי היה מוכן תיכף לזה. ודעתם שהיה מדרגת משה אף בתחילת נבואתו גם כן גדולה, והראיה שנאמרה בלשון קריאה, ורק שמה מפני שהיה עת הכעס על ישראל, ולכן היתה זאת סיבה ומניעה לנבואת משה: **כשהוא מצוה את השליח.** להוציאו, אינו מכניסו אצלו אלא מלוהו מבחוץ, שאין עבדו כל כך חביב בעיניו, וכן ישראל קודם מתן תורה היו במצרים כעבד שחבשו רבו בבית האסורים, ולכן כששלח את משה לא דבר עמו אלא מבחוץ, אבל משקבלו התורה היתה השכינה שמחה עמהם כאב עם בניו, וכשלוה משה עליהם היה מקרבו אצלו: **אבל באהל מועד דומה למלך כשהוא שמח עם בניו.** כן צריך לומר (ידי משה): **בין ברכיו וכדרך אדם על בניו.** כן צריך לומר (יפה תואר):

טו דָּבָר אַחֵר, [א, א] "וַיִּקְרָא אֶל מֹשֶׁה וַיְדַבֵּר ה'", מִיכָּן אָמְרוּ: כָּל תַּלְמִיד חָכָם שֶׁאֵין בּוֹ דַּעַת נְבֵלָה טוֹבָה הֵימֶנּוּ, תֵּדַע לְךָ שֶׁכֵּן הוּא, צֵא וּלְמַד מִמֹּשֶׁה אֲבִי הַחָכְמָה אֲבִי הַנְּבִיאִים שֶׁהוֹצִיא יִשְׂרָאֵל מִמִּצְרַיִם וְעַל יָדוֹ נַעֲשׂוּ כַּמָּה נִסִּים בְּמִצְרַיִם וְנוֹרָאוֹת עַל יַם סוּף, וְעָלָה לִשְׁמֵי מָרוֹם וְהוֹרִיד תּוֹרָה מִן הַשָּׁמַיִם וְנִתְעַסֵּק בִּמְלֶאכֶת הַמִּשְׁכָּן, וְלֹא נִכְנַס לִפְנַי וְלִפְנִים עַד שֶׁקְּרָאוֹ, שֶׁנֶּאֱמַר "וַיִּקְרָא אֶל מֹשֶׁה וַיְדַבֵּר". לְהַלָּן הוּא אוֹמֵר (שמות ג, ד) "וַיַּרְא ה' כִּי סָר לִרְאוֹת וְגוֹ'", בַּסְּנֶה הִפְסִיק אֵלָיו בֵּין קְרִיאָה לְדִיבּוּר, בְּאֹהֶל מוֹעֵד אֵין כָּאן הַפְסָקָה, בַּסְּנֶה מָשָׁל לְמָה הַדָּבָר דּוֹמֶה, לְמֶלֶךְ בָּשָׂר וָדָם שֶׁכָּעַס עַל עַבְדּוֹ וְצִוָּה לַחֲבְשׁוֹ בְּבֵית הָאֲסוּרִין, כְּשֶׁהוּא מְצַוֶּה אֶת הַשָּׁלִיחַ אֵינוֹ מְצַוֶּה אֶלָּא מִבַּחוּץ, אֲבָל בְּאֹהֶל מוֹעֵד, ° כְּשֶׁהוּא שָׂמֵחַ בְּבָנָיו וּבְנֵי בֵיתוֹ שְׂמֵחִים, כְּשֶׁהוּא מְצַוֶּה אֶת הַשָּׁלִיחַ אֵינוֹ מְצַוֵּהוּ אֶלָּא מִבִּפְנִים, כְּמִי שֶׁהוּא מוֹשִׁיבוֹ בֵּין בִּרְכָּיו וּכְיַד אָדָם עַל בְּנוֹ, לְכָךְ נֶאֱמַר "וַיִּקְרָא אֶל מֹשֶׁה":

פירוש מהרז"ו

(טו) נבלה טובה הימנו. בילקוט שם (רמז תכט) הגירסא בהמה (לפנינו בילקוט הגירסא נבלה, אמנם בתנדב"א רבה פ"ג הגירסא בהמה) טובה הימנו: **ולא נכנס לפני ולפנים.** וכן לעיל (סימן ז) עיין מה שכתבתי שם, ומה שכתב אבי וכו' אבי, כמו שכתוב לעיל סימן ג', ועיין מגילה (יג, א). עיין שמות רבה (יט, ג) למה לא נכנס: **בסנה משל.** כי הסנה שהוא מין קוץ, מורה על הרוגז, וקודם שאמר משה משה רמז לו על הרוגז. ולא כן באהל מועד שהיה בפנים אמירות והראה שמחה ורצון, ומיד שקראו דבר עמו. והנה כלל בדבריו ששה הבדלים שבין מעמד ישראל במצרים קודם הגאולה, למעמד ישראל במדבר באהל מועד. במצרים היו דומים. (א) לעבד. (ב) חוטא. (ג) שאדוניו בכעס עליו. (ד) שחבשו בבית האסורים. (ה) ומראה כעס גם על השליח ששולח לטובתו. (ו) ומדבר עמו בחוץ בשדה מבין קוצים. ובאהל מועד הכל בעילוי. (א) שנתעלו מעבדים לבנים. (ב) מחוטאים לצדיקים. (ג) מכעס לרצון ושמחה. הם בו והוא בהם. (ד) מבית האסורים לבית כבוד בית שכינתו. (ה) ומדבר עם השליח בשמחה ורצון. (ו) ומדבר עמו בפנים:

אם למקרא

וַיַּרְא ה' כִּי סָר לִרְאוֹת וַיִּקְרָא אֵלָיו אֱלֹהִים מִתּוֹךְ הַסְּנֶה וַיֹּאמֶר מֹשֶׁה מֹשֶׁה וַיֹּאמֶר הִנֵּנִי: (שמות ג:ד)

ענף יוסף

(טו) כל תלמיד חכם שאין בו דעת כו'. הכוונה שמלת דעת מורה על היכולת אשר באדם, לאחר שלמד חכמה הרבה, להתבונן מעצמו דבר חדש ברור, בלי שום ספק בהקשת השכל והאמת, וראיה גמורה על זה בירושלמי עירובין דף י"ב (פ"ג ה"ח) רב אחא אמר מן אולפן, פירוש שלמד כן מרבו, ורבי יוסי אמר מן דעה, פירוש מסברתו, ויען כי תכלית האדם בהויתו, הוא ללמוד החכמה ולהגיע על ידי זה אל שכל הפועל, כאשר כתבו המחקרים, ולעומת זה נבראה הבעלי חיים לא למות מיתת עולם, אלא להשחת ולהאכל מן המדבר, להתעלות ולהתקדש בקדושת האדם, לכן אמרו בחכמתם כל תלמיד חכם שאין בו דעה, פירוש שלא הגיע אל היכולת המעולה הזאת, לדבק בכל הנקנה שלו אל שכל הנאצל שהוא הפועל, נבלה טובה ממנו, כי גם היא לחנם נבראת, ולא הגיעה אל מעלתה המוחלטת, אמנם הבהמה אין לה כח לעשות חיל מצד עצמה, מה שאין כן תלמיד חכם, שספק בידו לעשות חיל ולדבק רוח בנשמה:

שינויי נוסחאות

(טו) כל סימן ט"ו בספרים הישנים היה כתוב בנוספת בסוף הספר, "נוסחא אחרינא שנמצא בסוף פרשה א'". ובד' קראקא כתבו "ברבתי דפוס ישנים נצמא גיר' זו כתוב בסוף הספר ושייכא לכאן", ומשם אילך הדפיסוהו המדפיסים כאן במקומו: **אבל באהל מועד, כשהוא שמח בבניו.** ידי משה הגיה, "אבל באהל מועד דומה למלך ששמח בבניו":

מתנות כהונה

[טו] מכאן אמרו כל תלמיד חכם שאין בו דעת נבלה טובה הימנו. לכאורה נראה דצריך לומר, נמלה טובה הימנו, שהנמלה יש לה דעת יתירה ביתרון הכשר חכמה, כמו שאמר הכתוב (משלי ו, ו) לך אל נמלה עצל, והפליגו חכמינו ז"ל בחכמתה במסכת חולין (נז, ב) ובמסכת (סנהדרין) [עיין עירובין ק ב] ועיין בדברים רבה בפרשת שופטים רבה (ה, ב). וגירסת הספר יש לפרש על דרך זה, כי מאחר שאין בו שקול דעת ורוח נכון, הנה הוא מכחש ועושה פלסתר תורת אלהיו אשר בקרבו, אשר היא הבסיס, ועיקר צורתו האנושית אשר עליה בשם אדם יקרא, ובלעדה הוא נשאר על חומרתו חומר ולא אדם, כי על כן אומות העולם אינם קרויים אדם, כמאמר חז"ל (יבמות סא, א ועוד), והרי הוא נשאר יותר גרוע מנבלה, אשר היא כגוי סתם לבהמה שמתה, או בני אדם הדומים לה, וכן כתב רבי אליהו מדקדק בהגהות בפרשים, והיא אף כי היא מושלכת כדומן על פני השדה, ורוח חיים אין בקרבה, הלא אינה חסירה רק מעלה אחת, היא רוח חיים שהיה בה בעודה בחיים חיותה, וכבר כתבו הקדמונים ז"ל, וגם עינינו הרואות לעינים, שכל עוד שצורת הכלי יותר דקה וגבוה במעלה, באבדונה ובהפרדה נשאר חומר הנושאו יותר גרוע ושפלה וקל להבין. ואחר כך מצאתי קרוב לזה בספר ידי משה. אבל באבות דרבי נתן (פרק יא) כתב זה לשונו, אמר רבי עקיבא כל תלמיד חכם המגביה את עצמו לדברי תורה הוא דומה לנבלה מושלכת בדרך, כל עובר ושב מניח ידו על חוטמו, ומתרחק ממנה והולך, שנאמר (משלי ל, לב) אם נבלת בהתנשא עכ"ל. ואף על פי שאינו ממש לשון הספר מכל מקום נדמים לאחדים ושניהם לדבר אחד נתכוונו: **בסנה הפסיק אליו.** דלא כתיב ויקרא משה, אלא ויקרא אליו אלהים, ואחר כך ויאמר משה משה, והפסיק אליו, בין קריאה לדיבור: **שכעס על עבדו.** זה פרעה שלוה לחבשו ולאסרו במכות, ובחושך הושיבו כבבית האסורים.

אשד הנחלים

[טו] כל תלמיד חכם שאין בו דעת כו'. הדבר הזה בהסבר קל, פירש המתנות כהונה, עיין בו. אך ביאור הדבר בהסבר פנימי, בארתי בבאורי מאורי אש על התנא דבי אליהו (רבה פרק ששי אות כז) עיי"ש: **להלן הוא אומר.** הוא דרוש אחר להבדיל בין מלות הקריאה שהיתה למשה בתחילת נבואתו, [שגם שמה היתה בלשון קריאה שהיא נבואה גדולה], לבין קריאה הנאמר כאן, שהיא מדריגה היותר רמה. כי בסנה הפסיק במלות אליו בין קריאה לדיבור, ולכן כתיב שמה שבתחילה קרא משה משה ואחר כך ויאמר, אבל כאן נאמר תיכף הדיבור אחר הקריאה, כי לא היה צריך הכנת משה לזה, כי היה מוכן תיכף לזה. ודעתם שהיה מדריגת משה אף בתחילת הנבואה גם כן גדולה, והראיה שנאמר בלשון קריאה, ורק שמה מפני שהיה עת הכעס על ישראל, ולכן היתה זה סיבה ומניעה לנבואת משה. והדברים ארוכים למתבונן:

The first time God spoke to Moses was at the burning bush, and there, too, Scripture uses the word וַיִּקְרָא, *He called.*[225] However, the Midrash will differentiate between the "calling" that took place there and the "calling" that took place at the Tent of Meeting (our verse):[226]

לְהַלָּן הוּא אוֹמֵר "וַיַּרְא ה' כִּי סָר לִרְאוֹת וְגוֹ' " — **Elsewhere [Scripture] states,** ***HASHEM saw that he turned aside to see, etc.*** (*Exodus* 3:4). בַּסְּנֶה הִפְסִיק אֵלָיו בֵּין קְרִיאָה לְדִיבּוּר — **In** that passage that recounts Moses' prophetic encounter at **the bush, [Scripture] made an interruption between** the **"calling" and** the **"speaking"** in its description of God's speaking **to [Moses].**[227] בְּאֹהֶל מוֹעֵד אֵין כָּאן הַפְסָקָה — By contrast, in the passage that recounts Moses' prophetic encounter **in the Tent of Meeting, there is no interruption** between the "calling" and the "speaking."[228] בַּסְּנֶה מָשָׁל לְמָה הַדָּבָר דּוֹמֶה — **To what may** the encounter **at the bush be compared?** לְמֶלֶךְ בָּשָׂר וָדָם שֶׁכָּעַס עַל עַבְדּוֹ וְצִוָּה לְחָבְשׁוֹ בְּבֵית הָאֲסוּרִין — **To a king of flesh and blood who was angry at his slave and commanded that he be confined in prison.** כְּשֶׁהוּא מְצַוֶּה אֶת הַשָּׁלִיחַ אֵינוֹ מְצַוֶּה אֶלָּא מִבַּחוּץ — **When [the king] commands his messenger** to free him, **he does not command him** in any place **except** ***outside*** the royal residence.[229] אֲבָל בְּאֹהֶל מוֹעֵד דּוֹמֶה לְמֶלֶךְ כְּשֶׁהוּא שָׂמֵחַ בְּבָנָיו וּבְנֵי בֵיתוֹ שְׂמֵחִים — **But** the prophetic encounter that took place **in the Tent of Meeting is comparable to a king who is happy with his children, and the members of his household are happy** with him.[230] כְּשֶׁהוּא מְצַוֶּה אֶת הַשָּׁלִיחַ אֵינוֹ מְצַוֵּהוּ אֶלָּא מִבִּפְנִים — **When [the king] commands his messenger** regarding his children, **he does not command him** in any place **except** ***inside*** the royal residence, כְּמִי שֶׁהוּא מוֹשִׁיבוֹ בֵּין בִּרְכָּיו — **like one who places [a child] on his lap** וּכְיַד אָדָם עַל בְּנוֹ — **and as one whose his hand is** affectionately laid **on his son.**[231] לְכָךְ נֶאֱמַר "וַיִּקְרָא אֶל מֹשֶׁה" — **Therefore it is stated,** ***He called to Moses*** *and HASHEM spoke to him from the Tent of Meeting.*[232]

NOTES

225. The verse in its entirety reads: וַיַּרְא ה' כִּי סָר לִרְאוֹת "וַיִּקְרָא" אֵלָיו אֱלֹהִים מִתּוֹךְ הַסְּנֶה וַיֹּאמֶר מֹשֶׁה מֹשֶׁה וַיֹּאמֶר הִנֵּנִי, *HASHEM saw that he turned aside to see, and God called out to him from amid the bush and said, "Moses, Moses," and he replied, "Here I am!"* (*Exodus* 3:4).

226. *Eshed HaNechalim* and *Eitz Yosef* comment that the term וַיִּקְרָא represents a very exalted level of prophecy, and Scripture's use of the term in this verse indicates that Moses was worthy of this already at the time of his first prophecy. Nevertheless, the Midrash will point out that the levels of the two "callings" were not identical.

227. That is, the phrase מִתּוֹךְ הַסְּנֶה, *from amidst the bush*, appears between the word וַיִּקְרָא, *and He called*, and the word וַיֹּאמֶר, *and He said*, "interrupting" between them. The placement of the phrase serves to indicate that the bush served as an interposition between the place from which God's voice called to him, and the place where Moses was standing and actually heard what God was saying. [Indeed, in the very next verse God tells Moses, *"Do not come closer to here"*] (*Yefeh To'ar, Eitz Yosef*). The Midrash will momentarily explain that the reason the bush separated between Moses and God was that at that time God was angry with the Children of Israel.

For other approaches as to what comprises the interruption in our verse, see *Eshed HaNechalim* and see next note.

228. Our verse states: וַיִּקְרָא אֶל מֹשֶׁה וַיְדַבֵּר ה' אֵלָיו מֵאֹהֶל מוֹעֵד לֵאמֹר. The phrase מֵאֹהֶל מוֹעֵד, *from the Tent of Meeting*, appears *after* the word וַיְדַבֵּר, *He spoke*, and does not interrupt between the word וַיִּקְרָא and the word וַיְדַבֵּר (the way the phrase מִתּוֹךְ הַסְּנֶה, *from amid the bush*, interrupts in the *Exodus* verse). Scripture thus indicates that God invited Moses to come into the Tent of Meeting itself, the very place from which His voice called to him, such that there was nothing separating him from God (see *Yefeh To'ar, Eitz Yosef*).

[*Matnos Kehunah* interprets the Midrash's statement above, בַּסְּנֶה הִפְסִיק "אֵלָיו" בֵּין קְרִיאָה לְדִיבּוּר, to mean that it is the word אֵלָיו, *to him*, in the phrase וַיִּקְרָא אֵלָיו אֱלֹהִים that serves as an interruption between "calling" and "speaking." While this would seem to be the smoothest translation of the Midrash, *Yefeh To'ar* points out that it is actually very hard to understand why the word אֵלָיו in the *Exodus* verse should be considered any more an interruption than the words אֶל מֹשֶׁה, *to Moses*, in our (*Leviticus*) verse. See *Beur Maharif*, who cites *Yefeh To'ar* but concludes that the matter has not been resolved to his satisfaction.]

229. That is, the king's anger toward his slave expresses itself as well in how he treats the messenger whom he sends to benefit the slave. He therefore speaks to the messenger *outside* — in the field among the thorns (*Maharzu*). The Israelites in Egypt, before receiving the Torah, were like the slave in the parable. God therefore spoke to Moses, the messenger whom He sent to benefit the Israelites, *outside* [with the bush separating between them] (*Eitz Yosef*).

230. *Maharzu.*

231. *Yedei Moshe* explains the Midrash to mean that by speaking to the messenger inside [the royal residence], the king makes the messenger feel as beloved as if the king had placed him on his lap and treated him the way a father treats his son. [*Yefeh To'ar*, cited by *Eitz Yosef*, emends the Midrash to read: "וּכְדֶרֶךְ" אָדָם עַל בְּנוֹ — *and in the manner of a man with his son.*]

232. After the Israelites accepted the Torah, God was happy with them "like a father with his sons." His love for them expressed itself in how He spoke to Moses, the messenger whom He sent to benefit the Israelites, for now he spoke to Moses *inside* the Tent of Meeting [and with nothing separating Moses from Himself] (*Eitz Yosef*).

INSIGHTS

of Torah and of Godly service, both that of the concrete laws and commandments and that of the elective acts, whose quality of performance depends upon the depth of one's understanding. [This is indicated further by the fact that Moses was in the place of *both* the king and the Sanhedrin (see *Sanhedrin* 16b; *Rambam, Hil. Beis HaBechirah* 6:11).] Now, elective service is possible *only* if there exists some doubt as to how to proceed. To resolve the doubt, one applies his Torah wisdom to the question at hand, and acts in accordance with his understanding. This, however, was not possible for Moses, who was guaranteed a response *whenever* he would choose to speak to God (see Insight above on note 209, "Levels of Prophecy"). Should a question present itself to Moses, he would immediately seek guidance from God, whose answer would, of course, immediately transform the act in question from one of elective service to one of obligatory service. This posed a dilemma: On the one hand, it was necessary for Moses to master the "wisdom" of elective service, so that he could transmit its details to Israel. On the other hand, it was impossible for him to do so, since each question he pondered was answered by God!

There remained only one way in which Moses could take part in the service of elective acts, and that was through deciding the *manner* in which he would ask his question. Would he enter and pose the question without being summoned, or would he wait until he was summoned and only then ask it? Moses was in doubt as to the correct procedure. True, by entering immediately he would honor God, for this would demonstrate his desperate thirst for the word of God, which allowed him not even a moment's delay. Yet, it was altogether possible that he would show *greater* honor to God by refraining from entering His exalted precincts until invited to do so. This was the one question that Moses could not pose before God Himself, since it concerned the very manner in which the question would be posed. Rather, he was compelled to decide this question on his own, through application of wisdom and Torah. This is how Moses engaged in elective service to God.

It emerges that Moses' teachings to Israel regarding the *avodah* of elective acts derived entirely from his experience in deciding the question of how to ask the question. Thus the Midrash cites his decision in this matter as proof to the obligation of a Torah scholar to acquire the attribute of "wisdom." This one act of Moses served as the paradigm for an entire area of Godly service — the application of the Torah-saturated heart and mind to the myriad unspecified details of life and the world.

טו דָּבָר אַחֵר, [א, א] "וַיִּקְרָא אֶל מֹשֶׁה וַיְדַבֵּר ה'", מִיכָּן אָמְרוּ: כָּל תַּלְמִיד חָכָם שֶׁאֵין בּוֹ דֵּעָה נְבֵלָה טוֹבָה הֵימֶנּוּ, תֵּדַע לְךָ שֶׁכֵּן הוּא, צֵא וּלְמַד מִמֹּשֶׁה אֲבִי הַחָכְמָה אֲבִי הַנְּבִיאִים שֶׁהוֹצִיא יִשְׂרָאֵל מִמִּצְרַיִם וְעַל יָדוֹ נַעֲשׂוּ כַּמָּה נִסִּים בְּמִצְרַיִם וְנוֹרָאוֹת עַל יַם סוּף, וְעָלָה לִשְׁמֵי מָרוֹם וְהוֹרִיד תּוֹרָה מִן הַשָּׁמַיִם וְנִתְעַסֵּק בִּמְלֶאכֶת הַמִּשְׁכָּן, וְלֹא נִכְנַס לִפְנַי וְלִפְנִים עַד שֶׁקָּרָא לוֹ, שֶׁנֶּאֱמַר "וַיִּקְרָא אֶל מֹשֶׁה וַיְדַבֵּר", לְהַלָּן הוּא אוֹמֵר (שמות ג, ד) "וַיַּרְא ה' כִּי סָר לִרְאוֹת וְגוֹ'", בַּסְּנֶה הִפְסִיק אֵלָיו בֵּין קְרִיאָה לְדִיבּוּר, בְּאֹהֶל מוֹעֵד אֵין כָּאן הַפְסָקָה, בַּסְּנֶה מָשָׁל לְמָה הַדָּבָר דּוֹמֶה, לְמֶלֶךְ בָּשָׂר וָדָם שֶׁכָּעַס עַל עַבְדּוֹ וְצִוָּה לְחָבְשׁוֹ בְּבֵית הָאֲסוּרִין, כְּשֶׁהוּא מְצַוֶּה אֶת הַשָּׁלִיחַ אֵינוֹ מְצַוֶּה אֶלָּא מִבַּחוּץ, אֲבָל בְּאֹהֶל מוֹעֵד, ° כְּשֶׁהוּא שָׂמֵחַ בְּבָנָיו וּבְנֵי בֵיתוֹ שְׂמֵחִים, כְּשֶׁהוּא מְצַוֶּה אֶת הַשָּׁלִיחַ אֵינוֹ מְצַוֵּהוּ אֶלָּא מִבִּפְנִים, כְּמִי שֶׁהוּא מוֹשִׁיבוֹ בֵּין בִּרְכָּיו וּכְיַד אָדָם עַל בְּנוֹ, לְכָךְ נֶאֱמַר "וַיִּקְרָא אֶל מֹשֶׁה":

עץ יוסף

(טו) נבילה טובה הימנו. פירוש לפי שהנבלה נתנבלה בחוצה, וזה התלמיד חכם מתנבל בידיו (מעריך המערכות). או יבואר על דרך שאמרו בפסחים (קיג, א) הפוך בנבילתא ולא תיפוך במילי, וזה שאמרו כל תלמיד חכם שאין בו דעה, רצה לומר שאין לו דעה קיימת ומיושבת עליו שאין בו מוסר ודרך ארץ, אבל הוא הפכפך בדבוריו, נבלה טובה הימנו רצונו לומר טוב לו יותר להפוך בנבלה (מהגאון מורינו הרב שאול מווילנא). והרד"ל כתב שלא יתגאה בחכמתו, וכדרשת האבות דרבי נתן (יא, ב) אם נבלת בהתנשא: **תדע לך שכן הוא.** פירוש תדע לך שראוי להיות דרך ארץ ומוסר בתלמיד חכם ולא סגי ליה בתלמוד תורה, דהא משה רבינו עליו השלום שהיה גדול החכמים והנביאים, הוצרך ליזהר גם בדרך ארץ: **להלן הוא אומר כו'.** הוא דרוש אחר, להבדיל בין מלות הקריאה שהיתה למשה בתחילת נבואתו, [שגם שמה היתה בלשון קריאה שהיא נבואה גדולה], לבין קריאה הנאמר כאן שהיא מדריגה היותר רמה, כי בסנה כתיב ויקרא אליו אלהים מתוך הסנה ויאמר משה משה, הרי דמתוך הסנה מפסיק בין קריאה לדבור, דמשמע דאתא לומר שמשם קראו והסנה מפסיק ביניהם, והיינו דקאמר ליה אל תקרב הלום, אבל באהל מועד אין כאן הפסקה שקוראו שיבא באהל מועד אשר שם האלהים, ולכן אמר מאהל מועד בתר וידבר, לאשמועינן דלא אתא למימר דאהל מועד מפסיק ביניהם, אלא אתא למימר שהדבור לא היה יוצא לחוץ לאהל מועד כדלעיל סימן י"א, דלא היה צריך הכנת משה לזה כי היה מוכן תיכף לזה. ודעתם שהיה מדרגת משה אף בתחילת נבואתו גם כן גדולה, והראיה שנאמרה בלשון קריאה, ורק שמה מפני שהיה עת הכעס על ישראל, ולכן היתה זאת סיבה ומניעה לנבואת משה: **כשהוא מצוה את השליח.** להוציאו, אינו מכניסו אצלו אלא מלוהו מבחוץ, שאין עבדו כל כך חביב בעיניו, וכן ישראל קודם מתן תורה היו במצרים כעבד שחבשו רבו בבית האסורים, ולכן כששלח את משה לא דבר עמו אלא מבחוץ, אבל משקבלו התורה היתה השכינה שמחה עמהם כאב עם בניו, וכשצוה משה עליהם היה מקרבו אצלו: **אבל באהל מועד דומה למלך כשהוא שמח עם בניו.** כן צריך לומר (ידי משה): **בין ברכיו וכדרך אדם על בניו.** כן צריך לומר (יפה תואר):

חידושי הרד"ל

[טו] שאין בו דעת. פירוש דרך ארץ וענוה, שלא יתגאה בחכמתו וקרבתו לפני המקום, וכדרשת האבות דרבי נתן שהביא המתנות כהונה לזה, אם נבלת בהתנשא. ועיין תנא דבי אליהו רבה (פרשה ו) שמשם הועתק מאמר זה לכאן:

באור מהרי"פ

[טו] להלן הוא אומר (שמות ג, ד) **וירא ה' כי סר לראות.** ויקרא אליו אלהים מתוך הסנה ויאמר משה משה ויאמר הנני: **בסנה הפסיק וכו'.** (ויקרא א, א) ויקרא אל משה וידבר ה' אליו מאהל מועד לאמר. וזה לשון היפה הפסיק אליו, לאו למימר דכתיב מלת אליו בין קריאה לדבור, ואילו באהל מועד כתיב אליו בתר וידבר, דהא התם נמי כתיב אל משה בין קריאה לדיבור, אלא היינו מה שאמר מתוך הסנה בין קריאה לדבור, משמע דאתא לומר שמשם קראו והסנה מפסיק ביניהם, והיינו דקאמר ליה אל תקרב הלום וגו', באהל מועד אין הפסקה שקורא שיבא באהל מועד אשר שם האלהים, ולכן אמר מאהל מועד בתר וידבר לאשמועינן דלא אתא למימר דאהל מועד מפסיק ביניהם, אלא אתא למימר שהדבור לא היה יוצא חוץ לאהל מועד. עד כאן. אמר הכותב סוף סוף הענין מוקשה לפי עניות דעתי:

ידי משה

[טו] אבל באהל מועד דומה למלך ששמח עם בניו. כן צריך לומר: **כמו שהוא מושיבו בין ברכיו.** פירוש שחביב הדבר לפניו כאילו הושיבו בין ברכיו וכיד אב על בנו:

פירוש מהרז"ו

(טו) נבלה טובה הימנו. בילקוט שם (רמז תכט) הגירסא בהמה (לפנינו בילקוט הגירסא נבלה, אמנם בתדב"א רבה פ"ו הגירסא בהמה) טובה הימנו: **ולא נכנס לפני ולפנים.** וכן לעיל (סימן ז) עיין מה שכתבתי שם, ומה שכתב אבי וכו' אבי, כמו שכתוב לעיל סימן ג', ועיין מגילה (יג, א). עיין שמות רבה (יט, ג) למה לא נכנס: **בסנה משל.** כי הסנה שהוא מין קוץ, מורה על הרוגז, וקודם שאמר משה משה רמז לו על הרוגז. ולא כן באוהל מועד שהיה בפנים מאירות והראה שמחה ורצון, ומיד שקראו דבר עמו. והנה כלל בדבריו ששה הבדלים שבין מעמד ישראל במצרים קודם הגאולה, למעמד ישראל במדבר באוהל מועד. במצרים היו דומים. (א) לעבד. (ב) חוטא. (ג) שאדוניו בכעס עליו. (ד) שחבשו בבית האסורים. (ה) ומראה כעס גם על השליח ששולח לטובתו. (ו) ומדבר עמו בחוץ בשדה מבין קוצים. ובאוהל מועד הכל בהיפוך. (א) שנעשו מעבדים לבנים. (ב) מחוטאים לצדיקים. (ג) מכעס לרצון ושמחה. הם בו והוא בהם. (ד) מבית האסורים לבית כבוד בית שכינתו. (ה) ומדבר עם השליח בשמחה ורצון. (ו) ומדבר עמו בפנים:

אם למקרא

וַיַּרְא ה' כִּי סָר לִרְאוֹת וַיִּקְרָא אֵלָיו אֱלֹהִים מִתּוֹךְ הַסְּנֶה וַיֹּאמֶר מֹשֶׁה מֹשֶׁה וַיֹּאמֶר הִנֵּנִי: (שמות ג:ד)

ענף יוסף

(טו) כל תלמיד חכם שאין בו דעת בו'. הכוונה שמלת דעת מונח על היכולת אשר באדם, לאחר שלמד חכמה הרבה, להתבונן מעצמו דבר חדש ברור, בלי שום ספק בהקשת השכל והאמת, וראיה גמורה על זה בירושלמי עירובין דף י"ב (פ"ג ה"ח) רב אחא אמר מן אולפן, פירוש שלמד כן מרבו, ורבי יוסי אמר מן דעה, פירוש מסברתו, ויען כי תכלית האדם בהויתו, הוא ללמוד החכמה ולהגיע על ידי זה אל שכל הפועל, כאשר כתבו המחקרים, ולעומת זה נבראו הבעלי חיים לא למות מיתת עצמו, אלא להשחט ולהאכל מן המדבר, להתעלות ולהתקדש בקדושת האדם, לכן אמרו בחכמתם כל תלמיד חכם שאין בו דעה, פירוש שלא הגיע אל היכולת המעולה ההיא, לדבק שכל הנקנה שלו אל שכל הנאצל שהוא הפועל, נבלה טובה ממנו, כי גם היא לחנם נבראת, ולא הגיעה אל מעלתה המוחלטת, אמנם הבהמה אין לה כח לעשות חיל מצד עצמה, מה שאין כן תלמיד חכם, שספק בידו לעשות חיל ולדבק רוח בנשמה:

שינוי נוסחאות

(טו) כל סימן ט"ו בספרים הישנים היה כתוב בנספח בסוף הספר, "נוסחא אחרינא שנמצא בסוף פרשה א' ". ובד' קראקא כתבו "ברבתי דפוס ישנים נצמא גיר' זו כתוב בסוף הספר ושייכא לכאן", ומשם אילך הדפיסוהו המדפיסים כאן במקומו: **אבל באהל מועד, כשהוא שמח בבניו.** ידי משה הגיה, "אבל באהל מועד דומה למלך ששמח בבניו":

מתנות כהונה

[טו] מכאן אמרו כל תלמיד חכם שאין בו דעת נבלה טובה הימנו. לכאורה נראה דצריך לומר, נמלה טובה הימנו, שהנמלה יש לה דעת יתירה ביתרון הכשר חכמה, כמו שאמר הכתוב (משלי ו, ו) לך אל נמלה עצל, והפליגו חכמינו ז"ל בחכמתה במסכת חולין (נז, ב) ובמסכת (סנהדרין) [עיין עירובין ק ב] ועיין בדברים רבה בפרשת שופטים רבה (ה, ב). וגירסת הספר יש לפרש על דרך זה, כי מאחר שאין בו שקול דעת ורוח נכון, הנה הוא מכתש ועושה פלסתר תורת אלהיו אשר בקרבו, אשר היא הבסיס, ועיקר צורתו האנושית אשר עליה בשם אדם יקרא, ובלעדה הוא נשאר על חומרתו חומר ולא אדם, כי על כן אומות העולם אינם קרויים אדם, כמאמר חז"ל (יבמות סא, א ועוד), והרי הוא נשאר יותר גרוע מנבלה, אשר היא כנוי סתם לבהמה שמתה, או בני אדם הדומים לה, וכן כתב רבי אליהו מדקדק בהגהות בשרשים, והיא אף כי היא מושלכת כדומן על פני השדה, ורוח חיים אין בקרבה, הלא אינה חסירה רק מעלה אחת, היא רוח חיים שהיה בה בעודה בחיים חיותה, וכבר כתבו הקדמונים ז"ל, וגם עינינו הרואות לעינים, שכל עוד שצורת הכלי יותר דקה וגבוה במעלה, באבדונה ובהפרדה נשאר חומר הנושא יותר גרוע ושפלה וקל להבין. ואחר כך מצאתי קרוב לזה בספר ידי משה. אבל באבות דרבי נתן (פרק יא) כתב זה לשונו, אמר רבי עקיבא כל תלמיד חכם המגביה את עצמו בדברי תורה הוא דומה לנבלה מושלכת בדרך, כל עובר ושב מניח ידו על חוטמו, ומתרחק ממנה והולך, שנאמר (משלי ל, לב) אם נבלת בהתנשא עכ"ל. ואף על פי שאינו ממש לשון הספר מכל מקום נדמים לאחדים ושניהם לדבר אחד נתכוונו: **בסנה הפסיק אליו.** דלא כתיב ויקרא משה, אלא ויקרא אליו אלהים, ואחר כך ויאמר משה משה, והפסיק אליו, בין קריאה לדיבור: **שכעס על עבדו.** זה פרעה שצוה לחבשו ולאסרו במכות, ובחושך הושיבו כבבית האסורים:

אשד הנחלים

[טו] כל תלמיד חכם שאין בו דעת כו'. הדבר הזה בהסבר קל, פירש המתנות כהונה, עיין בו. אך ביאור הדבר בהסבר פנימי, בארתי בבאורי מאורי אש על התנא דבי אליהו (רבה פרק ששי אות כז) עיי"ש: **להלן הוא אומר.** הוא דרוש אחר להבדיל בין מלות הקריאה שהיתה למשה בתחילת נבואתו, [שגם שמה היתה בלשון קריאה שהיא נבואה גדולה], לבין קריאה הנאמר כאן, שהיא מדריגה היותר רמה. כי בסנה הפסיק במלות אליו בין קריאה לדיבור, ולכן כתיב שמה שבתחילה קרא משה משה ואחר כך ויאמר, אבל כאן נאמר תיכף הדיבור אחר הקריאה, כי לא היה צריך הכנת משה לזה, כי היה מוכן תיכף לזה. ודעתם שהיה מדריגת משה אף בתחילת הנבואה גם כן גדולה, והראיה שנאמר בלשון קריאה, ורק שמה מפני שהיה עת הכעס על ישראל, ולכן היתה זה סיבה ומניעה לנבואת משה. והדברים ארוכים למתבונן:

Chapter 2

דַּבֵּר אֶל בְּנֵי יִשְׂרָאֵל וְאָמַרְתָּ אֲלֵהֶם אָדָם כִּי יַקְרִיב מִכֶּם קָרְבָּן לַה׳ מִן הַבְּהֵמָה מִן הַבָּקָר וּמִן הַצֹּאן תַּקְרִיבוּ אֶת קָרְבַּנְכֶם.
Speak to the Children of Israel and say to them: When a man among you brings an offering to HASHEM: from animals — from the cattle or from the flock shall you bring your offering (1:2).

§1 **דַּבֵּר אֶל בְּנֵי יִשְׂרָאֵל וְאָמַרְתָּ אֲלֵיהֶם אָדָם כִּי יַקְרִיב מִכֶּם קָרְבָּן לַה׳** — *SPEAK TO THE CHILDREN OF ISRAEL AND SAY TO THEM: WHEN A MAN AMONG YOU BRINGS AN OFFERING TO HASHEM.*

The Midrash will explain below that this verse attests to the esteem of the Jewish people. As an introduction to this, the Midrash cites and explains a verse that expresses the same idea:[1] **זֶהוּ שֶׁאָמַר הַכָּתוּב ״הֲבֵן יַקִּיר לִי אֶפְרַיִם״** — **This is what is stated by the** following **verse,** ***Is Ephraim [not] My precious son?*** (*Jeremiah* 31:19). **עֲשָׂרָה נִקְרְאוּ יְקָרִים, וְאֵלּוּ הֵן** — **Ten** things **were called** ***yakar*****, and these are they:**[2] **הַתּוֹרָה, וְהַנְּבוּאָה, וְהַתְּבוּנָה, וְהַדַּעַת, וְהַסִּכְלוּת, וְהָעוֹשֶׁר, וְהַצַּדִּיקִים, וּמִיתָתָן שֶׁל חֲסִידִים, וְהַחֶסֶד, וְיִשְׂרָאֵל** — (i) **the Torah;** (ii) **prophecy;** (iii) **understanding;** (iv) **knowledge;** (v) **folly;** (vi) **wealth;** (vii) **the righteous;** (viii) **the death of the devout;** (ix) **kindness; and** (x) the people of **Israel.**[3] The Midrash proceeds to prove from Scripture that all of these things are called *yakar*: **הַתּוֹרָה מִנַּיִן שֶׁנֶּאֱמַר ״יְקָרָה הִיא מִפְּנִינִים״** — (i) **From where** do we know that **the Torah** is called *yakar*? **For it is written** regarding the Torah, ***It is more precious*** [יְקָרָה] ***than pearls*** (*Proverbs* 3:15).[4] **הַנְּבוּאָה מִנַּיִן ״וּדְבַר ה׳ הָיָה יָקָר בַּיָּמִים הָהֵם״** — (ii) **From where** do we know that **prophecy** is described as *yakar*? For it is written regarding prophecy, ***The word of HASHEM was scarce*** [יָקָר] ***in those days*** (*I Samuel* 3:1).[5] **הַתְּבוּנָה מִנַּיִן ״יְקַר רוּחַ אִישׁ תְּבוּנָה״** — (iii) **From where** do we know that **understanding** is called *yakar*? For it is written regarding understanding, ***a man of understanding is a precious*** [יְקַר] ***spirit*** (*Proverbs* 17:27).[6] **הַדַּעַת מִנַּיִן ״וּכְלִי יְקָר שִׂפְתֵי דָעַת״** — (iv) **From where** do we know that **knowledge** is called *yakar*? For it is written regarding knowledge, ***but lips of knowledge are a precious*** [יְקָר] ***vessel*** (ibid. 20:15).[7] **הַסִּכְלוּת מִנַּיִן ״יָקָר מֵחָכְמָה מִכָּבוֹד סִכְלוּת מְעָט״** — (v) **From where** do we know that **folly** is called *yakar*? For it is written regarding folly, ***a little folly outweighs*** [יָקָר] ***wisdom and honor*** (*Ecclesiastes* 10:1).[8] **הָעוֹשֶׁר מִנַּיִן ״וְהוֹן אָדָם יָקָר חָרוּץ״** — (vi) **From where** do we know that **wealth** is called *yakar*? For it is written regarding wealth, ***but the wealth of the diligent person is precious*** [יָקָר] (*Proverbs* 12:27).[9] **צַדִּיקִים מִנַּיִן ״וְלִי מַה יָּקְרוּ רֵעֶיךָ אֵל״** — (vii) **From where** do we know that **the righteous** are called *yakar*? For it is written regarding the righteous, ***To me — how glorious*** [יָקְרוּ] ***are Your friends, O God*** (*Psalms* 139:17).[10] **מִיתָתָן שֶׁל חֲסִידִים מִנַּיִן ״יָקָר בְּעֵינֵי ה׳ הַמָּוְתָה לַחֲסִידָיו״** — (viii) **From where** do we know that **the death of the devout** is called *yakar*? For it is written regarding the death of the devout, ***Precious*** [יָקָר] ***in the eyes of HASHEM is the death of His devout ones*** (ibid. 116:15).[11] **הַחֶסֶד מִנַּיִן ״מַה יָּקָר חַסְדְּךָ אֱלֹהִים״** — (ix) **From where** do we know that **kindness** is called *yakar*? For it is written regarding kindness, ***How precious*** [יָקָר] ***is Your kindness, O God*** (ibid. 36:8).[12]

NOTES

1. *Maharzu, Eshed HaNechalim*; see below, §4, §5, and §8.

2. The root יקר may denote either preciousness or scarceness. However, the two meanings are related, for what is precious is scarce, while what is inferior is common (*Eshed HaNechalim*, cited also by *Eitz Yosef*; see also *Yefeh To'ar*).

Not all ten things listed by the Midrash are intrinsically valuable. For example, wealth is listed, but it is only valuable by virtue of the fact that people treasure it. This is why the Midrash states, *ten things "were called" yakar*, and not *ten things "are" yakar* (*Eitz Yosef*).

3. The righteous and the people of Israel are listed separately, since there are righteous persons among the nations of the world. Furthermore, the righteous among the people of Israel are cherished for their virtue in addition to being cherished as Jews (*Yefeh To'ar*).

4. The Midrash states that the Torah is an attenuated form of the wisdom of Above (*Bereishis Rabbah* 17 §5, 44 §17). As such, the Torah is intrinsically precious. Additionally, the Torah is *yakar* in the sense that it commands a "high price," in that one must be prepared to give up all but the most necessary physical comforts in order to acquire it (*Tiferes Tzion*; see also *Eshed HaNechalim*, cited as well by *Eitz Yosef*; *Derech Chaim* to *Avos* 6:4 and *Malbim* to *Proverbs* 3:15).

5. Prophecy, like the Torah, comes from Above (*Eshed HaNechalim*, cited also by *Eitz Yosef*), and preparation is required in order for one to receive a prophecy (see *Rambam, Hil. Yesodei HaTorah* 7:1,4). Therefore, like Torah, prophecy is intrinsically precious, and can be obtained only at a high price (*Tiferes Tzion*). This is seen from the verse in *I Samuel*, for in the days before Samuel started to prophesy, there was a lack of people who were completely prepared for prophecy, and prophecy was scarce (see *Malbim* ad loc.).

6. We have translated the words of *Proverbs* 17:27: יְקַר רוּחַ אִישׁ תְּבוּנָה, according to the presumed understanding of our Midrash. However, the simple meaning, as explained by the commentators ad loc., is: *a man of understanding speaks sparingly*.

In order to properly understand the next two items, three words that pertain to intelligence must be defined: חָכְמָה, *wisdom*, תְּבוּנָה, *understanding*, and דַּעַת, *knowledge*. חָכְמָה refers to knowledge of what is good and what is bad, what is proper and what is improper. תְּבוּנָה refers to the extrapolation of one fact from another. דַּעַת refers to a clear understanding of the initial facts (*Malbim* to *Proverbs* 1:2). One cannot obtain חָכְמָה on one's own through observation, deduction, and reasoning. Rather, one must be granted this information by God, from Whom all wisdom originates; and therefore, חָכְמָה can be obtained only through prophecy or through the study of the Torah (*Malbim* ibid. and to *Proverbs* 2:2). These are the first two items listed — the Torah and prophecy. Once a person obtains חָכְמָה, he can use his own faculties in order to obtain תְּבוּנָה and דַּעַת. However, they will be defective, and even after much toil and effort he will still make many mistakes. However, if one sacrifices all the pleasures of the world and toils heartily in his quest for wisdom, God helps him and grants him a true and clear תְּבוּנָה and דַּעַת (*Malbim* to *Proverbs* 2:4 and 6; see *Megillah* 6b). Both תְּבוּנָה and דַּעַת are also given to man from Above and, as such, are intrinsically precious. Additionally, they come at the price of sacrifice and toil (*Tiferes Tzion*).

7. See preceding note.

8. The opposite of חָכְמָה, *wisdom*, is סִכְלוּת, *folly*. In order for חָכְמָה to have an enduring effect on a person, he must have a familiarity with its opposite, and counter it. A little סִכְלוּת thus strengthens one's חָכְמָה, for it brings a person to reconsider his assumptions, analyze the facts, deliberate upon their meaning and gain, ultimately, a deeper understanding (see *Yedei Moshe* by *R' Moshe Almosnino* to *Ecclesiastes* 10:1 s.v. וכל שכן; see also *Zohar* III 47b; see *Maharzu* and *Eshed HaNechalim*, cited also by *Eitz Yosef*, for alternative explanations).

9. Wealth allows one to have the peace of mind necessary for undisturbed contemplation of חָכְמָה (*Eshed HaNechalim*, cited also by *Eitz Yosef*). Both folly and wealth are thus precious, for through them one is able to fulfill his true purpose in life (*Tiferes Tzion*).

10. I.e., the righteous who are the *friends* of God (see *Targum* and *Rashi* ad loc.; see *Yefeh To'ar*). The righteous are precious, for they lead others on the path of righteousness. Additionally, the world is sustained in their merit [see *Taanis* 24b and *Chullin* 86a] (*Tiferes Tzion*). As such, the appellation *friends* of God is very appropriate for the righteous, as they are colleagues and partners with God, so to speak, for they fulfill the purpose of God's Creation and sustain it (see *Eitz Yosef* and see *Tur, Choshen Mishpat* Ch. 1).

11. The death of the devout is precious because, after death, they go on to a true and eternal pleasure (*Eshed HaNechalim*, cited also by *Eitz Yosef*, second explanation).

12. Kindness is precious, for if God did not direct the world with His

פרשה ב

א [א, ב] **"דַּבֵּר אֶל בְּנֵי יִשְׂרָאֵל וְאָמַרְתָּ אֲלֵהֶם אָדָם כִּי יַקְרִיב מִכֶּם קָרְבָּן לַה'", זֶהוּ שֶׁאָמַר הַכָּתוּב** (ירמיה לא, יט) **"הֲבֵן יַקִּיר לִי אֶפְרַיִם", עֲשָׂרָה נִקְרְאוּ יְקָרִים, אוְאֵלּוּ הֵן: הַתּוֹרָה, וְהַנְּבוּאָה, וְהַתְּבוּנָה, וְהַדַּעַת, וְהַסִּכְלוּת, וְהָעוֹשֶׁר, וְהַצַּדִּיקִים, וּמִיתָתָן שֶׁל חֲסִידִים, וְהַחֶסֶד, וְיִשְׂרָאֵל, הַתּוֹרָה מִנַּיִן שֶׁנֶּאֱמַר** (משלי ג, טו) **"יְקָרָה הִיא מִפְּנִינִים", הַנְּבוּאָה מִנַּיִן** (שמואל-א ג, א) **"וּדְבַר ה' הָיָה יָקָר בַּיָּמִים הָהֵם", הַתְּבוּנָה מִנַּיִן** (משלי יז, כז) **"יְקַר רוּחַ אִישׁ תְּבוּנָה", הַדַּעַת מִנַּיִן** (שם כ, טו) **"וּכְלִי יְקָר שִׂפְתֵי דָעַת", הַסִּכְלוּת מִנַּיִן** (קהלת י, א) **"יָקָר מֵחָכְמָה מִכָּבוֹד סִכְלוּת מְעָט", הָעוֹשֶׁר מִנַּיִן** (משלי יב, כז) **"וְהוֹן אָדָם יָקָר חָרוּץ", צַדִּיקִים מִנַּיִן** (תהלים קלט, יז) **"וְלִי מַה יָּקְרוּ רֵעֶיךָ אֵל", מִיתָתָן שֶׁל חֲסִידִים מִנַּיִן** (שם קטז, טו) **"יָקָר בְּעֵינֵי ה' הַמָּוְתָה לַחֲסִידָיו", הַחֶסֶד מִנַּיִן** (שם לו, ח) **"מַה יָּקָר חַסְדְּךָ אֱלֹהִים", יִשְׂרָאֵל מִנַּיִן** (ירמיה לא, יט) **"הֲבֵן יַקִּיר לִי אֶפְרַיִם", בְּיוֹקֶר יִשְׂרָאֵל עוֹמְדִים לִי, בַּנּוֹהַג שֶׁבָּעוֹלָם אֶלֶף בְּנֵי אָדָם נִכְנָסִין לַמִּקְרָא יוֹצֵא מֵהֶן ק', ק' לַמִּשְׁנָה יוֹצְאִין מֵהֶן י', י' לַתַּלְמוּד יוֹצֵא מֵהֶן א',**

עץ יוסף

(א) עשרה נקראו יקרים. לא קאמר עשרה הם יקרים, שלפי האמת אין כולם יקרים, שהעושר אינו יקר אצל עצמו, אבל נקרא יקר מאחר שהאנשים מיקירוהו, והצדיקים אף על גב דמכלל ישראל הם ומני ישראל, מכל מקום חשיב נמי לצדיקים, משום דאין חשיבות הצדיקים כחשיבות ישראל אצל כללותם, שצדיקים דחשיבי אצל עצמם עדיפי טפי. והרב מורנו הרב אברהם שי"ק כתב (באשד הנחלים) וזה לשונו, מלת יקר הוראתו כפולה, וכוונתו אחד, אחד על דבר יקר ונכבד מאוד, והשני על שהוא יקר המציאות וכבד להשיגה בטבע, ומובנו אחד, לפי שטבע הדבר הנכבד להיות ביוקר המציאות, וכל דבר השפל הוא קל המציאות. והנה חשב כאן כמה דברים, מהם נפשיים ומהם עניינים גופניים, כעושר, ואבאר אותן בדרך קצרה מאוד, התורה שהיא החכמה העליונה היא יקרה מאוד, ויוקר המציאות כי נתנה מלמעלה לא בדרך הטבע, והנבואה, שהיא רק מלמעלה, והתבונה, להבין דבר מתוך דבר, להוציא האמת הברור הנכסה בטבע מעין הנפש, והדעת, היא הרגשה הזכה, הנוצץ מהמושכלות הראשונות המודיעים לאדם האמת הברור, והסכלות, כנוי לתמימות בטבע, שאינו מרגיש מעלתו, ולכן אינו מתכבד בו, [ולכן על הרוב התמימים נקראים בעולם בשם אטומי שכל, כנאמר (עמוס ה, י) ודובר תמים יתעבו, ונאמר (ישעיה נט, טו) וסר מרע משתולל, כי מתראים כאילו אין להם לב להבין], ולכן אמר הכתוב, יקר מחכמה מכבוד סכלות מעט, לפי שמטבע החכמה למצוא הגבהה בנפשו, ואם כן מצורף תיכף הכבוד המדומה לחכמה, אך יקר משניהם הוא הסכלות מעט, שאם הוא סכל מעט מבלי שירגיש בכבוד חכמתו, זהו דבר יקר ונעלה מאוד, והעושר, אם היא מפיקה לתועלת האדם לחיות חיי מנוחה, ועל ידי זה יוכל לפנות מחשבתו לתורה וחכמה, והצדיקים במדות ובמחשבות טהורות, ומיתתן של חסידים הוא דבר יקר ונכבד, עד שיקר וכבד אצל ה' כביכול לסלקם מן העולם, או באורו להיפך, שיקר ונכבד המיתה להם, כי שמה יגיעו למנוחתם ולתענוג האמיתי, ושמה יתענגו עדי עד, והחסד, הוא מדת החסד שהקדוש ברוך הוא מנהיג עולמו בחסד אף שאינם כדאים, ואלולי החסד כבר היה העולם נכלה בחטאיה, ולכן הוא דבר יקר ונכבד. ודע, דלא חשב כאן חכמה, לפי שנכלל בכלל התורה, שהיא החכמה העליונה. עד כאן לשונו: **ולי מה יקרו רעיך אל.** קמפרש על הצדיקים, שהם כשותפים להקדוש ברוך הוא במעשה בראשית, כמו שאמרו ז"ל בכמה דוכתי (עיין בראשית רבה ח, ז שבת י, א): **הבן יקיר לי אפרים.** וכל ישראל אקרו בשם אפרים: **בנוהג שבעולם כו'.** צריך לומר **ביוקר ישראל עומדים לי, הדא הא דכתיב אדם אחד מאלף מצאתי, בנוהג שבעולם כו', לתלמוד יוצא מהן אחד. דבר אחר אדם אחד מאלף מצאתי, זה אברהם כו'.** וכוונת בעל המאמר למימר, שישראל עומדים ביוקר, ומייתי סמך מאדם אחד מאלף מצאתי, שפירושו זה אברהם כדבסמוך, ואם כן ישראל עומדים ביוקר, כי כמה דורות נאבדו עד שנמצא אברהם שורש יחוסינו. ואיידי דמייתי קרא, מפרש ליה ברישא על מה שאלף נכנסים למקרא כו', כדרך המדרש דמפרש ברישא קרא דמייתי בדרשות אחרות, ושוב דריש ליה בעניינא דשייך להכא: **יוצא מהן מאה.** פירוש שיודעים מקרא, ואותן מאה כשנכנסין למשנה שהיא יותר עמוקה,

פירוש מהרז"ו

(א) דבר אל בני ישראל ואמרת אליהם. האריך וכפל הלשון, ודורש בסוף הסימן שהוא להראות חיבתן: **יקר וכו' סכלות מעט.** כפשוטו לעת הצורך אל הסכלות, הוא דבר יקר, וכמו שכתוב (תהלים לד, א) לדוד בשנותו את טעמו, וכמו שאמרו חז"ל (חולין ו, א) במעלת החכמים ערומים הם בדעת ומשימים עצמם כבהמה, וכמו שכתוב בזוהר הקדוש תזריע פסוק ואם מפאת פניו ימרט ראשו. עיין שם באריכות יוקר הסכלות מעט, פרקא דשטו דשטותא, ועיין מדרש קהלת פסוק תרתי בלבי וגו', ולאחוז בסכלות בסכלנותא, אך הראשון עיקר כי דרשת הזוהר הוא על הפסוק זה יקר מחכמה הנ"ל: **בנוהג שבעולם כו'.** ועיין כל זה בקהלת רבה פסוק זה ק"ד ב', ושם הגירסא עשרה לתלמוד יוצא מהם אחד להוראה. ודורש אחד מאלף מלשון לימוד כמו שכתוב (איוב לה, יא) מלפנו מבהמת הארץ, וכמו שכתוב (שם טו, ה) פן יאלף אורחותם:

חידושי הרד"ל

[א] **עשרה נקראו יקרים.** מדרש שמואל (פרשה ח), ושוחר טוב מזמור פח וקטז:

אמרי יושר

[א] **התורה והנבואה.** נקראו יקרים כדמפרש לקמיה, אלף נכנסים למקרא יוצאין מהם מאה למשנה. **והסכלות** נקרא יקר, אם שסכלות מעט יכריע ויקלקל ויכביד, יותר מחכמה הרבה שמסריחה, או לאמר אם יראה אדם עצמו סכל מעט, ולא לדקדק ולמצוא הדברים עד סוף, זהו סוף ותכלית הפקחות, **וישראל** נקראו יקרים, כי ביוקר עמדו לו, כי הרבה נסים עשה קודם בחרו בהם:

ידי משה

[א] **אלף נבנסים למקרא וכו'.** עיין פירושו ביפה תואר:

מסורת המדרש

א. ילקוט ש"א רמז נ"ז:

אם למקרא

הֲבֵן יַקִּיר לִי אֶפְרַיִם אִם יֶלֶד שַׁעֲשֻׁעִים כִּי מִדֵּי דַבְּרִי בּוֹ זָכֹר אֶזְכְּרֶנּוּ עוֹד עַל כֵּן הָמוּ מֵעַי לוֹ רַחֵם אֲרַחֲמֶנּוּ נְאֻם ה': (ירמיה לא:יט)

יְקָרָה הִיא מִפְּנִינִים וְכָל חֲפָצֶיךָ לֹא יִשְׁווּ בָהּ: (משלי ג:טו)

וְהַנַּעַר שְׁמוּאֵל מְשָׁרֵת אֶת ה' לִפְנֵי עֵלִי וּדְבַר ה' הָיָה יָקָר בַּיָּמִים הָהֵם אֵין חָזוֹן נִפְרָץ: (שמואל א ג:א)

חוֹשֵׂךְ אֲמָרָיו יוֹדֵעַ דָּעַת יְקַר רוּחַ אִישׁ תְּבוּנָה: (משלי יז:כז)

יֵשׁ זָהָב וְרָב פְּנִינִים וּכְלִי יְקָר שִׂפְתֵי דָעַת: (שם כ:טו)

זְבוּבֵי מָוֶת יַבְאִישׁ יַבִּיעַ שֶׁמֶן רוֹקֵחַ יָקָר מֵחָכְמָה מִכָּבוֹד סִכְלוּת מְעָט: (קהלת י:א)

לֹא יַחֲרֹךְ רְמִיָּה צֵידוֹ וְהוֹן אָדָם יָקָר חָרוּץ: (משלי יב:כז)

וְלִי מַה יָּקְרוּ רֵעֶיךָ אֵל מֶה עָצְמוּ רָאשֵׁיהֶם: (תהלים קלט:יז)

יָקָר בְּעֵינֵי ה' הַמָּוְתָה לַחֲסִידָיו: (תהלים קטז: טו)

מַה יָּקָר חַסְדְּךָ אֱלֹהִים וּבְנֵי אָדָם בְּצֵל כְּנָפֶיךָ יֶחֱסָיוּן: (תהלים לו: ח)

הֲבֵן יַקִּיר לִי אֶפְרַיִם אִם יֶלֶד שַׁעֲשֻׁעִים כִּי מִדֵּי דַבְּרִי בּוֹ זָכֹר אֶזְכְּרֶנּוּ עוֹד עַל כֵּן הָמוּ מֵעַי לוֹ רַחֵם אֲרַחֲמֶנּוּ נְאֻם ה' : (ירמיה לא:יט)

מתנות כהונה

[א] הכי גרסינן **יקיר לי אפרים ביוקר ישראל עומדים לי בנוהג וכו': יוצא מהן אחד.** להוראה:

אשד הנחלים

[א] **זה שאמר הכתוב הבן יקיר לי כו'.** הוא כפתח והקדמה למה שאומר להלן אדם זה לשון חיבה, וכן כל מקום שנאמר לי הוא מעלה גדולה מאוד, ובקרבנות תשמרו להקריב לי. ובאגב מביא המעלות והדברים היקרים שבעולם, ובאגב ממשיך מענין לענין כדרך המדרש בכל מקום: **עשרה נקראו יקרים.** מלת יקר הוראתו כפולה וכוונתו אחד, אחד על דבר יקר ונכבד מאוד, והשני על שהוא יקר המציאות וכבד להשיגה בטבע, ומובנו אחד, לפי שטבע הדבר הנכבד להיות ביוקר המציאות, וכל דבר השפל הוא קל המציאות. והנה חשב כאן כמה דברים מהם נפשיים ומהם עניינים גופנים כעושר, ואבאר אותן בדרך קצרה מאוד. התורה שהיא החכמה העליונה היא יקרה מאוד ויוקר המציאות, כי נתנה מלמעלה לא בדרך הטבע, והנבואה שהיא רק מלמעלה, והתבונה להבין דבר מתוך דבר להוציא האמת הברור הנכסה בטבע מעין הנפש, והדעת היא הרגשה הזכה הנוצץ מהמושכלות הראשונות המודיעים לאדם האמת הברור, והסכלות כנוי לתמימות בטבע, שאינו מרגיש מעלתו ולכן איננו מתכבד בו, (ולכן על הרוב התמימים נקראים בעולם בשם אטומי שכל, כנאמר (עמוס ה, י) ודובר תמים יתעבו, ונאמר (ישעיה נט, טו) וסר מרע משתולל, כי מתראים כאילו אין להם לב להבין), ולכן אמר הכתוב יקר מחכמה מכבוד סכלות מעט, לפי שמטבע החכמה למצוא הגבהה בנפשו, ואם כן מצורף תיכף הכבוד המדומה להחכמה, אך יקר משניהם הוא הסכלות מעט, שאם הוא סכל מעט מבלי שירגיש בכבוד חכמתו זהו דבר יקר ונעלה מאוד, והעושר אם היא מפיקה לתועלת האדם, לחיות חיי מנוחה ועל ידי זה יוכל לפנות מחשבתו לתורה וחכמה, והצדיקים במדות ובמחשבות טהורות, ומיתתן של חסידים הוא דבר יקר ונכבד, עד שיקר וכבד אצל ה' כביכול לסלקם מן העולם. או באורו להיפך, שיקר ונכבד המיתה להם, כי שמה יגיעו למנוחתם ולתענוגם האמיתי ושמה יתענגו עדי עד, והחסד הוא מדת החסד שה' ברוך הוא מנהיג עולמו בחסד אף שאינם כדאים, ואילולי החסד כבר היה העולם נכלה בחטאתיה, ולכן הוא דבר יקר ונכבד. ודע דלא חשב כאן חכמה לפי שנכלל בכלל התורה שהיא החכמה העליונה ודי בזה: **ביוקר ישראל כו' בנוהג כו'. עשרה לתלמוד יוצא מהם אחד להוראה.** כן צריך לומר. וכוונתו לדרוש גם כן מלת יקר מלשון כובד, כי יקר וכבד למצוא שיושלמו כולם בשליחות התורה כראוי, מצד שהוא דבר יקר ונכבד, על כן קשה להשיגה. וזהו דרך מליצה ביוקר ישראל עומדין לי, שהוא דבר יוקר ואינו בזול להשיג זאת:

יִשְׂרָאֵל מִנַּיִן ״הֲבֵן יַקִּיר לִי אֶפְרַיִם״, בְּיוֹקֶר יִשְׂרָאֵל עוֹמְדִים לִי — (x) **From where** do we know that the people of **Israel** are called *yakar*? For it is written regarding the people of Israel, ***Is Ephraim [not] My precious*** [יַקִּיר] ***son?*** meaning, the people of **Israel are Mine at a high price.**[13]

The Midrash now brings support from a verse in *Ecclesiastes* to the idea that God "paid a high price" in order to obtain the Jewish people. However, the Midrash first offers an unrelated explanation for that verse:[14]

בְּנוֹהַג שֶׁבָּעוֹלָם אֶלֶף בְּנֵי אָדָם נִכְנָסִין לַמִּקְרָא יוֹצֵא מֵהֶן ק׳ — **According to the normal way of the world, of one thousand people who enter** the study hall to study **Scripture,** only **one hundred leave** the study hall having mastered it. ק׳ לַמִּשְׁנָה יוֹצְאִין מֵהֶן י׳ — **Of** these **one hundred** who, having mastered Scripture, enter **to** study **Mishnah,** only **ten leave** having mastered it. י׳ לַתַּלְמוּד יוֹצֵא מֵהֶן א׳ — **Of** these **ten** who, having mastered Mishnah, enter **to** study **Talmud,** only **one leaves** having mastered it; and thus only one is able to serve as a judge and render legal rulings.[15]

NOTES

Divine Attribute of kindness, and adhered instead to strict justice, the world would have ceased to exist long ago (ibid.; see *Bereishis Rabbah* 12 §15).

13. *Ephraim* in this verse [as often in Scripture] refers to the entire Jewish people (*Eitz Yosef*, from *Yefeh To'ar*; see *Bereishis Rabbah* 71 §2 and 82 §10, and below, §3). The Midrash below explains how God paid a high price for the Jewish people.

14. *Eitz Yosef*; see *Eshed HaNechalim* for an alternative explanation.

15. It is more difficult to master Mishnah than to master Scripture, and it is more difficult to master Talmud than to master Mishnah. Only one who has mastered Talmud in addition to Mishnah can serve as a judge and render legal rulings. Mastery of Mishnah alone does not suffice, because there are apparent contradictions in the Mishnah and one needs to study Talmud in order to resolve them (*Eitz Yosef*; see *Sotah* 22a).

חידושי הרד"ל

[א] **עשרה נקראו יקרים.** מדרש שמואל (פרשה ח), ושוחר טוב מזמור פח וקטו:

אמרי יושר

[א] **התורה והנבואה.** נקראו יקרים כדמפרש לקמיה, אלף נכנסים למקרא יוצאין מהם מאה למשנה. **והסכלות** נקרא יקר, אם הסכלות מעט יכריע ויקלקל ויכביד, יותר מחכמה הרבה שמסריחה. או לאמר אם יראה אדם עצמו סכל מעט, ולא לדקדק ולמצוא הדברים עד סוף, וזהו סוף ותכלית הפקחות. **וישראל** נקראו יקרים, כי ביוקר עמדו לו, כי הרבה נסים עשה קודם בחרו בהם:

ידי משה

[א] **אלף נכנסים למקרא וכו'.** עיין פירושו ביפה תואר:

פרשה ב

א [א, ב] **"דַּבֵּר אֶל בְּנֵי יִשְׂרָאֵל וְאָמַרְתָּ אֲלֵיהֶם אָדָם כִּי יַקְרִיב מִכֶּם קָרְבָּן לַה'", זֶהוּ שֶׁאָמַר הַכָּתוּב** (ירמיה לא, יט) **"הֲבֵן יַקִּיר לִי אֶפְרַיִם", עֲשָׂרָה נִקְרְאוּ יְקָרִים, [א]וְאֵלּוּ הֵן: הַתּוֹרָה, וְהַנְּבוּאָה, וְהַתְּבוּנָה, וְהַדַּעַת, וְהַסִּכְלוּת, וְהָעוֹשֶׁר, וְהַצַּדִּיקִים, וּמִיתָתָן שֶׁל חֲסִידִים, וְהַחֶסֶד, וְיִשְׂרָאֵל, הַתּוֹרָה מִנַּיִן שֶׁנֶּאֱמַר** (משלי ג, טו) **"יְקָרָה הִיא מִפְּנִינִים", הַנְּבוּאָה מִנַּיִן** (שמואל-א ג, א) **"וּדְבַר ה' הָיָה יָקָר בַּיָּמִים הָהֵם", הַתְּבוּנָה מִנַּיִן** (משלי יז, כז) **"יְקַר רוּחַ אִישׁ תְּבוּנָה", הַדַּעַת מִנַּיִן** (שם כ, טו) **"וּכְלִי יְקָר שִׂפְתֵי דָעַת", הַסִּכְלוּת מִנַּיִן** (קהלת י, א) **"יָקָר מֵחָכְמָה מִכָּבוֹד סִכְלוּת מְעָט", הָעוֹשֶׁר מִנַּיִן** (משלי יב, כז) **"וְהוֹן אָדָם יָקָר חָרוּץ", צַדִּיקִים מִנַּיִן** (תהלים קלט, יז) **"וְלִי מַה יָּקְרוּ רֵעֶיךָ אֵל", מִיתָתָן שֶׁל חֲסִידִים מִנַּיִן** (שם קטז, טו) **"יָקָר בְּעֵינֵי ה' הַמָּוְתָה לַחֲסִידָיו", הַחֶסֶד מִנַּיִן** (שם לו, ח) **"מַה יָּקָר חַסְדְּךָ אֱלֹהִים", יִשְׂרָאֵל מִנַּיִן** (ירמיה לא, יט) **"הֲבֵן יַקִּיר לִי אֶפְרַיִם", בְּיוֹקֶר יִשְׂרָאֵל עוֹמְדִים לִי, בְּנוֹהַג שֶׁבָּעוֹלָם אֶלֶף בְּנֵי אָדָם נִכְנָסִין לַמִּקְרָא יוֹצֵא מֵהֶן ק', ק' לַמִּשְׁנָה יוֹצְאִין מֵהֶן י', י' לַתַּלְמוּד יוֹצֵא מֵהֶן א',**

עץ יוסף

(א) **עשרה נקראו יקרים.** לא קאמר עשרה הם יקרים, שלפי האמת אין כולם יקרים, שהעושר אינו יקר מצד עצמו, אבל נקרא יקר מאחר שהאנשים יקירוהו, והצדיקים אף על גב דמצבי ישראל הם ומני ישראל, מכל מקום חשיב נמי לצדיקים, משום דאין חשיבות הצדיקים כחשיבות ישראל מצד כללותם, שצדיקים דחשיבי מצד עצמם עדיפי טפי. והרב מורנו הרב אברהם שי"ק כתב (באשד הנחלים) וזה לשונו, מלת יקר הוראתו כפולה, וכוונתו אחד, אחד על דבר יקר ונכבד מאוד, והשני על שהוא יקר המציאות וכבד להשיגה בטבע, ומובנו אחד, לפי שטבע הדבר הנכבד להיות ביוקר המציאות, וכל דבר השפל הוא קל המציאות. והנה חשב כאן כמה דברים, מהם נפשיים ומהם עניינים גופנים, כעושר, ואבאר אותן בדרך קצרה מאוד, התורה שהיא החכמה העליונה היא יקרה מאוד, ויוקר המציאות כי נתנה מלמעלה לא בדרך הטבע, והנבואה, שהיא רק מלמעלה, והתבונה, להבין דבר מתוך דבר, להוציא האמת הברור הנכנסה בטבע מעין הנפש, והדעת, היא הרגשה הזכה, הנוצץ מהמושכלות הראשונות המודיעים לאדם האמת הברור, והסכלות, כנוי לתמימות בטבע, שאינו מרגיש מעלתו, ולכן אינו מתכבד בו, [ולכן על הרוב התמימים נקראים בעולם בשם אטומי שכל, כנאמר (עמוס ה, י) ודובר תמים יתעבו, ונאמר (ישעיה נט, טו) וסר מרע משתולל, כי מתראים כאילו אין להם לב להבין], ולכן אמר הכתוב, יקר מחכמה מכבוד סכלות מעט, לפי שמטבע החכמה למצוא הגבהה בנפשו, ואם כן מצורף תיכף הכבוד המדומה לחכמה, אך יקר משניהם הוא הסכלות מעט, שאם הוא סכל מעט מבלי שירגיש בכבוד חכמתו, זהו דבר יקר ונעלה מאוד, והעושר, אם היא מפיקה לתועלת האדם לחיות חיי מנוחה, ועל ידי זה יוכל לפנות מחשבתו לתורה וחכמה, והצדיקים במדות ובמחשבות טהורות, ומיתתן של חסידים הוא דבר יקר ונכבד, עד שיקר וכבד אצל ה' כביכול לסלקם מן העולם, או באורו להיפך, שיקר ונכבד המיתה להם, כי שמה יגיעו למנוחתם ולתענוגם האמיתי, ושמה יתענגו עדי עד, והחסד, הוא מדת החסד שהקדוש ברוך הוא מנהיג עולמו בחסד אף שאינם כדאים, ואלולי החסד כבר היה העולם נכלה בחטאתיה, ולכן הוא דבר יקר ונכבד. ודע, דלא חשב כאן חכמה, לפי שנכלל בכלל התורה, שהיא החכמה העליונה. עד כאן לשונו: **ולי מה יקרו רעיך אל.** קמפרש על הצדיקים, שהם כשותפים להקדוש ברוך הוא במעשה בראשית, כמו שאמרו ז"ל בכמה דוכתי (עיין בראשית רבה ח, ז שבת י, א): **הבן יקיר לי אפרים.** וכל ישראל אקרו בשם אפרים: **בנוהג שבעולם כו'.** צריך לומר **ביוקר ישראל עומדים לי, הדא הא דכתיב אדם אחד מאלף מצאתי, בנוהג שבעולם כו', לתלמוד יוצא מהן אחד. דבר אחר אדם אחד מאלף מצאתי, זה אברהם כו'.** וכוונת בעל המאמר למימר, שישראל עומדים ביוקר, ומייתי סמך מאדם אחד מאלף מצאתי, שפירושו זה אברהם כדבסמוך, ואם כן ישראל עומדים ביוקר, כי כמה דורות נאבדו עד שנמצא אברהם שורש יחוסינו. ואיידי דמייתי קרא, מפרש ליה ברישא על מה שאלף נכנסים למקרא כו', כדרך המדרש דמפרש ברישא קרא דמייתי בדרשות אחרות, ושוב דריש ליה בענינא דשייך להכא: **יוצא מהן מאה.** פירוש שיודעים מקרא, ואותן מאה כשנכנסין למשנה שהיא יותר עמוקה,

פירוש מהרז"ו

(א) **דבר אל בני ישראל ואמרת אליהם.** האריך וכפל הלשון, ודורש בסוף הסימן שהוא להוראות חיבתן: **יקר וכו' סכלות מעט.** כפשוטו לעת הצורך אל הסכלות, הוא דבר יקר, וכמו שכתוב (תהלים לד, א) לדוד בשנותו את טעמו, וכמו שאמרו חז"ל (חולין ו, א) במעלת החכמים ערומים הם בדעת ומשימים עצמם כבהמה, וכמו שכתוב בזוהר הקדוש תזריע פסוק ואם מפאת פניו ימרט ראשו. עיין שם באריכות יוקר הסכלות מעט, פרקא דשטו דשטותא, ועיין מדרש קהלת פסוק תרתי בלבי וגו', ולאחוז בסכלות בסכלנותא, אך הראשון עיקר כי דרשת הזוהר הוא על הפסוק זה יקר מחכמה הנ"ל: **בנוהג שבעולם כו'.** ועיין כל זה בקהלת רבה פסוק זה ק"ד ב', ושם הגירסא עשרה לתלמוד יוצא מהם אחד להוראה. ודורש אחד מאלף מלשון לימוד כמו שכתוב (איוב לה, יא) מלפנו מבהמות הארץ, וכמו שכתוב (שם טו, ה) פן יאלף אורחותם:

מסורת המדרש

א. ילקוט ש"א רמז ל"ו:

אם למקרא

הֲבֵן יַקִּיר לִי אֶפְרַיִם אִם יֶלֶד שַׁעֲשֻׁעִים כִּי מִדֵּי דַבְּרִי בּוֹ זָכֹר אֶזְכְּרֶנּוּ עוֹד עַל כֵּן הָמוּ מֵעַי לוֹ רַחֵם אֲרַחֲמֶנּוּ נְאֻם ה': (ירמיה לא:יט)

יְקָרָה הִיא מִפְּנִינִים וְכָל חֲפָצֶיךָ לֹא יִשְׁווּ בָהּ: (משלי ג:טו)

וְהַנַּעַר שְׁמוּאֵל מְשָׁרֵת אֶת ה' לִפְנֵי עֵלִי וּדְבַר ה' הָיָה יָקָר בַּיָּמִים הָהֵם אֵין חָזוֹן נִפְרָץ: (שמואל א ג:א)

חוֹשֵׂךְ אֲמָרָיו יוֹדֵעַ דָּעַת יְקַר רוּחַ אִישׁ תְּבוּנָה: (משלי יז:כז)

יֵשׁ זָהָב וְרָב פְּנִינִים וּכְלִי יְקָר שִׂפְתֵי דָעַת: (שם כ:טו)

זְבוּבֵי מָוֶת יַבְאִישׁ יַבִּיעַ שֶׁמֶן רוֹקֵחַ יָקָר מֵחָכְמָה מִכָּבוֹד סִכְלוּת מְעָט: (קהלת י:א)

לֹא יַחֲרֹךְ רְמִיָּה צֵידוֹ וְהוֹן אָדָם יָקָר חָרוּץ: (משלי יב:כז)

וְלִי מַה יָּקְרוּ רֵעֶיךָ אֵל מֶה עָצְמוּ רָאשֵׁיהֶם: (תהלים קלט:יז)

יָקָר בְּעֵינֵי ה' הַמָּוְתָה לַחֲסִידָיו: (תהלים קטז:טו)

מַה יָּקָר חַסְדְּךָ אֱלֹהִים וּבְנֵי אָדָם בְּצֵל כְּנָפֶיךָ יֶחֱסָיוּן: (תהלים לו:ח)

הֲבֵן יַקִּיר לִי אֶפְרַיִם אִם יֶלֶד שַׁעֲשֻׁעִים כִּי מִדֵּי דַבְּרִי בּוֹ זָכֹר אֶזְכְּרֶנּוּ עוֹד עַל כֵּן הָמוּ מֵעַי לוֹ רַחֵם אֲרַחֲמֶנּוּ נְאֻם ה': (ירמיה לא:יט)

מתנות כהונה

[א] הכי גרסינן **יקיר לי אפרים ביוקר ישראל עומדים לי בנוהג וכו': יוצא מהן אחד.** להוראה:

אשד הנחלים

[א] **זה שאמר הכתוב הבן יקיר לי כו'.** הוא כפתח והקדמה למה שאומר להלן אדם זה לשון חיבה, וכן כל מקום שנאמר לי הוא מעלה גדולה מאוד, ובקרבנות תשמרו להקריב לי. ובאגב מביא המעלות והדברים היקרים שבעולם, ובאגב ממשיך מענין לענין כדרך המדרש בכל מקום: **עשרה נקראו יקרים.** מלת יקר הוראתו כפולה וכוונתו אחד, אחד על דבר יקר ונכבד מאוד, והשני על שהוא יקר המציאות וכבד להשיגה בטבע, ומובנו אחד, לפי שטבע הדבר הנכבד להיות ביוקר המציאות, וכל דבר השפל הוא קל המציאות. והנה חשב כאן כמה דברים מהם נפשיים ומהם עניינים גופנים כעושר, ואבאר אותן בדרך קצרה מאוד. התורה שהיא החכמה העליונה היא יקרה מאוד ויוקר המציאות, כי נתנה מלמעלה לא בדרך הטבע, והנבואה שהיא רק מלמעלה, והתבונה להבין דבר מתוך דבר להוציא האמת הברור הנכנסה בטבע מעין הנפש, והדעת היא הרגשה הזכה הנוצץ מהמושכלות הראשונות המודיעים לאדם האמת הברור, והסכלות כנוי לתמימות בטבע, שאינו מרגיש מעלתו ולכן אינו מתכבד בו, (ולכן על הרוב התמימים נקראים בעולם בשם אטומי שכל, כנאמר (עמוס ה, י) ודובר תמים יתעבו, ונאמר (ישעיה נט, טו) וסר מרע משתולל, כי מתראים כאילו אין להם לב להבין), ולכן אמר הכתוב יקר מחכמה מכבוד סכלות מעט, לפי שמטבע החכמה למצוא הגבהה בנפשו, ואם כן מצורף תיכף הכבוד המדומה להחכמה, אך יקר משניהם הוא הסכלות מעט, שאם הוא סכל מעט מבלי שירגיש בכבוד חכמתו זהו דבר יקר ונעלה מאוד, והעושר אם היא מפיקה לתועלת האדם, לחיות חיי מנוחה ועל ידי זה יוכל לפנות מחשבתו לתורה וחכמה, והצדיקים במדות ובמחשבות טהורות, ומיתתן של חסידים הוא דבר יקר ונכבד, עד שיקר וכבד אצל ה' כביכול לסלקם מן העולם. או באורו להיפך, שיקר ונכבד המיתה להם, כי שמה יגיעו למנוחתם ולתענוגם האמיתי ושמה יתענגו עדי עד, והחסד הוא מדת החסד שה' ברוך הוא מנהיג עולמו בחסד אף שאינם כדאים, ואילולי החסד כבר היה העולם נכלה בחטאתיה, ולכן הוא דבר יקר ונכבד. ודע דלא חשב כאן חכמה לפי שנכלל בכלל התורה שהיא החכמה העליונה ודי בזה: **ביוקר ישראל כו' בנוהג כו'. עשרה לתלמוד יוצא מהם אחד להוראה.** כן צריך לומר. וכוונתו לדרוש גם כן מלת יקר מלשון כובד, כי יקר וכבד למצוא שיושלמו כולם בשליחות התורה כראוי, מצד שהוא דבר יקר ונכבד, על כן קשה להשיגה. וזהו דרך מליצה ביוקר ישראל עומדין לי, שהוא דבר יוקר ואינו בזול להשיג זאת:

הֲדָא הוּא דִכְתִיב ״אָדָם אֶחָד מֵאֶלֶף מָצָאתִי״ — **Thus it is written,** ***One man in a thousand I have found*** (*Ecclesiastes* 7:28), i.e., I have found only one man, out of every thousand who commence Torah studies, who is ultimately able to serve as a judge and render legal rulings.[16]

The Midrash now returns to bring support from *Ecclesiastes* 7:28 to the idea that God "paid a high price" in order to obtain the Jewish people:

דָּבָר אַחֵר ״אָדָם אֶחָד מֵאֶלֶף מָצָאתִי״ זֶה אַבְרָהָם — **Another explanation:** ***One man in a thousand I have found*** **— this is** a reference to **Abraham,**[17] ״וְאִשָּׁה בְכָל אֵלֶּה לֹא מָצָאתִי״ זוֹ שָׂרָה — ***but one woman among them I have not found*** (ibid.) **— this is** a reference to **Sarah.**[18]

The Midrash offers an alternative explanation for *Ecclesiastes* 7:28:

דָּבָר אַחֵר ״אָדָם אֶחָד מֵאֶלֶף מָצָאתִי״ זֶה עַמְרָם — **Another explanation:** ***One man in a thousand I have found*** **— this is** a reference to **Amram,**[19] ״וְאִשָּׁה בְכָל אֵלֶּה לֹא מָצָאתִי״ זוֹ יוֹכֶבֶד — ***but one woman among them I have not found*** **— this is** a reference to **Yocheved.**[20]

The Midrash offers another explanation for *Ecclesiastes* 7:28:

דָּבָר אַחֵר ״אָדָם אֶחָד מֵאֶלֶף מָצָאתִי״ זֶה מֹשֶׁה — **Another explanation:** ***One man in a thousand I have found*** **— this is** a reference to **Moses,**[21] ״וְאִשָּׁה בְכָל אֵלֶּה לֹא מָצָאתִי״ אֵלּוּ נְשֵׁי דוֹר הַמִּדְבָּר — ***but one woman among them I have not found*** **— this** is a reference to **the women of the generation of the Wilderness.**[22]

The Midrash gives an account of the worthiness of the women of the generation of the Wilderness:[23]

נְשֵׁי דוֹר הַמִּדְבָּר כְּשֵׁירוֹת הָיוּ — רַבִּי אוֹמֵר — **Rebbi**[24] **said: The women of the generation of the Wilderness were worthy** individuals: כֵּיוָן שֶׁשָּׁמְעוּ שֶׁהֵן אֲסוּרוֹת לְבַעֲלֵיהֶן מִיָּד נָעֲלוּ דַלְתוֹתֵיהֶן — **As soon as they heard that they were forbidden to their husbands, they immediately locked their doors.**[25]

NOTES

16. *Tiferes Tzion*. Only one of every thousand actually reaches the pinnacle of Torah study, where they are able to use their Torah knowledge in order to determine what is the law (*Eitz Yosef*; see *Maharzu* for explanation of the Midrash's exposition).

[For the explanation of the end of the verse: וְאִשָּׁה בְכָל אֵלֶּה לֹא מָצָאתִי, *but one woman among them I have not found*, according to this view, see *Eitz Yosef*; see also *Rambam, Talmud Torah* 1:13 and *Midrash Lekach Tov* 7:28.]

17. The Midrash here speaks of Abraham as one exceptional man in a thousand unexceptional generations. It will speak of Amram and Moses in similar terms. This idea requires some background information.

The Midrash teaches that originally God ordained that a thousand generations should pass after Creation before His "Word" would reach humankind (*Bereishis Rabbah* 28 §4). That is to say, His "Word" (explained below) is so sublime that it deserves to arrive at the culmination of a thousand generations. God fashioned the souls that would populate these generations. However, when He considered the behavior of these souls in a world without Torah, He saw that their wickedness would have exceeded even the evil of the Generation of the Flood (see *Beur Maharif* ad loc.). He therefore chose not to create them in this world at the beginning of world history. Rather He "planted" some of them in each generation (scattering them throughout human history). See *Chagigah* 13b-14a with *Rashi* in *Ein Yaakov, Tosafos,* and *Maharsha*. [The Gemara notes that these transplanted persons are the brazen-faced people in each generation.]

The Midrash in *Bereishis Rabbah* loc. cit. records a dispute as to how many generations remained "uncreated." The dispute revolves around the interpretation of *Psalms* 105:8: דָּבָר צִוָּה לְאֶלֶף דּוֹר, *the Word He commanded after a thousand generations*. R' Huna said in the name of R' Eliezer the son of R' Yose HaGelili that דָּבָר, *the Word*, refers to the Torah, meaning that God gave the Torah to the thousandth generation. However, in fact there were only twenty-six generations from the beginning of the world until the giving of the Torah (Moses, who received the Torah, lived in the twenty-sixth generation counting from Adam). Therefore, R' Huna maintains there were 974 generations that remained uncreated. [See also *Shabbos* 88b; *Midrash Shocher Tov* to *Psalms* ibid.] R' Levi said in the name of R' Shmuel bar Nachman that דָּבָר, *the Word*, refers to the commandment of circumcision. However, there were only twenty generations from the beginning of the world until God gave the commandment of circumcision [for Abraham, who received that commandment, lived in the twentieth generations counting from Adam]. Therefore, R' Levi maintains there were 980 generations that remained uncreated.

Those who explain here that *one man in a thousand* refers to Abraham concur with R' Levi's view that *the Word* is the commandment of circumcision (*Radal*; *Anaf Yosef*, citing *Yefeh To'ar*). They explain that, in one thousand generations, only one man, Abraham, was found fitting to be given the commandment of circumcision (*Eitz Yosef*).

From here we see that God paid a high price for the Jewish people, as He had to prepare hundreds of "uncreated" generations until finally Abraham, the founder of the Jewish people, was born (see ibid.).

18. Even the righteous Sarah was found in some small way to be lacking in her righteousness. When Abraham and Sarah were told that they would have a son, Sarah laughed and said, *"After I have withered shall I again have delicate skin?"* (*Genesis* 18:12), as if she were uncertain about God's ability to change the course of nature if He so wills. The verse is thus saying that in a thousand generations, only one completely righteous man could be found, but not even one completely righteous woman (*Eitz Yosef*; see *Radal*, and see *Yalkut Shimoni, Tehillim* §976; see, however, *Eshed HaNechalim* and *HaTirosh* for other explanations).

19. This view concurs with the opinion of R' Huna that *the Word He commanded for a thousand generations* means that God gave the Torah after a thousand generations (*Anaf Yosef*, citing *Yefeh To'ar*). The words *One man in a thousand I have found* mean that, in a thousand generations, there was only one man who reached the heights of wisdom and fear of sin: Amram, who was the leader of his generation (*Sotah* 12a) and the head of the Sanhedrin (*Shemos Rabbah* 1 §13), and also never sinned in his life (*Shabbos* 55b) (*Eitz Yosef*).

Now, Amram lived one generation *before* the Giving of the Torah, which was given to the thousandth generation. Technically, then, Amram was one man among 999 generations, not a thousand. However, it is common for Scripture, when a number is off by one, to round it up to the nearest ten [see *Leviticus* 23:16, *Deuteronomy* 25:3, and *Judges* 9:5 with *Radak*] (*Anaf Yosef*, citing *Yefeh To'ar*).

20. Although Yocheved was very righteous (see *Shemos Rabbah* 1 §13 and §15), she did not reach the level of her husband, Amram, who died without ever committing a sin [see preceding note] (*Eitz Yosef*).

21. This view also concurs with the view proposed by R' Huna that *the Word He commanded for a thousand generations* means that God gave the Torah after a thousand years (*Anaf Yosef*, citing *Yefeh To'ar*). They explain *One man in a thousand I have found* to mean that in a thousand generations there was only one man who was perfect in his holiness and humility, namely Moses [see *Numbers* 12:3-8] (*Eitz Yosef*).

22. Although they were worthy people, as the Midrash will explain, none of them reached the level of Moses (*Eitz Yosef*).

23. *Yefeh To'ar.*

24. The title "Rebbi" is commonly used to refer to R' Yehudah HaNasi, the redactor of the Mishnah.

25. The women locked the doors of their tents so that their husbands could not come to them (*Tiferes Tzion*). Alternatively, *Maarich* (s.v. נעלו) explains the phrase נָעֲלוּ דַלְתוֹתֵיהֶן as a euphemistic expression meaning that they did not consent to have relations. *Mattas-Yah* provides support for this interpretation from *Bechoros* 45a.

Before the Giving of the Torah, the Jewish people did not refrain from certain marital relationships that would later become forbidden (see *Yoma* 75a), e.g., close relatives (*Radal*; see *Sifrei, Bamidbar* §90). When the Torah was given, and those relationships became forbidden, the men complained about those laws, and accepted them only with reluctance. However, the women who were in those forbidden marriages promptly "locked their doors" when they heard the law (*Radal, Beur Maharif,* and *Eitz Yosef*, citing *Yefeh To'ar*; see also *Maharzu*). See, however, *Yedei Moshe*, who says that the Midrash is referring to the days before the Giving of the Torah when the Israelites were commanded (*Shemos* 19:15), *"Do not draw near a woman."*

For a different explanation, see *Matnos Kehunah*; see also *Radal* and *Meshech Chochmah* to *Shemos* 32:27.

הָדָא הוּא דִכְתִיב (קהלת ז, כח) "אָדָם אֶחָד מֵאֶלֶף מָצָאתִי", דָּבָר אַחֵר "אָדָם אֶחָד מֵאֶלֶף מָצָאתִי" זֶה אַבְרָהָם, (שם) "וְאִשָּׁה בְכָל אֵלֶּה לֹא מָצָאתִי" זוֹ שָׂרָה, דָּבָר אַחֵר "אָדָם אֶחָד מֵאֶלֶף מָצָאתִי" זֶה עַמְרָם, "וְאִשָּׁה בְכָל אֵלֶּה לֹא מָצָאתִי" זוֹ יוֹכֶבֶד, דָּבָר אַחֵר "אָדָם אֶחָד מֵאֶלֶף מָצָאתִי" זֶה מֹשֶׁה, "וְאִשָּׁה בְכָל אֵלֶּה לֹא מָצָאתִי" אֵלּוּ נְשֵׁי דוֹר הַמִּדְבָּר, רַבִּי אוֹמֵר: נְשֵׁי דוֹר הַמִּדְבָּר כְּשֵׁירוֹת הָיוּ, כֵּיוָן שֶׁשָּׁמְעוּ שֶׁהֵן אֲסוּרוֹת לְבַעֲלֵיהֶן מִיָּד נָעֲלוּ דַלְתוֹתֵיהֶן, אָמַר הַקָּדוֹשׁ בָּרוּךְ הוּא: יִשְׂרָאֵל בְּיוֹקֶר עוֹמְדִין לִי, רַבִּי אַבָּא בַּר כָּהֲנָא וְרַבִּי יִצְחָק, רַבִּי אַבָּא בַּר כָּהֲנָא אָמַר: אִילּוּ בִיקֵּשׁ פַּרְעֹה מִשְׁקַל כָּל אֶחָד וְאֶחָד מִיִּשְׂרָאֵל אֲבָנִים טוֹבוֹת וּמַרְגָּלִיּוֹת לֹא הָיִיתִי נוֹתֵן לוֹ, אָמַר רַבִּי יִצְחָק: וַהֲלֹא בְדָמִים נְטָלָן, מִשְׁפָּחוֹת מִשְׁפָּחוֹת שֶׁל כִּנִּים מִשְׁפָּחוֹת מִשְׁפָּחוֹת שֶׁל עָרוֹב אֵין לוֹ דָּמִים, הֱוֵי בְּיוֹקֶר יִשְׂרָאֵל עוֹמְדִים לִי:

ב (ירמיהו לא, יט) "הֲבֵן יַקִּיר לִי", בְּכָל מָקוֹם שֶׁנֶּאֱמַר "לִי" אֵינוֹ זָז לְעוֹלָם, לֹא בָעוֹלָם הַזֶּה וְלֹא לָעוֹלָם הַבָּא,

עץ יוסף

אינם מגליחים בה אלא עשרה מאותן המאה, ומאותן העשרה כשנכנסין לתלמוד, שהוא יותר עמוק, אינו מגליח אלא אחד להוראה, וזה לבדו החשוב שיוכל לדון ולהורות, אבל בעלי המשנה אינן יכולים להורות, שאין פוסקין הלכה מתוך המשניות, לפי שיש משניות שסותרות זו את זו וצריכין לתרלן, וזה התלמוד: **יוצא מהם אחד ואמרו ואשה בכל אלה לא מצאתי.** לפי זה פירושו שלא תליא אחת מהן לתלמוד, שדעתן קלה: **זה אברהם.** שבאלף הדורות לא נמצא הגון לקבל המילה אלא אברהם, שהיה הגון מכל קדומיו. ועיין בענף: **זו שרה.** שעם היותה לדיקת לא היתה בשלימות, שהרי לחקה על בשורת הזרע, ואמרה (בראשית יח, יב) אחרי בלותי היתה לי עדנה כמסופקת בדבר, ולא האמינה בנפלאות ה', ונמלא אם כן שבכל אלף הדורות לא נמלאת אפילו אשה אחת לדיקת בשלימות: **זה עמרם.** שהיו בו שני מעלות שלא נמלאו בזולתו שתיהם יחדיו, האחד שהיה גדול הדור, וכדאיתא בפרק קמא דסוטה (יב א), והשני שלא חטא כלל שבעטיו של נחש מת, כדאיתא בפרק במה בהמה (שבת נה, ב), ולכן ילדק יפה לומר בו אחד מאלף מלאתי, להיותו שלם בחכמה וביראת חטא: **זו יוכבד.** שאף על פי שהיתה לדיקת כדאיתא בפרק קמא דסוטה (יא, ב), לא היתה נקיה מהחטא לגמרי, מכיון דלא נמנית עם המתים בעטיו של נחש: **זה משה.** שהוא לבדו נמלא עד היום ההוא שלם בקדושה וענוה, כמו שהעידה התורה עליו: **נשי דור המדבר.** שאף על פי שהיו כשרות כדאמר רבי בסמוך, מכל מקום לא נמלא באחת מהן מעלה זו שנמלאת במשה: **אסורות לבעליהן.** פירוש שעבדו את העגל והשתחוו לו, והנשים לא עבדוהו (מתנות כהונה). או פירושו שהן אסורות כשהיו נשואות לאסורות להן, כשנלטוו על העריות, כמו שאמרו ז"ל (שבת קל, א) גבי בוכה למשפחותיו על עסקי משפחותיו (יפה תואר): **לא הייתי נותן לו.** בתמיה, והכוונה משום שאין ה' חפץ אפילו במיתתן של רשעים, ולכן היה הקדוש ברוך הוא נותן לו כמה אבנים טובות כדי שישלח את ישראל, כדי שלא יצטרך לבוא עליו בפורענות ומיתה, אלא שראה חכמתו יתברך שלא היה רולה לשלחם בשום לד, ולכן הולרך להכריחו על ידי המיתה ומכות, ואם כן שפיר קאמר ביוקר עומדים כיון שהולרך להשחית המצרים, שזה קשה בעיני ה' מנתינת כמה ממון: **הלא בדמים נטלן כו'.** רצה לומר שאף על פי שלא נתן לו מעות, המכות שבאו עליו הוא נחשב לקושי יותר ממעות ואבנים טובות, כי ידוע שה' אוהב משפט הטבע ולא ישנהו כל שאפשר, ואם כן משפחות הכנים והערוב שהם נס כנגד הטבע קשה בעיני ה', אלא שעשה כן להכרח הגלת ישראל, וזה כמוליא ממון: **(ב) בבל מקום שנאמר לי בו'.** הטעם שבאומר לי הוא תולה אותו בהקדוש ברוך הוא, וכשם שהוא קיים כך זה שנאמר בו לי קיים: **אינו זז בו'.** שמעלתם וקדושתם אינה יורדת לעולם, שהשגחתו יתברך מדובק בו הן בענייני עולם הזה להחיותו, והן בענייני עולם הבא להשלים נפשו ולזכותו בנלחיות הנפש ובדבקות ה' עד שיהיה מדובק בו יתברך, וזהו מלת לי המורה על זה, וחשב הכהנים והלוים וישראל והבכורים והסנהדרין, שלכל אחד סגולה מיוחדת למעלה הזה להדבק בהם הקדוש ברוך הוא, ולהיותם מושגחים מאתו יתברך, והתרומה והקרבנות הן המה האמלעיים שעל ידם יתקרב האדם להקדוש ברוך הוא, ולכן כתיב לי בהם, והמקום המקודש שעל ידו יהיה ההשראה ודיבוק ההשגחה כמקדש והמזבח. והביא כל זה על הכתוב הבן יקיר לי אפרים להורות על יקרתו, עד שנכתב בו מלת לי, כי מורה על התמידות:

פירוש מהרז"ו

זה עמרם. וכמו שכתוב שמות רבה (א, יג) עמרם גדול הדור היה (שהנהיג והדריך כל ישראל) וכו', ושהחזיר את אשתו החזירו כל ישראל נשותיהם, וכמו שכתב עוד בבראשית רבה (לז, ג) שאז נתעברו כל נשותיהם של ישראל וילדו כולן, בעת שילדה יוכבד את משה והושלכו כולם ליאור, ועלו כולם בזכותו של יוכבד, שהעמידה יהודים בעולם, וכמו שכתב שמות רבה (א, ג) שהעמידה ישראל לאלהים, ועל שהיה גדול הדור ולמד את כולם, זהו אחד מאלף כנ"ל: **כיון ששמעו שהן אסורות.** עוד ענין שני, כששמעו ממשה פרשת נדות ויולדות וזבות ועריות, שהאנשים חטאו וככו למשפחותם, והנשים קבלו, וכמו שכתוב שיר השירים רבה פסוק יפה את רעיתי כתרלה דף ל"א ב', דאומר רבי נשי תרצן וכו', ולא נתנו נזמיהן לעגל וכו', עיין שם, וכן כוונת רבי כאן, ובשיר השירים רבה פסוק לבבתני כ"ו אית דאמרי וכו' עד ולא נתנו נזמיהן לעגל (כמו שכתוב רבי כאן כנ"ל), וכיון ששמעו שהן אסורות לבעליהן, מיד נעלו דלתותיהן, הרי שהם שני דברים וכן כאן. וכל זה הובא דרך אגב שהזכיר הפסוק אדם אחד מאלף מלאתי, ועתה חוזר לדרשתו שאמר ביוקר ישראל עומדין לו כדלעיל: **אבנים טובות ומרגליות.** כמו שכתוב (משלי ג, טו) יקרה היא מפנינים, וכמה נבואות ופרשיות של תורה אמר לפרעה, שהם יקרים מפנינים, וקל וחומר שהיה נותן פניניס בעדם: **(ב) בבל מקום שנאמר לי.** ספרי בהעלותך פסוק אספה לי, ובמדבר רבה (טו, יז), מדרש שמואל (פרשה יט) והם י"ג דברים:

מתנות כהונה

הכי גרסינן **מאלף מצאתי דבר אחר אדם אחד.** ועיין כל זה בילקוט ירמיהו ובמדרש קהלת (ז, מט על פסוק כח): **זה אברהם.** שהיה כשר מכל אשר לפניו ומכל בני דורו, וכן שרה. וכן פירש בתרגום בקהלת: **שהן אסורות לבעליהן.** פירוש שעבדו עבודה זרה והשתחוו לעגל, והנשים לא השתחוו, דכתיב בכל אלה, ודרשו חז"ל באלה אלהיך ישראל, לא נמלאו הנשים (ועיין בחזית ד, ח, ו, ד): **אין אלו דמים.** בתמיה, שהולרך כביכול להרבות נסים, ולשנות הטבע כדי להוליאם: **[ב] כל מקום שנאמר לי בו'.** כל הני דחשיב והולך

אשד הנחלים

אחד מאלף זה אברהם. זהו כמליצת הכתוב (בתהלים קה, ח) זכר לעולם בריתו דבר צוה לאלף דור אשר כרת את אברהם: **זה שרה.** כלומר אף בכל אלה האנשים הצדיקים נשיהם לא היו כמותם. וכוונתם על שרה במה שצחקה, ולא האמינה בבשורתה וכדומה, אבל דעת רבי שהיו כשירות: **שהם אסורות.** מפני שחטאו בעגל (מתנות כהונה). והידי משה פירש שהכוונה בעת קבלת התורה אל תגשו אל אשה: **אלו ביקש פרעה.** באורו על דרך מליצה, הבן יקיר לי אפרים בלשון בתמיה, וכי יש דבר שהוא יקר למענו שאחמול ליתן בעבורו, והלא אלו ביקש כו': **והלא בדמים כו' משפחות כנים ערוב.** הוא דרך הצחות, לומר וכמה מן הדמים שוה אותן המכות שהוצרך הקב"ה להביא עליהם, והיא על דרך משל, הדבר היקר והנכבד קשה להשיגו אם לא בדמים יקרים, וכן הפעולות הנסיות הוא דבר יקר מאוד במציאות להשיגו, ומזה אנו מבינים כמה יקרים הם: **[ב] ולא בעולם הזה ולא בעולם הבא כו'.** באורו שהשגחתו יתברך מדובק בו הן בענייני עולם הזה, להחיותו, והן בענייני עולם הבא, להשלים נפשו ולזכותו בנצחיות הנפש ובדבקות ה', עד שיהיה מדובק בו יתברך, וזהו מלת לי המורה על זה. וחשב הכהנים

חידושי הרד"ל

זה אברהם כו' זה משה כו'. פליגי בפלוגתא דמייתי בבראשית רבה (כח, ד), אקרא דלאלף דור, עיין שם: **זו שרה.** שלא הגיעה למעלת אברהם, וכתיב בה (בראשית יח, טו) ותכחש שרה: **זו יוכבד.** שלא הגיעה למעלת עמרם, אבל עון לא מלאנו לה בפירוש: **כיון ששמעו שהן אסורות כו'.** עיין מתנות כהונה. ודין זה שכתב שנאסרו לעובדי העגל, אינו ברור, ותלי באשלי רברבי, ואין כאן מקום להאריך בזה. והפירוש הנכון שכיון ששמעו פרשת עריות שנאסרו לבעליהן קרובים קבלו בשמחה, אבל באנשים דרשו (ביומא עה, א) בוכה על עסקי משפחותיו. (והמתנות כהונה יצא לו זה מלשון המדרש בשיר השירים רבה פרשה ד (פ"ח) [ט], דנקט לתרווייהו כחדא שם, שלא נתנו נזמיהן לעגל, וכיון ששמעו שאסורות כו'. לכן פירש שהכל דבר אחד, ועיין בשיר השירים רבה פרשה ו' פסוק ג':

חידושי הרש"ש

[ב] בבל מקום שנאמר לי אינו זז לעולם כו' בארץ ישראל כי לי כל הארץ. נראה לי למחוק תיבת כל, והכוונה על קרא דויקרא (כה, כג) דמשתעי שם, וכן מלאתי בתנחומא תרומה (סימן ג) שמביא פסוק זה וכן במדבר רבה (טו, יז) כמו שהעתיקו שם, וכן שם בפרשה כ"ג:

באור מהרי"פ

[א] אסורות לבעליהן. פירוש כדאסר עליהם עריות כמאמר חז"ל (יומא עה, א) בוכה למשפחותיו על עסקי משפחותיו:

אמרי יושר

ואשה כו' לא מצאתי זו שרה. דכתיב (בראשית יח טו) ותכחש שרה, ואם כן דרשו לגנות, או דוגמת שרה לדקת, לא מלאתי. **דבר אחר אלו נשי מדבר,** דרשו לשבח, וכדמפרש דהיו כשרות, וזה הביא אגב גררא דאדם אחד מאלף, וחזר לענייני הראשון, ביוקר ישראל עומדין, וכל מקום שכתוב לי, ידמה להקדוש ברוך הוא שהוא קיים, ולזה כתב בישראל הבן יקיר לי:

מסורת המדרש

ב. ילקוט כ"ך תתקע"ז. אגדת בראשית פ' מ"ט:
ג. פסיקתא רבתי פ"ב:
ד. אגדת בראשית פ"ה:
ה. ילקוט ד"ש:

אם למקרא

אֲשֶׁר עוֹד בִּקְשָׁה נַפְשִׁי וְלֹא מָצָאתִי אָדָם אֶחָד מֵאֶלֶף מָצָאתִי וְאִשָּׁה בְכָל אֵלֶּה לֹא מָצָאתִי: (קהלת ז:כח)

הֲבֵן יַקִּיר לִי אֶפְרַיִם אִם יֶלֶד שַׁעֲשֻׁעִים כִּי מִדֵּי דַבְּרִי בּוֹ זָכֹר אֶזְכְּרֶנּוּ עוֹד עַל כֵּן הָמוּ מֵעַי לוֹ רַחֵם אֲרַחֲמֶנּוּ נְאֻם ה': (ירמיה לא:יט)

ענף יוסף

(א) זה אברהם כו' זה עמרם כו' זה משה. נראה דמאן דאמר ליה באברהם, סבירא ליה כמאן דאמר בשוחר טוב, דדבר צוה לאלף דור היינו מילה, ותשע מאות ושמונים דורות נמחו בדור המבול, מכיון דמילה ניתנה לאברהם שהיה דור עשרים, ומאן דמפרש ליה בעמרם ומשה, סבירא ליה כמאן דאמר התם דדבר צוה לאלף דור, היינו תורה, ותתקע"ד דורות נמחו בדור המבול, דהוו להו בימי משה, דהוה דור כ"ו, אלף דור [עם] התתקע"ד, ומאן דאמר ליה בעמרם, קמפרש לאלף דור עליו, אף על גב דליכא אלף שלמים, דאין הקפיד במנין השלם להחסרון אחד (יפה תואר):

ידי משה

כיון ששמעו שהן אסורות לבעליהם. עיין מתנות כהונה, ולא ידעתי מי דחקו לפרש כן, ולמה לא יהיה פירושו כפשוטו ששמעו הצווי של לא תגשו אל אשה שלשה ימים (שמות יט, טו): **אלו ביקש פרעה וכו' לא הייתי נותן לו.** בתמיה, פירוש ולא הייתי הורג אותם, כי אין הקב"ה שמח עלמו במפלתן של רשעים, וטוב היה להקב"ה ליתן ממון לפרעה ושלא להרוג אותם, אם כן ביוקר עמדו לי:

The Midrash returns to its statement that the Jewish people were worth a high price to God, and elaborates on it: אָמַר הַקָּדוֹשׁ בָּרוּךְ הוּא: יִשְׂרָאֵל בְּיוֹקֶר עוֹמְדִין לִי — **The Holy One, blessed is He, said:** The people of **Israel are Mine at a high price.** רַבִּי אַבָּא בַּר כָּהֲנָא וְרַבִּי יִצְחָק — **R' Abba bar Kahana and R' Yitzchak** offered different explanations of what this high price was: רַבִּי אַבָּא בַּר כָּהֲנָא אָמַר: אִילּוּ בִּיקֵּשׁ פַּרְעֹה מִשְׁקַל כָּל אֶחָד וְאֶחָד מִיִּשְׂרָאֵל אֲבָנִים טוֹבוֹת וּמַרְגָּלִיּוֹת לֹא הָיִיתִי נוֹתֵן לוֹ — **R' Abba bar Kahana said:** God said, **"Had Pharaoh asked for the weight of each and every member of** the people of **Israel** in **precious stones and pearls, would I not have given** it **to him** in order that he should let them go? I ended up having to destroy Egypt in order to acquire the Jewish people!"[26] אָמַר רַבִּי יִצְחָק: וַהֲלֹא בְּדָמִים נְטָלָן — **R' Yitzchak said: And did [God] not pay**[27] **for [the Jewish people]?** מִשְׁפָּחוֹת מִשְׁפָּחוֹת שֶׁל כִּנִּים מִשְׁפָּחוֹת מִשְׁפָּחוֹת שֶׁל עָרוֹב אֵין לוֹ דָמִים — Do **many droves of lice** and **many droves of wild animals have no value?**[28] הֱוֵי בְּיוֹקֶר יִשְׂרָאֵל עוֹמְדִים לִי — **This is what is meant by** the statement: The people of **Israel are Mine at a high price.**

§2 The Midrash continues to expound *Jeremiah* 31:19. The word לִי, *My*, in the phrase הֲבֵן יַקִּיר לִי אֶפְרַיִם, *Is Ephraim [not] My precious son?,* seems superfluous, for when one calls someone בֵּן יַקִּיר, *a precious son,* it is evident that the speaker means *"my" precious son.* The Midrash explains the significance of the extra word:[29]

"הֲבֵן יַקִּיר לִי" — Scripture states, ***Is Ephraim [not] My*** [לִי] ***precious son?*** בְּכָל מָקוֹם שֶׁנֶּאֱמַר "לִי" אֵינוֹ זָז לְעוֹלָם — **Wherever it says *li*** [לִי] in Scripture, i.e., whenever God says *li* in reference to something, **that something is immutable;**[30] לֹא בָּעוֹלָם הַזֶּה וְלֹא לָעוֹלָם הַבָּא — it never loses its holiness and special quality, **not in this world and not in the World to Come.**[31]

NOTES

26. Thus paying a very high price indeed, for God is unhappy when He must punish and kill the wicked (*Megillah* 10b and *Sanhedrin* 39b). However, since He knew that Pharaoh would not let them go even for all the ransom in the world, He had to pay this price — a price steeper than money — of destroying Egypt in order to acquire the Jewish people (*Eitz Yosef*; see *Maharzu* for an alternative explanation).

27. Lit., *pay in money.* See next note.

28. The Midrash is not referring to monetary value per se [for miracles cannot be bought]. Rather, it is speaking metaphorically: Just as precious objects are difficult to acquire without large sums of money, so too God's miracles are rare and difficult to come by — and this gives us a sense of how "valuable" they are (*Eshed HaNechalim*).

Alternatively, R' Yitzchak is saying (similar to R' Abba bar Kahana) that the plagues that God brought against Egypt were a steeper price to pay, in His eyes, than money. This is because ideally God prefers to run the world according to the laws of nature [see *Shabbos* 53b]. Bringing the lice and wild animals, which entailed miracles, were therefore a "high price" for Him to pay. Nevertheless, He brought these plagues because they were necessary for the redemption of the Jewish people (*Yefeh To'ar, Eitz Yosef*).

29. *Yefeh To'ar.*

30. That is, it exists forever. The word לִי, *to Me*, attaches the item to God. Just as God always exists, the item will always exist as well (ibid., *Eitz Yosef*).

31. Ibid. That is, because it is permanently attached to God, it merits Divine Providence in assisting it, both in its this-worldly affairs as well as in its spiritual, next-worldly affairs (*Eitz Yosef*). The extra word לִי, which connotes this permanent attachment to God, was thus included in the phrase הֲבֵן יַקִּיר לִי אֶפְרַיִם, *Is Ephraim [not] My precious son?*, in order to teach us how precious is Israel in God's eyes (ibid., end of s.v. אינו זז).

Having explained the import of the word לִי in this verse, the Midrash goes on to cite other places where the word לִי is used, and where it bears similar significance. See also *Bamidbar Rabbah* 15 §17 (*Maharzu*).

הָדָא הוּא דִכְתִיב (קהלת ז, כח) "אָדָם אֶחָד מֵאֶלֶף מָצָאתִי", דָּבָר אַחֵר ב"אָדָם אֶחָד מֵאֶלֶף מָצָאתִי" זֶה אַבְרָהָם, (שם) "וְאִשָּׁה בְכָל אֵלֶּה לֹא מָצָאתִי" זוֹ שָׂרָה, דָּבָר אַחֵר "אָדָם אֶחָד מֵאֶלֶף מָצָאתִי" זֶה עַמְרָם, "וְאִשָּׁה בְּכָל אֵלֶּה לֹא מָצָאתִי" זוֹ יוֹכֶבֶד, דָּבָר אַחֵר "אָדָם אֶחָד מֵאֶלֶף מָצָאתִי" זֶה מֹשֶׁה, "וְאִשָּׁה בְּכָל אֵלֶּה לֹא מָצָאתִי" אֵלּוּ נְשֵׁי דוֹר הַמִּדְבָּר, רַבִּי אוֹמֵר: נְשֵׁי דוֹר הַמִּדְבָּר כְּשֵׁרוֹת הָיוּ, כֵּיוָן שֶׁשָּׁמְעוּ שֶׁהֵן אֲסוּרוֹת לְבַעֲלֵיהֶן מִיָּד נָעֲלוּ דַּלְתוֹתֵיהֶן, אָמַר הַקָּדוֹשׁ בָּרוּךְ הוּא: גיִשְׂרָאֵל בְּיוֹקֶר עוֹמְדִין לִי, רַבִּי אַבָּא בַּר כָּהֲנָא וְרַבִּי יִצְחָק, רַבִּי אַבָּא בַּר כָּהֲנָא אָמַר: אִילּוּ דבִּיקֵּשׁ פַּרְעֹה מִשְׁקַל כָּל אֶחָד וְאֶחָד מִיִּשְׂרָאֵל אֲבָנִים טוֹבוֹת וּמַרְגָּלִיּוֹת לֹא הָיִיתִי נוֹתֵן לוֹ, אָמַר רַבִּי יִצְחָק: וַהֲלֹא בְּדָמִים נְטָלָן, מִשְׁפָּחוֹת מִשְׁפָּחוֹת שֶׁל כִּנִּים מִשְׁפָּחוֹת מִשְׁפָּחוֹת שֶׁל עָרוֹב אֵין לוֹ דָמִים, הֱוֵי בְּיוֹקֶר יִשְׂרָאֵל עוֹמְדִים לִי:

ב (ירמיהו לא, יט) "הֲבֵן יַקִּיר לִי", בְּכָל מָקוֹם שֶׁנֶּאֱמַר "לִי" הֿאֵינוֹ זָז לְעוֹלָם, לֹא בָעוֹלָם הַזֶּה וְלֹא לְעוֹלָם הַבָּא,

עץ יוסף

אינם מצליחים בה אלא עשרה מתוך המאה, ומאותן העשרה כשנכנסין לתלמוד, שהוא יותר עמוק, אינו מצליח אלא אחד להוראה, וזה לבדו החשוב שיוכל לדון ולהורות, אבל בעלי המשנה אינן יכולים להורות, שאין פוסקין הלכה מתוך המשניות, לפי שיש משניות שסותרות זו את זו וצריכין לתרצן, וזה התלמוד: **יוצא מהם אחד ואמרו ואשה בכל אלה לא מצאתי.** לפי זה פירושו שלא תצליח אחת מהן לתלמוד, שדעתן קלה: **זה אברהם.** שבאלף הדורות לא נמצא הגון לקבל המילה אלא אברהם, שהיה הגון מכל קדומיו. ועיין בענף: **זו שרה.** שעם היותה צדקת לא היתה בשלימות, שהרי צחקה על בשורת הזרע, ואמרה (בראשית יח, יב) אחרי בלותי היתה לי עדנה כמסופקת בדבר, ולא האמינה בנפלאות ה', ונמצא אם כן שבכל אלף הדורות לא נמצאת אפילו אשה אחת צדקת בשלימות: **זה עמרם.** שהיו בו שני מעלות שלא נמצאו בזולתו שתיהם יחדיו, האחד שהיה גדול הדור, וכדאיתא בפרק קמא דסוטה (יב א), והשני שלא חטא כלל שבעטיו של נחש מת, כדאיתא בפרק במה בהמה (שבת נה, ב), ולכן ילדק יפה לומר בו אחד מאלף מצאתי, להיותו שלם בחכמה וביראת חטא: **זו יוכבד.** שאף על פי שהיתה צדקת כדאיתא בפרק קמא דסוטה (יא, ב), לא היתה נקיה מהחטא לגמרי, מכיון דלא נמנית עם המתים בעטיו של נחש: **זה משה.** שהוא לבדו נמצא עד היום ההוא שלם בקדושה וענוה, כמו שהעידה התורה עליו: **נשי דור המדבר.** שאף על פי שהיו כשרות כדאמר רבי בסמוך, מכל מקום לא נמצא באחת מהן מעלה זו שנמצאת במשה: **אסורות לבעליהן.** פירוש שעבדו את העגל והשתחוו לו, והנשים לא עבדוהו (מתנות כהונה). או פירושו שהן אסורות כשהיו נשואות לאסורות להן, כשנצטוו על העריות, כמו שאמרו ז"ל (שבת קל, א) גבי בוכה למשפחותיו על עסקי משפחותיו (יפה תואר): **לא הייתי נותן לו.** בתמיה, והכוונה משום שאין ה' חפץ אפילו במיתתן של רשעים, ולכן היה הקדוש ברוך הוא נותן לו כמה אבנים טובות כדי שישלח את ישראל, כדי שלא יצטרך לבוא עליו בפורענות ומיתה, אלא שראה חכמתו יתברך שלא היה רוצה לשלחם בשום צד, ולכן הוצרך להכריחו על ידי המיתה ומכות, ואם כן שפיר קאמר ביוקר עומדים כיון שהוצרך להשחית המצרים, שזה קשה בעיני ה' מנתינת כמה ממון: **הלא בדמים נטלן כו'.** רצה לומר שאף על פי שלא נתן לו מעות, המכות שבאו עליו הוא נחשב לקוני יותר ממעות ואבנים טובות, כי ידוע שה' אוהב משפט הטבע ולא ישנהו כל שאפשר, ואם כן משפחות הכנים והערוב שהם נס כנגד הטבע קשה בעיני ה', אלא שעשה כן להכרת גאולת ישראל, וזה כמוציא ממון: **(ב) בכל מקום שנאמר לי כו'.** הטעם שבאומר לי הוא תולה אותו בהקדוש ברוך הוא, וכשם שהוא קיים כך זה שנאמר בו לי קיים: **אינו זז כו'.** שמעלתם וקדושתם אינה יורדת לעולם, שהשגחתו יתברך מדובק בו הן בעניני עולם הזה להחיותו, והן בעניני עולם הבא להשלים נפשו ולזכותו בנצחיות הנפש ובדבקות ה' עד שיהיה מדובק בו יתברך, וזהו מלת לי המורה על זה, וחשב הכהנים והלוים וישראל והבכורים והסנהדרין, שלכל אחד סגולה מיוחדת למעלה הזה להדבק בהם הקדוש ברוך הוא, ולהיותם מובדלים מאתו יתברך, והתרומה והקרבנות הן המה האמצעיים שעל ידם יתקרב האדם להקדוש ברוך הוא, ולכן כתיב לי בהם, והמקום המקודש שעל ידו יהיה ההשראה ודיבוק ההשגחה כמקדש והמזבח. והביא כל זה על הכתוב הבן יקיר לי אפרים להורות על יקרתו, עד שנכתב בו מלת לי, כי מורה על התמידות:

פירוש מהרז"ו

זה עמרם. וכמו שכתוב שמות רבה (א, יג) עמרם גדול הדור היה (שהנהיג והדריך כל ישראל) וכו', וכשהחזיר את אשתו החזירו כל ישראל נשותיהם, וכמו שכתב עוד בבראשית רבה (נז, ג) שאז נתעברו כל נשותיהם של ישראל וילדו כולן, בעת שילדה יוכבד את משה והושלכו כולם ליאור, וניצלו כולם בזכותו של יוכבד, שהעמידה יהודים בעולם, וכמו שכתב שמות רבה (א, ג) שהעמידה ישראל לאלהים, ועל שהיה גדול הדור ולמד את כולם, זהו אחד מאלף כנ"ל: **כיון ששמעו שהן אסורות.** עוד עיין שני, כששמעו ממשה פרשת נדות ויולדות וזבות ועריות, שהאנשים חטאו ובכו למשפחותם, והנשים קבלו, וכמו שכתוב שיר השירים רבה פסוק יפה את רעיתי כתרצה דף ל"ח ב', דאומר רבי נשי תרצן וכו', ולא נתנו מנזמיהן לעגל וכו', עיין שם, וכן כוונת רבי כאן, ובשיר השירים רבה פסוק לסוסתי ברכבי כ"ו אית דאמרי וכו' עד ולא נתנו מנזמיהן לעגל (כמו שכתוב רבי כאן כנ"ל), וכיון ששמעו שהן אסורות לבעליהן, מיד נעלו דלתותיהן, הרי שהם שני דברים וכן כאן. וכל זה הובא דרך אגב שהזכיר הפסוק אדם אחד מאלף מצאתי, ועתה חוזר לדרשתו שאמר ביוקר ישראל עומדין לו כדלעיל: **אבנים טובות ומרגליות.** כמו שכתוב (משלי ג, טו) יקרה היא מפנינים, וכמה נבואות ופרשיות של תורה אמר לפרעה, שהם יקרים מפנינים, וקל וחומר שהיה נותן פנינים בעדם: **(ב) בכל מקום שנאמר לי.** ספרי בהעלותך פסוק אספה לי, ובמדבר רבה (טו, יז), מדרש שמואל (פרשה יט) והם י"ג דברים:

חידושי הרד"ל

זה אברהם כו' זה משה כו'. פליגי בפלוגתא דמייתי בבראשית רבה (כח, ד), אקרא דלאלף דור, עיין שם: **זו שרה.** שלא הגיעה למעלת אברהם, וכתיב בה (בראשית יח, טו) ותכחש שרה: **זו יוכבד.** שלא הגיעה למעלת עמרם, אבל עון לא מצאנו לה בפירוש: **כיון ששמעו שהן אסורות כו'.** עיין מתנות כהונה. ודין זה שכתב שנאסרו לעובדי העגל, אינו ברור, ואולי באשלי רברבי, ואין כאן מקום להאריך בזה. והפירוש הנכון שכיון ששמעו פרשת עריות שנאסרו לבעליהן קרובים קבלו בשמחה, אבל האנשים דרשו (ביומא עה, א) בוכה על עסקי משפחותיו. (והמתנות כהונה יצא לו זה מלשון המדרש בשיר השירים רבה פרשה ד (פ"ח) [טו], דנקט תרוייהו כחדא שם, שלא נתנו מנזמיהן לעגל, וכיון ששמעו שאסורות כו'. לכן פירש שהכל דבר אחד, ועיין בשיר השירים רבה פרשה ו' פסוק ג':

חידושי הרש"ש

[ב] בכל מקום שנאמר לי אינו זז לעולם כו' בארץ ישראל כו' לי כל הארץ. נראה לי למחוק תיבת כל, והכוונה על קרא דויקרא (כה, כג) דמשתעי שם, וכן מצאתי בתנחומא תרומה (סימן ג) שמביא פסוק זה וכן במדבר רבה (טו, יז) כמו שהעתקתי שם, וכן שם בפרשה כ"ג:

באור מהרי"פ

[א] אסורות לבעליהן. פירוש כנאמר עליהם מעריות כמאמר חז"ל (יומא עה, א) בוכה למשפחותיו על עסקי משפחותיו:

אמרי יושר

ואשה כו' לא מצאתי זו שרה. דכתיב (בראשית יח טו) ותכחש שרה, ואם כן דרשו לגנות, או דוגמת שרה לצדקת, לא מצאתי. **דבר אחר אלו נשי מדבר,** דרשו לשבח, וכמפרש דהיו כשרות, וזה הביא אגב גררא דאדם אחד מאלף, וחזר לענינו הראשון, ביוקר ישראל עומדין, וכל מקום שכתוב בו לי, דומה להקדוש ברוך הוא שהוא קיים, ולזה כתב בישראל הבן יקיר לי:

מסורת המדרש

ב. ילקוט כ"ך תתקסע"ז. אגדת בראשית פ' מ"ט: ג. פסיקתא רבתי פ"ו: ד. אגדת בראשית פ"ה: ה. ילקוט ד"ש:

אם למקרא

אֲשֶׁר עוֹד בִּקְשָׁה נַפְשִׁי וְלֹא מָצָאתִי אָדָם אֶחָד מֵאֶלֶף מָצָאתִי וְאִשָּׁה בְכָל אֵלֶּה לֹא מָצָאתִי: (קהלת ז:כח)

הֲבֵן יַקִּיר לִי אֶפְרַיִם אִם יֶלֶד שַׁעֲשֻׁעִים כִּי מִדֵּי דַבְּרִי בּוֹ זָכֹר אֶזְכְּרֶנּוּ עוֹד עַל כֵּן הָמוּ מֵעַי לוֹ רַחֵם אֲרַחֲמֶנּוּ נְאֻם ה': (ירמיה לא:יט)

ענף יוסף

(א) זה אברהם כו' זה עמרם כו' זה משה. נראה דמאן דאמר ליה באברהם, סבירא ליה כמאן דאמר בשוחר טוב, דדבר צוה לאלף דור היינו מילה, ותשע מאות ושמונים דורות נמחו בדור המבול, מכיון דמילה ניתנה לאברהם שהיה דור עשרים, ומאן דמפרש ליה בעמרם ומשה, סבירא ליה כמאן דאמר התם דדבר צוה לאלף דור, היינו תורה, ותתקע"ד דורות נמחו בדור המבול, דהוו לה בימי משה, דהוא דור כ"ו, אלף דור [עם] התתקע"ד, ומאן דאמר ליה בעמרם, קמפרש לאלף דור עליו, אף על גב דליכא אלף שלמים, דאין להקפיד במנין השלם לחסרון אחד (יפה תואר):

ידי משה

כיון ששמעו שהן אסורות לבעליהם. עיין מתנות כהונה, ולא ידעתי מי דחקו לפרש כן, ולמה לא יהיה פירושו כפשוטו ששמעו הגוי של לא תגשו אל אשה שלשה ימים (שמות יט, טו): **אלו ביקש פרעה וכו' לא הייתי נותן לו.** בתמיה, פירוש ולא הייתי הורג אותם, כי אין הקב"ה שמח בעולמו במפלתן של רשעים, וטוב היה להקב"ה ליתן ממון לפרעה ושלא להרוג אותם, אם כן ביוקר עמדו לי:

מתנות כהונה

הכי גרסינן **מאלף מצאתי דבר אחר אדם אחד.** ועיין כל זה בילקוט ירמיהו ובמדרש קהלת (ז, מט על פסוק כח): **זה אברהם.** שהיה כשר מכל אשר לפניו ומכל בני דורו, וכן שרה. וכן פירש בתרגום בקהלת: **שהן אסורות לבעליהן.** פירוש שעבדו עבודה זרה והשתחוו לעגל, והנשים לא השתחוו, דכתיב בכל אלה, ודרשו חז"ל באלה אלהיך ישראל, לא מצאתו הנשים (ועיין בחזית ד, ח, ו, ד): **אין אלו דמים.** בתמיה, שהוצרך כביכול להרבות נסים, ולשנות הטבע כדי להוציאם: **[ב] כל מקום שנאמר לי כו'.** כל הני דחשיב והולך

אשד הנחלים

אחד מאלף זה אברהם. זהו כמליצת הכתוב (בתהלים קה, ח) זכר לעולם בריתו דבר צוה לאלף דור אשר כרת את אברהם: **זה שרה.** כלומר אף בכל אלה האנשים הצדיקים נשיהם לא היו כמותם. וכוונתם על שרה במה שצחקה, ולא האמינה בבשורתה וכדומה, אבל דעת רבי שהיו כשירות: **שהם אסורות.** מפני שחטאו בעגל (מתנות כהונה). והידי משה פירש שהכוונה בעת קבלת התורה אל תגשו אל אשה: **אלו ביקש פרעה.** באורו על דרך מליצה, הבן יקיר לי אפרים בלשון בתמיה, וכי יש דבר שהוא יקר למענו שאחמול ליתן בעבורו, והלא אלו ביקש כו': **והלא בדמים כו' משפחות כנים ערוב.** הוא דרך הצחות, לומר וכמה מן הדמים שוה אותן המכות שהוצרך הקב"ה להביא עליהם, והיא על דרך משל, הדבר היקר והנכבד קשה להשיגו אם לא בדמים יקרים, וכן הפעולות הנסיות הוא דבר יקר מאוד במציאות להשיגו, ומזה אנו מבינים כמה יקרים הם: **[ב] ולא בעולם הזה ולא בעולם הבא כו'.** באורו שהשגחתו יתברך מדובק בו הן בענייני עולם הזה, להחיותו, והן בענייני עולם הבא, להשלים נפשו ולזכותו בנצחיות הנפש ובדבקות ה', עד שיהיה מדובק בו יתברך, וזהו מלת לי המורה על זה. וחשב הכהנים

בַּכֹּהֲנִים כְּתִיב "וְכִהֲנוּ לִי" — **Regarding the Kohanim it is written,** ***and they shall minister to Me*** [לִי] (*Exodus* 40:15).[32] בַּלְוִיִּם כְּתִיב "וְהָיוּ לִי הַלְוִיִּם" — **Regarding the Leviim it is written,** ***and the Leviim shall remain Mine*** [לִי] (*Numbers* 8:14).[33] בְּיִשְׂרָאֵל כְּתִיב "כִּי לִי בְנֵי יִשְׂרָאֵל" — **Regarding the** people of **Israel it is written,** ***For the Children of Israel are*** *servants* ***to Me*** [לִי] (*Leviticus* 25:55).[34] בַּתְּרוּמָה כְּתִיב "וְיִקְחוּ לִי" — **Regarding the** half-*shekel* **contribution it is written,** ***and let them take for Me*** [לִי] a contribution (*Exodus* 25:2).[35] בַּבְּכוֹרוֹת כְּתִיב "כִּי לִי כָל בְּכוֹר" — **Regarding the firstborn it is written,** ***For every firstborn is Mine*** [לִי] (*Numbers* 3:13).[36] בַּסַּנְהֶדְרִין כְּתִיב "אֶסְפָה לִי שִׁבְעִים אִישׁ מִזִּקְנֵי יִשְׂרָאֵל" — **Regarding the Sanhedrin it is written,** ***Gather to Me*** [לִי] ***seventy men from the elders of Israel*** (ibid. 11:16).[37] בְּאֶרֶץ יִשְׂרָאֵל "כִּי לִי הָאָרֶץ" — **Regarding the Land of Israel** it is written, ***for Mine*** [לִי] ***is the Land*** (*Leviticus* 25:23).[38] בִּירוּשָׁלַיִם "הָעִיר אֲשֶׁר בָּחַרְתִּי לִי" — **Regarding Jerusalem** it is written, ***the city that I have chosen for Myself*** [לִי] (*I Kings* 11:36).[39] בְּמַלְכוּת בֵּית דָּוִד "כִּי רָאִיתִי בְּבָנָיו לִי מֶלֶךְ" — **Regarding the kingdom of the house of David** it is written, ***for I have seen a king for Myself*** [לִי] ***among his sons*** (*I Samuel* 16:1).[40] בַּמִּקְדָּשׁ "וְעָשׂוּ לִי מִקְדָּשׁ" — **Regarding the Sanctuary**, i.e., the Tabernacle, it is written, ***They shall make a Sanctuary for Me*** [לִי] (*Exodus* 25:8).[41] בַּמִּזְבֵּחַ "מִזְבַּח אֲדָמָה תַּעֲשֶׂה לִּי" — **Regarding the Altar** in the Tabernacle it is written, ***An Altar of earth shall you make for Me*** [לִי] (ibid. 20:21).[42] בַּקָּרְבָּנוֹת, "תִּשְׁמְרוּ לְהַקְרִיב לִי" — **Regarding the offerings** it is written, *My offering . . .* ***shall you be scrupulous to offer to Me*** [לִי] (*Numbers* 28:2).[43] בְּשֶׁמֶן הַמִּשְׁחָה "שֶׁמֶן מִשְׁחַת קֹדֶשׁ יִהְיֶה זֶה לִי" — **Regarding the oil of anointing** it is written, ***This shall remain for Me*** [לִי] ***oil of sacred anointment*** (*Exodus* 30:31).[44] הָא בְּכָל מָקוֹם שֶׁנֶּאֱמַר "לִי" אֵינוֹ זָז לֹא לָעוֹלָם הַזֶּה וְלֹא לָעוֹלָם הַבָּא — **Hence, wherever it says** ***li*** [לִי], *to Me*, in reference to something, **that something is immutable** and never loses its holiness, **not in this world and not in the World to Come.**

§3 The Midrash continues to expound upon *Jeremiah* 31:19. The Midrash discusses why the verse refers to the Jewish people as "Ephraim":[45]

"לִי אֶפְרַיִם" — Scripture states, *Is* ***Ephraim*** *[not]* ***My*** *precious son?* רַבִּי יְהוֹשֻׁעַ בֶּן לֵוִי אָמַר: פַּלַטְיָאנִי — **R' Yehoshua ben Levi said:** The word *Ephrathite* means **"nobleman."**[46] רַבִּי יְהוֹשֻׁעַ בַּר נַחְמָן אָמַר: אַבְגִּינוֹס — **R' Yehoshua bar Nachman said:** The word *Ephrathite* means **"lord."**[47] אָמַר רַבִּי פִּנְחָס: עֲטָרָה זוֹ נִתְעַטֵּר אֶפְרַיִם מֵאָבִינוּ יַעֲקֹב, בְּשָׁעָה שֶׁנִּפְטַר לְעוֹלָמוֹ — **R' Pinchas said** regarding the term *Ephrathite*: **Ephraim was crowned with this honor** (lit., *crown*) **by our forefather Jacob at the time that [Jacob] departed to his world** in the afterlife.[48]

NOTES

32. We find twice in Scripture that someone lost the priesthood due to sin. The priesthood was taken from Malchizedek and was given to Abraham [because Malchizedek blessed Abraham before he blessed God (below, 25 §6)], and the priesthood was taken from the firstborn and given to the Tribe of Levi [because the firstborn sinned with the Golden Calf (*Bamidbar Rabbah* 3 §5)]. However, when the priesthood was given to the children of Aaron, it was given unconditionally; they will not lose it even if they sin (*Yefeh To'ar*). In addition, God bestows special Providence upon the priests — as upon the four groups mentioned next in the Midrash (*Eitz Yosef* s.v. אינו זז כו').

33. The status of the Leviim will never be taken from them and given to another tribe (*Eitz Yosef*).

34. God will never exchange the Jewish people for a different nation (ibid.; see *Eichah Rabbah* 1 §50).

35. The word תְּרוּמָה, *contribution*, appears three times in this verse and the next. These mentions allude to three different contributions given by the Jewish people at the time of the making of the Tabernacle. These are: (i) a half-*shekel* per male adult used for making the sockets of the Tabernacle; (ii) voluntary contributions of materials necessary for the construction of the Tabernacle; and (iii) a half-*shekel* per male adult used for purchasing the communal sacrifices for the year (*Rashi* to *Exodus* 25:2 s.v. תקחו את תרומתי). The first two were donated only once in history, while the third was to be donated every subsequent year as well, for the same purpose (see *Ramban* to *Exodus* 30:12). The word לִי, *for Me*, is written in the context of that third contribution, because it was to be given in perpetuity (*Eitz Yosef*; see *Maharzu* for an alternative explanation).

36. Although the priesthood was taken away from the firstborn and given to the children of Aaron (see note 32), they still retained a measure of their sanctity, as is evidenced by the mitzvah to redeem a firstborn. This mitzvah is for all generations (*Beur Maharif, Eitz Yosef*; see *Bamidbar Rabbah* 3 §5).

37. Once a judge is appointed to the Sanhedrin, he is never demoted (*Eitz Yosef*).

38. God will never exchange the the Land of Israel for a different land (*Beur Maharif*). The Land of Israel will never lose its holiness, nor will God ever cease to take a special interest in directing its affairs (*Eitz Yosef*; see *Deuteronomy* 11:12).

39. When the Jewish people first entered the Land of Israel, God's sanctuary, in the form of the Tabernacle, was moved in succession to Gilgal, Shiloh, Nob, and Gibeon (see *Zevachim* 112b). However, once Jerusalem was chosen as the seat of the Temple, no other place would ever be chosen in its stead (*Eitz Yosef*).

40. Here God tells Samuel to anoint as king, in place of Saul, one of Jesse's sons, the one whom God shall tell him. This turns out to be David. The kingship was taken from the family of Saul and given to David. The kingship was given to David unconditionally and it will never be taken away from his family (ibid.).

41. This verse refers to the Tabernacle. Although the Tabernacle was superseded by the Temple, it was hidden away and will remain in existence forever (*Yefeh To'ar*; see *Sotah* 9a and *Bereishis Rabbah* 42 §3).

42. This verse refers to the Altar in the Tabernacle (see *Mechilta Yisro* §11). When the Temple was built, it too was hidden away; but it will remain there in its place, forever intact (*Eitz Yosef*, first interpretation; see *Mechilta* ibid.).

43. It is true that one cannot bring offerings in the literal sense at all times; however, if one studies the laws of an offering, God considers it as if he in fact brought that offering (*Yefeh To'ar, Eitz Yosef*; see *Menachos* 110a and 7 §3 below).

44. This oil will never be replaced by a new preparation of the anointing oil (*Yefeh To'ar*). The oil of anointing made by Moses in the Wilderness will never be depleted and will always be in existence (*Beur Maharif, Eitz Yosef*; see below, 10 §8).

45. *Eitz Yosef*. See above, note 13.

The Midrash will cite a dispute recorded elsewhere (*Rus Rabbah* 2 §5 and *Midrash Shmuel* 1:6) regarding the meaning of the word אֶפְרָתִי, *Ephrathite*, which will shed light on why the Jewish people is called by the name Ephraim (*Anaf Yosef*, citing *Yefeh To'ar*).

Simply understood, the word אֶפְרָתִי refers to a person from the tribe (or land) of Ephraim, or a person from the city of Ephrath (Bethlehem — see *Genesis* 35:19 and 48:7) (*Radak* to *I Samuel* 1:1). However, in various places in Scripture it is evident that it cannot have these meanings, and in those cases the Midrash understands the term as an exalted title. The dispute is about how to interpret this title (see *Yefeh Anaf* to *Rus Rabbah* 2 §5, *Torah Temimah* to *Ruth* 1:2 [§18-19], and *Radal* to *Pirkei DeRabbi Eliezer* 45:12).

46. R' Yehoshua ben Levi relates אֶפְרָתִי to אַפִּרְיוֹן (see *Song of Songs* 3:9), which is a king's palace (*Torah Temimah* to *Ruth* 1:2 §18). An אֶפְרָתִי is thus a person who grew up in a palace, i.e., a nobleman (*Matnos Kehunah, Eitz Yosef*; see also *Eshed HaNechalim*).

47. *Matnos Kehunah* and *Eitz Yosef* to *Rus Rabbah* 2 §5; i.e., a master and ruler (*Matnos Kehunah* here). Their prestige comes from the position of rulership that they hold (*Eshed HaNechalim*). For an alternative translation see *Beur Maharif* and *Eitz Yosef*, citing *Aruch* s.v. אוגנסטטו and *Mussaf HeAruch* s.v. אבגינוס.

48. It is called "*his* world" because those who merit the World to Come do not partake of it together. Rather, each person has his own "world" based on the merits he accumulated while still alive (see below, 18 §1 with note 48, et al.).

בַּכֹּהֲנִים כְּתִיב (שמות מ, טו) "וְכִהֲנוּ לִי", בַּלְוִיִּם כְּתִיב (במדבר ג, יב) "וְהָיוּ לִי הַלְוִיִּם", בְּיִשְׂרָאֵל כְּתִיב (ויקרא כה, נה) "כִּי לִי בְנֵי יִשְׂרָאֵל", בַּתְּרוּמָה כְּתִיב (שמות כה, ב) "וְיִקְחוּ לִי", בַּבְּכוֹרוֹת כְּתִיב (במדבר ג, יג) "כִּי לִי כָּל בְּכוֹר", בַּסַּנְהֶדְרִין כְּתִיב (שם יא, טז) "אֶסְפָה לִי שִׁבְעִים אִישׁ מִזִּקְנֵי יִשְׂרָאֵל", בְּאֶרֶץ יִשְׂרָאֵל (שמות יט, ה) "כִּי לִי °כָּל הָאָרֶץ", בִּירוּשָׁלַיִם (מלכים-א יא, לו) "הָעִיר אֲשֶׁר בָּחַרְתִּי לִי", בְּמַלְכוּת בֵּית דָּוִד (שמואל-א טז, א) "כִּי רָאִיתִי בְּבָנָיו לִי מֶלֶךְ", בַּמִּקְדָּשׁ (שמות כה, ח) "וְעָשׂוּ לִי מִקְדָּשׁ", בַּמִּזְבֵּחַ (שם כ, כ) "מִזְבַּח אֲדָמָה תַּעֲשֶׂה לִּי", בַּקָּרְבָּנוֹת, (במדבר כח, ב) "תִּשְׁמְרוּ לְהַקְרִיב לִי", בְּשֶׁמֶן הַמִּשְׁחָה (שמות ל, לא) "שֶׁמֶן מִשְׁחַת קֹדֶשׁ יִהְיֶה זֶה לִי", הָא בְּכָל מָקוֹם שֶׁנֶּאֱמַר "לִי" אֵינוֹ זָז לֹא לָעוֹלָם הַזֶּה וְלֹא לָעוֹלָם הַבָּא:

ג (ירמיהו לא, יט) "לִי אֶפְרַיִם", רַבִּי יְהוֹשֻׁעַ בֶּן לֵוִי אָמַר: פַּלַטְיָאנִי, וְרַבִּי יְהוֹשֻׁעַ בַּר נַחְמָן אָמַר: אַבְגִּינוּס, אָמַר רַבִּי פִּנְחָס: עֲטָרָה זוֹ נִתְעַטֵּר אֶפְרַיִם מֵאָבִינוּ יַעֲקֹב, בְּשָׁעָה שֶׁנִּפְטַר לְעוֹלָמוֹ, אָמַר לוֹ: אֶפְרַיִם רֹאשׁ הַשְּׁבָטִים רֹאשׁ הַיְשִׁיבָה, יָפֶה וּמְעוּלֶּה שֶׁבְּבָנַי יְהֵא נִקְרָא עַל שִׁמְךָ (שמואל-א א, א) "בֶּן תֹּחוּ בֶּן צוּף אֶפְרָתִי", (שם יז, יב) "וְדָוִד בֶּן אִישׁ אֶפְרָתִי ... מִבֵּית לֶחֶם יְהוּדָה". (ירמיה לא, יט) "הֲבֵן יַקִּיר לִי אֶפְרַיִם אִם יֶלֶד שַׁעֲשׁוּעִים", אֵיזֶהוּ יֶלֶד שַׁעֲשׁוּעִים, בֶּן שְׁתַּיִם בֶּן שָׁלֹשׁ שָׁנִים, רַבִּי אַחָא בְּשֵׁם רַבִּי לֵוִי בַּר רַבִּי סִיסִי: בֶּן ד' בֶּן ה' שָׁנִים:

והיו לי הלוים. שמעולם לא תסוב הלויה לשבט אחר: **כי לי בני ישראל.** שנשבע ה' שלא להחליפם באומה אחרת, כדאיתא באיכה רבתי (א, ג) על פסוק על אלה אני בוכיה: **בתרומה ויקחו לי.** שמפני שגלו תרומות נאמרו שם, ואחד מהם בקע לגלגלת לקנות מהם קרבנות לצבור, כמו שאמרו ז"ל (מגילה כט, ב), לכן קאמר לי, דאין תרומה זו לצורך האדנים והמשכן הצריכים לאותה שעה לבד, כי יש כאן תרומה שהיא מלוה לדורות תמיד: **כי לי כל בכור.** ואף על גב דהבכורים נדחו משהוקם המשכן וניתנו הכהנים במקומם, מכל מקום לא פקעה קדושתם, דהא צריכי פדיון, וכדאמר בבמדבר רבה (ג, ה): **אספה לי.** שהסנהדרין אחר שנתמנו אין מורידין אותם מגדולתן, דמעלין בקודש ולא מורידין: **כי לי כל הארץ.** תיבת כל מיותר וצריכין למחקו, והכוונה על קרא דויקרא כ"ה כ"ג, וכן הוא בתנחומא פרשת תרומה (סימן ג) שמביא פסוק זה, ורצה לומר שקאמר כי לי הארץ שאין קדושה ניטלת ממנה, וכן השגחת ה' כאומרו (דברים יא, יב) תמיד עיני ה' אלהיך בה: **העיר אשר בחרת לי.** שאחר שנבחרה שוב אין ארץ אחרת נבחרת במקומה, כנוב וגבעון ושילה שהיה המשכן בהם תחלה ושוב הובא לירושלים שנקראת נחלה כדאיתא בזבחים (קיט, א): **לי מלך.** שאין המלכות פוסקת מזרעו של דוד, כמו שנפסק משאול: **במזבח מזבח אדמה כו'.** שאף על פי שבנין שלמה נסתלקו, מכל מקום הם קיימים לעולם במקום שנגנזו ולא יהיה בהם הפסד. עוד יש לומר אף על פי שנחרב מכל מקום קדושת המקום לא בטלה, וכדעת הרמב"ם בפרק ו' מהלכות בית הבחירה הלכה י"ד עיין שם: **בקרבנות תשמרו להקריב לי.** שלעולם הם קיימים, אפילו כשאינם נעשים בפועל אחר החורבן, על ידי שמתעסקים בדיניהם, כדאיתא בספרי (עיין להלן ז, ג), אמר ליה הקדוש ברוך הוא הואיל ואתם מתעסקים בהם כאילו אתם מקריבים אותם: **שמן משחת קודש יהיה זה לי.** וכדאיתא לקמן (י, ח) שכולו קיים לעתיד לבא: **(ג) רבי יהושע בן לוי אמר כו'.** מלת אפרים קדריש לשון חשיבות, כמו איש אפרתי, וכדמפרש ואזיל. ועיין בענף: **פלטיאני.** לשון פלטין, כלומר מגדל בפלטין שהוא איש כבוד וחשיבות: **אבגינוס.** פירוש, מיוחס הרבה. והערוך גרס אוגנסטו (מוסף הערוך ערך אוגוסטו): **אמר ליה אפרים ראש כו'.** פירוש אמר לו אפרים בני, כל מי שיהיה חשוב ראש השבט, וכן ראש הישיבה, וכן היפה ומעולה דהיינו שופט ושר, כל אחד מהם יקרא על שמך. ומייתי ראש ישיבה משמואל, שנאמר בו בן תוחו בן צוף אפרתי. וראיה לראש השבט מדוד בן איש אפרתי, דישי אבי דוד היה ראש שבטו, כדכתיב והאיש זקן בא באנשים, ואמרו ז"ל (ברכות נח, א) נכנס ויוצא באוכלוסא, וראיה לשר ושופט (רות א, ב) אפרתים מבית לחם יהודה: **בן שתים בן שלש.** פירוש כשנכנס לשנה שניה או שלישית, שיש שמתחיל להשיח קצת כשנכנס לשנה שניה, ויש כשנכנס לשנה שלישית, שאף על פי שאינו עדיין אינם יודעים להשיח שיחה שלימה רק בלעגי שפה, מכל מקום האב משתעשע בו בשומעו הדבור והרמזים בהם. ולענין הנמשל אף שישראל אינן מבקשים מאת ה' כי לא ידעו לבקש לרכס מאתו, ה' ירחמם כאב את בן ירצה, שמשתעשע בו אף שאינו יודע לשאול: **בן ארבע בן חמש.** פירוש, כשנכנס לשנה רביעית או חמישית שאז יש ילדים שיכולים לדבר שיחה נאה, יש כשהוא נכנס לשנה רביעית ויש כשהוא נכנס לשנה חמישית, ואז בשיחתו מתגעגע על אביו ומבקש ממנו דבר פלוני. ולענין הנמשל עיקר חיבתם של ישראל כשהם מתפללים שה' מתאוה לתפלתם, ואז מפיק רצונם כבן שיש לו געגועין על אביו. ועיין בענף:

פירוש מהרז"ו

ויקחו לי תרומה. היינו תרומת המשכן, וגם לעתיד יתנו תרומה זו לבית המקדש, כמו שכתוב סוף יחזקאל כמה פעמים. וארץ ישראל תבנה ותכונן ירושלים ועריה ובית המקדש שיבנה במהרה בימינו, וכן המשכן שנגנז ויגלה ה' לעתיד, כמו שכתב בראשית רבה (מב, ג), ושמן המשחה שנגנז ויגלה לעתיד, כולו קיים, עיין לקמן (י, ח), ומה שכתוב (חגי ב, ח) לי הכסף ולי הזהב, הוא בכלל מה שחשב כאן, ויקחו לי תרומה וגו' זהב וכסף וגו', ושם (חגי ח ז) מפורש ומלאתי את הבית הזה כבוד [וגו'] לי הכסף ולי הזהב. וכל דרשה זו הובא אגב פסוק (ירמיה לא, יט) הבן יקיר לי אפרים, כמו שכתוב (ויקרא כה, נה) כי לי בני ישראל:

מתנות כהונה

כולם עומדים עדיין. ודו"ק: **בכהנים.** גרסינן: [ג] **פלטיאני.** בן פלטין, כלומר שנתגדל בהיכל המלך ביקרות וכבוד: **אבגינוס.** אדון ומושל. ועיין בילקוט ריש ספר שמואל (ד"ה ושמו אלקנה):

אשד הנחלים

והלוים וישראל והבכורים והסנהדרין, שכל אחד סגולה מיוחד, זה למעלה מזה, להדבק בהם ה' יתברך ולהיותם מושגחים מאתו יתברך. והתרומה והקרבנות הן המה האמצעיים, שעל ידם יתקרב האדם לה' ברוך הוא ולכן כתיב לי בהם, והמקום המקודש שעל ידו יהיה ההשראה ודיבוק ההשגחה כמקדש והמזבח. והביא כל זה על הכתוב הבן יקיר לי אפרים, להורות על יקרתו עד שנכתב בו מלת לי, כי מורה על התמידות:

[ג] **פלאטיני כו' אבגינוס.** מלת אפרים קדריש שהוא מלשון חשיבות (ידי משה). והנה יש חשיבות מצד שהוא איש נכבד במדינת כחק אצילי ארץ, וזהו פלאטיני הגדל בהיכל מלך, ויש חשיבות מצד האדנות והממשלה, וזהו אבגינוס, וזה היה כח שבט אפרים בתכונתו. וזהו **שנתעטר אפרים מאבינו יעקב**, כלומר שניתן בכחו ובטבעו מאביו, וגם ברכתו היה על זה האופן, כי איש כברכתו ברך אותם:

חידושי הרד"ל

[ג] **פלטיאני.** רות רבה (ב, ה), וריש מדרש שמואל, ופרקי דרבי אליעזר (פרק מה). ועיין מה שכתבתי שם בסייעתא דשמיא: **איזהו ילד שעשועים.** תנחומא (תצוה סימן א):

באור מהרי"פ

[ב] **בבכורות וכו'.** אף על פי שהבכורים נדחו ונכנסו כהנים במקומם, מכל מקום לא פקעו קדושתן מנייהו שהרי צריכים פדיון: **ארץ ישראל.** פירוש כי אין ארץ אחרת נבחרת במקומה: **בשמן המשחה וכו'.** כי אותו שעשה משה רבינו עליו השלום קיים לעולם כדלקמן (י, ח): [ג] **אפרים פלטיאני.** פירוש לשון אפרתי: **אבגינוס.** ר' בנימין מוספיא [בערוך] ערך אבגינוס, פירוש בלשון יון איש מיוחס. ובעל הערוך גרס אוגוסטסטו עיין שם עכ"ל. והוא לשון הערוך ערך אוגוסטטו, בלשון יון מיוחס הרבה עכ"ל.

ידי משה

[ג] **רבי יהושע בן לוי אמר פלטיאני.** מלת אפרים קדריש לשון חשיבות כמו איש אפרתי כדמפרש ואזיל.

שינוי נוסחאות

(ב) **"כי לי כל הארץ".** רש"ש מוחק תיבת "כל", וא"כ הוא מקרא אחר, בויקרא כה, כג. ע"ש טעמו:

ענף יוסף

(ג) **פלטיאני.** מבואר במדרש רות ושמואל, דרבי יהושע בן לוי ור' יהושע בן נחמן אאפרתי קיימי, ודר' פנחס דבר אחר היא, ועל כרחך אין ספק דהכי נמי לאו אאפרים קאמרי, אלא בעל ההגדה הביא לשון פלוגתייהו דאפרתי, דרבי יהושע בן לוי מפרש לה לשון חשיבות, ור' יהושע בן נחמן לשון יחס, ור' פנחס מפרש ליה כגזר מאפרים, לפי שיעקב אבינו אמר שהגדולים שבישראל יקראו על שמו, ומייתי ליה הכא לומר שמה שנקראו כל ישראל על שם אפרים, היינו משום חשיבות, כמו שנקרא על שמו ראש השבטים (יפה תואר): **איזהו ילד שעשועים כו'.** ובתנחומא סדר תצוה איתא אמר ר' יודן אימתי הבן חביב על אביו, כשמתחיל להשיח, וכן הוא אומר הבן יקיר לי אפרים אם ילד שעשועים, מהו ילד שעשועים בן שלש בן ארבע, שהוא מתחיל להשיח ומשתעשע לאביו, עד כאן לשונו. ומשמע לכאורה דר' יודן דעת שלישית, וקשה אמאי לא מייתי ליה הכא, ונראה שדעת ר' יודן כרבי לוי, וכן שלשה בן ארבע דקאמר, היינו כשהוא בן שלשה בן ארבע שלמים:

מסורת המדרש

ו. ילקוט ש"א א:

אם למקרא

וּמָשַׁחְתָּ אֹתָם כַּאֲשֶׁר מָשַׁחְתָּ אֶת אֲבִיהֶם וְכִהֲנוּ לִי וְהָיְתָה לִהְיֹת לָהֶם מָשְׁחָתָם לִכְהֻנַּת עוֹלָם לְדֹרֹתָם: (שמות מ:טו)

וְהִבְדַּלְתָּ אֶת הַלְוִיִּם מִתּוֹךְ בְּנֵי יִשְׂרָאֵל וְהָיוּ לִי הַלְוִיִּם: (במדבר ג:יב)

כִּי לִי בְנֵי יִשְׂרָאֵל עֲבָדִים עֲבָדַי הֵם אֲשֶׁר הוֹצֵאתִי אוֹתָם מֵאֶרֶץ מִצְרָיִם אֲנִי ה' אֱלֹהֵיכֶם: (ויקרא כה:נה)

דַּבֵּר אֶל בְּנֵי יִשְׂרָאֵל וְיִקְחוּ לִי תְּרוּמָה מֵאֵת כָּל אִישׁ אֲשֶׁר יִדְּבֶנּוּ לִבּוֹ תִּקְחוּ אֶת תְּרוּמָתִי: (שמות כה:ב)

כִּי לִי כָּל בְּכוֹר בְּיוֹם הַכֹּתִי כָל בְּכוֹר בְּאֶרֶץ מִצְרַיִם הִקְדַּשְׁתִּי לִי כָל בְּכוֹר בְּיִשְׂרָאֵל מֵאָדָם עַד בְּהֵמָה לִי יִהְיוּ אֲנִי ה': (במדבר ג:יג)

וַיֹּאמֶר ה' אֶל מֹשֶׁה אֶסְפָה לִּי שִׁבְעִים אִישׁ מִזִּקְנֵי יִשְׂרָאֵל אֲשֶׁר יָדַעְתָּ כִּי הֵם זִקְנֵי הָעָם וְשֹׁטְרָיו וְלָקַחְתָּ אֹתָם אֶל אֹהֶל מוֹעֵד וְהִתְיַצְּבוּ שָׁם עִמָּךְ: (שם יא:טז)

וְעַתָּה אִם שָׁמוֹעַ תִּשְׁמְעוּ בְּקֹלִי וּשְׁמַרְתֶּם אֶת בְּרִיתִי וִהְיִיתֶם לִי סְגֻלָּה מִכָּל הָעַמִּים כִּי לִי כָּל הָאָרֶץ: (שמות יט:ה)

וְלִבְנוֹ אֶתֵּן שֵׁבֶט אֶחָד לְמַעַן הֱיוֹת נִיר לְדָוִיד עַבְדִּי כָּל הַיָּמִים לְפָנַי בִּירוּשָׁלַם הָעִיר אֲשֶׁר בָּחַרְתִּי לִי לָשׂוּם שְׁמִי שָׁם: (מלכים א יא:לו)

וַיֹּאמֶר ה' אֶל שְׁמוּאֵל עַד מָתַי אַתָּה מִתְאַבֵּל אֶל שָׁאוּל וַאֲנִי מְאַסְתִּיו מִמְּלֹךְ עַל יִשְׂרָאֵל מַלֵּא קַרְנְךָ שֶׁמֶן וְלֵךְ אֶשְׁלָחֲךָ אֶל יִשַׁי בֵּית הַלַּחְמִי כִּי רָאִיתִי בְּבָנָיו לִי מֶלֶךְ: (שמואל א טז:א)

וְעָשׂוּ לִי מִקְדָּשׁ וְשָׁכַנְתִּי בְּתוֹכָם: (שמות כה:ח)

מִזְבַּח אֲדָמָה תַּעֲשֶׂה לִּי וְזָבַחְתָּ עָלָיו אֶת עֹלֹתֶיךָ וְאֶת שְׁלָמֶיךָ אֶת צֹאנְךָ וְאֶת בְּקָרֶךָ בְּכָל הַמָּקוֹם אֲשֶׁר אַזְכִּיר אֶת שְׁמִי אָבוֹא אֵלֶיךָ וּבֵרַכְתִּיךָ: (שם שם כ:כ)

צַו אֶת בְּנֵי יִשְׂרָאֵל וְאָמַרְתָּ אֲלֵהֶם אֶת קָרְבָּנִי לַחְמִי לְאִשַּׁי רֵיחַ נִיחֹחִי תִּשְׁמְרוּ לְהַקְרִיב לִי בְּמוֹעֲדוֹ: (במדבר כח:ב)

וְאֶל בְּנֵי יִשְׂרָאֵל תְּדַבֵּר לֵאמֹר שֶׁמֶן מִשְׁחַת קֹדֶשׁ יִהְיֶה זֶה לִי לְדֹרֹתֵיכֶם: (שמות ל:לא) הֲבֵן יַקִּיר לִי אֶפְרַיִם אִם יֶלֶד שַׁעֲשֻׁעִים כִּי מִדֵּי דַבְּרִי בּוֹ זָכֹר אֶזְכְּרֶנּוּ עוֹד עַל כֵּן הָמוּ מֵעַי לוֹ רַחֵם אֲרַחֲמֶנּוּ נְאֻם ה': (ירמיה לא:יט) וַיְהִי אִישׁ אֶחָד מִן הָרָמָתַיִם צוֹפִים מֵהַר אֶפְרָיִם וּשְׁמוֹ אֶלְקָנָה בֶּן יְרֹחָם בֶּן אֱלִיהוּא בֶּן תֹּחוּ בֶּן צוּף אֶפְרָתִי: (שמואל א א:א) וְדָוִד בֶּן אִישׁ אֶפְרָתִי הַזֶּה מִבֵּית לֶחֶם יְהוּדָה וּשְׁמוֹ יִשַׁי וְלוֹ שְׁמֹנָה בָנִים וְהָאִישׁ בִּימֵי שָׁאוּל זָקֵן בָּא בַאֲנָשִׁים: (שמואל א יז:יב)

אָמַר לוֹ: אֶפְרַיִם רֹאשׁ הַשְּׁבָטִים רֹאשׁ הַיְשִׁיבָה, יָפֶה וּמְעוּלֶּה שֶׁבְּבָנַי יְהֵא נִקְרָא עַל שִׁמְךָ — At that time **[Jacob] said to [Ephraim], "Ephraim,** every **head of the tribes,** every **head of the academy,** as well as the **best and the most exalted among my children, will be called by your name,** i.e., they will bear the title, *Ephrathite*."[49] "בֶּן תֹּחוּ בֶן צוּף אֶפְרָתִי" — Thus we find that Elkanah is called: ***son of Tochu, son of Tzuph, an Ephrathite*** (*I Samuel* 1:1),[50] "וְדָוִד בֶּן אִישׁ אֶפְרָתִי . . . מִבֵּית לֶחֶם יְהוּדָה" — and it states regarding Jesse, ***David was the son of a certain Ephrathite man from Bethlehem [in] Judah*** (*I Samuel* 17:12).[51] So too in *Jeremiah* 31:19, the verse refers to all the Jewish people by the name Ephraim, for the name Ephraim is a label of greatness.

The Midrash continues to expound *Jeremiah* 31:19, explaining the phrase יֶלֶד שַׁעֲשׁוּעִים, *a delightful child*:[52]

"הֲבֵן יַקִּיר לִי אֶפְרַיִם אִם יֶלֶד שַׁעֲשׁוּעִים" — Scripture states, ***Is Ephraim [not] My precious son? Is he [not] a delightful child?*** The Midrash asks: אֵיזֶהוּ יֶלֶד שַׁעֲשׁוּעִים — A child of **what** age is called ***a delightful child***? The Midrash answers: בֶּן שְׁתַּיִם בֶּן שָׁלֹשׁ שָׁנִים — **[A child] who has entered his second or third year.**[53] רַבִּי אַחָא בְּשֵׁם רַבִּי לֵוִי בַּר רַבִּי סִיסִי: בֶּן ד׳ בֶּן ה׳ שָׁנִים — **R' Acha** said **in the name of R' Levi ben R' Sisi: [A child] who has entered his fourth or fifth year.**[54]

NOTES

49. *Eitz Yosef*. "The best and the most exalted among my children" includes judges and officers (ibid.). R' Pinchas understands that the term אֶפְרָתִי does indeed derive from the name Ephraim. However, it is not used as an appellation identifying one's tribe; rather, the name of Ephraim, son of Joseph, was designated by Jacob to be used as a title of honor (*Anaf Yosef*, citing *Yefeh To'ar*). This honor with which Ephraim was crowned was part of Jacob's blessing (*Genesis* 48:19), *"His younger brother* (Ephraim) *shall be greater than he* (Manasseh)" (*Maharzu*; see also *Eshed HaNechalim*).

50. Elkanah, the husband of Hannah and the father of Samuel, was from the tribe of Levi (*I Chronicles* 6:19-23). The context of the *I Samuel* verse indicates that the term אֶפְרָתִי is not being used to identify where he lived, for the same verse states explicitly that he was מֵהַר אֶפְרָיִם, *from Mount Ephraim* (*Yefeh To'ar*). Rather, according to R' Pinchas, he was called אֶפְרָתִי because he was the head of a Torah academy; the verse thus demonstrates that the head of an academy bears the title *Ephrathite* (*Yefeh Anaf* to *Rus Rabbah*; cf. *Yefeh To'ar* and *Eitz Yosef* here).

51. Jesse, David's father, was from the tribe of Judah. While he was from the city of Ephrath/Bethlehem, the term אֶפְרָתִי is not being used to identify where he lived, for the same verse states explicitly that he was from Bethlehem (*Yefeh To'ar*). Rather, according to R' Pinchas, he was called אֶפְרָתִי because he was the head of his tribe; the verse thus demonstrates that the heads of the tribes bear the title *Ephrathite* (*Eitz Yosef*; see *Berachos* 58a and *Yevamos* 76b).

The Midrash does not cite a verse here to show that officers and judges bear the title *Ephrathite*. However, proof can be brought from *Ruth* 1:2, which states, *Machlon and Kilyon, Ephrathites of Bethlehem in Judah* (*Eitz Yosef*). [Indeed it was upon this verse that the comments of R' Yehoshua ben Levi, R' Yehoshua bar Nachman, and R' Pinchas are recorded in *Rus Rabbah* 2 §5.] Machlon and Kilyon, the sons of Elimelech and Naomi, were great men and leaders from the tribe of Judah. Though here too it can be argued that they were from the city of Ephrath, this verse too states explicitly that they were from Bethlehem. "Ephrathite" is thus clearly a title in this case for officers and judges (*Yefeh To'ar*; see also *Yefeh Anaf* to *Rus Rabbah* ibid.).

52. *Yefeh To'ar*.

53. When a child enters his second or third year (depending on his rate of development), he will start to talk. He cannot talk clearly, but he can babble and communicate. When the father hears this babbling, he takes delight in him. Similarly, even when the Jewish people do not know how to pray to God for their needs, God looks kindly toward them, just like this father (*Eitz Yosef*).

[In general, when one is said to be בֶּן שְׁתַּיִם it means he has completed his second year, not that he has entered his second year, and the same for בֶּן שָׁלֹשׁ, etc. Here, however, *Yefeh To'ar* and *Eitz Yosef* (see also *Anaf Yosef*) conclude, based on an analysis of this Midrash and *Tanchuma, Tetzaveh* §1, that it must refer to one who has *entered* his second year.]

54. When a child enters his fourth or fifth year (depending on his development), he begins to talk clearly. He yearns for and delights in his father, asking him for all manner of things that the father then gives him. Similarly, the Jewish people yearn for their Father in Heaven, asking Him to give them all manner of things; God desires these prayers and fulfills these wishes (*Eitz Yosef*).

According to the first view, the father delights in the son; according to the second, the son delights in the father (*Yefeh To'ar*).

בַּכֹּהֲנִים כְּתִיב (שמות מ, טו) "וְכִהֲנוּ לִי", בַּלְוִיִּם כְּתִיב (במדבר ג, יב) "וְהָיוּ לִי הַלְוִיִּם", בְּיִשְׂרָאֵל כְּתִיב (ויקרא כה, נה) "כִּי לִי בְנֵי יִשְׂרָאֵל", בִּתְרוּמָה כְּתִיב (שמות כה, ב) "וְיִקְחוּ לִי", בִּבְכוֹרוֹת כְּתִיב (במדבר ג, יג) "כִּי לִי כָּל בְּכוֹר", בְּסַנְהֶדְרִין כְּתִיב (שם יא, טז) "אֶסְפָה לִי שִׁבְעִים אִישׁ מִזִּקְנֵי יִשְׂרָאֵל", בְּאֶרֶץ יִשְׂרָאֵל (שמות יט, ה) "כִּי לִי °כָּל הָאָרֶץ", בִּירוּשָׁלַיִם (מלכים-א יא, לו) "הָעִיר אֲשֶׁר בָּחַרְתִּי לִי", בְּמַלְכוּת בֵּית דָּוִד (שמואל-א טז, א) "כִּי רָאִיתִי בְּבָנָיו לִי מֶלֶךְ", בַּמִּקְדָּשׁ (שמות כה, ח) "וְעָשׂוּ לִי מִקְדָּשׁ", בַּמִּזְבֵּחַ (שם כ, כ) "מִזְבַּח אֲדָמָה תַּעֲשֶׂה לִּי", בַּקָּרְבָּנוֹת, (במדבר כח, ב) "תִּשְׁמְרוּ לְהַקְרִיב לִי", בְּשֶׁמֶן הַמִּשְׁחָה (שמות ל, לא) "שֶׁמֶן מִשְׁחַת קֹדֶשׁ יִהְיֶה זֶה לִי", הָא בְּכָל מָקוֹם שֶׁנֶּאֱמַר "לִי" אֵינוֹ זָז לֹא לָעוֹלָם הַזֶּה וְלֹא לָעוֹלָם הַבָּא:

ג (ירמיהו לא, יט) "לִי אֶפְרַיִם", רַבִּי יְהוֹשֻׁעַ בֶּן לֵוִי אָמַר: פַּלְטְיָאנִי, רַבִּי יְהוֹשֻׁעַ בַּר נַחְמָן אָמַר: אַבְגִּינוֹס, אָמַר רַבִּי פִּנְחָס: עֲטָרָה זוֹ נִתְעַטֵּר אֶפְרַיִם מֵאָבִינוּ יַעֲקֹב, בְּשָׁעָה שֶׁנִּפְטַר לְעוֹלָמוֹ, אָמַר לוֹ: אֶפְרַיִם רֹאשׁ הַשְּׁבָטִים רֹאשׁ הַיְשִׁיבָה, יָפֶה וּמְעֻלֶּה שֶׁבְּבָנַי יְהֵא נִקְרָא עַל שִׁמְךָ (שמואל-א א, א) "בֶּן תֹּחוּ בֶּן צוּף אֶפְרָתִי", (שם יז, יב) "וְדָוִד בֶּן אִישׁ אֶפְרָתִי... מִבֵּית לֶחֶם יְהוּדָה", (ירמיה לא, יט) "הֲבֵן יַקִּיר לִי אֶפְרַיִם אִם יֶלֶד שַׁעֲשׁוּעִים", אֵיזֶהוּ יֶלֶד שַׁעֲשׁוּעִים, בֶּן שְׁתַּיִם בֶּן שָׁלֹשׁ שָׁנִים, רַבִּי אַחָא בְּשֵׁם רַבִּי לֵוִי בַּר רַבִּי סִיסִי: בֶּן ד' בֶּן ה' שָׁנִים.

עץ יוסף

והיו לי הלוים. שמעולם לא תסוב הלויה לשבט אחר: **כי לי בני ישראל.** שנשבע ה' שלא להחליפם באומה אחרת, כדאיתא באיכה רבתי (א, ג) על פסוק על אלה אני בוכיה: **בתרומה ויקחו לי.** שמפני שמלש תרומות נאמרו שם, ואחד מהם בקע לגלגלת לקנות מהם קרבנות לצבור, כמו שאמרו ז"ל (מגילה כט, ב), לכן קאמר לי, דאין תרומה זו לצורך האדנים והמשכן הצריכים לאותה שעה לבד, כי יש כאן תרומה שהיא מצוה לדורות תמיד: **כי לי כל בכור.** ואף על גב דהבכורים נדחו משהוקם המשכן וניתנו הכהנים במקומם, מכל מקום לא פקעה קדושתם, דהא צריכי פדיון, וכדאמר במדבר רבה (ג, ה): **אספה לי.** שהסנהדרין אחר שנתמנו אין מורידין אותם מגדולתן, דמעלין בקודש ולא מורידין: **כי לי כל הארץ.** תיבת כל מיותר וצריכין למחקו, והכוונה על קרא דויקרא כ"ה כ"ג, וכן הוא בתנחומא פרשת תרומה (סימן ג) שמביא פסוק זה, ורצה לומר שקאמר כי לי הארץ שאין קדושה ניטלת ממנה, וכן השגחת ה' כאומרו (דברים יא, יב) תמיד עיני ה' אלהיך בה: **העיר אשר בחרת לי.** שאחר שנבחרה שוב אין ארץ אחרת נבחרת במקומה, כנוב וגבעון ושילה שהיה המשכן בהם תחלה ושוב הובא לירושלים שנקראת נחלה כדאיתא בזבחים (קיט, א): **לי מלך.** שאין המלכות פוסקת מזרעו של דוד, כמו שנפסק משאול: **במזבח מזבח אדמה כו'.** שאף על פי שבבנין שלמה נסתלקו, מכל מקום הם קיימים לעולם במקום שנגנזו ולא יהיה בהם הפסד. עוד יש לומר אף על פי שנחרב מכל מקום קדושת המקום לא בטלה, וכדעת הרמב"ם בפרק ו' מהלכות בית הבחירה הלכה י"ד עיין שם: **בקרבנות תשמרו להקריב לי.** שלעולם הם קיימים, אפילו כשאינם נעשים בפועל אחר החורבן, על ידי שמתעסקים בדיניהם, כדאיתא בספרי (עיין הלכן ז, ג), אמר ליה הקדוש ברוך הוא הואיל ואתם מתעסקים בהם כאילו אתם מקריבים אותם: **שמן משחת קודש יהיה זה לי.** וכדאיתא לקמן (י, ח) שכולו קיים לעתיד לבא: **[ג] רבי יהושע בן לוי אמר כו'.** מלת אפרים קדריש לשון חשיבות, כמו איש אפרתי, וכדמפרש ואזיל. ועיין בענף: **פלטיאני.** לשון פלטין, כלומר מגדל בפלטין שהוא איש כבוד וחשיבות: **אבגינוס.** פירוש, מיוחס הרבה. והערוך גרס אוגוסטטו (מוסף הערוך ערך אוגוסטטו): **אמר ליה אפרים ראש כו'.** פירוש אמר לו אפרים בני, כל מי שיהיה חשוב ראש השבט, וכן ראש הישיבה, היפה ומעולה דהיינו שופט ושר, כל אחד מהם יקרא על שמך. ומייתי ראש ישיבה משמואל, שנאמר בו בן תוחו בן צוף אפרתי. וראיה לראש השבט מדוד בן איש אפרתי, דישי אבי דוד היה ראש שבטו, כדכתיב והאיש זקן בא באנשים, ואמרו ז"ל (ברכות נח, א) נכנס ויוצא באוכלוסא, וראיה לשר ושופט (רות א, ב) אפרתים מבית לחם יהודה: **בן שתים בן שלש.** פירוש כשנכנס לשנה שניה או שלישית, שיש שמתחיל להשיח קצת כשנכנסים לשנה שניה, ויש כשנכנסים לשנה שלישית, שאף על פי שאלו עדיין אינם יודעים להשיח שיחה שלימה רק בלעגי שפה, מכל מקום האב משתעשע בו בשומעו הדבור והרמזים בהם. ולענין הנמשל אף שישראל אינן מבקשים מאת ה' כי לא ידעו לבקש צרכם מאתו, ה' ירחמם כאב את בן ירצה, שמשתעשע בו אף שאינו יודע לשאול: **בן ארבע בן חמש.** פירוש, כשנכנס לשנה רביעית או חמישית שאז יש ילדים שיכולים לדבר שיחה נאה, יש כשהוא נכנס לשנה רביעית ויש כשהוא נכנס לשנה חמישית, ואז בשיחתו מתגעגע על אביו ומבקש ממנו דבר פלוני. ולענין הנמשל עיקר חיבתם של ישראל כשהם מתפללים שה' מתאוה לתפלתם, ואז מפיק רצונם כבן שיש לו געגועין על אביו. ועיין בענף:

פירוש מהרז"ו

ויקחו לי תרומה. היינו תרומת המשכן, וגם לעתיד יתנו תרומה זו לבית המקדש, כמו שכתוב סוף יחזקאל כמה פעמים. וארץ ישראל תבנה ותכונן ירושלים ועריה ובית המקדש שיבנה במהרה בימינו, וכן המשכן שנגנז ויגלה ה' לעתיד, כמו שכתב בראשית רבה (מב, ג), ושמן המשחה שנגנז ויגלה לעתיד, כולו קיים, עיין לקמן (י, ח), ומה שכתוב (חגי ב, ח) לי הכסף ולי הזהב, הוא בכלל מה שחשב כאן, ויקחו לי תרומה וגו' זהב וכסף וגו', ושם (חגי ב, ז) מפורש ומלאתי את הבית הזה כבוד (וגו') לי הכסף ולי הזהב. וכל דרשה זו הובא אגב פסוק (ירמיה לא, יט) הבן יקיר לי אפרים, כמו שכתוב (ויקרא כה, נה) כי לי בני ישראל:

מתנות כהונה

כולם עומדים עדיין. ודו"ק: **בכהנים.** גרסינן: [ג] **פלטיאני.** בן פלטין, כלומר שנתגדל בהיכל המלך ביקרות וכבוד: **אבגינוס.** אדון ומושל. ועיין בילקוט ריש ספר שמואל (ד"ה ושמו אלקנה):

אשד הנחלים

והלוים וישראל והבכורים והסנהדרין, שכל אחד סגולה מיוחד, זה למעלה מזה, להדבק בהם ה' יתברך ולהיותם מושגחים מאתו יתברך. והתרומה והקרבנות הן המה האמצעיים, שעל ידם יתקרב האדם לה' ברוך הוא ולכן כתיב לי בהם, והמקום המקודש שעל ידו יהיה ההשראה ודיבוק ההשגחה כמקדש והמזבח. והביא כל זה על הכתוב הבן יקיר לי אפרים, להורות על יקרתו עד שנכתב בו מלת לי, כי מורה על התמידות: **[ג] פלאטיני כו' אבגינוס.** מלת אפרים קדריש שהוא מלשון חשיבות (ידי משה). והנה יש חשיבות מצד שהוא איש נכבד במדינית כחק אצילי ארץ, וזהו פלאטיני הגדל בהיכל מלך, ויש חשיבות מצד האדנות והממשלה, וזהו אבגינוס, וזה היה כח שבט אפרים בתכונתו. וזהו **שנתעטר אפרים מאבינו יעקב,** כלומר שניתן בכחו ובטבעו מאביו, וגם ברכתו היה על זה האופן, כי איש כברכתו ברך אותם:

חידושי הרד"ל

[ג] **פלטיאני.** רות רבה (ב, ה), וריש מדרש שמואל, ופרקי דרבי אליעזר (פרק מה). ועיין מה שכתבתי שם בסייעתא דשמיא: **איזהו ילד שעשועים.** תנחומא (תצוה סימן א):

באור מהרי"פ

[ב] **בבכורות וכו'.** אף על פי שהבכורים נדחו ונכנסו כהנים במקומם, מכל מקום לא פקעו קדושתן מנייהו שהרי צריכים פדיון: **ארץ ישראל.** פירוש כי אין ארץ אחרת נבחרת במקומה: **בשמן המשחה וכו'.** כי אותה שעשה משה רבינו עליו השלום קיים לעולם כדלקמן (י, ח): [ג] **אפרים פלטיאני.** פירוש לשון אפרתי: **אבגינוס.** ר' בנימין מוספיא [בערוך] ערך אבגינוס, פירוש בלשון יון איש מיוחס. ובעל הערוך גרס אוגוסטטו עיין שם עכ"ל. וזה לשון הערוך ערך אוגוסטטו, בלשון יון מיוחס הרבה עכ"ל:

ידי משה

[ג] **רבי יהושע בן לוי אמר פלטיאני.** מלת אפרים קדריש לשון חשיבות כמו איש אפרתי כדמפרש ואזיל:

שינוי נוסחאות

(ב) **"כי לי כל הארץ".** רש"ש מוחק תיבת "כל", וא"כ הוא מקרא אחר, בויקרא כה, כג. ע"ש טעמו:

ענף יוסף

(ג) **פלטיאני.** מבואר במדרש רות ושמואל, דרבי יהושע בן לוי ור' יהושע בן נחמן לאפרתי קיימי, ודר' פנחס דבר אחר היא, ועל כרחך אין ספק דהכי נמי לאו אאפרים קאמרי, אלא בעל האגדה הביא לשון פלוגתייהו אאפרתי, דרבי יהושע בן לוי מפרש לה לשון חשיבות, ור' יהושע בן נחמן לשון יחס, ור' פנחס מפרש ליה נגזר מאפרים, לפי שיעקב אבינו אמר שהגדולים שבישראל יקראו על שמו, ומייתי ליה הכא לומר שמה שנקראו כל ישראל על שם אפרים, היינו משום חשיבות, כמו שנקרא על שמו ראש השבטים (יפה תואר): **איזהו ילד שעשועים כו'.** ובתנחומא סדר תצוה איתא אמר ר' יודן אימתי הבן חביב על אביו, כשמתחיל להשיח, וכן הוא אומר הבן יקיר לי אפרים אם ילד שעשועים, מהו ילד שעשועים כבן שלש כבן ארבע, שהוא מתחיל להשיח ומשתעשע לאביו, עד כאן לשונו. ומשמע לכאורה דר' יודן דעת שלישית, וקשה אמאי לא מייתי ליה הכא, ונראה שדעת ר' יודן כרבי לוי, ובן שלשה בן ארבע דקאמר, היינו כשהוא בן שלשה בן ארבע שלמים:

מסורת המדרש

ו. ילקוט ש"א א:

אם למקרא

וּמָשַׁחְתָּ אֹתָם כַּאֲשֶׁר מָשַׁחְתָּ אֶת אֲבִיהֶם וְכִהֲנוּ לִי וְהָיְתָה לִהְיֹת לָהֶם מָשְׁחָתָם לִכְהֻנַּת עוֹלָם לְדֹרֹתָם: (שמות מ:טו)

וְהִבְדַּלְתָּ אֶת הַלְוִיִּם מִתּוֹךְ בְּנֵי יִשְׂרָאֵל וְהָיוּ לִי הַלְוִיִּם: (במדבר ג:יב)

כִּי לִי בְנֵי יִשְׂרָאֵל עֲבָדִים עֲבָדַי הֵם אֲשֶׁר הוֹצֵאתִי אוֹתָם מֵאֶרֶץ מִצְרָיִם אֲנִי ה' אֱלֹהֵיכֶם: (ויקרא כה:נה)

דַּבֵּר אֶל בְּנֵי יִשְׂרָאֵל וְיִקְחוּ לִי תְּרוּמָה מֵאֵת כָּל אִישׁ אֲשֶׁר יִדְּבֶנּוּ לִבּוֹ תִּקְחוּ אֶת תְּרוּמָתִי: (שמות כה:ב)

כִּי לִי כָּל בְּכוֹר בְּיוֹם הַכֹּתִי כָל בְּכוֹר בְּאֶרֶץ מִצְרַיִם הִקְדַּשְׁתִּי לִי כָל בְּכוֹר בְּיִשְׂרָאֵל מֵאָדָם עַד בְּהֵמָה לִי יִהְיוּ אֲנִי ה': (במדבר ג:יג)

וַיֹּאמֶר ה' אֶל מֹשֶׁה אֶסְפָה לִּי שִׁבְעִים אִישׁ מִזִּקְנֵי יִשְׂרָאֵל אֲשֶׁר יָדַעְתָּ כִּי הֵם זִקְנֵי הָעָם וְשֹׁטְרָיו וְלָקַחְתָּ אֹתָם אֶל אֹהֶל מוֹעֵד וְהִתְיַצְּבוּ שָׁם עִמָּךְ: (שם יא:טז)

וְעַתָּה אִם שָׁמוֹעַ תִּשְׁמְעוּ בְּקֹלִי וּשְׁמַרְתֶּם אֶת בְּרִיתִי וִהְיִיתֶם לִי סְגֻלָּה מִכָּל הָעַמִּים כִּי לִי כָּל הָאָרֶץ: (שמות יט:ה)

וְלִבְנוֹ אֶתֵּן שֵׁבֶט אֶחָד לְמַעַן הֱיוֹת נִיר לְדָוִיד עַבְדִּי כָּל הַיָּמִים לְפָנַי בִּירוּשָׁלִַם הָעִיר אֲשֶׁר בָּחַרְתִּי לִי לָשׂוּם שְׁמִי שָׁם: (מלכים א יא, לו)

וַיֹּאמֶר ה' אֶל שְׁמוּאֵל עַד מָתַי אַתָּה מִתְאַבֵּל אֶל שָׁאוּל וַאֲנִי מְאַסְתִּיו מִמְּלֹךְ עַל יִשְׂרָאֵל מַלֵּא קַרְנְךָ שֶׁמֶן וְלֵךְ אֶשְׁלָחֲךָ אֶל יִשַׁי בֵּית הַלַּחְמִי כִּי רָאִיתִי בְּבָנָיו לִי מֶלֶךְ: (שמואל א טז:א)

וְעָשׂוּ לִי מִקְדָּשׁ וְשָׁכַנְתִּי בְּתוֹכָם: (שמות כה:ח)

מִזְבַּח אֲדָמָה תַּעֲשֶׂה לִּי וְזָבַחְתָּ עָלָיו אֶת עֹלֹתֶיךָ וְאֶת שְׁלָמֶיךָ אֶת צֹאנְךָ וְאֶת בְּקָרֶךָ בְּכָל הַמָּקוֹם אֲשֶׁר אַזְכִּיר אֶת שְׁמִי אָבוֹא אֵלֶיךָ וּבֵרַכְתִּיךָ: (שם שם כ:כ)

צַו אֶת בְּנֵי יִשְׂרָאֵל וְאָמַרְתָּ אֲלֵהֶם אֶת קָרְבָּנִי לַחְמִי לְאִשַּׁי רֵיחַ נִיחֹחִי תִּשְׁמְרוּ לְהַקְרִיב לִי בְּמוֹעֲדוֹ: (במדבר כח:ב) וְאֶל בְּנֵי יִשְׂרָאֵל תְּדַבֵּר לֵאמֹר שֶׁמֶן מִשְׁחַת קֹדֶשׁ יִהְיֶה זֶה לִי לְדֹרֹתֵיכֶם: (שמות ל:לא) הֲבֵן יַקִּיר לִי אֶפְרַיִם אִם יֶלֶד שַׁעֲשֻׁעִים כִּי מִדֵּי דַבְּרִי בּוֹ זָכֹר אֶזְכְּרֶנּוּ עוֹד עַל כֵּן הָמוּ מֵעַי לוֹ רַחֵם אֲרַחֲמֶנּוּ נְאֻם ה': (ירמיה לא:יט) וַיְהִי אִישׁ אֶחָד מִן הָרָמָתַיִם צוֹפִים מֵהַר אֶפְרָיִם וּשְׁמוֹ אֶלְקָנָה בֶּן יְרֹחָם בֶּן אֱלִיהוּא בֶּן תֹּחוּ בֶּן צוּף אֶפְרָתִי: (שמואל א א:א) וְדָוִד בֶּן אִישׁ אֶפְרָתִי הַזֶּה מִבֵּית לֶחֶם יְהוּדָה וּשְׁמוֹ יִשַׁי וְלוֹ שְׁמֹנָה בָנִים וְהָאִישׁ בִּימֵי שָׁאוּל זָקֵן בָּא בַאֲנָשִׁים: (שמואל א יז:יב)

The Midrash explains the continuation of *Jeremiah* 31:19:

״כִּי מִדֵּי דַבְּרִי בּוֹ״ — The verse continues, ***that whenever*** [מִדֵּי] ***I speak of him*** *I remember him more and more.*[55] אָמַר רַבִּי יוּדָן בְּשֵׁם רַבִּי אַבָּא בַּר כָּהֲנָא: דַּי דִיבּוּרִי שֶׁנָּתַתִּי בּוֹ — **R' Yudan said in the name of R' Abba bar Kahana:** The merit of **My speech,** i.e., the Torah, **that I have placed in him is sufficient** (דַּי) for Me to remember him.[56] אָמַר רַבִּי יְהוּדָה בְּרַבִּי סִימוֹן: אֲפִילוּ בְּשָׁעָה שֶׁאֲנִי מְדַבֵּר עִמּוֹ אֵינִי יָכוֹל לִסְבּוֹל בּוֹ — **R' Yehudah ben R' Simone said: Even when I** have to **speak harshly with him, I cannot bear it.**[57] ״כִּי מִדֵּי דַבְּרִי בּוֹ״, כִּי בְּוַדַּאי דִיבּוּרִי בּוֹ — Another explanation of ***For whenever I speak of him*:** **For** whenever I speak, **My speech is certainly with him** alone.[58]

§4 דַּבֵּר אֶל בְּנֵי יִשְׂרָאֵל — *SPEAK TO THE CHILDREN OF ISRAEL AND SAY TO THEM.*

The phrases *"Speak to the Children of Israel"* and *"say to them"* are essentially the same. The reason for the repetition is to show God's great love of the Jewish people, which moves Him to speak of them again and again.[59] The Midrash offers several analogies that elaborate on this concept:

רַבִּי יוּדָן בְּשֵׁם רַבִּי יִשְׁמָעֵאל בַּר נַחְמָן: מָשָׁל לְמֶלֶךְ שֶׁהָיוּ לוֹ פְּרַקְסִין — **R' Yudan** said **in the name of R' Yishmael bar Nachman: This is comparable to a king who had an undergarment,**[60] וְהָיָה מְצַוֶּה אֶת עַבְדּוֹ וְאָמַר לוֹ: קַפְּלוֹ וְנַעֲרוֹ וְתֵן דַּעְתְּךָ עָלָיו — **and [the king] would command his servant and say to him, "Fold it, shake it out, and pay attention to it."** אָמַר לוֹ עַבְדּוֹ: אֲדוֹנִי הַמֶּלֶךְ, מִכָּל פְּרַקְסִין שֶׁיֵּשׁ לְךָ אִי אַתָּה מְצַוֶּה אוֹתִי אֶלָּא עַל זֶה — **[The king's] servant said to him, "My master, the king! Of all the undergarments that you have, you command me only regarding this** one?" אָמַר לוֹ: שֶׁאֲנִי מַדְבִּיקוֹ לְגוּפִי — **[The king] said to him,** "That is **because I wear [this garment] directly on my body."** כָּךְ אָמַר מֹשֶׁה לִפְנֵי הַקָּדוֹשׁ בָּרוּךְ הוּא — **So too, Moses said before the Holy One, blessed is He,** רִבּוֹנוֹ שֶׁל עוֹלָם, מִשִּׁבְעִים אוּמּוֹת אֲוּוֹתִינְטִיאוֹת שֶׁיֵּשׁ לְךָ בְּעוֹלָמְךָ — **"Master of the universe! Of the seventy dominant nations You have in Your world,**[61] אִי אַתָּה מְצַוֶּה אוֹתִי אֶלָּא ״צַו אֶת בְּנֵי יִשְׂרָאֵל״ — **You command me only** regarding Israel, for You have told me, ***Command the Children of Israel*** (*Numbers* 28:2), ״דַּבֵּר אֶל בְּנֵי יִשְׂרָאֵל״ — ***Speak to the Children of Israel*** (*Exodus* 33:5), ״אֱמֹר אֶל בְּנֵי יִשְׂרָאֵל״ — ***Say to the Children of Israel*** (ibid. 25:2)? אָמַר לוֹ: שֶׁהֵן דְּבוּקִין לִי — **[God] said to [Moses],** "This is **because [the Jewish people] are attached to Me."** הֲדָא הוּא דִכְתִיב ״כִּי כַּאֲשֶׁר יִדְבַּק הָאֵזוֹר אֶל מָתְנֵי אִישׁ״ — **Thus it is written, *For just as a belt is fastened to a man's loins,*** *so I fastened to Myself the entire House of Israel and the entire House of Judah* (*Jeremiah* 13:11).[62]

The Midrash cites another parable to explain why God's instructions to Moses focus on the Jewish people and not the other nations:

אָמַר רַבִּי אָבִין: מָשָׁל לְמֶלֶךְ שֶׁהָיָה לוֹ פּוֹרְפִּירוֹן — **R' Avin** said: **This is comparable to a king who had a royal garment,**[63] וְהָיָה מְצַוֶּה אֶת עַבְדּוֹ וְאוֹמֵר לוֹ: תֵּן דַּעְתְּךָ עָלָיו וְקַפְּלוֹ וְנַעֲרוֹ — **and [the king] would command his servant and say to him, "Pay attention to it, fold it, and shake it out."** אָמַר לוֹ: אֲדוֹנִי הַמֶּלֶךְ, מִכָּל פּוֹרְפִּירִין שֶׁיֵּשׁ לְךָ אִי אַתָּה מְצַוֵּנִי אֶלָּא עַל זֶה — **[The king's] servant said to him, "My master, the king! Of all the royal garments that you have, you command me regarding only this** one?" אָמַר לוֹ: שֶׁאוֹתוֹ לָבַשְׁתִּי בְּיוֹם מַלְכוּתִי — **[The king] said to him,** "That is **because I wore that** garment **on the day of my coronation."** כָּךְ אָמַר מֹשֶׁה לִפְנֵי הַקָּדוֹשׁ בָּרוּךְ הוּא — **So too, Moses said before the Holy One, blessed is He,** רִבּוֹנוֹ שֶׁל עוֹלָם, מִשִּׁבְעִים אוּמּוֹת אֲוּוֹתִינְטִיאוֹת שֶׁיֵּשׁ לְךָ בְּעוֹלָמְךָ אִי אַתָּה מְצַוֶּה אוֹתִי אֶלָּא עַל יִשְׂרָאֵל — **"Master of the universe! Of the seventy dominant nations You have in Your world, You command me only regarding Israel,** as You have told me, ״צַו אֶת בְּנֵי יִשְׂרָאֵל״ — ***Command the Children of Israel?"***

NOTES

55. Simply understood, this clause means that God remembers the Jewish people whenever He chances to speak of them, for mentioning them brings them to mind. However, this cannot be the meaning of the verse, for it speaks of a precious child beloved by its father. In such a case, to the contrary, the father *always* thinks of the child; and in fact it is this constant thought that brings him to speak of the child, not the other way around. The Midrash therefore offers alternative ways to understand this statement (*Yefeh To'ar*).

56. R' Yudan in the name of R' Abba bar Kahana relates the word מִדֵּי to the word דַּי which means "enough" or "sufficient," and understands דַּבְּרִי as referring to the speech that God gave to the Jewish people, i.e., His Torah. In other words, God is saying that even if the Jewish people have no merits by which I should remember them, the fact that I gave them My Torah suffices that I should remember them (*Matnos Kehunah*, citing *Rashi* to *Jeremiah* 31:19; *Eitz Yosef*; cf. *Targum* ad loc. and *Yefeh To'ar*).

[According to this explanation, it would seem that the verse should have used the word לוֹ, *to him,* in place of the word בּוֹ, *in him*. However, *Tiferes Tzion* suggests that the word בּוֹ is used purposely, for when God gave the Torah to the Jewish people, it became internalized by them. It is therefore proper to say that God placed the Torah *in* the Jewish people (see *Shir HaShirim Rabbah* 1:2 #4 [1 §15 in Vagshal edition]).]

For alternative explanations see *Eshed HaNechalim, Beur Maharif,* and *Radal.*

57. R' Yehudah ben R' Simone understands the word מִדֵּי to mean "whenever." He understands דַּבְּרִי to connote harsh speech (see *Makkos* 11a), i.e., rebuke. Thus, in this verse, God is saying: Even when I have to rebuke the Jewish people, I cannot bear it and am not able to restrain Myself from showing them My former love, based on their prior merits. As the *Jeremiah* verse concludes, עַל כֵּן הָמוּ מֵעַי לוֹ רַחֵם אֲרַחֲמֶנּוּ נְאֻם ה׳, *Therefore, My inner self yearns for him; I will surely take pity on him — the word of HASHEM* (*Eitz Yosef*; see similarly *Matnos Kehunah, Eshed HaNechalim,* and *Radal*; for an alternative explanation, see *Maharzu*).

58. This view reads the verse as follows: כִּי מִדֵּי דַבְּרִי — *For whenever I speak*; בּוֹ — *it is with him*, for no other nation accepted My Torah. God approached all the nations and offered them the Torah, but only the Jewish people accepted it. In this merit, God said He would remember the Jewish people favorably even when they sin (*Eitz Yosef*; see *Avodah Zarah* 2b and *Rus Rabbah, Pesichta* §1; cf. *Matnos Kehunah* and *Yefeh To'ar*).

59. See *Maharzu* above, 2 §1 (opening comment). Cf. *Yefeh To'ar*; see also *Mizrachi* to *Leviticus* 21:1.

60. See *Aruch* and *Aruch HaShalem* (ע׳ אפיקרסין, פקרס, פרקס). *Rav Hai Gaon* explains this word to refer to a particular kind of undergarment (*Commentary* to *Keilim* 29:1). *Rambam Commentary* ad loc. describes it as a kind of thin shirt with open areas around the neck and shoulders (see also *Yefeh Toar*). Based on *Yerushalmi Berachos* 2:3 [21a in the Schottenstein ed.], it seems to have been robe-length.

61. There are more than seventy nations in the world (see *Shir HaShirim Rabbah* 6:8 #1 [6 §13 in Vagshal edition]). The seventy nations are the dominant ones (*Tiferes Tzion*).

62. Through a king's clothing, one gains an appreciation of his honor, glory, and majesty. So too, all of Creation is, so to speak, God's "clothing," for through it one has an inkling of His majesty (see *Avos* 6:14). The Jewish people, when they are faithful to God, are also like God's "clothing," for through their actions people gain an appreciation of the honor of God. Therefore, God commanded Moses constantly regarding the Jewish people to take care that they should act properly (*Eshed HaNechalim*).

The parable of the king and his garment illustrates a quality that the Jewish people have over the other nations, in that they cleave to Him with their belief, without intermediaries (*Eshed HaNechalim*; *Anaf Yosef*; see *Rambam, Hil. Avodas Kochavim* Ch. 1). This quality was evident even before the Jewish people left Egypt, as Scripture states (*Exodus* 4:31), *and the people believed, and they heard that HASHEM had remembered the Children of Israel* (*Anaf Yosef*; cf. *Maharzu*).

63. *Matnos Kehunah*. Literally, פּוֹרְפִּירוֹן means a purple garment; royal garments were purple (see *Aruch* and *Mussaf HeAruch* s.v. פרפירא).

(שם) "כִּי מִדֵּי דַבְּרִי בּוֹ", אָמַר רַבִּי יוּדָן בְּשֵׁם רַבִּי אַבָּא בַּר כַּהֲנָא: דֵּי דִיבּוּרִי שֶׁנָּתַתִּי בּוֹ, אָמַר רַבִּי יְהוּדָה בְּרַבִּי סִימוֹן: אֲפִילוּ בְּשָׁעָה שֶׁאֲנִי מְדַבֵּר עִמּוֹ אֵינִי יָכוֹל לִסְבּוֹל בּוֹ. "כִּי מִדֵּי דַבְּרִי בּוֹ", כִּי בְּוַדַּאי דִּיבּוּרִי בּוֹ:

ד [א, ב] "דַּבֵּר אֶל בְּנֵי יִשְׂרָאֵל", רַבִּי יוּדָן בְּשֵׁם רַבִּי יִשְׁמָעֵאל בַּר נַחְמָן: מָשָׁל לְמֶלֶךְ שֶׁהָיוּ לוֹ פְּרַקְסִין וְהָיָה מְצַוֶּה אֶת עַבְדּוֹ וְאָמַר לוֹ: קַפְּלוֹ וְנַעֲרוֹ וְתֵן דַּעְתְּךָ עָלָיו, אָמַר לוֹ עַבְדּוֹ: אֲדוֹנִי הַמֶּלֶךְ, מִכָּל פְּרַקְסִין שֶׁיֵּשׁ לְךָ אִי אַתָּה מְצַוֶּה אוֹתִי אֶלָּא עַל זֶה, אָמַר לוֹ: שֶׁאֲנִי מַדְבִּיקוֹ לְגוּפִי, כָּךְ אָמַר מֹשֶׁה לִפְנֵי הַקָּדוֹשׁ בָּרוּךְ הוּא, רִבּוֹנוֹ שֶׁל עוֹלָם, מִשִּׁבְעִים אוּמּוֹת אַוְתִינְטִיאוֹת שֶׁיֵּשׁ לְךָ בְּעוֹלָמְךָ אִי אַתָּה מְצַוֶּה אוֹתִי אֶלָּא (לקמן כד, ב; במדבר ה,ב; ועוד) "צַו אֶת בְּנֵי יִשְׂרָאֵל", "דַּבֵּר אֶל בְּנֵי יִשְׂרָאֵל", (שמות לג, ה) °"אֱמֹר אֶל בְּנֵי יִשְׂרָאֵל", ° אָמַר לוֹ: שֶׁהֵן דְּבוּקִין לִי, הֲדָא הוּא דִכְתִיב (ירמיה יג, יא) "כִּי כַּאֲשֶׁר יִדְבַּק הָאֵזוֹר אֶל מָתְנֵי אִישׁ", אָמַר רַבִּי אָבִין: מָשָׁל לְמֶלֶךְ שֶׁהָיָה לוֹ פּוּרְפִּירוֹן, וְהָיָה מְצַוֶּה אֶת עַבְדּוֹ וְאוֹמֵר לוֹ: תֵּן דַּעְתְּךָ עָלָיו וְקַפְּלוֹ וְנַעֲרוֹ, אָמַר לוֹ: אֲדוֹנִי הַמֶּלֶךְ, מִכָּל פּוּרְפִּירִין שֶׁיֵּשׁ לְךָ אִי אַתָּה מְצַוֵּנִי אֶלָּא עַל זֶה, אָמַר לוֹ: שֶׁאוֹתוֹ לָבַשְׁתִּי בְּיוֹם מַלְכוּתִי, כָּךְ אָמַר מֹשֶׁה לִפְנֵי הַקָּדוֹשׁ בָּרוּךְ הוּא: רִבּוֹנוֹ שֶׁל עוֹלָם, מִשִּׁבְעִים אוּמּוֹת אַוְתִינְטִיאוֹת שֶׁיֵּשׁ לְךָ בְּעוֹלָמְךָ אִי אַתָּה מְצַוֶּה אוֹתִי אֶלָּא עַל יִשְׂרָאֵל, "צַו אֶת בְּנֵי יִשְׂרָאֵל", °"אֱמֹר אֶל בְּנֵי יִשְׂרָאֵל", ° אָמַר לוֹ: הֵן שֶׁהִמְלִיכוּנִי תְּחִלָּה עַל הַיָּם וְאָמְרוּ לִי (שמות טו, יח) "ה' יִמְלֹךְ לְעֹלָם וָעֶד", אָמַר רַבִּי בֶּרֶכְיָה: מָשָׁל לְזָקֵן שֶׁהָיְתָה לוֹ מַעֲפוֹרֶת, וְהָיָה מְצַוֶּה אֶת תַּלְמִידוֹ וְאוֹמֵר לוֹ: קַפְּלָהּ וְנַעֲרָהּ, אָמַר לוֹ: אֲדוֹנִי הַמֶּלֶךְ, מִכָּל מַעֲפָרָאוֹת שֶׁיֵּשׁ לְךָ אִי אַתָּה מְצַוֶּה אוֹתִי אֶלָּא עַל זוֹ, אָמַר לוֹ: מִפְּנֵי שֶׁאוֹתָהּ לָבַשְׁתִּי כְּשֶׁנִּתְמַנֵּיתִי זָקֵן, כָּךְ אָמַר מֹשֶׁה לִפְנֵי הַקָּדוֹשׁ בָּרוּךְ הוּא: רִבּוֹנוֹ שֶׁל עוֹלָם, מִשִּׁבְעִים אוּמּוֹת אַוְתִינְטִיאוֹת שֶׁבָּרָאתָ בְּעוֹלָמְךָ אִי אַתָּה מְצַוֶּה אוֹתִי אֶלָּא עַל יִשְׂרָאֵל, אָמַר לוֹ: שֶׁקִּבְּלוּ עֲלֵיהֶם מַלְכוּתִי בְּסִינַי, וְאָמְרוּ (שם כד, ז) "כֹּל אֲשֶׁר דִּבֶּר ה' נַעֲשֶׂה וְנִשְׁמָע". אָמַר רַבִּי יוּדָן: בֹּא וּרְאֵה כַּמָּה חִיבֵּב הַקָּדוֹשׁ בָּרוּךְ הוּא אֶת יִשְׂרָאֵל, שֶׁמַּזְכִּירָן חֲמִשָּׁה פְּעָמִים בְּפָסוּק אֶחָד, שֶׁנֶּאֱמַר (במדבר ח, יט) "וָאֶתְּנָה אֶת הַלְוִיִּם נְתוּנִים וְגוֹ'":

עץ יוסף

די דבורי שנתתי בו. היינו התורה, והכי קאמר מפני שדבורי דהיינו מתן תורה היה בו, מפני זכות זה אזכרנו עוד: **אפילו בשעה שאני כו'.** בא לדבר עמו קשות, איני יכול להתאפק ולהראות אהבתו הקדומה, וזכור אזכרנו עוד זכויותיו הקדומים, ועל כן המו מעי לו: **כי בודאי דבורי בו.** זה פירוש אחר בכתוב, והכי קאמר קרא משום כי מדי דברי דברי, איננו אלא בו ולא לאחר, שכל המצות שאוה למשה לא היו אלא לישראל, שאום אומה לא רצה לקבל דברי, לכן זכור אזכרנו עוד זאת לו, אפילו בעת שיחטא וכדאיתא בריש רות רבה: **(ד) פרקסין.** לבוש התחתון שעל הבשר: **אוותנטיאות.** מלכות ושררה, כענין אווינטין של נהרות דבראשית רבה (טז, ה): **פירפורין.** יש מפרשים בגד חשוב, וכן נראה מכמה דוכתי שהוזכר בלשון חכמינו ז"ל (עיין בראשית רבה עד, טו). אף על פי דבבראשית רבה (עה, ד. שמות רבה ל, יד) משמע אדרת [וכן פירש הערוך (ערך פרפורא). ובמוסף פירש בלשון יוני ורומי בגד תכלת]: **לזקן.** תלמיד חכם ראש ישיבה נקרא זקן: **מעפורת.** פירש הערוך (ערך מעפרת) בגד נמר שמתעטפים בו בארץ פלשתים. ויש אומרים סודר שמעטף ראשו וכשמגלה מניחו על ברכיו שיפול שם שערו. ובעלי מקרא מפרשין אותו אחד ממיני מסוות, והוא מה שמכסים הראש עם הפנים והכל מכוסה זולת העינים לבדן (מתנות כהונה): **חמשה פעמים.** והיה מספיק בפעם הראשון ואחר כך בכנוי, דהוי מצי למימר לעבוד עבודתם ולכפר עליהם ולא יהיה בהם נגף בגשתם, אלא שמחיבתם מעלה שמם על פיו כל זימני:

פירוש מהרז"ו

(ג) אפילו בשעה שאני מדבר עמו. כי מדרך העולם מי שיש לו בן שעשועים, כשאינו רואה אותו לבו הומה לראותו ולדבר עמו, אך בשעה שמדבר עמו הוא שקט, אך הקב"ה כביכול גם בעת שמדבר עמהם, אינו יכול לסבול כביכול המית לבו, וזהו כי מדי דברי בו זכור אזכרנו עוד על כן המו מעי לו, לתאר ולדבר, כמו שכתוב כאן דבר אל בני ישראל ואמרת אליהם: **עטרה זו נתעטר.** נכלל בכלל מה שאמר יעקב (בראשית מח, יט) ואולם אחיו הקטן יגדל ממנו, היינו דבר של גדולה: **(ד) משל למלך.** הנה משל של רבי יודן מפרקסין, בגד פשוט שדבוק לגוף, והנמשל על שהדביק לו את ישראל במצרים, ומשל של רבי אבין על פורפירון, שהוא בגד מלוכה, זה היה בים, שאמר[ו] ה' ימלוך לעולם ועד, ומשל רבי אבין ממעופרת, סודר של זקן יושב בישיבה, כמו שאמרו במכילתא יתרו פסוק אנכי, שבסיני נראה כזקן וכו' ובפסיקתא (פרשה כא סימן ו):

חידושי הרד"ל

די דיבורי שנתתי בו. דיבור לשון קשה שהוכחתיו, די לו לעונשו, ואינני יכול לעונשו בפועל, כי המו מעי לו. ועל זה מוסיף רבי יהודה ברבי סימון, שאפילו בשעת הדיבור של תוכחה אינו יכול לסבול: **[ד] אמר ר' אבין משל למלך כו'.** פסיקתא דפרשת שקלים ותנחומא כי תשא (סימן ח): **שאותה לבשתי ביום מלכות.** נמצא כבודה תלוי בכבוד מלכותו, ולמאן דאמר ביום שנתמניתי זקן, נמצא כבוד גלוי חכמתו בעולמו, תלוי בכבודה:

חידושי הרש"ש

[ג] אפילו בשעה שאני מדבר עמו אינו יכול כו'. עיין מתנות כהונה פירש דבור הוא קשה, וצריך לומר איני ביו"ד:

באור מהרי"פ

דבורי שנתתי בו. פירוש ולא באחר, כמאמר חז"ל [להלן סימן ז] דבר אל בני ישראל כל הדבורים וכל הצווים אינם אלא לישראל: **[ד] אוותנטינא אוותנטיאות.** זה לשון ר' בנימין מוספיא [בערוך] ערך אותנטי, אמר בנימין, פירוש בלשון יוני אוותנטיא מלכות ומשרה, ופירוש אוותנטין מלך ומנהיג עד כאן: **משל לזקן וכו' אמר ליה אדוני המלך וכו' כשנתמניתי זקן.** נראה דמלת המלך טעות סופר וצריך לומר אדוני הזקן: **שנאמר ואתנה את הלוים.** (במדבר ח, יט) ואתנה את הלוים נתונים לאהרן ולבניו מתוך בני ישראל לעבוד את עבודת בני ישראל באהל מועד ולכפר על בני ישראל ולא יהיה בבני ישראל נגף בגשת בני ישראל אל הקודש:

אמרי יושר

[ג] די דיבורי בו. ואני לוקחו לטונג גדול: **[ד] מכל האומות אי אתה מצויני אלא לישראל.** תימה אמאי דרשו זה פה, והלא כמה פעמים נאמר לעיל דבר אל בני ישראל, ויש לומר דכמו שאמרו במקום אחר, והלא הקרבנות יותר ראויים לאומות העולם שהם חוטאים ואם כן למה צוה לבני ישראל: **[משל] למלך.** תחלה אמר בערוך שמשפיע להם בלי אמצעי, כאשר ידבק האזור.

מסורת המדרש

ז. תנחומא תשא:

אם למקרא

צַו אֶת־בְּנֵי יִשְׂרָאֵל וְיִקְחוּ אֵלֶיךָ שֶׁמֶן זַיִת זָךְ כָּתִית לַמָּאוֹר לְהַעֲלֹת נֵר תָּמִיד: (ויקרא כד:ב)

וַיֹּאמֶר ה' אֶל מֹשֶׁה אֱמֹר אֶל בְּנֵי יִשְׂרָאֵל אַתֶּם עַם קְשֵׁה עֹרֶף רֶגַע אֶחָד אֶעֱלֶה בְקִרְבְּךָ וְכִלִּיתִיךָ וְעַתָּה הוֹרֵד עֶדְיְךָ מֵעָלֶיךָ וְאֵדְעָה מָה אֶעֱשֶׂה לָּךְ: (שמות לג: ה)

כִּי כַּאֲשֶׁר יִדְבַּק הָאֵזוֹר אֶל מָתְנֵי אִישׁ כֵּן הִדְבַּקְתִּי אֵלַי אֶת כָּל בֵּית יִשְׂרָאֵל וְאֶת כָּל בֵּית יְהוּדָה נְאֻם ה' לִהְיוֹת לִי לְעָם וּלְשֵׁם וְלִתְהִלָּה וּלְתִפְאָרֶת וְלֹא שָׁמֵעוּ: (ירמיה יג: יא)

ה' יִמְלֹךְ לְעֹלָם וָעֶד: (שמות טו: יח)

וַיָּבֹא מֹשֶׁה וַיְסַפֵּר לָעָם אֵת כָּל דִּבְרֵי ה' וְאֵת כָּל הַמִּשְׁפָּטִים וַיַּעַן כָּל הָעָם קוֹל אֶחָד וַיֹּאמְרוּ כָּל הַדְּבָרִים אֲשֶׁר דִּבֶּר ה' נַעֲשֶׂה: (שמות כד:ג)

וָאֶתְּנָה אֶת הַלְוִיִּם נְתֻנִים לְאַהֲרֹן וּלְבָנָיו מִתּוֹךְ בְּנֵי יִשְׂרָאֵל לַעֲבֹד אֶת עֲבֹדַת בְּנֵי יִשְׂרָאֵל בְּאֹהֶל מוֹעֵד וּלְכַפֵּר עַל בְּנֵי יִשְׂרָאֵל וְלֹא יִהְיֶה בִּבְנֵי יִשְׂרָאֵל נֶגֶף בְּגֶשֶׁת בְּנֵי יִשְׂרָאֵל אֶל הַקֹּדֶשׁ: (במדבר ח:יט)

ענף יוסף

[ד] משל למלך שהיה לו פרקסין כו' פורפרין כו' שהיה לו מעפורת. השלמים האלו באו לצייר לנו מעלת ישראל, במה

ידי משה

די דיבורי שנתתי בו. פירוש די לו זה הברכה שדברתי בו שיהיה ראש ישיבה נקראים על שמו. ומלת מדי דרש שהוא לשון די:

שינוי נוסחאות

(ד) "אמר אל בני ישראל". פסוק זה (בשמות לג, ה) מדבר בענין פורענות ואם כן אינו מתאים לכאן, ובכמה כי"י איתא "אמר לבני ישראל", והוא בשמות ו, ו. ומקרא זה יותר מתאים, אבל לא נמצא כתוב כן בשום ספר מודפס: "אמר אל בני ישראל" (פעם שניה). ע' לעיל שכתבנו שפסוק זה אינו מתאים לכאן, וכאן ברוב כי"י ליתא לפסוק זה כלל:

מתנות כהונה

הכי גרסינן **די דבורי שנתתי בו.** והכי גרס בפרש"י בספר ירמיה (לא, יט), ופירוש רש"י, **דבורי שנתתי בו** שלמדתיו תורתי הוא כדי שארחם עליו: הכי גרסינן **אפילו בשעה שאני בא לדבר עמו.** וכן גירסת הילקוט. ופירושו אפילו בשעה שאני בא לדבר עמו קשות איני יכול להתאפק מלהראות אהבתי הקדומה. וסיפיה דקרא קדייק דכתיב זכור אזכרנו וכן מוכח פירוש הרד"ק: **כי בוודאי דיבורי בו.** ולא עם אחר, וכדמפרש ואזיל: **[ד] פרקסין.** בערוך גרס פקרסין, ופירש בו מלבוש שלובשין על הבשר: **אוותינטיאות.** פירוש ממשלות: **פורפריא.** לבוש מלכות: **משל לזקן.** תלמיד חכם. ראש ישיבה נקרא זקן, כדאיתא בפרק קמא דקדושין (לב, ב), ורבים הם בירושלמי: **מעפורת.** פירוש בערוך סודר מכסה לראש, או בגד נמר שמתעטפים בו בארץ פלשתים, או מכסה להראש עם הפנים כולו זולת העינים:

אשד הנחלים

די דבורי. מלת מדי לפי דעתם, המ' אינו מהשורש, ושרשו די, וכאומר בלשון בתמיה הבן יקיר לי, אם הוא יקר בעיני, ולא די דבורי שדברתי בו אז, אלא זכור אזכרנו עוד להטיב לו ולחמול עליו. ורש"י פירש להיפך עיין במתנות כהונה ובידי משה: **איני יכול לסבול.** ופירושו אפילו שעה שאני מדבר עליו רעה, תיכף איני יכול לסבול ונהפכו רחמי עליו, כי זכור אזכרנו עוד להטיבו. ודרש עוד מלת בו, שהוא כנותן טעם, מפני שמדי דברי בו, דברי בו פועלים להפכו לטוב, כי אלולי זאת לא יתכן שיהיה הקב"ה וותרן על חנם: **[ד] פרקסין. פקרסין.** כן צריך לומר (ערוך). והוא בגד חשוב: **מדביק לגופי.** הענין בקצרה. הבריאה כולה נקראת לבושו של הקב"ה כמו שנאמר (תהלים צג, א) ה' מלך גאות לבש, ונאמר (תהלים קד, א) הוד והדר לבשת, כי על ידי הלבוש ניכר כבוד המלך ויקרתו, והמאמינים, במעשיהם הם הם המלבישים את המלך, כי על ידיהם ניכר כבוד ה', ולכן צוה ה' למשה שישמור תמיד לישראל בצוואתו אליהם איך יעשו: **משל כו' לבשתי ביום מלכותי כו' כשנתמניתי זקן כו'.** צריך להבין עקרי השלשה משלים על מה זה ירמזון, מהו ההבדל בין פרקסין לפורפירין, ומהו ההבדל שבין מלך לזקן, וגם איפה מצאנו רמז בתורה שאמר לו משה כך. ואשר הנראה לי בזה שבאו לצייר לנו ממעלת המאמינים במה שהיו נבדלים

אָמַר לוֹ: הֵן שֶׁהִמְלִיכוּנִי תְּחִלָּה עַל הַיָּם — **[God] said to [Moses],** "This is because **[the Jewish people]** are the ones who **coronated Me first, at the** Reed **Sea,** וְאָמְרוּ לִי "ה׳ יִמְלֹךְ לְעֹלָם וָעֶד" — **for they said to Me, *'HASHEM shall reign for all eternity!'* "** (*Exodus* 15:18).[64]

The Midrash cites yet another parable in this vein:

אָמַר רַבִּי בֶּרֶכְיָה: מָשָׁל לְזָקֵן שֶׁהָיְתָה לוֹ מַעֲפוֹרֶת — **R' Berechyah said: This is comparable to a Torah sage**[65] **who had a** head-**kerchief,**[66] וְהָיָה מְצַוֶּה אֶת תַּלְמִידוֹ וְאוֹמֵר לוֹ: קַפְּלָהּ וְנַעֲרָהּ — **and [the Torah sage] would command his student and say to him, "Fold it, shake it out,** etc." אָמַר לוֹ: אֲדוֹנִי הַמֶּלֶךְ — **[The student] said to him, "My master, the king!**[67] מִכָּל מַעֲפָרָאוֹת שֶׁיֵּשׁ לְךָ אִי אַתָּה מְצַוֶּה אוֹתִי אֶלָּא עַל זוֹ — **Of all the** head-**kerchiefs that you have, you command me regarding only this** one?" אָמַר לוֹ: מִפְּנֵי שֶׁאוֹתָהּ לָבַשְׁתִּי כְּשֶׁנִּתְמַנֵּיתִי זָקֵן — **[The Torah sage] said to him,** "That is **because I wore that** kerchief **when I was appointed as a Torah sage."** כָּךְ אָמַר מֹשֶׁה לִפְנֵי הַקָּדוֹשׁ בָּרוּךְ הוּא — **So too, Moses said before the Holy One, blessed is He,** רִבּוֹנוֹ שֶׁל עוֹלָם, מִשִּׁבְעִים אוּמּוֹת אַוְתִינְטִיאוֹת שֶׁבָּרָאתָ בְּעוֹלָמְךָ אִי אַתָּה מְצַוֶּה אוֹתִי אֶלָּא עַל יִשְׂרָאֵל — **"Master of the universe! Of the seventy dominant nations You have created in Your world, You command me only regarding Israel?"** אָמַר לוֹ: שֶׁקִּבְּלוּ עֲלֵיהֶם מַלְכוּתִי בְּסִינַי, וְאָמְרוּ "כֹּל אֲשֶׁר דִּבֶּר ה׳ נַעֲשֶׂה וְנִשְׁמָע" — **[God] said to [Moses],** "That is **because [the Jewish people] accepted My authority upon themselves at Sinai, for they said, *'Everything that HASHEM has said, we will do and we will obey!'* "**(*Exodus* 24:7).[68]

The Midrash suggests another reason why God addressed His commandments to the Jewish people and not the other nations:[69]

אָמַר רַבִּי יוּדָן: בֹּא וּרְאֵה כַּמָּה חִיבֵּב הַקָּדוֹשׁ בָּרוּךְ הוּא אֶת יִשְׂרָאֵל — **R' Yudan said: Come and see how much the Holy One, blessed is He, cherished Israel,** שֶׁמַּזְכִּירָן חֲמִשָּׁה פְּעָמִים בְּפָסוּק אֶחָד — **that he mentions [Israel] five times in one verse,** שֶׁנֶּאֱמַר "וָאֶתְּנָה אֶת הַלְוִיִּם נְתֻנִים וגו׳ " — **as it states, *Then I assigned the Levites to be presented*** *to Aaron and his sons from among the Children of Israel to perform the service of the Children of Israel in the Tent of Meeting and to provide atonement for the Children of Israel, so that there will not be a plague among the Children of Israel when the Children of Israel approach the Sanctuary* (*Numbers* 8:19).[70]

NOTES

64. See note 62. This parable illustrates a second quality that the Jewish people have over the other nations, viz., that the Jews desire and yearn that God's honor be revealed through them (*Eshed HaNechalim*; *Anaf Yosef*). This quality came to the fore just after the Exodus. When God split the Reed Sea for the Jewish people [and drowned the Egyptians in it], He was like a mighty warrior king, vanquishing his enemy in battle (see *Mechilta, Yisro* §5). The Jews captured the moment in their declaration: *HASHEM shall reign for all eternity!* (*Anaf Yosef*; cf. *Maharzu*). Thus was God "coronated" by them.

65. The head of an academy (see *Matnos Kehunah* and *Eitz Yosef*) or a member of the Sanhedrin (see *Eshed HaNechalim*, *Maharzu*, and *Anaf Yosef*; see *Rashi* to *Yoma* 78a s.v. זקן ויושב בישיבה וכו׳) or the rabbi of a community (see *Yefeh To'ar*).

66. Our translation of מַעֲפוֹרֶת as head-kerchief follows one of the translations given by *Aruch* s.v. מעפרת (see *Matnos Kehunah* and *Eitz Yosef*, who also quote the others). The type of kerchief under discussion was worn by someone when he was appointed to the position of Torah sage and when he, as a Torah sage, would minister to the public (*Eshed HaNechalim*; see *Rashi* to *Shabbos* 77b s.v. סודרא and *HaTirosh*).

67. The student called the Torah sage, *My master the king*, for the Rabbis are described as kings (*Pri Chaim*; see *Gittin* 62a). However, *Beur Maharif* emends our text to read אֲדוֹנִי הַזָּקֵן, *My master the elder*, a reading supported by almost all extant manuscripts of the Midrash; see also *Pesikta DeRav Kahana* 2 §7.

68. See above, note 62. This parable illustrates a third quality that the Jewish people have over the other nations: they long to know God's Torah and commandments (*Eshed HaNechalim, Anaf Yosef*). This quality emerged when God gave them the Torah at Mount Sinai, appearing to them as a Torah sage (see *Mechilta, Yisro* §5) and they said, *"Everything that HASHEM has said, we will do and we will obey!"* (*Anaf Yosef*; cf. *Maharzu*).

This concludes the three parables related to our verse (*Leviticus* 1:2). According to *Yefeh To'ar,* our Midrash understands the verse to be a question and answer: Moses asks: דַּבֵּר אֶל בְּנֵי יִשְׂרָאֵל, *Speak to the Children of Israel?* Why only them? God answers, וְאָמַרְתָּ אֲלֵהֶם, which means: *You should distinguish them*, i.e., you should recognize their unique qualities [the word וְאָמַרְתָּ being taken as related to אֶת ה׳ הֶאֱמַרְתָּ הַיּוֹם, *you have distinguished HASHEM today* (*Deuteronomy* 16:17)].

This phrasing, דַּבֵּר אֶל בְּנֵי יִשְׂרָאֵל וְאָמַרְתָּ אֲלֵהֶם, appears in several other verses (see e.g., *Leviticus* 18:2, 23:2). Why did Moses ask this question in the context of a verse dealing with sacrificial offerings? *Imrei Yosher* suggests that Moses thought that the other nations needed to bring offerings *more* than the Jewish people in order to atone for their sins. The other nations did not fulfill even the seven Noahide laws that were given to them, whereas the Jewish people fulfilled all of their 613 commandments (*Avodah Zarah* 2b-3a; above, 13 §2). Thus, Moses was puzzled why the passage of offerings at the beginning of *Leviticus* was directed to the Jews alone, and this is why the Midrash addresses the issue here. However, *Yefeh To'ar* understands that Moses' puzzlement was not limited to this one passage; *wherever* the phrase דַּבֵּר אֶל בְּנֵי יִשְׂרָאֵל וְאָמַרְתָּ אֲלֵהֶם appears, it should be expounded similarly: In each of those passages there is a reason that Moses would think it should apply to the non-Jews, and he therefore asks God, *"Speak to the Children of Israel?* Why only them?" In each passage, the unique qualities of the Jewish people require that they be singled out: *"You should distinguish them."*

69. *Yefeh To'ar.*

70. It was sufficient for God to mention Israel once and then use a pronoun. However, God's love for the Jewish people prompted Him to say their name again each time (*Eitz Yosef*).

This verse speaks of the consecration of the Levites. They were consecrated in order to fill the position in the sacrificial service that was previously held by the firstborn but was lost due to the sin of the Golden Calf. The fact that God repeats their name (instead of using a pronoun) even here shows that although the firstborn forfeited their service to the Levites, His love for them was not deflected (*Tiferes Tzion*).

With this statement, the Midrash suggests that the reason God addresses His commandments to the Jewish people and not the other nations is simply because of His great love for them. Just as a king who has a beloved only child gives numerous instructions about his care to the king's servants, and thus mentions the son's name frequently, so too God gives numerous instructions regarding His beloved Jewish people, as the Midrash will elaborate further in the coming section (*Yefeh To'ar*; see, however, *Eshed HaNechalim*, beginning of next section). See Insight Ⓐ.

INSIGHTS

Ⓐ The Nation That Obeys His Will The Midrash understands the many expressions of God commanding Moses to speak to the Jewish people as indicative of His special love for the Jewish people, and of His focus in giving His Torah specifically *to them*, from among all the nations of the world, because — as the Midrash states here — they declared, כֹּל אֲשֶׁר דִּבֶּר ה׳ נַעֲשֶׂה וְנִשְׁמָע, *Everything that HASHEM has said, we will do and we will obey!* (*Exodus* 24:7). That the Midrash notes this with regard to our verse, rather than with regard to the many earlier verses in *Exodus* in which Moses is bidden to speak to the people, seems significant. What is special about the commandments of *Leviticus* — the laws of offerings and of ritual purity and contamination — that makes the Midrash's observation especially pertinent here?

R' Yitzchak Yaakov Weiss (*Minchas Yitzchak al HaTorah* on *Vayikra* 1:1) explains this based on the *Sefer HaIkkarim* (3:33, cited by *Yismach Moshe* here), who observes that the human mind readily accepts commandments that are logical, such as those pertaining to civil law (מִשְׁפָּטִים) and those commemorating historical events, such as the Sabbath and Festivals (עֵדוֹת). But man finds it difficult to accept those commandments that reason cannot explain (חוּקִים), such as the laws forbidding mixtures of clothing (*shaatnez*) and of planting (*kilayim*). As

(שם) "כִּי מִדֵּי דַבְּרִי בּוֹ", אָמַר רַבִּי יוּדָן בְּשֵׁם רַבִּי אַבָּא בַּר כַּהֲנָא: דֵּי דִיבּוּרִי שֶׁנָּתַתִּי בּוֹ, אָמַר רַבִּי יְהוּדָה בְּרַבִּי סִימוֹן: אֲפִילּוּ בְּשָׁעָה שֶׁאֲנִי מְדַבֵּר עִמּוֹ אֵינִי יָכוֹל לִסְבּוֹל בּוֹ. "כִּי מִדֵּי דַבְּרִי בּוֹ", כִּי בְּוַדַּאי דִיבּוּרִי בּוֹ:

ד [א, ב] "דַּבֵּר אֶל בְּנֵי יִשְׂרָאֵל", רַבִּי יוּדָן בְּשֵׁם רַבִּי יִשְׁמָעֵאל בַּר נַחְמָן: מָשָׁל לְמֶלֶךְ שֶׁהָיוּ לוֹ פְּרַקְסִין וְהָיָה מְצַוֶּה אֶת עַבְדּוֹ וְאָמַר לוֹ: קַפְּלוֹ וְנַעֲרוֹ וְתֵן דַּעְתְּךָ עָלָיו, אָמַר לוֹ עַבְדּוֹ: אֲדוֹנִי הַמֶּלֶךְ, מִכָּל פְּרַקְסִין שֶׁיֵּשׁ לְךָ אִי אַתָּה מְצַוֶּה אוֹתִי אֶלָּא עַל זֶה, אָמַר לוֹ: שֶׁאֲנִי מַדְבִּיקוֹ לְגוּפִי, כָּךְ אָמַר מֹשֶׁה לִפְנֵי הַקָּדוֹשׁ בָּרוּךְ הוּא, רִבּוֹנוֹ שֶׁל עוֹלָם, מִשִּׁבְעִים אוּמּוֹת אַוְתִּינְטִיאוֹת שֶׁיֵּשׁ לְךָ בְּעוֹלָמְךָ אִי אַתָּה מְצַוֶּה אוֹתִי אֶלָּא "צַו אֶת בְּנֵי יִשְׂרָאֵל" (לקמן כד, ב; במדבר ה,ב; ועוד) "דַּבֵּר אֶל בְּנֵי יִשְׂרָאֵל", (שמות לג, ה) °"אֱמֹר אֶל בְּנֵי יִשְׂרָאֵל",° אָמַר לוֹ: שֶׁהֵן דְּבוּקִין לִי, הֲדָא הוּא דִכְתִיב (ירמיה יג, יא) "כִּי כַּאֲשֶׁר יִדְבַּק הָאֵזוֹר אֶל מָתְנֵי אִישׁ", אָמַר רַבִּי אָבִין: מָשָׁל לְמֶלֶךְ שֶׁהָיָה לוֹ פּוֹרְפִּירוֹן, וְהָיָה מְצַוֶּה אֶת עַבְדּוֹ וְאוֹמֵר לוֹ: תֵּן דַּעְתְּךָ עָלָיו וְקַפְּלוֹ וְנַעֲרוֹ, אָמַר לוֹ: אֲדוֹנִי הַמֶּלֶךְ, מִכָּל פּוֹרְפִּירִין שֶׁיֵּשׁ לְךָ אִי אַתָּה מְצַוֵּנִי אֶלָּא עַל זֶה, אָמַר לוֹ: שֶׁאוֹתוֹ לָבַשְׁתִּי בְּיוֹם מַלְכוּתִי, כָּךְ אָמַר מֹשֶׁה לִפְנֵי הַקָּדוֹשׁ בָּרוּךְ הוּא: רִבּוֹנוֹ שֶׁל עוֹלָם, מִשִּׁבְעִים אוּמּוֹת אַוְתִּינְטִיאוֹת שֶׁיֵּשׁ לְךָ בְּעוֹלָמְךָ אִי אַתָּה מְצַוֶּה אוֹתִי אֶלָּא עַל יִשְׂרָאֵל, "צַו אֶת בְּנֵי יִשְׂרָאֵל", "דַּבֵּר אֶל בְּנֵי יִשְׂרָאֵל", °"אֱמֹר אֶל בְּנֵי יִשְׂרָאֵל",° אָמַר לוֹ: הֵן שֶׁהִמְלִיכוּנִי תְּחִלָּה עַל הַיָּם וְאָמְרוּ לִי (שמות טו, יח) "ה' יִמְלֹךְ לְעֹלָם וָעֶד", אָמַר רַבִּי בֶּרֶכְיָה: מָשָׁל לְזָקֵן שֶׁהָיְתָה לוֹ מְעֻפֶּרֶת, וְהָיָה מְצַוֶּה אֶת תַּלְמִידוֹ וְאוֹמֵר לוֹ: קַפְּלָהּ וְנַעֲרָהּ, אָמַר לוֹ: אֲדוֹנִי הַמֶּלֶךְ, מִכָּל מַעֲפְּרָאוֹת שֶׁיֵּשׁ לְךָ אִי אַתָּה מְצַוֶּה אוֹתִי אֶלָּא עַל זוֹ, אָמַר לוֹ: מִפְּנֵי שֶׁאוֹתָהּ לָבַשְׁתִּי כְּשֶׁנִּתְמַנֵּיתִי זָקֵן, כָּךְ אָמַר מֹשֶׁה לִפְנֵי הַקָּדוֹשׁ בָּרוּךְ הוּא: רִבּוֹנוֹ שֶׁל עוֹלָם, מִשִּׁבְעִים אוּמּוֹת אַוְתִּינְטִיאוֹת שֶׁבָּרָאתָ בְּעוֹלָמְךָ אִי אַתָּה מְצַוֶּה אוֹתִי אֶלָּא עַל יִשְׂרָאֵל, אָמַר לוֹ: שֶׁקִּבְּלוּ עֲלֵיהֶם מַלְכוּתִי בְּסִינַי, וְאָמְרוּ (שם כד, ז) "כֹּל אֲשֶׁר דִּבֶּר ה' נַעֲשֶׂה וְנִשְׁמָע". אָמַר רַבִּי יוּדָן: בֹּא וּרְאֵה כַּמָּה חִיבֵּב הַקָּדוֹשׁ בָּרוּךְ הוּא אֶת יִשְׂרָאֵל, שֶׁמַּזְכִּירָן חֲמִשָּׁה פְעָמִים בְּפָסוּק אֶחָד, שֶׁנֶּאֱמַר (במדבר ח, יט) "וָאֶתְּנָה אֶת הַלְוִיִּם נְתֻנִים וְגוֹ'":

עץ יוסף

די דבורי שנתתי בו. היינו התורה, והכי קאמר מפני שדבורי דהיינו מתן תורה היה בו, מפני זכות זה אזכרנו עוד: **אפילו בשעה שאני כו'.** בא לדבר עמו קשות, איני יכול להתאפק ולהראות אהבתו הקדומה, וזכור אזכרנו עוד זכיותיו הקדומים, ועל כן המו מעי לו: **כי בודאי דבורי בו.** זה פירוש אחר בכתוב, והכי קאמר קרא משום כי מדי דברי דברי, אינו אלא בו ולא לאחר, שכל המצות שצוה למשה לא היו אלא לישראל, שאין אומה לא רצה לקבל דברי, לכן זכור אזכרנו עוד זאת לו, אפילו בעת שיחטא וכדאיתא בריש רות רבה: **(ד) פרקסין.** לבוש התחתון שעל הבשר: **אוותנטיאות.** מלכות ושררה, כענין אוותינטין של נהרות דבראשית רבה (טז, ה): **פירפורין.** יש מפרשים בגד חשוב, וכן נראה מכמה דוכתי שהוזכר בלשון חכמינו ז"ל (עיין בראשית רבה עד, טו). אף על פי דבבראשית רבה (עה, ד. שמות רבה ל, יד) משמע אדרת [וכן פירש הערוך (ערך פרפורא). ובמוסף פירש בלשון יוני ורומי בגד תכלת]: **לזקן.** תלמיד חכם ראש ישיבה נקרא זקן: **מעפורת.** פירש הערוך (ערך מעפרת) בגד צמר שמתעטפים בו בארץ פלשתים. ויש אומרים סודר שמעטף ראשו וכשמגלה מניחו על ברכיו שיפול שם שערו. ובעלי מקרא מפרשין אותו אחד ממיני מסוות, והוא מה שמכסים הראש עם הפנים והכל מכוסה זולת העינים לבדן (מתנות כהונה): **חמשה פעמים.** והיה מספיק בפעם הראשון ואחר כך בכנוי, דהוי מצי למימר לעבוד עבודתם ולכפר עליהם ולא יהיה בהם נגף בגשתם, אלא שמחיבתם מעלה שמם על פיו כל זמני:

פירוש מהרז"ו

(ג) אפילו בשעה שאני מדבר עמו. כי מדרך העולם מי שיש לו בן שטעותים, כשאינו רואה אותו לבו הומה לראותו ולדבר עמו, אך בשעה שמדבר עמו הוא שקט, אך הקב"ה כביכול גם בעת שמדבר עמהם, אינו יכול לסבול כביכול המית לבו, וזהו כי מדי דברי בו זכור אזכרנו עוד על כן המו מעי לו, לאחר ולדבר, כמו שכתוב כאן דבר אל בני ישראל ואמרת אליהם: **עטרה זו נתעטר.** נכלל בכלל מה שאמר יעקב (בראשית מח, יט) ואולם אחיו הקטן יגדל ממנו, היינו דבר של גדולה: **(ד) משל למלך.** הנה משל של רבי יודן מפרקסין, בגד פשוט שדבוק לגוף, והנמשל על שהדביק לו את ישראל במצרים, ומשל של רבי אבין על פורפירון, שהוא בגד מלוכה, זה היה בים, שאמר[ו] ה' ימלוך לעולם ועד, ומשל רבי אבין ממעופרת, סודר של זקן יושב בישיבה, כמו שאמרו במכילתא יתרו פסוק אנכי, שבסיני נראה כזקן וכו' ובפסיקתא (פרשה כא סימן ו):

מתנות כהונה

הכי גרסינן **די דבורי שנתתי בו.** והכי גרס בפרש"י בספר ירמיה (לא, יט), ופירוש רש"י, **דבורי שנתתי בו** שלמדתיו תורתי הוא כדי שאהרהר עליו: הכי גרסינן **אפילו בשעה שאני בא לדבר עמו.** וכן גירסת הילקוט. ופירושו אפילו בשעה שאני בא לדבר עמו קשות איני יכול להתאפק מלהראות אהבתי הקדומה. וסיפיה דקרא קדייק דכתיב זכור אזכרנו וכן מוכח פירוש הרד"ק: **כי בוודאי דיבורי בו.** ולא עם אחר, וכדמפרש ואזיל: **[ד] פרקסין.** בערוך גרס פקרסין, ופירש בו מלבוש שלובשין על הבשר: **אוותינטיאות.** פירוש ממשלות: **פורפריא.** לבוש מלכות: **משל לזקן.** תלמיד חכם. ראש ישיבה נקרא זקן, כדאיתא בפרק קמא דקדושין (לב, ב), וכדים הם בירושלמי: **מעפורת.** פירוש בערוך סודר מכסה לראש, או בגד צמר שמתעטפים בו בארץ פלשתים, או מכסה להראש עם הפנים כולו זולת העינים:

אשד הנחלים

די דבורי. מלת מדי לפי דעתם, המ' אינו מהשורש, ושרשו די, וכאומר בלשון בתמיה הבן יקיר לי, אם הוא יקר בעיני, ולא די דבורי שדברתי בו אז, אלא זכור אזכרנו עוד להטיב לו ולחמול עליו. ורש"י פירש להיפך עיין במתנות כהונה ובידי משה: **אינו יכול לסבול.** ופירושו אפילו שעה שאני מדבר עליו רעה, תיכף איני יכול לסבול ונהפכו רחמי עליו, כי זכור אזכרנו עוד להטיבו. ודרש עוד מלת בו, שהוא כנותן טעם, מפני שמדי דברי בו, דברי בו פועלים להפכו לטוב, כי אלולי זאת לא יתכן שיהיה הקב"ה וותרן על חנם: **[ד] פרקסין.** פקרסין. כן צריך לומר (ערוך). והוא בגד חשוב: **מדביק לגופי.** הענין בקצרה. הבריאה כולה נקראת לבושו של הקב"ה כמו שנאמר (תהלים צג, א) ה' מלך גאות לבש, ונאמר (תהלים קד, א) הוד והדר לבשת, כי על ידי הלבוש ניכר כבוד המלך ויקרותו, והמאמינים, במעשיהם הם הם המלבישים את המלך, כי על ידיהם ניכר כבוד ה', ולכן צוה ה' למשה שישמור תמיד לישראל בצוואתו אליהם איך יעשו: **משל כו' לבשתי ביום מלכותי כו' בשנתמניתי זקן כו'.** צריך להבין עקרי השלשה משלים על מה זה ירמזון, מהו ההבדל בין פרקסין לפורפירין, ומהו ההבדל שבין מלך לזקן, וגם איפה מצאנו רמז בתורה שאמר לו משה כך. ואשר הנראה לי בזה שבאו לצייר לנו מעלת המאמינים במה שהיו נבדלים

חידושי הרד"ל

די דיבורי שנתתי בו. דיבור לשון קשה שהוכחתיו, די לו לעונשו, ואינני יכול לעונשו בפועל, כי המו מעי לו. ועל זה מוסיף רבי יהודה ברבי סימון, שאפילו בשעת הדיבור של תוכחה איני יכול לסבול: **[ד] אמר ר' אבין משל למלך כו'.** פסיקתא דפרשת שקלים ותנחומא כי תשא (סימן ח): **שאותה לבשתי ביום מלכות.** נמצא כבודה תלוי בכבוד מלכותו, ולמאן דאמר ביום שנתמניתי זקן, נמצא כבוד גלוי חכמתו בעולמו, תלוי בכבודה:

חידושי הרש"ש

[ג] אפילו בשעה שאני מדבר עמו אינו יכול כו'. עיין מתנות כהונה פירש כי דבור הוא קשה, וצריך לומר איני ביו"ד:

באור מהרי"פ

דבורי שנתתי בו. פירוש ולא באחר, כמאמר חז"ל [להלן סימן ד] דבר אל בני ישראל כל הדבורים וכל הצווים אינם אלא לישראל: **[ד] אוותנטינא אוותנטיאות.** זה לשון ר' בנימין מוספיא [בערוך] ערך אוותנטי, אמר בנימין, פירוש בלשון יוני אוותנטיא מלכות ומשרה, ופירוש אוותנטין מלך ומנהיג עד כאן: **משל לזקן וכו' אמר ליה אדוני המלך וכו' כשנתמניתי זקן.** נראה דמלת המלך טעות סופר וצריך לומר אדוני הזקן: **שנאמר ואתנה את הלוים.** (במדבר ח, יט) ואתנה את הלוים נתונים לאהרן ולבניו מתוך בני ישראל לעבוד את עבודת בני ישראל באהל מועד ולכפר על בני ישראל ולא יהיה בבני ישראל נגף בגשת בני ישראל אל הקודש:

אמרי יושר

[ג] די דיבורי בו. ואני לוקחו לעונג גדול: **[ד] מכל האומות אי אתה מצויני אלא לישראל.** תימה אמאי דרשו זה פה, והלא כמה פעמים נאמר לעיל דבר אל בני ישראל, ויש לומר דכמו שאמרו במקום אחר, והלא הקרבנות יותר ראויים לאומות העולם שהם חוטאים ואם כן למה צוה לבני ישראל: **[משל] למלך.** תחלה אמר בערך שמשפיע להם בלי אמצעי, כאשר ידבק האזור.

מסורת המדרש

ז. תנחומא תשא:

אם למקרא

צַו אֶת־בְּנֵי יִשְׂרָאֵל וְיִקְחוּ אֵלֶיךָ שֶׁמֶן זַיִת זָךְ כָּתִית לַמָּאוֹר לְהַעֲלֹת נֵר תָּמִיד: (ויקרא כד:ב)

וַיֹּאמֶר ה' אֶל מֹשֶׁה אֱמֹר אֶל בְּנֵי יִשְׂרָאֵל אַתֶּם עַם קְשֵׁה עֹרֶף רֶגַע אֶחָד אֶעֱלֶה בְקִרְבְּךָ וְכִלִּיתִיךָ וְעַתָּה הוֹרֵד עֶדְיְךָ מֵעָלֶיךָ וְאֵדְעָה מָה אֶעֱשֶׂה לָּךְ: (שמות לג: ה)

כִּי כַּאֲשֶׁר יִדְבַּק הָאֵזוֹר אֶל מָתְנֵי אִישׁ כֵּן הִדְבַּקְתִּי אֵלַי אֶת כָּל בֵּית יִשְׂרָאֵל וְאֶת כָּל בֵּית יְהוּדָה נְאֻם ה' לִהְיוֹת לִי לְעָם וּלְשֵׁם וְלִתְהִלָּה וּלְתִפְאָרֶת וְלֹא שָׁמֵעוּ: (ירמיה יג: יא)

ה' יִמְלֹךְ לְעֹלָם וָעֶד: (שמות טו: יח)

וַיָּבֹא מֹשֶׁה וַיְסַפֵּר לָעָם אֵת כָּל דִּבְרֵי ה' וְאֵת כָּל הַמִּשְׁפָּטִים וַיַּעַן כָּל הָעָם קוֹל אֶחָד וַיֹּאמְרוּ כָּל הַדְּבָרִים אֲשֶׁר דִּבֶּר ה' נַעֲשֶׂה: (שמות כד:ג)

וָאֶתְּנָה אֶת הַלְוִיִּם נְתֻנִים לְאַהֲרֹן וּלְבָנָיו מִתּוֹךְ בְּנֵי יִשְׂרָאֵל לַעֲבֹד אֶת עֲבֹדַת בְּנֵי יִשְׂרָאֵל בְּאֹהֶל מוֹעֵד וּלְכַפֵּר עַל בְּנֵי יִשְׂרָאֵל וְלֹא יִהְיֶה בִּבְנֵי יִשְׂרָאֵל נֶגֶף בְּגֶשֶׁת בְּנֵי יִשְׂרָאֵל אֶל הַקֹּדֶשׁ: (במדבר ח:יט)

ענף יוסף

[ד] משל למלך שהיה לו פרקסין כו' פורפרין כו' שהיה לו מעפורת. השלמים האלו באו לצייר לנו מעלת ישראל, במה

ידי משה

די דיבורי שנתתי בו. פירוש די לו זה הברכה שדברתי בו שיהיה ראש ישיבה נקראים על שמו. ומלת מדי דרש שהוא לשון די:

שינוי נוסחאות

(ד) **"אמר אל בני ישראל".** פסוק זה (בשמות לג, ה) מדבר בענין פורענות ואם כן אינו מתאים לכאן, ובכמה כי"י איתא "אמר לבני ישראל", והוא בשמות ו, ו. ומקרא זה יותר מתאים, אבל לא נמצא כתוב כן בשום ספר מודפס: "אמר אל בני ישראל" (פעם שניה). ע' לעיל שכתבנו שפסוק זה אינו מתאים לכאן, וכאן ברוב כי"י ליתא לפסוק זה כלל:

INSIGHTS

a rational being, man must overcome his nature in order to observe commandments that he does not understand. Thus it states regarding the first two categories, *I have sworn, and I will fulfill, to keep Your righteous ordinances* [מִשְׁפְּטֵי צִדְקֶךָ] (*Psalms* 119:106). And, *I have taken Your testimonies* [עֵדְוֹתֶיךָ] *as my eternal heritage, for they are the joy of my heart* (ibid., v. 111). That is, he readily accepts them, observing them joyously. But regarding the last category, it states, *I have inclined my heart to perform Your statutes* [חֻקֶּיךָ], *forever, to the utmost* (ibid., v. 112). That is, he must incline his heart — he must subdue his natural inclination to resist such commands (see also *Malbim* to *Psalms* ad loc.).

All the previous commandments given to the Jewish nation were in the "logical" category of laws — even the commandments pertaining to the Tabernacle, whose purpose was to allow the Divine Presence to rest in their midst. Hence, the Jews surely accepted them all without reservation. But when it came to the laws of *Leviticus*, which deal mostly with commandments not readily accessible to man's logic, Moses might have thought that the Jews would resist accepting them. Therefore God indicated to Moses that the nation would happily accept even these commandments. As He told Moses, in the words of our Midrash: They said, *Everything that HASHEM has said, we will do and we will hear!* Everything that God has said! All of it we accept to do even before we have heard what it entails! Our acceptance of God's commandments is not dependent on whether or not we understand.

We are His servants and He is our Master. And we happily accept all that He decrees upon us. That is the special quality of the Jewish nation. That is why from among all the mighty and dominant nations of the world, God has spoken His will specifically to us. For it is we who will do His will precisely because it is His will. That is the essence of *all* the mitzvos — both those that do not appeal to logic, and those that do.

(שם) "כִּי מִדֵּי דַבְּרִי בּוֹ", אָמַר רַבִּי יוּדָן בְּשֵׁם רַבִּי אַבָּא בַּר כָּהֲנָא: דֵּי דִיבּוּרִי שֶׁנָּתַתִּי בּוֹ, אָמַר רַבִּי יְהוּדָה בְּרַבִּי סִימוֹן: אֲפִילוּ בְּשָׁעָה שֶׁאֲנִי מְדַבֵּר עִמּוֹ אֵינִי יָכוֹל לִסְבּוֹל בּוֹ. "כִּי מִדֵּי דַבְּרִי בּוֹ", כִּי בְּוַדַּאי דִּיבּוּרִי בּוֹ:

ד [א, ב] "דַּבֵּר אֶל בְּנֵי יִשְׂרָאֵל", רַבִּי יוּדָן בְּשֵׁם רַבִּי יִשְׁמָעֵאל בַּר נַחְמָן: מָשָׁל לְמֶלֶךְ שֶׁהָיוּ לוֹ פְּרַקְסִין וְהָיָה מְצַוֶּה אֶת עַבְדּוֹ וְאָמַר לוֹ: קַפְּלוֹ וְנַעֲרוֹ וְתֵן דַּעְתְּךָ עָלָיו, אָמַר לוֹ עַבְדּוֹ: אֲדוֹנִי הַמֶּלֶךְ, מִכָּל פְּרַקְסִין שֶׁיֵּשׁ לְךָ אִי אַתָּה מְצַוֶּה אוֹתִי אֶלָּא עַל זֶה, אָמַר לוֹ: שֶׁאֲנִי מַדְבִּיקוֹ לְגוּפִי, כָּךְ אָמַר מֹשֶׁה לִפְנֵי הַקָּדוֹשׁ בָּרוּךְ הוּא, רִבּוֹנוֹ שֶׁל עוֹלָם, מִשִּׁבְעִים אוּמּוֹת אַוְתִּינְטִיאוֹת שֶׁיֵּשׁ לְךָ בְּעוֹלָמְךָ אִי אַתָּה מְצַוֶּה אוֹתִי אֶלָּא (לקמן כד, ב; במדבר ה,ב; ועוד) "צַו אֶת בְּנֵי יִשְׂרָאֵל", "דַּבֵּר אֶל בְּנֵי יִשְׂרָאֵל", (שמות לג, ה) °"אֱמֹר אֶל בְּנֵי יִשְׂרָאֵל", אָמַר לוֹ: שֶׁהֵן דְּבוּקִין לִי, הָדָא הוּא דִכְתִיב (ירמיה יג, יא) "כִּי כַּאֲשֶׁר יִדְבַּק הָאֵזוֹר אֶל מָתְנֵי אִישׁ", אָמַר רַבִּי אָבִין: מָשָׁל לְמֶלֶךְ שֶׁהָיָה לוֹ פּוֹרְפִירוֹן, וְהָיָה מְצַוֶּה אֶת עַבְדּוֹ וְאוֹמֵר לוֹ: תֵּן דַּעְתְּךָ עָלָיו וְקַפְּלוֹ וְנַעֲרוֹ, אָמַר לוֹ: אֲדוֹנִי הַמֶּלֶךְ, מִכָּל פּוֹרְפִירִין שֶׁיֵּשׁ לְךָ אִי אַתָּה מְצַוֵּנִי אֶלָּא עַל זֶה, אָמַר לוֹ: שֶׁאוֹתוֹ לָבַשְׁתִּי בְּיוֹם מַלְכוּתִי, כָּךְ אָמַר מֹשֶׁה לִפְנֵי הַקָּדוֹשׁ בָּרוּךְ הוּא: רִבּוֹנוֹ שֶׁל עוֹלָם, מִשִּׁבְעִים אוּמּוֹת אַוְתִּינְטִיאוֹת שֶׁיֵּשׁ לְךָ בְּעוֹלָמְךָ אִי אַתָּה מְצַוֶּה אוֹתִי אֶלָּא עַל יִשְׂרָאֵל, "צַו אֶת בְּנֵי יִשְׂרָאֵל", "אֱמֹר אֶל בְּנֵי יִשְׂרָאֵל", ° אָמַר לוֹ: הֵן שֶׁהִמְלִיכוּנִי תְּחִלָּה עַל הַיָּם וְאָמְרוּ לִי (שמות טו, יח) "ה' יִמְלֹךְ לְעֹלָם וָעֶד", אָמַר רַבִּי בֶּרֶכְיָה: מָשָׁל לְזָקֵן שֶׁהָיְתָה לוֹ מַעֲפוֹרֶת, וְהָיָה מְצַוֶּה אֶת תַּלְמִידוֹ וְאוֹמֵר לוֹ: קַפְּלָהּ וְנַעֲרָהּ, אָמַר לוֹ: אֲדוֹנִי הַמֶּלֶךְ, מִכָּל מַעֲפְרָאוֹת שֶׁיֵּשׁ לְךָ אִי אַתָּה מְצַוֶּה אוֹתִי אֶלָּא עַל זוֹ, אָמַר לוֹ: מִפְּנֵי שֶׁאוֹתָהּ לָבַשְׁתִּי כְּשֶׁנִּתְמַנֵּיתִי זָקֵן, כָּךְ אָמַר מֹשֶׁה לִפְנֵי הַקָּדוֹשׁ בָּרוּךְ הוּא: רִבּוֹנוֹ שֶׁל עוֹלָם, מִשִּׁבְעִים אוּמּוֹת אַוְתִּינְטִיאוֹת שֶׁבָּרָאתָ בְּעוֹלָמְךָ אִי אַתָּה מְצַוֶּה אוֹתִי אֶלָּא עַל יִשְׂרָאֵל, אָמַר לוֹ: שֶׁקִּבְּלוּ עֲלֵיהֶם מַלְכוּתִי בְּסִינַי, וְאָמְרוּ (שם כד, ז) "כֹּל אֲשֶׁר דִּבֶּר ה' נַעֲשֶׂה וְנִשְׁמָע". אָמַר רַבִּי יוּדָן: בֹּא וּרְאֵה כַּמָּה חִיבֵּב הַקָּדוֹשׁ בָּרוּךְ הוּא אֶת יִשְׂרָאֵל, שֶׁמַּזְכִּירָן חֲמִשָּׁה פְּעָמִים בְּפָסוּק אֶחָד, שֶׁנֶּאֱמַר (במדבר ח, יט) "וָאֶתְּנָה אֶת הַלְוִיִּם נְתֻנִים וְגוֹ'":

עץ יוסף

די דבורי שנתתי בו. היינו התורה, והכי קאמר מפני שדבורי דהיינו מתן תורה היה בו, מפני זכות זה אזכרנו עוד: **אפילו בשעה שאני כו'.** בא לדבר עמו קשות, איני יכול להתאפק ולהראות אהבתו הקדומה, וזכור אזכרנו עוד זכיותיו הקדומים, ועל כן המו מעי לו: **כי בודאי דבורי בו.** זה פירוש אחר בכתוב, והכי קאמר קרא משום כי מדי דברי דברי, איני אלא בו ולא לאחר, שכל המלות שלוה למשה לא היו אלא לישראל, שאום אומה לא רצה לקבל דברי, לכן זכור אזכרנו עוד זאת לו, אפילו בעת שיחטא וכדאיתא בריש רות רבה: **(ד) פרקסין.** לבוש התחתון שעל הבשר: **אוותנטיאות.** מלכות ושררה, כענין אוותינטין של נהרות דבראשית רבה (טז, ה): **פירפורין.** יש מפרשים בגד חשוב, וכן נראה מכמה דוכתי שהוזכר בלשון חכמינו ז"ל (עיין בראשית רבה עד, טו). אך על פי דבבראשית רבה (עה, ד. שמות רבה ל, יד) משמע אדרת [וכן פירש הערוך (ערך פרפורא). ובמוסף פירש בלשון יוני ורומי בגד תכלת]: **לזקן.** תלמיד חכם ראש ישיבה נקרא זקן: **מעפורת.** פירש הערוך (ערך מעפרת) בגד נאה שמתעטפים בו בארץ פלשתים. ויש אומרים סודר שמעטף ראשו וכשמגלה מניחו על ברכיו שיפול שם שערו. ובעלי מקרא מפרשין אותו אחד ממיני מסוות, והוא מה שמכסים הראש עם הפנים והכל מכוסה זולת העינים לבדן (מתנות כהונה): **חמשה פעמים.** והיה מספיק בפעם הראשון ואחר כך בכנוי, דהוי מצי למימר לעבוד עבודתם ולכפר עליהם ולא יהיה בהם נגף בגשתם, אלא שמחיבתם מעלה שמם על פיו כל זמני:

פירוש מהרז"ו

(ג) **אפילו בשעה שאני מדבר עמו.** כי מדרך העולם מי שיש לו בן שעשועים, כשאינו רואה אותו לבו הומה לראותו ולדבר עמו, אך בשעה שמדבר עמו הוא שקט, אך הקב"ה כביכול גם בעת שמדבר עמהם, אינו יכול לסבול כביכול המית לבו, וזהו כי מדי דברי בו זכור אזכרנו עוד על כן המו מעי לו, לתאר ולדבר, כמו שכתוב כאן דבר אל בני ישראל ואמרת אליהם: עטרה זו נתעטר. ככלל בכלל מה שאמר יעקב (בראשית מח, יט) ואולם אחיו הקטן יגדל ממנו, היינו דבר של גדולה: (ד) **משל למלך.** הנה משל של רבי יודן מפרקסין, בגד פשוט שדבוק לגוף, והנמשל על שהדביק לו את ישראל במצרים, ומשל של רבי אבין על פורפירון, שהוא בגד מלוכה, זה היה בים, שאמרו [ה'] ימלוך לעולם ועד, ומשל רבי אבין ממעופרת, סודר של זקן יושב בישיבה, כמו שאמרו במכילתא יתרו פסוק אנכי, שבסיני נראה כזקן וכו' ובפסיקתא (פרשה כא סימן ו):

חידושי הרד"ל

די דיבורי שנתתי בו. דיבור לשון קשה שהוכחתיו, די לו לעונשו, ואינני יכול לעונשו בפועל, כי המו מעי לו. ועל זה מוסיף רבי יהודה ברבי סימון, שאפילו בשעת הדיבור של תוכחה איני יכול לסבול: [ד] **אמר ר' אבין משל למלך כו'.** פסיקתא דפרשת שקלים ותנחומא כי תשא (סימן ח): **שאותה לבשתי ביום מלכות.** נמצא כבודה תלוי בכבוד מלכותו, ולמאן דאמר ביום שנתמניתי זקן, נמצא כבוד גלוי חכמתו בעולמו, תלוי בכבודה.

חידושי הרש"ש

[ג] **אפילו בשעה שאני מדבר עמו אינו יכול בו'.** עיין מתנות כהונה פירש כי דבור הוא קשה, וצריך לומר איני בו"ד.

באור מהרי"פ

דבורי שנתתי בו. פירוש ולא לאחר, כמאמר חז"ל (ולהלן סימן ד) דבר אל בני ישראל כל הדבורים וכו' אינם אלא לישראל: [ד] **אוותנטיא אוותנטיאות.** זה לשון ר' בנימין מוספיה [בערוך] ערך אוותנטי, אמר בנימין, פירוש בלשון יוני אוותנטיא מלכות ומשרה, ופירוש אוותנטין מלך ומנהיג עד כאן: **משל לזקן וכו' אמר ליה אדוני המלך וכו' כשנתמניתי זקן.** נראה דמלת המלך טעות סופר וצריך לומר אדוני הזקן: **שנאמר ואתנה את הלוים.** (במדבר ח, יט) ואתנה את הלוים נתונים לאהרן ולבניו מתוך בני ישראל לעבוד את עבודת בני ישראל באהל מועד ולכפר על בני ישראל ולא יהיה בבני ישראל נגף בגשת בני ישראל אל הקודש.

אמרי יושר

[ג] **די דיבורי בו.** ואני לוקחו לטעם גדול: [ד] **מכל האומות אי אתה מצויני אלא לישראל.** תימה אמאי דרשו זה פה, והלא כמה פעמים נאמר לעיל דבר אל בני ישראל, ויש לומר דכמו שאמרנו במקום אחר, והלא הקרבנות יותר ראויים לאומות העולם שהם חוטאים יותר, ולמה אומר לבני ישראל: [משל] **למלך.** תחלה אמר בערוך שמשפיע להם בלי אמצעי, כאשר ידבק האזור.

מסורת המדרש

ז. תנחומא תשא:

אם למקרא

צו את בני ישראל ויקחו אליך שמן זית זך כתית למאור להעלת נר תמיד: (ויקרא כד:ב)

ויאמר ה' אל משה אמר אל בני ישראל אתם עם קשה ערף רגע אחד אעלה בקרבך וכליתיך ועתה הורד עדיך מעליך ואדעה מה אעשה לך: (שמות לג:ה)

כי כאשר ידבק האזור אל מתני איש כן הדבקתי אלי את כל בית ישראל ואת כל בית יהודה נאם ה' להיות לי לעם ולשם ולתהלה ולתפארת ולא שמעו: (ירמיה יג:יא)

ה' ימלך לעלם ועד: (שמות טו:יח)

ויבא משה ויספר לעם את כל דברי ה' ואת כל המשפטים ויען כל העם קול אחד ויאמרו כל הדברים אשר דבר ה' נעשה: (שמות כד:ג)

ואתנה את הלוים נתנים לאהרן ולבניו מתוך בני ישראל לעבד את עבדת בני ישראל באהל מועד ולכפר על בני ישראל ולא יהיה בבני ישראל נגף בגשת בני ישראל אל הקדש: (במדבר ח:יט)

ענף יוסף

[ד] **משל למלך שהיה לו פרקסין כו' פורפירין כו' שהיה לו מעפורת.** השלמים האלו באו לצייר לנו מעלת ישראל, כמה

ידי משה

די דיבורי שנתתי בו. פירוש די לו זה הברכה שדברתי בו שיהיה ראש ישיבה נקראים על שמו. ומלת מדי דרך שהוא לשון די:

שינוי נוסחאות

(ד) "אמר אל בני ישראל". פסוק זה (בשמות לג, ה) מדבר בענין פורענות ואם כן אינו מתאים לכאן, ובכמה כי"י איתא "אמר לבני ישראל", והוא בשמות ו, ו. ומקרא זה יותר מתאים, אבל לא נמצא כתוב כן בשום ספר מודפס. "אמר אל בני ישראל" (פעם שניה). ע' לעיל שכתבנו שפסוק זה אינו מתאים לכאן, וכאן ברוב כי"י ליתא לפסוק זה כלל:

מתנות כהונה

הכי גרסינן **די דבורי שנתתי בו.** והכי גרס בפרש"י בספר ירמיה (לא, יט), ופירוש רש"י, **דבורי שנתתי בו** שלמדתיו תורתי הוא כדי שאחוס עליו: הכי גרסינן **אפילו בשעה שאני בא לדבר עמו.** וכן גירסת הילקוט. ופירושו אפילו בשעה שאני בא לדבר עמו קשות איני יכול להתאפק מלהראות אהבתי הקדומה. וסיפיה דקרא קדייק דכתיב זכור אזכרנו וכן מוכח פירוש הרד"ק: **כי בוודאי דיבורי בו.** ולא עם אחר, וכדמפרש ואזיל: [ד] **פרקסין.** בערוך גרס פקרסין, ופירש בו מלבוש שלובשין על הבשר: **אוותינטיאות.** פירוש ממשלות: **פורפריא.** לבוש מלכות: **משל לזקן.** תלמיד חכם. ראש ישיבה נקרא זקן, כדאיתא בפרק קמא דקדושין (לב, ב), ורבים הם בירושלמי: **מעפורת.** פירוש בערוך סודר מכסה לראש, או בגד נאה שמתעטפים בו בארץ פלשתים, או מכסה להראש עם הפנים כולו זולת העינים:

אשד הנחלים

די דבורי. מלת מדי לפי דעתם, המ' אינו מהשורש, ושרשו די, וכאומר בלשון בתמיה הבן יקיר לי, אם הוא יקר בעיני, ולא די דבורי שדברתי בו אז, אלא זכור אזכרנו עוד להטיב לו ולחמול עליו. ורש"י פירש להיפך עיין במתנות כהונה ובידי משה: **איני יכול לסבול.** ופירושו אפילו שעה שאני מדבר עליו רעה, תיכף איני יכול לסבול ונהפכו רחמי עליו, כי זכור אזכרנו עוד להטיבו. ודרש עוד מלת בו, שהוא כנותן טעם, מפני שמדי דברי בו, דברי בו פועלים להפכו לטוב, כי אלולי זאת לא יתכן שיהיה הקב"ה וותרן על חנם: [ד] **פרקסין. פקרסין.** כן צריך לומר (ערוך). והוא בגד חשוב: **מדביק לגופי.** הענין בקצרה. הבריאה כולה נקראת לבושו של הקב"ה כמו שנאמר (תהלים צג, א) ה' מלך גאות לבש, ונאמר (תהלים קד, א) הוד והדר לבשת, כי על ידי הלבוש ניכר כבוד המלך ויקרתו, והמאמינים, במעשיהם הם המלבישים את המלך, כי על ידיהם ניכר כבוד ה', ולכן צוה ה' למשה שישמור תמיד לישראל בצוואתו אליהם איך יעשו: **משל כו' לבשתי ביום מלכותי כו' כשנתמניתי זקן כו'.** צריך להבין עקרי השלשה משלים על מה זה ירמזון, מהו ההבדל בין פרקסין לפורפירין, ומהו ההבדל שבין מלך לזקן, וגם איפה מצאנו רמז בתורה שאמר לו משה כך. ואשר הנראה לי בזה שבאו לצייר לנו ממעלת המאמינים במה שהיו נבדלים

§5 The Midrash expands on the previous reason given for why God addresses commandments to the Jewish people and not to the other nations:[71]

אָמַר רַבִּי שִׁמְעוֹן בֶּן יוֹחָאי: מָשָׁל לְמֶלֶךְ שֶׁהָיָה לוֹ בֵּן יְחִידִי — **R' Shimon ben Yochai said: This is comparable to a king who had an only son.** בְּכָל יוֹם וָיוֹם הָיָה מְצַוֶּה אֶת בֶּן בֵּיתוֹ: אָכַל בְּנִי אוֹ שָׁתָה בְּנִי אָזַל לְבֵית הַסֵּפֶר אָתָא מִבֵּית הַסֵּפֶר — **Every day [the king] would command a member of his household** and ask him, **"Did my son eat?"** or, **"Did my son drink?"** or, **"Did [my son] go to school?"** or, **"Did [my son] come from school?"**[72] כָּךְ בְּכָל יוֹם וָיוֹם הָיָה הַקָּדוֹשׁ בָּרוּךְ הוּא מְצַוֶּה אֶת מֹשֶׁה וְאוֹמֵר לוֹ: "אֱמֹר אֶל בְּנֵי יִשְׂרָאֵל", "צַו אֶת בְּנֵי יִשְׂרָאֵל" — **So too, every day the Holy One, blessed is He, would command Moses and say to him,** ***Say to the Children of Israel, command the Children of Israel,*** *etc.*

The Midrash above understood the phrase וְאָמַרְתָּ אֲלֵהֶם to mean: *You should distinguish them*, i.e., speak of their fine qualities.[73] The Midrash continues on this theme:[74]

אָמַר רַבִּי יְהוּדָה בַּר סִימוֹן: מָשָׁל לְאֶחָד שֶׁהָיָה יוֹשֵׁב וְעוֹשֶׂה עֲטָרָה לַמֶּלֶךְ — **R' Yehudah bar Simone said: This is comparable to one who was sitting and making a crown for the king.** וְעָבַר אֶחָד עָלָיו, אָמַר לוֹ: מָה אַתָּה עוֹשֶׂה — **Someone passed by and said to him, "What are you doing?"** אָמַר לוֹ: אֲנִי עוֹשֶׂה עֲטָרָה לַמֶּלֶךְ — **[The craftsman] said to him, "I am making a crown for the king."** אָמַר לוֹ: כָּל שֶׁאַתָּה יָכוֹל לִקְבּוֹעַ בָּהּ אֲבָנִים טוֹבוֹת וּמַרְגָּלִיּוֹת קְבַע — **[The passerby] said to him, "All the precious stones and pearls that you can set in [the crown], set.** זְמַרַגְדִין קְבַע — All the ***zimarguds*** that you can set, **set.**[75] מַרְגָּלִיּוֹת קְבַע — All the **pearls** that you can set, **set.** לָמָּה — **Why?** שֶׁעָתִיד לִינָּתֵן בְּרֹאשׁוֹ שֶׁל מֶלֶךְ — **For it is destined to be placed on the head of the king!"** כָּךְ אָמַר לוֹ הַקָּדוֹשׁ בָּרוּךְ הוּא לְמֹשֶׁה: כָּל מַה שֶּׁאַתָּה יָכוֹל לְשַׁבֵּחַ אֶת יִשְׂרָאֵל שַׁבֵּחַ — **Similarly the Holy One, blessed is He, said to Moses, "As much as you are able to praise Israel, praise.** לְגַדְּלָן וּלְפָאֲרָן פָּאֵר — As much as you are able **to raise and glorify** Israel, **glorify.**[76] לָמָּה — **Why?** שֶׁאֲנִי עָתִיד לְהִתְפָּאֵר בָּהֶם שֶׁנֶּאֱמַר "וַיֹּאמֶר לִי עַבְדִּי אָתָּה יִשְׂרָאֵל אֲשֶׁר בְּךָ אֶתְפָּאָר" — **For I am destined to be glorified through them, as it says,** ***He said to me, 'You are My servant, Israel, in whom I take glory'*** **"** (*Isaiah* 49:3).[77]

§6 The Midrash continues with another example of the honor accorded to the Jewish people by God:[78]

רַבִּי יְהוֹשֻׁעַ דְּסִכְנִין בְּשֵׁם רַבִּי לֵוִי אָמַר: אַף הַכְּתוּבִים חָלְקוּ כָּבוֹד לְיִשְׂרָאֵל — **R' Yehoshua of Sichnin said in the name of R' Levi:** Even the wording of **Scripture shows deference to Israel,**[79]

NOTES

71. *Yefeh To'ar, Eitz Yosef.* See preceding note.

72. The questions asked by the king in the parable correspond to the laws of the Torah regarding what the Jewish people can or cannot eat or drink, and the commandment to study the Torah (*Maharzu*).

73. See note 68.

74. See *Yefeh To'ar*; see note 76.

75. *Targum Onkelos* to *Exodus* 28:18 and 39:11 translates נֹפֶךְ, a gem set in the Kohen Gadol's breastplate, as אִזְמַרַגְדִּין. [See, however, *Targum Yerushalmi* to *Exodus* 28:19, who translates אַחְלָמָה, a different gem of the breastplate, as זְמַרַגְדִּין (which would seem to be a variation of the same word).] *Eitz Yosef* cites *Mussaf HeAruch* s.v. אזמרגדין who states that זְמַרַגְדִּין is the Greek and Latin word for a green precious stone, i.e., an emerald. See also *Beur Maharif*, citing *Mussaf HeAruch* s.v. זמרגד.

76. R' Yehudah bar Simone, too, understands וְאָמַרְתָּ as related to אֶת ה' הֶאֱמַרְתָּ הַיּוֹם, *you have distinguished* HASHEM *today*. However, he does not understand it as an answer to the question of why God addresses His commandments to the Jewish people instead of the other nations; rather, he understands it as a command to Moses that he should praise the Jewish people as much as possible because God takes glory in them (*Yefeh To'ar* above, beginning of §4 [second explanation toward end of s.v. רבי יודן]; see *Bamidbar Rabbah* 1 §9).

The craftsman in the parable was making a crown for the king, of his own volition; the passerby just provided added encouragement that he make it as beautiful as possible. Moses (like the craftsman in the parable) often defended the Jewish people before God, and as part of his defense he would praise them, of his own volition. God (like the passerby in the parable) merely provided added encouragement that he praise them as much (as "beautifully") as possible (*Yefeh To'ar, Eitz Yosef*; see *Eshed HaNechalim,* who also offers an alternative explanation).

77. Although this verse is speaking of Isaiah the prophet, since the phrase *Israel, in whom I take glory* is used, we see that God takes glory in the Jewish people. In reference to Isaiah himself, what was meant was either that God takes glory in him just as He takes glory in the Jewish people, because he is equal to them all; or that God takes glory in him because he is part of the Jewish people (*Eitz Yosef*; see commentaries to *Isaiah* 49:3).

See Insight Ⓐ.

78. *Eitz Yosef*; cf. *Maharzu*; see *Eshed HaNechalim* for an alternative explanation.

79. Not only does God accord the Jewish people honor by praising them directly, but He also introduces subtle variations into the wording of Scripture in order to preserve the dignity of the Jewish people. Generally

INSIGHTS

Ⓐ **The Jewels in the Crown** The *Dubno Maggid* (*Ohel Yaakov* to *Genesis* 32:25) sees a deeper meaning in our Midrash. We are commanded to acquire a perception of God and to reflect on His might and His uniqueness, as David exhorted his son Solomon (*I Chronicles* 28:9), *Know the God of your father and serve Him.* Human intelligence, however, cannot understand God directly. We can know Him only through the study of His actions and deeds. Similarly, the descriptions of God found in Scripture describe His actions, not His essence (see *Kuzari* 2:2; *Moreh Nevuchim* 1:53). For this reason, we are commanded to emulate the ways of God, as it states (*Deuteronomy* 28:9), *And you should walk in His ways,* which the Sages interpret to mean: Just as God is merciful, so too must a Jew be merciful, and just as God is compassionate, so too must a Jew be compassionate.

It is surely beneficial to develop positive character traits for their own sake. On a deeper level, however, by emulating His deeds we gain a greater appreciation for these attributes, thereby deepening our understanding of God, Who epitomizes these traits. For only one who has internalized a particular trait can truly appreciate the greatness of others who possess it.

Moreover, by emulating the ways of God, we spread awareness of His kindness and greatness throughout the world. When the world sees the exalted character of a Godly Jew, though it be no more than a faint imitation of the One Whom he seeks to emulate, they gain a better understanding of God Himself. Through seeing the greatness and nobility of the Jew, the world can see an inkling of grandeur of the Jew's God.

Yerushalmi (*Bava Metzia* 2:5; also *Devarim Rabbah* 3 §3) tells the story of the great sage Shimon ben Shatach, who had bought a donkey from an Arab. His disciples found a precious stone hanging from the donkey's neck and told their teacher that this was surely a gift to him from God. But Shimon ben Shatach insisted that he had purchased only a donkey from the Arab and not any jewels, which he promptly returned to the Arab seller; whereupon the Arab exclaimed, "Blessed is the God of Shimon ben Shatach!" The Midrash there concludes that from the integrity of man we may learn the integrity of God. The Arab blessed *the God of* Shimon ben Shatach. He realized that Shimon ben Shatach's integrity was but an imitation of the infinite integrity of his God. And so the Arab blessed God, Whose infinite greatness he had glimpsed through the integrity manifested by Shimon ben Shatach.

This, then, is the meaning of our Midrash: the Holy One, blessed is He, encouraged Moses to praise and glorify Israel, since He is destined to be glorified through them when they emulate Him and walk in His ways. They are the jewels in the crown that will declare His majesty to the world.

חידושי הרד"ל

[ה] אמר ר' יהודה בר סימון משל לאחד כו'. מדרש שמואל פרשה ב':

חידושי הרש"ש

[ה] כל שאתה כו' אבנים טובות ומרגליות. תיבת ומרגליות מיותר: [ו] אדם מכם כי יהיה כו' אין כתיב כאן אלא אדם כי כו'. כן צריך לומר:

באור מהרי"פ

[ה] מתנות כהונה זמרגדין וכו'. זה לשון הערוך ערך זמרגד, כומז (במדבר לא, נ) תרגום ירושלמי זמרגדין, ותלי כתם (משלי כה, יב) תרגום ומני דזמרגדי עכ"ל הערוך. והוא לשון ר' בנימין מוספיא, אמר בנימין פירוש בלשון יוני ורומי, מין אבן יקרה ירוקה ככרתי, ואולי נמצאת במדינת זמרגד, עד כאן:

אמרי יושר

ר' אבין אמר בערך שהמליכוהו עליהם. ר' ברכיה אמר בערך שקבלו גזרותיו ומצותיו בלב שלם. ר' יהודה בר סימון (בסימן ה) אמר בערך שהוא תועלת להקדוש ברוך הוא גדולתם, כמו שנאמר, ישראל אשר בך אתפאר: [ה] דבר [וכו'] ואמרת עליהם כו' עבר אחד ואמר כל מה שאתה יכול לקבוע בה [וכו'] מרגלית קבע. לקחו זה הלשון באיש נכרי שעבר, לרמוז כי אין צווח הקדוש ברוך הוא זה, לפי שיצטרך להם כי אם לדקת מה תתן לו, אלא שאני עתיד להתפאר בהם, והאי ואמרת מלשון גדולה:

עץ יוסף

(ה) **משל למלך כו'.** רבי שמעון בר יוחאי בא לתת טעם לרבוי המצות לישראל שהוא לאהבתו אותם, ולזה ישגיח בכל צרכי שלמותם, כמלך המצוה על כל צרכי בנו יחידו: **משל לאחד כו'.** הכוונה שמפני שמשה היה מרבה לספר בשבח ישראל לפני הקדוש ברוך הוא להליץ בעדם, וכמו שאמרו בשמות רבה (ל, ד) שנתן נפשו על ישראל, לכן המשילו למי שהיה עושה העטרה מעצמו, אלא שה' הוסיף להזהירו לתוספת בעלמא, כעובר באקראי ומזהיר לעשות העטרה, שהוא היה עיקר מתחלה: **זמרגדין.** פירוש בלשון יוני ורומי מין אבן יקרה והיא ירוקה [ואולי נמצאת במדינת זמרגד] (מוסף הערוך ערך זמרגד א'): **ויאמר לי עבדי אתה.** אף על גב דקרא בנביא משתעי, מכל מקום מכיון דקאמר ליה ישראל אשר בך אתפאר, משמע שמתפאר בישראל, וקאמר ליה לנביא שיתפאר בו כבכל המון ישראל שהוא שקול ככולם. או ששבחו להיותו מזרע ישראל: (ו) [ה] **אף הכתובים חלקו כו'.** קשה דמשמע דאיכא רבותא בכתובים מהקדוש ברוך הוא גופיה, והא מכיון דהקדוש ברוך הוא בעצמו חולק להם כבוד כדלעיל, לא יהא כח הכתובים יפה מכח ה' שלא יחלק להם כבוד, ועוד דלעיל נמי כתובים היו כי מה שנזכרו חמשה פעמים בפרשה אחד המה בכתובים. ויש לומר שהחידוש דאין צריך לומר מה שיחלוק הקדוש ברוך הוא כבוד במאמרו לשבחם, אלא אפילו מתוך שינוי הכתובים נראה כבודם, דאית הכא רבותא משני פנים, הא', שיהיו הכתובים בלתי מדויקים בלשונם, שהראוי להשוות מדת הלשון בכולם כאחד, ועם כל זה מפני כבודם אינו חושש. ועוד, שבענין המצות ראוי שיכתבו הדברים כראוי למצוה, ולא בשום שינוי שיבא לטעות, ומכיון דאמרו אדם כי יהיה סתם, אפשר יובן כל אדם אפילו נכרי, והוא שקר, כי אין הדין רק בישראל, לכן הוי ליה למימר מכם, ועם כל זה משום כבוד ישראל לא קאמר הכי (יפה תואר): **תרתין שטין.** פירוש שיטות, כלומר שמועות מזה הענין: **אלה יעמדו על הקללה.** רצה לומר שרבי ברכיה הוסיף לומר דאף מקרא דקללה ילפינן דחלק להם כבוד, דנהי דלא מצי למימר לקלל את העם, מיהו הוי מצי למימר אלה יעמדו לקלל סתמא, אלא דאתא למימר דלדיקים

פירוש מהרז"ו

(ה) **אבל בני (משה) [שתה] בני.** זה נמשל על שמצוה למשה על אכילת ושתיית ישראל, האסורים והמותרים הטמאים והטהורים. וההליכה לבית הספר על מה שמצוה על לימוד התורה: **משל לאחד וכו' ועושה עטרה.** עיין מדרש שמואל (פרשה ב) פסוק ונתתיו לה': **אשר בך אתפאר.** אתעטר ואעשה ממך כתר לראשי, מלשון הפארים בישעיה ג' (פסוק כ), שתרגם יונתן כליליא, וכמו שאמרו שמות רבה (כא, ג) וכן הוא אומר ישראל אשר בך אתפאר, שהקב"ה מתעטר בתפלתן, שנאמר (יחזקאל טז, יב) ועטרת תפארת בראשך: (ו) **אף הכתובים.** מדרש תדשא (פרשה טז). לא די שמדבר תמיד בצרכם וטובתם כנ"ל, אלא שגם לשון הדיבור הוא בכבוד, ועניין טובה לברכה, שדבר טוב אומר להם עצמם ותולה בהם בפירוש, אך בדבר רע אומר אדם סתם, ולא מכם: **תרתין שטין.** פירוש משני פסוקים, שבדבר טוב אומר להם בפירוש כי לא יהיה בך אביון:

ה אָמַר רַבִּי שִׁמְעוֹן בֶּן יוֹחָאי: מָשָׁל לְמֶלֶךְ שֶׁהָיָה לוֹ בֵּן יְחִידִי, בְּכָל יוֹם וָיוֹם הָיָה מְצַוֶּה אֶת בֶּן בֵּיתוֹ: אֲבָל בְּנִי אוֹ שָׁתָה בְּנִי אָזַל לְבֵית הַסֵּפֶר אָתָא מִבֵּית הַסֵּפֶר, כָּךְ בְּכָל יוֹם וָיוֹם הָיָה הַקָּדוֹשׁ בָּרוּךְ הוּא מְצַוֶּה אֶת מֹשֶׁה וְאוֹמֵר לוֹ: "אֱמֹר אֶל בְּנֵי יִשְׂרָאֵל", "צַו אֶת בְּנֵי יִשְׂרָאֵל", אָמַר רַבִּי יְהוּדָה בַּר סִימוֹן: מָשָׁל לְאֶחָד שֶׁהָיָה יוֹשֵׁב וְעוֹשֶׂה עֲטָרָה לַמֶּלֶךְ, וְעָבַר אֶחָד עָלָיו, אָמַר לוֹ: מָה אַתָּה עוֹשֶׂה, אָמַר לוֹ: אֲנִי עוֹשֶׂה עֲטָרָה לַמֶּלֶךְ, אָמַר לוֹ: כָּל שֶׁאַתָּה יָכוֹל לִקְבּוֹעַ בָּהּ אֲבָנִים טוֹבוֹת וּמַרְגָּלִיּוֹת קְבַע, זְמַרַגְדִּין קְבַע, מַרְגָּלִיּוֹת קְבַע, לָמָּה, שֶׁעָתִיד לִינָּתֵן בְּרֹאשׁוֹ שֶׁל מֶלֶךְ, כָּךְ אָמַר לוֹ הַקָּדוֹשׁ בָּרוּךְ הוּא לְמֹשֶׁה: כָּל מַה שֶּׁאַתָּה יָכוֹל לְשַׁבֵּחַ אֶת יִשְׂרָאֵל שַׁבֵּחַ, לְגַדְּלָן וּלְפָאֲרָן פָּאֵר, לָמָּה, שֶׁאֲנִי עָתִיד לְהִתְפָּאֵר בָּהֶם שֶׁנֶּאֱמַר (ישעיה מט, ג) "וַיֹּאמֶר לִי עַבְדִּי אָתָּה יִשְׂרָאֵל אֲשֶׁר בְּךָ אֶתְפָּאָר":

ו רַבִּי יְהוֹשֻׁעַ דְּסִכְנִין בְּשֵׁם רַבִּי לֵוִי אָמַר: אַף הַכְּתוּבִים חָלְקוּ כָּבוֹד לְיִשְׂרָאֵל, כְּמָה דְּתֵימָא [א, ב] "אָדָם כִּי יַקְרִיב מִכֶּם", אֲבָל כְּשֶׁהוּא בָּא לְדַבֵּר בְּדָבָר שֶׁל גְּנַאי רְאֵה מַה כָּתוּב, "אָדָם מִכֶּם כִּי יִהְיֶה בְעוֹר בְּשָׂרוֹ" אֵין כְּתִיב כָּאן, אֶלָּא (שם יג, ב) °"כִּי יִהְיֶה בְעוֹר בְּשָׂרוֹ". רַבִּי שְׁמוּאֵל בַּר נַחְמָן אָמַר תַּרְתֵּין שִׁיטִין: (דברים טו, ד) "אֶפֶס כִּי לֹא יִהְיֶה בְּךָ אֶבְיוֹן" כְּשֶׁהוּא בָּא לְדַבֵּר בְּדָבָר שֶׁל גְּנַאי "כִּי לֹא יֶחְדַּל אֶבְיוֹן מִקִּרְבְּכֶם" אֵין כְּתִיב כָּאן אֶלָּא (שם שם יא) "מִקֶּרֶב הָאָרֶץ", רַבִּי שְׁמוּאֵל בַּר נַחְמָן אָמַר שִׁיטָה אַחֶרֶת: "וְאֵלֶּה יַעַמְדוּ לְקַלֵּל אֶת הָעָם" אֵין כְּתִיב כָּאן, אֶלָּא (שם כז, יג) "וְאֵלֶּה יַעַמְדוּ עַל הַקְּלָלָה", אֲבָל בִּבְרָכָה כָּתוּב (שם שם יב) "אֵלֶּה יַעַמְדוּ לְבָרֵךְ אֶת הָעָם", רַבִּי בֶּרֶכְיָה וְרַבִּי חֶלְבּוֹ וְרַבִּי אַמִּי בְּשֵׁם רַבִּי אִלְעַאי אָמְרוּ: וְלֹא עוֹד אֶלָּא שֶׁכְּשֶׁהַפּוּרְעָנוּת בָּאָה לָעוֹלָם צַדִּיקִים כּוֹבְשִׁין אוֹתָהּ, שֶׁנֶּאֱמַר "וְאֵלֶּה יַעַמְדוּ עַל הַקְּלָלָה":

אם למקרא

וַיֹּאמֶר לִי עַבְדִּי אָתָּה יִשְׂרָאֵל אֲשֶׁר בְּךָ אֶתְפָּאָר: (ישעיה מט:ג)

אָדָם כִּי יִהְיֶה בְעוֹר בְּשָׂרוֹ שְׂאֵת אוֹ סַפַּחַת אוֹ בַהֶרֶת וְהָיָה בְעוֹר בְּשָׂרוֹ לְנֶגַע צָרָעַת וְהוּבָא אֶל אַהֲרֹן הַכֹּהֵן אוֹ אֶל אַחַד מִבָּנָיו הַכֹּהֲנִים: (ויקרא יג:ב)

אֶפֶס כִּי לֹא יִהְיֶה בְּךָ אֶבְיוֹן כִּי בָרֵךְ יְבָרֶכְךָ ה' בָּאָרֶץ אֲשֶׁר ה' אֱלֹהֶיךָ נֹתֵן לְךָ נַחֲלָה לְרִשְׁתָּהּ: (דברים טו:ד)

כִּי לֹא יֶחְדַּל אֶבְיוֹן מִקֶּרֶב הָאָרֶץ עַל כֵּן אָנֹכִי מְצַוְּךָ לֵאמֹר פָּתֹחַ תִּפְתַּח אֶת יָדְךָ לְאָחִיךָ לַעֲנִיֶּךָ וּלְאֶבְיֹנְךָ בְּאַרְצֶךָ: (שם שם יא)

אֵלֶּה יַעַמְדוּ לְבָרֵךְ אֶת הָעָם עַל הַר גְּרִזִּים בְּעָבְרְכֶם אֶת הַיַּרְדֵּן שִׁמְעוֹן וְלֵוִי וִיהוּדָה וְיִשָּׂשכָר וְיוֹסֵף וּבִנְיָמִן: וְאֵלֶּה יַעַמְדוּ עַל הַקְּלָלָה בְּהַר עֵיבָל רְאוּבֵן גָּד וְאָשֵׁר וּזְבוּלֻן דָּן וְנַפְתָּלִי: (שם כז:יב-יג)

ענף יוסף

שהם נבדלים מהאומות, והוא בשלשה מעלות מיוחדות, אחד שהם דבוקים בו יתברך בלי שום אמצעי, וזהו המשל הראשון מהפרקסין, שהוא כסות הראשון הדבוק בבשר, והשנית מצד שהם חפצים ומשתוקקים שיגלה כבוד המלך עליהם, וזה המשל השנית מהפורפרין שהוא לבוש מלכות, השלישית במה שהם משתוקקים לדעת חכמתו יתברך ותורתו ומצותיו, וזהו המשל השלישי מהזקן היושב בישיבה, והנה שלשה השלמים האלו דברו כל אחד מזמן מיוחד, הראשון מדבר על זמן קודם יציאתם ממצרים, דכתיב (שמות ד, לא) ויאמן העם וישמעו כי פקד ה' את בני ישראל, ונעשו תיכף דבוקים בו יתברך, והשני מדבר מקריעת ים סוף, שאז נראה אליהם כמלך גבור המנצח במלחמה, וכדכתיב שם (שם טו, ג) ה' איש מלחמה, והשלישי מדבר מעת מתן תורה שנראה אליהם כזקן המלמד תורה:

מתנות כהונה

[ה] **זמרגדין.** תרגום של נפך זמרגדין: [ו] **תרתי שיטין.** פירוש שיטות, כלומר שמועות מזה הענין:

אשד הנחלים

מעובדי כוכבים, והוא בשלשה מעלות מיוחדות, אחד שהם דבוקים בו יתברך בלי שום אמצעי, וזהו המשל הראשון מהפרקסין שהוא כסות הראשון הדבוק לבשר. והשני מצד שהם חפצים ומשתוקקים שיגלה כבוד המלך עליהם, וזהו המשל השני מהפורפרין שהוא לבוש המלכות, השלשי במה שהם משתוקקים לדעת חכמתו יתברך ותורתו ומצותיו, וזהו המשל השלישי מהזקן היושב בישיבה. והנה ראינו שהכתוב כופל תמיד, ואמר, צו, דבר, אמור, רק אל בני ישראל, כאלו בא לרמוז שרק אל בני ישראל תדבר. והנה המעפורת הוא הכסות המכסה את הזקן בעת התמנותו ובעת הגדתו לרבים, וזה היה בנמשל עת מתן תורה ודי בזה: [ה] **בן יחידי כו' כך בכל יום.** נבדל זה המשל מהמשלים של מעלה, להורות שאין החשיבות מצד עצמו לבד, כי אם מצד הצירוף לאחר הגרוע ממנו, שאין לו בן כמוהו, ואלולי לא היה יחיד לאביו לא היה נחשב כל כך, כן הם אם לפעמים אינם טובים כל כך, אבל על כל פנים היו יחידים לאביהם שבשמים, כי לא היה כמוהם שיכירו כבוד ה': **משל כו' עטרה כו' לשבח את ישראל.** יש להבין איפה מרומז שמשה בעצמו עשה עטרה, והלא ה' משבחם ואומר צו את בני ישראל. והיפה תואר פירש, לפי שמשה בעצמו היה מרבה לספר בשבחן, לפיכך מדמה למשה שעשה העטרה. ויתכן דמרמז זאת על ידי עשיית המשכן שנאמר תחילה, שזהו עיקר העטרה שעשה מקום להשראת השכינה, ואחר כך תיכף ומיד צוה ה' למשה במצות הקרבנות, וכפל דבריו בשבח ישראל, להורות שהיו חביבים לפניו מאוד, וכל מה שיוכל לשבחן הוא לכבוד ולפאר ה': [ו] **אדם כי יקריב כו'.** כבר בארתי בסדר בראשית שמלת אדם הונח על מדריגה רמה, ולכן במרכבה העליונה נאמר (יחזקאל א, כו) דמות כמראה אדם מלמעלה, ואם כן שם אדם הוא על נפש המשכלת והיא אינה חוטאת בעצם, וכן כל החסרונות והנגעים, אינם באים רק מצד החומר ולא מצד הנפש, ולכן בנגעים לא כתוב אדם, וכן הדלות והמסכנות לולא חשכת הטבע הארצית, המכרחת לפעמים את קשי יום לדכאם בעניות

כְּמָה דְתֵימָא "אָדָם כִּי יַקְרִיב מִכֶּם" — **as it says,** ***When a man among you brings*** *an offering to HASHEM.* This is how the Torah phrases this idea normally. אֲבָל כְּשֶׁהוּא בָא לְדַבֵּר בְּדָבָר שֶׁל גְּנַאי רְאֵה מַה כָּתוּב — **However, when [the Torah] proceeds to speak of a disgraceful matter,** such as *tzaraas,* **see what is written!** "אָדָם מִכֶּם כִּי יִהְיֶה בְעוֹר בְּשָׂרוֹ" אֵין כְּתִיב כָּאן — **It is not written here, "If a person among you will have** [a type of *nega*] **on the skin of his flesh,"** אֶלָּא "אָדָם כִּי יִהְיֶה בְעוֹר בְּשָׂרוֹ" — **but** rather, ***If a person will have*** *[a type of nega]* ***on the skin of his flesh*** (below, 13:2), without the words *"among you."*[80]

The Midrash cites further examples of where the wording of Scripture is changed to preserve the honor of the Jewish people: רַבִּי שְׁמוּאֵל בַּר נַחְמָן אָמַר תַּרְתֵּין שִׁטִּין — **R' Shmuel bar Nachman related two teachings** along these lines.[81] The first teaching: The Torah says, when blessing the Jewish people, "אֶפֶס כִּי לֹא יִהְיֶה בְּךָ אֶבְיוֹן" — ***But among you there will be no destitute*** (*Deuteronomy* 15:4). כְּשֶׁהוּא בָא לְדַבֵּר בְּדָבָר שֶׁל גְּנַאי "כִּי לֹא יֶחְדַּל אֶבְיוֹן מִקִּרְבְּכֶם" אֵין כְּתִיב כָּאן — However, **when,** in a later verse, **[the Torah] proceeds to speak of a disgraceful matter,** i.e., something negative, **it is not written here, "For destitute people will not cease to exist** ***among you,"*** אֶלָּא "מִקֶּרֶב הָאָרֶץ" — **but** rather, *For destitute people will not cease to exist* ***within the Land*** (ibid., v. 11), without the words *"among you."*[82] רַבִּי שְׁמוּאֵל בַּר נַחְמָן אָמַר שִׁיטָה אַחֶרֶת — **R' Shmuel bar Nachman related another,** second, **teaching:** "וְאֵלֶּה יַעַמְדוּ לְקַלֵּל אֶת הָעָם" אֵין כְּתִיב כָּאן — When the Torah speaks of the six tribes who stood on Mount Ebal and who were to pronounce curses against certain wrongdoers among the Jewish people, **it is not written here, "And these shall stand to curse the people,"** אֶלָּא "וְאֵלֶּה יַעַמְדוּ עַל הַקְּלָלָה" — **but** rather, ***And these shall stand for the curse*** (ibid. 27:13). אֲבָל בִּבְרָכָה כָּתוּב "אֵלֶּה יַעַמְדוּ לְבָרֵךְ אֶת הָעָם" — **However, when** speaking of the six tribes who stood on Mount Gerizim to pronounce a **blessing, it is written,** ***These shall stand to bless the people*** (ibid., v. 12).[83]

The Midrash shows now that even the wording of *Deuteronomy* 27:13 demonstrates how God renders honor to the Jewish people:[84]

רַבִּי בֶּרֶכְיָה וְרַבִּי חֶלְבּוֹ וְרַבִּי אַמִּי בְּשֵׁם רַבִּי אִלְעַאי אָמְרוּ — **R' Berechyah and R' Chelbo and R' Ami said in the name of R' Il'ai:** וְלֹא עוֹד אֶלָּא שֶׁכְּשֶׁהַפּוּרְעָנוּת בָּאָה לָעוֹלָם צַדִּיקִים כּוֹבְשִׁין אוֹתָהּ — **And not only that, but when misfortune comes to the world, the righteous defeat it,**[85] שֶׁנֶּאֱמַר "וְאֵלֶּה יַעַמְדוּ עַל הַקְּלָלָה" — **as it says,** ***And these shall stand for*** [עַל] ***the curse,*** meaning: These shall stand "on top" of the curse to overcome it.[86]

NOTES

speaking, the phrasing of Scripture should be both clear and consistent. However, there are passages in which the Jewish people would be slighted if Scripture spoke with absolute clarity, or if Scripture followed its usual pattern of expression. On these occasions, God obscured the meaning and departed from consistency in order to preserve the Jewish people's honor (*Eitz Yosef,* citing *Yefeh To'ar*; cf. *Maharzu*).

80. This verse speaks of someone afflicted with *tzaraas.* The whitish affliction on the skin is called a *nega.* The laws of *tzaraas* apply only to Jews (*Negaim* 3:1). Therefore, Scripture should state, אָדָם מִכֶּם, *a person among you,* in order to be consistent with *Leviticus* 1:2, and so that no one should make a mistake and think that these laws apply to non-Jews as well. Nevertheless, Scripture omits מִכֶּם, *among you,* in order to avoid specifying that it is a Jew who would be afflicted with *tzaraas* (*Eitz Yosef,* citing *Yefeh To'ar*).

81. *Matnos Kehunah, Eitz Yosef*

82. Although the passage speaks of the obligation to lend money to a fellow Jew in need — so it is evident that this verse is speaking of the Jewish people — the verse does not state so explicitly. The idea that there will be destitute Jews is expressed in an ambiguous manner. [See *Yefeh To'ar* who explains why in the opening verse of the passage, *Deuteronomy* 15:7, the Torah does state: כִּי יִהְיֶה בְךָ אֶבְיוֹן, *if there shall be a destitute person "among you."*]

83. It is highly improper to say explicitly about anyone that he will be cursed. Therefore, there is no proof that God accords honor to the Jewish people from the fact that it does not say, אֵלֶּה יַעַמְדוּ לְקַלֵּל אֶת הָעָם, *And these shall stand to curse the people.* The Torah would have avoided making such a statement in any case. However, once the Torah had to say, וְאֵלֶּה יַעַמְדוּ עַל הַקְּלָלָה, then to be consistent, it should have said, אֵלֶּה יַעַמְדוּ עַל הַבְּרָכָה, *these shall stand for the blessing.* Since God changed the phrasing for no other reason than to state explicitly that the Jewish people will be blessed, we see to what lengths God goes in rendering honor to the Jewish people (*Yefeh To'ar*).

This teaching is makes a somewhat different point than the previous teaching: Previously, the proof was from the fact that God changed the wording in order to avoid saying something explicitly negative about the Jewish people; here, the proof is from the fact that God changed the wording in order to say something explicitly *positive* about the Jewish people (ibid.).

84. Ibid., *Eitz Yosef.*

85. Even when God decrees that there be misfortune, the righteous can nullify the decree through prayer (see *Moed Katan* 16b and *Rabbeinu Chananel* ad loc.).

86. Although the Torah could not say, וְאֵלֶּה יַעַמְדוּ לְקַלֵּל אֶת הָעָם, *and these shall stand to curse the people,* it could have just omitted the words, אֶת הָעָם, *the people,* and said simply, וְאֵלֶּה יַעַמְדוּ לְקַלֵּל, *and these shall stand to curse,* without specifying the one being cursed. Instead, the Torah says, וְאֵלֶּה יַעַמְדוּ עַל הַקְּלָלָה, *and these shall stand for the curse.* Since the Torah used the word עַל, which could mean *on,* unnecessarily, the Midrash understands the verse to mean: *and these shall stand "on" the curse,* i.e., to vanquish it. This is an allusion to the ability of the Jewish people to nullify the curse. God's willingness to change His decrees for the Jewish people is itself an honor and a show of love (*Yefeh To'ar, Eitz Yosef*).

חידושי הרד"ל

[ה] אמר ר' יהודה בר סימון משל לאחד כו'. מדרש שמואל פרשה ב':

חידושי הרש"ש

[ה] כל שאתה כו' אבנים טובות ומרגליות. תיבת ומרגליות מיותר: **[ו] אדם מכם כי יהיה כו' אין כתיב כאן אלא אדם כי כו'.** כן צריך לומר:

באור מהרי"פ

[ה] מתנות כהונה זמרגדין וכו'. זה לשון הערוך ערך זמרגד, כומז (במדבר לא, נ) תרגום ירושלמי זמרגדין, וחלי כתם (משלי כה, יב) תרגום ומני דזמרגדי עכ"ל הערוך. וזה לשון ר' בנימין מוספיא, אמר בנימין פירוש בלשון יוני ורומי, מין אבן יקרה ירוקה ככרתי, ואולי נמצאת במדינת זמרגד, עד כאן:

אמרי יושר

ר' אבין אמר בערך שהמליכוהו עליהם. ר' ברכיה אמר בערך שקבלו גזרותיו ומצותיו בלבב שלם. ר' יהודה בר סימון (בסימן ה) אמר בערך שהוא תולעת להקדוש ברוך הוא גדולתם, כמו שנאמר, ישראל אשר בך אתפאר: [ה] דבר [וכו'] ואמרת עליהם כו' עבר אחד ואמר כל מה שאתה יכול לקבוע בה [וכו'] מרגלית קבע. לקחו זה הלשון באיש נכרי שעבר, לרמוז כי אין לאומות הקדוש ברוך הוא זה, לפי שלא ערך להם כי אם לדקת מה מתן לו, אלא שאני עתיד להתפאר בהם, והאי ואמרת מלשון גדולה:

עץ יוסף

(ה) משל למלך כו'. רבי שמעון בר יוחאי בא לתת טעם לרבוי המצות לישראל שהוא לאהבתו אותם, ולזה ישגיח בכל צרכי שלמותם, כמלך המצוה על כל צרכי בנו יחידו: **משל לאחד כו'.** הכוונה שמפני שמשה היה מרבה לספר בשבח ישראל לפני הקדוש ברוך הוא להליץ בעדם, וכמו שאמרו בשמות רבה (ל, ד) שנתן נפשו על ישראל, לכן המשילו למי שהיה עושה העטרה מעצמו, אלא שה' הוסיף להזהירו לתוספת בעצמה, כעובר באקראי ומזהיר לעשות העטרה, שהוא היה עיקר מתחלה: **זמרגדין.** פירוש בלשון יוני ורומי מין אבן יקרה והיא ירוקה [ואולי נמצאת במדינת זמרגד] (מוסף הערוך ערך זמרגד א'): **ויאמר לי עבדי אתה.** אף על גב דקרא בנביא משתעי, מכל מקום מכיון דקאמר ליה ישראל אשר בך אתפאר, משמע שמתפאר בישראל, וקאמר ליה לנביא שיתפאר בו כבכל המון ישראל שהוא שקול ככולם. או שבשבחו להיותו מזרע ישראל: **(ו) [ה] אף הכתובים חלקו בו'.** קשה דמשמע דאיכא רבותא בכתובים מהקדוש ברוך הוא גופיה, והא מכיון דהקדוש ברוך הוא בעצמו חולק להם כבוד כדלעיל, לא יהא כח הכתובים יפה מכח ה' שלא יחלק להם כבוד, ועוד דלעיל נמי כתובים היו כי מה שנזכרו חמשה פעמים בפרשה אחד המה בכתובים. ויש לומר שהחידוש דאין צריך לומר מה שיחלוק הקדוש ברוך הוא כבוד במאמרו לשבחם, אלא אפילו מתוך שינוי הכתובים נראה כבודם, דאית הכא רבותא משני פנים, הא', שיהיו הכתובים בלתי מדויקים בלשונם, שהראוי להשוות מדת הלשון בכולם כאחד, ועם כל זה מפני כבודם אינו חושש. ועוד, שבענין המלות ראוי שיכתבו הדברים כראוי למצוה, ולא בשום שינוי שיבא לטעות, ומכיון דאמרו אדם כי יהיה סתם, אפשר יובן כל אדם אפילו נכרי, והוא שקר, כי אין הדין רק בישראל, לכן הוי ליה למימר מכם, ועם כל זה משום כבוד ישראל לא קאמר הכי (יפה תואר): **תרתין שטין.** פירוש שיטות, כלומר שמועות מזה הענין: **אלה יעמדו על הקללה.** רצה לומר שרבי ברכיה הוסיף לומר דאף מקרא דקללה ילפינן דחלק להם כבוד, דנהי דלא מצי למימר לקלל את העם, מיהו הוי מצי למימר אלה יעמדו לקלל סתמא, אלא דאתא למימר דצדיקים

פירוש מהרז"ו

(ה) אבל בני (משה) [שתה] בני. זה נמשל על שמצוה למשה על אכילת ושתיית ישראל, האסורים והמותרים הטמאים והטהורים. וההליכה לבית הספר על מה שמצוה על לימוד התורה: **משל לאחד וכו' ועושה עטרה.** עיין מדרש שמואל (פרשה ב) פסוק ונתתיו לה': **אשר בך אתפאר.** אתעטר ואעשה ממך כתר לראשי, מלשון הפארים בישעיה ג' (פסוק כ), שתרגם יונתן כליליא, וכמו שאמרו שמות רבה (כא, ג) וכן הוא אומר ישראל אשר בך אתפאר, שהקב"ה מתעטר בתפלתן, שנאמר (יחזקאל טז, יב) ועטרת תפארת בראשך: **(ו) אף הכתובים.** מדרש תדשא (פרשה טז). לא די שמדבר תמיד לצרכם וטובתם כנ"ל, אלא שגם לשון הדיבור הוא בכבוד, וענין טובה לברכה, שדבר טוב אומר להם עצמם ותולה בהם בפירוש, אך בדבר רע אומר אדם סתם, ולא מכם: **תרתין שטין.** פירוש משני פסוקים, שבדבר טוב אומר להם בפירוש כי לא יהיה בך אביון:

ה אָמַר רַבִּי שִׁמְעוֹן בֶּן יוֹחָאי: מָשָׁל לְמֶלֶךְ שֶׁהָיָה לוֹ בֵּן יְחִידִי, בְּכָל יוֹם וָיוֹם הָיָה מְצַוֶּה אֶת בֶּן בֵּיתוֹ: אֱכֹל בְּנִי אוֹ שְׁתֵה בְּנִי אֵזִל לְבֵית הַסֵּפֶר אֲתָא מִבֵּית הַסֵּפֶר, כָּךְ בְּכָל יוֹם וָיוֹם הָיָה הַקָּדוֹשׁ בָּרוּךְ הוּא מְצַוֶּה אֶת מֹשֶׁה וְאוֹמֵר לוֹ: "אֱמֹר אֶל בְּנֵי יִשְׂרָאֵל", "צַו אֶת בְּנֵי יִשְׂרָאֵל", אָמַר רַבִּי יְהוּדָה בַּר סִימוֹן: מָשָׁל לְאֶחָד שֶׁהָיָה יוֹשֵׁב וְעוֹשֶׂה עֲטָרָה לַמֶּלֶךְ, וְעָבַר אֶחָד עָלָיו, אָמַר לוֹ: מָה אַתָּה עוֹשֶׂה, אָמַר לוֹ: אֲנִי עוֹשֶׂה עֲטָרָה לַמֶּלֶךְ, אָמַר לוֹ: כָּל שֶׁאַתָּה יָכוֹל לִקְבּוֹעַ בָּהּ אֲבָנִים טוֹבוֹת וּמַרְגָּלִיּוֹת קְבַע, וְזַמַרְגְּדִין קְבַע, מַרְגָּלִיּוֹת קְבַע, לָמָּה, שֶׁעָתִיד לִינָּתֵן בְּרֹאשׁוֹ שֶׁל מֶלֶךְ, כָּךְ אָמַר לוֹ הַקָּדוֹשׁ בָּרוּךְ הוּא לְמֹשֶׁה: כָּל מַה שֶּׁאַתָּה יָכוֹל לְשַׁבֵּחַ אֶת יִשְׂרָאֵל שַׁבֵּחַ, לְגַדְּלָן וּלְפָאֲרָן פָּאֵר, לָמָּה, שֶׁאֲנִי עָתִיד לְהִתְפָּאֵר בָּהֶם שֶׁנֶּאֱמַר (ישעיה מט, ג) "וַיֹּאמֶר לִי עַבְדִּי אָתָּה יִשְׂרָאֵל אֲשֶׁר בְּךָ אֶתְפָּאָר":

ו רַבִּי יְהוֹשֻׁעַ דְּסִכְנִין בְּשֵׁם רַבִּי לֵוִי אָמַר: אַף הַכְּתוּבִים חָלְקוּ כָּבוֹד לְיִשְׂרָאֵל, כַּמָּה דְתֵימָא [א, ב] "אָדָם כִּי יַקְרִיב מִכֶּם", אֲבָל כְּשֶׁהוּא בָּא לְדַבֵּר בְּדָבָר שֶׁל גְּנַאי רְאֵה מַה כָּתוּב, "אָדָם מִכֶּם כִּי יִהְיֶה בְעוֹר בְּשָׂרוֹ" אֵין כְּתִיב כָּאן, אֶלָּא (שם יג, ב) "כִּי יִהְיֶה בְעוֹר בְּשָׂרוֹ". רַבִּי שְׁמוּאֵל בַּר נַחְמָן אָמַר תַּרְתֵּין שִׁטִּין: (דברים טו, ד) "אֶפֶס כִּי לֹא יִהְיֶה בְּךָ אֶבְיוֹן" כְּשֶׁהוּא בָּא לְדַבֵּר בְּדָבָר שֶׁל גְּנַאי "כִּי לֹא יֶחְדַּל אֶבְיוֹן מִקִּרְבְּכֶם" אֵין כְּתִיב כָּאן אֶלָּא (שם שם יא) "מִקֶּרֶב הָאָרֶץ", רַבִּי שְׁמוּאֵל בַּר נַחְמָן אָמַר שִׁיטָה אַחֶרֶת: "וְאֵלֶּה יַעַמְדוּ לְקַלֵּל אֶת הָעָם" אֵין כְּתִיב כָּאן, אֶלָּא (שם כז, יג) "וְאֵלֶּה יַעַמְדוּ עַל הַקְּלָלָה", אֲבָל בִּבְרָכָה כָּתוּב (שם שם יב) "אֵלֶּה יַעַמְדוּ לְבָרֵךְ אֶת הָעָם", רַבִּי בֶּרֶכְיָה וְרַבִּי חֶלְבּוֹ וְרַבִּי אַמִּי בְּשֵׁם רַבִּי אֶלְעַאי אָמְרוּ: וְלֹא עוֹד אֶלָּא שֶׁכְּשֶׁהַפּוּרְעָנוּת בָּאָה לָעוֹלָם צַדִּיקִים כּוֹבְשִׁין אוֹתָהּ, שֶׁנֶּאֱמַר "וְאֵלֶּה יַעַמְדוּ עַל הַקְּלָלָה":

מתנות כהונה

[ה] זמרגדין. תרגום של נפך זמרגדין: **[ו] תרתי שיטין.** פירוש שיטות, כלומר שמועות מזה הענין:

אשד הנחלים

מעובדי כוכבים, והוא בשלשה מעלות מיוחדות, אחד שהם דבוקים בו יתברך בלי שום אמצעי, וזהו המשל הראשון מהפרקסין שהוא כסות הראשון הדבוק לבשר. והשני מצד שהם חפצים ומשתוקקים שיגלה כבוד המלך עליהם, וזהו המשל השני מהפורפרין שהוא לבוש המלכות, השלשי במה שהם משתוקקים לדעת חכמתו יתברך ותורתו ומצותיו, וזהו המשל השלישי מהזקן היושב בישיבה. והנה ראינו שהכתוב כופל תמיד, ואמר, צו, דבר, אמור, רק אל בני ישראל, כאלו בא לרמוז שרק אל בני ישראל תדבר. והנה המעפורת הוא הכסות המכסה את הזקן בעת התמנותו ובעת הגדתו לרבים, וזה היה בנמשל עת מתן תורה ודי בזה: **[ה] בן יחידי כו' כך בכל יום.** נבדל זה המשל מהמשלים של מעלה, להורות שאין החשיבות מצד עצמו לבד, כי אם מצד הצירוף לאחר הגרוע ממנו, שאין לו בן כמוהו, ואלולי לא היה יחיד לאביו לא היה נחשב כל כך, כן הם אם לפעמים אינם טובים כל כך, אבל על כל פנים היו יחידים לאביהם שבשמים, כי לא היה כמוהם שיכירו כבוד ה': **משל כו' עטרה כו' לשבח את ישראל.** יש להבין איפה מרומז שמשה בעצמו עשה עטרה, והלא ה' משבחם ואומר צו את בני ישראל. והיפה תואר פירש, לפי שמשה בעצמו היה מרבה לספר בשבחן, לפיכך מדמה למשה שעשה העטרה. ויתכן דמרמז זאת על ידי עשיית המשכן שנאמר תחילה, שזהו עיקר העטרה שעשה מקום להשראת השכינה, ואחר כך תיכף ומיד צוה ה' למשה במצות הקרבנות, וכפל דבריו בשבח ישראל, להורות שהיו חביבים לפניו מאוד, וכל מה שיוכל לשבחן הוא לכבוד ולפאר ה': **[ו] אדם כי יקריב כו'.** כבר בארתי בסדר בראשית שמלת אדם הונח על מדריגה רמה, ולכן במרכבה העליונה נאמר (יחזקאל א, כו) דמות כמראה אדם מלמעלה, ואם כן שם אדם הוא על נפש המשכלת והיא אינה חוטאת בעצם, וכן כל החסרונות והנגעים, אינם באים רק מצד החומר ולא מצד הנפש, ולכן בנגעים לא כתוב אדם, וכן הדלות והמסכנות לולא חשכת הטבע הארצית, המכרחת לפעמים את קשי יום לדכאם בעניות

אם למקרא

וַיֹּאמֶר לִי עַבְדִּי אָתָּה יִשְׂרָאֵל אֲשֶׁר בְּךָ אֶתְפָּאָר: (ישעיה מט:ג)

אָדָם כִּי יִהְיֶה בְעוֹר בְּשָׂרוֹ שְׂאֵת אוֹ סַפַּחַת אוֹ בַהֶרֶת וְהָיָה בְעוֹר בְּשָׂרוֹ לְנֶגַע צָרָעַת וְהוּבָא אֶל אַהֲרֹן הַכֹּהֵן אוֹ אֶל אַחַד מִבָּנָיו הַכֹּהֲנִים: (ויקרא יג:ב)

אֶפֶס כִּי לֹא יִהְיֶה בְּךָ אֶבְיוֹן כִּי בָרֵךְ יְבָרֶכְךָ ה' בָּאָרֶץ אֲשֶׁר ה' אֱלֹהֶיךָ נֹתֵן לְךָ נַחֲלָה לְרִשְׁתָּהּ: (דברים טו:ד)

כִּי לֹא יֶחְדַּל אֶבְיוֹן מִקֶּרֶב הָאָרֶץ עַל כֵּן אָנֹכִי מְצַוְּךָ לֵאמֹר פָּתֹחַ תִּפְתַּח אֶת יָדְךָ לְאָחִיךָ לַעֲנִיֶּךָ וּלְאֶבְיֹנְךָ בְּאַרְצֶךָ: (שם שם יא)

אֵלֶּה יַעַמְדוּ לְבָרֵךְ אֶת הָעָם עַל הַר גְּרִזִּים בְּעָבְרְכֶם אֶת הַיַּרְדֵּן שִׁמְעוֹן וְלֵוִי וִיהוּדָה וְיִשָּׂשכָר וְיוֹסֵף וּבִנְיָמִן: וְאֵלֶּה יַעַמְדוּ עַל הַקְּלָלָה בְּהַר עֵיבָל רְאוּבֵן גָּד וְאָשֵׁר וּזְבוּלֻן דָּן וְנַפְתָּלִי: (שם כז:יב-יג)

ענף יוסף

שהם נבדלים מהאומות, והוא בשלשה מעלות מיוחדות, אחד שהם דבוקים בו יתברך בלי שום אמצעי, וזהו המשל הראשון מהפרקסין, שהוא כסות הראשון הדבוק בבשר, והשנית מצד שהם חפצים ומשתוקקים שיגלה כבוד המלך עליהם, וזה המשל השנית מהפורפרין שהוא לבוש מלכות, השלשית במה שהם משתוקקים לדעת חכמתו יתברך ותורתו ומצותיו, וזהו המשל השלישי מהזקן היושב בישיבה, והנה שלשה המשלים האלו דברו כל אחד מזמן מיוחד, הראשון מדבר על זמן קודם יציאתם ממצרים, דכתיב (שמות ד, לא) ויאמן העם וישמעו כי פקד ה' את בני ישראל, ונעשו תיכף דבוקים בו יתברך, והשני מדבר מקריעת ים סוף, שאז נראה אליהם כמלך גבור המנצח במלחמה, וכדכתיב שם (שם טו, ג) ה' איש מלחמה, והשלישי מדבר מעת מתן תורה שנראה אליהם כזקן המלמד תורה:

§7 The Midrash explains the verse's use of the word אָדָם as opposed to the word אִישׁ:[87]

אָמַר רַבִּי בֶּרֶכְיָה: אָדָם זֶה אָדָם הָרִאשׁוֹן — **R' Berechyah said:** *When a man* [אָדָם] *among you brings an offering* — **this is** an allusion to **Adam** (אָדָם), the first man. אָמַר לוֹ הַקָּדוֹשׁ בָּרוּךְ הוּא לְיִשְׂרָאֵל: יְהֵא קָרְבָּנְךָ דּוֹמֶה לְקָרְבָּנוֹ שֶׁל אָדָם הָרִאשׁוֹן — **The Holy One, blessed is He, said to the Jewish people: Your offering should be similar to the offering of Adam, the first** man,[88] שֶׁהָיָה הַכֹּל בִּרְשׁוּתוֹ וְלֹא הִקְרִיב מִן הַגְּזֵילוֹת וּמִן הַחֲמָסִים — **for everything was in his possession, and** therefore, **he did not bring** an offering **from stolen property or from purloined property.**[89] אַף אַתָּה לֹא תַקְרִיב מִן הַגְּזֵילוֹת וְלֹא מִן הַחֲמָסִים — **You, too, should not bring** an offering **from stolen or purloined property.** וְאִם עָשִׂיתָ כֵּן "וְתִיטַב לַה׳ מִשּׁוֹר פָּר" — **And if you did so,** i.e., if you obtained an offering through honest means, ***then it shall be more pleasing to HASHEM than the ox-bull*** (*Psalms* 69:32).[90]

NOTES

87. *Eitz Yosef.* Both אָדָם and אִישׁ refer to a man. The difference between them is that אָדָם refers to a member of the human species, whereas אִישׁ refers to an individual. אָדָם, a human, is used in distinction to an animal; אִישׁ, an individual, is used in distinction to another individual or a group of men. One would have therefore expected our verse, *When a man among you brings an offering to HASHEM,* to use אִישׁ rather than אָדָם, since the passage is detailing the laws of an individual's offering as opposed to a communal offering. The Midrash below (§9) points out that אִישׁ is used elsewhere in reference to a person bringing an offering. Instead, our verse uses the term, אָדָם. Accordingly, the Midrash expounds the word אָדָם to refer to אָדָם הָרִאשׁוֹן, *the first man* (*Yefeh To'ar*; see also *Malbim* to *Leviticus* 1:2 §10, especially his note in *Torah Ohr*).

88. By using the word אָדָם, the verse associates the one bringing an offering with Adam. The Torah is hinting that one should emulate Adam in the way Adam brought his offering (see *Midrash Tanchuma, Tzav* §1). What offering did Adam bring? Adam was created and sinned on the sixth day of Creation (*Sanhedrin* 38b). When the sun set on that day, Adam was afraid that the sunset signaled that the world was ending as a result of his sin. He and Eve wept the entire night. The next morning at dawn, Adam realized that day and night were just part of the natural course of the world; he then brought an offering to God in thanksgiving (*Avodah Zarah* 8a and *Yefeh To'ar* s.v. שהיה; cf. *Bereishis Rabbah* 12 §6 and *Eitz Yosef* ad loc. s.v. כיון; see also *HaRif* to *Ein Yaakov, Avodah Zarah* ibid.).

89. The difference between גְּזֵילוֹת, *stolen property,* and חֲמָסִים, *purloined property,* is that in the case of חֲמָסִים, the owner was compensated, but he did not acquiesce to the sale; in the case of גְּזֵילוֹת, he was not even compensated (*Bava Kamma* 62a).

90. The term שׁוֹר פָּר, *ox-bull,* refers to the ox of the six days of Creation. Everything that was created during the six days was created fully mature (*Rosh Hashanah* 11a). An ox is called a שׁוֹר from its first day (*Bava Kamma* 65b), but a bull is called a פָּר only in its third year (see *Parah* 1:2). Thus, the term שׁוֹר פָּר means an ox which, on the day it was called a שׁוֹר, was as fully mature as a פָּר. This was the ox of Creation, which was fully mature on its first day (*Rosh Hashanah* 26a with *Rashi* ad loc.). This was the thanksgiving offering brought by Adam mentioned above in note 88 (*Avodah Zarah* 8a; *Chullin* 60a).

If a person follows in Adam's ways and brings an offering from honest sources, that offering is *more* pleasing to God than the offering of Adam himself. The reason is that Adam was not deserving of much credit for avoiding a stolen or purloined animal, since everything was his and it was impossible for him to steal. However, when one shares the world with other people and it is *possible* to steal and extort from others, one does receive credit for not doing so (*Eshed HaNechalim* and *Eitz Yosef*, citing *Yefeh To'ar*; *Beur Maharif*).

[The plain meaning of this verse is that King David's praise and prayer should be more pleasing to God than the offering brought by Adam (*Rashi* to *Avodah Zarah* 8a s.v. ותיטב לה׳ משור פר and *Rashi* to *Psalms* 69:32). See *Yefeh To'ar, Eitz Yosef,* and *Radal* as to why our Midrash interprets the verse as it does.]

See Insight Ⓐ.

INSIGHTS

Ⓐ **The Perfect Sacrifice of the First Man** By expounding the word אָדָם, *a man,* as a reference to Adam, the first man, the Midrash derives from our verse a prohibition against bringing an offering from stolen goods. This poses a difficulty, for this prohibition is stated explicitly in Scripture — כִּי אֲנִי ה׳ אֹהֵב מִשְׁפָּט שֹׂנֵא גָזֵל בְּעוֹלָה, *for I am HASHEM, Who loves justice and hates an offering of theft* (*Isaiah* 61:8) — and requires no further exposition. [See *Bava Kamma* 66b and *Succah* 30a for other Scriptural sources for this prohibition; see *Tosafos Succah* (ibid.) for discussion.]

The *Chafetz Chaim* (cited in *Lev Eliyahu, Shevivei Lev,* p. 211) resolves the difficulty. These other sources prohibit the ill-gotten profits of *actual* theft. The comparison to Adam, however, teaches a further level of restriction, extending even to goods or money obtained legally but under a misguided premise. For example: One person gave another a gift because he thought the recipient was pious. If in fact he is *not* pious, his retention of the gift constitutes a form of theft, for it would never have been offered to him had the giver been aware of his true nature. The verse's reference to Adam excludes the propriety of such a gift as a sacrificial offering. All Adam's possessions were given to him directly by God, Who knows the depths of a man's heart, and whose gifts are consequently never given in error. It follows that Adam's offerings were free of even such passive, unintended theft. The same degree of perfection is demanded for our offerings as well.

[It was the practice of the *Chafetz Chaim* to refuse all gifts, for he knew that the donors were giving them because he was a *tzaddik*, and he, in his humility, considered himself to be nothing of the sort. To avoid the possibility of theft, he would return all gifts. For several incidents that attest to his extreme scrupulousness in this matter, see *Chafetz Chaim HeChadash*, Vol. 2, pp. 8-9.]

Others say that the teaching regarding Adam is concerned not with the *tangible* theft of money or goods from people, but rather with the *conceptual* "theft" of the offering itself from God. This interpretation is based on a Talmudic teaching (*Berachos* 35b; *Sanhedrin* 102a): כָּל הַנֶּהֱנֶה מִן הָעוֹלָם הַזֶּה בְּלֹא בְרָכָה כְּאִילּוּ גּוֹזֵל לְהַקָּדוֹשׁ בָּרוּךְ הוּא, *Whoever derives benefit from this world without [reciting] a blessing, it is as if he robs the Holy One, blessed is He.* The world and all it contains belong to God (see *Psalms* 24:1). By reciting a blessing that recognizes God's dominion, one is deemed to have "paid" for the goods, which then become his own. Without such payment, the goods remain in God's possession, and their use is regarded as "theft" (*Rashi* to *Sanhedrin* ibid., based on *Berachos* 35a; see also *Maharsha* on *Berachos* there; see, however, *Rashi* on *Berachos* 35b).

So too with regard to a sacrificial offering. One imagines that he gains merit with his offering because he has sacrificed to God a part of his wealth, amassed through his own toil and effort. If this is one's attitude — that he has given something of his *own* to God — his offering will avail him nothing. Rather, one must recognize that all he possesses, even the very offering he brings to God, in fact belongs to God Himself. One gives *nothing* of his own to God, but merely brings to Him that which is already His. If one's offering is brought with this understanding, then God grants him possession of the offering, so that he is deemed to have brought to God something of his own.

This is learned from the comparison to the first man. Adam was under no illusion as to the source of his wealth. He knew with certainty, as none of his descendants ever could, that everything he possessed was the gift of the Benevolent One, and not the product of his own labor. Thus, his offering was made with perfect intention, without reference to self, but only to God. We are enjoined to follow his example, to bring offerings that express our full recognition of God's dominion, offerings pure in intention, unmixed with the selfish conceits of Man. By so doing, one gains possession of his offering, which is then accepted by God as the person's own. As the verse concludes: תַּקְרִיבוּ אֶת קָרְבַּנְכֶם, *you shall bring "your" offering.* An offering brought in the manner of Adam's offering becomes one's own (see *Ksav Sofer, Panim Yafos,* and *Be'er Moshe* to our verse).

The Midrash concludes: *and if you do this, "then it shall be more pleasing to HASHEM than the ox-bull"* (*Psalms* 69:32), meaning the ox brought by Adam to atone for his sin (*Avodah Zarah* 8a; *Chullin* 60a). Thus, the Midrash teaches that an offering brought in later times

ז אָמַר רַבִּי בֶּרֶכְיָה: אָמַר לוֹ הַקָּדוֹשׁ בָּרוּךְ הוּא: לְאָדָם, זֶה אָדָם, יְהֵא קָרְבָּנְךָ דּוֹמֶה לְקָרְבָּנוֹ שֶׁל אָדָם הָרִאשׁוֹן, שֶׁהָיָה הַכֹּל בִּרְשׁוּתוֹ וְלֹא הִקְרִיב מִן הַגְּזֵילוֹת וּמִן הַחֲמָסִים, אַף אַתָּה לֹא תַקְרִיב מִן הַגְּזֵילוֹת וְלֹא מִן הַחֲמָסִים, וְאִם עָשִׂיתָ כֵּן (תהלים סט, לב) "וְתִיטַב לַה' מִשּׁוֹר פָּר":

ח דָּבָר אַחֵר, "אָדָם" זֶה לְשׁוֹן חִבָּה וּלְשׁוֹן אַחֲוָה וּלְשׁוֹן רֵיעוּת, אָמַר הַקָּדוֹשׁ בָּרוּךְ הוּא לִיחֶזְקֵאל: (יחזקאל ב, א; שם שם ג; ועוד) "בֶּן אָדָם", בֶּן אֲנָשִׁים כְּשֵׁרִים, בֶּן צַדִּיקִים, בֶּן גּוֹמְלֵי חֲסָדִים, בֶּן שֶׁמְּבַזִּין אֶת עַצְמָן עַל כְּבוֹדוֹ שֶׁל מָקוֹם וְעַל כְּבוֹדָן שֶׁל יִשְׂרָאֵל כָּל יָמָיו. דָּבָר אַחֵר "בֶּן אָדָם", לְמָה הַדָּבָר דּוֹמֶה, לְמֶלֶךְ בָּשָׂר וָדָם שֶׁמָּרְדָה עָלָיו אִשְׁתּוֹ וּבָנָיו, עָמַד וְדָחֲפָן מִבֵּיתוֹ וְהוֹצִיאָן לַחוּץ, לְאַחַר מִכָּאן שָׁלַח וְהֵבִיא בֵּן אֶחָד מֵאֶצְלָהּ, אָמַר לוֹ: בֶּן פְּלוֹנִי, בֹּא וְאַרְאֲךָ בֵּיתִי וּבֵית שְׁכִינָתִי שֶׁיֵּשׁ לִי חוּץ מֵאִמְּךָ, כְּלוּם פִּיחֵת כְּבוֹדִי וּשְׁכִינָתִי אַף עַל פִּי שֶׁאִמְּךָ עוֹמֶדֶת מִבַּחוּץ,

עץ יוסף

יעמדו על הקללה לכבשה, וזה כבוד ואהבה לישראל שישנה ה' גזרתו מפניהם, על דרך (שמואל ב' כג, ג) לדיק מושל יראת אלקים, שאמרו חכמינו ז"ל (מועד קטן טז, ב) הקדוש ברוך הוא גוזר גזירה והלדיק מבטלה (יפה תואר): (ז) [ו] **אמר רבי ברכיה אדם זה אדם הראשון. אמר ליה הקדוש ברוך הוא לישראל יהא קרבנך דומה.** כן לריך לומר (יפה תואר). ודייק לאדם דכתיב הכא הוא אדם הראשון, מדלא קאמר איש כי יקריב, כמו ויקחו להם איש שה. וכן בכמה דוכתין שמע מינה דרמיז לאדם הראשון: **לקרבנו של אדם הראשון.** דמותיטב לה' משור פר ילפינן שהקריב אדם הראשון שור, כדאמרינן פרק קמא דעבודה זרה (ח, א) יום שנברא בו אדם הראשון כיון ששקעה עליו החמה אמר אוי לי שמא בשביל שסרחתי עולם חשך בעדי וחוזר לתהו ובוהו, וזו היא מיתה שנקנסה עלי היה יושב ובוכה כל הלילה, כיון שעלה עמוד השחר אמר מנהגו של עולם הוא, עמד והקריב שור שקרניו קודמות לפרסותיו שנאמר ותיטב לה' משור פר מקרין מפריס, ברישא מקרין והדר מפריס, דאמר מר כל מעשה בראשית בקומתן נבראו, שור עם קרנותיו מגודלים, וכיון שילא ראשו תחלה, נמלאו קרנותיו קודמות לפרסותיו, ואמר דוד ותיטב לה' תפלתי משור, שביום שהיה שור, דהיינו אותו יום שנולד, כדכתיב שור או כשב או עז כי יולד, והיה עשוי וגמור כפר שהוא בן שלש, שאפילו מקרניו לא חסר, כדמפרש מקרין והדר מפריס, כן פרש"י שם. והיינו דקאמר הכא, ואם עשית כן ותיטב לה' משור פר, לומר דעדיף מקרבן אדם הראשון, כמו שמפרש לקמן בסמוך: **ומן החמסים.** חמס היינו דיהיב דמי ושקיל בעל כרחו כדאיתא בפרק הכונס (בבא קמא סב, א). ואף על פי שנתן דמיו לכתחילה לא יקריב, ובדיעבד כשר: **ואם עשית כן ותיטב לה'.** שהיה קרבנו של אדם הראשון כדלעיל. וזה שלך עדיף אחר שאין הכל שלך והיה אפשר לך להביא מן הגזל ולא הבאת אלא משלך, אבל אדם הראשון שהיה הכל שלו אין להחזיק לו טובה כל כך. ואף על גב דהאי קרא ותיטב לה' וגו', תפלת דוד הוא כמו שזכרתי לעיל (ד"ה לקרבנו) בשם רש"י, ואם כן היכי רמיזא הא דקאמר ואם עשית כן כו'. יש לומר דיליף בגזירה שוה נאמר כאן לה', ונאמר להלן ותיטב לה', והא דדברי תורה מדברי קבלה לא ילפינן, היינו לענין דינא (יפה תואר): (ח) [ז] **אדם זה לשון חבה.** דמה שאמר אדם כי יקריב, ולא קאמר איש הוא משום דאדם הוי לשון חבה, שמלת אדם הוכח על מדרגה רמה, ומורה על מעלת הנפש שהיא חביבה בעיניו: **ולשון אחוה.** כי המרכבה העליונה מכונה בשם אדם, כי היא כדמות אדם מלמעלה, והאדם במעשיו הטובים מתחבר למעלה, ולכן אמרו האבות הן הן המרכבה, וזהו לשון אחוה ולשון ריעות שהם מתחברים יחד ופועלים זה בזה, ואף על גב דאיקרי נמי איש ה' איש מלחמה, היינו על שם המלחמה, אבל איש סתמא לא איקרי, וכן מלינו שקרא הכתוב תמיד ליחזקאל בן אדם, לא לגנותו אלא לשבחו. ופירוש **בן אנשים כשרים** היינו במה שכינס לחבריהם, **ובן צדיקים** היינו בינם למקום, **ובן גומלי חסדים** היינו מלבד מה שלא הטאו לחבריהם, גמלו להם חסדים: **בן שמבזים עצמם כו'.** אף על גב דלאין זה במשמע בן אדם, כיון דמבן בוזי שמעינן לה, כדאיתא בתנא דבי אליהו (רבה פרק ז), איידי דקאמר הכא שהיו כשרים, הזכיר מכשרותם היותם מבזים עלמם: **ועל כבודן של ישראל כל ימיהם.** כן לריך לומר: **בן אדם למה הדבר דומה למלך כו'.** ופירוש בן אדם בן ישראל שנקראו אדם, ולהכי מייתי לה הכא דגם לפי זה שמעינן לאדם לשון חבה דקרי לישראל בשם הכי: **שמרדה עליו אשתו.** קשה דבנמשל אינו כן, דיחזקאל שהוא משל הבן שקרא המלך, לא מרד ולא נדחף. ובתנא דבי אליהו (שם) גרסינן למלך שכעס על אשתו והיה לו בניס ממנה עמד ודחפה והוליאה מביתו, לימים שלח והביא בן מאללה (יפה תואר). אבל בתנא דבי אליהו שלפנינו הגירסא כמו כאן:

פירוש מהרז"ו

(ח) **דבר אחר אדם זה לשון אחוה.** תנא דבי אליהו (ת"ח פרק ו) כל הענין שם. לשון אחוה, לשון ריעות, כמו שכתוב (בראשית ה, ב) זכר ונקבה בראם ויקרא שמם אדם, הרי שמורה על אחוה וריעות, וכמו שכתוב עוד (יחזקאל א, כו) ועל [דמות] הכסא דמות כמראה אדם עליו מלמעלה, וזהו לשון חיבה שמדמה אותם בשם שעל הכסא: **דבר אחר בן אדם למה הדבר דומה.** הנה עתה מתחיל לדרוש המראה שראה יחזקאל במראה הראשונה, ולא על תיבת בן אדם, ובתנא דבי אליהו שם אינו גורס דבר אחר בן אדם, אלא דבר אחר למה הדבר דומה, ואגב שדורש תיבת אדם הכתוב כאן, דורש גם כן תיבות בן אדם של יחזקאל, ואגב דורש כל הענין: **בן פלוני.** שם הגירסא בן פלונית: **בוא ואראך בית.** ושם בתנא דבי אליהו הגירסא את ביתך ובית שבניתי לך לאמך כלום נפחת כבודי או הבית שבניתי לאמך וכו', והגירסא שבכאן יותר נכונה, שהרי הנמשל הוא על המרכבה שראה יחזקאל, ואין זה הבית שבנה לו ולאמו. ולגירסא שבכאן הנמשל מובן, שקרא בן אחד מאללה, הוא יחזקאל הנביא, ואמר לו בוא ואראך בית שכינתי היינו המרכבה העליונה, שלא פיחת כבודי ושכינתי, כאומר לי לא עשיתם דבר אלא לעלמיכם עשיתם, כמו שכתוב (דברים לב, ה) שחת לו לא בניו מומם:

חידושי הרד"ל

[ז] **ואם עשית כן ותיטב לה' משור פר.** שהוא קרבנו של אדם הראשון, עיין ידי משה. ואפשר שכיון לדרוש זה אדם כי יקריב מכם קרבן, שהקרבן מכם, יותר ורלוי יותר משל אדם הראשון:

חידושי הרש"ש

[ח] **דבר אחר אדם זה לשון חיבה.** מכאן עד סוף הפרשה לקוח מתנא דבי אליהו (רבה פרק ו): **ועל כבודן של ישראל כל ימיהם.** כן לריך לומר וכן הובא שם:

באור מהרי"פ

[ז] **ותיטב לה' משור פר.** כלומר יותר משור פר שהקריב אדם הראשון, שלאדם הראשון אין להחזיק לו טובה שהקריב משלו, שלא היה יכול לגזול מפני שהכל היה ברשותו, אבל אתה שיש ביכלתך לגזול ולחמוס, ואין אתה עושה כן ואתה מביא משלך, לכך ותיטב לה' קרבן שלך יותר משור פר שהקריב אדם. ושור פר שהקריב אדם מבואר בפרק קמא דעבודה זרה (ח, א):

מסורת המדרש

ח. תנחומא פרשה לו: ט. ילקוט יחזקאל ש"ס:

אם למקרא

וְתִיטַב לַה' מִשּׁוֹר פָּר מַקְרִן מַפְרִיס: (תהלים סט:לב)

וַיֹּאמֶר אֵלָי בֶּן אָדָם עֲמֹד עַל רַגְלֶיךָ וַאֲדַבֵּר אֹתָךְ: (יחזקאל ב:א)

ידי משה

[ז] **אמר הקדוש ברוך הוא אדם.** כן לריך לומר. פירוש מה דכתיב אדם ולא כתיב איש, לזה אמר זה אדם, פירוש כאדם הראשון יהיה קרבנך ואם עשית כן ותיטב לה' משור פר, פירוש קרבנך יהיה טוב בעיני הקדוש ברוך הוא יותר מקרבן אדם הראשון שהקריב פר, ולמה יהיה מקובל יותר מאדם הראשון לפי שאדם הראשון היה הכל ברשותו ולא היה שני דלאו הכי להביא משלו, מה שאין כן אתה שאפשר לך להביא מן הגזל ואתה נשמר ממנו לכן יהיה מקובל יותר מקרבן של אדם הראשון:

שינוי נוסחאות

(ז) אמר לו הקדוש ברוך הוא: לאדם, זה אדם, יהא קרבנך ... הגיה יפ"ת, > "אדם", זה אדם הראשון, אמר לו הקדוש ברוך הוא לישראל, יהא קרבנך ...<: (ח) כל סימן ח' עד סוף הפרשה, בספרים הישנים היה כתוב בנוספח בסוף הספר: ""נוסחא אחרינא ... במה שכתוב בו סוף פרשה ב'" (והעירו רש"ש ורד"ל שהוא לקוח ממדרש תנא דבי אליהו. ובד' קראקא כתבו "ברבת הישנים כתוב גיר' זו בסוף הספר" והדפיסוהו כאן, וכן עשו כל המדפיסים אחריהם:

אשד הנחלים

ודלות, אז לא היה בנמצא בין בני ישראל (בעת שהיו טובים) אביונים, וזהו לא יחדל אביון מקרב הארץ, כי סבת הארץ היא הגורמת לפעמים על האדם הפרטי. וכן בקללה לא נאמר בכוונה על העם, כי אם קללה לבד, כאלו אינם מכוונים לעם ביחוד, כי אם הקללה באה ממילא, בעת שהעולם בצרה אז הם נכללים עמהם, ולא כן בברכה, שהיא מיוחדת להם ולא תשוב ריקם: [ז] **דומה לקרבנו של אדם הראשון.** וזהו הרמז דכתיב בה אדם, לרמוז דיהיה הקרבן דמות קרבנו, שלא היה בו מן הגזילות אחר שהכל היה שלו, ואם עשה כן הוא נחשב יותר מקרבן אדם הראשון, שלא היה לו ממי לגזול, ולא היה חידוש כל כך, אבל אתה כפית יצרך (יפה תואר): [ח] **לשון חיבה.** מפני שמורה על מעלת הנפש שהיא חביבה בעיניו. ולשון אחוה, כי המרכבה העליונה מכונה בשם אדם, כי היא כדמות אדם מלמעלה, והאדם במעשיו הטובים מתחבר למעלה, ולכן אמרו האבות הן הן המרכבה, וזהו לשון אחוה ולשון ריעות שהם מתחברים יחד ופועלים זה בזה. וכן מצינו שקרא הכתוב תמיד ליחזקאל בן אדם, על שם זה שהיה בן כשר (במדות), ובן צדיק (באמונה), ובן גומלי חסדים (טוב ומטיב בין אדם לחבירו): **כלום פחת כבודי כו'.** עיקר הענין דהוקשה להם מדוע רק ליחזקאל קטן מכל הנביאים, כמאמרם (חגיגה יג, ב) מה שראה יחזקאל ראה ישעיה, אלא ישעיה דומה לבן עיר כו' ויחזקאל לבן כפר שראה את המלך, נקרא בן אדם שהוא המעלה הגבוהה כל כך. ולכן מפרש תחילה מפני שהיה בן אנשים כשרים, כלומר משפחתו גדולה מאוד במדות ובדיעות, ועתה מפרש מפני שראה המרכבה העליונה המכונה בשם אדם, קראוהו גם כן בשם זה לעורר אותו, כאלו אומר לו אתה בן אדם המכוון למה שראית למעלה, אתה ראה כלום פיחת כבודי, כלומר ואל תדמה שגלות ישראל יסבב חס ושלום חסרון הכרת כבודי, ומוכרח אני לעכב הגליות למעני, לא כן כי יש לי מי שיכירני. ועוד הורה בזה, שידעו מעלתם הגבוה שהגביה ה' אותם, שהופיע ה' שכינתו דוגמת מעלה, וזהו כלום פיחת כבודי ובית שכינתי לכם:

§8 The Midrash gives another explanation for the verse's use of the word אָדָם as opposed to the word אִישׁ:[91]

דָּבָר אַחֵר — **Another explanation:** "אָדָם" זֶה לְשׁוֹן חִבָּה וּלְשׁוֹן אַחֲוָה וּלְשׁוֹן רֵיעוּת — **This** term ***adam* is an expression of love, an expression of brotherhood, and an expression of friendship.**[92] אָמַר הַקָּדוֹשׁ בָּרוּךְ הוּא לִיחֶזְקֵאל: "בֶּן אָדָם" — **The Holy One, blessed is He, said to Ezekiel:** ***Son of Man*** [אָדָם] (*Ezekiel* 2:1), בֶּן אֲנָשִׁים כְּשֵׁרִים, בֶּן צַדִּיקִים, בֶּן גּוֹמְלֵי חֲסָדִים — i.e., **son of worthy men, son of righteous men, son of those who bestow kindness,**[93] בֶּן שֶׁמְּבַזִּין אֶת עַצְמָן עַל כְּבוֹדוֹ שֶׁל מָקוֹם וְעַל כְּבוֹדָן שֶׁל יִשְׂרָאֵל כָּל יְמֵיהֶם — **son of** those **who demean themselves for the honor of the Omnipresent and for the honor of Israel all their days.**[94]

The Midrash offers another explanation of *Son of Man*, according to which אָדָם is used as an expression of love:[95]

דָּבָר אַחֵר "בֶּן אָדָם" — **Another explanation:** God addresses the prophet Ezekiel as ***Son of Man.*** לְמָה הַדָּבָר דּוֹמֶה — **To what is this comparable?** לְמֶלֶךְ בָּשָׂר וָדָם שֶׁמָּרְדָה עָלָיו אִשְׁתּוֹ וּבָנָיו — **To a human king whose wife rebelled against him,** together **with his children.** עָמַד וּדְחָפָן מִבֵּיתוֹ וְהוֹצִיאָן לַחוּץ — [The king] **proceeded to drive them from his house and expel them into the street.** לְאַחַר מִכָּאן שָׁלַח וְהֵבִיא בֵּן אֶחָד מֵאֶצְלָהּ — **Afterward, [the king] sent** a servant **and** had **one son brought** to him **from** among those who were **with [his wife].** אָמַר לוֹ: בֶּן פְּלוֹנִי, בֹּא וְאַרְאֶךָ בֵּיתִי וּבֵית שְׁכִינָתִי שֶׁיֵּשׁ לִי חוּץ מֵאִמְּךָ — **[The king] said [to the son], "So-and-so,** my **son! Come and I will show you my house and my dwelling space, which I have now without your mother.**[96] כְּלוּם פִּיחֵת כְּבוֹדִי וּשְׁכִינָתִי אַף עַל פִּי שֶׁאִמְּךָ עוֹמֶדֶת מִבַּחוּץ — Has **my honor or my dwelling** space **become diminished an iota, even though your mother remains outside?"**[97]

NOTES

91. *Eitz Yosef.*

The remainder of this chapter was first printed as an appendix at the end of *Vayikra Rabbah*, labeled "an alternative version for what is written at the end of *Parashah* 2" (נוסחא אחרינא . . . במה שכתוב בו סוף פרשה ב׳). Since 1587 it has been printed here, as the concluding sections of *Parashah* 2. As *Rashash* notes here (see also *Radal* below, §9 s.v. אמר ר׳ שמעון בן גמליאל), it is in fact an excerpt from another Midrash, *Tanna DeVei Eliyahu Rabbah* Ch. 6.

92. The term אָדָם may be applied not only to a single person but also to a group of people; in the latter event, [the fact that] it [is singular] connotes the existence of brotherhood and friendship between the people so described (see *Tuvei Chaim* §17 to *Tanna DeVei Eliyahu Rabbah* Ch. 6, citing *Maharash*). Thus *Genesis* 5:2 states: *Male and female He created them, and He blessed them and He called their name, "Adam."* The term אָדָם also denotes the love, brotherhood, and companionship between man [in his ideal state] and God. Thus, Ezekiel (*Ezekiel* Ch. 1) describes God's Chariot as bearing the image of "אָדָם" (*Maharzu*). See *Eshed HaNechalim* and *Eitz Yosef* for a Kabbalistic explanation of the brotherhood and companionship between God and man; see *Zohar* III 48a.

93. This appellation could have been understood negatively: Ezekiel had just seen a great vision, viz., *Maaseh Merkavah*, and one could have understood בֶּן אָדָם to be a reminder to him that he was still a person; he should not think haughtily that he was counted among the angels (see commentaries to *Ezekiel* 2:1). The Midrash, however, understands this appellation positively, as a praise for Ezekiel, namely that he was the son of great people. The expression *worthy men* refers to those who fulfill their obligations between man and his fellow man; the expression *righteous men* refers to those who fulfill their obligations between man and God; and the expression *those who bestow kindness* refers to those who not only fulfill their obligations to others, but also go out of their way to bestow kindness upon others (*Eitz Yosef*; see *Eshed HaNechalim* for an alternative explanation of these three designations).

94. This line is not an explanation of בֶּן אָדָם, *Son of Man*, but rather of בֶּן בּוּזִי, *son of Buzi* (*Eitz Yosef*; see, however, *Eitz Yosef*, Vagshal edition). According to the plain meaning of *Ezekiel* 1:3, Buzi was the name of Ezekiel's father. However, the name בּוּזִי is related to the word מְבַזִּין, *demean*, and it is unusual that such a dishonorable name should be used for the father of a prophet — especially since according to the Gemara (*Megillah* 15a) Ezekiel's father was also a prophet. The Midrash therefore expounds the word בּוּזִי homiletically as a term describing the qualities of Ezekiel's forebears (*Tiferes Tzion*). [Even though the Midrash's thrust here is to expound the word אָדָם, it expounds the word בּוּזִי here in order to give an example of its preceding statement that Ezekiel was the son of "worthy men" (*Eitz Yosef*).]

[*Radak* to *Ezekiel* 1:3 states in the name of *Targum Yerushalmi* that Ezekiel's father was Jeremiah. *Radak* explains that Jeremiah was treated with much disrespect (see throughout the Book of *Jeremiah*, and see *Bava Kamma* 16b), and this is why he was called בּוּזִי.]

95. *Eitz Yosef*; see *Maharzu* for an alternative explanation.

96. *My house* refers to the king's public chambers, while *my dwelling space* refers to the king's private chambers (*Pri Chaim*).

97. The king's intent in expelling his wife and children was that they would regret their rebellion and beseech him to accept them back, promising to be loyal to him in the future. However, this did not happen. Until that point, they were the ones in charge of the king's house, and they thought they were indispensable. They saw no reason to humble themselves before him, as they thought he needed them and would come after them and ask them to return. When the king realized this, he called for one of the children and showed him that their expulsion had not diminished his honor at all. The king did not need them; it was they who needed the king (*Tiferes Tzion*; see *Maharzu* and *Eshed HaNechalim*).

INSIGHTS

without "theft," but rather in recognition of God's dominion, is *more* pleasing to God than the offering of Adam himself. *Panim Yafos* explains: This same verse describes Adam's offering as מַקְרִן מַפְרִיס, *horned and hooved,* from which we learn that the primordial ox sacrificed by Adam was created in its fully developed form, complete with horns and hooves (*Avodah Zarah* and *Chullin* ibid.; see *Rashi* there). Adam, presented with a full-grown ox, could not for a moment have supposed that he himself had played a part in its preparation and development. We, however, who witness the birth of our livestock, and labor mightily to raise them to maturity, fall easily into the habit of thinking that their development is due primarily to *our* efforts, and that it is thus *our* animal that we bring as an offering. One who succeeds in freeing himself from this mode of thinking has overcome a great challenge, one never faced by Adam. Therefore, the offering of this person is more pleasing to God than the one brought by Adam.

[For another approach to this Midrash, in the vein of that offered by *Chafetz Chaim*, see *Kehillas Yitzchak* to the verse; see also *Ksav Sofer* for yet another approach.]

ז אָמַר רַבִּי בֶּרֶכְיָה: °אָמַר לוֹ הַקָּדוֹשׁ בָּרוּךְ הוּא: לְאָדָם°, זֶה אָדָם°, °יְהֵא קָרְבָּנְךָ דּוֹמֶה לְקָרְבָּנוֹ שֶׁל אָדָם הָרִאשׁוֹן, שֶׁהָיָה הַכֹּל בִּרְשׁוּתוֹ וְלֹא הִקְרִיב מִן הַגְּזֵילוֹת וּמִן הַחֲמָסִים, אַף אַתָּה לֹא תַקְרִיב מִן הַגְּזֵילוֹת וְלֹא מִן הַחֲמָסִים, וְאִם עָשִׂיתָ כֵּן (תהלים סט, לב) "וְתִיטַב לַה' מִשּׁוֹר פָּר":

ח דָּבָר אַחֵר, "אָדָם" זֶה לְשׁוֹן חִבָּה וּלְשׁוֹן אַחֲוָה °וּלְשׁוֹן רֵיעוּת, אָמַר הַקָּדוֹשׁ בָּרוּךְ הוּא לִיחֶזְקֵאל: (יחזקאל ב, א; שם שם ג; ועוד) "בֶּן אָדָם", בֶּן אֲנָשִׁים כְּשֵׁרִים, בֶּן צַדִּיקִים, בֶּן גּוֹמְלֵי חֲסָדִים, בֶּן שֶׁמְּבַזִּין אֶת עַצְמָן עַל כְּבוֹדוֹ שֶׁל מָקוֹם וְעַל כְּבוֹדָן שֶׁל יִשְׂרָאֵל כָּל °יְמֵיהֶם. דָּבָר אַחֵר "בֶּן אָדָם", לְמָה הַדָּבָר דּוֹמֶה, לְמֶלֶךְ בָּשָׂר וָדָם שֶׁמָּרְדָה עָלָיו אִשְׁתּוֹ וּבָנָיו, עָמַד וּדְחָפָן מִבֵּיתוֹ וְהוֹצִיאָן לַחוּץ, לְאַחַר מִכָּאן שָׁלַח וְהֵבִיא בֵּן אֶחָד מֵאֶצְלָהּ, אָמַר לוֹ: בֶּן פְּלוֹנִי, בֹּא וְאַרְאֲךָ בֵּיתִי וּבֵית שְׁכִינָתִי שֶׁיֵּשׁ לִי חוּץ מֵאִמְּךָ, כְּלוּם פִּיחֵת כְּבוֹדִי וּשְׁכִינָתִי אַף עַל פִּי שֶׁאִמְּךָ עוֹמֶדֶת מִבַּחוּץ,

יעמדו על הקללה לכבשה, וזה כבוד ואהבה לישראל שישנה ה' גזרתו מפניהם, על דרך (שמואל ב' כג, ג) צדיק מושל יראת אלקים, שאמרו חכמינו ז"ל (מועד קטן טז, ב) הקדוש ברוך הוא גוזר גזירה והצדיק מבטלה (יפה תואר): (ז) [ז] **אמר רבי ברכיה אדם זה אדם הראשון. אמר ליה הקדוש ברוך הוא לישראל יהא קרבנך דומה.** כן צריך לומר (יפה תואר). ודייק דאדם דכתיב הכא הוא אדם הראשון, מדלא קאמר איש כי יקריב, כמו ויקחו להם איש שה. וכן בכמה דוכתין שמע מינה דרמיז אאדם הראשון: **לקרבנו של אדם הראשון.** דמותיטב לה' משור פר ילפינן שהקריב אדם הראשון שור, כדאמרינן פרק קמא דעבודה זרה (ח, א) יום שנברא בו אדם הראשון כיון ששקעה עליו החמה אמר אוי לי שמא בשביל שסרחתי עולם חשך בעדי וחוזר לתהו ובוהו, וזו היא מיתה שנקנסה עלי היה יושב ובוכה כל הלילה, כיון שעלה עמוד השחר אמר מנהגו של עולם הוא, עמד והקריב שור שקרניו קודמות לפרסותיו שנאמר ותיטב לה' משור פר מקרין מפרים, ברישא מקרין והדר מפרים, דאמר מר כל מעשה בראשית בקומתן נבראו, שור עם קרנותיו מגודלים, וכיון שילא ראשו תחלה, נמצאו קרנותיו קודמות לפרסותיו, ואמר דוד ותיטב לה' תפלתי משור, שביום שהיה שור, דהיינו אותו יום שנולד, כדכתיב שור או כשב או עז כי יולד, והיה עשוי ונגמר כפר שהוא בן שלש, שאפילו מקרניו לא חסר, כדמפרש מקרין והדר מפרים, כן פרש"י שם. והיינו דקאמר הכא, ואם עשית כן ותיטב לה' משור פר, לומר דעדיף מקרבן אדם הראשון, כמו שמפרש לקמן בסמוך: **ומן החמסים.** חמס היינו דיהיב דמי ושקיל בעל כרחו כדאיתא בפרק הכונס (בבא קמא סב, א). ואף על פי שנתן דמיו לכתחילה לא יקריב, ובדיעבד כשר: **ואם עשית כן ותיטב לה'.** שהיה קרבנו של אדם הראשון כדלעיל. וזה שלך עדיף אחר שאין הכל שלך והיה אפשר לך להביא מן הגזל ולא הבאת אלא משלך, אבל אדם הראשון שהיה הכל שלו אין להחזיק לו טובה כל כך. ואף על גב דהאי קרא ותיטב לה' וגו', תפלת דוד הוא כמו שזכרתי לעיל (ד"ה לקרבנו) בשם רש"י, ואם כן היכי רמיזא הא דקאמר ואם עשית כן כו'. יש לומר דיליף בגזירה שוה נאמר כאן לה', ונאמר להלן ותיטב לה', והא דדברי תורה מדברי קבלה לא ילפינן, היינו לענין דינא (יפה תואר): (ח) [ז] **אדם זה לשון חבה.** דמה שאמר אדם כי יקריב, ולא קאמר איש הוא משום דאדם הוי לשון חבה, שמלת אדם הונח על מדרגה רמה, ומורה על מעלת הנפש שהיא חביבה בעיניו: **ולשון אחוה.** כי המרכבה העליונה מכונה בשם אדם, כי היא כדמות אדם מלמעלה, והאדם במעשיו הטובים מתחבר למעלה, ולכן אמרו האבות הן הן המרכבה, וזהו לשון אחוה ולשון ריעות שהם מתחברים יחד ופועלים זה בזה, ואף על גב דאיקרי נמי איש ה' איש מלחמה, היינו על שם המלחמה, אבל איש סתמא לא איקרי, וכן מלינו שקרא הכתוב תמיד ליחזקאל בן אדם, לא לגנותו אלא לשבחו. ופירוש **בן אנשים כשרים** היינו במה שבינם לחבריהם, **ובן צדיקים** היינו בינם למקום, **ובן גומלי חסדים** היינו דמלבד מה שלא חטאו לחבריהם, גמלו להם חסדים: **בן שמבזים עצמם כו'.** אף על גב דאין זה במשמע בן אדם, כיון דמבן בוזי שמעינן לה, כדאיתא בתנא דבי אליהו (רבה פרק ז), איידי דקאמר הכא שהיו כשרים, הזכיר מכשרותם היותם מבזים עצמם: **ועל כבודן של ישראל כל ימיהם.** כן צריך לומר: **בן אדם למה הדבר דומה למלך כו'.** ופירוש בן אדם בן ישראל שנקראו אדם, ולהכי מייתי לה הכא דגם לפי זה שמעינן דאדם לשון חבה דקרי לישראל סתם הכי: **שמרדה עליו אשתו.** קשה דבנמשל אינו כן, דיחזקאל שהוא משל הבן שקרא המלך, לא מרד ולא נדחף. ובתנא דבי אליהו (שם) גרסינן למלך שכעס על אשתו והיה לו בנים ממנה עמד ודחפה והוציאה מביתו, לימים שלח והביא בן מאללה (יפה תואר). אבל בתנא דבי אליהו שלפנינו הגירסא כמו כאן:

(ח) **דבר אחר אדם זה לשון אחוה.** תנא דבי אליהו (ת"א פרק ו) כל הענין שם. לשון אחוה, לשון ריעות, כמו שכתוב (בראשית ה, ב) זכר ונקבה בראם ויקרא שמם אדם, הרי שמורה על אחוה וריעות, וכמו שכתוב עוד (יחזקאל א, כו) ועל [דמות] הכסא דמות כמראה אדם עליו מלמעלה, וזהו לשון חיבה שמדמה אותם בשם שעל הכסא: **דבר אחר בן אדם למה הדבר דומה.** הנה עתה מתחיל לדרוש המראה שראה יחזקאל במראה הראשונה, ולא על תיבת בן אדם, ובתנא דבי אליהו שם אינו גורס דבר אחר בן אדם, אלא דבר אחר למה הדבר דומה, ואגב דדורש תיבת אדם הכתוב כאן, דורש גם כן תיבות בן אדם של יחזקאל, ואגב דורש כל הענין: **בן פלוני.** שם הגירסא בן פלונית: **בוא ואראך בית.** ושם בתנא דבי אליהו הגירסא את ביתך ובית שבניתי לך לאמך כלום נפחת כבודי או הבית שבניתי לאמך וכו', והגירסא שבכאן יותר נכונה, שהרי הנמשל הוא על המרכבה שראה יחזקאל, ואין זה הבית שבנה לו ולאמו. ולגירסא שבכאן הנמשל מובן, שקרא בן אחד מאצלה, הוא יחזקאל הנביא, ואמר לו בוא ואראך בית שכינתי היינו המרכבה העליונה, שלא פיחת כבודי ושכינתי, כאומר לי לא עשיתם דבר אלא לעצמיכם עשיתם, כמו שכתוב (דברים לב, ה) שחת לו לא בניו מומם:

אשד הנחלים

ודלות, אז לא היה בנמצא בין בני ישראל (בעת שהיו טובים) אביונים, וזהו לא יחדל אביון מקרב הארץ, כי סבת הארץ היא הגורמת לפעמים על האדם הפרטי. וכן בקללה לא נאמר בכוונה על העם, כי אם קללה לבד, כאלו אינם מכוונים לעם ביחוד, כי אם הקללה באה ממילא, בעת שהעולם בצרה אז הם נכללים עמהם, ולא כן בברכה, שהיא מיוחדת להם ולא תשוב ריקם: **[ז] דומה לקרבנו של אדם הראשון.** וזהו הרמז דכתיב בה אדם, לרמוז דיהיה הקרבן דמות קרבנו, שלא היה בו מן הגזילות אחר שהכל היה שלו, ואם עשה כן הוא נחשב יותר מקרבן אדם הראשון, שלא היה לו ממי לגזול, ולא היה חידוש כל כך, אבל אתה כפית יצרך (יפה תואר): **[ח] לשון חיבה.** מפני שמורה על מעלת הנפש שהיא חביבה בעיניו. ולשון אחוה, כי המרכבה העליונה מכונה בשם אדם, כי היא כדמות אדם מלמעלה, והאדם במעשיו הטובים מתחבר למעלה, ולכן אמרו האבות הן הן המרכבה, וזהו לשון אחוה ולשון ריעות שהם מתחברים יחד ופועלים זה בזה. וכן מצינו שקרא הכתוב תמיד ליחזקאל בן אדם, על שם זה שהיה בן כשר (במדות), ובן צדיק (באמונה), ובן גומלי חסדים (טוב ומטיב בין אדם לחבירו): **כלום פיחת כבודי כו'.** עיקר הענין דהוקשה להם מדוע רק ליחזקאל קטן מכל הנביאים, כמאמרם (חגיגה יג, ב) מה שראה יחזקאל ראה ישעיה, אלא ישעיה דומה לבן עיר כו' ויחזקאל לבן כפר שראה את המלך, נקרא בן אדם שהוא המעלה הגבוהה כל כך. ולכן מפרש תחילה מפני שהיה בן אנשים כשרים, כלומר משפחתו גדולה מאוד במדות ובדיעות, ועתה מפרש מפני שראה המרכבה העליונה המכונה בשם אדם, קראוהו גם כן בשם זה לעורר אותו, כאלו אומר לו אתה בן אדם המכוון למה שראית למעלה, אתה ראה כלום פיחת כבודי, כלומר ואל תדמה שגלות ישראל יסבב חס ושלום חסרון הכרת כבודי, ומוכרח אני לעכב הגליות למעני, לא כן כי יש לי מי שיכירני. ועוד הורה בזה, שידעו מעלתם הגבוה שהגביה ה' אותם, שהופיע ה' שכינתו דוגמת מעלה, וזהו כלום פיחת כבודי ובית שכינתי לכם:

חידושי הרד"ל

[ז] ואם עשית כן ותיטב לה' משור פר. שהוא קרבנו של אדם הראשון, עיין ידי משה. ואפשר שכוין לדרוש זה אדם כי יקריב מכם קרבן, שהקרבן מכם, יוטב ורלוי יותר משל אדם הראשון:

חידושי הרש"ש

[ח] דבר אחר אדם זה לשון חיבה. מכאן עד סוף הפרשה לקוח מתנא דבי אליהו (רבה פרק ו): **ועל כבודן של ישראל כל ימיהם.** כן צריך לומר וכן הובא שם:

באור מהרי"פ

[ז] ותיטב לה' משור פר. כלומר יותר משור פר שהקריב אדם הראשון, שלאדם הראשון אין להחזיק לו טובה שהקריב משלו, שלא היה יכול לגזול מפני שהכל היה ברשותו, אבל אתה שיש ביכלתך לגזול ולחמוס, ואין אתה עושה כן ואתה מביא משלך, לכך ותיטב לה' קרבן שלך יותר משור פר שהקריב אדם. ושור פר שהקריב אדם מבואר בפרק קמא דעבודה זרה (ח, א):

מסורת המדרש

ח. תנחומא פרשה ו:
ט. ילקוט יחזקאל ש"ס:

אם למקרא

וְתִיטַב לַה' מִשּׁוֹר פָּר מַקְרִן מַפְרִיס:
(תהלים סט:לב)

וַיֹּאמֶר אֵלָי בֶּן אָדָם עֲמֹד עַל רַגְלֶיךָ וַאֲדַבֵּר אֹתָךְ:
(יחזקאל ב:א)

ידי משה

[ז] אמר הקדוש ברוך הוא אדם. כן צריך לומר. פירוש מה דכתיב אדם ולא כתיב איש, לזה אמר זה אדם, פירוש כאדם הראשון יהיה קרבנך ואם עשית כן ותטיב לה' משור פר, פירוש קרבנך יהיה טוב בעיני הקדוש ברוך הוא יותר מקרבן אדם הראשון שהקריב פר, ולמה יהיה מקובל יותר מאדם הראשון לפי שאדם הראשון היה הכל ברשותו ולא היה סגי דלאו הכי להביא משלו, מה שאין כן אתה שאפשר לך להביא מן הגזל ואתה נשמר ממנו לכן יהיה מקובל יותר מקרבן של אדם הראשון:

שינוי נוסחאות

(ז) **אמר לו הקדוש ברוך הוא: לאדם, זה אדם, יהא קרבנך** ... הגיה יפ"ת, < "אדם", זה אדם הראשון, אמר לו הקדוש ברוך הוא לישראל, יהא קרבנך ...>: (ח) כל סימן ח' עד סוף הפרשה, בספרים הישנים היה כתוב בנוספח בסוף הספר: ""נוסחא אחרינא ... במה שכתוב בו סוף פרשה ב" (והעירו רש"ש ורד"ל שהוא לקוח ממדרש תנא דבי אליהו). ובד' קראקא כתבו "ברבת הישנים כתוב גיר' זו בסוף הספר" והדפיסוהו כאן, וכן עשו כל המדפיסים אחריהם:

כָּךְ נִדְמָה לִיחֶזְקֵאל בֶּן בּוּזִי הַכֹּהֵן, שֶׁנֶּאֱמַר ״וַיְהִי בִּשְׁלֹשִׁים שָׁנָה בָּרְבִיעִי בַּחֲמִשָּׁה לַחֹדֶשׁ . . . הָיֹה הָיָה דְבַר ה׳״ — **Similarly did [God] appear to Ezekiel son of Buzi, the Kohen, as it says,** ***It happened in the thirtieth year, in the fourth [month], on the fifth of the month,*** *as I was among the exile by the River Kevar; the heavens opened and I saw visions of God . . .* ***The word of HASHEM came*** *to Ezekiel son of Buzi, the Kohen, in the land of the Chaldeans, by the River Kevar; and the hand of HASHEM came upon him there* (*Ezekiel* 1:1-3). זוֹ שִׁיטָה רִאשׁוֹנָה — **This was the mode** of presentation used **first,** i.e., the one used in the first vision.[98] וּבַשְּׁנִיָּה הוּא אוֹמֵר: ״וְהִנֵּה רוּחַ סְעָרָה בָּאָה מִן הַצָּפוֹן״ — **and with the second** mode **it states,** ***I saw, and behold! there was a stormy wind coming from the north,*** etc. (*Ezekiel* 1:4). מֵאַחַר שֶׁהֶרְאָהוּ כָּל הַמֶּרְכָּבָה אָמַר לוֹ: בֶּן אָדָם — **Once [God] showed [Ezekiel] the entire Chariot, He said to him:** ***Son of Man*** [אָדָם], i.e., *Son of Israel*,[99] זֶהוּ כְּבוֹדִי — **this is My honor.** It is whole. וְהִגְבַּהְתִּי אֶתְכֶם לְמַעְלָה מֵאוּמּוֹת הָעוֹלָם — **And when I raised you above the nations of the world,** it was for your honor, not Mine.[100] Now that you have sinned and been exiled among the nations,[101] כְּלוּם פִּיחֵת כְּבוֹדִי וּבֵית שְׁכִינָתִי לָכֶם — has **My honor or the House of My Presence** (i.e., the Temple)[102] **become diminished in the slightest on your account?**[103] שֶׁנֶּאֱמַר ״וְאִם נִכְלְמוּ מִכֹּל אֲשֶׁר עָשׂוּ צוּרַת הַבַּיִת וּתְכוּנָתוֹ וּמוֹצָאָיו וּמוֹבָאָיו״ — **As it says,** ***If they become ashamed of all that they have done,*** *then make known to them* ***the form of the Temple and its design, its exits and its entrances,*** *and all its [buildings'] forms, all its laws, all its designs, and all its teachings, and write [all this] down before their eyes, so that they may remember its entire form and all its rules and perform them* (*Ezekiel* 43:11).[104] שֶׁמָּא תֹּאמַר: אֵין לִי מִי שֶׁעוֹבֵד אוֹתִי — **Perhaps you will say, I do not have anyone** else **who serves Me?** כְּבָר יֵשׁ לִי לְפָנַי ד׳ מֵאוֹת וְתִשְׁעִים וְשִׁשָּׁה אֲלָפִים שֶׁל מַלְאֲכֵי הַשָּׁרֵת, שֶׁהֵם עוֹמְדִים וּמְקַדְּשִׁים שְׁמִי הַגָּדוֹל בְּכָל יוֹם תָּמִיד — Know that **I already have before Me four hundred and ninety-six thousand ministering angels** in Heaven **that stand and sanctify My great Name every day constantly.**[105] מִיצִיאַת הַחַמָּה וְעַד שְׁקִיעָתָהּ, וְאוֹמְרִים ״קָדוֹשׁ קָדוֹשׁ קָדוֹשׁ״ — **From the rising of the sun until its setting** they sanctify My great Name **and say:** ***Holy, holy, holy*** *is HASHEM, Master of Legions; the whole world is filled with His glory* (*Isaiah* 6:3), מִשְּׁקִיעַת הַחַמָּה וְעַד יְצִיאָתָהּ, וְאוֹמְרִים ״בָּרוּךְ כְּבוֹד ה׳ מִמְּקוֹמוֹ״ — and **from the setting of the sun until its rising** they sanctify My great Name **and say:** ***Blessed be the glory of HASHEM from His place*** (*Ezekiel* 3:12);[106] וְאֵין צָרִיךְ לוֹמַר ע׳ לָשׁוֹן — **and it is not** even **necessary to mention** the people of the **seventy languages,**

NOTES

98. *Eitz Yosef.* (See, however, *Maharzu,* who emends our Midrash and explains it differently.)

The first four verses of *Ezekiel* read as follows: *It happened in the thirtieth year, in the fourth [month], on the fifth of the month, as I was among the exile by the River Kevar; the heavens opened* ***and I saw visions of God.*** *On the fifth of the month, which was in the fifth year of the exile of King Yehoyachin, the word of HASHEM came to Ezekiel son of Buzi, the Kohen, in the land of the Chaldeans, by the River Kevar; and the hand of HASHEM came upon him there.* ***I saw,*** *and behold! there was a stormy wind coming from the north, a great cloud with flashing fire and a brilliance surrounding it; and from its midst, like the color of the Chashmal from the midst of the fire.*

Starting from *I saw, and behold! there was a stormy wind coming from the north* until the end of the chapter is the vision of the Divine Chariot (*Maaseh Merkavah*). Simply understood, this is a detailed account of the *visions of God* mentioned in the opening verse (v. 1). The Midrash however understands that these were two different visions (*Yefeh To'ar, Beur Maharif*). *Yefeh To'ar* explains that the Midrash sees this from the fact that before *visions of God*, Scripture states *and I saw*, and before the detailed account of the vision of the Divine Chariot, Scripture repeats *I saw*. This is an indication that these were two separate visions.

The Babylonian exile took place in two stages. First, King Jehoiachin was taken into exile along with the leaders of the nation. Only the poorest of the common people remained (*II Kings* 24:14-16). Eleven years later, the Temple was destroyed and most of the remaining people were taken into exile (ibid. 25:1-21). Ezekiel was part of the exile of Jehoiachin (*Ezekiel* 33:21). Both these visions took place five years after that exile (ibid. 1:2). [The Midrash understands that Ezekiel was shown the *Merkavah* vision solely to show him that the exile did not detract a scintilla from God's honor. However, one could object that, perhaps, this is just the standard way in which one sees a vision of God. Therefore, the Midrash compares these two visions of Ezekiel. Both were visions of God. In the first, he sees a vision of God without any fanfare; only in the second does he see the elaborate *Merkavah* vision. From the difference between the two modes of presentation, the Midrash demonstrates that, in fact, one can have a vision of God without the *Merkavah*. Ezekiel was shown the *Merkavah* in the second vision only so that he would see that God's honor was not diminished by the exile (see *Yefeh To'ar* and *Eitz Yosef*).]

99. The king in the parable corresponds to God; the wife of the king corresponds to the Jewish people; the son corresponds to Ezekiel. The word אָדָם is used to refer to the Jewish people (see *Yevamos* 61a, et al.). The Midrash understands the term בֶּן אָדָם used here as being analogous to בֶּן יִשְׂרָאֵל, i.e., son of the Jewish people (*Eitz Yosef*).

Since God uses the word אָדָם, which means *mankind*, in reference to the Jewish people, we see another case wherein the word אָדָם is used in a loving way (*Eitz Yosef*; see above, note 92).

100. *Yefeh To'ar.*

101. *Eitz Yosef.*

102. [The reference is not to the First Temple, which at the time of this conversation (see note 98) was on the verge of being destroyed. Rather, the reference is to the future Temple of the Messianic era, i.e., the Third Temple, as is clear from the verse the Midrash is about to cite.]

103. God was warning the Jewish people through Ezekiel: Do not think that I need to halt the exile in order to preserve My honor; the exile has no effect on My honor (*Eshed HaNechalim*). Your exile has not been detrimental to Me, only to you (*Maharzu*).

104. The architectural details of the Third Temple were defined with great precision before the Jews sinned, and those details remained precisely the same after they sinned. To the extent that the future Temple is a reflection of God's glory, the people's sins detracted from it not one iota.

Eshed HaNechalim, who takes a different approach to our Midrash, states that the vision of the *Merkavah* corresponds perfectly with the details of the Third Temple (see also *Malbim* to *Ezekiel* 40:2). The visions were two different manifestations of the same thing. And neither was diminished by the sins and exile of the Jews.

[The preceding verse in the *Ezekiel* passage (43:10) states, *"You, Son of Man! Tell the House of Israel about the Temple, and let them be ashamed of their iniquities and calculate the [Temple's] design." Midrash Tanchuma, Tzav* §14 cites Ezekiel as asking God, "The Jewish people have been sent into exile (see ibid. 40:1) and You want me to tell Israel about the future Temple?!" And God responds that He is offering hope to the people: If they would now be ashamed of their sins and begin the process of repentance, then the study of the Temple structure would be as meritorious before God as actually building the Temple (see also *Rabbeinu Bachya*, end of *Vayakhel*). Furthermore, *Radak* explains the last words of verse 11, *so that they may remember its entire form and all its rules and perform them*, to mean that if they would study all the details of the structure and make an effort to remember them, then they would indeed be among those who will rebuild it — at the time of the Revivification of the Dead.]

105. *Ramasayim Tzofim* to *Tanna DeVei Eliyahu Rabbah* Ch. 6 (§12) points out that the word מַלְכוּת, *kingship*, has the numerical value of 496. The angels accept God's kingship and affirm His sovereignty upon themselves, and sanctify His great Name. [Interestingly, the words from the verse cited above introducing God's statement to Ezekiel, דְּבַר ה׳ אֶל יְחֶזְקֵאל בֶּן בּוּזִי, also have a numerical value of 496.]

106. The statement *Holy, holy, holy is HASHEM, Master of Legions; the whole world is filled with His glory* implies that God's glory is acclaimed throughout the world; by contrast, the statement *Blessed be the glory of HASHEM from His place* implies that God is acclaimed only in Heaven, His place. The movement of the sun during the day, which is readily apparent to everyone, points to God, for its motion points to a prime mover (see *Rambam, Hil. Avodas Kochavim* 1:3). Therefore, during the day, when God's glory is more apparent on earth, the angels say, *the whole world is filled with His glory*, but during the night, when His glory is not as apparent, they say, *from His place* (*Yefeh To'ar* to *Shemos Rabbah* 47 §13 s.v. וכן; for alternative explanations see there; *Tiferes Tzion* here; and *Meorei Eish* to *Tanna DeVei Eliyahu Rabbah* Ch. 6 [§39].

כך נדמה ליחזקאל בן בוזי הכהן, שנאמר (יחזקאל א, א-ד) "ויהי בשלשים שנה ברביעי בחמשה לחדש... היה היה דבר ה'", זו שיטה ראשונה, ובשניה הוא אומר: (שם) "והנה רוח סערה באה מן הצפון", מאחר שהראהו כל המרכבה אמר לו: בן אדם זהו כבודי °שהגבהתי אתכם למעלה מאומות העולם, כלום פיחת כבודי ובית שכינתי לכם, שנאמר (שם מג) "ואם נכלמו מכל אשר עשו צורת הבית ותכונתו ומוצאיו ומובאיו", שמא תאמר: אין לי מי שעובד אותי, כבר יש לי לפני ד' מאות ותשעים וששה אלפים של מלאכי השרת, שהם עומדים ומקדשים שמי הגדול בכל יום תמיד מיציאת החמה ועד שקיעתה, ואומרים (ישעיהו ו, ג) "קדוש קדוש קדוש" משקיעת החמה ועד יציאתה, ואומרים (יחזקאל ג, יב) "ברוך כבוד ה' ממקומו", ואין צריך לומר ע' לשון שבארץ, מפני מה אתם עושים דברים המכוערים דברים שאינן ראוין, מכעיסים אתכם ביסורין הבאים עליכם, אבל מה אעשה, הריני עושה למען שמי הגדול שנקרא עליכם, שנאמר (שם כ, כב) "ואעש למען שמי לבלתי החל וגו'":

ט [א, ב] "אדם כי יקריב מכם", למה לא נאמר "איש", כמו שנאמר להלן (ע' לקמן כב, יח-כא) "°דבר אל כל עדת בני ישראל איש כי יקריב°", אף כאן יאמר הכתוב "ויקחו להם איש בקר או צאן", למה נאמר "אדם", להביא את הגר. [א, ב] "מכם" פרט °לגוי שהוא מביא עולה,

זו שיטה ראשונה. כלומר דרך שהראהו ראשונה במראה ראשונה: **שהגבהתי אתכם כו'.** פירוש קודם שחטאו ישראל וקודם שגלו לבין האומות: **פיחת כבודי.** פירוש אפילו לאחר שגלו, ואף על גב דכל מקום שגלו ישראל שכינה עמהם כדאיתא בשמות רבה (טו, טז) אין זה פחיתת כבודו, כי הוא יתברך ברצונו מגלה שכינתו עם ישראל באהבתו אותם, ואף על גב דאמרו בפרק שני דחגיגה (יג, ב) שאחר החורבן נתמעט פמליא של מעלה, אין זה פחיתות בכבודו כיון דה' הוא שרוצה לעשות כן לחיבת בית המקדש כדאיתא התם: **וששה אלפים של מלאכי השרת.** ובתנא דבי אליהו איתא וששה אלפים רבבות. ובילקוט (יחזקאל סימן שמ) יש גרסא אחרת: **ואין צריך לומר שבעים לשון שבאדם.** כמו שנאמר (מלאכי א, יא) ובכל מקום מוקטר מוגש לשמי, דאף על גב דטעו בעבודה זרה, כולם מודים בסבה ראשונה יתברך: **דברים המכוערים.** פירוש דברים האסורים מן התורה. **ודברים שאינם ראוים.** פירוש שאינם ראוים משום דרך ארץ, אף על גב דאין בהם איסור תורה כגון דת יהודית: **מכעיסים אתכם ביסורים.** בתנא דבי אליהו איתא ומבעטים אתם ביסורים כו'. וכן נכון: (ט) [ח] **למה לא נאמר איש כמו שנאמר להלן דברו אל כל עדת בני ישראל לאמר בעשור לחדש הזה ויקחו להם איש שה לבית אבות אף כאן יאמר הכתוב איש כי יקריב מכם קרבן כו' למה נאמר אדם.** כן צריך לומר (יפה תואר). וכן הוא בתנא דבי אליהו (שם): **להביא את הגר.** לאו משום דאדם משמע רבויא, אלא מדשני למכתב אדם לרבוי אתא גרים: **מכם פרט למומר לעבודה זרה שאינו מביא עולה.** כן צריך לומר. וכן הוא בתורת כהנים (דבורא דנדבה פ"ב) והובא בילקוט סימן תל"ד [זקוקין דנורא], אבל נכרי

זו שיטה הראשונה ובשניה מהו אומר וכו'. וכן הגירסא בתנא דבי אליהו שם. ואין הדברים מובנים כלל מהו שיטה ראשונה ושניה, ויותר יקשה מה שאמר אחר כך, ובית שכינתי לכם שנאמר (יחזקאל מג, יא) ואם נכלמו מכל אשר עשו, דלא מריש הספר עד סופו מענין המרכבה העליונה לצורך הבית שלעתיד. אך האמת יורה דרכו שנלקה המאמר כאן ובתנא דבי אליהו בחלוף וחסר, וכן צריך לומר שנאמר ויהי בשלשים שנה ברביעי בחמשה לחודש עד סוף הפסוק, ואחר כך בפסוק השני מתחיל בחמשה לחודש וגו', עד וארא רוח סערה באה מן הצפון וגו', כל הפרשה שלענין המרכבה, כאומר ראה שלא פיחת כבודי כנ"ל במדרש כאן, שעל פי מדה ט' מאחר שזה היה הכוונה כאלו מפורש שאמר לו כאן, זהו שיטה הראשונה של המרכבה בריש יחזקאל, ואחר כך ביחזקאל מ"ג שהראהו בנין הבית שלעתיד, כתיב שם (מג, ח) ויוליכני אל השער וגו' וכמראה המראה אשר ראיתי וגו' אשר ראיתי בנהר כבר וגו', הרי אגל בנין הבית הראהו עוד הפעם המרכבה, והנה בפעם הראשון, היא השיטה הראשונה אמר ליחזקאל כלום פיחת כבודי ובית שכינתי, כלשון המדרש כאן, היינו המרכבה העליונה, ובפעם השני בעת שהראהו בנין הבית שלעתיד, שאז הראהו עוד הפעם מראה המרכבה, שזהו השיטה השניה, אז אמר לו כלשון שהעתקתי מהתנא דבי אליהו, בוא ואראך את כיתך ובית שכינתי לאמך כלום נפחת כבודי או הבית שכינתי לאמך, וכן בנמשל כלום פיחת כבודי או הבית שכינתי להם היינו בית המקדש שלעתיד, ועל זה הביא כאן פסוק (שם יא) ואם נכלמו מכל אשר עשו צורת הבית וגו', דוק והתבונן במדרש ובפסוקים ויאיר לך אמיתת פירושי: **שנאמר ואעש למען שמי לבלתי החל.** היינו מה שכתוב כאן ביחזקאל (מג, ז) ולא יטמאו עוד בית ישראל שם קדשי כי יעשה למען כבוד שמו, וכמו שכתוב (יחזקאל כ, כב) ואעש למען שמי לבלתי החל לעיני הגוים אשר המה בתוכם, וזה על פי מדה ט' וי"ז שלמוד מענינו שכיון לפסוק זה:

חידושי הרד"ל

[ט] **פרט לעובד כוכבים שהוא מביא עולה.** עיין ידי משה, שרצה להגיה שאינו מביא:

חידושי הרש"ש

מפני מה אתם עושים דברים שאינם ראוין ומבעטים אתם ביסורין כו'. כן הוא שם. והמתנות כהונה דחק את עצמו לפרש הגירסא דפה: [ט] **כמו שנאמר להלן דברו אל כל עדת ישראל וגו'.** ויקחו להם איש (שמות יב, ג), אף כאן יאמר הכתוב איש כי יקריב למה כו' כן צריך לומר, ועיין שם בתנא דבי אליהו: **פרט לעובד כוכבים שהוא מביא עולה.** רצה לומר דכאן מפרש והולך אם עולה כו', ונפש כי תקריב קרבן

שינוי נוסחאות

זהו כבודי, שהגבהתי אתכם. יפ"ת הגיה "והגבהתי" במקום "שהגבהתי": **מכעיסים אתכם ביסורין הבאים עליכם.** מ"כ הגיה: "מכעיסני אתכם..." וע' רש"ש שהגיה "מבעטים אתם", וכן הוא בכל הכ"י: (ט) "**דבר אל כל עדת בני ישראל איש כי יקריב**". אין פסוק כזה בדיוק, ורש"ש הגיה שצ"ל "דברו אל כל עדת ישראל ... ויקחו להם איש" משמות יב:ג, ונ"ל דמוכח כן מהמשך ל' המדרש: **אף כאן יאמר הכתוב "ויקחו לכם איש בקר או צאן".** צ"ל "להם" תחת "לכם", כן הוא בדפוסים הישנים לפני מ"כ, ובדבריו מ"כ היה כתוב "לכם גרסינן", ועפ"ז התחילו המדפיסים לכתוב "לכם" במדרש, ובמשך הזמן החליפו המדפיסים את דברי מ"כ לומר "להם גרסינן", וכן נמצא בספרינו. [ובכל אופן הבנתם בדברי מ"כ אינה נכונה, שלא בא אלא לתקן את הטעות שנפלה בד' ונציה תל"ו שכתבו "ויקחו למה איש", ולא התכוון כלל להחליף לכם בלהם או להם בלכם.] "**מכם" פרט לגוי.** במ"כ הגיה שצ"ל "פרט למשומד", וע"ע ברד"ל, אבל ע' ברש"ש שמקיים גרסת הספרים.

אם למקרא

וַיְהִי בִּשְׁלֹשִׁים שָׁנָה בָּרְבִיעִי בַּחֲמִשָּׁה לַחֹדֶשׁ וַאֲנִי בְתוֹךְ הַגּוֹלָה עַל נְהַר כְּבָר נִפְתְּחוּ הַשָּׁמַיִם וָאֶרְאֶה מַרְאוֹת אֱלֹהִים: בַּחֲמִשָּׁה לַחֹדֶשׁ הִיא הַשָּׁנָה הַחֲמִישִׁית לְגָלוּת הַמֶּלֶךְ יוֹיָכִין: הָיֹה הָיָה דְבַר ה' אֶל יְחֶזְקֵאל בֶּן בּוּזִי הַכֹּהֵן בְּאֶרֶץ כַּשְׂדִּים עַל נְהַר כְּבָר וַתְּהִי עָלָיו שָׁם יַד ה': וָאֵרֶא וְהִנֵּה רוּחַ סְעָרָה בָּאָה מִן הַצָּפוֹן עָנָן גָּדוֹל וְאֵשׁ מִתְלַקַּחַת וְנֹגַהּ לוֹ סָבִיב וּמִתּוֹכָהּ כְּעֵין הַחַשְׁמַל מִתּוֹךְ הָאֵשׁ: (שם א:א-ד)

וְאִם נִכְלְמוּ מִכֹּל אֲשֶׁר עָשׂוּ צוּרַת הַבַּיִת וּתְכוּנָתוֹ וּמוֹצָאָיו וּמוֹבָאָיו וְכָל צוּרֹתָו וְאֵת כָּל חֻקֹּתָיו וְכָל צוּרֹתָו וְכָל תּוֹרֹתָו הוֹדַע אוֹתָם וּכְתֹב לְעֵינֵיהֶם וְיִשְׁמְרוּ אֶת כָּל צוּרָתוֹ וְאֶת כָּל חֻקֹּתָיו וְעָשׂוּ אוֹתָם: (יחזקאל מג:יא)

וְקָרָא זֶה אֶל זֶה וְאָמַר קָדוֹשׁ קָדוֹשׁ קָדוֹשׁ ה' צְבָאוֹת מְלֹא כָל הָאָרֶץ כְּבוֹדוֹ: (ישעיה ו:ג)

וַתִּשָּׂאֵנִי רוּחַ וָאֶשְׁמַע אַחֲרַי קוֹל רַעַשׁ גָּדוֹל בָּרוּךְ כְּבוֹד ה' מִמְּקוֹמוֹ: (יחזקאל ג:יב)

וָאַעַשׂ לְמַעַן שְׁמִי לְבִלְתִּי הֵחֵל לְעֵינֵי הַגּוֹיִם אֲשֶׁר הֵמָּה בְתוֹכָם אֲשֶׁר נוֹדַעְתִּי אֲלֵיהֶם לְעֵינֵיהֶם לְהוֹצִיאָם מֵאֶרֶץ מִצְרָיִם: (שם כ:כב)

דַּבֵּר אֶל אַהֲרֹן וְאֶל בָּנָיו וְאֶל כָּל בְּנֵי יִשְׂרָאֵל וְאָמַרְתָּ אֲלֵהֶם אִישׁ אִישׁ מִבֵּית יִשְׂרָאֵל וּמִן הַגֵּר בְּיִשְׂרָאֵל אֲשֶׁר יַקְרִיב קָרְבָּנוֹ לְכָל נִדְרֵיהֶם וּלְכָל נִדְבוֹתָם אֲשֶׁר יַקְרִיבוּ לַה' לְעֹלָה: לִרְצֹנְכֶם תָּמִים זָכָר בַּבָּקָר בַּכְּשָׂבִים וּבָעִזִּים: כֹּל אֲשֶׁר בּוֹ מוּם לֹא תַקְרִיבוּ כִּי לֹא לְרָצוֹן יִהְיֶה לָכֶם: וְאִישׁ כִּי יַקְרִיב זֶבַח שְׁלָמִים לַה' לְפַלֵּא נֶדֶר אוֹ לִנְדָבָה בַּבָּקָר אוֹ בַצֹּאן תָּמִים יִהְיֶה לְרָצוֹן כָּל מוּם לֹא יִהְיֶה בּוֹ: (לקמן כב:יח-כא)

ידי משה

[ח] **ארבע מאות ותשעים ושלשה.** כן צריך לומר, כמנין צבאות חסר וי"ו, וכן אומרים ה' צבאות, ומסיים **ואין צריך לומר שבעים לשון,** פירוש שבעים אומות המשבחים אותי בארץ. וקל להבין: [ט] **פרט לגוי שאינו מביא עולה.** כן צריך לומר, אבל נדרים ונדבות מקבלין מן הגוי:

מתנות כהונה

[ח] הכי גרסינן **מכעיסני אתכם.** ופירושו מכעיס אני אתכם, כלומר ראוי היה לכם לייסר אתכם ביסורים, אבל כו': [ט] **ויקחו להם איש בקר.** גרסינן: **פרט לגוי.** בירושלמי דפרק קמא דשקלים גרס פרט למשומד, וכן הוא בפרק קמא דחולין:

אשד הנחלים

שנאמר ואם נכלמו מכל אשר עשו גו'. וכלומר שהיה תכונת הבית המקדש בכל מוצאיו ומובאיו דוגמת המרכבה העליונה, ועל ידי זה היתה השכינה למטה בארץ, ואיך עשו הרעה הגדולה הזאת להשחית הכל: **ארבע מאות ותשעים ושלשה כו'.** כמנין צבאות חסר וי"ו, הם האומרים קדוש ה' צבאות (ידי משה). ובתנא דבי אליהו, ובמקומות אחרות, הגרסא מאתים עשרים ושנים אלפים רבוא, וכמנין רכב אלהים. ענין השתנות הקלוס שבין יום ללילה, בארתי בבאורי לתנא דבי אליהו זוטא פ"ז עיי"ש: **מכעיסין אתכם ביסורין.** המתנות כהונה גרס **מכעיסני אתכם.** ופירושו מכעיס אני אתכם ביסורים. ולי נראה כפשוטו, שגם זה כביכול לצער אצלי במה שמוכרח לייסר אותם, כי אין מחפצי יתברך להביא יסורים עליהם. והגרסא הנכונה מכעיסים אותו ביסורים. או פירושו ראוי היה להכעיס אתכם ביסורים, אבל מה אעשה הריני עושה כו'. ורצה לומר ראוים אתם לכלותכם לגמרי, אבל מה אעשה כי אי אפשר לכלותם: [ט] **ומכם פרט לעובדי כוכבים.** במתנות כהונה הביא הגרסא פרט לעובד כוכבים מישראל, שאינו מביא כגרסת הש"ס בחולין (ה, א) מכם ולא כולכם להוציא את העובד

באור מהרי"פ

[ח] **ויהי בשלשים.** (יחזקאל א, א - ד) ויהי בשלשים שנה ברביעי בחמשה לחדש ואני בתוך הגולה על נהר כבר נפתחו השמים ואראה מראות אלהים ואראה והנה רוח סערה באה מן הצפון ענן גדול ואש מתלקחת וגו', אלא על פי פשוטו משמע דוארא החשמל מתוך האש. מראות אלהים, ולפרש מה היתה המראה והנה רוח סערה וגו', אבל (מכל) מקום המדרש סובר דשתי ראיות הם, ואראה מראות אלהים היא מראה ראשונה, וארא והנה רוח סערה היא מראה שניה: **שנאמר ואם נכלמו מכל אשר עשו וגו'.** צריך עיון:

i.e., the seventy nations, שֶׁבָּאָרֶץ — **that are on earth.** They too sanctify My Name.[107] **מִפְּנֵי מָה אַתֶּם עוֹשִׂים דְּבָרִים הַמְכוֹעָרִים דְּבָרִים שֶׁאֵינָן רְאוּיִין — Why are you** (Israel) **doing unseemly things, things that are unworthy,**[108] **מַכְעִיסִים אֶתְכֶם בְּיִסּוּרִין הַבָּאִים עֲלֵיכֶם — causing yourselves grief with afflictions that come upon you** to utterly destroy you as you deserve?[109] **אֲבָל מָה אֶעֱשֶׂה, הֲרֵינִי עוֹשֶׂה לְמַעַן שְׁמִי הַגָּדוֹל שֶׁנִּקְרָא עֲלֵיכֶם, שֶׁנֶּאֱמַר ״וָאַעַשׂ לְמַעַן שְׁמִי לְבִלְתִּי הֵחֵל וגו׳״ — However, what should I do?** It is not possible to destroy you without desecrating My Name. **I will** therefore **carry on for the sake of My great Name that is proclaimed over you** and *not* utterly destroy you, **as it says,** ***But I carried on for the sake of My Name, that it not be desecrated*** *in the eyes of the nations in whose midst they were, before whose eyes I had made Myself known to them, [promising] to take them out of the land of Egypt* (*Ezekiel* 20:9).[110]

§9 אָדָם כִּי יַקְרִיב מִכֶּם — ***WHEN A MAN AMONG YOU BRINGS AN OFFERING TO HASHEM.***

There is a similar verse in the Book of *Exodus*, where the Torah uses the word אִישׁ, and not אָדָם as in ours. The Midrash explains why our verse specifically uses the word אָדָם:[111]

לָמָּה לֹא נֶאֱמַר ״אִישׁ״, כְּמוֹ שֶׁנֶּאֱמַר לְהַלָּן ״דַּבְּרוּ אֶל כָּל עֲדַת יִשְׂרָאֵל... וְיִקְחוּ לָהֶם אִישׁ״ — Why does it not say *ish* [אִישׁ] here in *Leviticus* **as it says over there** in *Exodus*: ***Speak to the entire assembly of Israel, saying:*** *On the tenth of this month* ***they shall take for themselves — each man*** [אִישׁ] *— a lamb or a kid for each father's house, etc.* (*Exodus* 12:3)?[112] **אַף כָּאן יֹאמַר הַכָּתוּב ״וְיִקְחוּ לָהֶם אִישׁ בָּקָר אוֹ צֹאן״ — Here too, the verse should say, "They shall take for themselves — each man** [אִישׁ] **— [from] the cattle or the flock."** **לָמָּה נֶאֱמַר ״אָדָם״— Why does it say *adam*** [אָדָם] instead? **לְהָבִיא אֶת הַגֵּר — To include the convert.**[113]

The Midrash now explains who is being excluded by the limiting term מִכֶּם, *among you*, used in the verse:

״מִכֶּם״ פְּרַט לְגוֹי שֶׁהוּא מֵבִיא עוֹלָה — The verse states, ***among you*** **— this excludes a non-Jew, for he brings** only **an *olah*.**[114]

NOTES

107. Although some of the nations went astray after the practice of idolatry, all the seventy nations believed in God as the First Cause (*Eitz Yosef*; see *Menachos* 110a and *Maharsha* ad loc.; see also *Tiferes Tzion*).

By stating that it is not even necessary to mention the people of the seventy languages, the Midrash means that their sanctification is well known to the Jewish people, whereas the sanctification of the angels in heaven is not (*Yefeh To'ar*).

108. The phrase *unseemly things* refers to things forbidden according to the law of the Torah; the phrase *things that are unworthy* refers to things that are not forbidden by the Torah but that proper conduct dictates that one should avoid (see *Eitz Yosef*).

109. For alternative versions of the Midrash text see *Matnos Kehunah*; *Eshed HaNechalim*; *Rashash* and *Eitz Yosef.*

110. *Eshed HaNechalim*. In *Ezekiel* 20:8-9 God says that when He redeemed the Jewish people from Egypt He did not do so because they deserved it but rather so that His Name not be desecrated in the eyes of the nations. For God had promised to redeem the Jewish people, and the Egyptians looked at the Jews as God's people. Had God destroyed the Jewish people, the nations would have said that God was not omnipotent and He destroyed them because He lacked the ability to redeem them (*Rashi* to *Ezekiel* 20:9). Similarly, if God would have destroyed the Jewish people during the Babylonian exile, the nations would have said that He destroyed His people because He lacked the ability to redeem them. (Cf. *Numbers* 14:15-16.)

[Objectively speaking, God Himself would not be diminished in any way by the destruction of the Jewish people (see note 103). The desecration of God's Name *would*, however, lessen His honor *in the eyes of humanity.*]

111. *Eitz Yosef*; see *Tiferes Tzion*.

112. The context of this verse is the taking of the lamb for the *pesach*-offering.

113. Scripture commonly uses the word אָדָם to refer to the Jewish people (see *Yevamos* 61a, et al.). The word includes converts, for they are part of the Jewish people. However, the phrase בְּנֵי יִשְׂרָאֵל, *Children of Israel*, does not include converts, for although converts are full-fledged Jews, they are not the biological children of Israel, i.e., Jacob. Our verse, which commences with the words, דַּבֵּר אֶל בְּנֵי יִשְׂרָאֵל, *Speak to the Children of Israel*, would thus have excluded converts, if not for the word אָדָם, which includes them (*Rash MiShantz* to *Sifra, Vayikra, Dibura DeNedavah, Parshesa* 2:3; cf. *Eitz Yosef*).

114. There is a dispute as to which offerings a non-Jew may bring. R' Akiva is of the opinion that a non-Jew may offer only an *olah*; R' Yose HaGelili maintains that, in general, a non-Jew may pledge and offer *all* types of voluntary offerings (see *Menachos* 73b and *Sifra, Emor, Parshesa* 7:2). The passage here in *Leviticus* speaks of three types of voluntary offerings: an *olah*, a *minchah*, and a *shelamim*. Following the opinion of R' Akiva, the Midrash states that the word מִכֶּם, *among you*, excludes a non-Jew: only to one *among* **you**, i.e., a Jew, does this entire passage apply; however, a non-Jew can offer only an *olah* (*Rashash*; see, however, other versions of our text as emended by the various commentators). See Insight Ⓐ.

INSIGHTS

Ⓐ **Eat, Drink, and Be Holy** *R' Yaakov Kamenetsky* (*Emes LeYaakov*, on *Genesis* 2:4) explains the phenomenon that (according to the view of R' Akiva and of our Midrash) the non-Jew may bring only an *olah* in the Holy Temple, whereas the Jew may bring a *shelamim* (and *minchah*).

The distinction is not chauvinism. It is general outlook. In the *weltanschauung* of a Jew, the entire world, both spiritual *and* physical, is a means and medium for the service of God. Hence, he can bring an offering such as a *shelamim*, part of whose meat is consumed by the Kohen, and part of which he, himself, eats in Jerusalem, "before God." (In most cases, most of the individual's *minchah* is also eaten by the Kohen.) Within the framework and parameters that God has instructed us, the world and all its delights can be employed in His service, and thus *should* be part of the Divine service. One eats the meat of a *shelamim* and serves God through that eating. Eating, too, is the will — and service — of God. [See also the Commentary of *R' Samson Raphael Hirsch* on *Genesis* 46:1, who explains the uniquely Jewish character of *shelamim* in this way.]

The non-Torah view sees a sharp dichotomy between the body and the soul, the physical and the spiritual, and views any connection between the two as artificial. Thus, the non-Jew can, in all honesty, bring only an *olah*, the offering that is consumed entirely by the flames of the Altar. That is the only way he understands the pure service of God. In that view, Divine service has no real room for the physical except by its destruction.

It is for this reason that our Sages say (*Pesachim* 68b) that all agree that on the holiday of Shavuos, which commemorates receiving the Torah, one is required to enjoy himself with food and drink. The Jew does not believe in the ideal of a monastic, life-denying existence as a way of serving God. To the contrary, one is enjoined to appreciate the physical world that God gave us and employ it in His service. And thus on the holiday that celebrates receiving His Torah, His blueprint for the world and our lives in it, we celebrate by — among other things — eating and drinking.

Meshech Chochmah (on *Exodus* 20:18) explains this concept to be the source of the dispute, as it were, between the ministering angels and God, when the former complained, "How can one born of a woman — i.e., a physical human being — be able to receive the Divine Torah, which is the spiritual word of God?" To which God replied (see *Shabbos* 89a), "Do you — i.e., the angels — have any business between yourselves? Can you kill? Can you commit adultery? Are you ever jealous? Do you have an evil inclination?" God was telling them: All of these matters are the stuff of which the commandments are made. The Torah is given to man precisely because he is a physical human being and the mitzvos are to enable him to use his physicality in the Divine service. It is precisely because man can get angry, be jealous, and have desires, that the Torah, the word of God, can purify his physical essence to enable it to receive the Divine light.

כך נדמה ליחזקאל בן בוזי הכהן, שנאמר (יחזקאל א, א-ד) "ויהי בשלשים שנה ברביעי בחמשה לחדש... היה היה דבר ה'", זו שיטה ראשונה, ובשניה הוא אומר: (שם) "והנה רוח סערה באה מן הצפון", מאחר שהראהו כל המרכבה אמר לו: בן אדם זהו כבודי °שהגבהתי אתכם למעלה מאומות העולם, כלום פיחת כבודי ובית שכינתי לכם, שנאמר (שם מג) "ואם נכלמו מכל אשר עשו צורת הבית ותכונתו ומוצאיו ומובאיו", שמא תאמר: אין לי מי שעובד אותי, כבר יש לי לפני ד' מאות ותשעים ושלשה אלפים של מלאכי השרת, שהם עומדים ומקדשים שמי הגדול בכל יום תמיד מיציאת החמה ועד שקיעתה, ואומרים (ישעיהו ו, ג) "קדוש קדוש קדוש" משקיעת החמה ועד יציאתה, ואומרים (יחזקאל ג, יב) "ברוך כבוד ה' ממקומו", ואין צריך לומר ע' לשון שבארץ, מפני מה אתם עושים דברים המכוערים דברים שאינן ראויין, מכעיסים אתכם ביסורין הבאים עליכם, אבל מה אעשה, הריני עושה למען שמי הגדול שנקרא עליכם, שנאמר (שם ב, כב) "ואעש למען שמי לבלתי החל וגו'":

ט [א, ב] "אדם כי יקריב מכם", למה לא נאמר "איש", כמו שנאמר להלן (ע' לקמן כב, יח-כא) "°דבר אל כל עדת בני ישראל איש כי יקריב°", אף כאן יאמר הכתוב "ויקחו לכם איש בקר או צאן", למה נאמר "אדם", להביא את הגר. [א, ב] "מכם" פרט °לגוי שהוא מביא עולה,

עץ יוסף

זו שיטה ראשונה. כלומר דרך שהראהו ראשונה במראה ראשונה: שהגבהתי אתכם כו'. פירוש קודם שחטאו ישראל וקודם שגלו לבין האומות: פיחת כבודי. פירוש אפילו לאחר שגלו, ואף על גב דכל מקום שגלו ישראל שכינה עמהם כדאיתא בשמות רבה (טו, טז) אין זה פחיתות כבודו, כי הוא יתברך ברצונו מגלה שכינתו עם ישראל באהבתו אותם, ואף על גב דאמרו בפרק שני דחגיגה (יג, ב) שאחר החורבן נתמעט פמליא של מעלה, אין זה פחיתות בכבודו כיון דה' הוא שרוצה לעשות כן לחיבת בית המקדש כדאיתא התם: וששה אלפים של מלאכי השרת. ובתנא דבי אליהו איתא וששה אלפים רבבות. ובילקוט (יחזקאל סימן שמ) יש גרסא אחרת: ואין צריך לומר שבעים לשון שבאדם. כמו שנאמר (מלאכי א, יא) ובכל מקום מוקטר מוגש לשמי, דאף על גב דטעו בעבודה זרה, כולם מודים בסבה ראשונה יתברך: דברים המכוערים. פירוש דברים האסורים מן התורה. ודברים שאינם ראוים, פירוש שאינם ראוים משום דרך ארץ, אף על גב דאין בהם איסור תורה כגון דת יהודית: מכעיסים אתכם ביסורים. בתנא דבי אליהו איתא ומבעטים אתם ביסורים כו'. וכן נכון: (ט) [ח] למה לא נאמר איש כמו שנאמר להלן דברו אל כל עדת בני ישראל לאמר בעשור לחדש הזה ויקחו להם איש שה לבית אבות אף כאן יאמר הכתוב איש כי יקריב מכם קרבן כו' למה נאמר אדם. כן צריך לומר (יפה תואר). וכן הוא בתנא דבי אליהו (שם): להביא את הגר. לאו משום דאדם משמע רבויא, אלא מדשני למכתב אדם לרבוי אתא גרים: מכם פרט למומר לעבודה זרה שאינו מביא עולה. כן צריך לומר. וכן הוא בתורת כהנים (דבורא דנדבה פ"ב) והובא בילקוט סימן תל"ד [זקוקין דנורא], אבל נכרי

פירוש מהרז"ו

זו שיטה הראשונה ובשניה מהו אומר וכו'. וכן הגירסא בתנא דבי אליהו שם. ואין הדברים מובנים כלל מהו שיטה ראשונה ושניה, ויותר יקשה מה שאמר אחר כך, ובית שכינתי לכם שנאמר (יחזקאל מג, יא) ואם נכלמו מכל אשר עשו, דלא מזכיר הספר עד סופו מענין המרכבה העליונה לצורך הבית שלעתיד. אך האמת יורה דרכו שנלקה המאמר כאן ובתנא דבי אליהו בחלוף וחסר, וכן צריך לומר שנאמר ויהי בשלשים שנה ברביעי בחמשה לחודש עד סוף הפסוק, ואחר כך בפסוק השני מתחיל בחמשה לחודש וגו', עד וארא רוח סערה באה מן הצפון וגו', כל הפרשה שלפנינו המרכבה, כלומר ראה שלא פיחת כבודי כל"ל במדרש כאן, שעל פי מדה ט' מאחר שזה היה הכוונה כאלו מפורש שאמר לו כאן, זהו שיטה הראשונה של המרכבה בריש יחזקאל, ואחר כך ביחזקאל מ"ג שהראהו בנין הבית שלעתיד, כתיב שם (מג, ח) ויוליכני אל השער וגו' וכמראה המראה אשר ראיתי וגו' אשר ראיתי בנהר כבר וגו', הרי אצל בנין הבית הראהו עוד הפעם המרכבה, והנה בפעם הראשון, היא השטה הראשונה אמר ליחזקאל כלום פיחת כבודי ובית שכינתי, כלשון המדרש כאן, היינו המרכבה העליונה, ובפעם השני בעת שהראהו בנין הבית שלעתיד, שאז הראהו עוד הפעם מראה המרכבה, שזהו השיטה השניה, אז אמר לו כלשון שהעתקתי מהתנא דבי אליהו, בוא וראה את ביתך ובית שכינתי לאמך כלום נפחת כבודי או הבית שכינתי לאמך, וכן בנמשל כלום פיחת כבודי או הבית שכינתי להם היינו בית המקדש שלעתיד, ועל זה הביא כאן פסוק (שם יא) ואם נכלמו מכל אשר עשו צורת הבית וגו', דוק והתבונן במדרש ובפסוקים ויאיר לך אמיתת פירושי: שנאמר ואעש למען שמי לבלתי החל. היינו מה שכתוב כאן ביחזקאל (מג, ז) ולא יטמאו עוד בית ישראל שם קדשי כי יעשה למען כבוד שמו, וכמו שכתוב (יחזקאל כ, כב) ואעש למען שמי לבלתי החל לעיני הגוים אשר המה בתוכם, וזה על פי מדה ט' וי"ז שלמוד מענינו שכיון לפסוק זה:

חידושי הרד"ל

[ט] פרט לעובד כוכבים שהוא מביא עולה. עיין ידי משה, שרצה להגיה שאינו מביא

חידושי הרש"ש

מפני מה אתם עושים דברים שאינם ראוין ומבעטים אתם ביסורין כו'. כן הוא שם. והמתנות כהונה דחק את עצמו לפרש הגירסא דפה: [ט] כמו שנאמר להלן דברו אל כל עדת ישראל וגו'. ויקחו להם איש (שמות יב, ג), אף כאן יאמר הכתוב איש כי יקריב למה כו' כן צריך לומר, ועיין שם בתנא דבי אליהו: פרט לעובד כוכבים שהוא מביא עולה. רצה לומר דכאן מפרש והולך אם עולה כו', ונפש כי תקריב קרבן

שינוי נוסחאות

זהו כבודי, שהגבהתי אתכם. יפ"ת הגיה "והגבהתי" במקום "שהגבהתי": מכעיסים אתכם ביסורין הבאים עליכם. מ"כ הגיה: "מכעיסני אתכם ...". וע' רש"ש שהגיה "מבעטים אתם", וכן הוא בכל הכי"י: (ט) "דבר אל כל עדת בני ישראל איש כי יקריב". אין פסוק כזה בדיוק, ורש"ש הגיה שצ"ל "דברו אל כל עדת ישראל ... ויקחו להם איש" משמות יב:ג, ונ"ל דמוכח כן מהמשך ל' המדרש: אף כאן יאמר הכתוב "ויקחו לכם איש בקר או צאן". צ"ל "להם" תחת "לכם", כן הוא בספרים הישנים לפני מ"כ, ובדברי מ"כ היה כתוב "לכם גרסינן", ועפ"ז התחילו המדפיסים לכתוב "לכם" במדרש, ובמשך הזמן החליפו המדפיסים את דברי מ"כ לומר "להם גרסינן", וכן נמצא בספרינו. [ובכל אופן הבנתם בדברי מ"כ אינה נכונה, שלא בא אלא לתקן את הטעות שנפלה בד' ונציה תל"ו שכתבו "ויקחו למה איש", ולא התכוון כלל להחליף לכם בלהם או להם בלכם.]: "מכם" פרט לגוי. במ"כ הגיה שצ"ל "פרט למשומד", וע"ע ברד"ל, אבל ע' ברש"ש שמקיים גרסת הספרים.

אם למקרא

וַיְהִי בִּשְׁלֹשִׁים שָׁנָה בָּרְבִיעִי בַּחֲמִשָּׁה לַחֹדֶשׁ וַאֲנִי בְתוֹךְ הַגּוֹלָה עַל נְהַר כְּבָר נִפְתְּחוּ הַשָּׁמַיִם וָאֶרְאֶה מַרְאוֹת אֱלֹהִים: בַּחֲמִשָּׁה לַחֹדֶשׁ הִיא הַשָּׁנָה הַחֲמִישִׁית לְגָלוּת הַמֶּלֶךְ יוֹיָכִין: הָיֹה הָיָה דְבַר ה' אֶל יְחֶזְקֵאל בֶּן בּוּזִי הַכֹּהֵן בְּאֶרֶץ כַּשְׂדִּים עַל נְהַר כְּבָר וַתְּהִי עָלָיו שָׁם יַד ה': וָאֵרֶא וְהִנֵּה רוּחַ סְעָרָה בָּאָה מִן הַצָּפוֹן עָנָן גָּדוֹל וְאֵשׁ מִתְלַקַּחַת וְנֹגַהּ לוֹ סָבִיב וּמִתּוֹכָהּ כְּעֵין הַחַשְׁמַל מִתּוֹךְ הָאֵשׁ:
(שם א:א-ד)

וְאִם נִכְלְמוּ מִכֹּל אֲשֶׁר עָשׂוּ צוּרַת הַבַּיִת וּתְכוּנָתוֹ וּמוֹצָאָיו וּמוֹבָאָיו וְכָל צוּרֹתָו וְאֵת כָּל חֻקֹּתָיו וְכָל צוּרֹתָיו וְכָל תּוֹרֹתָיו הוֹדַע אוֹתָם וּכְתֹב לְעֵינֵיהֶם וְיִשְׁמְרוּ אֶת כָּל צוּרָתוֹ וְאֶת כָּל חֻקֹּתָיו וְעָשׂוּ אוֹתָם:
(יחזקאל מג:יא)

וְקָרָא זֶה אֶל זֶה וְאָמַר קָדוֹשׁ קָדוֹשׁ קָדוֹשׁ ה' צְבָאוֹת מְלֹא כָל הָאָרֶץ כְּבוֹדוֹ:
(ישעיה ו:ג)

וַתִּשָּׂאֵנִי רוּחַ וָאֶשְׁמַע אַחֲרַי קוֹל רַעַשׁ גָּדוֹל בָּרוּךְ כְּבוֹד ה' מִמְּקוֹמוֹ:
(יחזקאל ג:יב)

וָאַעַשׂ לְמַעַן שְׁמִי לְבִלְתִּי הֵחֵל לְעֵינֵי הַגּוֹיִם אֲשֶׁר־הֵמָּה בְתוֹכָם אֲשֶׁר נוֹדַעְתִּי אֲלֵיהֶם לְעֵינֵיהֶם לְהוֹצִיאָם מֵאֶרֶץ מִצְרָיִם:
(שם כ:כב)

דַּבֵּר אֶל אַהֲרֹן וְאֶל בָּנָיו וְאֶל כָּל בְּנֵי יִשְׂרָאֵל וְאָמַרְתָּ אֲלֵהֶם אִישׁ אִישׁ מִבֵּית יִשְׂרָאֵל וּמִן הַגֵּר בְּיִשְׂרָאֵל אֲשֶׁר יַקְרִיב קָרְבָּנוֹ לְכָל נִדְרֵיהֶם וּלְכָל נִדְבוֹתָם אֲשֶׁר יַקְרִיבוּ לַה' לְעֹלָה: לִרְצֹנְכֶם תָּמִים זָכָר בַּבָּקָר בַּכְּשָׂבִים וּבָעִזִּים: כֹּל אֲשֶׁר בּוֹ מוּם לֹא תַקְרִיבוּ כִּי לֹא לְרָצוֹן יִהְיֶה לָכֶם: וְאִישׁ כִּי יַקְרִיב זֶבַח שְׁלָמִים לַה' לְפַלֵּא נֶדֶר אוֹ לִנְדָבָה בַּבָּקָר אוֹ בַצֹּאן תָּמִים יִהְיֶה לְרָצוֹן כָּל־מוּם לֹא יִהְיֶה בּוֹ:
(לקמן כב:יח-כא)

ידי משה

[ח] ארבע מאות ותשעים ושלשה. כן צריך לומר, כמנין צבאות חסר וי"ו, וכן אומרים ה' צבאות, ומסיים ואין צריך לומר שבעים לשון, פירוש שבעים אומות המשבחים אותי בארץ. וקל להבין: [ט] פרט לגוי שאינו מביא עולה. כן צריך לומר, אבל נדרים ונדבות מקבלין מן הגוי:

מתנות כהונה

[ח] הכי גרסינן מכעיסני אתכם. ופירושו מכעיס אני אתכם, כלומר ראוי היה לכם לייסר אתכם ביסורים, אבל כו': [ט] ויקחו להם איש בקר. גרסינן: פרט לגוי. בירושלמי דפרק קמא דשקלים גרס פרט למשומד, וכן הוא בפרק קמא דחולין:

אשד הנחלים

שנאמר ואם נכלמו מכל אשר עשו גו'. וכלומר שהיה תכונת הבית המקדש בכל מוצאיו ומובאיה דוגמת המרכבה העליונה, ועל ידי זה היתה השכינה למטה בארץ, ואיך עשו הרעה הגדולה הזאת להשחית הכל: ארבע מאות ותשעים ושלשה כו'. כמנין צבאות חסר וי"ו, הם אומרים קדוש ה' צבאות (ידי משה). ובתנא דבי אליהו, ובמקומות אחרות, הגרסא מאתים עשרים ושנים אלפים רבוא, וכמנין רכב אלהים. ענין השתנות הקלוס שבין יום ללילה, בארתי בבאורי לתנא דבי אליהו זוטא פ"ז עיי"ש: מכעיסין אתכם ביסורין. המתנות כהונה גרס מכעיסני אתכם. ופירושו מכעיס אני אתכם ביסורים. ולי נראה כפשוטו, שגם זה כביכול לצער אצלי במה שמוכרח לייסר אותם, כי אין מחפצי יתברך להביא יסורים עליהם. והגרסא הנכונה מכעיסים אותו ביסורים. או פירושו ראוי היה להכעיס אתכם ביסורים, אבל מה אעשה הריני עושה כו'. ורצה לומר ראוים אתם לכלותכם לגמרי, אבל מה אעשה כי אי אפשר לכלותם: [ט] ומכם פרט לעובדי כוכבים. במתנות כהונה הביא הגרסא פרט לעובד כוכבים מישראל, שאינו מביא כגרסת הש"ס בחולין (ה, א) מכם ולא כולכם להוציא את העובד

באור מהרי"פ

[ח] ויהי בשלשים. (יחזקאל א, א - ד) דויהי בשלשים שנה ברביעי בחמשה לחדש ואני בתוך הגולה על נהר כבר נפתחו השמים ואראה מראות אלהים וארא והנה רוח סערה בא מן הצפון ענן גדול ואש מתלקחת ונוגה לו סביב ומתוכה כעין החשמל מתוך האש. אף על פי דלפי פשוטו משמע דוארא וגו', קאי על ואראה מראות אלהים, ולפרש מה היתה המראה והנה רוח סערה וגו', אבל [מכל] מקום המדרש סובר דשתי ראיות הם, וארא מראות אלהים היא מראה ראשונה, וארא והנה רוח סערה היא מראה שניה: שנאמר ואם נכלמו מכל אשר עשו וגו'. צריך עיון:

Having stated that non-Jews can offer only an *olah*, one might think that even when they offer an *olah*, they bring it without libations. The Midrash cites a Mishnah from which it is clear that this is not the case: when a non-Jew offers an *olah*, he brings its libations along with it just as would a Jew:[115]

אָמַר רַבָּן שִׁמְעוֹן בֶּן גַּמְלִיאֵל: שִׁבְעָה דְבָרִים הִתְקִינוּ בֵּית דִּין הַגָּדוֹל, וְזֶה אֶחָד מֵהֶם — Rabban Shimon ben Gamliel said: There were **seven things** that **the Great Court instituted, and this was one of them.**[116]

The citation of the Mishnah continues:

גּוֹי שֶׁהֵבִיא עוֹלָתוֹ מִמְּדִינַת הַיָּם — If a non-Jew brought his *olah* to be offered in the Temple **from overseas,** i.e., outside the Land of Israel,[117] **אִם הֵבִיא נְסָכִים עִמָּהּ קְרֵיבִין נְסָכִים מִשֶּׁלּוֹ — if he brought** money for its ***nesachim***[118] **with it, the *nesachim* are offered from his own** funds, i.e., the money he brought;[119] **וְאִם לָאו קְרֵיבִין מִשֶּׁל צִבּוּר — and if** he did **not** bring money for its *nesachim*, **[the *nesachim*] are offered from** the funds **of the community.**[120] In any event, we see from this Mishnah that when a non-Jew brings an *olah* to the Temple, he must bring its *nesachim* as well.[121]

Another one of the seven enactments of the Great Court:

וּתְנַאי בֵּית דִּין הוּא, כֹּהֵן גָּדוֹל שֶׁמֵּת — And it is a stipulation of the Court regarding **a Kohen Gadol who died** and was not yet replaced, **מִנְחָתוֹ קְרֵיבָה מִשֶּׁל צִבּוּר —** that **his *minchah* is offered from** the funds **of the community.**[122] **רַבִּי יְהוּדָה אוֹמֵר: מִשֶּׁל יוֹרְשִׁים — R' Yehudah says:** They are offered **from** the funds of the Kohen Gadol's **heirs.**[123] **וּשְׁלֵימָה הָיְתָה קְרֵיבָה — And [the *minchah* of the Kohen Gadol who died] was offered whole.**[124]

Another one of these seven enactments of the Great Court:

עַל הַמֶּלַח וְעַל הָעֵצִים — The Court stipulated also **regarding the salt and regarding the wood,** that the Kohanim may benefit personally from them.[125]

Having stated above that the same rules apply to native Jews and converts alike, the Midrash now relates a story that touches on this theme:[126]

אָמַר רַבָּן שִׁמְעוֹן בֶּן גַּמְלִיאֵל: פַּעַם אַחַת הָיִיתִי מְהַלֵּךְ בַּדֶּרֶךְ — Rabban Shimon ben Gamliel said: Once I was walking on the road. מְצָאַנִי אָדָם אֶחָד וְהָיָה בָא אֵלַי כְּבָא עַל חֲבֵירוֹ בְּזְרוֹעַ — A non-Jewish **man met me and he came** up **to me as a person making an aggressive approach to his friend.**[127] **אָמַר לִי: אַתֶּם אוֹמְרִים, ז׳ נְבִיאִים עָמְדוּ לְאוּמּוֹת הָעוֹלָם — [The man] said to me, "You say** that **seven prophets arose for the** non-Jewish **nations of the world,**[128]

NOTES

115. Every *olah* or *shelamim* must be accompanied by *nesachim* (wine libations) and a *minchah* (flour offering); see *Numbers* 15:1-16. Additionally, one can pledge to offer *nesachim* or a *minchah* that will be brought by themselves (see Mishnah *Menachos* 104b; see Gemara ibid. 73b). According to the opinion that a non-Jew may offer only an *olah* (i.e., and not *nesachim* or a *minchah*), one might have thought that when he does so he does not offer it with its *nesachim* and *minchah*, as would a Jew. The Midrash therefore cites this Mishnah, which teaches otherwise. The non-Jew's *olah* is not complete without them (*Yefeh To'ar*).

116. This statement is taken from a Mishnah in *Shekalim* 7:6. Prior to this statement, the Mishnah teaches that if one found an animal within a certain distance of Jerusalem, it is presumed to have been consecrated as an offering, and he must bring it as an offering. The Mishnah states that the Court instituted that the *nesachim* for this offering should come from the funds of the community. Rabban Shimon ben Gamliel states that this was one of seven things that the Great Court instituted. The Mishnah then proceeds to list six other items, three of which are cited here. The first is the one that is relevant to our discussion. [The text cited by our Midrash differs in several ways from the text of the Mishnah recorded in *Shekalim*.]

117. See *Rambam, Hil. Shekalim* 4:3; see also *Gittin* 2a with *Rashi* and *Tosafos* s.v. ממדינת הים.

118. Although the term *nesachim* refers literally only to wine libations, the term is generally used to refer to both the wine libations and the *minchah* that accompany every *olah* or *shelamim* (*Rambam, Hil. Maaseh HaKorbanos* 2:1).

119. Literally, the Mishnah reads: If he brought *nesachim* with it, the *nesachim* are offered from his own. However, the Mishnah cannot mean that the non-Jew brought the *nesachim* themselves, for they would be *tamei* (impure) and therefore disqualified from being used for an offering. Rather, the Mishnah must mean that he brought *the funds for the nesachim* with him (*Tiferes Tzion*).

120. The communal funds referred to here are the funds that were withdrawn periodically from the treasury chamber in the Temple (*Eitz Yosef*; regarding these funds see *Shekalim*, Ch. 3 and 4:1-2). If a Jew brings an offering and does not provide for the *nesachim*, we force him to do so. However, we do not force a non-Jew (*Shitah Mekubetzes* to *Menachos* 73b §4).

[The Mishnah states that the non-Jew came from overseas only because that was the usual case when the enactment was relevant; at that time, few non-Jews lived in the Land of Israel (*Tosefos Yom Tov* to *Shekalim* 7:6 s.v. ממדינת הים, first explanation).]

121. *Eitz Yosef. Tosefos Yom Tov* (ibid., s.v. נכרי ששלח עולתו) notes that since the Mishnah specifies that the offering brought by the non-Jew was an *olah*, we see that the Mishnah follows R' Akiva's view, not the view of R' Yose HaGelili (see note 114).

122. The Kohen Gadol was obligated to offer a *minchah* containing one-tenth of an *ephah* of flour every day. He offered half in the morning and half in the afternoon (*Leviticus* 6:13-15 with *Rashi*). This *minchah* was called מִנְחַת חֲבִתִּין because it was made on a pan called a מַחֲבַת (*Rashi* to *Menachos* 50b s.v. חביתי).

Under normal circumstances, this *minchah* was paid for by the Kohen Gadol. If the Kohen Gadol has died and no one has yet been appointed in his place, the *minchah* is still brought. However, the Mishnah (*Menachos* 51b) cites a dispute between R' Shimon and R' Yehudah as to who is responsible to bring it until a new Kohen Gadol is appointed. [The Gemara (ibid., *Shekalim* 20b) explains that the debate is based on varying interpretations of *Leviticus* 6:15.] According to R' Shimon, the obligation is passed to the community; according to R' Yehudah, the obligation is passed to the sons. Rabban Shimon ben Gamliel (cited here) agrees with R' Yehudah insofar as the Biblical law is concerned; however, he maintains that the Court made a stipulation that this *minchah* should be offered from the funds of the community. R' Yehudah himself disagrees (see further).

123. R' Yehudah disagrees with Rabban Shimon ben Gamliel and holds that the Court never made such a stipulation, and Biblical law was left in place: Until a new Kohen Gadol is appointed, the מִנְחַת חֲבִתִּין is the responsibility of the previous Kohen Gadol's sons.

124. Regarding this law, Rabban Shimon ben Gamliel and R' Yehudah agree. When the Kohen Gadol offers the מִנְחַת חֲבִתִּין, he offers half in the morning and half in the afternoon. However, if the Kohen Gadol died and no one was yet appointed in his place — regardless of who offers the *minchah* — the entire one-tenth *ephah* of flour is offered at once. According to a Baraisa cited in *Menachos* 52a, a full one-tenth *ephah* of flour was offered in the morning and, again, a full one-tenth *ephah* of flour was offered in the afternoon; cf. *Yerushalmi* cited by *Eitz Yosef*.

125. This law concerns the salt that was consecrated to be placed on the parts of the offerings that go on the Altar, and the wood consecrated to burn them. Generally, one may not use consecrated items for private use. Hence, one would not be allowed to use the salt and wood to prepare a private meal. However, the Court stipulated that the Kohanim may use the salt and wood to prepare the sacrificial meat that they would eat — even though this was a personal benefit. [The stipulation applied to sacrificial meat only. The Kohanim were not allowed to use the wood or salt to prepare non-sacrificial meat — even the meat that they ate in order to fulfill the law that sacrificial meat may be eaten only when one is at least partially satiated] (*Rav* to *Shekalim* 7:7; see *Menachos* 21b).

While the Mishnah in *Shekalim* goes on to list all seven enactments of the Great Court, the Midrash does not. However, *Rashash* adds the word וְכוּ׳, *etc.*, to our text.

126. *Eitz Yosef*; see *Beur Maharif*.

127. I.e., he was confident in the strength of his argument (*Eitz Yosef*).

128. The seven prophets were: (1) Balaam; (2) his father Beor; (3) Job; and his friends, (4) Eliphaz the Teimanite, (5) Bildad the Shuhite,

אָמַר רַבָּן שִׁמְעוֹן בֶּן גַּמְלִיאֵל: שִׁבְעָה דְבָרִים הִתְקִינוּ בֵּית דִּין הַגָּדוֹל, וְזֶה אֶחָד מֵהֶם: גּוֹי שֶׁהֵבִיא עוֹלָתוֹ מִמְּדִינַת הַיָּם, אִם הֵבִיא נְסָכִים עִמָּהּ קְרֵיבִין נְסָכִים מִשֶּׁלּוֹ וְאִם לָאו קְרֵיבִין מִשֶּׁל צִבּוּר, וּתְנַאי בֵּית דִּין הוּא, כֹּהֵן גָּדוֹל שֶׁמֵּת מִנְחָתוֹ קְרֵיבָה מִשֶּׁל צִבּוּר, רַבִּי יְהוּדָה אוֹמֵר: מִשֶּׁל יוֹרְשִׁים, וּשְׁלֵימָה הָיְתָה קְרֵיבָה, עַל הַמֶּלַח וְעַל הָעֵצִים, אָמַר רַבָּן שִׁמְעוֹן בֶּן גַּמְלִיאֵל: פַּעַם אַחַת הָיִיתִי מְהַלֵּךְ בַּדֶּרֶךְ, מְצָאַנִי אָדָם אֶחָד וְהָיָה בָא אֵלַי כְּבָא עַל חֲבֵירוֹ בִּזְרוֹעַ, אָמַר לִי: אַתֶּם אוֹמְרִים, ז' נְבִיאִים עָמְדוּ לְאוּמוֹת הָעוֹלָם וְהֵן מְעִידִין בָּהֶן וְיוֹרְדִין לַגֵּיהִנֹּם, אָמַרְתִּי לוֹ: בְּנִי, כָּךְ, מִז' דוֹרוֹת וָאֵילָךְ יְכוֹלִין אוּמוֹת הָעוֹלָם לוֹמַר: לֹא נִתְּנָה לָנוּ תוֹרָה וַעֲדַיִין לֹא הֵעִידוּ בָּנוּ, מִפְּנֵי מָה אָנוּ יוֹרְדִין לַגֵּיהִנֹּם, אָמַרְתִּי לוֹ: בְּנִי, כָּךְ שָׁנוּ חֲכָמִים בַּמִּשְׁנָה: גֵּר שֶׁבָּא לְהִתְגַּיֵּיר פּוֹשְׁטִין לוֹ יָד לְהַכְנִיסוֹ תַּחַת כַּנְפֵי הַשְּׁכִינָה, מִכָּאן וָאֵילָךְ גֵּירֵי הַדּוֹר מְעִידִין בַּדּוֹר. [א, ב] "מִן הַבְּהֵמָה מִן הַבָּקָר וְגוֹ'", אִם נֶאֱמַר "מִן הַבְּהֵמָה" לָמָּה נֶאֱמַר "מִן הַבָּקָר וּמִן הַצֹּאן", מִכָּאן אָמְרוּ מְקַבְּלִים מִינֵי זְבָחִים מֵרִשְׁעֵי יִשְׂרָאֵל כְּדֵי לְהַכְנִיסָן תַּחַת כַּנְפֵי הַשְּׁכִינָה, חוּץ מִן הַמּוּמָר וְהַמְנַסֵּךְ אֶת הַיַּיִן וּמְחַלֵּל שַׁבָּתוֹת בְּפַרְהֶסְיָא:

עץ יוסף

מביא עולה. ועיין פרק קמא דחולין (ה, א), וכן כתב היפה תואר: **אמר רבי שמעון בן גמליאל שבעה דברים.** הני תיבות בן גמליאל הוא מיותר, וצריך לומר רבי שמעון סתם והוא רבי שמעון בר יוחאי: **שבעה דברים התקינו כו'.** משנה היא במסכת שקלים (פרק ז משנה ו"ז) ועיין שם שלא מובא המשנה כאן כצורתה, גם לא גרסינן במתניתין גוי שהביא עולתו, אלא שלא עולתו, ונראה דאילו הוא בעצמו הביאה לא היו צריכים להביא נסכים משל צבור, שהיו מלמדים אותו שיביא נסכים, [ו]אם לא רצה ממשכנים אותו, ומה שהוצרכו לתקן כך, משום דכל עולה לא סגי בלא נסכים, כדילפינן במנחות (נא, א) מככה תעשו אותו: **משל צבור.** מתרומת הלשכה: **ושלימה היתה קריבה.** ולא כמו בחייו שמחליתה בבקר ומחליתה בערב כך היה נראה לפרש. אבל בירושלמי (שקלים פ"ז ה"ג) גרסינן ר' יוחנן בעי מאי שלימה, שלימה בשחרית ושלימה בין הערבים, או מחלה שחרית ומחלה בין הערבים, או שלימה שחרית ומחלה בין הערבים: **אמר רבי שמעון בן גמליאל פעם אחת כו'.** ובתנא דבי אליהו שם ליתא לתיבות אמר רבי שמעון בן גמליאל. והוא לשון אליהו זכור לטוב, והמעתיק טעה וסבר שהמדבר הוא רבי שמעון דלעיל להכי מוסיף וגרע: **פעם אחת כו'.** איידי דדריש הכא אדם להביא את הגר, מייתי הכא הך מילתא דתני דגרי הדור מחייבים האומות: **בזרוע.** שבא בכעס ובטרוניא בכח טענתו: **שבעה נביאים.** בלעם, ואביו, איוב, אליפז התימני, ובלדד השוחי, וצופר הנעמתי, ואליהו בן ברכאל הבוזי, כדתני בפרק קמא דבבא בתרא (טו, ב) ועיין שם: **מעידין בהם.** שנתנבאו להם ולא קבלו מהם, וזה מספיק לחייבם (מעריך): **ואמרתי לו בני כך הוא אמר לי משבעה דורות כו'.** כן צריך לומר: **משבעה דורות ואילך.** פירוש האומות שנולדו אחר שבעה דורות שהיו בהם שבעה נביאים, יכולין לטעון כי לא ניתנה להם התורה שניתנה לישראל שיהיו חייבים בשמירתה, ועל הנביאים הנזכרים יכולים לטעון כי הם לא ראו אותם ולא העידו בהם: **אמרתי לו בני כו'.** רצה לומר שהשיב לו שאחר שפוסטים יד לגרים ליכנס תחת כנפי השכינה הרי אנו מודיעים להם שגם להם ניתנה התורה אם יבואו להתגייר, ועם כן גרי הדור מעידים בהם ולא מצי טעון שלא ניתנה להם התורה: **מקבלין מיני זבחים.** רצה לומר דהכי קאמר אם נאמר מן הבהמה מן הבקר ומן הצאן למה לי אלא להכי אתא מן הבהמה למדרש בני אדם הדומים לבהמה. ועיין בפרק קמא דחולין (ה, א): **חוץ מן העובד עבודה זרה.** דההוא אימעוט ממכם כדלעיל, והמנסך יין ומחלל שבתות בפרהסיה, משום דעובד עבודה זרה ככופר בכל התורה, כדמפרש בפרק קמא דחולין (שם). והאי תנא חמירא ליה שבת כעובד עבודה זרה דעובד עבודה זרה כופר בהקדוש ברוך הוא והמחלל שבת כופר במעשה בראשית שהוא מעשיו של הקדוש ברוך הוא ומעיד שקר שלא שבת הקדוש ברוך הוא במעשה בראשית:

פירוש מהרז"ו

(ט) **גוי שהביא עולתו.** בתנא דבי אליהו (פרשה ו) הגירסא מי שהביא את עולתו ממדינת הים אם שלא נסכים וכו', עיין שם ובמקומות המצויינים במתנות כהונה, ובתנא דבי אליהו השבעה דברים, והגירסא בתנא דבי אליהו, אדם לרבות את הגוי מכאן להוציא את המומר לעבודת כוכבים, שהוא אינו מביא עולות, אמר רבי שמעון בן גמליאל שבעה דברים התקינו וכו', וכן הוא בתורת כהנים פרק ב ובפרק קמא דחולין (ה א) עיין שם: **והם מעידים בהם.** ליום הדין שהזהירו אותם על שבע מצות שחייבים בהם, ומי שלא שמר אותם ירד לגיהנם: **משבעה דורות ואילך.** ובתנא דבי אליהו גורס משבעה נביאים ואילך יכולים וכו', שהרי אין עוד מי שיתרה בהם, וגירסא שבכאן שבעה דורות לא יתכן, שהרי הנביאים הם, שם, ועבר, איוב, אליפז, צופר, ובלדד, ואליהו בן ברכאל, והחמשה האחרונים היו כולם בדור אחד, ובסדר עולם (פרק כא) חושב הנביאים ככ"ל, רק במקום שם ועבר חושב בלעם ואביו, הרי שכולם היו בדור אחד, לדעת מי שאומר שאיוב היה בימי משה, וצריך עיון שהרי אדם וקין ונח ואבימלך ולבן היו כולם נביאים, שדבר עמהם ה':

מתנות כהונה

שבעה דברים. כל זה בפרק אלו מנחות (מנחות עג, ב), ובפרק התכלת (שם נא, ב), ובמסכת שקלים בפרק מעות שנמצאו (פ"ז ה"ג): **שבעה נביאים כו'.** בפרק קמא דבבא בתרא (טו, ב) קחשיב להו. להבנת מאמר זה עוררני ראש ישיבה מורינו הרב מענדיל ב"ר אביגדור יצ"ו והכי פירושו. מעידין בהם. מתרין בהם כמו (שמות יט, כא) רד העד בעם, ולפיכך יורדין לגיהנם שהרי מוזהרים הם, ואמרתי לו כך הוא באמת. ושוב אמר הגוי הניחא אותן שבעה הדורות, שבהם עמדו אותן נביאים ומתרין, אבל מאותן שבעה דורות ואילך, שאין עוד נביא מתרה בהם, וגם דברי הנביאים הראשונים אינם כתובין בספר ללמוד מתוכם מוסר השכל, ואם כן יכולין הם לומר לא לנו נתנה התורה שנהיה נענשים עליה, שהרי עדיין לא העיד בנו שום נביא, ואם כן למה יורדין אנו לגיהנם. וצריך לומר שמה שאומרים עליהם שירדו לגיהנם, הם כל האומות אף אותם שיעמדו אחר אותן שבעה נביאים. והשיב שגירי הדור, הם אזהרה ועדות נאמנה על הנשארים, ויש להם ממי ילמדו. אך קשה קצת, שהרי בדורות הנביאים היו גם כן גירי צדק, ואם כן הנביאים למה: **מקבלים מיני זבחים מרשעי ישראל כו'.** וזהו דכתיב מן הבהמה, פירוש מן הרשעים שנדמו לבהמה, ובהמה המה להם:

אשד הנחלים

כוכבים מישראל, אבל העובד כוכבים מביא עולה, כמאמרם שם, מכם, בכם חלקתי ולא בעובדי כוכבים. והידי משה גרס פרט לעובדי כוכבים שאינו מביא עולה, פירוש עולת חובה כי אם נדבה. אבל הוא נגד הש"ס שדרשו המיעוט רק על העובד כוכבים מישראל, ולכן הקשו שם (יג, ב) דילמא עובד כוכבים כלל וכלל לא, ותרצו משום דכתיב איש איש להביא העובד כוכבים שנודרים נדרים ונדבות כישראל: **שבעה דברים.** עיין במשנה (שקלים פ"ז מ"ו) פירושה, ועיין בברטנורא שם, ועיקרו כולו בתנא דבי אליהו רבה (פ"ו): **מיני זבחים.** פירוש נדרים ונדבות, אבל לא עולות חובה (ידי משה). ופרשו מן הבהמה להביא בני אדם הדומין לבהמה, ולעיל אמר פרט לעובד כוכבים מישראל, ועל זה תרצו בחולין (ה, א) כאן במומר לדבר אחד כאן במומר לכל התורה כולה, וכן המומר לחלל שבתות בפרהסיא, שהוא כמומר לכל התורה כולה, וכן מומר לעבודת כוכבים, שכל המודה בה ככופר בכל התורה:

חידושי הרד"ל

עולה, אלא נדרים ונדבות. והוא נגד הגמרא דמנחות (עג, ב), ובכמה מקומות. ונראה שצריך לגרוס כלשון הברייתא בחולין (ה א), שהביא המתנות כהונה, וחסר כאן עוד בבא דהתם, וכן צריך להיות, מכם פרט למומר לעובד כוכבים, מכם פרט לעובד כוכבים, שהוא מביא עולה, רצה לומר שבהם אין חילוק (בישראל עובד כוכבים) כבישראל, ובכל ענין מביא עולה: **אמר רבן שמעון בן גמליאל פעם אחת הייתי.** תיבת אמר רבן שמעון בן גמליאל טעות סופר, ובתנא דבי אליהו (פרק ו) משם הועתק כל המאמר עד סוף הפרשה ליתא, אלא אליהו הוא שמספר זה:

חידושי הרש"ש

מנחה וכו', ואם זבח שלמים כו', להכי קאמר מכם פרט לעובד כוכבים, שאינו מביא אלא עולה, והוא כדעת רבי עקיבא (מנחות עג, ב), אלא דהתם נפקא ליה מקרא אחרינא עיין שם. והידי משה לא דק בזה עיין שם: **אמר רבן שמעון בן גמליאל שבעה דברים כו'.** טעות סופר הוא וצריך לומר ר' שמעון סתם והוא רבי שמעון בר יוחאי: **על המלח ועל העצים וכו'.** כן צריך לומר: **אמר רבן שמעון בן גמליאל פעם אחת כו'.** ובתנא דבי אליהו שם ליתא לתיבת אמר רבן שמעון בן גמליאל, והוא לשון אליהו זכור לטוב, והמעתיק טעה וסבר שהמדבר הוא רבי שמעון דלעיל להכי מוסיף וגרע: **מקבלים מיני זבחים מרשעי ישראל כו'.** עיין חולין (ה, א), ודברי הידי משה תמוהין:

אמרי יושר

[ט] **מקבלין זבחים מרשעי ישראל.** זהו מן הבהמה, מאת הדומים לבהמה:

שינוי נוסחאות

על המלח ועל העצים. רש"ש הגיה שצ"ל כאן "וכו'", והוא תחילת ציטוט ממשנה שקלים ז:ג, ובכי"י הובא באמת ההמשך של המשנה ג"כ:

מסורת המדרש

י. ירושלמי שקלים פ"ז:

ידי משה

מיני זבחים. פירוש נדרים ונדבות ולא עולות:

ליקוטים

[ט] **שבע נביאים וכו' והן מעידין בהן.** כתב מתנות כהונה שהרב ר' אביגדור פירש לשון מתרין בהם. ואני אומר אין צורך, אלא לשון עדות הוא שמעידין שנתנבאו להם ולא קבלו מהם, וזה מספיק לחייבם. ועוד אני אומר שהוא שבוע, וכי הנביאים הלעולם יחיו להיות מתרין בהם בכל דור, שהרי לא אמרו והם העידו בם (מעריך ערך עדות):

באור מהרי"פ

[ט] **משל יורשים ושלמה וכו'.** (ירושלמי שקלים פ"ז ה"ה) מנין לכהן גדול [שמת] ולא מינו כהן אחר תחתיו שתהא מנחתו קריבה משל יורשין, שנאמר (שמות כט, ל) תחתיו מבניו יעשה, יכול יביאנה לחציה תלמוד לומר אותה, כולה אמרתי דברי רבי יהודה וכו', רבי יוסי אמר רבי יוחנן בעי, מהו שלימה בשחרית ושלימה בין הערבים, או מחצה בשחרית ומחצה בין הערבים, או שלימה בשחרית ובטלה בין הערבים עד כאן: **על המלח ועל העצים שיהא הכהנים נאותים מהם.** (פירוש היא תקנה תשיעית): **אמר רבן שמעון בן גמליאל וכו'.** מפני שדרש אדם להביא את הגר, אגב מייתי גם כן המעשה הזאת דמיירי גם כן בגרים: **שבעה נביאים וכו'.** (בבא בתרא טו, ב) שבעה נביאים, בלעם, ואביו, איוב, ואליפז התימני, ובלדד השוחי, וצופר הנעמתי, ואליהוא בן ברכאל הבוזי. ואף על גב דאליהוא מישראל הוה, וכן איוב היכא דאמר דישראל היה, הא מתרצא התם דמכל מקום שאנבואי אתנבאו לאומות העולם, ואף על גב דכולהו נביאי נמי איתנבאו לאומות העולם עיקר נבואותייהו בישראל, אבל הני עיקר נבואתייהו באומות העולם:

וְהֵן מְעִידִין בָּהֶן וְיוֹרְדִין לַגֵּיהִנֹּם — **and** that **[these selfsame prophets] warn [the non-Jews]** regarding their obligation to keep the seven Noahide Laws; but they do not take heed and, **as a result, [they]** will **descend into Gehinnom."**[129] אָמַרְתִּי לוֹ: בְּנִי, כָּךְ — **I said to him, "My son,** it is indeed **so."** וְאֵילָךְ מִז׳ דּוֹרוֹת — The man then said to me,[130] "If so, **from** those **seven generations and on,**[131] יְכוֹלִין אוּמּוֹת הָעוֹלָם לוֹמַר: לֹא נִתְּנָה לָנוּ תּוֹרָה וַעֲדַיִין לֹא הֵעִידוּ בָּנוּ, מִפְּנֵי מָה אָנוּ יוֹרְדִין לַגֵּיהִנֹּם — **the nations of the world can say,** 'First of all, **the Torah was not given to us; and,** second, **[no one] ever warned** *us.*' No further prophets have been sent to us to inform us of our obligations. **Why,** then, do **we** deserve to **descend into Gehinnom?"**[132] אָמַרְתִּי לוֹ: בְּנִי, כָּךְ שָׁנוּ חֲכָמִים בְּמִשְׁנָה: גֵּר שֶׁבָּא לְהִתְגַּיֵּיר פּוֹשְׁטִין לוֹ יָד לְהַכְנִיסוֹ תַּחַת כַּנְפֵי הַשְּׁכִינָה — **I said to him, "My son, thus have the Sages taught in a collection of teachings:**[133] In regard to a prospective **convert who comes to convert,** the law is as follows: **We stretch a hand out to him to bring him under the wings of the Divine Presence.**[134] מִכָּאן וְאֵילָךְ גֵּירֵי הַדּוֹר מְעִידִין בַּדּוֹר — So **from that point and on,** i.e., following the last of the seven prophets, **the converts of the generation warn the generation."**[135]

□ מִן הַבְּהֵמָה מִן הַבָּקָר וְגוֹ׳ — *FROM ANIMALS — FROM THE CATTLE, ETC. [OR FROM THE FLOCK SHALL YOU BRING YOUR OFFERING].*

The Midrash expounds the seemingly superfluous phrase מִן הַבָּקָר וּמִן הַצֹּאן, *from the cattle or from the flock:*[136]

אִם נֶאֱמַר "מִן הַבְּהֵמָה" לָמָּה נֶאֱמַר "מִן הַבָּקָר וּמִן הַצֹּאן" — **If it says,** *from animals,* **why does it** also **say,** *from the cattle or from the flock?* מִכָּאן אָמְרוּ — **From here [the Sages] said:** מְקַבְּלִים מִינֵי זְבָחִים מֵרִשְׁעֵי יִשְׂרָאֵל — **We accept** all **types of offerings from the wicked of Israel,** who are similar in their behavior to animals,[137] כְּדֵי לְהַכְנִיסָן תַּחַת כַּנְפֵי הַשְּׁכִינָה — **in order to bring them under the wings of the Divine Presence,**[138] חוּץ מִן הַמּוּמָר — **except from the apostate,** i.e., one who rejects the entire Torah,[139] וְהַמְנַסֵּךְ אֶת הַיַּיִן — **and** from **one who pours wine** as a libation to idols, i.e., an idol worshiper, וּמְחַלֵּל שַׁבָּתוֹת בְּפַרְהֶסְיָא — **and** from **one who desecrates Sabbaths in public.**[140]

NOTES

(6) Zophar the Naamathite, and (7) Elihu son of Barachel the Buzite. [Although Job and Elihu may have been Jews, their prophecy was directed primarily to the nations (*Bava Basra* 15b).]

129. *Matnos Kehunah*; see *Yefeh To'ar* and *Eitz Yosef*, citing *Maarich* s.v. עדות; see *Maharzu* for an alternative understanding. [This statement is obviously limited to those of the nations who violate the Noahide Laws; those who meet their obligations will not descend into Gehinnom (*Maharzu*).]

130. See *Tanna DeVei Eliyahu Rabbah* Ch. 6; see also *Yefeh To'ar* and *Eitz Yosef.*

131. I.e., in the generations *after* those seven prophets lived (see *Tanna DeVei Eliyahu* and *Maharzu*).

132. The man did not deny the validity of the Torah, for the Torah had been accepted as authentic throughout the world for generations. Rather, the man claimed that its laws pertain to the Jewish people alone (*Yefeh To'ar*). [Although the Noahide Laws are themselves mentioned in the Torah, the man argued that they, too, must not be binding on non-Jews but only on Jews. He held that the Torah is a national, not a universal, document; since the Torah was given to the Jews exclusively, all the laws contained therein concern only them.]

In regard to the seven prophets, the man pointed out that he and his generation had never seen those prophets, and no prophets had ever warned *them* to keep any mitzvos. The man might even dare to question whether those seven prophets had existed at all (see *Yefeh To'ar*).

133. Literally, *The Mishnah.* [This is not a Mishnah. However, the reference may be to a Baraisa.]

134. Once we inform a prospective convert of the severity of the commandments, and he nevertheless commits to convert, we are not allowed to turn him away; rather, we must stretch a hand out to him to bring him under the wings of the Divine Presence (*Tiferes Tzion*; see *Yoreh Deah* 268:2).

135. The fact that we are not allowed to turn a prospective convert away shows that the Torah is not a national document, exclusive to the Jewish people; rather the Torah is universal and was given to the non-Jews as well, if they come to convert. Moreover, all non-Jews are *obligated* to follow the lead of the converts at least insofar as becoming גֵּרֵי תוֹשָׁב, *resident converts*, i.e., non-Jews observant of the Noahide Laws (see *Yefeh To'ar*).

136. *Eitz Yosef.*

137. Our verse states: אָדָם כִּי יַקְרִיב — *when a man brings*; מִכֶּם — *among you*. Taken simply, this is the same as: *When a man among you brings* (see *Ibn Ezra* and *Ramban* ad loc.). This excludes non-Jews (see above, note 114). However, there is an exposition here that serves to exclude others as well: The word מִכֶּם is out of place; it should appear directly after the word אָדָם, the word it modifies. The Gemara *Chullin* 5a therefore expounds מִכֶּם as follows: אָדָם כִּי יַקְרִיב — *when a man brings* (an offering); מִכֶּם — he must be *among you*, i.e., he must share your religious beliefs, and may not be in certain categories of the wicked of Israel; see further.

The Gemara then cites an inclusive exposition (cited here by our Midrash): The superfluous phrase, מִן הַבְּהֵמָה, *from animals*, is understood as modifying the subject of the verse, אָדָם, *a man*, not the word קָרְבָּן, *an offering*. Thus, an offering may be brought by an אָדָם מִן הַבְּהֵמָה, i.e., a man who is like an animal, in his behavior (*Eitz Yosef*; for an alternative explanation of this exposition see *Malbim* ibid., toward the end of his note in *Torah Ohr* explaining *Sifra* loc. cit. [§10 in *Malbim* volume]). This teaches us that we do accept offerings from the wicked of Israel.

With the word מִכֶּם, *among you*, Scripture excludes the wicked, and with the words מִן הַבְּהֵמָה, *from animals*, Scripture includes them. How do we reconcile these two expositions? Three types of very wicked people (listed below) are excluded from bringing an offering; however, we may accept offerings from all other sinners (*Eshed HaNechalim*).

138. If we reject these people, they will never repent (*Rashi* to *Eruvin* 69b s.v. כדי שיחזרו בתשובה).

139. *Yefeh To'ar.*

140. The apostate rejects the entire Torah in actuality. And worshiping idols or desecrating the Sabbath in public is *tantamount* to rejecting the entire Torah. [An idol worshiper denies the fundamental principle upon which the entire Torah rests; and one who desecrates the Sabbath publicly is similar to one who worships idols (see *Eruvin* 69b). One who worships idols denies God's *existence*; and since the Sabbath is a confirmation that God created the world in six days and rested on the seventh, one who desecrates the Sabbath publicly denies Creation and thus denies God's *actions* (*Eitz Yosef*).

The distinction between these three and all other wicked Jews lies in the reason that we accept offerings from the sinful in the first place: so that they should return to God through repentance. For most sinners, repentance is not as difficult; however, for those who reject the entire Torah, such as the apostate, the idol worshiper, and the wanton Sabbath desecrator, repentance is very difficult (*Tosafos* to *Chullin* 5a s.v. כדי).

אָמַר רַבָּן שִׁמְעוֹן בֶּן גַּמְלִיאֵל: שִׁבְעָה דְּבָרִים הִתְקִינוּ בֵּית דִּין הַגָּדוֹל, וְזֶה אֶחָד מֵהֶם: גּוֹי שֶׁהֵבִיא עוֹלָתוֹ מִמְּדִינַת הַיָּם, אִם הֵבִיא נְסָכִים עִמָּהּ קְרֵיבִין נְסָכִים מִשֶּׁלּוֹ וְאִם לָאו קְרֵיבִין מִשֶּׁל צִבּוּר, וּתְנַאי בֵּית דִּין הוּא, כֹּהֵן גָּדוֹל שֶׁמֵּת מִנְחָתוֹ קְרֵיבָה מִשֶּׁל צִבּוּר, רַבִּי יְהוּדָה אוֹמֵר: מִשֶּׁל יוֹרְשִׁים, וּשְׁלֵימָה הָיְתָה קְרֵיבָה, עַל הַמֶּלַח וְעַל הָעֵצִים, אָמַר רַבָּן שִׁמְעוֹן בֶּן גַּמְלִיאֵל: פַּעַם אַחַת הָיִיתִי מְהַלֵּךְ בַּדֶּרֶךְ, מְצָאַנִי אָדָם אֶחָד וְהָיָה בָא אֵלַי כְּבָא עַל חֲבֵירוֹ בְּזְרוֹעַ, אָמַר לִי: אַתֶּם אוֹמְרִים, ז' נְבִיאִים עָמְדוּ לְאוּמּוֹת הָעוֹלָם וְהֵן מְעִידִין בָּהֶן וְיוֹרְדִין לַגֵּיהִנֹּם, אָמַרְתִּי לוֹ: בְּנִי, כָּךְ, מִז' דּוֹרוֹת וְאֵילָךְ יְכוֹלִין אוּמּוֹת הָעוֹלָם לוֹמַר: לֹא נִתְּנָה לָנוּ תּוֹרָה וַעֲדַיִין לֹא הֵעִידוּ בָּנוּ, מִפְּנֵי מָה אָנוּ יוֹרְדִין לַגֵּיהִנֹּם, אָמַרְתִּי לוֹ: בְּנִי, כָּךְ שָׁנוּ חֲכָמִים בַּמִּשְׁנָה: גֵּר שֶׁבָּא לְהִתְגַּיֵּיר פּוֹשְׁטִין לוֹ יָד לְהַכְנִיסוֹ תַּחַת כַּנְפֵי הַשְּׁכִינָה, מִכָּאן וְאֵילָךְ גֵּירֵי הַדּוֹר מְעִידִין בַּדּוֹר. [א, ב] "מִן הַבְּהֵמָה מִן הַבָּקָר וְגוֹ'", אִם נֶאֱמַר "מִן הַבְּהֵמָה" לָמָּה נֶאֱמַר "מִן הַבָּקָר וּמִן הַצֹּאן", מִכָּאן אָמְרוּ מְקַבְּלִים מִינֵי זְבָחִים מִרְשָׁעֵי יִשְׂרָאֵל כְּדֵי לְהַכְנִיסָן תַּחַת כַּנְפֵי הַשְּׁכִינָה, חוּץ מִן הַמּוּמָר וְהַמְנַסֵּךְ אֶת הַיַּיִן וּמְחַלֵּל שַׁבָּתוֹת בְּפַרְהֶסְיָא:

עץ יוסף

מביא עולה. ועיין פרק קמא דחולין (ה, א), וכן כתב היפה תואר: **אמר רבי שמעון בן גמליאל שבעה דברים.** הכי איתא בן גמליאל הוא מיותר, וצריך לומר רבי שמעון סתם והוא רבי שמעון בר יוחאי: **שבעה דברים התקינו כו'.** משנה היא במסכת שקלים (פרק ז משנה ו') ועיין שם שלא מובא המשנה כאן כצורתה, גם לא גרסינן במתניתין גוי שהביא עולתו, אלא ששלח עולתו, ונראה דאילו הוא בעצמו הביאה לא היו צריכים להביא נסכים משל צבור, שהיו מלמדים אותו שיביא נסכים, [ו]אם לא רצה ממשכנים אותו, ומה שהוצרכו לתקן כך, משום דכל עולה לא סגי בלא נסכים, כדילפינן במנחות (נא, א) מכהנה תעשו אותו: **משל צבור.** מתרומת הלשכה: **ושלימה היתה קריבה.** ולא כמו בחייו שמחציתה בבקר ומחציתה בערב כך היה נראה לפרש. אבל בירושלמי (שקלים פ"ז ה"ג) גרסינן ר' יוחנן בעי מאי שלימה, שלימה בשחרית ושלימה בין הערבים, או מחצה שחרית ומחצה בין הערבים, או שלימה שחרית ומחצה בין הערבים: **אמר רבי שמעון בן גמליאל פעם אחת כו'.** ובתנא דבי אליהו שם ליתא לתיבות אמר רבי שמעון בן גמליאל. והוא לשון אליהו זכור לטוב, והמעתיק טעה וסבר שהמדבר הוא רבי שמעון דלעיל להכי מוסיף וגרע: **פעם אחת כו'.** איידי דדריש הכא אדם להביא את הגר, מייתי הכא הך מילתא דתני דגרי הדור מחייבים האומות: **בזרוע.** שבא בכעס ובטרוניא בכח טענתו: **שבעה נביאים.** בלעם, ואביו, איוב, אליפז התמני, ובלדד השוחי, וצופר הנעמתי, ואליהו בן ברכאל הבוזי, כדתני בפרק קמא דבבא בתרא (טו, ב) ועיין שם: **מעידין בהם.** שנתנבאו להם ולא קבלו מהם, וזה מספיק לחייבם (מעריך): **ואמרתי לו בני כך הוא אמר לי משבעה דורות כו'.** כן צריך לומר: **משבעה דורות ואילך.** פירוש האומות שנולדו אחר שבעה דורות שהיו בהם שבעה נביאים, יכולין לטעון כי לא ניתנה להם התורה שניתנה לישראל שיהיו חייבים בשמירתה, ועל הנביאים הנזכרים יכולים לטעון כי הם לא ראו אותם ולא העידו בהם: **אמרתי לו בני כו'.** רצה לומר שהשיב לו שאחר שפוסטים יד לגרים ליכנס תחת כנפי השכינה הרי אנו מודיעים להם שגם להם ניתנה התורה אם יבואו להתגייר, ועם כן גרי הדור מעידים בהם ולא מצי טעון שלא ניתנה להם התורה: **מקבלין מיני זבחים.** רצה לומר דהכי קאמר אם נאמר מן הבהמה למה לי אלא להכי אתא מן הבקר ומן הצאן כי היכי דנייתר לן מן הבהמה למדרש בני אדם הדומים לבהמה. ועיין בפרק קמא דחולין (ה, א): **חוץ מן העובד עבודה זרה.** דההוא אימעוט ממכם כדלעיל, והמנסך יין ומחלל שבתות בפרהסיא, משום דעובד עבודה זרה ככופר בכל התורה, כדמפרש בפרק קמא דחולין (שם). והאי תנא חמירא ליה שבת כעובד עבודה זרה דעובד עבודה זרה כופר בהקדוש ברוך הוא והמחלל שבת כופר במעשה בראשית שהוא מעשיו של הקדוש ברוך הוא ומעיד שקר שלא שבת הקדוש ברוך הוא במעשה בראשית:

פירוש מהרז"ו

(ט) **גוי שהביא עולתו.** בתנא דבי אליהו (פרשה ו) הגירסא מי שהביא את עולתו ממדינת הים אם שלח נסכים וכו', עיין שם ובמקומות המצויינים במתנות כהונה, ובתנא דבי אליהו השבעה דברים, והגירסא בתנא דבי אליהו, אדם לרבות את הגוי אבל מכם להוציא את המומר לעבודת כוכבים, שהוא אינו מביא עולות, אמר רבי שמעון בן גמליאל שבעה דברים התקינו וכו', וכן הוא בתורת כהנים פרק ג ובפרק קמא דחולין (ה א) עיין שם: **והם מעידים בהם.** ליום הדין שהזהירו אותם על שבע מצות שחייבים בהם, ומי שלא שמר אותם ירד לגיהנם: **משבעה דורות ואילך.** ובתנא דבי אליהו גורס משבעה נביאים ואילך יכולים וכו', שהרי אין עוד מי שיתרה בהם, וגירסא שבכאן שבעה דורות לא יתכן, שהרי הנביאים הם, שם, ועבר, איוב, אליפז, צופר, ובלדד, ואליהו בן ברכאל, והחמשה האחרונים היו כולם בדור אחד, ובסדר עולם (פרק כא) חושב הנביאים כנ"ל, רק במקום שם ועבר חושב בלעם ואביו, הרי שכולם היו בדור אחד, לדעת מי שאומר שאיוב היה בימי משה, וצריך עיון שהרי אדם וקין ונח ואבימלך ולבן היו כולם נביאים, כדבר עמהם ה':

מתנות כהונה

שבעה דברים. כל זה בפרק אלו מנחות (מנחות עג, ב), ובפרק התכלת (שם נא, ב), ובמסכת שקלים בפרק מעות שנמצאו (פ"ז ה"ג): **שבעה נביאים כו'.** בפרק קמא דבבא בתרא (טו, ב) קחשיב להו. להבנת מאמר זה עוררני ראש ישיבה מורינו הרב מענדיל ב"ר אביגדור יצ"ו והכי פירושו. מעידין בהם. מתרין בהם כמו (שמות יט, כא) רד העד בעם, ולפיכך יורדין לגיהנם שהרי מוזהרים הם, ואמרתי לו כך הוא באמת. ושוב אמר הגוי הכיצד אותן שבעה הדורות, שבהם עמדו אותן נביאים ומתרין, אבל מאותן שבעה דורות ואילך, שאין עוד נביא מתרה בהם, וגם דברי הנביאים הראשונים אינם כתובין בספר ללמוד מתוכם מוסר השכל, ואם כן יכולין הם לומר לא לנו נתנה התורה שנהיה נענשים עליה, שהרי עדיין לא העיד בנו שום נביא, ואם כן למה יורדין אנו לגיהנם. וצריך לומר שמה שאומרים עליהם שירדו לגיהנם, הם כל האומות אף אותם שיעמדו אחר אותן שבעה נביאים. והשיב שגירי הדור, הם אזהרה ועדות נאמנה על הנשארים, ויש להם ממי ילמדו. אך קשה קצת, שהרי בדורות הנביאים היו גם כן גירי צדק, ואם כן הנביאים למה: **מקבלים מיני זבחים מרשעי ישראל כו'.** וזהו דכתיב מן הבהמה, פירוש מן הרשעים שנדמו לבהמה, ובהמה המה להם:

אשד הנחלים

כוכבים מישראל, אבל העובד כוכבים מביא עולה, כמאמרם שם, מכם, בכם חלקתי ולא בעובדי כוכבים. והידי משה גרס פרט לעובדי כוכבים שאינו מביא עולה, פירוש עולת חובה כי אם נדבה. אבל הוא נגד הש"ס שדרשו המיעוט רק על העובד כוכבים מישראל, ולכן הקשו שם (יג, ב) דילמא עובד כוכבים כלל וכלל לא, ותרצו משום דכתיב איש איש להביא העובד כוכבים שנודרים נדרים ונדבות כישראל: **שבעה דברים.** עיין במשנה (שקלים פ"ז מ"ו) פירושה, ועיין בברטנורא שם, ועיקרו כולו בתנא דבי אליהו רבה (פ"ו): **מיני זבחים.** פירוש נדרים ונדבות, אבל לא עולות חובה (ידי משה). ופרשו מן הבהמה להביא בני אדם הדומין לבהמה, ולעיל אמר פרט לעובד כוכבים מישראל, ועל זה תרצו בחולין (ה, א) כאן במומר לדבר אחד כאן במומר לכל התורה כולה, וכן המומר לחלל שבתות בפרהסיא, שהוא כמומר לכל התורה כולה, וכן מומר לעבודת כוכבים, שכל המודה בה ככופר בכל התורה:

חידושי הרד"ל

עולה, אלא נדרים ונדבות. והוא נגד הגמרא דמנחות (עג, ב), ובכמה מקומות. ונראה שצריך לגרוס כלשון הברייתא בחולין (ה א), שהביא המתנות כהונה, וחסר כאן עוד צבא דהתם, וכן צריך להיות, מכם פרט למומר עובד כוכבים, מכם פרט לעובד כוכבים, שהוא מביא עולה, רצה לומר שבהם אין חילוק (בישראל עובד כוכבים) כבישראל, ובכל ענין מביא עולה: **אמר רבן שמעון בן גמליאל פעם אחת הייתי.** תיבת אמר רבן שמעון בן גמליאל טעות סופר, ובתנא דבי אליהו (פרק ו) משם הועתק כל המאמר עד סוף הפרשה ליתא, אלא אליהו הוא שמספר זה:

חידושי הרש"ש

מנחה וכו', ואם זבח שלמים כו', להכי קאמר מכם פרט לעובד כוכבים, שאינו מביא אלא עולה, והוא כדעת רבי עקיבא (מנחות עג, ב), אלא דהתם נפקא ליה מקרא אחרינא עיין שם. והידי משה לא דק בזה עיין שם: **אמר רבן שמעון בן גמליאל שבעה דברים כו'.** טעות סופר הוא וצריך לומר ר' שמעון סתם והוא רבי שמעון בר יוחאי: **על המלח ועל העצים וכו'.** כן צריך לומר: **אמר רבן שמעון בן גמליאל פעם אחת כו'.** ובתנא דבי אליהו שם ליתא לתיבת אמר רבן שמעון בן גמליאל, והוא לשון אליהו זכור לטוב, והמעתיק טעה וסבר שהמדבר הוא רבי שמעון דלעיל להכי מוסיף וגרע: **מקבלים מיני זבחים מרשעי ישראל כו'.** עיין חולין (ה, א), ודברי הידי משה תמוהין:

אמרי יושר

[ט] **מקבלין זבחים מרשעי ישראל.** זהו מן הבהמה, מאת הדומים לבהמה:

שינוי נוסחאות

על המלח ועל העצים. רש"ש הגיה שצ"ל כאן "וכו'", והוא תחילת ציטוט ממשנה שקלים ז:ג, ובכי"י הובא באמת ההמשך של המשנה ג"כ:

מסורת המדרש

י. ירושלמי שקלים פ"ז:

ידי משה

מיני זבחים. פירוש נדרים ונדבות ולא עולות:

ליקוטים

[ט] **שבע נביאים וכו' והן מעידין בהן.** כתב מתנות כהונה שהרב ר' אביגדור פירש לשון מתרין בהם. ואני אומר אין צורך, אלא לשון עדות הוא שמעידין שנתנבאו להם ולא קבלו מהם, וזה מספיק לחייבם. ועוד אני אומר שהוא שבוש, וכי הנביאים הלשעבר יהיו מתרין בהם בכל דור, שהרי לא אמרו והם העידו בם (מעריך ערך עדות):

באור מהרי"פ

[ט] **משל יורשים ושלמה וכו'.** (ירושלמי שקלים פ"ז ה"ה) מנין לכהן גדול [שמת] ולא מינו כהן אחר תחתיו תהא מנחתו קריבה משל יורשין, שנאמר (שמות כט, ל) תחתיו מבניו יעשה, יכול יביאנה לחציה תלמוד לומר אותה, כולה אמרתי דברי רבי יהודה וכו', רבי יוסי אמר רבי יוחנן בעי, מהו שלימה בשחרית ושלימה בין הערבים, או מחצה בשחרית ומחצה בין הערבים, או שלימה בשחרית ובטלה בין הערבים עד כאן: **על המלח ועל העצים שיהא הכהנים נאותים מהם.** (פירוש היא תקנה המתקנת): **אמר רבן שמעון בן גמליאל וכו'.** מפני שדרש אדם להביא את הגר, אגב מייתי גם כן המעשה הזאת דמיירי גם כן בגרים: **שבעה נביאים וכו'.** (בבא בתרא טו, ב) שבעה נביאים, בלעם, ואביו, איוב, ואליפז התימני, ובלדד השוחי, וצופר הנעמתי, ואליהוא בן ברכאל הבוזי. ואף על גב דאליהוא מישראל הוה, וכן איוב איכא למאן דאמר דישראל היה, הא מתרצא התם דמכל מקום אתנבאו לאומות העולם, ואף על גב דכולהו נביאי נמי איתנביאו לאומות העולם עיקר נביאותייהו בישראל, אבל הני עיקר נביאותייהו באומות העולם:

§10 מִן הַבָּקָר וּמִן הַצֹּאן — *FROM THE CATTLE OR FROM THE FLOCK.*

Our passage recounts the Torah's commandments regarding sacrificial offerings. The Midrash takes this opportunity to discuss similar offerings made by righteous men who lived before the Torah was given:[141]

בָּרוּךְ הַמָּקוֹם שֶׁסִּפֵּר עַצְמוֹ עִם הַצַּדִּיקִים הָרִאשׁוֹנִים — **Blessed is the Omnipresent, for He counted Himself** together **with the early righteous men.**[142] אָדָם הֶעֱלָה שׁוֹר עַל גַּבֵּי הַמִּזְבֵּחַ, שֶׁנֶּאֱמַר "וְתִיטַב לַה' מִשּׁוֹר פָּר" — **Adam offered an ox on the altar, as it says,** ***And it** (my praise) **shall be more pleasing to HASHEM than the ox-bull*** (*Psalms* 69:32), i.e., more than the ox-bull that Adam offered.[143] נֹחַ קִיֵּים מַה שֶּׁכָּתוּב בַּתּוֹרָה, שֶׁנֶּאֱמַר "וַיִּבֶן נֹחַ מִזְבֵּחַ לַה'" — **Noah fulfilled that which is written in the Torah** before it was given, **as it says, *Then Noah built an altar to HASHEM*** *and took of every tahor animal and of every tahor bird, and offered olos on the altar* (*Genesis* 8:20).[144] אַבְרָהָם קִיֵּים אֶת הַתּוֹרָה כּוּלָּהּ, שֶׁנֶּאֱמַר "עֵקֶב אֲשֶׁר שָׁמַע אַבְרָהָם וְגוֹ'" — **Abraham fulfilled the whole Torah** before it was given, **as it says, *Because Abraham obeyed*** *My voice, and observed My safeguards, My commandments, My decrees, and My Torahs* (ibid. 26:5).[145] שֶׁהוּא עָשָׂה קָרְבָּן וְהִקְרִיב אַיִל — Furthermore, Abraham did even more than this, **for he prepared** his son as **an offering and brought a ram** in his place.[146] יִצְחָק קִיֵּים מַה שֶּׁכָּתוּב בַּתּוֹרָה — **Isaac,** too, **fulfilled that which is written in the Torah** before it was given, as we see elsewhere;[147] וְהִשְׁלִיךְ עַצְמוֹ לִפְנֵי אָבִיו כְּשֶׂה זָבוּחַ — furthermore, **he** even **threw himself before his father like a slaughtered lamb.**[148] יַעֲקֹב קִיֵּים מַה שֶּׁכָּתוּב בַּתּוֹרָה שֶׁנֶּאֱמַר "וַיִּתְּנוּ אֶל יַעֲקֹב אֵת כָּל אֱלֹהֵי הַנֵּכָר וְגוֹ'" — **Jacob fulfilled that which is written in the Torah** before it was given, **as it says,** ***So they gave to Jacob all the alien gods*** *that were in their possession, as well as the rings that were in their ears, and Jacob buried them underneath the terebinth near Shechem* (ibid. 35:4).[149] יְהוּדָה קִיֵּים מַה שֶּׁכָּתוּב בַּתּוֹרָה, שֶׁנֶּאֱמַר "בֹּא אֶל אֵשֶׁת אָחִיךָ וְגוֹ'" — **Judah fulfilled that which is written in the Torah** before it was given, **as it says** that Judah told his second son, ***Consort with your brother's wife,*** *and enter into levirate marriage with her, and establish offspring for your brother* (ibid. 38:8).[150] יוֹסֵף קִיֵּים מַה שֶּׁכָּתוּב בַּתּוֹרָה, שֶׁנֶּאֱמַר "כַּבֵּד אֶת אָבִיךָ וְגוֹ'" — **Joseph fulfilled that which is written in the Torah** before it was given, **as it says, *Honor your father*** *and your mother, so that your days will be lengthened upon the land that HASHEM, your God, gives you.*[151] לֹא תִרְצָח — ***You shall not kill;***[152] לֹא תִנְאָף — ***you shall not commit adultery;***[153]

NOTES

141. *Maharzu.* See also *Tanna DeVei Eliyahu Rabbah* Ch. 6.

It should be noted that numerous commentators offer many differing approaches as to why the current Midrash appears here. Some write that the Midrash is not commenting on the verse cited here but on the *next* verse (*Yefeh To'ar*, second explanation; *Beur Maharif*; see Insight Ⓐ). We have chosen *Maharzu's* approach, which appears to be the most straightforward.

142. As the Midrash concludes below, these righteous men are referred to as תְּמִימִים, and God counted Himself among them by similarly referring to Himself as תָּמִים (*Matnos Kehunah*, followed by *Radal* and *Eitz Yosef*; see *Eshed HaNechalim*). [Counting Himself with them is a way of showing how dear they are to Him.]

143. I.e., more than the ox of the six days of Creation that Adam brought as an offering (see above, note 90). Adam thus performed a mitzvah, bringing an offering of a kind later advocated by the Torah (see further).

144. The Midrash understands the words *tahor* to refer to animals that are valid with regard to offerings. In other words, Noah offered only those types of animals and birds that, in the future, would be specified by the Torah as being valid as offerings (see *Temurah* 32b for a similar interpretation; see also *Haamek Davar* to *Genesis* 7:2 and *Radal* to *Pirkei DeRabbi Eliezer* Ch. 23 §68; see *Yefeh To'ar* and *Eitz Yosef*).

145. See *Bereishis Rabbah* 64 §4, where the Midrash understands this verse to mean that Abraham fulfilled the entire Torah, even decrees and enactments that would be instituted by the Rabbis in the future.

146. See *Genesis* 22:13. Our elucidation of the text follows *Yefeh To'ar*, cited also by *Eitz Yosef*, who takes the Midrash here to be adding that Abraham even went so far as to be ready to sacrifice his son at the *Akeidah*; indeed, Abraham is regarded as meritoriously in heaven as if he had actually sacrificed Isaac; see below, note 170. (*Yefeh To'ar* suggests adding the word וְעוֹד, *and furthermore*, to the text.)

147. Scripture states, וַיְהִי כִּי זָקֵן יִצְחָק, *and it came to pass, when Isaac had become old* (*Genesis* 27:1). The Gemara (*Yoma* 28b) understands this to mean that Isaac was a זָקֵן וְיוֹשֵׁב בִּישִׁיבָה, *an elder sitting in the academy*. This would imply that Isaac fulfilled the Torah (*Yefeh To'ar, Eitz Yosef*; see *Ramban* to *Genesis* 26:5 and *Meorei Eish* to *Tanna DeVei Eliyahu Rabbah* Ch. 6 [§62] for an alternative source that Isaac fulfilled the Torah).

148. At the *Akeidah* (*Yefeh To'ar*; see note 146). Alternatively: *Eitz Yosef* takes this line not as making the additional point that Isaac's devotion was *exceptional*, but rather as proving the preceding statement that Isaac kept the entire Torah: Just as Isaac put his life on the line at the *Akeidah* out of love for God, in order that His will be fulfilled, so may we assume that he fulfilled *all* the commandments of the Torah, the will of God, out of love for God.

149. After Simeon and Levi killed all the males of Shechem, and Jacob's sons plundered the city, Jacob told them to discard any idols or items decorated with images that were worshiped. They then gave them to him and he buried them. This is in accord with the law of the Torah prohibiting one to derive benefit from idolatrous items (*Deuteronomy* 7:26 and 13:18; see *Rambam, Hil. Avodas Kochavim* 7:2). See *Bereishis Rabbah* 81 §3, cited by *Eitz Yosef*. Although the prohibition against idolatry is one of the Noahide laws that were already given before the Torah, the prohibition against deriving benefit from idolatrous items was given only later, as part of the Torah. The Midrash is making the point that Jacob kept this law before it was given (*Eshed HaNechalim, Eitz Yosef*).

150. Judah had two sons, Er and Onan. Er was married to Tamar. When Er died without children, Judah told Onan to marry his brother's widow in order to perform levirate marriage with her. We see that Judah fulfilled the Torah even before it was given, for he had his son perform a levirate marriage, a law that was given only later as part of the Torah (*Deuteronomy* 25:5-10). See *Shir HaShirim Rabbah* 1:2 #5 (1 §16 in Vagshal edition).

151. When Jacob sent Joseph to look into the welfare of his brothers who were pasturing in Shechem, Joseph did the bidding of his father readily, although he knew that his brothers hated him (*Eitz Yosef*, from *Bereishis Rabbah* 84 §3; see also *Mechilta Beshalach, Pesichta* s.v. ויקח משה את עצמות יוסף עמו).

152. When Potiphar's wife wanted to have relations with Joseph, he told her that he was afraid of his master, her husband. She told him that she would kill her husband; Joseph admonished her strongly and protested this (*Matnos Kehunah* and *Eitz Yosef*, from *Bereishis Rabbah* 87 §5; see also *Mechilta* loc. cit.; see *Eitz Yosef* for alternative explanations).

153. Joseph did not commit adultery with Potiphar's wife (*Eitz Yosef*; see also *Mechilta* loc. cit.; see *Eitz Yosef* for alternative explanations).

INSIGHTS

Ⓐ **Unblemished Offerers** *Yefeh To'ar* suggests that our Midrash is attached to verse 3, not verse 2. Verse 3 states, אִם עֹלָה קָרְבָּנוֹ מִן הַבָּקָר זָכָר תָּמִים יַקְרִיבֶנּוּ — *If one's offering is an olah-offering from the cattle, he shall offer an unblemished male, etc.* The last two words of this clause, תָּמִים יַקְרִיבֶנּוּ, *he shall offer an unblemished male,* may also be read as follows: A תָּמִים, *a person who is unblemished by sin;* יַקְרִיבֶנּוּ, *is the one who should draw close through [the olah].* When a person's conduct is perfect, then he will succeed in drawing close to Hashem. The Midrash will proceed to teach that God "counted Himself (סִפֵּר) together with the early righteous (תְּמִימִים) men," for He too is called תָּמִים, *perfect.* [*Yefeh To'ar* suggests emending the word סִפֵּר (counted) to read סָפַת which, he writes (citing *Daniel* 4:30 and *Bava Metzia* 89b), may be understood in the sense of "joined together."]

י [א, ב] "מִן הַבָּקָר וּמִן הַצֹּאן", בָּרוּךְ הַמָּקוֹם שֶׁסִּפֵּר עַצְמוֹ עִם הַצַּדִּיקִים הָרִאשׁוֹנִים, אָדָם הֶעֱלָה שׁוֹר עַל גַּבֵּי הַמִּזְבֵּחַ, שֶׁנֶּאֱמַר (תהלים סט, לב) "וְתִיטַב לַה' מִשּׁוֹר פָּר", נֹחַ קִיֵּם מַה שֶּׁכָּתוּב בַּתּוֹרָה, שֶׁנֶּאֱמַר (בראשית ח, כ) "וַיִּבֶן נֹחַ מִזְבֵּחַ לַה' ", [יא]אַבְרָהָם קִיֵּם אֶת הַתּוֹרָה כּוּלָּה, שֶׁנֶּאֱמַר (שם כו, ה) "עֵקֶב אֲשֶׁר שָׁמַע אַבְרָהָם וְגוֹ' ", שֶׁהוּא °עָשָׂה קָרְבָּן וְהִקְרִיב אַיִל, יִצְחָק קִיֵּם מַה שֶּׁכָּתוּב בַּתּוֹרָה וְהִשְׁלִיךְ עַצְמוֹ לִפְנֵי אָבִיו כְּשֶׂה זָבוּחַ, יַעֲקֹב קִיֵּם מַה שֶּׁכָּתוּב בַּתּוֹרָה שֶׁנֶּאֱמַר (שם לה, ד) "וַיִּתְּנוּ אֶל יַעֲקֹב אֵת כָּל אֱלֹהֵי הַנֵּכָר וְגוֹ' ", יְהוּדָה קִיֵּם מַה שֶּׁכָּתוּב בַּתּוֹרָה, שֶׁנֶּאֱמַר (שם לח, ח) "בֹּא אֶל אֵשֶׁת אָחִיךָ וְגוֹ' ", יוֹסֵף קִיֵּם מַה שֶּׁכָּתוּב בַּתּוֹרָה, שֶׁנֶּאֱמַר (שמות כ, יב) "כַּבֵּד אֶת אָבִיךָ וְגוֹ' ", (שם שם יג-יד) "לֹא תִרְצָח לֹא תִנְאָף לֹא תִגְנֹב לֹא תַעֲנֶה ... לֹא תַחְמֹד", עַד שֶׁלֹּא נִתְּנָה תּוֹרָה לָהֶם, וְהֵם עָשׂוּ °אוֹתָהּ מֵאֲלֵיהֶן,

עץ יוסף

(י) [ט] **שספר עצמו עם הצדיקים.** פירוש הדמה עצמו אליהם בספורו כדלקמן אשרי תמימי דרך וכתיב הצור תמים פעלו לגזירה שוה (מתנות כהונה), וזה שאמר המדרש והשוה את שמם כו'. והיפה תואר כתב שצריך לומר שספת, והוא לשון חבור, כמו (דניאל ד, ל) מילתא ספת על נבוכדנצר, ועניינו שחבר ושתף הקדוש ברוך הוא כבודו עם הצדיקים שקרבן אליו, והשוה שמם לשמו, כדלקמן: **משור פר.** עיין מה שכתבתי לעיל סימן ו': **ויבן נח מזבח.** וכתיב ויקח מכל הבהמה הטהורה, ומנא ידע טהורה וטמאה, אלא על כרחך שעסק בתורה, ולא סבירא ליה כמאן דאמר בפרק פרת חטאת ((זבחים קטז, א) כל שהתיבה קולטתו טהור כו': **שנאמר עקב אשר שמע אברהם וגו'.** וישמור משמרתי מצותי חוקותי ותורותי. ועיין בבראשית רבה (נה, ב) ובתנחומא ריש סדר לך לך: **שהוא עושה קרבן.** נראה דגרסינן ועוד שהוא עשה כו' (יפה תואר): **והקריב איל.** פירוש שעשה בנו קרבן והקריב את האיל תחתיו ונחשב לו כאילו הקריב בנו: **יצחק קיים מה שכתוב בתורה.** בפרק הממונה (יומא כח, ב) דריש ויהי כי זקן יצחק שזקן ויושב בישיבה היה: **והשליך עצמו לפני אביו כו'.** פירוש וכמו שמסר עצמו למיתה בעבור אהבת ה' יתברך, ממילא ידעינן שקיים כל המצות שבתורה אם באו לידו ויכולת בידו לקיים, בעבור אהבת ה' יתברך: **שנאמר ויתנו אל יעקב.** ומהכא יליף לעיל בבראשית רבה (פא, ג) שהיה בקי בדקדוקי עבודה זרה טפי מינן. וגם אמרו חכמינו ז"ל (קידושין מ, א וש"נ) כל הכופר בעבודה זרה מודה בכל התורה כולה. ואין להקשות דהא עבודה זרה הוא משבע מצות המוזהרות עליהם, דיש לומר דעיקר האיסור הוא העבודה להם, אבל איסור הנאה נאסר אחר כך ממצות התורה, והוא קיים תחלה לאסור אף בהנאה: **שנאמר כבד את אביך.** שאף על פי שנסתכן מפני מצות אביו לא נמנע. וכדאמר לעיל בבראשית רבה (פד, יג): **לא תרצח.** שאשת פוטיפר בקשה להרוג לפוטיפר ולא רצה יוסף כדאיתא בבראשית רבה (פז, ה), ועוד לאחר שמלך במצרים ואחיו נפלו בידו, והיה בידו יכולת לנקום מהם ולהרוג אותם כמו שבקשו לו לעשות, אפילו הכי לא נקם מהם אלא אדרבה גמל להם טובה תחת רעה. עוד יש לפרש על דרך מה שאמרו בתנא דבי אליהו (רבה פרק כו) הובא בילקוט ואתחנן (רמז תתל) וז"ל כבד את אביך ולא תרצח מה ענין זה לזה, אלא ללמדך אם יש לו לאדם ואינו זן ומפרנס אביו ואמו כאילו הוא רוצח לפני המקום עד כאן לשונם, וכבר ידוע שיוסף זן ופרנס את אביו עם כל בני ביתו, לכן אמר שפיר שיוסף קיים לא תרצח: **לא תנאף.** מבואר שלא ניאף באשת פוטיפר, ועוד מבואר על דרך מה שאמר שם בילקוט כבד את אביך ולא תנאף ללמדך אם יש לו לאדם ואינו מכבד אביו ואמו, כאילו הוא נואף לפני המקום, וכבר ידוע שיוסף כיבד את אביו וכיבד אמו גם כן כדכתיב בן פורת יוסף, ודרשו חכמינו ז"ל שהגביה קומתו לפני אמו שלא יתן עשו עינו בה כדאיתא בבראשית רבה (עח, יג): **לא תגנוב.** כמאמר חכמינו ז"ל (במדבר רבה ט, יב) כל הנואף עם אשת חבירו נקרא גנב שגונב מקור חבירו. וגם שלא גנב ממון פרעה, כדכתיב (בראשית מז, יד) וילקט יוסף את כל הכסף כו' ויבא יוסף את הכסף ביתה פרעה. גם יש לפרש על דרך דאיתא בילקוט הנכתב לעיל, ללמדך אם יש לו לאדם ואינו מכבד אביו ואמו ואינו עושה רצון אביו ואמו נקרא גונב נפשות לפני המקום: **לא תענה.** כדאיתא ברבה (שם) ובתנחומא סדר נשא (סימן ב) שהנואפת מעידה עדות שקר ואומרת לבעלה ממך אני מעוברת, וגם הנואף מעיד עדות שקר ואומר שלא בא עליה. גם יבואר על דרך דאיתא במכילתא (יתרו בחודש פ"ח) ובילקוט (יתרו רצט) כילד ניתנו עשרת הדברות חמשה על לוח זה וחמשה על לוח זה, זה כנגד זה כו', זכור את יום השבת לקדשו כנגד לא תענה, מגיד הכתוב שכל מי שהוא מחלל שבת מעיד לפני הקדוש ברוך הוא שלא ברא עולמו לששה ימים ולא נח ביום השביעי, וכל מי שהוא משמר את השבת מעיד לפני הקדוש ברוך הוא שברא עולמו לששה ימים ונח בשביעי, עד כאן לשונם, ויוסף שמר את השבת כדאיתא בבראשית רבה (צב, ד) ועיין שם מה שכתבתי. עוד יש לפרש על פי דאיתא בתנא דבי אליהו ובילקוט (שם) כבד את אביך ולא תענה, ללמדך כל שאינו זן ומפרנס אביו ואמו ויש לו יכולת כאילו הוא מעיד עדות שקר לפני המקום, וממילא הוא מבואר: **לא תחמוד.** לא תחמוד אשת רעך מבואר, גם לא תחמוד בית רעך יבואר על פי מאי דאיתא ברבה ובתנחומא סדר נשא (שם) שהנואף אשת חבירו חומד כל אשר לבעל:
עד שלא נתנה תורה להם. ואף על גב דרציחה וניאוף וגניבה משבע מצות הן, קאמר הכי משום שארי דבורים של עשרת הדברות:

פירוש מהרז"ו

(י) **שספר עצמו.** תנא דבי אליהו שם כל הענין, ופירוש שהקרבנות שאוה בתורה כאן, דומה לקרבנות שהקריבו האבות הצדיקים: **נח קיים מה שכתוב בתורה.** ובתנא דבי אליהו הגירסא נח קיים להקריב קרבן: **עקב אשר שמע אברהם בקולי.** וישמור משמרתי מצותי חוקותי ותורותי, וכן הקריב קרבן איל לעולה תחת יצחק, ובנה מזבחות, ומה שכתב יצחק קיים יעקב קיים, מאחר שפירש בהם דבר אחד שעשו מה שכתוב בתורה, הרי זה נדרש על פי מדת דבר שהיה בכלל ויצא מן הכלל לא על עצמו יצא אלא על הכלל כולו יצא, וכן ביהודה ויוסף, גם מאחר שמפורש אצל אברהם מצותי חוקותי ותורותי כנ"ל, ומפורש אצלו (בראשית יח יט) כי ידעתיו למען אשר יצוה את בניו ואת ביתו אחריו ושמרו את דרך ה' לעשות צדקה ומשפט, הרי שגם זרעו אחריו שמרו כל התורה:

חידושי הרד"ל

[י] **שספר עצמו.** עיין מתנות כהונה וכדמסיים והשוה את שמם כו':

באור מהרי"פ

[י] **ומן הצאן ברוך המקום כו'.** אולי נסמך הדרש על מקרא דבתריה אם עולה קרבנו מן הבקר זכר תמים יקריבנו וגו', והצדיקים נקראו גם כן תמימי דרך, והקב"ה נקרא תמים כמבואר בסיום הדרש:

ידי משה

[י] **שספר עצמו עם הצדיקים ראשונים.** ואף על פי שעדיין לא קיבלו את התורה וסבירא ליה גדול שאינו מצווה ועושה. וקל להבין.

מסורת המדרש

יא. יומא כ"ח. קדושין פ"ב:

אם למקרא

וְתִיטַב לַה' מִשּׁוֹר פָּר מַקְרִן מַפְרִיס: (תהלים סט:לב)

וַיִּבֶן נֹחַ מִזְבֵּחַ לַה' וַיִּקַּח מִכֹּל הַבְּהֵמָה הַטְּהֹרָה וּמִכֹּל הָעוֹף הַטָּהֹר וַיַּעַל עֹלֹת בַּמִּזְבֵּחַ: (בראשית ח:כ)

עֵקֶב אֲשֶׁר שָׁמַע אַבְרָהָם בְּקֹלִי וַיִּשְׁמֹר מִשְׁמַרְתִּי מִצְוֹתַי חֻקּוֹתַי וְתוֹרֹתָי: (שם כו:ה)

וַיִּתְּנוּ אֶל יַעֲקֹב אֵת כָּל אֱלֹהֵי הַנֵּכָר אֲשֶׁר בְּיָדָם וְאֶת הַנְּזָמִים אֲשֶׁר בְּאָזְנֵיהֶם וַיִּטְמֹן אֹתָם יַעֲקֹב תַּחַת הָאֵלָה אֲשֶׁר עִם שְׁכֶם: (בראשית לה:ד)

וַיֹּאמֶר יְהוּדָה לְאוֹנָן בֹּא אֶל אֵשֶׁת אָחִיךָ וְיַבֵּם אֹתָהּ וְהָקֵם זֶרַע לְאָחִיךָ: (בראשית לח:ח)

כַּבֵּד אֶת אָבִיךָ וְאֶת אִמֶּךָ לְמַעַן יַאֲרִכוּן יָמֶיךָ עַל הָאֲדָמָה אֲשֶׁר ה' אֱלֹהֶיךָ נֹתֵן לָךְ: לֹא תִּרְצָח לֹא תִּנְאָף לֹא תִּגְנֹב לֹא תַעֲנֶה בְרֵעֲךָ עֵד שָׁקֶר: לֹא תַחְמֹד בֵּית רֵעֶךָ לֹא תַחְמֹד אֵשֶׁת רֵעֶךָ וְעַבְדּוֹ וַאֲמָתוֹ וְשׁוֹרוֹ וַחֲמֹרוֹ וְכֹל אֲשֶׁר לְרֵעֶךָ: (שמות כ:יא-יד)

מתנות כהונה

[י] **שספר עצמו כו'.** הדמה עצמו אליהן בסיפורו, כדלקמן אשרי תמימי דרך, וכתיב (דברים לב, ד) הצור תמים פעלו לגזירה שוה: לא תרצח כו'. שאשת פוטיפרע רצתה להרוג בעלה, כדי שישמע יוסף אליה, כדלעיל בפרשת וישב (פז, ה), והוא מיתה בידה, וסוף דבר הנואף עובר על כל הדברות, כדלקמן פרשת נשא (ט, יב):

אשד הנחלים

[י] **שספר עצמו עם הצדיקים.** הוא כמו שמסיים שכינה הצדיקים כשמו, לקראותם בשם תמימים כשמו יתברך כביכול. אך יש להבין מה שייך זה כאן. והידי משה פירש שספר עצמו עם הצדיקים הראשונים, ואע"פ שלא קבלו התורה, וסבירא ליה דגדול שאינו מצווה, וזה דוחק. והיפה תואר פירש, דאשרי תמימי דרך ההולכים בתורת ה', פירוש מפני תמימותם הלכו בתורת ה', אף שלא צוום עודנה, וזהו שסיים אדם העלה כו', רצה לומר שקיימו המצות בלי ציווי כי אם מעצמן. אבל לפי מה שבארתי בתנא דבי אליהו (פ"ו), ולפי המוכח שם, קאי על לעיל שאמר אדם זה לשון אחוה ולשון ריעות, ורצה לומר שקראם אדם דוגמת המרכבה העליונה, וזהו שספר עצמו עם הצדיקים לכנות שמם כשם המרכבה העליונה. ומפרש הסבה מפני שקיימו המצות, שהוא דמות קשרי המרכבה העליונה ומכוון לה כנודע: **אשר שמע אברהם.** וסופו וישמור משמרתי חוקותי ותורתי: **והשליך.** וזה נחשב כמו שהקריב עצמו, אחר שהשליך עצמו ברצון נפשו, והמניעה לא היה מצדו: **יעקב כו' את אלהי נכר.** אין להקשות דהא עבודת כוכבים הוא משבע מצות המוזהרות עליהם. דיש לומר דעיקר האיסור הוא העבודה להם, אבל איסור הנאה נאסר אחר כך ממצות התורה, והוא קיים תחילה לאסור אף בהנאה:

לֹא תִּגְנֹב — *you shall not steal;*[154] לֹא תַעֲנֶה — ***you shall not bear*** *false witness against your fellow.*[155] לֹא תַחְמֹד — ***You shall not covet*** *your fellow's house. You shall not covet your fellow's wife, his manservant, his maidservant, his ox, his donkey, nor anything that belongs to your fellow* (*Exodus* 20:12-14).[156] עַד שֶׁלֹּא נִתְּנָה תּוֹרָה לָהֶם — All these deeds took place **before the Torah was given to them,** וְהֵם עָשׂוּ אוֹתָהּ מֵאֲלֵיהֶן — **and [these early righteous men] fulfilled it on their own.**

NOTES

154. During the years of famine in Egypt, Joseph did not steal any of the money that was given to him in exchange for food. He brought all the money to Pharaoh (*Eitz Yosef*, citing *Genesis* 47:14; see also *Mechilta* loc. cit.; see *Eitz Yosef* for alternative explanations).

Although the prohibitions against killing, adultery, and stealing are included among the Noahide laws that were already given before the Torah, they are listed here on account of the other items from the Ten Commandments listed further that were given only as part of the Torah (*Eitz Yosef* below, s.v. עד שלא נתנה תורה להם).

155. Joseph never told Jacob that his brothers sold him as a slave to Egypt (see *Ramban* to *Genesis* 45:27). If he would not testify against his brothers regarding something true, certainly he would not testify falsely (*Mechilta* loc. cit.). Alternatively: *Mechilta* (*Yisro, BaChodesh, Parashah* 8, s.v. לא תענה) notes that the commandment of לֹא תַעֲנֶה, which is written fourth on the second Tablet, appears directly opposite the commandment to keep the Sabbath that is written fourth on the first Tablet. *Mechilta* explains that one who does not keep the Sabbath bears false testimony against God that He did *not* create the world in six days and rest on the seventh; the converse is true for one who *does* keep the Sabbath. The Midrash elsewhere (*Bereishis Rabbah* 92 §4) tells us that Joseph kept the Sabbath (*Eitz Yosef*; see there for additional explanations).

156. Joseph did not covet Potiphar's wife (*Eitz Yosef*; see also *Mechilta* loc. cit. and *Bamidbar Rabbah* 9 §12).

י [א, ב] "מִן הַבָּקָר וּמִן הַצֹּאן", בָּרוּךְ הַמָּקוֹם שֶׁסָּפַר עַצְמוֹ עִם הַצַּדִּיקִים הָרִאשׁוֹנִים, אָדָם הֶעֱלָה שׁוֹר עַל גַּבֵּי הַמִּזְבֵּחַ, שֶׁנֶּאֱמַר (תהלים סט, לב) "וְתִיטַב לַה' מִשּׁוֹר פָּר", נֹחַ קִיֵּם מַה שֶּׁכָּתוּב בַּתּוֹרָה, שֶׁנֶּאֱמַר (בראשית ח, כ) "וַיִּבֶן נֹחַ מִזְבֵּחַ לַה' ", [יא]אַבְרָהָם קִיֵּם אֶת הַתּוֹרָה כּוּלָּהּ, שֶׁנֶּאֱמַר (שם כו, ה) "עֵקֶב אֲשֶׁר שָׁמַע אַבְרָהָם וְגוֹ' ", שֶׁהוּא °עָשָׂה קָרְבָּן וְהִקְרִיב אַיִל, יִצְחָק קִיֵּם מַה שֶּׁכָּתוּב בַּתּוֹרָה וְהִשְׁלִיךְ עַצְמוֹ לִפְנֵי אָבִיו כְּשֶׂה זָבוּחַ, יַעֲקֹב קִיֵּם מַה שֶּׁכָּתוּב בַּתּוֹרָה שֶׁנֶּאֱמַר (שם לה, ד) "וַיִּתְּנוּ אֶל יַעֲקֹב אֵת כָּל אֱלֹהֵי הַנֵּכָר וְגוֹ' ", יְהוּדָה קִיֵּם מַה שֶּׁכָּתוּב בַּתּוֹרָה, שֶׁנֶּאֱמַר (שם לח, ח) "בֹּא אֶל אֵשֶׁת אָחִיךָ וְגוֹ' ", יוֹסֵף קִיֵּם מַה שֶּׁכָּתוּב בַּתּוֹרָה, שֶׁנֶּאֱמַר (שמות כ, יב) "כַּבֵּד אֶת אָבִיךָ וְגוֹ' ", (שם שם יג-יד) "לֹא תִרְצָח לֹא תִנְאָף לֹא תִגְנֹב לֹא תַעֲנֶה ... לֹא תַחְמֹד", עַד שֶׁלֹּא נִתְּנָה תּוֹרָה לָהֶם, וְהֵם עָשׂוּ °אוֹתָהּ מֵאֲלֵיהֶן,

עץ יוסף

(י) [ט] **שספר עצמו עם הצדיקים.** פירוש הדמה עלמו אליהם בספורו כדלקמן אשרי תמימי דרך וכתיב הלור תמים פעלו לגזירה שוה (מתנות כהונה), וזה שאמר המדרש והשוה את שמם כו'. והיפה תואר כתב שלריך לומר שספת, והוא לשון חבור, כמו (דניאל ד, ל) מילתא ספת על נבוכדנלר, ועניינו שחבר ושתף הקדוש ברוך הוא כבודו עם הלדיקים שקרבן אליו, והשוה שמם לשמו, כדלקמן: **משור פר.** עיין מה שכתבתי לעיל סימן ו': **ויבן נח מזבח.** וכתיב ויקח מכל הבהמה הטהורה, ומנא ידע טהורה וטמאה, אלא על כרחך שעסק בתורה, ולא סבירא ליה כמאן דאמר בפרק פרת חטאת ((זבחים קטז, א) כל שהתיבה קולטתו טהור כו': **שנאמר עקב אשר שמע אברהם וגו'.** וישמור משמרתי מלותי חוקותי ותורותי. ועיין בבראשית רבה (נה, ב) ובתנחומא ריש סדר לך לך: **שהוא עושה קרבן.** נראה דגרסינן ועוד שהוא עשה כו' (יפה תואר): **והקריב איל.** פירוש שעשה בנו קרבן והקריב את האיל תחתיו ונחשב לו כאילו הקריב בנו: **יצחק קיים מה שכתוב בתורה.** בפרק הממונה (יומא כח, ב) דריש ויהי כי זקן ילחק שזקן ויושב בישיבה היה: **והשליך עצמו לפני אביו כו'.** פירוש וכמו שמסר עלמו למיתה בעבור אהבת ה' יתברך, ממילא ידעינן שקיים כל המלות שבתורה אם באו לידו ויכולת בידו לקיים, בעבור אהבת ה' יתברך: **שנאמר ויתנו אל יעקב.** ומהכא יליף לעיל בבראשית רבה (פא, ג) שהיה בקי בדקדוקי עבודה זרה טפי מינן. וגם אמרו חכמינו ז"ל (קידושין מ, א וש"נ) כל הכופר בעבודה זרה מודה בכל התורה כולה. ואין להקשות דהא עבודה זרה הוא משבע מלות המוזהרות עליהם, דיש לומר דעיקר האיסור הוא העבודה להם, אבל איסור הנאה נאסר אחר כך ממלות התורה, והוא קיים תחלה לאסור אף בהנאה: **שנאמר כבד את אביך.** שאף על פי שנסתכן מפני מלות אביו לא נמנע. וכדאמר לעיל בבראשית רבה (פד, יב): **לא תרצח.** שאשת פוטיפר בקשה להרוג לפוטיפר ולא רלה יוסף כדאיתא בבראשית רבה (פז, ה), ועוד לאחר שמלך במלרים ואחיו נפלו בידו, והיה בידו יכולת לנקום מהם ולהרוג אותם כמו שבקשו לו לעשות, אפילו הכי לא נקם מהם אלא אדרבה גמל להם טובה תחת רעה. עוד יש לפרש על דרך מה שאמרו בתנא דבי אליהו (רבה פרק כו) הובא בילקוט (רמז תתלו) ז"ל כבד את אביך ולא תרלח מה ענין זה לזה, אלא ללמדך אם יש לו לאדם ואינו זן ומפרנס אביו ואמו כאילו הוא רוצח לפני המקום עד כאן לשונו, וכבר ידוע שיוסף זן ופרנס את אביו עם כל בני ביתו, לכן אמר שפיר שיוסף קיים לא תרלח: **לא תנאף.** מבואר שלא ניאף באשת פוטיפר, ועוד מבואר על דרך מה שאמר שם בילקוט כבד את אביך ולא תנאף ללמדך אם יש לו לאדם ואינו מכבד אביו ואמו, כאילו הוא נואף לפני המקום, וכבר ידוע שיוסף כיבד את אביו וכיבד אמו גם כן כדכתיב בן פורת יוסף, ודרשו חכמינו ז"ל שהגביה קומתו לפני אמו שלא יתן עשו עינו בה כדאיתא בבראשית רבה (עח, יג): **לא תגנוב.** כמאמר חכמינו ז"ל (במדבר רבה ט, יב) כל הנואף עם אשת חבירו נקרא גנב שגונב מקור חבירו. וגם שלא גנב ממון פרעה, כדכתיב (בראשית מז, יד) וילקט יוסף את כל הכסף כו' ויבא יוסף את הכסף ביתה פרעה. גם יש לפרש על דרך דאיתא בילקוט הנזכר לעיל, ללמדך אם יש לו לאדם ואינו מכבד אביו ואמו ואינו עושה רלון אביו ואמו נקרא גונב נפשות לפני המקום: **לא תענה.** כדאיתא ברבה (שם) ובתנחומא סדר נשא (סימן ב) שהנואפת מעידה עדות שקר ואומרת לבעלה ממך אני מעוברת, וגם הנואף מעיד עדות שקר ואומר שלא בא עליה. גם יבואר על דרך דאיתא במכילתא (יתרו בחודש פ"ח) ובילקוט (יתרו רלט) כילד ניתנו עשרת הדברות חמשה על לוח זה וחמשה על לוח זה, זה כנגד זה כו', זכור את יום השבת לקדשו כנגד לא תענה, מגיד הכתוב שכל מי שהוא מחלל שבת מעיד לפני הקדוש ברוך הוא שלא ברא עולמו לששה ימים ולא נח ביום השביעי, וכל מי שהוא משמר את השבת מעיד לפני הקדוש ברוך הוא שברא עולמו לששה ימים ונח בשביעי, עד כאן לשונו, ויוסף שמר את השבת כדאיתא בבראשית רבה (נב, ד) ועיין שם מה שכתבתי. עוד יש לפרש על פי דאיתא בתנא דבי אליהו ובילקוט (שם) כבד את אביך ולא תענה, ללמדך כל שאינו זן ומפרנס אביו ואמו ויש לו יכולת כאילו הוא מעיד עדות שקר לפני המקום, וממילא הוא מבואר: **לא תחמוד.** לא תחמוד אשת רעך מבואר, גם לא תחמוד בית רעך יבואר על פי מאי דאיתא ברבה ובתנחומא סדר נשא (שם) שהנואף אשת חבירו חומד כל אשר לבעל: **עד שלא נתנה תורה להם.** ואף על גב דרליחה וניאוף וגניבה משבע מלות הן, קאמר הכי משום שאחרי דבורים של עשרת הדברות:

פירוש מהרז"ו

(י) **שספר עצמו.** תנא דבי אליהו שם כל הענין, ופירוש שהקרבנות שלוה בתורה כאן, דומה לקרבנות שהקריבו האבות הלדיקים: **נח קיים מה שכתוב בתורה.** ובתנא דבי אליהו הגירסא נח קיים להקריב קרבן: **עקב אשר שמע אברהם בקולי.** וישמור משמרתי מלותי חוקותי ותורותי, וכן הקריב קרבן איל לעולה תחת ילחק, ובנה מזבחות, ומה שכתב ילחק קיים יעקב קיים, מאחר שפירש בהם דבר אחד שעשו מה שכתוב בתורה, הרי זה נדרש על פי מדת דבר שהיה בכלל ויצא מן הכלל לא על עלמו יצא אלא על הכלל כולו יצא, וכן ביהודה ויוסף, גם מאחר שמפורש אצל אברהם מלותי חוקותי ותורותי כנ"ל, ומפורש אצלו (בראשית יח יט) כי ידעתיו למען אשר ילוה את בניו ואת ביתו אחריו ושמרו את דרך ה' לעשות לדקה ומשפט, הרי שגם זרעו אחריו שמרו כל התורה:

חידושי הרד"ל

[י] **שספר עצמו.** עיין מתנות כהונה וכדמסיים והשוה את שמם כו':

באור מהרי"פ

[י] **ומן הצאן ברוך המקום וכו'.** אולי נסמך הדרש על מקרא דבתריה אם עולה קרבנו מן הבקר זכר תמים יקריבנו וגו', והלדיקים נקראו גם כן תמימי דרך, והקב"ה נקרא תמים כמבואר בסיום הדרש:

ידי משה

[י] **שספר עצמו עם הצדיקים ראשונים.** ואף על פי שעדיין לא קיבלו את התורה וסבירא ליה גדול שאינו מלווה ועושה ממלווה ועושה. וקל להבין:

מסורת המדרש

יא. יומא כ"ח. קידושין פ"ב:

אם למקרא

וְתִיטַב לַה' מִשּׁוֹר פָּר מַקְרִן מַפְרִיס: (תהלים סט:לב)

וַיִּבֶן נֹחַ מִזְבֵּחַ לַה' וַיִּקַּח מִכֹּל הַבְּהֵמָה הַטְּהֹרָה וּמִכֹּל הָעוֹף הַטָּהֹר וַיַּעַל עֹלֹת בַּמִּזְבֵּחַ: (בראשית ח:כ)

עֵקֶב אֲשֶׁר שָׁמַע אַבְרָהָם בְּקֹלִי וַיִּשְׁמֹר מִשְׁמַרְתִּי מִצְוֹתַי חֻקּוֹתַי וְתוֹרֹתָי: (שם כו:ה)

וַיִּתְּנוּ אֶל יַעֲקֹב אֵת כָּל אֱלֹהֵי הַנֵּכָר אֲשֶׁר בְּיָדָם וְאֶת הַנְּזָמִים אֲשֶׁר בְּאָזְנֵיהֶם וַיִּטְמֹן אֹתָם יַעֲקֹב תַּחַת הָאֵלָה אֲשֶׁר עִם שְׁכֶם: (בראשית לה:ד)

וַיֹּאמֶר יְהוּדָה לְאוֹנָן בֹּא אֶל אֵשֶׁת אָחִיךָ וְיַבֵּם אֹתָהּ וְהָקֵם זֶרַע לְאָחִיךָ: (בראשית לח:ח)

כַּבֵּד אֶת אָבִיךָ וְאֶת אִמֶּךָ לְמַעַן יַאֲרִכוּן יָמֶיךָ עַל הָאֲדָמָה אֲשֶׁר ה' אֱלֹהֶיךָ נֹתֵן לָךְ: לֹא תִרְצָח לֹא תִנְאָף לֹא תִגְנֹב לֹא תַעֲנֶה בְרֵעֲךָ עֵד שָׁקֶר: לֹא תַחְמֹד בֵּית רֵעֶךָ לֹא תַחְמֹד אֵשֶׁת רֵעֶךָ וְעַבְדּוֹ וַאֲמָתוֹ וְשׁוֹרוֹ וַחֲמֹרוֹ וְכֹל אֲשֶׁר לְרֵעֶךָ: (שמות כ:יא-יד)

מתנות כהונה

[י] **שספר עצמו כו'.** הדמה עלמו אליהן בסיפורו, כדלקמן אשרי תמימי דרך, וכתיב (דברים לב, ד) הלור תמים פעלו לגזירה שוה: לא תרלח כו'. שאשת פוטיפרע רלתה להרוג בעלה. כדי שישמע יוסף אליה, כדלעיל בפרשת וישב (פז, ה), והוא מיתה בידה, וסוף דבר הנואף עובר על כל הדברות, כדלקמן פרשת נשא (ט, יב):

אשד הנחלים

[י] **שספר עצמו עם הצדיקים.** הוא כמו שמסיים שכינה הצדיקים כשמו, לקראותם בשם תמימים כשמו יתברך כביכול. אך יש להבין מה שייך זה כאן. והידי משה פירש שספר עצמו עם הצדיקים הראשונים, ואע"פ שלא קבלו התורה, וסבירא ליה דגדול שאינו מצווה, וזה דוחק. והיפה תואר פירש, דאשרי תמימי דרך ההולכים בתורת ה', פירוש מפני תמימותם הלכו בתורת ה', אף שלא צוום עודנה, וזהו שסיים אדם העלה כו', רצה לומר שקיימו המצוות בלי ציווי כי אם מעצמן. אבל לפי מה שבארתי בתנא דבי אליהו (פ"ו), ולפי המוכח שם, קאי על לעיל שאמר אדם כי זה לשון אחוה ולשון ריעות, ורצה לומר שקראם אדם דוגמת המרכבה העליונה, וזהו שספר עצמו עם הצדיקים לכנות שמם כשם המרכבה העליונה. ומפרש הסבה מפני שקיימו המצות, שהוא דמות קשרי המרכבה העליונה ומכוון לה כנודע: **אשר שמע אברהם.** וסופו וישמור משמרתי חוקותי ותורתי: **והשליך.** וזה נחשב כמו שהקריב עצמו, אחר שהשליך עצמו ברצון נפשו, והמניעה לא היה מצדו: **יעקב כו' את אלהי נכר.** אין להקשות דהא עבודת כוכבים הוא משבע מצות המוזהרות עליהם. דיש לומר דעיקר האיסור הוא העבודה להם, אבל איסור הנאה נאסר אחר כך ממצות התורה, והוא קיים תחילה לאסור אף בהנאה:

לְפִיכָךְ אֲהֵבָם הַקָּדוֹשׁ בָּרוּךְ הוּא אַהֲבָה גְמוּרָה — Therefore, the Holy One, blessed is He, loved them a complete love,[157] **וְהִשְׁוָה אֶת שְׁמָם לִשְׁמוֹ הַגָּדוֹל — and He equated their name to His great Name,** as follows: **עֲלֵיהֶם הוּא אוֹמֵר "אַשְׁרֵי תְמִימֵי דָרֶךְ וגו׳ " — Concerning them [Scripture] states,** ***Praiseworthy are those whose way is perfect*** [תְּמִימֵי], *who walk with the Torah of HASHEM* (*Psalms* 119:1).[158] **וְאָמַר "הַצּוּר תָּמִים פָּעֳלוֹ" — And it states** regarding Hashem, ***The Rock! — perfect*** [תָּמִים] ***is His work*** (*Deuteronomy* 32:4),[159] **וְאָמַר "הָאֵל תָּמִים דַּרְכּוֹ" — and it** also **states,** ***The God! His way is perfect*** [תָּמִים] (*Psalms* 18:31).[160]

אִם עֹלָה קָרְבָּנוֹ מִן הַבָּקָר זָכָר תָּמִים יַקְרִיבֶנּוּ אֶל פֶּתַח אֹהֶל מוֹעֵד יַקְרִיב אֹתוֹ לִרְצֹנוֹ לִפְנֵי ה׳. וְסָמַךְ יָדוֹ עַל רֹאשׁ הָעֹלָה וְנִרְצָה לוֹ לְכַפֵּר עָלָיו. וְשָׁחַט אֶת בֶּן הַבָּקָר לִפְנֵי ה׳ וְהִקְרִיבוּ בְּנֵי אַהֲרֹן הַכֹּהֲנִים אֶת הַדָּם וְזָרְקוּ אֶת הַדָּם עַל הַמִּזְבֵּחַ סָבִיב אֲשֶׁר פֶּתַח אֹהֶל מוֹעֵד. וְהִפְשִׁיט אֶת הָעֹלָה וְנִתַּח אֹתָהּ לִנְתָחֶיהָ. וְנָתְנוּ בְּנֵי אַהֲרֹן הַכֹּהֵן אֵשׁ עַל הַמִּזְבֵּחַ וְעָרְכוּ עֵצִים עַל הָאֵשׁ. וְעָרְכוּ בְּנֵי אַהֲרֹן הַכֹּהֲנִים אֵת הַנְּתָחִים אֶת הָרֹאשׁ וְאֶת הַפָּדֶר עַל הָעֵצִים אֲשֶׁר עַל הָאֵשׁ אֲשֶׁר עַל הַמִּזְבֵּחַ. וְקִרְבּוֹ וּכְרָעָיו יִרְחַץ בַּמָּיִם וְהִקְטִיר הַכֹּהֵן אֶת הַכֹּל הַמִּזְבֵּחָה עֹלָה אִשֵּׁה רֵיחַ נִיחוֹחַ לַה׳. וְאִם מִן הַצֹּאן קָרְבָּנוֹ מִן הַכְּשָׂבִים אוֹ מִן הָעִזִּים לְעֹלָה זָכָר תָּמִים יַקְרִיבֶנּוּ. וְשָׁחַט אֹתוֹ עַל יֶרֶךְ הַמִּזְבֵּחַ צָפֹנָה לִפְנֵי ה׳ וְזָרְקוּ בְּנֵי אַהֲרֹן הַכֹּהֲנִים אֶת דָּמוֹ עַל הַמִּזְבֵּחַ סָבִיב. וְנִתַּח אֹתוֹ לִנְתָחָיו וְאֶת רֹאשׁוֹ וְאֶת פִּדְרוֹ וְעָרַךְ הַכֹּהֵן אֹתָם עַל הָעֵצִים אֲשֶׁר עַל הָאֵשׁ אֲשֶׁר עַל הַמִּזְבֵּחַ. וְהַקֶּרֶב וְהַכְּרָעַיִם יִרְחַץ בַּמָּיִם וְהִקְרִיב הַכֹּהֵן אֶת הַכֹּל וְהִקְטִיר הַמִּזְבֵּחָה עֹלָה הוּא אִשֵּׁה רֵיחַ נִיחֹחַ לַה׳.

If one's offering is an olah-offering from the cattle, he shall offer an unblemished male; he shall bring it to the entrance of the Tent of Meeting, voluntarily, before HASHEM. He shall lean his hands upon the head of the olah; and it shall become acceptable for him, to atone for him. He shall slaughter the bull before HASHEM; the sons of Aaron, the Kohanim, shall bring the blood and throw the blood on the Altar, all around — which is at the entrance of the Tent of Meeting. He shall skin the olah and cut it into its pieces. The sons of Aaron the Kohen shall place fire on the Altar, and arrange wood on the fire. The sons of Aaron, the Kohanim, shall arrange the pieces, the head, and the fats, on the wood that is on the fire, that is on the Altar. He shall wash its innards and its feet with water; and the Kohen shall cause it all to go up in smoke on the Altar — an olah, a fire-offering, a satisfying aroma to HASHEM. And if one's offering is from the flock, from the sheep or from the goats, for an olah-offering: he shall offer an unblemished male. He shall slaughter it at the northern side of the Altar before HASHEM; and the sons of Aaron, the Kohanim, shall throw its blood on the Altar, all around. He shall cut it into its pieces, its head, and its fats. The Kohen shall arrange them on the wood that is on the fire that is on the Altar. He shall wash the innards and the feet in water; the Kohen shall bring it all and cause it to go up in smoke on the Altar — it is an olah, a fire-offering, a satisfying aroma to HASHEM (1:3-13).

§11 וְשָׁחַט אֶת בֶּן הַבָּקָר וגו׳ — *HE SHALL SLAUGHTER THE BULL, ETC. [BEFORE HASHEM].*

If we examine the above passage, we see that first Scripture relates the laws pertaining to offering an ox as an *olah* (verses 3-9), and next, Scripture relates the laws pertaining to offering a ram[161] (or a goat) as an *olah* (verses 10-13). The Midrash notes an anomaly in this passage:[162]

וּבְאַיִל הוּא אוֹמֵר "צָפֹנָה לִפְנֵי ה׳ " — And regarding the offering of a **ram [Scripture] states,** *He shall slaughter it at* ***the northern*** *side of the Altar* ***before HASHEM*** (v. 11).[163] **אָמְרוּ: בְּשָׁעָה שֶׁעָקַד אַבְרָהָם אָבִינוּ אֶת יִצְחָק בְּנוֹ הִתְקִין הַקָּדוֹשׁ בָּרוּךְ הוּא ב׳ כְּבָשִׂים — [The Sages] explained: At the moment that Abraham our forefather bound Isaac his son, the Holy One, blessed is He, instituted two lambs** to be offered every day, **אֶחָד שֶׁל שַׁחֲרִית וְאֶחָד שֶׁל עַרְבִית — one in the morning and one in the evening.**[164] **וְכָל כָּךְ לָמָּה — And why** was **all this** necessary? **שֶׁבְּשָׁעָה שֶׁהָיוּ יִשְׂרָאֵל מַקְרִיבִין תָּמִיד עַל גַּבֵּי הַמִּזְבֵּחַ — For when Israel would bring a** ***tamid*** **upon the Altar, וְקוֹרִין אֶת הַמִּקְרָא הַזֶּה "צָפֹנָה לִפְנֵי ה׳ " —** and when **they would read this verse,**[165] *He shall slaughter it* ***at the northern side*** *of the Altar* ***before HASHEM;*** *and the sons of Aaron, the Kohanim, shall throw its blood on the Altar, all around,*

NOTES

157. The Gemara states that one who was commanded to follow a precept and fulfills it is greater than one who was not commanded and fulfills it (*Kiddushin* 31a). *Yedei Moshe* writes that our Midrash disagrees. This would be in line with *Yerushalmi Sheviis* 6:1 (43a, note 12 in the Schottenstein ed.). [Generally speaking, *Midrash Rabbah* and *Yerushalmi* represent the tradition of the Sages of *Eretz Yisrael* (see *Rashi* to *Genesis* 47:2).]

Alternatively, perhaps one who was commanded to follow a precept and fulfills it is greater, as *Bavli* teaches. However, when one does something for someone voluntarily, it is a show of love for that person. The Midrash does not say that the early righteous ones were greater than others who came later, only that God *loved them a perfect love*. Since they displayed their love for God, He returned their love in kind (see *Meorei Eish* to *Tanna DeVei Eliyahu Rabbah* Ch. 6 §65; see *Yefeh To'ar* for an alternative explanation).

158. *Yefeh To'ar* questions how the Midrash sees this verse as speaking specifically of the early righteous ones, as opposed to speaking of all who fulfill the Torah. [Perhaps, the Midrash understands the verse as follows: אַשְׁרֵי תְמִימֵי דָרֶךְ — *Praiseworthy are those whose way is perfect* even without the Torah, i.e., those who were not commanded to keep the laws of the Torah; הַהֹלְכִים בְּתוֹרַת ה׳ — *who [nevertheless] walk with the Torah of HASHEM*.]

159. If God's work and creation is perfect, certainly He, Himself, must be a perfect Creator (*Eitz Yosef*; see *Bereishis Rabbah* 44 §1).

160. We see, then, that God equates the name of the early righteous to His great Name, for His Name [and His characteristic] in these verses is תָּמִים, *perfect*, and He calls them תְּמִימִים, *perfect ones* (*Eitz Yosef* s.v. אשרי; see also *Maharzu*).

The Midrash cites two verses where God is called תָּמִים. The first speaks of God as a perfect Creator; the second speaks of God as a perfect Director (*Eitz Yosef*).

161. The word כְּבָשִׂים in v. 3 is generally translated *sheep*. However, a male sheep is a ram; and our Midrash will be comparing the כְּבָשִׂים of this verse to the ram used at the Binding of Isaac.

162. *Eitz Yosef*; see next note.

163. Regarding the ox, Scripture states (v. 5), וְשָׁחַט אֶת בֶּן הַבָּקָר לִפְנֵי ה׳, *He shall slaughter the bull before HASHEM*, but does not explain what is meant by *before HASHEM*. Later, in discussing the ram (v. 11), Scripture elaborates and explains that *before HASHEM* refers to the northern side of the Altar — and we learn from v. 11 that this is its meaning in v. 5 as well (*Ramban* to v. 10). The Midrash is noting an anomaly here: Scripture should have explained itself in the passage about the ox that is written first! (*Eitz Yosef*; see *Zevachim* 48a).

164. The reference is to the commandment (*Numbers* 28:1-8) to bring two *olah*-offerings each day, one in the morning and one in the afternoon (*Beur Maharif*). This offering is called the *tamid*, which means "constant," for they are offered twice a day, every day, without interruption.

165. I.e., when the Jewish people would offer the *tamid* sacrifice while the Temple stood, *or* when they would read this verse after the Destruction of the Temple (*Eitz Yosef*; see there for an alternative explanation; see, however, *Yedei Moshe* who maintains that the verse had to be read *in conjunction with* the offering of the *tamid*, in order to evoke the merit of the Binding of Isaac).

לְפִיכָךְ אֲהֵבָם הַקָּדוֹשׁ בָּרוּךְ הוּא אַהֲבָה גְּמוּרָה, וְהִשְׁוָה אֶת שְׁמָם לִשְׁמוֹ הַגָּדוֹל, עֲלֵיהֶם הוּא אוֹמֵר (תהלים קיט, א) "אַשְׁרֵי תְמִימֵי דָרֶךְ וְגוֹ'", וְאָמַר (דברים לב, ד) "הַצּוּר תָּמִים פָּעֳלוֹ", וְאָמַר (תהלים יח, לא) "הָאֵל תָּמִים דַּרְכּוֹ":

יא [א, ה] "וְשָׁחַט אֶת בֶּן הַבָּקָר וְגוֹ'" וּבָאַיִל הוּא אוֹמֵר [א, יא] "צָפֹנָה לִפְנֵי ה'", אָמְרוּ: בְּשָׁעָה שֶׁעָקַד אַבְרָהָם אָבִינוּ אֶת יִצְחָק בְּנוֹ הִתְקִין הַקָּדוֹשׁ בָּרוּךְ הוּא ב' כְּבָשִׂים, אֶחָד שֶׁל שַׁחֲרִית וְאֶחָד שֶׁל עַרְבִית, וְכָל כָּךְ לָמָּה, שֶׁבְּשָׁעָה שֶׁהָיוּ יִשְׂרָאֵל מַקְרִיבִין תָּמִיד עַל גַּבֵּי הַמִּזְבֵּחַ וְקוֹרִין אֶת הַמִּקְרָא הַזֶּה "צָפֹנָה לִפְנֵי ה'" זוֹכֵר הַקָּדוֹשׁ בָּרוּךְ הוּא עֲקֵידַת יִצְחָק. מְעִידַנִי עָלַי אֶת הַשָּׁמַיִם וְאֶת הָאָרֶץ, בֵּין גּוֹי בֵּין יִשְׂרָאֵל בֵּין אִישׁ בֵּין אִשָּׁה בֵּין עֶבֶד בֵּין אָמָה קוֹרִין אֶת הַמִּקְרָא הַזֶּה "צָפֹנָה לִפְנֵי ה'" זוֹכֵר הַקָּדוֹשׁ בָּרוּךְ הוּא עֲקֵידַת יִצְחָק, שֶׁנֶּאֱמַר "צָפֹנָה לִפְנֵי ה'". דָּבָר אַחֵר "צָפֹנָה לִפְנֵי ה'" כְּנֶגֶד מַעֲשֵׂיהֶם שֶׁל אַבְרָהָם יִצְחָק יַעֲקֹב שֶׁהֵם צְפוּנִים לְפָנָיו, וּמִנַּיִן שֶׁהַלָּשׁוֹן הַזֶּה הוּא לְשׁוֹן צְפוּנָה, שֶׁנֶּאֱמַר (שיר השירים ז, יד) "חֲדָשִׁים גַּם יְשָׁנִים דּוֹדִי צָפַנְתִּי לָךְ", אַבְרָהָם יִצְחָק וְיַעֲקֹב "יְשָׁנִים", עַמְרָם בֶּן קְהָת וְכָל הַכְּשֵׁרִים שֶׁהָיוּ בְּמִצְרַיִם "חֲדָשִׁים", שֶׁנֶּאֱמַר "חֲדָשִׁים גַּם יְשָׁנִים", חֲבוּרָתוֹ שֶׁל מֹשֶׁה וַחֲבוּרָתוֹ שֶׁל יְהוֹשֻׁעַ וַחֲבוּרָתוֹ שֶׁל דָּוִד וְשֶׁל חִזְקִיָּה "יְשָׁנִים", חֲבוּרָתוֹ שֶׁל עֶזְרָא וְשֶׁל הִלֵּל וְשֶׁל רַבִּי יוֹחָנָן בֶּן זַכַּאי וְשֶׁל רַבִּי מֵאִיר וַחֲבֵרָיו "חֲדָשִׁים", וַעֲלֵיהֶם הוּא אוֹמֵר "חֲדָשִׁים גַּם יְשָׁנִים":

יב בְּשׁוֹר הוּא אוֹמֵר [א, ט] "* וְקִרְבּוֹ וּכְרָעָיו יִרְחַץ בַּמָּיִם וְהִקְטִיר", וּבְאַיִל הוּא אוֹמֵר [א, יג] "וְהַקֶּרֶב וְהַכְּרָעַיִם יִרְחַץ בַּמָּיִם וְהִקְרִיב", מַה בֵּין אַיִל לְשׁוֹר, שׁוֹר חָסֵר שְׁתֵּי וָעֵרֶב, אַיִל אֵין חָסֵר שְׁתֵּי וָעֵרֶב.

עץ יוסף

והשוה את שמם כו'. עיין בפירוש זקוקין [דנורא] על תנא דבי אליהו (רבה פרק ז): **אשרי תמימי דרך.** הרי שהשוה שמם לשמו שקראם תמימים כמו ששמו תמים: **הצור תמים פעלו.** וכיון דפעלו תמים מכל שכן הוא דהוי תמים, כדקאמר לעיל בבראשית רבה (מד, א). והא דנסיב תרי קראי, חד לתמימותו ושלמותו במעשיו בילירותיו, והיינו הלור תמים פעלו. וחד לשלמותו בהנהגתו עם ברואיו, והיינו האל תמים דרכו: **(יא) [י] ובאיל הוא אומר.** פירוש מכיון דבבן בקר כתיב ושחט לפני ה', ובאיל שהוא בן הלאן אומר לפונה לפני ה', שמעינן דלפני ה' דקאמר נמי בבן בקר היינו ירך המזבח בלפון, וכמו שכתב הרמב"ן (פסוק יא). ואם כן קשה אמאי כתביה רחמנא התם לכתביה בבן בקר דכתיב ברישא, והדר ליליף בן לאן מיניה. ומשני משום דבכבשים התקין ה' זכר לעקדת ילחק, שנזכר כשאומר לפונה לפני ה', להכי כתב ליה בעולת הלאן שהוא מין כבשים: **בשעה שעקד כו'.** ואם תאמר והרי קדמה תורה אלפים שנה לעולם ומאז כתיב בה קרבן תמידים, יש לומר שנכתבה על התנאי שיעקוד אברהם את ילחק, וכהאי גוונא מתרץ הגמרא בפרק קמא דעבודה זרה (ה, א): **שני כבשים.** זכר לילחק, וזכר לאיל שהקריב תחתיו: **וקורין.** לאו דוקא, שלא היו לריכין לקרות המקראות על הקרבן, אלא כלומר שמקיימים המקרא שעושים הקרבן כמלותו. אי נמי או קורין קאמר, והיינו בזמן החורבן שאין קרבן קורין מקרא זה במקום קרבן, ומהני כדקאמר בסמוך מעידני עלי כו': **שנאמר צפונה לפני ה'.** דלפונה רמז לילחק, שהוא לפון לפני ה'. ואף על גב דבשלשה אבות קאמר בסמוך שהם לפונים לפני ה', ילחק עדיף טפי להקרא לפון לפני ה', שרואה כאילו אפרו לבור על גב המזבח כדלעיל בבראשית רבה (נד, ה): **כנגד מעשיהם של אברהם כו'.** כי מעשיהם הטובים ושכרן הוא לפון לפני ה': **ומנין שהלשון הזה.** כלומר מנין דלשון לפונה נאמר על האבות. ומשני מדקאמר ישנים הם האבות הראשונים ולפנתי אישנים בלחוד קאי, דהכי קאמר הנה לי לדיקים חדשים בעין מלבד הישנים שהם לפונים, אף על גב שאינם עכשיו בעולם: **אברהם יצחק ויעקב ישנים.** דריש קרא דלעל פתחינו כל מגדים על פתוח הרלונות הגלות לגאול אותם בגאולת מלרים, וקאמר דזכות הישנים דהיינו שלשה אבות, וזכות החדשים דהיינו עמרם וכל הכשרים שבמלרים עמדה להם, ואחר זה דריש בגלות בבל, וקאמר בזכות הישנים דהיינו חבורת משה כו', וזכות החדשים דהיינו חבורתו של עזרא והבאים אחריו בבית שני דהיינו חבורת הלל ורבי יוחנן בן זכאי ורבן גמליאל וחביריו עמדה להם: **(יב) [יא] בשור הוא אומר כו'.** כדכתיב בריש סדר ויקרא אם עולה קרבנו מן הבקר וגו' וקרבו וכרעיו ירחץ במים והקטיר הכהן וגו', ואחר זה כתיב ואם מן הלאן קרבנו מן הכבשים או מן העזים לעולה זכר תמים יקריבנו וגו', והקרב והכרעים ירחץ במים והקריב הכהן את הכל והקטיר המזבחה וגו', וקשה לבעל המאמר [שתי קושיות, אחת למה בשור כתיב וקרבו וכרעיו ובאיל כתיב והקרב והכרעים ירחץ במים, שניה] למה באיל כתיב והקריב, ובשור לא כתיב והקריב. [ומתרץ קושיא ראשונה משום דשור חסר שתי וערב כו', ופירש הבעל הטורים לפי כשמהלכת הבהמה דקה מגבהת כרעיה כמו שתי וערב, בתחילה יד ימין, ואחר כך רגל שמאל, ואחר כך יד שמאל, אבל בהמה גסה מגבהת רגליה לצדדים, בתחילה יד ימין, ואחר כך רגל ימין, ואחר כך יד שמאל, ואחר כך רגל שמאל, ולכך נשתנה בבהמה דקה מהלכה בבטנה שהוא מתעגל כעגולה מחמת הליכתה, ועל כן גם כן יליאתה משונה מבהמה גסה שהיא לואה עגולה, לכן כתיב באיל סתם והקרב והכרעים ולא כתיב וקרבו וכרעיו, כדי שלא ליחדם על שמו הקרב והכרעים של הקרבן, משום שהכרעים הולכים ככתבת לעיל, ועל ידי זה נשתנה המהלך בקרבה. ועל הקושיא השניה מתרץ (נבאר מפניגים לבעל העץ יוסף)]

פירוש מהרז"ו

והשוה את שמם. בשם תמים, ועיין תנחומא קדושים שחושב שם הרבה שמות דומים: **(יא) צפונה לפני ה'.** דורש לפונה מלשון ראיה ולפיה וכמו שכתב לקמן (נו, סו) רבנן אמרי רואה אפרו של ילחק כאלו לבור על גבי המזבח: **זוכר הקב"ה.** וכמו שכתוב (בראשית כב, יד) אברהם ה' יראה וכו': **ומנין וכו' לשון צפונה.** ולשון התנא דבי אליהו ומנין לך לשון הזה שפשוטה של התיבה לפונה על לד לפון המזבח, ומנין שהוא גם לשון לפונה וגניזה, על כן מביא ראיה מלשון (שיר השירים ז, יד) לפנתי לך ואגב שהזכיר פסוק זה דורש בו. שפסוק זה חדשים גם ישנים, נאמר בכל דור שהלדיקים החיים הם החדשים, והמתים הם ישנים:

חידושי הרד"ל

[יא] **מעידני כו' קורין את המקרא הזה צפונה כו'.** עיין בהגר"א או"ח סימן א' ס"ק כ"ט:

באור מהרי"פ

[יא] **התקין הקדוש ברוך הוא.** פירוש שהקב"ה התקין בתורה לצוות על הקרבת שני כבשים בכל יום: **חבורתו של משה וכו'.** מתחלה דרש חדשים גם ישנים על גאולת מצרים, ואחר כך דורש על גאולת בבל חדשים גם ישנים: [יב] **וכרעיו וגו'.** (ויקרא א, ט) וקרבו וכרעיו ירחץ במים והקטיר הכהן את הכל המזבחה עולה הוא אשה ריח ניחוח לה'. **ובאיל וכו'.** (שם יג) והקרב והכרעים ירחץ במים והקריב הכהן את הכל והקטיר המזבחה עולה הוא אשה ריח ניחוח לה': **שור חסר שתי וערב וכו'.** וזה פירושו למה שנאמר אצל בן הבקר וקרבו וכרעיו מיוחדים לו, ואצל הצאן כתיב סתם והקרב והכרעים, וכדפירש מתנות כהונה:

אמרי יושר

[י] **השוה שמם לשמו הגדול.** דכתיב ביה (דברים לב, ד) תמים פעלו, ובצדיקים כתיב (תהלים קיט, א) אשרי תמימי דרך: [יב] **באיל נאמר והקרב והכרעים ירחץ במים והקריב.** שקול איל כנגד: **שור חסר שתי וערב.** יש מפרשים בלשון קושיא, כיון שמוליכין אותו בגבים, וזה כשתי וערב וצריך ניתוח, שפרקיו גדולים, ואם כן איך אמר בו והקטיר, שמשמע מיד, או שצריך לקרוס הדרך דכתאת שתי וערב, מפני הורידים קטנים, או כדשנינו פרק רביעי דמסכת תמיד (סוף משנה ג), הפשי בקרבים המתחים בבזך וכרעים על גביהם, זו השתי וערב. או פירושו שור לא נאמר בו, אלא לשון אחד, הקטרה, אבל איל נאמר בו שתי לשונות, הקטר והקרבה, כשתי וערב. וצריך עיון:

מסורת המדרש

יב. ילקוט רמז לט:

אם למקרא

אַשְׁרֵי תְמִימֵי דָרֶךְ הַהֹלְכִים בְּתוֹרַת ה': (תהלים קיט:א)

הַצּוּר תָּמִים פָּעֳלוֹ כִּי כָל דְּרָכָיו מִשְׁפָּט אֵל אֱמוּנָה וְאֵין עָוֶל צַדִּיק וְיָשָׁר הוּא: (דברים לב:ד)

הָאֵל תָּמִים דַּרְכּוֹ אִמְרַת ה' צְרוּפָה מָגֵן הוּא לְכֹל הַחֹסִים בּוֹ: (תהלים יח:לא)

הַדּוּדָאִים נָתְנוּ רֵיחַ וְעַל פְּתָחֵינוּ כָּל מְגָדִים חֲדָשִׁים גַּם יְשָׁנִים דּוֹדִי צָפַנְתִּי לָךְ: (שיר השירים ז:יד)

ידי משה

[יא] **התקין הקדוש ברוך הוא.** פירוש כמו התקין רבי יוחנן בן זכאי, פירוש שהתקין הקדוש ברוך הוא לדורות שיקריבו שני כבשים ויאמרו בשעת הקרבה פסוק זה לפונה לפני ה': **ומנין שהלשון הזה הוא לשון צפונה.** פירוש מנין שאברהם וילחק נופל עליהם לשון לפונה. ומשני כו':

מתנות כהונה

[יא] ובאיל הוא אומר כו'. דוקא גבי איל נאמר כן, זכר לאילו של ילחק: **בין גוי ובין ישראל כו'.** עד **שנאמר צפונה לפני ה'.** פירוש גנוז ולפון לפניו: **כנגד מעשיהם של אברהם יצחק ויעקב** גרסינן: **לשון צפונה.** פירוש הפ"א נקוד במלאפום:

אשד הנחלים

[יא] התקין. דרש צפונה מלשון צפון וטמון הזכות של יצחק לבניו: **מעידני כו'.** זהו דברי אליהו עצמו והיא מאמר בתנא דבי אליהו רבה (פ"ו) עיי"ש כל המאמר: **אברהם יצחק ויעקב ישנים כו'.** פירש הכנסיה משבחת עצמה שיש לה זכות אבות מחדשים וגם ישנים, שנפנה מאז להיות לזכות בעדה. וחשב האבות שהם היו הראשונים, ועמרם וכל הצדיקים שבזכותם ניצולו ממצרים משעבוד הראשון, וחבורתו של עזרא שעמד להם בגלות השני לשוב לירושלים, וחבורתו של הלל ור' יוחנן בן זכאי ור' מאיר בגלות השלישי, כאלו מתבקשת שבזכותם תגאל עוד גאולה שלימה באחרית הימים. וכלומר שהכל נרמז בשיר המקדש, במה שבקשה הכנסיה ובמה שמבקשת עוד:

זוֹכֵר הַקָּדוֹשׁ בָּרוּךְ הוּא עֲקֵידַת יִצְחָק — **the Holy One, blessed is He,** would **remember the Binding of Isaac.**[166]

The Midrash records a statement made by Elijah the Prophet that elaborates on the above idea:[167]

מְעִידַנִי עָלַי אֶת הַשָּׁמַיִם וְאֶת הָאָרֶץ — **I call heaven and earth to bear witness for me:**[168] בֵּין גּוֹי בֵּין יִשְׂרָאֵל — **Whether non-Jew or Jew,**[169] בֵּין אִישׁ בֵּין אִשָּׁה — **man or woman,** בֵּין עֶבֶד בֵּין אָמָה — **slave or maidservant,** קוֹרִין אֶת הַמִּקְרָא הַזֶּה "צָפֹנָה לִפְנֵי ה' " — when **they read this verse,** *He shall slaughter it* ***at the northern side*** *of the Altar* ***before HASHEM;*** *and the sons of Aaron, the Kohanim, shall throw its blood on the Altar, all around,* זוֹכֵר הַקָּדוֹשׁ בָּרוּךְ הוּא עֲקֵידַת יִצְחָק — **the Holy One, blessed is He, remembers the Binding of Isaac,** שֶׁנֶּאֱמַר "צָפֹנָה לִפְנֵי ה' " — **as it says,** ***at the northern side*** *of the Altar* ***before HASHEM.***[170]

NOTES

166. Abraham offered a ram in Isaac's place (*Genesis* 22:13). Therefore, God instituted that two male lambs be offered daily for a remembrance of the Binding of Isaac, as a merit for the Jewish people (*Eitz Yosef*; see below, note 170, as to why this verse evokes the memory of the Binding of Isaac). Since this verse recalls the Binding of Isaac, which was the inspiration for the male-lamb (i.e., ram) *temidin*, this verse was placed in the passage of the ram and not earlier, in the passage of the ox (*Eitz Yosef*; see *Matnos Kehunah*).

167. The source of our Midrash is *Tanna DeVei Eliyahu Rabbah* Ch. 6 (see above, note 91). Elijah the Prophet is the narrator of *Tanna DeVei Eliyahu* (*Eshed HaNechalim*). [In our version of *Tanna DeVei Eliyahu* this statement does not appear. However, there is a parallel text recorded in *Yalkut Shimoni, Vayeira* §99 where this statement is included.]

168. Heaven and earth will testify to the truth of my statement by bringing forth rain and produce for those who invoke the merit of the Binding of Isaac by reciting this verse (*Tiferes Tzion*).

169. The merit of the Binding of Isaac protects the non-Jews as well, as Abraham was told at the time (*Genesis* 22:18), *And all the nations of the earth shall be blessed through your offspring, because you have listened to My voice* (*Tiferes Tzion*).

170. The Midrash reads the word צָפֹנָה (lit., *to the north*) as צְפוּנָה (lit., *hidden*), i.e., *stored up* or *preserved*; the phrase צָפֹנָה לִפְנֵי ה' thus means "preserved before God" (see *Eitz Yosef*). [If all that was meant by Scripture was that the offering should be slaughtered in the north, then the phrase לִפְנֵי ה', *before HASHEM*, would be extraneous. Therefore, the Midrash understands that the words צָפֹנָה לִפְנֵי ה' are to be read together and expounded as above (*Tiferes Tzion*; see also *Malbim* to *Leviticus* 1:11 §67).]

When God commanded Abraham to bring Isaac as an offering, Abraham and Isaac were both willing to fulfill the command. Therefore, although at the end Isaac was spared and a ram was offered in his place (see *Genesis* 22:1-13), God views Isaac as having actually been offered and his ashes piled up on the Altar; and He holds the memory of Isaac's ashes before Him constantly (see below, 36 §5 and *Bereishis Rabbah* 94 §5). Therefore, the phrase *preserved before HASHEM* is an allusion to Isaac, whose ashes are, so to speak, preserved before Him. The very mention of this phrase invokes the merit of the Binding of Isaac (*Eitz Yosef*; cf. *Eshed HaNechalim*; for an alternative explanation of how the Midrash understands the word צָפֹנָה, see *Maharzu*). See Insight Ⓐ.

INSIGHTS

Ⓐ **Self-Offering** In his treatment of the reason and rationale for the sacrificial service, *Ramban* (to v. 9; *Toras Hashem Temimah*, pp. 164-165 in Chavel edition) explains that by rights a person forfeits his life when he violates the will of God. To express his regret, the sinner must bring a live creature and slaughter it before God, and ask God to accept the animal in his stead. For human deeds are carried out through thought (מַחֲשָׁבָה), speech (דִּבּוּר), and action (מַעֲשֶׂה), and the three elements of the service atone for their misuse. First, the sinner must perform סְמִיכָה, *leaning*, which is placing his hands on the offering's head and leaning on it with all his strength, thereby dedicating his strength and activity to God (action). He confesses his misdeed and pronounces the spiritual goal that he hopes to attain or utters praises of God (speech). And the internal organs that are burned on the Altar, which are organs of thought and desire, correspond to his impure thoughts and desires (thought). The sacrificial service thus teaches graphically that one has sinned against God with body and soul. The sinner contemplates that strict justice would dictate that *his* body be burned on the Altar and *his* blood be placed there. It is only God's grace that permits the animal to become his substitute.

This concept of "sacrifice" is the underlying theme of our Midrash. In a very real sense, Isaac was a human offering: He allowed himself to be put on the altar, and was only moments away from being slaughtered and his body being consumed by the fire. Both Abraham and Isaac intended with all their hearts to complete the offering. And when Abraham was offering the ram that replaced Isaac, he said, "Master of the Universe, I am about to slaughter this ram; may You consider it as if my son had been slaughtered before You." He took the blood and said to Him, "May You consider it as if Isaac's blood had been thrown before You." And after the ram was burned Abraham said to God, "May it be considered before You as if Isaac's ashes were piled before You on the altar" (*Rabbeinu Bachya* on v. 9, citing *Tanchuma Shelach* §14). In every sense except the physical, Abraham *did* slaughter Isaac and burn his remains on the Altar, and indeed God views him as having been actually offered. This is the lesson of our Midrash: God instituted the daily *tamid* offerings after Abraham bound Isaac on the altar and was prepared to slaughter him for God; and this teaches that the concept underlying the sacrifice is that it represents the one who offers it (see also *Sfas Emes, Parashas Vayikra*, 5643).

R' Gedalyah Schorr (*Ohr Gedalyahu, Parashas Vayeira*, pp. 28a-28b) adds that Abraham's sacrificing of Isaac (in all aspects but actual fact) accomplished something else. In line with the dictum מַעֲשֵׂה אָבוֹת סִימָן לַבָּנִים, *the deeds of the Patriarchs are a portent for the descendants* (see *Bereishis Rabbah* 40 §6), it implanted in Abraham's descendants the capacity to offer a sacrifice for atonement, and have the animal be considered a substitute for them. The revolutionary deed and accomplishment of the Patriarchs in the service of God became the legacy of their progeny.

Our Midrash states also that whoever recites the verse וְשָׁחַט אֹתוֹ עַל יֶרֶךְ הַמִּזְבֵּחַ צָפֹנָה לִפְנֵי ה', *He shall slaughter it at the northern side of the Altar before HASHEM* (v. 11), causes God to recall the binding of Isaac. *Ohr Gedalyahu* (on *Parashas Vayikra*, p. 9) cites the Gemara in *Bava Basra* (25b), which states that the world resembles a pavilion, for it is enclosed on three sides and open on the fourth side, the northern one. [I.e., according to the plain meaning, the Gemara views the sky as a dome poised over the Earth. This dome has substance and thickness to it, and the sun travels along it. According to the Gemara, the dome does not completely cover the sky, but is open in the north.] As the commentators (*Maharal* in *Chidushei Aggados*, and others) explain, the Gemara does not speak of the physical reality, but of a metaphysical concept couched in astronomical terms. Rav Schorr suggests that the Gemara alludes to the concept of הַכֹּל בִּידֵי שָׁמַיִם חוּץ מִיִּרְאַת שָׁמַיִם, *everything is in the hands of Heaven except for the fear of Heaven* (*Berachos* 33b; *Megillah* 25b). That is, every aspect of a person's nature and situation in life (e.g., his height, his complexion, his intelligence, his wealth) is in God's hand (three sides enclosed); but whether he will be God-fearing or not is given to man himself (open side in the north). Because the north is "open" and unbounded, the word צָפוֹן, *north*, signifies the fundamental concept of *bechirah*, free will. Perhaps this is alluded to in the verse: מִצָּפוֹן תִּפָּתַח הָרָעָה, *from the north the evil will be released* (*Jeremiah* 1:14); it is man's free will that allows for the existence of evil.

Accordingly, continues Rav Schorr, the requirement to slaughter an *olah* offering in the north may be viewed as an exhortation to offer and subjugate to God all of one's independent desires and aspirations, as represented by צָפוֹן, making them subservient to the will of God. [See also Insight below on 7 §3, note 170, "It's the Thought That Counts."]

Moreover, even though the Torah mentions an *olah* from the cattle (in v. 3) before an *olah* from the flock (in v. 10), it teaches the *olah*-requirement of slaughter in the north in the context of the latter. As our Midrash indicates, the Torah does this in order to allude to the

לְפִיכָךְ אֲהֵבָם הַקָּדוֹשׁ בָּרוּךְ הוּא אַהֲבָה גְּמוּרָה, וְהִשְׁוָה אֶת שְׁמָם לִשְׁמוֹ הַגָּדוֹל, עֲלֵיהֶם הוּא אוֹמֵר (תהלים קיט, א) "אַשְׁרֵי תְמִימֵי דָרֶךְ וְגוֹ'", וְאָמַר (דברים לב, ד) "הַצּוּר תָּמִים פָּעֳלוֹ", וְאָמַר (תהלים יח, לא) "הָאֵל תָּמִים דַּרְכּוֹ":

יא [א, ה] "וְשָׁחַט אֶת בֶּן הַבָּקָר וְגוֹ'" וּבָאַיִל הוּא אוֹמֵר [א, יא] "צָפֹנָה לִפְנֵי ה'", אָמְרוּ: בְּשָׁעָה שֶׁעָקַד אַבְרָהָם אָבִינוּ אֶת יִצְחָק בְּנוֹ הִתְקִין הַקָּדוֹשׁ בָּרוּךְ הוּא ב' כְּבָשִׂים, אֶחָד שֶׁל שַׁחֲרִית וְאֶחָד שֶׁל עַרְבִית, וְכָל כָּךְ לָמָּה, שֶׁבְּשָׁעָה שֶׁהָיוּ יִשְׂרָאֵל מַקְרִיבִין תָּמִיד עַל גַּבֵּי הַמִּזְבֵּחַ וְקוֹרִין אֶת הַמִּקְרָא הַזֶּה "צָפֹנָה לִפְנֵי ה'" זוֹכֵר הַקָּדוֹשׁ בָּרוּךְ הוּא עֲקֵידַת יִצְחָק. מְעִידַנִי עָלַי אֶת הַשָּׁמַיִם וְאֶת הָאָרֶץ, בֵּין גּוֹי בֵּין יִשְׂרָאֵל בֵּין אִישׁ בֵּין אִשָּׁה בֵּין עֶבֶד בֵּין אָמָה קוֹרִין אֶת הַמִּקְרָא הַזֶּה "צָפֹנָה לִפְנֵי ה'" זוֹכֵר הַקָּדוֹשׁ בָּרוּךְ הוּא עֲקֵידַת יִצְחָק, שֶׁנֶּאֱמַר "צָפֹנָה לִפְנֵי ה'". דָּבָר אַחֵר "צָפֹנָה לִפְנֵי ה'" כְּנֶגֶד מַעֲשֵׂיהֶם שֶׁל אַבְרָהָם יִצְחָק יַעֲקֹב שֶׁהֵם צְפוּנִים לְפָנָיו, וּמִנַּיִן שֶׁהַלָּשׁוֹן הַזֶּה הוּא לְשׁוֹן צְפוּנָה, שֶׁנֶּאֱמַר (שיר השירים ז, יד) "חֲדָשִׁים גַּם יְשָׁנִים דּוֹדִי צָפַנְתִּי לָךְ", אַבְרָהָם יִצְחָק וְיַעֲקֹב "יְשָׁנִים", עַמְרָם בֶּן קְהָת וְכָל הַכְּשֵׁרִים שֶׁהָיוּ בְּמִצְרַיִם "חֲדָשִׁים", שֶׁנֶּאֱמַר "חֲדָשִׁים גַּם יְשָׁנִים", חֲבוּרָתוֹ שֶׁל מֹשֶׁה וַחֲבוּרָתוֹ שֶׁל יְהוֹשֻׁעַ וַחֲבוּרָתוֹ שֶׁל דָּוִד וְשֶׁל חִזְקִיָּה "יְשָׁנִים", חֲבוּרָתוֹ שֶׁל עֶזְרָא וְשֶׁל הִלֵּל וְשֶׁל רַבִּי יוֹחָנָן בֶּן זַכַּאי וְשֶׁל רַבִּי מֵאִיר וַחֲבֵרָיו "חֲדָשִׁים", וַעֲלֵיהֶם הוּא אוֹמֵר "חֲדָשִׁים גַּם יְשָׁנִים":

יב בְּשׁוֹר הוּא אוֹמֵר [א, ט] "* וְקִרְבּוֹ וּכְרָעָיו יִרְחַץ בַּמָּיִם וְהִקְטִיר", וּבָאַיִל הוּא אוֹמֵר [א, יג] "וְהַקֶּרֶב וְהַכְּרָעַיִם יִרְחַץ בַּמָּיִם וְהִקְרִיב", מַה בֵּין אַיִל לְשׁוֹר, שׁוֹר חָסֵר שְׁתֵּי וָעֵרֶב, אַיִל אֵין חָסֵר שְׁתֵּי וָעֵרֶב.

עץ יוסף

והשוה את שמם כו'. עיין בפירוש זקוקין [דנורא] על תנא דבי אליהו (רבה פרק ז): **אשרי תמימי דרך.** הרי שהשוה שמם לשמו שקראם תמימים כמו ששמו תמים: **הצור תמים פעלו.** וכיון דפעלו תמים מכל שכן הוא דהוי תמים, כדקאמר לעיל בבראשית רבה (מד, א). והא דנסיב תרי קראי, חד לתמימותו ושלמותו במעשיו בילירותיו, והיינו הצור תמים פעלו. וחד לשלמותו בהנהגתו עם ברואיו, והיינו האל תמים דרכו: (יא) [ו] **ובאיל הוא אומר.** פירוש מכיון דבבן בקר כתיב ושחט לפני ה', ובאיל שהוא בן הצאן אומר צפונה לפני ה', שמעינן דלפני ה' דקאמר נמי דבבן בקר היינו ירך המזבח בצפון, וכמו שכתב הרמב"ן (פסוק יא). ואם כן קשה אמאי כתביה רחמנא התם לכתביה בבן בקר דכתיב ברישא, והדר ליליף בן צאן מיניה. ומשני משום דכבשים התקין ה' זכר לעקדת יצחק, שנזכר כשאומר צפונה לפני ה', להכי כתב ליה בעולת הצאן שהוא מין כבשים: **בשעה שעקד כו'.** ואם תאמר והרי קדמה תורה אלפים שנה לעולם ומאז כתיב בה קרבן תמידים, ויש לומר שנכתב על התנאי שיפקוד אברהם את יצחק, וכהאי גוונא מתרץ הגמרא בפרק קמא דעבודה זרה (ה, א): **שני כבשים.** זכר ליצחק, וזכר לאיל שהקריב תחתיו: **וקורין.** לאו דוקא, שלא היו צריכין לקרות המקראות על הקרבן, אלא כלומר שמקיימים המקרא שעושים הקרבן כמצותו. אי נמי או קורין קאמר, והיינו בזמן החורבן שאין קרבן קורין מקרא זה במקום קרבן, ומהני כדקאמר בסמוך מעידני עלי כו': **שנאמר צפונה לפני ה'.** דלפונה רמז ליצחק, שהוא צפון לפני ה'. ואף על גב דבשלשה אבות קאמר בסמוך שהם צפונים לפני ה', יצחק עדיף טפי להקרא צפון לפני ה', שרואה כאילו אפרו צבור על גב המזבח כדלעיל בבראשית רבה (נו, ה): **כנגד מעשיהם של אברהם כו'.** כי מעשיהם הטובים וזכרן הוא צפון לפני ה': **ומנין שהלשון הזה.** כלומר מנין דלשון צפונה נאמר על האבות. ומשני מדקאמר ישנים הם האבות הראשונים ולפעמי אישנים בלחוד קאי, דהכי קאמר הנה לי לדיקים חדשים בעין מלבד הישנים שהם צפונים, אף על גב שאינם עכשיו בעולם: **אברהם יצחק ויעקב ישנים.** דריש קרא דעל פתחינו כל מגדים על פתוח חרבותם הגלות לגאול אותם בגאולת מצרים, וקאמר דזכות הישנים דהיינו שלשה אבות, וזכות החדשים דהיינו עמרם וכל הכשרים שבמצרים עמדה להם, ואחר זה דריש בגלות בבל, וקאמר בזכות הישנים דהיינו חבורת משה כו', וזכות החדשים דהיינו חבורתו של עזרא והבאים אחריו בבית שני דהיינו חבורת הלל ורבי יוחנן בן זכאי ורבן גמליאל וחביריו עמדה להם: (יב) [א] **בשור הוא אומר כו'.** כדכתיב בריש סדר ויקרא אם עולה קרבנו מן הבקר וגו' וקרבו וכרעיו ירחץ במים והקטיר הכהן וגו', ואחר זה כתיב ואם מן הצאן קרבנו מן הכשבים או מן העזים לעולה זכר תמים יקריבנו וגו', והקרב והכרעים ירחץ במים והקריב הכהן את הכל והקטיר המזבחה וגו', וקשה לבעל המאמר [שתי קושיות, אחת למה בשור כתיב וקרבו וכרעיו ובאיל כתיב והקרב והכרעים ירחץ במים, שניה] למה באיל כתיב והקריב, ובשור לא כתיב והקריב. [ומתרץ קושיא ראשונה משום דשור חסר שתי וערב כו', ופירש הבעל הטורים לפי שכשמהלכת הבהמה דקה מגבהת כרעיה כמו שתי וערב, בתחילה יד ימין, ואחר כך רגל שמאל, ואחר כך יד שמאל, ואחר כך רגל ימין, אבל בהמה גסה מגבהת רגליה לצדדים, בתחילה יד ימין, ואחר כך יד שמאל, ואחר כך רגל שמאל, ולכך נשתנה בבהמה דקה מהלכה בנטנה שהוא מתעגל כעגולה מחמת הליכתה, ועל כן גם כן יציאתה משונה מבהמה גסה שהיא לוחה עגולה, לכן כתיב באיל סתם והקרב והכרעים ולא כתיב וקרבו וכרעיו, כדי שלא ליחדם על שמו הקרב והכרעים של הקרבן, משום שהכרעים הולכים כנכתב לעיל, ועל ידי זה נשתנה המהלך בקרבה. ועל הקושיא השניה מתרץ (נבחר מפנינים לבעל העץ יוסף)]

פירוש מהרז"ו

והשוה את שמם כו'. בשם תמים, ועיין תנחומא קדושים שחושב שם הרבה שמות דומים: (יא) **צפונה לפני ה'.** דורש לפונה מלשון ראיה ולפיה וכמו שכתב לקמן (לו, טו) רבנן אמרי רואה אפרו של יצחק כאלו לבור על גבי המזבח: **זוכר הקב"ה.** וכמו שכתוב (בראשית כב, יד) אברהם ה' יראה וכו': **ומנין וכו' לשון צפונה.** ולשון התנא דבי אליהו ומנין לך לשון הזה שפשוטה של התיבה לפונה על לד לפון המזבח, ומנין שהוא גם לשון לפונה וגניזה, על כן מביא ראיה מלשון (שיר השירים ז, יד) לפנתי לך ואגב שהזכיר פסוק זה דורש בו. שפסוק זה חדשים גם ישנים, נאמר בכל דור שהלדיקים החיים הם החדשים, והמתים הם ישנים:

חידושי הרד"ל

[יא] **מעידני כו' קורין את המקרא הזה צפונה כו'.** עיין בהגר"א או"ח סימן א' ס"ק כ"ט:

באור מהרי"פ

[יא] **התקין הקדוש ברוך הוא.** פירוש שהקב"ה התקין בתורה למות על הקרבת שני כבשים בכל יום: **חבורתו של משה וכו'.** מתחלה דרש חדשים גם ישנים על גאולת מצרים, ואחר כך דורש על גאולת בבל חדשים גם ישנים: [יב] **וכרעיו וגו'.** (ויקרא א, ט) וקרבו וכרעיו ירחץ במים והקטיר הכהן את הכל המזבחה עולה הוא אשה ריח ניחוח לה': **ובאיל וכו'.** (שם יג) והקרב והכרעים ירחץ במים והקריב הכהן את הכל והקטיר המזבחה עולה הוא אשה ריח ניחוח לה': **שור חסר שתי וערב וכו'.** זהו פירושו למה שנאמר אצל בן הבקר וקרבו וכרעיו מיוחדים לו, ואצל הצאן כתיב סתם והקרב והכרעים, וכדפירש מתנות כהונה:

אמרי יושר

[ו] **השוה שמם לשמו הגדול.** דכתיב ביה (דברים לב, ד) תמים פעלו, ובלדיקים כתיב (תהלים קיט, א) אשרי תמימי דרך: [יב] **באיל נאמר והקרב והכרעים ירחץ במים והקריב.** שקול איל כשור: **שור חסר שתי וערב.** יש מפרשים בלשון קושיא, כיון שמוליכין אותו בשנים, וזה כשתי וערב וצריך ניתוח, שפרקיו גדולים, שפיר כן איך אמר בו והקטיר, משמע מיד, או שלריך לקרוב הדרא דכנתא שתי וערב, מפני הורידים קטנים, או כדשנינו פרק רביעי דמסכת תמיד (פרק משנה ג), השני בקרבים הנתונים בבזך וכרעים על גביהם, זו השתי וערב. או פירושו שבור לא נאמר בו, אלא לשון אחד, הקטרה, אבל איל נאמר בו שתי לשונות, הקטר והקרבה, כשתי וערב. וצריך עיון:

מסורת המדרש

יב. ילקוט רמז לט:

אם למקרא

אַשְׁרֵי תְמִימֵי דָרֶךְ הַהֹלְכִים בְּתוֹרַת ה':
(תהלים קיט:א)

הַצּוּר תָּמִים פָּעֳלוֹ כִּי כָל דְּרָכָיו מִשְׁפָּט אֵל אֱמוּנָה וְאֵין עָוֶל צַדִּיק וְיָשָׁר הוּא:
(דברים לב:ד)

הָאֵל תָּמִים דַּרְכּוֹ אִמְרַת ה' צְרוּפָה מָגֵן הוּא לְכֹל הַחֹסִים בּוֹ:
(תהלים יח:לא)

הַדּוּדָאִים נָתְנוּ רֵיחַ וְעַל פְּתָחֵינוּ כָּל מְגָדִים חֲדָשִׁים גַּם יְשָׁנִים דּוֹדִי צָפַנְתִּי לָךְ:
(שיר השירים ז:יד)

ידי משה

[יא] **התקין הקדוש ברוך הוא.** פירוש כמו התקין רבי יוחנן בן זכאי, פירוש שהתקין הקדוש ברוך הוא לדורות שיקריבו שני כבשים ויאמרו בשעת הקרבה פסוק זה לפונה לפני ה': **ומנין שהלשון הזה הוא לשון צפונה.** פירוש מנין שאברהם ויצחק נופל עליהם לשון לפונה. ומשני כו':

מתנות כהונה

[יא] **ובאיל הוא אומר כו'.** דוקא גבי איל נאמר כן, זכר לאילו של יצחק: **בין גוי ובין ישראל כו'.** עד **שנאמר צפונה לפני ה'.** פירוש גנוז ולפון לפניו: **כנגד מעשיהם של אברהם יצחק ויעקב** גרסינן: **לשון צפונה.** פירוש הפ"א נקוד במלאפום:

אשד הנחלים

[יא] **התקין.** דרש צפונה מלשון צפון וטמון הזכות של יצחק לבניו: **מעידני כו'.** זהו דברי אליהו עצמו והיא מאמר בתנא דבי אליהו רבה (פ"ו) עיי"ש כל המאמר: **אברהם יצחק ויעקב ישנים כו'.** פירש הכנסיה משבחת עצמה שיש לה זכות אבות מחדשים וגם ישנים, שנפנה מאז להיות לזכות בעדה. וחשב האבות שהם היו הראשונים, ועמרם וכל הצדיקים שבזכותם ניצולו ממצרים משעבוד הראשון, וחבורתו של עזרא שעמד להם בגלות השני לשוב לירושלים, וחבורתו של הלל ור' יוחנן בן זכאי ור' מאיר בגלות השלישי, כאלו מתבקשת שבזכותם תגאל עוד גאולה שלימה באחרית הימים. וכלומר שהכל נרמז בשיר המקודש, במה שבקשה הכנסיה ובמה שמבקשת עוד:

The Midrash offers a different explanation of what is alluded to by the phrase צָפֹנָה לִפְנֵי ה׳:

דָּבָר אַחֵר — **Another explanation:** "צָפֹנָה לִפְנֵי ה׳" כְּנֶגֶד מַעֲשֵׂיהֶם שֶׁל אַבְרָהָם יִצְחָק יַעֲקֹב שֶׁהֵם צְפוּנִים לְפָנָיו — The phrase ***the northern side*** [צָפֹנָה] *of the Altar* ***before HASHEM*** **is an allusion to the** good **deeds of Abraham, Isaac, and Jacob,** whose merits **are preserved** (צְפוּנִים) **before Him.**[171] וּמִנַּיִן שֶׁהַלָּשׁוֹן הַזֶּה הוּא לָשׁוֹן צְפוּנָה — **And from where** do we know **that this expression is an expression of something preserved?**[172] שֶׁנֶּאֱמַר "חֲדָשִׁים גַּם יְשָׁנִים דּוֹדִי צָפַנְתִּי לָךְ" — **As it says,** *At our opening are all* ***new*** *precious fruits;* ***I have also preserved old ones for You, my Beloved*** (*Song of Songs* 7:14).[173] אַבְרָהָם יִצְחָק וְיַעֲקֹב "יְשָׁנִים" — **Abraham, Isaac, and Jacob** are referred to with the word *old;* עַמְרָם בֶּן קְהָת וְכָל הַכְּשֵׁרִים שֶׁהָיוּ בְּמִצְרַיִם "חֲדָשִׁים" — **Amram the son of Kehas and all the worthy people who were in Egypt** are referred to with the word *new,* שֶׁנֶּאֱמַר "חֲדָשִׁים גַּם יְשָׁנִים" — **as it says,** ***New . . . also old.***[174] Alternatively: חֲבוּרָתוֹ שֶׁל מֹשֶׁה וַחֲבוּרָתוֹ שֶׁל יְהוֹשֻׁעַ וַחֲבוּרָתוֹ שֶׁל דָּוִד וְשֶׁל חִזְקִיָּה "יְשָׁנִים" — **Moses' congregation and Joshua's congregation, and the congregations of David and of Hezekiah** are referred to with the word *old;* חֲבוּרָתוֹ שֶׁל עֶזְרָא וְשֶׁל הִלֵּל וְשֶׁל רַבִּי יוֹחָנָן בֶּן זַכַּאי וְשֶׁל רַבִּי מֵאִיר וַחֲבֵרָיו "חֲדָשִׁים" — **the congregations of Ezra and of Hillel and of Rabban Yochanan ben Zakkai and of R' Meir and his colleagues** are referred to with the word *new.* וַעֲלֵיהֶם הוּא אוֹמֵר "חֲדָשִׁים גַּם יְשָׁנִים" — **And concerning them [Scripture] says,** ***New . . . also old.***[175]

§12 The Midrash quotes two similar verses, one describing the offering of an ox and one describing the offering of a ram, and questions two differences between them:

בְּשׁוֹר הוּא אוֹמֵר "וְקִרְבּוֹ וּכְרָעָיו יִרְחַץ בַּמָּיִם וְהִקְטִיר" — **Regarding the** offering of an **ox, [Scripture] states,** ***He shall wash its innards and its feet with water;*** *and the Kohen* ***shall cause*** *it all* ***to go up in smoke*** *on the Altar.* וּבְאַיִל הוּא אוֹמֵר "וְהַקֶּרֶב וְהַכְּרָעַיִם יִרְחַץ בַּמָּיִם וְהִקְרִיב" — **But regarding the** offering of a **ram, [Scripture] states,** ***He shall wash the innards and the feet in water;*** *the Kohen* ***shall bring*** *it all and cause it to go up in smoke on the Altar.* The differences are: (i) Regarding an ox, Scripture says, *"its" innards and "its" feet,* whereas regarding a ram, Scripture says, *"the" innards and "the" feet.* (ii) Additionally, only regarding a ram does Scripture say, *[The Kohen] shall bring [it all].*[176]

NOTES

171. *Eitz Yosef.* See preceding note.

172. I.e., that the word צָפֹנָה/צְפוּנָה is indeed used in reference to [the merit of] the forefathers of the Jewish people (*Yefeh To'ar, Eitz Yosef;* see *Maharzu* for an alternative explanation).

173. The entire text of the verse reads as follows: הַדּוּדָאִים נָתְנוּ רֵיחַ וְעַל פְּתָחֵינוּ כָּל מְגָדִים חֲדָשִׁים גַּם יְשָׁנִים דּוֹדִי צָפַנְתִּי לָךְ. Simply understood, the verse should be broken up and translated thus: הַדּוּדָאִים נָתְנוּ רֵיחַ — *The baskets yield fragrance;* וְעַל פְּתָחֵינוּ כָּל מְגָדִים חֲדָשִׁים גַּם יְשָׁנִים — *and at our door are all precious fruits, both new and old;* דּוֹדִי צָפַנְתִּי לָךְ — *I have stored away for You, my Beloved.* However the Midrash breaks up and translates the verse as follows: הַדּוּדָאִים נָתְנוּ רֵיחַ — *The baskets yield fragrance;* וְעַל פְּתָחֵינוּ כָּל מְגָדִים חֲדָשִׁים — *and at our opening are all new precious fruits;* גַּם יְשָׁנִים דּוֹדִי צָפַנְתִּי לָךְ — *I have also preserved old ones for You, my Beloved.* The verse is understood as a statement made by the Jewish people to God noting that they have righteous persons among their ranks, both in the present and in the past. The words וְעַל פְּתָחֵינוּ, *and at our opening,* are understood to be referring to the point of redemption from exile, i.e., when their shackles were broken "open"; the words כָּל מְגָדִים חֲדָשִׁים, *all new precious fruits,* refer to the righteous people alive at the time. The word יְשָׁנִים, *old ones,* refers to those righteous people who were already deceased; the Jewish people declares: גַּם יְשָׁנִים דּוֹדִי צָפַנְתִּי לָךְ, *I have also preserved [the merit of] the deceased righteous for You, my Beloved* (see *Yefeh To'ar, Eitz Yosef;* cf. *Maharzu*).

174. Here the Midrash explains the verse as referring to the end of the Egyptian exile (*Beur Maharif, Eitz Yosef*). Abraham, Isaac, and Jacob, who were not living then, are referred to as the יְשָׁנִים, *old ones;* Amram, who was the leader of the generation (*Sotah* 12a) and the head of the Sanhedrin (*Shemos Rabbah* 1 §13), and all the worthy people of that generation, are referred to as the חֲדָשִׁים, *new ones.* The Midrash means that at the time of their redemption from Egypt, both the merit of the righteous among them and the merit of those who were no longer alive stood for them.

The word צָפַנְתִּי in the *Song of Songs* verse is thus used in reference to the merits of the Patriarchs (גַּם "יְשָׁנִים" דּוֹדִי "צָפַנְתִּי" לָךְ). Similarly, the word צָפֹנָה/צְפוּנָה in the phrase צָפֹנָה לִפְנֵי ה׳ refers to the Patriarchs' merits [see note 172] (*Eitz Yosef*).

175. Here the Midrash explains the verse as referring to the Babylonian exile (*Beur Maharif, Eitz Yosef*). Moses, Joshua, David, and Hezekiah all lived before the Babylonian exile, and are referred to as the יְשָׁנִים, *old ones.* Ezra lived at the time of the redemption from Babylonia; Hillel lived later during the time of the Second Temple; R' Yochanan ben Zakkai lived during the Destruction of the Second Temple; and R' Meir lived even later. These men are referred to as the חֲדָשִׁים, *new ones.* According to this exposition of the *Song of Songs* verse, the word צָפַנְתִּי is used in reference to the merit of other forefathers of Israel, not the Patriarchs.

[It is somewhat strange that the current exposition makes mention of Sages who lived *after* the redemption from Babylonia (indeed, the preceding exposition did not make mention of anyone who lived after the redemption from Egypt!). An approach to address this difficulty may be as follows: The redemption from Babylonia and the building of the Second Temple did not represent a full-fledged redemption. There was no comprehensive ingathering of the Jews; the majority stayed in Babylonia. The Jews were subjugated to Persia, Greece, and Rome for most of the Second Temple period; and there was no resumption of the Davidic dynasty. Furthermore, the Holy Ark, the anointing oil, the *Urim VeTumim,* and other important Temple items were unavailable (see *Yoma* 21b). The Midrash even teaches that Jacob foresaw the Second Temple's destruction (*Bereishis Rabbah* 92 §3). For all these reasons, the Second Temple was not the finale to Jewish history but rather the prologue to, and the preparation for, a long exile (see *Emes LeYaakov* on *Exodus* 12:2). It may thus be said that from the time of Ezra and on, we are in *an ongoing process of redemption from the Babylonian exile,* which will culminate in the Final Redemption. In every generation from Ezra and on, the Jewish people pray that the completion of the redemption should take place in their time, in the merit of those alive in that (current) generation as well as in the merit of those who are no longer alive. (See *Eshed HaNechalim,* who hints at part of this approach.)]

176. *Matnos Kehunah, Beur Maharif, Tiferes Tzion;* see also *Tanna DeVei Eliyahu* Ch. 6. [See, however, *Yefeh To'ar* and *Eitz Yosef,* according to whom our Midrash is addressing only the second difference.]

INSIGHTS

ram that Abraham offered in place of Isaac. The *Akeidah* epitomized this very ideal of surrendering one's free will to God. For surely man's greatest choice is to live, yet Isaac was prepared to sacrifice his life in order to fulfill the will of God. He thereby implanted in his descendants the capacity to bring *olah*-offerings to God, through which they can subjugate all of their independent will, their צָפוֹן, to God.

As we perform the offering of total devotion "in the north," we cause that greatest act of devotion — the Binding of Isaac — to be recalled, to the enduring merit of the descendants of Abraham and Isaac.

Even today, when there is no Altar and Holy Temple, we can offer a similar sacrifice with our prayers. For the main element of an animal sacrifice is that pure intent to offer oneself — one's desires and aspirations and very being — to God, and this can be done in prayer as well. As the verse states, וּנְשַׁלְּמָה פָרִים שְׂפָתֵינוּ, *and let our lips substitute for bulls* (*Hosea* 14:3). Even in the absence of the Temple, our sincere prayers alone can be as pleasing to God (*Sfas Emes* loc. cit.).

לְפִיכָךְ אֲהֵבָם הַקָּדוֹשׁ בָּרוּךְ הוּא אַהֲבָה גְּמוּרָה, וְהִשְׁוָה אֶת שְׁמָם לִשְׁמוֹ הַגָּדוֹל, עֲלֵיהֶם הוּא אוֹמֵר (תהלים קיט, א) "אַשְׁרֵי תְמִימֵי דָרֶךְ וְגוֹ'", וְאָמַר (דברים לב, ד) "הַצּוּר תָּמִים פָּעֳלוֹ", וְאָמַר (תהלים יח, לא) "הָאֵל תָּמִים דַּרְכּוֹ":

יא [א, ה] "וְשָׁחַט אֶת בֶּן הַבָּקָר וְגוֹ'" וּבְאַיִל הוּא אוֹמֵר [א, יא] "צָפֹנָה לִפְנֵי ה'", אָמְרוּ: בְּשָׁעָה שֶׁעָקַד אַבְרָהָם אָבִינוּ אֶת יִצְחָק בְּנוֹ יא הִתְקִין הַקָּדוֹשׁ בָּרוּךְ הוּא ב' כְּבָשִׂים, אֶחָד שֶׁל שַׁחֲרִית וְאֶחָד שֶׁל עַרְבִית, וְכָל כָּךְ לָמָּה, שֶׁבְּשָׁעָה שֶׁהָיוּ יִשְׂרָאֵל מַקְרִיבִין תָּמִיד עַל גַּבֵּי הַמִּזְבֵּחַ וְקוֹרִין אֶת הַמִּקְרָא הַזֶּה "צָפֹנָה לִפְנֵי ה'" זוֹכֵר הַקָּדוֹשׁ בָּרוּךְ הוּא עֲקֵידַת יִצְחָק. מְעִידַנִי עָלַי אֶת הַשָּׁמַיִם וְאֶת הָאָרֶץ, בֵּין גּוֹי בֵּין יִשְׂרָאֵל בֵּין אִישׁ בֵּין אִשָּׁה בֵּין עֶבֶד בֵּין אָמָה קוֹרִין אֶת הַמִּקְרָא הַזֶּה "צָפֹנָה לִפְנֵי ה'" זוֹכֵר הַקָּדוֹשׁ בָּרוּךְ הוּא עֲקֵידַת יִצְחָק, שֶׁנֶּאֱמַר "צָפֹנָה לִפְנֵי ה'". דָּבָר אַחֵר "צָפֹנָה לִפְנֵי ה'" כְּנֶגֶד מַעֲשֵׂיהֶם שֶׁל אַבְרָהָם יִצְחָק יַעֲקֹב שֶׁהֵם צְפוּנִים לְפָנָיו, וּמִנַּיִן שֶׁהַלָּשׁוֹן הַזֶּה הוּא לְשׁוֹן צְפוּנָה, שֶׁנֶּאֱמַר (שיר השירים ז, יד) "חֲדָשִׁים גַּם יְשָׁנִים דּוֹדִי צָפַנְתִּי לָךְ", אַבְרָהָם יִצְחָק וְיַעֲקֹב "יְשָׁנִים", עַמְרָם בֶּן קְהָת וְכָל הַכְּשֵׁרִים שֶׁהָיוּ בְּמִצְרַיִם "חֲדָשִׁים", שֶׁנֶּאֱמַר "חֲדָשִׁים גַּם יְשָׁנִים", חֲבוּרָתוֹ שֶׁל מֹשֶׁה וַחֲבוּרָתוֹ שֶׁל יְהוֹשֻׁעַ וַחֲבוּרָתוֹ שֶׁל דָּוִד וְשֶׁל חִזְקִיָּה "יְשָׁנִים", חֲבוּרָתוֹ שֶׁל עֶזְרָא וְשֶׁל הִלֵּל וְשֶׁל רַבִּי יוֹחָנָן בֶּן זַכַּאי וְשֶׁל רַבִּי מֵאִיר וַחֲבֵרָיו "חֲדָשִׁים", וַעֲלֵיהֶם הוּא אוֹמֵר "חֲדָשִׁים גַּם יְשָׁנִים":

יב בְּשׁוֹר הוּא אוֹמֵר [א, ט] "* וּכְרָעָיו יִרְחַץ בַּמַּיִם וְהִקְטִיר", וּבְאַיִל הוּא אוֹמֵר [א, יג] "וְהַקֶּרֶב וְהַכְּרָעַיִם יִרְחַץ בַּמַּיִם וְהִקְרִיב", מַה בֵּין אַיִל לְשׁוֹר, שׁוֹר חָסֵר שְׁתִּי וָעֵרֶב, אַיִל אֵין חָסֵר שְׁתִּי וָעֵרֶב.

עץ יוסף

והשוה את שמם כו'. עיין בפירוש זקוקין [דנורא] על תנא דבי אליהו (רבה פרק ז): **אשרי תמימי דרך.** הרי שהשוה שמם לשמו שקראם תמימים כמו ששמו תמים: **הצור תמים פעלו.** וכיון דפעלו תמים מכל שכן הוא דהוי תמים, כדקאמר לעיל בבראשית רבה (מד, א). והא דנסיב תרי קראי, חד לתמימותו ושלמותו במעשיו ביצירותיו, והיינו הצור תמים פעלו. וחד לשלמותו בהנהגתו עם ברואיו, והיינו האל תמים דרכו: **(יא) [ו] ובאיל הוא אומר.** פירוש מכיון דבבן בקר כתיב ושחט לפני ה', ובאיל שהוא בן הצאן אומר צפונה לפני ה', שמעינן דלפני ה' דקאמר גבי בבן בקר היינו ירך המזבח בצפון, וכמו שכתב הרמב"ן (פסוק יא). ואם כן קשה אמאי כתביה רחמנא התם לכתביה בבן בקר דכתיב ברישא, והדר ליליף בן צאן מיניה. ומשני משום דכבשים התקין ה' זכר לעקדת יצחק, שנזכר כשאומר צפונה לפני ה', להכי כתב ליה בעולת הצאן שהוא מין כבשים: **בשעה שעקד כו'.** ואם תאמר והרי קדמה תורה אלפים שנה לעולם ומאז כתיב בה קרבן תמידים, ויש לומר שנכתב על התנאי שיעקוד אברהם את יצחק, וכהאי גוונא מתרץ הגמרא בפרק קמא דעבודה זרה (ה, א): **שני כבשים.** זכר ליצחק, וזכר לאיל שהקריב תחתיו: **וקורין.** לאו דוקא, שלא היו צריכין לקרות המקראות על הקרבן, אלא כלומר שמקיימים המקרא שעושים הקרבן כמצותו. אי נמי או קורין קאמר, והיינו בזמן החורבן שאין קרבן קורין מקרא זה במקום קרבן, ומהאי כדקאמר בסמוך מעידני עלי כו': **שנאמר צפונה לפני ה'.** דצפונה רמז ליצחק, שהוא צפון לפני ה'. ואף על גב דבשלשה אבות קאמר בסמוך שהם צפונים לפני ה', יצחק עדיף טפי להקרא צפון לפני ה', שרואה כאילו אפרו צבור על גב המזבח כדלעיל בבראשית רבה (נד, ה): **כנגד מעשיהם של אברהם כו'.** כי מעשיהם הטובים ושכרן הוא צפון לפני ה': **ומנין שהלשון הזה.** כלומר מנין דלשון צפונה נאמר על האבות. ומשני מדקאמר ישנים הם האבות הראשונים ולפניו אישנים בלחוד קאי, דהכי קאמר הנה לי צדיקים חדשים בעין מלבד הישנים שהם צפונים, אף על גב שאינם עכשיו בעולם: **אברהם יצחק ויעקב ישנים.** דריש קרא דעל פתחינו כל מגדים על פתוח הרצונות הגלות לגאול אותם בגאולת מצרים, וקאמר דזכות הישנים דהיינו שלשה אבות, וזכות החדשים דהיינו עמרם וכל הכשרים שבמצרים עמדה להם, ואחר זה דריש בגלות בבל, וקאמר דזכות הישנים דהיינו חבורת משה כו', וזכות החדשים דהיינו חבורתו של עזרא והבאים אחריו בבית שני דהיינו חבורת הלל ורבי יוחנן בן זכאי ורבן גמליאל וחביריו עמדה להם: **(יב) [יא] בשור הוא אומר כו'.** כדכתיב בריש סדר ויקרא אם עולה קרבנו מן הבקר וגו' וקרבו וכרעיו ירחץ במים והקטיר הכהן וגו', ואחר זה כתיב ואם מן הצאן קרבנו מן הכשבים או מן העזים לעולה זכר תמים יקריבנו וגו', והקרב והכרעים ירחץ במים והקריב הכהן את הכל והקטיר המזבחה וגו', וקשה לבעל המאמר [שתי קושיות, אחת למה בשור כתיב וקרבו וכרעיו ובאיל כתיב והקרב והכרעים ירחץ במים, שניה] למה באיל כתיב והקריב, ובשור לא כתיב והקריב. [ומתרץ קושיה ראשונה משום **דשור חסר שתי וערב כו'.** ופירש בעל הטורים לפי כשמהלכת הבהמה דקה מגבהת כרעיה כמו שתי וערב, בתחילה יד ימין, ואחר כך רגל שמאל, ואחר כך יד שמאל, ואחר כך רגל ימין, אבל בהמה גסה מגבהת רגליה לצדדים, בתחילה יד ימין, ואחר כך רגל ימין, ואחר כך יד שמאל, ואחר כך רגל שמאל, ולכך נשתנה בבהמה דקה מהלכה בבטנה שהוא מתעגל כעגולה מחמת הליכתה, ועל כן גם כן יציאתה משונה מבהמה גסה שהיא נושאת עגולה, לכן כתיב באיל סתם והקרב והכרעים ולא כתיב וקרבו וכרעיו, כדי שלא ליחדם על שמו הקרב והכרעים של הקרבן, משום שהכרעים הולכים כנכתב לעיל, ועל ידי זה נשתנה המהלך בקרבה. ועל הקושיה השניה מתרץ (נבחר מפניניס לבעל העץ יוסף)]

פירוש מהרז"ו

והשוה את שמם. בשם תמים, ועיין תנחומא קדושים שחושב שם הרבה שמות דומים: **(יא) צפונה לפני ה'.** דורש צפונה מלשון ראיה וצפיה וכמו שכתב לקמן (לו, סו) רבנן אמרי רואה אפרו של יצחק כאלו צבור על גבי המזבח: **זוכר הקב"ה.** וכמו שכתוב (בראשית כב, יד) אברהם ה' יראה וכו': **ומנין וכו' לשון צפונה.** ולשון התנא דבי אליהו ומנין לך לשון הזה שפשוטה של התיבה צפונה על צד צפון המזבח, ומנין שהוא גם לשון צפונה וגניזה, על כן מביא ראיה מלשון (שיר השירים ז, יד) צפנתי לך ואגב שהזכיר פסוק זה דורש בו. שפסוק זה חדשים גם ישנים, נאמר בכל דור שהצדיקים החיים הם החדשים, והמתים הם ישנים:

מתנות כהונה

[יא] ובאיל הוא אומר כו'. דוקא גבי איל נאמר כן, זכר לאילו של יצחק: **בין גוי ובין ישראל כו'.** עד **שנאמר צפונה לפני ה'.** פירוש גנוז וצפון לפניו: **כנגד מעשיהם של אברהם יצחק ויעקב** גרסינן: **לשון צפונה.** פירוש הפ"א נקוד במלאפום:

אשד הנחלים

[יא] התקין. דרש צפונה מלשון צפון וטמון הזכות של יצחק לבניו: **מעידני כו'.** זהו דברי אליהו עצמו והיא מאמר בתנא דבי אליהו רבה (פ"ו) עיי"ש כל המאמר: **אברהם יצחק ויעקב ישנים כו'.** פירש הכנסיה משבחת עצמה שיש לה זכות אבות מחדשים וגם ישנים, שנפנה מאז להיות לזכות בעדה. וחשב האבות שהם היו הראשונים, ועמרם וכל הצדיקים שבזכותם ניצולו ממצרים משעבוד הראשון, וחבורתו של עזרא שעמד להם בגלות השני לשוב לירושלים, וחבורתו של הלל ור' יוחנן בן זכאי ור' מאיר בגלות השלישי, כאלו מתבקשת שבזכותם תגאל עוד גאולה שלימה באחרית הימים. וכלומר שהכל נרמז בשיר המקודש, במה שבקשה הכנסיה ובמה שמבקשת עוד:

חידושי הרד"ל

[יא] מעידני כו' קורין את המקרא הזה צפונה כו'. עיין בהגר"א או"ח סימן א' ס"ק כ"ט:

באור מהרי"פ

[יא] התקין הקדוש ברוך הוא. פירוש שהקב"ה התקין בתורה מצוות על הקרבת שני כבשים בכל יום: **חבורתו של משה וכו'.** מתחלה דרש חדשים גם ישנים על גאולת מצרים, ואחר כך דרש על גאולת בבל חדשים גם ישנים: **[יב] וכרעיו וגו'.** (ויקרא א, ט) וקרבו וכרעיו ירחץ במים והקטיר הכהן את הכל המזבחה עולה אשה ריח ניחוח לה': **ובאיל וכו'.** (שם יג) והקרב והכרעים ירחץ במים והקריב הכהן את הכל והקטיר המזבחה עולה הוא אשה ריח ניחוח לה': **שור חסר שתי וערב כו'.** זהו פירושו למה שנאמר אצל בן הבקר וקרבו וכרעיו מיוחדים לו, ואצל הצאן כתיב סתם והקרב והכרעים, וכדפירש מתנות כהונה:

אמרי יושר

[ו] השוה שמם לשמו הגדול. דכתיב ביה (דברים לב, ד) תמים פעלו, ובצדיקים כתיב (תהלים קיט, א) אשרי תמימי דרך: **[יב] באיל נאמר והקרב והכרעים ירחץ במים והקריב.** שקול איל כשור: **שור חסר שתי וערב.** יש מפרשים בלשון קושיה, כיון שמוליכין אותו בשנים, וזה כשתי וערב וצריך ניחות, שפרקיו גדולים, ואם כן איך אמר בו והקטיר, שמשמע מיד, או שצריך לקרוע הדרך דכתאת שתי וערב, מפני הורידים קטנים, או כדשנינו פרק רביעי דמסכת תמיד (סוף משנה ג), הפשי בקרביים הנתונים בבזך וכרעים על גביהם זו השתי וערב. או פירושו שאור לא נאמר בו, אלא לשון אחד, והקטרה, אבל איל נאמר בו שתי לשונות, הקטר והקרבה, כשתי וערב. וצריך עיון:

מסורת המדרש

יב. ילקוט רמז לט:

אם למקרא

אַשְׁרֵי תְמִימֵי דָרֶךְ הַהֹלְכִים בְּתוֹרַת ה': (תהלים קיט:א)

הַצּוּר תָּמִים פָּעֳלוֹ כִּי כָל דְּרָכָיו מִשְׁפָּט אֵל אֱמוּנָה וְאֵין עָוֶל צַדִּיק וְיָשָׁר הוּא: (דברים לב:ד)

הָאֵל תָּמִים דַּרְכּוֹ אִמְרַת ה' צְרוּפָה מָגֵן הוּא לְכֹל הַחֹסִים בּוֹ: (תהלים יח:לא)

הַדּוּדָאִים נָתְנוּ רֵיחַ וְעַל פְּתָחֵינוּ כָּל מְגָדִים חֲדָשִׁים גַּם יְשָׁנִים דּוֹדִי צָפַנְתִּי לָךְ: (שיר השירים ז:יד)

ידי משה

[יא] התקין הקדוש ברוך הוא. פירוש כמו התקין רבי יוחנן בן זכאי, פירוש שהתקין הקדוש ברוך הוא לדורות שיקריבו שני כבשים ויאמרו בשעת הקרבה פסוק זה צפונה לפני ה': **ומנין שהלשון הזה הוא לשון צפונה.** פירוש מנין שאברהם ויצחק נופל עליהם לשון צפונה. ומשני כו':

The Midrash explains the first difference:[177] מַה בֵּין אַיִל לְשׁוֹר — **What is** the difference **between a ram and an ox?** שׁוֹר חָסֵר שְׁתִי וָעֵרֶב, אַיִל אֵין חָסֵר שְׁתִי וָעֵרֶב — **An ox lacks a crisscross; a ram does not lack a crisscross.**[178]

NOTES

177. *Beur Maharif.*

178. The commentators offer many interpretations of this enigmatic line (see e.g., *Matnos Kehunah*; *Zekukin* to *Tanna DeVei Eliyahu Rabbah* Ch. 6). *Midrash Rabbah HaMevo'ar* explains as follows: Because an ox is very large, the Kohanim have to move around, "crisscrossing" in many directions in order to *wash its innards and its feet* thoroughly (cf. *Yefeh To'ar*). The Torah uses the phrase *"its* innards and *its* feet" in connection with the ox in order to allude to the fact that the ox will be washed in accord with *its* unique size. By contrast, the ram is smaller and easy to wash; as such, the Torah writes merely *"the* innards and *the* feet."

לְפִיכָךְ אֲהֵבָם הַקָּדוֹשׁ בָּרוּךְ הוּא אַהֲבָה גְּמוּרָה, וְהִשְׁוָה אֶת שְׁמָם לִשְׁמוֹ הַגָּדוֹל, עֲלֵיהֶם הוּא אוֹמֵר (תהלים קיט, א) "אַשְׁרֵי תְמִימֵי דָרֶךְ וְגוֹ'", וְאָמַר (דברים לב, ד) "הַצּוּר תָּמִים פָּעֳלוֹ", וְאָמַר (תהלים יח, לא) "הָאֵל תָּמִים דַּרְכּוֹ":

יא [א, ה] "וְשָׁחַט אֶת בֶּן הַבָּקָר וְגוֹ'" וּבָאַיִל הוּא אוֹמֵר [א, יא] "צָפֹנָה לִפְנֵי ה'", אָמְרוּ: בְּשָׁעָה שֶׁעָקַד אַבְרָהָם אָבִינוּ אֶת יִצְחָק בְּנוֹ [יב] הִתְקִין הַקָּדוֹשׁ בָּרוּךְ הוּא ב' כְּבָשִׂים, אֶחָד שֶׁל שַׁחֲרִית וְאֶחָד שֶׁל עַרְבִית, וְכָל כָּךְ לָמָּה, שֶׁבְּשָׁעָה שֶׁהָיוּ יִשְׂרָאֵל מַקְרִיבִין תָּמִיד עַל גַּבֵּי הַמִּזְבֵּחַ וְקוֹרִין אֶת הַמִּקְרָא הַזֶּה "צָפֹנָה לִפְנֵי ה'" זוֹכֵר הַקָּדוֹשׁ בָּרוּךְ הוּא עֲקֵידַת יִצְחָק. מְעִידַנִי עָלַי אֶת הַשָּׁמַיִם וְאֶת הָאָרֶץ, בֵּין גּוֹי בֵּין יִשְׂרָאֵל בֵּין אִישׁ בֵּין אִשָּׁה בֵּין עֶבֶד בֵּין אָמָה קוֹרִין אֶת הַמִּקְרָא הַזֶּה "צָפֹנָה לִפְנֵי ה'" זוֹכֵר הַקָּדוֹשׁ בָּרוּךְ הוּא עֲקֵידַת יִצְחָק, שֶׁנֶּאֱמַר "צָפֹנָה לִפְנֵי ה'". דָּבָר אַחֵר "צָפֹנָה לִפְנֵי ה'" כְּנֶגֶד מַעֲשֵׂיהֶם שֶׁל אַבְרָהָם יִצְחָק יַעֲקֹב שֶׁהֵם צְפוּנִים לְפָנָיו, וּמִנַּיִן שֶׁהַלָּשׁוֹן הַזֶּה הוּא לְשׁוֹן צְפוּנָה, שֶׁנֶּאֱמַר (שיר השירים ז, יד) "חֲדָשִׁים גַּם יְשָׁנִים דּוֹדִי צָפַנְתִּי לָךְ", אַבְרָהָם יִצְחָק וְיַעֲקֹב "יְשָׁנִים", עַמְרָם בֶּן קְהָת וְכָל הַכְּשֵׁרִים שֶׁהָיוּ בְּמִצְרַיִם "חֲדָשִׁים", שֶׁנֶּאֱמַר "חֲדָשִׁים גַּם יְשָׁנִים", חֲבוּרָתוֹ שֶׁל מֹשֶׁה וַחֲבוּרָתוֹ שֶׁל יְהוֹשֻׁעַ וַחֲבוּרָתוֹ שֶׁל דָּוִד וְשֶׁל חִזְקִיָּה "יְשָׁנִים", חֲבוּרָתוֹ שֶׁל עֶזְרָא וְשֶׁל הִלֵּל וְשֶׁל רַבִּי יוֹחָנָן בֶּן זַכַּאי וְשֶׁל רַבִּי מֵאִיר וַחֲבֵרָיו "חֲדָשִׁים", וַעֲלֵיהֶם הוּא אוֹמֵר "חֲדָשִׁים גַּם יְשָׁנִים":

יב בְּשׁוֹר הוּא אוֹמֵר [א, ט] "* וְקִרְבּוֹ וּכְרָעָיו יִרְחַץ בַּמַּיִם וְהִקְטִיר", וּבָאַיִל הוּא אוֹמֵר [א, יג] "וְהַקֶּרֶב וְהַכְּרָעַיִם יִרְחַץ בַּמַּיִם וְהִקְרִיב", מַה בֵּין אַיִל לְשׁוֹר, שׁוֹר חָסֵר שְׁתִּי וָעֶרֶב, אַיִל אֵין חָסֵר שְׁתִּי וָעֶרֶב.

עץ יוסף

והשוה את שמם כו'. עיין בפירוש זקוקין [דנורא] על תנא דבי אליהו (רבה פרק ז): **אשרי תמימי דרך.** הרי שהשוה שמם לשמו שקראם תמימים כמו ששמו תמים: **הצור תמים פעלו.** וכיון דפעלו תמים מכל שכן הוא דהוי תמים, כדקאמר לעיל בבראשית רבה (מד, א). והא דנסיב תרי קראי, חד לתמימותו ושלמותו במעשיו ביצירותיו, והיינו הצור תמים פעלו. וחד לשלמותו בהנהגתו עם ברואיו, והיינו האל תמים דרכו: (יא) [ו] **ובאיל הוא אומר.** פירוש מכיון דבבן בקר כתיב ושחט לפני ה', ובאיל שהוא בן הצאן אומר צפונה לפני ה', שמעינן דלפני ה' דקאמר נמי בבן בקר היינו ירך המזבח בצפון, וכמו שכתב הרמב"ן (פסוק יא). ואם כן קשה אמאי כתביה רחמנא התם לכתביה בבן בקר דכתיב ברישא, והדר ליליף בן צאן מיניה. ומשני משום דכבשים התקין ה' זכר לעקדת יצחק, שנזכר כשאומר צפונה לפני ה', להכי כתב ליה בעולת הצאן שהוא מין כבשים: **בשעה שעקד כו'.** ואם תאמר והרי קדמה תורה אלפים שנה לעולם ומאז כתיב בה קרבן תמידים, ויש לומר שנכתב על התנאי שיעקוד אברהם את יצחק, וכהאי גוונא מתרץ הגמרא בפרק קמא דעבודה זרה (ה, א): **שני כבשים.** זכר ליצחק, וזכר לאיל שהקריב תחתיו: **וקורין.** לאו דוקא, שלא היו צריכין לקרות המקראות על הקרבן, אלא כלומר שמקיימים המקרא שעושים הקרבן כמצותו. אי נמי או קורין קאמר, והיינו בזמן החורבן שאין קרבן קורין מקרא זה במקום קרבן, ומהני כדקאמר בסמוך מעידני עלי כו': **שנאמר צפונה לפני ה'.** דצפונה רמז ליצחק, שהוא צפון לפני ה'. ואף על גב דבשלשה אבות קאמר בסמוך שהם צפונים לפני ה', יצחק עדיף טפי להקרא צפון לפני ה', שרואה כאילו אפרו צבור על גב המזבח כדלעיל בבראשית רבה (נד, ה): **כנגד מעשיהם של אברהם כו'.** כי מעשיהם הטובים ושכרן הוא צפון לפני ה': **ומנין שהלשון הזה.** כלומר מנין דלשון צפונה נאמר על האבות. ומשני מדקאמר ישנים הם האבות הראשונים ולפנתי אישנים בלחוד קאי, דהכי קאמר הנה לי צדיקים חדשים בעין מלבד הישנים שהם צפונים, אף על גב שאינם עכשיו בעולם: **אברהם יצחק ויעקב ישנים.** דריש קרא דעל פתחינו כל מגדים על פתוח חרצובות הגלות לגאול אותם בגאולת מצרים, וקאמר דזכות הישנים דהיינו שלשה אבות, וזכות החדשים דהיינו עמרם וכל הכשרים שבמצרים עמדה להם, ואחר זה דריש בגלות בבל, וקאמר בזכות הישנים דהיינו חבורת משה כו', וזכות החדשים דהיינו חבורתו של עזרא והבאים אחריו בבית שני דהיינו חבורת הלל ורבי יוחנן בן זכאי ורבן גמליאל וחביריו עמדה להם: (יב) [יא] **בשור הוא אומר כו'.** כדכתיב בריש סדר ויקרא אם עולה קרבנו מן הבקר וגו' וקרבו וכרעיו ירחץ במים והקטיר הכהן וגו', ואחר זה כתיב ואם מן הצאן קרבנו מן הכשבים או מן העזים לעולה זכר תמים יקריבנו וגו', והקרב והכרעים ירחץ במים והקריב הכהן את הכל והקטיר המזבחה וגו', וקשה לבעל המאמר [שתי קושיות, אחת למה בשור כתיב וקרבו וכרעיו ובאיל כתיב והקרב והכרעים ירחץ במים, שניה] למה באיל כתיב והקריב, ובשור לא כתיב והקריב. [ומתרץ קושיא ראשונה משום **דשור חסר שתי וערב כו'**, ופירש הבעל הטורים לפי כשמהלכת הבהמה דקה מגבהת כרעיה כמו שתי וערב, בתחילה יד ימין, ואחר כך רגל שמאל, ואחר כך יד שמאל, ואחר כך יד ימין, אבל בהמה גסה מגבהת רגליה לצדדים, בתחילה יד ימין, ואחר כך רגל ימין, ואחר כך יד שמאל, ואחר כך רגל שמאל, ולכך נשתנה בבהמה דקה מאכלה בבטנה שהוא מתעגל כעגולה מחמת הליכתה, ועל כן גם כן יציאתה משונה מבהמה גסה שהיא צואה עגולה, לכן כתיב באיל סתם והקרב והכרעים ולא כתיב וקרבו וכרעיו, כדי שלא ליחדם על שמו הקרב והכרעים של הקרבן, משום שהכרעים הולכים כנכתב לעיל, ועל ידי זה נשתנה המאכל בקרבה. ועל הקושיא השניה מתרץ (נבחר מפניניס לבעל העץ יוסף)]

פירוש מהרז"ו

והשוה את שמם. בשם תמים, ועיין תנחומא קדושים שחושב שם הרבה שמות דומים: (יא) **צפונה לפני ה'.** דורש צפונה מלשון ראיה וצפיה וכמו שכתב לקמן (לו, סו) רבנן אמרי רואה אפרו של יצחק כאלו צבור על גבי המזבח: **זוכר הקב"ה.** וכמו שכתוב (בראשית כב, יד) אברהם ה' יראה וכו': **ומנין וכו' לשון צפונה.** ולשון התנא דבי אליהו ומנין לך לשון הזה שפשוטה של התיבה צפונה על צד צפון המזבח, ומנין שהוא גם לשון צפונה וגניזה, על כן מביא ראיה מלשון (שיר השירים ז, יד) צפנתי לך ואגב שהזכיר פסוק זה דורש בו. שפסוק זה חדשים גם ישנים, נאמר בכל דור שהצדיקים החיים הם החדשים, והמתים הם ישנים:

חידושי הרד"ל

[יא] **מעידני כו' קורין את המקרא הזה צפונה כו'.** עיין בהגר"א או"ח סימן א' ס"ק כ"ט:

באור מהרי"פ

[יא] **התקין הקדוש ברוך הוא.** פירוש שהקב"ה התקין בתורה לצוות על הקרבת שני כבשים בכל יום: **חבורתו של משה וכו'.** מתחלה דרש חדשים גם ישנים על גאולת מצרים, ואחר כך דורש על גאולת בבל חדשים גם ישנים: [יב] **וכרעיו וגו'.** (ויקרא א, ט) וקרבו וכרעיו ירחץ במים והקטיר הכהן את הכל המזבחה עולה הוא אשה ריח ניחוח לה'. **ובאיל וכו'.** (שם יג) והקרב והכרעים ירחץ במים והקריב הכהן את הכל והקטיר המזבחה עולה הוא אשה ריח ניחוח לה': **שור חסר שתי וערב וכו'.** זהו פירושו למה שנאמר אצל בן הבקר וקרבו וכרעיו מיוחדים לו, ואצל הצאן כתיב סתם והקרב והכרעים, וכדפירש מתנות כהונה:

אמרי יושר

[י] **השוה שמם לשמו הגדול.** דכתיב ביה (דברים לב, ד) תמים פעלו, ובצדיקים כתיב (תהילים קיט, א) אשרי תמימי דרך: [יב] **באיל נאמר והקרב והכרעים ירחץ במים והקריב.** שקול איל כשור: **שור חסר שתי וערב.** יש מפרשים בלשון קושיא, כיון שמוליכין אותו בשנים, וזה כשתי וערב וצריך ניתוח, שפרקיו גדולים, ואם כן איך אמר בו והקטיר, שמשמע מיד, או שצריך לקרוע הדרא דכנתא שתי וערב, מפני הורידים קטנים, או כדשנינו פרק רביעי דמסכת תמיד (סוף משנה ג), הששי בקרבים הנתונים בבזך וכרעים על גביהם, זו השתי וערב. או פירושו ששור לא נאמר בו, אלא לשון אחד, הקטרה, אבל איל נאמר בו שתי לשונות, הקטר והקרבה, כשתי וערב. וצריך עיון:

מסורת המדרש

יב. ילקוט רמז לט:

אם למקרא

אַשְׁרֵי תְמִימֵי דָרֶךְ הַהֹלְכִים בְּתוֹרַת ה': (תהלים קיט:א)

הַצּוּר תָּמִים פָּעֳלוֹ כִּי כָל דְּרָכָיו מִשְׁפָּט אֵל אֱמוּנָה וְאֵין עָוֶל צַדִּיק וְיָשָׁר הוּא: (דברים לב:ד)

הָאֵל תָּמִים דַּרְכּוֹ אִמְרַת ה' צְרוּפָה מָגֵן הוּא לְכֹל הַחֹסִים בּוֹ: (תהלים יח:לא)

הַדּוּדָאִים נָתְנוּ רֵיחַ וְעַל פְּתָחֵינוּ כָּל מְגָדִים חֲדָשִׁים גַּם יְשָׁנִים דּוֹדִי צָפַנְתִּי לָךְ: (שיר השירים ז:יד)

ידי משה

[יא] **התקין הקדוש ברוך הוא.** פירוש כמו התקין רבי יוחנן בן זכאי, פירוש שהתקין הקדוש ברוך הוא לדורות שיקריבו שני כבשים ויאמרו בשעת הקרבה פסוק זה צפונה לפני ה': **ומנין שהלשון הזה הוא לשון צפונה.** פירוש מנין שאברהם ויצחק נופל עליהם לשון צפונה. ומשני כו':

מתנות כהונה

[יא] **ובאיל הוא אומר כו'.** דוקא גבי איל נאמר כן, זכר לאילו של יצחק: **בין גוי ובין ישראל כו'.** עד **שנאמר צפונה לפני ה'.** פירוש גנוז וצפון לפניו: **כנגד מעשיהם של אברהם יצחק ויעקב** גרסינן: **לשון צפונה.** פירוש הפ"א נקוד במלאפום:

אשד הנחלים

[יא] **התקין.** דרש צפונה מלשון צפון וטמון הזכות של יצחק לבניו: **מעידני כו'.** זהו דברי אליהו עצמו והיא מאמר בתנא דבי אליהו רבה (פ"ו) עיי"ש כל המאמר: **אברהם יצחק ויעקב ישנים כו'.** פירש הכנסיה משבחת עצמה שיש לה זכות אבות מחדשים וגם ישנים, שנפנה מאז להיות לזכות בעדה. וחשב האבות שהם היו הראשונים, ועמרם וכל הצדיקים שבזכותם ניצולו ממצרים משעבוד הראשון, וחבורתו של עזרא שעמד להם בגלות השני לשוב לירושלים, וחבורתו של הלל ור' יוחנן בן זכאי ור' מאיר בגלות השלישי, כאלו מתבקשת שבזכותם תגאל עוד גאולה שלימה באחרית הימים. וכלומר שהכל נרמז בשיר המקודש, במה שבקשה הכנסיה ובמה שמבקשת עוד:

The Midrash explains the second difference:

אָמְרוּ חֲכָמִים: לָמַדְנוּ הַקְרָבָה לְשׁוֹר מִן הָאַיִל — **The Sages said:** It is not *necessary* for Scripture to state *[the Kohen] shall bring [it all]* in the passage of the ox. For **we have learned** the law of **bringing** the limbs of the offering to the ramp of the Altar **for the ox, from** the law stated for **the ram.** It is as if *[the Kohen] shall bring [it all]* were written in the passage of the ox as well.[179]

The Midrash cites Elijah the Prophet's comment to the Sages providing a different explanation for the second difference:[180] אָמַרְתִּי לָהֶם: רַבּוֹתַי, עָפָר אֲנִי תַּחַת כַּפּוֹת רַגְלֵיכֶם, אוֹמַר לִפְנֵיכֶם דָּבָר אֶחָד — **[Elijah the Prophet] said to [the Sages], "My teachers, I am dust under the soles of your feet! But** may **I say one thing before you?"** אָמְרוּ לִי: אֱמוֹר — **[The Sages] said to me, "Speak!"** אָמַרְתִּי לָהֶם: רַבּוֹתַי, י״ב נְשִׂיאִים עָמְדוּ לַחֲנֻכַּת הַמִּזְבֵּחַ — **I said to them, "My teachers, twelve** tribal **leaders arose for the dedication of the Altar.**[181] לָזֶה עוֹלָה וְלָזֶה עוֹלָה — **This one had an** ***olah*****-offering and that one had an** ***olah*****-offering;** לָזֶה חַטָּאת וְלָזֶה חַטָּאת — **this one had a** ***chatas*****-offering and that one had a** ***chatas*****-offering;** לָזֶה זֶבַח שְׁלָמִים וְלָזֶה זֶבַח שְׁלָמִים — **this one had a** ***shelamim*****-offering and that one had a** ***shelamim*****-offering.** וְנֶאֱמַר לְהַלָּן הַקְרָבָה בְּשׁוֹר וְאַיִל — **Now, there,** in those passages, **'bringing close' is stated in** connection with both **an ox and a ram,** וְכָאן נֶאֱמַר הַקְרָבָה בְּאַיִל וְלֹא נֶאֱמַר בְּשׁוֹר — **while here 'bringing close' is stated in** connection with **a ram but is not stated in** connection with **an ox.**[182] כְּדֵי שֶׁלֹּא יֹאמַר אָדָם בְּעַצְמוֹ — The reason for this is **in order that a man not say to himself,**[183] אֵלֵךְ וְאֶעֱשֶׂה דְּבָרִים מְכוֹעָרִים דְּבָרִים שֶׁאֵינָן רְאוּיִים — **'I will go and I will do unseemly things** and **things that are unworthy;**[184] וְאָבִיא שׁוֹר שֶׁיֵּשׁ בּוֹ בָּשָׂר הַרְבֵּה — **then I will bring an** ox, an animal **that has much meat,** וְאַעֲלֶה לְגַבֵּי מִזְבֵּחַ — **and I will bring it up on the Altar,** וַהֲרֵינִי עִמּוֹ בְּרַחֲמִים וּמְקַבְּלֵנִי בִּתְשׁוּבָה — **and I will pray to [God] for mercy, and He will receive me in repentance.'**[185] לְכָךְ נֶאֱמַר הַקְרָבָה בְּאַיִל וְלֹא נֶאֱמַר הַקְרָבָה בְּשׁוֹר — **Therefore, it states 'bringing close' in** connection with **a ram but does not state 'bringing close' in** connection with **an ox."**[186]

NOTES

179. The second passage, the passage of the ram, begins with a *vav* (see v. 10), and this links the two passages such that whatever is written in the ram passage is considered as if it were written in the ox passage as well (*Eitz Yosef*). [According to *Eitz Yosef's* version of our text, the Midrash makes mention also of a law that is written in the *ox* passage but applies as well to the *ram* passage. See *Zevachim* 48a.]

The word [וְהִקְרִיב [הַכֹּהֵן אֶת הַכֹּל, *[the Kohen] shall bring [it all]*, teaches that first all the limbs were brought to the ramp of the Altar, and from there all of them were taken together to be burnt on the Altar [rather than bringing and burning one at a time] (*Yefeh To'ar*). Alternatively, the words וְהִקְרִיב הַכֹּהֵן, *the Kohen shall bring*, teach that the act of bringing the limbs of the offering to the ramp of the Altar must be carried out by the Kohen (*Maharzu*).

180. See *Tanna DeVei Eliyahu Rabbah* loc. cit. and note 167 above.

181. When the Tabernacle was dedicated, the leaders of the Twelve Tribes each brought offerings for the dedication, one leader each day for twelve consecutive days. All twelve brought the same offerings: one bull, one ram, and one sheep for an *olah*, one goat for a *chatas*, and two cattle, five rams, five goats, and five sheep for a *shelamim* (*Numbers* 7:10-83).

182. The word הַקְרָבָה means "bringing close." When Scripture lists the offerings brought by each of the tribal leaders, it uses the term הַקְרָבָה. For example, *Numbers* 7:12 states: וַיְהִי הַמַּקְרִיב בַּיּוֹם הָרִאשׁוֹן אֶת קָרְבָּנוֹ נַחְשׁוֹן בֶּן עַמִּינָדָב לְמַטֵּה יְהוּדָה, *The one who brought his offering on the first day was Nachshon son of Aminadav, of the tribe of Judah* (*Zekukin* to *Tanna DeVei Eliyahu Rabbah* loc. cit.).

Now, included in the offerings of the tribal leaders were both oxen and rams, yet Scripture uses the term הַקְרָבָה for the entire offering. Only in our passage, when speaking of one who offers an ox or a ram as an *olah*, does Scripture distinguish between an ox and a ram, and uses the term הַקְרָבָה only in reference to a ram and not in reference to an ox (*Yedei Moshe*; see *Tiferes Tzion* and *Eitz Yosef* for alternative explanations).

183. *Eitz Yosef.*

184. See above, note 108.

185. This approach is incorrect, for the Mishnah (*Yoma* 85b) teaches, One who says, "I will sin and repent," they (i.e., the Heavenly Court) do not assist him in achieving repentance (*Eitz Yosef*; see *Tiferes Tzion* for an alternative explanation).

186. The word הַקְרָבָה, *bringing close*, is to be understood as alluding to the closeness between the person who offers the offering and God (*Eitz Yosef*; see also *Matnos Kehunah*). Now in the case of the tribal leaders, the oxen and rams were part of one magnificent offering brought by each leader. In contrast, Scripture here speaks of two people, one who offers only an ox and one who offers only a ram. One might have thought that an offering of an ox would bring the offerer closer to God, as it is larger. [It should be noted that these animals are being brought as *voluntary* offerings; see *Rashi* to v. 2.] Therefore, Scripture uses the term הַקְרָבָה in connection with a ram only, in order to teach us that this is not so; both offerings are equal (*Yedei Moshe*). Alternatively, Scripture uses the term הַקְרָבָה in connection with the ram only, in order to teach that a ram that is offered as part of a package that includes true repentance and good deeds will bring the offerer closer to God, while an ox that is offered while the offerer continues doing unseemly deeds will not. [As the Midrash implies, since the ox is larger than the ram, it is an ox, not a ram, that the continuing sinner is more likely to bring, in order to "impress" God. The Torah therefore omits use of the term הַקְרָבָה specifically with the ox, for it is specifically the ox-offerer who will not become close to God. The person who brings a ram, on the other hand, is more likely to do so out of sincere motivations, and the Torah therefore indicates (by use of the term הַקְרָבָה) that the ram-offerer will become closer to Him] (*Eitz Yosef*).

אָמְרוּ חֲכָמִים: לָמַדְנוּ הַקְרָבָה לְשׁוֹר מִן הָאַיִל וְהַקְרָבָה לָאַיִל מִן הַשּׁוֹר°, °אָמַר לָהֶם: רַבּוֹתַי, עָפָר אֲנִי תַּחַת כַּפּוֹת רַגְלֵיכֶם, אוֹמַר לִפְנֵיכֶם דָּבָר אֶחָד, אָמְרוּ °לוֹ: אֱמוֹר, °אָמַר לָהֶם: רַבּוֹתַי, י"ב נְשִׂיאִים עָמְדוּ לַחֲנֻכַּת הַמִּזְבֵּחַ לָזֶה עוֹלָה וְלָזֶה עוֹלָה, לָזֶה חַטָּאת וְלָזֶה חַטָּאת, °לָזֶה אָשָׁם וְלָזֶה אָשָׁם°, לָזֶה זֶבַח שְׁלָמִים וְלָזֶה זֶבַח שְׁלָמִים, וְנֶאֱמַר לְהַלָּן הַקְרָבָה בְּשׁוֹר וָאַיִל, וְכָאן נֶאֱמַר הַקְרָבָה בְּאַיִל וְלֹא נֶאֱמַר בְּשׁוֹר, כְּדֵי שֶׁלֹּא יֹאמַר אָדָם בְּעַצְמוֹ: אֵלֵךְ וְאֶעֱשֶׂה דְּבָרִים מְכוֹעָרִים דְּבָרִים שֶׁאֵינָן רְאוּיִים, וְאָבִיא שׁוֹר שֶׁיֵּשׁ בּוֹ בָּשָׂר הַרְבֵּה וְאַעֲלֶה לְגַבֵּי מִזְבֵּחַ וַהֲרֵינִי עִמּוֹ בְּרַחֲמִים וּמְקַבְּלֵנִי בִּתְשׁוּבָה, לְכָךְ נֶאֱמַר הַקְרָבָה בְּאַיִל וְלֹא נֶאֱמַר הַקְרָבָה בְּשׁוֹר:

עץ יוסף

אמרו חכמים למדנו וכו׳, הא דלא כתיב והקריב בשור, משום דילפינן לה בשור מאיל, כי היכי דילפינן להפשטה ושאר מילי לאיל מן השור, וכך צריך לומר אמרו חכמים למדנו הקרבה לשור מן האיל, והפשטה לאיל מן השור, ורצה לומר דלהכי כתיב ואם מן הצאן, וי"ו מוסיף על ענין ראשון, שילמוד תחתון מעליון, ועליון מתחתון, כדאמר בפרק איזהו מקומן (מח, א) לענין צפון. ובידי משה כתב שצריך לומר והקטרה לאיל מן השור, וטעה בזה שהרי גם באיל כתיב הקטרה מפורש: **אמר להם רבותי.** בתנא דבי אליהו (רבה פרק ו) איתא אמרתי להם, והוא אליהו: **לזה עולה לזה עולה.** פירוש פר ואיל וכבש שנאמר בפרשת נשיא (במדבר ז, כ) פר אחד בן בקר איל אחד כבש אחד בן שנתו לעולה: **לזה חטאת.** פירוש שעיר שנאמר שעיר עזים אחד לחטאת: **לזה אשם כו׳.** זה לא גרסינן, כי בקרבנן לא היה אשם, ובתנא דבי אליהו גם כן ליתא זה: **לזה שלמים כו׳.** כמו שנאמר ולזבח השלמים בקר שנים וגו׳, וכן כתיב בכל הנשיאים: **ונאמר להלן הקרבה בשור ואיל.** פירוש, ונאמר שם בכל הנשיאים הקרבה בשור ואיל שכתיב שם ויהי המקריב וגו׳. וכוונת אליהו לומר, דלא מצינו למימר דלמדנו הקרבה בשור מאיל, דהא הקרבה לשור ילפינן מהנשיאים דכתיב שם הקרבה בשור ואיל, ואף על גב דבנשיאים לאו הקרבה ממש במזבח, אלא נדבתם והבאתם, שהרי הקרבנ[ה] על המזבח אינה אלא לכהן, והכא הקרבה ממש על המזבח, ואם כן איך מצינו למילף הקרבה בשור כאן מן הנשיאים. יש לומר דהכי קאמר מכיון דלזה עולה ולזה עולה כו׳, אמאי אכפל קרא למימר בכל אחד פרטי קרבנו, לא הוי ליה לפרט רק של נשיא ראשון, ולימא וכן הקריב נשיא פלוני ונשיא פלוני, כיון דכי הדדי נינהו, אלא להכי אכפל לאשמועינן דהיכא הקרבה נמי בשור כבאיל, דאם אינו ענין להקרבה בנשיא, תנהו ענין להקרבה דכהן, ואף על גב דבאכפל דחד הוה סגי, איידי דאכפל בחד אכפל בכולהו, ואם כן כיון דילפינן מהתם הקרבה לשור ואיל, למה שינה כאן וכתב הקרבה לאיל ולא לשור, אלא כדי שלא יאמר אדם בטעמו רצה לומר בקרב לבו אלך כו׳: **והריני עמו ברחמים.** כלומר ארבה ברחמים ובתפלה לפניו עד שיקבלני בתשובה, ואף על פי שדעתו לשוב, כיון דעל סמך זה חוטא אינו הגון, דהאומר אחטא ואשוב אין מספיקים בידו לעשות תשובה כדתנן בפרק יוה"כ (יומא פה, ב). ובילקוט (ויקרא תמד) גרס ואביא שור שיש בו בשר הרבה ואעלה אותו על גב המזבח, מה אם ישא לו הקדוש ברוך הוא פנים אלא יעשה אדם מעשים טובים וילמוד תורה, ויביא איל שהוא כחוש בבשר וכולו לאשים, ויעלהו עולה על גב המזבח והריני עמו ברחמים ומקבלו בתשובה, לכך נאמר הקרבה באיל ולא נאמר הקרבה בשור, פירוש שעל ידי האיל עם התורה והתשובה ומעשים טובים הוא נעשה קרוב להקדוש ברוך הוא, ולא על ידי השור כשעושה דברים מכוערים:

פירוש מהרז"ו

(יב) **למדנו הקרבה לשור.** כאן חסר, והגירסא בתנא דבי אליהו שם מפני מה נאמר הקרבה שנאמר (ויקרא א, יג) והקרב והכרעים וגו׳ והקריב הכהן וגו׳, ובשור לא נאמר הקרבה שנאמר (א, ט) וקרבו וכרעיו ירחץ במים והקטיר הכהן, ואמרו חכמים למדנו הקרבה מן האיל אל השור עכ"ל, שמה שכתוב והקריב הכהן, פירושו על הולכת איברים לכבש שהוא עבודה מיוחדת לכהנים, ולמד לשור מן האיל: **אמר להם רבותי.** דברים אלו הם דברי אליהו כמו שכתוב בתנא דבי אליהו שם:

חידושי הרש"ש

[יב] **אמרו חכמים כו׳. (והקרבה לאיל מן השור)**, תיבת אלו המסובבים ליתא בתנא דבי אליהו, והידי משה לא דק במקרא שגם באיל נאמר והקטיר: **לזה אשם ולזה אשם.** שם ליתא, והוא הנכון כי בקרבנם לא היה אשם:

ידי משה

[יב] **אמרו חכמים.** פירוש חכמים מתרצים באופן אחר הגם שלא נכתב והקריב גבי שור וגבי איל לא כתיב והקטיר, אנו למדים אחד מחבירו, וכן הרבה פעמים נלמד כך שבא זה ולימד על זה. ובגירסא נכונה מצאתי שהכי גרסינן, למדנו הקרבה לשור מן האיל והקטרה לאיל מן השור. כן צריך לומר: **י"ב נשיאים.** פירוש, ושם נכתב הקרבה גבי שור ואיל בשוה, רק שכאן הוסיף באיל מן השור, כדי שתלמד ממנו שקרבנו שוה הגם שהוא קטן:

שינוי נוסחאות

(יב) למדנו הקרבה לשור מן האיל והקרבה לאיל מן השור. רש"ש מוחק "והקרבה לאיל מן השור": **אמר להם רבותי ... , אמרו לו אמור, אמר להם.** הגיה א"א שצ"ל "אמרתי להם רבותי ... אמרו לי אמור, אמרתי להם", שאליהו הוא המדבר כאן, וכן איתא באמת בכל הכי"י, וכן הוא (בערך) בתדב"א: **לזה אשם ולזה אשם.** ברש"ש מחק ד׳ תבות אלו, והסכים עמו בעצ"י, והעיר שבתדב"א ליתנהו:

מתנות כהונה

[יב] **גבי שור אומר כו׳ עד לאיל מן השור.** הקישוי בבאורו נגלה לעין, והריני אציגה לפניך הגירסא איך שמביאה בעל הטורים פרשת ויקרא, וזה לשונו, בבן בקר כתיב וקרבו וכרעיו, ובצאן כתיב והקרב והכרעים, ואיתא בתנא דבי אליהו (אליהו רבה פרשה ז) לפי כשמהלכת בהמה דקה מגבהת כרעיה כמו שתי וערב, אבל בהמה גסה מגבהת כרעיה לצדדין, ולכך בהמה דקה נשתנה מאכלה בבטנה, ועל כן נואתה גם כן משונה מבהמה גסה, בבן בקר לא כתיב אלא והקטיר, ובצאן כתיב והקריב והקטיר, לפי שהצאן הוא מועט, ומקריב ומקטיר הכל בפעם אחת עכ"ל: **שתי וערב.** לפיכך כתיב סתם הקרב והכרעים, כאילו אינם מיוחדים לו כי השתי והערב תועבת ה׳ יתברך הוא, גם הקרב נשתנה מפני השתי והערב: **אמר להם.** מאמר זה לקוח מתנא דבי אליהו והוא אמר כן, ועיין בילקוט [תמ"ד]: **והריני עמו.** פירוש עם הקב"ה, לכך נאמר הקרבה באיל שהוא לשון מנה ומתנה, כדאמרינן במסכת עבודה זרה (סד, ב) שדר קורבנא לבר שסך, וכן כל קרבן שבתורה, ואב לכלם ונקרב קרבן ה׳ איש אשר מצא כלי זהב כו׳ (במדבר לא, נ):

אשד הנחלים

[יב] **הקרבה בשור.** המאמר הזה הובא גם כן בתנא דבי אליהו רבה (פ"ו), ושם פרשתי קצת. ושם כל הענין עד סוף הפרשה:

Chapter 3

וְנֶפֶשׁ כִּי תַקְרִיב קָרְבַּן מִנְחָה לַה׳ סֹלֶת יִהְיֶה קָרְבָּנוֹ, וְיָצַק עָלֶיהָ שֶׁמֶן וְנָתַן עָלֶיהָ לְבֹנָה. וֶהֱבִיאָהּ אֶל בְּנֵי אַהֲרֹן הַכֹּהֲנִים וְקָמַץ מִשָּׁם מְלֹא קֻמְצוֹ מִסָּלְתָּהּ וּמִשַּׁמְנָהּ עַל כָּל לְבֹנָתָהּ וְהִקְטִיר הַכֹּהֵן אֶת אַזְכָּרָתָהּ הַמִּזְבֵּחָה אִשֵּׁה רֵיחַ נִיחֹחַ לַה׳.

When a person offers a meal-offering to HASHEM, his offering shall be of fine flour; he shall pour oil upon it and place frankincense upon it. He shall bring it to the sons of Aaron, the Kohanim, one of whom shall scoop his threefingersful from it, from its fine flour and from its oil, as well as all its frankincense; and the Kohen shall cause its memorial portion to go up in smoke upon the Altar — a fire-offering, a satisfying aroma to HASHEM (2:1-2).

§1 וְנֶפֶשׁ כִּי תַקְרִיב . . . מִנְחָה — *WHEN A PERSON OFFERS A MEAL-OFFERING, ETC.*

The Midrash cites a series of expositions of a verse from *Ecclesiastes,* the last one of which is relevant to our present verse: **רַבִּי יִצְחָק פָּתַח — R' Yitzchak opened** his discourse of our verse by citing the following verse: **"טוֹב מְלֹא כַף נָחַת מִמְּלֹא חָפְנַיִם עָמָל וּרְעוּת רוּחַ" — *Better is one handful of pleasantness than two fistfuls of toil and vexation*[1] *of the spirit*** (*Ecclesiastes* 4:6).

The first exposition of the verse:[2]

טוֹב מִי שֶׁשּׁוֹנֶה שְׁנֵי סְדָרִים וְרָגִיל בָּהֶם — This means: Better is one who studies two Orders of the Mishnah[3] **and is familiar with them מִמִּי שֶׁשּׁוֹנֶה הֲלָכוֹת וְאֵינוֹ רָגִיל בָּהֶם — than one who studies** all the **Mishnayos**[4] **and is not familiar with them,**[5] **אֶלָּא "וּרְעוּת רוּחַ", רְעוּתֵיהּ דְּמִיתְקְרֵי בַּר הִילְכָן — but** learns them only because it is ***the desire of the spirit,*** i.e., because **it is his desire to** gain recognition and **be called "master of Mishnayos"** by impressionable people.[6] **טוֹב מִי שֶׁשּׁוֹנֶה הֲלָכוֹת וְרָגִיל בָּהֶם — Similarly, better is one who studies** all the **Mishnayos and is familiar with them מִמִּי שֶׁהוּא שׁוֹנֶה הֲלָכוֹת וּמִדּוֹת וְאֵינוֹ רָגִיל בָּהֶם — than one who studies** all the **Mishnayos and** also **Baraisas**[7] **and is not familiar with them, אֶלָּא "וּרְעוּת רוּחַ", רְעוּתֵיהּ דְּמִתְקְרֵי בַּר מְכִילָאן — but** learns them only because it is ***the desire of the spirit,*** i.e., because **it is his desire to** gain recognition and **be called "master of Baraisas"** by impressionable people. **טוֹב מִי שֶׁהוּא שׁוֹנֶה הֲלָכוֹת וּמִדּוֹת וְרָגִיל בָּהֶם** — Similarly, **better is one who studies** all the **Mishnayos and** also **Baraisos, and is familiar with them, מִמִּי שֶׁהוּא שׁוֹנֶה הֲלָכוֹת וּמִדּוֹת וְתַלְמוּד וְאֵינוֹ רָגִיל בָּהֶם — than one who studies** all the **Mishnayos and** also **Baraisos and** also **Talmud**[8] **and is not familiar with them, אֶלָּא "וּרְעוּת רוּחַ", רְעוּתֵיהּ דְּמִתְקְרֵי בַּר אוּלְפָּן — but** learns them only because it is ***the desire of the spirit,*** i.e., because **it is his desire to** gain recognition and **be called "master of Talmud"**[9] by impressionable people.

The second exposition of the *Ecclesiastes* verse:

טוֹב מִי שֶׁיֵּשׁ לוֹ עֲשָׂרָה זְהוּבִים וְנוֹשֵׂא וְנוֹתֵן וּמִתְפַּרְנֵס בָּהֶן — Alternatively, the verse means: **Better is one who has** only **ten gold coins and does business and earns a livelihood with them מִמִּי שֶׁהוֹלֵךְ וְלֹוֶה בְּרִבִּית — than one who goes and borrows on interest** (e.g., from a non-Jew) a larger amount of money with which to do business.[10] **בְּמַתְלָא אָמְרִין דְּיוֹזֵיף בְּרִיבִּיתָא מְאַבֵּד דִּילֵיהּ וּדְלָא דִּילֵיהּ — As they say in a proverb, "One who borrows with interest**[11] **will lose both his own and that which is not his."**[12] **אֶלָּא, "וּרְעוּת רוּחַ", רְעוּתֵיהּ דְּמִתְקְרֵי פְּרַגְמַטְיוֹטָא** — He knows he would be better off refraining from borrowing the money, **but** he does so because it is ***the desire of the spirit,*** i.e., because **it is his desire to** gain recognition and **be called "businessman."**

The third exposition:

טוֹב מִי שֶׁהוֹלֵךְ וּפוֹעֵל וְעוֹשֶׂה צְדָקָה מִשֶּׁלּוֹ — Alternatively, the verse means: Better is one who goes and gives charity with his own money **מִמִּי שֶׁהוֹלֵךְ וְגוֹזֵל וְחוֹמֵס וְנוֹתֵן צְדָקָה מִשֶּׁל אֲחֵרִים — than one who goes and steals and extorts** money **and** then **gives charity from** that which belongs to **others.**[13]

NOTES

1. This is the usual translation given for the word רְעוּת; the Midrash will interpret it as "desire," which is its meaning in Aramaic (see *Targum Onkelos* on *Deuteronomy* 12:15,18:6, et al.).

2. These expositions are mentioned here tangentially; R' Yitzchak's own interpretation of the verse is cited only at the end of the section.

3. The Mishnah is comprised of six "Orders."

4. The word הֲלָכוֹת refers to Mishnayos (see *Aruch* s.v. הלך; *Rashi* to *Sotah* 22a s.v. הלכות); here, where it is contrasted with "two Orders of Mishnah," it indicates the entire body of Mishnayos (*Yefeh To'ar*).

5. The Midrash mentions several gradual steps involved in the study of the Oral Law, cautioning the student not to go beyond his level of proficiency just to look impressive to others. [Study of the written Scriptures is not mentioned, because a person would in any event not receive much recognition for knowledge in this field (*Yefeh To'ar*).]

6. The verse in *Ecclesiastes* associates such an approach to study with *two fistfuls of toil,* because the person's unfamiliarity with the content of what he has studied causes him hardship and toil when he attempts to review the material. In contrast, the one who studies only two Orders of Mishnah and learns them well will experience a *handful of pleasantness* when he sits down to review his studies (*Eitz Yosef*, from *Yefeh To'ar*).

7. The Hebrew word מִדּוֹת (singular form, מִדָּה) is a literal translation of the Aramaic word מְכִילָן (or מְכִילָתָא; singular form, מְכִילָא or מְכִילְתָּא). The word מְכִילְתָּא (and מִדָּה) literally means "a set measure," but in Talmudic study it refers to a Baraisa (or collection of Baraisas); see *Matnos Kehunah* and *Aruch*, s.v. מכל. [*Rashi* and other Talmudic commentators sometimes use מְכִילְתָּא interchangeably with מַסֶּכְתָּא, a Talmudic tractate.] The study of Baraisos is the next step — after mastery of the Mishnah — in acquiring knowledge of the Oral Law.

Yefeh To'ar (followed by *Eitz Yosef*), however, interprets מִדּוֹת here to be referring to a study of the hermeneutic principles (מִדּוֹת) used in deriving laws from the Torah.

8. Although today we refer to the Gemara as "Talmud," the word was used in pre-Gemara times to refer to interpretation of the Mishnah, resolution of contradictions between Mishnayos, recognizing laws implicit in their text, etc. (see *Bava Metzia* 33a, with *Rashi* s.v. גמרא; ibid. 33b with *Rashi* s.v. הוי זהיר; *Berachos* 5a with *Rashi* s.v. זה גמרא; *Rashi* to *Yoma* 86a s.v. ומשמש; *Rashi* to *Kiddushin* 30a s.v. גמרא, etc.). [Note: In most of these citations, the original word תַּלְמוּד has been replaced with גְּמָרָא, for reasons of censorship. (In 1564 a papal edict banned the word "Talmud" from all Hebrew books, though in some instances — as here, in our Midrash — it eluded the censor's notice.)]

9. The word אוּלְפָּן is a direct Aramaic translation of the Hebrew תַּלְמוּד, meaning, literally, "study."

10. The Midrash is speaking of someone who invests in a risky business, which, with a bit of wisdom, he would have known to avoid (*Yefeh To'ar*). He is associated with *two fistfuls of toil* because of the hardship he causes himself and the lender, as the Midrash goes on to expound (*Eitz Yosef*). In contrast, the one who invests only his own money, meager though it may be, is more likely to succeed, thereby experiencing a *handful of pleasantness.*

11. For a risky investment, as above.

12. In addition to losing his own money he will not be able to pay back the lender.

13. The Midrash is surely not referring to one who simply steals money from others in order to give to the poor, for there would be no need for the verse in *Ecclesiastes* to tell us that it is better to give charity from one's own money than to steal! Rather, the Midrash is referring to a case in which the needs of the poor are in excess of what he himself is able to give them, in which case the Torah grants the court the right to compel those who can afford it to provide for the needs of the poor. However, instead of going through the courts, this person chooses to steal from these well-to-do individuals and give their money to the poor himself.

פרשה ג

א [ב, א] **"וְנֶפֶשׁ כִּי תַקְרִיב ... מִנְחָה", רַבִּי יִצְחָק** [א]**פָּתַח:** (קהלת ד, ו) **"טוֹב מְלֹא כַף נַחַת מִמְּלֹא חָפְנַיִם עָמָל וּרְעוּת רוּחַ", טוֹב מִי שֶׁשּׁוֹנֶה שְׁנֵי סְדָרִים וְרָגִיל בָּהֶם מִמִּי שֶׁשּׁוֹנֶה הֲלָכוֹת וְאֵינוֹ רָגִיל בָּהֶם, אֶלָּא "וּרְעוּת רוּחַ", רְעוּתֵיהּ דְּמִתְקְרֵי בַּר הִילְכָן, טוֹב מִי שֶׁשּׁוֹנֶה הֲלָכוֹת וְרָגִיל בָּהֶם מִמִּי שֶׁהוּא שׁוֹנֶה הֲלָכוֹת וּמִדּוֹת וְאֵינוֹ רָגִיל בָּהֶם, אֶלָּא "וּרְעוּת רוּחַ", רְעוּתֵיהּ דְּמִתְקְרֵי בַּר מְכִילָאן, טוֹב מִי שֶׁהוּא שׁוֹנֶה הֲלָכוֹת וּמִדּוֹת וְרָגִיל בָּהֶם מִמִּי שֶׁהוּא שׁוֹנֶה הֲלָכוֹת וּמִדּוֹת וְתַלְמוּד וְאֵינוֹ רָגִיל בָּהֶם, אֶלָּא "וּרְעוּת רוּחַ", רְעוּתֵיהּ דְּמִתְקְרֵי בַּר אוּלְפָן, טוֹב מִי שֶׁיֵּשׁ לוֹ עֲשָׂרָה זְהוּבִים וְנוֹשֵׂא וְנוֹתֵן וּמִתְפַּרְנֵס בָּהֶן מִמִּי שֶׁהוֹלֵךְ וְלֹוֶה בְּרִבִּית, בְּמַתְלָא אָמְרִין: דְּיוֹזִיף בְּרִיבִּיתָא מְאַבֵּד דִּילֵיהּ וּדְלָא דִּילֵיהּ, אֶלָּא "וּרְעוּת רוּחַ", רְעוּתֵיהּ דְּמִתְקְרֵי פְּרַגְמַטְיוּטָא, טוֹב מִי שֶׁהוֹלֵךְ וּפוֹעֵל וְעוֹשֶׂה צְדָקָה מִשֶּׁלּוֹ מִמִּי שֶׁהוֹלֵךְ וְגוֹזֵל וְחוֹמֵס וְנוֹתֵן צְדָקָה מִשֶּׁל אֲחֵרִים, בְּמַתְלָא אָמְרִין: גְּיִיפָא בְּחַזּוּרִין וּמְפַלְּגָא לְבִישָׁא, אֶלָּא "וּרְעוּת רוּחַ", רְעוּתֵיהּ דְּמִתְקְרֵי בַּר מִצְוָתָא, טוֹב מִי שֶׁיֵּשׁ לוֹ גִּינָּה וּמְזַבְּלָהּ וּמְעַדְּרָהּ וּמִתְפַּרְנֵס מִמֶּנָּה מִמִּי שֶׁהוּא נוֹטֵל גִּנּוֹת שֶׁל אֲחֵרִים בְּמֶחֱצָה, בְּמַתְלָא אָמְרִין: דְּאָגַר גִּינָּה אָכֵל צִפְּרִין דְּאָגַר גִּינִּין צִפְּרִין אָכְלִין לֵיהּ.**

עץ יוסף

(א) רבי יצחק פתח טוב כו'. דקשיא ליה מה שנא דכתיב הכא נפש, ולא קאמר אדם כי יקריב כדקאמר לעיל, להכי בעי לתרוצי דמשום דליכא בהא לכפרה, כתיב בה נפש, לומר שזו יקבל הקדוש ברוך הוא ברצון ונפש תפלה, שנפש לשון רצון וחפץ כמו (בראשית כג, ח) אם יש את נפשכם, ויומז שה' יקבל מנחתו ברצון גמור אפילו טפי מקטרת יום הכיפורים, מפני שליכא בהא לכפרה, ומשום דסמיך הא מילתא דחביבה מנחה אטוב מלא כף נחת, מייתי קרא הכא, ומכיון דמייתי ליה, מפרש ליה ברישא בכמה אנפי אחריני כדרך המדרש: **טוב מי ששונה שני סדרים כו'.** סדר הלימוד בתחלה סדרי משנה שהם הענייניים הכללים מתורה שבעל פה, ואחר כך הי"ג מדות שהתורה נדרשת בהם, והיא הידיעה הדקה ההגיונית לדעת מקור ההקדמות מאין יומשכו על ידי הקישים אמיתים, ואחר כך התלמוד הוא הלמוד בסברותיהם להבדיל דבר מדבר בטעמיה ולהדמות דבר לדבר, שזהו עיקר הלימוד והידיעה האמיתית. והנה אמר שיותר טוב ללמוד כסדר עד שיהיה רגיל ובקי בהם, מלילך להלאה ולא יהיה בקי בראשונות: **שני סדרים כו'.** קרי לשני סדרים שרגיל כף נחת, שעל ידי רגילתו בהם יש לו נחת רוח, וקרי לרבוי ההלכות הבלתי רגילות חפנים עמל, שעל ידי שאינו רגיל בהם הוי ליה עמל מכאוב כשחוזר עליהם. וקאמר ורעות רוח, לומר שאין לו הנאה מזה אלא דמיון רוח, שחפץ שיקרא בעל משניות, ועל דרך זה שאר הפירושים: **ממי ששונה ההלכות.** משניות וברייתות, ושני סדרים דקאמר נמי סדרי משנה, אלא דשונה הלכות היינו כל ששת סדרי: **מתקריא בר הילכן.** פירוש בעל הלכות, שאף על פי שאינו רגיל בהם, מפני ששונה בהם יקראוהו בעל משניות כשיראוהו עוסק בכולם: **ומדות.** רצה לומר היינו הי"ג מדות שהתורה נדרשת בהם, והם ספרא, וספרי, הנדרשים בי"ג מדות: **בר מכילאן.** פירוש שבקי בספרא וספרי, שנדרשות בי"ג מדות: **ותלמוד.** היינו תירוץ המשנה, שעל ידי כן פוסקים הלכה למעשה: **בר אולפן.** כלומר, מורה הוראות: **ולוה בריבית.** כדי להרבות בסחורה, וקרי ליה עמל, מפני שהוא קרוב להפסד, כי כן דרך מלוים בריבית: **במתלא אמרין כו'.** במשל אומרים, מי שלוה בריבית הרבה מעות כדי שישא ויתן בעסק רב, מאבד את שלו ושאינו שלו, פירוש של הלוה ושל המלוה: **פרגמטיוטא.** סוחר עוסק בפרקמטיא: **טוב מי שהולך כו'.** קשה, פשיטא דהצדקה מן הגזל שלא תועיל לו כלל, ואדרבה היא לו לקטרוג. ויש לומר דהכא עסקינן דקיימי עניים הצריכים לצדקה מרובה וזה אין לו כדי שיתן די מחסורם, ויש עשיר שיכול ליתן ואינו רוצה, ומאחר שהדין לכופו שיתן, הולך זה וגוזל ממנו ממון לתת לצדקה, ואפילו הכי קאמר שטוב לתת מעט משלו, משיקח מאחרים בדרך גזל וחמס, דנהי דמותר לכופו שיתן לצדקה, אבל זה שבא לידך בדרך גזל, כלוקח לעצמו גזל הוי, וזה דומה לנואפת בחזורין [פירוש בתפוחים שלוקחת בשכרה] שאף שכוונתה להחלות לחולה [בהתפוחים], אסור לעשות על ידי ניאוף: **בר מצוותא.** בן עושה מצות, וסתם מצוה בספר הוא לצדקה (מתנות כהונה): **דאגר גינא.** השוכר גינה אחת אם אין לו משלו, ומסתפק מאותו אחת: **אבל ציפורין.** דרך משל הוא, שיהנה מיגיעו בחיים טובים ונעימים: **דאגר גינין.** מי ששוכר גנות הרבה ולא יכול לעבדם היטב, **צפרין אכלין ליה,** כלומר יאבד את כל אשר לו, או פירושו שיחנק מרוב צרה, ויאכלו אותו הציפורים:

פירוש מהרז"ו

(א) רעותיה. רעות, בלשון ארמית רצון, רעות, וזהו רעותיה פירוש רצונו: **הלכות ומדות.** כי במשנה נשנו הלכות בקיצור בלא דרשות המדות, אך במכילתא ותורת כהנים וספרי, נשנו ההלכות בפלפול המדות: **דאגר גינה אבל צפרין.** מי ששוכר גינה אחת ושומרה היטב שלא יאכלו הצפרים את הפירות, ואת הצפרים הבאים לודה אותם ואוכלם, אך מי ששוכר גינות הרבה ולא יוכל לשמרם כולם, הצפרים אוכלים כל פירותיו ולא יוכל לצודם:

מתנות כהונה

[א] רעותיה דמתקרי בר הילכן. רצונו שיקראו אותו בן הלכות, כלומר יודע הרבה הלכות. ובמדרש קהלת מוסיף עליו עוד, ועיין שם: **דמתקרי בר מכילאן.** פירוש מדות. תרגום של מדה מכילא, ובערוך ערך מד, פירש מכילתין, ברייתות: **בר אולפן.** בן תורה, שבקי בכל: **במתלא.** אמרין במשל אומרין הבריות כן: **דיזוף בריביתא וכו'.** מי שלוה הרבה מעות ברבית, כדי שישא ויתן בעסק רב, מאבד את שלו ושאינו שלו, פירוש של הלוה ושל המלוה, כמו שאמרו חז"ל (סוכה כט, ב) שבעון רבית נכסי בעלי בתים יורדין לטמיון, ובמדרש קהלת הגירסא באופן אחר: **פרגמטיוטא.** סוחר עוסק בפרקמטיא: **גייפא בחזורין כו'.** היא מזנה בתפוחים, או כפתורים ומחלקת לחולים דרך צדקה, לא תנאף (שמות כ, יב), תרגם אונקלוס לא תיגוף: **בר מצוותא.** פירוש בן עושה מצות, וסתם מצוה בספר זה, הוא לצדקה: **דאגר גינה.** השוכר גינה אחת, אם אין לו משלו ומסתפק מאותו אחת. [טוב] ממה שישכור גינות הרבה, ולא יכול לעבדם היטב: **אבל ציפורין.** דרך משל הוא, שיהנה מיגיעו בחיים טובים ונעימים: **צפרין אכלין ליה.** גרסינן, כלומר יאבד את כל אשר לו וטובה לא יראה, או שיחנק מרוב צרה ויאכלו אותו הצפרין. ובבראשית רבה פרשה פ"ב, וכן לקמן בקהלת גרס, טוב מי ששוכר גינה אחת וכו', ממי ששוכר גינות הרבה וביירן, מתלא אמר דאגר גינה אכל צפרין, דאגר גינאין אכלין ליה צפרין. וביירן פירושו הניח אותו ריק ובור, כמו אם אוביר ולא אעביד (בבא מציעא קד, א):

אשד הנחלים

[א] שני סדרים כו'. סדר הלמוד, בתחילה סדרי משנה, שהם העניינים הכללים מתורה שבעל פה, ואחר כך ההלכות כולם, והם הפרטים כולם הנמשכים מהדינין הכוללים, אך המה כולם בלי ידיעת מוצאן ומובאן מאין נלמד, ואחר כך השלש עשרה מדות שהתורה נדרשת בהם, והיא הידיעה הדקה ההגיונית, לדעת מקור ההקדמות מאין יומשכו על ידי היקשים אמיתים, ואחר כך התלמוד הוא הלמוד בסברותיהן, להבדיל דבר מדבר בטעמיה ולהדמות דבר לדבר, שזהו עיקר הלימוד והידיעה האמיתית. והנה אמר שיותר טוב ללמוד כסדר עד שיהיה רגיל ובקי בהם, מלילך להלאה ולא יהיה בקי בראשונות. ודרש על דרך הרמז דהרי זה כמו שאוסף מלא חפנים, שזה קרוב להתפזר מבין ידיו המלאות, ורק רעות רוחו ורצונו הביאו לזה שלמד בלי תועלת, ורק למען אהבת השם שיאמרו עליו שהוא בר הילכן: **מכילאן.** הוא לימוד המכילתות המיוסד על לימוד המדות כנודע. וכן דרש על הענין והמסחר והעסק במשא ומתן: **גייפא.** עיין מתנות כהונה:

חידושי הרד"ל

[א] ומדות. עיקר הפירוש שהוא מדרשי התורה ספרא וספרי הנדרשין בי"ג מדות, וכן יתפרש מה שאמר רבי שמעון בן יוחאי לתלמידיו (גיטין סז, א), שנו מדותי, שהיינו מדרשי התורה שחיבר רבי שמעון בן יוחאי, כמו ספרי, דסתמיה כרבי שמעון (סנהדרין פו, א). וכן חיבר על כל התורה ולא בא לידינו. והרמב"ן בפירוש להתורה הביא בכמה מקומות מכילתא דרבי שמעון בן יוחאי, לספר שמות: **גייפא בחזורין.** שמות רבה סוף פרשה ל"א (סימן יז): **במחצה במתלא. אמר כו'.** גירסת המתנות כהונה במחצה ומביירן, וכן הוא בקהלת רבה (פרשה ד, [ו] א):

חידושי הרש"ש

[א] מי ששונה שני סדרים. נראה דצריך לומר ששה:

אמרי יושר

[א] מי ששונה הלכות ומדות. פירושו בערך מדרשות, כמו מכילתא ומרגלן בפיו:

שינוי נוסחאות

(א) צפרין אכלין ליה. הגיה מ"כ דצ"ל "לה" (כן הוא בדפוסים ישנים של מ"כ, אבל היום כבר נשתבש) ר"ל דקאי על השדה, ואח"כ פירש פירוש אחר דקאי על האיש ולפי"ז גרסינן "ליה":

מסורת המדרש

א. ילקוט נ"ך רמז תתקע"ח:

אם למקרא

טוֹב מְלֹא כַף נָחַת מִמְּלֹא חָפְנַיִם עָמָל וּרְעוּת רוּחַ: (קהלת ד:ו)

ידי משה

[א] טוב מי ששונה שתי סדרים. מה שלא אמר מי שקורא מקרא ורגיל בהם, לפי שאמרו חכמינו ז"ל בבבא מציעא (לג, א), מקרא מדה ואינו מדה, ולא מצי למימר רעותיה דמתקרי בי בר קרא, שאין בזה שום תפארת לו:

באור מהרי"פ

[א] שהוא שונה הלכות ומדות. זה לשון הערוך ערך חד א' בסופו, בריש ויקרא רבה טוב מלא כף נחת, טוב מי הוא שונה הלכות ומדות ורגיל, ממי שהוא שונה הלכות ומדות ותלמוד ואינו רגיל. פירוש טוב מי משנה משניות ומכילתות כלומר מדרשות כגון מכילתא ומרגילן בפיו עד כאן. ובערך מכלא, זה לשונו, ורעותיה מתקרי בר מכילאן, פירוש מכילתא ברייתא שהיה בה טעמי התנאים. רבינו נסים ז"ל פירש מכילתא מגילתא, גימל בבית מתחלפין, כמו (יחזקאל כז, כד) מכורותיך, מגורותיך. פירוש אחר מכילתא מדה, כדמתרגמינן (ויקרא יט, לה) במשורה (במדה) (במכילתא), וגרסי בני מערבא במסכתא (שבועות) [נ"ל שביעית] בפרק אחרון (סוף פ"ב) חד בר נש דתני חדא מיכלא, [פירוש] מסכת אחת דהיינו מכילתא, אי נמי דהיינו מדת חכמה אחת מהחכמות דהיינו מכילתא עכ"ל הערוך. אמר הכותב מה שאמר הירושלמי בשבועות ירושלמי של מסכת שבועות ליתא גבאי, אבל מצאתי (וירושלמי מכות פרק אלו הן הגולין [פ"ב] הלכה ו) אמר אביי תלמיד חכם צריך לפרסם עצמו, היך בר נש דתנא חדא מיכל ואזל לאתר ואינון מייקרין ליה כד הוא חכם תרין מיכלין, צריך למר לון חדא מיכלא אנא חכם עכ"ל:

בְּמַתְלָא אָמְרִין: גָּיְיפָא בְּחִזּוּרִין וּמְפַלְּגָא לְבִישָׁא — As **they say in a proverb, "She acts promiscuously** in return **for apples and** then **distributes them to the sick."**[14] אֶלָּא "וּרְעוּת רוּחַ", רְעוּתֵיהּ דְּמִתְקְרֵי בַּר מִצְוָותָא — He knows it is wrong to steal, **but** he does so because it is ***the desire of the spirit,*** i.e., because **it is his desire to** gain recognition and **be called "a charitable person."**[15]

The fourth exposition:

טוֹב מִי שֶׁיֵּשׁ לוֹ גִּינָּה וּמְזַבְּלָהּ וּמְעַדְּרָהּ וּמִתְפַּרְנֵס מִמֶּנָּה — Alternatively, the verse means: **Better is one who has a field**[16] of his own **and fertilizes and hoes it, and** thereby **earns a livelihood from it,** מִמִּי שֶׁהוּא נוֹטֵל גַּנּוֹת שֶׁל אֲחֵרִים בְּמֶחֱצָה — **than one who takes on** several **fields of others** by working as a sharecropper in return **for half** the produce that grows.[17] בְּמַתְלָא אָמְרִין: דְּאָגַר גִּינָּה אָכֵל צִפֳּרִין — As **they say in a proverb, "He who rents a** single **field,**[18] and suffices with his share of crops from it, will **eat birds** (poultry);[19] דְּאָגַר גִּינִּין צִפֳּרִין אָכְלִין לֵיהּ — **he who rents** many **fields,** the **birds will eat him!"**[20]

NOTES

It is in such a case that the *Ecclesiastes* verse teaches that it is still better to give what little money he has of his own to the poor rather than supplementing it with money stolen from the rich. Although technically the rich are obligated to provide the remaining amount that is needed for the poor, given that this amount was extracted from them by means of thievery, it is considered as if he stole it for himself (*Eitz Yosef*).

It is possible that according to this interpretation the word עָמָל in the *Ecclesiastes* verse is not interpreted to mean "toil," but "iniquity," which is another common meaning of this word (see *Isaiah* 54:9, *Psalms* 55:11, etc.).

14. Her noble intentions do not vindicate her promiscuous behavior (*Eitz Yosef*); the ends do not justify the means.

15. Literally, "one who performs mitzvos"; in the language of the Midrash, the word מִצְוָה is often used to refer specifically to charity (*Matnos Kehunah, Eitz Yosef*).

Accordingly, the above verse is teaching that a *handful of pleasantness,* i.e., the little amount that one gives from his own to charity which does not involve any illicit behavior on his part, is better than *two fistfuls of toil,* i.e., than giving a greater amount to charity by unlawfully laboring to steal from others.

16. Lit., *garden;* the word is used to denote a small field where vegetables are grown.

17. He hires himself out as a worker in several fields belonging to other people, thus overextending himself. He will ultimately not be able to keep up with his *two fistfuls of toil* and will gain nothing.

18. The proverb speaks of a person who has no field of his own and has no choice but to rent a field from someone else (*Eitz Yosef*).

19. I.e., he will enjoy a good and pleasant life (ibid.).

20. I.e., he will end up withering away from anguish, ultimately dying and being consumed by the birds. Alternatively: The word לֵיהּ should be changed to לָהּ, and the phrase would then mean, "the birds will eat it," referring to the field. Because he will not be able to guard the fields adequately, the birds will eat everything that grows in them and he will have nothing. (Both explanations are found in *Matnos Kehunah*, but in some editions of *Matnos Kehunah* the text is corrupted, so that the second explanation is unclear.)

(א) **רבי יצחק פתח טוב כו'.** דקשיא ליה מה שנא דכתיב הכא נפש, ולא קאמר אדם כי יקריב כדקאמר לעיל, להכי בעי לתרוצי דמשום דאיירי באה לכפרה, כתיב בה נפש, לומר שזו יקבל הקדוש ברוך הוא ברצון ונפש חפצה, שנפש לשון רצון וחפץ כמו (בראשית כג, ח) אם יש את נפשכם, וירמוז שה' יקבל מנחתו ברצון גמור אפילו טפי מקטרת יום הכיפורים, מפני שאינה באה לכפרה, ומשום דסמיך הא מילתא דחביבה מנחה אטוב מלא כף נחת, מייתי קרא הכא, ומכיון דמייתי ליה, מפרש ליה ברישא בכמה אנפי אחריני כדרך המדרש: **טוב מי ששונה שני סדרים כו'.** סדר הלימוד בתחלה סדרי משנה שהם הענינים הכללים מתורה שבעל פה, ואחר כך הי"ג מדות שהתורה נדרשת בהם, והיא הידיעה הדקה ההגיונית לדעת מקור ההקדמות מאין יומשכו על ידי הקישים אמיתים, ואחר כך התלמוד הוא הלמוד בסברותיהם להבדיל דבר מדבר בטעמיה ולהדמות דבר לדבר, שזהו עיקר הלימוד והידיעה האמיתית. והנה אמר שיותר טוב ללמוד כסדר עד שיהיה רגיל ובקי בהם, מלילך להלאה ולא יהיה בקי בראשונות: **שני סדרים כו'.** קרי לשני סדרים שרגיל כף נחת, שעל ידי רגילתו בהם יש לו נחת רוח, וקרי לרבוי ההלכות הבלתי רגילות חפנים עמל, שעל ידי שאינו רגיל בהם הוי ליה עמל מכאוב כשחוזר עליהם. וקאמר ורעות רוח, לומר שאין לו הנאה מזה אלא דמיון רוח, שחפץ שיקרא בעל משניות, ועל דרך זה שאר הפירושים: **ממי ששונה ההלכות.** משניות וברייתות, ושני סדרים דקאמר נמי סדרי משנה, אלא דשונה הלכות היינו כל שתא סדרי: **מתקריא בר הילכן.** פירוש בעל הלכות, שאף על פי שאינו רגיל בהם, מפני ששונה בהם יקראוהו בעל משניות כשיראוהו עוסק בכולם: **ומדות.** רצה לומר היינו הי"ג מדות שהתורה נדרשת בהם, והם ספרא, וספרי, הנדרשים בי"ג מדות: **בר מיכלאן.** פירוש שבקי בספרא וספרי, שנדרשות בי"ג מדות: **ותלמוד.** היינו תירוץ המשנה, שעל ידי כן פוסקים הלכה למעשה: **בר אולפן.** כלומר, מורה הוראות: **ולוה בריבית.** כדי להרבות בסחורה, וקרי ליה עמל, מפני שהוא קרוב להפסד, כי כן דרך מלוים בריבית: **במתלא אמרין כו'.** במשל אומרים, מי שלוה בריבית הרבה מעות כדי שישא ויתן בעסק רב, מאבד את שלו ושאינו שלו, פירוש של הלוה ושל המלוה: **פרגמטיוטא.** סוחר עוסק בפרקמטיא: **טוב מי שהולך כו'.** קשה, פשיטא דהצדקה מן הגזל שלא תועיל לו כלל, ואדרבא היא לו לקטרוג. ויש לומר דהכא עסקינן דקיימי עניים הצריכים לצדקה מרובה, וזה אין לו כדי שיתן די מחסורם, ויש עשיר שיכול ליתן ואינו רוצה, ומאחר שהדין לכופו שיתן, הולך זה וגוזל ממנו ממון לתת לצדקה, ואפילו הכי קאמר שטוב לתת מעט משלו, משיקח מאחרים בדרך גזל וחמס, דנהי דמותר לכופו שיתן לצדקה, אבל זה שבא לידך בדרך גזל, כלוקח לעצמו גזל הוי, וזה דומה לנואפת בחזורין [פירוש בתפוחים שלוקחת בשכרה] שאף שכוונתה להנות לחולה [בהתפוחים], אסור לעשות על ידי ניאוף: **בר מצוותא.** בן עושה מצות, וסתם מצוה בספר הוא צדקה (מתנות כהונה): **דאגר גינא.** השוכר גינה אחת אם אין לו משלו, ומסתפק מאותו אחת: **אבל ציפורין.** דרך משל הוא, שיהנה מיגיעו בחיים טובים ונעימים: **דאגר גינין.** מי ששוכר גנות הרבה ולא יכול לעבדם היטב, **צפרין אבלין ליה**, כלומר יאבד את כל אשר לו, וטובה לא יראה. או פירושו שיחנק מרוב צרה, ויאכלו אותו הציפורים:

(א) **רעותיה.** רעות, בלשון ארמית רצון, רעוא, וזהו רעותיה פירוש רצונו: **הלכות ומדות.** כי במשנה נשנו הלכות בקיצור בלא דרשות המדות, אך במכילתא ותורת כהנים וספרי, נשנו ההלכות בפלפול המדות: **דאגר גינה אבל צפרין.** מי ששוכר גינה אחת ושומרה היטב שלא יאכלו הצפרים את הפירות, ואת הצפרים הבאים צודה אותם ואוכלם, אך מי ששוכר גינות הרבה ולא יוכל לשמרם כולם, הצפרים אוכלים כל פירותיו ולא יוכל לצודם:

פרשה ג

א [ב, א] **"וְנֶפֶשׁ כִּי תַקְרִיב ... מִנְחָה", רַבִּי יִצְחָק** [א]**פָּתַח:** (קהלת ד, ו) **"טוֹב מְלֹא כַף נַחַת מִמְּלֹא חָפְנַיִם עָמָל וּרְעוּת רוּחַ", טוֹב מִי שֶׁשּׁוֹנֶה שְׁנֵי סְדָרִים וְרָגִיל בָּהֶם מִמִּי שֶׁשּׁוֹנֶה הֲלָכוֹת וְאֵינוֹ רָגִיל בָּהֶם, אֶלָּא "וּרְעוּת רוּחַ", רְעוּתֵיהּ דְּמִיתְקְרֵי בַּר הִילְכָן, טוֹב מִי שֶׁשּׁוֹנֶה הֲלָכוֹת וְרָגִיל בָּהֶם מִמִּי שֶׁהוּא שׁוֹנֶה הֲלָכוֹת וּמִדּוֹת וְאֵינוֹ רָגִיל בָּהֶם, אֶלָּא "וּרְעוּת רוּחַ", רְעוּתֵיהּ דְּמִתְקְרֵי בַּר מְכִילָאן, טוֹב מִי שֶׁהוּא שׁוֹנֶה הֲלָכוֹת וּמִדּוֹת וְרָגִיל בָּהֶם מִמִּי שֶׁהוּא שׁוֹנֶה הֲלָכוֹת וּמִדּוֹת וְתַלְמוּד וְאֵינוֹ רָגִיל בָּהֶם, אֶלָּא "וּרְעוּת רוּחַ", רְעוּתֵיהּ דְּמִתְקְרֵי בַּר אוּלְפָן, טוֹב מִי שֶׁיֵּשׁ לוֹ עֲשָׂרָה זְהוּבִים וְנוֹשֵׂא וְנוֹתֵן וּמִתְפַּרְנֵס בָּהֶן מִמִּי שֶׁהוֹלֵךְ וְלֹוֶה בְּרִבִּית, בְּמַתְלָא אָמְרִין: דְּיוֹזִיף בְּרִיבִּיתָא מְאַבֵּד דִּילֵיהּ וּדְלָא דִילֵיהּ, אֶלָּא "וּרְעוּת רוּחַ", רְעוּתֵיהּ דְּמִתְקְרֵי פְּרַגְמַטְיוּטָא, טוֹב מִי שֶׁהוֹלֵךְ וּפוֹעֵל וְעוֹשֶׂה צְדָקָה מִשֶּׁלּוֹ מִמִּי שֶׁהוֹלֵךְ וְגוֹזֵל וְחוֹמֵס וְנוֹתֵן צְדָקָה מִשֶּׁל אֲחֵרִים, בְּמַתְלָא אָמְרִין: גָּיְיפָא בְּחִזּוּרִין וּמְפַלְּגָא לְבִישָׁא, אֶלָּא "וּרְעוּת רוּחַ", רְעוּתֵיהּ דְּמִתְקְרֵי בַּר מִצְוָותָא, טוֹב מִי שֶׁיֵּשׁ לוֹ גִּינָּה וּמְזַבְּלָהּ וּמְעַדְּרָהּ וּמִתְפַּרְנֵס מִמֶּנָּהּ מִמִּי שֶׁהוּא נוֹטֵל גַּנּוֹת שֶׁל אֲחֵרִים בְּמֶחֱצָה, בְּמַתְלָא אָמְרִין: דְּאָגַר גִּינָּה אָכֵל צִפֲּרִין דְּאָגַר גִּינִּין צִפֲּרִין אָכְלִין לֵיהּ,**

מתנות כהונה

[א] **רעותיה דמתקרי בר הילכין.** רצונו שיקראו אותו בן הלכות, כלומר יודע הרבה הלכות. ובמדרש קהלת מוסיף עליו עוד, ועיין שם: **דמתקרי בר מכילאן.** פירוש מדות. תרגום של מדה מכילא, ובערוך ערך מד, פירש מכילתין, ברייתות: **בר אולפן.** בן תורה, שבקי בכל: **במתלא.** אמרין במשל אומרין הבריות כן: **דיזוף בריביתא וכו'.** מי שלוה הרבה מעות ברבית, כדי שישא ויתן בעסק רב, מאבד את שלו ושאינו שלו, פירוש של הלוה ושל המלוה, כמו שאמרו חז"ל (סוכה כט, ב) שבעון רבית נכסי בעלי בתים יורדין לטמיון, ובמדרש קהלת הגירסא באופן אחר: **פרגמטיוטא.** סוחר עוסק בפרקמטיא: **גייפא בחזורין כו'.** היא תזנה בתפוחים, או כפתורים ומחלקת לחולים דרך צדקה, לא תנאף (שמות כ, יב), תרגם אונקלוס לא תיגוף: **בר מצוותא.** פירוש בן עושה מצות, וסתם מצוה בספר זה, הוא צדקה: **דאגר גינה.** השוכר גינה אחת, אם אין לו משלו ומסתפק מאותו אחת, [טוב] ממה שישכור גינות הרבה, ולא יכול לעבדם היטב: **אבל ציפורין.** דרך משל הוא, שיהנה מיגיעו בחיים טובים ונעימים: **צפרין אבלין ליה.** גרסינן, כלומר יאבד את כל אשר לו וטובה לא יראה, או שיחנק מרוב צרה ויאכלו אותו הצפרין. ובבראשית רבה פרשה פ"ב, וכן לקמן בקהלת גרס, טוב מי ששוכר גינה אחת וכו', ממי ששוכר גינות הרבה ובייצן, מתלא אמר דאגר גינה אכל צפרין, דאגר גינאיין אכלין ליה צפרין. ובייצן פירושו הניח אותו ריק ובור, כמו אם אוביר ולא אעביד (בבא מציעא קד, א):

אשד הנחלים

[א] **שני סדרים כו'.** סדר הלמוד, בתחילה סדרי משנה, שהם העניינים הכללים מתורה שבעל פה, ואחר כך ההלכות כולם, והם הפרטים כולם הנמשכים מהדינין הכוללים, אך המה כולם בלי ידיעת מוצאן ומובאן מאין נלמד, ואחר כך השלש עשרה מדות שהתורה נדרשת בהם, והיא הידיעה הדקה ההגיונית, לדעת מקור ההקדמות מאין יומשכו על ידי היקשים אמיתים, ואחר כך התלמוד הוא הלמוד בסברותיהן, להבדיל דבר מדבר בטעמיה ולהדמות דבר לדבר, שזהו עיקר הלימוד והידיעה האמיתית. והנה אמר שיותר טוב ללמוד כסדר עד שיהיה רגיל ובקי בהם, מלילך להלאה ולא יהיה בקי בראשונות. ודרש על דרך הרמז דהרי זה כמו שאוסף מלא חפנים, שזה קרוב להתפזר מבין ידיו המלאות, ורק רעות רוחו ורצונו הביאו לזה שלמד בלי תועלת, ורק למען אהבת השם שיאמרו עליו שהוא בר הילכן: **מכילאן.** הוא לימוד המכילתות המיוסד על לימוד המדות כנודע. וכן דרש על הענין והמסחר והעסק במשא ומתן: **גייפא.** עיין מתנות כהונה:

חידושי הרד"ל

[א] **ומדות.** עיקר הפירוש שהוא מדרשי התורה ספרא וספרי הנדרשין בי"ג מדות, וכן יתפרש מה שאמר רבי שמעון בן יוחאי לתלמידיו (גיטין סז, א), שנו מדותי, שהיינו מדרשי התורה שחיבר רבי שמעון בן יוחאי, כמו ספרי, דסתמיה כרבי שמעון (סנהדרין פו, א). (וכן חיבר על כל התורה ולא בא לידינו. והרמב"ן בפירוש להתורה הביא בכמה מקומות מכילתא דרבי שמעון בן יוחאי, לספר שמות): **גייפא בחזורין.** שמות רבה סוף פרשה ל"א (סימן יז): **במחצה במתלא. אמר כו'.** גירסת המתנות כהונה במחלה ומבייצן, וכן הוא בקהלת רבה (פרשה ד, [ו] א):

חידושי הרש"ש

[א] **מי ששונה שני סדרים.** נראה דצריך לומר ששה:

אמרי יושר

[א] **מי ששונה הלכות ומדות.** פירושו בערך מדרשות, כעין מכילתא ומרגילן בפיו:

שינוי נוסחאות

(א) **צפרין אבלין ליה.** הגיה מ"כ דצ"ל "לה" (כן הוא בדפוסים ישנים של מ"כ, אבל היום כבר נשתבש) ר"ל דקאי על השדה, ואח"כ פירש פירוש אחר דקאי על האיש ולפי"ז גרסינן "ליה":

מסורת המדרש

א. ילקוט נ"ך רמז תתקע"א:

אם למקרא

טוֹב מְלֹא כַף נָחַת מִמְּלֹא חָפְנַיִם עָמָל וּרְעוּת רוּחַ: (קהלת ד:ו)

ידי משה

[א] **טוב מי ששונה שתי סדרים.** מה שלא אמר מי שקורא מקרא ורגיל בהם, לפי שאמרו חכמינו ז"ל בבבא מציעא (לג, א), מקרא מדה ואינו מדה, ולא מצי למימר רעותיה דמתקרי בר קרא, שאין בזה שום תפארת לו:

באור מהרי"פ

[א] **שהוא שונה הלכות ומדות.** זה לשון הערוך ערך חד א' בסופו, בריש ויקרא רבה טוב מלא כף נחת, טוב מי הוא שונה הלכות ומדות ורגיל, ממי שהוא שונה הלכות ומדות ותלמוד ואינו רגיל. פירוש טוב מי ששונה משניות ומכילתות כלומר מדרשות כעין מכילתא ומרגילן בפיו עד כאן. ובערך מכלא, זה לשונו, ורעותיה מתקרי בר מכילאין, פירוש מכילתא ברייתא שהיא בה טעמי התנאים. רבינו נסים ז"ל פירש מכילתא מגילתא, גימל בבית מתחלפין, כמו (יחזקאל כא, לה) מכורותיך, מגורותיך. פירוש אחר מכילתא מדה, כדמתרגמינן (ויקרא יט, לה) משורה (מדה) [מכילתא], וגרסי בני מערבא במסכתא (שבועות) [נ"ל שביעית] בפרק אחרון (סוף ה"ג) חד בר נש דתני חדא מיכלא, [פירוש] מסכת אחת דהיינו מכילתא, אי נמי דהיינו מדת חכמה אחת מהחכמות דהיינו מכילתא עכ"ל הערוך. אמר הכותב מה שאמר הירושלמי בשבועות ירושלמי של מסכת שבועות ליתא גבאי, אבל מצאתי (ירושלמי מכות פרק אלו הן הגולין [פ"ב הלכה ו]) אמר אביי תלמיד חכם צריך לפרסם עצמו, היך בר נש דהכם חדא מיכל ואזל לאתר ואינון מייקרין ליה כד הוא חכם תרין מיכלין, צריך לומר לון חדא מיכלא אנא חכם עכ"ל:

אֶלָּא "וּרְעוּת רוּחַ", רְעוּתֵיהּ דְּאִתְקְרֵי מָרֵי אַסִיאָן — He knows he would be better off not overextending himself, **but** he does so because it is ***the desire of the spirit***, i.e., because **it is his desire to** gain recognition and **be called an "owner of properties."**

The fifth exposition:

אָמַר רַבִּי בֶּרֶכְיָה: טוֹבָה דְרִיסָה אַחַת שֶׁדָּרַס הַקָּדוֹשׁ בָּרוּךְ הוּא בְּמִצְרַיִם — **R' Berechyah said:** The verse means: **Better was the one tread that the Holy One, blessed is He,** Himself **trod in Egypt,** כְּמָה דְתֵימָא "וְעָבַרְתִּי בְאֶרֶץ מִצְרַיִם בַּלַּיְלָה הַזֶּה" — **as it states,** ***I shall pass through the land of Egypt on this night*** *and I shall strike every firstborn in the land of Egypt* (*Exodus* 12:12),[21] "מִמְּלֹא חָפְנַיִם" פִּיחַ כִּבְשָׁן שֶׁל מֹשֶׁה וְאַהֲרֹן — **than** the **two fistfuls of furnace soot** that were thrown[22] in the air **by Moses and Aaron** to trigger the plague of boils in Egypt.[23] לָמָּה — **In what sense** was it better? שֶׁבָּזֶה הָיְתָה גְאוּלָּה וּבָזֶה לֹא הָיְתָה גְאוּלָּה — **Because as an** immediate **result of [the former act]** the **redemption** of the Israelites from Egypt **occurred,**[24] **whereas** the **redemption did not occur as a result of [the latter act].**[25]

The sixth exposition:

אָמַר רַבִּי חִיָּיא בַּר אַבָּא: "טוֹב מְלֹא כַף נָחַת", זֶה יוֹם הַשַּׁבָּת — **R' Chiya bar Abba said:** ***Better is one handful of pleasantness*** **— this is** a reference **to the Sabbath day,**[26] "מִמְּלֹא חָפְנַיִם עָמָל", אֵלּוּ שֵׁשֶׁת יְמֵי הַמַּעֲשֶׂה — ***than two fistfuls of toil*** **— these are** referring to **the six workdays.**[27] אֶלָּא "וּרְעוּת רוּחַ", רְעוּתֵיהּ לְמֶעְבַּד עֵיבִידְתֵּיהּ בְּהוֹן — **But** nevertheless, a person toils at his work because it is ***the desire of the spirit***, i.e., because **it is his desire to do his work during [the six days of work].**[28] תֵּדַע לְךָ שֶׁכֵּן — **You may know** for a fact **that this is so,**[29] שֶׁאֵין יִשְׂרָאֵל נִגְאָלִין אֶלָּא בִּזְכוּת שַׁבָּת — **for Israel will be redeemed** from exile **only on account of the merit of Sabbath** observance,[30] שֶׁנֶּאֱמַר "בְּשׁוּבָה וָנַחַת תִּוָּשֵׁעוּן" — **as it is stated,** ***In stillness and peacefulness*** (or: *Through reposing and resting*) ***will you be saved*** (*Isaiah* 30:15).[31]

The seventh exposition:

אָמַר רַבִּי יַעֲקֹב בַּר קוֹרְשׁוֹי: "טוֹב מְלֹא כַף נָחַת", זֶה הָעוֹלָם הַבָּא — **R' Yaakov bar Korshoi said:** ***Better is one handful of pleasantness*** **— this is** a reference to **the World to Come,** a world of pleasantness, "מִמְּלֹא חָפְנַיִם עָמָל", זֶה הָעוֹלָם הַזֶּה — ***than two fistfuls of toil*** **— this is a reference to this world,** which is full of toil. אֶלָּא "וּרְעוּת רוּחַ", רְעוּתָא דְּרַשִׁיעַיָּא לְמֶעְבַּד עֲבִידָתְהוֹן בְּעָלְמָא הָדֵין — A bad person knows this, **but** he acts sinfully anyway because it is ***the desire of the spirit***, i.e., because **it is the desire of the wicked to do their** evil **deeds in this world** מֵיסַת מִתְפָּרַע מִנְּהוֹן לְעָלְמָא דְאָתֵי — **in order that [their due] will be collected from them in the World to Come.**[32] כִּדְתְנַן — This is **in accordance with what we learn in a Mishnah:** יָפָה שָׁעָה אַחַת בִּתְשׁוּבָה וּמַעֲשִׂים טוֹבִים בָּעוֹלָם הַזֶּה מִכָּל חַיֵּי הָעוֹלָם הַבָּא — **One moment** spent **in repentance and good deeds in this world is better than an entire lifetime in the World to Come;**[33] וְיָפָה שָׁעָה אַחַת שֶׁל קוֹרַת רוּחַ בָּעוֹלָם הַבָּא מִכָּל חַיֵּי הָעוֹלָם הַזֶּה — **and one moment of satisfaction in the World to Come is better than an entire lifetime** of pleasure **in this world** (*Avos* 4:17).[34]

The eighth exposition:

רַבִּי יִצְחָק פָּתַר קְרָיָא בְּשֵׁבֶט רְאוּבֵן וּבְשֵׁבֶט גָּד — **R' Yitzchak** himself, who opened his discourse on our present verse by citing the *Ecclesiastes* verse, **interpreted this verse** in *Ecclesiastes* **as dealing with the tribe of Reuben and the tribe of Gad:**[35]

NOTES

21. God's "passing through" Egypt (as it were) was thus the act that brought in its wake the plague of the killing of the firstborn. The word כַּף in the *Ecclesiastes* verse is interpreted in the sense of "sole of the foot," and נָחַת is interpreted as being from the root נחת, "to set down" (see *Psalms* 38:3, et al.), alluding to the anthropomorphic illustration of God "setting down His foot" in the land of Egypt.

22. With great strength, hence its description as *two fistfuls of toil* (*Yefeh To'ar*).

23. See *Exodus* 9:8-11.

24. I.e., it was as a direct result of the plague of the killing of the firstborn that Egypt released the Israelites.

25. For the Israelites remained in Egypt even after the plague of boils subsided.

The verse contrasts these two plagues (boils and the killing of the firstborn) specifically because these were the only two plagues that affected the Egyptians in their bodies (*Yefeh To'ar*). And the verse's point (according to this exposition) is that whatever a human being does, even if he exerts great effort, will not be successful unless it is God's will that it be so, and if God does desire a certain outcome He can arrange it through no effort at all on the part of man (*Eshed HaNechalim*). The throwing of the soot is referred to as רְעוּת רוּחַ because by throwing it heavenward, Moses desired (רְעוּת) that the soot should spread out in all directions (רוּחַ) across the land of Egypt (*Eitz Yosef*).

26. The word נָחַת being understood in the sense of "rest."

27. The workdays are called "two fistfuls" in contrast to the "handful" of the Sabbath because there are six of them as opposed to the one day of Sabbath. And the "toil" of the verse is referring to the work that a person engages in on the weekdays. The verse thus proclaims that resting on the Sabbath is better than working for six days. *Yefeh To'ar* explains this as follows: As taught in *Bereishis Rabbah* (11 §1), observing the Sabbath brings a person *material* blessings from God, despite the fact that he is not actually earning anything on that day. The Midrash here is teaching us that this material benefit of Sabbath observance is not an insignificant one, but in fact outweighs the material benefits obtained during the six days when one *does* go to work.

28. It would be far better for a person to spend the *entire* week in spiritual pursuits — contemplating God's ways, studying His Torah, etc. — as on the Sabbath, but alas, this is impossible, for (ever since Adam's sin) it is necessary to toil in order to obtain one's sustenance and to fulfill his physical needs (*Eshed HaNechalim*).

29. I.e., that observing the Sabbath brings great material reward, besides its obvious spiritual benefits (*Yefeh To'ar*).

30. Proving that the merit of Sabbath observance provides material reward as well.

31. The "reposing and resting" is taken as a reference to the Sabbath. (*Maharzu* notes further that the word שׁוּבָה is sometimes used for "Sabbath" in the *Yerushalmi* dialect.)

32. The wicked do not care so much for the true pleasure of the Next World; they are happy to enjoy life sinfully in this world and have their due "deducted" from their portion in the Next World.

33. This world, although it is inferior in pleasantness to the next world (see next sentence), has one advantage over the next world: It is possible to do good deeds and repent from past sins, thus adding more and more to one's share of reward in the hereafter. However, in the next world it is too late for such activities; one can no longer accrue merits and reward.

34. This second half of the Mishnah teaches that as far as enjoyment and satisfaction are concerned, the next world is incomparably superior to this world. This Mishnah is cited to support the assertion made at the beginning of this paragraph that the World to Come is better than this world of toil. It is the latter half of the Mishnah that serves to prove this; the first half is cited only tangentially and is not related to this Midrash (*Eitz Yosef*).

35. These two tribes requested to be given their share of land on the eastern side of the Jordan, where the ample grazing land was most suited for their numerous livestock. Moses granted their request on the condition that they accompany their brethren to the western side of the Jordan to assist them in conquering their territories (see *Numbers* Ch. 32).

אֶלָּא "וּרְעוּת רוּחַ", רְעוּתֵיהּ דְּאִתְקְרֵי מָרֵי אַסְיָאן. אָמַר רַבִּי בֶּרֶכְיָה: טוֹבָה דְרִיסָה אַחַת שֶׁדָּרַס הַקָּדוֹשׁ בָּרוּךְ הוּא בְּמִצְרַיִם, כְּמָה דְתֵימָא (שמות יב, יב) "וְעָבַרְתִּי בְאֶרֶץ מִצְרַיִם בַּלַּיְלָה הַזֶּה", "מִמְּלֹא חָפְנַיִם" פִּיחַ כִּבְשָׁן שֶׁל מֹשֶׁה וְאַהֲרֹן, לָמָּה שֶׁבָּזֶה הָיְתָה גְאוּלָּה וּבָזֶה לֹא הָיְתָה גְאוּלָּה. אָמַר רַבִּי חִיָּיא בַּר אַבָּא: "טוֹב מְלֹא כַף נָחַת", זֶה יוֹם הַשַּׁבָּת, "מִמְּלֹא חָפְנַיִם עָמָל", אֵלּוּ שֵׁשֶׁת יְמֵי הַמַּעֲשֶׂה, אֶלָּא "וּרְעוּת רוּחַ", רְעוּתֵיהּ לְמֶעְבַּד עֲבִידְתֵּיהּ בְּהוֹן, תֵּדַע לָךְ שֶׁכֵּן, שֶׁאֵין יִשְׂרָאֵל נִגְאָלִין אֶלָּא בִּזְכוּת שַׁבָּת, שֶׁנֶּאֱמַר (ישעיה ל, טו) "בְּשׁוּבָה וָנַחַת תִּוָּשֵׁעוּן", אָמַר רַבִּי יַעֲקֹב בַּר קוֹרְשׁוֹי: "טוֹב מְלֹא כַף נָחַת", זֶה הָעוֹלָם הַבָּא, "מִמְּלֹא חָפְנַיִם עָמָל", זֶה הָעוֹלָם הַזֶּה, אֶלָּא "וּרְעוּת רוּחַ", °רְעוּתָא דְּרַשִׁיעָא לְמֶעְבַּד עֲבִידְתְּהוֹן בְּעָלְמָא הָדֵין מִיסַת מִתְפָּרַע מִנְּהוֹן לְעָלְמָא דְאָתֵי, כִּדְתְנַן: יָפָה שָׁעָה אַחַת בִּתְשׁוּבָה וּמַעֲשִׂים טוֹבִים בָּעוֹלָם הַזֶּה מִכָּל חַיֵּי הָעוֹלָם הַבָּא וְיָפָה שָׁעָה אַחַת שֶׁל קוֹרַת רוּחַ בָּעוֹלָם הַבָּא מִכָּל חַיֵּי הָעוֹלָם הַזֶּה (אבות ד, יז). רַבִּי יִצְחָק פָּתַר קְרָיָא [ג]בְּשֵׁבֶט רְאוּבֵן וּבְשֵׁבֶט גָּד:

עץ יוסף

מרי אסיאן. אדון, בעל קרקעות הרבה: **טובה דריסה.** דריס כף, דריסת כף רגלו [של הקדוש ברוך הוא] ונחת לשון ירידה וחניה (יפה תואר): **ממלא חפנים פיח הכבשן.** מה שאחז דווקא במכת השחין, מפני שכל המכות לא שלטו בגופן, כי אם מכת השחין ששלטו בגופן ממש, ועם כל זאת נשארו בחיים, ורק תיכף כשנזדקק להם הקדוש ברוך הוא לבד אז מתו תיכף, ואז היתה גאולה שלימה, וקרי ליה למכת השחין עמל, משום שזרקו משה בכל כחו, ואומר ורעות רוח, ירצה שזרקו באויר להתפשט לכל רוח בגבול: **זה יום השבת.** הכוונה שבשבת אף על פי ששובת ממלאכתו, מרויח יותר ממה שמרויח במלאכתו בימי המעשה, שבזכות שבת מתעשר, כדלעיל בבראשית רבה (יא, א). וכדי שלא יקשה מה שיועיל זכות המלוה אפילו לעולם הזה נוסף על עיקר השכר לעולם הבא, מייתי מה שנגאלין בזכות השבת: **למעבד עבידתיה בהון.** לעשות מלאכתו בהון: **אלא בזכות שבת.** רצה לומר שאף על פי שנגאלין בזכות אחרת לא יועילו אלא [אם] גם כן זכות שבת נמי בהדייהו: **בשובה ונחת תושעון.** לשון שבת ומנוחה: **זה העולם הבא ממלא כו' זה העולם הזה.** הענין כי הרשעים הבלתי מציירים מהו פעולת הנפש והתענגותה וטובה, המה מדמים כי עניני עולם הבא הוא כדבר אין, כי מהו פעולת הנפש מבלעדי הגוף, אבל האמת טובה הנחת במה שהיא אינה פועלת בעניינים ממשיים וגופנים, ממלוא חפנים עמל, פירוש במה שהגוף עמל. ולא די בזה במה שהם עמלים בלי נחת בעולם הזה, עוד להם הפרעון במה שיפרעו בעולם הבא מן מעשיהם הרעים ויהיה להם שמה רעות ושבר רוח, נמצא שרצון הרשעים לעשות מעשיהם בעולם הזה, ויפרעו מהם בעולם הבא גם כן: **מיסת.** פירוש כדי, וכדי בזיון תרגומו מיסת: **כדתנן יפה כו'.** אריישא קאי, דקאמר טוב מלא כף נחת זה העולם הבא, ומייתי מדתנן יפה שעה אחת של קורת רוח כו', ואיידי דמייתי הא, מייתי כולה המתניתין. והרד"ל גרס, זה עולם הזה כדתנן יפה כו' חיי עולם הזה אלא ורעות רוח רעותא דרשיעא כו' בעלמא הדין, ר' יצחק פתר קריא כו': **קורת רוח בעולם הבא.** רצה לומר התענגותם הנפשיי שמקרר רוחו החפיצה להתענג מנועם ה', מכל תענוגי עולם הזה:

פירוש מהרז"ו

מרי אסיאן. אוסיא פירושו שדה וכל המצטרך לה, וכמו שאמרו שמות רבה (כ, יד) עשר אוסיות, פירושו שדות: **נחת זה יום השבת.** כמו שכתוב (איוב לו, טז) ונחת שולחנך מלא דשן, וכתוב בשבת (ישעיה נח, יג) וקראת לשבת עונג, גם פירושו מלשון למען ינוח עבדך וגו' (שמות כג, יב): **בשובה ונחת.** ובלשון הירושלמי קורא לשבת, שובה: **יפה שעה אחת.** אבות (פ"ד משנה כא כב) משנת רבי יעקב, והוא רבי יעקב בר קורשוי הנזכר כאן, והוא רבי יעקב סתם שנזכר במשנה ובברייתא, ובכל דרשות אלו דורש מה שכתב ורעות מלשון רעוה ורצון, שאם הוא מלשון רעה, היה לו לומר ורעת רוח או ורוח רעה, ועל פי מדה ט' דורש בכל דרשה מהו הרעות רוח:

חידושי הרד"ל

טובה דריסה אחת. דרש כף נחת, לשון נוח כף רגלו של המקום כביכול: **שאין ישראל כו'. בזכות שבת.** ירושלמי תענית פ"א סוף ה"א, ועיין שמות רבה (כה, יז): **עמל זה עולם הזה כדתנן** (אבות ד, יז) **יפה כו' מכל חיי עולם הזה, אלא ורעות רוח, רעותא דרשיעא כו' בעלמא הדין, רבי יצחק פתר קריא כו'.** כן צריך לומר:

באור מהרי"פ

יפה שעה אחת וכו' ויפה שעה אחת של קורת רוח וכו'. זה קאי על טוב מלא כף נחת וגו':

מתנות כהונה

מארי אסיאון. אדון בעל קרקעות הרבה: **למעבד עבידתיה בהון.** לעשות מלאכתו בהון: **בשובה ונחת.** לשון שבת ומנוחה: **מיסת מתפרע מנהון כו'.** פירוש כדי שיתפרע מהם לעולם הבא, כי אחר המות אין יכולת בידם לעשות תשובה כדתנן כו': **מיסת.** פירוש כדי, וכדי בזיון, תרגומא מיסת:

אשד הנחלים

טובה דריסה כו'. מה שאחז דווקא במכת השחין, מפני שכל המכות לא שלטו בגופן, כי אם מכת השחין ששלט בגופן ממש, ועם כל זה נשארו בחיים, ורק תיכף כשנזדקק להם ה' ברוך הוא לבד, אז מתו תיכף, ואז היתה הגאולה שלימה. והענין בכללו, הוא נובע לפרטים רבים, להורות ההבדל הגדול בין מעשי ניסים, לפעולות הנעשות על ידי בני אדם, אף שהמה גם כן מעשי ניסים, ועם כל זה אין ביכולתם להשלים הגמר, לבין פעולות ה' בעצמו, שאז בא הגמר והשלימות ברגע אחת. והנה מזה נובע מוסר כללי למתבונן, כמה צריך שיקטן בעיניו עמלו, ולא ידמה כי עמלו הרב יצליחנו במעשיהו, כי באמת יתכן כי מעשה קטנה ובנחת בלי עמל, יצליחנו בהשגחת ה' עליו, ועמלו הרב מלא חפנים יהיה רעות רוח, כי ההשגחה העליונה אם היא מזדקקת לאדם יצליחנו במעט זמן ובמעט עסק. ואם כן שלמה המדבר מפעולות ומעמל האדם נמשך מזה הציור למתבונן, והבן זה מאוד: **זה יום השבת כו' בזכות שבת.** כלומר אלולי חטאו של אדם גרמה לו, לא היה צריך לעמול בזיעת אף, לעבוד עבודתו לצורך מזונו, והיה לו מלא כף נחת בלי עמל מאומה, רק היה עוסק בעבודת ה', ובהתבוננות דרכיו יתברך, כמו שהיתה קודם חטא אדם הראשון, והראיה שעיקר הגאולה יהיה בזכות שבת, על ידי ששובתים מפעולות הזמניות, ומהגה ומחשב רק בעבודת ה'. והנה שלמה מדבר שם איך שהעמל נובע רק מקנאת איש מאת רעהו, המדמים כי רק זהו התכלית הניתן לבני אדם, וזהו פעולותיו בעולמו, ועל זה מסיים מה טוב היה אם היה לו מלא כף נחת, בלי מעשה ועמל מאומה, ממה שהוא עמל עתה ברבוי עניינים הזמניים, והוא רק רעות ושבר רוח בלי תועלת מאומה: **זה עולם הבא כו' עולם הזה כו'.** הענין כי הרשעים הבלתי מציירים מהו פעולת הנפש והתענגותה וטובה, המה מדמים כי ענייני עולם הבא הוא כדבר אין, כי מהו פעולת הנפש מבלעדי הגוף, אבל האמת טובה הנחת במה שהיא אינה פועלת בעניינים ממשיים וגופנים, ממלוא חפנים עמל, במה שהגוף עמל והוא רק רעות רוח שבר רוח דאגה ויגון: **מיסת מתפרע.** זהו פירוש אחר בפירוש ורעות רוח. שפירושו עוד, ממלוא חפנים עמל שהם עמלים בעולם הזה, ולא די בזה במה שהם עמלים בלי נחת בעולם הזה, עוד להם הפרעון במה שיפרעו בעולם הבא מן מעשיהם הרעים, ויהיה להם שמה רעות ושבר רוח: **יפה שעה אחת בתשובה בעולם הזה כו'.** כי פה הוא עולם הבחירה והמעשה, ויכול להפוך נפשו לטובה, אבל בעולם הבא בטלה הבחירה, ואינו יכול להפוך רוחו, כמו שאמרו (עירובין יט, א) הרשעים אפילו על פתחו של גהינם אינם חוזרים. ויש אשר ישובו שמה, והיינו אותן בני אדם שלא נשתקעו ברעה בעולם הזה כל כך ורוחם עודנה טובה, אשר עליהם אמרו שעולות למרום, אבל אינם מניחים אותם, אחר שעתה אין מעשיהם בבחירה כי אם בטבע, כמו שפרשתי ריש במדבר רבא ועיי"ש: **קורת רוח בעולם הבא.** רצה לומר התענגותם הנפשיי שמקרר רוחו החפיצה להתענג מנועם ה', מכל תענוגי עולם הזה. או באורו, כי שמה ההשגה רבה וגדולה ועמוקה עד מאוד, עד שאין ערך להשגת הנפש בעולם הזה להשגתה בעולם הבא, ושמה יכולה להשיגה ברגע אחת, יותר ממה שבעולם הזה תעמול לדעת כל ימי חייה, כי החומר הוא המחיצה הגדולה מאוד מאוד: **בשבט ראובן.** כאלו המלך שלמה לקח ציורו מהם, ממה שראה בימיו שנתרבה המסחר והעסק הרב, מסבת קנאת איש מאת רעהו, ועזבו עבודת האדמה מעשי השקטה. ולקח ציורו משבט ראובן במה שבחרו בעבודת האדמה הפשוטה, אף שהיא אינה מעשרת כל כך, אבל היא בנחת:

מסורת המדרש

ב. תנחומא ויקרא סי' ו':
ג. ילקוט תשפו:

אם למקרא

וְעָבַרְתִּי בְאֶרֶץ מִצְרַיִם בַּלַּיְלָה הַזֶּה וְהִכֵּיתִי כָל בְּכוֹר בְּאֶרֶץ מִצְרַיִם מֵאָדָם וְעַד בְּהֵמָה וּבְכָל אֱלֹהֵי מִצְרַיִם אֶעֱשֶׂה שְׁפָטִים אֲנִי ה': (שמות יב: יב)

כִּי כֹה אָמַר אֲדֹנָי ה' קְדוֹשׁ יִשְׂרָאֵל בְּשׁוּבָה וָנַחַת תִּוָּשֵׁעוּן בְּהַשְׁקֵט וּבְבִטְחָה תִּהְיֶה גְּבוּרַתְכֶם וְלֹא אֲבִיתֶם: (ישעיה ל:טו)

ידי משה

ממלא חפנים פיח בבשן. ומה שהזכיר שלמה מכת שחין, לפי שהיה על ידי הקב"ה ועל ידי משה ואהרן כדאיתא לעיל (שמות רבה יא, ה) ששחין היה על ידי שלשתן, ולזה אמר אף שהיה על ידי שלשתן, מכל מקום לא נגאלו עד מכת בכורות שהיה על ידי הקב"ה בעצמו: **מיסת מתפרע מנהון לעלמא דאתי.** עיין פירוש מתנות כהונה. ולי נראה שהוא לשון דַּיָּן, פירוש שהקב"ה נותן לרשעים שלוה בעולם הזה על קצת מצות שעשו כדי שיענש אותם בעולם הבא. אי נמי יש לומר על דרך שפירש רש"י מסת נדבת ידך, די נדבת ידך הכל לפי הברכה, כך פירש רש"י בפרשת ראה (דברים טז, י), וגם [הכא] הכי פירושו, מיסת פירוש לפי המעשים שעשו הוא מתפרע מנהון. וקל להבין:

שינוי נוסחאות

רעותא דרשיעא למעבד עבידתהון. צ"ל "רעותא דרשיעיא" (ל' רבים), כ"ה בספרים הישנים עד ד' אמשט' ת"א:

בְּשָׁעָה שֶׁנִּכְנְסוּ לָאָרֶץ — When [these two tribes] entered the Land of Israel to fight alongside the other tribes in their conquest of their portions of *Eretz Yisrael*, וְרָאוּ כַּמָּה זֶרַע יֵשׁ בָּהּ כַּמָּה נֶטַע יֵשׁ בָּהּ — **and they saw how much** room **was there** for **sowing** and **how much** room **was there for planting** trees, אָמְרוּ: "טוֹב מְלֹא כַף נָחַת" בָּאָרֶץ הַזֹּאת — **they said,** ***"Better is one handful of pleasantness*** **in this land** west of the Jordan "מִמְּלֹא חָפְנַיִם" בְּעֵבֶר הַיַּרְדֵּן — ***than two fistfuls*** of land **on the other side of the Jordan!"**[36] חָזְרוּ וְאָמְרוּ: לָאו אֲנַן בְּחַרִינַן לָן — Upon reflection, however, **they withdrew** their complaint **and said, "Is it not we** ourselves **who chose** the territory east of the Jordan **for ourselves?"**[37] הֲדָא הוּא דִכְתִיב "יֻתַּן אֶת הָאָרֶץ הַזֹּאת לַעֲבָדֶיךָ" — **As it is written,** *They said, "... let* ***this land be given to your servants*** *as a heritage; do not bring us across the Jordan"* (*Numbers* 32:5). הֲוֵי "וּרְעוּת רוּחַ", רְעוּתֵיהֶן הֲוַות — **Thus** the *Ecclesiastes* verse concludes, ***and the desire of the spirit,*** meaning that **it was** by **their** own **desire** that they received their portions in the land across the Jordan.

The ninth and final exposition, and the one that is relevant to our present verse in *Leviticus*:

דָּבָר אַחֵר — **Another interpretation** by R' Yitzchak:[38] "טוֹב מְלֹא כַף נַחַת", זֶה קוֹמֶץ מִנְחַת נְדָבָה שֶׁל עָנִי — ***Better is one handful of pleasantness*** **— this is** referring to **the threefingersful**[39] **of flour** that the Kohen scooped out **of the voluntary meal-offering of a poor person**[40] and burned on the Altar, "מִמְּלֹא חָפְנַיִם עָמָל וּרְעוּת רוּחַ", זֶה קְטֹרֶת סַמִּים דַּקָּה שֶׁל צִבּוּר — ***than two fistfuls of toil and vexation of the spirit*** **— this is** referring to **the communal** offering of **finely ground incense-spices,** from which the Kohen Gadol scooped up two fistfuls to be burned in the Holy of Holies on

NOTES

36. Although the land across the Jordan was large in size, there were few areas that were suitable for sowing and planting. Accordingly, the Tribes of Reuben and Gad bemoaned the fact that even a small area (*a handful*) of the western land of Israel is more *pleasant* and suitable for seeding and planting than a large area (*two fistfuls*) of the land they had chosen for themselves across the Jordan, in which there was much *toil* involved in finding such fertile land (*Eitz Yosef*).

37. See Insight Ⓐ.

[*Peirush Kadum* interprets this paragraph differently: When Reuben and Gad first entered *Eretz Yisrael* in its *eastern* part they said that they would prefer taking a smaller portion there, with *pleasantness* (i.e., without trouble, for that land had already been captured), than a larger portion on the other side of the Jordan (to the west), which would require the extensive *toil* of conquest. Many years later, however, when they were the first to face hostility from enemy nations, and ultimately exile, they lamented, "It is our own fault, for we ourselves chose this land!"]

38. This is the interpretation referred to in the beginning of the section, when the Midrash stated: "R' Yitzchak opened his discourse of our verse by citing the following verse: *Better is one handful of pleasantness, etc."*

39. Which may justifiably be referred to as a *handful.*

40. The Midrash assumes that a meal-offering would typically be brought by a poor person; the more well-to-do would offer animal sacrifices.

INSIGHTS

Ⓐ **Challenges and Choices** Our Midrash teaches that the Tribes of Gad and Reuben, though they had chosen to take their inheritance on the eastern side of the Jordan, subsequently regretted their decision, and would have preferred to inherit a part of *Eretz Yisrael* proper. Why? Their reasons for taking an inheritance on the eastern side — that it was ideal grazing land for their numerous livestock — were clearly stated, and remained true. What had changed?

There is more to the puzzle. When they made their initial request to Moses, his only objection was that it was not fair that they should settle immediately while the other tribes should be forced to fight for their inheritance. When they agreed to first fight in the battle for *Eretz Yisrael* and only then go back to settle their land, Moses withdrew his objection.

But why was their choice of better pasture on the eastern side of the Jordan not a rejection of the Land of Israel? Why didn't Moses object on that basis?

Rav Dessler (*Michtav MeEliyahu* Vol. 2, p. 255ff) explains: A person's task in this world is to bring about *kiddush Hashem* by his use of everything in Creation as a means to do God's bidding and increase His honor in this world. Thus, everything in the world can be a vehicle for the glory of Heaven. A man can use the material goods he is granted in the service of the Almighty; or, he can misuse or even abuse them.

No two people are identical, no two families alike, and no two situations exactly the same. Every person has his own circumstances, his own skills, his own material goods. It is man's task to use specifically that which has been granted *to him* in the service of his Creator, to make his own unique *kiddush Hashem* in the world.

God had blessed the Tribes of Gad and Reuben with an abundance of livestock. They understood that this was not granted to them without reason, and that it was in fact a necessary tool given them in order to make their unique *kiddush Hashem* in the world. As such, it was their challenge in life to properly tend the animals that they were given and use them in the service of the Almighty. Thus they did not, God forbid, reject *Eretz Yisrael* in favor of their sheep; rather, they were selflessly willing to forgo the *privilege* of living in *Eretz Yisrael* proper, so that they could completely perform their life task in the service of God. Clearly their intentions were pure, as evidenced by Moses' ready agreement to their request once his concerns had been allayed.

So why did they subsequently have a change of heart?

Scripture states: *An inheritance seized hastily in the beginning, its end will not be blessed* (*Proverbs* 20:21). *Rashi* there explains: "*An inheritance seized hastily* — such as the Children of Gad and the Children of Reuben, who hurried to take their portion on the other side of the Jordan; *its end will not be blessed* — for they went into exile several years before the other tribes."

A person who involves himself in material pursuits, even if he has no choice and even if his intent is for the sake of Heaven, must still exercise extreme caution not to develop a craving for material goods that would endanger his service of God. Thus, although Gad and Reuben were correct in understanding that in order to fulfill their task in the world it was necessary for them to properly tend the flocks with which they were blessed, they should have approached this challenge with care and caution instead of with haste. They should have waited for a command from God to stay on the east side of the Jordan. The fact that they rushed to *offer* to do so reflected a subtle connection to this-wordly possessions that did not befit such righteous people.

Our Sages fault the Tribes of Gad and Reuben for first asking to build stockyards for their cattle and only then cities for their children, seemingly placing the needs of their livestock above those of their own children (*Midrash Tanchuma*, cited by *Rashi* on *Numbers* 32:16). It was unacceptable for them to embrace the challenge of caring for their livestock so readily that it seemingly took precedence to the care of their children.

This is why Gad and Reuben were unhappy with their decision to stay on the east side of the Jordan. Yes, caring for their livestock was essential in order for them to fulfill their task in life. True, had they been commanded to, they would have been *required* to stay on the other side of the Jordan. However, they realized they had erred; and they found the *source* of their error in the fact that they were too hasty in choosing this. As the Midrash quotes them, "We chose the territory east of the Jordan for ourselves." [Note: According to R' Dessler, the Midrash's statement "חָזְרוּ וְאָמְרוּ וְכוּ׳" does not mean that Gad and Reuben withdrew their previous statement that they would have preferred to stay with the rest of Israel on the *west* side of the Jordan. Rather, it is a *continuation* of the same line of thinking; it means "they *reiterated* and said" that they recognized the mistake they made in having hastily chosen the *east* side of the Jordan.] Their haste had a deleterious effect on future generations, to the extent that, years later, their offspring were deserving of exile well before the other tribes were sent out of the Land of Israel.

This is how our Sages view the actions of the lofty tribes of Israel, having lived an exalted and miraculous life of closeness to God for forty years in the Wilderness. Surely we in our time and our circumstances must approach the dangers of involvement in the affairs of a material life with appropriate caution and deliberation. Such involvement can be a source of much blessing and *kevod Shamayim*, if we choose wisely and carefully.

בְּשָׁעָה שֶׁנִּכְנְסוּ לָאָרֶץ וְרָאוּ כַּמָּה זֶרַע יֵשׁ בָּהּ כַּמָּה נֶטַע יֵשׁ בָּהּ, אָמְרוּ: "טוֹב מְלֹא כַף נַחַת" בָּאָרֶץ הַזֹּאת "מִמְּלֹא חָפְנַיִם" בְּעֵבֶר הַיַּרְדֵּן, חָזְרוּ וְאָמְרוּ: לָאו אֲנַן בְּחָרִינַן לָן, הָדָא הוּא דִכְתִיב (במדבר לב, ה) "יֻתַּן אֶת הָאָרֶץ הַזֹּאת לַעֲבָדֶיךָ", הֱוֵי "וּרְעוּת רוּחַ", רְעוּתֵיהֶן הֲוָות. דָּבָר אַחֵר "טוֹב מְלֹא כַף נַחַת", זֶה קוֹמֶץ מִנְחַת נְדָבָה שֶׁל עָנִי, "מִמְּלֹא חָפְנַיִם עָמָל וּרְעוּת רוּחַ", זֶה קְטֹרֶת סַמִּים דַּקָּה שֶׁל צִבּוּר, שֶׁזּוֹ טְעוּנָה כַּפָּרָה וְזוֹ אֵינָהּ טְעוּנָה כַּפָּרָה:

ב [ב, א] "וְנֶפֶשׁ כִּי תַקְרִיב קָרְבַּן מִנְחָה לַה'", (תהלים כב, כד) "יִרְאֵי ה' הַלְלוּהוּ כָּל זֶרַע יַעֲקֹב כַּבְּדוּהוּ", "יִרְאֵי ה'", אָמַר רַבִּי יְהוֹשֻׁעַ בֶּן לֵוִי: אֵלּוּ יִרְאֵי שָׁמַיִם, רַבִּי יִשְׁמָעֵאל בַּר נַחְמָן אָמַר: אֵלּוּ גֵּירֵי צֶדֶק, רַבִּי חִזְקִיָּה וְרַבִּי אַבָּהוּ בְּשֵׁם רַבִּי אֶלְעָזָר אָמְרֵי: אִם בָּאִין הֵן גֵּירֵי צֶדֶק לָעוֹלָם הַבָּא אַנְטוֹנִינוּס בָּא בְּרֹאשׁ כּוּלָּן, וּמַה תַּלְמוּד לוֹמַר "כָּל זֶרַע יַעֲקֹב כַּבְּדוּהוּ", *אֵלּוּ אַחַד עָשָׂר שְׁבָטִים, אִם כֵּן לָמָּה נֶאֱמַר (שם) "כָּל זֶרַע יִשְׂרָאֵל", אָמַר רַבִּי בִּנְיָמִין בַּר לֵוִי: זֶה שֵׁבֶט בִּנְיָמִין שֶׁבָּא בָּאַחֲרוֹנָה. °כְּתִיב (שם שם כה) "כִּי לֹא בָזָה וְלֹא שִׁקַּץ עֱנוּת עָנִי", בְּנוֹהַג שֶׁבָּעוֹלָם שְׁנֵי בְנֵי אָדָם נִכְנְסוּ אֵצֶל הַדַּיָּן אֶחָד עָנִי וְאֶחָד עָשִׁיר, אֵצֶל מִי הַדַּיָּן הוֹפֵךְ אֶת פָּנָיו, לֹא אֵצֶל הֶעָשִׁיר,

עץ יוסף

במה זרע כו'. פירוש שיש מקומות רבים ראוים לזריעה ולנטיעה טפי מעבר הירדן, שאף על פי שהארץ רחבת ידים, אין כל כך מקומות ראוים לזריעה ולנטיעה, ולכן אמר טוב מלא כף נחת בארץ הזאת וכו' שמקום קטן בארץ הזאת טוב טפי שיש בו נחת רוח לזריעה ולנטיעה יותר ממקום רחב בעבר הירדן שיש בו עמל למצוא מקום לזריעה, וכן משמע בקהלת רבה (ד, יא על פסוק זה): **חזרו ואמרו כו'.** כלומר מה שאמר ורעות רוח היינו באמרם שחזרו ואמרו אין לנו שום תרעומת על אחרים כי אנו הוא שרצינו בעבר הירדן, ואמרנו יותן את הארץ הזאת לעבדיך: **זה קומץ נדבה.** דכתיב (ויקרא ב, ב) וקמץ משם מלא קומצו: **זה קטרת סמים.** דכתיב (ויקרא טז, יב) ומלא חפניו קטורת סמים, וקראו עמל להיות טורח רב וגדול בעשייתו, שצריך כמה סמנים, ושחיקה, ופיטום, והחזרה למכתשת, כדי לקיים בה מצות דקה מן הדקה, כדאיתא בפרק קמא דכריתות (ו, ב). **ורעות רוח** פירוש, שברון רוח, והוא מענין הטמעל: **טעונה כפרה.** כלומר באה לכפרה, וכן הלשון במגילת קהלת (רבה שם) והכפרה מפורשת שם דאמר רבי יצחק וכסה ענן הקטורת הכסוי הזה אין אנו יודעים מהו עד שבא דוד ופירשו שנאמר נשאת עון עמך כסית כל חטאתם סלה: **(ב) יראי ה' הללוהו כו'.** אגדה זו סבירא ליה כמי דמה שאמר נפש במנחה, מפני שיש בה רצון גמור כדעת האגדה הקודמת, אלא דסבירא ליה שטעם הרצון בכאן, משום דהויא מנחת עני ירא ה' בה טפי, ולהכי מייתי כי לא בזה ולא שקץ ענות עני שה' הופך פניו לעני כדבסמוך, ואיידי דמייתי האי קרא מפרש ואזיל יראי ה' הללוהו, דכתיב מקמיה: **אלו יראי שמים.** כמשמעו: **אם באים כו'.** ליסנא קלילא הוא דודאי באין, אלא כלומר לא תימא דאנטונינוס לא היה גר צדק, קאמר שאם יש חלק לגר צדק לעתיד, כל שכן לאנטונינוס דהוה גר צדק גמור (יפה מראה ירושלמי מגילה פרק קמא הלכה יא): **ומה תלמוד לומר כל זרע כו'.** דבשלמא אי יראי ה' היינו כהנים, וזרע יעקב לוים, וזרע ישראל כמשמעו, כדמפרש בשוחר טוב ניחא דלריכי, אבל אי יראי ה' גירי צדק, מה תלמוד לומר תו זרע יעקב וישראל הא במכל שכן אתו. ומשני דזרע יעקב איצטריך לעשרת השבטים לאשמועינן שעתידין לחזור, לאפוקי מרבי עקיבא דקאמר אין עתידין לחזור, כדאיתא בפרק חלק (סנהדרין קי, ב). וזרע ישראל איצטריך לשבט בנימין, והיינו אנשי הגבעה, דסלקא דעתך אמינא דאין להם חלק לעולם הבא שחטאתם כבדה מאד במעשה פלגש בגבעה, ועוד שגרמו לאבד כמה אלפים מישראל (יפה תואר): **שבא באחרונה.** ולהכי רמיז ליה באומר זרע ישראל טפי משאר שבטים, דמשמע מי שכבר נקרא אביהם ישראל כשנזרע, ואין זה אלא בנימין שנולד אחר שנאמר לו לא יקרא עוד שמך יעקב כי אם ישראל: **לא אצל העשיר.** מייתי ראיה מדין שאף שאסור לעשות כן מכל מקום העשיר יותר מוחזק בכשרות מהעני כמו שנאמר (משלי ל, ט) ופן אורש וגנבתי, ולכן ידקדק הדיין מאד בטענת העני יותר מבטענות העשיר, אמנם הקדוש ברוך הוא אינו נמשך אחר חזקת העני ואף שהוא גם כן עני במצות ומעשים טובים אלא חפץ לזכותו מאחר שתפלתו זכה:

פירוש מהרז"ו

זה קומץ המנחה. עתה דורש מה שהוא שייך לענין הפרשה של קומץ המנחה של העני, וכמו שכתוב בסדר שמיני (ויקרא ט, יז) ויקרב את המנחה וימלא כפו ממנה, וזהו מלא כף נחת: **טעונה כפרה.** פירוש נושאת כפרה, כמו שכתוב (בראשית מד, א) כאשר יוכלון שאת, כמה דיכלין למטען: **(ב) יראי ה' הללוהו.** ועיין כל זה מדרש תהלים (מזמור כב): **יראי שמים.** מדקאמר אחר כך וגורו ממנו כל זרע ישראל, אם כן מה שכתוב (מלאכי ג, טז) יראי ה', פירושו הנבחרים מכל זרע ישראל, ואינו דורש על הגרים, שאם כן לא היה מקדים אותם לזרע ישראל, ובמדרש תהלים הגירסא רבי שמואל, ואולי הוא רבי שמואל בר נחמן הנמצא כמה פעמים במדרש, בשם הרב רבי יעקב דוב. ורבי ישמעאל בר נחמן סובר הם הגרים, ומה שהקדימו אותם לישראל, יתכן שרבי חזקיה וכו' מתרץ שהוא לכבוד אנטונינוס: **כתיב כי לא בזה.** תיבת כתיב מיותר, שהרי דורש והולך פסוק שכבר הביא: **אחד עני ואחד עשיר.** דורש מה שכתוב (תהלים כב, כה) ולא הסתיר פניו ממנו, שמאחר שהוא עני ובעניות הרי כבר הסתיר פניו ממנו. על כן דורש שמדבר בעת שהעשיר גוזל העני, וכשבאים אצל דיין נושא פנים לעשיר ומסתיר פנים מן העני, אבל הקב"ה אינו מסתיר פניו אז מן העני, וכמו שכתוב בסדר משפטים (שמות כב, כב) אם ענה תענה אותו כי אם צעוק יצעק אלי שמוע אשמע צעקתו, ועל זה אמר ולא הסתיר פניו ממנו:

חידושי הרד"ל

[ב] אם באין הן גירי צדק כו' אנטונינוס כו'. ירושלמי מגילה (פ"א, הי"א): **שבא באחרונה.** פירוש שנולד לאחר שכבר נקרא שמו ישראל, ולכן נקרא זרע ישראל. ועיין בראשית רבה פרשה פ"ב (סימן ד):

באור מהרי"פ

טעונה כפרה. כתב מתנות כהונה בשביל כפרה והכפרה מפורש שם, דאמר רבי יצחק (קהלת רבה ד, פסוק ו) וכסה ענן הקטורת, הכסוי הזה אין אנו יודעין מה הוא עד שבא דוד ופירש נשאת וגו' כסית כל חטאתם סלה, כבדוהו וגורו ממנו כל זרע ישראל: **[ב] אחד עשר שבטים.** פירוש לאשמועינן שעתידין לחזור, דלא כרבי עקיבא פרק חלק (סנהדרין קי, ב): **שבא באחרונה.** כדפירש מתנות כהונה ונקרא זרע ישראל עיין מתנות כהונה. ואולי מפני שנולד אחר שנאמר (בראשית לה, י) לא יקרא שמך עוד יעקב כי אם ישראל וגו'. ומה שצריך לרבות שבט בנימין, פירש יפה תואר מפני שחטאתם כבדה מאד במעשה פלגש בגבעה, ועוד שגרמו לאבד כמה נפשות מישראל עיין שם:

אמרי יושר

שזו טעונה כפרה ובאה על חטא. אבל מנחה באה בנדבה: **[ב] זה בנימין שבא באחרונה.** הכניסו כפל כל זרע יעקב, וחזר כל זרע ישראל, ואמרו זה בנימין שנולד בשעה שנקרא שמו ישראל, לסוף:

אם למקרא

וַיֹּאמְרוּ אִם־מָצָאנוּ חֵן בְּעֵינֶיךָ יֻתַּן אֶת־הָאָרֶץ הַזֹּאת לַעֲבָדֶיךָ לַאֲחֻזָּה אַל תַּעֲבִרֵנוּ אֶת הַיַּרְדֵּן: (במדבר לב:ה)

יִרְאֵי ה' הַלְלוּהוּ כָּל זֶרַע יַעֲקֹב כַּבְּדוּהוּ וְגוּרוּ מִמֶּנּוּ כָּל זֶרַע יִשְׂרָאֵל: כִּי לֹא בָזָה וְלֹא שִׁקַּץ עֱנוּת עָנִי וְלֹא הִסְתִּיר פָּנָיו מִמֶּנּוּ וּבְשַׁוְּעוֹ אֵלָיו שָׁמֵעַ: (תהלים כב:כד-כה)

שינוי נוסחאות

(ב) אלו אחד עשר שבטים. בספרים הישנים היה כתוב "אלו עשרת השבטים", וכ"ה בכל הכי"י, ומ"כ הגיה כלפנינו: **כתיב "כי לא בזה ולא שקץ ענות עני".** מהרז"ו מחק תיבת "כתיב", וכן ליתיה בשום כי"י:

מתנות כהונה

הכי גרסינן **ממלא חפנים בעבר הירדן חזרו ואמרו לאו אנן בחרינן לה הדא הוא דכתיב יותן את הארץ הזאת הוי ורעות רוח רעותהון הוות.** ועיין בקהלת: **שזו טעונה כפרה.** באה בשביל כפרה, ועיין לקמן בקהלת: **[ב]** הכי גרסינן **כבדוהו אלו אחד עשר שבטים: שבא באחרונה.** שנולד באחרונה והשלים כלל שבטי ישראל, לפיכך כתיב כל זרע ישראל, רצה לומר כלל שבטי ישראל:

אשד הנחלים

חזרו ואמרו כו' רעותהון הות. דרש רעות לשון רצון: **של עני כו' טעונה כפרה.** כלומר בשביל כפרה באה (מתנות כהונה). כלומר טובה מנחה קטנה הבאה לא על החטא, ממנחה גדולה הבאה על החטא: **[ב] אלו יראי שמים.** שהם הנבדלים במעלה מכל ישראל ביחוד. והנה ההלול הוא נבדל מהכבוד, כי הכבוד הוא המכבד הדבר כפי מה שראוי, אבל בלי התפעלות עצומה, אבל ההלול הוא השבח הגדול בהתפעלות עצומה, וזהו מדת יראי שמים שמרוב יראתם הבוער בלבם, יהללו תמיד שמו. והנה המלך דוד התפעל מאוד מטובת ה', וקרא בקול גדול לכל היראים על דבר ה', ולישראל בפרט, שיזכרו טובתו ויהללו שמו, ולכן מסיים בסוף יזכרו וישובו לה' כל אפסי ארץ, כלומר מי יתן ויכירו כל האומות את כבוד ה', כמו כל האומות המאמינים בקדושת התורה ובגלוי השכינה: **שבט בנימין שבא באחרונה.** פירש המתנות כהונה והיפה תואר שנולד באחרונה והשלים כל שבטי ישראל, וזהו כל זרע ישראל שאז נקרא שמו ישראל. אך יש להבין בזה מדוע הצריך דוד לחלקם, ומדוע אמר פה בלשון גורו ממנו, ולעיל אמר לשון הלול וכיבוד. ואולי יש לפרש להיפך, לפי שעל ידי חטא פילגש בגבעה כמעט

Yom Kippur.[41] שֶׁזּוֹ טְעוּנָה כַּפָּרָה — The reason the meal-offering is considered *better than* the incense-offering is **that [the latter] is brought for** the purpose of **atonement** from sin,[42] וְזוֹ אֵינָהּ טְעוּנָה כַּפָּרָה — **while [the former] is not brought for** the purpose of **atonement** from sin.[43]

§2 וְנֶפֶשׁ כִּי תַקְרִיב קָרְבַּן מִנְחָה לַה׳ — ***WHEN A PERSON OFFERS A MEAL-OFFERING TO HASHEM, ETC.***

The Midrash discusses a passage in *Psalms,* ultimately relating it to our verse:

״יִרְאֵי ה׳ הַלְלוּהוּ כָּל זֶרַע יַעֲקֹב כַּבְּדוּהוּ״ — It is written, ***You who fear HASHEM, praise Him! All of you, seed of Jacob, glorify Him!*** *Be in awe of Him, all you seed of Israel* (*Psalms* 22:24).[44] ״יִרְאֵי ה׳ ״ — The meaning of the expression, ***You who fear HASHEM,*** is the subject of a dispute between R' Yehoshua ben Levi and R' Yishmael bar Nachman: אָמַר רַבִּי יְהוֹשֻׁעַ בֶּן לֵוִי: אֵלּוּ יִרְאֵי שָׁמַיִם — **R' Yehoshua ben Levi said: This** expression **is** referring literally to **those who fear Heaven.**[45] רַבִּי יִשְׁמָעֵאל בַּר נַחְמָן אָמַר: אֵלּוּ גֵּירֵי צֶדֶק — **R' Yishmael bar Nachman said: This** expression **is** referring to **righteous converts.**[46] רַבִּי חִזְקִיָּה וְרַבִּי אַבָּהוּ בְּשֵׁם רַבִּי אֶלְעָזָר אָמְרֵי — **R' Chizkiyah and R' Abahu said in the name of R' Elazar:** אִם בָּאִין הֵן גֵּירֵי צֶדֶק לָעוֹלָם הַבָּא אַנְטוֹנִינוּס בָּא בְּרֹאשׁ כּוּלָּן — **If righteous converts will enter the World to Come,**[47] **Antoninus**[48] **will enter at the head of all of them,** for he is the most sincere and righteous of them all.[49]

The Midrash identifies the next two groups mentioned in the *Psalms* verse:

וּמַה תַּלְמוּד לוֹמַר ״כָּל זֶרַע יַעֲקֹב כַּבְּדוּהוּ״ — **What, then, is the verse** teaching us by **stating,** ***All of you, seed of Jacob, glorify Him?***[50] אֵלּוּ אַחַד עָשָׂר שְׁבָטִים — **This refers to the** first **eleven tribes** born to Jacob.[51] אִם כֵּן לָמָּה נֶאֱמַר ״כָּל זֶרַע יִשְׂרָאֵל״ — **If so, why is it** also **stated,** ***All you seed of Israel?*** אָמַר רַבִּי בִּנְיָמִין בַּר לֵוִי — **R' Binyamin bar Levi said:** זֶה שֵׁבֶט בִּנְיָמִין שֶׁבָּא בָּאַחֲרוֹנָה — **This refers to the tribe of Benjamin, who arrived** in this world **the last** of all the tribes.[52]

The Midrash continues to elucidate the passage in *Psalms*:

״כִּי לֹא בָזָה וְלֹא שִׁקַּץ עֱנוּת עָנִי״ — ***For He has neither despised nor loathed the supplication of the poor,*** *nor has He concealed His face from him; but when he cries to Him, He hears* (*Psalms* 22:25). בְּנוֹהַג שֶׁבָּעוֹלָם — **The way of the world** is such that שְׁנֵי בְנֵי אָדָם נִכְנָסוּ אֵצֶל הַדַּיָּין אֶחָד עָנִי וְאֶחָד עָשִׁיר — when **two people** involved in a dispute **come before a judge, one** of them **a poor person and the other a rich person,** אֵצֶל מִי הַדַּיָּין הוֹפֵךְ אֶת פָּנָיו — **toward whom does the judge turn his head,** i.e., show favor? לֹא אֵצֶל הֶעָשִׁיר — Is it **not** that he turns his head away from the poor person and **toward the rich person?**[53]

NOTES

41. See below, 16:12. These incense-spices are associated with *toil* on account of the fact that it is a laborious process to compound them. It is for this reason that the incense-spices are also referred to as the *vexation of the spirit*, i.e., because of the exhaustive work that goes into creating the perfect mixture (*Eitz Yosef*, from *Yefeh To'ar*).

42. In a parallel passage (*Koheles Rabbah* 4 §9), the Midrash spells out what it means by this: Scripture (below, 16:13) states regarding the incense-spices, *The cloud of the incense shall blanket* [וְכִסָּה] *the Ark-cover*, and we find that the verb כסה (translated here as "to blanket") is used in *Psalms* 85:3 to express forgiveness for sin: נָשָׂאתָ עֲוֹן עַמֶּךָ כִּסִּיתָ כָל חַטָּאתָם — *You have forgiven the iniquity of Your people; You have covered up* [כִּסִּיתָ] *their entire sin* (*Yefeh To'ar, Eitz Yosef*).

43. For it is a voluntary offering, brought solely as a "gift" for God.

Yefeh To'ar writes that the Midrash seeks to explain why our passage concerning the meal-offering begins with the unusual expression, וְנֶפֶשׁ כִּי תַקְרִיב, literally, *When a "soul" offers, etc.* [The passage regarding animal sacrifices, by contrast, is introduced with אָדָם כִּי יַקְרִיב, *When a "person" offers* (above, 1:2).] The Midrash therefore interprets the word נֶפֶשׁ to mean "desire" or "will," as in the Scriptural expression, *If it is truly your will* [נַפְשְׁכֶם] (*Genesis* 23:8), and stresses the fact that the humble meal-offering, though it involves giving only a handful of flour to God (the rest is consumed by the Kohanim), is pleasing to Him — even more so than the incense offering, which is greater both in terms of cost and amount offered — because it is brought by the individual of his own free will.

44. The difficulty of this verse is: Who exactly constitute the three groups of people mentioned here: *Those who fear HASHEM, seed of Jacob,* and *seed of Israel?* Are not the last two groups identical? And who are the fearers of Hashem if not the people of Israel?

45. R' Yehoshua ben Levi's point is that it does *not* refer to converts, as R' Yishmael bar Nachman maintains (in the next line in the Midrash). Rather, it refers to Jews who are on an exalted level of fearing God, and thus not included in the categories "seed of Jacob" and "seed of Israel," which refer to ordinary Jews with an ordinary level of fear of God (*Yefeh To'ar*). Alternatively, it refers to non-Jews who have *not* converted, but who fear God anyway (ibid.; see also *Ibn Ezra* to verse).

46. A "righteous convert" is someone who fully converts to Judaism, as opposed to a "resident convert" (גר תושב) who merely forswears idolatry and formally accepts the Seven Noahide Commandments. Since they were not born to Jewish parents, they are not included in "seed of Jacob" and "seed of Israel." [R' Yehoshua ben Levi, however, apparently maintains that converts are indeed considered the seed (figuratively) of the nation of Jacob and Israel (*Yefeh To'ar*).]

47. The wording of the Midrash, "*If* righteous converts will enter the World to Come," is not precise, for there is no doubt that all righteous people will have a share in that world. The Midrash means to say, "*When* righteous converts enter . . . " (*Eitz Yosef,* citing *Yefeh Mareh* on *Megillah* 1:11).

48. [A Roman emperor or governor, and personal acquaintance of Rebbi, about whom many stories are related by the Sages. Antoninus is a family name, and the identity of this particular individual has not been established with certainty. (*Doros HaRishonim* identifies him as the Roman emperor Marcus Aurelius, who ruled from 161-180 C.E.) In the course of his travels through the empire, he visited Judea, where he met Rebbi, with whom he formed a lifelong friendship that was of great benefit to the Jewish people. From our Midrash it is apparent that Antoninus had also converted to Judaism, though this is a matter of controversy elsewhere. See also *Yerushalmi Megillah* 1:11; and *Bavli Avodah Zarah* 10a-11a with *Tosafos* 10b s.v. ווי לה.]

49. The relevance of R' Elazar's statement is not immediately clear; see *Maharzu*.

50. Since the verse has already stated that converts (or righteous gentiles, see alternative explanation in note 45) will praise God, it is obvious that born Jews will also glorify God. Why, then, does the verse mention *the seed of Jacob* [and *the seed of Israel*]? (*Yefeh To'ar, Eitz Yosef*).

51. Jacob's first eleven children were born before he received his additional name of Israel; therefore they are referred to as "the seed of Jacob."

[The text here follows the emendation of *Matnos Kehunah*, which is the version found in all Midrash editions since 1587. The original reading was, "This refers to the *Ten* Tribes." See *Yefeh To'ar* (cited in *Eitz Yosef*) for an explanation of that version.]

52. Benjamin was the only one of Jacob's sons to be born after he wrestled with the angel and received the name Israel [see *Haamek Davar, Genesis* 33:7]. Therefore he is referred to in the verse as the seed of *Israel* (*Yefeh To'ar, Eitz Yosef*; see, however, *Matnos Kehunah*). As to why Benjamin is referred to separately from the other tribes, see *Yefeh To'ar,* as cited by *Beur Maharif.*

53. Although it is forbidden for a judge to favor one litigant over the other (see *Leviticus* 19:15), nonetheless the judge will naturally give the rich person more credence because a poor person is more likely to steal from a rich person than vice versa. This sentiment is reflected in the verse, *lest I become impoverished and steal and take the Name of my God [in a vain oath of innocence]!* (*Proverbs* 30:9). Hence a judge is naturally inclined to scrutinize the poor person's claim more intensely than he would that of the rich man, thereby effectively showing favor to the rich man (*Eitz Yosef*). [As to why a poor person is more likely to steal: The most obvious reason would be that he would steal out of a desperate need for funds. However, *Yefeh To'ar* — upon whom *Eitz Yosef* is basing his comments — gives a different reason: There is an adage (see *Kuzari* 1:12) that "poverty has diminished the good character of the Jewish people." (See also *Eruvin* 41b, which states that "the exactions of poverty cause a person to violate his own will and the will of his Creator.") A poor person is thus more likely than a rich one to be remiss in his religious obligations.]

בְּשָׁעָה שֶׁנִּכְנְסוּ לָאָרֶץ וְרָאוּ כַּמָּה זֶרַע יֵשׁ בָּהּ כַּמָּה נֶטַע יֵשׁ בָּהּ, אָמְרוּ: "טוֹב מְלֹא כַף נָחַת" בָּאָרֶץ הַזֹּאת "מִמְּלֹא חָפְנַיִם" בְּעֵבֶר הַיַּרְדֵּן, חָזְרוּ וְאָמְרוּ: לָאו אֲנַן בְּחָרִינַן לָן, הָדָא הוּא דִכְתִיב (במדבר לב, ה) "יֻתַּן אֶת הָאָרֶץ הַזֹּאת לַעֲבָדֶיךָ", הֱוֵי "וּרְעוּת רוּחַ", רְעוּתֵיהֶן הֲוָות. דָּבָר אַחֵר "טוֹב מְלֹא כַף נָחַת", זֶה קוֹמֶץ מִנְחַת נְדָבָה שֶׁל עָנִי, "מִמְּלֹא חָפְנַיִם עָמָל וּרְעוּת רוּחַ", זֶה קְטֹרֶת סַמִּים דַּקָּה שֶׁל צִבּוּר, שֶׁזּוֹ טְעוּנָה כַּפָּרָה וְזוֹ אֵינָהּ טְעוּנָה כַּפָּרָה:

ב [ב, א] "וְנֶפֶשׁ כִּי תַקְרִיב קָרְבַּן מִנְחָה לַה'", (תהלים כב, כד) "יִרְאֵי ה' הַלְלוּהוּ כָּל זֶרַע יַעֲקֹב כַּבְּדוּהוּ", "יִרְאֵי ה'", אָמַר רַבִּי יְהוֹשֻׁעַ בֶּן לֵוִי: אֵלּוּ יִרְאֵי שָׁמַיִם, רַבִּי יִשְׁמָעֵאל בַּר נַחְמָן אָמַר: אֵלּוּ גֵּירֵי צֶדֶק, רַבִּי חִזְקִיָּה וְרַבִּי אַבָּהוּ בְּשֵׁם רַבִּי אֶלְעָזָר אָמְרֵי: אִם בָּאִין הֵן גֵּירֵי צֶדֶק לָעוֹלָם הַבָּא אַנְטוֹנִינוּס בָּא בְּרֹאשׁ כּוּלָּן, וּמָה תַּלְמוּד לוֹמַר "כָּל זֶרַע יַעֲקֹב כַּבְּדוּהוּ", *אֵלּוּ אַחַד עָשָׂר שְׁבָטִים, אִם כֵּן לָמָּה נֶאֱמַר (שם) "כָּל זֶרַע יִשְׂרָאֵל", אָמַר רַבִּי בִּנְיָמִין בַּר לֵוִי: זֶה שֵׁבֶט בִּנְיָמִין שֶׁבָּא בָּאַחֲרוֹנָה. °כְּתִיב (שם שם כה) "כִּי לֹא בָזָה וְלֹא שִׁקַּץ עֱנוּת עָנִי", בְּנוֹהַג שֶׁבָּעוֹלָם שְׁנֵי בְּנֵי אָדָם נִכְנְסוּ אֵצֶל הַדַּיָּן אֶחָד עָנִי וְאֶחָד עָשִׁיר, אֵצֶל מִי הַדַּיָּן הוֹפֵךְ אֶת פָּנָיו, לֹא אֵצֶל הֶעָשִׁיר,

עץ יוסף

כמה זרע כו'. פירוש שיש מקומות רבים ראוים לזריעה ולנטיעה טפי מעבר הירדן, שאף על פי שהארץ רחבת ידים, אין כל כך מקומות ראוים לזריעה ולנטיעה, ולכן אמר טוב מלא כף נחת בארץ הזאת וכו' שמקום קטן בארץ הזאת טוב טפי שיש בו נחת רוח לזריעה ולנטיעה יותר ממקום רחב בעבר הירדן שיש בו עמל למצוא מקום לזריעה, וכן משמע בקהלת רבה (ד, יא על פסוק זה): **חזרו ואמרו כו'.** כלומר מה שאמר ורעות רוח היינו באמרם שחזרו ואמרו אין לנו שום תרעומת על אחרים כי אנו הוא שרצינו בעבר הירדן, ואמרנו יותן את הארץ הזאת לעבדיך: **זה קומץ נדבה.** דכתיב (ויקרא ב, ב) וקמץ משם מלא קומצו: **זה קטרת סמים.** דכתיב (ויקרא טז, יב) ומלא חפניו קטורת סמים, וקראו עמל להיות טורח רב וגדול בעשייתו, שצריך כמה סמנים, ושחיקה, ופיטום, והחזרה למכתשת, כדי לקיים בה מצות דקה מן הדקה, כדאיתא בפרק קמא דכריתות (ו, ב). **ורעות רוח** פירוש, שברון רוח, והוא מענין העמל: **טעונה כפרה.** כלומר באה לכפרה, וכן הלשון במגילת קהלת (רבה שם) והכפרה מפורשת שם דאמר רבי יצחק וכסה ענן הקטורת הכסוי הזה אין אנו יודעים מהו עד שבא דוד ופירשו שנאמר נשאת עון עמך כסית כל חטאתם סלה: **(ב) יראי ה' הללוהו כו'.** אגדה זו סבירא ליה כמי דמה שאמר נפש במנחה, מפני שיש בה רצון גמור כדעת האגדה הקודמת, אלא דסבירא ליה שטעם הרצון בכאן, משום דהויא מנחת עני יראת ה' בה טפי, ולהכי מייתי כי לא בזה ולא שקץ ענות עני שה' הופך פניו לעני כדבסמוך, ואיידי דמייתי האי קרא מפרש ואזיל יראי ה' הללוהו, דכתיב מקמיה: **אלו יראי שמים.** כמשמעו: **אם באים כו'.** לישנא קלילא הוא דודאי באין, אלא כלומר לא תימא דאנטונינוס לא היה גר צדק, קאמר שאם יש חלק לגר צדק לעתיד, כל שכן לאנטונינוס דהוה גר צדק גמור (יפה מראה ירושלמי מגילה פרק קמא הלכה יא): **ומה תלמוד לומר כל זרע כו'.** דבשלמא אי יראי ה' היינו כהנים, וזרע יעקב לוים, וזרע ישראל כמשמעו, כדמפרש בשוחר טוב ניחא דצריכי, אבל אי יראי ה' גירי צדק, מה תלמוד לומר תו זרע יעקב וישראל הא במכל שכן אתו. ומשני דזרע יעקב איצטריך לעשרת השבטים לאשמועינן שעתידין לחזור, לאפוקי מרבי עקיבא דקאמר אין עתידין לחזור, כדאיתא בפרק חלק (סנהדרין קי, ב). וזרע ישראל איצטריך לשבט בנימין, והיינו אנשי הגבעה, דסלקא דעתך אמינא דאין להם חלק לעולם הבא שחטאתם כבדה מאד במעשה פלגש בגבעה, ועוד שגרמו לאבד כמה אלפים מישראל (יפה תואר): **שבא באחרונה.** ולהכי רמיז ליה באומר זרע ישראל טפי מאחר שבטים, דמשמע מי שכבר נקרא אביהם ישראל כשנזרע, ואין זה אלא בנימין שנולד אחר שנאמר לו לא יקרא עוד שמך יעקב כי אם ישראל: **לא אצל העשיר.** מייתי ראיה מדיין שאף שאסור לעשות כן מכל מקום העשיר יותר מוחזק בכשרות מהעני כמו שנאמר (משלי ל, ט) ופן אורש וגנבתי, ולכן ידקדק הדיין מאד בטענת העני יותר מבטענות העשיר, אמנם הקדוש ברוך הוא אינו נמשך אחר חזקת העני ואף שהוא גם כן עני במצות ומעשים טובים אלא חפץ לצדקו מאחר שתפלתו זכה:

פירוש מהרז"ו

זה קומץ המנחה. עתה דורש מה שהוא שייך לענין הפרשה של קומץ המנחה של העני, וכמו שכתוב בסדר שמיני (ויקרא ט, יז) ויקרב את המנחה וימלא כפו ממנה, וזהו מלא כף נחת: **טעונה כפרה.** פירוש נושאת כפרה, כמו שכתוב (בראשית מה, א) באשר יוכלון שאת, כמה דיכלין למטען:

(ב) יראי ה' הללוהו. ועיין כל זה מדרש תהלים (מזמור כב): **יראי שמים.** מדקאמר אחר כך וגורו ממנו כל זרע ישראל, אם כן מה שכתוב (מלאכי ג, טז) יראי ה', פירושו הנבחרים מכל זרע ישראל, ואינו דורש על הגרים, שאם כן לא היה מקדים אותם לזרע ישראל, ובמדרש תהלים הגירסא רבי שמואל, ואולי הוא רבי שמואל בר נחמן הנזכר כמה פעמים במדרש, בשם הרב רבי יעקב דוד. ורבי ישמעאל בר נחמן סובר הם הגרים, ומה שהקדימו אותם לישראל, יתכן שרבי חזקיה וכו' מתרץ שהוא לכבוד אנטוניניוס: **כתיב כי לא בזה.** תיבת כתיב מיותר, שהרי דורש והולך פסוק שכבר הביא: **אחד עני ואחד עשיר.** דורש מה שכתוב (תהלים כב, כה) ולא הסתיר פניו ממנו, שמאחר שהוא עני ובטענות הרי כבר הסתיר פניו ממנו. על כן דורש שמדבר בעת שהעשיר גוזל העני, וכשבאים אצל דיין נושא פנים לעשיר ומסתיר פנים מן העני, אבל הקב"ה אינו מסתיר פניו אז מן העני, וכמו שכתוב בסדר משפטים (שמות כב, כב) אם ענה תענה אותו כי אם צעוק יצעק אלי שמוע אשמע צעקתו, ועל זה אמר ולא הסתיר פניו ממנו:

חידושי הרד"ל

[ב] אם באין הן גירי צדק כו' אנטונינוס כו'. ירושלמי מגילה (פ"א, הי"א): **שבא באחרונה.** פירוש שנולד לאחר שכבר נקרא שמו ישראל, ולכן נקרא זרע ישראל. ועיין בראשית רבה פרשה פ"ב (סימן ד):

באור מהרי"פ

טעונה כפרה. כתב מתנות כהונה בשביל כפרה והכפרה מפורש שם, דאמר רבי יצחק (קהלת רבה ז, פסוק ו) וכסה ענן הקטורת, הכסוי הזה אין אנו יודעין מה הוא עד שבא דוד ופירש נשאת וגו' כסית כל חטאתם סלה, כבדוהו יגורו ממנו כל זרע ישראל: **[ב] אחד עשר שבטים.** ופירוש לאשמעינן שעתידין לחזור, ודלא כרבי עקיבא פרק חלק (סנהדרין קי, ב): **שבא באחרונה.** כדפירש מתנות כהונה ונקרא זרע ישראל עיין מתנות כהונה. ואולי מפני שנולד אחר שנאמר (בראשית לה, י) לא יקרא שמך עוד יעקב כי אם ישראל וגו'. ומה שצריך לרבות שבט בנימין, פירש יפה תואר מפני שחטאתם כבדה מאד במעשה פלגש בגבעה, ועוד שגרמו לאבד כמה נפשות מישראל עיין שם:

אמרי יושר

שזו טעונה כפרה ובאה על חטא. אבל מנחה באה בנדבה: **[ב] זה בנימין שבא באחרונה.** הרגישו כפל כל זרע יעקב, וחזר כל זרע ישראל, ואמרו זה בנימין שנולד בשעה שנקרא שמו ישראל, לסוף:

אם למקרא

וַיֹּאמְרוּ אִם־מָצָאנוּ חֵן בְּעֵינֶיךָ יֻתַּן אֶת־הָאָרֶץ הַזֹּאת לַעֲבָדֶיךָ לַאֲחֻזָּה אַל תַּעֲבִרֵנוּ אֶת הַיַּרְדֵּן:
(במדבר לב:ה)

יִרְאֵי ה' הַלְלוּהוּ כָּל זֶרַע יַעֲקֹב כַּבְּדוּהוּ וְגוּרוּ מִמֶּנּוּ כָּל זֶרַע יִשְׂרָאֵל: כִּי לֹא בָזָה וְלֹא שִׁקַּץ עֱנוּת עָנִי וְלֹא הִסְתִּיר פָּנָיו מִמֶּנּוּ וּבְשַׁוְּעוֹ אֵלָיו שָׁמֵעַ:
(תהלים כב:כד-כה)

שינוי נוסחאות

(ב) אלו אחד עשר שבטים. בספרים הישנים היה כתוב "אלו עשרת השבטים", וכ"ה בכל הכי"י, ומ"כ הגיה כלפנינו:
כתיב "כי לא בזה ולא שקץ ענות עני". מהרז"ו מחק תיבת "כתיב", וכן ליתיה בשום כ"י:

מתנות כהונה

הכי גרסינן **ממלא חפנים בעבר הירדן חזרו ואמרו לאו אנן בחרינן לה הדא הוא דכתיב יותן את הארץ הזאת הוי ורעות רוח רעותהון הוות.** ועיין בקהלת: **שזו טעונה כפרה.** באה בשביל כפרה, ועיין לקמן בקהלת: **[ב]** הכי גרסינן **כבדוהו אלו אחד עשר שבטים: שבא באחרונה.** שנולד באחרונה והשלים כלל שבטי ישראל, לפיכך כתיב כל זרע ישראל, רצה לומר כלל שבטי ישראל:

אשד הנחלים

חזרו ואמרו כו' רעותהון הות. דרש רעות לשון רצון: **של עני כו' טעונה כפרה.** כלומר בשביל כפרה באה (מתנות כהונה). כלומר טובה מנחה קטנה הבאה לא על החטא, ממנחה גדולה הבאה על החטא: **[ב] אלו יראי שמים.** שהם הנבדלים במעלה מכל ישראל ביחוד. והנה ההלול הוא נבדל מהכבוד, כי הכבוד הוא המכבד הדבר כפי מה שראוי, אבל בלי התפעלות עצומה, אבל ההלול הוא השבח הגדול בהתפעלות עצומה, וזהו מדת יראי שמים שמרוב יראתם הבוער בלבם, יהללו תמיד שמו. והנה המלך דוד התפעל מאוד מטובת ה', וקרא בקול גדול לכל היראים על דבר ה', ולישראל בפרט, שיזכרו טובתו ויהללו שמו, ולכן מסיים בסוף יזכרו וישובו לה' כל אפסי ארץ, כלומר מי יתן ויכירו כל האומות את כבוד ה', כמו כל האומות המאמינים בקדושת התורה ובגלוי השכינה: **שבט בנימין שבא באחרונה.** פירש המתנות כהונה והיפה תואר שנולד באחרונה והשלים כל שבטי ישראל, וזהו כל זרע ישראל שאז נקרא שמו ישראל. אך יש להבין בזה מדוע הצריך דוד לחלקם, ומדוע אמר פה בלשון גורו ממנו, ולעיל אמר לשון הלול וכיבוד. ואולי יש לפרש להיפך, לפי שעל ידי חטא פילגש בגבעה כמעט

בְּרַם הָכָא ״וְלֹא הִסְתִּיר פָּנָיו מִמֶּנּוּ וּבְשַׁוְּעוֹ אֵלָיו שָׁמֵעַ״ — **However here,** regarding a poor person who stands before God in prayer, it states, ***nor has He concealed His face*** (or: *turned His face away*) ***from him; but when he cries to Him, He hears.***[54]

A related incident:

רַבִּי חַגַּי גָּזַר תַּעֲנִיתָא — **R' Chaggai** once **decreed a fast** due to a lack of rain, נְחַת מִטְרָא — and as a result **rain fell.** אָמַר: לָאו מִשּׁוּם דַּאֲנָא כְּדַי — **[R' Chaggai] said** humbly, "The reason my prayers were answered is **not because I am worthy,** אֶלָּא מִשּׁוּם דִּכְתִיב ״כִּי לֹא בָזָה וְלֹא שִׁקַּץ עֱנוּת עָנִי״ — **but because it is written,** ***For He has neither despised nor loathed the supplication of the poor.***"[55]

The Midrash links the above teaching to our verse regarding the meal-offering:

וּכְשֵׁם שֶׁלֹּא בָזָה אֶת תְּפִלָּתוֹ — **And just as [God] does not despise [the poor person's] prayer,** כָּךְ לֹא בָזָה אֶת קָרְבָּנוֹ — **so too, He does not despise [the poor person's] offering,**[56] שֶׁנֶּאֱמַר ״וְנֶפֶשׁ כִּי תַקְרִיב וְגוֹ׳ ״ — **as it is stated,** ***When a person offers a meal-offering to Hashem, etc.,*** *and the Kohen shall cause its memorial portion to go up in smoke upon the Altar — a fire-offering, "a satisfying aroma to Hashem"* (2:1-2).[57]

§3 [וְנֶפֶשׁ כִּי תַקְרִיב קָרְבַּן מִנְחָה לַה׳ וְגוֹ׳ — *WHEN A PERSON OFFERS A MEAL-OFFERING TO HASHEM, ETC.*]

The Midrash cites and expounds a verse in *Isaiah,* and ultimately relates it to our verse regarding the meal-offering:

״יַעֲזֹב רָשָׁע דַּרְכּוֹ וְאִישׁ אָוֶן מַחְשְׁבֹתָיו וְגוֹ׳ ״ — It is written, ***Let the wicked one forsake his way and the iniquitous man his thoughts;*** *let him return to Hashem and He will show him mercy; to our God, for He is abundantly forgiving* (*Isaiah* 55:7). אָמַר רַבִּי בֵּיבַי בַּר אָבִיָּא — **R' Beivai bar Aviya said:** כֵּיצַד אָדָם צָרִיךְ לְהִתְוַדּוֹת עֶרֶב יוֹם הַכִּפּוּרִים — **How should a person confess** his sins **on the eve of Yom Kippur?**[58] צָרִיךְ לוֹמַר: — **He should say,**

NOTES

54. That is: When a poor person prays — even if he is poor spiritually as well as financially (see preceding note) — God (unlike a judge) does not apply extra scrutiny to his deeds to see whether he is deserving of Divine mercy. Rather, God willingly answers his prayers, since they are offered with a pure heart and in humility (*Eitz Yosef*). See Insight Ⓐ.

55. It is possible to explain that R' Chaggai was poor; and he humbly attributed his success in bringing rain to his poverty (interpreting the *Psalms* verse to mean that God actually shows *favor* to the prayers of the poor). Alternatively, R' Chaggai was saying that the success of the fast should not be taken as a sign of worthiness on his part, because God also heeds the prayers of people who are *spiritually* poor.

56. This is derived from the double expression *neither despised nor loathed,* i.e., He does not *despise* the prayer of a poor man nor does He *loath* a poor man's offering (*Maharzu*).

57. The assumption is that a meal-offering would be brought by a poor person, who cannot afford to bring an animal (see above, note 40). And the verse informs us that, no less than animal offerings, the meal-offering is pleasing to God, being *a satisfying aroma to Hashem* (*Maharzu*). *Yefeh To'ar* suggests that the Midrash is making the point that the poor person's offering is accepted by God even if he is poor in Torah and mitzvos; see note 53. See Insight Ⓑ.

58. The Sages instituted (*Yoma* 87b) that besides confessing one's sins several times over the course of Yom Kippur, one should confess before his last meal on the *eve* of the holiday as well, lest he become intoxicated at the meal (*Rashi* and *Meiri* ad loc.) or choke on his food (*Rambam, Hil. Teshuvah* 2:7) and be unable to confess properly later, on Yom Kippur itself (*Eitz Yosef*). The confession recorded here is not specifically designated for the eve of Yom Kippur (as opposed to Yom Kippur itself, or as opposed to any time of the year; see *Rambam* ibid. 1:1); indeed, the parallel passage in the *Yerushalmi* (end of *Yoma*) leaves out the words "on the eve of Yom Kippur." (Perhaps the Midrash states "the eve of Yom Kippur" as an example, because it is the first in the series of the many obligatory confessions recited during this two-day period.)

INSIGHTS

Ⓐ **Prayers of the Impoverished** Surely, the Midrash cannot be referring to a poor person who adheres strictly to Torah and mitzvos — why would a scrupulous individual who happens to be poor be any less deserving in God's eyes than one blessed with material wealth? On the contrary, the poor person's contrite heart is likely to be even closer to God! Rather, as mentioned in note 54, the reference is to the poor person whose difficult circumstances are likely to have caused him to be remiss in his religious obligations. And still, God is attentive to his sincere and heartfelt prayers.

Yefeh To'ar also suggests that, in the context of the verse in *Psalms,* the term *poor* does not refer at all to a person's financial status but *only* to his spiritual status, describing one who is deficient in his observance of the commandments or in his knowledge of Torah. God accepts the prayers of a *spiritually* poor person.

R' Leib Chasman (*Ohr Yahel,* Vol. 1, pp. 191-192 [5761 edition]) expands on this theme. Our verse, וְנֶפֶשׁ כִּי תַקְרִיב קָרְבַּן מִנְחָה, literally, *when "a soul" offers a meal-offering,* is interpreted by the Midrash (below) as referring to a poor person, and on which the Gemara (*Menachos* 104b) comments that God considers the poor person who brings a meal-offering before Him as if he has offered his soul. This too refers to one who is "poor" in spiritual matters. When a Jew, no matter how low he has sunk, is stirred to bring an offering to God, it is because of a tiny holy spark, which emanates from his living soul — as it states, *when "a soul" offers a meal-offering.* And this spark holds in it the potential to set the entire soul ablaze with an intense spiritual striving.

R' Yehoshua of Belz offers a similar interpretation, in which the Midrash refers to one who is poor in spiritual matters. And he interprets the verse, כִּי לֹא בָזָה וְלֹא שִׁקַּץ "עֱנוּת" עָנִי, to mean: *For He has neither despised nor loathed "the poverty" of the poor.* This is not a redundancy. *The poverty of the poor* is the man's *awareness* that he is spiritually impoverished. A person can be deficient. But if he is honest and cognizant of his deficiencies before God, God will receive him no matter his spiritual station. See *Eshed HaNechalim.*

And that is what R' Chaggai means in the next paragraph of the Midrash, where he attributes the effectiveness of his prayer for rain "not because I am worthy, but because it is written, *For He has neither despised nor loathed 'the poverty'* [עֱנוּת] *of the poor.*" In his great humility, R' Chaggai was cognizant of his own unworthiness (*Mahari MiBelz,* pp. 80-81).

Ⓑ **A Minchah's Message** *Rashi* (on our verse, citing from *Menachos* 104b) conveys a similar lesson, based on the word נֶפֶשׁ, literally, *soul*: Although the poor man's offering is modest, God says, "I consider it on his behalf as if he offered his very soul."

Panim Yafos wonders why a poor man would bring a meal-offering, which must contain a tenth of an *ephah* of flour (equivalent in volume to 43.2 eggs) and also requires oil and frankincense, rather than a bird offering, which, as he demonstrates, would be the cheaper of the two offerings. He suggests an answer based on the Gemara in *Kesubos* (10b), which teaches that the world is sustained through the merit of the offerings brought on the Altar. For the offerings are brought from foodstuffs, such as grain, meat, and wine, and they thereby bring blessing upon all foodstuffs (*Rashi* ad loc.). *Panim Yafos* thus surmises that the wealthy would bring animal-offerings, thereby bringing blessing to meat, while the poor, who subsist mainly on grain products, would bring meal-offerings, bringing blessing upon grain, which is their main concern.

Chasam Sofer offers another answer: A pauper without a penny to his name can buy neither a bird nor meal to bring as an offering! He can, however, save some of the grain and olives that he collected from the portions that a farmer must leave for the poor — such as לֶקֶט (*gleanings;* see *Leviticus* 19:9, 23:22), שִׁכְחָה (*forgotten produce;* see *Deuteronomy* 24:19), and פֵּאָה (*edge of the field;* see *Leviticus* ibid.) — until he has the requisite measure for an offering. (And he may gather frankincense from the wild.) Hence, whereas a wealthy individual brings as an offering a living animal, whose soul serves to atone for the sins of his own soul, the pauper, who scrimps and goes hungry so that he too may bring an offering to God, in a certain sense actually offers his own soul to God.

בְּרַם הָכָא (שם) "וְלֹא הִסְתִּיר פָּנָיו מִמֶּנּוּ וּבְשַׁוְּעוֹ אֵלָיו שָׁמֵעַ". רַבִּי חַגַּי גָּזַר תַּעֲנִיתָא, נְחַת מִטְרָא, אֲמַר: לָאו מִשּׁוּם דַּאֲנָא כְּדַי, אֶלָּא מִשּׁוּם דִּכְתִיב "כִּי לֹא בָזָה וְלֹא שִׁקַּץ עֱנוּת עָנִי", וּכְשֵׁם שֶׁלֹּא בָּזָה אֶת תְּפִלָּתוֹ כָּךְ לֹא בָּזָה אֶת קָרְבָּנוֹ, שֶׁנֶּאֱמַר [ב, א] "וְנֶפֶשׁ כִּי תַקְרִיב וְגוֹ'":

ג (ישעיהו נה, ז) "יַעֲזֹב רָשָׁע דַּרְכּוֹ וְאִישׁ אָוֶן מַחְשְׁבֹתָיו °", אָמַר רַבִּי בִּיבִי בַּר *אַבָּיָא: כֵּיצַד אָדָם צָרִיךְ לְהִתְוַדּוֹת עֶרֶב יוֹם הַכִּפּוּרִים, צָרִיךְ לוֹמַר: מוֹדֶה אֲנִי כָּל רַע שֶׁעָשִׂיתִי לְפָנֶיךָ בְּדֶרֶךְ רַע הָיִיתִי עוֹמֵד, וְכָל מַה שֶּׁעָשִׂיתִי עוֹד לֹא אֶעֱשֶׂה כָּמוֹהוּ, יְהִי רָצוֹן מִלְּפָנֶיךָ ה' אֱלֹהַי שֶׁתִּמְחוֹל לִי עַל כָּל עֲוֹנוֹתַי וְתִסְלַח לִי עַל כָּל פְּשָׁעַי וּתְכַפֵּר לִי עַל כָּל חַטֹּאתַי, הֲדָא הוּא דִכְתִיב "יַעֲזֹב רָשָׁע דַּרְכּוֹ וְאִישׁ אָוֶן מַחְשְׁבֹתָיו *וְגוֹ'", רַבִּי יִצְחָק וְרַבִּי יוֹסֵי בַּר חֲנִינָא, רַבִּי יִצְחָק אָמַר: כְּאָדָם שֶׁהוּא מַלְחִים שְׁתֵּי נְסָרִים וּמְדַבִּיקָן זֶה לָזֶה, רַבִּי יוֹסֵי בַּר חֲנִינָא אָמַר כְּאָדָם שֶׁהוּא מַלְחִים שְׁתֵּי כַּרְעֵי הַמִּטָּה וּמְדַבִּיקָן זֶה לָזֶה.

עץ יוסף

גזר תעניתא. כדי שירד מטר: נחת מטרא. ירד מטר: (ג) יעזוב רשע דרכו. בעי לפרש מה שאמר נפש במנחה, לרמוז שסליחת עשירית האיפה ויותר, שויתר הקדוש ברוך הוא מצלו כדבסמוך, ולהכי מייתי האי קרא דדריש לה אכי ירבה לסלוח, ואיידי דמייתי קרא דריש ליה כדרך המדרש, ודרש נפש לשון ויתור ורצוי: ערב יום הכיפורים. דמלות וידוי יום הכיפורים עם חשכה, אבל אמרו חכמים מתודה קודם אכילה שמא תטרף דעתו עליו מחמת הסעודה, כדתני בפרק יום הכפורים (יומא פז, ב): כל רע שעשיתי. אשר עשיתי: מחשבותיו. וישוב אל ה' וירחמהו רבי יצחק ורבי יוסי בר חנינא כו' ומדביקן זה לזה ואל אלהינו כי ירבה לסלוח רבי יהודה בר סימון בשם כו' זו עשירית האיפה רבנן ורבי שמעון בר יוחאי כו' אף אלה האמור להלן עשירית האיפה נפש כי תקריב. כן צריך לומר (רד"ל): רבי יצחק ורבי יוסי בר חנינא כו'. הוקשה להם מה שאמר וישוב אל ה' וגו', וכי כל מה שאמר עד עתה אינו השבה לה' שישוב אל ה', לכן קאמרי הני אשלמים שכוונת הפסוק כך הוא, יעזוב רשע דרכו ואיש און מחשבותיו, ולא יחשוב הרשע לומר מה יועיל לי כל מה שאעשה, אחר שהרבתי לפשוע ולמרות פני עליון, כי ידע הרשע שאם יעזוב דרכו ויטהר מחשבותיו, אז בוודאי ישוב אל ה' כבראשונה. ורבי יצחק אמר כאדם שהוא מלחים [פירוש מחבר] שתי נסרים ומדביקן זה לזה, ופירוש המשל לומר כי כמו שני נסרים שרוצה האדם לדבקם ולזווגם זו בזו, המעכב בזה הוא הקשרים והמותרות שיש בזו ובזו, מה עושה האומן מלחים במעצד וברהיטנים אלו הקשרים, ואחר כך מדבקם, כן האדם, האלהים עשה אותו ישר, וכאשר הוא כן, הוא דבק באלהים שהוא ישר, וכאשר יחטא חס ושלום העונות והפשעים הם קשרים ויתרונות ומותרות מפסיקין, ואינם מניחים לאדם להדבק בקונו, הדא הוא דכתיב עונותיכם היו מבדילים ביניכם לבין אלהיכם, וכאשר יחתוך האדם אלו הקשרים וישליך, נעשה ישר אין דבר מפסיק בינו לבין קונו, כי בזה מסיר הכעס ממנו יתברך, והוא שב על עבודתו, הרי הנסרים שוים. בא רבי יוסי ופירש עוד הענין, והפליא להגדיל מעלת הבעל תשובה, וזהו שהוא יתברך ברא עולמו, ודיק הוא יסוד עולם, וראה

פירוש מהרז"ו

וכשם שלא בזה את תפלתו. דורש כפול לשון כי לא בזה ולא שקץ, כי לא בזה הוא על התפלה, וכמו שכתוב (תהלים קב, יח) ולא בזה את תפלתם, וכאן מדריש במדה ט' ומדה י"ג, כאלו מפורש כי לא בזה את תפלתם, ומה שכתב (תהלים כב, כה) ולא שקץ ענות עני, מה שמתנה עצמו ומביא מנחה, שכתוב בה (ויקרא ב, ב) אזכרתה לה' לריח ניחוח: (ג) כל רע שעשיתי. היינו הודוי על פרטי החטאים שצריך לפרט החטא, וזה אינו מפורש כאן כי כל אחד צריך לפרט מה שיודע בעצמו: בדרך רע הייתי עומד. מתחלה, וזה הביאני לעשות כל רע, ודרך רע הוא חבירים רעים, ורדיפת יין, והגאות וכדומה, שמביאים לכל רע, וזהו החרטה האמיתית לעקור החטאים מעיקרם, ואחר כך הקבלה האמיתית על להבא, כמו שכתוב (יחזקאל ה, ט) לא אעשה כמוהו, ואחר כך התפלה על מחילת העון: רבי יצחק ורבי יוסי בר חנינא. עיין במתנות כהונה שכתב דדריש וירחמהו, כאלו כתוב ולחמהו, בחילוף רי"ש בלמ"ד, על מדת גימטריא של אופן ב' בחילופי אותיות, כמו מזלות מזרות, אלמנותיו ארמנותיו. ואולי הוקשה להם שהיה לו לומר וירחם עליו, אך וירחמהו משמע דיבוק נפש בנפש, וזהו נכלל יותר בתיבת ולחמהו, ומה שאמר מלחים פירוש שמחליק במלקט והיטלה שקורין (העביל), כמו שאמרו שיר השירים רבה (למ"ד ע"א לחיו כערוגת הבושם) [פרשה ה יב] זהו מלחים מקלת דבר וזה מלחים מקלת דבר והלכה יוצא כמין לחיים. ומה שאמר מדביקם זה לזה, כמו שכתב בספר הברית בשם מחקרים, שאם יתאימו שני נסרים בדקדוק גדול עד כחוט השערה ויגיהו זה על זה, יתדבקו יחד מאד עד שלא יהיה באפשרי להפרישן ולהפרידן, וכן האדם כשזוכה לטהר לבבו באמת, ימלא עצמו דבוק בהקב"ה כמו שכתוב (דברים ד, ד) ואתם הדבקים בה'. ומה שכתב שני כרעי המטה, היינו דיבוק רחוק על ידי נסר באמצע, ויתכן שמשל כרעי המטה הוא על דיבוק בעולם הזה עם העולם הבא, שעל ידי מעשה העולם הזה ידבק בעולם הבא, ומשל שני לחיים על הדיבוק בעולם הבא. ופירש בערוך שהמדבק שני חתיכות עץ או מתכות נקרא בלשון ישמעאל לחאם:

חידושי הרד"ל

[ג] כיצד אדם צריך להתוודות. ירושלמי יומא (פ"ח ה"ז): מחשבותיו. וישוב אל ה' וירחמהו רבי יצחק ורבי יוסי בר חנינא, רבי יצחק אומר כאדם שהוא מלחים כו', רבי יוסי בר חנינא אומר כו' המטה ומדביקן זה לזה. ואל אלהינו כי ירבה לסלוח רבי יהודה ברבי סימון [בשם רבי זירא וכו'] זו עשירית האיפה, רבנין ורבי שמעון בן יוחאי כו' אלה האמור להלן עשירית האיפה. נפש כי תקריב כו'. כן צריך לומר. ועיין בילקוט ישעיה (רמז תפא):

חידושי הרש"ש

[ג] ר' יצחק ור' יוסי בר חנינא כו' שהוא מלחים שתי נסרים. יתכן שכוונו למה שכתב בספר מעשה טוביה ביסוד האויר אות מ"ג, שני דפים מיושרים אם ידבקו היטב באופן שלא יכנס האויר אי אפשר להפרידם אפילו על ידי שני צמדי בקר:

באור מהרי"פ

[ג] רבי יצחק ורבי יוסי כו'. הדרש נסמך על סיפא דקרא וישוב אל ה' וירחמהו, ודרשו וירחמהו כמו ולחמהו. וזה לשון הערוך ערך מלחים, פירוש המדביק שני חתיכות בין של (מתכין) [מתכת בין] של עץ שמו בלשון ישמעאל (לחמם) [לחאם] עכ"ל הערוך. והרי"ש והלמ"ד מתחלפים כמו (דניאל ב, לא) ולו (דניאל ז, ב) ואלו, ונראה כי זה גם כן כוונת מתנות כהונה עיין שם. וכן לשון הילקוט (ישעיה רמז תפא) וישוב אל ה' וירחמהו רבי יצחק ורבי יוסי וכו':

אמרי יושר

[ג] כאדם שמדביק כרעי המטה. שהם מתייחסים זה עם זה, כן הקדוש ברוך הוא וישראל רעים ואחים כביכול, וזהו וישוב אל ה', שהוא יושב וממתין: וירחמהו. קרי ביה וילחמהו, לשון דבק:

אם למקרא

יַעֲזֹב רָשָׁע דַּרְכּוֹ וְאִישׁ אָוֶן מַחְשְׁבֹתָיו וְיָשֹׁב אֶל ה' וִירַחֲמֵהוּ וְאֶל אֱלֹהֵינוּ כִּי יַרְבֶּה לִסְלוֹחַ: (ישעיה נה:ז)

ידי משה

[ג] רבי יצחק ורבי יוסי בר חנינא. אדלעיל קאי, שאמר שצריך להתוודות ולומר על העבירות שעברו אני מתחרט וכו' ולהבא לא אחטא, כמאן שהפסוק יעזוב רשע דרכו כאדם אחד מדבר, שמתודה על עבר ועל הבא, ולפי פשוטא הייתי סובר שקאי על שני בני אדם, ועל זה מביא ר' יצחק המשל כמי שמדבק שני נסרים להיות כמו נסר אחד, כך כאן הגם שלפי פשוטו בשני בני אדם הכתוב מדבר אבל על האמת על אדם אחד קאי, ורבי יוסי אמר גם כן המשל כמי שהוא דבק שני כרעי המטה וכו', פירוש שלפי הנראה הוא שני כלים והוא צורך מטה אחת כך כאן. וקל להבין:

שינוי נוסחאות

(ג) יעזוב רשע דרכו ואיש און מחשבתיו. הגיה מ"כ דצריך להוסיף כאן >וגו'<: מודה אני כל רע שעשיתי. הביא מ"כ מילקוט "מודה אני כל אשר עשיתי", ונוטה להגיה כן, ואף בכל הכי"י כולם איתא הכי: הדא הוא דכתיב יעזוב רשע דרכו ואיש און מחשבתיו וגו'. הגיה רד"ל כאן (במקום וגו') תיבות "וישב אל ה' וירחמהו" כאן, במקום לגרסו בסוף הענין, והסכים עצ"י:

מתנות כהונה

גזר תעניתא. כדי שירד מטר: נחת מטרא. ירד מטר: [ג] כל רע שעשיתי. אשר עשיתי, והכי מוכח בילקוט ישעיה (רמז שמב): הכי גרסינן מחשבותיו וגו'. ודייק מסיפיה דקרא, וישוב אל ה' וירחמהו, וכן הוא בילקוט ישעיה (שם): מלחים. פירש הערוך מדבק בסבר פנים ובאהבה קשורה, כזה שמדבק שני נסרים בין של מתכת בין של עץ שלא ינתקו, ונראה שדרשו וירחמהו כמו וילחמהו:

אשד הנחלים

נגדע שבט בנימין כולו, לולי השאיר ה' פליטה, והתירו השבועה, למען לא יכרת שבט מישראל, וזהו שאמר שבא באחרונה, שנשלמו שבטם אחר כך באחרית הימים, ולכן אמר עליהם יגורו ממנו, כי אתם יש לכם לגור ולפחוד ממנו יתברך, כי ראיתם מה עלתה לכם על ידי מעשיכם, אך אחר כך לא בזה ולא שקץ לענותכם. כן נוכל לומר שיהיה קרוב לפשט ולסגנון המליצה בכתוב: הדיין הופך כו' דאנא כדאי. מכאן נראין הדברים דהכוונה בעני שהוא נכנע בעיניו, אף שאינו כדאי, שאין לו מעשים טובים הרבה, אבל ההכנעה לבד יועילנו. וזהו הכוונה הדיין מטבעו הופך פניו לעשיר ונושא לו פנים, אבל אצלו יתברך, אף אם יהיה עני במעשים טובים, אך הוא נכנע בצרותיו, לכן ישמענו: [ג] בדרך רע הייתי עומד. כלומר כי לא התבוננתי על דרכי אשר עמדתי עד כה, ועתה אני מקבל עלי לפקח על דרכי ולא אעשה עוד כמוהו. וזהו עיקר הוידוי להבין הרעה שעשה, ולקבל עליו שלא יעשה עוד, ולבקש מחילה על העבר, הן מן העונות שעשה בפועל, והן מן החטאים וההרהורים הטמונים בלב. וזהו יעזוב רשע דרכו ממה שעשה עד כה בפועל, ואיש און מחשבותיו ממה שיש בלבו הרהור: שהוא מלחים כו' שתי כרעי המטה. המתנות כהונה פירש וירחמהו כמו וילחמהו, והוא דחוק, ומה יחסרנו כפשוטו, גם מהו ההבדל שבין שתי נסרים, לבין שתי כרעי המטה, ומהו הכוונה בכלל. והנראה לי בזה דהוקשה הלא לפי ניתוח הלשון היה לו לומר וירחם אותו או עליו, ולזה באו לומר דמלת וירחמהו, על דביקת הרחמים והאהבה הגמורה עד שנדבקו דיבוק חזק מאוד, כי הנה העוונות המה המסך המבדיל בינו לבין אלהיו, כמו שכתוב כי עוונותיכם היו מבדילים, ועל ידי התשובה שיטהר הלב, אז היא כדבק המדביק הנסרים יחד עד שאינו ניכר ביניהם, וכאלו הנסרים נאחדו יחד וכאלו הם אחד ממש, כן על ידי התשובה נדבקה נפש האדם לאלהים, כאלו היא נאחדת ממש למקורה. אבל דעת השני לא כן, כי אם אמת שנדבקו יחד, אבל רק כדביקת שתי כרעי המטה, שרחוקים זה מזה, ויש דבר המפסיק ביניהם, רק שנדבקו על ידי הנסרים שביניהם. ויתכן שנחלקו אם הבעל תשובה גדול כצדיק גמור או לא, ודעת הראשון שגדול כצדיק גמור, ולכן המשל כמדבק שני נסרים יחד. ואין להאריך:

מוֹדֶה אֲנִי כָּל רַע שֶׁעָשִׂיתִי לְפָנֶיךָ — **"I confess all the evil** deeds **that I have committed before You;**[59] בְּדֶרֶךְ רַע הָיִיתִי עוֹמֵד — **I have stood upon an evil path;**[60] וְכָל מַה שֶּׁעָשִׂיתִי עוֹד לֹא אֶעֱשֶׂה כָּמוֹהוּ — **and any** sin **that I have committed** — I resolve that **I shall never again commit any such** [sin].[61] יְהִי רָצוֹן מִלְּפָנֶיךָ ה׳ אֱלֹהַי — **May it be Your will, Hashem, my God,** שֶׁתִּמְחוֹל לִי עַל כָּל עֲוֹנוֹתַי וְתִסְלַח לִי עַל כָּל פְּשָׁעַי וּתְכַפֵּר לִי עַל כָּל חַטֹּאתַי — **that You pardon me for all my iniquities, forgive me for all my willful sins, and grant atonement to me for all my errors."**[62] הָדָא הוּא דִכְתִיב "יַעֲזֹב רָשָׁע דַּרְכּוֹ וְאִישׁ אָוֶן מַחְשְׁבֹתָיו" — **Thus it is written,** ***Let the wicked one forsake his way and the iniquitous man his thoughts.***[63]

The Midrash continues its discussion of the *Isaiah* verse: "וְיָשֹׁב אֶל ה׳ וִירַחֲמֵהוּ" — ***Let him return to HASHEM and He will show him mercy*** [וִירַחֲמֵהוּ] (ibid.). רַבִּי יִצְחָק וְרַבִּי יוֹסֵי בַּר חֲנִינָא — **R' Yitzchak and R' Yose bar Chanina** discussed the word וִירַחֲמֵהוּ here. רַבִּי יִצְחָק אָמַר: כְּאָדָם שֶׁהוּא מַלְחִים שְׁתֵּי נְסָרִים וּמַדְבִּיקָן זֶה לָזֶה — **R' Yitzchak said: It may be compared to a person who joins together** (מַלְחִים)[64] **two boards and glues them to each other.**[65] רַבִּי יוֹסֵי בַּר חֲנִינָא אָמַר כְּאָדָם שֶׁהוּא מַלְחִים שְׁתֵּי כַּרְעֵי הַמִּטָּה וּמַדְבִּיקָן זֶה לָזֶה — **R' Yose bar Chanina said: It may compared to a person who joins two legs of a bed** to the bed, thus **attaching them to each other.**[66]

NOTES

59. This is not a direct quote of what the person should say; rather, he should confess explicitly the sins that he has transgressed (*Maharzu*). *Confession* is one of the essential steps of repentance (see *Rambam* ibid. 2:2; *Shaarei Teshuvah* 1:40).

60. This refers to behaviors and actions that led him to sin, such as associating with friends who are a negative influence, pursuing excessive pleasures, acting with undue pride, etc. This statement corresponds to *regret*, another one of the essential components of repentance (see *Rambam* ibid.; *Shaarei Teshuvah* 1:10), for recognizing the "paths" — i.e., the root causes — that lead to sin and seeking to abandon those paths represents true regret (*Maharzu*; see further, note 63).

61. *Resolving* not to repeat one's misdeed is another of the essential components of repentance (*Maharzu*; see *Rambam, Hil. Teshuvah* 2:2; *Shaarei Teshuvah* 1:11).

62. These words represent a prayer that God forgive him (*Maharzu*). Praying for forgiveness is one of twenty components of repentance listed by *Rabbeinu Yonah* (*Shaarei Teshuvah* 1:41). [In *Rambam's* confession *in Hil. Teshuvah* 1:1 — which is otherwise entirely based on this passage (as several commentators note) — this element is missing. See, however, ibid. 2:4,6.]

63. *Let the wicked one forsake his way* corresponds to the second part of the confession cited above (*regret,* abandoning the paths that lead to sin; see above, note 60).

Yefeh To'ar explains that one sins in three ways — in thought, speech, and deed. He must therefore rectify these three areas: One must regret his sinful ways, which corresponds to thought; he must make an oral confession, thereby rectifying his misuse of speech; and he must resolve to never commit the sinful act again, corresponding to his sinful deeds. Thus the verse states, *Let the wicked one forsake his way*, referring to sinful acts and speech; *and the iniquitous man his thoughts*, corresponding to sinful thoughts (see also *Eshed HaNechalim*; and see *Radak* to the verse in *Isaiah*).

64. The Midrash is interpreting יְרַחֲמֵהוּ (*He will show him mercy*) homiletically as if it were written — or derived from — ילחמהו (*Matnos Kehunah*), for the letters ר and ל are sometimes interchangeable (*Maharzu*). *Maharzu* and *Eshed HaNechalim* note that the usual way (grammatically speaking) to say "He will show him mercy" would have been יְרַחֵם עָלָיו, and this may be what prompted the Midrash to provide a homiletic interpretation.

65. When a person undergoes true repentance, God will accept him and in fact become so close to him as if the two were (so to speak) attached (*Matnos Kehunah, Maharzu*).

66. According to R' Yose bar Chanina, while it is true that the soul of the penitent becomes bound up and "attached" to God, the level of bonding is not so close as to be analogous to gluing two boards together. Rather, it is comparable to two legs of a bed: While they are both attached to the corners of a bed and hence (indirectly) to each other, there is a distance that separates between them (*Eshed HaNechalim*). [It is possible that this disagreement in our Midrash parallels the argument in the Talmud (*Berachos* 34b) as to whether a penitent is elevated to an even greater spiritual level than a fully righteous person (who did not sin in the first place), or, despite his repentance and forgiveness, remains on a lower level than the fully righteous person (*Eshed HaNechalim*).]

בְּרַם הָכָא (שם) "וְלֹא הִסְתִּיר פָּנָיו מִמֶּנּוּ וּבְשַׁוְּעוֹ אֵלָיו שָׁמֵעַ". רַבִּי חַגַּי גָּזַר תַּעֲנִיתָא, נְחַת מִטְרָא, אָמַר: לָאו מִשּׁוּם דַּאֲנָא כְּדַי, אֶלָּא מִשּׁוּם דִּכְתִיב "כִּי לֹא בָזָה וְלֹא שִׁקַּץ עֱנוּת עָנִי", וּכְשֵׁם שֶׁלֹּא בָּזָה אֶת תְּפִלָּתוֹ כָּךְ לֹא בָּזָה אֶת קָרְבָּנוֹ, שֶׁנֶּאֱמַר [ב, א] "וְנֶפֶשׁ כִּי תַקְרִיב וְגוֹ'":

ג (ישעיהו נה, ז) "יַעֲזֹב רָשָׁע דַּרְכּוֹ וְאִישׁ אָוֶן מַחְשְׁבֹתָיו °", אָמַר רַבִּי בֵּיבַי בַּר *אַבְיָא: כֵּיצַד אָדָם צָרִיךְ לְהִתְוַדּוֹת עֶרֶב יוֹם הַכִּפּוּרִים, צָרִיךְ לוֹמַר: מוֹדֶה אֲנִי כָּל רַע שֶׁעָשִׂיתִי לְפָנֶיךָ בְּדֶרֶךְ רַע הָיִיתִי עוֹמֵד, וְכָל מַה שֶּׁעָשִׂיתִי עוֹד לֹא אֶעֱשֶׂה כָּמוֹהוּ, יְהִי רָצוֹן מִלְּפָנֶיךָ ה' אֱלֹהַי שֶׁתִּמְחוֹל לִי עַל כָּל עֲוֹנוֹתַי וְתִסְלַח לִי עַל כָּל פְּשָׁעַי וּתְכַפֵּר לִי עַל כָּל חַטֹּאתַי, הָדָא הוּא דִכְתִיב "יַעֲזֹב רָשָׁע דַּרְכּוֹ וְאִישׁ אָוֶן מַחְשְׁבֹתָיו *וְגוֹ'", רַבִּי יִצְחָק וְרַבִּי יוֹסֵי בַּר חֲנִינָא, רַבִּי יִצְחָק אָמַר: כְּאָדָם שֶׁהוּא מַלְחִים שְׁתֵּי נְסָרִים וּמַדְבִּיקָן זֶה לָזֶה, רַבִּי יוֹסֵי בַּר חֲנִינָא אָמַר כְּאָדָם שֶׁהוּא מַלְחִים שְׁתֵּי כַּרְעֵי הַמִּטָּה וּמַדְבִּיקָן זֶה לָזֶה.

עץ יוסף

גזר תעניתא. כדי שירד מטר: **נחת מטרא.** ירד מטר: **(ג) יעזוב רשע דרכו.** בעי לפרש מה שאמר נפש במנחה, לרמוז שסליחת עשירית האיפה ויתור, שויתר הקדוש ברוך הוא משלו כדסמוך, ולהכי מייתי האי קרא דדריש לה אכי ירבה לסלוח, ואיידי דמייתי קרא דריש ליה כדרך המדרש, ודרש נפש לשון ויתור ורבוי: **ערב יום הכיפורים.** דמלות וידוי יום הכיפורים עם חשכה, אבל אמרו חכמים מתודה קודם אכילה שמא תטרף דעתו עליו מחמת הסעודה, כדתני בפרק יום הכפורים (יומא פז, ב): **כל רע שעשיתי.** אשר עשיתי: **מחשבותיו. וישוב אל ה' וירחמהו רבי יצחק ורבי יוסי בר חנינא כו' ומדביקן זה לזה ואל אלהינו כי ירבה לסלוח רבי יהודה בר סימון בשם כו' זו עשירית האיפה רבנן ורבי שמעון בן יוחאי כו' אף אלה האמור להלן עשירית האיפה נפש כי תקריב.** כן צריך לומר (רד"ל): **רבי יצחק ורבי יוסי בר חנינא כו'.** הוקשה להם מה שאמר וישוב אל ה' וגו', וכי כל מה שאמר עד עתה אינו השבה לה' שישוב אל ה', לכן קאמרי הני אשלמים שכוונת הפסוק כך הוא, יעזוב רשע דרכו ואיש און מחשבותיו, ואל יחשוב הרשע לומר מה יועיל לי כל מה שאעשה, אחר שהרבתי לפשוע ולמרות פני עליון, כי ידע הרשע שאם יעזוב דרכו ויטהר מחשבותיו, אז בוודאי ישוב אל ה' כבראשונה. ורבי יצחק אמר כאדם שהוא מלחים [פירוש מחבר] שתי נסרים ומדביקן זה לזה, ופירוש המשל לומר כי כמו שני נסרים שרוצה האדם לדבקם ולזווגם זו בזו, המתעכב בזה הוא הקשרים והמותרות שיש בזו ובזו, מה עושה האומן מלחים במעצד וברהיטנים אלו הקשרים, ואחר כך מדבקם, כן האדם, האלהים עשה אותו ישר, וכאשר הוא כן, הוא דבק באלהים שהוא יוצרו, וכאשר יחטא חס ושלום העונות והפשעים הם קשרים ויתרונות ומותרות מפסיקין, ואינם מניחים לאדם להדבק בקונו, הדא הוא דכתיב עונותיכם היו מבדילים ביניכם לבין אלהיכם, וכאשר יתחוך האדם אלו הקשרים וישליך, נעשה ישר אין דבר מפסיק בינו לבין קונו, כי בזה מסיר הכעס ממנו יתברך, והוא שב על עבודתו, הרי הנסרים שוים. בא רבי יוסי ופירש עוד הענין, והפליא להגדיל מעלת הבעל תשובה, וזהו שהוא יתברך ברא עולמו, וצדיק הוא יסוד עולם, ורצה

פירוש מהרז"ו

וכשם שלא בזה את תפלתו. דורש כפול לשון כי לא בזה ולא שקץ, כי לא בזה הוא על התפלה, וכמו שכתוב (תהלים קב, יח) ולא בזה את תפלתם, וכאן מדריש במדה ט' ומדה י"ג, כאלו מפורש כי לא בזה את תפלתו, ומה שכתב (תהלים כב, כה) ולא שקץ ענות עני, מה שמענה עצמו ומביא מנחה, שכתוב בה (ויקרא ב, ב) אזכרתה לה' לריח ניחוח: **(ג) כל רע שעשיתי.** היינו הודוי על פרטי החטאים שצריך לפרט החטא, וזה אינו מפורש כאן כי כל אחד צריך לפרט מה שיודע בעצמו: **בדרך רע הייתי עומד.** מתחלה, וזה הכולל לעשות כל רע, ודרך רע הוא חבירים רעים, ורדיפת יין, והגאות וכדומה, שמביאים לכל רע, וזהו החרטה האמיתית לעקור החטאים מעיקרם, ואחר כך הקבלה האמיתית על להבא, כמו שכתוב (יחזקאל ה, ט) לא אעשה כמוהו, ואחר כך התפלה על מחילת העון: **רבי יצחק ורבי יוסי בר חנינא.** עיין במתנות כהונה שכתב דדריש וירחמהו, כאלו כתוב וילחמהו, בחילוף רי"ש בלמ"ד, על מדת גימטריא של אופן ב' בחילופי אותיות, כמו מזלות מזרות, אלמנותיו ארמנותיו. ואולי הוקשה להם שהיה לו לומר וירחם עליו, אך וירחמהו משמע דיבוק נפש בנפש, וזהו נכלל יותר בתיבת וילחמהו, ומה שאמר מלחים פירוש שמחליק במלקט והיטנא שקורין (העביל), כמו שאמרו שיר השירים רבה (למ"ד ע"א לחיו כערוגת הבושם) [פרשה ה יב] זהו מלחים מקלת דבר וזה מלחים מקלת דבר והדבק יוצא כמין לחיים. ומה שאמר מדביקם זה לזה, כמו שכתב בספר הברית בשם מחקרים, שאם יחליקו שני נסרים בדקדוק גדול עד כחוט השערה ויניחום זה על זה, יתדבקו יחד מאד עד שלא יהיה באפשרי להפריען ולהפרידן, וכן האדם כשזוכה לטהר לבבו באמת, ימצא עצמו דבוק בהקב"ה כמו שכתוב (דברים ד, ד) ואתם הדבקים בה'. ומה שכתב שני כרעי המטה, היינו דיבוק רחוק על ידי נסר באמצע, ויתכן שמשל כרעי המטה הוא על דיבוק בעולם הזה עם העולם הבא, שעל ידי מעשה העולם הזה ידבק בעולם הבא, ומשל שני לחיים על הדיבוק בעולם הבא. ופירש בערוך שהמדבק שני חתיכות עץ או מתכות נקרא בלשון ישמעאל לחאם:

מתנות כהונה

גזר תעניתא. כדי שירד מטר: **נחת מטרא.** ירד מטר: **[ג] כל רע שעשיתי.** אשר עשיתי, והכי מוכח בילקוט ישעיה (רמז שמב): הכי גרסינן **מחשבותיו וגו'.** ודייק מסיפיה דקרא, וישוב אל ה' וירחמהו, וכן הוא בילקוט ישעיה (שם): **מלחים.** פירש הערוך מדבק בסבר פנים ובאהבה קשורה, כזה שמדבק שני נסרים בין של מתכת בין של עץ שלא יתקנו, ונראה שדרשו וירחמהו כמו וילחמהו:

אשד הנחלים

נגדע שבט בנימין כולו, לולי השאיר ה' פליטה, והתירו השבועה, למען לא יכרת שבט מישראל, וזהו שאמר שבא באחרונה, שנשלמו שבטם אחר כך באחרית הימים, ולכן אמר עליהם יגורו ממנו, כי אתם יש לכם לגור ולפחוד ממנו יתברך, כי ראיתם מה עלתה לכם על ידי מעשיכם, אך אחר כך לא בזה ולא שקץ לענותכם. כן נוכל לומר שיהיה קרוב לפשט ולסגנון המליצה בכתוב: **הדיין הופך כו' דאנא כדאי.** מכאן נראין הדברים דהכוונה בעני שהוא נכנע בעיניו, אף שאינו כדאי, שאין לו מעשים טובים הרבה, אבל ההכנעה לבד יועילנו. וזהו הכוונה הדיין מטבעו הופך פניו לעשיר ונושא לו פנים, אבל אצלו יתברך, אף אם יהיה עני במעשים טובים, אך הוא נכנע בצרותיו, לכן ישמענו: **[ג] בדרך רע הייתי עומד.** כלומר כי לא התבוננתי על דרכי אשר עמדתי עד כה, ועתה אני מקבל עלי לפקח על דרכי ולא אעשה עוד כמוהו. וזהו עיקר הוידוי להבין הרעה שעשה, ולקבל עליו שלא יעשה עוד, ולבקש מחילה על העבר, הן מן העונות שעשה בפועל, והן מן החטאים וההרהורים הטמונים בלב. וזהו יעזוב רשע דרכו ממה שעשה עד כה בפועל, ואיש און מחשבותיו ממה שיש בלבו הרהור: **שהוא מלחים כו' שתי כרעי המטה.** המתנות כהונה פירש וירחמהו כמו וילחמהו, והוא דחוק, ומה יחסרנו כפשוטו, גם מהו ההבדל שבין שתי נסרים, לבין שתי כרעי המטה, ומהו הכוונה בכלל. והנראה לי בזה דהוקשה הלא לפי ניתוח הלשון היה לו לומר וירחם אותו או עליו, ולזה באו לומר דמלת וירחמהו, על דביקת הרחמים והאהבה הגמורה עד שנדבקו דיבוק חזק מאוד, כי הנה העוונות המה המסך המבדיל בינו לבין אלהיו, כמו שכתוב כי עוונותיכם היו מבדילים, ועל ידי התשובה שיטהר הלב, אז היא כדבק המדביק הנסרים יחד עד שאינו ניכר ביניהם, וכאלו הנסרים נאחדו יחד וכאלו הם אחד ממש, כן על ידי התשובה נדבקה נפש האדם לאלהים, כאלו היא נאחדת ממש למקורה. אבל דעת השני לא כן, כי אם אמת שנדבקו יחד, אבל רק כדביקת שתי כרעי המטה, שרחוקים זה מזה, ויש דבר המפסיק ביניהם, רק שנדבקו על ידי הנסרים שביניהם. ויתכן שנחלקו אם הבעל תשובה גדול כצדיק גמור או לא, ודעת הראשון שגדול כצדיק גמור, ולכן המשל כמדבק שני נסרים יחד. ואין להאריך:

חידושי הרד"ל

[ג] כיצד אדם צריך להתוודות. ירושלמי יומא (פ"ח ה"ז): **מחשבותיו. וישוב אל ה' וירחמהו רבי יצחק ורבי יוסי בר חנינא, רבי יצחק אומר כאדם שהוא מלחים כו', רבי יוסי בר חנינא אומר כו' המטה ומדביקן זה לזה. ואל אלהינו כי ירבה לסלוח רבי יהודה ברבי סימון [בשם רבי זירא וכו'] זו עשירית האיפה, רבנן ורבי שמעון בן יוחאי כו' אלה האמור להלן עשירית האיפה. נפש כי תקריב כו'.** כן צריך לומר. ועיין בילקוט ישעיה (רמז תפח):

חידושי הרש"ש

[ג] ר' יצחק ור' יוסי בר חנינא כו' שהוא מלחים שתי נסרים. יתכן שכוונו למה שכתב בספר מעשה טוביה ביסוד האויר אות מ"ם, שני דפים מיושרים אם יודבקו היטב באופן שלא יכנס האויר אי אפשר להפרידם אפילו על ידי שני צמדי בקר:

באור מהרי"פ

[ג] רבי יצחק ורבי יוסי בר'. הדרש נסמך על סיפא דקרא וישוב אל ה' וירחמהו, ודרשו וירחמהו כמו מלחמהו. והנה לשון הערוך ערך מלחים), פירוש המדביק שני חתיכות בין של (מתכות) [ומתכת בין] של עץ שמו בלשון ישמעאל (לחמם) [לחאם] עכ"ל הערוך. והרי"ש והלמ"ד מתחלפים כמו (דניאל ב, לא) אלו ואלו (דניאל ז, ב) וארו, ונראה כי זה גם כן כוונת מתנות כהונה עיין שם. וכן לשון הילקוט (ישעיה רמז תפח) וישוב אל ה' וירחמהו רבי יצחק ורבי יוסי וכו':

אמרי יושר

[ג] כאדם שמדביק כרעי המטה. שהם מתייחסים זה עם זה, כן הקדוש ברוך הוא וישראל רעים ואחים כביכול, וזהו וישוב אל ה', שהוא יושב וממתין: **וירחמהו.** קרי ביה וילחמהו, לשון דבק:

אם למקרא

יַעֲזֹב רָשָׁע דַּרְכּוֹ וְאִישׁ אָוֶן מַחְשְׁבֹתָיו וְיָשֹׁב אֶל ה' וִירַחֲמֵהוּ וְאֶל אֱלֹהֵינוּ כִּי יַרְבֶּה לִסְלוֹחַ: (ישעיה נה:ז)

ידי משה

[ג] רבי יצחק ורבי יוסי בר חנינא. לדלעיל קאי, שאמר שצריך להתוודות ולומר על העבירות שעברו אני מתחרט וכו' ולהבא לא אעשה, נמצא שהפסוק יעזוב רשע דרכו באדם אחד מדבר, שמתוודה על עבר ועל הבא, ולפי פשוטו הייתי סובר שקאי על שני בני אדם, ועל זה מביא ר' יצחק המשל כמי שמדבק שני נסרים להיות כמו נסר אחד, כך כאן הגם שלפי פשוטו בשני בני אדם הכתוב מדבר אבל על האמת על אדם אחד קאי, ורבי יוסי אמר גם כן המשל כמי שהוא דבק שני כרעי המטה זה לזה, פירוש שלפי הנראה הוא שני כלים והוא צורך מטה אחת כך כאן. וקל להבין:

שינוי נוסחאות

(ג) יעזוב רשע דרכו ואיש און מחשבתיו. הגיה מ"כ דצריך להוסיף כאן <וגו'>: **מודה אני כל רע שעשיתי.** הביא מ"כ מילקוט "מודה אני כל אשר עשיתי", ונוטה להגיה כן, ואף בכל הכי"י כולם איתא הכי: **הדא הוא דכתיב יעזוב רשע דרכו ואיש און מחשבתיו וגו'.** הגיה רד"ל כאן (במקום וגו') תיבות "וישב אל ה' וירחמהו" כאן, במקום לגרוס בסוף הענין, והסכים עצ"י:

The Midrash continues, concluding its analysis of the *Isaiah* verse, relating it to our passage in *Leviticus*:

"וְאֶל אֱלֹהֵינוּ כִּי יַרְבֶּה לִסְלוֹחַ" — *Let him return . . . to our God, for He is abundantly forgiving* (or: *for He adds on forgiveness*). רַבִּי יְהוּדָה בַּר סִימוֹן בְּשֵׁם רַבִּי זְעֵירָא — **R' Yehudah bar Simone** said **in the name of R' Zeira:** אַף הַקָּדוֹשׁ בָּרוּךְ הוּא וְוִיתֵּר לָנוּ סְלִיחָה אַחַת מִשֶּׁלּוֹ — Not only did **the Holy One, blessed is He,** provide the expected forms of atonement for us, but **He even added on** to those **one** form of **atonement of His own.**[67] וְאֵיזוֹ — **And which is this** form of atonement that we refer to? זוֹ עֲשִׂירִית הָאֵיפָה — **This is the** meal-offering, consisting of a **tenth of an** ***ephah*** of fine flour.[68]

וְהֵבֵאתָ אֶת הַמִּנְחָה אֲשֶׁר יֵעָשֶׂה מֵאֵלֶּה לַה׳ וְהִקְרִיבָהּ אֶל הַכֹּהֵן וְהִגִּישָׁהּ אֶל הַמִּזְבֵּחַ.

You shall present to HASHEM the meal-offering that will be prepared from these; he shall bring it to the Kohen who shall bring it close to the Altar (2:8.)

□ [אֲשֶׁר יֵעָשֶׂה מֵאֵלֶּה — *THAT WILL BE PREPARED FROM THESE.*]

The Midrash cites a disagreement of Sages concerning a passage in *Genesis,* which has a bearing on our verse:[69]

רַבָּנָן וְרַבִּי שִׁמְעוֹן בֶּן יוֹחָאי — **The Rabbis and R' Shimon ben Yochai** disputed which offerings God showed Abraham.[70] רַבָּנָן אָמְרֵי: כָּל הַכַּפָּרוֹת הֶרְאָה לוֹ הַקָּדוֹשׁ בָּרוּךְ הוּא לְאַבְרָהָם אָבִינוּ עָלָיו הַשָּׁלוֹם — **The Rabbis said: The Holy One, blessed is He, showed our forefather Abraham, peace be upon him,** an allusion to **all the** various kinds of **atonement-offerings,**[71] חוּץ מֵעֲשִׂירִית הָאֵיפָה — **except for the** meal-offering, which consists of a **tenth of an** ***ephah*** of fine flour.[72] וְרַבִּי שִׁמְעוֹן בֶּן יוֹחָאי אוֹמֵר: אַף עֲשִׂירִית הָאֵיפָה הֶרְאָה לוֹ הַקָּדוֹשׁ בָּרוּךְ הוּא לְאַבְרָהָם אָבִינוּ — **But R' Shimon ben Yochai said: The Holy One, blessed is He, showed our forefather Abraham the** meal-offering of a **tenth of an** ***ephah*** **as well:** נֶאֱמַר כָּאן "אֵלֶּה" וְנֶאֱמַר לְהַלָּן "אֵלֶּה" — For **it is stated here** in our verse in *Leviticus, You shall present to HASHEM the meal-offering that will be prepared from* ***these*** [מֵאֵלֶּה], **and it is stated there,** in describing the animals brought by Abraham at the Covenant Between the Parts, *He took all* ***these*** [אֵלֶּה] *to Him* (*Genesis* 15:10); מַה אֵלֶּה הָאָמוּר כָּאן עֲשִׂירִית הָאֵיפָה — and we may derive by *gezeirah shavah*[73] that **just as** the expression ***these*** [אֵלֶּה] **stated here is** referring to **the** meal-offering of a **tenth of an** ***ephah,*** אַף אֵלֶּה הָאָמוּר לְהַלָּן עֲשִׂירִית הָאֵיפָה — **so too,** the expression ***these*** [אֵלֶּה] **stated there** regarding Abraham **is** alluding to **the** meal-offering of a **tenth of an** ***ephah.***

NOTES

67. And that is what Isaiah meant by *for He adds on forgiveness* — he has added a form of atonement to achieve forgiveness, beyond the ordinary forms.

68. By right, a meal-offering should not have been a means of atonement, either because it consists of a paltry offering that poses little economic sacrifice on the part of the offerer (*Yefeh To'ar*), or because it does not involve the use of blood, which is the ordinary instrument of atonement (see below, 17:11) (*Peirush Kadum*), or because God did not forge a covenant with Abraham that He would accept meal-offerings as atonement (see next paragraph) (*Radal*). Nevertheless, God graciously added on this simple form of offering, in His great desire to make atonement available to all, even to those for whom an animal offering is too difficult.

[Although the meal-offering of our verse is not brought for purposes of atonement, but is a voluntary gift offering (see above, at note 43), there is also another kind of meal-offering (described below, 5:11) that *is* brought for atonement. Perhaps the Midrash discusses this topic here rather than below because our meal-offering is mentioned first in the Torah.]

See Insight Ⓐ.

69. This dispute appears also in *Bereishis Rabbah* 44:14, though there the opinions of the Rabbis and R' Shimon bar Yochai are reversed.

70. When Abraham was told by God at the "Covenant Between the Parts" that He would be given *Eretz Yisrael* as an eternal inheritance for his future generations, he was concerned lest they one day be found unworthy, and he asked God by what merit they would be granted the right to possess it forever. God responded by telling Abraham to bring several kinds of land animals and a bird, and He forged a covenant with him by means of these animals, thereby intimating to him: It is through sacrifices of these kinds of animals that your offspring will gain atonement and will be made worthy to maintain their title to *Eretz Yisrael*. (This is a synopsis of *Genesis* 15:7-21, as interpreted in *Bereishis Rabbah* 44 §14.) Our Midrash cites a disagreement as to whether God mentioned the meal-offering to Abraham as well, though it is not listed explicitly in that passage.

71. They are enumerated in full in *Bereishis Rabbah* ibid.

72. See above, note 68, which states that a meal-offering is sometimes brought as atonement for a sin.

73. A hermeneutic principle whereby two passages containing an identical (or similar) word may be compared to each other, so that certain details found in one passage may be applied to the other.

INSIGHTS

Ⓐ **The Minchah Offering — A Gift From God** *Anaf Yosef* gives another reason why a meal-offering is regarded as an inferior offering: When one sins, he causes harm to both his soul and to his body. It is therefore fitting for a sinner to bring an animal-offering, which also possesses both spiritual and physical properties, to atone for his sin. A meal-offering, however, is purely physical in nature. That God nonetheless accepts such an offering is a sign of His abundant forgiveness (see *Anaf Yosef* for another, somewhat similar, approach, based on the *Arizal*).

Others suggest a different interpretation of אַף הַקָּדוֹשׁ בָּרוּךְ הוּא וְוִיתֵּר לָנוּ סְלִיחָה אַחַת מִשֶּׁלּוֹ, rendering it as: *the Holy One, blessed is He, even "forwent"* [וְוִיתֵּר] *for us an atonement of His,* and explaining as follows:

The *olah*-offering, brought by a wealthy individual, is burned completely on the Altar, with only the hide of the animal being given to the Kohanim serving in the Temple. In the case of the poor man's corresponding *minchah*-offering, however, only a *kometz* — the amount of flour enclosed in the Kohen's hand when he covers his palm with his three middle fingers — is burned on the Altar; the rest is eaten by the Kohanim. Why this difference?

The sins of the affluent person are likely to be primarily against God; he does not need his fellow's money in order to provide his own needs. Therefore, his prescribed atonement is an offering that is consumed completely on God's Altar, with the Kohanim receiving only a minimal benefit.

A poor person, on the other hand, is prone to have sinned against many of his fellow men, in his desperation for the material things that he does not have. And what is the law if one seeks to repent for stealing from people too numerous to repay directly? He should provide a public need, from which all (including his numerous victims) benefit (see *Beitzah* 29a with *Rashi*). Therefore, a pauper brings a *minchah*-offering, the majority of which is eaten by the Kohanim (whom the community at large is responsible to sustain), with only the meager *kometz* being burned on the Altar.

Now, one who sins against his fellow man has also thereby sinned against God, Who forbade that sin. Nonetheless, God is *generous and forgiving,* affording atonement by *forgoing* "His share" — that which should be placed on the Altar. He requests only the *kometz*, leaving the rest for the Kohanim, so that the pauper can achieve full atonement for his sin against his fellow man (*Yalkut Sofer, Vayikra,* p. 12, citing *R' David Deutsch*).

R' Mordechai Rogov (*Ateres Mordechai al HaTorah,* pp. 211-212) also interprets the word וְוִיתֵּר in our Midrash to mean "forwent," but with a different explanation. For a pauper, who barely has enough to survive, to bring even a *minchah*-offering to the Temple entails extreme sacrifice on his part. When God sees a poor person depriving himself of some of his meager rations so that he can bring an offering to Him, וְוִיתֵּר לָנוּ סְלִיחָה אַחַת מִשֶּׁלּוֹ — God "forgoes and forgives" for us that which is His — what He would have the right to demand as retribution for our sins. The pauper's self-sacrifice has the power to atone for all. To one who forgoes what is his, God forgoes what is His.

(שם) "וְיָשֹׁב אֶל ה' וִירַחֲמֵהוּ"°, רַבָּנָן וְרַבִּי שִׁמְעוֹן בֶּן יוֹחָאי, °רַבָּנָן אָמְרִי: כָּל הַכַּפָּרוֹת הֶרְאָה לוֹ הַקָּדוֹשׁ בָּרוּךְ הוּא לְאַבְרָהָם אָבִינוּ עָלָיו הַשָּׁלוֹם חוּץ מֵעֲשִׂירִית הָאֵיפָה, וְרַבִּי שִׁמְעוֹן בֶּן יוֹחָאי אוֹמֵר: אַף עֲשִׂירִית הָאֵיפָה הֶרְאָה לוֹ הַקָּדוֹשׁ בָּרוּךְ הוּא לְאַבְרָהָם אָבִינוּ, נֶאֱמַר כָּאן [ב, ח] "אֵלֶּה" וְנֶאֱמַר לְהַלָּן (בראשית טו, י) "אֵלֶּה", מָה אֵלֶּה הָאָמוּר כָּאן עֲשִׂירִית הָאֵיפָה, אַף אֵלֶּה הָאָמוּר לְהַלָּן עֲשִׂירִית הָאֵיפָה°. (שם) "וְאֶל אֱלֹהֵינוּ כִּי יַרְבֶּה לִסְלוֹחַ" רַבִּי יְהוּדָה בַּר סִימוֹן בְּשֵׁם רַבִּי זְעֵירָא: אַף הַקָּדוֹשׁ בָּרוּךְ הוּא וִיוֹתֵר לָנוּ סְלִיחָה אַחַת מִשֶּׁלּוֹ, וְאֵיזוֹ זוֹ, עֲשִׂירִית הָאֵיפָה:°

ד [ב, א] "וְנֶפֶשׁ כִּי תַקְרִיב קָרְבַּן", מַה כְּתִיב לְמַעְלָה מִן הָעִנְיָן, [א, טז] "וְהֵסִיר אֶת מֻרְאָתוֹ בְּנֹצָתָהּ", אָמַר רַבִּי תַּנְחוּמָא בַּר חֲנִילָאי: הָעוֹף הַזֶּה פּוֹרֵחַ וְטָס בְּכָל הָעוֹלָם וְאוֹכֵל בְּכָל צַד וְאוֹכֵל מִן הַגְּזֵלוֹת וּמִן הַחֲמָסִין, אָמַר הַקָּדוֹשׁ בָּרוּךְ הוּא: הוֹאִיל וְהַזֶּפֶק הַזֶּה מָלֵא גְזֵילוֹת וַחֲמָסִין אַל יִקְרַב לְגַבֵּי הַמִּזְבֵּחַ, לְכָךְ נֶאֱמַר "וְהֵסִיר אֶת מֻרְאָתוֹ", אֲבָל בְּהֵמָה גְּדֵילָה עַל אֵבוּס בַּעֲלָהּ וְאֵינָהּ אוֹכֶלֶת מִכָּל צַד, לֹא מִן הַגְּזֵלוֹת וְלֹא מִן הַחֲמָסִין, לְפִיכָךְ הִיא קְרֵיבָה כּוּלָּהּ, לְכָךְ נֶאֱמַר (לעיל א, ט) "וְהִקְטִיר הַכֹּהֵן אֶת הַכֹּל הַמִּזְבֵּחָה", לְפִי שֶׁהַנֶּפֶשׁ הַזּוֹ גּוֹזֶלֶת וְחוֹמֶסֶת, בֹּא וּרְאֵה כַּמָּה צַעַר וְכַמָּה יְגִיעָה עַד שֶׁיֵּצֵא מַאֲכָלָהּ מִמֶּנָּה, מִפּוּמָא לְוֶושְׁטָא מִוֶּושְׁטָא לְאִיסְטוּמְכָא מֵאִיסְטוּמְכָא לְהַמְסִיסָא

עץ יוסף

מה שאמר התנא (אבות ה, א) בעשרה מאמרות כו', ואם כן נמצא הוא יתברך והצדיק שותפים בבריאתו של עולם, ולכן המשיל למלחים שני כרעי המטה, שאי אפשר בלא חבירו לקיים המטה, כך הקדוש ברוך הוא כביכול והצדיק מקיימים העולם (מהר"מ אלמשנינו): **כל הכפרות.** משום דאמר במה אדע, והשיבו ה' בכפרות שאני נותן לבניך, וכדלעיל בבראשית רבה (מד, יז), לכן הראה לו כל הכפרות, חוץ מעשירית האיפה, אף על פי שגם היא באה לכפרה לפעמים, אבל שאר קרבנות שאינם באים לכפרה, לא הוי ליה טעם להראותם לו: **כל הכפרות הראה לו.** היינו קחה לי עגלה משולשת וכו', כדלעיל בבראשית רבה (שם): **רבי שמעון בר יוחאי אומר אף עשירית כו'.** אף לרבי שמעון בר יוחאי לא נאמר לו אלא ברמז: **אף הקדוש ברוך הוא ויתר לנו סליחה אחת.** משום דקשיא ליה לשון ירבה, דבסליחה אחת יסלח הכל, ואם במה שחטא ונסלח לו ושוב חזר וחטא ונסלח לו פעם אחר פעם, לא שייך לשון רבוי, רק לשון כי יתמיד לסלוח או יוסיף וכיוצא, לכן פירש שהוא מה שהרבה והוסיף בתורה מין סליחה אחד על הראשונים, שהיו בזכות אברהם, אבל עשירית האיפה לא הספיק זכות אברהם שיתכפרו ישראל בדבר קל כזה, רק היה ויתור מהקדוש ברוך הוא שממדת טובו נתן נמי סליחה זו (יפה תואר). ואתיא כרבנן, שעשירית האיפה לא הראה לו, ולא כרת ברית עליו, ולכן קרא לה ויתור משלו (רד"ל): **(ד) מה כתיב למעלה כו'.** משום דקשה ליה מה שאמר הכא דכתיב נפש כדלעיל, סבירא ליה לתרוצי משום דלעיל הזהיר והרחיק הגזל מהקרבן כאמור והסיר את מראתו כדמפרש ואזיל, סמך לו שם הנפש, לפי שדרכה לגזול ולחמוד כדמפרש ואזיל, לומר שתזהר מהגזל ממה שה' מזהיר בקרבן: **הואיל והזפק כו'.** לרמוז לדל אל יפותה בדלותו לפשוט ידו במה שאינו שלו, שעל כן זפק מקרבנו על שבא מן הגזל, נדחה מעל המזבח (אלשיך): **אל יקריב.** והוא הדין בני מעים והקורקבן בכלל מוראתו בנוצתה, כדפירש רש"י בחומש: **והסיר את מורא‍תו.** הוכרחו לדרש זה, לפי שמצינו (להלן סימן ה) בעולת העוף שנאמר ושסע אותו בכנפיו ולא יבדיל, אמר רבי יוחנן ההדיוט הזה אם מריח הוא ריח כנפים נפשו קצה עליו, ואת אמרת והקטיר הכהן את הכל המזבחה, וכל כך למה, אלא כדי שיהא המזבח מהודר בקרבנו של עני, עד כאן. והנה כי כן מהטעם הזה למה גזר הכתוב והסיר את מוראתו בנוצתה, אדרבא היה ראוי להקריב הכל כדי שיהא המזבח מהודר כו', שאם הכנפים שריחן רע כשהן נשרפין צוה שיקריבו על גב המזבח, כל שכן הזפק, אלא ודאי שיש טעם בדבר, לפי שהזפק מלא גזילות וחמסים אל יקרב על גב המזבח (גבול בנימין): **והקריב הכהן את הכל.** ובכלל זה הקרב והכרעים: **לפי שהנפש הזו גוזלת.** שכל מה שיגזול האדם, הוא לקיום נפשו במזונותיו, כאומרו כל עמל אדם לפיהו, ולכן יש לעיין כמה צער ויגיעה עד שילא מאכלה ממנה, ולא ירבה לגזול למה שאחר כך הוא מצטער להוציאו ממנו. ועוד שאחר שהמזון עובר בכל חלקיו אלא כדי שילא ממנו, ראוי ליזהר מהגזל שלא יהיה לו לפוקה בחטאו: **לאסטומכא.** במדרש קהלת (ז, לו על פסוק יט) גבי מעשרה שליטים, לא מני כרסא, משום דאסטומכא הוא אצטומכא וכרסא חד גופיה, חשיב ליה חד, אבל דמני אצטומוכא וכרסא לשתים, משום דאין כל הכרס אצטומכא אלא חלק אחד ממנו: **להמסיסא.** בריש אלו טרפות (חולין מב, א) פירש רש"י סוף הכרס שקורין פנצ"א עשוי ככובע וקרוי בית הכוסות, והמסס מחובר בו וסביב סביב לחבורן כשאתה מבדילן יש דופן לזה ודופן לזה, ובאמצע הם שופכים זה לזה, והמאכל נכנס מבית הכוסות להמסס, ומהמסס לקיבה, ומקיבה לדקין. והא דלא מני הכא קיבה, אפשר משום דבני מעים מתפשטים ממנו, ומכיון דמני במעיא, קיבה בכלל:

רבנן ורבי שמעון בר יוחאי. כל הענין בבראשית רבה (מד, יד) ושם נדרש ומבואר: **(ד) למעלה מן הענין.** ודורש סמוכין. ועיין לקמן (כט, ה). ומחבר כאן ארבע פרשיות, פרשת אם עולה מן הבקר וגו' (ויקרא א, ג), ופרשת ואם מן הצאן (שם י), ופרשת ואם מן העוף, ופרשת ונפש כי תקריב. ואצל בקר ולאן כתיב והקטיר את הכל המזבחה, ולא כן אצל העוף (שם יד), ואחר כך ונפש כי תקריב (שם ב, א) ודורש מטעם גזל וכמו שכתבו המפרשים, ויתבונן כמה טורח הטריח כביכול בבריאת המעים, ואיך יניח בהם הגזל להטריח על הקב"ה כביכול. ועיין קהלת רבה פסוק החכמה תעוז לחכם מעשרה שליטים, שחושב שם כל עשרה דברים אלו בשינוי (דף קנ"ב) [פרשה ז יט]:

מתנות כהונה

נאמר כאן אלה. דכתיב במנחה אשר יעשה מאלה: **ונאמר להלן.** בברית בין הבתרים ששם הראה לו סוד הקרבנות, ויקח לו את כל אלה (בראשית טו, י), וכן הוא בבראשית רבה (מד, יד): **וויתר לנו.** סליחה אחת דכתיב כי ירבה לשון רבוי ומותר: **[ד] וחמסין.** עיין בבראשית רבה (לא, ה): **מפומא לוושטא מוושטא כו'.** כולם מיני בני מעיים הם, שבהם נתגלגל המאכל עד גמירא, וכל זה הצער,

אשד הנחלים

כל הכפרות כו'. הענין בכלל, כי הקרבנות המה מכוונים לענין נעלה מאוד, כי המקדש של מטה מכוון למקדש של מעלה, ופרטי הקרבנות כל אחד מכוון לענין מה, והנה ראינו שבמחזה הראה לו סוד כל הקרבנות, לבד סוד עשירית האיפה. ועיין בבראשית רבה פרשה ל"א [מד, יד]: **כאן אלה כו'.** אף שהוא גזירה שוה עם כל זה גם רמז יש בה, שפירושו והבאת את המנחה אשר יעשה מאלה (כלומר אשר יפעל התועלת למעלה מאלה) לה', ובברית בין הבתרים כתיב את כל אלה, נרמוז גם את זה: **ויתר לנו כו' עשירית האיפה.** הוא לפי דבריו לעיל, שסוד עשירית האיפה לא הראה לו, ואם כן הוא כקרבן מיותר שמבלעדי זאת יוכל האדם להתכפר מעונו, אחר שהכל הראה לאברהם במה יתכפרו בניו כמאמרם לעיל, ואם כן זהו כפרה מיותרת על צד החסד והיתור, וזהו וירבה לסלוח, סליחה מרובה ותיקון על תיקון. ועיין ידי משה מה שפירש: **[ד] לפי שהנפש הזו גוזלת כו' בא וראה כו'.** הוא ציור והתבוננות לאדם, שיתבונן כמה מן הסיבובים שסבב ה' ברוך הוא באדם, בכדי שיכנס המאכל בקרבו, וברא בו איברים שונים זה מזה, שמהם יתוקן המאכל עד שיתהפך המאכל לדם ובשר, שיהיה ניזון גוף האדם ויתקיים על ידו, וכמה פליאת החכמה יש בה, וזהו המכונה בשם צער ויגיעה כביכול, כאלו עמל לייסד פליאות רבות בקרבו של אדם, ואם כן איך יגזול ויאכל ממה שהזהיר עליו ה' לבלתי געת במה שאינו שלו:

חידושי הרד"ל

ויתר לנו סליחה אחת משלו. אתיא כרבנן שעשירית האיפה לא הראה לאברהם, ולא כרת ברית עליו, לכן קרא ליה וויתור משלו:

באור מהרי"פ

אף עשירית האיפה וכו'. נסמך כאן משום סיומא דכי ירבה לסלוח: **ויתר כו' משלו.** פירוש לכפר אף במנחה מזערת וקלה כמו עשירית האיפה: **[ד] נפש כי תקריב וכו'.** הדרשה נמשכת עד להלן, ושם מסיים הדרוש במלת ונפש: **לכך נאמר** (ויקרא א, טז) **והסיר את מוראתו.** והוא הדין הבני מעיים והקורקבן כי גם הם בכלל מוראתו כדפרש"י בחומש: **את הכל.** ובכלל זה הקרב והכרעים דרישא דקרא: **בא וראה במה יגיעות וכו'.** פירוש צריך אדם להיות נזהר מן הגזל בכדי שלא יהיה לו לפוקה בהליכתו דרך מקומות הרבים האלו:

אמרי יושר

כל הכפרות הראה לו הקדוש ברוך הוא לאברהם. כדאמרינן לעיל (בראשית רבה פרשה מד יז) עגלה משולשת ואיל משולש, על הקרבנות ועל הכפרות, ועשירית האיפה לא נזכר שם, ואם כן ויתור הוא, והוסיף זו הכפרה, זהו כי ירבה לסלוח: **ורבי שמעון בר יוחאי אומר אף עשירית האיפה הראה לו כו'.** דכתיב בעשירית האיפה, על חטאתו אשר חטא מאחת מאלה, ובאברהם כתיב, ויקח לו את כל אלה: **כי ירבה לסלוח כו' זה עשירית איפה.** תימה והרי אמרו לעיל דמנחה אינה באה על חטא, יש לומר הכא איירי בקרבן עולה ויורד, דדלי דלות המוזכר להלן בסוף [הפרשה], דבא עשירית איפה, על שבועת ביטוי ועל טומאת מקדש: **[ד] לפי שהנפש הזו גוזלת וחומסת.** נענשה שכמה צער עוברת עד שיולא מאכלה ממנה. או יש לפרש שהוא כמו תוכחה, למה את גוזלת, להכניס מאכל שתצטער בו:

אם למקרא

וַיִּקַּח לוֹ אֶת כָּל אֵלֶּה וַיְבַתֵּר אֹתָם בַּתָּוֶךְ וַיִּתֵּן אִישׁ בִּתְרוֹ לִקְרַאת רֵעֵהוּ וְאֶת הַצִּפֹּר לֹא בָתָר: (בראשית טו:י)

ענף יוסף

(ג) אף הקדוש ברוך הוא ויתר לנו סליחה אחת משלו. עיין מה שכתבתי בעץ. ובספר אהבת יהונתן כתב ביאורו, דהנה ידוע כשאדם חוטא פוגם ברוחני ובגשמי שלו, וכשמקריב קרבן בהמה שיש לה גם כן רוחני וגשמי, מכפר בזה על נפשו וגופו זה לעומת זה, מה שאין כן במנחה אין בה כי אם גשמיות לחוד ולא רוחניות, וזהו שויתר לו הקדוש ברוך הוא לטני משלו, עד כאן לשונו. ובספר מלא העומר שעל התורה כתב, שיובן על פי מה שאמר האר"י ז"ל בטעמי מצות הקרבן, שהוא לתקן היסודות דומם, צומח, חי, מדבר, כי המלח הוא הדומם, ויין ושמן הם צומח, ובעל חי כמשמעו,

ידי משה

חוץ מן עשירית האיפה. לא הראה לו. ונראה לי לפי שבא מדלי דלות על כן לא הראהו כדי שלא לצער את אברהם:

שינוי נוסחאות

רבנן ורבי שמעון בן יוחאי אמרי: כל הכפרות הראה לו הקדוש ברוך הוא לאברהם אבינו עליו השלום חוץ מעשירית האיפה, ורבי שמעון בן יוחאי אומר: אף עשירית האיפה הראה לו הקדוש ברוך הוא לאברהם אבינו, נאמר כאן אלה ונאמר להלן אלה, מה אלה האמור כאן עשירית האיפה, אף אלה האמור להלן עשירית האיפה. כל זה מעביר רד"ל להלן לסוף הפיסקא, וכן נראה נכון בודאי וכן הסכים בעצ"י: (ד) לכך נאמר "והקטיר הכהן את הכל". בכל הדפוסים (כולל וילנא ווארשא) ובכל הכי"י כולם איתא "והקריב הכהן ..." אבל אין זה לשון הפסוק:

§4 וְנֶפֶשׁ כִּי תַקְרִיב קָרְבַּן — *WHEN A PERSON* (lit., *SOUL*) *OFFERS A MEAL-OFFERING TO HASHEM.*

The Midrash once again[74] focuses on the verse's unusual expression נֶפֶשׁ rather than אָדָם:

מַה כְּתִיב לְמַעְלָה מִן הָעִנְיָן — **What is written** immediately **prior to our present subject** of a meal-offering? "וְהֵסִיר אֶת מֻרְאָתוֹ בְּנֹצָתָהּ" — The laws of a burnt-offering of fowl, among which it is stated that before the Kohen puts the bird into the Altar's fire, ***he shall remove its crop with its innards,*** *and he shall throw it near the Altar toward the east, to the place of the ashes* (above, 1:16).[75] אָמַר רַבִּי תַּנְחוּמָא בַּר חֲנִילַאי — **R' Tanchuma bar Chanilai said:** הָעוֹף הַזֶּה פּוֹרֵחַ וְטָס בְּכָל הָעוֹלָם — **A bird takes off and flies all over the world,** וְאוֹכֵל בְּכָל צַד — **eating** whatever it finds **in whichever direction** it turns, וְאוֹכֵל מִן הַגְּזֵלוֹת וּמִן הַחֲמָסִין — **and eating from** food obtained through **robbing and stealing.**[76] אָמַר הַקָּדוֹשׁ בָּרוּךְ הוּא — Therefore **the Holy One, blessed is He, said:** הוֹאִיל וְהַזֶּפֶק הַזֶּה מָלֵא גְּזֵילוֹת וַחֲמָסִין — **Since this crop**[77] **is full of that which is robbed and stolen,** אַל יִקְרַב לְגַבֵּי הַמִּזְבֵּחַ — **it may not be offered on the Altar.**[78] לְכָךְ נֶאֱמַר "וְהֵסִיר אֶת מֻרְאָתוֹ" — **Therefore it is stated** regarding the offering of a bird, ***he shall remove its crop*** *with its feathers, and he shall throw it near the Altar.* אֲבָל בְּהֵמָה גְּדֵילָה עַל אֵבוּס בְּעָלָהּ — **An animal, on the other hand, grows** by eating **from the feeding trough of its owner,** וְאֵינָהּ אוֹכֶלֶת מִכָּל צַד — **and does not eat** whatever it pleases **from whichever direction** it turns, לֹא מִן הַגְּזֵלוֹת וְלֹא מִן הַחֲמָסִין — **nor from that which is robbed or stolen,** לְפִיכָךְ הִיא קְרֵיבָה כּוּלָּהּ — **and therefore it is offered up** on the Altar **in its entirety.** לְכָךְ נֶאֱמַר "וְהִקְטִיר הַכֹּהֵן אֶת הַכֹּל הַמִּזְבֵּחָה" — **Thus it is stated** regarding the offering of animals, *He shall wash its innards and its feet with water;* ***and the Kohen shall cause it all***[79] ***to go up in smoke on the Altar*** (above, 1:9).[80]

The Midrash explains the relevance of this lesson to our passage about the meal-offering:

לְפִי שֶׁהַנֶּפֶשׁ הַזּוֹ גּוֹזֶלֶת וְחוֹמֶסֶת — **Because the soul** of man often **robs and steals,**[81] let him contemplate the following: בֹּא וּרְאֵה כַּמָּה צַעַר וְכַמָּה יְגִיעָה עַד שֶׁיֵּצֵא מַאֲכָלָהּ מִמֶּנָּה — **Come and see how much anguish and how much toil** goes into his digestive process **until his**[82] **food is finally excreted from him:**[83]

NOTES

74. *Yefeh To'ar, Eitz Yosef.* See above, note 43.

75. The underlying question is: Why are the bird's innards removed before it is placed on the Altar, whereas this is not required for land animals that are sacrificed?

76. Lit., *extorting.* Of course the bird does not technically "extort" its food, but it often does — unlike cattle and flock — snatch food that is private property.

77. The crop is a sac in a bird's gullet in which food is stored and partially digested before it passes into the stomach.

78. This prohibition includes the innards and gizzard of fowl, as well (*Eitz Yosef,* based on *Rashi* to 1:16 above).

79. I.e., everything, including the aforementioned innards (ibid.).

80. See Insight Ⓐ.

81. Since the motivation for stealing is primarily to keep oneself fed and preserve one's life (נֶפֶשׁ) (as it is written, *All man's toil is for his mouth, but his soul is never satisfied* [*Ecclesiastes* 6:7]), man's "stealing and robbing" is attributed to the soul (נֶפֶשׁ) (*Yefeh To'ar, Eitz Yosef*). It is for this reason that Scripture uses the unusual expression נֶפֶשׁ here in the opening words of the meal-offering passage, in juxtaposition to the commandment to discard the bird's crop, to impress upon us the evils of stealing, even if one is struggling for one's basic sustenance.

82. The Midrash uses the feminine pronoun (throughout this paragraph) because it is referring to the aforementioned soul (נֶפֶשׁ), which is feminine in Hebrew.

83. The Midrash, though teaching a lesson for humans, now goes on to describe the digestive process of ruminants (animals who chew their

INSIGHTS

Ⓐ **Lessons in Honesty** *Rabbeinu Bachya* comments that our Midrash stands as a clear warning as to how careful one must be not to take property belonging to others. The innards of an *animal,* which digest that which is contained in its master's feeding trough, are cleansed of their refuse and offered on the Altar. But the Holy One, blessed is He, has altogether rejected from His Altar the innards of *fowl,* which are organs that contain and process that which is stolen. It is not sufficient to purge them of their sinful content. The organs themselves become repulsive to Him! So too does God distance from Himself a person who has become a container for stolen goods, unless he repents fully and divests himself of that which is repulsive before God. In this vein, the Psalmist declares (*Psalms* 24:3-4): *Who may ascend the mountain of HASHEM, and who may stand in the place of His sanctity? One with clean hands and pure heart; who has not sworn in vain by My soul, and has not sworn deceitfully.* One who wishes to experience the Divine Presence must be a man of impeccable integrity, his hands clean of all ill-gotten gains (see also *Kad HaKemach* ע' גזלה).

As the Midrash teaches above (2 §7) the second verse of this Book, אָדָם כִּי יַקְרִיב מִכֶּם קָרְבָּן, *when "Adam" among you brings an offering,* also alludes to this concept: Just as Adam did not bring stolen animals as offerings — since the whole world was his — so too one may not serve God with anything acquired dishonestly. See also *Malachi* 1:13.

Kli Yakar (ad loc.) explains that Scripture alludes often to the need for offerings to be untainted by theft in order to emphasize that offerings and theft are opposites. Bringing an offering draws the Divine Presence closer. Theft drives it away, as it states (*Psalms* 12:6), מִשֹּׁד עֲנִיִּים מֵאַנְקַת אֶבְיוֹנִים עַתָּה אָקוּם יֹאמַר ה׳, *Because of the oppression of the poor, because of the cry of the needy — "Now I will arise!" says HASHEM,* which the Gemara (*Sanhedrin* 7a; see also *Midrash Tehillim* ad loc.) interprets to mean "a removal of the *Shechinah.*" Moreover, *Kli Yakar* explains, the offering of stolen goods is antithetical to the fundamental concept of an offering to God. When one offers an animal before God, it is as if he has offered himself on the Altar (see also Insight A to 2 §11, "Self-Offering"). The personal investment of time and effort needed to obtain his possessions allows them to be construed as a substitute for himself. But how can an offering stolen from others serve as a substitute for the thief?

The *Chafetz Chaim,* in his book on ethics and honesty, *Sfas Tamim* (§3), speaks at length regarding the grave sin of theft, and how it prevents one's prayers from being answered (see *Shemos Rabbah* 22 §3). And he points out that at *Nei'lah,* the climax of Yom Kippur, the most opportune day for repentance and prayer, we appeal to God for forgiveness לְמַעַן נֶחְדַּל מֵעֹשֶׁק יָדֵינוּ, *so that we can cease the oppression by our hands,* the withholding of money that is not rightfully ours. Theft erects a barrier between God and us, through which prayer and devotion will not penetrate.

There is a well-known custom that children begin their study of *Chumash* not from *Bereishis,* but from *Vayikra.* One reason for this, suggests *R' Shmuel David Friedman* (*Sdeh Tzofim, Bava Kamma,* Introduction), is that the opening passage of *Vayikra* emphasizes the concept one cannot bring an offering to God from stolen property. We wish to impress on the young minds of children that success in the service of God cannot be realized unless one is scrupulous to avoid taking the property of others.

Similarly, *R' Moshe Feinstein* was once asked why students begin the study of Gemara with the chapter *Eilu Metzios,* the second chapter of *Bava Metzia,* which is devoted to the topic of lost objects and contains many discussions that are difficult for a beginner to grasp. Why not begin with the study of Tractate *Berachos,* which discusses the laws of prayer, and can be somewhat easier to absorb? Reb Moshe answered that we wish to convey to the young students the fundamental concept that each person has his own personal property and one may use only that which belongs or has been permitted to him.

If we are careful about that which God has apportioned to others, we can ask Him to grant us *our* portion in His Torah.

(שם) "וַיָּשֹׁב אֶל ה' וִירַחֲמֵהוּ", °רַבָּנָן וְרַבִּי שִׁמְעוֹן בֶּן יוֹחַאי, °רַבָּנָן אָמְרִי: כָּל הַכַּפָּרוֹת הֶרְאָה לוֹ הַקָּדוֹשׁ בָּרוּךְ הוּא לְאַבְרָהָם אָבִינוּ עָלָיו הַשָּׁלוֹם חוּץ מֵעֲשִׂירִית הָאֵיפָה, וְרַבִּי שִׁמְעוֹן בֶּן יוֹחַאי אוֹמֵר: אַף עֲשִׂירִית הָאֵיפָה הֶרְאָה לוֹ הַקָּדוֹשׁ בָּרוּךְ הוּא לְאַבְרָהָם אָבִינוּ, נֶאֱמַר כָּאן [ב, ח] "אֵלֶּה" וְנֶאֱמַר לְהַלָּן (בראשית טו, י) "אֵלֶּה", מָה אֵלֶּה הָאָמוּר כָּאן עֲשִׂירִית הָאֵיפָה, אַף אֵלֶּה הָאָמוּר לְהַלָּן עֲשִׂירִית הָאֵיפָה°. (שם) "וְאֶל אֱלֹהֵינוּ כִּי יַרְבֶּה לִסְלוֹחַ" רַבִּי יְהוּדָה בַּר סִימוֹן בְּשֵׁם רַבִּי זְעֵירָא: אַף הַקָּדוֹשׁ בָּרוּךְ הוּא וִויתֵּר לָנוּ סְלִיחָה אַחַת מִשֶּׁלּוֹ, וְאֵיזוֹ זוֹ, עֲשִׂירִית הָאֵיפָה:°

ד [ב, א] "וְנֶפֶשׁ כִּי תַקְרִיב קָרְבַּן", מַה כְּתִיב לְמַעְלָה מִן הָעִנְיָן, [א, טז] "וְהֵסִיר אֶת מֻרְאָתוֹ בְּנֹצָתָהּ", אָמַר רַבִּי תַּנְחוּמָא בַּר חֲנִילָאִי: הָעוֹף הַזֶּה פּוֹרֵחַ וְטָס בְּכָל הָעוֹלָם וְאוֹכֵל בְּכָל צַד וְאוֹכֵל מִן הַגְּזֵלוֹת וּמִן הַחֲמָסִין, אָמַר הַקָּדוֹשׁ בָּרוּךְ הוּא: הוֹאִיל וְהַזֶּפֶק הַזֶּה מָלֵא גְּזֵילוֹת וַחֲמָסִין אַל יִקְרַב לְגַבֵּי הַמִּזְבֵּחַ, לְכָךְ נֶאֱמַר "וְהֵסִיר אֶת מֻרְאָתוֹ", אֲבָל בְּהֵמָה גְּדֵילָה עַל אֵבוּס בַּעְלָהּ וְאֵינָהּ אוֹכֶלֶת מִכָּל צַד, לֹא מִן הַגְּזֵלוֹת וְלֹא מִן הַחֲמָסִין, לְפִיכָךְ הִיא קְרֵיבָה כּוּלָּהּ, לְכָךְ נֶאֱמַר (לעיל א, ט) "וְהִקְטִיר הַכֹּהֵן אֶת הַכֹּל הַמִּזְבֵּחָה", לְפִי שֶׁהַנֶּפֶשׁ הַזּוֹ גּוֹזֶלֶת וְחוֹמֶסֶת, בֹּא וּרְאֵה כַּמָּה צַעַר וְכַמָּה יְגִיעָה עַד שֶׁיֵּצֵא מַאֲכָלָהּ מִמֶּנָּה, מִפּוּמָא לְוֶושְׁטָא מִוֶּושְׁטָא לְאִיסְטוּמְכָא מֵאִיסְטוּמְכָא לְהַמְּסִיסָא

פירוש מהרז"ו

מה שאמר התנא (אבות ה, א) בעשרה מאמרות כו', ואם כן נמצא הוא יתברך והצדיק שותפים בבריאתו של עולם, ולכן המשיל למלאכים שני כרעי המטה, שאי אפשר בלא חבירו לקיים המטה, כך הקדוש ברוך הוא כביכול והצדיק מקיימים העולם (מהר"מ אלמשנינו): **כל הכפרות.** משום דאמר במה אדע, והשיב ה' בכפרות שאני נותן לבניך, וכדלעיל בבראשית רבה (מד, יז), לכן הראה לו כל הכפרות, חוץ מעשירית האיפה, אף על פי שגם היא באה לכפרה לפעמים, אבל שאר קרבנות שאינם באים לכפרה, לא הוי ליה טעם להראותם לו: **כל הכפרות הראה לו.** היינו קחה לי עגלה משולשת וכו', כדלעיל בבראשית רבה (שם): **רבי שמעון בר יוחאי אומר אף עשירית כו'.** אף לרבי שמעון בר יוחאי לא נאמר לו אלא ברמז: **אף הקדוש ברוך הוא ויתר לנו סליחה אחת.** משום דקשיא ליה לשון ירבה, דבסליחה אחת יסלח הכל, ואם במה שחטא ונסלח לו ושוב חזר וחטא ונסלח לו פעם אחר פעם, לא שייך לשון רבוי, רק לשון כי יתמיד לסלוח או יוסיף וכיוצא, לכן פירש שהוא מה שהרבה והוסיף בתורה מין סליחה אחד על הראשונים, שהיו בזכות אברהם, אבל עשירית האיפה לא הספיק זכות אברהם שיתכפרו ישראל בדבר קל כזה, רק היה ויתור מהקדוש ברוך הוא שממדת טובו נתן גמי סליחה זו (יפה תואר). ואתיא כרבנן, שעשירית האיפה לא הראה לו, ולא כרת ברית עליו, ולכן קרא לה ויתור משלו (רד"ל): **(ד) מה כתיב למעלה כו'.** משום דקשיא ליה מה שאמר הכא דכתיב נפש כדלעיל, סבירא ליה לתרוצי משום דלעיל הזהיר והרחיק הגזל מהקרבן כאמור והסיר את מראתו כדמפרש ואזיל, סמך לו שם הנפש, לפי שדרכה לגזול ולחמוד כדמפרש ואזיל, לומר שתזהר מהגזל ממה שה' מזהיר בקרבן: **הואיל והזפק כו'.** לרמוז לדל אל יפותה בדלותו לפשוט ידו במה שאינו שלו, שעל כן זפק מקרבנו על שבא מן הגזל, נדחה מעל המזבח (אלשיך): **אל יקריב.** והוא הדין בני מעים והקורקבן בכלל מוראתו בנוצתה, כדפירש רש"י בחומש: **והסיר את מוראתו.** הוכרחו לדרש זה, לפי שמצינו (להלן סימן ה) בעולת העוף שנאמר ושסע אותו בכנפיו ולא יבדיל, אמר רבי יוחנן ההדיוט הזה אם מריח הוא ריח כנפים נפשו קצה עליו, ואת אמרת והקטיר הכהן את הכל המזבחה, וכל כך למה, אלא כדי שיהא המזבח מהודר בקרבנו של עני, עד כאן. והנה כי כן מהטעם הזה למה גזר הכתוב והסיר את מוראתו בנוצתה, אדרבא היה ראוי להקריב הכל כדי שיהא המזבח מהודר כו', שאם הכנפים שריחן רע כשהן נשרפין לזה שיקריבו על גב המזבח, כל שכן הזפק, אלא ודאי שיש טעם בדבר, לפי שהזפק מלא גזילות וחמסים אל יקרב על גב המזבח (גבול בנימין): **והקריב הכהן את הכל.** ובכלל זה הקרב והכרעים: **לפי שהנפש הזו גוזלת.** שכל מה שיגזול האדם, הוא לקיום נפשו במזונותיו, כאומרו כל עמל אדם לפיהו, ולכן יש לעיין כמה צער ויגיעה עד שיצא מאכלה ממנה, ולא ירבה לגזול למה שאחר כך הוא מצטער להוציאו ממנו. ועוד שאחר שהמזון עובר בכל חלקיו אלה כדי שיצא ממנו, ראוי ליזהר מהגזל שלא יהיה לו לפוקה בחטאו: **לאסטומכא.** במדרש קהלת (ז, לו על פסוק יט) גבי מעשרה שליטים, לא מני כרסא, משום דאסטומכא הוא אצטומכא וכרסא חד גופיה, חשיב ליה חד, אבל דמני אצטומוכא וכרסא לשתים, משום דאין כל הכרס אצטומכא אלא חלק אחד ממנו: **להמסיסא.** בריש אלו טרפות (חולין מב, א) פירש רש"י סוף הכרס שקורין פנצ"א עשוי ככובע וקרוי בית הכוסות, והמסס מחובר בו וסביב סביב לחבורן כשאתה מבדילן יש דופן לזה ודופן לזה, ובאמצע הם שופכים זה לזה, והמאכל נכנס מבית הכוסות להמסס, ומהמסס לקיבה, ומקיבה לדקין. והא דלא מני הכא קיבה, אפשר משום דבני מעים מתפשטים ממנו, ומכיון דמני במעיא, קיבה בכלל:

רבנן ורבי שמעון בר יוחאי. כל הענין בבראשית רבה (מד, יד) ושם נדרש ומבואר: **(ד) למעלה מן הענין.** דורש סמוכין. ועיין לקמן (כט, ה). ומחבר כאן ארבע פרשיות, פרשת אם עולה מן הבקר וגו' (ויקרא א, ג), ופרשת ואם מן הצאן (שם י), ופרשת ואם מן העוף, ופרשת ונפש כי תקריב. ואצל בקר ולהלן כתיב והקטיר את הכל המזבחה, ולא כן אצל העוף (שם יד), ואחר כך ונפש כי תקריב (שם ב, א) ודורש מטעם גזל וכמו שכתבו המפרשים, ויתבונן כמה טורח הטריח כביכול בבריאת המעים, ואיך יניח בהם הגזל להטריח על הקב"ה כביכול. ועיין קהלת רבה פסוק החכמה תעוז לחכם מעשרה שליטים, שחושב שם כל עשרה דברים אלו בשינוי (דף קנ"ב) [פרשה ז יט]:

מתנות כהונה

נאמר כאן אלה. דכתיב במנחה אשר יעשה מאלה: **ונאמר להלן.** בברית בין הבתרים ששם הראה לו סוד הקרבנות, ויקח לו את כל אלה (בראשית טו, י), וכן הוא בבראשית רבה (מד, יד): **וויתר לנו.** סליחה אחת דכתיב כי ירבה לשון רבוי ומותר: **[ד] וחמסין.** עיין בבראשית רבה (לא, ה): **מפומא לוושטא מוושטא כו'.** כולם מיני בני מעיים הם, שבהם נתגלגל המאכל עד גמירא, וכל זה הצער,

אשד הנחלים

כל הכפרות כו'. הענין בכלל, כי הקרבנות המה מכוונים לענין נעלה מאוד, כי המקדש של מטה מכוון למקדש של מעלה, ופרטי הקרבנות כל אחד מכוון לענין מה, והנה ראינו שבמחזה הראה לו סוד כל הקרבנות, לבד סוד עשירית האיפה. ועיין בבראשית רבה פרשה ל"א [מד, יד]: **כאן אלה כו'.** אף שהוא גזירה שוה עם כל זה גם רמז יש בה, שפירושו והבאת את המנחה אשר יעשה מאלה (כלומר אשר יפעל התועלת למעלה מאלה) לה', ובברית בין הבתרים כתיב את כל אלה, נרמוז גם את זה: **ויתר לנו כו' עשירית האיפה.** הוא לפי דבריו לעיל, שסוד עשירית האיפה לא הראה לו, ואם כן הוא כקרבן מיותר שמבלעדי זאת יוכל האדם להתכפר מעונו, אחר שהכל הראה לאברהם במה יתכפרו בניו כמאמרם לעיל, ואם כן זהו כפרה מיותרת על צד החסד והיתור, וזהו וירבה לסלוח, סליחה מרובה ותיקון על תיקון. ועיין ידי משה מה שפירש: **[ד] לפי שהנפש הזו גוזלת כו' בא וראה כו'.** הוא ציור והתבוננות לאדם, שיתבונן כמה מן הסיבובים שסבב ה' ברוך הוא באדם, בכדי שיכנס המאכל בקרבו, וברא בו איברים שונים זה מזה, שמהם יתוקן המאכל עד שיתהפך המאכל לדם ובשר, שיהיה ניזון גוף האדם ויתקיים על ידו, וכמה פליאת החכמה יש בה, וזהו המכונה בשם צער ויגיעה כביכול, כאלו עמל לייסד פליאות רבות בקרבו של אדם, ואם כן איך יגזול ויאכל ממה שהזהיר עליו ה' לבלתי געת במה שאינו שלו:

חידושי הרד"ל

וויתר לנו סליחה אחת משלו. אתיא כרבנן שעשירית האיפה לא הראה לאברהם, ולא כרת ברית עליו, לכן קרא ליה וויתור משלו:

באור מהרי"פ

אף עשירית האיפה וכו'. נסמך כאן משום סיומא דכי ירבה לסלוח: **ויתר כו' משלו.** פירוש לכפר אף במנחה מזערת וקלה כמו עשירית האיפה: **[ד] נפש כי תקריב וכו'.** הדרשה נמשכת עד להלן, ושם מסיים הדרוש במלת ונפש: **לכך נאמר** (ויקרא א, טז) **והסיר את מוראתו.** והוא הדין הבני מעיים והקורקבן כי גם הם בכלל מוראתו כדפרש"י בחומש: **את הכל.** ובכלל זה הקרב והכרעים דרישא דקרא: **בא וראה כמה יגיעות וכו'.** פירוש לריך אדם להיות נזהר מן הגזל בכדי שלא יהיה לו לפוקה בהליכתו דרך מקומות הרבים האלו:

אמרי יושר

כל הכפרות הראה לו הקדוש ברוך הוא לאברהם. כדאמרינן לעיל (בראשית רבה פרשה מד יז) עגלה משולשת ואיל משולש, על הקרבנות ועל הכפרות, ועשירית האיפה לא נזכר שם, ואם כן ויתר הוא, והוסיף זו הכפרה, זהו כי ירבה לסלוח: **ורבי שמעון בר יוחאי אומר אף עשירית האיפה הראה לו כו'.** דכתיב בעשירית האיפה, על חטאתו אשר חטא מאחת מאלה, ובאברהם כתיב, ויקח לו את כל אלה: **כי ירבה לסלוח כו' זה עשירית איפה.** תימה והרי אמרו לעיל דמנחה אינה באה על חטא, יש לומר הכא מיירי בקרבן עולה ויורד, דלדי דלות הנזכר להלן בסוף [הפרשה], דבא עשירית איפה, על שבועת ביטוי ועל טומאת מקדש: **[ד] לפי שהנפש הזו גוזלת וחומסת.** נענשה שכמה לער עוברת עד שיולא מאכלה ממנה. או יש לפרש שהוא כמו תוכחה, למה את גוזלת, להכניס מאכל שתלטער בו:

אם למקרא

וַיִּקַּח לוֹ אֶת כָּל אֵלֶּה וַיְבַתֵּר אֹתָם בַּתָּוֶךְ וַיִּתֵּן אִישׁ בִּתְרוֹ לִקְרַאת רֵעֵהוּ וְאֶת הַצִּפֹּר לֹא בָתָר: (בראשית טו:י)

ענף יוסף

(ג) אף הקדוש ברוך הוא ויתר לנו סליחה אחת משלו. עיין מה שכתבתי בענף. ובספר אהבת יהונתן כתב ביאורו, דהנה ידוע כשאדם חוטא פוגם ברוחני ובגשמי שלו, וכשמקריב קרבן בהמה שיש לה גם כן רוחני וגשמי, מכפר בזה על נפשו וגופו זה לעומת זה, מה שאין כן במנחה אין בה כי אם גשמיות לחוד ולא רוחניות, וזהו שויתר לו הקדוש ברוך הוא לעני משלו, עד כאן לשונו. ובספר מלאת הטומר שעל התורה כתב, שיובן על פי מה שאמר האר"י ז"ל בטעמי מצות הקרבן, שהוא לתקן היסודות דומם, צומח, חי, מדבר, כי המלח הוא הדומם, ויין ושמן הם צומח, ובעל חי כמשמעו,

ידי משה

חוץ מן עשירית האיפה. לא הראה לו. ונראה לי לפי שבא מדלי דלות על כן לא הראהו כדי שלא לצער את אברהם:

שינוי נוסחאות

רבנן ורבי שמעון בן יוחאי אמרי: כל הכפרות הראה לו הקדוש ברוך הוא לאברהם אבינו עליו השלום חוץ מעשירית האיפה, ורבי שמעון בן יוחאי אומר: אף עשירית האיפה הראה לו הקדוש ברוך הוא לאברהם אבינו, נאמר כאן אלה ונאמר להלן אלה, מה אלה האמור כאן עשירית האיפה, אף אלה האמור להלן עשירית האיפה. כל זה מעביר רד"ל להלן לסוף הפיסקא, וכן נראה נכון בודאי וכן הסכים בעצ"י: (ד) לכך נאמר "והקטיר הכהן את הכל". בכל הדפוסים (כולל וילנא ווארשא) ובכל הכ"י כולם איתא "והקריב הכהן ..." אבל אין זה לשון הפסוק:

מִפּוּמָא לְוֶושְׁטָא — It passes **from the mouth into the esophagus,** מִוֶּושְׁטָא לְאִיסְטוּמְכָא — **from the esophagus into the stomach,**[84] מֵאִיסְטוּמְכָא לְהַמְסֵיסָא — **from the stomach into the *hamses,***[85]

NOTES

cud), which have a more complicated system of digestion; this is apparently in order to enhance its depiction of the complexity of the body's processing of food, so that the desired lesson (see below, note 89) may be imparted more effectively.

84. The ruminant has four digestive organs corresponding to the single human stomach. They are called, in order of the passage of food: rumen (or paunch), reticulum, omasum, abomasum (or maw). The word אִיסְטוּמְכָא, *stomach*, is a general term, and probably refers here to the rumen (which is usually called כֶּרֶס in Rabbinic literature).

85. The Hebrew word *hamses* usually refers to the omasum, but here it apparently refers to the reticulum, which precedes the omasum (see preceding note). See *Shabbos* 36a (and *Sefer HaEshkol, Hil. Treifos* #20), which states that the names of these two organs are sometimes interchanged. We have left the terms untranslated.

"וַיָּשֹׁב אֶל ה' וִירַחֲמֵהוּ"° (שם), °רַבָּנָן וְרַבִּי שִׁמְעוֹן בֶּן יוֹחָאי, °רַבָּנָן אָמְרִי: כָּל הַכַּפָּרוֹת הֶרְאָה לוֹ הַקָּדוֹשׁ בָּרוּךְ הוּא לְאַבְרָהָם אָבִינוּ עָלָיו הַשָּׁלוֹם חוּץ מֵעֲשִׂירִית הָאֵיפָה, וְרַבִּי שִׁמְעוֹן בֶּן יוֹחָאי אוֹמֵר: אַף עֲשִׂירִית הָאֵיפָה הֶרְאָה לוֹ הַקָּדוֹשׁ בָּרוּךְ הוּא לְאַבְרָהָם אָבִינוּ, נֶאֱמַר כָּאן [ב, ח] "אֵלֶּה" וְנֶאֱמַר לְהַלָּן (בראשית טו, י) "אֵלֶּה", מָה אֵלֶּה הָאָמוּר כָּאן עֲשִׂירִית הָאֵיפָה, אַף אֵלֶּה הָאָמוּר לְהַלָּן עֲשִׂירִית הָאֵיפָה°. (שם) "וְאֶל אֱלֹהֵינוּ כִּי יַרְבֶּה לִסְלוֹחַ" רַבִּי יְהוּדָה בַּר סִימוֹן בְּשֵׁם רַבִּי זְעִירָא: אַף הַקָּדוֹשׁ בָּרוּךְ הוּא וִויתֵּר לָנוּ סְלִיחָה אַחַת מִשֶּׁלוֹ, וְאֵיזוֹ זוֹ, עֲשִׂירִית הָאֵיפָה:°

ד [ב, א] "וְנֶפֶשׁ כִּי תַקְרִיב קָרְבָּן", מַה כְּתִיב לְמַעְלָה מִן הָעִנְיָן, [א, טז] "וְהֵסִיר אֶת מֻרְאָתוֹ בְּנֹצָתָהּ", אָמַר רַבִּי תַּנְחוּמָא בַּר חֲנִילַאי: הָעוֹף הַזֶּה פּוֹרֵחַ וְטָס בְּכָל הָעוֹלָם וְאוֹכֵל בְּכָל צַד וְאוֹכֵל מִן הַגְּזֵלוֹת וּמִן הַחֲמָסִין, אָמַר הַקָּדוֹשׁ בָּרוּךְ הוּא: הוֹאִיל וְהַזֶּפֶק הַזֶּה מָלֵא גְּזֵילוֹת וַחֲמָסִין אַל יִקְרַב לְגַבֵּי הַמִּזְבֵּחַ, לְכָךְ נֶאֱמַר "וְהֵסִיר אֶת מֻרְאָתוֹ", אֲבָל בְּהֵמָה גְּדֵילָה עַל אֵבוּס בַּעֲלָהּ וְאֵינָהּ אוֹכֶלֶת מִכָּל צַד, לֹא מִן הַגְּזֵלוֹת וְלֹא מִן הַחֲמָסִין, לְפִיכָךְ הִיא קְרֵיבָה כּוּלָּהּ, לְכָךְ נֶאֱמַר (לעיל א, ט) "וְהִקְטִיר הַכֹּהֵן אֶת הַכֹּל הַמִּזְבֵּחָה", לְפִי שֶׁהַנֶּפֶשׁ הַזּוֹ גּוֹזֶלֶת וְחוֹמֶסֶת, בֹּא וּרְאֵה כַּמָּה צַעַר וְכַמָּה יְגִיעָה עַד שֶׁיֵּצֵא מַאֲכָלָהּ מִמֶּנָּה, מִפּוּמָא לְוֶושְׁטָא מִוֶּושְׁטָא לְאִיסְטוֹמְכָא מֵאִיסְטוֹמְכָא לְהַמְסִיסָא

עץ יוסף

מה שאמר התנא (אבות ה, א) בעשרה מאמרות כו', ואם כן נמצא הוא יתברך והצדיק שותפים בבריאתו של עולם, ולכן המשיל למלחים שני כרעי המטה, שאי אפשר בלא חבירו לקיים המטה, כך הקדוש ברוך הוא כביכול והצדיק מקיימים העולם (מהר"מ אלמשנינו): **כל הכפרות.** משום דאמר במה אדע, והשיבו ה' בכפרות שאני נותן לבניך, וכדלעיל בבראשית רבה (מד, יז), לכן הראה לו כל הכפרות, חוץ מעשירית האיפה, אף על פי שגם היא באה לכפרה לפעמים, אבל שאר קרבנות שאינם באים לכפרה, לא הוי ליה טעם להראותם לו: **כל הכפרות הראה לו.** היינו קחה לי עגלה משולשת וכו', כדלעיל בבראשית רבה (שם): **רבי שמעון בר יוחאי אומר אף עשירית כו'.** אף לרבי שמעון בר יוחאי לא נאמר לו אלא ברמז: **אף הקדוש ברוך הוא ויתר לנו סליחה אחת.** משום דקשיא ליה לשון ירבה, דבסליחה אחת יסלח הכל, ואם במה שחטא ונסלח לו ושוב חזר וחטא ונסלח לו פעם אחר פעם, לא שייך לשון רבוי, רק לשון כי יתמיד לסלוח או יוסיף וכיוצא, לכן פירש שהוא מה שהרבה והוסיף בתורה מין סליחה אחד על הראשונים, שהיו בזכות אברהם, אבל עשירית האיפה לא הספיק זכות אברהם שיתכפרו ישראל בדבר קל כזה, רק היה ויתור מהקדוש ברוך הוא שממדת טובו נתן גמי סליחה זו (יפה תואר). ואתיא כרבנן, שעשירית האיפה לא הראה לו, ולא כרת ברית עליו, ולכן קרא לה ויתור משלו (רד"ל): **(ד) מה כתיב למעלה כו'.** משום דקשה ליה מה שאמר הכא דכתיב נפש כדלעיל, סבירא ליה לתרוצי משום דלעיל הזהיר והרחיק הגזל מהקרבן כאמור והסיר את מראתו כדמפרש ואזיל, סמך לו שם הנפש, לפי שדרכה לגזול ולחמוד כדמפרש ואזיל, לומר שתזהר מהגזל ממה שה' מזהיר בקרבן: **הואיל והזפק כו'.** לרמוז לדל אל יפותה בדלותו לפשוט ידו במה שאינו שלו, שעל כן זפק מקרבנו על שבא מן הגזל, נדחה מעל המזבח (אלשיך): **אל יקריב.** והוא הדין בני מעים והקורקבן בכלל מוראתו בנוצתה, כדפירש רש"י בחומש: **והסיר את מוראתו.** הוכרחו לדרש זה, לפי שמצינו (להלן סימן ה) בעולת העוף שנאמר ושיסע אותו בכנפיו ולא יבדיל, אמר רבי יוחנן ההדיוט הזה אם מריח הוא ריח כנפים נפשו קצה עליו, ואת אמרת והקטיר הכהן את הכל המזבחה, וכל כך למה, אלא כדי שיהא המזבח מהודר בקרבנו של עני, עד כאן. והנה כי כן מהטעם הזה למה גזר הכתוב והסיר את מוראתו בנוצתה, אדרבא היה ראוי להקריב הכל כדי שיהא המזבח מהודר כו', שאם הכנפים שריחן רע כשהן נשרפין לוה שיקריבו על גב המזבח, כל שכן הזפק, אלא ודאי שיש טעם בדבר, לפי שהזפק מלא גזילות וחמסים אל יקרב על גב המזבח (גבול בנימין): **והקריב הכהן את הכל.** ובכלל זה הקרב והכרעים: **לפי שהנפש הזו גוזלת.** שכל מה שיגזול האדם, הוא לקיום נפשו במזונותיו, כאומרו כל עמל אדם לפיהו, ולכן יש לעיין כמה צער ויגיעה עד שילא מאכלה ממנה, ולא ירבה לגזול למה שאחר כך הוא מצטער להוציאו ממנו. ועוד שאחר שהמזון עובר בכל חלקיו אלה כדי שילא ממנו, ראוי ליזהר מהגזל שלא יהיה לו לפוקה בחטאו: **לאסטומכא.** במדרש קהלת (ז, לו על פסוק יט) גבי מעשרה שליטים, לא מני כרסא, משום דאסטומכא הוא אצטומוכא וכרסא חד גופיה, חשיב ליה חד, אבל דמני אצטומוכא וכרסא לשתים, משום דאין כל הכרס אצטומכא אלא חלק אחד ממנו: **להמסיסא.** בריש אלו טרפות (חולין מב, א) פירש רש"י סוף הכרס שקורין פנצ"א עשוי ככובע וקרוי בית הכוסות, והמסס מחובר בו וסביב סביב לחבורן כשאתה מבדילן יש דופן לזה ודופן לזה, ובאמצע הם שופכים זה לזה, והמאכל נכנס מבית הכוסות להמסס, ומהמסס לקיבה, ומקיבה לדקין. והא דלא מני הכא קיבה, אפשר משום דבני מעים מתפשטים ממנו, ומכיון דמני במעיא, קיבה בכלל:

פירוש מהרז"ו

רבנן ורבי שמעון בר יוחאי. כל הענין בבראשית רבה (מד, יד) ושם נרשם ומבואר: **(ד) למעלה מן הענין.** ודורש סמוכין. ועיין לקמן (כט, ה). ומחבר כאן ארבע פרשיות, פרשת אם עולה מן הבקר וגו' (ויקרא א, ג), ופרשת ואם מן הצאן (שם י), ופרשת ואם מן העוף, ופרשת ונפש כי תקריב. ואצל בקר וצאן כתיב והקטיר את הכל המזבחה, ולא כן אצל העוף (שם יד), ואחר כך ונפש כי תקריב (שם ב, א) ודורש מטעם גזל וכמו שכתבו המפרשים, ויתבונן כמה טורח הטריח כביכול בבריאת המעים, ואיך יעיז בהם הגזל להטריח על הקב"ה כביכול. ועיין קהלת רבה פסוק החכמה תעוז לחכם מעשרה שליטים, שחושב שם כל עשרה דברים אלו בשינוי (דף קנ"ב) [פרשה ז יט]:

חידושי הרד"ל

וויתר לנו סליחה אחת משלו. אתיא כרבנן שעשירית האיפה לא הראה לאברהם, ולא כרת ברית עליו, לכן קרא ליה וויתור משלו:

באור מהרי"פ

אף עשירית האיפה וכו'. נסמך כאן משום סיומא דכי ירבה לסלוח: **ויתר כו' משלו.** פירוש לכפר אף במנחה מזערת וקלה כמו עשירית האיפה: **[ד] נפש כי תקריב וכו'.** הדרשה נמשכת עד אל להלן, ושם מסיים הדרוש במלת ונפש: **לכך נאמר** (ויקרא א, טז) **והסיר את מוראתו.** והוא הדין הבני מעיים והקורקבן כי גם הם בכלל מוראתו כפרש"י בחומש: **את הכל.** ובכלל זה הקרב והכרעים דריש דקאי: **בא וראה במה יגיעות וכו'.** פירוש צריך אדם להיות נזהר מן הגזל בכדי שלא יהיה לו לפוקה בהליכתו דרך מקומות הרבים האלו:

אמרי יושר

כל הכפרות הראה לו הקדוש ברוך הוא לאברהם. כדאמרינן לעיל (בראשית רבה פרשה מד יז) עגלה משולשת ואיל משולש, על הקרבנות ועל הכפרות, ועשירית האיפה לא נזכר שם, ואם כן ויתר הוא, והוסיף זו הכפרה, זהו כי ירבה לסלוח: **ורבי שמעון בר יוחאי אומר אף עשירית האיפה הראה לו כו'.** דכתיב בעשירית האיפה, על חטאתו אשר חטא מאחת מאלה, ובאברהם כתיב, ויקח לו את כל אלה: **כי ירבה לסלוח כו' זה עשירית איפה.** תימה והרי אמרו לעיל דמנחה אינה באה על חטא, יש לומר הכא מיירי בקרבן עולה ויורד, דדלי דלות הנזכר להלן בסוף (הפרשה), דבא עשירית איפה, על שבועת ביטוי ועל טומאת מקדש: **[ד] לפי שהנפש הזו גוזלת וחומסת.** נענשה שכמה צער עוברת עד שילא מאכלה ממנה. או יש לפרש שהוא כמו תוכחה, למה את גוזלת, להכנים מה שאתה מצטער בו:

אם למקרא

וַיִּקַּח לוֹ אֶת כָּל־אֵלֶּה וַיְבַתֵּר אֹתָם בַּתָּוֶךְ וַיִּתֵּן אִישׁ בִּתְרוֹ לִקְרַאת רֵעֵהוּ וְאֶת הַצִּפֹּר לֹא בָתָר: (בראשית טו:י)

ענף יוסף

(ג) אף הקדוש ברוך הוא ויתר לנו סליחה אחת משלו. עיין מה שכתבתי בעץ. ובספר אהבת יהונתן כתב ביאורו, דהנה ידוע כשאדם חוטא פוגם ברוחני ובגשמי שלו, וכשמקריב קרבן בהמה שיש לה גם כן רוחני וגשמי, מכפר בזה על נפשו וגופו זה לעומת זה, מה שאין כן במנחה אין בה כי אם גשמיות לחוד ולא רוחניות, וזהו שויתר לו הקדוש ברוך הוא לעני משלו, עד כאן לשונו. ובספר מלא העומר שעל התורה כתב, שיובן על פי מה שאמר האר"י ז"ל בטעמי מלות הקרבן, שהוא לתקן היסודות דומם, צומח, חי, מדבר, כי המלח הוא הדומם, ויין ושמן הם צומח, ובעל חי כמשמעו,

ידי משה

חוץ מן עשירית האיפה. לא הראה לו. ונראה לי לפי שבא מדלי דלות על כן לא הראהו כדי שלא לצער את אברהם:

שינוי נוסחאות

רבנן ורבי שמעון בן יוחאי אמרי: כל הכפרות הראה לו הקדוש ברוך הוא לאברהם אבינו עליו השלום חוץ מעשירית האיפה, ורבי שמעון בן יוחאי אומר: אף עשירית האיפה הראה לו הקדוש ברוך הוא לאברהם אבינו, נאמר כאן אלה ונאמר להלן אלה, מה אלה האמור כאן עשירית האיפה, אף אלה האמור להלן עשירית האיפה. כל זה מעביר רד"ל להלן לסוף הפיסקא, וכן נראה נכון בודאי וכן הסכים בעצ"י: (ד) **לכך נאמר "והקטיר הכהן את הכל".** בכל הדפוסים (כולל וילנא ווארשא) ובכל הכי"י כולם איתא "והקריב הכהן ..." אבל אין זה לשון הפסוק:

מתנות כהונה

נאמר כאן אלה. דכתיב במנחה אשר יעשה מאלה: **ונאמר להלן.** בברית בין הבתרים ששם הראה לו סוד הקרבנות, ויקח לו את כל אלה (בראשית טו, י), וכן הוא בבראשית רבה (מד, יד): **וויתר לנו.** סליחה אחת דכתיב כי ירבה לשון רבוי ומותר: **[ד] וחמסין.** עיין בבראשית רבה (לא, ה): **מפומא לוושטא מוושטא כו'.** כולם מיני בני מעיים הם, שבהם נתגלגל המאכל עד גמירא, וכל זה הצער,

אשד הנחלים

כל הכפרות כו'. הענין בכלל, כי הקרבנות המה מכוונים לענין נעלה מאוד, כי המקדש של מטה מכוון למקדש של מעלה, ופרטי הקרבנות כל אחד מכוון לענין מה, והנה ראינו שבמחזה הראה לו סוד כל הקרבנות, לבד סוד עשירית האיפה. ועיין בבראשית רבה פרשה ל"א [מד, יד]: **כאן אלה כו'.** אף שהוא גזירה שוה עם כל זה גם רמז יש בה, שפירושו והבאת את המנחה אשר יעשה מאלה (כלומר אשר יפעל התועלת למעלה מאלה) לה', ובברית בין הבתרים כתיב את כל אלה, נרמוז גם את זה: **ויתר לנו כו' עשירית האיפה.** הוא לפי דבריו לעיל, שסוד עשירית האיפה לא הראה לו, ואם כן הוא כקרבן מיותר שמבלעדי זאת יוכל האדם להתכפר מעונו, אחר שהכל הראה לאברהם במה יתכפרו בניו כמאמרם לעיל, ואם כן זהו כפרה מיותרת על צד החסד והויתור, וזהו וירבה לסלוח, סליחה מרובה ותיקון על תיקון. ועיין ידי משה מה שפירש: **[ד] לפי שהנפש הזו גוזלת כו' בא וראה כו'.** הוא ציור והתבוננות לאדם, שיתבונן כמה מן הסיבובים שסבב ה' ברוך הוא באדם, בכדי שיכנס המאכל בקרבו, וברא בו איברים שונים זה מזה, שמהם יתוקן המאכל עד שיתהפך המאכל לדם ובשר, שיהיה ניזון גוף האדם ויתקיים על ידו, וכמה פליאת החכמה יש בה, וזהו המכונה בשם צער ויגיעה כביכול, כאלו עמל לייסד פליאות רבות בקרבו של אדם, ואם כן איך יגזול ויאכל ממה שהזהיר עליו ה' לבלתי געת במה שאינו שלו:

מֵהֲמְסִיסָא לְבֵית כַּסְיָא — from the *hamses* into the *beis hakosos*,[86] מִבֵּית כַּסְיָא לִכְרֵסָא — from the *beis hakosos* into the *keres*,[87] מִכְּרֵסָא לְבֵי מְעַיָּא — from the *keres* into the *bei me'aya*,[88] מִבֵּי מְעַיָּא לִכְרוֹכֶת קְטִינָא — from the *bei me'aya* into the small intestine, וּמִכְּרוֹכֶת קְטִינָא לִכְרוֹכֶת עוּבְיָא — from the small intestine into the large intestine, וּמִכְּרוּכִית עוּבְיָא לְסַנְיָא דִיבֵי — from the large intestine into the cecum, וּמִסַּנְיָא דִיבֵי לְפֶטְטֶרְכָה — from the cecum into the rectum, וּמִפֶּטְטֶרְכָא לְבָרָא — and finally, from the rectum to outside the body. בֹּא וּרְאֵה כַּמָּה צַעַר וְכַמָּה יְגִיעָה עַד שֶׁיֵּצֵא מַאֲכָלָה מִמֶּנָּה — Thus, come and see much anguish and how much toil is involved until one's food is finally excreted from him![89]

§5 [וְנֶפֶשׁ כִּי תַקְרִיב קָרְבַּן — *WHEN A PERSON* (lit., *SOUL*) *OFFERS A MEAL-OFFERING TO HASHEM.*]

The Midrash discusses the verse that follows the one discussed in the previous section (1:16) and which immediately precedes our verse (2:1), and once again relates it to the unusual word נֶפֶשׁ in our passage about the meal-offering:

"וְשִׁסַּע אוֹתוֹ בִכְנָפָיו לֹא יַבְדִּיל" — It is written above, ***He shall split it — with its feathers***[90] ***— he need not sever it;*** *the Kohen shall cause it to go up in smoke on the Altar, etc.* (above, 1:17). אָמַר רַבִּי יוֹחָנָן — **R' Yochanan said:** הַהֶדְיוֹט הַזֶּה אִם מֵרִיחַ הוּא רֵיחַ כְּנָפַיִם נַפְשׁוֹ קָצָה עָלָיו — **If an ordinary person smells the odor of** burning **feathers he is nauseated,** וְאַתְּ אָמַר "וְהִקְטִיר... הַכֹּהֵן" אֶת הַכֹּל "הַמִּזְבֵּחָה" — **and yet you say, *the Kohen shall cause it*** — referring to **the entire bird,** feathers and all ***— to go up in smoke on the Altar!***[91] וְכָל כָּךְ לָמָּה — **Why, then,** did the Torah go **to such an extent** to mandate the burning of the entire bird? אֶלָּא כְּדֵי שֶׁיְּהֵא הַמִּזְבֵּחַ מְהוּדָּר בְּקָרְבָּנוֹ שֶׁל עָנִי — **However,** the explanation for this is that it is **in order that the Altar should be beautified with the offering of a poor person.**[92]

The Midrash relates several incidents highlighting this idea that a poor person's offering is held in higher esteem than even that of a rich man. The first incident:

אַגְרִיפַּס הַמֶּלֶךְ בִּיקֵּשׁ לְהַקְרִיב בְּיוֹם אֶחָד אֶלֶף עוֹלוֹת — **King Agrippa** once **sought to offer up a thousand** ***olah*****-offerings in a single day.**[93] שָׁלַח וְאָמַר לַכֹּהֵן גָּדוֹל: אַל יַקְרִיב אָדָם הַיּוֹם חוּץ מִמֶּנִּי — In order to ensure that there would be enough time for all his offerings, **[Agrippa] sent** a message **to the Kohen Gadol saying, "Let no one bring any offerings today except for me!"** בָּא עָנִי אֶחָד וּבְיָדוֹ שְׁתֵּי תוֹרִים — That day, **a poor man came** to the Temple **with two turtledoves in his hand,** אָמַר לַכֹּהֵן: הַקְרֵב אֶת אֵלּוּ — and **said to the Kohen** Gadol, "Kindly **offer up these** turtledoves." אָמַר לוֹ: הַמֶּלֶךְ צִוַּנִי וְאָמַר לִי: אַל יַקְרִיב אָדָם חוּץ מִמֶּנִּי הַיּוֹם — **[The Kohen Gadol] replied to him, "The king has commanded me, saying to me, 'Let no one bring any offerings today except for me!'"** אָמַר לוֹ: אֲדוֹנִי כֹּהֵן גָּדוֹל — **[The poor man] said to him, "My master, Kohen Gadol!** אַרְבָּעָה אֲנִי צָד בְּכָל יוֹם — **I capture four** turtledoves **every day;** וַאֲנִי מַקְרִיב שְׁנַיִם וּמִתְפַּרְנֵס מִשְּׁנַיִם — **I offer up two** of them **and** through this merit **I sustain myself with** the proceeds of the other **two.**

NOTES

86. The Hebrew term *beis hakosos* usually refers to the reticulum, but here it apparently refers to the omasum, which follows the reticulum. See preceding notes.

87. The word כָּרֵס usually refers to the rumen (see note 84), but it can also be used as a general term for "belly." Here it apparently refers to the abomasum (usually called קֵיבָה in Rabbinic literature), the last stomach before the intestines.

88. Lit., "the place of the gut." Perhaps the reference is to the duodenum, the organ connecting the stomach (in humans as well as animals) to the intestines ("guts").

89. And contemplating this "anguish and toil" of digestion will help a person avoid stealing, because the stolen food will just cause him that extra trouble when he eats it (*Yefeh To'ar, Eitz Yosef*). Alternatively: The theft he commits will taint not only his hands with sin, but all these organs as well (ibid.). Alternatively: Since God went through the "trouble" (as it were) of creating such a complicated digestive system, it would be improper to put it to use for sinful activity (*Maharzu*). Alternatively: The Midrash is not referring to contemplation of the complexity of digestion at all; rather, it means that it is because most people succumb to some degree of theft at some time in their lives (see *Bava Basra* 165a) that God created such a convoluted system for digestion to cause them "toil and anguish" as punishment (*Matnos Kehunah, Peirush Kadum*).

90. I.e., he should not remove the bird's feathers.

91. It is improper even to bring an offering of inferior quality before God (see *Malachi* 1:8), all the more so one that is repulsive! (*Eitz Yosef*).

92. The Midrash assumes that only a poor person would offer a bird; the more wealthy would bring an animal sacrifice. If the bird were to be stripped of its feathers before being offered on the Altar, the poor person's offering would look scant. God's allowance of the feathers to remain on the bird when placed on the Altar bespeaks His great respect for the offering of a poor person, who voluntarily offers up whatever little he has (ibid.). See Insight Ⓐ.

93. Perhaps Agrippa got this idea from King Solomon, who offered up a thousand *olah*-offerings on the Altar in Gibeon (see *I Kings* 3:4).

INSIGHTS

Ⓐ **The Dignity of the Poor** On a simple level, the Torah here wishes to teach us sensitivity to the poor man's *feelings.* He sees the rich man's ox offered on the Altar with great fanfare. He sees the lengthy time the Altar takes to consume so large an offering. Were the offensive feathers to be removed from the poor man's bird-offering, the poor man would be pained by the noticeable paucity of his offering. His hurt is the reason for the Torah's command that the wings are not to be separated. Despite the offensive odor, they are to burn on the Altar, so that the poor man will feel good about his offering (*R' Yaakov Naiman* in *Darchei Mussar, Parashas Tzav,* p. 147, citing *R' Aharon Bakst*, Rav of Shavel, Lithuania).

On a deeper level, the Torah wishes to teach us how *we* should feel toward the poor person. It is the nature of a person to enjoy the company of wealthy and well-dressed individuals. Not so when one meets a pauper, with tattered clothes. Sometimes, there is a stench that one finds repulsive, and the tendency is to distance oneself from it.

But the ways of God, in which we are commanded to go, are quite different. The Altar is beautified by the foul-smelling burning of the poor man's offering. It revels in that aroma! We must get close to the poor and derelict man. We must take his coat, and not be put off by its odor. On the contrary, like the Altar, we are to embrace it. Do not simply provide the poor man's needs at arm's length. Seat him in a place of honor at the head of the table! It is no less than God's Presence that is with him, as the verse states, *But it is for this that I look: for the poor and broken-spirited man ...* (*Isaiah* 66:2). When you honor him, you are honoring God. If you are repelled by him, be aware that you are repelled by that which the Altar seeks in its totality (*R' Yeruchem Levovitz, Daas Torah, Vayikra* 1:17).

It is not only we who must feel the profound worth of the poor man. The poor man must feel it as well. The verse in *Proverbs* (18:23) states: תַּחֲנוּנִים יְדַבֶּר רָשׁ וְעָשִׁיר יַעֲנֶה עַזּוֹת, *A pauper utters supplications, but a rich one responds with brazen words.* The famed Alter of Kelm, *R' Simchah Zissel Ziv*, remarked that King Solomon in this verse is critical not only of the rich man for responding brazenly but also of the pauper for uttering supplications! (cited in *Darchei Mussar* loc. cit.). The poor man, too, must not fall prey to the popular conception of his worthlessness. In God's eyes, he is exalted. And that is the truest testament of his worth.

Unencumbered by externalities and close to God, the contrite soul of the poor man radiates a beauty and luster all its own. God's Altar revels in that beauty, and so should we. And so should the poor man himself.

מֵהַמְסִיסָא לְבֵית כָּסְיָא מִבֵּית כָּסְיָא לִכְרֵסָא מִכְּרֵסָא לְבֵי מְעַיָּא מִבֵּי מְעַיָּא לִכְרוֹכֶת קְטִינָא וּמִכְּרוֹכֶת קְטִינָא לִכְרוֹכֶת עוּבְיָא וּמִכְּרוּכִית עוּבְיָא לְסַנְיָא דִיבֵי וּמִסַּנְיָא דִיבֵי לְפִטֶּטְרָכָה וּמִפִּטֶּטְרָכָא לְבָרָא, בֹּא וּרְאֵה כַּמָּה צַעַר וְכַמָּה יְגִיעָה עַד שֶׁיֵּצֵא מַאֲכָלָה מִמֶּנָּה:

ה [א, יז] "וְשִׁסַּע אוֹתוֹ בִכְנָפָיו לֹא יַבְדִּיל", אָמַר רַבִּי יוֹחָנָן: הַהֶדְיוֹט הַזֶּה אִם מֵרִיחַ הוּא רֵיחַ כְּנָפַיִם נַפְשׁוֹ קָצָה עָלָיו, וְאַתְּ אָמַר (שם) "וְהִקְטִיר ... הַכֹּהֵן" אֶת הַכֹּל "הַמִּזְבֵּחָה", וְכָל כָּךְ לָמָּה, אֶלָּא כְּדֵי שֶׁיְּהֵא הַמִּזְבֵּחַ מְהוּדָּר בְּקָרְבָּנוֹ שֶׁל עָנִי. אַגְרִיפַּס הַמֶּלֶךְ בִּיקֵּשׁ לְהַקְרִיב בְּיוֹם אֶחָד אֶלֶף עוֹלוֹת, שָׁלַח וְאָמַר לַכֹּהֵן גָּדוֹל: אַל יַקְרִיב אָדָם הַיּוֹם חוּץ מִמֶּנִּי בָּא עָנִי אֶחָד וּבְיָדוֹ שְׁתֵּי תוֹרִים, אָמַר לַכֹּהֵן: הַקְרֵב אֶת אֵלּוּ, אָמַר לוֹ: הַמֶּלֶךְ צִוַּנִי וְאָמַר לִי: אַל יַקְרִיב אָדָם חוּץ מִמֶּנִּי הַיּוֹם, אָמַר לוֹ: אֲדוֹנִי כֹּהֵן גָּדוֹל, אַרְבָּעָה אֲנִי צָד בְּכָל יוֹם וַאֲנִי מַקְרִיב שְׁנַיִם וּמִתְפַּרְנֵס *מִשְּׁנַיִם, אִם אִי אַתָּה מַקְרִיבָן אַתָּה חוֹתֵךְ פַּרְנָסָתִי, נְטָלָן וְהִקְרִיבָן, נִרְאָה לוֹ לְאַגְרִיפַּס בַּחֲלוֹם: קָרְבָּן שֶׁל עָנִי קְדָמָךְ, שָׁלַח וְאָמַר לַכֹּהֵן גָּדוֹל: לֹא כָּךְ צִוִּיתִיךְ: אַל יַקְרִיב אָדָם חוּץ מִמֶּנִּי הַיּוֹם, אָמַר לוֹ: אֲדוֹנִי הַמֶּלֶךְ, בָּא עָנִי אֶחָד וּבְיָדוֹ שְׁנֵי תוֹרִים, אָמַר לִי: הַקְרֵב לִי אֶת אֵלּוּ, אָמַרְתִּי לוֹ: הַמֶּלֶךְ צִוַּנִי וְאָמַר לִי: אַל יַקְרִיב אָדָם חוּץ מִמֶּנִּי הַיּוֹם, אָמַר: אַרְבָּעָה אֲנִי צָד בְּכָל יוֹם וַאֲנִי מַקְרִיב שְׁנַיִם וּמִתְפַּרְנֵס מִשְּׁנַיִם, אִם אִי אַתָּה מַקְרִיב אַתָּה חוֹתֵךְ אֶת פַּרְנָסָתִי, לֹא הָיָה לִי לְהַקְרִיבָן, אָמַר לוֹ: יָפֶה עָשִׂיתָ כָּל מַה שֶּׁעָשִׂיתָ. מַעֲשֶׂה בְּשׁוֹר אֶחָד שֶׁהָיוּ מוֹשְׁכִין לְקָרְבָּן וְלֹא נִמְשַׁךְ, בָּא עָנִי וּבְיָדוֹ אֲגוּדָּה אַחַת שֶׁל טְרוֹקְסִימָא וְהוֹשִׁיט לוֹ וַאֲכָלָהּ, וְגָעַשׁ הַשּׁוֹר וְהוֹצִיא מַחַט וְנִמְשַׁךְ לְקָרְבָּן, נִרְאָה לְבַעַל הַשּׁוֹר בַּחֲלוֹמוֹ: קָרְבָּנוֹ שֶׁל עָנִי קְדָמָךְ. מַעֲשֶׂה בְּאִשָּׁה אַחַת שֶׁהֵבִיאָה קוֹמֶץ שֶׁל סוֹלֶת וְהָיָה כֹּהֵן מְבַזֶּה עָלֶיהָ וְאָמַר: רְאוּ מָה הֵן מַקְרִיבוֹת, מַה בָּזֶה לֶאֱכוֹל מַה בָּזֶה לְהַקְרִיב, נִרְאָה לַכֹּהֵן בַּחֲלוֹם: אַל תְּבַזֶּה עָלֶיהָ, כְּאִלּוּ נַפְשָׁהּ הִקְרִיבָה, יַוַהֲרֵי דְּבָרִים קַל וָחוֹמֶר, וּמַה אִם מִי שֶׁאֵינוֹ מַקְרִיב נֶפֶשׁ, כְּתִיב בּוֹ [ב, א] "נֶפֶשׁ", מִי שֶׁהוּא מַקְרִיב נֶפֶשׁ עַל אַחַת כַּמָּה וְכַמָּה *כְּאִלּוּ נַפְשׁוֹ הִקְרִיב:

עץ יוסף

לכרוכת קטינא. יש מפרשים כריכת בני מעים קטנים. **וכרוכת עוביא.** כריכת בני מעים עבים. ונראה דהיינו הדרא דכנתא דפרק כל הבשר (חולין קיג, א): **לסניא דיבי.** פירש הערוך (ערך סן א') שסונאים אותו הזאבים ולא יוכלו למיכל מינייהו: **לפטטרבא.** נראה דהיינו חלחולת, ובמגילת קהלת (רבה שם) איתא תו מפטטרכא לעזקתא, ונראה דהיינו פי הטבעת בתרגום טבעת עזקה: **(ה) ושסע אותו כו'.** מייתי דרשת האי קרא בתר נפש כי תקריב, למילף מיניה שקרבנו של עני חביב שרצה ה' שהמזבח יהיה מהודר בקרבנו של עני, ומשום הכי מפרש נפש כי תקריב שנחשב כאילו נפשו מקריב, כדמפרש בסמוך: **ריח כנפים.** קמפרש בכנפיו על הנוצה, וכן פרש"י בחומש בכנפיו עם כנפיו, אינו צריך למחוט כנפי נוצתו, בכנפיו נוצה ממש: **נפשו קצה עליו.** ואין ראוי להקריב לה' מה שאינו חביב לאדם משום הקריבהו נא לפחתך: **ואת אמר והקטיר הכהן את הכל.** אף על גב דלא כתיב הכי בעולת העוף, לאו לישנא דקרא קאמר, אלא דמקרא שמעינן שיקטיר הכהן את הכל, דוהקטיר קאי אבכנפיו (יפה תואר). ועיין מה שכתב בגבול בנימין ח"ב דרוש ל"ט: **שיהא המזבח מהודר.** שאם ימרט יראה העוף קטן. ולהורות שה' מחשיב קרבנו: **של עני.** ואף על גב דמסתמא הדין כן בחטאת העוף, והוא זמנין דאתי לעשיר כגון יולדת, לא מפליג רחמנא במעשיהם: **והוציא מחט בו'.** הכוונה כי היתה לו מחט בושט שעדיין לא ניקב הושט, ובשביל זה לא היה נמשך לקרבן כדי שלא ימצא טריפה, כי בשעת שחיטה מחמת הזיכוך היה המחט נוקב הושט בלי ספק, ושור זה לא היה נתקן, כנודע שכל בעל חי יש לפי הרוב מגולגלים בהם, ועל ידי השחיטה ואכילת בעלים נתקן וכל שכן כשנקרב על גב המזבח, אך אם יהיה טרפה לא נתקן, וכשבא העני ונתן לו לאכול מאגודה שלו, וזה גרם שגעש השור לפי שעבר המאכל בתוך הושט והוציא המחט קודם שניקב הושט, ואז נמשך לקרבן (גבול בנימין): **אל תבזה עליה.** לאו למימרא שיקריבנו, שהרי אין מנחה פחותה מעשרון כדאיתא בפרק (ב דמדות (יב דמנחות קג, א עיין רש"י שם ה, א), וגם אין לחברה עם סולת אחרים, דאין מנחה באה בשותפות, כדאיתא בתורת כהנים (דבורא דנדבה פרשה ו פ"ח), אלא שלא יבזה עליה פירושו שיקבלו לעצמו לאוכלה בלי הקרבה: **באילו נפשה הקריבה.** ולכן כתיב אצל קרבן העני נפש, אף שקרבנו קומץ סולת לא בעל חי, כי העני שאין לו כלום והיה בזה להחיות נפשו ועל כל זה הוא מקריב זאת לפני ה', ואם כן כאילו הוא נפשו מקריב, מכל שכן מי שמקריב נפש באמת:

פירוש מהרז"ו

(ה) מי שאינו מקריב נפש. ובכאן צריך לדרוש על פי מדת קל וחומר מדה ט"ז מיוחד במקומו, שדווקא אלא מנחה כתוב ונפש, אלא שגם אלא מנחה ונפש, וקל וחומר אלא בהמה ועוף. ומה שכתב בסוף וכאלו נפשה הקריבה, היה צריך לומר וכאלו נפשו הקריב כנ"ל, אלא אגב שכתב כן אלא מעשה האשה, אמר גם כאן כן: **ולא עוד.** פירוש לא די שזכה בזה מחמת טרחו בעבודה, אלא שקיים מצות עשה כמו שכתוב (ב, י) והנותרת מן המנחה וגו':

חידושי הרד"ל

[ה] אגריפס המלך. שוחר טוב (מזמור כב): **הוציא מחט.** עיקר הפירוש נראה שטעייו מלשון מוחטת, שהביא הערוך ערך מחט מן הילמדנו, ופירושו ענין פליטת קיא:

חידושי הרש"ש

[ה] מעשה באשה אחת שהביאה קומץ של סולת. לכאורה אין מנחה פחותה מעשרון כמבואר ברמב"ם פרק י"ב מהלכות מעשה הקרבנות הלכה ה':

באור מהרי"פ

לפטטרכא. היינו החלחולת. ובמדרש קהלת (בילקוט קהלת רמז תתקטו) מסיים ומפטטרכא לעזקתא, והיינו פי הטבעת, דתרגום טבעת עזקתא:

אמרי יושר

[ה] ריח כנפים נפשו קצה עליו. אבל כאן כיון שהסיר מוראתו, מפני הגזל, והקדוש ברוך הוא רוצה בהידור העני וקרבנו, לזה ויתר בכנפיו שלא יסירס כמוראה, ולגבי הקדוש ברוך הוא ריח ניחוח כריח קטרת: **המביא נפש בעל חי על אחת כמה וכמה.** או העני המביא נפשו ומקריבה, על אחת כמה וכמה שתחשב לו לצדקה:

מסורת המדרש

ד. תנחומא ויקרא:

ענף יוסף

ועל ידי הוידוי נתקן חלק המדבר, ובכוונת הכהן נגד נשמה, וזה שאמר המדרש, אף הקדוש ברוך הוא ויתר לנו סליחה אחת משלו, ואיזו זו עשירית האיפה, כי במנחה לא נמלא יסוד הבעלי חי, והוא יתברך ברחמיו מחשיב לעני כאילו הקריב נפשו, שהוא מובחר מחלק החי הבהמיי, לכך נקרא ויתור סליחה אחת משלו, שהוא נגד חלק החי, עד כאן:

מתנות כהונה

מפני שסתם נפש נתפרנס מן הגזל או כדומה לו: **[ה] קצה.** מיאוס ומוקצה: **מהודר.** כלומר מלא ויפה והרבה: טרוקסיסון. מין עשב שהבהמות מתעטשות ממנו, ולכן כשאכלו השור מיד געש והוציא מחט דרך גרונו, כי לולא זה היה נטרף בו, וזאת היתה הסבה שלא היה נמשך מתחלה: קרבנו של עני קדמך. כלומר אותו אגודה של ירק של העני שגרמה שנמשך השור לשחיטה, הוא יותר מקרבנך, וכן הוא בשוחר טוב בהדיא: **מי שמקריב נפש.** כלומר בתענית ובתשובה:

אשד הנחלים

[ה] אגריפס כו' חותך פרנסתי. הביא המעשה הזה להורות כמה גברה האמונה על ידי קרבנות, עד שהיה מאמין באמת כי זאת היתה סבת פרנסתו בכל יום, וכן היה האמת,וכן הורו מעלת הקרבנות אם היא בכוונה רצוייה שנחשב לפניו יתברך: **באלו נפשו.** ולכן כתב אצל קרבן העני נפש, אף שקרבנו קומץ סולת לא בעל חי, כי העני שאין לו כלום והיה בזה להחיות נפשו, ועם כל זה הוא מקריב זאת לפני ה', ואם כן הוא כאלו נפשו הקריב, וקל וחומר מי שמקריב נפשו באמת, [על ידי קרבן בעל נפש] ועל ידי תענית והכנעה, כי ענין הקרבן הוא לזכור מצער נפש הבהמות, על נפשו להכניעה בזה, וא"כ כל שכן אם מכניע נפשו באמת:

אם אי אַתָּה מַקְרִיבָן אַתָּה חוֹתֵךְ פַּרְנָסָתִי — **If you do not offer them up, you will cut off my** source of **sustenance!"** נִטְלָן וְהִקְרִיבָן — **[The Kohen Gadol]** consented and **took [the two turtledoves] and offered them up.** נִרְאָה לוֹ לַאֲגְרִיפַּס בַּחֲלוֹם: קָרְבָּן שֶׁל עָנִי קְדָמָךְ — Afterwards, **[a Heavenly message] appeared to Agrippa in a dream,** saying to him, **"The sacrifice of a poor man has taken precedence over yours!"**[94] שָׁלַח וְאָמַר לַכֹּהֵן גָּדוֹל: לֹא כָךְ צִוִּיתִיךָ: אַל יַקְרִיב אָדָם חוּץ מִמֶּנִּי הַיּוֹם — **[Agrippa] sent** a message **to the Kohen Gadol, saying, "Did I not instruct you that no one should bring any offerings today except for me?"** אָמַר לוֹ: אֲדוֹנִי הַמֶּלֶךְ, בָּא עָנִי אֶחָד וּבְיָדוֹ שְׁנֵי תוֹרִים — **[The Kohen Gadol] told him, "My master, the king! A poor man came with two turtledoves in his hand,** אָמַר לִי: הַקְרֵב לִי אֶת אֵלּוּ — and **said to me,** 'Kindly **offer up these** two turtledoves.' אָמַרְתִּי לוֹ: הַמֶּלֶךְ צִוַּנִי וְאָמַר לִי: אַל יַקְרִיב אָדָם חוּץ מִמֶּנִּי הַיּוֹם — **I said to him, 'The king has commanded me, saying to me: Let no one bring any offerings today except for me!'** אָמַר: אַרְבָּעָה אֲנִי צָד בְּכָל יוֹם — **[The poor man]** then **said** to me, **'I capture four** turtledoves **every day;** וַאֲנִי מַקְרִיב שְׁנַיִם וּמִתְפַּרְנֵס מִשְּׁנַיִם — **I offer up two** of them **and** through this merit **I sustain myself with** the proceeds of the **two** others. אִם אִי אַתָּה מַקְרִיבָן אַתָּה חוֹתֵךְ אֶת פַּרְנָסָתִי — **If you do not offer** them **up, you will cut off my** source of **sustenance!'** לֹא הָיָה לִי לְהַקְרִיבָן — **Was I** then **not to offer them up?"** אָמַר לוֹ: יָפֶה עָשִׂיתָ כָּל מַה שֶּׁעָשִׂיתָ — **[Agrippa] said to him,** "Indeed, **everything you did** for this man **you did properly!"**

The second incident:

מַעֲשֶׂה בְּשׁוֹר אֶחָד שֶׁהָיוּ מוֹשְׁכִין לְקָרְבָּן וְלֹא נִמְשַׁךְ — **There was** once **an incident involving an ox, that [people] were trying to pull it along** to offer **as a sacrifice, but it refused to be pulled.** בָּא עָנִי וּבְיָדוֹ אֲגוּדָה אַחַת שֶׁל טְרוֹקְסִימָא — **A poor man came by with a bundle of endives**[95] **in his hand.** וְהוֹשִׁיט לוֹ וַאֲכָלָהּ — **He stretched out his hand and [the animal] ate it,**[96] וְנָעַשׁ הַשּׁוֹר וְהוֹצִיא מַחַט — **and the ox coughed and expelled a needle** that had been lodged in its gullet, וְנִמְשַׁךְ לְקָרְבָּן — **and** after that **it was** agreeable to being **pulled along** to be offered **as a sacrifice.**[97] נִרְאָה לְבַעַל הַשּׁוֹר בַּחֲלוֹמוֹ: קָרְבָּנוֹ שֶׁל עָנִי קְדָמָךְ — That night **[a Heavenly message] appeared to the owner of the ox,** saying to him, **"The offering of the poor man**[98] **took precedence over yours!"**[99]

Finally, the third incident:

מַעֲשֶׂה בְּאִשָּׁה אַחַת שֶׁהֵבִיאָה קוֹמֶץ שֶׁל סוֹלֶת — **There was an incident involving a woman who brought a handful of fine flour** to a Kohen in the Temple for an offering, וְהָיָה כֹּהֵן מְבַזֶּה עָלֶיהָ וְאָמַר — **and the Kohen degraded her, saying,** רְאוּ מָה הֵן מַקְרִיבוֹת — **"See what [these women] offer up!** מַה בָּזֶה לֶאֱכוֹל — **What is there in this [minimal offering] that can be eaten** by the Kohen? מַה בָּזֶה לְהַקְרִיב — **What is there in this [minimal offering] than can be offered up** on the Altar?"[100] נִרְאָה לַכֹּהֵן בַּחֲלוֹם: אַל תְּבַזֶּה עָלֶיהָ, כְּאִלּוּ נַפְשָׁהּ הִקְרִיבָה — But afterward **[a Heavenly message] appeared to the Kohen in a dream,** saying to him, **"Do not scorn her,**[101] for it is **as if she offered up her very soul!"**[102]

The Midrash concludes with a profound observation:

וַהֲרֵי דְּבָרִים קַל וָחוֹמֶר — **Now,** based on the above **there is a** lesson here to be derived by ***kal vachomer*:**[103] וּמָה אִם מִי שֶׁאֵינוֹ מַקְרִיב נֶפֶשׁ כְּתִיב בּוֹ "נֶפֶשׁ" — **If** the expression, נֶפֶשׁ, ***soul,*** alluding to the fact that it is considered as if he offered up his very soul, **is written with regard to one who does not** actually **offer up a soul,** מִי שֶׁהוּא מַקְרִיב נֶפֶשׁ עַל אַחַת כַּמָּה וְכַמָּה כְּאִלּוּ נַפְשׁוֹ הִקְרִיב — then surely **one who** actually **offers up a soul**[104] is considered **as if he offered up his** very **soul!**

NOTES

94. Thus illustrating that the offering of a poor person, albeit inexpensive fowl, is considered more precious in God's eyes than the more expensive offering of even a king.

95. Translation based on *Aruch*, s.v. טרכסמון. This herb causes animals to sneeze or cough (*Matnos Kehunah*).

96. The poor man parted with his hard-earned endives because he wanted to assist in enabling the sacrifice of the ox to take place.

97. Even the slightest puncture of a live animal's gullet renders it unkosher (see *Chullin* 56a). The animal "knew" that during the slaughtering process the needle would move over and puncture its gullet, rendering the sacrifice invalid; this is why it refused to budge until the needle was expelled.

98. I.e., his bundle of endives (*Matnos Kehunah*, from *Midrash Shocher Tov* on *Psalms* 22:25).

99. I.e., the poor man's "sacrifice" of his precious endives, which enabled the sacrifice of the ox, was more precious in God's eyes than the actual sacrifice of the ox itself (ibid.). This is a further illustration of God's preference for a poor person's modest sacrifice — in this case a bundle of herbs — over a much more expensive sacrifice of a rich man.

100. The minimum amount of flour for a meal-offering is a tenth of an *ephah* (estimated to be between 2.5 and 4 liters), far more than a handful. Moreover, one is not allowed to combine several small offerings into one of requisite size (*Eitz Yosef*). The woman's offering was thus invalid and seemingly useless.

101. Although the small amount of flour brought by this woman was indeed ineligible for an offering, as explained in the previous note, the Kohen should not have brushed her aside the way he did; rather, he should have accepted the small amount of flour as a gift for himself to eat (*Eitz Yosef*).

102. A poor person who has very little for himself needs even this minimum amount of flour in order to survive. Thus, by offering it up to God instead, it is if he is offering up his very soul. Accordingly, the Midrash expounds the expression נֶפֶשׁ (literally, *soul*), used by our present verse in association with the meal-offering typically offered up by a poor person, as an allusion to the fact that it is considered as if he has offered up his very soul (ibid.).

103. An *a fortiori* line of reasoning, which states that if a condition exists in a given situation where there is relatively little reason for it to apply, all the more so does it exist in a situation where there is more reason for it to apply.

104. The expression "offer up a soul" in this sentence refers to a person giving up of his own "soul" (life force) through fasting and penitence. Hence, the *kal vachomer* runs as follows: If a person who merely brings a meal-offering is considered by God to have given up his very soul, how much more so a person who undergoes fasting and penitence (regardless of whether or not he brings a physical offering)! (*Matnos Kehunah*). Alternatively: The expression "offer up a soul" refers to sacrificing an animal or a bird, in which case blood (representing the soul — see below, 17:11) is placed on the Altar, thus effecting atonement (*for it is the blood that atones for the soul* — ibid.). Hence: If a person who brings a meal-offering, which does not involve a blood sacrifice, is considered to have offered up his very soul (as indicated by the expression נֶפֶשׁ regarding the meal-offering), how much more so one who brings an animal sacrifice! (*Yefeh To'ar, Maharzu, Eitz Yosef*).

מֵהַמְסִיסָא לְבֵית כָּסָּא מִבֵּית כָּסָּא לִכְרֶסָא מִכְּרֶסָא לְבֵי מְעַיָּא מִבֵּי מְעַיָּא לִכְרוֹכֶת קְטִינָא וּמִכְּרוֹכֶת קְטִינָא לִכְרוֹכֶת עוֹבְיָא וּמִכְּרוּכִית עוֹבְיָא לְסַנְיָא דִיבֵי וּמִסַּנְיָא דִיבֵי לְפַטְטְרָבָה וּמִפְּטֶטְרָבָא לְבָרָא, בֹּא וּרְאֵה כַּמָּה צַעַר וְכַמָּה יְגִיעָה עַד שֶׁיֵּצֵא מַאֲכָלָה מִמֶּנָּה:

ה [א, יז] "וְשִׁסַּע אֹתוֹ בִכְנָפָיו לֹא יַבְדִּיל", אָמַר רַבִּי יוֹחָנָן: הַהֶדְיוֹט הַזֶּה אִם מֵרִיחַ הוּא רֵיחַ כְּנָפַיִם נַפְשׁוֹ קָצָה עָלָיו, וְאַתְּ אָמַר (שם) "וְהִקְטִיר ... הַכֹּהֵן" אֶת הַכֹּל "הַמִּזְבֵּחָה", וְכָל כָּךְ לָמָּה, אֶלָּא כְּדֵי שֶׁיְּהֵא הַמִּזְבֵּחַ מְהוּדָּר בְּקָרְבָּנוֹ שֶׁל עָנִי. אַגְרִיפַּס הַמֶּלֶךְ בִּיקֵּשׁ לְהַקְרִיב בְּיוֹם אֶחָד אֶלֶף עוֹלוֹת, שָׁלַח וְאָמַר לְכֹהֵן גָּדוֹל: אַל יַקְרִיב אָדָם הַיּוֹם חוּץ מִמֶּנִּי. בָּא עָנִי אֶחָד וּבְיָדוֹ שְׁתֵּי תוֹרִים, אָמַר לַכֹּהֵן: הַקְרֵב אֶת אֵלּוּ, אָמַר לוֹ: הַמֶּלֶךְ צִוַּנִי וְאָמַר לִי: אַל יַקְרִיב אָדָם חוּץ מִמֶּנִּי הַיּוֹם, אָמַר לוֹ: אֲדוֹנִי כֹּהֵן גָּדוֹל, אַרְבָּעָה אֲנִי צָד בְּכָל יוֹם וַאֲנִי מַקְרִיב שְׁנַיִם וּמִתְפַּרְנֵס *מִשְּׁנַיִם, אִם אִי אַתָּה מַקְרִיבָן אַתָּה חוֹתֵךְ פַּרְנָסָתִי, נְטָלָן וְהִקְרִיבָן, נִרְאָה לוֹ לְאַגְרִיפַּס בַּחֲלוֹם: קָרְבָּן שֶׁל עָנִי קְדָמְךָ, שָׁלַח וְאָמַר לְכֹהֵן גָּדוֹל: לֹא כָּךְ צִוִּיתִיךָ: אַל יַקְרִיב אָדָם חוּץ מִמֶּנִּי הַיּוֹם, אָמַר לוֹ: אֲדוֹנִי הַמֶּלֶךְ, בָּא עָנִי אֶחָד וּבְיָדוֹ שְׁנֵי תוֹרִים, אָמַר לִי: הַקְרֵב לִי אֶת אֵלּוּ, אָמַרְתִּי לוֹ: הַמֶּלֶךְ צִוַּנִי וְאָמַר לִי: אַל יַקְרִיב אָדָם חוּץ מִמֶּנִּי הַיּוֹם, אָמַר: אַרְבָּעָה אֲנִי צָד בְּכָל יוֹם וַאֲנִי מַקְרִיב שְׁנַיִם וּמִתְפַּרְנֵס מִשְּׁנַיִם, אִם אִי אַתָּה מַקְרִיב אַתָּה חוֹתֵךְ אֶת פַּרְנָסָתִי, לֹא הָיָה לִי לְהַקְרִיבָן, אָמַר לוֹ: יָפֶה עָשִׂיתָ כָּל מַה שֶּׁעָשִׂיתָ. מַעֲשֶׂה בְּשׁוֹר אֶחָד שֶׁהָיוּ מוֹשְׁכִין לְקָרְבָּן וְלֹא נִמְשַׁךְ, בָּא עָנִי וּבְיָדוֹ אֲגוּדָּה אַחַת שֶׁל טְרוֹקְסִימָא וְהוֹשִׁיט לוֹ וַאֲכָלָהּ, וְגָעַשׁ הַשּׁוֹר וְהוֹצִיא מַחַט וְנִמְשַׁךְ לְקָרְבָּן, נִרְאָה לְבַעַל הַשּׁוֹר בַּחֲלוֹמוֹ: קָרְבָּנוֹ שֶׁל עָנִי קְדָמְךָ. מַעֲשֶׂה בְּאִשָּׁה אַחַת שֶׁהֵבִיאָה קוֹמֶץ שֶׁל סוֹלֶת וְהָיָה כֹּהֵן מְבַזֶּה עָלֶיהָ וְאָמַר: רְאוּ מָה הֵן מַקְרִיבוֹת, מַה בָּזֶה לֶאֱכוֹל מַה בָּזֶה לְהַקְרִיב, נִרְאָה לַכֹּהֵן בַּחֲלוֹם: אַל תְּבַזֶּה עָלֶיהָ, כְּאִלּוּ נַפְשָׁהּ הִקְרִיבָה, וַהֲרֵי דְבָרִים קַל וָחוֹמֶר, וּמָה אִם מִי שֶׁאֵינוֹ מַקְרִיב נֶפֶשׁ, כְּתִיב בּוֹ [ב, א] "נֶפֶשׁ", מִי שֶׁהוּא מַקְרִיב נֶפֶשׁ עַל אַחַת כַּמָּה וְכַמָּה *כְּאִלּוּ נַפְשׁוֹ הִקְרִיב:

עץ יוסף

לכרוכת קטינא. יש מפרשים כריכת בני מעים קטנים. **וכרוכת עוביא.** כריכת בני מעים עבים. ונראה דהיינו הדרא דכנתא דפרק כל הבשר (חולין קיג, א): **לסניא דיבי.** פירש הערוך (ערך סן א') שסונאים אותו הזאבים ולא יוכלו למיכל מינייהו: **לפטטרבא.** נראה דהיינו אלחולות, ובמגילת קהלת (רבה שם) איתא תו מפטטרכא לעזקתא, ונראה דהיינו פי הטבעת בתרגום טבעת עזקא: **(ה) ושסע אותו כו'.** מייתי דרשת האי קרא בתר נפש כי תקריב, למילף מיניה שקרבנו של עני חביב שרלה ה' שהמזבח יהיה מהודר בקרבנו של עני, ומשום הכי מפרש נפש כי תקריב שנחשב כאילו נפשו מקריב, כדמפרש בסמוך: **ריח כנפים.** קמפרש בכנפיו על הנוצה, וכן פרש"י בחומש בכנפיו עם כנפיו, אינו צריך למרוט כנפי נוצתו, בכנפיו נוצה ממש: **נפשו קצה עליו.** ואין ראוי להקריב לה' מה שאינו חביב לאדם משום הקריבהו נא לפחתך: **ואת אמר והקטיר הכהן את הכל.** אף על גב דלא כתיב הכי בעולת העוף, לאו לישנא דקרא קאמר, אלא דמקרא שמעינן שיקטיר הכהן את הכל, דוהקטיר קאי אבכנפיו (יפה תואר). ועיין מה שכתב בגבול בנימין ח"ב דרוש ל"ט: **שיהא המזבח מהודר.** שאם ימרט יראה העוף קטן. ולהורות שה' מחשיב קרבנו: **של עני.** ואף על גב דמסתמא הדין כן בחטאת העוף, והוא זמנין דאתי לעשיר כגון יולדת, לא מפליג רחמנא במעשיהם: **והוציא מחט בו'.** הכוונה כי היתה לו מחט בושט שעדיין לא ניקב הושט, ובשביל זה לא היה נמשך לקרבן כדי שלא ימצא טריפה, כי בשעת שחיטה מחמת הזיזוק היה המחט נוקב הושט בלי ספק, ושור זה לא היה נתקן, כנודע שכל בעל חי יש לפי הרוב מגולגלים בהם, ועל ידי השחיטה ואכילת בעלים נתקן וכל שכן כשנקרב על גב המזבח, אך אם יהיה טרפה לא נתקן, וכשבא העני ונתן לו לאכול מאגודה שלו, וזה גרם שגעש השור לפי שעבר המאכל בתוך הושט והוציא המחט קודם שניקב הושט, ולא נמשך לקרבן (גבול בנימין): **אל תבזה עליה.** לאו למימרא שיקריבנו, שהרי אין מנחה פחותה מעשרון כדאיתא בפרק (ב דמדות) (יב דמנחות קג, א עיין רש"י שם ה, א), וגם אין לחברה עם סולת אחרים, דאין מנחה באה בשותפות, כדאיתא בתורת כהנים (דבורא דנדבה פרשה ו פ"ח), אלא שלא יבזה עליה פירושו שיקבלו לעצמו לאוכלה בלי הקרבה: **כאילו נפשה הקריבה.** ולכן כתיב אצל קרבן העני נפש, אף שקרבנו קומץ סולת לא בעל חי, כי העני שאין לו כלום והיה בזה להחיות נפשו ועל כל זה הוא מקריב זאת לפני ה', ואם כן כאילו הוא נפשו מקריב, מכל שכן מי שמקריב נפש באמת:

פירוש מהרז"ו

(ה) מי שאינו מקריב נפש. ובכאן צריך לדרוש על פי מדת קל וחומר מדה ט"ז מיוחד במקומו, שדווקא אצל מנחה כתוב ונפש, אלא שגם אצל מנחה ונפש, וקל וחומר אצל בהמה ועוף. ומה שכתב בסוף וכאלו נפשה הקריבה, היה צריך לומר וכאלו נפשו הקריב כנ"ל, אלא אגב שכתב כן אצל מעשה האשה, אמר גם כאן כן: **ולא עוד.** פירוש לא די שזכה בזה מחמת טרחו בעבודה, אלא שקיים מצות עשה כמו שכתוב (ב, י) והנותרת מן המנחה וגו':

חידושי הרד"ל

[ה] אגריפס המלך. שוחר טוב (מזמור כב): **הוציא מחט.** עיקר הפירוש נראה שעניינו מלשון מוחטת, שהביא הערוך ערך מחט מן הילמדנו, ופירושו ענין פליטת קיא:

חידושי הרש"ש

[ה] מעשה באשה אחת שהביאה קומץ של סולת. לכאורה אין מנחה פחותה מעשרון כמבואר ברמב"ם פרק י"ב מהלכות מעשה הקרבנות הלכה ה':

באור מהרי"פ

לפטטרבא. היינו החלחולת. ובמדרש קהלת (בילקוט קהלת רמז תתקעו) מסיים ומפטטרכא לעזקתא, והיינו פי הטבעת, דתרגום טבעת עזקתא:

אמרי יושר

[ה] ריח כנפים נפשו קצה עליו. אבל כאן כיון שהסיר מוראתו, מפני הגזל, והקדוש ברוך הוא רוצה בהידור העני וקרבנו, לזה ויתר בכנפיו שלא יסירם כמוראה, ולגבי הקדוש ברוך הוא ריח ניחוח כריח קטרת: **המביא נפש בעל חי על אחת כמה וכמה.** או העני המביא נפשו ומקריבה, על אחת כמה וכמה שתחשב לו לצדקה:

מסורת המדרש

ד. תנחומא ויקרא:

ענף יוסף

ועל ידי הוידוי נתקן חלק המדבר, ובכוונת הכהן נגד נשמה, וזה שאמר המדרש, אף הקדוש ברוך הוא ויתר לנו סליחה אחת משלו, ואיזו זו עשירית האיפה, כי במנחה לא נמצא יסוד הבעלי חי, והוא יתברך ברחמיו מחשיב לעני כאילו הקריב נפשו, שהוא מובחר מחלק החי הבהמיי, לכך נקרא ויתור סליחה אחת משלו, שהוא נגד חלק החי, עד כאן:

מתנות כהונה

מפני שסתם נפש נתפרנס מן הגזל או כדומה לו: **[ה] קצה.** מיאוס ומוקלה: **מהודר.** כלומר מלא ויפה והרבה: טרוקסימון. מין עשב שהבהמות מתעטשות ממנו, ולכן כשאכלו השור מיד געש והוציא מחט דרך גרונו, כי לולא זה היה נטרף בו, וזאת היתה הסבה שלא היה נמשך מתחלה: קרבנו של עני קדמך. כלומר אותו אגודה של ירק של העני שגרמה שנמשך השור לשחיטה, הוא יותר מקרבנך, וכן הוא בשוחר טוב בהדיא: **מי שמקריב נפש.** כלומר בתענית ובתשובה:

אשד הנחלים

[ה] אגריפס כו' חותך פרנסתי. הביא המעשה הזה להורות כמה גברה האמונה על ידי קרבנות, עד שהיה מאמין באמת כי זאת היתה סבת פרנסתו בכל יום, וכן היה האמת,וכן הורו מעלת הקרבנות אם היא בכוונה רצוייה שנחשב לפניו יתברך: **כאלו נפשו.** ולכן כתב אצל קרבן העני נפש, אף שקרבנו קומץ סולת לא בעל חי, כי העני שאין לו כלום והיה בזה להחיות נפשו, ועם כל זה הוא מקריב זאת לפני ה', ואם כן הוא כאלו נפשו הקריב, וקל וחומר מי שמקריב נפשו באמת, [על ידי קרבן בבעל נפש] ועל ידי תענית והכנעה, כי ענין הקרבן הוא לזכור מצער נפש הבהמות, על נפשו להכניעה בזה, וא"כ כל שכן אם מכניע נפשו באמת:

§6 וְהֱבִיאָהּ אֶל בְּנֵי אַהֲרֹן — *HE SHALL BRING IT TO THE SONS OF AARON, THE KOHANIM, ETC.*

The Midrash draws a conclusion from the use of the plural *sons of Aaron:*

תָּנֵי רַבִּי חִיָּיא: וַאֲפִילוּ רִבּוֹאוֹת — **R' Chiya taught in a Baraisa:**[105] The words *the sons of Aaron* (plural) imply: **Even myriads** of them.[106] אָמַר רַבִּי יוֹחָנָן "בְּרָב עָם הַדְרַת מֶלֶךְ" — **R' Yochanan said:**[107] The reason for this is that such mass participation brings greater glory to God, as it is stated, ***A multitude of people is a king's glory*** (*Proverbs* 14:28).[108]

□ וְקָמַץ מִשָּׁם מְלֹא קֻמְצוֹ מִסָּלְתָּהּ וּמִשַּׁמְנָהּ — *ONE OF WHOM SHALL SCOOP HIS THREEFINGERSFUL FROM IT, FROM ITS FINE FLOUR AND FROM ITS OIL.*

"מִסָּלְתָּהּ" וְלֹא כָּל סָלְתָּהּ — ***From its fine flour*** — the word "from" implies that the Kohen scoops some of the meal-offering's fine flour, **but not *all* of its fine flour.**[109] "מִשַּׁמְנָהּ" וְלֹא כָּל שַׁמְנָהּ — ***From its oil*** similarly implies that the Kohen scoops some of the oil **but not *all* of its oil.**[110]

וְהַנּוֹתֶרֶת מִן הַמִּנְחָה לְאַהֲרֹן וּלְבָנָיו קֹדֶשׁ קָדָשִׁים מֵאִשֵּׁי ה׳.
The remnant of the meal-offering is for Aaron and his sons — most holy, from the fire-offerings of HASHEM (2:3).

□ וְהַנּוֹתֶרֶת מִן הַמִּנְחָה לְאַהֲרֹן וּלְבָנָיו — *THE REMNANT OF THE MEAL-OFFERING IS FOR AARON AND HIS SONS — MOST HOLY, FROM THE FIRE-OFFERINGS OF* HASHEM.]

The Midrash derives a lesson from our verse:

הֲרֵי שֶׁהֵבִיא מִנְחָתוֹ מִגּוֹלָה מֵאַסְפַּמְיָא — **Now,** let us consider the case of **someone who brought his meal-offering from the exile, from Spain,**[111] וְרָאָה אֶת הַכֹּהֵן שֶׁהִקְמִיץ וְאָכַל אֶת הַשְּׁאָר — **and he saw the Kohen scoop a handful** to offer upon the Altar, **and** then **eat the rest.** אָמַר: אוֹי לִי כָּל הַצַּעַר הַזֶּה שֶׁנִּצְטַעַרְתִּי בִּשְׁבִיל זֶה — **[The man] said, "Woe is me for all the trouble I went through** just **for this** Kohen to eat a fine meal!" וְהַכֹּל מְפַיְּיסִין אוֹתוֹ וְאוֹמְרִים לוֹ — **But all** the people present **placate him, saying to him,** וּמָה אִם זֶה שֶׁלֹּא נִצְטַעֵר אֶלָּא שְׁנֵי פְּסִיעוֹת בֵּין הָאוּלָם לַמִּזְבֵּחַ — **"If this** Kohen, **who only took the trouble of** walking **two steps between the Sanctuary and the Altar,**[112] זָכָה לֶאֱכוֹל — **merited to eat** the remaining flour of the meal-offering, אַתָּה שֶׁנִּצְטַעַרְתָּ כָּל הַצַּעַר הַזֶּה עַל אַחַת כַּמָּה וְכַמָּה — then **all the more so you, who went through all this trouble** of bringing your meal-offering all the way from Spain, will surely merit significant reward! וְלֹא עוֹד אֶלָּא "וְהַנּוֹתֶרֶת מִן הַמִּנְחָה לְאַהֲרֹן וּלְבָנָיו" — **Moreover,** it is written, ***The remnant of the meal-offering is for Aaron and his sons.*"**[113]

The Midrash relates another incident having to do with our verse:

רַבִּי חֲנִינָא בַּר אַבָּא אֲזַל לַחֲד אֲתַר — **R' Chanina bar Abba went to a certain place,** אַשְׁכַּח הָדֵין פְּסוּקָא רֹאשׁ סִדְרָא — **and found that this verse was the beginning topic of discussion:**[114] "וְהַנּוֹתֶרֶת מִן הַמִּנְחָה לְאַהֲרֹן וּלְבָנָיו" — ***The remnant of the meal-offering is for Aaron and his sons.*** And he was asked to expound on this verse. מָה פָּתַח עֲלָהּ — **How did he open** his exposition **about [this verse]?**[115] "מִמְתִים יָדְךָ ה׳ מִמְתִים מֵחֶלֶד" — By citing and discussing the following verse: ***Oh, to be among those who die***[116] ***by Your hand,* HASHEM*, who die of old age*** — *whose portion is [eternal] life, and whose belly You fill with Your concealed treasure; they are sated with sons and they bequeath their abundance to their babes* (*Psalms* 17:14).

The Midrash relates R' Chanina's exposition on the *Psalms* verse:

"מִמְתִים יָדְךָ ה׳", מַה גִּבּוֹרִים הֵם אֵלּוּ שֶׁנָּטְלוּ חֶלְקָן מִתַּחַת יָדְךָ ה׳ — The phrase ***mi'mesim yadcha HASHEM*** [מִמְתִים יָדְךָ ה׳] (translated above as: *Oh, to be among those who die by Your hand,* HASHEM), means: **"What mighty men** (מְמְתִים) **they are,**[117] **those who** merited to **take their portion** of sustenance directly **from Your hand,** **Hashem** (יָדְךָ ה׳)!" וְאֵיזֶה זֶה, זֶה שִׁבְטוֹ שֶׁל לֵוִי — **And who is this** who took his portion directly from God? **This is the Tribe of Levi.**[118]

NOTES

105. This Baraisa is also found in *Sifra, Nedavah, Parshesa* 9:1.

106. If there are many Kohanim present (the word "myriads" is apparently meant hyperbolically), they should all participate in the bringing of the meal-offering: one measuring the flour, one pouring oil on it, one mixing the flour and oil together, one placing the frankincense, etc. (*Eitz Yosef*, citing *Raavad* on *Sifra* ad loc.).

107. In *Sifra* (ibid.) this conclusion is contained in the *Baraisa* itself.

108. Although the concept derived from this verse in *Proverbs* would indicate that *any* sacrificial offering should involve the services of many Kohanim, the Torah alludes to it specifically in the case of a meal-offering to impart the message to the Kohanim that they should not treat the meager offering of a poor man with disdain (*Eitz Yosef,* from *Raavad* ibid.).

109. That is: The Kohen may not scoop the entire meal-offering into his hand; rather, he must scoop some and leave some (*Yedei Moshe*; see also *Eitz Yosef* in Vagshal edition). However (as these commentators themselves point out), such a law would be relevant only to a giant, for it is in any event impossible for a normal human being to fit a tenth-*ephah* of flour — equivalent in volume to 43.2 eggs — into his closed fist. Because of this difficulty, *Yefeh To'ar*, followed by *Eitz Yosef*, suggests a different interpretation: There is a law that the entire tenth-*ephah* of flour must be present in the vessel at the time of scooping (*Sifra* ibid. 9:8; *Menachos* 9b). Our Midrash comes to teach that even if a small part of the fine flour — and not *all* of its fine flour — is missing at the time of scooping, the offering is invalid. *Yefeh To'ar* concedes that this is not the straightforward reading of the Midrash, and he concludes that the matter requires further investigation.

110. This line presents the same difficulty as the preceding one (see preceding note).

111. Another version (found here in many Midrash manuscripts and in *Midrash Shocher Tov*) has: מִגַּלְיָא וּמֵאַסְפַּמְיָא — *from Gaul or from Spain.*

112. I.e., from the place where he scooped out the handful to the Altar itself.

113. It is unclear what this verse adds to the point already made that the Midrash uses the word "moreover." *Yefeh To'ar* explains that we see from this verse that not only the Kohen himself benefits from the minimal effort he expended, but his children ("Aaron *and his sons*") benefit as well. So too, one who goes through much trouble to bring a meal-offering will merit many blessings for himself and his children.

114. *Matnos Kehunah, Yefeh To'ar.* [According to the others, the Midrash means that this was the beginning of the weekly Torah-portion (סִדְרָא) in that place; for in *Eretz Yisrael* — where the Midrash was written — the custom was to read much smaller weekly Torah-portions than those used today (which accord with the Babylonian custom), completing the reading of the entire Torah over the course of three years rather than one (*Peirush Kadum, Maharzu*).]

115. The style of exposition used in those days — as seen many times in *Vayikra Rabbah* — was to cite a passage from elsewhere in Scripture and analyze it, ultimately relating to the opening verse of the passage to be studied presently. R' Chanina did the same in this case, as the Midrash goes on to relate.

116. The translation of the verse follows *Rashi's* interpretation of מְתִים; the Midrash will interpret it differently. The same is true for חֶלֶד (*old age*) at the end of the phrase.

117. The Midrash interprets מְתִים to mean "mighty men" (see also commentators on *Psalms*). The word is used in this sense in *Deuteronomy* 2:34: וַנַּחֲרֵם אֶת כָּל עִיר "מְתִם" וְהַנָּשִׁים וְהַטָּף, *and we destroyed every city — "mighty men," women, and children* (*Yefeh To'ar*, citing from *Midrash Shocher Tov* ad loc.).

118. They are called "mighty men" because of their great righteousness, for true might is expressed in personal virtue (see *Avos* 4:1: "Who is truly mighty? He who subdues his evil inclinations"). It was on account of their righteousness that the Levites were chosen to serve God in the Sanctuary, and as a result they merited to be sustained from tithes and (in the case of Kohanim) offerings brought by others (*Eitz Yosef,* from *Yefeh To'ar*).

ו [ב, ב] "וְהֵבִיאָהּ אֶל בְּנֵי אַהֲרֹן" תָּנֵי רַבִּי חִיָּיא: וַאֲפִילּוּ °רִבּוֹת, אָמַר רַבִּי יוֹחָנָן: (משלי יד, כח) "בְּרָב עָם הַדְרַת מֶלֶךְ". [ב, ב] "וְקָמַץ מִשָּׁם מְלֹא קֻמְצוֹ מִסָּלְתָּהּ וּמִשַּׁמְנָהּ", "מִסָּלְתָּהּ" וְלֹא כָּל סָלְתָּהּ, "מִשַּׁמְנָהּ" וְלֹא כָּל שַׁמְנָהּ. הֲרֵי שֶׁהֵבִיא מִנְחָתוֹ מְגוּלָּה מֵאַסְפַּמְיָא וְרָאָה אֶת הַכֹּהֵן שֶׁהִקְמִיץ וְאָכַל אֶת הַשְּׁאָר, אָמַר: אוֹי לִי כָּל הַצַּעַר הַזֶּה שֶׁנִּצְטַעַרְתִּי בִּשְׁבִיל זֶה, וְהַכֹּל מְפַיְּיסִין אוֹתוֹ וְאוֹמְרִים לוֹ: וּמָה אִם זֶה שֶׁלֹּא נִצְטַעֵר אֶלָּא שְׁנֵי פְּסִיעוֹת בֵּין הָאוּלָם לַמִּזְבֵּחַ זָכָה לֶאֱכוֹל, אַתָּה שֶׁנִּצְטַעַרְתָּ כָּל הַצַּעַר הַזֶּה עַל אַחַת כַּמָּה וְכַמָּה, וְלֹא עוֹד אֶלָּא [ב, ג] "וְהַנּוֹתֶרֶת מִן הַמִּנְחָה לְאַהֲרֹן וּלְבָנָיו". °רַבִּי חֲנִינָא בַּר אַבָּא אֲזַל לְחַד אֲתַר, אַשְׁכַּח הָדֵין פְּסוּקָא רֹאשׁ סִדְרָא, "וְהַנּוֹתֶרֶת מִן הַמִּנְחָה לְאַהֲרֹן וּלְבָנָיו", מַה פָּתַח עֲלָהּ, (תהלים יז, יד) "מִמְתִים יָדְךָ ה' מִמְתִים מֵחֶלֶד", "מִמְתִים יָדְךָ ה'", מַה גִּבּוֹרִים הֵם אֵלּוּ שֶׁנָּטְלוּ חֶלְקָן מִתַּחַת יָדְךָ ה', וְאֵיזֶה זֶה, זֶה שִׁבְטוֹ שֶׁל לֵוִי, "מִמְתִים מֵחֶלֶד", אֵלּוּ שֶׁלֹּא נָטְלוּ חֵלֶק בָּאָרֶץ,

עץ יוסף

(ו) תני ר' חייא ואפילו רבואות. כן לריך לומר, והכי איתא בתורת כהנים (דבורא דנדבה פרשה ט פ"ט). ופירש הראב"ד ז"ל, כלומר כולם עוסקים בה במה שיכולים להתעסק, במדידת העשרון, ביליקת השמן, בבלילה, בנתינת הלבונה, בקמילה, במתן כלי, במליחה, בליקוט הלבונה, בהקטרה, כל אחד עושה מלאכתו, משום ברוב עם הדרת מלך, ואשמועינן קרא הכי כדי שלא יתבזה עליהם קרבן המנחה, עד כאן לשונו. וטעם דקדוק, מדכתיב בני אהרן הכהנים, דאם לא כן אל הכהן מיבעי ליה, אלא לומר שכולם מתעסקים בדבר: **ולא כל סלתא.** רלונו לומר שאם חסר כל שהוא מסלתה ומשמנה פסולה כדתני בתורת כהנים (שם) ומייתי לה בפרק קמא דמנחות (ט, ב). והכי קאמר מסלתה שחסר פסולה ואפילו לא חסר כל סלתה. ודוחק: **מאספמיא.** פירוש מהגולה דהיינו אספמיא, גלות ירושלים אשר בספרד (עובדיה א, כ) מתרגמינן די באספמיא. ובילקוט (רמז תמו) גרס מגליא מאספמיא ומתחבורתיה. ויש מפרשים מגרפת ומספרד: **ולא עוד אלא כו'.** דלא מבעיא שהכהן זוכה לעצמו מפני שתי פסיעות, אלא שזוכה גם כן לבניו, דהיינו והנותרת מן המנחה לאהרן ולבניו כדלקמן, וכל שכן מי שמלטער הרבה שיזכה לו ולזרעו. ועיין מה שכתבתי בענף: **לחד אתר.** פירוש למקום אחד: **אשכח כו'.** מלא בבית המדרש שהיה פסוק זה ראש הדרשה, שהתחילו לישא וליתן בפסוק זה: **פתח עליו כו'.** משום דקשה מה לריך לומר לאהרן ולבניו, לימא להכהנים ויכללו כולם יחד, להכי סבירא ליה לרבי חנינא שאתא למימר דאהרן זוכה לבניו, פירוש שמאכיל לבניו הקטנים מחלקו מהמנחה, אף על פי שהקטן אינו חולק אפילו בקדשים קלים כדתניא בפרק אלו מנחות (עג, א), ולהכי דריש האי קרא בקרבנות למדרש והניחו יתרם לעולליהם. והא דכתיב תו בפרשת צו (ויקרא ו, ט) והנותרת ממנה יאכלו אהרן ובניו, יש לומר משום דכתיב (שם) בחצר אהל מועד יאכלוה אשמועינן דאפילו הקטנים לא יאכלו חוץ לעזרה. והא דכתיב בפרשת תצוה (שמות כט, כח) גבי זבחי שלמים והיה לאהרן ולבניו. יש לומר דאשמועינן דאפילו בשלמים לא יאכלו אלא על ידי אביהם, אבל אין חולקים להם, ועיין בגמרא: **מה גבורים.** בשוחר טוב יליף דממתים גבורים מדכתיב החרם כל עיר מתים, והטעם משום דכתיב באנשי סיחון ועוג שהיו גבורים: **מה גבורים.** דריש ממתים בשתי תיבות מי מתים, ומפרש מי כמו מה כדאשכחן במנוח (שופטים יג, יז) מי שמך במקום מה שמך, והגבורה הוא בלדקות על דרך (אבות ד, א) איזהו גבור הכובש את יצרו, ורלה לומר שעל ידי שהם לדיקים נבחרו למשרתי אלהינו ושיהיה פרנסתם משולחנו, כי זו היא מעלה שיתפרנסו מקדשי ה' ולא היו זוכים לזה אלא בלדקתם. וענין הכתוב שם משום דבעי למימר אני בלדק אחזה פניך, קאמר שאלו על ידי לדקתם זכו להם ולבניהם, אבל הוא אינו רואה בעצמו זכות, ואינו מבקש מה אלא בלדקה וחסד: **שלא נטלו חלק בארץ.** ופירוש מחלד המסולקים מירושת חלד שהיא הארץ כדילפינן בש"ס (חולין קכז, א) מהאזינו כל יושבי חלד:

פירוש מהרז"ו

(ו) בשביל זה. בשביל כהן זה שיאכל. ומה שאמר הצער הזה היינו להוליך דרך רחוקה כזה, ולשמור שלא יטמא. ונראה לי שמה שאמר שהביא מנחתו, אין פירושו שהביא הקמח והשמן מארץ העמים, שהרי גם בני ארץ ישראל וירושלים לא היו מביאים רק מעות, אלא הגזברים ובבית המקדש היו חנויות של סולת ושמן שנעשה בטהרה, שמהם מקריבים, אלא פירושו שבא בעצמו מרחוק, ונצטער בעצמו לילך דרך רחוקה כזו להקריב מנחה, וגם הוא נתן מעות לגזברים: **בין האולם ולמזבח.** לריך עיון, ובתנא דבי אליהו הגירסא בין הכבש ולמזבח. (הגהה מבן המחבר): **תני רבי חייא אפילו הן רבות.** בתורת כהנים (פרשה ט), בני אהרן אפילו הן רבואות, ועיין במתנות כהונה. ודורש מה שכתוב ברוב, לשון רבואות, על פי מדת ממעל, ואם אלל בשר ודם כך, קל וחומר אלל הקב"ה, הרי על פי מדה י"ז ומדת ממעל, ומדה ו' מקל וחומר, דורש כאן בני אהרן אפילו רבואות: **הדין פסוקא ריש סדרא.** כמנהג בני מערבא שמסיימים התורה בשלש שנים, ולריך עיון שפסוק והנותרת הוא פסוק אחד קודם פרשה, שלא יתכן שיתחילו ויסיימו בו, והכרח לומר שהכוונה על פסוק והנותרת שבפרשת מנחת מרחשת הסמוכה, ויתורץ הכל, ואולי מפני קושיתי הנ"ל פירש המתנות כהונה ריש סדרא ריש הדרשה, והנראה לי כתבתי: **מה גבורים הם.** ומסייס בילקוט תהלים (רמז תרעא) ואין מתים אלא גבורים, שנאמר (דברים ג, ו) החרם כל עיר מתים, ומה שאמר ממתים, דורש נוטריקון מה' מתים, וזהו מה גבורים, ומה שכתוב ידך ה', שאין לו חבור למה שכתב גבורים, על כן דורש על פי מדה ט', שיהיה לו משמעות ענין שנטלו חלקס מתחת ידך ה', ועל פי מדת דבר הלמד מסופו:

מתנות כהונה

[ו] הכי גרסינן בספרי **אל בני אהרן תני רבי חייא ואפילו רבואות.** פירוש אפילו כהנים הרבה מאד משום שנאמר ברוב עם וגו', ולא תאמר דוקא שנים ולא יותר כדכתיב בני, ומיעוט רוב שנים: **מגולה.** מן הגולה לירושלים, ובשוחר טוב גרס מגליא: **אשכח כו'.** מלא בבית המדרש שהיה פסוק זה ראש הדרשה מה פתח עליה, כן היה סדר לימודם, כשדרשו פסוק אחד התחילו בתחלה פסוק אחר, עד שנמשך להם הענין על הפסוק שהם מבקשים לדרשו: **מה גבורים הם כו'.** דרש ממתים לשון (דברים ב, ו) מתים וטף, שפירושו אנשים גבורים, כן הוא לקמן במגילת אסתר רבה (ג, ו), ובילקוט תהלים (רמז תרעא), (ובבבא בתרא פרק א'): **שלא נטלו חלק בארץ.** דרש מחלד כלומר מן החלד שפירושו עולם, כלומר היו נדחים מארץ ישראל שהיא עיקר העולם כו':

אשד הנחלים

[ו] ואפילו רבות. פירש הידי משה אפילו יהיה לכהן בנים רבים, עם כל זה יאכלו אהרן ובניו כולם בקרבן הקטון, מפני ברוב עם הדרת מלך, מה שאוכלים בקבוץ יחד: **ולא כל סולתה.** להניח לעני אפס מה ממנו (ידי משה): **הרי שהביא מנחתו.** פירש שלכן כתיב במנחה קודש קדשים, להורות כמה גדול כח הקרבן הזה, בכדי שלא יצטער העני הזה, וידמה כי כל קרבנו הוא מפני שיאכלו הכהנים ולא יהיה נחשב בעיניו, ולכן כתיב בה קודש קדשים, ומזה יתבונן אם הכהנים שלא עמלו בה הרבה, נחשב אכילתם לקודש קדשים, מכל שכן עליו שבאה מדרך רחוקה להקריבו (ידי משה): **לאהרן ולבניו קודש קדשים.** כן צריך לומר (ידי משה): **ממתים ידך גו'.** דרש על דרך הציור, כאלו המלך התבונן על מעלת הכהנים וקדושתם שהם אנשים, (מתים לשון אנשים גבורים), בתגבורת הנפש, עד שזכו על ידי זה שחלקם רק בחיים הנפשיים, כי

חידושי הרד"ל

[ו] בריתי היתה אתו כו'. כל המאמר בברייתא בתורת כהנים פרשת שמיני פרשת מילואים פסקא לז:

חידושי הרש"ש

[ו] וקמץ הכהן וכו' אלא שני פסיעות בין אולם ולמזבח. לכאורה מאי בעי הכהן שמה, ההגשה אינה אלא בקרן דרומית מערבית. ושני פסיעות אפשר לומר דלאו דוקא קאמר:

באור מהרי"פ

[ו] ואפילו רביאות. הכי איתא בתורת כהנים, ופירש הראב"ד ז"ל כלומר כולם עוסקים בה במה שיכולים להתעסק, במדידת העשרון, ביליקת השמן, בבלילה, בנתינת הלבונה, בקמילה, במתן כלי, במליחה, בליקוט הלבונה, בתלוש, בהקטרה, כל אחד עושה מלאכתו משום ברוב עם הדרת מלך. ואשמועינן קרא הכא כדי שלא יתבזה עליהם קרבן המנחה עד כאן: **מסלתה ולא כל סלתה.** כתב היפה תואר, לא הבינותי זה דכיון דאין סולת פחות מעשרון, איך אפשר שיקמוץ כולו, שהרי אינו קומץ אלא קומץ אחד, בין עשרון אחד בין לששים עשרונים, כדאיתא בתורת כהנים, ואיך יתכן שקומץ אחד יחזיק עשרון, ולריך עיון, עיין שם: **ולא עוד אלא וכו'.** דלא מבעיא שהכהן זוכה לעצמו מפני שני פסיעות אלא שמזכה גם כן לבניו, וזהו והנותרת מן המנחה לאהרן ובניו וכדלקמן, וכל שכן מי שמלטער הרבה שיזכה לו ולזרעו:

ידי משה

[ו] אפילו רבות. נראה לי דקאי אסיפא דקרא, דכתיב והנותרת מן המנחה לאהרן ובניו, אפילו אם יהיו בנים הרבה נמלא שמגיע מן עשירית האיפה על כל אחד דבר מועט, אפילו הכי יחלוקו. וקל להבין: **הרי שהביא מנחתו וכו'.** פירוש שלא יקח הכהן הכל בקומלו, אפילו יהיה לו יד גדולה, לפי שלריך להותיר גם לו, כדמסיק כדי שלא ילטער זה המביא את המנחה וכו': **בשביל זה.** פירוש בשביל כהן, כי היה סובר המביא את המנחה שיקריב הכל: **ולא עוד אלא והנותרת מן המנחה לאהרן ובניו קדש קדשים היא.** כן לריך לומר. פירוש ולא עוד שזכה לאכול את הנותר, אלא שקרא הקב"ה להנותר קודש קדשים, וכל זה אמרו להפיס דעתו של המביא מנחה: מה גבורים. ודריש ממתים שתי מלות, מה מתים, ומתים לשון גבורה הוא, כדכתיב בסיחון ועוג (דברים ב, לד) כל עיר מתים:

מסורת המדרש

ה. אסתר רבה פ"ג:

אם למקרא

בְּרָב־עָם הַדְרַת מֶלֶךְ וּבְאֶפֶס לְאֹם מְחִתַּת רָזוֹן: (משלי יד:כח)

מִמְתִים יָדְךָ ה' מִמְתִים מֵחֶלֶד חֶלְקָם בַּחַיִּים וּצְפוּנְךָ תְּמַלֵּא בִטְנָם יִשְׂבְּעוּ בָנִים וְהִנִּיחוּ יִתְרָם לְעוֹלְלֵיהֶם: (תהלים יז:יד)

ענף יוסף

(ו) ולא עוד אלא והנותרת מן המנחה לאהרן ולבניו. עיין מה שכתבתי בעץ. עוד יש לומר על פי מה שאמרו כמינו ז"ל ביומא (לט א) בשתי הלחם ולחם הפנים שהיה בו ברכה, וכל כהן שמגיעו כזית יש אוכלו ושבע, ויש אוכלו ומותיר, וזה ירמוז הכתוב כי יתלה בכשרון הכהן והמתנדב, עד שתשרה ברכה בנותר, והנותרת מן המנחה יאכלו אהרן ובניו, שהם כללות בית אב שהיו במקדש, וזהו לפי שהוא קודש קדשים מאשי ה', מסוגל שתשרה בו ברכה, אם יכוין בה הכהן כראוי, וזהו מה שאמר אזכרתה, זכרון הקומץ נקרא אזכרתה, שעל ידי הקומץ נזכרת כל המנחה, והכהן יכוין גם באכילה איך שאוכל בקודש חלק מן הקרב אל ה', ורמז בזה שגם באכילת חלק שלו, יהיה לזכרון בין עיניו איך שאוכל מקדשי ה', וזה שאמר המדרש ולא עוד זאת אלא אף גם מעלה זו יש במנחתו, שוהנותרת מן המנחה לאהרן ולבניו, פירוש יספוק שיהיה לאכילה מספקת לאהרן ולבניו שהם כללות בית אב שהיו במקדש, על ידי גדולת הקדושה שיש במנחה, על ידי כוונת הכהן והמתנדב (מלא הטומר):

שינוי נוסחאות

(ו) ואפילו רבות. א"א הגיה שצ"ל "רבואות" ואף מ"כ הביא גרסא זו מספרי, וכן הוא ברוב כי"י: **אלו שלא נטלו חלק בארץ.** הגיה א"א "אלו שבט לוי שלא נטלו...":

״מִמְתִים מֵחֶלֶד״, אֵלוּ שֶׁלֹּא נָטְלוּ חֵלֶק בָּאָרֶץ — The next phrase, ***mi'mesim mei'cheled*** [מִמְתִים מֵחֶלֶד], means: "What mighty men they are (מִמְתִים), **those who did not receive a portion in the Land** of Israel."[119]

NOTES

119. The Midrash now refers to the Kohanim (of the tribe of Levi) specifically (*Yefeh To'ar*), of whom it is written, *There shall not be for the Kohanim, the Levites — the entire tribe of Levi — a portion and an inheritance with Israel; the fire-offerings of HASHEM and His inheritance shall they eat* (*Deuteronomy* 18:1). They are even more "mighty" (virtuous) than the other Levites. The word מֵחֶלֶד is interpreted to mean "[excluded] from the land." We find the word חֶלֶד is used in this sense in *Psalms* 49:2: *Give ear all you dwellers of the land* [חָלֶד] (*Yefeh To'ar*, citing from *Midrash Shocher Tov* ad loc.).

ו [ב, ב] "והביאה אל בני אהרן" תני רבי חייא: ואפילו °רבות, אמר רבי יוחנן: (משלי יד, כח) "ברב עם הדרת מלך". [ב, ב] "וקמץ משם מלא קמצו מסלתה ומשמנה", "מסלתה" ולא כל סלתה, "משמנה" ולא כל שמנה. הרי שהביא מנחתו מגולה מאספמיא וראה את הכהן שהקמיץ ואכל את השאר, אמר: אוי לי כל הצער הזה שנצטערתי בשביל זה, והכל מפייסין אותו ואומרים לו: ומה אם זה שלא נצטער אלא שני פסיעות בין האולם למזבח זכה לאכול, אתה שנצטערת כל הצער הזה על אחת כמה וכמה, ולא עוד אלא [ב, ג] "והנותרת מן המנחה לאהרן ולבניו". הרבי חנינא בר אבא אזל לחד אתר, אשכח הדין פסוקא ראש סדרא, "והנותרת מן המנחה לאהרן ולבניו", מה פתח עלה, (תהלים יז, יד) "ממתים ידך ה' ממתים מחלד", "ממתים ידך ה'", מה גבורים הם אלו שנטלו חלקן מתחת ידך ה', ואיזה זה, זה שבטו של לוי, "ממתים מחלד", אלו שלא נטלו חלק בארץ,

עץ יוסף

(ו) תני ר' חייא ואפילו רבואות. כן צריך לומר, והכי איתא בתורת כהנים (דבורא דנדבה פרשה ט פ"א). ופירש הראב"ד ז"ל, כלומר כולם עוסקים בה במה שיכולים להתעסק, במדידת העשרון, ביציקת השמן, בבלילה, בנתינת הלבונה, בקמיצה, במתן כלי, במליחה, בליקוט הלבונה, בהקטרה, כל אחד עושה מלאכתו, משום ברוב עם הדרת מלך, ואשמועינן קרא הכי כדי שלא יתבזה עליהם קרבן המנחה, עד כאן לשונו. וטעם דקדוק, מדכתיב בני אהרן הכהנים, דאם לא כן אל הכהן מיבעי ליה, אלא לומר שכולם מתעסקים בדבר: ולא כל סלתא. רצונו לומר שאם חסר כל שהוא מסלתה ומשמנה פסולה כדתני בתורת כהנים (שם) ומייתי לה בפרק קמא דמנחות (ט, ב). והכי קאמר מסלתה שחסר פסולה ואפילו לא חסר כל סלתה. ודוחק: מאספמיא. פירוש מהגולה דהיינו אספמיא, גלות ירושלים אשר בספרד (עובדיה א, כ) מתרגמינן די באספמיא. ובילקוט (רמז תמו) גרס מגולה מאספמיא ומתברותיה. ויש מפרשים מגרפת ומספרד: ולא עוד אלא כו'. דלא מבעיא שהכהן זוכה לעצמו מפני שתי פסיעות, אלא שזוכה גם כן לבניו, דהיינו והנותרת מן המנחה לאהרן ולבניו כדלקמן, וכל שכן מי שמצטער הרבה שיזכה לו ולזרעו. ועיין מה שכתבתי בענף: לחד אתר. פירוש למקום אחד: אשכח כו'. מצא בבית המדרש שהיה פסוק זה ראש הדרשה, שהתחילו לישא וליתן בפסוק זה: פתח עליו כו'. משום דקשה מה צריך לומר לאהרן ולבניו, לימא להכהנים ויכללו כולם יחד, להכי סבירא ליה לרבי חנינא שאתא למימר דאהרן זוכה לבניו, פירוש שמאכיל לבניו הקטנים מחלקו מהמנחה, אף על פי שהקטן אינו חולק אפילו בקדשים קלים כדתניא בפרק אלו מנחות (עג, א), ולהכי דריש האי קרא בקרבנות למדרש והניחו יתרם לעולליהם. והא דכתיב תו בפרשת צו (ויקרא ו, ט) והנותרת ממנה יאכלו אהרן ובניו, יש לומר משום דכתיב (שם) בחצר אהל מועד יאכלוה אשמועינן דאפילו הקטנים לא יאכלו חוץ לעזרה. והא דכתיב בפרשת תצוה (שמות כט, כח) גבי זבחי שלמים והיה לאהרן ולבניו. יש לומר דאשמועינן דאפילו בשלמים לא יאכלו אלא על ידי אביהם, אבל אין חולקים להם, ועיין בגמרא: מה גבורים. בשוחר טוב יליף דממתים גבורים מדכתיב החרם כל עיר מתים, והטעם משום דכתיב באנשי סיחון ועוג שהיו גבורים: מה גבורים. דריש ממתים בשתי תיבות מי מתים, ומפרש מי כמו מה כדאשכחן במנוח (שופטים יג, יז) מי שמך במקום מה שמך, והגבורה הוא בצדקות על דרך (אבות ד, א) איזהו גבור הכובש את יצרו, ורצה לומר שעל ידי שהם צדיקים נבחרו למשרתי אלהינו ושיהיה פרנסתם משולחנו, כי זו היא מעלה שיתפרנסו מקדשי ה' ולא היו זוכים לזה אלא בצדקתם. וענין הכתוב שם משום דבעי למימר אני בצדק אחזה פניך, קאמר שאלו על ידי צדקתם זכו להם ולבניהם, אבל הוא אינו רואה בעצמו זכות, ואינו מבקש מה אלא בצדקה וחסד: שלא נטלו חלק בארץ. ופירוש מחלד המסולקים מירושת חלד שהיא הארץ כדילפינן בש"ס (חולין קכו, א) מהאזינו כל יושבי חלד:

פירוש מהרז"ו

(ו) בשביל זה. בשביל כהן זה שיאכל. ומה שאמר הצער הזה היינו להוליך דרך רחוקה כזה, ולשמור שלא יטמא. ונראה לי שמה שאמר שהביא מנחתו, אין פירושו שהביא הקמח והשמן מארץ העמים, שהרי גם בני ארץ ישראל וירושלים לא היו מביאים רק מעות, אלא הגזברים ובבית המקדש היו חנויות של סולת ושמן שנעשה בטהרה, שמהם מקריבים, אלא פירושו שבא בעצמו מרחוק, ונצטער בעצמו לילך דרך רחוקה כזו להקריב מנחה, וגם הוא נתן מעות לגזברים: בין האולם ולמזבח. צריך עיון, ובתנא דבי אליהו הגירסא בין הכבש ולמזבח. (הגהה מבן המחבר): תני רבי חייא אפילו הן רבות. בתורת כהנים (פרשה ט), בני אהרן אפילו הן רבואות, ועיין במתנות כהונה. ודורש מה שכתוב ברוב, לשון רבואות, על פי מדת ממעט, ואם אצל בשר ודם כך, קל וחומר אצל הקב"ה, הרי על פי מדה י"ז ומדת ממעט, ומדה ו' מקל וחומר, דורש כאן בני אהרן אפילו רבואות: הדין פסוקא ריש סדרא. כמנהג בני מערבא שמסיימים התורה בשלש שנים, וצריך עיון שפסוק והנותרת הוא פסוק אחד קודם פרשה, שלא יתכן שיתחילו ויסיימו בו, ובהכרח לומר שהכוונה על פסוק והנותרת שבפרשת מנחת מרחשת הסמוכה, ויתורץ הכל, ואולי מפני קושיתי הנ"ל פירש המתנות כהונה ריש סדרא ריש הדרשא, והנראה לי כתבתי: מה גבורים הם. ומסיים בילקוט תהלים (רמז תרעא) ואין מתים אלא גבורים, שנאמר (דברים ג, ו) החרם כל עיר מתים, ומה שאמר ממתים, דורש נוטריקון מה' מתים, וזהו מה גבורים, ומה שכתוב ידך ה', שאין לו חבור למה שכתב גבורים, על כן דורש על פי מדה ט', שיהיה לו משמעות ענין שנטלו חלקם מתחת ידך ה', ועל פי מדת דבר הלמד מסופו:

מתנות כהונה

[ו] הכי גרסינן בספרי אל בני אהרן תני רבי חייא ואפילו רבואות. פירוש אפילו כהנים הרבה מאד משום שנאמר ברוב עם וגו', ולא תאמר דוקא שנים ולא יותר כדכתיב בני, ומיעוט רבים שנים: מגולה. מן הגולה לירושלים, ובשוחר טוב גרס מגליא: אשכח כו'. מצא בבית המדרש שהיה פסוק זה ראש הדרשה מה פתח עליה, כן היה סדר לימודם, כשדרשו פסוק אחד התחילו בתחלה פסוק אחר, עד שנמשך להם הענין על הפסוק שהם מבקשים לדרשו: מה גבורים הם כו'. דרש ממתים לשון (דברים ב, ו) מתים וטף, שפירושו אנשים גבורים, כן הוא לקמן במגילת אסתר רבה (ג, ו), ובילקוט תהלים (רמז תרעא), (ובבבא בתרא פרק א'): שלא נטלו חלק בארץ. דרש מחלד כלומר מן החלד שפירושו עולם, כלומר היו נדחים מארץ ישראל שהיא עיקר העולם כו':

אשד הנחלים

[ו] ואפילו רבות. פירש הידי משה אפילו יהיה לכהן בנים רבים, עם כל זה יאכלו אהרן ובניו כולם בקרבן הקטון, מפני ברוב עם הדרת מלך, מה שאוכלים בקבוץ יחד: ולא כל סולתה. להניח לעני אפס מה ממנו (ידי משה): הרי שהביא מנחתו. פירש שלכן כתיב במנחה קודש קדשים, להורות כמה גדול כח הקרבן הזה, בכדי שלא יצטער העני הזה, וידמה כי כל קרבנו הוא מפני שיאכלו הכהנים ולא יהיה נחשב בעיניו, ולכן כתיב בה קודש קדשים, ומזה יתבונן אם הכהנים שלא עמלו בה הרבה, נחשב אכילתם לקודש קדשים, מכל שכן עליו שבאה מדרך רחוקה להקריבו (ידי משה): לאהרן ולבניו קודש קדשים. כן צריך לומר (ידי משה): ממתים ידך גו'. דרש על דרך הציור, כאלו המלך התבונן על מעלת הכהנים וקדושתם שהם אנשים, (מתים לשון אנשים גבורים), בתגבורת הנפש, עד שזכו על ידי זה שחלקם רק בחיים הנפשיים, כי

חידושי הרד"ל

[ו] בריתי היתה אתו כו'. כל המאמר ברייתא בתורת כהנים פרשת שמיני פרשת מילואים פסקא לז:

חידושי הרש"ש

[ו] וקמץ הכהן וכו' אלא שני פסיעות בין אולם ולמזבח. לכאורה מאי בעי הכהן שמה, ההגשה אינה אלא בקרן דרומית מערבית. ושני פסיעות אפשר לומר דלאו דוקא קאמר:

באור מהרי"פ

[ו] ואפילו רביאות. הכי איתא בתורת כהנים, ופירש הראב"ד ז"ל כלומר כולם עוסקים בה במה שיכולים להתעסק, במדידת העשרון, ביליקת השמן, בבלילה, בנתינת הלבונה, בקמילה, במתן כלי, במליחה, בליקוט הלבונה, בחלוט, בהקטרה, כל אחד עושה מלאכתו משום ברוב עם הדרת מלך. ואשמעינן קרא הכא כדי שלא יתבזה עליהם קרבן המנחה עד כאן: מסלתה ולא כל סלתה. כתב היפה תואר, לא הבינותי זה דכיון דאין סולת פחות מעשרון, איך אפשר שיקמוץ כולו, שהרי אינו קומץ אלא קומץ אחד, בין עשרון אחד בין לששים עשרונים, כדאיתא בתורת כהנים, ואיך יתכן שקומץ אחד יחזיק עשרון, וצריך עיון, עיין שם: ולא עוד אלא וכו'. דלא מבעיא שהכהן זוכה לעצמו מפני שני פסיעות אלא שמזכה גם כן לבניו, וזהו והנותרת מן המנחה לאהרן ובניו וכדלקמן, וכל שכן מי שמצטער הרבה שיזכה לו ולזרעו:

ידי משה

[ו] אפילו רבות. נראה לי דקאי אסיפא דקרא, דכתיב והנותרת מן המנחה לאהרן ולבניו, אפילו אם יהיו בנים הרבה נמצא שמגיע מן עשירית האיפה על כל אחד דבר מועט, אפילו הכי יחלוקו. וקל להבין: הרי שהביא מנחתו וכו'. פירוש כלו יקח הכהן הכל בקומצו, אפילו יהיה לו יד גדולה, לפי שצריך להותיר גם כן, לו, כדמסיק כדי שלא יצטער המביא את המנחה וכו': בשביל זה. פירוש בשביל כהן, כי היה סובר המביא את המנחה שיקריב הכל: ולא עוד אלא והנותרת מן המנחה לאהרן ובניו קדש קדשים היא. כן צריך לומר. פירוש ולא עוד שזכה לאכול את הנותר, אלא שקרא הקב"ה להנותר קודש קדשים, וכל זה אמרו לפייס דעתו של המביא מנחה: מה גבורים. ודריש ממתים שתי מלות, מה מתים, ומתים לשון גבורה הוא, כדכתיב באנשי סיחון ועוג (דברים ב, לד) כל עיר מתים:

מסורת המדרש

ה. אסתר רבה פ"ג:

אם למקרא

ברב־עם הדרת מלך ובאפס לאם מחתת רזון: (משלי יד:כח)

ממתים ידך ה' ממתים מחלד חלקם בחיים וצפונך תמלא בטנם ישבעו בנים והניחו יתרם לעולליהם: (תהלים יז:יד)

ענף יוסף

(ו) ולא עוד אלא והנותרת מן המנחה לאהרן ולבניו. עיין מה שכתבתי בעץ. עוד יש לומר על פי מה שאמרו כמינו ז"ל ביומא (לט א) בשתי הלחם ולחם הפנים שהיה בו ברכה, וכל כהן שמגיעו כזית יש אוכלו ושבע, ויש אוכלו ומותיר, וזה ירמוז הכתוב כי יחלה בכשרון הכהן והמתנדב, עד שתשרה ברכה בנותר, והנותרת מן המנחה יאכלו אהרן ובניו, שהם כללות בבית אב שהיו במקדש, וזהו לפי שהוא קודש קדשים מקדשי ה', מסוגל שתשרה בו ברכה, אם יכוין בה הכהן כראוי, וזהו מה שאמר אזכרתה, זכרון הקומץ נקרא אזכרה, שעל ידי הקומץ נזכרת כל המנחה, והכהן יכוין גם באכילה איך שאוכל בקודש חלק מן הקרב אל ה', ורמז בזה שגם באכילת חלק שלו, יהיה לזכרון בין עיניו איך שאוכל מקדשי ה', וזה שאמר המדרש ולא עוד זאת אלא אף גם מעלה זו יש במנחתו, שהנותרת מן המנחה לאהרן ולבניו, פירוש יספוק שיהיה לאכילה מספקת לאהרן ולבניו שהם כללות בית אב שהיו במקדש, על ידי גדולת הקדושה שיש במנחה, על ידי כוונת הכהן והמתנדב (מלא העומר):

שינוי נוסחאות

(ו) ואפילו רבות. א"א הגיה שצ"ל "רבואות" ואף מ"כ הביא גרסא זו מספרי, וכן הוא ברוב כי"י: אלו שלא נטלו חלק בארץ. הגיה א"א "אלו שבט לוי שלא נטלו...":

"חֶלְקָם בַּחַיִּים" אֵלּוּ קָדְשֵׁי מִקְדָּשׁ — ***Whose portion is [eternal] life*** — **this is** referring to **the consecrated items of the Temple.**[120] "וּצְפוּנְךָ תְּמַלֵּא בִטְנָם" אֵלּוּ קָדְשֵׁי הַגְּבוּל — ***And whose belly You fill with Your concealed treasure*** — **this is** referring to **consecrated items of the outlying areas.**[121] "יִשְׂבְּעוּ בָנִים", "כָּל זָכָר בִּבְנֵי אַהֲרֹן יֹאכְלֶנָּה" — ***They are sated with sons*** (or: *the sons are sated*) — this alludes to that which is written concerning meal-offerings, ***Every male of the children of Aaron shall eat it*** (below, 6:11).[122] "וְהִנִּיחוּ יִתְרָם לְעוֹלְלֵיהֶם", "וְהַנּוֹתֶרֶת מִן הַמִּנְחָה לְאַהֲרֹן וּלְבָנָיו" — ***And they bequeath their abundance*** (or: *leftover portion*) ***to their babes*** — this alludes to what is written, ***the remnant*** (or: *leftover portion*) ***of the meal-offering is for Aaron and his sons.***[123]

The Midrash divulges the reason Kohanim are entitled to bequeath their right to eat sacrificial food to their sons, even when those sons are blemished:

אַהֲרֹן זָכָה לְבָנִים בֵּין כְּשֵׁרִים בֵּין פְּסוּלִים — **Aaron provided the merit for** all **sons** of Kohanim — **both** those **who are eligible** to perform the sacrificial service, as well as those **who are ineligible** to do so, on account of their blemishes — to partake of sacrificial food.[124] שֶׁנֶּאֱמַר "בְּרִיתִי הָיְתָה אִתּוֹ הַחַיִּים וְהַשָּׁלוֹם" — This is on account of Aaron's superior righteousness, described in the verse where **it is stated, *My covenant was with him, life and peace,***[125] *I gave him something fearsome and he feared Me, for he was in awe of My Name* (*Malachi* 2:5). שֶׁהָיָה רוֹדֵף שָׁלוֹם בְּיִשְׂרָאֵל — *Peace* — **for [Aaron] used to pursue peace among** the people of **Israel.**[126] "וָאֶתְּנֵם לוֹ מוֹרָא וַיִּירָאֵנִי" — ***I gave him something fearsome and he feared Me*** — שֶׁקִּיבֵּל עָלָיו דִּבְרֵי תוֹרָה בְּאֵימָה וּבְיִרְאָה וּבִרְתֵת וּבִזִיעַ — this refers to the fact **that [Aaron] accepted upon himself the Torah,**[127] when Moses taught it to him, **with fear, with dread, with trembling, and with quaking.**[128] מַה תַּלְמוּד לוֹמַר "וּמִפְּנֵי שְׁמִי נִחַת" — And **why does Scripture** go on to add, ***for he was in awe of My Name?***[129] This phrase refers to a specific incident, regarding the Anointment Oil,[130] as follows:

אָמְרוּ בְּשָׁעָה שֶׁיָּצַק מֹשֶׁה שֶׁמֶן הַמִּשְׁחָה עַל רֹאשׁ אַהֲרֹן נִרְתַּע וְנָפַל לַאֲחוֹרָיו — **[The Sages] said: At the time Moses poured the Anointment Oil on the head of Aaron** as part of his investiture as Kohen Gadol, **[Aaron] recoiled and pulled back,** וְאָמַר: אוֹי לִי, שֶׁמָּא מָעַלְתִּי בְּשֶׁמֶן הַמִּשְׁחָה — **saying, "Woe is me! Perhaps I was guilty of *me'ilah***[131] **regarding the Anointment Oil!"**[132] הֵשִׁיבָה רוּחַ הַקּוֹדֶשׁ וְאוֹמֵר לוֹ — But **the Holy Spirit** of prophecy **responded** to his fears, **saying to him,** "הִנֵּה מַה טּוֹב וּמַה נָּעִים שֶׁבֶת אַחִים גַּם יָחַד כַּשֶּׁמֶן הַטּוֹב עַל הָרֹאשׁ וְגוֹ' כְּטַל חֶרְמוֹן שֶׁיֹּרֵד וְגוֹ'" — ***"Behold, how good and how pleasant is the dwelling of brothers, in unity. Like the precious oil upon the head,*** *running down upon the beard, the beard of Aaron, running down over his garments,* ***so the dew of Hermon descends*** *upon the mountains of Zion, for there HASHEM has commanded the blessing* (*Psalms* 133:1-3). מַה הַטַּל אֵין בּוֹ מְעִילָה אַף הַשֶּׁמֶן אֵין בּוֹ מְעִילָה — **Just as the dew is not subject to *me'ilah,*** because it is not sacred, **so too, the Anointment Oil did not have *me'ilah*** done to it by you."[133]

NOTES

120. I.e., items such as the Show-bread (*lechem hapanim*) and the sacrifices that are eaten by the Kohanim. The Midrash applies the expression *whose portion* to these items because the rule was that they had to be divided up into *portions* and distributed among those Kohanim who were on duty in the Temple at the time (*Yefeh To'ar, Eitz Yosef*). These items are called חַיִּים, *life*, because they are brought to the Temple, which is called בֵּית חַיֵּינוּ, "the house (source) of our life," based on *Shir HaShirim Rabbah* 4 §9 (*Maharzu*; cf. *Eitz Yosef*).

121. The term גְּבוּל, "outlying areas," encompasses anywhere outside the Temple The term קָדְשֵׁי הַגְּבוּל refers to items such as *terumah* and *terumas maaser*, which may be given to the Kohen — and may be eaten by him — in any place. The Midrash applies the expression *whose belly You fill* to these items because, unlike קָדְשֵׁי הַמִּקְדָּשׁ, they are not divided among all the Kohanim (see preceding note); rather, each donor gave the amount of his choosing to the Kohen of his choice, thus enabling the chosen Kohen to eat his fill. These items are called צְפוּנְךָ, *Your concealed treasure*, because they are items that the owner places into storage until he is prepared to give them to the Kohen (*Yefeh To'ar, Eitz Yosef*).

122. The sons of the Kohanim are also sated with the priestly portions of the offerings. Of course, the sons of Kohanim are themselves Kohanim. The Midrash, however, is referring to Kohanim who have physical blemishes that prevent them from performing the priestly service in the Temple (see below, 21:17ff); these *sons* of Kohanim (though they themselves are lacking somewhat in their status as Kohanim), too, may partake of the priestly portions of the offerings and *sate* themselves from them (ibid., v. 22) (*Yefeh To'ar, Eitz Yosef*).

123. The verse thus alludes to a Kohen's right to feed sacrificial food to his minor sons (*babes*) even though minors cannot perform the sacrificial service, and moreover are not eligible for sacrificial-food distribution in their own right (*Eitz Yosef*).

124. I.e., it was in the merit of Aaron that all future Kohanim are eligible to partake of sacrificial food (*Yefeh To'ar*). This is derived from the wording of our verse: *the remnant of the meal-offering is for "Aaron and his sons."*

125. The verse enumerates the distinguished qualities of Aaron, the reasons for which he was chosen to be the forebear of the Kohanim: (i-ii) My *covenant* was with him (i.e., he fulfilled My commandments, which are called *My covenant* in *Exodus* 19:5), which is also called *life* (*Deuteronomy* 30:19-20), and (iii) he was a pursuer of *peace* (*Yefeh To'ar, Eitz Yosef*).

126. As the Sages teach (in *Avos* 1:12, *Yalkut Shimoni* on *Malachi* ibid., et al.; see *Rashi* on *Numbers* 20:29 and *Deuteronomy* 33:8), Aaron was always seeking to make peace between quarreling spouses or friends.

127. Torah being the *fearsome* thing referred to in the verse.

128. I.e., when Aaron received the Torah from Moses, he stood the entire time in fear and dread, without allowing the Torah knowledge he acquired to cause him to become haughty.

129. What does this add to the previous statement, that Aaron stood in fear and dread during the entire time he received the Torah from Moses?

130. Described in *Exodus* 30:22ff. The Midrash sees an allusion to this oil in the words *My Name,* for it is stated regarding the Anointment Oil, *This shall remain "for Me" oil of sacred anointment* (ibid., v. 31) (*Eitz Yosef*).

131. *Me'ilah* ("misuse") refers to personally benefiting from consecrated items — in this case the Anointment Oil, which was sacred (see *Exodus* ibid.).

132. The basis for Aaron's concern in this regard will be explained below (see next note).

133. To properly understand the Midrash, we will cite a more complete account of the above incident, as recounted elsewhere (*Horayos* 12a; *Kereisos* 5b). After the Anointment Oil was poured on Aaron's head, two drops dripped down onto his beard. At first Moses was concerned that he had committed *me'ilah* by pouring more oil than necessary (*Rashi* to *Kereisos* ibid.). Thereupon a Heavenly voice proclaimed, *Like the precious oil . . . so the dew of Hermon,* with the juxtaposition of these two verses teaching that just as dew is not subject to *me'ilah,* so too, the extra oil in Aaron's beard was not subject to *me'ilah*. Now, while the Heavenly voice allayed Moses' concern, Aaron was still worried that perhaps *he* had committed *me'ilah*, either because the drops on his beard would impart some fragrance from the scented oil onto his garments (*Rashi* ibid.) or because the oil might have touched a part of his skin (*Rashi* to *Horayos* ibid.). To dispel Aaron's concern, a second Heavenly voice proclaimed, *Behold, how good and how pleasant is the dwelling of brothers, in unity,* comparing the two brothers to each other and implying that just as Moses did not commit *me'ilah*, neither did Aaron. See Insight Ⓐ.

The Midrash here cites only the concern of Aaron and not that of

INSIGHTS

Ⓐ **Aaron's Pure Thoughts** The Midrash does not explain why specifically dew, among all the various types of water, is used to draw the analogy

(שם) "חֶלְקָם בַּחַיִּים" אֵלּוּ קָדְשֵׁי מִקְדָּשׁ, (שם) "וּצְפוּנְךָ תְּמַלֵּא בִטְנָם" אֵלּוּ קָדְשֵׁי הַגְּבוּל, (שם) "יִשְׂבְּעוּ בָנִים", (לקמן ו, יא) "כָּל זָכָר בִּבְנֵי אַהֲרֹן יֹאכְלֶנָּה", "וְהִנִּיחוּ יִתְרָם לְעוֹלְלֵיהֶם", "וְהַנּוֹתֶרֶת מִן הַמִּנְחָה לְאַהֲרֹן וּלְבָנָיו", אַהֲרֹן זָכָה לְבָנִים בֵּין כְּשֵׁרִים בֵּין פְּסוּלִים, שֶׁנֶּאֱמַר (מלאכי ב, ה) "בְּרִיתִי הָיְתָה אִתּוֹ הַחַיִּים וְהַשָּׁלוֹם", שֶׁהָיָה רוֹדֵף שָׁלוֹם בְּיִשְׂרָאֵל, (שם) "וָאֶתְּנֵם לוֹ מוֹרָא וַיִּירָאֵנִי", שֶׁקִּיבֵּל עָלָיו דִּבְרֵי תוֹרָה בְּאֵימָה וּבְיִרְאָה וּבִרְתֵת וּבְזִיעַ, מַה תַּלְמוּד לוֹמַר (שם) "וּמִפְּנֵי שְׁמִי נִחַת", אָמְרוּ: [ו] בְּשָׁעָה שֶׁיָּצַק מֹשֶׁה שֶׁמֶן הַמִּשְׁחָה עַל רֹאשׁ אַהֲרֹן נִרְתַּע וְנָפַל לַאֲחוֹרָיו, וְאָמַר: אוֹי לִי, שֶׁמָּא מָעַלְתִּי בְּשֶׁמֶן הַמִּשְׁחָה, הֵשִׁיבָה רוּחַ הַקּוֹדֶשׁ וְאוֹמֶר לוֹ: (תהלים קלג, א-ג) "הִנֵּה מַה טּוֹב וּמַה נָּעִים שֶׁבֶת אַחִים גַּם יָחַד כַּשֶּׁמֶן הַטּוֹב עַל הָרֹאשׁ וְגוֹ' כְּטַל חֶרְמוֹן שֶׁיֹּרֵד וְגוֹ' ", מַה הַטַּל אֵין בּוֹ מְעִילָה אַף הַשֶּׁמֶן אֵין בּוֹ מְעִילָה,

עץ יוסף

אלו קדשי מקדש. קרבנות ולחם הפנים, וכתב בקדשי מקדש חלקם, מפני שהם היו מתחלקים עם הכהנים כפי משמרותיהם כאומרו (דברים יח, ח) חלק כחלק יאכלו, הן מעט הן הרבה. וקרא לקדשי מקדש חיים, מפני שהמקדש עיקר ארץ ישראל שנקרא ארץ החיים (תהלים קמב, ו רד"ק), או מפני שרוב הקרבנות מבעלי חיים: **אלו קדשי הגבול.** תרומות ומעשרות, וכתב בקדשי הגבול בטנם משום שקדשי הגבול לא היו מתחלקים אלא כל איש ישראל נותן מעשרותיו לזה שירצה, והיה ממלא בטנו שהיה נותן הרבה ביחד פעמים רבים. ונקרא לפונך שהיו נצפנות ושמורות ביד הבעלים עד שיתנם ללוי: **ישבעו בנים כל זכר.** רצה לומר ישבעו בנים אתא למימר, דאין צריך לומר שבני אהרן התמימים חולקים בקדשים, אלא אפילו בעלי מומין חולקים בקדשים ועל ידי זה יאכלו וישבעו, והיינו דמייתי עלה קרא כל זכר דדריש בתורת כהנים (צו פרק ז) דאפילו בעלי מומין חולקים בקדשים, והיינו דמייתי הכא אהרן זוכה לבנים, ורצה לומר דזה הוא בזכות אהרן שיזכה אפילו לבניו הפסולים: **בריתי היתה אתו.** רצה לומר מה שזיכה אהרן לבניו היינו משום זכיותיו הרמוזים במה שאמר בריתי היתה אתו היינו מצות ה' שנקרא ברית כאומר (שמות יט, ה) ושמרתם את בריתי, ופירושו דהיינו החיים, דהיינו דברי תורה ומצות דאקרו חיים כאומר (דברים ל, יט) ובחרת בחיים, והשלום שהיה רודף שלום. ועל דברי תורה קאמר ואתנם לו מורא, שקבלם באימה וביראה כדמפרש: **שהיה רודף שלום.** כדתנן באבות (א, יב) הוי מתלמידיו של אהרן אוהב שלום ורודף שלום. ועיין באבות דרבי נתן (יב, ג): **שקבל עליו דברי תורה.** בשעה שהיה משה רבינו מלמדו תורה היה עומד ביראה ואימה, שאינו מתגאה בחכמתו: **מה תלמוד לומר מפני שמי.** כיון שבכל דברי תורה היה עומד באימה וביראה, מכל שכן בהזכרת השם, ומשני דמפני שמי היינו שמן המשחה שנעשה קודש לשמו כאומרו יהיה זה לי: **שמא מעלתי.** זה מכוון למה דאמרו בפרק שני דהוריות (יב, א) כמין שני טיפי מרגליות היו תלויות בזקנו של אהרן, כשהוא מספר עולות ויושבות בעיקר זקנו, ועל דבר זה היה משה דואג אמר שמא חס ושלום מעלתי בשמן המשחה, יצתה בת קול ואמרה לו כטל חרמון, מה טל אין בו מעילה כו', ועדיין אהרן דואג שמא משה לא מעל לפי שלא נהנה, אני מעלתי שנהנתי, יצתה בת קול ואמרה הנה מה טוב ומה נעים שבת אחים גם יחד, מה משה לא מעל, אף אתה לא מעלת, עד כאן. והכא לא חש להזכיר רק דאגת אהרן, משום מפני שמי נחת הוא. ומפני דמייתי הנה מה טוב וכו', שהוא תשובת אהרן, מפרש נמי כשמן הטוב וגו' מה טל אין בו מעילה כו', שהוא תשובת משה. ואם תאמר למה הקדים הכתוב תשובת אהרן לתשובת משה, יש לומר מפני שהיא יותר צריכה, דאהרן הוי מסתבר טפי שמעל מפני שנהנה, אבל משה לא נהנה, וכדכתבנו לעיל: **מה הטל אין בו מעילה.** דפירוש כשמן הטוב וגו' כטל חרמון, כשמן כטל שניהם שוים, כי כן משפט ב' הכפי"ם, על דרך (ישעיה כד, ב) כעם ככהן כעבד כאדוניו:

פירוש מהרז"ו

חלקם בחיים. שנטלו חלק בבית המקדש שנקרא בית חיינו, וכמו שכתב שיר השירים רבה פסוק כמגדל דוד צוארך (דף כ"ה א') [פרשה ד פסוק ד אות ו] מה צואר וכו' כך בית המקדש עיין שם. **וצפונך וגו' אלו קדשי הגבול.** פירוש אלו קדשי כל השבטים, של כל גבול ישראל, כי רק שבט יהודה הוא בדרום של בית המקדש, וכל השבטים בצפונו, והקדשים של הגבול הם תרומה ומעשרות. **ישבעו בנים.** פירוש שהבנים והבנות שלהם, ישבעו מקדשי הגבול וגם מקדשי המקדש. ומה שקורא הבנים בשם עוללים, דורש על שזכה אהרן לבניו, בין כשרים ובין פסולים מלשון עוללות של הכרם וכמו שכתוב (שופטים ח, ב) עוללות אפרים, הם החלושים והפסולים, וזהו לעולליהם: **בריתי היתה אתו.** שעל ידי שהיו בו כל מעלות אלו, זכה שנתנו לו מתנות אלו מתנה גמורה, וכרת עמו ברית על זה, על כן זכה גם לפסולים, וכמו שכתוב בסדר אמור, אבל בעלי מומין שיאכלו בקדשים, וכמו שכתוב (מלכים ב, כג, ט) אך לא יעלו כהני הבמות על מזבח ה' בירושלים כי אם אכלו מצות בתוך אחיהם: **מה תלמוד לומר מפני שמי נחת הוא.** שמשמע נחת מלשון ירידה שתרגום וירד ונחת, ודורש שכן היה בעת שיצוק שמן המשחה על ראשו, נרתע ונפל לאחוריו, וכמו שאמרו במדבר רבה (יח, ט) וזה לשונם, שמא לא הייתי ראוי להמשח בשמן המשחה, ומעלתי ונתחייבתי כרת שאמר הקב"ה, על בשר אדם לא יסך וכו', כמו שכתב כאן, וכל ענין זה בתורת כהנים מסכת מילואים ריש שמיני: **הנה מה טוב.** שמאחר שהזכיר שבת אחים וגו' כשמן הטוב וגו' זקן אהרן, הרי בהכרח שמה שכתוב אחים, הם משה ואהרן, וכמפורש בתורה שמשה משח את אהרן בשמן המשחה, ותחלה קרא אותו שמן הטוב, ואיך קרא אותו אחר כך כטל חרמון, כמשל השמן הטוב כטל, על כן דורש שאהרן נתיירא שמא מעל בשמן המשחה, ועל כן אמר כטל חרמון שאין בו מעילה:

מתנות כהונה

בשעה שיצק כו'. עיין זה במסכת הוריות (יב, ב): **שהשיב פושעים** לתלמוד תורה. מצאתי באבות דרבי נתן (פרק יב) אהרן כשהיה פוגע בו אדם רשע או איש רע, היה נותן לו שאלת שלום, ולמחר ביקש אותו איש לילך ולעבור עבירה, אמר אוי לי איך אשא עיני ואראה את אהרן בושתי ממנו שנתן לי שלום, נמצא אותו איש נמנע מעבירה, וכן כשראה שנים מריבין זה עם זה, הלך אצל אחד מהם וישב אצלו, ואמר לו ראה בני חברך מהו עושה, מטרף לבו, מחנק עצמו, תולש בשערו, ואומר אוי לי איך אשא עיני בחברי, בושתי ממנו שאני הוא שסרחתי עליו, והיה יושב אצלו עד שהיה מוציא מעליו כל קנאה שיש בלבו, ושוב הלך אצל חבירו ועושה לו כך, וכשפגעו זה בזה גפפו ונשקו זה לזה, שנאמר (במדבר כ, כט) ויבכו את אהרן שלשים יום כל בית ישראל עד כאן, וזהו שאמר כאן שהשיב פושעים כו':

אשד הנחלים

זכו בקדשי קדשים המביאה לידי קדושת הנפש מאוד. וקדשי הגבול נקרא בערך קדשי קדשים, כאלו זאת תמלא בטנם, רצה לומר מאכל גופני, וגם זה קודש, וזהו צפונך (מלשון מה רב טובך גו' אשר צפנת) שמדבר רק משכר הנפש, תמלא בטנם. והניחו יתרם לעולליהם, שגם בניהם ישבעו מהם, וגם העוללים שאינם נחשבים כל כך, וזהו אהרן זיכה כו' בין פסולים, שזהו בחינת עוללים. ולכן סיים המלך אני בצדק אחזה פניך, שהיה בבית המקדש והתבונן על קדושת הכהנים ועניינם, ואמר גם אני אחפץ לחזות פניך בבית המקדש. ודע דלפי זה אינו רחוק הציור מפשוטו של כתוב: **שנאמר בריתי.** כלומר ולכן זכה לכל זה מפני תכונתו הטובה, כי נכרת ברית אתו להיות חיי שלוה, מפני מדת השלום שהיה לו: **ואתנם גו' שקיבל.** דהוקשה לו אם ה' נתן בלבו יראתו, אין זה רבותא שהיה ירא. ולכן מפרש שנתתי לו דבר הצריך שילמוד ביראה, והיא התורה, ויראני כי למדה ביראה לקיים אותה: **מעלתי כו' מה הטל כו'.** הכוונה בכלל כי המעילה היא מפני שנהנה בו לכבוד עצמו ולגופו למען הנאתו, והנה אהרן בשעה שנמשח היה ירא מאוד שמא נצצה בו שמץ גאה וגאון, והיה המכוון בו כוונת עצמו

חידושי הרד"ל

בשעה שיצק כו'. (הוריות יב, א):

באור מהרי"פ

קדשי מזבח. קרבנות ולחם הפנים: **קדשי גבול.** תרומות מעשרות: **שנאמר** (מלאכי ב, ה) **בריתי היתה אתו.** אולי פירושו על דרך הכתוב (במדבר יח, יט) ברית מלח עולם היא לך ולזרעך אחריך, ועיין יפה תואר שלא הרהר במיתת בניו נדב ואביהוא:

ליקוטים

[ו] שמא מעלתי וכו' מה טל אין בו מעילה וכו'. הכוונה בכלל כי המעילה היא מפני שנהנה בו לכבוד עצמו ולגופו למען הנאתו, והנה אהרן בשעה שנמשח היה ירא מאד, שמא נצצה בו שמץ גאוה וגאון והיה מכוון בו כוונת עצמו וזה נחשב למעילה, ולכן מצא בלבו הכנעה [שהוא הפך הגאוה] ופחד להזהר בנפשו שלא ימצא בו שמץ גאוה, וזהו מפני שמי נחת [לשון הכנעה הוא], ולכן מייחס הכתוב ומדמה לטל היורד ומשביע ומרוה לכל העולם ועושה בלי הרגשה מאומה כחוק כל הטבעיים הדוממים הפועלים פעולתם בלי הרגשה, וכן לא נמצא בלב אהרן [אף שהוא מעולה על כולם במעלתו] שום התכבדות והרגשה (נבחר מפנינים):

אמרי יושר

[ו] קדשי הגבול. תרומה ומעשר: **שמא מעלתי בשמן המשחה.** כי היה מתהנה הגוף ממנו ונעשה מהודר ונאה, ולמעלה כתיב **מה נעים שבת אחים** משה ואהרן **גם יחד** בשכינה **בשמן**

מסורת המדרש

ו. שוח"ט מזמור קל"ג. במד"ר י"ח. תנחומא קרח סי' ו':

אם למקרא

כָּל־זָכָר בִּבְנֵי אַהֲרֹן יֹאכְלֶנָּה חָק־עוֹלָם לְדֹרֹתֵיכֶם מֵאִשֵּׁי ה' כֹּל אֲשֶׁר־יִגַּע בָּהֶם יִקְדָּשׁ:
(ויקרא ו:יא)

בְּרִיתִי הָיְתָה אִתּוֹ הַחַיִּים וְהַשָּׁלוֹם וָאֶתְּנֵם לוֹ מוֹרָא וַיִּירָאֵנִי וּמִפְּנֵי שְׁמִי נִחַת הוּא:
(מלאכי ב:ה)

שִׁיר הַמַּעֲלוֹת לְדָוִד הִנֵּה מַה־טּוֹב וּמַה־נָּעִים שֶׁבֶת אַחִים גַּם־יָחַד: כַּשֶּׁמֶן הַטּוֹב עַל־הָרֹאשׁ יֹרֵד עַל־הַזָּקָן זְקַן־אַהֲרֹן שֶׁיֹּרֵד עַל־פִּי מִדּוֹתָיו: כְּטַל־חֶרְמוֹן שֶׁיֹּרֵד עַל־הַרְרֵי צִיּוֹן כִּי שָׁם צִוָּה ה' אֶת־הַבְּרָכָה חַיִּים עַד־הָעוֹלָם:
(תהלים קלג:א-ג)

ידי משה

ישבעו בנים זה תרומה דכתיב כל זכר בבני אהרן. כן צריך לומר: **לאהרן ולבניו אהרן זיכה לבניו.** כן צריך לומר. פירוש שזיכה לבניו שאפילו שיהיו פסולים, ואדלעיל קאי דכתיב כל זכר משמע שיהיה רק זכר מדכתיב כל זכר, ואפילו פסול, ולכן מביא הפסוק בריתי היתה אתו החיים משמע כל שהוא בחיים אפילו פסול. אי נמי כדרך שאמרו חכמינו ז"ל (עיין קידושין סו, ב) שלום קטיעא, להורות אף פסול כנ"ל:

NOTES

Moses, because only Aaron's concern is relevant in expounding the Scriptural expression, *for he was in awe of My Name*, which is interpreted as referring to Aaron's concern at the time he was anointed. It does allude to the Heavenly response to Moses, however, by quoting the verse, *Like the precious oil upon the head . . . so the dew of Hermon descends,* and noting the comparison of the Anointment Oil to the dew (*Eitz Yosef*).

INSIGHTS

to the Anointing Oil and show that there was no *me'ilah* involved? *R' Simchah Bunim Sofer* (*Shaarei Simchah,* beginning of *Parashas Shemini*) suggests that Aaron did not, in fact, fear that he had derived *physical* pleasure from the oil, but rather that his misuse of the sacred lay in the possibility of improper thoughts of personal glory and haughtiness during his anointment as Kohen Gadol and the designation of his children and descendants as Kohanim. Although Aaron certainly intended to fulfill God's will by assuming the priesthood, had he also entertained these improper thoughts, he would have been deemed guilty of *me'ilah* of sorts, since he would thereby have gained some improper benefit from the sacred oil that inaugurated him into this role.

To dispel Aaron's concern, the verse compared the Anointing Oil specifically to dew. For dew continues to fall without fail, unlike rain that is sometimes withheld (see *Taanis* 3a-b). The comparison of the oil to dew indicated that Aaron's descendants would similarly retain their status of Kohanim without fail, forever. This permanent status could result only because Aaron indeed did not have improper thoughts about his elevation. For the Gemara teaches that if one's appointment to a position of honor causes him to become haughty, he is removed from his position (*Zevachim* 102a). If the elevation of Aaron and his descendants had the permanence of dew, then Aaron's thoughts could not have been improper. Thus, his fears about improper use of the sacred were allayed.

[For other explanations of the choice of dew for this analogy, see further in *Shaarei Simchah,* and *Ben Yehoyada* to *Horayos* 12a.]

(שם) "חֶלְקָם בַּחַיִּים" אֵלּוּ קָדְשֵׁי מִקְדָּשׁ, (שם) "וּצְפוּנְךָ תְּמַלֵּא בִטְנָם" אֵלּוּ קָדְשֵׁי הַגְּבוּל, (שם) "יִשְׂבְּעוּ בָנִים", (לקמן ו, יא) "כָּל זָכָר בִּבְנֵי אַהֲרֹן יֹאכְלֶנָּה", "וְהִנִּיחוּ יִתְרָם לְעוֹלְלֵיהֶם", "וְהַנּוֹתֶרֶת מִן הַמִּנְחָה לְאַהֲרֹן וּלְבָנָיו", אַהֲרֹן זָכָה לְבָנִים בֵּין כְּשֵׁרִים בֵּין פְּסוּלִים, שֶׁנֶּאֱמַר (מלאכי ב, ה) "בְּרִיתִי הָיְתָה אִתּוֹ הַחַיִּים וְהַשָּׁלוֹם", שֶׁהָיָה רוֹדֵף שָׁלוֹם בְּיִשְׂרָאֵל, (שם) "וָאֶתְּנֵם לוֹ מוֹרָא וַיִּירָאֵנִי", שֶׁקִּיבֵּל עָלָיו דִּבְרֵי תוֹרָה בְּאֵימָה וּבְיִרְאָה וּבְרֶתֶת וּבְזִיעַ, מַה תַּלְמוּד לוֹמַר (שם) "וּמִפְּנֵי שְׁמִי נִחַת", אָמְרוּ: בְּשָׁעָה שֶׁיָּצַק מֹשֶׁה שֶׁמֶן הַמִּשְׁחָה עַל רֹאשׁ אַהֲרֹן נִרְתַּע וְנָפַל לַאֲחוֹרָיו, וְאָמַר: אוֹי לִי, שֶׁמָּא מָעַלְתִּי בְּשֶׁמֶן הַמִּשְׁחָה, הֵשִׁיבָהּ רוּחַ הַקֹּדֶשׁ וְאוֹמֶר לוֹ: (תהלים קלג, א-ג) "הִנֵּה מַה טּוֹב וּמַה נָּעִים שֶׁבֶת אַחִים גַּם יָחַד כַּשֶּׁמֶן הַטּוֹב עַל הָרֹאשׁ וְגוֹ' כְּטַל חֶרְמוֹן שֶׁיֹּרֵד וְגוֹ'", מַה הַטַּל אֵין בּוֹ מְעִילָה אַף הַשֶּׁמֶן אֵין בּוֹ מְעִילָה,

עץ יוסף

אלו קדשי מקדש. קרבנות ולחם הפנים, וכתב בקדשי מקדש חלקם, מפני שהם היו מתחלקים עם הכהנים כפי משמרותיהם כאומרו (דברים יח, ח) חלק כחלק יאכלו, הן מעט הן הרבה. וקרא לקדשי מקדש חיים, מפני שהמקדש עיקר ארץ ישראל שנקראת ארץ החיים (תהלים קמב, ו רד"ק), או מפני שרוב הקרבנות מבעלי חיים: **אלו קדשי הגבול.** תרומות ומעשרות, וכתב בקדשי הגבול בטנם משום שקדשי הגבול לא היו מתחלקים אלא כל איש ישראל נותן מעשרותיו לזה שירצה, והיה ממלא בטנו שהיה נותן הרבה ביחד פעמים רבים. ונקרא לפונך שהיו נלפנות ושמורות ביד הבעלים עד שיתנם ללוי: **ישבעו בנים כל זכר.** רצה לומר ישבעו בנים אתא למימר, דאין לריך לומר שבני אהרן התמימים חולקים בקדשים, אלא אפילו בעלי מומין חולקים בקדשים ועל ידי זה יאכלו וישבעו, והיינו דמייתי עלה קרא כל זכר דדריש בתורת כהנים (צו פרק ז) דאפילו בעלי מומין חולקים בקדשים, והיינו דמייתי הכא אהרן זוכה לבנים, ורצה לומר דזה הוה בזכות אהרן שיזכה אפילו לבניו הפסולים: **בריתי היתה אתו.** רצה לומר מה שזיכה אהרן לבניו היינו משום זכיותיו הרמוזים במה שאמר בריתי היתה אתו היינו מלות ה' שנקראת ברית כאומר (שמות יט, ה) ושמרתם את בריתי, ופירושו דהיינו החיים, דהיינו דברי תורה ומלות דאקרו חיים כאומר (דברים ל, יט) ובחרת בחיים, והשלום שהיה רודף שלום. ועל דברי תורה קאמר ואתנם לו מורא, שקבלם באימה וביראה כדמפרש: **שהיה רודף שלום.** כדתנן באבות (א, יב) הוי מתלמידיו של אהרן אוהב שלום ורודף שלום. ועיין באבות דרבי נתן (יב, ג): **שקבל עליו דברי תורה.** בשעה שהיה משה רבינו מלמדו תורה היה עומד ביראה ואימה, שאינו מתגאה בחכמתו: **מה תלמוד לומר מפני שמי.** כיון שבכלל דברי תורה היה עומד באימה וביראה, מכל שכן בהזכרת השם, ומשני דמפני שמי היינו שמן המשחה שנעשה קודש לשמו כאומרו יהיה זה לי: **שמא מעלתי.** זה מכוון למה דאמרו בפרק שני דהוריות (יב, א) כמין שני טיפי מרגליות היו תלויות בזקנו של אהרן, כשהוא מספר עולות ויושבות בעיקר זקנו, ועל דבר זה היה משה דואג, אמר שמא חס ושלום מעלתי בשמן המשחה, יצתה בת קול ואמרה לו כטל חרמון, מה טל אין בו מעילה כו', ועדיין אהרן דואג שמא משה לא מעל לפי שלא נהנה, אני מעלתי שנהנתי, יצתה בת קול ואמרה הנה מה טוב ומה נעים שבת אחים גם יחד, מה משה לא מעל, אף אתה לא מעלת, עד כאן. והכא לא חש להזכיר רק דאגת אהרן, משום מפני שמי נחת הוא. ומפני דמייתי הנה מה טוב וכו', שהוא תשובת אהרן, מפרש נמי כשמן הטוב וגו' מה טל אין בו מעילה כו', שהוא תשובת משה. ואם תאמר למה הקדים הכתוב תשובת אהרן לתשובת משה, יש לומר מפני שהיא יותר לריכה, דאהרן הוי מסתבר טפי שמעל מפני שנהנה, אבל משה לא נהנה, וכככתב לעיל: **מה הטל אין בו מעילה.** דפירוש כשמן הטוב וגו' כטל חרמון, כשמן כטל שניהם שוים, כי כן משפט ב' הכפי"ם, על דרך (ישעיה כד, ב) כעם ככהן כעבד כאדוניו:

פירוש מהרז"ו

חלקם בחיים. שנטלו חלק בבית המקדש שנקרא בית חיינו, וכמו שכתב שיר השירים רבה פסוק כמגדל דוד צוארך (דף כ"ה א') [פרשה ד פסוק ד אות ו] מה צואר וכו' כך בית המקדש עיין שם. **וצפונך וגו' אלו קדשי הגבול.** פירוש אלו קדשי כל השבטים, של כל גבול ישראל, כי רק שבט יהודה הוא בדרום של בית המקדש, וכל השבטים בצפונו, והקדשים של הגבול הם תרומה ומעשרות. **ישבעו בנים.** פירוש שהבנים והבנות שלהם, ישבעו מקדשי הגבול וגם מקדשי המקדש. ומה שקורא הבנים בשם עוללים, דורש על שזכה אהרן לבניו, בין כשרים ובין פסולים מלשון עוללות של הכרם וכמו שכתוב (שופטים ח, ב) עוללות אפרים, הם החלושים והפסולים, וזהו לעולליהם: **בריתי היתה אתו.** שעל ידי שהיו בו כל מעלות אלו, זכה שנתנו לו מתנות אלו מתנה גמורה, וכרת עמו ברית על זה, על כן זכה גם לפסולים, וכמו שכתוב בסדר אמור, אבל בעלי מומין שיאכלו בקדשים, וכמו שכתוב (מלכים ב, כג, ט) אך לא יעלו כהני הבמות על מזבח ה' בירושלים כי אם אכלו מצות בתוך אחיהם: **מה תלמוד לומר מפני שמי נחת הוא.** שמשמע נחת מלשון ירידה שתרגום וירד ונחת, ודורש שכן היה בעת שיצק שמן המשחה על ראשו, נרתע ונפל לאחוריו, וכמו שאמרו במדבר רבה (יח, ט) וזה לשונם, שמא לא הייתי ראוי להמשח בשמן המשחה, ומעלתי ונתחייבתי כרת שאמר הקב"ה, על בשר אדם לא יסך וכו', כמו שכתב כאן, וכל ענין זה בתורת כהנים מסכת מילואים ריש שמיני: **הנה מה טוב.** שמאחר שהזכיר שבת אחים וגו' כשמן הטוב וגו' זקן אהרן, הרי בהכרח שמה שכתוב אחים, הם משה ואהרן, וכמפורש בתורה שמשה משח את אהרן בשמן המשחה, ותחלה קרא אותו שמן הטוב, ואיך קרא אותו אחר כך כטל חרמון, נמשל השמן הטוב כטל, על כן דורש שאהרן נתיירא שמא מעל בשמן המשחה, ועל כן אמר כטל חרמון שאין בו מעילה:

חידושי הרד"ל

בשעה שיצק כו'. (הוריות יב, א):

באור מהרי"פ

קדשי מזבח. קרבנות ולחם הפנים: **קדשי גבול.** תרומות ומעשרות: **שנאמר** (מלאכי ב, ה) **בריתי היתה אתו.** אולי פירושו על דרך הכתוב (במדבר יח, יט) ברית מלח עולם היא לך ולזרעך אחריך, ועיין יפה תואר שלא הרהר במיתת בניו נדב ואביהוא:

ליקוטים

[ו] **שמא מעלתי וכו' מה טל אין בו מעילה וכו'.** הכוונה בכלל כי המעילה היא מפני שנהנה בו לכבוד עצמו ולגופו למען הנאתו, והנה אהרן בשעה שנמשח היה ירא מאד, שמא נלצה בו שמץ גאוה וגאון והיה מכוון בו כונת עצמו וזה נחשב למעילה, ולכן שמא בלבו הכוונה [שהוא הפך הגאוה] ופחד להזהר בנפשו שלא ימלא בו שמץ גאוה, וזהו מפני שמי נחת [לשון הכנעה הוא], ולכן מייחס לטל היורד ומשביע ומרוה לכל העולם ועושה בלי הרגשה מלומה כחוק כל הטבעיים הדוממיים הפועלים פעולתם בלי הרגשה, וכן כל כמלא בלב אהרן [אף שהוא מעולה על כולם במעלתו] שום התכבדות והרגשה (נבחר מפנינים):

אמרי יושר

[ו] **קדשי הגבול.** תרומה ומעשר: **שמא מעלתי בשמן המשחה.** כי היה מתהנה הגוף ממנו ועשה מהודר ונלהה, ולמעלה כתיב מה נעים שבת אחים משה ואהרן גם יחד בשכינה בשמן

מסורת המדרש

ו. שוח"ט מזמור קל"ג. במד"ר י"ח. תנחומא קרח סי' ו':

אם למקרא

כָּל־זָכָר בִּבְנֵי אַהֲרֹן יֹאכְלֶנָּה חָק־עוֹלָם לְדֹרֹתֵיכֶם מֵאִשֵּׁי ה' כֹּל אֲשֶׁר־יִגַּע בָּהֶם יִקְדָּשׁ: (ויקרא ו:יא)

בְּרִיתִי הָיְתָה אִתּוֹ הַחַיִּים וְהַשָּׁלוֹם וָאֶתְּנֵם־לוֹ מוֹרָא וַיִּירָאֵנִי וּמִפְּנֵי שְׁמִי נִחַת הוּא: (מלאכי ב:ה)

שִׁיר הַמַּעֲלוֹת לְדָוִד הִנֵּה מַה־טּוֹב וּמַה־נָּעִים שֶׁבֶת אַחִים גַּם־יָחַד: כַּשֶּׁמֶן הַטּוֹב עַל־הָרֹאשׁ יֹרֵד עַל־הַזָּקָן זְקַן־אַהֲרֹן שֶׁיֹּרֵד עַל־פִּי מִדּוֹתָיו: כְּטַל־חֶרְמוֹן שֶׁיֹּרֵד עַל־הַרְרֵי צִיּוֹן כִּי שָׁם צִוָּה ה' אֶת־הַבְּרָכָה חַיִּים עַד־הָעוֹלָם: (תהלים קלג:א-ג)

ידי משה

ישבעו בנים זה תרומה דכתיב כל זכר בבני אהרן. כן לריך לומר: **לאהרן ולבניו אהרן זוכה לבניו.** כן לריך לומר. פירוש שזיכה לבניו שאפילו שיהיו פסולים, ולדלעיל קאי דכתיב כל זכר משמע שיהיה רק זכר מדכתיב כל זכר, ואפילו פסול, ולכן מביא הפסוק בריתי היתה אתו החיים משמע כל שהוא בחיים אפילו פסול. אי נמי כדרך שאמרו חכמינו ז"ל (עיין קידושין סו, ב) שלום קטיעה, להורות אף פסול כל"ל:

מתנות כהונה

בשעה שיצק כו'. עיין זה במסכת הוריות (יב, ב): שהשיב פושעים לתלמוד תורה. מלאתי באבות דרבי נתן (פרק יב) אהרן כשהיה פוגע בו אדם רשע או איש רע, היה נותן לו שאלת שלום, ולמחר ביקש אותו איש לילך ולעבור עבירה, אמר אוי לי איך אשא עיני ואראה את אהרן בושתי ממנו שנתן לי שלום, נמלא אותו איש נמנע מעבירה, וכן כשראה בנים מריבין זה עם זה, הלך אלל אחד מהם וישב אללו, ואמר לו ראה בני חברך מהו עושה, מטרד לבו, מתנק עלמו, תולש בשערו, ואומר אוי לי איך אשא עיני בחברי, בושתי ממנו שאני הוא שסרחתי עליו, והיה יושב אללו עד שהיה מוליא מעליו כל קנאה שיש בלבו, ושוב הלך אלל חבירו ועושה לו כך, וכשפגעו זה בזה גפפו ונשקו זה לזה, שנאמר (במדבר כ, כט) ויבכו את אהרן שלשים יום כל בית ישראל עד כאן, וזהו שאמר כאן שהשיב פושעים כו':

אשד הנחלים

זכו בקדשי קדשים המביאה לידי קדושת הנפש מאוד. וקדשי הגבול נקרא בערך קדשי קדשים, כאלו זאת תמלא בטנם, רצה לומר מאכל גופני, וגם זה קודש, וזהו צפונך (מלשון מה רב טובך גו' אשר צפנת) שמדבר רק משכר הנפש, תמלא בטנם. והניחו יתרם לעולליהם, שגם בניהם ישבעו מהם, וגם העוללים שאינם נחשבים כל כך, וזהו אהרן זיכה כו' בין פסולים, שזהו בחינת עוללים. ולכן סיים המלך אני בצדק אחזה פניך, שהיה בבית המקדש והתבונן על קדושת הכהנים ועניינם, ואמר גם אני אחפץ לחזות פניך בבית המקדש. ודע דלפי זה אינו רחוק הציור מפשוטו של כתוב: **שנאמר בריתי.** כלומר ולכן זכה לכל זה מפני תכונתו הטובה, כי נכרת ברית אתו לחיות חיי שלוה, מפני מדת השלום שהיה לו: **ואתנם גו' שקיבל.** דהוקשה לו אם ה' נתן בלבו יראתו, אין זה רבותא שהיה ירא. ולכן מפרש שנתתי לו דבר הצריך שילמוד ביראה, והיא התורה, ויראני כי למדה ביראה לקיים אותה: **מעלתי כו' מה הטל כו'.** הכוונה בכלל כי המעילה היא מפני שנהנה בו לכבוד עצמו ולגופו למען הנאתו, והנה אהרן בשעה שנמשח היה ירא מאוד שמא נצצה בו שמץ גאה וגאון, והיה המכוון בו כוונת עצמו

Having quoted the above passage from *Psalms,* the Midrash comments on another part of that passage: **"כַּשֶּׁמֶן הַטּוֹב עַל הָרֹאשׁ יוֹרֵד עַל הַזָּקָן זְקַן אַהֲרֹן" — *Like the precious oil upon the head, running down upon the beard, the beard of Aaron.*** **וְכִי שְׁנֵי זְקָנִים הָיוּ לְאַהֲרֹן, וְאַתְּ אָמַרְתְּ "הַזָּקָן זְקַן" — Did Aaron then have two beards, that you say, *the beard, the beard?*** **אֶלָּא כֵּיוָן שֶׁרָאָה מֹשֶׁה אֶת הַשֶּׁמֶן יוֹרֵד עַל זְקַן אַהֲרֹן — However,** the explanation for this is that **when Moses saw the Anointment Oil descending onto Aaron's beard, הָיָה שָׂמֵחַ כְּאִלּוּ עַל זְקָנוֹ יוֹרֵד — he was as happy as if it had fallen down onto his own beard.**[134]

Having quoted the above passage from *Malachi,* the Midrash comments on the subsequent verse in that passage, which continues describing Aaron's unique righteousness:

"תּוֹרַת אֱמֶת הָיְתָה בְּפִיהוּ" — *The teaching of truth was in his mouth* (*Malachi* 2:6); **שֶׁלֹּא אָסַר אֶת הַמּוּתָּר** — this alludes to the fact **that [Aaron] never prohibited that which was permissible,**[135] **וְלֹא הִתִּיר אֶת הָאָסוּר — nor did he permit that which was prohibited.**[136]

"בְּשָׁלוֹם וּבְמִישׁוֹר הָלַךְ אִתִּי" — *He walked with Me in peace and with fairness* (ibid.); **שֶׁלֹּא הִרְהֵר אַחַר דַּרְכֵי הַמָּקוֹם כְּדֶרֶךְ שֶׁלֹּא הִרְהֵר אָבִינוּ אַבְרָהָם** — this alludes to the fact **that [Aaron] did not question the ways of God** when his sons Nadab and Abihu died,[137] **the same way that our forefather Abraham did not question** God's ways when he was instructed to offer Isaac as a sacrifice,[138] **וְכֵן הוּא אוֹמֵר "מֵישָׁרִים אֲהֵבוּךָ" — as [Scripture] states** regarding Abraham, ***unreservedly*** [מֵישָׁרִים] ***do they love You*** (*Song of Songs* 1:4).[139]

"וְרַבִּים הֵשִׁיב מֵעָוֹן" — *And turned many away from iniquity* (*Malachi* 2:6); **שֶׁהֵשִׁיב פּוֹשְׁעִים לְתַלְמוּד תּוֹרָה** — this indicates **that [Aaron] redirected sinners to Torah study;**[140] **מַה כְּתִיב בּוֹ בַּסּוֹף** — for **what is written about him at the end,** i.e., in the following verse? **"כִּי שִׂפְתֵי כֹהֵן יִשְׁמְרוּ דַעַת וְתוֹרָה יְבַקְשׁוּ מִפִּיהוּ וְגוֹ'" — *For the lips of the Kohen*** (Aaron) ***safeguarded knowledge, and they sought teaching from his mouth, etc.*** (ibid., v. 7).[141]

וְאִם מִנְחָה עַל הַמַּחֲבַת קָרְבָּנֶךָ סֹלֶת בְּלוּלָה בַשֶּׁמֶן מַצָּה תִהְיֶה. פָּתוֹת אֹתָהּ פִּתִּים וְיָצַקְתָּ עָלֶיהָ שָׁמֶן מִנְחָה הִוא. וְאִם מִנְחַת מַרְחֶשֶׁת קָרְבָּנֶךָ סֹלֶת בַּשֶּׁמֶן תֵּעָשֶׂה. וְהֵבֵאתָ אֶת הַמִּנְחָה אֲשֶׁר יֵעָשֶׂה מֵאֵלֶּה לַה' וְהִקְרִיבָהּ אֶל הַכֹּהֵן וְהִגִּישָׁהּ אֶל הַמִּזְבֵּחַ.

If your offering is a meal-offering on the pan, it shall be of fine flour mixed with oil, it shall be unleavened. You shall break it into pieces and pour oil upon it — it is a meal-offering. If your offering is a meal-offering in a deep pan, it shall be made of fine flour with oil. You shall present to HASHEM the meal-offering that will be prepared from these; he shall bring it to the Kohen who shall bring it close to the Altar (2:5-8).

§7 [וְאִם מִנְחָה עַל הַמַּחֲבַת קָרְבָּנֶךָ . . . וְאִם מִנְחַת מַרְחֶשֶׁת קָרְבָּנֶךָ][142] *— IF YOUR OFFERING IS A MEAL-OFFERING ON THE PAN . . .. IF YOUR OFFERING IS A MEAL-OFFERING IN A DEEP PAN.*]

שְׁתֵּי מְנָחוֹת הֵן — There are two similar types[143] of **meal-offerings: אִם מִנְחָה עַל הַמַּחֲבַת וּמִנְחַת מַרְחֶשֶׁת** — the meal-offering made in a pan (*machavas*), of which Scripture states, ***If your offering is a meal-offering on the pan,*** **and the *meal-offering*** made ***in a deep pan*** (*marcheshes*). **וּבִשְׁתֵּיהֶן הוּא אוֹמֵר וְהֵבֵאתָ אֶת הַמִּנְחָה — And regarding both of them [Scripture] states, *You shall present*** *to HASHEM* ***the meal-offering*** *that will be prepared from these; he shall bring it to the Kohen who shall bring it close to the Altar* (2:8).[144] **מַה בֵּין מַחֲבַת לְמַרְחֶשֶׁת** — And **what is the difference between a *machavas*** meal-offering and a ***marcheshes*** meal-offering? **שֶׁזּוּ תְּבֻלַּל בַּשֶּׁמֶן וְזוּ תֵּעָשֶׂה בַּשֶּׁמֶן כָּל צָרְכָּהּ** — The difference is **that** Scripture states that **this** *machavas* offering **is to be "mixed with oil"** (v. 5), **while** it states that **this** *marcheshes* offering **is to be completely "made with oil"** (v. 7).[145] **וְאָמְרוּ חֲכָמִים בְּמִשְׁנָה — And** moreover, **the Sages stated in a Mishnah: מַרְחֶשֶׁת עֲמוּקָה מַעֲשֶׂיהָ רוֹחֲשִׁין — A *marcheshes* is a deep pan, and its products** (i.e., the cakes baked in it) **quiver;**[146]

NOTES

134. When he saw Aaron being anointed, he was not jealous of his brother's being chosen over him for the High Priesthood. Accordingly, the expression, *running down upon the beard, the beard of Aaron,* is interpreted to mean that in Moses' eyes is was as if the oil was *running down upon his (own) beard,* when in fact it was running down *the beard of Aaron.* This interpretation of the verse is suggested by its juxtaposition to the preceding verse: *how good and how pleasant is the dwelling of brothers, in unity* (*Eshed HaNechalim*).

135. He never imposed stringencies (for others) unless the law absolutely required it (*Yefeh To'ar*).

136. It goes without saying that Aaron would not intentionally permit something that is prohibited. Rather, the Midrash means that Aaron's greatness was that he was so expert in the Torah's laws that he never mistakenly permitted something forbidden (ibid.).

137. The verse's expression *he walked with Me in peace* alludes to the fact that Aaron acted "with peace" in not harboring hostile thoughts against God.

138. The comparison of Aaron to Abraham in their acceptance of God's judgment is alluded to in the verse's word מֵישָׁרִים, *fairness,* as the Midrash goes on to explain.

139. As expounded elsewhere (*Bereishis Rabbah* 49:2, *Shir HaShirim Rabbah* 1:4, et al.), this verse is applied to Abraham, whose unrestrained love of God was such that he did not question God's request that he sacrifice Isaac despite having been promised by God earlier (*Genesis* 21:12) that, *through Isaac will offspring be considered yours* (*Eitz Yosef*). The trait of accepting God's justice with submission and love, which both Abraham and Aaron possessed, is referred to in Hebrew by the root ישר (lit., *straight* or *level*), as expressed by the words מִישׁוֹר (translated here as *fairness*) in the case of Aaron and מֵישָׁרִים (translated here as *unreservedly*) in the case of Abraham.

140. Not only did Aaron persuade sinners to cease their wicked ways, but he went so far as to lead them to engage in Torah study. This is derived from the following words of the passage, as the Midrash now goes on to explain.

141. Immediately after speaking of Aaron's "turning many away from iniquity" the verse goes on to say that "they sought teaching from his mouth," thus indicating that not only did Aaron turn people away from sin, but he even led those same people to Torah study.

142. This entire section was first printed as an appendix at the end of *Vayikra Rabbah,* labeled "an alternative version for the end of *Parashah* 3" (נוסחא אחרינא בסוף פרשה שלישי). Since 1587 it has been printed here, as the concluding section of *Parashah* 3. It is in fact (as the commentators note) an excerpt from another Midrash, *Tanna DeVei Eliyahu Rabbah,* Ch. 6.

143. *Maharzu.*

144. I.e., although the words *You shall present to HASHEM, etc.,* are written immediately following the verse involving a *marcheshes* meal-offering, it applies to a *machavas* offering as well (*Eitz Yosef*).

145. The Midrash is noting that the language of Scripture in describing the *machavas* and *marcheshes* offerings is not the same. In connection with the former, Scripture states, *it shall be of fine flour "mixed with oil,"* while in connection with the latter, Scripture states, *it shall be "made" of fine flour "with oil"* (*Eitz Yosef*). However, in light of the teaching of the Sages (*Toras Kohanim* here, *Menachos* 74b; see *Rashi* to v. 5) that the various applications of oil required in the processing of these two meal-offerings, the *machavas* and the *marcheshes,* were in fact identical, it is not fully clear why the Midrash makes this point (see *Yefeh To'ar*). It may be suggested that perhaps the different language in the two verses relates to the difference mentioned in the Mishnah cited next by the Midrash.

146. Since a *marcheshes* is a deep pan, the baked product would come out spongy, as a result of being saturated by the oil in which it was deep-fried (*Eitz Yosef*; see *Rashi* to v. 7).

(שם שם ב) "כַּשֶּׁמֶן הַטּוֹב עַל הָרֹאשׁ יֹרֵד עַל הַזָּקָן זְקַן אַהֲרֹן", וְכִי שְׁנֵי זְקָנִים הָיוּ לְאַהֲרֹן, וְאַתְּ אֲמַרְתְּ "הַזָּקָן זְקַן", אֶלָּא כֵּיוָן שֶׁרָאָה מֹשֶׁה אֶת הַשֶּׁמֶן יוֹרֵד עַל זְקַן אַהֲרֹן הָיָה שָׂמֵחַ כְּאִלּוּ עַל זְקָנוֹ יוֹרֵד. "תּוֹרַת אֱמֶת הָיְתָה בְּפִיהוּ" (מלאכי ב, ו), שֶׁלֹּא אָסַר אֶת הַמּוּתָּר וְלֹא הִתִּיר אֶת הָאָסוּר, "בְּשָׁלוֹם וּבְמִישׁוֹר הָלַךְ אִתִּי" (שם), שֶׁלֹּא הִרְהֵר אַחַר דַּרְכֵי הַמָּקוֹם כְּדֶרֶךְ שֶׁלֹּא הִרְהֵר אָבִינוּ אַבְרָהָם°, "וְרַבִּים הֵשִׁיב מֵעָוֹן" (שם) שֶׁהֵשִׁיב פּוֹשְׁעִים לְתַלְמוּד תּוֹרָה, °וְכֵן הוּא אוֹמֵר "מֵישָׁרִים אֲהֵבוּךָ" (שיר השירים א, ד), מַה כְּתִיב בּוֹ בַּסּוֹף, (מלאכי ב, ז) "כִּי שִׂפְתֵי כֹהֵן יִשְׁמְרוּ דַעַת וְתוֹרָה יְבַקְשׁוּ מִפִּיהוּ וְגוֹ'":

ז שְׁתֵּי מְנָחוֹת הֵן, [ב, ה] "וְאִם מִנְחָה עַל הַמַּחֲבַת" וּ"מִנְחַת מַרְחֶשֶׁת" [ב, ז], וּבִשְׁתֵּיהֶן הוּא אוֹמֵר [ב, ח] "וְהֵבֵאתָ אֶת הַמִּנְחָה", מַה בֵּין מַחֲבַת לְמַרְחֶשֶׁת, שֶׁזּוֹ תִּבָּלֵל בַּשֶּׁמֶן וְזוֹ תֵּעָשֶׂה בַּשֶּׁמֶן כָּל צָרְכָּהּ, וְאָמְרוּ חֲכָמִים בַּמִּשְׁנָה: מַרְחֶשֶׁת עֲמוּקָה מַעֲשֶׂיהָ רוֹחֲשִׁין, מַחֲבַת צָפָה מַעֲשֶׂיהָ קָשִׁין (מנחות ה, ח). כְּדֵי שֶׁלֹּא יֹאמַר אָדָם: אֵלֵךְ וְאֶעֱשֶׂה דְּבָרִים מְכוֹעָרִים וּדְבָרִים שֶׁאֵינָן רְאוּיִין וְאָבִיא מִנְחָה עַל מַחֲבַת וְאֶהְיֶה אָהוּב לִפְנֵי הַמָּקוֹם, אָמַר לוֹ הַקָּדוֹשׁ בָּרוּךְ הוּא: *בְּנִי, מִפְּנֵי מָה לֹא בָּלַלְתָּ מַעֲשֶׂיךָ בְּדִבְרֵי תוֹרָה, שֶׁאֵין שֶׁמֶן אֶלָּא תוֹרָה, וְאֵין שֶׁמֶן אֶלָּא מַעֲשִׂים טוֹבִים,

עץ יוסף

היה שמח. ולא נתקנא בו: **שלא אסר את המותר.** דאף על גב דמחמיר לנפשיה, מכל מקום לאחריני לא הורה אלא הדין לאמיתו: **ולא התיר לעצמו.** את האסור על פי מדת חסידות, אף שהיה מותר מצד הדין הגמור: **שלא הרהר.** על מיתת נדב ואביהו, אלא שתק והצדיק עליו את הדין כדכתיב וידום אהרן, ודריש ליה מבשלום ובמישור, כי מה שלא קרא תגר זה ענין השלום, ובמישור היינו שנדמה לאברהם שלא הרהר בנסיון יצחק שעל זה דרשו בחזית (שיר השירים רבה א, לד על פסוק ד) מישרים אהבוך. ויש לומר עוד שמישרים נקרא מדת משפטו של הקדוש ברוך הוא שבט מלכותו, וכמו שנאמר (תהלים עה, ג) מישרים אשפוט. וכן צריך לומר כאן, כדרך שלא הרהר אבינו אברהם, וכן הוא אומר מישרים אהבוך, ורבים השיב מעון, שהשיב פושעים לתלמוד תורה מה כתיב בו בסוף כו': **לתלמוד תורה.** שלא די שהשיבם מעון, אלא שהכניסם לתלמוד תורה. ואף על גב דהשיב מעון לא משמע רק עזיבת החטא, מכל מקום מדכתיב בסוף ותורה יבקשו מפיהו, ולא אקדמיה לתורת אמת היתה בפיהו, מוכח דקאי על רבים השיב מעון, וזה שמסיים מה כתיב בו בסוף כו': (ז) **שתי מנחות הן.** שבאין בכלי שרת: **ובשתידם הוא אומר והבאת כו'.** פירוש שוהבאת כו' כתיב רק במרחשת, וקאי גם על מחבת, לומר שלא תוכל להביא מנחת מחבת אלא אם כן יהיו מעשיך רוחשים, פירוש מתוקנים, וכדמסיק והולך: **שזו תבלל בשמן.** פירוש אצל מנחת מחבת כתוב לשון בלולה שנאמר ואם מנחה על המחבת קרבנך סולת בלולה בשמן מצה תהיה, ובמנחת מרחשת לא כתיב בלולה, רק תעשה בשמן, שנאמר ואם מנחת מרחשת קרבנך סולת בשמן תעשה: **מרחשת עמוקה כו'.** פירש רש"י מחבת, כלי הוא שהיה במקדש שאופין בו מנחה על האור בשמן, והכלי אין עמוק אלא צף, ומעשה המנחה שבתוכו קשין, שמתוך שהוא צפה, האור שורף את השמן, ומרחשת, כלי הוא שהיה במקדש עמוק, ומתוך עומקה שמנה צבור, ואין האור שורפה, לפיכך מעשה המנחה העשוין בתוכה רוחשין, כל דבר רך על ידי משקה נראה כרוחש ומנענע: **כדי שלא יאמר אדם כו'.** פירוש דמחבת כנגד המעשה ולזה צפה שהמעשה נראה וניכר לעתים, והיות מעשיה קשים רמז למעשים הקשין והמכוערים, וכדי שלא יחשוב שבזה שהביא מנחת מחבת יהיה אהוב לפני המקום, כדמשמע מלשון מנחת מחבת שהוא לשון חבה, להכי קאמר שתהיה בלולה בשמן שראוי שיהיו מעשיו בלולים בתורה ובמעשים טובים דאקרו שמן כדלקמן, ולולי זה לא יהיה לרצון. ומרחשת כנגד התלמוד, ולזה מרחשת עמוקה כמו התלמוד שהוא בעמקי הלב, וגם לשון מרחשת ירמוז לזה, שנדרש מלשון רחשושי דלבא, כדבעי למימר במנחות פרק ה' (סג, א), ולכן נעשה בשמן כל צרכה, רמז לרבוי התורה, ומעשיה רוחשים, לומר שיהיה נזהר שלא יבא לידי עון וחטא, פירוש שלהיות מעשה המחבת קשים, רמז במעשים המכוערים, היות כאן בהיפוך שמעשיה רוחשים רמז למעשים המתוקנים:

פירוש מהרז"ו

יורד על זקן אהרן. ועיין שיר השירים פסוק נאוו לחייך (דף י"א א') [פרשה א' פסוק י אות א]: **באלו ירד על זקנו.** שמאמר הכתוב זקן אהרן, אם כן מה שכתב תחלה על הזקן, אין פירושו זקן של אהרן, ואם איצו ענין לאהרן, תנהו ענין למשה שמרומז במה שכתוב אחים: **כי שפתי כהן.** ומאחר שכתוב בסוף הענין כי שפתי כהן, הרי למוד מסופו שכל הענין מפסוק בריתי היתה אתו החיים והשלום, מדברים בכהן, היינו אהרן הכהן, שדומה למלאך ה', שהיו בו כל המדות הללו: (ז) **שתי מנחות הם.** תנא דבי אליהו (פרק ו). והכוונה שתי מנחות שכתובים בלשון אחד, שבמנחת מחבת כתוב (ויקרא ב, ה) ואם מנחה על המחבת קרבניך, וכן במנחת מרחשת כתוב (שם ז) ואם מנחת מרחשת קרבניך, ולא כן כתוב אצל מנחות אחרות, ושניהם נעשים בכלי על האש. ומה שכתב ובשתיהם הוא אומר והבאת וגו', הנה אצל מחבת לא כתוב כן, אלא במרחשת כתיב (שם ח) והבאתי את המנחה אשר יעשה מאלה לה', פירוש של מחבת ומרחשת שדומין זה לזה, ועיין רש"י בחומש (שם), שלפי הפשט מה שכתב מאלה, קאי על כל המנחות. ומה שכתב שזו תבלל בשמן, שבמחבת מפורש סולת בלולה בשמן, ואצל מרחשת כתיב סולת בשמן תעשה, היינו כל צרכיו: **ואהיה אהוב למקום.** ובתנא דבי אליהו שם הגירסא, על אהובתי שאני אוהב המקום, והכוונה בשתי הלשונות אחד הוא, שעל ידי שאקריב מנחת מחבת, אתרצה להשם יתברך:

מתנות כהונה

[ז] **ואמרו חכמינו ז"ל במשנה.** בפרק כל המנחות (מנחות פ"ה מ"ח):

אשד הנחלים

וזה נחשב למעילה, ולכן מצא בלבו הכנעה שהוא הפך הגאוה), ופחד להזהר בנפשו שלא ימצא בו שמץ גאוה, וזהו מפני שמי ניחת (לשון הכנעה הוא). ולכן מייחס הכתוב ומדמה לטל, היורד ומשביע ומרוה לכל העולם, ועושה בלי הרגשה מאומה, כחוק כל הטבעיים הדוממים הפועלים פעולתם בלי הרגשה, וכן לא נמצא בלב אהרן (אף שהוא העולה על כולם במעלתו) שום התכבדות והרגשה: **היה שמח כו' כאילו על זקנו.** וביאורו הנה מה טוב כו' שבת אחים משה ואהרן, גם יחד באהבה עזה בלי שום קנאה זה על זה. ומפרש תחילה מעלת אהרן, שהנה כטל חרמון גו' בלי הרגשה והתכבדות מאומה, ואצל משה היה נדמה כאלו השמן הטוב יורד על זקנו, בעת שהיה על זקן אהרן, כי שמח משה בגדולתו של אהרן ולא קינא בו מאומה: **שלא אסר המותר.** כי חס על ממונם, ומכל שכן להתיר האיסור: **שלא הרהר.** כמו שכתוב במיתת שתי בניו (ויקרא י, ג) וידום אהרן, כי קיבל באהבה והיתה נפשו שלימה עליו, כדרך שלא הרהר אברהם. **וכן הוא אומר מישרים.** כן צריך לומר (ידי משה). ואחר כך הגרסא ורבים השיב מעון. והכוונה שבאהרן כתיב במישור, כמו שכתב באברהם. וגדר הישר הוא שאינו מהרהר כלום, ומקבל הכל באהבה: **מה כתיב כו' בסוף.** רצה לומר מה זכה על ידי זה. זכה להמעלה הגדולה, שזכה לדעת תורה כי הכל יקבלו לקח מפיהו: [ז] **שתי מנחות.** המאמר הזה עד סופו הובא בתנא דבי אליהו רבה (פ"ו) ושם בארתי. ודע דיש שינויים דשם מביא הפסוק כי אחרי שובי נחמתי, על למד אדם משנה ולא למד הלכות, עדיין הוא מבחוץ, וכן עוד איזה שינויים. ועיין בתהלוכות המדרש פ"ג:

חידושי הרד"ל

וכי שני זקנים היו לאהרן כו'. שיר השירים פרשה א' פסוק טו: **בדרך שלא הרהר אברהם אבינו וכן הוא אומר מישרים אהבוך כו' לתלמוד תורה מה כתיב בסוף.** כן צריך לומר, כמו שכתב ידי משה. ודרש מישרים אהבוך, על אברהם שנקרא אוהבי, שעבד מאהבה, והיה זה במישרים שלא הרהר אחר מדותיו, (עיין שמות רבה ו, ד), ויש לומר עוד שמישרים נקרא מדת משפטו של הקב"ה שבט מלכותו, וכמו שנאמר (תהלים עה, ג) מישרים אשפוט (כמו שנאמר בזוהר (חדש סו, ב) דמגלפך שכן הג' נקראין משרים):

חידושי הרש"ש

[ז] **שתי מנחות הוא אם מנחה על המחבת כו'.** מכאן עד סוף הפרשה לקוח מתורת כהנים עיין שם:

באור מהרי"פ

הכי גרסינן בדרך שלא הרהר אברהם אבינו שנאמר (שיר השירים א, ד) **מישרים אהבוך.** וזהו בשלום ובמישור הלך אתי: [ז] **שתי מנחות.** אף על גב [ד]מנחות טובא איכא בר מהנך, מנחת סולת, מנחת תנור, מנחת חוטא, ועוד שארי מנחות, לא איירי הכא אלא במנחות שנעשו בכלי שרת דהיינו מחבת ומרחשת, אבל איך אינם בכלי שרת, ואפילו תנור לאו כלי הוא. שתי מנחות אלו שוים בדיניהם כדתנן בפרק אלו מנחות (פ"ו מ"ג) כל המנחות הנעשים בכלי טעונות שלש מתנות שמן יציקה וכו', ופרש"י (מנחות עד, ב) כל המנחות הנעשים בכלי שרת כגון מנחת מחבת ומנחת מרחשת: **מה בין מחבת למרחשת שזו וכו'.** תימה היאך נמשך לפשוטו של מקרא וסותר הקבלה, הלא תנן בפרק אלו מנחות (שם) כל המנחות הנעשים בכלי טעונות שלש מתנות שמן יציקה ובלילה, ומתן שמן בכלי קודם לעשייתן (פירוש נותן שמן תחלה בכלי שרת ונותן עליו את הסולת וחוזר ונותן עליה שמן ובוללה, הרי מתן שמן בכלי ובלילה, ולשה במים ואופה (בתנור) ופותתה, ויוצק עליה שמן אחר הפתיתה, וזו היא יציקה הרי שלשתן). ובברייתא תנו רבנן ואם מנחת מרחשת קרבנך סולת בשמן תעשה, מלמד שטעונה מתן שמן בכלי, קרבניך, לגזירה שוה מה כאן מתן שמן בכלי אף להלן, (פירוש מנחת מחבת דכתיב ביה נמי (ויקרא ב, ה) קרבניך) נותן שמן בכלי, ומה להלן יציקה ובלילה אף כאן יציקה ובלילה, הרי מפורש בקבלה דשניהם שוין. ותימה רבה היא, אם לא שנאמר אין משיבין על הדרש: **מעשיה רוחשין.** (מנחות פ"ה מ"ח) רבי חנניה בן גמליאל אומר מרחשת עמוקה ומעשיה רוחשין ומחבת צפה ומעשיה קשים. ופירש רבי עובדיה מברטנורה מרחשת עמוקה דכתיב (ז, ט) וכל נעשה במרחשת בתוכה משמע, אלמא יש לה תוך ומעשיה רוחשין השמן נע ונד בתוכה, לשון הרומש על הארץ (בראשית ז, כא) דמתרגמינן דרחשי, ומחבת צפה דכתיב (ב, ה) ועל מחבת משמע עליה ולא בתוכה אלמא אין לה תוך. צפה שאינה עמוקה אלא (שוליה) צפין אצל אוגניה, כמו צפין על פני המים, ומעשיה קשים שהעיסה שמטגנין בה ליבשה קשה כדי

מסורת המדרש

ז. תנחומא ויקרא:

אם למקרא

תורת אמת היתה בפיהו ועולה לא נמצא בשפתיו בשלום ובמישור הלך אתי ורבים השיב מעון: (מלאכי ב:ו)

משכני אחריך נרוצה הביאני המלך חדריו נגילה ונשמחה בך נזכירה דדיך מיין מישרים אהבוך: (שיר השירים א:ד)

כי־שפתי כהן ישמרו דעת ותורה יבקשו מפיהו כי מלאך ה' צבאות הוא: (מלאכי ב:ז)

ידי משה

כדרך שלא הרהר אבינו אברהם וכן הוא אומר מישרים אהבוך. כן צריך לומר. פירוש שמביא ראייה על מלת במישור דקאי על אברהם, דכתיב בו מישרים אהבוך, ודרשו חכמינו ז"ל (שיר השירים רבה א, על פסוק ד בסופו) על אברהם:

שינוי נוסחאות

שלא הרהר אחר דרכי המקום כדרך שלא הרהר אבינו אברהם. ביפ"ת וידי משה ורד"ל ועצ"י כתבו שכאן צריך לומר מה שכתוב להלן "וכן הוא אומר מישרים אהבוך": (ז) כל סימן ז' היה כתוב בספרים ישנים בסוף הספר, עם כותרת "נוסחא אחרינא בסוף פרשה שלישי", ובדפוס קראקא הדפיסו אותו כאן במקומו וכתבו "ברבותי הישנים כתוב גירסה זו בסוף הספר", וכן עשו כל הבאים אחריהם:

אמרי יושר

הטוב. והרגישו ז"ל קושיא, איך אחר שהמשיל שבת אחים לשמן הטוב והקדוש, איך חוזר וגרע והמשילו לטל, לזה אמרם שהוא חוזר לשמן טוב, דהבטיח שיהיה השמן כטל:

ליקוטים

היה שמח כו' באילו על זקנו. וביאורו הנה מה טוב כו' שבת אחים משה ואהרן גם יחד באהבה עזה בלי

מַחֲבַת צָפָה מַעֲשֶׂיהָ קָשִׁין — a **machavas is a shallow pan, and its products** (the cakes baked on it) **are hard** (*Menachos* 5:8).[147]

The Midrash expounds on the symbolic meaning of these two meal-offerings:

כְּדֵי שֶׁלֹּא יֹאמַר אָדָם — **So that a person should not say,** אֵלֵךְ וְאֶעֱשֶׂה דְּבָרִים מְכוֹעָרִים וּדְבָרִים שֶׁאֵינָן רְאוּיִין — **"I will go and do ugly things and inappropriate things,** וְאָבִיא מִנְחָה עַל מַחֲבַת — **and** then **I will bring a** ***machavas*** **meal-offering** וְאֶהְיֶה אָהוּב לִפְנֵי הַמָּקוֹם — **and I will be loved by the Omnipresent** for doing so."[148] אָמַר לוֹ הַקָּדוֹשׁ בָּרוּךְ הוּא — Therefore, to dispel this notion, **the Holy One, blessed is He, says to him,** in effect, בְּנִי מִפְּנֵי מָה לֹא בָלַלְתָּ מַעֲשֶׂיךָ בְּדִבְרֵי תוֹרָה — **"My son! Why did you not 'mix'** (i.e., permeate) **your actions with the words of the Torah?"**[149] שֶׁאֵין שֶׁמֶן אֶלָּא תּוֹרָה וְאֵין שֶׁמֶן אֶלָּא מַעֲשִׂים טוֹבִים — **For "oil" refers to Torah, and "oil" refers to good deeds,**

NOTES

147. Since a *machavas* is a flat pan, the dough or batter would spread out across it and, due to the subsequent burning up of much of the oil, it would become a flat, thin, hardened cake (ibid.; see *Rashi* to v. 5).

148. The Midrash is apparently making a play on words, the word מַחֲבַת being related to the word חִבָּה, "love" (*Yefeh To'ar, Eitz Yosef*).

149. The symbolism of the Torah's requirement for the *machavas* offering being thoroughly "mixed with oil" is that a person must permeate his actions with the "oil" of Torah study and deeds, as the Midrash goes on to elaborate. Only then will his meal-offering be pleasing to God (*Yefeh To'ar, Eitz Yosef*).

(שם שם ב) "כְּשֶּׁמֶן הַטּוֹב עַל הָרֹאשׁ יֹרֵד עַל הַזָּקָן זְקַן אַהֲרֹן", וְכִי שְׁנֵי זְקָנִים הָיוּ לְאַהֲרֹן, וְאַתְּ אָמַרְתְּ "הַזָּקָן זְקַן", אֶלָּא כֵּיוָן שֶׁרָאָה מֹשֶׁה אֶת הַשֶּׁמֶן יוֹרֵד עַל זְקַן אַהֲרֹן הָיָה שָׂמֵחַ כְּאִלּוּ עַל זְקָנוֹ יוֹרֵד. (מלאכי ב, ו) "תּוֹרַת אֱמֶת הָיְתָה בְּפִיהוּ", שֶׁלֹּא אָסַר אֶת הַמּוּתָּר וְלֹא הִתִּיר אֶת הָאָסוּר, (שם) "בְּשָׁלוֹם וּבְמִישׁוֹר הָלַךְ אִתִּי", שֶׁלֹּא הִרְהֵר אַחַר דַּרְכֵי הַמָּקוֹם כְּדֶרֶךְ שֶׁלֹּא הִרְהֵר אָבִינוּ אַבְרָהָם°, (שם) "וְרַבִּים הֵשִׁיב מֵעָוֹן" שֶׁהֵשִׁיב פּוֹשְׁעִים לְתַלְמוּד תּוֹרָה, °וְכֵן הוּא אוֹמֵר (שיר השירים א, ד) "מֵישָׁרִים אֲהֵבוּךָ"°, מַה כְּתִיב בּוֹ בַּסּוֹף, (מלאכי ב, ז) "כִּי שִׂפְתֵי כֹהֵן יִשְׁמְרוּ דַעַת וְתוֹרָה יְבַקְשׁוּ מִפִּיהוּ וְגוֹ'":

ז שְׁתֵּי מְנָחוֹת הֵן, [ב, ה] "וְאִם מִנְחָה עַל הַמַּחֲבַת" וּ"מִנְחַת מַרְחֶשֶׁת" [ב, ז], וּבִשְׁתֵּיהֶן הוּא אוֹמֵר [ב, ח] "וְהֵבֵאתָ אֶת הַמִּנְחָה", מַה בֵּין מַחֲבַת לְמַרְחֶשֶׁת, שֶׁזּוֹ תִּבָּלֵל בַּשֶּׁמֶן וְזוֹ תֵּעָשֶׂה בַּשֶּׁמֶן כָּל צָרְכָּהּ, וְאָמְרוּ חֲכָמִים בַּמִּשְׁנָה: מַרְחֶשֶׁת עֲמוּקָה מַעֲשֶׂיהָ רוֹחֲשִׁין, מַחֲבַת צָפָה מַעֲשֶׂיהָ קָשִׁין (מנחות ה, ח). כְּדֵי שֶׁלֹּא יֹאמַר אָדָם: אֵלֵךְ וְאֶעֱשֶׂה דְּבָרִים מְכוֹעָרִים וּדְבָרִים שֶׁאֵינָן רְאוּיִין וְאָבִיא מִנְחָה עַל מַחֲבַת וְאֶהְיֶה אָהוּב לִפְנֵי הַמָּקוֹם, אָמַר לוֹ הַקָּדוֹשׁ בָּרוּךְ הוּא: *בְּנִי, מִפְּנֵי מָה לֹא בָּלַלְתָּ מַעֲשֶׂיךָ בְּדִבְרֵי תוֹרָה, שֶׁאֵין שֶׁמֶן אֶלָּא תּוֹרָה, וְאֵין שֶׁמֶן אֶלָּא מַעֲשִׂים טוֹבִים,

עץ יוסף

היה שמח. ולא נתקנא בו: שלא אסר את המותר. דאף על גב דמחמיר לנפשיה, מכל מקום לאחריני לא הורה אלא הדין לאמיתו: ולא התיר לעצמו. את האסור על פי מדת חסידות, אף שהיה מותר מצד הדין הגמור: שלא הרהר. על מיתת נדב ואביהוא, אלא שתק והצדיק עליו את הדין כדכתיב וידום אהרן, ודריש ליה מבשלום ובמישור, כי מה שלא קרא תגר זה ענין השלום, ובמישור היינו שנדמה לאברהם שלא הרהר בנסיון יצחק שעל זה דרשו בחזית (שיר השירים רבה א, לד על פסוק ד) מישרים אהבוך. ויש לומר עוד שמישרים נקרא מדת משפטו של הקדוש ברוך הוא שבט מלכותו, וכמו שנאמר (תהלים עה, ג) מישרים אשפוט. וכן צריך לומר כאן, כדרך שלא הרהר אבינו אברהם, וכן הוא אומר מישרים אהבוך, ורבים השיב מעון, שהשיב פושעים לתלמוד תורה מה כתיב בו בסוף כו': לתלמוד תורה. שלא די שהשיבם מעון, אלא שהכניסם לתלמוד תורה. ואף על גב דהשיב מעון לא משמע רק עזיבת החטא, מכל מקום מדכתיב בסוף ותורה יבקשו מפיהו, ולא אקדמיה לתורת אמת היתה בפיהו, מוכח דקאי על רבים השיב מעון, וזה שמסיים מה כתיב בו בסוף כו': (ז) שתי מנחות הן. שבאין בכלי שרת: ובשתיהם הוא אומר והבאת כו'. פירוש שוהבאת כו' כתיב רק במרחשת, וקאי גם על מחבת, לומר שלא תוכל להביא מנחת מחבת אלא אם כן יהיו מעשיך רותחים, פירוש מתוקנים, וכדמסיק והולך: שזו תבלל בשמן. פירוש אצל מנחת מחבת כתוב לשון בלולה שנאמר ואם מנחה על המחבת קרבנך סולת בלולה בשמן מצה תהיה, ובמנחת מרחשת לא כתיב בלולה, רק תעשה בשמן, שנאמר ואם מנחת מרחשת קרבנך סולת בשמן תעשה: מרחשת עמוקה כו'. פירש רש"י מחבת, כלי הוא שהיה במקדש שאופין בו מנחה על האור בשמן, והכלי אין עמוק אלא צף, ומעשה המנחה שבתוכו הוא קשין, שמתוך שהוא צפה האור שורף את השמן, ומרחשת, כלי הוא שהיה במקדש עמוק, ומתוך עמוקה שמנה צבור, ואין האור שורפה, לפיכך מעשה המנחה העשויין בתוכה רוחשין, כל דבר רך על ידי משקה נראה כרוחש ומנענע: כדי שלא יאמר אדם כו'. פירוש דמחבת כנגד המעשה ולזה צפה שהמעשה נראה וניכר לעתים, והיות מעשיה קשים רמז למעשים הקשין והמכוערים, וכדי שלא יחשוב שבזה שהביא מנחת מחבת יהיה אהוב לפני המקום, כדמשמע מלשון מנחת מחבת שהוא לשון חבה, להכי קאמר שתהיה בלולה בשמן שראוי שיהיו מעשיו בלולים בתורה ובמעשים טובים דלקרו שמן כדלקמן, ולולי זה לא יהיה לרצון. ומרחשת כנגד התלמוד, ולזה מרחשת עמוקה כמו התלמוד שהוא בעמקי הלב, וגם לשון מרחשת ירמוז לזה, שנדרש מלשון רחשושי דלבא, כדבעי למימר במנחות פרק ה' (סג, א), ולכן נעשה בשמן כל צרכה, רמז לרבוי התורה, ומעשיה רוחשים, לומר שיהיה נזהר שלא יבא לידי עון וחטא, פירוש שלהיות מעשה המחבת קשים, רמז במעשים המכוערים, הוית כאן בהיפוך שמעשיה רוחשים רמז למעשים המתוקנים:

פירוש מהרז"ו

יורד על זקן אהרן. ועיין שיר השירים פסוק נאוו לחייך (דף י"א א') [פרשה א' פסוק י אות א]: כאלו ירד על זקנו. שמאמר הכתוב זקן אהרן, אם כן מה שכתב תחלה על הזקן, אין פירושו זקן של אהרן, ואם אינו ענין לאהרן, תנהו ענין למשה שמרומז במה שכתוב אחים: כי שפתי כהן. ומאחר שכתוב בסוף הענין כי שפתי כהן, הרי למוד מסופו שכל הענין מפסוק בריתי היתה אתו החיים והשלום, מדברים בכהן, היינו אהרן הכהן, שדומה למלאך ה', שהיו בו כל המדות הללו: (ז) שתי מנחות הם. תנא דבי אליהו (פרק ו). והכוונה שתי מנחות שכתובים בלשון אחד, שבמנחת מחבת כתוב (ויקרא ב, ה) ואם מנחה על המחבת קרבנך, וכן במנחת מרחשת כתוב (שם ז) ואם מנחת מרחשת קרבנך, ולא כן כתוב אצל מנחות אחרות, שכיהם נעשים בכלי על האש. ומה שכתב ובשתיהם הוא אומר והבאת וגו', הנה אצל מחבת לא כתוב כן, אלא במרחשת כתיב (שם ח) והבאתי את המנחה אשר יעשה מאלה לה', פירוש של מחבת ומרחשת שדומין זה לזה, ועיין רש"י בחומש (שם), שלפי הפשט מה שכתב מאלה, קאי על כל המנחות. ומה שכתב שזו תבלל בשמן, שבמחבת מפורש סולת בלולה בשמן, ואצל מרחשת כתיב סולת בשמן תעשה, היינו כל צרכיו: ואהיה אהוב למקום. ובתנא דבי אליהו שם הגירסא, על אהובתי שאני אוהב המקום, והכוונה בשתי הלשונות אחד הוא, שעל ידי שאקריב מנחת מחבת, אתרצה להשם יתברך:

מתנות כהונה

[ז] ואמרו חכמינו ז"ל במשנה. בפרק כל המנחות (מנחות פ"ה מ"ח):

אשד הנחלים

וזה נחשב למעילה, ולכן מצא בלבו הכנעה שהוא הפך הגאוה, ופחד להזהר בנפשו שלא ימצא בו שמץ גאוה, וזהו מפני שמי שמי ניחת (לשון הכנעה הוא). ולכן מייחס הכתוב ומדמה לטל, היורד ומשביע ומרוה לכל העולם, ועושה בלי הרגשה מאומה, כחוק כל הטבעיים הדוממים הפועלים פעולתם בלי הרגשה, וכן לא נמצא בלב אהרן (אף שהוא העולה על כולם במעלתו) שום התכבדות והרגשה: היה שמח כו' כאילו על זקנו. וביאורו הנה מה טוב כו' שבת אחים משה ואהרן, גם יחד באהבה עזה בלי שום קנאה זה על זה. ומפרש תחילה מעלת אהרן, שהנה כטל חרמון גו' בלי הרגשה והתכבדות מאומה, ואצל משה היה נדמה כאלו השמן הטוב יורד על זקנו, בעת שהיה על זקן אהרן, כי שמח משה בגדולתו של אהרן ולא קינא בו מאומה: שלא אסר המותר. כי חס על ממונם, ומכל שכן להתיר האיסור: שלא הרהר. כמו שכתוב במיתת שתי בניו (ויקרא י, ג) וידום אהרן, כי קיבל באהבה והיתה נפשו שלימה עליו, כדרך שלא הרהר אברהם: וכן הוא אומר מישרים. כן צריך לומר (ידי משה). ואחר כך הגרסא ורבים השיב מעון. והכוונה שבאהרן כתיב במישור, כמו שכתב באברהם. וגדר הישר הוא שאינו מהרהר כלום, ומקבל הכל באהבה: מה כתיב כו' בסוף. רצה לומר מה זכה על ידי זה. זכה להמעלה הגדולה, שזכה לדעת תורה כי הכל יקבלו לקח מפיהו: [ז] שתי מנחות. המאמר הזה עד סופו הובא בתנא דבי אליהו רבה (פ"ו) ושם בארתי. ודע דיש שינויים דשם מביא הפסוק כי אחרי שובי נחמתי, על למד אדם משנה ולא למד הלכות, עדיין הוא מבחוץ, וכן עוד איזה שינויים. ועיין בתהלוכות המדרש פ"ג:

מתן שמן בכלי ובלילה, ולשה במים ואופה (בתנור) ופותתה, ויוצק עליה שמן אחר הפתיתה, וזו היא יציקה הרי שלשתן). ובברייתא תנו רבנן ואם מנחת מרחשת קרבנך סולת בשמן תעשה, מלמד שטעונה מתן שמן בכלי, קרבניך, לגזירה שוה מה כאן מתן שמן בכלי אף להלן, (פירוש מנחת מחבת דכתיב ביה נמי (ויקרא ב, ה) קרבניך) נותן שמן בכלי, ומה להלן יציקה ובלילה אף כאן יציקה ובלילה, הרי מפורש בקבלה דשניהם שוין. ותימה רבה היא, אם לא שנאמר אין משיבין על הדרש: מעשיה רוחשין. (מנחות פ"ה מ"ח) רבי חנניה בן גמליאל אומר מרחשת עמוקה ומעשיה רוחשין ומחבת צפה ומעשיה קשים. ופירש רבי עובדיה מברטנורה מרחשת עמוקה דכתיב (ז, ט) וכל נעשה במרחשת בתוכה משמע, אלמא יש לה תוך ומעשיה רוחשין השמן נע ונד בתוכה, לשון הרומש על הארץ (בראשית ז, כא) דמתרגמינן דרחיש, ומחבת צפה דכתיב (ב, ה) ועל מחבת משמע עליה ולא בתוכה אלמא אין לה תוך. צפה שאינה עמוקה אלא (שוליה) צפין אצל אוגניה, כמו צפין על פני המים, ומעשיה קשים שהעיסה שמטגנין בה ליטתה קשה כדי

מסורת המדרש

ז. תנחומא ויקרא:

אם למקרא

תּוֹרַת אֱמֶת הָיְתָה בְּפִיהוּ וְעַוְלָה לֹא נִמְצָא בִשְׂפָתָיו בְּשָׁלוֹם וּבְמִישׁוֹר הָלַךְ אִתִּי וְרַבִּים הֵשִׁיב מֵעָוֹן: (מלאכי ב:ו)

מָשְׁכֵנִי אַחֲרֶיךָ נָּרוּצָה הֱבִיאַנִי הַמֶּלֶךְ חֲדָרָיו נָגִילָה וְנִשְׂמְחָה בָּךְ נַזְכִּירָה דֹדֶיךָ מִיַּיִן מֵישָׁרִים אֲהֵבוּךָ: (שיר השירים א:ד)

כִּי־שִׂפְתֵי כֹהֵן יִשְׁמְרוּ דַעַת וְתוֹרָה יְבַקְשׁוּ מִפִּיהוּ כִּי מַלְאַךְ ה' צְבָאוֹת הוּא: (מלאכי ב:ז)

ידי משה

כדרך שלא הרהר אבינו אברהם וכן הוא אומר מישרים אהבוך. כן צריך לומר. פירוש שמביא ראייה על מלת במישור דקאי על אברהם, דכתיב בו מישרים אהבוך, ודרשו חכמינו ז"ל (שיר השירים רבה א, על פסוק ד בסופו) על אברהם:

שינוי נוסחאות

שלא הרהר אחר דרכי המקום כדרך שלא הרהר אבינו אברהם. ביפ"ת וידי משה ורד"ל ועצ"י כתבו שכאן צריך לומר מה שכתוב להלן "וכן הוא אומר מישרים אהבוך": (ז) כל סימן ז' היה כתוב בספרים ישנים בסוף הספר, עם כותרת "נוסחא אחרינא בסוף פרשה שלישי", ובדפוס קראקא הדפיסו אותו כאן במקומו וכתבו "ברבתי הישנים כתוב גירסה זו בסוף הספר", וכן עשו כל הבאים אחריהם:

אמרי יושר

הטוב. והרגישו ז"ל קושיה, איך אחר שהמשיל שבת אחים לשמן הטוב והקדוש, איך חוזר וגרע והמשילו לטל, לזה אמרים שהוא חוזר לשמן טוב, דהטבית שיהיה השמן כטל:

ליקוטים

היה שמח כו' כאילו על זקנו. וביאורו הנה מה טוב כו' שבת אחים משה ואהרן גם יחד באהבה עזה בלי

חידושי הרד"ל

וכי שני זקנים היו לאהרן כו'. שיר השירים פרשה א פסוק טו: בדרך שלא הרהר אברהם אבינו וכן הוא אומר מישרים אהבוך כו' לתלמוד תורה מה כתיב בסוף. כן צריך לומר, כמו שכתב הידי משה. ודרש מישרים אהבוך, על אברהם שנקרא אוהבי, שעבד מאהבה, והיה זה במישרים שלא הרהר אחר מדותיו, (עיין שמות רבה ו, ד), ויש לומר עוד שמישרים נקרא מדת משפטו של הקב"ה שבט מלכותו, וכמו שכתוב (תהלים עה, ג) מישרים אשפוט (כמו שנאמר בזוהר (חדש סו, ב) דמנלפך שהן הג' נקראין משרים):

חידושי הרש"ש

[ז] שתי מנחות הוא אם מנחה על המחבת כו'. מכאן עד סוף הפרשה לקוח מתורת כהנים עיין שם:

באור מהרי"פ

הכי גרסינן כדרך שלא הרהר אברהם אבינו שנאמר (שיר השירים א, ד) מישרים אהבוך. וזהו בשלום ובמישור הלך אתי: [ז] שתי מנחות. אף על גב [ד]מנחות טובא איכא בר מהנך, מנחת סולת, מנחת תנור, מנחת העומר, ועוד שארי מנחות, לא מיירי הכא אלא במנחות שנעשו בכלי שרת דהיינו מחבת ומרחשת, אבל איך אינם בכלי שרת, ואפילו תנור לאו כלי שרת. שתי מנחות אלו שוים בדיניהם כדתנן בפרק אלו מנחות (פ"ו מ"ג) כל המנחות הנעשים בכלי טעונות שלש מתנות שמן יציקה וכו', ופרש"י (מנחות עד, ב) כל המנחות הנעשים בכלי שרת כגון מנחת מחבת ומנחת מרחשת: מה בין מחבת למרחשת שזו ובו'. קימה היאך נמשך לפשוטו של מקרא וסותר הקבלה, דלא תנן בפרק אלו מנחות (שם) כל המנחות הנעשים בכלי טעונות שלש מתנות שמן יציקה ובלילה, ומתן שמן בכלי קודם לעשייתן (פירוש נותן שמן תחלה בכלי שרת ונותן עליו את הסולת וחוזר ונותן עליה שמן ובוללה, הרי

וְכֵן הוּא אוֹמֵר לְרֵיחַ שְׁמָנֶיךָ טוֹבִים שֶׁמֶן וְגוֹ׳ — as [Scripture] states, ***By the scent of Your goodly oils,***[150] *Your Name is like poured-out oil; therefore the maidens love You* (*Song of Songs* 1:3). שְׂכָרֵנוּ שֶׁבָּאנוּ לִלְמוֹד תּוֹרָה — The meaning of this verse is: As **our reward that we came to study Torah,** i.e., to accept the Torah at Mount Sinai, שֶׁפָּכְתָּ לָנוּ תּוֹרָה כְּשֶׁמֶן הַמּוּרָק מִכְּלִי לִכְלִי וְאֵין קוֹלוֹ נִשְׁמָע — **You poured out Torah for us like oil,**[151] **which is poured out from one vessel into another vessel without a sound being heard.**[152] לְכָךְ נֶאֱמַר שֶׁמֶן תּוּרַק שְׁמֶךָ עַל כֵּן וְגוֹ׳ — **Thus, it states,** ***Your Name is like poured-out oil; therefore*** *the maidens love You.* וַאֲפִילוּ אוּמּוֹת הָעוֹלָם — The meaning of this verse is: **Even the nations of the world,**[153] מַכִּירִין בְּחָכְמָה וּבְבִינָה וּבְדֵיעָה וּבְהַשְׂכֵּל — if they were to **recognize the wisdom, insight, knowledge, and discernment** contained in the Torah, מַגִּיעִים לְגוּפָהּ שֶׁל תּוֹרָתְךָ — when **they would come to the essence of Your Torah** הָיוּ אוֹהֲבִים אוֹתְךָ אַהֲבָה גְמוּרָה — **they would love You with complete love,** בֵּין כְּשֶׁהוּא טוֹב בֵּין כְּשֶׁהוּא רַע לָהֶם — **whether it proved favorable** for them **or unfavorable for them.**[154] לְכָךְ נֶאֱמַר עֲלָמוֹת אֲהֵבוּךָ — **Thus it is stated, *therefore the maidens love You.***

The Midrash presents an alternate exposition of the above verse in *Song of Songs:*[155]

קָרָא אָדָם וְלֹא שָׁנָה עֲדַיִין בַּחוּץ עוֹמֵד — The expression, *Like the scent of goodly oils is the spreading fame of Your great deeds*, alludes to the fact that if **a person has studied Scripture but has not studied Mishnah, he is still** considered **"standing outside."**[156] שָׁנָה וְלֹא קָרָא עֲדַיִין בַּחוּץ עוֹמֵד — Similarly, if **he has studied Mishnah but has not studied Scripture, he is still** considered **"standing outside."** קָרָא וְשָׁנָה וְלֹא שִׁימֵּשׁ תַּלְמִידֵי חֲכָמִים — And if **he has studied** both **Scripture and Mishnah, but has not received personal instruction from Torah scholars,**[157] דּוֹמֶה לְמִי שֶׁנֶּעֶלְמוּ מִמֶּנּוּ סִתְרֵי תוֹרָה — **he is like someone from whom the secrets of the Torah have been concealed,**[158] שֶׁנֶּאֱמַר, כִּי אַחֲרֵי שׁוּבִי נִחַמְתִּי — **as it is stated, *For after my returning, I regretted*** (*Jeremiah* 31:18).[159] אֲבָל קָרָא אָדָם תּוֹרָה נְבִיאִים וּכְתוּבִים — If, **however, a person has studied** the three sections of Scripture **— Torah, Prophets, and Writings —** וְשָׁנָה מִשְׁנָה מִדְרָשׁ הֲלָכוֹת וְאַגָּדוֹת — **and has** also **studied Mishnah, Midrash,**[160] Torah **laws, and the Aggados,**[161] וְשִׁמֵּשׁ תַּלְמִידֵי חֲכָמִים — **and has** also **received personal instruction from Torah scholars,** he has achieved true Torah knowledge,[162] אֲפִילוּ מֵת עָלָיו אוֹ נֶהֱרַג עָלָיו — and then **even were he to "die" because of [Torah study],**[163] **or** to actually **be killed** in martyrdom **because of it,**[164] הֲרֵי הוּא בְּשִׂמְחָה לְעוֹלָם — **he will remain in** a state of **happiness forever,** in the World to Come.[165] לְכָךְ נֶאֱמַר, עַל כֵּן עֲלָמוֹת אֲהֵבוּךָ — And **that is what** is meant by that which **is stated** in the conclusion of the above verse: ***therefore the maidens*** [עֲלָמוֹת] ***love You.***[166]

NOTES

150. The plural expression *oils* alludes to two things: Torah and good deeds. The reason oil is a symbol for these things is that just as oil brings physical light to the world, so do Torah and mitzvos light up the world spiritually, as attested to in the verse (*Proverbs* 6:23), *For a commandment is a lamp and Torah is light* (*Eitz Yosef*).

151. I.e., the verse is interpreted as follows: *By the scent of Your goodly oils* — because we came to avail ourselves of Your goodly Torah; *Your Name is like poured-out oil* — You poured out Your Torah (for God's *Name* is the Torah; see *Yefeh To'ar* and *Eitz Yosef*) for us as one pours out oil. The Midrash will now go on to explain how the pouring of oil specifically is different from the pouring of other liquids.

152. When the verse speaks of God pouring out Torah for us like oil, then, it alludes to the fact that besides the Written Torah, which any person can read for himself, there are certain aspects of Torah wisdom that are "silent," meaning that only the Jewish people possess them, such as the Oral Law and the "secrets of the Torah" (*Yefeh To'ar, Eitz Yosef*).

153. Represented by the "maidens."

154. However, since the deep wisdom of the Torah is concealed from them, they do not accept any part of the Torah. [Our interpretation of this difficult passage is based on *Yefeh To'ar*, cited in *Eitz Yosef*; *Matnos Kehunah* has a completely different interpretation of this sentence.]

155. *Yefeh To'ar* (followed by *Eitz Yosef*), in fact, suggests emending the text to read דָּבָר אַחֵר, "an alternative interpretation," as is the reading in *Tanna DeVei Eliyahu.*

156. I.e., he has not entered the boundaries of true Torah knowledge (*Matnos Kehunah*). He is like someone standing outside, looking in.

The Midrash sees an allusion to such a person in the words, *By the scent of Your goodly oils,* for this person has experienced only a "scent" of the Torah (*Yefeh To'ar*), as someone who smells a fragrance from a receptacle that belongs to someone else.

157. Lit., *he did not serve Torah scholars.* This expression is equivalent to the study of Talmud (see above, note 8), which refers to the in-depth analysis of the Mishnah, without which it cannot be understood properly (*Yefeh To'ar, Eitz Yosef*; see *Rashi* to *Berachos* 47b s.v. שלא שמש ת״ח and *Ohr Same'ach, Hil. Talmud Torah* 1:2 s.v. ובחי׳).

158. He is no longer "an outsider," but given that such a person is unequipped to properly understand the Mishnah — and certainly to issue rulings based on his incomplete knowledge — he is comparable to someone who has no deep Torah insight at all (ibid.).

159. The Midrash interprets the verse to mean: After finally "returning" (i.e., turning my attention) to Talmud study when I got older, I regretted that I did not do so earlier in life (*Eitz Yosef*, from *Zikkukin DeNura* on *Tanna DeVei Eliyahu*). [The *Jeremiah* verse continues: *and after my having been made aware, I slapped [my] thigh [in anguish]; I was ashamed and also humiliated, for I bore the disgrace of my youth.* It is possible that the phrase *after my having been made aware* refers to becoming aware of deeper knowledge later in life (implying that previously these secrets had been hidden from him). The speaker in the verse then comments that when he realized how ignorant he had actually been in his youth, he was *ashamed and also humiliated.*]

160. In this context, the word "Midrash" refers to *Midreshei Halachah,* the Sages' expositions deriving halachos from Scripture. These expositions are found in *Mechilta, Sifra,* and *Sifrei*, as well as in the Talmud.

161. Aggados are the non-halachic part of Torah learning — allegorical teachings, homiletic interpretations of verses, ethical teachings, etc.

162. This kind of person is alluded to in the words *your name is like poured-out oil*, for when one receives instruction from a Torah scholar it is as if the "oil" of Torah is being poured out from the scholar's receptacle into the student's (*Yefeh To'ar, Eitz Yosef*).

163. The Midrash here alludes to the teaching (*Berachos* 63b) that "The words of the Torah are not retained except by one who kills himself over them," i.e., one who undergoes extreme privation and hardship in order to study (ibid.).

164. Such as, when Torah study is forbidden by the local government, on pain of death (ibid.).

165. These words are added based on *Tanna DeVei Eliyahu* ibid.

166. The word עֲלָמוֹת (lit., *maidens*), is interpreted as two words עַל מָוֶת, meaning "beyond death" (see Midrash below, 11 §9) (*Eitz Yosef*). See Insight Ⓐ.

INSIGHTS

Ⓐ **Therefore, *"Alamos"* Love You** The Midrash first explains the word *alamos* according to its simple meaning as "maidens," referring to the nations of the world. If they were to recognize the wisdom, insight, knowledge, and discernment contained in the Torah and thereby come to the "essence" of Torah, they would love God with a complete love, whether or not it proved favorable to them in this world. The Midrash then explains עֲלָמוֹת as a contraction of עַל מָוֶת, meaning "beyond death"; and the verse means that one who studies Scripture, Mishnah, Midrash, and Aggados and has been made privy to the "secrets of the Torah" by receiving personal instruction from Torah scholars will remain in a

וְכֵן הוּא אוֹמֵר (שיר השירים א, ג) "**לְרֵיחַ שְׁמָנֶיךָ טוֹבִים שֶׁמֶן וְגוֹ'", שְׂכָרֵנוּ שֶׁבָּאנוּ לִלְמוֹד תּוֹרָה, שֶׁשָּׁפַכְתָּ לָנוּ תּוֹרָה כְּשֶׁמֶן הַמּוּרָק מִכְּלִי לִכְלִי וְאֵין קוֹלוֹ נִשְׁמָע, לְכָךְ נֶאֱמַר** (שם) "**שֶׁמֶן תּוּרַק שְׁמֶךָ עַל כֵּן וְגוֹ'", וַאֲפִילוּ אוּמּוֹת הָעוֹלָם מַכִּירִין בְּחָכְמָה וּבְבִינָה וּבְדֵיעָה וּבְהַשְׂכֵּל מַגִּיעִים לְגוּפָהּ שֶׁל תּוֹרָתְךָ הָיוּ אוֹהֲבִים אוֹתְךָ אַהֲבָה גְמוּרָה, בֵּין כְּשֶׁהוּא טוֹב בֵּין כְּשֶׁהוּא רַע לָהֶם, לְכָךְ נֶאֱמַר** (שם) "**עֲלָמוֹת אֲהֵבוּךָ", קָרָא אָדָם וְלֹא שָׁנָה עֲדַיִין בַּחוּץ עוֹמֵד, שָׁנָה וְלֹא קָרָא עֲדַיִין בַּחוּץ עוֹמֵד, קָרָא וְשָׁנָה וְלֹא שִׁימֵּשׁ תַּלְמִידֵי חֲכָמִים דּוֹמֶה לְמִי שֶׁנֶּעֶלְמוּ מִמֶּנּוּ סִתְרֵי תוֹרָה, שֶׁנֶּאֱמַר** (ירמיה לא, יח) "**כִּי אַחֲרֵי שׁוּבִי נִחַמְתִּי", אֲבָל קָרָא אָדָם תּוֹרָה נְבִיאִים וּכְתוּבִים וְשָׁנָה מִשְׁנָה מִדְרָשׁ הֲלָכוֹת וַאֲגָדוֹת וְשִׁמֵּשׁ תַּלְמִידֵי חֲכָמִים אֲפִילוּ מֵת עָלָיו אוֹ נֶהֱרַג עָלָיו, הֲרֵי הוּא בְּשִׂמְחָה לָעוֹלָם, לְכָךְ נֶאֱמַר "עַל כֵּן עֲלָמוֹת אֲהֵבוּךָ". מַרְחֶשֶׁת עֲמוּקָה מַעֲשֶׂיהָ רוֹחֲשִׁין, כֵּיצַד, יֵשׁ בּוֹ בְּאָדָם תּוֹרָה יְהֵא נִזְהָר שֶׁלֹּא יָבֹא לִידֵי עָוֹן וְחֵטְא, אָמַר לוֹ הַקָּדוֹשׁ בָּרוּךְ הוּא: בָּרוּךְ אַתָּה וּתְהֵא לְךָ קוֹרַת רוּחַ וְיִטְמְנוּ דִּבְרֵי תוֹרָה בְּפִיךָ לְעוֹלָם, אַשְׁרֵי אָדָם שֶׁיֵּשׁ בּוֹ דִּבְרֵי תוֹרָה וּשְׁמוּרִים בְּיָדוֹ וְיוֹדֵעַ לְהָשִׁיב בָּהֶן תְּשׁוּבָה שְׁלֵימָה בִּמְקוֹמָהּ, עָלָיו הַכָּתוּב אוֹמֵר** (משלי כ, ה) "**מַיִם עֲמֻקִּים עֵצָה בְלֶב אִישׁ", וְאוֹמֵר** (תהלים קל, א) "**מִמַּעֲמַקִּים קְרָאתִיךָ ה'", וְאוֹמֵר** (שם קב, א) "**תְּפִלָּה לְעָנִי כִי יַעֲטֹף", °בָּרוּךְ מִי שֶׁאָמַר וְהָיָה הָעוֹלָם אָמֵן אָמֵן אָמֵן°:**

עץ יוסף

לריח שמניך טובים. דשמניך תרתי משמע, והיינו תורה ומעשים שנמשלים לשמן, שכשם ששמן מאיר, כך התורה והמצות מאירין, שנאמר (משלי ו, כג) כי נר מצוה ותורה אור: **שכרינו שבאנו.** כלומר, בשכר שבאנו ללמוד תורתך בסיני מה שלא רצו אחרים לקבלה, על ידי זה הרבית לנו תורה כשמן המורק הכלי אל כלי ואין קולו נשמע, והיינו סתרי תורה, וחכמה הכללים בתורה, שאין מרגישים בזה אלא ישראל: **שמן תורק שמך.** ופירוש שמך, התורה הקרויה בשמך: **ואפילו אומות העולם.** פירוש אפילו אומות העולם אילו היו מכירים בחכמה ובדעה אשר בתורה כשהיו מגיעים לתורה היו אוהבים אותך בין יהיה טוב בין יהיה צרה להם בעסק התורה ושמירתה, אלא שהעלמת מהם סתרי תורה, לפי שמתחילתה לא רצו לקבלה: **על כן עלמות אהבוך.** דהיינו אומות העולם, על דרך (שיר השירים ו, ח) ועלמות אין מספר: **קרא אדם ולא שנה.** צריך לומר **דבר אחר קרא אדם ולא שנה**, וכן הוא בתנא דבי אליהו (פרק ו), שהשתא מפרש פירוש אחר בקרא, ודריש לריח שמניך טובים על מקרא ומשנה שאין בהם רק ריח בעלמא, ועל שימוש תלמיד חכם דריש שמן תורק שמך שעל ידו נמסרו לו סתרי תורה כמריק מכלי אל כלי: **עדיין בחוץ עומד.** פירוש חוץ למחילתה של תורה (מתנות כהונה). או פירוש חוץ לעולם הבא, שעל ידי המקרא לבד לא יזכה לעולם הבא (זקוקין דנורא): **שנה ולא קרא כו'.** והא דתני בפרק אלו מציאות (בבא מציעא לג, א) העוסקים במקרא מדה ואינה מדה, במשנה מדה ונוטל עליה שכר, פירוש במקרא ובמשנה: **שמש תלמיד חכם.** היינו ידיעת סברת טעמי המשנה, ולהבין שלא יהיו סותרות זו את זו, וטעמי איסור והיתר, וחיוב ופטור, והוא הנקרא תלמוד. ומפני שבזולת זה לא יוכל לדון ולהורות מתוך המשנה, להכי קאמר דומה למי שנעלמו ממנו סתרי תורה, ומכל מקום לא קאמר עדיין בחוץ עומד, כיון דהיא מדה ונוטל עליה שכר, כדלעיל: **כי אחרי שובי נחמתי.** רצה לומר אחר שובי להתעסק בתלמוד, נחמתי על שלא עסקתי בילדותי (זקוקין דנורא): **ואפילו מת עליו.** בהצטערו על דברי תורה, כאומרם ז"ל (ברכות סג, ב וש"נ) אין התורה מתקיימת אלא במי שממית עצמו עליה, ואפילו נהרג על דברי תורה בגזרת המלכות כענין רבי עקיבא דאיתא בפרק קמא דעבודה זרה (ה, א ועיין ברכות סא, ב): **על כן עלמות אהבוך.** קרי ביה על מות, כדדריש בגמרא הנ"ל (עבודה זרה לה, ב): **ותהיה לך קורת רוח.** כי כשלא יהיה בו חטא יהיה ברוך מהכל שיפארוהו וישבחוהו, ויהיה לו קורת רוח בעולם שלא יזדמן לו צער בחטאו, ויתכן שגם זה מדרשת מעשיה רוחשין הוא, שבהיות השמן מרובה רמז לברכה, ומעשיה רוחשים קשים דרמיז לצער ועמל: **ויטמנו דברי תורה בפיך.** כמו שמרחשת עמוקה והמנחה טמונה שם, והטמנת דברי תורה היינו שלא לגלות סתרי תורה. אי נמי שלא להתפאר בידיעת התורה שיעשה עצמו כעני בדברי תורה: **מים עמוקים כו'.** פירוש שהעצה בלב איש דהיינו התורה שנאמר בה (משלי ח, יד) לי עצה ותושיה תהיה כמים עמוקים, ורצונו לומר שלא יגלה אותה ולא יתפאר בה: **ממעמקים כו'.** פירוש בזכות הסתירי דברי תורה קראתיך ה': **תפלה לעני כי יעטוף.** פירוש למי שעושה עצמו כעני בתורה שאינו מגלה חכמתו:

פירוש מהרז"ו

שכרנו שבאנו ללמוד. מאמר זה איתו בתנא דבי אליהו שלפניו, ופירושו שבא לדרוש מה שאמרו (שיר השירים א, ג), שמן תורק על הלומדים מפי רב, שמריקים תורה שבלב הרב ללבם, ואינו מתגאה בתורה שלומד, וזהו ואין קולו נשמע, כי שאר משקים שמריקים קולם נשמע מלבד השמן: **היו אוהבים אותך.** וזהו עלמות אהבוך, עיין שיר השירים רבה פסוק זה (דף ל"ב ב') [פרשה א פסוק ג אות ג] ושם נבאר: **בין שהוא טוב.** בין שיגיע להם מדת הטוב, ובין שיגיע להם פורענות, וזהו עלמות, על מות: **דומה כמו שנעלמו ממנו סתרי תורה.** לפי מה שכתב כאן שמאחר שקרא ושנה כבר, סובר בעצמו שיודע כל התורה והלכות, ולא חסר לו רק סתרי תורה, ובאמת מאחר שלא שמש תלמידי חכמים, ולא למד התלמוד אינו יודע עדיין כלום, וזהו מה שכתוב (ירמיה לא, יח) כי אחרי שובי נחמתי ואחרי הודעי, אחר שהשגתי הדעת היינו התלמוד, וכמו שכתב שמות רבה (מח, ד), ובדעת שהיה מלא דעת בתלמוד, עיין שם ותבין, ואז בושתי וגם נכלמתי כי נשאתי חרפת נעורי (ירמיה שם), שלמדתי ואינו יודע דבר. אך גירסת התנא דבי אליהו שם, קרא ושנה ולא שימש תלמידי חכמים, דומה כמי שנעלמו ממנו סתרי תורה, ופירושו כפשוטו שעדיין אינו יודע תורה: **אפילו מת עליו.** ובתנא דבי אליהו הגירסא אפילו מת ונהרג על התורה, הרי הוא בשמחה לעולם הבא, וכצ"ל על מות על מותו: **מעשיו רוחשין ביצד.** ושם הגירסא כילד יש בו דוגמא באדם, שתחלה פירש על מחבת שמעשיה קשין, ועתה בא לפרש מרחשת שמעשיו רוחשין, שזה משל על התורה שיודע ורוחש בה, ואף על פי כן אומר עליו, והבאתי את המנחה אשר יעשה מאלה לה', שתעשה מעשים טובים שיהיה לרצון לה', ועל זה אמר לו הקב"ה, בני ברוך אתה וכו', ומה שכתב ויטמנו, שייך לדבר עמוק, וזהו דמיון מרחשת עמוקה, ממעמקים קראתיך, מים עמוקים: **מים עמוקים וגו'.** ואיש תבונה ידלנה, היינו שיודע להשיב, וגם הכוונה בפסוקים אלו על התפלה, שגם על זה רומז במרחשת עמוקה, ולזה הביא פסוק (תהלים קב, א) תפלה לעני כי יעטוף, ובתנא דבי אליהו שלפנינו אין זה שם, פסוק תפלה לעני:

מתנות כהונה

ואפילו אומות העולם. אוהבים את ישראל, וזהו עלמות, לשון עולמות, כלומר אומות העולם: **מכירים מגיעים כו'.** פירוש ישראל: **עולמות כו'.** קרי ביה עולמות לשון זריזות ושמחה, רמז אל הטובה המגיע להם. וקרי ביה על מות נוטריקון, רמז על הרע כו': **עדיין בחוץ.** פירוש חוץ למחילתה של תורה: **מעשיה רוחשין.** רצה לומר רכים ולא קשים, כן יהיו מעשיו רך כקנה, ולא קשה כארז, וכמה דאת אמר (תהלים מה, ב) רחש לבי דבר טוב: **ויטמנו.** כלומר יהיו שמורים תחת ידו:

באור מהרי"פ

שלא תשפך לחוץ שהרי הכלי אין לו שפה, עד כאן: **מתנות כהונה [ד"ה] מכירים מגיעים. פירוש ישראל.** לא הבינותי כונתו בזה: **קרא אדם.** הוא כמו דבר אחר. וענין מאמר הלזה מוקשה אללי קלא: **שנאמר כי אחרי שובי וגו'.** לא הבינותי. **ואמר תפלה לעני וגו'.** צריך עיון:

ליקוטים

שום קנאה זה על זה. ומפרש המדרש תחלה מעלת אהרן, שהיה כטל חרמון וגו' בלי הרגשה והתכבדות מאומה, ואחר כך אמר שאלל משה היה נדמה לו כאלו השמן הטוב יורד על זקנו בעת שהיה על זקן אהרן, כי שמח משה בגדולתו של אהרן ולא קינא בו מאומה (נבחר מפנינים):

אם למקרא

לְרֵיחַ שְׁמָנֶיךָ טוֹבִים שֶׁמֶן תּוּרַק שְׁמֶךָ עַל כֵּן עֲלָמוֹת אֲהֵבוּךָ:
(שיר השירים א:ג)

כִּי־אַחֲרֵי שׁוּבִי נִחַמְתִּי וְאַחֲרֵי הִוָּדְעִי סָפַקְתִּי עַל־יָרֵךְ בֹּשְׁתִּי וְגַם־נִכְלַמְתִּי כִּי נָשָׂאתִי חֶרְפַּת נְעוּרָי:
(ירמיה לא:יח)

מַיִם עֲמֻקִּים עֵצָה בְלֶב־אִישׁ וְאִישׁ תְּבוּנָה יִדְלֶנָּה:
(משלי כ:ה)

שִׁיר הַמַּעֲלוֹת מִמַּעֲמַקִּים קְרָאתִיךָ ה':
(תהלים קל:א)

תְּפִלָּה לְעָנִי כִי־יַעֲטֹף וְלִפְנֵי ה' יִשְׁפֹּךְ שִׂיחוֹ:
(תהלים קב:א)

שינוי נוסחאות

ברוך מי שאמר והיה העולם אמן אמן אמן. בד"ר ובכ"י ליתה, והוסף בד' ונציא ש"ה, ומשם הועתק לכל הדפוסים, אבל ברור שאינו לשון המדרש אלא הוסף על ידי המדפיסים בונציא. ועוד, בד' ונציא כאן היה סיום ספר ויקרא רבה כמו שכתבנו לעיל, ומתאים לכתוב שם דברי שבח והודאה לה' כדרך המדפיסים בהרבה מקומות, אבל היום שקטע זה נדפס כאן בפרשה ג', שורה זו אינה מתאימה כלל למקום זה, ולא היה להם למדפיסים להעתיקה מד' ונציא:

Having expounded above on the symbolism of the *machavas* offering, the Midrash now discusses the *marcheshes* offering in a similar vein:

מַרְחֶשֶׁת עֲמוּקָה מַעֲשֶׂיהָ רוֹחֲשִׁין — The Mishnah cited above taught: **A *marcheshes* is a deep** pan, **and its products** (i.e., the cakes baked in it) **quiver.** כֵּיצַד — **How is this** to be understood symbolically? יֵשׁ בּוֹ בְּאָדָם תּוֹרָה יִהְיֶה נִזְהָר שֶׁלֹּא יָבֹא לִידֵי עָוֹן וְחֵטְא — **If a person has** internalized the **Torah within him, he should be careful not to commit any iniquity or sin.**[167] אָמַר לוֹ הַקָּדוֹשׁ בָּרוּךְ הוּא — And **the Holy One, blessed is He, says to [such a person],** בָּרוּךְ אַתָּה — **"You are blessed,**[168] וְתִהְיֶה לְךָ קוֹרַת רוּחַ — **and you will experience tranquility;**[169] וְיִטָּמְנוּ דִבְרֵי תוֹרָה בְּפִיךָ לְעוֹלָם — **and may the words of the Torah be preserved**[170] **in your mouth forever."**

The Midrash adds its own praises for the kind of person just mentioned:

אַשְׁרֵי אָדָם שֶׁיֵּשׁ בּוֹ דִּבְרֵי תוֹרָה — **Fortunate is the one who has** internalized **the words of the Torah within him,** וּשְׁמוּרִים בְּיָדוֹ — **and who keeps them safeguarded in his possession,**[171] וְיוֹדֵעַ לְהָשִׁיב בָּהֶן תְּשׁוּבָה שְׁלֵימָה בִּמְקוֹמָהּ — **and knows** enough to be able **to issue a complete answer** to a given query **extemporaneously.** עָלָיו הַכָּתוּב אוֹמֵר, "מַיִם עֲמֻקִּים עֵצָה בְּלֶב אִישׁ" — **It is regarding [such an individual] that Scripture states, *Counsel is like deep water in the heart of man*** (*Proverbs* 20:5).[172] וְאוֹמֵר, "מִמַּעֲמַקִּים קְרָאתִיךָ ה' " — **And [Scripture] states** further, ***From the depths I called You, HASHEM*** (*Psalms* 130:1).[173] וְאוֹמֵר, תְּפִלָּה לְעָנִי כִי יַעֲטֹף — **And [Scripture] states** further, ***A prayer of the afflicted man when he swoons*** *and pours forth his supplications before HASHEM* (ibid. 102:1).[174]

NOTES

167. The *marcheshes* offering, whose contents are not readily visible due to the depth of the *marcheshes* pan, represents Torah wisdom that lies deep within a person's heart. Indeed, the very name, מַרְחֶשֶׁת, from the root רחש, *to stir,* alludes to the stirrings of the heart, as it states, *My heart is astir with a good thing* (*Psalms* 45:2) (see *Menachos* 63a). Furthermore, the abundance of oil with which the *marcheshes* is made alludes to the abundance of Torah for which one should strive. Finally, as opposed to the hard loaves of a *machavas,* which represent a sinner's inappropriate actions, the soft, quivering loaves of a *marcheshes* are suggestive of the fact that one must be vigilant not to sin, in order to ensure that all his actions will be consistent with the Torah that he has acquired (*Yefeh To'ar, Eitz Yosef*).

168. That is, everyone will praise you and bless you on account of your righteousness (ibid.).

169. For by avoiding sin, one will never suffer feelings of grief and guilt over misdeeds (ibid.).

It is possible that the Midrash sees an allusion to this particular blessing in the symbolism of the *marcheshes* as well. For the abundance of oil contained therein is thus suggestive of *blessing,* which is defined as an abundance of a given item. Moreover, the soft, pliant loaves of the *marcheshes* represent the serene calmness of one who heeds the message of the *marcheshes*, as opposed to the hard loaves of the *machavas,* which represent the anguish and toil that one who fails to heed the message of the *marcheshes* is destined to suffer (ibid.).

170. *Matnos Kehunah;* cf. *Yefeh To'ar,* cited in *Eitz Yosef.*

171. I.e., he does not forget them.

172. The word עֵצָה, which means *counsel* or *wisdom,* refers to Torah, as it states, *With me* (i.e., with the Torah) *there is counsel and wisdom* (*Proverbs* 8:14). This person's extensive Torah knowledge lies deep within his heart, just as the *marcheshes* pan is deep (*Zikkukin DeNura* on *Tanna DeVei Eliyahu*).

173. Prayer, like Torah knowledge, needs to be firmly rooted in a person's heart, and not merely superficial (ibid.). This, too, is alluded to by the deepness of the *marcheshes* pan (*Maharzu*).

174. This verse, too, shows the importance of depth of feeling during prayer (*Maharzu*).

[In the Venice 1545 edition, the printer added a line of praise to God at this point (which, for him, was the very end of *Vayikra Rabbah* — see note 142): בָּרוּךְ מִי שֶׁאָמַר וְהָיָה הָעוֹלָם אָמֵן אָמֵן אָמֵן — **Blessed is He Who spoke, and the world came into being! Amen, Amen, Amen.** This line was copied into all subsequent editions here as well (though it is no longer the end of the book), but it is clearly not part of the Midrash text.]

INSIGHTS

permanent state of happiness even if he were to have to sacrifice, or even die, for the sake of Torah.

R' David Goldberg (in *Shiras David, Shir HaShirim* 1:3) explains that the Midrash's first exposition, which speaks of the complete love for God born of coming to the "essence" of Torah, and its second exposition, which speaks of the eternal happiness born of knowing the secrets of Torah through being personally instructed by Torah scholars, go hand in hand.

The Midrash's first exposition focuses on the love of God engendered by true Torah study and practice (see *Sifri* to *Deuteronomy* §33, cited by *Rashi* to *Deuteronomy* 6:6). *Rambam* (*Sefer HaMitzvos, Asei* §3) writes that one fulfills the mitzvah to love God by reflecting on and contemplating His mitzvos, teachings, and deeds until one perceives Him, which fills a person with the greatest joy. Our Midrash teaches that to achieve such love of God it is not sufficient to be well-versed in the Torah; rather, one must have reached the "essence" of the Torah. The Torah that was revealed to us is like a garment that cloaks the concealed essence embedded within (see *R' Yosef Leib Bloch, Shiurei Daas,* Vol. 1, p. 66ff).

In its second exposition, the Midrash explains to us *how* a person reaches this essence of Torah; namely, through שִׁמּוּשׁ תַּלְמִידֵי חֲכָמִים — literally, *attending to Torah scholars.* This refers to plumbing the Talmudic analyses of the Mishnaic teachings through personal instruction from a Torah scholar. Such instruction cannot be obtained from books. It must come from *attending* to Torah scholars. Why so?

The reason, explains *R' Yosef Leib Bloch* (ibid. p. 76ff), is that Torah differs from all other intellectual disciplines. The Torah is *Godly* wisdom. To properly comprehend it, one cannot simply process it in his brain. He must understand it in his heart and have it forge a connection with his very soul.

This cannot be accomplished merely by studying, or even by listening to his mentor's lectures. One acquires it only by *attending* to a Torah master and observing his every move and action. Only by attending to Torah scholars can one truly understand the reasons for laws of the Torah and plumb its depths, arriving at the Torah's *essence;* it cannot be conveyed in words, but only by witnessing one's mentor. This is what our Midrash means by gaining access to the *secrets* of Torah. [See also the gloss of R' Yitzchak of Volozhin in the Introduction to *Nefesh HaChaim.*]

The love of God that one achieves by learning the inner wisdom of the Torah results from his thereby having, so to speak, seen the countenance of his Creator through such study. Surely, one who has seen that countenance will be filled only with feelings of love and joy. There will be no place in his heart for sadness, no matter his lot. This joy and love of God transcends everything in life; it transcends even death.

וְכֵן הוּא אוֹמֵר (שיר השירים א, ג) "לְרֵיחַ שְׁמָנֶיךָ טוֹבִים שֶׁמֶן וְגוֹ'", שְׁכָרֵנוּ שֶׁבָּאנוּ לִלְמוֹד תּוֹרָה, שֶׁפָּכְתָּ לָנוּ תּוֹרָה כְּשֶׁמֶן הַמּוּרָק מִכְּלִי לִכְלִי וְאֵין קוֹלוֹ נִשְׁמָע, לְכָךְ נֶאֱמַר (שם) "שֶׁמֶן תּוּרַק שְׁמֶךָ עַל כֵּן וְגוֹ'", וַאֲפִילוּ אוּמּוֹת הָעוֹלָם מַכִּירִין בְּחָכְמָה וּבְבִינָה וּבְדֵיעָה וּבְהַשְׂכֵּל מַגִּיעִים לְגוּפָהּ שֶׁל תּוֹרָתְךָ הָיוּ אוֹהֲבִים אוֹתְךָ אַהֲבָה גְמוּרָה, בֵּין כְּשֶׁהוּא טוֹב בֵּין כְּשֶׁהוּא רַע לָהֶם, לְכָךְ נֶאֱמַר (שם) "עֲלָמוֹת אֲהֵבוּךָ", קָרָא אָדָם וְלֹא שָׁנָה עֲדַיִין בַּחוּץ עוֹמֵד, שָׁנָה וְלֹא קָרָא עֲדַיִין בַּחוּץ עוֹמֵד, קָרָא וְשָׁנָה וְלֹא שִׁימֵּשׁ תַּלְמִידֵי חֲכָמִים דּוֹמֶה לְמִי שֶׁנֶּעֶלְמוּ מִמֶּנּוּ סִתְרֵי תוֹרָה, שֶׁנֶּאֱמַר (ירמיה לא, יח) "כִּי אַחֲרֵי שׁוּבִי נִחַמְתִּי", אֲבָל קָרָא אָדָם תּוֹרָה נְבִיאִים וּכְתוּבִים וְשָׁנָה מִשְׁנָה מִדְרָשׁ הֲלָכוֹת וְאַגָּדוֹת וְשִׁמֵּשׁ תַּלְמִידֵי חֲכָמִים אֲפִילוּ מֵת עָלָיו אוֹ נֶהֱרַג עָלָיו, הֲרֵי הוּא בְּשִׂמְחָה לְעוֹלָם, לְכָךְ נֶאֱמַר "עַל כֵּן עֲלָמוֹת אֲהֵבוּךָ". מַרְחֶשֶׁת עֲמוּקָה מַעֲשֶׂיהָ רוֹחֲשִׁין, כֵּיצַד, יֵשׁ בּוֹ בְּאָדָם תּוֹרָה יִהְיֶה נִזְהָר שֶׁלֹּא יָבֹא לִידֵי עָוֹן וְחֵטְא, אָמַר לוֹ הַקָּדוֹשׁ בָּרוּךְ הוּא: בָּרוּךְ אַתָּה וְתִהְיֶה לְךָ קוֹרַת רוּחַ וְיִטָּמְנוּ דִּבְרֵי תוֹרָה בְּפִיךָ לְעוֹלָם, אַשְׁרֵי אָדָם שֶׁיֵּשׁ בּוֹ דִּבְרֵי תוֹרָה וּשְׁמוּרִים בְּיָדוֹ וְיוֹדֵעַ לְהָשִׁיב בָּהֶן תְּשׁוּבָה שְׁלֵימָה בִּמְקוֹמָהּ, עָלָיו הַכָּתוּב אוֹמֵר (משלי כ, ה) "מַיִם עֲמֻקִּים עֵצָה בְּלֶב אִישׁ", וְאוֹמֵר (תהלים קל, א) "מִמַּעֲמַקִּים קְרָאתִיךָ ה'", וְאוֹמֵר (שם קב, א) "תְּפִלָּה לְעָנִי כִי יַעֲטֹף", °בָּרוּךְ מִי שֶׁאָמַר וְהָיָה הָעוֹלָם אָמֵן אָמֵן אָמֵן°:

עץ יוסף

לריח שמניך טובים. דשמניך תרתי משמע, והיינו תורה ומעשים שנמשלים לשמן, שכשם ששמן מאיר, כך התורה והמצות מאירין, שנאמר (משלי ו, כג) כי נר מצוה ותורה אור: **שברינו שבאנו.** כלומר, בשכר שבאנו ללמוד תורתך בשיני מה שלא רצו אחרים לקבלה, על ידי זה הרבית לנו תורה כשמן המורק הכלי אל כלי ואין קולו נשמע, והיינו סתרי תורה, וחכמה הכללים בתורה, שאין מרגישים בזה אלא ישראל: **שמן תורק שמך.** ופירוש שמך, התורה הקרויה בשמך: **ואפילו אומות העולם.** פירוש אפילו אומות העולם אילו היו מכירים בחכמה ובדעה אשר בתורה כשהיו מגיעים לתורה היו אוהבים אותך בין יהיה טוב בין יהיה צרה להם בעסק התורה ושמירתה, אלא שהעלמת מהם סתרי תורה, לפי שמתחילתה לא רצו לקבלה: **על כן עלמות אהבוך.** דהיינו אומות העולם, על דרך (שיר השירים ו, ח) ועלמות אין מספר: **קרא אדם ולא שנה.** צריך לומר **דבר אחר קרא אדם ולא שנה,** וכן הוא בתנא דבי אליהו (פרק ו), שהשתא מפרש פירוש אחר בקרא, ודריש לריח שמניך טובים על מקרא ומשנה שאין בהם רק ריח בעלמא, ועל שימוש תלמיד חכם דריש שמן תורק שמך שעל ידו נמסרו לו סתרי תורה כמריק מכלי אל כלי: **עדיין בחוץ עומד.** פירוש חוץ למחיצתה של תורה (מתנות כהונה). או פירוש חוץ לעולם הבא, שעל ידי המקרא לבד לא יזכה לעולם הבא (זקוקין דנורא): **שנה ולא קרא בו'.** והא דתני בפרק אלו מציאות (בבא מציעא לג, א) העוסקים במקרא מדה ואינה מדה, במשנה מדה ונוטל עליה שכר, פירוש במקרא ובמשנה: **שמש תלמיד חכם.** היינו ידיעת סברת טעמי המשנה, ולהבין שלא יהיו סותרות זו את זו, וטעמי איסור והיתר, וחיוב ופטור, והוא הנקרא תלמוד. ומפני שבזולת זה לא יוכל לדון ולהורות מתוך המשנה, להכי קאמר דומה למי שנעלמו ממנו סתרי תורה, ומכל מקום לא קאמר עדיין בחוץ עומד, כיון דהיא מדה ונוטל עליה שכר, כדלעיל: **כי אחרי שובי נחמתי.** רצה לומר אחר שובי להתעסק בתלמוד, נחמתי על שלא עסקתי בילדותי (זקוקין דנורא): **ואפילו מת עליו.** בהצטערו על דברי תורה, כאומרם ז"ל (ברכות סג, ב וש"נ) אין התורה מתקיימת אלא במי שממית עצמו עליה, ואפילו נהרג על דברי תורה בגזרת המלכות כענין רבי עקיבא דאיתא בפרק קמא דעבודה זרה (ה, א ועיין ברכות סא, ב): **על כן עלמות אהבוך.** קרי ביה על מות, כדדריש בגמרא הנ"ל (עבודה זרה לה, ב): **ותהיה לך קורת רוח.** כי כשלא יהיה בו חטא יהיה ברוך מהכל שיפארוהו וישבחוהו, ויהיה לו קורת רוח בעולם שלא יזדמן לו לצער בחטאו, ויתכן שגם זה מדרשת מעשיה רוחשין הוא, שבהיות השמן מרובה רמז לברכה, ומעשיה רוחשים רמז לקורת רוח, היפך מעשיה קשים דרמיז לצער ועמל: **ויטמנו דברי תורה בפיך.** כמו שמרחשת עמוקה והמנחה טמונה שם, והטמנת דברי תורה היינו שלא לגלות סתרי תורה. או כמי שלא להתפאר בידיעת התורה שיטמין עצמו כעני בדברי תורה: **מים עמוקים בו'.** פירוש שהעצה בלב איש דהיינו התורה שנאמר בה (משלי ח, יד) לי עצה ותושיה תהיה כמים עמוקים, ורצונו לומר שלא יגלה אותה ולא יתפאר בה: **ממעמקים בו'.** פירוש בזכות הסתירי דברי תורה קראתיך ה': **תפלה לעני כי יעטוף.** פירוש למי שעושה עצמו כעני בתורה שאינו מגלה חכמתו:

פירוש מהרז"ו

שכרנו שבאנו ללמוד. מאמר זה אינו בתנא דבי אליהו שלפנינו, ופירושו שבא לדרוש מה שאמרו (שיר השירים א, ג), שמן תורק על הלומדים מפי רב, שמריקים תורה שבלב הרב ללבם, ואינו מתגאה בתורה שלומד, וזהו ואין קולו נשמע, כי אחר משקים שמריקים קולם נשמע מלבד השמן: **היו אוהבים אותך.** וזהו עלמות אהבוך, עיין שיר השירים רבה פסוק זה (דף ל"ב ב') [פרשה א פסוק ג אות ג] ושם נבאר: **בין שהוא טוב.** בין שיגיע להם מדת הטוב, ובין שיגיע להם פורענות, וזהו עלמות, על מות: **דומה כמו שנעלמו ממנו סתרי תורה.** לפי מה שכתב כאן שמאחר שקרא ושנה כבר, סובר בעצמו שיודע כל התורה והלכות, ולא חסר לו רק סתרי תורה, ובאמת מאחר שלא שמש תלמידי חכמים, ולא למד התלמוד אינו יודע עדיין כלום, וזהו מה שכתוב (ירמיה לא, יח) כי אחרי שובי נחמתי ואחרי הודעי, אחר שהשגתי הדעת היינו התלמוד, וכמו שכתב שמות רבה (מח, ד), ובדעת שהיא מלא דעת בתלמוד, עיין שם ותבין, ואז בושתי וגם נכלמתי כי נשאתי חרפת נעורי (ירמיה שם), שלמדתי ואינו יודע דבר. אך גירסת התנא דבי אליהו שם, קרא ושנה ולא שימש תלמידי חכמים, דומה כמי שנעלמו ממנו סתרי תורה, ופירושו כפשוטו שעדיין אינו יודע תורה: **אפילו מת עליו.** ובתנא דבי אליהו הגירסא אפילו מת ונהרג על התורה, הרי הוא בשמחה לעולם הבא, וכצ"ל על מות על מותו: **מעשיו רוחשין כיצד.** ושם הגירסא כיצד יש בו דוגמא באדם, שתחלה פירש על מחבת שמעשיה קשין, ועתה בא לפרש מרחשת שמעשיו רוחשין, שזה משל על התורה שיודע ורוחש בה, ואף על פי כן אומר עליו, והבאתי את המנחה אשר יעשה מאלה לה', שתעשה מעשים טובים שיהיה לרצון לה', ועל זה אמר לו הקב"ה, בני ברוך אתה וכו', ומה שכתב ויטמנו, שייך לדבר עמוק, וזהו דמיון מרחשת עמוקה, ממעמקים קראתיך, מים עמוקים: **מים עמוקים וגו'.** ואיש תבונה ידלנה, היינו שיודע להשיב, וגם הכוונה בפסוקים אלו על התפלה, שגם על זה רומז במרחשת עמוקה, ולזה הביא פסוק (תהלים קב, א) תפלה לעני כי יעטוף, ובתנא דבי אליהו שלפנינו אין זה שם, פסוק תפלה לעני:

באור מהרי"פ

שלא תשפך לחוץ שהרי הכלי אין לו שפה, עד כאן: **מתנות כהונה [ד"ה] מכירים מגיעים. פירוש ישראל.** לא הבינותי כונתו בזה: **קרא אדם.** הוא כמו דבר אחר. וענין מאמר הלזה מוקשה אצלי קצת: **שנאמר כי אחרי שובי וגו'.** לא הבינותי. **ואמר תפלה לעני וגו'.** צריך עיון:

ליקוטים

שום קנאה זה על זה. ומפרש המדרש תחלה מעלת אהרן, שהיה כטל חרמון וגו' בלי הרגשה והתכבדות מאומה, ואחר כך אמר שאלל משה היה נדמה לו כאלו השמן הטוב יורד על זקנו בעת שהיה על זקן אהרן, כי שמח משה בגדולתו של אהרן ולא קינא בו מאומה (נבחר מפנינים):

אם למקרא

לְרֵיחַ שְׁמָנֶיךָ טוֹבִים שֶׁמֶן תּוּרַק שְׁמֶךָ עַל כֵּן עֲלָמוֹת אֲהֵבוּךָ: (שיר השירים א:ג)

כִּי־אַחֲרֵי שׁוּבִי נִחַמְתִּי וְאַחֲרֵי הִוָּדְעִי סָפַקְתִּי עַל־יָרֵךְ בֹּשְׁתִּי וְגַם־נִכְלַמְתִּי כִּי נָשָׂאתִי חֶרְפַּת נְעוּרָי: (ירמיה לא:יח)

מַיִם עֲמֻקִּים עֵצָה בְלֶב אִישׁ וְאִישׁ תְּבוּנָה יִדְלֶנָּה: (משלי כ:ה)

שִׁיר הַמַּעֲלוֹת מִמַּעֲמַקִּים קְרָאתִיךָ ה': (תהלים קל:א)

תְּפִלָּה לְעָנִי כִי־יַעֲטֹף וְלִפְנֵי ה' יִשְׁפֹּךְ שִׂיחוֹ: (תהלים קב:א)

שינוי נוסחאות

ברוך מי שאמר והיה העולם אמן אמן. בד"ר ובכי"י ליתה, והוסף בד' ונציא ש"ה, ומשם הועתק לכל הדפוסים, אבל ברור שאינו לשון המדרש אלא הוסף על ידי המדפיסים בונציא. ועוד, בד' ונציא כאן היה סיום ספר ויקרא רבה כמו שכתבנו לעיל, ומתאים לכתוב שם דברי שבח והודאה לה' כדרך המדפיסים בהרבה מקומות, אבל היום שקטע זה נדפס כאן בפרשה ג', שורה זו אינה מתאימה כלל למקום זה, ולא היה להם למדפיסים להעתיקה מד' ונציא:

מתנות כהונה

ואפילו אומות העולם. אוהבים את ישראל, וזהו עלמות, לשון עולמות, כלומר אומות העולם: **מכירים מגיעים בו'.** פירוש ישראל: **עולמות בו'.** קרי ביה עולמות לשון זריזות ושמחה, רמז אל הטובה המגיע להם. וקרי ביה על מות נוטריקון, רמז על הרע כו': **עדיין בחוץ.** פירוש חוץ למחיצתה של תורה: **מעשיה רוחשין.** רצה לומר רכים ולא קשים, כן יהיו מעשיו רך כקנה, ולא קשה כארז, וכמה דאת אמר (תהלים מה, ב) רחש לבי דבר טוב: **ויטמנו.** כלומר יהיו שמורים תחת ידו:

Chapter 4

וַיְדַבֵּר ה׳ אֶל מֹשֶׁה לֵּאמֹר. דַּבֵּר אֶל בְּנֵי יִשְׂרָאֵל לֵאמֹר נֶפֶשׁ כִּי תֶחֱטָא בִשְׁגָגָה מִכֹּל מִצְוֹת ה׳ אֲשֶׁר לֹא תֵעָשֶׂינָה וְעָשָׂה מֵאַחַת מֵהֵנָּה.

HASHEM spoke to Moses, saying: Speak to the Children of Israel, saying: When a person will sin unintentionally from among all the commandments of HASHEM that may not be done, and he commits one of them (4:1-2).

§1 **נֶפֶשׁ כִּי תֶחֱטָא בִשְׁגָגָה מִכֹּל מִצְוֹת ה׳** — ***WHEN A PERSON WILL SIN UNINTENTIONALLY FROM AMONG ALL THE COMMANDMENTS OF HASHEM.***

The Midrash will relate a passage from *Ecclesiastes* to an explanation of why our verse employs the word נֶפֶשׁ, lit., *a soul*, as opposed to אִישׁ or אָדָם, meaning *a person*, comprised of both a body and a soul. Before presenting the relevant explanation of that passage, the Midrash will expound it in a number of different ways, as is typical for the Midrash:[1]

זֶה שֶׁאָמַר הַכָּתוּב ״וְעוֹד רָאִיתִי תַּחַת הַשָּׁמֶשׁ מְקוֹם הַמִּשְׁפָּט וגו׳ ״ — **This** verse **is** supportive of that **which the verse states,** ***Furthermore, I have observed beneath the sun: In the place of justice*** *there is wickedness, and in the place of righteousness there is wickedness* (*Ecclesiastes* 3:16).[2] **רַבִּי אֱלִיעֶזֶר וְרַבִּי יְהוֹשֻׁעַ** — **R' Eliezer and R' Yehoshua** offered different interpretations of this verse: **רַבִּי אֱלִיעֶזֶר אוֹמֵר: ״מְקוֹם הַמִּשְׁפָּט שָׁמָּה הָרֶשַׁע״** — **R' Eliezer said** the verse is to be interpreted as follows: ***In the place of justice there is wickedness;*** **מְקוֹם שֶׁסַּנְהֶדְרֵי גְדוֹלָה יוֹשֶׁבֶת וְחוֹתֶכֶת דִּינֵיהֶם שֶׁל יִשְׂרָאֵל** — in the **place where the Great Sanhedrin sits and decides the laws of Israel,**[3] **״שָׁמָּה הָרֶשַׁע״, שָׁמָּה ״וַיָּבֹאוּ כֹּל שָׂרֵי מֶלֶךְ בָּבֶל וַיֵּשְׁבוּ בְּשַׁעַר הַתָּוֶךְ״** — ***there is wickedness;*** **in that very place *all the officers of the king of Babylonia came and sat in "shaar hatavech"*** (*Jeremiah* 39:3).[4] The Midrash explains: **שֶׁשָּׁם חוֹתְכִין אֶת הַהֲלָכָה** — *"Shaar hatavech* [הַתָּוֶךְ]*"* is a reference to the location of the Great Sanhedrin **because there they decide** (חוֹתְכִין) **the law.**[5] **בְּמַתְלָא אָמַר: הָן דִּי תַלְיָא מָרֵי זַיְינֵיהּ, כּוּלְבָא רַעְיָא תְּלָא קוּלְתֵיהּ** — **In a parable** that may be applied to this tragic turn of events, **it is said: Where the master hangs his weaponry, the commoner, the shepherd, hangs his bag.**[6]

R' Eliezer concludes with his exposition of the end of the verse: **וְרוּחַ הַקֹּדֶשׁ צוֹוַחַת וְאוֹמֶרֶת: ״מְקוֹם הַצֶּדֶק שָׁמָּה הָרֶשַׁע״** — **And,** in explanation of this phenomenon, **the Divine Spirit** (i.e., God) **cries out and declares, *In the place of righteousness there is wickedness;*** **בִּמְקוֹם שֶׁכָּתוּב בָּהּ ״צֶדֶק יָלִין בָּהּ״ עַתָּה עֲבִידִין קְטוֹלִין** — **in the place about which is stated, *righteousness lodged in her*** (*Isaiah* 1:21), **[the Jews] now commit murder!**[7] **שָׁם הָרְגוּ אֶת זְכַרְיָה וְאֶת אוּרִיָּה** — For **there they killed Zechariah and Uriah.**[8]

R' Yehoshua's interpretation of the verse:

רַבִּי יְהוֹשֻׁעַ אוֹמֵר: ״מְקוֹם הַמִּשְׁפָּט שָׁמָּה הָרֶשַׁע״ — **R' Yehoshua said** the verse may be interpreted as follows: ***In the place of justice there is "resha";*** **מְקוֹם שֶׁנַּעֲשָׂה מִדַּת הַדִּין בְּמַעֲשֵׂה הָעֵגֶל** — in the **place where the** Divine **Attribute of Justice was employed during the incident of the** Golden **Calf,** **דִּכְתִיב ״עִבְרוּ וָשׁוּבוּ מִשַּׁעַר לְשַׁעַר״** — **as is written,** *So said HASHEM the God of Israel, "Every man, put his sword on his thigh and* ***pass back and forth from gate to gate*** *in the camp. Let every man kill his brother, every man his fellow, and every man his near one"* (*Exodus* 32:27),[9] **״שָׁמָּה הָרֶשַׁע״, שָׁם ״וַיִּגֹּף ה׳ אֶת הָעָם״** — ***there is punishment;*** **there *HASHEM struck the people with a plague*** (ibid., v. 35).[10]

NOTES

1. *Eitz Yosef.*

2. According to this verse's plain meaning, it laments a state of affairs in which courthouses designated for the promotion of justice witnessed the perverted rulings of corrupt judges (*Yefeh To'ar*). Because the verse appears to be redundant, the Midrash will offer several approaches that interpret the verse's second half as alluding to the reason for an occurrence of disaster intimated by the verse's first half (*Eshed HaNechalim*).

The relationship between this verse and ours will be discussed below, at the end of this section. First, the Midrash will expound the cited verse.

3. The Great Sanhedrin sat in the Temple Courtyard, in a chamber that was known as לִשְׁכַּת הַגָּזִית, *the Chamber of Hewn Stone* (*Middos* 37b).

4. [This verse describes an incident during the Babylonian siege of Jerusalem at the end of the First Temple era: After the city wall was breached, the Babylonian generals established their headquarters inside the city, at a place described as שַׁעַר הַתָּוֶךְ, which *Targum Yonasan* translates as *the middle gate*.] At that location, the Babylonians convicted and punished [innocent] Jews (*Eshed HaNechalim, Maharzu, Rashi* to *Ecclesiastes* 3:16). Because there is no Scriptural mention of a place in Jerusalem that bore this name, the Midrash will interpret these words homiletically (*Eitz Yosef*, from *Maharsha* [to *Sanhedrin* 103a s.v. ויבאו בשער התוך]).

5. The Midrash understands שַׁעַר, lit., *gate*, to connote a place of judgment (*Eitz Yosef*, from *Maharsha*, comparing *Deuteronomy* 25:7; *Maharzu*). And because the letters ה and ח (and א and ע) may, at times, be substituted for each other, the word הַתָּוֶךְ is understood as if it read חַתּוּךְ, meaning *deciding* (*Matnos Kehunah*, followed by *Eitz Yosef*; also see *Maharsha* loc. cit.). The activity of the Sanhedrin is described with the words חוֹתְכִין אֶת הַהֲלָכָה, lit., *they cut the law*, because as the highest of the Rabbinic courts, its rulings were indisputable and were thus said to be *cut* [i.e., irrevocably defined] (see *Eitz Yosef*, from *Maharsha*, citing *Deuteronomy* 17:8; for additional discussion regarding this term, see Kleinman edition of *Bereishis Rabbah,* 70 §8, note 130).

6. *Matnos Kehunah*, followed by *Eitz Yosef.*

This is an expression of sad irony: a place to be used for honorable purposes is put to vulgar use. In this manner did the former headquarters of the sublime Sanhedrin become the site of the Babylonian army camp.

7. *Matnos Kehunah*, followed by *Eitz Yosef.*

[Note that the description of Jerusalem that is cited here is followed in Scripture with the words וְעַתָּה מְרַצְּחִים, *but now murderers*. *Radal* appears to have had these words in his text of our Midrash, and they do, in fact, appear in our Midrash's parallel in *Koheles Rabbah* 3:16.]

8. The murder of Zechariah the prophet is recorded in *II Chronicles* 24:20-22. When Zechariah rebuked the Jews for their idol worship, they stoned him to death in the Temple Courtyard in fulfillment of King Joash's command. (See *Gittin* 57b regarding the tragic aftermath of this horrific national crime.) Uriah's killing is described in *Jeremiah* 26:20-23. Because he prophesied the downfall of Jerusalem, Uriah was pursued and then put to death by King Jehoiakim. And although it is not readily apparent that Uriah was killed in the Temple Courtyard, the Midrash infers that this occurred from the verse's comparison (in *Jeremiah* 26:20) of Uriah to Jeremiah, who (as told in *Jeremiah* 1:11) was threatened with death in that holy enclave (*Maharzu*). Alternatively, the Midrash assumes that Uriah was killed in Jerusalem and that city is *the place* to which the Midrash refers (*Eitz Yosef*).

Thus, the verse states that *in the place of justice there is wickedness* — an allusion to the unjust rulings that issued forth from the former seat of the Sanhedrin — as a fitting consequence of the fact that *in the place of righteousness there is wickedness* — an allusion to the heinous murders that were perpetrated in that essentially *righteous* location (see *Eshed HaNechalim, Maharzu*).

9. With these words, Moses instructed the Tribe of Levi to administer capital punishment to those who had worshiped the Golden Calf.

10. In this interpretation [and in the three interpretations to follow], the Midrash understands the word רֶשַׁע of the first half of the verse to mean [not *wickedness* but] *punishment* (*Eitz Yosef*, who compares *Deuteronomy* 25:1; see *Matnos Kehunah*).

Scripture mentions three types of death with which Jews were felled after the sin of the Golden Calf: (a) by the sword (*Exodus* 32:27); (b) by

פרשה ד

א [ד, ב] "נֶפֶשׁ כִּי תֶחֱטָא בִשְׁגָגָה מִכֹּל מִצְוֹת ה'", זֶה שֶׁאָמַר הַכָּתוּב (קהלת ג, טז) "וְעוֹד רָאִיתִי תַּחַת הַשָּׁמֶשׁ מְקוֹם הַמִּשְׁפָּט וגו'", רַבִּי אֱלִיעֶזֶר וְרַבִּי יְהוֹשֻׁעַ, רַבִּי אֱלִיעֶזֶר אוֹמֵר: "מְקוֹם הַמִּשְׁפָּט שָׁמָּה הָרֶשַׁע", מָקוֹם שֶׁסַּנְהֶדְרֵי גְדוֹלָה יוֹשֶׁבֶת וְחוֹתֶכֶת דִּינֵיהֶם שֶׁל יִשְׂרָאֵל, "שָׁמָּה הָרֶשַׁע", שָׁמָּה (ירמיה לט, ג) "וַיָּבֹאוּ כֹּל שָׂרֵי מֶלֶךְ בָּבֶל וַיֵּשְׁבוּ בְּשַׁעַר הַתָּוֶךְ", שֶׁשָּׁם חוֹתְכִין אֶת הַהֲלָכָה, בְּמַתְלָא אָמַר: הֵן דִּי תָלְיָא מָרֵי זַיְינֵיהּ, כּוּלְבָא רַעְיָא תְּלָא קוּלְתֵיהּ, וְרוּחַ הַקֹּדֶשׁ צוֹוַחַת וְאוֹמֶרֶת: (קהלת שם שם) "מְקוֹם הַצֶּדֶק שָׁמָּה הָרֶשַׁע", בְּמָקוֹם שֶׁכָּתוּב בָּהּ (ישעיה א, כא) "צֶדֶק יָלִין בָּהּ" עַתָּה עֲבִידִין קְטוֹלִין, שָׁם הָרְגוּ אֶת זְכַרְיָה וְאֶת אוּרִיָּה, רַבִּי יְהוֹשֻׁעַ אוֹמֵר: "מְקוֹם הַמִּשְׁפָּט שָׁמָּה הָרֶשַׁע", מָקוֹם שֶׁנַּעֲשָׂה מִדַּת הַדִּין בְּמַעֲשֵׂה הָעֵגֶל, דִּכְתִיב (שמות לב, כז) "עִבְרוּ וָשׁוּבוּ מִשַּׁעַר לָשַׁעַר", "שָׁמָּה הָרֶשַׁע", שָׁם (שם שם לה) "וַיִּגֹּף ה' אֶת הָעָם", וְרוּחַ הַקֹּדֶשׁ צוֹוַחַת וְאוֹמֶרֶת: "מְקוֹם הַצֶּדֶק שָׁמָּה הָרֶשַׁע", מָקוֹם שֶׁהִצְדַּקְתִּים וּקְרָאתִים אֱלֹהוֹת, שֶׁנֶּאֱמַר (תהלים פב, ו) "אֲנִי אָמַרְתִּי אֱלֹהִים אַתֶּם", "שָׁמָּה הָרֶשַׁע", שָׁמָּה הִרְשִׁיעוּ וְעָשׂוּ אֶת הָעֵגֶל וְהִשְׁתַּחֲווּ לוֹ. דָּבָר אַחֵר, "מְקוֹם הַמִּשְׁפָּט שָׁמָּה הָרֶשַׁע" מְדַבֵּר בְּדוֹר הַמַּבּוּל, "מְקוֹם הַמִּשְׁפָּט שָׁמָּה הָרֶשַׁע", מָקוֹם שֶׁנַּעֲשֵׂית בָּהֶם מִדַּת הַדִּין בְּדוֹר הַמַּבּוּל, כִּדְתְנַן: דּוֹר הַמַּבּוּל אֵין לָהֶם חֵלֶק לָעוֹלָם הַבָּא

עץ יוסף

(א) זה שאמר הכתוב ועוד ראיתי כו'. משום דקשיא ליה דלא הוי ליה למימר נפש כי תחטא, שהנפש לבדה אינה חוטאת רק בחברה עם הגוף כדלקמן, ולכן הוי ליה לומר איש או אדם שנאמר על חבור הגוף והנפש, כמו אדם כי יהיה וגו' איש כי יהיה טומא, ובעי לתרוצי שמפני שהנפש נתונה במקום המשפט, ועם כן הכתוב כמתמיה, איך יוצאה ממקום המשפט וחוטאת כדלקמן, מייתי האי קרא למדרש ביה, דהכי קאמר מקום שהמשפט נתון דהיינו הדין, שמה הרשע דהיינו הנפש החוטאת, ואיידי דמייתי ליה לקרא, דריש ליה בכמה אנפי כדרך המדרש: **מקום שסנהדרי גדולה כו'.** רצה לומר ששלמה צווח איך נהיה דבר זה שבמקום קדוש יהיה מושב לגיס: **בשער התוך כו'.** משום שלא נמצא בשום מקרא שער הנקרא כן בירושלים, על כן דרשו שער על שם מקום המשפט, כמו (דברים כה, ז) ועלתה יבמתו השערה, והתוך במקום התוך, בחילוף אותיות אתב"ש, והוא מקום שבית דין הגדול יושבים בירושלים, שמשם הלכה יוצאה חתוכה ופסוקה, כמו שנאמר (דברים יז, ח יא) וקמת ועלית אל המקום וגו' לא תסור מן הדבר אשר יגידו לך ימין וגו' (מהרש"א סנהדרין קג, א): **הן די תליא כו'.** היכן שהוא תולה האדון כלי זיינו, הדיוט הרועה תולה שם תרמילו או סלו: **עבידין קטולין.** ישראל עושים שם הריגה: **ואת אוריה.** ליכא לפרש שאוריה נהרג בעזרה, כי לא מצינו זה שנהרג בעזרה, אלא פירוש בירושלים, דמדכתיב דיהויקים הרגו והשליך נבלתו אל קברי בני העם, מסתמא בירושלים הוה: **שמה הרשע שם ויגוף ה'.** ופירוש הרשע העונש, על דרך (דברים כה, א) והרשיעו את הרשע, ורצה לומר שסבירא ליה כמאן דאמר בפרק שני שעירים (יומא סו, ב), זבח וקטר לעגל בסייף, גפף ונשק במיתה, שמת לבו בהדרוקן, וכיוצא בזה בבמדבר רבה (ט, מח), ולהכי קמתמיה שלמה, מאחר שנעשה הדין בעובדים בסייף, למה מתו עוד המגפפים, שמן הדין אינם חייבים מיתה מפני זה, כיון שמסתמא לא גמרו בלבם לעבוד עבודה דאם לא כן היו משתחוים לה מיד כאחרים, כי מי המונע בידם אז: **וקראתים אלהות כו'.** ורצה לומר כי הטאתם כבדה מאד, שאחר שהקדוש ברוך הוא הצדיקם וקראם אלוהות לומר שהם קרובים לו יתברך, ואינם צריכים השפעת זולתו כאומות העולם המושפעים מהמזלות ומניעיהם, כי ישראל גדולים ממלאכי השרת, ולא האמינו לו, אבל נכנעו לחשוב כי הם צריכים לאחרים שיהיו עוזרים אותם, וכדמשמע מדכתיב (שמות לב, ח) וישתחוו לו ויזבחו לו ויאמרו אלה אלהיך ישראל, אם כן אפילו שלא עבדו העגל ולא חשבוהו לעבודה זרה, מכל מקום במה שנכשלו ושמחו לקראתו הנה הם מודים שהם צריכים לקבל שפע מזולת ה', וזה די להם לחייבם מיתה, אחר שכבר הזהרו שאין להם צורך לזה: **מקום שנעשה בהן מדת הדין כו'.** שהיה קשה לשלמה שאחר שהם נענשים במה שאין להם חלק לעולם הבא למה עם כל זה ענש אותם בעולם הזה שהם חוטאים וה' מאריך אפו להם להעניסם לעולם הבא.

פירוש מהרז"ו

(א) וחותכת דיניהם. ועיין בראשית רבה (מד, טו) ויבתר אותם בתוך, ועיין מתנות כהונה שם, ונקרא שער התוך כי שער בכל מקום פירושו מקום מושב השופטים כידוע. ומה שכתב דייהם, הוא על פי מדה ט' כנ"ל, ועל שעוותו הדין על כן שמה הרשע, וזה על פי מדת מנגד, שם ישבו שרי בבל ועשו דינים בישראל ובסנהדריהן. ואל תתמה על זה כי במקום הצדק שמה הרשע: **את זכריה ואת אוריה.** זכריה מבואר בדברי הימים (ב, כד, כא) וירגמוהו אבן

מתנות כהונה

[א] התוך. דרשו כאלו כתיב חתוך, בחילוף אותיות אתב"ש: **הן די תליא כו'.** היכן שהוא תולה האדון כלי זיינו הדיוט הרועה תולה שם תרמילו או סלו. ובבבא מציעא פרק השוכר את הפועלים (פד, ב) וכן פרק חלק (סנהדרין קג, א) ובקהלת רבה ג) גרסינן קולבא, ופירש רש"י ז"ל ההדיוט ונבל, וכן נראה פירושו כאן, ואלו היה פירושו כלב, הוה ליה למימר כלבא: **עבידין קטולין.** ישראל עושים שם הריגה: **ויגוף ה' וגו'.** כלומר עונש אחר עונש, וכל כך למה, והשיב רוח הקדש מקום הצדק וכו'. הכי גרסינן **במקום שהצדקתים וקראתים אלהות שנאמר אני אמרתי אלהים אתם שמה הרשע שמה הרשיעו ועשו העגל: והשתחוו לו ויאמרו וגו'.** וכן הוא לקמן בקהלת (ג):

אשד הנחלים

[א] נפש גו' ועוד ראיתי. להלן מסיים הדרש על הכתוב נפש, ובאגב פירש הפסוק כדרכם: **מקום שסנהדרי גדולה כו'.** כל כוונתם ליישב כפל הכתוב, מקום המשפט שמה הרשע, ומקום הצדק שמה הרשע, מהו הכוונה בזה. ומחלק בעל המדרש לשנים, שהראשון מרמז מאורעות ישראל ומאורעות העולם, והשני מרמז על הסיבה שאירע ככה להם. והנה אחז בארבעה עניינים, שהם ראינו משפטי ה' כמה צדקו, ונשתלמו מדה במדה ממש, בירושלים שהיתה מתחילה מקום המשפט להנהיג את ישראל בהנהגה טובה, ראינו שמה מקום הרשע, שישבו שרי מלך בבל להרשיע את ישראל ולהענישם, והן המה הגורמים בעצמם, כי באמת הוא מקום הצדק, והם היו מרצחים, על כן באה עליהם כמדתם כי טמאו את המקום, וכן בעגל מה שאירע להם הרשע להרשיעם ולענשם, מפני כי מקום הצדק, שמתחלה הצדיקו נפשם והכינו את עצמם להיות במעלה הגבוה (ככה) [כזה], ואיך נפלו ממנו. וחשב ארבע סבות, או מפני הרציחה, או מפני נפילתם ממדריגה רמה למדריגה שפילה בענין האמונה בחטא העגל, או מפני העדר אמונה לגמרי כדור המבול, או מפני רעת בני אדם איש אל אחיו, כחטאת סדום. והנה המלך החכם התבונן מזה שה' צדיק בכל הנהגותיו, כי מה שראית שמקום המשפט שמה הרשע, הוא מפני כי במקום הצדק שמה הרשע, כי נתהפכו מהפך אל הפך ממש, ממעלה הגבוה לקצה האחרון: **שנעשה מדת הדין כו' עברו כו'.** רצה לומר לא די שצוה ה' להרגם בידי אדם, עוד זאת היתה מגפה מיד ה', וכן בדור המבול לא די שאין להם חלק לעולם הבא, עוד נידונו בעולם הזה, וכן בסדומיים ובשטים, הוא רק כי מקום הצדק שמה הרשע, מפני שעשו רעה למאד, ולכן נענשו עונש גדול כל כך:

חידושי הרד"ל

[א] הן די תליא מרי זיינו כו'. בבא מציעא פד, ב: **מרצחים עבדין קטוליא.** להוציא שלא נפרש מרצחים שם השוחט, כלומר עתה ילינו בה אנשים מרצחים: **מקום שנעשה מדת הדין בדור המבול שמה וימח את כל היקום כדתנן** (סנהדרין קז, ב) **דור המבול אין להם חלק לעולם הבא**

חידושי הרש"ש

[א] שם הרגו כו' ואת אוריה. ככתוב בירמיה (כו, כג).

באור מהרי"פ

[א] התוך. דרשו כאלו כתיב חתוך, בחילוף אותיות אתב"ש: **הן די תליא כו'.** היכן שהוא תולה האדון כלי זיינו הדיוט הרועה תולה שם תרמילו או סלו. ובבבא מציעא פרק השוכר את הפועלים (פד, ב) וכן פרק חלק (סנהדרין קג, א). ובקהלת רבה ג) גרסינן קולבא, ופירש רש"י ז"ל ההדיוט ונבל, וכן נראה פירושו כאן, ואלו היה פירושו כלב, הוה ליה למימר כלבא: **עבידין קטולין.** ישראל עושים שם הריגה: **ויגוף ה' וגו'.** כלומר עונש אחר עונש, וכל כך למה, והשיב רוח הקדש מקום הצדק וכו': **הכי גרסינן במקום שהצדקתים וקראתים אלהות שנאמר אני אמרתי אלהים אתם שמה הרשע שמה הרשיעו ועשו העגל והשתחוו לו ויאמרו וגו'.** וכן הוא לקמן בקהלת (ג):

אמרי יושר

[א] ורוח הקודש אומרת. שמי שאמר זה לא אמר זה:

מסורת המדרש

א. קה"ר ג' ט"ז:
ב. ילקוט נ"ך תתקס"ט:

אם למקרא

וְעוֹד רָאִיתִי תַּחַת הַשָּׁמֶשׁ מְקוֹם הַמִּשְׁפָּט שָׁמָּה הָרֶשַׁע וּמְקוֹם הַצֶּדֶק שָׁמָּה הָרָשַׁע: (קהלת ג:טז)

וַיָּבֹאוּ כֹּל שָׂרֵי מֶלֶךְ בָּבֶל וַיֵּשְׁבוּ בְּשַׁעַר הַתָּוֶךְ נֵרְגַל שַׂרְאֶצֶר סַמְגַּר נְבוּ שַׂר־סְרִים נֵרְגַל שַׂרְאֶצֶר רַב מָג וְכָל שְׁאֵרִית שָׂרֵי מֶלֶךְ בָּבֶל: (ירמיה לט:ג)

אֵיכָה הָיְתָה לְזוֹנָה קִרְיָה נֶאֱמָנָה מְלֵאֲתִי מִשְׁפָּט צֶדֶק יָלִין בָּהּ וְעַתָּה מְרַצְּחִים: (ישעיה א:כא)

וַיֹּאמֶר לָהֶם כֹּה אָמַר ה' אֱלֹהֵי יִשְׂרָאֵל שִׂימוּ אִישׁ חַרְבּוֹ עַל־יְרֵכוֹ עִבְרוּ וָשׁוּבוּ מִשַּׁעַר לָשַׁעַר בַּמַּחֲנֶה וְהִרְגוּ אִישׁ אֶת־אָחִיו וְאִישׁ אֶת רֵעֵהוּ וְאִישׁ אֶת קְרֹבוֹ: (שמות לב:כז)

וַיִּגֹּף ה' אֶת הָעָם עַל אֲשֶׁר עָשׂוּ אֶת הָעֵגֶל אֲשֶׁר עָשָׂה אַהֲרֹן: (שמות לב:לה)

אֲנִי אָמַרְתִּי אֱלֹהִים אַתֶּם וּבְנֵי עֶלְיוֹן כֻּלְּכֶם: (תהלים פב:ו)

וְרוּחַ הַקֹּדֶשׁ צוֹוַחַת וְאוֹמֶרֶת: "מְקוֹם הַצֶּדֶק שָׁמָּה הָרֶשַׁע" — **And the Divine Spirit cries out and declares,** ***In the place of righteousness there is wickedness;*** מָקוֹם שֶׁהִצְדַּקְתִּים וּקְרָאתִים אֱלָהוּת שֶׁנֶּאֱמַר "אֲנִי אָמַרְתִּי אֱלֹהִים אַתֶּם" — in the **place where I dealt righteously with [the Jews] and called them "angelic," as is stated,** ***I said, "You are angelic"*** (*Psalms* 82:6),[11] "שָׁמָּה הָרֶשַׁע", שָׁמָּה הִרְשִׁיעוּ וְעָשׂוּ אֶת הָעֵגֶל וְהִשְׁתַּחֲווּ לוֹ — ***there is wickedness;*** **in that** very **place they acted wickedly and made the** Golden **Calf and bowed to it!**[12]

The Midrash offers a third exposition of the verse from *Ecclesiastes*:

דָּבָר אַחֵר, "מְקוֹם הַמִּשְׁפָּט שָׁמָּה הָרֶשַׁע" מְדַבֵּר בְּדוֹר הַמַּבּוּל — **Alternatively,** ***In the place of justice there is wickedness*** **speaks of the Generation of the Flood.** The Midrash elaborates: "מְקוֹם הַמִּשְׁפָּט שָׁמָּה הָרֶשַׁע", מָקוֹם שֶׁנַּעֲשֵׂית בָּהֶם מִדַּת הַדִּין בְּדוֹר הַמַּבּוּל — ***In the place of justice there is "resha";*** in the **place where the** Divine **Attribute of Justice was employed against [the sinners], during the Generation of the Flood,** כִּדְתְנַן: דּוֹר הַמַּבּוּל אֵין לָהֶם חֵלֶק לָעוֹלָם הַבָּא — **as we have learned in a Mishnah:** The people of **the Generation of the Flood have no share in the World to Come**

NOTES

plague (ibid., v. 35); and (c) by *hydrokan* (ibid., v. 20, as expounded in *Avodah Zarah* 44a with *Rashi* ad loc.). [*Hydrokan* is a sickness whose prominent symptom is a swelling of the stomach (see *Rashi* to *Yoma* 66b and to *Berachos* 25a).] Our Midrash assumes the position taken by one sage in *Yoma* 66b, according to which one who either offered a sacrifice or burned incense to the Calf was beheaded, one who embraced or kissed it died in the plague, and one who did none of the above but was nevertheless happy that others worshiped the Calf was punished with *hydrokan*. Now, while the first group indeed committed a capital offense, the others did not (see *Sanhedrin* 60b). Thus, our Midrash explains the first half of the verse from *Ecclesiastes* as questioning why after *the Attribute of Justice was employed* with the executions of the actual idolaters, did there continue to be *punishment* in that place in the form of a *plague* (*Eitz Yosef*; see also *Matnos Kehunah*).

11. This verse records a statement God made to the Jewish people regarding the sublime level they reached when they accepted the Torah at Mount Sinai (see *Avodah Zarah* 5a, *Shemos Rabbah* 32, *Rashi* to the verse). The description it contained indicated that unlike the other nations of the world, who are subject to the influences of forces other than God [when God wills that it be so], the Jewish people were at a level of closeness to God that precluded the need for such forces (*Eitz Yosef*).

12. As it is understood here, the verse from *Ecclesiastes* highlights the severity of the sin of the Golden Calf and offers insight into why the punishment was so severe even for those who did not actually worship the Calf. For all of the participants in the sin of the Calf demonstrated a belief that they needed the assistance of forces others than God (see *Exodus* 3:8). And in light of the fact that they had already been told [in *that place*, only days earlier] that this was not the case, as they were *angelic*, their sin was indeed an egregious one, punishable by death (*Eitz Yosef*).

See Insight Ⓐ for another approach.

INSIGHTS

Ⓐ **Status and Stature** *Beis HaLevi* (*Derush* §10) offers a different explanation of our Midrash's application of the verse in *Ecclesiastes* to the incident of the Golden Calf.

As mentioned earlier (see Insight to 1 §10, "Punishment for the Golden Calf"), *Beis HaLevi* suggests that Moses broke the Tablets in order to free the Israelites from their covenant with God, as represented by the Tablets. Moses reasoned that with the breaking of the Tablets the Israelites would, in a certain sense, no longer be bound by the covenant, and thus regain their previous status as Noahides. Consequently, the Israelites could be punished only for those idolatrous acts for which Noahides are liable. Now, Noahides are liable to death for any idolatrous act that carries a death penalty for a Jewish transgressor, but receive no punishment for an idolatrous act that carries a lighter sentence for a Jewish transgressor. For example, a non-Jew who fashions an idol (without actually worshiping it) receives no punishment, since a Jew who does so receives only lashes. Thus, Moses instructed the Tribe of Levi to administer capital punishment (by beheading — see Insight ibid.) to those who had actually worshiped the Golden Calf. But he did not direct them to punish any other offenders, including those who had fashioned the Golden Calf.

With this introduction, *Beis HaLevi* explains our Midrash: Moses asked, *In the place of justice there is punishment?* I.e., Moses wondered why, after the Levites executed all those guilty of worshiping the Golden Calf (*justice*), was the rest of the nation still deserving of a Divine punishment, in the form of a plague (*punishment*)? If, as Moses assumed, the people had regained their status as Noahides, then those merely involved in the fashioning of the Golden Calf, or those who had hugged and kissed it but had not actually performed an act of *worship*, should not have been punished. Why was there a plague?

God, however, did not accept Moses' argument. In order for the Israelites to be deemed Noahides, they would have to forfeit the exalted status they had achieved at Mount Sinai. This is something God did not want; thus, He replied, *In the place of righteousness*, where I elevated them, calling them "angelic," investing with the sanctity of the Jewish people, *there* there is punishment. Having achieved the status and holiness of Jews, they cannot revert. In that very place they acted wickedly and *made* [וְעָשׂוּ] the Golden Calf and bowed to it! They must be held accountable even for the *making* of the Golden Calf, something for which they would not have been liable according to their previous, Noahide status. For this reason, a plague was visited upon them. And ultimately, this was for their benefit. The nation would retain the great merits of receiving the Torah and standing at Mount Sinai for all generations. True, they would pay a heavy price for this privilege. But they would be God's exalted nation for all time.

פרשה ד

א [ד, ב] **"נֶפֶשׁ כִּי תֶחֱטָא בִשְׁגָגָה מִכֹּל מִצְוֹת ה'", זֶה שֶׁאָמַר הַכָּתוּב** (קהלת ג, טז) **"וְעוֹד רָאִיתִי תַּחַת הַשָּׁמֶשׁ מְקוֹם הַמִּשְׁפָּט וְגוֹ'", רַבִּי אֱלִיעֶזֶר וְרַבִּי יְהוֹשֻׁעַ, רַבִּי אֱלִיעֶזֶר אוֹמֵר: "מְקוֹם הַמִּשְׁפָּט שָׁמָּה הָרֶשַׁע", מָקוֹם שֶׁסַּנְהֶדְרֵי גְדוֹלָה יוֹשֶׁבֶת** [א]**וְחוֹתֶכֶת דִּינֵיהֶם שֶׁל יִשְׂרָאֵל, "שָׁמָּה הָרֶשַׁע", שָׁמָּה** (ירמיה לט, ג) **"וַיָּבֹאוּ כֹּל שָׂרֵי מֶלֶךְ בָּבֶל וַיֵּשְׁבוּ בְּשַׁעַר הַתָּוֶךְ", שֶׁשָּׁם חוֹתְכִין אֶת הַהֲלָכָה, בְּמַתְלָא אָמַר: הֵן דִּי תָלְיָא מָרֵי זַיְינֵיהּ, כּוּלְבָא רַעְיָא תָּלָא קוּלְתֵיהּ, וְרוּחַ הַקֹּדֶשׁ צוֹוַחַת וְאוֹמֶרֶת:** (קהלת שם שם) **"מְקוֹם הַצֶּדֶק שָׁמָּה הָרֶשַׁע", בְּמָקוֹם שֶׁכָּתוּב בָּהּ** (ישעיה א, כא) **"צֶדֶק יָלִין בָּהּ" עַתָּה עֲבִידִין קָטוֹלִין, שָׁם הָרְגוּ אֶת זְכַרְיָה וְאֶת אוּרִיָּה, רַבִּי יְהוֹשֻׁעַ אוֹמֵר:** [ב]**"מְקוֹם הַמִּשְׁפָּט שָׁמָּה הָרֶשַׁע", מָקוֹם שֶׁנַּעֲשָׂה מִדַּת הַדִּין בְּמַעֲשֵׂה הָעֵגֶל, דִּכְתִיב** (שמות לב, כז) **"עִבְרוּ וָשׁוּבוּ מִשַּׁעַר לָשַׁעַר", "שָׁמָּה הָרֶשַׁע", שָׁם** (שם שם לה) **"וַיִּגֹּף ה' אֶת הָעָם", וְרוּחַ הַקֹּדֶשׁ צוֹוַחַת וְאוֹמֶרֶת: "מְקוֹם הַצֶּדֶק שָׁמָּה הָרֶשַׁע", מָקוֹם שֶׁהִצְדַּקְתִּים וּקְרָאתִים אֱלֹהוֹת, שֶׁנֶּאֱמַר** (תהלים פב, ו) **"אֲנִי אָמַרְתִּי אֱלֹהִים אַתֶּם", "שָׁמָּה הָרֶשַׁע", שָׁמָּה הִרְשִׁיעוּ וְעָשׂוּ אֶת הָעֵגֶל וְהִשְׁתַּחֲווּ לוֹ. דָּבָר אַחֵר, "מְקוֹם הַמִּשְׁפָּט שָׁמָּה הָרֶשַׁע" מְדַבֵּר בְּדוֹר הַמַּבּוּל, "מְקוֹם הַמִּשְׁפָּט שָׁמָּה הָרֶשַׁע", מָקוֹם °שֶׁנַּעֲשֵׂית בָּהֶם מִדַּת הַדִּין בְּדוֹר הַמַּבּוּל, כִּדְתַנְיָא: דּוֹר הַמַּבּוּל אֵין לָהֶם חֵלֶק לָעוֹלָם הַבָּא**

פירוש מהרז"ו

(א) זה שאמר הכתוב ועוד ראיתי כו'. משום דקשיא ליה דלא הוי ליה למימר נפש כי תחטא, שהנפש לבדה אינה חוטאת רק בחברה עם הגוף כדלקמן, ולכן הוי ליה לומר איש או אדם שנאמר על חבור הגוף והנפש, כמו אדם כי יהיה וגו' איש כי יהיה טמא, ובעי לתרוצי שמפני שהנפש נתונה במקום המשפט, ועם כן הכתוב כמתמיה, איך יוצאה ממקום המשפט וחוטאת כדלקמן, מייתי האי קרא למדרש ביה, דהכי קאמר מקום שהמשפט נתון דהיינו הדין, שמה הרשע דהיינו הנפש החוטאת, ואיידי דמייתי ליה לקרא, דריש ליה בכמה אנפי כדרך המדרש: **מקום שסנהדרי גדולה כו'.** רצה לומר שבלמה נווה איך נהיה דבר זה שבמקום קדוש יהיה מושב גאים: **בשער התוך כו'.** משום שלא נמצא בשום מקרא שער הנקרא כן בירושלים, על כן דרשו שער על שם מקום המשפט, כמו (דברים כה, ז) ועלתה יבמתו השערה, והתוך במקום חתוך, בחילוף אותיות אחע"ה, והוא מקום שבית דין הגדול יושבים בירושלים, שמשם הלכה יוצא חתוכה ופסוקה, כמו שנאמר (דברים יז, ח-יא) וקמת ועלית אל המקום וגו' לא תסור מן הדבר אשר יגידו לך ימין וגו' (מהרש"א סנהדרין קג, א): **הן די תלייא כו'.** היכן שהוא תולה האדון כלי זיינו, הדיוט הרועה תולה שם תרמילו או סלו: **עבידין קטולין.** ישראל עושים שם הריגה: **ואת אוריה.** ליכא לפרש שאוריה נהרג בעזרה, כי לא מצינו זה שנהרג בעזרה, אלא פירוש בירושלים, דמדכתיב דיהויקים הרגו והשליך נבלתו אל קברי בני העם, מסתמא בירושלים הוה: **שמה הרשע שם ויגוף ה'.** ופירוש הרשע הטונש, על דרך (דברים כה, א) והרשיעו את הרשע, ורצה לומר שסבירא ליה כמאן דאמר בפרק שני שעירים (יומא סו, ב), זבח וקטר לעגל בסייף, גפף ונשק במיתה, שמח לבו בהדרוקן, וכיוצא בזה בבמדבר רבה (ט, מח), ולהכי קמתמיה שלמה, מאחר שנעשה הדין בעובדים בסייף, למה מתו עוד המגפפים, שמן הדין אינם חייבים מיתה מפני זה, כיון שמסתמא לא גמרו בלבם לעבוד עבודה, דאם לא כן היו משתחוים לה מיד כאחרים, כי מי המונע בידם אז: **וקראתים אלהות כו'.** ורצה לומר כי חטאתם כבדה מאד, שאחר שהקדוש ברוך הוא הצדיקם וקראם אלוהות לומר שהם קרובים לו יתברך, ואינם צריכים השפעת זולתו כאומות העולם המושפעים מהמזלות ומניעיהם, כי ישראל גדולים ממלאכי השרת, ולא האמינו לו, אבל נכנעו לחשוב כי הם צריכים לאחרים שיהיו עוזרים אותם, וכדמשמע מדכתיב (שמות לב, ח) וישתחוו לו ויזבחו לו ויאמרו אלה אלהיך ישראל, אם כן אפילו שלא עבדו העגל ולא חשבוהו לעבודה זרה, מכל מקום במה שנשקוהו ושמחו לקראתו הנה הם מודים שהם צריכים לקבל שפע מזולת ה', וזה די להם לחייבם מיתה, אחר שכבר הוזהרו שאין להם צורך לזה: **מקום שנעשה בהן מדת הדין כו'.** שהיה קשה לשלמה שאחר שהם נענשים במה שאין להם חלק לעולם הבא למה עם כל זה ענש אותם בעולם הזה טפי מכמה דורות שהם חוטאים וה' מאריך אפו להם להעניסם לעולם הבא.

(א) וחותכת דיניהם. ועיין בראשית רבה (מד, טו) ויבתר אותם בתוך, ועיין מתנות כהונה שם, ונקרא שער התוך כי שער בכל מקום פירושו מקום מושב השופטים כידוע. ומה שכתב דיניהם, הוא על פי מדה ט' ככ"ל, ועל שעוותו הדין על כן שמה הרשע, וזה על פי מדת מנגד, שם ישבו שרי בבל ועשו דינים בישראל ובסנהדריהן. ואל תתמה על זה כי במקום הצדק שמה הרשע: **את זכריה ואת אוריה.** זכריה מבואר בדברי הימים (ב, כד, כא) וירגמוהו אבן

חידושי הרד"ל

[א] הן די תליא מרי זיינו כו'. בבא מציעא פד, ב: **מרצחים עבדין קטוליא.** להוציא שלא נפרש מרצחים שם התואר, כלומר עתה ילינו בה אנשים מרצחים: **מקום שנעשה מדת הדין בדור המבול שמה הרשע שמה וימח את כל היקום כדתנן** (סנהדרין קז, ב) **דור המבול אין להם חלק לעולם הבא**

חידושי הרש"ש

[א] שם הרגו כו' ואת אוריה. ככתוב בירמיה (כו, כג):

באור מהרי"פ

[א] התוך. דרשו כאלו כתיב חתוך, בחילוף אותיות אחה"ע: **הן די תלייא כו'.** היכן שהוא תולה האדון כלי זיינו הדיוט הרועה תולה שם תרמילו או סלו. ובבבא מציעא פרק השוכר את הפועלים (פד, ב) וכן פרק חלק (סנהדרין קג, א). [ובקהלת רבה ג] גרסינן קולבא, ופירש רש"י ז"ל ההדיוט ונָבָל, וכן נראה פירושו כאן, ואלו היה פירושו כלב, הוה ליה למימר כלבא: **עבידין קטולין.** ישראל עושים שם הריגה: **ויגוף ה' וגו'.** כלומר עונש אחר עונש, וכל כך למה, והשיב רוח הקדש מקום הצדק וכו': **הכי גרסינן במקום שהצדקתים וקראתים אלהות שנאמר אני אמרתי אלהים אתם שמה הרשע שמה הרשיעו ועשו העגל והשתחוו לו ויאמרו וגו'.** וכן הוא לקמן בקהלת (ג):

אמרי יושר

[א] ורוח הקודש אומרת. שמי שאמר זה לא אמר זה:

מסורת המדרש

א. קה"ר ג' ט"ו:

ב. ילקוט כ"ך תתקס"ט:

אם למקרא

וְעוֹד רָאִיתִי תַּחַת הַשָּׁמֶשׁ מְקוֹם הַמִּשְׁפָּט שָׁמָּה הָרֶשַׁע וּמְקוֹם הַצֶּדֶק שָׁמָּה הָרָשַׁע: (קהלת ג:טז)

וַיָּבֹאוּ כֹּל שָׂרֵי מֶלֶךְ בָּבֶל וַיֵּשְׁבוּ בְּשַׁעַר הַתָּוֶךְ נֵרְגַל שַׂרְאֶצֶר סַמְגַּר נְבוּ שַׂר־סְכִים רַב סָרִיס נֵרְגַל שַׂרְאֶצֶר רַב מָג וְכָל שְׁאֵרִית שָׂרֵי מֶלֶךְ בָּבֶל: (ירמיה לט:ג)

אֵיכָה הָיְתָה לְזוֹנָה קִרְיָה נֶאֱמָנָה מְלֵאֲתִי מִשְׁפָּט צֶדֶק יָלִין בָּהּ וְעַתָּה מְרַצְּחִים: (ישעיה א:כא)

וַיֹּאמֶר לָהֶם כֹּה אָמַר ה' אֱלֹהֵי יִשְׂרָאֵל שִׂימוּ אִישׁ חַרְבּוֹ עַל־יְרֵכוֹ עִבְרוּ וָשׁוּבוּ מִשַּׁעַר לָשַׁעַר בַּמַּחֲנֶה וְהִרְגוּ אִישׁ אֶת־אָחִיו וְאִישׁ אֶת רֵעֵהוּ וְאִישׁ אֶת קְרֹבוֹ: (שמות לב:כז)

וַיִּגֹּף ה' אֶת הָעָם עַל אֲשֶׁר עָשׂוּ אֶת הָעֵגֶל אֲשֶׁר עָשָׂה אַהֲרֹן: (שמות לב:לה)

אֲנִי אָמַרְתִּי אֱלֹהִים אַתֶּם וּבְנֵי עֶלְיוֹן כֻּלְּכֶם: (תהלים פב:ו)

מתנות כהונה

[א] התוך. דרשו כאלו כתיב חתוך, בחילוף אותיות אחה"ע: **הן די תלייא כו'.** היכן שהוא תולה האדון כלי זיינו הדיוט הרועה תולה שם תרמילו או סלו. ובבבא מציעא פרק השוכר את הפועלים (פד, ב) וכן פרק חלק (סנהדרין קג, א). [ובקהלת רבה ג] גרסינן קולבא, ופירש רש"י ז"ל ההדיוט ונָבָל, וכן נראה פירושו כאן, ואלו היה פירושו כלב, הוה ליה למימר כלבא: **עבידין קטולין.** ישראל עושים שם הריגה: **ויגוף ה' וגו'.** כלומר עונש אחר עונש, וכל כך למה, והשיב רוח הקדש מקום הצדק וכו'. הכי גרסינן **במקום שהצדקתים וקראתים אלהות שנאמר אני אמרתי אלהים אתם שמה הרשע שמה הרשיעו ועשו העגל: והשתחוו לו ויאמרו וגו'.** וכן הוא לקמן בקהלת (ג):

אשד הנחלים

[א] נפש גו' ועוד ראיתי. להלן מסיים הדרש על הכתוב נפש, ובאגב פירש הפסוק כדרכם: **מקום שסנהדרי גדולה כו'.** כל כוונתם ליישב כפל הכתוב, מקום המשפט שמה הרשע, ומקום הצדק שמה הרשע, מהו הכוונה בזה. ומחלק בעל המדרש לשנים, שהראשון מרמז מאורעות ישראל ומאורעות העולם, והשני מרמז על הסיבה שאירע ככה להם. והנה אחז בארבעה עניינים, שמהם ראינו משפטי ה' כמה צדקו, ונשתלמו מדה במדה ממש, בירושלים שהיתה מתחילה מקום המשפט להנהיג את ישראל בהנהגה טובה, ראינו שמה מקום הרשע, שישבו שרי מלך בבל להרשיע את ישראל ולהענישם, והן המה הגורמים בעצמם, כי באמת הוא מקום הצדק, והם היו מרצחים, על כן באה עליהם כמדתם כי טמאו את המקום, וכן בעגל מה שאירע להם הרשע להרשיעם ולענשם, מפני כי מקום הצדק, שמתחלה הצדיקו נפשם והכינו את עצמם להיות במעלה הגבוה (ככה) [כזה], ואיך נפלו ממנו. וחשב ארבע סבות, או מפני הרציחה, או מפני נפילתם ממדריגה רמה למדריגה שפילה בענין האמונה בחטא העגל, או מפני העדר אמונה לגמרי כדור המבול, או מפני רעת בני אדם איש אל אחיו, כחטאת סדום. והנה המלך החכם התבונן מזה שה' צדיק בכל הנהגותיו, כי מה שראית שמקום המשפט שמה הרשע, הוא מפני כי במקום הצדק שמה הרשע, כי נתהפכו מהפך אל הפך ממש, ממעלה הגבוה לקצה האחרון: **שנעשה מדת הדין כו' עברו כו'.** רצה לומר לא די שצוה ה' להרגם בידי אדם, עוד זאת היתה מגפה מיד ה', וכן בדור המבול לא די שאין להם חלק לעולם הבא, עוד נידונו בעולם הזה, וכן בסדומיים ובשטים, הוא רק כי מקום הצדק שמה הרשע, מפני שעשו רעה למאוד, ולכן נענשו עונש גדול כל כך:

וְאֵינָן עוֹמְדִין בַּדִּין — nor will they stand for Judgment (*Sanhedrin* 107b),[13] "שָׁמָּה הָרֶשַׁע", שָׁם "וַיִּמַח אֶת כָּל הַיְקוּם" — *there is punishment*; there *He blotted out all existence* (*Genesis* 7:23).[14] וְרוּחַ הַקֹּדֶשׁ צוֹוַחַת וְאוֹמֶרֶת: "מְקוֹם הַצֶּדֶק שָׁמָּה הָרֶשַׁע" — **And the Divine Spirit cries out and declares,** ***In the place of righteousness there is wickedness***; מָקוֹם שֶׁהִצְדַּקְתִּים, דִּכְתִיב "בָּתֵּיהֶם שָׁלוֹם מִפָּחַד" — in the **place where I dealt righteously with them, as is written,** ***Their homes are peaceful, [safe] from fear*** (*Job* 21:9),[15] "שָׁמָּה הָרֶשַׁע", "וַיֹּאמְרוּ לָאֵל סוּר מִמֶּנּוּ" — ***there is wickedness***; in that very place, ***They said to God, "Go away from us!"*** (ibid., v. 14).[16]

A fourth exposition:

דָּבָר אַחֵר, "מְקוֹם הַמִּשְׁפָּט שָׁמָּה הָרֶשַׁע" מְדַבֵּר בִּסְדוֹמִיִּים — **Alternatively,** ***in the place of justice there is "resha"*** **speaks of the Sodomites.** Thus, the verse is to be interpreted as follows: מָקוֹם שֶׁנַּעֲשֵׂת מִדַּת הַדִּין בִּסְדוֹמִיִּים — In the **place where the** Divine **Attribute of Justice was employed against the Sodomites,** כְּדִתְנַן: אַנְשֵׁי סְדוֹם אֵין לָהֶם חֵלֶק לָעוֹלָם הַבָּא אֲבָל עוֹמְדִים בַּדִּין — **as we have learned in a Mishnah: The people of Sodom have no share in the World to Come but they will stand for Judgment** (*Sanhedrin* 107b),[17] "שָׁמָּה הָרֶשַׁע", שָׁם "וַה' הִמְטִיר עַל סְדֹם" — ***there is punishment***; **there** ***HASHEM had caused*** *sulfur and fire* ***to rain upon Sodom*** (*Genesis* 19:24).[18] וְרוּחַ הַקֹּדֶשׁ צוֹוַחַת וְאוֹמֶרֶת: "מְקוֹם הַצֶּדֶק שָׁמָּה הָרֶשַׁע" — **And the Divine Spirit cries out and declares,** ***In the place of righteousness there is wickedness***; מָקוֹם שֶׁהִצְדַּקְתִּים וְכָתַבְתִּי בְּאַרְצָם "אֶרֶץ מִמֶּנָּה יֵצֵא לָחֶם . . . מְקוֹם סַפִּיר אֲבָנֶיהָ וְעַפְרֹת זָהָב לוֹ" — in the **place where I dealt righteously with them and I wrote regarding their land,** ***There is a land where food once grew . . . It was a place whose stones were sapphires, and it had dust of gold*** (*Job* 28:5-6)[19] . . .

The Midrash interrupts itself to expound upon the above verse:

אָמְרוּ: כְּשֶׁהָיָה אֶחָד מֵהֶן הוֹלֵךְ אֵצֶל הַגַּנָּן וְאָמַר לוֹ: תֵּן לִי בְּאִיסָר יָרָק — **[People] said: When one of [the residents of Sodom] would go to the gardener and say to him, "Give me vegetables for an** ***issar,***"[20] כְּשֶׁהוּא נוֹתֵן מְשַׁכְשְׁכוֹ וּמוֹצֵא בַּעֲפָרוֹ זָהָב — **when [the gardener] would give** the man the vegetable, **he would rinse it**[21] **and find gold in its dust.** לְקַיֵּים מַה שֶּׁנֶּאֱמַר "וְעַפְרֹת זָהָב לוֹ" — **Thus was fulfilled that which is stated,** ***and it had dust of gold.***[22]

The Midrash resumes where it left off its exposition of the verse from *Ecclesiastes*:

"שָׁמָּה הָרֶשַׁע", שָׁם אָמְרוּ: נַעֲמוֹד וּנְשַׁכֵּחַ תּוֹרַת הָרֶגֶל מִבֵּינוֹתֵינוּ — ***There is wickedness***; **in that** very **place [the people] said, "Let us arise and cause the concept of wayfaring to be forgotten from our midst,"**[23] "וְיַד עָנִי וְאֶבְיוֹן לֹא הֶחֱזִיקָה" — as the verse states, *Behold, this was the sin of Sodom, your sister: She and her daughters had pride, surfeit of bread and peaceful serenity,* ***but she did not strengthen the hand of the poor and the needy*** (*Ezekiel* 16:49).[24]

A fifth exposition:

רַבִּי יְהוּדָה בַּר סִימוֹן פָּתַר קְרָיָא בְּשִׁטִּים — **R' Yehudah bar Simone interpreted the verse as regarding** the incident that took place in **Shittim.**[25] The Midrash elaborates: "מְקוֹם הַמִּשְׁפָּט שָׁמָּה הָרֶשַׁע", מָקוֹם שֶׁנַּעֲשָׂה מִדַּת הַדִּין בְּשִׁטִּים — ***In the place of justice there is "resha"***; in the **place where the** Divine **Attribute of Justice was employed, in Shittim,** דִּכְתִיב — **as is written,**

NOTES

13. These people have no share in the World to Come, but on the other hand, they will not be revivified to receive punishment for their sins on the Final Day of Judgment because they were already punished with the Flood (*Yad Ramah* to *Sanhedrin* 107b).

14. Thus, the first half of the verse wonders why in addition to the fact that *the Attribute of Justice was employed* through the Generation of the Flood's collective forfeiture of their share in the World to Come, that generation was also *punished* in this world; why were those sinners doubly punished while God acted patiently with numerous other sinful generations, who were punished only in the afterlife? (*Eitz Yosef*; also see *Eshed HaNechalim*, *Radal*).

See Insight Ⓐ.

15. In *Bereishis Rabbah* 36 [§1] this verse is applied to the Generation of the Flood (*Eitz Yosef*). There the Midrash finds support in this verse for the notion that the people of that time were granted Divine protection from demons. (See also *Sanhedrin* 108a.)

16. In *Sanhedrin* (108a) and *Bamidbar Rabbah* (9 §24) this verse is applied by the Sages to the Generation of the Flood.

According to this approach, the second half of the *Ecclesiastes* verse is suggesting that the Generation of the Flood was punished so severely because their guilt was compounded by the fact that they used the prosperity with which God showered them to rebel against Him, when they should have shown appreciation for God's munificence (*Eitz Yosef*; also see *Eshed HaNechalim*, *Radal*).

17. In addition to their forfeiture of their shares in the World to Come, these sinners will also be compelled to participate in the Final Day of Judgment (*Yad Ramah* loc. cit.).

18. Thus, the verse is noting the novelty of the fact that the sinners of Sodom were punished twice — in this world and again in the next (see *Eshed HaNechalim*, *Maharzu*, and *Eitz Yosef*).

19. This verse is interpreted by the Sages [in *Sanhedrin* 109a and *Bamidbar Rabbah* 9 §24] as a description of the bounty that existed in Sodom (see *Eitz Yosef*).

20. An *issar* is a type of small coin. Its value is discussed in *Kiddushin* 12a.

21. See *Eitz Yosef*.

22. There are many places where gold can be extracted from *dust* through effort and expenditure; according to our Midrash, this verse teaches that Sodom's gold could be obtained without these (*Yefeh To'ar*).

23. The Sodomites conspired to ensure that passersby would not visit their land, so that its bounty would be theirs alone (*Matnos Kehunah*, followed by *Eitz Yosef*; see *Sanhedrin* 109a; see ibid. 109a-b for a discussion of the ruthless practices that were employed to this end).

24. Our Midrash is explaining the *Ecclesiastes* verse to mean that the people of Sodom were castigated in two worlds because their sins were compounded by their failure to use their prosperity charitably (*Eitz Yosef*; also see *Eshed HaNechalim*, *Radal*; compare *Tanchuma*, *Beshalach* §12).

25. This incident appears in *Numbers* 25:1-9. Toward the end of their sojourn in the Wilderness, when the Jewish people arrived in Shittim, the Moabites sent out their women to seduce the Jewish men. When some of the men succumbed to their advances, eventually engaging in both illicit relations and idol worship, God brought a plague that killed 24,000 Jews.

INSIGHTS

Ⓐ **Just Retribution** *Yefeh To'ar* points out that based on chronology, one would have expected the Midrash to reverse the question it asks, and express surprise at the fact that the Generation of the Flood was punished in the *next* world after they had already suffered in *this* world. *Yefeh To'ar* explains that the punishment of the next world is far more severe than what sinners may experience in our own world. Moreover, one whose multiple sins required that he suffer more than one death penalty can only be properly penalized in the World to Come. For these reasons, it was obvious that the punishment in the afterlife could not have been dispensed with in the case of the wicked Generation of the Flood, and the question was only why the terrible flood was also necessary.

However, *Radal* (also cited by *Eitz Yosef*; see also *Imrei Moshe*) in fact emends the text so that the Midrash is asking that since the people of the Generation of the Flood were punished in *this* world, they should not have suffered in *the next* world. He makes a similar emendation in the Midrash below, concerning Sodom.

וְאֵינָן עוֹמְדִין בַּדִּין (סנהדרין י, ג), "שָׁמָּה הָרָשַׁע", שָׁם (בראשית ז, כג) "וַיִּמַח אֶת כָּל הַיְקוּם", וְרוּחַ הַקֹּדֶשׁ צוֹוַחַת וְאוֹמֶרֶת: "מְקוֹם הַצֶּדֶק שָׁמָּה הָרָשַׁע", מָקוֹם שֶׁהִצְדַּקְתִּים, דִּכְתִיב (איוב כא, ט) "בָּתֵּיהֶם שָׁלוֹם מִפָּחַד", "שָׁמָּה הָרֶשַׁע", (שם שם יד) "וַיֹּאמְרוּ לָאֵל סוּר מִמֶּנּוּ". דָּבָר אַחֵר, "מְקוֹם הַמִּשְׁפָּט שָׁמָּה הָרֶשַׁע" מְדַבֵּר בִּסְדוֹמִיִּים, מָקוֹם °שֶׁנַּעֲשָׂה מִדַּת הַדִּין בִּסְדוֹמִיִּים, כִּדְתְנַן: אַנְשֵׁי סְדוֹם אֵין לָהֶם חֵלֶק לָעוֹלָם הַבָּא אֲבָל עוֹמְדִים בְּדִין (סנהדרין שם שם), "שָׁמָּה הָרֶשַׁע", שָׁם (בראשית יט, כד) "וַה' הִמְטִיר עַל סְדֹם", וְרוּחַ הַקֹּדֶשׁ צוֹוַחַת וְאוֹמֶרֶת: *"מְקוֹם הַצֶּדֶק שָׁמָּה הָרֶשַׁע"*, מָקוֹם שֶׁהִצְדַּקְתִּים וְכָתַבְתִּי בְּאַרְצָם (איוב כח, ה-ו) "אֶרֶץ מִמֶּנָּה יֵצֵא לָחֶם ... מְקוֹם סַפִּיר אֲבָנֶיהָ וְעַפְרֹת זָהָב לוֹ", אָמְרוּ: גכְּשֶׁהָיָה אֶחָד מֵהֶן הוֹלֵךְ אֵצֶל הַגַּנָּן וְאָמַר לוֹ: תֶּן לִי בְּאִיסָּר יָרָק, כְּשֶׁהוּא נוֹתֵן מַשְׁכְּשׁוֹ וּמוֹצֵא בַּעֲפָרוֹ זָהָב, לְקַיֵּם מַה שֶּׁנֶּאֱמַר "וְעַפְרֹת זָהָב לוֹ", "שָׁמָּה הָרָשַׁע", שָׁם אָמְרוּ: נַעֲמוֹד וְנַשְׁכַּח תּוֹרַת הָרֶגֶל מִבֵּינוֹתֵינוּ (יחזקאל טז, מט) "וְיַד עָנִי וְאֶבְיוֹן לֹא הֶחֱזִיקָה". רַבִּי יְהוּדָה בַּר סִימוֹן פָּתַר קְרָיָא בַּשִּׁטִּים: "מְקוֹם הַמִּשְׁפָּט שָׁמָּה הָרֶשַׁע", מָקוֹם שֶׁנַּעֲשָׂה מִדַּת הַדִּין בַּשִּׁטִּים, דִּכְתִיב (במדבר כה, ד) "קַח אֶת כָּל רָאשֵׁי הָעָם", "שָׁמָּה הָרֶשַׁע", שָׁם (שם שם ט) "וַיִּהְיוּ הַמֵּתִים בַּמַּגֵּפָה", וְרוּחַ הַקֹּדֶשׁ צוֹוַחַת וְאוֹמֶרֶת: "מְקוֹם הַצֶּדֶק שָׁמָּה הָרֶשַׁע", מָקוֹם שֶׁהָפַכְתִּי קִלְלַת בִּלְעָם לִבְרָכָה, דִּכְתִיב (דברים כג, ו) "וַיַּהֲפֹךְ ה' אֱלֹהֶיךָ לְּךָ אֶת הַקְּלָלָה לִבְרָכָה", "שָׁמָּה הָרֶשַׁע", (במדבר כה, א) "וַיֵּשֶׁב יִשְׂרָאֵל בַּשִּׁטִּים". רַבִּי לֵוִי וְרַבִּי יִצְחָק אָמְרוּ: ב' דְּבָרִים בַּיָּמִין וּשְׁנֵי דְּבָרִים בַּיָּד: ב' דְּבָרִים בַּיָּמִין, "תּוֹרָה וּצְדָקָה, תּוֹרָה מִנַּיִן, (דברים לג, ב) "מִימִינוֹ אֵשׁ דָּת לָמוֹ", צְדָקָה מִנַּיִן, דִּכְתִיב (תהלים מח, יא) "צֶדֶק מָלְאָה יְמִינֶךָ", ב' דְּבָרִים בַּיָּד, נֶפֶשׁ וּמִשְׁפָּט, נֶפֶשׁ, שֶׁנֶּאֱמַר (איוב יב, י) "אֲשֶׁר בְּיָדוֹ נֶפֶשׁ כָּל חָי", מִשְׁפָּט, דִּכְתִיב (דברים לב, מא) "וְתֹאחֵז בְּמִשְׁפָּט יָדִי", הַנֶּפֶשׁ נְתוּנָה בִּמְקוֹם מִשְׁפָּט וְנֶפֶשׁ יוֹצְאָה מִמְּקוֹם מִשְׁפָּט וְחוֹטֵאת,

פירוש מהרז"ו

במלות המלך בחצר בית ה', היינו בעזרה, ומה שכתב ואת אוריהו, מבואר בירמיה סוף כ"ו, ומאחר שמדמה ומקיש אוריהו לירמיהו, וכמו שירמיה התנבא בחצר בית ה', ורצו להרגו שם כך אוריהו גם כן בחצר בית ה': **שני דברים בימין.** דברים רבה (ה, ד), ועיין בקהלת רבה פסוק זה (פרשה ג פסוק טז), שהגירסא שם מתוקנת יותר:

עץ יוסף

והרד"ל כתב וזה לשונו, מקום שנעשה מדת הדין בדור המבול שמה הרשע שם וימח את כל היקום, כדתנן (סנהדרין קז, ב) דור המבול אין להם חלק לעולם הבא [ובירושלמי שם (פ"י ה"ג) ילפינן מהאי קרא] ורוח הקודש צווחת כו' מדת הדין בסדומיים וה' המטיר על סדום, שמה הרשע, כדתנן אנשי סדום כו' בדין ורוח הקודש כו', כן צריך לומר. והענין לומר, שלכאורה הוא כעוות הדין חס ושלום, שכבר קבלו עונשם בעולם הזה ונימוחו מעולם הבא גם כן כו' עד כאן לשונו: **ורוח הקודש צווחת כו'.** רצה לומר שהרוח הקודש משבי מפני שחטאו בצדקה שעשה להם ה', לכן עונשם חמור טפי מצד היותם גם כן כפויי טובה, שבטובה שהשפיע להם בעטו בו הפך הראוי להכיר בחסדי ה', וכן סדום חטאו הפך מה שהיה ראוי לעשות חסד ברבוי ממונם, ולכן לקו בעולם הזה ובעולם הבא: **בתיהם שלום מפחד.** ובדור המבול מיירי כדפירשית לעיל בבראשית רבה (לו, א): **ארץ ממנה יצא לחם.** דבסדום מיירי בודאי, כדאיתא בבראשית רבה פרשה כ' (עיין סנהדרין קט, א): **הגנן.** פירוש הגינה: **משכשכו.** במים: **ונשכח תורת הרגל כו'.** שלא יעברו עליו עוברים ושבים למען ישאר הארץ הטובה לנו לבד: **קח את כל ראשי העם.** סבירא ליה אף על פי שלא הזכיר הכתוב שעשו כן שופטי ישראל, נתקיים דבר ה' ולא הוצרך הכתוב לכותבו, ולהכי קשיא ליה שכיון שהוקעו הנלמדים לבעל פעור, למה היתה המגפה נוגפת בעם, שהרי במעשה פנחס הוא שנעצרה המגפה. וצריך לומר שסבירא ליה דאותם שמתו במגפה היו מהזונים אלא שלא נלמדו לבעל פעור, ולכן קשיא ליה כיון שלא חטאו רק בזנות, אף על גב דענשן מפורש בקבלה יכרת ה' לאיש אשר יעשנה כדאיתא במסכת עבודה זרה (עיין שם לו, ב וסנהדרין פב, א). מכל מקום לא הוי ליה להמיתם ברגע, אלא להאריך אפו בהם כחייבי כריתות, שאין מדת הדין מתוחה עליהם מיד: **ורוח הקודש.** משני שלפי שחטאו במקום שקבלו טובה מה' ולא הכירו בחסדיו, גדול עונש שהיו כפויי טובה, ועוד שאחר שידעו רוע לב בלעם שהוצרך ה' להפוך להם קללתו לברכה היה להם להזהר מהלכד בזנות שהיה בעצתו לבנות מואב: **מקום שהפכתי בו'.** זה היה בשטים בערבות מואב, כמו שאמר (מיכה ו, ה) ומה ענה אותו בלעם בן בעור מן השטים: **שני דברים בימין.** של הקדוש ברוך הוא: **ביד שמאל.** של הקדוש ברוך הוא: **אשר בידו נפש כל חי.** ויד שמאל משמע כדיליף תנא קמא דברייתא (מנחות לו, ב) מדכתיב אף ידי יסדה ארץ וימיני טפחה שמים (הרש"ש): **רק חזק לבלתי אבול הדם.** והטעם, כדי שלא יקבל הנפש שהוא חלק אלוה ממעל הפסד ופחיתות מנפש הבהמה, כי הדם הוא הנפש, והן עתה אתה גרוע יותר מהבהמה, בעשותך תועבות גדולות כנאמר (ישעיה א, ג) ידע שור קונהו וחמור אבוס בעליו ישראל לא ידע וגו', כלומר שהבהמה מבינה יותר מהאדם, [כמו שור הפר של אליהו, והחמור של ר' פנחס בן יאיר], וזהו ואתם הולכים וחוטאים (קול בוכים): **ואת יוצאת.** איידי דנקט יוצאת ממקום המשפט, נקט נמי הכא יוצאת: **וחוטאת.** בא לדרוש סוף המקרא דלעיל מקום הצדק שמה הרשע, מקום שהצדקתים בו ואמרתי כי הדם בנפש יכפר, שמה הרשע, שם אוכלים הדם וחוטאים (רד"ל):

מתנות כהונה

הכי גרסינן **סור ממנו דבר אחר מקום (ש)המשפט שמה הרשע מדבר בסדומיים מקום שנעשה מדת הדין וכו': אבל עומדין בדין.** משנה בפרק חלק (סנהדרין קז, ב): **ונשכח תורת רגל בו'.** שלא יעברו עליו עוברים ושבים, למען ישאר הארץ הטובה רק לנו לבד: **בימין.** של הקב"ה: **ושני דברים ביד.** ביד שמאל כמה דאת אמר (שמות יג, טז) ידכה, ודרשו חכמינו ז"ל (מנחות לז, א) יד כהה שהיא השמאל. ועיין עוד זה פרשת שופטים (ה, ד), ובמדרש קהלת: **וחוטאת.** לשון תמיה:

אשד הנחלים

בימין כו' וביד כו' הנפש נתונה כו'. כבר ידוע כי הימין מרמז על הטוב הגמור שאין בו רע למאומה, (שלכן אמרו (ירושלמי סנהדרין פ"א ה"א, שיר השירים רבה א, מה על פסוק ט) על הכתוב (מלכים א' כב, יט) וכל צבא השמים עומדים עליו מימינו ומשמאלו, אלו מיימינים לזכות ואלו משמאילים לחובה), וזהו מדת הצדקה למעלה, וכן התורה העליונה כמו שפרשתי כמה פעמים. והמשפט הוא ממוזג מדין ורחמים יחד, וזהו שניתנה ביד סתם שהיא כוללת ימין ושמאל, ומזה יבוא המשפט והעונש לפעמים בעולם כי פועלת כפי המשפט והדין. והנה הנפש אילו ניתנה בימין לגמרי, לא היתה חוטאת מאומה, ולא היה נמצא בה שום דופי ורע, אך כי היא ניתנה במקורה ממקום המשפט ונאצלת למטה, על כן יש בכחה לחטוא. זהו כלל הדברים למבין, וכבר הארכתי בזה במקומות אחרים:

חידושי הרד"ל

(ובירושלמי שם [פ"י ה"ג] ילפינן לה מהאי קרא) **ורוח הקדש צווחת כו' מדת הדין בסדומיים וה' המטיר על סדום, שמה הרשע בדתנן** (סנהדרין שם) **אנשי סדום כו' בדין, ורוח הקדש צווחת כו'.** כן צריך לומר. והענין לומר שלכאורה הוא כעוות הדין חס ושלום, שכבר קיבלו עונשם בעולם הזה, ונימוחו מעולם הבא גם כן, ועל זה רוח הקדש משיבה כי גדלה עוונם מנשוא: **מבינותינו ויד עני ואביון לא החזיקה.** (יחזקאל טז, מט). לקמן נאמר, הנפש נתנה במקום המשפט וחוטאת. זה גם כן בא לדרוש מקום המשפט שמה הרשע, (ומפני זה הובא דרשת פסוק זה לכאן): **מקום שהפכתי קללת בלעם בו'.** שזה היה בשטים בערבות מואב, כמו שכתוב (מיכה ו, ה) ומה ענה אותו בלעם בן בעור מן השטים:

חידושי הרש"ש

[א] דברים ביד כו'. אתיא כדעת התנא קמא דברייתא מנחות (דף לו, א), עיין שם. ופירוש המתנות כהונה תמוה דהכא לא כתיב ידכה בה"א:

באור מהרי"פ

הכי גרסינן סור ממנו דבר אחר מקום (ש)המשפט שמה הרשע מדבר בסדומיים מקום שנעשה מדת הדין וכו': אבל עומדין בדין. משנה בפרק חלק (סנהדרין קז, ב): **ונשכח תורת רגל בו'.** שלא יעברו עליו עוברים ושבים, למען ישאר הארץ הטובה רק לנו לבד: **בימין.** של הקב"ה: **ושני דברים ביד.** ביד שמאל כמה דאת אמר (שמות יג, טז) ידכה, ודרשו חכמינו ז"ל (מנחות לז, א) יד כהה שהיא השמאל. ועיין עוד זה פרשת שופטים (ה, ד), ובמדרש קהלת: **וחוטאת.** לשון תמיה:

מסורת המדרש

ג. פדר"א כ"ה:
ד. תנחומא ויקרא. ילקוט כ"ך תתק"ז:

אם למקרא

וַיִּמַח אֶת־כָּל הַיְקוּם אֲשֶׁר עַל פְּנֵי הָאֲדָמָה מֵאָדָם עַד בְּהֵמָה עַד רֶמֶשׂ וְעַד עוֹף הַשָּׁמַיִם וַיִּמָּחוּ מִן הָאָרֶץ וַיִּשָּׁאֶר אַךְ נֹחַ וַאֲשֶׁר אִתּוֹ בַּתֵּבָה: (בראשית ז:כג)

בָּתֵּיהֶם שָׁלוֹם מִפָּחַד וְלֹא שֵׁבֶט אֱלוֹהַּ עֲלֵיהֶם: (איוב כא:ט)

וַיֹּאמְרוּ לָאֵל סוּר מִמֶּנּוּ וְדַעַת דְּרָכֶיךָ לֹא חָפָצְנוּ: (שם שם יד)

וַה' הִמְטִיר עַל סְדֹם וְעַל עֲמֹרָה גָּפְרִית וָאֵשׁ מֵאֵת ה' מִן הַשָּׁמָיִם: (בראשית יט:כד)

אֶרֶץ מִמֶּנָּה יֵצֵא לָחֶם וְתַחְתֶּיהָ נֶהְפַּךְ כְּמוֹ אֵשׁ: מְקוֹם־סַפִּיר אֲבָנֶיהָ וְעַפְרֹת זָהָב לוֹ: (איוב כח:ה-ו)

הִנֵּה זֶה הָיָה עֲוֺן סְדֹם אֲחוֹתֵךְ גָּאוֹן שִׂבְעַת לֶחֶם וְשַׁלְוַת הַשְׁקֵט הָיָה לָהּ וְלִבְנוֹתֶיהָ וְיַד עָנִי וְאֶבְיוֹן לֹא הֶחֱזִיקָה: (יחזקאל טז:מט)

וַיֹּאמֶר ה' אֶל־מֹשֶׁה קַח אֶת־כָּל־רָאשֵׁי הָעָם וְהוֹקַע אוֹתָם לַה' נֶגֶד הַשָּׁמֶשׁ וְיָשֹׁב חֲרוֹן אַף־ה' מִיִּשְׂרָאֵל: (במדבר כה:ד)

וַיִּהְיוּ הַמֵּתִים בַּמַּגֵּפָה אַרְבָּעָה וְעֶשְׂרִים אָלֶף: (שם שם ט)

וְלֹא אָבָה ה' אֱלֹהֶיךָ לִשְׁמֹעַ אֶל בִּלְעָם וַיַּהֲפֹךְ ה' אֱלֹהֶיךָ לְּךָ אֶת הַקְּלָלָה לִבְרָכָה כִּי אֲהֵבְךָ ה' אֱלֹהֶיךָ: (דברים כג:ו)

וַיֵּשֶׁב יִשְׂרָאֵל בַּשִּׁטִּים וַיָּחֶל הָעָם לִזְנוֹת אֶל־בְּנוֹת מוֹאָב: (במדבר כה:א)

וַיֹּאמַר ה' מִסִּינַי בָּא וְזָרַח מִשֵּׂעִיר לָמוֹ הוֹפִיעַ מֵהַר פָּארָן וְאָתָה מֵרִבְבֹת קֹדֶשׁ מִימִינוֹ אֵשׁ דָּת לָמוֹ: (דברים לג:ב)

כְּשִׁמְךָ אֱלֹהִים כֵּן תְּהִלָּתְךָ עַל־קַצְוֵי אֶרֶץ צֶדֶק מָלְאָה יְמִינֶךָ: (תהלים מח:יא)

אֲשֶׁר בְּיָדוֹ נֶפֶשׁ כָּל־חָי וְרוּחַ כָּל־בְּשַׂר־אִישׁ: (איוב יב:י)

אִם־שַׁנּוֹתִי בְּרַק חַרְבִּי וְתֹאחֵז בְּמִשְׁפָּט יָדִי אָשִׁיב נָקָם לְצָרָי וְלִמְשַׂנְאַי אֲשַׁלֵּם: (דברים לב:מא)

אמרי יושר

מקום שנעשה בהם מדת הדין בידי אדם שמה הרשע. והחיוב גם כן בידי שמים:

״קַח אֶת כָּל רָאשֵׁי הָעָם״ — HASHEM said to Moses, *"Take all the **leaders of the people**. Hang [the sinners] before HASHEM against the sun — and the flaring wrath of HASHEM will withdraw from Israel"* (*Numbers* 25:4),[26] ״שָׁמָּה הָרֶשַׁע״, שָׁם ״וַיִּהְיוּ הַמֵּתִים בַּמַּגֵּפָה״ — ***there is punishment***; there we find, ***Those who died in the plague*** *were twenty-four thousand* (ibid., v. 9).[27] וְרוּחַ הַקֹּדֶשׁ צוֹוַחַת וְאוֹמֶרֶת: ״מְקוֹם הַצֶּדֶק שָׁמָּה הָרֶשַׁע״ — **And the Divine Spirit cries out and declares, *In the place of righteousness there is wickedness*;** מָקוֹם שֶׁהֲפַכְתִּי קִלְלַת בִּלְעָם לִבְרָכָה, דִּכְתִיב ״וַיַּהֲפֹךְ ה׳ אֱלֹהֶיךָ לְּךָ אֶת הַקְּלָלָה לִבְרָכָה״ — in the **place where I** acted righteously and **changed the curse of Balaam to a blessing, as is written,** *But HASHEM, your God, refused to listen to Balaam, **and HASHEM, your God, reversed the curse to a blessing for you**, because HASHEM, your God, loved you* (*Deuteronomy* 23:6),[28] ״שָׁמָּה הָרֶשַׁע״, ״וַיֵּשֶׁב יִשְׂרָאֵל בַּשִּׁטִּים״ — ***there is wickedness***; as is written, ***Israel settled in the Shittim*** *and the people began to commit harlotry with the daughters of Moab* (*Numbers* 25:1).[29]

The Midrash now expounds the passage from *Ecclesiastes* in a way that pertains to our verse:

רַבִּי לֵוִי וְרַבִּי יִצְחָק אָמְרוּ: ב׳ דְּבָרִים בַּיָּמִין וּשְׁנֵי דְבָרִים בַּיָּד — **R' Levi and R' Yitzchak said: Two things** are associated by Scripture **with "the right hand"** of God **and two things** are associated **with "the left hand"** of God.[30] The Midrash elaborates: ב׳ דְּבָרִים בַּיָּמִין, תּוֹרָה וּצְדָקָה — The **two things** associated **with "the right hand"** of God are **Torah and charity.**[31] תּוֹרָה מִנַּיִן, ״מִימִינוֹ אֵשׁ דָּת לָמוֹ״ — **From where** do we know this about **Torah?** From that which is written, ***from His right hand He presented the fiery Torah to them*** (*Deuteronomy* 33:2). צְדָקָה מִנַּיִן, דִּכְתִיב ״צֶדֶק מָלְאָה יְמִינֶךָ״ — And **from where** do we know this about **charity** [צְדָקָה]? From that **which is written, *Righteousness*** [צֶדֶק] ***fills Your right hand*** (*Psalms* 48:11). ב׳ דְּבָרִים בַּיָּד, נֶפֶשׁ וּמִשְׁפָּט — And the **two things** associated **with "the left hand"** of God are **the soul and justice;**[32] נֶפֶשׁ, שֶׁנֶּאֱמַר ״אֲשֶׁר בְּיָדוֹ נֶפֶשׁ כָּל חָי״ — **the soul, as is stated, *That in His hand is the soul of every living thing*** (*Job* 12:10), מִשְׁפָּט, דִּכְתִיב ״וְתֹאחֵז בְּמִשְׁפָּט יָדִי״ — and **justice, as is written, *and My hand grasps justice*** (*Deuteronomy* 32:41). Based upon the above introduction, the Midrash expounds the *Ecclesiastes* verse: הַנֶּפֶשׁ נְתוּנָה בִּמְקוֹם מִשְׁפָּט וְנֶפֶשׁ יוֹצְאָה מִמְּקוֹם מִשְׁפָּט וְחוֹטֵאת — **The soul is put in *the place of justice* and** yet, **the soul leaves the place of justice and sins.**[33]

NOTES

26. The leaders of the people were instructed to form courts to try the individuals who worshiped the idol *Peor* (*Sanhedrin* 35a; *Rashi* to verse). Those found guilty of idolatry were to be stoned to death and their bodies hung (see *Rashi* to verse; see also *Sanhedrin* 34b).

And although the verse does not state that these instructions were fulfilled, the Midrash nevertheless proves from here that *the Attribute of Justice was employed*, because we may assume that they were (*Eitz Yosef*).

27. As it is explained here, the *Ecclesiastes* verse questions why the execution of the idolaters at Shittim was followed by a plague that ended only when Phineas slew Zimri (see *Numbers* 25:7-8). Apparently, this Midrash maintains that all those who were guilty of idolatry were executed and the plague's victims were those Jews who were guilty only of illicit relations. Scripture indicates (in *Malachi* 2:11-12) that the punishment for cohabitation with a non-Jewish woman is *kares* and (as taught in *Moed Katan* 28a and elsewhere) one who is liable for *kares* is not punished immediately. The Midrash therefore wonders why it is that the second group of sinners [who died only after all of the idolaters had already been dispatched] was felled immediately after they sinned (*Eitz Yosef*).

28. The incident in which Balak, king of Moab, hired the evil Balaam to curse the Jewish people and God caused him to bless them, appears in *Numbers* Chs. 22-24. *Micah* 6:5 indicates that it took place in Shittim (*Radal*, followed by *Eitz Yosef*; see, however, *Rashi* to that verse).

29. Thus, God explains in the *Ecclesiastes* verse that because the Jews' sins with the Moabite women came in the very place that God had performed a supreme kindness for them, there was an added component of ingratitude in their wicked actions and, as a result, their punishment was more stringent. Furthermore, God chastised the Jews for allowing themselves to fall prey to the Moabites' scheme despite the fact that it was conceived by Balaam (see *Numbers* 31:16 with *Sanhedrin* 106a), whose attempts to harm them had been warded off only through God's intervention (*Eitz Yosef*).

30. *Matnos Kehunah*, *Eitz Yosef*; also see *Tiferes Tzion*; see note 33 below for another approach.

Our Midrash accords with the Tanna Kamma, cited in *Menachos* 36b, who points to *Isaiah* 48:13 as proof that whenever Scripture speaks of "the hand" of God, without specifying whether it is the right hand or the left, God's "left hand" is implied (see *Rashash*, also cited by *Eitz Yosef*; see also *Matnos Kehunah*).

God does not have a physical form; whenever Scripture ascribes physical characteristics to God, it does so merely as a metaphorical description of God's behavior (see *Rambam, Hil. Yesodei HaTorah* 1:7-9). Thus, God's *right hand* is representative of Divine mercy and His *left hand* stands for Divine judgment (see *Eshed HaNechalim*, citing *I Kings* 22:19 with *Tanchuma*, *Shemos* §18, cited in *Rashi* to the verse; *Tiferes Tzion*).

31. In other words, with respect to Torah and charity, God acts with the mercy that is symbolized by "His right hand." Thus, when one earnestly undertakes to delve into the Torah, God mercifully bestows Torah knowledge upon him, without regard for the fact that his past deeds may render him undeserving of such favor. And if a man devotes himself to ceaseless Torah study, then, as R' Shimon bar Yochai taught (in *Berachos* 35b; see there for the opposing view of R' Yishmael), God will perform *charity* and mercifully provide for his physical needs (*Tiferes Tzion*).

32. Man's earthly desires emanate from the נֶפֶשׁ, *the soul*. Were God to freely grant it all that it yearns for, the soul would indulge itself limitlessly. In His kindness, God employs His Attribute of Strict Judgment (His *left hand*) in dealing with the soul and requires man to labor in order to obtain earthly goods, thereby curbing his capacity to sin (compare *Avos* 2:2). That Divine Attribute is also used with respect to the *justice* that is carried out when the wicked are punished in the World to Come without the benefit of the Attribute of Mercy (*Tiferes Tzion*).

33. The Midrash is interpreting the beginning of the *Ecclesiastes* verse, *In the place of justice there is wickedness*, to mean that in spite of God's efforts to protect the soul from sin by managing it with *justice*, the soul nevertheless behaves with *wickedness* (*Tiferes Tzion*; see also *Eitz Yosef* at the beginning of this section, s.v. זה שאמר הכתוב).

In an alternative approach to this Midrash, *Eshed HaNechalim* writes that when our Midrash uses the word יָד, it refers to *both* of God's "hands," that is, to His "right hand," representing the Attribute of Mercy, as well as His "left hand," representing Judgment. מִשְׁפָּט, *justice*, is inclusive of both of these Attributes and is therefore associated with both "hands." Now, because God's "right hand" is free of any vestige of wickedness, had only that Attribute been associated with the soul, it would not be capable of sin. Thus, our Midrash states that the soul is rooted in *the place of justice* and goes out and *sins*, because it is only due to the conflicting natures that are incorporated into man's soul that it can possibly sin.

ואינן עומדין בדין (סנהדרין י, ג), "שמה הרשע", שם (בראשית ז, כג) "וימח את כל היקום", ורוח הקדש צווחת ואומרת: "מקום הצדק שמה הרשע", מקום שהצדקתים, דכתיב (איוב כא, ט) "בתיהם שלום מפחד", "שמה הרשע", (שם שם יד) "ויאמרו לאל סור ממנו". דבר אחר, "מקום המשפט שמה הרשע" מדבר בסדומיים, מקום °שנעשה מדת הדין בסדומיים, כדתנן: אנשי סדום אין להם חלק לעולם הבא אבל עומדים בדין (סנהדרין שם), "שמה הרשע", שם (בראשית יט, כד) "וה' המטיר על סדם", ורוח הקדש צווחת ואומרת: *"מקום הצדק שמה הרשע"*, מקום שהצדקתים וכתבתי בארצם (איוב כח, ה-ו) "ארץ ממנה יצא לחם... מקום ספיר אבניה ועפרת זהב לו". אמרו: [ג]כשהיה אחד מהן הולך אצל הגנן ואמר לו: תן לי באיסר ירק, כשהוא נותן משכשכו ומוצא בעפרו זהב, לקיים מה שנאמר "ועפרת זהב לו", "שמה הרשע", שם אמרו: נעמוד ונשכח תורת הרגל מבינותינו (יחזקאל טז, מט) "ויד עני ואביון לא החזיקה". רבי יהודה בר סימון פתר קריא בשטים: "מקום המשפט שמה הרשע", מקום שנעשה מדת הדין בשטים, דכתיב (במדבר כה, ד) "קח את כל ראשי העם", "שמה הרשע", שם (שם שם ט) "ויהיו המתים במגפה", ורוח הקדש צווחת ואומרת: "מקום הצדק שמה הרשע", מקום שהפכתי קללת בלעם לברכה, דכתיב (דברים כג, ו) "ויהפך ה' אלהיך לך את הקללה לברכה", "שמה הרשע", (במדבר כה, א) "וישב ישראל בשטים". רבי לוי ורבי יצחק אמרו: ב' דברים בימין ושני דברים ביד: ב' דברים בימין, [ד]תורה וצדקה, תורה מנין, (דברים לג, ב) "מימינו אש דת למו", צדקה מנין, דכתיב (תהלים מח, יא) "צדק מלאה ימינך", ב' דברים ביד, נפש ומשפט, נפש, שנאמר (איוב יב, י) "אשר בידו נפש כל חי", משפט, דכתיב (דברים לב, מא) "ותאחז במשפט ידי", הנפש נתונה במקום משפט ונפש יוצאה ממקום משפט וחוטאת,

פירוש מהרז"ו

במלות המלך בחצר בית ה', היינו בעזרה, ומה שכתב ואת אוריהו מבואר בירמיה סוף כ"ו, ומאחר שמדמה ומקיש אוריהו לירמיהו, וכמו שירמיה התנבא בחצר בית ה', ורצו להרגו שם כך אוריהו גם כן בחצר בית ה': **שני דברים בימין.** דברים רבה (ה, ד), ועיין בקהלת רבה פסוק זה (פרשה ג פסוק טז), שהגירסא שם מתוקנת יותר:

עץ יוסף

והרד"ל כתב וזה לשונו, מקום שנעשה מדת הדין בדור המבול שמה הרשע שם וימח את כל היקום, כדתנן (סנהדרין קז, ב) דור המבול אין להם חלק לעולם הבא [ובירושלמי שם (פ"י ה"ג) ילפינן מהאי קרא] ורוח הקודש צווחת כו' מדת הדין בסדומיים וה' המטיר על סדום, שמה הרשע, כדתנן אנשי סדום כו' בדין ורוח הקודש כו', כן צריך לומר. והענין לומר, שלכאורה הוא כעוות הדין חס ושלום, שכבר קבלו עונשם בעולם הזה ונימוחו מעולם הבא גם כן כו' עד כאן לשונו: **ורוח הקודש צווחת כו'.** רצה לומר שהרוח הקודש משני מפני שחטאו בצדקה שעשה להם ה', לכן עונש חמור טפי מצד היותם גם כן כפויי טובה, שבטובה שהשפיע להם בעטו בו הפך הראוי להכיר בחסדי ה', וכן סדום חטאו הפך מה שהיה ראוי לעשות חסד ברבוי ממונם, ולכן לקו בעולם הזה ובעולם הבא: **בתיהם שלום מפחד.** ובדור המבול מיירי כדפירשית לעיל בבראשית רבה (לו, א): **ארץ ממנה יצא לחם.** דבסדום מיירי בודאי, כדאיתא בבראשית רבה פרשה נ' (עיין סנהדרין קט, א): **הגנן.** פירוש הגינה: **משכשכו.** במים: **ונשכח תורת הרגל כו'.** שלא יעברו עלינו עוברים ושבים למען ישאר הארץ הטובה לנו לבד: **קח את כל ראשי העם.** סבירא ליה אף על פי שלא הזכיר הכתוב שעשו כן שופטי ישראל, נתקיים דבר ה' ולא הוצרך הכתוב לכותבו, ולהכי קשיא ליה שכיון שהוקעו הנצמדים לבעל פעור, למה היתה המגפה נוגפת בעם, שהרי במעשה פנחס הוא שנעצרה המגפה. וצריך לומר שסבירא ליה דאותם שמתו במגפה היו מהזונים אלא שלא נצמדו לבעל פעור, ולכן קשיא ליה כיון שלא חטאו רק בזנות, אף על גב דענשן מפורש בקבלה יכרת ה' לאיש אשר יעשנה כדאיתא במסכת עבודה זרה (עיין שם לו, ב וסנהדרין פב, א). מכל מקום לא הוי ליה להמיתם ברגע, אלא להאריך אפו בהם כחייבי כריתות, שאין מדת הדין מתוחה עליהם מיד: **ורוח הקודש.** משני שלפי שחטאו במקום שקבלו טובה מה' ולא הכירו בחסדיו, גדול עונש שהיו כפויי טובה, ועוד שאחר שידעו רוע לב בלעם שהוצרך לה' להפוך להם קללתו לברכה היה להם להזהר מהלכד בזנות שהיה בעצתו לבנות מואב: **מקום שהפכתי כו'.** זה היה בשטים בערבות מואב, כמו שאמר (מיכה ו, ה) ומה ענה אותו בלעם בן בעור מן השטים: **שני דברים בימין.** של הקדוש ברוך הוא: **ביד שמאל.** של הקדוש ברוך הוא: **אשר בידו נפש כל חי.** ויד שמאל משמע כדיליף תנא קמא דברייתא (מנחות לו, ב) מדכתיב אף ידי יסדה ארץ וימיני טפחה שמים (הרש"ש): **רק חזק לבלתי אכול הדם.** והטעם, כדי שלא יקבל הנפש שהוא חלק אלוה ממעל הפסד ופחיתות מנפש הבהמה, כי הדם הוא הנפש, והן עתה אתה גרוע יותר מהבהמה, בעשותך תועבות גדולות כנאמר (ישעיה א, ג) ידע שור קונהו וחמור אבוס בעליו ישראל לא ידע וגו', כלומר שהבהמה מבינה יותר מהאדם, [כמו שור הפר של אליהו, והחמור של ר' פנחס בן יאיר], וזהו ואתם הולכים וחוטאים (קול בוכים): **ואת יוצאת.** איידי דנקט יוצאת ממקום המשפט, נקט נמי הכא יוצאת: **וחוטאת.** בא לדרוש סוף המקרא דלעיל מקום הצדק שמה הרשע, מקום שהצדקתים בו ואמרתי כי הדם בנפש יכפר, שמה הרשע, שם אוכלים הדם וחוטאים (רד"ל):

מתנות כהונה

הכי גרסינן **סור ממנו דבר אחר מקום (ש)המשפט שמה הרשע מדבר בסדומיים מקום שנעשה מדת הדין וכו': אבל עומדין בדין.** משנה בפרק חלק (סנהדרין קז, ב): **ונשכח תורת רגל כו'.** שלא יעברו עלינו עוברים ושבים, למען ישאר הארץ הטובה רק לנו לבד: **בימין.** של הקב"ה: **ושני דברים ביד.** ביד שמאל כמה דאת אמר (שמות יג, טז) ידכה, ודרשו חכמינו ז"ל (מנחות לז, א) יד כהה שהיא השמאל. ועיין עוד זה בפרשת שופטים (ה, ד), ובמדרש קהלת: **וחוטאת.** לשון תמיה:

אשד הנחלים

בימין כו' וביד כו' הנפש נתונה כו'. כבר ידוע כי הימין מרמז על הטוב הגמור שאין בו רע למאומה, (שלכן אמרו (ירושלמי סנהדרין פ"א ה"א, שיר השירים רבה א, מה על פסוק ט) על הכתוב (מלכים א' כב, יט) וכל צבא השמים עומדים עליו מימינו ומשמאלו, אלו מיימינים לזכות ואלו משמאילים לחובה), וזהו מדת הצדקה למעלה, וכן התורה העליונה כמו שפרשתי כמה פעמים. והמשפט הוא ממוזג מדין ורחמים יחד, וזהו שניתנה ביד סתם שהיא כוללת ימין ושמאל, ומזה יבוא המשפט והעונש לפעמים בעולם כי פועלת כפי המשפט והדין. והנה הנפש אילו ניתנה בימין לגמרי, לא היתה חוטאת מאומה, ולא היה נמצא בה שום דופי ורע, אך כי היא ניתנה במקורה מקום המשפט ונאצלת למטה, על כן יש בכחה לחטוא. זהו כלל הדברים למבין, וכבר הארכתי בזה במקומות אחרים:

חידושי הרד"ל

(ובירושלמי שם (פ"י ה"ג) ילפינן לה מהאי קרא) **ורוח הקדש צווחת כו' מדת הדין בסדומיים וה' המטיר על סדום, שמה הרשע כדתנן** (סנהדרין שם) **אנשי סדום כו' בדין, ורוח הקדש צווחת כו'.** כן צריך לומר. והענין לומר שלכאורה הוא כעוות הדין חס ושלום, שכבר קיבלו עונשם בעולם הזה, ונימוחו מעולם הבא גם כן, ועל זה רוח הקדש משיבה כי גדלה עונם מנשוא: **מבינותינו ויד עני ואביון לא החזיקה.** (יחזקאל טז, מט). לקמן נאמר, הנפש נתונה במקום המשפט וחוטאת. זה גם כן בא לדרוש מקום המשפט שמה הרשע, (ומפני זה הובא דרשת פסוק זה לכאן): **מקום שהפכתי קללת בלעם כו'.** שזה היה בשטים בערבות מואב, כמו שכתוב (מיכה ו, ה) ומה ענה אותו בלעם בן בעור מן השטים:

חידושי הרש"ש

[א] דברים ביד כו'. אתיא כדעת התנא קמא דברייתא מנחות (דף לו, א), עיין שם. ופירוש המתנות כהונה תמוה דהא לא כתיב ידכה בה"א:

באור מהרי"פ

הכי גרסינן סור ממנו דבר אחר מקום (ש)המשפט שמה הרשע מדבר בסדומיים מקום שנעשה מדת הדין וכו': אבל עומדין בדין. משנה בפרק חלק (סנהדרין קז, ב): **ונשכח תורת רגל כו'.** שלא יעברו עלינו עוברים ושבים, למען ישאר הארץ הטובה רק לנו לבד: **בימין.** של הקב"ה: **ושני דברים ביד.** ביד שמאל כמה דאת אמר (שמות יג, טז) ידכה, ודרשו חכמינו ז"ל (מנחות לז, א) יד כהה שהיא השמאל. ועיין עוד על זה בפרשת שופטים (ה, ד), ובמדרש קהלת: **וחוטאת.** לשון תמיה:

מסורת המדרש

ג. פדר"א כ"ה:
ד. תנחומא ויקרא. ילקוט נ"ך תתקי"ז:

אם למקרא

וימח את כל היקום אשר על פני האדמה מאדם עד בהמה עד רמש ועד עוף השמים וימחו מן הארץ וישאר אך נח ואשר אתו בתבה: (בראשית ז:כג)

בתיהם שלום מפחד ולא שבט אלוה עליהם: (איוב כא:ט)

ויאמרו לאל סור ממנו ודעת דרכיך לא חפצנו: (שם שם יד)

וה' המטיר על סדם ועל עמרה גפרית ואש מאת ה' מן השמים: (בראשית יט:כד)

ארץ ממנה יצא לחם ותחתיה נהפך כמו אש: מקום ספיר אבניה ועפרת זהב לו: (איוב כח:ה-ו)

הנה זה היה עון סדם אחותך גאון שבעת לחם ושלות השקט היה לה ולבנותיה ויד עני ואביון לא החזיקה: (יחזקאל טז:מט)

ויאמר ה' אל משה קח את כל ראשי העם והוקע אותם לה' נגד השמש וישב חרון אף ה' מישראל: (במדבר כה:ד)

ויהיו המתים במגפה ארבעה ועשרים אלף: (שם שם ט)

ולא אבה ה' אלהיך לשמע אל בלעם ויהפך ה' אלהיך לך את הקללה לברכה כי אהבך ה' אלהיך: (דברים כג:ו)

וישב ישראל בשטים ויחל העם לזנות אל בנות מואב: (במדבר כה:א)

ויאמר ה' מסיני בא וזרח משעיר למו הופיע מהר פארן ואתה מרבבת קדש מימינו אש דת למו: (דברים לג:ב)

כשמך אלהים כן תהלתך על קצוי ארץ צדק מלאה ימינך: (תהלים מח:יא)

אשר בידו נפש כל חי ורוח כל בשר איש: (איוב יב:י)

אם שנותי ברק חרבי ותאחז במשפט ידי אשיב נקם לצרי ולמשנאי אשלם: (דברים לב:מא)

אמרי יושר

מקום שנעשה בהם מדת הדין בידי אדם שמה הרשע. והחיוב גם כן בידי שמים:

אָמַר רַבִּי יִצְחָק: אָמַר לָהּ הַקָּדוֹשׁ בָּרוּךְ הוּא לַנֶּפֶשׁ — **R' Yitzchak said: The Holy One, blessed is He, said to the soul,** אֲנִי כָּתַבְתִּי עָלַיִךְ "רַק חֲזַק לְבִלְתִּי אֲכֹל הַדָּם וגו׳", וְאַתְּ יוֹצֵאת וְחוֹטֵאת — **"I wrote** in My Torah and decreed **upon you,** ***Only be strong not to eat the blood, etc.*** (*Deuteronomy* 12:23), **and** yet, **you go out and sin?!"**[34] "נֶפֶשׁ כִּי תֶחֱטָא בִשְׁגָגָה" — Thus, our verse states, ***a "soul" that sins unintentionally?!***[35]

§2 [נֶפֶשׁ כִּי תֶחֱטָא בִשְׁגָגָה מִכֹּל מִצְוֹת ה׳ — *WHEN A PERSON WILL SIN UNINTENTIONALLY FROM AMONG ALL THE COMMANDMENTS OF HASHEM.*]

The Midrash cites another passage from *Ecclesiastes* as part of a second approach to explain our verse's use of the term נֶפֶשׁ, lit., *a soul*. Once again, the Midrash will expound the passage it cites before relating it to our verse:[36]

דָּבָר אַחֵר, "נֶפֶשׁ כִּי תֶחֱטָא וגו׳ " — **An alternative explanation** of our verse: ***When a "nefesh" will sin, etc.;*** זֶה שֶׁאָמַר הַכָּתוּב "כָּל עֲמַל אָדָם לְפִיהוּ" — **this** verse **is** supportive of that **which the verse states** elsewhere, ***All man's toil is for his mouth,*** *yet the soul is never satisfied* (*Ecclesiastes* 6:7).[37] אָמַר רַבִּי שְׁמוּאֵל בַּר אַמִּי: כָּל מַה שֶׁסִּיגֵּל אָדָם מִצְוֹת וּמַעֲשִׂים טוֹבִים אֵינוֹ מַסְפִּיק לְהֶבֶל הַיּוֹצֵא מִפִּיו — **R' Shmuel bar Ami said:** The beginning of this verse may be interpreted to mean, **all that a man accumulated** over his lifetime, in terms of **mitzvos and good deeds, is insufficient** remuneration **for the breath that leaves a man's mouth.**[38]

NOTES

34. *Matnos Kehunah.*

With this, the Midrash seeks to explain the latter half of the *Ecclesiastes* verse, *In the place of righteousness there is wickedness*. The Midrash is teaching that God dealt with the soul with *righteousness* when He addressed it with the words, *Only be strong*. For just as at the time of Creation, whatever God said became reality, with the injunction to *be strong*, God empowered all generations of Jews to strengthen themselves and successfully battle the temptation to sin. Thus, the verse teaches that the guilt borne by the soul when it acts with *wickedness* is compounded by the *righteousness* with which God acted (*Tiferes Tzion*; see there for an explanation of why it was specifically the prohibition against eating blood that was introduced this way; see *Radal*, also cited by *Eitz Yosef*, for another approach).

35. Translation is based on *Tiferes Tzion*, who explains that the Midrash is using the above exposition to shed light on our verse's attribution of *sin* to the *soul*. The words נֶפֶשׁ כִּי תֶחֱטָא are understood as a statement of disbelief that *the soul*, Divinely fortified against wrongdoing through being handled with *justice* and enjoined to *be strong*, could possibly descend to sin. (See also *Eitz Yosef* at the beginning of this section, s.v. זה שאמר הכתוב; compare *Tanchuma*, *Vayikra* §6; for another approach, see *Radal*, also cited by *Eitz Yosef*.)

See Insight Ⓐ.

36. *Eitz Yosef.*

37. According to the simple meaning of this verse, it states that in spite of man's constant efforts to sustain himself, his soul remains dissatisfied (see *Targum* to verse). Because this appears to be self-evident, the Midrash will read deeper meaning into the verse (*Yefeh To'ar*).

The connection between this verse and ours will be explained below, in note 48.

38. In other words, even if God would do no kindness with man other than allow him to inhale and exhale (through *his mouth*) and thereby

INSIGHTS

Ⓐ **The Allure of the Forbidden** *Beis HaLevi* (*Derush* §12) suggests an explanation of this intriguing Midrash.

On the verse quoted by the Midrash (*Only be strong not to eat the blood [of animals], for the blood is the life*), the last Mishnah in *Makkos* comments: If in the case of blood for which a person has a natural aversion, one who abstains from eating it receives a reward (as a subsequent verse, v. 25, states, *in order that it be well with you and your children after you*), then in the cases of theft and forbidden unions, which a person desires, how much more so will one who abstains from them earn merit for himself and for all his future generations! The Mishnah then concludes with the famous saying of R' Chananya ben Akashya: The Holy One, blessed is He, desired to confer merit upon Israel, therefore, he gave them Torah and mitzvos in abundance, as it says (*Isaiah* 42:21): ה׳ חָפֵץ לְמַעַן צִדְקוֹ יַגְדִּיל תּוֹרָה וְיַאְדִּיר, *HASHEM desired for the sake of [Israel's] righteousness, that the Torah be expanded and strengthened*. That is, God provided Israel with many mitzvos so that Israel earn reward by observing them.

Rivan (*Makkos* ad loc.) explains that the Torah stated many admonitions against eating various items that are considered repulsive (such as blood), even though people would abstain from them in any case. God's purpose was only to increase Israel's reward by making it a *commandment* to abstain from them.

Although there is no *natural* desire to consume blood, *Beis HaLevi* demonstrates that the Torah's very *prohibition* of its consumption *creates* a temptation to consume the forbidden item (see *Proverbs* 9:17 and *Horayos* 11a). Human nature finds the forbidden alluring simply because it is forbidden. [And this in turn generates reward for avoiding what is prohibited, since one must overcome the allure of the forbidden.]

This is the meaning of the statement contained in our Midrash, "I wrote [in My Torah and decreed] upon you, *Only be strong not to eat the blood, etc.* and [yet] you go out and sin?!" That is: I did not forbid blood to you to prevent you from eating it; you would have naturally avoided it anyway. Rather, I forbade it for your benefit, to increase your reward. And yet you sin and consume it?!

And this is the meaning of the *Ecclesiastes* verse as well: *In the place of justice there is wickedness, and in the place of righteousness there is wickedness*. The verse refers to the sins of "justice" and to those of "righteousness." *Justice* is a reference to sins in the area of civil law, such as theft. *Righteousness* is a reference to sins that God forbade out of His righteousness — to reward His people for abstaining from things such as blood, which they would have avoided in any event. Thus, the verse laments: *In the place of justice there is wickedness*. People commit theft and the like. But this is somewhat understandable, since there is a natural temptation for such things (as taught by the Mishnah in *Makkos*). But why, continues the verse, *in the place of righteousness there is wickedness*?! Why do people transgress the prohibition against eating blood (and all such similar items) for which there is no natural desire, but only one engendered by God's righteousness in giving us additional commandments to increase our reward?

Beis HaLevi mentions an interesting Scriptural allusion. The last verse of the preceding passage concludes with a prohibition against consuming blood (3:17). And our passage then states, נֶפֶשׁ כִּי תֶחֱטָא בִשְׁגָגָה מִכֹּל מִצְוֹת ה׳ אֲשֶׁר לֹא תֵעָשֶׂינָה, *When a person will sin unintentionally from among all the commandments of HASHEM that are not to be done* . . . The implication is that there are sins that "are to be done" (i.e., for which there is a natural temptation) and those that are "not to be done" — those for which there is no natural inclination. Our passage alludes to those that are "not to be done," such as the prohibition against blood just mentioned.

To Distinguish Man From Beast The *Dubno Maggid* (in his *Kol Bochim* [on *Eichah* 1:17], cited by *Eitz Yosef*) offers the following insight into our Midrash's teaching that the prohibition against eating blood is held up as a charge against all sinners:

The Torah explains its prohibition against the consumption of blood with the words, כִּי הַדָּם הוּא הַנָּפֶשׁ, *for the blood, it is the soul* (*Deuteronomy* 12:23). What this means is that if a person were to eat the blood of an animal, his own sublime soul would become tainted by the base nature of the animal's *soul*. When a person defies his Maker, however, his behavior is even lower than that of beasts, who instinctively recognize and obey their master; as the prophet rebuked the Jewish people: יָדַע שׁוֹר קֹנֵהוּ וַחֲמוֹר אֵבוּס בְּעָלָיו יִשְׂרָאֵל לֹא יָדַע עַמִּי לֹא הִתְבּוֹנָן, *An ox knows his owner, and a donkey his master's trough; but Israel does not know, My people does not comprehend* (*Isaiah* 1:3).

Thus, our Midrash teaches that God reprimands the sinful soul who has descended even lower than the level of beast, by reminding it of its potential to be so much more.

אָמַר רַבִּי יִצְחָק: אָמַר לָהּ הַקָּדוֹשׁ בָּרוּךְ הוּא לַנֶּפֶשׁ: אֲנִי כָּתַבְתִּי עָלַיִךְ (שם יב, כג) "רַק חֲזַק לְבִלְתִּי אֲכֹל הַדָּם וְגוֹ'", וְאַתְּ יוֹצֵאת וְחוֹטֵאת, [ד, ב] "נֶפֶשׁ כִּי תֶחֱטָא בִּשְׁגָגָה":

ב דָּבָר אַחֵר, [ד, ב] "נֶפֶשׁ כִּי תֶחֱטָא וְגוֹ'", זֶה שֶׁאָמַר הַכָּתוּב (קהלת ו, ז) "כָּל עֲמַל אָדָם לְפִיהוּ", אָמַר רַבִּי שְׁמוּאֵל בַּר אַמֵּי: מַה שֶּׁסִּיגֵּל אָדָם מִצְוֹת וּמַעֲשִׂים טוֹבִים אֵינוֹ מַסְפִּיק לְהֶבֶל הַיּוֹצֵא מִפִּיו, (שם) "וְגַם הַנֶּפֶשׁ לֹא תִמָּלֵא", רַבִּי בֶּרֶכְיָה וְרַבִּי קְרִיסְפָּא בְּשֵׁם רַבִּי יוֹחָנָן אָמְרִין: כְּפִיטוּרִין הַיּוֹצְאִין מִן הַוֵּשֶׁט, וְרַבִּי חֲנִינָא אָמַר: כְּצִיפּוֹרֶן הַיּוֹצֵא מִן הַוֵּשֶׁט, שְׁמוּאֵל אָמַר: כְּסִילָן רָטוֹב וְהָפוּךְ הַיּוֹצֵא מִן הַוֵּשֶׁט. אָמַר רַבִּי שְׁמוּאֵל בַּר יִצְחָק: כָּל מַה שֶּׁסִּיגֵּל אָדָם מִצְוֹת וּמַעֲשִׂים טוֹבִים לְפִיו וְלֹא לְפִי בְּנוֹ וְלֹא לְפִי בִתּוֹ,

עץ יוסף

כי תחטא בשגגה. תפס איסור דם בחטאת כדרך הש"ס למינקט חטאת חלב וחטאת דם, כמו שאמרו התוספות בכמה מקומות (עיין חולין ה, ב ד"ה מטס הארץ). (רד"ל): **(ב) כל עמל אדם לפיהו.** משום דקשיא ליה מה טעם לתלות החטא בנפש כדכתבתי לעיל, לכן מייתי הא דדרשי גבי וגם הנפש לא תמלא, שלפי מה שפירש בצער יציאת הנפש יהיה כאן הכתוב מזכיר הנפש כמתמיה, אחר שמצטער כל כך ביציאתה איך תחטא, ולפי מה שפירש שאינה שביעה למצות יראה אחר שראוי לה שלא לשבוע במצות איך תחטא, ואיידי דמייתי קרא, מפרש לכוליה: **אינו מספיק כו'.** שאפילו לא היה ה' מטיב עם האדם רק ענין נשימתו אשר בה יחיה, שההבל יוצא מתוך פיו ונכנס כנגדו האויר הקר ועל ידי זה יחיה, אין שכר האדם בכל מה שיתעסק במצות ובמעשים טובים מספיק לחסד זה שעושה עמו ה'. והרד"ל פירש להבל היוצא מפיו, הבל דבור של חטא כמו שנאמר (איוב לה, טז) הבל יפצה פיהו, ומפני שהדבור הוא עיקר גדר מותר האדם מן הבהמה, לכן אין מספיק כל מעשים טובים שסיגל נגד חטא שבו, עד כאן לשונו: **גם הנפש לא תמלא רבי ברכיה כו'.** יש חסרון לשון בכאן, והכי איתא בקהלת רבה (ו, ז), גם הנפש לא תמלא אפילו הוצאת הנפש אינה ממלאת הגומא, כיצד הוצאת הנפש, רבי יוחנן אמר כפטורין כו', והכי פירושו שאפילו צער הנפש הגדול בעת יציאתה מהגוף, אינו מספיק לכפר עונה, ומפרש ואזיל מהו צערה הגדול, דלמר הוא כפיטורי כו', ולמר כציפורן כו'. ומלוי הגומא דרך משל לפחת העבירה שהיא פוגמת בנפש, ועושה כפחת וגומא בה, וכל צערה אינו מספיק להשלים חסרון זה: **כפיטורין כו'.** בפרק קמא דברכות (ח, א) גבי מיתת אסכרה איתא דאמרי כפיטורי בפי הושט. פרש"י יש אוקייאנוס יש בו מקומות שאינו מקבל ברזל, ומחברים לוחי הספינה על ידי חבלים ועקלים שתוחבין בנקביו, ותוקעין אותו בדוחק לפי שהם גסים כמדת הנקב שהוא עגול כפי ושט: **בציפורן היוצא כו'.** זה איתא גם כן סוף מסכת מועד קטן (כט, א) ופרש"י שם, כחבל שיש בו קשר ויוצא בקושי מן התורן. ובערוך פירש, סיב של דקל שסותמין בו נקב הספינה, וכשמכניסין אותה בנקב של ספינה שדומה לושט קולו הולך וחזק מאד. אבל קשה דהכא, ובתנחומא (סדר מקץ סימן י), ובמסכת מועד קטן, משמע דסתם יציאת נפש הוי כך, ובברכות לא קאמר אלא במיתת אסכרה, ואף על גב דיש אומרים התם מיתת אסכרה בענין אחר, לא משמע דפליגי נמי בשאר מיתות: **בסולם.** כן צריך לומר, וכן הוא בתנחומא. אבל המתנות כהונה כתב בשם הערוך, דצריך להיות כסילן, ומפרש המתנות כהונה שהוא קוץ, ומתוך שהוא רטוב אינו נשבר, ועומד בחזקו לבלע ולהשחית: **ולא לפי בנו.** אינו מספיק לזכות בנו לעולם הבא:

פירוש מהרז"ו

(ב) כל עמל אדם לפיהו. כל הענין במדרש קהלת פסוק זה (דף נ"ט א' [פרשה ו פסוק ז]), פסוק ואלו חיה וגו' (קהלת ו, ו), (על) [כל] עמל וגו' (שם ז), וסיפיה דקרא וגם הנפש לא תמלא, וכמו שכתב בסוף הסימן: **שסיגל מצות ומעשים טובים.** בראשית רבה (עט, ה) וכמו שאמרו בסנהדרין (צט, ב) כי אדם לעמל יולד (איוב ה, ז), איני יודע אם לעמל פה אם לעמל מלאכה, תלמוד לומר (משלי טז, כו) נפש עמל עמלה לו כי אכף עליו פיהו, הוי אומר לעמל פה נברא, ועדיין איני יודע אם לעמל תורה אם לעמל שיחה, תלמוד לומר (יהושע א, ח) לא ימוש ספר התורה הזה מפיך, הוי אומר לעמל תורה נברא, ולזה כוון במה שאמר כאן, כל עמל אדם לפיהו, למצות ומעשים טובים: **לא תמלא.** כשמשימים איזה דבר בנקב, אם הוא שוה עם הנקב ונכנס ויוצא בו, זה נקרא מלא, ואם אינו יכול לצאת הוא יותר ממלא, וזה לא תמלא כפיטורין בפי ושט, שהוא יותר מן הושט, ויוצא בדוחק גדול: **כפיטורין.** עיין במתנות כהונה, ובערוך פירש מביאין סיב של דקל של נרגילה, וכשמכניסים אותו בנקב של ספינות וכו':

חידושי הרד"ל

אכול הדם כי הדם הוא הנפש ואת יוצאת וחוטאת נפש כי תחטא בשגגה. כן צריך לומר. ותפס איסור דם בחטאת, כדרך הש"ס למינקט חטאת חלב וחטאת דם, כמו שכתבו התוספות בכמה מקומות (חולין ה, ב תוד"ה מע"ה. נדרים ד, א ד"ה דלא), ויש לפרש שבא לדרוש סוף המקרא דלעיל, מקום הצדק שמה הרשע, מקום שהצדקתים בו, ואמרתי כי הדם בנפש יכפר, שמה הרשע, שמה אוכלים הדם וחוטאים בו: **[ב] להבל היוצא מפיו.** הבל דבור של חטא, כמו שכתוב (איוב לה, טז) ואיוב הבל יפצה פיהו. ומפני שהדיבור הוא עיקר גדר מותר האדם מן הבהמה, לכן אין מספיק כל מעשים טובים שסיגל נגד חטא שבו: **בפיטורין היוצא כו'.** תנחומא מקץ (סימן י):

באור מהרי"פ

לבלתי אכול הדם וגו'. ומסיפיה דקרא קדייק כי הדם הוא הנפש וגו': **[ב] אינו מספיק להבל כו'.** אינו מספיק לתשלום גמול להקב"ה על ההבל שנתנו הקב"ה בתוכו ומשתמר בו ויוצא ונכנס: הכי גרסינן לקמן בקהלת (ו, ו) **גם הנפש לא תמלא אפילו הוצאתה אינו ממלאה הגומא.** לצאת בריוח אלא בדוחק גדול, וכדמפרש ואזיל כילד כו': **בפיטורי כו'.** פירש"י ז"ל פרק קמא דברכות (ח, א) חבל שיש בו קשר ורוצים למושכו דרך חור קטן, שאינו נמשך אלא בדוחק גדול: **הכי גרסינן לקמן בקהלת בציפורין היוצא מן הוושט.** פירוש שמזרב זריב ומקלקל הוושט: **שמואל אמר בסילן רטוב.** פירוש קוץ, ומתוך שהוא רטוב אינו נשבר ועומד בחזקו לבלע ולהשחית, וכן בערוך גרס כגירסת הספר, וכן בתנחומא בפרשת מקץ (סימן י): **ולא לפי בנו כו'.** זכותו לא נתמעט לו ליתנו לבנו, אף על פי שזכות אבות יעמוד לבנים:

מסורת המדרש

ה. ילקוט כ"ך תתקע"ב:

אם למקרא

רַק חֲזַק לְבִלְתִּי אֲכֹל הַדָּם כִּי הַדָּם הוּא הַנָּפֶשׁ וְלֹא תֹאכַל הַנֶּפֶשׁ עִם הַבָּשָׂר: (שם יב:כג)

כָּל־עֲמַל הָאָדָם לְפִיהוּ וְגַם־הַנֶּפֶשׁ לֹא תִמָּלֵא: (קהלת ו:ז)

שינוי נוסחאות

(ב) מה שסיגל אדם מצות. הגיה א"א "כל מה שסיגל ..." **וגם הנפש לא תמלא.** הביא מ"כ דכאן יש למלא את החסר ממה שכתוב במדרש קהלת, וז"ל שם, "אפילו הוצאתה אינה ממלא הגומא, כיצד הוצאת הנפש", וגם א"א הגיה כעין זה:

אמרי יושר

[ב] כפיטורין. פירש בערוך (ערך פי טורי), כאדם שרוצה להוציא חבל שיש בו קשר בחור של תורן שיש בו טורח גדול, זהו גם הנפש, אינה רוצה להכנס ולצאת מהגוף, ותאמר מה פשעי למיתה זו, הלא עשיתי מצות:

מתנות כהונה

לבלתי אכול הדם וגו'. ומסיפיה דקרא קדייק כי הדם הוא הנפש וגו': **[ב] אינו מספיק להבל כו'.** אינו מספיק לתשלום גמול להקב"ה על ההבל שנתנו הקב"ה בתוכו ומשתמר בו ויוצא ונכנס: הכי גרסינן לקמן בקהלת (ו, ו) **גם הנפש לא תמלא אפילו הוצאתה אינו ממלאה הגומא.** לצאת בריוח אלא בדוחק גדול, וכדמפרש ואזיל כילד כו': **בפיטורי כו'.** פירש"י ז"ל פרק קמא דברכות (ח, א) חבל שיש בו קשר ורוצים למושכו דרך חור קטן, שאינו נמשך אלא בדוחק גדול: הכי גרסינן לקמן בקהלת **בציפורין היוצא מן הוושט.** פירוש שמזרב זריב ומקלקל הוושט: **שמואל אמר בסילן רטוב.** פירוש קוץ, ומתוך שהוא רטוב אינו נשבר ועומד בחזקו לבלע ולהשחית, וכן בערוך גרס כגירסת הספר, וכן בתנחומא בפרשת מקץ (סימן י): **ולא לפי בנו כו'.** זכותו לא נתמעט לו ליתנו לבנו, אף על פי שזכות אבות יעמוד לבנים:

אשד הנחלים

רק חזק גו' ואת יוצאת כו'. הענין כמו שאמרו החכמים כי הנפש המשכלת מצד עצמה לא היתה חוטאת, כי כל טבעה רק להפנות למעלה להשיג מושגה ולדבק בה', ורק מצד חיבורה לגוף, הגוף והחומר מחטיאה, והנה עיקר דיבוק הגוף והנפש הוא על ידי הדם, כי הדם הוא הנפש שעליו שורה הרוח החיוני, והרוח החיוני וטבע המעורר הוא המחטיא להנפש המשכלת, למשוך אחרי תענוגים הגופיים, ולכן צוה ה' שיתחזקו מאוד לבלתי אכול הדם, לבל יתחזק הדיבוק ביניהם. והנה מצד שהנפש חוטאת רק במקרה מצד חיבור הגוף על כן נחשב עליה כשגגה, כי אלולי הזכירה באמת לא היתה עושה זאת, ולכן תלה הכתוב החטא על הנפש, לומר כי היא הסבה (אף שהגוף הוא החוטא), אחר שה' ברוך הוא הודיענו הסגולה איך לא תתחבר עם הגוף, שהוא על ידי מניעת הדם. ויתכן עוד, דאף שעשתה בשגגה נחשב להנפש לחטא, אחר שלא הזהירה לזכור זאת, ואלולי לא התדבקה לגוף בחוזק לא היתה שוכחת: **[ב] אינו מספיק כו'.** כלומר אם יתבונן האדם מטובת ה' עליו בכל עת ובכל רגע, איך יתכבד בעשיית מצוותיו ופקודי ה', אם ה' עושה ככה עמו. או באורו, כי ההבל היוצא הוא אות על רוח החיוני הנתון בו, וכבר ידוע כי הכח החיים הוא המרחף על האדם בכל עת ובכל רגע מחוץ, כי היא שפע שופע על האדם, כנודע בספרי הטבעיים: **כפיטורין כו' בצפורן כו' כסילון רטוב.** יש להבין הבדל אלו הלשונות והמשלים, ומה המה שייכים לפירוש הפסוק. והנראה שכפי הנודע שהנפש כל אשר תסתבך יותר עם חברת הגוף, ותתאחד בחברתם על ידי המיצועיים, שזהו המאכל והמשקה, שהוא החיבור היסודי לחברתם, תקשה עליה פרידתה אחר כך כשתוכרח לצאת מן גיוה, כי נתאחדו יחד מאוד, כמו שנתאחז ונקשר החבל בחזקה בפי הספינה. וזהו פירש הפסוק, כל עמל אדם לפיהו, קבץ הון ולהיות לאכלה הוא רק לפיהו והוא שמח בו, אך הנפש לא תמלא מהם להיות ניזונית מהם, ונהפוך הוא כי היא תקבל צער מזה באחרית, כי יהיה קשה לה הפרידה. והנה הם לא תארו רק שקשה לה הפרידה, אך רבי חנינא תיאר כצפורן, שמתוך חידודו הוא משרט לוושט ועושה בו רושם וכאב. אך עם כל זה הוא בשלימות רק שמכאיבו, ושמואל תיאר כסילון, שהוא קוץ הפוך, שהקוצים שסביבו עומדים בהיפך עם הפגם למעלה ורטוב, שעל ידי זה נעשה עב מאוד, ואם כן הוא נוקב ולוקח מעט מעור הוושט עמו. וענין מחלוקותם אם הרגל הדברים הגופנים משחית הנפש לגמרי, עד שיתואר בה השחתה וכליון, או לא, והענין ארוך בחכמת המחקר: **ולא לפי בנו.** כלומר אף שעמלו במעשים טובים ומצוות, הלוואי יהיה כדאים רק לזכותו לבד, ולמה זה יתגאה בהם:

The Midrash turns its attention to the second half of the cited verse from *Ecclesiastes*:

"וְגַם הַנֶּפֶשׁ לֹא תִמָּלֵא" — ***"Vegam hanefesh lo si'malei"***; this may be interpreted to mean, אֲפִילוּ הוֹצָאָתָהּ אֵינָהּ מְמַלְּא הַגּוּמָא — ***even [the soul's] extraction does not "fill* the hole."**[39] The Midrash elaborates: כֵּיצַד הוֹצָאַת הַנֶּפֶשׁ — **How is the extraction of the soul** from the body (at death)? רַבִּי בֶּרֶכְיָה וְרַבִּי קַרְצִיפָא בְּשֵׁם רַבִּי יוֹחָנָן אָמְרִין: כִּפִיטוֹרִין הַיּוֹצְאִין מִן הַוֶּשֶׁט — **R' Berechyah and R' Kartzifa said in the name of R' Yochanan: Like ropes that exit from a round hole.**[40] וְרַבִּי חֲנִינָא אָמַר: כְּצִיפּוֹרֶן הַיּוֹצֵא מִן הַוֶּשֶׁט — **And R' Chanina said: Like a knotted rope that exits from a round hole.**[41] שְׁמוּאֵל אָמַר: כְּסִילָן רָטוֹב וְהָפוּךְ הַיּוֹצֵא מִן הַוֶּשֶׁט — **And Shmuel said: Like a thorn, moist and reversed, that exits from a round hole.**[42]

The Midrash presents additional expositions of the verse in *Ecclesiates*:

אָמַר רַבִּי שְׁמוּאֵל בַּר יִצְחָק — **R' Shmuel bar Yitzchak said:** The beginning of the cited verse may be interpreted to mean, כָּל מַה שֶׁסִּיגֵּל אָדָם מִצְוֹת וּמַעֲשִׂים טוֹבִים לְפִיו וְלֹא לְפִי בְּנוֹ וְלֹא לְפִי בִתּוֹ — **all that a man accumulated** over his lifetime, in terms of **mitzvos and good deeds,** serves to provide ***for his mouth,*** **but not for his son's mouth and not for his daughter's mouth.**[43]

NOTES

remain alive, all of the reward that is earned for the *toil* man invests in the performance of mitzvos and good deeds could not repay the Divine kindness he enjoyed (*Eitz Yosef*; also see *Matnos Kehunah*). The gift of respiration is singled out because without it man could survive for only a very brief amount of time (*Yefeh To'ar*).

Alternatively, the Midrash refers to the *breath* that leaves a man's mouth when he speaks sinfully (compare *Job* 35:16), and interprets the verse to mean that no amount of good deeds can compensate for the iniquitous use of speech. The reason speech-related sin is treated so severely is because it is the ability to communicate verbally that forms the primary distinction between man and beast (*Radal*, also cited by *Eitz Yosef*).

39. The destructive effect of sin is metaphorically referred to as *a hole* in a man's soul. Our Midrash states that even the intense pain endured by the soul when it is torn from the body is insufficient to atone for a man's sins and thereby "fill the hole." Presently, the Midrash will elaborate on this pain (*Eitz Yosef*).

Alternatively, what is meant here is that the soul does not merely "fill the hole" through which it departs from the body, but is rather "wider than the hole," so that the extraction is a forced and difficult procedure (see *Matnos Kehunah*, *Maharzu*).

[*Yefeh To'ar* comments that one should not be troubled by the fact that the Midrash is interpreting the word תִמָּלֵא, *become filled* or *satisfied*, as if תְּמַלֵּא, *will fill*, were written, for the Sages of the Midrash were greater experts in grammar than we are.]

40. Translation follows *Rashi* to *Berachos* [8a], cited by *Eitz Yosef* (see also *Matnos Kehunah*; *Imrei Yosher,* and *Maharzu*, from *Aruch*). *Rashi* there adds that because there are places in the ocean where it is inadvisable to travel with a ship containing iron fastenings [due to the presence of magnetic stones on that part of the ocean floor (*Rashash* to *Berachos* ibid.)], ships would be built with their wooden sections joined to one another by means of ropes that would be forced through holes in adjoining sections.

41. Translation is based on *Rashi* to *Moed Katan* [29a], cited by *Eitz Yosef*, who explains that the knotted rope that penetrates [a hole or a ring in] the mast of a ship can be pulled out only with difficulty.

Aruch's explanation of פִּיטוֹרִין (in s.v. פי טורי, cited by *Imrei Yosher*; see also *Matnos Kehunah*) is similar to *Rashi*'s understanding of צִיפּוֹרֶן, and he explains צִיפּוֹרֶן (in s.v. ציפורי, cited by *Eitz Yosef*; see also *Maharzu*) as referring to palm bast (a vine that grows around palm trees [*Rashi*, *Shabbos* 78b]) that would be forcefully and noisily threaded through holes in ships.

42. Translation follows *Matnos Kehunah*, also cited by *Eitz Yosef*. *Matnos Kehunah* explains that a moist thorn can cause more damage than a dry one because it is more resistant to breaking. Perhaps the Midrash refers to a *reversed* thorn because it describes a thorn that must pass through a hole with its thicker end first, a near-impossible task if that end of the thorn is wider than the hole. (See, however, *Yefeh To'ar*, who writes that he does not understand the implication of the word הָפוּךְ, *reversed*.)

[See *Eitz Yosef* for an emended version of Shmuel's view, based on *Tanchuma*, *Mikeitz* §10.]

[*Yefeh To'ar,* followed by *Eitz Yosef,* points out an apparent contradiction: Our Midrash, like its parallels in *Koheles Rabbah* to 6:6 and *Tanchuma*, *Mikeitz* §10, gives the impression that *every* person's soul suffers mightily when it takes leave of the body, regardless of the circumstances surrounding the death. On the other hand, in *Berachos* 8a, the painful departure of the soul described here is associated only with the horrific death of *askera* (commonly associated with diphtheria).]

See Insight Ⓐ.

43. In other words, the merit one earns through spiritual accomplishment can provide for himself but not for his children. And although the merit earned by the Patriarchs and other righteous men is of inestimable value to many generations of their descendants, our Midrash refers specifically to the reward of the World to Come (*Yefeh To'ar*, second approach, referencing *Sanhedrin* 104a; also see *Eitz Yosef*; compare *Teshuvos HaRashba*, Vol. V §49).

In an almost diametrically opposed approach, *Matnos Kehunah* explains our Midrash to mean that the merit a man earns is not exhausted by *his mouth*, but rather remains in place to benefit his descendants as well.

INSIGHTS

Ⓐ **The Soul's Extraction** The descriptions of death that appear here are also presented in *Moed Katan* 29a, *Koheles Rabbah* to 6:6, and *Tanchuma, Mikeitz* §10. In *Moed Katan* 28a it is related that after Rav Nachman died he appeared to Rava and reported that his soul's exit from his body was as smooth *as a hair being drawn from milk*. This leads *Maharsha* (*Chidushei Aggados* to *Moed Katan* 28b) to conclude that what is described by our Midrash and that Gemara does not apply with respect to the righteous.

R' E. E. Dessler explains that how a person experiences death is directly related to how he lived his life. Departure from our world comes with difficulty only to a person who grew attached to it over a lifetime of indulgence in its pleasures. A righteous person, by contrast, has little connection to the physical world, and lovingly accepts the Divine decree to divest himself of the body that merely clothes his soul (*Michtav MeEliyahu* IV, p. 169; see also *Yaaros Devash*, Vol. II, *Derush 7*, from s.v. והנה הצדיקים).

אָמַר רַבִּי יִצְחָק: אָמַר לָהּ הַקָּדוֹשׁ בָּרוּךְ הוּא לַנֶּפֶשׁ: אֲנִי כָּתַבְתִּי עָלַיִךְ (שם יב, כג) "רַק חֲזַק לְבִלְתִּי אֲכֹל הַדָּם וְגוֹ'", וְאַתְּ יוֹצֵאת וְחוֹטֵאת, [ד, ב] "נֶפֶשׁ כִּי תֶחֱטָא בִשְׁגָגָה":

ב דָּבָר אַחֵר, [ד, ב] "נֶפֶשׁ כִּי תֶחֱטָא וְגוֹ'", זֶה שֶׁאָמַר הַכָּתוּב (קהלת ו, ז) "כָּל עֲמַל אָדָם לְפִיהוּ", אָמַר רַבִּי שְׁמוּאֵל בַּר אַמִּי: מַה שֶּׁסִּיגֵּל אָדָם מִצְוֹת וּמַעֲשִׂים טוֹבִים אֵינוֹ מַסְפִּיק לַהֶבֶל הַיּוֹצֵא מִפִּיו, (שם) "וְגַם הַנֶּפֶשׁ לֹא תִמָּלֵא", רַבִּי בֶּרֶכְיָה וְרַבִּי קַרְצִיפָּא בְּשֵׁם רַבִּי יוֹחָנָן אָמְרִין: כְּפִיטוֹרִין הַיּוֹצְאִין מִן הַוֵּשֶׁט, וְרַבִּי חֲנִינָא אָמַר: כְּצִיפּוֹרֶן הַיּוֹצֵא מִן הַוֵּשֶׁט, שְׁמוּאֵל אָמַר: כְּסִילָן רָטוֹב וְהָפוּךְ הַיּוֹצֵא מִן הַוֵּשֶׁט. אָמַר רַבִּי שְׁמוּאֵל בַּר יִצְחָק: כָּל מַה שֶּׁסִּיגֵּל אָדָם מִצְוֹת וּמַעֲשִׂים טוֹבִים לְפִיו וְלֹא לְפִי בְּנוֹ וְלֹא לְפִי בִתּוֹ,

עץ יוסף

כי תחטא בשגגה. תפס איסור דם בחטאת כדרך הש"ס למינקט חטאת חלב וחטאת דם, כמו שאמרו התוספות בכמה מקומות (עיין חולין ה, ב ד"ה מעס הארץ). (רד"ל): **(ב) כל עמל אדם לפיהו.** משום דקשיא ליה מה טעם לתלות החטא בנפש כדכתבתי לעיל, לכן מייתי הא דדרשי גבי וגם הנפש לא תמלא, שלפי מה שפירש בצער יציאת הנפש יהיה כאן הכתוב מזכיר הנפש כמתמיה, אחר שהצטער כל כך ביציאתה איך תחטא, ולפי מה שפירש שאינה שביעה למצות יראה אחר שראוי לה שלא לשבוע במצות איך תחטא, ואיידי דמייתי קרא, מפרש לכוליה: **אינו מספיק כו'.** שאפילו לא היה ה' מטיב עם האדם רק ענין נשימתו אשר בה יחיה, שההבל יוצא מתוך פיו ונכנס כנגדו האויר הקר ועל ידי זה יחיה, אין שכר האדם בכל מה שיתעסק במצות ובמעשים טובים מספיק לחסד זה שעושה עמו ה'. והרד"ל פירש להבל היוצא מפיו, הבל דבור של חטא כמו שנאמר (איוב לה, טז) הבל יפצה פיהו, ומפני שהדבור הוא עיקר גדר מותר האדם מן הבהמה, לכן אין מספיק כל מעשים טובים שסיגל נגד חטא שבו, עד כאן לשונו: **גם הנפש לא תמלא רבי ברכיה כו'.** יש חסרון לשון בכאן, והכי איתא בקהלת רבה (ו, ז), גם הנפש לא תמלא אפילו הוצאת הנפש אינה ממלאת הגומא, כיצד הוצאת הנפש, רבי יוחנן אמר כפטורין כו', והכי פירושו שאפילו צער הנפש הגדול בעת יציאתה מהגוף, אינו מספיק לכפר עונה, ומפרש ואזיל מהו צערה הגדול, דלמר הוא כפיטורי כו', ולמר כציפורן כו'. ומלוי הגומא דרך משל לפחת העבירה שהיא פוגמת בנפש, ועושה כפחת וגומא בה, וכל צערה אינו מספיק להשלים חסרון זה: **כפיטורין כו'.** בפרק קמא דברכות (ח, א) גבי מיתת אסכרה איכא דאמרי כפיטורי בפי הושט. פרש"י יש אוקיאנוס יש בו מקומות שאינו מקבל ברזל, ומחברים לוחי הספינה על ידי חבלים ועקלים שתוחבין בנקביו, ותוקעין אותו בדוחק לפי שהם גסים כמדת הנקב שהוא עגול כפי ושט: **כציפורן היוצא כו'.** זה איתא גם כן סוף מסכת מועד קטן (כט, א) ופרש"י שם, כחבל שיש בו קשר ויוצא בקושי מן התורן. ובערוך פירש, סיב של דקל שסותמין בו נקב הספינה, וכשמכניסין אותה בנקב של ספינה שדומה לושט קולו הולך וחזק מאד. אבל קשה דהכא, ובתנחומא (סדר מקץ סימן י), ובמסכת מועד קטן, משמע דסתם יציאת נפש הוי כך, ובברכות לא קאמר אלא במיתת אסכרה, ואף על גב דיש אומרים התם מיתת אסכרה בענין אחר, לא משמע דפליגי נמי בשאר מיתות: **בסולם.** כן צריך לומר, וכן הוא בתנחומא. אבל המתנות כהונה כתב בשם הערוך, דצריך להיות כסילן, ומפרש המתנות כהונה שהוא קוץ, ומתוך שהוא רטוב אינו נשבר, ועומד בחזקו לבלע ולהשחית: **ולא לפי בנו.** אינו מספיק לזכות בנו לעולם הבא:

פירוש מהרז"ו

(ב) כל עמל אדם לפיהו. כל הענין במדרש קהלת פסוק זה (דף נ"ט א' פרשה ו פסוק ו), פסוק ואלו חיה וגו' (קהלת ו, ו), (על) [כל] עמל וגו' (שם ז), וסיפיה דקרא וגם הנפש לא תמלא, וכמו שכתב בסוף הסימן: **שסיגל מצות ומעשים טובים.** בראשית רבה (עט, ה) וכמו שאמרו בסנהדרין (צט, ב) כי אדם לעמל יולד (איוב ה, ז), איני יודע אם לעמל פה אם לעמל מלאכה, תלמוד לומר (משלי טז, כו) נפש עמל עמלה לו כי אכף עליו פיהו, הוי אומר לעמל פה נברא, ועדיין איני יודע אם לעמל תורה אם לעמל שיחה, תלמוד לומר (יהושע א, ח) לא ימוש ספר התורה הזה מפיך, הוי אומר לעמל תורה נברא, ולזה כוון במה שאמר כאן, כל עמל אדם לפיהו, למצות ומעשים טובים: **לא תמלא.** כשמשימים איזה דבר בנקב, אם הוא שוה עם הנקב ונכנס ויוצא בו, זה נקרא מלא, ואם אינו יכול לצאת הוא יותר ממלא, וזה לא תמלא כפיטורין בפי ושט, שהוא יותר מן הושט, ויוצא בדוחק גדול: **כפיטורין.** עיין במתנות כהונה, ובערוך פירש מביאין סיב של דקל של נרגילה, וכשמכניסים אותו בנקב של ספינות וכו':

חידושי הרד"ל

אכול הדם כי הדם הוא הנפש ואת יוצאת וחוטאת נפש כי תחטא בשגגה. כן צריך לומר. ותפס איסור דם בחטאת, כדרך הש"ס למינקט חטאת חלב וחטאת דם, כמו שכתבו התוספות בכמה מקומות (חולין ה, ב תוד"ה מע"ה. נדרים ד, א ד"ה דלא), ויש לפרש שבא לדרוש סוף המקרא דלעיל, מקום הצדק שמה הרשע, מקום שהצדקתים בו, ואמרתי כי הדם בנפש יכפר, שמה הרשע, שמה אוכלים הדם וחוטאים בו: **[ב] להבל היוצא מפיו.** הבל דבור של חטא, כמו שכתוב (איוב לה, טז) ואיוב הבל יפצה פיהו. ומפני שהדיבור הוא עיקר גדר מותר האדם מן הבהמה, לכן אין מספיק כל מעשים טובים שסיגל נגד חטא שבו: **כפיטורין היוצא כו'.** תנחומא מקץ (סימן י):

מסורת המדרש

ה. ילקוט כ"ך תתקע"ב:

אם למקרא

רַק חֲזַק לְבִלְתִּי אֲכֹל הַדָּם כִּי הַדָּם הוּא הַנָּפֶשׁ וְלֹא תֹאכַל הַנֶּפֶשׁ עִם הַבָּשָׂר: (שם יב:כג)

כָּל־עֲמַל הָאָדָם לְפִיהוּ וְגַם־הַנֶּפֶשׁ לֹא תִמָּלֵא: (קהלת ו:ז)

שינוי נוסחאות

(ב) מה שסיגל אדם מצות. הגיה א"א "כל מה שסיגל ..." **וגם הנפש לא תמלא.** הביא מ"כ דכאן יש למלא את החסר ממה שכתוב במדרש קהלת, וז"ל שם, "אפילו הוצאתה אינה ממלא הגומא, כיצד הוצאת הנפש", וגם א"א הגיה כעין זה:

אמרי יושר

[ב] כפיטורין. פירש בערוך (ערך פי טורי), כאדם שרוצה להוציא חבל שיש בו קשר בחור של תורן שיש בו טורח גדול, זהו גם הנפש, אינה רוצה להכנס ולצאת מהגוף, ותאמר מה פשעי למיתה זו, הלא עשיתי מצות:

באור מהרי"פ

לבלתי אכול הדם וגו'. ומסיפיה דקרא קדייק כי הדם הוא הנפש וגו': **[ב] אינו מספיק להבל כו'.** אינו מספיק לתשלום גמול להקב"ה על ההבל שנתנו הקב"ה בתוכו ומשתמר בו ויוצא ונכנס: הכי גרסינן לקמן בקהלת (ו, ו) **גם הנפש לא תמלא אפילו הוצאתה אינו ממלאה הגומא.** לצאת בריוח אלא בדוחק גדול, וכדמפרש ואזיל כילד כו': **כפיטורי כו'.** פירש"י ז"ל פרק קמא דברכות (ח, א) חבל שיש בו קשר ורוצים למושכו דרך חור קטן, שאינו נמשך אלא בדוחק גדול: **הכי גרסינן לקמן בקהלת בציפורין היוצא מן הוושט.** פירוש שמזרב זריב ומקלקל הוושט: **שמואל אמר כסילן רטוב.** פירוש קוץ, ומתוך שהוא רטוב אינו נשבר ועומד בחזקו לבלע ולהשחית, וכן בערוך גרס כגירסת הספר, וכן בתנחומא בפרשת מקץ (סימן י): **ולא לפי בנו כו'.** זכותו לא נתמעט לו ליתנו לבנו, אף על פי שזכות אבות יעמוד לבנים:

מתנות כהונה

לבלתי אכול הדם וגו'. ומסיפיה דקרא קדייק כי הדם הוא הנפש וגו': **[ב] אינו מספיק להבל כו'.** אינו מספיק לתשלום גמול להקב"ה על ההבל שנתנו הקב"ה בתוכו ומשתמר בו ויוצא ונכנס: הכי גרסינן לקמן בקהלת (ו, ו) **גם הנפש לא תמלא אפילו הוצאתה אינו ממלאה הגומא.** לצאת בריוח אלא בדוחק גדול, וכדמפרש ואזיל כילד כו': **כפיטורי כו'.** פירש"י ז"ל פרק קמא דברכות (ח, א) חבל שיש בו קשר ורוצים למושכו דרך חור קטן, שאינו נמשך אלא בדוחק גדול: הכי גרסינן לקמן בקהלת **בציפורין היוצא מן הוושט.** פירוש שמזרב זריב ומקלקל הוושט: **שמואל אמר בסילן רטוב.** פירוש קוץ, ומתוך שהוא רטוב אינו נשבר ועומד בחזקו לבלע ולהשחית, וכן בערוך גרס כגירסת הספר, וכן בתנחומא בפרשת מקץ (סימן י): **ולא לפי בנו כו'.** זכותו לא נתמעט לו ליתנו לבנו, אף על פי שזכות אבות יעמוד לבנים:

אשד הנחלים

רק חזק גו' ואת יוצאת כו'. הענין כמו שאמרו החכמים כי הנפש המשכלת מצד עצמה לא היתה חוטאת, כי כל טבעה רק להפנות למעלה להשיג מושגה ולדבק בה', ורק מצד חיבורה לגוף, הגוף והחומר מחטיאה, והנה עיקר דיבוק הגוף והנפש הוא על ידי הדם, כי הדם הוא הנפש שעליו שורה הרוח החיוני, והרוח החיוני וטבע המעורר הוא המחטיא להנפש המשכלת, למשוך אחרי תענוגים הגופיים, ולכן צווה ה' שיתחזקו מאוד לבלתי אכול הדם, לבל יתחזק הדיבוק ביניהם. והנה מצד שהנפש חוטאת רק במקרה מצד חיבור הגוף על כן נחשב עליה כשגגה, כי אלולי הזכירה באמת לא היתה עושה זאת, ולכן תלה הכתוב החטא על הנפש, לומר כי היא הסבה (אף שהגוף הוא החוטא), אחר שה' ברוך הוא הודיענו הסגולה איך לא תתחבר עם הגוף, שהוא על ידי מניעת הדם. ויתכן עוד, דאף שעשתה בשגגה נחשב להנפש לחטא, אחר שלא הזהירה לזכור זאת, ואלולי לא התדבקה לגוף בחוזק לא היתה שוכחת: **[ב] אינו מספיק כו'.** כלומר אם יתבונן האדם מטובת ה' עליו בכל עת ובכל רגע, איך יתכבד בעשיית מצוותיו ופקודי ה', אם ה' עושה ככה עמו. או באורו, כי ההבל היוצא הוא אות על רוח החיוני הנתון בו, וכבר ידוע כי הכח החיים הוא המרחף על האדם בכל עת ובכל רגע מחוץ, כי היא שפע שופע על האדם, כנודע בספרי הטבעיים: **כפיטורין כו' כצפורן כו' כסילון רטוב.** יש להבין הבדל אלו הלשונות והמשלים, ומה המה שייכים לפירוש הפסוק. והנראה שכפי הנודע שהנפש כל אשר תסתבך יותר עם חברת הגוף, ותתאחד בחברתם על ידי המיצועיים, שזהו המאכל והמשקה, שהוא החיבור היסודי לחברתם, תקשה עליה פרידתה אחר כך כשתוכרח לצאת מן גיוה, כי נתאחדו יחד מאוד, כמו שנתאחז ונקשר החבל בחזקה בפי הספינה. וזהו פירש הפסוק, כל עמל אדם לפיהו, קבץ הון ולהיות לאכלה הוא רק לפיהו והוא שמח בו, אך הנפש לא תמלא מהם להיות ניזונית מהם, ונהפוך הוא כי היא תקבל צער מזה באחרית, כי יהיה קשה לה הפרידה. והנה הם לא תארו רק שקשה לה הפרידה, אך רבי חנינא תיאר כצפורן, שמתוך חידודו הוא משרט לוושט ועושה בו רושם וכאב. אך עם כל זה הוא בשלימות רק שמכאיבו, ושמואל תיאר כסילון, שהוא קוץ הפוך, שהקוצים שסביבו עומדים בהיפך עם הפגם למעלה ורטוב, שעל ידי זה נעשה עב מאוד, ואם כן הוא נוקב ולוקח מעט מעור הוושט עמו. וענין מחלוקותם אם הרגל הדברים הגופנים משחית הנפש לגמרי, עד שיתואר בה השחתה וכליון, או לא, והענין ארוך בחכמת המחקר: **ולא לפי בנו.** כלומר אף שעמלו במעשים טובים ומצוות, הלוואי יהיה כדאים רק לזכותו לבד, ולמה זה יתגאה בהם:

וְרַבָּנָן אָמְרִי: "לְפִיהוּ" וְלֹא לְרֵיחַ רַע — **And the Sages said** in interpretation of the verse: *All man's toil* should be conducted ***"for his mouth"*** **and not "for an offensive odor."**[44]

The Midrash interprets the second half of the *Ecclesiastes* verse in a manner that is consistent with the two cited approaches to the verse's first half:[45]

לְפִי שֶׁהַנֶּפֶשׁ הַזּוֹ יוֹדַעַת כָּל שֶׁיְּגִיעָה לְעַצְמָהּ יְגִיעָה — **Because the soul**[46] **knows** that **all that it toils, it toils** only **for itself,**[47] לְפִיכָךְ אֵינָהּ שְׂבֵעָה לְמִצְוֹת וּמַעֲשִׂים טוֹבִים — **it is therefore not satisfied** with respect **to mitzvos and good deeds.**[48]

The Midrash relates a parable to the concept that *All man's toil is for his mouth, yet the soul is never satisfied:*[49]

אָמַר רַבִּי לֵוִי: מָשָׁל לְעִירוֹנִי שֶׁהָיָה נָשׂוּי בַּת מְלָכִים — **R' Levi said:** The message of the *Ecclesiastes* verse is **analogous to a villager**[50] **who was married** to **a princess;**[51] אַף עַל פִּי שֶׁמַּאֲכִילָהּ כָּל מַעֲדַנֵּי עוֹלָם אֵינוֹ יוֹצֵא יְדֵי חוֹבָתוֹ — **even though he feeds her all the delicacies of the world, he does not fulfill his obligation** to her. לָמָּה, לְפִי שֶׁהִיא בַּת מְלָכִים — **Why? Because she is a princess.** כָּךְ כָּל מַה שֶּׁיִּפְעַל אָדָם עִם נַפְשׁוֹ אֵינוֹ יוֹצֵא יְדֵי חוֹבָתוֹ — **Similarly,** despite **all that a man does for his soul, he does not fulfill his obligation** to it. לָמָּה, שֶׁהִיא מִלְמַעְלָה — **Why? Because [the soul] is from above** (i.e., from Heaven).[52]

The Midrash presents another teaching related to the verse in *Ecclesiastes*:

ג' כְּפוּיֵי טוֹבָה הֵן — **There are three ingrates:**[53] הָאָרֶץ, וְהָאִשָּׁה, וְהַנֶּפֶשׁ — (i) **the land and** (ii) **the** sinful **woman and** (iii) **the soul.** The Midrash provides Scriptural sources for this statement: הָאָרֶץ שֶׁנֶּאֱמַר "אֶרֶץ לֹא שָׂבְעָה מַּיִם" — We know that **the land** is never satisfied, **for it is stated,** ***the land unsated with water*** (*Proverbs* 30:16). הָאִשָּׁה מִנַּיִן, "אָכְלָה וּמָחֲתָה פִיהָ וְאָמְרָה לֹא פָעַלְתִּי אָוֶן" — **From where** do we know this about **the** sinful **woman?** For it is stated, *Such is the way of the woman:* ***She commits adultery, she eats and wipes her mouth, and she says, "I have done no wrong"*** (ibid. 30:20).[54] הַנֶּפֶשׁ מִנַּיִן, "גַּם הַנֶּפֶשׁ לֹא תִמָּלֵא" — **From where** do we know this about **the soul?** For it is stated, ***yet the soul is never satisfied*** (*Ecclesiastes* 6:7).

Having mentioned that *the land* imbibes water without becoming sated, the Midrash presents a related teaching:[55]

שְׁלֹשָׁה נוֹטְלִין בְּשׁוֹפַע וְנוֹתְנִין בְּשׁוֹפַע — **Three** things **take in abundance and give in abundance:**[56] הָאָרֶץ, וְהַיָּם, וְהַמַּלְכוּת — (i) **the land**[57] **and** (ii) **the sea**[58] **and** (iii) **the monarchy.**[59]

The Midrash provides another explanation for our verse's use of the expression "נֶפֶשׁ" כִּי תֶחֱטָא, lit., *a "soul" that sins*:

אָמַר רַבִּי יְהוֹשֻׁעַ דְּסִכְנִין בְּשֵׁם רַבִּי לֵוִי — **R' Yehoshua of Sichnin said**

NOTES

44. Because the term פֶּה, *mouth*, may denote the spoken word (compare *Exodus* 4:15), our Midrash understands the word פִּיהוּ, lit., *his mouth*, to suggest *words spoken about him*. And the phrase רֵיחַ רַע, lit., *an offensive odor*, is used here to suggest a *sullied reputation* (compare *Bereishis Rabbah* 52 §4). Thus, the verse teaches that all that a man does in the world should be directed toward the acquisition of a favorable reputation through his performance of mitzvos and good deeds, and avoidance of the sullied reputation that committing sins would earn him (*Yefeh To'ar*, cited in part by *Eitz Yosef*).

Alternatively, the Sages interpret the verse as instructing a person to toil [in order to provide for his physical needs] *for his mouth*, meaning, with the goal of maintaining his health in order to maximize his tremendous potential as a speech-enabled human being, as God desires for man to do. The Midrash cautions against toiling *for an offensive odor*, meaning for simple indulgence, the result of which is the malodorous by-products of the digestive process (*Radal*, also cited by *Eitz Yosef*; see *Matnos Kehunah* and *Maharzu* for additional approaches).

45. See *Yefeh To'ar*.

46. Lit., *Because this soul*.

47. The soul is aware that the primary reward for its *toil* in mitzvos will be granted in the World to Come, where it will enjoy that reward by *itself*, after having been divested of the body with which it shared its earthly existence (*Eitz Yosef*).

48. If reward for mitzvos took place only in our physical world, the soul would content itself with the performance of enough mitzvos to earn the limited amount of physical pleasure that could possibly be enjoyed during the relatively brief time that it is united with the body on earth. However, because the *soul knows* that it will be rewarded by *itself*, in the spiritual and eternal World to Come, it never ceases its yearning to perform more mitzvos and thereby enjoy ever greater reward (*Eitz Yosef*).

Thus, the Midrash understands the end of the verse, *yet the soul is never satisfied*, to mean that the soul never has enough of toiling in mitzvos in anticipation of the reward it will receive. According to R' Shmuel bar Yitzchak, this is particularly instructive in light of the verse's first half having taught that a man personally enjoys all of the reward for his toil in mitzvos. And according to the Sages, because the first half of the verse encouraged a man to constantly toil in mitzvos, its second half points out that satiation will nevertheless elude the soul (based on *Yefeh To'ar*).

The Midrash has now offered two interpretations of the phrase וְגַם הַנֶּפֶשׁ לֹא תִמָּלֵא; according to the first it alludes to the suffering that the soul endures at the moment of death, and according to the second it speaks of the soul's yearning for righteousness. Our Midrash is relating both of these interpretations to our verse in order to explain why it states "נֶפֶשׁ" כִּי תֶחֱטָא. Based on the *Ecclesiastes* passage, this phrase is understood as an exclamation of disbelief over the notion that the *soul* might sin, in consideration of either the fact that it is destined to undergo such suffering upon its departure from the world or the fact that it should have an unquenchable thirst for mitzvos (*Eitz Yosef* above, s.v. כל עמל אדם לפיהו; compare note 35 above).

49. *Yefeh To'ar*.

50. *Eitz Yosef*.

51. Lit., *a daughter of kings*.

52. Man's efforts to provide for his own physical needs are said to be undertaken *for his soul* (see below, 34 §3, *Taanis* 11a) because it is the soul that controls the bodily processes that are maintained through those efforts. In this manner, the human body is like the villager who labors to provide for his partner. Our Midrash teaches that regardless of the extent of a man's efforts to honor his soul by caring for it, he cannot adequately do so, given the soul's sublime nature (*Yefeh To'ar*).

53. The term כְּפוּיֵי טוֹבָה, *ingrates*, is used here non-literally to describe something that is not satisfied. This usage is justified by the fact that it is common for one who is dissatisfied to be unappreciative of what he has been given (*Eitz Yosef*). Alternatively, because the three things named here are never satisfied, they give the impression of being ungrateful (*Beur Maharif*).

54. Our translation of this verse reflects the way it is interpreted by our Midrash, as explained by *Yefeh To'ar*. According to this understanding, the verse lists three distinct flaws of a sinful woman, the second of which is her propensity to hide evidence of her having eaten recently because she is *not satisfied* and constantly wishes to eat more.

[According to its plain meaning, this verse euphemistically describes an unfaithful woman who conceals her infidelity: *Such is the way of the adulterous woman: She eats and wipes her mouth and says, "I have done no wrong"* (*Yefeh To'ar*, *Metzudas David* to verse).]

55. *Eitz Yosef*; also see *Matnos Kehunah*.

56. See *Matnos Kehunah*, followed by *Eitz Yosef*.

57. The land takes in tremendous amounts of rainwater, and it subsequently gives off an abundance of produce (see *Yedei Moshe*, *Eitz Yosef*).

58. Seafaring merchants earn enormous profits (*"given"* by the sea) but if their ship sinks, their losses (i.e., what is *"taken"* by the sea) are catastrophic (ibid.).

59. Those who are well connected to the rulers of a state profit greatly from that relationship, but the rulers collect huge sums in taxes (*Eitz Yosef*). Alternatively, the Midrash means that the rulers will eventually take away all that was gained by those individuals who profited as a result of their closeness to them (*Yedei Moshe*, comparing *Avos* 2:3).

The lesson the Midrash wishes to impart is that one must be very wary of sea travel and of the authorities (*Eitz Yosef*).

חידושי הרד"ל

ולא לריח רע. כוונת העמל באשר הוא עושה, יהיה בשביל שיוכל לקיים גופו, ויושלם בפיו גדר המדבר כפי הרצון העליון, ולא בשביל האכילה עצמה שאין סופה כי אם להתעכל לריח רע:

באור מהרי"פ

ולא לריח רע. כלומר אין נפשו קצה בהם: **בשופע.** הרבה בלא שיעור: **הארץ.** כמו שפירש לעיל, ארץ לא שבעה מים: **הים.** שנאמר (קהלת א, ז) כל הנחלים הולכים אל הים וגו': **מלכות.** אף על פי שאין ראיה לדבר זכר לדבר, שנאמר (משלי כא, א) פלגי מים לב מלך ביד ה', ופלגי מים נוטלים בשפע כדלעיל וגם הפרסום יאמתנו: [ג] **משל לאורח כו'.** רמז לווסת נדות של אשה, כמה דאת אמר (נדה טז, א) אורח בזמנו בא, וכל זה הוא סוף מדרש קהלת:

אמרי יושר

לפיהו שלא יהא לו ריח רע. שזה מין חולה, כל זכיותיו לא יספיקו, אפילו לזה ההיקל המעט: **לפי שהנפש יודעת שכל עמלה לה אינה שבעה מעשים טובים.** זהו לפי שעמל אדם לפיהו, ולא לאחר, לזה לא תמלא ולא תשבע: [וה]**נפש.** כפויי טובה, לפי שהיא בת מלכים של מעלה, אינה מחשבת טובות הגוף לה, או טרחו במצות: [ג] **לאורח.** פירוש ווסת: **שהיה רגיל לבא עם הנץ החמה ושמש מטתו קודם.** זהו בלא דעת, נפש כזה לא טוב, כל שכן אם היא אץ ברגלים.

עץ יוסף

ולא לריח רע. פירוש שצריך שיהיה כל עמלו במצות ומעשים טובים שיהיה לו שם טוב, ולא שם רע (יפה תואר). והרד"ל פירש וזה לשונו, ולא לריח רע, כוונת העמל באשר הוא עושה יהיה בשביל שיוכל לקיים גופו ויושלם בפיו גדר המדבר כפי הרצון העליון, ולא בשביל האכילה עצמה, שאין סופה כי אם להתעכל לריח רע, עד כאן לשונו: **לעצמה יגיעה.** פירוש שיודעת שהשכר עיקרה לעולם הבא, שהוא העולם הרוחני לנפש לבדה, או לתחיית המתים, שיהיה השארות לנפש בעולם לבד, ולכן לא תשבע במצות, כי אז תתענג בשכרה, אבל אילו חשבה שאין השכר אלא בעולם הזה לנפש ולגוף יחדיו, היתה שביעה מקצת מצות, מאחר שחיי עולם הזה יש להם גבול קטן, ותאמר די לי במצות אלו למה שאוכל לאכול בחיים אלו: **לעירוני.** בן כפר: **שלשה כפויי טובה הן.** אין פירושו כפשט כפוי טובה שאינו מכיר הטובה להחזיק טובה לבעליו, אלא אורחא דמלתא נקט, שמי שאינו שבע אינו מחזיק טובה. ומשום דבעי לפרש גם הנפש לא תמלא כפשוטו, שאינה שביעה מתאוות העולם מייתי נמי הדומים לה: **בשופע.** הרבה בלי שיעור: **הארץ.** שבולעת כל הגשמים ומצמחת כל הפירות, ואיידי דמייתי הכא ארץ לא שבעה מים, מייתי הך מילתא, ולהכי הקדים נטילה לנתינה מפני הארץ, שעל ידי נטילתה המימות נותנת יבולה: **והים.** שיורדי הים מרויחים הרבה בפרקמטיא, וכשנשברת האניה מפסידים הרבה: **והמלכות.** הקרב אליה מרויח הרבה וגם כן נוטלת הרבה בארנוניו. וטעם המאמר לאזהרה, שיזהרו הרבה ברשות ובירידת הים: **ששה פעמים כתיב כאן נפש.** בפרשה בענין חטא ומעילה, אבל נפש אשר תגע ונפש כי תשבע לא מני, משום דלא כתיב גבי חטא בהדיא: **אלא בזוכותיך.** שתכלית המין האנושי שלמות הנפש, וסבירא ליה שהעולם השפל תכלית כל הבריאה כפשט דעת חכמינו ז"ל (ועיין תנחומא נשא סימן טז): (ג) **גם בלא דעת כו'.** משום דקרי לשגגה חטא, מייתי מהאי קרא דגם השגגה קרובה למזיד, וכדמסיים תדע לך כו', ואיידי דמייתי ליה, מפרש ליה בכמה אנפי כדרך המדרש: **משל לאורח.** רמז לווסת נדות של אשה. **שהיה רגיל לבא עם הנץ החמה.** ובעלה **שכח ושמש מטתו קודם הנץ החמה** באופן שבביאתו פירסה נדה, שאף על פי שזה שוגג גמור, **בלא טוב** קאי, שאילו היה נזהר במה

וְרַבָּנָן אָמְרֵי: "לְפִיהוּ" וְלֹא לְרֵיחַ רָע, לְפִי שֶׁהַנֶּפֶשׁ הַזּוֹ יוֹדַעַת כָּל שֶׁיְּגִיעָה לְעַצְמָהּ יְגֵיעָה, לְפִיכָךְ אֵינָהּ שְׂבֵיעָה לְמִצְוֹת וּמַעֲשִׂים טוֹבִים, אָמַר רַבִּי לֵוִי: מָשָׁל לְעִירוֹנִי שֶׁהָיָה נָשׂוּי בַּת מְלָכִים, אַף עַל פִּי שֶׁמַּאֲכִילָהּ כָּל מַעֲדַנֵּי עוֹלָם אֵינוֹ יוֹצֵא יְדֵי חוֹבָתוֹ, לָמָּה, לְפִי שֶׁהִיא בַּת מְלָכִים, כָּךְ כָּל מַה שֶּׁיִּפְעַל אָדָם עִם נַפְשׁוֹ אֵינוֹ יוֹצֵא יְדֵי חוֹבָתוֹ, לָמָּה, שֶׁהִיא מִלְמַעְלָה. ג' כְּפוּיֵי טוֹבָה הֵן: הָאָרֶץ, וְהָאִשָּׁה, וְהַנֶּפֶשׁ, הָאָרֶץ שֶׁנֶּאֱמַר (משלי ל, טז) "אֶרֶץ לֹא שָׂבְעָה מַּיִם", הָאִשָּׁה מִנַּיִן, (שם שם כ) "אָכְלָה וּמָחֲתָה פִיהָ וְאָמְרָה לֹא פָעַלְתִּי אָוֶן", הַנֶּפֶשׁ מִנַּיִן, (קהלת שם שם) "גַּם הַנֶּפֶשׁ לֹא תִמָּלֵא". שְׁלשָׁה נוֹטְלִין בְּשׁוֹפַע וְנוֹתְנִין בְּשׁוֹפַע: הָאָרֶץ, וְהַיָּם, וְהַמַּלְכוּת, אָמַר רַבִּי יְהוֹשֻׁעַ דְּסִכְנִין בְּשֵׁם רַבִּי לֵוִי: שִׁשָּׁה פְּעָמִים כְּתִיב כָּאן "נֶפֶשׁ", כְּנֶגֶד שֵׁשֶׁת יְמֵי בְרֵאשִׁית, אָמַר לוֹ הַקָּדוֹשׁ בָּרוּךְ הוּא לַנֶּפֶשׁ: כָּל מַה שֶּׁבָּרָאתִי בְּשֵׁשֶׁת יְמֵי בְרֵאשִׁית לֹא בָרָאתִי אֶלָּא בִּזְכוּתֵךְ, וְאַתְּ יוֹצֵאת וְחוֹטֵאת, [ד, ב] "נֶפֶשׁ כִּי תֶחֱטָא":

ג דָּבָר אַחֵר, [ד, ב] "נֶפֶשׁ כִּי תֶחֱטָא", (משלי יט, ב) "גַּם בְּלֹא דַעַת נֶפֶשׁ לֹא טוֹב", אָמַר רָבִינָא בַּר אֲבִינָא: מָשָׁל לְאוֹרֵחַ שֶׁהָיָה רָגִיל לָבֹא עִם הָנֵץ הַחַמָּה, וְשָׁכַח וְשִׁמֵּשׁ מִטָּתוֹ קוֹדֶם הָנֵץ הַחַמָּה בְּלֹא יָדַע בְּ"לֹא טוֹב",

פירוש מהרז"ו

לפיהו ולא לריח רע. במדרש קהלת שם ליתא למאמר זה, וכאן פירושו כמו שהעתקנו מסנהדרין (לט, ב) לפיהו על עמל תורה, וכמו שאמרו (ברכות כד, ב) רבי יוחנן היה מהלך במבואות המטונפות, מניח ידו על פיו וקורא קריאת שמע, אף על פי שמגיע לו ריח רע. וכאן דייק ממה שכתב לפיהו, כשפיו טהור מותר ללמוד, ואינו תלוי בנשמה וריח, עיין שם בגמרא. גם יתכן שפירושו כמו שכתב במדרש תהלים (מזמור קמט) על פסוק רוממות אל בגרונם, אמר הקב"ה לא יקלסו הרשעים בגרונם, למה שריחם רעים, שנאמר (תהלים ה, י) קבר פתוח גרונם, עיין שם. ופירושו שכמו שקבר פתוח מסריח, כך מפתח גרונם מסריח, אין קלוסם ערב, וזהו מה שכתב כאן ולא לריח רע: **והמלכות.** כמו שכתב קהלת רבה פסוק כל הנחלים עיין שם: **שש פעמים נפש.** אחד ונפש כי תחטא (ויקרא ה, א). שני או נפש כי תגע (שם ב). שלישי או נפש כי תשבע (שם ד). רביעי נפש כי תמעול (שם טו). חמישי ואם נפש כי תחטא (שם יז). ששי נפש כי תחטא ומעלה מעל (שם כא), רומזים על פי מדת מנגד, על ששת ימי בראשית, שיש לכל חשבון כנגדו חשבון אחר: (ג) **גם בלא דעת.** עיין כל זה בקהלת רבה פסוק כי את כל מעשה (קט"ז א' [פרשה יב פסוק יד]) ועיין במדבר רבה (ט, יא) מה שכתב. ועיין לקמן (כא, ב) רגלים ממהרות לרוץ לרעה, הוי רץ למצוה וכו'. והדרשה על פי מדה ט' ומדה ו' קל וחומר ומדה ל"א ומדה כ', וכאלו כתוב ואץ ברגלים בלא דעת נפש לא טוב, וקל וחומר בדעת נפש לא טוב. וזהו מה שכתב ולא עוד, וגם חוטא, שתיבת גם אין לו ענין ברישא דקרא:

אם למקרא

שְׁאוֹל וְעֹצֶר רָחַם אֶרֶץ לֹא שָׂבְעָה מַּיִם וְאֵשׁ לֹא אָמְרָה הוֹן: (משלי ל:טז)

כֵּן דֶּרֶךְ אִשָּׁה מְנָאָפֶת אָכְלָה וּמָחֲתָה פִיהָ וְאָמְרָה לֹא פָעַלְתִּי אָוֶן: (שם שם כ)

גַּם בְּלֹא־דַעַת נֶפֶשׁ לֹא־טוֹב וְאָץ בְּרַגְלַיִם חוֹטֵא: (משלי יט:ב)

ידי משה

[ב] כך הנפש אלו הבאת לה כל מעדני מלך אין בעיניה כלום למה שהיא מלמעלה. וכן הוא בקהלת (רבה ו, על פסוק ז): **הארץ והים והמלכות.** פירוש ארץ בולעת כל הגשמים ומצמחת כל הפירות. **הים,** שיורדי הים מרווחים הרבה פרקמטיא וכשנשברה האניה מפסיד הכל. **והמלכות,** שהקרוב למלכות נוטל הרבה ולבסוף ולקח ממנו הכל, על דרך שאמרו חכמינו ז"ל (אבות ב, ג) אין מקרבין אלא בשעת הנאתן:

מתנות כהונה

ולא לריח רע. כלומר אין נפשו קצה בהם: **בשופע.** הרבה בלא שיעור: **הארץ.** כמו שפירש לעיל, ארץ לא שבעה מים: **הים.** שנאמר (קהלת א, ז) כל הנחלים הולכים אל הים וגו': **מלכות.** אף על פי שאין ראיה לדבר זכר לדבר, שנאמר (משלי כא, א) פלגי מים לב מלך ביד ה', ופלגי מים נוטלים בשפע כדלעיל וגם הפרסום יאמתנו: [ג] **משל לאורח כו'.** רמז לווסת נדות של אשה, כמה דאת אמר (נדה טז, א) אורח בזמנו בא, וכל זה הוא סוף מדרש קהלת:

אשד הנחלים

ולא לריח רע כו'. הוא באור ציורי על הפסוק, להבדיל ענין העמל במה שאדם עמל לגופו במאכלו ובתענוגיו. אם יתבונן האדם במיאוסו ובריח רע ובצואה הנעשה ממנו, האם יתכן שיגע בעבור זה, ורק כל עמלו לפיהו, שלא יתבונן על הנעשה באחריתו, כי אם על ההתחלה שמושיט לתוך פיהו ונהנה ממנו. אכן להיפך אצל הנפש, שגם לה יש תענוג עצמי, מתענגת במצות ומעשים טובים שזהו תשוקתה העצמי, וגם היא אינה שבעה מתשוקתה, אך תשוקתה היא לתכלית הנכון, שיגיעתה לתועלת עצמה שתשאר קנייניה בקרבה, ולא כמו קנייני הגוף היוצא ממנו, רק התענגותו לשעה: **משל לעירוני.** מבאר סבת תשוקת הנפש, מדוע הוא בלי גבול ותכלית, אם תתחזק בתשוקתה הטובה אז לא תנוח בה, הוא לפי שהיא מלמעלה, שֶׁכּוֹחָם שרצים תמיד בתשוקה עזה עת אחר עת, בלי ישבותו לעולם, וכל ההשגות שתשיג פה בעולם השפל בהיותה עם חומרה, היא כאין בעינה, כי יודעת ומרגשת, כי החומר היא מחיצה גדולה, ואלולי היתה למעלה היתה משגת יותר ויותר, וזהו וגם הנפש (בענייני תשוקותיה) לא תמלא. ודע דהטבעיים בארו מזה הטעם, שלכן אם הנפש תשתקע בענייני עולם הזה, גם כן אין לתשוקתה גבול ותכלית, כי אם מתאוה תמיד יותר ויותר, על דרך (קהלת רבה א, לד על פסוק יג) אין אדם מת וחצי תאוותו בידו. והוא מפני שהנפש איננה מצאצאי הארץ שיש גבול לטבעם, כי אם מלמעלה בלתי בעלת גבול. **כל מה שיפעל האדם עם נפשו.** הן בעניינים נפשיים והן בעניינים גופניים, וכאומר (קהלת ו, ז) כל עמל אדם לפיהו ו[גם] הנפש לא תמלא מהם, וישאר עוד בתשוקתו העזה, ולמה זה הבל יגע. וגם באורו עמל האדם לתשוקת הגוף והנפש לא תמלא מהם, כי נטוע בקרבה תשוקה אחרת בלי גבול, הממאסת בכל אלה, וזהו כגרסתם בקהלת (רבה ו, ו) כך הנפש אלו הבאת כל מעדני עולם אין בעיניה כלום למה שהיא (מלמעלה) [מן העליונים]: **ששת ימי בראשית כו' בזכותך.** כי הנפש כלולה מכל הכחות הנטועות בכל מעשה בראשית, פרט פרט לבד, וכולם נבראו להשלמת הנפש כנודע: [ג] **משל לאורח כו'.** הוא משל על הווסת כפירש המתנות כהונה, ואחז בזה כמליצת הכתוב, ואץ ברגלים:

in the name of R' Levi: שִׁשָּׁה פְּעָמִים כְּתִיב כָּאן ״נֶפֶשׁ״, כְּנֶגֶד שֵׁשֶׁת יְמֵי בְרֵאשִׁית **— The word *"nefesh"* is written here** (in the present section of *Leviticus*) **six times, corresponding to the Six Days of Creation.**[60] אָמַר לוֹ הַקָּדוֹשׁ בָּרוּךְ הוּא לַנֶּפֶשׁ — This suggests that **the Holy One, blessed is He, said to the soul,** כָּל מַה שֶּׁבָּרָאתִי בְּשֵׁשֶׁת יְמֵי בְרֵאשִׁית לֹא בָרָאתִי אֶלָּא בִּזְכוּתֵךְ, וְאַתְּ יוֹצֵאת וְחוֹטֵאת **— "Everything that I created during the Six Days of Creation I did not create** for anything **other than for your benefit; and you go out and sin?!"**[61] ״נֶפֶשׁ כִּי תֶחֱטָא״ — Thus, our verse states, ***a "soul" that sins.***[62]

§3 נֶפֶשׁ כִּי תֶחֱטָא בִשְׁגָגָה מִכֹּל מִצְוֹת ה׳] — *WHEN A PERSON WILL SIN UNINTENTIONALLY FROM AMONG ALL THE COMMANDMENTS OF HASHEM*]

The Midrash cites a discussion of the culpability of one who sins unintentionally. The discussion revolves around a verse in *Proverbs* and at the section's conclusion it will be related to our verse:

דָּבָר אַחֵר ״נֶפֶשׁ כִּי תֶחֱטָא״ **— An additional insight** into the words, ***When a person will sin** unintentionally*: ״גַּם בְּלֹא דַעַת נֶפֶשׁ לֹא טוֹב״ — Scripture states, ***Also, for the soul to be without knowledge is not good*** (*Proverbs* 19:2); אָמַר רָבִינָא בַּר אֲבִינָא: מָשָׁל לְאוֹרַח שֶׁהָיָה רָגִיל לָבֹא עִם הָנֵץ הַחַמָּה **— Ravina bar Avina said:** This verse contains **an allusion to** a woman with **a menstrual period that would normally arrive at sunrise** of a particular day of the month;[63] וְשָׁכַח וְשִׁמֵּשׁ מִטָּתוֹ קוֹדֶם הָנֵץ הַחַמָּה **— and** it happened that **[her husband] forgot** this fact **and engaged in marital relations before sunrise** of that day.[64] בְּלֹא יָדַע ״בְּ״לֹא טוֹב״ — Although the sin occurred **without his knowledge,** this man may nevertheless be described with the expression ***not good.***[65]

NOTES

60. Within Chapters 4 and 5 of *Leviticus*, where the offerings brought for the commission of various transgressions are discussed, the term נֶפֶשׁ, *a person* or *a soul*, appears six times with an explicit connection to sin (see *Eitz Yosef*; see *Maharzu*, who lists the six occurrences, but note that he includes one verse that *Eitz Yosef* excludes).

61. The universe was brought into existence solely so that Man could perfect his soul (*Eitz Yosef*).

62. Compare above, notes 35 and 48.

63. Based on *Eitz Yosef*.

The Sages commonly referred to a woman's fixed menstrual period with the term אורח (see, for example, *Niddah* 16a and 64b). Simply understood, this word is vowelized אֹרַח, meaning *manner* [of women], and its usage in this context is based on *Genesis* 18:11 (see *Rashi* there; also see *Targum Onkelos* to *Genesis* 31:35). However, *Aruch* (s.v. ארח ב) vowelizes אוֹרֵחַ, meaning *guest*, and explains that, like an expected guest, the period arrives at a specific time.

It appears from *Eitz Yosef* below (cited in note 65) that the woman regularly menstruated just *before sunrise*. (See *Niddah* 62b for a similar usage of the term עִם הָנֵץ הַחַמָּה.)

64. The woman thus began to menstruate while she was with her husband so that he unwittingly transgressed the prohibition of *niddah* (*Eitz Yosef*).

65. Although this man's actions clearly fall into the category of שׁוֹגֵג, *unintentional sin*, he is nevertheless deemed *not good* because the sin would have been avoided had he been careful to fulfill the obligation (see *Niddah* 63b; *Shulchan Aruch*, *Yoreh Deah* 184:2) to separate from one's wife during the day or night in which she expects her period (*Eitz Yosef*). A man is always held accountable for his actions, and cannot completely excuse his lack of caution (*Imrei Yosher*, referencing *Bava Kamma* 26a).

וְרַבָּנָן אָמְרֵי: "לְפִיהוּ" וְלֹא לְרֵיחַ רָע, לְפִי שֶׁהַנֶּפֶשׁ הַזּוֹ יוֹדַעַת כָּל שֶׁיְּגִיעָה לְעַצְמָהּ יְגִיעָה, לְפִיכָךְ אֵינָהּ שְׂבֵעָה לְמִצְוֹת וּמַעֲשִׂים טוֹבִים, אָמַר רַבִּי לֵוִי: מָשָׁל לְעִירוֹנִי שֶׁהָיָה נָשׂוּי בַּת מְלָכִים, אַף עַל פִּי שֶׁמַּאֲכִילָהּ כָּל מַעֲדַנֵּי עוֹלָם אֵינוֹ יוֹצֵא יְדֵי חוֹבָתוֹ, לָמָּה, לְפִי שֶׁהִיא בַּת מְלָכִים, כָּךְ כָּל מַה שֶּׁיִּפְעַל אָדָם עִם נַפְשׁוֹ אֵינוֹ יוֹצֵא יְדֵי חוֹבָתוֹ, לָמָּה, שֶׁהִיא מִלְמַעְלָה. ג' כְּפוּיֵי טוֹבָה הֵן: הָאָרֶץ, וְהָאִשָּׁה, וְהַנֶּפֶשׁ, הָאָרֶץ שֶׁנֶּאֱמַר (משלי ל, טז) "אֶרֶץ לֹא שָׂבְעָה מַּיִם", הָאִשָּׁה מִנַּיִן, (שם שם כ) "אָכְלָה וּמָחֲתָה פִיהָ וְאָמְרָה לֹא פָעַלְתִּי אָוֶן", הַנֶּפֶשׁ מִנַּיִן, (קהלת שם שם) "גַּם הַנֶּפֶשׁ לֹא תִמָּלֵא". שְׁלֹשָׁה נוֹטְלִין בְּשׁוֹפַע וְנוֹתְנִין בְּשׁוֹפַע: הָאָרֶץ, וְהַיָּם, וְהַמַּלְכוּת, אָמַר רַבִּי יְהוֹשֻׁעַ דְּסִכְנִין בְּשֵׁם רַבִּי לֵוִי: שִׁשָּׁה פְּעָמִים כְּתִיב כָּאן "נֶפֶשׁ", כְּנֶגֶד שֵׁשֶׁת יְמֵי בְרֵאשִׁית, אָמַר לוֹ הַקָּדוֹשׁ בָּרוּךְ הוּא לַנֶּפֶשׁ: כָּל מַה שֶּׁבָּרָאתִי בְּשֵׁשֶׁת יְמֵי בְרֵאשִׁית לֹא בָרָאתִי אֶלָּא בִּזְכוּתֵךְ, וְאַתְּ יוֹצֵאת וְחוֹטֵאת, [ד, ב] "נֶפֶשׁ כִּי תֶחֱטָא":

ג דָּבָר אַחֵר, [ד, ב] "נֶפֶשׁ כִּי תֶחֱטָא", (משלי יט, ב) "גַּם בְּלֹא דַעַת נֶפֶשׁ לֹא טוֹב", אָמַר רַבִּינָא בַּר אֲבִינָא: מָשָׁל לְאוֹרֵחַ שֶׁהָיָה רָגִיל לָבֹא עִם הָנֵץ הַחַמָּה, וְשָׁכַח וְשִׁמֵּשׁ מִטָּתוֹ קוֹדֶם הָנֵץ הַחַמָּה בְּלֹא יָדַע בְּ"לֹא טוֹב",

ולא לריח רע. פירוש שצריך שיהיה כל עמלו במצות ומעשים טובים שיהיה לו שם טוב, ולא שם רע (יפה תואר). והרד"ל פירש וזה לשונו, ולא לריח רע, כוונת העמל כאשר הוא עושה יהיה בשביל שיוכל לקיים גופו ויושלם בפיו גדר המדבר כפי הרצון העליון, ולא בשביל האכילה עצמה, שאין סופה כי אם להתעכל לריח רע, עד כאן לשונו: **לעצמה יגיעה.** פירוש שיודעת שהשכר עיקרה לעולם הבא, שהוא העולם הרוחני לנפש לבדה, או לתחיית המתים, שיהיה השארות לנפש בעולם לבד, ולכן לא תשבע במצות, כי אז תתענג בשכרה, אבל אילו חשבה שאין השכר אלא בעולם הזה לנפש ולגוף יחדיו, היתה שביעה מקצת מצות, מאחר שחיי עולם הזה יש להם גבול קטן, ותאמר די לי במצות אלו למה שאוכל לאכול בחיים אלו: **לעירוני.** בן כפר: **שלשה כפויי טובה הן.** אין פירושו כפשם כפוי טובה שאינו מכיר הטובה להחזיק טובה לבעליו, אלא הורחה דמלתה נקט, שמי שאינו שבע אינו מחזיק טובה. ומשום דבעי לפרש גם הנפש לא תמלא כפשוטו, שאינה שביעה מתאוות העולם מייתי נמי הדומים לה: **בשופע.** הרבה בלי שיעור: **הארץ.** שבולעת כל הגשמים ומלמחת כל הפירות, ואיידי דמייתי הכא ארץ לא שבעה מים, מייתי הך מילתא, ולהכי הקדים נטילה לנתינה מפני הארץ, שעל ידי נטילתה המימות נותנת יבולה: **והים.** שיורדי הים מרויחים הרבה בפרקמטיא, וכשנשברת האניה מפסידים הרבה: **והמלכות.** הקרוב אליה מרויח הרבה וגם כן נוטלת הרבה בארנוניו. וטעם המאמר לאזהרה, שיזהרו הרבה ברשות ובירידת הים: **ששה פעמים כתיב כאן נפש.** בפרשה בענין חטא ומעילה, אבל נפש אשר תגע ונפש כי תשבע לא מני, משום דלא כתיב גבי חטא בהדיא: **אלא בזכותיך.** שתכלית המין האנושי שלמות הנפש, וסבירא ליה שהעולם השפל תכלית כל הבריאה כשתם דעת חכמינו ז"ל (ועיין תנחומא נשא סימן טז): (ג) **גם בלא דעת כו'.** משום דקרי לשגגה חטא, מייתי מהאי קרא דגם השגגה קרובה למזיד, וכדמסיים תדע לך כו', ואיידי דמייתי ליה, מפרש ליה בכמה אנפי כדרך המדרש: **משל לאורח.** רמז לווסת נדות של אשה. **שהיה רגיל לבא עם הנץ החמה. ובעלה שכח ושמש מטתו קודם הנץ החמה** באופן שבביאתו פירסה נדה, שאף על פי שזה שוגג גמור, **בלא טוב** קאי, שאילו היה נזהר במה

לפיהו ולא לריח רע. במדרש קהלת שם ליתא למאמר זה, וכאן פירושו כמו שהעתקנו מסנהדרין (לט, ב) לפיהו על עמל תורה, וכמו שאמרו (ברכות כד, ב) רבי יוחנן היה מהלך במבואות המטונפות, מניח ידו על פיו וקורא קריאת שמע, אף על פי שמגיע לו ריח רע. וכאן דייק ממה שכתב לפיהו, כשפיו טהור מותר ללמוד, ואינו תלוי בנשמה וריח, עיין שם בגמרא. גם יתכן שפירושו כמו שכתב במדרש תהלים (מזמור קמט) על פסוק רוממות אל בגרונם, אמר הקב"ה לא יקלסו הרשעים בגרונם, למה שריחם רעים, שנאמר (תהלים ה, י) קבר פתוח גרונם, עיין שם. ופירושו שכמו שקבר פתוח מסריח, כך מפתח גרונם מסריח, אין קלוסם ערב, וזהו מה שכתב כאן ולא לריח רע: **והמלכות.** כמו שכתב קהלת רבה פסוק כל הנחלים עיין שם: **שש פעמים נפש.** אחד ונפש כי תחטא (ויקרא ה, א). שני או נפש כי תגע (שם ב). שלישי או נפש כי תשבע (שם ד). רביעי נפש כי תמעול (שם טו). חמישי ואם נפש כי תחטא (שם יז). ששי נפש כי תחטא ומעלה מעל (שם כא), רומזים על פי מדת מנגד, על ששת ימי בראשית, שיש לכל חשבון כנגדו חשבון אחר: (ג) **גם בלא דעת.** עיין כל זה בקהלת רבה פסוק כי את כל מעשה (קט"ז א' [פרשה יב פסוק יד]) ועיין במדבר רבה (ט, יא) מה שכתב. ועיין לקמן (כא, ב) רגלים ממהרות לרוץ לרעה, הוי רץ למלוה וכו'. והדרשה על פי מדה ט' ומדה ו' קל וחומר ומדה ל"א ומדה כ', וכאלו כתוב ואץ ברגלים בלא דעת נפש לא טוב, וקל וחומר בדעת נפש לא טוב. וזהו מה שכתב ולא עוד, וגם חוטא, שתיבת גם אין לו ענין בריישא דקרא:

חידושי הרד"ל

ולא לריח רע. כוונת העמל כאשר הוא עושה, יהיה בשביל שיוכל לקיים גופו, ויושלם בפיו גדר המדבר כפי הרצון העליון, ולא בשביל האכילה עצמה שאין סופה כי אם להתעכל לריח רע:

באור מהרי"פ

ולא לריח רע. כלומר אין נפשו קצה בהם: **בשופע.** הרבה בלא שיעור: **הארץ.** כמו שפירש לעיל, ארץ לא שבעה מים: **הים.** שנאמר (קהלת א, ז) כל הנחלים הולכים אל הים וגו': **מלכות.** אף על פי שאין ראיה לדבר זכר לדבר, שנאמר (משלי כא, א) פלגי מים לב מלך ביד ה', ופלגי מים נוטלים בשפע כדלעיל וגם הפרסום יאמתנו: [ג] **משל לאורח כו'.** רמז לווסת נדות של אשה, כמה דאת אמר (נדה טז, א) אורח בזמנו בא, וכל זה הוא סוף מדרש קהלת:

אמרי יושר

לפיהו שלא יהא לו ריח רע. שזה מין חולה, כל זכיותיו לא יספיקו, אפילו לזה ההיכל המעט: **לפי שהנפש יודעת שכל עמלה לה אינה שבעה מעשים טובים.** זהו לפי שעמל אדם לפיהו, ולא לאחר, לזה לא תמלא ולא תשבע: **[וה]נפש.** כפויי טובה, לפי שהיא בת מלכים של מעלה, אינה מחשבת טובות הגוף לה, או טרחו במצות: [ג] **לאורח.** פירוש ווסת: **שהיה רגיל לבא עם הנץ החמה ושמש מטתו קודם.** זהו בלא דעת, נפש כזה לא טוב, כל שכן אם היה אץ ברגלים.

אם למקרא

שְׁאוֹל וְעֹצֶר רָחַם אֶרֶץ לֹא שָׂבְעָה מַּיִם וְאֵשׁ לֹא אָמְרָה הוֹן: (משלי ל:טז)

כֵּן דֶּרֶךְ אִשָּׁה מְנָאָפֶת אָכְלָה וּמָחֲתָה פִיהָ וְאָמְרָה לֹא פָעַלְתִּי אָוֶן: (שם שם כ)

גַּם בְּלֹא־דַעַת נֶפֶשׁ לֹא־טוֹב וְאָץ בְּרַגְלַיִם חוֹטֵא: (משלי יט:ב)

ידי משה

[ב] **כך הנפש אלו הבאת לה כל מעדני מלך אין בעיניה כלום למה שהיא מלמעלה.** וכן הוא בקהלת (רבה ו, על פסוק ז): **הארץ והים והמלכות.** פירוש ארץ בולעת כל הגשמים ומצמחת כל הפירות. **הים,** שיורדי הים מרווחים הרבה פרקמטיא וכשנשברה האניה מפסיד הכל. **והמלכות,** שהקרוב למלכות נוטל הרבה ולבסוף ולקח ממנו הכל, על דרך שאמרו חכמינו ז"ל (אבות ב, ג) אין מקרבין אלא בשעת הנאתן:

מתנות כהונה

ולא לריח רע. כלומר אין נפשו קצה בהם: **בשופע.** הרבה בלא שיעור: **הארץ.** כמו שפירש לעיל, ארץ לא שבעה מים: **הים.** שנאמר (קהלת א, ז) כל הנחלים הולכים אל הים וגו': **מלכות.** אף על פי שאין ראיה לדבר זכר לדבר, שנאמר (משלי כא, א) פלגי מים לב מלך ביד ה', ופלגי מים נוטלים בשפע כדלעיל וגם הפרסום יאמתנו: [ג] **משל לאורח כו'.** רמז לווסת נדות של אשה, כמה דאת אמר (נדה טז, א) אורח בזמנו בא, וכל זה הוא סוף מדרש קהלת:

אשד הנחלים

ולא לריח רע כו'. הוא באור ציורי על הפסוק, להבדיל ענין העמל במה שאדם עמל לגופו במאכלו ובתענוגיו. אם יתבונן האדם במיאוסו ובריח רע ובצואה הנעשה ממנו, האם יתכן שיגע בעבור זה, ורק כל עמלו לפיהו, שלא יתבונן על הנעשה באחריתו, כי אם על ההתחלה שמושיט לתוך פיהו ונהנה ממנו. אכן להיפך אצל הנפש, שגם לה יש תענוג עצמי, מתענגת במצות ומעשים טובים שזהו תשוקתה העצמי, וגם היא אינה שבעה מתשוקתה, אך תשוקתה היא לתכלית הנכון, שיגיעתה לתועלת עצמה שתשאר קנייניה בקרבה, ולא כמו קנייני הגוף היוצא ממנו, רק התענגותו לשעה: **משל לעירוני.** מבאר סבת תשוקת הנפש, מדוע הוא בלי גבול ותכלית, אם תתחזק בתשוקתה הטובה אז לא תנוח בה, הוא לפי שהיא מלמעלה, שכֹּחַם שרצים תמיד בתשוקה עזה עת אחר עת, בלי ישבותו לעולם, וכל ההשגות שתשיג פה בעולם השפל בהיותה עם חומרה, היא כאין בעינה, כי יודעת ומרגשת, כי החומר היא מחיצה גדולה, ואלולי היתה למעלה היתה משגת יותר ויותר, וזהו וגם הנפש (בענייני תשוקותיה) לא תמלא. ודע דהטבעיים בארו מזה הטעם, שלכן אם הנפש תשתקע בענייני עולם הזה, גם כן אין לתשוקתה גבול ותכלית, כי אם מתאוה תמיד יותר ויותר, על דרך (קהלת רבה א, לד על פסוק יג) אין אדם מת וחצי תאוותו בידו. והוא מפני שהנפש איננה מצאצאי הארץ שיש גבול לטבעם, כי אם מלמעלה בלתי בעלת גבול. **כל מה שיפעל האדם עם נפשו.** הן בעניינים נפשיים והן בעניינים גופניים, וכאומר (קהלת ו, ז) כל עמל אדם לפיהו ו[גם] הנפש לא תמלא מהם, וישאר עוד בתשוקתו העזה, ולמה זה הבל יגע. וגם באורו עמל האדם לתשוקת הגוף והנפש לא תמלא מהם, כי נטוע בקרבה תשוקה אחרת בלי גבול, הממאסת בכל אלה, וזהו כגרסתם בקהלת (רבה ו, ו) כך הנפש אלו הבאת לה כל מעדני עולם אין בעיניה כלום למה שהיא (מלמעלה) [מן העליונים]: **ששת ימי בראשית כו' בזכותך.** כי הנפש כלולה מכל הכחות הנטועות בכל מעשה בראשית, פרט פרט לבד, וכולם נבראו להשלמת הנפש כנודע: [ג] **משל לאורח כו'.** הוא משל על הווסת כפירש המתנות כהונה, ואחז בזה כמליצת הכתוב, ואץ ברגלים:

וְאִלּוּ יָדַע וְשִׁימֵּשׁ עַל אַחַת כַּמָּה וְכַמָּה — **And had he known** that his wife's period was imminent **and** nevertheless **engaged in relations, how much greater** would his guilt have been;[66] as the second half of the cited verse states, "וְאָץ בְּרַגְלַיִם חוֹטֵא" — *and he who quickens his feet is a sinner* (ibid.).[67]

רַבִּי יִצְחָק בַּר שְׁמוּאֵל בַּר מַרְתָא בְּשֵׁם רַב — **R' Yitzchak bar Shmuel bar Marsa** said **in the name of Rav:** מָשָׁל לְאֶחָד שֶׁהָיוּ לְפָנָיו שְׁתֵּי חֲנֻיּוֹת, אַחַת מוֹכֶרֶת בְּשַׂר שְׁחוּטָה וְאַחַת מוֹכֶרֶת בְּשַׂר נְבֵילָה — This verse contains **an allusion to one who had before him two stores, one selling ritually slaughtered meat and one selling *neveilah* meat.**[68] וְשָׁכַח וְלָקַח מִזּוֹ שֶׁמּוֹכֶרֶת בְּשַׂר נְבֵילָה — **And he forgot** that one store's meat was not kosher **and he bought from the [store] that sold *neveilah* meat.**[69] בְּלֹא יָדַע בְּ"לֹא טוֹב" — Although the sin occurred **without his knowledge,** this man may nevertheless be described **with** the expression ***not good.***[70] אִלּוּ יָדַע וְלָקַח עַל אַחַת כַּמָּה וְכַמָּה — And **had he known** that nonkosher meat was being sold **and** nevertheless **made the purchase, how much greater** would his guilt have been;[71] as the second half of the cited verse states, "וְאָץ בְּרַגְלַיִם חוֹטֵא" — *and he who quickens his feet is a sinner.*[72]

רַבִּי יוֹחָנָן פָּתַר קְרָא לְעִנְיַן שַׁבָּת — **R' Yochanan interpreted the verse as related to the Sabbath:**[73] הָיוּ לְפָנָיו שְׁנֵי שְׁבִילִין אֶחָד שָׁפוּי וְאֶחָד מָלֵא קוֹצִין וּצְרוֹרוֹת — The verse alludes to a man who **had before him two paths, one smooth and one full of brambles and pebbles.**[74] וְשָׁכַח וְהָלַךְ בָּזֶה שֶׁהָיָה מָלֵא קוֹצִים וּצְרוֹרוֹת — **And he forgot** that one path was problematic **and he walked on the [path] that was full of brambles and pebbles.**[75] בְּלֹא יָדַע בְּ"לֹא טוֹב" — Although the sin occurred **without his knowledge,** this man may nevertheless be described **with** the expression ***not good.***[76] עַל אַחַת כַּמָּה וְכַמָּה אִם יָדַע וְהָלַךְ — **How much greater** would his guilt have been **had he known** that one of the paths was full of brambles and pebbles, **and** nevertheless **walked** there;[77] as the second half of the cited verse states, "וְאָץ בְּרַגְלַיִם חוֹטֵא" — *and he who quickens his feet is a sinner.*[78]

Additional explanations of the verse from *Proverbs*:

דָּבָר אַחֵר, "גַּם בְּלֹא דַעַת נֶפֶשׁ" — **Additional insight** into the verse, ***Also, for the soul to be without knowledge, etc.***: רַבִּי יוֹחָנָן וְרַבִּי שִׁמְעוֹן בֶּן לָקִישׁ — **R' Yochanan and R' Shimon ben Lakish** offered similar, but different, explanations:[79] רַבִּי יוֹחָנָן אָמַר: בַּחֲטָאוֹת וּבַאֲשָׁמוֹת אָסוּר בִּנְדָרִים וּבִנְדָבוֹת מוּתָּר — **R' Yochanan said:** To come to the Temple **with *chatas*-offerings or with *asham*-offerings is forbidden,** but to come **with *nedarim* or with *nedavos* is permissible.**[80] רַבִּי שִׁמְעוֹן בֶּן לָקִישׁ אָמַר: אַף בִּנְדָרִים וּנְדָבוֹת אָסוּר — And **R' Shimon ben Lakish said: Even** to come **with *nedarim* or with *nedavos* is forbidden.**[81]

NOTES

66. Had the husband been cognizant of the fact that his wife was due to menstruate and therefore prohibited to him, and he had merely assumed that she would not menstruate yet, then his inadvertent cohabitation with a *niddah* would have bordered on the deliberate (*Eitz Yosef*).

67. The Midrash understands this verse's use of the word רַגְלַיִם, lit., *feet*, as a euphemism for the reproductive organs (see *Maharzu* to *Bamidbar Rabbah* 9 §11 s.v. בוודאי; *Maharzu* compares the common phrase מֵי רַגְלַיִם, *urine;* compare *Rashi* to *Eruvin* 100b s.v. ברגלים). Thus, the verse alludes to the man described above, who acted hastily when he knew that he was required to wait until the night passed uneventfully. Whereas the first sin described earned the husband the title *not good*, this second, more severe sin, causes him to be labeled *a sinner* (compare *Maharzu* and *Eshed HaNechalim*, who had a slightly different version of the Midrash).

68. The term נְבֵילָה describes an animal that died by means other than proper ritual slaughter and whose consumption is therefore prohibited.

Rav's interpretation of the verse follows the same basic outline as that of Ravina bar Avina, but involves the sin of eating nonkosher meat as opposed to the sin of *niddah* (*Eitz Yosef*).

69. It is to be expected that the careless man would have unwittingly bought the nonkosher meat, for, as the Sages teach (in *Shabbos* 32a), מְגַלְגְּלִין חוֹבָה עַל יְדֵי חַיָּיב, *harm is imparted through one who is guilty* (*Imrei Yosher*).

70. The man should have prevented the mishap by taking care to remember that one of the stores sold nonkosher meat (see *Eitz Yosef*).

71. If the man would have known that one of the stores that lay before him purveyed nonkosher meat, and he would have made his purchase under the foolish assumption that the store he chose was the kosher one, his inadvertent sin [of consumption of nonkosher meat] would have bordered on the deliberate, for he should have been much more cautious under those circumstances (*Eitz Yosef*).

72. Rav sees this verse as suggestive of one who acted with undue haste, obtaining meat from the first store from which he could buy, without proper investigation (*Yefeh To'ar*).

73. R' Yochanan explained the verse in what is basically the same manner as the two preceding approaches, but he related it to a prohibition of the Sabbath (*Eitz Yosef*).

74. Our Midrash, which was written by the Sages of Jerusalem, accords with [one version of] the view of *Yerushalmi Eruvin* 10:8 and *Beitzah* 5:2, where it is taught that on the Sabbath one may not trample vegetation that is attached to the ground [such as *brambles*] because he may unwittingly uproot it (*Radal*, also cited by *Eitz Yosef*). (By contrast, *Bavli*, in *Eruvin* 100b, followed by *Shulchan Aruch, Orach Chaim* 336:3, permits this practice — ibid.) Alternatively, the Midrash regards a path that was overgrown to the point that it could not be traversed without uprooting the brambles, and it is therefore forbidden to do so according to all opinions (see *Imrei Yosher*).

The presence of *pebbles* may have been problematic because one may not smooth out earth on the Sabbath (compare *Shabbos* 73b).

75. *Eitz Yosef.*

76. The man is faulted for not exercising more caution in choosing his route (*Eitz Yosef*).

77. The inadvertent [Sabbath] transgression of a person who knew that one of two paths was overgrown, but assumed either that the path he chose was the clear one or that he could navigate his way across the path without uprooting any of the brambles, borders on the deliberate (*Eitz Yosef* s.v. ר' יוחנן).

78. Here these words are understood to be suggestive of a sin committed by walking (*Yefeh To'ar*; compare *Rashi* to *Eruvin* 100b s.v. ואץ ברגלים חוטא). [*Tanchuma* (*Vayikra* §6) adds to the explanation presented here that the man chose the problematic path because it was the shorter of the two; thus, he sought to *quicken his feet.*]

79. Although the Midrash has already cited one interpretation of this verse in the name of R' Yochanan, it now presents a second explanation that he gave (*Yefeh To'ar*).

80. Based on *Eitz Yosef.* [*Chatas* (sin) and *asham* (guilt) offerings must be brought for the unintentional commission (or possible commission) of specific sins (see *Leviticus* Chs. 4 and 5), *nedarim* are voluntary offerings brought in fulfillment of pledges in which the item to be offered was not specified, and *nedavos* are voluntary offerings of items that were specifically sanctified for that purpose (see *Kinim* 1:1).]

[While, of course, it is not only permissible but, in fact, obligatory, to bring sin-offerings as necessary,] R' Yochanan interprets the verse to mean that it is *not good* to come to the Temple for that purpose, for it is preferable that one act cautiously and thereby avoid the need for the offering. Thus, the verse teaches that not only is intentional sin contemptible, but *also, for the soul to be without knowledge*, i.e., for one to sin unintentionally and thereby become obligated in a sin-offering, *is not good, and he who quickens his feet* — to regularly bring offerings to the Temple — *is a sinner*. R' Yochanan adds to this his view that there is nothing wrong with bringing those offerings that are not related to sin (*Eitz Yosef*; see *Matnos Kehunah* for another approach).

[Note that a similar teaching appears in *Chagigah* 7a, referenced by *Matnos Kehunah* and *Maharzu.*]

81. R' Shimon ben Lakish states that it is *not good* to bring any type of offering with regularity. This sage maintains that due to the great holiness of the Temple, one should not go there frequently. Thus, the first half of the *Proverbs* verse criticizes one who sins *without knowledge*, and the second half teaches that, moreover, even one who regularly *quickens his feet* to bring any type of offering *is a sinner*. This second message

וְאִלּוּ יָדַע וְשִׁימֵּשׁ עַל אַחַת כַּמָּה וְכַמָּה, וְלֹא עוֹד אֶלָּא (שם) "וְאָץ בְּרַגְלַיִם חוֹטֵא", רַבִּי יִצְחָק בַּר שְׁמוּאֵל בַּר מַרְתָּא בְּשֵׁם רַב: מָשָׁל לְאֶחָד שֶׁהָיוּ לְפָנָיו שְׁתֵּי חֲנוּיוֹת, אַחַת מוֹכֶרֶת בְּשַׂר שְׁחוּטָה וְאַחַת מוֹכֶרֶת בְּשַׂר נְבֵילָה, וְשָׁכַח וְלָקַח מִזּוֹ שֶׁמּוֹכֶרֶת בְּשַׂר נְבֵילָה בְּלֹא יָדַע בְּ"לֹא טוֹב", אִלּוּ יָדַע וְלָקַח עַל אַחַת כַּמָּה וְכַמָּה, וְלֹא עוֹד אֶלָּא "וְאָץ בְּרַגְלַיִם חוֹטֵא", רַבִּי יוֹחָנָן פָּתַר קְרָא לְעִנְיַן שַׁבָּת: הָיוּ לְפָנָיו שְׁנֵי שְׁבִילִין אֶחָד שָׁפוּי וְאֶחָד מָלֵא קוֹצִין וּצְרוֹרוֹת, וְשָׁכַח וְהָלַךְ בָּזֶה שֶׁהָיָה מָלֵא קוֹצִים וּצְרוֹרוֹת בְּלֹא יָדַע בְּ"לֹא טוֹב", עַל אַחַת כַּמָּה וְכַמָּה אִם יָדַע וְהָלַךְ "וְאָץ בְּרַגְלַיִם חוֹטֵא". דָּבָר אַחֵר, "גַּם בְּלֹא דַעַת נֶפֶשׁ", רַבִּי יוֹחָנָן וְרַבִּי שִׁמְעוֹן בֶּן לָקִישׁ, רַבִּי יוֹחָנָן אָמַר: בַּחֲטָאוֹת וּבַאֲשָׁמוֹת °אֲסוּרוֹת בִּנְדָרִים וּבִנְדָבוֹת מוּתָּר, רַבִּי שִׁמְעוֹן בֶּן לָקִישׁ אָמַר: אַף בִּנְדָרִים וּנְדָבוֹת אָסוּר. דָּבָר אַחֵר "גַּם בְּלֹא דַעַת" אֵלּוּ שְׁגָגוֹת, "וְאָץ בְּרַגְלַיִם חוֹטֵא" אֵלּוּ הַזְּדוֹנוֹת, תֵּדַע לְךָ שֶׁהִיא שְׁגָגָה וְהוּא עוֹשֶׂה אוֹתָהּ חַטָּאת, "נֶפֶשׁ כִּי תֶחֱטָא בִּשְׁגָגָה":

ד עֲשָׂרָה דְבָרִים מְשַׁמְּשִׁין אֶת הַנֶּפֶשׁ: הַוֵּשֶׁט לְמָזוֹן, וְהַקָּנֶה לְקוֹל, וְהַכָּבֵד לְחֵימָה, וְהָרֵיאָה לִשְׁתִיָּה, הַמֵּסֵס לִטְחוֹן,

עץ יוסף

שאמרו חכמינו ז"ל (שבועות יח, ב) שיפרוש עונה אחת סמוך לוסתה, לא היה נכשל, וכן שכן **אילו ידע** וזכר שהוסת היה עתיד לבוא בהנך החמה, ושיש לפרוש עונה אחת סמוך לוסת, ועם כל זה לא נזהר **ושמש** מטתו, וסמך על דעתו שלא תפרוס נדה מיד, כי זה חוטא קרוב למזיד, ופירש **ולא עוד אלא ואץ ברגלים**, ואין צריך לומר מי שהוא אץ ברגלים: **לאחד שהיה לפניו כו'**. רב נמי מפרש קרא כרבינא, אלא דמוקי ליה בלוקח נבלה, והכי קאמר מי ששכח שהיתה כאן חנות מוכרת נבלה, ולזה נכשל, מכל מקום קאי בלא טוב, דהוי ליה לאסוקי אדעתיה, וכל שכן מי שידע שיש כאן חנות מוכרת נבלה, ואפילו הכי לא נזהר כראוי, ולקח מהנבלה וסמך שהוא מחנות של כשרה, דזה קרוב למזיד שהיה לו ליזהר מאד: **רבי יוחנן פתר קרא כו'**. גם רבי יוחנן מפרש קרא כרבינא אלא דמוקי ליה בענין שבת, והכי קאמר מי ששכח שהיה שביל אחת מלא קוצים, ולזה נכשל והלך בו, אפילו הכי קאי בלא טוב שהיה לו ליזהר, וכל שכן מי שידע שיש שביל אחת מלא קוצים, ואפילו הכי לא נזהר כראוי, והלך בו וסמך שהוא השביל השפוי [ואורח (לדיקים) [ישרים] סלולה (משלי טו, יט) תרגום ואורחא דתרוצי שפיא (יד יוסף)], או שסמך על דעתו שלא יתלשו הקוצים ברגליו דזה קרוב למזיד: **מלא קוצין ושבח כו'**. בבבלי (ערובין ק, ב) מסקינן שמותר להלך על גבי קוצין בשבת. והויקרא רבה הוא אגדה ירושלמית סובר כדעת הירושלמי (שם פ"י ה"ח ושלהי ביצה פ"ה ה"ב) דאסור (רד"ל). **שפוי**. פירוש סלולה וישרה ומסוקל:

פירוש מהרז"ו

רבי יוחנן אומר בחטאות ואשמות. כמו שאמרו (חגיגה ז, א) דרבי לוי רמי, כתיב (תהלים סו, יג) אבא ביתך בעולות, וכתיב (משלי כה, יז) הוקר רגלך, ומשני כאן בחטאות ואשמות, כאן בשלמים ועולות, עיין שם בגמרא שהם שיטות הפוכות ומחולקות. ובקהלת רבה שם גירסא אחרת, והובא המאמר לכאן, לפרש שמה שכתב בלא דעת, שאם חטא בלא דעת, וצריך להביא חטאת לא טוב, וכמו שכתב כאן או הודע, שאחר כך נודע לו, ומה שכתב אחר דברי ריש לקיש, דבר אחר גם בלא דעת, הוא טעות, שכבר אמר דבר אחר קודם דבר רבי יוחנן, וצריך לומר הדא הוא דכתיב גם בלא דעת, וגם ריש לקיש יודה בזה, וכן הוא בילקוט משלי (רמז תתקנט), אך שאר דברי הילקוט שם זרים ומשונים: **(ד) עשרה דברים**. קהלת רבה פסוק החכמה תעוז לחכם מעשרה שליטים אשר בעיר (דף ק"ג ב'פרשה ז פסוק יט אות א). והעשרה דברים הם האיברים הפנימים. רמוזים במדבר רבה (יד, יב), שחושב שם עשרה דברים של עשרה עשרה:

רבי יוחנן ורבי שמעון בן לקיש. הם מפרשים לקרא בענין ההליכה לבית המקדש להקריב קרבנות, ולרבי יוחנן היינו דווקא בחטאות ואשמות שהן באין על חטא, דבכהאי גוונא לא טוב לבוא לבית המקדש כי יותר טוב שיזהר ולא יבא לעשות כאלה, אבל בנדרים ונדבות אין רע כי אינם באים על חטא, וקרא הכי קאמר גם בלא דעת כו', דלא מבעיא החוטא בדעת שהוא רע אלא גם נפש כי תחטא בלא דעת לא טוב, וגם כי אץ ברגלים שירגיל רגליו להביא קרבנות הוא חוטא. ולרבי שמעון בן לקיש אפילו בנדרים ונדבות אינו טוב להרגיל לבוא לבית המקדש מפני קדושת הבית, שאין לבוא שם אלא על דרך הרחוק, וסבירא ליה דרישא דגם בלא דעת מיירי בחוטא בשוגג, וסיפא דכתיב ואץ ברגלים חוטא מיירי בכל המרבה לבוא בקרבנות, וקרא רבותא קאמר שלא יחשוב להגלל החוטא בשוגג בקרבנו, שהרי המרבה בהן חוטא אפילו בנדרים ונדבות וכל שכן בחטאות ואשמות: **אלו הזדונות**. לאשמועינן שעל ידי השוגג יבוא לחטוא גם בזדונות ברוע ההרגל, וזה שאמר תדע שהיא שגגה ועושה אותה חטאת, כלומר, שמביאה לחטאת המזיד, וכדאיתא בתנחומא (סימן ו) ובילקוט פרשה זו (עיין ילקוט משלי יט רמז תתקנט), לא יֵצר אדם על העבירה שעשה בשוגג, אלא שנפתח לו פתח שיחטא אפילו במזיד: **עושה אותה חטאת**. ולשון חטאת מזיד משמע. והא דתניא בפרק הממונה (יומא לו, ב) חטאות אלו שגגות, וכן הוא אומר נפש כי תחטא בשגגה, לאו למימרא דחטאת משמע שגגה, אלא דהוא לשון מושאל על השוגג מטעמא דאמרינן הכא, מה שאין כן עון ופשע שאינו מושאל בשום מקום על השוגג: **(ד) עשרה דברים כו'**. גם בזה בא לתת טעם, למה הוזכרה הנפש ולא קאמר איש כי יחטא, וקאמר משום דהיא מהעשרה דברים אלו, מתמה עליה איך תחטא: **עשרה דברים כו'**. לעיל פרשה ג' סימן ד' מני עשרה דברים שמשמשים את הגוף לענין העברת המזון, שהמזון יוצא ונכנס בהם, והכא מיירי בכל צרכי האדם דהיינו הקול ושחוק ושינה וזולתם, להכי מני כל האברים הפנימים שפעולות אלו נתלה בהם: **הושט למזון**. בברכות (דף סא, א) איתא הושט מכניס כל מיני מאכל: **וכבד לחימה**. על ידי שהאדם מתבשל בו יהיה סבה כי יחם לבבו, וחשיב לה בכלל תשמיש הנפש שעל ידי זה יהיה נשמר מהמתקוממים כנגדו, מה שאין כן אם לא יתעורר להעלות חימה ולנקום נקם כנגד המזיקים אותו, דלא הוו שבקי ליה חיי: **והריאה לשתייה**. שהיא שואבת כל מיני משקין: **לטחון**. טוחן המאכל, והמסס בבהמה הוא הקורקבן בעוף:

חידושי הרד"ל

[ג] מלא קוצין ושבח והלך כו'. בבבלי עירובין (ק, ב) מסקינן שמותר להלך על גבי קוצין בשבת, והויקרא רבה הוא אגדה ירושלמית, סובר כדעת הירושלמי שם. ושלהי ביצה לאסור:

באור מהרי"פ

שפוי. נוח לילך בו ונקי ומסוקל: **בחטאות ואשמות אסור**. כלומר ישמור עצמו שלא יבא לידי כך, ואל יאמר אם אחטא אביא קרבן, כמו שאמר הכתוב (קהלת ד, יז) וקרוב לשמוע מתת הכסילים זבח, ועיין בפרק קמא דחגיגה (ז, א): **תדע לך**. פירוש שאפילו השוגג אינו טוב שהרי שגגה הוא והכתוב עושהו חטא שנאמר נפש כי תחטא וגו': **[ד] הוושט למזון**. בפרק הרואה (ברכות סא, א) איתא הוושט מכנים כל מיני מאכל: **לשתייה**. שואבת כל מיני משקים: **לטחון**. טוחן המאכל, והמסס בבהמה הוא הקורקבן בעוף, כך פרש"י ז"ל בפרק הרואה (שם, ע"ב):

מסורת המדרש

ו. מדרש תהלים מזמור קג:

ידי משה

[ג] רבי יוחנן אומר בחטאות ובאשמות אסורות. כדאיתא בפרק קמא דחגיגה (ז, א) רבי לוי רמי כתיב הוקר רגליך וכתיב אבוא ביתך, ומשני לא קשיא כאן בחטאות ואשמות וכו':

אמרי יושר

וזה נתן טעם להעניש שוגג, לפי שאדם מועד לעולם, והיה לו להזהר. האחר אמר **למי שהיו לפניו שני חנויות**. ונזדמן לפניו בשר נבילה, כי מגלגלין על ידי חייב. ר' יצחק אמר **היו לפניו שני שבילין**, כמו שזה המלא קוצין מכאיב הרגל, כן העבירה עושה רושם: **לענין שבת**. כי באותו המלא קוצים יצטרך להתכם ולעקרם מהמחובר, כדי לעבור דרך שם: **רבי יוחנן אמר בחטאות כו' אסור**. כי אין להקדוש ברוך הוא חפץ בקרבן, ר' שמעון בן לקיש אמר אפילו נדרים ונדבות שאין באים על חטא, אין חפץ לאל קרבנות:

שינוי נוסחאות

(ג) **על אחת כמה וכמה, ולא עוד אלא ואץ ברגלים חוטא** (פעמיים בפיסקא). א"א מוחק תיבות "ולא עוד אלא" בשתי הפעמים: **בחטאות ובאשמות אסורות**. צ"ל "אסור" במקום "אסורות", כן היה בספרים הישנים, וכבר באמש"ד ש"א שיבשוהו, אבל המשיכו לכתוב בד"ה של מ"כ "אסור":

מתנות כהונה

שפוי. נוח לילך בו ונקי ומסוקל: **בחטאות ואשמות אסור**. כלומר ישמור עצמו שלא יבא לידי כך, ואל יאמר אם אחטא אביא קרבן, כמו שאמר הכתוב (קהלת ד, יז) וקרוב לשמוע מתת הכסילים זבח, ועיין בפרק קמא דחגיגה (ז, א): **תדע לך**. פירוש שאפילו השוגג אינו טוב שהרי שגגה הוא והכתוב עושהו חטא שנאמר **נפש כי תחטא וגו'**: [ד] **הוושט למזון**. בפרק הרואה (ברכות סא, א) איתא הוושט מכנים כל מיני מאכל: **לשתייה**. שואבת כל מיני משקים: **לטחון**. טוחן המאכל, והמסס בבהמה

אשד הנחלים

ולא עוד. פירושו אם בשכחה ככה, מכל שכן מי שאינו שוכח רק עושה מרוב הפחזות, שלא התיישב רק הלך אחר תאוותו בלא התבוננות. וחשב שכחה ממש, וזדון, ועושה במהירות בלי התבוננות שכולם אות שהנפש לא טוב, ולכן הכתוב חושב השגגה לחטא: **לענין שבת**. גם זה מלשון ואץ ברגלים קדריש. ואחז במשל מלא קוצים, להראות שבאמת ההליכה בדרך רע הוא מר וכקוץ מכאיב, לנפש אם יתבונן בה, רק מרוב השכחה עושה זאת אף שהוא רע לה, והוא מתחייב על שהולך בדרך הזה: **בחטאות**. עיין מתנות כהונה. נראה לי דריש לקיש דרש גם בלא דעת על חטאות, שחוטא בלא דעת ומביא קרבן, ואץ ברגלים להרגיל עצמו בנדרים ונדבות, גם זה חוטא, ור' יוחנן פליג. ומביא הכתוב רק משום ריש לקיש: **אלו הזדונות**. לא כמו שדרש מתחילה על העושה מרוב הפחזות, שזה נכלל בשוגג:

A final explanation of the cited verse:

דָּבָר אַחֵר "גַּם בְּלֹא דַעַת" אֵלוּ שְׁגָגוֹת — Alternatively, ***Also,*** *for the soul* ***to be without knowledge*** *is not good* **— these are unintentional sins;** **"וְאָץ בְּרַגְלַיִם חוֹטֵא" אֵלוּ הַזְּדוֹנוֹת** — ***and he who quickens "beraglayim" is a sinner*** **— these are the intentional sins.**[82]

The Midrash relates the preceding discussion to our verse:

תֵּדַע לָךְ — The above may be proven from our verse,[83] **שֶׁהִיא שְׁגָגָה וְהוּא עוֹשֶׂה אוֹתָהּ חַטָּאת, "נֶפֶשׁ כִּי תֶחֱטָא בִשְׁגָגָה" — for [the act]** to which our verse refers **is an unintentional one** (שְׁגָגָה) **and** yet **[the verse] makes it** into **a sin** (חַטָּאת), as is stated, ***When a person will sin*** [תֶּחֱטָא] ***unintentionally*** [בִּשְׁגָגָה].[84]

§4 [נֶפֶשׁ כִּי תֶחֱטָא בִשְׁגָגָה מִכֹּל מִצְוֹת ה׳ — *WHEN A PERSON WILL SIN UNINTENTIONALLY FROM AMONG ALL THE COMMANDMENTS OF HASHEM.*]

The Midrash returns to the issue of why the verse specifically refers to a person with the term נֶפֶשׁ, lit., *soul,* when discussing sin:[85]

עֲשָׂרָה דְבָרִים מְשַׁמְּשִׁין אֶת הַנֶּפֶשׁ — Ten things service the soul:[86] **הַוֵּשֶׁט לְמָזוֹן — (i) the esophagus for nourishment,**[87] **וְהַקָּנֶה לְקוֹל — (ii) the trachea for** giving **voice,** **וְהַכָּבֵד לְחֵימָה — (iii) the liver for anger,**[88] **וְהָרֵיאָה לִשְׁתִיָּה — (iv) the lung for "drinking,"**[89] **הַמְּסֵס לִטְחוֹן — (v) the omasum for grinding** food,[90]

NOTES

also relates to the unintentional sinner, because lest he think that his sins can be remedied with offerings, he is taught that even one who excessively brings voluntary offerings is chastised; certainly, then, one who brings sin-offerings is chastised (*Yefeh To'ar*, followed in large part by *Eitz Yosef*).

82. Unlike the earlier approaches, that understood the *Proverbs* verse as referring only to unintentional sins, this one interprets the verse's second half as a reference to an *intentional* sinner (*Eshed HaNechalim*). According to this interpretation, the verse links the two types of sins to teach that over time one who becomes accustomed to sinning unintentionally will progress to deliberate transgressions. This Midrash associates the word בְּרַגְלַיִם either with *regularity* (הֶרְגֵּל), or *likelihood* (רַגְלַיִם לְדָּבָר), because it is likely that one who regularly sins unintentionally will eventually do so with intent (*Yefeh To'ar*, cited in part by *Eitz Yosef*, who cites *Tanchuma* [ibid.] and *Yalkut Shimoni* [*Mishlei* §959 s.v. גם בלא]).

83. Lit., *know for yourself.*

The Midrash will now reinforce the position it has taken throughout this section, that even an unintentional sin may be criticized as *not good* (see *Matnos Kehunah*; see below for another approach).

84. Based on *Matnos Kehunah.*

Alternatively, the Midrash is concluding its final approach to the *Proverbs* verse. It is noting that *an unintentional sin* may be referred to with the word חַטָּאת, despite the fact that that term denotes an *intentional sin* because, as explained above, the former breeds the latter (*Eitz Yosef*).

85. *Eitz Yosef.*

[*Yefeh To'ar* points out that it appears that this Midrash should have followed immediately after §1 and §2, where this issue was dealt with.]

86. Although all of man's limbs and organs service his soul in some capacity, the Midrash lists ten internal organs whose functions are vital to the soul's maintenance (*Yefeh To'ar*, referencing *Chullin* 42a).

87. As the Gemara (*Berachos* 61a) states, *the esophagus takes in all types of food* (*Eitz Yosef*).

[Although above, in 3 §4, the Midrash named a number of organs that participate in the digestive process, our Midrash refers collectively to many of these with its mention of the *esophagus* (*Yefeh To'ar*; see there for additional discussion).]

88. Because blood "heats up" in the liver, a man may become angered. This benefits the soul because anger is an important self-defense mechanism; if a man could not grow angry and protect himself, he would be constantly victimized (*Eitz Yosef*).

89. Although liquids are ingested by way of the esophagus, the lungs then absorb them through the stomach walls (*Rashi* to *Berachos* 61b s.v. שואבת; see *Eitz Yosef*).

90. The omasum (the third stomach of ruminant mammals) grinds the food [during digestion] (*Eitz Yosef*).

The הַמְּסֵס, *omasum*, is present [only] in animals. Its equivalent in birds is the קֻרְקְבָן, the *gizzard* (*Eitz Yosef*; *Rashi* to *Berachos* 61b s.v. קרקבן). Our Midrash, which discusses people, may be indicating a component of the human anatomy that functions similarly to the way the omasum does in animals.

וְאִלּוּ יָדַע וְשִׁימֵּשׁ עַל אַחַת כַּמָּה וְכַמָּה, וְלֹא עוֹד אֶלָּא (שם) "וְאָץ בְּרַגְלַיִם חוֹטֵא", רַבִּי יִצְחָק בַּר שְׁמוּאֵל בַּר מַרְתָּא בְּשֵׁם רַב: מָשָׁל לְאֶחָד שֶׁהָיוּ לְפָנָיו שְׁתֵּי חֲנוּיוֹת, אַחַת מוֹכֶרֶת בְּשַׂר שְׁחוּטָה וְאַחַת מוֹכֶרֶת בְּשַׂר נְבֵילָה, וְשָׁכַח וְלָקַח מִזּוֹ שֶׁמּוֹכֶרֶת בְּשַׂר נְבֵילָה בְּלֹא יָדַע בְּ"לֹא טוֹב", אִלּוּ יָדַע וְלָקַח עַל אַחַת כַּמָּה וְכַמָּה, וְלֹא עוֹד אֶלָּא "וְאָץ בְּרַגְלַיִם חוֹטֵא", רַבִּי יוֹחָנָן פָּתַר קְרָא לְעִנְיַן שַׁבָּת: הָיוּ לְפָנָיו שְׁנֵי שְׁבִילִין אֶחָד שָׁפוּי וְאֶחָד מָלֵא קוֹצִין וּצְרוֹרוֹת, וְשָׁכַח וְהָלַךְ בָּזֶה שֶׁהָיָה מָלֵא קוֹצִים וּצְרוֹרוֹת בְּלֹא יָדַע בְּ"לֹא טוֹב", עַל אַחַת כַּמָּה וְכַמָּה אִם יָדַע וְהָלַךְ "וְאָץ בְּרַגְלַיִם חוֹטֵא". דָּבָר אַחֵר, "גַּם בְּלֹא דַעַת נֶפֶשׁ", רַבִּי יוֹחָנָן וְרַבִּי שִׁמְעוֹן בֶּן לָקִישׁ, רַבִּי יוֹחָנָן אָמַר: בַּחֲטָאוֹת וּבָאֲשָׁמוֹת °אֲסוּרוֹת בִּנְדָרִים וּבִנְדָבוֹת מוּתָּר, רַבִּי שִׁמְעוֹן בֶּן לָקִישׁ אָמַר: אַף בִּנְדָרִים וּנְדָבוֹת אָסוּר. דָּבָר אַחֵר "גַּם בְּלֹא דַעַת" אֵלּוּ שְׁגָגוֹת, "וְאָץ בְּרַגְלַיִם חוֹטֵא" אֵלּוּ הַזְּדוֹנוֹת, תֵּדַע לְךָ שֶׁהִיא שְׁגָגָה וְהוּא עוֹשֶׂה אוֹתָהּ חַטָּאת, "נֶפֶשׁ כִּי תֶחֱטָא בִשְׁגָגָה":

ד עֲשָׂרָה דְּבָרִים מְשַׁמְּשִׁין אֶת הַנֶּפֶשׁ: הַוֶּשֶׁט לְמָזוֹן, וְהַקָּנֶה לְקוֹל, וְהַכָּבֵד לְחֵימָה, וְהָרֵיאָה לִשְׁתִיָּה, הַמְּסֵס לִטְחוֹן,

שאמרו חכמינו ז"ל (שבועות יח, ב) שיפרוש עונה אחת סמוך לוסתה, לא היה נכשל, וכן שכן **אילו ידע** וזכר שהוסת היה עתיד לבוא בהנך החמה, ושיש לפרוש עונה אחת סמוך לוסת, ועם כל זה לא נזהר **ושמש** מטתו, וסמך על דעתו שלא תפרוס נדה מיד, כי זה חוטא קרוב למזיד, ופירש **ולא עוד אלא ואץ ברגלים**, ואין צריך לומר מי שהוא אץ ברגלים: **לאחד שהיה לפניו כו'**. רב נמי מפרש קרא כרבינא, אלא דמוקי ליה בלוקח נבלה, והכי קאמר מי ששכח שהיתה כאן חנות מוכרת נבלה, ולזה נכשל, מכל מקום קאי בלא טוב, דהוי ליה לאסוקי אדעתיה, וכל שכן מי שידע שיש כאן חנות מוכרת נבלה, ואפילו הכי לא נזהר כראוי, ולקח מהנבלה וסמך שהוא מחנות של כשרה, דזה קרוב למזיד שהיה לו ליזהר מאד: **רבי יוחנן פתר קרא כו'**. גם רבי יוחנן מפרש קרא כרבינא אלא דמוקי ליה בענין שבת, והכי קאמר מי ששכח שהיה שביל אחת מלא קוצים, ולזה נכשל והלך בו, אפילו הכי קאי בלא טוב שהיה לו ליזהר, וכל שכן מי שידע שיש שביל אחת מלא קוצים, ואפילו הכי לא נזהר כראוי, והלך בו וסמך שהוא השביל השפוי [ואורח (לדיקים) [ישרים] סלולה (משלי טו, יט) תרגום ואורחא דתרולי שפיא (יד יוסף)], או שסמך על דעתו שלא יתלשו הקוצים ברגליו דזה קרוב למזיד: **מלא קוצין ושכח כו'**. בבבלי (עירובין ק, ב) מסקינן שמותר להלך על גבי קוצין בשבת. והויקרא רבה הוא אגדה ירושלמית סובר כדעת הירושלמי (שם פ"י ה"ח ושלהי ביצה פ"ה ה"ב) דאסור (רד"ל): **שפוי**. פירוש סלולה וישרה ומסוקל:

רבי יוחנן ורבי שמעון בן לקיש. הם מפרשים לקרא בענין ההליכה לבית המקדש להקריב קרבנות, ולרבי יוחנן היינו דווקא בחטאות ואשמות שכן באין על חטא, דבכהאי גוונא לא טוב לבוא לבית המקדש כי יותר טוב שיזהר ולא יבא לעשות כאלה, אבל בנדרים ונדבות אין רע כי אינם באים על חטא, וקרא הכי קאמר גם בלא דעת נפש לא טוב, דלא מבעיא החוטא בדעת שהוא רע אלא גם נפש כי תחטא בלא דעת לא טוב, וגם כי אץ ברגלים שירגיל רגליו להביא קרבנות הוא חוטא. ולרבי שמעון בן לקיש אפילו בנדרים ונדבות אינו טוב להרגיל לבוא לבית המקדש מפני קדושת הבית, שאין לבוא שם אלא על דרך הרחוק, וסבירא ליה דרישא דגם בלא דעת מיירי בחוטא בשוגג, וסיפא דכתיב ואץ ברגלים חוטא מיירי בכל המרבה לבוא בקרבנות, וקרא רבותא קאמר שלא יתשב להגלל החוטא בשוגג בקרבנו, שהרי המרבה בהן חוטא אפילו בנדרים ונדבות וכל שכן בחטאות ואשמות. לאשמועינן שעל ידי השוגג יבוא לחטוא גם בזדונות ברוע ההרגל, וזה שאמר תדע שהיא שגגה ועושה אותה חטאת, כלומר, שמביאה לחטא המזיד, וכדאיתא בתנחומא (סימן ו) ובילקוט פרשה זו (עיין ילקוט משלי יט רמז תתקנט), לא יצר אדם על העבירה שעשה בשוגג, אלא שנפתח לו פתח שיחטא אפילו במזיד: **עושה אותה חטאת**. ולשון חטאת מזיד משמע. והא דתניא בפרק הממונה (יומא לו, ב) חטאות אלו שגגות, וכן הוא אומר נפש כי תחטא בשגגה, לאו למימרא דחטאת משמע שגגה, אלא דהוא לשון מושאל על השוגג מטעמא דאמרינן הכא, מה שאין כן עון ופשע שאינו מושאל בשום מקום על השוגג: **(ד) עשרה דברים כו'**. גם בזה בא לתת טעם, למה הוזכרה הנפש ולא קאמר איש כי יחטא, וקאמר משום דהיא למעלה מהעשרה דברים אלו, מתמה עליה איך תחטא. לעיל פרשה ג' סימן ד' מני עשרה דברים משמשים את הגוף לענין העברת המזון, שהמזון יוצא ונכנס בהם, והכא מיירי בכל צרכי האדם דהיינו הקול ושחוק ושינה וזולתם, להכי מני כל האברים הפנימים שפעולות אלו תלויה בהם: **הושט למזון**. בברכות (דף סא, א) איתא הושט מכניס כל מיני מאכל: **וכבד לחימה**. על ידי שהדם מתבשל בו יהיה סבה כי יחם לבבו, וחשיב לה בכלל תשמיש הנפש שעל ידי זה יהיה נשמר מהמתקוממים כנגדו, מה שאין כן אם לא יתעורר להעלות חימה ולנקום נקם כנגד המזיקים אותו, דלא הוו שבקי ליה חיי: **והריאה לשתייה**. שהיא שואבת כל מיני משקין: **לטחון**. טוחן המאכל, והמסס בבהמה הוא הקורקבן בעוף:

רבי יוחנן אומר בחטאות ואשמות. כמו שאמרו (חגיגה ז, א) דרבי לוי רמי, כתיב (תהלים סו, יג) אבא ביתך בעולות, וכתיב (משלי כה, יז) הוקר רגלך, ומשני כאן בחטאות ואשמות, כאן בשלמים ועולות, עיין שם בגמרא שהם שיטות הפוכות ומחולקות. ובקהלת רבה שם גירסא אחרת, והובא המאמר לכאן, לפרש שמה שכתב בלא דעת, שאם חטא בלא דעת, וצריך להביא חטאת לא טוב, וכמו שכתב כאן או הודע, שאחר כך נודע לו, ומה שכתב אחר דברי ריש לקיש, דבר אחר גם בלא דעת, הוא טעות, שכבר אמר דבר אחר קודם דבר רבי יוחנן, וצריך לומר הדא הוא דכתיב גם בלא דעת, וגם ריש לקיש יודה בזה, וכן הוא בילקוט משלי (רמז תתקנט), אך שאר דברי הילקוט שם זרים ומשונים: **(ד) עשרה דברים**. קהלת רבה פסוק החכמה תעוז לחכם מעשרה שליטים אשר בעיר (דף ק"ג ב' פרשה ז פסוק יט אות א). והעשרה דברים הם האיברים הפנימים. רמוזים בבמדבר רבה (יד, יב), שחושב שם עשרה דברים של עשרה עשרה:

חידושי הרד"ל
[ג] מלא קוצין ושכח והלך כו'. בבבלי עירובין (ק, ב) מסקינן שמותר להלך על גבי קוצין בשבת, והויקרא רבה הוא אגדה ירושלמית, סובר כדעת הירושלמי שם. ושלהי ביצה דאסור:

באור מהרי"פ
שפוי. נוח לילך בו ונקי ומסוקל: **בחטאות ואשמות אסור**. כלומר ישמור עצמו שלא יבא לידי כך, ואל יאמר אם אחטא אביא קרבן, כמו שאמר הכתוב (קהלת ד, יז) וקרוב לשמוע מתת הכסילים זבח, ועיין בפרק קמא דחגיגה (ז, א): **תדע לך**. פירוש שאפילו השוגג אינו טוב שהרי שגגה הוא והכתוב עושהו חטא שנאמר נפש כי תחטא וגו': **[ד] הוושט למזון**. בפרק הרואה (ברכות סא, א) איתא הוושט מכניס כל מיני מאכל: **לשתייה**. שואבת כל מיני משקים: **לטחון**. טוחן המאכל, והמסס בבהמה הוא הקורקבן בעוף, כך פרש"י ז"ל בפרק הרואה (שם, ע"ב):

מסורת המדרש
ו. מדרש תהלים מזמור קג:

ידי משה
[ג] רבי יוחנן אומר בחטאות ובאשמות אסורות. כדאיתא בפרק קמא דחגיגה (ז, א) רבי לוי רמי כתיב הוקר רגליך וכתיב אבוא ביתך, ומשני לא קשיא כאן בחטאות ואשמות וכו':

אמרי יושר
וזה נתן טעם להעניש שוגג, לפי שאדם מועד לעולם, והיה לו להזהר. האחר אמר **למי שהיו לפניו שני חנויות**. ונזדמן לפניו בשר נבילה, כי מגלגלין על ידי חייב. ר' יצחק אמר **היו לפניו שני שבילין**, כמו שזה המלא קוצין מכאיב הרגל, כן העבירה עושה רושם: **לענין שבת**. כי בהלוכו המלא קוצים יצטרך לחתכם ולעקרם מהמחובר, כדי לעבור דרך שם: **רבי יוחנן אמר בחטאות כו' אסור**. כי אין להקדוש ברוך הוא חפץ בקרבן, ר' שמעון בן לקיש אמר אפילו נדרים ונדבות שאין באים על חטא, אין חפץ לאל קרבנות:

שינוי נוסחאות
(ג) **על אחת כמה וכמה, ולא עוד אלא ואץ ברגלים חוטא** (פעמיים בפיסקא). א"א מוחק תיבות "ולא עוד אלא" בשתי הפעמים: **בחטאות ובאשמות אסורות**. צ"ל "אסור" במקום "אסורות", כן היה בספרים הישנים, וכבר באמש"ד ש"א שיבשוהו, אבל המשיכו לכתוב בד"ה של מ"כ "אסור":

מתנות כהונה
שפוי. נוח לילך בו ונקי ומסוקל: **בחטאות ואשמות אסור**. כלומר ישמור עצמו שלא יבא לידי כך, ואל יאמר אם אחטא אביא קרבן, כמו שאמר הכתוב (קהלת ד, יז) וקרוב לשמוע מתת הכסילים זבח, ועיין בפרק קמא דחגיגה (ז, א): **תדע לך**. פירוש שאפילו השוגג אינו טוב שהרי שגגה הוא והכתוב עושהו חטא שנאמר **נפש כי תחטא וגו'**: **[ד] הוושט למזון**. בפרק הרואה (ברכות סא, א) איתא הוושט מכניס כל מיני מאכל: **לשתייה**. שואבת כל מיני משקים: **לטחון**. טוחן המאכל, והמסס בבהמה

אשד הנחלים
ולא עוד. פירושו אם בשכחה ככה, מכל שכן מי שאינו שוכח רק עושה מרוב הפחזות, שלא התיישב רק הלך אחר תאוותו בלא התבוננות. וחשב שכחה ממש, וזדון, ועושה במהירות בלי התבוננות שכולם אות שהנפש לא טוב, ולכן הכתוב חושב השגגה לחטא: **לענין שבת**. גם זה מלשון ואץ ברגלים קדריש. ואחז במשל מלא קוצים, להראות שבאמת ההליכה בדרך רע הוא מר וכקוץ מכאיב, לנפש אם יתבונן בה, רק מרוב השכחה עושה זאת אף שהוא רע לה, והוא מתחייב על שהולך בדרך הזה: **בחטאות**. עיין מתנות כהונה. נראה לי דריש לקיש דרש גם בלא דעת על חטאות, שחוטא בלא דעת ומביא קרבן, ואץ ברגלים להרגיל עצמו בנדרים ונדבות, גם זה חוטא, ור' יוחנן פליג. ומביא הכתוב רק משום ריש לקיש: **אלו הזדונות**. לא כמו שדרש מתחילה על העושה מרוב הפחזות, שזה נכלל בשוגג:

וְהַטְּחוֹל לִשְׂחוֹק — (vi) the spleen for mirth,[91] וְהַקֵּיבָה לְשֵׁינָה — (vii) the stomach for sleep,[92] וְהַמָּרָה לְקִנְאָה — (viii) the gall bladder for jealousy,[93] וְהַכְּלָיוֹת מְחַשְּׁבוֹת — (ix) and the kidneys consider,[94] וְהַלֵּב גּוֹמֵר — (x) and the heart concludes.[95] וְהַנֶּפֶשׁ לְמַעְלָה מִכֻּלָּם — **And the soul is above all of them.** אָמַר הַקָּדוֹשׁ בָּרוּךְ הוּא: אֲנִי עֲשִׂיתִיךְ לְמַעְלָה מִכֻּלָּן וְאַתְּ יוֹצֵאת וְגוֹזֶלֶת וְחוֹמֶסֶת וְחוֹטֵאת — **The Holy One, blessed is He, said** to the soul, **"I caused you to be above all of [these organs], and you go out and rob and extort and sin?!"**[96]

§5 דַּבֵּר אֶל בְּנֵי יִשְׂרָאֵל לֵאמֹר נֶפֶשׁ כִּי תֶחֱטָא וְגוֹ׳ — *SPEAK TO THE CHILDREN OF ISRAEL, SAYING: WHEN A PERSON WILL SIN, ETC. [UNINTENTIONALLY FROM AMONG ALL THE COMMANDMENTS OF HASHEM].*

The Midrash introduces a parable that will be used to explain why our verse refers to a person with the term נֶפֶשׁ, lit., *soul*, when discussing sin:[97]

תָּנֵי רַבִּי יִשְׁמָעֵאל: מָשָׁל לְמֶלֶךְ שֶׁהָיָה לוֹ פַּרְדֵּס וְהָיָה בוֹ בִּכּוּרוֹת נָאוֹת — **R' Yishmael taught:** The experience of man's body and soul is **analogous to a king who had an orchard, and it had beautiful early fruits in it.**[98] וְהוֹשִׁיב בּוֹ הַמֶּלֶךְ שׁוֹמְרִים, אֶחָד חִיגֵּר וְאֶחָד סוּמָא — **And the king placed guards in [the orchard], one** of whom was **a cripple and one** of whom was **a blind man,**[99] וְאָמַר לָהֶן: הִזָּהֲרוּ עַל בִּכּוּרוֹת הַנָּאוֹת הָאֵלּוּ — **and he told [the guards], "Watch over these beautiful early fruits!"** לְיָמִים אָמַר חִיגֵּר לְסוּמָא: בִּכּוּרוֹת נָאוֹת אֲנִי רוֹאֶה בַּפַּרְדֵּס — **Some days later,** the **cripple said to the blind man, "I see beautiful early fruits in the orchard."** אָמַר לוֹ סוּמָא: הָבֵא וְנֹאכַל — The **blind man said to him, "Bring** them **and we shall eat."** אָמַר לוֹ חִיגֵּר: וְכִי יְכוֹלַנִי לְהַלֵּךְ — The **cripple said to him, "But can I walk** to them?!" אָמַר סוּמָא: וְכִי רוֹאֶה אֲנִי — The **blind man said, "But can I see** them?!"[100] רָכַב חִיגֵּר עַל גַּבֵּי סוּמָא וְאָכְלוּ אֶת הַבִּכּוּרוֹת וְהָלְכוּ וְיָשְׁבוּ לָהֶם אִישׁ בִּמְקוֹמוֹ — So the **cripple rode upon** the **blind man,** directing him to the fruits, **and they ate the early fruits, and** then **they walked** away **and they sat down, each man in his place.** לְיָמִים נִכְנַס הַמֶּלֶךְ בְּאוֹתוֹ פַּרְדֵּס — **Some days later, the king entered that orchard** and discovered that the fruits were gone. אָמַר לָהֶן: הֵיכָן הֵם הַבִּכּוּרוֹת הַנָּאוֹת — **He said to [the guards]** accusingly, **"Where are the beautiful early fruits?!"** אָמַר לוֹ סוּמָא: אֲדוֹנִי הַמֶּלֶךְ, וְכִי רוֹאֶה אֲנִי — **Said** the **blind man to [the king], "My master the king, but can I see?!"** אָמַר לוֹ חִיגֵּר: אֲדוֹנִי הַמֶּלֶךְ, וְכִי יָכוֹל אֲנִי לְהַלּוֹךְ — **Said** the **cripple to [the king], "My master the king, but can I walk?!"**[101] אוֹתוֹ הַמֶּלֶךְ שֶׁהָיָה פִּיקֵּחַ מֶה עָשָׂה לָהֶן — **That king, who was a clever man, what did he do to them?** הִרְכִּיב חִיגֵּר עַל גַּבֵּי סוּמָא וְהִתְחִילוּ מְהַלְּכִין — **He mounted** the **cripple upon the blind man and they began to walk.** אָמַר לָהֶן: כָּךְ עֲשִׂיתֶם וַאֲכַלְתֶּם אֶת הַבִּכּוּרוֹת — **[The king] said to them, "So did you do, and you ate the early fruits!"**[102]

The Midrash applies the parable:

כָּךְ לֶעָתִיד לָבֹא הַקָּדוֹשׁ בָּרוּךְ הוּא אוֹמֵר לַנֶּפֶשׁ: מִפְּנֵי מָה חָטָאת לְפָנַי — **Similarly, in the future, the Holy One, blessed is He, will say to the soul, "Why did you sin before Me?"** אָמַר לְפָנָיו: רִבּוֹן הָעוֹלָמִים, אֲנִי לֹא חָטָאתִי, הַגּוּף הוּא שֶׁחָטָא — **[The soul] will say before [God], "Master of the worlds, I did not sin, it is the body that sinned!** מִשָּׁעָה שֶׁיָּצָאתִי מִמֶּנּוּ כְּצִפּוֹר טְהוֹרָה פּוֹרַחַת בָּאֲוִיר אֲנִי, מָה חָטָאתִי לְפָנֶיךָ — **From the time that I departed from [the body] I am like a pure bird flying through the air;** so **what have I sinned before You?!"**[103] אוֹמֵר לַגּוּף: מִפְּנֵי מָה חָטָאתָ לְפָנַי — **[God] will** then **say to the body, "Why did you sin before Me?"** אָמַר לְפָנָיו: רִבּוֹן הָעוֹלָמִים, אֲנִי לֹא חָטָאתִי, נְשָׁמָה הִיא שֶׁחָטְאָת — **[The body] will say before [God], "Master of the worlds, I did not sin, it is the soul that sinned!** מִשָּׁעָה שֶׁיָּצְתָה מִמֶּנִּי כְּאֶבֶן שֶׁהוּשְׁלַךְ עַל גַּבֵּי קַרְקַע אֲנִי נִשְׁלָךְ, שֶׁמָּא חָטָאתִי לְפָנֶיךָ — **From the time that [the soul] departed from me I am cast down like a stone cast down upon the ground;** so **could it be that I have sinned before You?!"**[104] מָה הַקָּדוֹשׁ בָּרוּךְ הוּא עוֹשֶׂה לָהֶן — **What will the Holy One, blessed is He, do to them?** מֵבִיא נְשָׁמָה וְזוֹרְקָהּ בַּגּוּף וְדָן שְׁנֵיהֶם כְּאֶחָד — **He will bring the soul and inject it into the body**[105] **and judge both of them as a unit;**

NOTES

91. *Matnos Kehunah*, citing *Shevilei Emunah*; see *Rashi* to *Berachos* 61b, cited in *Eitz Yosef*, Vagshal ed. (See *Raaviah* §160, cited ibid., for another approach.)

The spleen draws waste matter out of the blood, leaving the body cleansed and given to cheerfulness (*Imrei Yosher*; also see *Kuzari* 4:25).

92. Ingested food releases gases that induce sleep (*Kol Yehudah* to *Kuzari* ibid.; see *Eitz Yosef*).

93. The gall bladder houses bile that influences jealousy. This serves the soul because jealousy spurs a man to seek what is possessed by others that would be useful to him; without this emotion he might be deprived of those things (*Eitz Yosef*).

Alternatively, our Midrash means that the gall bladder serves to *reduce* jealousy and anger because, as taught in *Berachos* 61b, *The liver becomes angry, but the gall bladder injects a drop into it and calms it* (*Matnos Kehunah*; cf. *Eitz Yosef*).

94. The Sages often associate the kidneys with consideration and advice. See discussion in Kleinman edition of *Bereishis Rabbah,* 61 §1, note 6 with Insight Ⓐ; see also *Kuzari* ibid.

95. The heart decides whether or not to accept the counsel offered by the kidneys (compare *Rashi* to *Berachos* 61a s.v. והלב).

[*Yefeh To'ar* argues that the correct version of this Midrash is the one that appears in *Koheles Rabbah* to 7:19 §3 (compare also *Berachos* 61a), where the list of ten organs that serve the soul concludes, כְּלָיוֹת יוֹעֲצוֹת, לֵב מֵבִין לָשׁוֹן גּוֹמֵר, *the kidneys counsel, the heart understands,* (and) *the tongue articulates* (by verbalizing the decision). He explains that the Midrash nevertheless counts only ten organs because the *omasum* and the *stomach* are reckoned as one.]

96. God censures the soul for acting like an ingrate by sinning against Him in spite of the Divine kindness it enjoys (*Eitz Yosef*).

Thus, our verse's reference to the *soul* is to be understood as part of a statement of incredulity (see *Eitz Yosef* s.v. עשרה דברים; compare above, note 35).

[The expression גּוֹזֶלֶת וְחוֹמֶסֶת, lit., *extort and steal*, is also suggestive of generally sinful behavior. Note, however, that in the version of our Midrash cited in *Yalkut Shimoni* §464, these words do not appear, as they did not appear in similar expositions above, in §1 and §2.]

97. *Eitz Yosef.*

[Note that this parable and the accompanying application also appear in *Sanhedrin* 91a-b.]

98. Based on *Matnos Kehunah* and *Eitz Yosef.*

Rashi to *Sanhedrin* [91b s.v. בכורות] associates the term בִּכּוּרוֹת specifically with *early figs* (*Matnos Kehunah*; compare *Jeremiah* 24:2). *Rashi* to *Jeremiah* 24:2 adds that figs that ripen early in the season tend to be highly prized.

99. If the crippled guard saw someone entering the orchard he was to call to the blind guard, who would then prevent the intruder from taking fruits (*Eitz Yosef*).

100. Thus, neither of the two guards was independently capable of taking the figs.

101. Each of the guards cited his handicap as proof that he could not have committed the theft.

102. Having demonstrated the illegitimacy of their alibis, the king pronounced his decision that the guards were guilty (see *Yefeh To'ar*).

103. Like a bird that soars up to the heavens, the ethereal soul is by its very nature detached from all things physical and possessed of a powerful yearning for closeness to God [in Heaven]. The soul cites this nature as proof that its involvement in sin was caused by an external factor [i.e., the body] (*Eitz Yosef*).

104. The body can do nothing on its own. Its every move is controlled by its animating force, the soul. The body therefore argues that it bears no responsibility for its actions (*Eitz Yosef*).

105. I.e., the person will be brought back to life (*Yefeh To'ar*, followed by *Eitz Yosef*; see Insight at note 118 below, "The Soul, the Body, and the Afterlife," for additional discussion and an alternate approach).

וְהַטְּחוֹל לִשְׂחוֹק, וְהַקֵּיבָה לְשֵׁינָה, וְהַמָּרָה לְקִנְאָה, וְהַכְּלָיוֹת מְחַשְּׁבוֹת, וְהַלֵּב גּוֹמֵר, וְהַנֶּפֶשׁ לְמַעְלָה מִכֻּלָּם, אָמַר הַקָּדוֹשׁ בָּרוּךְ הוּא: אֲנִי עֲשִׂיתִיךָ *לְמַעְלָה מִכֻּלָּן וְאַתְּ יוֹצֵאת וְגוֹזֶלֶת וְחוֹמֶסֶת וְחוֹטֵאת:

ה [ד, ב] **"דַּבֵּר אֶל בְּנֵי יִשְׂרָאֵל לֵאמֹר נֶפֶשׁ כִּי תֶחֱטָא וְגוֹ'" תָּנֵי רַבִּי יִשְׁמָעֵאל: מָשָׁל לְמֶלֶךְ שֶׁהָיָה לוֹ פַּרְדֵּס וְהָיָה בוֹ בִּכּוּרוֹת נָאוֹת, וְהוֹשִׁיב בּוֹ הַמֶּלֶךְ שׁוֹמְרִים, אֶחָד חִגֵּר וְאֶחָד סוּמָא, וְאָמַר לָהֶן: הִזָּהֲרוּ עַל בִּכּוּרוֹת הַנָּאוֹת הָאֵלּוּ, לְיָמִים אָמַר חִגֵּר לְסוּמָא: בִּכּוּרוֹת נָאוֹת אֲנִי רוֹאֶה בַּפַּרְדֵּס, אָמַר לוֹ סוּמָא: הָבֵא וְנֹאכַל, אָמַר לוֹ חִגֵּר: וְכִי יְכוֹלַנִי לְהַלֵּךְ, אָמַר סוּמָא: וְכִי רוֹאֶה אֲנִי, רָכַב חִגֵּר עַל גַּבֵּי סוּמָא וְאָכְלוּ אֶת הַבִּכּוּרוֹת וְהָלְכוּ וְיָשְׁבוּ לָהֶם אִישׁ בִּמְקוֹמוֹ, לְיָמִים נִכְנַס הַמֶּלֶךְ בְּאוֹתוֹ פַּרְדֵּס, אָמַר לָהֶן: הֵיכָן הֵם הַבִּכּוּרוֹת הַנָּאוֹת, אָמַר לוֹ סוּמָא: אֲדוֹנִי הַמֶּלֶךְ, וְכִי רוֹאֶה אֲנִי, אָמַר לוֹ חִגֵּר: אֲדוֹנִי הַמֶּלֶךְ, וְכִי יָכוֹל אֲנִי לְהַלּוֹךְ, אוֹתוֹ הַמֶּלֶךְ שֶׁהָיָה פִּקֵּחַ מֶה עָשָׂה לָהֶן, הִרְכִּיב חִגֵּר עַל גַּבֵּי סוּמָא וְהִתְחִילוּ מְהַלְּכִין, אָמַר לָהֶן: כָּךְ עֲשִׂיתֶם וַאֲכַלְתֶּם אֶת הַבִּכּוּרוֹת, כָּךְ לֶעָתִיד לָבֹא הַקָּדוֹשׁ בָּרוּךְ הוּא אוֹמֵר לַנֶּפֶשׁ: מִפְּנֵי מָה חָטָאת לְפָנַי, אָמַר לְפָנָיו: רִבּוֹן הָעוֹלָמִים, אֲנִי לֹא חָטָאתִי, הַגּוּף הוּא שֶׁחָטָא, מִשָּׁעָה שֶׁיָּצָאתִי מִמֶּנּוּ כְּצִפּוֹר טְהוֹרָה פּוֹרַחַת *בָּאֲוִיר אֲנִי, מֶה חָטָאתִי לְפָנֶיךָ, אוֹמֵר לַגּוּף: מִפְּנֵי מָה חָטָאתָ לְפָנַי, אָמַר לְפָנָיו: רִבּוֹן הָעוֹלָמִים, אֲנִי לֹא חָטָאתִי, נְשָׁמָה הִיא שֶׁחָטָאת, מִשָּׁעָה שֶׁיָּצְתָה מִמֶּנִּי כְּאֶבֶן שֶׁהוּשְׁלַךְ עַל גַּבֵּי קַרְקַע אֲנִי נִשְׁלָךְ, שֶׁמָּא חָטָאתִי לְפָנֶיךָ, מָה הַקָּדוֹשׁ בָּרוּךְ הוּא עוֹשֶׂה לָהֶן, מֵבִיא נְשָׁמָה וְזוֹרְקָהּ בַּגּוּף וְדָן שְׁנֵיהֶם כְּאֶחָד, שֶׁנֶּאֱמַר** (תהלים נ, ד) **"יִקְרָא אֶל הַשָּׁמַיִם מֵעָל וְגוֹ'", "יִקְרָא אֶל הַשָּׁמַיִם מֵעָל" לְהָבִיא אֶת הַנְּשָׁמָה,** (שם) **"וְאֶל הָאָרֶץ" לְהָבִיא אֶת הַגּוּף** (שם) **"לָדִין עַמּוֹ",**

לשחוק. לשון שחוק ולחוק: **וקיבה לשינה.** לפי שיעלו האידים ממנה: **והמרה לקנאה.** מלד שהיא משכן האדומה. וגם הקנאה נחשבת התשמיש הנפש שעל ידי זה יתעורר לבקש התועלת אליה לקנאתה באחרים שנמלא בידם הדברים ההם, ולולי זה לא היה מתעורר לבקשת המועיל: **והלב גומר.** ובקהלת (רבה ז, לו) פסוק (שם יט) מעשרה שליטים גרם לב מבין, לשון גומר, ונראה דהכא נמי גרסינן הכי, ומכל מקום ליתנייהו רק עשרה, דהמסס וקיבה דכי הדדי נינהו חשיב להו כחד, והיינו דהתם לא חשיב קיבה שאינה נמנה לעצמה (יפה תואר): **אני עשיתיך למעלה כו'.** כלומר שאינה מכירה בחסד ה' שעשתה למעלה מכולן, והוטאת כנגדו כדרך כפויי טובה: (ה) **משל למלך כו'.** משום דקשה ליה לרבי ישמעאל, מהו נפש כי תחטא, ולא קאמר איש, לכן בעי רבי ישמעאל לתרולי דמשום דנפש טוענה שהיא אינה חוטאת, וכן טוען הגוף וכו', והקדוש ברוך הוא מולא חטאתם בהוסדם יחד, לכן פרט הנפש לבדה, לומר שאין לה התגללות מפני שאינה חוטאת כשהיא לבדה, והוא הדין שאין התגללות הגוף לבדו כלום, וחד מינייהו נקט קרא, ולהכי מייתי משל הפרדס וכו'. אבל רבי חייא מתרץ לקמן בסמוך כי עיקר הדין עם הנפש כי היא מהעליונים, ולכן פרט הכתוב הנפש, ולהכי מייתי משל לכהן כו': **משל למלך כו'.** פירוש שטענתם הוא מאחר שכל אחד לבדו בלתי יכול לעשות מעשה גמור, אין ראוי ליענש על מעשה העבירה, דהווי ליה כשתים שעשו מלאכה בשבת שפטורים מהעונש החמור (שבת לג, ב), ומה שאמר הנשמה הגוף עבר על כל המלות כו', הכי קאמר אני לבדי לא חטאתי, הגוף הוא שסייע אותי, והקדוש ברוך הוא משיבם מאחר שכל אחד אין יכול לעשות עבירה אלא על ידי התחברות, הרי הם חייבים, אחרי שכל אחד עושה מה שאפשר לו לעשות, וזה דומה למשא שאין אחד יכול להוליאו והוליאו שנים, שניהם חייבים (יפה תואר): **בבורות.** לשון ביכור, רלונו לומר פירות בכורות: **ואחד סומא.** שאם יראה החגר אדם נכנס יגיד לו, והוא יעמוד לפניו וימנענו משלוח יד בפרדס: **פורחת באויר.** כי הנפש מלד טבעה איננה קשורה במאווי העולם, רק כוספה חזק לדבק בה', וזהו המלילה שהיא פורחת באויר, ואם כן סיבת החטא אינה תלויה בה רק מלד סבה חילונית, ואם כן לא נחשב עליה לחטא: **אני לא חטאתי כו'.** שהגוף אינו פועל מאומה כי אם מתפעל בהכרח מפני נפש החיוני המעוררו, ואם כן הוא לא עשה מאומה: **מביא את הנשמה וזורקה בגוף.** פירוש שמחברן ממש ומקימם בתחייה: **להביא הנשמה כו'.** ורלה לומר שהקדוש ברוך הוא יקרא אל השמים והארץ ממש, כדי שהשמים יביאו הנשמה היושבת אצלם, והארץ תביא הגוף השכן בה: **את הגוף לדון עמו.** פירוש אל תקרא עַמּוֹ אלא עִמּוֹ שיהיה גם הגוף נידון ביחד עם הנשמה, שמאחר שמאז כשהיו בהתחברם יחד היו יכולים אז לפעול זה בזה, שאז שולט הבחירה שיש ביד הנפש לכוף ליצרי הגוף, ויש ביד הגוף לפעול כפי התבוננות הנפש השכלי, ולכן ידונו שניהם יחד:

מתנות כהונה

הוא הקורקבן בעוף, כך פרש"י ז"ל בפרק הרואה (שם, ע"ב): **לשחוק.** לשון שחוק ולחוק, כך מלאתי בספר שבילי אמונה: **לקנאה.** נוכל לומר שמבטל הקנאה והכעס, הכי איתא פרק הרואה (ברכות שם) הכבד כועס והמרה זורקת בו טפה ומניחתו:

[ה] **נפש כי תחטא.** בתמיה, והכי איתא בספר הזוהר: **בבורות.** לשון ביכור כלומר אילנות נושאים כל מיני פירות טובות, ובפרק חלק (סנהדרין לח, ב) פרש"י ז"ל תאנים בכורות: **שמא חטאתי.** גרסינן:

אשד הנחלים

[ד] **הטחול לשחוק.** פרשו חכמי הטבעים לפי שהחולי מרה שחורה (היפאכאנדריא) תלויה בטחול, והוא מבטל כח השחוק. אבל לפי זה אינו דומה לשאר שחשב. והמתנות כהונה פירש לשון שחוק וצחוק. וזה מנוסה גם כן להיפך, כשמסירין הטחול הוא שוחק תמיד: **המרה לקנאה.** לפי הנודע ולפי מאמרם ז"ל (ברכות סא, ב) שמטבע המרה להתיש כח הכעס, כמו שאמרו הכבד כועס ומרה זורקת בו טיפה, לא ידעתי תכונת הקנאה בזה. ואולי לפי שחולי המרה שחורה תלוי במרה, והקנאה נמשכת מחולי זה כנודע. והמתנות כהונה פירש שמבטל כח הקנאה, ואם כן אינו דומה לשאר: **והנפש למעלה מכולם.** היא הכח השכלי הנעלה מכולם, שבכחו להשביח שאון תשוקתם על ידי ההתבוננות האמיתי, אבל בלא התבוננות, אם היא נכנעת להמשמשים ועושה רצונם ויוצאת וגוזלת וחומסת למענם, ולכן נחשבת אף השגגה לחטא, לפי שהנפש מצד עצמה לא היתה חוטאת ושוכחת, לולא לא נכנעה להכחות המשמשות: [ה] **משל כו' הרכיב חיגר על גבי סומא כו' פורחת באויר כו'.** הענין בכללו הוא מחקר רב בגדר הבחירה, כי הנפש מצד טבעה איננה קשורה במאווי העולם, רק כוספה חזק לדבק בה', וזהו המליצה שהיא פורחת באויר, ואם כן סבת החטא אינה תלויה בה רק מצד סבה חיצונית, ואם כן לא נחשב עליה לחטא, וכן הגוף אינו פועל מאומה, כי אם מתפעל בהכרח מפני נפש החיוני המעוררו, ואם כן הוא לא עשה מאומה, אך על כל פנים בהתחברם שניהם יחד, אז יכולים לפעול זה בזה, ואם כן אז שולט הבחירה שיש ביד הנפש לכוף ליצורי הגוף, ויש ביד הגוף לפעול כפי התבוננת הנפש השכלי, ולכן ידונו שניהם, והעונש הוא גם כן בשניהם להגוף הספירי אשר בתוכו שורה החיוני, כדעת חכמי אמת, אשר גם ראש המחקרים אריסטו הודה לזה, כמובא בספר מצרף לחכמה להגאון יוסף שלמה רופא, ודי בזה למתבונן. ואולי סמך המליצה הזאת על הכתוב נפש כי תחטא בשגגה,

חידושי הרד"ל

[ה] **לפיכך אני מניח הגוף ומדיין עמך.** בא לדרוש מה שכתוב נפש כי תחטא, ולא כתיב אדם כי יחטא.

באור מהרי"פ

לשחוק. לשון שחוק ולחוק, כך מלאתי בספר שבילי אמונה: **לקנאה.** נוכל לומר שמבטל הקנאה והכעס, הכי איתא פרק הרואה (ברכות שם) הכבד כועס והמרה זורקת בו טפה ומניחתו: [ה] **נפש כי תחטא.** בתמיה, והכי איתא בספר הזוהר: **בבורות.** לשון ביכור כלומר אילנות נושאים כל מיני פירות טובות, ובפרק חלק (סנהדרין לח, ב) פרש"י ז"ל תאנים בכורות: **שמא חטאתי.** גרסינן:

אמרי יושר

[ד] **הטחול לשחוק.** שצהוב פסולת ועכירות הדם, ונשאר הגוף זך ונקי ושמח: [ה] **אחד חגר.** הוא השכל, שאין לו כלים, ואחד סומא שהוא הגוף, שאין לו בחינה ומדע: **ואל הארץ לדין עמו.** ובזה נבין לאיזה תכלית הוא יום הדין לעתיד, להענישם ולזכותם שניהם יחדיו, הגוף והנפש, כי בגיהנם נענשה הנפש באש דק כדברי הרמב"ן (תורת האדם שער הגמול אות קכא).

מסורת המדרש

ז. ספרי ח"ב פיסקא ש"ו:

אם למקרא

יִקְרָא אֶל הַשָּׁמַיִם מֵעָל וְאֶל הָאָרֶץ לָדִין עַמּוֹ: (תהלים נ:ד)

שֶׁנֶּאֱמַר ״יִקְרָא אֶל הַשָּׁמַיִם מֵעָל וְגוֹ׳ ״ — as is stated, ***He will call to the heavens above*** *and to the earth "ladin amo"* (*Psalms* 50:4). The Midrash explains this derivation: ״יִקְרָא אֶל הַשָּׁמַיִם מֵעָל״ לְהָבִיא אֶת הַנְּשָׁמָה — ***He will call to the heavens above*** — **to bring the soul,**[106] ״וְאֶל הָאָרֶץ״ לְהָבִיא אֶת הַגּוּף — ***and to the earth*** — **to bring the body,**[107] לָדִין עִמּוֹ — **for judgment with [the soul].**[108]

NOTES

106. God will instruct the heavens to bring forth the soul that had been residing there (*Eitz Yosef*).

107. The body will be produced by the earth in which it had been interred (ibid.).

108. The words לָדִין עַמּוֹ [lit., *to avenge His people*] are read לָדִין עִמּוֹ, meaning, *for judgment with it*, for body and soul will be tried in conjunction (ibid.).

Thus, according to R' Yishmael, our verse states נֶפֶשׁ כִּי תֶחֱטָא, lit., *when "a soul" will sin*, to emphasize that the soul is held responsible for its misdeeds despite its inability to perform them alone (*Eitz Yosef* above, s.v. (א) משל למלך).

See Insight Ⓐ.

INSIGHTS

Ⓐ **The Arguments for the Defense** *Yefeh To'ar* questions the proceedings of the all-important trial of the body and the soul as they are described by our Midrash: How could the body and the soul expect to be excused simply because each of them could not sin alone, if it is undisputed that they did sin together? (Their situation differs from that of the parable in which each of the two guards sought to fool the king into thinking that he had no part in the crime.) *Yefeh To'ar* offers two approaches to answer this question (and others):

In his first approach (which is followed by *Eitz Yosef*), *Yefeh To'ar* writes that the arguments of the body and the soul are based upon the halachah that exempts from punishment two people who jointly committed a sin, such as a Sabbath violation (see *Shabbos* 93a et al.). The argument is rejected by God because this case, in which neither party could have performed the action on its own, is similar to a case of two men who carried a very heavy load in the public domain on the Sabbath, where they are, in fact, liable (see ibid.). [It is this same rationale that causes the blind and lame guards of the parable to be held fully responsible for their joint crime.] According to this approach, neither the body nor the soul sought to place the blame on the other; rather each one pointed out that the other was *also* guilty. And the reason God joined the two for the judgment was so that they would be punished in the manner that they sinned.

In his second approach (which he describes as the correct one) *Yefeh To'ar* writes that the debate between the body and soul and God touches upon a fundamental tenet of Jewish belief: The pure and holy soul points to the fact that once divorced from the body it has no connection to sin, in order to claim that its exposure to the coarseness of the body *compelled* it to sin. For its part, the body argues that it has no desires on its own, so it was the soul that compelled the unit to behave improperly. Thus, each of the two claims that it was forced to sin through its union with the other and it must therefore be exculpated as an innocent victim of its circumstances. In reuniting the body and the soul, God demonstrates that in that state, when the soul's yearning meets the body's sensuality, man does possess the ability to choose for himself whether to slavishly follow his base instincts or to rise above them and pursue righteousness. Thus, neither party is forced by the other; the choice to live a life of virtue or one of vice, as well as the eternal consequences of that choice, are entirely in the hands of man.

לשחוק. לשון שחוק ולחוק: **וקיבה לשינה.** לפי שיעלו האידים ממנה: **והמרה לקנאה.** מצד שהיא משכן האדומה. וגם הקנאה נחשבת התשמיש הנפש שעל ידי זה יתעורר לבקש התועלת אליה לקנאתה באחרים שנמצא בידם הדברים ההם, ולולי זה לא היה מתעורר לבקשת המועיל: **והלב גומר.** ובקהלת (רבה ז, לו) פסוק (שם יט) מעשרה שליטים גרס לב מבין, לשון גומר, ונראה דהכא נמי גרסינן הכי, ומכל מקום ליתנייהו רק עשרה, דהמסס וקיבה דכי הדדי נינהו חשיב להו כחד, והיינו דהתם לא חשיב קיבה שאינה נמנה לעצמה (יפה תואר): **אני עשיתיך למעלה כו'.** כלומר שאינה מכירה בחסד ה' שעשתה למעלה מכולן, וחוטאת כנגדו כדרך כפויי טובה: (ה) **משל למלך כו'.** משום דקשה ליה לרבי ישמעאל, מהו נפש כי תחטא, ולא קאמר איש, לכן בעי רבי ישמעאל לתרולי דמשום דנפש טענה שהיא אינה חוטאת, וכן טען הגוף וכו', והקדוש ברוך הוא מולא חטאתם בהוסדם יחד, לכן פרט הנפש לבדה, לומר שאין לה התגלגלות מפני שאינה חוטאת כשהיא לבדה, והוא הדין שאין התגלגלות הגוף לבדו כלום, וחד מינייהו נקט קרא, ולהכי מייתי משל הפרדס וכו'. אבל רבי חייא מתרץ לקמן בסמוך כי עיקר הדין עם הנפש כי היא מהעליונים, ולכן פרט הכתוב הנפש, ולהכי מייתי משל לכהן כו': **משל למלך כו'.** פירוש שטענתם הוא מאחר שכל אחד לבדו בלתי יכול לעשות מעשה גמור, אין ראוי ליענש על מעשה העבירה, דהווי ליה כשתים שעשו מלאכה בשבת שפטורים מהעונש החמור (שבת לג, ב), ומה שאמר הנשמה הגוף עבר על כל המצות כו', הכי קאמר אני לבדי לא חטאתי, הגוף הוא שסייע אותי, והקדוש ברוך הוא מחייבם מאחר שכל אחד אין יכול לעשות עבירה אלא על ידי התחברות, הרי הם חייבים, אחרי שכל אחד עושה מה שאפשר לו לעשות, וזה דומה למשא שאין אחד יכול להוליאו והוליאו שנים, שניהם חייבים (יפה תואר): **בבורות.** לשון ביכור, רצונו לומר פירות בכורות: **ואחד סומא.** שאם יראה החגר אדם נכנס יגיד לו, והוא יעמוד לפניו וימנענו משלוח יד בפרדס: **פורחת באויר.** כי הנפש מצד טבעה איננה קשורה במאווי העולם, רק כוספה חזק לדבק בה', וזהו המליצה שהיא פורחת באויר, ואם כן סיבת החטא אינה תלויה בה רק מצד סבה חיצונית, ואם כן לא נחשב עליה לחטא: **אני לא חטאתי כו'.** שהגוף אינו פועל מאומה כי אם מתפעל בהכרח מפני נפש החיוני המעוררו, ואם כן הוא לא עשה מאומה: **מביא את הנשמה וזורקה בגוף.** פירוש שמחברן ממש ומקימם בתחייה: **להביא הנשמה כו'.** ורצה לומר שהקדוש ברוך הוא יקרא אל השמים והארץ ממש, כדי שהשמים יביאו הנשמה היושבת אצלם, והארץ תביא הגוף השכן בה: **את הגוף לדון עמו.** פירוש אל תקרא עַמּוֹ אלא עִמּוֹ שיהיה גם הגוף נידון ביחד עם הנשמה, שמאחר שמאז כשהיו בהתחברם יחד היו יכולים אז לפעול זה בזה, שאז שולט הבחירה שיש ביד הנפש לכוף ליצרי הגוף, ויש ביד הגוף לפעול כפי התבוננות הנפש השכלי, ולכן ידונו שניהם יחד:

וְהַטְּחוֹל לִשְׂחוֹק, וְהַקֵּיבָה לְשֵׁינָה, וְהַמָּרָה לְקִנְאָה, וְהַכְּלָיוֹת מְחַשְּׁבוֹת, וְהַלֵּב גּוֹמֵר, וְהַנֶּפֶשׁ לְמַעְלָה מִכֻּלָּם, אָמַר הַקָּדוֹשׁ בָּרוּךְ הוּא: אֲנִי עֲשִׂיתִיךְ *לְמַעְלָה מִכֻּלָּן וְאַתְּ יוֹצֵאת וְגוֹזֶלֶת וְחוֹמֶסֶת וְחוֹטֵאת:

ה [ד, ב] "דַּבֵּר אֶל בְּנֵי יִשְׂרָאֵל לֵאמֹר נֶפֶשׁ כִּי תֶחֱטָא וְגוֹ'" תָּנֵי רַבִּי יִשְׁמָעֵאל: מָשָׁל לְמֶלֶךְ שֶׁהָיָה לוֹ פַּרְדֵּס וְהָיָה בוֹ בִּכּוּרוֹת נָאוֹת, וְהוֹשִׁיב בּוֹ הַמֶּלֶךְ שׁוֹמְרִים, אֶחָד חִיגֵּר וְאֶחָד סוּמָא, וְאָמַר לָהֶן: הִזָּהֲרוּ עַל בִּכּוּרוֹת הַנָּאוֹת הָאֵלּוּ, לְיָמִים אָמַר חִיגֵּר לְסוּמָא: בִּכּוּרוֹת נָאוֹת אֲנִי רוֹאֶה בַּפַּרְדֵּס, אָמַר לוֹ סוּמָא: הָבֵא וְנֹאכַל, אָמַר לוֹ חִיגֵּר: וְכִי יְכוֹלַנִי לְהַלֵּךְ, אָמַר סוּמָא: וְכִי רוֹאֶה אֲנִי, רָכַב חִיגֵּר עַל גַּבֵּי סוּמָא וְאָכְלוּ אֶת הַבִּכּוּרוֹת וְהָלְכוּ וְיָשְׁבוּ לָהֶם אִישׁ בִּמְקוֹמוֹ, לְיָמִים נִכְנַס הַמֶּלֶךְ בְּאוֹתוֹ פַּרְדֵּס, אָמַר לָהֶן: הֵיכָן הֵם הַבִּכּוּרוֹת הַנָּאוֹת, אָמַר לוֹ סוּמָא: אֲדוֹנִי הַמֶּלֶךְ, וְכִי רוֹאֶה אֲנִי, אָמַר לוֹ חִיגֵּר: אֲדוֹנִי הַמֶּלֶךְ, וְכִי יָכוֹל אֲנִי לַהֲלוֹךְ, אוֹתוֹ הַמֶּלֶךְ שֶׁהָיָה פִּיקֵּחַ מֶה עָשָׂה לָהֶן, הִרְכִּיב חִיגֵּר עַל גַּבֵּי סוּמָא וְהִתְחִילוּ מְהַלְּכִין, אָמַר לָהֶן: כָּךְ עֲשִׂיתֶם וַאֲכַלְתֶּם אֶת הַבִּכּוּרוֹת, כָּךְ לֶעָתִיד לָבֹא הַקָּדוֹשׁ בָּרוּךְ הוּא אוֹמֵר לַנֶּפֶשׁ: מִפְּנֵי מָה חָטָאת לְפָנַי, אָמַר לְפָנָיו: רִבּוֹן הָעוֹלָמִים, אֲנִי לֹא חָטָאתִי, הַגּוּף הוּא שֶׁחָטָא, מִשָּׁעָה שֶׁיָּצָאתִי מִמֶּנּוּ כְּצִפּוֹר טְהוֹרָה פּוֹרַחַת *בָּאֲוִיר אֲנִי, מֶה חָטָאתִי לְפָנֶיךָ, אוֹמֵר לַגּוּף: מִפְּנֵי מָה חָטָאתָ לְפָנַי, אָמַר לְפָנָיו: רִבּוֹן הָעוֹלָמִים, אֲנִי לֹא חָטָאתִי, נְשָׁמָה הִיא שֶׁחָטָאת, מִשָּׁעָה שֶׁיָּצְתָה מִמֶּנִּי כְּאֶבֶן שֶׁהוּשְׁלַךְ עַל גַּבֵּי קַרְקַע אֲנִי נִשְׁלָךְ, שֶׁמָּא חָטָאתִי לְפָנֶיךָ, מֶה הַקָּדוֹשׁ בָּרוּךְ הוּא עוֹשֶׂה לָהֶן, מֵבִיא נְשָׁמָה וְזוֹרְקָהּ בַּגּוּף וְדָן שְׁנֵיהֶם כְּאֶחָד, שֶׁנֶּאֱמַר (תהלים נ, ד) "יִקְרָא אֶל הַשָּׁמַיִם מֵעָל וְגוֹ'", "יִקְרָא אֶל הַשָּׁמַיִם מֵעָל" לְהָבִיא אֶת הַנְּשָׁמָה, (שם) "וְאֶל הָאָרֶץ" לְהָבִיא אֶת הַגּוּף (שם) "לָדִין עַמּוֹ",

מתנות כהונה

הוא הקורקבן בעוף, כך פרש"י ז"ל בפרק הרואה (שם, ע"ב): **לשחוק.** לשון שחוק ולחוק, כך מצאתי בספר שבילי אמונה: **לקנאה.** נוכל לומר שמבטל הקנאה והכעס, הכי איתא פרק הרואה (ברכות שם) הכבד כועס והמרה זורקת בו טפה ומניחתו: [ה] **נפש כי תחטא.** בתמיה, והכי איתא בספר הזוהר: **בבורות.** לשון ביכור כלומר אילנות נושאים כל מיני פירות טובות, ובפרק חלק (סנהדרין לא, ב) פרש"י ז"ל תאנים בכורות: **שמא חטאתי.** גרסינן:

אשד הנחלים

[ד] **הטחול לשחוק.** פרשו חכמי הטבעים לפי שהחולי מרה שחורה (היפאכאנדריא) תלויה בטחול, והוא מבטל כח השחוק. אבל לפי זה אינו דומה לשאר שחשב. והמתנות כהונה פירש לשון שחוק וצחוק. וזה מנוסה גם כן להיפך, כשמסירין הטחול הוא שוחק תמיד: **המרה לקנאה.** לפי הנודע ולפי מאמרם ז"ל (ברכות סא, ב) שמטבע המרה להתיש כח הכעס, כמו שאמרו הכבד כועס ומרה זורקת בו טיפה, לא ידעתי תכונת הקנאה בזה. ואולי לפי שחולי המרה שחורה תלוי במרה, והקנאה נמשכת מחולי זה כנודע. והמתנות כהונה פירש שמבטל כח הקנאה, ואם כן אינו דומה לשאר: **והנפש למעלה מכולם.** היא הכח השכלי הנעלה מכולם, שבכחו להשביח שאון תשוקתם על ידי ההתבוננות האמיתי, אבל בלא התבוננות, אם היא נכנעת להמשמשים ועושה רצונם ויוצאת וגוזלת וחומסת למענם, ולכן נחשבת אף השגגה לחטא, לפי שהנפש מצד עצמה לא היתה חוטאת ושוכחת, לולא לא נכנעה להכחות המשמשות: [ה] **משל כו' הרכיב חיגר על גבי סומא כו' פורחת באויר כו'.** הענין בכללו הוא מחקר רב בגדר הבחירה, כי הנפש מצד טבעה איננה קשורה במאווי העולם, רק כוספה חזק לדבק בה', וזהו המליצה שהיא פורחת באויר, ואם כן סבת החטא אינה תלויה בה רק מצד סבה חיצונית, ואם כן לא נחשב עליה לחטא, וכן הגוף אינו פועל מאומה, כי אם מתפעל בהכרח מפני נפש החיוני המעוררו, ואם כן הוא לא עשה מאומה, אך על כל פנים בהתחברם שניהם יחד, אז יכולים לפעול זה בזה, ואם כן אז שולט הבחירה שיש ביד הנפש לכוף ליצרי הגוף, ויש ביד הגוף לפעול כפי התבוננת הנפש השכלי, ולכן ידונו שניהם, והעונש הוא גם כן בשניהם להגוף הספירי אשר בתוכו שורה החיוני, כדעת חכמי אמת, אשר גם ראש המחקרים אריסטו הודה לזה, כמובא בספר מצרף לחכמה להגאון יוסף שלמה רופא, ודי בזה למתבונן. ואולי סמך המליצה הזאת על הכתוב נפש כי תחטא בשגגה,

חידושי הרד"ל

[ה] **לפיכך אני מניח הגוף ומדיין עמך.** בא לדרוש מה שכתוב נפש כי תחטא, ולא כתיב אדם כי יחטא:

באור מהרי"פ

לשחוק. לשון שחוק ולחוק, כך מצאתי בספר שבילי אמונה: **לקנאה.** נוכל לומר שמבטל הקנאה והכעס, הכי איתא פרק הרואה (ברכות שם) הכבד כועס והמרה זורקת בו טפה ומניחתו: [ה] **נפש כי תחטא.** בתמיה, והכי איתא בספר הזוהר: **בבורות.** לשון ביכור כלומר אילנות נושאים כל מיני פירות טובות, ובפרק חלק (סנהדרין לא, ב) פרש"י ז"ל תאנים בכורות: **שמא חטאתי.** גרסינן:

אמרי יושר

[ד] **הטחול לשחוק.** שהוא פסולת ועכירות הדם, ונשאר הגוף זך ונקי ושמח: [ה] **אחד חגר.** הוא השכל, שאין לו כלים, ואחד סומא שהוא הגוף, שאין לו בחינה ומדע: **ואל הארץ לדין עמו.** ובזה נבין לאיזה תכלית הוא יום הדין לעתיד, להעניש ולזכותם שניהם יחדיו, הגוף והנפש, כי בגיהנם נענשה הנפש באש דק כדברי הרמב"ן (תורת האדם שער הגמול אות קכא):

מסורת המדרש

ז. ספרי ח"ב פיסקא ש"ו:

אם למקרא

יִקְרָא אֶל הַשָּׁמַיִם מֵעָל וְאֶל הָאָרֶץ לָדִין עַמּוֹ: (תהלים נ:ד)

The Midrash presents another parable to illuminate our verse's use of the term נֶפֶשׁ, *soul*:[109]

תָּנֵי רַבִּי חִיָּיא: מָשָׁל לְכֹהֵן שֶׁהָיָה לוֹ שְׁתֵּי נָשִׁים, אַחַת בַּת כֹּהֵן וְאַחַת בַּת יִשְׂרָאֵל — R' Chiya taught: The experience of man's body and soul is **analogous to a Kohen who had two wives, one** who was the **daughter of a Kohen and one** who was the **daughter of an Israelite. וּמָסַר לָהֶן עִיסָּה שֶׁל תְּרוּמָה וְטִמְּאוּהָ — And he gave them *terumah* dough and they rendered it *tamei*.**[110] **אָמַר לָהֶן: מִי טִמֵּא אֶת הָעִיסָּה — He said to them, "Who rendered the dough *tamei*?!" זוֹ אוֹמֶרֶת: זוֹ טִמְּאַתָּה, וְזוֹ אוֹמֶרֶת: זוֹ טִמְּאַתָּה — This one said, "She rendered it *tamei*!" and this one said, "She rendered it *tamei*!"**[111] **מֶה עָשָׂה הַכֹּהֵן, הִנִּיחַ לְבַת יִשְׂרָאֵל וְהִתְחִיל מְדַיֵּין עִם הַכֹּהֶנֶת — What did the Kohen do? He left** alone **the daughter of the Israelite and he began to deliberate with the daughter of the Kohen. אָמְרָה לוֹ: אֲדוֹנִי כֹּהֵן, מִפְּנֵי מָה אַתָּה מַנִּיחַ אֶת בַּת יִשְׂרָאֵל וּמְדַיֵּין עִמִּי, וַהֲלֹא לִשְׁנֵינוּ מְסַרְתָּהּ כְּאַחַת — She said to him, "My master** the **Kohen, why do you leave** alone **the daughter of the Israelite and deliberate** only **with me — did you not give [the dough] to both of us together?!" אָמַר לָהּ: זוֹ בַּת יִשְׂרָאֵל וְאֵינָהּ לְמוּדָה מִבֵּית אָבִיהָ — He said to her, "She is the daughter of an Israelite and she is not informed from her father's house** regarding how to be careful with *terumah* food, **אֲבָל אַתְּ בַּת כֹּהֶנֶת וְאַתְּ לְמוּדָה מִבֵּית אָבִיךְ — but you are the daughter of a Kohen and you are informed from your father's house** regarding how to be careful with *terumah* food.[112] **לְפִיכָךְ אֲנִי מַנִּיחַ אֶת בַּת יִשְׂרָאֵל וּמְדַיֵּין עִמָּךְ — Therefore, I am leaving** alone **the daughter of the Israelite and deliberating with you."**[113]

The Midrash applies the parable to the body and the soul:

כָּךְ לֶעָתִיד לָבֹא הַנֶּפֶשׁ וְהַגּוּף עוֹמְדִין בַּדִּין — Similarly, in the future, the soul and the body will stand in judgment.[114] **מָה הַקָּדוֹשׁ בָּרוּךְ הוּא עוֹשֶׂה, מַנִּיחַ הַגּוּף וּמְדַיֵּין עִם הַנְּשָׁמָה — What will the Holy One, blessed is He, do? He will leave** alone **the body and deliberate with the soul. וְהִיא אוֹמֶרֶת לְפָנָיו: רִבּוֹן הָעוֹלָמִים, שְׁנֵינוּ כְּאַחַת חָטָאנוּ, מִפְּנֵי מָה אַתָּה מַנִּיחַ אֶת הַגּוּף וּמְדַיֵּין עִמִּי — And [the soul] will say before [God], "Master of the worlds, the two of us sinned together, so why do You leave** alone **the body and deliberate** only **with me?"**[115] **אָמַר לָהּ: הַגּוּף מִן הַתַּחְתּוֹנִים הוּא מִמָּקוֹם שֶׁהֵן חוֹטְאִין — [God] will say to [the soul], "The body is from among the lower beings, from a place where they sin,**[116] **אֲבָל אַתְּ מִן הָעֶלְיוֹנִים מִמָּקוֹם שֶׁאֵין חוֹטְאִין לְפָנַי — but you are from among the higher beings, from a place where they do not sin before Me.**[117] **לְפִיכָךְ אֲנִי מַנִּיחַ אֶת הַגּוּף וּמְדַיֵּין עִמָּךְ — Therefore, I am leaving** alone **the body and deliberating with you."**[118]

NOTES

109. *Eitz Yosef* (above, s.v. משל למלך (א)), et al.

110. *Terumah* is a portion that must be separated from agricultural produce of *Eretz Yisrael* and given to a Kohen. It may not be exposed to *tumah* contamination (see *Leviticus* 22:10 with *Yevamos* 75a) and must be burned if it becomes *tamei* (see *Shabbos* 25a).

In the parable of our Midrash, the dough accidentally contracted *tumah* after each of the Kohen's wives negligently relied on the other to watch over it (*Eitz Yosef*; see below for another approach to this parable).

111. Each wife accused the other of being primarily at fault for allowing the dough to become *tamei* (*Eitz Yosef*).

112. *Matnos Kehunah*.

113. Because the daughter of the Kohen was experienced in dealing with *terumah*, she was held to a higher standard than her inexperienced co-wife was (see *Eitz Yosef* above, s.v. משל לכהן).

114. See Insight Ⓐ at note 118.

115. Like the wives of the parable, the soul acknowledges that it played a role in the misdeeds, but argues that the primary responsibility lies with the body and that, at the very least, the punishment for their sins should be shared (*Eitz Yosef*).

In an alternative approach, *Eshed HaNechalim* writes that in the parable each of the two women denied any involvement in the incident in question, and that the same is true in the parallel of the body and the soul. He explains that while a person may sin due to the influences of his corporeal element, a sinner may also be possessive of a soul that is evil in its essence. Thus, within a single person, the body and soul may debate the root cause of his sins.

116. As the Gemara states in *Berachos* (61a), even the animals who inhabit the earth are subject to the evil inclination (*Yefeh To'ar*).

117. The soul is thus faulted for failing to guard itself from sin (*Matnos Kehunah*). Its existence in the pristine and sin-free upper spheres should have influenced it to act meritoriously even after its descent to earth and its introduction to the possibility of sin (*Eitz Yosef*).

118. This Midrash serves to explain why our verse states, נֶפֶשׁ כִּי תֶחֱטָא, lit., *when "a soul" will sin*. For although both body and soul participate in sin, it is primarily man's spiritual component that must answer for his sins (*Eitz Yosef* above, s.v. משל למלך (א); also see *Imrei Yosher*, *Eshed HaNechalim*, *Maharzu*, and *Radal*).

See Insight Ⓐ.

INSIGHTS

Ⓐ The Soul, the Body, and the Afterlife Our Midrash has now offered two seemingly contradictory parables regarding the retribution for sins that will take place in the afterlife; whereas R' Yishmael taught — and proved from Scripture — that the body and soul are reunited to be judged, R' Chiya states that only the soul bears the punishment for man's sins. Some information regarding the afterlife and its judgments will be helpful in appreciating the commentators' remarks on this divergency. [The reader is referred to the appendix to Tractate Sanhedrin of the Schottenstein Ed. of the Talmud for a fuller treatment of these and other, related, issues.]

Scripture repeatedly alludes to a great Day of Judgment in the End of Days (see, for example, *Daniel* 7:10 and 12:2, and *Malachi* 3:23; also see *Rosh Hashanah* 16b with *Rashi* s.v. ליום הדין). At that time, all men will be judged to determine whether they are worthy of revivification. In addition to this general judgment, each individual's deeds are scrutinized immediately after his death, when his disembodied soul enters what the sources refer to as עוֹלָם הַנְּשָׁמוֹת, *the World of Souls*, and is assigned to either delight in *Gan Eden* or be punished in Gehinnom (*Ramban*, in *Shaar HaGemul*, p. 266 in the Mossad HaRav Kook ed. of *Kisvei HaRamban*).

Accordingly, *Yefeh To'ar* writes that while R' Yishmael and the verse he cites refer to the Great Judgment of the end of time, when man will be brought back to life through the literal reunion of his soul and his body, R' Chiya deals with the reckoning that each individual faces when his time on earth concludes. Thus, these sages disagree over which judgment is alluded to by our verse from *Leviticus*, but are in agreement with respect to the substance of the two judgments.

However, this understanding of our Midrash is not consistent with all views. Although it does conform to the view of *Ramah* (in *Yad Ramah* to *Sanhedrin* at the beginning of *Perek Cheilek* and in *Igros HaRamah*, at the end of *Sanhedrei Gedolah* [Harry Fishel Institute] Vol. 1; see also *Rabbeinu Bachya* to *Leviticus* 1:1; *Abarbanel*, in *Mayenei HaYeshuah* 11a), who, in fact, cites the parable of the cripple and the blind man (among other sources) to prove that both the righteous and the wicked will be revivified to stand judgment, a number of authorities, led by *R' Saadia Gaon* (*Emunos VeDei'os* §7) disagree, insisting that only the righteous will merit revivification. The proponents of this view must understand the application of the parable differently.

Sefer HaIkkarim (at the end of 4:33) provides an alternative explanation of the statement that God will *bring the soul and inject it into the body*. He writes that this is to be understood allegorically to mean that in order for it to be punished, the sinful soul is confined by God to Gehinnom in a manner resembling its confinement in man's body. (*Yefeh To'ar* cites and rejects this explanation, arguing that the wording of our Midrash does not support it.)

Another contentious element of *Yefeh To'ar*'s remarks is his assertion that regarding the period immediately after one's death, R' Chiya taught that the body of a sinner is *left alone* while the soul faces retribution by

משל לכהן כו'. לורך המשל לומר, שאף על פי שאין טבע הנשמה אחרי בואה בגוף דומה לטבע העליונים שמהם לוקחה, שהרי נתחדש בה בחירה ואפשרות על החטא, מה שאין כן העליונים, מכל מקום על ידי שהיא מהעליונים, ראוי לה לנטות מפני הרגלה הראשון לזכות, כאילו היא בת כהן שנשאת לכהן, שעל ידי שהיא למודה מבית אביה ראוי שתהיה נזהרת בטהרה ככהנה אז כהא עתה: **זאת אומרת כו'.** רלונו לומר שבאמת שתיהן פשעו בשמירת העיסה שנטמאה, אלא שכל אחת מתגוללת שחברתה היתה עיקר בפשיעה, ומכל מקום שתיהן פושעות שסמכו זו על זו, ולכן אמרה לשניכו מסרת שמירתה, וכן בנמשל, אף על פי שהנפש מוליא טענה שהגוף עיקר החטא, מאחר שגם היא חטאה קלת שלא נשמרה מהחטא, ועוד שגיהנם טוב לה לטהרה אינה טוענת להגלל לגמרי, אלא לפחות ישוה אותה בדין, כיון ששתיהן חטאו ביחד: **(ו) תני חזקיה כו'.** בא לדרוש מה שנאמר נפש לשון יחיד, וכן רבי אלעשה דלהלן (רד"ל): **מה שה זה לוקה כו'.** שעל ידי שהשה דקה וחלושה משאר בהמות, מרגישים בלער טפי. ועיין בענף: **אחד מהם חוטא כו'.** והוא הדין שבלקות אחד כולן מרגישין, אלא דאין ענין לזה בהאי קרא, אבל היות הכל מרגישין על אחד החוטא הוא שייך לקרא, דמיירי בגלות ישראל, שעם היות בהם לדיקים גדולים לקו בגלות, מפני הרשעים: **האיש אחד יחטא.** רלה לומר שמשה סדר דבריו דרך תימה, שאין הדעת נותנת שתכלה כל העדה בעון היחיד, ואז נעתר לו ה' והטיל העונש על עדת קרח בלבד, הרי ממילא למדנו שיהיה הרגש על כל ישראל מפני חטא היחיד, אף על פי שלא יהיה כליון, דבוודאי לא היה דבר ה' תחלה בלי שום טעם: **משל לבני אדם כו'.** טעם המשל לומר, שסבת הרגש חטא היחיד על הכלל, לפי שעל ידי התעוררות הקלף היולא עליו פוגע גם כן באחרים, וזה כמים הנכנסים בנקב הקודח תחתיו, ואחר אשר נכנסין שם מתפשטים על כל הספינה: **מקדח.** בהרעקער בלשון אשכנז: **אמרו לו חביריו כי יוסיף.** לאו דוקא חביריו, דאליהוא לחוד הוא דקאמר ליה: **מספיק.** לשון הכאה והכבה, כמו ויספוק את כפיו.

(ה) תני רבי חייא. שלדברי רבי ישמעאל בסימן הקודם, הדין עם הנשמה והגוף יחד, אך לדברי רבי חייא הדין עם הנשמה לבד, וזהו ונפש כי תחטא: **תנא דבי רבי ישמעאל.** סנהדרין (צא, א) כל הענין, והמשל הובא בתנחומא פרשה ז (סימן ו): **(ו) נמשלו ישראל לשה.** בא לפרש פסוק אם הכהן המשיח יחטא לאשמת העם, כי אחד יחטא, והאשמה הוא על כל העם, וכמו שמסיים נפש אחד: **וכל איבריו מרגישין.** פירוש מתרחתין, ולא כן אלל שאר בהמות: **אתי תלין משוגתי.** איוב מתרעם על רעיו למה יריבו עמדו, הלא אם יחטא במה שמתלונן על יסוריו, אתי תלין משוגתי, ואין הדבר נוגע לכם. ועל זה ישיב לו אליהוא, כי יוסיף על חטאתו פשע, במה שאמר כי אתו לבד תלין משוגתו, יען כי בינינו יספוק כי העונש חוזר על כולם:

תָּנֵי רַבִּי חִיָּיא: מָשָׁל לְכֹהֵן שֶׁהָיָה לוֹ שְׁתֵּי נָשִׁים, אַחַת בַּת כֹּהֵן וְאַחַת בַּת יִשְׂרָאֵל, וּמָסַר לָהֶן עִיסָּה שֶׁל תְּרוּמָה וְטִמְּאוּהָ, אָמַר לָהֶן: מִי טִמֵּא אֶת הָעִיסָּה, זוֹ אוֹמֶרֶת: זוֹ טִמְּאַתָּהּ, וְזוֹ אוֹמֶרֶת: זוֹ טִמְּאַתָּהּ, מֶה עָשָׂה הַכֹּהֵן, הִנִּיחַ לְבַת יִשְׂרָאֵל וְהִתְחִיל מְדַיֵּין עִם הַכֹּהֶנֶת, אָמְרָה לוֹ: אֲדוֹנִי כֹּהֵן, מִפְּנֵי מָה אַתָּה מַנִּיחַ אֶת בַּת יִשְׂרָאֵל וּמְדַיֵּין עִמִּי, וַהֲלֹא לִשְׁנֵינוּ מְסַרְתָּהּ כְּאַחַת, אָמַר לָהּ: זוֹ בַּת יִשְׂרָאֵל וְאֵינָהּ לְמוּדָה מִבֵּית אָבִיהָ, אֲבָל אַתְּ בַּת כֹּהֶנֶת וְאַתְּ לְמוּדָה מִבֵּית אָבִיךְ, לְפִיכָךְ אֲנִי מַנִּיחַ אֶת בַּת יִשְׂרָאֵל וּמְדַיֵּין עִמָּךְ, כָּךְ לֶעָתִיד לָבֹא הַנֶּפֶשׁ וְהַגּוּף עוֹמְדִין בַּדִּין, מֶה הַקָּדוֹשׁ בָּרוּךְ הוּא עוֹשֶׂה, מַנִּיחַ הַגּוּף וּמְדַיֵּין עִם הַנְּשָׁמָה, וְהִיא אוֹמֶרֶת לְפָנָיו: רִבּוֹן הָעוֹלָמִים, שְׁנֵינוּ בְּאַחַת חָטָאנוּ, מִפְּנֵי מָה אַתָּה מַנִּיחַ אֶת הַגּוּף וּמְדַיֵּין עִמִּי, אָמַר לָהּ: הַגּוּף מִן הַתַּחְתּוֹנִים הוּא מִמָּקוֹם שֶׁהֵן חוֹטְאִין, אֲבָל אַתְּ מִן הָעֶלְיוֹנִים מִמָּקוֹם שֶׁאֵין חוֹטְאִין לְפָנַי, לְפִיכָךְ אֲנִי מַנִּיחַ אֶת הַגּוּף וּמְדַיֵּין עִמָּךְ:

ו תָּנֵי חִזְקִיָּה: (ירמיה נ, יז) **"שֶׂה פְזוּרָה יִשְׂרָאֵל", ח נִמְשְׁלוּ יִשְׂרָאֵל לְשֶׂה, מַה שֶּׂה הַזֶּה לוֹקֶה עַל רֹאשׁוֹ אוֹ בְּאֶחָד מֵאֵבָרָיו וְכָל אֵבָרָיו מַרְגִּישִׁין, כָּךְ הֵן יִשְׂרָאֵל, אֶחָד מֵהֶן חוֹטֵא וְכֻלָּן מַרְגִּישִׁין,** (במדבר טז, כב) **"הָאִישׁ אֶחָד יֶחֱטָא", תָּנֵי רַבִּי שִׁמְעוֹן בֶּן יוֹחָאי: מָשָׁל לִבְנֵי אָדָם שֶׁהָיוּ יוֹשְׁבִין בִּסְפִינָה, נָטַל אֶחָד מֵהֶן מַקְדֵּחַ וְהִתְחִיל קוֹדֵחַ תַּחְתָּיו, אָמְרוּ לוֹ חֲבֵרָיו: מָה אַתְּ יוֹשֵׁב וְעוֹשֶׂה, אָמַר לָהֶם: מָה אִכְפַּת לָכֶם, לֹא תַחְתַּי אֲנִי קוֹדֵחַ, *אָמְרוּ לוֹ: שֶׁהַמַּיִם עוֹלִין וּמְצִיפִין עָלֵינוּ אֶת הַסְּפִינָה, כָּךְ אָמַר אִיּוֹב** (איוב יט, ד) **"וְאַף אָמְנָם שָׁגִיתִי אִתִּי תָּלִין מְשׁוּגָתִי", אָמְרוּ לוֹ חֲבֵירָיו:** (שם לד, לז) **"כִּי יֹסִיף עַל חַטָּאתוֹ פֶשַׁע בֵּינֵינוּ יִשְׂפּוֹק", אַתָּה מַסְפִּיק בֵּינֵינוּ אֶת עֲוֹנוֹתֶיךָ,**

מתנות כהונה

זו טומאתו. על חברתה אומרת כן: **למודה מבית אביה.** איך תשמור את התרומה: **במקום שאין חוטאין.** והיה לך לשמור את עלמך מן החטא: **[ו] יספוק.** דרש לשון סיפוק:

אשד הנחלים

כי אצלה לא שייך חטא מצד עצמה רק מצד שגיון כי נתפתה לצרכי הגוף, מכל מצות ה' אשר לא תעשנה, כלומר אשר מצד עצמה לא היתה עושה זאת, אך עשה אחת מהנה, כלומר הגוף יעשה זאת והוא דרך רמז. או שייך על הכתוב גם בלא דעת, כלומר אף שלכאורה היא עושה בלא דעת, כי אם מצד חיבור הגוף, עם כל זה סימן הוא שהוא נפש לא טוב: **תני ר' חייא משל לכהן כו'.** ר' חייא פליג ואמר שהעונש הוא רק להנפש לבד, (עיין בדברי המחקרים מה שהביא הרמב"ן בשער הגמול המחלוקת בזה), כי אצל הגוף לא שייך חטא, כי טבעו מכרחת לתאות העולמיות, ורק הנפש המשתקעת בציורי הגוף, היא מוכרחת להצרך מציוריה אשר הורגלה בה, וזהו המליצה גם בלא דעת מי הוא החוטא, עם כל זה הסימן הוא רק על הנפש שלא טובה היא, לא על הגוף, ולכן כתיב תמיד ונפש כי תחטא, כי החטא תלוי בה. אך ענין המשל לכאורה אינו דומה, כי במשל מורה שכל אחד מכחיש, ואומר כי הוא לא החוטא, ובחטא לא שייך הכחשה, כי אם שמדמה כי לא מצידו החטא, כי אם הגורם הוא של הגוף או הנפש לבד. והנראה שבאמת יש חטא מצד הגוף, כי חומרו רע ונוטה לתאות, ויש חוטא מצד הנפש, כי נפשו רעה ממקורה, וזה השחתה באמונה, וזו היא הכחשה האמיתית על דרך מליצה, שהנפש תולה שחטאיו מצד חומר הגוף, והגוף תולה מצד רעת הנפש, אך עם כל זה סוף שעיקר החטא מצד הנפש, שהיא מן עליונים ויכולה לשמור עצמה, והבן זה: **[ו] מה השה הזה לוקה.** אף שהדבר הזה נוהג בכל בעל חי, עם כל זה בשה שהיא תמימה בטבע, מתראה בה הכח יותר, כי הבעלי חיים העזים הכועסים בטבע, ימצא בנפשם כח הכעס להנקם מכהו, אף שמרגישים כאב באבר אחד, עומדת להנקם ולעמוד למולו באבר אחר, אך לא כן השה התמימה, שמכנעת עצמה מאוד בשעה שמרגשת כאבה, ולכן שגיון החטא נרגש מאחד על חבירו. וזהו מוסב על הכתוב אשר נשיא יחטא לאשמת העם, כי אחר שנלקה הראש אז כל איבריו נמשכים אחריו: **שהיו יושבין בספינה.** דימה העונש היוצא משמים, למים אשר מטבען להתפשט, אם אין עוצר בם, כן העונש היוצא משמים מתפשט חס ושלום על כלו, כי כולם ערבים ומקושרים זה בזה:

חידושי הרד"ל

[ו] שה פזורה כו' נמשלו כו' מה שה כו'. מכילתא יתרו פרשתא דמתן תורה פרשה ב': **ישראל אחד חוטא וכולם מרגישין.** בא לדרוש מה שכתוב נפש לשון יחיד. ורבי אלעשא דלהלן בא לדרוש זה:

באור מהרי"פ

זו טומאתו. על חברתה אומרת כן: **למודה מבית אביה.** איך תשמור את התרומה: **במקום שאין חוטאין.** והיה לך לשמור את עלמך מן החטא: **[ו] יספוק.** דרש לשון סיפוק:

אמרי יושר

תני רבי לוי לכהן שהיו לו שני נשים כו' מדיין עם הנפש. בא לרמוז אף אם שניהם גורמין, לא כחלק הנפש בעונש חלק הגוף, רק הנפש היא תענש יותר, בעבור היותה רוחניות ונוטה לחומר: **[ו] שה אחד מאבריה לוקה וכל גופה מרגיש.** בהיותה ספוגיית בבשרה תרגיש כל גופה:

ידי משה

[ו] האיש אחד יחטא. לכאורה הוא מביא מעשה לסתור, ונראה דקאי על סיפא דקרא שאמר הקב"ה הבדלו מתוך העדה ואכלה אותם. וקל להבין:

שינוי נוסחאות

(ה) אבל את בת כהנת. בכל כי"י איתא "בת כהן":

מסורת המדרש

ח. מכילתא יתרו על פסוק ואתם תהיו לי. ילקוט ירמיה של"ד ותתק"כ:

אם למקרא

שֶׂה פְזוּרָה יִשְׂרָאֵל אֲרָיוֹת הִדִּיחוּ הָרִאשׁוֹן אֲכָלוֹ מֶלֶךְ אַשּׁוּר וְזֶה הָאַחֲרוֹן עִצְּמוֹ נְבוּכַדְרֶאצַּר מֶלֶךְ בָּבֶל: (ירמיה נ:יז)

וַיִּפְּלוּ עַל פְּנֵיהֶם וַיֹּאמְרוּ אֵל אֱלֹהֵי הָרוּחֹת לְכָל בָּשָׂר הָאִישׁ אֶחָד יֶחֱטָא וְעַל כָּל הָעֵדָה תִּקְצֹף: (במדבר טז:כב)

וְאַף אָמְנָם שָׁגִיתִי אִתִּי תָּלִין מְשׁוּגָתִי: (איוב יט:ד)

כִּי יֹסִיף עַל־חַטָּאתוֹ פֶשַׁע בֵּינֵינוּ יִסְפּוֹק וְיֶרֶב אֲמָרָיו לָאֵל: (שם לד:לז)

לֹא־תִהְיֶה אַחֲרֵי רַבִּים לְרָעֹת וְלֹא־תַעֲנֶה עַל רִב לִנְטֹת אַחֲרֵי רַבִּים לְהַטֹּת: (שמות כג:ב)

ענף יוסף

(ו) מה השה הזה לוקה כו' וכל אבריו מרגישים. הקשה בספר יד יוסף הא כל בעלי חיים כן, אם אחד מאבריו לוקה כל אבריו מרגישין, ועיין מה שכתבתי בעץ. אבל הוא כתב, דזה ודאי לא קשה למדרש למה נמשלו ישראל לשה ולא לבריה אחרת, דאם כן יהיה קשה קושיא זו גם על כל שמות הכנויים והמושאלים אשר נתרבו כהנה בתנ"ך, ועוד שהרי כמה פעמים קראן הכתוב לישראל בלשון הזה, כמו (יחזקאל לד, לא) ואתנה לאני לאן מרעיתי, וכמוהו, ואם כן יהיה קשה על המדרש למה תפס דוקא הפסוק הזה של שה פזורה ישראל, אלא דקושית המדרש הוא למה קראם הכתוב בלשון יחיד, שה פזורה, ולא קראם בלשון רבים שיות פזורות, ועל זה תירץ המדרש שפיר, שלכן קראם בלשון יחיד לומר לך, מה שה שהוא יחיד אחד מהן לוקה וכל האברים מרגישין, אף ישראל שהמה כגוף אחד, אם אחד מהם חוטא או לוקה, כולם מרגישים:

§6 [דַּבֵּר אֶל בְּנֵי יִשְׂרָאֵל לֵאמֹר נֶפֶשׁ כִּי תֶחֱטָא וְגוֹ׳] — *SPEAK TO THE CHILDREN OF ISRAEL, SAYING: WHEN A PERSON WILL SIN ETC.*]

The Midrash explains why our verse states נֶפֶשׁ כִּי תֶחֱטָא, *When a person will sin*, in the singular:[119]

תָּנֵי חִזְקִיָּה: ״שֶׂה פְזוּרָה יִשְׂרָאֵל״ — **Chizkiyah taught:** Scripture states, ***Israel is [like] scattered sheep*** (*Jeremiah* 50:17). The Midrash examines this simile: לָמָּה נִמְשְׁלוּ יִשְׂרָאֵל לְשֶׂה — **Why are** the people of **Israel compared to a sheep?** מַה שֶּׂה הַזֶּה לוֹקֶה עַל רֹאשׁוֹ אוֹ בְּאֶחָד מֵאֵבָרָיו וְכָל אֵבָרָיו מַרְגִּישִׁין — Because **just as** with **a sheep — it is struck upon its head or on one of its limbs and all of its limbs feel** pain,[120] כָּךְ הֵן יִשְׂרָאֵל, אֶחָד מֵהֶן חוֹטֵא וְכוּלָּן מַרְגִּישִׁין — **so are** the people of **Israel — one of them sins and all of them feel** pain.[121] The Midrash supports this concept from another Scriptural verse,[122] ״הָאִישׁ אֶחָד יֶחֱטָא״ — ***Shall one man sin****, and You be angry with the entire assembly?* (*Numbers* 16:22).[123]

NOTES

119. *Radal*, also cited by *Eitz Yosef*; see *Maharzu* for another approach.

120. Because the sheep is of a more fragile constitution than other animals, its various body parts feel the effect of a blow to any one of them more acutely than those of other animals would (*Maharzu*, *Eitz Yosef*).

Alternatively, a sheep is no different in this regard than other animals. However, the Midrash was originally questioning not the cited verse's choice of the metaphor of sheep, but rather its usage of the singular שֶׂה פְּזוּרָה as opposed to the plural שֵׂיוֹת פְּזוּרוֹת, and it now is explaining this by pointing to the fact that the pain of a single sheep is shared by its entire body (*Anaf Yosef*, from *Yad Yosef*).

121. Thus, the verse from *Jeremiah*, which describes the Jewish nation in exile, teaches that they were banished from their land due to the wicked among them, despite the fact that their number also included some very righteous individuals (*Eitz Yosef*).

[A variant of our text is found in *Yalkut Shimoni* (*Jeremiah* §334; see also *Yalkut Shimoni*, *Job* §920), where the word מַרְגִּישִׁין is replaced with נֶעֱנָשִׁים, so that the Midrash would be rendered, *one sins and all of them "are punished."*]

[*Eitz Yosef* points out that the metaphor could equally be applied in a more literal sense, to teach that when one member of the Jewish nation *suffers*, all Jews feel pain. He explains that the Midrash does not openly say so simply because it is not the subject matter of the verse from *Jeremiah*. Note that in *Mechilta* (*Yisro* 19:6 s.v. ואתם תהיו לי) the verse from *Jeremiah* is, in fact, expounded in the context of shared pain.]

Our Midrash applies this concept to explain that our verse employs the singular phrase נֶפֶשׁ כִּי תֶחֱטָא, lit., *When a soul will sin*, because whenever an individual Jew sins it is as though the collective soul of the entire Jewish people has done so (see *Yefeh To'ar* above, s.v. תני חזקיה).

See Insight Ⓐ.

122. See *Yedei Moshe*, *Eitz Yosef*.

123. This statement was made by Moses and Aaron in response to God's having said that He would wipe out the entire nation as a result of the

INSIGHTS

itself. For it appears from the words of the Sages (in *Berachos* 18b and in *Tanchuma, Vayikra* §8) that the body of a sinner does endure suffering in the grave. *Yefeh To'ar* explains that our Midrash means only that the *primary* punishment suffered immediately after a sinner's death is reserved for his soul. *Yefeh To'ar* does, however, cite (and dismiss) a conflicting source, according to which our Midrash serves to prove that the body does not suffer at all after a man's death. That position is, in fact, accepted by *Ramban*, in *Shaar HaGemul* (p. 283 ibid.), and by *Sefer Chassidim* (in §1163).

Noting that there exist divergent views over the issue of whether or not the body is punished for a man's sins, *Eshed HaNechalim* (in an approach that differs from *Yefeh To'ar*'s) asserts that R' Yishmael and R' Chiya of our Midrash actually disagree over that very issue. Thus, R' Yishmael utilized one parable to teach that the body and soul are punished *together* while R' Chiya used another to introduce the idea that the body is *left alone* and it is only the soul that is punished.

Ⓐ **Soul of a Nation** The Midrash compares the nation of Israel to a sheep, whose least hurt is felt throughout its frail body. So too with regard to Israel: Should one Jew sin, the entire nation suffers.

This presumes an unusual level of connection between Jews, which, *Ohr Yechezkel* explains, represents the *ideal* of perfect unity toward which we are obligated to strive. Each and every Jew is enjoined to cultivate a bond with his fellows of such closeness and sincerity that it will enable him to sense the spiritual harm that results from the sin of any Jew.

Ohr Yechezkel expresses wonderment. Can separate individuals, in separate bodies, achieve so profound a connection that they perceive from afar the subtle shifts in the currents of another's heart? This would seem an impossible task! He concludes that indeed, such closeness cannot emerge from mere friendship or physical attachment, but must perforce derive from a loftier source. Scripture refers to the nation of Israel as נֶפֶשׁ, *a soul*, from which we learn that the numberless souls of the Jewish nation are regarded as a single, unified soul (see Midrash below). The bond to which the Midrash refers is one of Jewish souls, each exquisitely tuned to the vibrations of its fellows, each supremely capable of feeling the most minute variations in the ebb and flow of the human spirit.

Such spiritual unity does not appear on its own. What is the mechanism that brings together the individual souls? *Ohr Yechezkel* explains: This is accomplished, first and foremost, through the common purpose they share. All Israel serves God, all heed the Torah's precepts. Hearts knit in a shared purpose and a common goal will inevitably be bound closely together. But there is yet a greater unifying force at work. The object of Israel's devotion is the One God, peerless and unique in His Unity and Oneness. Our purpose in this world is to cleave to God, to emulate Him, to break down the barriers that prevent us from knowing Him. The soul of Man, sent forth from the environs of the Holy One, seeks to return to its source. By nurturing the awareness of God's Oneness, through the yearning of Man's spirit for Him, the constraints that hamper the soul are loosened, and it again draws close to God. As fire cleaves to fire, as water dissolves into water, the soul is drawn to its Maker, and thus to its fellows as well, for the souls, through their shared connection to the One God, are drawn to one another and become as one.

There is a well-known saying, based on the Zohar (*Acharei Mos* 73a): יִשְׂרָאֵל וְאוֹרַיְיתָא וְקוּדְשָׁא בְּרִיךְ הוּא חַד הוּא, *Israel, the Torah, and the Holy One, blessed Is He, are one*. Through devoted service to the One God, by striving to emulate His Attributes, the souls of Israel in a sense join with Him and thus with one another (*Ohr Yechezkel, Middos* pp. 113, 121-123; *Torah VaDaas* pp. 79-80).

This topic of the unity of souls is expounded in *Tomer Devorah* (1:4, s.v. לשארית נחלתו). Whereas *Ohr Yechezkel* speaks of souls as essentially separate entities, which, through service and devotion to God, can be unified, *Tomer Devorah* maintains that the souls of Israel, as they exist and were created, are and always were a single entity, an otherworldly tree of myriad branches, a unified soul of many parts, bound and joined together. In his view, every Jewish soul is connected to every other Jewish soul, so that each member of Israel contains within himself a small part of the soul of every single Jew. With this, *Tomer Devorah* explains the Talmudic teaching (*Shevuos* 39a): כָּל יִשְׂרָאֵל עֲרֵבִים זֶה בָּזֶה, *All Jews are guarantors for one another.* Simply understood, this means that each person is responsible, to the best of his ability, to prevent his fellow from committing a sin. According to *Tomer Devorah*, however, this refers not merely to a moral responsibility to one's coreligionist, but to an actual spiritual connection between them. A Jew is guarantor for his fellow because he is *directly* affected by the deeds of his fellow, whether good or evil, for he shares a part of the other's soul and the other shares a part of his.

We now comprehend the meaning of our Midrash's parable of the sheep. When an individual Jew sins, he causes harm not only to his own soul, but also to the soul of every other Jew. When he performs a good deed, his deed elevates both his soul and the souls of his fellows. The people of Israel are as one in the realm of the spirit. Their souls intertwine, and thus their deeds are amplified, so that the action of one affects the many (see *Be'er Moshe* to *Parashas Kedoshim* §4, pp. 418-419; *Shemiras HaLashon, Shaar HaTevunah*, Ch. 6; *Mishnas Rav Aharon*, Vol. 1, pp. 243-244; *Ohr Yechezkel, Middos* p. 114).

תָּנֵי רַבִּי חִיָּיא: מָשָׁל לְכֹהֵן שֶׁהָיָה לוֹ שְׁתֵּי נָשִׁים, אַחַת בַּת כֹּהֵן וְאַחַת בַּת יִשְׂרָאֵל, וּמָסַר לָהֶן עִיסָּה שֶׁל תְּרוּמָה וְטִמְּאוּהָ, אָמַר לָהֶן: מִי טִמֵּא אֶת הָעִיסָּה, זוֹ אוֹמֶרֶת: זוֹ טִמְּאַתָּה, וְזוֹ אוֹמֶרֶת: זוֹ טִמְּאַתָּה, מֶה עָשָׂה הַכֹּהֵן, הִנִּיחַ לְבַת יִשְׂרָאֵל וְהִתְחִיל מְדַיֵּין עִם הַכֹּהֶנֶת, אָמְרָה לוֹ: אֲדוֹנִי כֹּהֵן, מִפְּנֵי מָה אַתָּה מַנִּיחַ אֶת בַּת יִשְׂרָאֵל וּמְדַיֵּין עִמִּי, וַהֲלֹא לִשְׁנֵינוּ מְסַרְתָּהּ כְּאַחַת, אָמַר לָהּ: זוֹ בַּת יִשְׂרָאֵל וְאֵינָהּ לְמוּדָה מִבֵּית אָבִיהָ, אֲבָל אַתְּ בַּת כֹּהֶנֶת וְאַתְּ לְמוּדָה מִבֵּית אָבִיךְ, לְפִיכָךְ אֲנִי מַנִּיחַ אֶת בַּת יִשְׂרָאֵל וּמְדַיֵּין עִמָּךְ, כָּךְ לֶעָתִיד לָבֹא הַנֶּפֶשׁ וְהַגּוּף עוֹמְדִין בַּדִּין, מַה הַקָּדוֹשׁ בָּרוּךְ הוּא עוֹשֶׂה, מַנִּיחַ הַגּוּף וּמְדַיֵּין עִם הַנְּשָׁמָה, וְהִיא אוֹמֶרֶת לְפָנָיו: רִבּוֹן הָעוֹלָמִים, שְׁנֵינוּ כְּאַחַת חָטָאנוּ, מִפְּנֵי מָה אַתָּה מַנִּיחַ אֶת הַגּוּף וּמְדַיֵּין עִמִּי, אָמַר לָהּ: הַגּוּף מִן הַתַּחְתּוֹנִים הוּא מִמָּקוֹם שֶׁהֵן חוֹטְאִין, אֲבָל אַתְּ מִן הָעֶלְיוֹנִים מִמָּקוֹם שֶׁאֵין חוֹטְאִין לְפָנַי, לְפִיכָךְ אֲנִי מַנִּיחַ אֶת הַגּוּף וּמְדַיֵּין עִמָּךְ:

ו תָּנֵי חִזְקִיָּה: (ירמיה נ, יז) "שֶׂה פְזוּרָה יִשְׂרָאֵל", נִמְשְׁלוּ יִשְׂרָאֵל לְשֶׂה, מַה שֶּׂה הַזֶּה לוֹקֶה עַל רֹאשׁוֹ אוֹ בְּאֶחָד מֵאֵבָרָיו וְכָל אֵבָרָיו מַרְגִּישִׁין, כָּךְ הֵן יִשְׂרָאֵל, אֶחָד מֵהֶן חוֹטֵא וְכוּלָּן מַרְגִּישִׁין, (במדבר טז, כב) "הָאִישׁ אֶחָד יֶחֱטָא", תָּנֵי רַבִּי שִׁמְעוֹן בֶּן יוֹחָאי: מָשָׁל לִבְנֵי אָדָם שֶׁהָיוּ יוֹשְׁבִין בִּסְפִינָה, נָטַל אֶחָד מֵהֶן מַקְדֵּחַ וְהִתְחִיל קוֹדֵחַ תַּחְתָּיו, אָמְרוּ לוֹ חֲבֵרָיו: מָה אַתְּ יוֹשֵׁב וְעוֹשֶׂה, אָמַר לָהֶם: מָה אִכְפַּת לָכֶם, לֹא תַחְתַּי אֲנִי קוֹדֵחַ, *אָמְרוּ לוֹ: שֶׁהַמַּיִם עוֹלִין וּמְצִיפִין עָלֵינוּ אֶת הַסְּפִינָה, כָּךְ אָמַר אִיּוֹב (איוב יט, ד) "וְאַף אָמְנָם שָׁגִיתִי אִתִּי תָּלִין מְשׁוּגָתִי", אָמְרוּ לוֹ חֲבֵירָיו: (שם לד, לז) "כִּי יֹסִיף עַל חַטָּאתוֹ פֶשַׁע בֵּינֵינוּ יִשְׂפּוֹק", אַתָּה מַסְפִּיק בֵּינֵינוּ אֶת עֲוֹנוֹתֶיךָ,

עץ יוסף

משל לכהן כו'. לורך המשל לומר, שאף על פי שאין טבע הנשמה אחרי בואה בגוף דומה לטבע העליונים שמהם לוקחה, שהרי נתחדש בה בחירה ואפשרות על החטא, מה שאין כן העליונים, מכל מקום על ידי שהיא מהעליונים, ראוי לה לנטות מפני הרגלה הראשון לזכות, כאילו היא בת כהן שנשאת לכהן, שעל ידי שהיא למודה מבית אביה ראוי שתהיה נזהרת בטהרה ככהנת אז כאשר עתה: **זאת אומרת כו'.** רצונו לומר שבאמת שתיהן פשעו בשמירת העיסה שנטמאה, אלא שכל אחת מתגללת שחברתה היתה עיקר בפשיעה, ומכל מקום שתיהן פושעות שסמכו זו על זו, ולכן אמרה לשניכו מסרת שמירתה, וכן בנמשל, אף על פי שהנפש מוליא טענה שהגוף עיקר החטא, מאחר שגם היא חטאה קלא שלא נשמרה מהחטא, ועוד שגיהנם טוב לה לטהרה אינה טוענת להגלל לגמרי, אלא לפחות ישוה אותה בדין, כיון ששתיהן חטאו ביחד: **(ו) תני חזקיה כו'.** בא לדרוש מה שנאמר נפש לשון יחיד, וכן רבי אלעשה דלהלן (רד"ל): **מה שה זה לוקה כו'.** שעל ידי שהשה דקה וחלושה משאר בהמות, מרגישים בלער טפי. ועיין בענף: **אחד מהם חוטא כו'.** והוא הדין שבלקות אחד כולן מרגישין, אלא דאין ענין לזה בהאי קרא, אבל היות הכל מרגישין על אחד החוטא שייך לקרא, דמיירי בגלות ישראל, שעם היות בהם לדיקים גדולים לקו בגלות, מפני הרשעים: **האיש אחד יחטא.** רלה לומר שמשה סדר דבריו דרך תימה, שאין הדעת נותנת שתכלה כל העדה בעון היחיד, ואז נעתר לו ה' והטיל העונש על דעת קרח בלבד, הרי ממילא למדנו שיהיה איזה הרגש על כל ישראל מפני חטא היחיד, אף על פי שלא יהיה כליון, דבוודאי לא היה דבר ה' תחלה בלי שום טעם: **משל לבני אדם כו'.** טעם המשל לומר, שסבת הרגש חטא היחיד על הכלל, לפי שעל ידי התעוררות הקלף היולא עליו פוגע גם כן באחרים, וזה כמים הנכנסים בנקב הקודח תחתיו, ואחר אשר נכנסין שם מתפשטים על כל הספינה: **מקדח.** באהרער בלשון אשכנז: **אמרו לו חביריו כי יוסיף.** לאו דוקא חביריו, דאליהוא לחוד הוא דקאמר ליה: **מספיק.** לשון הכאה והבטה, כמו ויספוק את כפיו:

פירוש מהרז"ו

(ה) תני רבי חייא. שלדברי רבי ישמעאל בסימן הקודם, הדין עם הנשמה והגוף יחד, אך לדברי רבי חייא הדין עם הנשמה לבד, וזהו ונפש כי תחטא: **תנא דבי רבי ישמעאל.** סנהדרין (לא, א) כל הענין, והמשל הובא בתנחומא פרשה זו (סימן ו): **(ו) נמשלו ישראל לשה.** בא לפרש פסוק אם הכהן המשיח יחטא לאשמת העם, כי אחד יחטא, והאשמה הוא על כל העם, וכמו שמסיים נפש אחד: **וכל איבריו מרגישין.** פירוש מתרחתין, ולא כן אלא שאר בהמות: **אתי תלין משוגתי.** איוב מתרעם על רעיו למה ירובו עמדו, הלא אם יחטא במה שמתאונן על יסוריו, אתי תלין משוגתי, ואין הדבר נוגע לכם. ועל זה ישיב לו אליהוא, כי יוסיף על חטאתו פשע, במה שאמר כי אתו לבד תלין משוגתו, יען כי ביניכו יספוק כי העונש חוזר על כולם:

מתנות כהונה

זו טומאתו. על חברתה אומרת כן: **למודה מבית אביה.** איך תשמור את התרומה: **במקום שאין חוטאין.** והיה לך לשמור את עלמך מן החטא: **[ו] יספוק.** דרש לשון סיפוק:

אשד הנחלים

כי אצלה לא שייך חטא מצד עצמה רק מצד שגיון כי נתפתה לצרכי הגוף, מכל מצות ה' אשר לא תעשנה, כלומר אשר מצד עצמה לא היתה עושה זאת, אך עשה אחת מהנה, כלומר הגוף יעשה זאת והוא דרך רמז. או שייך על הכתוב גם בלא דעת, כלומר אף שלכאורה היא עשה בלא דעת, כי אם מצד חיבור הגוף, עם כל זה סימן הוא שהוא נפש לא טוב: **תני ר' חייא משל לכהן כו'.** ר' חייא פליג ואמר שהעונש הוא רק להנפש לבד, (עיין בדברי המחקרים מה שהביא הרמב"ן בשער הגמול המחלוקת בזה), כי אצל הגוף לא שייך חטא, כי טבעו מכרחת לתאות העולמיות, ורק הנפש המשתקעת בציורי הגוף, היא מוכרחת להצרף מציוריה אשר הורגלה בה, וזהו המליצה גם בלא דעת מי הוא החוטא, עם כל זה הסימן הוא רק על הנפש שלא טובה היא, לא על הגוף, ולכן כתיב תמיד ונפש כי תחטא, כי החטא תלוי בה. אך ענין המשל לכאורה אינו דומה, כי במשל מורה שכל אחד מכחיש, ואומר כי הוא לא החוטא, ובחטא לא שייך הכחשה, כי אם שמדמה כי לא מצידו החטא, כי אם הגורם הוא של הגוף או הנפש לבד. והנראה שבאמת יש חטא מצד הגוף, כי חומרו רע ונוטה לתאות, ויש חוטא מצד הנפש, כי נפשו רעה מקמורה, וזה השחתה באמונה, וזו היא הכחשה האמיתית על דרך מליצה, שהנפש תולה שחטאיו מצד חומר הגוף, והגוף תולה מצד רעת הנפש, אך עם כל זה סוף שעיקר החטא מצד הנפש, שהיא מן עליונים ויכולה לשמור עצמה, והבן זה: **[ו] מה השה הזה לוקה.** אף שהדבר הזה נוהג בכל בעל חי, עם כל זה בשה שהיא תמימה בטבע, מתראה בה הכח יותר, כי הבעלי חיים העזים הכועסים בטבע, ימצא בנפשם כח הכעס להנקם ממכהו, אף שמרגישים כאב באבר אחד, עומדת להנקם ולעמוד למולו באבר אחר, אך לא כן השה התמימה, שמכנעת עצמה מאוד בשעה שמרגשת כאבה, וכן שגיון החטא נרגש מאחד על חבירו. וזהו מוסב על הכתוב אשר נשיא יחטא לאשמת העם, כי אחר שנלקה הראש אז כל איבריו נמשכים אחריו: **שהיו יושבין בספינה.** דימה העונש היוצא משמים, למים אשר מטבען להתפשט, אם אין עוצר בם, כן העונש היוצא משמים מתפשט חס ושלום על כלו, כי כולם ערבים ומקושרים זה בזה:

חידושי הרד"ל

[ו] **שה פזורה כו' נמשלו כו' מה שה כו'.** מכילתא יתרו פרשתא דמתן תורה פרשה ב': **ישראל אחד חוטא וכולם מרגישין.** בא לדרוש מה שכתוב נפש לשון יחיד. ורבי אלעשא דלהלן בא לדרוש זה:

באור מהרי"פ

זו טומאתו. על חברתה אומרת כן: **למודה מבית אביה.** איך תשמור את התרומה: **במקום שאין חוטאין.** והיה לך לשמור את עלמך מן החטא: [ו] **יספוק.** דרש לשון סיפוק:

אמרי יושר

תני רבי לוי לכהן שהיו לו שני נשים כו' מדיין עם הנפש. בא לרמוז אף אם שניהם גורמין, לא כחלק הנפש בעונש חלק הגוף, רק הנפש היא תענש יותר, בעבור היותה רוחניות ונוטה לחומר: [ו] **שה אחד מאבריה לוקה וכל גופה מרגיש.** בהיותה ספוגיית בבשרה תרגיש כל גופה:

ידי משה

[ו] **האיש אחד יחטא.** לכאורה הוא מביא מעשה לסתור, ונראה דקאי על סיפא דקרא שאמר הקב"ה הבדלו מתוך העדה ואכלה אותם. וקל להבין:

שינוי נוסחאות

(ה) **אבל את בת כהנת.** בכל כי"י איתא "בת כהן":

מסורת המדרש

ח. מכילתא יתרו על פסוק ואתם תהיו לי. ילקוט ירמיה של"ד ותתק"כ:

אם למקרא

שֶׂה פְזוּרָה יִשְׂרָאֵל אֲרָיוֹת הִדִּיחוּ הָרִאשׁוֹן אֲכָלוֹ מֶלֶךְ אַשּׁוּר וְזֶה הָאַחֲרוֹן עִצְּמוֹ נְבוּכַדְרֶאצַּר מֶלֶךְ בָּבֶל: (ירמיה נ:יז)

וַיִּפְּלוּ עַל פְּנֵיהֶם וַיֹּאמְרוּ אֵל אֱלֹהֵי הָרוּחֹת לְכָל בָּשָׂר הָאִישׁ אֶחָד יֶחֱטָא וְעַל כָּל הָעֵדָה תִּקְצֹף: (במדבר טז:כב)

וְאַף אָמְנָם שָׁגִיתִי אִתִּי תָּלִין מְשׁוּגָתִי: (איוב יט:ד)

כִּי יֹסִיף עַל־חַטָּאתוֹ פֶשַׁע בֵּינֵינוּ יִסְפּוֹק וְיֶרֶב אֲמָרָיו לָאֵל: (שם לד:לז)

לֹא־תִהְיֶה אַחֲרֵי רַבִּים לְרָעֹת וְלֹא־תַעֲנֶה עַל רִב לִנְטֹת אַחֲרֵי רַבִּים לְהַטֹּת: (שמות כג:ב)

ענף יוסף

(ו) מה השה הזה לוקה כו' וכל אבריו מרגישים. הקשה בספר יד יוסף הא כל בעלי חיים כן, אם אחד מאבריו לוקה כל אבריו מרגישין, ועיין מה שכתבתי בעץ. אבל הוא כתב, דזה ודאי לא קשה למדרש למה נמשלו ישראל לשה ולא לבריה אחרת, דאם כן יהיה קשה קושיא זו גם על כל שמות הכנויים והמושאלים אשר נתרבו כהנה בתנ"ך, ועוד שהרי כמה פעמים קראן הכתוב לישראל בלשון הזה, כמו (יחזקאל לד, לא) ואתנה צאני צאן מרעיתי, וכמוהו, ואם כן יהיה קשה על המדרש למה תפס דוקא הפסוק הזה של שה פזורה ישראל, אלא דקושית המדרש הוא למה קראם הכתוב בלשון יחיד, שה פזורה, ולא קראם בלשון רבים שיות פזורות, ועל זה תירץ המדרש שפיר, שלכן קראם בלשון יחיד לומר לך, מה שה שהוא יחיד אחד מהן לוקה וכל האברים מרגישין, אף ישראל שהמה כגוף אחד, אם אחד מהם חוטא או לוקה, כולם מרגישים:

The Midrash illustrates this principle with a parable: מָשָׁל — תָּנֵי רַבִּי שִׁמְעוֹן בֶּן יוֹחָאי — **R' Shimon ben Yochai taught:** לִבְנֵי אָדָם שֶׁהָיוּ יוֹשְׁבִין בִּסְפִינָה — The effect that a sinner has on the Jewish nation **is analogous to people who were sitting in a boat.** נָטַל אֶחָד מֵהֶן מַקְדֵּחַ וְהִתְחִיל קוֹדֵחַ תַּחְתָּיו — **One of them took a borer and began boring** a hole in the floor of the boat **beneath him.** אָמְרוּ לוֹ חֲבֵרָיו: מָה אַתְּ יוֹשֵׁב וְעוֹשֶׂה — **His friends said to him, "What are you sitting and doing** to the boat?!" אָמַר לָהֶם: מָה אִכְפַּת לָכֶם, לֹא תַחְתַּי אֲנִי קוֹדֵחַ — **He replied to them, "What does it matter to you? Am I not boring beneath myself?!"** אָמְרוּ לוֹ: שֶׁהַמַּיִם עוֹלִין וּמְצִיפִין עָלֵינוּ אֶת הַסְּפִינָה — **They said to him,** "Your actions are of concern to us, **because the waters are rising** through that hole **and flooding the** entire **boat!"**[124]

The Midrash relates a passage from *Job* to this idea: כָּךְ אָמַר אִיּוֹב "וְאַף אָמְנָם שָׁגִיתִי אִתִּי תָּלִין מְשׁוּגָתִי" — **So said Job,** ***Even if I have erred, my error lodges within me*** (*Job* 19:4).[125] אָמְרוּ לוֹ חֲבֵירָיו: "כִּי יֹסִיף עַל חַטָּאתוֹ פֶּשַׁע בֵּינֵינוּ יִשְׂפּוֹק" — **[Job's] friends**[126] **said to him** in response, ***For he adds rebellion to his error, among us "yispok"*** (ibid. 34:37), meaning, אַתָּה מַסְפִּיק בֵּינֵינוּ אֶת עֲוֹנוֹתֶיךָ — **you are bringing punishment among us** for **your sins.**[127]

NOTES

sin of Korah. The fact that Moses had to plead with God not to take that drastic measure proves that there is a basis for the idea that the entire Jewish nation should suffer as a result of one man's misdeed (*Eitz Yosef*; see *Yedei Moshe* for another approach).

124. The point the Midrash wishes to make is that just as water that is allowed entry in one spot in the boat will flow unchecked and cause harm throughout it, so can the Divine wrath that is aroused by one individual extend to others and affect them detrimentally (*Eitz Yosef*).

125. When Job was struck with intense suffering he began to challenge Divine justice. His three friends then arrived and contended with him in defense of the way God runs the world. Job protested against their involvement, arguing that even if his complaints constituted a sin, it was of no concern to them (see *Maharzu*).

126. The Midrash uses the plural *friends* loosely; in actuality it was only one of Job's friends — Elihu — who spoke these words (*Eitz Yosef*).

127. The word יִשְׂפּוֹק [plainly understood to suggest *speaking profusely* (see *Rashi*, *Ibn Ezra*, and *Metzudos* to verse)] is understood here to mean *he will strike* (*Eitz Yosef*, comparing *Numbers* 24:10). Thus, Elihu criticized Job as acting sinfully in making the above remark since, in truth, his deeds could cause all of them to suffer (*Maharzu*).

תָּנֵי רַבִּי חִיָּיא: מָשָׁל לְכֹהֵן שֶׁהָיָה לוֹ שְׁתֵּי נָשִׁים, אַחַת בַּת כֹּהֵן וְאַחַת בַּת יִשְׂרָאֵל, וּמָסַר לָהֶן עִיסָּה שֶׁל תְּרוּמָה וְטִמְּאוּהָ, אָמַר לָהֶן: מִי טִמֵּא אֶת הָעִיסָּה, זוֹ אוֹמֶרֶת: זוֹ טִמְּאַתָּהּ, וְזוֹ אוֹמֶרֶת: זוֹ טִמְּאַתָּהּ, מֶה עָשָׂה הַכֹּהֵן, הִנִּיחַ לְבַת יִשְׂרָאֵל וְהִתְחִיל מְדַיֵּין עִם הַכֹּהֶנֶת, אָמְרָה לוֹ: אֲדוֹנִי כֹּהֵן, מִפְּנֵי מָה אַתָּה מַנִּיחַ אֶת בַּת יִשְׂרָאֵל וּמְדַיֵּין עִמִּי, וַהֲלֹא לִשְׁנֵינוּ מְסַרְתָּהּ כְּאֶחָת, אָמַר לָהּ: זוֹ בַּת יִשְׂרָאֵל וְאֵינָהּ לְמוּדָה מִבֵּית אָבִיהָ, אֲבָל אַתְּ בַּת כֹּהֶנֶת וְאַתְּ לְמוּדָה מִבֵּית אָבִיךְ, לְפִיכָךְ אֲנִי מַנִּיחַ אֶת בַּת יִשְׂרָאֵל וּמְדַיֵּין עִמָּךְ, כָּךְ לֶעָתִיד לָבֹא הַנֶּפֶשׁ וְהַגּוּף עוֹמְדִין בַּדִּין, מֶה הַקָּדוֹשׁ בָּרוּךְ הוּא עוֹשֶׂה, מַנִּיחַ הַגּוּף וּמְדַיֵּין עִם הַנְּשָׁמָה, וְהִיא אוֹמֶרֶת לְפָנָיו: רִבּוֹן הָעוֹלָמִים, שְׁנֵינוּ כְּאַחַת חָטָאנוּ, מִפְּנֵי מָה אַתָּה מַנִּיחַ אֶת הַגּוּף וּמְדַיֵּין עִמִּי, אָמַר לָהּ: הַגּוּף מִן הַתַּחְתּוֹנִים הוּא מִמָּקוֹם שֶׁהֵן חוֹטְאִין, אֲבָל אַתְּ מִן הָעֶלְיוֹנִים מִמָּקוֹם שֶׁאֵין חוֹטְאִין לְפָנַי, לְפִיכָךְ אֲנִי מַנִּיחַ אֶת הַגּוּף וּמְדַיֵּין עִמָּךְ:

ו תָּנֵי חִזְקִיָּה: (ירמיה נ, יז) "שֶׂה פְזוּרָה יִשְׂרָאֵל", [ח]נִמְשְׁלוּ יִשְׂרָאֵל לְשֶׂה, מַה שֶּׂה הַזֶּה לוֹקֶה עַל רֹאשׁוֹ אוֹ בְּאֶחָד מֵאֵבָרָיו וְכָל אֵבָרָיו מַרְגִּישִׁין, כָּךְ הֵן יִשְׂרָאֵל, אֶחָד מֵהֶן חוֹטֵא וְכוּלָּן מַרְגִּישִׁין, (במדבר טז, כב) "הָאִישׁ אֶחָד יֶחֱטָא", תָּנֵי רַבִּי שִׁמְעוֹן בֶּן יוֹחָאי: מָשָׁל לִבְנֵי אָדָם שֶׁהָיוּ יוֹשְׁבִין בִּסְפִינָה, נָטַל אֶחָד מֵהֶן מַקְדֵּחַ וְהִתְחִיל קוֹדֵחַ תַּחְתָּיו, אָמְרוּ לוֹ חֲבֵרָיו: מָה אַתְּ יוֹשֵׁב וְעוֹשֶׂה, אָמַר לָהֶם: מָה אִכְפַּת לָכֶם, לֹא תַחְתַּי אֲנִי קוֹדֵחַ, *אָמְרוּ לוֹ: שֶׁהַמַּיִם עוֹלִין וּמְצִיפִין עָלֵינוּ אֶת הַסְּפִינָה, כָּךְ אָמַר אִיּוֹב (איוב יט, ד) "וְאַף אָמְנָם שָׁגִיתִי אִתִּי תָּלִין מְשׁוּגָתִי", אָמְרוּ לוֹ חֲבֵירָיו: (שם לד, לז) "כִּי יֹסִיף עַל חַטָּאתוֹ פֶשַׁע בֵּינֵינוּ יִשְׂפּוֹק", אַתָּה מַסְפִּיק בֵּינֵינוּ אֶת עֲוֹנוֹתֶיךָ,

עץ יוסף

משל לכהן כו׳. לורך המשל לומר, שאף על פי שאין טבע הנשמה אחרי בואה בגוף דומה לטבע העליונים שמהם לוקחה, שהרי נתחדש בה בחירה ואפשרות על החטא, מה שאין כן העליונים, מכל מקום על ידי שהיא מהעליונים, ראוי לה לנטות מפני הרגלה הראשון לזכות, כאילו היא בת כהן שנשאת לכהן, שעל ידי שהיא למודה מבית אביה ראוי שתהיה נזהרת בטהרה ככהנה אז כהה עתה: **זאת אומרת כו׳.** רצונו לומר שבאמת שתיהן פשעו בשמירת העיסה שנטמאה, אלא שכל אחת מתגלגלת שחברתה היתה עיקר בפשיעה, ומכל מקום שתיהן פושעות שסמכו זו על זו, ולכן אמרה לשניהו מסרת שמירתה, וכן בנמשל, אף על פי שהנפש מוליא טענה שהגוף עיקר החטא, מאחר שגם היא חטאה קצת שלא נשמרה מהחטא, ועוד שגיהנם טוב לה לטהרה אינה טוענת להנצל לגמרי, אלא לפחות ישוה אותה בדין, כיון ששתיהן חטאו ביחד: **(ו) תני חזקיה כו׳.** בא לדרוש מה שנאמר נפש לשון יחיד, וכן רבי אלעשה דלהלן (רד״ל): **מה שה זה לוקה כו׳.** שעל ידי שהשה דקה וחלושה משאר בהמות, מרגישים בלער טפי. ועיין בענף: **אחד מהם חוטא כו׳.** והוא הדין שבלקות אחד כולן מרגישין, אלא דאין ענין לזה בהאי קרא, אבל היות הכל מרגישין על אחד החוטא שייך לקרא, דמיירי בגלות ישראל, שעם היות בהם לדיקים גדולים לקו בגלות, מפני הרשעים: **האיש אחד יחטא.** רלה לומר שמשה סדר דבריו דרך תימא, שאין הדעת נותנת שתכלה כל העדה בעון היחיד, ואז נעתר לו ה׳ והטיל העונש על דעת קרח בלבד, הרי ממילא למדנו שיהיה איזה הרגש על כל ישראל מפני חטא היחיד, אף על פי שלא יהיה כליון, דבוודאי לא היה דבר ה׳ תחלה בלי שום טעם: **משל לבני אדם כו׳.** טעם המשל לומר, שסבת הרגש חטא היחיד על הכלל, לפי שעל ידי התעוררות הקלף היולא עליו פוגע גם כן באחרים, וזה כמים הנכנסים בנקב הקודח תחתיו, ואחר אשר נכנסין שם מתפשטים על כל הספינה: **מקדח.** באהרער בלשון אשכנז: **אמרו לו חביריו כי יוסיף.** לאו דוקא חביריו, דאליהוא לחוד הוא דקאמר ליה: **מספיק.** לשון הכאה וחבטה, כמו ויספוק את כפיו:

פירוש מהרז״ו

(ה) **תני רבי חייא.** שלדברי רבי ישמעאל בסימן הקודם, הדין עם הנשמה והגוף יחד, אך לדברי רבי חייא הדין עם הנשמה לבד, וזהו ונפש כי תחטא: **תנא דבי רבי ישמעאל.** סנהדרין (לא, א) כל הענין, והמשל הובא בתנחומא פרשה זו (סימן ו): (ו) **נמשלו ישראל לשה.** בא לפרש פסוק אם הכהן המשיח יחטא לאשמת העם, כי אחד יחטא, והאשמה הוא על כל העם, וכמו שמסיים נפש אחד: **וכל איבריו מרגישין.** פירוש מתרחתין, ולא כן אלל שאר בהמות: **אתי תלין משוגתי.** איוב מתרעם על רעיו למה יריבו עמדו, הלא אם יחטא במה שמתאונן על יסוריו, אתי תלין משוגתי, ואין הדבר נוגע לכם. ועל זה ישיב לו אליהוא, כי יוסיף על חטאתו פשע, במה שאמר כי אתו לבד תלין משוגתו, יען כי בינינו יספוק כי העונש חוזר על כולם:

מתנות כהונה

זו טומאתו. על חברתה אומרת כן: **למודה מבית אביה.** איך תשמור את התרומה: **במקום שאין חוטאין.** והיה לך לשמור את עלמך מן החטא: **[ו] יספוק.** דרש לשון סיפוק:

אשד הנחלים

כי אצלה לא שייך חטא מצד עצמה רק מצד שגיון כי נתפתה לצרכי הגוף, מכל מצות ה׳ אשר לא תעשנה, כלומר אשר מצד עצמה לא היתה עושה זאת, אך עשה אחת מהנה, כלומר הגוף יעשה זאת והוא דרך רמז. או שייך על הכתוב גם בלא דעת, כלומר אף שלכאורה היא עושה בלא דעת, כי אם מצד חיבור הגוף, עם כל זה סימן הוא שהוא נפש לא טוב: **תני ר׳ חייא משל לכהן כו׳.** ר׳ חייא פליג ואמר שהעונש הוא רק להנפש לבד, (עיין בדברי המחקרים מה שהביא הרמב״ן בשער הגמול המחלוקת בזה), כי אצל הגוף לא שייך חטא, כי טבעו מכרחת לתאוות העולמיות, ורק הנפש המשתקעת בציורי הגוף, היא מוכרחת להצרף מציוריה אשר הורגלה בה, וזהו המליצה גם בלא דעת מי הוא החוטא, עם כל זה הסימן הוא רק על הנפש שלא טובה היא, לא על הגוף, ולכן כתיב תמיד ונפש כי תחטא, כי החטא תלוי בה. אך ענין המשל לכאורה אינו דומה, כי במשל מורה שכל אחד מכחיש, ואומר כי הוא לא החוטא, ובחטא לא שייך הכחשה, כי אם שמדמה כי לא מצידו החטא, כי אם הגורם הוא של הגוף או הנפש לבד. והנראה שבאמת יש חטא מצד הגוף, כי חומרו רע ונוטה לתאוות, ויש חוטא מצד הנפש, כי נפשו רעה ממקורה, וזה השחתה באמונה, וזו היא הכחשה האמיתית על דרך מליצה, שהנפש תולה שחטאיו מצד חומר הגוף, והגוף תולה מצד רעת הנפש, אך עם כל זה סוף שעיקר החטא מצד הנפש, שהיא מן עליונים ויכולה לשמור עצמה, והבן זה: **[ו] מה השה הזה לוקה.** אף שהדבר הזה נוהג בכל בעל חי, עם כל זה בשה שהיא תמימה בטבע, מתראה בה הכח יותר, כי הבעלי חיים העזים הכועסים בטבע, ימצא בנפשם כח הכעס להנקם ממכהו, אף שמרגישים כאב באבר אחד, עומדת להנקם ולעמוד למולו באבר אחר, אך לא כן השה התמימה, שמכנעת עצמה מאוד בשעה שמרגשת כאבה, וכן שגיון החטא נרגש מאחד על חבירו. וזהו מוסב על הכתוב אשר נשיא יחטא לאשמת העם, כי אחר שנלקה הראש אז כל איבריו נמשכים אחריו: **שהיו יושבין בספינה.** דימה העונש היוצא משמים, למים אשר מטבען להתפשט, אם אין עוצר בם, כן העונש היוצא משמים מתפשט חס ושלום על כלו, כי כולם ערבים ומקושרים זה בזה:

חידושי הרד״ל

[ו] **שה פזורה כו׳ נמשלו כו׳ מה שה כו׳.** מכילתא יתרו פרשתא דמתן תורה פרשה ב׳: **ישראל אחד חוטא וכולם מרגישין.** בא לדרוש מה שכתוב נפש לשון יחיד. ורבי אלעשה דלהלן בא לדרוש זה:

באור מהרי״פ

זו טומאתו. על חברתה אומרת כן: **למודה מבית אביה.** איך תשמור את התרומה: **במקום שאין חוטאין.** והיה לך לשמור את עלמך מן החטא: [ו] **יספוק.** דרש לשון סיפוק:

אמרי יושר

תני רבי לוי לכהן שהיו לו שני נשים כו׳ מדיין עם הנפש. בא לרמוז אף אם שניהם גורמין, לא כחלק הנפש בעונש חלק הגוף, רק הנפש היא תענש יותר, בעבור היותה רוחניות ונוטה לחומר: [ו] **שה אחד מאבריה לוקה וכל גופה מרגיש.** בהיותה ספוגיית בבשרה תרגיש כל גופה:

ידי משה

[ו] **האיש אחד יחטא.** לכאורה הוא מביא מעשה לסתור, ונראה דקאי על סיפא דקרא שאמר הקב״ה הבדלו מתוך העדה ואכלה אותם. וקל להבין:

שינוי נוסחאות

(ה) **אבל את בת כהנת.** בכל כי״י איתא "בת כהן":

מסורת המדרש

ח. מכילתא יתרו על פסוק ואתם תהיו לי. ילקוט ירמיה של״ד ותתק״כ:

אם למקרא

שֶׂה פְזוּרָה יִשְׂרָאֵל אֲרָיוֹת הִדִּיחוּ הָרִאשׁוֹן אֲכָלוֹ מֶלֶךְ אַשּׁוּר וְזֶה הָאַחֲרוֹן עִצְּמוֹ נְבוּכַדְרֶאצַּר מֶלֶךְ בָּבֶל: (ירמיה נ:יז)

וַיִּפְּלוּ עַל פְּנֵיהֶם וַיֹּאמְרוּ אֵל אֱלֹהֵי הָרוּחֹת לְכָל בָּשָׂר הָאִישׁ אֶחָד יֶחֱטָא וְעַל כָּל הָעֵדָה תִּקְצֹף: (במדבר טז:כב)

וְאַף אָמְנָם שָׁגִיתִי אִתִּי תָּלִין מְשׁוּגָתִי: (איוב יט:ד)

כִּי יֹסִיף עַל־חַטָּאתוֹ פֶשַׁע בֵּינֵינוּ יִסְפּוֹק וְיֶרֶב אֲמָרָיו לָאֵל: (שם לד:לז)

לֹא־תִהְיֶה אַחֲרֵי רַבִּים לְרָעֹת וְלֹא־תַעֲנֶה עַל רִב לִנְטֹת אַחֲרֵי רַבִּים לְהַטֹּת: (שמות כג:ב)

ענף יוסף

(ו) מה השה הזה לוקה כו׳ וכל אבריו מרגישים. הקשה בספר יד יוסף הא כל בעלי חיים כן, אם אחד מאבריו לוקה כל אבריו מרגישין, ועיין מה שכתבתי בעץ. אבל הוא כתב, דזה ודאי לא קשה למדרש למה נמשלו ישראל לשה ולא לבריה אחרת, דאם כן יהיה קשה קושיא זו גם על כל שמות הכנויים והמושאלים אשר נתרבו כהנה בתנ״ך, ועוד שהרי כמה פעמים קראן הכתוב לישראל בלשון הזה, כמו (יחזקאל לד, לא) ואתנה לאני לאן מרעיתי, וכמוהו, ואם כן יהיה קשה על המדרש למה תפס דוקא הפסוק הזה של שה פזורה ישראל, אלא דקושית המדרש הוא למה קראם הכתוב בלשון יחיד, שה פזורה, ולא קראם בלשון רבים שיות פזורות, ועל זה תירץ המדרש שפיר, שלכן קראם בלשון יחיד לומר לך, מה שה שהוא יחיד אחד מהן לוקה וכל האברים מרגישין, אף ישראל שהמה כגוף אחד, אם אחד מהם חוטא או לוקה, כולם מרגישים:

The Midrash presents another teaching that will serve to explain why our verse refers to נֶפֶשׁ, *a person*, in the singular:[128] אָמַר רַבִּי אֶלְעָשָׂא: גּוֹי אֶחָד שָׁאַל אֶת רַבִּי יְהוֹשֻׁעַ בֶּן קָרְחָה — **R' Elasa said: A certain non-Jew** once **asked R' Yehoshua ben Korchah** the following question: כְּתִיב בְּתוֹרַתְכֶם "אַחֲרֵי רַבִּים לְהַטֹּת" — **"It is written in your Torah,** ***after the majority to yield*** (*Exodus* 23:2);[129] אָנוּ מְרוּבִּים מִכֶּם, מִפְּנֵי מָה אֵין אַתֶּם מַשְׁוִין עִמָּנוּ בַּעֲבוֹדָה זָרָה — since **we** non-Jews **are more numerous than you** Jews, **why do you not agree with us with respect to idol-worship?"**[130] אָמַר לוֹ: יֵשׁ לְךָ בָּנִים — In response, **[R' Yehoshua ben Korchah] asked him, "Do you have children?"** אָמַר לוֹ: הִזְכַּרְתַּנִי צָרָתִי — **The [non-Jew] replied to him, "You have reminded me of my sorrow."** אָמַר לוֹ: לָמָּה — **[R' Yehoshua ben Korchah] asked him, "Why?"** אָמַר לוֹ: הַרְבֵּה בָּנִים יֵשׁ לִי — **The [non-Jew] said to him,** "Because **I have many children,** בְּשָׁעָה שֶׁהֵן יוֹשְׁבִין עַל שׁוּלְחָנִי זֶה מְבָרֵךְ לֶאֱלֹהֵי פְּלוֹנִי וְזֶה מְבָרֵךְ לֶאֱלֹהֵי פְּלוֹנִי — and **when they are sitting at my table, this one recites blessings to the god of such and such and this one recites blessings to the god of such and such** and fighting erupts, וְאֵינָם עוֹמְדִים מִשָּׁם עַד שֶׁמְּפַצְּעִין אֶת מוֹחַן אֵלּוּ אֶת אֵלּוּ — **and they do not rise from [the table] until they split each other's heads!"** אָמַר לוֹ: וּמַשְׁוֶה אַתָּה עִמָּהֶן — **[R' Yehoshua ben Korchah] asked him, "And do you create agreement between them?"** אָמַר לוֹ: לֹא — **The [non-Jew] replied to him, "No,** I do not." אָמַר לוֹ: עַד שֶׁאַתָּה מַשְׁוֶה אוֹתָנוּ, לֵךְ הַשְׁוֵה אֶת בָּנֶיךָ — **[R' Yehoshua ben Korchah] said to him, "Before you make us agree** with you, **go make your children agree** with one another!"[131] נִדְחַף וְהָלַךְ לוֹ — **[The non-Jew] hurried off on his way.**[132] כֵּיוָן שֶׁיָּצָא אָמְרוּ לוֹ תַּלְמִידָיו: רַבִּי, לָזֶה דָּחִיתָ בְּקָנֶה רָצוּץ, לָנוּ מָה אַתָּה מֵשִׁיב — **When [the non-Jew] exited, [R' Yehoshua ben Korchah's] disciples said to him, "Master, this one** (i.e., the non-Jew) **you pushed away with a broken reed; what do you** propose to **respond to us?"**[133] אָמַר לָהֶם: בְּעֵשָׂו כְּתִיב בֵּיהּ שֵׁשׁ נְפָשׁוֹת — **[R' Yehoshua ben Korchah] said to them, "With regard to Esau** we find that **six souls are written in association with him,**[134] וּכְתִיב בּוֹ נְפָשׁוֹת הַרְבֵּה, דִּכְתִיב "וַיִּקַּח עֵשָׂו אֶת נָשָׁיו וְאֶת בָּנָיו וְאֶת בְּנֹתָיו וְאֶת כָּל נַפְשׁוֹת בֵּיתוֹ" — **and** language suggesting **many souls is written in association with him, as is written,** ***Esau took his wives, his sons, his daughters, and all the members*** [כָּל נַפְשׁוֹת] ***of his household*** (*Genesis* 36:6).[135] וּבְיַעֲקֹב שִׁבְעִים נֶפֶשׁ וּכְתִיב בֵּיהּ נֶפֶשׁ אַחַת, דִּכְתִיב "וַיְהִי כָּל נֶפֶשׁ יֹצְאֵי יֶרֶךְ יַעֲקֹב וגו'" — **And,** by contrast, we find that **in association with Jacob seventy souls** are recorded **and,** yet, language suggesting only **one soul is written in association with him, as is written,** ***And all the persons who emerged from Jacob's loins*** *were seventy souls* [נֶפֶשׁ] (*Exodus* 1:5)![136] אֶלָּא עֵשָׂו שֶׁהוּא עוֹבֵד לֶאֱלָהוֹת הַרְבֵּה כְּתִיב בֵּיהּ נְפָשׁוֹת הַרְבֵּה — **But** the explanation for this is as follows: With regard to the family of **Esau, that worships many gods,** language suggesting **many souls is written in association with it;** אֲבָל יַעֲקֹב שֶׁהוּא עוֹבֵד לֶאֱלוֹהַּ אֶחָד כְּתִיב בּוֹ נֶפֶשׁ אַחַת, "וַיְהִי כָּל נֶפֶשׁ וגו'" — **but** in association with the family of **Jacob, that worships one God,** language suggesting **one soul is written,** as the verse states, ***And all the persons, etc.*** *who emerged from Jacob's loins were seventy souls* (נֶפֶשׁ)" (ibid.).[137]

NOTES

128. *Radal* (above, s.v. ישראל אחד), also cited by *Eitz Yosef* (above, s.v. תני חזקיה).

129. This verse, stated in the context of jurisprudence, provides the source for the widely used halachic principle of רוֹב, *majority* (see *Chullin* 11a).

130. The non-Jew's question is an absurdity. It cannot be that the principle of "majority rule" should mandate that the Jews abandon their belief in God, for the very Torah that includes that rule mandates belief in God and prohibits idol worship! And even at the time the Torah was given, Israel was a monotheistic minority in a polytheistic world. (See *Yefeh To'ar* [followed by *Eitz Yosef*] for his approach to this entire passage of Midrash.) Thus, R' Yehoshua ben Korchah apparently dismissed the questioner with a dismissive answer (*Maharzu;* see, however, note 137).

131. You yourselves cannot reach a consensus. How can you expect us to join "you"?

132. That is to say, he was pushed aside by this response (*Matnos Kehunah*, followed by *Eitz Yosef*).

133. True, the non-Jew's argument that "majority rule" should require us to worship idols is absurd, and your dismissive response to him was appropriate. But what do you say to us about this apparent inconsistency in the Torah itself? On the one hand, the Torah teaches that the opinion of the majority is to be definitive, yet on the other hand it forbids the idolatrous opinions held by a majority of the world (*Maharzu*).

134. Although Esau bore only five sons (see *Genesis* 36:4,5), the Midrash includes Esau himself in its count (see *Eitz Yosef*, who points to [one view in] *Bereishis Rabbah* 94 §9, according to which the parallel statement made just below regarding Jacob's family similarly includes Jacob). Alternatively, the figure that appears in the Midrash includes Esau's male and female offspring, and it is evident from Scripture (in *Genesis* 36:6) that Esau had at least one daughter (*Rashash*, also cited by *Eitz Yosef*, see additional discussion there; also see *Maharzu*, who emends the Midrash text).

135. The expression כָּל נַפְשׁוֹת, lit., *all the souls*, indicates a multiplicity of souls (*Eitz Yosef*).

136. Although singular terms are often used by Scripture to denote multiple items, this verse could have simply stated כָּל נֶפֶשׁ יֹצְאֵי יֶרֶךְ יַעֲקֹב שִׁבְעִים, *all the persons who emerged from Jacob's loins were seventy*; the addition of the final, seemingly superfluous word נֶפֶשׁ, literally, *a soul*, is interpreted as suggestive of a single soul (*Yefeh To'ar*).

137. The Midrash is highlighting that (as was explained in the preceding note) in this verse, the word נֶפֶשׁ, literally, *a soul*, appears to be superfluous (ibid.).

R' Yehoshua ben Korchah answers, in effect, that the verse that forbids idolatry is not at odds with the Torah's mandate that the majority be followed. For the idolaters' camp [like that of Esau] is splintered into numerous smaller, dissenting factions. There is no majority "agreeing" on one opinion that the rule requiring the minority to adapt to the majority should be applicable (*Maharzu*; see also *Matnos Kehunah* and *Imrei Yosher*). In fact, this is what R' Yehoshua ben Korchah meant in his response to the non-Jew himself. His disciples, however, did not understand his intent and thought that he was simply being dismissive (*Maharzu*). See Insight Ⓐ.

This conversation is applied by our Midrash to explain that our verse's

INSIGHTS

Ⓐ **When Minority Rules** *R' Elchanan Wasserman* (*Kovetz Maamarim, Maamar al Emunah* §8) cites *R' Yonasan Eibeschitz,* who was also asked this question by a non-Jew. R' Yonasan Eibeschitz answered that the Torah's mandate to follow the majority applies only in a situation of *doubt,* such as when one finds a piece of meat and does not know whether it comes from the nine kosher butcher shops or the one nonkosher one. In that case, the meat's source is uncertain, and the rule of following the majority applies. If, however, it is certain that the piece of meat has its source in the minority — i.e., in the single nonkosher shop — clearly we do not follow the majority.

The same is true with our beliefs. The Jewish nation beheld the revelation of God and His Torah at Sinai, and those facts are not in doubt. Therefore, our minority status is of no consequence. [Perhaps, R' Yehoshua ben Korchah did not answer this to his non-Jewish questioner because the latter would not have accepted that our beliefs are rooted in historical reality more than his own.]

R' Elchanan explains further that, in truth, the question does not even begin. The law in the Torah to follow the majority is said primarily regarding judges, all of whom must be *fit* to judge — i.e., that they have no personal agenda or bias. But if most of the judges are biased and a minority of judges are not biased, then surely we follow the minority. The majority are simply unqualified to judge!

In matters of belief, it is impossible for man to perceive the truth unless he is free from the bias of material desires. On the whole, only

אָמַר רַבִּי אֶלְעָשָׁא: *גּוֹי אֶחָד שָׁאַל אֶת רַבִּי יְהוֹשֻׁעַ בֶּן קָרְחָה: כְּתִיב בְּתוֹרַתְכֶם (שמות כג, ב) "אַחֲרֵי רַבִּים לְהַטֹּת", אָנוּ מְרוּבִּים מִכֶּם, מִפְּנֵי מָה אֵין אַתֶּם מַשְׁוִין עִמָּנוּ בַּעֲבוֹדָה זָרָה, אָמַר לוֹ: יֵשׁ לְךָ בָּנִים, אָמַר לוֹ: הִזְכַּרְתַּנִי צָרָתִי, אָמַר לוֹ: לָמָּה, אָמַר לוֹ: הַרְבֵּה בָּנִים יֵשׁ לִי, בְּשָׁעָה שֶׁהֵן יוֹשְׁבִין עַל שׁוּלְחָנִי זֶה מְבָרֵךְ לֵאלֹהֵי פְּלוֹנִי וְזֶה מְבָרֵךְ לֵאלֹהֵי פְּלוֹנִי, וְאֵינָם עוֹמְדִים מִשָּׁם עַד שֶׁמְּפַצְּעִין אֶת מוֹחָן אֵלּוּ אֶת אֵלּוּ, אָמַר לוֹ: וּמַשְׁוֶה אַתָּה עִמָּהֶן, אָמַר לוֹ: לֹא, אָמַר לוֹ: עַד שֶׁאַתָּה מַשְׁוֶה אוֹתָנוּ, לֵךְ הַשְׁוֵה אֶת בָּנֶיךָ, נִדְחַף וְהָלַךְ לוֹ, כֵּיוָן שֶׁיָּצָא אָמְרוּ לוֹ תַּלְמִידָיו: רַבִּי, *לָזֶה דָּחִיתָ בְּקָנֶה רָצוּץ, לָנוּ מָה אַתָּה מֵשִׁיב, אָמַר לָהֶם: בְּעֵשָׂו כְּתִיב בֵּיהּ שֵׁשׁ נְפָשׁוֹת וּכְתִיב בּוֹ נַפְשׁוֹת הַרְבֵּה, דִּכְתִיב (בראשית לו, ו) "וַיִּקַּח עֵשָׂו אֶת נָשָׁיו וְאֶת בָּנָיו וְאֶת בְּנֹתָיו וְאֶת כָּל נַפְשׁוֹת בֵּיתוֹ", וּבְיַעֲקֹב שִׁבְעִים נֶפֶשׁ וּכְתִיב בֵּיהּ נֶפֶשׁ אַחַת, דִּכְתִיב (שמות א, ה) "וַיְהִי כָּל נֶפֶשׁ יוֹצְאֵי יֶרֶךְ יַעֲקֹב וְגוֹ'", אֶלָּא עֵשָׂו שֶׁהוּא עוֹבֵד לֶאֱלָהוֹת הַרְבֵּה כְּתִיב בֵּיהּ נַפְשׁוֹת הַרְבֵּה, אֲבָל יַעֲקֹב שֶׁהוּא עוֹבֵד לֶאֱלוֹהַּ אֶחָד כְּתִיב בּוֹ נֶפֶשׁ אַחַת, "וַיְהִי כָּל נֶפֶשׁ וְגוֹ'":

ז רַבִּי יוֹחָנָן וְרַבִּי יְהוֹשֻׁעַ בֶּן לֵוִי, רַבִּי יוֹחָנָן אָמַר: ה' פְּעָמִים אָמַר דָּוִד "בָּרְכִי נַפְשִׁי אֶת ה'", כְּנֶגֶד חֲמִשָּׁה סִפְרֵי תוֹרָה, רַבִּי יְהוֹשֻׁעַ בֶּן לֵוִי אָמַר: כְּנֶגֶד חֲמִשָּׁה עוֹלָמוֹת שֶׁאָדָם רוֹאֶה, (תהלים קג, א) "בָּרְכִי נַפְשִׁי אֶת ה' וְכָל קְרָבַי אֶת שֵׁם קָדְשׁוֹ", בְּשָׁעָה שֶׁהוּא נָתוּן בִּמְעֵי אִמּוֹ, (שם שם ב) "בָּרְכִי נַפְשִׁי אֶת ה' וְאַל תִּשְׁכְּחִי כָּל גְּמוּלָיו",

עץ יוסף

אין אתם משוין עמנו בעבודה זרה. רלה לומר לכבד שרי מעלה, שהם עיקר של עבודה זרה לחשבם שייטיבו ויריעו, והכי קאמר ליה שמאחר שכל הגוים מודים בכבוד הסיבה הראשונה וכמו שנאמר (ירמיה י, ז) מי לא ייראך מלך הגוים, וכמו שנאמר (מלאכי א, יא) בכל מקום מוקטר וגו', ועם כל זה דעתם לכבד השרים, שהנהגת עולם השפל מסורה בידם, למה לא תסכימו אתם בזה. והשיבו רבי יהושע בן קרחה שאי אפשר זה שהרי אומות העולם לא השוה דעתם מי מהשרים העליונים הגדול שנודה שההנהגה בידו: **נדחף.** כלומר נדחה בתשובה זו: **בקנה רצוץ.** פירוש בקנה שבור, רלה לומר בתשובה קלה שאין זו תשובה מספקת, דנהי שאין להסכים עם אחד מהאומות לתלות ההנהגה ביד אחד, כי לא נדע מי הגדול, אבל אפשר לכבד את כולם כיון שההנהגה מסורה בידם איש איש על עבודתו ואל משאו. ותשובת ר' יהושע בן קרחה להם, שאחר שכל אחד ממונה על דבר אחד, ואין כח ביד אחד לבדו בהנהגת המציאות, אין ראוי שיעבד אחד מהם, שאי אפשר שיהיו מנהיגים רבים אלא אחד, ולכן הכרח לומר שהם מוכרחים במנוייהם ואין בידם לשנות את תפקידם, ועוד שאין כח מוחלט ביד אחד להשפיע אפילו דבר אחד, אם לא בצירוף כוכבים אחרים במקומות מתחלפין, כמו שאמר בעל העקרים, וזהו ענין הנפשות שזכר, שכל ישראל להיות תכליתם אחד להאדרות הנפש, כולם נפש אחת ורצון אחד, אבל האומות שזה מבקש עושר ועובד לכוכב פלוני לתקונו, וזה מבקש שררה ועובד לכוכב פלוני לתקונו, הם נפשות ודעות רבות: **כתיב ביה שש נפשות.** רלה לומר היינו עם עשו, וביעקב כתיב שבעים נפש, היינו עם יעקב כדאיתא בבראשית רבה (לג, ח) ועיין שם מה שכתבתי (ענף יוסף ד"ה וי"א יעקב): **נפשות הרבה.** דכל לשון רבוי: **(ז) רבי יוחנן ורבי יהושע בן לוי.** משום דקשיא ליה מה טעמיה נפש כי תחטא, ולא קאמר איש, יהיב רבי יוחנן טעמא שלהיותה קדושה מיוחסת לתורה, שעל כן נאמר חמשה זמני ברכי נפשי, כנגד חמשה ספרי תורה, לכן יתמה הכתוב על היותה חוטאת. ורבי יהושע בן לוי יהיב טעמא, לפי שראתה חמשה עולמות, יש לתמוה עליה, איך תשכח חסדי ה' שגמלה לה בהחמשה עולמות וחטאה לו: **במעי אמו.** כלומר דקרא איירי על הזמן הזה דקאמר כל קרבי על שם קרבי אמו שדר בתוכן, אבל זמן הודייתו כשגדל היתה, כששרתה רוח הקודש עליו הודה לה' על כל הטוב שראה בזמן הזה: **לא תנשיי כו'.** לא תשכח הגמול הטוב שגמל עמך הקדוש ברוך הוא, והיינו מה דאיתא בברכות פרק קמא (י, א) מאי כל גמוליו אמר ר' אבהו שעשה לה דדים במקום בינה, טעמא מאי, אמר רב יהודה כדי שלא יסתכל בערוה, ר' מתנה אמר כדי שלא יינק ממקום הטינופת:

פירוש מהרז"ו

(ז) אנו מרובים מכם. קושית הגוי אינו כלום, שמאחר שמפורש בתורה הרבה פעמים שלא לעבוד עבודת כוכבים ושלא נלך בחוקות הכנענים, אם כן לא יתכן שהתורה נותה בזה ללכת אחרי רבים, רק שהשיב להגוי דרך דחייה ולילנות שלא יוסיף לדבר מזה, וכוונת תלמידיו שאמרו לנו מה אתה משיב, שעל כל פנים זה דומה לשני כתובים המכחישים זה את זה, ואיזה פסוק המכריע, ותירץ להם שלא הבינו, שתשובתו להגוי היא תשובה אמיתית גם להם, שמה שכתוב (שמות כג, ב) אחרי רבים להטות, היינו במקום שהיחיד אומר כך, והרבים מסכימים לדעת אחת וחולקים על היחיד, על זה המצוה להטות אחרי רבים, וכאן אין כאן רבים בדעה אחת כלל, כי המה נפרדים זה מזה בעבודתם, והרי כולם יחידים, ואין כאן שני כתובים המכחישים: **שש נפשות.** זה לא יתכן שהרי מפורש שהיו לו שלש נשים, וחמשה בנים, לבד בנות לא פחות משנים, הרי עשרה נפשות, ואולי הוא טעות סופר שהיה כתוב י' נפשות, וחשב המגיה את הי' לו' והעתיק ששה: **(ז) חמשה פעמים.** על פי מדת מנגד וגימטריא, שלכל חשבון יש חשבון אחר כנגדו שמרמז עליו. וכל דברי סימן זה, אגב תיבת נפש שדורש בפרשה זו, הביא עוד דרשה מענין נפש: **ויוצא ממעי אמו.** כמו מי שנעתק מחלב אמו, נקרא גמול, כמו שכתוב (ישעיה כח, ט) גמולי מחלב עתיקי שדים, כך היולד ונעתק ממעי אמו לאויר העולם, נקרא גם כן גמול, וזהו כל גמוליו, כולל כל הטובות שגמל עמו וגם גמול זה בכלל. ועל פי מדת ממעל כנ"ל. ועיין מתנות כהונה. ועיין ברכות דף י (עמוד א) באופן אחר.

חידושי הרש"ש

[ו] בשעיר כתיב ביה שש נפשות כו'. הן לא מצינו לו בנים כי אם חמשה. ואולי גם הוא בעצמו נכלל בנפשות ביתו, כמו בפרשת ויגש (בראשית מו, כז) אמר, כל הנפש לבית יעקב כו' שבעים, ולדעת יש אומרים בבראשית רבה שם (לג, ט) הוא עם יעקב, או אפשר דבת אחת היה לו לכל הפחות, כדכתיב (שם מו, ז) ואת בנותיו, יפול זה הלשון אף על אחת, כמו שכתב הרמב"ן שם בפסוק בניו כו' בנותיו ובנות בניו, אך קשה דהא כבר כתיב ואת בניו ואת בנותיו, ואם כן על כרחך נפשות ביתו לא עלייהו קאי:

באור מהרי"פ

נדחף. כלומר נדחה בתשובה זו: **וכתיב ביה נפש.** לומר שישארו לעולם באחדות ולא יטו אחר רוב האומות: **לאלהות הרבה.** לפיכך רובם אינו רוב, כי כרובם כן יש להם אלהות הרבה: **[ז] במעי אמו.** שנאמר (תהלים קג, א) וכל קרבי, ועל שם קרבי אמו שדר בתוכן כך פרש"י ז"ל פרק קמא דברכות (י, א):

אמרי יושר

אמר לו יש לך בנים. רלה לרמוז כי אינם שוים, וכן אומות העולם אינם שוים, ומוסכמים לדבר אחד, רק מחולפים, וזה גם כן מה שרמז, **עשו על ידי שהיו לו אלוהות רבות, כתיב ביה נפשות רבות,** ואם כן ההטייה אחרי רבים ראוי, כשאותן רבים חוזרים לאחדות, אבל אם הם בעלי סברות מחולפות, אין לנו להטות אחרי ריבויים, כי כמונו כמוהם, אבל ראוי להטות אחרי ריבוי אחדיי כמונו, שבשבעים נפש כתוב נפש כל יוצאי ירך יעקב שבעים נפש, כי הרבים הנוטים לסברא אחת, יאמנו דבריהם:

אם למקרא

וַיִּקַּח עֵשָׂו אֶת נָשָׁיו וְאֶת בָּנָיו וְאֶת בְּנֹתָיו וְאֶת כָּל־נַפְשׁוֹת בֵּיתוֹ וְאֶת מִקְנֵהוּ וְאֶת כָּל בְּהֶמְתּוֹ וְאֵת כָּל־קִנְיָנוֹ אֲשֶׁר רָכַשׁ בְּאֶרֶץ כְּנָעַן וַיֵּלֶךְ אֶל אֶרֶץ מִפְּנֵי יַעֲקֹב אָחִיו: (בראשית לו:ו)

וַיְהִי כָּל־נֶפֶשׁ יֹצְאֵי יֶרֶךְ יַעֲקֹב שִׁבְעִים נָפֶשׁ וְיוֹסֵף הָיָה בְמִצְרָיִם: (שמות א:ה)

לְדָוִד בָּרְכִי נַפְשִׁי אֶת ה' וְכָל קְרָבַי אֶת שֵׁם קָדְשׁוֹ: בָּרְכִי נַפְשִׁי אֶת ה' וְאַל תִּשְׁכְּחִי כָּל גְּמוּלָיו: (תהלים קג:א-ב)

ענף יוסף

בעשו כתיב ביה שש נפשות כו'. הן לא מצינו לו בנים כי אם חמשה, [עיין מה שכתבתי בעץ]. או אפשר דבת אחת היה לו לכל הפחות, כדכתיב ואת בנותיו, יפול זה הלשון אף על אחת, כמו שאמר הרמב"ן שם בפסוק (בראשית מו, ז) בניו כו' בנותיו ובנות בניו, אך קשה דהא כבר כתיב ואת בניו ואת בנותיו, ואם כן על כרחך נפשות ביתו לא עלייהו קאי (מהרש"ש):

מתנות כהונה

נדחף. כלומר נדחה בתשובה זו: **וכתיב ביה נפש.** לומר שישארו לעולם באחדות ולא יטו אחר רוב האומות: **לאלהות הרבה.** לפיכך רובם אינו רוב, כי כרובם כן יש להם אלהות הרבה: **[ז] במעי אמו.** שנאמר (תהלים קג, א) וכל קרבי, ועל שם קרבי אמו שדר בתוכן כך פרש"י ז"ל פרק קמא דברכות (י, א): **לא תנשייא כו'.** פירוש לא תשכח הגמול הטוב שגמלתי עמה.

אשד הנחלים

שאתה משוה אותנו לך השוה כו'. היתה זאת התשובה להוכיחו שלא יעסוק להשלים אחרים, כי אם יעסוק בבניו אם יוכל: **[ז] כנגד חמשה חומשי תורה.** ידוע כי הנפש יש לה חמשה מדריגות, נפש רוח נשמה יחידה חיה, וכל אחת זו למעלה מזו, והיא מכוונת למול התורה העליונה (שהיא החכמה העליונה) הכוללת הכל, וכן הנפש כלולה מכל, והחמשה חומשי תורה היא גם כן מדריגת סתרי התורה, זו למעלה מזו. כן הוא בדרך כלל הענין, והפרטים נסתרים ונעלם, וידוע לחכמי אמת בספריהם: **כנגד חמשה עולמות כו'.** כאן היה מן הראוי להרחיב הדיבור בגדרים אמיתיים, להתבונן על איכות השינויים, אך אין להאריך כי זה מחקר עצום, אך בהעברה קלה אבאר מעט. דהנה הנפש יש לה שינויים רבים, והנה כפי דעת חז"ל (נדה ל, ב) הנשמה בעודה במעי אמה היא יודעת כל התורה כולה, ואם כן היא דבוקה בה', ולכן שייך לומר כי אז תברך את שם קדשו כי מכרת את קדושת ה' באמיתות, ובשעה שיוצאה לאויר העולם שאז הוא עיקר הגמילות חסד, כי עיקר ההטבה הוא בריאתו, או מפני שהנפש היתה במאסר עד כה, או שהכוונה על ההנקה כמאמרם בברכות (ברכות י,

§7 [דַּבֵּר אֶל בְּנֵי יִשְׂרָאֵל לֵאמֹר נֶפֶשׁ כִּי תֶחֱטָא וְגוֹ׳ — *SPEAK TO THE CHILDREN OF ISRAEL, SAYING: WHEN A PERSON WILL SIN ETC.*]

The Midrash cites a discussion that will provide additional insight into our verse's use of the term נֶפֶשׁ, lit., *a soul*, in place of אִישׁ or אָדָם, *a person*:[138]

רַבִּי יוֹחָנָן וְרַבִּי יְהוֹשֻׁעַ בֶּן לֵוִי — **R' Yochanan and R' Yehoshua ben Levi** debated as follows: רַבִּי יוֹחָנָן אָמַר: ה׳ פְּעָמִים אָמַר דָּוִד "בָּרְכִי נַפְשִׁי אֶת ה׳" — **R' Yochanan said:** King **David said,** *bless HASHEM, O my soul,* **five times,**[139] כְּנֶגֶד חֲמִשָּׁה סִפְרֵי תוֹרָה — **in correspondence to the five Books of the Torah.**[140] רַבִּי יְהוֹשֻׁעַ בֶּן לֵוִי אָמַר: כְּנֶגֶד חֲמִשָּׁה עוֹלָמוֹת שֶׁאָדָם רוֹאֶה — **And R' Yehoshua ben Levi said:** These five instances are **in correspondence to the five worlds that a person sees:**[141] R' Yehoshua ben Levi elaborates: "בָּרְכִי נַפְשִׁי אֶת ה׳ וְכָל קְרָבַי אֶת שֵׁם קָדְשׁוֹ", בְּשָׁעָה שֶׁהוּא נָתוּן בִּמְעֵי אִמּוֹ — (i) ***Bless HASHEM, O my soul; and all that is within me [bless] His Holy Name*** (*Psalms* 103:1) — this refers **to the time that [a man] is placed within his mother's innards.**[142] "בָּרְכִי נַפְשִׁי אֶת ה׳ וְאַל תִּשְׁכְּחִי כָּל גְּמוּלָיו" — (ii) ***Bless HASHEM, O my soul, and forget not all His nurturing*** (ibid., v. 2) — this refers to God's nurturing

NOTES

use of the singular phrase נֶפֶשׁ כִּי תֶחֱטָא, lit., *When a soul will sin*, alludes to the collective soul of the Jewish people to which the verse expounded by R' Yehoshua ben Korchah alluded (see *Yefeh To'ar* above, s.v. תני חזקיה; compare above, note 121).

138. *Eitz Yosef.*

Alternatively, the following section of Midrash is not presented as an insight into our verse, and is included here simply because it deals with the *soul*, which was the subject of the preceding expositions (*Maharzu*).

139. These will be enumerated presently.

140. The relationship of the soul to the Torah is indicative of the soul's holiness. Thus, our verse contains an expression of astonishment at the notion that so sublime a being might sin (*Eitz Yosef*; compare above, note 35).

141. According to R' Yehoshua ben Levi, our verse may be understood as marveling at the idea that the soul might sin against God despite its benefiting from His kindness in five different environments (*Eitz Yosef*).

142. R' Yehoshua ben Levi infers from this verse's inclusion of the phrase וְכָל קְרָבַי, lit., *and all my innards*, that with this praise — offered by King David as an adult endowed with the Divine Spirit (רוּחַ הַקֹּדֶשׁ) — David thanked God for the Divine kindness he experienced while yet unborn (*Eitz Yosef*; also see *Matnos Kehunah*, citing *Rashi* to *Berachos* 10a). Specifically, David gave thanks for the wonders that God performs with the fetus, including protecting and providing for it (*Yefeh To'ar*, referencing below, 14 §2-3, and *Niddah* 30b).

INSIGHTS

the holy Sages of Israel fit that description. While there may indeed be among the nations some individuals who have freed themselves of such bias, they would still constitute a small minority in relation to our holy Sages, who numbered in the thousands and tens of thousands. As our Sages teach us, more than a million true prophets arose in Israel, but only prophecy that was necessary for further generations was recorded (*Megillah* 14a). Later, as well, in the generations of the Tannaim and Amoraim, there were thousands upon thousands of great Sages and holy men, all of whom affirmed the veracity of our tradition and belief.

Would an individual who entered a tavern containing hundreds of inebriated patrons be compelled to act and think like them? Compared to the Sages of Israel, the savants of the world are drunk with their passions and the pursuit of their material desires. The evil inclination has the power to bend one's intelligence to its desires. It is particularly Torah study that enables a person to rise above this. As the Sages teach: אֵין לְךָ בֶּן חוֹרִין אֶלָּא מִי שֶׁעוֹסֵק בַּתּוֹרָה, *the only [truly] free man is one who preoccupies himself with Torah [study]* (*Avos* 6:2). It is Torah study that can free a person from the enslavement of his own desires.

So, on the contrary: In the matter of belief, the law of following the majority mandates that we follow *our* heritage as received from our great Sages, for they constitute the majority of those fit to rule on such matters.

[Perhaps, this is the meaning as well of R' Yehoshua ben Korchah's answer to his disciples. The unity of the seventy souls of Jacob's house is indicative of their selfless outlook; only then can they be as one soul. The disunity of Esau's family is indicative of their selfish pursuits. Only the selfless, unified souls are fit to be counted as judges.]

אָמַר רַבִּי אֶלְעָשָׂא: *גּוֹי אֶחָד שָׁאַל אֶת רַבִּי יְהוֹשֻׁעַ בֶּן קָרְחָה: כְּתִיב בְּתוֹרַתְכֶם "אַחֲרֵי רַבִּים לְהַטֹּת", (שמות כג, ב) אָנוּ מְרֻבִּים מִכֶּם, מִפְּנֵי מָה אֵין אַתֶּם מַשְׁוִין עִמָּנוּ בַּעֲבוֹדָה זָרָה, אָמַר לוֹ: יֵשׁ לְךָ בָּנִים, אָמַר לוֹ: הִזְכַּרְתַּנִי צָרָתִי, אָמַר לוֹ: לָמָּה, אָמַר לוֹ: הַרְבֵּה בָּנִים יֵשׁ לִי, בְּשָׁעָה שֶׁהֵן יוֹשְׁבִין עַל שֻׁלְחָנִי זֶה מְבָרֵךְ לֵאלֹהֵי פְּלוֹנִי וְזֶה מְבָרֵךְ לֵאלֹהֵי פְּלוֹנִי, וְאֵינָם עוֹמְדִים מִשָּׁם עַד שֶׁמְּפַצְּעִין אֶת מוֹחָן אֵלּוּ אֶת אֵלּוּ, אָמַר לוֹ: וּמַשְׁוֶה אַתָּה עִמָּהֶן, אָמַר לוֹ: לָא, אָמַר לוֹ: עַד שֶׁאַתָּה מַשְׁוֶה אוֹתָנוּ, לֵךְ הַשְׁוֵה אֶת בָּנֶיךָ, נִדְחַף וְהָלַךְ לוֹ, כֵּיוָן שֶׁיָּצָא אָמְרוּ לוֹ תַּלְמִידָיו: רַבִּי, *לָזֶה דָּחִיתָ בְּקָנֶה רָצוּץ, לָנוּ מָה אַתָּה מֵשִׁיב, אָמַר לָהֶם: בְּעֵשָׂו כְּתִיב בֵּיהּ שֵׁשׁ נְפָשׁוֹת וּכְתִיב בּוֹ נַפְשׁוֹת הַרְבֵּה, דִּכְתִיב (בראשית לו, ו) "וַיִּקַּח עֵשָׂו אֶת נָשָׁיו וְאֶת בָּנָיו וְאֶת בְּנֹתָיו וְאֶת כָּל נַפְשׁוֹת בֵּיתוֹ", וּבְיַעֲקֹב שִׁבְעִים נֶפֶשׁ וּכְתִיב בֵּיהּ נֶפֶשׁ אַחַת, דִּכְתִיב (שמות א, ה) "וַיְהִי כָּל נֶפֶשׁ יֹצְאֵי יֶרֶךְ יַעֲקֹב וְגוֹ'", אֶלָּא עֵשָׂו שֶׁהוּא עוֹבֵד לֶאֱלָהוֹת הַרְבֵּה כְּתִיב בֵּיהּ נַפְשׁוֹת הַרְבֵּה, אֲבָל יַעֲקֹב שֶׁהוּא עוֹבֵד לֶאֱלוֹהַּ אֶחָד כְּתִיב בּוֹ נֶפֶשׁ אַחַת, "וַיְהִי כָּל נֶפֶשׁ וְגוֹ'":

ז רַבִּי יוֹחָנָן וְרַבִּי יְהוֹשֻׁעַ בֶּן לֵוִי, רַבִּי יוֹחָנָן אָמַר: ה' פְּעָמִים אָמַר דָּוִד "בָּרְכִי נַפְשִׁי אֶת ה'", כְּנֶגֶד חֲמִשָּׁה סִפְרֵי תוֹרָה, רַבִּי יְהוֹשֻׁעַ בֶּן לֵוִי אָמַר: כְּנֶגֶד חֲמִשָּׁה עוֹלָמוֹת שֶׁאָדָם רוֹאֶה, (תהלים קג, א) "בָּרְכִי נַפְשִׁי אֶת ה' וְכָל קְרָבַי אֶת שֵׁם קָדְשׁוֹ", בְּשָׁעָה שֶׁהוּא נָתוּן בִּמְעֵי אִמּוֹ, (שם שם ב) "בָּרְכִי נַפְשִׁי אֶת ה' וְאַל תִּשְׁכְּחִי כָּל גְּמוּלָיו",

חידושי הרש"ש

[ו] בעשו כתיב ביה שש נפשות כו'. הן לא מצינו לו בנים כי אם חמשה. ואולי גם הוא בעצמו נכלל בנפשות ביתו, כמו בפרשת ויגש (בראשית מו, כז) אמר, כל הנפש לבית יעקב כו' שבעים, ולדעת יש אומרים בבראשית רבה שם (צד, ט) עם יעקב, או אפשר דבת אחת היה לו לכל הפחות, כדכתיב (שם מו, ז) ואת בנותיו, יפול זה הלשון אף על אחת, כמו שכתב הרמב"ן שם בפסוק בניו כו' בנותיו ובנות בניו, אך קשה דהא כבר כתיב ואת בניו ואת בנותיו, ואם כן על כרחך נפשות ביתו לא עלייהו קאי:

באור מהרי"פ

נדחף. כלומר נדחה בתשובה זו: **וכתיב ביה נפש.** לומר שישארו לעולם באחדות ולא יטו אחר רוב האומות: **לאלהות הרבה.** לפיכך רובם אינו רוב, כי כרובם כן יש להם אלהות הרבה: **[ז] במעי אמו.** שנאמר (תהלים קג, א) וכל קרבי, ועל שם קרבי אמו שדר בתוכן כך פרש"י ז"ל פרק קמא דברכות (י, א):

אמרי יושר

אמר לו יש לך בנים. רצה לרמוז כי אינם שוים, וכן אומות העולם אינם שוים, ומוסכמים לדבר אחד, רק מחולפים, וזה גם כן מה שרמז, **עשו על ידי שהיו לו אלוהות רבות, כתיב ביה נפשות רבות,** ואם כן ההטייה אחרי רבים ראוי, כשאותן רבים חוזרים לאחדות, אבל אם הם בעלי סברות מחולפות, אין לנו להטות אחרי ריבויים, כי כמונו כמוהם, אבל ראוי להטות אחרי ריבוי אחדיי כמונו, שבשבעים נפש כתוב נפש כל יוצאי ירך יעקב שבעים נפש, כי הרבים הנוטים לסברא אחת, יאמנו דבריהם:

עץ יוסף

אין אתם משוין עמנו בעבודה זרה. רצה לומר לכבד שרי מעלה, שהם עיקר של עבודה זרה לחשבם שייטיבו ויריעו, והכי קאמר ליה שמאחר שכל הגוים מודים בכבוד הסיבה הראשונה וכמו שנאמר (ירמיה י, ז) מי לא ייראך מלך הגוים, וכמו שנאמר (מלאכי א, יא) בכל מקום מוקטר וגו', ועם כל זה דעתם לכבד השרים, שהנהגת עולם השפל מסורה בידם, למה לא תסכימו אתם בזה. והשיבו רבי יהושע בן קרחה שאי אפשר זה שהרי אומות העולם לא השווה דעתם מי מהשרים העליונים הגדול שההנהגה בידו: **נדחף.** כלומר נדחה בתשובה זו: **בקנה רצוץ.** פירוש בקנה שבור, רצה לומר בתשובה קלה שאין זו תשובה מספקת, דנהי שאין להסכים עם אחד מהאומות לתלות ההנהגה ביד אחד, כי לא נדע מי הגדול, אבל אפשר לכבד את כולם כיון שההנהגה מסורה בידם איש איש על עבודתו ואל משאו. ותשובת ר' יהושע בן קרחה להם, שאחר שכל אחד ממונה על דבר אחד, ואין כח ביד אחד לבדו בהנהגת המציאות, אין ראוי שיעבוד אחד מהם, שאי אפשר שיהיו מנהיגים רבים אלא אחד, ולכן הכרח לומר שהם מוכרחים במנוייהם ואין בידם לשנות את תפקידם, ועוד שאין כח מוחלט ביד אחד להשפיע אפילו דבר אחד, אם לא בצירוף כוכבים אחרים במקומות מתחלפין, כמו שאמר בעל העקרים, וזהו ענין הנפשות שזכר, שכל ישראל להיות תכליתם אחד להאדרות הנפש, כולם נפש אחת ורצון אחד, אבל האומות שזה מבקש עושר ועובד לכוכב פלוני לתקונו, וזה מבקש שררה ועובד לכוכב פלוני לתקונו, הם נפשות ודעות רבות: **כתיב ביה שש נפשות.** רצה לומר היינו עם עשו, וביעקב כתיב שבעים נפש, היינו עם יעקב כדאיתא בבראשית רבה (לד, ח) ועיין שם מה שכתבתי (עץ יוסף ד"ה וי"א יעקב): **נפשות הרבה.** דכל לשון רבוי: **(ז) רבי יוחנן ורבי יהושע בן לוי.** משום דקשיא ליה מה טעמיה נפש כי תחטא, ולא קאמר איש, יהיב רבי יוחנן טעמא שלהיותה קדושה מיוחסת לתורה, שעל כן נאמר חמשה זמני ברכי נפשי, כנגד חמשה ספרי תורה, לכן יתמה הכתוב על היותה חוטאת. ורבי יהושע בן לוי יהיב טעמא, לפי שראתה חמשה עולמות, יש לתמוה עליה, איך תשכח חסדי ה' שגמלה לה בהחמשה עולמות וחטאה לו: **במעי אמו.** כלומר דקרא מיירי על הזמן הזה דקאמר כל קרבי על שם קרבי אמו שדר בתוכן, אבל זמן הודייתו כשגדל היתה, כשסרתה רוח הקודש עליו הודה לה' על כל הטוב שראה בזמן הזה: **לא תנשיי כו'.** לא תשכח הגמול הטוב שגמל עמך הקדוש ברוך הוא, והיינו מה דאיתא בברכות פרק קמא (י, א) מאי כל גמוליו אמר ר' אבהו שעשה לה דדים במקום בינה, טעמא מאי, אמר רב יהודה כדי שלא יסתכל בערוה, ר' מתנה אמר כדי שלא יינק ממקום הטינופת:

פירוש מהרז"ו

(ז) אנו מרובים מכם. קושית הגוי איננו כלום, שמאחר שמפורש בתורה הרבה פעמים שלא לעבוד עבודת כוכבים ושלא נלך בחוקות הכנענים, אם כן לא יתכן שהתורה תודה בזה ללכת אחרי רבים, רק שהשיב להגוי דרך דחייה וליצנות שלא יוסיף לדבר מזה, וכוונת תלמידיו שאמרו לנו מה אתה משיב, שעל כל פנים זה דומה לשני כתובים המכחישים זה את זה, ואיזה פסוק המכריע, ותירץ להם שלא הבינו, שתשובתו להגוי היא תשובה אמיתית גם להם, שמה שכתוב (שמות כג, ב) אחרי רבים להטות, היינו במקום שהיחיד אומר כך, והרבים מסכימים לדעת אחת וחולקים על היחיד, על זה המצוה להטות אחרי רבים, וכאן אין כאן רבים בדעה אחת כלל, כי המה נפרדים זה מזה בעבודתם, והרי כולם יחידים, ואין כאן שני כתובים המכחישים: **שש נפשות.** זה לא יתכן שהרי מפורש שהיו לו שלש נשים, וחמשה בנים, לבד בנות לא פחות משנים, הרי עשרה נפשות, ואולי הוא טעות סופר שהיה כתוב י' נפשות, וחשב המגיה את הי' לו' והעתיק ששה: **(ז) חמשה פעמים.** על פי מדת מנגד וגימטריא, שלכל חשבון יש חשבון אחר כנגדו שמרמז עליו. וכל דברי סימן זה, אגב תיבת נפש שדורש בפרשה זו, הביא עוד דרשה מענין נפש: **ויוצא ממעי אמו.** כמו מי שנעתק מחלב אמו, נקרא גמול, כמו שכתוב (ישעיה כח, ט) גמולי מחלב עתיקי שדים, כך היולד ונעתק ממעי אמו לאויר העולם, נקרא גם כן גמול, וזהו כל גמוליו, כולל כל הטובות שגמל עמו וגם גמול זה בכלל. ועל פי מדת ממעל כנ"ל. ועיין מתנות כהונה. ועיין ברכות דף י (עמוד א) באופן אחר.

אם למקרא

וַיִּקַּח עֵשָׂו אֶת נָשָׁיו וְאֶת בָּנָיו וְאֶת בְּנֹתָיו וְאֶת כָּל־נַפְשׁוֹת בֵּיתוֹ וְאֶת מִקְנֵהוּ וְאֶת כָּל בְּהֶמְתּוֹ וְאֵת כָּל־קִנְיָנוֹ אֲשֶׁר רָכַשׁ בְּאֶרֶץ כְּנָעַן וַיֵּלֶךְ אֶל אֶרֶץ מִפְּנֵי יַעֲקֹב אָחִיו: (בראשית לו:ו)

וַיְהִי כָּל־נֶפֶשׁ יֹצְאֵי יֶרֶךְ יַעֲקֹב שִׁבְעִים נָפֶשׁ וְיוֹסֵף הָיָה בְמִצְרָיִם: (שמות א:ה)

לְדָוִד בָּרְכִי נַפְשִׁי אֶת ה' וְכָל קְרָבַי אֶת שֵׁם קָדְשׁוֹ: בָּרְכִי נַפְשִׁי אֶת ה' וְאַל תִּשְׁכְּחִי כָּל גְּמוּלָיו: (תהלים קג:א-ב)

ענף יוסף

בעשו כתיב ביה שש נפשות כו'. הן לא מצינו לו בנים כי אם חמשה, [עיין מה שכתבתי בעץ]. או אפשר דבת אחת היה לו לכל הפחות, כדכתיב ואת בנותיו, יפול זה הלשון אף על אחת, כמו שאמר הרמב"ן שם בפסוק (בראשית מו, ז) בניו כו' בנותיו ובנות בניו, אך קשה דהא כבר כתיב ואת בניו ואת בנותיו, ואם כן על כרחך נפשות ביתו לא עלייהו קאי (מהרש"ש):

מתנות כהונה

נדחף. כלומר נדחה בתשובה זו: **וכתיב ביה נפש.** לומר שישארו לעולם באחדות ולא יטו אחר רוב האומות: **לאלהות הרבה.** לפיכך רובם אינו רוב, כי כרובם כן יש להם אלהות הרבה: **[ז] במעי אמו.** שנאמר (תהלים קג, א) וכל קרבי, ועל שם קרבי אמו שדר בתוכן כך פרש"י ז"ל פרק קמא דברכות (י, א): **לא תנשייא כו'.** פירוש לא תשכח הגמול הטוב שגמלתי עמה.

אשד הנחלים

שאתה משוה אותנו לך השוה כו'. היתה זאת התשובה להוכיחו שלא יעסוק להשלים אחרים, כי אם יעסוק בבניו אם יוכל: **[ז] כנגד חמשה חומשי תורה.** ידוע כי הנפש יש לה חמשה מדריגות, נפש רוח נשמה יחידה חיה, וכל אחת זו למעלה מזו, והיא מכוונת למול התורה העליונה (שהיא החכמה העליונה) הכוללת הכל, וכן הנפש כלולה מכל, והחמשה חומשי תורה היא גם כן מדריגת סתרי התורה, זו למעלה מזו. כן הוא בדרך כלל הענין, והפרטים נסתרים ונעלם, וידוע לחכמי אמת בספריהם: **כנגד חמשה עולמות כו'.** כאן היה מן הראוי להרחיב הדיבור בגדרים אמיתיים, להתבונן על איכות השינויים, אך אין להאריך כי זה מחקר עצום, אך בהעברה קלה אבאר מעט. דהנה הנפש יש לה שינויים רבים, והנה כפי דעת חז"ל (נדה ל, ב) הנשמה בעודה במעי אמה היא יודעת כל התורה כולה, ואם כן היא דבוקה בה', ולכן שייך לומר כי אז תברך את שם קדשו כי מכרת את קדושת ה' באמיתות, ובשעה שיוצאה לאויר העולם שאז הוא עיקר הגמילות חסד, כי עיקר ההטבה הוא בריאתו, או מפני שהנפש היתה במאסר עד כה, או שהכוונה על ההנקה כמאמרם בברכות (ברכות י,

בְּשָׁעָה שֶׁהוּא יוֹצֵא מִמְּעֵי אִמּוֹ — **at the time that [a man] leaves his mother's innards;** אָמַר לָהּ: לֹא תִנְשִׁיי גְמָלָיו טָבַיָּיה דִּגְמַל עִמָּךְ — **[David] said to [his soul], "Do not forget the good nurturing that [God] nurtured you** with after birth!"[143] ״בָּרְכוּ ה׳ כָּל מַעֲשָׂיו בְּכָל מְקוֹמוֹת מֶמְשַׁלְתּוֹ בָּרְכִי נַפְשִׁי אֶת ה׳״, בְּשָׁעָה שֶׁעוֹמֵד עַל קוֹמַיי שֶׁלּוֹ וְיוֹצֵא לִפְרַגְמַטְיָא — (iii) ***Bless HASHEM, all His works, in all the places of His dominion, bless HASHEM, O my soul*** (ibid., v. 22) — this applies **at the time that [a man] reaches his full stature and goes out to business.**[144] ״בָּרְכִי נַפְשִׁי אֶת ה׳ ה׳ אֱלֹהַי גָּדַלְתָּ מְּאֹד״, בִּשְׁעַת פְּטִירָתוֹ שֶׁל אָדָם מִן הָעוֹלָם — (iv) ***Bless HASHEM, O my soul, HASHEM, my God, You are very great*** (ibid. 104:1) — this applies **at the time of man's departure from the world.**[145] וְאַחַת לֶעָתִיד לָבֹא, ״יִתַּמּוּ חַטָּאִים מִן הָאָרֶץ וְגוֹ׳ בָּרְכִי נַפְשִׁי אֶת ה׳ הַלְלוּיָהּ״ — (v) **and one in the** Messianic **future: *Sinners will cease from the earth, etc.*** *[and the wicked will be no more];* ***Bless HASHEM, O my soul. Halleluyah!*** (ibid., v. 35).[146]

NOTES

143. *Matnos Kehunah*.

Our Midrash accords with the Gemara (*Berachos* 10a) that interprets the cited verse as referring to the Divine kindness that allowed for infants to nurse from *the place of understanding* — opposite the mother's heart. The Gemara explains [that God created people in a way that is dissimilar to the way He designed animals, who suckle from an area near the hind legs,] so that an infant should not be compelled to *gaze at nakedness* or so that he should not *nurse from an unclean place* (*Eitz Yosef*; this kindness is also discussed in 14 §3 below).

Alternatively, the Midrash does not refer to the kindness involved in human lactation but rather to that which a baby experiences as he exits his mother's womb. Although the term גְּמוּלָיו refers to all Divine *nurturing*, the Midrash sees it as alluding to the termination of an infant's time in his mother's womb because the word גמול carries the related connotation (see *Isaiah* 28:9) of the termination of the period during which an infant nurses (*Maharzu*; see also *Matnos Kehunah*; see below, 14 §3-4 and 27 §7, regarding the miracle of childbirth).

144. A traveling businessman must praise God for accompanying him wherever he goes and for guiding him on his journeys. This interpretation of the cited verse is prompted by its insistence that God's works bless Him בְּכָל מְקוֹמוֹת מֶמְשַׁלְתּוֹ, *in all the places of His dominion* (*Eitz Yosef*). Alternatively, because the traveler observes God's dominion in many lands he is uniquely qualified to offer praise (see *Maharzu*, *Eshed HaNechalim*; see *Matnos Kehunah* for another approach).

145. The Gemara (ibid.) explains that this verse is associated with the day of death based on another verse that appears later in the same psalm (104:29): תַּסְתִּיר פָּנֶיךָ יִבָּהֵלוּן תֹּסֵף רוּחָם יִגְוָעוּן וְאֶל עֲפָרָם יְשׁוּבוּן, *When You hide Your face, they are dismayed; when You retrieve their spirit, they perish, and to their dust they return* (*Matnos Kehunah*, *Eitz Yosef*; see *Maharzu* for a discussion of the exegetical principles that enable this exposition).

The reason the day of death elicits praise of God is hinted at in the verse that follows that one (v. 30): תְּשַׁלַּח רוּחֲךָ יִבָּרֵאוּן וּתְחַדֵּשׁ פְּנֵי אֲדָמָה, *When You send forth Your breath, they are created, and You renew the surface of the earth* — a reference to the promised Revivification of the Dead. Thus, God is praised because, in His kindness, He allows the righteous to leave this world secure in the knowledge that they will be brought back to life and rewarded for the mitzvos they performed during their lifetimes (*Eitz Yosef*, from *Maharsha* [*Chidushei Aggados* to *Berachos* loc. cit.]). Alternatively, because the soul gains an unprecedented appreciation for God's greatness after its separation from the body, it is only then that it can proclaim, *HASHEM, my God, You are very great!* (*Eshed HaNechalim*).

146. This verse refers to the period following the Revivification of the Dead that was indicated by an earlier verse [cited in the preceding note] (see *Maharzu*; see related discussion above, in the Insight "The Soul, the Body, and the Afterlife"). The Gemara (ibid.) teaches that David praised God for the ultimate downfall of the wicked that will take place at that time. That judgment will be unlike anything that occurs in this world because it will affect all sinners simultaneously (*Eitz Yosef*, based on *Midrash Shocher Tov*, at the end of §104).

See Insight Ⓐ.

INSIGHTS

Ⓐ **The Five Levels of the Soul** The Gemara in *Berachos* (10a), citing R' Yochanan in the name of R' Shimon ben Yochai, records another version of the five "worlds" for which King David offered songs of praise. Several commentators correlate these worlds with the five levels of the human soul — *nefesh, ruach, neshamah, chayah,* and *yechidah* (*Pnei Yehoshua* and *Beurei HaGra* there; *R' Tzadok HaKohen, Sichos Malachei HaShareis* pp. 46-49; see *Bereishis Rabbah* 14 §9). The sequence of verses in *Berachos*, unlike the sequence here, does not follow the order of Scripture. Rather, the Gemara places the five "worlds" in chronological order, as they would be experienced by a person in his progression through life (*Maharsha* ad loc.). What follows here is an elaboration of the Gemara's version:

(1) The Gemara begins, as does the Midrash, with the verse of בָּרְכִי נַפְשִׁי אֶת ה׳ וְכָל קְרָבַי אֶת שֵׁם קָדְשׁוֹ, *Bless HASHEM, O my soul; and all that is within me His Holy Name* (*Psalms* 103:1). David gave praise for his time in the womb, where the *nefesh*, first level of the human soul, is formed, and awakens in a person the earliest stirrings of life, in the movement of the fetus inside the womb (*Pnei Yehoshua* ibid.). The formation of the *nefesh* is linked with the development of blood in the fetus. This is indicated in various verses that locate the *nefesh* of living creatures in their blood, such as *Leviticus* 17:1, *for the "nefesh" of the flesh is in the blood*, or *Deuteronomy* 12:23, *for the blood is the "nefesh"* (*Bereishis Rabbah* ibid.; *Beurei HaGra* ibid., with commentary of *R' Avraham ben HaGra*).

(2) The Gemara continues (*Psalms* 103:20,21), בָּרְכוּ ה׳ מַלְאָכָיו גִּבֹּרֵי כֹחַ עֹשֵׂי דְבָרוֹ לִשְׁמֹעַ בְּקוֹל דְּבָרוֹ בָּרְכוּ ה׳ כָּל צְבָאָיו מְשָׁרְתָיו עֹשֵׂי רְצוֹנוֹ, *Bless HASHEM, O His angels, strong warriors who fulfill His word, to hearken to the voice of His word. Bless HASHEM, O His hosts, His servants, who do His will.* [These verses do not appear in the Midrash, nor does the third verse cited in the Midrash appear in the Gemara's exposition.] "His hosts" refer to the hosts of the heavens, the stars and constellations. The Gemara explains that King David gave praise when he emerged from the womb into "the air of the world" and gazed upon the heavenly bodies. This refers to the *ruach*, second level of the soul, which is composed of two aspects. The first is represented by the simple meaning of רוּחַ, *air*. At the moment of birth, with the first breath of air a child takes, the *ruach* is implanted. The Torah states that God breathed into the nostrils of Adam, the First Man, "a soul of life" (*Genesis* 2:5). This soul, this breath of life, was the *ruach* (see *Targum Onkelos* ad loc.). The second aspect of *ruach* comes down to the person from Above, from the heavenly realm of the stars and constellations (see *Isaiah* 32:15; *Ecclesiastes* 3:21; see *Bereishis Rabbah* ibid.). The book of *Daniel* tells the story of Nebuchadnezzar, upon whom it was decreed that his "heart" — meaning, his soul — be changed from that of a man to that of a beast (*Daniel* 4:13, as explained by *Ibn Ezra* on v. 23 there). This came to pass, and for a period he lived as one of the dumb beasts of the field. Scripture records his account of the moment his soul was returned to him (ibid., v. 31): עַיְנַי לִשְׁמַיָּא נִטְלֵת וּמַנְדְּעִי עֲלַי יְתוּב, *I raised my eyes to the heavens, and my senses returned to me.* Thus did he regain from Above his *ruach*, his soul, which differentiates Man from beast (*Beurei HaGra* ibid., from *Zohar Chadash, Midrash HaNeelam, Parashah* 4 s.v. ויאמר אלקים תוצא הארץ נפש חיה; see also commentary of *R' Avraham ben HaGra* to *Beurei HaGra*).

(3) David's third song of praise was בָּרְכִי נַפְשִׁי אֶת ה׳ וְאַל תִּשְׁכְּחִי כָּל גְּמוּלָיו, *Bless HASHEM, O my soul, and forget not all His nurturing* (*Psalms* 103:2). He praised God for the period of nursing from his mother, which is when a person receives the *neshamah*, third level of the soul. The breasts are located opposite the heart, which is the seat of בִּינָה, *insight* (see *Tikkunei Zohar* 17a,63b; see *Isaiah* 6:10 with *Megillah* 17b). The *neshamah* is the means by which a person attains insight. As the verse states (*Job* 32:8), וְנִשְׁמַת שַׁדַּי תְּבִינֵם, *and the neshamah from God grants them insight.* Thus, during the period in which an infant suckles from the "place of insight," he is imbued with a *neshamah*. This is alluded to in a verse in *Proverbs* (2:3), which advises: כִּי אִם לַבִּינָה תִקְרָא, *Call insight, "Mother,"* for it is through one's mother that one receives insight, i.e., the *neshamah* (*Beurei HaGra* ibid.; see *Pnei Yehoshua*; see *Niddah* 45b, which states that women are endowed with an extra measure of בִּינָה, *insight*). The Gemara adds that God deliberately formed woman with breasts opposite the heart, and not lower down, so that that the holy *neshamah* of the suckling child would not be tainted by impurity (*Beurei HaGra* ibid.; see note 143).

(4) The Gemara then states that King David gave praise for the

בְּשָׁעָה שֶׁהוּא יוֹצֵא מִמְּעֵי אִמּוֹ, אָמַר לָהּ: לָא תִנְשִׁיִי גְּמָלַיִי טָבַיָּיא °דִּגְמָלִית עִמָּךְ, "בָּרְכוּ ה' כָּל מַעֲשָׂיו בְּכָל מְקֹמוֹת מֶמְשַׁלְתּוֹ בָּרְכִי נַפְשִׁי אֶת ה'" (שם שם כב) בְּשָׁעָה שֶׁעוֹמֵד עַל קוֹמֵי שֶׁלּוֹ וְיוֹצֵא לְפְרַגְמַטְיָא, "בָּרְכִי נַפְשִׁי אֶת ה' ה' אֱלֹהַי גָּדַלְתָּ מְּאֹד" (שם קד, א) בִּשְׁעַת פְּטִירָתוֹ שֶׁל אָדָם מִן הָעוֹלָם, וְאַחַת לֶעָתִיד לָבֹא, "יִתַּמּוּ חַטָּאִים מִן הָאָרֶץ וגו' בָּרְכִי נַפְשִׁי אֶת ה' הַלְלוּיָהּ" (שם שם לה). רַבִּי שְׁמוּאֵל בַּר נַחְמָן בְּשֵׁם רַבִּי יוֹחָנָן אָמַר: °מֵאָה וְעֶשְׂרִים מִזְמוֹרִים אָמַר דָּוִד וְלֹא חָתַם בָּהֶם "הַלְלוּיָהּ" עַד שֶׁרָאָה בְּמַפַּלְתָּן שֶׁל רְשָׁעִים, שֶׁנֶּאֱמַר "יִתַּמּוּ חַטָּאִים מִן הָאָרֶץ וגו'" (שם):

ח וְכִי מָה רָאָה דָוִד לִהְיוֹת מְקַלֵּס בְּנַפְשׁוֹ לְהַקָּדוֹשׁ בָּרוּךְ הוּא, אֶלָּא אָמַר: °הַנֶּפֶשׁ הַזּוּ מְמַלְּאָה אֶת הַגּוּף וְהַקָּדוֹשׁ בָּרוּךְ הוּא מְמַלֵּא אֶת עוֹלָמוֹ, שֶׁנֶּאֱמַר (ירמיה כג, כד) "הֲלוֹא אֶת הַשָּׁמַיִם וְאֶת הָאָרֶץ וגו'", תָּבֹא הַנֶּפֶשׁ שֶׁהִיא מְמַלְּאָה אֶת הַגּוּף וּתְשַׁבֵּחַ לְהַקָּדוֹשׁ בָּרוּךְ הוּא שֶׁהוּא מְמַלֵּא אֶת כָּל הָעוֹלָם, הַנֶּפֶשׁ הַזֹּאת סוֹבֶלֶת אֶת הַגּוּף וְהַקָּדוֹשׁ בָּרוּךְ הוּא סוֹבֵל אֶת עוֹלָמוֹ, שֶׁנֶּאֱמַר (ישעיה מו, ד) "אֲנִי עָשִׂיתִי וַאֲנִי אֶשָּׂא וַאֲנִי אֶסְבֹּל", תָּבֹא הַנֶּפֶשׁ שֶׁסּוֹבֶלֶת אֶת הַגּוּף וּתְקַלֵּס לְהַקָּדוֹשׁ בָּרוּךְ הוּא שֶׁהוּא סוֹבֵל אֶת עוֹלָמוֹ, הַנֶּפֶשׁ מְבַלָּה אֶת הַגּוּף וְהַקָּדוֹשׁ בָּרוּךְ הוּא מְבַלֶּה אֶת עוֹלָמוֹ, תָּבֹא הַנֶּפֶשׁ שֶׁהִיא מְבַלָּה אֶת הַגּוּף וּתְקַלֵּס לְהַקָּדוֹשׁ בָּרוּךְ הוּא שֶׁהוּא מְבַלֶּה אֶת עוֹלָמוֹ, שֶׁנֶּאֱמַר (תהלים קב, כז) "הֵמָּה יֹאבֵדוּ וְאַתָּה תַעֲמֹד וְכֻלָּם כַּבֶּגֶד יִבְלוּ",

עץ יוסף

דגמלית עמך. צריך לומר דגמל עמך: **על קומי שלו.** קומתו ומעמדו, והוא על היות ה' עמו בכל מקום הליכתו להורות לפניו את הדרך, ועל זה אמר בכל מקומות ממשלתו: **אלהי גדלת מאד וגו'.** תסתיר פניך יבהלון תוסף רוחם יגועון ואל עפרם ישובון, הרי דמיירי מיום המיתה, כדאיתא בברכות פרק קמא (שם). והא דבירך ה' על זה, משום דכתיב שם בסיפא דקרא תשלח רוחך יבראון דהיינו בתחיית המתים, על זה בירך לה' שבחסדו יהיה לצדיקים תקוה במותם, שישובו ויחיו לקבל שכר מצות שעשו בעולם הזה (מהרש"א): **לעתיד לבוא יתמו חטאים כו'.** כדאמר בשוחר טוב לפי שבעולם הזה פרעה נידון בפני עצמו, סיסרא בפני עצמו, סנחריב בפני עצמו, וכל אחד בפני עצמו, אבל לעתיד לבוא כולם נידונים בבת אחת, שנאמר יתמו חטאים מן הארץ: **מאה ושלשה מזמורים.** כן צריך לומר, כדאמר בפרק קמא דברכות (ט, ב). ואף על גב דק"ד הויין, כבר תירצו שם דאשרי האיש ולמה רגשו חדא פרשה היא. או צריך להיות מאה ושני מזמורים, וכדאיתא בילקוט תהלים מזמור ק"ד, ולמנצח על מות ולמה ה' גם כן חדא פרשתא. והרד"ל גרס ק"ד מזמורים כו', וגם הרש"ש כתב וזה לשונו צריך לומר מאה וארבעה, ועיין ברכות סוף דף ט' והיה כתוב ד וטעה המעתיק ביונו לבין ך פשוטה והעתיק עשרים, עד כאן לשונו: **(ח) להיות מקלס בנפשו.** ולא קאמר אברך את ה' שיכלול הנפש והגוף, ומדקלס בהנפש שמע מינה שיש איזו יחוס לקלס לה' עם הנשמה יותר מהגוף, ומהו היחוס, ומשני אלא דוד אמר כו': **ממלאה את הגוף.** זה ידוע כי האדם נקרא עולם קטן בכל ענייניו, והיינו גופו של אדם, וקאמר דהנשמה שהיא רוחנית היא ממלאה את הגוף שהוא עולם קטן, בדמיון אחד עם הקדוש ברוך הוא שהוא ממלא עולמו (מהרש"א): **ממלאה את הגוף.** אף על פי שלא נמצא בה מציאות מורגש, היא ממלאה כל הגוף שמציאותה ותועלתיה מתפשטים בכל הגוף, וכן הקדוש ברוך הוא ממלא עולמו, שאף על פי שאינו נתפס במקום, מלא כל הארץ כבודו, וכמו שאמרו רבותינו ז"ל (שמות רבה ב, ה) שאין מקום פנוי בלא שכינה והשכינה בכל מקום, והוא ענין השגחתו שמתפשטת בכל העולם: **סובלת את הגוף.** שעל ידה הוא מתנועע, ובלעדה הוא נופל מת, שחיות הגוף וקיומה תלוי בה, כי היא הצורה, והגוף לחומר לה: **והקדוש ברוך הוא סובל עולמו.** היינו שנושאו ומעמידו, כאומר (איוב כו, ז) תולה ארץ על בלימה, וכן היותו מניע כל העולם: **מבלה הגוף.** כלומר שהיא קיימת אחר מותו, והוא מתבלה בעפר:

פירוש מהרז"ו

ויוצא לפרגמטיא. הנה והנה למדינות, ורואה ממשלתו של הקב"ה, ונותן הודאה: **ואחת לעתיד לבוא.** היינו אחר תחיית המתים, כמו שכתוב בסוף המזמור (תהלים קד, ל) תשלח רוחך יבראון ותחדש פני אדמה: **מאה ועשרים.** טעות סופר וצריך לומר מאה ושלש, כמו שאמרו בברכות שם. ועיין מדרש תהלים (מזמור קד), דברים רבה (ב, לז). והנה החמשה ברכי נפשי, שלשה מהם במזמור ק"ג, שנים מהם בראש המזמור ואחד בסוף המזמור, ועוד שנים במזמור ק"ד, אחד בריש המזמור ואחד בסוף המזמור, ועל פי מדת ממעל ומדה ל"ח, כאלו כתובים יחד זה אצל זה. ועל שבמזמור ק"ד, מריש המזמור עד פסוק (כט) ואל עפרם ישובון, מדבר מההלוכות עולם הזה עד המות, וכאלו פסוק ברכי נפשי, כתיב בסוף אצל פסוק תסתיר פניך ואל עפרם וגו', שכמו במזמור ק"ג כתיב ברכי נפשי אצל הדבר שבירך עליו, וכו"ל, כך במזמור ק"ד כאלו כתוב פסוק ברכי נפשי אצל הדבר שבירך עליו, וכן מה שכתב בסוף ברכי נפשי, כאלו כתוב אצל מה שכתוב ותחדש פני אדמה, כלל הדבר שזהו דרכם בקודש של חז"ל, שלא להסתכל בסידור הכתובים תמיד לבד, אלא על משמעות התיבות והענינים, שאם יאותו זה לזה, יש כח במדות לדרוש אותו שמייכים זה לזה כפי הענין, אף שהם רחוקים זה מזה, וכאן על פי מדת ממעל ומדה ל"ח:

חידושי הרד"ל

[ז] **בשם רבי יוחנן ק"ד מזמורים אמר כו'.** כן צריך לומר, וכן הוא בפ"ק דברכות (ט, ב):

חידושי הרש"ש

[ז] **מאה ועשרים מזמורים כו'.** צריך לומר מאה וארבעה, ועיין ברכות (ט, ב), והיה כתיב ד', וטעה המעתיק בינו לך' פשוטה והעתיק עשרים:

באור מהרי"פ

לא תנשייא כו'. פירוש לא תשכח הגמול הטוב שגמלתי עמה. ונראה לגרוס **דגמל עמך**, פירוש שגמל עמך הקב"ה, שהוציאך לאויר העולם שעליו נאמר (תהלים קלה, ו) העושה גדולות עד אין חקר וגו', כדאיתא במדרש תהלים (מזמור מו): **קומי.** קומתו ומעמדו, ודרש מקומך לשון קימה ומעמד: **בשעת פטירתו וכו'.** סיפיה דקרא קדייק, דכתיב (תהלים קד, כט) תסתיר פניך יבהלון וגו', הכי איתא פרק קמא דברכות (י, א): [ח] **אלא אמר.** גרסינן: **ממלאה הגוף.** שאין מקום ריק ממנה: **סובלת.** כלומר נושא אותה ובלעדה חייו אינם חיים: **מבלה הגוף.** כלומר שיהא קיימת אחר מותו והוא מתבלה בעפר:

אמרי יושר

[ז] **בשעה שהוא עומד על קומי שלו ויוצא בפרקמטיא.** הוא מה שנזכר במדרש תהלים (ילקוט רמז תתמ) נסתכל בכוכבים ומזלות, כי כל עסק האדם הוא כפי מזלו, וזה כנגד ברכו ה' כל מלאכיו ברכי נפשי את ה', וכבר פירשתיו שם: [ח] **הנפש הזו ממלא את הגוף.** לא מפני שהיא גופנית, רק כי היא טהורה, וגם אינה ישנה להתפעל בה פעל הגוף, רק כחותיה מתפשטות בגוף, ואמרו במסכת ברכות (י, א) כי היא יושבת בחדרי חדרים, ואף שנראה שחולק על מה שאמרו ממלאה את הגוף, לא כן הדבר, כי עיקרה ושורשה בלב חדר בחדר, וכחותיה נאצלים ומתפשטים בכל הגוף, וכן הקדוש ברוך הוא יתברך יושב למעלה וזן העולם כולו:

מסורת המדרש

ט. תנחומא חיי שרה. פדר"א ל"ח:

אם למקרא

בָּרְכוּ ה' כָּל־מַעֲשָׂיו בְּכָל־מְקֹמוֹת מֶמְשַׁלְתּוֹ בָּרְכִי נַפְשִׁי אֶת ה': (שם שם כב)

בָּרְכִי נַפְשִׁי אֶת ה' ה' אֱלֹהַי גָּדַלְתָּ מְּאֹד הוֹד וְהָדָר לָבָשְׁתָּ: (שם קד:א)

יִתַּמּוּ חַטָּאִים מִן הָאָרֶץ וּרְשָׁעִים עוֹד אֵינָם בָּרְכִי נַפְשִׁי אֶת ה' הַלְלוּיָהּ: (שם שם לה)

אִם יִסָּתֵר אִישׁ בַּמִּסְתָּרִים וַאֲנִי לֹא אֶרְאֶנּוּ נְאֻם ה' הֲלוֹא אֶת הַשָּׁמַיִם וְאֶת הָאָרֶץ אֲנִי מָלֵא נְאֻם ה': (ירמיה כג:כד)

וְעַד־זִקְנָה אֲנִי הוּא וְעַד־שֵׂיבָה אֲנִי אֶסְבֹּל אֲנִי עָשִׂיתִי וַאֲנִי אֶשָּׂא וַאֲנִי אֶסְבֹּל וַאֲמַלֵּט: (ישעיה מו:ד)

הֵמָּה יֹאבֵדוּ וְאַתָּה תַעֲמֹד וְכֻלָּם כַּבֶּגֶד יִבְלוּ כַּלְּבוּשׁ תַּחֲלִיפֵם וְיַחֲלֹפוּ: (תהלים קב:כז)

ענף יוסף

(ח) **הנפש הזו ממלא את הגוף והקדוש ברוך הוא ממלא את עולמו כו' הנפש הזו טהורה כו'.** רצה לומר כענין הנשמה אף שמתפשטת בכל פרטי אברי האדם הנקיים, וגם המלאכים לכלוך טינופת וזוהמא, ועם כל זה אינם חוללים כלל לענין טהרתה, ובקדושתה וטהרתה עומדת, כן הענין אם שהוא ממלא את כל, וכל המקומות, מקומות הטהורים והמקודשים, ואשר אינם טהורים, אף על פי כן אינם חוללים כלל, ולא גורמים שום שינוי חלילה לקדושת טהרת עצמותו ואחדותו הפשוט יתברך (ספר נפש החיים). ונראה שזהו שיסד בשיר היחוד יום רביעי כל טנופת לא יטנפך, ובתוכם מתקון המבקשים, שלא הבינו הכוונה:

שינוי נוסחאות

(ז) **דגמלית עמך.** הגיה מ"כ "דגמל עמך":

מתנות כהונה

ונראה לגרוס **דגמל עמך**, פירוש שגמל עמך הקב"ה, שהוציאך לאויר העולם שעליו נאמר (תהלים קלה, ו) העושה גדולות עד אין חקר וגו', כדאיתא במדרש תהלים (מזמור מו): **קומי.** קומתו ומעמדו, ודרש מקומך לשון קימה ומעמד: **בשעת פטירתו וכו'.** סיפיה דקרא קדייק, דכתיב (תהלים קד, כט) תסתיר פניך יבהלון וגו', הכי איתא פרק קמא דברכות (י, א): [ח] **אלא אמר.** גרסינן: **ממלאה הגוף.** שאין מקום ריק ממנה: **סובלת.** כלומר נושא אותה ובלעדה חייו אינם חיים: **מבלה הגוף.** כלומר שיהא קיימת אחר מותו והוא מתבלה בעפר:

נחמד למראה

[ז] **רבי שמואל בר נחמן בשם רבי יוחנן אמר מאה ועשרים מזמורים אמר דוד וכו'.** טעות סופר יש כאן, ובמקום מאה ועשרים צריך להיות מאה ושלש. וכן הוא בפרק קמא דברכות (ט, ב). ומקשי שם הני מאה ושלש, מאה וארבע הויין, ומשני אשרי האיש, ולמה רגשו, חדא פרשה היא, עיין שם. וכן כתב היפה תואר עיין שם:

אשר הנחלים

א), ואחר כך הוא מתחיל לילך ולבקש טרפו וחיותו, וזהו ההרגשה הזכה להמתבונן, איך השגחת ה' בכל המקומות וכל העולם ויונקים מטובו והכל עוזרים לטרף האדם, אך העיקר היא בעת המיתה, שאז הנפש תתעלה בהשגחה ואז תכיר גדולת ה', עד שאומרת אלהי גדלת מאוד, והעיקר האחרון הוא לעתיד לבא, שאז יתמו החטאים מלב האדם, כי יתעקר היצר הרע המחטיא מלב האדם, וזה כמאמרם (שם) מי כתיב חוטאים חטאים כתיב, וזהו העיקר והתכלית הבירור מהעולם, שהרע תהפך לטוב, ותכלית הבריאה הוא למען זה, ולכן אמר על זה הללויה כי זהו עיקר הכל: [ח] **הנפש הזו ממלאת.** הדבר הזה הוא מחקר עצום להגדיר מעלת הרוחני, ועניינו במה שנבדל מהגשמי, אחד, שאינה צריכה למקום אחד ואיננה שוכנת במקום מיוחד כי אם ממלאה כל. השני, שהיא המעמיד הגוף, שחיות הגוף

Having mentioned *Psalms* 104:35, the Midrash cites a comment that regards that verse: **רַבִּי שְׁמוּאֵל בַּר נַחְמָן בְּשֵׁם רַבִּי יוֹחָנָן אָמַר — R' Shmuel bar Nachman said in the name of R' Yochanan: מֵאָה וּשְׁלֹשָׁה מִזְמוֹרִים אָמַר דָּוִד וְלֹא חָתַם בָּהֶם "הַלְלוּיָהּ" עַד שֶׁרָאָה בְּמַפַּלְתָּן שֶׁל רְשָׁעִים — King David recited one hundred and three songs** of *Psalms* **and did not conclude any of them** with the word ***halleluyah*** **until he** prophetically **perceived the downfall of the wicked, שֶׁנֶּאֱמַר "יִתַּמּוּ חַטָּאִים מִן הָאָרֶץ וְגוֹ׳ " — as is stated** at the end of the one hundred and third psalm, ***Sinners will cease from the earth, etc.*** *[and the wicked will be no more; Bless HASHEM, O my soul. Halleluyah!]* (ibid.).[147]

§8 The Midrash continues to discuss the cited verses from *Psalms*, in which David instructs his *soul* to *bless God*: **וְכִי מָה רָאָה דָוִד לִהְיוֹת מְקַלֵּס בְּנַפְשׁוֹ לְהַקָּדוֹשׁ בָּרוּךְ הוּא — And what did David see** that prompted him **to praise the Holy One, blessed is He, with his soul?**[148] **אֶלָּא אָמַר: הַנֶּפֶשׁ הַזּוֹ מְמַלְּאָה אֶת הַגּוּף וְהַקָּדוֹשׁ בָּרוּךְ הוּא מְמַלֵּא אֶת עוֹלָמוֹ — Because he said, "The soul fills the body and the Holy One, blessed is He, fills His world,**[149] **שֶׁנֶּאֱמַר "הֲלוֹא אֶת הַשָּׁמַיִם וְאֶת הָאָרֶץ וְגוֹ׳ " — as is stated, *Do I not fill the heaven and the earth?*** *— the word of HASHEM* (*Jeremiah* 23:24);[150] **תָּבֹא הַנֶּפֶשׁ שֶׁהִיא מְמַלְּאָה אֶת הַגּוּף וּתְשַׁבֵּחַ לְהַקָּדוֹשׁ בָּרוּךְ הוּא שֶׁהוּא מְמַלֵּא אֶת כָּל הָעוֹלָם —** therefore, **let the soul that fills the body come and praise the Holy One, blessed is He, Who fills the entire world.**

NOTES

147. Although this verse appears at the end of the psalm that is commonly numbered 104, the Gemara (ibid. 9b) explains that, in reality, Chapters 1 and 2 are a single psalm, so the verse does come immediately after 103 *Psalms* (*Eitz Yosef*; see discussion in the Schottenstein edition of *Berachos*, 9b note 62.

Creation will reach its apex and its very purpose when God purges the universe of the evil inclination that lures man to sin. King David reserved the expression הַלְלוּיָהּ, *halleluyah*, for his praise regarding that sublime occurrence (*Eshed HaNechalim*).

See Insight Ⓐ.

148. In other words, why did David not say, *"I" shall bless HASHEM*, which would imply that both his body and his soul would participate in that activity? It appears from this that it is somehow more appropriate to praise God with the *soul* than with the body, and the Midrash seeks to understand why this is so (*Eitz Yosef*).

149. We are taught that the human body is a microcosm of God's world (see *Tanchuma*, *Pekudei* §3; *Moreh Nevuchim* 1:72). There is thus a strong similarity between the way the soul, a spiritual being, fills that miniature world and the way that God fills His larger world (*Eitz Yosef*, from *Maharsha* [*Chidushei Aggados*, *Berachos* 10a s.v. הני ה׳]). Furthermore, the soul is said to *fill the body* because, while it cannot be detected by the senses, the soul is the animating force that is responsible for all of the various functions that occur throughout the body. Similarly, God, who cannot be confined by spatial limitations, is said to *fill the world* because there is no corner of the universe that is not governed by His Providence (*Eitz Yosef*, referencing *Shemos Rabbah* 2 §5; see also *Nefesh HaChaim* 2:5).

[Although in *Berachos* (10a) the Sages teach that the soul (like God) *abides in rooms within rooms*, there the Sages refer to the seat of the soul's primary component and its root, which is a man's heart; here the Midrash describes the far-reaching influences of the soul on the body. Likewise, God "dwells" in the Heavens but sustains the entire universe (*Imrei Yosher*).]

150. See Insight Ⓑ.

INSIGHTS

downfall of "the wicked," which refers to the *yetzer hara*, the evil inclination. When one reaches maturity and becomes obligated in mitzvos, one attains the beginnings of the fourth aspect of the soul — the *chayah*. The development of this aspect depends upon one's actions; one must do good and avoid evil. The *chayah* comes into full flower only with one's total repudiation of all that the *yetzer hara* symbolizes. The development of one's *chayah*, then, signifies the downfall of one's evil inclination (*Pnei Yehoshua* ibid.; *Beurei HaGra* ibid.; *R' Tzadok HaKohen* ibid.). Regarding this time, David spoke these words of praise (*Psalms* 104:35), יִתַּמּוּ חַטָּאִים מִן הָאָרֶץ וּרְשָׁעִים עוֹד אֵינָם בָּרְכִי נַפְשִׁי אֶת ה׳ הַלְלוּיָהּ, *Sinners will cease from the earth, and the wicked will be no more; Bless HASHEM, O my soul. Halleluyah!* The term חַטָּאִים is here interpreted as that which *causes* others to sin — namely, the *yetzer hara* (see *Rashi*, *Berachos* 10a s.v. חטאים כתיב; see *Gra*, *Imrei Noam* there; *Pnei Yehoshua* ibid.; see note 7 to the Schottenstein edition). The verse was composed in praise of the *chayah*, which is fully realized only with the eradication of the *yetzer hara* (*Pnei Yehoshua* and *Beurei HaGra* ibid.).

(5) The Gemara concludes with a verse that alludes to the fifth of the five "worlds" (*Psalms* 104:1), בָּרְכִי נַפְשִׁי אֶת ה׳ ה׳ אֱלֹהַי גָּדַלְתָּ מְּאֹד הוֹד וְהָדָר לָבָשְׁתָּ, *Bless HASHEM, O my soul, HASHEM, my God, You are very great, You have donned glory and majesty.* The Gemara explains that King David spoke here of the day of death, and recited songs of praise for that time (see further, *Berachos* ibid.). This refers to the final aspect of the soul — *yechidah* — which even righteous individuals attain only upon death. Thus, when Moses beseeched God (*Exodus* 33:18), *Show me now Your glory,* God responded (ibid., v. 20): *no person can see [My face] and live.* The level of *yechidah*, which represents the soul's clearest perception of God, cannot be gained in life, but only upon death (see *Beurei HaGra*, *R' Tzadok HaKohen* ibid.; see also *Pnei Yehoshua* ibid.).

Ⓐ Rejoicing Over the Suffering of the Wicked There is an apparent contradiction between Scriptural verses. David's words of praise over the downfall of the wicked were echoed by Solomon in one verse in *Proverbs* (11:10), וּבַאֲבֹד רְשָׁעִים רִנָּה, *When the wicked perish, there is glad song.* But this is seemingly contradicted in another verse there (24:17), which states, בִּנְפֹל אוֹיִבְךָ אַל תִּשְׂמָח, *When your foe falls, be not glad.*

The simplest answer would seem to be that we may rejoice over the downfall of the *wicked* (as stated in *Psalms* and the first *Proverbs* verse), but not over the fall of our *personal* adversaries who are Torah observant and not *wicked* (which is what the second *Proverbs* verse might refer to). *Maharal* (*Derech Chaim* on *Avos* 4:20), however, rejects this approach, reasoning that the characterization of one's adversary as אוֹיֵב, *foe*, implies that the adversary is wicked and one is thus permitted to consider him an אוֹיֵב (see *Pesachim* 113b). And even so, the verse forbids one to rejoice over his downfall.

Maharal (ibid.) therefore explains as follows: We may rejoice when the wicked perish only because God's honor is restored by the eradication of evil (see *Rashi* to *Exodus* 14:4). We may rejoice over the evildoer's downfall only if that downfall causes the evil to be eliminated; for example, the evildoer dies and is thus no longer able to perpetrate his evil. But if the downfall of the wicked does not lead to an elimination of the evil, then it is forbidden to rejoice over his misfortune simply because it is a wicked person who is suffering. This is the intent of the latter verse.

Rabbeinu Yonah (in his commentary to the latter verse in *Proverbs* and to *Avos* ad loc.) adds that only a righteous man is permitted to rejoice at the downfall of the evil, because his joy is in the increased honor accorded to God. An ordinary person's joy, however, stems from his sense of personal victory and revenge, and that is something against which the latter verse in *Proverbs* cautions.

Ⓑ His Glory Fills Creation The Midrash teaches that God's omnipresence is mirrored by the human soul: just as God fills all of Creation, so too does the soul fill the entire body.

People have difficulty recognizing God's presence everywhere in His world. We are accustomed to seeing the world as a collection of separate and independent objects: sky, bird, river, tree. We do not readily grasp that behind the disparate beings that populate Creation there lies everywhere the great unifying force of the Creator. To remedy this, and to aid us in internalizing this concept, the Midrash draws an analogy between the relationship of the soul and body and that of God and His Creation. The human body is composed of various limbs and organs. Everyone understands that these are not independent beings, but are rather parts of a person, undivided, whose essence is the soul, which animates and breathes life into every part of the body. So too with regard to the many and various creatures that exist in the world. Although they appear to be separate from one another, they are in fact all components of a single Creation, brought into existence and sustained by the constant will of a benevolent Creator (*Ohr Yechezkel*, *Darkei HaAvodah*, p. 200).

בְּשָׁעָה שֶׁהוּא יוֹצֵא מִמְּעֵי אִמּוֹ, אָמַר לָהּ: לָא תִנְשִׁיוּ גְּמָלַיו טָבַיָּה °דְּגַמְלִית עִמָּךְ, "בָּרְכוּ ה' כָּל מַעֲשָׂיו בְּכָל מְקֹמוֹת מֶמְשַׁלְתּוֹ בָּרְכִי נַפְשִׁי אֶת ה'" (שם שם כב). בְּשָׁעָה שֶׁעוֹמֵד עַל קוֹמֵי שֶׁלּוֹ וְיוֹצֵא לְפְרַגְמַטְיָא, "בָּרְכִי נַפְשִׁי אֶת ה' ה' אֱלֹהַי גָּדַלְתָּ מְּאֹד" (שם קד, א). בִּשְׁעַת פְּטִירָתוֹ שֶׁל אָדָם מִן הָעוֹלָם, וְאַחַת לֶעָתִיד לָבֹא, "יִתַּמּוּ חַטָּאִים מִן הָאָרֶץ וְגוֹ' בָּרְכִי נַפְשִׁי אֶת ה' הַלְלוּיָהּ" (שם שם לה). רַבִּי שְׁמוּאֵל בַּר נַחְמָן בְּשֵׁם רַבִּי יוֹחָנָן אָמַר: °מֵאָה וְעֶשְׂרִים מִזְמוֹרִים אָמַר דָּוִד וְלֹא חָתַם בָּהֶם "הַלְלוּיָהּ" עַד שֶׁרָאָה בְּמַפַּלְתָּן שֶׁל רְשָׁעִים, שֶׁנֶּאֱמַר (שם) "יִתַּמּוּ חַטָּאִים מִן הָאָרֶץ וְגוֹ'":

ח וּבִי מָה רָאָה דָוִד לִהְיוֹת מְקַלֵּס בְּנַפְשׁוֹ לְהַקָּדוֹשׁ בָּרוּךְ הוּא, אֶלָּא אָמַר: "הַנֶּפֶשׁ הַזּוֹ מְמַלְּאָה אֶת הַגּוּף וְהַקָּדוֹשׁ בָּרוּךְ הוּא מְמַלֵּא אֶת עוֹלָמוֹ, שֶׁנֶּאֱמַר (ירמיה כג, כד) "הֲלוֹא אֶת הַשָּׁמַיִם וְאֶת הָאָרֶץ וְגוֹ'", תָּבֹא הַנֶּפֶשׁ שֶׁהִיא מְמַלְּאָה אֶת הַגּוּף וּתְשַׁבֵּחַ לְהַקָּדוֹשׁ בָּרוּךְ הוּא שֶׁהוּא מְמַלֵּא אֶת כָּל הָעוֹלָם, הַנֶּפֶשׁ הַזֹּאת סוֹבֶלֶת אֶת הַגּוּף וְהַקָּדוֹשׁ בָּרוּךְ הוּא סוֹבֵל אֶת עוֹלָמוֹ, שֶׁנֶּאֱמַר (ישעיה מו, ד) "אֲנִי עָשִׂיתִי וַאֲנִי אֶשָּׂא וַאֲנִי אֶסְבֹּל", תָּבֹא הַנֶּפֶשׁ שֶׁסּוֹבֶלֶת אֶת הַגּוּף וּתְקַלֵּס לְהַקָּדוֹשׁ בָּרוּךְ הוּא שֶׁהוּא סוֹבֵל אֶת עוֹלָמוֹ, הַנֶּפֶשׁ מְבַלָּה אֶת הַגּוּף וְהַקָּדוֹשׁ בָּרוּךְ הוּא מְבַלֶּה אֶת עוֹלָמוֹ, תָּבֹא הַנֶּפֶשׁ שֶׁהִיא מְבַלָּה אֶת הַגּוּף וּתְקַלֵּס לְהַקָּדוֹשׁ בָּרוּךְ הוּא שֶׁהוּא מְבַלֶּה אֶת עוֹלָמוֹ, שֶׁנֶּאֱמַר (תהלים קב, כז) "הֵמָּה יֹאבֵדוּ וְאַתָּה תַעֲמֹד וְכֻלָּם כַּבֶּגֶד יִבְלוּ",

דגמלית עמך. צריך לומר דגמל עמך: **על קומי שלו.** קומתו ומעמדו, והוא על היות ה' עמו בכל מקום הליכתו להורות לפניו את הדרך, ועל זה אמר בכל מקומות ממשלתו: **אלהי גדלת מאד וגו'.** תסתיר פניך יבהלון תוסף רוחם יגועון ואל עפרם ישובון, הרי דמיירי מיום המיתה, כדאיתא בברכות פרק קמא (שם). והא דבירך ה' על זה, משום דכתיב שם בסופא דקרא תשלח רוחך יבראון דהיינו בתחיית המתים, על זה בירך לה' שבחסדו יהיה לצדיקים תקוה במותם, שישובו ויחיו לקבל שכר מצות שעשו בעולם הזה (מהרש"א): **לעתיד לבוא יתמו חטאים כו'.** כדאמר בשוחר טוב לפי שבעולם הזה פרעה נידון בפני עצמו, סיסרא בפני עצמו, סנחריב בפני עצמו, וכל אחד בפני עצמו, אבל לעתיד לבוא כולם נידונים בבת אחת, שנאמר יתמו חטאים מן הארץ: **מאה ושלשה מזמורים.** כן צריך לומר, כדאמר בפרק קמא דברכות (ט, ב). ואף על גב דק"ד הויין, כבר תירצו שם דאשרי האיש ולמה רגשו חדא פרשה היא. או צריך להיות מאה ושני מזמורים, וכדאיתא בילקוט תהלים מזמור ק"ד, ולמנצח על מות ולמה ה' גם כן חדא פרשתא. והרד"ל גרס ק"ד מזמורים כו', וגם הרש"ש כתב וזה לשונו צריך לומר מאה וארבעה, ועיין ברכות סוף דף ט' והיה כתוב ד וטעה המעתיק בינו לבין ך פשוטה והעתיק עשרים, עד כאן לשונו: **(ח) להיות מקלס בנפשו.** ולא קאמר אברך את ה' שיכלול הנפש והגוף, ומדקלס בהנפש שמע מינה שיש איזו יחוס לקלס לה' עם הנשמה יותר מהגוף, ומהו היחוס, ומשני אלא דוד אמר כו': **ממלאה את הגוף.** זה ידוע כי האדם נקרא עולם קטן בכל ענייניו, והיינו גופו של אדם, וקאמר דהנשמה שהיא רוחנית היא ממלאה את הגוף שהוא עולם קטן, בדמיון אחד עם הקדוש ברוך הוא שהוא ממלא עולמו (מהרש"א): **ממלאה את הגוף.** אף על פי שלא נמלא בה מליאות מורגש, היא ממלאה כל הגוף שמליאותה ותועלתיה מתפשטים בכל הגוף, וכן הקדוש ברוך הוא ממלא עולמו, שאף על פי שאינו נתפס במקום, מלא כל הארץ כבודו, וכמו שאמרו רבותינו ז"ל (שמות רבה ב, ה) שאין מקום פנוי בלא שכינה והשכינה בכל מקום, והוא ענין השגחתו שמתפשטת בכל העולם: **סובלת את הגוף.** שעל ידה הוא מתנועע, ובלעדה הוא נופל מת, שחיות הגוף וקיומה תלוי בה, כי היא הצורה, והגוף לחומר לה: **והקדוש ברוך הוא סובל עולמו.** היינו נושאו ומעמידו, כאומר (איוב כו, ז) תולה ארץ על בלימה, וכן היותו מניע כל העולם: **מבלה הגוף.** כלומר שהיא קיימת אחר מותו, והוא מתבלה בעפר:

ויוצא לפרגמטיא. הנה והנה למדינות, ורואה ממשלתו של הקב"ה, ונותן הודאה: **ואחת לעתיד לבוא.** היינו אחר תחיית המתים, כמו שכתוב בסוף המזמור (תהלים קד, ל) תשלח רוחך יבראון ותחדש פני אדמה: **מאה ועשרים.** טעות סופר וצריך לומר מאה ושלש, כמו שאמרו בברכות שם. ועיין מדרש תהלים (מזמור קג), דברים רבה (ב, לז). והנה החמשה ברכי נפשי, שלשה מהם במזמור ק"ג, שנים מהם בראש המזמור ואחד בסוף המזמור, ועוד שנים במזמור ק"ד, אחד בריש המזמור ואחד בסוף המזמור, ועל פי מדת ממעל ומדה ל"א, כאלו כתובים יחד זה אצל זה. ועל שבמזמור ק"ד, מריש המזמור עד פסוק (כט) ואל עפרם ישובון, מדבר מתהלוכות עולם הזה עד המות, וכאלו פסוק ברכי נפשי, כתיב בסוף אצל פסוק תסתיר פניך ואל עפרם וגו', שכמו במזמור ק"ג כתיב ברכי נפשי אצל הדבר שבירך עליו, וכו"ל, כך במזמור ק"ד כאלו כתוב פסוק ברכי נפשי אצל הדבר שבירך עליו, וכן מה שכתב בסוף ברכי נפשי, כאלו כתוב אצל מה שכתוב ותחדש פני אדמה, כלל הדבר שזהו דרכם בקודש של חז"ל, שלא להסתכל בסידור הכתובים תמיד לבד, אלא על משמעות התיבות והענינים, שאם יאותו זה לזה, יש כח במדות לדרוש אותו שנייכים זה לזה כפי הענין, אף שהם רחוקים זה מזה, וכאן על פי מדת ממעל ומדה ל"א:

חידושי הרד"ל

[ז] בשם רבי יוחנן ק"ד מזמורים אמר כו'. כן צריך לומר, וכן הוא בפ"ק דברכות (ט, ב):

חידושי הרש"ש

[ז] מאה ועשרים מזמורים כו'. צריך לומר מאה וארבעה, ועיין ברכות (ט, ב), והיה כתיב ד', וטעה המעתיק בינו לבין ך' פשוטה והעתיק עשרים:

באור מהרי"פ

לא תנשיוא כו'. פירוש לא תשכח הגמול הטוב שגמלתי עמה. ונראה לגרוס **דגמל עמך,** פירוש שגמל עמך הקב"ה, שהוליכך לאויר העולם שעליו נאמר (תהלים קלה, ו) העושה גדולות עד אין חקר וגו', כדאיתא במדרש תהלים (מזמור מו): **קומי.** קומתו ומעמדו, ודרש מקומך לשון קימה ומעמד: **בשעת פטירתו וכו'.** סיפיה דקרא קדייק, דכתיב (תהלים קד, כט) תסתיר פניך יבהלון וגו', הכי איתא פרק קמא דברכות (י, א): **[ח] אלא אמר.** גרסינן: **ממלאה הגוף.** שאין מקום ריק ממנה: **סובלת.** כלומר נושא אותה ובלעדה חייו אינם חיים: **מבלה הגוף.** כלומר שיהא קיימת אחר מותו והוא מתבלה בעפר:

אמרי יושר

[ז] בשעה שהוא עומד על קומי שלו ויוצא בפרקמטיא. הוא מה שנזכר במדרש תהלים (ילקוט רמז תתנז) נסתכל בכוכבים ומזלות, כי כל עסק האדם הוא כפי מזלו, וזה כנגד ברכו ה' כל צבאיו ברכי נפשי את ה', וכבר פירשתיו שם: **[ח] הנפש הזו ממלא את הגוף.** לא מפני שהיא גופנית, רק היא טהורה, וגם אינה ישנה להתפעל בה פעל הגוף, רק כחותיה מתפשטות בגוף, ואמרו במסכת ברכות (י, א) כי היא יושבת בחדרי חדרים, ואף שנראה שחולק על מה שאמרו ממלאת את הגוף, לא כן הדבר, כי עיקרה ושורשה בלב חדר בחדר, וכחותיה נאצלים ומתפשטים בכל הגוף, וכן הקדוש ברוך הוא יתברך יושב למעלה וזן העולם כולו:

מסורת המדרש

ט. תנחומא חיי שרה. פדר"א ל"ח:

אם למקרא

בָּרְכוּ ה' כָּל־מַעֲשָׂיו בְּכָל־מְקֹמוֹת מֶמְשַׁלְתּוֹ בָּרְכִי נַפְשִׁי אֶת ה': (שם שם כב)

בָּרְכִי נַפְשִׁי אֶת ה' ה' אֱלֹהַי גָּדַלְתָּ מְּאֹד הוֹד וְהָדָר לָבָשְׁתָּ: (שם קד:א)

יִתַּמּוּ חַטָּאִים מִן־הָאָרֶץ וּרְשָׁעִים עוֹד אֵינָם בָּרְכִי נַפְשִׁי אֶת ה' הַלְלוּיָהּ: (שם שם לה)

אִם־יִסָּתֵר אִישׁ בַּמִּסְתָּרִים וַאֲנִי לֹא־אֶרְאֶנּוּ נְאֻם ה' הֲלוֹא אֶת־הַשָּׁמַיִם וְאֶת־הָאָרֶץ אֲנִי מָלֵא נְאֻם ה': (ירמיה כג:כד)

וְעַד־זִקְנָה אֲנִי הוּא וְעַד־שֵׂיבָה אֲנִי אֶסְבֹּל אֲנִי עָשִׂיתִי וַאֲנִי אֶשָּׂא וַאֲנִי אֶסְבֹּל וַאֲמַלֵּט: (ישעיה מו:ד)

הֵמָּה יֹאבֵדוּ וְאַתָּה תַעֲמֹד וְכֻלָּם כַּבֶּגֶד יִבְלוּ כַּלְּבוּשׁ תַּחֲלִיפֵם וְיַחֲלֹפוּ: (תהלים קב:כז)

ענף יוסף

(ח) הנפש הזו ממלא את הגוף והקדוש ברוך הוא ממלא את עולמו כו' הנפש הזו טהורה כו'. רצה לומר כענין הנשמה אף שמתפשטת בכל פרטי אברי האדם הנקיים, וגם המלאים לכלוך טינופת וזוהמא, ועם כל זה אינם חוללים כלל לענין טהרתה, ובקדושתה וטהרתה עומדת, כן הענין אם שהוא ממלא את כל, וכל המקומות, מקומות הטהורים והמקודשים, ואשר אינם טהורים, אף על פי כן אינם חוללים כלל, ולא גורמים שום שינוי חלילה לקדושת טהרת עצמותו ואחדותו הפשוט יתברך (ספר נפש החיים). ונראה שזהו שיסד בשיר היחוד יום רביעי כל טנופת לא יטנפוך, ובתוך מחקו המבקשים, שלא הבינו הכוונה:

שינוי נוסחאות

(ז) דגמלית עמך. הגיה מ"כ "דגמל עמך":

מתנות כהונה

ונראה לגרוס **דגמל עמך,** פירוש שגמל עמך הקב"ה, שהוליכך לאויר העולם שעליו נאמר (תהלים קלה, ו) העושה גדולות עד אין חקר וגו', כדאיתא במדרש תהלים (מזמור מו): **קומי.** קומתו ומעמדו, ודרש מקומך לשון קימה ומעמד: **בשעת פטירתו וכו'.** סיפיה דקרא קדייק, דכתיב (תהלים קד, כט) תסתיר פניך יבהלון וגו', הכי איתא פרק קמא דברכות (י, א): **[ח] אלא אמר.** גרסינן: **ממלאה הגוף.** שאין מקום ריק ממנה: **סובלת.** כלומר נושא אותה ובלעדה חייו אינם חיים: **מבלה הגוף.** כלומר שיהא קיימת אחר מותו והוא מתבלה בעפר:

נחמד למראה

[ז] רבי שמואל בר נחמן בשם רבי יוחנן אמר מאה ועשרים מזמורים אמר דוד וכו'. טעות סופר יש כאן, ובמקום מאה ועשרים צריך להיות מאה ושלש. וכן הוא בפרק קמא דברכות (ט, ב). ומקשי שם הני מאה ושלש, מאה וארבע הויין, ומשני אשרי האיש, ולמה רגשו, חדא פרשה היא, עיין שם. וכן כתב היפה תואר עיין שם:

אשד הנחלים

א), ואחר כך הוא מתחיל לילך ולבקש טרפו וחיותו, וזהו ההרגשה הזכה להמתבונן, איך השגחת ה' בכל המקומות וכל העולם ויונקים מטובו והכל עוזרים לטרף האדם, אך העיקר היא בעת המיתה, שאז הנפש תתעלה בהשגתה ואז תכיר גדולת ה', עד שאומרת אלהי גדלת מאוד, והעיקר האחרון הוא לעתיד לבא, שאז יתמו החטאים מלב האדם, כי יתעקר היצר הרע המחטיא מלב האדם, וזה כמאמרם (שם) מי כתיב חוטאים חטאים כתיב, וזהו העיקר והתכלית הבירור מהעולם, שהרע תהפך לטוב, ותכלית הבריאה הוא למען זה, ולכן אמר על זה הללויה כי זהו עיקר הכל: **[ח] הנפש הזו ממלאת.** הדבר הזה הוא מחקר עצום להגדיר מעלת הרוחני, ועניינו במה שנבדל מהגשמי, אחד, שאיננה צריכה למקום אחד ואיננה שוכנת במקום מיוחד כי אם ממלאה כל. השני, שהיא המעמיד הגוף, שחיות הגוף

הַנֶּפֶשׁ הַזֹּאת סוֹבֶלֶת אֶת הַגּוּף וְהַקָּדוֹשׁ בָּרוּךְ הוּא סוֹבֵל אֶת עוֹלָמוֹ — Furthermore, **the soul carries the body and the Holy One, blessed is He, carries His world,**[151] שֶׁנֶּאֱמַר "אֲנִי עָשִׂיתִי וַאֲנִי אֶשָּׂא וַאֲנִי אֶסְבֹּל" — **as is stated,** ***I made [you] and I will bear [you], I will carry [you]*** *and I will rescue [you]* (*Isaiah* 46:4); תָּבֹא הַנֶּפֶשׁ שֶׁסּוֹבֶלֶת אֶת הַגּוּף וּתְקַלֵּס לְהַקָּדוֹשׁ בָּרוּךְ הוּא שֶׁהוּא סוֹבֵל אֶת עוֹלָמוֹ — therefore, **let the soul that carries the body come and praise the Holy One, blessed is He, Who carries His world.** הַנֶּפֶשׁ מְבַלָּה אֶת הַגּוּף וְהַקָּדוֹשׁ בָּרוּךְ הוּא מְבַלֶּה אֶת עוֹלָמוֹ — Furthermore, **the soul outlives the body**[152] **and the Holy One, blessed is He, outlives His world;** תָּבֹא הַנֶּפֶשׁ שֶׁהִיא מְבַלָּה אֶת הַגּוּף וּתְקַלֵּס לְהַקָּדוֹשׁ בָּרוּךְ הוּא שֶׁהוּא מְבַלֶּה אֶת עוֹלָמוֹ — therefore, **let the soul that outlives the body come and praise the Holy One, blessed is He, who outlives His world,** שֶׁנֶּאֱמַר "הֵמָּה יֹאבֵדוּ וְאַתָּה תַעֲמֹד וְכֻלָּם כַּבֶּגֶד יִבְלוּ" — **as is stated,** *You laid the earth's foundation, and the heavens are Your handiwork.* ***They will perish, but You will endure; all of them will wear out like a garment*** (*Psalms* 102:26-27).

NOTES

151. Based on *Matnos Kehunah*, *Eitz Yosef*.

The soul *carries* the body by animating it and ensuring its vitality. God *carries* the world and suspends it in space (see *Job* 26:7 with *Rashi* ad loc.; *Shemos Rabbah* 36 §4 and *Tanchuma*, *Bereishis* §2), in addition to causing its movement (*Eitz Yosef*; also see *Matnos Kehunah*, *Eshed HaNechalim*).

152. [Lit., *the soul wears out the body*.] This phrase means that the soul exists after the body has died and is *wearing out* in the earth (*Matnos Kehunah*, followed by *Eitz Yosef*).

בְּשָׁעָה שֶׁהוּא יוֹצֵא מִמְּעֵי אִמּוֹ, אָמַר לָהּ: לֹא תִנְשִׁי גְמָלֵיי טָבַיָּיה °דְּגַמְלִית עִמָּךְ, "בָּרְכוּ ה' כָּל מַעֲשָׂיו בְּכָל מְקוֹמוֹת מֶמְשַׁלְתּוֹ בָּרְכִי נַפְשִׁי אֶת ה'" (שם שם כב). בְּשָׁעָה שֶׁעוֹמֵד עַל קוֹמֵי שֶׁלּוֹ וְיוֹצֵא לְפַרְגְּמַטְיָא, "בָּרְכִי נַפְשִׁי אֶת ה' ה' אֱלֹהַי גָּדַלְתָּ מְּאֹד" (שם קד, א). בִּשְׁעַת פְּטִירָתוֹ שֶׁל אָדָם מִן הָעוֹלָם, וְאַחַת לֶעָתִיד לָבֹא, "יִתַּמּוּ חַטָּאִים מִן הָאָרֶץ וְגוֹ' בָּרְכִי נַפְשִׁי אֶת ה' הַלְלוּיָהּ" (שם שם לה). רַבִּי שְׁמוּאֵל בַּר נַחְמָן בְּשֵׁם רַבִּי יוֹחָנָן אָמַר: °מֵאָה וְעֶשְׂרִים מִזְמוֹרִים אָמַר דָּוִד וְלֹא חָתַם בָּהֶם "הַלְלוּיָהּ" עַד שֶׁרָאָה בְּמַפַּלְתָּן שֶׁל רְשָׁעִים, שֶׁנֶּאֱמַר "יִתַּמּוּ חַטָּאִים מִן הָאָרֶץ וְגוֹ'" (שם).

ח וּבְכִי מָה רָאָה דָּוִד לִהְיוֹת מְקַלֵּס בְּנַפְשׁוֹ לְהַקָּדוֹשׁ בָּרוּךְ הוּא, אֶלָּא אָמַר: [ט]הַנֶּפֶשׁ הַזּוֹ מְמַלְּאָה אֶת הַגּוּף וְהַקָּדוֹשׁ בָּרוּךְ הוּא מְמַלֵּא אֶת עוֹלָמוֹ, שֶׁנֶּאֱמַר (ירמיה כג, כד) "הֲלוֹא אֶת הַשָּׁמַיִם וְאֶת הָאָרֶץ וְגוֹ'", תָּבֹא הַנֶּפֶשׁ שֶׁהִיא מְמַלְּאָה אֶת הַגּוּף וּתְשַׁבֵּחַ לְהַקָּדוֹשׁ בָּרוּךְ הוּא שֶׁהוּא מְמַלֵּא אֶת כָּל הָעוֹלָם, הַנֶּפֶשׁ הַזֹּאת סוֹבֶלֶת אֶת הַגּוּף וְהַקָּדוֹשׁ בָּרוּךְ הוּא סוֹבֵל אֶת עוֹלָמוֹ, שֶׁנֶּאֱמַר (ישעיה מו, ד) "אֲנִי עָשִׂיתִי וַאֲנִי אֶשָּׂא וַאֲנִי אֶסְבֹּל", תָּבֹא הַנֶּפֶשׁ שֶׁסּוֹבֶלֶת אֶת הַגּוּף וּתְקַלֵּס לְהַקָּדוֹשׁ בָּרוּךְ הוּא שֶׁהוּא סוֹבֵל אֶת עוֹלָמוֹ, הַנֶּפֶשׁ מְבַלָּה אֶת הַגּוּף וְהַקָּדוֹשׁ בָּרוּךְ הוּא מְבַלֶּה אֶת עוֹלָמוֹ, תָּבֹא הַנֶּפֶשׁ שֶׁהִיא מְבַלָּה אֶת הַגּוּף וּתְקַלֵּס לְהַקָּדוֹשׁ בָּרוּךְ הוּא שֶׁהוּא מְבַלֶּה אֶת עוֹלָמוֹ, שֶׁנֶּאֱמַר (תהלים קב, כז) "הֵמָּה יֹאבֵדוּ וְאַתָּה תַעֲמֹד וְכֻלָּם כַּבֶּגֶד יִבְלוּ",

עץ יוסף

דגמלית עמך. לריך לומר דגמל עמך: **על קומי שלו.** קומתו ומעמדו, והוא על היות ה' עמו בכל מקום הליכתו להורות לפניו את הדרך, ועל זה אמר בכל מקומות ממשלתו: **אלהי גדלת מאד וגו'.** תסתיר פניך יבהלון תוסף רוחם יגועון ואל עפרם ישובון, הרי דמיירי מיום המיתה, כדאיתא בברכות פרק קמא (שם). והא דבירך ה' על זה, משום דכתיב שם בסופא דקרא תשלח רוחך יבראון דהיינו בתחיית המתים, על זה בירך לה' שבחסדו יהיה לצדיקים תקוה מנוחה, שישובו ויחיו לקבל שכר מצות שעשו בעולם הזה (מהרש"א): **לעתיד לבוא יתמו חטאים כו'.** כדאמר בשוחר טוב לפי שבעולם הזה פרעה נידון בפני עצמו, סיסרא בפני עצמו, סנחריב בפני עצמו, וכל אחד בפני עצמו, אבל לעתיד לבוא כולם נידונים בבת אחת, שנאמר יתמו חטאים מן הארץ: **מאה ושלשה מזמורים.** כן לריך לומר, כדאמר בפרק קמא דברכות (ט, ב). ואף על גב דק"ד הוין, כבר תירצו שם דאשרי האיש ולמה רגשו חדא פרשה היא. או לריך להיות מאה ושני מזמורים, וכדאיתא בילקוט תהלים מזמור ק"ד, ולמנצח על מות ולמה ה' גם כן חדא פרשתא. והרד"ל גרס ק"ד מזמורים כו', וגם הרש"ש כתב וזה לשונו לריך לומר מאה וארבעה, ועיין ברכות סוף דף ט' והיה כתוב ד וטעה המעתיק בינו לבין ך פשוטה והעתיק עשרים, עד כאן לשונו: **(ח) להיות מקלס בנפשו.** ולא קאמר אברך את ה' שיכלול הנפש והגוף, ומדקלס בהנפש שמע מינה שיש איזו יחוס לקלס לה' עם הנשמה יותר מהגוף, ומהו היחוס, ומשני אלא דוד אמר כו': **ממלאה את הגוף.** זה ידוע כי האדם נקרא עולם קטן בכל ענייניו, והיינו גופו של אדם, וקאמר דהנשמה שהיא רוחנית היא ממלאה את הגוף שהוא עולם קטן, בדמיון אחד עם הקדוש ברוך הוא שהוא ממלא עולמו (מהרש"א): **ממלאה את הגוף.** אף על פי שלא נמצא בה מציאות מורגש, היא ממלאה כל הגוף שמציאותה ותועלתיה מתפשטים בכל הגוף, וכן הקדוש ברוך הוא ממלא עולמו, שאף על פי שאינו נתפס במקום, מלא כל הארץ כבודו, וכמו שאמרו רבותינו ז"ל (שמות רבה ב, ה) שאין מקום פנוי בלא שכינה והשכינה בכל מקום, והוא ענין השגחתו שמתפשטת בכל העולם: **סובלת את הגוף.** שעל ידה הוא מתנועע, ובלעדה הוא נופל מת, שחיות הגוף וקיומה תלוי בה, כי היא הנורה, והגוף לאומר לה: **והקדוש ברוך הוא סובל עולמו.** היינו שנושאו ומעמידו, כאומר (איוב כו, ז) תולה ארץ על בלימה, וכן היותו מניע כל העולם: **מבלה הגוף.** כלומר שהיא קיימת אחר מותו, והוא מתבלה בעפר:

פירוש מהרז"ו

ויוצא לפרגמטיא. הנה והנה למדינות, ורואה ממשלתו של הקב"ה, ונותן הודאה: **ואחת לעתיד לבוא.** היינו אחר תחיית המתים, כמו שכתוב בסוף המזמור (תהלים קד, ל) תשלח רוחך יבראון ותחדש פני אדמה: **מאה ועשרים.** טעות סופר ולריך לומר מאה ושלש, כמו שאמרו ברכות שם. ועיין מדרש תהלים (מזמור קד), דברים רבה (ב, לז). והנה החמשה ברכי נפשי, שלשה מהם במזמור ק"ג, שנים מהם בראש המזמור ואחד בסוף המזמור, ועוד שנים במזמור ק"ד, אחד בריש המזמור ואחד בסוף המזמור, ועל פי מדת ממעל ומדה ל"ח, כאלו כתובים יחד זה אצל זה. ועל שבמזמור ק"ד, מריש המזמור עד פסוק (כט) ואל עפרם ישובון, מדבר מתהלוכות עולם הזה עד המות, וכאלו פסוק ברכי נפשי, כתיב בסוף אצל פסוק תסתיר פניך ואל עפרם וגו', שכמו במזמור ק"ג כתיב ברכי נפשי אצל הדבר שבירך עליו, וכו"ל, כך במזמור ק"ד כאלו כתוב פסוק ברכי נפשי אצל הדבר שבירך עליו, וכן מה שכתב בסוף ברכי נפשי, כאלו כתוב אצל מה שכתוב ותחדש פני אדמה, כלל הדבר שזהו דרכם בקודש של חז"ל, שלא להסתכל בסידור הכתובים תמיד לבד, אלא על משמעות התיבות והעניינים, שאם יאותו זה לזה, יש כח במדות לדרוש אותו שייכים זה לזה כפי הענין, אף שהם רחוקים זה מזה, וכאן על פי מדת ממעל ומדה ל"ח:

מתנות כהונה

וכראה לגרוס **דגמל עמך**, פירוש שגמל עמך הקב"ה, שהוליאך לאויר העולם שעליו נאמר (תהלים קלה, ו) העושה גדולות עד אין חקר וגו', כדאיתא במדרש תהלים (מזמור מו): **קומי.** קומתו ומעמדו, ודרש מקומך לשון קימה ומעמד: **בשעת פטירתו וכו'.** סיפיה דקרא קדייק, דכתיב (תהלים קד, כט) תסתיר פניך יבהלון וגו', הכי איתא פרק קמא דברכות (י, א): **[ח] אלא אמר.** גרסינן: **ממלאה הגוף.** שאין מקום ריק ממנה: **סובלת.** כלומר נושא אותה ובלעדה חייו אינם חיים: **מבלה הגוף.** כלומר שיהא קיימת אחר מותו והוא מתבלה בעפר:

נחמד למראה

[ז] רבי שמואל בר נחמן בשם רבי יוחנן אמר מאה ועשרים מזמורים אמר דוד וכו'. טעות סופר יש כאן, ובמקום מאה ועשרים לריך להיות מאה ושלש. וכן הוא בפרק קמא דברכות (ט, ב). ומקשי שם הני מאה ושלש, מאה וארבע הוין, ומשני אשרי האיש, ולמה רגשו, חדא פרשה היא, עיין שם. וכן כתב היפה תואר עיין שם:

אשד הנחלים

א), ואחר כך הוא מתחיל לילך ולבקש טרפו וחיותו, וזהו ההרגשה הזכה להמתבונן, איך השגחת ה' בכל המקומות וכל העולם ויונקים מטובו והכל עוזרים לטרף האדם, אך העיקר היא בעת המיתה, שאז הנפש תתעלה בהשגחה ואז תכיר גדולת ה', עד שאומרת אלהי גדלת מאוד, והעיקר האחרון הוא לעתיד לבא, שאז יתמו החטאים מלב האדם, כי יתעקר היצר הרע המחטיא מלב האדם, וזה כמאמרם (שם) מי כתיב חוטאים חטאים כתיב, וזהו העיקר והתכלית הבירור מהעולם, שהרע תהפך לטוב, ותכלית הבריאה הוא למען זה, ולכן אמר על זה הללויה כי זהו עיקר הכל: **[ח] הנפש הזו ממלאת.** הדבר הזה הוא מחקר עצום להגדיר מעלת הרוחני, ועניינו במה שנבדל מהגשמי, אחד, שאיננה צריכה למקום אחד ואיננה שוכנת במקום מיוחד כי אם ממלאה כל. השני, שהיא המעמיד הגוף, שחיות הגוף

חידושי הרד"ל

[ז] בשם רבי יוחנן ק"ד מזמורים אמר כו'. כן לריך לומר, וכן הוא בפ"ק דברכות (ט, ב):

חידושי הרש"ש

[ז] מאה ועשרים מזמורים כו'. לריך לומר מאה וארבעה, ועיין ברכות (ט, ב), והיה כתיב ד', וטעה המעתיק בינו לכ' פשוטה והעתיק עשרים:

באור מהרי"פ

לא תנשייא כו'. פירוש לא תשכח הגמול הטוב שגמלתי עמה. וכראה לגרוס **דגמל עמך**, פירוש שגמל עמך הקב"ה, שהוליאך לאויר העולם שעליו נאמר (תהלים קלה, ו) העושה גדולות עד אין חקר וגו', כדאיתא במדרש תהלים (מזמור מו): **קומי.** קומתו ומעמדו, ודרש מקומך לשון קימה ומעמד: **בשעת פטירתו וכו'.** סיפיה דקרא קדייק, דכתיב (תהלים קד, כט) תסתיר פניך יבהלון וגו', הכי איתא פרק קמא דברכות (י, א): **[ח] אלא אמר.** גרסינן: **ממלאה הגוף.** שאין מקום ריק ממנה: **סובלת.** כלומר נושא אותה ובלעדה חייו אינם חיים: **מבלה הגוף.** כלומר שיהא קיימת אחר מותו והוא מתבלה בעפר:

אמרי יושר

[ז] בשעה שהוא עומד על קומי שלו ויוצא בפרקמטיא. הוא מה שנזכר במדרש תהלים (ילקוט רמז תתנז) נסתכל בכוכבים ומזלות, כי כל עסק האדם הוא כפי מזלו, וזה כנגד ברכו ה' כל צבאיו ברכי נפשי את ה', וכבר פירשתיו שם: **[ח] הנפש הזו ממלא את הגוף.** לא מפני שהיא גופנית, רק היא טהורה, וגם אינה ישנה להתפעל בה פעל הגוף, רק כחותיה מתפשטות בגוף, ואמרו במסכת ברכות (י, א) כי היא יושבת בחדרי חדרים, ואף שנראה שחולק על מה שאמרו ממלאת את הגוף, לא כן הדבר, כי עיקרה ושורשה בלב חדר בחדר, וכחותיה נאצלים ומתפשטים בכל הגוף, וכן הקדוש ברוך הוא יתברך יושב למעלה וזן העולם כולו:

מסורת המדרש

ט. תנחומא חיי שרה. פדר"א ל"א:

אם למקרא

בָּרֲכוּ ה' כָּל־מַעֲשָׂיו בְּכָל־מְקֹמוֹת מֶמְשַׁלְתּוֹ בָּרְכִי נַפְשִׁי אֶת ה': (שם שם כב)

בָּרְכִי נַפְשִׁי אֶת ה' ה' אֱלֹהַי גָּדַלְתָּ מְּאֹד הוֹד וְהָדָר לָבָשְׁתָּ: (שם קד:א)

יִתַּמּוּ חַטָּאִים מִן הָאָרֶץ וּרְשָׁעִים עוֹד אֵינָם בָּרְכִי נַפְשִׁי אֶת ה' הַלְלוּיָהּ: (שם שם לה)

אִם יִסָּתֵר אִישׁ בַּמִּסְתָּרִים וַאֲנִי לֹא אֶרְאֶנּוּ נְאֻם ה' הֲלוֹא אֶת הַשָּׁמַיִם וְאֶת הָאָרֶץ אֲנִי מָלֵא נְאֻם ה': (ירמיה כג:כד)

וְעַד־זִקְנָה אֲנִי הוּא וְעַד־שֵׂיבָה אֲנִי אֶסְבֹּל אֲנִי עָשִׂיתִי וַאֲנִי אֶשָּׂא וַאֲנִי אֶסְבֹּל וַאֲמַלֵּט: (ישעיה מו:ד)

הֵמָּה יֹאבֵדוּ וְאַתָּה תַעֲמֹד וְכֻלָּם כַּבֶּגֶד יִבְלוּ כַּלְּבוּשׁ תַּחֲלִיפֵם וְיַחֲלֹפוּ: (תהלים קב:כז)

ענף יוסף

(ח) הנפש הזו ממלא את הגוף והקדוש ברוך הוא ממלא את עולמו כו' הנפש הזו טהורה כו'. רלה לומר כענין הנשמה אף שמתפשטת בכל פרטי אברי האדם הנקיים, וגם המלאים לכלוך טינופת וזוהמא, ועם כל זה אינם חוללים כלל לענין טהרתה, ובקדושתה וטהרתה עומדת, כן הענין אם שהוא ממלא את כל, וכל המקומות, מקומות הטהורים והמקודשים, ואשר אינם טהורים, אף על פי כן אינם חוללים כלל, ולא גורמים שום שינוי חלילה לקדושת טהרת עלמותו ואחדותו הפשוט יתברך (ספר נפש החיים). ונראה שזהו שיסד בשיר היחוד יום רביעי כל טנופת לא יטנפוך, ובהנס מחקו המבקשים, שלא הבינו הכוונה:

שינוי נוסחאות

(ז) **דגמלית עמך.** הגיה מ"כ "דגמל עמך":

הַנֶּפֶשׁ הַזֹּאת יְחִידָה בַּגּוּף וְהַקָּדוֹשׁ בָּרוּךְ הוּא יָחִיד בְּעוֹלָמוֹ — Furthermore, **the soul is a unique entity in the body**[153] **and the Holy One, blessed is He, is a unique entity in His world;** תָּבֹא הַנֶּפֶשׁ שֶׁהִיא יְחִידָה בַּגּוּף וּתְקַלֵּס לְהַקָּדוֹשׁ בָּרוּךְ הוּא שֶׁהוּא יָחִיד בְּעוֹלָמוֹ — therefore, **let the soul that is a unique entity in the body come and praise the Holy One, blessed is He, Who is a unique entity in His world,** שֶׁנֶּאֱמַר "שְׁמַע יִשְׂרָאֵל ה' אֱלֹהֵינוּ ה' אֶחָד" — **as it is stated,** ***Hear, O Israel: HASHEM is our God, HASHEM is the One and Only*** (*Deuteronomy* 6:4). הַנֶּפֶשׁ הַזֹּאת אֵינָהּ אוֹכֶלֶת בַּגּוּף וְהַקָּדוֹשׁ בָּרוּךְ הוּא אֵין לְפָנָיו אֲכִילָה — Furthermore, **the soul does not eat** while **in the body and the Holy One, blessed is He — there is no** concept of **eating before Him;**[154] תָּבֹא הַנֶּפֶשׁ שֶׁאֵינָהּ אוֹכֶלֶת בַּגּוּף וּתְקַלֵּס לְהַקָּדוֹשׁ בָּרוּךְ הוּא שֶׁאֵין לְפָנָיו אֲכִילָה — therefore **let the soul that does not eat** while **in the body come and praise the Holy One, blessed is He, before Whom there is no** concept of **eating,** שֶׁנֶּאֱמַר "הַאוֹכַל בְּשַׂר אַבִּירִים וְגוֹ'" — **as is stated,** ***Do I eat the flesh of bulls?*** (*Psalms* 50:13). הַנֶּפֶשׁ הַזּוֹ רוֹאָה וְאֵינָהּ נִרְאָה וְהַקָּדוֹשׁ בָּרוּךְ הוּא רוֹאֶה וְאֵינוֹ נִרְאֶה — Furthermore, **the soul observes but is not observed and the Holy One, blessed is He, observes but is not observed;**[155] תָּבֹא הַנֶּפֶשׁ שֶׁהִיא רוֹאָה וְאֵינָהּ נִרְאָה וּתְקַלֵּס לְהַקָּדוֹשׁ בָּרוּךְ הוּא שֶׁהוּא רוֹאֶה וְאֵינוֹ נִרְאֶה — therefore, **let the soul that observes but is not observed come and praise the Holy One, blessed is He, Who observes but is not observed,** שֶׁנֶּאֱמַר "עֵינֵי ה' הֵמָּה מְשׁוֹטְטִים בְּכָל הָאָרֶץ" — **as is stated,** ***The eyes of HASHEM — they scan the whole world!*** (*Zechariah* 4:10). הַנֶּפֶשׁ הַזּוֹ טְהוֹרָה בַּגּוּף וְהַקָּדוֹשׁ בָּרוּךְ הוּא טָהוֹר בְּעוֹלָמוֹ — Furthermore, **the soul is pure in the body and the Holy One, blessed is He, is pure in His world;**[156] תָּבֹא הַנֶּפֶשׁ שֶׁהִיא טְהוֹרָה בַּגּוּף וּתְקַלֵּס לְהַקָּדוֹשׁ בָּרוּךְ הוּא שֶׁהוּא טָהוֹר בְּעוֹלָמוֹ — therefore, **let the soul that is pure in the body come and praise the Holy One, blessed is He, Who is pure, in His world,** שֶׁנֶּאֱמַר "טְהוֹר עֵינַיִם מֵרְאוֹת רָע" — **as is stated,** ***[Your] eyes are too pure to see evil*** (*Habbakuk* 1:13). הַנֶּפֶשׁ הַזֹּאת אֵינָהּ יְשֵׁנָה בַּגּוּף וְהַקָּדוֹשׁ בָּרוּךְ הוּא אֵין לְפָנָיו שֵׁינָה — And finally, **the soul does not sleep** while **in the body and the Holy One, blessed is He — there is no** concept **of sleep before Him;**[157] תָּבֹא הַנֶּפֶשׁ שֶׁאֵינָהּ יְשֵׁנָה בַּגּוּף וּתְקַלֵּס לְהַקָּדוֹשׁ בָּרוּךְ הוּא שֶׁאֵין לְפָנָיו שֵׁינָה — therefore, **let the soul that does not sleep** while **in the body come and praise the Holy One, blessed is He, before Whom there is no** concept of **sleeping,** שֶׁנֶּאֱמַר "הִנֵּה לֹא יָנוּם וְלֹא יִישָׁן" — **as is stated,** ***Behold, He neither slumbers nor sleeps,*** *the Guardian of Israel*" (*Psalms* 121:4).

NOTES

153. *Matnos Kehunah*, followed by *Eitz Yosef*.

The soul is transcendent and unlike anything else to be found in the body (ibid.). According to *Bereishis Rabbah* 14 §9, in this respect the soul stands in contrast to the various components of the human body, which were created in pairs. It is striking that man possesses only one soul when the many traits and abilities that it encompasses are considered (*Maharzu*).

154. Although through the body's nourishment it is empowered to contain the soul, the soul itself is nourished not from food but from the good deeds it performs in this world and from the radiance of the Divine Presence in the next (*Eitz Yosef*; also see *Matnos Kehunah, Eshed HaNechalim*). And God, of course, does not eat.

Alternatively, the property of the soul that is being noted by our Midrash is the fact that while it does not actually *eat* and will continue to exist whether or not the body does so, its existence *in the body* is dependent upon the body's nourishment. This parallels the way God is not actually affected by what occurs on earth but nevertheless draws nearer to the world and assists it only as long as its inhabitants perform good deeds (*Maharzu*).

155. Man cannot fully appreciate the soul that is constantly overseeing his body. And God is beyond comprehension, but the entire world is subject to His supervision (*Eitz Yosef*).

156. Both the soul and its Maker are entirely spiritual and free of anything physical. Alternatively, the Midrash means that the soul is *pure* in the sense that all sin is caused only by man's physical aspects, just as God is *pure* of any sin or negative trait (*Eitz Yosef*; see additional discussion in *Anaf Yosef*, from *Nefesh HaChaim* [loc. cit.]).

157. Not for a moment does the soul cease to affect the body. In fact, according to *Bereishis Rabbah* 14 §9 [see further *Pirkei DeRabbi Eliezer* §12], while a man sleeps, his soul ascends [to heaven] and *draws life for him*. God, too, never ceases to exert His influence over the world (see Morning *Birchos Krias Shema*. Were God to withdraw His power from the universe for even a moment, it would instantly cease to exist (*Eitz Yosef*).

Our Midrash is explaining that because the soul resembles its Maker in each of these ways, it is fitting that the soul should praise God for imparting to it some of His own perfection. And for this reason, King David directed his *soul* to *praise God* (*Yefeh To'ar*).

[Note that this Midrash appears, with slight variations, in *Berachos* 10a, *Devarim Rabbah* 2 §37, and in *Midrash Shocher Tov* §103 s.v. דבר אחר. See *Yefeh To'ar* for a lengthy explanation of the discrepancies.]

הַנֶּפֶשׁ הַזֹּאת יְחִידָה בַּגּוּף וְהַקָּדוֹשׁ בָּרוּךְ הוּא יָחִיד בְּעוֹלָמוֹ, תָּבֹא הַנֶּפֶשׁ שֶׁהִיא יְחִידָה בַּגּוּף וּתְקַלֵּס לְהַקָּדוֹשׁ בָּרוּךְ הוּא שֶׁהוּא יָחִיד בְּעוֹלָמוֹ, שֶׁנֶּאֱמַר (דברים ו, ד) **"שְׁמַע יִשְׂרָאֵל ה' אֱלֹהֵינוּ ה' אֶחָד", הַנֶּפֶשׁ הַזֹּאת אֵינָהּ אוֹכֶלֶת בַּגּוּף וְהַקָּדוֹשׁ בָּרוּךְ הוּא אֵין לְפָנָיו אֲכִילָה, תָּבֹא הַנֶּפֶשׁ שֶׁאֵינָהּ אוֹכֶלֶת בַּגּוּף וּתְקַלֵּס לְהַקָּדוֹשׁ בָּרוּךְ הוּא שֶׁאֵין לְפָנָיו אֲכִילָה, שֶׁנֶּאֱמַר** (תהלים נ, יג) **"הַאוֹכַל בְּשַׂר אַבִּירִים וְגוֹ'", הַנֶּפֶשׁ הַזּוֹ רוֹאָה וְאֵינָהּ נִרְאָה וְהַקָּדוֹשׁ בָּרוּךְ הוּא רוֹאֶה וְאֵינוֹ נִרְאֶה, תָּבֹא הַנֶּפֶשׁ שֶׁהִיא רוֹאָה וְאֵינָהּ נִרְאָה וּתְקַלֵּס לְהַקָּדוֹשׁ בָּרוּךְ הוּא שֶׁהוּא רוֹאֶה וְאֵינוֹ נִרְאֶה, שֶׁנֶּאֱמַר** (זכריה ד, י) **"עֵינֵי ה' הֵמָּה מְשׁוֹטְטִים בְּכָל הָאָרֶץ", הַנֶּפֶשׁ הַזּוֹ טְהוֹרָה בַּגּוּף וְהַקָּדוֹשׁ בָּרוּךְ הוּא טָהוֹר בְּעוֹלָמוֹ, תָּבֹא הַנֶּפֶשׁ שֶׁהִיא טְהוֹרָה בַּגּוּף וּתְקַלֵּס לְהַקָּדוֹשׁ בָּרוּךְ הוּא שֶׁהוּא טָהוֹר בְּעוֹלָמוֹ, שֶׁנֶּאֱמַר** (חבקוק א, יג) **"טְהוֹר עֵינַיִם מֵרְאוֹת רָע", הַנֶּפֶשׁ הַזֹּאת אֵינָהּ יְשֵׁנָה בַּגּוּף וְהַקָּדוֹשׁ בָּרוּךְ הוּא אֵין לְפָנָיו שֵׁינָה, תָּבֹא הַנֶּפֶשׁ שֶׁאֵינָהּ יְשֵׁנָה בַּגּוּף וּתְקַלֵּס לְהַקָּדוֹשׁ בָּרוּךְ הוּא שֶׁאֵין לְפָנָיו שֵׁינָה, שֶׁנֶּאֱמַר** (תהלים קכא, ד) **"הִנֵּה לֹא יָנוּם וְלֹא יִישָׁן":**

יחידה בגוף. כלומר עלס נבדל, ואין לה חבר בגוף להדמות לעלמותה: **אינו אוכל בגוף.** כלומר הנפש המשכלת איננה לריכה לדבר מאכל בעלם, רק הגוף אין ביכולתו לקבל הנפש בקרבו מבלעדי מאכל המחזיק כחו, אבל התורה והמלות והמעשים טובים ומחשבות טובות היא לחמה, וכן אחר הפרדה מהגוף נזונית מזיו השכינה: **רואה ואינה נראית.** פירוש שמשגחת בגוף ואינה נראית לנו שאין מהותה מושג: **והקדוש ברוך הוא רואה ואינו נראה.** רלה לומר שהוא משגיח בכל העולם ואין נסתר מנגד עיניו, ואינו נראה שמהותו נעלם מהכל: **טהורה בגוף.** שאין לה ערוב בחומר: **והקדוש ברוך הוא טהור.** שהוא נקי מחומר שהוא שכל נבדל מחומר ואין לו שום ערוב בדבר גשמי. או פירושו שהנשמה טהורה בגוף שאין החטא אלא מלד החומר, והקדוש ברוך הוא טהור שהוא נקי מכל חטא וגנות כי לא אל חפץ רשע הוא, וזהו דמייתי הכא קרא טהור עינים מראות ברע: **אינה ישנה בגוף.** פירוש אין כחה בטל רגע מפעולתה בגוף, וכדאיתא בבראשית רבה (יד, ט) בשעה שהאדם ישן הנשמה עולה ושואבת לו חיים, וכן מה שאמר, **הקדוש ברוך הוא אין לפניו שינה.** פירוש שאין בו בטול מפעולותיו, כי בטובו מחדש בכל יום תמיד מעשה בראשית, ואילו יסיר סלוק כחו מהעולם רגע יחדיו יסופו, והיינו דמייתי הכא לא ינום ולא יישן, שרלה לומר שהשגחתו מלויה תמיד:

(ח) הנפש הזו יחידה. כמו שכתוב בראשית רבה (יד, ט) כל האברים משנים שנים, והיא יחידה בגוף. אף על פי שנראה ממנה מדות רבות, וכחות הרבה, עם כל זה היא בעלמה יחידה, אינה אוכלת בגוף, ועם כל זה מתקיימת בגוף על ידי המאכל, שאם לא יאכל לא תתקיים הגוף, שהגוף יכלה והנפש תשאר קיים, כי היא נלחית, כך הקב"ה נשגב ומרומם מכל מעשה העולם, ועם כל זה על ידי מעשה התחתונים, מתקרב ומתקיים בעולם, ובלא מעשה הטוב מתפרד מן העולם, והנה כאן ובגמרא ובמדרש תהלים, מדמה הנפש להקב"ה. אך בדברים רבה (ב, לז) הנ"ל מדמה בהיפך עיין שם:

באור מהרי"פ

יחידה. כלומר עלס נבדל, ואין לה חבר לגוף להדמות לעלמותה: **אינה אוכלת בגוף.** אכילה ממש, אבל אחר הפרדה נזונית מזיו שכינתו יתברך, או גם בגוף, תורה ומלוה ומחשבות טובות היא לחמה ומן קדשים תאכל:

אם למקרא

שְׁמַע יִשְׂרָאֵל ה' אֱלֹהֵינוּ ה' אֶחָד: (שם ו:ד)

הָאוֹכַל בְּשַׂר אַבִּירִים וְדַם עַתּוּדִים אֶשְׁתֶּה: (שם נ:יג)

כִּי מִי בַז לְיוֹם קְטַנּוֹת וְשָׂמְחוּ וְרָאוּ אֶת־הָאֶבֶן הַבְּדִיל בְּיַד זְרֻבָּבֶל שִׁבְעָה־אֵלֶּה עֵינֵי ה' הֵמָּה מְשׁוֹטְטִים בְּכָל־הָאָרֶץ: (זכריה ד:י)

טְהוֹר עֵינַיִם מֵרְאוֹת רָע וְהַבִּיט אֶל־עָמָל לֹא תוּכָל לָמָּה תַבִּיט בּוֹגְדִים תַּחֲרִישׁ בְּבַלַּע רָשָׁע צַדִּיק מִמֶּנּוּ: (חבקוק א:יג)

הִנֵּה לֹא יָנוּם וְלֹא יִישָׁן שׁוֹמֵר יִשְׂרָאֵל: (תהלים קכא:ד)

מתנות כהונה

יחידה. כלומר עלס נבדל, ואין לה חבר לגוף להדמות לעלמותה: **אינה אוכלת בגוף.** אכילה ממש, אבל אחר הפרדה נזונית מזיו שכינתו יתברך, או גם בגוף, תורה ומלוה ומחשבות טובות היא לחמה ומן קדשים תאכל:

אשד הנחלים

וקיומו תלוי בה, כי היא הצורה והגוף לחומר לה. השלישי, שהיא יחידה, כלומר פשוטה בלתי מתחלקת, לא כדבר גופני המתחלק בכמות. הרביעי, מפני שהיא הפועלת בגוף והגוף מתייגע בפעולתה ועל כן הוא נפסד, כי אין לו כח להכיל תמיד החנועה התמידית, כי מהתנועה נולד ההפסד גם כן, אשר לכן מי שיש בו כח החיות אינו מאריך ימים כל כך, כהדומם שאין בו חיות ואין בו כח התנועה, והבן זה כי זה מדבר רק על כח החיוני השורה בגוף. החמישי, שהנפש איננה אוכלת, כלומר הנפש המשכלת איננה צריכה לדבר מאכל בעצם, רק הגוף אין ביכולתו לקבל הנפש בקרבו מבלעדי מאכל המחזיק כחו, וזהו כמאמרם (לעיל סימן ב) הנפש הזו אם אתה נותן לה כל מעדני עולם אינה עריבה לה, למה שבת מלך היא. הששי, שהיא רואה את כל מוחשי אך אינה נראית, כי גדר הרוחני שאיננה נתפסת תחת החושים. השביעי, שהיא טהורה בגוף, כי גם העוונות והחטאים אינם נוגעים לעצם הנפש המשכלת, כי אם הנפש החיונית היא החוטאת. השמיני, שהנפש איננה ישנה בגוף, לא כחק כל הטבעים, שנמצא בהם זמן שאינם פועלים מאומה, כי אם שובתים ונחים שזהו גדר השינה, וכמו שהאריכו חכמי הטבעיים האחרונים שכל הנמצאים שבעולם יש להם בחינת שינה ושביתה, הכל כאשר לכל באין נמלט אחד מהם, אך הנפש היא פועלת בתמידות, רק השינה הוא לגוף בלבד. ולכן הנפש היא ממדריגת העליונים וכל דיבוקה למעלה, ולכן תבא ותקלס לה' ברוך הוא שיש בו כל העניינים האלו, כי עיקר תשוקתה לדבר שהוא מסוגה, הבן כל אלה:

Chapter 5

אִם הַכֹּהֵן הַמָּשִׁיחַ יֶחֱטָא לְאַשְׁמַת הָעָם וְהִקְרִיב עַל חַטָּאתוֹ אֲשֶׁר חָטָא פַּר בֶּן בָּקָר תָּמִים לַה׳ לְחַטָּאת.

If the anointed Kohen will sin, by the guilt of the people; for his sin that he committed he shall offer a young bull, unblemished, to HASHEM as a sin-offering (4:3).

§1 אִם הַכֹּהֵן הַמָּשִׁיחַ יֶחֱטָא לְאַשְׁמַת הָעָם וְהִקְרִיב עַל חַטָּאתוֹ אֲשֶׁר חָטָא פַּר בֶּן בָּקָר תָּמִים לַה׳ לְחַטָּאת — ***IF THE ANOINTED KOHEN WILL SIN, BY THE GUILT OF THE PEOPLE; FOR HIS SIN THAT HE COMMITTED HE SHALL OFFER A YOUNG BULL, UNBLEMISHED, TO HASHEM AS A SIN-OFFERING.***

It is noteworthy that the sin-offering of the "anointed Kohen" (the Kohen Gadol) is identical to that of the "entire assembly" (below, v. 13ff).[1] The Midrash addresses this point by citing a verse in *Job,* but first it gives several other interpretations for that verse, which are not relevant to our passage:[2]

זֶה שֶׁאָמַר הַכָּתוּב "וְהוּא יַשְׁקִט וּמִי יַרְשִׁעַ וְגוֹ׳" — **This is** to be understood in light of **what Scripture says** elsewhere, ***When He grants serenity*** (or: *remains silent*), ***who can cause turmoil?*** *And when He hides [His] face, who can take note of him? Upon a nation or upon an individual as one* (*Job* 34:29).

The Midrash presents the first of several explanations given for this verse:

דָּרַשׁ רַבִּי מֵאִיר: "וְהוּא יַשְׁקִט" מֵעוֹלָמוֹ — **R' Meir expounded** this verse as follows: People[3] said, ***"He remains silent,*** not showing any sign that He is angered **from** all the evil in **His world."**[4] "וַיַּסְתֵּר פָּנִים" מֵעוֹלָמוֹ — And they said further, as indicated by the next words in the verse, ***"He hides His face*** **from His world,** seemingly oblivious to man's deeds." כַּדַּיָּין הַזֶּה שֶׁהוּא מוֹתֵחַ אֶת הַוִּילוֹן מִבִּפְנִים וְאֵינוֹ רוֹאֶה מַה נַּעֲשֶׂה מִבַּחוּץ — For **He was like a judge who draws a curtain** in front of himself **from within and does not see what is happening outside** the curtain.[5] כָּךְ אָמְרוּ דוֹר הַמַּבּוּל "עָבִים סֵתֶר לוֹ וְגוֹ׳" — **So too, the** people of the **generation of the Flood said,** ***The clouds block Him*** *so He cannot see* (ibid. 22:14).[6]

The Midrash records the reaction of the other Sages to this interpretation, and their own explanation of the *Job* verse:

אָמְרוּ לוֹ: דַּיֶּיךָ מֵאִיר — "That is **enough for you** and your expositions, **Meir!" said [the other Sages] to him** disapprovingly.[7] אֶלָּא "וְהוּא יַשְׁקִט וּמִי יַרְשִׁעַ", נָתַן שַׁלְוָה לְדוֹר הַמַּבּוּל — **Rather,** the meaning of ***When He grants serenity, who can cause turmoil*** (or: *who can proclaim wickedness*)? is that **God granted the generation of the Flood tranquility,**[8] וּמִי בָא וְחִיְּיבָן — **and,** after He granted them tranquility, **who could come and condemn them?**[9]

The Midrash digresses to describe just how "tranquil" life was in the era before the Flood, based on a different passage in *Job:*

וּמַה שַּׁלְוָה נָתַן לָהֶם — **And what** exactly was the **tranquility** that **He granted them?** "זַרְעָם נָכוֹן לִפְנֵיהֶם עִמָּם וְצֶאֱצָאֵיהֶם לְעֵינֵיהֶם" — As described in this verse, ***Their offspring are well established*** (or: *ready*) ***before them, with them, and their descendants are before their eyes*** (*Job* 21:8).[10] רַבִּי לֵוִי וְרַבָּנָן — **R' Levi and the Sages** explained what is meant by "ready" offspring:

NOTES

1. Additionally, the connection between the Kohen Gadol and the people as a whole is alluded to in our verse itself: *If the anointed Kohen will sin, "by the guilt of the people"* (*Yefeh To'ar, Eitz Yosef*).

2. The *Job* verse states in full: וְהוּא יַשְׁקִט וּמִי יַרְשִׁעַ וְיַסְתֵּר פָּנִים וּמִי יְשׁוּרֶנּוּ וְעַל גּוֹי וְעַל אָדָם יָחַד. Its relevance to our passage will become apparent only at the end of §3.

3. In Noah's day, before the Flood (as R' Meir states below). Although this verse is stated by Job's friend Elihu in reprimand to Job, the Midrash interprets that in this passage he was alluding to the wicked generation of the Flood (see *Eitz Yosef*).

4. Accordingly, the next words, וּמִי יַרְשִׁעַ, *who can cause turmoil?,* continue with their words of heresy, and the phrase means, "If God Himself is unconcerned with our actions, who is it that can condemn them?" If so, they concluded, we have no reason to cease our depraved behavior (*Yefeh To'ar* to *Bereishis Rabbah* 36 §1).

5. Thus claimed the generation of the Flood, as stated next by the Midrash (*Eitz Yosef,* from *Nezer HaKodesh* to *Bereishis Rabbah* 36 §1; see *Yefeh To'ar* there for a different understanding of this Midrashic passage).

6. This verse, too, appears in the context of a rebuke given by Eliphaz (another of Job's friends) to Job, but the Midrash understands that Eliphaz was alluding to the generation of the Flood. Just as in that verse, what is said is not the actual opinion of Job's friend but rather his description of what *someone else* (i.e., the generation of the Flood) said, as stated in v. 13 there וְאָמַרְתָּ מַה יָּדַע אֵל, *and "you" say, "What does God know?,"* so too what is said in our verse is not the actual opinion of Job's friend, but rather what the generation of the Flood said (*Eitz Yosef,* from *Nezer HaKodesh* ibid.).

7. You have no proof from the verse *the clouds block Him.* Indeed, there the verse explicitly imputes these words to *others* (as it says there, *and you say . . .*) — see preceding note. In the present verse, however, there is no such indication. Therefore, we must say that it represents the actual opinion of Job's friend, and cannot then mean that God, heaven forfend, does not care what happens in the world (ibid.).

[The words דַּיֶּיךָ מֵאִיר, *enough for you, Meir!,* however, would suggest that the other Sages reproved R' Meir for expounding the verse in a way that appears disrespectful toward God. *Radal* (to *Bereishis Rabbah* ad loc.) therefore suggests that the words "כָּךְ אָמְרוּ דוֹר הַמַּבּוּל "עָבִים סֵתֶר לוֹ וְגוֹ׳, *thus did the generation of the Flood say, The clouds block Him, etc.,* actually belong after the words דַּיֶּיךָ מֵאִיר, *enough for you, Meir!* That is, R' Meir was expounding what the opinion of *Job's friend* was. And the Sages reproved him for doing so, for in their view the opinion mentioned by R' Meir was what the *generation of the Flood* said.]

8. Unlike R' Meir, who interpreted יַשְׁקִט to mean that God acted with tranquility (i.e., indifference) in response to the wickedness of the generation, these Sages interpret it to mean that God *granted* tranquility to them for some reason unknown to us.

9. This is the interpretation of מִי יַרְשִׁעַ — "Who can proclaim [them] wicked?" I.e., once God decided that they should dwell in tranquility, there was obviously no way any outside force could do them any harm.

10. This entire passage, in which Job describes the tranquility enjoyed by "the wicked," is taken as a specific reference to the generation of the Flood. (See *Bereishis Rabbah* 26 §7.) See Insight Ⓐ.

INSIGHTS

Ⓐ **The Tranquility of the Wicked** Our Midrash expands on the extraordinary prosperity of the generation of the Flood. As taught by the Gemara in *Sanhedrin,* it was their idyllic life that led them to sin and to their eventual downfall:

The people of the generation of the Flood became arrogant only because of the bounty that the Holy One, blessed is He, lavished upon them. As a result of this prosperity, they said to God (*Job* 21:14-15): *"Leave us! We have no wish to know Your paths! What is the Almighty that we should serve Him? And what would we accomplish by approaching Him in prayer?"* The only thing they thought they might need the Almighty to provide them was their water. Yet they concluded that even that was unnecessary, for they had an abundant supply of stream water! Thereupon, the Holy One, blessed is He, said, "With the very bounty that I lavished upon them, i.e., water, they are provoking Me! With that very bounty I shall punish them, by causing a flood!" (*Sanhedrin* 108a).

In the next section, the Midrash traces a similar path to destruction for the people of Sodom and Gomorrah.

In these cases, prosperity led to sin. Similarly, Scripture warns one

חידושי הרד"ל

[א] דרש רבי מאיר והוא ישקיט. כל המאמר בבראשית רבה (לו, א):

אמרי יושר

[א] דייך מאיר. שאינו דברי הרשעים:

פרשה ה

א [ד, ג] **"אם הכהן המשיח יחטא לאשמת העם והקריב על חטאתו אשר חטא פר בן בקר תמים לה' לחטאת", זה שאמר הכתוב** (איוב לד, כט) **"והוא ישקט ומי ירשע וגו'", דרש רבי מאיר: "והוא ישקט" מעולמו,** (שם) **"יסתיר פנים" מעולמו, אכדיין הזה שהוא מותח את הוילון מבפנים ואינו רואה מה נעשה מבחוץ, כך אמרו דור המבול** (איוב כב, יד) **"עבים סתר לו וגו'", אמרו לו: דייך מאיר, אלא "והוא ישקט ומי ירשע", נתן שלוה לדור המבול, ומי בא וחייבן, ומה שלוה נתן להם,** (שם כא, ח) **"זרעם נכון לפניהם עמם וצאצאיהם לעיניהם", רבי לוי ורבנן, רבי לוי אמר: לג' ימים היתה אשה מהן מתעברת ויולדת, נאמר כאן "נכון" ונאמר להלן** (שמות יט, טו) **"היו נכנים לשלשת ימים", מה נכון האמור להלן ג' ימים אף נכון האמור כאן לג' ימים, ורבנן אמרי: ליום אחד היתה אשה מתעברת ויולדת, נאמר כאן "נכון" ונאמר להלן "נכון",** (שם לד, ב) **"והיה נכון לבקר", מה נכון האמור להלן יום אחד אף נכון האמור כאן יום אחד,**

עץ יוסף

(א) זה שאמר הכתוב והוא ישקיט. משום דקשיא ליה מאי לאשמת העם, בעי לפרש דמשיח כצבור, ורצה לומר שאין ה' נושא פנים לצבור טפי מיחיד אלא משוה אותם ליחיד, כדלקמן (סוף סימן ג), ולהכי מייתי האי קרא דכתיב ביה על גוי ועל אדם יחד, ואיידי דמייתי ליה מפרש כוליה קרא: **ישקיט מעולמו כו'.** האי קרא בעניינא דדור המבול משתעי, והאי מפרש הכא והוא ישקיט מעולמו, כלומר, כך אמרו דור המבול והוא ישקיט מעולמו מלהיות משגיח בו לעשות הדין בעושקים הרשעים, ומי ירשיע, כלומר, אם הוא אינו מרשיע אותם בדין מעתה מי ירשיעם לחייבם בדין, לפיכך גם הם לא עשו דין בארץ כאומרים שהעולם הפקר לית דין ולית דיין, וכן אמרו והוא יסתיר פנים מעולמו מלהשגיח הנעשקים והצדיקים לעשות עמהם אות לטובה, ואם הוא מסתיר פנים מעולמו מי ישורנו, פירוש מי יביט וישגיח בו לטובה. ולפי שכפרו דור המבול בהשגחה לגמרי בין בהשגחה הכללית דהיינו על כלל האומה ובין בהשגחה הפרטית דהיינו פרטי האנשים, לזה אמר שם אליהו במענתו שאמרו דור המבול והוא יסתיר פנים וגו', ועל גוי ועל אדם יחד, כלומר בין על גוי כלל האומה ובין על אדם פרטי בשניהם יחד אינו משגיח כלל, ועל זה אמר בעל המאמר, שהוא כדיין שמותחין את הוילון לפניו, ואינו יודע מה נעשה בחוץ. ומביא רבי מאיר בעל המאמר ראיה שאליהו אמר זה בשם דור המבול, ולא כמדבר בעדו חס ושלום, שהרי כך אמרו דור המבול בפירוש עבים סתר לו ולא יראה, כלומר שהוא כאילו משים ענן וערפל סביביו לבלתי השגיח בעולם, והאי קרא דעבים סתר לו וגו' על כרחך נאמר בשם אומרו, דהיינו דור המבול, כדכתיב בתריה הארחת עולם תשמור אשר דרכו מתי און, אשר קומטו ולא עת נהר יוצק יסודם, אשר כל זה נדרש בדור המבול, ובזה הוכיחו אליפז לאיוב לומר שגם הוא הלך בעקבות דור המבול לכפור בהשגחה, וממילא אף מקרא זה והוא ישקיט וגו' נדרש בדור המבול, שאליהו אמר זה בשם אומרו דהיינו דור המבול (נזר הקודש): **דייך מאיר.** כלומר דייך בדברים הללו, שאין כך כוונת הכתוב, כי אינו דומה למאמר עבים סתר לו, כי נזכר שם מפורש בשם אומרו, אבל כאן נאמר סתם והוא ישקיט ומי ירשיע וגו', כאילו הוא מדבר בעדו, ולא הוי ליה לסתום במקום שיש לטעות בדבר הנוגע לאמונה, והוי ליה לפרש ולומר ויאמרו הוא ישקיט ומי ירשיע וגו': **ומי בא וחייבן.** ורצה לומר שמקרא זה דבק למה שאמר למעלה האמור למלך בליעל כו', וזה כלפי מה שהיה איוב מיחס עָוֶל במשפטי ה' היה מוכיחו, שאין מן הראוי שיאמרו למלך שעושה שלא כדין, וזה אם מלך שאין ספק שכל דרכיו משפט כי מלך במשפט יעמיד ארץ, ואם יראה הפך זה, דברים בגו, וכן הקדוש ברוך הוא ודאי שעושה משפט. או שעם שיהיה האמת שעושה עָוֶל מי הוא זה אשר מלאו לבו לומר מה תעשה, כי מאחר שהוא מלך הכל ברשותו וכל אשר עושה בשלו עושה, וכן ה' יתברך שברא העולם והכל שלו, יכול לעשות מה שירצה, ומי יאמר לו מה תעשה, ולזה הביא ראיה מדור המבול שכשהשפיע להם ה' שלוה לא נמצא מי שמיחה בידו לומר לו למה תעשה כה עם היותם חייבים מאד, כי ידעו דדברים בגו, וכן כשהסתיר פניו מהם, לא נאמר לו שעושה שלא כשורה (יפה תואר בבראשית רבה פרשה לו): **זרעם נכון לפניהם.** דאיוב לפרש מעשה דור המבול בא כדאיתא בבראשית רבה (כו, יח). והמקראות הללו בדור המבול משתעי, שהם הגליתו כל כך ואמרו לאל סור ממנו: **נאמר כאן נכון.** ומופנה לגזירה שוה, דאם לא כן די שיאמר זרעם לפניהם, דהכנה מאן דכר שמיה: **ונאמר להלן היו נכונים.** וניחא ליה למילף נכון מנכון אף על גב דלא איירי באשה:

פירוש מהרז"ו

(א) עבים סתר לו. ולא יראה. והנה פסוק זה באיוב (כב, יד) ואמרת מה ידע אל וגו' עבים סתר לו וגו', ורבי מאיר אומר שאמרו כן דור המבול. ובאמת שכוונתו על פסוק שלאחריו (שם פסוק טו), הארחת עולם תשמור אשר דרכו מתי און, הם בני דור המבול, כמו שדרשו על הפסוקים הסמוכים שם. וכמו שאמרו הם כך אתה אומר: **והוא ישקיט.** הרי שתולה הכל בהשם יתברך, שהוא המשקיט והמרשיע, ואחר כך אמר ויסתיר פנים וסותר עצמו, על כן דורש רבי מאיר ישקיט מעולמו, שחלילה אינו משגיח בו, וכמו שכתוב לפניה א, יב, וזהו ויסתיר פנים, על פי מדה י"ז, שאנשי דור המבול אמרו כן כנ"ל, ואמרו חכמים לרבי מאיר, דייך מאיר שמאחר שכתוב בפסוק הקודם וצעקת עניים ישמע, איך יאמר והוא ישקיט, ורבי מאיר דורש על פי מדה ל"א, שפסוק והוא ישקיט שייך לפסוק שלפני פניו, אשר על כן סרו מאחריו וכל דרכיו לא השכילו והוא ישקיט, ודעת חכמים שאם כן היה לו לומר שהוא שוקט. על כן דרשו ישקיט לאחרים, לדור המבול:

מסורת המדרש

א. ילקוט על פסוק זה:

אם למקרא

והוא ישקט ומי ירשע ויסתר פנים ומי ישורנו ועל גוי ועל אדם יחד:
(איוב לד:כט)

עבים סתר לו ולא יראה וחוג שמים יתהלך:
(שם כב:יד)

זרעם נכון לפניהם עמם וצאצאיהם לעיניהם:
(שם כא:ח)

ויאמר אל העם היו נכנים לשלשת ימים אל תגשו אל אשה:
(שמות יט:טו)

והיה נכון לבקר ועלית בבקר אל הר סיני ונצבת לי שם על ראש ההר:
(שם לד:ב)

מתנות כהונה

[א] ישקיט מעולמו. הכי גרסינן בבראשית רבה (לו, א) ועיין שם כי נכון הוא וכן גירסת הילקוט: **דייך מאיר.** כלומר די לך ושתוק שלא דרשת יפה: **ומי בא וחייבן.** בתמיה מי יכול ליטול מהן אותו שלוה. ובילקוט (איוב תתקכח) גרס לא נתנה שלוה כו' אלא לחייבן:

אשד הנחלים

[א] ישקיט מעולמו יסתיר פנים כו'. השקיטה הוא מלשון מנוחה שהונח על קבלת הטובה, והסתרת פנים היא על הרעה שמסתיר פנים ואינו רואה הרעה הקורהו, וכלומר הוא מניח לאיש להיות ישקט, ואין מי ירשיע אותו על ככה, וכן יסתיר פנים ממנו ואין מי ירשיענו, אחר שהכל בהסתרת פנים כמו המותח הווילון, וכלומר שהיה דעת איוב שהקב"ה אינו משגיח בשפלים מאומה, כי אם בעליונים, כאלו המה המחיצה המבדלת בין ההשגחה להטבע: **דייך מאיר.** לחשוד את איוב שהיה דעתו כדור המבול: **נתן שלוה כו' וחייבן.** כלומר מי הוא שחייב על עקירתם מן העולם, הלא שיחתם בעצמם, כי מי המה אשר ישבו שקט ושאנן כמוהם, ומה היה להם לחטוא בחמס וגזל, אחר כי לא נחסר להם כל מאומה בכל ענייניהם. וביאור הכתוב והוא ישקיט נותן להם שקיטה, ואם כן מי ירשיע אותם אם לא הם בעצמם ששמנו ובעטו בה': **מה נכון כו'.** ענין ההכנה הונח על דבר שעודנה בכח, אך מוכן לצאת לפועל על ידי ההכנה הזאת, ואחר שמצאנו שם ההכנה על שלשה ימים, ולמר על יום אחד, מורה שדי בזה, וכאומר שזרעם בעת שנזרעו והרו תיכף היה נכון לפניהם לצאת לפועל. וענין מחלוקתם אולי הוא מגזירה שוה המקובלת למר מזה ולמר מזה. והענין בכלל, כי קודם חטא המבול היה העולם על מתכונת אחרת, וכמו שהיה קודם חטא אדם הראשון, שהיו המזלות מהלכות בדרך קצרה, ואז היה הרה ויולדת יחדיו ממש, ואחר כך בסיבת החטא נתארה להשהות משך זמן יותר, אך לא יותר מן שלשה ימים, ואחר כך אחר המבול נתארה יותר ויותר, כן הוא לפי דעת חז"ל (בראשית רבא י, ד):

רַבִּי לֵוִי אָמַר: לְג׳ יָמִים הָיְתָה אִשָּׁה מֵהֶן מִתְעַבֶּרֶת וְיוֹלֶדֶת — **R' Levi said: The women** of that generation **would conceive and give birth after** just **three days;** נֶאֱמַר כָּאן ״נָכוֹן״ וְנֶאֱמַר לְהַלָּן ״הֱיוּ נְכֹנִים לִשְׁלֹשֶׁת יָמִים״ — for **it is stated here,** *their offspring are ready* [נָכוֹן], **and elsewhere** (*Exodus* 19:15), describing the days prior to Israel's receiving of the Torah, **it is stated,** ***Be ready*** [נְכֹנִים] ***after a three-day period.*** מַה נָּכוֹן הָאָמוּר לְהַלָּן ג׳ יָמִים אַף נָכוֹן הָאָמוּר כָּאן לְג׳ יָמִים — **Just as "ready" in that other verse refers to three days, so too does "ready" here** in *Job* **refer to three days.**

וְרַבָּנָן אָמְרִי: לְיוֹם אֶחָד הָיְתָה אִשָּׁה מִתְעַבֶּרֶת וְיוֹלֶדֶת — **And the** other **Sages said: The women** of that generation **would conceive and give birth in** just **one day;** נֶאֱמַר כָּאן ״נָכוֹן״ וְנֶאֱמַר לְהַלָּן ״נָכוֹן״, ״וֶהְיֵה נָכוֹן לַבֹּקֶר״ — for **it says here** *their offspring are ready* [נָכוֹן], **and elsewhere** (*Exodus* 34:2), God said to Moses, ***Be ready*** [נָכוֹן] ***in the morning,*** i.e., tomorrow morning. מַה נָּכוֹן הָאָמוּר לְהַלָּן יוֹם אֶחָד אַף נָכוֹן הָאָמוּר כָּאן יוֹם אֶחָד — **Just as "ready" in that other verse refers to one day, so too does "ready" here** in *Job* **refer to one day.**

INSIGHTS

who is prosperous (*Deuteronomy* 8:14), וְרָם לְבָבֶךָ וְשָׁכַחְתָּ אֶת ה׳, *And your heart will become haughty and you will forget* HASHEM.

But is not wealth also a vehicle for the service of God? We find that Satan said before God concerning Job: *Is it for nothing that Job fears God? Have You not set a protective wall about him, about his household, and about everything he owns from all around? You have blessed his handiwork, and his livestock have spread throughout the land* (*Job* 1:9-10). It is no surprise that Job is righteous. God has granted him wealth and blessing!

Similarly, we are exhorted (*Deuteronomy* 8:10), *You will eat and you will be satisfied, and bless Hashem, your God, for the good Land that He gave you.* We recite this verse every time we recite the Grace After Meals. Is wealth, then, something to be avoided or to be welcomed?

R' Yaakov Naiman (*Darchei Mussar, Genesis* 6:11) explains that a faithful servant whom God blesses with wealth will surely increase his Divine service. As *Chovos HaLevavos* (*Shaar HaKeniah* §4) states, one upon whom God bestows His blessings must humble himself before God, realizing that he now has a greater responsibility to serve Him. He must take care lest his good fortune be turned against him, as a punishment for neglecting to carry out his duty.

Ideally, one should be able to enjoy every earthly advantage with no harm befalling his soul. The Gemara (*Sanhedrin* 38a) states that man was created last among all creations so that he should be able to dine at the "banquet," i.e., enjoy the earthly delights without delay. Had man been created earlier, he would have had to wait for all the fruits to be created before partaking (see *Rashi*, ad loc.).

Why did God create the world in this fashion? Did Adam truly need to partake of every single delight the very moment he entered this world?

Rav Naiman explains that God wished to show man that, in His goodness and compassion, He had created a perfect world, with man's every need and desire all prepared for him even before he was created. It is up to man, however, to prepare himself, by contemplating why God bestowed His blessing upon him, so that he may use God's gifts to serve Him and not come to harm through them. A wise man will humble himself before God. He will realize the infinite gratitude he owes God, and he will also know that with God's blessings come greater responsibility to Him. This is the purpose for which God blessed him with prosperity.

One who fails to think this way, however, will become haughty and forget God, and will thus prove himself unworthy of the bounty bestowed upon him. His fortune will be removed or — perhaps worse — become to him a source of *mis*fortune, as it states (*Ecclesiastes* 5:12), *There is a sickening evil which I have seen under the sun: riches hoarded by their owner to his misfortune* (see *Chovos HaLevavos*, loc. cit.). This is what occurred to the generation of the Flood. Their wealth made them arrogant, not grateful. And they followed the golden road to sin and, ultimately, to their downfall.

And so it was with the people of Sodom (below, §2). It is noteworthy that not only were they destroyed but also their verdant, fertile land, as it states: *Now* HASHEM *had caused sulfur and fire to rain upon Sodom and Gomorrah, from* HASHEM, *out of heaven. He overturned these cities and the entire plain, with all the inhabitants of the cities and the vegetation of the soil* (*Genesis* 19:24-25). *Be'er Yosef* (ad loc.) explains why. It was the rich and fertile land that God bestowed upon them that led to their cruelty and perverse behavior, as we are taught (*Sanhedrin* 109a), that the people of Sodom became arrogant only because of the bounty that the Holy One, blessed is He, lavished upon them. The people of Sodom said: "Why do we need wayfarers, who come to us only to deprive us of our money?! Let us undertake to mistreat all non-Sodomites so terribly that they will no longer desire to travel through our territory." The root of Sodom's evil was selfishness and greed. Sodom's rich and fertile earth made it a magnet for people wishing to make their fortune. But the Sodomites wished to maintain their own prosperity and not be encumbered by a flood of poor immigrants. To discourage undesirable newcomers, the people of Sodom institutionalized cruelty, making it a crime to feed a starving person or offer alms to a beggar. *Be'er Yosef* concludes that since it was the precious land with which God had blessed them, and which they selfishly refused to share with anyone else, that led to their depravity, it was fitting that not only did they themselves perish but their land was destroyed as well. The blessed land they had misused would be inhabited no more.

פרשה ה

א [ד, ג] **"אִם הַכֹּהֵן הַמָּשִׁיחַ יֶחֱטָא לְאַשְׁמַת הָעָם וְהִקְרִיב עַל חַטָּאתוֹ אֲשֶׁר חָטָא פַּר בֶּן בָּקָר תָּמִים לַה' לְחַטָּאת", זֶה שֶׁאָמַר הַכָּתוּב** (איוב לד, כט) **"וְהוּא יַשְׁקִט וּמִי יַרְשִׁעַ וְגוֹ'", דָּרַשׁ רַבִּי מֵאִיר: "וְהוּא יַשְׁקִט" מֵעוֹלָמוֹ,** (שם) **"יַסְתִּיר פָּנִים" מֵעוֹלָמוֹ, [א]כַּדַּיָּין הַזֶּה שֶׁהוּא מוֹתֵחַ אֶת הַוִּילוֹן מִבִּפְנִים וְאֵינוֹ רוֹאֶה מַה נַּעֲשֶׂה מִבַּחוּץ, כָּךְ אָמְרוּ דוֹר הַמַּבּוּל** (איוב כב, יד) **"עָבִים סֵתֶר לוֹ וְגוֹ'", אָמְרוּ לוֹ: דַּיֶּיךָ מֵאִיר, אֶלָּא "וְהוּא יַשְׁקִט וּמִי יַרְשִׁעַ", נָתַן שַׁלְוָה לְדוֹר הַמַּבּוּל, וּמִי בָא וְחִיְּבָן, וּמַה שַּׁלְוָה נָתַן לָהֶם,** (שם כא, ח) **"זַרְעָם נָכוֹן לִפְנֵיהֶם עִמָּם וְצֶאֱצָאֵיהֶם לְעֵינֵיהֶם", רַבִּי לֵוִי וְרַבָּנָן, רַבִּי לֵוִי אָמַר: לְג' יָמִים הָיְתָה אִשָּׁה מֵהֶן מִתְעַבֶּרֶת וְיוֹלֶדֶת, נֶאֱמַר כָּאן "נָכוֹן" וְנֶאֱמַר לְהַלָּן** (שמות יט, טו) **"הֱיוּ נְכֹנִים לִשְׁלֹשֶׁת יָמִים", מָה נָכוֹן הָאָמוּר לְהַלָּן ג' יָמִים אַף נָכוֹן הָאָמוּר כָּאן לְג' יָמִים, וְרַבָּנָן אָמְרִי: לְיוֹם אֶחָד הָיְתָה אִשָּׁה מִתְעַבֶּרֶת וְיוֹלֶדֶת, נֶאֱמַר כָּאן "נָכוֹן" וְנֶאֱמַר לְהַלָּן "נָכוֹן",** (שם לד, ב) **"וֶהְיֵה נָכוֹן לַבֹּקֶר", מָה נָכוֹן הָאָמוּר לְהַלָּן יוֹם אֶחָד אַף נָכוֹן הָאָמוּר כָּאן יוֹם אֶחָד,**

עץ יוסף

(א) **זה שאמר הכתוב והוא ישקיט.** משום דקשיא ליה מאי לאשמת העם, בעי לפרש דמשיח כצבור, ורצה לומר שאין ה' נושא פנים לצבור טפי מיחיד אלא משוה אותם ליחיד, כדלקמן (סוף סימן ג), ולהכי מייתי האי קרא דכתיב ביה על גוי ועל אדם יחד, ואיידי דמייתי ליה מפרש כוליה קרא: **ישקיט מעולמו כו'.** האי קרא בעניינא דדור המבול משתעי, והאה מפרש הכא והוא ישקיט מעולמו, כלומר, כך אמרו דור המבול והוא ישקיט מעולמו מלהיות משגיח בו לעשות הדין בעושקים הרשעים, ומי ירשיע, כלומר, אם הוא אינו מרשיע אותם בדין מעתה מי ירשיעם לחייבם בדין, לפיכך גם הם לא עשו דין בארץ באומרם שהעולם הפקר לית דין ולית דיין, וכן אמרו והוא יסתיר פנים מעולמו מלעקת הנעשקים והצדיקים לעשות עמהם אות לטובה, ואם הוא מסתיר פנים מעולמו מי ישורנו, פירוש מי יביט וישגיח בו לטובה. ולפי שכפרו דור המבול בהשגחה לגמרי בין השגחה הכללית דהיינו על כלל האומה ובין בהשגחה הפרטית דהיינו פרטי האנשים, לזה אמר שם אליהו במענתו שאמרו דור המבול והוא יסתיר פנים וגו', ועל גוי ועל אדם יחד, כלומר בין על גוי כלל האומה ובין על אדם פרטי בשניהם יחד אינו משגיח כלל, ועל זה אמר בעל המאמר, שהוא כדיין שמותחין את הוילון לפניו, ואינו יודע מה נעשה בחוץ. ומביא רבי מאיר בעל המאמר ראיה שאליהו אמר זה בשם דור המבול, ולא כמדבר בעדו חס ושלום, שהרי כך אמרו דור המבול בפירוש עבים סתר לו ולא יראה, כלומר שהוא כאילו משים ענן וערפל סביביו לבלתי השגיח בעולם, והאי קרא דעבים סתר לו וגו' על כרחך נאמר בשם אומרו, דהיינו דור המבול, כדכתיב בתריה הארחת עולם תשמור אשר דרכו מתי און, אשר קומטו ולא עת נהר יוצק יסודם, אשר כל זה נדרש בדור המבול, ובזה הוכיחו אליפז לאיוב לומר שגם הוא הלך בעקבות דור המבול לכפור בהשגחה, וממילא אף מקרא זה והוא ישקיט וגו' נדרש בדור המבול, שאליהו אמר זה בשם אומרו דהיינו דור המבול (נזר הקודש): **דייך מאיר.** כלומר דייך בדברים הללו, שאין כך כוונת הכתוב, כי אינו דומה למאמר עבים סתר לו, כי נזכר שם מפורש בשם אומרו, אבל כאן נאמר סתם והוא ישקיט ומי ירשיע וגו', כאילו הוא מדבר בעדו, ולא הוי ליה לסתום במקום שיש לטעות בדבר הנוגע לאמונה, והוי ליה לפרש ולומר ויאמרו הוא ישקיט ומי ירשיע וגו': **ומי בא וחייבן.** ורצה לומר שמקרא זה דבק למה שאמר למעלה האומר למלך בליעל כו', וזה כלפי מה שהיה איוב מיחס עול במשפטי ה' היה מוכיחו, שאין מן הראוי שיאמרו למלך שעושה שלא כדין, וזה אם מלך שאין ספק שכל דרכיו משפט כי מלך במשפט יעמיד ארץ, ואם יראה הפך זה, דברים בגו, וכן הקדוש ברוך הוא ודאי שעושה משפט. או שעם שיהיה האמת שעושה עול מי הוא זה אשר מלאו לבו לומר מה תעשה, כי מאחר שהוא מלך הכל ברשותו וכל אשר עושה בשלו עושה, וכן ה' יתברך שברא העולם והכל שלו, יכול לעשות מה שירצה, ומי יאמר לו מה תעשה, ולזה הביא ראיה מדור המבול שכשהשפיע להם ה' שלוה לא נמצא מי שמיחה בידו לומר לו למה תעשה כה עם היותם חייבים מאד, כי ידעו דדברים בגו, וכן כשהסתיר פניו מהם, לא נאמר לו שעושה שלא כשורה (יפה תואר בבראשית רבה פרשה לו): **זרעם נכון לפניהם.** דאיוב לפרש מעשה דור המבול בא כדאיתא בבראשית רבה (כו, יח). והמקראות הללו בדור המבול משתעי, שהם הגליהו כל כך ואמרו לאל סור ממנו: **נאמר כאן נכון.** ומופנה לגזירה שוה, דאם לא כן די שיאמר זרעם לפניהם, דהכנה מאן דכר שמיה: **ונאמר להלן היו נכונים.** וניחא ליה למילף נכון מנכון אף על גב דלא איירי באשה:

פירוש מהרז"ו

(א) **עבים סתר לו.** ולא יראה. והנה פסוק זה באיוב (כב, יד) ואמרת מה ידע אל וגו' עבים סתר לו וגו', ורבי מאיר אומר שאמרו כן דור המבול. ובאמת שכוונתו על פסוק שלאחריו (שם פסוק טו), הארח עולם תשמור אשר דרכו מתי און, הם בני דור המבול, כמו שדרשו על הפסוקים הסמוכים שם. וכמו שאמרו הם כך אתה אומר: **והוא ישקיט.** הרי שתולה הכל בהשם יתברך, שהוא המשקיט והמרשיע, ואחר כך אמר ויסתיר פנים וסותר עלמו, על כן דורש רבי מאיר ישקיט מעולמו, שחלילה אינו משגיח בו, וכמו שכתוב לפניה א, יב, וזהו ויסתיר פנים, על פי מדה י"ז, שאנשי דור המבול אמרו כן כנ"ל, ואמרו חכמים לרבי מאיר, דייך מאיר שמאחר שכתוב בפסוק הקודם ולעקת עניים ישמע, איך יאמר והוא ישקיט, ורבי מאיר דורש על פי מדה ל"א, שפסוק והוא ישקיט שייך לפסוק שלפני פניו, אשר על כן סרו מאחריו וכל דרכיו לא השכילו והוא ישקיט, ודעת חכמים שאם כן היה לו לומר שהוא שוקט. על כן דרשו ישקיט לאחרים, לדור המבול:

חידושי הרד"ל

[א] **דרש רבי מאיר והוא ישקיט.** כל המאמר בבראשית רבה (לו, א):

אמרי יושר

[א] **דייך מאיר.** שאינו דברי הרשעים:

מסורת המדרש

א. ילקוט על פסוק זה:

אם למקרא

והוא ישקט ומי ירשע ויסתר פנים ומי ישורנו ועל־גוי ועל־אדם יחד: (איוב לד:כט)

עבים סתר לו ולא יראה וחוג שמים יתהלך: (שם כב:יד)

זרעם נכון לפניהם עמם וצאצאיהם לעיניהם: (שם כא:ח)

ויאמר אל העם היו נכנים לשלשת ימים אל תגשו אל אשה: (שמות יט:טו)

והיה נכון לבקר ועלית בבקר אל־הר סיני ונצבת לי שם על־ראש ההר: (שם לד:ב)

מתנות כהונה

[א] **ישקיט מעולמו.** הכי גרסינן בבראשית רבה (לו, א) ועיין שם כי נכון הוא וכן גירסת הילקוט: **דייך מאיר.** כלומר די לך ושתוק שלא דרשת יפה: **ומי בא וחייבן.** בתמיה מי יכול ליטול מהן אותו שלוה. ובילקוט (איוב תתקכח) גרס לא נתנה שלוה כו' אלא לחייבן:

אשד הנחלים

[א] **ישקיט מעולמו יסתיר פנים כו'.** השקיטה הוא מלשון מנוחה שהונח על קבלת הטובה, והסתרת פנים היא על הרעה שמסתיר פנים ואינו רואה הרעה הקורהו, וכלומר הוא מניח לאיש להיות ישקט, ואין מי ירשיע אותו על ככה, וכן יסתיר פנים ממנו ואין מי ירשיענו, אחר שהכל בהסתרת פנים כמו המותח הווילון, וכלומר שהיה דעת איוב שהקב"ה אינו משגיח בשפלים מאומה, כי אם בעליונים, כאלו המה המחיצה המבדלת בין ההשגחה להטבע: **דייך מאיר.** לחשוד את איוב שהיה דעתו כדור המבול: **נתן שלוה כו' וחייבן.** כלומר מי הוא שחייב על עקירתם מן העולם, הלא שיחתם בעצמם, כי מי המה אשר ישבו שקט ושאנן כמוהם, ומה היה להם לחטוא בחמס וגזל, אחר כי לא נחסר להם כל מאומה בכל ענייניהם. וביאור הכתוב והוא ישקיט נותן להם שקיטה, ואם כן מי ירשיע אותם אם לא הם בעצמם ששמנו ובעטו בה': **מה נכון כו'.** ענין ההכנה הונח על דבר שעודנה בכח, אך מוכן לצאת לפועל על ידי ההכנה הזאת, ואחר שמצאנו שם ההכנה על שלשה ימים, ולמר על יום אחד, מורה שדי בזה, וכאומר שזרעם בעת שנזרעו והרו תיכף היה נכון לפניהם לצאת לפועל. וענין מחלוקתם אולי הוא מגזירה שוה המקובלת למר מזה ולמר מזה. והענין בכלל, כי קודם חטא המבול היה העולם על מתכונת אחרת, וכמו שהיה קודם חטא אדם הראשון, שהיו המזלות מהלכות בדרך קצרה, ואז היה הרה ויולדת יחדיו ממש, ואחר כך בסיבת החטא נתארכה להשהות משך זמן יותר, אך לא יותר מן שלשה ימים, ואחר כך אחר המבול נתארכה יותר ויותר, כן הוא לפי דעת חז"ל (בראשית רבא י, ד):

The Midrash continues with the description of the pre-Flood era, based on the *Job* passage:

"וְצֶאֱצָאֵיהֶם לְעֵינֵיהֶם", שֶׁהָיוּ רוֹאִים בְּנֵיהֶם וּבְנֵי בְנֵיהֶם — ***And their descendants are before their eyes*** (*Job* ibid.) — this indicates **that they** lived so long that they **would see their children and their children's children.**[11] "יְשַׁלְּחוּ כַצֹּאן עֲוִילֵיהֶם", יְנִיקֵיהוֹן — ***They send out "avilayhem" [carefree] as sheep*** (ibid., v. 11). The unusual term ***"avilayhem"*** means **"their young."** אָמַר רַבִּי לֵוִי: בַּעֲרַבְיָא קוֹרִין לְיָנוֹקָא עֲוִילָא — **R' Levi said:** This can be corroborated by the fact that **in Arabia a child is called *"avila."*** "וְיַלְדֵיהֶם יְרַקֵּדוּן", כְּאִילֵּין שֵׁדַיָא — ***Their children prance about*** [יְרַקֵּדוּן] (ibid.) — **like demons,**[12] כְּמָה דְתֵימָא "וּשְׂעִירִים יְרַקְּדוּ שָׁם" — **as it is stated, *and demons will dance*** [יְרַקְּדוּ] ***there*** (*Isaiah* 13:21). הָא כֵיצַד — **How so?** כֵּיוָן שֶׁהָיְתָה אַחַת מֵהֶן יוֹלֶדֶת בַּיּוֹם — **When a woman gave birth during the day,** הָיְתָה אוֹמֶרֶת לִבְנָהּ: לֵךְ וְהָבֵא לִי צוֹר וַאֲנִי חוֹתֶכֶת אֶת שׁוֹרְךָ — **she would say to her** newborn **son, "Go and get me a flint so I can sever your umbilical cord";**[13] וּכְשֶׁהָיְתָה יוֹלֶדֶת בַּלַּיְלָה — **and when she gave birth during the night,** הָיְתָה אוֹמֶרֶת לִבְנָהּ: לֵךְ וְהַדְלִיק לִי אֶת הַנֵּר וַאֲנִי חוֹתֶכֶת אֶת שׁוֹרְךָ — **she would say to her** newborn **son, "Go and light the lamp for me so I can sever your umbilical cord."**[14] עוֹבְדָא הֲוָה בְּחַד אִתְּתָא דִּילֵידַת בְּלֵילְיָא וְאָמְרָה לִבְרָהּ — **It once occurred** in those days **that a certain woman gave birth at night, and said to her son,** אֱזִיל וְאַדְלִיק לִי בּוֹצִינָא וַאֲנָא קָטְעָא שׁוֹרָךְ — **"Go and light me a lamp so I can cut your umbilical cord."** אֲזַל לְמִדְלְקָה בּוֹצִינָא — **He went to light the lamp** וּפָגַע לֵיהּ שֵׁידָא שָׂרֵיהוֹן דְּרוּחָתָא — **and he encountered a demon** on the way **— the prince over** all evil **spirits.** עַם דְּמִתְעַסְקִין דֵּין עִם דֵּין קָרָא תַרְנְגוֹלָא — **While they were contending with each other, the rooster crowed.**[15] אָמַר לֵיהּ: אֱזִיל גְּלוֹג לְאִמָּךְ וֶאֱמוֹר לָהּ: אִילוּלֵי דִּקְרָא תַרְנְגוֹלָא הֲוֵינָא קָטִיל לָךְ — **[The demon] said to him, "Go and announce to your mother and say to her** that **if not for the rooster's crowing I would have killed you."** אֲמַר לֵיהּ: אֱזִיל גְּלוֹג לְאִמָּא דְאִמָּךְ דְּלָא קָטְעַת אִמִּי שׁוּרִי — **[The newborn] replied, *"You* go and announce to your mother's mother that my mother has not yet severed my umbilical cord,** and thus I do not have my full strength, דְּאִי קָטְעַת אִמִּי שׁוּרִי הֲוֵינָא קָטִיל לָךְ — **for had my mother already severed my umbilical cord, I would have killed *you!"*** לְקַיֵּים מַה שֶּׁנֶּאֱמַר "בָּתֵּיהֶם שָׁלוֹם מִפָּחַד" מִן הַמַּזִּיקִין — **This incident supports what is stated** of the generation of the Flood, ***Their homes are peaceful, [safe] from fear*** (*Job* ibid., v. 9) — meaning, *safe* ***from*** *fear* of **demons;** "וְלֹא שֵׁבֶט אֱלוֹהַּ עֲלֵיהֶם" מִן הַיִּסּוּרִים — ***and the rod of God is not against them*** (ibid.) — meaning that they were spared **from suffering.**

The Midrash resumes its interpretation of Job 34:29: *And when He hides [His] face, who can take note of him? Upon a nation or upon an individual as one* (*Job* 34:29).

וּכְשֶׁהִסְתִּיר פָּנָיו מִי אָמַר לוֹ: לֹא עָשִׂיתָ כְּשׁוּרָה — **And when [God]** ultimately **hid His face from them,** i.e., when He finally ceased to tolerate their evildoing, **who could say to Him, "You have not done properly"?**[16] וּבַמֶּה הִסְתִּיר פָּנָיו מֵהֶן — **And in what** way **did He "hide His face" from [that generation]?** הֵבִיא עֲלֵיהֶן אֶת מֵי הַמַּבּוּל, "וַיִּמַח אֶת כָּל הַיְקוּם וְגוֹ'" — **He brought the waters of the Flood upon them,** as it is written, ***And He blotted out all existence*** *that was on the face of the ground* (*Genesis* 7:23). "וְעַל גּוֹי וְעַל אָדָם יָחַד" — The *Job* verse continues, *And when He hides [His] face, who can take note of him?* ***Upon a nation or upon an individual as one*** (*Job* 34:29). The Midrash expounds: "גּוֹי" זֶה דּוֹר הַמַּבּוּל — *Upon **a nation*** — **this is** a reference to **the generation of the Flood;** "אָדָם" זֶה נֹחַ — *upon **an individual*** — **this** is a reference to **Noah.** "יָחַד", הָיָה לוֹ לְהַעֲמִיד אֶת עוֹלָמוֹ מֵאָדָם אֶחָד — ***As one*** means that **[God] was able to reestablish His world from one individual,** i.e., Noah, "יָחַד", הָיָה לוֹ לְהַעֲמִיד אֶת עוֹלָמוֹ מֵאוּמָּה אַחַת — ***as one*** — i.e., just the same as **He would have established His world from one nation,** i.e., from the generation of the Flood.[17]

§2 The Midrash presents another explanation of the *Job* passage:

דָּבָר אַחֵר, "וְהוּא יַשְׁקִט וּמִי יַרְשִׁעַ" — **Another interpretation** of ***When He grants serenity, who can cause turmoil?*** (*Job* 34:29): נָתַן שַׁלְוָה לִסְדוֹמִיִּים — **God granted the Sodomites tranquility;**[18] מִי בָא וְחִיְּבָן — **who,** then, **could come and condemn them?**[19]

The Midrash digresses to describe the "tranquility" experienced by the people of Sodom before the destruction of that city, based on a different passage in *Job:*

וּמַה שַּׁלְוָה נָתַן לָהֶם — **And what** was the nature of the **tranquility** that **He had given them?** "אֶרֶץ מִמֶּנָּה יֵצֵא לָחֶם . . . מְקוֹם סַפִּיר וְגוֹ', נָתִיב לֹא יְדָעוֹ עָיִט וְלֹא שְׁזָפַתּוּ עֵין אַיָּה" — ***There is a land where food once grew . . . a place*** *where stones were* ***sapphires,*** *and it had dust of gold;* ***[on] a route not known to the buzzard, [that] the vulture's eye had not seen*** (ibid. 28:5-7).[20] רַבִּי לֵוִי בְּשֵׁם רַבִּי יוֹחָנָן בַּר שְׁאוֹנָה: הָדֵין בַּר הַדְיָא הוּא צוֹפֶה מַאֲכָלוֹ מִי"ח מִיל — **R' Levi said in the name of R' Yochanan bar She'onah: This vulture eyes its food from** a distance of **eighteen** ***mil.***

NOTES

11. And so on, up to five or six generations (*Midrash Tanchuma, Bereishis* §12).

12. I.e., their children were a match for the demons, able to contend with them and not be harmed by them, as the Midrash goes on to elaborate.

13. I.e., their newborns were able to walk and perform chores on the very day of their birth.

14. For a "newborn," lighting a candle is an even greater feat than fetching an object (*Eitz Yosef* on *Bereishis Rabbah* 36 §1).

15. The crow of the rooster indicates the onset of daylight, when demons are powerless to inflict harm, as it is written (*Psalms* 104:22), *The sun rises and they are gathered in* (*Matnos Kehunah*).

16. This is the explanation for *And when He hides [His] face, who can take note of him* [יְשׁוּרֶנּוּ]? The Midrash interprets יְשׁוּרֶנּוּ to be related to שׁוּרָה, meaning "in line," "properly" (*Matnos Kehunah*).

17. *Upon a nation or upon an individual as one* means: It was all the same (*as one*) to God to rebuild the human race from *an individual* (Noah) as it would have been to continue building the human race from *a nation* (the rest of humanity, killed by the Flood). I.e., no one can accuse God of acting improperly (וּמִי יְשׁוּרֶנּוּ) in destroying nearly all of humanity, for He had the power to rebuild the human race from the sole survivor of the Flood (*Yefeh To'ar* to *Bereishis Rabbah* 36 §1).

18. The nature of which will be explained presently by the Midrash.

19. See above, note 9.

20. In this passage Job refers to a land that *was transformed, resembling fire* (ibid., v. 5) and in which God *stretched out His hand to the flint and overturned mountains from the root* (ibid., v. 9) — a place identified by the Midrash with Sodom (see also Midrash above, 4 §1). The difficulty in this particular verse is: What is the significance of the fact that the vulture's eye never saw Sodom? What is its relevance to the depiction of Sodom's great tranquility and prosperity? The Midrash goes on to answer this question.

"וְצֶאֱצָאֵיהֶם לְעֵינֵיהֶם", שֶׁהָיוּ רוֹאִים בְּנֵיהֶם וּבְנֵי בְנֵיהֶם, (איוב כא, יא) "יְשַׁלְּחוּ כַצֹּאן עֲוִילֵיהֶם", יְנִיקֵיהוֹן, אָמַר רַבִּי לֵוִי: בְּעַרְבִיָּא קוֹרִין לְיָנוֹקָא עֲוִילָא, (שם) "וְיַלְדֵיהֶם יְרַקֵּדוּן", כְּאִילֵּין שֵׁדַיָּא, כְּמָה דְתֵימָא (ישעיה יג, כא) "וּשְׂעִירִים יְרַקְּדוּ שָׁם", *הָא כֵיצַד, כֵּיוָן שֶׁהָיְתָה אַחַת מֵהֶן יוֹלֶדֶת בַּיּוֹם הָיְתָה אוֹמֶרֶת לִבְנָהּ: לֵךְ וְהָבֵא לִי צוֹר וַאֲנִי חוֹתֶכֶת אֶת שׁוֹרֶךְ, וּכְשֶׁהָיְתָה יוֹלֶדֶת בַּלַּיְלָה הָיְתָה אוֹמֶרֶת לִבְנָהּ: לֵךְ וְהַדְלִיק לִי אֶת הַנֵּר וַאֲנִי חוֹתֶכֶת אֶת שׁוֹרֶךְ, עוּבְדָא הֲוָה בְּחַד אִתְּתָא דִּילִידַת בַּלַּיְלָה וְאָמְרָה לִבְרָהּ: אֱזִיל וְאַדְלִיק לִי בּוֹצִינָא וַאֲנָא °קָטַע שׁוּרָךְ, אֲזַל לְמַדְלְקָה בּוֹצִינָא וּפָגַע לֵיהּ שִׁידָא שָׂרֵיהוֹן דְּרוּחָתָא, עִם דְּמִתְעַסְּקִין דֵּין עִם דֵּין קְרָא תַרְנְגוֹלָא, אָמַר לֵיהּ: אֱזִיל גְּלוֹג לְאִמָּךְ וֶאֱמוֹר לָהּ: אִילוּלֵי דִקְרָא תַרְנְגוֹלָא הֲוֵינָא קָטֵיל לָךְ, אֲמַר לֵיהּ: אֱזִיל גְּלוֹג לְאִמָּא דְאִמָּךְ דְּלָא קְטַעַת אִמִּי שׁוּרִי, דְּאִי קְטַעַת אִמִּי שׁוּרִי הֲוֵינָא קָטֵיל לָךְ, לְקַיֵּים מַה שֶּׁנֶּאֱמַר (איוב כא, ט) "בָּתֵּיהֶם שָׁלוֹם מִפָּחַד" מִן הַמַּזִּיקִין, (שם) "וְלֹא שֵׁבֶט אֱלוֹהַּ עֲלֵיהֶם" מִן הַיִּסּוּרִים, וּכְשֶׁהִסְתִּיר פָּנָיו מִי אָמַר לוֹ: לֹא עָשִׂיתָ כַּשּׁוּרָה, וּבַמֶּה הִסְתִּיר פָּנָיו מֵהֶן, הֵבִיא עֲלֵיהֶן אֶת מֵי הַמַּבּוּל, (בראשית ז, כג) "וַיִּמַח אֶת כָּל הַיְקוּם וְגוֹ'", (איוב לד, כט) "וְעַל גּוֹי וְעַל אָדָם יָחַד", "גּוֹי" זֶה דּוֹר הַמַּבּוּל, "אָדָם" זֶה נֹחַ, "יָחַד", הָיָה לוֹ לְהַעֲמִיד אֶת עוֹלָמוֹ מֵאָדָם אֶחָד, "יָחַד", הָיָה לוֹ לְהַעֲמִיד אֶת עוֹלָמוֹ מֵאוּמָּה אֶחָת:

ב דָּבָר אַחֵר, (איוב לד, כט) "וְהוּא יַשְׁקִט וּמִי יַרְשִׁעַ", נָתַן שַׁלְוָה לַסְּדוֹמִיִּים, מִי בָא וְחִיְּבָן, וּמָה שַׁלְוָה נָתַן לָהֶם, (שם כח, ה-ז) "אֶרֶץ מִמֶּנָּה יֵצֵא לָחֶם... מְקוֹם סַפִּיר וְגוֹ', נָתִיב לֹא יְדָעוֹ עָיִט", °רַבִּי לֵוִי בְּשֵׁם רַבִּי יוֹחָנָן בַּר שְׁאוֹנָה: הָדֵין בַּר הַדְיָא הוּא צוֹפֶה מַאֲכָלוֹ מִי"ח מִיל,

עץ יוסף

בניהם ובני בניהם. כלומר שהיו רואים בני בנים רבים, שזהו שם הצאצאים בני בנים היוצאים מן הבנים, אחר שילדו מהר עת אחר עת: **יניקיהון.** בניהם ובנותיהם: **בערבייא צווחין לינוקא עוילא.** פי' בלשון ערבי קורין לתינוק עוילא, ורצה לומר דלא תימא דלקטני השור והפרה שנזכרו לפניו קאי, דאם כן אין זה חידוש כלל שדרך העגלים לרקד ולדלג כבני צאן, אלא בתינוקות מיירי שהם בני אדם, ולרשעים הנכתב לעיל קאי: **ירקדון באילין שדיא.** דאי רקידה בעלמא, כלומר שהיו חזקים ובריאים כבר נאמר ישלחו כצאן עויליהם: **שורך.** טיבורך: **והדלק לי את הנר.** שהוא יותר מבקשת צור או סכין שצריך ללכת ברחוק עד שימצא נר: **עובדא.** פירוש מעשה: **דילידת.** שילדה: **לברא.** להבן הנולד לה באותה השעה: **בוצינא.** נר: **קטע.** חותך: **שריהון דרוחתא.** השר של הרוחות רעות: **עם דמתעסקין.** בעוד שהם מתאבקים זה עם זה לנצח זה את זה: **קרא התרנגול.** ומאז אין יכולת לשדים להזיק: **אמר ליה אזיל גלוג כו'.** פירוש אמר ליה השד לתינוק לך השתבח לפני אמך ותן תודה לאל שקרא התרנגול: **לאמא דאמך.** כלומר דרך הפלגה: **דלא קטעת אמי שורי.** שלא חתכה אמי טבורי ואני חלש ומסוכן ואיני יכול להרוג אותך, כי השדים גם כן מתים כבני אדם כדאיתא בפרק אין דורשין (חגיגה טז, א), ומכל מקום היה בו כח לעמוד כנגד השד: **פחד המזיקים.** כמו דאת אמר (שיר השירים ג, ח) מפחד בלילות: **מי אמר ליה שלא עשית בשורה.** שאף על פי שרשעים היו, מכל מקום היושבים נדונים בדין קשה זה, ועוד מה שהמית עולליהם וטפם ירצה לד עוֹל בדין: **בשורה.** ישורנו קדרים, דכוי ישורנו משמע דקאי אהקדוש ברוך הוא, דעליו נאמר והוא ישקיט: **היה לו לעמוד את עולמו כו'.** רצה לומר שפירוש הכתוב על גוי ועל אדם יחד, שזה הדבר לפני ה' היה להעמיד העולם מאדם אחד הייינו מנח, כמו שהוא מאומה אחת, כי השם יגוה ברכתו ביחיד כמו במרובים, ולכן לא היה מי שיאמר לו שעשה שלא כשורה כי לא הפסיד העולם באבדן הרשעים (יפה תואר): **(ב) ארץ ממנה יצא לחם.** ובסדום משתעי קרא כדכתיבנא בפרשה ד (סימן א): **לא ידעו עיט ולא שזפתו עין איה ר' לוי כו'.** כן צריך לומר, ועל עין איה מפורש הדין בר הדיא כו' (רד"ל):

פירוש מהרז"ו

ושעירים ירקדו שם. הם שדים כידוע במקרא, וכן הוא בישעיה (יג, כא) ושעירים ירקדו שם, פירושו שדים, וכמו שאמר לקמן (כב, ח) בהדיא, וכאן שכתוב וילדיהם ירקדון, דורש גזירה שוה, ומה שכתב ושעירים ירקדו, שגם הילדים היה להם גבורות השדים: **דלא קטעת אמי שורי.** ועד שלא נחתך הטבור לא נגמר לידתו, ואינו כחו בו בשלימות. ולא שבט אלוה. כמו שכתוב (איוב ט, לד) יסור מעלי שבטו, הם יסורי השחין, וכמו שכתוב (תהלים פט, לג) ופקדתי בשבט פשעם: **על גוי ועל אדם יחד.** גוי פירושו הרבה בני אדם, ואדם פירושו אדם יחיד. ומה שכתב עוד הפעם יחיד וכו' עד עולמו הוא מיותר, ובבראשית רבה שם ליתא, עיין שם. ועיין מה שכתב בסוף הסימן על תיבת יחד, שצריך למה שכתב כאן מאומה אחת. ופירוש שגם על נח היה ראוי שיבא המבול, כמבואר בבראשית רבה שם, ועד כאן הוא מהבראשית רבה שם:

חידושי הרד"ל

[ב] ידעו עיט ולא שזפתו עין איה ר' לוי כו'. כן צריך לומר. ועל עין איה מפורש, הדין בר הדיא כו':

באור מהרי"פ

[א] ועל אדם זה נח, יחד, שממנו הושתת העולם, ויש לו להעמיד עולמו מאומה שלימה ומאדם אחד, שנאמר ויהיו (בראשית ט, יח - יט) ויהיו בני נח היוצאים מן התבה שם וחם ויפת וחם הוא אבי כנען, שלשה אלה בני נח ומאלה נפצה כל הארץ. כן הוא נוסח המדרש (בראשית רבה לו, ג), וזה לשון הנכתב שם על הגליון, פירוש הדור זה דור המבול, ואדם אחד זה נח הושוו יחד, כי כל השיעור הראוי לצאת מדור המבול, יצאו יחד מאדם אחד זה נח שמילא מקומם, ועל זה אמר ויהיו בני נח וגו' ומאלה נפצה כל הארץ:

אם למקרא

יְשַׁלְּחוּ כַצֹּאן עֲוִילֵיהֶם וְיַלְדֵיהֶם יְרַקֵּדוּן: (איוב כא:יא)

בָּתֵּיהֶם שָׁלוֹם מִפָּחַד וְלֹא שֵׁבֶט אֱלוֹהַּ עֲלֵיהֶם: (שם שם ט)

וַיִּמַח אֶת כָּל־הַיְקוּם אֲשֶׁר עַל פְּנֵי הָאֲדָמָה מֵאָדָם עַד בְּהֵמָה עַד רֶמֶשׂ וְעַד עוֹף הַשָּׁמַיִם וַיִּמָּחוּ מִן הָאָרֶץ וַיִּשָּׁאֶר אַךְ נֹחַ וַאֲשֶׁר אִתּוֹ בַּתֵּבָה: (בראשית ז:כג)

וְהוּא יַשְׁקִט וּמִי יַרְשִׁעַ וְיַסְתֵּר פָּנִים וּמִי יְשׁוּרֶנּוּ וְעַל־גּוֹי וְעַל אָדָם יָחַד: (איוב לד:כט)

וְהוּא יַשְׁקִט וּמִי יַרְשִׁעַ וְיַסְתֵּר פָּנִים וּמִי יְשׁוּרֶנּוּ וְעַל־גּוֹי וְעַל אָדָם יָחַד: (איוב לד:כט)

אֶרֶץ מִמֶּנָּה יֵצֵא לָחֶם וְתַחְתֶּיהָ נֶהְפַּךְ כְּמוֹ אֵשׁ: מְקוֹם סַפִּיר אֲבָנֶיהָ וְעַפְרֹת זָהָב לוֹ: נָתִיב לֹא יְדָעוֹ עָיִט וְלֹא שְׁזָפַתּוּ עֵין אַיָּה: (שם כח:ה-ז)

ידי משה

[ב] בר הדיא. הייינו דיה, דאיה ודיה אחת היא כדאיתא בפרק אלו טרפות (חולין סג, ב) וזהו שמסיים נתיב לא ידעו עיט, פירוש מרוב אילנות אפילו עיט שמביט למרחוק שמונה עשר מיל מכל מקום לא ידעו נתיב מרוב אילנות שהיו שם:

שינוי נוסחאות

(ב) נתיב לא ידעו עיט. רד"ל הוסיף כאן סוף הפסוק "ולא שזפתו עין איה", וכן הוא במקצת כת"י:

מתנות כהונה

באלין שדיא. פירוש שדים: **לבנה.** שנולד ביום ההוא: **יניקיהם.** בניהם ובנותיהם: **שורך.** טיבורך: **עובדא.** מעשה: **דילידת.** שילדה: **לברה.** לבנה הנולד באותה שעה: **בוצינא.** נר: **קטע.** חותך: **שריהון כו'.** השר על הרוחות רעות: **עם דמתעסקין וכו'.** בעוד שהם מתאבקים זה עם זה, לנצח זה את זה: **קרא התרנגול.** שהגיע זמן הבוקר ואין שום רשות לשדים, שנאמר (תהלים קד, כב) תזרח השמש יאספון: **אמר ליה.** השד לתינוק: **זיל גלוג.** פירוש השתבח לפני אמך ותן תודה לאל. ורש"י (בראשית רבה לו, א) פירש אמור לפני אמך אילולי כו': **לאמא דאמך.** כלומר דרך הפלגה: **מפחד מזיקים.** כמה דאת אמר מפחד בלילות: **בשורה.** ישורנו קדריש: **גוי זה דור המבול כו'.** באותו פעם שאבד את אלו הגיל את זה: **היה לו.** כן היה טוב בעיניו כדי שלא יחלק לבם שוב: **אומה אחת.** אלו בניו: **[ב] לא ידעו עיט.** סיפיה דקרא ולא שזפתו עין איה, ורואה זהו בר הדיא, ונקרא ראה על שם שרואה ביותר, כדאיתא בפרק אלו טריפות (חולין סג, ב):

אשר הנחלים

בניהם ובני בניהם. כלומר שהיו רואים בני בנים רבים, שזהו שם הצאצאים בני בנים היוצאים מן הבנים, אחר שילדו מהר עת אחר עת: **הבא לי צור.** כי מלת נכון מוסב על זרעם, שגם המה נשלמו בגידולם ודעתם, ותיכף שנבראו היו מוכנים בעצמם לעשות מלאכתם לעיניהם: **מי אמר לו לא עשית כשורה.** אחר שהיה להם כל טוב, ומדוע היה להם לחטוא אחרי קבלת רוב טובה, ואם כן איך יתכן שלא יקבלו עונש על חטאם בחנם: **אדם זה נח.** זה באור אחר בכתוב. שמלת ישקיט מוסב על נח, שהשקיטו והניחו להיות בחיים והסתיר פנים מדורו לחייבן, ואם כן מי ירשיענו על אבדן הדור, אחר שראינו שחפצו בקיום העולם, והניח אדם אחד שממנו יתקיים העולם כולו. ובאגב אומר היה לו להעמיד עולמו מאומה אחת, וברא כמה אומות בכדי להעמיד לעולמו, או מוסב על בניו כפירוש המתנות כהונה, ופירוש היה לו להעמיד כלומר יכול הוא להעמיד, כי אין חפץ לה' ברבוי הכמותי אחר שאינם טובים:

וְכַמָּה הוּא — And how large is [this portion of food]? פְּרוּסָה — A mere piece.[21] רַבִּי מֵאִיר אוֹמֵר: ב׳ טְפָחִים — R' Meir said: The size of the piece is two handbreadths. רַבִּי יְהוּדָה אוֹמֵר: טֶפַח — R' Yehudah said: One handbreadth. רַבִּי יוֹסֵי אוֹמֵר: ב׳ וְג׳ אֶצְבָּעוֹת — R' Yose said: Just two or three fingerbreadths. כֵּיוָן דַּהֲוָה קָאֵי עַל אִילָנָא דִסְדוֹם לָא הֲוָה יָכִיל לְמֵיחֱמֵא עַל אַרְעָא מִן חֵילֵיהוֹן דְּאִילָנַיָּא — And yet, when a vulture would perch on a tree in Sodom, it could not even see the ground, due to the richness of foliage of its trees blocking its view.[22]

The Midrash continues its exposition of the *Job* passage referring to Sodom:

״מְקוֹם סַפִּיר״ — And what is the meaning of, *It was **a place** where stones were **sapphires**, and it had dust of gold* (*Job* 28:6)? כְּשֶׁהָיָה אֶחָד מֵהֶן הוֹלֵךְ אֵצֶל הַגַּנָּן וְנוֹתֵן לוֹ יָרָק בְּאִיסָר — When one of [the people of Sodom] would go to the gardener, and he would give him a vegetable worth an *issar* (a small amount), הָיָה מוֹצֵא בַּעֲפָרוֹ זָהָב — [the customer] would find pieces of gold in the dirt clinging to the vegetable, כִּדְכְתִיב ״וְעַפְרֹת זָהָב לוֹ״ — as it is written further in the verse, ***and it had dust of gold.*** כֵּיוָן שֶׁאָמְרוּ ״מַה שַּׁדַּי כִּי נַעַבְדֶנּוּ״ — But once they said, despite all this great prosperity, ***"What is the Almighty that we should serve Him?*** *What will we gain if we pray to Him?"* (ibid. 21:15),[23] their destruction soon ensued, as alluded to in the verse, ״וְיַסְתֵּר פָּנִים וּמִי יְשׁוּרֶנּוּ״ — ***And when He hides [His] face, who can take note of him?*** (ibid. 34:29), שֶׁהִסְתִּיר פָּנָיו מֵהֶם — which means that when [God] hid His face from them, מִי אָמַר לוֹ: לֹא עָשִׂיתָ כַּשּׁוּרָה — who could say to Him, "You have not acted justly"?[24] וּבַמֶּה הִסְתִּיר פָּנָיו מֵהֶם — And in what way did He "hide His face" from them? הִמְטִיר עֲלֵיהֶן גָּפְרִית וָאֵשׁ — He rained down upon them sulfur and fire, ״וַה׳ הִמְטִיר עַל סְדֹם וְגו׳ ״ — as it is written, ***Now HASHEM caused*** *sulfur and fire to* ***rain upon Sodom*** *and Gomorrah, etc.* (*Genesis* 19:24).

§3 The Midrash presents a third interpretation of the passage in *Job*:

דָּבָר אַחֵר, ״וְהוּא יַשְׁקִט״ — **Another interpretation** of ***When He grants serenity,*** *who can cause turmoil, etc.* (*Job* 34:29) is that it refers to the Ten Tribes[25] that broke away from the Davidic monarchy and formed their own kingdom: נָתַן שַׁלְוָה לַעֲשָׂרָה שְׁבָטִים — **He granted tranquility to the Ten Tribes,** מִי בָא וְחִייְּבָן — **who,** then, **could come and condemn them?**[26]

The Midrash digresses to describe the "tranquility" experienced by the Ten Tribes before their downfall, but first it presents a phrase-by-phrase analysis of the relevant passage in *Amos:*

מַה שַּׁלְוָה נָתַן לָהֶם — **What tranquility had He granted to [the Ten Tribes]?** ״הוֹי הַשַּׁאֲנַנִּים בְּצִיּוֹן״, זֶה שֵׁבֶט יְהוּדָה וּבִנְיָמִין — It is written, *Woe to the serene people in Zion, and to the secure people in Mount Samaria* (*Amos* 6:1). ***Woe to the serene people in Zion*** — **this is** referring to **the tribes of Judah and Benjamin;**[27] ״וְהַבֹּטְחִים בְּהַר שֹׁמְרוֹן״, אֵלּוּ עֲשֶׂרֶת הַשְּׁבָטִים — ***and to the secure people in Mount Samaria*** — **this is** referring to **the Ten Tribes.**[28]

The next phrase in the *Amos* passage is: *They are called the foremost of the nations, but the House of Israel came among them:*

״נְקֻבֵי רֵאשִׁית הַגּוֹיִם״, שֶׁהֵן בָּאִין מִב׳ רָאשֵׁי הַגּוֹיִם, מִשֵּׁם וְעֵבֶר — ***They are called the foremost of the nations*** (ibid.) — **for they,** i.e., the nation of Israel, **were descended from the two** great **heads of the nations — from Shem and Eber,**[29] and yet, *the House of Israel came among them.*[30] אוּמּוֹת הָעוֹלָם בְּשָׁעָה שֶׁהֵן יוֹשְׁבִין בְּשָׁלוֹם אוֹכְלִין וְשׁוֹתִין וּמִשְׁתַּכְּרִין וּמִתְעַסְּקִין בְּדִבְרֵי תִפְלוּת — An alternative interpretation of this phrase:[31] **When the nations of the world are dwelling in peace, and they** go to **eat, drink, imbibe, and** otherwise **engage in frivolous activity,** מַה הֵן אוֹמְרִים — **what do they say** to each other? מִי חָכָם כְּבִלְעָם — **"Who is as wise as Balaam was?** וּמִי עָשִׁיר כְּהָמָן — **Who is as wealthy as Haman was?** וּמִי גִבּוֹר כְּגָלְיָת — **Who is as strong as Goliath was?"**[32] וְאַחַר כָּךְ יָבֹאוּ לָהֶם בֵּית יִשְׂרָאֵל וְאוֹמְרִים לָהֶם — **Yet subsequently, *the House of Israel come among them*** **and say to them,** אֲחִיתוֹפֶל לֹא הָיָה חָכָם — **"Was not Ahithophel**[33] **wise?** קֹרַח לֹא הָיָה עָשִׁיר — **Was not Korah wealthy?** שִׁמְשׁוֹן לֹא הָיָה גִבּוֹר — **Was not Samson strong?"**[34]

The following phrase of the *Amos* passage is, *Cross over to Calneh and see, and go from there to Great Hamath and descend to Gath of the Philistines.* The Midrash identifies these places: ״עִבְרוּ כַלְנֵה וּרְאוּ״, זוֹ קְטִיסְפוֹן — ***Cross over to Calneh and see*** (ibid., v. 2) — **this is** referring to **Ctesiphon;**[35] ״וּלְכוּ מִשָּׁם חֲמַת רַבָּה״, זוֹ חֲמָת שֶׁל אַנְטוֹכְיָא — ***and go from there to Great Hamath*** — **this is** referring to **the Hamath** in the district **of Antioch;**[36]

NOTES

21. And yet, despite the small size of its food, it can still spot it from a great distance [eighteen *mil* equals approximately eleven miles] (*Eitz Yosef,* from *Yefeh To'ar*). The point of discussing this bird's acute eyesight will become apparent shortly.

22. Thus, the phrase *the vulture's eye had not seen* Sodom, then, indicates that the trees of Sodom were so thick with branches and lush greenery that even the vulture's extraordinary eyes could not peer through and see the land beneath it. It is thus an apt depiction of the great fertility — and hence prosperity and tranquility — of the place.

23. Although Ch. 21 speaks not of the Sodomites but of the generation of the Flood (as the Midrash above — as well as elsewhere — has established), the Midrash cites this verse here because the Sodomites, too, took this same godless attitude. [*Yefeh To'ar,* though, suggests an emendation of the text, substituting for 21:15 an entirely different "quote" for the Sodomites: "Let us cause the feet (of wayfarers) to cease from among us" (i.e., "Let us not allow any strangers to avail themselves of our wealth and prosperity"), for such sentiments are attributed to the Sodomites elsewhere (*Yalkut Shimoni* §243 and §480, based on *Job* 28:4).]

24. See above, note 16.

25. All the tribes except Judah and Benjamin, who remained faithful to the House of David.

26. See above, note 9.

27. For the capital of the Davidic kingdom was Jerusalem (Zion). Amos criticizes the people of Judah and Benjamin for being overly complacent. The Midrash mentions this phrase in passing, but generally Amos' prophecy concerns the Ten Tribes, as the Midrash continues to expound.

28. Who had their capital in Samaria (see *I Kings* 16:24ff).

29. Eber was the great-grandson of Shem and a forebear of Abraham; see *Genesis* 11:10ff. Both Shem and Eber were the most prominent internationally acclaimed Sages of their day (*Eitz Yosef*). The very name used by the Israelites for themselves — "Hebrew" (עִבְרִים) — indicates their descent from Eber (עֵבֶר) (*Matnos Kehunah*, from *Bamidbar Rabbah* 10 §3).

30. Instead of recalling and emulating their lofty forebears, they "came among [the nations]," i.e., assimilated to their cultures, following their contemptible practices.

31. Following *Yefeh To'ar.*

32. I.e., they brag about the material accomplishments of their historical heroes. This is the meaning of נְקֻבֵי רֵאשִׁית הַגּוֹיִם, translated above as, *They are called the foremost of the nations,* but also "They invoke by name the historical heroes of the nations" (*Yefeh To'ar*).

33. Ahithophel was David's chief adviser, who later betrayed him by joining Absalom's rebellion.

34. I.e., the Israelites, too, adopted this practice of attending feasts, when, in drunken merrymaking, they invoke their own material heroes of old (*Yefeh To'ar*).

35. A great city in antiquity, located on the Tigris River, south of present-day Baghdad.

36. There were several other towns named Hamath, but the Midrash identifies "the *Great* Hamath" as the Syrian city near Antioch.

וְכַמָּה הוּא פְּרוּסָה, רַבִּי מֵאִיר אוֹמֵר: ב' טְפָחִים, רַבִּי יְהוּדָה אוֹמֵר: טֶפַח, רַבִּי יוֹסֵי אוֹמֵר: ב' וְג' אֶצְבָּעוֹת, כֵּיוָן דַּהֲוָה קָאֵי עַל אִילָנַיָּא דִסְדוֹם לָא הֲוָה יָכֵיל לְמֶיחֱמֵא עַל אַרְעָא מִן חֵילֵיהוֹן דְּאִילָנַיָּא, "מְקוֹם סַפִּיר", כְּשֶׁהָיָה אֶחָד מֵהֶן הוֹלֵךְ אֵצֶל הַגַּנָּן וְנוֹתֵן לוֹ יָרָק בְּאִיסָּר הָיָה מוֹצֵא בַּעֲפָרוֹ זָהָב, כִּדְכְתִיב (שם שם ו) **"וְעַפְרֹת זָהָב לוֹ", כֵּיוָן שֶׁאָמְרוּ** (שם כא, טו) **"מַה שַׁדַּי כִּי נַעַבְדֶנּוּ",** (שם לד, כט) **"וְיַסְתֵּר פָּנִים וּמִי יְשׁוּרֶנּוּ", שֶׁהִסְתִּיר פָּנָיו מֵהֶם, מִי אָמַר לוֹ: לֹא עָשִׂיתָ כַּשּׁוּרָה, וּבַמֶּה הִסְתִּיר פָּנָיו מֵהֶם, הִמְטִיר עֲלֵיהֶן גָּפְרִית וָאֵשׁ,** (בראשית יט, כד) **"וַה' הִמְטִיר עַל סְדֹם וְגוֹ'":**

ג דָּבָר אַחֵר, (איוב לד, כט) **"וְהוּא יַשְׁקִט", נָתַן שַׁלְוָה לַעֲשָׂרָה שְׁבָטִים, מִי בָא וְחִיְּבָן, מַה שַּׁלְוָה נָתַן לָהֶם,** (עמוס ו, א) **"הוֹי הַשַּׁאֲנַנִּים בְּצִיּוֹן", [ב]זֶה שֵׁבֶט יְהוּדָה וּבִנְיָמִין,** (שם) **"וְהַבֹּטְחִים בְּהַר שֹׁמְרוֹן", אֵלּוּ עֲשֶׂרֶת הַשְּׁבָטִים, "נְקֻבֵי רֵאשִׁית הַגּוֹיִם", שֶׁהֵן בָּאִין מִב' רָאשֵׁי הַגּוֹיִם, מִשֵּׁם וְעֵבֶר, אוּמּוֹת הָעוֹלָם בְּשָׁעָה שֶׁהֵן יוֹשְׁבִין בְּשָׁלוֹם אוֹכְלִין וְשׁוֹתִין וּמִשְׁתַּכְּרִין וּמִתְעַסְּקִין בְּדִבְרֵי תִפְלוּת, מָה הֵן אוֹמְרִים: מִי חָכָם כְּבִלְעָם וּמִי עָשִׁיר כְּהָמָן וּמִי גִבּוֹר כְּגָלְיַת, וְאַחַר כָּךְ יָבֹאוּ לָהֶם בֵּית יִשְׂרָאֵל °וְאוֹמֵר לָהֶם: אֲחִיתוֹפֶל לֹא הָיָה חָכָם, קֹרַח לֹא הָיָה עָשִׁיר, שִׁמְשׁוֹן לֹא הָיָה גִבּוֹר,** (שם שם ב) **"עִבְרוּ כַלְנֵה וּרְאוּ", זוֹ קְטִיסְפוֹן,** (שם) **"וּלְכוּ מִשָּׁם חֲמַת רַבָּה", זוֹ חֲמַת שֶׁל אַנְטוֹכְיָא,**

עץ יוסף

בר הדיא. היינו איה, דאיה ודיה אחת היא, כדאיתא באלו טרפות (חולין סג, ב), ומה שכתב המתנות כהונה מין כן הוא, הוא לגירסת הערוך בחולין (סג, א) הכן כו' למינהו להביא את בר הדיא, אבל לפי זה לא יתכן לומר שהוא איה דאם כן למה לי לרבויי מן למינהו דנץ, כיון דאיה כתיב מפורש (רש"ש): **הוא צופה כו'.** ופירושא דקרא כי מרבוי אילנותיו לא היה נראה לעיט ולאיה: **משמונה עשרה מיל.** באלו טרפות (שם) תנא עומדת בבבל ורואה נבלה בארץ ישראל: **וכמה הוא מאכלה פרוסה.** כך הוא נוסח השאלתות. והזכיר זה לכאן לומר, שאף על פי שמאכלו דבר קטן ופהו מרחוק להפלגת כח ראותו: **כיון דהוה קאי כו'.** כשהיה עומד בר הדיא על אילנות בארץ סדום לא היה יכול לראות על הארץ: **מן חיליהון.** מפני כח האילנות, רצה לומר גובהן: **הגנן.** בעל הגן: **וכיון שאמרו מה שדי כו'.** נראה דצריך לומר וכיון שאמרו נשכח הרגל מביניהם ויסתיר פנים ומי ישורנו כשהסתיר פניו כו', דהא מה שדי כי נעבדנו בקראי דמפרש לעיל בדור המבול קמיירי. ועוד דלא אשכחן בשום דוכתא שנזכר עון זה בסדום רק עון שכחת הרגל כדלעיל (ד, א) ולקמן (ז, ו) ובפרק חלק (סנהדרין קט, א). (יפה תואר): **(ג) זה שבט יהודה ובנימין.** שעיקר מלכותם בירושלים: **אלו עשרת השבטים.** שעיקר מלכותם בשומרון: **שהם באים כו'.** ופירוש נקובי מגזרת אשר נקבו בשמות, שהם נקובים ומפורשים ביחסם שהם מזרע שם ועבר שהיו ראשי הגוים שכל אחד היה בזמנו ראש בעולם בחכמה ותשיבות, ולפי שבאים ישראל מיחוס גדול לא היה להם להתעסק בתיפלות להזכיר ראשית ותשיבות שהיה בקדומיהם לומר מי חכם כזה ומי גבור כזה כמו שעושים אומות העולם כדמסיק תיכף בסמוך, אלא היה להם להזכיר הצדיקים הקודמים וילך בדרכיהם אבל לא להזכיר חכמה וגבורה שזהו דרך אומות העולם, ועתה בחרו להם ישראל גם כן בדרך זה, וזה שאמר הכתוב ובאו להם בית ישראל, ורצה לומר שעם היותם מיוחסים ביחוס ממש של צדיקים ותמיד הלכו בדרכיהם שאפילו כשהיו אוכלים ושותים ושמחים היו מברכים ומשבחין ומקלסין להקדוש ברוך הוא (כדאיתא באסתר רבה ג, יג) ועתה באו גם כן בית ישראל להתעסק בדברים כאלו האומות, שאומרים ישראל להם גם ביניהם היו חכמים ועשירים כאחיתופל וקרח: **קרח לא היה עשיר.** מהמתנות כהונה נראה דהיה לפניו הגירסא פה כמו דאיתא לקמן בבמדבר רבה פרשה י (סימן ג) שלמה לא היה עשיר שנאמר בו ויתן המלך את הכסף בירושלים וגו': **זו קטיספון.** פירוש ארצות אלו להודיעו שלותם, שעם היות אלו הטובות שבארצות האומות, מכל מקום של ישראל היו יותר טובות מדקאמר הטובים מן הממלכות האלה:

פירוש מהרז"ו

(ב) רבי מאיר אומר שתי טפחים. צריך עיון מניין להם ומה דורשים, ואולי הוא מסוד ה' ליראיו לשער שיעורים כאלו: **הולך אצל הגנן.** לעיל (ד, א) וכל הענין בתנחומא סדר שמיני (סימן ה): **(ג) ראשי(ת) הגוים שם ועבר.** כמו שכתוב (בראשית י, כא) ולשם יולד גם הוא אבי כל בני עבר, פירושו שם היה אבי כל בני עבר הנהר, וגם נכדו נקרא עבר, ואברהם הוא מזרע שם ועבר, על כן הוא נקרא אברהם העברי, וכלשון המדרש במדבר רבה פרשה נשא (י, ג) שמשם נקראו ישראל עברים:

מתנות כהונה

בר הדיא. מין נץ הוא, כדאיתא בפרק אלו טריפות (שם): **וכמה הוא.** שיעור מאכלו של בר הדיא: **בשתים ושלש כו' מקום ספיר וכו'.** כן גירסת הילקוט בספר איוב כ"ח (רמז תתקטו): **כיון דהוה קאי כו'.** כשהיה עומד בר הדיא על אילנות בארץ סדום, לא היה יכול לראות על הארץ: **מן חיליהון.** מפני כח האילנות, רצה לומר גבהן: **הגנן.** בעל הגן כמה דאת אמר חמר, פירוש אדון על החמורים: **[ג] משם ועבר.** בפרשת נשא רבה (י, ג) מסיים בו שמשם נקראו ישראל עברים, וזהו נקובים וגו': **את הכסף בירושלים וגו'.** בפרשת נשא (שם) מסיים בו, ומסכימים כלם כדברי ישראל: **קטיספין אנטוכיו וכו'.** כל אלו שמות מיני ארצות הם, ועיין בטעמם פירוש הרד"ק. ומאמר זה

אשד הנחלים

[ב] הדין בר הדיא. פירש הידי משה שזהו דיה ואיה, שהמה רואים מרחוק מאוד, ואף שמאכלה דבר קטן, כי פרוסה לאכילתה הוא פרוסה משני טפחים או בשלש אצבעות, ועם כל זה רואה מרחוק, ועם כל זה היה האילנות גבוהות כל כך, עד שעל ידי זה לא ידע העיט כשהוא על האילן למצוא אכלה, ואם כן היו פרי העולם כבודים וגדולים כל כך, ואם כן הם אשמו על עצמם במה שמנעו הטוב מהם: **וכמה הוא מאכלה, פרוסה.** כן גרס הידי משה בשם השאילתות: **ובמה הסתיר פניו, המטיר.** פירוש שלא תאמר כי הסתרת פנים הוא בשמניח אותם אל המקרה שימצאם, ויקרה מה שיקרה, כי אם פירושו [כשם] שהיה הסתרת פנים מטובה, העונש גם כן היה (ו)שלא כדרך הטבע, כי גם העונש יוצא מלמעלה, לא שנעזב אל המקרה, כי אין מקרה מאומה: **[ג] ואחר כך יבואו להם בית ישראל.** כלומר שבית ישראל יהלכו בדרכם להתפאר באלו ההבליות, לשבח העושר והחכמה שהיה להם מאנשים רעים, כאילו האנשים מהוללים רק מצד העושר והחכמה הרעה, אף שהם בעצמם רעים, ומיושב הוא על באור הכתוב ובאו להם בית ישראל, שילכו בדרכם:

אמרי יושר

[ב] וכמה היא פרוסה. פירוש פריסת כנפיו, או פירוש אחר קאמר לקמן, **לא יכיל למחמי ארעא מחוליהון דאילנייא** הדבוקים זה על זה, חד אמר שסבוכים ופרושים זה על זה **שני טפחים** מרוב הסתבכותם: **מי בא ואומר לו לא עשית כשורה.** זהו ומי ישורנו כמו ודשנו (במדבר ד יג), פירוש דבר והפכו: **[ג] אומות העולם בשעה שאוכלין אומרים מי חכם כבלעם.** זהו דרשא אחרת על נקובי ראשית הגוים, כשהגוים מזכירים ראשיותם ופוחזים במעלת גדוליהם, יבואו להם בית ישראל ויראום שאין חכמתם וגבורתם כלום, כי ככר נמצאו בישראל אלף כיוצא בהם והותר:

באור מהרי"פ

[ב] מתנות כהונה ד"ה לא ידעו וכו' עין איה וראה זהו בר הדיא וכו' כדאיתא בפרק אלו טריפות (בשתים ושלש כו' כן גם כן גירסת הילקוט בספר איוב כ"ח). אלו תיבות המוסגרים לא הבינותים גם בילקוט שם לא מצאתים, ובדפוס קאסמאן (אמסטרדם תקלז ע"פ נחמד למראה) לא גרס להו: **[ג] [משם ועבר].** ולפי זה סוף המקרא, ובאו להם בית ישראל, פירושו, אף על פי שהיו חשובים ביחוסם אפילו בפי הגוים, הנה בחרו עתה בדרכי הגוים ובאו להיות בכללם, וכדפרש"י במקרא (עמוס ו, א). ונקובי ראשית הגוים פירושו מגזרת (במדבר א, יז) אשר נקבו בשמות, שהם נקובים ומפורשים ביחוסם שהם מזרע שם ועבר שהיו ראשי הגוים, שכל אחד היה בזמנו ראש בעולם בחכמה ובחשיבות: **אומות העולם בשעה וכו'.** הוא כמו דבר אחר אומות העולם בשעה שהם אוכלים וכו' מתעסקים בדברי תפלות, ונקובי ראשית הגוים מפרש שהם נוקבים בשמות ראשיהם הקדומים, כמו בלעם וקורח, ובאו להם בית ישראל שהם מתעסקים כמו הם בדברי תפלות כאלו, ודרך ישראל ראוי להיות בשעה שהם אוכלים ושותים לקלס ולשבח להקב"ה כביכול כמבואר במדרש מגילת אסתר (ג, יג): **מתנות כהונה ד"ה קרח לא היה עשיר. את הכסף בירושלים וכו'.** לכאורה דברי תימה הן, אבל זה לשון המדרש

חידושי הרד"ל

[ג] הוי השאננים כו'. כל המאמר בבמדבר רבה (י, ג):

חידושי הרש"ש

[ב] הדין בר הדיא כו'. מה שכתב המתנות כהונה דהוא מין נץ, הוא לגירסת הערוך בחולין (סג, א) הנץ כו' למינהו להביא את בר הדיא. אבל לפי זה לא יתכן לומר שהוא איה, דאם כן למה ליה לריבויי מן למינהו דנץ, כיון דאיה כתיב מפורש: **[ג] והבוטחים בהר שומרון כו' נקובים ראשית.** צריך לומר נקובי: **ואחר כך יבואו כו' ואומר להם.** צריך לומר ואומרים להם: **קרח לא היה עשיר.** מהמתנות כהונה נראה דהיה לפניו הגירסא פה כמו דאיתא לקמן בבמדבר רבה (י, ג), שלמה לא היה עשיר שנאמר בו (מלכים א, י) ויתן המלך את הכסף בירושלים וגו':

ליקוטים

[ב] במהרי"פ ד"ה במתנות כהונה (בשתים ושלש כו' כן גם כן גירסת הילקוט בספר איוב כ"ח). אלו תיבות המוסגרים לא הבינותים גם בילקוט שם לא מצאתים, ובדפוס קאסמאן (אמסטרדם תקלז ע"פ נחמד למראה) **לא גרס להו.** נראה לפרש כוונת מתנות כהונה להמשך המדרש שתים ושלש אצבעות, ומה שאמר כן הוא בילקוט, כוונתו להמשך המדרש מקום ספיר וכו', שכן איתא בילקוט, רק שהד"ה מקום ספיר אינו במקומו וצריך לומר לאחר ד"ה כיון דהוה, ודוק.

מסורת המדרש

ב. ילקוט כ"ך תקמ"ה:

אם למקרא

מַה שַׁדַּי כִּי נַעַבְדֶנּוּ וּמַה נּוֹעִיל כִּי נִפְגַּע בּוֹ: (שם כא:טו)

וַה' הִמְטִיר עַל סְדֹם וְעַל עֲמֹרָה גָּפְרִית וָאֵשׁ מֵאֵת ה' מִן הַשָּׁמָיִם: (בראשית יט:כד)

וְהוּא יַשְׁקִט וּמִי יַרְשִׁעַ וְיַסְתֵּר פָּנִים וּמִי יְשׁוּרֶנּוּ וְעַל־גּוֹי וְעַל אָדָם יָחַד: (איוב לד:כט)

הוֹי הַשַּׁאֲנַנִּים בְּצִיּוֹן וְהַבֹּטְחִים בְּהַר שֹׁמְרוֹן נְקֻבֵי רֵאשִׁית הַגּוֹיִם וּבָאוּ לָהֶם בֵּית יִשְׂרָאֵל: עִבְרוּ כַלְנֵה וּרְאוּ וּלְכוּ מִשָּׁם חֲמַת רַבָּה וּרְדוּ גַת פְּלִשְׁתִּים הֲטוֹבִים מִן הַמַּמְלָכוֹת הָאֵלֶּה אִם רַב גְּבוּלָם מִגְּבֻלְכֶם: הַמְנַדִּים לְיוֹם רָע וַתַּגִּישׁוּן שֶׁבֶת חָמָס: הַשֹּׁכְבִים עַל מִטּוֹת שֵׁן וּסְרֻחִים עַל עַרְשׂוֹתָם וְאֹכְלִים כָּרִים מִצֹּאן וַעֲגָלִים מִתּוֹךְ מַרְבֵּק: הַפֹּרְטִים עַל פִּי הַנָּבֶל כְּדָוִיד חָשְׁבוּ לָהֶם כְּלֵי שִׁיר: הַשֹּׁתִים בְּמִזְרְקֵי יַיִן וְרֵאשִׁית שְׁמָנִים יִמְשָׁחוּ וְלֹא נֶחְלוּ עַל שֵׁבֶר יוֹסֵף: (עמוס ו:א-ו)

ענף יוסף

(ג) נתן שלוה לעשרת השבטים. אף על גב דקרא דמייתי איירי נמי זכר ליהודה ובנימין, דהיינו השאננים בציון כדבסמוך, נראה דסבירא ליה שהשלוה הנזכר כאומר השוכבים על מטות שן וגו' השותים במזרקי יין וגו', לא קאי רק אעשרת השבטים, דעלייהו כתיב לכן יגלו בראש גולים, שהם גלו תחלה, אלא דאגב אורחיה הזכיר גם כן השאננים בציון, לרמוז כי גם עליהם תעבור כוס אחר כך, ואין שלותן דומה לשלות עשרת השבטים (יפה תואר):

ידי משה

וכמה היא מאכלה פרוסה. הכי גרס השאלתות. פירוש אף שמאכלה הוא דבר קטן, מכל מקום רואה אותה מרחוק שמונה עשר מיל:

שינוי נוסחאות

(ג) יבאו להם בית ישראל ואומר להם. בדפוסים הישנים היה כתוב בקיצור "ואומ' להם" וברור שרצונם לומר "ואומרים" לשון רבים, כמו "יבאו", אבל בד' אמשט' ת"א פתחו את ר"ת לומר "ואומר", ומשם הועתק לכל הדפוסים:

"וּרְדוּ גַת פְּלִשְׁתִּים", אִלֵּין תִּלּוּלַיָא דִפְלַסְטִינֵי — ***and descend to Gath of the Philistines*** — **this is** referring to **the fortified cities**[37] **of Palestine.**[38] "הֲטוֹבִים מִן הַמַּמְלָכוֹת הָאֵלֶּה אִם רַב גְּבוּלָם מִגְּבֻלְכֶם" — The verse concludes: ***Are they better than these kingdoms? Is their border greater than your border?***[39]

The Midrash now goes on to expound the next verse in *Amos* — *[Woe to you] who spurn the day of evil, and you have brought near the seat of injustice:*

"הַמְנַדִּים לְיוֹם רָע" לְיוֹמָא שֶׁל גָּלוּת — ***[Woe to you] who spurn the day of evil*** (ibid., v. 3) — this refers to **the day of exile** foretold by the prophets; "וַתַּגִּשׁוּן שֶׁבֶת חָמָס", הִגַּשְׁתֶּם עַצְמְכֶם לֵישֵׁב אֵצֶל הֶחָמָס — ***and you have brought near the seat*** [שבת] ***of injustice*** — **you have "brought yourselves near" to settle** [שבת] **near the unjust one,** זֶה עֵשָׂו כְּמָא דְאַתְּ אָמַר "מֵחֲמַס אָחִיךָ יַעֲקֹב" — **that** being a reference to **Esau,**[40] **like that which is stated** regarding Esau, ***For the injustice [you did to] your brother Jacob,*** *disgrace will envelop you and you will be cut off forever* (*Obadiah* 1:10).[41]

The Midrash now expounds the next verses in *Amos: [you] who lie on ivory couches, stretched out* [סְרֻחִים] *on their beds, eating the fattened sheep of the flock and calves from inside the stall:*

"הַשֹּׁכְבִים עַל מִטּוֹת שֵׁן", עַל עַרְסִין דְּפִילֵי — ***Who lie on ivory couches*** (*Amos* 6:4) means **on couches of elephant** tusks.[42] "וּסְרֻחִים עַל עַרְשׂוֹתָם", שֶׁהֵן מַסְרִיחִים מִטּוֹתֵיהֶם בַּעֲבֵירוֹת — ***"Seruchim" on their beds*** (ibid.) — this means **that they polluted** [מַסְרִיחִים] **their beds with sins.**[43] דָּבָר אַחֵר "וּסְרֻחִים עַל עַרְשׂוֹתָם" — **Another interpretation of *"seruchim" on their beds*:** אֵלּוּ קְטִיוֹת מְשׁוּפָעוֹת שֶׁהָיָה לְכָל אֶחָד וְאֶחָד — **These were the overhanging canopies which each of them had** over their beds,[44] כְּמָא דְאַתְּ אָמַר "וְסֶרַח הָעֹדֵף" — **as it is stated** of the curtained covering of the Tabernacle, ***And the extra overhang*** [סֶרַח] (*Exodus* 26:12).

The commentary on the *Amos* passage resumes:

"וְאֹכְלִים כָּרִים מִצֹּאן" — ***Eating the fattened sheep of the flock*** *and calves from inside the stall* (*Amos* ibid.). כְּשֶׁהָיָה אֶחָד מֵהֶן מְבַקֵּשׁ לֶאֱכוֹל גְּדִי — This means that **when one of them wished to eat a kid,** הָיָה מוֹשֵׁךְ כָּל הָעֵדֶר לְפָנָיו — **he would draw the whole flock before him,** וְהָיָה נוֹטֵל הַשָּׁמֵן שֶׁבָּהֶם וְעוֹמֵד עָלָיו וְשׁוֹחֲטוֹ — **take the fattest one of them, stand over it and slaughter it.** וּכְשֶׁהוּא מְבַקֵּשׁ לֶאֱכוֹל עֵגֶל הָיָה מוֹשֵׁךְ כָּל הַבְּקָרִים לְפָנָיו וְעוֹמֵד עָלָיו וְשׁוֹחֲטוֹ — **And** similarly, **when one wished to eat a calf, he would draw all the cattle before him,** choose the fattest one, and **stand over it and slaughter it.**[45] הָדָא הוּא דִכְתִיב "וְאֹכְלִים כָּרִים מִצֹּאן וַעֲגָלִים מִתּוֹךְ מַרְבֵּק" — **This is** the implication of **what is written,** ***Eating the fattened sheep "of the flock" and calves "from inside the stall."***[46]

The next verse in *Amos* states: *who sing along to the tune of the lute, considering themselves like David with [their] musical instruments:*

"הַפֹּרְטִים עַל פִּי הַנָּבֶל" שֶׁהָיוּ פּוֹרְטִים פִּיהֶם בְּדִבְרֵי נְבָלוֹת — ***Who sing along to the tune of the "neivel"***[47] (ibid., v. 5) — this means **that they would enunciate offensive words** [נְבָלוֹת] **with their mouths.** מָה הָיוּ אוֹמְרִים — **What** offensive words **would they say?** כְּלוּם אָמַר דָּוִד שִׁירָה אֶלָּא בְּנֶבֶל — As follows, **"Did not David** also **utter song with** the accompaniment of **a lyre?"**[48] הָדָא הוּא דִכְתִיב "כְּדָוִיד חָשְׁבוּ לָהֶם" — **Thus it is written,** ***considering themselves like David*** *with [their] musical instruments.*

The next verse in *Amos* states: *who drink wine out of bowls* (מִזְרְקֵי)*, anoint themselves with choicest oils, and are not upset by the breach of Joseph:*

"הַשֹּׁתִים בְּמִזְרְקֵי יַיִן", רַב וְרַבִּי יוֹחָנָן וְרַבָּנָן — ***Who drink wine out of "mizrekei"*** (ibid., v. 6) — this word is expounded by **Rav, R' Yochanan, and the** other **Sages.** רַב אָמַר: קְלוֹרְיָא — **Rav said:** It means that they drank wine **in the cellar.**[49] רַבִּי יוֹחָנָן אָמַר: בְּכוֹסוֹת קְטַנִּים — **R' Yochanan said:** It means that they drank wine **from small cups.**[50] וְרַבָּנָן אָמְרֵי: כּוֹסוֹת שֶׁיֵּשׁ לָהֶן זַרְבּוּבִיּוֹת — **And the** other **Sages said:** It means that they drank wine from **cups that had** many **mouthpieces.**[51] וּמֵהֵיכָן הָיוּ שׁוֹתִין אֶת הַיַּיִן — **And from where did they obtain the wine they drank,** which caused their undoing? רַבִּי אַבָּהוּ בְּשֵׁם רַבִּי חֲנִינָא אָמַר: מִפַּתּוּגְתָא — **R' Abahu said in the name of R' Chanina: From** the city of **Patugta,** שֶׁהָיָה יֵינָם מְפַתֶּה אֶת הַגּוּף לִזְנוּת — so called **because its wine seduced** [מְפַתֶּה] **the body to lewdness.**[52] וְרַבָּנָן בְּשֵׁם רַבִּי חֲנִינָא אָמְרֵי: מִפַּלּוּגְתָא — **And the** other **Sages said in the name of R' Chanina: From** the city of **Palugta,**

NOTES

37. Translation follows *Yefeh To'ar,* who notes that "fortified cities" (*Numbers* 32:17) is translated into Aramaic in *Targum Yerushalmi* as קִרְוִין תִּלּוּלִין. [*Radal* translates תִּלּוּלַיָא as "mounds" or hillocks, which were situated at the border of the Philistine territory, so that וּרְדוּ גַת פְּלִשְׁתִּים would mean "go down, by way of the mounds, to the Philistine country."]

38. The area of *Eretz Yisrael* inhabited by Philistines.

39. Were the cities of your neighbors better than the cities of Zion and Samaria, which God gave you? (*Maharzu*). Even the finest of their cities, which are delineated in this verse, do not measure up to the quality of those located in your land (*Eitz Yosef*). The Midrash makes a point of identifying the cities mentioned in this verse to underscore the tranquility enjoyed by the Israelites, who inhabited a land far superior than even those choice lands (ibid.).

40. I.e., through your sins you have brought upon yourself an exile to the land of Esau (Edom) (*Eitz Yosef*). Alternatively, you have chosen to fraternize with the Edomites and learn from their sinful ways (*Maharzu*).

41. Thus the meaning of *you have brought near the seat of injustice* [חָמָס] is that your actions have caused you to be exiled and to mingle with Esau's descendants, who are called חָמָס, since they practice injustice (see *Maharzu* and *Eitz Yosef*).

42. Here the Midrash simply translates the Hebrew phrase into Aramaic, perhaps to clarify the meaning of שֵׁן (which can mean "tooth" but here means "ivory").

43. Referring to the men of Jerusalem's and Samaria's elite, who befouled themselves with immoral acts at feasts of debauchery (*Eitz Yosef,* based on *Shabbos* 62b).

44. According to this interpretation, the verse is continuing its depiction of the opulence of the Israelites' lifestyle: Not only were their beds made of ivory, but they were bedecked with luxurious canopies.

45. This shows how self-indulgent and hedonistic they were.

46. The seemingly extraneous words "of the flock" (and similarly for "from inside the stall") imply that they first inspected "the [entire] flock" before slaughtering an animal, to ensure that they would be feasting only on the choicest animal.

47. The word נֶבֶל usually refers to a particular musical instrument (and is usually translated "lyre"); however, the root נבל can also indicate something repulsive or offensive, and this is how the Midrash interprets it here.

48. The Midrash thus interprets נבל doubly — as "offensive words" and as "lyre." (This is not an uncommon practice in Midrashic interpretations.)

The offensiveness of their statement is that they compared their own hedonistic, obscene merrymaking with David's pious songs of praise to God.

49. So they could be assured that they would never run out of wine and have to send for more (*Matnos Kehunah;* cf. *Yefeh To'ar* and *Eitz Yosef*).

50. Drinking from small cups enables one to drink more, for he never achieves the sense of satiation attained when drinking from a large cup (*Eitz Yosef*).

51. Enabling many people to drink from it simultaneously (*Eitz Yosef;* see *Beur Maharif*).

52. The potency of the wine would lead those who drank of it to act promiscuously. The name פַּתּוּגְתָא is seen as a combination of מְפַתֶּה, *seduce,* and גְּוִיָּתָא, *the body* (*Radal,* quoted in *Eitz Yosef*).

(שם) "וְרִדוּ גַּת פְּלִשְׁתִּים", אֲלֵין תְּלוּלַיָא דְּפַלַסְטִינֵי, (שם) "הֲטוֹבִים מִן הַמַּמְלָכוֹת הָאֵלֶּה אִם רַב גְּבוּלָם מִגְּבֻלְכֶם", (עמוס שם, ג) "הַמְנַדִּים לְיוֹם רָע", לְיוֹמָא שֶׁל גָּלוּת, (שם) "וַתַּגִּשׁוּן שֶׁבֶת חָמָס", הִגַּשְׁתֶּם עַצְמְכֶם לֵישֵׁב אֵצֶל הֶחָמָס, זֶה עֵשָׂו, כְּמָא דְאַתְּ אָמַר (עובדיה א, י) "מֵחֲמַס אָחִיךָ יַעֲקֹב", (עמוס שם ד) "הַשֹּׁכְבִים עַל מִטּוֹת שֵׁן", עַל עַרְסִין דְּפִילֵי, "וּסְרֻחִים עַל עַרְשׂוֹתָם", שֶׁהֵן מַסְרִיחִים מִטּוֹתֵיהֶם בַּעֲבֵירוֹת, דָּבָר אַחֵר "וּסְרֻחִים עַל עַרְשׂוֹתָם", אֵלּוּ קְטִיּוֹת מְשׁוּפָּעוֹת שֶׁהָיָה לְכָל אֶחָד וְאֶחָד, כְּמָא דְאַתְּ אָמַר (שמות כו, יב) "וְסֶרַח הָעֹדֵף", (עמוס שם שם) "וְאֹכְלִים כָּרִים מִצֹּאן", כְּשֶׁהָיָה אֶחָד מֵהֶן מְבַקֵּשׁ לֶאֱכוֹל גְּדִי הָיָה מוֹשֵׁךְ כָּל הָעֵדֶר לְפָנָיו, וְהָיָה נוֹטֵל הַשָּׁמֵן שֶׁבָּהֶם וְעוֹמֵד עָלָיו וְשׁוֹחֲטוֹ, וּכְשֶׁהוּא מְבַקֵּשׁ לֶאֱכוֹל עֵגֶל הָיָה מוֹשֵׁךְ כָּל הַבְּקָרִים לְפָנָיו וְעוֹמֵד עָלָיו וְשׁוֹחֲטוֹ, הֲדָא הוּא דִכְתִיב (שם) "וְאֹכְלִים כָּרִים מִצֹּאן וַעֲגָלִים מִתּוֹךְ מַרְבֵּק", (שם שם ה) "הַפֹּרְטִים עַל פִּי הַנָּבֶל", שֶׁהָיוּ פּוֹרְטִים פִּיהֶם בְּדִבְרֵי נְבָלוֹת, מָה הָיוּ אוֹמְרִים: כְּלוּם אָמַר דָּוִד שִׁירָה אֶלָּא בְּנֶבֶל, הֲדָא הוּא דִכְתִיב (שם) "כְּדָוִיד חָשְׁבוּ לָהֶם", (שם שם ו) "הַשֹּׁתִים בְּמִזְרְקֵי יַיִן", רַב וְרַבִּי יוֹחָנָן וְרַבָּנָן, רַב אָמַר: קְלוּרְיָא, רַבִּי יוֹחָנָן אָמַר: בְּכוֹסוֹת קְטַנִּים, וְרַבָּנָן אָמְרֵי: כּוֹסוֹת שֶׁיֵּשׁ לָהֶן זַרְבּוּבִיּוֹת, וּמֵהֵיכָן הָיוּ שׁוֹתִין אֶת הַיַּיִן, רַבִּי אַבָּהוּ בְּשֵׁם רַבִּי חֲנִינָא אָמַר: מִפַּתּוּגְתָּא שֶׁהָיָה יֵינָם מְפַתֶּה אֶת הַגּוּף לִזְנוּת, וְרַבָּנָן בְּשֵׁם רַבִּי חֲנִינָא אָמְרֵי: מִפַּלּוּגְתָּא שֶׁעַל יֵינָם *נִתְפַּתּוּ וְגָלוּ עֲשֶׂרֶת הַשְּׁבָטִים, (שם) "וְרֵאשִׁית שְׁמָנִים יִמְשָׁחוּ", רַבִּי יְהוּדָה בַּר יְחֶזְקֵאל אָמַר: זֶה שֶׁמֶן אִסְתַּקְטוֹן, רַבִּי יַנַּאי אָמַר: זֶה שֶׁמֶן אַנְפִּיקִינוֹן, שֶׁהוּא מַשִּׁיר אֶת הַשֵּׂעָר וּמַצְהִיר אֶת הַגּוּף,

עץ יוסף

תלוליא. תרגום ערי מבלר (במדבר לב, לו) קרסין תלולין: **דפלסטיני.** ולא ידעתי מאי היא פלסטיני, ואות אמת פירש ארץ פלשתים, והכי משמע מדקאי אגת פלשתים (יפה תואר). כתב הרד"ל וזה לשונו גת פלשתים כו' בא לדרוש מה שייכה לסמוך כאן מלת פלשתים לגת [כמו שהרגיש רד"ק] לומר, שאין זו עיר אלא הוא תלולית, תלי עפר שבגבול פלשתים שיורדים מעליהם לעמק פלשתים, עד כאן לשונו: **ליומא של גלות.** כי הוא יום הרעה שהנביאים היו מתנבאים עליה: **הגשתם עצמיכם כו'.** פירוש שמקרבין עצמיכם לשבת בגלות אדום, ופירוש המנדים ליום רע, לפי זה יהיה נראה מענין נע ונד, כלומר, שמניעים עצמם ללכת בגלות ומגישים עצמם לשבת בגלות אדום שנקרא חמס: **ערסין דפילי.** מטות של עצמות פיל: **בעבירות.** בשכבת זרע של נשי חבריהם, כדאמרו בפרק במה אשה (שבת סב, ב): **קטיות.** וילונות ארוכים: **ואוכלים כרים מצאן ועגלים מתוך מרבק כשהיה כו'.** כן צריך לומר, ולא לומר דאם לא כן כרים מלאן למה לי, לימא כרים ועגלי מרבק: **כל העדר לפניו.** ליקח השמן שבכולם: **בדברי נבלות.** הפה. דרשו נבל לשון נבלות, דאם לא כן מה שנא דפירש נבל טפי משאר כלי שיר, ומכל מקום משום דאין מקרא יוצא מידי פשוטו מפרש לה נבל ממש, וזהו שמסיק מה היו אומרים כלום אמר דוד שירה אלא בנבל, כלומר כי טוב לאדם שישמח ויגל בתוף וכנור, שהרי דוד לא היה משורר אלא על ידי כלי הנגון, ולא ידעו כי דוד לא היה עושה לשמחת לבו, רק להודות לה', ולעורר כוונת הלב להודות לה', ושתנוח עליו רוח הקודש על ידי זה, על דרך ויהי כנגן המנגן: **קלוריא.** יין קרוש ונעשה כקלורית [פירוש בלשון יון קורין לעיגול של פת קולורא], ועל ידי כן אפשר לזורקו מיד ליד ולא ישפך, והיינו במזרקי לשון זריקה: **בכוסות קטנים.** דמדכתיב מזרקי לשון רבים משמע שהיו שותים פעמים רבות, וזה להיות הכוסות קטנים שכשהכוס גדול ישבעו בשתיה אחת: **זרבובים.** פיות הרבה שיוכלו כמה בני אדם לשתות מהן. והראב"ד כתב בבעל הנפש שער המים והביאו הרא"ש בהלכות מקוואות סימן ל' שהוא קניסקנין שבשבת דף ס"ב ע"ב (רד"ל): **מפתוגתא.** שם מקום, וקאמר שעל שם יינן שהיה משובח, ומפתה הגוף לזנות שהיה משמח הלב טפי לכן נקרא פתוגתא, ודורש שם מפתגותא, מפתה גיוותא, כלומר הגוף, וסתם פתוי הוא לזנות. או דורש גיותא כמו גיפתא בחילוף פ"א רפה לוא"ו, ופירושו זונה בלשון ארמי (רד"ל): **מפלגתא.** שם מקום ונקרא כך, שעל יינה נתפתו וגלו: **שמן אסתקטון.** תמרוק שמשימות הנשים להשיר את השיער. והמוסף הערוך (ערך אסתקטון וכן הוא בערוך ערך אסטכטון) כתב שהוא שמן המור: **אנפיקנון.** שמן זית שלא הביא שליש: **משיר את השיער.** והערוך (ערך אנפיקנון) כתב שלמד מפי ר' מצליח ז"ל שמשחיר את השיער: **ומצהיר.** לשון צהרים:

מתנות כהונה

תמצא גם פרשת נשא (י, ג): **המנדים כו'.** כלומר מנדין ומרחיקין מהן ימי הגלות לאמר לא יבא עלינו: **לישב אצל החמס.** הכי גרסינן בילקוט עמוס ובפירוש רש"י בספר עמוס: **ערסין דפילי.** מטות של עצמות פיל: **בעבירות.** בשכבת זרע של נשי חבריהם: **קטיות.** בערוך משמע וילון: **הנבל.** דרש לשון נבלות: **קלוריא.** פירוש באוצר ששם מוכרין היין, למען לא יחסר להן המזג: **זרבוביות.** הערוך הביאו ולא פירשו: **מפתוגתא.** שם מקום, ושמו קדריש נוטריקון, מפתה גוף לזנות, וכן מפלוגתא לשון פיתוי וגלות:

אשד הנחלים

קטיות משופעות. כלומר יוצאת בשפע ורחב הרבה מאוד. ולכן נקרא בלשון סרח, שהוא לשון מותר, כמו וסרח העודף: **בדברי נבלות.** שלכן כינה פה הכלי שיר רק על שם זה, ולהורות על שם הנבלות. מתנות כהונה: **כלום אומר דוד שירה כו'.** כלומר ששכחו ששירי דוד היו רק בשירים ותושבחות לה', והמה שכחו העיקר ודימו שעושים מעשי דוד. ויתכן עוד דהכלי נבל בטבע מעורר החשק, ולדוד היו מעורר החשק להתדבק בה', ואצלם היה התעוררות לענייני נבלות, והמה חשבו כי דוד היה פורט על פי נבל למען זה. ובאור מלות אלו עיין במתנות כהונה:

פירוש מהרז"ו

הטובים מהממלכות האלו. של ציון ושומרון: **אם רב גבולם מגבולכם,** אמר להם הקב"ה חלק גדול וטוב נתתי לכם שאין לאחת מכל האומות טוב וגדול משלכם וכו'. כן הוא במדבר רבה שם: **ליומא של גלות.** שמרחיקים אותו מלבם, שאין חוששין לו שאמרו, כמו שנאמר (מיכה ג, יא) לא תבוא עלינו רעה: **הגשתם עצמכם.** גרמתם לילך בארצות הגוים בגלות אללם, או פירושו הגשתם עצמכם ללמוד ממעשיהם: **קטיות משופעות.** סדינים רחבים וארוכים שמסבבים המטות מכל צד, כמו שכתוב (שמות כו, יב) וסרח העודף ביריעות האהל: **ברים מצאן.** ובתנחומא (שמיני סימן ה) איתא שהיו עושים כן ביום חגם ומזומן שלהם: **אלא בנבל.** ודרשו חז"ל (ילקוט קהלת רמז תתקפט) שנקרא כן, על שמנבל כל כלי שיר, וזהו מה שאמר, כדוד חשבו להם, כלי שיר, ודוד עשה לשורר לה', והם עשו לדבר עליו דברי נבלות, וזהו פירוש נבל, על פי מדת ממעל: **בכוסות קטנים.** כמו שכתב במדבר רבה (יד, ח) הוא מזרק הוא גביע: **רבי יהודה ברבי יחזקאל וכו' רבי ינאי וכו'.** ובמדבר רבה שם, ובילקוט עמוס (רמז תקמה) הגירסא בהיפך, ובמגילה (יג, א) רבי חייא בר אבא אמר סטכת, ורבי הונא אמר אנפקינון. תניא רבי יהודה אומר אנפקינון, שמן זית שלא הביא שליש, ולמה סכין אותו שמשיר את השער ומעדן את הבשר:

חידושי הרד"ל

גת פלשתים אלין תלוליא דפלסטינייא. בא לדרוש, מה שייכה לסמוך כאן מלת פלשתים לגת, (כמו שהרגיש רד"ק), לומר שאין זו עיר גת, אלא הוא תלולית, תלי עפר שבגבול פלשתים, שיורדים מעליהם לעמק פלשתים: **קטיות משופעות.** עיין מתנות כהונה. וכאן נכון יותר לפרשו לשון קיט וקיץ, שהיו אילנות משופעות פרוסין לנוח תחתיהן בצל מפני חום הקיץ: **כרים מצאן ועגלים מתוך מרבק כשהיו כו'.** כן צריך לומר: **זרבובית.** הראב"ד בבעל הנפש שער המים, והביאו הרא"ש בהלכות מקוואות (סימן ל) שהוא קניסקנין שבשבת (סב, ב): **מפתה את הגוף לזנות.** דורש שם מפתגותא, מפתה גיוותא (כלומר הגוף, וסתם פתוי הוא לזנות. או דורש גיותא, כמו גיפתא בחילוף פ"א רפה לוא"ו, ופירושו זונה בלשון ארמי): **מפלגותא כו' וגלו עשרת השבטים.** קרוב יותר שצריך לומר מפגלותא:

חידושי הרש"ש

כשהוא מבקש לאכול עגל היה מושך כל הבקרים. יתכן שדורש מרבק בהיפך אותיותיו כמו בקרם:

אמרי יושר

היה מעביר כל המרעה לפניו לבחור השמן מהם. זהו דייק מצאן, כמו (בראשית כז ט) לך נא אל הצאן וקח לי משם שני גדיי עזים טובים: **בדברי נבלות.** זהו על פי הנבל:

ידי משה

[ג] רבי יוחנן אומר בכוסות קטנים. פירוש מדנקט מזרקי בלשון רבים, שמע מינה שהיו שותים פעמים רבות בשביל שהיו שותים בכוסות קטנים. (הג"ה. ואולי נקרא הקו"ף מקטנים בחיר"ק וזה מלשון קיטוניות. ופירושו כי חדרים חדרים היו בכוסים ולכן כתיב מזרקי בלשון רבים על מזרק אחד). וקל להבין:

אם למקרא

מֵחֲמַס אָחִיךָ יַעֲקֹב תְּכַסְּךָ בוּשָׁה וְנִכְרַתָּ לְעוֹלָם: (עובדיה א:י)

וְסֶרַח הָעֹדֵף בִּירִיעֹת הָאֹהֶל חֲצִי הַיְרִיעָה הָעֹדֶפֶת תִּסְרַח עַל אֲחֹרֵי הַמִּשְׁכָּן: (שמות כו:יב)

באור מהרי"פ

(במדבר י, ג), קרח לא היה עשיר, שלמה לא היה עשיר שנאמר בו (מלכים א, י) ויתן המלך את הכסף בירושלים כאבנים עכ"ל המדרש: **מתנות כהונה בא"ד [בפרשת נשא מסיים בו] וכולם מסכימים וכו'.** שם במדרש (במדבר י, ג), אבל בילקוט לא גרס וכולם מסכימים כדברי ישראל: **תלוליא דפליסטיני.** ערי מבצר (במדבר לב, לו) תרגום ירושלמי בקירוון תלולין. לפליסטיני, פירוש פלשתים, והכי משמע מדקאי אגת פלשתים: **בדברי נבלות.** פירוש שהנבל שלהם היה שמחה של הבל בלבם לדבר נבול פה, ואמרו גם דוד היה משורר בנבל, ולא ידעו כי דוד לא היה עושה לשמחה של הבל, רק להודות לה', ושתנוח רוח הקדש עליו על ידי שמחת לבו, על דרך (מלכים ב' ג, טו) והיה כנגן המנגן ותהי עליו יד ה'. יפה תואר: **זרבוביות.** הערוך [ערך זרבוב] לא פירשו, ור' בנימין מוספיא [בערוך שם] פירש שהוא לשון מרזב, והאותיות הפוכות, וכן לדעת רבים פירוש המקרא (איוב ו, יז) בעת יזורבו נצמתו מים נגרים במרזב עכ"ל (רמב"ם) [רש"ג]. והראב"ד בהשגותיו הלכות מקואות (פ"ג ה"ב) כתב שהוא הכלי הנקרא במשנה קניסקין (עיין שבת סב, ב): **איסטקטון.** ר' בנימין מוספיא [ערך אסטקטון] פירש בלשון יווני שמן המור: **אנפיקינון.** ז"ל הערוך אנפיקינון (פסחים מג, א) תניא רבי יהודה אומר אנפיקינון שמן זית שלא הביא שליש, ולמה סכין בו שמשיר את השער ומעדן את הבשר, ולפי למדתי מפי רבי מצליח שמשחיר את השער עכ"ל. ונראה מפירושו של רבי מצליח שהיה גורם ומשחיר את השער, וזה לשון ר' בנימין מוספיא [בערוך שם], אמר בנימין, אנפיקינון פירוש בלשון יווני שמן של זיתים בעודם פגים:

שֶׁעַל יֵינָם נִתְפַּתּוּ וְגָלוּ עֲשֶׂרֶת הַשְּׁבָטִים — so called **because on account** of drinking **their wine the Ten Tribes became enticed** [נִתְפַּתּוּ] **and were exiled.**[53]

"וְרֵאשִׁית שְׁמָנִים יִמְשָׁחוּ" — The verse continues: ***They anoint themselves with choicest oils.*** רַבִּי יְהוּדָה בַּר יְחֶזְקֵאל אָמַר: זֶה שֶׁמֶן אִסְתַּקְטוֹן — **R' Yehudah bar Yechezkel said: This is** referring to ***istakton*** **oil.**[54] רַבִּי יַנַּאי אָמַר: זֶה שֶׁמֶן אַנְפִּיקִינוֹן — **R' Yannai said: This is** referring to ***anpikinon*** **oil,**[55] שֶׁהוּא מַשִּׁיר אֶת הַשֵּׂעָר וּמַצְהִיר אֶת הַגּוּף — **which removes** unwanted **hair and makes the body** complexion **shiny.**[56]

NOTES

53. The Sages see the name פַּלּוּגְתָּא as a contraction of פִּתּוּ, *enticed*, and גָּלוּ, *were exiled* (*Matnos Kehunah, Eitz Yosef*).

54. Oil of myrrh, used for cosmetic purposes (*Eitz Yosef*).

55. Made from unripe olives (*Eitz Yosef*; see also *Beur Maharif*).

56. Both kinds of oil were of high quality and considered luxuries (*Matnos Kehunah*).

"וִרְדוּ גַת פְּלִשְׁתִּים", (שם) אַלֵּין תְּלוּלְיָא דְּפַלַּסְטִינֵי, (שם) "הֲטוֹבִים מִן הַמַּמְלָכוֹת הָאֵלֶּה אִם רַב גְּבוּלָם מִגְּבֻלְכֶם", (עמוס שם, ג) "הַמְנַדִּים לְיוֹם רָע", לְיוֹמָא שֶׁל גָּלוּת, (שם) "וַתַּגִּישׁוּן שֶׁבֶת חָמָס", הִגַּשְׁתֶּם עַצְמְכֶם לֵישֵׁב אֵצֶל הֶחָמָס, זֶה עֵשָׂו, כְּמָא דְאַתְּ אָמַר (עובדיה א, י) "מֵחֲמַס אָחִיךָ יַעֲקֹב", (עמוס שם ד) "הַשֹּׁכְבִים עַל מִטּוֹת שֵׁן", עַל עַרְסִין דְּפִילֵי, "וּסְרֻחִים עַל עַרְשׂוֹתָם", שֶׁהֵן מַסְרִיחִים מִטּוֹתֵיהֶם בַּעֲבֵירוֹת, דָּבָר אַחֵר "וּסְרֻחִים עַל עַרְשׂוֹתָם", אֵלּוּ קְטִיּוֹת מְשׁוּפָעוֹת שֶׁהָיָה לְכָל אֶחָד וְאֶחָד, כְּמָא דְאַתְּ אָמַר (שמות כו, יב) "וְסֶרַח הָעֹדֵף", (עמוס שם שם) "וְאֹכְלִים כָּרִים מִצֹּאן", כְּשֶׁהָיָה אֶחָד מֵהֶן מְבַקֵּשׁ לֶאֱכוֹל גְּדִי הָיָה מוֹשֵׁךְ כָּל הָעֵדֶר לְפָנָיו, וְהָיָה נוֹטֵל הַשָּׁמֵן שֶׁבָּהֶם וְעוֹמֵד עָלָיו וְשׁוֹחֲטוֹ, וּכְשֶׁהוּא מְבַקֵּשׁ לֶאֱכוֹל עֵגֶל הָיָה מוֹשֵׁךְ כָּל הַבְּקָרִים לְפָנָיו וְעוֹמֵד עָלָיו וְשׁוֹחֲטוֹ, הָדָא הוּא דִכְתִיב (שם) "וְאֹכְלִים כָּרִים מִצֹּאן וַעֲגָלִים מִתּוֹךְ מַרְבֵּק", (שם שם ה) "הַפֹּרְטִים עַל פִּי הַנָּבֶל", שֶׁהָיוּ פּוֹרְטִים פִּיהֶם בְּדִבְרֵי נְבָלוֹת, מַה הָיוּ אוֹמְרִים: כְּלוּם אָמַר דָּוִד שִׁירָה אֶלָּא בְּנֶבֶל, הָדָא הוּא דִכְתִיב (שם) "כְּדָוִיד חָשְׁבוּ לָהֶם", (שם שם ו) "הַשֹּׁתִים בְּמִזְרְקֵי יַיִן", רַב וְרַבִּי יוֹחָנָן וְרַבָּנָן, רַב אָמַר: קְלוּרְיָא, רַבִּי יוֹחָנָן אָמַר: בְּכוֹסוֹת קְטַנִּים, וְרַבָּנָן אָמְרֵי: כּוֹסוֹת שֶׁיֵּשׁ לָהֶן זַרְבּוּבִיּוֹת, וּמֵהֵיכָן הָיוּ שׁוֹתִין אֶת הַיַּיִן, רַבִּי אַבָּהוּ בְּשֵׁם רַבִּי חֲנִינָא אָמַר: מִפְּתוּגְתָּא שֶׁהָיָה יֵינָם מְפַתֶּה אֶת הַגּוּף לִזְנוּת, וְרַבָּנָן בְּשֵׁם רַבִּי חֲנִינָא אָמְרֵי: מִפַּלְגוּתָא שֶׁעַל יֵינָם *נִתְפַּתּוּ וְגָלוּ עֲשֶׂרֶת הַשְּׁבָטִים, (שם) "וְרֵאשִׁית שְׁמָנִים יִמְשָׁחוּ", רַבִּי יְהוּדָה בַּר יְחֶזְקֵאל אָמַר: זֶה שֶׁמֶן אִסְתַּקְטוֹן, רַבִּי יַנַּאי אָמַר: זֶה שֶׁמֶן אַנְפִּיקִינוֹן, שֶׁהוּא מַשִּׁיר אֶת הַשֵּׂעָר וּמַצְהִיר אֶת הַגּוּף,

עץ יוסף

תלוליא. תרגום ערי מבצר (במדבר לב, לו) קרסין תלולין: **דפלסטיני.** ולא ידעתי מאי היא פלסטיני, ואולי אמת פירש ארץ פלשתים, והכי משמע מדקאי אגת פלשתים (יפה תואר). כתב הרד"ל וזה לשונו גת פלשתים כו' בא לדרוש מה שבינה לסמוך כאן מלת פלשתים לגת [כמו שהרגיש רד"ק] לומר, שאין זו עיר אלא הוא תלולית, תלי עפר שבגבול פלשתים שיורדים מעליהם לעמק פלשתים, עד כאן לשונו: **ליומא של גלות.** כי הוא יום הרעה שהנביאים היו מתנבאים עליה: **הגשתם עצמיכם כו'.** פירוש שמקרבין עצמיכם לשבת בגלות אדום, ופירוש המנדים ליום רע, לפי זה יהיה נראה מענין נע ונד, כלומר, שמניעים עצמם ללכת בגלות ומגישים עצמם לשבת בגלות אדום שנקרא חמס: **ערסין דפילי.** מטות של עצמות פיל: **בעבירות.** בשכבת זרע של נשי חבריהם, כדאמרו בפרק במה אשה (שבת סב, ב): **קטיות.** וילונות ארוכים: **ואוכלים כרים מצאן ועגלים מתוך מרבק כשהיה כו'.** כן לריך לומר, ורלה לומר דאם לא כן כרים מלאן למה לי, לימא כרים ועגלי מרבק: **כל העדר לפניו.** ליקח השמן שבכולם: **בדברי נבלות.** הפה. דרשו נבל לשון נבלות, דאם לא כן מה שבא דפירש נבל טפי משאר כלי שיר, ומכל מקום משום דאין מקרא יוצא מידי פשוטו מפרש לה נבל ממש, וזהו שמסיק מה היו אומרים כלום אמר דוד שירה אלא בנבל, כלומר כי טוב לאדם שישמח ויגל בתוף וכנור, שהרי דוד לא היה משורר אלא על ידי כלי הנגון, ולא ידעו כי דוד לא היה עושה לשמחת לבו, רק להודות לה' ולעורר כוונת הלב להודות לה', ושתנוח עליו רוח הקודש על ידי זה, על דרך ויהי כנגן המנגן: **קלוריא.** יין קרוש ונעשה כקלורית [פירוש בלשון יוון קורין לעיגול של פת קולורא], ועל ידי כן אפשר לזורקו מיד ליד ולא ישפך, והיינו במזרקי לשון זריקה: **בכוסות קטנים.** דמדכתיב מזרקי לשון רבים משמע שהיו שותים פעמים רבות, וזה להיות הכוסות קטנים שבשהכוס גדול ישבעו בשתיה אחת: **זרבובים.** פיות הרבה שיוכלו כמה בני אדם לשתות מהן. והראב"ד כתב בבעל הנפש שער המים והביאו הרא"ש בהלכות מקוואות סימן ל' שהוא קיניקנין שבשבת דף ס"ב ע"ב (רד"ל). **מפתוגתא.** שם מקום, וקאמר שעל שם יינן שהיה משובח, ומפתה הגוף לזנות שהיה משמח הלב טפי לכן נקרא פתוגתא, ודורש שם מפתוגתא, מפתה גיותא, כלומר הגוף, ושם פתוי הוא לזנות. או דורש גיותא כמו גיפתא בחילוף פ"א רפה לוא"ו, ופירושו זונה בלשון ארמי (רד"ל): **מפלגתא.** שם מקום ונקרא כך, שעל ייגה נתפתו וגלו: **שמן אסתקטון.** תמרוק שמשימות הנשים להסיר את השיער. והמוסף הערוך (ערך אסתקטון וכן הוא בערוך ערך אסטכטון) כתב שהוא שמן המור: **אנפיקנון.** שמן זית שלא הביא שליש. והערוך (ערך אנפיקנון) כתב שלמד מפי ר' מצליח ז"ל שמשיר את השיער: **משיר את השיער.** **ומצהיר.** לשון להריס:

פירוש מהרז"ו

הטובים מהממלכות האלו. של ציון ושומרון: **אם רב גבולם מגבולכם,** אמר להם הקב"ה חלק גדול וטוב נתתי לכם שאין לאחת מכל האומות טוב וגדול משלכם וכו'. כן הוא במדבר רבה שם: **ליומא של גלות.** שמרחיקים אותו מלבם, שאין חוששין לו שאמרו, כמו שנאמר (מיכה ג, יא) לא תבוא עלינו רעה: **הגשתם עצמכם.** גרמתם לילך בארצות הגוים בגלות אלגס, או פירושו הגשתם עצמכם ללמוד ממעשיהם: **קטיות משופעות.** סדינים רחבים וארוכים שמסבבים המטות מכל לד, כמו שכתוב (שמות כו, יב) וסרח העודף ביריעות האהל: **כרים מצאן.** ובתנחומא (שמיני סימן ה) איתא שהיו עושים כן ביום חגם ומיומון שלהם: **אלא בנבל.** ודרשו חז"ל (ילקוט קהלת רמז תתקפט) שנקרא כן, על שמנבל כל כלי שיר, וזהו מה שאמר, כדוד חשבו להם, כלי שיר, ודוד עשה לשורר לה', והם עשו לדבר עליו דברי נבלות, וזהו פירוש נבל, על פי מדת ממטל: **בכוסות קטנים.** כמו שכתב במדבר רבה (יד, ח) הוא מזרק הוא גביע: **רבי יהודה ברבי יחזקאל וכו' רבי ינאי וכו'.** ובמדבר רבה שם, ובילקוט עמוס (רמז תקמה) הגירסא בהיפך, ובמגילה (יג, א) רבי חייא בר אבא אמר סטכת, ורבי יהודה אמר אנפיקנון. תניא רבי יהודה אומר אנפיקנון, שמן זית שלא הביא שליש, ולמה סכין אותו שמשיר את השער ומעדן את הבשר:

חידושי הרד"ל

גת פלשתים אלין תלוליא דפלסטינייא. בא לדרוש, מה שבינה לסמוך כאן מלת פלשתים לגת, (כמו שהרגיש רד"ק), לומר שאין זו עיר גת, אלא הוא תלולית, תלי עפר שבגבול פלשתים, שיורדים מעליהם לעמק פלשתים: **קטיות משופעות.** עיין מתנות כהונה. ובכאן נכון יותר לפרשו לשון קיט וקיץ, שהיו אילנות משופעות פרושים לנוח תחתיהן בצל מפני חום הקיץ: **כרים מצאן ועגלים מתוך מרבק בשהיו כו'.** כן לריך לומר: **זרבוביות.** הראב"ד בבעל הנפש שער המים, והביאו הרא"ש בהלכות מקוואות (סימן ל) שהוא קיניקנין שבשבת (סב, ב): **מפתה את הגוף לזנות.** דורש שם מפתוגתא, מפתה גיותא (כלומר הגוף, ושם פתוי הוא לזנות. או דורש גיותא, כמו גיפתא בחילוף פ"א רפה לוא"ו, ופירושו בלשון ארמי: **מפלגותא כו' וגלו עשרת השבטים.** קרוב יותר שלריך לומר מפגלותא:

חידושי הרש"ש

כשהוא מבקש לאכול עגל היה מושך כל הבקרים. יתכן שדורש מרבק בהיפך אותיותיו כמו בקרם:

אמרי יושר

היה מעביר כל המרעה לפניו לבחור השמן מהם. זהו דייק מלאן, כמו (בראשית כז, ט) לך נא אל הלאן וקח לי משם שני גדיי עזים טובים: **בדברי נבלות.** זהו על פי הנבל:

ידי משה

[ג] רבי יוחנן אומר בכוסות קטנים. פירוש מדנקט מזרקי בלשון רבים, שמע מניה שהיו שותים פעמים רבות בשביל שהיו הכוסות קטנים. (הג"ה. ואולי נקרא הקו"ף מקטנים בחיר"ק וזה מלשון קיטוניות. ופירושו כי חדרים חדרים היו בכוסות ולכך כתיב מזרקי בלשון רבים על מזרק אחד). וקל להבין:

אם למקרא

מֵחֲמַס אָחִיךָ יַעֲקֹב תְּכַסְּךָ בוּשָׁה וְנִכְרַתָּ לְעוֹלָם: (עובדיה א:י)

וְסֶרַח הָעֹדֵף בִּירִיעֹת הָאֹהֶל חֲצִי הַיְרִיעָה הָעֹדֶפֶת תִּסְרַח עַל אֲחֹרֵי הַמִּשְׁכָּן: (שמות כו:יב)

באור מהרי"פ

(במדבר י, ג) קרח לא היה עשיר, שלמה לא היה עשיר שנאמר בו (מלכים א, י) ויתן המלך את הכסף בירושלים כאבנים עכ"ל המדרש: **מתנות כהונה בא"ד [בפרשת נשא מסיים בו] וכולם מסכימים וכו'.** שם במדרש (במדבר י, ג), אבל בילקוט לא גרס וכולם מסכימים כדברי ישראל: **תלוליא דפליסטיני.** ערי מבצר (במדבר לב, לו) תרגום ירושלמי בקירוון תלולין, לפליסטיני, פירוש פלשתים, והכי משמע מדקאי אגת פלשתים: **בדברי נבלות.** פירוש שהנבל שלהם היה שמחה של הבל בלבם לדבר נבול פה, ואמרו בו כל זה לדוד היה משורר בנבל, ולא ידעו כי דוד לא היה עושה לשמחה של הבל, רק להודות לה', ושתנוח רוח הקדש עליו על ידי שמחת לבו, על דרך (מלכים ב' ג, טו) והיה כנגן המנגן ותהי עליו יד ה'. יפה תואר: **זרבוביות.** הערוך [ערך זרבוב] לא פירשו, ור' בנימין מוספיא [בערוך שם] פירש שהוא לשון מרזב, והאותיות הפוכות, וכן לדעת רבים פירוש המקרא (איוב ו, יז) בעת יזורבו נצמתו מים נגרים במרזב עכ"ל (רמב"ם) [רס"ג], והראב"ד בהשגותיו הלכות מקוואות (פ"ג ה"ב) כתב שהוא הכלי הנקראת במשנה קיניקנין (עיין שבת סב, ב): **איסטקטון.** ר' בנימין מוספיא [ערך אסטכטון] פירש בלשון יוני שמן המור: **אנפיקינון.** ז"ל הערוך (ערך אנפיקנון) (פסחים מג, א) תניא רבי יהודה אומר אנפיקינון שמן זית שלא הביא שליש, ולמה סכין בו שמשיר את השער ומעדן את הבשר, ואני למדתי מפי רבי מצליח שמשיר את השער עכ"ל הערוך. ונראה מפירוש של רבי מצליח שהיה גורם ומשיר את השער, וזה לשון ר' בנימין מוספיא [בערוך שם], אמר בנימין, אנפיקינון פירוש בלשון יוני שמן עשוי מזיתים בעודם פגים:

מתנות כהונה

תמצא גם פרשת נשא (י, ג): **המנדים כו'.** כלומר מנדין ומרחיקין מהן ימי הגלות לאמר לא יבא עלינו: **לישב אצל החמס.** הכי גרסינן בילקוט עמוס ובפירוש רש"י בספר עמוס: **ערסין דפילי.** מטות של עצמות פיל: **בעבירות.** בשכבת זרע של נשי חבריהם: **קטיות.** בערוך משמע וילון: **הנבל.** דרש לשון נבלות: **קלוריא.** פירוש באוצר שהם מוכרין היין, למען לא יחסר להן המזג: **זרבוביות.** הערוך הביאו ולא פירשו: **מפתוגתא.** שם מקום, ושמו קדרים טוטריקון, מפתה גוף לזנות, וכן מפלגותא לשון פיתוי וגלות:

אשד הנחלים

קטיות משופעות. כלומר יוצאת בשפע ורחב הרבה מאוד. ולכן נקרא בלשון סרח, שהוא לשון מותר, כמו וסרח העודף: **בדברי נבלות.** שלכן כינה פה הכלי שיר רק על שם זה, ולהורות על שם הנבלות. מתנות כהונה: **כלום אומר דוד שירה כו'.** כלומר ששכחו ששירי דוד היו רק בשירים ותושבחות לה', והמה שכחו העיקר ודימו שעושים מעשי דוד. ויתכן עוד דהכלי נבל בטבע מעורר החשק, ולדוד היו מעורר החשק להתדבק בה', ואצלם היה התעוררות לעניני נבלות, והמה חשבו כי דוד היה פורט על פי נבל למען זה. ובאור מלות אלו עיין במתנות כהונה:

"וְאַחַר כָּל הַשֶּׁבַח הַזֶּה "לֹא נֶחְלוּ עַל שֵׁבֶר יוֹסֵף — And after (i.e., due to)[57] **all this prosperity, they** ***are not upset by the breach of Joseph*** (ibid.).[58]

"לָכֵן עַתָּה יִגְלוּ בְּרֹאשׁ גֹּלִים וְסָר מִרְזַח סְרוּחִים" — ***Therefore, they will now be exiled at the head of the exiles, and the joy of the "seruchim" will cease*** (ibid., v. 7). מַהוּ "מִרְזַח סְרוּחִים" — **What** is the meaning of ***the joy of the "seruchim"?*** אָמַר רַבִּי אֵייבוּ: י"ג דִּימָסִיאוֹת הָיָה לְכָל שֵׁבֶט וְשֵׁבֶט וְאֶחָד לְכֻלָּם — **R' Eivu said: There were thirteen hot springs**[59] in the Land of Israel: one **for each** individual **tribe, and** another **one** that was **for all of them** together;[60] וְכֵיוָן שֶׁגָּרְמוּ הָעֲוֹנוֹת וּבָאוּ לִידֵי עֲבֵירוֹת וּמַעֲשִׂים רָעִים — **but as a result of their** many **sins, when they committed transgressions and evil deeds,** נִטְּלוּ כּוּלָּן וְלֹא נִשְׁתַּיֵּיר לָהֶן אֶלָּא זוֹ בִּלְבַד — **all of these were taken away, and this one**[61] **was the only one that remained for them.** לְהוֹדִיעַ כַּמָּה חֵטְא גוֹרֵם — All this is **in order to inform** us **how great are the effects of sin,** לְקַיֵּים מַה שֶּׁנֶּאֱמַר "עֲוֹנוֹתֵיכֶם הִטּוּ אֵלֶּה וגו' " — **thus confirming what is stated, *Your sins have overturned these,*** *and your transgressions have kept goodness away from you* (*Jeremiah* 5:25).

Following its lengthy digression into the luxurious lives of tranquility led by the Ten Tribes, the Midrash resumes with its exposition of *Job* 34:29 (*When He grants serenity who can cause turmoil? And when He hides [His] face, who can take note of him? Upon a nation or upon an individual as one.*):

"וְיַסְתֵּר פָּנִים וּמִי יְשׁוּרֶנּוּ" — ***And when He hides [His] face, who can take note of him?*** וּכְשֶׁהִסְתִּיר פָּנָיו מֵהֶן מִי אָמַר לוֹ: לֹא עָשִׂיתָ כְּשׁוּרָה — This means: **And when [God] hid His face from them, who could say to Him, "You have not acted justly"?**[62] וּבַמֶּה הִסְתִּיר פָּנָיו מֵהֶן — **And in what** way **did He "hide His face" from them,** i.e., how did He punish the Ten Tribes for their sins? הֶעֱלָה עֲלֵיהֶם אֶת סַנְחֵרִיב — **He brought up Sennacherib,** king of Assyria, **against them,** שֶׁנֶּאֱמַר וַיְהִי בְּאַרְבַּע עֶשְׂרֵה שָׁנָה לַמֶּלֶךְ חִזְקִיָּהוּ וגו' " — **as it is stated, *It happened in the fourteenth year of King Hezekiah*** *that Sennacherib king of Assyria attacked all the fortified cities of Judah, and he captured them* (*Isaiah* 36:1).[63] מַהוּ "וַיִּתְפְּשֵׂם" — **What** is meant by ***and he captured them?***[64] רַבִּי אַבָּא בַּר כָּהֲנָא בְּשֵׁם רַבִּי שְׁמוּאֵל בַּר נַחְמָן אָמַר — **R' Abba bar Kahana said in the name of R' Shmuel bar Nachman:** ג' גְּזֵרֵי דִינִין נֶחְתְּמוּ בְּאוֹתוֹ הַיּוֹם — **Three** separate **decrees were sealed on that day:** נִתְחַתֵּם גְּזַר דִּין שֶׁל י' שְׁבָטִים לִיפּוֹל בְּיַד סַנְחֵרִיב — **The decree was sealed that the Ten Tribes would fall into the hands of Sennacherib;**[65] וְנִחְתַּם גְּזַר דִּינוֹ שֶׁל סַנְחֵרִיב לִיפּוֹל בְּיַד חִזְקִיָּה — **and the decree was sealed that Sennacherib would** ultimately **fall into Hezekiah's hands;**[66] וְנֶחְתַּם גְּזַר דִּינוֹ שֶׁל שֶׁבְנָא שֶׁיִּלָּקֶה בְּצָרַעַת — **and the decree was sealed that Shebna**[67] the scribe **would be stricken with *tzaraas.***[68]

The Midrash discusses the final phrase in the *Job* passage (*Upon a nation or upon an individual as one*), relating it to the "three decrees" just enumerated:

"וְעַל גּוֹי וְעַל אָדָם יָחַד" — This is the meaning of ***Upon a nation or upon an individual as one***: "גּוֹי" זֶה סַנְחֵרִיב, דִּכְתִיב בֵּיהּ "כִּי גוֹי עָלָה עַל אַרְצִי" — ***A nation*** **alludes to** the downfall of **Sennacherib, of whom it is written, *For "a nation" has come up against My land*** (*Joel* 1:6).[69] "אָדָם" אֵלּוּ יִשְׂרָאֵל, דִּכְתִיב בְּהוֹן "וְאַתֵּן צֹאנִי צֹאן מַרְעִיתִי אָדָם אַתֶּם" — ***An individual*** [אָדָם] **refers to** the downfall of **Israel, of whom it is written, *Now, you are My sheep, the sheep of My pasture, you are Man*** [אָדָם] (*Ezekiel* 34:31).

NOTES

57. *Yefeh To'ar, Eitz Yosef.*

58. The "breach of Joseph" refers to the sins of the northern tribes of Israel (sometimes called "Joseph"). Since they were enjoying all this luxury, they were not predisposed to correct themselves and repent their sins (*Eitz Yosef*; see *Eshed HaNechalim*). Alternatively, "breach of Joseph" refers to the tragedy that befell the northern tribes when some of the Ten Tribes were driven into exile before Amos' time (*Radak* ad loc.); the remaining tribes were too decadent to be upset by this misfortune (*Maharzu*).

59. [The manuscript versions of the Midrash read מְיוּמְסָאוֹת instead of דִּימָסִיאוֹת, and this is the reading found in the parallel passage in *Bamidbar Rabbah* (10 §3) and *Tanchuma* (*Shemini* §5) as well. The meaning of מְיוּמְסָאוֹת is "feast days" (*Matnos Kehunah* to *Bamidbar Rabbah* ibid.). This would be more in line with the usual interpretation of מִרְזַח as an occasion for rejoicing and merrymaking (see *Rashi* and *Ibn Ezra* ad loc.).]

60. The word *seruchim* is interpreted as "filthy ones" (one of the two interpretations given by the Midrash above for סְרֻחִים), and מִרְזַח סְרוּחִים would thus mean "the joy of the filthy ones" — i.e., a place of luxurious bathing (where filthy people go to clean themselves pleasurably) such as hot springs (*Yefeh To'ar, Eitz Yosef*). [According to the other version of the Midrash (מְיוּמְסָאוֹת), the meaning of מִרְזַח סְרוּחִים would be "the merrymaking or celebrations of the luxury-seeking people" (following the other interpretation of סְרוּחִים in the Midrash above). See *Rashi* on *Amos* ad loc.]

61. The one that they had all shared (*Matnos Kehunah*). The reference is to the hot springs of Tiberias, which exist to this day (*Maharzu, Eitz Yosef*; cf. *Radal*).

62. See above, note 16.

63. [This verse — which is also found in *II Kings* 18:13 in slightly altered form — deals with Sennacherib's attempted invasion of Judah, and not with his destruction of the northern kingdom and exile of the Ten Tribes, which is the topic of our Midrash. *Yefeh To'ar* therefore suggests emending the text to cite a different verse, written just before this one: *It was in the fourth year of King Hezekiah, it was the seventh year of Hoshea son of Elah king of Israel: Shalmaneser king of Assyria invaded Samaria and besieged it. They captured it after three years — in the sixth year of Hezekiah, it was the ninth year of Hoshea king of Israel — Samaria was captured* (*II Kings* 18:9-10).]

64. [*Yefeh To'ar* deletes this line, for according to him the verse containing the word וַיִּתְפְּשֵׂם was never quoted by the Midrash, as explained in previous note.] In a parallel verse (*II Chronicles* 32:1), it is written, *After these events and show of faith, Sennacherib king of Assyria came. He arrived in Judah and encamped against all the fortified cities of Judah, intending to breach them for himself,* the implication being that he was not successful in taking them. It is for this reason, perhaps, that the Midrash prefers to interpret the words *and he captured them* in our verse homiletically.

65. Although he had already exiled the Ten Tribes before the time described in this verse (see *II Kings* 18:9-13), perhaps the Divine decree of the defeat of the Ten Tribes was not irrevocably "sealed" until this point (see, however, *Maharzu*). Accordingly, the word וַיִּתְפְּשֵׂם would mean that Sennacherib "seized" the Ten Tribes through the Divine decree that they would be irrevocably exiled.

66. As Scripture reports: *And it was that [very] night: An angel of HASHEM went out and struck down one hundred eighty-five thousand [people] of the Assyrian camp. The rest arose early in the morning and behold — they were all dead corpses* (*II Kings* 19:35). Accordingly, וַיִּתְפְּשֵׂם is interpreted as if it were written וַיִּתָּפֵשׂ שָׁם, "he [Sennacherib] was seized there" (*Matnos Kehunah*).

67. [This reflects the original reading of the Midrash, and the one preferred by *EitzYosef*; however, *Matnos Kehunah* emends the text to read "Uzziah" instead of "Shebna," and nearly all Midrash editions since his time have this reading. The difficulty with this reading, as *Maharzu* notes, is that Uzziah lived long before Sennacherib and Hezekiah.]

68. Shebna was a confidant of Hezekiah and supervisor of his palace (see *II Kings* 18:18 and *Isaiah* 22:15), who subsequently betrayed him and was smitten with *tzaraas* (see end of §5 below, and *Sanhedrin* 26a). Accordingly, וַיִּתְפְּשֵׂם is interpreted to mean that he (Shebna) was "seized" — in the sense of being held aloof from others — because of his *tzaraas* (*Matnos Kehunah*).

69. Although most commentators, based on the context of the verse, interpret this "nation" to be referring to a vast multitude of locusts, the Midrash sees it as a reference to Sennacherib.

וְאַחַר כָּל הַשֶּׁבַח הַזֶּה (שם) "לֹא נֶחְלוּ עַל שֵׁבֶר יוֹסֵף", (שם שם ז) "לָכֵן עַתָּה יִגְלוּ בְּרֹאשׁ גֹּלִים וְסָר מִרְזַח סְרוּחִים", מַהוּ "מִרְזַח סְרוּחִים", אָמַר רַבִּי אֵיבוּ: י"ג דִּימָסִיאוֹת הָיָה לְכָל שֵׁבֶט וְשֵׁבֶט וְאֶחָד לְכֻלָּם, וְכֵיוָן שֶׁגָּרְמוּ הָעֲוֹנוֹת וּבָאוּ לִידֵי עֲבֵירוֹת וּמַעֲשִׂים רָעִים, נִטְּלוּ כּוּלָּן וְלֹא נִשְׁתַּיֵּיר לָהֶן אֶלָּא זוֹ בִּלְבַד, לְהוֹדִיעַ כַּמָּה חֵטְא גּוֹרֵם, לְקַיֵּים מַה שֶּׁנֶּאֱמַר (ירמיה ה, כה) "עֲוֹנוֹתֵיכֶם הִטּוּ אֵלֶּה וְגוֹ'", (איוב לד, כט) "וְיַסְתֵּר פָּנִים וּמִי יְשׁוּרֶנּוּ", וּכְשֶׁהִסְתִּיר פָּנָיו מֵהֶן מִי אָמַר לוֹ: לֹא עָשִׂיתָ כַּשּׁוּרָה, וּבַמֶּה הִסְתִּיר פָּנָיו מֵהֶן, הֶעֱלָה עֲלֵיהֶם אֶת סַנְחֵרִיב, שֶׁנֶּאֱמַר (ישעיה לו, א) "וַיְהִי בְּאַרְבַּע עֶשְׂרֵה שָׁנָה לַמֶּלֶךְ חִזְקִיָּהוּ וְגוֹ'", מַהוּ "וַיִּתְפְּשֵׂם", רַבִּי אַבָּא בַּר כַּהֲנָא בְּשֵׁם רַבִּי שְׁמוּאֵל בַּר נַחְמָן אָמַר: ג' גְּזֵרֵי דִינִין נֶחְתְּמוּ בְּאוֹתוֹ הַיּוֹם, נִתְחַתֵּם גְּזַר דִּין שֶׁל י' שְׁבָטִים לִיפּוֹל בְּיַד סַנְחֵרִיב, וְנֶחְתַּם גְּזַר דִּינוֹ שֶׁל סַנְחֵרִיב לִיפּוֹל בְּיַד חִזְקִיָּה, וְנֶחְתַּם גְּזַר דִּינוֹ שֶׁל °עוּזִּיָּה שֶׁיִּלָּקֶה בְּצָרַעַת, (איוב שם שם) "וְעַל גּוֹי וְעַל אָדָם יָחַד", "גּוֹי" זֶה סַנְחֵרִיב, דִּכְתִיב בֵּיהּ (יואל א, ו) "כִּי גוֹי עָלָה עַל אַרְצִי", "אָדָם" אֵלּוּ יִשְׂרָאֵל, דִּכְתִיב בְּהוֹן (יחזקאל לד, לא) "וְאַתֵּן צֹאנִי צֹאן מַרְעִיתִי אָדָם אַתֶּם", "יָחַד" זֶה עוּזִּיָּהוּ הַמֶּלֶךְ, שֶׁלָּקָה בְּצָרַעַת, שֶׁנֶּאֱמַר (דברי הימים־ב כו, כא) "וַיְהִי עֻזִּיָּהוּ הַמֶּלֶךְ מְצֹרָע",

עץ יוסף

ואחר כל השבח הזה. פירוש על ידי רוב שלותם לא נתנו לב לתקן שבר יוסף דהיינו גופי העבירות שהיו בהם, על דרך (דברים ח, יד) ורם לבבך וגו': **דימוסיאות.** מרחצאות של מים חמין מעצמן כמו חמי טבריה, והוא זה שנשתייר דקאמר, [והרד"ל כתב וזה לשונו אלא זו בלבד פירוש זו שהיתה ידועה בימיהם שנשארה, ונראה שהוא דיומסת שבשבת (קמז, ב) עד כאן לשונו]. ומפרש מרזח ענין רינה ושמחה, ומשום דכתיב מרזח סרוחים משמע ליה המרחצאות שבהם ישמחו המוסרחים שמטהרין בהם: **שנאמר ויהי בארבע עשרה שנה למלך חזקיהו וגו' מהו ויתפשם.** כל זה הוא טעות סופר, דזה מיירי בערי יהודה והיה שבע שנים אחר גלות עשרת השבטים, אלא הכי גרסינן, שנאמר (מלכים ב' יח, ט) ויהי בשנה הרביעית למלך חזקיהו עלה שלמנסר [הוא סנחריב כדאיתא בסנהדרין לד, ב] מלך אשור וגו', ויגל מלך אשור את ישראל אשורה וגו', ור' אבא בר כהנא אסיפא דקרא דלעיל קאי, דהיינו על גוי ועל אדם יחד, ומפרש על גוי זה סנחריב והיינו שיפול ביד חזקיהו, ועל אדם אלו ישראל, והיינו עשרת השבטים שיפלו ביד סנחריב, ויחד היינו שבנא, שילקה בצרעת כעוזיה, משום שמאז מרד שבנא בחזקיהו, ונתקשר עם סנחריב בסתר, כמו שכתב רבי יצחק אברבנאל (ישעיה לז, ח): **ונחתם גזר דין של שבנא שילקה בצרעת כמו שלקה עוזיה.** כן צריך לומר, ולקמן בפירקין (סימן ה) יליף דלקה שבנא בצרעת מדכתיב ביה ועוטך עטה: **דכתיב ביה כי גוי עלה על ארצי.** גם זה טעות סופר הוא, דמיירי בערי יהודה, דסיפא דקרא (יואל א, ט) הכרת מנחה ונסך מבית ה', וסנחריב לא עלה על בית ה', אלא הכי גרסינן ומה יענה מלאכי גוי (ישעיה יד, לב), וזה מפרש ליה על מלאכי סנחריב כרבשקה וחבריו ששלחם לירושלים, כי מה יענו אל אדוניהם כי ה' יסד ציון: **יחד זה עוזיהו המלך.** כמו (בראשית כו, י) אחד העם מיוחד שבעם, גם אדם יחד דרש על המלך שהוא אדם יחידי וכולל בנפשו כל עמו יחדיו התלויים בו (רד"ל): **זה עוזיה.** כלומר שהשוה את שבנא יחד עם עוזיה שהיה מצורע, והא דמקיש ליה לעוזיה טפי מלשאר מצורעים, הוא משום דלדעת שבנא היתה על שנתגאה, כדכתיב מפורש בקרא (ישעיה כב), ושל עוזיה גם כן היתה בעבור זה כדכתיב (דברי הימים ב' כו, טז) ובחזקתו גבה לבו וימעל וגו':

פירוש מהרז"ו

ולא נחלו על שבר יוסף. בשעה שגלו מקצת מן השבטים: **שלש עשרה דמסיות.** כמו שמובא (שבת קמז, ב) מיא דמסים, ויין פרגיתא, קפחו עשרת השבטים. וכאן פירושו מרחצאות טובים, וכמו שכתב בראשית רבה (א, יב) דמוסיית. ומה שכתב היה לכל שבט, צריך לומר אחת לכל שבט, וכמו שכתב ילקוט עמוס (שם): **אלא זו בלבד.** עיין מתנות כהונה, ואולי הכוונה אל חמי טבריא הידוע: **עונותיכם הטו אלה.** וחטאתכם מנעו הטוב מכם, וכמו שדרשו שבת (כה, ב) נשיתי טובה (איכה ג, יז), זו רחיצת ידים ורגלים בחמין: **בשורה.** לדעת המדרש ישורנו, איננה מלשון שור שחקים, שהכוונה על הראות, דזה מיותר שמאחר שהוא מסתיר פנים, הלא לא נוכל לראותו, על כן דורש מלשון ישר ושורה, שאין מי שיכול להרהר אחריו, אם עשה כשורה או לא, וכן בדרשות הקודמות שאצל דור המבול ואצל סדום, וזהו ומי ישורנו: **העלה עליהם סנחריב.** שעל ידי סנחריב פרע מעשרת השבטים, שגלו בשנת שש לחזקיה, ובשנת ארבע עשרה לחזקיה, עלה על כל ערי יהודה הבצורות ויתפשם, ועיין מה שכתבתי בזה במדבר רבה (כג, יד), וכבר הדפסתיו בסוף חלק שמות בסייעתא דשמיא, עיין שם ותבין כאן: **מהו ויתפשם** גירסא זו לא יתכן, שהרי הוא מבואר שתפס והחריב הערים הבצורות, ואיך מרומז בתיבה זו השלש גזירות, ועוד שגזירת עוזיהו היה ארבע דורות קודם גזירת ויתפשם, אך האמת יורה דרכו שצריך לומר מהו על גוי ועל אדם יחד, וכמו שכתב בסמוך, גוי זה סנחריב וכו', שפסוק זה רומז שלש גזירות נגזרו יחד, היינו בעת שגזר על עוזיה שיצטרע, גזר על ישראל וסנחריב, כי גזרת עוזיה קדמה בארבעה דורות הנ"ל, ותיבת יחד דורש על עוזיהו המלך, שהוא המיחד עמו להיות עם אחד, שעל כן נקרא אחד העם, ועל שלא אמר אחד, ואמר יחד, בא לרמוז שגזרת הגוי והאדם והיחד, היו יחד ביום שנצטרע עוזיה, והרמז על עוזיה, ממה שכתב בפסוק שסמוך לו (איוב לד, ל) ממלוך אדם חנף ממוקשי עם, היינו עוזיה תחלה צדיק ונעשה חנף, וכמו שכתב בראשית רבה (כה, א) חנוך חנף היה פעמים צדיק ופעמים רשע, עיין שם, וכמו שכתוב דברים רבה (ה, ט) על פסוק זה אם ראית חנף ורשע מנהיג הדור, מוטב לו לפרוח באויר, פירושו שהיה בלא מלך, שעוזיה אחר שנצטרע לא הנהיג מלכותו, אלא ויותם בנו (פי') [וגו'] שופט את עם הארץ (דברי הימים ב כו, כא) **כי גוי עלה על ארצם.** ובפסוק הסמוך (יואל א, ז) גפני לשמה ותאנתי לקצפה, היינו ישראל שנקראו גפן ותאנה, כי לפי הפשט שמדבר בארבה, שיאכל הגפנים והתאנים, לא היה אומר גפני ותאנתי, ועוד שאין הארבה נקרא גוי, והיה לו לומר יעלה על ארצי וישים הגפן לשמה וגו', אלא שכוון הנביא יואל שהיה בימי

מתנות כהונה

אסטקטון אפיקנון. כך שמם של שמנים משובחים: **שלש עשרה דימוסיאות.** מרחצאות נאים, ומתוך פירש"י בתרי עשר, נראה שהם בתי משתאות משובחות: **אלא זה.** זה שהיה לכלם יחד: **לא עשית בשורה.** ישורנו קדריש לשון שורה. וקל להבין: **ויתפשם.** דרשו כמו ויתפש שם רצה לומר סנחריב, ודרשו מלשון סגירה, רמז לסגירת עוזיה על דבר הצרעת: **גזר דינו של עוזיה** גרסינן, כדמוכח לקמן. ואף על גב דשבנא גם הוא לקה בצרעת, כמו שדרשו חז"ל בפרק זה בורר (סנהדרין כו, א) מגזירה שוה

אשד הנחלים

ואחר כל השבח הזה לא נחלו כו'. כלומר אם היו להם כל טוב בזה. איך לא נחלו ולא פחדו פן יאבדו הטובות הגדולות, ולא ייראו פן יפקדו מהם בעוונם. וזהו ומי ישורנו, מלשון (ישעיה כח, כה) ושם חטה שורה, שהוא מלשון מדה ישרה. וכלומר מי יביט עליו לאמר, אפשר וכשורה הדבר או לא, ובודאי הוא עושה כשורה: **מהו ויתפשם.** כי נאמר סתם, ולא ידענו מי תפש את מי, ולכן מפרש שבאמת היו כן שאמת שנגזר שעשרת שבטים יתפסו ביד סנחריב, אבל גם סנחריב יתפס ביד יחזקיהו גם כן, כאלו יתפסו זה ביד זה וזה ביד זה, וזהו על גוי ועל אדם יחד, שנגזר על ישראל ועליו יחד: **יחד זה עוזיהו.** פירש הידי משה שנצטרע עוזיהו וגם שבנא,

חידושי הרד"ל

וסר מרזח סרוחים כו'. כן צריך לומר: **אלא זו בלבד.** פירוש זו שהיתה ידועה בימיהם שנשארה, ונראה שהיא דיומסת שבשבת (קמז, א) עיין שם: **יחד זה עוזיהו המלך.** כמו אחד העם (בראשית כו, י), מיוחד שבעם. (גם אדם יחד, דרש על המלך אדם יחידי, וכולל בנפשו כל עמו יחדיו התלויים בו):

חידושי הרש"ש

ר' אבא בר כהנא בשם ר' שמואל בן נחמן כו' נחתמו באותו היום. לא כוונו על היום דקאי ביה, דהא גלות עשרת השבטים היה חמש שנים מקודם, וצרעת עוזיה היה שבעים ושש שנים קודם: **ונחתם גזר דינו של עוזיה.** עיין מועד קטן ז' ב' תוס' ד"ה יותם: **יחד זה עוזיהו המלך כו'.** נראה דדרש יחד המיוחד שבעם, כמו אחד העם (בראשית כו, י) פירש"י זה המלך. וכן איתא לקמן בנשא (במדבר רבה י, ה):

באור מהרי"פ

נטלו כולם ולא נשתייר וכו'. הענין מוקשה היכא רמיז במקרא דבר זה, ועיין יפה תואר שנאמר (ישעיה לו, א) ויהי בארבע עשרה שנה למלך חזקיהו עלה סנחריב מלך אשור על כל ערי יהודה הבצורות ויתפשם. וזה לשון היפה תואר הוא כי טעות סופר הוא כי מה ענין זה לעשרת השבטים, דהכא בערי יהודה קמיירי וגלות עשרת השבטים היה מקמי הכי בשנת שש לחזקיהו, אלא הכי גרסינן (מלכים ב יח, ט) ויהי בשנה הרביעית למלך חזקיהו היא השנה השביעית להושע בן אלה מלך ישראל עלה שלמנאסר מלך אשור על שומרון ויצר עליה וילכדה מקצה שלש שנים בשנת שש לחזקיה היא שנת תשע להושע מלך ישראל נלכדה שומרון. הדתם מיירי בגלות עשרת השבטים. ואף על גב דהתם כתיב עלה שלמנאסר, היינו סנחריב כמו שכתבו המפרשים (רש"י דברי הימים א ה, ו). יפה תואר: **יחד זה עוזיהו.** צריך עיון. ואולי דריש יחד לשון

אם למקרא

עֲוֺנוֹתֵיכֶם הִטּוּ־אֵלֶּה וְחַטֹּאותֵיכֶם מָנְעוּ הַטּוֹב מִכֶּם: (ירמיה ה:כה)

וְהוּא יַשְׁקִט וּמִי יַרְשִׁעַ וְיַסְתֵּר פָּנִים וּמִי יְשׁוּרֶנּוּ וְעַל־גּוֹי וְעַל־אָדָם יָחַד: (איוב לד:כט)

וַיְהִי בְּאַרְבַּע עֶשְׂרֵה שָׁנָה לַמֶּלֶךְ חִזְקִיָּהוּ עָלָה סַנְחֵרִיב מֶלֶךְ־אַשּׁוּר עַל כָּל־עָרֵי יְהוּדָה הַבְּצֻרוֹת וַיִּתְפְּשֵׂם: (ישעיה לו:א)

כִּי־גוֹי עָלָה עַל־אַרְצִי עָצוּם וְאֵין מִסְפָּר שִׁנָּיו שִׁנֵּי אַרְיֵה וּמְתַלְּעוֹת לָבִיא לוֹ: (יואל א:ו)

וְאַתֵּן צֹאנִי צֹאן מַרְעִיתִי אָדָם אַתֶּם אֲנִי אֱלֹהֵיכֶם נְאֻם אֲדֹנָי ה': (יחזקאל לד:לא)

וַיְהִי עֻזִּיָּהוּ הַמֶּלֶךְ מְצֹרָע עַד יוֹם מוֹתוֹ וַיֵּשֶׁב בֵּית הַחָפְשִׁית מְצֹרָע כִּי נִגְזַר מִבֵּית ה' וְיוֹתָם בְּנוֹ עַל בֵּית הַמֶּלֶךְ שׁוֹפֵט אֶת עַם הָאָרֶץ: (דברי הימים ב כו:כא)

ידי משה

יחד זה עוזיה. כלומר שנצטרע וגם שבנא כדאיתא בפרק זה בורר (סנהדרין כו, א). (הג"ה. ואולי משום שהמצורע יושב בדד דריש יחד על עוזיה אשר ישב בדד נבדל מאנשים. ויחד נופל גם על רבים כאחד ועל אחד הנבדל מרבים):

אמרי יושר

שלש עשר דימוסיאות. פירוש מרחצאות ממים חמים לענג עצמן: **יחד זה עוזיה.** נראה שזו דרשה אחרת על יחד, והאחרת חסירה זה שבנא, שלשה גזירות נגזרו יחד:

שינוי נוסחאות

שנאמר "ויהי בארבע עשרה שנה למלך חזקיהו וגו'" מהו ויתפשם. יפ"ת מחק כל זה וגרס במקומו "שנאמר "ויהי בשנה הרביעית למלך חזקיהו ... עלה שלמנאסר מלך אשור על שמרון ויצר עליה וילכדה מקצה שלש שנים", (והוא מקרא במלכים ב' י"ח ט'-י'), והסכים עמו בעצ"י, אבל בכל הכי"י כלפנינו: **מהו ויתפשם.** יפ"ת מוחק זה כמו שכתבנו לעיל, ורד"ו אינו מוחקו אבל גורס במקומו "מהו ועל גוי ועל אדם יחד": **ונחתם גזר דינו של עוזיה.** בספרים הישנים היה כתוב "גזר דינו של

״יָחַד״ זֶה עוּזִּיָּהוּ הַמֶּלֶךְ, שֶׁלָּקָה בְּצָרַעַת — ***As one*** **refers to** the affliction of **King Uzziah,**[70] **who,** like Shebna, **was stricken with *tzaraas,***[71] שֶׁנֶּאֱמַר ״וַיְהִי עֻזִּיָּהוּ הַמֶּלֶךְ מְצֹרָע״ — **as it says,** ***King Uzziah was a metzora*** *until the day of his death* (*II Chronicles* 26:21).[72]

NOTES

70. The Midrash interprets יַחַד (translated here *as one*) as "one outstanding individual," alluding to the king (Uzziah), who stands apart from the rest of his nation, as in *Genesis* 26:10 (*Rashash, Radal*). In keeping with this meaning, the broader phrase of *an individual as one* can similarly be seen as a reference to a king, in whose soul is incorporated the spirit of the nation that depends on him (*Radal,* cited in *Eitz Yosef*; see, however, *Beur Maharif* and *Eshed HaNechalim*).

71. Uzziah, like Shebna, was stricken with *tzaraas* because of his haughtiness (*Yefeh To'ar*). Since the two suffered similar punishments for similar sins, the verse alludes to Shebna by referring to Uzziah. The verse is thus saying that when God punishes the wicked — whether Sennacherib or Israel or Uzziah/Shebna — there is no one who can accuse Him of acting unjustly.

72. The Midrash is saying that Shebna is grouped together with Uzziah particularly — *"as one"* — in that they were both stricken with *tzaraas* (see Midrash above). Since Uzziah's *tzaraas* was a result of his haughtiness (which caused him to sin; see *II Chronicles* 26:16), Shebna, whose *tzaraas* was similarly caused by excessive arrogance (see §5 below and *Sanhedrin* 26a) is juxtaposed with him (*Eitz Yosef*).

וְאַחַר כָּל הַשֶּׁבַח הַזֶּה (שם) "לֹא נֶחְלוּ עַל שֵׁבֶר יוֹסֵף", (שם שם ז) "לָכֵן עַתָּה יִגְלוּ בְּרֹאשׁ גֹּלִים וְסָר מִרְזַח סְרוּחִים", מַהוּ "מִרְזַח סְרוּחִים", אָמַר רַבִּי אֵיבוּ: י"ג דִּימֻסִיאוֹת הָיָה לְכָל שֵׁבֶט וְשֵׁבֶט וְאֶחָד לְכֻלָּם, וְכֵיוָן שֶׁגָּרְמוּ הָעֲוֹנוֹת וּבָאוּ לִידֵי עֲבֵירוֹת וּמַעֲשִׂים רָעִים, נִטְּלוּ כּוּלָּן וְלֹא נִשְׁתַּיֵּיר לָהֶן אֶלָּא זוֹ בִּלְבַד, לְהוֹדִיעַ כַּמָּה חֵטְא גּוֹרֵם, לְקַיֵּם מַה שֶּׁנֶּאֱמַר (ירמיה ה, כה) "עֲוֹנוֹתֵיכֶם הִטּוּ אֵלֶּה וְגוֹ'", (איוב לד, כט) "וְיַסְתֵּר פָּנִים וּמִי יְשׁוּרֶנּוּ", וּכְשֶׁהִסְתִּיר פָּנָיו מֵהֶן מִי אָמַר לוֹ: לֹא עָשִׂיתָ כַּשּׁוּרָה, וּבַמֶּה הִסְתִּיר פָּנָיו מֵהֶן, הֶעֱלָה עֲלֵיהֶם אֶת סַנְחֵרִיב, שֶׁנֶּאֱמַר (ישעיה לו, א) "וַיְהִי בְּאַרְבַּע עֶשְׂרֵה שָׁנָה לַמֶּלֶךְ חִזְקִיָּהוּ וְגוֹ'", מַהוּ "וַיִּתְפְּשֵׂם", רַבִּי אַבָּא בַּר כָּהֲנָא בְּשֵׁם רַבִּי שְׁמוּאֵל בַּר נַחְמָן אָמַר: ג' גְּזֵרֵי דִינִין נֶחְתְּמוּ בְּאוֹתוֹ הַיּוֹם, נִתְחַתֵּם גְּזַר דִּין שֶׁל י' שְׁבָטִים לִיפּוֹל בְּיַד סַנְחֵרִיב, וְנֶחְתַּם גְּזַר דִּינוֹ שֶׁל סַנְחֵרִיב לִיפּוֹל בְּיַד חִזְקִיָּה, וְנֶחְתַּם גְּזַר דִּינוֹ שֶׁל °עוּזִּיָּה שֶׁלָּקָה בְּצָרַעַת, (איוב שם) "וְעַל גּוֹי וְעַל אָדָם יָחַד", "גּוֹי" זֶה סַנְחֵרִיב, דִּכְתִיב בֵּיהּ (יואל א, ו) "כִּי גוֹי עָלָה עַל אַרְצִי", "אָדָם" אֵלּוּ יִשְׂרָאֵל, דִּכְתִיב בְּהוֹן (יחזקאל לד, לא) "וְאַתֵּן צֹאנִי צֹאן מַרְעִיתִי אָדָם אַתֶּם", "יַחַד" זֶה עוּזִּיָּהוּ הַמֶּלֶךְ, שֶׁלָּקָה בְּצָרַעַת, שֶׁנֶּאֱמַר (דברי הימים-ב כו, כא) "וַיְהִי עֻזִּיָּהוּ הַמֶּלֶךְ מְצֹרָע",

ואחר כל השבח הזה. פירוש על ידי רוב שלותם לא נתנו לב לתקן שבר יוסף דהיינו גופי העבירות שהיו בהם, על דרך (דברים ח, יד) ורם לבבך וגו': **דימוסיאות.** מרחצאות של מים חמין מטעמן כמו חמי טבריה, והוא זה שנשתייר דקאמר, [והרד"ל כתב וזה לשונו אלא זו בלבד פירוש זו שהיתה ידועה בימיהם שנשארה, ונראה שהוא דיומסת שבשבת (קמז, ב) עד כאן לשונו]. ומפרש מרזח ענין רינה ושמחה, ומשום דכתיב מרזח סרוחים משמע ליה המרחצאות שבהם ישמחו המוסרחים שמטהרין בהם: **שנאמר ויהי בארבע עשרה שנה למלך חזקיהו וגו' מהו ויתפשם.** כל זה הוא טעות סופר, דזה מיירי בערי יהודה והיה שבע שנים אחר גלות עשרת השבטים, אלא הכי גרסינן, שנאמר (מלכים ב' יח, ט) ויהי בשנה הרביעית למלך חזקיהו עלה שלמנאסר [הוא סנחריב כדאיתא בסנהדרין לד, ב] מלך אשור וגו', ויגל מלך אשור את ישראל אשורה וגו', ור' אבא בר כהנא אסיפא דקרא דלעיל קאי, דהיינו על גוי ועל אדם יחד, ומפרש על גוי זה סנחריב והיינו שיפול ביד חזקיהו, ועל אדם אלו ישראל, והיינו עשרת השבטים שיפלו ביד סנחריב, ויחד היינו שבנא, שלקה בצרעת כעוזיה, משום שמאז מרד שבנא בחזקיהו, ונתקשר עם סנחריב בסתר, כמו שכתב רבי יצחק אברבנאל (ישעיה לו, ח): **ונחתם גזר דין של שבנא שילקה בצרעת כמו שלקה עוזיה.** כן צריך לומר, ולקמן בפירקין (סימן ה) יליף דלקה שבנא בצרעת מדכתיב ביה וטוטך טלטה: **דכתיב ביה כי גוי עלה על ארצי.** גם זה טעות סופר הוא, דמיירי בערי יהודה, דסיפא דקרא (יואל א, ט) הָכְרַת מנחה ונסך מבית ה', וסנחריב לא עלה על בית ה', אלא הכי גרסינן ומה יענה מַלְאֲכֵי גוי (ישעיה יד, לב), וזה מפרש ליה על מלאכי סנחריב כרבשקה וחבריו ששלחם לירושלים, כי מה יענו אל אדוניהם כי ה' יסד ציון: **יחד זה עוזיהו המלך.** כמו (בראשית כו, י) אחד העם מיוחד שבעם, גם אדם יחד דרש על המלך שהוא אדם יחידי וכולל בנפשו כל עמו יחדיו התלויים בו (רד"ל): **זה עוזיה.** כלומר שהשוה את שבנא יחד עם עוזיה שהיה מצורע, והא דמקיש ליה לעוזיה טפי מלאחר מצורעים, הוא משום דצרעת שבנא היתה על שנתגאה, כדכתיב מפורש בקרא (ישעיה כב), ושל עוזיה גם כן היתה בעבור זה כדכתיב (דברי הימים ב' כו, טז) ובחזקתו גבה לבו וימעל וגו':

ולא נחלו על שבר יוסף. בשעה שגלו מקצת מן השבטים: **שלש עשרה דמסיות.** כמו שמובא (שבת קמז, ב) מיא דמסים, ויין פרגיתא, קפחו עשרת השבטים. וכאן פירושו מרחצאות טובים, וכמו שכתב בראשית רבה (א, יב) דמוסיית. ומה שכתב היה לכל שבט, צריך לומר אחת לכל שבט, וכמו שכתב ילקוט עמוס (שם): **אלא זו בלבד.** עיין מתנות כהונה, ואולי הכוונה אל חמי טבריא הידוע: **עונותיכם הטו אלה.** וחטאתיכם מנעו הטוב מכם, וכמו שדרשו שבת (כה, ב) נשיתי טובה (איכה ג, יז), זו רחיצת ידים ורגלים בחמין: **בשורה.** לדעת המדרש ישורנו, איננה מלשון שור שחקים, שהכוונה על הראות, דזה מיותר שמאחר שהוא מסתיר פנים, הלא לא נוכל לראותו, על כן דורש מלשון ישר ושורה, שאין מי שיכול להרהר אחריו, אם עשה כשורה או לא, וכן בדרשות הקודמות שאצל דור המבול ואצל סדום, וזהו ומי ישורנו: **העלה עליהם סנחריב.** שעל ידי סנחריב פרע מעשרת השבטים, שגלו בשנת שש לחזקיה, ובשנת ארבע עשרה לחזקיה, עלה על כל ערי יהודה הבצורות ויתפשם, ועיין מה שכתבתי בזה במדבר רבה (כג, יד), וכבר הדפסתיו בסוף חלק שמות בסייעתא דשמיא, עיין שם ותבין כאן: **מהו ויתפשם** גירסא זו לא יתכן, שהרי הוא מבואר שתפס והחריב הערים הבצורות, ואיך מרומז בתיבה זו השלש גזירות, ועוד שגזירת עוזיהו היא ארבע דורות קודם גזירת ויתפשם, אך האמת יורה דרכו שצריך לומר מהו על גוי ועל אדם יחד, וכמו שכתב בסמוך, גוי זה סנחריב וכו', שפסוק זה רומז ששלש גזירות נגזרו יחד, היינו בעת שגזר על עוזיה שיצטרע, גזר על ישראל וסנחריב, כי גזרת עוזיה קדמה בארבעה דורות הנ"ל, ותיבת יחד דורש על עוזיהו המלך, שהוא המיחד עמו להיות עם אחד, שעל כן נקרא אחד העם, ועל שלא אמר אחד, ואמר יחד, בא לרמוז שגזרת הגוי והאדם והיחד, היו יחד ביום שנצטרע עוזיה, והרמז על עוזיה, ממה שכתב בפסוק שסמוך לו (איוב לד, ל) ממלוך אדם חנף ממוקשי עם, היינו עוזיה תחלה צדיק ונעשה חנף, וכמו שכתב בראשית רבה (כה, א) חנוך חנף היה פעמים צדיק ופעמים רשע, עיין שם, וכמו שכתוב דברים רבה (ה, ט) על פסוק זה אם ראית חנף ורשע מנהיג הדור, מוטב לו לפרוח באויר, פירושו שהיה בלא מלך, שעוזיה אחר שנצטרע לא הנהיג מלכותו, אלא ויותם בנו (פי') [וגו'] שופט את עם הארץ (דברי הימים ב כו, כא) **בי גוי עלה על ארצם.** ובפסוק הסמוך (יואל א, ז) גפני לשמה ותאנתי לקצפה, היינו ישראל שנקראו גפן ותאנה, כי לפי הפשט שמדבר בארבה, שיאכל הגפנים והתאנים, לא היה אומר גפני ותאנתי, ועוד שאין הארבה נקרא גוי, והיה לו לומר יעלה על ארצי וישים הגפן לשמה וגו', אלא שכוון הנביא יואל שהיה בימי

מתנות כהונה

אסטקטון אפיקנון. כך שמם של שמנים משובחים: **שלש עשרה דימסיאות.** מרחצאות נאים, ומתוך פירש"י בתרי עשר, נראה שהם בתי משתאות משובחות: **אלא זה.** זה שהיה לכלם יחד: **לא עשית בשורה.** ישורנו קדריש לשון שורה. וקל להבין: **ויתפשם.** דרשו כמו ויתפש שם רלה לומר סנחריב, ודרשו מלשון סגירה, רמז לסגירת עוזיה על דבר הצרעת: **גזר דינו של עוזיה** גרסינן, כדמוכח לקמן. ואף על גב דשבנא גם הוא לקה בצרעת, כמו שדרשו חז"ל בפרק זה בורר (סנהדרין כו, א) מגזירה שוה

אשד הנחלים

ואחר כל השבח הזה לא נחלו כו'. כלומר אם היו להם כל טוב בזה. איך לא נחלו ולא פחדו פן יאבדו הטובות הגדולות, ולא ייראו פן יפקדו מהם בעוונם: **לא עשית בשורה.** וזהו ומי ישורנו, מלשון (ישעיה כח, כה) ושם חטה שורה, שהוא מלשון מדה ישרה. וכלומר מי יביט עליו לאמר, אפשר וכשורה הדבר או לא, ובודאי הוא עושה כשורה: **מהו ויתפשם.** כי נאמר סתם, ולא ידענו מי תפש את מי, ולכן מפרש שבאמת היו כן שאמת שנגזר שעשרת שבטים יתפסו ביד סנחריב, אבל גם סנחריב יתפס ביד יחזקיהו גם כן, כאלו יתפסו זה ביד זה וזה ביד זה, וזהו על גוי ועל אדם יחד, שנגזר על ישראל ועליו יחד: **יחד זה עוזיהו.** פירש הידי משה שנצטרע עוזיהו וגם שבנא,

חידושי הרד"ל

וסר מרזח סרוחים כו'. כן צריך לומר: אלא זו בלבד. פירוש זו שהיתה ידועה בימיהם שנשארה, ונראה שהיא דיומסת שבשבת (קמט, א) עיין שם: **יחד זה עוזיהו המלך.** כמו אחד העם (בראשית כו, י), מיוחד שבעם. (גם אדם יחד, דרש על המלך שהוא אדם יחידי, וכולל בנפשו כל עמו יחדיו התלוים בו):

חידושי הרש"ש

ר' אבא בר כהנא בשם ר' שמואל בן נחמן כו' נחתמו באותו היום. לא כוונו על היום דקאי ביה, דהא גלות עשרת השבטים היה חמש שנים מקודם, וצרעת עוזיה היה שבעים ושש שנים קודם: **ונחתם גזר דינו של עוזיה.** עיין מועד קטן ז' ב' תוס' ד"ה יותם: **יחד זה עוזיהו המלך כו'.** נראה דדרש יחד המיוחד שבעם, כמו אחד העם (בראשית כו, י) פירש"י זה המלך. וכן איתא לקמן בנשא (במדבר רבה י, ה):

באור מהרי"פ

נטלו כולם ולא נשתייר וכו'. הענין מוקשה היכא רמיז במקרא דבר זה, ועיין יפה תואר שנאמר (ישעיה לו, א) ויהי בארבע עשרה שנה למלך חזקיהו עלה סנחריב מלך אשור על כל ערי יהודה הבצורות ויתפשם. וזה לשון היפה תואר טעות סופר הוא כי מה ענין זה לעשרת השבטים, דהכא בערי יהודה קמיירי וגלות עשרת השבטים היה מקמי הכי בשנת שש לחזקיהו, אלא הכי גרסינן (מלכים ב יח, יט) ויהי בשנה הרביעית למלך חזקיהו היא השנה השביעית להושע בן אלה מלך ישראל עלה שלמנאסר מלך אשור על שומרון ויצר עליה וילכדה מקצה שלש שנים בשנת שש לחזקיה היא שנת תשע להושע מלך ישראל נלכדה שומרון. דהתם מיירי בגלות עשרת השבטים. ואף על גב דהתם כתיב עלה שלמנאסר, היינו סנחריב כמו שכתבו המפרשים (רש"י דברי הימים א ה, ו). יפה תואר: **יחד זה עוזיהו.** צריך עיון. ואולי דריש יחד לשון

אם למקרא

עֲוֹנוֹתֵיכֶם הִטּוּ־אֵלֶּה וְחַטֹּאותֵיכֶם מָנְעוּ הַטּוֹב מִכֶּם: (ירמיה ה:כה)

וְהוּא יַשְׁקִט וּמִי יַרְשִׁעַ וְיַסְתֵּר פָּנִים וּמִי יְשׁוּרֶנּוּ וְעַל־גּוֹי וְעַל אָדָם יָחַד: (איוב לד:כט)

וַיְהִי בְּאַרְבַּע עֶשְׂרֵה שָׁנָה לַמֶּלֶךְ חִזְקִיָּהוּ עָלָה סַנְחֵרִיב מֶלֶךְ אַשּׁוּר עַל כָּל עָרֵי יְהוּדָה הַבְּצֻרוֹת וַיִּתְפְּשֵׂם: (ישעיה לו:א)

כִּי גוֹי עָלָה עַל אַרְצִי עָצוּם וְאֵין מִסְפָּר שִׁנָּיו שִׁנֵּי אַרְיֵה וּמְתַלְּעוֹת לָבִיא לוֹ: (יואל א:ו)

וְאַתֵּן צֹאנִי צֹאן מַרְעִיתִי אָדָם אַתֶּם אֲנִי אֱלֹהֵיכֶם נְאֻם אֲדֹנָי ה': (יחזקאל לד:לא)

וַיְהִי עֻזִּיָּהוּ הַמֶּלֶךְ מְצֹרָע עַד יוֹם מוֹתוֹ וַיֵּשֶׁב בֵּית הַחָפְשִׁית מְצֹרָע כִּי נִגְזַר מִבֵּית ה' וְיוֹתָם בְּנוֹ עַל בֵּית הַמֶּלֶךְ שׁוֹפֵט אֶת עַם הָאָרֶץ: (דברי הימים ב כו:כא)

ידי משה

יחד זה עוזיה. כלומר שנצטרע וגם שבנא כדאיתא בפרק זה בורר (סנהדרין כו, א). (הג"ה. ואולי משום שהמצורע יושב בדד דריש יחד על עוזיה אשר ישב נבדל מאנשים. ויחד נופל גם על רבים כאחד ועל אחד הנבדל מרבים):

אמרי יושר

שלש עשר דימוסיאות. פירוש מרחצאות ממים חמים לטענג עצמן: **יחד זה עוזיה.** נראה שזו דרשא אחרת על יחד, והאחרת חסירה זה שבנא, ששלשה גזירות נגזרו יחד:

שינוי נוסחאות

שנאמר "ויהי בארבע עשרה שנה למלך חזקיהו וגו'" **מהו ויתפשם.** יפ"ת מחק כל זה וגרס במקומו "שנאמר "ויהי בשנה הרביעית למלך חזקיהו ... עלה שלמנאסר מלך אשור על שמרון ויצר עליה וילכדה מקצה שלש שנים", (והוא מקרא במלכים ב' י"ח ט'-י'), והסכים עמו בעצ"י, אבל בכל הכי"י כלפנינו: **מהו ויתפשם.** יפ"ת מוחק זה כמו שכתבנו לעיל, ורז"ו אינו מוחקו אבל גורס במקומו "מהו ועל גוי ועל אדם יחד": **ונחתם גזר דינו של עוזיה.** בספרים הישנים היה כתוב "גזר דינו של

Finally, the Midrash interprets the *Job* verse, *Upon a nation or upon an individual as one,* as teaching a lesson relevant to our verse here in *Leviticus:*

וְלֹא כְדִינֵי בָּשָׂר וָדָם דִּינָן שֶׁל הַקָּדוֹשׁ בָּרוּךְ הוּא — **The judgment of the Holy One, blessed is He, is unlike the judgment of flesh-and-blood** kings: בָּשָׂר וָדָם לַצִּיבּוּר נוֹשֵׂא פָנִים וְלַיָּחִיד אֵינוֹ נוֹשֵׂא פָנִים — **A flesh-and-blood** king **shows leniency for the public** as a group when they transgress the law, **while he does not show leniency for an individual.** בְּרַם הָכָא אָמַר הַקָּדוֹשׁ בָּרוּךְ הוּא "אִם הַכֹּהֵן הַמָּשִׁיחַ . . . וְהִקְרִיב . . . פַּר" — **However, here** we see that **the Holy One, blessed is He, said:** ***If the anointed Kohen*** *will sin, by the guilt of the people; for his sin that he committed* ***he shall offer a young bull,*** *unblemished, to HASHEM as a sin-offering* (4:3); "וְאִם כָּל עֲדַת יִשְׂרָאֵל . . . וְהִקְרִיבוּ . . . פַּר בֶּן בָּקָר" — and later on, with respect to the community as a whole, Scripture prescribes the exact same atonement: ***If the entire assembly of Israel*** *shall err . . . the congregation* ***shall offer a young bull*** *as a sin-offering* (ibid., vv. 13-14).[73]

§4 [אִם הַכֹּהֵן הַמָּשִׁיחַ יֶחֱטָא לְאַשְׁמַת הָעָם וְהִקְרִיב עַל חַטָּאתוֹ וְכוּ׳ וְאִם כָּל עֲדַת יִשְׂרָאֵל יִשְׁגּוּ וְנֶעְלַם דָּבָר מֵעֵינֵי הַקָּהָל . . . וְהִקְרִיבוּ הַקָּהָל וְכוּ׳ — *IF THE ANOINTED KOHEN WILL SIN, BY THE GUILT OF THE PEOPLE . . . HE SHALL OFFER, ETC . . . . IF THE ENTIRE ASSEMBLY OF ISRAEL SHALL ERR, AND A MATTER BECAME OBSCURED FROM THE EYES OF THE CONGREGATION . . . THE CONGREGATION SHALL OFFER, ETC.*]

It is noteworthy that the description of the Kohen Gadol's sin-offering precedes that of the congregation's sin-offering. The Midrash quotes and discusses a verse from *Proverbs,* ultimately relating it to this topic:

"מַתָּן אָדָם יַרְחִיב לוֹ" — ***A man's gift broadens for him*** *and places him before the great* (*Proverbs* 18:16).[74] מַעֲשֶׂה בְּרַבִּי אֱלִיעֶזֶר וְרַבִּי יְהוֹשֻׁעַ וְרַבִּי עֲקִיבָא שֶׁהָלְכוּ לְחוּלוֹת אַנְטוֹכְיָא לַעֲסֹק מִגְבַּת צְדָקָה לַחֲכָמִים — **There was** once **an incident involving R' Eliezer, R' Yehoshua, and R' Akiva, that they went to the outskirts of Antioch for the purpose of collecting charity for Torah scholars.** וַהֲוָה תַּמָּן חַד בַּר נָשׁ וַהֲוָה שְׁמֵיהּ אַבָּא יוּדָן — **And there was a man there named Abba Yudan,** וַהֲוָה יָהִיב פַּרְנָסָה בְּעַיִן טוֹבָה — **who would provide support** for the needy **in a generous manner.** פַּעַם אַחַת יָרַד מִנְּכָסָיו — It **once** happened that **he became impoverished,** וְרָאָה רַבּוֹתֵינוּ שָׁם וְנִתְכַּרְכְּמוּ פָּנָיו — **and** when **he saw our Rabbis there his face turned pale** from embarrassment.[75] הָלַךְ לוֹ אֵצֶל אִשְׁתּוֹ, אָמְרָה לוֹ אִשְׁתּוֹ: מִפְּנֵי מָה פָּנֶיךָ חוֹלָנִיּוֹת — When **he came to his wife she asked him, "Why is your face sickly?"** אָמַר לָהּ: רַבּוֹתַי כָּאן וְאֵינִי יוֹדֵעַ מָה לַעֲשׂוֹת — **He replied to her, "My Rabbis are here and I do not know what to do** to assist them." אִשְׁתּוֹ שֶׁהָיְתָה צַדֶּקֶת מִמֶּנּוּ אָמְרָה לוֹ — **His, wife, who was more righteous than he, said to him,** לֹא נִשְׁתַּיֵּר לָנוּ אֶלָּא שָׂדֶה פְּלוֹנִית בִּלְבַד — **"We have only one field remaining** in our possession; לֵךְ מְכוֹר חֶצְיָהּ וּתְנָה לָהֶן — **go and sell half of it, and give them [the proceeds]."** הָלַךְ וּמָכַר חֶצְיָהּ וּנְתָנָהּ לָהֶן — So **he went and sold half [the field], and gave them [the proceeds].** נִתְפַּלְּלוּ עָלָיו וְאָמְרוּ: הַמָּקוֹם יְמַלֵּא חֶסְרוֹנְךָ — Thereupon **they prayed on his behalf, saying, "May the Omnipresent refill your deficiency!"** לְאַחַר יָמִים הָלַךְ לַחֲרוֹשׁ בַּחֲצִי שָׂדֵהוּ — **After some time, he went to plow the half of the field** he still possessed, עִם כְּשֶׁהוּא חוֹרֵשׁ נִפְתְּחָה הָאָרֶץ לְפָנָיו וְנָפְלָה פָּרָתוֹ שָׁם וְנִשְׁבְּרָה — **and as he was plowing, the earth opened before him and his cow,** with which he was plowing, **fell and became disabled.** יָרַד לְהַעֲלוֹתָהּ וְהֵאִיר הַקָּדוֹשׁ בָּרוּךְ הוּא עֵינוֹ וּמָצָא שָׁם סִימָה — When **he went down to lift up [the cow], the Holy One, blessed is He, enlightened his eyes and he found a** hidden **treasure there,** אָמַר: לְטוֹבָתִי נִשְׁבְּרָה רֶגֶל פָּרָתִי — whereupon **he said, "It was for my** own **good that my cow's leg broke."**[76] בַּחֲזִירַת רַבּוֹתֵינוּ לְשָׁם שָׁאֲלוּ עָלָיו וְאָמְרוּ: מָה אַבָּא יוּדָן עָבִיד — **When our Rabbis returned there, they inquired about him, saying, "How is Abba Yudan doing** financially?" אָמְרוּ לָהֶן: הוּא אַבָּא יוּדָן דְּעַבְדֵי אַבָּא יוּדָן דְּעִיזַיָּין אַבָּא יוּדָן דִּגְמַלֵּי אַבָּא יוּדָן דְּתוֹרֵי — **[The people] replied, "He is** now **Abba Yudan** the master **of servants, Abba Yudan** the owner **of goats, Abba Yudan** the owner **of camels, Abba Yudan** the owner **of oxen.** מַן יָכוֹל לְמֶחֱמֵי סְבַר אַפּוֹי דְּאַבָּא יוּדָן — **Who is able to see the countenance of the great Abba Yudan?"**[77] כֵּיוָן שֶׁשָּׁמַע יָצָא לִקְרָאתָן — **When [Abba Yudan] heard** that the Sages had come, **he went out to greet them.** אָמְרֵי לֵיהּ: מָה אַבָּא יוּדָן עָבִיד — **[The Sages] said to him, "How is Abba Yudan doing?"** אָמַר לָהֶן: עָשְׂתָה תְּפִלַּתְכֶם פֵּירוֹת וּפֵרֵי פֵירוֹת — **He replied to them, "Your prayers bore fruit, and** that **fruit** has in turn borne **more fruit."** אָמְרוּ לוֹ: חַיֶּיךָ אַף עַל פִּי שֶׁנָּתְנוּ אֲחֵרִים יוֹתֵר מִמְּךָ לְךָ כָּתַבְנוּ בָּרֹאשׁ — **[The Sages]** then **said to him, "By your life! Even though others gave more than you did, we wrote you down at the top** of the list of our prayers."[78] נְטָלוּהוּ וְהוֹשִׁיבוּהוּ אֶצְלָן — Thereupon they accorded him great honor: **They took him and seated him among themselves,** וְקָרְאוּ עָלָיו זֶה הַפָּסוּק, "מַתָּן אָדָם יַרְחִיב לוֹ וְלִפְנֵי גְדוֹלִים יַנְחֶנּוּ" — **and they applied this verse to him,** ***A man's gift broadens for him and places him before the great*** (*Proverb* 18:16).[79]

NOTES

73. That is: God does not distinguish between a community and an individual when prescribing atonement for misdeeds. And this is the meaning of *Upon a nation or upon an individual — [they are treated] as one.*

74. One who wishes to gain broad access to powerful leaders should bring them regular gifts in order to secure an audience (*Ralbag* and *Metzudas David* to verse).

75. Because he was not able to give them anything.

76. As it enabled him to find the hidden treasure.

77. Because of his importance we do not see him much, for he does not mingle with the common folk (*Matnos Kehunah, Eitz Yosef*).

78. I.e., we gave you precedence. This was because his donation involved such a great personal sacrifice.

79. In this case, the man's gift ended up creating a broadening of his wealth (*Maharzu*). See Insight Ⓐ.

INSIGHTS

Ⓐ Abba Yudan the Great The generosity and charity of Abba Yudan were extraordinary. Not in terms of amount; indeed, the Sages told him that others had given more than he. Rather, the manner and circumstances of his giving made it evident that his donative spirit had risen beyond the ordinary. A once wealthy and charitable man, he had fallen on hard times. He had nothing left to his name but a single field. The Sages came to raise funds and he had nothing to give them, so he hid from them in shame.

But in truth he had much more than that single field! He also had a righteous wife who cherished good deeds. And she advised him to sell half their remaining field and donate the proceeds to the Rabbis' cause. Somehow, they would survive with the other half, and they, too, would have a share in the great mitzvah.

With the encouragement of his exceptional wife, Abba Yudan rose far above the common man. Most people are takers; some are givers. But many givers are also takers. They give, but they take as well — honor, station, good name. Only God truly knows how much of the giving is selfish and how much is selfless. Abba Yudan's gift, however, catapulted him to the forefront of givers. At the behest of his righteous wife he gave half of his meager possessions. He had become an absolute giver. The focus of his attention was no longer "I"; it was "you." And in doing so, he had emulated his Creator, Who

וְלֹא כְּדִינֵי בָּשָׂר וָדָם דִּינִין שֶׁל הַקָּדוֹשׁ בָּרוּךְ הוּא, בָּשָׂר וָדָם לַצִּיבּוּר נוֹשֵׂא פָנִים וְלַיָּחִיד אֵינוֹ נוֹשֵׂא פָּנִים, בְּרַם הָכָא אָמַר הַקָּדוֹשׁ בָּרוּךְ הוּא: [ד, ג] "אִם הַכֹּהֵן הַמָּשִׁיחַ ... וְהִקְרִיב ... פַּר", [ד, יג-יד] "וְאִם כָּל עֲדַת יִשְׂרָאֵל ... וְהִקְרִיבוּ ... פַּר בֶּן בָּקָר":

ד (משלי יח, טז) "מַתָּן אָדָם יַרְחִיב לוֹ", מַעֲשֶׂה בְּרַבִּי אֱלִיעֶזֶר וְרַבִּי יְהוֹשֻׁעַ וְרַבִּי עֲקִיבָא שֶׁהָלְכוּ לְחוּלוֹת אַנְטוֹכְיָא לַעֲסֹק מַגְבַּת צְדָקָה לַחֲכָמִים, וַהֲוָה תַּמָּן חַד בַּר נָשׁ וַהֲוָה שְׁמֵיהּ אַבָּא יוּדָן, וַהֲוָה יָהֵיב פַּרְנָסָה בְּעַיִן טוֹבָה, פַּעַם °אַחַת יָרַד מִנְּכָסָיו, וְרָאָה רַבּוֹתֵינוּ שָׁם וְנִתְכַּרְכְּמוּ פָּנָיו, הָלַךְ לוֹ אֵצֶל אִשְׁתּוֹ, אָמְרָה לוֹ אִשְׁתּוֹ: מִפְּנֵי מָה פָּנֶיךָ חוֹלָנִיּוֹת, אָמַר לָהּ: רַבּוֹתַי כָּאן וְאֵינִי יוֹדֵעַ מַה לַּעֲשׂוֹת, אִשְׁתּוֹ שֶׁהָיְתָה צַדֶּקֶת מִמֶּנּוּ אָמְרָה לוֹ: לֹא נִשְׁתַּיֵּר לָנוּ אֶלָּא שָׂדֶה פְּלוֹנִית בִּלְבָד, לֵךְ מְכוֹר חֶצְיָהּ וּתְנָהּ לָהֶן, הָלַךְ וּמָכַר חֶצְיָהּ וּנְתָנָהּ לָהֶן, נִתְפַּלְּלוּ עָלָיו וְאָמְרוּ: הַמָּקוֹם יְמַלֵּא חֶסְרוֹנְךָ, לְאַחַר יָמִים הָלַךְ לַחֲרוֹשׁ בַּחֲצִי שָׂדֵהוּ, עִם כְּשֶׁהוּא חוֹרֵשׁ נִפְתְּחָה הָאָרֶץ לְפָנָיו וְנָפְלָה פָּרָתוֹ שָׁם וְנִשְׁבְּרָה, יָרַד לְהַעֲלוֹתָהּ וְהֵאִיר הַקָּדוֹשׁ בָּרוּךְ הוּא עֵינָיו וּמָצָא שָׁם סִימָה, אָמַר: לְטוֹבָתִי נִשְׁבְּרָה רֶגֶל פָּרָתִי, גבַּחֲזִירַת רַבּוֹתֵינוּ לְשָׁם שָׁאֲלוּ עָלָיו וְאָמְרוּ: מָה אַבָּא יוּדָן עָבֵיד, אָמְרוּ לָהֶן: הוּא אַבָּא יוּדָן דְּעַבְדֵי אַבָּא יוּדָן דְּעִיזַיָּן אַבָּא יוּדָן דִּגְמַלֵּי אַבָּא יוּדָן דְּתוֹרֵי, מַן יָכוֹל לְמֶחֱמֵי סְבַר אַפּוֹי דְּאַבָּא יוּדָן, כֵּיוָן שֶׁשָּׁמַע יָצָא לִקְרָאתָן, אָמְרֵי לֵיהּ: מָה אַבָּא יוּדָן עָבֵיד, אָמַר לָהֶן: עָשְׂתָה תְּפִלַּתְכֶם פֵּירוֹת וּפֵרֵי פֵּירוֹת, אָמְרוּ לוֹ: חַיֶּיךָ אַף עַל פִּי שֶׁנָּתְנוּ אֲחֵרִים יוֹתֵר מִמְּךָ לְךָ כָּתַבְנוּ בָּרֹאשׁ, נְטָלוּהוּ וְהוֹשִׁיבוּהוּ אֶצְלָן, וְקָרְאוּ עָלָיו זֶה הַפָּסוּק, °"מַתָּן אָדָם יַרְחִיב לוֹ". רַבִּי שִׁמְעוֹן בֶּן לָקִישׁ אֲזַל לְבוֹצְרָה, וַהֲוָה תַּמָּן חַד בַּר נָשׁ וַהֲוָה שְׁמֵיהּ אַבָּא יוּדָן רַמַּאי, וְחַס וְשָׁלוֹם לָא *הֲוָה רַמַּאי, אֶלָּא דַּהֲוָה מְרַמֵּי בְּמִצְוָתָא, כַּד הֲוֹן פָּסְקִין כָּל עַמָּא הֲוָה פָּסֵיק כָּל קֳבֵל כּוּלְּהוֹן, נְטָלוֹ °רַבִּי שִׁמְעוֹן בֶּן לָקִישׁ וְהוֹשִׁיבוֹ אֶצְלוֹ וְקָרָא עָלָיו הַפָּסוּק הַזֶּה, "מַתָּן אָדָם יַרְחִיב לוֹ°". רַבִּי חִיָּיא בַּר אַבָּא עֲבַד פְּסִיקָה לְמַתַּן בְּבֵי מִדְרְשָׁא דִּטְבֶרְיָא, וַהֲוָה תַּמָּן חַד בַּר נָשׁ מִן בְּנוֹי דְּסִילְבָּא וּפְסַק חֲדָא לִיטְרָא דִּדְהַב, נְטָלוֹ רַבִּי חִיָּיא בַּר אַבָּא וְהוֹשִׁיבוֹ אֶצְלוֹ וְקָרָא עָלָיו הַפָּסוּק הַזֶּה, "מַתָּן אָדָם יַרְחִיב לוֹ".

עץ יוסף

ולא כדיני בשר ודם כו'. השתא מפרש על גוי ועל אדם יחד שלפני ה' בין האומה ובין היחיד שוה, שלא כדרך בשר ודם שנושא פנים לצבור, ואין זה נקשר למה שאמר קרא תחלה מעונין דור המבול וסדום ועשרת השבטים, אלא מילתא באנפי נפשיה קאמר הכא. ויתכן דלעולם במבול ובסדום ועשרת השבטים מיירי נמי ומשום דהיו מרודים, ועם כל זה לא נשא להם פנים קאמר, כי כן דינו יתברך שלא לישא פנים לצבור: (ד) **לחולות אנטוכיה.** פירוש לסביבות של אנטוכיה, ובפרשת ראה (דברים רבה ד, ח) גרס לחולתא: **והוה תמן.** והיה שם: **פרנסה.** כל דבר צורך לענין מה נקרא פרנסה, ובירושלמי דהוריות (פ"ג ה"ד) גרס עבד מצותא בעין טובה: **ונתכרכמו פניו.** פירוש ונכספו פניו: **חולנית.** לשון חולי: **בחצי שדהו.** בחציה הנשארת לו: **סימא.** אוצר טמון: **מה אבא יודן עביד.** מהו עושה, ועניינו מה, הטובה היא: **דעבדין דעזיין כו'.** הוא אדון על עבדים ועזין, וגמלים, ושוורים: **מאן יכול כו'.** מי יכול לראות הסברות פניו, כלומר אין אדם זוכה לראותו מפני גדולתו: **וקראו עליו כו' ירחיב לו ולפני גדולים ינחנו.** כן צריך לומר (רד"ל): **רמיי.** לשון רמאי ונבל, ולכן קאמר חס ושלום כו': **במצוותא.** במצות צדקה: **כד הוון פסקין כו'.** כשהיה רואה שפסקו כל העם היה פוסק כנגד כולם, וזה רמאותו כדי שירבו הקהל בידעם שהוא יפסוק אחר כך כנגד כולם ולזה היו מרבים כדי שיהיו סבה שירבה זה על ידן, ומתחלה לא היה פוסק כנגד מה שיפסקו הקהל, דכל שלא ידע סך פסיקתם אין זה נדר דלא סמכה דעתיה והוה כאסמכתא בעלמא: **עבד פיסקא.** גזר שיפסקו לצדקה ליתנו לבית הכנסת של טבריה: **מן בנוי דסילבא.** מבניו של סילכה, שם אדם מפורסם:

פירוש מהרז"ו

מנשה, כמו שכתב בסדר עולם (פרק כ) על גוי אשור, שכבר עלה על ישראל בימי יחזקיהו המלך והחריב את ישראל: (ד) **מתן אדם.** הובא כל דרשה זו לכאן, שהקדים קרבן כהן המשיח לקרבן הנשיא, על שהמשיח מביא פר והנשיא שעיר, כמו שכתב בסוף הסימן: **למגבת צדקה.** להספיק התלמידים בני הישיבה, ותלמידי חכמים העניים, ירושלמי הוריות פרק ג' (ה"ד) כל הענין, שמות רבה (מא, ג), דברים רבה (ד, ח): **ונתכרכמו פניו.** נהפך פניו למראה כרכום (גע"ל): **וקראו עליו וכו'.** מתן אדם ירחיב לו, על שנתן צדקה בטובת עין, על כן הרחיב ה' לו באוצר הטוב, ולפני גדולים ינחנו, על שזכה לישב ביחד עם גדולי הדור שבימיו. וכן אצל מעשה דריש לקיש ורבי חייא בר אבא:

חידושי הרד"ל

[ד] **מעשה ברבי אליעזר ורבי יהושע.** דברים רבה פרשה (ה) [ד, ח]: **וקרא עליו הפסוק כו' ירחיב לו ולפני גדולים ינחנו רבי חייא בר אבא כו'.** כן צריך לומר:

באור מהרי"פ

יחיד דהמצורע בדד ישב מחוץ למחנה מושבו (ויקרא יג, מו), והוא דוחק: **ברם הכא וכו'.** ודרש על גוי ועל אדם יחד על כהן המשיח ועל הצבור: [ד] **לחולת אנטוכיא.** נראה שהוא מלשון המובא (ויקרא רבה סדר שמיני יא, ט) עתיד הקב"ה לעשות ראש חולה לצדיקים לעתיד לבוא, הדא הוא דכתיב (תהלים מח, יד) שיתו לבכם לחילה, לחולה כתיב לצדיקים מכאן ומכאן והקב"ה באמצע עד כאן. וכתב הערוך ערך חל שלפני חל אחרון, פירוש מחול בלע"ז רוטה: **דהוה מרמי במצוותא.** כתב היפה תואר פירושו שרמאותו היה שמתחלה עשה עצמו כאלו אינו רוצה ליתן כלום והיו הקהל מרבים לפסוק גם בעד חלקו בחשבם שהוא לא יתן כלום, ואחר כך היה נותן כנגד כולם נמצא שנתרבה הצדקה משני צדדים מצד הקהל ומצדו וזה היה רמיותו, ועיין שם עוד פירושים:

אמרי יושר

אבל הקדוש ברוך הוא אינו כן. תימה והלא הקדוש ברוך הוא מסביר פנים יותר לציבור בתפלתן, יש לומר דשם אינו מפני נשיאות פנים רק שכן הדין. אי נמי דהא דקאמר הכא הוא שהסביר פנים גם ליחיד, ואמר שיקריב פר שוה לציבור: **לך כתבנו בראשי טימוס.** היינו לפני גדולים, קודם גדולים:

מסורת המדרש

ג. תד"א פכ"א:

אם למקרא

מַתָּן אָדָם יַרְחִיב לוֹ וְלִפְנֵי גְדֹלִים יַנְחֶנּוּ: (משלי יח:טז)

ידי משה

[ד] **שהיה רמאי במצות.** פירוש דהיינו רמאותיה שירבו הקהל בנדבתם, לפי שידעו שהוא פוסק כנגד כולם, וירבו בכוונה כדי שיתן הוא הרבה, ועל ידו נתרבה הנדבה, ומה שלא פסק מתחילה שיתן כנגד כולם, יש לומר שהוה כאסמכתא לפי שלא סמכה דעתיה. וקל להבין:

שינוי נוסחאות

שבנא", וכן הוא בכל הכי"י כולם, אבל מ"כ הגיה "עוזיה" כלפנינו. אבל עצ"י גורס כגרסה הישנה: (ד) **נטלוהו והושיבוהו אצלן וקראו עליו זה הפסוק "מתן אדם ירחיב לו".** להלן בכגון זה הוסיף רד"ל סוף הפסוק "ולפני גדולים ינחנו", וכן נראה להוסיף גם כאן, וכן הוא בעצ"י, וכן הוא במקצת כי"י: **נטלו רבי שמעון בן לקיש והושיבו אצלו וקרא עליו הפסוק הזה "מתן אדם ירחיב לו".** כאן הוסיף רד"ל סוף הפסוק "ולפני גדולים ינחנו":

מתנות כהונה

דעטה עטה, וכן לקמן, מכל מקום צריך לומר עוזיה, והרמז כולו על מלכים ולא על הדיוטות: [ד] **לחולות אנטוכיה.** לסביבות של אנטוכיה, ובפרשת ראה (דברים רבה ד, ח) גרס לחילתא, והוא הוא: **והוה תמן.** והיה שם: **פרנסה.** כל דבר צורך לענין מה נקרא פרנסה, כמה דאת אמר (כתובות נז, א), נותנין לבתולה שנים עשר חודש לפרנס את עצמה, ובירושלמי דהוריות (פ"ג ה"ד) גרס עבד מצותא בעין טובה: **ונכמרו רחמיו.** טוב להגיה **ונתכרכמו פניו: חולניות.** לשון חולי: בחצי שדהו. בחציו הנשארת לו: **סימא.** אוצר טמון: **מה אבא יודן עביד.** מה הוא עושה ועניינו מה, הטובה היא: **דעבדין דעזיין כו'.** הוא אדון על עבדים וגמלים ועזין כו': **מן יכול וכו'.** מי יכול לראות הסברת פניו, כלומר אין אדם זוכה לראותו מפני גדולתו: **רמיין.** לשון רמאי ונבל, ולכן קאמר חס ושלום כו': **במצוותא.** במצות צדקה: **קבל בלהון.** נגד כולם: **עבד פיסקא.** גזר שיפסקו לצדקה ליתנו לבתי המדרשות של טבריה: **מן בן בנוי דסילבא.** מבנו של סילכא, שם אדם מפורסם:

אשד הנחלים

וזהו יחד. ואולי דרש יחד מלשון יחידות, שהמצורע ישב ביחידות, כמה שכתוב (מלכים ב׳ טו, ה) וישב בבית החפשית, ופירושו ועל אדם שיהיה יחיד ובדד נבדד מכולם: **ולא כדיני בשר ודם כו׳.** מסיים הדרוש השייך לראש הפרשה, אשר באגב הובא כל המאמר למען הסוף פסוק, ועל גוי זהו הציבור בכלל, ועל אדם פרטי יחד, ואינו נושא פנים מאומה כי הכל מוכרחין להביא קרבינהם בעד חטאתם: **[ד] לך כתבנוהו בראש.** שאתה הוא הבעל נדיבות יותר מכולם, אף שאחרים נותנים לפעמים יותר, מכל מקום אתה הראש מכולם, כי עשה צדקה אף בעניותו: **מרמי במצוותא.** פירש הידי משה שהיה רמאותו שירבו הקהל בנדבותם, לפי שידעו שהוא פוסק כנגד כולם, והרבו בכוונה כדי שיתן הוא הרבה. ולא ידעתי מה שייך המעשה לפה. ואולי מפני שכאן מביא הקהל קרבן דומה ליחיד והיחיד לקהל, לכן מביא המעשה במה שהיה אבא יודן נותן נגד כולם, והיה מדמה עצמה לנתינת הציבור בכלל, ודוחק:

The Midrash relates another incident:

רַבִּי שִׁמְעוֹן בֶּן לָקִישׁ אֲזַל לְבוֹצְרָה — **R' Shimon ben Lakish** once **went to Bozrah,** וַהֲוָה תַּמָּן חַד בַּר נָשׁ וַהֲוָה שְׁמֵיהּ אַבָּא יוּדָן רַמָּאי — **where there was a person known as "Abba Yudan the deceiver."** וְחַס וְשָׁלוֹם לָא הֲוָה רַמַּאי — **But he was not** called this because he was **an** actual **deceiver, Heaven forbid,** אֶלָּא דַּהֲוָה מְרַמֵּי בְּמִצְוָותָא — **but rather because he would practice "deception" in** his performance of the **mitzvah** of charity: כַּד הֲוֹון פָּסְקִין כָּל עַמָּא הֲוָה פָּסֵיק כָּל קֳבֵל כּוּלְהוֹן — **When all the people had** already **pledged** all their donations for charity, **he would pledge an amount equaling all their pledges** put together.[80] נְטָלוֹ רַבִּי שִׁמְעוֹן בֶּן לָקִישׁ וְהוֹשִׁיבוֹ אֶצְלוֹ — When this was observed by **R' Shimon ben Lakish,** he **took him and seated him next to himself,** וְקָרָא עָלָיו הַפָּסוּק הַזֶּה, "מַתָּן אָדָם יַרְחִיב לוֹ וְלִפְנֵי גְדֹלִים יַנְחֶנּוּ" — **and applied this verse to him,** ***A man's gift broadens for him***[81] ***and places him before the great*** (*Proverbs* 18:16).

A related incident involving the foregoing verse in *Proverbs*:

רַבִּי חִיָּיא בַּר אַבָּא עֲבַד פְּסִיקָה לְמִתַּן בְּבֵי מִדְרְשָׁא דִטְבֶרְיָא — **R' Chiya bar Abba made an appeal** for funds **to be contributed to**[82] **the study house of Tiberias.** וַהֲוָה תַּמָּן חַד בַּר נָשׁ מִן בְּנוֹי דְסִילְכָא וּפְסַק חֲדָא לִיטְרָא דִּדְהַב — **And there was present there a certain person, one of the sons of Silcha,**[83] **who pledged a litra** (pound) **of gold.** נְטָלוֹ רַבִּי חִיָּיא בַּר אַבָּא וְהוֹשִׁיבוֹ אֶצְלוֹ וְקָרָא עָלָיו הַפָּסוּק הַזֶּה, "מַתָּן אָדָם יַרְחִיב לוֹ" — **R' Chiya bar Abba took him and seated him next to himself, and ascribed to him this verse,** ***A man's gift broadens [access] for him*** *and places him before the great* (*Proverbs* 18:16).

NOTES

80. This practice is termed "deception" for the following reason: While others were pledging various amounts to charity, he pretended as though he would not contribute at all. When the people became aware of his abstention, they were motivated to give even more than they would otherwise have given. Then, at the very end, he would pledge "matching funds" (*Yefeh To'ar,* first interpretation, quoted in *Beur Maharif*).

Alternatively: Since the people all knew that his pledge would equal their pledges put together, they were moved to give more than they would otherwise have given, knowing that their pledge would be matched by Abba Yudan. This is referred to as "deception," since he cunningly used this method for the purpose of amassing more money for charity (*Yefeh To'ar,* second interpretation; *Yedei Moshe*; *Eitz Yosef*).

81. Perhaps in this incident this phrase is taken to mean that Abba Yudan "broadened" his donation in accordance with "man's gift," i.e., with the gifts of the other donors.

82. Lit., *in.* [A variant reading, found in manuscripts, has עֲבַד פְּסִיקָה לְיַתְמֵי בְּבֵי מִדְרְשָׁא דִטְבֶרְיָא — *made an appeal for orphans in the study house of Tiberias.*]

83. Apparently this was a person or family whose identity was well known in those days (*Matnos Kehunah*).

INSIGHTS

bestows bounty upon His creatures purely for their sake, not His.

Abba Yudan had broadened the capacity of the human heart to be wholly attuned to the needs of others. And God, in kind, broadened for him the conduits of plenty. In the last field that he owned, he discovered the treasure of true giving — and the treasure that would enable him to give still more.

There are different avenues to greatness. Who can imagine the holy greatness attained by R' Eliezer, R' Yehoshua, and R' Akiva, through their years of toil in Torah study? And these Sages took Abba Yudan and seated him among themselves, in appreciation of the greatness that he had achieved. Indeed, *A man's gift broadens for him and places him before the great* (based on *HaBayis HaYehudi*, Vol. 5, pp. 219-221).

Another Midrash (*Yalkut Shimoni, Ruth* §607) relates a similar incident regarding a different man married to a righteous wife:

There was once a pious man who lost his wealth, but he had a good wife. In the end, he became a hired laborer. One day he was plowing the field when Elijah appeared to him in the guise of an Arab, and said to him, "You will have six good years. When do you want them — now or at the end of your days?"... [He consulted his wife and] said to her, "What do you say?" She said to him, "Bring them now." So he said [to Elijah], "Go, bring them now." [Elijah] said to him, "Go home, and you will not reach the gate of your yard before you see blessing spread in the home!" His children were sitting rummaging in the dirt and found a sum of money, enough to support them for six years, and called to their mother. No sooner had he reached the gate of his yard than his wife came out to greet him and brought him the good tidings. He immediately gave thanks to the Holy One, blessed is He, and his mind became settled.

What did his good wife do? She said to him, "In any event, the Holy One, blessed is He, has extended grace over us and has given us money and sustenance for six years. Let us occupy ourselves with acts of charity during these years; perhaps He will add to us still more." And so she did. Whatever [charity] she did each and every day she would tell her young son to record, and he did.

At the end of six years, Elijah returned and said to him, "The time has come to take back what I gave you." He replied, "When I originally took, I did so only with my wife's consent. So, too, when I give back, I will do so only with my wife's consent." He went to her and said, "The elder has already come to take back what is his." She said to him, "Go tell him: 'If you find people more trustworthy than we, give them what you have entrusted [to us].'" The Holy One, blessed is He, saw [the truth of] their words and the charity they had done, and He gave them even greater wealth, to fulfill what is written (Isaiah 32:17), "The product of charity shall be peace."

וְלֹא כְדִינֵי בָשָׂר וָדָם דִּינָיו שֶׁל הַקָּדוֹשׁ בָּרוּךְ הוּא, בָּשָׂר וָדָם לַצִּיבּוּר נוֹשֵׂא פָנִים וְלַיָּחִיד אֵינוֹ נוֹשֵׂא פָּנִים, בְּרַם הָכָא אָמַר הַקָּדוֹשׁ בָּרוּךְ הוּא: [ד, ג] "אִם הַכֹּהֵן הַמָּשִׁיחַ ... וְהִקְרִיב ... פַּר", [ד, יג-יד] "וְאִם כָּל עֲדַת יִשְׂרָאֵל ... וְהִקְרִיבוּ ... פַּר בֶּן בָּקָר":

ד (משלי יח, טז) "מַתָּן אָדָם יַרְחִיב לוֹ", מַעֲשֶׂה בְּרַבִּי אֱלִיעֶזֶר וְרַבִּי יְהוֹשֻׁעַ וְרַבִּי עֲקִיבָא שֶׁהָלְכוּ לְחוּלוֹת אַנְטוֹכְיָא לַעֲסֹק מַגְבַּת צְדָקָה לַחֲכָמִים, וַהֲוָה תַּמָּן חַד בַּר נָשׁ וַהֲוָה שְׁמֵיהּ אַבָּא יוּדָן, וַהֲוָה יָהֵיב פַּרְנָסָה בְּעַיִן טוֹבָה, פַּעַם °אַחַת יָרַד מִנְּכָסָיו, וְרָאָה רַבּוֹתֵינוּ שָׁם וְנִתְכַּרְכְּמוּ פָנָיו, הָלַךְ לוֹ אֵצֶל אִשְׁתּוֹ, אָמְרָה לוֹ אִשְׁתּוֹ: מִפְּנֵי מָה פָּנֶיךָ חוֹלָנִיּוֹת, אָמַר לָהּ: רַבּוֹתַי כָּאן וְאֵינִי יוֹדֵעַ מָה לַעֲשׂוֹת, אִשְׁתּוֹ שֶׁהָיְתָה צַדֶּקֶת מִמֶּנּוּ אָמְרָה לוֹ: לֹא נִשְׁתַּיֵּר לָנוּ אֶלָּא שָׂדֶה פְּלוֹנִית בִּלְבַד, לֵךְ מְכוֹר חֶצְיָהּ וּתְנָהּ לָהֶן, הָלַךְ וּמָכַר חֶצְיָהּ וּנְתָנָהּ לָהֶן, נִתְפַּלְּלוּ עָלָיו וְאָמְרוּ: הַמָּקוֹם יְמַלֵּא חֶסְרוֹנְךָ, לְאַחַר יָמִים הָלַךְ לַחֲרוֹשׁ בַּחֲצִי שָׂדֵהוּ, עִם כְּשֶׁהוּא חוֹרֵשׁ נִפְתְּחָה הָאָרֶץ לְפָנָיו וְנָפְלָה פָּרָתוֹ שָׁם וְנִשְׁבְּרָה, יָרַד לְהַעֲלוֹתָהּ וְהֵאִיר הַקָּדוֹשׁ בָּרוּךְ הוּא עֵינָיו וּמָצָא שָׁם סִימָה, אָמַר: לְטוֹבָתִי נִשְׁבְּרָה רֶגֶל פָּרָתִי, גבַּחֲזִירַת רַבּוֹתֵינוּ לְשָׁם שָׁאֲלוּ עָלָיו וְאָמְרוּ: מָה אַבָּא יוּדָן עָבֵיד, אָמְרוּ לָהֶן: הוּא אַבָּא יוּדָן דְּעַבְדֵי אַבָּא יוּדָן דְּעִיזַּיָּן אַבָּא יוּדָן דִּגְמַלֵּי אַבָּא יוּדָן דְּתוֹרֵי, מַן יָכוֹל לְמֶחֱמֵי סְבַר אַפּוֹי דְאַבָּא יוּדָן, כֵּיוָן שֶׁשָּׁמַע יָצָא לִקְרָאתָן, אָמְרֵי לֵיהּ: מָה אַבָּא יוּדָן עָבֵיד, אָמַר לָהֶן: עָשְׂתָה תְּפִלַּתְכֶם פֵּירוֹת וּפֵרֵי פֵירוֹת, אָמְרוּ לוֹ: חַיֶּיךָ אַף עַל פִּי שֶׁנָּתְנוּ אֲחֵרִים יוֹתֵר מִמְּךָ לְךָ כָּתַבְנוּ בָּרֹאשׁ, נְטָלוּהוּ וְהוֹשִׁיבוּהוּ אֶצְלָן, וְקָרְאוּ עָלָיו זֶה הַפָּסוּק, °"מַתָּן אָדָם יַרְחִיב לוֹ". רַבִּי שִׁמְעוֹן בֶּן לָקִישׁ אֲזַל לְבָצְרָה, וַהֲוָה תַּמָּן חַד בַּר נָשׁ וַהֲוָה שְׁמֵיהּ אַבָּא יוּדָן רַמַּאי, וְחַס וְשָׁלוֹם לֹא *הֲוָה רַמַּאי, אֶלָּא דַּהֲוָה מְרַמֵּי בְּמִצְוָותָא, כַּד הֲווֹן פָּסְקִין כָּל עַמָּא הֲוָה פָּסֵיק כָּל קֳבֵל כּוּלְּהוֹן, נְטָלוֹ °רַבִּי שִׁמְעוֹן בֶּן לָקִישׁ וְהוֹשִׁיבוֹ אֶצְלוֹ וְקָרָא עָלָיו הַפָּסוּק הַזֶּה, "מַתָּן אָדָם יַרְחִיב לוֹ°". רַבִּי חִיָּיא בַּר אַבָּא עֲבַד פְּסִיקָה לְמִתַּן בְּבֵי מִדְרְשָׁא דִטְבֶרְיָא, וַהֲוָה תַּמָּן חַד בַּר נָשׁ מִן בְּנוֹי דְסִילְכָא וּפְסַק חֲדָא לִיטְרָא דִּדְהַב, נְטָלוֹ רַבִּי חִיָּיא בַּר אַבָּא וְהוֹשִׁיבוֹ אֶצְלוֹ וְקָרָא עָלָיו הַפָּסוּק הַזֶּה, "מַתָּן אָדָם יַרְחִיב לוֹ".

עץ יוסף

ולא כדיני בשר ודם כו'. הכתוב מפרש על גוי ועל אדם יחד שלפני ה' בין האומה ובין היחיד שוה, שלא כדרך בשר ודם שנושא פנים לצבור, ואין זה נקשר למה שאמר קרא תחלה מטנין דור המבול וסדום ועשרת השבטים, אלא מילתא באפי נפשיה קאמר הכא. ויתכן דלעולם במבול וסדום ועשרת השבטים מיירי נמי ומשום דהיו מרובים, ועם כל זה לא נשא להם פנים קאמר, כי כן דינו יתברך שלא לישא פנים לצבור: (ד) **לחולות אנטוכיה.** פירוש לסביבות של אנטוכיה, ובפרשת ראה (דברים רבה ד, ח) גרס לחולתא: **והוה תמן.** והיה שם: **פרנסה.** כל דבר צורך לעניין מה נקרא פרנסה, ובירושלמי דהוריות (פ"ג ה"ד) גרס עבד מצותא בעין טובה: **ונתכרכמו פניו.** פירוש ונכספו פניו: **חולנית.** לשון חולי: **בחצי שדהו.** בחליה הנשארת לו: **סימא.** אוצר טמון: **מה אבא יודן עביד.** מהו עושה, ועניינו מה, הטובה היא: **דעבדין כו' דעזיין.** הוא אדון על עבדים, ועזין, וגמלים, ושוורים: **מאן יכול כו'.** מי יכול לראות הסברות פניו, כלומר אין אדם זוכה לראותו מפני גדולתו: **וקראו עליו כו' ירחיב לו ולפני גדולים ינחנו.** כן צריך לומר (רד"ל): **רמיי.** לשון רמאי ונבל, ולכן קאמר חס ושלום כו': **במצוותא.** במצות צדקה: **כד הוון פסקין כו'.** כשהיה רואה שפסקו כל העם היה פוסק כנגד כולם, וזה רמאותו כדי שירבו הקהל בידעם שהוא יפסוק אחר כך כנגד כולם ולזה היו מרבים כדי שיהיו סבה שירבה זה על ידן, ומתחלה לא היה פוסק כנגד מה שיפסקו הקהל, דכל שלא ידע סך פסיקתם אין זה נדר דלא סמכה דעתיה והוה כאסמכתא בעלמא: **עבד פסיקא.** גזר שיפסקו לצדקה ליתנו לבית הכנסת של טבריה: **מן בנוי דסילבא.** מבניו של סילכה, שם אדם מפורסם:

פירוש מהרז"ו

מנשה, כמו שכתב בסדר עולם (פרק כ) על גוי אשור, שכבר עלה על ישראל בימי יחזקיהו המלך והחריב את ישראל: (ד) **מתן אדם.** הובא כל דרשה זו לכאן, שהקדים קרבן כהן המשיח לקרבן הנשיא, על שהמשיח מביא פר והנשיא שעיר, כמו שכתב בסוף הסימן: **למגבת צדקה.** להספיק התלמידים בני הישיבה, ותלמידי חכמים העניים, ירושלמי הוריות פרק ג' (ה"ד) כל הענין, שמות רבה (מה, ג), דברים רבה (ד, ח): **ונתכרכמו פניו.** נהפך פניו למראה כרכום (גע"ל). **וקראו עליו וכו'.** מתן אדם ירחיב לו, על שנתן צדקה בטובת עין, על כן הרחיב ה' לו באוצר העושר, ולפני גדולים ינחנו, על שזכה לישב ביחד עם גדולי הדור שבימיו. וכן אגל מעשה דריש לקיש ורבי חייא בר אבא:

חידושי הרד"ל

[ד] **מעשה ברבי אליעזר ורבי יהושע.** דברים רבה פרשה (ה) [ד, ח]: **וקרא עליו הפסוק כו' ירחיב לו ולפני גדולים ינחנו רבי חייא בר אבא כו'.** כן צריך לומר:

באור מהרי"פ

יחיד דהמצורע בדד ישב מחוץ למחנה מושבו (ויקרא יג, מו), והוא דוחק: **ברם הבא וכו'.** ודרש על גוי ועל אדם יחד על כהן המשיח ועל הצבור: [ד] **לחולת אנטוכיא.** נראה שהוא מלשון המובא (ויקרא רבה סדר שמיני יא, ט) עתיד הקב"ה לעשות ראש חולה לצדיקים לעתיד לבוא, הדא הוא דכתיב (תהלים מח, יד) שיתו לבכם לחילה, לחולה כתיב לצדיקים מכאן ומכאן והקב"ה באמצע עד כאן. וכתב הערוך ערך חל שלפני חל אחרון, פירוש מחול בלע"ז רוטה: **דהוה מרמי במצוותא.** כתב היפה תואר פירושו שרמאותו היה שמתחלה עשה עצמו כאלו אינו רוצה ליתן כלום, והיו הקהל מרבים לפסוק גם בעבד חלקו בחשבם שהוא לא יתן כלום, ואחר כך היה נותן כנגד כולם נמצא שנתרבה הצדקה משני צדדים מצד הקהל ומצדו וזה היה רמיותו, ועיין שם עוד פירושים:

אמרי יושר

אבל הקדוש ברוך הוא אינו כן. תימה והלא הקדוש ברוך הוא מסביר פנים יותר לציבור בתפלתן, יש לומר שגם אינו מפני נשיאות פנים רק שכן הדין. אי נמי דהא דקאמר הכא הוא שהסביר פנים גם ליחיד, ואמר שיקריב פר שוה לציבור: **לך כתבנו בראשי טימוס.** היינו לפני גדולים, קודם גדולים:

מסורת המדרש

ג. תד"א פכ"א:

אם למקרא

מַתָּן אָדָם יַרְחִיב לוֹ וְלִפְנֵי גְדֹלִים יַנְחֶנּוּ: (משלי יח:טז)

ידי משה

[ד] **שהיה רמאי במצות.** פירוש דהיינו רמאותיה שירבו הקהל בנדבתם, לפי שידעו שהוא פוסק כנגד כולם, וירבו בכוונה כדי שיתן הוא הרבה, ועל ידו נתרבה הנדבה, ומה שלא פסק מתחילה שיתן כנגד כולם, יש לומר שהוא כאסמכתא לפי שלא סמכה דעתיה. וקל להבין:

שינוי נוסחאות

שבנא", וכן הוא בכל הכי"י כולם, אבל מ"כ הגיה "עוזיה" כלפנינו. אבל עצ"י גורס כגרסה הישנה: (ד) **נטלוהו והושיבוהו אצלן וקראו עליו זה הפסוק "מתן אדם ירחיב לו".** להלן בכגון זה הוסיף רד"ל סוף הפסוק "ולפני גדולים ינחנו", וכן נראה להוסיף גם כאן, וכן הוא בעצ"י, וכן הוא במקצת כי"י: **נטלו רבי שמעון בן לקיש והושיבו אצלו וקרא עליו הפסוק הזה "מתן אדם ירחיב לו".** כאן הוסיף רד"ל סוף הפסוק "ולפני גדולים ינחנו".

מתנות כהונה

דעטה עטה, וכן לקמן, מכל מקום צריך לומר עוזיה, והרמז כולו על מלכים ולא על הדיוטות: [ד] **לחולות אנטוכיה.** לסביבות של אנטוכיה, ובפרשת ראה (דברים רבה ד, ח) גרס לחילתא, והוא הוא: **והוה תמן.** והיה שם: **פרנסה.** כל דבר צורך לעניין מה נקרא פרנסה, כמה דאת אמר (כתובות נ, א), נותנין לבתולה שנים עשר חודש לפרנס את עצמה, ובירושלמי דהוריות (פ"ג ה"ד) גרס עבד מצותא בעין טובה: **ונכמרו רחמיו.** טוב להגיה **ונתכרכמו פניו: חולניות.** לשון חולי: בחצי שדהו. בחצי חליה הנשארת לו: **סימא.** אוצר טמון: **מה אבא יודן עביד.** מה הוא עושה ועניינו מה, הטובה היא: **דעבדין דעזיין כו'.** הוא אדון על עבדים וגמלים ועזין כו': **מן יכול וכו'.** מי יכול לראות הסברת פניו, כלומר אין אדם זוכה לראותו מפני גדולתו: **רמיין.** לשון רמאי ונבל, ולכן קאמר חס ושלום כו': **במצוותא.** במצות צדקה: **קבל כלהון.** נגד כולם: **עבד פיסקא.** גזר שיפסקו לצדקה ליתנו לבתי המדרשות של טבריה: **מן בן בנוי דסילבא.** מבנו של סילכא, שם אדם מפורסם:

אשד הנחלים

וזהו יחד. ואולי דרש יחד מלשון יחידות, שהמצורע ישב ביחידות, כמה שכתוב (מלכים ב' טו, ה) וישב בבית החפשית, ופירושו ועל אדם שיהיה יחיד ובדד נבדד מכולם: **ולא כדיני בשר ודם כו'.** מסיים הדרוש השייך לראש הפרשה, אשר באגב הובא כל המאמר למען הסוף פסוק, ועל גוי זהו הציבור בכלל, ועל אדם פרטי יחד, ואינו נושא פנים מאומה כי הכל מוכרחין להביא קרבינהם בעד חטאתם: **[ד] לך כתבנוהו בראש.** שאתה הוא הבעל נדיבות יותר מכולם, אף שאחרים נותנים לפעמים יותר, מכל מקום אתה הראש מכולם, כי עשה צדקה אף בעניותו: **מרמי במצוותא.** פירש הידי משה שהיה רמאותו שירבו הקהל בנדבותם, לפי שידעו שהוא פוסק כנגד כולם, והרבו בכוונה כדי שיתן הוא הרבה. ולא ידעתי מה שייך המעשה לפה. ואולי מפני שכאן מביא הקהל קרבן דומה ליחיד והיחיד לקהל, לכן מביא המעשה במה שהיה אבא יודן נותן נגד כולם, והיה מדמה עצמה לנתינת הציבור בכלל, ודוחק:

The Midrash presents a relevant exposition:

אָמַר רַבִּי אַבָּהוּ: כְּתִיב "הִשָּׁמֶר לְךָ פֶּן תַּעֲזֹב אֶת הַלֵּוִי" — **R' Abahu said: It is written, *Beware for yourself lest you forsake the Levite,***[84] *all your days on your land* (Deuteronomy 12:19), וּכְתִיב בָּתְרֵיהּ "כִּי יַרְחִיב ה' . . . אֶת גְּבוּלְךָ" — **and** immediately **afterward it is written, *When HASHEM,** your God, **will broaden your boundary,*** *and you say, "I would eat meat," for you will have a desire to eat meat, etc.* (ibid., v. 20). וְכִי מָה עִנְיָן זֶה לָזֶה — **Now, what is the relevance of one verse to the other?** אֶלָּא אָמַר הַקָּדוֹשׁ בָּרוּךְ הוּא: לְפִי מַתְּנוֹתֶיךָ מַרְחִיבִין לָךְ — **However,** the explanation for this is that **the Holy One, blessed is He, is saying** here in effect, **"It** (your wealth and prosperity) **will be broadened for you in accordance with** the generosity of **your gift."**[85]

A similar idea pertains to our passage here in *Leviticus*:

רַבִּי אַחָא בְּשֵׁם רַבִּי הוֹשַׁעְיָא — **R' Acha said in the name of R' Hoshaya:** עֶבֶד מֵבִיא פַּר וְרַבּוֹ מֵבִיא פַּר — **[If] a servant brings a bull and his master brings a bull** to offer as a sacrifice at the same time, הָעֶבֶד קוֹדֵם לְרַבּוֹ — **the servant takes precedence over his master,**[86] דִּתְנַן תַּמָּן — **as we have learned in a Mishnah elsewhere:** פַּר הַמָּשִׁיחַ וּפַר הָעֵדָה עוֹמְדִים — **[If] the bull of the anointed** Kohen Gadol **and the bull of the congregation**[87] **are standing** to be offered in the Temple at the same time, פַּר הַמָּשִׁיחַ קוֹדֵם לְפַר הָעֵדָה לְכָל מַעֲשָׂיו — **the bull of the anointed** Kohen Gadol **takes precedence over the bull of the congregation in all its procedures** (*Horayos* 3:6).[88]

§5 [אִם הַכֹּהֵן הַמָּשִׁיחַ יֶחֱטָא לְאַשְׁמַת הָעָם — *IF THE ANOINTED KOHEN WILL SIN, BY THE GUILT OF THE PEOPLE.*]

The Midrash discusses a particular example of a Kohen Gadol who sinned:

גּוּפָא — **Returning to our subject:**[89] "אִם הַכֹּהֵן הַמָּשִׁיחַ וגו' " — It is written, ***If the anointed Kohen** will sin, by the guilt of the people* (4:3). זֶה שֶׁבְנָא דִּכְתִיב בֵּיהּ "לֶךְ בֹּא אֶל הַסֹּכֵן וגו' " — **This is** an allusion to **Shebna,**[90] **of whom it is written, *Go and approach that manager,*** *Shebna, who is in charge of the House* (*Isaiah* 22:15). אָמַר רַבִּי אֶלְעָזָר: כֹּהֵן גָּדוֹל הָיָה — For **R' Elazar said: [Shebna] was a Kohen Gadol.**[91] רַבִּי יְהוּדָה בַּר רַבִּי אוֹמֵר: אֲמַרְכָּל הָיָה — But **R' Yehudah bar Rebbi said: He was an administrator,**[92] not a Kohen Gadol.

The Midrash discusses the two opinions just presented:

עַל דַּעְתֵּיהּ דְּרַבִּי אֶלְעָזָר דְּאָמַר כֹּהֵן גָּדוֹל הָיָה, "וְהִלְבַּשְׁתִּיו כֻּתָּנְתֶּךָ" — **According to the opinion of R' Elazar, who maintains that [Shebna] was a Kohen Gadol,** the phrase, ***I will dress him*** (Eliakim) ***with your tunic*** *and gird him with your belt* (ibid., v. 21), may be adduced as proof.[93] עַל דַּעְתֵּיהּ דְּרַבִּי יְהוּדָה בַּר רַבִּי דַּהֲוָה אָמַר אֲמַרְכָּל הָיָה, "וּמֶמְשַׁלְתְּךָ אֶתֵּן בְּיָדוֹ" — **According to the opinion of R' Yehudah bar Rebbi, who maintains that he was an administrator,** the phrase, ***and I will deliver your dominion into his hand*** (ibid.), may be adduced as proof.[94] תָּנֵי רַבִּי חִיָּיא: לָמָּה הוּא קוֹרֵא אוֹתוֹ אֲמַרְכָּל — **R' Chiya taught: Why is [an administrator] called *"amarkol"*?** שֶׁהָיָה מַר לַכֹּל — **Because he is the master** (*mar*) **over all** (*kol*), i.e., the supervisor of all activities.

NOTES

84. By not giving him the First Tithe (מַעֲשֵׂר רִאשׁוֹן), designated for Levites; or (if you do not have left any of the regular Levite tithe to give him) by not giving him preference when you distribute your tithe to the poor (see *Rashi* to *Deuteronomy* 12:18, from *Sifrei*).

85. [This is a further application of the *Proverbs* verse.] Thus, the juxtaposition of the verses suggests that if you will not forsake the Levite but will support him generously, God will "broaden your boundaries," i.e., bestow affluence upon you, accordingly. See Insight Ⓐ.

86. For since he is not nearly as wealthy as his master, his sacrifice represents a greater personal expense and hence a higher level of devotion for him (*Yefeh To'ar;* see also 3 §5 above).

87. Described below, 4:13ff.

88. And this is why the Torah describes the Kohen's sin-offering before that of the congregation — the Kohen, as an individual, undergoes a much greater personal expense when procuring the bull-offering than the congregation does as a whole.

89. The word גּוּפָא (lit., *itself*) is used extensively in the Talmud, to indicate that the Gemara is about to cite a previously quoted statement and analyze it in greater detail. The word is found only rarely in Midrash Rabbah (four times altogether — all of them in the beginning of *Vayikra Rabbah*), and it is evident from context that it does not have the same meaning as it does in the Gemara. *Yefeh To'ar* explains that גּוּפָא here indicates that the Midrash, which had mentioned Shebna in passing previously (in §3), is about to mention him again. According to *Maharzu,* the word גּוּפָא (when used in Midrash) indicates that the Midrash is about to quote an exposition verbatim from an external source. [The word גּוּפָא is not found in Midrash manuscripts, neither here nor in the other three instances where it appears in printed editions.]

90. Shebna is mentioned in *II Kings* 18-19, along with his colleague Hilkiah, as senior officials under King Hezekiah. Nothing negative is recorded there about Shebna, but in *Isaiah* 22, the prophet severely rebukes him. The Sages (see *Sanhedrin* 26a and Midrash below) relate that when Sennacherib laid siege to Jerusalem, Shebna formed a rebellious party that was ready to capitulate to the Assyrian invader — in defiance of the policy of Hezekiah and Isaiah — and sent him a message to that effect. It was this act of treachery that earned him the scorn of Isaiah.

91. And when Isaiah refers to him as *the manager . . . in charge of "the House"* he was referring to the Temple (*Eitz Yosef*).

92. Of the Temple (*Eitz Yosef, Maharzu,* based on *Shekalim* 5:2), as the Midrash makes clear below (cf. *Matnos Kehunah*).

93. According to R' Elazar, Isaiah is referring to the tunic and belt that are among the Kohen Gadol's vestments (see *Exodus* 28:4), and is declaring that Eliakim will replace Shebna as Kohen Gadol.

94. For it indicates that he had "dominion" or control over others.

INSIGHTS

Ⓐ Charity — Funneling Wealth *Alshich* (to *Proverbs* ad loc.) provides us with an illuminating interpretation of this verse.

The Gemara (*Bava Basra* 131b) teaches that one who wills all his property to one of his sons has thereby made him no more than an administrator. For a man would not strip his other sons of their inheritance; surely, he meant only to make the son named in the will an administrator of the estate, to divide it fairly among his brothers.

Similarly, when God grants great wealth to an individual and leaves others destitute, He has meant only to make that individual a custodian of that wealth, charging him with the mission of dispensing it to his needy brethren.

Our verse characterizes the charity dispensed to the needy as *a man's "gift."* The only right the recipient of wealth enjoys in it is the "gift." He does not really own the *wealth,* he owns only the right to *give* it.

The wealthy man serves as a funnel for God's bounty. God pours that bounty into the wide opening of the funnel, which collects that bounty from a broad area and does not allow any to spill over, and channels it through the narrow spout on the bottom into the empty containers below.

But what happens when a funnel's spout becomes blocked? The one pouring from above ceases to pour, for the overflowing liquid would go to waste.

But our verse teaches us more. A wealthy man who dispenses large sums to charity might think that he is, fundamentally, benefiting the *needy.* Not so, says our verse. *A man's gift broadens for "him."* It is the *donor* who is broadened by the gift! The more the funnel channels the Heavenly bounty into the thirsty containers, the broader becomes the mouth that collects at the top, the more is poured from above.

And, the verse concludes, the man's gift also *places him before the great.* Besides all the benefits a wealthy man enjoys in this world, he is placed even higher than other great men in the World to Come. For his charity, by sustaining the needy, has literally "revived the dead," and he is thereby considered as if he sustained he entire world (see *Sanhedrin* 37a). Indeed, he has sustained himself more than anyone else.

אָמַר רַבִּי אַבָּהוּ: כְּתִיב (דברים יב, יט) "הִשָּׁמֶר לְךָ פֶּן תַּעֲזֹב אֶת הַלֵּוִי" וּכְתִיב בָּתְרֵיהּ (שם שם כ) "כִּי יַרְחִיב ה' ... אֶת גְּבוּלְךָ", וְכִי מָה עִנְיָן זֶה לָזֶה, אֶלָּא אָמַר הַקָּדוֹשׁ בָּרוּךְ הוּא: לְפִי מַתְּנוֹתֶיךָ מַרְחִיבִין לָךְ, רַבִּי אַחָא בְּשֵׁם רַבִּי הוֹשַׁעְיָא: עֶבֶד מֵבִיא פַּר וְרַבּוֹ מֵבִיא פַּר, הָעֶבֶד קוֹדֵם לְרַבּוֹ, דִּתְנַן תַּמָּן: פַּר הַמָּשִׁיחַ פַּר הָעֵדָה עוֹמְדִים, פַּר הַמָּשִׁיחַ קוֹדֵם לְפַר הָעֵדָה לְכָל מַעֲשָׂיו (הוריות ג, ו):

ה גּוּפָא [ד, ג] "אִם הַכֹּהֵן הַמָּשִׁיחַ וְגוֹ'", זֶה שֶׁבְנָא דִּכְתִיב בֵּיהּ (ישעיה כב, טו) "לֵךְ בֹּא אֶל הַסֹּכֵן וְגוֹ'", אָמַר רַבִּי אֶלְעָזָר: כֹּהֵן גָּדוֹל הָיָה, רַבִּי יְהוּדָה אוֹמֵר: אֲמַרְכָּל הָיָה, עַל דַּעְתֵּיהּ דְּרַבִּי אֶלְעָזָר דְּאָמַר כֹּהֵן גָּדוֹל הָיָה, (שם שם כא) "וְהִלְבַּשְׁתִּיו כֻּתָּנְתֶּךָ", עַל דַּעְתֵּיהּ דְּרַבִּי יְהוּדָה בַּר רַבִּי דְּהָוָה אָמַר אֲמַרְכָּל הָיָה, (שם) "וּמֶמְשַׁלְתְּךָ אֶתֵּן בְּיָדוֹ", תָּנֵי רַבִּי חִיָּיא: לָמָּה הוּא קוֹרֵא אוֹתוֹ אֲמַרְכָּל, שֶׁהָיָה מַר לַכֹּל, אָמַר רַבִּי בֶּרֶכְיָה: מִן הָדָא סִכְנִין הֲוָה, וְעָלָה וְנִתְמַנָּה קוֹמִיס אִיסְפִּיסְרִיאָן בְּבֵית הַמִּקְדָּשׁ, הוּא שֶׁהַנָּבִיא מְקַנְטְרוֹ וְאוֹמֵר (שם שם טז) "מַה לְּךָ פֹה וּמִי לְךָ פֹה כִּי חָצַבְתָּ לְּךָ פֹּה קָבֶר", אָמַר לוֹ: גָּלוּיֵי בַּר גָּלוּיֵי, אֵיזֶה כּוֹתֶל בָּנִיתָ כָּאן, אֵיזֶה עַמּוּד הֶעֱמַדְתָּ כָּאן, אֲפִילּוּ אֵיזֶה מַסְמֵר קָבַעְתָּ כָּאן, מִכָּאן אָמַר רַבִּי אֶלְעָזָר: צָרִיךְ אָדָם שֶׁיִּהְיֶה לוֹ מַסְמֵר אוֹ יָתֵד קָבוּעַ בְּבֵית הַקְּבָרוֹת כְּדֵי שֶׁיִּזְכֶּה וְיִקָּבֵר בְּאוֹתוֹ מָקוֹם, "כִּי חָצַבְתָּ לְּךָ פֹּה קָבֶר" (שם) "חֹצְבִי מָרוֹם קִבְרוֹ", °עֲשָׂאוֹ כְּמִין שׁוֹבָךְ וְנָתַן קִבְרוֹ עָלָיו,

עץ יוסף

לפי מתנותך מרחיבין. וזהו השמר לך פן תעזוב, וראה לחזקו ועל ידי זה ירחיב ה' אלהיך, ולא תדמה כי על ידי הפיזור יחסר לך, כי נהפוך הוא, כי אם מוסיף מוסיפין לו: **ורבו מביא פר.** היפה מראה מגיה בירושלמי שלהי הוריות (פ"ג ה"ד) ורבו מביא שעיר: **לכל מעשיו ופר קודם לשעיר.** כן צריך לומר: **(ה) גופא כו'.** משום דמייתי לעיל (סימן ג) שבנא אגב גררה גבי על גוי ועל אדם יחד, והשתא בעי למדרש קראי דידיה ולפרושי מילתא קאמר גופא, אף על פי שאין דרך התלמוד לומר גופא אלא כשחוזר ומפרש המימרא שנזכרה תחילה: **גופא אם הכהן המשיח וגו' זה שבנא כו'.** כתב היפה תואר שטעות נפל בספרים בסדר האגדות, וסדרן כך הוא, דבתר סיום סימן ד' צריך להתחיל סימן ו', דבר אחר אם הכהן המשיח יחטא משיח מכפר וצריך כפרה כו' עד וסנגוריא מקטרג בדיני נפשות, ואחר זה יתחיל סימן ה', גופא אם הכהן המשיח וגו' זה שבנא כו' עד סוף סימן ה' שסיים זה ישעיה וחזקיה, ואחר זה צריך להיות לאשמת העם לאשמת העם משל לשושבינה של דוב כו', דאיירי בשבנא כמו שאפרש: **זה שבנא.** כלומר, שהכתוב מרמז בזה שיהיה באחרית הימים שהכהן המשיח יחטא ועל ידי זה יגלו ישראל, וזהו שכתוב כאן לאשמת העם, וסבירא ליה כמאן דאומר דשבנא כהן גדול היה ודכתיב ביה לך בוא אל הסוכן וגו' אשר על הבית היינו בית המקדש, וסבירא ליה שהיה כהן גדול שהוא גדול שבמשרתי בית המקדש, ורבי יהודה סבירא ליה דאמרכל היה, דהוא ממונה על כהני הבית (יפה תואר): **והלבשתיו כתנתך.** ואף על גב דאמרכל נמי היה לובש כתונת ואבנט, על כרחך מה שנתחדש לאליקים היינו כתונת ואבנט מיוחדים, והיינו של כהן גדול, דהיינו כתונת בד קדש שהיה לובש ביום הכפורים שהיה של כמה מינים, וכן אבנט של כהן גדול לא היה דומה לשל הדיוט, דשל כהן גדול דפשתן לחוד ושל הדיוט בלמר ופשתים: **וממשלתך אתן בידו.** והיינו אמרכל שממונה על כהני הבית, שממשלתו גדולה טפי: **מן הדא סכנין.** מן העיר ששמה סכנין, ודרש סוכן שהיה מסכנין: **קומיס איספיסריאן.** נגיד על האוצרות שבבית המקדש: **גלויי בר גלויי.** גולה בן גולה, שהיה גר בארץ אחרת: **אי זה כותל בנית כאן.** בבית המקדש כדי שיזכה ויקבר באותו מקום שבית המקדש שם, שעל ידי הבנין הוא מוחזק באותה העיר, וכדמסיק לקמן צריך אדם שיהא לו מסמר כו': **או יתד קבוע בבית הכנסת.** כן הוא גירסת הערוך, ופירוש שעל ידי זה שיש לו יתד בבית הכנסת זוכה למקום בבית הקברות של אותה העיר. ובילקוט (ישעיה פרק כב רמז תכג) גרס יתד קבוע בבית הקברות, וכתב היפה תואר שזה יתכן במקום שבונים בניינים וציונים גדולים בבית הקברות: **עשאו כמין שובך.** אחוצבי מרום קברו קאי, דאתא למימר שהגביה מקום הקבורה כמין שובך ותקן קברו שם, וזה דרך גדולה, דאי לומר שהיה המקום גבוה מצד עצמו, היינו חוקקי בסלע:

פירוש מהרז"ו

(ה) גופא. על שהעתיק המדרש מאיזה מקום בלשונו אמרו גופא. **אל הסוכן הזה.** על שבנא אשר על הבית, שהיה שר ממונה על בית המקדש. ועיין כל זה בסנהדרין (כו, א): **כותנתך.** הוא אחד מבגדי כהונה: **אמרכל הוה.** בבית המקדש, כמו שתנינן שקלים (פ"ה מ"ב) אין פוחתין משלשה גזברין ומשבעה אמרכלין, ופירש הרב שאמרכלין גדולים מגזברין, ונשיא נשיאי הלוי (במדבר ג, לב), מתרגמינן ואמרכליא דממנא וכו', ומה שכתב שהיה מר לכל, הערוך מביא בשם תוספתא דשקלים (פרק ה' מ"ב), ומר בלשון הגמרא הוא רב ואדון, וזהו וממשלתך, היינו ממשלת בית המקדש: **קומי אספריא.** בילקוט ישעיה (רמז תכג) הגירסא קומוס אפרכוס, ומה שכתב מן הדה סכנין, פירושו מן העיר סכנין, וכמו שכתב במדרש הרבה פעמים רבי יהושע דסכנין, וזהו משלה הסוכן הזה: **איזה כותל בנית.** בבית המקדש, שאתה מתגאה כנגד חזקיהו המלך, שאבותיו בנו בית המקדש, וזהו מה לך פה, מה תקנת פה שחצבת לך פה קבר בין קברי מלכי בית דוד, כמו שאיתא בסנהדרין שם: **מכאן אמר רבי אלעזר.** פירוש מפסוק זה שהוא דורש מה לך פה, על בית המקדש.

חידושי הרד"ל

אמר ר' אבהו כתיב השמר לך פן כו'. שמות רבה פרשה מ"א [סימן ב]: **עבד מביא פר ורבו מביא פר העבד קודם.** נראה דגרסינן ורבו מביא שעיר, וכן הגיה בפני משה בירושלמי שלהי הוריות, ולפי זה מה שמביא דתנן פר המשיח כו', נמי צריך לגרוס ברייתא דתוספתא שם דפר קודם לשעיר, ועיין בפני משה שם: **[ה] תני ר' חייא למה הוא קורא כו'.** תוספתא בשקלים (פ"ב הט"ו): **קבוע בבית הקברות.** הערוך גרס בבית הכנסת. וצריך לפרש שעל ידי זה שיש לו יתד בבית הכנסת, זוכה למקום בבית הקברות של אותה העיר: **עשה** (כן הוא בילקוט) **במין שובך ונתן קברו עליו.** דרש מרום קברו, שעשה בנין גבוה כשובך (כן המשילו בסוטה (מב, ב) הגובה בשובך):

חידושי הרש"ש

[ה] תני ר' חיא למה הוא קורא אותו אמרכל וכו' ועלה ונתמנה קומים. עיין לעיל בשמות רבה (לז, ב), ובערוך גורס קומים בסמ"ך והוא קרוב ללשון לע"ז קאמיסינער:

אמרי יושר

רב אחא. פליג ואמר שיותר כיבד ליחיד כהן גדול, כיון שהוא לבדו מוציא ממון רב לקנות פר, וכדתנן (הוריות יב ב) פר כהן משיח קודם, והיינו נמי דאמר לעיל לא תעזוב את הלוי, ובזכות זה כי ירחיב ה' את גבולך, על דרך מתן אדם ירחיב לו, ולקמן (סימן ו) נותן טעם אחר, שהמשיח מכפר, וציבור מתכפר, יקדים המכפר: **[ה] יהא לו מקום קבוע.** או קבוע לתפלתו, או יהא לו התפלה מלוה קבועה, כדי שבזכות זה יקבר באותו מקום, ולא יגלה חוץ, אלא יקבר באותה מדינה:

מסורת המדרש

ד. ילקוט נ"ך רנ"ח: ה. ירושלמי שבת פ"ו:

אם למקרא

הִשָּׁמֶר לְךָ פֶּן תַּעֲזֹב אֶת הַלֵּוִי כָּל יָמֶיךָ עַל אַדְמָתֶךָ: כִּי יַרְחִיב ה' אֱלֹהֶיךָ אֶת גְּבֻלְךָ כַּאֲשֶׁר דִּבֶּר לָךְ וְאָמַרְתָּ אֹכְלָה בָשָׂר כִּי תְאַוֶּה נַפְשְׁךָ לֶאֱכֹל בָּשָׂר בְּכָל אַוַּת נַפְשְׁךָ תֹּאכַל בָּשָׂר: (דברים יב:יט-כ)

כֹּה אָמַר אֲדֹנָי ה' צְבָאוֹת לֶךְ בֹּא אֶל הַסֹּכֵן הַזֶּה עַל שֶׁבְנָא אֲשֶׁר עַל הַבָּיִת: (ישעיה כב:טו)

וְהִלְבַּשְׁתִּיו כֻּתָּנְתֶּךָ וְאַבְנֵטְךָ אֲחַזְּקֶנּוּ וּמֶמְשַׁלְתְּךָ אֶתֵּן בְּיָדוֹ וְהָיָה לְאָב לְיוֹשֵׁב יְרוּשָׁלַ͏ִם וּלְבֵית יְהוּדָה: (שם שם כא)

מַה לְּךָ פֹה וּמִי לְךָ פֹה כִּי חָצַבְתָּ לְּךָ פֹּה קָבֶר חֹצְבִי מָרוֹם קִבְרוֹ חֹקְקִי בַסֶּלַע מִשְׁכָּן לוֹ: (שם שם טז)

שינוי נוסחאות

(ה) רבי יהודה אומר אמרכל היה. בדפוסים ישנים היה כתוב >רבי יהודה ב"ר אמרכל היה<, וכתב מ"כ: >ה"ג, ר"י אומר אמרכל<, ונראה ברור שכוונתו להוסיף תיבת "אומר" שחסרה כאן בעליל, ולא התכוון למחוק "ברבי" (וכן הגיה א"א בהדיא - להוסיף "אמר" ולא למחוק "ברבי"), שהרי שם החכם הזה (יהודה ברבי) מופיע כאן כמה פעמים בהמשך, ואין שום טעם למחקו כאן: **ונתמנה קומיס איספיסריאן בבית המקדש.** בהרבה דפוסים כתוב בראשי תבות >בב"ה<, ועפ"ז זה טעו בווילנא לכתוב >בבה"ק<, אבל בדפוסים הישנים היה כתוב "בבית המקדש" בהדיא: **קבוע בבית הקברות.** בספרים הישנים היה כתוב "בבית הכנסת" וכ"ה בכל הכי"י, אבל מ"כ הגיה כלפנינו: **עשאו כמין שובך.** הגיה א"א ורד"ל "עשה" במקום "עשאו":

מתנות כהונה

לפי מתנותיך כו'. אם מוסיף מוסיפין לו: **[ה] הכי גרסינן רבי יהודה אומר אמרכל.** פירוש ממונה על בית המלך, נוטריקון אמר כל, כלומר על פיו ישק הכל, וכן פירש"י סוף פרק מקום שנהגו (נז א ד"ה אמרכלים), ובערוך פירש נשיא הנשיאים, מר לכל, אדון על כל. ועיין לקמן (במדבר רבה ג, יא. ו, א): **מן הדא סכנין.** מן זה המקום סכנין, והוא בחוץ לארץ, ומדכתיב (ישעיה כב, טו) אל הסוכן דרש כן, כך פירש"י ורד"ק: **קומים איספיסריאן.** פירש הערוך (ערך קמים) פקיד בבית המקדש, ודייק מדכתיב על הבית, ובילקוט גרס בירושלים: **גלויי בר גלויי.** לשון גלות, על שם שעלה מחוץ לארץ לארץ ישראל: **הכי גרסינן יתד קבוע בבית הקברות בדי וכו'.** וכן מצאתי בילקוט ישעיה (רמז תכג): **במין שובך.** דייק מסיפיה דקרא, חוצבי מרום קברו, כלומר בגובה:

אשד הנחלים

לפי מתנתך מרחיבין. וזהו השמר לך פן תעזוב, וראה לחזקו ועל ידי זה ירחיב ה' אלהיך, ולא תדמה כי על ידי הפיזור יחסר לך, כי נהפוך הוא: **עבד ורבו כו' ופר המשיח קודם.** לפי שהוא העבד להעם, כי הוא עבד וממונה לעשות כל מעשיהם: **[ה] זה שבנא.** כלומר שהכתוב מרמז בזה שיהיה באחרית הימים שהכהן המשיח יחטא ועל ידי זה יגלו ישראל, וזהו שכתוב כאן לאשמת העם:

באור מהרי"פ

פר המשיח קודם לפר העדה. דוגמא דאבא בר יודן דהקדימו אותו משום שהיה נותן ופסק כל קבל כולהון, וכן כהן נותן פר כמו כל העדה ולכך הקדימו הכתוב: **[ה] גופא אם הכהן וכו' זה שבנא וכו'.** ונראה שטעות נפל במדרשים, וכן צריך להיות בתר מאמר רבי אחא בשם רבי הושעיא צריך לגרוס, דבר אחר אם כהן וגו' כהן משיח מכפר וכו', ובתר כן דבר אחר אם כהן וגו' וכהן המשיח חוטא וכו' עד בדיני נפשות, ובתר כן אם כהן וגו' זה שבנא וכו', ובתר כן לאשמת העם לאשמת משל לשושבינה וכו', כן גירסת היפה תואר: **גופא.** תיבה זו אינו רגיל במדרש, ומזה סיוע למה שכתב בעל תולדות נח במדרש: **מתנות כהונה ד"ה אמרכל כו' ובערוך פירשו.** זה לשון הערוך ערך אמרכל, שומרי הסף (אסתר ב, כא) תרגום אמרכלי, ונשיא נשיאי הלוי (במדבר ג, לב) תרגום ואמרכליא, ירושלמי פרק המצניע (שבת פ"י ה"ג) בתוספתא שקלים (פ"ב הט"ו) איזהו אמרכל שהוא מר על הכל, עד כאן:

אָמַר רַבִּי בֶּרֶכְיָה: מִן הָדָא סִכְנִין הֲוָה — R' Berechyah said: [Shebna] came from that place called Sichnin,[95] וְעָלָה וְנִתְמַנָּה קוֹמִיס אִיסְפִּיסְרִיאָן בְּבֵית הַמִּקְדָּשׁ — and he rose in the ranks and was appointed chief treasurer of the Holy Temple. הוּא שֶׁהַנָּבִיא מְקַנְטְרוֹ וְאוֹמֵר ״מַה לְּךָ פֹה וּמִי לְךָ פֹה כִּי חָצַבְתָּ לְּךָ פֹּה קָבֶר״ — And this is why the prophet Isaiah rebuked him, saying, *What have you here and whom have you here, that you have hewn yourself a grave here?* (*Isaiah* 22:16). אָמַר לוֹ: גָּלוּיֵי בַּר גָּלוּיֵי — [Isaiah] was saying to [Shebna], "Exiled one son of an exiled one![96] אֵיזֶה כּוֹתֶל בָּנִיתָ כָּאן — What wall have you built here in Jerusalem? אֵיזֶה עַמּוּד הֶעֱמַדְתָּ כָּאן — What pillar have you erected here? אֲפִילוּ אֵיזֶה מַסְמֵר קָבַעְתָּ כָּאן — Indeed, what nail have you even affixed here?" מִכָּאן אָמַר רַבִּי אֶלְעָזָר — Deriving a lesson from here, R' Elazar said: צָרִיךְ אָדָם שֶׁיְּהֵא לוֹ מַסְמֵר אוֹ יָתֵד קָבוּעַ בְּבֵית הַקְּבָרוֹת כְּדֵי שֶׁיִּזְכֶּה וְיִקָּבֵר בְּאוֹתוֹ מָקוֹם — One must always have a nail or a peg affixed in a town near a cemetery in order to have the benefit of being buried in that place.[97]

The Midrash continues its exposition of the *Isaiah* passage concerning Shebna:

״כִּי חָצַבְתָּ לְּךָ פֹּה קָבֶר״ — *What have you here and whom have you here,* **that you have hewn yourself a grave here,** *you who hews his grave on high and carves out in the rock an abode for himself?* (ibid., vv. 16-17). עָשָׂה כְּמִין שׁוֹבָךְ וְנָתַן קִבְרוֹ עָלָיו — This teaches that [Shebna] had made a sort of dovecote,[98] and placed his sepulcher above it.[99] ״חֹצְבִי מָרוֹם קִבְרוֹ״ — Another exposition of the phrase ***You who hews his grave on high*** (ibid.):

NOTES

95. According to this opinion, the descriptive word סוֹכֵן (*sochen*) used in connection with Shebna does not mean "manager" (as it was translated above), but "resident of Sichnin" (*Matnos Kehunah* and *Yefeh To'ar,* citing Biblical commentators).

96. Shebna, who hailed from Sichnin, was an outsider ("exiled one") in Jerusalem, and Isaiah was rebuking him for his presumptuousness in expecting to be buried there. [*Matnos Kehunah* writes that this Sichnin was outside of *Eretz Yisrael* (hence the epithet "exiled one"); if so, it is a different Sichnin than the usual one mentioned by the Sages, which is a town in Galilee.]

97. I.e., when moving to a new town, one should see to it that he makes some contribution to his newly adopted community so that he will have a proper claim to be buried in that town's cemetery, as opposed to being told to make his burial place in his native town. See Insight Ⓐ.

[Manuscripts and older editions of the Midrash have בְּבֵית הַכְּנֶסֶת, *in the synagogue,* in place of בְּבֵית הַקְּבָרוֹת. Accordingly, it is one's contribution to the building of a synagogue that guarantees him the privilege of burial in the cemetery of that particular city (*Eitz Yosef, Radal*; see *Imrei Yosher*).]

98. I.e., he had built an elevated structure, as dovecotes are built on top of buildings.

99. That he elevated his burial spot is deduced from the ensuing phrase *you who digs his grave on high* (*Matnos Kehunah, Eitz Yosef, Radal*).

INSIGHTS

Ⓐ **Purchasing a Burial Plot** It is possible that our Midrash speaks of a minimal contribution to the local town not simply in order to have a *right* to be buried there, but also because the right to be buried in a particular place constitutes a form of ownership of the burial plot, which is an important feature of a suitable grave (see further). Indeed, *Daas Torah* (*Yoreh Deah* 362:1 s.v. ומ״מ יפה) sees in our Midrash another source for the prevalent custom of the *Chevrah Kaddisha* (burial society) to charge even the indigent a fee, if only a nominal one, for a burial plot. For, as R' Elazar teaches in our Midrash, one must have, at a minimum, contributed at least one nail or a peg in order to have the benefit of being buried in a particular town.

Chasam Sofer in his Responsa (*Yoreh Deah* §330) explains that the source for this custom of the *Chevrah Kaddisha* is the Gemara (*Bava Basra* 112a), which states that it does not befit the honor of a righteous person to be buried in a grave that does not belong to him (or to his family). *Chasam Sofer* traces this custom all the way back to our forefather Abraham, who sought a burial site for the matriarch Sarah, and even after paying full price for it would not bury her there until he had taken legal possession of it (see *Genesis* Ch. 23 with *Ramban* to v. 11 there). For he did not wish that the righteous Sarah be interred even momentarily in land that was not clearly his own.

אָמַר רַבִּי אַבָּהוּ: כְּתִיב (דברים יב, יט) "הִשָּׁמֶר לְךָ פֶּן תַּעֲזֹב אֶת הַלֵּוִי" וּכְתִיב בָּתְרֵיהּ (שם שם כ) "כִּי יַרְחִיב ה' ... אֶת גְּבוּלְךָ", וְכִי מָה עִנְיָן זֶה לָזֶה, אֶלָּא אָמַר הַקָּדוֹשׁ בָּרוּךְ הוּא: לְפִי מַתְּנוֹתֶיךָ מַרְחִיבִין לְךָ, רַבִּי אַחָא בְּשֵׁם רַבִּי הוֹשַׁעְיָא: עֶבֶד מֵבִיא פָּר וְרַבּוֹ מֵבִיא פָּר, הָעֶבֶד קוֹדֵם לְרַבּוֹ, דִּתְנַן תַּמָּן: פַּר הַמָּשִׁיחַ פַּר הָעֵדָה עוֹמְדִים, פַּר הַמָּשִׁיחַ קוֹדֵם לְפַר הָעֵדָה לְכָל מַעֲשָׂיו (הוריות ג, ו):

ה גּוּפָא [ד, ג] "אִם הַכֹּהֵן הַמָּשִׁיחַ וְגוֹ'", זֶה שֶׁבְנָא דִּכְתִיב בֵּיהּ (ישעיה כב, טו) "לֵךְ בֹּא אֶל הַסֹּכֵן הַזֶּה וְגוֹ'", אָמַר רַבִּי אֶלְעָזָר: כֹּהֵן גָּדוֹל הָיָה, רַבִּי יְהוּדָה אוֹמֵר: אֲמַרְכָּל הָיָה, עַל דַּעְתֵּיהּ דְּרַבִּי אֶלְעָזָר דְּאָמַר כֹּהֵן גָּדוֹל הָיָה, (שם שם כא) "וְהִלְבַּשְׁתִּיו כֻּתָּנְתֶּךָ", עַל דַּעְתֵּיהּ דְּרַבִּי יְהוּדָה בַּר רַבִּי דְּהוּא אָמַר אֲמַרְכָּל הָיָה, (שם) "וּמֶמְשַׁלְתְּךָ אֶתֵּן בְּיָדוֹ", תָּנֵי רַבִּי חִיָּיא: לָמָּה הוּא קוֹרֵא אוֹתוֹ אֲמַרְכָּל, שֶׁהָיָה מַר לַכֹּל, אָמַר רַבִּי בֶּרֶכְיָה: מִן הָדָא סַכְּנִין הֲוָה, וְעָלָה וְנִתְמַנָּה קוֹמֵיס אִיסְפִּיסְרִיאַן בְּבֵית הַמִּקְדָּשׁ, הוּא שֶׁהַנָּבִיא מְקַנְטְרוֹ וְאוֹמֵר (שם שם טז) "מַה לְּךָ פֹה וּמִי לְךָ פֹה כִּי חָצַבְתָּ לְּךָ פֹּה קָבֶר", אָמַר לוֹ: גָּלוּיֵי בַּר גָּלוּיֵי, אֵיזֶה כּוֹתֶל בָּנִיתָ כָּאן, אֵיזֶה עַמּוּד הֶעֱמַדְתָּ כָּאן, אֲפִילוּ אֵיזֶה מַסְמֵר קָבַעְתָּ כָּאן, מִכָּאן אָמַר רַבִּי אֶלְעָזָר: צָרִיךְ אָדָם שֶׁיִּהְיֶה לוֹ מַסְמֵר אוֹ יָתֵד קָבוּעַ בְּבֵית הַקְּבָרוֹת כְּדֵי שֶׁיִּזְכֶּה וְיִקָּבֵר בְּאוֹתוֹ מָקוֹם, "כִּי חָצַבְתָּ לְּךָ פֹּה קָבֶר" °עֲשָׂאוֹ כְּמִין שׁוֹבָךְ וְנָתַן קִבְרוֹ עָלָיו, (שם) "חֹצְבִי מָרוֹם קִבְרוֹ",

עץ יוסף

לפי מתנותך מרחיבין. וזהו השמר לך פן תעזוב, וראה לחזקו ועל ידי זה ירחיב ה' אלהיך, ולא תדמה כי על ידי הפיזור יחסר לך, כי נהפוך הוא, כי אם מוסיף מוסיפין לו: **ורבו מביא פר.** היפה מראה מגיה בירושלמי שלהי הוריות (פ"ג ה"ד) ורבו מביא שעיר: **לכל מעשיו ופר קודם לשעיר.** כן צריך לומר: **(ה) גופא כו'.** משום דמייתי לעיל (סימן ג) שבנא אגב גררה גבי על גוי ועל אדם יחד, והשתא בעי למדרש קרא דידיה ולפרושי מילתא קאמר גופא, אף על פי שאין דרך התלמוד לומר גופא אלא כשחוזר ומפרש המימרא שנזכרה תחילה: **גופא אם הכהן המשיח וגו' זה שבנא כו'.** כתב היפה תואר שטעות נפל בספרים בסדר האגדות, וסדרן כך הוא, דבתר סיום סימן ד' צריך להתחיל סימן ו', דבר אחר אם הכהן המשיח יחטא משיח מכפר וצריך כפרה כו' עד וסנגוריא מקטרג בדיני נפשות, ואחר זה יתחיל סימן ה', גופא אם הכהן המשיח וגו' זה שבנא כו' עד סוף סימן ה' שסיים זה ישעיה וחזקיה, ואחר זה צריך להיות לאשמת העם לאשמת העם משל לשושטה של דוב כו', דאיירי בשבנא כמו שאפרש: **זה שבנא.** כלומר, שהכתוב מרמז בזה שיהיו באחרית הימים שהכהן המשיח יחטא ועל ידי זה יגלו ישראל, וזהו שכתוב כאן לאשמת העם, וסבירא ליה כמאן דאומר דשבנא כהן גדול היה וכדכתיב ביה לך בוא אל הסוכן וגו' אשר על הבית היינו בית המקדש, וסבירא ליה שהיה כהן גדול שהוא גדול שבמשרתי בית המקדש, ורבי יהודה סבירא ליה דאמרכל היה, דהוא ממונה על כהני הבית (יפה תואר): **והלבשתיו כתנתך.** ואף על גב דאמרכל נמי היה לובש כתונת ואבנט, על כרחך מה שנתחדש לאליקים היינו כתונת ואבנט מיוחדים, והיינו של כהן גדול, דהיינו כתונת בד קדש שהיה לובש ביום הכפורים שהיה של כמה מינים, וכן אבנט של כהן גדול לא היה דומה לשל הדיוט, דשל כהן גדול דפשתן לחוד ושל הדיוט בלמר ופשתים: **וממשלתך אתן בידו.** והיינו אמרכל שממונה על כהני הבית, שממשלתו גדולה טפי: **מן הדא סבנין.** מן העיר ששמה סכנין, ודרש סוכן שהיה מסכנין: **קומיס איספיסריאן.** נגיד על האוצרות שבבית המקדש: **גלויי בר גלויי.** גולה בן גולה, שהיה גר בארץ אחרת: **אי זה כותל בנית כאן.** בבית המקדש כדי שיזכה ויקבר באותו מקום שבבית המקדש שם, שעל ידי הבנין הוא מוחזק באותה העיר, וכדמסיק לקמן צריך אדם שיהא לו מסמר כו': **או יתד קבוע בבית הכנסת.** כן הוא גירסת הערוך, ופירוש שעל ידי זה שיש לו יתד בבית הכנסת זוכה למקום בבית הקברות של אותה העיר. ובילקוט (ישעיה פרק כב רמז תכג) גרס יתד קבוע בבית הקברות, וכתב היפה תואר שזה יתכן במקום שבונים בנינים וציונים גדולים בבית הקברות: **עשאו כמין שובך.** אחוצבי מרום קברו קאי, דאתא למימר שהגביה מקום הקבורה כמין שובך ותקן קברו שם, וזה דרך גדולה, דאי לומר שהיה המקום גבוה מצד עצמו, היינו חוקקי בסלע:

פירוש מהרז"ו

(ה) גופא. על שהעתיק המדרש מאיזה מקום בלשונו אמרו גופא. **אל הסוכן הזה.** על שבנא אשר על הבית, שהיה שר ממונה על בית המקדש. ועיין כל זה בסנהדרין (כו, א): **כותנתך.** הוא אחד מבגדי כהונה: **אמרכל הוה.** בבית המקדש, כמו שתנינן שקלים (פ"ה מ"ב) אין פוחתין משלשה גזברין ושבעה אמרכלין, ופירש הרב שאמרכלין גדולים מגזברין, ונשיא נשיאי הלוי (במדבר ג, לב), מתרגמינן ואמרכליא דממנא וכו', ומה שכתב שהיה מר לכל, הערוך מביא בשם תוספתא דשקלים (פרק ה' מ"ב), ומר בלשון הגמרא הוא רב ואדון, זהו וממשלתך, היינו ממשלת בית המקדש: **קומי אספריא.** בילקוט ישעיה (רמז תכג) הגירסא קומוס אפרכוס, ומה שכתב מן הדה סכנין, פירושו מן העיר סכנין, וכמו שכתב במדרש הרבה פעמים רבי יהושע דסכנין, וזהו משאלה הסוכן הזה: **איזה כותל בנית.** בבית המקדש, שאתה מתגאה כנגד חזקיהו המלך, שאבותיו בנו בית המקדש, וזהו מה לך פה, מה תקנת פה שחצבת לך פה קבר בין קברי מלכי בית דוד, כמו שאיתא בסנהדרין שם: **מכאן אמר רבי אלעזר.** פירוש מפסוק זה שהוא דורש מה לך פה, על בית המקדש.

חידושי הרד"ל

אמר ר' אבהו כתיב השמר לך פן כו'. שמות רבה פרשה מ"א (סימן ג): **עבד מביא פר ורבו מביא פר העבד קודם.** נראה דגרסינן ורבו מביא שעיר, וכן הגיה בפני משה בירושלמי שלהי הוריות, ולפי זה מה שמביא דתנן פר המשיח כו', נמי צריך לגרוס ברייתא דתוספתא שם דפר קודם לשעיר, ועיין בפני משה שם: **[ה] תני ר' חייא למה הוא קורא כו'.** תוספתא בשקלים (פ"ב הט"ו): **קבוע בבית הקברות.** הערוך גרס בבית הכנסת. וצריך לפרש שעל ידי זה שיש לו יתד בבית הכנסת, זוכה למקום בבית הקברות של אותה העיר: **עשה** (כן הוא בילקוט) **במין שובך ונתן קברו עליו.** דרש מרום קברו, שעשה בנין גבוה כשובך (כן המשילו בסוטה (מב, ב) הגובה כשובך):

חידושי הרש"ש

[ה] תני ר' חיא למה הוא קורא אותו אמרכל וכו' ועלה ונתמנה קומים. עיין לעיל בשמות רבה (לז, ב), ובערוך גורס קומים בסמ"ך והוא קרוב ללשון לע"ז קאמיסער:

אמרי יושר

רב אחא. פליג ואמר שיותר כיבד ליחיד כהן גדול, כיון שהוא לבדו מוציא ממון רב לקנות פר, וכדתנן (הוריות יב ב) פר כהן משיח קודם, והיינו נמי דאמר לעיל לא תעזוב את הלוי, ובזכות זה כי ירחיב ה' את גבולך, על דרך מתן אדם ירחיב לו, ולקמן (סימן ו) נותן טעם אחר, שהמשיח מכפר, וציבור מתכפר, וקודם המכפר: **[ה] יהא לו מקום קבוע.** או קבוע לתפלתו, או יהא לו התפלה מלוה קבועה, כדי שבזכות זה יקבר באותו מקום, ולא יגלה חוץ, אלא יקבר באותה מדינה:

מסורת המדרש

ד. ילקוט נ"ך רנ"ח: ה. ירושלמי שבת פ"י:

אם למקרא

הִשָּׁמֶר לְךָ פֶּן תַּעֲזֹב אֶת הַלֵּוִי כָּל יָמֶיךָ עַל אַדְמָתֶךָ: כִּי יַרְחִיב ה' אֱלֹהֶיךָ אֶת גְּבֻלְךָ כַּאֲשֶׁר דִּבֶּר לָךְ וְאָמַרְתָּ אֹכְלָה בָשָׂר כִּי תְאַוֶּה נַפְשְׁךָ לֶאֱכֹל בָּשָׂר בְּכָל אַוַּת נַפְשְׁךָ תֹּאכַל בָּשָׂר: (דברים יב:יט-כ)

כֹּה אָמַר אֲדֹנָי ה' צְבָאוֹת לֶךְ בֹּא אֶל הַסֹּכֵן הַזֶּה עַל שֶׁבְנָא אֲשֶׁר עַל הַבָּיִת: (ישעיה כב:טו)

וְהִלְבַּשְׁתִּיו כֻּתָּנְתֶּךָ וְאַבְנֵטְךָ אֲחַזְּקֶנּוּ וּמֶמְשַׁלְתְּךָ אֶתֵּן בְּיָדוֹ וְהָיָה לְאָב לְיוֹשֵׁב יְרוּשָׁלִַם וּלְבֵית יְהוּדָה: (שם שם כא)

מַה לְּךָ פֹה וּמִי לְךָ פֹה כִּי חָצַבְתָּ לְּךָ פֹּה קָבֶר חֹצְבִי מָרוֹם קִבְרוֹ חֹקְקִי בַסֶּלַע מִשְׁכָּן לוֹ: (שם שם טז)

שינוי נוסחאות

(ה) רבי יהודה אומר אמרכל היה. בדפוסים ישנים היה כתוב "רבי יהודה ב"ר אמרכל היה", וכתב מ"כ: ה"ג, ר"י אומר אמרכל, ונראה ברור שכוונתו להוסיף תיבת "אומר" שחסרה כאן בעליל, ולא התכוון למחוק "ברבי" (וכן הגיה א"א בהדיא - להוסיף "אמר" ולא למחוק "ברבי"), שהרי שם החכם הזה (יהודה ברבי) מופיע כאן כמה פעמים בהמשך, ואין שום טעם למחקו כאן: **ונתמנה קומיס איספיסריאן בבית המקדש.** בהרבה דפוסים כתוב בראשי תבות "בב"ה", ועל פי זה טעו בווילנא לכתוב "בבה"ק", אבל בדפוסים הישנים היה כתוב "בבית המקדש" בהדיא: **קבוע בבית הקברות.** בספרים הישנים היה כתוב "בבית הכנסת" וכ"ה בכל הכי"י, אבל מ"כ הגיה כלפנינו: **עשאו כמין שובך.** הגיה א"א ורד"ל "עשה" במקום "עשאו":

מתנות כהונה

לפי מתנותיך כו'. אם מוסיף מוסיפין לו: **[ה] הכי גרסינן רבי יהודה אומר אמרכל.** פירוש ממונה על בית המלך, נוטריקון אמר כל, כלומר על פיו ישק הכל, וכן פירש"י סוף פרק מקום שנהגו (נז א ד"ה אמרכלים), ובערוך פירש נשיא הנשיאים, מר לכל, אדון על כל. ועיין לקמן (במדבר רבה ג, יא. ו, א): **מן הדא סכנין.** מן זה המקום סכנין, והוא בחוץ לארץ, ומדכתיב (ישעיה כב, טו) אל הסוכן דרש כן, כך פירש"י ורד"ק: **קומים איספיסריאן.** פירש הערוך (ערך קמים) פקיד בבית המקדש, ודייק מדכתיב על הבית, ובילקוט גרס בירושלים: **גלויי בר גלויי.** לשון גלות, על שם שעלה מחוץ לארץ לארץ ישראל: **הכי גרסינן יתד קבוע בבית הקברות כדי וכו'.** וכן מצאתי בילקוט ישעיה (רמז תכג): **במין שובך.** דייק מסיפיה דקרא, חוצבי מרום קברו, כלומר בגובה:

אשד הנחלים

לפי מתנתך מרחיבין. וזהו השמר לך פן תעזוב, וראה לחזקו ועל ידי זה ירחיב ה' אלהיך, ולא תדמה כי על ידי הפיזור יחסר לך, כי נהפוך הוא: **עבד ורבו כו' ופר המשיח קודם.** לפי שהוא העבד להעם, כי הוא עבד וממונה לעשות כל מעשיהם: **[ה] זה שבנא.** כלומר שהכתוב מרמז בזה שיהיה באחרית הימים שהכהן המשיח יחטא ועל ידי זה יגלו ישראל, וזהו שכתוב כאן לאשמת העם:

באור מהרי"פ

פר המשיח קודם לפר העדה. דוגמא דאבא בר יודן דהקדימו אותו משום שהיה נותן ופסק כל קבל כולהון, וכן כהן נותן פר כמו כל העדה ולכך הקדימו הכתוב: **[ה] גופא אם הכהן וכו' זה שבנא וכו'.** נראה שטעות נפל במדרשים, וכן צריך להיות בתר מאמר רבי אחא בשם רבי הושעיא צריך לגרוס, דבר אחר אם כהן וגו' כהן משיח מכפר וכו', ובתר כן דבר אחר אם כהן וגו' וכהן המשיח חוטא וכו' עד בדיני נפשות, ובתר כן אם כהן וגו' זה שבנא וכו', ובתר כן לאשמת העם לאשמת משל לשושטה וכו', כן גירסת היפה תואר: **גופא.** תיבה זו איננו רגיל במדרש, ומזה סיוע למה שכתב בעל תולדות נח במדרש: **מתנות כהונה ד"ה אמרכל כו' ובערוך פירשו.** זה לשון הערוך ערך אמרכל, שומרי הסף (אסתר ב, כא) תרגום אמרכלי, ונשיא נשיאי הלוי (במדבר ג, לב) תרגום ואמרכליא, ירושלמי פרק המצניע (שבת פ"י ה"ג) בתוספתא שקלים (פ"ב הט"ו) איזהו אמרכל שהוא מר על הכל, עד כאן:

רַבִּי שְׁמוּאֵל בְּשֵׁם מַר עוּקְבָן אָמַר — **R' Shmuel said in the name of Mar Ukvan:** מִמָּרוֹם נֶחְצַב עָלָיו שֶׁלֹּא תִהְיֶה לוֹ קְבוּרָה בְּאֶרֶץ יִשְׂרָאֵל — Isaiah was telling Shebna that **from On High it had been "hewn"** (i.e., etched and inscribed) **concerning him that he would not have** his **burial in the Land of Israel.**[100] "חֹקְקִי בַסֶּלַע מִשְׁכָּן לוֹ", אָרוֹן — ***And carves out in the rock an abode for himself*** — this "abode" refers to **a sarcophagus.** "הִנֵּה ה' מְטַלְטֶלְךָ טַלְטֵלָה גָּבֶר", טִלְטוּל אַחַר טִלְטוּל — ***Behold, HASHEM is going to make you wander a wandering of "gever"*** (*Isaiah* 22:17) means that you will be subject to **one wandering after another.**[101] אָמַר רַבִּי שְׁמוּאֵל בֶּן נַחְמָן: כְּהָדֵין תַּרְנְגוֹלָא דְּהוּא גָלֵה וְאָזֵל מִן אֲתַר לַאֲתַר — **R' Shmuel bar Nachman said: Like a rooster** (*gever*), **which** constantly **moves about, going from place to place.**[102]

"וְעֹטְךָ עָטֹה", שֶׁלָּקָה בְּצָרַעַת — ***And He will wrap you around*** (ibid., v. 18) — this teaches that **[Shebna] was stricken with *tzaraas,*** כְּמָה דְתֵימָא "וְעַל שָׂפָם יַעְטֶה" — **as stated** in the verse that speaks of *tzaraas: And the person with tzaraas . . .* ***and he is to wrap himself up to his lips*** (below, 13:45).[103] "צָנוֹף יִצְנָפְךָ צְנֵפָה", גָּלוּת בָּתַר גָּלוּת — ***He will wind you around like a turban*** (*Isaiah* ibid.) — **one exile after another.**[104] "כַּדּוּר" מָה הַכַּדּוּר הַזֶּה שֶׁמִּתְלַקֵּט בַּיָּדַיִם וְאֵין מַגִּיעַ לָאָרֶץ כָּךְ הוּא — ***[And hurl you like] a ball*** (ibid., v. 18) — **just as a ball** in a game **is caught in the hands to prevent it from reaching the ground,**[105] **so will** [Shebna] be. "אֶל אֶרֶץ רַחֲבַת יָדָיִם" זוֹ כַּסְפְּיָא — ***To a wide-open land*** (ibid.) — **this refers to Casiphia.**[106] "שָׁמָּה תָמוּת וְשָׁמָּה מַרְכְּבוֹת כְּבוֹדֶךָ" — ***There you will die and there will be [the end of] your chariots of honor*** (ibid.).[107] עַל דַּעְתֵּיהּ דְּרַבִּי אֶלְעָזָר דַּהֲוָה אָמַר כֹּהֵן גָּדוֹל הָיָה, שֶׁהָיָה נֶהֱנֶה מִן הַקָּרְבָּנוֹת — **According to R' Elazar, who said that [Shebna] was a Kohen Gadol,** he was able to afford these honors **because he** illegally **derived** personal **benefit from the offerings.**[108] עַל דַּעְתֵּיהּ דְּרַבִּי יְהוּדָה בְּרַבִּי דְּהוּא אָמַר אֲמַרְכָּל הָיָה שֶׁהָיָה נֶהֱנֶה מִן הַהֶקְדֵּשׁוֹת — **According to R' Yehudah the son of Rebbi, who said that [Shebna] was a** Temple **administrator,** he was able to afford these honors **because he** illegally **derived** personal **benefit from the consecrated funds** of the Temple.

"קָלוֹן בֵּית אֲדֹנֶיךָ" — ***O shame*** (or: *shamer*) ***of your master's house*** (ibid.). עַל דַּעְתֵּיהּ דְּרַבִּי אֶלְעָזָר שֶׁהָיָה כֹּהֵן גָּדוֹל שֶׁהָיָה מְבַזֶּה אֶת הַקָּרְבָּנוֹת — **According to R' Elazar,** who maintains **that [Shebna] was a Kohen Gadol,** the verse indicates that **he would denigrate the offerings.**[109] עַל דַּעְתֵּיהּ דְּרַבִּי יְהוּדָה בַּר רַבִּי שֶׁאָמַר אֲמַרְכָּל הָיָה שֶׁהָיָה מְבַזֶּה אֶת ב' אֲדוֹנָיו — **According to R' Yehudah bar Rebbi, who said that [Shebna] was a** Temple **administrator,** the verse indicates that **he would belittle his two masters,**[110] וְאֵיזֶה זֶה, זֶה יְשַׁעְיָהוּ וְחִזְקִיָּהוּ — **those being Isaiah and Hezekiah.**

The Midrash explains what Shebna did to earn such scorn from Isaiah:

רַבִּי בֶּרֶכְיָה בְּשֵׁם רַבִּי אַבָּא בַּר כָּהֲנָא אָמַר — **R' Berechyah said in the name of R' Abba bar Kahana:** מֶה עָשׂוּ שֶׁבְנָא וְיוֹאָח — **What did Shebna and Joah**[111] **do?** נָטְלוּ אִגֶּרֶת וּכְתָבוּהָ וּתְחָבוּהָ בְּחֵץ — **They took letter** paper, **wrote** a message **on it,**[112] **stuck it on an arrow,** וְהוֹשִׁיטוּהָ בְּעַד הַחַלּוֹן וּנְתָנוּהָ לְסַנְחֵרִיב — then **shot it through a window,** thus **giving it to Sennacherib.** מַה כָּתְבוּ בָהּ — **What did they write in [this letter]?** אָנוּ וְכָל בְּנֵי יִשְׂרָאֵל מְבַקְּשִׁים לְהַשְׁלִים לָךְ — **"We** (Shebna and Joah) **and all the Children of Israel wish to submit to you;** יְשַׁעְיָה וְחִזְקִיָּה אֵין מְבַקְּשִׁים לְהַשְׁלִים לָךְ — **Isaiah and Hezekiah,** however, **do not wish to submit to you."** וְהוּא שֶׁצָּפָה דָוִד בְּרוּחַ הַקֹּדֶשׁ וְאָמַר: "כִּי הִנֵּה הָרְשָׁעִים יִדְרְכוּן קֶשֶׁת", זֶה שֶׁבְנָא וְיוֹאָח — **And this** incident **is what King David had foreseen by way of Prophetic inspiration when he said,** ***For, behold, the wicked bend the bow*** (*Psalms* 11:2) — **this being** an allusion to **Shebna and Joah;** "כּוֹנְנוּ חִצָּם עַל יֶתֶר", עַל מִתְחֵי גִירָא — ***they ready their arrow on the string*** (ibid.) — **on the bowstring;**[113] "לִירוֹת בְּמוֹ אֹפֶל לְיִשְׁרֵי לֵב", לִשְׁנֵי יִשְׁרֵי לֵב — ***to shoot in the dark at the upright of heart*** (ibid.) — i.e., **at the two** men **whose heart is upright,** וְאֵיזֶה זֶה, זֶה יְשַׁעְיָה וְחִזְקִיָּה — **those being Isaiah and Hezekiah.**[114]

NOTES

100. That is to say, all his many preparations for a distinguished and elevated burial place in Jerusalem will be of no use for him, for it was already decided in Heaven (see *Maharzu*) that he would not be buried in the Land of Israel (*Eitz Yosef*).

101. Interpreting *gever* to mean "intense," from the root גבר, "to be powerful" (see *Mahari Kara* and *Radak* in *Isaiah* ad loc.).

102. R' Shmuel interprets *gever* to mean "rooster," a meaning that the word carries in later Hebrew (see *Yoma* 20a) (*Eitz Yosef, Rashash*).

103. Wrapping one's head up to the lip with a scarf is a sign of grief and mourning. Since the same root word עטה, *wrap*, is used in both verses, it indicates that Shebna was stricken with *tzaraas.*

104. You (Shebna) will be exiled many times, so that your situation will cause you to feel "wound up" and dazed, just like a turban that is wound around the head (*Eitz Yosef*).

105. And coming to rest (*Yefeh To'ar*).

106. A place in Babylonia, mentioned in *Ezra* 8:17 (*Radal;* see *Rashi* in *Isaiah* ad loc.).

107. The "chariots of honor" refer to exorbitant honors that Shebna used to take for himself, using his ill-gotten riches. The Midrash goes on to explain how he obtained these illegal funds.

108. Or from funds donated to pay for offerings (*Maharzu*).

109. Which were offered in his Master's house, the Temple (*Eitz Yosef*). Although אֲדֹנֶיךָ is in the plural form, this is not an unusual usage when referring to a single master (see *Genesis* 39:20, *Exodus* 21:4), especially God.

110. This interpretation takes the plural form of אֲדֹנֶיךָ more literally, as applying to two distinct masters (*Maharzu*).

111. A third party, mentioned in conjunction with Shebna and Hilkiah (*II Kings* 18:18ff; *Isaiah* 36:2ff). It is unclear what the source is for R' Berechyah's assertion that Joah joined Shebna in rebellion (see *Rashash* and *Radal*). *Eitz Yosef* suggests that the Sages had an oral tradition to this effect.

112. [The Midrash manuscripts have simply כָּתְבוּ אִגֶּרֶת — *they wrote a letter.*]

113. The Midrash clarifies the meaning of the obscure Hebrew word יֶתֶר (*bowstring*) by translating it into Aramaic.

114. Whom they sought to destroy with their arrows. For when Sennacherib would hear that it was these two alone who refused to capitulate, he would surely have them killed after conquering Jerusalem.

The Midrash's exposition of our passage and its application to Shebna does not end here, but continues later (in the middle of §6); indeed, *Yefeh To'ar* rearranges the various sections of this chapter so that the foregoing exposition is adjacent to the later piece.

רַבִּי שְׁמוּאֵל בְּשֵׁם מַר עוּקְבָן אָמַר: מִמָּרוֹם נֶחְצַב עָלָיו שֶׁלֹּא תִהְיֶה לוֹ קְבוּרָה בְּאֶרֶץ יִשְׂרָאֵל (שם) "חֹקְקִי בַסֶּלַע מִשְׁכָּן לוֹ" אָרוֹן, (שם שם יז) "הִנֵּה ה' מְטַלְטֶלְךָ טַלְטֵלָה גָּבֶר" טִלְטוּל אַחַר טִלְטוּל, אָמַר רַבִּי שְׁמוּאֵל בֶּן נַחְמָן: כְּהָדֵין תַּרְנְגוֹלָא דְּהוּא גָּלֵה וְאָזֵל מִן אֲתַר לַאֲתַר, (שם) "וְעֹטְךָ עָטֹה", שֶׁלָּקָה בְּצָרַעַת, כְּמָה דְתֵימָא (ויקרא יג, מה) "וְעַל שָׂפָם יַעְטֶה", (ישעיה שם יח) "צָנוֹף יִצְנָפְךָ צְנֵפָה", גָּלוּת בָּתַר גָּלוּת, (שם) "כַּדּוּר" מַה הַכַּדּוּר הַזֶּה שֶׁמִּתְלַקֵּט בַּיָּדַיִם וְאֵין מַגִּיעַ לָאָרֶץ כָּךְ הוּא, (שם) "אֶל אֶרֶץ רַחֲבַת יָדַיִם" זוֹ בַּסְפִיָא, (שם) "שָׁמָּה תָמוּת וְשָׁמָּה מַרְכְּבוֹת כְּבוֹדֶךָ", עַל דַּעְתֵּיהּ דְּרַבִּי אֶלְעָזָר דַּהֲוָה אָמַר כֹּהֵן גָּדוֹל הָיָה שֶׁהָיָה נֶהֱנֶה מִן הַקָּרְבָּנוֹת, עַל דַּעְתֵּיהּ דְּרַבִּי יְהוּדָה בְּרַבִּי דְּהוּא אָמַר אֲמַרְכָּל הָיָה שֶׁהָיָה נֶהֱנֶה מִן הַהֶקְדֵּשׁוֹת, (שם) "קְלוֹן בֵּית אֲדֹנֶיךָ", עַל דַּעְתֵּיהּ דְּרַבִּי אֶלְעָזָר שֶׁהָיָה כֹּהֵן גָּדוֹל שֶׁהָיָה מְבַזֶּה אֶת הַקָּרְבָּנוֹת, עַל דַּעְתֵּיהּ דְּרַבִּי יְהוּדָה בַּר רַבִּי שֶׁאָמַר אֲמַרְכָּל הָיָה שֶׁהָיָה מְבַזֶּה אֶת ב' אֲדוֹנָיו, וְאֵיזֶה זֶה, זֶה יְשַׁעְיָהוּ וְחִזְקִיָּהוּ, רַבִּי בֶּרֶכְיָה בְּשֵׁם רַבִּי אַבָּא בַּר כָּהֲנָא אָמַר: מֶה עָשׂוּ שֶׁבְנָא וְיוֹאָח, נָטְלוּ אִגֶּרֶת וּכְתָבוּהָ וְתִחֲבוּהָ בְּחֵץ וְהוֹשִׁיטוּהָ בְּעַד הַחַלּוֹן וּנְתָנוּהָ לְסַנְחֵרִיב, מַה כָּתְבוּ בָהּ: אָנוּ וְכָל בְּנֵי יִשְׂרָאֵל מְבַקְּשִׁים לְהַשְׁלִים לָךְ, יְשַׁעְיָה וְחִזְקִיָּה אֵין מְבַקְּשִׁים לְהַשְׁלִים לָךְ, וְהוּא שֶׁצָּפָה דָוִד בְּרוּחַ הַקֹּדֶשׁ וְאָמַר: (תהלים יא, ב) "כִּי הִנֵּה הָרְשָׁעִים יִדְרְכוּן קֶשֶׁת", זֶה שֶׁבְנָא וְיוֹאָח, (שם) "כּוֹנְנוּ חִצָּם עַל יֶתֶר", עַל מִתְחֵי גִירָא, (שם) "לִירוֹת בְּמוֹ אֹפֶל לְיִשְׁרֵי לֵב", לִשְׁנֵי יִשְׁרֵי לֵב, וְאֵיזֶה זֶה, זֶה יְשַׁעְיָה וְחִזְקִיָּה:

עץ יוסף

נחצב עליו שלא כו'. והכי קאמר קרא, שאף על פי שחוקקי בסלע משכן לקבורתו, לא מהני ליה שממרום נגזר שלא יקבר בארץ ישראל, ואף על גב דמשמע מזה דבמקום אחר מיהת ניתן לקבורה, ולקמן בסמוך קאמר תאכלנו אש, יש לומר שלא נשרף גופו לגמרי, או שלקה עם מחנה סנחריב שמתו בשרפת נשמה וגוף קיים, כדאיתא בשמות רבה (יח, ה): **חוקקי בסלע משכן לו ארון.** שחקק באבן הסלע כמו ארון שישכיבוהו בתוכו כדרך המלכים והיינו משכן לו, דאי על הקבורה קאמר, אמאי שני ולא קאמר קברו כדרישה: **כהדין תרנגולא.** מפרש גבר תרנגול, כמו בקריאת הגבר דפרק קמא דיומא (כ, א) (יפה תואר), והוזקק לזה, דאם לא כן מאי טלטלה גבר: **גלות בתר גלות.** פירוש הרד"ק יסבב אותך ויהפך סביב כמו מנפת, וזהו שאמר גלות אחר גלות, ואתא קרא זה להוסיף על קרא מטלטלך טלטלה גבר לומר שאפילו שילקה בצרעת לא יכופר לו אלא עדיין יהיה גולה: **מה הכדור הזה.** שקורין פילקע בלשון לע"ז, המשחקים בו קולטין אותו מהאויר כשזורקין אותו ואין מניחין אותו שיפול לארץ, ואף על גב דלא כתיב כבדור, חסר כ"ף השימוש מפני כבדות הלשון לבטא ב' כפי"ן יחד, ועיין עוד בתוספות פרק דיני ממונות (עיין סנהדרין כו, א תוספות ד"ה כדור): **זו בסיפיא.** אפשר הוא כספיא המקום המוזכר בעזרא (ח, יז), בכספיא המקום, ולזה נתכוון רש"י בפירוש ישעיה עיין שם: **על דעתיה דרבי אלעזר כו'. על דעתיה דרבי יהודה כו'.** שמפרשים מרכבות כבודך היינו מה שהיה נהנה ומרבה כבודו, ופירוש ושמה מרכבות כבודך וגו', כי שם יפרע חטאו בהגאתו ובזיונו: **קלון בית אדוניך כו' על דעתיה דרבי יהודה כו'.** מפרשים קלון בית אדוניך היינו מה שהיה מבזה: **והושיטוה.** על ידי זריקה: **מתחי דגירא.** פירוש חבל שהוא מותח החץ כדי שיזרק בחזקה, ומה שאמר המדרש שיואח היה גם כן בקשר הרע עם שבנא, אפשר שקבלה היה כן בידם: **לשני ישרי לב.** שעל ידי זה בקש להמיתם, שכשידע סנחריב ששני אלו לבדם העומדים כנגדו יכעוס ולא ירחם עליהם כשיכבוש העיר:

פירוש מהרז"ו

ממרום נחצב עליו. כי פתח ממרום פירוש בשמים, כמו שכתוב (תהלים קמח, א) הללוהו במרומים, מרום וקדוש (ישעיה נז, טו), ולדקדק עד מרום (תהלים עה, ט), על כן דורש חוצבי מרום, שנחצב ונגזר ממרום על קברו: **טלטול אחר טלטול.** וזהו מטלטלך טלטלה, על פי מדה יו"ד, שהגלהו סנחריב כמו שמבואר בגמרא שם: **ועל שפם יעטה.** וריש דקרא, והצרוע אשר בו הנגע וגו': **גלות בתר גלות.** תחלה אמר טלטלה גבר, טלטול אחר טלטול, היינו כשהוא במקום אחד באין מנוח, כי אם מבית לבית ומחצר לחצר, כמו התרנגול, ואחר כך אמר צנוף וגו' גלות אחר גלות ממדינה למדינה: **שמתלקט ביד.** שדרך הכדור שקורין פילקעס שמשחקים בו הנערים, שזורקים אותו בכותל וחוזר מהכותל ומקבלין אותו ביד, עד שלא יפול לארץ, וזורקים אותו עוד הפעם, וכן הרבה פעמים זה אחר זה, וכן הוא עד שלא יגיע לאיזה מקום מנוחה, יגלוהו למקום אחר: **שמה מרכבות כבודך.** משמע ששם יהיה לו מרכבות כבוד, אחר שימות, ועל כן דורש ששם ישיג עונשו של מרכבות כבוד, שעשה לו ממעות של הקרבנות, או מממון ההקדשות שהכהן גדול ממונה על הקרבנות, והאמרכל על קדשי בדק הבית. ועיין לקמן (יז, ג) שעל כן לקה בצרעת ומה שכתוב (ישעיה כב, יח) קלון בית אדוניך, על השם יתברך היינו בית ה': **ישעיה וחזקיה.** וזהו אדוניך, לשון רבים שנים: **שבנא ויואח.** כמו שמבואר בסנהדרין (כו, א) מפסוק לא תאמרו קשר לכל אשר יאמרו העם הזה קשר: **שבנא ויואח.** וצריך עיון, ומנין לו על יואח. ויתכן שהוכיח ממה שכתוב (מלכים ב, יט, ב) וישלח את אליקים אשר על הבית ושבנה הסופר, וכאן לא נזכר יואח, וסוברים שמה שכתב שבנה הסופר, אינו שבנה הנ"ל שהיה על הבית, ולא שלחו חזקיהו לא לעבדי אשור, ולא אחר כך אל ישעיהו, כי מרד בחזקיהו, ונהפך להיות עם עבדי מלך אשור, וכן יואח תחלה היה עם חזקיהו, ואחר ששלחו אל עבדי מלך אשור נהפך להיות עם שבנא, ועל כן לא נזכר כששלח אל ישעיהו רק את אליקים ושבנא הסופר, שהיו באמונה עם חזקיהו, וברוך השם יתברך אשר האיר עיני בזה: **ותחבוהו בחץ.** שלא יבינו בקשר שלהם שיאמר שהם זורקים חצים על אויביהם: **כי הנה הרשעים.** עיין בסנהדרין שם, והובא כל דרשה זו לכאן, לפרש מה שכתב (ויקרא ד, ג) ואם הכהן המשיח יחטא, רומז על שבנא, ואגב זה הובא כל הדרשה לכאן:

חידושי הרד"ל

זו בספיא. המוזכר (בעזרא ח' פסוק יז) בכספיא המקום, (ולזה נתכוון רש"י בפירוש ישעיה גם כן):

חידושי הרש"ש

הנה ה' מטלטלך טלטלה גבר וכו' אמר ר' שמואל בן נחמן כהדין תרנגולא. דגבר הוא תרנגול כדאיתא ביומא סוף פרק קמא (כ, ב): **מה הכדור הזה שמתלקט בידים וכו'.** נראה דהיינו כדרך שהתינוקות משחקין, שמשליכין כדור בכותל וחוזרין וקולטין אותו בידיהם מן האויר טרם נפילתו לארץ, וכן היה עונשו של שבנא דנקבוהו בעקביו ותלאוהו בזנבי סוסיהם והיו מגררין אותו כו' כדאיתא בפרק זה בורר (סנהדרין כו, ב): **אל ארץ רחבת ידים זו בסיפא.** יתכן שהוא כספיא המקום שמוזכר (בעזרא ח, יז): **מה עשו שבנא ויואח כו'.** לא ידעתי מאין למדו שיואח היה גם כן בקשר עם שבנא, ואם מפני שזכרו הכתוב יחד עם שבנא (מלכים ב, יח. ישעיה לו, יא), מה נעשה לדעת הר"י בתוספות (שבת יב, ב) דזהו שבנא אחר, ועוד דגם אליקים נזכר שם יחד עמם, אשר קראהו הנביא בשם עבדי, בכל הפרשה (ישעיה כב) ובגמרא סנהדרין (כו, א) לא נזכר יואח. ואולי קבלה היתה בידם, ויש לי סמך טוב במה שחדל חזקיהו לשלחו אל ישעיהו עם אליקים ושבנא (מלכים ב, יט, ב. ישעיה לז, ב):

אמרי יושר

שהיה נהנה מן הקרבנות. זהו קלון בית אדוניך:

אם למקרא

הִנֵּה ה' מְטַלְטֶלְךָ טַלְטֵלָה גָּבֶר וְעֹטְךָ עָטֹה: (שם שם יז)

וְהַצָּרוּעַ אֲשֶׁר־בּוֹ הַנֶּגַע בְּגָדָיו יִהְיוּ פְרֻמִים וְרֹאשׁוֹ יִהְיֶה פָרוּעַ וְעַל־שָׂפָם יַעְטֶה וְטָמֵא טָמֵא יִקְרָא: (ויקרא יג:מה)

צָנוֹף יִצְנָפְךָ צְנֵפָה כַּדּוּר אֶל־אֶרֶץ רַחֲבַת יָדָיִם שָׁמָּה תָמוּת וְשָׁמָּה מַרְכְּבוֹת כְּבוֹדֶךָ קְלוֹן בֵּית אֲדֹנֶיךָ: (ישעיה כב:יח)

כִּי הִנֵּה הָרְשָׁעִים יִדְרְכוּן קֶשֶׁת כּוֹנְנוּ חִצָּם עַל־יֶתֶר לִירוֹת בְּמוֹ־אֹפֶל לְיִשְׁרֵי־לֵב: (תהלים יא:ב)

ידי משה

[ה] **הכדור.** זה שקורין בלשון אחרת בלי"ן, ששוחקים בו, שמשליכין הכדור בארץ שאין שם גדר או דבר המעכב והוא מתגלגל והולך, כן יטלטלך הקב"ה חוץ לירושלים. כך פירש בעל אילה שלוחה: **זה בספיא.** מקום הוא וכך שמו:

מתנות כהונה

גלות בתר גלות. פירוש הרד"ק יסבב אותך ויהפך סביב סביב כמו מנפת, וזהו שאמר גלות, וכך מצאתי במדרש ישעיה, ונשמט כאן בטעות סופר, והכי גרסינן אמרכל היה, שהיה נהנה מן ההקדשות, קלון בית אדוניך, על דעתיה דרבי אלעזר שהיה כהן גדול שהיה מבזה את הקרבנות. על דעתיה דרבי יהודה ברבי שאמר אמרכל היה, שהיה מבזה שתי אדוניו: **שמה מרכבות וכו'.** שמה תמלא שכר פעולתיך של מרכבות כבודך שמעלת בו, למר כדאית ליה ולמר כדאית ליה: **והושיטוה.** כלומר על ידי זריקה. והכי איתא בהדיא בפרק זה בורר (סנהדרין כו, א): **מתחי גירא.** פירוש חבל שהוא מותח החץ, כדי שיזרק בחזקה, ולכן קורהו מתחי גירא:

אשד הנחלים

ממרום נחצב כו'. ובאורו מה לך פה כי חצבת לך פה קברך, הלא חוצבי מרום קברו, כי שם נחצב לך שלא תקבר כאן: **כהדין תרנגולא.** וזהו טלטלה גבר מלשון תרנגולת, וכמאמרם ביומא (כ, א) קריאת הגבר זהו קריאת התרנגול: **שמתלקט בידים כו'.** פירוש שזהו הכדור ששוחקין בו, שמשליכין הכדור בארץ שאין שם גדר או דבר המעכב, ולכן הוא מתגלגל והולך תמיד, כן יגלה גולה אחר גולה בלי מנוחה מאומה. ופירוש מתלקט בידים אין לו מובן כל כך: **מבזה את הקרבנות.** וזהו הקלון של בית ה': **והוא שצפה דוד ברוח הקדש.**

§6 [אִם הַכֹּהֵן הַמָּשִׁיחַ יֶחֱטָא — *IF THE ANOINTED KOHEN WILL SIN.*]

Once again (see above, §4), the Midrash addresses the question of why the Torah lists the atonement for the Anointed Kohen's sin (4:3-12) before that of the entire congregation's sin (4:13-21): דָּבָר אַחֵר, "אִם הַכֹּהֵן הַמָּשִׁיחַ יֶחֱטָא" — **Another explanation** of the verse, ***If the anointed Kohen will sin,*** *by the guilt of the people* (4:3): הַכֹּהֵן מָשִׁיחַ מְכַפֵּר וְצָרִיךְ כַּפָּרָה — **The Anointed Kohen** (Kohen Gadol) **effects atonement** for others through his sacrificial service that he performs for them, **and** he himself **requires atonement** when he sins, תָּנֵי רַבִּי חִיָּיא: הוֹאִיל וּמָשִׁיחַ מְכַפֵּר וְצִיבּוּר מִתְכַּפֵּר — and, as **R' Chiya taught** in a Baraisa:[115] **Since the anointed** Kohen **is the atoner,**[116] **and the congregation is the party being atoned for,** מוּטָב שֶׁיִּקְדּוֹם מְכַפֵּר לְמִתְכַּפֵּר — **it is best that** the offering of **the atoner precede** the offering of **the party being atoned for,** שֶׁנֶּאֱמַר "וְכִפֶּר בַּעֲדוֹ וּבְעַד בֵּיתוֹ וּבְעַד כָּל קְהַל יִשְׂרָאֵל" — **as it is stated,** ***he shall provide atonement for himself, for his household, and for the entire congregation of Israel*** (below, 16:17).[117]

דָּבָר אַחֵר, "אִם הַכֹּהֵן הַמָּשִׁיחַ יֶחֱטָא" — Yet **another comment** on the verse, ***If the anointed Kohen will sin, bringing guilt upon the people:*** וְכֹהֵן הַמָּשִׁיחַ חוֹטֵא — **Now, does an Anointed Kohen sin?**[118] אָמַר רַבִּי לֵוִי: עֲלוּבָה הִיא מְדִינְתָּא דְּאַסְיָא פּוֹדַגְרִיס — **R' Levi said: Hapless is the city whose physician suffers from gout,**[119] וּדְאִיקוּטַטָא בַּחֲדָא עֵינָא — **and whose lookout**[120] **has only one eye,** וְסָנֵיגוֹרְיָא מְקַטְרֵג בְּדִינֵי נְפָשׁוֹת — **and whose** public **defender acts as an accuser in capital cases!**[121]

☐ לְאַשְׁמַת הָעָם — *IF THE ANOINTED KOHEN WILL SIN, BY THE* ***GUILT OF THE PEOPLE.***

The Midrash presents a homiletical interpretation of this phrase, returning to the exposition above in which the "sinning Kohen Gadol" is identified as Shebna:

לְאֵשׁ מֵת הָעָם — The words "by the guilt (*ashmas*) of the people" can be interpreted to mean **"by fire he dies** (*eish meis*) **for the people."** מָשָׁל לְשׁוֹשְׁטָה שֶׁל דּוֹב שֶׁהָיָה אוֹכֵל סְדוּרִים שֶׁל דּוֹב — **This can be likened to the keeper of a bear who was** found **eating the bear's provisions.** אָמַר הַמֶּלֶךְ: הוֹאִיל וְהוּא אוֹכֵל סְדוּרִים שֶׁל דּוֹב תֹּאכְלֶנּוּ הַדּוֹב — When **the king** heard of this, he pronounced punishment and **said, "Since he eats the bear's provisions, let the bear eat him!"** כָּךְ אָמַר הַקָּדוֹשׁ בָּרוּךְ הוּא: הוֹאִיל וְהוּא נֶהֱנֶה מִן הַקָּרְבָּנוֹת תֹּאכְלֶנּוּ הָאֵשׁ — **Similarly, the Holy One, blessed is He, said** of Shebna,[122] the sinning Kohen Gadol of our verse,[123] **"Since he derives** personal **benefit from the offerings,** which were meant for the flames of the Altar, **let fire consume him!"**[124]

The Midrash cites a related incident:

אָמַר רַבִּי אֵייבוּ — **R' Eivu said:** מַעֲשֶׂה בְּטַבָּח אֶחָד בְּצִיפּוֹרִי שֶׁהָיָה מַאֲכִיל אֶת יִשְׂרָאֵל נְבֵילוֹת וּטְרֵפוֹת — **There was once a certain butcher in Sepphoris who used to give** (i.e., sell) **carrion**[125] **and** ***tereifah*** meat[126] **to Jews,** both of which are prohibited for consumption. פַּעַם אַחַת עֶרֶב יוֹם הַכִּיפּוּרִים אָכַל וְשָׁתָה וְנִשְׁתַּכֵּר וְעָלָה לְרֹאשׁ הַגַּג וְנָפַל וָמֵת — **Once, on the eve of the Day of Atonement, he ate and drank, got drunk, went up to the top of the roof, fell off, and died.** הִתְחִילוּ הַכְּלָבִים מְלַקְקִין אֶת דָּמוֹ — Thereupon **the dogs began licking his blood.** אֲתוֹן וְשָׁיְילוּן לְרַבִּי חֲנִינָא: מַהוּ לְאַעֲבָרָא יָתֵיהּ מִן קֳדָמֵיהוֹן — **[People] came and asked of R' Chanina, "What is [the law] regarding removing [the corpse] from before [the dogs]** to prevent them from degrading it further?"[127] אָמַר לְהוֹן: כְּתִיב "וְאַנְשֵׁי קֹדֶשׁ תִּהְיוּן לִי וּבָשָׂר בַּשָּׂדֶה טְרֵפָה לֹא תֹאכֵלוּ לַכֶּלֶב תַּשְׁלִכוּן אֹתוֹ" — **He responded to them, "It is written,** ***People of holiness shall you be to Me; you shall not eat flesh of an animal that was torn in the field; to the dog shall you throw it*** (*Exodus* 22:30). זֶה שֶׁהָיָה גּוֹזֵל אֶת הַכְּלָבִים וּמַאֲכִיל אֶת יִשְׂרָאֵל נְבֵילוֹת וּטְרֵיפוֹת — Hence, since **this man stole from the dogs** their due **and fed carrion and** ***tereifah*** meat **to the Jews,** אַרְפּוּן לְהוֹן, מִדִּידְהוֹן אִינוּן אָכְלִין — therefore, **leave [the dogs] alone, for they are consuming that which is** rightfully **theirs."**

NOTES

115. This Baraisa (without the explicit attribution to R' Chiya) is found in *Tosefta* (*Horayos* 2:4 and *Zevachim* 10:1), and is quoted in the Gemara (*Horayos* 13a). The case in the Baraisa is that a bull of the Anointed Kohen and a "bull of the entire congregation" are presented in the Temple at the same time, and the question arises as to which one should be offered up first.

116. I.e., he is the one who generally effects atonement for others through the sacrificial service.

117. The context of this verse is the sacrificial service of Yom Kippur. The Kohen first confesses and atones for his own sins, and, thus cleansed of guilt, goes on to atone for the Kohanim at large, and then for the congregation of Israel as a whole. The principle R' Chiya derives from this verse is that whenever possible, the Kohen should atone for his own sins before atoning for others; hence when a bull of the Anointed Kohen and a "bull of the entire congregation" are presented at the same time, the Kohen's offering is given precedence. This also explains why the Torah describes the Kohen's offering in our passage before all the others.

118. As the supreme spiritual leader of the people, we would expect him to be free of sin. [Although the sin for which the Kohen Gadol is obligated to bring his offering was done unintentionally, nevertheless, considering his position as God's special emissary he should have been more careful not to come to sin (*Eitz Yosef*).]

119. It is indeed an unfortunate situation for the people as a whole when their Anointed Kohen sins, as this analogy and the following ones illustrate.

120. *Yefeh To'ar, Eitz Yosef,* etc.; *Matnos Kehunah* translates "eye doctor."

121. In all three of these illustrations, the individual in whom the people had placed their trust turns out to be ineffective and untrustworthy, and the population as a whole suffers as a result. Similarly, when the Kohen Gadol sins he in effect shows himself to be an inefficient source of spiritual guidance for the people as a whole. *Yefeh To'ar* explains that when a generation or community is sinful and worthy of punishment, He arranges for its leaders to be ineffectual so that the people suffer as a result of his poor leadership. Similarly, if the Kohen Gadol sins, it is a sign that the generation has been found unworthy by God. This, *Yefeh To'ar* concludes, is how the Midrash here is interpreting the phrase לְאַשְׁמַת הָעָם: When the Anointed Kohen sins, it *because of the guilt of the people.* [See also *Rashi* on this verse, beginning ופשוטו לפי אגדה; our Midrash here is given by many as the source for *Rashi's* comment.]

122. [Shebna's name is mentioned here explicitly in the manuscript versions of the Midrash and in *Yalkut Shimoni*.]

123. As established above (§5) according to one opinion.

124. According to this homiletical interpretation, the verse is not speaking of the Kohen Gadol who errs unintentionally and is obligated to bring a bull as an offering. Rather, it refers to Shebna the Kohen Gadol, who sinned by making illicit use of the offerings, and whose sin and subsequent punishment is alluded to in our verse.

125. Any meat that comes from an animal that was not slaughtered according to halachah is termed "carrion."

126. Meat from an animal with a wound rendering it unfit for consumption according to halachah.

127. On Yom Kippur the laws of *muktzeh* apply, and it is forbidden to move a corpse. The people asked if this Rabbinic law could be waived given the extenuating circumstances [as in a similar case discussed in *Shabbos* 43b-44a] (see *Eitz Yosef*).

ו דָּבָר אַחֵר, [ד, ג] "אִם הַכֹּהֵן הַמָּשִׁיחַ יֶחֱטָא", הַכֹּהֵן מָשִׁיחַ מְכַפֵּר וְצָרִיךְ כַּפָּרָה, תָּנֵי רַבִּי חִיָּיא: הוֹאִיל וּמָשִׁיחַ מְכַפֵּר וְצִיבּוּר מִתְכַּפֵּר, מוּטָב שֶׁיַּקְדִּים מְכַפֵּר לְמִתְכַּפֵּר, דִּתְנַן: (ויקרא טז, ו) "וְכִפֶּר בַּעֲדוֹ וּבְעַד בֵּיתוֹ", "בֵּיתוֹ" זוֹ אִשְׁתּוֹ (יומא א, א). **דָּבָר אַחֵר,** [ד, ג] "אִם הַכֹּהֵן הַמָּשִׁיחַ יֶחֱטָא", וְכֹהֵן הַמָּשִׁיחַ חוֹטֵא, אָמַר רַבִּי לֵוִי: עֲלוּבָה הִיא מְדִינְתָּא דְאַסְיָא פּוֹדַגְרִיס, וְדַאִיקוּטְטָא בְּחַדָא עֵינָא, וְסָנֵיגוֹרְיָא מְקַטְרֵג בְּדִינֵי נְפָשׁוֹת. [ד, ג] "לְאַשְׁמַת הָעָם", *לְאֵשׁ מֵת הָעָם, מָשָׁל לְשׁוֹשְׁטָה שֶׁל דּוֹב שֶׁהָיָה אוֹכֵל סְדוּרִים שֶׁל דּוֹב, אָמַר הַמֶּלֶךְ: הוֹאִיל וְהוּא אוֹכֵל סְדוּרִים שֶׁל דּוֹב תֹּאכְלֶנּוּ הַדּוֹב, כָּךְ אָמַר הַקָּדוֹשׁ בָּרוּךְ הוּא: הוֹאִיל וְהוּא נֶהֱנֶה מִן הַהֶקְדֵּשׁוֹת תֹּאכְלֶנּוּ הָאֵשׁ, אָמַר רַבִּי אַיְיבוּ: מַעֲשֶׂה בְּטַבָּח אֶחָד בְּצִיפּוֹרִי שֶׁהָיָה מַאֲכִיל אֶת יִשְׂרָאֵל נְבֵילוֹת וּטְרֵיפוֹת, פַּעַם אַחַת עֶרֶב יוֹם הַכִּיפּוּרִים אָכַל וְשָׁתָה וְנִשְׁתַּכֵּר וְעָלָה לְרֹאשׁ הַגַּג וְנָפַל וָמֵת, *הִתְחִילוּ הַכְּלָבִים מְלַקְקִין אֶת דָּמוֹ, אֲתוֹן וְשָׁיְילוּן לְרַבִּי חֲנִינָא: מַהוּ לְאַעֲבָרָא יָתֵיהּ מִן קֳדָמֵיהוֹן, אֲמַר לְהוֹן: כְּתִיב (שמות כב, ל) "וְאַנְשֵׁי קֹדֶשׁ תִּהְיוּן לִי וּבָשָׂר בַּשָּׂדֶה טְרֵפָה לֹא תֹאכֵלוּ לַכֶּלֶב תַּשְׁלִכוּן אֹתוֹ", זֶה שֶׁהָיָה גּוֹזֵל אֶת הַכְּלָבִים וּמַאֲכִיל אֶת יִשְׂרָאֵל נְבֵילוֹת וּטְרֵיפוֹת, אַרְפּוּן לְהוֹן, מִדִּידְהוֹן אִינּוּן אָכְלִין.

(ו) **כהן משיח מכפר כו'.** אתא למימר טעמא למה הוקדמה פרשת כהן משיח לפרשת צבור, וקאמר טעמיה משום דכהן משיח מכפר וצריך כפרה, ולכן ראוי הוא להקדימו כמו שבמעשה פרו קודם לשל צבור מהאי טעמא, כדתני רבי חייא הואיל ומשיח מכפר וצבור מתכפר וכו': **וכהן המשיח חוטא.** בתמיה, דאף על גב דבשוגג קמיירי מכיון דכהן גדול קדוש לה' מחוייב להזהר טפי ולא ישגה: **עלובא מדינתא.** פירוש עניה (מעריך). והמתנות כהונה פירש אלופה היא העיר וחרפה היא שרופאה שלה חולי בפודגרא, והוא חולי בגידי הרגלים או בידים לא יוכלו להרפא. והכוונה שהיות הכהן גדול חוטא סיבתו חטאת הדור, שהיות רע למדינה כשמנהיג הדור חוטא, ולכן כשהדור חוטא מעמיד ה' לו פרנס שאינו הגון כדי שיטעו אחריו אנשי הדור. ורבי לוי דריש לאשמת העם, שמפני חטאת העם היה להם כהן גדול חוטא: **ודאיקוטטא כו'.** פירוש שהאלופה אין לו רק עין אחת, ועל ידי שהוא חולה בעיניו לא יוכל להביט במלפה כראוי (מעריך): **וסנגוריא כו'.** פירוש שהסניגור נעשה קטיגור בדיני נפשות, וכל אלו משל אל היזק הדור כשפרנס מקולקל במעשיהו: **לאשמת העם לאש מת העם.** דריש לאשמת שני מלות, ועל שבנא קאמר שימות באש עם סנחריב כדפירשתי לעיל: **לשושטה.** פירוש משל למנהיג של דוב. **שהיה אוכל סדורים של דוב** פירוש מזונותיו, תרגום ערך לחם (שמות מ, כג) סדרין דלחם (מעריך ערך סדר): **הואיל והוא נהנה מן הקרבנות.** כן צריך לומר. דהשתא קמפרש הכהן המשיח יחטא בשבנא, וזהו שקאמר שתאכלנו האש מפני שנהנה מן הקרבנות הניתנים על האש: **אתון ושיילין כו'.** באו ושאלו אם מותר להעבירו מלפניהם, שיום הכפורים היה, ונסתפקו להם שאף שהלכתא כמאן דשרי בפרק כירה (שבת מג, ב) להציל את המת מפני הדליקה, אפשר דוקא טלטול מן הצד אבל לא טלטול גמור, השיב ר' חנינא שאין לדחות שום איסור יום הכפורים מפני הכלבים בנדון זה כיון דמדידהו אכלי, ועיין בהגהות אשרי פרק ו דחולין (סימן יג): **גוזל את הכלבים.** שהרי הטריפה בשכרן ניתנה להם משום ולכל בני ישראל לא יחרץ כלב לשונו, כדשנו במכילתא (משפטים מסכתא דכספא פרשה כ): **ארפון להון כו'.** הניחו לכלבים שמשלהם אוכלים. ארפון לשון הרף ממני:

(ו) **דתנן** וכן הוא בילקוט דתנן, וצריך עיון, ויותר נראה דצריך לומר דכתיב וכפר בעדו ובעד ביתו ובעד כל קהל ישראל, תחלה עליו, ואחר כך על ביתו, ואחר כך על כל קהל ישראל, והדרשה הוא מפשט הכתוב: **ודיאקטוטה.** במוסף ערוך גורס, ודיאקטטסוס, ופירושו מורה דרך שהוא בעין אחת, שאינו יכול להורות בשלימות אלא לצד אחד: **לאש מת העם.** שהיה לו לומר לחטאת העם, על כן דורש לאשמת נוטריקון לאש מת העם, שחטא הכהן בוער בעם כאש ומתים על ידו: **וסנגוריא מקטרג.** הכהן שצריך להיות סניגור, והוא בעצמו מקטרג בחטאיו והורג אותם: **לשושטא.** פירש במוסף הערוך מי שרגיל ליתן מאכל לאחרים ולאכול עמו יחד, וכאן מדבר במי שממונה להאכיל דובים של המלך, שהיה גונב מאכלו וגזר המלך להאכילו לדוב, ובא לפרש מה שכתב לאש מת, שהכהן המשיח הממונה על קרבנות הציבור, כמו שכתב בסימן הקודם, וזהו יחטא לאש, שגוזל אשי ה' של העם, על כן עונשו, על פי מדת מגנד, שתאכלנו האש, שכתוב יחטא ולא פירש איזה חטא ומה ענשו, ועל פי נוטריקון ומדת מגנד ודרך קלרה, הרי מפורש החטא והעונש יחטא לאשמת, על ידי האש:

מתנות כהונה

[ו] **וכהן המשיח חוטא.** בתמיה: **עלובה מדינתא.** אלופה היא העיר וחרפה היא לה, שרופאה שלה חולה בפודגרא, והוא חולי בגידי הרגלים או בידים, לא יוכל להרפא: **הכי גרסינן בילקוט ודיקוטטא כו'.** אומן החוטט עורון העין, שקורין בלשון אשכנז שטאר, והוא עצמו עור בעין אחת, והוא מלשון נקטה (איוב י, א) ואתקוטטה (תהלים קיט, קנח), שפירש הרד"ק לשון כריתה. או קוטט היא כמו חוטט, כמה דאת אמר (סוכה פ"א מ"ח טו, א) החוטט בגדיש: **לשושטה.** פירוש לפי הענין מנהיג הדוב הממונה לפרנסו, כמו שקורין למנהיג ספינה משוט, כמה דאת אמר (יחזקאל כז, ו) משוטיך וחובליך: **הואיל והוא.** רצה לומר שבנא, הכי גרסינן בילקוט בהדיא: **תאכלנו האש.** דרש לאשמת, נוטריקון לאש מת: **בערב יום כפורים כו'.** כל זה בירושלמי פ"ח דמסכת תרומות (ה"ג), והתם גרס בערב שבת, אבל במסכת עבודה זרה בפרק אין מעמידין (פ"ב ה"ג) גרס גם כן בערב יום כיפורים: **אתו ושיילין כו'.** באו ושאלו אם מותר להעבירם מלפניהם ביום הכיפורים: **ארפון להו כו'.** הניחו לכלבים שמשלהם אוכלים: **ארפין.** לשון הרף ממני:

אשד הנחלים

מלת צפיה הונח על מי שצופה הדבר מרחוק, מה שאין זה נגד עיניו ממש, וגם הוא רק כצפייה בעלמא שאינו מכוון לזה ממש, ולא כן הראיה מכונה על מי שרואה ממש, ולהיות כי באמת דוד אמר זאת על אנשי דורו, אך ממילא כיוון ברוח קדשו על שבנא ויואח, לכן אמר מלת צפיה: [ו] **הכהן המשיח מכפר וצריך כפרה.** בלשון בתמיה, אלא צריך לומר על כרחך שגם הוא חטא, ובשביל זה **תני ר' חייא הואיל כו' מוטב שיקדים מכפר למתכפר** בכדי שיקובל קרבן העם על ידו (ידי משה), וכן בכהן גדול תחילה בעדו, ואחר כך בעד ביתו: **דאסיא פודגריס כו'.** הביא שלשה משלים, על שלש בחינות שונות. הרופא אף שיודע הרפואה אך אינו יכול ללכת לרפאות, אם כן לא יועיל ידיעתו, כן החכם היודע, אם אינו הולך בדרך חכמתו וחוטא, לא יועיל לו. השני, הרופא המעביר סמיות עינים, אם הוא בעצמו עִוֵּר לא יוכל לראות ולדעת החולי, כן החכם החוטא מסיבת שאינו יודע בעצמו החטא, לא יוכל לראות חטא חבירו, אחר שהוא בעצמו נגוע בחטא. השלישי, הסניגור צריך להיות איש רך הלבב בטבע, אשר מזה יחפש זכות לזכות את חבירו, אך אם הוא מקטרג בטבע, אם כן מלבד שלא יועיל במה שהוקם לסניגור, כי אם נהפוך הוא יהפך הזכות לחובה, כן החכם הנשיא שהוקם להיות סניגור לישראל לכפר עוונם, אם הוא בעצמו חוטא, אז הוא נעשה קטיגור על עוונות בני ישראל, ובעת שמביא קרבנם, יזכר חס ושלום עוונם, ולכן נאמר לאשמת העם, אצלו: **לשושטה של דוב כו'.** כלומר המנהיג הדוב ומכין ומסדר מאכלו, ואחר כך אוכל בעצמו ואינו נותן לדוב, ואם כן עונשו אחר שמנע ממנו מאכלו, שיותן הוא לפני הדוב, כן הכהן המשיח ההוקם על להיות מסדר הקרבנות למזבח, והוא נהנה מהם ומועל בהם, עונשו שתאכלנו האש, ודרש לאשמת, אש מת, כן פירש המתנות כהונה. ויתכן עוד שלכן אמר כאן לאשמת העם, כלומר על ידי

חידושי הרד"ל

[ו] **ארפון להון מדידהון כו'.** עיין מתנות כהונה, ובהגהות אשר"י (פ"ז דחולין סימן יג) כתב אף בחול אין מתעסקין בקבורתו אפילו הכלבים אוכלים בו:

באור מהרי"פ

[ו] **בעדו וכו'.** פירוש בתחלה בעדו מפני שהוא מכפר ואחר כך בעד ביתו מפני שהוא מתכפר: **לשושיטא.** ר' בנימין מוספיא (ערוך ערך שושיטא) פירש, מי שרגיל ליתן מאכל לפני אחד ואוכל עמו ביחד:

אמרי יושר

[ו] **[ודאיקוטטא] ודחזי קושטא.** רואה האמת ולדק המאזנים, עלוב הוא, גם הוא עיור באחד מעיניו: **לשושטה של דוב.** פירוש המנהיג הדוב ומושיטו ממקום למקום, שאוכל ענבי הדוב שהוא מזונו, גזר המלך יחזור הוא מזונו של דוב, כן שבנא אכל הקדש, מזון האש, הוא יהיה מזון לאש, תאכלהו אש, והיינו לאשמת לאש מת, יותן לאש: **לכלב תשליכון אותו.** מוסב על האוכל טריפה:

שינוי נוסחאות

(ו) **תני רבי חייא: הואיל ומשיח מכפר ... דתנן וכפר בעדו ובעד ביתו, ביתו זו אשתו.** ברייתא זו נמצאת בתוספתא הוריות וגם זבחים, וגם הובאה בגמ' הוריות יג,א (בלי שם של ר' חייא), ושם בסופו במקום "דתנן וכו'" איתא <שנאמר "וכפר בעדו ובעד ביתו ובעד כל קהל ישראל">, וכן מסתבר, וכן הגיה כאן מהרז"ו (אכן ביפ"ת האריך לפרש הגרסא שלנו): **הואיל והוא נהנה מן ההקדשות תאכלנו האש.** יפ"ת מגיה "הקרבנות" תחת "ההקדשות" דהא קאי כאן אליבא דמ"ד כהן גדול היה שבנא:

מסורת המדרש

ו. ירושלמי פ"ג דהוריות:
ז. שבת קיח. גיטין ל"ב. תוספתא סוטה פ"ז:

אם למקרא

וְהִקְרִיב אַהֲרֹן אֶת פַּר הַחַטָּאת אֲשֶׁר לוֹ וְכִפֶּר בַּעֲדוֹ וּבְעַד בֵּיתוֹ: (ויקרא טז:ו)
וְאַנְשֵׁי־קֹדֶשׁ תִּהְיוּן לִי וּבָשָׂר בַּשָּׂדֶה טְרֵפָה לֹא תֹאכֵלוּ לַכֶּלֶב תַּשְׁלִכוּן אֹתוֹ: (שמות כב:ל)

ענף יוסף

(ו) **אמר ר' לוי עלובה היא מדינתא כו'.** הביא שלשה משלים על שלשה בחינות שונות, הרופא אף שיודע הרפואה אך אינו יכול ללכת לרפאות, אם כן לא יועיל ידיעתו, כן החכם היודע אם אינו הולך בדרך חכמתו וחוטא לא יועיל לו. השנית, הרופא המעביר סמיות עינים, אם הוא בעצמו עור, לא יוכל לראות ולדעת החולי, כן החכם החוטא מסבת שאינו יודע בעצמו החטא, אינו יוכל לראות חטא חבירו, אחר שהוא בעצמו נגוע בחטא. השלישית, הסניגור צריך להיות איש רך הלבב בטבע, אשר מזה יחפש זכות לזכות את חבירו, אך אם הוא מקטרג בטבע אם כן מלבד שלא יועיל במה שהוקם לסניגור, כי אם נהפוך הוא יהפך הזכות לחובה, כן החכם שהוקם להיות סניגור לישראל לכפר עוונם, אם הוא בעצמו חוטא, אז הוא נעשה קטיגור על עונות בני ישראל, ובעת שמביא קרבנם יזכר חס ושלום עונם, ולכן נאמר לאשמת העם אללו:

ידי משה

[ו] **הכהן משיח מכפר וצריך כפרה.** בתמיה, אלא צריך לומר על כרחך שגם הוא חטא, בשביל זה **תני ר' חייא הואיל כו' מוטב שיקדים מכפר למתכפר** על דרך (בבא בתרא טו, ב) טול קורה מבין עיניך, לכן טוב לו שיהיה נקי ומכופר מעברות שלו והדר יכפר על אחרים. **ביתו זו אשתו.** זה גם כן ראיה שיקדים מכפר למתכפר:

וְהֵבִיא אֶת הַפָּר אֶל פֶּתַח אֹהֶל מוֹעֵד לִפְנֵי ה׳ וְסָמַךְ אֶת יָדוֹ עַל רֹאשׁ הַפָּר וְשָׁחַט אֶת הַפָּר לִפְנֵי ה׳.

He shall bring the bull to the entrance of the Tent of Meeting before HASHEM; he shall lean his hands upon the head of the bull, and he shall slaughter the bull before HASHEM (4:4).

□ וְהֵבִיא אֶת הַפָּר אֶל פֶּתַח אֹהֶל מוֹעֵד — ***HE SHALL BRING THE BULL TO THE ENTRANCE OF THE TENT OF MEETING.***

What does the fact that the bull is first brought *to the entrance of the Tent of Meeting* signify? The Midrash explains:

אָמַר רַבִּי יִצְחָק: מָשָׁל לְאוֹהֲבוֹ שֶׁל מֶלֶךְ שֶׁכִּבְּדוֹ בְּדוֹרוֹן וּבִקְלוּסִין נָאֶה — **R' Yitzchak said: This may be compared to the friend of a king who honored the king by giving him a present and by praising him eloquently.** אָמַר הַמֶּלֶךְ: הַנִּיחוּ אוֹתוֹ עַל פֶּתַח פַּלְטִין — **The king said, "Place [your gift] at the entrance of the palace,** כָּל שֶׁיּוֹצֵא וְנִכְנָס יְהֵא רוֹאֶה אוֹתוֹ — so that **all who leave and enter** the palace **might see it."**[128] כָּךְ "וְהֵבִיא אֶת הַפָּר אֶל פֶּתַח אֹהֶל מוֹעֵד" — **So too** God says regarding the penitent Anointed Kohen, ***He shall bring the bull to the entrance of the Tent of Meeting.***

וְאִם כָּל עֲדַת יִשְׂרָאֵל יִשְׁגּוּ וְנֶעְלַם דָּבָר מֵעֵינֵי הַקָּהָל וְעָשׂוּ אַחַת מִכָּל מִצְוֹת ה׳ אֲשֶׁר לֹא תֵעָשֶׂינָה וְאָשֵׁמוּ. וְנוֹדְעָה הַחַטָּאת אֲשֶׁר חָטְאוּ עָלֶיהָ וְהִקְרִיבוּ הַקָּהָל פַּר בֶּן בָּקָר לְחַטָּאת וְהֵבִיאוּ אֹתוֹ לִפְנֵי אֹהֶל מוֹעֵד. וְסָמְכוּ זִקְנֵי הָעֵדָה אֶת יְדֵיהֶם עַל רֹאשׁ הַפָּר לִפְנֵי ה׳ וְשָׁחַט אֶת הַפָּר לִפְנֵי ה׳.

If the entire assembly of Israel shall err, and a matter became obscured from the eyes of the congregation; and they commit one from among all the commandments of HASHEM that may not be done, and they become guilty; when the sin which they committed becomes known, the congregation shall offer a young bull as a sin-offering, and they shall bring it before the Tent of Meeting. The elders of the assembly shall lean their hands upon the head of the bull before HASHEM and someone shall slaughter the bull before HASHEM (4:13-15).

§7 וְסָמְכוּ זִקְנֵי הָעֵדָה אֶת יְדֵיהֶם — ***THE ELDERS OF THE ASSEMBLY SHALL LEAN* (OR: *SUPPORT*) *THEIR HANDS.***

The Midrash gives a homiletical interpretation for this phrase:

אָמַר רַבִּי יִצְחָק: אוּמּוֹת הָעוֹלָם אֵין לָהֶם סוֹמְכִין — **R' Yitzchak said: The nations of the world have no supporters,** שֶׁנֶּאֱמַר "וְנָפְלוּ סֹמְכֵי מִצְרַיִם" — **as it is stated, *The supporters of Egypt will fall***[129] *and the pride of its power will collapse* (*Ezekiel* 30:6);[130] יִשְׂרָאֵל יֵשׁ לָהֶן סוֹמְכִין, שֶׁנֶּאֱמַר "וְסָמְכוּ זִקְנֵי הָעֵדָה" — but the people of **Israel do have supporters, as it is stated, *The elders, the assembly shall support.***[131]

The Midrash goes on to give other examples in which the same positive quality is applied by Scripture to Israel and the other nations, but in the first case it indicates a reliable and permanent situation, whereas for the nations these qualities are fleeting and thus worthless:

אוּמּוֹת הָעוֹלָם נִקְרְאוּ עֵדָה, שֶׁנֶּאֱמַר "כִּי עֲדַת חָנֵף גַּלְמוּד" — **The nations of the world are** individually **referred to as an "assembly," as it is stated, *For the assembly of hypocrites will be forlorn*** (*Job* 15:34);[132] יִשְׂרָאֵל נִקְרְאוּ עֵדָה שֶׁנֶּאֱמַר "וְסָמְכוּ זִקְנֵי הָעֵדָה" — and **Israel is** also **referred to as an "assembly," as it is stated, *The elders of the assembly shall lean*** *their hands, etc.*[133]

NOTES

128. And learn from it the king's appreciation of such gifts. The "friend of the king" of the parable is the Anointed Kohen, who, in his desire for closeness to God, seeks atonement for his sins (and moreover, as the foremost spiritual figure in Israel, the Kohen Gadol is closest to God; *Eshed HaNechalim*); the "present" is the bull; the "eloquent praise" is the confession of sin that accompanies it. The lesson of the parable is that God desires that others should learn from the Anointed Kohen's pure motives, and his contrition and humility before God (*Yefeh To'ar*).

129. Actually, this verse shows that Egypt *did* have supporters, but that those supporters failed. But this is what the Midrash means by saying "the nations do not have supporters" — that their supporters are fleeting, and it is as if they never existed (*Yefeh To'ar*).

130. That is: Inasmuch as the nations of the world are entirely dependent upon their leaders and kings — mortals of flesh and blood — for support, their destiny is inextricably bound up with the destiny of their leaders; when the leaders are vanquished, the downfall of the nation is not long in coming (*Yefeh To'ar; cf. Eitz Yosef*).

131. The Midrash homiletically interprets וְסָמְכוּ זִקְנֵי הָעֵדָה to mean, "the elders will support the assembly" (*Maharzu;* cf. *Yefeh To'ar*). The elders (Torah scholars) of Israel supply spiritual sustenance and maintenance for them, which is a reliable and permanent source of support — unlike the so-called supporters of the other nations. See Insight Ⓐ.

132. This verse shows that the quality of "assembly" (indicating cohesion and common purpose), when applied to the other nations, does not last and becomes "forlorn."

133. The quality of "assembly" when applied to Israel is permanent, as explained above.

INSIGHTS

Ⓐ **Israel's True Supporters** While the Midrash contrasts the enduring quality of Israel's supportive leaders with those of the nations, it does not state explicitly why Israel's leaders alone have that quality. *R' Shlomo Kluger* sees the key in the fact that our Midrash chooses to make its exposition particularly on this verse, where, alone among the various places in the Torah that there is a command to be סוֹמֵךְ, *support,* the Torah states that the "supporting" is to be done לִפְנֵי ה׳, *before HASHEM.*

He cites *Devarim Rabbah* (1 §2), which expounds the verse מוֹכִיחַ אָדָם אַחֲרַי חֵן יִמְצָא מִמַּחֲלִיק לָשׁוֹן to mean: *One who exhorts a person "to follow" will find favor, more than one with a flattering tongue* (*Proverbs* 28:23). The Midrash applies the first half of the verse to Moses, who, after the sin of the Golden Calf, appealed to God, *Why, HASHEM, should Your anger flare up against Your people?* (*Exodus* 32:11), and who also rebuked Israel, saying, *you have sinned* (ibid., v. 30). Thus, the *Proverbs* verse is expounded to mean: *One* (i.e., Moses) *who exhorts a person to follow will find favor.* Moses exhorted God, as it were, *to follow* (i.e., be devoted to) Israel and he exhorted Israel to follow God. And Moses *found favor* in God's eyes, as it states, *and you have also found favor in My eyes* (*Exodus* 33:12).

The *Proverbs* verse continues: *more than one with a flattering tongue.* This the Midrash in *Devarim Rabbah* applies to Balaam, who flattered Israel with the words *How goodly are your tents, O Jacob* (*Numbers* 24:5), arousing their pride and thereby making them susceptible to the immoral temptations that Balaam placed before them in Shittim (see *Maharzu* ad loc.).

The Midrash thus contrasts Moses, the quintessential Jewish prophet, with Balaam, the non-Jewish prophet. Moses, who exhorted, found more favor than Balaam, who flattered.

See the difference between true Jewish leaders and those who lead the other nations. The Jewish leader defends the Jewish people before God, like Moses who "exhorted" God on their behalf. But when speaking *to the people,* he does not seek to flatter them with praise. To the contrary, he rebukes the nation. He takes the unpopular stance of telling the people forthrightly of their failings, and exhorts them to repent their sinful ways.

Those who follow the example of Balaam, however, flatter their people. And so, the people do not repent but are rather encouraged to sin.

Hence, our Midrash makes its exposition on *our* verse — וְסָמְכוּ זִקְנֵי הָעֵדָה... לִפְנֵי ה׳, *The elders shall "support the assembly" before HASHEM.* When speaking to *Him* they will beseech His forgiveness and highlight the good qualities that the assembly possesses. But when they address the assembly, they do not offer *support,* but censure and exhortation to repent. They are Israel's true supporters, whose leadership bears fruit in the nation that improves and endures. Those supporters who do otherwise will fall and fail, as will the people they purport to lead (*Imrei Shefer* on our verse).

ובקלוסין. והכא נמי וידוי הנאמר על הקרבן הוי קלוס לה': **(ז) אומות העולם אין להם סומכין.** ולי נראה שצריך לומר יש להם סומכין שנאמר ונפלו סומכי מצרים, ומדקאמר ונפלו משמע דאית להון סומכין אלא שיפלו בעונם בעת ההיא, וכן הוא לקמן אומות העולם נקראו חכמים שנאמר והאבדתי חכמים מאדום, וכוונת המדרש לומר שכל האלו נאמר בישראל לשבח ובאומות העולם לגנאי. והא דהביא בישראל קרא דשמעו אלי אבירי לב כוונתם כמו שדרשו בגמרא (ברכות יז, ב) שהם הצדיקים שאין צריכין לצדקה, רצה לומר שיעשה הקדוש ברוך הוא עמהם לצדקה, וזהו שאמר הרחוקים מצדקה: **אומות העולם נקראו חכמים.** וכן איתא בבראשית רבה (עה, יג) ואין חכמים אלא אדום שנאמר והאבדתי חכמים וגו'. והא דאיתא במדבר רבה (יח, א) וכסילים מרים קלון אלו אדומים כמה דתימא והאבדתי חכמים מאדום כו'. יש לומר שנקראו כסילים אחר שנאבד מהם חכמתם: **ותמימים כיורדי בור.** עיין יפה תואר: **ואנשי צדיקים המה ישפטו אותהם.** כן צריך לומר, והם הכשרים שעל ידם היה משפט אהלה ואהליבה, ונקראו צדיקים שהיו צדיקים במעשיהם בנקמת אהלה ואהליבה, או שהם צדיקים לגבי אהלה ואהליבה שהיה גלוי עריות ושפיכות דמים: **מה תתהלל ברעה הגבור.** עיין ביפה תואר, אבל בילקוט (ישעיה פרק מו רמז תסה) גרס קשת גבורים חתים: **גבורי כח עושי דברו.** כדאיתא לעיל ריש ספרא (ויקרא א, א) דהאי קרא בתחתונים קמיירי. וכלל הענין כי השמות הללו בישראל המה מעלות נפלאות ועצומות, ולהפך באומות העולם תשובנה לחסרונות גדולות רבות ורעות, וזה מובן לכל ואין צריך להאריך: **(ח) מה נגרין.** מה אומנין בקיאים כמו נגר ובר נגר, ואולי צריך לומר מה גבורים, וקאי על דרש שלפני זה, שישראל נקראו גבורים כו', כי גבורה הוא גבורת הלב שמתגבר בתפלה עד שישמע ה' קולו לטעות על שאלתו, כדאיתא בפסקתא (דרב כהנא יז ותאמר ציון סימן ג) מה יתאונן אדם חי גבר על חטאיו (אר"ה) [ר' יודן] אמר ר' [ר"ה] יעמוד כגבור ויתודה על חטאיו עד כאן, שהכוונה יעמוד כגבור בכוונת הלב (ערכי הכנויים אות ג). וכן מלאתי בשוחר טוב (תהלים מזמור יט) הגירסא מה גבורים: **באילין כותאי.** כאותן הכותים ששואלים מעט מעט והולכים ומוסיפין, וכן הצדיקים שואלים תחלה דבר קטן ושוב יותר גדול כדוד, דבריש בקש על מחילת השוגג ואחר כך על הזדונות כדלקמן: **אילין כותאי חכימין למיחסדא.** פירוש אלו כותים הם חכמים ובקיאים לבקש חסד על הפתחים. והמעריך (ערך חסד) כתב שנוסחא משובשת היא, והאמת למישאלא, ולשון ערבי הוא לשאול לצדקה קורין שחאד:

(ז) וסמכו זקני העדה. שהיה לו לומר, זקני העדה וסמכו את ידיהם, אלא לדרוש וסמכו זקני העדה את העדה על פי מדה ט' וממעל. ואגב זה דורש כל הענין שדומה לזה: **עדת חנף גלמוד.** לחרפה ולקללה, וזקני העדה לשבח ולברכה: **אבירים בעגלי.** שהאבירים דומים כעגלים ובהמות: **אבירי לב.** הרחוקים מצדקה. שסובלים צרות בגלות, והם אבירי לב לסבול: **אותה ובנות גוים אדירים.** (יחזקאל לב, יח) וסיפא דקרא אל ארץ תחתיות: **(ח) מה נגרים הם ישראל.** עיין מתנות כהונה, ופירושו הוא קרוב ואמתי, שהם נגרים ואומנים מפליאים בארץ, אך ישראל עושים בארץ ופועלים בשמים, מקריבין קרבן בארץ ומתכפר להם מן השמים, כמפורש בפרשיות אלו:

[ד, ד] "וְהֵבִיא אֶת הַפָּר אֶל פֶּתַח אֹהֶל מוֹעֵד", אָמַר רַבִּי יִצְחָק: מָשָׁל לְאוֹהֲבוֹ שֶׁל מֶלֶךְ שֶׁכִּבְּדוֹ בְּדוֹרוֹן וּבְקִלּוּסִין נָאֶה, אָמַר הַמֶּלֶךְ: הַנִּיחוּ אוֹתוֹ עַל פֶּתַח פַּלְטִין, כָּל שֶׁיּוֹצֵא וְנִכְנָס יְהֵא רוֹאֶה אוֹתוֹ, כָּךְ "וְהֵבִיא אֶת הַפָּר אֶל פֶּתַח אֹהֶל מוֹעֵד":

ז [ד, טו] "וְסָמְכוּ זִקְנֵי הָעֵדָה אֶת יְדֵיהֶם", (שם) אָמַר רַבִּי יִצְחָק: אוּמּוֹת הָעוֹלָם אֵין לָהֶם סוֹמְכִין, שֶׁנֶּאֱמַר (יחזקאל ל, ו) "וְנָפְלוּ סֹמְכֵי מִצְרַיִם", יִשְׂרָאֵל יֵשׁ לָהֶן סוֹמְכִין, שֶׁנֶּאֱמַר "וְסָמְכוּ זִקְנֵי הָעֵדָה", אוּמּוֹת הָעוֹלָם נִקְרְאוּ עֵדָה, שֶׁנֶּאֱמַר (איוב טו, לד) "כִּי עֲדַת חָנֵף גַּלְמוּד", יִשְׂרָאֵל נִקְרְאוּ עֵדָה שֶׁנֶּאֱמַר "וְסָמְכוּ זִקְנֵי הָעֵדָה", אוּמּוֹת הָעוֹלָם נִקְרְאוּ אַבִּירִים, (תהלים סח, לא) "עֲדַת אַבִּירִים בְּעֶגְלֵי עַמִּים", יִשְׂרָאֵל נִקְרְאוּ אַבִּירִים (ישעיה מו, יב) "שִׁמְעוּ אֵלַי אַבִּירֵי לֵב", אוּמּוֹת הָעוֹלָם נִקְרְאוּ אַדִּירִים, (יחזקאל לב, יח) "אוֹתָהּ וּבְנוֹת גּוֹיִם אַדִּרִם", וְיִשְׂרָאֵל נִקְרְאוּ אַדִּירִים (תהלים טז, ג) "וְאַדִּירֵי כָּל חֶפְצִי בָם", אוּמּוֹת הָעוֹלָם נִקְרְאוּ חֲכָמִים (עובדיה א, ח) "וְהַאֲבַדְתִּי חֲכָמִים מֵאֱדוֹם", יִשְׂרָאֵל נִקְרְאוּ חֲכָמִים (משלי י, יד) "חֲכָמִים יִצְפְּנוּ דָעַת", אוּמּוֹת הָעוֹלָם נִקְרְאוּ תְּמִימִים, (שם א, יב) "וּתְמִימִים כְּיוֹרְדֵי בוֹר", וְיִשְׂרָאֵל נִקְרְאוּ תְּמִימִים, (שם כח, י) "וּתְמִימִים יִנְחֲלוּ טוֹב", אוּמּוֹת הָעוֹלָם נִקְרְאוּ צַדִּיקִים, (יחזקאל כג, מה) "° הֵמָּה יִשְׁפְּטוּ אוֹתְהֶם", יִשְׂרָאֵל נִקְרְאוּ צַדִּיקִים, (ישעיה ס, כא) "וְעַמֵּךְ כֻּלָּם צַדִּיקִים", אוּמּוֹת הָעוֹלָם נִקְרְאוּ אִישִׁים, (תהלים קמא, ד) "אִישִׁים פֹּעֲלֵי אָוֶן", יִשְׂרָאֵל נִקְרְאוּ אִישִׁים, (משלי ח, ד) "אֲלֵיכֶם אִישִׁים אֶקְרָא", אוּמּוֹת הָעוֹלָם נִקְרְאוּ גִּבּוֹרִים (תהלים נב, ג) "מַה תִּתְהַלֵּל בְּרָעָה הַגִּבּוֹר", יִשְׂרָאֵל נִקְרְאוּ גִּבּוֹרִים, (שם קג, כ) "גִּבֹּרֵי כֹחַ עֹשֵׂי דְבָרוֹ":

ח תָּנֵי רַבִּי שִׁמְעוֹן: מַה נַּגָּרִין הֵם יִשְׂרָאֵל, שֶׁהֵם יוֹדְעִין לְרַצּוֹת אֶת בּוֹרְאָם, אָמַר רַבִּי יוּדָן: כְּאִילֵּין כּוּתָאֵי, אִילֵּין כּוּתָאֵי חַכִּימִין לְמֵיחְסְדָה, חַד מִנְּהוֹן הֲוֵי אָזֵיל לְגַבֵּי אִתְּתָא,

חידושי הרש"ש

[ז] נקראו צדיקים ואנשים צדיקים המה ישפטו כו'. כן צריך לומר:

באור מהרי"פ

בדורון. זה הקרבן, ובקלוסין זו הוידוי: **[ז] אדירים וכו'.** (יחזקאל לב, יח) בן אדם נהה על המון מצרים והורידהו אותה ובנות גוים אדירים אל ארץ תחתיות את יורדי בור. **ותמימים וגו'.** צריך עיון דלפי פשוטו של מקרא ותמימים קאי על הצדיקים. ועיין יפה תואר שפירושו דחוק על כן לא העתקתיו: **המה ישפטו.** (יחזקאל כג, מה) ואנשים צדיקים המה ישפטו אותהם משפט נואפות ומשפט שופכות דם כי נואפות הנה ודם בידיהן. ופירושו אנשים צדיקים שבאשור המה ישפטו את אהלה ואהליבה (עיין שם בקאפיטל הלזה) ונקראו צדיקים לגבי אהלה ואהליבה. יפה תואר: **מה תתהלל וגו'.** אף על גב דהאי קרא בדואג האדומי כתיב, לפי שעשה מעשה אדומי קרא אותו עובד כוכבים. יפה תואר: **[ח] מתנות כהונה ד"ה מה נגרין כו' נראה לפרש בדרך רחוקה וכו'.** אולם פירוש זה מפורש באר היטב בערוך ערך נגר ג', וזה לשונו בסוף גמרא דפרק בני ישמעאל (ע"ז ב, ג) לית נגר ובר נגר דיפרקיניה, כלומר כחכם בן חכם, החרש והמסגר (מלכים ב כד, יד) תרגום חרש נגר, עכ"ל הערוך:

אמרי יושר

[ח] באילין כותייא. כך אלו שואלין מתנת חנם:

שינוי נוסחאות

(ז) **אומות העולם אין להם סומכין.** עץ יוסף רוצה להגיה "יש להם סומכין", אבל בכל כ"י ודפוסים כלפנינו.

מסורת המדרש

ח. ילקוט נ"ך שכ"ז:

אם למקרא

כֹּה אָמַר ה' וְנָפְלוּ סֹמְכֵי מִצְרַיִם וְיָרַד גְּאוֹן עֻזָּהּ מִמִּגְדֹּל סְוֵנֵה בַּחֶרֶב יִפְּלוּ בָהּ נְאֻם אֲדֹנָי ה': (יחזקאל ל:ו)

כִּי־עֲדַת חָנֵף גַּלְמוּד וְאֵשׁ אָכְלָה אָהֳלֵי־שֹׁחַד: (איוב טו:לד)

גְּעַר חַיַּת קָנֶה עֲדַת אַבִּירִים בְּעֶגְלֵי עַמִּים מִתְרַפֵּס בְּרַצֵּי כָסֶף בִּזַּר עַמִּים קְרָבוֹת יֶחְפָּצוּ: (תהלים סח:לא)

שִׁמְעוּ אֵלַי אַבִּירֵי לֵב הָרְחוֹקִים מִצְּדָקָה: (ישעיה מו:יב)

בֶּן אָדָם נְהֵה עַל הֲמוֹן מִצְרַיִם וְהוֹרִדֵהוּ אוֹתָהּ וּבְנוֹת גּוֹיִם אַדִּרִם אֶל אֶרֶץ תַּחְתִּיּוֹת אֶת יוֹרְדֵי בוֹר: (יחזקאל לב:יח)

לִקְדוֹשִׁים אֲשֶׁר־בָּאָרֶץ הֵמָּה וְאַדִּירֵי כָּל־חֶפְצִי־בָם: (תהלים טז:ג)

הֲלוֹא בַּיּוֹם הַהוּא נְאֻם ה' וְהַאֲבַדְתִּי חֲכָמִים מֵאֱדוֹם וּתְבוּנָה מֵהַר עֵשָׂו: (עובדיה א:ח)

חֲכָמִים יִצְפְּנוּ דָעַת וּפִי אֱוִיל מְחִתָּה קְרֹבָה: (משלי י:יד)

נִבְלָעֵם כִּשְׁאוֹל חַיִּים וּתְמִימִים כְּיוֹרְדֵי בוֹר: (שם א:יב)

מַשְׁגֶּה יְשָׁרִים בְּדֶרֶךְ רָע בִּשְׁחוּתוֹ הוּא יִפּוֹל וּתְמִימִים יִנְחֲלוּ טוֹב: (שם כח:י)

וַאֲנָשִׁים צַדִּיקִם הֵמָּה יִשְׁפְּטוּ אוֹתְהֶם מִשְׁפַּט נֹאֲפוֹת וּמִשְׁפַּט שֹׁפְכוֹת דָּם כִּי נֹאֲפֹת הֵנָּה וְדָם בִּידֵיהֶן: (יחזקאל כג:מה)

וְעַמֵּךְ כֻּלָּם צַדִּיקִים לְעוֹלָם יִירְשׁוּ אָרֶץ נֵצֶר מַטָּעַי מַעֲשֵׂה יָדַי לְהִתְפָּאֵר: (ישעיה ס:כא)

אַל תַּט לִבִּי לְדָבָר רָע לְהִתְעוֹלֵל עֲלִלוֹת בְּרֶשַׁע אֶת אִישִׁים פֹּעֲלֵי אָוֶן וּבַל אֶלְחַם בְּמַנְעַמֵּיהֶם: (תהלים קמא:ד)

אֲלֵיכֶם אִישִׁים אֶקְרָא וְקוֹלִי אֶל בְּנֵי אָדָם: (משלי ח:ד)

מַה תִּתְהַלֵּל בְּרָעָה הַגִּבּוֹר חֶסֶד אֵל כָּל הַיּוֹם: (תהלים נב:ג)

בָּרְכוּ ה' מַלְאָכָיו גִּבֹּרֵי כֹחַ עֹשֵׂי דְבָרוֹ לִשְׁמֹעַ בְּקוֹל דְּבָרוֹ: (שם קג:כ)

מתנות כהונה

[ח] מה נגרין כו'. נראה לפרש בדרך רחוקה מלשון נגר אומן, כלומר אומנים הם ויודעים לרצות בוראם וכדמפרש ואזיל: **אלין כותאי.** אלו כותיים הם חכמים ובקיאים לבקש חסד על הפתחים:

אשד הנחלים

שנהנה מן ההקדש, ולכן העם אינם מתכפרים בהם כפרה גמורה, ולכן ענושו שינתן עליו כל אשמת העם, דוגמת קרבניהם הניתן על האש: **שכבדו בדורון כו'.** כי הקרבן אף שבא לכפר על כל זה הוא כדורון לפניו, מפני שחפץ מאוד בטהרת האדם, ויען כי הכהן המשיח הוא הנבחר והנעלה מכל העם במעלתו, לכן קרבנו יובא אל פתח אהל, מקום הקודש יותר: **[ז] עובדי כוכבים אין להם סומכין כו' עדה כו' אדירים כו'.** יש להבין מה נפקא מיניה במה שעובדי כוכבים היו נקראין גם כן בשמות ההם, ואם השמות ההם גדולות ומדות טובות, אם כן במה היו נבדלין זה מזה, ומה המה השמות הללו בכלל. ואשר נראה לי בזה, כי השמות הללו המה באנשי מעלה ובאנשים ישרים, המה מעלות נפלאות ועצומות, ולהפך באנשי שוא, המעלות ההמה תשובנה לחסרונות גדולות רבות ורעות. למשל החכמה באדם ישר תנחהו מסילות ישרות, ובאדם רע החכמה תשרתהו לכל רעה ואבדון. והנה חשב כמה ענינים, מעלת הזקנים המנהלים לעם, וגם לעובדי כוכבים היה להם זקנים, אבל הנהגתם היה לרעה יותר, ולכן כתיב כאן זקני העדה בה' הידיעה, להורות שרק בעדה הזאת הזקנים היה למעלה בהם. השני, הקבוץ בעצמו הוא מעלה בבלתי עובדי כוכבים, איש את אחיו יעוררו לטוב, ואצלם להיפך יעוררו לרע. השלשי, האבירות, היא מי שחזק בדעתו, ובלתי עובדי כוכבים חזקים בדעתם הטובה, ואצלם היה להיפך. הרביעי, האדירות, הוא שם מורכב מן איש חזק לב אך ביופי והדר מאוד, ולבלתי עובדי כוכבים היא למעלה נפלאה, ואצלם להיפך מאוד. החמישי, החכמה והידיעה. הששי התמימות, והוא האדם שאין לו רעיון אחר בלבו, זולת למה שהורגל מנעוריו, ילך בו תמיד בלי מחשבה אחרת מאומה, והנה בלתי עובדי כוכבים

אומות הָעוֹלָם נִקְרְאוּ אַבִּירִים, ״עֲדַת אַבִּירִים בְּעֶגְלֵי עַמִּים״ — **The nations of the world are called "fierce,"** as it is written, *Rebuke . . .* ***the assembly of the fierce ones among the calves of nations*** (*Psalms* 68:31);[134] יִשְׂרָאֵל נִקְרְאוּ אַבִּירִים ״שִׁמְעוּ אֵלַי אַבִּירֵי לֵב״ — and **Israel are** also **called "fierce,"** as it is written, ***Listen to Me, you who are fierce of heart*** (*Isaiah* 46:12). אומות הָעוֹלָם נִקְרְאוּ אַדִּירִים, ״אוֹתָהּ וּבְנוֹת גּוֹיִם אַדִּרִם״ — **The nations of the world are called "mighty,"** as it is written, *Son of man, sigh for the multitudes of Egypt, and cast it down* — ***it and the daughters of mighty nations*** — *to the nethermost earth* (*Ezekiel* 32:18);[135] וְיִשְׂרָאֵל נִקְרְאוּ אַדִּירִים ״וְאַדִּירֵי כָּל חֶפְצִי בָם״ — **and Israel are** also **called "mighty,"** as it is written, ***and for the mighty — all my desires are fulfilled because of them*** (*Psalms* 16:3). אומות הָעוֹלָם נִקְרְאוּ חֲכָמִים ״וְהַאֲבַדְתִּי חֲכָמִים מֵאֱדוֹם״ — **The nations of the world are called "wise,"** as it is written, ***I will eradicate wise men from Edom*** (*Obadiah* 1:8); יִשְׂרָאֵל נִקְרְאוּ חֲכָמִים ״חֲכָמִים יִצְפְּנוּ דָעַת״ — **and Israel are** also **called "wise,"** as it is written, ***The wise men conceal knowledge*** (*Proverbs* 10:14). אומות הָעוֹלָם נִקְרְאוּ תְּמִימִים, ״וּתְמִימִים כְּיוֹרְדֵי בוֹר״ — **The nations of the world are called *"temimim,"*** ("whole," or "perfect") as it is written, *Like the grave, let us swallow them alive,* ***whole*** [תְּמִימִים] ***like those descending to the pit*** (ibid. 1:12); וְיִשְׂרָאֵל נִקְרְאוּ תְּמִימִים, ״וּתְמִימִים יִנְחֲלוּ טוֹב״ — and Israel **are** also **called *"temimim,"*** as it is written, ***but the perfect ones*** [תְּמִימִים] ***will inherit goodness*** (ibid. 28:10). אומות הָעוֹלָם נִקְרְאוּ צַדִּיקִים, ״וַאֲנָשִׁים צַדִּיקִם הֵמָּה יִשְׁפְּטוּ אוֹתְהֶם״ — **The nations of the world are called "righteous,"** as it is written, ***Righteous men will inflict judgments upon them*** (*Ezekiel* 23:45);[136] יִשְׂרָאֵל נִקְרְאוּ צַדִּיקִים, ״וְעַמֵּךְ כֻּלָּם צַדִּיקִים״ — **and Israel are** also **called "righteous,"** as it is written, ***Your people will be all righteous*** (*Isaiah* 60:21). אומות הָעוֹלָם נִקְרְאוּ אִישִׁים, ״אִישִׁים פֹּעֲלֵי אָוֶן״ — **The nations of the world are called *"ishim,"***[137] as it is written, *to perform evil acts with* ***men*** [אִישִׁים] ***who are doers of iniquity*** (*Psalms* 141:4);[138] יִשְׂרָאֵל נִקְרְאוּ אִישִׁים, ״אֲלֵיכֶם אִישִׁים אֶקְרָא״ — **and Israel are** also **called *"ishim,"*** as it is written, ***To you, O men*** [אִישִׁים], ***do I call*** (*Proverbs* 8:4). אומות הָעוֹלָם נִקְרְאוּ גִבּוֹרִים ״מַה תִּתְהַלֵּל בְּרָעָה הַגִּבּוֹר״ — **The nations of the world are called "powerful,"** as it is written, ***Why do you pride yourself with evil, O powerful warrior?*** (*Psalms* 52:3);[139] יִשְׂרָאֵל נִקְרְאוּ גִבּוֹרִים, ״גִּבֹּרֵי כֹחַ עֹשֵׂי דְבָרוֹ״ — and **Israel are** also **called "powerful,"** as it is written, ***the powerful warriors who do His bidding*** (ibid. 103:20).

וְעָשָׂה לַפָּר כַּאֲשֶׁר עָשָׂה לְפַר הַחַטָּאת כֵּן יַעֲשֶׂה לּוֹ וְכִפֶּר עֲלֵהֶם הַכֹּהֵן וְנִסְלַח לָהֶם.

He shall do to the bull as he had done to the sin-offering bull, so shall he do to it; thus shall the Kohen provide them atonement and it shall be forgiven them (4:20).

§8 [וְכִפֶּר עֲלֵהֶם הַכֹּהֵן וְנִסְלַח לָהֶם] — *THUS SHALL THE KOHEN PROVIDE THEM ATONEMENT AND IT SHALL BE FORGIVEN THEM.*]

The Midrash expands on the theme of forgiveness for sin:[140]

תָּנֵי רַבִּי שִׁמְעוֹן — **R' Shimon taught:** מַה נַּגָּרִין הֵם יִשְׂרָאֵל, שֶׁהֵם יוֹדְעִין לְרַצּוֹת אֶת בּוֹרְאָם — **What expert craftsmen**[141] **are the people of Israel! For they know** just **how to appease their Creator** and thereby obtain forgiveness for their sins.[142] אָמַר רַבִּי יוּדָן: כְּאִילֵּין כּוּתָאֵי — **R' Yudan said:** They are **like those Cutheans,**[143] אִילֵּין כּוּתָאֵי חַכִּימִין לְמֵיחְסְדָה — **for those Cutheans are clever at appealing for charity.** חַד מִנְּהוֹן הֲוֵי אָזִיל לְגַבֵּי אִתְּתָא — **One of them goes to a woman** in her home

NOTES

134. Here too, the quality of "fierce" when applied to the other nations is to be "rebuked," i.e., quelled.

135. The mightiness of the nations is mentioned only in the context of its being "cast down" and destroyed.

136. The "righteous men" in this verse refer to Assyria and Babylon — who were "righteous" (or "justified" in their destructive actions) in comparison to the Israelites of the time — who destroyed the Northern Kingdom of Israel and the Kingdom of Judah, respectively (*Rashi* to *Ezekiel* ad loc.). The quality of "righteousness" is applied to the nations of the world only in the sense that they will act as God's "executioners" to inflict judgments on others, not in an absolute sense.

137. *Ishim* (אִישִׁים) is an unusual grammatical plural of אִישׁ, *man* (the regular plural is אֲנָשִׁים). Although translated into English as "men," in Hebrew this unusual word indicates a specific negative quality (see *Yefeh To'ar* for a possible definition of this quality) and we find it applied in Scripture to both Israel and the other nations of the world.

138. The quality of אִישִׁים, when applied to the nations, is in a negative sense.

139. The power of the nations is a negative trait, used for evil.

140. *Maharzu* (but see next note).

141. Lit., *carpenters.* [*Yefeh To'ar* and *Eitz Yosef* adopt the reading found in the parallel passage in *Midrash Shocher Tov* and *Yalkut Shimoni* (on *Psalms* 19:13): מַה גִּבּוֹרִים הֵם יִשְׂרָאֵל — *How powerful* (in prayer) *are* the people of *Israel,* and they explain that the reason this section is placed here is because the previous section concluded with a discussion of the term גִּבּוֹר (which these commentators also interpret as power in prayer).]

142. Moreover, their expertise goes beyond that of an ordinary craftsman, for it enables them to achieve spiritual results, i.e., Divine forgiveness (*Maharzu*).

143. Descendants of the non-Jewish nation settled by the Assyrians in Samaria (see *II Kings* 17:24), who subsequently converted to Judaism (the authenticity of their conversion is a matter of debate in the Talmud).

[ד, ד] "וְהֵבִיא אֶת הַפָּר אֶל פֶּתַח אֹהֶל מוֹעֵד", אָמַר רַבִּי יִצְחָק: מָשָׁל לְאוֹהֲבוֹ שֶׁל מֶלֶךְ שֶׁכִּבְּדוֹ בְּדוֹרוֹן וּבְקִלּוּסִין נָאֶה, אָמַר הַמֶּלֶךְ: הַנִּיחוּ אוֹתוֹ עַל פֶּתַח פָּלָטִין, כָּל שֶׁיּוֹצֵא וְנִכְנָס יְהֵא רוֹאֶה אוֹתוֹ, כָּךְ "וְהֵבִיא אֶת הַפָּר אֶל פֶּתַח אֹהֶל מוֹעֵד":

ז [ד, טו] "וְסָמְכוּ זִקְנֵי הָעֵדָה אֶת יְדֵיהֶם", (שם) אָמַר רַבִּי יִצְחָק: אוּמּוֹת הָעוֹלָם אֵין לָהֶם סוֹמְכִין, שֶׁנֶּאֱמַר (יחזקאל ל, ו) "וְנָפְלוּ סֹמְכֵי מִצְרַיִם", יִשְׂרָאֵל יֵשׁ לָהֶן סוֹמְכִין, שֶׁנֶּאֱמַר "וְסָמְכוּ זִקְנֵי הָעֵדָה", אוּמּוֹת הָעוֹלָם נִקְרְאוּ עֵדָה, חשֶׁנֶּאֱמַר (איוב טו, לד) "כִּי עֲדַת חָנֵף גַּלְמוּד", יִשְׂרָאֵל נִקְרְאוּ עֵדָה שֶׁנֶּאֱמַר "וְסָמְכוּ זִקְנֵי הָעֵדָה", אוּמּוֹת הָעוֹלָם נִקְרְאוּ אַבִּירִים, (תהלים סח, לא) "עֲדַת אַבִּירִים בְּעֶגְלֵי עַמִּים", יִשְׂרָאֵל נִקְרְאוּ אַבִּירִים (ישעיה מו, יב) "שִׁמְעוּ אֵלַי אַבִּירֵי לֵב", אוּמּוֹת הָעוֹלָם נִקְרְאוּ אַדִּירִים, (יחזקאל לב, יח) "אוֹתָהּ וּבְנוֹת גּוֹיִם אַדִּרִם", וְיִשְׂרָאֵל נִקְרְאוּ אַדִּירִים (תהלים טז, ג) "וְאַדִּירֵי כָּל חֶפְצִי בָם", אוּמּוֹת הָעוֹלָם נִקְרְאוּ חֲכָמִים (עובדיה א, ח) "וְהַאֲבַדְתִּי חֲכָמִים °מֵאֱדוֹם", יִשְׂרָאֵל נִקְרְאוּ חֲכָמִים (משלי י, יד) "חֲכָמִים יִצְפְּנוּ דָעַת", אוּמּוֹת הָעוֹלָם נִקְרְאוּ תְּמִימִים, (שם א, יב) "וּתְמִימִים כְּיוֹרְדֵי בוֹר", וְיִשְׂרָאֵל נִקְרְאוּ תְמִימִים, (שם כח, י) "וּתְמִימִים יִנְחֲלוּ טוֹב", אוּמּוֹת הָעוֹלָם נִקְרְאוּ צַדִּיקִים, (יחזקאל כג, מה) "°הֵמָּה יִשְׁפְּטוּ אוֹתְהֶם", יִשְׂרָאֵל נִקְרְאוּ צַדִּיקִים, (ישעיה ס, כא) "וְעַמֵּךְ כֻּלָּם צַדִּיקִים", אוּמּוֹת הָעוֹלָם נִקְרְאוּ אִישִׁים, (תהלים קמא, ד) "אִישִׁים פֹּעֲלֵי אָוֶן", יִשְׂרָאֵל נִקְרְאוּ אִישִׁים, (משלי ח, ד) "אֲלֵיכֶם אִישִׁים אֶקְרָא", אוּמּוֹת הָעוֹלָם נִקְרְאוּ גִּבּוֹרִים (תהלים נב, ג) "מַה תִּתְהַלֵּל בְּרָעָה הַגִּבּוֹר", יִשְׂרָאֵל נִקְרְאוּ גִּבּוֹרִים, (שם קג, כ) "גִּבֹּרֵי כֹחַ עֹשֵׂי דְבָרוֹ":

ח תָּנֵי רַבִּי שִׁמְעוֹן: מַה נַּגָּרִין הֵם יִשְׂרָאֵל, שֶׁהֵם יוֹדְעִין לְרַצּוֹת אֶת בּוֹרְאָם, אָמַר רַבִּי יוּדָן: כְּאִילֵּין כּוּתָאֵי, אִילֵּין כּוּתָאֵי חַכִּימִין לְמֵיחְסְדָה, חַד מִנְּהוֹן הֲוֵי אָזֵיל לְגַבֵּי אִתְּתָא,

עץ יוסף

ובקלוסין. והכא נמי וידוי הנאמר על הקרבן הוי קלוס לה': **(ז) אומות העולם אין להם סומכין.** ולי נראה שצריך לומר יש להם סומכין שנאמר ונפלו סומכי מצרים, ומדקאמר ונפלו משמע דאית להון סומכין אלא שיפלו בעונש בעת ההיא, וכן הוא לקמן אומות העולם נקראו חכמים שנאמר והאבדתי חכמים מאדום, וכוונת המדרש לומר שכל אלו נאמר בישראל לשבח ובאומות העולם לגנאי. והא דהביא בישראל קרא דשמעו אלי אבירי לב כוונתם כמו שדרשו בגמרא (ברכות יז, ב) שהם הצדיקים שאין צריכין לצדקה, רצה לומר שיעשה הקדוש ברוך הוא עמהם לצדקה, וזהו שאמר הרחוקים מצדקה: **אומות העולם נקראו חכמים.** וכן איתא בבראשית רבה (עה, יג) ואין חכמים אלא אדום שנאמר והאבדתי חכמים וגו'. והא דאיתא בבמדבר רבה (יא, א) וכסילים מרים קלון אלו [אדומים כמה דתימא והאבדתי חכמים מאדום] כו'. יש לומר שנקראו כסילים אחר שנאבד מהם חכמתם: **ותמימים כיורדי בור.** עיין יפה תואר: **ואנשי צדיקים המה ישפטו אותהם.** כן צריך לומר, והם הכשרים שעל ידם היה משפט אהלה ואהליבה, וקראם צדיקים שהיו צדיקים במעשיהם בנקמת אהלה ואהליבה, או שהם צדיקים לגבי אהלה ואהליבה שהיה גלוי עריות ושפיכות דמים: **מה תתהלל ברעה הגבור.** עיין ביפה תואר, אבל בילקוט (ישעיה פרק מו רמז תסה) גרס קשת גבורים חתים: **גבורי כח עושי דברו.** כדאיתא לעיל ריש ספרא (ויקרא א, א) דהאי קרא בתחתונים קמיירי. וכלל הענין כי השמות הללו בישראל המה מעלות נפלאות ועצומות, ולהפך באומות העולם תשובנה לחסרונות גדולות רבות ורעות, וזה מובן לכל ואין צריך להאריך: **(ח) מה נגרין.** מה אומנין בקיאים כמו נגר ובר נגר, ואולי צריך לומר מה גבורים, וקאי על דרש שלפני זה, שישראל נקראו גבורים כו', כי גבורה הוא גבורת הלב שמתגבר בתפלה עד שישמע ה' קולו לענות על שאלתו, כדאיתא בפסקתא (דרב כהנא יז ותאמר ציון סימן ג) מה יתאונן אדם חי גבר על חטאיו (אר"ה) אמר ר' [יודן] יעמוד כגבור ויתוודה על חטאיו עד כאן, שהכוונה יעמוד כגבור בכוונת הלב (ערכי הכנויים אות ג). וכן מצאתי בשוחר טוב (תהלים מזמור יט) הגירסא מה גבורים: **באילין כותאי.** כאותן הכותים ששואלים מעט מעט והולכים ומוסיפין, וכן הצדיקים שואלים תחלה דבר קטן ושוב יותר גדול כדוד, דברישא בקש על מחילת השוגג ואחר כך על הזדונות כדלקמן: **אילין כותאי חכימין למיחסדא.** פירוש אלו כותים הם חכמים ובקיאים לבקש חסד על הפתחים. והמעריך (ערך חסד) כתב שנוסחא משובשת היא, והאמת למישאלא, ולשון ערבי הוא לשואל צדקה קורין שאלה:

פירוש מהרז"ו

(ז) וסמכו זקני העדה. שהיה לו לומר, זקני העדה וסמכו את ידיהם, אלא לדרוש וסמכו זקני העדה את העדה על פי מדה ט' וממעל. ואגב זה דורש כל הענין שדומה לזה: **עדת חנף גלמוד.** לחרפה ולקללה, וזקני העדה לשבח ולברכה: **אבירים בעגלי.** שהאבירים דומים כעגלים ובהמות: **אבירי לב.** הרחוקים מצדקה. שסובלים צרות בגלות, והם אבירי לב לסבול: **אותה ובנות גוים אדירים.** (יחזקאל לב, יח) וסיפא דקרא אל ארץ תחתיות: **(ח) מה נגרים הם ישראל.** עיין מתנות כהונה, ופירושו הוא קרוב ואמתי, שהם נגרים ואומנים מפליאים בארץ, אך ישראל עושים בארץ ופועלים בשמים, מקריבין קרבן בארץ ומתכפר להם מן השמים, כמפורש בפרשיות אלו:

מתנות כהונה

[ח] מה נגרין כו'. נראה לפרש בדרך רחוקה מלשון נגר אומן, כלומר אומנים הם ויודעים לרצות בוראם וכדמפרש ואזיל: **אלין כותאי.** אלו כותיים הם חכמים ובקיאים לבקש חסד על הפתחים:

אשד הנחלים

שנהנה מן ההקדש, ולכן העם אינם מתכפרים בהם כפרה גמורה, ולכן עונשו שינתן עליו כל אשמת העם, דוגמת קרבניהם הניתן על האש: **שכבדו בדורון כו'.** כי הקרבן אף שבא לכפר עם כל זה הוא כדורון לפניו, מפני שחפץ מאוד בטהרת האדם, ויען כי הכהן המשיח הוא הנבחר והנעלה מכל העם במעלתו, לכן קרבנו יובא אל פתח אהל, מקום הקודש יותר: **[ז] עובדי כוכבים אין להם סומכין כו' עדה כו' אדירים כו'.** יש להבין מה נפקא מיניה במה שעובדי כוכבים היו נקראין גם כן בשמות ההם, ואם השמות ההם גדולות ומדות טובות, אם כן במה היו נבדלין זה מזה, ומה המה השמות הללו בכלל. ואשר נראה לי בזה, כי השמות הללו המה באנשי מעלה ובאנשים ישרים, המה מעלות נפלאות ועצומות, ולהיפך באנשי שוא, המעלות ההמה תשובנה לחסרונות גדולות רבות ורעות. למשל החכמה באדם ישר תנחהו מסילות ישרות, ובאדם רע החכמה תשרתהו לכל רעה ואבדון. והנה חשב כמה ענינים, מעלת הזקנים המנהלים לעם, וגם לעובדי כוכבים היה להם זקנים, אבל הנהגתם היה לרעה יותר, ולכן כתיב כאן זקני העדה בה' הידיעה, להורות שרק בעדה הזאת הזקנים היה למעלה בהם. השני, הקבוץ בעצמו הוא מעלה בבלתי עובדי כוכבים, איש את אחיו יעוררו לטוב, ואצלם להיפך יעוררו לרע. השלשי, האבירות, היא מי שחזק בדעתו, ובלתי עובדי כוכבים חזקים בדעתם הטובה, ואצלם היה להיפך. הרביעי, האדירות, הוא שם מורכב מן איש חזק לב אך ביופי והדר מאוד, ולבלתי עובדי כוכבים היא למעלה נפלאה, ואצלם להיפך מאוד. החמישי, החכמה והידיעה. השישי התמימות, והוא האדם שאין לו רעיון אחר בלבו, זולת למה שהורגל מנעוריו, ילך בו תמיד בלי מחשבה אחרת מאומה, והנה בלתי עובדי כוכבים

חידושי הרש"ש

[ז] נקראו צדיקים ואנשים צדיקים המה ישפטו כו'. כן צריך לומר:

באור מהרי"פ

בדורון. זה הקרבן, ובקלוסין זו הוידוי: **[ז] אדירים וכו'.** (יחזקאל לב, יח) בן אדם נהה על המון מצרים והורידהו אותה ובנות גוים אדירים אל ארץ תחתיות את יורדי בור. **ותמימים וגו'.** צריך עיון דלפי פשוטו של מקרא ותמימים קאי על הצדיקים. ועיין יפה תואר שפירושו דחוק על כן לא העתקתיו: **המה ישפטו.** (יחזקאל כג, מה) ואנשים צדיקים המה ישפטו אותהם משפט נואפות ומשפט שופכות דם כי נואפות הנה ודם בידיהן. ופירושו אנשים צדיקים שבאשור המה ישפטו את אהלה ואהליבה (עיין שם בקאפיטל הלזה) ונקראו צדיקים לגבי אהלה ואהליבה. יפה תואר: **מה תתהלל וגו'.** אף על גב דהאי קרא בדואג האדומי כתיב, לפי שעשה מעשה אדומי קרא אותו עובד כוכבים. יפה תואר: **[ח] מתנות כהונה ד"ה מה נגרין כו' נראה לפרש בדרך רחוקה וכו'.** אולם פירוש זה מפורש באר היטב בערוך ערך נגר ג', וזה לשונו בסוף גמרא דפרק רבי ישמעאל (ע"ז נ, ב) לית נגר ובר נגר דיפקריניה, כלומר כחכם בן חכם, החרש והמסגר (מלכים ב כד, יד) תרגום חרש נגר, עכ"ל הערוך:

אמרי יושר

[ח] באילין בותייא. כך אנו שואלין מתנת חנם:

שינוי נוסחאות

(ז) אומות העולם אין להם סומכין. עצ"י רוצה להגיה "יש להם סומכין", אבל בכל כי"י ודפוסים לפנינו:

מסורת המדרש

ח. ילקוט נ"ך שכ"ז:

אם למקרא

כֹּה אָמַר ה' וְנָפְלוּ סֹמְכֵי מִצְרַיִם וְיָרַד גְּאוֹן עֻזָּהּ מִמִּגְדֹּל סְוֵנֵה בַּחֶרֶב יִפְּלוּ בָהּ נְאֻם אֲדֹנָי ה': (יחזקאל ל:ו)

כִּי־עֲדַת חָנֵף גַּלְמוּד וְאֵשׁ אָכְלָה אָהֳלֵי־שֹׁחַד: (איוב טו:לד)

גְּעַר חַיַּת קָנֶה עֲדַת אַבִּירִים בְּעֶגְלֵי עַמִּים מִתְרַפֵּס בְּרַצֵּי כָסֶף בִּזַּר עַמִּים קְרָבוֹת יֶחְפָּצוּ: (תהלים סח:לא)

שִׁמְעוּ אֵלַי אַבִּירֵי לֵב הָרְחוֹקִים מִצְּדָקָה: (ישעיה מו:יב)

בֶּן אָדָם נְהֵה עַל הֲמוֹן מִצְרַיִם וְהוֹרִדֵהוּ אוֹתָהּ וּבְנוֹת גּוֹיִם אַדִּרִם אֶל אֶרֶץ תַּחְתִּיּוֹת אֶת יוֹרְדֵי בוֹר: (יחזקאל לב:יח)

לִקְדוֹשִׁים אֲשֶׁר־בָּאָרֶץ הֵמָּה וְאַדִּירֵי כָּל־חֶפְצִי־בָם: (תהלים טז:ג)

הֲלוֹא בַּיּוֹם הַהוּא נְאֻם ה' וְהַאֲבַדְתִּי חֲכָמִים מֵאֱדוֹם וּתְבוּנָה מֵהַר עֵשָׂו: (עובדיה א:ח)

חֲכָמִים יִצְפְּנוּ דָעַת וּפִי אֱוִיל מְחִתָּה קְרֹבָה: (משלי י:יד)

נִבְלָעֵם כִּשְׁאוֹל חַיִּים וּתְמִימִים כְּיוֹרְדֵי בוֹר: (שם א:יב)

מַשְׁגֶּה יְשָׁרִים בְּדֶרֶךְ רָע בִּשְׁחוּתוֹ הוּא יִפּוֹל וּתְמִימִים יִנְחֲלוּ טוֹב: (שם כח:י)

וַאֲנָשִׁים צַדִּיקִם הֵמָּה יִשְׁפְּטוּ אוֹתְהֶם מִשְׁפַּט נֹאֲפוֹת וּמִשְׁפַּט שֹׁפְכוֹת דָּם כִּי נֹאֲפֹת הֵנָּה וְדָם בִּידֵיהֶן: (יחזקאל כג:מה)

וְעַמֵּךְ כֻּלָּם צַדִּיקִים לְעוֹלָם יִירְשׁוּ אָרֶץ נֵצֶר מַטָּעַי מַעֲשֵׂה יָדַי לְהִתְפָּאֵר: (ישעיה ס:כא)

אַל תַּט לִבִּי לְדָבָר רָע לְהִתְעוֹלֵל עֲלִלוֹת בְּרֶשַׁע אֶת אִישִׁים פֹּעֲלֵי אָוֶן וּבַל אֶלְחַם בְּמַנְעַמֵּיהֶם: (תהלים קמא:ד)

אֲלֵיכֶם אִישִׁים אֶקְרָא וְקוֹלִי אֶל בְּנֵי אָדָם: (משלי ח:ד)

מַה תִּתְהַלֵּל בְּרָעָה הַגִּבּוֹר חֶסֶד אֵל כָּל הַיּוֹם: (תהלים נב:ג)

בָּרְכוּ ה' מַלְאָכָיו גִּבֹּרֵי כֹחַ עֹשֵׂי דְבָרוֹ לִשְׁמֹעַ בְּקוֹל דְּבָרוֹ: (שם קג:כ)

אָמַר לָהּ — and **says to her,** אִית לָךְ חַד בְּצַל תִּיתְּנִין לִי — **"Do you have an onion you can give me?"** מִן דְּיָהֲבָא לֵיהּ אָמַר לָהּ: אִית בְּצַל בְּלָא פִּיתָּא — **After she gives him** an onion **he says to her, "Is there** such a thing as eating **an onion without bread?"** מִן דְּיָהֲבָא לֵיהּ אָמַר לָהּ: אִית מֵיכַל בְּלָא מִשְׁתֵּי — **After she gives him** bread, **he says to her, "Is there** such a thing as **eating without drinking?"** מִתּוֹךְ כָּךְ אָכֵיל וְשָׁתֵי — Thus, **through this** ploy, **he eats and drinks.**[144]

The Midrash gives another illustration of this concept:

אָמַר רַבִּי אַחָא: אִית אִיתְּתָא דְּחַכִּימָא לְמִשְׁאַל וְאִית אִיתְּתָא דְּלָא חַכִּימָא לְמִשְׁאַל — **R' Acha said: There is a woman who is clever at borrowing, and there is a woman who is not clever at borrowing.** אִית אִיתְּתָא דְּחַכִּימָא לְמִשְׁאַל, אָתְיָא לְגַבֵּי מְגֵירְתָא — **There is a woman who is clever at borrowing — she goes to her neighbor,** תַּרְעָא פְּתִיחָא אִיתְדַּפַּק לֵיהּ — and though **the door is open, she knocks on it** to be extra polite. אָמְרָא לָהּ: שְׁלָמָא עֲלֵיךְ מְגֵירְתִי, מָה אַתְּ עֲבִידָא, מָה בַּעֲלִיךְ עָבֵיד, וּמָה בְּנַיִיכִי עָבְדִין — Then **she says to her, "Peace be upon you, my neighbor! How are you doing? How is your husband doing? How are you children doing?"** אָמְרָה לָהּ: טָב — **[The neighbor] responds,** "All of us are doing **well."** מִתִּיבָא לָהּ: נֵיעוֹל, נֵיעוֹל — **"May I come in?"** the visitor then asks. **"**Yes, **come in," responds [the neighbor]. "**מָה אַתְּ בָּעְיָא — **What is it you wish?"**[145] אָמְרָה לָהּ: אִית לֵיךְ מְקִימָה פְּלוֹנִית תִּתְּנִין לִי — **[The visitor]** then **asks, "Do you have such-and-such an object that you can lend me?"** אָמְרָה לָהּ: אִין — **[Her neighbor] replies, "Yes!"** דְּלָא חַכִּימָא לְמִשְׁאַל — However, the woman **who is not clever at borrowing** אָזְלָא לְגַבֵּי מְגֵירְתָא — **goes to her neighbor,** תַּרְעָא מַשְׁקִיף, פָּתְחָה לֵיהּ — and even though **the door is closed, she opens it** אָמְרָה לָהּ: אִית לָךְ מְקִימָה פְּלָנְיָא — and says abruptly **to [the neighbor], "Do you have such-and-such an object?"** אָמְרָה לָהּ: לָאו — **And [the neighbor] answers her, "No!"**[146]

Continuing the foregoing theme, the Midrash gives us another illustration of this concept:

אָמַר רַבִּי חֲנִינָא: אִית אָרִיס דְּחַכִּים לְמִשְׁאַל וְאִית אָרִיס דְּלָא חַכִּים לְמִשְׁאַל — **R' Chanina said: There is a tenant-farmer who is clever at borrowing, and there is a tenant-farmer who is not clever at borrowing.** דְּחַכִּים לְמִשְׁאַל חָמֵי בְּגַרְמֵיהּ דְּשָׁקַע בַּאֲרִיסוּתֵיהּ — **The one who is clever at borrowing, when he realizes that he is behind in his tenancy payment,** עָבֵיד לֵב טָב — **he makes** himself in **a good mood,** סָרֵיק שַׂעֲרֵיהּ, מְחַוֵּור מָנֵיהּ, אַפֵּיהּ טָבִין — **combs his hair, cleans his garments,** puts on **a cheerful face,** יָהֵיב חוּטְרָא בִּידֵיהּ וְעִזְקָתָא בְּאֶצְבְּעֵיהּ — **places his** walking **stick in his hand and his rings on his fingers,** וְאָזֵיל לְגַבֵּי מָרֵי עֲבִידְתֵּיהּ — **and goes to the master** (i.e., boss) **of his work,** the owner of the field. וְהוּא אָמַר לֵיהּ: אֱתֵי בִּשְׁלוֹם אָרִיס טָב, מָה אַתְּ עָבֵיד — **[The master] says to him, "Come in peace, my fine tenant. How are you doing?"** וְהוּא אָמַר לֵיהּ: טָב — **And [the tenant] replies to him,** "I am doing **well."** וּמָה אַרְעָא עֲבִידָא — **"And how is the land faring?"** asks the master. תִּזְכֵּי וְתִשְׂבַּע מִן פֵּירֵי — **"May you** soon **merit to be satisfied from its fruit!"** he replies. מָה תּוֹרַיָּא עָבְדִין — **"**And **how are the oxen doing?"** asks the master. תִּזְכֵּי וְתִשְׂבַּע מִן שַׁמְנֵיהוֹן — **"May you** soon **merit to be satisfied from their fat!"** he responds. מָה עִזַּיָּא עָבְדִין — **"And how are the goats coming along?"** he asks further. תִּזְכֵּי וְתִשְׂבַּע מִן גַּדְיֵיהוֹן — **"May you** soon **merit to be satisfied from their kids!"** he answers. אָמַר לֵיהּ: מָה אַתְּ בָּעֵי — Finally, **[the master] asks [the tenant], "What is it that you want?"** אָמַר לֵיהּ: אִית לָךְ י׳ דִּינָרִין תִּתְּנוּן לִי — **[The tenant]** then **says to him, "Do you have ten** ***dinars*** **that you can give me** on credit?" אָמַר לֵיהּ: אִם אַתְּ בָּעֵי עֶשְׂרִים סַב לָךְ — **[The master] responds, "Even if you need twenty** *dinars* **you can have it!"** דְּלָא חַכִּים לְמִישְׁאַל — However, the tenant **who is not clever at borrowing —** שַׂעֲרֵיהּ מְקַצַּץ, מָאנֵיהּ צוֹאִין — **his hair is unkempt, his clothing soiled,**

NOTES

144. This parable teaches the proper approach to prayer. First one should make a minor request, and then, if that first request is met, he should proceed gradually to more significant requests. The Midrash illustrates this principle below regarding David's request for forgiveness for his sins (*Eitz Yosef,* from *Yefeh To'ar*).

145. The visitor prefacs her request with pleasant conversation, and the neighbor becomes more receptive and more inclined to fulfill her wishes.

146. This parable is also intended to teach a lesson in the proper approach to prayer. Rather than "barging in" and abruptly stating one's needs and requests, he first "knocks" at the gates of Heaven and creates an atmosphere of closeness through "conversation" — by introducing his prayers with songs of praise to God (*Eitz Yosef,* from *Yefeh To'ar*).

חידושי הרד"ל

[ח] **אלין כותאי חכמין כו׳ דוד מאריסא טבא כו׳.** עיין סנהדרין (קז, א): **שעריה מקווץ.** כן צריך לומר:

אמרי יושר

רבי חנינא אומר אית אריס טב. ואם כן אנו שואלים כאריסים, שקלת זכות יש לנו:

אָמַר לָהּ: אִית לָךְ חַד בָּצָל °תִּיתְנוּן לִי, מִן דְּיָהֲבָא לֵיהּ אָמַר לָהּ: אִית בָּצָל בְּלָא פִּיתָא, מִן דְּיָהֲבָא לֵיהּ אָמַר לָהּ: אִית מֵיכַל בְּלָא מִשְׁתֵּי, מִתּוֹךְ כָּךְ אָכֵיל וְשָׁתֵי, אָמַר רַבִּי אַחָא: אִית אִיתְּתָא דַּחֲכִימָא לְמִשְׁאַל וְאִית אִיתְּתָא דְּלָא חֲכִימָא לְמִשְׁאַל, אִית אִיתְּתָא דַּחֲכִימָא לְמִשְׁאַל, אָתְיָא לְגַבֵּי מְגֵירְתָא, תַּרְעָא פְּתִיחָא מִדְפַּק לֵיהּ, °אֲמַר לָהּ: שְׁלָמָא עֲלָיךְ מְגֵרְתִּי, מָה אַתְּ עֲבִידָא, מָה בַּעְלִיךְ עָבֵיד, וּמַה בְּנַיְיכִי עֲבִידִין, אָמְרָה לָהּ: טָב, נֵעוֹל, מְתִיבָא לָהּ: °נֵעוֹל, מָה אַתְּ בָּעֲיָא, אָמְרָה לָהּ: אִית לִיךְ מְקִימָה פְּלוֹנִית תִּתְנִין לִי, אָמְרָה לָהּ: אֵין, דְּלָא חֲכִימָא לְמִשְׁאַל אָזְלָא לְגַבֵּי מְגֵירְתָא, תַּרְעָא מַשְׁקִיף, פָּתְחָה לֵיהּ, אָמְרָה לָהּ: אִית לָךְ מְקִימָה פְּלָנְיָא, אָמְרָה לָהּ: לָאו. אָמַר רַבִּי חֲנִינָא: אִית אָרִיס דַּחֲכִים לְמִשְׁאַל וְאִית אָרִיס דְּלָא חֲכִים לְמִשְׁאַל, דַּחֲכִים לְמִשְׁאַל חָמֵי בְּגַרְמֵיהּ דְּשָׁקַע בַּאֲרִיסוּתֵיהּ, עָבֵיד לֵב טָב, סָרֵיק שַׂעֲרֵיהּ, מְחַוֵּר מָנֵיהּ, אַפֵּיהּ טָבִין, יָהֵיב חוּטְרָא בִּידֵיהּ וְעִזְקְתָא בְּאֶצְבְּעֵיהּ, וְאָזֵיל לְגַבֵּי *מָרֵי עֲבִידְתֵּיהּ, וְהוּא אָמַר לֵיהּ: אֱתֵי בִּשְׁלוֹם אָרִיס טָב, מָה אַתְּ עָבֵיד, וְהוּא אָמַר לֵיהּ: טָב, וּמָה אַרְעָא עֲבִידָא, תִּזְכֵּי וְתִשְׂבַּע מִן פֵּירֵי, מַה תּוֹרַיָּא עָבְדִין , תִּזְכֵּי וְתִשְׂבַּע מִן שַׁמְנֵיהוֹן, מָה עִזַּיָּא עָבְדִין, תִּזְכֵּי וְתִשְׂבַּע מִן גְּדָיֵיהוֹן, אָמַר לֵיהּ: מָה אַתְּ בָּעֵי, אָמַר לֵיהּ: אִית לָךְ י׳ דִּינָרִין תִּתְּנוּן לִי, אָמַר לֵיהּ: אִם אַתְּ בָּעֵי עֶשְׂרִים סַב לָךְ, דְּלָא חַכִּים לְמִישְׁאַל, שַׂעֲרֵיהּ מְקַצַּץ, מָאנֵיהּ צוֹאִין,

עץ יוסף

אית לך חד בצל. יש לך בצל אחד תנה לי: **מן דיהב כו׳.** משנתנה לו אמר יש בצל בלא פת בתמיה. בשוחר טוב (שם) קאמר בצל בלא פיתא נסיב לבא: **אית מיכל כו׳.** וכי יש לך מאכל בלא שתייה, בתמיה: **אית אתתא כו׳.** מוסיף עוד ענין בידיעת הצדיקים לרצות את ה׳, והיינו במה שאינם הורסים תחלה לבקש צרכיהם, אלא תחילה דופקים על שערי רחמים שיפתחו על ידי שירות ותשבחות שאומרים לפני ה׳, וזה ענין האשה שאינה הורסת ליכנס תחלה עד שדופקת בפתח ובאה בדברי ריצוי ודרישת שלום וטובת חברתה עד שנפתח לבה אליה לדרוש שלומה וטובתה: **למשאל.** לבקש דבר מה מחברתה: **אתי לגבי מגירתא.** באה אצל חברתה: **תרעא פתיחא.** אף על פי שהשער פתוח דופקת ביה שאין ליכנס בבית פתאום, כדלקמן (כא, ח [ז]), והאחרת היא להיפך, שאף שהשער נעול פותחת ונכנסת פתאום: **אמרה לה שלמא כו׳.** אומרת לה שלום עליך שכנתי מה אתה עושה אם טוב מעמדך: **טב לך ניעול.** הטוב בעיניך שאכנס אל הבית, והיא משיבה בא לך פה מה אתה רוצה: **מקימה פלונית.** פירוש מלאכה פלונית, במלאכת רעהו (שמות כב, ז) תרגום יונתן מקמתי דחברי: **תרעא משקיף.** השער סגור, ואף על פי כן היא פותחת מעלמה: **חמי בגרמיה כו׳.** רואה בעצמו שנשתקע באריסותיה ולא סגי ליה בלאו הכי, עושה לעצמו לב טוב, מסריק שערותיו שיהיו נראים נאים: **מחוור מניה.** כובס בגדיו, וכבסו (שמות יט, י ועוד) תרגום ויחוורון: **אפין טבין.** פנים טובים ולהובים: **יהב כו׳.** נותן מקל בידו דרך זריזות, וטבעותיו באצבעותיו והולך אצל בעל מלאכתו שסכר ממנו השדה: **אתי בשלום.** בואך בשלום: **תזכה ותשבע.** תהיה זוכה לאכול ממנו לשבוע: **מה תוריא.** מה השוורים עושים: **מן שמניהון.** מעגלי מרבק (מעריך ערך שמן): **סב לך.** קח לך: **שעריה מקצץ.** לשון קוצים, מבולבלים כקוצים הללו, או צריך לומר שעריה מקוון: **מניה צואין.** בגדיו מלא צואה ולכלוך:

פירוש מהרז"ו

מדפקא ליה. ובערוך ערך מרקפא מביא מאמר זה וגורס, תרעא מרקפא ליה, פירוש מקשת בפתח ודופקת ומבעבעת: **מקימה פלונית.** כלי פלונית וזהו שנוהגת בדרך ארץ נושאת חן בעיניו ועושה רצונה. ומה נפלאים משלים אלו, מלמדים איך להתנהג בכבוד בני אדם: **אמר לי השמים.** תיבת השמים מיותר, ופירושו על שמהלל ואומר השמים מספרים וכו׳, שואל אותו השם יתברך, מה לך בזה שהשמים מספרים ספר אתה בעצמך, ומה כוונתך בזה, וכמו שאמר בסמוך, אמר לו הקב"ה מה את בעי, וכן הוא במדרש תהלים וילקוט שם: וכמו האריס שקעי וחסר לו ממון להשלים מלאכת שדהו, כך בנמשל, שראה דוד שחטא וחסר לו תקון נפשו ובקש על זה. ועל זה אמר בריש משלי להבין משל ומליצה:

שינוי נוסחאות

(ח) **אמר לה: שלמא עליך מגרתי.** צ"ל אמרא לה ... וכן איתה בכל הכי"י, וכן נראה, שבד"ר יש סימן לקיצור מילה אחרי "אמר" לה: **אמרה לה: טב, נעול, מתיבא לה: נעול.** גרסה זו קשה, ולכאורה אין לו פירוש, ובא"א הגיה "אמרה לה: טב, תעול, מתיבא לה: נעול. וכן היה כתוב באמת בד"ר. ויפ"ת הגיה להיפך: "אמרה לה: טב, נעול, מתיבא לה: תעול". **זיל, קום מה דאית לי גבך.** ביפ"ת ועצ"י הגיהו "קום הב מה דאית וכו׳ ":

מתנות כהונה

אית לך חד בצל כו׳. יש לך בצל אחד תנה נא לי: **מן דיהבת כו׳.** משנתנה לו אמר יש בצל בלא פת, בתמיה: **אית מיכל כו׳.** וכי יש לך מאכל בלא שתייה, בתמיה: **למשאל.** לבקש דבר מה מחברתה: **אתיא לגבי מגירתה כו׳.** באה אצל חברתה: **תרעא פתיחה כו׳.** אף על פי שהשער פתוח היא דופקת, שלא תיכנס פתאום, ואומרת שלום עליך שכנתי מה את עושה, אם טוב מעמדך: **אמרה לה טב נעול כו׳.** הטוב שאכנס אל הבית רצונך בכך, והיא משיבה בא לך פה מה את רוצה: **מקימי פלניא גרסינן.** ופירושו מלאכה פלונית, מלאכת רעהו (שמות כב, ז) תרגום ירושלמי, מקמתיה דחבריה: **תרעא. משקוף.** השער סגור ואף על פי כן היא פותחת מעלמה:

חמי בגרמיה כו׳. רואה בעצמו שנשתקע באריסותיה ולא סגי ליה בלאו הכי, עושה לעצמו לב טוב, מסרק שערותיו שיהיו נראים חלקים ונאים: **מחוור מניה.** כובס בגדיו, וכבס תרגם אונקלוס וחוור: **אפין טבין.** פנים טובים ולהובים: **יהב כו׳.** נותן מקל בידו דרך זריזות, וטבעותיו באצבעותיו, והלך אצל בעל מלאכתו שסכר ממנו השדות: **אתי בשלום.** בואך בשלום: **תזכה ותשבע.** תהיה זוכה לאכול ממנו לשובע: **מה תוריא.** מה השוורים עושים: **מן שמניהון.** משומן שלהם: **סב לך.** קח לך: **שעריה מקצץ.** לשון קוצים, מבולבלים כקוצים הללו: **מניה צואין.** פירוש בגדיו מלא צואה:

אשד הנחלים

תמימותם תנחם בדרך טובה, ואצל עובדי כוכבים היה לרעה, כי הורגלו מנעוריהם תמיד לרעה, ולא ימצא בלבם רעיון אחר להפוך דרכם. השביעי, שם איש הונח תמיד על גדול המעלה מאוד בתכונתו, אך באנשי שוא המעלה תתהפך לחסרון. השמיני, הגבורה בטבע, טובה לטובים, כי בהם יתגברו על עצמם, ורעה לרעים, כי בהם יעשו רק רעה לאחרים. ודי בזה למתבונן בדרך כלל: [ח] **מה נגרין הם כו׳ באילן כותאי כו׳ אית איתתא דחכימא כו׳ אית אריס דחכים כו׳ דוד מאריסא טבא כו׳.** עד סופו. הענין בכללו לכאורה הוא מן הפלא, וכי שייך אצלו יתברך ענין הפתוי וההסתה, הלא הוא יודע כל לב, אם ישוב באמת מקבלו, ואם לאו מה יועיל החכמה והערמה בזה, ומה המה השלשה משלים ועל מה ירמזון. ואשר נראה לי שבאו להורות שבאמת באיש הטוב, לא ימצא בלבו עזות גדולה לבקש מלפניו יתברך על פשעיו הגדולים, כי נכנע ויבוש ויכלם מעוונותיו הגדולים, רק אחרי ההכרה הגמורה בעת שיתבונן מגדולת ה׳, ומחכמת ברואיו ומפליאת שמים וארץ, ומתוכו יזכר על רוב שפלותו והמרותו בה׳, אך מרוב הפחד יפחד ויבוש לבקש על הגדולות, כי אם על הקלות כחטאים ושגגות, ורק אחרי העריכו עצמו, אז בתוך הבקשה ימצא עוז בלבו לבקש גם כן על הגדולות, היינו העוונות והפשעים. והנה הביאו השלשה משלים מדרך טבע הנהוג, שאם יבקש מעט מעט עד שיכנס עמו בדברים, אז ינתן משאלותו, וזהו המשל הראשון. והמשל השני בא להורות, שהעדר השמיעה באה על ידי רוב העזות, אם הוא שוקד על פתחי התשובה בעזות, כאלו מן המחוייב לענותו ולא בהכנעה. השלישי, כי מטבע החוטא עת שיתמרמר לבו, אז יקוץ בחייו וימאס כל העולם, כאלו כל העולם כולו להבל נברא ולא ירגיש הטובה והמטיב בה, וזהו כדמות האריס הרע, שמבשר לבעל הבית מכל הונו שהמה נפסדו וכאין המה, אבל החכם האריס משבח מלאכת הבעל הבית,

אֲזַל לְגַבֵּי מָרֵי עֲבִידְתָּא מִשְׁאֵיל — אַפֵּיהּ בִּישִׁין — **and his face sullen.** לֵיהּ — And in this manner **he goes to the master of his work,** the owner of the field, **to request** assistance **from him.** אָמַר לֵיהּ: מָה אַרְעָא עֲבִידָא — **[The master] asks him, "How is the land faring?"** אָמַר לֵיהּ: הַלְוַאי מַעֲלָה מָה דְּאַפְּקִינַן בְּגַוָּוהּ — **[The tenant] replies to him, "Hopefully it will produce the amount we have invested into it!"** מָה תּוֹרֵי עָבְדִין — "And **how are the oxen doing?"** asks the master. אָמַר לֵיהּ: תְּשִׁישִׁין — **"They are lean,"** replies the tenant. אָמַר לֵיהּ: מָה אַתְּ בָּעֵי — Finally, **[the master] asks [the tenant], "What is it that you want?"** אִית לָךְ עַשְׂרָה דִּינָרִין תִּתְּנוּן לִי — **"Do you have ten *dinars* that you can give me** on credit?" אָמַר לֵיהּ: זִיל, קוּם הַב מָה דְּאִית לִי גַּבָּךְ — **[The master] tells him angrily,** "You want to borrow money?! On the contrary, **go and return to me all** the possessions **of mine that you** already **have!"**[147]

The Midrash explains the lesson of these parables:

אָמַר רַבִּי חוֹנִי: דָּוִד מֵאֲרִיסָא טָבָא הֲוָה — **R' Choni said:** King **David was** like **one of the clever tenants** described above. בַּתְּחִלָּה מְשׁוֹרֵר בְּקִילוּס וְאוֹמֵר "הַשָּׁמַיִם מְסַפְּרִים כְּבוֹד אֵל" — **He begins by singing praise, declaring,** ***The heavens declare the glory of God*** (*Psalms* 19:2). אָמְרוּ לוֹ הַשָּׁמַיִם: שֶׁמָּא אַתְּ צָרִיךְ לִכְלוּם — When he said this **the heavens said to [David], "Are you perhaps in need of anything?"**[148] "וּמַעֲשֵׂה יָדָיו מַגִּיד הָרָקִיעַ" — David then continued, ***and the firmament tells of His handiwork*** (ibid.). אָמַר לוֹ הָרָקִיעַ: שֶׁמָּא אַתְּ צָרִיךְ לִכְלוּם — **The firmament** then **said to [David], "Are you perhaps in need of anything?"** מַזְכִּיר וְהוֹלֵךְ "יוֹם לְיוֹם יַבִּיעַ אֹמֶר וְגוֹ'" עַד "תּוֹרַת ה' תְּמִימָה" — **[David]** did not respond, but **went on mentioning** the verse, ***Day following day utters speech, etc.*** *and night following night declares knowledge* (ibid., v. 3), **up to *The Torah of HASHEM is perfect,*** *restoring the soul* (ibid., v. 8), אָמַר לֵיהּ הַקָּדוֹשׁ בָּרוּךְ הוּא: מָה אַתְּ בָּעֵי — whereupon, **the Holy One, blessed is He, said to him, "What is it that you need?"** אָמַר לֵיהּ: "שְׁגִיאוֹת מִי יָבִין", מִן שִׁגְגָתָא דַּעֲבָדִית קֳמָךְ — **[David] answered [God],** ***"Who can discern mistakes?"*** (ibid., v. 13) — meaning to say, "I seek forgiveness **for the inadvertent sins** (*mistakes*) **I have committed before You."** אָמַר לֵיהּ: הָא שְׁרֵי לָךְ, וְהָא שְׁבִיק לָךְ — [God] consented, replying, **"For this you are absolved; for this you are forgiven."**[149] אָמַר לוֹ: "מִנִּסְתָּרוֹת נַקֵּנִי", מִן טְמִירָתָא דַּעֲבָדִית קֳמָךְ — **[David]** proceeded and **said [to God],** ***"Cleanse me from hidden faults*** (ibid.), i.e., **from those sins that I have committed before you in secret."**[150]

NOTES

147. This parable also teaches us about the proper approach to prayer. One should make himself presentable before God (as the wise tenant does for his master), place himself in an appropriate frame of mind, and be thankful for whatever is going well rather than bitter about what could be better in life (*Yefeh To'ar*).

See Insight Ⓐ.

148. The Midrash does not mean to imply that the heavens thought David was praying to them for assistance. After all, he explicitly mentioned the heavens only in the context of his praise of God: *The heavens declare the glory of God.* Rather, the heavens believed that since David referred to them specifically in praising God he sought assistance from God regarding those blessings that He channels through the heavens — such as rain and weather patterns that lead to bountiful food and prosperity. The same applies to the firmament, as the Midrash goes on to describe. However, when David continued with his prayer and began to praise God's Torah, it became clear that his intent here was not to seek material benefits, but spiritual blessings — specifically the forgiveness of sins, as the Midrash goes on to relate (*Yefeh To'ar*).

[Whenever the Sages refer to inanimate objects "speaking," they mean that the heavenly minister (angel) who is in charge of that particular object spoke; alternatively, they mean it poetically, that if that object could speak this is what it would have said (*Yefeh To'ar,* citing *Tosafos* on *Avodah Zarah* 17a s.v. עד).]

149. The Midrash derives God's positive response to David's request for forgiveness from the fact that David went on and requested that he be forgiven even more serious sins (as the Midrash goes on to note) (*Eitz Yosef*).

150. I.e., intentional sins done in private, which are not as serious as those done in public view (*Yefeh To'ar*).

INSIGHTS

Ⓐ **A Matter of Perspective** The actual situations of both tenant farmers are exactly the same, as are their needs. The only difference between the one who is clever and the one who is not is their respective attitudes and method of approach to the master. The clever one knows how to accentuate the positive, because that is his focus and that is what he projects. Therefore, he never despairs. And this is why he is ingratiating to his master, who extends to him whatever he needs and more.

The one who is not clever, however, is obsessed with the negative. He doesn't appreciate what he has, and he projects dejection and despair. And he doesn't receive what he seeks from his master, because one does not give freely to a person who has given up.

In the Midrash below, as well, when King David places his requests before God, he emphasizes first and foremost God's honor, the fact that the heavens tell of His goodness. David does so not to flatter, but because he lived with this awareness. And that is why he received whatever he asked for. Had he first emphasized his own errors and shortcomings, and only then spoken of the honor of heaven, he would not have received anything.

The Torah commands the one who brings his *bikkurim* (first-fruits) to the Temple: *And you shall rejoice with all the goodness that HASHEM, your God, has given you and your household* (*Deuteronomy* 26:11). This is a remarkable commandment. Here a man reaps an abundant harvest from his fields and vineyards, and everyone can see that he has been showered with good. Why does he need a special commandment to rejoice with all that good?

He needs a special commandment because he is human. And it is the nature of man to be insufficiently aware of the good he has. To the contrary, he sees only what is missing. He sees that despite the abundant harvest, he still hasn't paid his workers. Yes, he had an abundant harvest, but his neighbor's was even greater. What his fellow has always seems more attractive, and impresses upon him his own perceived lack. To such a person the Torah directs its commandment: *You shall rejoice with all the goodness that HASHEM, your God, has given you and your household!* Rejoice not only in the harvest of your field and your vineyards. Rejoice in *all the goodness* that your God has lavished upon you, whether material or spiritual. To be sure you must address your lack and your needs, but you are to be overcome with the vast goodness that God has conferred upon you.

We are told that at the height of his harvest, *Boaz ate and drank and his heart was merry* [וַיִּיטַב לִבּוֹ]. Why was his heart merry? One opinion in the Midrash (*Rus Rabbah* 5 §15) says it was because he had recited the blessing over his food. Another says it was because he had eaten sweets, which enhance the tongue for Torah study. A third opinion says it was because he had engaged in Torah study, as it states: *The Torah of Your mouth is better for me* [טוֹב לִי] *than thousands of gold and silver* (*Psalms* 119:72).

Our Sages teach us that Boaz had sixty children — thirty sons and thirty daughters — all of whom died in his lifetime! And his wife died on the day that Ruth arrived in *Eretz Yisrael* (*Bava Basra* 91a). So on this day that he met Ruth in the field, he was still in the early months of mourning over his wife and likely bereft of many children (Boaz died shortly thereafter, the day after he married Ruth — *Yalkut Shimoni, Ruth* §608). It is hard to imagine greater pain than that. Yet the verse tells us that *his heart was merry,* because he had blessed God for his food and engaged in Torah study. God's Torah filled him with light and happiness. *The Torah of HASHEM is perfect, restoring the soul* (*Psalms* 19:8). The positive outlook on life that the Torah grants man is what enabled Boaz to see beyond his troubles, his sadness, and focus on the good, on the positive, on the light and abundance that God had granted to him (*HaMaor SheBaTorah,* Vol. 3 p. 20ff).

אַפֵּיהּ בִּישִׁין, אֲזַל לְגַבֵּי מָרֵי עֲבִידְתָּא מִשְׁאֵיל לֵיהּ, אֲמַר לֵיהּ: מָה אַרְעָא עֲבִידָא, אֲמַר לֵיהּ: הַלְוַאי מַעֲלָה מַה דְּאַפְקִינַן בְּגַוָּהּ, מַה תּוֹרֵי עָבְדִין, אֲמַר לֵיהּ: תְּשִׁישִׁין, אֲמַר לֵיהּ: מָה אַתְּ בָּעֵי, אִית לָךְ עֲשָׂרָה דִינָרִין תִּתְּנוּן לִי, אֲמַר לֵיהּ: זִיל, קוּם ° מַה דְּאִית לִי גַּבָּךְ. אָמַר רַבִּי חוֹנִי: ט דָּוִד מֵאֲרִיסָא טָבָא הֲוָה, בַּתְּחִלָּה מְשׁוֹרֵר בְּקִילוּס וְאוֹמֵר (תהלים יט, ב) "הַשָּׁמַיִם מְסַפְּרִים כְּבוֹד אֵל", אָמְרוּ לוֹ הַשָּׁמַיִם: שֶׁמָּא אַתְּ צָרִיךְ לִכְלוּם, (שם) "וּמַעֲשֵׂה יָדָיו מַגִּיד הָרָקִיעַ", אָמַר לוֹ°: שֶׁמָּא אַתְּ צָרִיךְ לִכְלוּם, מַזְכִּיר וְהוֹלֵךְ (שם שם ג) "יוֹם לְיוֹם יַבִּיעַ אֹמֶר וְגוֹ' *", אֲמַר לֵיהּ הַקָּדוֹשׁ בָּרוּךְ הוּא: מָה אַתְּ בָּעֵי, אֲמַר לֵיהּ: (שם שם יג) "שְׁגִיאוֹת מִי יָבִין", מִן שִׁגְגָתָא דַּעֲבָדִית קֳמָךְ, אֲמַר לֵיהּ: הָא שְׁרֵי לָךְ, וְהָא שְׁבִיק לָךְ, אָמַר לוֹ: (שם) "מִנִּסְתָּרוֹת נַקֵּנִי", מִן טְמִירָתָא דַּעֲבָדִית קֳמָךְ, אֲמַר לֵיהּ: הָא שְׁרֵי לָךְ וְהָא שְׁבִיק לָךְ, אֲמַר לֵיהּ (שם שם יד) "גַּם מִזֵּדִים חֲשֹׂךְ עַבְדֶּךָ", אֵלּוּ הַזְּדוֹנוֹת, (שם) וְ"אַל יִמְשְׁלוּ בִי אָז אֵיתָם", אֵלּוּ תּוֹקְפֵי עֲבֵירוֹת, (שם) "וְנִקֵּיתִי מִפֶּשַׁע רָב", אָמַר דָּוִד לִפְנֵי הַקָּדוֹשׁ בָּרוּךְ הוּא: רִבּוֹנוֹ שֶׁל עוֹלָם, אַתְּ אֱלוֹהַּ רַב וַאֲנָא חוֹבֵי רַבְרְבִין, יָאֵי לְאֵל רַב דְּשָׁבֵיק לְחוֹבִין רַבְרְבִין, הֲדָא הוּא דִכְתִיב (שם כה, יא) "לְמַעַן שִׁמְךָ ה' וְסָלַחְתָּ לַעֲוֹנִי כִּי רַב הוּא":

עץ יוסף

הלואי כו'. מי יתן שתעלה הקרקע תבואה כשיעור מה שהוצאתו לזרוע בתוכו: **תששין.** תשושי כח: **קום הב כו'.** קום ותן לי מה שיש אצלך: **השמים שמא את צריך לכלום.** שהשמים חשבו שדוד מבקש מהקדוש ברוך הוא הדברים שהוא משפיע ונותן על ידי השמים כעושר ומזון, כאומרו (הושע ב, כג) אענה את השמים וגו' ונאמר (איוב לו, לא) כי בם ידין עמים וגו', ולכן היה מקלס את ה' שהשמים מספרים כבוד אל מאחר שהם עבדיו וסריס אל משמעותו יצוה עליהם לתת מהשפעתם אליו: **ומעשה ידיו מגיד הרקיע אמר ליה הרקיע שמא.** כן צריך לומר וכן הוא בשוחר טוב, ורצה לומר שהרקיע חשב שהיה מבקש גשמים או שלג הניתן מהרקיע, ולכן אמר ומעשה ידיו מגיד הרקיע, שפירשו מעשה ידיהם של צדיקים מגיד הרקיע, ומהו, מטר. ולא יקשה לך איך דברו לו השמים והרקיע, כי זה יובן על שר הרקיע, גם יתכן שזה דרך משל על השומעים שישאלוהו דבר מה תבקש מהשמים והרקיע, וקאמר דהוי ליה כאילו השמים והרקיע שואלין: **מזכיר והולך כו' אמר ליה הקדוש ברוך הוא כו'.** רצה לומר כשהתחיל לקלס בתורה אמר לו ה' מה את בעי וכו' כי עכשיו גלי אדעתיה שאינו מבקש רק מילתא דתליא בתורה כגון חכמה או מחילת חטא, אף על פי שה' חוקר לב אמר לו מה את בעי כדי לפתוח לו פה שיפרש שאלתו, ואף על פי שגם מתחלה ידע ה' במה שרוצה לשאול לא פתח לו עד שיסדר כל מה שרצה לסדר משבחו של מקום קודם בקשתו: **מן שגגתא כו'.** באתי לבקש על השגגות שעשיתי לפניך, שמי יוכל לשמור את עצמו משוגג: **הא שרי לך.** פירוש מותר ופטור ונעזב ומחול, ואין זה מפורש שאמר ליה הקדוש ברוך הוא כך, אבל ממה שבקש דוד שוב אחר כך על הגדולות ממנו דהיינו מזידים מוכח דשבק לו הראשונים (מהרש"א סנהדרין קז, א): **מן טמירתא כו'.** פירוש מזיד של צנעה: **אלו הזדונות.** פירוש מזיד של פרהסיא. ומסתמא השיב לו הא שביק לך, לכן בקש אחר כך אל ימשלו בי אז איתם אלו תקיפי עבירות דהיינו הפשעים שהם כריתות ומיתות בית דין שאינם מתכפרים אלא על ידי יסורים, ומשהשיב לו הא שביק לך בקש אחר כך ונקתי מפשע רב, והמדרש קיצר משום שהוא מובן מאליו: **אלו תוקפי עבירות.** סיים בשוחר טוב כענין שנאמר נחל איתן: **ונקתי מפשע רב אותו עון רב. אמר דוד לפני הקדוש ברוך הוא אתה.** כך צריך לומר, וכן הוא בשוחר טוב, ואותו עון רב היינו מעשה בת שבע שהיה בו חילול השם שהרג את אוריהו בחרב בני עמון שהיה חקוק עליו דמות עבודה זרה שלהם, וחילול השם אינו מתכפר אלא במיתה: **את אלוה רב.** שאתה אדון על כל העולם וכל העולם שלך שלכך אתה יכול למחול על כבודך. **ואנא חובי רברבן.** שכיון שאני מלך וחכם שגגות שלי נחשבות לזדונות, ואם תמחול לי ילמדו ממני לעשות תשובה כמו שאמרו חכמינו ז"ל (עבודה זרה ד, ב) לא היה דוד ראוי לאותו מעשה אלא כדי להורות תשובה, וזהו שסיים יאה לאלוה רב כו' שנאמר למען שמך ה' שמורה על הרחמים שמקבל שבים לכן וסלחת לעוני כי רב הוא ויתוודע על ידי זה גודל רחמנותיך. ונראה שתיבת כי רב הוא פירוש בעל המאמר, שקאי על שמך ה', וגם קאי על לעוני, והכי קאמר למען שמך ה' כי רב הוא וסלחת לעוני כי רב הוא שיאה לאלוה רב למשבק חובין רברבין, שכפי גדולתו שכל העולם דיליה כן יגדל חסדו למחול העון הגדול:

פירוש מהרז"ו

את אלוה רב. פירוש שאמר למען שמך ה' וסלחת לעוני כי רב הוא, ואיזה טעם הוא שיסלח לו על שהעון גדול יותר, אדרבה היה ראוי לסליחה אם היה עון קטן, על כן דורש על פי מדת ממעל ודרך קצרה, כאלו כתוב למען שמך הגדול ורב, (שלא יתכן לבשר ודם לצאת ידי כבוד שמך), וסלחת לעוני כי רב, ועל פי מדה י"ז של פסוק למען שמך כנ"ל, יפורש גם פסוק זה ונקיתי מפשע רב, ונקיתי מאתך שאתה רב לפשעי כי רב. וכמו שכתוב מפורש במדרש תהלים סוף קפיטל י"ט, ונקיתי מפשע, רב אמר רבי לוי, אמר דוד לפני הקדוש ברוך הוא את אלוה רב וכו', והמדרש כאן לקוח משם, וכאן חסר. ועיין דברים רבה (ח, א) סלח לעוני שהוא גדול, ומה שכתבתי שם:

חידושי הרד"ל

אלו תוקפי עבירות. סיים בשוחר טוב, כענין שנאמר נחל איתן:

באור מהרי"פ

אמר ליה השמים מה אתה מבקש. צריך עיון איך עלה על דעת שמים ורקיע שדויד יבקש מהם דבר מה. ועיין יפה תואר. וכתב היפה תואר איך דברו עמו השמים והרקיע, כי זה מובן על שר הרקיע כענין דבור גיגאי נהרא דפרק קמא דחולין (ז, א), וכענין השמים והרים וגבעות (ע"ז, ז, א) בעובדא דרבי אלעזר בן דורדיא, וכדפירש התוספות שם: **מן טמירתא.** ופירוש של מנסתרות הם מזיד של צנעא, וגם מזדים חשוך פירושו מזיד של פרהסיא: **אז איתם.** דורש איתם כמו איתן בנו"ן בחילוף מ"ם בנו"ן, כמו (במדבר ג, מט) כסף הפדיום כמו כסף הפדיון: **יאי לאלוהה רב דשביק לחובין רברבין.** פירוש על דרך הנסיון שהגסות רוח והאכזריות הם קנין לפחותי הערך והענוה והחמלה לגדולי הערך, ובערך הגדולה תגדל הענוה והחמלה, וכן שארי מדות המעולות, והבורא יתברך מאחר שאין תכלית לגדולתו כמו כן אין תכלית לענותנותו וחמלתו על ברואיו, וכבר שערו בזה חז"ל במאמרם (מגילה לא, א) כל מקום שאתה מוצא גדולתו של הקב"ה שם אתה מוצא ענותנותו וכו', וכן אמר דוד (תהלים קג, א) כי כגבוה שמים על הארץ כן גבר חסדו על יראיו, רצונו לומר בלתי תכלית, רק תפס המרחק היותר גדול שיכול האדם לשער למשל, ועל דרך זה אמר (שם יב) כרחוק מזרח ממערב הרחיק ממנו את פשעינו, וההרחק והעברה על הפשעים היא גם כן בלתי תכלית, והכל לפי ערך גדולתו בלתי תכלית, וזהו יאי לאלוה רב דשביק לחובין רברבין:

מסורת המדרש

ט. סנהדרין ק"ז:

אם למקרא

הַשָּׁמַיִם מְסַפְּרִים כְּבוֹד אֵל וּמַעֲשֵׂה יָדָיו מַגִּיד הָרָקִיעַ: יוֹם לְיוֹם יַבִּיעַ אֹמֶר וְלַיְלָה לְּלַיְלָה יְחַוֶּה דָּעַת: (תהלים יט:ב-ג)

שְׁגִיאוֹת מִי יָבִין מִנִּסְתָּרוֹת נַקֵּנִי: גַּם מִזֵּדִים חֲשֹׂךְ עַבְדֶּךָ אַל יִמְשְׁלוּ בִי אָז אֵיתָם וְנִקֵּיתִי מִפֶּשַׁע רָב: (שם שם יג-יד)

לְמַעַן שִׁמְךָ ה' וְסָלַחְתָּ לַעֲוֹנִי כִּי רַב הוּא: (שם כה:יא)

שינוי נוסחאות

"ומעשה ידיו מגיד הרקיע", אמר לו: שמא את וכו'. מ"כ הגיה מילקוט ושוח"ט: "אמר לו הרקיע: שמא וכו'": **מזכיר והולך** "יום ליום יביע אמר וגו' ". מ"כ הביא כמה שינויים לנוסח הישן של הקטע הזה מילקוט וממדרש שוחר טוב, וכתבו המדפיסים את רוב הגהותיו בפנים, אבל הגיה עוד שצ"ל אחר "וגו' ", " עד "תורת ה' תמימה", והמדפיסים שכחו להכניסו בפנים: "ונקיתי מפשע רב". עצ"י מגיה ומוסיף כאן משוח"ט וילקוט: "אותו עון רב":

מתנות כהונה

הלואי כו'. מי יתן שתעלה הקרקע תבואה שיעור מה שהוצאתו לזרוע בתוכו: **תששין.** תשושי כח: **קום מה דאית כו'.** קיים לי ותן לי מה שיש אצלך. הכי גרסינן בילקוט (תהלים רמז תרעא), ובשוחר טוב (מזמור יט), **שמא אתה צריך לכלום ומעשה וכו', אמר ליה הרקיע שמא אתה צריך לכלום, התחיל מזכיר והולך יום ליום יביע אומר כו',** עד **תורת ה' תמימה, אמר ליה הקב"ה כו': מן שגגתא כו'.** לכן באתי לבקש עליהן: **שרי.** מותר ופטור: **שביק.** נעזב ומחול: **טמירתא.** נסתרות: **תוקפי עבירות.** כגון להכעיס: **חובי רברבין.** חובתי ועבירותי גדולים: **יאה כו'.** נאה ויפה לאל רב שיעזוב וימחול לעבירות גדולות: **כי רב הוא.** על שניהם הוא חוזר על שמך ועל עוני:

אשד הנחלים

כן השב החכם, אף שלבו כואב על עצמו, עם כל זה נהנה מחכמת ה' ומעשיו הנוראים, ולכן דוד אף שהרגיש חטאו, ואבה לבקש על חטאותיו, עם כל זה זכר מגבורת ה' ואמר השמים מספרים כבוד אל. הבן הענין הנחמד וחקור והתבונן בו בינה:

אֲמַר לֵיהּ: הָא שְׁרִי לָךְ וְהָא שְׁבִיק לָךְ — **[God] replied** once again, **"For this you are absolved; for this you are forgiven."** אֲמַר לֵיהּ "גַּם מִזֵּדִים חֲשֹׂךְ עַבְדֶּךָ", אֵלּוּ הַזְּדוֹנוֹת — **[David]** then went even further and **said [to God],** ***"Also from wicked acts spare your servant*** (ibid., v. 14) — **these being** a reference to **intentional sins.**[151] "וְאַל יִמְשְׁלוּ בִי אָז אֵיתָם", אֵלּוּ תוֹקְפֵי עֲבֵירוֹת — **And** moreover, ***Let them not rule me, then I shall be perfected*** (ibid.), **these being** a reference to **the severe transgressions.**[152] "וְנִקֵּיתִי מִפֶּשַׁע רָב", אוֹתוֹ עָוֹן רַב — ***And*** moreover ***I will be cleansed of great transgression*** (ibid.), referring to **'that great sin'** in the incident of Bath-sheba."[153] אָמַר דָּוִד לִפְנֵי הַקָּדוֹשׁ בָּרוּךְ הוּא — With this last request concerning his "great transgression," **David was saying before the Holy One, blessed is He,** רִבּוֹנוֹ שֶׁל עוֹלָם, אַתְּ אֱלוֹהַּ רַב וַאֲנָא חוֹבַי רַבְרְבִין — **"Master of the universe! You are a great God, and my sins are great;** יָאֵי לְאֵל רַב דְּשָׁבֵיק לְחוֹבִין רַבְרְבִין — **it befits a great God to forgive great sins."** הָדָא הוּא דִכְתִיב "לְמַעַן שִׁמְךָ ה׳ וְסָלַחְתָּ לַעֲוֹנִי כִּי רַב הוּא" — **And that is** the meaning of **what is written** in another Psalm of David's, ***For Your Name's sake, HASHEM, pardon my sin for it is great*** (ibid. 25:11).[154]

NOTES

151. Committed in public (ibid.).

152. The Midrash homiletically interprets אֵיתָם (translated here as *I shall be perfected*) as if it were written אֵיתָן, meaning "tough, hard" (*Yefeh To'ar*).

The term "severe transgressions" refers to sins for which a harsh penalty — *kares* ("excision") or execution — is prescribed in the Torah (*Yefeh To'ar*). Alternatively, it refers to sins that were carried out with a rebellious attitude (*Matnos Kehunah*).

153. See *II Samuel* Ch. 11.

154. According to our Midrash, the words *for it is great* in the *Psalms* verse refer both to the Name of God mentioned previously in the verse, as well as to *my guilt:* "For the sake of Your Name (*for it is great*), pardon my sin (*for it is great*)" (*Matnos Kehunah*). See Insight Ⓐ.

INSIGHTS

Ⓐ **To Beg Forgiveness** In a novel approach, *R' Chaim Sofer* (*Divrei Shaarei Chaim, Vayikra* p. 84b) explains how the Midrash's earlier parable regarding the Cuthean beggar (above, at notes 144-145) relates to David's entreaties to God for forgiveness.

The Cuthean beggar's ploy actually resembles the tactic employed by the evil inclination to lure one to sin. The evil inclination, realizing that a person guards himself and will not readily commit a grave misdeed, focuses initially on luring a person to commit the most minor of sins. But once someone falls prey and commits his first error, no matter how minor, the evil inclination has gained a foothold in the sinner, which enables him to lead him further and further down the path to sin. The person's defenses have been breached; his moral integrity has been compromised. Next, the person is led to sin in private, then intentionally, and eventually to the most severe transgressions.

It is like the Cuthean beggar, who really seeks bread and wine, but knows that he must be circumspect in his request or he will be rejected outright. So he asks for no more than an onion, and then, once that has been secured, bread, and ultimately for wine that completes his meal.

When David beseeched God for forgiveness, he realized that he had fallen prey to the beggar-like ploys of the evil inclination. So he first implored God to forgive his minor sins, appealing that no person can avoid sin completely, as Scripture states, כִּי אָדָם אֵין צַדִּיק בָּאָרֶץ אֲשֶׁר יַעֲשֶׂה טּוֹב וְלֹא יֶחֱטָא, *For there is no man so wholly righteous on earth that he [always] does good and never sins* (*Ecclesiastes* 7:20). In this way, David could hope that his more serious sins would be forgiven as well. For that first, unavoidable misdeed was the cause of his subsequent, more serious transgressions, and so on to the most grave. And once God would forgive the initial, less-severe sins, which had triggered and enabled the process of sin, David could pray that God should forgive as well the more serious ones that had come in their wake.

אַפֵּיהּ בִּישִׁין, אָזַל לְגַבֵּי מָרֵי עֲבִידְתָּא מִשְׁאֵיל לֵיהּ, אָמַר לֵיהּ: מָה אַרְעָא עֲבִידָא, אָמַר לֵיהּ: הַלְוַאי מַעֲלָה מַה דְּאַפְּקִינַן בְּגַוָּהּ, מַה תּוֹרֵי עָבְדִין, אָמַר לֵיהּ: תְּשִׁישִׁין, אָמַר לֵיהּ: מָה אַתְּ בָּעֵי, אִית לָךְ עֲשָׂרָה דִּינָרִין תִּתְּנוּן לִי, אָמַר לֵיהּ: זִיל, קוּם ° מַה דְּאִית לִי גַּבָּךְ. אָמַר רַבִּי חוֹנִי: ˙דָּוִד מֵאֲרִיסָא טָבָא הֲוָה, בַּתְּחִלָּה מְשׁוֹרֵר בְּקִילוּס וְאוֹמֵר (תהלים יט, ב) "הַשָּׁמַיִם מְסַפְּרִים כְּבוֹד אֵל", אָמְרוּ לוֹ הַשָּׁמַיִם: שֶׁמָּא אַתְּ צָרִיךְ לִכְלוּם, (שם) "וּמַעֲשֵׂה יָדָיו מַגִּיד הָרָקִיעַ", אָמַר לוֹ°: שֶׁמָּא אַתְּ צָרִיךְ לִכְלוּם, מַזְכִּיר וְהוֹלֵךְ (שם שם ג) "יוֹם לְיוֹם יַבִּיעַ אֹמֶר וְגוֹ' *", אָמַר לֵיהּ הַקָּדוֹשׁ בָּרוּךְ הוּא: מָה אַתְּ בָּעֵי, אֲמַר לֵיהּ: (שם שם יג) "שְׁגִיאוֹת מִי יָבִין", מִן שִׁגְגָתָא דַּעֲבָדִית קֳמָךְ, אֲמַר לֵיהּ: הָא שְׁרִי לָךְ, וְהָא שְׁבִיק לָךְ, אָמַר לוֹ: (שם) "מִנִּסְתָּרוֹת נַקֵּנִי", מִן טְמִירָתָא דַּעֲבָדִית קֳמָךְ, אֲמַר לֵיהּ: הָא שְׁרִי לָךְ וְהָא שְׁבִיק לָךְ, אֲמַר לֵיהּ (שם שם יד) "גַּם מִזֵּדִים חֲשֹׂךְ עַבְדֶּךָ", אֵלּוּ הַזְּדוֹנוֹת, (שם) וְ"אַל יִמְשְׁלוּ בִי אָז אֵיתָם", אֵלּוּ תּוֹקְפֵי עֲבֵירוֹת, (שם) "וְנִקֵּיתִי מִפֶּשַׁע רָב", אָמַר דָּוִד לִפְנֵי הַקָּדוֹשׁ בָּרוּךְ הוּא: רִבּוֹנוֹ שֶׁל עוֹלָם, אַתְּ אֱלוֹהַּ רַב וַאֲנָא חוֹבֵי רַבְרְבִין, יָאֵי לְאֵל רַב דְּשָׁבֵיק לְחוֹבִין רַבְרְבִין, הָדָא הוּא דִכְתִיב (שם כה, יא) "לְמַעַן שִׁמְךָ ה' וְסָלַחְתָּ לַעֲוֹנִי כִּי רַב הוּא":

עץ יוסף

הלואי כו'. מי יתן שתעלה הקרקע תבואה כשיעור מה שהוצאנו לזרוע בתוכו: **תששין.** תשושי כח: **קום הב כו'.** קום ותן לי מה שיש אצלך: **השמים שמא את צריך לכלום.** שהשמים חשבו שדוד מבקש מהקדוש ברוך הוא הדברים שהוא משפיע ונותן על ידי השמים כעושר ומזון, כאומרו (הושע ב, כג) אענה את השמים וגו' ונאמר (איוב לו, לא) כי בם ידין עמים וגו', ולכן היה מקלס את ה' שהשמים מספרים כבוד אל מאחר שהם עבדיו ושרים אל משמעותו יצוה עליהם לתת מהשפעתם אליו: **ומעשה ידיו מגיד הרקיע אמר ליה הרקיע שמא.** כן צריך לומר וכן הוא בשוחר טוב, ורצה לומר שהרקיע חשב שהיה מבקש גשמים או שלג הניתן מהרקיע, ולכן אמר ומעשה ידיו מגיד הרקיע, שפירשו מעשה ידיהם של צדיקים מגיד הרקיע, ומהו, מטר. ולא יקשה לך איך דברו לו השמים והרקיע, כי זה יובן על שר הרקיע, גם יתכן שזה דרך משל על הסומכים שישאלוהו דבר מה תבקש מהשמים והרקיע, וקאמר דהוי ליה כאילו השמים והרקיע שואלין: **מזכיר והולך כו' אמר ליה הקדוש ברוך הוא כו'.** רצה לומר כשהתחיל לקלס בתורה אמר לו ה' מה את בעי וכו' כי עכשיו גלי אדעתיה שאינו מבקש רק מילתא דתליא בתורה כגון חכמה או מחילת חטא, אף על פי שה' חוקר לב אמר לו מה את בעי כדי לפתוח לו פה שיפרש שאלתו, ואף על פי שגם מתחלה ידע ה'

פירוש מהרז"ו

את אלוה רב. פירוש שאמר למען שמך ה' וסלחת לעוני כי רב הוא, ואיזה טעם הוא שיסלח לו על שהעון גדול יותר, אדרבה היה ראוי לסליחה אם היה עון קטן, על כן דורש על פי מדת ממעל ודרך קצרה, כאלו כתוב למען שמך הגדול ורב, (שלא יתכן לבשר ודם לצאת ידי כבוד שמך), וסלחת לעוני כי רב, ועל פי מדה י"ז של פסוק למען שמך כנ"ל, יפורש גם פסוק זה ונקיתי מפשע רב, ונקיתי מאתך שאתה רב לפשעי כי רב. וכמו שכתוב מפורש במדרש תהלים סוף קפיטיל י"ט, ונקיתי מפשע, רב אמר רבי לוי, אמר דוד לפני הקדוש ברוך הוא את אלוה רב וכו', והמדרש כאן לקוח משם, וכאן חסר. ועיין דברים רבה (ח, א) סלח לעוני שהוא גדול, ומה שכתבתי שם:

במה שרוצה לשאול לא פתח לו עד שיסדר כל מה שרצה לסדר משבחו של מקום קודם בקשתו: **מן שגגתא כו'.** באתי לבקש על השגגות שעשיתי לפניך, שמי יוכל לשמור את עצמו משוגג: **הא שרי לך.** פירוש מותר ופטור ונעזב ומחול, ואין זה מפורש שאמר ליה הקדוש ברוך הוא כך, אבל ממה שבקש דוד שוב אחר כך על הגדולות ממנו דהיינו מזידים מוכח דשבק לו הראשונים (מהרש"א סנהדרין קז, א): **מן טמירתא כו'.** פירוש מזיד של צנעה. פירוש מזיד של פרהסיא: **אלו הזדונות.** ומסתמא השיב לו הא שביק לך, לכן בקש אחר כך אל ימשלו בי אז איתם אלו תקיפי עבירות דהיינו הפשעים שהם כריתות ומיתות בית דין שאינם מתכפרים אלא על ידי יסורים, ומשהשיב לו הא שביק לך בקש אחר כך ונקיתי מפשע רב, והמדרש קיצר משום שהוא מובן מאליו: **אלו תוקפי עבירות.** סיים בשוחר טוב כענין שנאמר נחל איתן: **ונקתי מפשע רב אותו עון רב. אמר דוד לפני הקדוש ברוך הוא אתה.** כך צריך לומר, וכן הוא בשוחר טוב, ואותו עון רב היינו מעשה בת שבע שהיה בו חילול השם שהרג את אוריהו בחרב בני עמון שהיה חקוק עליו דמות עבודה זרה שלהם, וחילול השם אינו מתכפר אלא במיתה: **את אלוה רב.** שאתה אדון על כל העולם וכל העולם שלך שלכך אתה יכול למחול על כבודך: **ואנא חובי רברבן.** שכיון שאני מלך וחכם שגגות שלי נחשבות לזדונות, ואם תמחול לי ילמדו ממני לעשות תשובה כמו שאמרו חכמינו ז"ל (עבודה זרה ד, ב) לא היה דוד ראוי לאותו מעשה אלא כדי להורות תשובה, וזהו שסיים יאה לאלוה רב כו' שנאמר למען שמך ה' שמורה על הרחמים שמקבל שבים לכן וסלחת לעוני כי רב הוא ויתוודע על ידי זה גודל רחמנותיך. ונראה שתיבת כי רב הוא פירוש בעל המאמר, שקאי על שמך ה', וגם קאי על לעוני, והכי קאמר למען שמך ה' כי רב הוא וסלחת לעוני כי רב הוא שיאה לאלוה רב למשבק חובין רברבין, שכפי גדולתו שכל העולם דיליה כן יגדל חסדו למחול העון הגדול:

מתנות כהונה

הלואי כו'. מי יתן שתעלה הקרקע תבואה שיעור מה שהוצאנו לזרוע בתוכו: **תששין.** תשושי כח: **קום מה דאית כו'.** קיים לי ותן לי מה שיש אצלך. הכי גרסינן בילקוט (תהלים רמז תרעא), ובשוחר טוב (מזמור יט), **שמא אתה צריך לכלום ומעשה וכו', אמר ליה הרקיע שמא אתה צריך לכלום, התחיל מזכיר והולך יום ליום יביע אומר כו',** עד תורת ה' תמימה, **אמר ליה הקב"ה כו': מן שגגתא כו'.** לכן באתי לבקש עליהן: **שרי.** מותר ופטור: **שביק.** נעזב ומחול: **טמירתא.** נסתרות: **תוקפי עבירות.** כגון להכעיס: **חובי רברבין.** חובתי ועבירותי גדולים: **יאה כו'.** נאה ויפה לאל רב שיעזוב וימחול לעבירות גדולות: **כי רב הוא.** על שניהם הוא חוזר על שמך ועל עוני:

אשד הנחלים

כן השב החכם, אף שלבו כואב על עצמו, עם כל זה נהנה מחכמת ה' ומעשיו הנוראים, ולכן דוד אף שהרגיש חטאו, ואבה לבקש על חטאותיו, עם כל זה זכר מגבורות ה' ואמר השמים מספרים כבוד אל. הבן הענין הנחמד וחקור והתבונן בו בינה:

חידושי הרד"ל

אלו תוקפי עבירות. סיים בשוחר טוב, כענין שנאמר נחל איתן:

באור מהרי"פ

אמר ליה השמים מה אתה מבקש. צריך עיון איך עלה על דעת שמים ורקיע שדוד יבקש מהם דבר מה. ועיין יפה תואר. וכתב היפה תואר איך דברו עמו השמים והרקיע, כי זה מובן על שר הרקיע כענין דבור גיגאי נהרא דפרק קמא דחולין (ז, א), וכענין השמים והרים וגבעות (ע"ז, ז, א) בעובדא דרבי אלעזר בן דורדיא, וכדפירש התוספות שם: **מן טמירתא.** ופירוש של מנסתרות הם מזיד של צינעה, ומן מזידים חשוך פירושו מזיד של פרהסיא: **אז איתם.** דורש איתם כמו איתן בנו"ן בחילוף מ"ם בנו"ן, כמו (במדבר ג, מט) כסף הפדיום כמו כסף הפדיון: **יאי לאלוהה רב דשביק לחובין רברבין.** פירוש על דרך הכשיון שהגסות רוח והאכזריות הם קנין לפחותי הערך והענוה והחמלה לגדולי הערך, ובערך הגדולה תגדל הענוה והחמלה, וכן שארי מדות המעולות, והבורא יתברך מאחר שאין תכלית לגדולתו כמו כן אין תכלית לענותנותו וחמלתו על ברואיו, וכבר שערו בזה חז"ל במאמרם (מגילה לא, א) כל מקום שאתה מוצא גדולתו של הקב"ה שם אתה מוצא ענותנותו וכו', וכן אמר דוד (תהלים קג, א) כי כגבוה שמים על הארץ כן גבר חסדו על יראיו, רצונו לומר בלתי תכלית, רק תפס המרחק היותר גדול שיכול האדם לשער למשל, ועל דרך זה אמר (שם יב) כרחוק מזרח ממערב הרחיק ממנו את פשעינו, וההרחק וההעברה על הפשעים היא גם כן בלתי תכלית, והכל לפי ערך גדולתו בלתי תכלית, וזהו יאי לאלוה רב דשביק לחובין רברבין:

מסורת המדרש

ט. סנהדרין ק"ז:

אם למקרא

הַשָּׁמַיִם מְסַפְּרִים כְּבוֹד אֵל וּמַעֲשֵׂה יָדָיו מַגִּיד הָרָקִיעַ: יוֹם לְיוֹם יַבִּיעַ אֹמֶר וְלַיְלָה לְּלַיְלָה יְחַוֶּה דָּעַת: (תהלים יט:ב-ג)

שְׁגִיאוֹת מִי יָבִין מִנִּסְתָּרוֹת נַקֵּנִי: גַּם מִזֵּדִים חֲשֹׂךְ עַבְדֶּךָ אַל יִמְשְׁלוּ בִי אָז אֵיתָם וְנִקֵּיתִי מִפֶּשַׁע רָב: (שם שם יג-יד)

לְמַעַן שִׁמְךָ ה' וְסָלַחְתָּ לַעֲוֹנִי כִּי רַב הוּא: (שם כה:יא)

שינוי נוסחאות

"ומעשה ידיו מגיד הרקיע", אמר לו: שמא את וכו'. מ"כ הגיה מילקוט ושוח"ט: "אמר לו הרקיע: שמא וכו'": מזכיר והולך "יום ליום יביע אמר וגו' ". מ"כ הביא כמה שינויים לנוסח הישן של הקטע הזה מילקוט וממדרש שוחר טוב, וכתבו המדפיסים את רוב הגהותיו בפנים, אבל הגיה עוד שצ"ל אחר "וגו' ", " עד "תורת ה' תמימה", והמדפיסים שכחו להכניסו בפנים: "ונקיתי מפשע רב". עצ"י מגיה ומוסיף כאן משוח"ט וילקוט: "אותו עון רב":

Chapter 6

וְנֶפֶשׁ כִּי תֶחֱטָא וְשָׁמְעָה קוֹל אָלָה וְהוּא עֵד אוֹ רָאָה אוֹ יָדָע אִם לוֹא יַגִּיד וְנָשָׂא עֲוֹנוֹ.

If a person will sin: If he accepted a demand for an oath, and he is a witness — either he saw or he knew — if he does not testify, he shall bear his iniquity (5:1).

§1 וְנֶפֶשׁ כִּי תֶחֱטָא וְשָׁמְעָה קוֹל אָלָה וְהוּא עֵד אוֹ רָאָה אוֹ יָדָע וגו׳ ***— IF A PERSON WILL SIN: IF HE ACCEPTED A DEMAND FOR AN OATH, AND HE IS A WITNESS — EITHER HE SAW OR HE KNEW, ETC.*** *[IF HE DOES NOT TESTIFY, HE SHALL BEAR HIS INIQUITY].*

According to the verse's plain interpretation, if one swore to testify on behalf of a litigant regarding evidence that he saw or knew, but then withheld his testimony, he will be held accountable. However, the phrase *and he is a witness* is seemingly redundant, since Scripture already specifies that *he saw or he knew*. The Midrash therefore sets out to offer an alternate interpretation of this verse, one that will be patterned after a passage from *Proverbs*. Before doing so, however, it expounds the verses in *Proverbs* in a homiletic sense:[1]

זֶה שֶׁאָמַר הַכָּתוּב, "אַל תְּהִי עֵד חִנָּם בְּרֵעֶךָ וגו׳" — Regarding **that which the verse states, *Do not offer vain testimony against your friend*** (*Proverbs* 24:28), "אַל תְּהִי עֵד חִנָּם", אֵלּוּ יִשְׂרָאֵל — ***Do not offer vain testimony*** **— this alludes to Israel,**[2] שֶׁנֶּאֱמַר, "וְאַתֶּם עֵדַי נְאֻם ה׳ וַאֲנִי אֵל" — **as it is stated, *You are my witnesses — the word of HASHEM — and I am God*** (*Isaiah* 43:12);[3] "בְּרֵעֶךָ" זֶה הַקָּדוֹשׁ בָּרוּךְ הוּא — ***against your friend*** **— this alludes to the Holy One, blessed is He,** שֶׁנֶּאֱמַר, "רֵעֲךָ וְרֵעַ אָבִיךָ אַל תַּעֲזֹב וגו׳" — **as it is stated, *Do not forsake your friend and the friend of your father, etc.*** (*Proverbs* 27:10).[4] "וַהֲפִתִּיתָ בִּשְׂפָתֶיךָ" — *Proverbs* 24:28 continues, ***And beguile with your lips,*** which is meant by Moses as a further rebuke of Israel, as if to say: מֵאַחַר שֶׁפִּיתִּיתֶם אוֹתוֹ בְּסִינַי — **After you beguiled [God] at Mount Sinai,** וַאֲמַרְתֶּם, "כֹּל אֲשֶׁר דִּבֶּר ה׳ נַעֲשֶׂה וְנִשְׁמָע" — **by saying, *"Everything that HASHEM has said, we will do and we will obey!"*** (*Exodus* 24:7), לְסוֹף מ׳ יוֹם אֲמַרְתֶּם לָעֵגֶל, "אֵלֶּה אֱלֹהֶיךָ יִשְׂרָאֵל" — **at the end of** a mere **forty days you said regarding the** Golden **Calf, *This is your god, O Israel*** (ibid. 32:4).[5]

NOTES

1. As customary in Midrashic style (*Eitz Yosef*).

2. In this interpretation of the verse, Moses is rebuking Israel for worshiping the Golden Calf and exhorting them not to repeat their sin. Accordingly, he warns them not to continue to offer false (*"vain"*) testimony against God, as they did when they said of the Golden Calf (*Exodus* 32:4), *This is your god, O Israel, which brought you up from the land of Egypt* (see *Eitz Yosef*; see, however, *Eshed HaNechalim*, who takes *vain* literally; see note 5). See Insight Ⓐ.

3. In this verse the term *witnesses* refers to Israel; the Midrash thus states that the *Proverbs* verse (which states literally, *Do not be a vain "witness"*) may accordingly be understood as similarly alluding to Israel. [For explanation of why the Midrash cites the (apparently unnecessary) *end* of the *Isaiah* verse, *and I am God*, see *Yefeh To'ar's* discussion of the term *witness* in our context (see also *Eitz Yosef*).]

4. As expounded elsewhere (*Shemos Rabbah* 27 §1), the expression *friend* in this verse refers to God (*Eitz Yosef*).

5. The Midrash here is implying what it says explicitly elsewhere (*Shemos Rabbah* 42 §8; see also *Devarim Rabbah* 3 §11), viz., that Moses

INSIGHTS

Ⓐ **Living Testimony** The false testimony uttered at the time of the Golden Calf was an abdication of the mission of the Jewish nation, of whom God declares: אַתֶּם עֵדַי, *you are My witnesses*.

The purpose of the Jewish nation — and thus the purpose of each of its members — is to bear witness for God, to stand before the world as living testimony to His greatness and sovereignty. We accomplish this through our conduct, by hewing closely to His commandments, by dealing with others in a manner that speaks well of His guidance. When we tread the path of Torah and mitzvos, when we are righteous in thought and deed, we reflect His perfect and righteous ways and sanctify His holy Name. Our testimony for God is not one of words, but of deeds; we bear witness through the manner in which we live our lives (*Sfas Emes, Tzav* שנת תרמ"ו; *Divrei Chaim* [R' Chaim Shorin] on *Exodus* 20:13; see also Insight below on §5, "The True Jew").

Like that of witnesses in court, our testimony must remain uncorrupted, without ulterior motive. Just as a witness in court may not accept payment for his testimony, so too must one serve God for His own sake, not for the sake of receiving reward, lest his testimony be tainted. Similarly, one must place his obligations to God above his financial well-being. If one's concern is only for oneself, if one desires above all to amass wealth, his testimony cannot be other than flawed. His deeds will not sanctify God's Name.

Yerushalmi (*Bava Metzia* 2:5; also *Devarim Rabbah* 3 §3) relates an incident that stands as an example of true testimony. Shimon ben Shatach purchased a donkey around whose neck hung a bag, inside of which there was a precious stone. The Arab seller knew nothing of the precious stone's existence; nevertheless, Shimon ben Shatach returned it to him. His selflessness and integrity was testimony to his Godly creed. The seller recognized the underlying source of his good fortune, and exclaimed in gratitude: *Blessed is the God of Shimon ben Shatach!* [see also Insight above on 2 §5, note 77, "The Jewels in the Crown"] (*Sfas Emes, Chukas* שנת תרל"ו; *Toras Maharitz* to our verse).

The notion of selflessness is alluded to in the verse presently expounded by the Midrash: אִם לוֹא יַגִּיד וְנָשָׂא עֲוֹנוֹ, *if he does not testify, he shall bear his sin*. The word לוֹא could have been written in its usual abbreviated form, לֹא, which simply means: "not." Instead, it is written in an expanded form, לוֹא [with an added letter ו]. The word לוֹ means "for him." Thus, the phrase carries a dual meaning: אִם לוֹא, *if it is for him*, i.e., if his service is motivated by self-interest, then לוֹא יַגִּיד, *he will not testify*, i.e., his testimony will be tainted, וְנָשָׂא עֲוֹנוֹ, *and he shall bear his sin* (see *Toras Maharitz* ibid.).

Sfas Emes expands upon the character of this testimony. Ordinary witnesses, before their testimony is accepted, must undergo rigorous scrutiny, to test for falsehoods and inconsistencies. The same holds true with regard to the living testimony of every Jew. It is not enough that a person upholds God's commandments in optimal circumstances. The true test comes when one's service to God is fraught with difficulty, or when one is faced with temptation. If one endures the test of fire and remains faithful, or if he fails but then rallies and overcomes his evil inclination, he has sanctified God's Name, and has proved to be a sincere and truthful witness.

In a similar vein: Ordinary testimony is valid only if susceptible to a process of falsification known as הֲזָמָה, *hazamah*, in which the witnesses are accused by others of having been with them elsewhere (עִמָּנוּ הֱיִיתֶם) during the period covered by their testimony. If *hazamah* is not possible, e.g., where the witnesses did not state specifically where the incident took place, the testimony is invalid. So too, Israel's testimony to God is valid only if it can be challenged in this manner. If a Jew separates himself completely from involvement in mundane things, his testimony in this regard does not resound, for he has never been tested. For a Jew to fulfill this purpose, he must live in the real world, subject to temptation. There must be times in his life when, had he faltered, the evil inclination could have said to him: עִמָּנוּ הֱיִיתֶם, you were not with God, you were with *me*, in a place of sin. It is this possibility that validates a person's testimony. If one resists the lure, if one denies the evil inclination its victory, if he remains faithful, he is a genuine witness, whose life stands as true testimony to God (*Sfas Emes, Pinchas* שנת תרמ"ג).

We failed this test after Sinai, and thereafter resolved never to fail it again.

פרשה ו

א [ה, א] "**וְנֶפֶשׁ כִּי תֶחֱטָא וְשָׁמְעָה קוֹל אָלָה וְהוּא עֵד אוֹ רָאָה אוֹ יָדָע וְגוֹ'**", **זֶה שֶׁאָמַר הַכָּתוּב** (משלי כד, כח) "**אַל תְּהִי עֵד חִנָּם בְּרֵעֶךָ וְגוֹ'**", "**אַל תְּהִי עֵד חִנָּם**", **אֵלּוּ יִשְׂרָאֵל, שֶׁנֶּאֱמַר** (ישעיה מג, יב) "**וְאַתֶּם עֵדַי נְאֻם ה' וַאֲנִי אֵל**", "**בְּרֵעֲךָ**" **זֶה הַקָּדוֹשׁ בָּרוּךְ הוּא, שֶׁנֶּאֱמַר** (משלי כז, י) "**רֵעֲךָ וְרֵעַ אָבִיךָ אַל תַּעֲזֹב וְגוֹ'**", (שם כד, כח) "**וַהֲפִתִּיתָ בִּשְׂפָתֶיךָ**", **מֵאַחַר שֶׁפִּתִּיתֶם אוֹתוֹ בְּסִינַי וַאֲמַרְתֶּם** (שמות כד, ז) "**כֹּל אֲשֶׁר דִּבֶּר ה' נַעֲשֶׂה וְנִשְׁמָע**", **לְסוֹף מ' יוֹם אֲמַרְתֶּם לָעֵגֶל** (שם לב, ד) "**אֵלֶּה אֱלֹהֶיךָ יִשְׂרָאֵל**", **אָמַר רַבִּי אַחָא: הָדָא הוּא רוּחַ הַקֹּדֶשׁ סַנֵּיגוֹרְיָא הִיא, מְלַמֶּדֶת זְכוּת לְכָאן וּלְכָאן, אוֹמֶרֶת לְיִשְׂרָאֵל: "אַל תְּהִי עֵד חִנָּם בְּרֵעֶךָ" וְאַחַר כָּךְ אוֹמֶרֶת לְהַקָּדוֹשׁ בָּרוּךְ הוּא:** (משלי כד, כט) "**אַל תֹּאמַר כַּאֲשֶׁר עָשָׂה לִי כֵּן אֶעֱשֶׂה לוֹ**", **אָמַר רַבִּי יִצְחָק: כְּתִיב** (הושע ו, ז) "**וְהֵמָּה כְּאָדָם עָבְרוּ בְרִית**", **בְּרַם הָכָא,** (שם יא, ט) "**כִּי אֵל אָנֹכִי וְלֹא אִישׁ**", **רְאוּבֵן הֲוָה יָדַע לְשִׁמְעוֹן °סַהֲדֵי אֲמַר לֵיהּ: אֲתֵי סְהִיד לִי הָדָא סָהֲדוּתָא, אֲמַר לֵיהּ: אֵין, כְּשֶׁנִּכְנַס לַדַּיָּן חָזַר בּוֹ, וְאָמְרָה לוֹ רוּחַ הַקֹּדֶשׁ: "וַהֲפִתִּיתָ בִּשְׂפָתֶיךָ", מֵאַחַר שֶׁפִּתִּיתָ בִּשְׂפָתֶיךָ וְהִכְנַסְתָּ אוֹתוֹ לַדִּין חָזַרְתָּ בְּךָ,**

עץ יוסף

(א) **אל תהי עד חנם כו'.** קשה ליה, דהוא עד יתירה הוא, דהוי ליה למימר ושמעה קול אלה והוא ראה או ידע, לכן מפרש דכוונת הכתוב לומר דאפילו כשהתובע חטא לו שלא העיד לו עדות שהיה יודע, לא יוכל זה לשלם לו כמדתו, והכי קאמר קרא ונפש כי תחטא ושמעה קול אלה, כלומר שלא העידה לראובן עדות ששמעה, ועכשיו ראובן זה הוא עד לנפש זו שחטאה לו, מכל מקום אם לא יגיד ונשא עונו, ומייתי ראיה לדין זה מהא דכתיב גבי עד אל תאמר כאשר עשה לי כו', ואיידי דמייתי קרא, דריש ליה ברישא בענין אחר כדרך המדרש: **אלו ישראל.** רצה לומר דקרא מיירי בתוכחת משה רבינו לישראל כשעשו את העגל, שהוכיחם שלא יוסיפו לעשות כדבר הרע הזה, והכי קאמר קרא אל תהי עד חנם עד שקר, לפי שהעידו עדות שקר שאמרו לעגל אלה אלהיך ישראל, שהשקר דבר שוא ובטל: **ואתם עדי כו'.** ומפרש בספרי (דברים סימן שמו, ברכה סימן ה) כשאתם עדי אני אל, וכשאין אתם עדי כביכול איני אל, ואם כן העיד שקר בו יתברך הוי ליה כעדות דמהני חס ושלום: **שנאמר רעך כו'.** עיין שמות רבה פרשה כ"ז סימן א: **שפתיתם אותו.** שמאמרם בפתוי היה דכתיב ויפתוהו בפיהם וגו', ועיין שמות רבה (מב, ו), ודברים רבה (ג, יא): **הדא רוח הקודש סנגוריא.** כי כפי פשוטו אין שייכות הפסוק אל תאמר לשלפניו, רק אם נאמר שבאורו אם תראה העד חנם משקר עם כל זה אל תאמר כאשר עשה כן אעשה לו, ובנמשל גם כן ככה, ויען ששלמה מדבר מפי חכמה העליונה, [הוא רוח הקודש שהיא מדריגת שלמה] כאלו החכמה אומרת בשם ה', שעם כל זה לא עשיתי להם כאשר עשו לי, והיא הסנגוריא לישראל, שלא יאמר הקדוש ברוך הוא כמו שהם כזבו בי ואמרו לעגל אלה אלהיך ישראל כן אכפור בהם ואומר שאינם עמי: **כאדם עברו ברית.** מבאר סיבת הטעם, כי אצלו יתברך אין שייך מדת הנקם לעשות להם כמעשיהם, כי חטאותם אינו נוגע לעצמותו כביכול, וגם הם חוטאים מצד היצר, על דרך דאיתא באיכה רבתי (ג, יד) נחנו פשענו ומרינו כמדתינו, רצה לומר כמדת האדם שיש לו יצר הרע, אתה לא סלחת כמדתך, רצה לומר למה לא סלחת אתה כמדתך שדרכך לסלוח ואין להנקם בבשר ודם, וזהו המה כאדם שהוא בשר ודם החוטא בטבע, ואל אנכי ולא איש להתפעל מחטאם, וזהו אל תאמר כאשר עשו לי כן אעשה לו כי איני דומה לו חס ושלום שאתפעל מזה: **ולא איש.** נראה שרצה לומר זה שנאמר אעשה לאיש כפעלו, שרוח הקודש אומרת להקדוש ברוך הוא שלא יאמר כן כי לא איש הוא (רד"ל): **ראובן הוה ידע כו'.** זהו פירוש אחר על פסוק אל תהי עד חנם, והכי מפרש ליה אל תהי עד לבטלה כלומר שתבטל עדותך: **סהדי.** עדות: **אתי סהיד לי הדא סהדותא.** כן צריך לומר, פירוש והעיד לי זו העדות: **מאחר שפיתית כו' חזרת בך.** קשה אמאי קאמר משום דהודה לו להעיד תחלה ורמוהו, תיפוק ליה מפני שחייבה תורה להעיד. ויש לומר דמיירי במי שאינו חייב מן הדין ללכת להעיד, כגון תלמיד חכם לפני בית דין הקטן ממנו, ואשמועינן דאפילו הכי אם כבר

פירוש מהרז"ו

(א) **שפיתיתם אותי בסיני.** עיין שמות רבה (יב, יא) בהדיא והפיתית בשפתיך ויפתוהו בפיהם, עיין שם כל הדרשה. וביתר ביאור במכילתא משפטים (פרשה יג): **הדה רוח הקדש סנגוריא.** כמו שכתוב דברים רבה (ג, יא) הנ"ל, משפסק הסניגור היה רוח הקדש מלמד זכות עליהם וכו', עיין שם שמאחר שנקראו ישראל עדים, כמו שכתוב (ישעיה מג, יב) ואתם עדי, שעל זה אמר כאן והוא עד, על זה אמר אל תהי עד חנם, ואחר כך אומר להקדוש ברוך הוא, אל תאמר וגו' אשיב לאיש כפעלו, ודורש השינוי, שתחלה אמר אל תהי עד חנם ברעך, והיה לו לומר אשיב לרעי, על כן דורש ברעך על ישראל להקב"ה, ומה שכתוב (משלי כד, כט) אשיב לאיש, היינו הקב"ה לישראל, שהמה אדם ואיש, ואתה אל ולא איש, וזהו מה שאמר רבי יצחק והמה כאדם עברו ברית, שעל שהמה אדם ואיש, על כן עברו ברית, אבל אתה אל ולא איש אל תשיב לאיש כפעלו, על פי מדה י"ג וממעל. וכוונו לפסוקים של הושע ו' (פסוק ו-ז) כי חסד חפצתי ולא זבח ודעת אלהים מעולות, והמה כאדם עברו ברית שם בגדו (כי) [בי], היינו בסיני כנ"ל, ובהושע (יא, ט) לא אעשה חרון אפי לא אשוב לשחת אפרים כי אל אנכי ולא איש, שפסוקים אלו לתשובה לרוח הקדש שאמר, ה' אל תאמר וגו' אשיב לאיש כפעלו, על זה השיב והמה כאדם עברו וגו' כי אל אנכי ולא איש, ודוק מאד איך קרבו כמה פסוקים רחוקים ונדרשים יחד כאלו מחוברים יחד, על פי המדות, ועיין עוד לקמן (סימן ו) בשם רבי פנחס: **ראובן הוה ידע.** עתה בא לפרש הפסוקים, אל תהי עד חנם וגו', לפי פשוטם על עדות איש לרעהו:

מתנות כהונה

[א] **שפיתיתם.** כלומר פייסתם, פיום ופיתוי אחת הוא כפי הלשון, בפרט היכא דלא נתקיים הדבר כמו כאן שעשו את העגל: **סניגורין.** מליץ טוב על ישראל: **ברם הכא.** אצל התשובה כתיב (הושע יא, ט) לא אעשה חרון אפי וגו', כי אל אנכי: **סהדי.** עדות: **אתי סהיד בו'.** בא והעיד לי עדות אחת: **והכנסת אותו.** גרסינן:

אשד הנחלים

[א] **עד חנם אלו ישראל.** כי העד הוא על ידי ראיה, שרואה בעיניו הדבר, כן ישראל שזכו במעמד הר סיני לנבואה וראו בעיניהם, וכמו שאמרו (הובא ברש"י דברים ד, לה [ועיין פסיקתא רבתי פ' מתן תורה קרוב לסופו]) מלמד שפתח הקב"ה כל הרקיעים והראה להם כו', ועל ידי זה ההאמנה אמרו נעשה ונשמע, ועם כל זה מכונה רק בשם פיתוי, שלא היה האמונה נשרשת בהם, אחר שנפלו מהר מזה, ואם כן העדות הוא על חנם, אחר שלא עמדו על עדותם: **הדא רוח הקדש סנגוריא מלמדת זכות כו'.** כי כפי פשוטו אין שייכות הפסוק אל תאמר, לשלפניו, רק אם נאמר שבאורו, אם תראה העד חנם משקר, עם כל זה אל תאמר כאשר עשה כן אעשה לו. ובנמשל גם כן ככה, ויען ששלמה מדבר מפי החכמה העליונה [הוא רוח הקודש שהיא מדריגת שלמה], כאלו החכמה אומרת בשם ה', שעם כל זה לא עשיתי להם כאשר עשו לי, והיא הסנגוריא לישראל, וסנגוריא גם כן להקב"ה במה שהענישם, והוא במה שספרה מעוון ישראל וחטאתם. ועיין בידי משה מה שדחק בזה: **והמה כאדם כו'.** מבאר סבת הטעם, כי אצלו יתברך אין שייך מדת הנקם לעשות להם כמעשיהם, כי חטאותם אינו נוגע לעצמותו כביכול, וגם הם חוטאים מצד היצר, וזהו המה כאדם שהיא בשר ודם החוטא בטבע, ואל אנכי ולא איש, להתפעל מחטאם, וזהו אל תאמר כאשר עשו לי כן אעשה לו, כי איני דומה לו חס ושלום שאתפעל מזה: **ראובן כו'.** מפרש באגב הפסוק לפי פשוטו, וכמו שפרשתי לעיל:

חידושי הרד"ל

[א] **עד חנם אלו ישראל כו'.** דברים רבה פרשה ג' (סימן יא): **שפתיתם אותו בסיני.** מסיים שם, כמה דאת אמר ויפתוהו בפיהם וגו'. **ברם הכא כו' וכו' ולא איש.** נראה שרצה לומר זה שכתוב אעשה לאיש כפעל, שרוח הקודש אומרת להקב"ה שלא יאמר כן, כי לא איש הוא:

חידושי הרש"ש

[א] **והמה כאדם עברו ברית וכו'.** פירוש כאשר המה אדם לכן עברו ברית: **אמר ליה אתי סהיד לי הדא סהדותא.** כן צריך לומר הדא בה"א וכן הוא בילקוט (רמז תעא) ודלא כמתנות כהונה: **מאחר שפיחית בשפתיך והכנסת אותו.** דלולי שנסמך על העד היה עושה פשרה עם הבעל דין ולא נכנס לדין: **אל תאמר כאשר עשה לי וכו' והלא כבר נתנה תורה איפופסין.** ופירוש הכתוב, דשלמה ברוח הקודש אומר במקום הקב"ה, אנכי אשיב לאיש כפעלו:

אמרי יושר

[א] **אל תהי עד חנם.** כמו עד שקר. או פירושו כיון שהזמינך הקדוש ברוך הוא לעד לו, לא יהא זה חנם, רק העד עדותך והכרז אלהותו: **הדא רוח הקדש סנגוריא.** מלמדת ואומרת להקדוש ברוך הוא, אף על פי שחטאו ישראל, אל תאמר כן אעשה לו, ואתה אל ולא איש. ודייק מדכתיב בסוף אשיב לאיש כפעלו, דייק לאיש, ואתה אל: **ראובן היה ידע לשמעון סהדי.** זה פירוש אחר בכתוב, אתה ראובן אל תהי עד חנם, כיון שפיתית בשפתיך, ואתה שמעון אל תאמר כאשר עשה לי כן אעשה לו, וזהו ונפש כי תחטא, היינו ראובן, אם לא יגיד שמעון עדות אחרת שיודע לו, ונשא עונו. והרגישו איך אמר כי תחטא, קודם אם לא יגיד:

שינוי נוסחאות

(א) **ראובן הוה ידע לשמעון סהדי.** צ"ל "סהדו" (עדות) ולא "סהדי" (עדים), וכן היה בספרים ישנים:

אם למקרא

אַל תְּהִי עֵד חִנָּם בְּרֵעֶךָ וַהֲפִתִּיתָ בִּשְׂפָתֶיךָ:
(משלי כד:כח)

אָנֹכִי הִגַּדְתִּי וְהוֹשַׁעְתִּי וְהִשְׁמַעְתִּי וְאֵין בָּכֶם זָר וְאַתֶּם עֵדַי נְאֻם ה' וַאֲנִי אֵל:
(ישעיה מג:יב)

רֵעֲךָ וְרֵעַ אָבִיךָ אַל תַּעֲזֹב וּבֵית אָחִיךָ אַל תָּבוֹא בְּיוֹם אֵידֶךָ טוֹב שָׁכֵן קָרוֹב מֵאָח רָחוֹק:
(משלי כז:י)

אַל תְּהִי עֵד חִנָּם בְּרֵעֶךָ וַהֲפִתִּיתָ בִּשְׂפָתֶיךָ: אַל תֹּאמַר כַּאֲשֶׁר עָשָׂה לִי כֵּן אֶעֱשֶׂה לּוֹ אָשִׁיב לָאִישׁ כְּפָעֳלוֹ:
(שם כד:כח-כט)

וַיִּקַּח סֵפֶר הַבְּרִית וַיִּקְרָא בְּאָזְנֵי הָעָם וַיֹּאמְרוּ כֹּל אֲשֶׁר דִּבֶּר ה' נַעֲשֶׂה וְנִשְׁמָע:
(שמות כד:ז)

וַיִּקַּח מִיָּדָם וַיָּצַר אֹתוֹ בַּחֶרֶט וַיַּעֲשֵׂהוּ עֵגֶל מַסֵּכָה וַיֹּאמְרוּ אֵלֶּה אֱלֹהֶיךָ יִשְׂרָאֵל אֲשֶׁר הֶעֱלוּךָ מֵאֶרֶץ מִצְרָיִם:
(שם לב:ד)

וְהֵמָּה כְּאָדָם עָבְרוּ בְרִית שָׁם בָּגְדוּ בִי:
(הושע ו:ז)

לֹא אֶעֱשֶׂה חֲרוֹן אַפִּי לֹא אָשׁוּב לְשַׁחֵת אֶפְרָיִם כִּי אֵל אָנֹכִי וְלֹא אִישׁ בְּקִרְבְּךָ קָדוֹשׁ וְלֹא אָבוֹא בְּעִיר:
(שם יא:ט)

ידי משה

[א] **הדא רוח הקודש וכו'.** קושיא היא, והכי פירושו הדא רוח הקודש בכל מקום היא מלמדת זכות, וכאן היא מראה פנים לכאן ולכאן, פירוש שרישא דקרא אל תהי עד חנם היא חובה לישראל, והדר אמר אל תאמר כאשר עשה לי כן אעשה לו והוא זכות לישראל, לזה אמר מלמדת זכות לכאן ולכאן כלומר שמלמדת זכות שקרוב לחובה, ואינו זכות גמור, ודרך רוח הקודש ללמד בכל מקום זכות גמור, ומשני רבי יצחק דגם במה שאמר אל תהיה עד חנם גם בזה אין שום חוב לישראל כדכתיב והמה כאדם עברו ברית ברם הכא מה שאמר הקב"ה לא אעשה כמו שעשו לי, כי אל אנכי ולא איש, נמצא כל השני פסוקים הם זכות לישראל:

The next verse in *Proverbs* (24:29) states, אַל תֹּאמַר כַּאֲשֶׁר עָשָׂה לִי כֵּן אֶעֱשֶׂה לּוֹ אָשִׁיב לָאִישׁ כְּפָעֳלוֹ, *Do not say, "As he has done to me, so will I do to him; I will repay the man according to his acts."* Having interpreted the preceding verse as Moses' rebuke of Israel for being insincere and traitorous toward God, the Midrash now shows how this verse follows from it:

אָמַר רַבִּי אַחָא: הָדָא הוּא רוּחַ הַקֹּדֶשׁ סַנֵּיגוֹרְיָא הִיא — **R' Acha said: This is the Divine Spirit**[6] **acting as an advocate,** מְלַמֶּדֶת זְכוּת לְכָאן וּלְכָאן — **advocating** both **here and there,** i.e., on behalf of both parties. אוֹמֶרֶת לְיִשְׂרָאֵל: "אַל תְּהִי עֵד חִנָּם בְּרֵעֶךָ" — **To Israel it states:** ***Do not offer vain testimony,***[7] וְאַחַר כָּךְ אוֹמֶרֶת לְהַקָּדוֹשׁ בָּרוּךְ הוּא, "אַל תֹּאמַר כַּאֲשֶׁר עָשָׂה לִי כֵּן אֶעֱשֶׂה לוֹ" — **but afterward,** in the next verse, **it says to the Holy One, blessed is He:** ***Do not say, "As he has done to Me, so will I do to him;*** *I will repay the man according to his acts."*[8]

The Midrash explains the Divine Spirit's reason as to why God should not respond in kind to Israel's betrayal of Him:

אָמַר רַבִּי יִצְחָק: כְּתִיב "וְהֵמָּה כְּאָדָם עָבְרוּ בְרִית" — **R' Yitzchak said:** With regard to Israel **it is written,** ***But they, like a man, transgressed the covenant*** (*Hosea* 6:7), בְּרַם הָכָא, "כִּי אֵל אָנֹכִי וְלֹא אִישׁ" — **but here,** with regard to God, it is stated, *I will not carry out My burning wrath; I will not recant and destroy Ephraim,* ***for I am God and not a man*** (ibid. 11:9).[9]

The Midrash now explains the above verses in *Proverbs* (24:28-29) according to their plain interpretation and will explain our verse in a related fashion:

רְאוּבֵן הֲוָה יָדַע לְשִׁמְעוֹן סַהֲדוּ — The verse, *Do not offer vain testimony against your fellow,* refers to a case in which **Reuven knew testimony** that he could offer **on behalf of Shimon** in a monetary matter. אָמַר לֵיהּ: אֱתֵי סְהִיד לִי הָדָא סַהֲדוּתָא — **[Shimon] said to him, "Come** to court with me and **state this testimony on my behalf,"** אָמַר לֵיהּ: אִין — and **he replied, "Yes,** I will testify." כְּשֶׁנִּכְנַס לְדַיָּין חָזַר בּוֹ — However, **when he came in front of the judge, he reneged** on his word and refused to testify.[10]

NOTES

rebuked Israel for beguiling God, believing in idolatry even as they were declaring their devotion to Him at Sinai (see *Maharzu*, *Eitz Yosef*).

Alternatively: Although the Israelites *were* sincere when they declared their faith in God (and in their dedication to obeying His laws), Moses rebuked them for the *shallowness* of their conviction, evidenced by their sinning with the Golden Calf so shortly thereafter. The *Proverbs* verse cited above alludes to the Israelites' expression of faith as *vain* (i.e., empty, useless) *testimony* because they did not stand by that to which they had attested (*Eshed HaNechalim*). [In contrast to *Eitz Yosef* (see note 2), according to *Eshed HaNechalim* the *testimony* mentioned in *Proverbs* 24:28 is the statement, *We will do and we will obey*.]

See Insight Ⓐ.

6. The Divine Spirit refers to the words of *Proverbs*, stated by its author Solomon with Divine Inspiration (see *Devarim Rabbah* loc. cit.)

7. This is its advocacy for God. By alluding to Israel's sin with the Golden Calf [see above, note 2], the Divine Spirit is justifying God's punishment of Israel [following that sin; see *Exodus* Ch. 32] (*Eshed HaNechalim*).

8. This is its advocacy for Israel, as the Divine Spirit argues that although Israel denied that Hashem was their God by calling the Golden Calf their god (this was their *vain testimony*; see above, note 2), God Himself should not repay them in kind (*"As he* [i.e., Israel] *has done to Me, so will I do to him, etc."*) by stating that they are no longer His chosen nation (*Eshed HaNechalim, Eitz Yosef*).

9. God does not respond in kind to Israel's faithlessness for two reasons: (i) If Israel sins, it is only because they are *like a man*, i.e., because they are born with an evil inclination that makes them prone to sin. (ii) Israel's sins do not cause any actual harm to God. Unlike human beings who suffer when one acts in bad faith toward his fellow, *I am God and not a man* — I am not affected by Israel's misdeeds (ibid.). Hence, there is no reason for Me to *repay the man according to his acts* and to desert Israel because they deserted Me (see *Radal*).

[For a different explanation of the preceding two paragraphs of the Midrash, see *Yedei Moshe*.]

10. Thus, *Do not offer vain testimony against your fellow* is interpreted to mean that a person should not offer to provide testimony and then retract the offer, making the testimony *vain*, i.e., null and void (*Eitz Yosef*).

INSIGHTS

Ⓐ **The Price of Devotion** *Shem MiShmuel* (*Vayikra*, pp. 18-19) offers us a different interpretation of our Midrash. The "testimony" to which the Midrash refers is Israel's proclamation of *We will do and we will obey* (as *Eshed HaNechalim* explained; see note 5), with the Midrash, citing the *Proverbs* verse, accusing Israel of giving testimony that is *free* (חִנָּם), i.e., without any sacrifice or cost to themselves.

Shem MiShmuel cites the explanation of his father, the *Avnei Nezer*, on *Shemos Rabbah* 28 §1, where the Midrash states that although Moses "wrested" the Torah from heaven, it is not given to us חִנָּם, *for free*. The *Avnei Nezer* explains this to mean that the Torah was not given to the Jewish people without cost or sacrifice. There is a price to pay. To truly acquire Torah, one must give up his love for all extraneous matters, making Torah his "true love."

Shem MiShmuel explains our Midrash similarly. If you wish to truly be God's witness — as it states in *Isaiah*, *You are My witnesses* — do not be an עֵד חִנָּם, a witness whom it costs nothing to testify. If you truly wish to declare your faith in God to the world, you must be willing to relinquish all of your other desires, with your sole desire being to serve Him. To do any less is considered to be insincere, an attempt to endear yourself before God, as the *Proverb* verse continues, וַהֲפִתִּיתָ בִּשְׂפָתֶיךָ, which may be translated: *in order to endear yourself with your lips*. This the Midrash proves from the Israelites, who declared, *We will do and we will obey*, and yet, a mere forty days later, made the Golden Calf and declared, *This is your god, O Israel, which brought you up from the land of Egypt*. How was this possible? Only because they had resolved to do and obey without relinquishing their other personal aspirations.

It must be underscored that our ancestors who stood at the foot of Sinai were exceedingly great, and the Torah's criticism of them must be understood in the context of the principle that God is most exacting with the righteous (see *Yevamos* 121b). This is true as well with regard to our Midrash's characterization of their declaration, *We will do and we will obey*, as insincere. Surely, the Israelites at this time were motivated by a desire to fulfill God's will. But there was also present a desire for personal fulfillment — even if only the desire to achieve spiritual closeness to God. The highest ideal is that one should seek to serve God *solely* in order to fulfill His will. As we are taught (*Avos* 1:3), *Do not be like servants who serve the master for the sake of receiving a reward*; that is, one should not serve Him out of anticipation of reward, even reward in the World to Come.

As the Rishonim (*Kuzari, Ramban*, et al.) explain, the sin of the Golden Calf was a grievous one for those on the exalted level of our ancestors, but it was not one of rank idolatry. And they had been led astray by the forces of impurity that deceived them into believing that Moses had died; hence, they intended the Golden Calf as a replacement for Moses. But they are taken to task because the impure forces were empowered to mislead them only because they themselves had been "insincere" in their declaration to do and obey. Had that declaration been sincere in expressing their *sole* desire to fulfill the will of God, these forces would have been impotent against them. For even if Moses had died, their fate and future was entirely in God's hands. But since there had been in their motivation an element of self-interest, albeit a spiritual one, they were now concerned about their survival, which caused them to stumble. On their level, it was regarded as if they had proclaimed testimony that was "free," and lacking self-sacrifice.

Shem MiShmuel sees in this an important lesson for us. We must not content ourselves with the moments of spiritual elevation we achieve during the year's holy times and occasions. Rather, we must strive to divest ourselves of all the selfish considerations of this world. Those who seek true greatness must purify their intents of any selfish considerations — even those of holiness. All must be done purely for the sake of Heaven.

פרשה ו

א [ה, א] **"וְנֶפֶשׁ כִּי תֶחֱטָא וְשָׁמְעָה קוֹל אָלָה וְהוּא עֵד אוֹ רָאָה אוֹ יָדָע וְגוֹ'", זֶה שֶׁאָמַר הַכָּתוּב** (משלי כד, כח) **"אַל תְּהִי עֵד חִנָּם בְּרֵעֶךָ וְגוֹ'", "אַל תְּהִי עֵד חִנָּם", אֵלּוּ יִשְׂרָאֵל, שֶׁנֶּאֱמַר** (ישעיה מג, יב) **"וְאַתֶּם עֵדַי נְאֻם ה' וַאֲנִי אֵל", "בְּרֵעֶךָ" זֶה הַקָּדוֹשׁ בָּרוּךְ הוּא, שֶׁנֶּאֱמַר** (משלי כז, י) **"רֵעֲךָ וְרֵעַ אָבִיךָ אַל תַּעֲזֹב וְגוֹ'", "וַהֲפִתִּיתָ בִּשְׂפָתֶיךָ"** (שם כד, כח)**, מֵאַחַר שֶׁפִּתִּיתֶם אוֹתוֹ בְּסִינַי וַאֲמַרְתֶּם** (שמות כד, ז) **"כֹּל אֲשֶׁר דִּבֶּר ה' נַעֲשֶׂה וְנִשְׁמָע", לְסוֹף מ' יוֹם אֲמַרְתֶּם לָעֵגֶל** (שם לב, ד) **"אֵלֶּה אֱלֹהֶיךָ יִשְׂרָאֵל", אָמַר רַבִּי אַחָא: הָדָא הוּא רוּחַ הַקֹּדֶשׁ סַנֵּיגוֹרְיָא הִיא, מְלַמֶּדֶת זְכוּת לְכָאן וּלְכָאן, אוֹמֶרֶת לְיִשְׂרָאֵל: "אַל תְּהִי עֵד חִנָּם בְּרֵעֶךָ" וְאַחַר כָּךְ אוֹמֶרֶת לְהַקָּדוֹשׁ בָּרוּךְ הוּא:** (משלי כד, כט) **"אַל תֹּאמַר כַּאֲשֶׁר עָשָׂה לִי כֵּן אֶעֱשֶׂה לּוֹ", אָמַר רַבִּי יִצְחָק: כְּתִיב** (הושע ו, ז) **"וְהֵמָּה כְּאָדָם עָבְרוּ בְרִית", בְּרַם הָכָא,** (שם יא, ט) **"כִּי אֵל אָנֹכִי וְלֹא אִישׁ", רְאוּבֵן הֲוָה יָדַע לְשִׁמְעוֹן °סָהֲדִי אֲמַר לֵיהּ: אֲתֵי סְהִיד לִי הָדָא סָהֲדוּתָא, אֲמַר לֵיהּ: אֵין, כְּשֶׁנִּכְנַס לַדַּיָּן חָזַר בּוֹ, וְאָמְרָה לוֹ רוּחַ הַקֹּדֶשׁ: "וַהֲפִתִּיתָ בִּשְׂפָתֶיךָ", מֵאַחַר שֶׁפִּתִּיתָ בִּשְׂפָתֶיךָ וְהִכְנַסְתָּ אוֹתוֹ לַדִּין חָזַרְתָּ בְּךָ,**

עץ יוסף

(א) **אל תהי עד חנם כו'.** קשה ליה, דהוא עד יתירה הוא, דהוי ליה למימר ושמעה קול אלה והוא ראה או ידע, לכן מפרש דכוונת הכתוב לומר דאפילו כשהוכשר אתה לו שלא העיד לו עדות שהיה יודע, לא יוכל זה לשלם לו כמדתו, והכי קאמר קרא ונפש כי תחטא ושמעה קול אלה, כלומר שלא העידה לראובן עדות ששמעה, ועכשיו ראובן זה הוא עד לנפש זו שחטאה לו, מכל מקום אם לא יגיד ונשא עונו, ומייתי ראיה לדין זה מהא דכתיב גבי עד אל תאמר כאשר עשה לי כו', ואיידי דמייתי קרא, דריש ליה ברישא בענין אחר כדרך המדרש: **אלו ישראל.** רצה לומר דקרא מיירי בתוכחת משה רבינו לישראל כשעשו את העגל, שהוכיחם שלא יוסיפו לעשות כדבר הרע הזה, והכי קאמר קרא אל תהי עד חנם עד שקר, לפי שהעידו עדות שקר שאמרו לעגל אלה אלהיך ישראל, שהשקר דבר שוא ובטל: **ואתם עדי כו'.** ומפרש בספרי (דברים סימן שמו, ברכה סימן ה) כשאתם עדי כביכול אני אל, וכשאין אתם עדי כביכול איני אל, ואם כן העיד שקר בו יתברך הוי ליה כעדות דמהני חס ושלום: **שנאמר רעך ורע כו'.** עיין שמות רבה פרשה כ״ז סימן א: **שפתיתם אותו.** שמאמרם בפתוי היה דכתיב ויפתוהו בפיהם וגו', ועיין שמות רבה (מב, ו), ודברים רבה (ג, יא): **הדא רוח הקודש סנגוריא.** כי כפי פשוטו אין שייכות הפסוק אל תאמר לשלפניו, רק אם נאמר שבאורו אם תראה העד חנם משקר עם כל זה אל תאמר כאשר עשה כן אעשה לו, ובנמשל גם כן ככה, ויען ששלמה מדבר מפי חכמה העליונה, [הוא רוח הקודש שהיא מדריגת שלמה] כאילו החכמה אומרת בשם ה', שעם כל זה לא עשיתי להם כאשר עשו לי, והיא הסנגוריא לישראל, שלא יאמר הקדוש ברוך הוא כמו שהם כזבו בי ואמרו לעגל אלה אלהיך ישראל כן אכזב בהם ואומר שאינם עמי: **כאדם עברו ברית.** מבאר סיבת הטעם, כי אצלו יתברך אין שייך מדת הנקם לעשות להם כמעשיהם, כי חטאותם אינו נוגע לעצמותו כביכול, וגם הם חוטאים מצד היצר, על דרך דאיתא באיכה רבתי (ג, יד) נחנו פשענו ומרינו כמדתינו, רצה לומר כמדת האדם שיש לו יצר הרע, אתה לא סלחת כמדתך, רצה לומר למה לא סלחת אתה כמדתך שדרכך לסלוח ואין להנקם בבשר ודם, וזהו המה כאדם שהוא בשר ודם החוטא בטבע, ואל אנכי ולא איש להתפעל מחטאם, וזהו אל תאמר כאשר עשו לי כן אעשה לו כי איני דומה לו חס ושלום שאתפעל מזה: **ולא איש.** נראה שרצה לומר זה שנאמר אעשה לאיש כפעלו, שרוח הקודש אומרת להקדוש ברוך הוא שלא יאמר כן כי לא איש הוא (רד״ל): **ראובן הוה ידע בו'.** זהו פירוש אחר על פסוק אל תהי עד חנם, והכי מפרש ליה אל תהי עד לבטלה כלומר שתבטל עדותך: **סהדי.** עדות: **אתי סהיד לי הדא סהדותא.** כן צריך לומר, פירוש והעיד לי זו העדות: **מאחר שפיתית בו' חזרת בך.** קשה אמאי קאמר משום דהודה לו להעיד תחלה ורמוהו, תיפוק ליה מפני שחייבה תורה להעיד. ויש לומר דמיירי במי שאינו חייב מן הדין ללכת להעיד, כגון תלמיד חכם לפני בית דין הקטן ממנו, ואשמועינן דאפילו הכי אם כבר

פירוש מהרז״ו

(א) **שפיתיתם אותו בסיני.** עיין שמות רבה (יב, יא) בהדיא, והפיתית בשפתיך ויפתוהו בפיהם, עיין שם כל הדרשה. וביתר ביאור במכילתא משפטים (פרשה יג): **הדה רוח הקדש סנגוריא.** כמו שכתוב דברים רבה (ג, יא) הנ״ל, משפסק הסניגור היה רוח הקדש מלמד זכות עליהם וכו', עיין שם שמאחר שנקראו ישראל עדים, כמו שכתוב (ישעיה מג, יב) ואתם עדי, שעל זה אמר כאן והוא עד, על זה אמר אל תהי עד חנם, ואחר כך אומר להקדוש ברוך הוא, אל תאמר וגו' אשיב לאיש כפעלו, ודורש השינוי, שתחלה אמר אל תהי עד חנם ברעך, והיה לו לומר אשיב לרעי, על כן דורש ברעך על ישראל להקב״ה, ומה שכתוב (משלי כד, כט) אשיב לאיש, היינו הקב״ה לישראל, שהמה אדם ואיש, ואתה אל ולא איש, וזהו מה שאמר רבי יצחק והמה כאדם עברו ברית, שעל שהמה אדם ואיש, על כן עברו ברית, אבל אתה אל ולא איש אל תשיב לאיש כפעלו, על פי מדה י״ג וממעל. וכוונו לפסוקים של הושע ו' (פסוק ו'ז) כי חסד חפצתי ולא זבח ודעת אלהים מעולות, והמה כאדם עברו ברית שם בגדו (כי) [בי], היינו בסיני כנ״ל, ובהושע (יא, ט) לא אעשה חרון אפי לא אשוב לשחת אפרים כי אל אנכי ולא איש, שפסוקים אלו לתשובה לרוח הקדש שאמר, ה' אל תאמר וגו' אשיב לאיש כפעלו, על זה השיב והמה כאדם עברו וגו' כי אל אנכי ולא איש, ודוק מאד מאד איך קרבו כמה פסוקים רחוקים ונדרשים יחד כאלו מחוברים יחד, על פי המדות, ועיין עוד לקמן (סימן ו) בשם רבי פנחס: **ראובן הוה ידע.** עתה בא לפרש הפסוקים, אל תהי עד חנם וגו', לפי פשוטם על עדות איש לרעהו:

מתנות כהונה

[א] **שפיתיתם.** כלומר פייסתם, פיוס ופיתוי אחת הוא כפי הלשון, בפרט היכא דלא נתקיים הדבר כמו כאן שעשו את העגל: **סניגורין.** מליץ טוב על ישראל: **ברם הכא.** אבל התשובה כתיב (הושע יא, ט) לא אעשה חרון אפי וגו', כי אל אנכי: **סהדי.** עדות: **אתי סהיד כו'.** בא והעיד לי עדות אחת: **והכנסת אותו.** גרסינן:

אשד הנחלים

[א] **עד חנם אלו ישראל.** כי העד הוא על ידי ראיה, שרואה בעיניו הדבר, כן ישראל שזכו במעמד הר סיני לנבואה וראו בעיניהם, וכמו שאמרו (הובא ברש״י דברים ד, לה [ועיין פסיקתא רבתי פ' מתן תורה קרוב לסופו]) מלמד שפתח הקב״ה כל הרקיעים והראה להם כו', ועל ידי זה ההאמנה אמרו נעשה ונשמע, ועם כל זה מכונה רק בשם פיתוי, שלא היה האמונה נשרשת בהם, אחר שנפלו מהר מזה, ואם כן העדות הוא על חנם, אחר שלא עמדו על עדותם: **הדא רוח הקדש סנגוריא מלמדת זכות כו'.** כי כפי פשוטו אין שייכות הפסוק אל תאמר, לשלפניו, רק אם נאמר שבאורו, אם תראה העד חנם משקר, עם כל זה אל תאמר כאשר עשה כן אעשה לו. ובנמשל גם כן ככה, ויען ששלמה מדבר מפי החכמה העליונה [הוא רוח הקודש שהיא מדריגת שלמה], כאלו החכמה אומרת בשם ה', שעם כל זה לא עשיתי להם כאשר עשו לי, והיא הסנגוריא לישראל, וסנגוריא גם כן להקב״ה במה שהענישם, והוא במה שספרה מעוון ישראל וחטאתם. ועיין בידי משה מה שדחק בזה: **והמה כאדם כו'.** מבאר סבת הטעם, כי אצלו יתברך אין שייך מדת הנקם לעשות להם כמעשיהם, כי חטאותם אינו נוגע לעצמותו כביכול, וגם הם חוטאים מצד היצר, וזהו המה כאדם שהיא בשר ודם החוטא בטבע, ואל אנכי ולא איש, להתפעל מחטאם, וזהו אל תאמר כאשר עשו לי כן אעשה לו, כי איני דומה לו חס ושלום שאתפעל מזה: **ראובן כו'.** מפרש באגב הפסוק לפי פשוטו, וכמו שפרשתי לעיל:

חידושי הרד״ל

[א] **עד חנם אלו ישראל כו'.** דברים רבה פרשה ג' (סימן יא): **שפתיתם אותו בסיני.** מסיים שם, כמה דאת אמר ויפתוהו בפיהם וגו'. **ברם הכא כו' וכו' ולא איש.** נראה שרצה לומר זה שכתוב אעשה לאיש כפעל, שרוח הקדש אומרת להקב״ה שלא יאמר כן, כי לא איש הוא:

חידושי הרש״ש

[א] **והמה כאדם עברו ברית וכו'.** פירוש כאשר המה אדם לכן עברו ברית: **אמר ליה אתי סהיד לי הדא סהדותא.** כן צריך לומר הדא בה״א וכן הוא בילקוט (רמז תתקנ) ודלא כמתנות כהונה: **מאחר שפיחית בשפתיך והכנסת אותו.** דלולי שנסמך על העד היה עושה פשרה עם הבעל דין ולא ככם לדין: **אל תאמר כאשר עשה לי וכו' והלא כבר נתנה תורה איפופסין.** ופירוש הכתוב, דשלמה ברוח הקודש אומר במקום הקב״ה, אנכי אשיב לאיש כפעלו:

אמרי יושר

[א] **אל תהי עד חנם.** כמו עד שקר. או פירושו כיון שהזמינך הקדוש ברוך הוא לעד לו, לא יהא זה עד חנם, רק העד עדותך והכרז אלהותו: **הדא רוח הקדש סניגוריא.** מלמדת ומומרת להקדוש ברוך הוא, אף על פי שחטאו ישראל, אל תאמר כן אעשה לו, ואתה אל ולא איש. ודייק מדכתיב בסוף אשיב לאיש כפעלו, דייק לאיש, ואתה אל: **ראובן היה ידע לשמעון סהדי.** זה פירוש אחר בכתוב, אתה ראובן אל תהי עד חנם, כיון שהפיתית בשפתיך, ואתה שמעון אל תאמר כאשר עשה לי כן אעשה לו, וזהו ונפש כי תחטא, היינו ראובן, אם לא יגיד שמעון עדות אחרת שיודע לו, ונשא עונו. והרגישו איך אמר כי תחטא, קודם אם לא יגיד:

שינוי נוסחאות

(א) **ראובן הוה ידע לשמעון סהדי.** צ״ל "סהדו" (עדות) ולא "סהדי" (עדים), וכן היה בספרים ישנים:

אם למקרא

אַל תְּהִי עֵד חִנָּם בְּרֵעֶךָ וַהֲפִתִּיתָ בִּשְׂפָתֶיךָ: (משלי כד:כח)

אָנֹכִי הִגַּדְתִּי וְהוֹשַׁעְתִּי וְהִשְׁמַעְתִּי וְאֵין בָּכֶם זָר וְאַתֶּם עֵדַי נְאֻם ה' וַאֲנִי אֵל: (ישעיה מג:יב)

רֵעֲךָ וְרֵעַ אָבִיךָ אַל תַּעֲזֹב וּבֵית אָחִיךָ אַל תָּבוֹא בְּיוֹם אֵידֶךָ טוֹב שָׁכֵן קָרוֹב מֵאָח רָחוֹק: (משלי כז:י)

אַל תְּהִי עֵד חִנָּם בְּרֵעֶךָ וַהֲפִתִּיתָ בִּשְׂפָתֶיךָ: אַל תֹּאמַר כַּאֲשֶׁר עָשָׂה לִי כֵּן אֶעֱשֶׂה לּוֹ אָשִׁיב לָאִישׁ כְּפָעֳלוֹ: (שם כד:כח-כט)

וַיִּקַּח סֵפֶר הַבְּרִית וַיִּקְרָא בְּאָזְנֵי הָעָם וַיֹּאמְרוּ כֹּל אֲשֶׁר דִּבֶּר ה' נַעֲשֶׂה וְנִשְׁמָע: (שמות כד:ז)

וַיִּקַּח מִיָּדָם וַיָּצַר אֹתוֹ בַּחֶרֶט וַיַּעֲשֵׂהוּ עֵגֶל מַסֵּכָה וַיֹּאמְרוּ אֵלֶּה אֱלֹהֶיךָ יִשְׂרָאֵל אֲשֶׁר הֶעֱלוּךָ מֵאֶרֶץ מִצְרָיִם: (שם לב:ד)

וְהֵמָּה כְּאָדָם עָבְרוּ בְרִית שָׁם בָּגְדוּ בִי: (הושע ו:ז)

לֹא אֶעֱשֶׂה חֲרוֹן אַפִּי לֹא אָשׁוּב לְשַׁחֵת אֶפְרָיִם כִּי אֵל אָנֹכִי וְלֹא אִישׁ בְּקִרְבְּךָ קָדוֹשׁ וְלֹא אָבוֹא בְּעִיר: (שם יא:ט)

ידי משה

[א] **הדא רוח הקודש וכו'.** קושיא היא, והכי פירושו הלא רוח הקודש בכל מקום היא מלמדת זכות, וכאן היא מראה פנים לכאן ולכאן, פירוש שרישא דקרא אל תהי עד חנם היא חובה לישראל, והדר אמר אל תאמר כאשר עשה לי כן אעשה לו והוא זכות לישראל, לזה אמר מלמדת זכות לכאן ולכאן כלומר שמלמדת זכות שקרוב לחובה, ואינו זכות גמור, ודרך רוח הקודש ללמד בכל מקום זכות גמור, ומשני רבי יצחק דגם במה שאמר אל תהיה עד חנם גם בזה אין שום חוב לישראל כדכתיב והמה כאדם עברו ברית ברם הכא מה שאמר הקב״ה לא אעשה כמה שעשו לי, כי אל אנכי ולא איש, נמצא כל השני פסוקים הם זכות לישראל:

וְאָמְרָה לוֹ רוּחַ הַקֹּדֶשׁ: "וַהֲפִתִּיתָ בִּשְׂפָתֶיךָ" — At that point, **the Divine Spirit said to [Reuven],** *"Do not forsake your friend and the friend of your father* ***and beguile with your lips,"*** meaning, מֵאַחַר שֶׁפִּיתִּיתָ בִּשְׂפָתֶיךָ וְהִכְנַסְתָּ אוֹתוֹ לַדִּין חָזַרְתָּ בְּךָ — **after you beguiled** your friend **with your lips, and brought him to court** with the expectation that you would testify on his behalf, **you reneged** on your word![11]

NOTES

11. An obvious question arises: Why does the Midrash expound the verse as faulting Reuven specifically for reneging on his offer to testify on Shimon's behalf? Even if he had never offered to testify, if he does not testify he would be violating the Torah's explicit commandment (in our verse, *Leviticus* 5:1) that one who is aware of testimony in a given matter must testify on behalf of his fellow!

Rashash explains that Reuven is reprimanded specifically for having "brought him (Shimon) to court" and then reneged. For if Reuven's promise to testify had not convinced Shimon that he could fight the case based on its legal merits and win an out-and-out victory in court, Shimon might have agreed to a compromise (and would have at least gotten *something*). For a different approach, see *Eitz Yosef.*

פרשה ו

א [ה, א] "וְנֶפֶשׁ כִּי תֶחֱטָא וְשָׁמְעָה קוֹל אָלָה וְהוּא עֵד אוֹ רָאָה אוֹ יָדָע וְגוֹ'", זֶה שֶׁאָמַר הַכָּתוּב (משלי כד, כח) "אַל תְּהִי עֵד חִנָּם בְּרֵעֶךָ וְגוֹ'", "אַל תְּהִי עֵד חִנָּם", אֵלּוּ יִשְׂרָאֵל, שֶׁנֶּאֱמַר (ישעיה מג, יב) "וְאַתֶּם עֵדַי נְאֻם ה' וַאֲנִי אֵל", "בְּרֵעֶךָ" זֶה הַקָּדוֹשׁ בָּרוּךְ הוּא, שֶׁנֶּאֱמַר (משלי כז, י) "רֵעֲךָ וְרֵעַ אָבִיךָ אַל תַּעֲזֹב וְגוֹ'", (שם כד, כח) "וַהֲפִתִּיתָ בִּשְׂפָתֶיךָ", מֵאַחַר שֶׁפִּתִּיתֶם אוֹתוֹ בְּסִינַי וַאֲמַרְתֶּם (שמות כד, ז) "כֹּל אֲשֶׁר דִּבֶּר ה' נַעֲשֶׂה וְנִשְׁמָע", לְסוֹף מ' יוֹם אֲמַרְתֶּם לָעֵגֶל (שם לב, ד) "אֵלֶּה אֱלֹהֶיךָ יִשְׂרָאֵל", אָמַר רַבִּי אַחָא: הָדָא הוּא רוּחַ הַקֹּדֶשׁ סַנֵּיגוֹרְיָא הִיא, מְלַמֶּדֶת זְכוּת לְכָאן וּלְכָאן, אוֹמֶרֶת לְיִשְׂרָאֵל: "אַל תְּהִי עֵד חִנָּם בְּרֵעֶךָ" וְאַחַר כָּךְ אוֹמֶרֶת לְהַקָּדוֹשׁ בָּרוּךְ הוּא: (משלי כד, כט) "אַל תֹּאמַר כַּאֲשֶׁר עָשָׂה לִי כֵּן אֶעֱשֶׂה לּוֹ", אָמַר רַבִּי יִצְחָק: כְּתִיב (הושע ו, ז) "וְהֵמָּה כְּאָדָם עָבְרוּ בְרִית", בְּרַם הָכָא, (שם יא, ט) "כִּי אֵל אָנֹכִי וְלֹא אִישׁ", רְאוּבֵן הֲוָה יָדַע לְשִׁמְעוֹן °סַהֲדֵי אֲמַר לֵיהּ: אֲתֵי סְהִיד לִי הָדָא סָהֲדוּתָא, אֲמַר לֵיהּ: אֵין, כְּשֶׁנִּכְנַס לַדַּיָּין חָזַר בּוֹ, וְאָמְרָה לוֹ רוּחַ הַקֹּדֶשׁ: "וַהֲפִתִּיתָ בִּשְׂפָתֶיךָ", מֵאַחַר שֶׁפִּתִּיתָ בִּשְׂפָתֶיךָ וְהִכְנַסְתָּ אוֹתוֹ לַדִּין חָזַרְתָּ בְּךָ,

עץ יוסף

(א) **אל תהי עד חנם כו'.** קשה ליה, דהוא עד יתירה הוא, דהוי ליה למימר ושמעה קול אלה והוא ראה או ידע, לכן מפרש דכוונת הכתוב לומר דאפילו כשהוכשב חטא לו שלא העיד לו עדות שהיה יודע, לא יוכל זה לשלם לו כמדתו, והכי קאמר קרא ונפש כי תחטא ושמעה קול אלה, כלומר שלא העידה לראובן עדות ששמעה, ועכשיו ראובן זה הוא עד לנפש זו שחטאה לו, מכל מקום אם לא יגיד ונשא עונו, ומייתי ראיה לדין זה מהא דכתיב גבי עד אל תאמר כאשר עשה לי כו', ואיידי דמייתי קרא, דריש ליה ברישא בענין אחר כדרך המדרש: **אלו ישראל.** רצה לומר דקרא איירי בתוכחת משה רבינו לישראל כשעשו את העגל, שהוכיחם שלא יוסיפו לעשות כדבר הרע הזה, והכי קאמר קרא אל תהי עד חנם עד שקר, לפי שהעידו עדות שקר שאמרו לעגל אלה אלהיך ישראל, שהשקר דבר שוא ובטל: **ואתם עדי כו'.** ומפרש בספרי (דברים סימן שמו, ברכה סימן ה) כשאתם עדי אני אל, וכשאין אתם עדי כביכול איני אל, ואם כן העיד שקר בו יתברך הוי ליה כעדות דמהכי חס ושלום: **שנאמר רעך כו'.** עיין שמות רבה פרשה כ"ז סימן א: **שפתיתם אותו.** שמאמרם בפתוי היה כדכתיב ויפתוהו בפיהם וגו', ועיין שמות רבה (מב, ו), ודברים רבה (ג, יא): **הדא רוח הקודש סנגוריא.** כי כפי פשוטו אין שייכות הפסוק אל תאמר לשלפניו, רק אם נאמר שבאורו אם תראה העד חנם משקר עם כל זה אל תאמר כאשר עשה כן אעשה לו, ובנמשל גם כן ככה, ויען ששלמה מדבר מפי חכמה העליונה, [הוא רוח הקודש שהיא מדריגת שלמה] כאילו החכמה אומרת בשם ה', שעם כל זה לא עשיתי להם כאשר עשו לי, והיא הסנגוריא לישראל, שלא יאמר הקדוש ברוך הוא כמו שהם כזבו בי ואמרו לעגל אלה אלהיך ישראל כן אכפור בהם ואומר שאינם עמי: **כאדם עברו ברית.** מבאר סיבת הטעם, כי אצלו יתברך אין שייך מדת הנקם לעשות להם כמעשיהם, כי חטאותם אינו נוגע לעצמותו כביכול, וגם הם חוטאים מצד היצר, על דרך דאיתא באיכה רבתי (ג, יד) נחנו פשענו ומרינו כמדתינו, רצה לומר כמדת האדם שיש לו יצר הרע, אתה לא סלחת כמדתך, רצה לומר למה לא סלחת אתה כמדתך שדרכך לסלוח ואין להנקם בבשר ודם, וזהו המה כאדם שהוא בשר ודם החוטא בטבע, ואל אנכי ולא איש להתפעל מחטאם, וזהו אל תאמר כאשר עשו לי כן אעשה לו כי איני דומה לו חס ושלום שאתפעל מזה: **ולא איש.** נראה שרצה לומר זה שנאמר אעשה לאיש כפעלו, שרוח הקודש אומרת להקדוש ברוך הוא שלא יאמר כן כי לא איש הוא (רד"ל): **ראובן הוה ידע כו'.** זהו פירוש אחר על פסוק אל תהי עד חנם, והכי מפרש ליה אל תהי עד לבטלה כלומר שתבטל עדותך: **סהדי.** עדות: **אתי סהיד לי הדא סהדותא.** כן צריך לומר, פירוש והעיד לי זו העדות: **מאחר שפיתית כו' חזרת בך.** קשה אמאי קאמר משום דהודה לו להעיד תחלה ורמוהו, תיפוק ליה מפני שחייבה תורה להעיד. ויש לומר דמיירי במי שאינו חייב מן הדין ללכת להעיד, כגון תלמיד חכם לפני בית דין הקטן ממנו, ואשמועינן דאפילו הכי אם כבר

פירוש מהרז"ו

(א) **שפיתיתם אותו בסיני.** עיין שמות רבה (יב, יא) בהדיא, והפיתוי בשפתיך ויפתוהו בפיהם, עיין שם כל הדרשה. וביתר ביאור במכילתא משפטים (פרשה יג): **הדא רוח הקודש סנגוריא.** כמו שכתוב דברים רבה (ג, יא) הנ"ל, משפסק הסניגור היה רוח הקודש מלמד זכות עליהם וכו', עיין שם שמאחר שנקראו ישראל עדים, כמו שכתוב (ישעיה מג, יב) ואתם עדי, שעל זה אמר כאן והוא עד, על זה אמר אל תהי עד חנם, ואחר כך אומר להקדוש ברוך הוא, אל תאמר וגו' אשיב לאיש כפעלו, ודורש הסיפור, שתחלה אמר אל תהי עד חנם ברעך, והיה לו לומר אשיב לרעי, על כן דורש ברעך על ישראל להקב"ה, ומה שכתוב (משלי כד, כט) אשיב לאיש, היינו הקב"ה לישראל, שהמה אדם ואיש, ואתה אל ולא איש, וזהו מה שאמר רבי יצחק והמה כאדם עברו ברית, שעל שהמה אדם ואיש, על כן עברו ברית, אבל אתה אל ולא איש אל תשיב לאיש כפעלו, על פי מדה י"ג וממעל. וכוונו לפסוקים של הושע ו' (פסוק ו-ז) כי חסד חפצתי ולא זבח ודעת אלהים מעולות, והמה כאדם עברו ברית שם בגדו (כי) [בי], היינו בסיני כנ"ל, ובהושע (יא, ט) לא אעשה חרון אפי לא אשוב לשחת אפרים כי אל אנכי ולא איש, שפסוקים אלו לתשובה לרוח הקודש שאמר, ה' אל תאמר וגו' אשיב לאיש כפעלו, על זה השיב והמה כאדם עברו וגו' כי אל אנכי ולא איש, ודוק מאד איך קרבו כמה פסוקים רחוקים ונדרשים יחד כאלו מחוברים יחד, על פי המדות, ועיין עוד לקמן (סימן ו) בשם רבי פנחס: **ראובן הוה ידע.** עתה בא לפרש הפסוקים, אל תהי עד חנם וגו', לפי פשוטם על עדות איש לרעהו:

מתנות כהונה

[א] **שפיתיתם.** כלומר פייסתם, פיוס ופיתוי אחת הוא כפי הלשון, בפרט היכא דלא נתקיים הדבר כמו כאן שעשו את העגל: **סניגורין.** מליץ טוב על ישראל: **ברם הכא.** אבל התשובה כתיב (הושע יא, ט) לא אעשה חרון אפי וגו', כי אל אנכי: **סהדי.** עדות: **אתי סהיד כו'.** בא והעיד לי עדות אחת: **והכנסת אותו.** גרסינן:

אשד הנחלים

[א] **עד חנם אלו ישראל.** כי העד הוא על ידי ראיה, שרואה בעיניו הדבר, כן ישראל שזכו במעמד הר סיני לנבואה וראו בעיניהם, וכמו שאמרו (הובא ברש"י דברים ד, לה [ועיין פסיקתא רבתי פ' מתן תורה קרוב לסופו]) מלמד שפתח הקב"ה כל הרקיעים והראה להם כו', ועל ידי זה ההאמנה אמרו נעשה ונשמע, ועם כל זה מכונה רק בשם פיתוי, שלא היה האמונה נשרשת בהם, אחר שנפלו מהר מזה, ואם כן העדות הוא על חנם, אחר שלא עמדו על עדותם: **הדא רוח הקדש סנגוריא מלמדת זכות כו'.** כי כפי פשוטו אין שייכות הפסוק אל תאמר, לשלפניו, רק אם נאמר שבאורו, אם תראה העד חנם משקר, עם כל זה אל תאמר כאשר עשה כן אעשה לו. ובנמשל גם כן ככה, ויען ששלמה מדבר מפי החכמה העליונה [הוא רוח הקודש שהיא מדריגת שלמה], כאלו החכמה אומרת בשם ה', שעם כל זה לא עשיתי להם כאשר עשו לי, והיא הסנגוריא לישראל, וסנגוריא גם כן להקב"ה במה שהענישם, והוא במה שספרה מעוון ישראל וחטאתם. ועיין בידי משה מה שדחק בזה: **והמה כאדם כו'.** מבאר סבת הטעם, כי אצלו יתברך אין שייך מדת הנקם לעשות להם כמעשיהם, כי חטאותם אינו נוגע לעצמותו כביכול, וגם הם חוטאים מצד היצר, וזהו המה כאדם שהיא בשר ודם החוטא בטבע, ואל אנכי ולא איש, להתפעל מחטאם, וזהו אל תאמר כאשר עשו לי כן אעשה לו, כי איני דומה לו חס ושלום שאתפעל מזה: **ראובן כו'.** מפרש באגב הפסוק לפי פשוטו, וכמו שפרשתי לעיל:

חידושי הרד"ל

[א] **עד חנם אלו ישראל כו'.** דברים רבה פרשה ג' (סימן יא): **שפתיתם אותו בסיני.** מסיים שם, כמה דאת אמר ויפתוהו בפיהם וגו'. **ברם הכא כו' וכו' ולא איש.** נראה שרצה לומר זה שכתוב אעשה לאיש כפעל, שרוח הקדש אומרת להקב"ה שלא יאמר כן, כי לא איש הוא:

חידושי הרש"ש

[א] **והמה כאדם עברו ברית וכו'.** פירוש כאשר המה אדם לכן עברו ברית: **אמר ליה אתי סהיד לי הדא סהדותא.** כן צריך לומר הדא בה"א וכן הוא בילקוט (רמז תעא) ודלא כמתנות כהונה: **מאחר שפיחית בשפתיך והכנסת אותו.** דלולי שנסמך על העד היה עושה פשרה עם הבעל דין ולא נכנס לדין: **אל תאמר כאשר עשה לי וכו' והלא כבר נתנה תורה איפופסין.** ופירוש הכתוב, דשלמה ברוח הקודש אומר במקום הקב"ה, אנכי אשיב לאיש בפעלו:

אמרי יושר

[א] **אל תהי עד חנם.** כמו עד שקר. או פירושו כיון שהזמינך הקדוש ברוך הוא לעד לו, לא יהא זה חנם, רק העד עדותך והכרז אלהותו: **הדא רוח הקדש סניגוריא.** מלמדת ואומרת להקדוש ברוך הוא, אף על פי שחטאו ישראל, אל תאמר כן אעשה לו, ואתה אל ולא איש. ודייק מדכתיב בסוף אשיב לאיש כפעלו, דייק לאיש, ואתה אל: **ראובן היה ידע לשמעון סהדי.** זה פירוש אחר בכתוב, אתה ראובן אל תהי עד חנם, כיון שהפיתית בשפתיך, ואתה שמעון אל תאמר כאשר עשה לי כן אעשה לו, זהו ונפש כי תחטא, היינו ראובן, אם לא יגיד שמעון עדות אחרת שיודע לו, ונשא עונו. והרגישו איך אמר כי תחטא, קודם אם לא יגיד:

שינוי נוסחאות

(א) **ראובן הוה ידע לשמעון סהדי.** צ"ל "סהדו" (עדות) ולא "סהדי" (עדים), וכן היה בספרים ישנים:

אם למקרא

אַל תְּהִי עֵד חִנָּם בְּרֵעֶךָ וַהֲפִתִּיתָ בִּשְׂפָתֶיךָ: (משלי כד:כח)

אָנֹכִי הִגַּדְתִּי וְהוֹשַׁעְתִּי וְהִשְׁמַעְתִּי וְאֵין בָּכֶם זָר וְאַתֶּם עֵדַי נְאֻם ה' וַאֲנִי אֵל: (ישעיה מג:יב)

רֵעֲךָ וְרֵעַ אָבִיךָ אַל תַּעֲזֹב וּבֵית אָחִיךָ אַל תָּבוֹא בְּיוֹם אֵידֶךָ טוֹב שָׁכֵן קָרוֹב מֵאָח רָחוֹק: (משלי כז:י)

אַל תְּהִי עֵד חִנָּם בְּרֵעֶךָ וַהֲפִתִּיתָ בִּשְׂפָתֶיךָ: אַל תֹּאמַר כַּאֲשֶׁר עָשָׂה לִי כֵּן אֶעֱשֶׂה לּוֹ אָשִׁיב לָאִישׁ כְּפָעֳלוֹ: (שם כד:כח-כט)

וַיִּקַּח סֵפֶר הַבְּרִית וַיִּקְרָא בְּאָזְנֵי הָעָם וַיֹּאמְרוּ כֹּל אֲשֶׁר דִּבֶּר ה' נַעֲשֶׂה וְנִשְׁמָע: (שמות כד:ז)

וַיִּקַּח מִיָּדָם וַיָּצַר אֹתוֹ בַּחֶרֶט וַיַּעֲשֵׂהוּ עֵגֶל מַסֵּכָה וַיֹּאמְרוּ אֵלֶּה אֱלֹהֶיךָ יִשְׂרָאֵל אֲשֶׁר הֶעֱלוּךָ מֵאֶרֶץ מִצְרָיִם: (שם לב:ד)

וְהֵמָּה כְּאָדָם עָבְרוּ בְרִית שָׁם בָּגְדוּ בִי: (הושע ו:ז)

לֹא אֶעֱשֶׂה חֲרוֹן אַפִּי לֹא אָשׁוּב לְשַׁחֵת אֶפְרָיִם כִּי אֵל אָנֹכִי וְלֹא אִישׁ בְּקִרְבְּךָ קָדוֹשׁ וְלֹא אָבוֹא בְּעִיר: (שם יא:ט)

ידי משה

[א] **הדא רוח הקודש וכו'.** קושיא היא, והכי פירושו הדא רוח הקודש בכל מקום היא מלמדת זכות, וכאן היא מראה פנים לכאן ולכאן, פירוש שרישא דקרא אל תהי עד חנם היא חובה לישראל, והדר אמר אל תאמר כאשר עשה לי כן אעשה לו והוא זכות לישראל, לזה אמר מלמדת זכות לכאן ולכאן כלומר שמלמדת זכות שקרוב לחובה, ואינו זכות גמור, ודרך רוח הקודש ללמד בכל מקום זכות גמור, ומשני רבי יצחק דגם במה שאמר אל תהיה עד חנם גם בזה אין שום חוב לישראל כדכתיב והמה כאדם עברו ברית ברם הכא מה שאמר הקב"ה לא אעשה כשם שעשו לי, כי אל אנכי ולא איש, נמצא כל השני פסוקים הם זכות לישראל:

לְמָחָר אָתֵי סַהֲדוּ לִרְאוּבֵן גַּבֵּי שִׁמְעוֹן — **The next day,** the situation was reversed, and **evidence on behalf of Reuven became known to Shimon.** מה יַעֲשֶׂה, כַּאֲשֶׁר עָשָׂה לוֹ — **What should [Shimon] do?** Should he do to Reuven **as [Reuven] did to him?** No![12] As it is stated, "אַל תֹּאמַר, כַּאֲשֶׁר עָשָׂה לִי כֵּן אֶעֱשֶׂה לוֹ אָשִׁיב לָאִישׁ כְּפָעֳלוֹ" — ***Do not say, "As he has done to me, so will I do to him; I will repay the man according to his acts."***[13] וַהֲלֹא כְּבָר נָתְנָה תוֹרָה אִיפּוֹפְסִין — **Has not the Torah already issued a decree** regarding such behavior, stating, "וְהוּא עֵד אוֹ רָאָה אוֹ יָדָע אִם לוֹא יַגִּיד וְנָשָׂא עֲוֹנוֹ" — *If a person will sin: If he accepted a demand for an oath,* ***and he is a witness — either he saw or he knew — if he does not testify, he shall bear his iniquity.***[14]

§2 וְשָׁמְעָה קוֹל אָלָה — *IF A PERSON WILL SIN:* ***IF HE ACCEPTED A DEMAND*** [קוֹל] ***FOR AN OATH*** *AND HE IS A WITNESS — EITHER HE SAW OR HE KNEW — IF HE DOES NOT TESTIFY, HE SHALL BEAR HIS INIQUITY.*

The Midrash expounds our verse as referring to a case where a witness is adjured by others to testify:[15]

הָדָא הוּא דִכְתִיב, "חוֹלֵק עִם גַּנָּב שׂוֹנֵא נַפְשׁוֹ אָלָה יִשְׁמַע וְלֹא יַגִּיד" — **Thus it is written,** ***He who shares with a thief hates his own soul; he will hear an oath but will not testify*** (*Proverbs* 29:24).[16]

Having cited this verse in *Proverbs* as a means of expounding our verse, the Midrash goes on to offer two reasons that one *who shares with a thief hates his own soul.*[17] The first one is derived from the following incident:

מַעֲשֶׂה בְּשִׁלְטוֹן אֶחָד שֶׁהָיָה הוֹרֵג אֶת הַקַּבְּלָנִין וּמַתִּיר אֶת הַגַּנָּבִים — There was **an incident involving a ruler who would kill the "receivers,"** i.e., those who purchased stolen goods from thieves, **and release the thieves** themselves. וְהָיוּ הַכֹּל מַלִּיזִין עָלָיו שֶׁאֵינוֹ עוֹשֶׂה כָּרָאוּי — As a result, **everyone maligned him for not doing what is proper,** releasing those who perpetrated the crime and killing those who merely benefited from it. מֶה עָשָׂה — **What did he do** to explain his actions? הוֹצִיא כָּרוֹז בַּמְּדִינָה וְאָמַר: כָּל עַמָּה לַקּוּמְפּוֹן — **He issued a proclamation throughout the country, stating, "The entire nation is to** gather in **the arena!"** מֶה עָשָׂה — **What did he do** when the public arrived? הֵבִיא חוּלְדוֹת וְנָתַן לִפְנֵיהֶם מָנוֹת — **He brought weasels and placed portions** of food **before them,** וְהָיוּ הַחוּלְדוֹת נוֹטְלוֹת אֶת הַמָּנוֹת וּמוֹלִיכִין אוֹתָם לַחוֹרִין — **and the weasels took the portions and brought them to** their respective **holes** for storage. לְמָחָר הוֹצִיא כָּרוֹז וְאָמַר: כָּל עַמָּא לַקּוּמְפּוֹן — **The following day, he** once again **issued a proclamation, stating, "The entire nation is to** gather in **the arena!"** הֵבִיא חוּלְדוֹת וְנָתַן לִפְנֵיהֶן מָנוֹת וְסָתַם אֶת הַחוֹרִין — Once again, **he brought weasels and placed portions before them, but** this time **he** first **sealed the holes.** וְהָיוּ הַחוּלְדוֹת נוֹטְלוֹת אֶת הַמָּנוֹת וּמוֹלִיכוֹת אוֹתָן לַחוֹרִין — **The weasels took the portions and brought them to** their respective **holes,** וּמוֹצְאוֹת אוֹתָן מְסוּתָּמוֹת — **but** upon arriving there and **finding them sealed,** וּמַחֲזִירוֹת אֶת הַמָּנוֹת לִמְקוֹמָן — **they returned the portions to their** original **place.** לוֹמַר שֶׁאֵין הַכֹּל אֶלָּא מִן הַקַּבְּלָנִין — Thus did the ruler seek **to impart that** his respective punishments were just, for **the entire** theft problem **was due only to the receivers** of the loot.[18] הֲרֵי מִן הַשִּׁלְטוֹן — **Thus,** we have learned **from** this incident involving **the ruler** why *he who shares with a thief hates his own soul.*[19]

A second reason that one who shares with a thief is said to *hate his own soul*:

מִן הַמַּעֲשֶׂה מִנַּיִן — **How** can it be proven **from the** very **actions** of such a person that he hates his own soul? רְאוּבֵן גָּנַב לְשִׁמְעוֹן וְלֵוִי יָדַע בֵּיהּ — Suppose **Reuven stole from Shimon, and Levi was aware of it.** אֲמַר לֵיהּ: אַל תְּפַרְסְמֵנִי וַאֲנָא יָהֵיב לָךְ פַּלְגָא — **[Reuven] said to [Levi], "Do not publicize [my thievery], and I will give you half** of the loot," and Levi agreed. לְמָחָר נִכְנְסוּ לְבֵית הַכְּנֶסֶת — **The next day [the congregation] entered the synagogue**

NOTES

12. One might ask, why would I even think that Shimon may exact revenge against Reuven, given the Torah's prohibition against revenge (*Leviticus* 19:18)? The answer would seem to be that one might think that the prohibition applies only if the aggrieved party actively causes harm to the party that aggrieved him, not if he passively withholds a benefit (like testimony). See *Yefeh To'ar*; see also *Eitz Yosef.*

13. The verse thus warns Shimon that even revenge through inaction is also not permissible — especially since Reuven did not cause *him* monetary loss by a direct act, but merely by failing to assist him. While Scripture permits a person to seek compensation for a loss caused by others (e.g., by going to court to claim restitution for damages or theft), by failing to testify on Reuven's behalf Shimon would not recoup his own loss; he would merely be causing Reuven a loss similar to the one that he suffered (see ibid.). Therefore a person may *not* say, *"As he has done to me, so will I do to him; I will repay the man according to his acts."* [For a different interpretation of the second half of this statement, see *Rashash.*]

14. The Midrash, interpreting our verse as patterned after the one in *Proverbs*, understands our verse as follows: *If a person* (i.e., Shimon) *will sin: If he accepted a demand for an oath*, i.e., he took an oath to testify about evidence regarding Reuven, but then sinned and refused to testify, *and he* (i.e., Reuven) *is* now *a witness — either he saw or he knew* about evidence to which he can testify on behalf of Shimon — *if he does not testify* because of what Shimon previously did to him, *he shall bear his iniquity* (*Yefeh To'ar* and *Eitz Yosef*, beginning of chapter).

15. The laws of our passage (*Leviticus* 5:1ff) apply both when a potential witness swears on his own [that he does not know testimony] *and* when he is adjured by others to swear; see *Rambam, Hil. Shevuos* 9:1-2. Our Midrash, however, will expound the passage as referring to the latter.

What leads the Midrash to this exposition is the seemingly extraneous word קוֹל (lit., *voice* or *sound*) in the phrase וְשָׁמְעָה קוֹל אָלָה. The Midrash will interpret קוֹל as referring to the voice of a third party (specifically, that of an officer of the court) (*Yefeh To'ar*, first explanation; *Eitz Yosef*).

16. This verse means that one who *shares with a thief* — i.e., taking a share of the stolen goods and hiding his knowledge of the crime — *will* eventually *hear an oath* in public adjuring those who know testimony to testify [and including a curse upon all those who withhold their testimony (see *Tosefta, Shevuos* 3:5)]; *but [he] will not testify* because of the embarrassment he would suffer or because he would lose his share of the stolen goods. The Midrash interprets the *sound of an oath* in our verse as similarly referring to the public pronouncement of an oath against those who withhold testimony under such circumstances (*Yefeh To'ar, Eitz Yosef*). Our verse is thus to be understood: *If a person will sin* by sharing with a thief, *he will* eventually *hear the sound of an oath* cursing those who withhold testimony, and although *he is a witness* who *saw or knew — yet he will not testify, and he shall bear his iniquity* for violating this oath (*Imrei Yosher*).

17. The first reason will be that he causes *physical* harm to himself; the second one will be that he causes *spiritual* harm to himself (ibid.).

18. I.e., just as the weasels would not have grabbed the food in the first place if not for the available storage space, so too the thieves would not steal unless they knew that the purchasers were ready to pay them for their stolen goods (ibid.). And although it would seem that, to the contrary, the thieves are the real criminals, and they enable the purchasers' crime (for without their theft there would be no stolen goods to begin with) just as much as the purchasers enable theirs, the explanation may be that the thieves are viewed more leniently since they usually steal only because of their financial straits (see *Proverbs* 6:30). Thus, were it not for the profit enticement offered by the purchasers, they would not steal, despite their difficulties — just as the weasels do not grab the food even when they want it, unless they have a hole in which to hide it. Accordingly, the thieves were forgiven, while the purchasers were punished severely (*Yefeh To'ar*; see also *Eitz Yosef*). See *Gittin* 45a: "It is not the mouse that steals, but the hole."

[It should be noted that speaking in halachic terms, while it is indeed prohibited to purchase stolen goods (see Mishnah *Bava Kamma* 118b), it is the thief, not the purchaser, who has committed the greater crime.]

19. I.e., he causes himself physical harm, for when the authorities become aware of his actions they will kill him (*Eitz Yosef* above, s.v. ושמעה קול אלה).

הבטיחו להעיד לו אין לו לשנות דבורו, והיינו דקאמר כשנכנס לדין חזר בו, כי ברלותו אותו נכנס לדין שאינו חשוב לפניו חזר בו: **גבי שמעון.** שמעון ידע לו עדות: **מה יעשה כו'.** רלה לומר סלקא דעתך אמינא דכיון דזה גרם לו נזק ממון בכבישת עדותו יכול להתנקם ממנו לפחות בהיותו גורם לו הפסד ממונו בשב ואל תעשה, להכי קא משמע לן שאל יאמר כאשר עשה לי כן אעשה לו, שכיון שחברו לא הזיקו ממש בידים, וגם הוא אינו ממלא חסרונו במה שיגרום גם הוא הפסד לחברו בכבוש עדותו אין לו לעשות כן: **איפופסין.** פירוש גזר דין: **(ב) ושמעה קול אלה הדא הוא דכתיב כו'.** משום דקשיא ליה דמלת קול מיותר, לכן מפרש קול אלה הוא קול הכרזת החזן, והוא שהיודע בעדות הגניבה וחולק עמו ומעלימו עתיד גם כן לעבור על השבועה שישביעו בליבור על כל מי שיודע בדבר, שאחר שחלק עמו לא יבא ויגיד מפני בושתו ומפני הפסד הממון, ולהכי מייתי הא דכתיב חולק עם גנב וכו', ומכיון דמייתי ליה מפרש מאיזה טעם קאמר שונא נפשו, וקאמר בזה משני פנים, האחד מהרעה הבאה עליו בדין שלמטה כי כשיודע הדבר יהרג, כמעשה השלטון דמייתי, והשני בבית דין של מעלה שישא עון שמיעת האלה ומעוות זה לא יוכל לתקן: **ומתיר את הגנבים.** בילקוט (רמז תעא) הגירסא מגייר את הגנבים, והוא טעות סופר ולריך לומר מגייד בדלי"ת שכן גירסת הערוך (ערך גד י"ב), ופירושו כמו מנגיד (קידושין יב, ג ועוד). (רד"ל): **מליזים עליו.** לשון לזות שפתים: **לקומפון.** שדה שמוחקים בו השרים: **שאין הכל בו'.** כלומר היה מרמז להם בזה

חידושי הרד"ל

[ב] **ומתיר את הגנבים.** בילקוט הגירסא מגייר את הגנבים, והוא טעות סופר, ולריך להיות מגייד בדלי"ת, שכן גירסת הערוך ערך גד י"ב, ופירושו כמו מנגיד: **שאין הכל אלא מהקבלנין.** כמו שאמרו (גיטין מה, א) לא עכברא אלא חורא גנב: [ג] **ואת אמרת כן.** כן הוא בילקוט, וכן לריך להיות:

חידושי הרש"ש

[ג] **אמר ר' אבהו אפילו עורו של פיל וכו' אין במדה הזו.** מה שכתב המתנות כהונה ושפשוטה היא ארבעים על עשרים לאו דוקא דלא הוי אלא עשרים על עשרים, וכן הוא בעירובין (כא, א) רק דכי קלפת לה הויא ארבעים על עשרים:

באור מהרי"פ

[ג] **מתנות כהונה ד"ה במדה וכו' והיא כפולה וכו' דריש עפה כפולה וכו'.** לא הבינותי מי מכריחו לפרש דהמדרש דורש עפה כפולה. וזה לשון היפה תואר ד"ה מהיכן יצאתה, משום דהיוצאת משמע ליה מאת פני השכינה אשר בבית המקדש, והיה נראה שמפתח ההיכל יצאתה אשר שם עמוד השכינה שורה, וזה אי אפשר דפתחו של היכל גבוה עשרים ורוחב עשר אמה, ומכיון דאורך המגילה עשרים אמה, מן ההכרח הוא שיהיה גובה הפתח שיוצאת בו יותר משיעור הנכנס בו, כמבואר לעיל (שמות רבה ח, א) להכי קאמר שלא יצאתה אלא מפתח האולם שהוא גבוה ארבעים, ומשמע ליה שאורך המגילה היה בזקיפה ויוצאת כנגד גובה הפתח וכו' עיין שם. ולמה לא פירש המתנות כהונה גם כן כמוהו, ועיין בדרך על המקראות האלה ודבריו לריך עיון:

(ג) **גופא.** עיין לעיל (ה, ה) מה שכתבתי שם, ולקמן (ח, ג): וכאן מדבר כשהשביעוהו ועבר על שבועתו ולזה דורש בשבועות שוא: **ואראה והנה מגלה עפה וגו' עד זאת האלה היוצאת.** לפרש מה שכתוב בתורה (ויקרא ה, א) ושמעה קול אלה וגו' ונשא עונו:

לְמָחָר °אִתּוֹ° סַהֲדֵי לִרְאוּבֵן גַּבֵּי שִׁמְעוֹן מַה יַּעֲשֶׂה, כַּאֲשֶׁר עָשָׂה לוֹ, "אַל תֹּאמַר כַּאֲשֶׁר עָשָׂה לִי כֵּן אֶעֱשֶׂה לּוֹ אָשִׁיב לָאִישׁ כְּפָעֳלוֹ", וַהֲלֹא כְּבָר נָתְנָה תּוֹרָה אִיפּוֹפְסִין, [ה, א] "וְהוּא עֵד אוֹ רָאָה אוֹ יָדָע אִם לוֹא יַגִּיד וְנָשָׂא עֲוֹנוֹ":

ב [ה, א] "וְשָׁמְעָה קוֹל אָלָה", הָדָא הוּא דִכְתִיב (משלי כט, כד) "חוֹלֵק עִם גַּנָּב שׂוֹנֵא נַפְשׁוֹ אָלָה יִשְׁמַע וְלֹא יַגִּיד", מַעֲשֶׂה בְּשִׁלְטוֹן אֶחָד שֶׁהָיָה הוֹרֵג אֶת הַקַּבְּלָנִין וּמַתִּיר אֶת הַגַּנָּבִים, וְהָיוּ הַכֹּל מַלִּיזִין עָלָיו שֶׁאֵינוֹ עוֹשֶׂה כָּרָאוּי, מֶה עָשָׂה, הוֹצִיא כָּרוֹז בַּמְּדִינָה וְאָמַר: כָּל עַמָּה לַקּוֹמְפּוֹן, מֶה עָשָׂה, הֵבִיא חוּלְדּוֹת וְנָתַן לִפְנֵיהֶם מָנוֹת וְהָיוּ הַחוּלְדּוֹת נוֹטְלוֹת אֶת הַמָּנוֹת וּמוֹלִיכִין אוֹתָם לַחוֹרִין, לְמָחָר הוֹצִיא כָּרוֹז וְאָמַר: כָּל עַמָּא לַקּוֹמְפּוֹן, הֵבִיא חוּלְדּוֹת וְנָתַן לִפְנֵיהֶן מָנוֹת וְסָתַם אֶת הַחוֹרִין, וְהָיוּ הַחוּלְדּוֹת נוֹטְלוֹת אֶת הַמָּנוֹת וּמוֹלִיכוֹת אוֹתָן לַחוֹרִין וּמוֹצְאוֹת אוֹתָן מְסוּתָּמוֹת וּמַחֲזִירוֹת אֶת הַמָּנוֹת לִמְקוֹמָן, לוֹמַר שֶׁאֵין הַכֹּל אֶלָּא מִן הַקַּבְּלָנִין, הֲרֵי מִן הַשִּׁלְטוֹן, מִן הַמַּעֲשֶׂה מִנַּיִן, רְאוּבֵן גָּנַב לְשִׁמְעוֹן *וְלֵוִי יָדַע בֵּיהּ, אֲמַר לֵיהּ: אַל תְּפַרְסְמֵנִי וַאֲנָא יָהֵיב לָךְ פַּלְגָּא, לְמָחָר נִכְנְסוּ לְבֵית הַכְּנֶסֶת וְשָׁמְעוּ קוֹל הַחַזָּן מַכְרִיז: מַאן גְּנַב לְשִׁמְעוֹן, וְלֵוִי קָאֵים תַּמָּן, הֲלֹא נָתְנָה תּוֹרָה אִיפּוֹפְסִין, "וְהוּא עֵד אוֹ רָאָה אוֹ יָדָע":

ג גּוּפָא, אַל תְּהִי שְׁבוּעַת שָׁוְא קַלָּה בְּעֵינֶיךָ, שֶׁהֲרֵי זְכַרְיָה חָמֵי לֵיהּ, (זכריה ה, א) "וָאֶשָּׂא עֵינַי וָאֶרְאֶה וְהִנֵּה מְגִלָּה עָפָה", מַה "עָפָה", שָׁיְיטָא, כְּמָה דְתֵימַר (ישעיה ו, ו) "וַיָּעָף אֵלַי אֶחָד מִן הַשְּׂרָפִים", (זכריה שם ב) "וַיֹּאמֶר אֵלַי מָה אַתָּה רוֹאֶה וָאֹמַר אֲנִי רוֹאֶה מְגִלָּה עָפָה", אָמַר רַבִּי אַבָּהוּ: אֲפִילוּ עוֹרוֹ שֶׁל פִּיל וְעוֹרוֹ שֶׁל גָּמָל אֵינָן בַּמִּדָּה הַזּוֹ, וְאַתְּ אָמַר כָּאן, (שם שם ג) "זֹאת הָאָלָה הַיּוֹצֵאת עַל פְּנֵי כָל הָאָרֶץ",

שעיקר הגניבה הוא מן הקבלנים, שהיו מקבלים מן הגנבים מה שגנבו, שהגנבים אין להאשים כל כך משום שלדוחק שעתם היו גונבים, על דרך (משלי ו, ל) לא יבוזו לגנב וגו', אך עיקר האשמה הוא על המקבלים הגניבה, שלולי שהם מקבלים הגניבה לא היו הגנבים גונבים, אף על פי שהם דוחקים, כמו שהחולדות עם שמבקשות מזון כשאינן מוצאות מקום שמירה אינן נוטלות, ולכן כדין עשה שהרג את המקבלים: **מהקבלנין.** כמו שאמרו (גיטין מה, א) לאו עכברא גנב אלא חורא גנב (רד"ל): **מן המעשה.** כלומר ממעשה עלמו נראה שהוא שונא נפשו, שהרי עושה שקר בנפשו לעבור על האלה שיכריזו בליבור: **(ג) גופא אל תהי כו'.** משום דאמרינן בסמוך שהעובר על השבועה מאבד נפשו, מפרש ואזיל השתא חומר השבועה, אף שלא יצאתה שבועה מפיו, אלא ששמע קול אלה ושתק: **חמי ליה.** ראה ליה: **שייטא.** פורחת: **מגילה עפה.** וסמיך ליה ויאמר אלי זאת האלה וגו': **אינן במדה הזו.** הכתוב כאן דהיינו ארכה עשרים אמה ורחבה עשר אמה, ובפרט לפי מה שפירש רש"י בפרק שני דעירובין (כא, א) שהיתה כפולה, נמלא כשפשטו היא עשרים על עשרים, ועם כל זה כתיב זאת האלה היוצאת כו', רלה לומר שנכתבה על מגילה זו טופס האלה, ולמה הוצרכה לזה מגילה גדולה כזו, שהיא יותר גדולה מעור של פיל ושל גמל, אך אין זה אלא מפני שרבות השבועה רבה שהוצרכה המגלה הגדולה הזו לכתוב בה תלופי עונשיה. וזהו שסיים **ואת אמרת כאן זאת האלה היוצאת על פני כל הארץ,** רלה לומר ואת אמרת שעל מגילה גדולה כזו היתה כתובה האלה, למה הוצרכה מגילה גדולה כזו לזה, על כרחך שעונש האלה גדול מאד עד שנצרכה מגילה גדולה כזו להכתב עליה העונשים של האלה: **במדה הזו ואת אמרת.** כן לריך לומר, וכן הוא בילקוט (שם). (רד"ל):

מתנות כהונה

גבי שמעון. ששמעון ידע לו עדות: **איפופסין.** דין וגמול: **[ב] הקבלנין.** פירוש שהיו מקבלים מן הגנבים מה שגנבו: **מליזין עליו.** לשון לזות שפתים: **קומפון.** פירש הערוך, שדה שמשחקים בו השרים: **לומר שאין הכל בו'.** כלומר היה מרמז להם כשאין הגנב מולא מקום להוליך הגניבה שמה, לא ימלאהו לבו לגנוב כלל, ואם כן בדין עשה השלטון שהיה הורג את הקבלנין: **אמר ליה.** ראובן ללוי: **[ג] שייטא.** פורחת, ובילקוט (זכריה רמז תקעא) גרס טייסא, וכן תרגם יונתן פרחא: **מגלה עפה.** וסמיך ליה ויאמר אלי זאת האלה וגו': **במדה זו.** באורך עשרים אמה וברוחב עשר והיא כפולה, נמלא כשפשטה היא ארבעים על עשרים, והשתא דריש עפה כפולה כמו שדרשו חז"ל פרק עושין פסין (עירובין כא, א): **ואת אמרת זאת האלה.** הרי שעונש האלה גדול מאד, שהרי עונשה כתובה על שטח גדולה מעור פיל וגמל. ועוד דרש ושאל מהיכן יצאתה, מאיזה שער שהוא עשרים על עשרים, והשיב **מפתחו של אולם כו':**

אשד הנחלים

והלא כבר ניתנה תורה. וכלומר ולכן אין אתה רשאי לכבוש עדותך. ועיין במתנות כהונה דדרש ונפש כי תחטא לרעהו, ושמעה קול אלה להשביע שיגיד עדותו והוא לא יגיד, ואחר כך והוא התובע עדותו הוא עד להעיד, והוא לא יגיד, ונשא עונו: **[ג] גופא אל תהיה.** מלת גופא כאן הוא כמו גופא הנאמר בתלמוד, שממנו נמשכה מקור הדין, וכנודע: **שייטא.** פירש היפה תואר פשוטה ולא כפולה. ומכל שכן אם היתה כפולה, שהיתה גדולה יותר. ויתכן כפשוטו מלשון שטיה ששטה בעולם, וכמו שמביא מהפסוק ויעף, והושאל על דבר הפורח בעולם, להעניש אנשי העולם בשבילה: **ואת אמר כאן.** עיין במתנות כהונה והלשון דחוק, גם מהו הכוונה שיצאה מפתחו של אולם. ואולי הוא על דרך המליצה, להורות שעל ידי האלה תחרב הבית הגדול והנורא, ולכן הראה לו שרחבה הרבה עד שמחזקת כפי גודל פתחה של אולם,

אם למקרא

חֹולֵק עִם־גַּנָּב שֹׂונֵא נַפְשֹׁו אָלָה יִשְׁמַע וְלֹא יַגִּיד:
(משלי כט:כד)

וָאָשׁוּב וָאֶשָּׂא עֵינַי וָאֶרְאֶה וְהִנֵּה מְגִלָּה עָפָה: וַיֹּאמֶר אֵלַי מָה אַתָּה רֹאֶה וָאֹמַר אֲנִי רֹאֶה מְגִלָּה עָפָה אָרְכָּהּ עֶשְׂרִים בָּאַמָּה וְרָחְבָּהּ עֶשֶׂר בָּאַמָּה: וַיֹּאמֶר אֵלַי זֹאת הָאָלָה הַיֹּוצֵאת עַל פְּנֵי כָל הָאָרֶץ כִּי כָל הַגֹּנֵב מִזֶּה כָּמֹוהָ נִקָּה וְכָל הַנִּשְׁבָּע מִזֶּה כָּמֹוהָ נִקָּה:
(זכריה ה:א-ג)

וַיָּעָף אֵלַי אֶחָד מִן הַשְּׂרָפִים וּבְיָדֹו רִצְפָּה בְּמֶלְקַחַיִם לָקַח מֵעַל הַמִּזְבֵּחַ:
(ישעיה ו:ו)

ידי משה

[ג] **שייטא.** פירש יפה תואר פשוטה ולא כפולה, ואפילו הכי קמתמיה רבי אבהו, ומכל שכן אם היה עפה פירוש כפולה כל שכן שהיה מתמיה:

אמרי יושר

[ב] **חולק עם גנב שונא נפשו.** זהו כי תחטא בחולק עם גנב, בהכרזת שמע קול אלה ולא יגיד, וכן אמר הכתוב בסוף, אלה ישמע ולא יגיד, ואם לא יגיד בזה על הכרוז, כן הוא נשא עונו:

שינוי נוסחאות

למחר אתו סהדי. צ"ל "אתי סהדו" (באה העדות) ולא "אתו סהדי" (בעו עדים), וכן היה בספרים ישנים והכל נובע מהטעות הנ"ל:

וְשָׁמְעוּ קוֹל הַחַזָּן מַכְרִיז: מַאן גְּנַב לְשִׁמְעוֹן — **and heard the sexton announce, "Who stole from Shimon?"** and then proceeded to administer a public oath obligating all those with knowledge of the crime to offer testimony.[20] וְלֵוִי קָאֵים תַּמָּן — **Levi was present there,** but he did not testify because of his complicity in the crime. He thus violated the oath, הֲלֹא נָתְנָה תוֹרָה אִיפּוֹפְסִין, "וְהוּא עֵד אוֹ רָאָה אוֹ יָדָע" — for **did the Torah not issue a decree,** stating, ***and he is a witness — either he saw or he knew*** — *if he does not testify, he shall bear his iniquity*!?[21]

§3 The Midrash continues to highlight the severity of a false oath:

גּוּפָא אַל תְּהִי שְׁבוּעַת שָׁוְא קַלָּה בְּעֵינֶיךָ — **The text** itself[22] states: **A false oath shall never be unimportant in your eyes,** שֶׁהֲרֵי זְכַרְיָה חָמֵי לֵיהּ — **for** the prophet **Zechariah saw** in a vision **[the extent of the punishment reserved for swearing falsely],** "וָאֶשָּׂא עֵינַי וָאֶרְאֶה וְהִנֵּה מְגִלָּה עָפָה" — as it is stated, *Once again* ***I raised my eyes and looked, and behold, a scroll was flying*** [עָפָה] (*Zechariah* 5:1).[23] מַה "עָפָה" — **What is** the meaning of the word *afah* [עָפָה]? שָׁיְיטָא — **Flying,**[24] כְּמָה דְתֵימַר, "וַיָּעָף אֵלַי אֶחָד מִן הַשְּׂרָפִים" — **as it is stated, *One of the Seraphim flew*** [וַיָּעָף] ***to me*** (*Isaiah* 6:6).[25]

The Midrash continues expounding the *Zechariah* passage: "וַיֹּאמֶר אֵלַי מָה אַתָּה רוֹאֶה וָאֹמַר אֲנִי רוֹאֶה מְגִלָּה עָפָה" — ***He said to me, "What do you see?" I answered, "I see a flying scroll*** — *its length is twenty cubits and its width is ten cubits"* (*Zechariah* ibid., v. 2) אָמַר רַבִּי אַבָּהוּ: אֲפִילוּ עוֹרוֹ שֶׁל פִּיל וְעוֹרוֹ שֶׁל גָּמָל אֵינָן בַּמִּדָּה הַזּוֹ — **R' Abahu said: Even the hide of an elephant and the hide of a camel are not** as large **as this measure,**[26] וְאַתְּ אָמַר כָּאן, "זֹאת הָאָלָה הַיּוֹצֵאת עַל פְּנֵי כָל הָאָרֶץ" — **yet [Scripture] states here** concerning the scroll seen by Zechariah, ***This is the curse that is going out over the surface of the whole land*** (ibid., v. 3)![27]

NOTES

20. *Eitz Yosef.*

21. Thus, one who shares with a thief *hates his own soul*, i.e., causes it spiritual harm, for when an oath is administered that those who know about the crime must testify, his embarrassment will cause him to withhold his testimony, causing his soul to be cursed forever (see *Eitz Yosef* above, s.v. ושמעה קול אלה).

22. Literally, *the body*. [The Talmud uses this expression when returning to elaborate a teaching that was mentioned earlier. *Vayikra Rabbah* uses it here when quoting a text from elsewhere in the Midrash (*Eitz Yosef*, Vagshal ed.). See above, 5 §5, note 89.]

23. The *Zechariah* passage states that one who swears falsely will be cursed. It continues as follows: *He said to me, "What do you see?" I answered, "I see a flying scroll — its length is twenty cubits and its width is ten cubits." He said to me,* ***"This is the curse*** *that is going out over the surface of the whole land. For [heretofore] anyone who steals has been absolved of such a curse* (i.e., of a curse like the one inscribed on one side of the scroll); *and everyone who swears [falsely] has been absolved of such a curse* (i.e., of a curse like the one inscribed on the other side of the scroll). But now things will be different: *I have taken it out [the curse] — the word of HASHEM, Master of Legions — and it shall enter the house of the thief and the house of the one who swears falsely in My Name, and it shall lodge within his house and annihilate it, with its wood and stones"* (ibid., vv. 2-4; see *Rashi* ad loc.).

24. *Matnos Kehunah, Eitz Yosef.*

25. That is, the curse will roam the world and punish its inhabitants (*Eshed HaNechalim*).

26. The fact that the scroll was 20 cubits *long* is not so remarkable, for the length of a scroll may consist of many segments of parchment sewn together. However, the fact that it was 10 cubits *wide* is remarkable indeed, for the width (i.e., height) of a scroll is the height of a single piece of parchment, and even an elephant hide cannot yield a parchment that size (see *Maharzu*).

27. The scroll containing the curse and the punishment that would be meted out to those who swear falsely was larger than any scroll known to exist in real life. This indicates that the list of punishments awaiting those who swears falsely is so large that it required a scroll of such great size (*Matnos Kehunah, Eitz Yosef*).

(ג) גופא. עיין לעיל (ה, ה) מה שכתבתי שם, ולקמן (ח, ג): וכאן מדבר כשהשביעוהו ועבר על שבועתו ולזה דורש בשבועות שוא: ואראה והנה מגלה עפה וגו' עד זאת האלה היוצאת. לפרש מה שכתוב בתורה (ויקרא ה, א) ושמעה קול אלה וגו' ונשא עונו:

לְמָחָר °אִתּוֹ° סַהֲדֵי לִרְאוּבֵן גַּבֵּי שִׁמְעוֹן מַה יַּעֲשֶׂה, כַּאֲשֶׁר עָשָׂה לוֹ, "אַל תֹּאמַר כַּאֲשֶׁר עָשָׂה לִי כֵּן אֶעֱשֶׂה לּוֹ אָשִׁיב לָאִישׁ כְּפָעֳלוֹ", וַהֲלֹא כְּבָר נָתְנָה תּוֹרָה אִיפּוֹפְסִין, [ה, א] "וְהוּא עֵד אוֹ רָאָה אוֹ יָדָע אִם לוֹא יַגִּיד וְנָשָׂא עֲוֹנוֹ":

ב [ה, א] "וְשָׁמְעָה קוֹל אָלָה", הֲדָא הוּא דִכְתִיב (משלי כט, כד) "חוֹלֵק עִם גַּנָּב שׂוֹנֵא נַפְשׁוֹ אָלָה יִשְׁמַע וְלֹא יַגִּיד", מַעֲשֶׂה בְּשִׁלְטוֹן אֶחָד שֶׁהָיָה הוֹרֵג אֶת הַקַּבְּלָנִין וּמַתִּיר אֶת הַגַּנָּבִים, וְהָיוּ הַכֹּל מְלִיזִין עָלָיו שֶׁאֵינוֹ עוֹשֶׂה כָּרָאוּי, מֶה עָשָׂה, הוֹצִיא כָּרוֹז בַּמְּדִינָה וְאָמַר: כָּל עַמָּא לַקּוֹמְפּוֹן, מֶה עָשָׂה, הֵבִיא חוּלְדּוֹת וְנָתַן לִפְנֵיהֶם מָנוֹת וְהָיוּ הַחוּלְדּוֹת נוֹטְלוֹת אֶת הַמָּנוֹת וּמוֹלִיכִין אוֹתָם לַחוֹרִין, לְמָחָר הוֹצִיא כָּרוֹז וְאָמַר: כָּל עַמָּא לַקּוֹמְפּוֹן, הֵבִיא חוּלְדּוֹת וְנָתַן לִפְנֵיהֶן מָנוֹת וְסָתַם אֶת הַחוֹרִין, וְהָיוּ הַחוּלְדּוֹת נוֹטְלוֹת אֶת הַמָּנוֹת וּמוֹלִיכוֹת אוֹתָן לַחוֹרִין וּמוֹצְאוֹת אוֹתָן מְסוּתָּמוֹת וּמַחֲזִירוֹת אֶת הַמָּנוֹת לִמְקוֹמָן, לוֹמַר שֶׁאֵין הַכֹּל אֶלָּא מִן הַקַּבְּלָנִין, הֲרֵי מִן הַשִּׁלְטוֹן, מִן הַמַּעֲשֶׂה מִנַּיִן, רְאוּבֵן גָּנַב לְשִׁמְעוֹן *וְלֵוִי יָדַע בֵּיהּ, אֲמַר לֵיהּ: אַל תְּפַרְסְמֵנִי וַאֲנָא יָהֵיב לָךְ פַּלְגָּא, לְמָחָר נִכְנְסוּ לְבֵית הַכְּנֶסֶת וְשָׁמְעוּ קוֹל הַחַזָּן מַכְרִיז: מַאן גְּנַב לְשִׁמְעוֹן, וְלֵוִי קָאֵים תַּמָּן, הֲלֹא נָתְנָה תּוֹרָה אִיפּוֹפְסִין, "וְהוּא עֵד אוֹ רָאָה אוֹ יָדָע":

ג גּוּפָא, אַל תְּהֵי שְׁבוּעַת שָׁוְא קַלָּה בְּעֵינֶיךָ, שֶׁהֲרֵי זְכַרְיָה חָמֵי לֵיהּ, (זכריה ה, א) "וָאֶשָּׂא עֵינַי וָאֶרְאֶה וְהִנֵּה מְגִלָּה עָפָה", מַה "עָפָה", שֵׁיְיטָא, כְּמָה דְתֵימַר (ישעיה ו, ו) "וַיָּעָף אֵלַי אֶחָד מִן הַשְּׂרָפִים", (זכריה שם ב) "וַיֹּאמֶר אֵלַי מָה אַתָּה רוֹאֶה וָאֹמַר אֲנִי רוֹאֶה מְגִלָּה עָפָה", אָמַר רַבִּי אַבָּהוּ: אֲפִילּוּ עוֹרוֹ שֶׁל פִּיל וְעוֹרוֹ שֶׁל גָּמָל אֵינָן בְּמִדָּה הַזּוֹ, וְאַתְּ אָמַר כָּאן, (שם שם ג) "זֹאת הָאָלָה הַיּוֹצֵאת עַל פְּנֵי כָל הָאָרֶץ",

עץ יוסף

הבטיחו להעיד לו אין לו לשנות דבורו, והיינו דקאמר כשנכנס לדין חזר בו, כי ברצותו אותו נכנס לדין שאינו חשוב לפניו חזר בו: גבי שמעון. ששמעון ידע לו עדות: מה יעשה בו'. רצה לומר סלקא דעתך אמינא דכיון דזה גרם לו נזק ממון בכבישת עדותו יכול להתנקם ממנו לפחות בהיותו גורם לו הפסד ממונו בשב ואל תעשה, להכי קא משמע לן שלא יאמר כאשר עשה לי כן אעשה לו, שכיון שחברו לא הזיקו ממש בידים, וגם הוא אינו ממלא חסרונו במה שיגרום גם הוא הפסד לחברו בכבוש עדותו אין לו לעשות כן: איפופסין. פירוש גזר דין: (ב) ושמעה קול אלה הדא הוא דכתיב כו'. משום דקשיא ליה דמלת קול מיותר, לכן מפרש קול אלה הוא קול הכרזת החזן, והוא שהיודע בעדות הגניבה וחולק עמו ומעלימו עתיד גם כן לעבור על השבועה שישביעו בציבור על כל מי שיודע בדבר, שאחר שחלק עמו לא יבא ויגיד מפני בושתו ומפני הפסד הממון, ולהכי מייתי הא דכתיב חולק עם גנב וכו', ומכיון דמייתי ליה מפרש מאיזה טעם קאמר שונא נפשו, וקאמר שזה משני פנים, האחד מהרעה הבאה עליו בדין שלמטה כי כשיודע הדבר יהרג, כמעשה השלטון דמייתי, והשני בבית דין של מעלה שישא עון שמיעת האלה ומעוות זה לא יוכל לתקן: ומתיר את הגנבים. בילקוט (רמז תעה) הגירסא מגייר את הגנבים, והוא טעות סופר וצריך לומר מגייד בדל"ת שכן גירסת הערוך (ערך גד י"ב), ופירושו כמו מגניד (קידושין יב, ב ועוד). (רד"ל): מליזים עליו. לשון לזות שפתים: לקומפון. שדה שמשחקים בו השרים: שאין הכל בו'. כלומר היה מרמז להם בזה שעיקר הגניבה הוא מן הקבלנים, שהיו מקבלים מן הגנבים מה שגנבו, שהגנבים אין להאשים כל כך משום שלדוחק שעתם היו גונבים, על דרך (משלי ו, ל) לא יבוזו לגנב וגו', אך עיקר האשמה הוא על המקבלים הגניבה, שלולי שהם מקבלים הגניבה לא היו הגנבים גונבים, אף על פי שהם דוחקים, כמו שהחולדות עם שמבקשות מזון כשאין מוצאות מקום שמירה אינן נוטלות, ולכן כדין עשה שהרג את המקבלים: מהקבלנין. כמו שאמרו (גטין מה, א) לאו עכברא גנב אלא חורא גנב (רד"ל): מן המעשה. כלומר ממעשה עצמו נראה שהוא שונא נפשו, שהרי עושה שקר בנפשו לעבור על האלה שיכריזו בצבור: (ג) גופא אל תהי כו'. משום דאמרינן בסמוך שהעובר על השבועה מאבד נפשו, מפרש ואזיל השתא חומר השבועה, אף שלא יצאתה שבועה מפיו, אלא ששמע קול אלה ושתק: חמי ליה. ראה ליה: שייטא. פורחות: מגילה עפה. וסמיך ליה ויאמר אלי זאת האלה וגו': אינן במדה הזו. הכתוב כאן דהיינו ארכה עשרים אמה ורחבה עשר אמה, ובפרט לפי מה שפירש רש"י בפרק שני דעירובין (כא, א) שהיתה כפולה, נמצא כשפשטה היא עשרים על עשרים, ועם כל זה כתיב זאת האלה היוצאת כו', רצה לומר שנכתבה על מגילה זו עונש האלה, ולמה הוצרכה לזה מגילה גדולה כזו, שהיא יותר גדולה מעור של פיל ושל גמל, אך אין זה אלא מפני שרעת השבועה רבה שהוצרכה המגלה הגדולה הזו לכתוב בה חלופי עונשיה. וזהו שסיים ואת אמרת כאן זאת האלה היוצאת על פני כל הארץ, רצה לומר ואת אמרת שעל מגילה גדולה כזו היתה כתובה האלה, למה הוצרכה מגילה גדולה כזו לזה, על כרחך שעונש האלה גדול מאד עד שנצרכה מגילה גדולה כזו להכתב עליה העונשים של האלה: במדה הזו ואת אמרת. כן צריך לומר, וכן הוא בילקוט (שם). (רד"ל):

חידושי הרד"ל

[ב] ומתיר את הגנבים. בילקוט הגירסא מגייר את הגנבים, והוא טעות סופר, וצריך להיות מגייד בדל"ת, שכן גירסת הערוך ערך גד י"ב, ופירושו כמו מגניד: שאין הכל אלא מהקבלנין. כמו שאמרו (גיטין מה, א) לא עכברא גנב אלא חורא גנב: [ג] ואת אמרת כן. כן הוא בילקוט, וכן צריך להיות.

חידושי הרש"ש

[ג] אמר ר' אבהו אפילו עורו של פיל וכו' אין במדה הזו. מה שכתב המתנות כהונה וכשפשטה היא ארבעים על עשרים כו' לא דוקא דלא הוי אלא עשרים על עשרים, וכן הוא בעירובין (כא, א) רק דכי קלפת לה הויא ארבעים על עשרים:

באור מהרי"פ

[ג] מתנות כהונה ד"ה במדה וכו' והיא כפולה וכו' דריש עפה כפולה וכו'. לא הבינותי מי מכריחו לפרש דהמדרש דורש עפה כפולה. וזה לשון יפה תואר ד"ה מהיכן יצתה, משום דהיוצאת משמע ליה מאת פני השכינה אשר בבית המקדש, והיה נראה שמפתח ההיכל יצאתה אשר בתוכו שכינה שורה, וזה אי אפשר דפתחו של היכל גבוה עשרים ורוחב עשר אמה, ומכיון דאורך המגילה עשרים אמה, מן ההכרח הוא שיהיה גובה הפתח שיצאתה בו יותר משיעור הנכנס בו, כמבואר לעיל (שמות רבה ח, א) להכי קאמר שלא יצאתה אלא מפתח האולם שהוא גבוה ארבעים, ומשמע ליה שאורך המגילה היה בזקיפה ויצאתה כנגד גובה הפתח וכו' עיין שם. ולמה לא פירש המתנות כהונה גם כן כמוהו, ועיין ברד"ק על המקראות האלה ודבריו צריך עיון:

אם למקרא

חוֹלֵק עִם־גַּנָּב שׂוֹנֵא נַפְשׁוֹ אָלָה יִשְׁמַע וְלֹא יַגִּיד: (משלי כט:כד)

וָאָשׁוּב וָאֶשָּׂא עֵינַי וָאֶרְאֶה וְהִנֵּה מְגִלָּה עָפָה: וַיֹּאמֶר אֵלַי מָה אַתָּה רֹאֶה וָאֹמַר אֲנִי רֹאֶה מְגִלָּה עָפָה אָרְכָּהּ עֶשְׂרִים בָּאַמָּה וְרָחְבָּהּ עֶשֶׂר בָּאַמָּה: וַיֹּאמֶר אֵלַי זֹאת הָאָלָה הַיּוֹצֵאת עַל פְּנֵי כָל הָאָרֶץ כִּי כָל הַגֹּנֵב מִזֶּה כָּמוֹהָ נִקָּה וְכָל הַנִּשְׁבָּע מִזֶּה כָּמוֹהָ נִקָּה: (זכריה ה:א-ג)

וַיָּעָף אֵלַי אֶחָד מִן הַשְּׂרָפִים וּבְיָדוֹ רִצְפָּה בְּמֶלְקַחַיִם לָקַח מֵעַל הַמִּזְבֵּחַ: (ישעיה ו:ו)

ידי משה

[ג] שייטא. פירש יפה תואר פשוטה ולא כפולה, ואפילו הכי קמתמיה רבי אבהו, ומכל שכן אם היה עפה פירוש כפולה כל שכן שהיה מתמיה:

אמרי יושר

[ב] חולק עם גנב שונא נפשו. זהו כי תחטא בחולק עם גנב, בהכרזת שמע קול אלה ולא יגיד, וכן אמר הכתוב בסוף, אלה ישמע ולא יגיד, ואם לא יגיד שזה על הכרוז, כן הוא נשא עונו:

שינוי נוסחאות

למחר אתו סהדי. צ"ל "אתי סהדו" (באה העדות) ולא "אתו סהדי" (בעו עדים), וכן היה בספרים ישנים והכל נובע מהטעות הנ"ל:

מתנות כהונה

גבי שמעון. ששמעון ידע לו עדות: אפופסין. דין וגמול: [ב] הקבלנין. פירוש שהיו מקבלים מן הגנבים מה שגנבו: מליזין עליו. לשון לזות שפתים: קומפון. פירש הערוך, שדה שמשחקים בו השרים: לומר שאין הכל בו'. כלומר היה מרמז להם כשאין הגנב מוצא מקום להוליך הגניבה שמה, לא ימלאנו לבו לגנוב כלל, ואם כן בדין עשה השלטון שהיה הורג את הקבלנין: אמר ליה. ראובן ללוי: [ג] שייטא. פורחת, ובילקוט (זכריה רמז תקעה) גרס טייסא, וכן תרגם יונתן פרחא: מגלה עפה. וסמיך ליה ויאמר אלי זאת האלה וגו': במדה זו. באורך עשרים אמה וברוחב עשר והיא כפולה, נמצא כשפשטה היא ארבעים על עשרים, והשתא דריש עפה כפולה כמו שדרשו חז"ל פרק עושין פסין (עירובין כא, א): ואת אמרת זאת האלה. הרי שעונש האלה גדול מאד, שהרי עונשה כתובה על שטח גדולה מאד מעור פיל וגמל. ושוב דרש ושאל מהיכן יצאתה, מאיזה שער שהוא עשרים על עשרים, והשיב מפתחו של אולם כו':

אשד הנחלים

והלא כבר ניתנה תורה. וכלומר ולכן אין אתה רשאי לכבוש עדותיך. ועיין במתנות כהונה דדרש ונפש כי תחטא לרעהו, ושמעה קול אלה להשביע שיגיד עדותו והוא לא יגיד, ואחר כך והוא התובע עדותו הוא עד להעיד, והוא לא יגיד, ונשא עונו: [ג] גופא אל תהיה. מלת גופא כאן הוא כמו גופא הנאמר בתלמוד, שממנו נמשכה מקור הדין, וכנודע: שייטא. פירש היפה תואר פשוטה ולא כפולה. ומכל שכן אם היתה כפולה, שהיתה גדולה יותר. ויתכן כפשוטו מלשון שטיה ששטה בעולם, וכמו שמביא מהפסוק ויעף, והושאל על דבר הפורח בעולם, להעניש אנשי העולם בשבילה: ואת אמר כאן. עיין במתנות כהונה והלשון דחוק, גם מהו הכוונה שיצאה מפתחו של אולם. ואולי הוא על דרך המליצה, להורות שעל ידי האלה תחרב הבית הגדול והנורא, ולכן הראה לו שרחבה הרבה עד שמחזקת כפי גודל פתחה של אולם,

מֵהֵיכָן יָצְתָה — **From which** entrance in the Temple **did it emerge?**[28] מִפִּתְחוֹ שֶׁל אוּלָם — **From the entrance to the hall** of the Temple, דִּתְנַן: פִּתְחוֹ שֶׁל אוּלָם גּוֹבְהוֹ אַרְבָּעִים אַמָּה וְרָחְבּוֹ עֶשְׂרִים אַמָּה — **for we learn in the Mishnah** (*Middos* 3:7): **The entrance to the Hall** of the Temple, **its height [was] forty cubits and its width [was] twenty cubits.**[29]

The Midrash demonstrates that even if one merely causes someone else to swear needlessly, he will be severely punished:

אָמַר רַב אֵיבוּ: מִפְּנֵי מָה מַשְׁבִּיעִין הָאָדָם בְּסֵפֶר תּוֹרָה — **R' Eivu said: Why** is it that when a person must testify under oath, **[the judges] make the person swear with a Torah scroll** in his hands, וּמְבִיאִין לְפָנָיו נוֹדוֹת נְפוּחִים — **and bring in front of him bloated** leather **pouches?**[30] לוֹמַר — It is as if **to say** to him: אֶתְמוֹל הָיָה הַנּוֹד הַזֶּה מָלֵא גִידִים וַעֲצָמוֹת וְעַכְשָׁיו הוּא רֵק מִכֻּלָּן — **Yesterday,** when **this pouch** was the hide of a living animal, it **was full of sinews and bones, and now it is empty of everything.** כָּךְ הַמַּשְׁבִּיעַ אֶת חֲבֵירוֹ לַשֶּׁקֶר סוֹף שֶׁיֵּצֵא רֵיקָם מִכָּל מָמוֹנוֹ — **So too, one who causes his friend to swear falsely**[31] **will end up being emptied of all** his money.

The Midrash cites a dispute:[32]

רַבִּי אַסִּי אָמַר: עַל שֶׁקֶר — **R' Assi says:** The punishment is **where it is false.**[33] רַבִּי יוֹנָה אָמַר: אֲפִילוּ עַל אֱמֶת — **R' Yonah said:** The punishment applies **even where it is true.**[34]

The Midrash cites a teaching to support one of these views:

רַבִּי יַנַּאי הֲוָה יָתִיב וְדָרִישׁ עַל הָדָא דְּרַבִּי יוֹנָה — **R' Yannai sat and expounded** the following teaching **in regard to that** statement **of R' Yonah:**[35] אָמַר רַבִּי סִימוֹן: אֵין מוֹסְרִין אֶת הַשְּׁבוּעָה לְמִי שֶׁהוּא חָשׁוּד עַל הַשְּׁבוּעָה — **R' Simone said: We do not submit an oath to one who is suspect in regard to oaths,**[36] וְאֵין נוֹתְנִין אֶת הַשְּׁבוּעָה לְמִי שֶׁהוּא רָץ אַחַר הַשְּׁבוּעָה — **and we do not** readily **give an oath to one who is quick** (literally, *running*) **to swear.**[37]

NOTES

28. The Midrash takes the verse's expression, *This is the curse that is "going out," etc.*, as implying that the scroll emerged from before the Divine Presence in the Temple (*Yefeh To'ar, Eitz Yosef*). Accordingly, it asks: From which entrance of the Temple could such a huge scroll have emerged? (*Matnos Kehunah*, et al.).

29. We would have expected the scroll to emerge from the Sanctuary (the הֵיכָל), where the Divine Presence resides; see preceding note. However, the dimensions of the Sanctuary's entrance (20 cubits by 10 cubits, according to *Middos* 4:1) were exactly the same as those of the scroll and, as stated in *Shemos Rabbah* 8 §1, an object cannot fit through an opening of identical dimensions. The Midrash therefore concludes that it must have emerged from the larger entrance of the אוּלָם, the Antechamber or Hall of the Temple (*Yefeh To'ar, Beur Maharif*).

Alternatively: The Midrash holds that the dimensions of Zechariah's scroll were actually 40 cubits by 20 cubits, and thus could only have fit through the entrance of the Antechamber, which was that size. As the Gemara (*Eruvin* 21a) explains: Zechariah's scroll is described in the *Zechariah* passage measuring 20 cubits by 10 cubits. However, the word עָפָה [used in reference to the scroll in v. 1 there] is to be understood to mean "folded" (see *Targum Onkelos* on *Exodus* 28:16); the scroll thus measured 20 cubits by 20 cubits when unfolded. Furthermore, the scroll had writing on both sides (the Gemara cites *Ezekiel* 2:10 as proof; see also the *Zechariah* passage, written out in note 23 above). If the back of the scroll is peeled from the front [splitting the scroll's thickness in half] and the two sides then juxtaposed [so they could be read as one], the scroll measures 40 cubits by 20 cubits. Its dimensions were thus exactly the same as those of the entrance to the Temple hall (*Eitz Yosef*; see also *Matnos Kehunah* with *Rashash*).

30. The purpose of the Torah scroll is to frighten the person taking the oath and prevent him from swearing falsely (*Ramban* to *Shevuos* 38b). The bloated pouches serve that purpose as well, for the air inside them was let out, either by untying the knots holding them shut or by bursting them open [in order to demonstrate to the person swearing what will become of him if he swears falsely] (*Aruch*, s.v. הסת; see there for a list of other steps taken to frighten the oath-taker).

Yefeh To'ar explains that the Midrash cites Rav Eivu's statement here because according to the Gemara (*Shevuos* 39a), verse 4 in the *Zechariah* passage, *and it shall enter the house of the thief*, refers to a person who makes a false monetary claim against his neighbor and thus forces him to swear unnecessarily (*Yefeh To'ar*). [It is clear to the Gemara that the verse is not referring to ordinary theft, for the punishment it describes (destruction of the transgressor's house) is too severe for that crime (ibid.; *Maharsha* ad loc.).]

31. This could mean: one who falsely [i.e., based on a false claim] causes his fellow to swear truthfully. The [false] claimant is punished for causing an *unnecessary* oath. Alternatively, this could mean: one who makes a true claim, but thereby causes his fellow to swear falsely. The claimant is punished for being the cause of a *false* oath. [These two possibilities are the subject of the dispute between R' Assi and R' Yonah, which follows] (see *Yefeh To'ar* and *Eitz Yosef*).

[Rav Eivu speaks of the punishment for one who *causes* an unnecessary or false oath. But he certainly means that one who actually *takes* such an oath is similarly punished, for Rav Eivu is explaining why the one who *takes* the oath holds a Torah scroll and is shown bloated pouches (*Yefeh To'ar, Eitz Yosef*).]

32. The next passage of the Midrash is subject to many interpretations. Our treatment will follow that of *Yefeh To'ar*.

33. See next note.

34. *Yefeh To'ar* explains that R' Assi and R' Yonah are discussing the same matter discussed by Rav Eivu: The punishment of the one who *causes* his fellow to swear.

R' Assi means that the punishment applies where the *claim* is false: The false claimant is punished for causing his fellow to swear an unnecessary [albeit true] oath.

R' Yonah maintains that the punishment applies even where the *claim* is true. The claimant is punished for causing his fellow to swear falsely. The claimant should have been more careful to entrust his money only to an honest individual. He is therefore held responsible for the desecration of God's Name that results when his fellow swears falsely (*Yefeh To'ar, Eitz Yosef*; see *Shevuos* 39b with *Rashi*).

[*Matnos Kehunah,* however, explains that R' Assi and R' Yonah are speaking about false and true *oaths*. (The idea that even swearing *truthfully* is problematic appears as well in *Midrash Tanchuma, Mattos* §1 and *Bamidbar Rabbah* 22 §1.) *Yefeh To'ar* also considers this approach, but rejects it as incompatible with our version of our Midrash (see also *Maharzu*). *Yefeh To'ar* states that while *Yerushalmi* (*Shevuos* 6:5) does contain a dispute between R' Yose and R' Yonah regarding whether or not one is punished only for false *oaths* or even for true *oaths* (in that dispute, the positions are reversed, and it is "Yose" instead of "Assi"), this is *not* the dispute now being discussed by our Midrash, though it will be the subject of our Midrash's attention below — see note 45.]

35. I.e., in support of his view (see *Yefeh To'ar*; *Maharzu*).

36. A person is "suspect in regard to oaths" if he is known to have sworn a false oath in the past, or if he is known to have committed the types of sins that disqualify a person from serving as a witness (*Yefeh To'ar*).

37. We are hesitant to give an oath to such a person, because the fact that he swears often makes it more likely that he will sometimes swear falsely (*Eshed HaNechalim*). Alternatively: The phrase מִי שֶׁהוּא רָץ אַחַר הַשְּׁבוּעָה is to be understood as "one who is seeking to swear." If we see that a person appears eager to swear, it may be a clue that he is planning to swear in a devious manner in order to defraud someone [as in the story of Bar Talmiyon that follows] (*Peirush Kadum* below, s.v. בר תמליון).

[The commentators point out that the person who is "running to swear" is not *disqualified* from swearing (in the manner of one who is "suspect in regard to oaths"), and therefore the court cannot avoid submitting an oath to him during a trial if halachah requires it. R' Simone must thus be understood as advising the court to seek a compromise between the parties (that will not require anyone to swear), or to draw out the proceedings until the guilty party admits the truth without an oath. Alternatively, he is advising people not to have dealings (e.g., a partnership) with such a person while relying on the fact that they can have him swear in the event of a dispute (*Eitz Yosef*).]

R' Simone's teaching supports the position of R' Yonah that even one who has a true claim against his fellow is held accountable if a false oath results from his claim (*Yefeh To'ar*).

מֵהֵיכָן יָצָאתָה, *מִפִּתְחוֹ שֶׁל אוּלָם, דִּתְנַן: פִּתְחוֹ שֶׁל אוּלָם גּוֹבְהוֹ אַרְבָּעִים אַמָּה וְרָחְבּוֹ עֶשְׂרִים אַמָּה (מדות ג, ז), אָמַר רַב אֵיבוּ: מִפְּנֵי מָה מַשְׁבִּיעִין הָאָדָם בְּסֵפֶר תּוֹרָה וּמְבִיאִין לְפָנָיו נוֹדוֹת נְפוּחִים, לוֹמַר: אֶתְמוֹל הָיָה הַנּוֹד הַזֶּה מָלֵא גִּידִים וַעֲצָמוֹת וְעַכְשָׁיו הוּא רֵק מִכֻּלָּן, כָּךְ הַמַּשְׁבִּיעַ אֶת חֲבֵירוֹ לַשֶּׁקֶר סוֹף שֶׁיֵּצֵא רֵיקָם מִכָּל מָמוֹנוֹ, רַבִּי אַסִּי אָמַר: עַל שֶׁקֶר, רַבִּי יוֹנָה אָמַר: אֲפִילוּ עַל אֱמֶת, רַבִּי יַנַּאי הֲוָה יָתִיב וְדָרִישׁ עַל הָדָא דְּרַבִּי יוֹנָה, אָמַר רַבִּי סִימוֹן: אֵין מוֹסְרִין אֶת הַשְּׁבוּעָה לְמִי שֶׁהוּא *חָשׁוּד עַל הַשְּׁבוּעָה וְאֵין נוֹתְנִין אֶת הַשְּׁבוּעָה לְמִי שֶׁהוּא* רָץ אַחַר הַשְּׁבוּעָה, הֲוָה עוֹבְדָא בְּבַר תַּלְמְיוֹן וְסַיֵּיעַ לְרַבִּי אַסִּי, [א]עוּבְדָא הֲוָה דְּאַפְקִיד חַד גַּבְרָא גַּבֵּי בַּר תַּלְמְיוֹן ק' דִּינָרִין, אֲזַל בְּעָא לְהוֹן מִינֵּיהּ, אֲמַר לֵיהּ: מַה דְּאַפְקַדְתְּ בְּיָדִי מְסָרִית בִּידָךְ, אֲמַר לֵיהּ: אִשְׁתַּבַּע לִי, מָה עֲבַד בַּר תַּלְמְיוֹן, נְטַל חַד קָנֶה וַחֲקָקֵיהּ וִיהַב בֵּיהּ הַלֵּין דִּינָרִין וְשָׁרֵי מִיסְמַךְ עֲלֵיהּ, אֲמַר לֵיהּ: צוּר הָדֵין קַנְיָא בִּידָךְ וַאֲנָא מִשְׁתְּבַע לָךְ, כֵּיוָן דְּמָטֵי לְבֵי כְנִישְׁתָּא אֲמַר: מָרֵיהּ דְּהָדֵין בֵּיתָא טָבָא, מַה דִּמְסַרְתְּ בְּיָדִי מְסָרִית בִּידָךְ, הַהוּא מָן דְּבִידֵיהּ נַסְתֵּיהּ לְקַנְיָא וְאַקְשְׁיֵהּ לְאַרְעָא, שָׁרְיָין הַלֵּין דִּינָרִין מִתְבַּדְּרִין וְשָׁרֵי הַהוּא מְלַקֵּט, אֲמַר לֵיהּ: לְקֹט לְקֹט, דְּמִן דִּידָךְ אַנְתְּ מְלַקֵּט.

עץ יוסף

מהיכן יצתה. משום דהיוצא משמע לה מתת פני השכינה אשר בבית המקדש, לכן שאל מאיזה שער יצתה, וקאמר מפתחו של אולם שהיתה גובהה ארבעים ורחבה עשרים, וזה מכוון למאי דאמרו בפרק שני דעירובין (שם) ארכה עשרים באמה ורחבה עשר באמה, וכי פשטת לה כמה הויא עשרים בעשרים, וכתיב והיא כתובה פנים ואחור, וכי קלפת לה כמה הויא ארבעין בעשרים, ופירש רש"י כי קלפת לה ותפשט קליפה זו לרחב חברתה שיהא כל כתיבתה לצד אחד, הוין לה ארבעין אורך בעשרים רוחב: **כך המשביע לחברו.** וכל שכן הנשבע, דהא ההשבעה בספר תורה והבאת הנודות לאיים על הנשבע היא עיקרה: **על שקר.** אם משביע על שקר שאין לו תביעה וטוענו ומשביעו: **אפילו על אמת.** פירוש אפילו אם משביעו על אמת נענש גם הוא כשזה נשבע על שקר, על שלא דקדק למסור ממונו ביד נאמן, ובא לידי חילול השם: **למי שהוא רץ אחר השבועה.** רצה לומר שבית דין לא יטילו עליו שבועה מיד אלא יחמילו הדין עד שיודה, או יעשו פשרה. או כמו לאינשי קמזהיר שלא יתעסקו עמו במילתא דאתיא לידי שבועה על סמך שישביעו, כגון שותפות וכיוצא (יפה תואר): **הוה עובדא.** היה מעשה: **וסייעא לר' אסי.** פירוש ההיא מעשה דבן תלמיון סייעת לר' אסי, ונראה מפני שלא מצינו עונשין שנענש על זה אף על פי שהיתה ערמה כדי לעכב הזוזים בחזקה, שמע מינה שאין עונש על הנשבע באמת. כתב הרד"ל וזה לשונו, ומסייע לרבי אסי עיין מתנות כהונה גירסת ילקוט לרבנן, והיינו על זה שאין מוסרין שבועה למי שרץ אחריו, וכן הוא בפסיקתא דעשרת הדברות בדבור לא תשא ושם גרס כאידך עובדא דאיתתא מסייע לר' יונה, ובירושלמי דשבועות (פ"ו ה"ה) גרסינן מסייעא לר' אסי מעובדא דאיתתא ושם נשנה איפכא דברי ר' אסי ור' יונה עד כאן לשונו: **אזל בעא כו'.** המפקיד הלך לבן תלמיון ותבע ממנו הזוזים: **מסרית.** מסרתי והחזרתי לך: **מה עבד.** מה עשה: **וחקקיה.** היה חוקק בקנה עד שהיתה חלולה: **ויהב ביה כו'.** נתן בתוך הקנה החלולה אלו הזוזים: **ושרי כו'.** התחיל לסמוך על אותו קנה והלך כך לבית הכנסת לישבע: **אמר ליה צור כו'.** בן תלמיון אמר אל המפקיד קח זה הקנה בידך ואנכי אשבע לך שמסרתים בידך. צור פירוש קח כמו (דברים יד, כה) וצרת הכסף: **מריה דהדין כו'.** פירוש אני נשבע באדון של הבית הזה הטוב, רצה לומר הקדוש ברוך הוא: **מן דבידיה נסתיה כו'.** פירוש ממה שהיה מרגיש בידו הכובד של הקנה לקח הקנה והכהו על הארץ, והכי גרסינן בילקוט (זכריה פרק ה רמז תקעא) מן כבדיה. או פירושו מן השקר שהיה רואה בידו ולפניו שנעשה לו לקחו בחמתו כו' (מתנות כהונה), וכן איתא בנדרים (כה, א) שמתוך כעסו שברה: **נסתיה,** כמו נסבתיה, פירוש לקחו: **שריין הלין כו'.** התחילו אלו דנרין להתפזר: **ושרי ההוא.** והתחיל המפקיד ללקטס: **אמר ליה** בן תלמיון **לקוט כו':**

פירוש מהרז"ו

על הדה דרבי יונה לקיים דברי יונה. ובפסיקתא (פרשה כב סימן ו) איתא שהמעשה של האשה, שהובאה לקמן בסמוך, דרש על דברי רבי יונה: **וסייע לרבי אסי.** גירסא זו לא יתכן שדעת רבי אסי שהנשבע באה על שבועת שקר, ובמעשה דבר תלמיון לא היה עונש כלל. אך בפסיקתא (פרשה כב שם) איתא.

הדה דבר תלמיון מסייע לרבנן, פירוש שמעשה זו ראיה לדברי חז"ל, שאמרו שאין מוסרין שבועה למי שהוא רץ אחריה, היינו רבי סימון שאמר כן: **ההוא מן דבידיה נסתיה לקניא.** בפסיקתא מן כובדיה, ומה שכתב נסתיה, פירושו שנסה ובחן למה הוא כבד כל כך, ונקשיה, שהכה בו בארץ ונשבר ונתפזרו הדנרין:

מתנות כהונה

על שקר. עונש השבועה הוא כשנשבע לשקר: **אפילו על אמת.** כמו שדרשו חז"ל (גיטין נז, א) שתים רבוא כרכים היה לינאי המלך וכולם נחרבו על שבועת אמת, כגון אמר אחד לחבירו בשבועה שאוכל עמך היום וכן עשה: **וסייעא לרב אסי.** ההוא עובדא דבן תלמיון, ונראה מפני שלא מצינו עונשין שנענש על זה, אף על פי שהיתה ערמה כדי לעכב הזוזים בחזקה, שמע מינה שאין עונש על הנשבע באמת, ובילקוט גרס מסייע לרבנן: **אזל בעא.** המפקיד הלך לבן תלמיון ותבע ממנו הזוזים: **מסרית.** מסרתי והחזרתי לך: **מה עבד.** מה עשה: **וחקקיה. גרסינן.** פירוש היה חוקק הקנה עד שהיתה חלולה: **ויהב בה כו'.** נתן בתוך הקנה החלולה אלו זוזים: **ושרי כו'.** התחיל לסמוך על אותו קנה, והלך כך לבית הדין לישבע: **אמר ליה צור כו'.** בן תלמיון אמר אל המפקיד קח זה הקנה בידך, ואנכי אשבע לך שמסרתים בידך: **צור.** קח, כמו (דברים יד, כה) וצרת הכסף: **הכי גרסינן משתבע לך כיון דמטא לבי כנישתא אמר מריה כו': מריה דהדין כו'.** פירוש הנני נשבע באדון של הבית הזה הטוב, רצה לומר הקב"ה: **מן דבידיה כו'.** ממה שהיה מרגיש בידו הכובד של הקנה לקחו לקנה והכהו על הארץ, והכי גרסינן בילקוט מן כבדיה. ויוכל לפרש גם כן מן השקר שהיה רואה בידו ולפניו שנעשה לו, לקח בחמתו כו': **נסתיה.** פירש בערוך כמו נסבתיה, פירוש לקחו: **שריון הלין כו'.** התחילו אלו דינרין להתפזר: **ושרי ההוא.** והתחיל המפקיד ללקטס: **אמר ליה.** בן תלמיון **לקוט כו':**

אשד הנחלים

וכלומר שעונשה גדול עד שיחרב הבית בשבילה: **מלא גידים.** כמו הנוד בשעה שהוא נפוח הוא כאלו מלא עצמות וגידין, כי הנוד הוא כמו אדם נפוח, ולבסוף כשפותחין אותו נשאר ריק מכל, כן השבועה מכלה כל, עד שנשאר ריק מכל: **למי שהוא רץ.** כלומר מי שהוא רגיל בשבועתו לישבע, אפילו על אמת אין מוסרין לו, שמתוך רגילותו לפעמים ישבע על שקר: **מסייעא לר' אסי.** בפסיקתא (עשרת הדברות לא תשא סימן ו) הגירסא וסייעא לרבנן. ופירושו שהמעשה של בן תלמיון מסייע בדברי חז"ל שאמרו כן, שהרי זה על ידי רמאות רצה

חידושי הרד"ל

אפילו על אמת. במדבר רבה פרשה כ"ב (סימן א): **וסייע לרבי אסי.** עיין מתנות כהונה גירסת ילקוט לרבנן. והיינו על זה שאין מוסרין שבועה למי שרץ אחריו, וכן הוא בפסיקתא דעשרת הדברות, בדיבור לא תשא. ושם גרס כאידך עובדא דאיתתא מסייע לרבי יונה, (ובירושלמי דשבועות פ"ו ה"ה גרסינן מסייעא לרבי אסי מעובדא דאיתתא, ושם נשנה איפכא דברי רבי אסי ורבי יונה): **מן דבוריה נסתיה לקניא.** כן צריך לומר, ואפשר [ד] צריך לומר מן ריתחיה, פירוש מן כעסו:

חידושי הרש"ש

אמר ר' סימון אין מוסרין את השבועה למי שהוא רץ אחר השבועה. יתכן שפירושו שמי שהוא רגיל לישבע אפילו באמת משום דחשבינן ליה שישבע בו בשקר שמע מינה דאיסור יש אפילו בשבועת אמת: **ההוא מן דבידיה נסתיה וכו'.** נראה ליה פירושו שהוא מפר אותות בדים (ישעיה מד, כה) שפירושו כוזבים:

אמרי יושר

[ג] מהיכן יצתה מפתח היכל. שמדת אורו כן, רמז שבהשגחת השוכן בדביר יוצא עונש זה, ואמר מגלה, שהיא של עור, כשם שנשאר ריקם מגידים ועצמות, כך ישאר ריקם: **ר' יונה אמר אפילו על אמת.** ומפרש ואל בית הנשבע בשמי לשקר, לשוא, אבל אמת הוא, או פירושו המשביע לחבירו ונשבע באמת, המשביע יענש עונש רב:

מסורת המדרש

א. נדרים כ"ה ע"ב:

ידי משה

וסייע לרבי אסי. פירוש מסתמא היה בר תלמיון תלמיד חכם וירא מן השבועה דאם לא כן למה היה לו טרחא זאת היה לו לישבע לשקר אם היה בדעתו לגזול אותו, דחשיד אממונא חשיד גם כן אשבועתא, אלא שהיה לו איזו היתר ואמר שהחזיר לו ובאמת לא החזיר לו, והוכרח לערמה זאת לבאת לידי שבועה, לפיכך הוא סיוע לרבי אסי. ודוק:

באור מהרי"פ

רב אסי אמר על שקר רבי יונה וכו'. פירוש רבי אסי ורבי יונה פליגי בהא מילתא דרבי אייבו, דרבי אסי סבר דאין המשביע נענש אלא במשביעו לשקר, שאין לו עליו שום תביעה וטענה, ומשביע כדי לגנוב דעת הבריות, ורבי יונה סובר אפילו במשביעו על טענת אמת, נענש גם הוא כשזה נשבע לשקר, והיינו כדתנן בריש שבועות הדיינים (שבועות לט, ב), אם אומר הריני נשבע העומדים שם אומרים סורו נא מעל אהלי האנשים הרשעים האלה, וקאמר תלמודא דטעמא כדתניא שבועת ה' תהיה בין שניהם שחלה שבועה על שניהם, ופירשו רש"י והר"ן ששניהם נענשים בה, שלא דקדק למסור ממונו ביד נאמן ובא לידי חלול השם עד כאן. והמתנות כהונה מפרש באופן אחר, ולא אדע לכוין היטב על לשון המדרש כי אם בפירוש שכתבנו, והוא מיפה תואר, אולי סובר המתנות כהונה דפלוגתא דרבי אסי ורבי יונה לא קאי אמילתא דרבי אייבו, רק ענין בפני עצמו הוא וקאי על הנשבע, מר סבר שהוא נענש דוקא כשנשבע, ומר סבר שהוא נענש אפילו כשנשבע על האמת, והדברים ארוכים מי שרוצה לעמוד על ענין זה, ועיין ביפה תואר: **רבי ינאי הוה יתיב וכו' על הא דרבי יונה וכו'.** ביפה תואר משמע דרבי ינאי בא לסייע לרבי אסי, ולהקשות על הא דרבי יונה, ממה דאמר רבי סימון אין מוסרין וכו', נראה שיש להתרחק מלהשביע למי שאינו הגון שמא ישבע לשקר דוקא: **הוה עובדא בבר תלמיון וכו'.** הסייעתא לרבי אסי הוא כפירוש של מתנות כהונה, ועל אופן זה אף שרצה בר תלמיון לעכב ממון חבירו בחזקה ובערמה גדולה, אף על פי כן לא נענש המשביע, וגבה חובו בשלימות כיון דלא נשבע לשקר בר תלמיון:

The Midrash now counters with an incident in support of R' Assi's opinion:

הֲוָה עוֹבְדָא בְּבַר תַּלְמִיוֹן וְסַיֵּיעַ לְרַבִּי אַסִּי — **There was an incident involving Bar Talmiyon that offers support for** the opinion of **R' Assi.** עוֹבְדָא הֲוָה דְּאַפְקִיד חַד גַּבְרָא גַּבֵּי בַּר תַּלְמִיוֹן ק׳ דֵּינָרִין — **The incident was that a certain person deposited one hundred *dinars* with Bar Talmiyon** for safekeeping. אֲזַל בְּעָא לְהוֹן מִינֵּיהּ — After a while, **he went** and **asked him for [the money].** אֲמַר לֵיהּ, מַה דְּאַפְקַדְתְּ בְּיָדִי מְסָרִית בִּידָךְ — **[Bar Talmiyon] responded, "That which you deposited with me** for safekeeping **I** already **returned to your hand!"** אֲמַר לֵיהּ, אִשְׁתַּבַּע לִי — **[The owner of the money] said to him, "Swear to me** in court that you returned it to me!" מָה עֲבַד בַּר תַּלְמִיוֹן — **What did Bar Talmiyon do?** נְטַל חַד קָנֶה וַחֲקָקֵיהּ — **He took a cane and hollowed it out,** וִיהַב בֵּיהּ הָלֵין דֵּינָרִין — **placed the** one hundred ***dinars*** **inside,** וְשָׁרֵי מִיסְמַךְ עֲלֵיהּ — **and began to lean on it** for support as he walked with the owner to take his oath. אֲמַר לֵיהּ, צוּר הָדֵין קַנְיָא בִּידָךְ וַאֲנָא מִשְׁתַּבַּע לָךְ — Before arriving, **he said to [the owner], "Take this cane in your hand and** when we arrive **I will swear to you."** כֵּיוָן דִּמְטֵי לְבֵי כְנִישְׁתָּא אֲמַר — **As soon as they reached the synagogue, he** held a Torah scroll[38] and **declared,** מָרֵיהּ דְּהָדֵין בֵּיתָא טָבָא — **"I swear** by the **Master of this great House** (i.e., God), מַה דִּמְסַרְתְּ בְּיָדִי מְסָרִית בִּידָךְ — that **whatever you placed in my hand** for safekeeping **I have returned to your hand!"**[39] הַהוּא מִן דְּבִידֵיהּ נַסְתֵּיהּ לְקַנְיָא וְאַקְשֵׁיהּ לְאַרְעָא — **[The owner],** sensing **from [the unusual weight of] that which was in his hand**[40] that something was inside, **took the cane and smashed it on the ground,** שָׁרְיָין הָלֵין דֵּינָרִין מִתְבַּדְּרִין — whereupon **the *dinars* began to scatter about,** וְשָׁרֵי הַהוּא מְלַקֵּט — **and he began to gather** them. אֲמַר לֵיהּ: לַקֵּט לַקֵּט, דְּמִן דִּידָךְ אַנְתְּ מְלַקֵּט — **[Bar Talmiyon]** then **said to him, "Gather, gather! For it is from your own that you are gathering."**[41]

NOTES

38. [From the parallel version of this story in *Nedarim* 25a.]

39. Bar Talmiyon's oath was technically true, since the money was inside the cane he had handed to the owner.

40. *Matnos Kehunah, Maharzu.* [In the parallel version of this story in *Pesikta Rabbasi* Ch. 22 and *Yalkut Shimoni, Vayikra* §471, the text actually states "מִן כּוּבְדֵיהּ", *from its weight*, in place of מִן דְּבִידֵיהּ.]

Alternatively, *Matnos Kehunah* proposes that מִן דְּבִידֵיהּ means: from the lie that he saw "in his hand," i.e., before him. That is, he saw that the person he had trusted to guard his money swearing falsely to the court, and he took the cane and smashed it in his anger. (See also *Rashash*, who suggests that מִן דְּבִידֵיהּ actually means "from his falsehoods," as per *Isaiah* 44:25. See also *Radal.*) This understanding of the story accords with the version in *Nedarim* 25a.

41. How does this incident provide support for the view of R' Assi? *Yefeh To'ar* (above, s.v. המשביע) suggests as follows: Bar Talmiyon was clearly not an honest person; he was trying to keep for himself the money that he was given for safekeeping! Yet, he went to great lengths to avoid swearing falsely; and in the end, the owner of the money indeed got it back. We may learn from here that contrary to the teaching of R' Simone (whom the Midrash above cited as agreeing with R' *Yonah*), one does *not* need to avoid submitting a somewhat-suspect person to an oath (see note 37), for one may assume that a Jew would not swear falsely. [See, however, *Pesikta Rabbasi* Ch. 22 and *Yalkut Shimoni, Zechariah* §571, where the Bar Talmiyon story is cited in *support* of the teaching of R' Simone (for we see the kind of tricks to which one who is "quick to swear" is capable of resorting). See *Peirush Kadum, Maharzu,* and *Radal.*]

מֵהֵיכָן °יָצָאתָה, *מִפִּתְחוֹ שֶׁל אוּלָם, דִּתְנַן: פִּתְחוֹ שֶׁל אוּלָם גּוֹבְהוֹ אַרְבָּעִים אַמָּה וְרָחְבּוֹ עֶשְׂרִים אַמָּה (מדות ג, ז), אָמַר רַב אֵיבוּ: מִפְּנֵי מָה מַשְׁבִּיעִין הָאָדָם בְּסֵפֶר תּוֹרָה וּמְבִיאִין לְפָנָיו נוֹדוֹת נְפוּחִים, לוֹמַר: אֶתְמוֹל הָיָה הַנּוֹד הַזֶּה מָלֵא גִּידִים וַעֲצָמוֹת וְעַכְשָׁיו הוּא רֵק מִכֻּלָּן, כָּךְ הַמַּשְׁבִּיעַ אֶת חֲבֵירוֹ לַשֶּׁקֶר סוֹף שֶׁיֵּצֵא רֵיקָם מִכָּל מָמוֹנוֹ, רַבִּי אַסִּי אָמַר: עַל שֶׁקֶר, רַבִּי יוֹנָה אָמַר: אֲפִילוּ עַל אֱמֶת, רַבִּי יַנַּאי הֲוָה יָתִיב וְדָרִישׁ עַל הָדָא דְּרַבִּי יוֹנָה, אָמַר רַבִּי סִימוֹן: אֵין מוֹסְרִין אֶת הַשְּׁבוּעָה לְמִי שֶׁהוּא *חָשׁוּד עַל הַשְּׁבוּעָה וְאֵין נוֹתְנִין אֶת הַשְּׁבוּעָה לְמִי שֶׁהוּא* רָץ אַחַר הַשְּׁבוּעָה, הֲוָה עוּבְדָא בְּבַר תַּלְמְיוֹן וְסַיֵּיעַ לְרַבִּי אַסִּי, [א]עוּבְדָא הֲוָה דְּאַפְקִיד חַד גַּבְרָא גַּבֵּי בַּר תַּלְמְיוֹן ק' דִּינָרִין, אֲזַל בְּעָא לְהוֹן מִינֵּיהּ, אֲמַר לֵיהּ: מַה דְּאַפְקַדְתְּ בְּיָדַי מְסָרִית בִּידָךְ, אֲמַר לֵיהּ: אִשְׁתַּבַּע לִי, מָה עֲבַד בַּר תַּלְמְיוֹן, נְטַל חַד קָנֶה וַחֲקָקֵיהּ וִיהַב בֵּיהּ הָלֵין דִּינָרִין וְשָׁרֵי מִיסְמַךְ עֲלֵיהּ, אֲמַר לֵיהּ: צוּר הָדֵין קַנְיָא בִּידָךְ וַאֲנָא מִשְׁתַּבַּע לָךְ, כֵּיוָן דִּמְטֵי לְבֵי כְּנִישְׁתָּא אֲמַר: מָרֵיהּ דְּהָדֵין בֵּיתָא טָבָא, מַה דִּמְסַרְתְּ בְּיָדַי מְסָרִית בִּידָךְ, הַהוּא מָן דְּבִידֵיהּ נְסָתֵיהּ לְקַנְיָא וְאַקְשֵׁיהּ לְאַרְעָא, שָׁרְיָין הָלֵין דִּינָרִין מִתְבַּדְּרִין וְשָׁרֵי הַהוּא מְלַקֵּט, אֲמַר לֵיהּ: לְקֹט לְקֹט, דְּמָן דִּידָךְ אַנְתְּ מְלַקֵּט.

עץ יוסף

מהיכן יצתה. משום דהיוצא משמע לה מתחת פני השכינה אשר בבית המקדש, לכן שאל מאיזה שער יצתה, וקאמר מפתחו של אולם שהיתה גובהה ארבעים ורחבה עשרים, וזה מכוון למאי דאמרו בפרק שני דעירובין (שם) ארכה עשרים באמה ורחבה עשר באמה, וכי פשטת לה כמה הויא עשרים בעשרים, וכתיב והיא כתובה פנים ואחור, וכי קלפת לה כמה הויא ארבעין בעשרים, ופירש רש"י כי קלפת לה ותשים קליפה זו לראש חברתה שיהא כל כתיבתה לצד אחד, הוין לה ארבעין אורך בעשרים רוחב: כך המשביע לחברו. וכל שכן הנשבע, דהא השבעה בספר תורה והבאת הנודות לאיים על הנשבע היא עיקרה: על שקר. אם משביע על שקר שאין לו תביעה וטוענו ומשביעו: אפילו על אמת. פירוש אפילו אם משביעו על אמת נענש גם הוא כשזה נשבע על שקר, על שלא דקדק למסור ממונו ביד נאמן, ובא לידי חילול השם: למי שהוא רץ אחר השבועה. רלה לומר שבית דין לא יטילו עליו שבועה מיד אלא יחמילו הדין עד שיודה, או יעשו פשרה. אי נמי לאינשי קמזהיר שלא יתעסקו עמו במילתא דאתיא לידי שבועה על סמך שישביעהו, כגון שותפות וכיוצא (יפה תואר): הוה עובדא. היה מעשה: וסייעא לר' אסי. פירוש ההיא מעשה דבן תלמיון סייעת לר' אסי, ונראה מפני שלא מצינו עונשין שנענש על זה אף על פי שהיתה ערמה כדי לעכב הזוזים בחזקה, שמע מינה שאין עונש על הנשבע באמת. כתב הרד"ל וזה לשונו, ומסייע לרבי אסי עיין מתנות כהונה גירסת ילקוט לרבנן, והיינו על זה שאין מוסרין שבועה למי שרץ אחריו, וכן הוא בפסיקתא דעשרת הדברות בדבור לא תשא ושם גרס אלידך עובדא דאיתתא דאיתתא מסייע לר' יונה, ובירושלמי דשבועות (פ"ו ה"ה) גרסינן מסייעא לר' אסי מעובדא דאיתתא ושם נשנה איפכא דברי ר' אסי ור' יונה עד כאן לשונו. המפקיד הלך לבן תלמיון ותבע ממנו הזוזים: מסרית. מסרתי והחזרתי לך: מה עבד. מה עשה: וחקקיה. היה חוקק בקנה עד שהיתה חלולה: ויהב ביה בו'. נתן בתוך הקנה החלולה אלו הזוזים: ושרי בו'. התחיל לסמוך על אותו קנה והלך כך לבית הכנסת לישבע: אמר ליה צור בו'. בן תלמיון אמר אל המפקיד קח זה הקנה בידך ואנכי אשבע לך שמסרתים בידך. צור פירוש קח כמו (דברים יד, כה) וצרת הכסף: מריה דהדין בו'. פירוש אני נשבע באדון של הבית הזה הטוב, רלה לומר הקדוש ברוך הוא: מן דבידיה נסתיה בו'. פירוש ממה שהיה מרגיש בידו הכובד של הקנה לקח הקנה והכהו על הארץ. והכי גרסינן בילקוט (זכריה פרק ה רמז תקעח) מן כבדיה. או פירושו מן השקר שהיה רואה בידו ולפניו שנעשה לו לקחו בחמתו כו' (מתנות כהונה), וכן איתא בנדרים (כה, א) שמתוך כעסו שבר הקנה: נסתיה. כמו נסבתיה, פירוש לקחו: שריין הלין בו'. התחילו אלו דנרין להתפזר: ושרי ההוא. והתחיל המפקיד ללקט, אמר ליה בן תלמיון לקוט בו':

פירוש מהרז"ו

על הדה דרבי יונה לקיים דברי יונה. ובפסיקתא (פרשה כב סימן ו) איתא שהמעשה של האשה, שהובאה לקמן בסמוך, דרש על דברי רבי יונה: וסייע לרבי אסי. גירסא זו לא יתכן שדעת רבי אסי שהעונש בא על שבועת שקר, ובמעשה דבר תלמיון לא היה עונש כלל. אך בפסיקתא (פרשה כב שם) איתא. הדה דבר תלמיון מסייע לרבנן, פירוש שמעשה זו ראיה לדברי חז"ל, שאמרו שאין מוסרין שבועה למי שהוא רץ אחריה, היינו רבי סימון שאמר כן: ההוא מן דבידיה נסתיה לקניא. בפסיקתא מן כובדיה, ומה שכתב נסתיה, פירושו שנסה ובחן למה הוא כבד כל כך, ונקשיה, שהכה בו בארץ ונשבר ונתפזרו הדנרין:

מתנות כהונה

על שקר. עונש השבועה הוא כשנשבע לשקר: אפילו על אמת. כמו שדרשו חז"ל (גיטין נז, א) ששים רבוא כרכים היו לינאי המלך וכולם נחרבו על שבועת אמת, כגון שאמר אחד לחבירו בשבועה שאוכל עמך היום וכן עשה: וסייעא לרב אסי. ההוא עובדא דבן תלמיון, ונראה מפני שלא מצינו עונשין שנענש על זה, אף על פי שהיתה ערמה כדי לעכב הזוזים בחזקה, שמע מינה שאין עונש על הנשבע באמת, ובילקוט גרס מסייע לרבנן: אזל בעא. המפקיד הלך לבן תלמיון ותבע ממנו הזוזים: מסרית. מסרתי והחזרתי לך: מה עבד. מה עשה: וחקקיה. גרסינן. פירוש היה חוקק הקנה עד שהיתה חלולה: ויהב בה בו'. נתן בתוך הקנה החלולה אלו זוזים: ושרי בו'. התחיל לסמוך על אותו קנה, והלך כך לבית הדין לישבע: אמר ליה צור בו'. בן תלמיון אמר אל המפקיד קח זה הקנה בידך, ואנכי אשבע לך שמסרתים בידך: צור. קח, כמו (דברים יד, כה) וצרת הכסף: הכי גרסינן משתבע לך כיון דמטא לבי כנישתא אמר מריה בו': מריה דהדין בו'. פירוש הנני נשבע באדון של הבית הזה הטוב, רלה לומר הקב"ה: מן דבידיה בו'. ממה שהיה מרגיש בידו הכובד של הקנה לקחו לקנה והכהו על הארץ, והכי גרסינן בילקוט מן כבדיה. ויוכל לפרש גם כן מן השקר שהיה רואה בידו ולפניו שנעשה לו, לקח בחמתו כו': נסתיה. פירש בערוך כמו נסבתיה, פירוש לקחו: שריון הלין בו'. התחילו אלו דינרין להתפזר: ושרי ההוא. והתחיל המפקיד ללקט: אמר ליה. בן תלמיון לקוט בו':

אשד הנחלים

וכלומר שעונשה גדול עד שיחרב הבית בשבילה: מלא גידים. כמו הנוד בשעה שהוא נפוח הוא כאלו מלא עצמות וגידין, כי הנוד הוא כמו אדם נפוח, ולבסוף כשפותחין אותו נשאר ריק מכל, כן השבועה מכלה כל, עד שנשאר ריק מכל: למי שהוא רץ. כלומר מי שהוא רגיל בשבועתו לישבע, אפילו על אמת אין מוסרין לו, שמתוך רגילותו לפעמים ישבע על שקר: מסייעא לר' אסי. בפסיקתא (עשרת הדברות לא תשא סימן ו) הגירסא וסייעא לרבנן. ופירושו שהמעשה של בן תלמיון מסייע בדברי חז"ל שאמרו כו', שהרי זה על ידי רמאות רצה

תואר משמע דרבי ינאי בא לסייע לרבי אסי, ולהקשות על הא דרבי יונה, ממה דאמר רבי סימון אין מוסרין וכו', נראה שיש להתרחק מלהשביע למי שאינו הגון שמא ישבע לשקר דוקא: הוה עובדא בבר תלמיון וכו'. הסייעתא לרבי אסי הוא כפירוש בן תלמיון לעכב ממון חבירו בחזקה ובערמה גדולה, ולא חשב שום עונש, אף על פי כן לא נענש המשביע, וגבה חובו בשלימות כיון דלא נשבע לשקר בר תלמיון:

חידושי הרד"ל

אפילו על אמת. במדבר רבה פרשה כ"ב (סימן א): וסייע לרבי אסי. עיין מתנות כהונה גירסת ילקוט לרבנן, והיינו על זה שאין מוסרין שבועה למי שרץ אחריו, וכן הוא בפסיקתא דעשרת הדברות, בדיבור לא תשא. ושם גרס אלידך עובדא דאיתתא מסייע לרבי יונה, (ובירושלמי דשבועות פ"ו ה"ה גרסינן מסייעא לרבי אסי מעובדא דאיתתא, ושם נשנה איפכא דברי רבי אסי ורבי יונה): מן דבוריה נסתיה לקניא. כן צריך לומר, ואפשר [ד] צריך לומר מן ריתחיה, פירוש מן כעסו:

חידושי הרש"ש

אמר ר' סימון אין מוסרין את השבועה למי שהוא רץ אחר השבועה. יתכן שפירושו שמי שהוא רגיל לישבע אפילו באמת משום דחשבינן ליה שישבע בו בשקר שמע מינה דאיסור יש אפילו בשבועת אמת: ההוא מן דבידיה נסתיה וכו'. נראה לי פירושו שהוא מפר אותות דדים (ושעיה מד, כה) שפירושו כוזבים:

אמרי יושר

[ג] מהיכן יצתה מפתח ההיכל. שמדת מורו כן, רמז שבהשבעת השוכן בדביר יוצא עונש זה, ולמר מגלה, שהיא של עור, כשם שנשאר ריק מגידים ועצמות, כך ישאר ריק: ר' יונה אמר אפילו על אמת. ומפרש ולא בית הנשבע בשמי לשקר, לשוא, אבל אמת הוא, או פירושו המשביע לחבירו ונשבע באמת, המשביע יענש עונש רב:

מסורת המדרש

א. נדרים כ"ה ע"א:

ידי משה

וסייע לרבי אסי. פירוש מסתמא היה בר תלמיון תלמיד חכם ויראה מן השבועה דאם לא כן למה היה לו טרחא זאת היה לו לישבע לשקר אם היה בדעתו לגזול אותו, דחשיד אממונא חשיד גם כן אשבועתא, אלא שהיה לו איזו היתר ואמר שהחזיר לו ובאמת לא החזיר לו, והוכרח לערמה זאת ללאת ידי שבועה, לפיכך הוא סיוע לרבי אסי. ודוק:

באור מהרי"פ

רב אסי אמר על שקר רבי יונה וכו'. פירוש רבי אסי ורבי יונה פליגי בהא מילתא דרבי איבו, דרבי אסי סבר דאין המשביע נענש אלא במשביעו לשקר, שאין לו עליו שום תביעה וטוענו, ומשביע כדי לגנוב דעת הבריות, ורבי יונה סובר אפילו במשביעו על טענת אמת, נענש גם הוא כשזה נשבע לשקר, והיינו כדתנן בריש שבועות הדיינים (שבועות לט, ב), אם אומר הריני נשבע העומדים שם אומרים סורו נא מעל האהלים הרשעים האלה, וקאמר תלמודא דטעמא כדתניא שבועת ה' תהיה בין שניהם שחלה שבועה על שניהם, ופירש רש"י והר"ן שניהם נענשים בה, שלא דקדק למסור ממונו ביד נאמן ובא לידי חלול השם עד כאן. והמתנות כהונה מפרש באופן אחר, ולא אדע לכוין היטב על לשון המדרש כי אם בפירוש שכתבנו, והוא מיפה תואר, אולי סובר המתנות כהונה דפלוגתא דרבי אסי ורבי יונה לא קאי אמילתא דרבי איבו, רק ענין בפני עצמו הוא וקאי על הנשבע, מר סבר שהוא נענש דוקא כשנשבע, ומר סבר שהוא נענש אפילו כשנשבע על האמת, והדברים ארוכים מי שרוצה לעמוד על ענין זה, ועיין ביפה תואר: רבי ינאי הוה יתיב וכו' על הא דרבי יונה וכו'. ביפה

A further proof in support of R' Assi's opinion:

"שְׁבֻעַת ה׳ תִּהְיֶה בֵּין שְׁנֵיהֶם" — With regard to an oath made by a custodian to the object's owner it is stated, ***an oath of HASHEM shall be between them both*** (*Exodus* 22:10), שֶׁאֵינָהּ זָזָה מִבֵּין שְׁנֵיהֶם — which alludes to the fact **that** the punishment for **[the oath] always remains between them.**[42] אִם הַמַּשְׁבִּיעַ מַשְׁבִּיעַ עַל שֶׁקֶר סוֹפָהּ לָצֵאת עָלָיו — That is, **if the claimant imposes the oath based on** a **false** claim, **the [punishment for the oath] will end up falling upon him;**[43] וְאִם הַנִּשְׁבָּע נִשְׁבָּע עַל שֶׁקֶר סוֹפָהּ לָצֵאת עָלָיו — **but if** the claim was true, and **the one who is swearing swore falsely, it will end up falling upon him.**[44]

The Midrash presents another incident involving the punishment for oaths:[45]

עוּבְדָא הֲוָה בְּחָדָא אִיתְּתָא דְּעָלַת לְמֵילַשׁ גַּבֵּי מְגֵירְתָא — **There was an incident involving a certain woman, who went up to knead dough at her neighbor's** house, וַהֲווֹ צְיִירִין בְּשׁוֹשִׁיפָהּ תְּלָתָא דִּנָרֵי — **with three *dinars* tied onto her garment.** נְסַבְתְּהוֹן וִיהָבַת יָתְהוֹן עַל גַּבֵּי סוּדָרָא — **She took them and placed them upon [her] scarf.** אִיגַּבְלוֹן בְּלִישָׁה — In the process of kneading, **they** were knocked off the scarf and **were kneaded into the dough.** אֲפָה פִּיתָא וְאָזְלָה לָהּ — Not realizing what had occurred, **she baked a bread** with the coins inside, **and left** with the bread. אֲמַר לָהּ בַּעְלָהּ: הַב לִי תְּלָתָא דִּינָרִין — Upon arriving home, **her husband said to her, "Give me** the **three *dinars*** that you had." אָזְלַת בָּעֲיָא לְהוֹן גַּבֵּי מְגִירְתָא — Suspecting that she left them behind, **she went** back **and sought them from her neighbor.** אָמְרָה לָהּ: דִּלְמָא חָמֵית לִי הָלֵין תְּלַת דִּינָרִין — **She said to her, "Perhaps you saw the three *dinars*** I brought with me earlier?" הָוְויִן לְהַהִיא מְגֵרְתָא תְּלָתָא בְּנִין — Now, **this neighbor had three sons.** אָמְרָה לָהּ: תִּקְבְּרִנֵּהּ הַהִיא אִיתְּתָא בְּרָא אִי הִיא יָדְעָה בְּהוֹן — **She responded, "Let that woman bury a son if she knows about [the coins]!"**[46] גָּרְמוֹן חוֹבִין וּקְבָרְתֵיהּ — **Her sins caused her to bury [one of her sons].**[47] אָמְרָה: אִילוּלֵי דְּהַהִיא אִיתְּתָא חֲשִׁידָה בְּהוֹן לָא הֲוָה קָבְרָה לֵיהּ — Upon seeing what transpired, **she** [the woman who had lost the coins] **said** to herself, **"If that woman were not suspect with regard to [the coins], she would not have buried [her son]!"** אָזְלָה וְאָמְרָה לָהּ: דִּלְמָא חָמֵית לִי לְהָלֵין דִּינָרַיָּא — Consequently, **she went** back **and said to her, "Perhaps you** in fact **saw the *dinars*?"**[48] אָמְרָה: הַהִיא אִיתְּתָא תִּקְבּוֹר בְּנָהּ אַחֲרִינָא אִי הִיא יָדְעָה בְּהוֹן — Again, **she replied, "Let that woman bury another son if she knows about them!"** גָּרְמוֹן חוֹבִין וּמִית בְּרָא אַחֲרִינָא — Once again, **her sins caused another son** of hers **to die.** זְמַן אוֹחֳרָן אָמְרָה לָהּ: דִּלְמָא חָמֵית לִי הָלֵין דִּינָרִין — **Once again, [the woman who owned the coins] said to her, "Perhaps you** in fact **saw** the three ***dinars*?"** אָמְרָה: תִּקְבּוֹר הַהִיא אִיתְּתָא בְּרָא תְּלִיתָאָה אִי הִיא יָדְעָה בְּהוֹן — Yet again **she replied, "Let that woman bury a third son if she knows about them!"** גָּרְמוֹן חוֹבִין וּקְבָרְתֵיהּ — Once again, **her** various other **sins caused her to bury [her third son].** אָמַר לָהּ בַּעְלָהּ: לֵית אַנְתְּ אָזֵיל לְמִנְחֲמָה לְהָדָא מְגִירְתֵיךְ — **The husband [of the woman who had the coins] said to her, "Are you not going to comfort your neighbor,** and to serve the mourner's meal?"[49] נְסַבַּת תְּרֵין עִגּוּלִין דְּפִיתָא וַאֲזַלַת מְנַחְמַת יָתָהּ — Heeding his advice, **she took two loaves of bread** that she had baked in her neighbor's house **and went to comfort her** and serve her the mourner's meal. כֵּיוָן דִּקְצוֹן עִגּוּלָה נָפְקוּן הָלֵין תְּלַת דִּינָרֵי מִינֵּהּ — **Upon cutting open a loaf, the three** missing ***dinars* fell out of it,** thus proving the neighbor's honesty. הָדָא דִּבְרִיָּיתָא אָמְרִין: בֵּין זַכַּאי בֵּין חַיָּיב לִידֵי מוֹמֵי לָא תֵּעוֹל — **This is what people say: Whether innocent or guilty, do not enter into an oath.**[50]

NOTES

42. Rather than simply stating, "the custodian shall swear" (*Yefeh To'ar*), Scripture states that the oath *shall be between them both*. The Midrash thus infers that the owner may *also* be held responsible for the oath.

43. That is, upon the claimant (for making the defendant swear needlessly).

44. That is, only upon the one who swore. Thus, it supports R' Assi's view that only when the claimant falsifies a claim is he subject to punishment, but not when his claim is true [even if the defendant swears falsely] (*Beur Maharif*; see also *Yefeh To'ar* above, s.v. המשביע).

45. *Yefeh To'ar* (see above, note 34) maintains that the Midrash is now addressing a new issue: whether there is some sort of punishment for one who *swears* a true oath. He maintains that this is the issue that is the subject of a dispute in *Yerushalmi* (*Shevuos* 6:5) between R' Yonah and R' Yose; R' Yonah maintains that there is punishment only for swearing a false oath, whereas R' Yose says that one is punished even for swearing an oath that is true; see below, note 50. (*Yerushalmi* there then cites the incident that follows in support of R' Yose's view.) *Yefeh To'ar* further maintains that our Midrash text should be emended to include this separate dispute prior to the incident that follows.

[A somewhat different version of this story appears in *Gittin* 35a (see also *Yerushalmi Shevuos* 6:5). See *Matnos Kehunah.*]

46. I.e., "Let *me* bury a son if . . . " However, the neighbor spoke in third person so as not to issue an explicit curse against herself. [This is an expression of an oath.]

[We have vowelized the word יָדְעָה, which means "she knows." However, the word could also be vowelized יָדְעָה, which would mean "she *knew.*" See below, note 50.]

47. The reference is apparently to her sin of taking the oath. [Possibly, though, the meaning is that her oath (which was true) would not in and of itself have caused her to lose a son, but it caused her other sins to be examined in a more exacting manner.]

48. Convinced that her neighbor had sworn falsely, thus causing her son's death, she returned to her in the hope that she would now admit to the whereabouts of the coins (*Matnos Kehunah; Eitz Yosef*).

49. Ibid. This is the traditional first meal that neighbors serve to the mourners after they bury their relative (see *Moed Katan* 24b).

50. Thus, this incident supports the view that even a truthful oath is to be avoided (*Eitz Yosef*; see *Midrash Tanchuma, Mattos* §1 and *Bamidbar Rabbah* 22 §1).

Yefeh To'ar suggests that the "true" oath of which the Midrash now speaks, for which the woman was punished, is specifically an oath that the swearer *thinks* is true. And he explains that in this incident, the woman had indeed initially seen her neighbor's coins but thought nothing of it at the time and subsequently forgot. Hence, when she swore that she never knew about them (see above, note 47), she *thought* she was swearing truthfully, but in fact was not. But one who actually makes a truthful oath need not fear retribution. See Insight Ⓐ.

INSIGHTS

Ⓐ The Avoidance of Oaths *Chasam Sofer* (*Choshen Mishpat* §90) regards our Midrash's concluding statement as one of the sources for the adage, "Swearing, even truthfully, is a sin" (אֲפִילוּ שְׁבוּעַת אֱמֶת עֲבֵירָה הִיא). Based on this, many disputants will go to great lengths to avoid making an oath, seeking to compromise, or even to forgo entirely a just claim.

He brings a further proof from a Gemara in *Shevuos* (39b), which states that before administering an oath, the court would announce the following verse (*Numbers* 16:26), סוּרוּ נָא מֵעַל אָהֳלֵי הָאֲנָשִׁים הָרְשָׁעִים הָאֵלֶּה, *turn away now from near the tents of these wicked "men,"* with the plural "men" intimating that *both* parties are regarded as wicked. *Rashi* (ad loc.) explains that the reason the plaintiff is taken to task when he has a rightful claim is that he did not take sufficient care to entrust his money only to an honest individual. He is thus held responsible for the desecration of God's Name that results when the defendant swears falsely in order to keep the money (as mentioned above in note 34). In the reverse situation — where the claimant makes a false claim and the defendant swears truthfully that he is innocent — *Chasam Sofer* (based

באור מהרי"פ

שבועת ה' תהיה וכו'. גם זה סייעתא לרבי אסי דדוקא על שקר ולגנוב דעת הבריות הוא משביע אותו, אז נענש המשביע, אבל בלאו הכי לא נענש: **נשבע על שקר סופו לצאת עליו.** ובירושלמי (שבועות פ"ו ה"ה) גרסינן בתר הכי מאי טעמא הוצאתיה נאם ה' ובאה אל בית הגנב וכו', אמר רבי שמואל בר נחמן מלאכי חבלה אין להם קפיצין וכו' עד שבועות שוא מכלתן, ובתר הכי רבי יונה אמר וכו', רבי יוסי אמר אף על האמת, תני דרש כהדא דרבי יוסי, עובדא הוה בחדא איתתא דאזלת מיערך גבי חברתא וכו', וכל המעשה הנזכרת כאן עד בין זכאי בין חייב לשבועה לא תיעול (רק בשנוי קלת). וזהו פירושו, מאי טעמא, פירוש מהיכן ילפינן עונש על המשביע לשקר, דקדים שבועת ה' תהיה בין שניהם בהכי, ומשני מדכתיב הוצאתיה נאם ה' ובאה אל בית הגנב, פירוש זהו הגונב דעת הבריות, שאין לו ממון אצל חבירו וטוענו ומשביעו, ואל בית הנשבע בשמי לשקר וגו', ואיידי דמייתי האי קרא מייתי להא דרבי שמואל בר נחמן עליה, והדר קאמר דהא דנשבע לשקר נענש לרבי יונה, דוקא שנשבע לשקר, ורבי יוסי סבר אפילו בנשבע על האמת כעובדא דהאי איתתא. ובעל מתנות כהונה אולי נסתייע מהירושלמי הזה לפרש כל המדרש מהפלוגתא דרבי יוסי ורבי יונה בנשבע ולא במשביע, וכבר כתבנו למעלה בשם יפה תואר דלא יתכן לפרש המדרש כן, ונראה דתרתי פלוגתי ניהו ועיין יפה תואר:

מתנות כהונה ד"ה דעלת למילש כו' אף על פי דבפרק השולח את הגט וכו'. זה לשון הגמרא בגיטין פרק השולח (לה, א) מעשה באדם אחד בשני בצורת שהפקיד דינר אצל אלמנה אחת והניחתו בכד של קמח ואפאתו בפת ונתנו לעני, לימים בא בעל הדינר ואמר הב לי דינרי, אמרה ליה יהנה סם המות באחד מבניה של אותה האשה אם נהנית מדינרך כלום, אמרו לא היו ימים מועטים עד שמת אחד מבניה, וכששמעו חכמים בדבר אמרו [מה] מי שנשבע באמת כך, הנשבע על שקר

עץ יוסף

דעלת למילש כו'. שנכנסה ללוש את עיסתה אצל שכנתה, אבל בפרק השולח (גיטין לה, א) לא משמע כן: **והוו צייריז כו'.** והיו מקושרים בטליתה שלשה דינרין: **נסבתהון כו'.** לקחתם לאותן שלשה דינרין, ונתנה על גבי סודר, וקשרתן בבגד מכסה העליון שפשטה מעליה כדי שתלוש: **איגבלון בלישא.** אותן שלשה דינרין נילושו ונגבלו בתוך העיסה ואפתה הפת והלכה לה: **הב.** פירוש תן: **אזלת בעיא כו'.** הלכה אצל שכנתה ושאלה ממנה אותן שלשה זהובים: **אמרה לה כו'.** דלמא ראית אלו שלשה דינרין: **הווין כו'.** היו לאותה שכנה שלשה בנים, השיבה השכנה **תקברנה כו'**, והספר דִּבֵּר דרך כינוי כמורגל: **גרמין חובין כו'.** גרמו עבירות של אותה שכנתה ומת בנה: **אמרה.** אותה אשה שאפתה פתא שם ואבדה לה השלשה דינרין אלו לא נחשדה היא שכנתה כו', ולכן הלכה ושאלה עוד פעם אחרת דלמא תודה ותתנם לה: **אמר לה בעלה כו'.** בעל של אותה אשה שאבדה הדינרין אמר לאשתו וכי אין אתה הולך לנחם שכנתך ולהברותה: **נסבה תרין כו'.** לקחה שתי ככרות והלכה לנחם אותה: **כיון דקצץ כו'.** כיון שחתכו ככר לאכול נפלו אלו שלשה דינרין: **הדא דברייתא כו'.** זהו שהבריות אומרים: **לידי מומי כו'.** לידי שבועה לא יכנוס, והיינו כר' יונה שאמר אפילו על אמת, וכדאיתא ברבה (במדבר כב, א) ובתנחומא סדר מטות (סימן א) אמר להם הקדוש ברוך הוא לישראל לא תהיו סבורים שמותר להם להשבע בשמי, אפילו באמת אין אתה רשאי להשבע בשמי, אלא אם כן יהיה בך כל המדות האלו, את ה' אלהיך תירא כו': **אין להם קפיצין כו' ולנה כו'.** פירוש שאין חוליות ברגליהם שיכולים לכפוף רגליהם ולנוח, כי אם שטים תמיד בלי מנוחה ואפילו הכי כתיב ולנה כאילו ינוחו שמה. והענין על דרך הציור, אף שניתן רשות לרע ומשחית לבוא לפעמים בעולם ולכלות יושביה, אבל עם כל זה הוא רק בדרך שיטה בעלמא, לא בתמידות שתשב ותכלה כל, זולתי שבועת שקר שמה תלין ותשכון עד שתכלה כל: **משוט.** משמע שתמיד היא שט בארץ:

מדרש

"שְׁבֻעַת ה' תִּהְיֶה בֵּין שְׁנֵיהֶם" (שמות כב, י), שֶׁאֵינָהּ זָזָה מִבֵּין שְׁנֵיהֶם, אִם הַמַּשְׁבִּיעַ מַשְׁבִּיעַ עַל שֶׁקֶר סוֹפָהּ לָצֵאת עָלָיו, וְאִם הַנִּשְׁבָּע נִשְׁבַּע עַל שֶׁקֶר סוֹפָהּ לָצֵאת עָלָיו, עוּבְדָא הֲוָה בְּחָדָא אִיתְּתָא דְּעָלַת לְמֵילַשׁ גַּבֵּי מְגֵירְתָא, וַהֲווֹ צְיִירִין בְּשׁוֹשִׁיפָהּ תְּלָתָא דִּינָרֵי, נְסַבְתְּהוֹן וִיהַבַת יַתְהוֹן עַל גַּבֵּי סוּדְרָא, אִיגַּבְלוּן בְּלִישָׁה, אֲפָה פִּיתָּא וְאָזְלָה לָהּ, אֲמַר לָהּ בַּעֲלָהּ: הַב לִי תְּלָתָא דִּינָרִין, אָזְלַת בָּעֲיָא לְהוֹן גַּבֵּי מְגֵירְתָא, אָמְרָה לָהּ: דִּלְמָא חֲמֵית לִי הָלֵין תְּלָת דִּינָרִין, הֲוַוִין לְהַהִיא מְגֵרְתָא תְּלָתָא בְּנִין, אָמְרָה לָהּ: תִּקְבְּרִנָּהּ הַהִיא אִיתְּתָא בְּרָא אִי הִיא *יָדְעָה בְּהוֹן, גָּרְמוֹן חוֹבִין וּקְבַרְתֵּיהּ, אָמְרָה: אִילוּלֵי דְּהַהִיא אִיתְּתָא חֲשִׁידָה בְּהוֹן לָא הֲוָה קָבְרָה לֵיהּ, אָזְלָה וְאָמְרָה לָהּ: דִּלְמָא חֲמֵית לִי לְהָלֵין דִּינָרַיָּא, אָמְרָה הַהִיא אִיתְּתָא: תִּקְבּוֹר בְּנָהּ אַחֲרִינָא אִי הִיא יָדְעָה בְּהוֹן, גָּרְמוֹן חוֹבִין וּמִית בְּרָא אַחֲרִינָא, זְמַן אוֹחֲרָן אָמְרָה לָהּ: דִּלְמָא חֲמֵית *לִי הָלֵין דִּינָרִין, אָמְרָה: תִּקְבּוֹר הַהִיא אִיתְּתָא בְּרָא תְּלִיתָאָה אִי הִיא יָדְעָה בְּהוֹן, גָּרְמוֹן חוֹבִין וּקְבַרְתֵּיהּ, אֲמַר לָהּ בַּעֲלָהּ: לֵית אַנְתְּ אָזֵיל לְמְנַחֲמָה לְהָדָא מְגֵירְתֵיךְ, נְסַבַת תְּרֵין עִגּוּלִין דְּפִיתָּא וַאֲזָלַת מְנַחֲמַת יָתָהּ, כֵּיוָן דִּקְצוֹן עִגּוּלָה נָפְקוּן הָלֵין תְּלָת דִּינָרֵי מִינָּהּ, הָדָא דִבְרִיָּיתָא אָמְרִין: בֵּין זַכַּאי בֵּין חַיָּיב לִידֵי מוּמֵי לָא תֵעוֹל. "וּבָאָה אֶל בֵּית הַגַּנָּב וְאֶל בֵּית הַנִּשְׁבָּע בִּשְׁמִי לַשָּׁקֶר וְלָנָה בְּתוֹךְ בֵּיתוֹ וְכִלַּתּוּ וְאֶת עֵצָיו וְאֶת אֲבָנָיו" (זכריה שם ד), אָמַר רַבִּי שְׁמוּאֵל בַּר נַחְמָן: מַלְאֲכֵי חַבָּלָה אֵין לָהֶם קְפִיצִין, שֶׁנֶּאֱמַר "מִשּׁוּט בָּאָרֶץ וּמֵהִתְהַלֵּךְ בָּהּ" (איוב א, ז),

פירוש מהרז"ו

ובאה אל בית הגנב. סוף הענין של הפסוק הנ"ל והנה מגילה עפה וגו' הוצאתיה נאם ה' ובאה אל בית הגנב וגו': **קפיצין.** עיין בראשית רבה (סה, כא), ועם במתנות כהונה בשם רש"י, שאין להם חוליות, פירוש ברגליהם, וכן פירש הערוך בסוף ערך קפן אחרון, שפירושו פרקים, וכמו שכתב בבראשית רבה שם מפסוק (יחזקאל א, ז) ורגליהם רגל ישרה, שאינם מחוברים מחוליות, שלא נכרעו רגליהם להליכה ועמידה אלא מעופפים תמיד, וזהו משוט בארץ ומהתהלך בה, בלא מנוחה במקום אחד, אך כאן לענוש לחוטאים בשבועות שוא, נותן למלאכי חבלה מנוחה, ולינה בבית הרשעים: **אפילו עורו של פיל.** שאם היה תופס מדה שיש במציאות, הייתי אומר שמכוון לדבר שיש בעולם כמותך, שלכך פירש, אך מאחר שאין כמדה זו עור אחד בעולם, ואף כשתי פרים כמה עורות לספח ומגילה תופרים באורך ולא ברוחב, ולמה תפס חשבון זה שאינו במציאות, ועוד מקשה היוצאת מאיזה מקום יצאה, ותירץ ששתי קושיות אלו מתורצים זה על זה, ומגלים כוונת חשבון הנ"ל, שמה שכתוב (זכריה ה, ב) מגילה עפה ארכה עשרים באמה ורחבה עשר באמה, פירושו שהיתה כפולה בארכה של עשרים אמה וברחבה של עשר אמה, ונעשית ארכה ארבעים ורחבה עשרים, מכוון למדת שער האולם ויצאה משער האולם, וזה על פי מדת מנגד, חשבון זה כנגד חשבון אחר כידוע:

אם למקרא

שְׁבֻעַת ה' תִּהְיֶה בֵּין שְׁנֵיהֶם אִם לֹא שָׁלַח יָדוֹ בִּמְלֶאכֶת רֵעֵהוּ וְלָקַח בְּעָלָיו וְלֹא יְשַׁלֵּם: (שמות כב:י)

הוֹצֵאתִיהָ נְאֻם ה' צְבָאוֹת וּבָאָה אֶל־בֵּית הַגַּנָּב וְאֶל־בֵּית הַנִּשְׁבָּע בִּשְׁמִי לַשָּׁקֶר וְלָנָה בְּתוֹךְ בֵּיתוֹ וְכִלַּתּוּ וְאֶת־עֵצָיו וְאֶת־אֲבָנָיו: (זכריה שם ד)

וַיֹּאמֶר ה' אֶל הַשָּׂטָן מֵאַיִן תָּבֹא וַיַּעַן הַשָּׂטָן אֶת ה' וַיֹּאמַר מִשּׁוּט בָּאָרֶץ וּמֵהִתְהַלֵּךְ בָּהּ: (איוב א:ז)

חידושי הרש"ש

שבועת ה' תהיה וכו' אם המשביע משביע על שקר. משמע מכאן דלא כפירוש רש"י בשבועות (לט, ב) והתוספות הסכימו עיין שם (מז, ב) דאפילו משביע על אמת נענש, שלא דקדק למסור ממונו ביד נאמן כו', אלא כפי שהביא הגהות מימוניות בפרק י"א מהלכות שבועות [הי"ח] בשם התוספות ור"ח עיין שם: **אמר לה בעלה וכו' נסבה תרין עגולין דפיתא.** משמע להדיא דהעיסה היתה של בעלת הדינרין וכפירוש המתנות כהונה ודלא כהפני משה בירושלמי פ"ו דשבועות ה"ו שפירש שהעיסה היתה של שכנתה:

אמרי יושר

אין להם קפיצין. להתייגע, ואין עמידה וישיבה להך, ועם כל זה הכא ולנה מלאך המשחית בתוך ביתו מפני חומרת שבועה:

מתנות כהונה

דעלת למילש כו'. שנכנסה ללוש את עיסתה, אף על גב דבפרק השולח גט (גיטין דף לה, א) איתא שהפת היתה של השכנה ונשתרשה לה מקום הדינר, מכל מקום המאמר הזה סובר שהיתה של בעלת דינרין, שהרי רצה להוכיח העונש אפילו על שבועת אמת, ובגמרא מייתי שאמרה לא נהניתי, לפיכך אמרו שנשתרשה מקום הדינרין: **גבי מגירתה.** אצל שכנתה. והיו מקוטרין בטלית שלשה דינרים: **נסבתהון כו'.** לקחם לאותן שלושה דינרין ונתנם על גבי סודר, וקשרתן בבגד מכסה הטליון, שפשטה מעליה כדי שתלוש: **אגבלון כו'.** אותן שלושה דינרין נילושו ונגבלו בתוך העיסה ואפתה הפת והלכה לה: **הב.** תן: **אזלת בעא כו'.** הלכה אצל השכנה ושאלה ממנה אותן שלשה דינרין: **אמר ליה כו'.** דלמא ראית אלו שלושה דינרין: **הווין כו'.** היו לאותן שכנה שלושה בנים: **אמרו לה כו'.** השיבה השכנה תקברנה כו', והספר דבר דרך כינוי כמורגל: **גרמין חובין כו'.** גרמו עבירות של אותה שכנתה ומת בנה: **ואמרה.** אותה אשה שאפתה פתה שמה ואבדו לה שלושה דינרין אלו, לא נחשדה היא שכנתה כו'. ולכן הלכה ושאלה עוד פעם אחרת דלמא תודה ותתנם לה: **אמר לה בעלה.** בעל של אותה אשה שאבדה הדינרין אמר לאשתו, וכי אין אתה הולך לנחם שכנתך ולהברותה: **נסבה כו'.** לקחה שתי ככרות והלכה לנחם אותה: **כיון דקצון כו'.** שחתכו עיגול ככר לאכול ונפלו אלו שלושה דינרים: **הדא דברייתא כו'.** זהו שהבריות אומרים: **לידי מומי כו'.** לידי שבועה לא יכנס: **קפיצין.** הילוך ותנועה ומנוחה כבני האדם: **משוט וגו'.** משמע שתמיד היא שט בארץ:

אשד הנחלים

לישבע (מפי הרב מוהר"ז מהורודנא): **שאינה זזה כו'.** כי לפי פשוטו יקשה מאי בין שניהם הלא האחד נשבע, אם לא שמרמז כי סוף סוף השבועה חלה על אחד מבין שניהם, או המשביע לשקר או הנשבע: **גרמון חובין.** לפי שהשבועה באמת לבדה על כל פנים לא היה בו כח להרוג בניה, רק בצירוף חוב אחר מצטרף גם זה: **אין להם קפיצין כו' ולנה כו'.** פירוש שאין חוליות ברגליהם שיכולים לכפוף רגליהם ולנוח, כי אם שטים תמיד בלי מנוחה, ואפילו הכי כתיב ולנה כאלו ינוחו שם. והענין על דרך הציור, אף שניתן רשות לרע ומשחית לבוא לפעמים בעולם ולכלות יושביה, אבל עם כל זה הוא רק בדרך שיטה בעלמא, לא בתמידות שתשב ותכלה כל, זולתי שבועת שקר, שמה תלין

Returning to the *Zechariah* passage, the Midrash demonstrates that the punishment for one who swears falsely is of unique severity:

"וּבָאָה אֶל בֵּית הַגַּנָּב וְאֶל בֵּית הַנִּשְׁבָּע בִּשְׁמִי לַשָּׁקֶר וְלָנָה בְּתוֹךְ בֵּיתוֹ וְכִלַּתּוּ וְאֶת עֵצָיו וְאֶת אֲבָנָיו" — Scripture states, ***And it shall enter the house of the thief and the house of the one who swears falsely in My Name, and it shall lodge within his house and annihilate it, with its wood and stones*** (ibid., v. 4). אָמַר רַבִּי שְׁמוּאֵל בַּר נַחְמָן — Expounding this verse, **R' Shmuel bar Nachman said:** מַלְאֲכֵי חַבָּלָה אֵין לָהֶם קְפִיצִין — **Angels of destruction have no joints,** and thus cannot bend their legs to sit and rest,[51] שֶׁנֶּאֱמַר, "מִשּׁוּט בָּאָרֶץ וּמֵהִתְהַלֵּךְ בָּהּ" — **as it is stated,** *HASHEM said to the Satan, "From where have you come?" The Satan answered HASHEM, and said,* ***"From wandering and walking about the earth"*** (*Job* 1:7).[52]

NOTES

51. As *Ezekiel* 1:7 states in description of the angels, וְרַגְלֵיהֶם רֶגֶל יְשָׁרָה, *their legs were a straight leg.* Angels are not "designed" for sitting in one spot (see *Maharzu*). [For a halachic application of the *Ezekiel* verse, see *Orach Chaim* 95:1.]

52. Angels, in general, are constantly in motion. Even when an angel of destruction is given permission to descend to earth and destroy some of its inhabitants, it passes through quickly ("wandering about"); it does not settle down in one spot until every last thing there has been destroyed (*Eshed HaNechalim*, followed by *Eitz Yosef*; see also *Maharzu*). See Insight to *Bereishis Rabbah* 65 §21, "There Is No Sitting on High."

INSIGHTS

on *Sma, Choshen Mishpat* 87:61) explains that when the defendant sees that the plaintiff will not drop his false claim against him and is adamant that he swear to deny it, the defendant should seek to negotiate a settlement with him, even though it entails suffering a monetary loss, so that he can avoid swearing. Since there would have been no need for an oath had both parties been honest, one who makes the oath, in a certain sense, is regarded as taking God's Name in vain.

One reason that one should avoid swearing even truthfully is that one who makes it a habit to swear will eventually end up swearing falsely (see *Ibn Ezra* to *Exodus* 20:7). Moreover, even a truthful oath for personal gain in a certain sense is regarded as a desecration of God's Name.

In a lengthy responsum upholding the tradition of avoiding oaths, *R' Yitzchak Yaakov Weiss* (*Minchas Yitzchak* IV §52) underscores that the issue of avoiding to swear pertains even to cases where doing so would lead to a monetary loss. Swearing when no financial loss is at stake is obviously forbidden, as the Mishnah in *Nedarim* (9a) implies that only the wicked, who were unconcerned with the consequences of their words, would make oaths or vows. Indeed, *Rambam* (*Sefer HaMitzvos, Asei* §7) rules that one who makes an unnecessary oath transgresses a negative commandment (see *Rambam* ibid., *Lo Saaseh* §62).

Minchas Yitzchak, however, wonders how swearing truthfully (when required by the court) may be regarded as a sin when *Rambam* (*Sefer HaMitzvos, Asei* §7) actually enumerates swearing when necessary as a positive commandment! True, *Ramban* (*Hasagos,* ad loc.) disputes this, interpreting the verse (*Deuteronomy* 10:20), *in His Name shall you swear,* as merely *permitting* one to swear. *Ramban* also adds that this permit applies only to a person who possesses the attributes enumerated in the beginning of that verse — *HASHEM, your God, shall you fear, Him shall you serve, to Him shall you cleave.* Only such an individual may swear in God's Name (*Tanchuma, Mattos* §1; *Bamidbar Rabbah* 22 §1). *Ramban's* view that it is prohibited for one lacking these attributes to swear is indeed consistent with the tradition to avoid even truthful oaths. But *Rambam* seems to *require* one to swear. Can *his* view be reconciled with our tradition?

Possibly, *Rambam* considers it a mitzvah to swear only if the oath is imposed by the *court.* But he would agree that other oaths are to be discouraged (see *Megillas Esther* to *Sefer HaMitzvos*, loc. cit.). *Minchas Yitzchak* is bothered, however, by the fact that our Midrash seems to be discussing even court-imposed oaths, as it begins with an oath made on the Torah scroll and quotes the verse regarding an oath made by a custodian to the object's owner, שְׁבֻעַת ה' תִּהְיֶה בֵּין שְׁנֵיהֶם, *an oath of HASHEM shall be between them both* (*Exodus* 22:10), which is administered by the court.

According to *Kinas Soferim* and *Lev Same'ach* (on *Sefer HaMitzvos* ad loc.), *Rambam* does not mean that one is *obligated* to swear; one is free to pay the claim against him and avoid making the oath. *Rambam* means only that one who, instead of paying, wishes to swear, has a mitzvah to swear *only in God's Name,* and not in the name of any other force or being. [This would be analogous to the mitzvah to perform *shechitah* on an animal in order to eat its meat (*Deuteronomy* 12:20; *Sefer HaMitzvos, Asei* §146). There is certainly no obligation to eat meat. One who wishes to eat meat, however, has a mitzvah to ritually slaughter the animal before eating the meat.]

According to *Kesef Mishneh* (to *Rambam's Minyan HaMitzvos*), one who possesses the qualities enumerated above has a mitzvah to swear when imposed by the court; one who is lacking in these characteristics, however, is forbidden to swear (even when imposed by the court), as stated in our Midrash and other Midrashim.

According to these interpretations, we may reconcile *Rambam's* view with the established tradition: According to *Kesef Mishneh*, only one possessing the qualities outlined above has a mitzvah to swear, and only when compelled to do so by the court. Everyone else (and who can honestly say that he possesses all those qualities?) is forbidden to swear, and should rather pay the claim. According to *Kinas Soferim,* even a righteous person is under no obligation to swear when asked by the court, though he is permitted to do so. But if one has not been asked by the court to swear, it is forbidden for him to swear. For further discussion regarding the common practice of the Jewish courts concerning oaths, see *Divrei Malkiel* II §133; *Igros Moshe, Choshen Mishpat* I §32; *Tzitz Eliezer* VII §48, Ch. 6.

(שמות כב, י) "שְׁבֻעַת ה' תִּהְיֶה בֵּין שְׁנֵיהֶם", שֶׁאֵינָהּ זָזָה מִבֵּין שְׁנֵיהֶם, אִם הַמַּשְׁבִּיעַ מַשְׁבִּיעַ עַל שֶׁקֶר סוֹפָהּ לָצֵאת עָלָיו, וְאִם הַנִּשְׁבָּע נִשְׁבַּע עַל שֶׁקֶר סוֹפָהּ לָצֵאת עָלָיו, עוֹבְדָא הֲוָה בְּחָדָא אִיתְּתָא דְּעָלַת לְמֵילַשׁ גַּבֵּי מְגֵירְתָא, וַהֲווּ צְיִירִין בְּשׁוּשִׁיפָהּ תְּלָתָא דִּנָרֵי, נְסַבְתְּהוֹן וִיהַבַת יָתְהוֹן עַל גַּבֵּי סוּדְרָא, אִיגַּבְלוֹן בַּלִּישָׁה, אֲפָה פִּיתָּא וְאָזְלָה לָהּ. אֲמַר לָהּ בַּעֲלָהּ: הַב לִי תְּלָתָא דִּינָרִין, אָזְלַת בָּעְיָא לְהוֹן גַּבֵּי מְגֵירְתָא, אָמְרָה לָהּ: דִּלְמָא חָמֵית לִי הָלֵין תְּלַת דִּינָרִין, הֲוְיִין לְהַהִיא מְגֵרְתָא תְּלָתָא בְּנִין, אָמְרָה לָהּ: תִּקְבְּרִנֵּהּ הַהִיא אִיתְּתָא בְּרָא אִי הִיא *יָדְעָה בְּהוֹן, גָּרְמוּן חוֹבִין וּקְבַרְתֵּיהּ, אָמְרָה: אִילּוּלֵי דְּהַהִיא אִיתְּתָא חֲשִׁידָה בְּהוֹן לָא הֲוָה קָבְרָה לֵיהּ, אָזְלָה וְאָמְרָה לָהּ: דִּלְמָא חָמֵית לִי לְהָלֵין דִּינָרַיָּא, אָמְרָה הַהִיא אִיתְּתָא: תִּקְבּוֹר בְּנָהּ אַחֲרִינָא אִי הִיא יָדְעָה בְּהוֹן, גָּרְמוּן חוֹבִין וּמִית בְּרָא אַחֲרִינָא, זְמַן אוֹחֲרָן אָמְרָה לָהּ: דִּלְמָא חָמֵית *לִי הָלֵין דִּינָרִין, אָמְרָה: תִּקְבּוֹר הַהִיא אִיתְּתָא בְּרָא תְּלִיתָאָה אִי הִיא יָדְעָה בְּהוֹן, גָּרְמוּן חוֹבִין וּקְבַרְתֵּיהּ, אֲמַר לָהּ בַּעֲלָהּ: לֵית אַנְתְּ אָזִיל לְמִנְחֲמָה לְהָדָא מְגֵירְתֵיךְ, נְסַבַת תְּרֵין עִגּוּלִין דְּפִיתָּא וַאֲזָלַת מְנַחֲמַת יָתָהּ, כֵּיוָן דִּקְצוֹן עִגּוּלָה נַפְקוּן הָלֵין תְּלַת דִּינָרֵי מִינָּהּ, הָדָא דִבְרִיָּיתָא אָמְרִין: בֵּין זַכָּאֵי בֵּין חַיָּיב לִידֵי מוּמֵי לָא תֵעוֹל. (זכריה שם ד) "וּבָאָה אֶל בֵּית הַגַּנָּב וְאֶל בֵּית הַנִּשְׁבָּע בִּשְׁמִי לַשָּׁקֶר וְלָנָה בְּתוֹךְ בֵּיתוֹ וְכִלַּתּוּ וְאֶת עֵצָיו וְאֶת אֲבָנָיו", אָמַר רַבִּי שְׁמוּאֵל בַּר נַחְמָן: מַלְאֲכֵי חַבָּלָה אֵין לָהֶם קְפִיצִין, שֶׁנֶּאֱמַר (איוב א, ז) "מִשּׁוּט בָּאָרֶץ וּמֵהִתְהַלֵּךְ בָּהּ",

דעלת למילש כו'. שנכנסה ללוש את עיסתה אצל שכנתה, אבל בפרק השולח (גיטין לה, א) לא משמע כן: **והוו צייירין כו'.** והיו מקושרים בטליתה שלשה דינרין: **נסבתהון כו'.** לקחתם לאותן שלשה דינרין, ונתנה על גבי סודר, וקשרתן בבגד מכסה העליון שפשטה מעליה כדי שתלוש: **איגבלון בלישא.** אותן שלשה דינרין נילושו ונגבלו בתוך העיסה ואפתה הפת והלכה לה: **הב.** פירוש תן: **אזלת בעיא כו'.** הלכה אצל שכנתה ושאלה ממנה אותן שלשה זהובים: **אמרה לה כו'.** דלמא ראית אלו שלשה דינרין: **הווין כו'.** היו לאותה שכנה שלשה בנים, השיבה השכנה תקברנה כו', והספר דבר דרך כינוי כמורגל: **גרמון חובין כו'.** גרמו עבירות של אותה שכנתה ומת בנה: **אמרה.** אותה אשה שאפתה פתה שם ואבדה לה השלשה דינרין אלו לא נחשדה היא שכנתה כו', ולכן הלכה ושאלה עוד פעם אחרת דלמא תודה ותתנם לה: **אמר לה בעלה כו'.** בעל של אותה אשה שאבדה הדינרין אמר לאשתו וכי אין את הולך לנחם שכנתך ולהברותה: **נסבה תרין כו'.** לקחה שתי ככרות והלכה לנחם אותה: **כיון דקצץ כו'.** כיון שחתכו ככר לחם יצאו ונפלו אלו שלשה דינרין: **הדא דברייתא כו'.** זהו שהבריות אומרים: **לידי מומי כו'.** לידי שבועה לא יכנוס, והיינו כר' יונה שאמר אפילו על אמת, וכדאיתא ברבה (במדבר כב, א) ובתנחומא סדר מטות (סימן א) אמר להם הקדוש ברוך הוא לישראל לא תהיו סבורים שמותר להם להשבע בשמי, אפילו באמת אין אתה רשאי להשבע בשמי, אלא אם כן יהיה בך כל המדות האלו, את ה' אלהיך תירא כו': **אין להם קפיצין כו' ולנה כו'.** פירוש שאין חוליות ברגליהם שיכולים לכפוף רגליהם ולנוח, כי אם שטים תמיד בלי מנוחה ואפילו הכי כתיב ולנה כאילו ינוחו שמה. והענין על דרך הציור, אף שניתן רשות לרע ומשחית לבוא לפעמים בעולם ולכלות יושביה, אבל עם כל זה הוא רק בדרך שיטה בעלמא, לא בתמידות שתשב ותכלה כל, זולתי שבועת שקר שמה תלין ותשכון עד שתכלה כל: **משוט.** משמע שתמיד היא שט בארץ:

ובאה אל בית הגנב. סוף הענין של הפסוק הנ"ל והנה מגילה עפה וגו' הוצאתיה נאם ה' ובאה אל בית הגנב וגו': **קפיצין.** עיין בראשית רבה (סה, כא), ושם במתנות כהונה בשם רש"י, שאין להם חוליות, פירוש ברגליהם, וכן פירש הערוך בסוף ערך קפץ אחרון, שפירושו פרקים, וכמו שכתב בבראשית רבה שם מפסוק (יחזקאל א, ז) ורגליהם רגל ישרה, שאינם מחוברים מחוליות, שלא נכרתו רגליהם להליכה ועמידה אלא מעופפים תמיד, וזהו משוט בארץ ומהתהלך בה, בלא מנוחה במקום אחד, אך כאן לענוש לחוטאים בשבועות שוא, נותן למלאכי חבלה מנוחה, ולינה בבית הרשעים: **אפילו עורו של פיל.** שאם היה תופס מדה שיש במציאות, הייתי אומר שמכוון לדבר שיש בעולם כמותך, שלכך פירש, אך מאחר שאין כמדה זו עור אחד בעולם, ואף כשתי פריס כמה עורות לספח ומגילה תופרים באורך ולא ברוחב, ולמה תפס חשבון זה שאינו במציאות, ועוד מקשה היוצאת מאיזה מקום יצאה, ותירץ ששתי קושיות אלו מתורצים זה על זה, ומגלה כוונת חשבון הנ"ל, שמה שכתוב (זכריה ה, ב) מגילה עפה ארכה עשרים באמה ורחבה עשר באמה, פירושו שהיתה כפולה בארכה של עשרים אמה וברחבה של עשר אמה, ונעשית ארכה ארבעים ורחבה עשרים, מכוון למדת שער האולם ויצאה משער האולם, וזה על פי מדת מגגד, חשבון זה כנגד חשבון אחר כידוע:

באור מהרי"פ

שבועת ה' תהיה וכו'. גם זה סייעתא לרבי אסי דדוקא על שקר ולגנוב דעת הבריות הוא משביע אותו, אז נענש המשביע, אבל בלאו הכי לא נענש: **נשבע על שקר סופו לצאת עליו.** ובירושלמי (שבועות פ"ו ה"ה) גרסינן בתר הכי מאי טעמא הוצאתיה נאם ה' ובאה אל בית הגנב וכו', אמר רבי שמואל בר נחמן מלאכי חבלה אין להם קפיצין וכו' עד שבועות שוא מכלתן, ובתר הכי רבי יונה אמר וכו', רבי יוסי אמר אף על האמת, תני דרך כהדא דרבי יוסי, עובדא הוה בחדא איתתא דאזלת מיעבד גבי חברתא וכו', וכל המעשה הנזכרת כאן עד בין זכאי בין חייב לשבועה לא תיעול (רק בשנוי קצת). וזהו פירוש, מאי טעמא, פירוש מהיכן ילפינן עונש על המשביע לשקר, דקדרים שבועת ה' תהיה בין שניהם בהכי, ומשני מדכתיב הוצאתיה נאם ה' ובאה אל בית הגנב, פירוש זהו הגונב דעת הבריות, שאין לו ממון אצל חבירו וטוענו ומשביעו, ואל בית הנשבע בשמי לשקר וגו', ולידי דמייתי האי קרא מייתי להא דרבי שמואל בר נחמן עליה, והדר קאמר דהאי דנשבע בשמי לשקר נענש לרבי יונה, דוקא שנשבע לשקר, ורבי יוסי סבר אפילו בנשבע על האמת משום כעובדא דהאי איתתא. ובעל מתנות כהונה אולי נסתייע מהירושלמי הזה לפרש כל המדרש מפלוגתא דרבי יוסי ורבי יונה בנשבע ולא במשביע, וכבר כתבנו לעיל בשם יפה תואר דלא יתכן לפרש המדרש כן, ונראה דהרבי פלוגתי ניהו ועיין יפה תואר: **מתנות כהונה ד"ה דעלת למילש כו' אף על פי דבפרק השולח את הגט וכו'.** זה לשון הגמרא בגיטין פרק השולח (לה, א) מעשה באדם אחד בשני בצורת שהפקיד דינר אצל אלמנה אחת והניחתו בכד של קמח ואפאתו בפת ונתנתו לעני, לימים בא בעל הדינר ואמר הב לי דינרי, אמרה ליה יהנה סם המות באחד מבניה של אותה האשה אם נהנית מדינרך כלום, אמרו לא היו ימים מועטים עד שמת אחד מבניה, וכששמעו חכמים בדבר אמרו [מה] מי שנשבע באמת כך, הנשבע על שקר

אם למקרא

שְׁבֻעַת ה' תִּהְיֶה בֵּין שְׁנֵיהֶם אִם לֹא שָׁלַח יָדוֹ בִּמְלֶאכֶת רֵעֵהוּ וְלָקַח בְּעָלָיו וְלֹא יְשַׁלֵּם: (שמות כב:י)

הוֹצֵאתִיהָ נְאֻם ה' צְבָאוֹת וּבָאָה אֶל־בֵּית הַגַּנָּב וְאֶל־בֵּית הַנִּשְׁבָּע בִּשְׁמִי לַשָּׁקֶר וְלָנָה בְּתוֹךְ בֵּיתוֹ וְכִלַּתּוּ וְאֶת־עֵצָיו וְאֶת־אֲבָנָיו: (זכריה שם ד)

וַיֹּאמֶר ה' אֶל הַשָּׂטָן מֵאַיִן תָּבֹא וַיַּעַן הַשָּׂטָן אֶת ה' וַיֹּאמַר מִשּׁוּט בָּאָרֶץ וּמֵהִתְהַלֵּךְ בָּהּ: (איוב א:ז)

חידושי הרש"ש

שבועת ה' תהיה וכו' אם המשביע משביע על שקר. משמע מכאן דלא כפירוש רש"י בשבועות (לט, ב) והתוספות הסכימו עיין שם (מז, ב) דאפילו משביע על אמת נענש, שלא דקדק למסור ממונו ביד נאמן כו', אלא כפי שכתב הגהות מימוניות בפרק י"א מהלכות שבועות [ה"ח] בשם התוספות ור"ח עיין שם: **אמר לה בעלה וכו' נסבה תרין עגולין דפיתא.** משמע להדיא דהעיסה היתה של בעלת הדינרין וכפירוש המתנות כהונה ודלא כהפני משה בירושלמי פ"ו דשבועות ה"ו שפירש שהעיסה היתה של שכנתה:

אמרי יושר

אין להם קפיצין. להתעכב, ואין עמידה וישיבה להך, ועם כל זה הכא ולנה מלאך המשחית בתוך ביתו מפני חומרת שבועה:

מתנות כהונה

דעלת למילש כו'. שנכנסה ללוש את עיסתה, אף על גב דבפרק השולח גט (גיטין דף לה, א) איתא שהפת היתה של השכנה ונתחרשה לה מקום הדינר, מכל מקום המאמר הזה סובר שהיתה של בעלת דינרין, שהרי רצה להוכיח הטוגש אפילו על שבועת אמת, ובגמרא מייתי שאמרה לא נהניתי, לפיכך אמרו שנתחרשת מקום הדינרין: **גבי מגירתה.** אצל שכנתה. והיו מקוטרין בטלית שלשה דינרים: **נסבתהון כו'.** לקחם לאותן שלושה דינרין ונתנם על גבי סודר, וקשרתן בבגד מכסה העליון, שפשטה מעליה כדי שתלוש: **אגבלון כו'.** אותן שלושה דינרין נילושו בתוך העיסה ואפתה הפת והלכה לה: **הב.** תן: **אזלת בעא כו'.** הלכה אצל השכנתה ושאלה ממנה אותן שלשה דינרין: **אמר ליה כו'.** דלמא ראית אלו שלושה דינרין: **הווין כו'.** היו לאותן שכנה שלושה בנים: **אמרו לה כו'.** השיבה השכנה תקברנה כו', והספר דבר דרך כינוי כמורגל: **גרמין חובין כו'.** גרמו עבירות של אותה שכנתה ומת בנה: **ואמרה.** אותה אשה שאפתה פתה שמה ואבדו לה שלושה דינרין אלו, לא נחשדה היא שכנתה כו'. ולכן הלכה ושאלה עוד פעם אחרת דלמא תודה ותתנם לה: **אמר לה בעלה.** בעל של אותה אשה שאבדה הדינרין אמר לאשתו, וכי אין אתה הולך לנחם שכנתך ולהברותה: **נסבה כו'.** לקחה שתי ככרות והלכה לנחם אותה: **כיון דקצון כו'.** שחתכו עיגול ככר לחם יצאו ונפלו אלו שלושה דינרים: **הדא דברייתא כו'.** זהו שהבריות אומרים: **לידי מומי כו'.** לידי שבועה לא יכנס: **קפיצין.** הילוך ותנועה ומנוחה כבני האדם: **משוט וגו'.** משמע שתמיד היא שט בארץ:

אשד הנחלים

לישבע (מפי הרב מהר"ז מהורדנא): **שאינה זזה כו'.** כי לפי פשוטו יקשה מאי בין שניהם הלא האחד נשבע, אם לא שמרמז כי סוף סוף השבועה חלה על אחד מבין שניהם, או המשביע לשקר או הנשבע: **גרמון חובין.** לפי שהשבועה באמת לבדה על כל פנים לא היה בו כח להרוג בניה, רק בצירוף חוב אחר מצטרף גם זה: **אין להם קפיצין כו' ולנה כו'.** פירוש שאין חוליות ברגליהם שיכולים לכפוף רגליהם ולנוח, כי אם שטים תמיד בלי מנוחה, ואפילו הכי כתיב ולנה כאלו ינוחו שם. והענין על דרך הציור, אף שניתן רשות לרע ומשחית לבוא לפעמים בעולם ולכלות יושביה, אבל עם כל זה הוא רק בדרך שיטה בעלמא, לא בתמידות שתשב ותכלה כל, זולתי שבועת שקר, שמה תלין

״בְּרַם הָכָא, ״וְלָנָה בְּתוֹךְ בֵּיתוֹ — Yet here, concerning the punishment associated with a false oath, it is stated, ***and it shall lodge within his house.***[53]

The Midrash cites further proof from this verse of the severity of the punishment for swearing falsely:

אָמַר רַבִּי אַבָּא בַּר כָּהֲנָא — **R' Abba bar Kahana said:** דְּבָרִים שֶׁאֵין הָאֵשׁ שׂוֹרְפָן שְׁבוּעַת שָׁוְא מְכַלָּתָן — Even **items that fire does not** normally **burn, a false oath will destroy.** דַּרְכָּהּ שֶׁל אֵשׁ לֶאֱכוֹל עֵצִים — **It is the manner of fire to destroy wood,** שֶׁמָּא אֲבָנִים — but does it **perhaps** destroy **stones** as well? Of course not! בְּרַם הָכָא, ״וְכִלַּתּוּ וְאֶת עֵצָיו וְאֶת אֲבָנָיו״ — **Yet here,** concerning a false oath, it is stated, ***and annihilate it, with its wood and stones.***[54]

§4 As noted in our introduction to §1 , the phrase *and he is a witness* seems superfluous. Moreover, our verse begins with the feminine noun וְנֶפֶשׁ (lit., *a soul*) and its two corresponding verbs (תֶחֱטָא, וְשָׁמְעָה), and then switches to the masculine וְהוּא עֵד, *and he is a witness.* The Midrash now expounds the verse homiletically, phrase by phrase, in a manner that addresses these anomalies:[55]

רַבִּי יוֹסֵי בַּר חֲנִינָא פָּתַר קְרַיָּיא בְּסוֹטָה — **R' Yose bar Chanina interpreted this verse as alluding to a** ***sotah,***[56] as follows: ״וְנֶפֶשׁ כִּי תֶחֱטָא״, הִיא שֶׁחָטְאָה עַל בַּעְלָהּ — ***If a person will sin*** — this alludes to **[a woman] who sinned against her husband;**[57] שֶׁהוּא זָנָהּ וּמְפַרְנְסָהּ וְהִיא הוֹלֶכֶת וּמְקַלְקֶלֶת עִם אַחֵר — **for he nourishes her and sustains her, yet she goes and acts corruptly** by secluding herself **with another** man.[58] ״וְשָׁמְעָה קוֹל אָלָה״, ״וְהִשְׁבִּיעַ הַכֹּהֵן אֶת הָאִשָּׁה בִּשְׁבֻעַת הָאָלָה״ — ***If she***[59] ***accepted a demand for an oath*** — this alludes to that which is stated concerning a *sotah,* ***The Kohen shall adjure the woman with the oath of the curse*** (*Numbers* 5:21).[60] ״וְהוּא עֵד״, ״וְעֵד אֵין בָּהּ״ — ***And he is a witness*** corresponds to what is stated there, ***but there was no witness against her*** (ibid., v. 13);[61] ״אוֹ רָאָה״, ״וְנֶעְלַם מֵעֵינֵי אִישָׁהּ״, וְלֹא מֵעֵינֵי הַקָּדוֹשׁ בָּרוּךְ הוּא — ***either he saw*** — this corresponds to what the *sotah* passage implies regarding her unfaithfulness: ***but it was hidden from the eyes of her husband*** (ibid.), i.e., **but not from the eyes of God;**[62] ״אוֹ יָדָע״, ״וְנִסְתְּרָה וְהִיא נִטְמָאָה״ — ***or he knew*** — this corresponds to the fact that God knows what she did even though ***she became secluded***[63] ***and could have been defiled*** (ibid.).[64] ״אִם לֹא יַגִּיד וְנָשָׂא עֲוֹנוֹ״, אִם לֹא תַגִּיד לַכֹּהֵן, ״וְצָבְתָה בִטְנָהּ וְנָפְלָה יְרֵכָהּ״ — ***If he does not testify, he shall bear his iniquity*** — this too corresponds to the *sotah,* for **if she does not tell the Kohen** the truth, but chooses instead to drink the bitter waters, then she will bear the punishment for her iniquity,[65] ***and her stomach shall be distended and her thigh shall collapse*** (ibid. 5:27).

§5 The Midrash offers another homiletic exposition of our verse that attempts to resolve the anomalies noted in the introduction to the preceding section:

רַבִּי פִּנְחָס פָּתַר קְרָיָה בְּיִשְׂרָאֵל לִפְנֵי הַר סִינַי — **R' Pinchas interpreted the verse as alluding to** the oath that God imposed **on Israel** as they stood **before Mount Sinai:**[66] ״וְנֶפֶשׁ כִּי תֶחֱטָא״, ״וָאֵרֶא וְהִנֵּה חֲטָאתֶם״ — ***If a person will sin*** — this alludes to that which is stated, ***Then I saw and behold! you had sinned*** *to HASHEM, your God; you made yourselves a molten calf* (*Deuteronomy* 9:16).[67] ״וְשָׁמְעָה קוֹל אָלָה״, ״וְאֶת קֹלוֹ שָׁמַעְנוּ מִתּוֹךְ הָאֵשׁ״ — ***If he heard the sound*** [קוֹל] ***of an oath*** — this alludes to that which is stated in connection with the Giving of the Torah at Mount Sinai, ***and we have heard His voice*** [קֹלוֹ] ***from the midst of the fire*** (ibid. 5:20).[68]

The Midrash offers another possibility regarding the oath at Sinai to which violation our verse alludes:[69]

NOTES

53. In punishing one who utters a false oath, the angel of destruction actually lodges itself in his home until all is completely destroyed (*Eshed HaNechalim,* followed by *Eitz Yosef*; see also *Maharzu*).

54. A fire normally destroys a house's wooden frame, but leaves a stone structure standing. However, one who swears falsely will suffer an unnatural punishment that will manage to destroy even that which is normally not destructible (*Eshed HaNechalim*).

55. *Eitz Yosef.*

56. A wayward wife, who arouses her husband's suspicion by secluding herself with another man after her husband warned her not to do so.

57. And this is why the verse uses the feminine תֶחֱטָא, *she will sin.*

58. The Midrash is making the point: The very soul (נֶפֶשׁ) that requires nourishment and sustenance — which are provided by her husband — sins by betraying him (*Eshed HaNechalim*).

59. Heretofore, we rendered וְשָׁמְעָה as, *If "he" accepted* (since it refers to וְנֶפֶשׁ, which we translated as *a person*). However, the word is actually feminine. The verse uses it because the feminine form is appropriate for a *sotah.*

60. I.e., the *oath* of our verse is the oath sworn by the *sotah* to proclaim her innocence. (As described in *Numbers* Ch. 5, after submitting to that oath, the *sotah* had to drink from a vessel of sacred waters into which the written words of the oath, and its attendant curse, were erased. This would either cause her to die a gruesome death, or would clear her name.)

61. I.e., although there was no *human* witness to her infidelity, *He* (i.e., God Himself) *is a witness* (*Eitz Yosef*; see also *Beur Maharif*). [The halachah states that if there *is* even one human witness to her act of infidelity (assuming there were two witnesses to the husband's warning and to her act of seclusion), she is forbidden to her husband and does not drink the waters. See *Rambam, Hil. Sotah* 1:14.]

Thus, although the verse began with the feminine וְנֶפֶשׁ because it was referring to the *sotah*, it continues with the masculine וְהוּא עֵד because it is now referring to God. And since this phrase is referring to a new subject, it is no longer superfluous.

62. Who sees everything (*Eitz Yosef*).

63. I.e., even though she tried to hide her actions (see *Eitz Yosef's* citation from *Yalkut Shimoni, Mikeitz* [§148]).

64. For a different interpretation of the preceding lines, see *Matnos Kehunah*, elaborated by *Eshed HaNechalim.*

65. Even though the clause *If he does not testify, he shall bear his iniquity* is masculine, the Midrash takes it, too, as referring to the *sotah.* See varying explanations of *Maharzu* and *Eitz Yosef.*

66. Since Israel alone, of all the nations of the worlds, saw and heard God at Mount Sinai, they were adjured via an oath to tell the rest of the world about God. This explains why the verse states וְנֶפֶשׁ (lit., *a soul*), since all Jewish souls, including those of all future converts, were present at Sinai (see *Shabbos* 146a, *Shevuos* 39a). And the phrase וְהוּא עֵד refers to the Jewish people as a whole, whom God declared to be the witnesses to His Kingship, as noted in the verse from *Isaiah* (43:12) cited below, *You are My witnesses — the word of HASHEM — and I am God* (*Yefeh To'ar*; see also *Eitz Yosef*). See note 105.

67. Not only did Israel fail to fulfill the oath and testify to the entire world about God's Kingship, they actually made a false god themselves in the form of the Golden Calf (*Eitz Yosef*).

68. That is: The Midrash here interprets וְשָׁמְעָה קוֹל אָלָה literally as *If he heard the sound of an oath.* And it explains the *oath* as a reference to the *Tochachah* (the Admonition, i.e., the punishments and curses that will devolve to Israel if she does not observe the commandments; see *Leviticus* Ch. 26), which the Israelites *heard* from *[God's] voice* at Sinai (as stated in v. 46 there) (*Eitz Yosef*, Vagshal ed.).

Alternatively, the Midrash here is explaining וְשָׁמְעָה קוֹל אָלָה as alluding to God's voice at Sinai that declared, *"I am HASHEM, your God — a jealous God"* (*Exodus* 20:5) — a declaration that implies an oath and curse of severe punishment for those who desecrate His Name (*Beur Maharif, Eitz Yosef*).

69. According to the preceding interpretation of R' Pinchas, our verse alludes to Israel's violation of an oath at Sinai to be *a witness* to the world about God's rulership. However, the verse from which he learns this, *Exodus* 20:5 (see preceding note), which is written in the context

בְּרַם הָכָא "וְלָנָה בְּתוֹךְ בֵּיתוֹ", אָמַר רַבִּי אַבָּא בַּר כָּהֲנָא: דְּבָרִים שֶׁאֵין הָאֵשׁ שׂוֹרְפָן שְׁבוּעַת שָׁוְא מְכַלַּתָן, דַּרְכָּהּ שֶׁל אֵשׁ לֶאֱכוֹל עֵצִים, שֶׁמָּא אֲבָנִים, בְּרַם הָכָא "וְכִלַּתּוּ וְאֶת עֵצָיו וְאֶת אֲבָנָיו":

ד רַבִּי יוֹסֵי בַּר חֲנִינָא פָּתַר קְרָיָיא בְּסוֹטָה: [ה, א] "וְנֶפֶשׁ כִּי תֶחֱטָא", הִיא שֶׁחָטְאָה עַל בַּעְלָהּ, שֶׁהוּא זָנָהּ וּמְפַרְנְסָהּ וְהִיא הוֹלֶכֶת וּמְקַלְקֶלֶת עִם אַחֵר, [שם] "וְשָׁמְעָה קוֹל אָלָה", (במדבר ה, כא) "וְהִשְׁבִּיעַ הַכֹּהֵן אֶת הָאִשָּׁה בִּשְׁבֻעַת הָאָלָה", [ה, א] "וְהוּא עֵד", (במדבר שם יג) "וְעֵד אֵין בָּהּ", [ה, א] "אוֹ רָאָה", (במדבר שם שם) "וְנֶעְלַם מֵעֵינֵי אִישָׁהּ", וְלֹא מֵעֵינֵי ° יְבָמָהּ, [ה, א] "אוֹ יָדָע", (במדבר שם שם) "וְנִסְתְּרָה וְהִיא נִטְמָאָה", [ה, א] "אִם לֹא יַגִּיד וְנָשָׂא עֲוֹנוֹ", אִם לֹא תַגִּיד לַכֹּהֵן (במדבר שם כז) "וְצָבְתָה בִטְנָהּ וְנָפְלָה יְרֵכָהּ":

ה רַבִּי פִּנְחָס פָּתַר קְרָיָה בְּיִשְׂרָאֵל לִפְנֵי הַר סִינַי: [ה, א] "וְנֶפֶשׁ כִּי תֶחֱטָא", (דברים ט, טז) "וָאֵרֶא וְהִנֵּה חֲטָאתֶם", [ה, א] "וְשָׁמְעָה קוֹל אָלָה", (דברים ה, כ) "וְאֶת קֹלוֹ שָׁמַעְנוּ מִתּוֹךְ הָאֵשׁ", אָמַר רַבִּי יוֹחָנָן: קוֹפְּרַמְסָאוֹת נָתְנוּ בֵּינֵיהֶם שֶׁאֵינוֹ כּוֹפֵר בָּהֶן, וְהֵם אֵינָם כּוֹפְרִים בּוֹ, אָמַר רַבִּי יִצְחָק: מֶלֶךְ כְּשֶׁהוּא מַשְׁבִּיעַ אֶת לִגְיוֹנוֹתָיו אֵינוֹ מַשְׁבִּיעָן אֶלָּא בְּסַיִף, כְּלוֹמַר שֶׁכָּל הָעוֹבֵר עַל הַתְּנָאִים הַלָּלוּ יְהֵא הַסַּיִף הַזֶּה עוֹבֵר עַל צַוָּארוֹ, כָּךְ (שמות כד, ו) "וַיִּקַּח מֹשֶׁה חֲצִי הַדָּם", וּמֵהֵיכָן הָיָה יוֹדֵעַ מֹשֶׁה חֶצְיוֹ שֶׁל דָּם, רַבִּי יְהוּדָה בְּרַבִּי אִילָעִי אָמַר: הַדָּם נֶחֱלַק מֵאֵלָיו,

עץ יוסף

ברם הכא. אבל הכא. **ולנה.** שלאומר השבועה יקשה הדין בו יותר משאר עבירות, שהמלאכי חבלה הממונים להעניש את הנשבע לניס בתוך ביתו של הנשבע ויש להם שם מנוחה אלא: **(ד) פתר קריא בסוטה.** משום דקשיא ליה דהוא עד יתירא הוא כדכתיבנא בריש פרקין (סימן א), מפרש ליה על דרך הדרש, בסוטה, דהשתא אתי שפיר דנקט נפש כי תחטא בלשון נקבה, ואיצטריך והוא עד לרמוז אל ועד אין בה, כדמפרש ואזיל: **והוא עד ועד אין בה.** רצה לומר אף על פי שנאמר שם בסוטה ועד אין בה, מכל מקום הקדוש ברוך הוא הוא עד, ולפי שהעדות הוא בראיה או בידיעה, דהיינו או ראה, או ידע כפשוטו, קאמר שעדות ה' הוא משני פנים, כי כלפי מה שאמר שם ונעלם מעיני אישה דמשמע ולא מעיני הקדוש ברוך הוא, קאמר נמי הכא או ראה כי ה' רואה כל המעשים, וכלפי מה שאמר שם ונסתרה שהיא מסתרת עיניה, קאמר הכא או ידע כי הדברים נודעים לפני ה' בעל כרחו, שהחוטא בעל כרחו מודה לפניו כמו שאמרו ז"ל (תענית יא, א) שאבריו ונשמתו מעידין בו. ומה שאמר בספרים אחרים ולא מעיני יבמה, טעות סופר הוא, וצריך לומר ולא מעיני הקדוש ברוך הוא (יפה תואר), ועיין בהגהות הרד"ל: **אם לא יגיד בו' אם לא תגיד לכהן.** אף על פי שכתוב יגיד לשון זכר, כיון דאין זה אלא דרשה בעלמא לא קפדינן בהכי: **(ה) פתר קריא בישראל.** משום דקשיא ליה דהוא עד יתירא הוא, לכן מפרש לה על דרך הדרש בשמיעת האלה ששמעו ישראל לפני הר סיני שיעידו על הקדוש ברוך הוא ויגידו לאומות העולם מה שראו ושמעו, ואתי שפיר דנקט והוא עד לומר שישראל עד להקדוש ברוך הוא כאומר אתם עדי וכדמפרש בסמוך: **והנה חטאתם.** שעשו את העגל, ועברו בזה על האלה, שלא די שלא העידו על אלהותו לפני האומות אלא שהם בעצמם עשו את העגל: **קולו שמענו.** ובכלל דבריו האלה והשבועה הזאת, כי באומרו אנכי ה' אלהיך אל קנא, כולל כל העונש שיתן על המחלל כבודו: **קופרמסאות.** שטר התנאים שבין הסוחרים נקרא קומפרומיסו בלע"ז, ורצה לומר משום דלא נכתב בעשרת הדברות קול אלה רק לעובד עבודה זרה לא על מה שישראל מחוייבים להעיד לפני אומות העולם שהיא עיקר המאמר כדפרשתי, לכן אמר שכבר התנו ביניהם שבשום צד אינו כופר בהם והם אינם כופרים בו וכמו שאמרו בפרק הנזקין (נז, ב) ובאיכה רבתי (א, נ) על פסוק את ה' האמרת היום וגו' עיין שם, ועם כן חייבים להודות לשמו והוא העדות המבוקש מהם. ולפי שעדיין לא למדנו היות אלה על תנאי זה והכא ושמעה קול אלה כתיב, להכי מייתי רבי יצחק שהאלה היא נתונה בענין חצי הדם שכרת ברית עמה, שהכוונה בזה שיהרג העובר על הברית, כמו שהמלך כשמשביע לעמו להזהירם שהעובר יהרג בסייף, משביעם בסייף: **כך ויקח משה חצי הדם.** וכתיב התם הנה דם הברית, הרי שהשביעם בדם: **ומהיכן היה יודע בו'.** רצה לומר דמדכתיב חצי הדם וחצי הדם, ולא קאמר חצי הדם והשארית, משמע דחצי מצומצם קאמר, להכי קשיא איך אפשר לצמצם אפילו במדה ובמשקל:

פירוש מהרז"ו

(ד) אם לא יגיד. כאן כתיב לשון זכר, כפי הפשט שמדבר באיש שראוי להעיד, והוא הדין לאשה, במקום שצריכה להגיד ואינה מגדת תשא עונה, וגם בענין הסוטה שייך לשון זכר, כי כמו שהמים בודקין אותה כך בודקים אותו, ואם הודה בודאי אין בודקין אותו, קל וחומר מהסוטה, ועל זה שייך לומר אם לא יגיד ונשא עונו (ויקרא ה, א): **(ה) ואת קולו שמענו.** היינו קול הדברות שאלה אנכי. ולא יהיה לך. ומה שכתב אלה דורש בסמוך מפסוק (דברים כט, יא) לעברך בברית ה' אלהיך ובאלתו, ואגב דרשה זו הקדים כל הענין של השבועה והברית: **ויקח משה חצי הדם.** ואלי משמע חצי ממש בצמצום, דאם לא כן היה לו לומר כחצי הדם. וכמו שכתוב (שמות יא, ד) כחצות הלילה: **הדם נחלק מאליו.** עיין בראשית רבה (מג, ג) על פסוק ויחלק עליהם לילה, גם כן בזה האופן ולומד כאן משם:

מתנות כהונה

ברם. אבל: **ולנה.** ענשו של שבועה והמלאכי חבלה הממונים על זה, כדאיתא בזוהר פרשת פקודי: **שמא אבנים.** בתמיה: [ד] **והוא עד.** פירוש אותה האלה הוא עדות דכלפי שמיא הכל גלוי: **או ראה.** אותה האלה ראתה אותה, אבל לא אישה שנאמר (במדבר ה, יג) **ונעלם וגו':** **ולא מעיני יבמה.** אין כאן מקומו, ובמסכת יבמות [עיין לג, ב נלי"ב ספרי במדבר טו ובירושלמי סוטה פ"ב ה"ה] דרשו ליה הכי, וגם הילקוט לא הביאו: [ה] **קופרמסאות.** הערוך הביאו ולא פירשו, ולפי הענין פירושו הבטחה ואמונה: **שאינו כופר בהן.** הקב"ה לא יכפור בישראל: **ויקח משה וכו'.** רמז שאם יעברו ישפך דמם של שונאי ישראל: **באגנת.** חסר וי"ו, לומר שהיו שוין, פירוש שתי האגנות בשיעור אחד:

אשד הנחלים

ותשכון עד שתכלה כל: **דברים שאין האש.** כלומר שנענש כמעט שלא בדרך הטבע, מה שאין בחוק האש לשורפו, ימצא עונש לכלות שלא ישאר מאומה: **[ד] שהוא זנה.** וזהו הנפש הצריכה למזונה, ובעלה מספיק לה להחיות נפשה, ועם כל זה תחטא עליו: **והוא עד ועד אין בה.** פירש המתנות כהונה שאותו האלה הוא עד, דכלפי שמיא גלוי. או ראה, אותו האלה ראה, אך נעלם מעיני אשה. ופירושו לפי שהאשה נאסרת או על ידי עדות, אך כאן אין עדים, עם כל זה האלה היא כעדות, וכן האשה נאסרת על ידי ראיית בעלה, אף שהוא אינו עד, אך כאן ונעלם מעיני אשה, אך עם כל זה האלה, כאילו הוא רואה כל, לפי שעל ידו יתברר הדבר, כעל ידי עדים ועל ידי ראיה: **יבמה.** (עיין במתנות כהונה): **או ידע ונסתרה.** כלומר אף שהיא נסתרה, עם כל זה האלה יודעת, שעל ידו יתברר כל: **[ה] קופרמסאות.** הידי משה פירש לשון פשרה והשואה, והוא מלשון הנהוג על מי שסומך על זולתו בפשרה או בדין, לומר קאמפראמיס. וכלומר שאז קבלו עליהם, שלא יכפרו בו ולא ידבקו באמונה אחרת, וזהו ושמעה קול אלה, ששמעו עת שהשביען שלא יכפרו בו: **ומהיכן היה יודע בו'.** פירש היפה תואר דהקושיא מהיכן היה יודע משה שרק חצי הדם יקח. ולזה אמר שמלאך חלקו, או מאליו, ומזה ידע שזה רצון ה'. והרמז לפי שאז היה כריתות ברית בין ישראל לה', והברית הוא על ידי הסייף:

חידושי הרד"ל

[ד] והוא עד ועד אין בה כו' מעיני יבמה. אם פירושו שאין בה שום עד, רק הקב"ה יודע ועד, לפי זה יש לגרוס להלן מעיני אישה, ולא מעיני בוראה, ואם נפרש שמפרש והולך רמז בדיני סוטה בפרשה זו, ודרש והוא עד, שאז משתנה הדין שאינה שותה, כדכתיב ועד אין בה, הא יש בה אינה שותה, אם כן יש לגרוס להלן, או ראה ונעלם מעיני אישה, ולא מעטעם ורואה, כדדרש לה הכי שם בספרי (נשא סימן ז), ובבמדבר רבה (ט, י):

באור מהרי"פ

על אחת כמה וכמה. ומאי טעמא איענשא (דאישתרא) [דאשתרשי] לה מקום דינר, ומאי מי שנשבע באמת, כמי שנשבע באמת, עד כאן: **[ד] והוא עד ועד אין בה.** פירוש מלת אין, פירושו אין לה ויש לה, עד בשר ודם אין בה, אבל הקב"ה הוא היודע, ועד יש בה: **[ה] ואת קולו שמענו וכו'.** היינו (שמות כ, ה) אנכי ה' אלהיך אל קנא, כמו (במדבר ה, יד) וקנא את אשתו, והוא כל העונש שיתן על המחלל כבודו, וזהו קול אלה: **מתנות כהונה ד"ה קופרמסאות וכו' הערוך הביאו ולא פירשו.** ז"ל ר' בנימין מוספיא ערך קומפרמיסין, ובירושלמי מועד קטן (פ"ג ה"ג) ושטרי ברורין רבי יוחנן אמר קומפרומיסין זה בורר לו אחד וזה בורר לו אחד, (ע"כ) [כן] נקראו בלשון רומיי עד כאן [לשון] ר' בנימין מוספיא:

אמרי יושר

[ד] והוא עד ועד אין בה. עדות שלם שנים אין בה, רק עד אחד: **או ראה או ידע ונסתרה והיא נטמאה.** שהוא מסופק, יודע ואינו יודע: **[ה] ויקח משה חצי הדם.** כמלך שמשביע לגיונותיו בחרב: **הדם נחלק מאליו.** במקרה והזדמן:

אם למקרא

וְהִשְׁבִּיעַ הַכֹּהֵן אֶת הָאִשָּׁה בִּשְׁבֻעַת הָאָלָה וְאָמַר הַכֹּהֵן לָאִשָּׁה יִתֵּן ה' אוֹתָךְ לְאָלָה וְלִשְׁבֻעָה בְּתוֹךְ עַמֵּךְ בְּתֵת ה' אֶת יְרֵכֵךְ נֹפֶלֶת וְאֶת בִּטְנֵךְ צָבָה: (במדבר ה:כא)

וְשָׁכַב אִישׁ אֹתָהּ שִׁכְבַת־זֶרַע וְנֶעְלַם מֵעֵינֵי אִישָׁהּ וְנִסְתְּרָה וְהִיא נִטְמָאָה וְעֵד אֵין בָּהּ וְהִוא לֹא נִתְפָּשָׂה: (שם שם יג)

וְהִשְׁקָהּ אֶת הַמַּיִם וְהָיְתָה אִם נִטְמְאָה וַתִּמְעֹל מַעַל בְּאִישָׁהּ וּבָאוּ בָהּ הַמַּיִם הַמְאָרְרִים לְמָרִים וְצָבְתָה בִטְנָהּ וְנָפְלָה יְרֵכָהּ וְהָיְתָה הָאִשָּׁה לְאָלָה בְּקֶרֶב עַמָּהּ: (שם שם כז)

וָאֵרֶא וְהִנֵּה חֲטָאתֶם לַה' אֱלֹהֵיכֶם עֲשִׂיתֶם לָכֶם עֵגֶל מַסֵּכָה סַרְתֶּם מַהֵר מִן הַדֶּרֶךְ אֲשֶׁר צִוָּה ה' אֶתְכֶם: (דברים ט:טז)

וַיְהִי כְּשָׁמְעֲכֶם אֶת־הַקּוֹל מִתּוֹךְ הַחֹשֶׁךְ וְהָהָר בֹּעֵר בָּאֵשׁ וַתִּקְרְבוּן אֵלַי כָּל־רָאשֵׁי שִׁבְטֵיכֶם וְזִקְנֵיכֶם: (שם ה:כ)

וַיִּקַּח מֹשֶׁה חֲצִי הַדָּם וַיָּשֶׂם בָּאַגָּנֹת וַחֲצִי הַדָּם זָרַק עַל־הַמִּזְבֵּחַ: (שמות כד:ו)

ידי משה

[ה] קומפרמס. בעל מתנות כהונה לא ידע פירושו, אבל פשוט הוא בעיני שהוא לשון פשרה והשוואה: **ומהיכן היה יודע.** פירוש, בלא זה הייתי אומר שמעצמו חלק ולא היה ציווי, ומה דכתיב חצי הדם לא דווקא, אלא קרוב לחציה, מה שאין כן לרבי יהודה שאמר שהיה כריתות ברית, והיה ציווי מן הקב"ה, קשה מהיכן ידע לחלק. ויפה תואר פירש מנין היה משה יודע, פירוש מנין נתחדש לו דין זה שיחלק הדם הואיל ולא נצטוה מן הקב"ה:

שינוי נוסחאות

(ד) **ונעלם מעיני אישה, ולא מעיני יבמה.** המ"כ מחק "ולא מעיני יבמה", שאין לו ענין לכאן. ויפ"ת ורד"ל הגיהו "ולא מעיני הקב"ה", וכן הסכים בעצ"י. (אבל בכל הכי"י איתא כלפנינו.):

אָמַר רַבִּי יוֹחָנָן: קוֹפְּרְמְסָאוֹת נָתְנוּ בֵּינֵיהֶם — **R' Yochanan said: An agreement was reached between [God and Israel]** at Sinai, שֶׁאֵינוֹ כּוֹפֵר בָּהֶן, וְהֵם אֵינָם כּוֹפְרִים בּוֹ — **that [God] would not deny** His selection of **them** as His people, **and they would not deny** the existence and kingship of **God.**[70] And how do we know that this agreement was indeed sealed by an oath?[71] אָמַר רַבִּי יִצְחָק — For **R' Yitzchak said:** מֶלֶךְ כְּשֶׁהוּא מַשְׁבִּיעַ אֶת לְגְיוֹנוֹתָיו אֵינוֹ מַשְׁבִּיעָן אֶלָּא בְּסַיִיף — **When a king imposes an oath on his legions, he does not make them swear except with a sword** in their hand, כְּלוֹמַר שֶׁכָּל הָעוֹבֵר עַל הַתְּנָאִים הַלָּלוּ יְהֵא הַסַּיִיף הַזֶּה עוֹבֵר עַל צַוָּארוֹ — **as if to say** to those taking the oath **that whoever violates these conditions will have this sword pass over his neck,** i.e., will be killed. כָּךְ, "וַיִּקַּח מֹשֶׁה חֲצִי הַדָּם" — **Likewise,** in connection with the covenant that Israel made with God at Sinai, Scripture states, ***Moses took half the blood,*** *etc.* (*Exodus* 24:6).[72]

Having mentioned the verse, *Moses took half the blood, etc.*, the Midrash digresses and explains how Moses was able to take precisely *half* of the blood:

וּמֵהֵיכָן הָיָה יוֹדֵעַ מֹשֶׁה חֶצְיוֹ שֶׁל דָּם — **From where did Moses know** the exact measurement of **half the blood?**[73] רַבִּי יְהוּדָה בְּרַבִּי אִילְעַי אָמַר: הַדָּם נֶחֱלַק מֵאֵלָיו — **R' Yehudah son of R' Ila'i said: The blood split** evenly **on its own.**[74]

NOTES

of the Second Commandment (the commandment against idolatry), relates only to Israel's *own* allegiance to God. The Midrash therefore cites a different interpretation (*Eitz Yosef*).

70. See similarly, *Gittin* 57b. It was this agreement that the Israelites violated when they worshiped the Golden Calf (alluded to in the words *If a person will sin*, as above). That Israel is not to deny God's sovereignty is the only "testimony" required of Israel (contrast to R' Pinchas' interpretation above) (*Eitz Yosef*).

71. So that the words וְשָׁמְעָה קוֹל אָלָה can indeed be said to be referring to this agreement (ibid.).

72. Scripture states there: *Moses took half the blood and placed it in basins, and half the blood he threw upon the altar ... Behold "the blood of the covenant" that HASHEM sealed with you concerning all these matters* (*Exodus* 24:6-8). This indicates that the covenant was made under oath, with Moses holding the basin of blood as an allusion that whoever violates this oath will be subject to death (*Eitz Yosef*; see also *Matnos Kehunah*).

73. The verse implies that Moses did not first collect all the blood in a vessel and then divide it in half. Rather, when precisely half of the blood had come out of the slaughtered animals he threw it upon the altar, and then collected the remaining half in basins. Accordingly, the Midrash wonders how he was able to know when exactly half the blood had exited, without first seeing the total amount (*Eitz Yosef*, Vagshal ed.).

Alternatively, the Midrash infers from the verse that Moses managed to split the blood into identical halves, and it thus asks how this was possible given the Talmudic view (see *Chullin* 28b) that a human being cannot be absolutely precise in his measurements (*Eitz Yosef*; see also *Maharzu*).

74. As the blood was flowing from the animals, it miraculously stopped. Moses thus understood that this constituted half of the overall blood and poured it on the altar (*Eitz Yosef*, Vagshal ed.).

בְּרַם הָכָא "וְלָנָה בְּתוֹךְ בֵּיתוֹ", אָמַר רַבִּי אַבָּא בַּר כַּהֲנָא: דְּבָרִים שֶׁאֵין הָאֵשׁ שׂוֹרְפָן שְׁבוּעַת שָׁוְא מְכַלָּתָן, דַּרְכָּהּ שֶׁל אֵשׁ לֶאֱכוֹל עֵצִים, שֶׁמָּא אֲבָנִים, בְּרַם הָכָא "וְכִלַּתּוּ וְאֶת עֵצָיו וְאֶת אֲבָנָיו":

ד רַבִּי יוֹסֵי בַּר חֲנִינָא פָּתַר קְרָיָא בְּסוֹטָה: [ה, א] "וְנֶפֶשׁ כִּי תֶחֱטָא", הִיא שֶׁחָטְאָה עַל בַּעְלָהּ, שֶׁהוּא זָנָה וּמְפַרְנְסָהּ וְהִיא הוֹלֶכֶת וּמְקַלְקֶלֶת עִם אַחֵר, [שם] "וְשָׁמְעָה קוֹל אָלָה", (במדבר ה, כא) "וְהִשְׁבִּיעַ הַכֹּהֵן אֶת הָאִשָּׁה בִּשְׁבֻעַת הָאָלָה", [ה, א] "וְהוּא עֵד", (במדבר שם יג) "וְעֵד אֵין בָּהּ", [ה, א] "אוֹ רָאָה", (במדבר שם שם) "וְנֶעְלַם מֵעֵינֵי אִישָׁהּ", וְלֹא מֵעֵינֵי ° יְבָמָה, [ה, א] "אוֹ יָדָע", (במדבר שם שם) "וְנִסְתְּרָה וְהִיא נִטְמָאָה", [ה, א] "אִם לֹא יַגִּיד וְנָשָׂא עֲוֹנוֹ", אִם לֹא תַגִּיד לַכֹּהֵן (במדבר שם כז) "וְצָבְתָה בִטְנָהּ וְנָפְלָה יְרֵכָהּ":

ה רַבִּי פִּנְחָס פָּתַר קְרָיָה בְּיִשְׂרָאֵל לִפְנֵי הַר סִינַי: [ה, א] "וְנֶפֶשׁ כִּי תֶחֱטָא", (דברים ט, טז) "וָאֵרֶא וְהִנֵּה חֲטָאתֶם", [ה, א] "וְשָׁמְעָה קוֹל אָלָה" (דברים ה, כ) "וְאֶת קֹלוֹ שָׁמַעְנוּ מִתּוֹךְ הָאֵשׁ", אָמַר רַבִּי יוֹחָנָן: קוֹפְרָמְסָאוֹת נָתְנוּ בֵּינֵיהֶם שֶׁאֵינוֹ כּוֹפֵר בָּהֶן, וְהֵם אֵינָם כּוֹפְרִים בּוֹ, אָמַר רַבִּי יִצְחָק: מֶלֶךְ כְּשֶׁהוּא מַשְׁבִּיעַ אֶת לִגְיוֹנוֹתָיו אֵינוֹ מַשְׁבִּיעָן אֶלָּא בְּסַיִף, כְּלוֹמַר שֶׁכָּל הָעוֹבֵר עַל הַתְּנָאִים הַלָּלוּ יְהֵא הַסַּיִף הַזֶּה עוֹבֵר עַל צַוָּארוֹ, כָּךְ (שמות כד, ו) "וַיִּקַּח מֹשֶׁה חֲצִי הַדָּם", וּמֵהֵיכָן הָיָה יוֹדֵעַ מֹשֶׁה חֶצְיוֹ שֶׁל דָּם, רַבִּי יְהוּדָה בְּרַבִּי אִילָעִי אָמַר: הַדָּם נֶחֱלַק מֵאֵלָיו,

עץ יוסף

ברם הכא. אבל הכא. **ולנה**. שלחומר השבועה יקשה הדין בו יותר משאר עבירות, שהמלאכי חבלה הממונים להעניש את הנשבע לגיס בתוך ביתו של הנשבע ויש להם מנוחה אללו: **(ד) פתר קריא בסוטה**. משום דקשיא ליה דהוא עד יתירא הוא כדכתיבנא בריש פרקין (סימן א), מפרש ליה על דרך הדרש, בסוטה, דהשתא אתי שפיר דנקט נפש כי תחטא בלשון נקבה, ואיצטריך והוא עד לרמוז אל ועד אין בה, כדמפרש ואזיל: **והוא עד ועד אין בה**. רלה לומר אף על פי שנאמר שם בסוטה ועד אין בה, מכל מקום הקדוש ברוך הוא הוא עד, ולפי שהעדות הוא בראיה או בידיעה, דהיינו או ראה, או ידע כפשוטו, קאמר שעדות ה' הוא משני פנים, כי כלפי מה שאמר שם ונעלם מעיני אישה דמשמע ולא מעיני הקדוש ברוך הוא, קאמר נמי הכא או ראה כי ה' רואה כל המעשים, וכלפי מה שאמר שם ונסתרה שהיא מסתרת ענינה, קאמר הכא או ידע כי הדברים גלוים לפני ה' בעל כרחו, שהחוטא בעל כרחו מודה לפניו כמו שאמרו ז"ל (תענית יא, א) שאבריו ונשמתו מעידין בו. ומה שאמר בספרים אחרים ולא מעיני יבמה, טעות סופר הוא, וצריך לומר ולא מעיני הקדוש ברוך הוא (יפה תואר), ועיין בהגהות הרד"ל: **אם לא יגיד כו' אם לא תגיד לכהן**. אף על פי שכתוב יגיד לשון זכר, כיון דאין זה אלא דרשה בעלמא לא קפדינן בהכי: **(ה) פתר קריא בישראל**. משום דקשיא ליה דהוא עד יתירא הוא, לכן מפרש לה על דרך הדרש בשמיעת האלה שמעו ישראל לפני הר סיני שיעידו על הקדוש ברוך הוא ויגידו לאומות העולם מה שראו ושמעו, ואתי שפיר דנקט והוא עד לומר שישראל עד להקדוש ברוך הוא כאומר אתם עדי וכדמפרש בסמוך: **והנה חטאתם**. שעשו את העגל, ועברו בזה על האלה, שלא די שלא העידו על אלהותו לפני האומות אלא שהם בעצמם עשו את העגל: **קולו שמענו**. ובכלל דבריו האלה והשבועה הזאת, כי באומרו אנכי ה' אלהיך אל קנא, כולל כל העונש שיתן על המחלל כבודו: **קופרמסאות**. שטר התנאים שבין הסוחרים נקרא קומפרומיסו בלע"ז, ורצה לומר משום דלא נכתב בעשרת הדברות קול אלה רק לעובד עבודה זרה לא על מה שישראל מחוייבים להעיד לפני אומות העולם שהיא עיקר המאמר כדפרשתי, לכן אמר שכבר התנו ביניהם שבשום צד אינו כופר בהם והם אינם כופרים בו וכמו שאמרו בפרק הנזקין (נז, ב) ובאיכה רבתי (א, ג) על פסוק את ה' האמרת היום וגו' עיין שם, ועם כן חייבים להודות לשמו והוא העדות המבוקש מהם. ולפי שעדיין לא למדנו היות אלה על תנאי זה והכא ושמעה קול אלה כתיב, להכי מייתי רבי יצחק שהאָלָה היא נתונה בענין חצי הדם שכרת ברית עמה, שהכוונה בזה שיהרג העובר על הברית, כמו שהמלך כשמשביע לעמו להזהירם שהעובר יהרג בסייף, משביעם בסייף: **כך ויקח משה חצי הדם**. וכתיב התם הנה דם הברית, הרי שהשביעם בדם: **ומהיכן היה יודע בו'**. רצה לומר דמדכתיב חצי הדם וחצי הדם, ולא קאמר חצי הדם והשארית, משמע דחצי מצומצם קאמר, להכי קשיא איך אפשר לצמצם אפילו במדה ובמשקל:

פירוש מהרז"ו

(ד) אם לא יגיד. כאן כתיב לשון זכר, כפי הפשט שמדבר באיש שראוי להעיד, והוא הדין לאשה, במקום שצריכה להגיד ואינה מגדת תשא עונה, וגם בענין הסוטה שייך לשון זכר, כי כמו שהמים בודקין אותה כך בודקים אותו, ואם הודה בודאי אין בודקין אותו, קל וחומר מהסוטה, ועל זה שייך לומר אם לא יגיד ונשא עונו (ויקרא ה, א): **(ה) ואת קולו שמענו**. היינו קול הדברות שאינו אנכי. ולא יהיה לך. ומה שכתב אָלָה דורש בסמוך מפסוק (דברים כט, יא) לעברך בברית ה' אלהיך ובאלתו, ואגב דרשה זו הקדים כל הענין של השבועה והברית: **ויקח משה חצי הדם**. ואי משמע חצי ממש בצמצום, דאם לא כן היה לו לומר כחצי הדם. וכמו שכתוב (שמות יא, ד) כחצות הלילה: **הדם נחלק מאליו**. עיין בראשית רבה (מג, ג) על פסוק ויחלק עליהם לילה, גם כן בזה האופן ולומד כאן משם:

מתנות כהונה

ברם. אבל: **ולנה**. ענשו של שבועה והמלאכי חבלה הממונים על זה, כדאיתא בזוהר פרשת פקודי: **שמא אבנים**. בתמיה: **[ד] והוא עד**. פירוש אותה האלה הוא עדות דכלפי שמיא הכל גלוי: **או ראה**. אותה האלה ראתה אותה, אבל לא אישה שנאמר (במדבר ה, יג) **ונעלם וגו'**: **ולא מעיני יבמה**. אין כאן מקומו, ובמסכת יבמות [עיין לב, ב בלי"ב ספרי במדבר טו ובירושלמי סוטה פ"ב ה"ה] דרשו ליה הכי, וגם הילקוט לא הביאו: **[ה] קופרמסאות**. הערוך הביאו ולא פירשו, ולפי הענין פירושו הבטחה ואמונה: **שאינו כופר בהן**. הקב"ה לא יכפור בישראל: **ויקח משה וכו'**. רמז שאם יעברו ישפך דמם של שונאי ישראל: **באגנת**. חסר וי"ו, לומר שהיו שוין, פירוש שתי האגנות בשיעור אחד:

אשד הנחלים

ותשכון עד שתכלה כל: **דברים שאין האש**. כלומר שנענש כמעט שלא בדרך הטבע, מה שאין בחוק האש לשורפו, ימצא עונש לכלות שלא ישאר מאומה: **[ד] שהוא זנה**. וזהו הנפש הצריכה למזונה, ובעלה מספיק לה להחיות נפשה, ועם כל זה תחטא עליו: **והוא עד ועד אין בה**. פירש המתנות כהונה שאותו האלה הוא עד, דכלפי שמיא גלוי. או ראה, אותו האלה ראה, אך נעלם מעיני אשה. ופירושו לפי שהאשה נאסרת או על ידי עדות, אך כאן אין עדים, עם כל זה האלה היא כעדות, וכן האשה נאסרת על ידי ראיית בעלה, אף שהוא אינו עד, אך כאן ונעלם מעיני אשה, אך עם כל זה האלה, כאילו הוא רואה כל, לפי שעל ידו יתברר הדבר, כעל ידי עדים ועל ידי ראיה: **יבמה**. (עיין במתנות כהונה): **או ידע ונסתרה**. כלומר אף שהיא נסתרה, עם כל זה האלה יודעת, שעל ידו יתברר כל: **[ה] קופרמסאות**. הידי משה פירש לשון פשרה והשואה, והוא מלשון הנהוג על מי שסומך על זולתו בפשרה או בדין, לומר קאמפראמיס. וכלומר שאז קבלו עליהם, שלא יכפרו בו ולא ידבקו באמונה אחרת, וזהו ושמעה קול אלה, ששמעו עת שהשביען שלא יכפרו בו: **ומהיכן היה יודע בו'**. פירש היפה תואר דהקושיא מהיכן היה יודע משה שרק חצי הדם יקח. ולזה אמר שמלאך חלקו, או מאליו, ומזה ידע שזה רצון ה'. והרמז לפי שאז היה כריתות ברית בין ישראל לה', והברית הוא על ידי הסייף:

חידושי הרד"ל

[ד] **והוא עד ועד אין בה כו' מעיני יבמה**. אם פירושו שאין בה שום עד, לפי זה יש לגרוס להלן מעיני אישה, ולא מעיני בורא, ואם נפרש שמפרש והולך רמז בדיני סוטה בפרשה זו, ודרש והוא עד, שאז משקה הדין שאינה שותה, כדכתיב ועד אין בה, הא יש בה אינה שותה, אם כן יש לגרוס להלן, ונעלם מעיני אישה, ולא מעוטט ורואה, כדדרש לה הכי שם בספרי (נשא סימן ז), ובבמדבר רבה (ט, יז):

באור מהרי"פ

על אחת כמה וכמה. ומאי טעמא איענשא (דאישתרקא) [דאשתרשי] לה מקום דיבר, ומאי מי שנשבע באמת, כמי שנשבע בשקר, עד כאן: **[ד] והוא עד ועד אין בה**. פירוש אין לה ויש לה, עד בשר ודם אין בה, אבל הקב"ה הוא היודע, ועד יש בה: **[ה] ואת קולו שמענו וכו'**. היינו (שמות כ, ה) אנכי ה' אלהיך אל קנא, כמו (במדבר ה, יד) וקנא את אשתו, והוא כל העונש שיתן על המחלל כבודו, וזהו קול אלה: **מתנות כהונה ד"ה קופרמסאות וכו' הערוך הביאו ולא פירשו**. ז"ל ר' בנימין מוספיא ערך קומפרמיסין, ובירושלמי מועד קטן (פ"ג ה"ג) ושטרי בירורין רבי יוחנן אמר קומפרומיסין זה בורר לו אחד וזה בורר לו אחד, (ע"כ) [כן] נקראו בלשון רומיי עד כאן (לשון) ר' בנימין מוספיא.

אמרי יושר

[ד] **והוא עד ועד אין בה**. עדות שלא שנים אין בה, רק עד אחד: **או ראה או ידע ונסתרה והיא נטמאה**. שהוא מסופק, יודע ואינו יודע: [ה] **ויקח משה חצי הדם**. כמלך שמשביע לגיונותיו בחרב: **הדם נחלק מאליו**. במקרה והזדמן:

אם למקרא

וְהִשְׁבִּיעַ הַכֹּהֵן אֶת הָאִשָּׁה בִּשְׁבֻעַת הָאָלָה וְאָמַר הַכֹּהֵן לָאִשָּׁה יִתֵּן ה' אוֹתָךְ לְאָלָה וְלִשְׁבֻעָה בְּתוֹךְ עַמֵּךְ בְּתֵת ה' אֶת יְרֵכֵךְ נֹפֶלֶת וְאֶת בִּטְנֵךְ צָבָה: (במדבר ה:כא)

וְשָׁכַב אִישׁ אֹתָהּ שִׁכְבַת־זֶרַע וְנֶעְלַם מֵעֵינֵי אִישָׁהּ וְנִסְתְּרָה וְהִיא נִטְמָאָה וְעֵד אֵין בָּהּ וְהִוא לֹא נִתְפָּשָׂה: (שם שם יג)

וְהִשְׁקָהּ אֶת הַמַּיִם וְהָיְתָה אִם נִטְמְאָה וַתִּמְעֹל מַעַל בְּאִישָׁהּ וּבָאוּ בָהּ הַמַּיִם הַמְאָרְרִים לְמָרִים וְצָבְתָה בִטְנָהּ וְנָפְלָה יְרֵכָהּ וְהָיְתָה הָאִשָּׁה לְאָלָה בְּקֶרֶב עַמָּהּ: (שם שם כז)

וָאֵרֶא וְהִנֵּה חֲטָאתֶם לַה' אֱלֹהֵיכֶם עֲשִׂיתֶם לָכֶם עֵגֶל מַסֵּכָה סַרְתֶּם מַהֵר מִן הַדֶּרֶךְ אֲשֶׁר צִוָּה ה' אֶתְכֶם: (דברים ט:טז)

וַיְהִי כְּשָׁמְעֲכֶם אֶת־הַקּוֹל מִתּוֹךְ הַחֹשֶׁךְ וְהָהָר בֹּעֵר בָּאֵשׁ וַתִּקְרְבוּן אֵלַי כָּל־רָאשֵׁי שִׁבְטֵיכֶם וְזִקְנֵיכֶם: (שם ה:כ)

וַיִּקַּח מֹשֶׁה חֲצִי הַדָּם וַיָּשֶׂם בָּאַגָּנֹת וַחֲצִי הַדָּם זָרַק עַל־הַמִּזְבֵּחַ: (שמות כד:ו)

ידי משה

[ה] **קומפרמס**. בעל מתנות כהונה לא ידע פירושו, אבל פשוט הוא בעיני שהוא לשון פשרה והשוואה: **ומהיכן היה יודע**. פירוש, בלא זה הייתי אומר שמעצמו חלק ולא היה ליווי, ומה דכתיב חצי הדם לא דווקא, אלא קרוב לחציו, מה שאין כן לרבי יהודה שאמר שהיה כריתות ברית, והיה ליווי מן הקב"ה, קשה מהיכן ידע לחלק. ויפה תואר פירש מנין היה משה יודע, פירוש מנין נתחדש לו דין זה שיחלק הדם הואיל ולא נצטוה מן הקב"ה:

שינוי נוסחאות

(ד) **ונעלם מעיני אישה, ולא מעיני יבמה**. המ"כ מחק "ולא מעיני יבמה", שאין לו ענין לכאן. ויפ"ת ורד"ל הגיהו "ולא מעיני הקב"ה", וכן הסכים בעצ"י. (אבל בכל הכ"י איתא כלפנינו.):

רַבִּי הוּנָא בְּשֵׁם רַבִּי אָבִין — **R' Huna** said **in the name of R' Avin:** "בְּאַגָּנֹת" כְּתִיב, לֹא זֶה גָּדוֹל מִזֶּה וְלֹא זֶה גָּדוֹל מִזֶּה — Although the word is read as ***ba'aganos*** [בָּאַגָּנֹת] (plural), *in basins*, **it is written** without a *vav* after the *nun* as ***ba'aganas*** [בָּאַגָּנַת] (singular), *in a basin*, in order to indicate that the two basins looked the same, with **neither being larger than the other.**[79] אָמַר מֹשֶׁה לִפְנֵי הַקָּדוֹשׁ בָּרוּךְ הוּא — **Moses said to the Holy One, blessed is He,** מַה נַּעֲשֶׂה בְּחֶלְקְךָ — **"What should we do with Your portion** of the blood?"[80] אָמַר לוֹ: זְרוֹק עַל הָעָם — **[God] said to him, "Throw it on the people."** וּמַה נַּעֲשֶׂה בְּחֶלְקָם — Moses inquired further, **"And what should we do with their portion** of the blood?"[81] אָמַר לוֹ: זְרוֹק עַל גַּבֵּי הַמִּזְבֵּחַ — **[God] said to him, "Throw it upon the altar,"** "וַחֲצִי הַדָּם זָרַק עַל הַמִּזְבֵּחַ" — as it is stated, ***And half the blood he threw upon the altar.***[82]

רַבִּי נָתָן אָמַר: נִשְׁתַּנּוּ מַרְאָיו וְנַעֲשָׂה חֶצְיוֹ שָׁחוֹר וְחֶצְיוֹ אָדוֹם — **R' Nassan said: [The blood's] appearance changed, and half became black and half** remained **red.**[75] בַּר קַפָּרָא אָמַר: מַלְאָךְ יָרַד בִּדְמוּת מֹשֶׁה וְחִלְּקוֹ — **Bar Kappara said: An angel descended in the image of Moses and divided** the blood evenly.[76] אָמַר רַבִּי יִצְחָק: בַּת קוֹל הָיְתָה יוֹצֵאת מֵהַר חוֹרֵב וְאוֹמֶרֶת: עַד כָּאן חֶצְיוֹ שֶׁל דָּם — **R' Yitzchak said:** As Moses poured the blood into the basins, **a Heavenly voice emerged from Mount Horeb and said: Until here is** exactly **half the blood.**[77] תָּנֵי רַבִּי יִשְׁמָעֵאל: בָּקִי הָיָה מֹשֶׁה בְּהִלְכוֹת דָּם וְחִלְּקוֹ — **R' Yishmael taught** in a Baraisa: **Moses was an expert in the laws of** sacrificial **blood, and was** thus **able to divide it** exactly in half.[78]

The Midrash continues to analyze *Exodus* 24:6:

"וַיָּשֶׂם בָּאַגָּנֹת" — *Moses took half the blood and* ***and placed it in basins*** [בָּאַגָּנֹת], *and half the blood he threw upon the altar.*

NOTES

75. It thus became visually obvious how much blood constituted "half." [This was not necessarily a miraculous occurrence in and of itself, for according to the Gemara (*Kereisos* 22a, as explained by *Rashi* ad loc.), the blood that comes out immediately after an animal is slaughtered is a darker color than that which comes out afterward (*Imrei Yosher*).]

76. That is, when Scripture states that *Moses took half the blood, etc.*, it means that an angel who *looked like Moses* did it (see *Imrei Yosher, Yedei Moshe*).

77. That is, Moses knew at what point half the blood had come out because a Heavenly voice told him (see *Eitz Yosef*; see, however, *Yedei Moshe*).

78. I.e., since he was an expert in all its laws, God also granted him the miraculous ability to know the precise halfway-mark of the blood so that he could successfully perform all aspects of the blood pouring (ibid.).

Alternatively, the Midrash means that Moses was "an expert in the [natural] laws of blood," i.e., he was able to recognize subtle differences [e.g., in color or composition] between the first and second halves of the blood, such that he could determine the precise cutoff point between them (*Imrei Yosher, Beur Maharif*; *Radal* explains that Moses' expertise included knowledge of the teaching of *Kereisos* 22a, cited above in note 75).

[*Rama* (in *Toras HaOlah,* Ch. 74) deals at length with the significance of having the two halves of blood exactly equal, and with the implications of each view's explanation of how the blood was evenly divided. See also Insight below on note 82.]

79. The fact that Moses was miraculously able to create two absolutely identical basins supports the view that he was similarly able to miraculously divide the blood — as per the view of R' Yishmael cited just above (*Yedei Moshe*, second interpretation).

80. The Midrash presumes that the half of the blood that was not placed into basins was collected in special bowls, and that this blood was God's portion. [After the Tabernacle would be built, sacrificial blood collected in these bowls would be thrown or sprinkled upon the Altar. In the current *Exodus* passage, the Tabernacle had not yet been built — but Moses *had* built an altar (see v. 4).] Moses assumed that the blood in the bowls was allotted for God, while that in the basins was meant for Israel. However, he asked God what to do with each of them specifically (*Eitz Yosef*).

Alternatively: As explained by *Maharzu*, *Mechilta* (*Yisro, Parashah* §3) interprets the clause in *Exodus* 24:6, וַיִּקַּח מֹשֶׁה חֲצִי הַדָּם וַיָּשֶׂם בָּאַגָּנֹת, to mean: *Moses divided the blood into two halves and placed [one half] in [each of two] basins.* Thus, *all* the blood was in the basins. Our Midrash is saying that half of it was "for God" and half for "the people," and Moses asked God what to do with each half (as above). See *Maharzu* at length.

81. That had been collected in the basins.

82. *Eitz Yosef* emends the text, with God telling Moses to throw *His* portion onto the altar, and to throw the *people's* portion onto them. This is indeed indicated in the parallel version of our Midrash in *Yalkut Shimoni* (§361). *Maharzu*, however, maintains our version of the text. [Our version can be understood as follows: The people's portion was thrown upon the altar, representing their donation to God; God's portion was thrown upon the people, as it represented God's covenant with them.]

See Insight Ⓐ.

INSIGHTS

Ⓐ **Two Parts of the Covenant** The events described in our Midrash are part of a historic service that took place at Mount Sinai, in which the Jewish people sealed a covenant with God, pledging to uphold the Torah in its entirety. As part of this service, Moses took the sacrificial blood and divided it in half, pouring it into two basins. He then took "God's half" and threw it upon the people, and took "the people's half" and threw it upon the altar. Our Midrash elaborates on the division of the sacrificial blood, offering various opinions regarding how the blood was divided exactly evenly between the two basins. According to one opinion, even the basins into which the blood was poured were exactly the same size. It is evident that the act of dividing the blood was not simply a prerequisite for the throwing of the blood, but itself an integral part of the service of that day. *R' Yitzchak Hutner* (*Pachad Yitzchak, Shavuos* §41) explains the connection between this service and the overall nature of a covenant.

A covenant is not simply a promise made by one person to another. By definition a covenant is a dual pledge; each side binds itself to the other with a pledge of loyalty, often with consequences for any betrayal of that loyalty. The duality that is the hallmark of every covenant is expressed by an act of division into two equal parts. At the "Covenant Between the Parts" (see *Genesis* Ch. 15), it was animals that were divided as a symbol of the covenant between God and Abraham. In the events described in our Midrash, the "blood of the covenant" (*Exodus* 24:8) was divided as the expression of this duality.

In a fascinating extension of this concept, Rav Hutner explains a basic aspect of the classification of the mitzvos of the Torah. There are, famously, two "kinds" of mitzvos: those that are "between man and his fellow" and those that are "between man and God." One may suppose that this classification is merely a convenient way of identifying various mitzvos. In fact, however, this differentiation is so essential that it is reflected in the arrangement of the Ten Commandments. Instead of having all Ten Commandments written on one tablet, they were divided into two: on one appeared the five commandments that form the basis of man's obligation to God, and on the other, the five commandments that form the basis of man's obligation toward his fellow.

The reason for this arrangement can be explained as follows: The Giving of the Torah with the Ten Commandments was itself a service of entering into a covenant with God. At this event the Jewish people accepted the Torah as their national charter, and God, as it were, forever bound Himself with the Jewish people. As we have learned, a covenant always expresses itself with an act of equal division. At the covenant of the Giving of the Torah, it was the Tablets themselves that were divided exactly equally. As the Midrash points out (*Shemos Rabbah* 41 §6), the physical measurements of the Tablets were themselves, like the blood of the covenant, exactly equal. In content, too, the Ten Commandments were divided, for as stated above, on one Tablet appeared the commandments centered upon man's obligation to God and on the other those of man's obligations to his fellow. These two "halves" — equal

רַבִּי נָתָן אָמַר: נִשְׁתַּנּוּ מַרְאָיו וְנַעֲשָׂה חֶצְיוֹ שָׁחוֹר וְחֶצְיוֹ אָדוֹם, בַּר קַפָּרָא אָמַר: מַלְאָךְ יָרַד בִּדְמוּת מֹשֶׁה וַחֲלָקוֹ, אָמַר רַבִּי יִצְחָק: בַּת קוֹל הָיְתָה יוֹצֵאת מֵהַר חוֹרֵב וְאוֹמֶרֶת: עַד כָּאן חֶצְיוֹ שֶׁל דָּם, תָּנֵי רַבִּי יִשְׁמָעֵאל: בָּקִי הָיָה מֹשֶׁה בְּהִלְכוֹת דָּם וַחֲלָקוֹ, (שם) "וַיָּשֶׂם בָּאַגָּנֹת", רַבִּי הוּנָא בְּשֵׁם רַבִּי אָבִין: "בָּאַגָּנֹת" כְּתִיב, לֹא זֶה גָּדוֹל מִזֶּה, וְלֹא זֶה גָּדוֹל מִזֶּה, אָמַר מֹשֶׁה לִפְנֵי הַקָּדוֹשׁ בָּרוּךְ הוּא: מַה נַּעֲשֶׂה בְּחֶלְקְךָ, אָמַר לוֹ: זְרוֹק עַל הָעָם, וּמַה נַּעֲשֶׂה בְּחֶלְקָם, אָמַר לוֹ זְרוֹק עַל גַּבֵּי הַמִּזְבֵּחַ, (שם) "וַחֲצִי הַדָּם זָרַק עַל הַמִּזְבֵּחַ", רַבִּי בֶּרֶכְיָה וְרַבִּי חִיָּיא בְּשֵׁם רַבִּי יוֹסֵי בַּר חֲנִינָא: הוּא נִשְׁבַּע לָהֶן וְהֵן נִשְׁבְּעוּ לוֹ, הוּא נִשְׁבַּע לָהֶן (יחזקאל טז, ח) "וָאֶשָּׁבַע לָךְ וָאָבוֹא בִבְרִית אֹתָךְ נְאֻם ה' אֱלֹהִים", וְהֵן *נִשְׁבָּעִין לוֹ לְהַקָּדוֹשׁ בָּרוּךְ הוּא, שֶׁנֶּאֱמַר (דברים כט, יא) "לְעָבְרְךָ בִּבְרִית ה' אֱלֹהֶיךָ וּבְאָלָתוֹ", [ב] וּמִנַּיִן שֶׁאֵין אָלָה אֶלָּא שְׁבוּעָה,

עץ יוסף

בת קול כו'. פירוש בת קול יצתה והודיעתו כשהגיע לחציו, ולא מיד קבל השארית במזרק שני. פירוש שעל ידי היותו בקי בטעמי הדם ניתנה לו מתנה זו בדרך נס שידע לכוין חציו כדי שיהיה בקי בכל מה שצריך לזריקת דמים: **לא זה גדול מזה.** ולזה אמר באגנת חסר שהיו שניהם כאילו הם אחד ממש, וזה היה גם כן דרך נס כמו חילוק הדם שהיה בדרך נס: **מה נעשה בחלקך.** לפי שחצי הדמים ניתן באגנות, וחציו נתקבל במזרקים קודם שזרקו על המזבח כדרכו להתקבל תחלה במזרקים, הכיר משה שמסתמא המקובל במזרקים הוא לחלקו של הקדוש ברוך הוא, והמושם באגנות לחלק העם, לכן שאל להקדוש ברוך הוא מה נעשה בחלקך: **אמר לו זרוק על המזבח, ומה נעשה בחלקם, אמר לו זרוק על העם.** כך צריך לומר, וכן נראה מנוסחת הילקוט: **הוא נשבע להם כו'.** כלומר שקופרמסאות שנתנו ביניהם שאין כופרים זה בזה כלדעיל, מלינו שהיה בשבועה שנשבעו זה לזה [כי כן הוא הכריתות ברית ששניהם נשבעים להיות בחוברת יחד], והשתא אתי שפיר פירושי בהכי ושמעה קול אלה כלדעיל, ואין אנו צריכין להביא ראיה לדבר מענין הדם הנ"ל:

פירוש מהרז"ו

אמר משה להקב"ה מה נעשה וכו'. הנה בפסוק כתוב בהיפך, שתחלה זרק על המזבח ואחר כך על העם, ואיך מרומז ששאל משה מה שיעשה בחלקי הדם, ואיך מרומז שחלק החצי לה' והחצי לעם, ולישב הדרשה צריך אני להעתיק הפסוקים, ולדקדק בהם שכתוב (שמות כד, ה) וישלח וגו' ויעלו עולות ויזבחו זבחים לה' פרים ויקח משה חצי הדם וישם באגנות וחצי הדם זרק על המזבח ויקח ספר הברית ויקרא באזני העם ויאמרו כל אשר דבר ה' נעשה ונשמע ויקח משה הדם ויזרוק על העם ויאמר הנה דם הברית אשר כרת ה' עמכם וגו'. והנה מה שכתוב ויקח משה חצי הדם וישם באגנות וחצי הדם זרק על המזבח, משמע שרק החצי נתן באגנות, והחצי האחר לא שם באגנות, ולא יתכן לומר שהחצי האחר קבל בידו בלא כלי, שאם כן היה לו לפרש כמו שכתוב באשם מצורע, ובהכרח לפי פשוטו כמו שכתוב במכילתא יתרו, (פרשה ג' של בחודש השלישי), וזה לשונו בנה מזבח הקריב עליו עולה ושלמים, נטל מדם העולה בשתי כוסות, חלק למקום וחלק לציבור, נטל מדם השלמים שתי כוסות, חלק למקום וחלק לציבור, שנאמר ויקח משה חצי הדם זה חלק למקום, וחצי הדם זרק על המזבח, זה חלק לציבור עכ"ל. הרי בהכרח שמה שכתוב ויקח משה חצי הדם, פירושו שחלה הדם לשנים, ומה שכתוב וישם באגנות, על פי מדה ט', כאלו מפורש ויתן חצי הדם באגן אחד וחצי הדם באגן השני, שאגן אחד היה לחלק ה' והאגן השני לחלק העם, ועל כן היו שני אגנים שוים, כמו שכתוב שיר השירים פסוק אני ישנה (דף כ"ט [פרשה ה פסוק ב]) תאומתו כו', לא אני גדול ממנה ולא היא גדולה ממני, עיין שם. ומה שכתב וחצי הדם זרק על המזבח, הוא"ו של וחצי מיותר, שהיה לו לומר ויזרוק משה חצי הדם על המזבח, שהרי זה תחלת המעשה, אלא בהכרח לומר שתחלה זרק על העם מחלק השם יתברך, ואחר כך זרק על המזבח מחלק העם, ונדרש על פי מדה ל"א מוקדם שמאוחר בענין, שפסוק וחצי הדם זרק על המזבח, מקומו אחר פסוק ח' שם, ויקח משה את הדם ויזרוק על העם, שזה מורה על התחלת הזריקה וזהו ויקח. ואחר כך וחצי הדם זרק על המזבח, מחלק העם, ועל שהפסיק בין מה שכתוב וישם באגנות, ובין מה שכתוב ויקח משה את הדם, בפסוק ויקח ספר הברית וגו' לא זרק מיד שקבל הדם באגנות, זה ראיה שהיה מתון לזרוק הדם, עד ששאל להשם יתברך והשיבו, ועל הדם שזרק על העם כתיב, ויאמר הנה דם הברית אשר כרת ה' עמכם, שאגן זה קרא משה לשם ה' וחלקו, שלוהו לזרוק ממנו על העם, שעל זה אמר הנה דם הברית אשר כרת ה' עמכם, פירוש מחלק שהוא לה', ומה שכתב וחצי הדם זרק על המזבח, היינו מחלק האגן שקרא לשם העם. שעל פי מדה ט' הנ"ל, כאלו מפורש הנה דם הברית אשר כרתו בני ישראל עמך כאשר צוית, וזהו אמיתת עומק דברי המדרש, אמר משה לפני הקב"ה מה נעשה בחלקך תחלה וכו', ואחר כך ומה נעשה בחלקם וכו', והמדרש והמכילתא מפרשים זה את זה, ודברי המדרש ראיה אמיתית להגוסחא ישנה שבמכילתא, וכאשר העתקתי, דוק והתבונן באמיתת הפירוש בכתובים ובמכילתא ובמדרש: **הוא נשבע להם.** הוסיף לדרוש טעם הברית שכתוב כאן, היא עם שבועה, על פי מדה י"ז, וזהו ואשבע לך ואבוא בברית אתך (יחזקאל טז, ח), היינו בעת מתן תורה שהברית מפורש בתורה, אז ואשבע לך. וכן ישראל נשבעו בעת שכרתו ברית, גם כן על פי מדה י"ז, שמפורש ברית נצבים לעברך בברית ה' אלהיך ובאלתו, הרי שאצל הברית היא שבועה, שמה שכתב אלתו, פירושו שבועה, וכמו שכתוב במדבר רבה (ט, מז) וזה לשונו שם, והשביע הכהן את האשה בשבועת האלה, כמה דתימא לעברך בברית ה' אלהיך ובאלתו, אין ברית אלא שבועה, כמה דתימא כי שם נשבעו שניהם ויכרתו ברית בבאר שבע, ומנין שבסיני לקחו שבועת האלה, שכן כתיב אלה דברי הברית מלבד הברית אשר כרת אתם בחורב, הקיש ברית חורב לברית מואב, מה להלן באלה, אף כאן באלה, איזה ברית חורב ואם לא תשמעו לי (ויקרא כו, יד), וכמו שכתוב במכילתא שם, וזהו עומק דברי המדרש כאן, שהביא ראיה דכאן בסיני היה שבועה, מפסוק של נצבים, היינו על פי ההקש הנ"ל, ועיין עוד מה שכתבתי בזה בשמות רבה (כח, ו), ובתנחומא יתרו (סימן א), ובשבת (קמו, א). ועיין עוד דברים רבה (ד, ג. ז, ח) באופנים שונים:

אשד הנחלים

חציו שחור כו'. לפי שדם השחור מורה על לקויו ורעתו, ודם האדום על חזקו ובריאותו, וזהו הכריתות ברית, אם חס ושלום יעברו ילקו בעוונם וימקו דמם, או להיפך יחזקו, כי הדם הוא הנפש: **בדמות משה.** לפי שנאמר ויקח משה את חצי הדם, מוכרח לומר שהמלאך ירד בדמות משה. ידי משה. אך ענין מחלוקתם נעלם מאתנו, מאי נפקא מינה אם מאליו, או על ידי מלאך, או מהר חורב, ובאיזו סברא פליגי. אך באמת רמוז בדבריהם כוונה נסתרת הנעלם מאתנו, במה שידעו חז"ל כי עיקר הכריתות ברית והתיקון לא היה יכול להיות כי אם על ידי חצי הדם ממש, בלי תוספת ומגרעת, ואחר שבידי אדם אי אפשר לצמצם ממש, וגם הוקשה להם איך אמר הכתוב ויקח את חצי הדם, ולא כתיב שחצה הדם, לכן שאלו מהיכן היה יודע. והנה דעת הראשון, אמת שבידי אדם אי אפשר לצמצם, אבל מאליו יתכן להתצמצם ולהתחלק בשוה, והכתוב מספר ויקח את חצי הדם, במה שנחצה מאליו. ודעת רבי נתן שהוא נחצה גם כן על ידי סימן שהוא החצי, במה שהיה חצי שחור וחצי אדום. ודעת בר קפרא שהיה על ידי נס אלקי. ודעת רבי יצחק שהיה משה חוצהו, אך בת קול היה יוצאת ואומרת שכיוון משה לחצות, וכן האגנות היו גם כן שוים ממש: **הוא נשבע להם.** כי כן הוא הכריתות ברית, ששניהם נשבעים להיות בחוברת יחד:

אמרי יושר

חציו שחור וחציו אדום. כדאיתא במסכת כריתות (כב א), דיש חלוק בין גוון הדם שבתחילת השחיטה לסוף השחיטה: **מלאך ירד מן השמים בדמות משה.** דייק ויקח משה חצי הדם, משה יתירה, דהא לעיל כתיב (שמות כד ד) ויכתוב משה את כל דברי ה', אלא אדמות משה קאי: **תני רבי ישמעאל בקי היה משה.** ואומן בהנדסה ובהשערת חילוק הדברים, ואף בדם, השערתו וחילוקו: **אמר לו זרוק על העם.** חלקו להשתתף על שלחן אחד בברית:

חידושי הרד"ל

[ה] **בקי היה משה בהלכות דם וחלקו.** שהדם משתנה והולך, כמו שכתוב בכריתות (כב, א) מטפה המשחרת ואילך, ומשה היה בקי להכיר השינוי שמשתנה מאליו בכיון: **באגנת כתיב לא זה גדול.** עיין ערוך ערך אגן:

חידושי הרש"ש

[ה] **והשביע הכהן את האשה בשבועת האלה וכו' אמר ליה הקדוש ברוך הוא אף אני אעשה זאת לכם.** אולי יכוון למאי דכתיב שם והפקדתי עליכם בהלה, אל תקרי בהלה אלא באלה, על דרך שדרשו (בשבת לב, ב) אל תקרי בהלה אלא באלה כי אותיות אהח"ע מתחלפין:

באור מהרי"פ

בקי היה וכו'. פירוש מתוך בקיאותו והרגלו היה בו כח לשער החלוקה לאמתתה: **אף אני אעשה זאת.** ומפרש רבי פנחס אף אני לפי ערך אלהותי המלאה חמלה וחנינה, וזהו כונת המתנות כהונה עיין שם: **מייתי לה מן הדא.** פירוש מייתי להא דאמר לעיל ושמע קול אלה, שהשביע אותם בסייף כמלך המשביע לגיונותיו, מן דא (ויקרא כו, כה) והבאותי עליכם חרב וגו':

שינוי נוסחאות

(ה) **והן נשבעין לו להקדוש ברוך הוא.** צ"ל "נשבעו" במקום "נשבעין", כן הגיה בא"א:

מסורת המדרש

ב. פרק שבועת העדות:

אם למקרא

וָאֶעֱבֹר עָלַיִךְ וָאֶרְאֵךְ וְהִנֵּה עִתֵּךְ עֵת דֹּדִים וָאֶפְרֹשׂ כְּנָפִי עָלַיִךְ וָאֲכַסֶּה עֶרְוָתֵךְ וָאֶשָּׁבַע לָךְ וָאָבוֹא בִבְרִית אֹתָךְ נְאֻם אֲדֹנָי ה' וַתִּהְיִי לִי: (יחזקאל טז:ח)

לְעָבְרְךָ בִּבְרִית ה' אֱלֹהֶיךָ וּבְאָלָתוֹ אֲשֶׁר ה' אֱלֹהֶיךָ כֹּרֵת עִמְּךָ הַיּוֹם: (דברים כט:יא)

וְהִשְׁבִּיעַ הַכֹּהֵן אֶת הָאִשָּׁה בִּשְׁבֻעַת הָאָלָה וְאָמַר הַכֹּהֵן לָאִשָּׁה יִתֵּן ה' אוֹתָךְ לְאָלָה וְלִשְׁבֻעָה בְּתוֹךְ עַמֵּךְ בְּתֵת ה' אֶת יְרֵכֵךְ נֹפֶלֶת וְאֶת בִּטְנֵךְ צָבָה: (במדבר ה:כא)

ידי משה

מלאך ירד בדמות משה. פירוש לפי שקשה והכתיב ויקח משה, לזה אמר בדמות משה פירוש שמשה נקרא מלאך, וכן להפך המלאך נקרא משה, כדאיתא מש"ה נוטריקון מטטרון שר הפנים: **אמר רבי יצחק בת קול וכו'.** פירוש, שמשה עצמו חלק ששיער מעצמו החציה של דם ויצא בת קול שכיון השיעור, ולפי שנתיירא משה שמא לא כיון החציה כי אי אפשר לצמצם בידי אדם לכך יצא בת קול להודיע שכיון האמת. וקל להבין: **באגנת כתיב.** פירוש חסר בלא וי"ו, לפי שהיו שניהם שוים כאגן אחד, וזה היה גם כן נס, כי אי אפשר לצמצם לעשות אגנות שוות, וכאן היו שוים. וזה היה נס להורות כריתת הברית שהוא נשבע להם וכו', ודרך כורתי הברית שמשוים עצמם שיהיה אחד שוה לחברו, לכך היו האגנות שוות, וזה היה הנס, אף שאי אפשר לצמצם בידי אדם, נעשה לו נס. אי נמי יש לומר שר' הונא סבירא ליה כרבי ישמעאל שחלק משה הדם בעצמו, ואף על פי שאי אפשר לצמצם בידי אדם, מכל מקום נשתנה משה לידע, ומביא ראיה מאגנת שכתיב חסר שהיו שניהם שוים, ואף על פי שאי אפשר לצמצם בידי אדם, אלא על כרחך שנשתנה דינו של משה וידע, אם כן ידע לחלק הדם גם כן. ודוק, כן נראה לי:

Having completed its digression regarding the blood from the covenant offerings, the Midrash now offers a more direct proof that the covenant between God and Israel at Sinai never to abandon each other was agreed to under oath:[83]

רַבִּי בֶּרֶכְיָה וְרַבִּי חִיָּיא בְּשֵׁם רַבִּי יוֹסֵי בַּר חֲנִינָא — **R' Berechyah and R' Chiya** said **in the name of R' Yose bar Chanina:** הוּא נִשְׁבַּע לָהֶן וְהֵן נִשְׁבְּעוּ לוֹ — God and Israel did not merely make an agreement. **He swore to them, and they swore to Him.** הוּא נִשְׁבַּע לָהֶן, "וָאֶשָּׁבַע לָךְ וָאָבוֹא בִבְרִית אֹתָךְ נְאֻם ה' אֱלֹהִים" — **He swore to them** — as it is stated, ***I took an oath to you and entered into a covenant with you — the word of the Lord HASHEM/ELOHIM*** (*Ezekiel* 16:8).[84] וְהֵן נִשְׁבְּעוּ לוֹ לְהַקָּדוֹשׁ בָּרוּךְ הוּא, שֶׁנֶּאֱמַר "לְעָבְרְךָ בִּבְרִית ה' אֱלֹהֶיךָ וּבְאָלָתוֹ" — **And they swore to the Holy One, blessed is He — as it is stated, *for you to pass into the covenant of HASHEM, your God, and into His imprecation*** (וּבְאָלָתוֹ) *that HASHEM, your God, seals with you today* (*Deuteronomy* 29:11).[85] וּמִנַּיִן שֶׁאֵין אָלָה אֶלָּא שְׁבוּעָה — **How do we know that** the word ***alah*** [אָלָה] in the latter verse **is nothing other than an oath?**

NOTES

83. This obviates the need to infer the oath's existence from the symbolism of the blood used in the covenant at Sinai (see Midrash above at note 72) (*Eitz Yosef*).

84. I.e., God affirmed that when He entered into a covenant with Israel at Sinai, He also took an oath (*Maharzu*).

85. Although this verse refers to the later covenant and oath in the land of Moab rather than the one at Sinai, the Midrash is relying on its added statement in a parallel text in *Bamidbar Rabbah* (9 §47), where it infers from another verse in the *Deuteronomy* passage (28:69) that the covenant at Sinai was *similarly* sealed under oath (ibid.).

INSIGHTS

halves — of the Torah are the stuff of which our covenant with God is made.

On several occasions in history the Jewish people reentered their covenant with God and renewed their dedication to His Torah (see *II Kings* 11:17 and Ch. 23; *Ezra* Ch. 10). Rav Hutner writes that in light of the above we may view the establishment of the Mussar movement, founded by R' Yisrael Salanter, as just such an event of "renewing the covenant." One of the primary goals of the Mussar movement was to raise the importance that people assign to mitzvos that are "between man and his fellow" to the same level they assign to mitzvos that are "between man and God." The laws that govern whether a given action constitutes mistreatment of another are no less important than those governing forbidden foods. This was not simply a matter of raising awareness of one kind of mitzvah or another. Giving equal standing to these two categories of mitzvos reaffirms the equality of the two Tablets of Sinai, in which the two kinds of mitzvos were divided and presented equally. Just as at Sinai this equality was an expression of the covenant between God and His people, so in our time, when we take pains to ensure that both of these foundations are treated equally, we recall and renew that covenant of old.

רַבִּי נָתָן אָמַר: נִשְׁתַּנּוּ מַרְאָיו וְנַעֲשָׂה חֶצְיוֹ שָׁחוֹר וְחֶצְיוֹ אָדוֹם, בַּר קַפָּרָא אָמַר: מַלְאָךְ יָרַד בִּדְמוּת מֹשֶׁה וַחֲלָקוֹ, אָמַר רַבִּי יִצְחָק: בַּת קוֹל הָיְתָה יוֹצֵאת מֵהַר חוֹרֵב וְאוֹמֶרֶת: עַד כָּאן חֶצְיוֹ שֶׁל דָּם, תָּנֵי רַבִּי יִשְׁמָעֵאל: בָּקִי הָיָה מֹשֶׁה בְּהִלְכוֹת דָּם וַחֲלָקוֹ, (שם) "וַיָּשֶׂם בָּאַגָּנֹת", רַבִּי הוּנָא בְּשֵׁם רַבִּי אָבִין: "בָּאַגָּנַת" כְּתִיב, לֹא זֶה גָּדוֹל מִזֶּה וְלֹא זֶה גָּדוֹל מִזֶּה, אָמַר מֹשֶׁה לִפְנֵי הַקָּדוֹשׁ בָּרוּךְ הוּא: מַה נַּעֲשֶׂה בְּחֶלְקְךָ, אָמַר לוֹ: זְרוֹק עַל הָעָם, וּמַה נַּעֲשֶׂה בְּחֶלְקָם, אָמַר לוֹ זְרוֹק עַל גַּבֵּי הַמִּזְבֵּחַ, (שם) "וַחֲצִי הַדָּם זָרַק עַל הַמִּזְבֵּחַ", רַבִּי בֶּרֶכְיָה וְרַבִּי חִיָּיא בְּשֵׁם רַבִּי יוֹסֵי בַּר חֲנִינָא: הוּא נִשְׁבַּע לָהֶן וְהֵן נִשְׁבְּעוּ לוֹ, הוּא נִשְׁבַּע לָהֶן (יחזקאל טז, ח) "וָאֶשָּׁבַע לָךְ וָאָבוֹא בִבְרִית אֹתָךְ נְאֻם ה' אֱלֹהִים", וְהֵן *נִשְׁבָּעִין לוֹ לְהַקָּדוֹשׁ בָּרוּךְ הוּא, שֶׁנֶּאֱמַר (דברים כט, יא) "לְעָבְרְךָ בִּבְרִית ה' אֱלֹהֶיךָ וּבְאָלָתוֹ", וּמִנַּיִן שֶׁאֵין אָלָה אֶלָּא שְׁבוּעָה,

עץ יוסף

בת קול כו'. פירוש בת קול יצתה והודיעתו כשהגיע לחציו, ואז מיד קבל השארית במזרק שני: **בקי היה כו'.** פירוש שעל ידי היותו בקי בטעמי הדם ניתנה לו מתנה זו בדרך נס שידע לכוין חציו כדי שיהיה בקי בכל מה שצריך לזריקת דמים: **לא זה גדול מזה.** ולזה אמר באגנת חסר שהיו שניהם כאילו הם אחד ממש, וזה היה גם כן דרך נס כמו חילוק הדם שהיה בדרך נס: **מה נעשה בחלקך.** לפי שחצי הדמים ניתן באגנות, וחציו נתקבל במזרקים קודם שזרקו על המזבח כדרכו להתקבל תחלה במזרקים, הכיר משה שמסתמא המקובל במזרקים הוא לחלקו של הקדוש ברוך הוא, והמושם באגנות לחלק העם, לכן שאל להקדוש ברוך הוא מה נעשה בחלקך: **אמר לו זרוק על המזבח, ומה נעשה בחלקם, אמר לו זרוק על העם.** כך צריך לומר, וכן נראה מנוסחת הילקוט: **הוא נשבע להם כו'.** כלומר שקופרמסאות שנתנו ביניהם שאין כופרים זה בזה כדלעיל, מצינו שהיה בשבועה שנשבעו זה לזה [כי כן הוא הכריתות ברית ששניהם נשבעים להיות בחוברת יחד], והשתא אתי שפיר פירושי בהכי ושמעה קול אלה כדלעיל, ואין אנו צריכין להביא ראיה לדבר מענין הדם הנ"ל:

פירוש מהרז"ו

אמר משה להקב"ה מה נעשה וכו'. הנה בפסוק כתוב בהיפך, שתחלה זרק על המזבח ואחר כך על העם, ואיך מרומז ששאל משה מה שיעשה בחלקי הדם, ואיך מרומז שחלק החצי לה' והחצי לעם, וליישב הדרשה צריך אני להעתיק הפסוקים, ולדקדק בהם שכתוב (שמות כד, ה) וישלח וגו' ויעלו עולות ויזבחו זבחים לה' פרים ויקח משה חצי הדם וישם באגנות וחצי הדם זרק על המזבח ויקח משה ספר הברית ויקרא באזני העם ויאמרו כל אשר דבר ה' נעשה ונשמע ויקח משה הדם ויזרוק על העם ויאמר הנה דם הברית אשר כרת ה' עמכם וגו'. והנה מה שכתוב ויקח משה חצי הדם וישם באגנות וחצי הדם זרק על המזבח, משמע שרק החצי נתן באגנות, וחצי האחר לא שם באגנות, ולא יתכן לומר שהחצי האחר קבל בידו בלא כלי, שאם כן היה לו לפרש כמו שכתוב באשם מצורע, ובהכרח לפי פשוטו כמו שכתב במכילתא יתרו, (פרשה ג' של בחודש השלישי), וזה לשונו בנה מזבח הקריב עליו עולה ושלמים, נטל מדם העולה בשתי כוסות, חלק למקום וחלק לציבור, נטל מדם השלמים שתי כוסות, חלק למקום וחלק לציבור, שנאמר ויקח משה חצי הדם זה חלק למקום, וחצי הדם זרק על המזבח, זה חלק לציבור עכ"ל. הרי בהכרח שמה שכתוב ויקח משה חצי הדם, פירושו שתלה הדם לשנים, ומה שכתוב וישם באגנות, על פי מדה ט', כאלו מפורש ויתן חצי הדם באגן אחד וחצי הדם באגן השני, שאגן אחד היה לחלק ה' והאגן השני לחלק העם, ועל כן היו שני אגנים שוים, כמו שכתוב שיר השירים פסוק אני ישנה (דף כ"ט [פרשה ה פסוק ב]) תאומתו כו', לא אני גדול ממנה ולא היא גדולה ממני, עיין שם. ומה שכתב וחצי הדם זרק על המזבח, הוא"ו של וחצי מיותר, שהיה לו לומר ויזרוק משה חצי הדם על המזבח, שהרי זה תחלת המעשה, אלא בהכרח לומר שתחלה זרק על העם מחלק השם יתברך, ואחר כך זרק על המזבח מחלק העם, ונדרש על פי מדה ל"א מוקדם שמאוחר בענין, שפסוק וחצי הדם זרק על המזבח, מקומו אחר פסוק ח' שם, ויקח משה את הדם ויזרוק על העם, שזה מורה על התחלת הזריקה והוא ויקח. ואחר כך וחצי הדם זרק על המזבח, מחלק העם, ועל שהפסיק בין מה שכתוב וישם באגנות, ובין מה שכתוב ויקח משה את הדם, בפסוק ויקח ספר הברית וגו' לא זרק מיד שקבל הדם באגנות, זה ראיה שהיה מתון לזרוק הדם, עד ששאל להשם יתברך והשיבו, ועל הדם שזרק על העם כתיב, ויאמר הנה דם הברית אשר כרת ה' עמכם, שאגן זה קרא משה לשם ה' וחלקו, שלוהו לזרוק ממנו על העם, שעל זה אמר הנה דם הברית אשר כרת ה' עמכם, פירוש מחלק השם לה', ומה שכתב וחצי הדם זרק על המזבח, היינו מחלק האגן שקרא לשם העם. שעל פי מדה ט' הנ"ל, כאלו מפורש הנה דם הברית אשר כרתו בני ישראל עמך כאשר צוית, וזהו אמיתת עומק דברי המדרש, אמר משה לפני הקב"ה מה נעשה בחלקך תחלה וכו', ואחר כך ומה נעשה בחלקם וכו', והמדרש והמכילתא מפרשים זה את זה, ודברי המדרש ראיה אמיתית להנוסחא ישנה שבמכילתא, וכאשר העתקתי, דוק והתבונן באמיתת הפירוש בכתובים ובמכילתא ובמדרש: **הוא נשבע להם.** הוסיף לדרוש טעם הברית שכתוב כאן, היה עם שבועה, על פי מדה י"ג, וזהו ואשבע לך ואבוא בברית אתך (יחזקאל טז, ח), היינו בעת מתן תורה שהברית מפורש בתורה, אז ואשבע לך. וכן ישראל נשבעו בעת שכרתו ברית, גם כן על פי מדה י"ג, שמפורש בריש נצבים לעברך בברית ה' אלהיך ובאלתו, הרי שאלה הברית היה שבועה, שמה שכתב אלתו, פירושו שבועה, וכמו שכתוב במדבר רבה (ט, מז) וזה לשונו שם, והשביע הכהן את האשה בשבועת האלה, כמה דתימא לעברך בברית ה' אלהיך ובאלתו, אין ברית אלא שבועה, כמה דתימא כי שם נשבעו שניהם ויכרתו ברית בבאר שבע, ומנין שבסיני לקחו שבועת האלה, שכן כתיב אלה דברי הברית מלבד הברית אשר כרת אתם בחורב, הקים ברית חורב לברית מואב, מה להלן באלה, אף כאן באלה, איזה ברית חורב ואם לא תשמעו לי (ויקרא כו, יד) וכמו שכתוב במכילתא שם, וזהו עומק דברי המדרש כאן, שהביא ראיה דכאן בסיני היה שבועה, מפסוק של נצבים, היינו על פי ההקש הנ"ל, ועיין עוד מה שכתבתי בזה בשמות רבה (כח, ו), ובתנחומא יתרו (סימן א), ובשבת (קמו, א). ועיין עוד דברים רבה (ד, ג, ז) באופנים שונים:

חידושי הרד"ל

[ה] **בקי היה משה בהלכות דם וחלקו.** שהדם משתנה והולך, כמו שכתוב בכריתות (כב, א) מטפה המשחרת ואילך, ומשה היה בקי להכיר השינוי שמשתנה מחציו בכיון: **באגנת כתיב לא זה גדול.** עיין ערוך ערך אגן:

חידושי הרש"ש

[ה] **והשביע הכהן את האשה בשבועת האלה וכו' אמר ליה הקדוש ברוך הוא אף אני אעשה זאת לכם.** אולי יכוון למאי דכתיב שם והפקדתי עליכם בהלה, אל תקרי בהלה אלא באלה, על דרך שדרשו (בשבת לג, ב) אל תקרי בהלה אלא בחלה כי אותיות אחה"ע מתחלפין:

באור מהרי"פ

בקי היה וכו'. פירוש מתוך בקיאותו והרגלו היה בו כח לשער החלוקה לאמתתה: **אף אני אעשה זאת.** ומפרש רבי פנחס אף אני לפי ערך אלהותי המלאה חמלה וחנינה, וזהו כונת המתנות כהונה עיין שם: **מייתי לה מן הדא.** פירוש מייתי להא דאמר לעיל ושמע קול אלה, שהשביע אותם בסיף כמלך המשביע לגיונותיו, מן דא (ויקרא כו, כה) והבאתי עליכם חרב וגו':

שינוי נוסחאות

(ה) **והן נשבעין לו להקדוש ברוך הוא.** צ"ל "נשבעו" במקום "נשבעין", כן הגיה בא"א:

מסורת המדרש

ב. פרק שבועת העדות:

אם למקרא

וָאֶעֱבֹר עָלַיִךְ וָאֶרְאֵךְ וְהִנֵּה עִתֵּךְ עֵת דֹּדִים וָאֶפְרֹשׂ כְּנָפִי עָלַיִךְ וָאֲכַסֶּה עֶרְוָתֵךְ וָאֶשָּׁבַע לָךְ וָאָבוֹא בִבְרִית אֹתָךְ נְאֻם אֲדֹנָי ה' וַתִּהְיִי לִי: (יחזקאל טז:ח)

לְעָבְרְךָ בִּבְרִית ה' אֱלֹהֶיךָ וּבְאָלָתוֹ אֲשֶׁר ה' אֱלֹהֶיךָ כֹּרֵת עִמְּךָ הַיּוֹם: (דברים כט:יא)

וְהִשְׁבִּיעַ הַכֹּהֵן אֶת הָאִשָּׁה בִּשְׁבֻעַת הָאָלָה וְאָמַר הַכֹּהֵן לָאִשָּׁה יִתֵּן ה' אוֹתָךְ לְאָלָה וְלִשְׁבֻעָה בְּתוֹךְ עַמֵּךְ בְּתֵת ה' אֶת יְרֵכֵךְ נֹפֶלֶת וְאֶת בִּטְנֵךְ צָבָה: (במדבר ה:כא)

ידי משה

מלאך ירד בדמות משה. פירוש לפי שקשה והכתיב ויקח משה, לזה אמר בדמות משה פירוש שמשה נקרא מלאך, וכן להפך המלאך נקרא משה, כדאיתא מ"ה נוטריקון מטטרון שר הפנים: **אמר רבי יצחק בת קול וכו'.** פירוש שמשה עצמו חלק שיעור מעצמו החציה של דם ושלא בת קול שכיון השיעור, ולפי שנתיירא משה שמא לא כיון החציה כי אי אפשר לצמצם בידי אדם לכך יצא בת קול להודיע שכיון האמת. וקל להבין: **באגנת כתיב.** פירוש חסר בלא וי"ו, לפי שהיו שניהם שוים כאגן אחד, וזה היה גם כן נס, כי אי אפשר לצמצם לעשות אגנות שוות, וכאן היו שוים. וזה היה גם כן להורות כריתת הברית שהוא נשבע להם וכו', ודרך כורתי הברית שמשוים עצמם שיהיה אחד שוה לחברו, לכך היו האגנות שוות, וזה היה הנס, אף שאי אפשר לצמצם בידי אדם, נעשה לו נס. או נמי יש לומר שר' הונא סבירא ליה כרבי ישמעאל שחלק משה הדם בעצמו, ואף על פי שאי אפשר לצמצם בידי אדם, מכל מקום נעשה נס למשה לידע, ומביא ראיה מאגנת שכתיב חסר שהיו שניהם שוים, אף על פי שאי אפשר לצמצם בידי אדם, אלא על כרחך שנעשה נס דיעו של משה וידע, אם כן ידע לחלק הדם גם כן נס. ודוק כן נראה לי:

אשד הנחלים

חציו שחור כו'. לפי שדם השחור מורה על לקויו ורעתו, ודם האדום על חזקו ובריאותו, וזהו הכריתות ברית, אם חס ושלום יעברו ילקו בעוונם וימקו דמם, או להיפך יחזקו, כי הדם הוא הנפש: **בדמות משה.** לפי שנאמר ויקח משה את חצי הדם, מוכרח לומר שהמלאך ירד בדמות משה. ידי משה. אך ענין מחלוקתם נעלם מאתנו, מאי נפקא מינה אם מאליו, או על ידי מלאך, או מהר חורב, ובאיזו סברא פליגי. אך באמת רמוז בדבריהם כוונה נסתרת הנעלם מאתנו, במה שידעו חז"ל כי עיקר הכריתות ברית והתיקון לא היה יכול להיות כי אם על ידי חצי הדם ממש, בלי תוספת ומגרעת, ואחר שבידי אדם אי אפשר לצמצם ממש, וגם הוקשה להם איך אמר הכתוב ויקח את חצי הדם, ולא כתיב שחצה הדם, לכן שאלו מהיכן היה יודע. והנה דעת הראשון, אמת שבידי אדם אי אפשר לצמצם, אבל מאליו יתכן להתצמצם ולהתחלק בשוה, והכתוב מספר ויקח את חצי הדם, במה שנחצה מאליו. ודעת רבי נתן שהוא נחצה גם כן על ידי סימן שהוא החצי, במה שהיה חצי שחור וחצי אדום. ודעת בר קפרא שהיה על ידי נס אלקי. ודעת רבי יצחק שהיה משה חוצהו, אך בת קול היה יוצאת ואומרת שכיוון משה לחצות, וכן האגנות היו גם כן שוים ממש: **הוא נשבע להם.** כי כן הוא הכריתות ברית, ששניהם נשבעים להיות בחוברת יחד:

אמרי יושר

חציו שחור וחציו אדום. כדאיתא במסכת כריתות (כב א), דיש חלוק בין גוון הדם שבתחילת השחיטה לסוף השחיטה: **מלאך ירד מן השמים בדמות משה.** דייק ויקח משה חצי הדם, משה יתירה, דהא לעיל כתיב (שמות כד ד) ויכתוב משה את כל דברי ה', אלא אדמות משה קאי: **תני רבי ישמעאל בקי היה משה.** ואומן בהנדסה ובהשערת חילוק הדברים, ואף בדם, השערתו וחילוקו: **אמר לו זרוק על העם.** חלקו להשתתף על שלחן אחד בברית:

רַבִּי נְחֶמְיָה וְרַב נַחְמָן דְּיָיפוֹ בְּשֵׁם רַבִּי יַעֲקֹב דִּקְסָרִין — **R' Nechemyah and R' Nachman of Yaffo** said **in the name of R' Yaakov of Kaisarin:** מִן הָדָא "וְהִשְׁבִּיעַ הַכֹּהֵן אֶת הָאִשָּׁה בִּשְׁבֻעַת הָאָלָה" — **From this** verse, ***The Kohen shall adjure the woman with the oath of the curse*** [הָאָלָה] (*Numbers* 5:21).

The sworn allegiance between God and Israel helps explain God's later warning to them:

וְכֵיוָן שֶׁעָבְרוּ עַל תְּנָאֵי הַר סִינַי — Therefore, **once [Israel] violated the** above **condition** agreed to at **Mount Sinai,** אָמַר לָהֶם הַקָּדוֹשׁ בָּרוּךְ הוּא — **the Holy One, blessed is He, said to them,** "אַף אֲנִי אֶעֱשֶׂה זֹאת לָכֶם" — *But if you will not listen to Me and will not perform all of these commandments . . . so that you annul My covenant* (below, 26:14-15) — ***then I will do the same to you;*** *I will assign upon you panic, swelling lesions, etc.* (ibid., v. 16).[86] אָמַר רַבִּי פִּנְחָס: כְּתִיב, "וְהֵמָּה כְּאָדָם עָבְרוּ בְרִית" — **R' Pinchas said: It is written** regarding Israel, ***But they, like a man, transgressed the covenant*** (*Hosea* 6:7), בְּרַם הָכָא, "כִּי אֵל אָנֹכִי וְלֹא אִישׁ" — **yet** God states **here,** *I will not carry out My burning wrath; I will not recant and destroy Ephraim,* ***for I am God and not a man*** (ibid. 11:9).[87]

The Midrash continues in this vein, citing a teaching that even God's threatened punishments are not carried out to their full extent:[88]

אָמַר רַבִּי אַהֲבָה בַּר זְעֵירָא — **R' Ahavah bar Z'eira said:** כְּתִיב, "עָשָׂה ה' אֲשֶׁר זָמָם" — **It is written, *HASHEM has done what He has planned;*** *"beetza emraso"* [בִּצַּע אֶמְרָתוֹ] *which He ordained from days of old* (*Lamentations* 2:17). כְּמָה שֶׁכָּתוּב בְּתוֹרָתוֹ, "וְיָסַפְתִּי לְיַסְּרָה" — By *His decree which He ordained from days of old,* Scripture is referring to the warning **that is written in the Torah,** *If despite this you do not heed Me,* ***then I shall punish you further,*** *seven ways for your sins* (*Leviticus* 26:18).[89] כֵּן עָשָׂה חַס וְשָׁלוֹם — Since it cannot be that God actually carried out this threat, the verse must mean instead, **"Did He** actually **do this, God forbid?"**[90] אֶלָּא, "בִּצַּע אֶמְרָתוֹ" — It then answers: Certainly not! **Rather,** God ***beetza emraso*** [בִּצַּע אֶמְרָתוֹ]. מַה "בִּצַּע אֶמְרָתוֹ" — **What is** meant by ***beetza emraso?*** פְּשָׁרָה פָּשַׁר — **[God] made a compromise** with His stated decree to punish Israel seven ways for their sins.[91] רַבִּי יַעֲקֹב דִּכְפַר חָנִין אָמַר: בִּזַּע פּוּרְפִּירָה — Alternatively, **R' Yaakov of Kfar Chanin said:** ***Beetza emraso*** [בִּצַּע אֶמְרָתוֹ] means that **[God] tore** (בִּזַּע)[92] the hem (אֶמְרָתוֹ)[93] of **His royal attire,** so to speak.[94]

Above, the Midrash cited the use of blood in the Sinai covenant ritual as proof that Israel had sworn to uphold the covenant under penalty of death, noting that the purpose of the blood was akin to that of the sword in the hand of one who swears. The Midrash now infers this directly from a verse:

רַבִּי בֶּרֶכְיָה מַיְיתֵי לָהּ מִן הָדָא — **R' Berechyah infers** that Israel swore at Sinai to abide by the covenant under penalty of death **from the following** verse, "וְהֵבֵאתִי עֲלֵיכֶם חֶרֶב נֹקֶמֶת נְקַם בְּרִית" — ***I will bring upon you a sword, avenging the vengeance of the covenant*** (below, 26:25).[95]

The Midrash expounds the verse's redundant expression, נֹקֶמֶת נְקַם, *avenging the vengeance*:

תָּנֵי רַבִּי חִיָּיא — **R' Chiya taught** in a Baraisa: נָקָם בִּבְרִית וְנָקָם שֶׁאֵינוֹ בִּבְרִית — The repetitive expression, *nokemes nekam* [נֹקֶמֶת נְקַם], alludes to a **vengeance that is** explicit **in the covenant, and** a **vengeance that is not** explicit **in the covenant.**[96] אֵיזֶה נָקָם שֶׁאֵינוֹ בִּבְרִית — **What is a vengeance that is not** explicit **in the covenant?** רַבִּי עֲזַרְיָה וְרַבִּי אַחָא בְּשֵׁם רַבִּי יוֹחָנָן אָמַר — **R' Azaryah and R' Acha said in the name of R' Yochanan:** זֶה סִימּוּי עֵינַיִם שֶׁסִּימּוּ אֶת עֵינֵי מֶלֶךְ יְהוּדָה — **This is the blinding of the eyes that [Nebuchadnezzar's army] blinded the eyes** of Zedekiah, **the king of Judah,**[97] שֶׁנֶּאֱמַר — **as it is stated,**

NOTES

86. The words *"Then I will do the same to you"* (which imply that God will do to Israel what they did to Him) are to be understood as referring not to that which *follows* them (for obviously Israel did not "assign panic, swelling lesions, etc." to God), but rather to that which *precedes* them, viz., the covenant between God and Israel. The passage is saying: "If you will not listen to Me and will not perform all of these commandments, that means that *you will* have *annulled My covenant*. Hence, I too will no longer be bound by My oath to you and will abandon you" (see *Eitz Yosef*).

However, although the Midrash has explained the statement, *I too will do this to you*, to mean that God will annul His covenant with Israel, this is not to be understood literally, as the Midrash goes on to explain. See next note (ibid.).

87. That is, whereas Israel, following man's nature to transgress, violated the covenant, God follows *His* nature of acting with mercy and does not abandon them completely. Indeed, in the very chapter in which God threatens to *do the same to you*, He expressly promises: *But despite all this, while they will be in the land of their enemies, I will not have been revolted by them nor will I have rejected them to obliterate them, to annul My covenant with them — for I am HASHEM, their God* (*Leviticus* 26:44). Thus, in stating that *I will do the same to you*, God merely meant that He will punish them harshly so that it will appear to them *as if* He is annulling His covenant with them, in order to persuade them to rectify their evil ways (*Eitz Yosef*).

88. Ibid.

89. This verse forms part of the *Tochachah* (Admonition); see above, note 68. The Midrash cites this verse specifically — out of the numerous verses in the *Tochachah* (Admonition) that specify punishments for those who abandon the ways of God — because of its unique severity. Had the threat to punish Israel "seven ways for their sins" been fulfilled literally, it would surely have led to their total destruction (ibid.).

90. The phrase עָשָׂה ה' אֲשֶׁר זָמָם is interpreted as a rhetorical question rather than as a statement: *Has HASHEM done what He has planned?* (ibid.).

91. The word בִּצַּע can mean *carried out* or *split*. The Midrash now interprets בִּצַּע אֶמְרָתוֹ as *He split His decree*; whereas it was initially intended to be solely an act of Strict Judgment, God ultimately employed His Attribute of Mercy as well, so that the decree that was ultimately carried out was a "compromise" between harsh punishment and gentle mercy (*Matnos Kehunah, Eshed HaNechalim, Eitz Yosef*).

92. The letters ז and צ being interchangeable.

93. The word אֶמְרָתוֹ means *His hem*; the verse refers to God's garment as a hem because one ordinarily tears a garment from there (*Yefeh To'ar*). Alternatively, the word אֶמְרָתוֹ is to be translated "His garment," for it comes from the root אמיר, *sewn threads* (*Eshed HaNechalim*).

94. By tearing His royal garments, it was no longer deemed as if Israel had disobeyed the royal decree; hence, the severity of their punishment was diminished (*Eitz Yosef*). According to *Eshed HaNechalim*, God's "tearing His royal garment" is a metaphor for the destruction of the Temple, which was the palace from which He ruled the world.

Alternatively, R' Yaakov argues that the *Lamentations* verse does not refer to the decree in the *Tochachah* at all. Rather, עָשָׂה ה' אֲשֶׁר זָמָם means that God indeed did what He had planned to do to Jerusalem and Israel. But at the same time, בִּצַּע אֶמְרָתוֹ — *He tore his garment* in mourning at the destruction that He was forced to bring upon them (*Yefeh To'ar*).

95. As *Ibn Ezra* notes in his commentary to this verse, the entire *Tochachah* (of which this verse is a part) was transmitted at Mount Sinai, making the Sinai covenant subject to all the *Tochachah's* curses and punishments, including this threat of the sword (*Eitz Yosef*).

96. That is, the redundancy comes to include an additional "vengeance" (i.e., an additional punishment) that is not explicit in the *Tochachah* (*Yefeh To'ar, Beur Maharif, Eitz Yosef*).

97. As the Sages teach (*Avodah Zarah* 5a, et al.), blindness is akin to death. Although this punishment is not explicitly mentioned in the *Tochachah,* Zedekiah received this punishment because of violating the covenant oath, as the Midrash now demonstrates (ibid.). [It may be asked: Blindness *is* mentioned in the *Tochachah* of the Book of *Deuteronomy*, for verse 28:28 there states, *HASHEM will strike you . . . with blindness*! The commentators explain that the way Zedekiah lost his sight was a more extreme, painful punishment than the *blindness* mentioned in the *Deuteronomy* verse (ibid.).]

רַבִּי נְחֶמְיָה וְרַב נַחְמָן דְּיָיפוֹ בְּשֵׁם רַבִּי יַעֲקֹב דְּקֵסָרִין: מִן הָדָא, (במדבר ה, כא) "וְהִשְׁבִּיעַ הַכֹּהֵן אֶת הָאִשָּׁה בִּשְׁבֻעַת הָאָלָה", וְכֵיוָן שֶׁעָבְרוּ עַל תְּנַאי הַר סִינַי אָמַר לָהֶם הַקָּדוֹשׁ בָּרוּךְ הוּא: (ויקרא כו, טז) "אַף אֲנִי אֶעֱשֶׂה זֹּאת לָכֶם", אָמַר רַבִּי פִּנְחָס: כְּתִיב (הושע ו, ז) "וְהֵמָּה כְּאָדָם עָבְרוּ בְרִית", (שם יא, ט) בְּרַם הָכָא "כִּי אֵל אָנֹכִי וְלֹא אִישׁ", אָמַר רַבִּי אַהֲבָה בַּר זְעֵירָא: כְּתִיב (איכה ב, יז) "עָשָׂה ה' אֲשֶׁר זָמָם", כְּמָה שֶׁכָּתוּב בְּתוֹרָתוֹ, (ויקרא כו, יח) "וְיָסַפְתִּי לְיַסְּרָה", כֵּן עָשָׂה חַס וְשָׁלוֹם, אֶלָּא (איכה שם שם) "בִּצַּע אֶמְרָתוֹ", מַה "בִּצַּע אֶמְרָתוֹ", גפְּשָׁרָה פְּשַׁר, רַבִּי יַעֲקֹב דִּכְפַר חָנִין אָמַר: בְּזַע פּוֹרְפִירָה, רַבִּי בֶּרֶכְיָה מַיְיתֵי לָהּ מִן הָדָא, (ויקרא כו, כה) "וְהֵבֵאתִי עֲלֵיכֶם חֶרֶב נֹקֶמֶת נְקַם בְּרִית", תָּנֵי רַבִּי חִיָּיא: נָקָם בִּבְרִית וְנָקָם שֶׁאֵינוֹ בִּבְרִית, אֵיזֶה נָקָם שֶׁאֵינוֹ בִּבְרִית, רַבִּי עֲזַרְיָה וְרַבִּי אַחָא בְּשֵׁם רַבִּי יוֹחָנָן אָמַר: זֶה סִימּוּי עֵינַיִם שֶׁסִּימּוּ אֶת עֵינֵי מֶלֶךְ יְהוּדָה, שֶׁנֶּאֱמַר (יחזקאל יז, יט) "כֹּה אָמַר ה' אֱלֹהִים חַי אָנִי אִם לֹא אָלָתִי אֲשֶׁר בָּזָה", "אִם לֹא אָלָתִי" זוֹ שְׁבוּעָה *שֶׁנִּשְׁבַּע לִנְבוּכַדְנֶצַּר, (שם) "וּבְרִיתִי אֲשֶׁר הֵפֵר" זֶה בְּרִיתִי שֶׁל הַר סִינַי, (שם) "וּנְתַתִּיו בְּרֹאשׁוֹ", וּשְׁאָר כָּל הַגּוּף לֹא לָקָה, רַבִּי שְׁמוּאֵל בַּר נַחְמָן בְּשֵׁם רַבִּי יוֹנָתָן: זֶה סִימּוּי עֵינַיִם שֶׁהוּא תָּלוּי בָּרֹאשׁ, וְכֵיוָן שֶׁגָּלוּ לְבָבֶל אָמְרוּ לִנְבוּכַדְנֶצַּר (דניאל ג, טז-יח) "נְבוּכַדְנֶצַּר לָא חַשְׁחִין אֲנַחְנָא ... הֵן אִיתַי אֱלָהַנָא וְגוֹ' וְהֵן לָא, יְדִיעַ לֶהֱוֵא לָךְ מַלְכָּא דִּי לֵאלָהָךְ לָא אִיתַנָא פָלְחִין", אָמַר לְהוֹן הַקָּדוֹשׁ בָּרוּךְ הוּא: (זכריה ט, יא) "גַּם אַתְּ בְּדַם בְּרִיתֵךְ" נִזְכַּרְתִּי אוֹתוֹ הַדָּם שֶׁבְּסִינַי, לְפִיכָךְ (שם) "שִׁלַּחְתִּי וְגוֹ'" (שם) "אֵין מַיִם בּוֹ", אָמַר רַבִּי פִּנְחָס: אֵין כָּאן עוֹד (תהלים עט, ג) "שָׁפְכוּ דָמָם כַּמַּיִם סְבִיבוֹת יְרוּשָׁלָיִם",

עץ יוסף

אעשה זאת לכם והפקדתי עליכם בהלה. וכתיב לקמיה להפרכם את בריתי, ורצה לומר שהם הפרו בריתו לכן גם הוא יפר בריתו מהם. אך לפי שזה אי אפשר שיובן בהחלט, כי ה' יתברך לא יפר בריתו מעמנו בשום צד כאומר ואף גם זאת בהיותם וגו', לכן אמר רבי פנחס כתיב והמה כאדם עברו ברית, דהיינו שהם חוטאים כדרכם, וה' מרחם כדרכו, ואם כן מה שאמר שגם הוא יפר בריתו היינו כפי הראוי אליו, שיוכיחם שיראה כאילו הפר ברית, אבל לעולם בריתו קיים, ולהכי נמי מייתי דר' אהבה דקאמר שאין התוכחות מתקיימות כפשוטן אלא דרך פשר, והכי נמי אף שרמז שיפר בריתו לא יתקיים זה לגמרי: **אשר זמם בצע אמרתו אשר צוה מימי קדם כמה שכתוב בו'.** כן צריך לומר, ודרש צוה מימי קדם בתורה ויספתי כו' (רד"ל): **ויספתי ליסרה.** הזכיר פסוק זו, משום דכתיב ביה שבע כחטאתיכם, שאם חס ושלום היה עושה כך לא היתה תקומה: **כן עשה חס ושלום.** וקרא בתמיה קאמר וכי עשה ה' אשר זמם, לא, אלא בלע אמרתו פשרה פשר, לשון מים פושרים, שבלע ושבר אמירתו לחצאין חצי דין וחצי רחמים, כמים פושרים לא קרירים ולא חמימים: **בזע פורפריה.** פירוש קרע לבוש מלכות שלו שאילו לבש לבוש מלכות שלו היה העונש גדול עליהם כמי שעבר על צווי המלך, אלא היקל עליהם את הדין, ועיין איכה רבתי (ב, כא) ובפתיחתא רבתי (סימן יט): **מייתי לה.** להא דאמר לעיל שמשמעה קול אלה בסיני כמלך המשביע בסייף, דלהכי כתיב חרב נוקמת נקם ברית, וכמו שאמר הרב אברהם בן עזרא וזה לשונו מכאן שזאת הברית הכרותה בסיני הכתובה בפרשת אלה המשפטים, יום קבלו על נפשם ואמרו נעשה ונשמע, אז נכרתה הברית ואמר להם כל הפרשה הזאת: **ונקם שאינו בברית.** דמדכתיב נוקמת נקם מרבינן נקמה שאינה בברית, רצה לומר שלא נתפרשה באלות הברית והיינו סמוי עינים דצדקיה שהם כמיתה, ומכל מקום באה לנקום על עון הברית, ולהכי מייתי מדכתיב ביה ובריתי אשר הפר, ואף על גב דכתיב יככה ה' בעורון, היינו על ידי חולי [ו]לא נקור עינים שהוא צער גדול: **שנשבע לנבוכדנצר.** כן צריך לומר. ועיין בנדרים פרק רבי אליעזר (סה, א) ובאיכה רבתי (ב, יד) פסוק ישבו לארץ: **זה ברית של הר סיני.** שלא שמר את השבועה, ואף על גב דנשאל עליה, מכל מקום היה חילול ה' בדבר: **ושאר כל הגוף לא לקה.** בתמיה: **נזכרתי אותו הדם שבסיני.** שעל ידו כרת עם ישראל ברית שאינם כופרים זה בזה כדלעיל, ועל ידי שהם שומרים בריתם כמו שאמר לאלהך לא איתנא פלחין נזכר ה' בריתם להצילם: **אין כאן עוד בו'.** דפירש שלחתי אסיריך מבור היינו שנצולו מהגלות שהיו אסורים בו וזכו לבית שני, ולפי שיקשה אם כן מאי אין מים בו שגלות נמשל למים כאומרו אזי המים שטפונו, לכן הוצרך לומר שרמז שלא יהיו עוד שופכים דמים כמים:

פירוש מהרז"ו

עשה ה' אשר זמם. ואחר כך אמר בלע אמרתו, שעשה לחצאין דרך פשרה, והם בכמה מקומות, והכריע על פי מדה ט': **רב מייתי לה מן הדה.** ראיה לדברי רבי יצחק שהשביע אותם בחורב, ועל כן העונש גם כן חרב נוקמת דם ברית, שהברית בשבועה כנ"ל, כך הבטיח לענשם, אלא שלא קיים לרעה: **של הר סיני.** שהדור שבימיו עבר על ברית שכרתו בסיני. כמו שכתוב בראשית רבה (מד, ג) בימי ירמיהו בקשו לבא לידי מדה זו עיין שם: **וכיון שגלו לבבל.** עתה חוזר לדברי רבי יצחק ורבי ברכיה, שהברית והשבועה היה בדם, לרמוז שקבלו מלכות שמים במסירת נפשם על קדושת שמו ועל התורה, ובגלות בבל עשו כן חנניה מישאל ועזריה, ועליהם נאמר (זכריה ט, יא) גם את בדם בריתך שלחתי אסיריך מבור אין מים בו, שבזכותם נגאלו מבבל. ועיין לקמן (יט, ו) באופן אחר:

חידושי הרד"ל

זאת לכם. והפקדתי עליכם בהלה, וכתיב לקמיה [פסוק שלפניו] להפרכם את בריתי: **אשר זמם בצע אמרתו אשר צוה מימי קדם כמה שכתוב בו'.** כן צריך לומר, ודרש צוה מימי קדם בתורה ויספתי כו': **תני רבי חייא נקם בברית כו'.** בתורת כהנים. ועיין שם שהקרבן אהרן והמפרשים נשמטו מהם במחילת כבוד תורתם דברי המדרש, ודחקו לפרש תורת כהנים: **ושאר הגוף לא לקה.** בתמיה: **נזכרתי אותו הדם בו'.** כן צריך לומר, וכן הוא הלשון לקמן סוף פרשה י"ט:

חידושי הרש"ש

כמה שכתוב בתורתו ויספתי ליסרה. ברישא דקרא ואם עד אלה כו'. וכמו שדרשו שם (כג, ה) אל תקרי (בהלה) [באלה] אלא באלה:

באור מהרי"פ

מתנות כהונה נקם בברית וכו'. דריש נקמה שאינה משום העברת ברית סיני וכו'. ודבריו תמוהים שהרי דריש רבי עזרא ורבי אחא ובריתו אשר הפר זו בריתו, אלא פירושו של נקמה שאינו בברית רצונו לומר שלא נתפרשה באלות הברית, והיינו סמוי עינים דצדקיה. ומכל מקום באה לנקום על עון הפרת הברית, כדדריש ובריתי אשר הפר זה בריתו של הר סיני, ואף על גב דמצינו בתורה נקמה של סמוי עינים דכתיב (דברים כח, כח) יככה ה' בעורון, היינו על חולי לא נקור עינים שהוא צער גדול מאד:

מסורת המדרש

ג. פתיחתא דאיכה סימן י"ח. ואיכה רבתי פ"ב. תנחומא סדר ראה:

אם למקרא

אַף אֲנִי אֶעֱשֶׂה זֹּאת לָכֶם וְהִפְקַדְתִּי עֲלֵיכֶם בֶּהָלָה אֶת הַשַּׁחֶפֶת וְאֶת הַקַּדַּחַת מְכַלּוֹת עֵינַיִם וּמְדִיבֹת נָפֶשׁ וּזְרַעְתֶּם לָרִיק זַרְעֲכֶם וַאֲכָלֻהוּ אֹיְבֵיכֶם: (ויקרא כו:טז)

וְהֵמָּה כְּאָדָם עָבְרוּ בְרִית שָׁם בָּגְדוּ בִי: (הושע ו:ז)

לֹא אֶעֱשֶׂה חֲרוֹן אַפִּי לֹא אָשׁוּב לְשַׁחֵת אֶפְרָיִם כִּי אֵל אָנֹכִי וְלֹא־אִישׁ בְּקִרְבְּךָ קָדוֹשׁ וְלֹא אָבוֹא בְּעִיר: (שם יא:ט)

עָשָׂה ה' אֲשֶׁר זָמָם בִּצַּע אֶמְרָתוֹ אֲשֶׁר צִוָּה מִימֵי־קֶדֶם הָרַס וְלֹא חָמָל וַיְשַׂמַּח עָלַיִךְ אוֹיֵב הֵרִים קֶרֶן צָרָיִךְ: (איכה ב:יז)

וְאִם עַד אֵלֶּה לֹא תִשְׁמְעוּ לִי וְיָסַפְתִּי לְיַסְּרָה אֶתְכֶם שֶׁבַע עַל חַטֹּאתֵיכֶם: (ויקרא כו:יח)

וְהֵבֵאתִי עֲלֵיכֶם חֶרֶב נֹקֶמֶת נְקַם־בְּרִית וְנֶאֱסַפְתֶּם אֶל־עָרֵיכֶם וְשִׁלַּחְתִּי דֶבֶר בְּתוֹכְכֶם וְנִתַּתֶּם בְּיַד־אוֹיֵב: (שם שם כה)

לָכֵן כֹּה אָמַר אֲדֹנָי ה' חַי אָנִי אִם לֹא אָלָתִי אֲשֶׁר בָּזָה וּבְרִיתִי אֲשֶׁר הֵפִיר וּנְתַתִּיו בְּרֹאשׁוֹ: (יחזקאל יז:יט)

עָנוֹ שַׁדְרַךְ מֵישַׁךְ וַעֲבֵד נְגוֹ וְאָמְרִין לְמַלְכָּא נְבוּכַדְנֶצַּר לָא חַשְׁחִין אֲנַחְנָא עַל דְּנָה פִּתְגָם לַהֲתָבוּתָךְ: הֵן אִיתַי אֱלָהַנָא דִּי אֲנַחְנָא פָלְחִין יָכִל לְשֵׁיזָבוּתַנָא מִן אַתּוּן נוּרָא יָקִדְתָּא וּמִן יְדָךְ מַלְכָּא יְשֵׁיזִב: (דניאל ג:טז-יז)

גַּם־אַתְּ בְּדַם־בְּרִיתֵךְ שִׁלַּחְתִּי אֲסִירַיִךְ מִבּוֹר אֵין מַיִם בּוֹ: (זכריה ט:יא)

שָׁפְכוּ דָמָם כַּמַּיִם סְבִיבוֹת יְרוּשָׁלָםִ וְאֵין קוֹבֵר: (תהלים עט:ג)

אמרי יושר

אף אני אעשה זאת לכם. בחרב נוקמת נקם ברית, כי הברית היה בדם, ועברתם עליו, אף אני אבית חרב. דבר אחר אף על פי שאני אל ולא איש, לא ארחם: **פשורי מפשר.** ועשה פשרה, היינו בלע הגזרה שאמר בתורתו: **ונקם שלא בברית.** דייק מריבוי נוקמת נקם, היינו אפילו שלא בברית:

מתנות כהונה

מן הדא. מזה הפסוק: **אף אני וגו'.** ולא עשה כן כדמסיים בשם רבי פנחס: **פשרה פשר.** פירוש בלע ושיבר אמרתו לחצאין, חצי דין וחצי רחמים, כמים פושרין לא קרירי ולא חמימי: **בזע פורפיריה.** קרע בגדיו כאבל כביכול, והכי איתא באיכה רבה (ב, כו): **נקם ברית בו'.** מדכתיב תרתי נוקמת נקם דריש נקמה שאינה משום העברת ברית סיני, וזה סימו עיניו של צדקיה על שעבר שבועה שנשבע לנבוכדנצר: **הכי גרסינן לאלהך לא איתנא פלחין אמר כו':**

אשד הנחלים

אשר זמם כו' פשר פשרה. ופירושו בלשון תמיה, האם עשה בפועל כפי אשר זמם וחשב לעשות לנו בחטאינו חס ושלום, כי אם ביצע וחילק אמרתו, שהיה דן אותו בשיתוף הרחמים עם הדין, וכמו שפירש המתנות כהונה: **בזע פורפירה.** הפורפירה הוא הבגד החשוב שעל ידו ניכר שהוא מלך, וזהו כנוי על בית המקדש, שעל ידו היה השגחתו על העולם. ובצע מלשון בציעה וקריעה, אמרתו מלשון אמיר, שהוא התפירה: **מייתי לה מן הדא.** מביא דרוש על הפרת השבועה, שהכתוב מרמז שבסבת שבועת שקר יחרב הבית: **איזהו נקם שאינו בברית כו'.** כי נקם הברית, הוא כליה לגמרי חס ושלום, אבל כאן היא נקמה שאינו בברית, ולכן לא הומת כי אם סמיות העינים, הדומה למיתה, לפי שהוא בראשו של אדם והכל נמשכים אחריו, אבל עם כל זה אינו נקם ברית ממש, והראיה שלא הפרו ברית ממש, שהרי כשגלו אמרו לנבוכדנצר שלא יעברו על הברית חס ושלום, ולכן נזכר הברית הזאת, ונפקדו עוד הפעם מהגליות, וזהו גם את בדם בריתך גו'. והענין לפי שלא יתכן חס ושלום שישראל יעברו בריתם, לכפור חס ושלום בה' לגמרי, ואף כי יחטאו לפעמים, עם כל זה העיקר והאמונה האמיתית נשאר בלבם אמונת אומן בלי יזח לעולם: **אין מים כו' אין כאן כו'.** כלומר ששולחת מבור אין מים בו, כי אם מלא דם אשר נשפך ממך,

"כֹּה אָמַר ה׳ אֱלֹהִים חַי אָנִי אִם לֹא אָלָתִי אֲשֶׁר בָּזָה" — *Therefore,* ***thus said the Lord HASHEM/ELOHIM: As I live, [I swear that] I shall place on his head [the punishment for] My oath that he has spurned, and My covenant that he has broken*** (*Ezekiel* 17:19).[98] "אִם לֹא אָלָתִי", זוֹ שְׁבוּעָה שֶׁנִּשְׁבַּע לִנְבוּכַדְנֶצַּר — ***For My oath*** *that he has spurned* — **this is** a reference to **the oath that [Zedekiah] swore to Nebuchadnezzar** not to reveal that he saw him eating a live rabbit, an oath he later violated;[99] "וּבְרִיתִי אֲשֶׁר הֵפֵר", זֶה בְּרִיתִי שֶׁל הַר סִינַי — ***and My covenant that he has broken*** — **this refers to [God's] covenant at Mount Sinai** that Zedekiah breached via his actions in this matter.[100] "וּנְתַתִּיו בְּרֹאשׁוֹ", וּשְׁאָר כָּל הַגּוּף לֹא לָקָה — As for the statement, ***I shall place on "his head,"*** **was the rest of the body not smitten?** רַבִּי שְׁמוּאֵל בַּר נַחְמָן בְּשֵׁם רַבִּי יוֹנָתָן — **R' Shmuel bar Nachman** said **in the name of R' Yonasan:** זֶה סִימּוּי עֵינַיִם שֶׁהוּא תָּלוּי בְּרֹאשׁ — **This is** an allusion to **the blinding of** Zedekiah's **eyes, for they are located in** his **head.**

Having demonstrated that Israel swore to uphold the Sinai covenant under penalty of death, the Midrash now shows how God responded when Hananiah, Mishael, and Azariah fulfilled this oath literally:[101]

וְכֵיוָן שֶׁגָּלוּ לְבָבֶל אָמְרוּ לִנְבוּכַדְנֶצַּר — **When [Israel] was exiled to Babylon** and Nebuchadnezzar insisted that they prostrate themselves to his idol, **[Hananiah, Mishael, and Azariah]** refused, and **said to Nebuchadnezzar:** "נְבוּכַדְנֶצַּר לָא חַשְׁחִין אֲנַחְנָא . . . הֵן אִיתַי אֱלָהַנָא וְגוֹ׳ וְהֵן לָא, יְדִיעַ לֶהֱוֵא לָךְ מַלְכָּא דִּי לֵאלָהָךְ לָא אִיתַנָא פָּלְחִין" — ***Nebuchadnezzar, we are not worried*** *about replying to you about this matter.* ***Behold, our God*** *Whom we worship is able to save us; He will rescue from the fiery, burning furnace and from your hand, O king.* ***But if [He does] not, let it be known to you, O king, that we do not worship your god, and to the golden statue that you have set up we shall not prostrate ourselves*** (*Daniel* 3:16-18). אָמַר לְהוֹן הַקָּדוֹשׁ בָּרוּךְ הוּא — **The Holy One, blessed is He,** then **said to [Israel],** "גַּם אַתְּ בְּדַם בְּרִיתֵךְ" — ***Also you, through the blood of your covenant*** *I will have released your prisoners from the pit in which there is no water* (*Zechariah* 9:11). נִזְכַּרְתִּי אוֹתוֹ הַדָּם שֶׁבְּסִינַי — That is, having seen how Hananiah, Mishael, and Azariah were willing to shed their blood to uphold the covenant, **I have been reminded of that blood** with which *your covenant* was accepted **at** Mount **Sinai;** לְפִיכָךְ "שִׁלַּחְתִּי וְגוֹ׳" — **therefore,** ***I will have released*** *your prisoners,* ***etc.***[102] "אֵין מַיִם בּוֹ" — As for the meaning of the exile's description as a pit ***in which there is no water,***[103] אָמַר רַבִּי פִּנְחָס: אֵין כָּאן עוֹד "שָׁפְכוּ דָמָם כַּמַּיִם סְבִיבוֹת יְרוּשָׁלַיִם" — **R' Pinchas said:** This means that **there will no longer be** the situation described by Scripture that ***they have shed their blood like water roundabout Jerusalem*** (*Psalms* 79:3).[104]

NOTES

98. The context of this passage is Zedekiah's rebellion against Nebuchadnezzar.

99. As related elsewhere (*Nedarim* 65a; *Eichah Rabbah* 2 §14), Zedekiah once saw Nebuchadnezzar eating a live hare. Although Nebuchadnezzar made him swear never to reveal his barbarous act, Zedekiah sought release from his oath from the Sanhedrin and then shared the secret with others. [Regarding the technical propriety and efficacy of Zedekiah's and the Sanhedrin's actions, see commentators to *Nedarim* ibid. But it seems clear that God's Name was profaned by this incident (see next note).]

100. Zedekiah *spurned* the *oath* that he had sworn to Nebuchadnezzar. The resulting profanation of God's Name constituted Zedekiah's violation of the Sinai covenant (*Eitz Yosef*; for a different interpretation see *Maharzu*).

101. *Maharzu.*

102. Israel will be *released* from *the pit* of the Babylonian exile and will merit returning to the Land of Israel and building the Second Temple (*Eitz Yosef*).

[Although the rest of Israel *did* prostrate themselves to the image constructed by Nebuchadnezzar (see *Shir HaShirim Rabbah* to *Song of Songs* 7:8 and *Megillah* 12a), the Sages state that they too did not believe in it and only did so out of fear (*Megillah* ibid.). Moreover, the image was merely a statue erected for the glory of Nebuchadnezzar rather than a true idol; see *Tosafos, Avodah Zarah* 3a s.v. שלא השתחוו לצלם. In light of this, the utter self-sacrifice of Hananiah, Mishael, and Azariah — who were thrown into a furnace for refusing to bow — was enough to protect all the people (*Yefeh To'ar*).]

103. The Midrash finds it difficult to accept that this is a description of the exile itself, since the exile is actually likened to water in *Psalms* 124:4: *Then the waters would have inundated us* (*Eitz Yosef*).

104. The *Zechariah* verse states, *I will have released your prisoners from the pit; there is no water in it.* The Midrash now interprets it to mean: "I will release Israel from the *pit* of Babylonian exile; no longer will their blood be shed like water." Thus, it was due to Hananiah, Mishael, and Azariah's fulfilling the Sinaitic covenant with their blood that they merited cancellation of the decree that Israel's blood be shed like water (*Maharzu*).

רַבִּי נְחֶמְיָה וְרַב נַחְמָן דְּיָיפוֹ בְּשֵׁם רַבִּי יַעֲקֹב דְּקֶסְרִין: מִן הָדָא, (במדבר ה, כא) "וְהִשְׁבִּיעַ הַכֹּהֵן אֶת הָאִשָּׁה בִּשְׁבֻעַת הָאָלָה", וְכֵיוָן שֶׁעָבְרוּ עַל תְּנַאי הַר סִינַי אָמַר לָהֶם הַקָּדוֹשׁ בָּרוּךְ הוּא: (ויקרא כו, טז) "אַף אֲנִי אֶעֱשֶׂה זֹּאת לָכֶם", אָמַר רַבִּי פִּנְחָס: כְּתִיב (הושע ו, ז) "וְהֵמָּה כְּאָדָם עָבְרוּ בְרִית", (שם יא, ט) בְּרַם הָכָא "כִּי אֵל אָנֹכִי וְלֹא אִישׁ", אָמַר רַבִּי אַהֲבָה בַּר זְעֵירָא: כְּתִיב (איכה ב, יז) "עָשָׂה ה' אֲשֶׁר זָמָם", כְּמָה שֶׁכָּתוּב בְּתוֹרָתוֹ, (ויקרא כו, יח) "וְיָסַפְתִּי לְיַסְּרָה", כֵּן עָשָׂה חַס וְשָׁלוֹם, אֶלָּא (איכה שם שם) "בִּצַּע אֶמְרָתוֹ", מַה "בִּצַּע אֶמְרָתוֹ", גפִּשְׁרָהּ פְּשַׁר, רַבִּי יַעֲקֹב דִּכְפַר חָנִין אָמַר: בִּזַּע פּוֹרְפִּירָה, רַבִּי בֶּרֶכְיָה מַיְיתֵי לָהּ מִן הָדָא, (ויקרא כו, כה) "וְהֵבֵאתִי עֲלֵיכֶם חֶרֶב נֹקֶמֶת נְקַם בְּרִית", תָּנֵי רַבִּי חִיָּיא: נָקָם בִּבְרִית וְנָקָם שֶׁאֵינוֹ בִּבְרִית, אֵיזֶה נָקָם שֶׁאֵינוֹ בִּבְרִית, רַבִּי עֲזַרְיָה וְרַבִּי אַחָא בְּשֵׁם רַבִּי יוֹחָנָן אָמַר: זֶה סִמּוּי עֵינַיִם שֶׁסִּימּוּ אֶת עֵינֵי מֶלֶךְ יְהוּדָה, שֶׁנֶּאֱמַר (יחזקאל יז, יט) "כֹּה אָמַר ה' אֱלֹהִים חַי אָנִי אִם לֹא אָלָתִי אֲשֶׁר בָּזָה", "אִם לֹא אָלָתִי" זוֹ שְׁבוּעָה *שֶׁנִּשְׁבַּע לִנְבוּכַדְנֶצַּר, (שם) "וּבְרִיתִי אֲשֶׁר הֵפֵר" זֶה בְּרִיתִי שֶׁל הַר סִינַי, (שם) "וּנְתַתִּיו בְּרֹאשׁוֹ", וּשְׁאָר כָּל הַגּוּף לֹא לָקָה, רַבִּי שְׁמוּאֵל בַּר נַחְמָן בְּשֵׁם רַבִּי יוֹנָתָן: זֶה סִמּוּי עֵינַיִם שֶׁהוּא תָּלוּי בָּרֹאשׁ, וְכֵיוָן שֶׁגָּלוּ לְבָבֶל אָמְרוּ לִנְבוּכַדְנֶצַּר (דניאל ג, טז-יח) "נְבוּכַדְנֶצַּר לָא חַשְׁחִין אֲנַחְנָא ... הֵן אִיתַי אֱלָהַנָא וְגוֹ' וְהֵן לָא, יְדִיעַ לֶהֱוֵא לָךְ מַלְכָּא דִּי לֵאלָהָךְ לָא אִיתַנָא פָּלְחִין", אָמַר לְהוֹן הַקָּדוֹשׁ בָּרוּךְ הוּא: (זכריה ט, יא) "גַּם אַתְּ בְּדַם בְּרִיתֵךְ" נִזְכַּרְתִּי אוֹתוֹ הַדָּם שֶׁבְּסִינַי, (שם) "שִׁלַּחְתִּי וְגוֹ'" לְפִיכָךְ (שם) "אֵין מַיִם בּוֹ", אָמַר רַבִּי פִּנְחָס: אֵין כָּאן עוֹד (תהלים עט, ג) "שָׁפְכוּ דָמָם כַּמַּיִם סְבִיבוֹת יְרוּשָׁלָיִם",

עץ יוסף

אעשה זאת לכם והפקדתי עליכם בהלה. וכתיב לקמיה להפרכם את בריתי, ורלה לומר שהם הפרו בריתו לכן גם הוא יפר בריתו מהם. אך לפי שזה אי אפשר שיובן בהחלט, כי ה' יתברך לא יפר בריתו מעמנו בשום לד כאומר ואף גם זאת בהיותם וגו', לכן אמר רבי פנחס כתיב והמה כאדם עברו ברית, דהיינו שהם חוטאים כדרכם, וה' מרחם כדרכו, ואם כן מה שאמר שגם הוא יפר בריתו היינו כפי הראוי אליו, שיוכיחם שיראה כאילו הפר ברית, אבל לעולם בריתו קיים, ולהכי נמי מייתי דר' אהבה דקאמר שאין התוכחות מתקיימות כפשוטן אלא דרך פשר, והכי נמי אף שרמז שיפר בריתו לא יתקיים זה לגמרי: אשר זמם בצע אמרתו אשר צוה מימי קדם במה שכתוב כו'. כן לריך לומר, ודרש לוה מימי קדם בתורה ויספתי כו' (רד"ל): ויספתי ליסרה. הזכיר פסוק זו, משום דכתיב ביה שבע כחטאתיכם, שאם חס ושלום כן היה עושה כך לא היתה תקומה: כן עשה חס ושלום. וקרא בתמיה קאמר וכי עשה ה' אשר זמם, לא, אלא בלע אמרתו פשרה פשר, לשון מים פושרים, שבלע ושבר אמירתו לחלאין חלי דין וחלי רחמים, כמים פושרים לא קרירים ולא חמימים: בזע פורפריה. פירוש קרע לבוש מלכות שלו שאילו לבש לבוש מלכות שלו היה הטעות גדול עליהם כמי שעבר על לווי המלך, אלא היקל עליהם את הדין, ועיין איכה רבתי (ב, כח) ובפתיחתא רבתי (סימן יט): מייתי לה. להא דאמר לעיל שמעתה קול אלה בסיני כמלך המשביע בסייף, דלהכי כתיב חרב נוקמת נקם ברית, וכמו שאמר הרב אברהם בן עזרא וזה לשונו מכאן שזאת הברית הכרותה בסיני הכתובה בפרשת אלה המשפטים, יום קבלו על נפשם ואמרו נעשה ונשמע, אז נכרתה הברית ואמר להם כל הפרשה הזאת: ונקם שאינו בברית. דמדכתיב נוקמת נקם מרבינן נקמה שאינה בברית, רלה לומר שלא נתפרשה באלות הברית והיינו סמוי עינים דלדקיה שהם כמיתה, ומכל מקום באה לנקום על עון הברית, ולהכי מייתי מדכתיב ביה ובריתי אשר הפר, ואף על גב דכתיב יככה ה' בעורון, היינו על ידי חולי [ו]לא נקור עינים שהוא לער גדול. כן לריך לומר. ועיין בנדרים פרק רבי אליעזר (סה, א) ובאיכה רבתי (ב, יד) פסוק ישבו לארץ: זה ברית של הר סיני. אלא שמר את השבועה, ואף על גב דנשאל עליה, מכל מקום היה חילול ה' דבדבר: ושאר כל הגוף לא לקה. בתמיה: נזכרתי אותו הדם שבסיני. שעל ידו כרת עם ישראל ברית שאינם כופרים זה בזה כדלעיל, ועל ידי שהם שומרים בריתם כמו שאמר לאלהך לא איתנא פלחין נזכר ה' בריתם להגילם: אין כאן עוד כו'. דפירש שלחתי אסיריך מבור אין מים בו וזכו לבית שני, ולפי שיקשה אם כן מאי אין מים בו שגלות נמשל למים כאומרו אזי המים שטפונו, לכן הוצרך לומר שרמז שלא יהיו עוד שופכים דמים כמים:

פירוש מהרז"ו

עשה ה' אשר זמם. ואחר כך אמר בלע אמרתו, שעשה לחלאין דרך פשרה, והם בכמה מקומות, והכריע על פי מדה ט': רב מייתי לה מן הדה. ראיה לדברי רבי ילחק שהשביע אותם בחורב, ועל כן הטועם גם כן חרב נוקמת דם ברית, שהברית בשבועה כנ"ל, כך הבטיח לענשם, אלא שלא קיים לרעה: של הר סיני. שהדור שבימיו עבר על ברית שכרתו בסיני. כמו שכתוב בראשית רבה (מד, ג) בימי ירמיהו בקשו לבא לידי מדה זו עיין שם: וכיון שגלו לבבל. עתה חוזר לדברי רבי ילחק ורבי ברכיה, שהברית והשבועה היה בדם, לרמוז שקבלו מלכות שמים במסירת נפשם על קדושת שמו ועל התורה, ובגלות בבל עשו כן חנניה מישאל ועזריה, ועליהם נאמר (זכריה ט, יא) גם את בדם בריתך שלחתי אסיריך מבור אין מים בו, שבזכותם נגאלו מבבל. ועיין לקמן (יט, ו) באופן אחר:

חידושי הרד"ל

זאת לכם. והפקדתי עליכם בהלה, וכתיב לקמיה [פסוק שלפניו] להפרכם את בריתי: אשר זמם בצע אמרתו אשר צוה מימי קדם במה שכתוב כו'. כן לריך לומר, ודרש לוה מימי קדם בתורה ויספתי כו': תני רבי חייא נקם בברית כו'. בתורת כהנים. ועיין שם שהקרבן אהרן והמפרשים נשמטו מהם במחילת כבוד תורתם דברי המדרש, ודקתו לפרש התורת כהנים: ושאר הגוף לא לקה. בתמיה: נזכרתם אותו הדם כו'. כן לריך לומר, וכן הוא הלשון לקמן סוף פרשה י"ט:

חידושי הרש"ש

כמה שכתוב בתורתו ויספתי ליסרה. ברישא דקרא ואם עד אלה כו'. וכמו שדרשו שם (לג, א) אל תקרי (בהלה) [בֶּהָלָה] אלא בָּאָלָה:

באור מהרי"פ

מתנות כהונה נקם בברית וכו'. דריש נקמה שאינה משום העברת ברית סיני וכו'. ודבריו תמוהים שהרי דריש רבי עזרא ורבי אחא שבריתו אשר הפר זו בריתו, אלא פירושו של נקמה שאינו בברית רלונו לומר שלא נתפרשה באלות הברית, והיינו סמוי עינים דלדקיהו. ומכל מקום באה לנקום על עון הפרת הברית, כדדריש ובריתי אשר הפר זה בריתו של הר סיני, ואף על גב דמלינו בתורה נקמה של סמוי עינים דכתיב (דברים כח, כח) יככה ה' בעורון, היינו על ידי חולי לא נקור עינים שהוא לער גדול מאד:

מסורת המדרש

ג. פתיחתא דאיכה סימן י"א. ואיכה רבתי פ"ב. תנחומא סדר ראה:

אם למקרא

אַף אֲנִי אֶעֱשֶׂה זֹּאת לָכֶם וְהִפְקַדְתִּי עֲלֵיכֶם בֶּהָלָה אֶת הַשַּׁחֶפֶת וְאֶת הַקַּדַּחַת מְכַלּוֹת עֵינַיִם וּמְדִיבֹת נָפֶשׁ וּזְרַעְתֶּם לָרִיק זַרְעֲכֶם וַאֲכָלֻהוּ אֹיְבֵיכֶם: (ויקרא כו:טז)

וְהֵמָּה כְּאָדָם עָבְרוּ בְרִית שָׁם בָּגְדוּ בִי: (הושע ו:ז)

לֹא אֶעֱשֶׂה חֲרוֹן אַפִּי לֹא אָשׁוּב לְשַׁחֵת אֶפְרָיִם כִּי אֵל אָנֹכִי וְלֹא־אִישׁ בְּקִרְבְּךָ קָדוֹשׁ וְלֹא אָבוֹא בְּעִיר: (שם יא:ט)

עָשָׂה ה' אֲשֶׁר זָמָם בִּצַּע אֶמְרָתוֹ אֲשֶׁר צִוָּה מִימֵי־קֶדֶם הָרַס וְלֹא חָמָל וַיְשַׂמַּח עָלַיִךְ אוֹיֵב הֵרִים קֶרֶן צָרָיִךְ: (איכה ב:יז)

וְאִם עַד אֵלֶּה לֹא תִשְׁמְעוּ לִי וְיָסַפְתִּי לְיַסְּרָה אֶתְכֶם שֶׁבַע עַל חַטֹּאתֵיכֶם: (ויקרא כו:יח)

וְהֵבֵאתִי עֲלֵיכֶם חֶרֶב נֹקֶמֶת נְקַם־בְּרִית וְנֶאֱסַפְתֶּם אֶל־עָרֵיכֶם וְשִׁלַּחְתִּי דֶבֶר בְּתוֹכְכֶם וְנִתַּתֶּם בְּיַד־אוֹיֵב: (שם שם כה)

לָכֵן כֹּה אָמַר אֲדֹנָי ה' חַי אָנִי אִם לֹא אָלָתִי אֲשֶׁר בָּזָה וּבְרִיתִי אֲשֶׁר הֵפִיר וּנְתַתִּיו בְּרֹאשׁוֹ: (יחזקאל יז:יט)

עֲנוֹ שַׁדְרַךְ מֵישַׁךְ וַעֲבֵד נְגוֹ וְאָמְרִין לְמַלְכָּא נְבוּכַדְנֶצַּר לָא חַשְׁחִין אֲנַחְנָא עַל דְּנָה פִּתְגָם לַהֲתָבוּתָךְ: הֵן אִיתַי אֱלָהַנָא דִּי אֲנַחְנָא פָלְחִין יָכִל לְשֵׁיזָבוּתַנָא מִן אַתּוּן נוּרָא יָקִדְתָּא וּמִן יְדָךְ מַלְכָּא יְשֵׁיזִב: (דניאל ג:טז-יז)

גַּם־אַתְּ בְּדַם־בְּרִיתֵךְ שִׁלַּחְתִּי אֲסִירַיִךְ מִבּוֹר אֵין מַיִם בּוֹ: (זכריה ט:יא)

שָׁפְכוּ דָמָם כַּמַּיִם סְבִיבוֹת יְרוּשָׁלָםִ וְאֵין קוֹבֵר: (תהלים עט:ג)

מתנות כהונה

מן הדא. מזה הפסוק: אף אני וגו'. ולא עשה כן כדמסיים בשם רבי פנחס: פשרה פשר. פירוש בלע ושיבר אמרתו לחלאין, חלי דין וחלי רחמים, כמים פושרין לא קרירי ולא חמימי: בזע פורפיריה. קרע בגדיו כאבל כביכול, והכי איתא באיכה רבה (ב, כו): נקם ברית כו'. מדכתיב תרתי נוקמת נקם דריש נקמה שאינה משום העברת ברית סיני, וזה סמו עיניו של לדקיה על שעבר שבועה שנשבע לנבוכדנלר: הכי גרסינן לאלהך לא איתנא פלחין אמר כו':

אשד הנחלים

אשר זמם כו' פשר פשרה. ופירושו בלשון תמיה, האם עשה בפועל כפי אשר זמם וחשב לעשות לנו בחטאינו חס ושלום, כי אם ביצע וחילק אמרתו, שהיה דן אותו בשיתוף הרחמים עם הדין, וכמו שפירש המתנות כהונה: בזע פורפירה. הפורפירה הוא הבגד החשוב שעל ידו ניכר שהוא מלך, וזהו כנוי על בית המקדש, שעל ידו היה השגחתו על העולם. ובצע מלשון בציעה וקריעה, אמרתו מלשון אמיר, שהוא התפירה: מייתי לה מן הדא. מביא דרוש על הפרת השבועה, שהכתוב מרמז שבסבת שבועת שקר יחרב הבית: איזהו נקם שאינו בברית כו'. כי נקם הברית, הוא כליה לגמרי חס ושלום, אבל כאן היא נקמה שאינו בברית, ולכן לא הומת כי אם סמיות העינים, הדומה למיתה, לפי שהוא בראשו של אדם והכל נמשכים אחריו, אבל עם כל זה אינו נקם ברית ממש, והראיה שלא הפרו ברית ממש, שהרי כשגלו אמרו לנבוכדנלר שלא יעברו על הברית חס ושלום, ולכן נזכר הברית הזאת, ונפקדו עוד הפעם מהגליות, וזהו גם את בדם בריתך גו'. והענין לפי שלא יתכן חס ושלום שישראל יעברו בריתם, לכפור חס ושלום בה' לגמרי, ואף כי יחטאו לפעמים, עם כל זה העיקר והאמונה האמיתית נשאר בלבם אמונת אומן בלי יזח לעולם: אין מים כו' אין כאן כו'. כלומר שלוחת מבור אין מים בו, כי אם מלא דם אשר נשפך ממך,

אמרי יושר

אף אני אעשה זאת לכם. בחרב נוקמת נקם ברית, כי הברית היה בדם, ועברתם עליו, אף אני אביא חרב. דבר אחר אף על פי שאני אל ולא איש, לא ארחם: פשורי מפשר. ועשה פשרה, היינו בלע הגזרה שאמר בתורתו: ונקם שלא בברית. דייק מריבוי נוקמת נקם, היינו אפילו שלא בברית:

□ [וְהוּא עֵד אוֹ רָאָה אוֹ יָדָע אִם לוֹא יַגִּיד וְנָשָׂא עֲוֹנוֹ — *AND HE IS A WITNESS — EITHER HE SAW OR HE KNEW — IF HE DOES NOT TESTIFY, HE SHALL BEAR HIS INIQUITY.*]

At the beginning of this section, the Midrash expounded our verse as referring to Israel's violation of its covenant with God at Sinai. Having elaborated extensively on the covenant, it now returns to expound the remainder of our verse in the same context: "וְהוּא עֵד", אֵלּוּ יִשְׂרָאֵל — ***And he is a witness*** — **this is** an allusion to **Israel,** which is charged with testifying before the nations of the world regarding God's kingship, as it is stated, "וְאַתֶּם עֵדַי נְאֻם ה׳ וַאֲנִי אֵל" — ***You are My witnesses — the word of HASHEM — and I am God*** (*Isaiah* 43:12).[105] "אוֹ רָאָה", "אַתָּה הָרְאֵתָ לָדַעַת" — ***Either he saw*** — this alludes to that which is stated, ***You have been shown in order to know*** *that Hashem, He is the God!* (*Deuteronomy* 4:35).[106] "אוֹ יָדָע", "וְיָדַעְתָּ הַיּוֹם" — ***Or he knew*** — this alludes to that which is stated, ***You shall know this day*** *and take to your heart that Hashem, He is the God — in heaven above and on the earth below — there is none other* (ibid., v. 39).[107] "אִם לֹא יַגִּיד וְנָשָׂא עֲוֹנוֹ" — ***If he does not testify, he shall bear his iniquity,*** הֲרֵי אִם לֹא תַגִּידוּ אֱלָהוּתִי לְאוּמּוֹת הָעוֹלָם אֲנִי פּוֹרֵעַ מִכֶּם — this means that God said to Israel, **"If you will not relate My Divinity to the nations of the world, I will punish you."** אֵימָתַי — **When** will Israel be held accountable for failing to tell the nations about God's Divinity? "וְכִי יֹאמְרוּ אֲלֵיכֶם דִּרְשׁוּ אֶל הָאֹבוֹת" — ***When they will say to you, "Inquire of the necromancers*** *and the diviners who chirp and snort"* (*Isaiah* 8:19).[108]

NOTES

105. Rather than interpreting *And he is a witness* as a reference to something that has already been witnessed, the Midrash interprets the verse as stating that they took an oath *to be* a witness to the world about the glory of God. That is, *you are My witnesses* to the world that *I am God.* See also above, note 66.

106. The previous verses state: *Has a people ever heard the voice of God speaking from the midst of the fire as you have heard, and survived? Or has any god ever miraculously come to take for himself a nation from amid a nation, with challenges, with signs, and with wonders . . . such as everything that Hashem, your God, did for you in Egypt before your eyes?* (ibid., vv. 33-34).Thus, verse 35 states: *You have been shown* all of God's miraculous powers in Egypt and at Sinai, *to know* — and testify to the world — *that Hashem, He is the God!* (*Eitz Yosef*).

107. The previous verses state, *and He took you out before Himself with His great strength from Egypt; to drive away from before you nations that are greater and mightier than you, to bring you, to give you their land as an inheritance, as this very day* (ibid., vv. 37-38). Thus, based on all that transpired in Egypt and in the Canaanite wars, verse 39 states that *Israel would know this day that Hashem, He is the God* (*Eitz Yosef*).

In sum: The Midrash interprets וְהוּא עֵד אוֹ רָאָה אוֹ יָדָע to mean: *and he is [to serve as] a witness [to God's glory, based] both [on what] he saw and [on what] he came to know* [i.e., via logical deduction] (see ibid. and *Eshed HaNechalim*).

108. When the nations try to entice us to practice idolatry and thus deny that Hashem is the only God, we must speak up and openly declare that there is but one God on earth (see *Maharzu*). According to *Yefeh To'ar* cited below (note 110), this will happen when Israel is sent into exile.

Alternatively, the Midrash's answer, *When they will say to you, etc.,* is to be understood: Your punishment for failing to teach them about God will be that *they* will begin to poison *you* with their attempts to undermine your faith (*Eshed HaNechalim*).

See Insight Ⓐ.

INSIGHTS

Ⓐ **The True Jew** Teaching the world about the existence of God is the mission statement of the Jewish people. *R' Samson Raphael Hirsch*, in the Seventh Letter of his immortal work, *The Nineteen Letters* (Feldheim, Jerusalem 1995), describes this mission in his inimitable fashion:

. . . This people was to receive anew from God's hands all that is needed for human and national existence, but was to use it for one purpose only: fulfillment of the Divine will. God's will was to be revealed to this people, and upon its fulfillment was to depend what the other nations would consider its weal or woe. Thus, by its fate and its way of life, this people was meant to provide an object lesson about God and about man's task, which mankind would otherwise have been taught only indirectly, through its historical experience: "There is One God for all being, Who is their Creator, Lawgiver, Judge, Guide, Keeper, and Father. All creatures are His children and servants, and so too is man; he receives everything from God's hands, and all is meant to be used only for the fulfillment of His will. This alone is sufficient as the base on which to build one's life, and everything granted by God merely serves as the means to carry out this task."

[The Jewish people] was to be a nation which recognized that Hashem is its only *Elokim*: the God Who in love calls upon all humanity to serve Him and Who, through the unfolding development of history, educates [the nation] toward that goal. (*HASHEM*) — He alone was to be accepted by this people as its God (*Elokim*), as the Founder, Guide, and Inspiration of its thoughts, feelings, words, and acts; as the One from Whom it received everything and toward Whom it must strive with all its might. Thus this people came to constitute the cornerstone on which humanity could be reconstructed. Recognition of God and of man's calling found a refuge in this nation and would be taught to all through its fate and its way of life, which were to serve as a manifest example, a warning, a model, an education.

For the sake of this mission, however, Yisrael could not join in the doings of the rest of the nations, in order not to sink down with them to the worship of material possessions and pleasure. It has to remain separate until the day on which all mankind will have absorbed the lessons of its experiences and the example of this nation, and will united turn toward God. Joining with Yisrael at that time, mankind will then acknowledge God as the sole basis for its existence and "as God is One, the recognition of His Name will be one." Then, "the teaching of His Law will go forth from Zion and the Word of God from Jerusalem."

This mission, the *Netziv* (*Haamek Davar* to *Genesis* 17:4) tells us, was entrusted to the Jewish people from the very beginning of our national history, when God spoke to our forefather Abraham at the Covenant between the Parts and told him: אֲנִי אֵל שַׁדַּי הִתְהַלֵּךְ לְפָנַי וֶהְיֵה תָמִים . . . וְהָיִיתָ לְאַב הֲמוֹן גּוֹיִם, *I am El Shaddai; walk before Me and be perfect . . . You shall be a father of a multitude of nations* (*Genesis* 17:1,4). God's choice of Abraham was not in order that all humanity become part of the Jewish people. The Divine will was that all the nations of the world know God and cease worshiping foreign gods. God called Abraham "The father of a multitude of nations" because He wanted a multitude of nations. But He wanted Abraham and his seed to publicize God's monarchy over our world. This was not an easy task at all, and therefore God told Abraham not לֵךְ לְפָנַי, but rather הִתְהַלֵּךְ לְפָנַי (literally, "be walked in front of Me"), the reflexive form הִתְהַלֵּךְ indicating that the spreading of God's Name was to be done with Divine assistance. For without this Divine assistance, it would be an impossible task.

God further charges Abraham וֶהְיֵה תָמִים, *be perfect* — i.e., when the honor of God will be revealed to the entire creation as a result of your efforts, then you will have reached a state of perfection. God tells him, אֲנִי אֵל שַׁדַּי, which our Sages (*Bereishis Rabbah* 46 §3) interpret to mean שֶׁאָמַרְתִּי לְעוֹלָמִי דַּי, *that I told My world: enough*, that God did not create the world without boundaries, for the purpose of any and all pursuits. He said to His world "enough" — He set limits to what would be the proper field of human endeavor: to be aware of His existence and dominion, which alone is the purpose of Creation.

Thus, Isaiah declares in God's Name: כֹּל הַנִּקְרָא בִשְׁמִי וְלִכְבוֹדִי בְּרָאתִיו יְצַרְתִּיו אַף עֲשִׂיתִיו, *Everyone who is called by My Name, and whom I have created for My glory, who I have fashioned, even perfected* (*Isaiah* 43:7). Everything in Creation is there as a means for fostering honor and knowledge of God. And the verse in *Isaiah* states as well: אֲנִי ה׳ קְרָאתִיךָ בְצֶדֶק וְאַחְזֵק בְּיָדֶךָ וְאֶצָּרְךָ וְאֶתֶּנְךָ לִבְרִית עָם לְאוֹר גּוֹיִם, *I am HASHEM. I have called you with righteousness. I will strengthen your hand. I will protect you. I will set you for a covenant to the people, to a light for the nations* (ibid. 42:6). This is the mission of the Jewish people: to spread the knowledge and awareness of God's existence to the entire world (see *Haamek Davar* loc. cit.; see also Insight above on §1, "Living Testimony").

[ה, א] "וְהוּא עֵד" אֵלּוּ יִשְׂרָאֵל, (ישעיה מג, יב) "וְאַתֶּם עֵדַי נְאֻם ה' וַאֲנִי אֵל", [ה, א] "אוֹ רָאָה" (דברים ד, לה) "אַתָּה הָרְאֵתָ לָדַעַת", [ה, א] "אוֹ יָדָע" (דברים שם לט) "וְיָדַעְתָּ הַיּוֹם", [ה, א] "אִם לֹא יַגִּיד וְנָשָׂא עֲוֹנוֹ", אִם לֹא תַגִּידוּ אֱלָהוּתִי לְאוּמּוֹת הָעוֹלָם הֲרֵי אֲנִי פּוֹרֵעַ מִכֶּם, אֵימָתַי (ישעיה ח, יט) "וְכִי יֹאמְרוּ אֲלֵיכֶם דִּרְשׁוּ אֶל הָאָבוֹת":

ו אָמַר רַבִּי סִימוֹן: בְּאֵרִי לֹא נִתְנַבֵּא אֶלָּא שְׁנֵי פְסוּקִים וְלֹא הָיָה בָהֶם כְּדֵי סֵפֶר וְנִטְפְּלוּ בִּישַׁעְיָה, וְאֵלּוּ הֵן: (ישעיה ח, יט) "וְכִי יֹאמְרוּ אֲלֵיכֶם", וַחֲבֵרוֹ, אָמַר רַבִּי יוֹחָנָן: כָּל נָבִיא שֶׁנִּתְפָּרֵשׁ שְׁמוֹ וְנִתְפָּרֵשׁ שֵׁם אָבִיו, נָבִיא וּבֶן נָבִיא, וְכָל נָבִיא שֶׁנִּתְפָּרֵשׁ שְׁמוֹ וְלֹא נִתְפָּרֵשׁ שֵׁם אָבִיו, הוּא נָבִיא וְאָבִיו אֵינוֹ נָבִיא, רַבִּי אֱלִיעֶזֶר בְּשֵׁם רַבִּי יוֹסֵי בֶּן זִמְרָא מַיְיתֵי לָהּ מִן הָדָא: (עזרא ה, א) "וְהִתְנַבִּי... זְכַרְיָה בַר עִדּוֹא נְבִיַּאיָּא", שֶׁהָיָה נָבִיא בֶּן נָבִיא, וְרַבָּנָן אָמְרֵי: בֵּין שֶׁנִּתְפָּרֵשׁ וּבֵין שֶׁלֹּא נִתְפָּרֵשׁ שְׁמוֹ, נָבִיא וּבֶן נָבִיא, שֶׁכֵּן עָמוֹס אָמַר לַאֲמַצְיָה: (עמוס ז, יד) "לֹא נָבִיא אָנֹכִי וְלֹא בֶן נָבִיא", מַה זֶּה נָבִיא וְהוּא אוֹמֵר "לֹא נָבִיא אָנֹכִי", אַף אָבִיו הָיָה נָבִיא וְהוּא אוֹמֵר "וְלֹא בֶן נָבִיא אָנֹכִי", כָּתוּב אֶחָד אוֹמֵר (ישעיהו לז, ב) "יְשַׁעְיָהוּ בֶן אָמוֹץ הַנָּבִיא", וְכָתוּב אֶחָד אוֹמֵר (מלכים־ב יט, ב) "יְשַׁעְיָהוּ הַנָּבִיא בֶּן אָמוֹץ", שֶׁהָיָה נָבִיא בֶּן נָבִיא. (ישעיה ח, יט) "הֲלוֹא עַם אֶל אֱלֹהָיו יִדְרֹשׁ", כָּל אוּמָּה וְלָשׁוֹן תִּסְגּוֹד לֶאֱלָהֶיהָ,

עץ יוסף

או ראה אתה הראת כו'. שפירשו או ראה או ידע בין ראה בין ידע, והכוונה שכאן שיעידו על כבוד ה' בין ממה שראו בעיניהם את כבודו ואת גדלו בסיני, ועל זה מביא אתה הראת לדעת וכו', דכתיב גבי השמע עם קול אלהים וגו', וכתיב שם מן השמים השמיעך את קולו, ובין ממה שידעו מהנסים שעשה להם ביציאת מצרים וירושת ארץ כנען שעל זה נאמר וידעת היום וגו', דכתיב גבי ויוציאך בפניו בכחו הגדול להוריש גוים כו': **אימתי וכי יאמרו אליכם.** רצה לומר כשיאמרו לכם כך להטעותכם תגידו אתם להם אלהותי: **(ו) בארי לא כו'.** לדעת הילקוט הושע (רמז תקטז), וספרי פרשת וזאת הברכה הוא הנזכר בדברי הימים (א' ה, ו) בארה בנו וגו' הוא נשיא לראובני: **בארי לא נתנבא.** וצריך עיון ברש"י מסכת מגילה (יד א, א ד"ה נבואה) שלא חשב שם בארי: **וכי יאמרו אליכם וחברו.** פירוש פסוק וכי יאמרו אליכם, ופסוק השני: **נביא ובן נביא.** ומה שלא נכתבה נבואתם, מפני שלא הוצרך לדורות: **שהיה נביא בן נביא.** שזכריה ידוע לנביא, וגם עדוא ידוע לנביא, כדכתיב בדברי הימים (ב' יב, טו) שמעיה הנביא ועדוא החוזה, ובסדר עולם (פרק כ) שנו שזה היה הנביא אשר קרא על המזבח בבית אל, ולכן כתיב נביאיא לשון רבים דקאי על זכריה ועל עדוא, ואם כן הוא הדין כל נביא שנזכר שמו ושם אביו: **בן אמוץ שהיה נביא בן נביא.** והיינו דכתיב ישעיה בן אמוץ הנביא, דהנביא קאי אאמוץ נמי. אבל קשה הך כמאן אזלא, אי כרבנן, הא קאמרי בין שנתפרש כו', ואי כרבי יוחנן, כל שנתפרש שמו ושם אביו נביא ובן נביא הוא, ואם כן מה צורך לדיוקי לאמוץ מהאי קרא. ויש לומר דהן אמת שלפי כל אחד מהם היה אביו נביא, מכל מקום לא יתוייב שיהיה אביו נביא מפורסם ומוכיח, אבל אמוץ היה נביא מובהק ומפורסם כעין ישעיה בנו, ולזה פירש שם בפירוש שאמוץ נביא הוא, דכתוב אחד אומר כו' וכתוב אחד אומר כו' (כלי פז): **אלו המציצין.** גרסינן, דהיינו לפלוף, כמו לפרים מציצים דלקמן (יח, א), ופירושו שהכתוב קרי לאובות וידעונים לגנאי המלפלפים והמהגים, לומר שהדבור בהם אינו אלא כעופות שמפטפטין בקולן, ויש עופות שמלפלפין דהיינו סוס ועגור, ויש שמנהמין והיינו יונה, ועל זה אמר והמהגים וכדכתיב כסוס עגור כן אצפצף אהגה כיונה: **כל אומה ולשון כו'.** הוא הדבר שאמר תחלה כל אומה תסגוד, שהדרישה היא לבקש ולשחר פנים על ידי סגידה ועבודה ומזכירים בקשת צרכיהם. ומה שהקדים לפרש

פירוש מהרז"ו

אין כאן עוד שפכו. בא לדרוש מה שכתב מבור אין מים בו, למה הזכיר שאין בו מים, ואיזה ברכה יש בזה, שיהיה מדה כנגד מדה, על כן דורש מדת מנגד על פי מדה י"ז, שעל שקיימו ברית סיני בדם, על כן ביטל מהם הגזירה של שפכו דמם כמים, שנגזר על ישראל לכלותם בימי אחשורוש והמן, על שהשתחוו לצלם נבוכדנצר, ועל חנניה מישאל ועזריה כתוב (דניאל ג, כח) ומלת מלכא שניו ויהבו גשמיהון שלא יפלחו להן לאלההון, על שקיימו הברית בדם בטל מהם גזירת דם: **אימתי.** אימתי נתקיים מה שכתוב אם לא יגיד, שמחוייבים להגיד, בעת שרצו לבטל מהם העדות: **(ו) וכי יאמרו עליכם וחבירו.** ופסוק השני הסמוך לו, וסגנון הפסוקים וכי יאמרו עליכם דרשו אל האובות והידעונים וגו' בעד החיים אל המתים, והפסוק השני (ישעיה ח, כ) לתורה ולתעודה וגו' אשר אין לו שחר: **ובין שלא נתפרש שמו.** בין שנתפרש שם אביו, ובין לא נתפרש שם אביו, ותיבת שמו מיותר, וכל זה הובא לכאן לפרש להוכיח שבארי היה נביא, כמו שכתוב (הושע א, א) הושע [בן] בארי שבארי, גם כן היה נביא: **והוא אומר לא נביא.** ופירושו שלא השתדלתי להיות נביא, אלא השם יתברך שלח אותי ובחר בי בלא רצוני, וכן אבי הרי שהיו שניהם נביאים: **ישעיה בן אמוץ הנביא.** שסמך תיבת הנביא אל אמוץ:

מתנות כהונה

והוא עד. חזר לראש שהתחיל לדרוש פסוק נפש כי תחטא וגו', אלא דמפסיק בענין חלוקת הדם ושבועת לדקיה: **[ו] בארי.** נביא היה: **בר עדו נביא.** משמע שגם עדו היה נביא: **מה זה.** עמוס שהיה נביא ואפילו הכי אמר (עמוס ז, יד) לא נביא אנכי כו': **הכי גרסינן מייתי לה מן הדא: הכי גרסינן בן אמוץ הנביא:**

אשד הנחלים

ועתה אין כאן עוד, שלא ישפך עוד כמים: **והוא עד אלו ישראל כו'.** כלומר העדות יוכל להיות, או על ידי ראיה חושית, או על פי ידיעה והכרה שכלית, והנה הנבואה היא כמעט ראיה חושית, במה שראו בעיניהם אמיתת ה', והידיעה הוא הכרה שכלית מלבד הראיה, וכל זה הראם שילמדו תועים בינה וידבקו בה', ואם לאו חס ושלום ונשאו עונם, כי מי שיש בידו להורות לאחרים ואינו מורה, ישא עון זולתו במה שלא הצילו: **אימתי וכי יאמרו כו'.** כלומר שאין עונש גדול מן האמונה הנשחתה, והנה לא די שישראל לא למדום אותם האמונה האמיתית, כי אם להיפך גם כן יאמרו דרשו אל האובות, כי היו נתונים תחתם, ורצו להעבירם מאמונתם, וכדאי עונש בזה ולהלן מבאר עניינו:

[ו] בארי לא נתנבא. מקובל היה בידם זאת פה אל פה, שהמה דברי בארי: **מייתי לה כו' שהיה נביא בן נביא.** לפי הראות משמע שפליג, אחר שהוצרך הכתוב לפרש שהיה אביו נביא, אבל מלשון מייתי לה משמע שסובר כר' יוחנן, ורק הכתוב מגלה על כולם, ולכן לא כתוב הנביא כי אם נביא סתם, להורות שכל מקום שנאמר אביו הוא נביא תמיד: **ושכן עמוס כו'.** פירש הידי משה שהיה אומר על עצמו שלא נביא [אנכי], שלא לחלוק כבוד לעצמו, אבל מדהוצרך לומר ולא בן נביא, מכלל דמסתמא אף שלא נתפרש שם אביו, עם כל זה היה נביא, והוצרך לומר בדרך ענוה לא בן נביא אנכי. ואולי חסר כאן התירוץ על מה שהכחיש שהוא לא נביא:

באור מהרי"פ

[ו] בארי לא נתנבא וכו'. הכי גמירא להו דלא התנבא אלא שתי מקראות הללו: **והתנבי.** (עזרא ה, א) והתנבי חגי נביאה וזכריה בר עדו נביאיא על יהודיא די ביהוד ובירושלם בשם אלה ישראל עליהן. ומדמלינו במקום אחד שנתפרש שם אביו של נביא, והיו שניהם נביאים מדכתיב נביאיא בלשון רבים, שמע מיניה בכל מקום שנתפרש שם אביו של נביא היה נביא בן נביא, דאם לא כן למה נתפרש שם אביו, הלא יש מקומות רבות שלא נתפרש שמו של אביו הנביא, אלא להורות שהוא נביא בן נביא, ומה שלא נכתבה נבואתם מפני שלא הוצרכו לדורות, כמבואר במגילה (יד, א): **כל אומה ולשון תזכור לאלהיה.** בתנחומא סדר אמור (סימן ב) משמע שפירוש הלא עם אל אלהיו ידרוש, שראוי לישראל לדרוש לאלהיו ולא לזולתו, כי איך יניחו חיי העולם וידרשו אל המתים, ואם כן נראה דהכא נמי הכי קאמר, הלא כל אומה ראוי שתזכור אלהיה, ואיך אנו נניח אלהינו חי וקים לעולם ונדרוש אל המתים:

חידושי הרד"ל

[ו] אמר רבי סימון בארי כו'. לקמן פרשה ט"ו (סימן ב): **מן הדא והתנבי חגי נביאה וזכריה בר עדוא נְבִיַּאיָּא** (עזרא ה). כן צריך לומר. ורצה לומר דנביאיא לשון רבים, קאי על זכריה ועל אביו עדוא: **נביא בן נביא המצפצפין אלו המציצין והמהגין כו'.** כן צריך לומר, וכן הוא בילקוט, וכן היה הגירסא לפני המתנות כהונה: **ולשון תסגוד לאלהים.** כן צריך לומר. פירוש תשתחוה:

חידושי הרש"ש

[ו] בארי לא נתנבא כו'. עיין רש"י (מגילה יד, א) שנחסרו לו שני נביאים ממ"ח, ולפלא בעיני שלא זכר את בארי: **והתנבי וגו' זכריה בר עדוא כו'.** כן צריך לומר והוא בעזרא (ה, א): **שהיה נביא בן נביא.** עיין מתנות כהונה. ומלאנו בדברי הימים (ב, יב טו) ועדו החוזה. ושם [פרק] י"ג [פסוק] כ"ב הנביא עדו, ואולי הוא אביו של זכריה. וברש זכריה (א, א) כתוב כי עדו הוא אבי אביו, עיין שם ברד"ק: **כתוב אחד אומר ישעיה בן אמוץ הנביא.** הוא במלכים (ב' כ, א), והפסוק השני הוא שם (יט, ב). מזה נראה סתירה למה שכתב בסופו המפרש (המכונה בשם רש"י) בדברי הימים (א' ה, מא) דיהוצדק לא היה כהן גדול מעולם, ומאי דכתיב יהושע בן יהוצדק הכהן הגדול (חגי א, ב) לא קאי הכהן גדול אלא על יהושע בנו. ונראה לי ראייה מהא דכתיב לחובב בן רעואל המדיני חותן משה (במדבר י, כט) דקאי חותן משה על חובב כמו שפירש רש"י שם, אך יש לדחות דלעולם קאי על רעואל, ומשום דבני בנים הרי הם כבנים, וכן שנאמר ותבאנה אל רעואל אביהן. וכן כתב הש"ך בחו"מ (סימן מט ס"ק יד) בשם הרא"ח בשם תוספות יומא. (ואנכי תמה דאדרבה בתוס' (יומא ט, א) משמע להדיא דיהוצדק היה גם כן כהן גדול עיין מה שכתבתי לקמן בנשא פרשה י' סימן ה' ד"ה ושריה) וכן מבואר להדיא בחזית פסוק קמתי (שיר השירים רבה ה, ד) דיהושע היה כהן גדול בן כהן גדול. אולם בעיקר ראיות המדרש יש לעיין לפי מסקנת הש"ך שם: **שהיה נביא בן נביא.** ומן תיבת הלא כו' עד לאלהים מיותר, וכן בילקוט ליתא:

מסורת המדרש

ד. ילקוט ישעיה:

אם למקרא

אָנֹכִי הִגַּדְתִּי וְהוֹשַׁעְתִּי וְהִשְׁמַעְתִּי וְאֵין בָּכֶם זָר וְאַתֶּם עֵדַי נְאֻם־ה' וַאֲנִי־אֵל: (ישעיה מג:יב)

אַתָּה הָרְאֵתָ לָדַעַת כִּי ה' הוּא הָאֱלֹהִים אֵין עוֹד מִלְּבַדּוֹ: (דברים ד:לה)

וְיָדַעְתָּ הַיּוֹם וַהֲשֵׁבֹתָ אֶל־לְבָבֶךָ כִּי ה' הוּא הָאֱלֹהִים בַּשָּׁמַיִם מִמַּעַל וְעַל־הָאָרֶץ מִתָּחַת אֵין עוֹד: (שם שם לט)

וְכִי יֹאמְרוּ אֲלֵיכֶם דִּרְשׁוּ אֶל־הָאֹבוֹת וְאֶל־הַיִּדְּעֹנִים הַמְצַפְצְפִים וְהַמַּהְגִּים הֲלוֹא־עַם אֶל־אֱלֹהָיו יִדְרֹשׁ בְּעַד הַחַיִּים אֶל־הַמֵּתִים: (ישעיה ח:יט)

וְהִתְנַבִּי חַגַּי נְבִיָּא וּזְכַרְיָה בַר־עִדּוֹא נְבִיַּיָּא עַל־יְהוּדָיֵא דִּי בִיהוּד וּבִירוּשְׁלֶם בְּשֻׁם אֱלָהּ יִשְׂרָאֵל עֲלֵיהוֹן: (עזרא ה:א)

וַיַּעַן עָמוֹס וַיֹּאמֶר אֶל־אֲמַצְיָה לֹא־נָבִיא אָנֹכִי וְלֹא בֶן־נָבִיא אָנֹכִי כִּי־בוֹקֵר אָנֹכִי וּבוֹלֵס שִׁקְמִים: (עמוס ז:יד)

וַיִּשְׁלַח אֶת אֶלְיָקִים אֲשֶׁר עַל הַבַּיִת וְאֵת שֶׁבְנָא הַסּוֹפֵר וְאֵת זִקְנֵי הַכֹּהֲנִים מִתְכַּסִּים בַּשַּׂקִּים אֶל יְשַׁעְיָהוּ בֶן אָמוֹץ הַנָּבִיא: (ישעיה לז:ב)

וַיִּשְׁלַח אֶת־אֶלְיָקִים אֲשֶׁר־עַל־הַבַּיִת וְשֶׁבְנָא הַסֹּפֵר וְאֵת זִקְנֵי הַכֹּהֲנִים מִתְכַּסִּים בַּשַּׂקִּים אֶל־יְשַׁעְיָהוּ הַנָּבִיא בֶּן־אָמוֹץ: (מלכים ב יט:ב)

ידי משה

[ו] שכן עמוס אמר לאמציה וכו' עד מה זה נביא. פירוש עמוס, והוא אומר על עצמו לא נביא אנכי לפי שלא רצה לחלוק כבוד על עצמו, כן היו דבריו מה שאמר ולא בן נביא אני, כי פירושו גם כן שהיה נביא, רק שאמר כן כמו שאמר על עצמו מתוך ענותנותו, ואף על פי שלא נזכר שם אביו, אלא שם והוא לא נתפרש שמו היה נביא ובן נביא:

אמרי יושר

[ו] כל נביא שנתפרש שמו ושם אביו נביא בן נביא. זהו הושע בן בארי, אם כן היה בארי נביא, ולא מצאנו נבואתו אלא זה. והמכרח שיש לרבותינו ז"ל על זה, שהיה לו

§6 Having concluded the previous section with a citation from *Isaiah* (8:19), the Midrash now sets out to expound that entire verse along with the one that follows. Before doing so, however, it identifies the prophet who authored these two verses:[109]

אָמַר רַבִּי סִימוֹן — R' Simone said: בְּאֵרִי לֹא נִתְנַבֵּא אֶלָּא שְׁנֵי פְּסוּקִים — Be'eri, the father of the prophet Hosea, **uttered a prophecy of only two verses, וְלֹא הָיָה בָּהֶם כְּדֵי סֵפֶר — and they were not enough to form their own book** of prophecy, **וְנִטְפְּלוּ בִּישַׁעְיָה — so they were attached to** the Book of ***Isaiah*. וְאֵלּוּ הֵן — And these are the** two **verses: "וְכִי יֹאמְרוּ אֲלֵיכֶם", וַחֲבֵרוֹ — *If they say to you*,** *"Inquire of the necromancers, etc.,"* **and its friend** (i.e., the verse that follows).[110]

The Midrash explains how we know that Be'eri was a prophet in the first place:

אָמַר רַבִּי יוֹחָנָן — R' Yochanan said: כָּל נָבִיא שֶׁנִּתְפָּרֵשׁ שְׁמוֹ וְנִתְפָּרֵשׁ שֵׁם אָבִיו, נָבִיא וּבֶן נָבִיא — Any prophet whose name is mentioned in Scripture **together with the name of his father is a prophet and the son of a prophet.**[111] **וְכָל נָבִיא שֶׁנִּתְפָּרֵשׁ שְׁמוֹ וְלֹא נִתְפָּרֵשׁ שֵׁם אָבִיו, הוּא נָבִיא וְאָבִיו אֵינוֹ נָבִיא — Any prophet whose name is mentioned** throughout Scripture **without mentioning the name of his father,** we may infer that **he is a prophet, but his father is not a prophet.**

The Midrash cites a Scriptural basis for R' Yochanan's contention:

רַבִּי אֱלִיעֶזֶר בְּשֵׁם רַבִּי יוֹסֵי בֶּן זִמְרָא מַיְיתֵי לָהּ מִן הָדָא — R' Eliezer, in the name of R' Yose ben Zimra, derives from the following verse, "וְהִתְנַבִּי . . . זְכַרְיָה בַר עִדּוֹא נְבִיַּאיָּא" — *Haggai the prophet and **Zechariah son of Iddo the prophets prophesied**, etc.* (*Ezra* 5:1), **שֶׁהָיָה נָבִיא בֶּן נָבִיא — that [Zechariah] was a prophet** and **the son of a prophet.**[112]

The Midrash cites an opinion disputing R' Yochanan's contention:

וְרַבָּנָן אָמְרֵי: בֵּין שֶׁנִּתְפָּרֵשׁ וּבֵין שֶׁלֹּא נִתְפָּרֵשׁ שְׁמוֹ, נָבִיא וּבֶן נָבִיא — But the other **Sages say: Whether the name of [a prophet's father] is mentioned** together with that of his son **or whether it is not mentioned,** the son may be **a prophet and the son of a prophet.**[113] **שֶׁכֵּן עָמוֹס אָמַר לַאֲמַצְיָה: "לֹא נָבִיא אָנֹכִי וְלֹא בֶן נָבִיא" — For** we find that the prophet **Amos said to Amaziah, *I am not a prophet, nor am I the son of a prophet*** (*Amos* 7:14). **מַה זֶּה נָבִיא וְהוּא אוֹמֵר, "לֹא נָבִיא אָנֹכִי" — Just as [Amos] was** certainly **a prophet, although he says** about himself, ***"I am not a prophet,"*** **אַף אָבִיו הָיָה נָבִיא וְהוּא אוֹמֵר, "וְלֹא בֶן נָבִיא אָנֹכִי" — so too was his father a prophet, although he says, *nor am I the son of a prophet.***[114]

The Midrash cites further Scriptural basis for R' Yochanan's contention:[115]

כָּתוּב אֶחָד אוֹמֵר, "יְשַׁעְיָהוּ בֶן אָמוֹץ הַנָּבִיא" — One verse states, *Isaiah son of Amoz the prophet* (*Isaiah* 37:2[116]), **וְכָתוּב אֶחָד אוֹמֵר "יְשַׁעְיָהוּ הַנָּבִיא בֶּן אָמוֹץ" — and another verse states, *Isaiah the prophet, the son of Amoz*** (*II Kings* 19:2). **שֶׁהָיָה נָבִיא בֶּן נָבִיא** — This indicates **that [Isaiah] was a prophet** and **the son of a prophet.**[117]

NOTES

109. See, however, *Yefeh To'ar*, cited in the next note.

110. [The two verses are cited in their entirety in our text below, following note 117.] According to *Eshed HaNechalim*, it is from a received Tradition that the Sages knew that these two verses are from Be'eri rather than Isaiah. See, however, *Imrei Yosher*.

Yefeh To'ar presents an approach to our Midrash that provides a more direct reason for why R' Simone's teaching is presented here: According to the Midrash at the conclusion of the preceding section, *Isaiah* 8:19-20 describes how Israel must respond when the other nations try to persuade it to worship their idols. However, it seems difficult to understand how this is related to the rest of the *Isaiah* chapter, which is primarily addressed to the rebellious Israelites who sought to rebel against King Hezekiah and make a pact with Sennacherib, king of Assyria (see *Sanhedrin* 26a). *Yefeh To'ar* explains: Be'eri was among the Israelites of the Ten Tribes who were exiled by Assyria (see *I Chronicles* 5:6). [Indeed, verse 4 in the *Isaiah* passage is a prophecy that the Ten Tribes would fall to Assyria.] And as *Rashi* to *Isaiah* 8:19 writes, Be'eri's prophecy constituted his instructions to his fellow Israelites how they were to respond to the idolaters in the lands of the Assyrian exile who tell them to abandon God and worship idols. (As the verse goes on to say, their answer is to be: *"Should not a people inquire of their own God? [Should we inquire] of the dead for the living?!" Etc.*) R' Simone's teaching is thus connected to the end of the preceding section (see note 108).

111. Given that a prophet is a highly distinguished individual, Scripture would not have bothered to mention the fact that he is the son of So-and-so unless the father was also a distinguished prophet (*Maharsha* to *Megillah* 15a). However, the father's prophecy was not recorded in Scripture because only those prophecies that are relevant for future generations were recorded (*Eitz Yosef,* based on *Megillah* 14a). Accordingly, by referring to the prophet Hosea as *Hosea son of Be'eri* (*Hosea* 1:1), Scripture indicates that Beeri was also a prophet (*Imrei Yosher*).

112. The plural term *prophets* clearly implies that both Zechariah and Iddo were prophets (*Radal, Eitz Yosef*). And just as in this instance Scripture provides the name of the prophet's father and specifies that he too was a prophet, so too *wherever* Scripture mentions the name of a prophet's father, it is to indicate that he too was a prophet (*Eitz Yosef*) — for otherwise, why would Scripture mention the father's name only in those few instances? (*Beur Maharif*).

113. The Sages seems to state that every prophet was also the son of a prophet, irrespective of whether or not his father's name is mentioned. However, noting that at least several of the forty-eight prophets could not have been the sons of prophets, *Yefeh To'ar* concludes that the Sages must merely mean that all the Scriptural prophets *may* be the sons of prophets as well.

114. By stating, *"I am not a prophet,"* Amos merely meant to say that he never *sought* to become a prophet and was chosen by God against his will. Similarly, in stating, *"nor am I the son of a prophet,"* he meant to say that his father also did not *seek* to be a prophet and was chosen by God against his will (*Maharzu*). Thus, it emerges from analysis of Amos' statement that his father was also a prophet, even though Scripture never records his father's name together with his own. Likewise, any other prophet may also be the son of a prophet even if his father's name is never mentioned together with his.

115. *Yefeh To'ar* (see, however, note 117).

The need for this additional Scriptural basis is due to a difficulty with the one attributed to R' Yose. For according to *Zechariah* 1:1, Iddo was Zechariah's *grandfather*, not his *father*; and the reference to Zechariah as Iddo's *son* in *Ezra* 5:1 must accordingly be one of the instances in which Scripture refers to a grandson as a son. Thus, while we may reasonably infer from the verse in *Ezra* that Iddo's name is mentioned because he too was a prophet — since there is no other apparent reason for Scripture to mention the name of a prophet's grandfather — we cannot apply this rule to all those instances in which a prophet's *father* is mentioned (ibid.).

116. This phrase appears in six places in Scripture. We have cited its source as *Isaiah* 37:2 because that verse is *completely identical* to *II Kings* 19:2 except for the placement of the word *prophet*. This difference between the two verses thus assumes greater significance. Cf. *Rashash*.

117. Taken on its own, *Isaiah son of Amoz the prophet* would be understood to mean that *Isaiah* was the prophet, not *Amoz*. However, by changing the word order in the latter verse and placing *the prophet* immediately after Isaiah's name and before that of Amoz, Scripture indicates that in its alternate form, where *the prophet* follows both Isaiah and Amoz, it actually refers to both of them. Consequently, whenever Scripture cites the names of a prophet and his father, the father is also a prophet, as in the case of *Isaiah son of Amoz the prophet* (*Yefeh To'ar*).

We have explained the current segment of the Midrash as coming to provide a further Scriptural basis for R' Yochanan's view. However, *Eitz Yosef* (citing *Kli Paz*) understands it differently — perhaps because if this were its purpose, it would have been placed immediately following the first Scriptural basis for R' Yochanan's view, not after the statement

[ה, א] "וְהוּא עֵד" אֵלּוּ יִשְׂרָאֵל, (ישעיה מג, יב) "וְאַתֶּם עֵדַי נְאֻם ה' וַאֲנִי אֵל", [ה, א] "אוֹ רָאָה" (דברים ד, לה) "אַתָּה הָרְאֵתָ לָדַעַת", [ה, א] "אוֹ יָדָע" (דברים שם לט) "וְיָדַעְתָּ הַיּוֹם", [ה, א] "אִם לֹא יַגִּיד וְנָשָׂא עֲוֹנוֹ", אִם לֹא תַגִּידוּ אֱלָהוּתִי לְאוּמּוֹת הָעוֹלָם הֲרֵי אֲנִי פּוֹרֵעַ מִכֶּם, אֵימָתַי (ישעיה ח, יט) "וְכִי יֹאמְרוּ אֲלֵיכֶם דִּרְשׁוּ אֶל הָאֹבוֹת":

ו אָמַר רַבִּי סִימוֹן: בְּאֵרִי לֹא נִתְנַבֵּא אֶלָּא שְׁנֵי פְסוּקִים וְלֹא הָיָה בָהֶם כְּדֵי סֵפֶר וְנִטְפְּלוּ בִּישַׁעְיָה, וְאֵלּוּ הֵן: (ישעיה ח, יט) "וְכִי יֹאמְרוּ אֲלֵיכֶם", וַחֲבֵרוֹ, אָמַר רַבִּי יוֹחָנָן: כָּל נָבִיא שֶׁנִּתְפָּרֵשׁ שְׁמוֹ וְנִתְפָּרֵשׁ שֵׁם אָבִיו, נָבִיא וּבֶן נָבִיא, וְכָל נָבִיא שֶׁנִּתְפָּרֵשׁ שְׁמוֹ וְלֹא נִתְפָּרֵשׁ שֵׁם אָבִיו, הוּא נָבִיא וְאָבִיו אֵינוֹ נָבִיא, רַבִּי אֱלִיעֶזֶר בְּשֵׁם רַבִּי יוֹסֵי בֶּן זִמְרָא מַיְיתֵי לָהּ מִן הָדָא: (עזרא ה, א) "וְהִתְנַבִּי ... זְכַרְיָה בַר עִדּוֹא נְבִיַּאיָּא", שֶׁהָיָה נָבִיא בֶּן נָבִיא, וְרַבָּנָן אָמְרֵי: בֵּין שֶׁנִּתְפָּרֵשׁ וּבֵין שֶׁלֹּא נִתְפָּרֵשׁ שְׁמוֹ, נָבִיא וּבֶן נָבִיא, שֶׁכֵּן עָמוֹס אָמַר לַאֲמַצְיָה: (עמוס ז, יד) "לֹא נָבִיא אָנֹכִי וְלֹא בֶן נָבִיא", מַה זֶּה נָבִיא וְהוּא אוֹמֵר "לֹא נָבִיא אָנֹכִי", אַף אָבִיו הָיָה נָבִיא וְהוּא אוֹמֵר "וְלֹא בֶן נָבִיא אָנֹכִי", כָּתוּב אֶחָד אוֹמֵר (ישעיהו לז, ב) "יְשַׁעְיָהוּ בֶן אָמוֹץ הַנָּבִיא", וְכָתוּב אֶחָד אוֹמֵר (מלכים-ב יט, ב) "יְשַׁעְיָהוּ הַנָּבִיא בֶּן אָמוֹץ", שֶׁהָיָה נָבִיא בֶּן נָבִיא. (ישעיה ח, יט) "הֲלוֹא עַם אֶל אֱלֹהָיו יִדְרֹשׁ", כָּל אוּמָּה וְלָשׁוֹן תִּסְגּוֹד לֵאלָהֵיהָ,

עץ יוסף

או ראה אתה הראת כו'. שפירשו או ראה או ידע בין ראה בין ידע, והכוונה שכאן שיעידו על כבוד ה' בין ממה שראו בעיניהם את כבודו ואת גדלו בסיני, ועל זה מביא אתה הראת לדעת וכו', דכתיב גבי השמע עם קול אלהים וגו', וכתיב שם מן השמים השמיעך את קולו, ובין ממה שידעו מהנסים שעשה להם ביציאת מצרים וירושת ארץ כנען שעל זה נאמר וידעת היום וגו', דכתיב גבי ויוציאך בפניו בכחו הגדול להוריש גוים וגו': **אימתי וכי יאמרו אליכם.** רצה לומר כשיאמרו לכם כך להטעותכם תגידו אתם להם אלהותי: **(ו) בארי לא כו'.** לדעת הילקוט הושע (רמז תקטז), וספרי פרשת וזאת הברכה הוא הנזכר בדברי הימים (א' ה, ו) בארה בנו וגו' הוא נשיא לראובני: **בארי לא נתנבא.** וצריך עיון ברש"י מסכת מגילה (יד א, ד"ה נבואה) שלא חשב שם בארי: **וכי יאמרו אליכם וחברו.** פירוש פסוק וכי יאמרו אליכם, ופסוק השני: **נביא ובן נביא.** ומה שלא נכתבה נבואתם, מפני שלא הוצרך לדורות: **שהיה נביא בן נביא.** שזכריה ידוע לנביא, וגם עדוא ידוע לנביא, כדכתיב בדברי הימים (ב' יב, טו) שמעיה הנביא ועדוא החוזה, ובסדר עולם (פרק כ) שנו שזה היה הנביא אשר קרא על המזבח בבית אל, ולכן כתיב נביאיא לשון רבים דקאי על זכריה ועל עדוא, ואם כן הוא הדין כל נביא שנזכר שמו ושם אביו: **בן אמוץ שהיה נביא בן נביא.** והיינו דכתיב ישעיה בן אמוץ הנביא, דהנביא קאי אאמוץ נמי. אבל קשה הך כמאן אזלא, אי כרבנן, הא קאמרי בין שנתפרש כו', ואי כרבי יוחנן, כל שנתפרש שמו ושם אביו נביא ובן נביא הוא, ואם כן מה צורך לדיוקי לאמוץ מהאי קרא. ויש לומר דהן אמת שלפי כל אחד מהם היה אביו נביא, מכל מקום לא יחוייב שיהיה אביו נביא מפורסם ומוכיח, אבל אמוץ היה נביא מובהק ומפורסם כעין ישעיה בנו, ולזה פירש שם בפירוש שאמוץ נביא הוא, דכתוב אחד אומר כו' וכתוב אחד אומר כו' (כלי פז): **אלו המציצין.** גרסינן, דהיינו לפלוף, כמו לפרים מציצים דלקמן (יח, א), ופירושו שהכתוב קרי לאובות וידעונים לגנאי המלפלפים והמהגים, לומר שהדבור בהם אינו אלא כעופות שמפטפטין בקולן, ויש עופות שמלפלפין דהיינו סוס ועגור, ויש שמנהמין והיינו יונה, ועל זה אמר והמהגים וכדכתיב כסוס עגור כן אלפלף אהגה כיונה: **כל אומה ולשון כו'.** הוא הדבר שאמר תחלה כל אומה תסגוד, שהדרישה היא לבקש ולשחר פנים על ידי סגידה ועבודה ומזכירים בקשת צרכיהם. ומה שהקדים לפרש

פירוש מהרז"ו

אין כאן עוד שפכו. בא לדרוש מה שכתב מבור אין מים בו, למה הזכיר שאין בו מים, ואיזה ברכה יש בזה, שיהיה מדה כנגד מדה, על כן דורש מדת מנגד על פי מדה י"ז, שעל שקיימו ברית סיני בדם, על כן ביטל מהם הגזירה של שפכו דמם כמים, שנגזר על ישראל לכלותם בימי אחשורוש והמן, על שהשתחוו לצלם נבוכדנצר, ועל חנניה מישאל ועזריה כתוב (דניאל ג, כח) ומלת מלכא שניו ויהבו גשמיהון שלא יפלחו לכל אלה להון, על שקיימו הברית בדם בטל מהם גזירת דם: **אימתי.** אימתי נתקיים מה שכתוב אם לא יגיד, שמחוייבים להגיד, בעת שרצו לבטל מהם העדות: **(ו) וכי יאמרו אליכם וחבירו.** ופסוק השני הסמוך לו, וסגנון הפסוקים וכי יאמרו עליכם דרשו אל האובות והידעונים וגו' בעד החיים אל המתים, והפסוק השני (ישעיה ח, כ) לתורה ולתעודה וגו' אשר אין לו שחר: **ובין שלא נתפרש שמו.** בין שנתפרש שם אביו, ובין לא נתפרש שם אביו, ותיבת שמו מיותר, וכל זה הובא לכאן לפרש להוכיח שבארי היה נביא, כמו שכתוב (הושע א, א) הושע [בן] בארי שבארי, גם כן היה נביא: **והוא אומר לא נביא.** ופירושו שלא השתדלתי להיות נביא, אלא השם יתברך שלח אותי ובחר בי בלא רצוני, וכן אבי הרי שהיו שניהם נביאים: **ישעיה בן אמוץ הנביא.** שסמך תיבת הנביא אל אמוץ:

מתנות כהונה

והוא עד. חזר לראש שהתחיל לדרוש פסוק נפש כי תחטא וגו', אלא דמפסיק בענין חלוקת הדם ושבועת לדקיה: **[ו] בארי.** נביא היה: **בר עדו נביא.** משמע שגם עדו היה נביא: **מה זה.** עמוס שהיה נביא ואפילו הכי אמר (עמוס ז, יד) לא נביא אנכי כו': **הכי גרסינן מייתי לה מן הדא: הכי גרסינן בן אמוץ הנביא:**

אשד הנחלים

ועתה אין כאן עוד, שלא ישפך עוד כמים: **והוא עד אלו ישראל כו'.** כלומר העדות יוכל להיות, או על ידי ראיה חושית, או על פי ידיעה והכרה שכלית, והנה הנבואה היא כמעט ראיה חושית, במה שראו בעיניהם אמיתת ה', והידיעה הוא הכרה שכלית מלבד הראיה, וכל זה הראם שילמדו תועים בינה וידבקו בה', ואם לאו חס ושלום ונשאו עונם, כי מי שיש בידו להורות לאחרים ואינו מורה, ישא עון זולתו במה שלא הצילו: **אימתי וכי יאמרו כו'.** כלומר שאין עונש גדול מן האמונה הנשחתה, והנה לא די שישראל לא למדום אותם האמונה האמיתית, כי אם להיפך גם כן יאמרו דרשו אל האובות, כי היו נתונים תחתם, ורצו להעבירם מאמונתם, וכדאי עונש בזה ולהלן מבאר ענייננו:

[ו] בארי לא נתנבא. מקובל היה בידם זאת פה אל פה, שהמה דברי בארי: **מייתי לה כו' שהיה נביא בן נביא.** לפי הראות משמע שפליג, אחר שהוצרך הכתוב לפרש שהיה אביו נביא, אבל מלשון מייתי לה משמע שסובר כר' יוחנן, ורק הכתוב מגלה על כולם, ולכן לא כתוב הנביא כי אם נביא סתם, להורות שכל מקום שנאמר אביו הוא נביא תמיד: **ושכן עמוס בו'.** פירש הידי משה שהיה אומר על עצמו שלא נביא [אנכי], שלא לחלוק כבוד לעצמו, אבל מדהוצרך לומר ולא בן נביא, מכלל דמסתמא אף שלא נתפרש שם אביו, עם כל זה היה נביא, והוצרך לומר בדרך ענוה לא בן נביא אנכי. ואולי חסר כאן התירוץ על מה שהכחיש שהוא לא נביא:

באור מהרי"פ

[ו] בארי לא נתנבא וכו'. הכי גמירא להו דלא התנבא אלא שתי מקראות הללו: **והתנבי.** (עזרא ה, א) והתנבי חגי נביאה וזכריה בר עדו נביאיא על יהודיא די ביהוד ובירושלם בשם אלה ישראל עליהן. ומדמלינו במקום אחד שנתפרש שם אביו של נביא, והיו שניהם נביאים מדכתיב נביאיא בלשון רבים, שמע מיניה בכל מקום שנתפרש שם אביו של נביא היה נביא בן נביא, דאם לא כן למה נתפרש שם אביו, הלא יש מקומות רבות שלא נתפרש שמו של אביו הנביא, אלא להורות שהוא נביא בן נביא, ומה שלא נכתבה נבואתם מפני שלא הוצרכו לדורות, כמבואר במגילה (יד, א): **כל אומה ולשון תזכור לאלהיה.** בתנחומא סדר אמור (סימן ב) משמע שפירוש הלא עם אל אלהיו ידרוש, שראוי לישראל לדרוש לאלהיו ולא לזולתו, כי איך יניחו חיי העולם וידרשו אל המתים, ואם כן נראה דהכא נמי הכי קאמר, הלא כל אומה ראוי שתזכור אלהיה, ואיך אנו נניח אלהינו חי וקים לעולם ונדרוש אל המתים:

חידושי הרד"ל

[ו] אמר רבי סימון בארי כו'. לקמן פרשה ט"ו (סימן ב): **מן הדא והתנבי חגי נביאה וזכריה בר עדוא נְבִיַּאיָּא** (עזרא ה). כן צריך לומר. ורצה לומר דנביאיא לשון רבים, קאי על זכריה ועל אביו עדוא: **נביא בן נביא המצפצפין אלו המציצין והמהגין כו'.** כן צריך לומר, וכן הוא בילקוט, וכן היה הגירסא לפני המתנות כהונה: **ולשון תסגוד לאלהים.** כן צריך לומר. פירוש תשתחוה:

חידושי הרש"ש

[ו] בארי לא נתנבא כו'. עיין רש"י (מגילה יד, א) שנחסרו לו שני נביאים ממ"ח, ולפלא בעיני שלא זכר את בארי: **והתנבי וגו' זכריה בר עדוא כו'.** כן צריך לומר והוא בעזרא (ה, א): **שהיה נביא בן נביא.** עיין מתנות כהונה. ומצאתו בדברי הימים (ב, יב טו) ועדו החוזה. ושם [פרק] י"ג [פסוק] כ"ב הנביא עדו, ואולי הוא אביו של זכריה. וברש זכריה (א, א) כתוב כי עדו הוא אבי אביו, עיין שם ברד"ק: **כתוב אחד אומר ישעיה בן אמוץ הנביא.** הוא במלכים (ב' כ, א), והפסוק השני הוא שם (יט, ב). מזה נראה סתירה למה שכתב בסופו המפרש (המכונה בשם רש"י) בדברי הימים (א' ה, מא) דיהוצדק לא היה כהן גדול מעולם, ומאי דכתיב יהושע בן יהוצדק הכהן הגדול (חגי א, ב) לא קאי הכהן גדול אלא על יהושע בנו. ונראה לי ראייה מהא דכתיב לחובב בן רעואל המדיני חותן משה (במדבר י, כט) דקאי חותן משה על חובב כמו שפירש רש"י שם, אך יש לדחות דלעולם קאי על רעואל, ומשום דבני בנים הרי הם כבנים, וכן שנאמר ותבאנה אל רעואל אביהן. וכן כתב הש"ך בחו"מ (סימן מט ס"ק יד) בשם הרא"נ"ח בשם תוספות יומא. (ואנכי תמה דאדרבה בתוס' (יומא ט, א) משמע להדיא דיהוצדק היה גם כן כהן גדול עיין מה שכתבתי לקמן בנשא פרשה י' סימן ה' ד"ה ושריה) וכן מבואר להדיא בחזית פסוק קמתי (שיר השירים רבה ה, ד) דיהושע היה כהן גדול בן כהן גדול. אולם בעיקר ראיות המדרש יש לעיין לפי מסקנת הש"ך שם: **שהיה נביא בן נביא.** ומן תיבת הלא כו' עד לאלהים מיותר, וכן בילקוט ליתא:

מסורת המדרש

ד. ילקוט ישעיה:

אם למקרא

אָנֹכִי הִגַּדְתִּי וְהוֹשַׁעְתִּי וְהִשְׁמַעְתִּי וְאֵין בָּכֶם זָר וְאַתֶּם עֵדַי נְאֻם־ה' וַאֲנִי־אֵל: (ישעיה מג:יב)

אַתָּה הָרְאֵתָ לָדַעַת כִּי ה' הוּא הָאֱלֹהִים אֵין עוֹד מִלְּבַדּוֹ: (דברים ד:לה)

וְיָדַעְתָּ הַיּוֹם וַהֲשֵׁבֹתָ אֶל־לְבָבֶךָ כִּי ה' הוּא הָאֱלֹהִים בַּשָּׁמַיִם מִמַּעַל וְעַל־הָאָרֶץ מִתָּחַת אֵין עוֹד: (שם שם לט)

וְכִי יֹאמְרוּ אֲלֵיכֶם דִּרְשׁוּ אֶל הָאֹבוֹת וְאֶל הַיִּדְּעֹנִים הַמְצַפְצְפִים וְהַמַּהְגִּים הֲלוֹא עַם אֶל אֱלֹהָיו יִדְרֹשׁ בְּעַד הַחַיִּים אֶל הַמֵּתִים: (ישעיה ח:יט)

וְהִתְנַבִּי חַגַּי נְבִיָּא וּזְכַרְיָה בַר עִדּוֹא נְבִיַּאיָּא עַל יְהוּדָיֵא דִּי בִיהוּד וּבִירוּשְׁלֶם בְּשֻׁם אֱלָהּ יִשְׂרָאֵל עֲלֵיהוֹן: (עזרא ה:א)

וַיַּעַן עָמוֹס וַיֹּאמֶר אֶל אֲמַצְיָה לֹא נָבִיא אָנֹכִי וְלֹא בֶן נָבִיא אָנֹכִי כִּי־בוֹקֵר אָנֹכִי וּבוֹלֵס שִׁקְמִים: (עמוס ז:יד)

וַיִּשְׁלַח אֶת אֶלְיָקִים אֲשֶׁר עַל הַבַּיִת וְאֵת שֶׁבְנָא הַסֹּפֵר וְאֵת זִקְנֵי הַכֹּהֲנִים מִתְכַּסִּים בַּשַּׂקִּים אֶל יְשַׁעְיָהוּ בֶן אָמוֹץ הַנָּבִיא: (ישעיה לז:ב)

וַיִּשְׁלַח אֶת־אֶלְיָקִים אֲשֶׁר־עַל־הַבַּיִת וְשֶׁבְנָא הַסֹּפֵר וְאֵת זִקְנֵי הַכֹּהֲנִים מִתְכַּסִּים בַּשַּׂקִּים אֶל־יְשַׁעְיָהוּ הַנָּבִיא בֶּן־אָמוֹץ: (מלכים ב יט:ב)

ידי משה

[ו] שכן עמוס אמר לאמציה וכו' עד מה זה נביא. פירוש עמוס, והוא אומר על עצמו לא נביא אנכי לפי שלא רצה לחלוק כבוד על עצמו, כן היו דבריו מה שאמר ולא בן נביא אני, כי פירושו גם כן שהיה נביא, רק שאמר כן כמו שאמר על עצמו מתוך ענותנותו, ואף על פי שלא נזכר שם אביו, אלא בין נתפרש שמו ובין לא נתפרש שמו היה נביא ובן נביא:

אמרי יושר

[ו] כל נביא שנתפרש שמו ושם אביו נביא בן נביא. זהו הושע בן בארי, אם כן בארי נביא, ולא מצאנו נבואה לו אלא זה. והכרח שיש לרבותינו ז"ל על זה, שהיה לו

The Midrash now returns to the verses prophesied by Beeri, which state: *If people say to you, "Inquire of the necromancers and the diviners who chirp and moan," [respond:] "Should not a people inquire of their own God? [Should we inquire] of the dead for the living?!" By the Torah and the teaching, if they will not make this statement, that has no light of dawn* (*Isaiah* 8:19-20). The Midrash begins to expound these verses: **"הֲלוֹא עַם אֶל אֱלֹהָיו יִדְרֹשׁ"** — The verse states, ***"Should not a people inquire of their own God?"*** **כָּל אוּמָּה וְלָשׁוֹן תִּסְגּוֹד לֶאֱלֹהֶיהָ** — This means: **Each nation and nationality should prostrate itself before its** respective **God.**[118]

NOTES

of the Sages who disagree with R' Yochanan. The Midrash is not coming to support either view; both R' Yochanan and the Sages agree that Amoz was also a prophet. However, by specifying Isaiah as the prophet in one verse (*Isaiah the prophet, the son of Amoz*), and Amoz as the prophet in another (*Isaiah son of Amoz the prophet*), Scripture indicates that Amoz, like Isaiah, was not merely a prophet, but a *prominent* one, who regularly rebuked the people. Thus, the Midrash's concluding sentence is to be understood: This indicates that [Isaiah] was a *major* prophet and the son of a *major* prophet.

118. *Rashash* deletes these opening sentences (from the word הֲלוֹא until the word לֶאֱלֹהֶיהָ), arguing that they are extraneous, for the Midrash shortly says the same thing again. [In addition, the very next line of the Midrash explains the meaning of words that appear *earlier* in the verse (הַמְצַפְצְפִים וְהַמַּהְגִּים).] For an explanation of our version, see *Yefeh To'ar.*

Yefeh To'ar, however, explains that the Midrash wishes to begin by clarifying that the words *"Should not a people inquire of their own God?"* are Israel's negative response to the nations' request that they practice idolatry. (For according to its plain reading, the entire verse would be translated as the words of the nations, as follows: *If people say to you, "Inquire of the necromancers and the diviners, who state and declare* [הַמְצַפְצְפִים וְהַמַּהְגִּים], *'Should not a people inquire of their god* [i.e., the god of the nations]?' ") It thus makes it clear that the preceding words הַמְצַפְצְפִים וְהַמַּהְגִּים are Israel's derogatory descriptions of the necromancers and diviners that they are requested to follow. The Midrash then continues expounding the rest of the verse in its regular order.

[ה, א] "וְהוּא עֵד" אֵלּוּ יִשְׂרָאֵל, (ישעיה מג, יב) "וְאַתֶּם עֵדַי נְאֻם ה' וַאֲנִי אֵל", [ה, א] "אוֹ רָאָה" (דברים ד, לה) "אַתָּה הָרְאֵתָ לָדַעַת", [ה, א] "אוֹ יָדָע" (דברים שם לט) "וְיָדַעְתָּ הַיּוֹם", [ה, א] "אִם לֹא יַגִּיד וְנָשָׂא עֲוֹנוֹ", אִם לֹא תַגִּידוּ אֱלָהוּתִי לְאוּמּוֹת הָעוֹלָם הֲרֵי אֲנִי פּוֹרֵעַ מִכֶּם, אֵימָתַי (ישעיה ח, יט) "וְכִי יֹאמְרוּ אֲלֵיכֶם דִּרְשׁוּ אֶל הָאֹבוֹת":

ו אָמַר רַבִּי סִימוֹן: בְּאֵרִי לֹא נִתְנַבֵּא אֶלָּא שְׁנֵי פְסוּקִים וְלֹא הָיָה בָהֶם כְּדֵי סֵפֶר וְנִטְפְּלוּ בִּישַׁעְיָה, וְאֵלּוּ הֵן: (ישעיה ח, יט) "וְכִי יֹאמְרוּ אֲלֵיכֶם", וַחֲבֵרוֹ, אָמַר רַבִּי יוֹחָנָן: כָּל נָבִיא שֶׁנִּתְפָּרֵשׁ שְׁמוֹ וְנִתְפָּרֵשׁ שֵׁם אָבִיו, נָבִיא וּבֶן נָבִיא, וְכָל נָבִיא שֶׁנִּתְפָּרֵשׁ שְׁמוֹ וְלֹא נִתְפָּרֵשׁ שֵׁם אָבִיו, הוּא נָבִיא וְאָבִיו אֵינוֹ נָבִיא, רַבִּי אֱלִיעֶזֶר בְּשֵׁם רַבִּי יוֹסֵי בֶּן זִמְרָא מַיְיתֵי לָהּ מִן הָדָא: (עזרא ה, א) "וְהִתְנַבִּי ... זְכַרְיָה בַר עִדּוֹא נְבִיַּאיָּא", שֶׁהָיָה נָבִיא בֶּן נָבִיא, וְרַבָּנָן אָמְרֵי: בֵּין שֶׁנִּתְפָּרֵשׁ וּבֵין שֶׁלֹּא נִתְפָּרֵשׁ שְׁמוֹ, נָבִיא וּבֶן נָבִיא, שֶׁכֵּן עָמוֹס אָמַר לַאֲמַצְיָה: (עמוס ז, יד) "לֹא נָבִיא אָנֹכִי וְלֹא בֶן נָבִיא", מַה זֶּה נָבִיא וְהוּא אוֹמֵר "לֹא נָבִיא אָנֹכִי", אַף אָבִיו הָיָה נָבִיא וְהוּא אוֹמֵר "וְלֹא בֶן נָבִיא אָנֹכִי", כָּתוּב אֶחָד אוֹמֵר (ישעיהו לז, ב) "יְשַׁעְיָהוּ בֶן אָמוֹץ הַנָּבִיא", וְכָתוּב אֶחָד אוֹמֵר (מלכים-ב יט, ב) "יְשַׁעְיָהוּ הַנָּבִיא בֶּן אָמוֹץ", שֶׁהָיָה נָבִיא בֶּן נָבִיא. (ישעיה ח, יט) "הֲלוֹא עַם אֶל אֱלֹהָיו יִדְרֹשׁ", כָּל אוּמָּה וְלָשׁוֹן תִּסְגּוֹד לֶאֱלָהֶיהָ,

עץ יוסף

או ראה אתה הראת כו'. שפירשו או ראה או ידע בין ראה בין ידע, והכוונה בכלן שיעידו על כבוד ה' בין ממה שראו בעיניהם את כבודו ואת גדלו בסיני, ועל זה מביא אתה הראת לדעת וכו', דכתיב גבי השמע עם קול אלהים וגו', וכתיב שם מן השמים השמיעך את קולו, ובין ממה שידעו מהנסים שעשה להם ביציאת מצרים וירושת ארץ כנען שעל זה נאמר וידעת היום וגו', דכתיב גבי ויוציאך בפניו בכחו הגדול להוריש גוים כו': **אימתי וכי יאמרו אליכם.** רצה לומר כשיאמרו להם כך להטעותם תגידו אתם להם אלהותי: **[ו] בארי לא כו'.** לדעת הילקוט הושע (רמז תקכז), וספרי פרשת וזאת הברכה הוא הנזכר בדברי הימים (א' ה, ו) בארה בנו וגו' הוא נשיא לראובני: **בארי לא נתנבא.** וצריך עיון ברש"י מסכת מגילה (יד, א ד"ה נבואה) שלא חשב שם בארי: **וכי יאמרו אליכם וחברו.** פירוש פסוק וכי יאמרו אליכם, ופסוק השני: **נביא ובן נביא.** ומה שלא נכתבה נבואתם, מפני שלא הוצרך לדורות: **שהיה נביא בן נביא.** שזכריה ידוע לנביא, וגם עדוא ידוע לנביא, כדכתיב בדברי הימים (ב' יב, טו) שמעיה הנביא ועדו החוזה, ובסדר עולם (פרק כ) שנו שזה היה הנביא אשר קרא על המזבח בבית אל, ולכן כתיב נביאיא לשון רבים דקאי על זכריה ועל עדוא, ואם כן הוא הדין לכל נביא שנזכר שמו ושם אביו: **בן אמוץ שהיה נביא בן נביא.** והיינו דכתיב ישעיה בן אמוץ הנביא, דהנביא קאי אאמוץ נמי. אבל קשה הך כמאן אזלא, אי כרבנן, הא קאמרי בין שנתפרש כו', ואי כרבי יוחנן, כל שנתפרש שמו ושם אביו נביא ובן נביא הוא, ואם כן מה צורך לדיוקי לאמוץ מהאי קרא. ויש לומר דהך אמת שלפי כל אחד מהם היה אביו נביא, מכל מקום לא יתחייב שיהיה אביו נביא מפורסם ומוכיח, אבל אמוץ היה נביא מובהק ומפורסם כעין ישעיה בנו, ולזה פירש שם בפירוש שאמוץ נביא הוא, דכתוב אחד אומר כו' וכתוב אחד אומר כו' (כלי פז): **אלו המציצין.** גרסינן, דהיינו לפצוף, כמו לפרים מצליים דלקמן (יח, א), ופירושו שהכתוב קרי לאובות וידעונים לגנאי מצפצפים והמהגים, לומר שהדבור בהם אינו אלא כעופות שמצפצפין בקולן, ויש עופות שמלפלפין דהיינו סוס ועגור, ויש שמהגמין והיינו יונה, ועל זה אמר והמהגים וכדכתיב כסוס עגור אצפצף אהגה כיונה. הוא הדבר שאמר תחלה כל אומה תסגוד, שהדרישה היא לבקש ולשחר פנים על ידי סגידה ועבודה ומזכירים בקשת לרכיהם. ומה שהקדים לפרש

פירוש מהרז"ו

אין כאן עוד שפכו. בא לדרוש מה שכתב מבור אין מים בו, למה הזכיר שאין בו מים, ואיזה ברכה יש בזה, שיהיה מדה כנגד מדה, על כן דורש מדת מגנד על פי מדה י"י, שעל קיימו ברית סיני בדם, על כן ביטל מהם הגזירה של שפכו דם כמים, שנגזר על ישראל לכלותם בימי אחשורוש והמן, על שהשתחוו לצלם נבוכדנצר, ועל חנניה מישאל ועזריה כתוב (דניאל ג, כח) ומלת מלכא שניו ויהבו גשמיהון שלא יפלחו לכן לאלההון, על שקיימו הברית בדם בטל מהם גזירת דם: **אימתי.** אימתי נתקיים מה שכתוב אם לא יגיד, שמחוייבים להגיד, בעת שרצו לבטל מהם העדות: (ו) **וכי יאמרו עליכם וחבירו.** ופסוק השני הסמוך לו, וסגנון הפסוקים וכי יאמרו עליכם דרשו אל האובות והידעונים וגו' בעד החיים אל המתים, והפסוק השני (ישעיה ח, כ) לתורה ולתעודה וגו' אשר אין לו שחר: **ובין שלא נתפרש שמו.** בין שנתפרש שם אביו, ובין לא נתפרש שם אביו, ותיבת שמו מיותר, וכל זה הוצא לכאן לפרש להוכיח שבארי היה נביא, כמו שכתוב (הושע א, א) הושע [בן] בארי שבארי, גם כן היה נביא: **והוא אומר לא נביא.** ופירושו שלא השתדלתי להיות נביא, אלא השם יתברך שלח אותי ובחר בי שלא ברצוני, וכן אבי הרי שהיו שניהם נביאים: **ישעיה בן אמוץ הנביא.** שסמך תיבת הנביא אל אמוץ:

מתנות כהונה

והוא עד. חזר לראש שהתחיל לדרוש פסוק נפש כי תחטא וגו', אלא דמפסיק בענין חלוקת הדם ושבועת לדקיה: **[ו] בארי.** נביא היה: **בר עדו נביא.** משמע שגם עדו היה נביא: **מה זה.** עמוס שהיה נביא ואפילו הכי אמר (עמוס ז, יד) לא נביא אנכי כו': **הכי גרסינן מייתי לה מן הדא: הכי גרסינן בן אמוץ הנביא:**

אשד הנחלים

ועתה אין כאן עוד, שלא ישפך עוד כמים: **והוא עד אלו ישראל כו'.** כלומר העדות יוכל להיות, או על ידי ראיה חושית, או על פי ידיעה והכרה שכלית, והנה הנבואה היא כמעט ראיה חושית, במה שראו בעיניהם אמיתת ה', והידיעה הוא הכרה שכלית מלבד הראיה, וכל זה הראם שילמדו תועים בינה וידבקו בה', ואם לאו חס ושלום ונשאו עונם, כי מי שיש בידו להורות לאחרים ואינו מורה, ישא עון זולתו במה שלא הצילו: **אימתי וכי יאמרו כו'.** כלומר שאין עונש גדול מן האמונה הנשחתה, והנה לא די שישראל לא למדום אותם האמונה האמיתית, כי אם להיפך גם כן יאמרו דרשו אל האובות, כי היו נתונים תחתם, ורצו להעבירם מאמונתם, וכדאי עונש בזה ולהלן מבאר עניינו:

[ו] **בארי לא נתנבא.** מקובל היה בידם זאת פה אל פה, שהמה דברי בארי: **מייתי לה כו' שהיה נביא בן נביא.** לפי הראות משמע שפליג, אחר שהוצרך הכתוב לפרש שהיה אביו נביא, אבל מלשון מייתי לה משמע שסובר כר' יוחנן, ורק הכתוב מגלה על כולם, ולכן לא כתוב הנביא כי אם נביא סתם, להורות שכל מקום שנאמר אביו הוא נביא תמיד: **ושכן עמוס בו'.** פירש הידי משה שהיה אומר על עצמו שלא נביא [אנכי], שלא לחלוק כבוד לעצמו, אבל מדהוצרך לומר ולא בן נביא, מכלל דמסתמא אף שלא נתפרש שם אביו, עם כל זה היה נביא, והוצרך לומר בדרך ענוה לא בן נביא אנכי. ואולי חסר כאן התירוץ על מה שהכחיש שהוא לא נביא:

באור מהרי"פ

[ו] **בארי לא נתנבא וכו'.** הכי גמירא להו דלא התנבא אלא שתי מקראות הללו: **והתנבי.** (עזרא ה, א) והתנבי חגי נביאה וזכריה בר עדו נביאיא על יהודיא די ביהוד ובירושלם בשם אלה ישראל עליהן. ומדמלינו במקום אחד שנתפרש שם אביו של נביא, והיו שניהם נביאים מדכתיב נביאיא בלשון רבים, שמע מיניה בכל מקום שנתפרש שם אביו של נביא היה נביא בן נביא, דאם לא כן למה נתפרש שם אביו, הלא יש מקומות רבות שלא נתפרש שמו של אביו הנביא, אלא להורות שהוא נביא בן נביא, ומה שלא נכתבה נבואתם מפני שלא הוצרכו לדורות, כמבואר במגילה (יד, א): **כל אומה ולשון תזכור לאלהיה.** בתנחומא סדר אמור (סימן ב) משמע שפירוש הלא עם אל אלהיו ידרוש, שראוי לישראל לדרוש לאלהיו ולא לזולתו, כי איך יניחו חיי העולם וידרשו אל המתים, ואם כן נראה דהכא נמי הכי קאמר, הלא כל אומה ראוי שתזכור אלהיה, ואיך אנו נניח אלהינו חי וקים לעולם ונדרוש אל המתים:

חידושי הרד"ל

[ו] אמר רבי סימון בארי כו'. לקמן פרשה ט"ו (סימן ב): **מן הדא והתנבי חגי נביאה וזכריה בר עדוא נְבִיַּאיָּא** (עזרא ה). כן צריך לומר. ורצה לומר דנביאיא לשון רבים, קאי על זכריה ועל אביו עדוא: **נביא בן נביא המצפצפין אלו המציצין והמהגין כו'.** כן צריך לומר, וכן הוא בילקוט, וכן היה הגירסא לפני המתנות כהונה: **ולשון תסגוד לאלהים.** כן צריך לומר. פירוש תשתחוה:

חידושי הרש"ש

[ו] בארי לא נתנבא כו'. עיין רש"י (מגילה יד, א) שנחסרו לו שני נביאים ממ"ח, ולפלא בעיני שלא זכר את בארי: **והתנבי וגו' זכריה בר עדוא כו'.** כן צריך לומר והוא בעזרא (ה, א): **שהיה נביא בן נביא.** עיין מתנות כהונה. ומלאתו בדברי הימים (ב, יב טו) ועדו החוזה. ושם [פרק] י"ג [פסוק] כ"ב הנביא עדו, ואולי הוא אביו של זכריה. ובריש זכריה (א, א) כתוב כי עדו הוא אבי אביו, עיין שם ברד"ק: **כתוב אחד אומר ישעיה בן אמוץ הנביא.** הוא במלכים (ב' כ, א), והפסוק השני הוא שם (יט, ב). מזה נראה סתירה למה שכתב בסופו המפרש (המכונה בשם רש"י) בדברי הימים (א' ה, מא) דיהולדק לא היה כהן גדול מעולם, ומאי דכתיב יהושע בן יהולדק הכהן הגדול (חגי א, ב) לא קאי הכהן גדול אלא על יהושע בנו. ונראה לי ראייה מהא דכתיב לחובב בן רעואל המדיני חותן משה (במדבר י, כט) דקאי חותן משה על חובב כמו שפירש רש"י שם, אך יש לדחות דלעולם קאי על רעואל, ומשום דבני בנים הרי הם כבנים, וכן שנאמר ותבאנה אל רעואל אביהן. וכן כתב הש"ך בחו"מ (סימן מט ס"ק יד) בשם הרא"ש בשם תוספות יומא. (ואנכי תמה דאדרבה בתוס' (יומא ט, א) משמע להדיא דיהולדק היה גם כן כהן גדול עיין מה שכתבתי לקמן בנשא פרשה י' סימן ה' ד"ה ושריה) וכן מבואר להדיא בחזית פסוק קמתי (שיר השירים רבה ה, ד) דיהושע היה כהן גדול בן כהן גדול. אולם בעיקר ראיות המדרש יש לעיין לפי מסקנת הש"ך שם: **שהיה נביא בן נביא.** ומן תיבת אלא כו' עד לאלהים מיותר, וכן בילקוט ליתא:

מסורת המדרש

ד. ילקוט ישעיה:

אם למקרא

אָנֹכִי הִגַּדְתִּי וְהוֹשַׁעְתִּי וְהִשְׁמַעְתִּי וְאֵין בָּכֶם זָר וְאַתֶּם עֵדַי נְאֻם־ה' וַאֲנִי־אֵל: (ישעיה מג:יב)

אַתָּה הָרְאֵתָ לָדַעַת כִּי ה' הוּא הָאֱלֹהִים אֵין עוֹד מִלְבַדּוֹ: (דברים ד:לה)

וְיָדַעְתָּ הַיּוֹם וַהֲשֵׁבֹתָ אֶל־לְבָבֶךָ כִּי ה' הוּא הָאֱלֹהִים בַּשָּׁמַיִם מִמַּעַל וְעַל־הָאָרֶץ מִתָּחַת אֵין עוֹד: (שם שם לט)

וְכִי יֹאמְרוּ אֲלֵיכֶם דִּרְשׁוּ אֶל הָאֹבוֹת וְאֶל הַיִּדְּעֹנִים הַמְצַפְצְפִים וְהַמַּהְגִּים הֲלוֹא עַם אֶל אֱלֹהָיו יִדְרֹשׁ בְּעַד הַחַיִּים אֶל הַמֵּתִים: (ישעיה ח:יט)

וְהִתְנַבִּי חַגַּי נְבִיָּא וּזְכַרְיָה בַר עִדּוֹא נְבִיַּאיָּא עַל יְהוּדָיֵא דִּי בִיהוּד וּבִירוּשְׁלֶם בְּשֻׁם אֱלָהּ יִשְׂרָאֵל עֲלֵיהוֹן: (עזרא ה:א)

וַיַּעַן עָמוֹס וַיֹּאמֶר אֶל אֲמַצְיָה לֹא נָבִיא אָנֹכִי וְלֹא בֶן נָבִיא אָנֹכִי כִּי־בוֹקֵר אָנֹכִי וּבוֹלֵס שִׁקְמִים: (עמוס ז:יד)

וַיִּשְׁלַח אֶת אֶלְיָקִים אֲשֶׁר עַל הַבַּיִת וְאֵת שֶׁבְנָא הַסּוֹפֵר וְאֵת זִקְנֵי הַכֹּהֲנִים מִתְכַּסִּים בַּשַּׂקִּים אֶל יְשַׁעְיָהוּ בֶן אָמוֹץ הַנָּבִיא: (ישעיה לז:ב)

וַיִּשְׁלַח אֶת־אֶלְיָקִים אֲשֶׁר־עַל־הַבַּיִת וְשֶׁבְנָא הַסֹּפֵר וְאֵת זִקְנֵי הַכֹּהֲנִים מִתְכַּסִּים בַּשַּׂקִּים אֶל־יְשַׁעְיָהוּ הַנָּבִיא בֶּן־אָמוֹץ: (מלכים ב יט:ב)

ידי משה

[ו] שבן עמוס אמר לאמציה וכו' עד מה זה נביא. פירוש עמוס, והוא אומר על עצמו לא נביא אנכי לפי שלא רצה לחלוק כבוד על עצמו, כן היו דבריו מה שאמר ולא בן נביא אני, כי פירושו גם כן שהיה נביא, רק שאמר כן כמו שאמר על עצמו מתוך ענותנותו, ואף על פי שלא נזכר שם אביו, אלא בין נתפרש שמו ובין לא נתפרש שמו היה נביא ובן נביא:

אמרי יושר

[ו] כל נביא שנתפרש שמו ושם אביו נביא בן נביא. זהו הושע בן בארי, אם כן בארי נביא, ולא מצאנו נבואה לו אלא זה. וההכרח שיש לרבותינו ז"ל על זה, שהיה לו

The Midrash backtracks and begins expounding an earlier portion of this verse:

״הַמְצַפְצְפִים״, אִלֵּין הַמְצַיְיצִים — The term *hametzaf'tzefim* [הַמְצַפְצְפִים] means **those who chirp,**[119] ״וְהַמַּהְגִּין״, אִלּוּ דִמְנַהֲמִין — and the term *vehamah'gin* [וְהַמַּהְגִּין] means **those who moan.**[120] ״הֲלוֹא עַם אֶל אֱלֹהָיו יִדְרֹשׁ״, כָּל אוּמָּה וְלָשׁוֹן תִּזְכּוֹר לֶאֱלֹהֶיהָ — To the nations' request to follow the baseless chatter of their necromancers and diviners, you shall respond, ***"Should not a people inquire of their own God?"*** — i.e., **each nation with its own** unique **language should mention** its requests and needs **to its God.** ״בְּעַד הַחַיִּים אֶל הַמֵּתִים״ — And since our God is living and enduring, why should we seek guidance from the dead through necromancers and diviners? ***[Should we inquire] of the dead for the living?!***[121]

The Midrash clarifies the meaning of this phrase by way of a parable:

אָמַר רַבִּי לֵוִי — **R' Levi said:** מָשָׁל לְאֶחָד שֶׁאִיבֵּד אֶת בְּנוֹ וְהָלַךְ לְתָבְעוֹ בֵּין הַקְּבָרוֹת — This may be **compared to one who lost** track of **his son and went searching for him among the graves.** פִּקֵּחַ אֶחָד שֶׁרָאָה אוֹתוֹ אָמַר לוֹ: בִּנְךָ שֶׁאִיבַּדְתָּ חַי אוֹ מֵת — **A clever man who saw [the father]** searching **said to him, "Your son that you lost, is he alive or dead?"** אָמַר לוֹ: חַי — **[The father] responded,** "He is **alive."** אָמַר לוֹ: שׁוֹטֶה שֶׁבָּעוֹלָם — **[The clever man] said to him, "Fool of the world!** דַּרְכָּן שֶׁל מֵתִים לִהְיוֹת נִתְבָּעִים אֵצֶל חַיִּים — **It is customary for the dead to be found among the living,**[122] שֶׁמָּא חַיִּים אֵצֶל מֵתִים — but is it **perhaps** customary for **the living** to be found **among** the **dead?** בְּכָל מָקוֹם חַיִּים עוֹשִׂים צָרְכֵי מֵתִים — **Everywhere, the living provide for the needs of the dead,** שֶׁמָּא הַמֵּתִים עוֹשִׂים צָרְכֵי חַיִּים — **but** do **the dead perhaps provide for the needs of the living?** If so, why would your son have come here?" כָּךְ אֱלֹהֵינוּ חַי וְקַיָּים לְעוֹלָם — **So too, our God lives and endures forever,** שֶׁנֶּאֱמַר, ״וַה׳ אֱלֹהִים אֱמֶת — **as it is stated,** ***But HASHEM, God, is True;*** *He is the Living God and the Eternal King* (*Jeremiah* 10:10). So it would be preposterous to search for help among the dead gods![123]

The Midrash explains that there is a connection between God's being *True* and His being *Living and Eternal*:

מַהוּ ״אֱמֶת״ — **What** does it mean that God **is** ***True?*** אָמַר רַבִּי אָבִין: שֶׁ״הוּא אֱלֹהִים חַיִּים וּמֶלֶךְ עוֹלָם״ — **R' Avin said: That** ***He is the Living God, and the Eternal King.***[124] אֲבָל אֱלֹהֵי אוּמּוֹת הָעוֹלָם מֵתִים הֵן — **However, the gods of the nations of the world are dead,** שֶׁנֶּאֱמַר, ״פֶּה לָהֶם וְלֹא יְדַבֵּרוּ עֵינַיִם לָהֶם וְלֹא יִרְאוּ אָזְנַיִם לָהֶם וְלֹא יִשְׁמָעוּ״ — **as it is stated,** ***They have a mouth, but cannot speak; they have eyes, but cannot see; they have ears, but cannot hear*** (*Psalms* 115:5-6).[125] מֵתִים הֵן, וְאָנוּ מַנִּיחִים חַי הָעוֹלָמִים וּמִשְׁתַּחֲוִים לַמֵּתִים — **They are dead, and** you think that **we will leave the One Who lives eternally and prostrate ourselves before the dead** gods?

The Midrash continues its exposition of Be'eri's prophecy:

״לְתוֹרָה וְלִתְעוּדָה״, הַתּוֹרָה מְעִידָה בְּנוֹ — The phrase *le'sorah ve'lis'udah* [לְתוֹרָה וְלִתְעוּדָה] means that **the Torah bears witness against [Israel]**[126] regarding the potentially dire consequences they will suffer, ״אִם לֹא יֹאמְרוּ כַּדָּבָר הַזֶּה אֲשֶׁר אֵין לוֹ שָׁחַר״ — ***if they will not make this statement, that has no light of dawn.***[127] רַבִּי יוֹחָנָן וְרַבִּי שִׁמְעוֹן בֶּן לָקִישׁ — **R' Yochanan and R' Shimon ben Lakish** offer slightly different interpretations: רַבִּי יוֹחָנָן אָמַר: אָמַר הַקָּדוֹשׁ בָּרוּךְ הוּא לְיִשְׂרָאֵל: בָּנַי, אִמְרוּ לְאוּמּוֹת הָעוֹלָם ״כַּדָּבָר הַזֶּה אֲשֶׁר אֵין לוֹ שָׁחַר״ — **R' Yochanan said: The Holy One, blessed is He, said to Israel, "My sons! Say to the nations of the world** ***the following — that [their god] has no light of dawn,"*** כַּדָּבָר הַזֶּה אֵינוֹ מַזְרִיחַ לָכֶם אוֹרָה — meaning, tell them **the following: "[Your god] cannot shine any light upon you!"**[128] אָמַר רַבִּי שִׁמְעוֹן בֶּן לָקִישׁ: אָמַר הַקָּדוֹשׁ בָּרוּךְ הוּא לְיִשְׂרָאֵל — **R' Shimon ben Lakish said: The Holy One, blessed is He, said to Israel,** אִמְרוּ לָהֶן לְאוּמּוֹת הָעוֹלָם ״אֲשֶׁר אֵין לוֹ שָׁחַר״ — **"Say to the nations of the world** ***that [their god] has no light,*** אִם לְעַצְמוֹ אֵינוֹ מַזְרִיחַ כֵּיצַד יַזְרִיחַ לַאֲחֵרִים — meaning, tell them the following: **"If [your god] cannot provide any light for itself, how can it provide light for others?"**[129]

An alternate explanation of the response that Israel is supposed to give the nations of the world:[130]

רַבִּי אַבָּא בַּר כָּהֲנָא אָמַר: חֹשֶׁךְ וַאֲפֵלָה שִׁמְּשׁוּ בְּאֶרֶץ מִצְרַיִם שְׁלֹשָׁה יָמִים — **R' Abba bar Kahana said: Darkness and thick darkness served in the land of Egypt for three days,**

NOTES

119. This follows the version of *Eitz Yosef,* who emends the Midrash to read, הַמְצִיצִין, *who chirp*.

120. Scripture mocks the necromancers and diviners by comparing their divinations to the inconsequential chatter of the various birds that *chirp and moan* (*Eitz Yosef*).

121. *Beur Maharif, Eitz Yosef.*

122. Since they need the living to tend to their needs [e.g., burial; caring for the grave], as the Midrash will say in a moment.

123. In asking the Jews to *inquire of the necromancers*, the nations have two things in mind: (i) that the Jews accept them as gods, and (ii) that the Jews should pray to them for their needs. The parable addresses both of these points: Regarding the first, it explains that since we have a living God, why would we go search for a god among the dead? As for the second, why would we pray to the dead gods that cannot provide for the needs of the living? (*Yefeh To'ar*).

124. That is, because *He is the Living God,* Who lives and endures forever, whatever He declares comes true and all His promises are fulfilled — unlike human kings, whose promises go unfulfilled when they die (*Eitz Yosef*). Moreover, unlike a human king, whose kingship does not follow him into the grave, God is *the Eternal King*, whose rule over the world represents a never-ending and true kingdom (*Matnos Kehunah, Eitz Yosef*).

Alternatively, the Midrash explains that Truth is something that is not dependent on anything else. Thus, *HASHEM, God, is True,* since only He exists independently of all other creations, whereas everything else in the universe is dependent on Him, as *the Eternal King,* for its existence (*Eshed HaNechalim*; see *Rambam, Hil. Yesodei HaTorah* Ch. 1).

125. They are deemed "dead" because they do not endure like the true God, and because they lack not only God's unlimited ability to accomplish what He desires, but are unable to accomplish anything at all (*Eitz Yosef*).

126. The word תְּעוּדָה, lit., *teaching*, is interpreted as related to the word עֵדוּת, *testimony*, alluding to the fact that the prophet is issuing a warning to Israel (see ibid.).

127. That is, Israel must make this statement to the nations — the Midrash will momentarily cite two explanations of the statement — or suffer dire consequences. Precisely what these consequences will be, however, is left unstated by Scripture. This is similar to the verse in *Genesis* (4:15), which states, *Therefore, whoever slays Cain, before seven generations have passed he will be punished* — leaving the actual punishment unstated (ibid.).

[Other commentators understand the Midrash's quote of ״אִם לֹא יֹאמְרוּ כַּדָּבָר הַזֶּה אֲשֶׁר אֵין לוֹ שָׁחַר״ to be the beginning of a new paragraph. The statement "The Torah bears witness against Israel" means that the Torah warns that Israel will be punished if she does not tell the nations about God; see end of §5 and note 108 (*Eshed HaNechalim*; see also *Yedei Moshe*; for a completely different reading of the Midrash see *Maharzu*).]

128. That is, if the idols you keep in your houses were truly gods, they would light up the room in the dark of the night; instead, you have to light candles before them (*Yefeh To'ar*).

129. As *Rashi* ad loc. explains it, the Midrash is saying: Your god cannot cause the dawn to provide light for itself, for your god cannot see; how then can your god provide light for others [to enable *them* to see]?

130. *Yefeh To'ar, Eitz Yosef.* See, however, note 132.

(שם) "הַמְצַפְצְפִים" אִלֵּין °הַמְצַיְּינִין, "וְהַמַּהְגִּין" אִלּוּ דִמְנַהֲמִין, "הֲלוֹא עַם אֶל אֱלֹהָיו יִדְרֹשׁ", כָּל אוּמָּה וְלָשׁוֹן תִּזְכּוֹר לֶאֱלָהֶיהָ, "בְּעַד הַחַיִּים אֶל הַמֵּתִים", אָמַר רַבִּי לֵוִי: מָשָׁל לְאֶחָד שֶׁאִיבֵּד אֶת בְּנוֹ וְהָלַךְ לְתָבְעוֹ בֵּין הַקְּבָרוֹת, פִּקֵּחַ אֶחָד שֶׁרָאָה אוֹתוֹ אָמַר לוֹ: בִּנְךָ שֶׁאִיבַּדְתָּ חַי אוֹ מֵת, אָמַר לוֹ: חַי, אָמַר לוֹ: שׁוֹטֶה שֶׁבָּעוֹלָם, דַּרְכָּן שֶׁל מֵתִים לִהְיוֹת נִתְבָּעִים אֵצֶל חַיִּים, שֶׁמָּא חַיִּים אֵצֶל מֵתִים, בְּכָל מָקוֹם חַיִּים עוֹשִׂים צָרְכֵי מֵתִים, שֶׁמָּא הַמֵּתִים עוֹשִׂים צָרְכֵי חַיִּים, כָּךְ אֱלֹהֵינוּ חַי וְקַיָּם לָעוֹלָם, שֶׁנֶּאֱמַר (ירמיה י, י) "וַה' אֱלֹהִים אֱמֶת", מַהוּ "אֱמֶת", אָמַר רַבִּי אָבִין: שֶׁ"הוּא אֱלֹהִים חַיִּים וּמֶלֶךְ עוֹלָם" (שם), אֲבָל אֱלָהֵי אוּמּוֹת הָעוֹלָם מֵתִים הֵן, שֶׁנֶּאֱמַר (תהלים קטו, ה-ו) "פֶּה לָהֶם וְלֹא יְדַבֵּרוּ עֵינַיִם לָהֶם וְלֹא יִרְאוּ אָזְנַיִם לָהֶם וְלֹא יִשְׁמָעוּ", מֵתִים הֵן, וְאָנוּ מַנִּיחִים חַי הָעוֹלָמִים וּמִשְׁתַּחֲוִים לַמֵּתִים, (ישעיה שם כ) "לְתוֹרָה וְלִתְעוּדָה" הַתּוֹרָה מְעִידָה בָּנוּ, (שם) "אִם לֹא יֹאמְרוּ כַּדָּבָר הַזֶּה אֲשֶׁר אֵין לוֹ שָׁחַר", רַבִּי יוֹחָנָן וְרַבִּי שִׁמְעוֹן בֶּן לָקִישׁ, רַבִּי יוֹחָנָן אָמַר: אָמַר הַקָּדוֹשׁ בָּרוּךְ הוּא לְיִשְׂרָאֵל: בָּנַי, אִמְרוּ לְאוּמּוֹת הָעוֹלָם "אֲשֶׁר אֵין לוֹ שָׁחַר", כַּדָּבָר הַזֶּה אֵינוֹ מַזְרִיחַ לָכֶם אוֹרָה, אָמַר רַבִּי שִׁמְעוֹן בֶּן לָקִישׁ: אָמַר הַקָּדוֹשׁ בָּרוּךְ הוּא לְיִשְׂרָאֵל: אִמְרוּ לָהֶן לְאוּמּוֹת הָעוֹלָם "אֲשֶׁר אֵין לוֹ שָׁחַר", אִם לְעַצְמוֹ אֵינוֹ מַזְרִיחַ כֵּיצַד יַזְרִיחַ לַאֲחֵרִים, רַבִּי אַבָּא בַּר כָּהֲנָא אָמַר: חֹשֶׁךְ וַאֲפֵלָה שִׁמְּשׁוּ בְּאֶרֶץ מִצְרַיִם שְׁלֹשָׁה יָמִים,

עץ יוסף

הלא עם אל אלהיו ידרוש מקמי המצפצפים והמהגים, עיין ביפה תואר. וכוונת המדרש לומר שפירוש הכתוב הוא, שכך יאמרו ישראל להם, שראוי שכל אומה ולשון תסגוד ותזכור לאלהיה ולא לזולתו, ואיך אנו שאלהינו חי וקיים נניחנו ונדרוש אל המתים: **נתבעים אצל חיים.** כמו שמפרש שהמתים צריכין שהחיים יעשו בעדם, ולא המתים בעד החיים: **מהו אמת.** רצה לומר למה הוא אמת ותוארו אמת, אמר ר' אבין שהוא אלהים חיים, לכן מה שמבטיח הוא יכול לקיים, אבל בשר ודם אם הוא מבטיח היום ולמחר הוא מת בטל הבטחתו ואינו אמת: **ומלך עולם.** מאחר שהוא מלך עולם, הוא אלהים אמת, כי מלך בשר ודם מלכותו אינו מלכות של אמת, כי במותו לא ירד אחריו כבודו (מתנות כהונה): **אלהי אומות העולם מתים.** לפי שאינם קיימים כאלהינו, ועוד שאין בידם לעשות דבר כה' שבידו הכל שבשביל זה אמר ומלך עולם, ולכן נקראו מתים, על שהם כמתים שאין יכולת בידם, ולכן יצדק לומר בהם פה להם ולא ידברו, ועיין ביפה תואר: **התורה מעידה בנו.** פירוש התורה עושה התראה בנו [מלשון העדותי בכם היום] אם לא יאמרו כו', פירוש שאם ישראל לא יאמרו הדבר הזה לאומות העולם יעשה להם ה' יתברך כך וכך, והוא כמו (בראשית ד, טו) לכן כל הורג קין שקיצר הכתוב ולא הזכיר העונש שיעשה בהדיה: **בדבר הזה אשר אין לו שחר אינו מזריח כו'.** כן צריך לומר, קמפרש כדבר הזה דקרא שיאמרו ישראל להם כדבר הזה, דהיינו אשר אין לו לעבודה זרה שחר, רצה לומר שאין לו אורה להזריח לכם, שאפילו הכוכבים והמזלות והשמש וירח אין להם כח להאיר בלי רצון הקדוש ברוך הוא, כדכתיב האומר לחרס ולא יזרח ובעד כוכבים יחתום: **חשך ואפילה ששמשו כו'.** קמפרש אשר אין לו שחר על החשך אשר יכסה לגוג ואגפיו לעתיד, ויהיה אשר אין לו, מוסב על עם אל אלהיו ידרוש הנכתב לעיל, לומר שיגידו להם שכל מי שטועה בעבודה זרה לעתיד אין לו אור רק חשך, וכדי

פירוש מהרז"ו

בעד החיים אל המתים. דעת המדרש שהמה דברי ישראל שמשיבים להמסיתים, שלא יתכן שהמסיתים יאמרו כן להכחיש דבריהם בעצמם, ונדרש על פי מדה י"א סידור שנחלק, שמה שכתוב (ישעיה ח, יט) בעד החיים אל המתים שייך לפסוק לתורה ולתעודה שאמרו ישראל, כמו שכתב בסמוך אמר הקב"ה לישראל בני אמרו לאומות העולם, ועל פי מדה כ' ככ"ל אם אינו ענין לעבודת גילולים תנוהו ענין לישראל, ועל פי מדה ט' כאלו מפורש השיבו להם ישראל בעד החיים אל המתים: **מהו אמת.** עיין לקמן (כו, א): **התורה מעידה בנו.** דורש תעודה לשון עדות, כמו שכתוב (תהלים יט, ח) עדות ה' נאמנה, שבתורה מפורש שקבלנו עול מלכותו לעולם, ושלא לעבוד עבודת גילולים, ומה שכתב אם לא, דעת חז"ל שהוא שייך לרישא דקרא, לתורה ולתעודה, אם לא שבתורה מפורש אם אנו עובדים אלהים חיים אם לא, ודרשת רבי יוחנן וריש לקיש, על תיבות יאמרו כדבר הזה שאין לו שחר, ולא על תיבות אם לא ככ"ל שהוא שייך למעלה: **חושך ואפלה שמשו.** משמעות שמאחר ששמשו חושך ואפילה, מחויב הוא שגם תוהו ובוהו ישמשו. אך הענין בזה, כי בתחלת הבריאה כתיב (בראשית א, ב), והארץ היתה תוהו ובוהו וחושך וגו', ועל שעיקר הבריאה התחיל בתוהו ובוהו וחושך עכ"ל. אף על פי שאמר ויהי אור מתוך החושך, וברא כל הבריאה מתוך תוהו ובוהו, עם כל זה לא בטל החושך והתוהו ובוהו מהמציאות, והם משתוקקים לשמש בעולם כשמוצאים מקום, ועל דרך מה שכתב בכמה מקומות אם ישראל מקבלים התורה מוטב, ואם לאו אני מחזיר העולם כולו לתוהו ובוהו, וזהו שאמר כאן שהחושך מצא מקום לשמש במצרים, אך תוהו ובוהו עדיין לא מצא למו מקום עד לעתיד, ואגב דברי ריש לקיש שאינם מזריחין, הביא כל הדרשה לכאן בענין החושך. וצריך עיון שהרי מפורש בירמיה (ד, כג) שאמר בעונש ישראל, ראיתי את הארץ והנה תוהו ובוהו, הרי ששמשו בעולם הזה, ויתכן שגם כתוב ראיתי וגו', שהנביא ראה במראה הנבואה,

חידושי הרד"ל

אמר ר' לוי משל לאחד שאיבד את בנו כו'. עיין תנחומא תשא סימן כד: **התורה העידה בנו אם לא יאמרו כדבר הזה.** שכתבה אם לא יגיד ונשא עוונו, וכדלעיל: **אין לו שחר רבי יוחנן ורבי שמעון בן לקיש כו'.** תנחומא ריש פרשת אמור, ופרשת תשא סימן יד: **רבי אבא בר כהנא אמר חשך ואפלה כו'.** פסיקתא דויהי בחצי הלילה בסופה, ותנחומא ריש פרשת בא, ושאלתות דרב אחאי סוף פרשת נח:

חידושי הרש"ש

אלו המצינין. נראה לי דצריך לומר המליין, כמו שמצינו בריש שיר השירים רבה (א, ט) לפור מצולי, ובנדה (מב, ב) שמטית ולד (דליון) [דלוין], ולקמן (יח, א) לפרין מליין. אחר זה מצאתי בילקוט (רמז תעד) הגירסא כן: **מהו אמת אמר רבי אבין שהוא אלהים חיים כו'.** בתר וה' אלהים אמת (ירמיה י, י) כתיב, הוא אלהים חיים ומלך עולם: **ר' יוחנן אמר כו' אמרו לאומות העולם כדבר הזה אשר אין לו שחר.** כן צריך לומר:

אמרי יושר

להסמיך פסוקים אלו עם (ישעיהו מ ח) ואל מי תדמיון אל, ועוד אמרו בסוף (ישעיה ח כא) ועבר בה נקשה ורעב, איזה שייכות יש לו, לכך אמרו שהוא מנביא אחר: **[בעד החיים אל המתים וכו'] משל לאחד שאבד אם בנו.** הרגישו שלא היה לו לומר אלא החיים, שמא ראוי הוא לדרוש למתים, יישבו מלת בעד, בזה המשל, או כאמרם, שמא צורך חיים בתוך מתים: **אם לא יאמרו כדבר הזה.** ולא יגיד, יענשו, שאין לו שחר, רק בחשך ואפילה ותהו ובהו שישמשו לעתיד, או כדבר הזה הוא הגזרה שתהו ובהו, שהוא שוה כחשך הזה ששימש הנה, יענשו, או לא הביא זה רק לסיים בישועה ולאו אקרא סמיך ליה:

מסורת המדרש

ה. ירושלמי פ"ק דסנהדרין פסיקתא פרשה י"ד:

אם למקרא

וְכִי יֹאמְרוּ אֲלֵיכֶם דִּרְשׁוּ אֶל הָאֹבוֹת וְאֶל הַיִּדְּעֹנִים הַמְצַפְצְפִים וְהַמַּהְגִּים הֲלוֹא עַם אֶל אֱלֹהָיו יִדְרֹשׁ בְּעַד הַחַיִּים אֶל הַמֵּתִים: לְתוֹרָה וְלִתְעוּדָה אִם לֹא יֹאמְרוּ כַּדָּבָר הַזֶּה אֲשֶׁר אֵין לוֹ שָׁחַר:
(ישעיה ח:יט-כ)

וַה' אֱלֹהִים אֱמֶת הוּא אֱלֹהִים חַיִּים וּמֶלֶךְ עוֹלָם מִקִּצְפּוֹ תִּרְעַשׁ הָאָרֶץ וְלֹא יָכִלוּ גוֹיִם זַעְמוֹ:
(ירמיה י:י)

פֶּה לָהֶם וְלֹא יְדַבֵּרוּ עֵינַיִם לָהֶם וְלֹא יִרְאוּ: אָזְנַיִם לָהֶם וְלֹא יִשְׁמָעוּ אַף לָהֶם וְלֹא יְרִיחוּן:
(תהלים קטו:ה-ו)

ידי משה

אם לא יאמרו כדבר הזה וגו'. סוף פסוק הוא של וכי יאמרו בניס דרשו אל האבות הלא עם אל וכו', ושייך למדרש שלאחריו [אין לו שחר, רבי יוחנן וריש לקיש]:

שינוי נוסחאות

(ו) המצפצפים אלין המצינין. ברש"ש ורד"ל הגיהו שצ"ל "המצייצים", וכן הוא באמת בכי"י. **בני אמרו לאומות העולם אשר אין לו שחר.** רש"ש הגיה שצריך להוסיף "כדבר הזה" לפני "אשר אין לו שחר", וכן הוא באמת בכי"י:

מתנות כהונה

המצפצפים אלין המציינין. לשון עופות המצויים: **מנהמין.** לשון נהומות והומה כמה דאת אמר (משלי כח, טו) ארי נוהם, ומיני חכמות הם: **כל אומה ולשון תסגוד לאלהיה.** וכן מצאתי בילקוט ישעיה: **הכי גרסינן דרכן של מתים להיות נתבעין אצל חיים שמא וכו': ומלך עולם.** מאחר שהוא מלך עולם הוא אלהים אמת, כי מלך בשר ודם מלכותו אינו מלכות של אמת, כי במותו לא ירד אחריו כבודו, כמו שביאר כל זה היטב בעל חובות הלבבות בשער היחוד ובעיקרים (מאמר ב פרק כז): **משתחוים למתים.** בתמיה: **אם לא יאמרו כדבר גרסינן: אין לו שחר כדבר הזה.** בעולם הזה אין כח להזריח אורו של שחר. ודרשו כאלו כתיב בדבר הזה:

אשד הנחלים

המציינים. המתנות כהונה פירש מלשון עופות המצויינים. ואולי הגירסא הנכונה המצייצים, צפצוף העופות, בלשון ציצו. והנה יש לשון שמחה והוא הנקראת צפצוף, וכן לשון ניהום ויללה וזהו המנהמים. והנה ידוע דעניינם להשמיע מלבם קול נמוך, או בלשון יללה או בלשון שמחה, בכדי להתבודד שידמה להם כאלו רואים אז הדבר שירצו, כמו שהאריך הרמב"ם ז"ל בספר הי"ד (עיין הלכות עבודה זרה פי"א): **נתבעים אצל חיים.** כמו שמפרש שהמתים צריכים שהחיים יעשו בעדם, ולא המתים בעד החיים: **מהו אמת כו' שהוא אלהים חיים.** מבאר גדר האמת, שבאורו הדבר שאין צריך לתלות בזולתו, כי אם קיומו מעצמו והוא חי וקיים מעצמו בלי סבה חוצה לו, זהו נקראת אמת לאמיתו, ונהפוך הוא מלבד שהוא אין צריך לזולתו, אבל כולם צריכים לו, כי הוא מלך העולם וכל מציאותם ניתלים ומקויימים רק בו ובסבתו: **התורה מעידה בנו.** זהו כמו שביאר לעיל, שאם לא תגידו אלהותי אז ונשא עוונו, הריני פורע מהם, והפרעון הוא שהם יאמרו לנו להיפך, שנדרוש בעד החיים אל המתים חס ושלום, כמו שבארתי לעיל: **אינו מזריח לכם אורה.** והוא מלשון שחר, והאור הוא שם כולל לכל הטובות, הן נפשיות הן גופניות, והושאל על נתינת כח החיות והקיום והשפע והשכלה, באין נמלט אחד מהם. והנה הם מדמים כי באמצעות עבודתם, יושפעו מלמעלה שפע בנפשם, ובאמת אין ביכולתם להזריח מאומה: **אם לעצמו אינו מזריח.** כי לא נראה בו כח החיות והתנועה

שֶׁנֶּאֱמַר, "וַיְהִי חֹשֶׁךְ אֲפֵלָה בְּכָל אֶרֶץ מִצְרַיִם" — **as it is stated,** ***and there was a thick darkness throughout the land of Egypt*** *for a three-day period* (*Exodus* 10:22). אֲבָל תֹּהוּ וָבֹהוּ לֹא שִׁימְּשׁוּ בָּעוֹלָם הַזֶּה — **However, emptiness** (תֹּהוּ) **and void** (בֹּהוּ) **did not** yet **serve in this world.**[131] וְהֵיכָן הֵן עֲתִידִין לְשַׁמֵּשׁ — **Where are they destined to serve?** בִּכְרַךְ גָּדוֹל שֶׁל רוֹמִי — **In the great metropolis of Rome,** שֶׁנֶּאֱמַר, "וְנָטָה עָלֶיהָ קַו תֹהוּ וְאַבְנֵי בֹהוּ" — **as it is stated,** ***and He will draw against it a line of emptiness and plumb bobs of void*** (*Isaiah* 34:11).[132]

The Midrash concludes by contrasting the darkness that will cover the other nations with the light that will envelop Israel in the End of Days:

וְרַבָּנָן אָמְרֵי: אוּמּוֹת הָעוֹלָם שֶׁלֹּא קִבְּלוּ אֶת הַתּוֹרָה שֶׁנִּתְּנָה מִתּוֹךְ הַחֹשֶׁךְ — **But the** other **Sages said: The nations of the world, who did not accept the Torah that was given from the midst of the darkness,** עֲלֵיהֶם הוּא אוֹמֵר, "כִּי הִנֵּה הַחֹשֶׁךְ יְכַסֶּה וְגוֹ'" — **regarding them it is stated,** ***For, behold, darkness may cover*** *the earth and a thick cloud [may cover] the kingdoms* (ibid. 60:2). אֲבָל יִשְׂרָאֵל שֶׁקִּבְּלוּ אֶת הַתּוֹרָה שֶׁנִּתְּנָה מִתּוֹךְ הַחֹשֶׁךְ — **However,** the people of **Israel, who accepted the Torah that was given from the midst of the darkness,** דִּכְתִיב "כְּשָׁמְעֲכֶם אֶת הַקּוֹל מִתּוֹךְ הַחֹשֶׁךְ" — **as it is written,** ***when you heard the voice from the midst of the darkness*** (*Deuteronomy* 5:19), עֲלֵיהֶם הוּא אוֹמֵר, "וְעָלַיִךְ יִזְרַח ה' וּכְבוֹדוֹ עָלַיִךְ יֵרָאֶה" — **regarding them it is stated,** ***but upon you HASHEM will shine, and His glory will be seen upon you*** (*Isaiah* 60:2).[133]

NOTES

131. The terms חֹשֶׁךְ וַאֲפֵלָה and תֹּהוּ וָבֹהוּ mentioned here do not refer to the mere "absence of light" and to the mere "emptiness," respectively, with which we are familiar. Rather, they are forms of physical matter that were created on the first day of Creation (see *Chagigah* 12a); as described in *Exodus* (10: 21, 23), the thick darkness was *tangible, and no one could rise from his place*, and the תֹּהוּ וָבֹהוּ is some form of even thicker darkness. And since God created them, they must serve some purpose (*Yefeh To'ar*; cf. *Eshed HaNechalim*).

132. As indicated there in an earlier verse (34:6), God will make a *sacrifice at Bozrah and a great slaughter in the land of Edom* — with Bozrah being the great metropolis of Rome (ibid.).

The Midrash has thus shown that extreme darkness will envelop Edom in the end of days. And this provides a new explanation of Beeri's prophecy: Israel is told to inform the nations that *they will have no light*, i.e., they will one day be enveloped in extreme darkness for following their false gods (*Eitz Yosef*). [If even the greatest metropolis of the Roman empire will be enveloped by extreme darkness and void for following false gods, this will certainly be the case for the rest of the world.] See Insight Ⓐ.

Following *Yefeh To'ar* and *Eitz Yosef*, we have explained R' Abba bar Kahana to be giving another interpretation of Beeri's prophecy. However, other commentators take R' Abba bar Kahana's teaching to be a new topic. See e.g., *Maharzu*, who writes that since the Midrash has just discussed *light*, it now cites this teaching, which is about *darkness*.

Imrei Yosher mentions both approaches, and writes that according to the approach that it is a new topic, the Midrash cites it here because it wishes to conclude the chapter on the positive note of Israel's redemption. See the Sages' exposition that follows.

133. I.e., the Torah was given in the midst of darkness in order to allude that it can be acquired only through suffering, as symbolized by the darkness of night (see *Eruvin* 21b-22a). Therefore, the nations of the world that refused to accept the Torah, opting instead for a comfortable and materialistic existence, will be afflicted by darkness at the end of days. By contrast, Israel, which willingly accepted the necessary suffering accompanying the Torah in order to experience the spiritual light contained within it, will merit to have the full light of God's glory shine upon them (*Eitz Yosef*, from *Kli Paz*; see also *Yefeh To'ar*).

Alternatively, the light of the Torah was given into a world of spiritual darkness that worshiped idolatry. Israel accepted and was enlightened by it, whereas the other nations remained in darkness. Therefore, Israel will merit to see the ultimate revelation of the Torah's light and profound wisdom, while the nations will remain enveloped in perpetual darkness (*Maharzu, Eshed HaNechalim*).

INSIGHTS

Ⓐ The Merit of the Prophet Be'eri It is said in the name of the *Baal Shem Tov* that one who is ill can be helped through a practice that calls upon the merit of the prophet Be'eri, who prophesied the two verses cited in our Midrash. The procedure is as follows: A person declares that once his health is restored, he will show his gratitude by hosting a thanksgiving meal on the first Tuesday after his recovery in honor of the soul of the prophet Be'eri. At the time he undertakes this, he recites the two verses that constitute Be'eri's prophecy (*Likkutei Torah VeShas* by *Mahari of Zidichov, Parashas Emor*, p. 107b).

R' Yekusiel Yehudah Halberstam, the Klausenberger Rebbe, suggests the following explanation for why the patient recites Be'eri's verses and dedicates the meal in his honor. The prophecy of Be'eri shows the Jewish people in a most favorable light, as rejecting the false gods of the nations and cleaving to their own true God. Whereas the idolatrous nations worship lifeless gods of no avail, Israel places its trust in the Living God. This is true not only of the righteous, but even of the least virtuous among Jews. Although their observance is less than perfect, their faith in the God of Israel places them far above idolaters of even the highest rank. It stands to reason that the merit of Be'eri, whose prophecy emphasizes the virtue of even the lowliest of Jews, will stand the patient in good stead.

As for why the thanksgiving meal must be scheduled for a Tuesday, it is because Tuesday, of all the days of the week, is the one on which a person who has sinned is judged most favorably. The Klausenberger Rebbe explains: On the third day of Creation, i.e., Tuesday, God commanded that the earth bring forth trees whose wood and fruit would both be edible. The Rabbis teach that the earth refused the command, and produced trees whose fruit was edible but whose wood was not (see *Genesis* 1:11-12, with *Rashi*). The *Apter Rav* (*Ohev Yisrael, Genesis* 1:11) explains that this was done for the benefit of Man. The angel that represents the earth feared that Man would sin and would so profoundly damage his soul that repentance would be impossible. To protect Man, the angel conceived of a stratagem that would shift some of the blame from Man to the earth. This was accomplished by having the earth disobey God's command. When Man would later sin, he could absolve himself somewhat by putting the blame upon the earth from which he was formed, which had already shown itself to be flawed. The third day of Creation, the seminal Tuesday, was thus enshrined as a day on which Man's sin is forgiven and his merit upheld. So too then with respect to one who seeks to be healed of illness, which, like all misfortune, is a product of sin: his sin is most likely to be forgiven, and his plea accepted, on this day (*Divrei Yatziv, Likkutim* §117).

[See *Divrei Yatziv* further for a discussion regarding whether Be'eri is counted among the 48 prophets who prophesied to Israel. For another approach explaining the thanksgiving meal hosted in honor of Be'eri, see *Pri Temarim* (Vol. 36-37, §628), the Torah journal of *Kollel Torah VeYirah*, which offers an interpretation from the Satmar Rebbe.]

עץ יוסף

להביא ראיה שלעתיד יהיה חשך על גוג ואגפיו, הביא ראיה מדלא שמשו בעולם הזה רק חשך ואפילה, אבל תהו ובהו לא שמשו, אם כן ישמשו לעתיד דהיינו ונטה עליה קו תהו וגו׳, וקמפרש תהו זה קו ירוק שמקיף את כל העולם שממנו חשך יוצא לעולם: **ונטה עליה כו׳.** וברומי מיירי דכתיב התם כי זבח לה׳ בבצרה וגו׳ והיינו מלכות רומי כמו שאמרו ז״ל (עיין אברבנאל ישעיה סג, א) ובצרה היא הכרך גדול שברומי: **מתוך החשך.** הכוונה לפי שהתורה צריכה היא כמה וכמה יסורין כמו שאמרו ז״ל לעיל סדר שמות (א, א), ואם כן הרוצה לקבל עול תורה צריך להעלים עין מין היסורים, ולזה נתנה התורה מתוך החשך לרמוז שכך דרכה של תורה בצער ובחוסר כל ובחשך, וכדאיתא בתנחומא סדר נח (סימן ג), וזהו שאמרו אומות העולם שלא קבלו את התורה שנתנה מתוך החשך שהיא מורה על היסורין החמורים, לזה החשך יכסה ארץ, אמנם ישראל שקבלו עליהם החשך כדי לקיים אור תורה, עליהם ראוי שיזרח כבוד ה׳ (כלי פז):

מדרש

שֶׁנֶּאֱמַר (שמות י, כב) **״וַיְהִי חֹשֶׁךְ אֲפֵלָה בְּכָל אֶרֶץ מִצְרַיִם״, אֲבָל תֹּהוּ וָבֹהוּ לֹא שִׁימְּשׁוּ בָּעוֹלָם הַזֶּה, וְהֵיכָן הֵן עֲתִידִין לְשַׁמֵּשׁ, בִּכְרַךְ גָּדוֹל שֶׁל רוֹמִי, שֶׁנֶּאֱמַר** (ישעיה לד, יא) **״וְנָטָה עָלֶיהָ קַו תֹהוּ וְאַבְנֵי בֹהוּ״, וְרַבָּנָן אָמְרֵי: אוּמּוֹת הָעוֹלָם שֶׁלֹּא קִבְּלוּ אֶת הַתּוֹרָה שֶׁנִּתְּנָה מִתּוֹךְ הַחֹשֶׁךְ, עֲלֵיהֶם הוּא אוֹמֵר** (שם ס, ב) **״כִּי הִנֵּה הַחֹשֶׁךְ יְכַסֶּה וְגוֹ׳ ״, אֲבָל יִשְׂרָאֵל שֶׁקִּבְּלוּ אֶת הַתּוֹרָה שֶׁנִּתְּנָה מִתּוֹךְ הַחֹשֶׁךְ, דִּכְתִיב** (דברים ה, כ) **״כְּשָׁמְעֲכֶם אֶת הַקּוֹל מִתּוֹךְ הַחֹשֶׁךְ״, עֲלֵיהֶם הוּא אוֹמֵר** (ישעיה שם שם) **״וְעָלַיִךְ יִזְרַח ה׳ וּכְבוֹדוֹ עָלַיִךְ יֵרָאֶה״:**

פירוש מהרז״ו

אך לעתיד יראו וידעו הכל: **שנתנה מתוך החושך.** דורש שלכך כתוב שנתן התורה מתוך החושך לדרוש שקודם שקבלו ישראל התורה היה כל העולם מתנהג בחושך הבערות בעבודת כוכבים, והתורה היא האור, והאומות עובדי כוכבים שלא קבלו התורה אור נשארו בחושך העולמי וישראל שקבלו התורה אור יצאו מחושך העולמי:

אם למקרא

וַיֵּט מֹשֶׁה אֶת יָדוֹ עַל הַשָּׁמָיִם וַיְהִי חֹשֶׁךְ אֲפֵלָה בְּכָל אֶרֶץ מִצְרַיִם שְׁלֹשֶׁת יָמִים: (שמות י:כב)

וִירֵשׁוּהָ קָאַת וְקִפּוֹד וְיַנְשׁוֹף וְעֹרֵב יִשְׁכְּנוּ בָהּ וְנָטָה עָלֶיהָ קַו תֹהוּ וְאַבְנֵי בֹהוּ: (ישעיה לד:יא)

כִּי הִנֵּה הַחֹשֶׁךְ יְכַסֶּה אֶרֶץ וַעֲרָפֶל לְאֻמִּים וְעָלַיִךְ יִזְרַח ה׳ וּכְבוֹדוֹ עָלַיִךְ יֵרָאֶה: (שם ס:ב)

וַיְהִי כְּשָׁמְעֲכֶם אֶת הַקּוֹל מִתּוֹךְ הַחֹשֶׁךְ וְהָהָר בֹּעֵר בָּאֵשׁ וַתִּקְרְבוּן אֵלַי כָּל רָאשֵׁי שִׁבְטֵיכֶם וְזִקְנֵיכֶם: (דברים ה:כ)

אשד הנחלים

וההשכלה, איך יכול להזריח לזולתו. ודע והתבונן שהיה דעתם הפתיה, אחר שבאמת בכל הנמצאים נמצא הכח האלקי הפועל בהם, רק שהוא בהעלם גדול, ולכן השתחוו להכח האלקי הזה, ודימו שבדוממים הכח יותר גדול, אחר שהוא נעלם יותר, וזהו שאמר אחר שכח הזה אינו מזריח לעצמו, שאין הדומם מקבל ממנו שיהיה הכח מתגלה בפועל, אם כן הכח הזה הוא יותר חלוש מכח החיים המתגלה בחי או במדבר, א״ם כן איך יכול להזריח לאחרים, הבן זה מאוד: **חושך כו׳ אבל תוהו ובוהו כו׳.** החושך הוא העדר האור, כמו הרע הבא ממילא אחרי הסרת הטוב, אבל התוהו ובוהו, המה ממשים רע גמור, ולא יתגלה רק לעתיד לבא: **שנתנה בתוך החושך.** הכוונה בזה על דרך הציור, כי לולא קבלת התורה היה העולם חושך מאמונה וההכרה האמיתית, כי אין בשכל אנושי להשיג באמיתתו, וזהו על דרך הרמז, כשמעכם את הקול מתוך החושך, שמבלעדי הקול הוא חושך גמור, ולכן יזכו לעתיד לבא שיזרח עליהם אור ה׳ להשכילם, אבל העובדי כוכבים נשארו בחשכם ואפילתם אחר שלא קבלו התורה, ולכן החושך יכסה ארץ ועליך יזרח כבוד ה׳:

צו

TZAV

Chapter 7

צַו אֶת אַהֲרֹן וְאֶת בָּנָיו לֵאמֹר זֹאת תּוֹרַת הָעֹלָה הִוא הָעֹלָה עַל מוֹקְדָה עַל הַמִּזְבֵּחַ כָּל הַלַּיְלָה עַד הַבֹּקֶר וְאֵשׁ הַמִּזְבֵּחַ תּוּקַד בּוֹ.

Command Aaron and his sons, saying: This is the law of the burnt-offering: It is the burnt-offering [that stays] on the flame, on the Altar, all night until the morning, and the fire of the Altar shall be aflame on it (6:2).

§1 צַו אֶת אַהֲרֹן וְאֶת בָּנָיו לֵאמֹר זֹאת תּוֹרַת הָעֹלָה — ***COMMAND AARON AND HIS SONS, SAYING: THIS IS THE LAW OF THE BURNT-OFFERING.***

The Midrash begins its discussion of this passage by citing and expounding a verse from *Proverbs*:[1]

זֶה שֶׁאָמַר הַכָּתוּב "שִׂנְאָה תְּעֹרֵר מְדָנִים וְגוֹ'" — **That which Scripture states, *Enmity arouses strife*** [מְדָנִים], *but love covers all offenses* (*Proverbs* 10:12), means, שִׂנְאָה שֶׁנָּתְנוּ יִשְׂרָאֵל בֵּינֵיהֶם לְבֵין אֲבִיהֶם שֶׁבַּשָּׁמַיִם — **the enmity that** the nation of **Israel placed between themselves and their Father in Heaven**[2] הִיא עוֹרְרָה לָהֶן דִּינֵי דִינִין — **is what aroused** God's **severe judgments** [דִּינִין] **against them.**[3] דְּאָמַר רַבִּי שְׁמוּאֵל בַּר נַחְמָן — **As R' Shmuel bar Nachman said:** קָרוֹב לִתְשַׁע מֵאוֹת שָׁנָה הָיְתָה הַשִּׂנְאָה כְּבוּשָׁה בֵּין יִשְׂרָאֵל לְבֵין אֲבִיהֶם שֶׁבַּשָּׁמַיִם — **For nearly nine hundred years, the** older **enmity between** the nation of **Israel and their Father in Heaven was dormant,** מִיּוֹם שֶׁיָּצְאוּ יִשְׂרָאֵל מִמִּצְרַיִם — that is, **from the day that Israel left Egypt**[4] וְעַד שָׁעָה שֶׁנִּתְעוֹרְרָה עֲלֵיהֶן בִּימֵי יְחֶזְקֵאל — **until the time that it became aroused against them in the days of Ezekiel.**[5] הֲדָא הוּא דִכְתִיב — **Thus it is written,** "וָאֹמַר אֲלֵיהֶם אִישׁ שִׁקּוּצֵי וְגוֹ'" — *Thus said the Lord HASHEM/ELOHIM, On the day I chose Israel . . .* ***And I said to them, "Every man,*** *cast away* ***the detestable [idols]*** *of his eyes; do not defile yourselves with the idols of Egypt; I am HASHEM, your God"* (*Ezekiel* 20:5-7); וְהֵם לֹא עָשׂוּ כֵן, אֶלָּא — **but [the Israelites] did not do so, rather,** "וַיַּמְרוּ בִי וְלֹא אָבוּ וְגוֹ'" — ***they rebelled against Me and did not want*** *to listen to Me; no man of them cast away the detestable [idols] of their eyes, and they did not forsake the idols of Egypt* (ibid., v. 8).[6] וְעָשִׂיתִי עִמָּהֶם בַּעֲבוּר שְׁמִי הַגָּדוֹל שֶׁלֹּא יִתְחַלֵּל — **But,** God continued, **I acted with [the Israelites] for the sake of My Great Name,** refraining from punishing them **so that [My Name] not be desecrated,** שֶׁנֶּאֱמַר "וָאַעַשׂ לְמַעַן שְׁמִי וְגוֹ'" — **as [Scripture] states, *But I acted for the sake of My Name,*** *that it not be desecrated in the eyes of the nations in whose midst they were, before whose eyes I made Myself known to them, [promising] to take them out of the land of Egypt* (ibid., v. 9).[7]

Accordingly, the idol worship of the Jews in Egypt was a grievous sin for which they in fact deserved destruction. Why then had God not rebuked them for it until this point? The Midrash explains:

"וְעַל כָּל פְּשָׁעִים תְּכַסֶּה אַהֲבָה" — ***But love covers all offenses,*** שֶׁאִיהֵב הַמָּקוֹם אֶת יִשְׂרָאֵל — referring to the love with **which the Omnipresent loved** the nation of **Israel.**[8] שֶׁנֶּאֱמַר "אָהַבְתִּי אֶתְכֶם אָמַר ה'" — **As [Scripture] states, *I loved you, says HASHEM*** (*Malachi* 1:2).[9]

The Midrash presents an alternative exposition of the aforementioned verse from *Proverbs,* one that the Midrash will connect to our own verse:

דָּבָר אַחֵר — **Another interpretation:** "שִׂנְאָה תְּעֹרֵר מְדָנִים" — ***Enmity arouses strife*** — שִׂנְאָה שֶׁנָּתַן אַהֲרֹן בֵּין יִשְׂרָאֵל לְבֵין אֲבִיהֶם שֶׁבַּשָּׁמַיִם — this means, **the enmity that Aaron placed between** the nation of **Israel and their Father in Heaven**[10] הִיא עוֹרְרָה עֲלֵיהֶם דִּינֵי דִינִין — **is what aroused** God's **severe judgments against them.**[11]

The Midrash discusses the sense in which it was Aaron who created the enmity between Israel and God resultant from the Golden Calf:[12]

אָמַר רַבִּי אַסִּי — **R' Assi said:** מְלַמֵּד שֶׁהָיָה אַהֲרֹן נוֹטֵל קוּרְנָס וּפוֹחֲסוֹ לִפְנֵיהֶם — **[The verse] teaches that Aaron took a hammer and disfigured [the Calf] in front of [the Israelites],**[13]

NOTES

1. The Midrash will ultimately expound the verse from *Proverbs* in a manner relating to our verse. However, characteristically, it first explains this verse in an unrelated manner (*Yefeh To'ar, Eitz Yosef*).

2. Referring to the sins of the Jewish people in the period leading up to the destruction of the First Temple (*Yefeh To'ar, Maharzu*).

3. That is, these newer sins led God to also chastise Israel for sins committed in a much earlier era. [The Midrash is interpreting מְדָנִים, translated above as *strife,* in the sense of דִּין, *judgment.*]

4. Where they had committed idolatry prior to the Exodus. See below.

5. Who prophesied at the time of the destruction of the First Temple. Since the First Temple was built 480 years after the Exodus from Egypt (*I Kings* 6:1) and stood for 410 years (*Yoma* 9a), this arousal in the time of Ezekiel was nearly 900 years after the enmity had first been generated. See *Maharzu.*

6. Thus, through the mouth of the prophet Ezekiel, God chastised Israel for the idolatry committed in Egypt nearly 900 years earlier. However, there is no mention of God ever rebuking the Israelites for that sin until then. Accordingly, it was their later sinning in the time of Ezekiel that resulted in God chastising them for their earlier transgression (*Yefeh To'ar,* citing *Rashi* to *Ezekiel* 20:5; *Maharzu*).

7. For if God then were to destroy the nation of Israel, the Egyptians would think that He had killed them because He was unable to take them out (*Rashi* ad loc.).

8. That is, it was due to God's love for Israel that this sin of idol worship remained dormant, unmentioned, until Ezekiel's prophecy close to 900 years later (*Maharzu;* see also *Rashi* and *Radak* to *Ezekiel* 20:5). Alternatively, the Midrash here means that it was due to God's love that the people of Israel were not destroyed when the enmity caused by the idol worship in Egypt was aroused again by their renewed sinning (*Yefeh To'ar,* second explanation).

9. *Radal* notes that this verse alludes to the idea that God loves the Jewish people even when they sin, for the verse continues, הֲלוֹא אָח עֵשָׂו לְיַעֲקֹב נְאֻם ה' וָאֹהַב אֶת יַעֲקֹב, *Was not Esau the brother of Jacob? — the word of HASHEM — yet I loved Jacob.* It is thus implying that even when Jacob is acting as the brother of Esau, with similarly sinful behavior, God still loves Jacob.

We have explained this passage in accordance with *Yefeh To'ar* and *Maharzu,* who state that the שִׂנְאָה, *enmity,* of the verse from *Proverbs* refers to the renewed sinning at the time of the destruction of the First Temple. However, *Matnos Kehunah* and *Eitz Yosef* offer an opposite interpretation of the passage, understanding שִׂנְאָה as referring to the older *enmity* caused by the sin of the Golden Calf (alluded to in *Ezekiel* 20:13), which aroused מְדָנִים, *judgments* or *retributions* regarding Israel's later sinning, above and beyond what those sins would have caused on their own.

10. Referring to the sin of the Golden Calf. The Midrash will elaborate on Aaron's responsibility for that sin.

11. I.e., both Israel and Aaron, since Aaron too had a role in that enmity (*Eitz Yosef*). *Radal* suggests emending the text to read, עוֹרְרָה עָלָיו דִּינֵי דִינִין, "aroused judgments against him," meaning Aaron, for the Midrash proceeds to discuss specifically God's (intended) punishment of Aaron.

12. Although it was Aaron who actually made the Golden Calf (see *Exodus* 32:2-5), he did that so as to minimize the people's responsibility for the sin and in fact he was rewarded by God for his actions; see 10 §3 below. It is therefore clear that the verse must be referring to some additional act that Aaron had done, aside from making the Calf in the first place, that had produced enmity between God and the Jewish people (*Yefeh To'ar, Eitz Yosef*).

13. See *Avodah Zarah* 53a.

סדר צו
פרשה ז

א [ו, ב] **"צַו אֶת אַהֲרֹן וְאֶת בָּנָיו לֵאמֹר זֹאת תּוֹרַת הָעֹלָה", זֶה שֶׁאָמַר הַכָּתוּב** (משלי י, יב) **"שִׂנְאָה תְּעֹרֵר מְדָנִים וְגוֹ'", שִׂנְאָה שֶׁנָּתְנוּ יִשְׂרָאֵל בֵּינֵיהֶם לְבֵין אֲבִיהֶם שֶׁבַּשָּׁמַיִם, הִיא עוֹרְרָה לָהֶן דִּינֵי דִינִין, דְּאָמַר רַבִּי שְׁמוּאֵל בַּר נַחְמָן: קָרוֹב לְתֵשַׁע מֵאוֹת שָׁנָה הָיְתָה הַשִּׂנְאָה כְּבוּשָׁה בֵּין יִשְׂרָאֵל לְבֵין אֲבִיהֶם שֶׁבַּשָּׁמַיִם, מִיּוֹם שֶׁיָּצְאוּ יִשְׂרָאֵל מִמִּצְרַיִם וְעַד °שָׁנָה שֶׁנִּתְעוֹרְרָה עֲלֵיהֶן בִּימֵי יְחֶזְקֵאל, הֲדָא הוּא דִכְתִיב** (יחזקאל כ, ז) **"וָאֹמַר אֲלֵהֶם אִישׁ שִׁקּוּצֵי וְגוֹ'", וְהֵם לֹא עָשׂוּ כֵן, אֶלָּא** (שם שם ח) **"וַיַּמְרוּ בִי וְלֹא אָבוּ וְגוֹ'", וְעָשִׂיתִי עִמָּהֶם בַּעֲבוּר שְׁמִי הַגָּדוֹל שֶׁלֹּא יִתְחַלֵּל, שֶׁנֶּאֱמַר** (שם שם ט) **"וָאַעַשׂ לְמַעַן שְׁמִי וְגוֹ'",** (משלי שם) **"וְעַל כָּל פְּשָׁעִים תְּכַסֶּה אַהֲבָה", שֶׁאִיהֵב הַמָּקוֹם אֶת יִשְׂרָאֵל, שֶׁנֶּאֱמַר** (מלאכי א, ב) **"אָהַבְתִּי אֶתְכֶם אָמַר ה'". דָּבָר אַחֵר, "שִׂנְאָה תְּעֹרֵר מְדָנִים", שִׂנְאָה שֶׁנָּתַן אַהֲרֹן בֵּין יִשְׂרָאֵל לְבֵין אֲבִיהֶם שֶׁבַּשָּׁמַיִם, הִיא עוֹרְרָה עֲלֵיהֶם דִּינֵי דִינִין, אָמַר רַבִּי אַסִּי: מְלַמֵּד שֶׁהָיָה אַהֲרֹן נוֹטֵל °קָרְבָּנָם וּפוֹחֲסוֹ לִפְנֵיהֶם, וְאוֹמֵר לָהֶם: דְּעוּ שֶׁאֵין בּוֹ מַמָּשׁ, הוּא שֶׁמֹּשֶׁה אָמַר לְאַהֲרֹן,** (שמות לב, כא) **"מֶה עָשָׂה לְךָ הָעָם הַזֶּה", אָמַר לוֹ: מוּטָב הָיָה לָהֶן שֶׁיִּדּוֹנוּ שׁוֹגְגִין וְאַל יִדּוֹנוּ מְזִידִים,**

עץ יוסף

(א) **זה שאמר הכתוב שנאה תעורר כו'.** משום דקשיא ליה מה שנא עד השתא דלא מדכר אהרן במעשה שום קרבן אלא והקריבו בני אהרן, או כהן סתם, ומה שנא השתא דקאמר צו את אהרן. בעי לתרוצי שבתחלה היתה שנאה עליו ולכן לא החשיבו, ושוב בקש משה עליו וקרבו ה', ולכן אמר לו את אהרן, וסמך לדבר מייתי האי קרא כדמפרש ליה בסמוך באהרן ובמשה, ואיידי דמייתי האי קרא דריש ליה ברישא בענין אחר: **שנאה שנתנו ישראל כו'.** וקרא הכי מתפרש שהשנאה הקדומה מעוררת מדנים חדשים יותר מהראוי, וזה היה עון העגל, שעל ידי השנאה שנטר ה' עליו היו מעורר דיני דינים בהמשך הזמנים יותר מהראוי, וכמו שנאמר (שמות לב, לד) וביום פקדי ופקדתי, ואמרו בפרק חלק (קב, א) אין פורענות באה לעולם שאין בו מעשרים וארבעה בהכרע ליטרא מעגל הראשון כו': **ועד שעה שנתעוררה.** כן צריך לומר: **ואעש למען שמי וגו'.** וכתיב שם ונשפטתי אתכם גו' כאשר נשפטתי את אבותיכם, וזה דיני דינין דהכא (רד"ל): **שאיהב המקום.** רצה לומר שזכר להם האהבה הקודמת לבלתי השחיתם בשנאה המתחדש בפשעם, וכמו שאמר שם ביחזקאל ותחס עיני עליהם משחתם ולא עשיתי אותם כלה: **שנאה שנתן אהרן כו'.** וקרא מתפרש כנזכר לעיל, שהשנאה הקדומה היינו מה שעשה אהרן העגל נשמור לו ליום שמיני למילואים שמתו בניו, וגם כן שלא היה ה' מזכירו בעבודה עד שהתפלל משה עליו כדלקמן: **עוררה עליהם.** פירוש על ישראל כנזכר לעיל, וגם על אהרן כנזכר לעיל: **נוטל קרבנם ופוחסו לפניהם.** צריך לומר נוטל קורנס ופוחסו לפניהם. ומשום דקשה נהי דאיכא שנאה על ישראל, אבל על אהרן אין ראוי להיות שנאה מאחר שלטובה נתכוון במעשה העגל ונטל שכר על הדבר כדלקמן (י, ג), לכן מביא הא דרב אסי שהיתה הקנאה כיון דהוה אפשר למעשה העגל בזולת ענין זה דשויוהו מזידים, דאף על גב דאיהו לטובה נתכוון אולי ישמעו וישובו, מכל מקום נחשב לו לחטא דהוי ליה לאסוקי אדעתיה מוטב שיהיו שוגגים. ולפי הגירסא נוטל קרבנם, פירוש קרבנם שהיו זובחים לעגל שנאמר (שמות לב, ח) ויזבחו לו. ופחסו הכה נורתו: **ואל ידונו מזידים.** ואלו לא הודיעם שאין בו ממש היו סוברים שיש בו ממש, והיו שוגגים, וזהו שאמר לו משה מה עשה לך העם הזה כי הבאת עליו חטאה גדולה, כלומר שהגדלת חטאתם במה שנעשו מזידים: **ואל ידונו מזידים.** קשה הלא זה כתובה

פירוש מהרז"ו

(א) **שנאה תעורר מדנים.** ועל כל פשעים תכסה אהבה. ולפי הפשט שאדם השונא לרעהו, מעורר עליו קטטות ומריבות ישנים, ואם אוהב אותו, מכסה עליו גם על פשעים חדשים. ועל פי מדה י"ג, על השנאה שבין ישראל להקב"ה, שעורר עליהם חטאים ישנים שחטאו במצרים, זכר להם בגלות בבל, על שעמדו שם בחטאם, ומה שכתב קרוב לתשע מאות שנה. והחשבון, ארבעים שנה שהיו במדבר, וארבעים וארבע מאות שנה שהיו בארץ עד בנין הבית, כמו שכתוב מפורש במלכים (א, ו, א), ויהי בשמונים שנה וארבע מאות שנה לצאת בני ישראל מארץ מצרים ויבן הבית לה'. והבית עמד ארבע מאות ועשר שנה, הרי שמונה מאות ותשעים שנה, ונבואה זו של השנאה ביחזקאל (כ"ו) [כ], נאמרה בשנת שביעית לגלותם, כמפורש שם בריש הפרשה, הרי שמונה מאות תשעים ושבע, אלא שצריך לגרוע מזה האחד עשרה שנה שקדם גלות יחזקאל עם יכניה, לפני גלות צדקיה וחורבן הבית, הרי שמונה מאות שמונים ושש שנה, ועוד שנה אחת שקדמה נבואה זו לפני לאתם ממצרים שנה אחת וכמו שכתב בפרשה שם פסוק ה', ביום בחרי בישראל [וגו'] ואודע להם בארץ מצרים, ובפסוק ו' - ז', ביום ההוא נשאתי ידי להם להוציאם מארץ מצרים וגו' עד איש שקוצי עיניו, ובברייתא דל"ב מדות מדה ד' איתא, והיתה נבואה כבושה יותר משמונה מאות שמונים ושש שנה, עיין מה שכתבתי בביאורי שם, וזהו קרוב לתשע מאות שנה. ובשמות רבה (ו, ה) מבואר שם שנבואה זו נאמרה על מה שכתוב בריש וארא (שמות ו, ט), ולא שמעו אל משה מקוצר רוח ומעבודה קשה, שלא רצו לפרוש מעבודת כוכבים של מצרים, וזהו איש שקוצי עיניו לא השליכו, עיין בכל המקומות הנ"ל ויתבאר לך, וכל התשע מאות שנה התנבאו הרבה נביאים, ולא גלו להם מה שחטאו במצרים ובמדבר, עד יחזקאל בפרשה כ' שחושב שם הרבה חטאים ומריבות, כי כסה עליהם באהבתו אותם ולא גלה חטאם, וזהו ועל כל פשעים תכסה אהבה: **ופוחסו לפניהם.** ממעכה ומוחקה לבזותה, כמו שכתוב במסכת עבודת גילולים פרק רבי ישמעאל (מב, א), פחסה אף על פי שלא חסרה. ומה שכתב נוטל קרבנם, כמו שכתוב (שמות לב, ה) וירא אהרן ויבן מזבח לפניו ויאמר חג לה' מחר, ולא לעגל, שאינו כדאי להקריב לפניו, והקרבנות שלו של שוא ותוהו המה:

חידושי הרד"ל

[א] **ועד שנה שנתעוררה.** צריך לומר ועד שעה: **למען שמי וגו'.** וכתיב שם ונשפטתי אתכם גו' כאשר נשפטתי את אבותיכם, וזהו דיני דינין דהכא: **ועל כל פשעים כו' שנאמר אהבתי אתכם אמר ה'.** וכתיב בתריה הלא אח וגו' ואהב את יעקב, אפילו בשעה שיעקב אח לשעיר רצה לומר במעשיו חס ושלום, מכל מקום ואהב את כו' כי על כל פשעים תכסה אהבה: **קרבנם ופוחסו.** כן הוא גירסת המתנות כהונה. ובילקוט כאן ובמשלי הגירסא, ופותחו, וטעות סופר, וצריך להיות (ופותחו) [ופוחסו]. והאי עוררה דיני דינין דעגל, הוא כמו שכתוב וביום פקדי כו', וכמו שאמרו (בסנהדרין קב, א) ובשמות רבה במקומו. אבל יותר נכון דגרסינן עוררה עליו, כלומר על אהרן, וכדמסיים ובאהרן התאנף כו': (פעם) [העם] **הזה כי הבאת עליו חטאה גדולה אמר ליה מוטב היה כו'.** כך צריך לומר:

חידושי הרש"ש

[א] **שנאה שנתנו ישראל וכו' עוררה להן דיני דינים.** יכוונו למה שאמר בתחלת פרשתו דיחזקאל שמביא לקמן התשפוט אותם התשפוט בן אדם:

שינוי נוסחאות

(א) **מיום שיצאו ישראל ממצרים ועד שנה שנתעוררה.** במ"כ נוטה למחוק "שנה", וברד"ל הגיה "שעה": **מלמד שהיה אהרן נוטל קרבנם ופוחסו.** צ"ל "קורנוס" במקום "קרבנם", כן הגיה אשד הנחלים וכ"ה באמת בכי"י:

אם למקרא

שִׂנְאָה תְּעוֹרֵר מְדָנִים וְעַל כָּל פְּשָׁעִים תְּכַסֶּה אַהֲבָה: (משלי י:יב)

וָאֹמַר אֲלֵהֶם אִישׁ שִׁקּוּצֵי עֵינָיו הַשְׁלִיכוּ וּבְגִלּוּלֵי מִצְרַיִם אַל תִּטַּמָּאוּ אֲנִי ה' אֱלֹהֵיכֶם: וַיַּמְרוּ בִי וְלֹא אָבוּ לִשְׁמֹעַ אֵלַי אִישׁ אֶת שִׁקּוּצֵי עֵינֵיהֶם לֹא הִשְׁלִיכוּ וְאֶת גִּלּוּלֵי מִצְרַיִם לֹא עָזָבוּ וָאֹמַר לִשְׁפֹּךְ חֲמָתִי עֲלֵיהֶם לְכַלּוֹת אַפִּי בָּהֶם בְּתוֹךְ אֶרֶץ מִצְרָיִם: וָאַעַשׂ לְמַעַן שְׁמִי לְבִלְתִּי הֵחֵל לְעֵינֵי הַגּוֹיִם אֲשֶׁר הֵמָּה בְתוֹכָם אֲשֶׁר נוֹדַעְתִּי אֲלֵיהֶם לְעֵינֵיהֶם לְהוֹצִיאָם מֵאֶרֶץ מִצְרָיִם: (יחזקאל כ:ז-ט)

אָהַבְתִּי אֶתְכֶם אָמַר ה' וַאֲמַרְתֶּם בַּמָּה אֲהַבְתָּנוּ הֲלוֹא אָח עֵשָׂו לְיַעֲקֹב נְאֻם ה' וָאֹהַב אֶת יַעֲקֹב: (מלאכי א:ב)

וַיֹּאמֶר מֹשֶׁה אֶל־אַהֲרֹן מֶה־עָשָׂה לְךָ הָעָם הַזֶּה כִּי־הֵבֵאתָ עָלָיו חֲטָאָה גְדֹלָה: (שמות לב:כא)

באור מהרי"פ

[א] **מתנות כהונה ד"ה שנה מגומגם ובילקוט אינו.** לא הבינותי כוונתו והיכא קאי, דאין לומר דכונתו על מה שאמר קרוב לתשע מאות שנה היתה השנאה כבושה וכו', והלא לשון זה הובא גם כן בילקוט (משלי רמז תתקמו). ואיך אמר ובילקוט אינו, צריך עיון דבריו: **ואומר אליהם.** (יחזקאל כ, ז־ט) **ואומר אליהם איש שקוצי עיניו השליכו ובגלולי מצרים אל תטמאו אני ה' אלהיכם.** וימרו בי ולא אבו לשמוע אלי איש את שקוצי עיניהם לא השליכו ואת גלולי מצרים לא עזבו, ואומר לשפוך חמתי עליהם לכלות אפי בתוך ארץ מצרים, ואעש למען שמי לבלתי החל לעיני הגוים אשר המה בתוכם אשר נודעתי אליהם לעיניהם להוציאם מארץ מצרים: **שאוהב המקום וכו'.** ואהבה זו כסתה על כל הפשעים שלא השמידם:

מתנות כהונה

[א] **שנתנו ישראל ביניהם כו'.** שעשו את העגל: **שנה.** מגומגם ובילקוט אינו: **נוטל קרבנם כו'.** קרבנם שהיו זובחים לעגל, שנאמר ויזבחו לו: **ופוחסו.** הכה והשפיל נורתו. ובילקוט משלי הביא גירסא אחרת: **ואל יהיו מזידים.** ואלו לא הודיעם שאין בו ממש היו סוברים

אשד הנחלים

[א] **שנאה תעורר כו' שנאה שנתתי כו' אהבה שאהב הקב"ה.** מפרש הכתוב על דרך זה, אף שהשנאה מזולתו לרעהו תעורר המדנים, עם כל זה על כל פשעים תכסה האהבה שיש מרעהו עליו. ובנמשל אף שישראל מעודם לא היו עודנה מחוברים לה' באמת, עד שקרה כמה פעמים שעבדו עבודת כוכבים, אך למען שמו הגדול משך כל הזמן ההוא, אך לבסוף על כל פשעים תכסה אהבה, שאז יגאלו וישובו על כנם: **נוטל קרבנם.** אולי צריך לומר **נוטל קורנס,** ובילקוט כאן קרבנם, וגם שם בשבוש (הרב מהור"ז מהוראדנא). אך עם כל זה אף שהיה אהרן מכוון לטובה עם כל זה עוררה להם מדנים: **שידונו שוגגים.** היפה תואר הקשה הלא זה כתובה בפירוש בתורה איסור עבודת כוכבים, ואם כן איך ידונו בזה כשוגגים. אך לפי דברי הכוזרי ב(זה)[אלו] הדברים (מאמר א סימן צז), שעשיית העגל לא היה מסרך עבודת כוכבים, כי אם דימו לעשות דבר אמצעי שעל ידי זה יזכרו האלקות, כמו שמשה היה האמצעי, ואהרן היה חפץ להראות להם טעותם, ופיחס העגל, ואז נידונו כמזידים, אחר שראו שאין בו ממש:

וְאוֹמֵר לָהֶם: דְּעוּ שֶׁאֵין בּוֹ מַמָּשׁ — **and said to them, "Know that it has no substance."**[14] הוּא שֶׁמֹּשֶׁה אָמַר לְאַהֲרֹן, "מֶה עָשָׂה לְךָ הָעָם הַזֶּה" — **This is** the connotation of **that which Moses said to Aaron, *"What did this people do to you*** *that you brought a great sin upon it?"* (*Exodus* 32:21).[15] אָמַר לוֹ: מוּטָב הָיָה לָהֶן שֶׁיִּדּוֹנוּ שׁוֹגְגִין וְאַל יִדּוֹנוּ מְזִידִים — **He was saying to [Aaron], "For [the Israelites] it would have been preferable to be judged** as **unintentional** sinners **and not to be judged** as **deliberate** sinners."[16]

NOTES

14. [I.e., it has no Divine or supernatural powers, as demonstrated by my ability to damage it without it being able to offer any resistance.]

15. The reference to *a great sin* (חֲטָאָה גְדֹלָה) implies that Moses was blaming Aaron for magnifying the sin in some fashion rather than holding him responsible for the sin in its entirety (*Eitz Yosef*).

16. That is, since the people continued sinning with the Golden Calf despite Aaron's exposure of its impotence, they were now considered deliberate rather than unintentional sinners. Even without Aaron's act the Israelites were all well aware that idolatry is forbidden, having heard that prohibition from God Himself (see *Exodus* 20:3-5). However, they were not worshiping the Calf as a deity in and of itself; rather, they saw it as a physical medium through which they could direct their thoughts in the worship of God; see *Kuzari* 1:97. Such worship was still prohibited, since the use of this medium had not been sanctioned by God. But since they honestly believed that it was a proper method of worshiping God, their sin was inadvertent. When Aaron disfigured the Golden Calf, demonstrating that it lacked any special Divine properties, they should have realized their error; since they still continued with their improper worship they were henceforth considered fully culpable (*Eitz Yosef;* see similarly *Yefeh To'ar*). Although Aaron's motivation had been proper, for he had hoped that the people would then desist from further sinning, he was held to blame for not taking into account this potentially detrimental effect of his actions (*Eitz Yosef*).

[In a similar vein, the Gemara rules that one should not inform inadvertent sinners of their error when the likelihood is that in any event they will continue acting improperly for מוּטָב שֶׁיִּהְיוּ שׁוֹגְגִין וְאַל יִהְיוּ מְזִידִין, *it is preferable that they be inadvertent rather than deliberate sinners* (*Beitzah* 30a et al.). Many authorities though limit this principle to prohibitions that are not explicit in Scripture; see *Rama, Orach Chaim* 608:2. Nevertheless, in light of what was said above, that the Golden Calf was not in fact actual idolatry, the applicability of this concept to that sin is readily understood.]

סדר צו

פרשה ז

א [ו, ב] **"צו את אהרן ואת בניו לאמר זאת תורת העלה", זה שאמר הכתוב** (משלי י, יב) **"שנאה תעורר מדנים וגו'", שנאה שנתנו ישראל ביניהם לבין אביהם שבשמים, היא עוררה להן דיני דינין, דאמר רבי שמואל בר נחמן: קרוב לתשע מאות שנה היתה השנאה כבושה בין ישראל לבין אביהם שבשמים, מיום שיצאו ישראל ממצרים ועד °שנה שנתעוררה עליהן בימי יחזקאל, הדא הוא דכתיב** (יחזקאל כ, ז) **"ואמר אליהם איש שקוצי וגו'", והם לא עשו כן, אלא** (שם שם ח) **"וימרו בי ולא אבו וגו'", ועשיתי עמהם בעבור שמי הגדול שלא יתחלל, שנאמר** (שם שם ט) **"ואעש למען שמי וגו'",** (משלי שם) **"ועל כל פשעים תכסה אהבה", שאיהב המקום את ישראל, שנאמר** (מלאכי א, ב) **"אהבתי אתכם אמר ה'". דבר אחר, "שנאה תעורר מדנים", שנאה שנתן אהרן בין ישראל לבין אביהם שבשמים, היא עוררה עליהם דיני דינין, אמר רבי אסי: מלמד שהיה אהרן נוטל °קרבנם ופוחסו לפניהם, ואומר להם: דעו שאין בו ממש, הוא שמשה אמר לאהרן,** (שמות לב, כא) **"מה עשה לך העם הזה", אמר לו: מוטב היה להן שידונו שוגגין ואל ידונו מזידים,**

עץ יוסף

(א) זה שאמר הכתוב שנאה תעורר כו'. משום דקשיא ליה מה שנא עד השתא דלא מדכר אהרן במעשה שום קרבן אלא והקריבו בני אהרן, או כהן סתם, ומה שנא השתא דקאמר צו את אהרן. בעי לתרוצי שבחטאתו היתה שנאה עליו ולכן לא החשיבו, ושוב בקש משה עליו וקרבו ה', ולכן אמר לו את אהרן, וסמך לדבר מייתי האי קרא כדמפרש ליה בסמוך באהרן ובמשה, ואיידי דמייתי האי קרא דריש ליה ברישא בענין אחר: **שנאה שנתנו ישראל כו'.** וקרא הכי מתפרש שהשנאה הקדומה מעוררת מדנים חדשים יותר מהראוי, וזה היה עון העגל, שעל ידי השנאה שנטר ה' עליו היו מעורר דיני דינים בהמשך הזמנים יותר מהראוי, וכמו שנאמר (שמות לב, לד) וביום פקדי ופקדתי, ואמרו בפרק חלק (קב, א) אין פורענות באה לעולם שאין בו מעשרים וארבעה בהכרע ליטרא מעגל הראשון כו': **ועד שעה שנתעוררה.** כן צריך לומר: **ואעש למען שמי וגו'.** וכתיב שם ונשפטתי אתכם גו' כאשר נשפטתי את אבותיכם, וזה דיני דינין דהכא (רד"ל): **שאיהב המקום.** רצה לומר שזכר להם האהבה הקודמת לבלתי השחיתם בשנאה המתחדש בפשעם, וכמו שאמר שם ביחזקאל ותחס עיני עליהם משחתם ולא עשיתי אותם כלה: **שנאה שנתן אהרן כו'.** וקרא מתפרש כנזכר לעיל, שהשנאה הקדומה היינו מה שעשה אהרן העגל נשמר לו ליום שמיני למילואים שמתו בניו, וגם כן שלא היה ה' מזכירו בעבודה עד שהתפלל משה עליו כדלקמן: **עוררה עליהם.** פירוש על ישראל כנזכר לעיל, וגם על אהרן כנזכר לעיל: **נוטל קרבנם ופוחסו לפניהם.** צריך לומר נוטל קורנס ופוחסו לפניהם. ומשום שקשה נהי דאיכא שנאה על ישראל, אבל על אהרן אין ראוי להיות שנאה מאחר שלטובה נתכוון במעשה העגל ונטל שכר על הדבר כדלקמן (י, ג), לכן מביא הא דרב אסי שהיתה הקנאה כיון דהוה אפשר למעשה העגל בזולת ענין זה דשויהו מזידים, דאף על גב דאיהו לטובה נתכוון אולי ישמעו וישובו, מכל מקום נחשב לו לחטא דהוי ליה לאסוקי לדעתיה מוטב שיהיו שוגגים. ולפי הגירסא נוטל קרבנם, פירוש קרבנם שהיו זובחים לעגל שנאמר (שמות לב, ח) ויזבחו לו. ופחסו הכה לורתו: **ואל ידונו מזידים.** ואלו לא הודיעם שאין בו ממש היו סוברים שיש בו ממש, והיו שוגגים, וזהו שאמר לו משה מה עשה לך העם הזה כי הבאת עליו חטאה גדולה, כלומר שהגדלת חטאתם במה שנעשו מזידים: **ואל ידונו מזידים.** קשה הלא זה כתובה

פירוש מהרז"ו

(א) שנאה תעורר מדנים. ועל כל פשעים תכסה אהבה. ולפי הפשט שאדם השונא לרעהו, מעורר עליו קטטות ומריבות ישנים, ואם אוהב אותו, מכסה עליו גם על פשעים חדשים. ועל פי מדה י"ז, על השנאה שבין ישראל להקב"ה, שעורר עליהם חטאים ישנים שחטאו במצרים, זכר להם בגלות בבל, על שעמדו שם בחטאם, ומה שכתב קרוב לתשע מאות שנה. והחשבון, ארבעים שנה שהיו במדבר, וארבעים וארבע מאות שנה שהיו בארץ עד בנין הבית, כמו שכתוב מפורש במלכים (א, ו, א), ויהי בשמונים שנה וארבע מאות שנה לצאת בני ישראל מארץ מצרים ויבן הבית לה'. והבית עמד ארבע מאות ועשר שנה, הרי שמונה מאות ותשעים שנה, ונבואה זו של השנאה ביחזקאל (כ"ו) [כ], נאמרה בשנת שביעית לגלותם, כמפורש שם בריש הפרשה, הרי שמונה מאות תשעים ושבע, אלא שצריך לגרוע מזה האחד עשרה שנה שקדם גלות יחזקאל עם יכניה, לפני גלות צדקיה וחורבן הבית, הרי שמונה מאות שמונים ושש שנה, ועוד שנה אחת שקדמה נבואה זו לפני צאתם ממצרים שנה אחת וכמו שכתב בפרשה שם פסוק ה', ביום בחרי בישראל [וגו'] ואודע להם בארץ מצרים, [ובפסוק ו - ז], ביום ההוא נשאתי ידי להם להוציאם מארץ מצרים וגו' עד איש שקוצי עיניו, ובברייתא דל"ב מדות מדה ד' איתא, והיתה נבואה כבושה יותר משמונה מאות שמונים ושש שנה, עיין מה שכתבתי בביאורי שם, וזהו קרוב לתשע מאות שנה. ובשמות רבה (ו, ה) מבואר שם שנבואה זו נאמרה על מה שכתוב בריש וארא (שמות ו, ט), ולא שמעו אל משה מקוצר רוח ומעבודה קשה, שלא רצו לפרוש מעבודת כוכבים של מצרים, וזהו איש שקוצי עיניו לא השליכו, עיין בכל המקומות הנ"ל ויתבאר לך, וכל התשע מאות שנה התנבאו הרבה נביאים, ולא גלו להם מה שחטאו במצרים ובמדבר, עד יחזקאל בפרשה כ' שחושב שם הרבה חטאים ומריבות, כי כסה עליהם באהבתו אותם ולא גלה חטאם, וזהו ועל כל פשעים תכסה אהבה: **ופוחסו לפניהם.** ממעכה ומוחקה לבזותה, כמו שכתוב במסכת עבודת גילולים פרק רבי ישמעאל (מב, א), פחסה אף על פי שלא חסרה. ומה שכתב נוטל קרבנם, כמו שכתוב (שמות לב, ה) וירא אהרן ויבן מזבח לפניו ויאמר חג לה' מחר, ולא לעגל, שאינו כדאי להקריב לפניו, והקרבנות שלו של שוא ותוהו המה:

חידושי הרד"ל

[א] ועד שנה שנתעוררה. צריך לומר ועד שעה: **למען שמי וגו'.** וכתיב שם ונשפטתי אתכם גו' כאשר נשפטתי את אבותיכם, וזהו דיני דינין דהכא: **ועל כל פשעים כו' שנאמר אהבתי אתכם אמר ה'.** וכתיב בתריה הלא אח וגו' ואהב את יעקב, אפילו בשעה שיעקב את לשעיר רצה לומר במעשיו חס ושלום, מכל מקום ואהב את כו' כי על כל פשעים תכסה אהבה: **קרבנם ופוחסו.** כך הוא גירסת המתנות כהונה. ובילקוט כאן ובמשלי הגירסא, ופותחו, וטעות סופר, וצריך להיות (ופותחו) [ופוחסו], והאי עוררה דיני דינין דעגל, וכמו שכתוב וביום פקדי כו', וכמו שאמרו (בסנהדרין קב, א) ובשמות רבה במקומו. אבל יותר נכון דגרסינן עוררה עליו, כלומר על אהרן, וכדמסיים ובאהרן התאנף כו': **(פעם) [העם] הזה כי הבאת עליו חטאה גדולה אמר ליה מוטב היה כו'.** כך צריך לומר:

חידושי הרש"ש

[א] שנאה שנתנו ישראל וכו' עוררה להן דיני דינים. יכוונו למה שאמר בתחלת פרשתו דיחזקאל שמביא לקמן התשפוט אותם התשפוט בן אדם:

שינוי נוסחאות

(א) מיום שיצאו ישראל ממצרים ועד שנה שנתעוררה. במ"כ נוטה למחוק "שנה", ובהרד"ל הגיה "שעה": **מלמד שהיה אהרן נוטל קרבנם ופוחסו.** צ"ל "קורנוס" במקום "קרבנם", כן הגיה אשר הנחלים וכ"ה באמת בכי"י:

אם למקרא

שנאה תעורר מדנים ועל כל פשעים תכסה אהבה: (משלי י:יב)

ואמר אלהם איש שקוצי עיניו השליכו ובגלולי מצרים אל תטמאו אני ה' אלהיכם: וימרו בי ולא אבו לשמע אלי איש את שקוצי עיניהם לא השליכו ואת גלולי מצרים לא עזבו ואמר לשפך חמתי עליהם לכלות אפי בהם בתוך ארץ מצרים: ואעש למען שמי לבלתי החל לעיני הגוים אשר המה בתוכם אשר נודעתי אליהם לעיניהם להוציאם מארץ מצרים: (יחזקאל כ:ז-ט)

אהבתי אתכם אמר ה' ואמרתם במה אהבתנו הלוא אח עשו ליעקב נאם ה' ואהב את יעקב: (מלאכי א:ב)

ויאמר משה אל־אהרן מה־עשה לך העם הזה כי־הבאת עליו חטאה גדלה: (שמות לב:כא)

באור מהרי"פ

[א] מתנות כהונה ד"ה שנה מגומגם ובילקוט אינו. לא הביאותי כוונתו והיכא קאי, דאין לומר דכונתו על מה שאמר קרוב לתשע מאות שנה היתה השנאה כבושה וכו', והלא לשון זה הובא גם כן בילקוט (משלי רמז תתקמו). ואיך אמר ובילקוט אינו, צריך עיון דבריו: **ואומר אליהם.** (יחזקאל כ, ז־ט) **ואומר אליהם איש שקוצי עיניו השליכו ובגלולי מצרים אל תטמאו אני ה' אלהיכם.** וימרו בי ולא אבו לשמוע אלי איש את שקוצי עיניהם לא השליכו ואת גלולי מצרים לא עזבו, ואומר לשפוך חמתי עליהם לכלות אפי בתוך ארץ מצרים, ואעש למען שמי לבלתי החל לעיני הגוים אשר המה בתוכם אשר נודעתי אליהם לעיניהם להוציאם מארץ מצרים: **שאוהב המקום וכו'.** והאהבה זו כסתה על כל הפשעים שלא השמידם:

מתנות כהונה

[א] שנתנו ישראל ביניהם כו'. שעשו את העגל: **שנה.** מגומגם ובילקוט אינו: **נוטל קרבנם כו'.** קרבנם שהיו זובחים לעגל, שנאמר ויזבחו לו: **ופוחסו.** הכה והשפיל צורתו. ובילקוט משלי הביא גירסא אחרת: **ואל יהיו מזידים.** ואלו לא הודיעם שאין בו ממש היו סוברים

אשד הנחלים

[א] שנאה תעורר כו' שנאה שנתתי כו' אהבה שאהב הקב"ה. מפרש הכתוב על דרך זה, אף שהשנאה מזולתו לרעהו תעורר המדנים, עם כל זה על כל פשעים תכסה האהבה שיש מרעהו עליו. ובנמשל אף שישראל מעודם לא היו עודנה מחוברים לה' באמת, עד שקרה כמה פעמים שעבדו עבודת כוכבים, אך למען שמו הגדול משך כל הזמן ההוא, אך לבסוף על כל פשעים תכסה אהבה, שאז יגאלו וישובו על כנם: **נוטל קרבנם.** אולי צריך לומר **נוטל קורנס,** ובילקוט כאן קרבנם, וגם שם בשבוש (הרב מהור"ז מהוראדנא). אך עם כל זה אף שהיה אהרן מכוון לטובה עם כל זה עוררה להם מדנים: **שידונו שוגגים.** היפה תואר הקשה הלא זה כתובה בפירוש בתורה איסור עבודת כוכבים, ואם כן איך ידונו בזה כשוגגים. אך לפי דברי הכוזרי ב(זה)[אלו] הדברים (מאמר א סימן צז), שעשיית העגל לא היה מסרך עבודת כוכבים, כי אם דימו לעשות דבר אמצעי שעל ידי זה יזכרו האלקות, כמו שמשה היה האמצעי, ואהרן היה חפץ להראות להם טעותם, ופיחס העגל, ואז נידונו כמזידים, אחר שראו שאין בו ממש:

הוּא שֶׁהַקָּדוֹשׁ בָּרוּךְ הוּא אָמַר לְמֹשֶׁה — It is in regard to this sin of Aaron that the Holy One, blessed is He, said to Moses, "מִי אֲשֶׁר חָטָא לִי אֶמְחֶנּוּ מִסִּפְרִי" — *"Whoever has sinned against Me, I shall erase him from My Book"* (*Exodus* 32:33).[17] הָדָא הוּא דִכְתִיב "וּבְאַהֲרֹן הִתְאַנַּף ה' מְאֹד לְהַשְׁמִידוֹ וְגוֹ'" — Thus it is written, ***Hashem became very angry with Aaron to destroy him,*** *so I prayed also for Aaron at that time* (*Deuteronomy* 9:20).[18]

The Midrash digresses to discuss the connotation of לְהַשְׁמִידוֹ, *to destroy him*:

רַבִּי יְהוֹשֻׁעַ דְּסִיכְנִין בְּשֵׁם רַבִּי לֵוִי — R' Yehoshua of Sichnin said in the name of R' Levi: אֵין לְשׁוֹן הַשְׁמָדָה הַכָּתוּב כָּאן אֶלָּא לְשׁוֹן כִּילּוּי בָּנִים וּבָנוֹת — The term "destruction" that is written here in reference to Aaron is specifically a term for the annihilation of all his sons and daughters,[19] כְּמָה דְתֵימָא "וָאַשְׁמִיד פִּרְיוֹ מִמַּעַל וְשָׁרָשָׁיו מִתָּחַת" — as in that which [Scripture] states, ***And I destroyed his fruit from above and his roots from below*** (*Amos* 2:9).[20]

The Midrash returns to its exposition of the verse from *Proverbs*: "וְעַל כָּל פְּשָׁעִים תְּכַסֶּה אַהֲבָה" — ***But love covers all offenses;*** תְּפִלָּה שֶׁנִּתְפַּלֵּל מֹשֶׁה עָלָיו — *love* refers to the prayer the Moses prayed on [Aaron's] behalf.[21] וּמַה נִּתְפַּלֵּל מֹשֶׁה עָלָיו — And what prayer did Moses pray on his behalf?[22] רַבִּי מָנָא דְּיִשָׁאַב וְרַבִּי יְהוֹשֻׁעַ דְּסִיכְנִין בְּשֵׁם רַבִּי לֵוִי — R' Mana of Yish'av and R' Yehoshua of Sichnin said in the name of R' Levi: מִתְּחִלַּת הַסֵּפֶר וְעַד כָּאן כְּתִיב — From the beginning of the Book of *Leviticus* until now it is written, "וְעָרְכוּ בְּנֵי אַהֲרֹן" — ***The sons of Aaron,*** *the Kohanim,* ***shall arrange*** *the pieces, the head, and the fats, on the wood* (1:8); "וְזָרְקוּ בְּנֵי אַהֲרֹן" — ***and the sons of Aaron,*** *the Kohanim,* ***shall throw*** *its blood on the Altar* (v. 11); "וְנָתְנוּ בְּנֵי אַהֲרֹן" — ***The sons of Aaron*** *the Kohen* ***shall place*** *fire on the Altar* (v. 7).[23] אָמַר מֹשֶׁה לִפְנֵי הַקָּדוֹשׁ בָּרוּךְ הוּא — Moses said before the Holy One, blessed is He, הַבּוֹר שְׂנוּאָה וּמֵימֶיהָ חֲבִיבִין — "The cistern is hated and yet its waters are cherished?[24] חָלַקְתָּ כָּבוֹד לָעֵצִים בִּשְׁבִיל בְּנֵיהֶן — Additionally, You conferred honor on trees on account of their offspring,[25] דִּתְנִינַן תַּמָּן — as is taught there in a Mishnah: כָּל הָעֵצִים כְּשֵׁרִים לַמַּעֲרָכָה — The woods from all species of trees are valid for the pyre of the Altar, חוּץ מִשֶּׁל זַיִת וְשֶׁל גֶּפֶן — except for that of an olive tree and of a grapevine (*Tamid* 2:3).[26] וּלְאַהֲרֹן אֵין אַתָּה חוֹלֵק לוֹ כָּבוֹד בִּשְׁבִיל בָּנָיו — And yet You will not confer honor on Aaron on account of his sons?"[27]

NOTES

17. I.e., his name shall not be mentioned in the Torah (*Radal;* see *Rashi* to *Exodus* 32:32). The Midrash interprets this in reference to Aaron, who is conspicuously absent from many of the commandments regarding the sacrificial service, as the Midrash notes below. The sin of which the verse speaks is then Aaron's sin of transforming the Israelites into deliberate offenders, for Aaron himself was not guilty of the sin of the Golden Calf (see note 12 above) [see *Eitz Yosef*]. Alternatively, since the verse uses the singular, אֶמְחֶנּוּ, *I shall erase him,* rather than the plural, *I shall erase them,* the Midrash interprets it as referring to Aaron and his personal sin rather than in reference to the Israelites' sin of worshiping the Golden Calf (*Matnos Kehunah;* see also *Eshed HaNechalim*).

18. That is, God's anger against Aaron was due to his disfiguring the Golden Calf, as a result of which the Israelites were considered deliberate rather than inadvertent sinners [and not for his role in making the Calf, as it would appear from the plain sense of Scripture].

19. That is, the verse indicates that God initially wished to punish Aaron for his sin by killing all his descendants so that when he would eventually die, he would leave behind no physical continuity in this world (*Eitz Yosef*). [See note 21 below.] The reference in the Midrash to בָּנוֹת refers to future female progeny in coming generations, for Aaron himself had no daughters (*Eitz Yosef*). [See *Yefeh To'ar* and *Eitz Yosef* for a discussion as to why it was just for Aaron's sons to die for their father's sin.]

20. The verse metaphorically describes the Amorites whom God had wiped out as trees, with פִּרְיוֹ, *his fruit,* referring to offspring (*Eitz Yosef*). Thus Scripture there is using אַשְׁמִיד, *I destroyed,* in reference to the annihilation of offspring.

21. Due to which God relented and mentioned Aaron by name in the Torah (see below). As mentioned in 10 §5 below, Moses also prayed that Aaron's sons not die, and in response to that prayer God relented in part and only two of Aaron's four sons, Nadab and Abihu, lost their lives (below, 10:2). However, the Midrash here is discussing the prayer that Moses subsequently prayed to forestall the punishment that was directly threatening Aaron himself (*Maharzu;* see also *Yefeh To'ar*). Moses' prayer is termed *love* because it was the great love that Moses felt toward Aaron that prompted him to pray for his brother despite God's anger against him (*Maharzu*). [Alternatively, the Midrash means that God accepted Moses' prayer on Aaron's behalf due to His love for Moses.]

22. I.e., what argument could Moses make to defend Aaron after God had expressed His great anger against him (*Maharzu*).

23. That is, Scripture makes mention of Aaron's sons performing the service in the Tabernacle, but not of Aaron himself. [*Rashash* and *Eitz Yosef* note that the various verses are not cited here in their proper sequence. See however the parallel passage in *Yalkut Shimoni* (§479).]

24. That is, You rejected Aaron himself, yet You mention *the sons of Aaron* who derive from him, like the water that is derived from the cistern. *Yefeh To'ar* suggests that Moses was intimating that if due to his sin Aaron's sanctity is blemished and he is unfit to serve as a Kohen, then similarly his sons would be unfit, for they are Kohanim only by virtue of being descended from Aaron.

25. I.e., You spared certain types of trees on account of their fruit (see *Midrash Lekach Tov, Vayikra* 4:2, cited by *Ramban* to *Genesis* 11:32).

26. Olive trees and grapevines are not to be burnt as fuel on the Altar, but rather are left to continue producing their fruit for the benefit of society; see the explanation of this Mishnah given by R' Acha bar Yaakov in *Tamid* 29b (however, see *Matnos Kehunah*). For alternative explanations, see Insight Ⓐ.

27. Sparing him from punishment on account of his righteous sons. [The righteousness of Aaron's sons is demonstrated by their mention in the verses cited above; see *Yefeh To'ar.*]

Accordingly, the time at which Moses prayed for Aaron, as per the verse, *So I prayed also for Aaron at that time* (*Deuteronomy* 9:20), was when God mentioned *the sons of Aaron* here in the context of the Tabernacle service (*Maharzu*).

INSIGHTS

Ⓐ **Preferred Trees** *Beur Maharif* questions the use of the phrase, חָלַקְתָּ כָּבוֹד לָעֵצִים, "You conferred honor to trees," regarding the invalidation of the olive tree and the grapevine for the Altar's pyre. Surely it is no honor to these trees that they are banned from sacred use, especially since it is perfectly permissible to burn them for mundane purposes. *Beur Maharif* offers an alternative understanding of the Midrash based on R' Pappa's explanation of the Mishnah, that the olive tree and the grapevine are prohibited from the Altar's pyre because they are knotty and do not burn well (see *Tamid* 29b). The Gemara derives this from the verse עַל הָעֵצִים אֲשֶׁר עַל הָאֵשׁ, *on the wood that is on the fire* (above, 1:8), which is interpreted as meaning that the wood must be such that it can be transformed into fire. The "honor" of the trees mentioned here is that the restriction against their use is not explicit in Scripture but is rather alluded to delicately. In a similar vein, *Anaf Yosef* argues that the Midrash here is not referring to the prohibition against using grapevines and olive wood on the Altar but rather to the continuation of the Mishnah, which states that the branches of the *fig* tree were the preferred wood for the pyre.

Rashi to *Zevachim* 58a s.v. (עצי תאנה יפין) offers a homiletical explanation for the preference for fig wood, saying that the fig tree had provided the aprons with which Adam and Eve clothed themselves after the sin of the Tree of Knowledge (see *Genesis* 3:7). Since the aprons were not made from the fig tree itself but rather from the fig leaf, it is due to its leaves that the fig tree was given this honor. Thus, honor was conferred upon the fig tree on account of its offspring, i.e., its leaves.

הוּא שֶׁהַקָּדוֹשׁ בָּרוּךְ הוּא אָמַר לְמשֶׁה, (שם שם לג) "מִי אֲשֶׁר חָטָא לִי אֶמְחֶנּוּ מִסִּפְרִי", הָדָא הוּא דִכְתִיב (דברים ט, כ) "וּבְאַהֲרֹן הִתְאַנַּף ה' מְאֹד לְהַשְׁמִידוֹ וְגוֹ'", רַבִּי יְהוֹשֻׁעַ דְּסִיכְנִין בְּשֵׁם רַבִּי לֵוִי: [א]אֵין לְשׁוֹן הַשְׁמָדָה הַכָּתוּב כָּאן אֶלָּא לְשׁוֹן כִּילּוּי בָּנִים וּבָנוֹת, כְּמָה דְתֵימָא (עמוס ב, ט) "וָאַשְׁמִיד פִּרְיוֹ מִמַּעַל וְשָׁרָשָׁיו מִתָּחַת", (משלי שם שם) "וְעַל כָּל פְּשָׁעִים תְּכַסֶּה אַהֲבָה", תְּפִלָּה שֶׁנִּתְפַּלֵּל משֶׁה עָלָיו, וּמָה נִתְפַּלֵּל משֶׁה עָלָיו, רַבִּי מָנָא דִּשְׁאַב וְרַבִּי יְהוֹשֻׁעַ דְּסִיכְנִין בְּשֵׁם רַבִּי לֵוִי: מִתְּחִלַּת הַסֵּפֶר וְעַד כָּאן כְּתִיב (לעיל א, ח) "וְעָרְכוּ בְּנֵי אַהֲרֹן" (שם שם יא; ג, ב; ועוד) "וְזָרְקוּ בְּנֵי אַהֲרֹן" (שם א, ז) "וְנָתְנוּ בְּנֵי אַהֲרֹן", אָמַר משֶׁה לִפְנֵי הַקָּדוֹשׁ בָּרוּךְ הוּא: הַבּוֹר שְׂנוּאָה וּמֵימֶיהָ חֲבִיבִין, חָלַקְתָּ כָּבוֹד לָעֵצִים בִּשְׁבִיל בְּנֵיהֶן, דִּתְנִינַן תַּמָּן: כָּל הָעֵצִים כְּשֵׁרִים לַמַּעֲרָכָה חוּץ מִשֶּׁל זַיִת וְשֶׁל גֶּפֶן (תמיד ב, ג), וּלְאַהֲרֹן אֵין אַתָּה חוֹלֵק לוֹ כָּבוֹד בִּשְׁבִיל בָּנָיו, אָמַר לוֹ הַקָּדוֹשׁ בָּרוּךְ הוּא: חַיֶּיךָ שֶׁבִּשְׁבִילְךָ אֲנִי מְקָרְבוֹ, וְלֹא עוֹד אֶלָּא שֶׁאֲנִי עוֹשֶׂה אוֹתוֹ עִיקָּר וּבָנָיו טְפֵלִים, [ו, ב] "צַו אֶת אַהֲרֹן וְאֶת בָּנָיו לֵאמֹר":

עץ יוסף

בפירוש בתורה איסור עבודה זרה, ואם כן איך ידונו בזה כשוגגים. אך לפי דברי הכוזרי בזה (הדברים) שעשיית העגל לא היה מסרך עבודה זרה כי אם דימו לעשות דבר אמצעי שעל ידי זה יזכרו ההלכות כמו שמשה היה אמצעי, ואהרן היה חפץ להראות להם טעותם ופיחם העגל או קרבנם, ואז נידונו כמזידים אחר שראו שאין בו ממש: **אמחנו מספרי.** ואחר שלא מצינו שנתקיים זה באיזה אדם, כי לא מצינו מי שהיה כתוב בספר ונמחה, מפרשינן דהיינו אהרן שהשמיט ה' זכרונו ממצות העבודה, ואלמלא שהתפלל משה היה נמחה מספר התורה: **אין לשון השמדה כו'.** שם השמדה הונח על דבר הכלה שלא ישאר ממנו זכרון מאומה לעולם, וזהו הבנים שזהו הפרי, והשורש הוא האב: **בילוי בנים ובנות.** לא גרסינן ובנות, ואי גרסינן לה פירושו על הבנות שהיו עתידות לצאת מהם. אך קשה כיון דגדולים הוו למה יומתו אבות על בנים, ובשלמא נדב ואביהו שנתחייבו מיתה ממתן תורה אלא שהאריך ה' להם ניחא שבחטא אהרן קרב קיצם, אבל אלעזר ואיתמר מה פשעם. ושמא גם הם היו אומרים בעגל דעו שאין בו ממש (יפה תואר): **דתנינן תמן כו'.** משנה היא במסכת תמיד פרק שני, וסבירא ליה הטעם מפני שבא מהן שמן למנחות ויין לנסך, וכן כתב הרמב"ן בפרשת נח (יא, לג) שמלא במדרש כל העצים כשרים חוץ משל זית ושל גפן שהשמן והיין קרבים לגבי המזבח הגלו הפירות האילנות, וכן מצינו באברהם שהביא את תרח, שנאמר ואתה תבוא אל אבותיך בשלום, הרי דהצלת העצים מפני הפירות היתה. ועיין בענף: **מתחלת הספר ועד באן כתיב וערכו כו'.** ובילקוט (רמז תעט) הגירסא ועד כאן כתיב והקריבו כו' ונתנו כו' וערכו כו', והוא הנכון כפי סדר הכתובים: **שאני עושה אותו עיקר.** כי אחר שהתפלה מחה העון שעליו אם כן נשאר על מעלתו הקודמת שהיה גדול מבניו: **ובניו טפלים. קח את אהרן ואת בניו אתו.** כן נריך לומר. ורלה לומר דמדכתיב אתו יתירה דייק דהם טפלים לאהרן, אבל בקרא דלו את אהרן וגו' לא כתיב אתו, והא דבזאת לא כתב גם אתו, משום דבריש' הקריבו להיות שוה לבניו, ושוב עשאו עיקר, דתרתי דרגא לא סלקיה. ולריך לומר שהמדרש סבירא ליה כדעת הרמב"ן (ח, א) שפרשת קח את אהרן נאמר אחר הפרשיות שמויקרא אל משה עד פרשה זו, ולא כפירוש רש"י שכתב שפרשה זו נאמרה שבעה ימים קודם הקמת המשכן, דאם כן קודם הקמת המשכן כבר נתרלה לאהרן בתפלת משה ואם כן כשלוה אחר כך בקרבנות אחר שהוקם המשכן כדכתיב מאהל מועד היכי כתב וערכו בני אהרן וזרקו בני אהרן דדחי לאהרן. גם סבירא ליה לבעל המאמר שנלטוה משה במלאכת המשכן קודם למעשה העגל ואז נאמר לו ואתה הקרב אליך את אהרן אחיך כו', וגם כן זה הדבר אשר תעשה להם לקדש אותם לכהן לי, וכשנתרלה לו הקדוש ברוך הוא והבטיחו שישרה שכינתו ביניהם ידע מעלמו שמלות המשכן במקומה עומדת וגוה לישראל עליה, שלפי זה כל הכבוד הזה שלוה ה' על אהרן היה קודם מעשה העגל, ואחר כך בחטאו מנע ה' הטוב ממנו עד שהתפלל משה עליו:

פירוש מהרז"ו

ובאהרן התאנף ה'. וסיפא דקרא, ואתפלל גם בעד אהרן בעת ההיא: **מה נתפלל משה עליו.** פירוש באיזה כח והרשאה היה לו למשה לפתוח פיו בתפלה, מאחר שהתאנף מאד, שאגל ישראל פתח לו במה שאמר [לו הקב"ה] (שמות לב, י) ועתה הניחה לי. ותירץ שפתח לו גם כאן במה שכתוב כמה פעמים בסדר ויקרא, בני אהרן ולא זכר את אהרן עצמו כנ"ל, וזהו בעת ההיא היינו בעת שאמר וערכו בני אהרן כנ"ל: **תכסה אהבה תפלה כו'.** שאין לפרש על אהבת השם יתברך, שהרי התאנף עליו, על כן דרש על משה שאהבו, והתפלל עליו שתי תפלות, תחלה התפלל שיחיו בניו, ונתרלה לו וחיו שנים, ועם כל זה היה בכעס על אהרן, והתפלל עליו בזכות בניו בפעם שני:

מתנות כהונה

שיש בו ממש והיו שוגגים: **מי אשר חטא לי.** משמעותו על היחיד, דאם לא כן הוה ליה למימר אותם אשר חטאו לי: **חביבין.** בתמיה.

חוץ משל זית כו'. משנה היא במסכת תמיד (פ"ב מ"ג), וסבירא ליה הטעם מפני שבא מהן שמן למנחות ויין לנסך:

אשד הנחלים

מי אשר חטא. דעתם שמוסב על אהרן, ולכן נאמר בלשון יחיד: **בילוי בנים.** שם השמדה הונח על דבר הכלה, שלא ישאר ממנו זכרון מאומה לעולם וזהו הבנים, שזהו הפרי והשורש הוא האב: **הבור שנואה כו' חלקת כו'.** אמר שני משלים, אחד אם הבור שנואה אך מימיו חביבין, ואיך יתכן לסתום הבור, ועוד שהרי ראינו שחלק כבוד לעצים בשביל בניהם, שזהו הפרי, שלכן פסול של זית ושל גפן למערכה, מפני השמן והיין המובאים למזבח ואין כבודו להשרף, כמו כן תחלוק כבוד לאהרן, בשביל בניו: **אותו עיקר.** כי אחר שהתפילה מחה העון שעליו, א"כ נשאר על מעלתו הקודמת שהיה גדול מבניו:

באור מהרי"פ

אמחנו מספרי. ואהרן היה גזר דין עליו להמחה זכרונו מספר התורה, כמבואר בסמוך, מתחלת הספר ועד כאן כתיב, (לא, דעו) וערכו בני אהרן, וזרקו בני אהרן, ונתנו בני אהרן, וגם אהרן לא נזכר, ולולא שהתפלל עליו משה היה כנמחה מספר התורה: **הדא הוא דכתיב ובאהרן וכו'.** פירוש ועוד טועם אחר נגזר עליו: **ומה התפלל עליו וכו'.** פירוש זה קאי על התפלה שהתפלל משה על אהרן עצמו שלא ימחה שמו חס ושלום מן הספר תורה, אבל התפלה על כלוי בניו לא הוזכרו בכאן: **חלקת כבודו לעצים וכו'.** מסכת תמיד (כט, ב) חוץ משל זית ושל גפן מאי טעמא, רב פפא אמר משום קטרא (פירוש קטרס), ויש גורסין משום קטמא (פירוש שאין עושין אפר הרבה וטורח הוא להוליכו), עיין שם, ובמפרש יש להטיר מהתם להכא. ובענין המאמר חלקת כבוד לעלים וכו', יש לתמוה מה חלוקת כבוד יש בזה במה שהם פסולים לעלי המערכה והשתמשותם להסיק של חולין, הלא בזיון הוא ולא כבוד. ומצאתי בספר הטוען אמרי שפר לרב אליהו בן חיים סדר ויקרא, שלא נתפרש פסול שלהם בתורה רק ברמז בעלמא, כמו שמבואר בתורת כהנים (סדר ויקרא פרק ו' משנה ד') על העלים אשר על האש, עלים [נתוכים] נתוכים להיות אש עכ"ל התורת כהנים, ופירושו שנתוכים מהרה ונעשים אש ואין בהם לחות למנוע אותם מאש עד כאן, וזהו חלוקת כבוד שלהם שפסולם בתורה אינו מפורש רק ברמז, רמ"ל"ח. ודו"ק פירוש הלזה:

מעל המזבח, ונראה דכוונת המדרש הוא, על פי מה שכתב רש"י ז"ל בזבחים דף נ"ח (ע"א ד"ה עלי תאנה) דבדברו משם עלי תאנה כו', ופירש רש"י דטעם אגדה הוא משום שבו היה תקנה לאדם הראשון (בראשית ג, ז) ויעשו להם חגורות עד כאן, והנה החגורות נעשו מהעלים שהם הבנים, והגזירים היו מהעלים שהם האבות להעלים, והיינו דקאמר לעלים חלקת כבוד, דתנינן תמן כל העלים כשרים למערכה כו', וקשה אם כן מאי טעמא נטלו דוקא תאנים, וכמו שאמר בסיפא דאותה משנה, אלא דחלקת לעלים בתאנה כבוד בשביל העלים שהם בניו, ולאהרן אי אתה כו' (בכור שור מסכת תמיד). ועיין עוד ביד יוסף פרשת תולדות.

חידושי הרד"ל

הוא שהקדוש ברוך הוא אומר כו' אמחנו מספרי. שלא להזכיר שם אהרן בתורה אלא בניו, כדלהלן: **לעצים בשביל בניהם דתנינן תמן כו'.** עיין בגמרא בתמיד שם כ"ט עמוד א':

חידושי הרש"ש

ר' מנא כו' מתחלת הספר כו' בתיב וערכו כו', וזרקו כו', ונתנו כו' בילקוט (רמז תעט) הגירסא והקריבו כו', ונתנו כו', וערכו כו', והוא הנכון כפי סדר הכתובים:

אמרי יושר

[א] הבור שנואה ומימיה חביבין. ושמא תאמר אם כן אכנאס לשניהם, לא כן ראוי, שהרי לעצים חלקת כבוד בשביל בניהן, דזית וגפן לא הוי קריבין, ואיתא בגמרא דתמיד (כט ב) דמשום ישוב ארץ ישראל נגעו בה. ואם תאמר ומה כבוד הוא, אדרבא יותר כבוד היה שישרפו על גבי המערכה לכבוד האל, יש לומר דהכי עדיף מלותן, יין לקידוש ולברכה, המשמח אלהים ואנשים, וזית למנורה ולמנחות, ומשום דהיכא לישנא אחרינא בגמרא משום קוטרא, אמר משל אחר, בור שנואה ומימיה חביבין: **ואני עושה אותו עיקר.** זהו לו את אהרן לאמור, בעבור זכות תפלת משה ואמירתו, ולסברת רבי יהושע דסכנין בשם ר' לוי, הכעס היה לא להשמיד בניו, כי אם הבילוק לבניו ולא לו. אכן נפרש דלא פליגי אלא לתרוייהו איתנהו, ושלא להשמיד בניו בתחלה, ואחר כך כבוד אהרן, והו מדנים שנים.

מסורת המדרש

א. במדבר רבה סוף פרשה ט':

אם למקרא

וַיֹּאמֶר ה' אֶל מֹשֶׁה מִי אֲשֶׁר חָטָא לִי אֶמְחֶנּוּ מִסִּפְרִי: (שם שם לג)

וּבְאַהֲרֹן הִתְאַנַּף ה' מְאֹד לְהַשְׁמִידוֹ וָאֶתְפַּלֵּל גַּם בְּעַד אַהֲרֹן בָּעֵת הַהִוא: (דברים ט:כ)

וְאָנֹכִי הִשְׁמַדְתִּי אֶת הָאֱמֹרִי מִפְּנֵיהֶם אֲשֶׁר כְּגֹבַהּ אֲרָזִים גָּבְהוֹ וְחָסֹן הוּא כָּאַלּוֹנִים וָאַשְׁמִיד פִּרְיוֹ מִמַּעַל וְשָׁרָשָׁיו מִתָּחַת: (עמוס ב:ט)

וְנָתְנוּ בְּנֵי אַהֲרֹן הַכֹּהֵן אֵשׁ עַל הַמִּזְבֵּחַ וְעָרְכוּ עֵצִים עַל הָאֵשׁ: וְעָרְכוּ בְּנֵי אַהֲרֹן הַכֹּהֲנִים אֵת הַנְּתָחִים אֶת הָרֹאשׁ וְאֶת הַפָּדֶר עַל הָעֵצִים אֲשֶׁר עַל הָאֵשׁ אֲשֶׁר עַל הַמִּזְבֵּחַ: (לעיל א:ז-ח)

וְשָׁחַט אֹתוֹ עַל יֶרֶךְ הַמִּזְבֵּחַ צָפֹנָה לִפְנֵי ה' וְזָרְקוּ בְּנֵי אַהֲרֹן הַכֹּהֲנִים אֶת דָּמוֹ עַל הַמִּזְבֵּחַ סָבִיב: (שם שם יא)

ענף יוסף

(א) הבור שנואה כו' חלקת כבוד לעצים כו'. טעם המשלים הוא, שמפני שלא הזכיר את אהרן בעבודה, אפשר שישנאהו ה' מהיות כהן לו, לכן לא הזכירו, ואפשר שטעם שלא נדחה מהיות כהן, מכל מקום אין ה' רוצה בכבודו, ולכן לא יזכירנו לעבודה, לכן כנגד הדבר הראשון אמר הבור שנואה כו', כי לא יתכן שהבור יהיה נמאס ומימיו חביבים, שאם הבור נמאס מלך שוב לכלוך, בהכרח מימיו מאוסים, ומכיון דכהונת זרע אהרן נמשכה להם מאהרן, כי לו נתנה הכהונה מתחלה, כלומר[ו] הלא אהרן אחיך הלוי, לא יתכן שתהיה תגעל מהמקור, וכנגד ענין השני אמר, שיש לחלוק לו כבוד בשביל בניו כמו שחלק כבוד לעצים בשביל בניהם (יפה תואר): **חלקת כבוד לעצים בשביל בניהם כו'.** עיין מה שכתבתי בעץ. וקשה מאי חלוקת כבוד הוא זה שנפסל

God responds to Moses' prayer:
אָמַר לוֹ הַקָּדוֹשׁ בָּרוּךְ הוּא — **The Holy One, blessed is He, said to [Moses],** חַיֶּיךָ — **"By your life,**[28] שֶׁבִּשְׁבִילְךָ אֲנִי מְקָרְבוֹ — **that on your account I will draw [Aaron] near,**[29] וְלֹא עוֹד אֶלָּא שֶׁאֲנִי עוֹשֶׂה אוֹתוֹ עִיקָר וּבָנָיו טְפֵלִים — **and not only** that, **but I will make him primary and his sons** will be **ancillary,"** "צַו אֶת אַהֲרֹן וְאֶת בָּנָיו לֵאמֹר" — as in our verse, ***Command Aaron and his sons, saying, etc.***[30]

NOTES

28. A form of an oath.

29. I.e., because of your prayer I shall mention Aaron in the Torah in regard to the sacrificial service.

30. Where Aaron is mentioned first, prior to his sons (however, see *Eitz Yosef*). For a discussion as to why this idea is found specifically in this verse, see Insight Ⓐ.

INSIGHTS

Ⓐ **The Ashes of Continuity** Why is the primacy of Aaron over his sons stated specifically in the passage commanding the consumption of the *olah* on the Altar all night and the lifting of the ashes (*terumas hadeshen*) each morning?

R' Nissan Alpert (*Limudei Nissan, Vayikra* p. 12) explains this on the basis of the comments of *R' Samson Raphael Hirsch* (on verse 3) that the *terumas hadeshen* is a reminder of the continuity of the service of God from one day to the next.

The new day, this mitzvah teaches us, does not bring new tasks. To the contrary, each new day builds on the actions of the one that preceded it. What we were instructed to do yesterday, we must do today. One needs the ashes of the previous day's offerings to serve as a remembrance that the present is built on the past, and that each new day only adds to the fulfillment of one and the same task that is assigned to all previous generations. Each day receives its mission from the hand of the previous day.

Jewish life is never a new beginning. It is always a continuation of the tradition that we received from our forebears. King David says in *Psalms* (20:4), יִזְכֹּר כָּל מִנְחֹתֶךָ וְעוֹלָתְךָ יְדַשְּׁנֶה סֶלָה, which Rav Hirsch renders (*Commentary* ad loc.): *He will accept the memorial of all your offerings and will ever free your olah from its ashes.* The evening service in the Holy Temple is to continue the previous day's work until the following day.

It is for this reason that there is always a prohibition of *me'ilah* on the ashes of the Altar; their mitzvah is never deemed to be concluded so that the prohibition against deriving benefit from them should be removed. The evening service, the arranging of the wood to burn the offerings, and the constancy of the fire on the Altar, which consumes the fats and organs of the offerings of the previous day, are an indication of the continuation of Divine service from one day to the next. It was the assignment of specifically these tasks primarily to Aaron that conferred on him a special honor. Aaron was thereby charged with passing the heritage on to future generations. In this, his children were subordinate to him.

Our Sages tell us that whenever the Torah uses the expression צַו, *command,* it is meant to be an exhortation for the immediate present and for future generations (*Sifra,* cited by *Rashi* on our verse). Here too, when the Torah says, *"Command" Aaron and his children,* it is charging him with transmitting the Torah that he received to his present children and to future generations. Our Sages say (ibid.) in the name of R' Shimon that in situations where there is an expenditure of money, that exhortation is all the more important. When children see how parents serve God with love and with enthusiasm, without expectation of reward, without looking forward to receiving some part of these offerings, there is implanted in their impressionable hearts a similar desire to serve God now and later, in this generation and in future times, through long nights and bright days, without thought of recompense or reward.

This was Aaron's special mission and honor. From the holy ashes of past offerings, there would always arise new offerings of dedication, linking all loyal generations to the end of time.

הוּא שֶׁהַקָּדוֹשׁ בָּרוּךְ הוּא אָמַר לְמֹשֶׁה, "מִי אֲשֶׁר חָטָא לִי אֶמְחֶנּוּ מִסִּפְרִי" (שם שם לג), הֲדָא הוּא דִכְתִיב (דברים ט, כ) "וּבְאַהֲרֹן הִתְאַנַּף ה' מְאֹד לְהַשְׁמִידוֹ וגו'", רַבִּי יְהוֹשֻׁעַ דְּסִיכְנִין בְּשֵׁם רַבִּי לֵוִי: אֵין לְשׁוֹן הַשְׁמָדָה הַכָּתוּב כָּאן אֶלָּא לְשׁוֹן כִּילּוּי בָּנִים וּבָנוֹת, כְּמָה דְתֵימָא (עמוס ב, ט) "וָאַשְׁמִיד פִּרְיוֹ מִמַּעַל וְשָׁרָשָׁיו מִתָּחַת", (משלי שם שם) "וְעַל כָּל פְּשָׁעִים תְּכַסֶּה אַהֲבָה", תְּפִלָּה שֶׁנִּתְפַּלֵּל מֹשֶׁה עָלָיו, וּמַה נִּתְפַּלֵּל מֹשֶׁה עָלָיו, רַבִּי מָנָא דִּישְׁאַב וְרַבִּי יְהוֹשֻׁעַ דְּסִיכְנִין בְּשֵׁם רַבִּי לֵוִי: מִתְּחִלַּת הַסֵּפֶר וְעַד כָּאן כְּתִיב (לעיל א, ח) "וְעָרְכוּ בְּנֵי אַהֲרֹן" (שם שם יא; ג, ב; ועוד) "וְזָרְקוּ בְּנֵי אַהֲרֹן" (שם א, ז) "וְנָתְנוּ בְּנֵי אַהֲרֹן", אָמַר מֹשֶׁה לִפְנֵי הַקָּדוֹשׁ בָּרוּךְ הוּא: הַבּוֹר שְׂנוּאָה וּמֵימֶיהָ חֲבִיבִין, חָלַקְתָּ כָּבוֹד לְעֵצִים בִּשְׁבִיל בְּנֵיהֶן, דִּתְנִינַן תַּמָּן: כָּל הָעֵצִים כְּשֵׁרִים לַמַּעֲרָכָה חוּץ מִשֶּׁל זַיִת וְשֶׁל גֶּפֶן (תמיד ב, ג), וּלְאַהֲרֹן אֵין אַתָּה חוֹלֵק לוֹ כָּבוֹד בִּשְׁבִיל בָּנָיו, אָמַר לוֹ הַקָּדוֹשׁ בָּרוּךְ הוּא: חַיֶּיךָ שֶׁבִּשְׁבִילְךָ אֲנִי מְקָרְבוֹ, וְלֹא עוֹד אֶלָּא שֶׁאֲנִי עוֹשֶׂה אוֹתוֹ עִיקָּר וּבָנָיו טְפֵלִים, [ו, ב] "צַו אֶת אַהֲרֹן וְאֶת בָּנָיו לֵאמֹר":

חידושי הרד"ל

הוא שהקדוש ברוך הוא אומר כו' אמחנו מספרי. שלא להזכיר שם אהרן בתורה אלא בניו, כדלהלן: לעצים בשביל בניהם דתנינן תמן כו'. עיין בגמרא בתמיד שם כ"ט עמוד א':

חידושי הרש"ש

ר' מנא כו' מתחלת הספר כו' כתיב וערכו כו', וזרקו כו', ונתנו כו' בילקוט (רמז תקטו) הגירסא והקריבו כו', ונתנו כו', וערכו כו', והוא הנכון כפי סדר הכתובים:

אמרי יושר

[א] הבור שנואה ומימיה חביבין. ושמא תאמר אם כן אשמאים לבניהם, לא כן ראוי, שהרי לעצים חלקת כבוד בשביל בניהן, דזית וגפן לא היו קריבין, ואיתא בלשנא דגמרא דתמיד (כט ב) דמשום ישוב ארץ ישראל נגעו בה. ואם תאמר ומה כבוד הוא, אדרבא יותר כבוד היה שישרפו על גבי המערכה לכבוד האל, ויש לומר דהכי עושין מהן, יין לקידוש ולברכה, המשמח אלהים ואנשים, וזית למנורה ולמנחות, ומשום דאיכא לישנא אחרינא בגמרא משום קוטרא, אמר משל אחר, באר שנואה ומימיה חביבין: ואני עושה אותו עיקר. זהו לא את אהרן לאמור, בעבור זכות תפלת משה ואמירתו, ולסברת רבי יהושע דסכנין בשם ר' לוי, הכעס היה לא להשמיד בניו, כי אם בחולוק כבוד ולא לו. או נפרש דלא פליגי אלא לתרוייהו איתנהו, ושלא להשמיד בניו בתחלה, ואחר כך כבוד אהרן, זהו מדנים שניים:

עץ יוסף

בפירוש בתורה איסור עבודה זרה, ואם כן איך ידונו בזה כשוגגים. אך לפי דברי הכוזרי בזה (הדברים) שעשיית העגל לא היה מסרך עבודה זרה כי אם דימו לעשות דבר אמצעי שעל ידי זה יזכרו האלקות כמו שמשה היה אמצעי, ואהרן היה חפץ להראות להם טעותם ופיחם העגל או קרבנם, ואז נידונו כמזידים אחר שראו שאין בו ממש: אמחנו מספרי. ואחר שלא מלינו שנתקיים זה באיזה אדם, כי לא מלינו מי שהיה כתוב בספר ונמחה, מפרשינן דהיינו אהרן שהשמיט ה' זכרונו ממלות העבודה, ולולא שהתפלל משה היה נמחה מספר התורה: אין לשון השמדה כו'. שם השמדה הונח על דבר הכלה שלא ישאר ממנו זכרון מאומה לעולם, וזהו הבנים שזהו הפרי, והשורש הוא האב: כילוי בנים ובנות. לא גרסינן ובנות, ואי גרסינן לה פירושו על הבנות שהיו עתידות ללאת מהם. אך קשה כיון דגדולים הוו למה יומתו אבות על בניס, ובשלמא כדב ואביהו שנתחייבו מיתה ממתן תורה אלא שהאריך ה' להם כדי שיגיע שבחטא אהרן קרב קולם, אבל אלעזר ואיתמר מה פשעם. ושמא גם הם היו אומרים בעגל דעו שאין בו ממש (יפה תואר): דתנינן תמן כו'. משנה היא במסכת תמיד פרק שני, וסבירא ליה הטעם מפני שבא מהן שמן למנחות ויין לנסך, וכן כתב הרמב"ן בפרשת נח (יא, לב)

פירוש מהרז"ו

ובאהרן התאנף ה'. וסיפא דקרא, ואתפלל גם בעד אהרן בעת ההיא: מה נתפלל משה עליו. פירוש באיזה כח והרשאה היה לו למשה לפתוח פיו בתפלה, מאחר שהתאנף מאד, שאלו ישראל פתח לו במה שאמר [לו הקב"ה] (שמות לב, י) ועתה הניחה לי. ותירץ שפתח לו גם כאן במה שכתוב כמה פעמים בסדר ויקרא, בני אהרן ולא זכר את אהרן עלמו כנ"ל, וזהו בעת ההיא היינו בעת שאמר וערכו בני אהרן כנ"ל: תכסה אהבה תפלה כו'. שאין לפרש על אהבת השם יתברך, שהרי התאנף עליו, על כן דרש על משה שאהבו, והתפלל עליו שתי תפלות, תחלה התפלל שיחיו בניו, ונתרצה לו וחיו שנים, ועם כל זה היה בכעס על אהרן, והתפלל עליו בזכות בניו בפעם שני:

שמא במדרש כל העלים כשרים חוץ משל זית ושל גפן שהשמן והיין קרבים לגבי המזבח הגילו הפירות האילנות, וכן מלינו באברהם שהציל את תרח, שנאמר ואתה תבוא אל אבותיך בשלום, הרי דהצלת העלים מפני הפירות היתה. ועיין בענף: מתחלת הספר ועד כאן כתיב וערכו כו'. ובילקוט (רמז תקטו) הגירסא והקריבו כו' ונתנו כו' וערכו כו', והוא הנכון כפי סדר הכתובים: שאני עושה אותו עיקר. כי אחר שהתפלה מחה העון שעליו אם כן נשאר על מעלתו הקודמת שהיה גדול מבניו: ובניו טפלים קח את אהרן ואת בניו אתו. כן לריך לומר. ורלה לומר דמדכתיב אתו יתירה דייק דהם טפלים לאהרן, אבל בקרא דלו את אהרן וגו' לא כתיב אתו, והא דבאמת לא כתב שם אתו, משום דבריש הקריבו להיות שוה לבניו, ושוב עשאו עיקר, דתרתי דרגא לא סלקיה. ולריך לומר שהמדרש סבירא ליה כדעת הרמב"ן (ח, א) שפרשת קח את אהרן נאמר אחר הפרשיות שמוקראת אל משה עד פרשה זו, ולא כפירוש רש"י שכתב שפרשה זו נאמרה שבעה ימים קודם הקמת המשכן, דאם כן קודם הקמת המשכן כבר נתרלה לאהרן בתפלת משה ואם כן כשלוה אחר כך בקרבנות אחר שהוקם המשכן כדכתיב מאהל מועד היכי כתב וערכו בני אהרן וזרקו בני אהרן דדחי לאהרן. גם סבירא ליה לבטל המאמר שנלטוה משה במלאכת המשכן קודם למעשה העגל ואז נאמר לו ואתה הקרב אליך את אהרן אחיך כו', וגם כן זה הדבר אשר תעשה להם לקדש אותם לכהן לי, וכשנתרלה לו הקדוש ברוך הוא והבטיחו שישרה שכינתו ביניהם ידע מטלמו שמלות המשכן במקומה עומדת והוא לישראל עליה, שלפי זה כל הכבוד הזה שלוה ה' על אהרן היה קודם מעשה העגל, ואחר כך בחטאו מנע ה' הטוב ממנו עד שהתפלל משה עליו:

מתנות כהונה

שיש בו ממש והיו שוגגים: מי אשר חטא לי. משמעותא על היחיד, דאם לא כן הוה ליה למימר אותם אשר חטאו לי: חביבין. בתמיה: חוץ משל זית כו'. משנה היא במסכת תמיד (פ"ב מ"ג), וסבירא ליה הטעם מפני שבא מהן שמן למנחות ויין לנסך:

אשד הנחלים

מי אשר חטא. דעתם שמוסב על אהרן, ולכן נאמר בלשון יחיד: כילוי בנים. שם השמדה הונח על דבר הכלה, שלא ישאר ממנו זכרון מאומה לעולם וזהו הבנים, שזהו הפרי והשורש הוא האב: הבור שנואה כו' חלקת כבוד לעצים בשביל בניהם, שזהו הפרי, שלכן פסול של זית ושל גפן למערכה, מפני השמן והיין המובאים למזבח ואין כבודו להשרף, כמו כן תחלוק כבוד לאהרן, בשביל בניו: אותו עיקר. כי אחר שהתפילה מחה העון שעליו, א"כ נשאר על מעלתו הקודמת שהיה גדול מבניו: אמר שני משלים, אחד אם הבור שנואה אך מימיו חביבין, ואיך יתכן לסתום הבור, ועוד שהרי ראינו שחלק

באור מהרי"פ

אמחנו מספרי. ואהרן היה גזר דין עליו להמחה זכרונו מספר התורה, כמבואר בסמוך, מתחלת הספר ועד כאן כתיב (א, ז"ח) וערכו בני אהרן, וזרקו בני אהרן, ונתנו בני אהרן, ושם אהרן לא נזכר, ולולא שהתפלל עליו משה היה כנמחה מספר התורה: הדא הוא דכתיב ובאהרן וכו'. פירוש ועוד שגם אחר גזר עליו: ומה התפלל עליו וכו'. פירוש זה קאי על התפלה שהתפלל משה על אהרן עלמו שלא ימחה שמו מהם ושלום מן הספר תורה, אבל התפלה על כלוי בניו לא הוזכרו כאן: חלקת כבוד לעצים וכו'. מסכת תמיד (כט, ב) חוץ משל זית ושל גפן מאי טעמא, רב פפא אמר משום קוטרא (פירוש קטרים), ויש גורסין משום קטמא (פירוש שהן עושין אפר הרבה ומורה הוא להוליאן). עיין שם, ובמפרש יש להטיר מהתם להכא. ובענין המאמר חלקת כבוד לעלים וכו' יש לתמוה מה חלוקת כבוד יש בזה במה שהם פסולים לעלי המערכה והשתמשותם להיסק של חולין, הלא בזיון הוא ולא כבוד. ומלאתי בספר הוגהן אמרי שפר לרב אליהו בן חיים סדר ויקרא, שלא נתפרש שלהם פסול בתורה רק ברמז בעלמא, כמו שמבואר בתורת כהנים (סדר ויקרא פרק ו' משנה ד') על העלים אשר על האש, עלים (נתונים) נתוכים להיות אש עכ"ל התורת כהנים, ופירושו שנתוכים מהרה ונעשים אש ואין בהם לחות למנוע אותם מאש עד כאן, וזהו חלוקת כבוד שלהם שפסולם בתורה אינו מפורש רק ברמזים, רלה"ח. ודו"ק פירוש הלזה:

מעל המזבח, ונראה דכוונת המדרש הוא, על פי מה שכתב רש"י ז"ל בזבחים דף נ"ח (ע"א ד"ה עלי תאנה) ממתניתין (תמיד כט, א) דבדרו משם עלי תאנה כו', ופירש רש"י דטעם אגדה הוא משום שבו היה תקנה לאדם הראשון (בראשית ג, ז) ויתפרו להם חגורות עד כאן, והנה החגורות נעשו מהעלים שהם הכנים, והגזירים היו מהעלים שהם האבות להעלים, והיינו דקאמר חלקת כבוד לעלים כו', דתנינן תמן כל העלים כשרים למערכה כו', וקשה אם כן מאי טעמא נטלו דוקא תאנים, וכמו שאמר בסיפא דאותה משנה, אלא דחלקת כבוד לעלים בתאנה בשביל העלים שהם בניו, ולאהרן אי אתה כו' (בכור שור מסכת תמיד). ועיין עוד ביד יוסף פרשת תולדות:

מסורת המדרש

א. במדבר רבה סוף פרשה ט':

אם למקרא

וַיֹּאמֶר ה' אֶל מֹשֶׁה מִי אֲשֶׁר חָטָא לִי אֶמְחֶנּוּ מִסִּפְרִי: (שמות לב, לג)

וּבְאַהֲרֹן הִתְאַנַּף ה' מְאֹד לְהַשְׁמִידוֹ וָאֶתְפַּלֵּל גַּם בְּעַד אַהֲרֹן בָּעֵת הַהִוא: (דברים ט, כ)

וְאָנֹכִי הִשְׁמַדְתִּי אֶת הָאֱמֹרִי מִפְּנֵיהֶם אֲשֶׁר כְּגֹבַהּ אֲרָזִים גָּבְהוֹ וְחָסֹן הוּא כָּאַלּוֹנִים וָאַשְׁמִיד פִּרְיוֹ מִמַּעַל וְשָׁרָשָׁיו מִתָּחַת: (עמוס ב, ט)

וְנָתְנוּ בְּנֵי אַהֲרֹן הַכֹּהֵן אֵשׁ עַל הַמִּזְבֵּחַ וְעָרְכוּ עֵצִים עַל הָאֵשׁ: וְעָרְכוּ בְּנֵי אַהֲרֹן הַכֹּהֲנִים אֵת הַנְּתָחִים אֶת הָרֹאשׁ וְאֶת הַפָּדֶר עַל הָעֵצִים אֲשֶׁר עַל הָאֵשׁ אֲשֶׁר עַל הַמִּזְבֵּחַ: (לעיל א, ז-ח)

וְשָׁחַט אֹתוֹ עַל יֶרֶךְ הַמִּזְבֵּחַ צָפֹנָה לִפְנֵי ה' וְזָרְקוּ בְּנֵי אַהֲרֹן הַכֹּהֲנִים אֶת דָּמוֹ עַל הַמִּזְבֵּחַ סָבִיב: (שם שם יא)

ענף יוסף

(א) הבור שנואה כו' חלקת כבוד לעצים כו'. טעם המשלים הוא, שמפני שלא הזכיר את אהרן בעבודה, אפשר שישכחו ה' מהיות כהן לו, לכן לא הזכירו, ואפשר טעם שלא נדחה מהיות כהן, מכל מקום אין ה' רוצה בכבודו, ולכן לא יזכירו לעבודה, לכן כנגד הדבר הראשון אמר הבור שנואה כו', כי לא יתכן שהבור יהיה נמאס ומימיו חביבים, שאם הבור נמאס מגד שום לכלוך, בהכרח מימיו מאוסים, ומכיון דכהונת זרע אהרן נמשכה להם מאהרן, כי לו נתנה הכהונה מתחלה, כאמו[רו] הלא אהרן אחיך הלוי, לא יתכן שתהיה תנטל מהמקור, וכנגד ענין השני אמר, שיש לחלוק לו כבוד בשביל בניו כמו שחלק כבוד לעצים בשביל בניהם (יפה תואר): חלקת כבוד לעצים בשביל בניהם כו'. עיין מה שכתבתי בעץ. וקשה מאי חלוקת כבוד הוא זה שנפסל

§2 Continuing its discussion of verse 2, the Midrash cites and expounds a relevant passage from *Psalms:*[31]

"זִבְחֵי אֱלֹהִים רוּחַ נִשְׁבָּרָה וגו׳ " — ***The sacrifices God desires are a broken spirit;*** *a heart broken and humbled, O God, You will not despise. Do good in Your favor unto Zion; build the walls of Jerusalem. Then You will desire the offerings of righteousness, burnt-offering, and whole-offering; then will bulls go up upon Your Altar* (*Psalms* 51:19-21). זַבְדַּי בֶּן לֵוִי וְרַבִּי יוֹסֵי בֶּן טַרְטַס וְרַבָּנָן — The connotation of this passage is the subject of a dispute between **Zavdai ben Levi and R' Yose ben Tartas and the Rabbis.**[32] חַד אָמַר — **One** of the sages named above **said:**[33] אָמַר דָּוִד לִפְנֵי הַקָּדוֹשׁ בָּרוּךְ הוּא — **David said before the Holy One, blessed is He,** אֲנִי כָּבַשְׁתִּי אֶת יִצְרִי וְעָשִׂיתִי תְּשׁוּבָה לְפָנֶיךָ — **"I have overcome my** evil **inclination and I have done penitence before You.**[34] אִם אַתָּה מְקַבְּלֵנִי בִּתְשׁוּבָה — **If You accept me through** my **penitence,** הֲרֵי יוֹדֵעַ אֲנִי שֶׁשְּׁלֹמֹה בְּנִי עוֹמֵד וּבוֹנֶה אֶת בֵּית הַמִּקְדָּשׁ — **then I shall know that Solomon, my son, will arise and build the Temple,** וּבוֹנֶה אֶת הַמִּזְבֵּחַ וּמַקְטִיר עָלָיו אֶת הַקָּרְבָּנוֹת שֶׁבַּתּוֹרָה — **and** that **he will build the Altar and burn on it all of the offerings** mentioned **in the Torah."**[35] מִן הַדֵּין קְרָיָא — This connection can be derived **from this verse,** "זִבְחֵי אֱלֹהִים רוּחַ נִשְׁבָּרָה" — ***The sacrifices God desires are a broken spirit;*** *a heart broken and humbled, O God, You will not despise. Do good in Your favor unto Zion; build the walls of Jerusalem. Then You will desire the offerings of righteousness, burnt-offering, and whole-offering; then will bulls go up upon Your Altar.*[36] וְחָרָנָא אָמַר — **And the other** sage **said:** מִנַּיִן לְמִי שֶׁהוּא עוֹשֶׂה תְּשׁוּבָה — **From where** is it derived **that** with regard **to one who repents,** שֶׁמַּעֲלִין עָלָיו כְּאִלּוּ עָלָה לִירוּשָׁלַיִם וּבָנָה אֶת בֵּית הַמִּקְדָּשׁ וּבָנָה אֶת הַמִּזְבֵּחַ וּמַקְרִיב עָלָיו כָּל הַקָּרְבָּנוֹת שֶׁבַּתּוֹרָה — **it is considered as if he ascended to Jerusalem and built the Temple and** that **he built the Altar and offered on it all of the offerings** mentioned **in the Torah?** מִן הַדֵּין קְרָיָא — It is derived **from this verse,** "זִבְחֵי אֱלֹהִים רוּחַ נִשְׁבָּרָה" — ***The sacrifices God desires are a broken spirit;*** *a heart broken and humbled, O God, You will not despise. Do good in Your favor unto Zion; build the walls of Jerusalem. Then You will desire the offerings of righteousness, burnt-offering, and whole-offering; then will bulls go up upon Your Altar.*[37] וְרַבָּנָן אָמְרֵי — **And the Rabbis said:** מִנַּיִן לְעוֹבֵר לִפְנֵי הַתֵּיבָה — **From where** is it derived **that the one who goes in front of the ark**[38] שֶׁצָּרִיךְ לְהַזְכִּיר עֲבוֹדָה וְקָרְבָּנוֹת וְלָשׁוּחַ מִן הָדָא בִּרְכְתָא — **must mention the** Temple **service and the offerings and** then he should **bow upon** the conclusion of **that blessing** in which they are mentioned,[39] רְצֵה אֱלֹהֵינוּ, שְׁכֹן בְּצִיּוֹן מְהֵרָה, יַעַבְדוּךָ בָּנֶיךָ — i.e., the blessing of, **"May it please you, our God — speedily dwell** (again) **in Zion, may Your children serve You, etc."?**[40] אִית דְּבָעֵי מִשְׁמְעִנֵהּ מִן הָדָא — **There are those who wish to infer it from this** passage: "זִבְחֵי אֱלֹהִים רוּחַ נִשְׁבָּרָה" — ***The sacrifices God desires are a broken spirit;*** *a heart broken and humbled, O God, You will not despise. Do good in Your favor unto Zion; build the walls of Jerusalem. Then You will desire the offerings of righteousness, burnt-offering, and whole-offering; then will bulls go up upon Your Altar.*[41]

Although the passage from *Psalms* associates repentance and animal offerings, the Midrash notes that it also indicates a significant difference between the two:

אָמַר רַבִּי אַבָּא בַּר יוּדָן — **R' Abba bar Yudan said:** כָּל מַה שֶּׁפָּסַל הַקָּדוֹשׁ בָּרוּךְ הוּא בִּבְהֵמָה — **All that the Holy One, blessed is He, invalidated in** regard to an offering of **an animal,** הִכְשִׁיר בְּאָדָם — **He validated in** regard to **a person.**[42] פָּסַל בִּבְהֵמָה "עַוֶּרֶת אוֹ שָׁבוּר אוֹ חָרוּץ אוֹ יַבֶּלֶת" — That is: **He invalidated in an animal** offering, ***one that is blind or broken or with a split eyelid or a wart*** (*Leviticus* 22:22), וְהִכְשִׁיר בְּאָדָם "לֵב נִשְׁבָּר וְנִדְכֶּה" — **but He validated in** regard to **a person** one who has ***a heart broken and humbled.***[43]

NOTES

31. However, as is typical, the Midrash first presents several expositions on this passage that do not involve our verse (*Maharzu, Eitz Yosef*).

32. This psalm is a prayer by David that God should accept his repentance for his sin with Bath-sheba (see v. 2 there). As such, the last two verses (20-21), which refer to the building of Jerusalem and the bringing of offerings there, seem misplaced. These Sages offer different explanations of their connection to the theme of David's prayer (*Yefeh To'ar, Eitz Yosef;* see, however, *Matnos Kehunah*).

33. That is, it was either Zavdai ben Levi or R' Yose ben Tartas. The position of the third party to this dispute, the anonymous "Rabbis," is known and is cited by the Midrash below (see *Maharzu*).

34. [David was saying that he had repented fully of his sin with Bath-sheba and were he to be faced with a similar temptation again, he would resist his evil inclination; see *Rambam, Hilchos Teshuvah* 2:2. *Nechmad LeMareh* suggests that David was saying he had overcome the evil inclination that had sought to convince him that there was no need for him to repent. The Gemara in *Shabbos* 56a explains that David was not actually guilty of adultery, for Uriah the Hittite, Bath-sheba's husband, had divorced her before going off to war. David could therefore have easily argued that he had not sinned at all. Instead, when reproached by Nathan the prophet, David immediately admitted his wrongdoing (see *II Samuel* 12:13).]

35. God had previously told David that his son Solomon would build the Temple (see *II Samuel* 7:12-13 and *I Chronicles* 22:9). Now that he had sinned with Bath-sheba, David was afraid that he was no longer worthy and that this prophecy would not be fulfilled. He therefore said that only if God would accept his repentance would he be sure that his son Solomon would actually build the Temple (see *Yefeh To'ar*).

[The Midrash does not mean that it would be Solomon himself who would burn the offerings on the Altar, for that part of the service requires a Kohen (see *Shevuos* 17b). Rather, it means that Solomon would bring the offerings and the Kohanim would officiate, burning them on the Altar.]

36. I.e., it was David's repentance, his *broken spirit* and broken heart, that led to God's favoring Jerusalem with the building of the Temple and the Altar by Solomon (see *Eitz Yosef* and *Beur Maharif*).

37. That is, when one does penitence properly it is as if he is bringing offerings in the rebuilt Temple in Jerusalem (*Eitz Yosef*).

38. That is, the one who leads the public prayer services. [However, the rule discussed here applies as well to one who is praying as an individual; see *Yefeh To'ar.*]

39. I.e., upon saying the opening words of the following blessing, מוֹדִים אֲנַחְנוּ לָךְ, *We gratefully thank You;* see *Berachos* 34a (*Eitz Yosef,* from *Yefeh To'ar*).

40. The seventeenth blessing of the *Shemoneh Esrei,* whose theme is the *Avodah,* the Temple service. [Our text of the blessing differs notably from the one quoted here by the Midrash, although the general concept remains the same.]

41. That is, these two obligations, that the prayer leader should mention the Temple service and that he should bow upon mentioning it, can both be derived from this passage. David's mention of the Temple service and the offerings in his prayer for personal forgiveness serves as a model for all future prayer. Additionally, the verse, זִבְחֵי אֱלֹהִים רוּחַ נִשְׁבָּרָה, *the sacrifices God desires are a broken spirit,* indicates that when one mentions the sacrifices, it is appropriate that he should demonstrate a *broken spirit,* i.e., a humble spirit, by bowing before God (*Eitz Yosef,* from *Yefeh To'ar;* see also *Matnos Kehunah*).

42. I.e., the penitent who seeks to offer himself to God (*Eitz Yosef*). [It should be noted, though, that just as physical blemishes disqualify an animal from being used as an offering (see below), so too a Kohen with a physical blemish is disqualified from performing the Temple service; see *Leviticus* 21:18-19.]

43. Thus, while God disqualified the offering of an animal that is broken, He specifically desires the brokenhearted repentant (see *Eitz Yosef*). The phrase, כָּל מַה שֶּׁפָּסַל הַקָּדוֹשׁ בָּרוּךְ הוּא בִּבְהֵמָה, "all that the Holy One, blessed is He, invalidated in an animal," is something of an exaggeration, for the

ב "זִבְחֵי אֱלֹהִים רוּחַ נִשְׁבָּרָה וְגוֹ'" (תהלים נא, יט), **זַבְדִּי בֶּן לֵוִי וְרַבִּי יוֹסֵי בֶּן טַרְטַס וְרַבָּנָן, חַד אָמַר: אָמַר דָּוִד לִפְנֵי הַקָּדוֹשׁ בָּרוּךְ הוּא: אֲנִי כָּבַשְׁתִּי אֶת יִצְרִי וְעָשִׂיתִי תְּשׁוּבָה לְפָנֶיךָ, אִם אַתָּה מְקַבְּלֵנִי בִּתְשׁוּבָה הֲרֵי יוֹדֵעַ אֲנִי שֶׁשְּׁלֹמֹה בְּנִי עוֹמֵד וּבוֹנֶה אֶת בֵּית הַמִּקְדָּשׁ וּבוֹנֶה אֶת הַמִּזְבֵּחַ וּמַקְטִיר עָלָיו אֶת הַקָּרְבָּנוֹת שֶׁבַּתּוֹרָה, מִן הַדִּין קְרָיָא, "זִבְחֵי אֱלֹהִים רוּחַ נִשְׁבָּרָה", וְחָרָנָא אָמַר: מִנַּיִן לְמִי שֶׁהוּא עוֹשֶׂה תְּשׁוּבָה שֶׁמַּעֲלִין עָלָיו כְּאִלּוּ עָלָה לִירוּשָׁלַיִם וּבָנָה אֶת בֵּית הַמִּקְדָּשׁ וּבָנָה אֶת הַמִּזְבֵּחַ וּמַקְרִיב עָלָיו כָּל הַקָּרְבָּנוֹת שֶׁבַּתּוֹרָה, מִן הַדִּין קְרָיָא, "זִבְחֵי אֱלֹהִים רוּחַ נִשְׁבָּרָה", וְרַבָּנָן אָמְרֵי: מִנַּיִן לְעוֹבֵר לִפְנֵי הַתֵּיבָה שֶׁצָּרִיךְ לְהַזְכִּיר עֲבוֹדָה וְקָרְבָּנוֹת וְלִשְׁוֹחַ, מִן הָדָא בִּרְכְתָא: רְצֵה אֱלֹהֵינוּ, שְׁכֹן בְּצִיּוֹן מְהֵרָה, יַעַבְדוּךָ בָּנֶיךָ, אִית דְּבָעֵי מִשְׁמְעִנָּהּ מִן הָדָא, "זִבְחֵי אֱלֹהִים רוּחַ נִשְׁבָּרָה", אָמַר רַבִּי אַבָּא בַּר יוּדָן: כָּל מַה שֶּׁפָּסַל הַקָּדוֹשׁ בָּרוּךְ הוּא בִּבְהֵמָה הִכְשִׁיר בְּאָדָם, פָּסַל בִּבְהֵמָה "עַוֶּרֶת אוֹ שָׁבוּר אוֹ חָרוּץ אוֹ יַבֶּלֶת"** (לקמן כב, כב), **וְהִכְשִׁיר בְּאָדָם "לֵב נִשְׁבָּר וְנִדְכֶּה"** (תהלים שם שם), **אָמַר רַבִּי אֲלֶכְּסַנְדְּרִי: הַהֶדְיוֹט הַזֶּה אִם מִשְׁתַּמֵּשׁ הוּא בְּכֵלִים שְׁבוּרִים גְּנַאי הוּא לוֹ, אֲבָל הַקָּדוֹשׁ בָּרוּךְ הוּא כְּלֵי תַּשְׁמִישׁוֹ שְׁבוּרִים, שֶׁנֶּאֱמַר "קָרוֹב ה' לְנִשְׁבְּרֵי לֵב"** (שם לד, יט) **"הָרֹפֵא לִשְׁבוּרֵי לֵב"** (שם קמז, ג) **"וְאֶת דַּכָּא וּשְׁפַל רוּחַ"** (ישעיה נז, טו), **"זִבְחֵי אֱלֹהִים רוּחַ נִשְׁבָּרָה לֵב נִשְׁבָּר"**.

עץ יוסף

(ב) זבחי אלהים רוח נשברה. משום דקשיא ליה כפל זאת תורת העולה היא העולה, בעי לאתויי מילתא דרבי יהודה בר סימון בסמוך דאמר משל למלך שהיה מהלך במדבר כו', ומשום דתשובה זו איתא בהני קראי מייתי הני קראי, ודריש להו ברישא בענין אחר כדרך המדרש: **זבדי בן לוי כו'.** קשה להו מאי טעמא דבקשת הטיבה ברצונך את ציון וגו' התם, דבעי בטובתא על קבלת תשובתו בעון בת שבע ובהכי עסיק ואזיל עד זבחי אלהים רוח נשברה, ומה ענינו להזכיר כאן ענין ירושלים והקרבנות העתידים. לכן תירצו ז"ל שטעם הטיבה ברצונך את ציון וגו' לכאן לומר שאם תקובל תשובתו ידע בבירור ששלמה עומד ובונה בית המקדש כו', והשני תירץ, שרוצה לומר, שהעושה תשובה נחשב לו כאלו עלה לירושלים ובנה בית המקדש וכו', ורבנן תירצו שהמתפלל צריך להזכיר עבודה וקרבנות עם תפלתו, ולכן כיון שהתפלל על חטאו הזכיר גם כן עבודה וקרבנות: **מן הדין קריא.** מן המקרא הזה זבחי אלהים רוח נשברה וגו' הטיבה ברצונך וגו': **מנין לעובר לפני התיבה כו' ולשוח בהדא ברכתא רצה כו'.** כן צריך לומר. ופירושו מנא ילפינן תרתי, חדא שהעובר לפני התיבה צריך להזכיר עבודה וקרבנות, ואידך שישחה בתוך ברכה זו דהיינו רצה אלהינו כו', שכשמסלים אותה פותח במודים ושוחה כדאיתא בפרק קמא דברכות (יב, א) ועיין שם לד, א), וקאמר דתרווייהו איכא דיליף להו מזבחי אלהים רוח נשברה, דמשמע כשמזכיר זבחי אלהים ישוח עצמו והיינו רוח נשברה, ומדמזכיר קרבנות ומתפלל עליהם אלא תפלתו על עונו שמע מינה שכל מתפלל צריך שיזכיר עבודה וקרבנות בתוך תפלתו (יפה תואר): **פסל בבהמה והכשיר באדם כו' לב נשבר כו'.** אף המקריב פסול גם כן אם הוא עור או פסח, אך הקרבן גופא שהוא האדם בעצמו השב שהוא דוגמת הקרבן, ועם כל זה הכשיר לב נשבר, והענין שלא ידומה כי עיקר התשובה תלוי רק בשמחה ולא בעצבון, לא כן, ולכן כתיב לב נשבר ונדכה אלהים לא תבזה, כי היינו מדמים שנבזה בעיני ה' העצבון רק השמחה:

פירוש מהרז"ו

(ב) זבחי אלהים. עיקר הדרש הוא מה שכתוב כאן זאת תורת העולה היא העולה, ששתי תיבות היא העולה מיותר, על כן דורש שפירושו שהכתוב מתמיה היא העולה, האם בזה יש די לעבוד השם יתברך, וכמו שכתב בסוף הסימן, ואגב דורש הפסוק כולו: **וחרנא אמר.** שהזכיר רבי יוסי בן טרטוס, וזבדא, שנחלקו דרשו בפסוק זה, אך היו מסופקים מי אמר כך ומי אמר כך, על כן אמר סתם, חד אמר וחרנא אמר, פירושו ואחר אמר, ודעת רבנן ידעו בבירור. ועיין בסנהדרין (מג, ב): **כל מה שפסל.** עיקר הכוונה שאלא בבהמה פסול שבור, ואלא האדם הכשיר שבור, היינו לב נשבר ונדכה, ומה שכתב כל מה שפסל הוא לשון גוזמא:

חידושי הרד"ל

[ב] **אני כבשתי את יצרי.** נראה דצריך לומר זבחתי את יצרי, דדרש זבחי אלהים רוח נשברה, שזבח יצרו, וכמו שאמרו בירושלמי פרק הרואה (ברכות פ"ט ה"ה) שדוד עמד עליו והרגו. ועיין לקמן ריש פרשה ט': **עומד ובונה כו' המזבח כו'.** הקרבנות כו' כדכתיב להלן תבנה חומות ירושלים כו' אז יעלו על מזבחך פרים: **ולשוח בהדא ברכתא רצה כו' אית דבעי משמיענה מן הדא זבחי כו'.** כן צריך לומר. והוא הכל סיום דברי רבנן, שאומרים בשם איש דבעי כו' לדרוש זה מקרא דזבחי כו', אבל מגוף הברכה כגירסת הספר, אין משמע כלל שצריך לשוח:

חידושי הרש"ש

[ב] **ורבנן אמרי מנין לעובר לפני התיבה וכו'. ולשוח מן הדא ברכתא.** רצה לומר תיקף אחר זה בברכת מודים, וכמו שאמרו במגילה (יח, א) עבודה והודאה חדא מלתא היא:

באור מהרי"פ

[ב] **רוח נשברה.** לב נשבר ונדכה אלהים לא תבזה, היינו שתקבלנו בתשובה, אז הטיבה ברצונך את ציון ותבנה חומות ירושלים: **לשוח.** פירוש לאחר שיסיים ברכת רצה ויתחיל במודים צריך לשוח:

מסורת המדרש

ב. ילקוט נ"ך תשס"ו:

אם למקרא

זִבְחֵי אֱלֹהִים רוּחַ נִשְׁבָּרָה לֵב נִשְׁבָּר וְנִדְכֶּה אֱלֹהִים לֹא תִבְזֶה: (תהלים נא:יט)

עַוֶּרֶת אוֹ שָׁבוּר אוֹ חָרוּץ אוֹ יַבֶּלֶת אוֹ גָרָב אוֹ יַלֶּפֶת לֹא תַקְרִיבוּ אֵלֶּה לַה' וְאִשֶּׁה לֹא תִתְּנוּ מֵהֶם עַל הַמִּזְבֵּחַ לַה': (לקמן כב:כב)

קָרוֹב ה' לְנִשְׁבְּרֵי לֵב וְאֶת דַּכְּאֵי רוּחַ יוֹשִׁיעַ: (תהלים לד:יט)

הָרֹפֵא לִשְׁבוּרֵי לֵב וּמְחַבֵּשׁ לְעַצְּבוֹתָם: (שם קמז:ג)

כִּי כֹה אָמַר רָם וְנִשָּׂא שֹׁכֵן עַד וְקָדוֹשׁ שְׁמוֹ מָרוֹם וְקָדוֹשׁ אֶשְׁכּוֹן וְאֶת דַּכָּא וּשְׁפַל רוּחַ לְהַחֲיוֹת רוּחַ שְׁפָלִים וּלְהַחֲיוֹת לֵב נִדְכָּאִים: (ישעיה נז:טו)

ידי משה

[ב] **הכשיר באדם כו'.** ואף על גב דכתיב גבי אדם גם כן (ויקרא כא, יח) עור או פסח. ויש לומר שם קאי על המקריב את הקרבן ולא איירי בקרבן גופו:

אמרי יושר

[ב] **אדע שתיטיב ובני שלמה יבנה.** הרגישו שאמר (תהילים נא יח) לא תחפץ זבח, בעון מזיד, ואיך יאמר (שם פסוק כא) אז תחפוץ, כי לעולם לא יחפוץ במזיד קרבן, לכן דרשו שהוא לעתיד שאין חטא, רק צדק: **שצריך להזכיר עבודה ולשוח.** זהו זבחי אלהים, יתכיף עמו הודאה, שהוא רוח נשברה, אז ירצה הזבחים והעולה, ובלעדיה לא: **זבחי וכו' אלהים לא תבזה.** אף על פי שהוא היפך התורה ומנהג המלכים: **הרופא לשבורי לב.** פירשו ז"ל שאינו דרך חידוש, שאפילו לשבורי לב רופא, אף על פי שהוא אבר מלך, אלא דוקא לשבורי לב רופא, ואם לא ישברו לבם ויכנעו, לא כן:

מתנות כהונה

[ב] **מן הדין קריא.** מן המקרא הזה: **רוח נשברה.** פירוש כשיתרצה ברוח נשברה, רצה לומר תשובה, יהא בטוח שיקיים בו זבחי אלהים: **זבחי אלהים כו'.** רוח נשברה דהיינו תשובה, הוא כאלו היה זובח לאלהים, וזה אי אפשר אם לא בבית המקדש ועל גבי המזבח: **לשוח.** להשתחוות: **מן הדא ברכתא.** מתוך זאת הברכה: **רצה אלהינו וכו'** גרסינן: **אית דבעי כו'.** יש מי שירצה לשומעה ממקרא זה: **רוח נשברה וגו'.** כלומר צריך להזכיר זבחי אלהים, וגם יהא רוחו נשברת לשוח ולהשתחוות:

נחמד למראה

[ב] **זבדי בן לוי וכו', חד אמר אמר דוד לפני הקב"ה אני כבשתי את יצרי ועשיתי תשובה לפניך, אם אתה מקבלני בתשובה הרי יודע אני ששלמה בני וכו'.** הדבר קשה להלוס אומרו אני כבשתי את יצרי ועשיתי תשובה, אם היה כובש את יצרו, לא היה חוטא ואז לא היה צריך לעשות תשובה, ואם נפסק לומר שהיצר היה מפתה אותו שלא לשוב בתשובה, והוא כבש את יצרו ועשה תשובה, במה ישתבח דוד בזה, והרי החוטא כדי להשיב כפרה, צריך לעשות תשובה על כל פנים. ועוד קשה שדוד תובע מהקדוש ברוך הוא שכר גדול בשביל שעשה תשובה, וזה פלא דדיה לתשובה שתכפר על עונו, לא שיקבל גם כן שכר. ונראה לי דהכי פירושו, אמר דוד אני כבשתי את יצרי, שהיה מפתה אותי שלא לעשות תשובה, והיה לי מקום פטור אם הייתי שומע לו, ואף על פי כן כבשתי יצרי ועשיתי תשובה. והענין הוא דאיתא במסכת שבת פרק במה בהמה (נו, א) אמר רבי שמואל בר נחמני אמר רבי יונתן כל האומר דוד חטא אינו אלא טועה וכו', ותו כל היוצא מלחמת בית דוד גט כריתות כותב לאשתו וכו'. ותו איתא בהקדמת הזוהר (דף ח, א) דוד מלכא בשעתא דאירע ליה ההוא עובדא דחיל, בההוא שעתא סליק דומ"ה (מלאך הממונה על גיהנם) קמי קודשא בריך הוא, ואמר ליה, מארי דעלמא, כתיב בתורה (ויקרא כ, י) ואיש אשר ינאף את אשת איש

אשד הנחלים

[ב] **אם אתה מקבלני.** כי במזמור הזה ביקש תחילה מחילה על עון בת שבע, ואחר כך אמר זבחי אלהים, וסיים הטיבה ברצונך את ציון, אשר אין לו המשך לשלפניו, ולכן דרשו שנפל הרעיון של בנין הבית בלבו, אחרי בקשתו על קבלת התשובה, ובאור הכתוב שזבחי אלהים הם הקרבנות, תלוים ברוח נשברה שבקרבו, ולכן קבלני והטיבה ברצונך את ציון, על ידי שלמה בני: **זבחי אלהים רוח נשברה.** וסופו הטיבה ברצונך את ציון (הרב מוהר"ז מהורדנא). וכן הוא בילקוט תהלים (נא, ו). והביא זאת לכאן לפי שעל ידי קבלת תשובת אהרן ותפלת משה, נתקבל הוא ובניו: **להזכיר עבודה כו' רצה אלהינו.** לא ידעתי הראיה. ואולי רצה הוא על הרצאת הקרבנות, ושכון בציון הוא העבודה הנהוגה בציון, מהרה יעבדוך בניך, הוא על ידי השתחואה: **פסל בבהמה והכשיר באדם כו' לב נשבר.** אף דהמקריב פסול גם כן אם הוא עור או פיסח, אך הקרבן גופא שהוא האדם בעצמו השב, שהוא דוגמת הקרבן, ועם כל זה הכשיר לב נשבר. והענין שלא ידומה כי עיקר התשובה תלוי רק בשמחה ולא בעצבון, לא כן, ולכן כתיב לב נשבר ונדכה לא תבזה, כי היינו מדמים שנבזה בעיני ה' העצבון, רק השמחה: **גנאי כו' בכלים שבורים כו'.** זהו גם כן כנכתב לעיל, לפי שמטבע האדם שאינו אוהב את דבר השבור, או האדם בעל העצבון ונכה רוח, כי זהו דבר שאין הטבע סובלו, אבל אצלו יתברך אוהב הוא נשברי לב, כי השבירת לב בא מרוב הכרת את ה' הנכבד והנורא:

The Midrash presents another exposition with a similar theme:

אָמַר רַבִּי אֲלֶכְּסַנְדְּרִי — **R' Alexandri said:** הַהֶדְיוֹט הַזֶּה אִם מִשַׁמֵּשׁ הוּא בְּכֵלִים שְׁבוּרִים — **If any commoner were to use broken utensils,** גְּנַאי הוּא לוֹ — **it would be** considered **a** matter of **disgrace for him.** אֲבָל הַקָּדוֹשׁ בָּרוּךְ הוּא כְּלֵי תַּשְׁמִישׁוֹ שְׁבוּרִים — **But the Holy One, blessed is He — the utensils He uses are broken,** שֶׁנֶּאֱמַר "קָרוֹב ה׳ לְנִשְׁבְּרֵי לֵב" — **as [Scripture] states** in the following verses, ***HASHEM is close to the brokenhearted*** (*Psalms* 34:19); "הָרֹפֵא לִשְׁבוּרֵי לֵב" — ***He is the Healer of the brokenhearted*** (ibid. 147:3); "וְאֶת דַּכָּא וּשְׁפַל רוּחַ" — *For thus said the exalted and uplifted One . . . "I abide in exaltedness and holiness,* ***but I am with the despondent and lowly of spirit"*** (*Isaiah* 57:15); "זִבְחֵי אֱלֹהִים רוּחַ נִשְׁבָּרָה לֵב נִשְׁבָּר" — and, ***The sacrifices God desires are a broken spirit; a heart broken*** *and humbled, O God, You will not despise* (*Psalms* 51:19).[44]

NOTES

penitent need not be blind nor have a split eyelid or a wart (*Maharzu*).

For an alternative understanding of this passage, see Insight Ⓐ.

44. [All these verses indicate that God interacts with the brokenhearted and broken-spirited on a constant basis, so to speak, surrounding Himself with them as if they were His household utensils. (See *Yefeh To'ar* for a discussion of why the Midrash cites four different verses.)]

INSIGHTS

Ⓐ **Broken and Unblemished** The Midrash's comparison between a blind or broken animal and a person who is brokenhearted and humble seems flawed. A blind or broken animal has an actual physical blemish, whereas a person's humble heart is simply a state of mind. To the contrary, humility is a highly valued quality — tantamount to an offering itself, as implied by a simple reading of the *Psalms* verse quoted by the Midrash throughout this passage, *The sacrifices God desires are a broken spirit.*

Yefeh To'ar suggests that the Midrash refers to a sinner's *spiritual* blemishes. Although a *physically* blemished animal is permanently invalid for use as a *korban*, a person tainted by his misdeeds may offer himself before God by repenting. When the Midrash states, "He validated in regard to a person one who has *a heart broken and humbled,*" it does not refer to one who is dispirited and humbled by his sins. (For why would the verse state with regard to such a person, *You will not despise*, implying that he is undeserving but, out of God's kindness, is nonetheless not rejected?) Rather the Midrash refers to one who is heartbroken as a result of physical suffering or troubles that he has experienced. The Midrash comes to teach that although he is motivated to repent only because of his sufferings — not because he sincerely seeks to draw close to God — his repentance is nevertheless accepted by Him.

Chidushei HaRim (*Parashas HaChodesh*, cited by *Likkutei Yehudah* on our verse) also understands the Midrash to be referring to a person who is *spiritually* blemished, basing his interpretation on a Chassidic teaching of the *Chozeh MiLublin*. The *Chozeh* is quoted as saying that even a person who is deficient in his service to God, if he is honest and cognizant of his deficiencies, he has retained a connection to truth. And through that connection to truth, he can be beloved of God.

A blemished animal is disqualified as an offering. Being cognizant of the blemish does not make the animal any more fit as an offering. A person who is blemished by sin, too, is distant from God. But his truthful awareness of his shortcomings will find favor before God, Who will neither despise nor reject the honest and broken heart. [See also Insight above to 3 §2, "Prayers of the Impoverished."]

ב (תהלים נא, יט) "**זִבְחֵי אֱלֹהִים רוּחַ נִשְׁבָּרָה וְגוֹ'**", **זַבְדִּי בֶּן לֵוִי וְרַבִּי יוֹסֵי בֶּן טַרְטַס וְרַבָּנָן, חַד אָמַר: אָמַר דָּוִד לִפְנֵי הַקָּדוֹשׁ בָּרוּךְ הוּא: אֲנִי כָּבַשְׁתִּי אֶת יִצְרִי וְעָשִׂיתִי תְּשׁוּבָה לְפָנֶיךָ, אִם אַתָּה מְקַבְּלֵנִי בִּתְשׁוּבָה הֲרֵי יוֹדֵעַ אֲנִי שֶׁשְּׁלֹמֹה בְּנִי עוֹמֵד וּבוֹנֶה אֶת בֵּית הַמִּקְדָּשׁ וּבוֹנֶה אֶת הַמִּזְבֵּחַ וּמַקְטִיר עָלָיו אֶת הַקָּרְבָּנוֹת שֶׁבַּתּוֹרָה, מִן הַדִּין קְרָיָא, "זִבְחֵי אֱלֹהִים רוּחַ נִשְׁבָּרָה", וְחָרְנָא אָמַר: מִנַּיִן לְמִי שֶׁהוּא עוֹשֶׂה תְּשׁוּבָה שֶׁמַּעֲלִין עָלָיו כְּאִלּוּ עָלָה לִירוּשָׁלַיִם וּבָנָה אֶת בֵּית הַמִּקְדָּשׁ וּבָנָה אֶת הַמִּזְבֵּחַ וּמַקְרִיב עָלָיו כָּל הַקָּרְבָּנוֹת שֶׁבַּתּוֹרָה, מִן הַדִּין קְרָיָא, "זִבְחֵי אֱלֹהִים רוּחַ נִשְׁבָּרָה", וְרַבָּנָן אָמְרֵי: מִנַּיִן לְעוֹבֵר לִפְנֵי הַתֵּיבָה שֶׁצָּרִיךְ לְהַזְכִּיר עֲבוֹדָה וְקָרְבָּנוֹת וְלָשׁוּחַ, מִן הָדָא בִּרְכְתָא: רְצֵה אֱלֹהֵינוּ, שְׁכֹן בְּצִיּוֹן מְהֵרָה, יַעַבְדוּךָ בָּנֶיךָ, אִית דְּבָעֵי מִשְׁמְעִנָּהּ מִן הָדָא, "זִבְחֵי אֱלֹהִים רוּחַ נִשְׁבָּרָה", אָמַר רַבִּי אַבָּא בַּר יוּדָן: כָּל מַה שֶּׁפָּסַל הַקָּדוֹשׁ בָּרוּךְ הוּא בִּבְהֵמָה הִכְשִׁיר בְּאָדָם, פָּסַל בִּבְהֵמָה** (לקמן כב, כב) "**עַוֶּרֶת אוֹ שָׁבוּר אוֹ חָרוּץ אוֹ יַבֶּלֶת", וְהִכְשִׁיר בְּאָדָם** (תהלים שם שם) "**לֵב נִשְׁבָּר וְנִדְכֶּה", אָמַר רַבִּי אֲלֶכְּסַנְדְּרִי: הַהֶדְיוֹט הַזֶּה אִם מְשַׁמֵּשׁ הוּא בְּכֵלִים שְׁבוּרִים גְּנַאי הוּא לוֹ, אֲבָל הַקָּדוֹשׁ בָּרוּךְ הוּא כְּלֵי תַּשְׁמִישׁוֹ שְׁבוּרִים, שֶׁנֶּאֱמַר** (שם לד, יט) "**קָרוֹב ה' לְנִשְׁבְּרֵי לֵב",** (שם קמז, ג) "**הָרֹפֵא לִשְׁבוּרֵי לֵב",** (ישעיה נז, טו) "**וְאֶת דַּכָּא וּשְׁפַל רוּחַ", "זִבְחֵי אֱלֹהִים רוּחַ נִשְׁבָּרָה לֵב נִשְׁבָּר"**.

עץ יוסף

(ב) **זבחי אלהים רוח נשברה.** משום דקשיא ליה כפל זאת תורת העולה היא העולה, בעי לאתויי מילתא דרבי יהודה בר סימון בסמוך דאמר משל למלך שהיה מהלך במדבר כו', ומשום דהתשובה זה איתא בהני קראי מייתי הני קראי, ודריש להו ברישא בענין אחר כדרך המדרש: **זבדי בן לוי כו'.** קשה להו מאי טעמא דבקשת הטיבה ברצונך את ציון וגו' התם, דבעי בטועה על קבלת תשובתו בעון בת שבע ובהכי עסיק ואזיל עד זבחי אלהים רוח נשברה, ומה ענינו להזכיר כאן ענין ירושלים והקרבנות העתידים. לכן תירצו ז"ל שטעם הטיבה ברצונך את ציון וגו' לכאן לומר שאם תקובל תשובתו ידע בבירור ששלמה עומד ובונה בית המקדש כו', והשני תירץ, שרוצה לומר, שהתשובה נחשב לו כאלו עלה לירושלים ובנה בית המקדש וכו', ורבנן תירצו שהמתפלל צריך להזכיר עבודה וקרבנות עם תפלתו, ולכן כיון שהתפלל על חטאו הזכיר גם כן עבודה וקרבנות: **מן הדין קריא.** מן המקרא הזה זבחי אלהים רוח נשברה וגו' הטיבה ברצונך וגו': **מנין לעובר לפני התיבה כו' ולשוח בהדא ברכתא רצה כו'.** כן צריך לומר. ופירושו מנא ילפינן תרתי, חדא שהעובר לפני התיבה צריך להזכיר עבודה וקרבנות, ואידך שישחה בתוך ברכה זו דהיינו רצה אלהינו כו', שכשמשלים אותה פותח במודים ושוחה כדאיתא בפרק קמא דברכות (יב, א ועיין שם לד, א), וקאמר דתרווייהו איתא דיליף להו מזבחי אלהים רוח נשברה, דמשמע כשמזכיר זבחי אלהים ישוח עצמו והיינו רוח נשברה, ומדמזכיר קרבנות ומתפלל עליהם אלא תפלתו על עונו שמע מינה שכל מתפלל צריך שיזכיר עבודה וקרבנות בתוך תפלתו (יפה תואר): **פסל בבהמה והכשיר באדם כו' לב נשבר כו'.** אף דהמקריב פסול גם כן אם הוא עור או פסח, אך הקרבן גופה שהוא האדם בעצמו השב שהוא דוגמת הקרבן, ועם כל זה הכשיר לב נשבר, והענין שלא ידומה כי עיקר התשובה תלוי רק בשמחה ולא בעצבון, לא כן, ולכן כתיב לב נשבר ונדכה אלהים לא תבזה, כי היינו מדמים שנבזה בעיני ה' העצבון רק השמחה:

פירוש מהרז"ו

(ב) **זבחי אלהים.** עיקר הדרש הוא מה שכתוב כאן זאת תורת העולה היא העולה, ששתי תיבות היא העולה מיותר, על כן דורש שפירושו שהכתוב מתמיה היא העולה, האם בזה יש די לעבוד השם יתברך, וכמו שכתב בסוף הסימן, ואגב דורש הפסוק כולו: **וחרנא אמר.** שהזכיר רבי יוסי בן טרטוס, וזבדא, שנחלקו דרשו בפסוק זה, אך היו מסופקים מי אמר כך ומי אמר כך, על כן אמר סתם, חד אמר וחרנא אמר, פירושו ואחר אמר, ודעת רבנן ידעו בבירור. ועיין בסנהדרין (מג, ב): **כל מה שפסל.** עיקר הכוונה שאלו בבהמה פסול שבור, ואלו האדם הכשיר שבור, היינו לב נשבר ונדכה, ומה שכתב כל מה שפסל הוא לשון גוזמא:

חידושי הרד"ל

[ב] **אני כבשתי את יצרי.** נראה דצריך לומר זבחתי את יצרי, דדרש זבחי אלהים רוח נשברה, שזבח יצרו, (וכמו שאמרו בירושלמי פרק הרואה (ברכות פ"ט ה"ה) שדוד עמד עליו והרגו). ועיין לקמן ריש פרשה ט': **עומד ובונה כו' המזבח כו'.** הקרבנות כו' כדכתיב להלן תבנה חומות ירושלים כו' אז יעלו על מזבחך פרים: **ולשוח בהדא ברכתא רצה כו' אית דבעי משמיענה מן הדא זבחי כו'.** כן צריך לומר. והוא הכל סיום דברי רבנן, שאומרים בשם אית דבעי כו' לדרוש זה מקרא דזבחי כו', אבל מגוף הברכה כגירסת הספר, אין משמע כלל שצריך לשוח:

חידושי הרש"ש

[ב] **ורבנן אמרי מנין לעובר לפני התיבה וכו'. ולשוח מן הדא ברכתא.** רצה לומר תיכף אחר זה בברכת מודים, וכמו שאמרו במגילה (יח, א) עבודה והודאה חדא מלתא היא:

באור מהרי"פ

[ב] **רוח נשברה.** לב נשבר ונדכה אלהים לא תבזה, היינו שתקבלו בתשובה, אז הטיבה ברצונך את ציון ותבנה חומות ירושלים: **לשוח.** פירוש לאחר שיסיים ברכת רצה ויתחיל במודים צריך לשוח:

מסורת המדרש

ב. ילקוט נ"ך תשס"ו:

אם למקרא

זִבְחֵי אֱלֹהִים רוּחַ נִשְׁבָּרָה לֵב נִשְׁבָּר וְנִדְכֶּה אֱלֹהִים לֹא תִבְזֶה: (תהלים נא:יט)

עַוֶּרֶת אוֹ שָׁבוּר אוֹ חָרוּץ אוֹ יַבֶּלֶת אוֹ גָרָב אוֹ יַלֶּפֶת לֹא תַקְרִיבוּ אֵלֶּה לַה' וְאִשֶּׁה לֹא תִתְּנוּ מֵהֶם עַל הַמִּזְבֵּחַ לַה': (לקמן כב:כב)

קָרוֹב ה' לְנִשְׁבְּרֵי לֵב וְאֶת דַּכְּאֵי רוּחַ יוֹשִׁיעַ: (תהלים לד:יט)

הָרֹפֵא לִשְׁבוּרֵי לֵב וּמְחַבֵּשׁ לְעַצְּבוֹתָם: (שם קמז:ג)

כִּי כֹה אָמַר רָם וְנִשָּׂא שֹׁכֵן עַד וְקָדוֹשׁ שְׁמוֹ מָרוֹם וְקָדוֹשׁ אֶשְׁכּוֹן וְאֶת דַּכָּא וּשְׁפַל רוּחַ לְהַחֲיוֹת רוּחַ שְׁפָלִים וּלְהַחֲיוֹת לֵב נִדְכָּאִים: (ישעיה נז:טו)

ידי משה

[ב] **הכשיר באדם כו'.** ואף על גב דכתיב גבי אדם גם כן (ויקרא כא, יח) עִוֵּר או פִסֵּחַ. ויש לומר שם קאי על המקריב את הקרבן ולא איירי בקרבן גופה:

אמרי יושר

[ב] **אדע שתטיב ובני שלמה יבנה.** הרגישו שאמר (תהלים נא יח) לא תחפץ זבח, בעון מזיד, ואיך יאמר (שם פסוק כא) אז תחפוץ, כי לעולם לא יחפוץ במזיד קרבן, לכן דרשו שהוא לעתיד שאין חטא, רק צדק: **שצריך להזכיר עבודה ולשוח.** זהו זבחי אלהים, יתכיף עמו הודאה, שהוא רוח נשברה, אז ירצה הזבחים והעולה, ובלעדיה לא: **זבחי וכו' אלהים לא תבזה.** אף על פי שהוא היפך התורה ומנהג המלכים: **הרופא לשבורי לב.** פירשו ז"ל שאינו דרך חידוש, שאפילו לשבורי לב רופא, אף על פי שהוא אבר מלך, אלא דוקא לשבורי לב רופא, ואם לא ישברו לבם ויכנעו, לא כן:

מתנות כהונה

[ב] **מן הדין קריא.** מן המקרא הזה: **רוח נשברה.** פירוש כשיתרצה ברוח נשברה, רצה לומר תשובה, יהא בטוח שיקיים בו זבחי אלהים: **זבחי אלהים כו'.** רוח נשברה דהיינו תשובה, הוא כאלו היה זובח לאלהים, וזה אי אפשר אם לא בבית המקדש ועל גבי המזבח: **לשוח.** להשתחוות: **מן הדא ברכתא.** מתוך זאת הברכה: **רצה אלהינו וכו' גרסינן: אית דבעי כו'.** יש מי שירצה לשומעה ממקרא זה: **רוח נשברה וגו'.** כלומר צריך להזכיר זבחי אלהים, וגם יהא רוחו נשברת לשוח ולהשתחוות:

נחמד למראה

[ב] **זבדי בן לוי וכו', חד אמר אמר דוד לפני הקב"ה אני כבשתי את יצרי ועשיתי תשובה לפניך, אם אתה מקבלני בתשובה הרי יודע אני ששלמה בני וכו'.** הדבר קשה להלוס אומרו אני כבשתי את יצרי ועשיתי תשובה, אם היה כובש את יצרו, לא היה חוטא ואז לא היה צריך לעשות תשובה, ואם נפסך לומר שהיצר היה מפתה אותו שלא לשוב בתשובה, והוא כבש את יצרו ועשה תשובה, במה ישתבח דוד בזה, והרי החוטא כדי להשיג כפרה, צריך לעשות תשובה על כל פנים. ותו קשה שדוד תובע מהקדוש ברוך הוא שכר גדול בשביל שעשה תשובה, וזה פלא דדיה לתשובה שתכפר על עונו, לא שיקבל גם כן שכר. ונראה לי דהכי פירושו, אמר דוד אני כבשתי את יצרי, שהיה מפתה אותי שלא לעשות תשובה, והיה לי מקום פטור אם הייתי שומע לו, ואף על פי כן כבשתי יצרי ועשיתי תשובה. והענין הוא דאיתא במסכת שבת פרק במה בהמה (נו, א) אמר רבי שמואל בר נחמני אמר רבי יונתן כל האומר דוד חטא אינו אלא טועה וכו', ותו כל היוצא מלחמת בית דוד גט כריתות כותב לאשתו וכו'. ותו איתא בהקדמת הזוהר (דף ח, א) דוד מלכא בשעתא דאירע ליה ההוא עובדא דחיל, בההוא שעתא סליק דומ"ה (מלאך הממונה על גיהנום) קמי קודשא בריך הוא, ואמר ליה, מארי דעלמא, כתיב בתורה (ויקרא כ, י) ואיש אשר ינאף את אשת איש

אשד הנחלים

[ב] **אם אתה מקבלני.** כי במזמור הזה ביקש תחילה מחילה על עוון בת שבע, ואחר כך אמר זבחי אלהים, וסיים הטיבה ברצונך את ציון, אשר אין לו המשך לשלפניו, ולכן דרשו שנפל הרעיון של בנין הבית בלבו, אחרי בקשתו על קבלת התשובה, ובאור הכתוב שזבחי אלהים הם הקרבנות, תלוים ברוח נשברה שבקרבו, ולכן קבלני והטיבה ברצונך את ציון, על ידי שלמה בני: **זבחי אלהים רוח נשברה.** וסופו הטיבה ברצונך את ציון (הרב מוהר"ז מהוראדנא). וכן הוא בילקוט תהלים (נא, ו). והביא זאת לכאן לפי שעל ידי קבלת תשובת אהרן ותפלת משה, נתקבל הוא ובניו: **להזכיר עבודה כו' רצה אלהינו.** לא ידעתי הראיה. ואולי רצה הוא על הרצאת הקרבנות, ושכון בציון הוא העבודה הנהוגה בציון, מהרה יעבדוך בניך, הוא על ידי השתחוואה: **פסל בבהמה והכשיר באדם כו' לב נשבר.** אף דהמקריב פסול גם כן אם הוא עור או פיסח, אך הקרבן גופא שהוא האדם בעצמו השב, שהוא דוגמת הקרבן, ועם כל זה הכשיר לב נשבר. והענין שלא ידומה כי עיקר התשובה תלוי רק בשמחה ולא בעצבון, לא כן, ולכן כתיב לב נשבר ונדכה לא תבזה, כי היינו מדמים שנבזה בעיני ה' העצבון, רק השמחה: **גנאי כו' בכלים שבורים כו'.** זהו גם כן כנכתב לעיל, לפי שמטבע האדם שאינו אוהב את דבר השבור, או האדם בעל העצבון ונכה רוח, כי זהו דבר שאין הטבע סובלו, אבל אצלו יתברך אוהב הוא נשברי לב, כי השבירת לב בא מרוב הכרת את ה' הנכבד והנורא:

Returning now to our verse, the Midrash presents a parable illustrating the meaning of a difficult phrase and connecting it to the passage from *Psalms* cited earlier:

רַבִּי אַבָּא בַּר יוּדָן בְּשֵׁם רַבִּי יוּדָא בַּר רַבִּי סִימוֹן — R' Abba bar Yudan said **in the name of R' Yuda bar R' Simone: מָשָׁל לְמֶלֶךְ שֶׁהָיָה מְהַלֵּךְ בַּמִּדְבָּר— It is comparable to a king who was traveling in the wilderness, וּבָא אוֹהֲבוֹ — and his close friend approached** him there, **וְכִבְּדוֹ בְּכַלְכָּלָה אַחַת שֶׁל תְּאֵנִים וְחָבִית אַחַת שֶׁל יַיִן — and honored him with** a gift of **one basket of figs and one jug of wine. אָמַר לוֹ: זֶה כִּיבּוּד גָּדוֹל — [The king] said** angrily **to [the friend], "Is this a great tribute** as befits a king?"[45] **אָמַר לוֹ — [The friend] said** back **to [the king], אֲדוֹנִי הַמֶּלֶךְ, לְפִי שָׁעָה כִּבַּדְתִּיךָ — "My master, the king, I have honored you in accordance with** your situation at **the moment,**[46] **אֲבָל כְּשֶׁאַתָּה נִכְנָס לְתוֹךְ פַּלְטִין שֶׁלְּךָ — but** I assure you that **when you will enter into your palace, אַתָּה רוֹאֶה בַּמֶּה אֲנִי מְכַבֶּדְךָ — you shall see with** what lavishness **I will honor you."**[47] **כָּךְ אָמַר הַקָּדוֹשׁ בָּרוּךְ הוּא לְיִשְׂרָאֵל — So too, the Holy One, blessed is He, said to** the nation **of Israel,** "זֹאת תּוֹרַת הָעֹלָה, הִיא הָעֹלָה" — ***"This is the law of the burnt-offering: It is the burnt-offering,"*** which can be read as a rhetorical question, *"It is the burnt-offering?"*[48] **אָמְרוּ לְפָנָיו — In** response, **they said before Him, רִבּוֹן הָעוֹלָמִים לְפִי שָׁעָה הִקְרַבְנוּ לְפָנֶיךָ — "Master of the Worlds, we have brought** offerings **before You according to** Your situation at **the moment,**[49] **אֲבָל לִכְשֶׁתֵּיטִיב "בִּרְצוֹנְךָ אֶת צִיּוֹן תִּבְנֶה חוֹמוֹת יְרוּשָׁלָיִם — but when You will do good** ***in Your favor unto Zion*** and when You will ***build the walls of Jerusalem,*** "אָז תַּחְפֹּץ זִבְחֵי צֶדֶק עוֹלָה וְכָלִיל" — ***then You will desire the offerings of righteousness, burnt-offering, and whole-offering;*** *then will bulls go up upon Your Altar"* (*Psalms* 51:20-21).[50]

§3 The Midrash discusses the function of the *olah*:

אָמַר רַבִּי שִׁמְעוֹן בֶּן יוֹחָאי — R' Shimon ben Yochai said: גּוּפָא — The text states:[51] **לְעוֹלָם אֵין הָעוֹלָה בָּאָה אֶלָּא עַל הִרְהוּר הַלֵּב — The *olah*-offering** [עֹלָה] **is never brought** for anything **other than** to atone **for** improper **musings of the heart.**[52]

NOTES

45. Translation follows *Matnos Kehunah, Radal,* and *Eitz Yosef.* For an alternative understanding, see *Yefeh To'ar,* first explanation.

46. That is, when you are on the road, traveling through the wilderness (*Matnos Kehunah*).

47. For it is most appropriate to honor the king when he is at home in his palace.

48. I.e., God was saying, "This *olah* is the only offering that you are bringing?" (*Matnos Kehunah*). The Midrash reads the phrase, הִיא הָעֹלָה, as a rhetorical question, for otherwise it appears superfluous; the verse could have said simply, זֹאת תּוֹרַת הָעֹלָה עַל מוֹקְדָה עַל הַמִּזְבֵּחַ כָּל הַלַּיְלָה, *This is the law of the burnt-offering, [it stays] on the flame, on the Altar, all night* (*Maharzu* and *Eitz Yosef* s.v. זִבְחֵי אֱלֹהִים).

49. For like the king in the parable, God's presence at that time was not in His palace but rather traveling through the Wilderness in the Tabernacle.

50. I.e., when the Temple is built in Jerusalem, we will bring numerous offerings, as indicated by the verse's use of the plural — *"offerings of righteousness,"* as well as, *"bulls."* For the Temple in Jerusalem is God's palace, but when His presence rests in the Tabernacle in any of its stations then His presence is in transit, so to speak, like the traveling king in the parable.

51. See above, 5 §5 note 89.

52. For sinful thoughts that did not involve any sinful actions. The Midrash uses the wording, לְעוֹלָם אֵין הָעוֹלָה בָּאָה, "the *olah*-offering is **never** brought," to indicate that this principle applies to both communal and individual *olah*-offerings (*Eitz Yosef*).

[In his comments on *Leviticus* 1:4, *Ramban* explains this principle as follows: Since God alone was aware of the person's sinful thoughts it is appropriate that they be atoned through the *olah*-offering, which is given to God alone, wholly consumed by the Altar's fire, with neither the Kohanim nor the owners sharing in any of its meat. For another explanation, see Insight Ⓐ.]

INSIGHTS

Ⓐ **Thoughts and Actions** The *Slonimer Rebbe* (*Nesivos Shalom, Vayikra,* pp. 27-29) asks why the *olah*-offering is brought to atone for improper thoughts, whereas the *chatas*-offering is brought to atone for improper actions. The *olah* is burnt completely on the Altar, whereas parts of the *chatas* are consumed by the Kohanim. One would think that improper actions are more egregious than improper thoughts. Why, then, does one require an offering that is totally consumed by fire to atone for such improper thoughts, something not required for improper actions?

Nesivos Shalom explains that it is far more difficult to eradicate one's improper thoughts than it is to undo wrongful actions. A person is not beset by an unending series of temptation to wrongful action. If he has stumbled and sinned, he can repent one action at a time. But improper thoughts can bombard a person. By the time he is able to remove one wayward thought, another one has already taken its place. How does one counter the vagaries of the mind?

The following can serve as a model. A man has a large forest that he wishes to clear to build a city. If he cuts down and removes one tree at a time, his time and patience will run out before he has made any significant progress. The city will never be built.

What does he do? He sets the forest ablaze. The roaring flames envelop the entire forest and burn it to the ground. Nothing is left but the bare ground, on which the city can then be built.

A Jew who fights evil thoughts is in a similar quandary. If he contends with one thought at a time, his mind will never be cleansed. What he must do, then, is build a roaring fire, a holy, Godly fire composed of Torah study and passionate service of God, which will consume any and all impure thoughts that might be lurking in his mind.

There is another reason that impure thoughts are more difficult to remove than sins of action. One cannot always act on a sinful impulse. One might be in a situation where he will be embarrassed should people see or hear of his deeds. Or one might not have the wherewithal to commit his sinful act. One might be busy with other things. Many conditions must be met before the sinful act can be carried out.

But no one sees what goes on in the mind. Thoughts are free, and hidden from the public eye. One can act like an ostensibly observant Jew. One can study and pray while his mind is consumed with evil thoughts, and no one will ever see or know.

For this reason as well, one needs the power of a holy fire to fill his mind. He needs to set the altar of his personality ablaze with a flame that can destroy any impure thought in its path, at any time and in any place.

This is the *olah*, the burnt-offering, which burns the entire night — when no one sees and when there is a strengthening of the powers of darkness. Then, especially, one needs the pure, holy fire of Torah and mitzvos to burn incessantly and keep the Altar aglow.

It's the Thought That Counts

Shem MiShmuel (*Vayikra* pp. 57-58) cites his father, the *Avnei Nezer,* as explaining that this Midrashic teaching, that the *olah* atones for improper musings of the heart, accounts for the Torah's stipulation that the *olah* be offered specifically צָפֹנָה, on the northern side of the Altar (above, 1:11). For the word for north [צָפוֹן] implies "hidden." Indeed, in the Northern Hemisphere (above the Tropic of Cancer) the sun is never in the north; the north is, in a sense, always "hidden" from the sun. The *olah*-offering, then, which atones for sinful thoughts, which are "hidden" in the person's heart and mind, must be offered in the "hidden" north. (See also Insight above on 2 §11, note 170, "Self-Offering.")

But why, then, is there a requirement that the *chatas*-offering (which is brought specifically for improper actions and not thoughts) also be offered in the north? If the significance of the north is that it is "hidden," why should that be a necessary condition for an offering that atones for overt actions and deeds?

Shem MiShmuel explains. True, a *chatas* is an offering brought for an

רַבִּי אַבָּא בַּר יוֹדָן בְּשֵׁם רַבִּי יוּדָא בַּר רַבִּי סִימוֹן: מָשָׁל לְמֶלֶךְ שֶׁהָיָה מְהַלֵּךְ בַּמִּדְבָּר וּבָא אוֹהֲבוֹ וְכִבְּדוֹ בְּכַלְכָּלָה אַחַת שֶׁל תְּאֵנִים וְחָבִית אַחַת שֶׁל יַיִן, אָמַר לוֹ: זֶה כִּיבּוּד גָּדוֹל, אָמַר לוֹ: אֲדוֹנִי הַמֶּלֶךְ, לְפִי שָׁעָה כִּבַּדְתִּיךָ, אֲבָל כְּשֶׁאַתָּה נִכְנָס לְתוֹךְ פַּלָטִין שֶׁלְּךָ אַתָּה רוֹאֶה בַּמֶּה אֲנִי מְכַבֶּדְךָ, כָּךְ אָמַר הַקָּדוֹשׁ בָּרוּךְ הוּא לְיִשְׂרָאֵל: [ו, ב] **"זֹאת תּוֹרַת הָעֹלָה, הִיא הָעֹלָה", °אָמְרוּ לְפָנָיו: רִבּוֹן הָעוֹלָמִים, לְפִי שָׁעָה הִקְרַבְנוּ לְפָנֶיךָ, אֲבָל לִכְשֶׁתֵּיטִיב** (תהלים נא, כ-כא) **"בִּרְצוֹנְךָ אֶת צִיּוֹן תִּבְנֶה חוֹמוֹת יְרוּשָׁלָיִם, אָז תַּחְפֹּץ זִבְחֵי צֶדֶק עוֹלָה וְכָלִיל":**

ג *גּוּפָא אָמַר רַבִּי שִׁמְעוֹן בֶּן יוֹחָאי: לְעוֹלָם אֵין הָעוֹלָה בָּאָה ג**אֶלָּא עַל הִרְהוּר הַלֵּב, אָמַר רַבִּי לֵוִי: מִקְרָא מָלֵא הוּא,** (יחזקאל כ, לב) **"וְהָעֹלָה עַל רוּחֲכֶם הָיוֹ לֹא תִהְיֶה אֲשֶׁר אַתֶּם אֹמְרִים וְגוֹ'", מִמִּי אַתָּה לָמֵד, מִבָּנָיו שֶׁל אִיּוֹב, בַּתְּחִלָּה** (איוב א, ד) **"וְהָלְכוּ בָנָיו וְעָשׂוּ מִשְׁתֶּה", רַבִּי מֵאִיר אוֹמֵר: שֶׁכֵּן דֶּרֶךְ בְּנֵי מְלָכִים לִהְיוֹת קוֹרִין לַאֲחֵיהֶן וּלְאַחְיוֹתֵיהֶן עִמָּהֶן בַּסְּעוּדָה, רַבִּי תַּנְחוּם בַּר רַבִּי חִיָּיא אָמַר: לְהִיטַּפֵּל בָּהֶם הָלְכוּ, שֶׁקִּדְּשׁוּ לָהֶם נָשִׁים,**

עץ יוסף

זה כבוד גדול. בתמיה, רלה לומר כמתרעס, וכן בנמשל אמר הקדוש ברוך הוא כמתרעס זאת תורת העולה היא העולה בתמיה, וכי זו היא פעולה הראויה לו. ובבמדבר רבה ריש פרשה י"ג הלשון כך, אתם מכבדים לי איני מלך כו', וכן יתפרש כאן, וכי זה כיבוד גדול הראוי למלך: **אמר לפניו.** מנוסחתינו ומילקוט נראה שמשה השיב כן: (ג) **גופא.** משום דהשתא דריש ואזיל על יתורא בזאת תורת העולה היא העולה דלכל אחד מהדרשות דבסמוך מידרש יפה כמו שאפרש, ולעיל קאמר חד טעמא, קאמר השתא גופא דעיקר הדרשות הן על זה, וגירסת הילקוט (תעט) תני רבי שמעון בר יוחאי העולה באה: **לעולם.** פירוש בין עולת ציבור ובין עולת יחיד: **על הרהור הלב.** והיינו דכתיב היא העולה, כלומר לכפר על העולה על רוחכם: **והעולה על רוחכם.** כלומר וקרבן עולה היא על רוחכם מה שאתם מחשבים בלבבכם: **ממי אתה למד.** פירוש ממי אתה למד עוד: **ועשו משתה וגו'.** והעלה עולות מספר כולם כי אמר איוב אולי חטאו בני וברכו אלהים בלבבם, שמע מינה שעולה מכפרת על הרהור הלב. וכדי שלא תאמר דילמא היו עושים עבירות ממש מתוך סעודת מרעים, לזה מייתי פלוגתא דרבי מאיר ורבי תנחום שבין למר ובין למר לא היה רק סעודת מלכים, או קדושי נשים, ולא היה חס ושלום סעודת מרעים: **להיטפל בהם הלכו.** במדרש שעם פירוש היפה תואר הנוסחא, נטפל בהם והלכו, וכתב היפה תואר פירוש, תחלה נטפל בהם שקדש להם הנשים, ושוב והלכו לעשות משתה, והכי קאמר קרא ויהי כי הקיפו ימי המשתה וכבר שלח איוב ויקדשם לנשים, ודרש ויקדשם לשון קידושין:

פירוש מהרז"ו

כך אמר הקב"ה לישראל. וכן מה שכתב אמרו לפניו, שכל מה שדקדקו חז"ל מן הפסוקים אומרים חז"ל בלשון זה, אמר הקב"ה וכו'. וכמו שכתב בריש הסימן היא העולה, שמתמה וכי די בזה לקרבן להקב"ה וגו'. ועיין במדבר רבה (יג, א) כמו כאן: (ג) **גופא.** עיין לעיל (ג, ה) ושם מבואר. ועיין תנחומא לך לך (סימן י) וזה לשונו ילמדנו רבינו, על מה העולה באה, כך שנה רבי ישמעאל העולה באה על מצות עשה ולא תעשה, ורבי שמעון בר יוחאי אמר על הרהור הלב, שנאמר (איוב א, ה) ויהי כי הקיפו וגו'. עיין יומא (לו, א), וילקוט ריש איוב (רמז תתלא): **הכי גרסינן רבי תנחום בר חייא אומר שקדשו להם נשים.** ולא גרס, להטפל בהם הלכו, עד לקמן שבא לפרש דעותיהם, אמר על דעתיה דרבי תנחום בר חייא דאמר שקדשו להם נשים, להטפל בהם הלכו, שלכך באו כולם לבית אחד ביום שאירס לו אשה, לעזור לו בצרכי הקידושין להכלה, ובצרכי הסעודה כמנהג, ולדעת רבי מאיר מה שכתוב (איוב א, ה) וישלח איוב

מתנות כהונה

זה כיבוד גדול. לשון תימה: **לפי שעה.** לפי השעה שאתה עומד בו עכשיו, רלה לומר במדבר: **זאת תורת העולה גרסינן: היא העולה.** לשון תימה הלא מלער היא: **הכי גרסינן לפי שעה הקרבנו לפניך:** [ג] **הרהור הלב.** דייק היא העולה, כמה דאת אמר (יחזקאל כ, לב) והעולה על רוחכם, ועיין ברמב"ן:

הכי גרסינן שכן דרך בני מלכים: הכי גרסינן להיטפל בהם הלכו שקדשו להם נשים: להיטפל בהם. לפיכך באו שמה אחיהם ואחיותיהם לעשות להם שושביניות, ולפי דעת שניהם יהיה פירוש וישלח, וכבר שלח, אם לא שנאמר שבעת ימי המשתה היו קודם הקידושין:

נחמד למראה

וגו', דוד דקלקל בריית בערוה מהו, אמר ליה קודשא בריך הוא דוד זכאה הוא וכו', גלי קדמי דאיזדמנת ליה בת שבע מיומא דאברי עלמא, אמר ליה אי קמך גלי, קמיה לא גלי, אמר ליה ותו בהיתירא הוה מה דהוה וכו', אמר ליה הוה ליה לאורכא תלת ירחי ולא אוריך, אמר ליה במאי אוקים מלה באתר דחייבין וכו', עד ובארבעה ועשרים באלול הוה מה דהוה מבת שבע, וביומא דכפורי מחל ליה הקב"ה ההוא חובה וכו', אמר דומ"ה מארי דעלמא היא מלה חדא אית לי גביה, דאיהו אפתח פומיה ואמר (שמואל ב יב ה) חי ה' כי בן מות האיש העושה זאת, ואיהו דן לנפשיה, טרוניא אית ליה עליה, אמר ליה לית לך רשות, דהא אודי לגבאי ואמר (שם יג) חטאתי לה', ואף על גב דלא חב, אבל במה דחטא באוריה, עונשא כתבת עליה וקבל, מיד אהדר דומ"ה לאתריה בפחי נפש. ועל דא אמר דוד (תהלים לד, יז) לולי ה' עזרתה לי כמעט שכנה דומה נפשי. לולי ה' עזרתה לי, דהוה אפטרופא דילי, כמעט שכנה וגו'. ויעויין שם הענין באורך. ובזה היה מפרש הרב הגדול מו"ר זלה"ה כוונת מקרא אחד (תהלים יז, ב), מלפניך משפטי יצא עיניך תחזינה מישרים. דלכאורה אין לו מובן, מאי מלפניך, מאתך הוה ליה למימר. ועוד מאי משפטי יצא, הוה ליה למימר שפטני ה'. ומאי עיניך תחזינה מישרים, פשיטא, ועם הקודם מבואר. דהרי אחר שלא יכול לו דומ"ה, תפסו בדבורו שגזר על עצמו, וממנו משפטי יצא, כי על כן טען כי הוא בן מות כאשר שפט הוא את עצמו, לזה התפלל דוד המלך ואמר רבונו של עולם מלפניך משפטי יצא כלומר אותו המשפט אשר שפטתי את עצמי, הוצא אותו החוצה ואל תדינני בו, אלא עיניך תחזינה מישרים, אם יש בו עון אשר חטא, או אם אין, זך אנכי בלי פשע. עד כאן שמעתי ודברי פי חכם חן. נמצינו למדים שדוד המלך לא חטא כלל בענין בת שבע. וטבע רוב בני אדם אף כשחוטאים מבקשים להתנצל ולומר שלא חטאו. ושאול המלך יוכיח, שאף על פי שחטא אמר שקיים דבר ה' (שמואל א, טו, יג), ושוב אמר

אשד הנחלים

לפי שעה כו' כשאתה נכנס כו' לכשתטיב כו'. זהו כדלעיל מרעיון דוד שהתבונן על עצמו, איך כי לבו נשבר וזה לא יבזה ה', אבל הטיבה ברצונך את ציון ותבנה חומות ירושלים, אז תחפוץ זבחי צדק: [ג] **גופא אמר רבי שמעון בר יוחאי.** (גירסת הילקוט (רמז תעט עיי"ש), תני רבי שמעון בר יוחאי העולה באה (הרב מוהר"ז הנ"ל). ולפי שחטא דוד בבת שבע, ונכשל על ידי הרהור רע, כי המעשה בעצמה לא היו בה איסור, כמו שאמרו (שבת נו, א) כל היוצא למלחמת בית דוד גט כריתות כותב לאשתו, ורק נענש על ההרהור הרע, ולכן סיים בבקשת תשובה, הטיבה ברצונך את ציון אז תחפוץ זבחי צדק עולה וכליל: **והעולה על רוחכם.** לפי פשט המקרא הוא עליות מחשבה שלא יעלה בלבם, שהמה יהיו ככל המון הגוים, אבל ר' לוי לקח לסימן להיות לזכרון הדין, הפסוק הזה, ואמר מקרא מלא הוא להיות לסימן שיזכר על ידו: **מבניו של איוב כו'.** להלן מסיים הראיה, ובאגב מביא ענין אחר מקריאת האחיות: **שקידשו להם נשים.** זהו ויקדשם כפשוטו, ולכן קראו לאחיותיהם לסעודת קדושין, ולדעת ר' תנחום הוא מלשון הזמנה, כמו ואל העם תאמר התקדשו, הנאמר בבמדבר (יא, יח). ועיין בילקוט איוב גירסא אחרת מתוקנת יותר:

חידושי הרד"ל

אמר ליה זה כבוד גדול. בבמדבר רבה ריש פרשה י"ג הלשון כך, אתם מכבדים לי איני מלך כו'. וכן יתפרש כאן, וכי זה כבוד גדול הראוי למלך: [ג] **בתחילה והלכו כו'.** פירוש בתחלה תדרוש פשטי המקראות, ואחר כך כו' תבוא לדרשא דעולה על הרהור הלב:

ליקוטים

[ב] **כך אמר הקב"ה לישראל זאת כו' אמר לפניו רבון העולם לפי שעה הקרבנו לפניך.** בעץ יוסף כתב, מנוסחתינו ומילקוט נראה שמשה השיב כן. וכתב בהגהה על הנבחר מפניניס, מנוסחתינו לא משמע כן, אבל בילקוט מפורש כן וז"ל כך אמר הקב"ה **למשה** זאת תורת וכו' **אמר** לפניו רבש"ע לפי שעה **הקרבתי** אותה עד כאן. [ואולי מזה שנאמר במדרש אמר ולא נאמר אמרו, ודוחק דהוי תרתי לרעותא וחדא לטיבותא, וגם בדפוס עם פירוש הנבחר מפניניס (מבעל העץ יוסף) איתא **אמרו** לפניו, וצ"ע. ועיין במדבר רבה (יג, א) ששם הנשיאים אמרו כן]:

אמרי יושר

לפי שעה הקרבנו. זהו היא העולה עתה לפי שעה, עד הבקר, עד שיבא בקרה של ירושלים ובנייה, אז תחפוץ זבחים הרבה לחנוך, וכן בפרשת נשא (פרשה יג סי' א):

מסורת המדרש

ג. ירושלמי יומא פ"ז. תנחומא סדר לו:

אם למקרא

הֵיטִיבָה בִרְצוֹנְךָ אֶת צִיּוֹן תִּבְנֶה חוֹמוֹת יְרוּשָׁלָם: אָז תַּחְפֹּץ זִבְחֵי צֶדֶק עוֹלָה וְכָלִיל אָז יַעֲלוּ עַל מִזְבַּחֲךָ פָרִים:
(תהלים נא:כ-כא)

וְהָעֹלָה עַל רוּחֲכֶם הָיוֹ לֹא תִהְיֶה אֲשֶׁר אַתֶּם אֹמְרִים נִהְיֶה כַגּוֹיִם כְּמִשְׁפְּחוֹת הָאֲרָצוֹת לְשָׁרֵת עֵץ וָאָבֶן:
(יחזקאל כ:לב)

וְהָלְכוּ בָנָיו וְעָשׂוּ מִשְׁתֶּה בֵּית אִישׁ יוֹמוֹ וְשָׁלְחוּ וְקָרְאוּ לִשְׁלֹשֶׁת אַחְיֹתֵיהֶם לֶאֱכֹל וְלִשְׁתּוֹת עִמָּהֶם:
(איוב א:ד)

ידי משה

[ג] **לעולם אין העולה בא אלא על הרהור הלב.** פירוש בין בעולת יחיד ובין בעולת לבור. אי נמי יש לומר דהכי פירושו, לעולם פירוש אפילו מקמי הכי, דהיינו עולת מדבר, ועולות שהקריב אברהם, לא באו אלא אלא על הרהור הלב, ומפיק ליה מדכתיב היא העולה, תורתו של זה העולה הוא כמו שאר העולות: **רבי מאיר אומר כו'.** וקשה מאי בעי שמביא פלוגתא של רבי מאיר ורבי תנחום. ויש לומר שלא תאמר דילמא היו עושין עבירות ממש מתוך סעודת מריעים, לזה אמר ומייתי פלוגתא רבי מאיר ורבי תנחום, שבין למר ובין למר לא היה רק סעודת מלכים או קידושי נשים, ולא היה חס ושלום סעודת מריעים:

אָמַר רַבִּי לֵוִי: מִקְרָא מָלֵא הוּא — **R' Levi said: [This concept] is** found in **an explicit verse,** "וְהָעֹלָה עַל רוּחֲכֶם הָיוֹ לֹא תִהְיֶה אֲשֶׁר אַתֶּם אֹמְרִים וְגוֹ'" — ***"And the "olah"*** [עֹלָה] ***is for your minds — it shall not be! As for what you say, etc.*** (*Ezekiel* 20:32).[53]

The Midrash cites a Biblical precedent in support of R' Shimon ben Yochai's position:[54]

מִמִּי אַתָּה לָמֵד — **From whom can you derive** this principle? מִבָּנָיו שֶׁל אִיּוֹב — **From the children of Job.**

Before explaining the proof to be derived from Job's children, the Midrash presents a discussion regarding their practices:

בַּתְּחִלָּה — **A preliminary** exposition:[55] "וְהָלְכוּ בָנָיו וְעָשׂוּ מִשְׁתֶּה" — The verses state regarding Job's family, ***His sons would go and make a feast,*** *at each one's home each on his day; and they would send word and invite their three sisters to eat and drink with them* (*Job* 1:4).

רַבִּי מֵאִיר אוֹמֵר — **R' Meir said:** שֶׁכֵּן דֶּרֶךְ בְּנֵי מְלָכִים — The siblings all feasted together **for this is the way of princes,** לִהְיוֹת קוֹרִין לַאֲחֵיהֶן וּלְאַחְיוֹתֵיהֶן עִמָּהֶן בִּסְעוּדָה — **to invite their brothers and sisters** to join **with them at a meal.**[56] רַבִּי תַּנְחוּם בַּר רַבִּי חִיָּיא אָמַר — **R' Tanchum bar R' Chiya said:** לְהִיטַּפֵּל בָּהֶם הָלְכוּ — **[Their siblings] went to attend to [the feast-makers],** שֶׁקִּדְּשׁוּ לָהֶם נָשִׁים — **for [Job] had betrothed women for [his sons].**[57]

NOTES

53. I.e., the *olah* atones for sins of the mind, meaning, improper thoughts (*Eitz Yosef;* see also *Yerushalmi Shevuos* 1:6). The literal translation of the verse is, *As for what enters your minds — it shall not be, etc.* However, the Hebrew word for *what enters* [הָעוֹלָה] can also be read as "the *olah*-offering." [*Matnos Kehunah* and *Eitz Yosef* suggest that R' Shimon is interpreting our verse similarly, so that זאת תּוֹרַת הָעֹלָה הִוא הָעֹלָה means: *This is the law of the olah-offering, it is for what enters,* i.e., what enters one's mind.

54. [It appears from a similar passage in *Midrash Tanchuma, Lech Lecha* §10 (cited here by *Maharzu*) that the following paragraph is the conclusion of R' Shimon ben Yochai's statement. Accordingly, R' Levi's derivation from the verse in *Ezekiel* quoted above is a parenthetical interjection by the Midrash.]

55. The Midrash begins by explaining the text of the passage from *Job* itself before proceeding to derive any lessons from it (*Radal*). The passage that the Midrash will discuss here reads in full:
וְהָלְכוּ בָנָיו וְעָשׂוּ מִשְׁתֶּה בֵּית אִישׁ יוֹמוֹ וְשָׁלְחוּ וְקָרְאוּ לִשְׁלֹשֶׁת אַחְיֹתֵיהֶם לֶאֱכֹל וְלִשְׁתּוֹת עִמָּהֶם. וַיְהִי כִּי הִקִּיפוּ יְמֵי הַמִּשְׁתֶּה וַיִּשְׁלַח אִיּוֹב וַיְקַדְּשֵׁם וְהִשְׁכִּים בַּבֹּקֶר וְהֶעֱלָה עֹלוֹת מִסְפַּר כֻּלָּם כִּי אָמַר אִיּוֹב אוּלַי חָטְאוּ בָנַי וּבֵרְכוּ אֱלֹהִים בִּלְבָבָם כָּכָה יַעֲשֶׂה אִיּוֹב כָּל הַיָּמִים, *His sons would go and make a feast, at each one's home each on his day; and they would send word and invite their three sisters to eat and drink with them. When the feast-days came around, Job would send to summon them. He would rise early in the morning and bring as many burnt-offerings as the number of them all, for Job said [to himself], "Perhaps my children have sinned and blasphemed God in their hearts." So would Job do all the days* (*Job* 1:4-5).

56. That is, these feasts were not in celebration of any specific occasion, rather they were just a normal practice common to people of their stature.

57. I.e., the feasts mentioned in the verse were the wedding celebrations of Job's sons. The siblings of the groom would come to serve as his attendants (שׁוֹשְׁבִינִין) at the wedding and in general to aid with the wedding preparations (*Matnos Kehunah* and *Maharzu*).

[For a discussion of the significance of this dispute between R' Meir and R' Tanchum, see *Eitz Yosef.*]

INSIGHTS

improper action, but only one that was done *unintentionally.* Now, if this sin was completely alien to a person, something utterly beyond his contemplation, he would not have done it even unintentionally. One is brought to unintentional transgression only because his mind, at some point, did feel an attraction to that sin, even though for the most part he was able to be careful and avoid it. His prescribed atonement, then, is for the root of his transgression, the original attraction he had for that forbidden action. Thus, the *chatas,* too, comes to atone for the improper thought hidden in the recesses of one's heart, and must be offered, like the *olah,* in the "hidden" north.

However, there is a difficulty with this contention. *Toras Kohanim* (end of *Parashas Kedoshim, Perek* 9, paraphrased by *Rashi* there, 20:26) states that man should not say: I have no desire to eat the meat of swine or for illicit relations. Rather, I *do* desire it, but what shall I do if my Father in Heaven decreed on me thus [that I must refrain]! This implies that one may — or is even bidden to — have a desire for forbidden things, as long as he does not transgress. Why, then, should he be required to atone for improper thoughts if they were not improper at all? It is only the action, it would seem, that is forbidden.

The resolution, *Shem MiShmuel* writes, lies in the comments of *Ibn Ezra* on the commandment of *You shall not covet* (*Exodus* 20:14). Is not desire and envy a natural, unavoidable thought? The Torah can forbid one to *act* on that impulse, but how can it prohibit the *desire*? *Ibn Ezra* answers that a person has no desire for that which is utterly beyond him. A normal person has no desire to sprout wings so that he can fly. He understands that as he is a human being and not a bird. It is impossible for him to fly, and therefore he has no such desire.

This, *Ibn Ezra* explains, should be the approach of every Jew to that which does not belong to him. One must realize that something God gave to your fellow has no connection to you, and is utterly beyond you. Just as one has no interest in wings with which to fly, and needs no effort to suppress a desire for them, so too, should be one's attitude to something that belongs to someone else. It is his, not mine. I have no connection to it, and therefore I have no interest or desire for it.

An item or action that the Torah prohibits should be even more anathema to us than eating coals. It should be so alien to our thoughts that we should have no desire for it in any way. When our Sages encourage us to say that we desire the meat of swine but our Father in Heaven has forbidden it, they mean to say that there is nothing *naturally* repulsive about it. Were it not forbidden, it would be desirable. But now that our Father has forbidden it to us, it is absolutely repulsive and alien to us. To desire it now would be like desiring to eat glowing coals! We have no connection whatsoever to it!

A person who sins unintentionally, who has harbored some hidden desire for the forbidden thing, must atone for that desire through the *chatas* offered in the north. The hidden desire for what God has forbidden has no place in the heart of a Jew.

רַבִּי אַבָּא בַּר יוּדָן בְּשֵׁם רַבִּי יוּדָא בַּר רַבִּי סִימוֹן: מָשָׁל לְמֶלֶךְ שֶׁהָיָה מְהַלֵּךְ בַּמִּדְבָּר וּבָא אוֹהֲבוֹ וְכִבְּדוֹ בְּכַלְכָּלָה אַחַת שֶׁל תְּאֵנִים וְחָבִית אַחַת שֶׁל יַיִן, אָמַר לוֹ: זֶה כִּיבּוּד גָּדוֹל, אָמַר לוֹ: אֲדוֹנִי הַמֶּלֶךְ, לְפִי שָׁעָה כִּבַּדְתִּיךְ, אֲבָל כְּשֶׁאַתָּה נִכְנָס לְתוֹךְ פָּלָטִין שֶׁלְּךָ אַתָּה רוֹאֶה בַּמֶּה אֲנִי מְכַבֶּדְךָ, כָּךְ אָמַר הַקָּדוֹשׁ בָּרוּךְ הוּא לְיִשְׂרָאֵל: [ו, ב] "זֹאת תּוֹרַת הָעֹלָה, הִיא הָעֹלָה", °אָמְרוּ לְפָנָיו: רִבּוֹן הָעוֹלָמִים, לְפִי שָׁעָה הִקְרַבְנוּ לְפָנֶיךָ, אֲבָל לִכְשֶׁתֵּיטִיב (תהלים נא, כ-כא) "בִּרְצוֹנְךָ אֶת צִיּוֹן תִּבְנֶה חוֹמוֹת יְרוּשָׁלָיִם, אָז תַּחְפֹּץ זִבְחֵי צֶדֶק עוֹלָה וְכָלִיל":

ג *גּוּפָא אָמַר רַבִּי שִׁמְעוֹן בֶּן יוֹחָאי: לְעוֹלָם אֵין הָעוֹלָה בָּאָה [ג]אֶלָּא עַל הִרְהוּר הַלֵּב, אָמַר רַבִּי לֵוִי: מִקְרָא מָלֵא הוּא, (יחזקאל כ, לב) "וְהָעֹלָה עַל רוּחֲכֶם הָיוֹ לֹא תִהְיֶה אֲשֶׁר אַתֶּם אֹמְרִים וְגוֹ'", מִמִּי אַתָּה לָמֵד, מִבָּנָיו שֶׁל אִיּוֹב, בַּתְּחִלָּה (איוב א, ד) "וְהָלְכוּ בָנָיו וְעָשׂוּ מִשְׁתֶּה", רַבִּי מֵאִיר אוֹמֵר: שֶׁכֵּן דֶּרֶךְ בְּנֵי מְלָכִים לִהְיוֹת קוֹרִין לַאֲחֵיהֶן וּלְאַחְיוֹתֵיהֶן עִמָּהֶן בִּסְעוּדָה, רַבִּי תַּנְחוּם בַּר רַבִּי חִיָּיא אָמַר: לְהִיטַּפֵּל בָּהֶם הָלְכוּ, שֶׁקִּדְּשׁוּ לָהֶם נָשִׁים,

עץ יוסף

זה כבוד גדול. בתמיה, רצה לומר כמתרעם, וכן בנמשל אמר הקדוש ברוך הוא כמתרעם זאת תורת העולה היא העולה בתמיה, וכי זו היא פעולה הראויה לו. ובבמדבר רבה ריש פרשה י"ג הלשון כך, אתם מכבדים לי איני מלך כו', וכן יתפרש כאן, וכי זה כיבוד גדול הראוי למלך: **אמר לפניו.** מנוסחתינו ומילקוט נראה שמשה השיב כן: (ג) **גופא.** משום דהשתא דריש ואזיל על יתורא בזאת תורת העולה היא העולה דלכל אחד מהדרשות דבסמוך מידרש יפה כמו שאפרש, ולעיל קאמר חד טעמא, קאמר השתא גופא דעיקר הדרשות הן על זה, וגירסת הילקוט (תעט) תני רבי שמעון בר יוחאי העולה באה: **לעולם.** פירוש בין עולת ציבור ובין עולת יחיד: **על הרהור הלב.** והיינו דכתיב היא העולה, כלומר לכפר על העולה על רוחכם: **והעולה על רוחכם.** כלומר וקרבן עולה היא על רוחכם מה שאתם מחשבים בלבבכם: **ממי אתה למד.** פירוש ממי אתה למד עוד: **ועשו משתה וגו'.** והעלה עולות מספר כולם כי אמר איוב אולי חטאו בני וברכו אלהים בלבבם, שמע מינה שעולה מכפרת על הרהור הלב. וכדי שלא תאמר דילמא היו עושים עבירות ממש מתוך סעודת מרעים, לזה מייתי פלוגתא דרבי מאיר ורבי תנחום שבין למר ובין למר לא היה רק סעודת מלכים, או קדושי נשים, ולא היה חס ושלום סעודת מרעים: **להיטפל בהם הלכו.** במדרש שעם פירוש היפה תואר הנוסחא, נטפל בהם והלכו, וכתב היפה תואר פירוש, תחלה נטפל בהם שקדש להם הנשים, ושוב והלכו לעשות משתה, והכי קאמר קרא ויהי כי הקיפו ימי המשתה וכבר שלח איוב ויקדשם לנשים, ודרש ויקדשם לשון קידושין:

פירוש מהרז"ו

כך אמר הקב"ה לישראל. וכן מה שכתב אמרו לפניו, שכל מה שדקדקו חז"ל מן הפסוקים אומרים חז"ל בלשון זה, אמר הקב"ה וכו'. וכמו שכתב בריש הסימן היא העולה, שמתמה וכי די בזה לקרבן להקב"ה וגו'. ועיין במדבר רבה (יג, א) כמו כאן: (ג) **גופא.** עיין לעיל (ג, ה) ושם מבואר. ועיין תנחומא לך לך (סימן י) וזה לשונו ילמדנו רבינו, על מה העולה באה, כך שנה רבי ישמעאל העולה באה על מצות עשה ולא תעשה, ורבי שמעון בר יוחאי אמר על הרהור הלב, שנאמר (איוב א, ה) ויהי כי הקיפו וגו'. עיין יומא (לו, א), וילקוט ריש איוב (רמז תתלא): **הכי גרסינן רבי תנחום בר חייא אומר שקדשו להם נשים.** ולא גרס, להטפל בהם הלכו, עד לקמן שבא לפרש דעותיהם, אמר על דעתיה דרבי תנחום בר חייא דאמר שקדשו להם נשים, להטפל בהם הלכו, שלכך באו כולם לבית אחד ביום שאירס לו אשה, לעזור לו בצרכי הקידושין להכלה, ובצרכי הסעודה כמנהג, ולדעת רבי מאיר מה שכתוב (איוב א, ה) וישלח איוב

מתנות כהונה

זה כיבוד גדול. לשון תימה: **לפי שעה.** לפי השעה שאתה עומד בו עכשיו, רצה לומר במדבר: **זאת תורת העולה גרסינן: היא העולה.** לשון תימה הלא מצער היא: **הכי גרסינן לפי שעה הקרבנו לפניך:** [ג] **הרהור הלב.** דייק היא העולה, כמה דאת אמר (יחזקאל כ, לב) והעולה על רוחכם, ועיין ברמב"ן: **הכי גרסינן שכן דרך בני מלכים: הכי גרסינן להיטפל בהם הלכו שקדשו להם נשים: להיטפל בהם.** לפיכך באו שמה אחיהם ואחיותיהם לעשות להם שושבינות, ולפי דעת שניהם יהיה פירוש וישלח, וכבר שלח, אם לא שנאמר שבעת ימי המשתה היו קודם הקידושין:

נחמד למראה

וגו', דוד דקלקל בריית בערוה מהו, אמר ליה קודשא בריך הוא דוד זכאה הוא וכו', גלי קדמי דאיזדמנת ליה בת שבע מיומא דאברי עלמא, אמר ליה אי קמך גלי, קמיה לא גלי, אמר ליה ותו בהיתירא הוה מה דהוה וכו', אמר ליה הוה ליה לאורכא תלת ירחי ולא אוריך, אמר ליה במאי אוקים מלה באתר דחייסינן וכו', עד ובארבעה ועשרים באלול הוה מה דהוה מבת שבע, וביומא דכפורי מחל ליה הקב"ה ההוא חובה וכו', אמר דומ"ה מארי דעלמא היא מלה חדא אית לי גביה, דאיהו אפתח פומיה ואמר (שמואל ב יב, ה) חי ה' כי בן מות האיש העושה זאת, ואיהו דן לנפשיה, טרונייא אית ליה עליה, אמר ליה לית לך רשות, דהא אודי לגבאי ואמר (שם יג) חטאתי לה', ואף על גב דלא חב, אבל במה דחטא באוריה, טופסא כתבת עליה וקבל, מיד אהדר דומ"ה לאתריה בפחי נפש. ועל דא אמר דוד (תהלים צד, יז) לולי ה' עזרתה לי כמעט שכנה דומה נפשי. לולי ה' עזרתה לי, דהוה אפטרופא דילי, כמעט שכנה וגו'. ויעויין שם הענין באורך. ובזה היה מפרש הרב הגדול מו"ר זלה"ה כוונת מקרא אחד (תהלים יז, ב), מלפניך משפטי יצא עיניך תחזינה מישרים. דלכאורה אין לו מובן, מאי מלפניך, מאתך הוה ליה למימר. ועוד מאי משפטי יצא, הוה ליה למימר שפטני ה'. ומאי עיניך תחזינה מישרים, פשיטא, ועם הקודם מבואר. דהרי אחר שלא יכול לו דומ"ה, תפסו בדבורו שגזר על עצמו, וממנו משפטי יצא, כי על כן טען כי הוא בן מות כאשר שפט הוא את עצמו, לזה התפלל דוד המלך ואמר רבונו של עולם מלפניך משפטי יצא כלומר אותו המשפט אשר שפטתי את עצמי, הוצא אותו החוצה ואל תדינני בו, אלא עיניך תחזינה מישרים, אם יש בו עון אשר חטא, או אם אין, זך אנכי בלי פשע. עד כאן שמעתי ודברי פי חכם חן. נמצינו למדים שדוד המלך לא חטא כלל בענין בת שבע. וטבע רוב בני אדם אף כשחוטאים מבקשים להתנצל ולומר שלא חטאו. ושאול המלך יוכיח, שאף על פי שחטא אמר שקיים דבר ה' (שמואל א, טו, יג), ושוב אמר

אשד הנחלים

לפי שעה כו' כשאתה נכנס כו' לכשתטיב כו'. זהו כדלעיל מרעיון דוד שהתבונן על עצמו, איך כי לבו נשבר וזה לא יבזה ה', אבל הטיבה ברצונך את ציון ותבנה חומות ירושלים, אז תחפוץ זבחי צדק: [ג] **גופא אמר רבי שמעון בר יוחאי.** (גירסת הילקוט (רמז תעט עיי"ש), תני רבי שמעון בר יוחאי העולה באה (הרב מוהר"ז הנ"ל). ולפי שחטא דוד בבת שבע, ונכשל על ידי הרהור רע, כי המעשה בעצמה לא היו בה איסור, כמו שאמרו (שבת נו, א) כל היוצא למלחמת בית דוד גט כריתות כותב לאשתו, ורק נענש על ההרהור הרע, ולכן סיים בבקשת תשובה, הטיבה ברצונך את ציון אז תחפוץ זבחי צדק עולה וכליל: **והעולה על רוחכם.** לפי פשט המקרא הוא עליות מחשבה שלא יעלה בלבם, שהמה יהיו ככל המון הגוים, אבל ר' לוי לקח לסימן להיות לזכרון הדין, הפסוק הזה, ואמר מקרא מלא הוא להיות לסימן שיזכר על ידו: **מבניו של איוב כו'.** להלן מסיים הראיה, ובאגב מביא ענין אחר מקריאת האחיות: **שקידשו להם נשים.** זהו ויקדשם כפשוטו, ולכן קראו לאחיותיהם לסעודת קדושין, ולדעת ר' תנחום הוא מלשון הזמנה, כמו ואל העם תאמר התקדשו, הנאמר בבמדבר (יא, יח). ועיין בילקוט איוב גירסא אחרת מתוקנת יותר:

חידושי הרד"ל

אמר ליה זה כבוד גדול. בבמדבר רבה ריש פרשה י"ג הלשון כך, אתם מכבדים לי איני מלך כו'. וכן יתפרש כאן, וכי זה כבוד גדול הראוי למלך: [ג] **בתחילה והלכו כו'.** פירוש בתחלה תדרוש פשטי המקראות, ואחר כך כו' תבוא לדרשא דעולה על הרהור הלב:

ליקוטים

[ב] **כך אמר הקב"ה לישראל זאת כו' אמר לפניו רבון העולם לפי שעה הקרבנו לפניך.** בעץ יוסף כתב, מנוסחתינו ומילקוט נראה שמשה השיב כן. וכתב בהגהה על הנבחר מפנינים, מנוסחתינו לא משמע כן, אבל בילקוט מפורש כן וז"ל כך אמר הקב"ה **למשה** זאת תורת וכו' **אמר** לפניו רבש"ע לפי שעה **הקרבתי** אותה עד כאן. [ואולי מזה שנאמר במדרש אמר ולא נאמר אמרו, ודוחק דהוי תרתי לרעותא וחדא לטבותא, וגם בדפוס עם פירוש הנבחר מפנינים (מבעל העץ יוסף) איתא **אמרו** לפניו, וצ"ע. ועיין במדבר רבה (יג, א) ששם הנשיאים אמרו כן]:

אמרי יושר

לפי שעה הקרבנו. זהו היא העולה עתה לפי שעה, עד הבקר, עד שיבא בקרה של ירושלים ובניינה, אז תחפוץ זבחים הרבה לחנוך, וכן בפרשת נשא (פרשה יג סי' א):

מסורת המדרש

ג. ירושלמי יומא פ"ז. תנחומא סדר לו:

אם למקרא

הֵיטִיבָה בִרְצוֹנְךָ אֶת צִיּוֹן תִּבְנֶה חוֹמוֹת יְרוּשָׁלָם: אָז תַּחְפֹּץ זִבְחֵי צֶדֶק עוֹלָה וְכָלִיל אָז יַעֲלוּ עַל מִזְבַּחֲךָ פָרִים:
(תהלים נא:כ-כא)

וְהָעֹלָה עַל רוּחֲכֶם הָיוֹ לֹא תִהְיֶה אֲשֶׁר אַתֶּם אֹמְרִים נִהְיֶה כַגּוֹיִם כְּמִשְׁפְּחוֹת הָאֲרָצוֹת לְשָׁרֵת עֵץ וָאָבֶן:
(יחזקאל כ:לב)

וְהָלְכוּ בָנָיו וְעָשׂוּ מִשְׁתֶּה בֵּית אִישׁ יוֹמוֹ וְשָׁלְחוּ וְקָרְאוּ לִשְׁלֹשֶׁת אַחְיֹתֵיהֶם לֶאֱכֹל וְלִשְׁתּוֹת עִמָּהֶם:
(איוב א:ד)

ידי משה

[ג] **לעולם אין העולה בא אלא על הרהור הלב.** פירוש בין בעולת יחיד ובין בעולת צבור. אי נמי יש לומר דהכי פירושו, לעולם פירוש אפילו מקמי הכי, דהיינו עולת מדבר, ועולות שהקריב אברהם, לא באו אלא אלא על הרהור הלב, ומפיק ליה מדכתיב היא העולה, תורתו של זה העולה הוא כמו שאר העולות: **רבי מאיר אומר כו'.** וקשה מאי בעי שמביא פלוגתא של רבי מאיר ורבי תנחום. ויש לומר שלא תאמר דילמא היו עושין עבירות ממש מתוך סעודת מריעים, לזה אמר ומייתי פלוגתא רבי מאיר ורבי תנחום, שבין למר ובין למר לא היה רק סעודת מלכים או קידושי נשים, ולא היה חס ושלום סעודת מריעים:

הָדָא הוּא דִכְתִיב ״וַיְהִי כִּי הִקִּיפוּ יְמֵי הַמִּשְׁתֶּה וַיִּשְׁלַח אִיּוֹב וַיְקַדְּשֵׁם״ — **Thus it is written,** ***When the feast-days came around, for Job had sent "vayekadshem"*** (*Job* 1:5), meaning that he had betrothed them.[58] עַל דַּעְתֵּיהּ דְּרַבִּי תַּנְחוּם בַּר רַבִּי חִיָּיא דְּאָמַר שֶׁקִּידְּשׁוּ לָהֶם נָשִׁים — **According to the opinion of R' Tanchum bar R' Chiya who said that [Job] had betrothed women for [his sons],** נִיטְפְּלוּ בָּהֶם וְהָלְכוּ — **[the siblings] were attending [the grooms] and** therefore **they went** to the feasts.[59] עַל דַּעְתֵּיהּ דְּרַבִּי מֵאִיר דְּהוּא אָמַר שֶׁכֵּן דֶּרֶךְ בְּנֵי מְלָכִים — However, **according to the opinion of R' Meir, who said that this is** simply **the way of princes,** לִהְיוֹת קוֹרִין לַאֲחֵיהֶם וּלְאַחְיוֹתֵיהֶם בִּסְעוּדָה — **to invite their brothers and sisters** to join **with them at a meal,** שֶׁזִּמְּנָם לִסְעוּדָה — it was **that [Job] invited them to the meal,** כְּמָא דְאַתְּ אָמַר ״וְאֶל הָעָם תֹּאמַר הִתְקַדְּשׁוּ״ — **as it is stated,** ***To the people you shall say, "Prepare yourselves*** [הִתְקַדְּשׁוּ], *and you shall eat meat"* (*Number* 11:18).[60]

The Midrash continues with its exposition of the passage in *Job*:

״וְהִשְׁכִּים בַּבֹּקֶר וְהֶעֱלָה״ — ***He would rise early in the morning and bring*** *as many burnt-offerings as the number of them all* (*Job* 1:5). אָמַר רַבִּי יוּדָן: בַּר חִלְפַּיי בָּעֵי — **R' Yudan said: Bar Chilfai**[61] **raised a question** regarding this phrase: מִסְפַּר יָמִים — Does it mean **the number of** all the feast **days,** אוֹ מִסְפַּר בָּנָיו וּבְנוֹתָיו — **or the number of** all **his sons and daughters,** אוֹ מִסְפַּר כָּל קָרְבָּנוֹת שֶׁבַּתּוֹרָה — **or the number of all the** different **offerings** mentioned **in the Torah?**[62]

The Midrash now returns to R' Shimon's proposition concerning the function of the *olah* and the evidence for it from the story of Job's children:[63]

כְּשֶׁהוּא אוֹמֵר ״כִּי אָמַר אִיּוֹב אוּלַי חָטְאוּ בָנַי וּבֵרְכוּ אֱלֹהִים בִּלְבָבָם״ — **When [the verse] states,** ***. . . for Job said [to himself], "Perhaps my children have sinned and blasphemed God in their hearts"*** (ibid.), הָדָא אָמַר — **it is thus saying,** אֵין הָעוֹלָה בָּא אֶלָּא עַל הִרְהוּר הַלֵּב — **the** ***olah*****-offering is brought only** to atone **for** improper **musings of the heart.**[64]

The Midrash discusses the contemporary relevance of the sacrificial laws:

רַבִּי אַחָא בְּשֵׁם רַבִּי חֲנִינָא בַּר פַּפָּא — **R' Acha said in the name of R' Chanina bar Pappa:** שֶׁלֹּא יִהְיוּ יִשְׂרָאֵל אוֹמְרִים — **In order that** the nation of **Israel will not** ultimately **say,**[65] לְשֶׁעָבַר הָיִינוּ מַקְרִיבִין קָרְבָּנוֹת וּמִתְעַסְּקִין בָּהֶן — **"In the past** when we had a Temple, **we brought offerings and** hence we **engrossed ourselves in** the study of **[the offerings],** עַכְשָׁיו שֶׁאֵין קָרְבָּנוֹת מַהוּ לְהִתְעַסֵּק בָּהֶם — but **now that there are no offerings** since there is no Temple, **should one** still **engross himself in** the study of **[the offerings]?"**[66] אָמַר הַקָּדוֹשׁ בָּרוּךְ הוּא — Therefore **the Holy One, blessed is He, said,** הוֹאִיל וְאַתֶּם מִתְעַסְּקִים בָּהֶם — **"Since you engross yourselves in** the study of **[the offerings],** מַעֲלֶה אֲנִי עֲלֵיכֶם כְּאִלּוּ אַתֶּם מַקְרִיבִין אוֹתָן — **I consider it as if you are** actually **bringing them."**[67]

The Midrash presents two related expositions:

רַבִּי הוּנָא אָמַר תַּרְתֵּי — **R' Huna said two** homiletic teachings: אֵין כָּל הַגָּלִיּוֹת הַלָּלוּ מִתְכַּנְּסוֹת אֶלָּא בִּזְכוּת מִשְׁנָיוֹת — **All these** dispersed **exiles will assemble** once more in the Land of Israel **only through the merit of** studying **Mishnayos.** מַה טַּעְמָא — **What is the basis** for this? ״גַּם כִּי יִתְנוּ בַגּוֹיִם עַתָּה אֲקַבְּצֵם״ — The verse which states, ***Even if "yisnu" [while] among the nations, I would gather them now*** (*Hosea* 8:10).[68] רַב הוּנָא אָמַר חוֹרֵי — **R' Huna said another,** similar teaching based on the following verse, ״כִּי מִמִּזְרַח שֶׁמֶשׁ וְעַד מְבוֹאוֹ גָּדוֹל שְׁמִי בַּגּוֹיִם וּבְכָל מָקוֹם מֻקְטָר מֻגָּשׁ לִשְׁמִי וּמִנְחָה טְהוֹרָה״ — ***For from the rising of the sun to its setting, My Name is great among the nations, and in every place it is put to smoke and presented to My Name, and [it is] a pure meal-offering*** (*Malachi* 1:11).

NOTES

58. R' Tanchum interprets וַיְקַדְּשֵׁם [*vayekad'shem*] (translated above as, *summon them*) in the sense of קִידּוּשִׁין (*kiddushin*), *betrothal.* [According to R' Tanchum, the verse means that Job had betrothed them previously, before the feasts (*Matnos Kehunah;* see also *Maharzu*).]

59. They were not invited as guests (for the verse makes no mention of the brothers having been invited); they came as active participants involved intrinsically in the preparation and organization of the festivities.

60. I.e., as in the verse from *Numbers,* where the word הִתְקַדְּשׁוּ is used in reference to eating, וַיְקַדְּשֵׁם in *Job* 1:5 also refers to eating. Accordingly, the meaning of the verse is that Job had summoned all his children to a joint meal (see *Matnos Kehunah* and *Maharzu*) [which they then held in the home of one of his sons]. Thus, although the previous verse there did not state that the brothers had been invited to the feast, this verse clarifies that that was indeed the case. Like R' Tanchum, R' Meir understands that the phrase וַיִּשְׁלַח אִיּוֹב וַיְקַדְּשֵׁם (*Job would send to summon them*) refers to what had occurred prior to the feasts (ibid.; see *Radal* and *Eitz Yosef* for an alternative interpretation).

61. See *Matnos Kehunah.*

62. That is, the different types of *olah*-offerings mentioned in the Torah (*Eitz Yosef*) [such as, the *olah* of cattle, of sheep, of goats, etc.].

Since there is no clear antecedent in the verse for the pronoun *them,* Bar Chilafi suggests various possibilities.

63. *Eshed HaNechalim* (citing *Maharzu*); see also *Yalkut Shimoni* here (§479). For another understanding of the focus of this paragraph and its relationship to the previous paragraph, see *Eitz Yosef* [Vagshal ed.].

64. Job's *olah*-offerings, which were brought to atone for the (possible) sinful thoughts of his children, serve as a paradigm for all *olah*-offerings, indicating that they are to atone for sinful thoughts.

For a ramification of the *olah*'s role as the atonement for improper thought, see Insight at note 43, "Broken and Unblemished."

65. During the period of the exile, after the destruction of the Temple.

[The remainder of this section together with the following section consists of an excerpt from *Pesikta Rabbasi* (16 §7) that concludes with an exposition of our verse (see end of §4 below). The *Pesikta* here is addressing the issue of why the commandment regarding the *tamid,* the communal *olah*-offering that was brought continuously on a twice-daily basis, is repeated twice, once in *Exodus* 29:38-42 and again in *Numbers* 28:1-8 (see also *Yalkut Shimoni, Pinchas* §776). See *Maharzu.*]

66. Perhaps one should rather focus his learning on areas of Torah that are still applicable (*Eitz Yosef;* see also *Yefeh To'ar*).

67. That is, the repetition of the commandment of the *tamid*-offering indicates that it is always applicable, for even when there is no Temple one can still fulfill this obligation through the study of the laws of the *tamid* (*Beur* on *Pesikta Rabbasi* loc. cit.). *Matnos Kehunah* and *Eitz Yosef* posit that this concept is alluded to in our verse, *this is the law of the burnt-offering: It is the burnt-offering,* meaning that the *law of the olah* is itself the *olah,* for the study of the law is equivalent to the bringing of the *olah.* See also *Midrash Tanchuma, Tzav* §14.

68. R' Huna is interpreting יִתְנוּ as if it were a form of the Aramaic word תָּנָא, meaning "learn"; see *Bava Basra* 8a. The Sages often used this word specifically in reference to the study of Mishnayos [מִשְׁנָיוֹת]; the Aramaic תָּנָא corresponds to the Hebrew שָׁנָה, from which the word מִשְׁנָה [Mishnah] is derived. Understood in this sense, the verse reads, *Even if they were to study Mishnah [while] among the nations, I would gather them now.* I.e., even though the Jews are dispersed in exile among the nations, if they were to study Mishnah I would immediately gather them again to the Land of Israel (*Matnos Kehunah;* see also *Yefeh To'ar* and *Eitz Yosef*).

It is particularly through the study of Mishnah that the Jews will be redeemed from exile, since the Mishnah contains, in brief, all the laws of the Torah, even those not applicable in the Diaspora. These laws can thus be fulfilled only through the study of Mishnah (*Eshed HaNechalim, Eitz Yosef;* see also *Radal*). In a similar vein, *Matnos Kehunah* and *Maharzu* suggest that the Midrash is referring specifically to the study of Mishnayos dealing with the laws of offerings (see also *Imrei Yosher*).

הָדָא הוּא דִכְתִיב (שם שם ה) "וַיְהִי כִּי הִקִּיפוּ יְמֵי הַמִּשְׁתֶּה וַיִּשְׁלַח אִיּוֹב וַיְקַדְּשֵׁם", עַל דַּעְתֵּיהּ דְּרַבִּי תַּנְחוּם בַּר רַבִּי חִיָּיא דְּאָמַר שֶׁקִּידְּשׁוּ לָהֶם נָשִׁים, נִיטְפְּלוּ בָּהֶם וְהָלְכוּ, עַל דַּעְתֵּיהּ דְּרַבִּי מֵאִיר דְּהוּא אָמַר שֶׁכֵּן דֶּרֶךְ בְּנֵי מְלָכִים לִהְיוֹת קוֹרִין לַאֲחֵיהֶם וּלְאַחְיוֹתֵיהֶם בַּסְּעוּדָה°, כְּמָא דְאַתְּ אָמַר (במדבר יא, יח) "וְאֶל הָעָם תֹּאמַר הִתְקַדְּשׁוּ", (איוב שם ה) "וְהִשְׁכִּים בַּבֹּקֶר וְהֶעֱלָה", אָמַר רַבִּי יוּדָן: בַּר חַלְפַּיי בָּעֵי: מִסְפַּר יָמִים אוֹ מִסְפַּר בָּנָיו וּבְנוֹתָיו אוֹ מִסְפַּר כָּל קָרְבָּנוֹת שֶׁבַּתּוֹרָה, כְּשֶׁהוּא אוֹמֵר, (שם) "כִּי אָמַר אִיּוֹב אוּלַי חָטְאוּ בָנַי וּבֵרְכוּ אֱלֹהִים בִּלְבָבָם", הָדָא אָמַר אֵין הָעוֹלָה בָּא אֶלָּא עַל הִרְהוּר הַלֵּב. רַבִּי אַחָא בְּשֵׁם רַבִּי חֲנִינָא בַּר פַּפָּא: שֶׁלֹּא יִהְיוּ יִשְׂרָאֵל אוֹמְרִים: לְשֶׁעָבַר הָיִינוּ מַקְרִיבִין קָרְבָּנוֹת וּמִתְעַסְּקִין בָּהֶן, עַכְשָׁיו שֶׁאֵין קָרְבָּנוֹת *מַהוּ לְהִתְעַסֵּק בָּהֶם, אָמַר הַקָּדוֹשׁ בָּרוּךְ הוּא: הוֹאִיל וְאַתֶּם מִתְעַסְּקִים בָּהֶם מַעֲלֶה אֲנִי עֲלֵיכֶם כְּאִלּוּ אַתֶּם מַקְרִיבִין אוֹתָן, רַבִּי הוּנָא אָמַר תַּרְתֵּי: אֵין כָּל הַגָּלֻיּוֹת הַלָּלוּ מִתְכַּנְּסוֹת אֶלָּא בִּזְכוּת מִשְׁנָיוֹת, מַה טַּעְמָא (הושע ח, י) "גַּם כִּי יִתְנוּ בַגּוֹיִם עַתָּה אֲקַבְּצֵם", רַב הוּנָא אָמַר חוֹרֵי: (מלאכי א, יא) "כִּי מִמִּזְרַח שֶׁמֶשׁ וְעַד מְבוֹאוֹ גָּדוֹל שְׁמִי בַּגּוֹיִם וּבְכָל מָקוֹם מֻקְטָר מֻגָּשׁ °",

עץ יוסף

קורין כו׳ לסעודה. ודרש ויקדשם לשון הזמנה, כדכתיב ואל העם תאמר התקדשו למחר, ולדידיה אתי קרא כפשוטו שפיר, שכשכלו ימי המשתה היה מזמנם איוב בביתו לסעודה שלו כדי להזהירם ולהעלות עליהם עולות: **בר חלפי.** שם חכם: **בעי מספר ימים כו׳.** מייתי הא דר׳ יודן בר חלפי למימר, דכיון דליכא לספוקי אלא בההיא ספיקא ולא שמא מספר כל העבירות שבתורה על כרחך שלא חטאו במעשה: **כל הקרבנות.** כלומר כל עולות, דמספר כלם מאי קאי אעולות, ואף על גב דעולות לשון נקבה וכולם לשון זכר, אין קושיא דאשכחן כהאי גוונא טובא: **מהו להתעסק בהם.** כן צריך לומר. דאפשר שאסור להתעסק בהם כיון שאין תועלת מעשה מהם, אלא יתעסקו בדינים אחרים שייכים עכשיו: **מעלה אני כו׳.** והיינו דכתיב זאת תורת העולה היא העולה, כלומר המתעסק בתורת העולה הוי ליה כעושה עולה ממש: **בזכות משניות.** ששונים הלכות קרבנות: **יתנו.** תרגום של ישנו (איוב כט, כב) יתנו, ושננתם ותתניון (דברים ו, ז), כלומר, אם ישנו בגלות עתה בקרוב אקבצם. ונקט משניות על שהוא כלל לימוד תורה שבעל פה המבארים כל פרטי דיני התורה באין נמלט אחד מהן, ועל ידי הלימוד מעלה עליהם כאלו קיימם: **רב הונא אמר חורי.** פירוש רב הונא אמר דרש אחר:

פירוש מהרז״ו

ויקדשם, פירוש שהזמינם לסעודה, כמו שכתוב (במדבר יא, יח) אצל השליו, ואל העם תאמר התקדשו למחר ואכלתם בשר, הרי שלענין אכילה שייך קידוש, שהוא ענין הזמנה, (ומה שמלוין בלא המדרש שמות י״ט טעות סופר הוא). וגירסת הילקוט איוב שם, שזמנם לסעודה כמה דאת אמר (במדבר יא, יח) ואל העם תאמר התקדשו, ודורש על פי מדה ל״א, כאלו כתוב ושלח איוב ויקדשם והלכו בניו ועשו משתה, שההזמנה לסעודה הוא קודם הסעודה. ולדעת רבי תנחום בר חייא מה שכתוב וישלח איוב ויקדשם, דורש מדת ממעל, מלשון משנה (קידושין פ״ב מ״א) האיש מקדש, האשה מתקדשת. ודורש גם כן על פי מדה ל״א, שמה שכתב וישלח איוב ויקדשם, מקומו קודם והלכו בניו ועשו משתה, שהמשתה עושים בעת הקידושין ואחריו, ולא לפניו. וכמו שכתוב במדבר רבה (יב, ד) שדורש מה שכתוב (שמות יט, י) לך אל העם וקדשם, גם כן מלשון קידושי אשה, ועל שכתוב שעשו משתה של שמחה, בהכרח שפירש בענין על מה היה המשתה, היינו בתיבת ויקדש כנ״ל: **שלא יהיו ישראל אומרים.** ודברי סימן זה הוא בפסיקתא רבתי (פרשה טז סימן ז). ועיין בתנחומא סדר זה (סימן יד) באריכות: **ומתעסקים בהם.** קיצור לשון יש כאן, אך בפסיקתא שם מבואר יפה וכנ״ל. עיין שמות רבה פרשה ל״ח סי׳ ד׳ באריכות: **רב הונא אמר תרתי.** דורש משני פסוקים, שתורת הקרבנות כהקרבת הקרבנות: **כי יתנו בגוים.** על פי מדת ממעל, בלשון חכמים תנו רבנן מתניתין ומתניתא, ושורשו מלשון מקרא שם (שופטים ה, יא) יתנו צדקות ה׳, שהוא מלשון דבור וספור, אלא שחז״ל משתמשים בו על דברי תורה, ואם

מתנות כהונה

ויקדשם. משמע לשון קידושין, ולשון הזמנה לסעודה כדלקמן: הכי גרסינן **ניטפל בהם הלכו: הכי גרסינן לאחיהם ולאחיותיהם בסעודה: התקדשו.** היו מזומנים: **בר חלפיי.** שם חכם: **בעי.** שאל: **מספר ימים כו׳.** האי מספר כולם קאי על מנין כל בניו כו׳, או רצה לומר על מספר ימי המשתה: **באלו אתם מקריבים.** דריש היא העולה הכי, זאת תורת העולה, כשאתם עוסקים בתורת העולה, היא הקרבת העולה בעצמו: **בזכות משניות.** ששונין הלכות קרבנות: **יתנו.** כמו ישנו, בלשון ארמי משנה מתניתין: הכי גרסינן **רב הונא אמר חורי: חורי.** אחר, פירוש דרש אחר, שממנו נלמד שהמשנה עומד במקום ההקרבה:

נחמד למראה

(שם פסוק טו) אשר חמל העם, ועוד אמר (שם פסוק כד) כי יראתי את העם, ולא היה רוצה לומר חטאתי. הנה כי כן בבוא אלו נתן הנביא להוכיחו במעשה בת שבע, היה היצר הרע מסית את דוד שלא יאמר חטאתי. ואדרבה ראויה היתה בת שבע משעת ימי בראשית, ואף על פי כן דוד המלך כבש את יצרו, ולא רצה להתגלגל, ותיכף שב בתשובה ואמר חטאתי, בודאי בדין הוא שיטול שכרו. ולפי שאמרו במסכת יומא (כב, ב) ששה חדשים נצטרע דוד, ונסתלקה ממנו שכינה, דכתיב (תהלים נא, יד) השיבה לי ששון ישעך ורוח נדיבה תסמכני, היה חושב דוד שאף על פי שהודה על מה שלא חטא, לא היה רוצה ה׳ לקבל תשובתו. לכן אמר אם אתה מקבלני בתשובה, רצונו לומר במה שתשיב לי רוח קדשך, יודע אני שלמה בני וכו׳, כלומר שאם לא תקבלני בתשובה, נמצא שחטאתי בבת שבע, ואז אינו ראוי שלמה בני ימלוך ויבנה בית המקדש, על דרך שפירשו המפרשים והייתי אני ובני שלמה חטאים (מלכים א, א, כא), כפשוטו, לא לשון חסרים. אבל אם תקבלני בתשובה נמצא שלא חטאתי, ואתה צדיק לפרסם הדבר שיודע לעיני הכל שלא חטאתי, תמליך את שלמה בני ויבנה בית המקדש, ודו״ק. אי נמי יתבאר המדרש הלזה, אני כבשתי את יצרי וכו׳, במאי דאיתא בפרק קמא דעבודה זרה (דף ה, א) דאמר רבי יוחנן משום רבי שמעון בן יוחאי לא היה דוד ראוי לאותו מעשה וכו׳, אלא לומר לך דאם חטא יחיד, אומרים לו כלך אצל דוד וכו׳, ופירש רש״י גזירת מלך היתה ליתן פתחון פה לשבים, עיין שם. נמצא שדוד מצד עצמו לא נמשך לו חטא זה, שהרי לבו חלל בקרבו, וזהו מה שהיה מסית אותו יצרו שלא יודה שחטא, ושאין לו לעשות תשובה על זה שהרי גזירת המלך היתה, ודוד המלך כבש את יצרו ועשה תשובה, כדי להורות התשובה ליחיד, שזה היתה תכלית כוונת גזרת המלך, ועל זה היה מלפה מאתו יתברך תשלום גמולו ששלמה בנו יבנה בית המקדש וכו׳, לפי שזיכה את היחידים המרובים שעשו תשובה. ודוק:

אשד הנחלים

מספר ימים הדא אמרה כו׳. מלת הדא הוא סיומא דמילתא דלעיל והלכו בניו וכו׳ כשהוא אומר, ומכאן הוא הראיה לדברי רשב״י, ואין זה ענין לדברי ר׳ יודן כלל, כן מוכח בילקוט כאן (הרב מוהר״ז מהוראדנא): **שלא יהיו ישראל כו׳ להתעסק כו׳.** פירש שהמקדש חרב ואין אנו יכולים להקריב קרבן בפועל, רק האמירה לבד יעלה להם כאלו הקריבו קרבן, וכפירושי המתנות כהונה. וזאת תורת העולה, שכל העוסק בתורת עולה כאלו מקריב עולה (מנחות קי, א): **בזכות משניות.** הוא כלל לימוד תורה שבעל פה, המבארים כל פרטי דיני התורה באין נמלט אחד מהם, ועל ידי הלימוד מעלה עליהם כאלו קיימם, ולכן בכל מקום מוקטר ומוגש לשמי ומנחה טהורה, כי ההתעסקות בזה יעלה עליהם כאלו מקריבים בפועל: **מוקטר מוגש.** וספור, לשמי ומנחה טהורה (הרב מהר״ז הנ״ל):

חידושי הרד״ל

על דעתיה דרבי תנחום כו׳ נטפלו בהן והלכו כו׳. ולפי זה קידשם קודם שהלכו לביתם מכל חטא המצוי בעת המשתה, כמו שאמרו (קידושין פא, א) סקבא דשתא רגלא: **על דעתיה דרבי מאיר כו׳ ולאחיותיהם בסעודה שזימנם לסעודה כמה דאת אמר ואל העם כו׳.** כן הוא בילקוט. ולפי זה איוב היה עושה להם סעודה בביתו, אחר שהקיפו ימי משתה האחרון זה לזה, והיה מקדשם ומזמנם לסעודתם, ומטהרם בעולות קודם שיכנסו לסעודתו, שיבואו לביתו כבר נקיים: **עכשיו שאין קרבנות מהו להתעסק בהם.** וכן הוא בפסיקתא דאת קרבני לחמי, וכן צריך לומר, ורצה לומר אם יש בהם חיוב להתעסק או הן רק כהלכתא למשיחא: **בזכות משניות.** שבהם ניכלל כל דינין הנוהגין, ושאינן נוהגין, מה שאין כן בתלמוד:

חידושי הרש״ש

[ג] **על דעתיה דר׳ מאיר כו׳ כמה דאת אמר ואל העם תאמר התקדשו.** פשוט דהמכוון לקרא דבהעלותך (במדבר יא, יח) המדבר בענין השלו, והמציין טעה: **עכשיו שאין קרבנות מהו להעסק בהם.** כן צריך לומר, וכן הוא שם. ופירושו מה צורך להתעסק בהם:

באור מהרי״פ

[ג] **כי ממזרח וגו׳.** (מלאכי א, יא) כי ממזרח שמש ועד מבואו גדול שמי בגוים, ובכל מקום מוקטר מוגש לשמי ומנחה טהורה כי גדול שמי בגוים אמר ה׳ צבאות. ועל זה אמר וכי יש מנחה טהורה וכו׳:

שינוי נוסחאות

(ג) **"... ובכל מקום מקטר מגש".** רד״ל הוסיף את המשך הפסוק: "לשמי ומנחה טהורה":

אם למקרא

וַיְהִי כִּי הִקִּיפוּ יְמֵי הַמִּשְׁתֶּה וַיִּשְׁלַח אִיּוֹב וַיְקַדְּשֵׁם וְהִשְׁכִּים בַּבֹּקֶר וְהֶעֱלָה עֹלוֹת מִסְפַּר כֻּלָּם כִּי אָמַר אִיּוֹב אוּלַי חָטְאוּ בָנַי וּבֵרְכוּ אֱלֹהִים בִּלְבָבָם כָּכָה יַעֲשֶׂה אִיּוֹב כָּל הַיָּמִים: (איוב א:ה)

וְאֶל הָעָם תֹּאמַר הִתְקַדְּשׁוּ לְמָחָר וַאֲכַלְתֶּם בָּשָׂר כִּי בְּכִיתֶם בְּאָזְנֵי ה׳ לֵאמֹר מִי יַאֲכִלֵנוּ בָּשָׂר כִּי טוֹב לָנוּ בְּמִצְרָיִם וְנָתַן ה׳ לָכֶם בָּשָׂר וַאֲכַלְתֶּם: (במדבר יא:יח)

גַּם כִּי יִתְנוּ בַגּוֹיִם עַתָּה אֲקַבְּצֵם וַיָּחֵלּוּ מְּעָט מִמַּשָּׂא מֶלֶךְ שָׂרִים: (הושע ח:י)

כִּי מִמִּזְרַח שֶׁמֶשׁ וְעַד מְבוֹאוֹ גָּדוֹל שְׁמִי בַּגּוֹיִם וּבְכָל־מָקוֹם מֻקְטָר מֻגָּשׁ לִשְׁמִי וּמִנְחָה טְהוֹרָה כִּי גָדוֹל שְׁמִי בַּגּוֹיִם אָמַר ה׳ צְבָאוֹת: (מלאכי א:יא)

ידי משה

אמר רבי יודן. מייתי לרבי יודן לראייה שעולה בא על הרהור הלב מדקבעי ליה מספר קרבן או מספר בניו ולא מבעי ליה אם מספר עבירות, אלא על כרחך שלא חטאו רק בהרהור. אי נמי יש לומר שמביא ראייה שעל כרחך עולה באה על הרהור הלב מדקבעי לרבי יודן אם מספר קרבנות שבתורה, וקשה והלא כתיב עולה לבד ומספר קרבנות שבתורה הם חטאת ושאר קרבנות, ואם כן מאי קמבעי ליה, אלא על כרחך שנקראו עולה לפי שבא על הרהור, ולעולם היו קרבנות אחרים, שמע מינה שמלת עולה פירושו הרהור, ואם כן עולה האמור כאן פירושו גם כן הרהור. ודוק:

אמרי יושר

[ג] **ומעלה אני עליכם כאלו הקרבתם אותם.** זהו זאת תורת העולה, וקריאתה היא העולה, וכמוה היא תשובה: **אין כל הגליות הללו מתכנסות בזכות כו׳.** שהרי אין קרבנות אלא זכות משניות, שלמו שונים סדר עשייתם:

וְכִי יֵשׁ מִנְחָה טְהוֹרָה וּקְמִיצָה וְהַקְטָרָה בְּבָבֶל — **But is there,** in the literal sense, **a pure *minchah*, and scooping and putting to smoke, in Babylonia?**[69] אֶלָּא אֵי זוֹ — **Rather, what is this** "offering"? זוֹ מִשְׁנָה — **This is** the study of **Mishnah.**[70] אָמַר הַקָּדוֹשׁ בָּרוּךְ הוּא — In this verse **The Holy One, blessed is He, said,** הוֹאִיל וְאַתֶּם מִתְעַסְּקִים בְּמִשְׁנָה — **"Since you engross yourselves in** the study of **Mishnah,** כְּאִילוּ אַתֶּם מַקְרִיבִין קָרְבָּן — **[it is]** considered **as if you are** actually **bringing an offering."**

Another sage expounds a verse from *Ezekiel* in a similar fashion:

שְׁמוּאֵל אָמַר — **Shmuel said:** "וְאִם נִכְלְמוּ מִכֹּל אֲשֶׁר עָשׂוּ וְגוֹ׳ וְיִשְׁמְרוּ אֶת כָּל צוּרָתוֹ וְאֶת כָּל חֻקֹּתָיו וְעָשׂוּ אוֹתָם" — ***If they become ashamed of all that they have done,*** *then make known to them the form of the Temple and its design . . .* ***so that they may safeguard its entire form and all its rules and fulfill them*** (*Ezekiel* 43:11). וְכִי יֵשׁ צוּרַת הַבַּיִת עַד עַכְשָׁיו — **But has the form of the Temple** been fulfilled **as of now?**[71] אֶלָּא אָמַר הַקָּדוֹשׁ בָּרוּךְ הוּא — **Rather,** in this verse **the Holy One, blessed is He, said,** הוֹאִיל וְאַתֶּם מִתְעַסְּקִים בּוֹ — **"Since you engross yourselves in** studying the form of **[the Temple],** כְּאִלּוּ אַתֶּם בּוֹנִין אוֹתוֹ — **[it is]** considered **as if you are building [the Temple]."**

The Midrash explains what was then a common practice involving the study of the offerings:

אָמַר רַבִּי אַסִּי — **R' Assi said:** מִפְּנֵי מָה מַתְחִילִין לַתִּינוֹקוֹת בְּתוֹרַת כֹּהֲנִים וְאֵין מַתְחִילִין בִּבְרֵאשִׁית — **Why do they begin** the teaching of Scripture **for children with *Toras Kohanim*,** i.e., the Book of *Leviticus*, **and not with *Genesis*?**[72] אֶלָּא שֶׁהַתִּינוֹקוֹת טְהוֹרִין וְהַקָּרְבָּנוֹת טְהוֹרִין — **Rather, since the children are pure,** without sin, **and the offerings are pure,**[73] יָבוֹאוּ טְהוֹרִין וְיִתְעַסְּקוּ בִּטְהוֹרִים — it is therefore fitting that **the pure** should **come and engross themselves in** the study of **that which is pure.**[74]

§4 The Midrash presents the first in a series of parables regarding the offerings:

רַבִּי אַבָּא בַּר כַּהֲנָא וְרַבִּי חָנָן תַּרְוֵיהוֹן בְּשֵׁם רַבִּי עֲזַרְיָה דִּכְפַר חִטַּיָּיא אָמַר — **R' Abba bar Kahana and R' Chanan both said in the name of R' Azaryah of Kfar Chitaya:** מָשָׁל לְמֶלֶךְ שֶׁהָיוּ לוֹ שְׁנֵי מְגֵירְסִין — **It is comparable to a king who had two cooks.**[75] בִּישֵּׁל לוֹ הָאֶחָד תַּבְשִׁיל — **The first** one **cooked a dish for him,** וְהָיָה אָתָא וַאֲכָלוֹ וְהָיָה עָרֵב לוֹ — **[the king] came and ate it and it was pleasing to him;**[76] וְעָשָׂה הַשֵּׁנִי תַּבְשִׁיל — **and** then **the second** cook **prepared a dish for him,** וַאֲכָלוֹ וְעָרַב לוֹ — **and [the king] ate it and it was** also **pleasing to him.** וְאֵין אָנוּ יוֹדְעִים אֵיזֶה מֵהֶם עָרֵב לוֹ יוֹתֵר — **But we do not know which of [the dishes] was more pleasing to him.**[77] אֶלָּא בְּמָה שֶׁהוּא מְצַוֶּה אֶת הַשֵּׁנִי וְאוֹמֵר לוֹ — **However,** by virtue **of that which [the king]** subsequently **instructed the second** cook **and said to him,** כְּתַבְשִׁיל הַזֶּה תַּעֲשֶׂה לִי — "In the future **prepare for me the likes of this dish,"** אָנוּ יוֹדְעִים שֶׁהַשֵּׁנִי עָרֵב לוֹ בְּיוֹתֵר — **we** can **know that the second** dish **was the more pleasing** one **to him.**

The Midrash explains the analogy to the parable:

כָּךְ הִקְרִיב נֹחַ קָרְבָּן — **So** too, **Noah brought an offering,**[78] וְהָיָה עָרֵב לְהַקָּדוֹשׁ בָּרוּךְ הוּא — **and it was pleasing to the Holy One, blessed is He,** שֶׁנֶּאֱמַר "וַיָּרַח ה׳ אֶת רֵיחַ הַנִּיחֹחַ" — **as** [Scripture] **states,** ***HASHEM smelled the pleasing aroma*** (*Genesis* 8:21). הִקְרִיבוּ יִשְׂרָאֵל — Similarly, the people of **Israel brought** an offering,[79] וְהָיָה עָרֵב לְהַקָּדוֹשׁ בָּרוּךְ הוּא — **and it** too **was pleasing to the Holy One, blessed is He.**[80] וְאֵין אָנוּ יוֹדְעִים אֵיזֶה מֵהֶם עָרֵב לוֹ בְּיוֹתֵר — **But we do not know which of them was the more pleasing** one **to Him.** אֶלָּא בְּמָה שֶׁהוּא מְצַוֶּה אֶת יִשְׂרָאֵל וְאוֹמֵר לָהֶם — **However, by** virtue of **that which He** subsequently **instructed** the nation of **Israel and said to them,** "רֵיחַ נִיחֹחִי תִּשְׁמְרוּ לְהַקְרִיב לִי" — ***My satisfying aroma, you shall be scrupulous to offer to Me*** *in its appointed time* (*Numbers* 28:2), אָנוּ יוֹדְעִים שֶׁשֶּׁל יִשְׂרָאֵל הוּא עָרֵב בְּיוֹתֵר — **we know that [the offering] of Israel is the** one **more pleasing** to God.[81]

The Midrash cites another exposition that concerns Noah's offering as well as other offerings that were pleasing to God:

NOTES

69. Or anywhere else in the world other than in the Temple in Jerusalem (see *Maharzu*), for it is forbidden to bring offerings outside of the Temple; see, e.g., *Deuteronomy* 12:13-14. [In the procedure for the *minchah* the Kohen would scoop some of it with his fingers and place that scoop on the fire of the Altar, where it would go up in smoke. The rest of the *minchah* was not burnt, rather it was eaten by the Kohanim. See above, 2:2-3, and above, 3 §6. Accordingly, the Midrash understands that the verse refers to the scooping although it is not mentioned explicitly; see *Eitz Yosef*.]

The plain meaning of the verse seems to refer to offerings brought by the non-Jewish nations for whom the restrictions regarding offerings outside of the Temple do not apply (*Zevachim* 116b). However, such a reading is difficult, since in reality such offerings to God were not brought; see commentaries ad loc. and *Yefeh To'ar* here.

70. That is, the study of Mishnayos dealing with the *minchah* (*Maharzu, Eitz Yosef*). Alternatively, this refers to the study of Torah in general; see *Menachos* 110a (*Yefeh To'ar*).

71. The verse implies that the Israelites of Ezekiel's day would be able to fulfill the construction of the Temple according to the form he had described (see *Ezekiel* Chs. 40-43), but in fact even now, centuries later, that has not yet occurred. Although the Temple was rebuilt when the exiles returned from Babylonia, that Temple did not conform to the Temple outlined by Ezekiel. Clearly, then, he was describing the Temple that will be built only in the the future, in the Messianic era; see *Radak* ad loc. (*Eitz Yosef*). [Alternatively, the Midrash means that as of yet during Ezekiel's day the Jews would be unable to fulfill the construction of the Temple for they were still in exile in Babylonia; see *Midrash Tanchuma, Tzav* §14, cited by *Yefeh To'ar*.]

72. It would seem more logical to begin with *Genesis,* the first Book of the Torah, rather than with *Leviticus,* the third Book (*Maharzu*). Alternatively, the stories and narratives of *Genesis* would seem a more appropriate starting point for children than the intricate laws of the offerings discussed in *Leviticus* (*HaTirosh*).

73. I.e., the offerings provide atonement, purifying one from sin (*Eitz Yosef*). Alternatively, the service of the offerings must be performed by individuals who are pure of any ritual contamination (*Maharzu*).

74. For when it is the "pure" children who are studying the "pure" offerings, it is considered that the offerings have been brought properly in a state of purity (*Maharzu, Eitz Yosef,* based on *Midrash Tanchuma, Tzav* §14).

[In accordance with the words of the Midrash, in many communities today it is customary for young children to begin their study of *Chumash* with the opening verses of *Leviticus.*]

75. Translation follows *Matnos Kehunah* and *Eitz Yosef.*

76. That is, the king in some fashion indicated that he enjoyed the dish.

77. For the king did not explicitly say which of the two dishes he enjoyed more.

78. Upon leaving the Ark after the Flood; see *Genesis* 8:20.

79. *Yefeh To'ar* suggests that this refers to the *olah*-offerings that were brought at Sinai at the time of the giving of the Torah; see *Exodus* 24:5. Like the offering brought by Noah, these were voluntary offerings that had not been commanded by God. [According to *Chagigah* 6a, these offerings served as the prototype for the *tamid*-offering; see also *Rashi* to *Numbers* 28:6.]

80. For in regard to the *olah*-offering brought at Sinai, Scripture states, *The continual burnt-offering that was done at Mount Sinai, for a satisfying aroma* (*Numbers* 28:6) [*Eitz Yosef,* Vagshal ed.].

81. Thus, Israel was commanded to continue to bring its offerings in the future, while no such command was directed toward Noah (*Eitz Yosef*).

וְכִי יֵשׁ מִנְחָה טְהוֹרָה וּקְמִיצָה וְהַקְטָרָה בְּבָבֶל, אֶלָּא אֵי זוֹ זוֹ, מִשְׁנָה, אָמַר הַקָּדוֹשׁ בָּרוּךְ הוּא: הוֹאִיל וְאַתֶּם מִתְעַסְּקִים בְּמִשְׁנָה כְּאִלּוּ אַתֶּם מַקְרִיבִין קָרְבָּן, שְׁמוּאֵל אָמַר: (יחזקאל מג, יא) "וְאִם נִכְלְמוּ מִכֹּל אֲשֶׁר עָשׂוּ", וְכִי יֵשׁ צוּרַת הַבַּיִת עַד עַכְשָׁיו, אֶלָּא אָמַר הַקָּדוֹשׁ בָּרוּךְ הוּא: הוֹאִיל וְאַתֶּם מִתְעַסְּקִים בּוֹ כְּאִלּוּ אַתֶּם בּוֹנִין אוֹתוֹ, אָמַר רַבִּי אַסִּי: מִפְּנֵי מָה מַתְחִילִין לַתִּינוֹקוֹת בְּתוֹרַת כֹּהֲנִים וְאֵין מַתְחִילִין בִּבְרֵאשִׁית, אֶלָּא שֶׁהַתִּינוֹקוֹת טְהוֹרִין וְהַקָּרְבָּנוֹת טְהוֹרִין, יָבוֹאוּ טְהוֹרִין וְיִתְעַסְּקוּ בִּטְהוֹרִים:

ד רַבִּי אַבָּא בַּר כַּהֲנָא וְרַבִּי חָנָן תַּרְוֵיהוֹן בְּשֵׁם רַבִּי עֲזַרְיָה דִּכְפַר חַטְיָּא אָמַר: מָשָׁל לְמֶלֶךְ שֶׁהָיוּ לוֹ שְׁנֵי מְגִירְסִין, בִּישֵּׁל לוֹ הָאֶחָד תַּבְשִׁיל, אָתָא וַאֲכָלוֹ וְהָיָה עָרֵב לוֹ, וְעָשָׂה הַשֵּׁנִי תַּבְשִׁיל וַאֲכָלוֹ וְעָרַב לוֹ, וְאֵין אָנוּ יוֹדְעִים אֵיזֶה מֵהֶם עָרַב לוֹ יוֹתֵר, אֶלָּא בְּמָה שֶׁהוּא מְצַוֶּה אֶת הַשֵּׁנִי וְאוֹמֵר לוֹ: כַּתַּבְשִׁיל הַזֶּה *תַּעֲשֶׂה לִי, אָנוּ יוֹדְעִים שֶׁהַשֵּׁנִי עָרַב לוֹ בּוֹ יוֹתֵר, כָּךְ הִקְרִיב נֹחַ קָרְבָּן וְהָיָה עָרֵב לְהַקָּדוֹשׁ בָּרוּךְ הוּא, שֶׁנֶּאֱמַר (בראשית ח, כא) "וַיָּרַח ה' אֶת רֵיחַ הַנִּיחֹחַ", הִקְרִיבוּ יִשְׂרָאֵל וְהָיָה עָרֵב לְהַקָּדוֹשׁ בָּרוּךְ הוּא, וְאֵין אָנוּ יוֹדְעִים אֵיזֶה מֵהֶם עָרַב לוֹ בְּיוֹתֵר, אֶלָּא בְּמָה שֶׁהוּא מְצַוֶּה אֶת יִשְׂרָאֵל וְאוֹמֵר לָהֶם: (במדבר כח, ב) "רֵיחַ נִיחֹחִי תִּשְׁמְרוּ לְהַקְרִיב לִי" אָנוּ יוֹדְעִים שֶׁשֶּׁל יִשְׂרָאֵל הוּא עָרֵב בְּיוֹתֵר, הָדָא הוּא דִכְתִיב (מלאכי ג, ד) "וְעָרְבָה לַה' מִנְחַת יְהוּדָה וִירוּשָׁלִָם כִּימֵי עוֹלָם וּכְשָׁנִים קַדְמֹנִיּוֹת", "כִּימֵי עוֹלָם" כִּימֵי מֹשֶׁה, "וּכְשָׁנִים קַדְמֹנִיּוֹת" בִּשְׁנֵי שְׁלֹמֹה, רַבִּי אוֹמֵר: "כִּימֵי עוֹלָם" כִּימֵי נֹחַ, "וּכְשָׁנִים קַדְמֹנִיּוֹת" כִּימֵי הֶבֶל, שֶׁלֹּא הָיְתָה עֲבוֹדָה זָרָה בְּיָמָיו,

פירוש מהרז"ו

הכונה על הלכות שיכולים לקיימם, בודאי אינם יוצאים בדבור לבד עד שקיים, אלא שמדבר על לימוד הלכות קרבנות: **וכי יש מנחה טהורה בבבל.** כי מלאכי הנביא שאמר פסוק זה, היה בימי כורש מלך בבל, כי בריש עזרא כתוב (א, א) כורש מלך פרס, ובעזרא (ה, יג) כתוב כרש מלכא די בבל, והם שני כתובים מכחישים, והכרעתה שהכל אחד, שלקח המלוכה מיד בלשצר מלך בבל, ומלך שם כאשר מלך בפרס, ובאמת כוונת הפסוק על כל גויי הארץ: **זו משנה.** הלכות של מנחה והקטרה והגשה. ודרשה זו על פי מדה כ': **בבראשית.** בהתחלת התורה ולמה דלגו עד ויקרא: **ויתעסקו בטהורים.** חסר וצריך לומר, יבואו טהורים ויתעסקו בטהורים שהבל פיהם של תנוקות טהור בלא חטא, והקרבנות צריכים לעסוק בהם בטהרה, וכשלומדים ויקרא שהוא תורת הקרבנות דומה כאלו הקריבום בטהרה, וכן הוא בתנחומא שם באריכות ובציור: **(ד) רבי אבא בר כהנא ורבי חנן.** כל הענין בפסיקתא שם. וכאן בא לפרש מה שכתב (ויקרא ו, ב) היא העולה, כמו שכתב בסוף הסימן: **שלא היתה עבודת כוכבים בימיו.** בצאתו מן התיבה לעולם חדש, שלא היה בעולם רק נח ובניו, כמו בימי הבל, שהיה בעולם חדש ולא היה בעולם רק אדם ובניו, וכתיב (בראשית ד, ד) וישע ה' אל הבל ואל מנחתו:

עץ יוסף

וכי יש מנחה כו'. דהא הוזהרנו (דברים יב, יג) פן תעלה עולתך בכל מקום אשר תראה: **וקמיצה.** מפרש מוגש בקמיצה, לפי שההגשה קודמת לקמיצה, כדכתיב (ויקרא ב, ח-ט) והגישה אל המזבח, והדר והרים. ויהיה מוקטר מוגש, כולה בענין המנחה, דהוה בה הגשה והקטרה: **באילו אתם מקריבין.** ולכן בכל מקום מוקטר מוגש לשמי ומנחה טהורה, כי ההתעסקות בזה יעלה עליהם כאילו מקריבים בפועל: **ואם נכלמו מכל אשר עשו.** וסיפא דקרא, וישמרו את כל צורתו ועשו אותם, דמשמע שמודיעם צורת הבית כדי שישמרום ויעשו אותם, דהיינו שיבנו בית המקדש בצורה ההיא, ולהכי מתמה, שהרי עד עכשיו כמה שנים שלא נבנה הבית, והיכי קאמר שהשומעים צורתו מיחזקאל יבנוהו, וליכא למימר דעל בנין בית שני קאמר, שהרי לא נבנה בצורה הזאת כמו שכתב הרד"ק, ועיין בתנחומא (סימן יד) וצריך עיון: **באילו אתם בונים אותו.** שכר הלימוד שוה לשכר המעשה: **מפני מה מתחילין.** כן היה מנהג בימים ההם, ומביא זה כאן לפרש היא העולה, שהכי קאמר היא העולה בתחילה בקריאת התינוקות: **שהתינוקות טהורים.** בלי חטא כמו שאמר הבל שאין בו חטא, וכן הקרבנות טהורים מחטא, כלומר שעל ידם מוטהרים מהחטא: **ויתעסקו בטהורים.** כלומר אחר שהעסק בזה הוא כדמות הקרבה, לכן יבואו טהורים ויתעסקו בטהורים: **(ד) מגירסין.** מבשלים: **אתא ובא.** רצה לומר המלך בא: **אלא במה שהוא מצוה כו'.** רצה לומר אחר שראינו בנח שנאמר וירח ה', ועל כל זה לא נצטוה עוד הפעם שיעלה קרבנות, ולא מצאנו שהקריב עוד, ובישראל הזהיר שישמרו להקריב אם כן מוכח שקרבניהם ערב לו יותר: **בימי משה.** כמו שנאמר (ישעיה סג, יא) ויזכור ימי עולם משה עמו: **בימי שלמה.** שירדה האש כשחנך בית המקדש, ונרמז שלמה בשנים קדמוניות דכתיב בו (מלכים א' ה, י) ויחכם שלמה מכל בני קדם: **בימי נח.** שערבה מנחתו, כדכתיב וירח ה' את ריח הניחוח, ומפרש כימי עולם מי שנתחדש העולם בימיו, ובילקוט (שם) גרס כימי נח הדא הוא דכתיב כי מי נח זאת לי (יפה תואר): **בימי הבל.** שערבה מנחתו, כדכתיב (בראשית ד, ד) וישע ה' אל הבל ואל מנחתו, והבל היה קדמון בהקרבת קרבנות, שמתחלה לא הקריב אחר, ואף על גב דאדם הראשון הקריב כדלעיל סוף פרשה ב' (סימן ו) אינו מפורש בתורה, ועוד שקרבן של אדם הראשון היה על חטאו, ופשוט שאין בו ערבות כל כך (יפה תואר): **שלא היתה עבודה זרה בימיו.** אבל בימי נח אף שהוא ובניו נקיים ממנה, מכל מקום כבר נמצאת עבודה זרה בעולם שהרי בימי אנוש התחילו הטועים בה. ועניינו, מפני שיש שני טעמים במצות הקרבנות, אחד הסרת הרע מפני שהיו להוטים אחר עבודה זרה, ולכן יחד ה' בית לשמו ויקריבו שמה

חידושי הרד"ל

מקטר מגש לשמי ומנחה טהורה וכי יש כו'. כן צריך לומר. שעל סדר טהרות לא נתחבר תלמוד, ואף על קדשים שנתחברו (בבלי וירושלמי רק שהירושלמי נגנז מאתנו אחר כך מטעם שכתבתי על זה במקום אחר בלקוטי בס"ד) לא היו רגילין בו כל כך, שאף בברייתות תוספתא של קדשים לא היו רגילין רק בשל ארבע סדרים הנהוגים כמו שכתבו התוספות בבבא מציעא (קיד, ב ד"ה אמר) עיין שם: **אשר עשו וגו' וישמרו את כל צורתו ואת כל חוקותיו ועשו אותם וכי יש.** כן צריך לומר: **[ד] בימי עולם בימי משה כו'** תורת כהנים ריש פרשת שמיני, עיין שם בקרבן אהרן, ובשלהי איכה רבה. והא דדרש כימי עולם כימי משה, נראה כמו שכתוב (ישעיה סג, יא) ויזכור ימי עולם משה עמו. ובפירוש הגר"א לתורת כהנים כתב יד הגיה כאן בהפוך, כימי עולם כימי שלמה, וכשנים קדמוניות כימי משה: **בימי עולם בימי נח.** מסיים באיכה רבה, שנאמר כי מי נח זאת לי, ורצה לומר דדרש כימי, תיבה אחת, וכמו שתרגם יונתן שם כימי עלמא, עיין שם במנחת שי:

חידושי הרש"ש

[ד] כתבשיל הזה תעשה לו. כן צריך לומר: **בימי עולם בימי משה.** לפי שנאמר (ישעיה סג, א) ויזכור ימי עולם משה עמו, ולדעת רבי אולי יליף כימי, מן כי נח (שם, נד), אשר תרגמו יונתן כיומי נח, עיין רד"ק שם. אחר זה מצאתי בילקוט (רמז תעטז) דמסיים בדברי רבי כימי נח הדא הוא דכתיב (ישעיה נד, ט) כי מי נח זאת לי וכו': **בימי עולם בימי משה כו'.** כימי עולם כימי שלמה. דבשניהם כתיב שאש ירדה מהשמים לאכול את קרבנותיהם (ויקרא ט, כד) (דברי הימים ב' ז, א): **רבי אומר בימי עולם בימי נח.** דכתיב ביה (בראשית ח, כא) וירח ה' וכו'. ובהבל כתיב (ד, ד) וישע ה' וכו':

אם למקרא

וְאִם נִכְלְמוּ מִכֹּל אֲשֶׁר עָשׂוּ צוּרַת הַבַּיִת וּתְכוּנָתוֹ וּמוֹצָאָיו וּמוֹבָאָיו וְכָל צוּרֹתָו וְאֵת כָּל חֻקֹּתָיו וְכָל צוּרֹתָיו וְכָל תּוֹרֹתָיו הוֹדַע אוֹתָם וּכְתֹב לְעֵינֵיהֶם וְיִשְׁמְרוּ אֶת כָּל צוּרָתוֹ וְאֶת כָּל חֻקֹּתָיו וְעָשׂוּ אוֹתָם: (יחזקאל מג:יא)

וַיָּרַח ה' אֶת רֵיחַ הַנִּיחֹחַ וַיֹּאמֶר ה' אֶל לִבּוֹ לֹא אֹסִף לְקַלֵּל עוֹד אֶת הָאֲדָמָה בַּעֲבוּר הָאָדָם כִּי יֵצֶר לֵב הָאָדָם רַע מִנְּעֻרָיו וְלֹא אֹסִף עוֹד לְהַכּוֹת אֶת כָּל חַי כַּאֲשֶׁר עָשִׂיתִי: (בראשית ח:כא)

צַו אֶת בְּנֵי יִשְׂרָאֵל וְאָמַרְתָּ אֲלֵהֶם אֶת קָרְבָּנִי לַחְמִי לְאִשַּׁי רֵיחַ נִיחֹחִי תִּשְׁמְרוּ לְהַקְרִיב לִי בְּמוֹעֲדוֹ: (במדבר כח:ב)

וְעָרְבָה לַה' מִנְחַת יְהוּדָה וִירוּשָׁלָ‍ִם כִּימֵי עוֹלָם וּכְשָׁנִים קַדְמֹנִיּוֹת: (מלאכי ג:ד)

ידי משה

[ד] רבי אומר וכו'. נראה לי שלדעת רבי מסתברא לומר הקדימה על שנים קדמוניות יותר מן על כימי עולם, לכן מהפך ואמר כימי עולם על המאוחר. אך למה לא אמר רבי לדבריו כימי עולם על שלמה ושנים קדמוניות על משה, לזה אמר לפי שלא היה עבודה זרה בימיו. ודוק: **בימי נח כו'.** פירוש לפי שנתחדש העולם בימיו, ומרומז שפיר במלת כימי עולם רצה לומר עולם חדש שנעשה בימיו. וקל להבין:

אמרי יושר

[ד] ובשנים קדמוניות ימי שלמה. אף על פי שבאו אחר משה, קורא אותם קדמונית בערך הזמן העתיד האחרון. ר' אבין אמר שלא בא הפסוק להגדיל בערך הזמן החולף, רק להגדיל קרבן עולה על שאר הקרבנות, אם בערך שהיא כולה כליל, זהו ממהה בקערה, העולה על מוקדה כולה, ואם בערך שלן שם, זהו כל הלילה עד הבקר, שאיברים שפקעו מחזירים אותם (עי' זבחים פו ב, ויומא כ א):

מתנות כהונה

[ד] דכפר חטייה גרסינן: מגירסין. נחתומין מבשלי מאכלות: **אתא ובא.** רצה לומר המלך בא: **הכי גרסינן ששל ישראל** הוא ערב: **שלא היתה עבודת כוכבים בעולם.** לפיכך היתה אהובה לפני המקום, וכן לעתיד יעבור ממשלת זדון מן הארץ:

אשד הנחלים

אם נכלמו כו' יש צורת הבית. כי ה' צוה ליחזקאל שיגיד צורת הבית האחרון לישראל, והם יכלמו מכל אשר עשו שטמאו הבית, ועל ידי זה חרב, ולכאורה מה יועיל בזה שיבאר להם צורת הבית, אם לא שהעסק והלימוד בזה מעלה עליהם כאלו בונים אותו: **יבואו טהורים ויתעסקו.** כלומר אחר שהעסק בזה הוא כדמות הקרבה, לכן יבאו טהורים ויתעסקו בטהורים: **[ד] הקריב נח כו' ערב לו יותר.** כלומר אחר שראינו בנח שנאמר וירח, ועם כל זה לא נצטוה עוד הפעם שיעלה קרבנות, ולא מצאנו שהקריב עוד, ובישראל הזהיר שישמרו להקריב, אם כן מוכח שקרבניהם ערב לו יותר: **בימי משה.** כמו שכתוב ויזכור ימי עולם משה עמו (ישעיה סג, יא) (הרב מוהר"ז). כלומר ומזה ראינו כמה ערב לו קרבנות ישראל בימי משה ושלמה, אחר שהכתוב אומר שיערב לו יתברך לעתיד לבא כמו אז: **בימי נח.** הדא הוא דכתיב (ישעיה נד, ט) כי מי נח זאת לי. ילקוט כאן (הרב מוהר"ז): **שלא היה עבודת כוכבים בימיו.** עניינו מפני שיש שני טעמים במצות קרבנות,

באור מהרי"פ

ואם נכלמו וגו'. (יחזקאל מג, יא) ואם נכלמו מכל אשר עשו צורת הבית ותכונתו ומוצאיו ומובאיו וכל צורותיו ואת כל חקותיו וכל צורותיו וכל תורותיו הודע אותם וכתוב לעיניהם וישמרו את כל צורתו ואת כל חקותיו ועשו אותם: **[ד] בימי משה.** דכתיב (ישעיה סג, יא) ויזכור ימי עולם משה עמו, ובימיו ירדה האש על הקרבן בשמיני למלואים, וכן בימי שלמה כשחינך את בית המקדש, וכן שנו בתורת כהנים, והיינו דדריש וכשנים קדמוניות על שלמה, אף על פי שאין שום רמז במלת קדמוניות על שלמה, מפני שהוא דומה למשה בירידת האש:

הָדָא הוּא דִכְתִיב — Thus it is written,[82] "וְעָרְבָה לַה׳ מִנְחַת יְהוּדָה וִירוּשָׁלָיִם כִּימֵי עוֹלָם וּכְשָׁנִים קַדְמֹנִיּוֹת" — *Then the offering of Judah and Jerusalem will be pleasing to HASHEM as in the days of old and as in early years* (*Malachi* 3:4). "כִּימֵי עוֹלָם" כִּימֵי מֹשֶׁה — *As in the days of old* means, as in the days of Moses;[83] "וּכְשָׁנִים קַדְמֹנִיּוֹת" כִּשְׁנֵי שְׁלֹמֹה — *and as in early years* means, as in the years of Solomon.[84] רַבִּי אוֹמֵר: "כִּימֵי עוֹלָם" כִּימֵי נֹחַ — Rebbi said: *As in the days of old* means, as in the days of Noah;[85] "וּכְשָׁנִים קַדְמֹנִיּוֹת" כִּימֵי הֶבֶל — *and as in early years* means, as in the days of Abel,[86] שֶׁלֹּא הָיְתָה עֲבוֹדָה זָרָה בְּיָמָיו — for in his days there had been as of yet no idol worship.[87]

NOTES

For a discussion as to why Israel's offering was more desirable than that of Noah, see Insight Ⓐ.

82. In regard to the Messianic era.

83. A reference to the eighth day of the inauguration of the Tabernacle, when a celestial fire consumed the offerings on the Altar; see below, 9:24 (see *Sifra, Shemini* 1 §31). The phrase, יְמֵי עוֹלָם, *days of old*, is taken as an allusion to Moses, based on the verse, וַיִּזְכֹּר יְמֵי עוֹלָם מֹשֶׁה עַמּוֹ, *They [then] remembered the days of old, of Moses [with] His people* (*Isaiah* 63:11) [*Yefeh To'ar*, et al., from *Eichah Rabbah* 5 §21].

84. A reference to the dedication of the Temple when similarly a fire came down from heaven and consumed the offerings brought by Solomon; see *II Chronicles* 7:1. Although there is no mention of Solomon in the verse, the Midrash understands the phrase as referring to this event due to the clear parallel with the heavenly fire at the time of the dedication of the Tabernacle (*Yefeh To'ar;* however, see *Eitz Yosef*).

85. Whose offering was pleasing to God, as the Midrash explained above. According to the parallel passage in *Eichah Rabbah* 5 §21, the word כִּימֵי is an allusion to Noah, based on the verse כִּימֵי נֹחַ זֹאת לִי, *like [what was] in the days of Noah this shall be to me* (*Isaiah* 54:9). In our text of *Isaiah* כִּי מֵי appears as two words, meaning, *"for [like] the waters of, etc."*; the Midrash, however, is following an alternative version of the text; see *Yonasan ben Uziel* and *Radak* ad loc. (*Radal, Rashash, Eitz Yosef* second explanation). Others suggest that כִּימֵי עוֹלָם could be translated as, *days of the world,* meaning when the world was renewed in the time of Noah after the Flood (*Yefeh To'ar, Eitz Yosef,* first explanation).

86. For Abel was the first person mentioned in Scripture as having brought a (proper) offering. Scripture states, *HASHEM turned to Abel and to his offering* (*Genesis* 4:4), demonstrating that his offering was pleasing to God (*Eitz Yosef*).

87. Hence, his offering was especially pleasing to God. Similarly, in the Messianic era when idolatry will be permanently removed from the world, the offerings will once again have this pristine quality of Abel's offering (*Matnos Kehunah*). In the meantime the existence of idolatry taints all offerings, even if the one bringing the offering is himself free of that sin (see *Eitz Yosef*). See Insight Ⓑ.

INSIGHTS

Ⓐ **The Desirable Offering** As with the dish prepared by the second cook, where the king indicated his preference for it by instructing the cook to continue making it for him in the future, God showed His preference for the Israelites' offering by commanding them to continue bringing it, while He made no similar command concerning Noah's offering. Why indeed was the Israelites' offering preferred? (See *Yefeh To'ar* here at length.)

The *Dubno Maggid* suggests that offerings brought to God fall into two distinct classes. Some offerings are brought solely as a means of coming closer to God, as a means of cleansing oneself of even the slightest trace of sin or as a sign of gratitude for all that God has done for a person. These are the offerings of the righteous. But there are other offerings, such as the standard *chatas* and *asham,* which are brought primarily as a form of atonement, to expiate grave sins that the person has committed. While God accepts both types of offerings, they remain fundamentally different. The offering of the righteous can bring great benefit, both spiritual and physical, to the person who brings it, raising his level of holiness and making him more favorable before God. The second class of offerings have a much more limited effect. They can remove God's wrath from the person who committed the transgression, restoring him to his pre-transgression state. But they do not raise him to new heights of devotion.

This is analogous to the case of a debtor who is unable to make proper payment to his creditor. While the creditor might be willing to accept a partial payment or some inferior form of payment, he agrees only after the fact. Surely, it was not with this in mind that he originally lent his money. Similarly, God has no inherent desire for expiatory offerings; He would rather they had not been necessary to begin with.

This, explains the Dubno Maggid, is the sense of the various statements of the prophets that appear to deprecate the value of the offerings, such as Isaiah's declaration, לָמָּה לִּי רֹב זִבְחֵיכֶם יֹאמַר ה׳ ... וְדַם פָּרִים וּכְבָשִׂים וְעַתּוּדִים לֹא חָפָצְתִּי, *Why do I need your numerous sacrifices? says HASHEM ... the blood of bulls, goats, and sheep I do not desire* (*Isaiah* 1:11). The people of Isaiah's generation felt comfortable with sin, as long as offerings could subsequently be brought to atone. God has no desire for such offerings. He might accept them and grant atonement, but would prefer that they were unnecessary.

Noah's offering was intended primarily to expiate the sin of the Generation of the Flood, which had since been destroyed. They had sinned and now an offering had been brought. God found the offering favorable and accepted it. But He had no desire for it in the future.

The offering of the Israelites, however, was not an atonement. It was meant to increase the holiness of the Jewish people and bring them ever closer to God. It is such offerings that God desires, and commands His loyal servants to always prepare for Him in the future (*Ohel Yaakov, Tzav,* pp. 23a-25b).

Olelos Ephraim offers a different approach. He explains that when our Midrash speaks of הִקְרִיבוּ יִשְׂרָאֵל, *Israel brought [an offering],* it refers to the *tamid*-offering itself, which had been commanded by God [and not, as we had explained, as discussing the *olah*-offerings brought at Sinai (see note 78)].

Noah brought his offering voluntarily; God had not commanded him to do so. Israel, however, was commanded by God to bring the offering. The Midrash thus addresses the fundamental question: Which is greater? Is it the מְצֻוֶּה וְעוֹשֶׂה, the one who serves God because he is commanded to, or the אֵינוֹ מְצֻוֶּה וְעוֹשֶׂה, the one who does so of his own volition? The Midrash concludes that it is Israel's offerings that God prefers.

Olelos Ephraim goes on to explain that the next section of Midrash, which presents two explanations of the references in the verse, כִּימֵי עוֹלָם וּכְשָׁנִים קַדְמֹנִיּוֹת, *in the days of old and as in early years* (*Malachi* 3:4), is continuing with the same issue. The first opinion takes the references to be to Moses and Solomon, whose offerings to God were mandatory. The commanded servant is greater. The other opinion takes the references to be to Noah and Abel, who were not commanded to bring offerings. The volunteer servant is greater (*Olelos Ephraim,* Part 2, *Maamar* §35).

Indeed, in the Gemara we are taught: אָמַר רַבִּי חֲנִינָא, גָּדוֹל הַמְצֻוֶּה וְעוֹשֶׂה יוֹתֵר מִמִּי שֶׁאֵינוֹ מְצֻוֶּה וְעוֹשֶׂה, *R' Chanina said: One who acts having been commanded is greater than one who acts without having been commanded* (*Bava Kamma* 38a et al.). Why should this be so?

Tosafos (to *Avodah Zarah* 3a s.v. גדול; *Tos. HaRosh, Kiddushin* 31a, first approach) explain that one who is commanded to perform a precept must constantly contend with the opposition of his evil inclination, and must take pains to perform the mitzvah in the proper manner. One who is not commanded deals with far less opposition from the evil inclination, and is far less concerned to perform the mitzvah properly. His lesser reward is commensurate with his lesser efforts.

Alternatively, one who is commanded fulfills the will of God; one who is not commanded, even if he performs mitzvos, cannot be described as fulfilling the will of God, for God has asked nothing of him. Obviously, the reward is greater for one who fulfills God's will (*Tos. HaRosh* ibid., second explanation; see also *Ritva* there; see *Daas Tevunos* §15 for still another explanation).

Ultimately, one can do nothing greater than fulfill God's will. That is the most desirable offering of all.

Ⓑ **The Absence of Idolatry** In what sense does the existence of

וְכִי יֵשׁ מִנְחָה טְהוֹרָה וּקְמִיצָה וְהַקְטָרָה בְּבָבֶל, אֶלָּא אֵי זוֹ זוֹ, מִשְׁנָה, אָמַר הַקָּדוֹשׁ בָּרוּךְ הוּא: הוֹאִיל וְאַתֶּם מִתְעַסְּקִים בְּמִשְׁנָה כְּאִילוּ אַתֶּם מַקְרִיבִין קָרְבָּן, שְׁמוּאֵל אָמַר: (יחזקאל מג, יא) "וְאִם נִכְלְמוּ מִכֹּל אֲשֶׁר עָשׂוּ", וְכִי יֵשׁ צוּרַת הַבַּיִת עַד עַכְשָׁיו, אֶלָּא אָמַר הַקָּדוֹשׁ בָּרוּךְ הוּא: הוֹאִיל וְאַתֶּם מִתְעַסְּקִים בּוֹ כְּאִלּוּ אַתֶּם בּוֹנִין אוֹתוֹ, אָמַר רַבִּי אַסִּי: מִפְּנֵי מָה מַתְחִילִין לַתִּנוֹקוֹת בְּתוֹרַת כֹּהֲנִים וְאֵין מַתְחִילִין בִּבְרֵאשִׁית, אֶלָּא שֶׁהַתִּנוֹקוֹת טְהוֹרִין וְהַקָּרְבָּנוֹת טְהוֹרִין, יָבוֹאוּ טְהוֹרִין וְיִתְעַסְּקוּ בִּטְהוֹרִים:

ד רַבִּי אַבָּא בַּר כָּהֲנָא וְרַבִּי חָנָן תַּרְוַיְהוֹן בְּשֵׁם רַבִּי עֲזַרְיָה דִּכְפַר חַטַּיָּא אָמַר: מָשָׁל לְמֶלֶךְ שֶׁהָיוּ לוֹ שְׁנֵי מְגִירְסִין, בִּישֵּׁל לוֹ הָאֶחָד תַּבְשִׁיל, אָתָא וַאֲכָלוֹ וְהָיָה עָרֵב לוֹ, וְעָשָׂה הַשֵּׁנִי תַּבְשִׁיל וַאֲכָלוֹ וְעָרַב לוֹ, וְאֵין אָנוּ יוֹדְעִים אֵיזֶה מֵהֶם עָרַב לוֹ יוֹתֵר, אֶלָּא בְּמָה שֶׁהוּא מְצַוֶּה אֶת הַשֵּׁנִי וְאוֹמֵר לוֹ: כְּתַבְשִׁיל הַזֶּה *תַּעֲשֶׂה לִי, אָנוּ יוֹדְעִים שֶׁהַשֵּׁנִי עָרַב לוֹ בּוֹ °יוֹתֵר, כָּךְ הִקְרִיב נֹחַ קָרְבָּן וְהָיָה עָרֵב לְהַקָּדוֹשׁ בָּרוּךְ הוּא, שֶׁנֶּאֱמַר (בראשית ח, כא) "וַיָּרַח ה' אֶת רֵיחַ הַנִּיחֹחַ", הִקְרִיבוּ יִשְׂרָאֵל וְהָיָה עָרֵב לְהַקָּדוֹשׁ בָּרוּךְ הוּא, וְאֵין אָנוּ יוֹדְעִים אֵיזֶה מֵהֶם עָרַב לוֹ בְּיוֹתֵר, אֶלָּא בְּמָה שֶׁהוּא מְצַוֶּה אֶת יִשְׂרָאֵל וְאוֹמֵר לָהֶם: (במדבר כח, ב) "רֵיחַ נִיחֹחִי תִּשְׁמְרוּ לְהַקְרִיב לִי" אָנוּ יוֹדְעִים שֶׁשֶּׁל יִשְׂרָאֵל הוּא עָרֵב בְּיוֹתֵר, הָדָא הוּא דִכְתִיב (מלאכי ג, ד) "וְעָרְבָה לַה' מִנְחַת יְהוּדָה וִירוּשָׁלִָם כִּימֵי עוֹלָם וּכְשָׁנִים קַדְמֹנִיּוֹת", "כִּימֵי עוֹלָם" כִּימֵי מֹשֶׁה, "וּכְשָׁנִים קַדְמֹנִיּוֹת" כִּשְׁנֵי שְׁלֹמֹה, רַבִּי אוֹמֵר: "כִּימֵי עוֹלָם" כִּימֵי נֹחַ, "וּכְשָׁנִים קַדְמֹנִיּוֹת" כִּימֵי הֶבֶל, שֶׁלֹּא הָיְתָה עֲבוֹדָה זָרָה בְּיָמָיו,

עץ יוסף

וכי יש מנחה כו'. דהא הוזהרנו (דברים יב, יג) פן תעלה עולותיך בכל מקום אשר תראה: **וקמיצה.** מפרש מוגש בקמיצה, לפי שההגשה קודמת לקמיצה, כדכתיב (ויקרא ב, ח-ט) והגישה אל המזבח, והדר והרים. ויהיה מוקטר מוגש, כולה בענין המנחה, דהוה בה הגשה והקטרה: **כאילו אתם מקריבין.** ולכן בכל מקום מוקטר מוגש לשמי ומנחה טהורה, כי ההתעסקות בזה יעלה עליהם כאילו מקריבים בפועל: **ואם נכלמו מכל אשר עשו.** וסיפא דקרא, וישמרו את כל צורתו ועשו אותם, דמשמע שמודיעים צורת הבית כדי שישמרום ויעשו אותם, דהיינו שיבנו בית המקדש בצורה ההיא, ולהכי מתמה, שהרי עד עכשיו כמה שנים שלא נבנה הבית, והיכי קאמר שהשומעים צורתו מיחזקאל יבנוהו, וליכא למימר דעל בנין בית שני קאמר, שהרי לא נבנה בצורה הזאת כמו שכתב הרד"ק, ועיין בתנחומא (סימן יד) וצריך עיון: **כאילו אתם בונים אותו.** שסכר הלימוד שוה לשכר המעשה: **מפני מה מתחילין.** כן היה מנהג בימים ההם, ומביא זה כאן לפרש היא העולה, שהכי קאמר היא העולה בתחילה בקריאת התינוקות: **שהתינוקות טהורים.** בלי חטא כמו שאמר הבל שאין בו חטא, וכן הקרבנות טהורים מחטא, כלומר שעל ידם מוטהרים מהחטא: **ויתעסקו בטהורים.** כלומר אחר שהעסק בזה הוא כדמות הקרבה, לכן יבואו טהורים ויתעסקו בטהורים: **(ד) מגירסין.** מבשלים. **אתא ובא.** רצה לומר המלך בא: **אלא במה שהוא מצוה כו'.** רצה לומר אחר שראינו בנח שנאמר וירח ה', ועל כל זה לא נצטוה עוד הפעם שיעלה קרבנות, ולא מצאנו שהקריב עוד, ובישראל הזהיר שישמרו להקריב אם כן מוכח שקרבניהם ערב לו יותר: **בימי משה.** כמו שנאמר (ישעיה סג, יא) ויזכור ימי עולם משה עמו: **בימי שלמה.** שירדה האש כשחנך בית המקדש, ונרמז שלמה בשנים קדמוניות דכתיב בו (מלכים א' ה, י) ויחכם שלמה מכל בני קדם: **בימי נח.** שערבה מנחתו, כדכתיב וירח ה' את ריח הניחוח, ומפרש כימי עולם מי שנתחדש העולם בימיו, וילקוט (שם) גרס כימי נח הדא הוא דכתיב כי מי נח זאת לי (יפה תואר): **בימי הבל.** שערבה מנחתו, כדכתיב (בראשית ד, ד) וישע ה' אל הבל ואל מנחתו, והבל היה קדמון בהקרבת קרבנות, שמתחלה לא הקריב אחר, ואף על גב דאדם הראשון הקריב כדלעיל סוף פרשה ב' (סימן ו) אינו מפורש בתורה, ועוד שקרבן של אדם הראשון היה על חטאו, ופשוט שאין בו ערבות כל כך (יפה תואר): **שלא היתה עבודה זרה בימיו.** אבל בימי נח אף שהוא ובניו נקיים ממנה, מכל מקום כבר נמלאת עבודה זרה בעולם שהרי בימי אנוש התחילו הטועים בה. ועניינו, מפני שיש שני טעמים במצות הקרבנות, אחד הסרת הרע מפני שהיו להוטים אחר עבודה זרה, ולכן יחד ה' בית לשמו ויקריבו שמה

פירוש מהרז"ו

הכונה על הלכות שיכולים לקיימם, בודאי אינם יוצאים בדבור לבד עד שקיים, אלא שמדבר על לימוד הלכות קרבנות: **וכי יש מנחה טהורה בבבל.** כי מלאכי הנביא שאמר פסוק זה, היה בימי כורש מלך בבל, כי בריש עזרא כתוב (א, א) כורש מלך פרס, ובעזרא (ה, יג) כתוב כרש מלכא די בבל, והם שני כתובים מכחישים, וההכרעה שהבל אחד, שלקח המלוכה מיד בלשצר מלך בבל, ומלך שם כאשר מלך בפרס, ובאמת כוונת הפסוק על כל גויי הארץ: **זו משנה.** הלכות של מנחה והקטרה והגשה. ודרשה זו על פי מדה כ': **בבראשית.** בהתחלת התורה ולמה דלגו עד ויקרא: **ויתעסקו בטהורים.** חסר וצריך לומר, יבואו טהורים ויתעסקו בטהורים שהבל פיהם של תנוקות טהור בלא חטא, והקרבנות צריכים לעסוק בהם בטהרה, וכשלומדים ויקרא שהוא תורת הקרבנות דומה כאלו הקריבום בטהרה, וכן הוא בתנחומא שם באריכות ובביאור: **(ד) רבי אבא בר כהנא ורבי חנן.** כל הענין בפסיקתא שם. וכאן בא לפרש מה שכתב (ויקרא ו, ב) היא העולה, כמו שכתב בסוף הסימן: **שלא היתה עבודת כוכבים בימיו.** בלאתו מן התיבה לעולם חדש, שלא היה בעולם רק נח ובניו, כמו בימי הבל, שהיה בעולם חדש ולא היה בעולם רק אדם ובניו, וכתיב (בראשית ד, ד) וישע ה' אל הבל ואל מנחתו:

חידושי הרד"ל

מקטר מגש לשמי ומנחה טהורה וכי יש כו'. כן צריך לומר. שעל סדר טהרות לא נתחבר תלמוד, ואף על קדשים שנתחברו (בבלי וירושלמי רק שהירושלמי נגנז מאתנו אחר כך מטעם שכתבתי על זה במקום אחר בלקוטי בס"ד) לא היו רגילין בו כל כך, שאף בברייתות תוספתא של קדשים לא היו רגילין רק בשל ארבע סדרים הנהוגים כמו שכתבו התוספות בבבא מציעא (קיד, ב ד"ה אמר) עיין שם: **אשר עשו וגו' וישמרו את כל צורתו ואת כל חוקותיו ועשו אותם וכי יש.** כן צריך לומר: **[ד] בימי עולם בימי משה כו'** תורת כהנים ריש פרשת שמיני, עיין שם בקרבן אהרן, ובשלהי איכה רבה. והא דדרש כימי עולם כימי משה, נראה כמו שכתוב (ישעיה סג, יא) ויזכור ימי עולם משה עמו. ובפירוש הגר"א לתורת כהנים כתב יד הגיה כאן בהפוך, כימי עולם כימי שלמה, וכשנים קדמוניות כימי משה: **בימי עולם בימי נח.** מסיים באיכה רבה, שנאמר כי מי נח זאת לי, ורצה לומר דדרש כימי, תיבה אחת, וכמו שתרגם יונתן שם כימי עלמא, עיין שם במנחת ש"י:

חידושי הרש"ש

[ד] כתבשיל הזה תעשה לו. כן צריך לומר: **בימי עולם בימי משה.** לפי שנאמר (ישעיה סג, א) ויזכור ימי עולם משה עמו, ולדעת רבי אולי יליף כימי, מן כי מי נח (שם, נד), אשר תרגמו יונתן כיומי נח, עיין רד"ק שם. אחר זה מצאתי בילקוט (רמז תעט) דמסיים בדברי רבי כימי נח הדא הוא דכתיב (ישעיה נד, ט) כי מי נח זאת לי וכו': **בימי עולם בימי משה כו'.** כימי עולם כימי שלמה. דבפניהם כתיב שאש ירדה מהשמים לאכול את קרבנותיהם (ויקרא ט, כד) (דברי הימים ב' ז, א): **רבי אומר בימי עולם בימי נח.** דכתיב ביה (בראשית ח, כא) וירח ה'. ובהבל כתיב (ד, ד) וישע ה' וכו':

אם למקרא

וְאִם נִכְלְמוּ מִכֹּל אֲשֶׁר עָשׂוּ צוּרַת הַבַּיִת וּתְכוּנָתוֹ וּמוֹצָאָיו וּמוֹבָאָיו וְכָל צוּרֹתָו וְאֵת כָּל חֻקֹּתָיו וְכָל צוּרֹתָיו וְכָל תּוֹרֹתָיו הוֹדַע אוֹתָם וּכְתֹב לְעֵינֵיהֶם וְיִשְׁמְרוּ אֶת כָּל צוּרָתוֹ וְאֶת כָּל חֻקֹּתָיו וְעָשׂוּ אוֹתָם: (יחזקאל מג:יא)

וַיָּרַח ה' אֶת רֵיחַ הַנִּיחֹחַ וַיֹּאמֶר ה' אֶל לִבּוֹ לֹא אֹסִף לְקַלֵּל עוֹד אֶת הָאֲדָמָה בַּעֲבוּר הָאָדָם כִּי יֵצֶר לֵב הָאָדָם רַע מִנְּעֻרָיו וְלֹא אֹסִף עוֹד לְהַכּוֹת אֶת כָּל חַי כַּאֲשֶׁר עָשִׂיתִי: (בראשית ח:כא)

צַו אֶת בְּנֵי יִשְׂרָאֵל וְאָמַרְתָּ אֲלֵהֶם אֶת קָרְבָּנִי לַחְמִי לְאִשַּׁי רֵיחַ נִיחֹחִי תִּשְׁמְרוּ לְהַקְרִיב לִי בְּמוֹעֲדוֹ: (במדבר כח:ב)

וְעָרְבָה לַה' מִנְחַת יְהוּדָה וִירוּשָׁלָ‍ִם כִּימֵי עוֹלָם וּכְשָׁנִים קַדְמֹנִיּוֹת: (מלאכי ג:ד)

ידי משה

[ד] רבי אומר וכו'. נראה לי שלדעת רבי מסתברא לומר הקדימה על שנים קדמוניות יותר מן על כימי עולם, לכן מהפך ואמר כימי עולם על המאוחר. אך למה לא אמר רבי לדבריו כימי עולם על שלמה ושנים קדמוניות על משה, לזה אמר לפי שלא היה עבודה זרה בימיו. ודוק: **בימי נח כו'.** פירוש לפי שנתחדש העולם בימיו, ומרומז שפיר במלת כימי עולם רצה לומר עולם חדש שנעשה בימיו. וקל להבין:

אמרי יושר

[ד] ובשנים קדמוניות ימי שלמה. אף על פי שבאו אחר משה, קורא אותם קדמוניות בערך הזמן העתיד האחרון. ר' אבין אמר שלא בא הפסוק להגדיל בערך הזמן החולף, רק להגדיל קרבן עולה על שאר הקרבנות, שהיא כולה כליל, וזהו ממחה בקטרה, העולה על מוקדה כולה, ואם בערך שלן שם, זהו כל הלילה עד הבקר, שאיברים שפקעו מחזירים אותם (עי' זבחים פו ב, ויומא כ א):

מתנות כהונה

[ד] דכפר חטייה גרסינן: מגירסין. נחתומין מבשלי מאכלות: **אתא ובא.** רצה לומר המלך בא: **הכי גרסינן ששל ישראל הוא ערב: שלא היתה עבודת כוכבים בעולם.** לפיכך היתה אהובה לפני המקום, וכן לעתיד יעבור ממשלת זדון מן הארץ:

אשד הנחלים

אם נכלמו כו' יש צורת הבית. כי ה' צוה ליחזקאל שיגיד צורת הבית האחרון לישראל, והם יכלמו מכל אשר עשו שטמאו הבית, ועל ידי זה חרב, ולכאורה מה יועיל בזה שיבאר להם צורת הבית, אם לא שהעסק והלימוד בזה מעלה עליהם כאלו בונים אותו: **יבואו טהורים ויתעסקו.** כלומר אחר שהעסק בזה הוא כדמות הקרבה, לכן יבאו טהורים ויתעסקו בטהורים: **[ד] הקריב נח כו' ערב לו יותר.** כלומר אחר שראינו בנח שנאמר וירח, ועם כל זה לא נצטוה עוד הפעם שיעלה קרבנות, ולא מצאנו שהקריב עוד, ובישראל הזהיר שישמרו להקריב, אם כן מוכח שקרבניהם ערב לו יותר: **בימי משה.** כמו שכתוב ויזכור ימי עולם משה עמו (ישעיה סג, יא) (הרב מוהר"ז). כלומר ומזה ראינו כמה ערב לו קרבנות ישראל בימי משה ושלמה, אחר שהכתוב אומר שיערב לו יתברך לעתיד לבא כמו אז: **בימי נח.** הדא הוא דכתיב (ישעיה נד, ט) כי מי נח זאת לי. ילקוט כאן (הרב מוהר"ז): **שלא היה עבודת כוכבים בימיו.** עניינו מפני שיש שני טעמים במצות קרבנות,

באור מהרי"פ

ואם נכלמו וגו'. (יחזקאל מג, יא) ואם נכלמו מכל אשר עשו צורת הבית ותכונתו ומוצאיו ומובאיו וכל צורותיו ואת כל חקותיו וכל צורותיו וכל תורותיו הודע אותם וכתוב לעיניהם וישמרו את כל צורתו ואת כל חקותיו ועשו אותם: **[ד] בימי משה.** דכתיב (ישעיה סג, יא) ויזכור ימי עולם משה עמו, ובימיו ירדה האש על הקרבן בשמיני למלואים, וכן בימי שלמה כשחינך את בית המקדש, וכן שנו בתורת כהנים, והיינו דדריש וכשנים קדמוניות על שלמה, אף על פי שאין שום רמז במלת קדמוניות על שלמה, מפני שהוא דומה למשה בירידת האש:

INSIGHTS

idolatry taint offerings brought to God? *Eitz Yosef,* based on *Eshed HaNechalim,* explains that the primary purpose of the offerings is to mystically bring the world closer to God and to bring God closer to the world. However, the offerings also serve an additional function. The idolaters used offerings to their pagan deities as part of their rituals. The offerings of the Torah provide an alternative, channeling that method of worship into the service of God. Hence, the offerings act to counter idolatrous tendencies within the Jewish people (see *Moreh HaNevuchim* 3:32). Although this purpose is in itself laudable, it is considered an ulterior motive when compared to that of bringing man closer to God. Thus, the existence of idolatry sullies all offerings to God, impugning the purity of their purpose. But in Abel's day there was no idolatry and so his offering was untainted, for it clearly served no other function than to connect man and God. And so, according to the Midrash, this prophecy from *Malachi* is promising that in the Messianic era, when idolatry will be no more, our offerings will once again be returned to that pure and unsullied state. See also *Malbim* on *Sifra* loc. cit., from *Toras HaOlah.*

וְכִי יֵשׁ מִנְחָה טְהוֹרָה וּקְמִיצָה וְהַקְטָרָה בְּבָבֶל, אֶלָּא אֵי זוֹ זוֹ, מִשְׁנָה, אָמַר הַקָּדוֹשׁ בָּרוּךְ הוּא: הוֹאִיל וְאַתֶּם מִתְעַסְּקִים בְּמִשְׁנָה כְּאִלּוּ אַתֶּם מַקְרִיבִין קָרְבָּן, שְׁמוּאֵל אָמַר: (יחזקאל מג, יא) "וְאִם נִכְלְמוּ מִכֹּל אֲשֶׁר עָשׂוּ", וְכִי יֵשׁ צוּרַת הַבַּיִת עַד עַכְשָׁיו, אֶלָּא אָמַר הַקָּדוֹשׁ בָּרוּךְ הוּא: הוֹאִיל וְאַתֶּם מִתְעַסְּקִים בּוֹ כְּאִלּוּ אַתֶּם בּוֹנִין אוֹתוֹ, אָמַר רַבִּי אַסִּי: מִפְּנֵי מָה מַתְחִילִין לַתִּינוֹקוֹת בְּתוֹרַת כֹּהֲנִים וְאֵין מַתְחִילִין בִּבְרֵאשִׁית, אֶלָּא שֶׁהַתִּינוֹקוֹת טְהוֹרִין וְהַקָּרְבָּנוֹת טְהוֹרִין, יָבוֹאוּ טְהוֹרִין וְיִתְעַסְּקוּ בִּטְהוֹרִים:

ד רַבִּי אַבָּא בַּר כַּהֲנָא וְרַבִּי חָנָן תַּרְוֵיהוֹן בְּשֵׁם רַבִּי עֲזַרְיָה דִּכְפַר חַטְיָיא אָמַר: מָשָׁל לְמֶלֶךְ שֶׁהָיוּ לוֹ שְׁנֵי מְגִירְסִין, בִּישֵּׁל לוֹ הָאֶחָד תַּבְשִׁיל, אָתָא וַאֲכָלוֹ וְהָיָה עָרֵב לוֹ, וְעָשָׂה הַשֵּׁנִי תַּבְשִׁיל וַאֲכָלוֹ וְעָרֵב לוֹ, וְאֵין אָנוּ יוֹדְעִים אֵיזֶה מֵהֶם עָרֵב לוֹ יוֹתֵר, אֶלָּא בְּמָה שֶׁהוּא מְצַוֶּה אֶת הַשֵּׁנִי וְאוֹמֵר לוֹ: כְּתַבְשִׁיל הַזֶּה *תַּעֲשֶׂה לִי, אָנוּ יוֹדְעִים שֶׁהַשֵּׁנִי עָרֵב לוֹ בּוֹ °יוֹתֵר, כָּךְ הִקְרִיב נֹחַ קָרְבָּן וְהָיָה עָרֵב לְהַקָּדוֹשׁ בָּרוּךְ הוּא, שֶׁנֶּאֱמַר (בראשית ח, כא) "וַיָּרַח ה' אֶת רֵיחַ הַנִּיחֹחַ", הִקְרִיבוּ יִשְׂרָאֵל וְהָיָה עָרֵב לְהַקָּדוֹשׁ בָּרוּךְ הוּא, וְאֵין אָנוּ יוֹדְעִים אֵיזֶה מֵהֶם עָרֵב לוֹ בְּיוֹתֵר, אֶלָּא בְּמָה שֶׁהוּא מְצַוֶּה אֶת יִשְׂרָאֵל וְאוֹמֵר לָהֶם: (במדבר כח, ב) "רֵיחַ נִיחֹחִי תִּשְׁמְרוּ לְהַקְרִיב לִי" אָנוּ יוֹדְעִים שֶׁשֶּׁל יִשְׂרָאֵל הוּא עָרֵב בְּיוֹתֵר, הֲדָא הוּא דִכְתִיב (מלאכי ג, ד) "וְעָרְבָה לַה' מִנְחַת יְהוּדָה וִירוּשָׁלָיִם כִּימֵי עוֹלָם וּכְשָׁנִים קַדְמֹנִיּוֹת", "כִּימֵי עוֹלָם" כִּימֵי מֹשֶׁה, "וּכְשָׁנִים קַדְמֹנִיּוֹת" כִּשְׁנֵי שְׁלֹמֹה, רַבִּי אוֹמֵר: "כִּימֵי עוֹלָם" כִּימֵי נֹחַ, "וּכְשָׁנִים קַדְמֹנִיּוֹת" כִּימֵי הֶבֶל, שֶׁלֹּא הָיְתָה עֲבוֹדָה זָרָה בְּיָמָיו,

עץ יוסף

וכי יש מנחה כו'. דהא הוזהרנו (דברים יב, יג) פן תעלה עולתך בכל מקום אשר תראה: **וקמיצה.** מפרש מוגש בקמיצה, לפי שההגשה קודמת לקמיצה, כדכתיב (ויקרא ב, ח-ט) והגישה אל המזבח, והדר והרים. ויהיה מוקטר מוגש, כולה בענין המנחה, דהוי בה הגשה והקטרה: **כאילו אתם מקריבין.** ולכן בכל מקום מוקטר מוגש לשמי ומנחה טהורה, כי ההתעסקות בזה יעלה עליהם כאילו מקריבים בפועל: **ואם נכלמו מכל אשר עשו.** וסיפא דקרא, וישמרו את כל צורתו ועשו אותם, דמשמע שמודיעם צורת הבית כדי שישמרום ויעשו אותם, דהיינו שיבנו בית המקדש בצורה ההיא, ולהכי מתמה, שהרי עד עכשיו כמה שנים שלא נבנה הבית, והיכי קאמר שהשומעים צורתו מיחזקאל יבנוהו, וליכא למימר דעל בנין בית שני קאמר, שהרי לא נבנה בצורה הזאת כמו שכתב הרד"ק, ועיין בתנחומא (סימן יד) וצריך עיון: **כאילו אתם בונים אותו.** שכר הלימוד שוה לשכר המעשה: **מפני מה מתחילין.** כן היה מנהג בימים ההם, ומביא זה כאן לפרש היא העולה, שהרי קאמר היא העולה בתחילה בקריאת התינוקות: **שהתינוקות טהורים.** בלי חטא כמו שאמר הבל שאין בו חטא, וכן הקרבנות טהורים מחטא, כלומר שעל ידם מוטהרים מהחטא: **ויתעסקו בטהורים.** כלומר אחר שהעסק בזה הוא כדמות הקרבה, לכן יבואו טהורים ויתעסקו בטהורים: **(ד) מגירסין.** מבשלים: **אתא ובא.** רצה לומר המלך בא: **אלא במה שהוא מצוה כו'.** רצה לומר אחר שראינו בנח שנאמר וירח ה', ועל כל זה לא נצטוה עוד הפעם שיעלה קרבנות, ולא מצאנו שהקריב עוד, ובישראל הזהיר שישמרו להקריב אם כן מוכח שקרבניהם ערב לו יותר: **בימי משה.** כמו שנאמר (ישעיה סג, יא) ויזכור ימי עולם משה עמו: **בימי שלמה.** שירדה האש כשחנך בית המקדש, ונרמז שלמה בשנים קדמוניות דכתיב בו (מלכים א' ה, י) ויחכם שלמה מכל בני קדם: **בימי נח.** שערבה מנחתו, כדכתיב וירח ה' את ריח הניחוח, ומפרש כימי עולם מי שנתחדש העולם בימיו, ובילקוט (שם) גרס כימי נח הדא הוא דכתיב כי מי נח זאת לי (יפה תואר): **בימי הבל.** שערבה מנחתו, כדכתיב (בראשית ד, ד) וישע ה' אל הבל ואל מנחתו, והבל היה קדמון בהקרבת קרבנות, שמתחלה לא הקריב אחר, ואף על גב דאדם הראשון הקריב כדלעיל סוף פרשה ב' (סימן ז) אינו מפורש בתורה, ועוד שקרבן של אדם הראשון היה על חטאו, ופשוט שאין בו ערבות כל כך (יפה תואר): **שלא היתה עבודה זרה בימיו.** אבל בימי נח אף שהוא ובניו נקיים ממנה, מכל מקום כבר נמצאת עבודה זרה בעולם שהרי בימי אנוש התחילו הטועים בה. ועניינו, מפני שיש שני טעמים במצות הקרבנות, אחד הסרת הרע מפני שהיו להוטים אחר עבודה זרה, ולכן יחד ה' בית לשמו ויקריבו שמה

פירוש מהרז"ו

הכוונה על הלכות שיכולים לקיימם, בודאי אינם יוצאים בדבור לבד עד שיקיים, אלא שמדבר על לימוד הלכות קרבנות: **וכי יש מנחה טהורה בבבל.** כי מלאכי הנביא שאמר פסוק זה, היה בימי כורש מלך בבל, כי בריש עזרא כתוב (א, א) כורש מלך פרס, ובעזרא (ה, יג) כתוב כרש מלכא די בבל, והם שני כתובים מכחישים, וההכרעה שהבל אחד, שלקח המלוכה מיד בלשאצר מלך בבל, ומלך שם כאשר מלך בפרס, ובאמת כוונת הפסוק על כל גויי הארץ: **זו משנה.** הלכות של מנחה והקטרה והגשה. ודרשה זו על פי מדה כ': **בבראשית.** בהתחלת התורה ולמה דלגו עד ויקרא: **ויתעסקו בטהורים.** חסר וצריך לומר, יבואו טהורים ויתעסקו בטהורים שהבל פיהם של תינוקות טהור בלא חטא, והקרבנות צריכים לעסוק בהם בטהרה, וכשלומדים ויקרא שהוא תורת הקרבנות דומה כאלו הקריבום בטהרה, וכן הוא בתנחומא שם באריכות ובביאור: **(ד) רבי אבא בר כהנא ורבי חנן.** כל הענין בפסיקתא שם. וכאן בא לפרש מה שכתב (ויקרא ו, ב) היא העולה, כמו שכתב בסוף הסימן: **שלא היתה עבודת כוכבים בימיו.** בלאתו מן התיבה לעולם חדש, שלא היה בעולם רק נח ובניו, כמו בימי הבל, שהיה בעולם חדש ולא היה בעולם רק אדם ובניו, וכתיב (בראשית ד, ד) וישע ה' אל הבל ואל מנחתו:

מתנות כהונה

[ד] דכפר חטייה גרסינן: מגירסין. נחתומין מבשלי מאכלות: **אתא ובא.** רצה לומר המלך בא: **הכי גרסינן ששל ישראל הוא ערב: שלא היתה עבודת כוכבים בעולם.** לפיכך היתה אהובה לפני המקום, וכן לעתיד יעבור ממשלת זדון מן הארץ:

אשד הנחלים

אם נכלמו כו' יש צורת הבית. כי ה' צוה ליחזקאל שיגיד צורת הבית האחרון לישראל, והם יכלמו מכל אשר עשו שטמאו הבית, ועל ידי זה חרב, ולכאורה מה יועיל בזה שיבאר להם צורת הבית, אם לא שהעסק והלימוד בזה מעלה עליהם כאלו בונים אותו: **יבואו טהורים ויתעסקו.** כלומר אחר שהעסק בזה הוא כדמות הקרבה, לכן יבאו טהורים ויתעסקו בטהורים: **[ד] הקריב נח כו' ערב לו יותר.** כלומר אחר שראינו בנח שנאמר וירח, ועם כל זה לא נצטוה עוד הפעם שיעלה קרבנות, ולא מצאנו שהקריב עוד, ובישראל הזהיר שישמרו להקריב, אם כן מוכח שקרבניהם ערב לו יותר: **בימי משה.** כמו שכתוב ויזכור ימי עולם משה עמו (ישעיה סג, יא) (הרב מוהר"ז). כלומר ומזה ראינו כמה ערב לו קרבנות ישראל בימי משה ושלמה, אחר שהכתוב אומר שיערב לו יתברך לעתיד לבא כמו אז: **בימי נח.** הדא הוא דכתיב (ישעיה נד, ט) כי מי נח זאת לי. ילקוט כאן (הרב מוהר"ז): **שלא היה עבודת כוכבים בימיו.** עניינו מפני שיש שני טעמים במצות קרבנות,

באור מהרי"פ

ואם נכלמו וגו'. (יחזקאל מג, יא) ואם נכלמו מכל אשר עשו צורת הבית ותכונתו ומוצאיו ומובאיו וכל צורותיו ואת כל חקותיו וכל צורותיו וכל תורותיו הודע אותם וכתוב לעיניהם וישמרו את כל צורתו ואת כל חקותיו ועשו אותם: **[ד] בימי משה.** דכתיב (ישעיה סג, יא) ויזכור ימי עולם משה עמו, ובימיו ירדה האש על הקרבן בשמיני למלואים, וכן בימי שלמה כשחינך את בית המקדש, וכן שנו בתורת כהנים, והיינו דדריש וכשנים קדמוניות על שלמה, אף על פי שאין שום רמז במלת קדמוניות על שלמה, מפני שהוא דומה למשה בירידת האש:

חידושי הרד"ל

מקטר מגש לשמי ומנחה טהורה וכי יש בו'. כן צריך לומר. שעל סדר טהרות לא נתחבר תלמוד, ואף על קדשים שנתחברו (בבלי וירושלמי רק שהירושלמי נגנז מאתנו אחר כך מטעם שכתבתי על זה במקום אחר בלקוטי בס"ד) לא היו רגילין בו כל כך, שאף בברייתות תוספתא של קדשים לא היו רגילין רק בשל ארבע סדרים הנהוגים כמו שכתבו התוספות בבבא מציעא (קיד, ב ד"ה אמר) עיין שם: **אשר עשו וגו' וישמרו את כל צורתו ואת כל חוקותיו ועשו אותם וכי יש.** כן צריך לומר: **[ד] בימי עולם בימי משה בו'** תורת כהנים ריש פרשת שמיני, עיין שם בקרבן אהרן, ובשלהי איכה רבה. והא דדרש כימי עולם כימי משה, נראה כמו שכתוב (ישעיה סג, יא) ויזכור ימי עולם משה עמו. ובפירוש הגר"א לתורת כהנים כתב יד הגיה כאן בהפוך, כימי עולם כימי שלמה, וכשנים קדמוניות כימי משה: **בימי עולם בימי נח.** מסיים באיכה רבה, שנאמר כי מי נח זאת לי, ורצה לומר דדרש כימי, תיבה אחת, וכמו שתרגם יונתן שם כימי עלמא, עיין שם במנחת שי:

חידושי הרש"ש

[ד] כתבשיל הזה תעשה לו. כן צריך לומר: **בימי עולם בימי משה.** לפי שנאמר (ישעיה סג, א) ויזכור ימי עולם משה עמו, ולדעת רבי אולי יליף כימי, מן כי נח (שם, נד), אשר תרגמו יונתן כיומי נח, עיין רד"ק שם. אחר זה מצאתי בילקוט (רמז תעט) דמסיים בדברי רבי כימי נח הדא הוא דכתיב (ישעיה נד, ט) כי מי נח זאת לי וכו': **בימי עולם בימי משה בו'.** כימי עולם כימי שלמה. דבשניהם כתיב שאש ירדה מהשמים לאכול את קרבנותיהם (ויקרא ט, כד) (דברי הימים ב' ז, א): **רבי אומר בימי עולם בימי נח.** דכתיב ביה (בראשית ח, כא) וירח ה' וכו'. ובהבל כתיב (ד, ד) וישע ה' וכו':

אם למקרא

וְאִם נִכְלְמוּ מִכֹּל אֲשֶׁר עָשׂוּ צוּרַת הַבַּיִת וּתְכוּנָתוֹ וּמוֹצָאָיו וּמוֹבָאָיו וְכָל צוּרֹתָו וְאֵת כָּל חֻקֹּתָיו וְכָל צוּרֹתָיו וְכָל תּוֹרֹתָיו הוֹדַע אוֹתָם וּכְתֹב לְעֵינֵיהֶם וְיִשְׁמְרוּ אֶת כָּל צוּרָתוֹ וְאֶת כָּל חֻקֹּתָיו וְעָשׂוּ אוֹתָם: (יחזקאל מג:יא)

וַיָּרַח ה' אֶת רֵיחַ הַנִּיחֹחַ וַיֹּאמֶר ה' אֶל לִבּוֹ לֹא אֹסִף לְקַלֵּל עוֹד אֶת הָאֲדָמָה בַּעֲבוּר הָאָדָם כִּי יֵצֶר לֵב הָאָדָם רַע מִנְּעֻרָיו וְלֹא אֹסִף עוֹד לְהַכּוֹת אֶת כָּל חַי כַּאֲשֶׁר עָשִׂיתִי: (בראשית ח:כא)

צַו אֶת בְּנֵי יִשְׂרָאֵל וְאָמַרְתָּ אֲלֵהֶם אֶת קָרְבָּנִי לַחְמִי לְאִשַּׁי רֵיחַ נִיחֹחִי תִּשְׁמְרוּ לְהַקְרִיב לִי בְּמוֹעֲדוֹ: (במדבר כח:ב)

וְעָרְבָה לַה' מִנְחַת יְהוּדָה וִירוּשָׁלָם כִּימֵי עוֹלָם וּכְשָׁנִים קַדְמֹנִיּוֹת: (מלאכי ג:ד)

ידי משה

[ד] רבי אומר וכו'. נראה לי שלדעת רבי מסתברא לומר הקדימה על שנים קדמוניות יותר מן על כימי עולם, לכן מהפך ואמר כימי עולם על המאוחר. אך למה לא אמר רבי לדבריו כימי עולם על שלמה ושנים קדמוניות על משה, לזה אמר לפי שלא היה עבודה זרה בימיו. ודוק: **בימי נח כו'.** פירוש לפי שנתחדש העולם בימיו, ומרומז שפיר במלת כימי עולם רצה לומר עולם חדש שנעשה בימיו. וקל להבין:

אמרי יושר

[ד] ובשנים קדמוניות ימי שלמה. אף על פי שבאו אחר משה, קורא אותם קדמונית בערך הזמן העתיד האחרון. ר' אבין אמר שלא בא הפסוק להגדיל בערך הזמן החולף, רק להגדיל קרבן עולה על שאר הקרבנות, אם בערך שהיא כולה כליל, זהו ממחה בקערה, העולה על מוקדה כולה, ואם בערך שלן שם, זהו כל הלילה עד הבקר, שאיברים שפקעו מחזירים אותם (עי' זבחים פו ב, ויומא כ א):

The Midrash continues with its series of parables:

רַבִּי אָבִין אָמַר תַּרְתֵּי — **R' Avin recounted two** parables: רַבִּי אָבִין אָמַר — **R' Avin** first **said** one parable: מָשָׁל לְמֶלֶךְ שֶׁהָיָה מֵיסֵב עַל אַקּוּבִיטוֹן שֶׁלּוֹ — **It is comparable to a king who was reclining on his couch.**[88] הִכְנִיסוּ לוֹ תַּבְשִׁיל הָרִאשׁוֹן — **[His servants] brought him the first dish,** וַאֲכָלוֹ וְהָיָה עָרֵב לוֹ — **and he ate it and it was pleasing to him.** הִתְחִיל מְמַחֶה בַּקְּעָרָה — **He began to wipe the plate** clean with his finger. כָּךְ "עוֹלוֹת מֵיחִים אַעֲלֶה" — **Thus** it was that David said, ***Burnt-offerings of "maichim"*** [מֵיחִים] ***will I offer up*** *to You* (*Psalms* 66:15),[89] כָּזֶה שֶׁהוּא מְמַחֶה בַּקְּעָרָה — meaning burnt-offerings that are **similar to this** dish, for **which [the king] wipes** [מְמַחֶה] **the plate** clean.[90]

The Midrash presents the last in its series of parables and connects it to our verse:

רַבִּי אָבִין אָמַר חוֹרִי — **R' Avin recounted another** parable: רַבִּי אָבִין אָמַר: מָשָׁל לְמֶלֶךְ שֶׁהָיָה מְהַלֵּךְ בַּמִּדְבָּר — **R' Avin said: It is comparable to a king who was traveling in the wilderness.** הִגִּיעַ לַבּוּרְגִין הָרִאשׁוֹן — **He arrived at the first** wayside **lodge,** וְאָכַל שָׁם וְשָׁתָה שָׁם — **and he ate and drank there.** וְהִגִּיעַ לַבּוּרְגִין הַשֵּׁנִי — **Then he arrived at the second lodge,** אָכַל שָׁם וְשָׁתָה שָׁם וְלָן שָׁם — **he ate and drank and** also **spent the night there.**[91] כָּךְ בַּמֶּה שֶׁהוּא מִתְנֶה עַל הָעוֹלָה — **Such is** the sense of **[Scripture's] repetition regarding the *olah*,** "זֹאת תּוֹרַת הָעֹלָה הִוא הָעֹלָה . . . עַל הַמִּזְבֵּחַ כָּל הַלַּיְלָה עַד הַבֹּקֶר" — ***This is the law of the burnt-offering: It is the burnt-offering*** *[that stays] on the flame,* ***on the Altar, all night until the morning.***[92]

A further exposition on this verse:

מִכָּאן שֶׁהָעוֹלָה כּוּלָּהּ כָּלִיל לָאִישִׁים — Additionally, it can be derived **from here that the *olah* is** to be **completely consumed by the fires.**[93]

§5 וְאֵשׁ הַמִּזְבֵּחַ תּוּקַד בּוֹ — ***AND THE FIRE OF THE ALTAR SHALL BE AFLAME ON IT.***

The Midrash comments on the wording used in our verse:

אָמַר רַבִּי פִּנְחָס: "וְאֵשׁ הַמִּזְבֵּחַ תּוּקַד עָלָיו" אֵין כְּתִיב כָּאן — **R' Pinchas said: It is not written here, "and the fire of the Altar shall be aflame *alav*,"**[94] אֶלָּא "תּוּקַד בּוֹ" — **rather** it is written, *and the fire of the Altar* ***shall be aflame "bo,"***[95] הָאֵשׁ הָיְתָה מִתּוֹקֶד בּוֹ — meaning that **the fire was burning within** the wood of **[the Altar]** itself.[96]

Nevertheless, the Altar clearly was not consumed by the flames, indicating that it was miraculously impervious to fire. The Midrash cites another teaching with the same theme:

תָּנֵי בְּשֵׁם רַבִּי נְחֶמְיָה — **It was taught** in a Baraisa **in the name of R' Nechemiah:** קָרוֹב לְמֵאָה וְשֵׁשׁ עֶשְׂרֵה שָׁנָה הָיְתָה הָאֵשׁ מִתּוֹקֶדֶת בּוֹ — **For nearly one hundred and sixteen years, the fire was aflame on [the Altar],**[97] עֵצוֹ לֹא נִשְׂרַף וּנְחָשְׁתּוֹ לֹא נִיתַּךְ — but nevertheless **its wood did not burn and its copper did not melt.** אִם תֹּאמַר דַּהֲוָה גֶּלֶד — **And if you will say that [the copper] was thick,**[98]

NOTES

88. It was customary for the nobility to eat while reclining upon a couch. [Our translation follows *Maharif,* citing *Mussaf HeAruch* s.v. אקוביטון; see similarly *Maharzu.* However, see *Aruch* s.v. קבטין, cited by *Matnos Kehunah* and *Eitz Yosef;* see also *Yefeh To'ar* s.v. שֶׁהָיָה מֵיסֵב.]

89. The first dish in the parable represents the *olah,* since it is the first offering discussed by Scripture; see Ch. 1 above (*Radal, Eitz Yosef* [Vagshal ed.]). [However, it should be noted that in the parallel passage in *Yalkut Shimoni, Pinchas* §776, the king did not wipe the plate clean after the first dish served him, but only after the second. See *Yefeh To'ar* and *Eitz Yosef* here; see also *Maharzu.*]

90. The Midrash is interpreting מֵיחִים, which literally means *"fat"* (see commentators ad loc.) as if it were derived from the word מָחָה, *wipe* (*Matnos Kehunah, Eitz Yosef*). The *olah,* which is entirely consumed by the Altar's fire, parallels the dish that the king eats in full, wiping the plate clean (*Maharzu, Radal*).

91. Thereby showing his preference for the second lodge (*Matnos Kehunah*). [The implication of the Midrash is that the first lodge was proximate to the second and hence it would have been already close enough to nightfall when the king had arrived at the first, so that had he wanted, he could have settled there for the night (*Eitz Yosef*).]

92. The repetition in the verse, זֹאת תּוֹרַת הָעֹלָה הִוא הָעֹלָה, *this is the law of the burnt-offering: It is the burnt-offering,* indicates that the *olah* is dear to God (*Eshed HaNechalim;* see also *Radal* and *Eitz Yosef*). Since it stays *on the Altar all night* it is analogous to the second lodge where the king spent the night (addendum to *Rashash*). [*Yefeh To'ar* and *Eitz Yosef* suggest that the first lodge represents the offering of Noah, which, they suggest, was fully burnt by day and did not remain on the altar overnight. The first lodge thus parallels the first dish in the original parable.]

93. For as the verse states, the *olah* is to remain on the flame the entire night; it is not sufficient that the pieces be exposed to the fire for a period of time and then be removed before they are reduced to ash (*Eshed HaNechalim*). Alternatively, the use of the word מוֹקְדָה, *flame,* indicates that the offering is to be completely consumed by the flame (*Eitz Yosef*).

94. Which would mean, *on it,* i.e., on top of the Altar.

95. The word בּוֹ [*bo*] literally means, *in it.*

96. I.e., the wood of the Altar itself was aflame (*Eitz Yosef*). For an alternative approach, see Insight Ⓐ.

97. That is, the original Altar built for the Tabernacle by Bezalel, which was constructed out of wooden boards and plated with copper; see *Exodus* 27:1-8. It is not clear why the Midrash says that the fire was on Bezalel's Altar for 116 years, since in fact this Altar was still in use at the time of King Solomon (see *II Chronicles* 1:5) nearly 500 years after the Tabernacle was first erected. However, some suggest that Bezalel's Altar had not been in use continuously throughout this period, for during the 369 years when the Tabernacle stood at Shiloh a different Altar was used (see *Zevachim* 61b and 118b). See *Radal* and *Rashash.*

98. Which is why it did not melt easily.

INSIGHTS

Ⓐ **Whose Fire?** *Matnos Kehunah,* however, explains this to mean that the fire on the Altar was *powered* by the Altar itself. This seems to be the plain meaning of the Midrash further, which states a similar teaching with regard to the Altar of Incense (at note 101). And the Midrash states further that the Altar burned what was on it for 116 consecutive years, without its wood being diminished.

Now, the very next part of our verse commands that firewood be arranged on the Altar every day. But if the Altar *itself* caused the flames to burn, what was the purpose of this daily offering?

Be'er Yosef explains that there is a message for us here. God does not need our fire or wood to consume His offerings. God does not *need* our performance of His commandments. His purpose in commanding us is to provide *us* with merit by having us fulfill mitzvos and purify ourselves, to benefit *us,* and to grant us eternal life.

Thus the Torah states, זֹאת תּוֹרַת הָעֹלָה, *This is the law of the olah.* This is the concept that informs the *olah. It is the burnt offering that stays on the flame, on the Altar, all night until the morning, and the fire of the* ***Altar*** *burns in it.* It burns on the Altar all night. To the casual observer, it seems that the *olah* is consumed by the wood we placed daily upon the Altar. Not so, our Midrash teaches. *The fire of the* ***Altar*** *burns in it.* It is the Altar itself that burns the *olah.* We go through the motions of appearing to do things for *God.* But *He* does not need our actions, our wood, our flames, our offerings. He commanded us to bring offerings to Him, to do His mitzvos for *our* benefit, for *our* merit, to sanctify us and to bring us closer to Him.

Sanctify unto Me every firstborn, the first issue of every womb among the Children of Isarel, among man and beast, it is Mine (*Exodus* 13:2). *Mechilta* comments: What is mean by "it is Mine"? It means that the firstborn belongs to God in any event. The commandment to "sanctify" it is meant simply to provide man with an opportunity for reward.

God has commanded us to sanctify unto Him, for we thereby sanctify ourselves.

רַבִּי אָבִין אָמַר תַּרְתֵּי, רַבִּי אָבִין אָמַר: מָשָׁל לְמֶלֶךְ שֶׁהָיָה מֵיסַב עַל אַקּוּבִיטוֹן שֶׁלּוֹ, הִכְנִיסוּ לוֹ תַּבְשִׁיל הָרִאשׁוֹן וַאֲכָלוֹ וְהָיָה עָרֵב לוֹ, הִתְחִיל מְמַחֶה בַּקְּעָרָה, כָּךְ (תהלים סו, טו) "עוֹלוֹת מֵיחִים אַעֲלֶה", כְּזֶה שֶׁהוּא מְמַחֶה בַּקְּעָרָה, רַבִּי אָבִין אָמַר חוֹרֵי, רַבִּי אָבִין אָמַר: מָשָׁל לְמֶלֶךְ שֶׁהָיָה מְהַלֵּךְ בַּמִּדְבָּר, הִגִּיעַ לְבוּרְגִּין הָרִאשׁוֹן וְאָכַל שָׁם וְשָׁתָה שָׁם, וְהִגִּיעַ לְבוּרְגִּין הַשֵּׁנִי אָכַל שָׁם וְשָׁתָה שָׁם וְלָן שָׁם, כָּךְ בַּמֶּה שֶׁהוּא ° מִתְמַהּ עַל הָעוֹלָה, "זֹאת תּוֹרַת הָעֹלָה הִיא הָעֹלָה ... עַל הַמִּזְבֵּחַ כָּל הַלַּיְלָה עַד הַבֹּקֶר", מִכָּאן שֶׁהָעוֹלָה כּוּלָּהּ כָּלִיל לָאִשִּׁים:

ה [ו, ב] "וְאֵשׁ הַמִּזְבֵּחַ תּוּקַד בּוֹ", אָמַר רַבִּי פִּנְחָס: "וְאֵשׁ הַמִּזְבֵּחַ תּוּקַד עָלָיו" אֵין כְּתִיב כָּאן, אֶלָּא "תּוּקַד בּוֹ", הָאֵשׁ הָיְתָה מְתוּקֶּדֶת בּוֹ, תָּנֵי בְּשֵׁם רַבִּי נְחֶמְיָה: קָרוֹב לְמֵאָה וְשֵׁשׁ עֶשְׂרֵה שָׁנָה הָיְתָה הָאֵשׁ מְתוּקֶּדֶת בּוֹ, עֵצוֹ לֹא נִשְׂרַף וּנְחָשְׁתּוֹ לֹא נִיתַּךְ, אִם תֹּאמַר דַּהֲוָה גֶּלֶד, תָּנֵי בְּשֵׁם רַבִּי הוֹשַׁעְיָה: כְּעוֹבִי דִּינַר גָּרְדְּיוֹן הָיָה בּוֹ, אָמַר רַבִּי שִׁמְעוֹן בֶּן לָקִישׁ: אַף מִזְבַּח הַקְּטֹרֶת כֵּן, שֶׁנֶּאֱמַר (שמות ל, א) "וְעָשִׂיתָ מִזְבֵּחַ מִקְטַר קְטֹרֶת", "מִתְקַטֵּר בִּקְטֹרֶת" אֵין כְּתִיב כָּאן, אֶלָּא "מִקְטַר קְטֹרֶת", הַמִּזְבֵּחַ הָיָה מַקְטִיר אֶת הַקְּטֹרֶת.

עץ יוסף

קרבנותיהם ולא לעבודה זרה, וכמו שאמרו בתנחומא (ויקרא כב, ח) וכדעת הרב המורה (ח"ג פל"ב), והשני הוספת הטובה מפני שעל ידי הקרבנות הם מורידים השפע מלמעלה על ידי הכוונה הרצויה, וזהו ערב לו יותר, ולכן אמר שיערב לו כימי הבל שאז לא היה על זה ולא היה הכוונה בהסרת הרע לבד, כי אם בעשה טוב: **אקוביטין.** כסא שיש לו סמיכות מכל לד (ערוך): **והיה ערב לו הכניסו לו תבשיל השני ואכלו והיה ערב לו והתחיל ממחה בקערה, כך עולות מחים.** כן לריך לומר. ורלה לומר מדממחה בקערה התבשיל השני, פירוש שגורף באלבע ואוכלו, ראיה גדולה שהתבשיל השני ערב לו ביותר, כך אמר דוד בשם ישראל עולות מחים אעלה לך, ודרש מחים לשון ממחה, רלה לומר שקרבנותינו יהיו ערבים עליך יותר משל נח (יפה תואר): **לבורגנין.** סוכות שומרי העיר: **ולן שם.** ולריך לומר שהיה בענין שהיה יכול ללון גם בראשונה, כגון שהיו שניהם במקום אחד: **במה שהוא מתמה על העולה.** בפסיקתא (את קרבני לחמי פרק ג) ובילקוט פרשת פנחס (תשעו) הגירסא במה שהוא מתנה על העולה, ופירוש ממה שחזר ושנה עליו כמה פעמים: **עד הבוקר מכאן דשל ישראל הוא ערב לו ביותר.** כן לריך לומר (יפה תואר). ואם תאמר ומנלן דבנח לא הוכשר כן, יש לומר מדכתיב היא העולה דריש למעוטי דימי נח. ואחר זה לריך להיות **מכאן שהעולה כולה כליל לאשים.** והוא ענין בפני עצמו, וכאשר רשמתי פה בפירוש מסם ואילך לסימן בפני עצמו: **(ה) מכאן שהעולה כו'.** מדכתיב על מוקדה למימר שתשרף לגמרי על האש דהיינו לשון מוקדה, לאפוקי שלא יסתפק במה שתעשה כלי ואחר כך יטלנו בעת הדשן: **עליו אין כתיב כן.** שאם לא היה האש נאחז בו אין לומר רק עליו, דבו משמע שנאחזה ההבער בו, להכי פירש שהמזבח היה מתוקד באש, כלומר שהאש נאחז בו כאילו הוא מתוקד, וזה כדי להראות מעשה נסים כדמסיק בשם רבי נחמיה: **קרוב למאה ושש עשרה שנה.** כתב היפה תואר לא ידעתי טעם החשבון עיין שם, והרד"ל בפירושו לפרקי דרבי אליעזר (פרק נג) כתב שצריך לומר קרוב למאה ועשר שנה [כמנין וקד מן תיבת תוקד], והן שלושים ותשע של מדבר, וארבע עשרה גלגל, וחמישים ושבע נוב וגבעון, שהיו בהם האש במזבח הנחושת של משה, אבל בבית עולמים, וכן בשילה, היו של אבנים כדאיתא בזבחים (סא, ב) עיין שם: **גלד.** עבה: **בעובי דינר גרדיון היה בו.** פירוש מוסף הערוך דינר מטבע של גורדיאנוס קיסר: **המזבח היה מקטיר את הקטרת.** שהאש היה נאחז במזבח ועל ידי זה הוא היה שורף הקטורת ומעלה עשנו:

פירוש מהרז"ו

על אקוביטון. על פת בגו ושלחן. עיין בפסיקתא שם ובפירושי: **ואכלו והיה ערב לו.** הכוונה והכניס לו השני ואכלו והיה ערב לו, וסמך עלמו על משכן במשל, ועל כל פנים לריך כאן להגיה תיבת וכו': **התחיל ממחה בקערה.** כמו שכתוב כאן על מוקדה על המזבח כל הלילה עד הבוקר, שלא ישאר ממנה כלום, ועל כן נקראת עולת מחים, וזהו כוונת דוד במה שכתב (תהלים סו, טו) עולות מחים אעלה לך, (שלא נטעה לפרש כמו שכתוב ותרבות מחים דשם פירושו מחים רשעים). ועיין מה שכתב לקמן (ח, ג): **(ה) מתוקד בו.** שהמזבח היה מבעיר האש ושולט עליו, שאם היה שולט במזבח היה מכלה אותו, בהבערתו תמיד, ובפרט הטן שתחת הנחושת, עיין תנחומא (תרומה סימן יא) באריכות בדרך נפלא, ולזה כוונו התוספות בסוף חגיגה (כז, א ד"ה שאין בו), אך דברי התנחומא במזבח העולה לבד:

חידושי הרד"ל

תבשיל הראשון ואכלו ערב לו התחיל ממחה כו'. זהו העולה שהוא קרבן הראשון בתורה, וממחה בקערה שאוכלה כולה כליל (ומפני שעיקרה על הרהור הלב, וקרויה דורון (לעיל ה, ו מלך שכבדו בדורון): **במה שהוא מתנה על העולה כו'.** כן הוא בפסיקתא, ובילקוט פרשת פנחס, וכן לריך לומר. פירוש ממה שחזר ושנה עליו כמה פעמים: **מכאן שהעולה כליל.** אפשר לריך לומר מפני שהעולה כליל: **[ה] קרוב לקט"ז שנה.** בפירוש לפרקי דרבי אליעזר פרק נג בארתי בסייעתא דשמיא שלריך לומר קרב למאה ועשרה שנים, (כמנין וקד מן תיבת תוקד), והן שלשים ותשע של מדבר וארבע עשרה [של] גלגל וחמשים ושבע [של] נוב וגבעון, שהיו בהם האש במזבח הנחושת של משה, אבל בבית עולמים, וכן בשילה, היו של אבנים כדאיתא בזבחים (סא, ב) עיין שם: **תני בשם רבי הושעיא כעובי דינר כו'.** בבבלי חגיגה מייתי לה במזבח הזהב (ועיין שם בירושלמי), ואפשר כאן נמי גרסינן להאי קושיא, אם תימר דהוי גלד כו' עד גרדיון היו בו. ולהלן אחר מימריה דריש לקיש במזבח הקטורת: **דינר גרדיון.** פירש מוסף הערוך דינר מטבע של גורדיאנוס קיסר, ונראה שזהו דינרא קורדינאה (שבחולין נד, ב), וכן מבאר אחר כך במוסף הערוך שם:

מתנות כהונה

אקוביטין. כסא שיש לה סמיכות מכל לד, כך פירש הערוך: **ממחה.** גורף באלבע ואוכלו ודרש מחים לשון ממחה: **בורגין.** בית קטן בנין ערלי: **השני.** חביב בעיניו: **ולן שם.** ומשלן שם נודע שישיבת בורגן חביב בעיניו: הכי גרסינן בילקוט ובמדרש תהלים **למה הוא מתמה על העולה זאת תורת העולה הוא העולה כו'.** מפני שהעולה כולה כליל: **[ה] מתוקד בו.** האש היה נשרף ונתאכל מן המזבח, והמזבח היה שולט עליו: **גליד.** מגולד ומעובה: **גרדיון.** שם מקום: הכי גרסינן **אמר רבי שמעון בן לקיש אף מזבח הקטורת כן שנאמר וכו':** **מקטר.** דרש כמו מקטיר:

אשד הנחלים

אחד הסרת הרע, מפני שהיו להוטין אחר עבודת אלילים, ולכן יחד ה' בית לשמו, ויקריבו שמה קרבניהם ולא לאלילים, וכמו שאמרו במדרש (לקמן כב, ח), וכדעת הרב המורה [נבוכים] (ג, מו), והשני הוספת הטובה, מפני שעל ידי הקרבנות הם מורידים השפע מלמעלה, על ידי הכוונה הרצויה, וזהו ערב לו יותר, ולכן אמר שיערב לו כימי הבל, שאז לא היה עבודת אלילים, ולא היה הכוונה בהסרת הרע לבד, כי אם בעשה טוב: **התחיל ממחה כו'.** בילקוט פנחס (רמז תשעו) הגירסא תבשיל הראשון ואכלו וערב לו, הכניסו תבשיל שני והתחיל ממחה בקערה (הרב מוהר"ז הנ"ל). ודרש עולות מחים מלשון ממחה, שכל כך ערב לו כביכול עד שהוא ממחה, כלומר שהוא מקבל ברצון מאוד בשלימות, ואף ששם מחים הוא מלשון מוח, שהוא דבר השמן, מכל מקום נכלל גם זה, להיות הדבר השמן נדבק מאוד בקערה: **שהוא מתמה.** בילקוט כאן הגרסא למה מתמה, ובילקוט פנחס הגירסא למה מתנה, ובפסיקתא רבתי (פרשה טז את קרבני לחמי סימן ז) למה מתני, וגירסת הילקוט פנחס והפסיקתא עיקר. ופירושו שמקשה למה שונה וחוזר עוד הפעם היא העולה, וענין בפני עצמו הוא וצריך עיון (הגהת הרב מוהר"ז מהוראדנא). ולי נראה דפירושו במה שחוזר ושונה זאת תורת העולה היא העולה, מוכח שחביבה היא. ומה שמוכיח שהעולה כולה כליל לאישים, הוא מן הפשט הכתוב שהיא תהא כל הלילה, בכדי שתוקד בשלימות, אי נמי כמו שאומר להלן, עליו אין כתיב כאן, כי אם בו, דמשמע שלא ישאר מאומה ממנו, כי אם כליל לאישים. ודברי ר' נחמיה הוא דרש אחר על הפסוק עצו לא נשרף, ופירושו בדרך רבותא אף שאש על המזבח תוקד בו, עם כל זה איננו נישרף, כי הוא שולט על האש ולא האש עליו, וכן מבשל הכלי דלהלן פירושו מחזקו ומתקנו.

מסורת המדרש

ד. פסיקתא רבתי פ' ט"ז. ילקוט סדר לו וסדר פינחס:

אם למקרא

עֹלוֹת מֵחִים אַעֲלֶה לָּךְ עִם קְטֹרֶת אֵילִים אֶעֱשֶׂה בָקָר עִם עַתּוּדִים סֶלָה: (תהלים סו:טו)

וְעָשִׂיתָ מִזְבֵּחַ מִקְטַר קְטֹרֶת עֲצֵי שִׁטִּים תַּעֲשֶׂה אֹתוֹ: (שמות ל:א)

שינוי נוסחאות

(ד) כך במה שהוא מתמה על העולה. בד"ר ובד' ונציא ובדפוס וילהרמסדארף איתא "מתנה על העולה", וכן הניח ביפ"ת (וכן הוא נוסח הילקוט תהלים), ובמ"כ הביא מילקוט "למה הוא מתמה", ומשם שינו המדפיסים לכתוב "מתמה" בספרינו (גם בכי' איתא "מתמהיה"): זאת תורת העלה היא העלה ... על המזבח כל הלילה עד הבקר, מכאן שהעולה כולה כליל לאישים. המילים "מכאן שהעולה כולה כליל לאישים" קצת קשות. ובד' וילהרמסדארף ובד' וארשא המילים האלו נספחות לפיסקא הבאה. וביפ"ת הגיה "מכאן דשל ישראל ערב לו ביותר". ובמ"כ (וגם ביפ"ת) הביא לשון הילקוט (בתהילים), "מפני שהעולה כולה כליל לאישים":

אמרי יושר

זאת תורת העולה. מיעוט, זו היא התשובה, לא אותה שעברה עד עכשיו, וזהו תשמרו אתם, אותה העשוייה בהר סיני התביבה: **[ה] דינר גרדיון.** תרגום ירושלמי מן (גרד) [גרר], גרדיקי (וכ"ה לעיל במדרש רבה בראשית נג ד, סד ג, דגרר הוא גרדיקי): **הבשר היה מבשל את הכלי.** ואם כן הכלי מתבשל, וכל מתבשל נשאר קיים, ואם כן כלי הבקר נשארו קיימים בהם:

חידושי הרש"ש

משל למלך שהיה מהלך במדבר וכו' כך במה שהוא מתמה על העולה. הוא נגד מה שאמר במשל ולן שם: **[ה] קרוב למאה ושש עשרה שנה כו'.** היינו שלושים ותשע במדבר, ארבע עשרה בגלגל, שלש עשרה בנוב, חמישים בגבעון, כי בשילה היה מזבח אבנים, עיין זבחים (ס"א, ב) (ו"ר). ואע"ג דלא חשיב שם (קיח, ב) לנוב וגבעון רק חמישים ושבע שנה, היינו עד תחילת בנין שלמה, וכי חסרת שנה ראשונה בשבע שני הבנין, שכבר נחשבה בהחמישים ושבע שנה כמבואר שם, יהיה החשבון מכוון. וכן המפרש לדברי הימים המכונה בשם רש"י, לא חשב שם (ב, כד, ז) משך ימי הבנין רק שש שנים, משום [ש]השנה ראשונה כבר חשב בארבע שני מלכותו עיין שם: **תני בשם ר' נחמיה וכו' אם תאמר דהיה גלד.** פירש המתנות כהונה מגולד ומעובה. ובראש השנה (כז, ב) גרדו והעמידו על גלדו, ופירש רש"י גלד דק, וביומא (מד, ב) בכל יום היתה גלדה עבה והיום כך (פירש רש"י דק): **תני בשם רבי הושעיה בעובי דינר גרדיין.** עיין מה שכתבתי בסדר נשא פרשה יב, סימן ד ד"ה דינר:

באור מהרי"פ

מתנות כהונה ד"ה אקוביטון וכו' כך פירש הערוך (ערך קבטין). ור' בנימין מוספיא פירש ערך אקוביטן, וזה לשונו אקוביטן פירוש בלשון רומי מסב מוכן לאכול בו, והיה מנהג קדמונים לאכול מוסבים ואינם יושבים בכסא עד כאן: **הכניסו וכו'.** הכי גרסינן הכניסו לו תבשיל הראשון ואכלו והיה ערב לו, הכניסו לו תבשיל השני ואכל וערב לו, והתחיל ממחה בקערה כך וכו': **כך במה שהוא מתנה וכו'.** הכי גרסינן כך במה שהוא מתנה על העולה זאת תורת העולה וגו' כל הלילה עד הבוקר, מכאן של ישראל ערב לו ביותר, ומה שאמר מכאן שכל העולה כולה כליל לאשים, דרש אחריתי הוא מזאת תורת העולה היא העולה על מוקדה וגו':

תְּנִי בְּשֵׁם רַבִּי הוֹשַׁעְיָה — **it was taught in** another Baraisa **in the name of R' Hoshayah:** כְּעוֹבִי דִּינָר גָּרְדְּיוֹן הָיָה בּוֹ — **[The copper]** of the Altar **had** only **the thickness of a Gordian** ***dinar.***[99]

To this point, the Midrash has been discussing the Courtyard Altar, the Altar upon which the various offerings were brought. The Midrash now cites an exposition showing a similar phenomenon regarding the Tabernacle's other Altar:

אָמַר רַבִּי שִׁמְעוֹן בֶּן לָקִישׁ — **R' Shimon ben Lakish said:** אַף מִזְבֵּחַ הַקְּטוֹרֶת כֵּן — **Even the Incense Altar was such,**[100] שֶׁנֶּאֱמַר "וְעָשִׂיתָ מִזְבֵּחַ מִקְטַר קְטֹרֶת" — **as [Scripture] states,** ***You shall make an Altar on which to bring incense up in smoke*** (*Exodus* 30:1). "מִתְקַטֵּר בִּקְטֹרֶת" אֵין כְּתִיב כָּאן — **It is not written here,** "you shall make an Altar ***"miskater"*** [מִתְקַטֵּר] **with incense,"**[101] אֶלָּא "מִקְטַר קְטֹרֶת" — **rather** it is written, *you shall make an Altar* ***"miktar"*** [מִקְטַר] ***incense,*** הַמִּזְבֵּחַ הָיָה מַקְטִיר אֶת הַקְּטֹרֶת — implying that **the Altar** itself **caused the incense to go up in smoke** [מַקְטִיר].[102]

NOTES

99. I.e., the *dinar* coin of a Roman emperor of that name (*Radal* and *Eitz Yosef,* citing *Mussaf HeAruch*) [probably Gordian III, who reigned from 238-244 C.E.]. Alternatively, the coin derived its name from the country or region in which it was used (*Matnos Kehunah*).

100. I.e., its wood was miraculously aflame.

101. Which would mean that the Altar would be acted upon by the smoke of incense.

102. The Midrash is interpreting מִקְטַר as equivalent to מַקְטִיר (*Matnos Kehunah*). The verse then is implying that the Altar *itself* acts as a heat source causing the incense to go up in smoke, viz., there is a fire aflame within the Altar itself (*Yefeh To'ar, Eitz Yosef*).

רַבִּי אָבִין אָמַר תַּרְתֵּי, רַבִּי אָבִין אָמַר: מָשָׁל לְמֶלֶךְ שֶׁהָיָה מֵיסַב עַל אַקּוּבִיטוֹן שֶׁלּוֹ, הִכְנִיסוּ לוֹ תַּבְשִׁיל הָרִאשׁוֹן וַאֲכָלוֹ וְהָיָה עָרֵב לוֹ, הִתְחִיל מְמַחֶה בַּקְּעָרָה, כָּךְ (תהלים סו, טו) "עוֹלוֹת מֵיחִים אַעֲלֶה", כָּזֶה שֶׁהוּא מְמַחֶה בַּקְּעָרָה, רַבִּי אָבִין אָמַר חוֹרִי, רַבִּי אָבִין אָמַר: מָשָׁל לְמֶלֶךְ שֶׁהָיָה מְהַלֵּךְ בַּמִּדְבָּר, הִגִּיעַ לְבוּרְגִּין הָרִאשׁוֹן וְאָכַל שָׁם וְשָׁתָה שָׁם, וְהִגִּיעַ לְבוּרְגִּין הַשֵּׁנִי אָכַל שָׁם וְשָׁתָה שָׁם וְלָן שָׁם, כָּךְ בַּמֶּה שֶׁהוּא ° מִתַּמֵּהַּ עַל הָעוֹלָה, "זֹאת תּוֹרַת הָעֹלָה הִוא הָעֹלָה ... עַל הַמִּזְבֵּחַ כָּל הַלַּיְלָה עַד הַבֹּקֶר", מִכָּאן שֶׁהָעוֹלָה כּוּלָּהּ כָּלִיל לָאִשִּׁים:

ה [ו, ב] "וְאֵשׁ הַמִּזְבֵּחַ תּוּקַד בּוֹ", אָמַר רַבִּי פִּנְחָס: "וְאֵשׁ הַמִּזְבֵּחַ תּוּקַד עָלָיו" אֵין כְּתִיב כָּאן, אֶלָּא "תּוּקַד בּוֹ", הָאֵשׁ הָיְתָה מִתּוֹקֶדֶת בּוֹ, תָּנֵי בְּשֵׁם רַבִּי נְחֶמְיָה: קָרוֹב לְמֵאָה וְשֵׁשׁ עֶשְׂרֵה שָׁנָה הָיְתָה הָאֵשׁ מִתּוֹקֶדֶת בּוֹ, עֵצוֹ לֹא נִשְׂרַף וּנְחָשְׁתּוֹ לֹא נִיתַּךְ, אִם תֹּאמַר דַּהֲוָה גֶּלֶד, תָּנֵי בְּשֵׁם רַבִּי הוֹשַׁעְיָה: כְּעוּבִי דִינַר גַּרְדִּיּוֹן הָיָה בּוֹ, אָמַר רַבִּי שִׁמְעוֹן בֶּן לָקִישׁ: אַף מִזְבַּח הַקְּטוֹרֶת כֵּן, שֶׁנֶּאֱמַר (שמות ל, א) "וְעָשִׂיתָ מִזְבֵּחַ מִקְטַר קְטֹרֶת", "מִתְקַטֵּר בִּקְטֹרֶת" אֵין כְּתִיב כָּאן, אֶלָּא "מִקְטַר קְטֹרֶת", הַמִּזְבֵּחַ הָיָה מַקְטִיר אֶת הַקְּטֹרֶת,

עץ יוסף

קרבנותיהם ולא לעבודה זרה, וכמו שאמרו בתנחומא (ויקרא כב, ח) וכדעת הרב המורה (ח"ג פל"ב), והשני הוספת הטובה מפני שעל ידי הקרבנות הם מורידים השפע מלמעלה על ידי הכוונה הרצויה, וזהו ערב לו יותר, ולכן אמר שיערב לו כימי הבל שאז לא היה על זה ולא היה הכוונה בהסרת הרע לבד, כי אם בעשה טוב: **אקובטין.** כסא שיש לו סמיכות מכל לד (ערוך): **והיה ערב לו הכניסו לו תבשיל השני ואכלו והיה ערב לו והתחיל ממחה בקערה, כך עולות מחים.** כן לריך לומר. ורלה לומר מדממחה בקערה התבשיל השני, פירוש שגורף באלבע ואוכלו, ראיה גדולה שהתבשיל השני ערב לו ביותר, כך אמר דוד בשם ישראל עולות מחים אעלה לך, ודרש מחים לשון ממחה, רלה לומר שקרבנותינו יהיו ערבים עליך יותר משל נח (יפה תואר): **לבורגנין.** סוכות שומרי הטיר: **ולן שם.** ולריך לומר שהיה בענין שהיה יכול ללון גם בראשונה, כגון שהיו שניהם במקום אחד: **במה שהוא מתמה על העולה.** בפסיקתא (את קרבני לחמי פרק ג) ובילקוט פרשת פנחס (תשעו) הגירסא במה שהוא מתנה על העולה, ופירוש ממה שחזר ושנה עליו כמה פעמים: **עד הבוקר מכאן דשל ישראל הוא ערב לו ביותר.** כן לריך לומר (יפה תואר). ואם תאמר ומנלן דבנח לא הוכשר כן, יש לומר מדכתיב היא העולה דריש למעוטי בימי נח. ואחר זה לריך להיות **מכאן שהעולה כולה כליל לאשים.** והוא ענין בפני עלמו, וכאשר רשמתי פה בפירוש מסם ואילך לסימן בפני עלמו: **(ה) מכאן שהעולה בו.** מדכתיב על מוקדה למימר שתשרף לגמרי על האש דהיינו לשון מוקדה, לאפוקי שלא יסתפק במה שתעשה כלי ואחר כך יטלנו בעת הדשן: **עליו אין כתיב כן.** שאם לא היה האש נאחז בו אין לומר רק עליו, דבו משמע שנאחזה הבער בו, להכי פירש שהמזבח היה מתוקד באש, כלומר שהאש נאחז בו כאילו הוא מתוקד, וזה כדי להראות מעשה נסים כדמסיק בשם רבי נחמיה: **קרוב למאה ושש עשרה שנה.** כתב היפה תואר לא ידעתי טעם החשבון עיין שם, והרד"ל בפירושו לפרקי דרבי אליעזר (פרק נג) כתב שלריך לומר קרוב למאה ועשר שנה [כמנין וקד מן תיבת תוקד], והן שלשים ותשע של מדבר, וארבע עשרה גלגל, וחמשים ושבע נוב וגבעון, שהיו בהם האש במזבח הנחושת של משה, אבל בבית עולמים, וכן בשילה, היו של אבנים כדאיתא בזבחים (סא, ב) עיין שם: **גלד.** טבה. פירש מוסף הערוך דינר מטבע של גורדיאנוס קיסר: **המזבח היה מקטיר את הקטרת.** שהאש היה נאחז במזבח ועל ידי זה הוא היה שורף הקטורת ומעלה עשנו.

פירוש מהרז"ו

על אקובטין. על פת בגו ושלחט. עיין בפסיקתא שם ובפירושי: **ואבלו והיה ערב לו.** הכוונה והכניסו לו השני ואכלו והיה ערב לו, וסמך עלמו על משכן במשל, ועל כל פנים לריך להגיה תיבת וכו': **התחיל ממחה בקערה.** כמו שכתוב כאן על מוקדה על המזבח כל הלילה עד הבוקר, שלא ישאר ממנה כלום, ועל כן נקראת עולת מחים, וזהו כוונת דוד במה שכתב (תהלים סו, טו) עולות מחים אעלה לך, (שלא נטעה לפרש כמו שכתוב וחרבות מחים דשם פירושו מחים רשעים). ועיין מה שכתב לקמן (ח, ג): **(ה) מתוקד בו.** שהמזבח היה מבעיר האש ושולט עליו, שאש היה שולט במזבח היה מכלה אותו, בהבערתו תמיד, ובפרט הען שתחת הנחושת, עיין תנחומא (תרומה סימן יא) באריכות בדרך נפלא, ולזה כוונו התוספות בסוף חגיגה (כז, א ד"ה שאין בו), אך דברי התנחומא במזבח הטולה לבד:

חידושי הרד"ל

תבשיל הראשון ואבלו ערב לו התחיל ממחה כו'. זהו העולה שהוא קרבן הראשון בתורה, וממחה בקערה שמלותה כולה כליל (ומפני שעיקרה על הרהור הלב, וקרויה דורון [לעיל ה, ו מלך שכבדו בדורון]): **במה שהוא מתנה על העולה כו'.** כן הוא בפסיקתא, ובילקוט פרשת פנחס, וכן לריך לומר. פירוש ממה שחזר ושנה עליו כמה פעמים: **מכאן שהעולה בליל.** אפשר לריך לומר מפני שהעולה כליל: [ה] **קרוב לקט"ו שנה.** בפירוש לפרקי דרבי אליעזר פרק נג באר תי בסייעתא דשמיא שלריך לומר קרב למאה ועשרה שנים, (כמנין וקד מן תיבת תוקד), והן שלשים ותשע של מדבר וארבע עשרה [של] גלגל וחמשים ושבע [של] נוב וגבעון, שהיו בהם האש במזבח הנחושת של משה, אבל בבית עולמים, וכן בשילה, היו של אבנים כדאיתא בזבחים (סא, ב) עיין שם: **תני בשם רבי הושעיא בעובי דינר כו'.** בשלהי חגיגה מייתי לה במזבח הזהב (ועיין שם בירושלמי), ואפשר כאן נמי גרסינן להאי קושיא, אם תימר דהוי גלד כו' עד גרדיון היו בו. להלן אחר מימריה דריש לקיש במזבח הקטורת: **דינר גרדיון.** פירש מוסף הערוך דינר מטבע של גורדיאנוס קיסר, ונראה שזהו דינרא קורדינא (שבזבולון כד, ב), וכן מבואר אחר כך במוסף הערוך שם:

חידושי הרש"ש

משל למלך שהיה מהלך במדבר וכו' כך במה שהוא מתמה על העולה. הוא נגד מה שאמר במשל ולן שם: [ה] **קרוב למאה ושש עשרה שנה כו'.** היינו שלושים ותשע במדבר, ארבע עשרה בגלגל, שלש עשרה בנוב, חמשים בגבעון, כי בשילה היה מזבח אבנים, עיין זבחים (ס"א, ב) (ד"ר, והא"ג דלא חשיב סם (קיח, ב) לנוב וגבעון רק חמשים ושבע שנה, היינו עד תחלת בנין שלמה, וכי חשבת שנה ראשונה בשבע שני הבנין, שכבר נחשבה בהחמשים ושבע שנה כמבואר שם, יהיה החשבון מכוון. וכן המפרש לדברי הימים המכונה בשם רש"י, לא חשב שם (ב, כד, ז) משך ימי הבנין רק שש שנים, משום [ש]השנה ראשונה כבר חשב בארבע שני מלכותו עיין שם: **תני בשם ר' נחמיה וכו' אם תאמר דהיה גלד.** פירש המתנות כהונה מגולד ומעובה. ובראש השנה (כז, ב) גרדו והעמידו על גלדו, ופירש רש"י גלד דק, וביומא (מד, ב) בכל יום היתה גלדה עבה והיום רך (פירש רש"י דק): **תני בשם רבי הושעיה בעובי דינר גרדיין.** עיין מה שכתבתי בסדר נשא פרשה יב, סימן ד ד"ה דינר:

מתנות כהונה

אקובטין. כסא שיש לה סמיכות מכל לד, כך פירש הערוך: **ממחה.** גורף באלבע ואוכלו ודרש מחים לשון ממחה: **בורגין.** בית קטן בנין ערלי: **השני.** חביב בעיניו: **ולן שם.** ומשלן שם נודע שישיבת בורגן חביב בעיניו: הכי גרסינן בילקוט ובמדרש תהלים **למה הוא מתמה על העולה זאת תורת העולה הוא העולה בו'.** מפני שהעולה כולה כליל: **[ה] מתוקד בו.** האש היה נשרף ונתאכל מן המזבח, והמזבח היה שולט עליו: **גליד.** מגולד ומעובה: **גרדיון.** שם מקום: הכי גרסינן **אמר רבי שמעון בן לקיש אף מזבח הקטורת כן שנאמר וכו': מקטר.** דרש כמו מקטיר:

אשד הנחלים

אחד הסרת הרע, מפני שהיו להוטין אחר עבודת אלילים, ולכן יחד ה' בית לשמו, ויקריבו שמה קרבניהם ולא לאלילים, וכמו שאמרו במדרש (לקמן כב, ח), וכדעת הרב המורה [נבוכים] (ג, מו), והשני הוספת הטובה, מפני שעל ידי הקרבנות הם מורידים השפע מלמעלה, על ידי הכוונה הרצויה, וזהו ערב לו יותר, ולכן אמר שיערב לו כימי הבל, שאז לא היה עבודת אלילים, ולא היה הכוונה בהסרת הרע לבד, כי אם בעשה טוב: **התחיל ממחה כו'.** בילקוט פנחס (רמז תשעו) הגירסא תבשיל הראשון ואכלו וערב לו, הכניסו תבשיל שני והתחיל ממחה בקערה (הרב מוהר"ז הנ"ל). ודרש עולות מחים מלשון ממחה, שכל כך ערב לו כביכול עד שהוא ממחה, כלומר שהוא מקבל ברצון מאוד בשלימות, ואף ששם מחים הוא מלשון מוח, שהוא דבר השמן, מכל מקום נכלל גם זה, להיות הדבר השמן נדבק מאוד בקערה: **שהוא מתמה.** בילקוט כאן הגרסא למה מתמה, ובילקוט פנחס הגירסא למה מתנה, ובפסיקתא רבתי (פרשה טז את קרבני לחמי סימן ז) למה מתני, וגירסת הילקוט פנחס והפסיקתא עיקר. ופירושו שמקשה למה שונה וחוזר עוד הפעם היא העולה, וענין בפני עצמו הוא וצריך עיון (הגהת הרב מוהר"ז מהוראדנא). ולי נראה דפירושו במה שחוזר ושונה זאת תורת העולה היא העולה, מוכח שחביבה היא. ומה שמוכיח שהעולה כולה כליל לאישים, הוא מן הפשט הכתוב שהיא תהא כל הלילה, בכדי שתוקד בשלימות, אי נמי כמו שאומר להלן, עליו אין כתיב כאן, כי אם בו, דמשמע שלא ישאר מאומה ממנו, כי אם כליל לאישים. ודברי ר' נחמיה הוא דרש אחר על הפסוק עצו לא נשרף, ופירושו בדרך רבותא אף שאש על המזבח תוקד בו, עם כל זה איננו נישרף, כי הוא שולט על האש ולא האש עליו, וכן מבשל הכלי דלהלן פירושו מחזקו ומתקנו.

מסורת המדרש

ד. פסיקתא רבתי פ' ט"ז. ילקוט סדר לו וסדר פינחס:

אם למקרא

עֹלוֹת מֵחִים אַעֲלֶה לָּךְ עִם קְטֹרֶת אֵילִים אֶעֱשֶׂה בָקָר עִם עַתּוּדִים סֶלָה: (תהלים סו:טו)

וְעָשִׂיתָ מִזְבֵּחַ מִקְטַר קְטֹרֶת עֲצֵי שִׁטִּים תַּעֲשֶׂה אֹתוֹ: (שמות ל:א)

שינוי נוסחאות

(ד) **כך במה שהוא מתמה על העולה.** בד"ר ובד' ונציא ובדפוס וילהרמסדארף איתא "מתנה על העולה", וכן הניח ביפ"ת (וכן הוא נוסח ילקוט תהלים), ובמ"כ הביא מילקוט "למה הוא מתמה", ומשם שינו המדפיסים לכתוב "מתמה" בספרינו (גם בכי"י איתא "מתמיה"): **זאת תורת העלה היא העלה ... על המזבח כל הלילה עד הבקר, מכאן שהעולה כולה כליל לאישים.** המילים "מכאן שהעולה כולה כליל לאישים" קצת קשות. ובד' וילהרמסדארף ובד' וארשא המילים האלו נספחות לפיסקא הבאה. וביפ"ת הגיה "מכאן דשל ישראל ערב לו ביותר". ובמ"כ (וגם ביפ"ת) הביא לשון הילקוט (בתהילים), "מפני שהעולה כולה כליל לאישים":

אמרי יושר

זאת תורת העולה. מיעוט, זו היא החשובה, לא אותה שעברה עד עכשיו, וזהו תשמרו אתם, אותה העשוייה בהר סיני החביבה: **[ה] דינר גרדיון.** תרגום ירושלמי מן (גרד) [גרר], גרדיקי (וכ"ה לעיל במדרש רבה בראשית כב ד, סד ג, דגרר הוא גרדיקי): **הבשר היה מבשל את הכלי.** ואם כן הכלי מתבשל, וכל מתבשל נשאר קיים, ואם כן כלי הבקר נשארו קיימים בנס:

באור מהרי"פ

מתנות כהונה ד"ה אקוביטון וכו' כך פירש הערוך (ערך קבטין). ור' בנימין מוספיא פירש ערך אקוביטן, וזה לשונו אקוביטן פירוש בלשון רומי מסב מוכן לאכול בו, והיה מנהג קדמונים לאכול מוסבים ואינם יושבים בכסא עד כאן: **הכניסו וכו'.** הכי גרסינן הכניסו לו תבשיל הראשון ואכלו והיה ערב לו, הכניסו לו תבשיל השני ואכל וערב לו, והתחיל ממחה בקערה כך וכו': **כך במה שהוא מתנה וכו'.** הכי גרסינן כך במה שהוא מתנה על העולה זאת תורת העולה וגו' כל הלילה עד הבוקר, מכאן של ישראל ערב לו ביותר, ומה שאמר מכאן שכל העולה כולה כליל לאשים, דרש אחריתי הוא מזאת תורת העולה היא העולה על מוקדה וגו':

The Midrash notes that a similar phenomenon occurred elsewhere in Scripture:

וְרַב אָמַר — **And Rav said:** "וּבִכְלִי הַבָּקָר נִתְבַּשֵּׁל הַבָּשָׂר" אֵין כְּתִיב כָּאן — **It is not written here, "the meat was *"nisbashel"*** [נִתְבַּשֵּׁל] **with the oxen's implements,"**[103] אֶלָּא "וּבִכְלִי הַבָּקָר בִּשְּׁלָם הַבָּשָׂר" — **rather** it is written, ***with [regard to] the oxen's implements, the meat "bishlam"*** [בִּשְּׁלָם] (*I Kings* 19:21), הַבָּשָׂר הָיָה מְבַשֵּׁל אֶת הַכֵּלִי — meaning that **the meat cooked the** oxen's **implements.**[104]

§6 The Midrash interprets our verse as alluding to a principle of Divine retribution:

אָמַר רַבִּי לֵוִי — **R' Levi said:** נִימוּס קְלוּסִים הוּא שֶׁכָּל הַמִּתְגָּאֶה אֵינוֹ נִידּוֹן אֶלָּא בָּאֵשׁ — **It is a praiseworthy rule that whoever becomes haughty is punished specifically by** means of **fire,** שֶׁנֶּאֱמַר "הִיא הָעֹלָה עַל מוֹקְדָה" — **as [the verse] states, *that which rises up*** [הָעֹלָה] ***is on the flame.***[105]

The Midrash offers an illustration of this principle:

דּוֹר הַמַּבּוּל עַל יְדֵי שֶׁנִּתְגָּאוּ וְאָמְרוּ — **Since the Generation of the Flood became haughty and said,** "מַה שַׁדַּי כִּי נַעַבְדֶנּוּ וְגוֹ'" — ***"What is the Almighty that we should serve Him?*** *What will we gain if we pray to Him?"* (*Job* 21:15),[106] לֹא נִדּוֹנוּ אֶלָּא בָּאֵשׁ — **they were punished specifically by** means of **fire,** שֶׁנֶּאֱמַר "בְּעֵת יְזֹרְבוּ נִצְמָתוּ" — **as [Scripture] states: *When they were showered, they shriveled up*** [נִצְמָתוּ]; *in the heat they were eliminated from their place* (ibid. 6:17).[107] אָמַר רַבִּי יְהוֹשֻׁעַ בֶּן לֵוִי: זְרִיבָתָן לַחֲלוּטִין הָיְתָה — **R' Yehoshua ben Levi commented** parenthetically: **Their showering was** one of **permanent** destruction, כְּמָא דְאַתְּ אָמַר "לַצְּמִיתֻת לַקֹּנֶה" — for the word *nitzmasu* [נִצְמָתוּ] connotes permanence, **as it is stated,** *then the home . . . shall pass **in perpetuity*** [לַצְּמִיתֻת] ***to the one who purchased it,*** *for his generations* (*Leviticus* 25:30).[108] "בְּחֻמּוֹ נִדְעֲכוּ מִמְּקוֹמָם" — Now, the verse states, ***In the heat they were eliminated from their place;*** מַהוּ "בְּחֻמּוֹ" — **what is** meant by, ***in the heat?*** בְּרוֹתְחִין — **In boiling water.**[109] אָמַר רַבִּי יוֹחָנָן — Similarly, **R' Yochanan said:** כָּל טִיפָּה וְטִיפָּה שֶׁהָיָה הַקָּדוֹשׁ בָּרוּךְ הוּא מֵבִיא עַל דּוֹר הַמַּבּוּל הָיָה מַרְתִּיחַ בְּתוֹךְ גֵּיהִנֹּם — **Each and every drop** of water **that the Holy One, blessed is He, brought upon the Generation of the Flood, He boiled first in Gehinnom;** הֲדָא הוּא דִכְתִיב "בְּחֻמּוֹ נִדְעֲכוּ מִמְּקוֹמָם" — **thus it is written, *In the heat they were eliminated from their place.***[110]

The Midrash presents several more illustrations:

סְדוֹמִיִּים עַל יְדֵי שֶׁנִּתְגָּאוּ וְאָמְרוּ — **Since the Sodomites became haughty and said,** נְשַׁכַּח אֶת הָרֶגֶל מִבֵּינֵינוּ — **"Let us cause** the **feet** of wayfarers **to be forgotten from among us,"**[111]

NOTES

103. When Elijah summoned Elisha to join him as his disciple Elisha was in the midst of plowing with twelve pairs of oxen. In celebration of his new role, Elisha slaughtered the oxen and distributed the meat among the people who had accompanied him. Had the verse stated, וּבִכְלִי הַבָּקָר נִתְבַּשֵּׁל הַבָּשָׂר, it would have meant that the meat was cooked with the fire made from burning the oxen's implements.

104. The meat supernaturally aided in drying out the wood (see *Shabbos* 74b), allowing it to burn better and thus speeding the cooking process (*Matnos Kehunah, Maharzu*). [I.e., the meat became hot on its own, to such an extent that the roles were reversed, and rather than being heated by the burning wood, it was the meat that heated the wood.] *Eitz Yosef* suggests that the meat itself ignited the implements, without need for any external fire. [See *Maharzu* and *Eitz Yosef* for a discussion of the purpose of this miracle.]

105. The Hebrew term עֹלָה literally means, "ascending," or "rising." The Midrash homiletically interprets הָעֹלָה in our verse as referring to one who is haughty, who raises himself in his own mind above the other people around him. The Midrash considers this rule praiseworthy, for since fire is the most exalted of the four elements it is appropriate that one who views himself as exalted is punished by means of fire (*Eitz Yosef*). For an alternative explanation, see Insight Ⓐ.

[*Yefeh To'ar* (s.v. סדומיים) notes that despite this rule, at times God deems other punishments to be more appropriate.]

106. In their pride they saw themselves as the masters of their own good fortune and they denied their dependence upon God (*Eitz Yosef*). Unspecified references to the wicked in *Job* are interpreted as referring to the Generation of the Flood; see *Bereishis Rabbah* 26 §7 (*Maharzu* to *Bereishis Rabbah* 28 §9), see also *Sanhedrin* 108a-b.

107. The proof that the Generation of the Flood were punished by fire is from the end of the verse, which indicates that rather than drowning in the water, they were destroyed by heat, as the Midrash explains below. See also *Midrash Tanchuma, Tzav* §2 (*Maharzu;* see *Matnos Kehunah* for an alternative understanding).

108. Accordingly, those who were killed by the Flood suffered permanent death and will not be restored to life in the future at the time of the revivification; see *Yerushalmi Sanhedrin* 10:3 (*Yefeh To'ar,* second explanation). See also *Bereishis Rabbah* 28 §9.

[Our translation of R' Yehoshua ben Levi's exposition follows *Yefeh To'ar;* see *Matnos Kehunah* and *Eitz Yosef* for a variation of this approach. Alternatively, לַחֲלוּטִין means, "scalding"; see *Pesachim* 37b. R' Yehoshua ben Levi would then be saying that the water that showered upon them was scalding, as indicated by the word נִצְמָתוּ. Although לַצְּמִיתֻת in *Leviticus* 25:30 does not mean "scalding," R' Yehoshua ben Levi is basing his interpretation on the Aramaic translation of *Onkelos* there, which is לַחֲלוּטִין, arguing that here too נִצְמָתוּ means לַחֲלוּטִין, although in the sense of "scalding" rather than of "perpetuity." Following this approach, the Midrash is adducing evidence that the Generation of the Flood were from the beginning of the verse, as interpreted by R' Yehoshua ben Levi. See *Yefeh To'ar* to *Bereishis Rabbah* 28 §9.]

109. That is, the waters of the Flood were boiling hot and the people killed in the Flood were in fact scalded to death. Since it was the heat that killed them it is deemed that that they were punished by fire, as befits those who are haughty.

110. *Matnos Kehunah* suggests that חֻמּוֹ, with the ו suffix, could be translated as, "His heat," i.e., God's heat, meaning the heat of Gehinnom. See also *Eshed HaNechalim*.

111. I.e., let us prevent wayfarers from entering our city; see *Sanhedrin* 109a. The Sodomites' lack of hospitality stemmed from haughtiness;

INSIGHTS

Ⓐ **Fiery Pride** God's punishments are *measure for measure;* they correspond to the sins that necessitated them (*Sanhedrin* 90a). Why is *fire* singled out as the vehicle through which the *haughty* are punished?

HaDerush VeHalyun (*Maamar* §42) notes that there is a fascinating dichotomy with regard to the trait of גַּאֲוָה, *haughtiness.* On the one hand, haughtiness is a destructive attribute that can bring a person to the worst of sins. And yet, on the other hand, an utter lack of any feelings of personal greatness is also improper. One who truly feels he is unworthy of achieving greatness will not find it within himself to stand on and for principle and do what he must do as a Jew and as a human being. As the Gemara (*Sotah* 5a) states regarding haughtiness, בְּשַׁמְתָּא דְּאִית בֵּיהּ וּבְשַׁמְתָּא דְּלֵית בֵּיהּ, *In excommunication is one who possesses it and in excommunication is one who does not possess it.* A balance must be struck so that one protects himself from the pernicious effects of haughtiness while simultaneously remaining cognizant of his immeasurable self-worth. Only then will he flourish and reach his full potential. [There is a saying that one must keep two notes with him at all times: one that says בִּשְׁבִילִי נִבְרָא הָעוֹלָם, *the world was created for my sake,* and another that says וְאָנֹכִי עָפָר וָאֵפֶר, *I am but dust and ashes.*]

Fire is one of the necessities of human existence. Fire is essential in the preparation of food, the manufacture of many goods, and the operation of many forms of machinery. But fire also poses one of the greatest dangers to man. Woe to the person who allows the fire he is using productively to overstep its carefully constructed bounds. A moment of carelessness can unleash a firestorm of unimaginable devastation!

One who is haughty improperly and with impure intent has allowed a powerful force for good that is within him to run amok; his slave has become his master. It is fitting retribution that fire, which is meant to serve him and produce so much good, should erupt and consume and destroy.

ורב אמר: "ובכלי הבקר נתבשל הבשר" אין כתיב כאן, אלא (מלכים-א יט, כא) "ובכלי הבקר בשלם הבשר", הבשר היה מבשל את הכלי:

ו אמר רבי לוי: נימוס קלוסים הוא, שכל המתגאה האינו נידון אלא באש, שנאמר "היא העלה על מוקדה", דור המבול על ידי שנתגאו ואמרו (איוב כא, טו) "מה שדי כי נעבדנו וגו'" לא נדונו אלא באש, שנאמר (שם ו, יז) "בעת יזרבו נצמתו", אמר רבי יהושע בן לוי: זריבתן לחלוטין היתה, כמא דאת אמר (ויקרא כה, ל) "לצמיתת לקנה", (איוב שם שם) "בחמו נדעכו ממקומם", מהו "בחמו", ברותחין, אמר רבי יוחנן: כל טיפה וטיפה שהיה הקדוש ברוך הוא מביא על דור המבול היה מרתיח בתוך גיהנם, הדא הוא דכתיב "בחמו נדעכו ממקומם", סדומיים על ידי שנתגאו ואמרו: נשכח את הרגל מבינינו, כמה דכתיב (שם כח, ד) "פרץ נחל מעם גר וגו'", לא נידונו אלא באש, (בראשית יט, כד) "וה' המטיר על סדם", פרעה הרשע על ידי שנתגאה ואמר: (שמות ה, ב) "מי ה' אשר אשמע בקלו" לא נדון אלא באש, (שם ט, כד) "ויהי ברד ואש מתלקחת וגו'", סיסרא הרשע על ידי שנתגאה ולחץ את ישראל

עץ יוסף

הבשר היה מבשל את הכלי. אין להקשות מה בישול שייך בעצים, שכבר היו נשלקים באש, דאפשר שהנס היה שמבלי שישים אש על גבי הבשר היו העצים דולקים, ולשון בישול בעצים כדאמרינן בשבת (עד, ב) האי מאן דשדי סיכתא לאתונא חייב משום מבשל. וטעם הנס הזה להראות כי נכון הדבר מאת האלהים שידבק אלישע באליהו להיות מבני הנביאים, שעל שמחה זו הכין אלישע זה הזבח: הבשר היה מבשל את הכלי. קשה לפירוש זה, דכלי לשון יחיד, ובשלם לשון רבים, ואפילו תימא דכלי הבקר הוא שם המין ורצה לומר כלי מחרישה של כל צמדי בקריו, קשה ומאי ובכלי, וכלי מבעי ליה, מאחר שהכלי הוא הפעול (יפה תואר): (ו) נימוס היה וקלוסין שכל. כן הוא הנוסחא במדרש שטעם פירוש היפה תואר. ופירש היפה תואר נימוס פירוש חק ומשפט חרוץ היה על הראשונים כדמפרש ואזיל. וקלוסין פירוש וגזירה היא על האחרונים עד כאן לשונו. אבל במדרשים שלפנינו הגירסא נימוס קלוסים הוא שכל כו', ויש לפרש נימוס וחוק קבוע וראוי לקלס נימוס כזה, כי הוא נימוס ראוי מאד שכל המתגאה כו': שכל המתגאה כו'. טעם מאמר זה לכאן משום דקמפרש היא העולה על מוקדה בענין זה שכל העולה את עצמו סופו להיות מוקד באש וכדאיתא בתנחומא (סימן ב). ודורש כן משום שהיה די שיאמר זאת תורת העולה על מוקדה ואמר היא העולה, לומר שהעולה ומתגאה דינו להיות על מוקדה באש נשפט. ומכל מקום אין זה אלא דרשא בעלמא, ופשטא דקרא משתעי בקרבן עולה, והפשט והדרש שייכי אהדדי, והיינו כדאמרינן דעולה מכפרת על הרהור הלב, וכן פגם הגאוה אינו אלא בהרהור הלב ותקונו על ידי העולה. ואף על גב דבשאר עוונות אמרינן דמחשבה רעה אינה מצטרפת למעשה, עון גאוה שאני לפי שנמשל לעבודה זרה כדאיתא בפרק קמא דסוטה (ד, ב), וקא מיין (קידושין מ, א) דבעבודה זרה מחשבה רעה מצטרפת למעשה דעלה כתיב (יחזקאל יד, ה) למען תפוש את ישראל בלבם (נזיר הקודש): אלא באש. הטעם לפי שהאש גאה על שאר היסודות ישפטו מדה כנגד מדה: לא נדונו אלא באש. אף על פי שלא נחתם גזר דינן אלא על הגזל, הנה גם כן נתגלגל עליהם עון הגאוה לידון אותם באש, דסבר שהרבה עליהם אש גם כן לגאותנים, או מים חמים ביותר מרותחין מסלדין היו, וזהו (איוב כב, כ) ויתרם אכלה אש, רצה לומר אותם שהיו יתרים ביתר שאת ויתר עוז גאוה, אכלה אש ממש, או מים מסלדים ביותר, דאי משום שחטאו ברותחין די היה שיהיו המים חמין אבל לא מסלדים שגופן נכוה בהם כאש [דענין שכבת זרע שחטאו בה לא חשיב כל כך רותחין] אלא שהיה זה לסיבת הגאוה, וזה שאמר ויתרם אכלה אש: ואמרו מה שדי כו'. וזה מרוב הגיאות שבלבם שעל ידי זה שכחו העיקר: זריבתן לחלוטין היתה. מפרש יזורבו לשון חמימות, והכי קאמר זריבתם, פירוש שריפתם לחלוטין היתה כמה דאת אמר לצמיתות ותרגום אונקלוס לחלוטין, וכלומר שריפה גמורה מן אש של גיהנם, שאש שלנו אינו אלא חלק ממנו, ובו קבלו עונשן, ועיין מה שכתבתי עוד בבראשית רבה (כח, ט): סדומיים. שהיתה שבעת לחם כדכתיב (יחזקאל טז, מט) גאון שבעת לחם, ומרוב עשרם נתגאו שלא להחזיק ביד עני ואביון, ואמרו נשכח תורת הרגל כדלעיל (ד, א), שלא נחשב אנוש אצלם מאומה, לכן נידונו

פירוש מהרז"ו

בשלם הבשר. שניתן כח בבשר, שעזר שיבש לו העצים של כלי הבקר מהרה, לכבוד אליהו ולאלישע שלא לעכבם: (ו) נימוס קלוסים. חוק ומנהג מהולל היא העולה, המדה שעולה ומתגאה על מוקדה, תידון בשרפת אש: זריבתן לחלוטין היתה. בראשית רבה (כח, ט) ושם נסמן ומבואר, והראיה מסיפא דקרא, בחומו נדעכו ממקומם, וכמו שכתוב פרקי דרבי אליעזר (פרק כב), אל תקרי בחומו אלא בחמימות, שבחומו פירוש בכח חמתו נדעכו, אם כן לא פירש איך היה ענשם, ובתורה מפורש שנדונו במים, והיה לו לומר במים נדעכו, על כן דורש שבתיבת בחומו מרומז איך נדונו במים, שלא מתו מטביעת מים, אלא מרתיחות וחמימות המים, שנתבשלו ונשלקו. ועיין תנחומא כאן (סימן ג): פרץ נחל מעם גר. וסיפא דקרא הנשכחים מני רגל, שפרצו הרגלם שלא יבא שם רגל אדם אחר, והענין מדבר שם בסדום, כמו שכתוב בפסוק שלאחריו (איוב כח, ה) ארץ ממנה יצא לחם ותחתיה נהפך כמו אש בחלמיש שלא ידו הפך משורש

חידושי הרד"ל

בשלם הבשר הבשר היה מבשל כו'. כן צריך לומר, ולשון בשלם הבשר דקרא, דרש: [ו] שכל המתגאה כו'. שוחר טוב (מזמור יח), ועיין תנחומא כאן שמביא בכל אלו מקראות שכתוב בהן לשון עליה, רצה לומר שעלה וגבה לבם למעלה: זריבתן לחלוטין. בראשית רבה פרשה כ"ח:

באור מהרי"פ

[ו] מתנות כהונה ד"ה אלא באש וכו' דרך סימן שרפים וגו'. פירוש אותן האנשים המתגאים ועומדים למעלה ממדרגתם, וזהו ממעל לו, שרפים, פירוש המה נשרפים:

אמרי יושר

[ו] אינו נידון אלא באש. זהו היא העולה, ונפש גאה, על מוקדה דינה, כי כן עולה ומתגאה כאש, וביחוד דרשה רמז לאדום הרשעה: מרתיחה בגיהנם. זהו בחומו של גיהנם נדעכו. או דייק לה ממקומם שהוא גיהנם, שזהו מקומם של רשעים ותחתותם:

מסורת המדרש

ה. ילקוט ש"ב רמז קס"ח:
ו. ירושלמי פ' חלק:

אם למקרא

וַיָּשָׁב מֵאַחֲרָיו וַיִּקַּח אֶת צֶמֶד הַבָּקָר וַיִּזְבָּחֵהוּ וּבִכְלִי הַבָּקָר בִּשְּׁלָם הַבָּשָׂר וַיִּתֵּן לָעָם וַיֹּאכֵלוּ וַיָּקָם וַיֵּלֶךְ אַחֲרֵי אֵלִיָּהוּ וַיְשָׁרְתֵהוּ: (מלכים א יט:כא)

מַה שַּׁדַּי כִּי נַעַבְדֶנּוּ וּמַה נּוֹעִיל כִּי נִפְגַּע בּוֹ: (איוב כא:טו)

בְּעֵת יְזֹרְבוּ נִצְמָתוּ בְּחֻמּוֹ נִדְעֲכוּ מִמְּקוֹמָם: (שם ו:יז)

וְאִם לֹא יִגָּאֵל עַד מְלֹאת לוֹ שָׁנָה תְמִימָה וְקָם הַבַּיִת אֲשֶׁר בָּעִיר אֲשֶׁר לוֹ חֹמָה לַצְּמִיתֻת לַקֹּנֶה אֹתוֹ לְדֹרֹתָיו לֹא יֵצֵא בַּיֹּבֵל: (ויקרא כה:ל)

פָּרַץ נַחַל מֵעִם גָּר הַנִּשְׁכָּחִים מִנִּי רָגֶל דַּלּוּ מֵאֱנוֹשׁ נָעוּ: (איוב כח:ד)

וַה' הִמְטִיר עַל סְדֹם וְעַל עֲמֹרָה גָּפְרִית וָאֵשׁ מֵאֵת ה' מִן הַשָּׁמָיִם: (בראשית יט:כד)

וַיֹּאמֶר פַּרְעֹה מִי ה' אֲשֶׁר אֶשְׁמַע בְּקֹלוֹ לְשַׁלַּח אֶת יִשְׂרָאֵל לֹא יָדַעְתִּי אֶת ה' וְגַם אֶת יִשְׂרָאֵל לֹא אֲשַׁלֵּחַ: (שמות ה:ב)

וַיְהִי בָרָד וְאֵשׁ מִתְלַקַּחַת בְּתוֹךְ הַבָּרָד כָּבֵד מְאֹד אֲשֶׁר לֹא הָיָה כָמֹהוּ בְּכָל אֶרֶץ מִצְרַיִם מֵאָז הָיְתָה לְגוֹי: (שם ט:כד)

מתנות כהונה

הכי גרסינן בבלי הבקר בשלם. הבשר מבשל את הכלי. כלומר מתקנו ומחזקו: [ו] הכי גרסינן בילקוט נימוס קילוסין. פירוש נימוס חק שראוי לקלסו: הכי גרסינן אלא באש שנאמר הוא על מוקדה. דריש העולה לשון גאות, שעולה בדעתו להתגאות על כל, ונאמר בו דרך סימן, שרפים עומדים ממעל לו (ישעיה ו, ב): הכי גרסינן שנאמר בעת יזורבו: זריבה. לשון שריפת אש: לחלוטין. כלומר לשריפה גמורה: בחומו. משמע בחומו של הקב"ה, וזהו הגיהנם:

אשד הנחלים

ועל דרך הציור להיות שהאש היה יורד מלמעלה והמזבח מלמטה, והיה מקום לומר שעיקר התיקון בהקרבן היא האש שלמעלה, לזה באו להסביר לנו ההיפך, שהאש היה נכלה ולא היה מכלה להמזבח, ואם כן היה המזבח עיקר, כי המזבח הוא מעשה תחתונים והם המורידים השפע מלמעלה והמה הגורמים, ויהיה אם כן פירושו היא העולה על המזבח, כי היא העיקר, ואש המזבח תוקד על ידו, וכן בקטורת פירושו גם כן ככה, ואין להאריך: [ו] נימוס קלוסים. המתנות כהונה לא פירשו בזה. ולפי הענין פירושו הוא נימוס וחוק קבוע, וראוי לקלס נימוס כזה, כי הוא נימוס ראוי מאוד, שכל המתגאה ומחשב עצמו ליש ועצמי, ושוכח כי הוא מקויים על ידי השגחת ה' ברוך הוא, ואין לו קיום בעצמו זולת ההשגחה, אז נדון באש שמכלה אותו לאין גמור, שידע כי הוא אינו יש בפני עצמו. ודרש היא העולה, על ידי שעולה את עצמו ומגביה, לכן יהיה על מוקדה. ועל דרך הציור להיות הקרבן היא לזכירת הנפש הבהמית, לדעת מזה כי היא כאין, ושתמסור נפשה למען כבוד ה', ויעלה בלבו כאלו הוא נשרף כליל לה', וזה מכפר על גבהות הלב שהיה מחשיב בלבו כדבר ממש: מה שדי. וזה מרוב הגיאות שבלבו, שעל ידי זה שוכח העיקר: לחלוטין. שם חליטה הונח על דבר הנכלה מכל וכל ושאינו נשאר מאומה, שלא ידומה כי נזרבו ונשרפו, אבל הגוף נשאר קיים, כי אם שלא נשאר מהם מאומה: בתוך הגיהנם. ידוע מאמרם ז"ל (ברכות נז, ב), שאש שלנו הוא חלק משישים מגיהנם של מעלה, וכחו לכלות אף היסודות כולם עד שישובו לאין גמור, לא כמו האש שלנו שמחזיר רק ליסודותיהם, כי אין בכח האש לכלות יסוד העפר והאויר, אבל האש שלמעלה שורף בשלימות, ולכן כתיב בחומו בוי"ו, הכינוי להורות שלא על חום שלנו מדבר, כי אם בחום שלמעלה, ולכן נדעכו ונקמצו ממקומם שלא נשאר מהם מאומה רק אין גמור: נשכח את הרגל. כלומר שלא יבוא אורח להסתפח

כְּמָה דִכְתִיב "פָּרַץ נַחַל מֵעִם גָּר וְגוֹ'" — as it is written, *A river bursts forth from its normal flow, to where feet are unknown* (Job 28:4),[112] לֹא נִידּוֹנוּ אֶלָּא בָאֵשׁ — they were punished specifically by means of fire, "וַה' הִמְטִיר עַל סְדֹם" — as stated in the verse, ***Now HASHEM had caused*** *sulfur and fire* ***to rain upon Sodom*** *and Gomorrah* (Genesis 19:24). פַּרְעֹה הָרָשָׁע עַל יְדֵי שֶׁנִּתְגָּאָה וְאָמַר — Since the wicked Pharaoh became haughty and said, "מִי ה' אֲשֶׁר אֶשְׁמַע בְּקֹלוֹ" — ***"Who is HASHEM that I should heed His voice?"*** (*Exodus* 5:2), לֹא נִדּוֹן אֶלָּא בָאֵשׁ — he was punished specifically by means of fire, "וַיְהִי בָרָד וְאֵשׁ מִתְלַקַּחַת וְגוֹ'" — as stated in the verse, ***There was hail, and fire flaming*** *amid the hail* (ibid. 9:24).[113]

The Midrash discusses other arrogant enemies of the Jews who suffered retribution through fire:

סִיסְרָא הָרָשָׁע עַל יְדֵי שֶׁנִּתְגָּאָה וְלָחַץ אֶת יִשְׂרָאֵל — **The wicked Sisera** was similarly punished **since he became haughty and oppressed Israel,**

NOTES

they considered other people insignificant and hence unworthy of their assistance (*Eitz Yosef*). [See also above, 4 §1 (at note 23).]

112. A reference to the celestial stream of fire and sulfur that burst forth upon Sodom, where feet of wayfarers had become unknown; see *Rashi* ad loc. The verse thereby indicates that it was due to their policy of inhospitality that the Sodomites were punished. [The Sages interpret this passage as discussing Sodom; see above, 4 §1 and 5 §2, see also *Sanhedrin* 109a and *Bereishis Rabbah* 51 §4.]

113. Pharaoh suffered many punishments in the course of the ten plagues, for he was guilty of many sins. The Midrash means that the fire in the plague of hail was in response to his haughtiness (*Yefeh To'ar* s.v. דור המבול).

חידושי הרד"ל

בשלם הבשר הבשר היה מבשל כו'. כן צריך לומר, ולשון בשלם הבשר דקרא, דרש: [ו] שכל המתגאה כו'. שוחר טוב (מזמור יח). ועיין תנחומא כאן שמביא בכל אלו מקראות שכתוב בהן לשון עליה, רצה לומר שעלה וגבה לבם למעלה: זריבתן לחלוטין. בראשית רבה פרשה כ"ח:

באור מהרי"פ

[ו] מתנות כהונה ד"ה אלא באש וכו' דרך סימן שרפים וגו'. פירוש אותן האנשים המתגאים ועומדים למעלה ממדרגתם, וזהו ממעל לו, שרפים, פירוש המה כשרפים:

אמרי יושר

[ו] אינו נדון אלא באש. זהו היא העולה, ונפש גאה, על מוקדה דייקא, כי כאש, ובייחוד דרשו רמז לאדום הרשעה: מרתיחה בגיהנם. זהו בחומו של גיהנם נדעכו. או דייק לה ממקומם שהוא גיהנם, שזהו מקומם של רשעים ותחתיהם:

עץ יוסף

הבשר היה מבשל את הכלי. אין להקשות מה בישול שייך בעליס, שבבשר היו נשלקים באש, דאפשר שהגם היה שמבלי שישים אש על גבי הבשר היו העליס דולקים, ולשון בישול בעליס כדאמרינן בשבת (עד, ב) האי מאן דשדי סיכתא לאתונא חייב משום מבשל. וטעם הנס הזה להראות כי נכון הדבר מאת האלהים שידבק אלישע באליהו להיות מבני הנביאים, שעל שמחה זו הכין אלישע זה הזבח: הבשר היה מבשל את הכלי. קשה לפירוש זה, דכלי לשון יחיד, ובשלם לשון רבים, ואפילו תימא דכלי הבקר הוא שם המין ורצה לומר כלי מחרישה של כל צמדי בקריו, קשה ומאי ובכלי, וכלי מבעי ליה, מאחר שהכלי הוא הפעול (יפה תואר): (ו) נימוס היה וקלוסין שכל. כן הוא הנוסחא במדרש שעם פירוש היפה תואר. ופירש היפה תואר נימוס פירוש חק ומשפט תרגום היה על הראשונים כדמפרש ואזיל. וקלוסין פירוש וגזירה היא על האחרונים עד כאן לשונו. אבל במדרשים שלפנינו הגירסא נימוס קלוסים הוא שכל כו', ויש לפרש נימוס וחוק קבוע וראוי לקלס נימוס כזה, כי הוא נימוס ראוי מאד שכל המתגאה כו': שכל המתגאה כו'. טעם מאמר זה לכאן משום דקמפרש היא העולה על מוקדה בענין זה שכל העולה את עצמו סופו להיות מוקד באש וכדאיתא בתנחומא (סימן ג). ודורש כן משום שהיה די שיאמר זאת תורת העולה על מוקדה ואמר היא העולה, לומר שהעולה ומתגאה דינו להיות על מוקדה באש נשפט. ומכל מקום אין זה אלא דרשא בעלמא, ופשטא דקרא משתעי בקרבן עולה, והפשט והדרש שייכי אהדדי, והיינו כדאמרינן דעולה מכפרת על הרהור הלב, וכן פגם הגאוה אינו אלא בהרהור הלב ותקונו על ידי העולה. ואף על גב דבשאר עונות אמרינן דמחשבה רעה אינה מצטרפת למעשה, עון גאוה שאני לפי שמשל לעבודה זרה כדאיתא בפרק קמא דסוטה (ד, ב), ונקטינן (קידושין מ, א) דבעבודה זרה מחשבה רעה מצטרפת למעשה דעלה כתיב (יחזקאל יד, ה) למען תפוש את ישראל בלבם (נזר הקודש): אלא באש. הטעם לפי שהגאה גאה על שאר היסודות ישפטו מדה כנגד מדה: לא נדונו אלא באש. אף על פי שלא נחתם גזר דינן אלא על הגזל, הנה גם כן נתגלגל עליהם עון הגאוה לידון אותם באש, דסבר שהרבה עליהם אש גם כן לגאותנים, או מים חמים ביותר מרותחין מסלדין היו, וזהו (איוב כב, כ) ויתרם אכלה אש, רצה לומר אותם שהיו יתרים ביתר שאת ויתר עוז גאוה, אכלה אש ממש, או מים מסלדים ביותר, דאי משום שחטאו ברותחין די היה שיהיו המים חמין אבל לא מסלדים שגופן נכוה בהם כאש [דענין שכבת זרע שחטאו בה לא חשיב כל כך רותחין] אלא שהיה זה לסיבת הגאוה, וזה שאמר ויתרם אכלה אש: ואמרו מה שדי כו'. וזה מרוב הגיאות שבלבם שעל ידי זה שכחו העיקר: זריבתן לחלוטין היתה. מפרש יזורבו לשון חמימות, והכי קאמר זריבתם, פירוש שריפתם לחלוטין היתה כמה דאת אמר לצמיתות ותרגום אונקלוס לחלוטין, וכלומר שריפה גמורה מן אש של גיהנם, שאש שלנו אינו אלא חלק ממנו, ובו קבלו עונשן, ועיין מה שכתבתי עוד בבראשית רבה (כח, ט): סדומיים. שהיתה שבעת לחם כדכתיב (יחזקאל טז, מט) גאון שבעת לחם, ומרוב עשרתם נתגאו שלא להחזיק ביד עני ואביון, ואמרו נשכח תורת הרגל כדלעיל (ד, א), שלא נתחשב אנוש אצלם מאומה, לכן נידונו

מדרש

וְרַב אָמַר: "וּבִכְלִי הַבָּקָר נִתְבַּשֵּׁל הַבָּשָׂר" אֵין כְּתִיב כָּאן, אֶלָּא (מלכים-א יט, כא) "וּבִכְלִי הַבָּקָר בִּשְּׁלָם הַבָּשָׂר", הַבָּשָׂר הָיָה מְבַשֵּׁל אֶת הַכְּלִי:

ו אָמַר רַבִּי לֵוִי: נִימוּס קְלוּסִים הוּא, שֶׁכָּל הַמִּתְגָּאֶה אֵינוֹ נִידּוֹן אֶלָּא בָּאֵשׁ, שֶׁנֶּאֱמַר "הִיא הָעֹלָה עַל מוֹקְדָה", דּוֹר הַמַּבּוּל עַל יְדֵי שֶׁנִּתְגָּאוּ וְאָמְרוּ (איוב כא, טו) "מַה שַּׁדַּי כִּי נַעַבְדֶנּוּ וְגוֹ'" לֹא נִדּוֹנוּ אֶלָּא בָּאֵשׁ, שֶׁנֶּאֱמַר (שם ו, יז) "בְּעֵת יְזֹרְבוּ נִצְמָתוּ", אָמַר רַבִּי יְהוֹשֻׁעַ בֶּן לֵוִי: זְרִיבָתָן לַחֲלוּטִין הָיְתָה, כְּמָא דְּאַתְּ אָמַר (ויקרא כה, ל) "לַצְּמִיתֻת לַקֹּנֶה", (איוב שם שם) "בְּחֻמּוֹ נִדְעֲכוּ מִמְּקוֹמָם", מַהוּ "בְּחֻמּוֹ", בְּרוֹתְחִין, אָמַר רַבִּי יוֹחָנָן: כָּל טִיפָּה וְטִיפָּה שֶׁהָיָה הַקָּדוֹשׁ בָּרוּךְ הוּא מֵבִיא עַל דּוֹר הַמַּבּוּל הָיָה מַרְתִּיחַ בְּתוֹךְ גֵּיהִנָּם, הֲדָא הוּא דִכְתִיב "בְּחֻמּוֹ נִדְעֲכוּ מִמְּקוֹמָם", סְדוֹמִיִּים עַל יְדֵי שֶׁנִּתְגָּאוּ וְאָמְרוּ: נְשַׁכַּח אֶת הָרֶגֶל מִבֵּינֵינוּ, כְּמָה דִכְתִיב (שם כח, ד) "פָּרַץ נַחַל מֵעִם גָּר וְגוֹ'", לֹא נִדּוֹנוּ אֶלָּא בָּאֵשׁ, (בראשית יט, כד) "וַה' הִמְטִיר עַל סְדֹם", פַּרְעֹה הָרָשָׁע עַל יְדֵי שֶׁנִּתְגָּאָה וְאָמַר: (שמות ה, ב) "מִי ה' אֲשֶׁר אֶשְׁמַע בְּקֹלוֹ" לֹא נִדּוֹן אֶלָּא בָּאֵשׁ, (שם ט, כד) "וַיְהִי בָרָד וְאֵשׁ מִתְלַקַּחַת וְגוֹ'", סִיסְרָא הָרָשָׁע עַל יְדֵי שֶׁנִּתְגָּאָה וְלָחַץ אֶת יִשְׂרָאֵל

פירוש מהרז"ו

בשלם הבשר. שניתן כח בבשר, שמהר שיבש לו העליס של כלי הבקר מהרה, לכבוד אליהו ואלישע שלא לעכבם: (ו) נימוס קלוסים. חוק ומנהג מהולל היא העולה, המדה שעולה ומתגאה על מוקדה, תידון בשרפת אש: זריבתן לחלוטין היתה. בראשית רבה (כח, ט) ושם נסמן ומבואר, והראיה מסיפא דקרא, בחומו נדעכו ממקומם, וכמו שכתוב בפרקי דרבי אליעזר (פרק כב), אל תקרי בחומו אלא בחמימות, שבחומו פירוש בכח חמתו נדעכו, אם כן לא פירש איך היה ענשם, ובתורה מפורש שנדונו במים, והיה לו לומר במים נדעכו, על כן דורש שבחמימות בחומו מרומז איך נדונו במים, שלא מתו מטביעת מים, אלא מרתיחות וחמימות המים, שנתבשלו ונשלקו. ועיין תנחומא כאן (סימן ג): פרץ נחל מעם גר. וסיפא דקרא הנשכחים מני רגל, שפרצו ארחם שלא יבא שם רגל אדם אחר, והענין מדבר שם בסדום, כמו שכתוב בפסוק שלאחריו (איוב כח, ה) ארץ ממנה יצא לחם ותחתיה נהפך כמו אש בהלחמים שלא ידו הפך משורש

מסורת המדרש

ה. ילקוט ש"ב רמז קס"ה.
ו. ירושלמי פ' חלק.

אם למקרא

וַיָּשָׁב מֵאַחֲרָיו וַיִּקַּח אֶת צֶמֶד הַבָּקָר וַיִּזְבָּחֵהוּ וּבִכְלִי הַבָּקָר בִּשְּׁלָם הַבָּשָׂר וַיִּתֵּן לָעָם וַיֹּאכֵלוּ וַיָּקָם וַיֵּלֶךְ אַחֲרֵי אֵלִיָּהוּ וַיְשָׁרְתֵהוּ: (מלכים א יט:כא)

מַה שַּׁדַּי כִּי נַעַבְדֶנּוּ וּמַה נּוֹעִיל כִּי נִפְגַּע בּוֹ: (איוב כא:טו)

בְּעֵת יְזֹרְבוּ נִצְמָתוּ בְּחֻמּוֹ נִדְעֲכוּ מִמְּקוֹמָם: (שם ו:יז)

וְאִם לֹא יִגָּאֵל עַד מְלֹאת לוֹ שָׁנָה תְמִימָה וְקָם הַבַּיִת אֲשֶׁר בָּעִיר אֲשֶׁר לוֹ חֹמָה לַצְּמִיתֻת לַקֹּנֶה אֹתוֹ לְדֹרֹתָיו לֹא יֵצֵא בַּיֹּבֵל: (ויקרא כה:ל)

פָּרַץ נַחַל מֵעִם גָּר הַנִּשְׁכָּחִים מִנִּי רָגֶל דַּלּוּ מֵאֱנוֹשׁ נָעוּ: (איוב כח:ד)

וַה' הִמְטִיר עַל סְדֹם וְעַל עֲמֹרָה גָּפְרִית וָאֵשׁ מֵאֵת ה' מִן הַשָּׁמָיִם: (בראשית יט:כד)

וַיֹּאמֶר פַּרְעֹה מִי ה' אֲשֶׁר אֶשְׁמַע בְּקֹלוֹ לְשַׁלַּח אֶת יִשְׂרָאֵל לֹא יָדַעְתִּי אֶת ה' וְגַם אֶת יִשְׂרָאֵל לֹא אֲשַׁלֵּחַ: (שמות ה:ב)

וַיְהִי בָרָד וְאֵשׁ מִתְלַקַּחַת בְּתוֹךְ הַבָּרָד כָּבֵד מְאֹד אֲשֶׁר לֹא הָיָה כָמֹהוּ בְּכָל אֶרֶץ מִצְרַיִם מֵאָז הָיְתָה לְגוֹי: (שם ט:כד)

מתנות כהונה

הכי גרסינן בבלי הבקר בשלם. הבשר מבשל את הכלי. כלומר מתקנו ומחזקו: [ו] הכי גרסינן בילקוט נימוס קילוסין. פירוש נימוס חק שראוי לקלסו: הכי גרסינן אלא באש שנאמר הוא על מוקדה. דריש העולה לשון גאות, שעולה בדעתו להתגאות על כל, ונאמר בו דרך סימן, שרפים עומדים ממעל לו (ישעיה ו, ב): הכי גרסינן שנאמר בעת יזורבו: זריבה. לשון שריפת אש: לחלוטין. כלומר לשריפה גמורה: בחומו. משמע בחומו של הקב"ה, וזהו הגיהנם:

אשר הנחלים

ועל דרך הציור להיות שהאש היה יורד מלמעלה והמזבח מלמטה, והיה מקום לומר שעיקר התיקון בהקרבן היא האש שלמעלה, לזה באו להסביר לנו ההיפך, שהאש היה נכלה ולא היה מכלה להמזבח, ואם כן היה המזבח עיקר, כי המזבח הוא מעשה תחתונים והם המורידים השפע מלמעלה והמה הגורמים, ויהיה אם כן פירושו היא העולה על המזבח, כי היא העיקר, ואש המזבח תוקד על ידו, וכן בקטורת פירושו גם כן ככה, ואין להאריך: [ו] נימוס קלוסים. המתנות כהונה לא פירש בזה. ולפי הענין פירושו הוא נימוס וחוק קבוע, וראוי לקלס נימוס כזה, כי הוא נימוס ראוי מאוד, שכל המתגאה ומחשב עצמו ליש ועצמי, ושוכח כי הוא מקויים על ידי השגחת ה' ברוך הוא, ואין לו קיום בעצמו זולת ההשגחה, אז נדון באש שמכלה אותו לאין גמור, שידע כי הוא אינו יש בפני עצמו. ודרש היא העולה, על ידי שעולה את עצמו ומגביה, לכן יהיה על מוקדה. ועל דרך הציור להיות הקרבן היא לזכירת הנפש הבהמית, לדעת מזה כי היא כאין, ושתמסור נפשה למען כבוד ה', ויעלה בלבו כאלו הוא נשרף כליל לה', וזה מכפר על גבהות הלב שהיה מחשיב בלבו כדבר ממש: מה שדי. וזה מרוב הגיאות שבלבם, שעל ידי זה שוכח העיקר: לחלוטין. שם חליטה הונח על דבר הנכלה מכל וכל ושאינו נשאר מאומה, שלא ידומה כי נזרבו ונשרפו, אבל הגוף נשאר קיים, כי אם שלא נשאר מהם מאומה: בתוך הגיהנם. ידוע מאמרם ז"ל (ברכות נז, ב), שאש שלנו הוא חלק מששים מגיהנם של מעלה, וכחו לכלות אף היסודות כולם עד שישובו לאין גמור, לא כמו האש שלנו שמחזיר רק ליסודותיהם, כי אין בכח האש לכלות יסוד העפר והאויר, אבל האש שלמעלה שורף בשלימות, ולכן כתיב בחומו בוי"ו, הכינוי להורות שלא על חום שלנו מדבר, כי אם בחום שלמעלה, ולכן נדעכו ונקמצו ממקומם שלא נשאר מהם מאומה רק אין גמור: נשכח את הרגל. כלומר שלא יבוא אורח להסתפח

כְּמָה דִכְתִיב "וְהוּא לָחַץ אֶת בְּנֵי יִשְׂרָאֵל בְּחָזְקָה" — **as it is written,** ***and he oppressed the Children of Israel harshly*** (*Judges* 4:3). מַהוּ "בְּחָזְקָה" — **What is** the connotation of ***harshly?*** אָמַר רַבִּי יִצְחָק: בְּחֵירוּפִין וּבְגִידוּפִין — **R' Yitzchak said:** It means that he oppressed them **with insults and invectives.**[114] לֹא נִדּוֹן אֶלָּא בָאֵשׁ — Accordingly, **[Sisera] was punished specifically by** means of **fire,** "הַכּוֹכָבִים מִמְּסִלּוֹתָם נִלְחֲמוּ וְגוֹ׳" — as stated in the verse, ***The very stars from their orbits did battle*** *with Sisera* (ibid. 5:20).[115] סַנְחֵרִיב עַל יְדֵי שֶׁנִּתְגָּאָה וְאָמַר — Likewise, **since Sennacherib became haughty and said,** "מִי בְּכָל אֱלֹהֵי הָאֲרָצוֹת וְגוֹ׳" — **"*Which among all the gods of the lands*** *saved their land from my hand, that HASHEM should save Jerusalem from my hand?"* (*Isaiah* 36:20), לֹא נִידּוֹן אֶלָּא בָאֵשׁ — **he was punished specifically by** means of **fire,** "וְתַחַת כְּבֹדוֹ יֵקַד יְקֹד וְגוֹ׳" — as stated in the verse, ***And instead of his glory a burning will burn*** *like a blaze of fire* (ibid. 10:16).[116] נְבוּכַדְנֶצַּר עַל יְדֵי שֶׁנִּתְגָּאָה וְאָמַר — Furthermore, **since Nebuchadnezzar became haughty and said** to Shadrach, Meshach, and Abed-nego, "וּמַן הוּא אֱלָהּ דִּי יְשֵׁיזְבִנְכוֹן מִן יְדָי" — ***"And who is the god who can save you from my hands?"*** (*Daniel* 3:15), לֹא נִידּוֹן אֶלָּא בָאֵשׁ — **he was punished specifically by** means of **fire,** "קַטִּל הִמּוֹן שְׁבִיבָא דִּי נוּרָא" — as stated in the verse, *those men who carried up Shadrach, Meshach, and Abed-nego* ***were killed by a flame of fire*** (ibid., v. 22).[117]

The Midrash argues that a similar fate will ultimately befall another enemy of Israel:

מַלְכוּת הָרְשָׁעָה עַל יְדֵי שֶׁהִיא מְחָרֶפֶת וּמְגַדֶּפֶת וְאוֹמֶרֶת — **Since the wicked kingdom,** i.e., Rome, **insults and blasphemes** God **and says,** "מִי לִי בַשָּׁמָיִם" — ***"Whom do I have in heaven?*** (*Psalms* 73:25),[118] אֵינָהּ נִידּוֹנִית אֶלָּא בָאֵשׁ — **it will be punished specifically by** means of **fire,** "חָזֵה הֲוֵית עַד דִּי קְטִילַת חֵיוְתָא וְהוּבַד גִּשְׁמַהּ וִיהִיבַת לִיקֵדַת אֶשָּׁא" — as stated in the verse, ***I watched until the beast was slain and its body was destroyed and consigned to a flame of fire*** (*Daniel* 7:11).[119]

In a concluding comment, the Midrash notes that fire plays a very different role with regard to the humble:

אֲבָל יִשְׂרָאֵל שֶׁהֵם נִבְזִין וּשְׁפָלִים בָּעוֹלָם הַזֶּה — **However,** the people of **Israel, who are degraded and lowly in this world,**[120] אֵינָן מִתְנַחֲמִין אֶלָּא בָאֵשׁ — **will be comforted specifically by** means **of fire,** שֶׁנֶּאֱמַר "וַאֲנִי אֶהְיֶה לָּהּ נְאֻם ה׳ חוֹמַת אֵשׁ סָבִיב" — as **[Scripture] states,** ***And I will be for it — the word of HASHEM — a wall of fire all around*** *and for glory will I be in its midst* (*Zechariah* 2:9).

NOTES

114. [Directed against them, or perhaps against God. Either way, Sisera's behavior constituted a display of arrogance.] In *Esther Rabbah* 5 §4, the Midrash derives that בְּחָזְקָה, *harshly,* refers to verbal abuse from the verse, חָזְקוּ עָלַי דִּבְרֵיכֶם, *Your words have become harsh against me* (*Malachi* 3:13); see also *Maharzu* and *Eitz Yosef.*

115. The stars are fiery; see *Devarim Rabbah* 1 §20 (*Maharzu*). According to *Pesachim* 118b, the stars descended from their orbits and created unbearable heat for Sisera's soldiers.

116. Referring to the celestial fire that would consume Sennacherib's army when he laid siege to Jerusalem; see *Rashi* and *Malbim* ad loc. Although Sennacherib himself survived (see *Isaiah* 37:37-38), the destruction through fire of his military might, the source of his pride, was an appropriate punishment for his haughtiness (*Yefeh To'ar* s.v. קטל המון שביבא די נורא).

117. The death of Nebuchadnezzar's servants — who were carrying out his command to throw Shadrach, Meshach, and Abed-nego into the furnace — was a humiliation and a punishment for Nebuchadnezzar himself (*Matnos Kehunah, Maharzu*). Additionally, according to *Shir HaShirim Rabbah* on *Song of Songs* 7:9 (7 §14 in Vagshal ed.), Nebuchadnezzar himself was partially burnt by the fire; see also *Midrash Tanchuma, Tzav* §2 (*Matnos Kehunah, Eitz Yosef*).

118. I.e., who in heaven rules over me? The Romans were denying that there is a God in heaven ruling over them. The Midrash is stylistically citing this phrase to express the Romans' blasphemous attitude. However, in the context of the verse, the phrase expresses the Psalmist's longing and desire for God Himself; see commentators ad loc. (*HaTirosh; Eitz Yosef* [Vagshal ed.] to 13 §5 below). For alternative approaches, see *Yefeh To'ar* and *Maharzu* here.

119. This beast, the fourth beast of Daniel's vision, represents Edom (below, 13 §5), i.e., Rome and its various successors, who are responsible for the destruction of the Second Temple and the long exile that has ensued. [It should be noted that the beginning of the verse there states explicitly that this punishment was a result of the מִלַּיָּא רַבְרְבָתָא, *the haughty words,* of the beast.]

120. That is, they view themselves as lowly and unworthy (*Eshed haNechalim*).

כְּמָה דִכְתִיב (שופטים ד, ג) "וְהוּא לָחַץ אֶת בְּנֵי יִשְׂרָאֵל בְּחָזְקָה", מַהוּ "בְּחָזְקָה", יאָמַר רַבִּי יִצְחָק: בְּחֵירוּפִין וּבְגִידוּפִין, לֹא נִדּוֹן אֶלָּא בָּאֵשׁ, (שם ה, כ) "הַכּוֹכָבִים מִמְּסִלּוֹתָם נִלְחֲמוּ וְגוֹ' ", סַנְחֵרִיב עַל יְדֵי שֶׁנִּתְגָּאָה וְאָמַר: (ישעיה לו, כ) "מִי בְּכָל אֱלֹהֵי הָאֲרָצוֹת וְגוֹ' ", לֹא נִידּוֹן אֶלָּא בָּאֵשׁ, (שם י, טז) "וְתַחַת כְּבֹדוֹ יֵקַד יְקֹד וְגוֹ' ", נְבוּכַדְנֶצַּר עַל יְדֵי שֶׁנִּתְגָּאָה וְאָמַר: (דניאל ג, טו) "וּמַן הוּא אֱלָהּ דִּי יְשֵׁיזְבִנְכוֹן מִן יְדָי", לֹא נִידּוֹן אֶלָּא בָּאֵשׁ, (שם שם כב) "קַטִּל הִמּוֹן שְׁבִיבָא דִּי נוּרָא", מַלְכוּת הָרְשָׁעָה עַל יְדֵי שֶׁהִיא מְחָרֶפֶת וּמְגַדֶּפֶת וְאוֹמֶרֶת: (תהלים עג, כה) "מִי לִי בַשָּׁמָיִם", אֵינָהּ נִידּוֹנִית אֶלָּא בָּאֵשׁ, (דניאל ז, יא) "חָזֵה הֲוֵית עַד דִּי קְטִילַת חֵיוְתָא וְהוּבַד גִּשְׁמַהּ וִיהִיבַת לִיקֵדַת אֶשָּׁא", אֲבָל יִשְׂרָאֵל שֶׁהֵם נִבְזִין וּשְׁפָלִים בָּעוֹלָם הַזֶּה אֵינָן מִתְנַחֲמִין אֶלָּא בָּאֵשׁ, שֶׁנֶּאֱמַר (זכריה ב, ט) "וַאֲנִי אֶהְיֶה לָּהּ נְאֻם ה' חוֹמַת אֵשׁ סָבִיב":

עץ יוסף

באש: **פרץ נחל מעם גר וגו'**. הנשכחים מני רגל. ופירש רש"י פרץ על סדום ועמורה נחלי אש וגפרית, מעם גר ממקום שהוא נובע וניגר, הנשכחים מני רגל, אלו אנשי סדום ששיכחו תורת רגלי אורחים מארצם: **בחרופין**. כמה דאת אמר (מלאכי ג, יג) חזקו עלי דבריכם: **ותחת כבודו כו'**. לפי זה המדרש כך פירושו, ותחת כבודו, שנתכבד ונתגאה לאמר אני עליתי מרום הרים, מי בכל אלהי הארצות כו', תחת זה ראוי ליענש באש יקד כיקוד אש, כי זה עונשם של הגאותנים. ואף על גב דקרא ותחת כבודו וגו' נאמר במיתת מחנהו ולא בו, מכל מקום על ידי מיתת מחניהו הורד גאותו: **קטל המון שביבא כו'**. וכדאיתא בתנחומא סדר זו (סימן ב) שגם נבוכדנצר נשרף חציו עיין שם: **אין מתנחמים אלא באש**. הוא אש שאוכלת ומכלה כל אישות שבעולם, הוא הקדוש ברוך הוא כמו שנאמר (דברים ד, כד) כי ה' אלהיך אש אוכלה הוא, והם אדוקים בו שנאמר (דברים ד, ד) ואתם הדבקים בה' אלהיכם וגו', ולזה מנחם אותם ואומר ואני אהיה לך חומת אש (ש"ך על התורה):

פירוש מהרז"ו

הרים, וכמו שכתוב בתורה (בראשית יט, כד) וה' המטיר על סדום וגו' גפרית ואש. עיין לעיל (ה, א): **בחירופין וגידופין**. כמו שכתב בתנחומא קדושים (סימן ג) בחזקה, בחירופין וגידופין, כמא דאת אמר (מלאכי ג, יג) חזקו עלו דבריכם, וכן הוא במדרש אסתר (ה, ד): **הכוכבים ממסלותם**. נלחמו עם סיסרא, והכוכבים הם של אש כמו שכתב דברים רבה (א, כ): **ותחת כבודו יקד יקוד**. כיקוד אש, ובריש הענין כתוב הוא אשור וגו' הוא סנחריב מלך אשור: **קטיל המון שביבא דנורא**. את הגבורים שהפילו לחנניה מישאל ועזריה לתוך כבשן האש, וזהו לבושתו וחרפתו של נבוכדנצר. ובתנחומא שם, ובשיר השירים רבה פסוק אמרתי אעלה בתמר, איתא שגם נבוכדנצר נשרף חציו באש אז: **מי לי בשמים**. ועמך לא חפצתי בארץ. הנה לפי פשוטו אמר אסף פסוק זה להלל את השם יתברך, מי לי בשמים עמך, ולמוד מסופו ועמך לא חפצתי בארץ, (פירוש לצרף עמך בעבודתי אחר אלא אותך לבדך), וכמו שכתב בהדיא בדברים רבה (ב, לב) בדרך המדות, אך חז"ל דקדקו משמעות המקרא לפי מה שכתוב, מי לי בשמים, שמשמע שאין לו בשמים, וכן עמך לא חפצתי בארץ, שאינו חפץ להיות עמם בארץ, שזה כפירה גמורה, על כרחינו שהרשעים אמרו כן, ועדיין צריך ביאור איך דורשים מלכות רמולים, על זה וכיוצא בו נאמר (משלי לא, יד) ממרחק תביא לחמה, כמו שכתב בפסיקתא (פרשה כג), והובא ילקוט תהלים (רמז תתפז) על פסוק שקודם לזה, בעלתך תנחני ואחר כבוד תקחני מי לי בשמים, אחר כבוד גדול שכיבד את הוריו אז תקחני, עיין מה שכתבתי שם בפירושי ותבין כאן, והיינו אחר מלכות רביעית שבדניאל אז תקחני, ועל כן דורשים גם פסוק הסמוך, מי לי בשמים, גם כן על הרביעית, ועל פי מדה ט' יחסר תיבת ואומרת, כאלו כתוב ואומרת מי לי בשמים, וכן הוא לקמן (יג, ה) עיין שם: **חזי הוית**. היינו בחיה רביעית שראה דניאל, וכל דרשה זו לפרש מה שכתוב היא העולה על מוקדה, שהמתגאה ועולה בלבו ישרף באש, ואם אינו ענין לקרבן עולה, שכבר כתוב זאת תורת העולה, תנהו ענין על פי מדת ממעל, על לשון גאוה והתעלות, וכמו שכתוב איכה רבה (פתיחה כ"ד) כי עלית כלך לגגות, אלו גסי הרוח: **אבל ישראל**. בא לחתום בנחמה:

מתנות כהונה

קטיל הימון. וזהו עונשו, כי עמיו היה וגם עונשו, ודי בזיון לו מה שאמר ראשונה מן הוא אלה די וגו', וגם הוא נשרף חציו. ועיין בתנחומא פרשה זו (סימן ב), ובמדרש חזית (שיר השירים רבה ז, ז):

אשד הנחלים

בתוכינו, וגם זה נובע ממקור הגיאות, שלא נחשב אנוש אצלם מאומה: **מהי בחזקה כו' בחירופין**. כי הלחץ הגופני יתכן לסבול, אבל לחץ הנפשי על ידי חירוף וגידוף זהו דבר חזק מאוד, שאין הנפש יכול לסבול ולשמוע חירוף וגידוף כלפי מעלה: **הכוכבים ממסלותם**. שכוחם מרוב מהירת הילוכם, מולידים חום גדול בעולם: **אינם מתנחמים אלא באש**. כלומר כמו ששם כינוי האש לרעה, הוא מורה על האבידה לגמרי, כן להיפוך לטובה, מורה על שמירה המעולה, שכל הנוגע בהם כמו שנוגע באש, וזהו שיהיה להם חומת אש, וכל זה מפני שהם שפלים ונבזים בעיני עצמם, על כן ההשגחה מזדקקת להם מאוד מאוד:

חידושי הרד"ל

נבוכדנצר כו' לא נידן אלא באש. עיין מתנות כהונה שגם הוא נשרף חציו, וכן הוא בתנחומא כאן, ועיין בשיר השירים רבה פ"ו פ"ז:

באור מהרי"פ

מתנות כהונה ד"ה קטיל הימון וכו'. ועיין בתנחומא פרשה זו (סימן ב). מבואר שנשרפו חצי מהעובדי כוכבים ממשלתם וגם גופו של נבוכדנצר נשרף חציו עיין שם:

מסורת המדרש

ז. אגדת שמואל פרק י"ג. שוח"ט מזמור ב':

אם למקרא

וַיִּצְעֲקוּ בְנֵי יִשְׂרָאֵל אֶל ה' כִּי תְּשַׁע מֵאוֹת רֶכֶב־בַּרְזֶל לוֹ וְהוּא לָחַץ אֶת בְּנֵי יִשְׂרָאֵל בְּחָזְקָה עֶשְׂרִים שָׁנָה: (שופטים ד:ג)

מִן שָׁמַיִם נִלְחָמוּ הַכּוֹכָבִים מִמְּסִלּוֹתָם נִלְחֲמוּ עִם סִיסְרָא: (שם ה:כ)

מִי בְּכָל אֱלֹהֵי הָאֲרָצוֹת הָאֵלֶּה אֲשֶׁר הִצִּילוּ אֶת אַרְצָם מִיָּדִי כִּי יַצִּיל ה' אֶת יְרוּשָׁלַםִ מִיָּדִי: (ישעיה לו:כ)

לָכֵן יְשַׁלַּח הָאָדוֹן ה' צְבָאוֹת בְּמִשְׁמַנָּיו רָזוֹן וְתַחַת כְּבֹדוֹ יֵקַד יְקֹד כִּיקוֹד אֵשׁ: (שם י:טז)

כְּעַן הֵן אִיתֵיכוֹן עֲתִידִין דִּי בְעִדָּנָא דִּי תִשְׁמְעוּן קָל קַרְנָא מַשְׁרוֹקִיתָא קַתְרֹס שַׂבְּכָא פְּסַנְתֵּרִין וְסוּמְפֹּנְיָה וְכֹל זְנֵי זְמָרָא תִּפְּלוּן וְתִסְגְּדוּן לְצַלְמָא דִי עַבְדֵת וְהֵן לָא תִסְגְּדוּן בַּהּ שַׁעֲתָה תִתְרְמוֹן לְגוֹא אַתּוּן נוּרָא יָקִדְתָּא וּמַן הוּא אֱלָהּ דִּי יְשֵׁיזְבִנְכוֹן מִן יְדָי: (דניאל ג:טו)

כָּל קֳבֵל דְּנָה מִן דִּי מִלַּת מַלְכָּא מַחְצְפָה וְאַתּוּנָא אֵזֵה יַתִּירָא גֻּבְרַיָּא אִלֵּךְ דִּי הַסִּקוּ לְשַׁדְרַךְ מֵישַׁךְ וַעֲבֵד נְגוֹ קַטִּל הִמּוֹן שְׁבִיבָא דִּי נוּרָא: (שם שם כב)

מִי־לִי בַשָּׁמָיִם וְעִמְּךָ לֹא־חָפַצְתִּי בָאָרֶץ: (תהלים עג:כה)

חָזֵה הֲוֵית בֵּאדַיִן מִן קָל מִלַּיָּא רַבְרְבָתָא דִּי קַרְנָא מְמַלֱּלָה חָזֵה הֲוֵית עַד דִּי קְטִילַת חֵיוְתָא וְהוּבַד גִּשְׁמַהּ וִיהִיבַת לִיקֵדַת אֶשָּׁא: (דניאל ז:יא)

וַאֲנִי אֶהְיֶה לָּהּ נְאֻם ה' חוֹמַת אֵשׁ סָבִיב וּלְכָבוֹד אֶהְיֶה בְתוֹכָהּ: (זכריה ב:ט)

Chapter 8

זֶה קָרְבַּן אַהֲרֹן וּבָנָיו אֲשֶׁר יַקְרִיבוּ לַה׳ בְּיוֹם הִמָּשַׁח אֹתוֹ עֲשִׂירִת הָאֵפָה סֹלֶת מִנְחָה תָּמִיד מַחֲצִיתָהּ בַּבֹּקֶר וּמַחֲצִיתָהּ בָּעָרֶב.
This is the offering of Aaron and his sons, which each shall offer to HASHEM on the day he is inaugurated: a tenth-ephah of fine flour as a continual meal-offering; half of it in the morning and half of it in the afternoon (6:13).

§1 **זֶה קָרְבַּן אַהֲרֹן וּבָנָיו** — *THIS IS THE OFFERING OF AARON AND HIS SONS.*

The word זֶה ("This") is generally used only when something unique is being described or pointed out. There does not appear to be anything unique about the offering described here; what, then, does Scripture intimate by writing *This?*[1] The Midrash cites and expounds on a verse in *Psalms,* ultimately relating it to this issue: רַבִּי לֵוִי פָּתַח "כִּי אֱלֹהִים שֹׁפֵט" — **R' Levi opened** his discourse on our verse by citing a verse from elsewhere (*Psalms* 75:8), ***For God is the Judge*** — *He lowers one person* (lit., *this*) *and raises another* (lit., *this*).

Before citing the explanation of this verse that relates to our passage in *Leviticus,* the Midrash cites another interpretation, recounting the anecdotal background of this exposition: מַטְרוֹנִיתָא שָׁאֲלָה אֶת רַבִּי יוֹסֵי בַּר חֲלַפְתָּא — A certain **matron** once **posed a question to R' Yose bar Chalafta.** אָמְרָה לוֹ: בְּכַמָּה יָמִים בָּרָא הַקָּדוֹשׁ בָּרוּךְ הוּא אֶת עוֹלָמוֹ — **She said to him, "In how many days did the Holy One, blessed is He, create His world?"**[2] אָמַר לָהּ: לְשֵׁשֶׁת יָמִים, דִּכְתִיב "כִּי שֵׁשֶׁת יָמִים עָשָׂה ה׳ אֶת הַשָּׁמַיִם וְגוֹ׳" — **[R' Yose] said to her, "In six days, as it is written, *for in six days HASHEM made the heavens*** *and the earth"* (*Exodus* 20:11). אָמְרָה לוֹ: וּמֵאוֹתָהּ שָׁעָה עַד עַכְשָׁיו מַהוּ יוֹשֵׁב וְעוֹשֶׂה — Thereupon **she said to him, "And from that time until now with what is He occupied?"**[3] אָמַר לָהּ: מְזַוֵּוג זִוּוּגִים — **[R' Yose] said to her, "He makes** marital **matches,** decreeing:[4] אִשְׁתּוֹ שֶׁל פְּלוֹנִי לִפְלוֹנִי — **The wife of So-and-so** is destined **for So-and-so,**[5] בִּתּוֹ שֶׁל פְּלוֹנִי לִפְלוֹנִי — **the daughter of So-and-so** is destined **for So-and-so,**[6] מָמוֹנוֹ שֶׁל פְּלוֹנִי לִפְלוֹנִי — **the money of So-and-so** is destined **for So-and-so."**[7] אָמְרָה לוֹ: הָדָא הוּא, אַף אֲנִי יְכוֹלָה לַעֲשׂוֹת כֵּן — **She said to him, "Is that all? Why, I can also do this!** כַּמָּה עֲבָדִים יֵשׁ לִי וְכַמָּה שְׁפָחוֹת יֵשׁ לִי וַאֲנִי יְכוֹלָה לְזַוְּוגָם בְּשָׁעָה אַחַת — **I have many slaves and many maidservants, and in a short time I can match them** together."[8] אָמַר לָהּ: אִם קַלָּה הִיא בְּעֵינַיִךְ קָשָׁה הִיא לִפְנֵי הַקָּדוֹשׁ בָּרוּךְ הוּא כִּקְרִיעַת יַם סוּף — **[R' Yose] said to her, "Although it seems easy in your eyes,** know that **it is as difficult before the Holy One, blessed is He, as the splitting of the Sea of Reeds."**[9] הִנִּיחָהּ וְהָלַךְ לוֹ — **[R' Yose]** then **left her** presence **and went** on his way. מֶה עָשְׂתָה — **What did she do?** שָׁלְחָה וְהֵבִיאָה אֶלֶף עֲבָדִים וְאֶלֶף שְׁפָחוֹת וְהֶעֱמִידָה אוֹתָן שׁוּרוֹת שׁוּרוֹת — **She sent for and brought a thousand slaves and a thousand maidservants and stood them in rows,** אָמְרָה לָהֶם: פְּלוֹנִי יִשָּׂא לִפְלוֹנִית וּפְלוֹנִי לִפְלוֹנִית — and **she said, "Such-and-such** slave **will marry such-and-such** maidservant, **and such-and-such** other slave **will marry such-and-such** maidservant," וְזִוְּוגָן בְּלַיְלָה אֶחָד — and thus **she matched them up in** just **one night.** לְצַפְרָא אָתְיָן לְגַבָּהּ — **In the morning they** all **came to her;** דֵּין מוֹחֵהּ פְּצִיעָה — **this one's head was cracked,** וְדֵין עֵינוֹ שְׁמוּטָה — **that one's eye was gouged out,** וְדֵין אַצִּילֵיהּ פְּרִיךְ וְדֵין אַרְכּוּבֵהּ תְּבִירָה — **one's elbow was smashed and another's leg was broken.** דֵּין אָמַר: לֵינָא בָּעֵי לְדָא, וְדָא אָמְרָה: לֵינָא בָּעֲיָא לְדֵין — **This man said, "I do not want that woman!" and that woman said, "I do not want this man!"** מִיָּד שָׁלְחָה וְהֵבִיאָה אֶת רַבִּי יוֹסֵי בַּר חֲלַפְתָּא — **Immediately she sent for and brought R' Yose bar Chalafta** to her, אָמְרָה לוֹ: רַבִּי, אֱמֶת הִיא תּוֹרַתְכֶם, נָאָה מְשׁוּבַּחַת — and **she said to him, "Rabbi, your Torah is true, beautiful,** and **praiseworthy;**[10] יָפֶה אָמַרְתָּ כָּל מַה שֶּׁאָמַרְתָּ — in **everything that you said, you have spoken well!"**

NOTES

1. *Yefeh To'ar.*

2. The matron wished to question the concept of Divine Providence in the day-to-day operation of the world (*Radal*). She could not dispute the concept of a Creator, a God Who had, at one time, been intimately involved in every aspect of creating the world. The matron believed, however, that following the initial period of Creation, God allowed the world to run according to the laws of nature He had established at the outset and that He felt no need to personally oversee the minutiae of its daily operation. To this end she first needed R' Yose to admit that the initial Creation had a fixed time (*Yefeh To'ar* on *Bereishis Rabbah* 68 §4). [See, though, Insight below in note 12, "Like Splitting the Sea."]

3. Having proven that Creation was a discrete event that happened long ago, she challenged R' Yose to demonstrate that Divine Providence was still at work in the post-Creation world (ibid.).

4. [As described in *Sotah* 2a, God selects a spouse for each person at the time of their conception. Although God is involved in worldly affairs in so many ways, R' Yose chose the example of matrimony to prove that Divine Providence is very much in evidence. Unlike other living things that procreate indiscriminately, man is the only species that chooses a partner based on more complex considerations such as personality traits and behavior. R' Yose argues that it would be nearly impossible for two like-minded people to find each other and marry without Divine Providence. Thus, the simple fact that human beings continue to procreate shows that God's Hand is still at work in the world (*Yefeh To'ar* ibid.).]

5. Although a man's ideal wife is selected for him at the time of his conception (see previous note), his actions over the course of his lifetime determine whether or not he will actually marry that woman. If the man turns out to be worthy then he marries the wife already chosen for him, but otherwise God gives his ideal spouse to a different man more worthy than he. Thus, "the wife of So-and-so for So-and-so" means that sometimes God matches the woman who *was supposed* to be the wife of one man with someone else (*Yefeh To'ar*).

6. The Midrash refers to the woman by her father's name, not her own. This is because the man is typically older than his wife, so at the time of his conception (when the match is decided — *Sotah* 2a) she does not yet exist. She can therefore only be identified through her father (*Maharsha* to *Sotah* ibid.).

7. This refers to the dowry that a father sets aside for his daughter. Through God's arranging marriages, He also determines which man will receive this sum of money (*Eitz Yosef* on *Bereishis Rabbah* ibid.).

8. The matron doubted R' Yose bar Chalafta's assertion that the pairing of human beings together is such a delicate matter as to require Divine Providence. On the contrary, she wished to show that any two people could be joined in a relationship regardless of their likes and dislikes, which would mean that the procreation of the human race is not inherently a proof of Divine Providence (*Yefeh To'ar*).

9. Obviously, it cannot be said that anything is "difficult" for God to do. *Yefeh To'ar* explains that the splitting of the sea is described as difficult because it required God to contravene His standard practices, in that (i) He performed a miracle for the people of Israel although they were not deserving of such preferential treatment (see *Yalkut Shimoni* on *Beshalach,* §234) and (ii) He killed the Egyptians, and although they were deserving of punishment God does not relish bringing death to any of His creations (see *Megillah* 10b). See further, *She'arim Metzuyanim BaHalachah* (to *Sotah* loc. cit.) who discusses the term *difficult* as applied to the deeds of God.

[The Gemara (*Sotah* loc. cit.) concludes that this comparison of arranging marriages to the splitting of the Sea of Reeds applies only to a second marriage.]

10. For the Torah itself attests to the fact that God is involved in matching a man and his mate (see *Bereishis Rabbah* 68 §3).

פרשה ח

א [ו, יג] "זֶה קָרְבַּן אַהֲרֹן וּבָנָיו", רַבִּי לֵוִי פָּתַח (תהלים עה, ח) "כִּי אֱלֹהִים שֹׁפֵט",

מַטְרוֹנִיתָא [א]שָׁאֲלָה אֶת רַבִּי יוֹסֵי בַּר חֲלַפְתָּא, אָמְרָה לוֹ: בְּכַמָּה יָמִים בָּרָא הַקָּדוֹשׁ בָּרוּךְ הוּא אֶת עוֹלָמוֹ, אָמַר לָהּ: לְשֵׁשֶׁת יָמִים, דִּכְתִיב (שמות כ, יא) "כִּי שֵׁשֶׁת יָמִים עָשָׂה ה' אֶת הַשָּׁמַיִם וְגוֹ'", אָמְרָה לוֹ: וּמֵאוֹתָהּ שָׁעָה עַד עַכְשָׁיו מַהוּ יוֹשֵׁב וְעוֹשֶׂה, אָמַר לָהּ: מְזַוֵּוג זִוּוּגִים, אִשְׁתּוֹ שֶׁל פְּלוֹנִי לִפְלוֹנִי בִּתּוֹ שֶׁל פְּלוֹנִי לִפְלוֹנִי מָמוֹנוֹ שֶׁל פְּלוֹנִי לִפְלוֹנִי, אָמְרָה לוֹ: הָדָא הוּא, אַף אֲנִי יְכוֹלָה לַעֲשׂוֹת כֵּן, כַּמָּה עֲבָדִים יֵשׁ לִי וְכַמָּה שְׁפָחוֹת יֵשׁ לִי וַאֲנִי יְכוֹלָה לְזַוְּוגָם בְּשָׁעָה אַחַת, אָמַר לָהּ: אִם קַלָּה הִיא בְּעֵינַיִךְ קָשָׁה הִיא לִפְנֵי הַקָּדוֹשׁ בָּרוּךְ הוּא כִּקְרִיעַת יַם סוּף, הִנִּיחָהּ וְהָלַךְ לוֹ, מֶה עָשְׂתָה, שָׁלְחָה וְהֵבִיאָה אֶלֶף עֲבָדִים וְאֶלֶף שְׁפָחוֹת וְהֶעֱמִידָה אוֹתָן שׁוּרוֹת שׁוּרוֹת, אָמְרָה *לָהֶם פְּלוֹנִי יִשָּׂא לִפְלוֹנִית וּפְלוֹנִי לִפְלוֹנִית, זִוְּוגָן בְּלַיְלָה אֶחָד, לְצַפְרָא אָתִין לְגַבָּהּ, דֵּין °מוֹחָא פְּצִיעָה וְדֵין עֵינוֹ שְׁמוּטָה וְדֵין *אַצִּילֵיהּ פְּרִיךְ וְדֵין אַרְכּוּבֵהּ תְּבִירָה, דֵּין אָמַר: לֵינָא° בָּעֲיָא לְדֵין, וְדֵין אָמַר: לֵינָא בָּעֲיָא לְדֵין, מִיָּד שָׁלְחָה וְהֵבִיאָה אֶת רַבִּי יוֹסֵי בַּר חֲלַפְתָּא, אָמְרָה לוֹ: רַבִּי, אֱמֶת הִיא תּוֹרַתְכֶם, נָאָה מְשׁוּבַּחַת הִיא, יָפֶה אָמַרְתָּ כָּל מַה שֶּׁאָמַרְתָּ, אָמַר לָהּ: לֹא כָךְ אָמַרְתִּי לָךְ: אִם קַלָּה הִיא בְּעֵינַיִךְ קָשָׁה הִיא לִפְנֵי הַקָּדוֹשׁ בָּרוּךְ הוּא כִּקְרִיעַת יַם סוּף, שֶׁנֶּאֱמַר (תהלים סח, ז) "אֱלֹהִים מוֹשִׁיב יְחִידִים בַּיְתָה מוֹצִיא אֲסִירִים בַּכּוֹשָׁרוֹת", מַהוּ "בַּכּוֹשָׁרוֹת", [ב]בְּכִי וְשִׁירוֹת, דְּבָעֵי אָמַר שִׁירָה, דְּלָא בָעֵי בָּכֵה, וּמָה הַקָּדוֹשׁ בָּרוּךְ הוּא עוֹשֶׂה, מְזַוְּוגָן עַל כָּרְחָן שֶׁלֹּא בְּטוֹבָתָן, אָמַר רַבִּי בֶּרֶכְיָה: בְּלָשׁוֹן זֶה הֱשִׁיבָהּ רַבִּי יוֹסֵי בַּר חֲלַפְתָּא: הַקָּדוֹשׁ בָּרוּךְ הוּא יוֹשֵׁב וְעוֹשֶׂה סוּלָמוֹת, מַגְבִּיהַּ לָזֶה וּמַשְׁפִּיל לָזֶה, שֶׁנֶּאֱמַר (שם עה, ח) "כִּי אֱלֹהִים שֹׁפֵט זֶה יַשְׁפִּיל וְזֶה יָרִים", רַבִּי יוֹנָה בּוֹצְרַיִם פָּתַר קְרָיָה בְּיִשְׂרָאֵל: בְּלָשׁוֹן זֶה הוּשְׁפְּלוּ בְּלָשׁוֹן זֶה הוּגְבְּהוּ, בְּלָשׁוֹן זֶה הוּשְׁפְּלוּ, (שמות לב, א) "כִּי זֶה מֹשֶׁה", וּבְלָשׁוֹן זֶה הוּגְבְּהוּ, (שם ל, יג) "זֶה יִתְּנוּ כָּל הָעֹבֵר", וְרַבָּנָן פָּתְרִין קְרָיָא בְּאַהֲרֹן: בְּלָשׁוֹן זֶה הוּשְׁפַּל, (שם לב, כד) "וָאַשְׁלִכֵהוּ בָאֵשׁ וַיֵּצֵא הָעֵגֶל הַזֶּה", וּבְלָשׁוֹן זֶה הוּגְבַּהּ, "זֶה קָרְבַּן אַהֲרֹן וּבָנָיו וְגוֹ'":

עץ יוסף

(א) **רבי לוי פתח כו'.** משום דקשיא ליה מאי זה קרבן אהרן, דליכא למימר שהראה הקדוש ברוך הוא למשה באצבעו מעשה החביתין, שמה קושי יש במעשה חביתין שהוצרך ה' להראות לו באצבע, להכי בעי למימר דבלשון זה הוגבהו כמו שהושפלו בלשון זה, ומשום דרבי יונה ורבנן דרשי להא מלתא אזה ישפיל וזה ירים כדלקמן, פתח רבי לוי בהאי קרא, ומשום דרבי ברכיה דריש ליה בתשובת שאלת רבי יוסי למטרונה, מייתי לה הכא ברישא כדרך המדרש (יפה תואר): **ממונו של פלוני לפלוני.** על פי פיסקא הגדולה שאדם פוסק עם בתו. ועיין כל זה בבראשית רבה (סח, ד): **פלוני עבדי ישא לפלונית שפחתי: לצפרא אתין כו'.** פירוש למחר באו כל אותן העבדים והשפחות אצלה, זה מוחו נפצע, וזה עיניו שמוטות, וזה זרועו נשבר, וזה ברכו נשברה, וכל זה כי לא היו חפצים זה בזו, וזו בזה, כדמפרש ואזיל: **דין.** פירוש זה: **לינא.** כמו לית אנא, פירוש אין אני חפץ לזה: **קשה הוא לפני הקדוש ברוך הוא בקריעת ים סוף.** הקושי באיקו יתברך משני פנים, האחד להטיב למי שאינו ראוי, לפי שמדת הדין מקטרגת, והשני להזיק אפילו למי שעונו מחייבו, כי השם יתברך הוא הטוב והמטיב, ואינו רוצה בהשחתת שום נברא, אלא שלהיותו דיין אמת חוייב להעניש החוטא, ומשני פנים אלו יתייחס אצלו קושי בקריעת ים סוף, אם במה שהטיב לישראל שלא היו ראויים לנס כזה להיות ביניהם פסל מיכה כמו שאמרו ז"ל (סנהדרין קג, ב), ואם במה שהזיק למצרים (יפה תואר): **מושיב יחידים ביתה.** אדם יחיד ואשה יחידה והוא מזווגם יחד ומושיב אותם בית אחד, מוציא אסירים שהוא מוציאן מבתיהן אסורים, בעל כרחם מזווגם: **בכי ושירות.** נוטריקון של בכושרות: **דבעא אמר שירה.** מי שרוצה ונהנה בזיווגו אומר שירה, ומי שאינו רוצה הוא בוכה, ועם כל זה יחזיק בשלו שלא בטובתו, כי שולח לו טבע מלמעלה להיות מחזיק בה: **ועושה סולמות.** פירוש כי מעשה ה' לעולם להעמיד תבל בלדק, ולזה משפיל לזה, ומרים לזה כפי מעשיהם, ואין מעשה חשוב מזה, וקאמר יושב ועושה סולמות, לרמז כי הירידה והעליה לא תבא לאדם בבת אחת כי יבהל וימות, אלא מדריגה אחר מדריגה כעולה ויורד בסולם (יפה תואר): **בלשון זה הושפלו כי זה משה האיש.** שמפני שהיה הנתינה לכפר עון העגל, לכן נכתב באותו לשון להגביה השפלתם. ויותר נראה שלריך לומר (נחמיה ט, יח) ויאמרו זה אלהיך ישראל: **זה קרבן אהרן.** לכפר על עון אהרן בעשיית העגל, ולכך נכתב כאן מלת זה:

פירוש מהרז"ו

(א) **רבי לוי פתח.** כל הענין בבראשית רבה (סח, ד), ושם נסמן לכמה מקומות, ושם מבואר ויתר הביאור במקומות המצוינים שם: **בלשון זה הושפלו.** שהיה לו לומר שופט ישפיל וירים, ותיבות זה וזה מיותרים, ודורש על פי גזירה שוה, ובפסיקתא (פרשה י) הגירסא זה שהשפיל את ישראל לאחר שחת, זה אלהיך אשר העלך ממצרים, (פסוק הוא בנחמיה (ט, יח) בענין העגל), וזה ירים שמרומם קרנם בזה זה יתנו:

חידושי הרד"ל

[א] **מטרונא שאלה.** עיין שם בהגהותי בסייעתא דשמיא בראשית רבה ריש פרשת ויצא: **רבי יהודה בצרייא פתר קריא.** כן צריך לומר:

חידושי הרש"ש

[א] **אמרה להו פלוני ישא לפלונית ופלונית לפלוני זיוגן בלילה.** צריך לומר ופלוני לפלונית וזיוגתן בלילה: **רבי יונה בצריה פתח קריא כו'.** כן צריך לומר:

אמרי יושר

[א] **מכאן ואילך.** כיון שהודית שלששת ימים ברא העולם, אם כן כל הזמן הרב, יושב ובטל, או הרי אין צריכין לו ואינו משגיח: **אמר לה יושב ומזווגן [וכו'] אמר ליה אם קלה היא בעיניך.** ונראה לך פתיחות שיתעסק הקב"ה בזה קשה היא:

מסורת המדרש

א. אגדת שמואל פ"ה:
ב. סנהדרין כ"ב:

אם למקרא

כִּי־אֱלֹהִים שֹׁפֵט זֶה יַשְׁפִּיל וְזֶה יָרִים: (תהלים עה:ח)

כִּי שֵׁשֶׁת יָמִים עָשָׂה ה' אֶת הַשָּׁמַיִם וְאֶת הָאָרֶץ אֶת הַיָּם וְאֶת כָּל אֲשֶׁר בָּם וַיָּנַח בַּיּוֹם הַשְּׁבִיעִי עַל כֵּן בֵּרַךְ ה' אֶת יוֹם הַשַּׁבָּת וַיְקַדְּשֵׁהוּ: (שמות כ:יא)

אֱלֹהִים מוֹשִׁיב יְחִידִים בַּיְתָה מוֹצִיא אֲסִירִים בַּכּוֹשָׁרוֹת אַךְ סוֹרְרִים שָׁכְנוּ צְחִיחָה: (תהלים סח:ז)

כִּי־אֱלֹהִים שֹׁפֵט זֶה יַשְׁפִּיל וְזֶה יָרִים: (שם עה:ח)

וַיַּרְא הָעָם כִּי בֹשֵׁשׁ מֹשֶׁה לָרֶדֶת מִן הָהָר וַיִּקָּהֵל הָעָם עַל אַהֲרֹן וַיֹּאמְרוּ אֵלָיו קוּם עֲשֵׂה לָנוּ אֱלֹהִים אֲשֶׁר יֵלְכוּ לְפָנֵינוּ כִּי זֶה מֹשֶׁה הָאִישׁ אֲשֶׁר הֶעֱלָנוּ מֵאֶרֶץ מִצְרַיִם לֹא יָדַעְנוּ מֶה הָיָה לוֹ: (שמות לב:א)

זֶה יִתְּנוּ כָּל הָעֹבֵר עַל הַפְּקֻדִים מַחֲצִית הַשֶּׁקֶל בְּשֶׁקֶל הַקֹּדֶשׁ עֶשְׂרִים גֵּרָה הַשֶּׁקֶל מַחֲצִית הַשֶּׁקֶל תְּרוּמָה לַה': (שמות ל:יג)

וָאֹמַר לָהֶם לְמִי זָהָב הִתְפָּרָקוּ וַיִּתְּנוּ־לִי וָאַשְׁלִכֵהוּ בָאֵשׁ וַיֵּצֵא הָעֵגֶל הַזֶּה: (שם לב:כד)

שינוי נוסחאות

(א) **דין אמר לינא בעיא לדין, ודין אמר לינא בעיא לדין.** לשון זה אי אפשר לקיימו, ש"דין" הוא ל' זכר ("דא" הוא ל' נקבה), "אמר" הוא ל' זכר, ו"בעיא" הוא ל' נקבה, והנוסח הנכון נמצא בכ"י והוא: "דין אמר לינא בעי לדא, ודא אמרה לינא בעיא לדין":

מתנות כהונה

[א] **ממונו של פלוני לפלוני.** הרואה יראה לעיניס שטעות סופר הוא במקום זה. ובכל מקום שמצאתי, מדרש זה אינו. ולעיל פרשת ויצא (סח, ד) הביאו גם כן, והעיקר אינו כן ועיין במדבר רבה (ג, ו): הכי גרסינן **אמר לה אם קלה היא: לצפרא כו'.** לבקר באו אצלם רצה לומר אותן עבדים ושפחות: **דין כו'.** זהו מוחו פליעה, נשברה מלשון פלע: **אציליה.** זרועות: **פריך.** נשבר ונפרך: **ארכובו.** ירכו: **תבירה.** נשברה. וכל זה כי לא היו חפצים זה בזו וזו בזה כדמפרש ואזיל: **דין.** זה: **לינא.** כמו לית אנא, פירוש אין אני חפץ לזה: **בבי ושירות.** נוטריקון של בכושרות: **דבעא.** מי שרוצה וחפץ וגו'. ושוב מפרש וכי מאחר שהוא בוכה, ואינו חפץ בזיווגו למה לקחה בתחלה, או למה לא פטרה והלך לו, ואמר שהקב"ה מזווגן בעל כרחן: **בלשון זה.** רצה לומר בלשון של מלת זה: הכי גרסינן **באהרן בלשון זה הושפל בלשון זה הוגבה:**

אשד הנחלים

[א] **בכמה ימים כו' מזווג זיווגים.** הדבר הזה בשלימות פרשתי לעיל בסדר ויצא עיין שם: **ולינא בעי לדין.** כלומר לית אנא בעי לקחת את זאת, כי אם זאת: **דלא בעי בכה.** ועם כל זה יחזיק בשלו וישמח בחלקו בעל כרחו שלא בטובתו, כי שולח לו טבע מלמעלה להיות מחזיק בה: **בלשון זה כו' זה משה כו' זה יתנו.** יש להבין מהו ענין מלה הזאת, ומהו השייכות זה יתנו לזה האיש משה. ואולי מפני שהיה הנתינה לכפר עון העגל, לכן ניכתב באותו לשון להגביה השפלתם ולכפר עליהם. והנה מלת זה מורה כאלו דברו בגנאי, זה הידוע האיש משה הגדול במעלה, לא ידענו מה היה לו, כי איננו עוד, וכמו שאמרו (שבת פט, א) שהשטן הראה להם מטתו, ואם כן גברה המחשבה אצלם כאלו חס ושלום שקר ענה בהם בכל ענייניו, וזה מרמז כאן להגביה אותם ולכפר על אותו לשון הרע הזה, ואמר זה, בעד מלת זה שגינו אותו, יתנו ויתכפר להם: **זה קרבן אהרן.** בעשיית העגל, ולכך נכתב כאן מלת זה:

אָמַר לָהּ: לֹא כָּךְ אָמַרְתִּי לָךְ, אִם קַלָּה הִיא בְּעֵינַיִךְ קָשָׁה הִיא לִפְנֵי הַקָּדוֹשׁ בָּרוּךְ הוּא כִּקְרִיעַת יַם סוּף — **He said to her, "Is that not what I told you,** that **although it seems easy in your eyes, it is as difficult before the Holy One, blessed is He, as the splitting of the Sea of Reeds?** שֶׁנֶּאֱמַר "אֱלֹהִים מוֹשִׁיב יְחִידִים בַּיְתָה מוֹצִיא אֲסִירִים בַּכּוֹשָׁרוֹת" – **For it is stated,** ***God settles the solitary into a family, He releases those bound in fetters*** [בַּכּוֹשָׁרוֹת] (*Psalms* 68:7).[11] מַהוּ "בַּכּוֹשָׁרוֹת", בְּכִי וְשִׁירוֹת — **What is** meant by **בַּכּוֹשָׁרוֹת** (translated here as *fetters*)? It is an amalgam of the words **weeping** [בְּכִי] **and singing** [שִׁירוֹת], מַאן דְּבָעֵי אוֹמֵר שִׁירָה וּמַאן דְּלָא בָּעֵי בָּכֵי — for **one who is pleased** with his mate **sings** in joy, **while one who is displeased** with his mate **weeps.**[12] וּמָה הַקָּדוֹשׁ בָּרוּךְ הוּא עוֹשֶׂה — **For what does the Holy One, blessed is He, do for [unmarried men and women]?** מְזַוְוגָן עַל כָּרְחָן שֶׁלֹּא בְּטוֹבָתָן — **He matches them together** even **against their will and** even **not** initially **to their liking."**

The Midrash presents an alternative version of R' Yose bar Chalafta's rejoinder to the matron:

אָמַר רַבִּי בֶּרֶכְיָה: בִּלְשׁוֹן זֶה הֱשִׁיבָהּ רַבִּי יוֹסֵי בַּר חֲלַפְתָּא — **R' Berechyah said: R' Yose bar Chalafta responded** differently **to** the question of **[the matron]** concerning how God occupies Himself, **with the following words:** הַקָּדוֹשׁ בָּרוּךְ הוּא יוֹשֵׁב וְעוֹשֶׂה סוּלָּמוֹת — **"The Holy One, blessed is He, sits and makes 'ladders,'** מַגְבִּיהַּ לְזֶה וּמַשְׁפִּיל לְזֶה — by which **He raises** the social standing of **this one and lowers** the social standing of **that one."**[13] שֶׁנֶּאֱמַר "כִּי אֱלֹהִים שֹׁפֵט זֶה יַשְׁפִּיל וְזֶה יָרִים" — **Thus it is stated,** ***For God is the Judge — He lowers this one and raises that one*** (*Psalms* 75:8).

The Midrash presents a different interpretation of the verse in *Psalms:*

רַבִּי יוֹנָה בּוֹצְרִים פָּתַר קְרָיָה בְּיִשְׂרָאֵל — **R' Yonah Botzrim interpreted the verse as referring to** the people of **Israel:** בִּלְשׁוֹן זֶה הוּשְׁפְּלוּ בִּלְשׁוֹן זֶה הוּגְבְּהוּ — **With the term "this" they were brought low,** and **with the term "this" they were raised up.**[14] בִּלְשׁוֹן זֶה הוּשְׁפְּלוּ, "כִּי זֶה מֹשֶׁה" — **With the term "this" they were brought low,** as it is written regarding the Golden Calf incident, *and the people gathered around Aaron and said to him: Rise up, make for us gods that will go before us,* ***for "this" man Moses*** *. . . we do not know what became of him!* (*Exodus* 32:1).[15] וּבִלְשׁוֹן זֶה הוּגְבְּהוּ, "זֶה יִתְּנוּ כָּל הָעֹבֵר" — **And with the term "this" they were raised up** again, as it is written, ***"This" shall they give — everyone who passes*** *through the census — a half shekel of the sacred shekel, etc.* (ibid. 30:13).[16]

NOTES

11. This verse is adduced for two purposes: (i) The juxtaposition of the two halves of the verse forms the basis for the comparison between the liberation of the Israelites from the pursuing Egyptians by splitting the sea (*He releases those bound in fetters*) and the task of joining single men and women together in matrimony (*God settles the solitary into a family*). (ii) The second half of the verse is also interpreted homiletically as a continuation of the theme of Divine Providence in the matchmaking process: He *removes* [מוֹצִיא] the unmarried individuals from their homes and *binds* them together [אֲסִירִים] even against their will, leading sometimes to situations of joy and sometimes to sadness [בַּכּוֹשָׁרוֹת], as the Midrash goes on to elaborate (*Eitz Yosef*).

12. *Eitz Yosef* (cf. *Yefeh Toar*). To be sure, the weeping of the unhappy spouses is only temporary, for God guarantees that He will eventually *settle them into a family* by fostering love between them so that they begin to appreciate each other and live in harmony (*Imrei Yosher*). See Insight Ⓐ.

13. According to R' Berechyah's version of the story, R' Yose's response to the matron's question about God's occupation since finishing Creation had nothing to do with matchmaking, but with ensuring that people's stations in life were subject to change — for the better or for the worse — in accordance with their merit (*Yefeh To'ar*).

14. According to this interpretation, זֶה יַשְׁפִּיל וְזֶה יָרִים is translated homiletically as, *He lowers with "zeh" and raises with "zeh."*

15. [*Eitz Yosef* suggests an emendation — that the Midrash quotes a different verse: אַף כִּי עָשׂוּ לָהֶם עֵגֶל מַסֵּכָה וַיֹּאמְרוּ זֶה אֱלֹהֶיךָ אֲשֶׁר הֶעֶלְךָ מִמִּצְרָיִם — *even when they made themselves a molten calf and said, "This* [זֶה] *is the your god who brought you up from Egypt"* (*Nehemiah* 9:18), as this use of the word זֶה describes the actual idol worship of the Golden Calf. This is indeed the verse cited in a parallel Midrash in *Pesikta Rabbasi* (*Ki Sisa*, end of *Piska* 10) (*Maharzu*).]

16. The half-shekel was intended to be a means of atonement for the sin of the Golden Calf, as explained in *Pesikta Rabbasi* (ibid.; see

INSIGHTS

Ⓐ **Like Splitting the Sea** *Maharal* (*Be'er HaGolah* §4, p. 83, standard ed., [p. 540, Hartman ed.] s.v. במדרש ב"ר) interprets the thrust of the matron's question to R' Yose bar Chalafta somewhat differently from what was explained in note 2: The six days of Creation were a time of "new" creations. But after this period, the world would run according to the laws of nature established at that time. Although God "renews the work of Creation every day perpetually" (first blessing of *Shema, Shacharis*), nothing new exists today that did not exist the day before. Accordingly, the matron wondered whether God created anything new from the time of Creation to the present. R' Yose bar Chalafta replied that from the time of Creation God has been involved in matchmaking. Just as he created Eve, pairing her to Adam on the day they were created, so too God forms new matches each day. Each match is regarded as a new entity that did not exist beforehand, for each individual is unique, requiring a specific, special counterpart, with the couple forming a unique new unit. And it is God Who directly forms each new pair. By contrast, He is not directly involved with the birth of every new creature; each new creature that is born conforms with the laws of nature that He established during the six days of Creation.

Maharal explains the comparison of making matches to the parting of the Sea of Reeds: The Sea of Reeds was a single body of water which, in accord with the laws of nature, should have remained a single entity. Nonetheless, God elevated Israel above the laws of nature, splitting the sea to save His people. Making a match involves a reverse act: God takes two individuals, *God settles the "solitary,"* each with his or her own life, and joins them together to form a union, *into "a family," He releases those bound in fetters.* Those who had been locked into themselves are now freed to be open to each other's needs.

R' Zalman Sorotzkin (*HaDei'ah VeHaDibbur,* Vol. 1 §11) also focuses on the Midrash's comparison of matchmaking to the Splitting of the Sea. He observes that there are two types of objects that can be split or torn: solids and liquids. Solid objects are difficult to break, but once broken, the broken parts will remain separate, and it is difficult to restore them to the original state. Liquids, on the other hand, are very simple to separate – simply placing a hand in water causes it to separate. The difficulty, however, is that it will not *remain* separate; as soon as the hand is removed, the water will return to its natural, contiguous state.

When we speak of the "difficulty," as it were, of the miracle of splitting the sea, we do not refer to the initial parting of the waters. Rather, the difficulty and real miracle was that the water remained parted the entire time the Israelites were passing through the seabed. The miracle continued until every last Israelite emerged from the sea. Had God during this time ceased to perform the miracle even for an instant, the water would have returned to its natural state, drowning the Israelites in its path. After the Israelites emerged from the sea, they sang in gratitude the song that includes the phrase, *straight as a wall stood the running water* (*Exodus* 15:8).

There is a similar "miracle" in marriage: the initial formation of the union is not so suprising. The wedding day is enormously happy, the bride and groom dressed and treated like royalty, anticipating a bright and glorious future together. The difficulty is whether the two individuals, each with his or her own preferences and peculiarities, can join into a family and continue to live harmoniously on a daily basis. Thus, the verse states, *God settles the "solitary" into a family, He releases those bound in fetters.* The miracle He provides for the couple is that they do not revert to their respective solitary states once the flush of novelty and excitement has subsided. God has miraculously settled them into a family, allowing them to be released forever from the fetters of their solitary pasts.

[See also Insight on *Bereishis Rabbah* 68 §4, "He Sits and Makes Matches."]

(א) רבי לוי פתח כו'. משום דקשיא ליה מאי זה קרבן אהרן, דליכא למימר שהראה הקדוש ברוך הוא למשה באצבעו מעשה החביתין, שמה קושי יש במעשה חביתין שהוצרך ה' להראות לו באצבע, להכי בעי למימר דבלשון זה הוגבהו כמו שהושפלו בלשון זה, ומשום דרבי יונה ורבנן דרשי להא מלתא אזה ישפיל וזה ירים כדלקמן, פתח רבי לוי בהאי קרא, ומשום דרבי ברכיה דריש ליה בתשובת שאלת רבי יוסי למטרוניתא, מייתי לה הכא בריהטא כדרך המדרש (יפה תואר): **ממונו של פלוני לפלוני.** על פי פיסקא הגדולה שאדם פוסק עם בתו. ועיין כל זה בבראשית רבה (סח, ד): **פלוני כו'.** פלוני עבדי ישא לפלונית שפחתי: **לצפרא אתין כו'.** פירוש למחר באו כל אותן העבדים והשפחות אלה, זה מוחו נפצע, וזה עיניו שמוטות, וזה זרועו נשבר, וזה ברכו נשברה, וכל זה כי לא היו חפצים זה בזו, וזו בזה, כדמפרש ואזיל: **דין.** פירוש זה: **לינא.** כמו לית אנא, פירוש אין אני חפץ לזה: **קשה הוא לפני הקדוש ברוך הוא בקריעת ים סוף.** הקושי בחיקו יתברך משני פנים, האחד להטיב למי שאינו ראוי, לפי שמדת הדין מקטרגת, והשני להזיק אפילו למי שאינו מחייבו, כי השם יתברך הוא הטוב והמטיב, ואינו רוצה בהשחתת שום נברא, אלא שלהיותו דיין אמת חוייב להעניש החוטא, ומשני פנים אלו יתייחס אלו קושי בקריעת ים סוף, אם במה שהטיב לישראל שלא היו ראוים לנס כזה להיות ביניהם פסל מיכה כמו שאמרו ז"ל (סנהדרין קג, ב), ואם במה שהזיק למצרים (יפה תואר): **מושיב יחידים ביתה.** אדם יחיד ואשה יחידה והוא מזווגם יחד ומושיב מהם בית אחד, מוציא אסירים שהוא מוציאן מבתיהן אסורים, בעל כרחם מזווגם: **בכי ושירות.** נוטריקון של בכושרות: **דבעא אמר שירה.** מי שרוצה והנאה בזיווגו אומר שירה, ומי שאינו רוצה הוא בוכה, ועם כל זה יחזיק בשלו שלא בטובתו, כי שולח לו טבע מלמעלה להיות מחזיק בה: **ועושה סולמות.** פירוש כי מעשה ה' לעולם להעמיד תבל בצדק, ולזה משפיל לזה, ומרים לזה כפי מעשיהם, ואין מעשה חשוב מזה, וקאמר יושב ועושה סולמות, לרמז כי הירידה והעליה לא תבא לאדם בבת אחת כי יבהל ויתמה, אלא מדריגה אחר מדריגה כעולה ויורד בסולם (יפה תואר): **בלשון זה הושפלו כי זה משה האיש.** שמפני שהיה הנתינה לכפר עון העגל, לכן נכתב באותו לשון להגביה השפלתם. ויותר נראה שצריך לומר (נחמיה ט, יח) ויאמרו זה אלהיך ישראל: **זה קרבן אהרן.** לכפר על עון אהרן בעשיית העגל, ולכך נכתב כאן מלת זה:

(א) רבי לוי פתח. כל הענין בבראשית רבה (סח, ד), ושם נסמן לכמה מקומות, ושם מבואר ויתר הביאור במקומות המצוינים שם: **בלשון זה הושפלו.** שהיה לו לומר שופט ישפיל וירים, ותיבות זה וזה מיותרים, ודורש על פי גזירה שוה, ובפסיקתא (פרשה י) הגירסא זה שהשפיל את ישראל לאחר שחת, זה אלהיך אשר העלך ממצרים, (פסוק הוא בנחמיה (ט, יח) בענין העגל), וזה ירים שמרומם קרנם בזה זה יתנו:

פרשה ח

א [ו, יג] "זֶה קָרְבַּן אַהֲרֹן וּבָנָיו", רַבִּי לֵוִי פָּתַח (תהלים עה, ח) "כִּי אֱלֹהִים שֹׁפֵט",

מַטְרוֹנִיתָא [א]שָׁאֲלָה אֶת רַבִּי יוֹסֵי בַּר חֲלַפְתָּא, אָמְרָה לוֹ: בְּכַמָּה יָמִים בָּרָא הַקָּדוֹשׁ בָּרוּךְ הוּא אֶת עוֹלָמוֹ, אָמַר לָהּ: לְשֵׁשֶׁת יָמִים, דִּכְתִיב (שמות כ, יא) "כִּי שֵׁשֶׁת יָמִים עָשָׂה ה' אֶת הַשָּׁמַיִם וְגוֹ'", אָמְרָה לוֹ: וּמֵאוֹתָהּ שָׁעָה עַד עַכְשָׁיו מַהוּ יוֹשֵׁב וְעוֹשֶׂה, אָמַר לָהּ: מְזַוֵּג זִווּגִים, אִשְׁתּוֹ שֶׁל פְּלוֹנִי לִפְלוֹנִי בִּתּוֹ שֶׁל פְּלוֹנִי לִפְלוֹנִי מָמוֹנוֹ שֶׁל פְּלוֹנִי לִפְלוֹנִי, אָמְרָה לוֹ: הָדָא הוּא, אַף אֲנִי יְכוֹלָה לַעֲשׂוֹת כֵּן, כַּמָּה עֲבָדִים יֵשׁ לִי וְכַמָּה שְׁפָחוֹת יֵשׁ לִי וַאֲנִי יְכוֹלָה לְזַוְּגָם בְּשָׁעָה אַחַת, אָמַר לָהּ: אִם קַלָּה הִיא בְּעֵינַיִךְ קָשָׁה הִיא לִפְנֵי הַקָּדוֹשׁ בָּרוּךְ הוּא כִּקְרִיעַת יַם סוּף, הִנִּיחָהּ וְהָלַךְ לוֹ, מֶה עָשְׂתָה, שָׁלְחָה וְהֵבִיאָה אֶלֶף עֲבָדִים וְאֶלֶף שְׁפָחוֹת וְהֶעֱמִידָה אוֹתָן שׁוּרוֹת שׁוּרוֹת, אָמְרָה *לָהֶם פְּלוֹנִי יִשָּׂא לִפְלוֹנִית וּפְלוֹנִי לִפְלוֹנִית, זִוְּגָן בְּלַיְלָה אֶחָד, לְצַפְרָא אָתְיָן לְגַבָּהּ, דֵּין °מוֹחָא פְּצִיעָה וְדֵין עֵינוֹ שְׁמוּטָה וְדֵין *אַצִּילֵיהּ פְּרִיךְ וְדֵין אַרְכּוּבֵהּ תְּבִירָה, דֵּין אָמַר: לֵינָא° בָּעֲיָא לְדֵין, וְדֵין אָמַר: לֵינָא בָּעֲיָא לְדֵין, מִיָּד שָׁלְחָה וְהֵבִיאָה אֶת רַבִּי יוֹסֵי בַּר חֲלַפְתָּא, אָמְרָה לוֹ: רַבִּי, אֱמֶת הִיא תּוֹרַתְכֶם, נָאָה מְשׁוּבַּחַת הִיא, יָפֶה אָמַרְתָּ כָּל מַה שֶּׁאָמַרְתָּ, אָמַר לָהּ: לֹא כָּךְ אָמַרְתִּי לָךְ: אִם קַלָּה הִיא בְּעֵינַיִךְ קָשָׁה הִיא לִפְנֵי הַקָּדוֹשׁ בָּרוּךְ הוּא כִּקְרִיעַת יַם סוּף, שֶׁנֶּאֱמַר (תהלים סח, ז) "אֱלֹהִים מוֹשִׁיב יְחִידִים בַּיְתָה מוֹצִיא אֲסִירִים בַּכּוֹשָׁרוֹת", מַהוּ "בַּכּוֹשָׁרוֹת", [ב]בְּכִי וְשִׁירוֹת, דְּבָעֵי אָמַר שִׁירָה, דְּלָא בָעֵי בָּכֵה, וּמָה הַקָּדוֹשׁ בָּרוּךְ הוּא עוֹשֶׂה, מְזַוְּגָן עַל כָּרְחָן שֶׁלֹּא בְּטוֹבָתָן, אָמַר רַבִּי בֶּרֶכְיָה: בְּלָשׁוֹן זֶה הֱשִׁיבָהּ רַבִּי יוֹסֵי בַּר חֲלַפְתָּא: הַקָּדוֹשׁ בָּרוּךְ הוּא יוֹשֵׁב וְעוֹשֶׂה סוּלָּמוֹת, מַגְבִּיהַּ לָזֶה וּמַשְׁפִּיל לָזֶה, שֶׁנֶּאֱמַר (שם עה, ח) "כִּי אֱלֹהִים שֹׁפֵט זֶה יַשְׁפִּיל וְזֶה יָרִים", רַבִּי יוֹנָה בּוֹצְרִים פָּתַר קְרָיָה בְּיִשְׂרָאֵל: בְּלָשׁוֹן זֶה הוּשְׁפְּלוּ בְּלָשׁוֹן זֶה הוּגְבְּהוּ, בְּלָשׁוֹן זֶה הוּשְׁפְּלוּ, (שמות לב, א) "כִּי זֶה מֹשֶׁה", וּבְלָשׁוֹן זֶה הוּגְבְּהוּ, (שם ל, יג) "זֶה יִתְּנוּ כָּל הָעֹבֵר", וְרַבָּנָן פָּתְרִין קְרָיָא בְּאַהֲרֹן: בְּלָשׁוֹן זֶה הוּשְׁפַּל, (שם לב, כד) "וָאַשְׁלִכֵהוּ בָאֵשׁ וַיֵּצֵא הָעֵגֶל הַזֶּה", וּבְלָשׁוֹן זֶה הוּגְבַּהּ, "זֶה קָרְבַּן אַהֲרֹן וּבָנָיו וְגוֹ'":

חידושי הרד"ל

[א] **מטרונא שאלה.** עיין שם בהגהותי בסייעתא דשמיא בראשית רבה ריש פרשת ויצא: **רבי יהודה בצרייא פתר קריא.** כן צריך לומר:

חידושי הרש"ש

[א] **אמרה להו פלוני ישא לפלונית ופלונית לפלוני זיוגן בלילה.** צריך לומר ופלוני לפלונית וזיוגתן בלילה: **רבי יונה בצריה פתח קריא כו'.** כן צריך לומר:

אמרי יושר

[א] **מכאן ואילך.** כיון שהודית שלששת ימים ברא העולם, אם כן כל הזמן הרב, יושב ובטל, או הרי אין צריכין לו ואינו משגיח: **אמר לה יושב ומזווגן [וכו'] אמר ליה אם קלה היא בעיניך.** ונראה לך פתיחות שיתעסק הקב"ה בזה **קשה היא:**

מסורת המדרש

א. אגדת שמואל פ"ה:
ב. סנהדרין כ"ב:

אם למקרא

כִּי־אֱלֹהִים שֹׁפֵט זֶה יַשְׁפִּיל וְזֶה יָרִים: (תהלים עה:ח)

כִּי שֵׁשֶׁת יָמִים עָשָׂה ה' אֶת הַשָּׁמַיִם וְאֶת הָאָרֶץ אֶת הַיָּם וְאֶת כָּל אֲשֶׁר בָּם וַיָּנַח בַּיּוֹם הַשְּׁבִיעִי עַל כֵּן בֵּרַךְ ה' אֶת יוֹם הַשַּׁבָּת וַיְקַדְּשֵׁהוּ: (שמות כ:יא)

אֱלֹהִים מוֹשִׁיב יְחִידִים בַּיְתָה מוֹצִיא אֲסִירִים בַּכּוֹשָׁרוֹת אַךְ סוֹרְרִים שָׁכְנוּ צְחִיחָה: (תהלים סח:ז)

כִּי־אֱלֹהִים שֹׁפֵט זֶה יַשְׁפִּיל וְזֶה יָרִים: (שם עה:ח)

וַיַּרְא הָעָם כִּי בֹשֵׁשׁ מֹשֶׁה לָרֶדֶת מִן הָהָר וַיִּקָּהֵל הָעָם עַל אַהֲרֹן וַיֹּאמְרוּ אֵלָיו קוּם עֲשֵׂה לָנוּ אֱלֹהִים אֲשֶׁר יֵלְכוּ לְפָנֵינוּ כִּי זֶה מֹשֶׁה הָאִישׁ אֲשֶׁר הֶעֱלָנוּ מֵאֶרֶץ מִצְרַיִם לֹא יָדַעְנוּ מֶה הָיָה לוֹ: (שמות לב:א)

זֶה יִתְּנוּ כָּל הָעֹבֵר עַל הַפְּקֻדִים מַחֲצִית הַשֶּׁקֶל בְּשֶׁקֶל הַקֹּדֶשׁ עֶשְׂרִים גֵּרָה הַשֶּׁקֶל מַחֲצִית הַשֶּׁקֶל תְּרוּמָה לַה': (שמות ל:יג)

וָאֹמַר לָהֶם לְמִי זָהָב הִתְפָּרָקוּ וַיִּתְּנוּ־לִי וָאַשְׁלִכֵהוּ בָאֵשׁ וַיֵּצֵא הָעֵגֶל הַזֶּה: (שם לב:כד)

שינוי נוסחאות

(א) דין אמר לינא בעיא לדין, ודין אמר לינא בעיא לדין. לשון זה אי אפשר לקיימו, ש"דין" הוא ל' זכר ("דא" הוא ל' נקבה), "אמר" הוא ל' זכר, ו"בעיא" הוא ל' נקבה, והנוסח הנכון נמצא בכי"י והוא: "דין אמר לינא בעי לדא, ודא אמרה לינא בעיא לדין":

מתנות כהונה

[א] ממונו של פלוני לפלוני. הרואה יראה לעינים שטעות סופר הוא במקום זה. ובכל מקום שמצאתי, מדרש זה איתו. ולעיל פרשת ויצא (סח, ד) הביאו גם כן, והעיקר איתו כן ועיין במדבר רבה (ג, ו): הכי גרסינן **אמר לה אם קלה היא: לצפרא כו'.** לבקר באו אלהם רצה לומר אותן עבדים ושפחות: **דין כו'.** זהו מוחו פציעה, נשברה מלשון פצע: **אציליה.** זרועות: **פריך.** נשבר ונפרך: **ארכובו.** ירכו: **תבירה.** נשברה. וכל זה כי לא היו חפצים זה בזו וזו בזה כדמפרש ואזיל: **דין.** זה: **לינא.** כמו לית אנא, פירוש אין אני חפץ לזה: **בכי ושירות.** נוטריקון של בכושרות: **דבעא.** מי שרוצה וחפץ וגו'. ושוב מפרש וכי מאחר שהוא בוכה ואינו חפץ בזיווגו למה לקחה בתחלה, או למה לא פטרה והלך לו, ואמר שהקב"ה מזווגן בעל כרחן: **בלשון זה.** רצה לומר בלשון של מלת זה: הכי גרסינן **באהרן בלשון זה הושפל בלשון זה הוגבה:**

אשד הנחלים

[א] בכמה ימים כו' מזווג זיווגים. הדבר הזה בשלימות פרשתי לעיל בסדר ויצא עיין שם: **ולינא בעי לדין.** כלומר לית אנא בעי לקחת את זאת, כי אם זאת: **דלא בעי בכה.** ועם כל זה יחזיק בשלו וישמח בחלקו בעל כרחו שלא בטובתו, כי שולח לו טבע מלמעלה להיות מחזיק בה: **בלשון זה כו' זה משה כו' זה יתנו.** יש להבין מהו ענין מלה הזאת, ומהו השייכות זה יתנו לזה האיש משה. ואולי מפני שהיה הנתינה לכפר עון העגל, לכן נכתב באותו לשון להגביה השפלתם ולכפר עליהם. והנה מלת זה מורה כאלו דברו בגנאי, זה הידוע האיש משה הגדול במעלה, לא ידענו מה היה לו, כי איננו עוד, וכמו שאמרו (שבת פט, א) שהשטן הראה להם מטתו, ואם כן גברה המחשבה אצלם כאלו חס ושלום שקר ענה בהם בכל ענייניו, וזה מרמז כאן להגביה אותם ולכפר על אותו לשון הרע הזה, ואמר זה, בעד מלת זה שגינו אותו, יתנו ויתכפר להם: **זה קרבן אהרן.** בעשיית העגל, ולכך נכתב כאן מלת זה:

The Midrash presents a final interpretation of the *Psalms* verse, which relates to our passage here in *Leviticus*:

וְרַבָּנָן פָּתְרִין קְרָיָא בְּאַהֲרֹן — **And the** other **Sages interpreted the verse** in *Psalms* as **referring to Aaron:** בִּלְשׁוֹן זֶה הוּשְׁפַּל, "וָאַשְׁלִכֵהוּ בָאֵשׁ וַיֵּצֵא הָעֵגֶל הַזֶּה" — **With the term "this" he was brought low,** as Aaron himself states regarding his role in the sin of the Golden Calf, ***I threw it into the fire, and "this" calf emerged*** (ibid. 32:24). וּבִלְשׁוֹן זֶה הוּגְבַּה, "זֶה קָרְבַּן אַהֲרֹן וּבָנָיו וְגוֹ'" — **And with the term "this" he was raised up** again, as our verse states, ***"This" is the offering of Aaron and his sons, etc.***[17]

NOTES

also *Shekalim* 6a). Thus, the same word ("this") that represented Israel's downfall was used in describing their regaining of their exalted stature.

17. For the offering brought by Aaron on the day of his inauguration served as an atonement for his role in the sin of the Golden Calf (*Eitz Yosef*).

פרשה ח

א [ו, יג] **"זֶה קָרְבַּן אַהֲרֹן וּבָנָיו", רַבִּי לֵוִי פָּתַח** (תהלים עה, ח) **"כִּי אֱלֹהִים שֹׁפֵט", מַטְרוֹנִיתָא** אשָׁאֲלָה אֶת רַבִּי יוֹסֵי בַּר חֲלַפְתָּא, אָמְרָה לוֹ: בְּכַמָּה יָמִים בָּרָא הַקָּדוֹשׁ בָּרוּךְ הוּא אֶת עוֹלָמוֹ, אָמַר לָהּ: לְשֵׁשֶׁת יָמִים, דִּכְתִיב (שמות כ, יא) "כִּי שֵׁשֶׁת יָמִים עָשָׂה ה' אֶת הַשָּׁמַיִם וְגוֹ'", אָמְרָה לוֹ: וּמֵאוֹתָהּ שָׁעָה עַד עַכְשָׁיו מַהוּ יוֹשֵׁב וְעוֹשֶׂה, אָמַר לָהּ: מְזַוֵּג זִוּוּגִים, אִשְׁתּוֹ שֶׁל פְּלוֹנִי לִפְלוֹנִי בִּתּוֹ שֶׁל פְּלוֹנִי לִפְלוֹנִי מָמוֹנוֹ שֶׁל פְּלוֹנִי לִפְלוֹנִי, אָמְרָה לוֹ: הָדָא הוּא, אַף אֲנִי יְכוֹלָה לַעֲשׂוֹת כֵּן, כַּמָּה עֲבָדִים יֵשׁ לִי וְכַמָּה שְׁפָחוֹת יֵשׁ לִי וַאֲנִי יְכוֹלָה לְזַוְּגָם בְּשָׁעָה אַחַת, אָמַר לָהּ: אִם קַלָּה הִיא בְּעֵינַיִךְ קָשָׁה הִיא לִפְנֵי הַקָּדוֹשׁ בָּרוּךְ הוּא כִּקְרִיעַת יַם סוּף, הִנִּיחָהּ וְהָלַךְ לוֹ, מֶה עָשְׂתָה, שָׁלְחָה וְהֵבִיאָה אֶלֶף עֲבָדִים וְאֶלֶף שְׁפָחוֹת וְהֶעֱמִידָה אוֹתָן שׁוּרוֹת שׁוּרוֹת, אָמְרָה *לָהֶם פְּלוֹנִי יִשָּׂא לִפְלוֹנִית וּפְלוֹנִי לִפְלוֹנִית, זִוּוּגָן בְּלַיְלָה אֶחָד, לְצַפְרָא אָתְיָן לְגַבָּהּ, דֵּין °מוֹחָא פְּצִיעָה וְדֵין עֵינוֹ שְׁמוּטָה וְדֵין *אַצִּילֵיהּ פְּרִיךְ וְדֵין אַרְכּוּבֵהּ תְּבִירָה, דֵּין אָמַר: לֵינָא° בָּעֲיָא לְדֵין, וְדֵין אָמַר: לֵינָא בָּעֲיָא לְדֵין, מִיָּד שָׁלְחָה וְהֵבִיאָה אֶת רַבִּי יוֹסֵי בַּר חֲלַפְתָּא, אָמְרָה לוֹ: רַבִּי, אֱמֶת הִיא תּוֹרַתְכֶם, נָאָה מְשֻׁבַּחַת הִיא, יָפֶה אָמַרְתָּ כָּל מַה שֶּׁאָמַרְתָּ, אָמַר לָהּ: לֹא כָךְ אָמַרְתִּי לָךְ: אִם קַלָּה הִיא בְּעֵינַיִךְ קָשָׁה הִיא לִפְנֵי הַקָּדוֹשׁ בָּרוּךְ הוּא כִּקְרִיעַת יַם סוּף, שֶׁנֶּאֱמַר (תהלים סח, ז) "אֱלֹהִים מוֹשִׁיב יְחִידִים בַּיְתָה מוֹצִיא אֲסִירִים בַּכּוֹשָׁרוֹת", מַהוּ "בַּכּוֹשָׁרוֹת", בבְּכִי וְשִׁירוֹת, דְּבָעֵי אָמַר שִׁירָה, דְּלָא בָּעֵי °בָּכֵה, וּמָה הַקָּדוֹשׁ בָּרוּךְ הוּא עוֹשֶׂה, מְזַוְּגָן עַל כָּרְחָן שֶׁלֹּא בְּטוֹבָתָן, אָמַר רַבִּי בֶּרֶכְיָה: בְּלָשׁוֹן זֶה הֱשִׁיבָהּ רַבִּי יוֹסֵי בַּר חֲלַפְתָּא: הַקָּדוֹשׁ בָּרוּךְ הוּא יוֹשֵׁב וְעוֹשֶׂה סוּלָּמוֹת, מַגְבִּיהַּ לָזֶה וּמַשְׁפִּיל לָזֶה, שֶׁנֶּאֱמַר (שם עה, ח) "כִּי אֱלֹהִים שֹׁפֵט זֶה יַשְׁפִּיל וְזֶה יָרִים", רַבִּי יוֹנָה בּוֹצְרִים פָּתַר קְרָיָה בְּיִשְׂרָאֵל: בְּלָשׁוֹן זֶה הוּשְׁפְּלוּ בְּלָשׁוֹן זֶה הוּגְבְּהוּ, בְּלָשׁוֹן זֶה הוּשְׁפְּלוּ, (שמות לב, א) "כִּי זֶה מֹשֶׁה", וּבְלָשׁוֹן זֶה הוּגְבְּהוּ, (שם ל, יג) "זֶה יִתְּנוּ כָּל הָעֹבֵר", וְרַבָּנָן פָּתְרִין קְרָיָא בְּאַהֲרֹן: בְּלָשׁוֹן זֶה הוּשְׁפַּל, (שם לב, כד) "וָאַשְׁלִכֵהוּ בָאֵשׁ וַיֵּצֵא הָעֵגֶל הַזֶּה", וּבְלָשׁוֹן זֶה הוּגְבַּהּ, "זֶה קָרְבַּן אַהֲרֹן וּבָנָיו וְגוֹ'":

עץ יוסף

(א) רבי לוי פתח כו'. משום דקשיא ליה מאי זה קרבן אהרן, דליכא למימר שהראה הקדוש ברוך הוא למשה באצבעו מעשה החביתין, שמה קושי יש במעשה חביתין שהוצרך ה' להראות לו באצבע, להכי בעי למימר דבלשון זה הוגבהו כמו שהושפלו בלשון זה, ומשום דרבי יונה ורבנן דרשי להאי מלתא אזה ישפיל וזה ירים כדלקמן, פתח רבי לוי בהאי קרא, ומשום דרבי ברכיה דריש ליה בתשובת שאלת רבי יוסי למטרונה, מייתי לה הכא בדרשא כדרך המדרש (יפה תואר): **ממונו של פלוני לפלוני.** על פי פיסקא הגדולה שאדם פוסק עם בתו. ועיין כל זה בבראשית רבה (סח, ד): **פלוני כו'.** פלוני עבדי ישא לפלונית שפחתי: **לצפרא אתין כו'.** פירוש למחר באו כל אותן העבדים והשפחות אצלה, זה מוחו נפצע, וזה עיניו שמוטות, וזה זרועו נשבר, וזה ברכו נשברה, וכל זה כי לא היו חפצים זה בזו, וזו בזה, כדמפרש ואזיל: **דין.** פירוש זה: **לינא.** כמו לית אנא, פירוש אין אני חפץ לזה: **קשה הוא לפני הקדוש ברוך הוא בקריעת ים סוף.** הקושי שהיה יתברך משני פנים, האחד להטיב למי שאינו ראוי, לפי שמדת הדין מקטרגת, והשני להזיק אפילו למי שעונו מחייבו, כי השם יתברך הוא הטוב והמטיב, ואינו רוצה בהשחתת שום נברא, אלא שלהיותו דיין אמת חוייב להעניש החוטא, ומשני פנים אלו יתייחס אלו קושי בקריעת ים סוף, אם במה שהטיב לישראל שלא היו ראוים לנס כזה להיות ביניהם פסל מיכה כמו שאמרו ז"ל (סנהדרין קג, ב), ואם במה שהזיק למצרים (יפה תואר): **מושיב יחידים ביתה.** אדם יחיד ואשה יחידה והוא מזווגם יחד ומושיב מהם בית אחד, מוציא אסירים שהוא מוציאן מבתיהן אסורים, בעל כרחם מזווגם: **בבי ושירות.** נוטריקון של בכושרות: **דבעא אמר שירה.** מי שרוצה ונהנה בזיווגו אומר שירה, ומי שאינו רוצה הוא בוכה, ועם כל זה יחזיק בשלו שלא בטובתו, כי שולח לו טבע מלמעלה להיות מחזיק בה: **ועושה סולמות.** פירוש כי מעשה ה' לעולם להעמיד תבל בצדק, ולזה משפיל לזה, ומרים לזה כפי מעשיהם, ואין מעשה חשוב מזה, וקאמר יושב ועושה סולמות, לרמז כי הירידה והעליה לא תבא לאדם בבת אחת כי יבהל וימות, אלא מדריגה אחר מדריגה כעולה ויורד בסולם (יפה תואר): **בלשון זה הושפלו כי זה משה האיש.** שמפני שהיה הנתינה לכפר עון העגל, לכן נכתב באותו לשון להגביה השפלתם. ויותר נראה שצריך לומר (נחמיה ט, יח) ויאמרו זה אלהיך ישראל: **זה קרבן אהרן.** לכפר על עון אהרן בעשיית העגל, ולכך נכתב כאן מלת זה:

פירוש מהרז"ו

(א) רבי לוי פתח. כל הענין בבראשית רבה (סח, ד), ושם נסמן לכמה מקומות, ושם מבואר ויתר הביאור במקומות המצוינים שם: **בלשון זה הושפלו.** שהיה לו לומר שופט ישפיל וירים, ותיבות זה וזה מיותרים, ודורש על פי גזירה שוה, ובפסיקתא (פרשה י) הגירסא זה שהשפיל את ישראל לבאר שחת, זה אלהיך אשר העלך ממצרים, (פסוק הוא בנחמיה (ט, יח) בענין העגל), וזה ירים שמרומם קרנם בזה זה יתנו:

חידושי הרד"ל

[א] מטרונא שאלה. עיין שם בהגהותי בסייעתא דשמיא בראשית רבה ריש פרשת ויצא: **רבי יהודה בצריא פתר קריא.** כן צריך לומר:

חידושי הרש"ש

[א] אמרה להו פלוני ישא לפלונית ופלונית לפלוני זיווגן בלילה. צריך לומר ופלוני לפלונית וזיווגן בלילה: **רבי יונה בצריה פתח קריא כו'.** כן צריך לומר:

אמרי יושר

[א] מכאן ואילך. כיון שהודית שבששת ימים ברא העולם, אם כן כל הזמן הרב, יושב ובטל, או הרי אין צריכין לו ואינו משגיח: **אמר לה יושב ומזווגן [ובו'] אמר ליה אם קלה היא בעיניך.** ונראה לך פחיתות שיתעסק הקב"ה בזה **קשה היא:**

מסורת המדרש

א. אגדת שמואל פ"ה: ב. סנהדרין כ"ב:

אם למקרא

כִּי־אֱלֹהִים שֹׁפֵט זֶה יַשְׁפִּיל וְזֶה יָרִים: (תהלים עה:ח)

כִּי שֵׁשֶׁת־יָמִים עָשָׂה ה' אֶת־הַשָּׁמַיִם וְאֶת־הָאָרֶץ אֶת־הַיָּם וְאֶת־כָּל־אֲשֶׁר־בָּם וַיָּנַח בַּיּוֹם הַשְּׁבִיעִי עַל־כֵּן בֵּרַךְ ה' אֶת־יוֹם הַשַּׁבָּת וַיְקַדְּשֵׁהוּ: (שמות כ:יא)

אֱלֹהִים מוֹשִׁיב יְחִידִים בַּיְתָה מוֹצִיא אֲסִירִים בַּכּוֹשָׁרוֹת אַךְ סוֹרְרִים שָׁכְנוּ צְחִיחָה: (תהלים סח:ז)

כִּי־אֱלֹהִים שֹׁפֵט זֶה יַשְׁפִּיל וְזֶה יָרִים: (שם עה:ח)

וַיַּרְא הָעָם כִּי־בֹשֵׁשׁ מֹשֶׁה לָרֶדֶת מִן־הָהָר וַיִּקָּהֵל הָעָם עַל־אַהֲרֹן וַיֹּאמְרוּ אֵלָיו קוּם עֲשֵׂה־לָנוּ אֱלֹהִים אֲשֶׁר יֵלְכוּ לְפָנֵינוּ כִּי־זֶה מֹשֶׁה הָאִישׁ אֲשֶׁר הֶעֱלָנוּ מֵאֶרֶץ מִצְרַיִם לֹא יָדַעְנוּ מֶה־הָיָה לוֹ: (שמות לב:א)

זֶה יִתְּנוּ כָּל־הָעֹבֵר עַל־הַפְּקֻדִים מַחֲצִית הַשֶּׁקֶל בְּשֶׁקֶל הַקֹּדֶשׁ עֶשְׂרִים גֵּרָה הַשֶּׁקֶל מַחֲצִית הַשֶּׁקֶל תְּרוּמָה לַה': (שמות ל:יג)

וָאֹמַר לָהֶם לְמִי זָהָב הִתְפָּרָקוּ וַיִּתְּנוּ־לִי וָאַשְׁלִכֵהוּ בָאֵשׁ וַיֵּצֵא הָעֵגֶל הַזֶּה: (שם לב:כד)

שינוי נוסחאות

(א) דין אמר לינא בעיא לדין, ודין אמר לינא בעיא לדין. לשון זה אי אפשר לקיימו, ש"דין" הוא ל' זכר ("דא" הוא ל' נקבה), "אמר" הוא ל' זכר, ו"בעיא" הוא ל' נקבה, והנוסח הנכון נמצא בכי"י והוא: "דין אמר לינא בעי לדא, ודא אמרה לינא בעיא לדין":

מתנות כהונה

[א] ממונו של פלוני לפלוני. הרואה יראה לעיניים שטעות סופר הוא במקום זה. ובכל מקום שמצאתי, מדרש זה איתו. ולעיל פרשת ויצא (סח, ד) הביאו גם כן, והעיקר איתו כן ועיין במדבר רבה (ג, ו): הכי גרסינן **אמר לה אם קלה היא: לצפרא כו'.** לבקר באו אצלה רצה לומר אותן עבדים ושפחות: **דין כו'.** זהו מוחו פליעה, נשברה מלשון פלע: **אציליה.** זרועות: **פריך.** נשבר ונפרך: **ארכובו.** ירכו: **תבירה.** נשברה. וכל זה כי לא היו חפצים זה בזו וזו בזה כדמפרש ואזיל: **דין.** זה: **לינא.** כמו לית אנא, פירוש אין אני חפץ לזה: **בבי ושירות.** נוטריקון של בכושרות: **דבעא.** מי שרוצה וחפץ וגו'. ושוב מפרש וכי מאחר שהוא בוכה, ואינו חפץ בזיווגו למה לקחה בתחלה, או למה לא פטרה והלך לו, ואמר שהקב"ה מזווגן בעל כרחן: **בלשון זה.** רצה לומר בלשון של מלת זה: הכי גרסינן **באהרן בלשון זה הושפל בלשון זה הוגבה:**

אשד הנחלים

[א] בכמה ימים כו' מזווג זיווגים. הדבר הזה בשלימות פרשתי לעיל בסדר ויצא עיין שם: **ולינא בעי לדין.** כלומר לית אנא בעי לקחת את זאת, כי אם זאת: **דלא בעי בכה.** ועם כל זה יחזיק בשלו וישמח בחלקו בעל כרחו שלא בטובתו, כי שולח לו טבע מלמעלה להיות מחזיק בה: **בלשון זה כו' זה משה כו' זה יתנו.** יש להבין מהו ענין מלה הזאת, ומהו השייכות זה יתנו לזה האיש משה. ואולי מפני שהיה הנתינה לכפר עון העגל, לכן ניכתב באותו לשון להגביה השפלתם ולכפר עליהם. והנה מלת זה מורה כאלו דברו בגנאי, זה הידוע האיש משה הגדול במעלה, לא ידענו מה היה לו, כי איננו עוד, וכמו שאמרו (שבת פט, א) שהשטן הראה להם מטתו, ואם כן גברה המחשבה אצלם כאלו חס ושלום שקר ענה בהם בכל ענייניו, וזה מרמז כאן להגביה אותם ולכפר על אותו לשון הרע הזה, ואמר זה, בעד מלת זה שגינו אותו, יתנו ויתכפר להם: **זה קרבן אהרן.** בעשיית העגל, ולכך נכתב כאן מלת זה:

§2 [זֶה קָרְבַּן אַהֲרֹן וּבָנָיו — *THIS IS THE OFFERING OF AARON AND HIS SONS.*]

The Midrash cites a verse from *Judges* and ultimately relates it to our verse:[18]

דָּבָר אַחֵר, ״זֶה קָרְבַּן אַהֲרֹן״ — **Another interpretation** of ***this is the offering of Aaron and his sons:*** זֶה שֶׁאָמַר הַכָּתוּב ״וַיֹּאמֶר לָהֶם מֵהָאֹכֵל יָצָא מַאֲכָל״ — **This is** an illustration of the concept found in **what Scripture states** quoting Samson, ***He said to them, "From the eater came forth food"*** (*Judges* 14:14).[19]

The Midrash digresses to provide an analysis of the entire passage dealing with this incident involving Samson:[20]

אָמַר רַבִּי שְׁמוּאֵל בַּר נַחְמָן: כֵּיוָן שֶׁהִתְחִיל רוּחַ הַקּוֹדֶשׁ לְגַשְׁגֵּשׁ בְּשִׁמְשׁוֹן — **R' Shmuel bar Nachman said: Once the Holy Spirit began to resound in Samson,** בְּג׳ מְקוֹמוֹת הִצְלִיחַ — **it "came over him"**[21] **in three places.**[22] שֶׁנֶּאֱמַר ״וַתָּחֶל רוּחַ ה׳ לְפַעֲמוֹ בְּמַחֲנֵה דָן בֵּין צָרְעָה וּבֵין אֶשְׁתָּאֹל״ — **Thus it is stated, *The spirit of HASHEM began to resound in him in the camp of Dan, between Zorah and Eshtaol*** (ibid. 13:25).

The Midrash digresses to discuss the meaning of the verse it has just cited:

מַאי ״בֵּין צָרְעָה וּבֵין אֶשְׁתָּאֹל״ — **What is** the meaning of *resound . . .* ***between Zorah and Eshtaol?***[23] אָמַר רַבִּי שְׁמוּאֵל בַּר נַחְמָן: מְלַמֵּד שֶׁנָּטַל שְׁנֵי הָרִים וְהִקִּישָׁן זֶה לָזֶה — **R' Shmuel bar Nachman said: This teaches** us **that [Samson] took hold of two mountains,** Zorah and Eshtaol, **and knocked them one against the other,**[24] כְּאָדָם שֶׁנּוֹטֵל ב׳ צְרוֹרוֹת וּמַקִּישָׁן זֶה לָזֶה — **as an** ordinary **person would take two pebbles and knock one against the other.** רַבִּי יְהוּדָה וְרַבִּי נַחְמָן — **R' Yehudah and R' Nachman** offered other interpretations: רַבִּי יְהוּדָה אָמַר: בְּשָׁעָה שֶׁהָיְתָה רוּחַ הַקּוֹדֶשׁ שְׁרוּיָה עָלָיו — **R' Yehudah said: At the time that the Holy Spirit rested upon him,** הָיָה פּוֹסֵעַ פְּסִיעָה אַחַת מִצָּרְעָה וְעַד אֶשְׁתָּאוֹל — Samson possessed such strength that **he could walk in a single step** the distance **equivalent to** that **from Zorah to Eshtaol.**[25] רַבִּי נַחְמָן אָמַר: בְּשָׁעָה שֶׁהָיְתָה רוּחַ הַקּוֹדֶשׁ שׁוֹרָה עָלָיו — **R' Nachman said: At the time that the Holy Spirit rested upon him,** שַׂעֲרוֹתָיו עוֹמְדוֹת וְהָיוּ מַקִּישׁוֹת זוֹ לָזוֹ כְּזוּג — **his hairs would** harden and **stand up and knock one against the other like a bell** clapper,[26] וְקוֹלָן הוֹלֵךְ כְּמִצָּרְעָה וְעַד אֶשְׁתָּאוֹל — **and their sound would travel** a distance **equivalent to** that **from Zorah to Eshtaol.**[27]

The Midrash returns to enumerate the three instances when the Divine Spirit "came over" Samson, mentioned above:

כְּשֶׁהוּא יוֹרֵד לְתִמְנָתָה — The first instance was **when he descended to Timnath,** ״וַיֵּרֶד שִׁמְשׁוֹן וְאָבִיו וְאִמּוֹ תִּמְנָתָה . . . וַתִּצְלַח עָלָיו רוּחַ ה׳״ — as it is written, ***So Samson and his father and mother descended to Timnath . . . And the spirit of HASHEM came over him*** (ibid. 14:5-6). ״וַתִּצְלַח עָלָיו רוּחַ ה׳ וַיֵּרֶד אַשְׁקְלוֹן וגו׳״ — The second instance: ***Then a spirit of HASHEM came over him, and he went down to Ashkelon*** *and struck down thirty men of them* (ibid., v. 19). ״הוּא בָא עַד לֶחִי . . . וַתִּצְלַח עָלָיו רוּחַ ה׳״ — The third instance: ***He came to Lehi . . . and a spirit of HASHEM came over him*** (ibid. 15:14).

The Midrash discusses Samson's second descent to Timnath, when he devised the riddle, *From the eater came forth food,* mentioned above:

כְּשֶׁהוּא חוֹזֵר תִּמְנָתָה אָמַר — **When he returned to Timnath** to marry the Philistine woman, **he said** to himself: אֵלֵךְ אֶרְאֶה אֶת מַפֶּלֶת הָאַרְיֵה — **"I will go and see the fallen carcass of the lion,"** שֶׁנֶּאֱמַר ״וַיָּשָׁב מִיָּמִים לְקַחְתָּהּ . . . וַיִּרְדֵּהוּ אֶל כַּפָּיו״ — **as it is stated, *He returned after some time to marry her,*** *and he turned aside to see the fallen carcass of the lion, and behold, a swarm of bees was in the body of the lion, with honey.* ***He scraped it into his hands,*** *etc.* (ibid. 14:8-9). וְהָיָה שִׁמְשׁוֹן תְּמֵיהַּ בְּלִבּוֹ וְאָמַר — **And Samson was amazed in his heart**[28] at the irony of the situation, **and he said** to himself, אֲרִי אוֹכֵל כָּל הַחַיּוֹת וְעַכְשָׁיו יָצָא מִמֶּנּוּ מַאֲכָל — **"A lion** normally **eats all the** other **beasts** as its food, **and now food comes forth from it!"**[29]

NOTES

18. Particularly to the word זֶה, *This.*

19. Samson went down to Timnath to marry a Philistine woman. At the feast following his wedding, he posed a riddle to the attendees as follows: "From the eater came forth food; and from the strong came forth sweetness." This was referring to a sight that Samson had seen on his way to Philistia — a swarm of bees producing honey inside the carcass of a lion. (This was the carcass of the lion he had torn apart with his bare hands, as recounted there in vv. 5-6.)

The Midrash below will explain the relevance of Samson's riddle to our verse.

20. *Yedei Moshe.*

21. This is the expression Scripture uses for Samson's being overcome with the Divine Spirit, through which he obtained great physical strength; see the verses cited below.

22. Enumerated below. There were thus four instances of "the Spirit of Hashem" affecting Samson — one "beginning" and three cases of "coming over." Midrash will list these three instances below.

[We have followed *Yefeh To'ar's* emendation and interpretation of this sentence (adopted by *Eitz Yosef* as well). The standard Midrash text, without emendation, states: כֵּיוָן שֶׁהִתְחִיל רוּחַ הַקּוֹדֶשׁ לְגַשְׁגֵּשׁ בְּשִׁמְשׁוֹן בְּג׳ מְקוֹמוֹת הִתְחִיל — *When the Holy Spirit began to resound in Samson, it began in three places. Radal* explains that these three places are *the camp of Dan, Zorah,* and *Eshtaol,* all mentioned in the verse (which the Midrash presently goes on to cite) that describes the location of the *beginning* of the Divine Spirit's *resounding* in Samson.]

23. For the location of Samson's first encounter with the Divine Spirit does not seem to be important to record in such detail; therefore the Midrash expounds various explanations as to why these names are mentioned here (*Yefeh To'ar*).

24. R' Shmuel bar Nachman understands the word לְפַעֲמוֹ (translated here as "to resound") as "to collide, to pound," as in (*Isaiah* 41:7) הוֹלֵם פָּעַם — *the one who pounds with hard blows* [פָּעַם] (*Yefeh To'ar*), and as in (*Psalms* 77:4) נִפְעַמְתִּי וְלֹא אֲדַבֵּר — *I am agitated* [נִפְעַמְתִּי] *and do not speak* (*Rashash*).

25. R' Yehudah interprets לְפַעֲמוֹ to mean "to take steps," related to מַה יָּפוּ פְעָמַיִךְ — *how lovely are your steps* (*Song of Songs* 7:2) (*Beur Maharif, Eitz Yosef*).

26. As a result of Samson's supernatural strength when he experienced the Holy Spirit (*Eitz Yosef*).

27. R' Nachman interprets לְפַעֲמוֹ as related to the word "bell," פַּעֲמֹן (*Exodus* 28:34) (*Beur Maharif, Eitz Yosef*).

28. Samson knew that God would not show him such an unusual sight for no reason; he knew there must be a deeper message, which he interpreted as a reference to Aaron's offering (*Yedei Moshe, Eitz Yosef*).

29. Samson was not simply "amazed" at what he saw, but understood that by showing him this unusual find, God was trying to teach him an important lesson. That lesson was that a person who has attained greatness (e.g., power, wealth, status, etc.) must always bear in mind that even the mightiest beings, who "prey" on others, can be humbled and brought low, becoming themselves "food" for the benefit of others. This was an intimation that although the Philistines presently ruled over Israel, this situation would eventually be reversed and Israel would gain the upper hand, subjugating their former masters. Alternatively, it was an intimation that Samson, despite his enormous powers, should not become arrogant about his gifts, for even the mighty can be brought low by God if they are found undeserving. The Midrash goes on to apply this same lesson to Aaron (*Yefeh To'ar*). See also insight Ⓐ.

INSIGHTS

Ⓐ **Noblesse Oblige** *Yefeh To'ar* suggests another interpretation for the message God wanted to impart to Samson through the honey inside the

ב **דָּבָר אַחֵר,** [ו, יג] "**זֶה קָרְבַּן אַהֲרֹן**", **זֶה שֶׁאָמַר הַכָּתוּב** (שופטים יד, יד) "**וַיֹּאמֶר לָהֶם מֵהָאֹכֵל יָצָא מַאֲכָל**", **אָמַר רַבִּי שְׁמוּאֵל בַּר נַחְמָן: כֵּיוָן שֶׁהִתְחִיל רוּחַ הַקּוֹדֶשׁ לְגַשְׁגֵּשׁ בְּשִׁמְשׁוֹן בְּג' מְקוֹמוֹת °הִתְחִיל, שֶׁנֶּאֱמַר** (שם יג, כה) "**וַתָּחֶל רוּחַ ה' לְפַעֲמוֹ בְּמַחֲנֵה דָן בֵּין צָרְעָה וּבֵין אֶשְׁתָּאֹל**", **מַאי "בֵּין צָרְעָה וּבֵין אֶשְׁתָּאֹל", אָמַר רַבִּי שְׁמוּאֵל בַּר נַחֲמָן: ג'מְלַמֵּד שֶׁנָּטַל שְׁנֵי הָרִים וְהִקִּישָׁן זֶה לָזֶה כְּאָדָם שֶׁנּוֹטֵל ב' צְרוֹרוֹת וּמַקִּישָׁן זֶה לָזֶה, רַבִּי יְהוּדָה וְרַבִּי נַחֲמָן, רַבִּי יְהוּדָה אָמַר: בְּשָׁעָה שֶׁהָיְתָה רוּחַ הַקּוֹדֶשׁ שְׁרוּיָה עָלָיו הָיָה פּוֹסֵעַ פְּסִיעָה אַחַת כְּמִצָּרְעָה וְעַד אֶשְׁתָּאוֹל, רַבִּי נַחֲמָן אָמַר: בְּשָׁעָה שֶׁהָיְתָה רוּחַ הַקּוֹדֶשׁ שׁוֹרָה עָלָיו שַׂעֲרוֹתָיו עוֹמְדוֹת וְהָיוּ מַקִּישׁוֹת זוֹ לָזוֹ כְּזוֹג, וְקוֹלָן הוֹלֵךְ כְּמִצָּרְעָה וְעַד אֶשְׁתָּאוֹל, כְּשֶׁהוּא יוֹרֵד לְתִמְנָתָה** (שם יד, ה-ו) "**וַיֵּרֶד שִׁמְשׁוֹן וְאָבִיו וְאִמּוֹ תִּמְנָתָה**° (שם שם יט) "**וַתִּצְלַח עָלָיו רוּחַ ה' וַיֵּרֶד אַשְׁקְלוֹן וְגוֹ'**" (שם טו, יד) "**הוּא בָא עַד לֶחִי**",° **כְּשֶׁהוּא חוֹזֵר °מִתִּמְנָתָה אָמַר: אֵלֵךְ אֶרְאֶה אֶת מַפֶּלֶת הָאַרְיֵה, שֶׁנֶּאֱמַר** (שם יד, ח-ט) "**וַיָּשָׁב מִיָּמִים לְקַחְתָּהּ ... וַיִּרְדֵּהוּ אֶל כַּפָּיו**", **וְהָיָה שִׁמְשׁוֹן תָּמֵיהַּ בְּלִבּוֹ וְאָמַר: אֲרִי אוֹכֵל כָּל הַחַיּוֹת וְעַכְשָׁיו יָצָא מִמֶּנּוּ מַאֲכָל, כָּךְ אַהֲרֹן אוֹכֵל כָּל הַקָּרְבָּנוֹת וְעַכְשָׁיו יָצָא מִמֶּנּוּ קָרְבָּן, וְאֵיזֶה זֶה, זֶהוּ קָרְבַּן אַהֲרֹן וּבָנָיו:**

עץ יוסף

(ב) **מהאוכל יצא מאכל כו'.** משום דקשיא ליה מאי לשון זה, גבי קרבן, כדלעיל, בעי השתא לתרוצי שלהיות זה דבר חדוש שאכל אהרן כל הקרבנות דניתנין לאכילת אדם, ועכשיו יצא ממנו קרבן, להכי קאמר זה קרבן, כלומר זה קרבן זר ומחודש, ומעין זה מייתי מהאוכל יצא מאכל, שהדבר תימא אריה אוכל כל החיות, ועכשיו יצא ממנו מאכל, כדמפרש בסמוך (עיין ביפה תואר): **לגשגש.** לשון הגשה ודנוק: **בשלש מקומות הצליח.** כך צריך לומר. דבשלשתם כתיב ותצלח עליו רוח ה', וברחשונה כתיב ותחל רוח ה', והכונה בזה שעל ידי שהתחיל רוח ה' לגשגש בו בפעם הראשונה בזמן כשרותו, הוכן מאד עד שצלחה עליו גם אחר כן, שהמוכן בדבר לא במהרה ינתק (יפה תואר): **בשלש מקומות.** היינו לרעה, ואשתאול, ומחנה דן, שמחנה דן גם כן שם מקום כמו שכתב הרד"ק: **מהו בין צרעה כו'.** אגב שמביא זה הקרא מפרש ליה אגב אורחיה, מהו בין לרעה וכו', דלא מלינו שני עיירות לרעה ואשתאול במקרא אלא במחנה יהודה, ולא בנחלת דן, לכן מפרש ששני הרים היו בנחלת דן, שנקראו לרעה ואשתאול, ובין אותן שני הרים היה רוח ה' החל בו דרך גבורה, שהיה מקרבן לאותן שני הרים למקום שבין שניהם ושם היה טוחנן זה בזה, ודריש לפעמו מענין הולם פעם שהוא ענין הקשה (יפה תואר): **היה פוסע כו'.** דרש לפעמו מענין (תהלים עד, ג) הרימה פעמיך, ומלשון (שיר השירים ז, ב) מה יפו פעמיך (יפה תואר): **מקישות זו לזו.** כזוג, שמרוב הגבורה שהיה לובש כשהיה שורה עליו רוח הקודש היו עומדות שערותיו ומתחזקות עד שהיו מקישות זו לזו, ודרש לפעמו מלשון (שמות כח, לד) פעמון זהב ורמון (יפה תואר): **כשהוא חוזר תמנתה.** כך צריך לומר: **והיה שמשון תמה בלבו.** דמטבע האדם בעת שרואה מפלת הגבור ונפילתו ומותו יתאזנו השתוממת בזכרו מגבורתו העזה ועתה הושלך באין לאל ידו להתנועע, ותמה על מה שלא הקדוש ברוך הוא מעשה זה לידו, אם לא שרמז על אהרן:

פירוש מהרז"ו

(ב) **אמר רבי שמואל בר נחמן.** אגב שדורש פסוק מהאוכל יצא מאכל, שאמרו שמשון ברוח הקדש, כמו שכתב בסוף הסימן, הביא כל המאמר לכאן: **ביון שהתחיל רוח הקדש לגשגש בשמשון.** פה שייך המאמר, מלמד שנטל שני הרים כו', כי הפסיקו במאמר הקצר בשלשה מקומות התחיל, ולכן כשבא לסיים מאמרו הראשון, הוצרך לומר עוד הפעם, אמר רבי שמואל בר נחמן. ומה שכתב בשלשה מקומות התחיל, כוונתו בזה שהוקשה לו מה שכתוב (שופטים יג, כה), ותחל רוח ה' לפעמו במחנה דן בין צרעה ובין אשתאול, משמע ששם התחיל להראות גבורות ה', הרי לקמן בפרשה חשב המקומות שעשה בהם הגבורות, ראשון בכרמי תמנת, ושני ירידתו לאשקלון, ושלישי בלחי, ואין גם אחד במחנה דן, אם כן מהו שאמר לפעמו במחנה דן, בהכרח שדורש שבכל פעם משלשה פעמים הנ"ל, היה כמון לרעה ואשתאול, שהם במחנה דן, ורבי שמואל בר נחמן סובר על שנטל שני הרים כמו לרעה ואשתאול, שהם במחנה דן, ומה שכתב שנאמר ותחל, בהכרח שצריך להגיהה, ואולי צריך לומר כך "וש"נ", ושנאמר ותחל רוח ה' לפעמו וגו', רבי שמואל בר נחמן וכו', שכך פירושו מלמד שנטל שני הרים וכו': **כשהיה יורד לתמנתה.** עיין הגהות רש"ש, אם כן דעת הכתוב שלא היו גבורותיו רק בשלשה מקומות אלו ולא יותר, וזה על פי מדת דבר הלמד מענינו, אם כן מה שכתב ותחל רוח ה' לפעמו במחנה

חידושי הרד"ל

[ב] **אמר רבי שמואל בר נחמן כיון שהתחיל כו'.** ירושלמי סוטה (פ"א ה"ח): **בשלשה מקומות.** לרעה ואשתאול ומחנה דן גם כן שם מקום כמו שכתב הרד"ק. והולרך ליתן הכתוב שני סימנין מחנה דן שם העיר, ובין לרעה ואשתאול, כי העיר מחנה דן נבנית אחר כך בימי פסל מיכה, ובימי שמשון לא היתה עדיין, והיה הסימן רק בין לרעה ואשתאול: **פוסע פסיעה אחת.** דרש לפעמו לשון פעמי רגל: **כך אהרן אוכל וכו' ויצא ממנו קרבן.** אפשר לסמך זה לסיפיה דקרא, מעז יצא מתוק, כן מאהרן יצא קרבן מתוק לגבוה, שלכן כל קרבן מנחת כהן כליל לחביבותו, עיין לעיל פרשה ז' וסימן א':

חידושי הרש"ש

[ב] **מלמד שנטל שני הרים והקישן זה לזה.** דרש לפעמו מלשון (תהלים עז, ה) נפעמתי ולא אדבר, ומאן דסבר היה פוסע פסיעה אחת כו', הוא מלשון (שעיה כו, ו) פעמי דלים, ומאן דסבר שערותיו כו', כזוג הוא מלשון (שמות כח, לד) פעמון: **כשהוא יורד לתמנתה.** כאן חסר כמה תיבות, וכן צריך לומר, "וירד גו' תמנתה וגו', ותצלח גו', ותצלח גו' וירד אשקלון וגו' (ושני הפסוקים המה בשופטים יד, ו - יט) הוא בא עד לחי, וגומר ותצלח גו' (שם טו, יד), והם לראיה על מה שאמר למעלה בג' מקומות כו', ג' פעמים כתיב בו ותצלח כו':

מסורת המדרש

ג. סוטה ט' וירושלמי פ"ק דסוטה:

אם למקרא

וַיֹּאמֶר לָהֶם מֵהָאֹכֵל יָצָא מַאֲכָל וּמֵעַז יָצָא מָתוֹק וְלֹא יָכְלוּ לְהַגִּיד הַחִידָה שְׁלֹשֶׁת יָמִים: (שופטים יד:יד)

וַתָּחֶל רוּחַ ה' לְפַעֲמוֹ בְּמַחֲנֵה־דָן בֵּין צָרְעָה וּבֵין אֶשְׁתָּאֹל: (שם יג:כה)

וַיֵּרֶד שִׁמְשׁוֹן וְאָבִיו וְאִמּוֹ תִּמְנָתָה וַיָּבֹאוּ עַד כַּרְמֵי תִמְנָתָה וְהִנֵּה כְּפִיר אֲרָיוֹת שֹׁאֵג לִקְרָאתוֹ: וַתִּצְלַח עָלָיו רוּחַ ה' וַיְשַׁסְּעֵהוּ כְּשַׁסַּע הַגְּדִי וּמְאוּמָה אֵין בְּיָדוֹ וְלֹא הִגִּיד לְאָבִיו וּלְאִמּוֹ אֵת אֲשֶׁר עָשָׂה: (שם יד:ה-ו)

הוּא בָא עַד לֶחִי וּפְלִשְׁתִּים הֵרִיעוּ לִקְרָאתוֹ וַתִּצְלַח עָלָיו רוּחַ ה' וַתִּהְיֶינָה הָעֲבֹתִים אֲשֶׁר עַל זְרוֹעוֹתָיו כַּפִּשְׁתִּים אֲשֶׁר בָּעֲרוּ בָאֵשׁ וַיִּמַּסּוּ אֱסוּרָיו מֵעַל יָדָיו: (שם טו:יד)

וַיָּשָׁב מִיָּמִים לְקַחְתָּהּ וַיָּסַר לִרְאוֹת אֵת מַפֶּלֶת הָאַרְיֵה וְהִנֵּה עֲדַת דְּבוֹרִים בִּגְוִיַּת הָאַרְיֵה וּדְבָשׁ: וַיִּרְדֵּהוּ אֶל־כַּפָּיו וַיֵּלֶךְ הָלוֹךְ וְאָכֹל וַיֵּלֶךְ אֶל־אָבִיו וְאֶל־אִמּוֹ וַיִּתֵּן לָהֶם וַיֹּאכֵלוּ וְלֹא־הִגִּיד לָהֶם כִּי מִגְּוִיַּת הָאַרְיֵה רָדָה הַדְּבָשׁ: (שם יד:ח-ט)

ידי משה

[ב] **בשלשה מקומות התחיל רוח הקודש לגשגש בשמשון עד והיה שמשון תמיה.** פירוש הואיל וכבר התחיל לגשגש בו רוח הקודש שלשה פעמים, ושלשה פעמים הוי חזקה, ואם כן האיך אפשר שיאמר החידה זו כפשוטה לדברי שטות, אלא על כרחך שאין הדברים כפשוטה, אלא על אהרן רמז. וקל להבין: **התחיל שמשון תמיה.** פירוש שהיה מתמיה על מה שלא הקב"ה מעשה זו לידו, אלא רמז לו הקב"ה על אהרן:

מתנות כהונה

[ב] **לגשגש.** כמו לקשקש: **צרעה ואשתאול.** סבירא ליה דשני הרים הוו:

אשד הנחלים

[ב] **בשלשה מקומות התחיל.** פירש היפה תואר שהצליח בשלשה מקומות שנאמר בו ותצלח עליו רוח ה'. ופירושו והלא בשלשה מקומות התחיל לגשגש בו רוח הקודש, ואם כן איך יתכן שיאמר השירה הזו כפשוטה לדברי שטות, אלא על כרחך אין הדברים כפשטן אלא על אהרן רמז (ידי משה): **שני הרים והקישן.** דרש לפעמו כמו (ישעיה מא, ז) הולם פעם (הרב מוהרז"ו): **היה פוסע.** דרש לפעם מלשון מה יפו פעמיך (שיר השירים ז, ב): **כזוג.** מלשון פעמון (הרב הנ"ל). ועיקר מחלוקתם על רוח גבורה שהיה בשמשון, למר היה בכחו, ולמר שהיה קל ברגליו, ולמר עיקר גבורתו היה בשערו, וכולם מבארים מלות בין צרעה ובין אשתאול, דהוא מיותר לְמָה בא להורות: **תמה בלבו.** שהיה תמה על מה שלח הקב"ה מעשה לידו, אם לא שרמז על אהרן (ידי משה). ולי נראה דמטבע האדם בעת שרואה מפלת הגבור

אמרי יושר

[ב] **מהאוכל יצא מאכל.** זה קרבן אהרן האוכל, והנה זה לרמזה ופלא: **פוסע פסיעות.** זהו לפעמו, מלשון פעמותיו. ומאן דאמר שערותיו מקישות, פירוש לפעמו, כמו פעמון ורמון (שמות כח ולד' סוטה ט ב) השערות, רמז לגבורה שהיה לו בשבת השער, וגם נטילת ההרים והקשתן, רמז לשני עמודי התוך שהפיל, ורמז הפסיעות גדולות, לנס וקולות לכבוד שלא מאות שועלים יוס אחד, שהוא קל לרוץ, שלא על דרך אדם, ארח ברגליו לא יבא (ישעיה מא ג), פסיעותיו שלשה מילין (מדרש תהלים קי ה):

באור מהרי"פ

[ב] **בשלשה מקומות התחיל וכו'.** הענין מוקשה מאד, דאיך שייך לומר התחיל בשלשה מקומות, דהתחלה הוא רק במקום אחד, גם רוח ה' כתיב ארבעה פעמים בפרשה של שמשון. ואולי יש לפרש המקראות השייכים לזה הענין, (שופטים יג, כה) ותחל רוח ה'. (שם יד, ה ו ח) וירד שמשון תמנתה, וירא פלשתים. וירד שמשון ואביו ואמו תמנתה ויבאו עד כרמי תמנתה והנה כפיר אריות שואג לקראתו. ותצלח עליו רוח ה' וישסעהו כשסע הגדי ומאומה אין בידו ולא הגיד לאביו ולאמו את אשר עשה. וישב מימים לקחתה ויסר לראות את מפלת האריה והנה עדת דבורים בגוית האריה ודבש. (שם טו, יד) הוא בא עד לחי ופלשתים הריעו לקראתו ותצלח עליו רוח ה' ותהיינה העבותים אשר על זרועותיו כפשתים אשר בערו באש וימסו אסוריו מעל ידיו. ועתה נבוא אל הביאור נראה דבשלשה מקומות הללו, צריך לגרוס דבשלשתם כתיב ותצלח עליו רוח ה', וברחשונה לבד כתיב ותחל רוח ה', והכונה בזה שעל ידי שהתחיל רוח ה' לקשקש בו בפעם הראשונה, לכן צלחה עליו עוד שלשה פעמים, כלומר שאף על פי שלא היה כל כך ראוי שתשרה עליו השכינה אחר שירד, ואחר עיניו הלך לבו לקחת אשה מבנות פלשתים, אלא על ידי שכבר התחילה רוח הקדש לפעמו בזמן כשרותו, הוכן מאד עד שצלחה עליו רוח הקודש גם אחר כן, שהמוכן בדבר לא במהרה ינתק, והיינו דמפרש הכא אגב אורחיה מהו בין צרעה ובין אשתאול, דלכולי עלמא היה רוח הקדש חזק ואמיץ מאד מהתחלה, כיון דהיה נוטל שני הרים וכו' או פוסע וכו' למר, או שהיתה סבה שלצלחה עליו גם כן בזמנים שהלך אחר עיניו: **שני הרים והקישן וכו'.** אולי מפרש על דרך שאמרו (סוטה ח, ב) לפעמו במחנה דן, אמר רבי יצחק דבי רב אמי שהיתה שכינה

שינוי נוסחאות

(ב) **בג' מקומות התחיל.** יפ"ת גרס "הצליח" במקום "התחיל", וכן הסכים בעצ"י: **רבי יהודה ורבי נחמן.** בכ"י איתא שהבעלי פלוגתא כאן הם "רבי יהודה ורבי נחמיה".

בשהוא יורד לתמנתה "וירד שמשון ואביו ואמו תמנתה". צ"ל כאן "ותצלח עליו רוח ה'" (חוץ ממה שכתוב במדרש אח"כ "ותצלח עליו רוח ה'"), כ"כ הרש"ש. **הוא בא עד לחי.** גם כאן צריך להוסיף "ותצלח עליו רוח ה'", כ"כ הרש"ש. **כשהוא חוזר מתמנתה.** צ"ל "תמנתה" במקום "מתמנתה", כן הגיה יפ"ת.

כָּךְ אַהֲרֹן אוֹכֵל כָּל הַקָּרְבָּנוֹת וְעַכְשָׁיו יָצָא מִמֶּנּוּ קָרְבָּן — So too, Aaron was normally **the eater of** the meat of **all the offerings, and now an offering was coming forth from him himself!"** וְאֵיזֶה זֶה — **And which** offering **is this?** זֶהוּ קָרְבַּן אַהֲרֹן וּבָנָיו — **This is** the one referred to by our verse, *This is* ***the offering of Aaron and his sons, etc.***[30]

NOTES

30. Just as it is strange for the archetypical eater, the lion, to give forth food for others, it is peculiar for Aaron, who as a Kohen consumes the offerings of others, to bring his own offering. It is this peculiarity that our verse alludes to when it states, *"This" is the offering of Aaron and his sons,* i.e., this is an unusual and unique type of offering (*Eitz Yosef*). And the message to Aaron was: You are the spiritual leader of Israel; despite the many material benefits that this entails (such as eating the meat of offerings), do not forget that your position is not an automatic entitlement, for even great leaders are subject to downfall if they are found unworthy. See Insight Ⓐ.

INSIGHTS

lion. God was hinting to Samson that whatever material gain one attains in this world, whether it be wealth or honor, it is a heavenly gift to be used to benefit others. If one is an "eater" (i.e., beneficiary) of money or honor, it is his responsibility to produce "food" and benefit others through these gifts. God was hinting to Samson that his strength and dominance of the Philistines was not an end in itself; rather, its purpose was to save and protect his people. Similarly, as Kohen Gadol, Aaron had the exceptional honor of serving in the Temple and eating offerings; the purpose of this was to benefit the Jewish people by acting as their emissary to God in order to achieve atonement.

Ⓐ **From the Eater Came Forth Food** *Maharal* suggests a different explanation of the lesson that was being conveyed to Samson and of the Midrash's parallel between Samson and Aaron.

According to *Maharal,* the Midrash enumerates the three instances in which the Divine Spirit came over Samson to highlight the exalted spiritual status achieved by Samson under the influence of the Divine Spirit. He "knocked mountains one against the other" indicates the great physical prowess of which he was capable because the *Shechinah* rested upon him. Similarly, he could walk a great distance "in a single step," indicating his unstoppable quest to achieve. And "his hairs stood up and knocked one against the other" showing the overpowering fear of Heaven that gripped him at such times. Samson's ability to kill the lion with his bare hands and the subsequent formation of a beehive in the lion's carcasss was an indication to him and to others of how high above nature the Divine Inspiration had raised him. Food is generally produced by the ground, that most trampled and inert of substances. Samson had killed with his bare hands the most powerful of all animate creatures. Moreover, this archetypical predator had become like inert ground through the hands of the Divinely inspired Samson. The eater had become the producer of food. The honey in the lion indicated that Divine Inspiration had vaulted Samson far above nature, enabling him to dominate its most powerful forces. Relative to Samson's spiritual heights, the lion, paragon of animate vitality, was deemed no more than inanimate material.

The Midrash teaches that a similar message was conveyed by Aaron's unique offering. In the standard meal-offering that is the subject of the previous passage in the Torah (vv. 7-11), only a small portion (the "*kometz*") is offered upon the fire of the Altar, after which the rest is eaten by the Kohanim. The Kohen is the "eater" and the *minchah* is his food. In contrast, no portion of Aaron's meal-offering is eaten; it is burned in its entirety upon the Altar (v. 16). The eater (the Kohen) becomes the producer of food for the Altar. This law is meant to indicate the supernal sanctity of Aaron's offering. It is raised high above the others.

Thus, the verse describing Aaron's offering begins with a declaration calling attention to the uniqueness of this offering: *This is the offering of Aaron.* It is on a completely different plane. It is to be consumed entirely on the Altar. The archetypical eater of the sacred is to produce the food for the Altar. His offering is a sanctity beyond sanctity (*Derashos Maharal MiPrague, Derush* for *Shabbos HaGadol*).

ב דָּבָר אַחֵר, [ו, יג] "זֶה קָרְבַּן אַהֲרֹן", זֶה שֶׁאָמַר הַכָּתוּב (שופטים יד, יד) "וַיֹּאמֶר לָהֶם מֵהָאֹכֵל יָצָא מַאֲכָל", אָמַר רַבִּי שְׁמוּאֵל בַּר נַחְמָן: כֵּיוָן שֶׁהִתְחִיל רוּחַ הַקּוֹדֶשׁ לְגַשְׁגֵּשׁ בְּשִׁמְשׁוֹן בְּג' מְקוֹמוֹת הִתְחִיל, שֶׁנֶּאֱמַר (שם יג, כה) "וַתָּחֶל רוּחַ ה' לְפַעֲמוֹ בְּמַחֲנֵה דָן בֵּין צָרְעָה וּבֵין אֶשְׁתָּאֹל", מַאי "בֵּין צָרְעָה וּבֵין אֶשְׁתָּאֹל", אָמַר רַבִּי שְׁמוּאֵל בַּר נַחְמָן: גמְלַמֵּד שֶׁנָּטַל שְׁנֵי הָרִים וְהִקִּישָׁן זֶה לָזֶה כְּאָדָם שֶׁנּוֹטֵל ב' צְרוֹרוֹת וּמַקִּישָׁן זֶה לָזֶה, רַבִּי יְהוּדָה וְרַבִּי נַחְמָן, רַבִּי יְהוּדָה אָמַר: בְּשָׁעָה שֶׁהָיְתָה רוּחַ הַקּוֹדֶשׁ שְׁרוּיָה עָלָיו הָיָה פּוֹסֵעַ פְּסִיעָה אַחַת כְּמִצָּרְעָה וְעַד אֶשְׁתָּאוֹל, רַבִּי נַחְמָן אָמַר: בְּשָׁעָה שֶׁהָיְתָה רוּחַ הַקּוֹדֶשׁ שׁוֹרָה עָלָיו שַׂעֲרוֹתָיו עוֹמְדוֹת וְהָיוּ מַקִּישׁוֹת זוֹ לָזוֹ כְּזוּג, וְקוֹלָן הוֹלֵךְ בְּמִצָּרְעָה וְעַד אֶשְׁתָּאוֹל, כְּשֶׁהוּא יוֹרֵד לְתִמְנָתָה (שם יד, ה-ו) "וַיֵּרֶד שִׁמְשׁוֹן וְאָבִיו וְאִמּוֹ תִּמְנָתָה" ° (שם שם יט) "וַתִּצְלַח עָלָיו רוּחַ ה' וַיֵּרֶד אַשְׁקְלוֹן וְגוֹ'" (שם טו, יד) "הוּא בָא עַד לֶחִי", ° כְּשֶׁהוּא חוֹזֵר מִתִּמְנָתָה אָמַר: אֵלֵךְ אֶרְאֶה אֶת מַפֶּלֶת הָאַרְיֵה, שֶׁנֶּאֱמַר (שם יד, ח-ט) "וַיָּשָׁב מִיָּמִים לְקַחְתָּהּ ... וַיִּרְדֵּהוּ אֶל כַּפָּיו", וְהָיָה שִׁמְשׁוֹן תָּמֵהַּ בְּלִבּוֹ וְאָמַר: אֲרִי אוֹכֵל כָּל הַחַיּוֹת וְעַכְשָׁיו יָצָא מִמֶּנּוּ מַאֲכָל, כָּךְ אַהֲרֹן אוֹכֵל כָּל הַקָּרְבָּנוֹת וְעַכְשָׁיו יָצָא מִמֶּנּוּ קָרְבָּן, וְאֵיזֶה זֶה, זֶהוּ קָרְבַּן אַהֲרֹן וּבָנָיו:

עץ יוסף

(ב) **מהאוכל יצא מאכל כו'.** משום דקשיא ליה מאי לשון זה, גבי קרבן, כדלעיל, בעי השתא לתרולי שלהיות זה דבר חדוש שאוכל אהרן כל הקרבנות דניתנין לאכילת אדם, ועכשיו יצא ממנו קרבן, להכי קאמר זה קרבן, כלומר זה קרבן זר ומחודש, ומעין זה מייתי מהאוכל יצא מאכל, שהדבר תימא אריה אוכל כל החיות, ועכשיו יצא ממנו מאכל, כדמפרש בסמוך (עיין ביפה תואר): **לגשגש.** לשון הגבה ודבוק: **בשלש מקומות הצליח.** כך צריך לומר. דבשלשתם כתיב ותצלח עליו רוח ה', ובראשונה כתיב ותחל רוח ה', והכונה בזה שעל ידי שהתחיל רוח ה' לגשגש בו בפעם הראשונה בזמן כשרותו, הוכן מאד עד שצלחה עליו גם אחר כן, שהמוכן בדבר לא במהרה ינתק (יפה תואר): **בשלש מקומות.** היינו לצרעה ואשתאול, ומחנה דן, שמחנה דן גם כן שם מקום כמו שכתב הרד"ק: **מהו בין צרעה כו'.** אגב שמביא זה הקרא מפרש ליה אגב אורחיה, מהו בין צרעה וכו', דלא מלינו שני עיירות צרעה ואשתאול במקרא אלא במחנה יהודה, ולא בנחלת דן, לכן מפרש ששני הרים היו בנחלת דן, שנקראו צרעה ואשתאול, ובין אותן שני הרים היה רוח ה' החל בו דרך גבורה, שהיה מקרבן לאותן שני הרים למקום שבין שניהם ושם היה טוחנן זה בזה, ודרש לפעמו מענין הולם פעם שהוא ענין הקשה (יפה תואר): **היה פוסע כו'.** דרש לפעמו מענין (תהלים עד, ג) הרימה פעמיך, ולשון (שיר השירים ז, ב) מה יפו פעמיך (יפה תואר): **מקישות זו לזו.** כזוג, שמרוב הגבורה שהיה לובש כשהיה שורה עליו רוח הקודש היו עומדות שערותיו ומתחזקות עד שהיו מקישות זו לזו, ודרש לפעמו מלשון (שמות כח, לד) פעמון זהב ורמון (יפה תואר): **בשהוא חוזר תמנתה.** כך צריך לומר: **והיה שמשון תמה בלבו.** דמטבע האדם בעת שרואה מפלת הגבור ונפילתו ומותו יתחזו השתוממת בזכרו מגבורתו העזה ועתה הושלך באין לאל ידו להתנועע, ותמה על מה שלח הקדוש ברוך הוא מעשה זה לידו, אם לא שרמז על אהרן:

פירוש מהרז"ו

(ב) **אמר רבי שמואל בר נחמן.** אגב שדורש פסוק מהאוכל יצא מאכל, שאמרו שמשון ברוח הקדש, כמו שכתב בסוף הסימן, הביא כל המאמר לכאן: **כיון שהתחיל רוח הקדש לגשגש בשמשון.** פה שייך המאמר, מלמד שנטל שני הרים כו', כי הפסיקו במאמר הקלר בשלשה מקומות התחיל, ולכן כשבא לסיים מאמרו הראשון, הוצרך לומר עוד הפעם, אמר רבי שמואל בר נחמן. ומה שכתב בשלשה מקומות התחיל, כוונתו בזה שהוקשה לו מה שכתוב (שופטים יג, כה), ותחל רוח ה' לפעמו במחנה דן בין צרעה ובין אשתאול, משמע ששם התחיל להראות גבורות ה', הרי לקמן בפרשה חשב המקומות שעשה בהם הגבורות, ראשון בכרמי תמנת, ושני ירידתו לאשקלון, ושלישי בלחי, ואין גם אחד במחנה דן, אם כן מהו שאמר לפעמו במחנה דן, בהכרח שדורש שבכל פעם משלשה פעמים הנ"ל, היה כמין לצרעה ואשתאול, שהם במחנה דן, ורבי שמואל בר נחמן סובר על שנטל שני הרים כמו לצרעה ואשתאול, שהם במחנה דן, ומה שכתב שנאמר ותחל, בהכרח שצריך להגיהה, ואולי צריך לומר כך "וס"ל", ושנאמר ותחל רוח ה' לפעמו וגו', רבי שמואל בר נחמן וכו', שכך פירושו מלמד שנטל שני הרים וכו': **כשהיה יורד לתמנתה.** עיין הגהות רש"ש, אם כן דעת הכתוב שלא היו גבורותיו רק בשלשה מקומות אלו ולא יותר, וזה על פי מדת דבר הלמד מענינו, אם כן מה שכתב ותחל רוח ה' לפעמו במחנה

חידושי הרד"ל

[ב] **אמר רבי שמואל בר נחמן כיון שהתחיל כו'.** ירושלמי סוטה (פ"א ה"ח): **בשלשה מקומות.** לצרעה ואשתאול ומחנה דן גם כן שם מקום כמו שכתב הרד"ק. והולך ליתן הכתוב שני סימנים מחנה דן שם העיר, ובין צרעה ואשתאול, כי העיר מחנה דן נבנית אחר כך בימי פסל מיכה, ובימי שמשון לא היתה עדיין, והיה הסימן רק בין צרעה ואשתאול: **פוסע פסיעה אחת.** דרש לפעמו לשון פעמי רגל: **כך אהרן אוכל וכו' ויצא ממנו קרבן.** אפשר נסמך זה לסיפיה דקרא, מעז יצא מתוק, כן מאהרן יצא קרבן מתוק לגבוה, שלכן קרבן מנחת כהן כליל להקטירו, עיין לעיל פרשה ז' [סימן א]:

חידושי הרש"ש

[ב] **מלמד שנטל שני הרים והקישן זה לזה.** דרש לפעמו מלשון (תהלים עד, ה) כפעמתי ולא אדבר, ומאן דסבר היה פוסע פסיעה אחת כו', הוא מלשון (ישעיה כו, ו) פעמי דלים, ומאן דסבר שערותיו כו', כזוג הוא מלשון (שמות כח, לד) פעמון: **כשהוא יורד לתמנתה.** כאן חסר כמה תיבות, וכן צריך לומר, וירד ג' תמנתה וגו', ותצלח גו', ותצלח ג' וירד אשקלון וגו' (ושני הפסוקים האלה בשופטים יד, ו - יט) הוא בא עד לחי, וגומר ותצלח וגו' (שם טו, יד), והם לראיה על מה שאמר למעלה בג' מקומות כו', ג' פעמים כתיב בו ותצלח כו':

באור מהרי"פ

[ב] **בשלשה מקומות התחיל וכו'.** הענין מוקשה מאד, דאיך שייך לומר התחיל בשלשה מקומות, דהתחלה הוא רק במקום אחד, גם רוח ה' כתיב ארבעה פעמים בפרשה של שמשון. ואציע לפניך המקראות השייכים לזה הענין, (שופטים יג, כה) ותחל רוח ה'. (שם יד, א ה ו ח) וירד שמשון תמנתה, וירא אשה בתמנת מבנות פלשתים. וירד שמשון ואביו תמנתה ויבואו עד כרמי תמנתה והנה כפיר אריות שואג לקראתו. ותצלח עליו רוח ה' וישסעהו כשסע הגדי וביד אין מאומה ולא הגיד לאביו ולאמו את אשר עשה. וישב מימים לקחתה ויסר לראות את מפלת האריה והנה עדת דבורים בגוית האריה ודבש. (שם טו, יד) הוא בא על לחי ופלשתים הריעו לקראתו ותצלח עליו רוח ה' ותהיינה העבותים אשר על זרועותיו כפשתים אשר בערו באש וימסו אסוריו מעל ידיו. ועתה נבוא אל הביאור נראה דבשלשה מקומות הצליח, צריך לגרוס דבשלשתם כתיב ותצלח עליו רוח ה', ובראשונה לבד כתיב ותחל רוח ה', והכונה בזה על ידי שהתחיל רוח ה' לקשקש בו בפעם הראשונה, צלחה עליו עוד שלשה פעמים, כלומר שאף על פי שלא היה ראוי שתשרה עליו השכינה אחר שירד, ואחר עיניו הלך לבו לקחת אשה מבנות פלשתים, אלא על ידי שכבר התחילה רוח הקדש לפעמו בזמן כשרותו, הוכן מאד עד שצלחה עליו רוח הקודש גם אחר כן, שהמוכן בדבר לא במהרה ינתק, והיינו דמפרש הכא אגב אורחיה מהו בין צרעה ואשתאל, דלכולי עלמא היה רוח הקדש חזק ואמיץ מאד בהתחלה, כיון דהיה נוטל שני הרים וכו' למר, או פוסע וכו' למר, ולכן היתה סבה שצלחה עליו גם בזמנים שהלך אחר עיניו: **שני הרים והקישן וכו'.** אולי מפרש על דרך שאמרו (סוטה ח, ב) לפעמו במחנה דן, אמר רבי יצחק דבי רב אמי שהיתה שכינה

מסורת המדרש

ג. סוטה ט' וירושלמי פ"ק דסוטה.

אם למקרא

וַיֹּאמֶר לָהֶם מֵהָאֹכֵל יָצָא מַאֲכָל וּמֵעַז יָצָא מָתוֹק וְלֹא יָכְלוּ לְהַגִּיד הַחִידָה שְׁלֹשֶׁת יָמִים: (שופטים יד:יד)

וַתָּחֶל רוּחַ ה' לְפַעֲמוֹ בְּמַחֲנֵה־דָן בֵּין צָרְעָה וּבֵין אֶשְׁתָּאֹל: (שם יג:כה)

וַיֵּרֶד שִׁמְשׁוֹן וְאָבִיו וְאִמּוֹ תִּמְנָתָה וַיָּבֹאוּ עַד כַּרְמֵי תִמְנָתָה וְהִנֵּה כְּפִיר אֲרָיוֹת שֹׁאֵג לִקְרָאתוֹ: וַתִּצְלַח עָלָיו רוּחַ ה' וַיְשַׁסְּעֵהוּ כְּשַׁסַּע הַגְּדִי וּמְאוּמָה אֵין בְּיָדוֹ וְלֹא הִגִּיד לְאָבִיו וּלְאִמּוֹ אֵת אֲשֶׁר עָשָׂה: (שם יד:ה-ו)

הוּא בָא עַד לֶחִי וּפְלִשְׁתִּים הֵרִיעוּ לִקְרָאתוֹ וַתִּצְלַח עָלָיו רוּחַ ה' וַתִּהְיֶינָה הָעֲבֹתִים אֲשֶׁר עַל זְרוֹעוֹתָיו כַּפִּשְׁתִּים אֲשֶׁר בָּעֲרוּ בָאֵשׁ וַיִּמַּסּוּ אֱסוּרָיו מֵעַל יָדָיו: (שם טו:יד)

וַיָּשָׁב מִיָּמִים לְקַחְתָּהּ וַיָּסַר לִרְאוֹת אֵת מַפֶּלֶת הָאַרְיֵה וְהִנֵּה עֲדַת דְּבוֹרִים בִּגְוִיַּת הָאַרְיֵה וּדְבָשׁ: וַיִּרְדֵּהוּ אֶל־כַּפָּיו וַיֵּלֶךְ הָלוֹךְ וְאָכֹל וַיֵּלֶךְ אֶל־אָבִיו וְאֶל־אִמּוֹ וַיִּתֵּן לָהֶם וַיֹּאכֵלוּ וְלֹא־הִגִּיד לָהֶם כִּי מִגְּוִיַּת הָאַרְיֵה רָדָה הַדְּבָשׁ: (שם יד:ח-ט)

ידי משה

[ב] **בשלשה מקומות התחיל רוח הקודש לגשגש בשמשון עד והיה שמשון תמיה.** פירוש הואיל וכבר התחיל לגשגש בו רוח הקודש שלשה פעמים, ושלשה פעמים הוי חזקה, ואם כן האיך אפשר שיאמר החידה זו כפשוטה לדברי שטות, אלא על כרחך שאין הדברים כפשוטם, אלא על אהרן רמז. וקל להבין: **התחיל שמשון תמיה.** פירוש שהיה מתמיה על מה שלח הקב"ה מעשה זו לידו, אלא רמז לו הקב"ה על אהרן:

שינוי נוסחאות

(ב) **בג' מקומות התחיל.** יפ"ת גרס "הצליח" במקום "התחיל", וכן הסכים בעצ"י: **רבי יהודה ורבי נחמן.** בכי"י איתא שהבעלי פלוגתא כאן הם "רבי יהודה ורבי נחמיה".

מתנות כהונה

[ב] **לגשגש.** כמו לקשקש: **צרעה ואשתאול.** סבירא ליה דשני הרים הוו:

אשד הנחלים

[ב] **בשלשה מקומות התחיל.** פירש היפה תואר שהצליח בשלשה מקומות שנאמר בו ותצלח עליו רוח ה'. ופירושו והלא בשלשה מקומות התחיל לגשגש בו רוח הקודש, ואם כן איך יתכן שיאמר השירה הזו כפשוטה לדברי שטות, אלא על כרחך אין הדברים כפשטן אלא על אהרן רמז (ידי משה): **שני הרים והקישן.** דרש לפעמו כמו (ישעיה מא, ז) הולם פעם (הרב מוהר"ז): **היה פוסע.** דרש לפעם מלשון מה יפו פעמיך (שיר השירים ז, ב): **כזוג.** מלשון פעמון (הרב הנ"ל). ועיקר מחלוקתם על רוח גבורה שהיה בשמשון, למר היה בכחו, ולמר שהיה קל ברגליו, ולמר עיקר גבורתו היה בשערו, וכולם מבארים מלות בין צרעה ובין אשתאול, דהוא מיותר לָמַה בא להורות: **תמה בלבו.** שהיה תמה על מה שלח הקב"ה מעשה לידו, אם לא שרמז על אהרן (ידי משה). ולי נראה דמטבע האדם בעת שרואה מפלת הגבור

אמרי יושר

[ב] **מהאוכל יצא מאכל.** זה קרבן אהרן האוכל, והנה זה לרמזה ופלא: **פוסע פסיעות.** זהו לפעמו, מלשון פעמותיו. ומאן דאמר שערותיו מקישות, פירוש לפעמו, כמו פעמון ורמון (שמות כח לד ועי' סוטה ט ב) השערות, רמז לגבורה שהיה לו בסבת השער, וגם נטילת ההרים והקשתן, רמז לשני עמודי התוך שהפיל, ורמז הפסיעות גדולות, לנס וקולות ללכוד שלש מאות שועלים יום אחד, שהוא קל לרוץ, על דרך אברהם, ארח ברגליו לא יבא (ישעיה מא ג), פסיעותיו שלשה מילין (מדרש תהלים קי ג):

כשהוא יורד לתמנתה "וירד שמשון ואביו ואמו תמנתה". צ"ל כאן "ותצלח עליו רוח ה'" (חוץ ממה שכתוב במדרש אח"כ "ותצלח עליו רוח ה'"), כ"כ הרש"ש. **הוא בא עד לחי.** גם כאן צריך להוסיף "ותצלח עליו רוח ה'", כ"כ הרש"ש. **כשהוא חוזר מתמנתה.** צ"ל "תמנתה" במקום "מתמנתה", כן הגיה יפ"ת.

§3 [זֶה קָרְבַּן אַהֲרֹן וּבָנָיו — *THIS IS THE OFFERING OF AARON AND HIS SONS.*]

The Midrash addresses the significance of the word זֶה ("This") here. In doing so it compares the offering of our passage to the offerings brought by the twelve tribal leaders ("princes") upon the inauguration of the Tabernacle (listed in *Numbers* Ch. 7) — offerings that are also described by the word זֶה. The Midrash first digresses into a discussion of the significance of these inaugural offerings:[31]

אָמַר רַבִּי אִידִי: מִתְאַוֶּה הָיָה גּוּפָא — **Returning to our subject:**[32] דָּוִד לְקָרְבָּנָם שֶׁל נְשִׂיאִים — **R' Idi said: David yearned for** achieving the lofty level of **the offerings of the** tribal **princes;**[33] הָדָא הוּא דִכְתִיב "עוֹלוֹת מֵיחִים וְגוֹ׳ " — **thus it is written,** ***Burnt-offerings of fat animals*** *will I offer up to You, with the smoke of rams, I will prepare cattle with he-goats* (*Psalms* 66:15). אֵיזֶה קָרְבָּן שֶׁיֵּשׁ בּוֹ פָּרִים וְאֵילִים וְעַתּוּדִים — For **which offering** do we find that **includes** all these items, **cattle and rams and he-goats?** אֵלּוּ קָרְבָּנָם שֶׁל נְשִׂיאִים — **These are** referring to **the offerings of the** tribal **princes,** שֶׁנֶּאֱמַר "וּלְזֶבַח הַשְּׁלָמִים וְגוֹ׳ " — **as it is stated** regarding those offerings, ***and for a feast peace-offering:*** *two cattle, five rams, five he-goats, five sheep in their first year, etc.* (*Numbers* 7:17).

The Midrash continues to discuss the tribal leaders' offerings, particularly the significance of the word זֶה used to describe them:

רַבִּי יְהוּדָה וְרַבִּי נְחֶמְיָה וְרַבָּנָן — **R' Yehudah and R' Nechemyah and the** other **Sages** discussed the significance of the word זֶה in context of the tribal leaders' offerings: רַבִּי יְהוּדָה אוֹמֵר: חָבִיב קָרְבָּנָם שֶׁל נְשִׂיאִים לִפְנֵי הַקָּדוֹשׁ בָּרוּךְ הוּא כְּשִׁירָה שֶׁאָמְרוּ יִשְׂרָאֵל בַּיָּם — **R' Yehudah said: The offering of the tribal leaders was** considered **as precious before the Holy One, blessed is He, as the song that** the Children of **Israel recited upon** the splitting of **the Sea** of Reeds.[34] שִׁירָה שֶׁאָמְרוּ יִשְׂרָאֵל בַּיָּם "זֶה אֵלִי וְאַנְוֵהוּ" — For **the song that** the Children of **Israel recited at the Sea** of Reeds includes the declaration, ***This*** [זֶה] ***is my God and I will glorify Him*** (*Exodus* 15:2), וְכָאן כְּתִיב "זֶה קָרְבַּן נַחְשׁוֹן בֶּן עַמִּינָדָב" — **and here** regarding the tribal leaders' offerings **it is written,** ***this*** [זֶה] ***is the offering of Nahshon son of Amminadab*** (*Numbers* 7:17).[35]

רַבִּי נְחֶמְיָה אָמַר: חָבִיב קָרְבָּן שֶׁל נְשִׂיאִים לִפְנֵי הַקָּדוֹשׁ בָּרוּךְ הוּא כִּשְׁנֵי לוּחוֹת הַבְּרִית — **R' Nechemyah said: The offering of the tribal leaders was** considered **as precious before the Holy One, blessed is He, as the two Tablets of the Covenant.** בִּשְׁנֵי לוּחוֹת הַבְּרִית כְּתִיב "מִזֶּה וּמִזֶּה הֵם כְּתוּבִים" — For **regarding the two Tablets of the Covenant it is written,** ***they were inscribed on this*** [מִזֶּה] ***side and on that side*** (*Exodus* 32:15), וְכָאן כְּתִיב "זֶה קָרְבַּן נַחְשׁוֹן בֶּן עַמִּינָדָב" — **and here** in context of the tribal leaders' offering **it is written,** ***this*** [זֶה] ***is the offering of Nahshon son of Amminadab.***

וְרַבָּנָן אָמְרֵי: חָבִיב קָרְבָּנוֹ שֶׁל אַהֲרֹן לִפְנֵי הַקָּדוֹשׁ בָּרוּךְ הוּא כְּקָרְבָּנָן שֶׁל נְשִׂיאִים — **And the** other **Sages said: The** lesson of the word זֶה used in connection with the tribal princes' offerings is that **the offering of Aaron was** considered **as precious before the Holy One, blessed is He, as the offering of the** tribal **princes.**[36] בְּקָרְבְּנוֹת שֶׁל נְשִׂיאִים כְּתִיב "זֶה קָרְבַּן נַחְשׁוֹן בֶּן עַמִּינָדָב" — For **regarding the offerings of the** tribal **princes it is written,** ***this*** [זֶה] ***is the offering of Nahshon son of Amminadab,*** וְכָאן כְּתִיב "זֶה קָרְבַּן אַהֲרֹן" — **and here** in our verse which discusses Aaron's offering **it is written,** ***This*** [זֶה] ***is the offering of Aaron.***[37]

A final exposition of the word זֶה in our passage:

אָמַר רַבִּי בֶּרֶכְיָה: חָבִיב קָרְבָּן שֶׁל אַהֲרֹן לִפְנֵי הַקָּדוֹשׁ בָּרוּךְ הוּא כְּי״ב שְׁבָטִים — **R' Berechyah said: The offering of Aaron was** considered **as precious before the Holy One, blessed is He, as the twelve tribes** themselves.[38] מַה טַּעַם — **What is the reason** behind this assertion? "זֶה" — The verse uses the word ***zeh*** [זֶה] in the context of Aaron's offering, מִנְיַן זֶה, זַיִ״ן שִׁבְעָה הֵ״א חֲמִשָּׁה, הָא תְּרֵי עָשָׂר – and **the numerical value of** the word ***zeh*** [זֶה] is as follows: the letter ***zayin*** **is equal to seven** and ***hei*** is equal to **five, thus** the total value is **twelve,** corresponding to the twelve tribes.[39]

NOTES

31. *Yefeh To'ar, Eitz Yosef.*

32. I.e., the subject of the word זֶה. Concerning the use and meaning of the word גּוּפָא (lit., *itself*), see above, 5 §5 note 89.

33. He yearned for the privilege of building the Temple (see *II Samuel* 7:2, *I Kings* 8:17), at which occasion he would offer inaugural offerings similar to those of the tribal princes (*Yefeh To'ar*).

34. Just as the Children of Israel experienced a Divine revelation at the Sea of Reeds (which was expressed through their song — see *Shemos Rabbah* 23:15), the tribal leaders' offerings were also brought upon the occasion of the manifestation of God's Presence (see *Exodus* 40:34) (*Maharzu;* see also *Eitz Yosef* and *Yefeh To'ar*).

35. Nahshon was the first of the tribal leaders to bring his offering; the word זֶה is written regarding each subsequent tribal leader as well.

36. Although Aaron's offering consisted of only a tenth-*ephah* of fine flour, and the tribal leaders offered numerous cattle, rams, he-goats, and sheep, they were equally valued in the eyes of God (*Eitz Yosef,* see Midrash below §4).

37. According to this last interpretation, the זֶה in our passage indicates the exalted status of Aaron's offering, compared to those of the tribal princes.

38. I.e., his offering accomplished the same spiritual achievement as the merit of the twelve tribes (*Eitz Yosef;* see also *Yefeh To'ar*).

39. See Insight Ⓐ.

INSIGHTS

Ⓐ **Boundless Love** Our Midrash teaches that David yearned for the dedicatory offerings of the tribal princes, and that those offerings were as precious as the Song at the Sea, the two Tablets of the Covenant, and the daily offering of Aaron, the Kohen Gadol, which in turn was as precious before God as the twelve tribes themselves. What is the concept that underlies the associations made by our Midrash?

Shem MiShmuel explains, based on the teaching in *HaEmunah VeHaBitachon* [ascribed to *Ramban*] (Ch. 19, p. 419 in Chavel ed.), that when a person feels an especial love for God, he should take something tangible and perform a mitzvah with it, thereby strenghtening that love and transforming it from the abstract into the concrete. This is alluded to in the verse (*Song of Songs* 2:7, et al.): אִם תָּעִירוּ וְאִם תְּעוֹרְרוּ אֶת הָאַהֲבָה עַד שֶׁתֶּחְפָּץ, which can be rendered: *should you wake or rouse the love until it "becomes objectified"* — the word שֶׁתֶּחְפָּץ being construed as from the root חפץ, meaning "a tangible object."

Thus, during the festivals, when one feels a particular outpouring of love for God, He commands us to objectify that love by performing certain tangible mitzvos, such as eating matzah, dwelling in the *succah,* sounding the shofar, and the like.

This is especially so when the love is so great that it transcends normal bounds. Such unbounded love must somehow be seized, captured, contained, and preserved.

There is a special intense love for God that takes hold of a person when he begins a new form of Godly service. As the *Roke'ach* writes (Introduction to *Sefer HaRoke'ach*): אֵין חוֹזֶק מִן הַחֲסִידוּת בִּתְחִילָּתוֹ, "There is no intensity like piety at its inception." The tribal princes who were involved in the inauguration of the Sanctuary and the Temple felt an unusually intense and elevated longing for God at that time. And so they brought the special inauguration offerings, which served as physical utensils to contain and concretize the exceptional love they felt for Him. They brought bulls, rams, and sheep (*Numbers* 7:15 et al.), each species corresponding to one of the Patriarchs — Abraham [bulls], Isaac [rams], and Jacob [sheep] (see *Rashi* on *Numbers* 28:19). Each Patriarch exemplified one particular characteristic — Abraham, kindness; Isaac, strength; and Jacob, glory. Each is associated with one particular species corresponding to his nature. But the love of God that seized the princes at the time of the Inauguration had exceeded all bounds, and so they exceeded the

ג גוּפָא אָמַר רַבִּי אִידִי: מִתְאַוֶּה הָיָה דָּוִד לְקָרְבָּנָם שֶׁל נְשִׂיאִים, הָדָא הוּא דִכְתִיב (תהלים סו, טו) "עוֹלוֹת מֵיחִים וְגוֹ'", אֵיזֶה קָרְבָּן שֶׁיֵּשׁ בּוֹ פָּרִים וְאֵילִים °וּכְבָשִׂים, אֵלּוּ קָרְבָּנָם שֶׁל נְשִׂיאִים, שֶׁנֶּאֱמַר (במדבר ז, יז ועוד) "וּלְזֶבַח הַשְּׁלָמִים וְגוֹ'", רַבִּי יְהוּדָה וְרַבִּי נְחֶמְיָה וְרַבָּנָן, רַבִּי יְהוּדָה אוֹמֵר: חָבִיב קָרְבָּנָם שֶׁל נְשִׂיאִים לִפְנֵי הַקָּדוֹשׁ בָּרוּךְ הוּא כַּשִּׁירָה שֶׁאָמְרוּ יִשְׂרָאֵל בַּיָּם, שִׁירָה שֶׁאָמְרוּ יִשְׂרָאֵל בַּיָּם (שמות טו, ב) "זֶה אֵלִי וְאַנְוֵהוּ" וְכָאן כְּתִיב (במדבר ז, יז) "זֶה קָרְבַּן נַחְשׁוֹן בֶּן עַמִּינָדָב", רַבִּי נְחֶמְיָה אָמַר: *חָבִיב קָרְבָּנָן שֶׁל נְשִׂיאִים לִפְנֵי הַקָּדוֹשׁ בָּרוּךְ הוּא כִּשְׁנֵי לוּחוֹת הַבְּרִית, בִּשְׁנֵי לוּחוֹת הַבְּרִית כְּתִיב (שמות לב, טו) "מִזֶּה וּמִזֶּה הֵם כְּתוּבִים", וְכָאן כְּתִיב "זֶה קָרְבַּן נַחְשׁוֹן בֶּן עַמִּינָדָב", וְרַבָּנָן אָמְרֵי: חָבִיב קָרְבָּנוֹ שֶׁל אַהֲרֹן לִפְנֵי הַקָּדוֹשׁ בָּרוּךְ הוּא כְּקָרְבָּנָן שֶׁל נְשִׂיאִים, בְּקָרְבָּנוֹת שֶׁל נְשִׂיאִים כְּתִיב "זֶה קָרְבַּן נַחְשׁוֹן בֶּן עַמִּינָדָב" וְכָאן כְּתִיב [ו, יג] "זֶה קָרְבַּן אַהֲרֹן", אָמַר רַבִּי בֶּרֶכְיָה: חָבִיב קָרְבָּנוֹ שֶׁל אַהֲרֹן לִפְנֵי הַקָּדוֹשׁ בָּרוּךְ הוּא כְּי"ב שְׁבָטִים, מַה טַּעַם, "זֶה", מִנְיַן זֶה, זַיִ"ן שִׁבְעָה הֵ"א חֲמִשָּׁה, הָא תְּרֵי עֲשַׂר:

ד [ו, יג] "בְּיוֹם הִמָּשַׁח אֹתוֹ עֲשִׂירִת הָאֵפָה", רַבִּי יוֹחָנָן בְּשֵׁם רַבִּי שִׁמְעוֹן בֶּן יְהוֹצָדָק אָמַר: מְלַמֵּד שֶׁעֲשִׂירִית הָאֵיפָה מְעַכֶּבֶת [1]לִכְהוּנַּת אַהֲרֹן וּבָנָיו. [שם] "סֹלֶת מִנְחָה תָּמִיד" רַבִּי יְהוֹשֻׁעַ דְּסִיכְנִין

עץ יוסף

(ג) **גופא אמר ר' אידי כו'**. משום דלעיל עסקינן בזה קרבן אהרן מאי טעמא ללשון זה, והשתא מייתי הנך דדרשי בלשון זה דקרבן נשיאים נמי ובלשון זה דקרבן אהרן, קאמר גופא דהשתא הוי עיקר דרשות לשון זה: **מתאוה היה דוד כו'**. משום דבעי למימר דזה קרבן אהרן אתא למימר שחביב כקרבן הנשיאים, אקדים לאשמועינן חשיבותם שהרי דוד מתאוה אליו, ושחביב כשירה, וכלוחות הברית: **קרבנם של נשיאים**. שיבנה בית המקדש בימיו ויביא קרבן לחנוכת הבית כמו שהביאו הנשיאים בחנוכת המשכן שהיה בו פרים ואלים כו': **רבי יהודה ורבי נחמיה ורבנן**. יהבו טעמא ליתורא דזה דכתיב בנשיאים כגון זה קרבן נחשון וכו', ואמרו שהוא מופנה לגזירה שוה למר שחביב קרבנן כשירה, ולמר כלוחות הברית, ולמר לומר שחביב קרבן אהרן, אף על פי שהוא עשירית האיפה לבד, כקרבן הנשיאים דהוה ביה פרים ואלים וכבשים: **חביב כו' בשירה**. שגם על ידי קרבניהם שרה עליהם רוח הקודש כבעת שירת הים: **משני לוחות הברית**. שעל ידי קרבניהם מלבד הרוח ששרה עליהם עוד ניתוסף השגתם בידיעת התורה העליונה וסודותיה, ולכן חביבה קרבנן כשני לוחות, ששם ידיעת התורה והשגותיה טמונה בקרבה: **בשנים עשר שבטים**. שקרבן אהרן היה דומה בפעולתו להשפיע שפע טובה כמו זכותם, ומה שאמר לעיל בשמות רבה סוף פרשה לח (סימן י) זכות השבטים נכנסת עמו, שהולך גם לזכותם: (ד) **מלמד שעשירית האיפה מעכבת לכהונת כו'**. וכגירסת התורת כהנים שלפנינו (צו פרשתא ג), אחד כהן גדול ואחד כהן הדיוט שעבדו עד שלא הביאו עשירית האיפה שלהם עבודתם פסולה, [ודלא כהמשנה למלך מהלכות כלי המקדש סוף פרק ה שכתב דטעות סופר הוא וצריך לומר כשירה]. ורצה לומר דכהן

פירוש מהרז"ו

דן, אינו גבורה נוספת על השלשה המפורשים, אלא הוא הכלל, ושלשה המפורשים המה הפרטים, והכלל צריך לפרט. לפרט ולפרש באיזה אופן חלה עליו הרוח לפעמו, וכמה פעמים היה, והפרט צריך לכלל, שהיה הכל כמו לרעה ולהשתאול: (ג) **גופא**. עיין מה שכתב לעיל פרשה ה, סימן (ג) [ה]. פרשה ז סימן ג, בפירוש תיבה זו: **וכאן כתיב זה קרבן נחשון**. וכן אצל כל קרבנות הנשיאים, וכמו שראו על הים ואמרו זה אלי, כך ראו כבוד ה' על המשכן, ואמרו זה אלי: **מזה ומזה**. וכן אצל הנשיאים כולם. ועל דרך הרמז שני הלוחות, כל לוח ארכו ששה טפחים הרי שתים עשרה רמז לשנים עשר נשיאים, ורמז אחר שכל לוח היו בו ששה רוחות, ארבעה לצדדים ומעלה ומטה, הרי שתים עשרה רוחות, רמז לשנים עשר נשיאים, וכמו שאצל הלוחות נראה כבוד ה' לישראל, כך בקרבן הנשיאים במשכן. ועל כן היה דוד מתאוה להם: **בשנים עשר שבטים**. אולי הכוונה כקרבנם של שנים עשר נשיאים, שאצל קרבן הנשיאים כתיב (במדבר ז, פד), זאת חנוכת המזבח ביום המשח אותו מאת נשיאי ישראל, ובקרבן אהרן גם כן כתיב (ויקרא ו, יג), זה קרבן אהרן וגו' ביום המשח אותו, כך נראה לי: (ד) **מעכב לכהונת אהרן**. דורש שמה שכתב זה קרבן אהרן, ולא כתב כאן אלא קרבן מנחה, ועל כרחינו שכולל גם כל הקרבנות שמבואר בסוף סדר צו וברים סדר שמיני, הרבה קרבנות, ועם כל זה אם היה מקריב את כולן ולא היה מקריב את המנחה, היה מעכב כהונתו וכהונת בניו לעולם:

מתנות כהונה

[ג] **עולות מחים וגו'**. גרס, וסיפיה דקרא אילים בקר עתודים: [ד] **עשירית האיפה מעכבת**. כלומר ראה החידוש הזה שעשירית האיפה סולת יעכב בגדולת אהרן ובניו:

נחמד למראה

[ג] **גופא אמר רבי אידי מתאוה היה דוד לקרבנם של נשיאים, הדא הוא דכתיב עולות מחים וגו'**. פירוש שדוד המלך היה חפץ לבנות בית המקדש, וכדכתיב בשמואל (ב, פרק ז) אלא שמנעו הקב"ה מזה, ואמר לו (מלכים א, ח, יט) רק אתה לא תבנה הבית כי אם בנך אשר יצא מחלציך הוא יבנה הבית לשמי, ואם היה בונה דוד המלך בית המקדש כמו שהיה סבור, בודאי שהוא היה מחנך הבית בקרבנות כמו הנשיאים, לפי שהיה מלך. וזהו שאמרו מתאוה היה דוד לקרבנם של נשיאים. כלומר להקריבה אחר שיבנה בית המקדש, ומלינו גם כן שאמר דוד (תהלים קכב, א) שמחתי באומרים לי בית ה' נלך. ואיתא במדרש (ירושלמי ברכות פ"ב ה"א. ילקוט תהלים תתטצ) שהיו אומרים לו דוד אימתי בית ה' נלך, והיה דוד אומר תבא עלי שאני שמח. ולפי המדרש הזה יראה שהיה שמח דוד, לפי שהוא יהיה המקריב קרבנם של נשיאים שהיה מתאוה לזה. ובמקום אחר פירשתי באורך מדרש זה פירוש יקר ואין כאן מקומו:

אשד הנחלים

ונפילתו ומותו, יאחזנו השתוממת בזכרו מגבורותו העזה, ועתה מושלך באין כח לאל ידו להתנועע, והנה האנשים הקדושים מכל פעולה גשמית ועולמית, שיראו יקחו ציור גם כן לעניינים רוחנים הדומים לזה, ולכן בתוך התמיה הזאת נפל בלבו לתמוה גם כן על גדולת אהרן, שהוא המכפר על כל ישראל בקרבנותיו והוא המוריד השפע לכולם, ועם כל זה הוכרח הוא עצמו להקריב קרבן בעדו ובעד בניו לכפר גם עליו, ולהיות נכנע תחת קרבנו, ולכן כתיב מלת זה קרבן אהרן, כאילו הוא מלת התמיה והפלא בעת שרואה האדם זאת ישתומם על הכנעתו הגדולה. ודי בזה קצת ציור: [ג] **מתאוה היה דוד**. כי לכל קרבן מיוחד יש בו פעולה וכוונה מיוחדת, וקרבנות הנשיאים היה בו כוונות עליונות יותר מכולם, ולכן היה דוד מתאוה לזה: **חביב כו' בשירה**. שגם על ידי קרבניהם שרה עליהם הרוח האלקי כבעת שירת הים, ולכן כתיב מלת זה, שהוא מלה המיוחדת והמפלאת מאוד בעניינה: **בשני לוחות הברית**. שעל ידי הקרבנות מלבד הרוח ששרה עליהם עוד ניתוסף השגתם בידיעת התורה העליונה וסודותיה, ולכן חביבה קרבנם כשני לוחות, ששם ידיעת התורה והשגותיה טמונה בקרבה: **קרבנו של אהרן כו' נשיאים**. אף שהיה קרבן הנשיאים גדולה במעלה מאוד, כמו שאמרו לעיל שדוד היה מתאוה לזה מאוד, עם כל זה קרבן אהרן היה דומה לו בפעולתו ועניינו: **בשנים עשר שבטים**. העניין כי השנים עשר שבטי יה הם המכוונים לעניין נעלה, שעל ידיהם שורה השכינה בישראל, וכמו שנאמר בכתוב (דברים לג, ה) ויהי בישורון מלך בהתאסף ראשי עם יחד, והמה דוגמת העליונים, כמו שאמרו בברכות (לב, ב) בתי שנים עשר מזלות בראתי כו', שנים עשר שבטים כו', וקרבן אהרן היה דומה בפעולתו להשפיע שפע טובה כמו זכותם:

חידושי הרד"ל

[ג] **אמר רבי אליעזר מתאוה היה דוד**. שיר השירים רבה ריש פרשה ה': [ד] **עשירית האיפה מעכבת**. ירושלמי ריש יומא: ועיין במדבר רבה נשא (ו, ג) בהגהותי (ד"ה עבודתו כשירה) בס"ד:

חידושי הרש"ש

[ג] **גופא אמר ר' אידא מתאוה וכו' איזה קרבן שיש בו פרים ואילים וכבשים**. צריך לומר ועתודים וכו הוא בחזית פסוק באתי לגני (שיר השירים רבה פרשה ה פסוק א) ובילקוט כאן: [ד] **מלמד שעשירית האיפה מעכבת לכהונת אהרן ובניו**. מכאן משמע כגירסת התורת כהנים שלפנינו, אחד כהן גדול ואחד כהן הדיוט שעבדו עד שלא הביאו עשירית האיפה שלהם עבודתם פסולה, ודלא כהמשנה למלך (הלכות כלי המקדש פ"ה הי"ז) שכתב דטעות סופר הוא וצריך לומר כשירה. [לקמן בנשא (פרשה ו סימן ג) איתא במדרש עצמו, אף על פי שלא הביא עשירית האיפה כו' עבודתו כשרה, וכן איתא בתוספתא דסנהדרין פ"ז [ה"א]. אבל נראה דהמדרש יכוון פה לעת המילואים שהיה בימי משה, דאז היתה מעכבת, וכדאיתא גם כן בגמרא דילן ביומא (ה, ב) וזה הדבר כו' להביא המכניסים ועשירית האיפה. דאפילו דבר שאינה מעכבת לדורות היה מעכב בהן כדאיתא התם בסוגיא לעיל אליבא דרבי יוחנן וריש לקיש, וכן משמע שם בירושלמי:

אמרי יושר

[ג] **מתאוה היה דוד לקרבנם של נשיאים**. כי תאוותו היתה שיבנה בית המקדש, ויעשה הוא חנוכה כחנוכת נשיאים למשכן: **חביב קרבנם של נשיאים**. כי אלו שבת, ולא יחשב זה לעובר רק בקיומה, וזהו חביב כשני לוחות: **חביב קרבנו של אהרן כשנים עשר שבטים**. ודומה קרבנו שבת, והוא תמיד כקרבן ציבור, ושנים עשר שבטים בכל בקר וערב, ודרשו מנחה טהורה על קרבן אהרן:

מסורת המדרש

ד. ירושלמי ריש יומא:

אם למקרא

עֹלוֹת מֵחִים אַעֲלֶה לָּךְ עִם קְטֹרֶת אֵילִים אֶעֱשֶׂה בָקָר עִם עַתּוּדִים סֶלָה: (תהלים סו:טו)

וּלְזֶבַח הַשְּׁלָמִים בָּקָר שְׁנַיִם אֵילִם חֲמִשָּׁה עַתֻּדִים חֲמִשָּׁה כְּבָשִׂים בְּנֵי־שָׁנָה חֲמִשָּׁה זֶה קָרְבַּן נַחְשׁוֹן בֶּן־עַמִּינָדָב: (במדבר ז:יז)

עָזִּי וְזִמְרָת יָהּ וַיְהִי־לִי לִישׁוּעָה זֶה אֵלִי וְאַנְוֵהוּ אֱלֹהֵי אָבִי וַאֲרֹמְמֶנְהוּ: (שמות טו:ב)

וַיִּפֶן וַיֵּרֶד מֹשֶׁה מִן־הָהָר וּשְׁנֵי לֻחֹת הָעֵדֻת בְּיָדוֹ לֻחֹת כְּתֻבִים מִשְּׁנֵי עֶבְרֵיהֶם מִזֶּה וּמִזֶּה הֵם כְּתֻבִים: (שמות לב:טו)

באור מהרי"פ

מקשקשת לפניו כזוג, כתיב הכא (שופטים יג, כה) לפעמו, וכתיב התם (שמות כח, לד) פעמון ורמון, וכן רבי שמואל בר נחמן דורש ממלת לפעמו, שנטל שני הרים והקישן זה לזה, אי נמי דורש לפעמו מלשון (ישעיה מא, ז) הולם פעם שהוא ענין הקשה, ורבי יהודה דורש לפעמו מלשון (שיר השירים ז, ב) מה יפו פעמיך בנעלים, ורבי נחמן דורש גם כן לפעמו מלשון פעמון ורמון: [ג] **עולות וגו'**. (תהלים סו, טו) עולות מחים אעלה לך עם קטורת אילים אעשה בקר עם עתודים סלה: **זה מנין זה**. ונראה דהוא הדין קרבן נחשון בן עמינדב דמאי שנא מספר זה ממספר זה: [ד] **שעשירית האיפה מעכבת**. פירוש מהך ילפינן דכהן גדול מקריב עשירית בכל יום מיום שנמשח עד עולם, והכהנים הדיוטים מקריבים ביום התחנכם לעבודה, כמבואר (מנחות נא, ב). ועשירית האיפה דקאמר הכא דמעכבת, היינו ביום חנוכה לעבודה, דכיון דלא הביאוה הוה ליה כאלו לא נתכהנו, ועבודתם

שינוי נוסחאות

(ג) **איזה קרבן שיש בו פרים ואילים וכבשים**. צריך לומר "ועתודים" תחת "וכבשים", כן כתב רש"ש, וכן הוא באמת בכל הכי"י:

§4 בְּיוֹם הִמָּשַׁח אוֹתוֹ עֲשִׂירִת הָאֵפָה — *THIS IS THE OFFERING OF AARON AND HIS SONS . . .* ***ON THE DAY HE IS INAUGURATED: A TENTH-EPHAH*** *OF FINE FLOUR, ETC.*

The Midrash derives a law regarding the tenth-*ephah* flour-offering from our verse:

רַבִּי יוֹחָנָן בְּשֵׁם רַבִּי שִׁמְעוֹן בֶּן יְהוֹצָדָק אָמַר — **R' Yochanan said in the name of R' Shimon ben Yehotzadak:** מְלַמֵּד שֶׁעֲשִׂירִית הָאֵיפָה מְעַכֶּבֶת לִכְהוּנַּת אַהֲרֹן וּבָנָיו — **[This verse] teaches that the tenth-*ephah* is an essential** requirement **for the inauguration into priesthood for Aaron and his sons.**[40]

☐ סֹלֶת מִנְחָה תָּמִיד — *A TENTH-EPHAH* ***OF FINE FLOUR AS A CONTINUAL MEAL-OFFERING.***

The Midrash above (§3) noted the humble nature of Aaron's offering, consisting of mere flour. The Midrash returns to that theme here:

רַבִּי יְהוֹשֻׁעַ דְּסִיכְנִין — **R' Yehoshua of Sichnin**

NOTES

40. This is derived from the word זֶה (*this*), which implies that without this offering, no other offering can be brought (i.e., Aaron and his sons do not become officially recognized as Kohanim without first bringing this offering) (*Beur Maharif,* from *Korban Aharon* on *Toras Kohanim* ad loc.).

[Our verse refers to two types of tenth-*ephah* meal-offerings: The Kohen Gadol had to bring the tenth-*ephah* offering every day, and ordinary Kohanim brought this same offering only once, on the day of their inauguration (*Menachos* 51b). All the commentators agree that our Midrash, which states that this offering is indispensable and without it the Kohen's service is invalid, does not refer to the daily tenth-*ephah* of the Kohen Gadol. However, the commentators disagree about whether this offering is essential only for the original inauguration of Aaron and his sons (*Yefeh To'ar; Rashash; Eitz Yosef;* codified by *Rambam, Hilchos Klei HaMikdash* 5:16; see *Tosefta Shekalim* 3:16), or this offering is indispensable for the inauguration of all Kohanim throughout the generations (*Taklin Chadashin* on *Yerushalmi Shekalim* 20b; *Mishnas Eliyahu* loc. cit.; *Hagahos HaGra* loc. cit., see *Yerushalmi Yoma* 2b).]

INSIGHTS

bounds of peculiarities of character. So, each one brought the offerings of *all* the Patriarchs.

David exemplified the ideal of love and yearning for God, as he states, *My soul yearns, indeed it pines, for the courtyards of* HASHEM*; my heart and my flesh pray fervently to the Living God* (*Psalms* 84:3). This theme is reiterated countless times in *Psalms*. David constantly felt that he had to strive further in his love for God. His yearning in this regard exceeded all bounds. Thus, our Midrash teaches, he desired to bring the offerings of the tribal princes, the physical mitzvos they had performed to give form to *their* boundless love for the Creator.

Those offerings are in turn likened to the song that the Children of Israel sang upon experiencing the splitting of the Sea of Reeds, when their awareness of and love for God had transcended all bounds so that even the smallest among them achieved the heights of prophecy, where they could point and say: *"This* [זֶה]*" is my God and I will glorify Him* (*Exodus* 15:2; see *Rashi* there, from *Mechilta* and *Shir HaShirim Rabbah*).

Similarly, those offerings are compared to the two Tablets of the Covenant, which *were inscribed on this* [מִזֶּה] *side and on that side,* engraved through and through, and still their writing was readable on either side — a miraculous suspension of the physical constraints of right-left direction. So too did the offerings of the tribal princes transcend the contraints of personal inclination, all because of the unbounded love they felt at that time (see above).

And these offerings are compared to the *minchah*-offering of Aaron, the same offering brought by every Kohen on the day of his inaugural service in the Temple — a time of initial piety and service and the outpouring of love that comes with it, which must be captured and contained in the special offering. But Aaron and every subsequent Kohen Gadol brought this offering *every* day, indicative of the fact that to him every day of service to God was to be as precious to him as the first, never waning and not subject to the normal abating usually engendered by familiarity and routine. Moreover, the Kohen Gadol was to grow in the love of God every day, so that compared with that of the day before, that of the new day was to be like something entirely new and inaugural — "like piety at its inception" — beyond all previous bounds, and thus requiring a new inaugural offering, like that of the princes, each and every day.

And finally, the Midrash concludes, the offering of Aaron is compared to the twelve tribes themselves, which correspond to twelve months — the twelve times of cosmic renewal — each year. The twelve tribes, too, were fountains of constant renewal and excitement in the service of God, like the twelve months. As the Midrash teaches elsewhere (*Shir HaShirim Rabbah* 1 §64), the people of Israel are compared by Scripture to a dove (*Song of Songs* 1:15): Just as a dove produces new young every month, so too do the people of Israel rise to new heights each month in Torah and good deeds. And so too, the offering of the Kohen Gadol consisted of twelve loaves, corresponding to the twelve tribes, symbolizing that it embodied the character of all twelve tribes, which is a constant renewal of love and excitement in the service of God.

ג גּוּפָא אָמַר רַבִּי אִידִי: מִתְאַוֶּה הָיָה דָּוִד לְקָרְבָּנָם שֶׁל נְשִׂיאִים, הֲדָא הוּא דִכְתִיב (תהלים סו, טו) **"עוֹלוֹת מֵיחִים וְגוֹ'", אֵיזֶה קָרְבָּן שֶׁיֵּשׁ בּוֹ פָּרִים וְאֵילִים °וּכְבָשִׂים, אֵלּוּ קָרְבָּנָם שֶׁל נְשִׂיאִים, שֶׁנֶּאֱמַר** (במדבר ז, יז ועוד) **"וּלְזֶבַח הַשְּׁלָמִים וְגוֹ'", רַבִּי יְהוּדָה וְרַבִּי נְחֶמְיָה וְרַבָּנָן, רַבִּי יְהוּדָה אוֹמֵר: חָבִיב קָרְבָּנָם שֶׁל נְשִׂיאִים לִפְנֵי הַקָּדוֹשׁ בָּרוּךְ הוּא כְּשִׁירָה שֶׁאָמְרוּ יִשְׂרָאֵל בַּיָּם, שִׁירָה שֶׁאָמְרוּ יִשְׂרָאֵל בַּיָּם** (שמות טו, ב) **"זֶה אֵלִי וְאַנְוֵהוּ" וְכָאן כְּתִיב** (במדבר ז, יז) **"זֶה קָרְבַּן נַחְשׁוֹן בֶּן עַמִּינָדָב", רַבִּי נְחֶמְיָה אָמַר: *חָבִיב קָרְבָּנָן שֶׁל נְשִׂיאִים לִפְנֵי הַקָּדוֹשׁ בָּרוּךְ הוּא כִּשְׁנֵי לוּחוֹת הַבְּרִית, בִּשְׁנֵי לוּחוֹת הַבְּרִית כְּתִיב** (שמות לב, טו) **"מִזֶּה וּמִזֶּה הֵם כְּתוּבִים", וְכָאן כְּתִיב "זֶה קָרְבַּן נַחְשׁוֹן בֶּן עַמִּינָדָב", וְרַבָּנָן אָמְרֵי: חָבִיב קָרְבָּנוֹ שֶׁל אַהֲרֹן לִפְנֵי הַקָּדוֹשׁ בָּרוּךְ הוּא כְּקָרְבָּנָן שֶׁל נְשִׂיאִים, בְּקָרְבָּנוֹת שֶׁל נְשִׂיאִים כְּתִיב "זֶה קָרְבַּן נַחְשׁוֹן בֶּן עַמִּינָדָב" וְכָאן כְּתִיב** [ו, יג] **"זֶה קָרְבַּן אַהֲרֹן", אָמַר רַבִּי בֶּרֶכְיָה: חָבִיב קָרְבָּנוֹ שֶׁל אַהֲרֹן לִפְנֵי הַקָּדוֹשׁ בָּרוּךְ הוּא כִּי"ב שְׁבָטִים, מַה טַּעַם, "זֶה", מִנְיַן זֶה, זַיִ"ן שִׁבְעָה הֵ"א חֲמִשָּׁה, הָא תְּרֵי עֲשַׂר:**

ד [ו, יג] **"בְּיוֹם הִמָּשַׁח אֹתוֹ עֲשִׂירִת הָאֵפָה", רַבִּי יוֹחָנָן בְּשֵׁם רַבִּי שִׁמְעוֹן בֶּן יְהוֹצָדָק אָמַר: מְלַמֵּד שֶׁעֲשִׂירִית הָאֵפָה מְעַכֶּבֶת °לִכְהֻנַּת אַהֲרֹן וּבָנָיו.** [שם] **"סֹלֶת מִנְחָה תָּמִיד" רַבִּי יְהוֹשֻׁעַ דְּסִיכְנִין**

חידושי הרד"ל

[ג] **אמר רבי אליעזר מתאוה היה דוד.** שיר השירים רבה ריש פרשה ה': [ד] **עשירית האיפה מעכבת.** ירושלמי ריש יומא: ועיין במדבר רבה נשא (ו, ג) בהגהותי (ד"ה עבודתו כשירה) בס"ד:

חידושי הרש"ש

[ג] **גופא אמר ר' אידא מתאוה וכו' איזה קרבן שיש בו פרים ואילים וכבשים.** צריך לומר ועתודים וכו הוא בחזית פסוק בלתי לגני (שיר השירים רבה פרשה ה פסוק א) ובילקוט כאן: [ד] **מלמד שעשירית האיפה מעכבת לכהונת אהרן ובניו.** מכאן משמע כגירסת התורת כהנים שלפנינו, אחד כהן גדול ואחד כהן הדיוט שעבדו עד שלא הביאו עשירית האיפה שלהם עבודתם פסולה, ודלא כהמשנה למלך (הלכות כלי המקדש פ"ה ה"ו) שכתב דטעות סופר הוא וצריך לומר כשירה. ולקמן בנשא (פרשה ו סימן ג) איתא במדרש עצמו, אף על פי שלא הביא עשירית האיפה כו' עבודתו כשרה, וכן איתא בתוספתא דסנהדרין פ"ג ה"ה, אבל נראה דהמדרש יכוון פה לעת המילואים שהיה בימי משה, דאז היתה מעכבת, וכדאיתא גם כן בגמרא דילן ביומא (ה, ב) וזה הדבר כו' להביא המכנסים ועשירית האיפה, דאפילו דבר שאינה מעכבת לדורות היה מעכב בהו כדאיתא התם בסוגיא לעיל אליבא דרבי יוחנן וריש לקיש, וכן משמע שם בירושלמי:

אמרי יושר

[ג] **מתאוה היה דוד לקרבנם של נשיאים.** כי תאותו היתה שיבנה בית המקדש, ויעשה הוא חנוכה כחנוכת נשיאים למשכן: **חביב קרבנם של נשיאים.** כי חללו שבת, ולא יחשב זה לטוב רק בקיומה, והוא חביב כשני לוחות: **חביב קרבנו של אהרן כשנים עשר שבטים.** ודומה קרבנו שבת, והוא תמיד כקרבן ציבור, ושניים עשר שבטים בכל בוקר וערב, ודרשו מנחה טהורה על קרבן אהרן:

עץ יוסף

(ג) **גופא אמר ר' אידי כו'.** משום דלעיל עסקינן בזה קרבן אהרן מאי טעמא ללשון זה, והשתא מייתי הנך דרשי בלשון זה דקרבן נשיאים נמי ובלשון זה דקרבן אהרן, קאמר גופא דהשתא הוי עיקר דרשות לשון זה: **מתאוה היה דוד כו'.** משום דבעי למימר דזה קרבן אהרן אתא למימר שחביב כקרבן הנשיאים, אקדים לאשמועינן חשיבותם שהרי דוד מתאוה אליו, ושחביב כשירה, וכלוחות הברית: **קרבנם של נשיאים.** שיבנה בית המקדש בימיו ויביא קרבן לחנוכת הבית כמו שהביאו הנשיאים בחנוכת המשכן שהיה בו פרים ואלים כו': **רבי יהודה ורבי נחמיה ורבנן.** יהבו טעמא ליתורא דזה דכתיב בנשיאים כגון זה קרבן נחשון וכו', ואמרו שהוא מופנה לגזירה שוה למר שחביב קרבנן כשירה, ולמר כלוחות הברית, ולמר לומר שחביב קרבן אהרן, אף על פי שהוא עשירית האיפה לבד, כקרבן הנשיאים דהוה ביה פרים ואלים וכבשים: **חביב כו' כשירה.** שגם על ידי קרבניהם שרה עליהם רוח הקודש כבעת שירת הים: **משני לוחות הברית.** שעל ידי קרבניהם מלבד הרוח ששרה עליהם עוד ניתוסף השגתם בידיעת התורה העליונה וסודותיה, ולכן חביבה קרבנן כשני לוחות, ששם ידיעת התורה והשגותיה טמונה בקרבה: **כשנים עשר שבטים.** שקרבן אהרן היה דומה בפעולתו להשפיע שפע טובה כמו זכותם, ומה שאמר לעיל בשמות רבה סוף פרשה לח (סימן י) זכות השבטים נכנסת עמו, שהולך גם לזכותם: (ד) **מלמד שעשירית האיפה מעכבת לכהונת כו'.** וכגירסת התורת כהנים שלפנינו (לו פרשתא ג), אחד כהן גדול ואחד כהן הדיוט שעבדו עד שלא הביאו עשירית האיפה שלהם עבודתם פסולה, [ודלא כהמשנה למלך מהלכות כלי המקדש סוף פרק ה שכתב דטעות סופר הוא וצריך לומר כשירה]. ורצה לומר דכהן

פירוש מהרז"ו

דן, אינו גבורה נוספת על השלשה המפורשים, אלא הוא הכלל, ושלשה המפורשים המה הפרטים, והכלל צריך לפרט. לפרט ולפרש באיזה אופן חלה עליו הרוח לפעמו, וכמה פעמים היה, והפרט צריך לכלל, שהיה הכל כמו לרעה ואשתאול: (ג) **גופא.** עיין מה שכתב לעיל פרשה ה, סימן (ג) [ה]. פרשה ז סימן ג, בפירוש תיבה זו: **וכאן כתיב זה קרבן נחשון.** וכן אלא כל קרבנות הנשיאים, וכמו שראו על הים ואמרו זה אלי, כך ראו כבוד ה' על המשכן ואמרו זה אלי: **מזה ומזה.** וכן אלא הנשיאים כולם. ועל דרך הרמז שני הלוחות, כל לוח ארכו ששה טפחים הרי שתים עשרה רמז לשנים עשר נשיאים, ורמז אחר שכל לוח היו בו ששה רוחות, ארבעה לצדדים ומעלה ומטה, הרי שתים עשרה רוחות, רמז לשנים עשר נשיאים, וכמו שאלל הלוחות נראה כבוד ה' לישראל, כך בקרבן הנשיאים במשכן. ועל כן היה דוד מתאוה להם: **כשנים עשר שבטים.** אולי הכוונה כקרבנס של שנים עשר נשיאים, שאלל קרבן הנשיאים כתיב (במדבר ז, פד) זאת חנוכת המזבח ביום המשח אותו מאת נשיאי ישראל, ובקרבן אהרן גם כן כתיב (ויקרא ו, יג), זה קרבן אהרן וגו' ביום המשח אותו, כך נראה לי: (ד) **מעכב לכהונת אהרן.** דורש שמה שכתב זה קרבן אהרן, ולא כתב כאן אלא קרבן מנחה, ועל כרחינו שכולל גם כל הקרבנות שמבואר בסוף סדר לו ובריש סדר שמיני, הרבה קרבנות, ועם כל זה אם היה מקריב את כולן ולא היה מקריב את המנחה, היה מעכב כהונתו וכהונת בניו לעולם:

מסורת המדרש

ד. ירושלמי ריש יומא:

אם למקרא

עֹלוֹת מֵחִים אַעֲלֶה לָּךְ עִם קְטֹרֶת אֵילִים אֶעֱשֶׂה בָקָר עִם עַתּוּדִים סֶלָה: (תהלים סו:טו)

וּלְזֶבַח הַשְּׁלָמִים בָּקָר שְׁנַיִם אֵילִם חֲמִשָּׁה עַתּוּדִים חֲמִשָּׁה כְּבָשִׂים בְּנֵי־שָׁנָה חֲמִשָּׁה זֶה קָרְבַּן נַחְשׁוֹן בֶּן־עַמִּינָדָב: (במדבר ז:יז)

עָזִּי וְזִמְרָת יָהּ וַיְהִי־לִי לִישׁוּעָה זֶה אֵלִי וְאַנְוֵהוּ אֱלֹהֵי אָבִי וַאֲרֹמְמֶנְהוּ: (שמות טו:ב)

וַיִּפֶן וַיֵּרֶד מֹשֶׁה מִן־הָהָר וּשְׁנֵי לֻחֹת הָעֵדֻת בְּיָדוֹ לֻחֹת כְּתֻבִים מִשְּׁנֵי עֶבְרֵיהֶם מִזֶּה וּמִזֶּה הֵם כְּתֻבִים: (שמות לב:טו)

באור מהרזי"פ

מקשקשת לפניו כזוג, כתיב הכא (שופטים יג, כה) לפעמו, וכתיב התם (שמות כח, לד) פעמון ורמון, ולכן רבי שמואל בר נחמן דורש ממלת לפעמו, שנטל שני הרים והקישן זה לזה, אי נמי דורש לפעמו מלשון (ישעיה מא, ז) הולם פעם שהוא ענין הקשה, ורבי יהודה דורש לפעמו מלשון (שיר השירים ז, ב) מה יפו פעמיך בנעלים, ורבי נחמן דורש גם כן לפעמו מלשון פעמון ורמון. [ג] **עולות וגו'.** (תהלים סו, טו) עולות מחים אעלה לך עם קטורת אילים אעשה בקר עם עתודים סלה: **זה מנין זה.** ונראה דהוא הדין קרבן נחשון בן עמינדב דמאי שנא מספר זה מספר זה: [ד] **שעשירית האיפה מעכבת.** פירוש מקך ילפינן דכהן גדול מקריב עשירית בכל יום מיום שנמשח עד עולם, והכהנים הדיוטים מקריבים ביום התחנכם לעבודה, כמבואר (מנחות נא, ב), ועשירית האיפה דקאמר הכא דמעכבת, היינו ביום חנוכה לעבודה, דכיון דלא הביאום הוה ליה כאלו לא נתכהנו, ועבודתם

שינוי נוסחאות

(ג) **איזה קרבן שיש בו פרים ואילים וכבשים.** צריך לומר "ועתודים" תחת "וכבשים", כן כתב רש"ש, וכן הוא באמת בכל הכי"י:

מתנות כהונה

[ג] **עולות מחים וגו'.** גרס, וסיפיה דקרא אילים בקר עתודים: [ד] **עשירית האיפה מעבבת.** כלומר רלה החידוש הזה שעשירית האיפה סולת יעכב בגדולת אהרן ובניו:

נחמד למראה

[ג] **גופא אמר רבי אידי מתאוה היה דוד לקרבנם של נשיאים, הדא הוא דכתיב עולות מחים וגו'.** פירוש שדוד המלך היה חפץ לבנות בית המקדש, וכדכתיב בשמואל (ב, פרק ז) אלא שמנעו הקב"ה מזה, ואמר לו (מלכים א, ח, יט) רק אתה לא תבנה הבית כי אם בנך אשר יצא מחלציך הוא יבנה הבית לשמי, ואם היה בונה דוד המלך בית המקדש כמו שהיה סבור, בודאי שהוא היה מחנך הבית בקרבנות כמו הנשיאים, לפי שהיה מלך. וזהו אומרו מתאוה היה דוד לקרבנם של נשיאים. כלומר להקריבה אחר שיבנה בית המקדש, ומליצו גם כן שאמר דוד (תהלים קכב, א) שמחתי באומרים לי בית ה' נלך. ואיתא במדרש (ירושלמי ברכות פ"ב ה"א. ילקוט תהלים תתקטע) שהיו אומרים לו דוד אימתי בית ה' נלך, והיה דוד אומר תבא עלי שאני שמח. ולפי המדרש הזה ירלה שהיה שמח דוד, לפי שהוא יהיה המקריב קרבנם של נשיאים שהיה מתאוה לזה. ובמקום אחר פירשתי בהורך מדרש זה פירוש יקר ואין כאן מקומו:

אשד הנחלים

ונפילתו ומותו, יאחזנו השתוממת בזכרו מגבורותו העזה, ועתה מושלך באין כח לאל ידו להתנועע, והנה האנשים הקדושים מכל פעולה גשמית ועולמית, שיראו יקחו ציור גם כן לעניינים רוחנים הדומים לזה, ולכן בתוך התמיה הזאת נפל בלבו לתמוה גם כן על גדולת אהרן, שהוא המכפר על כל ישראל בקרבנותיו והוא המוריד השפע לכולם, ועם כל זה הוכרח הוא עצמו להקריב קרבן בעדו ובעד בניו לכפר גם עליו, ולהיות נכנע תחת קרבנו, ולכן כתיב מלת זה קרבן אהרן, כאילו הוא מלת התמיה והפלא בעת שרואה האדם זאת ישתומם על הכנעתו הגדולה. ודי בזה קצת ציור: [ג] **מתאוה היה דוד.** כי לכל קרבן מיוחד יש בו פעולה וכוונה מיוחדת, וקרבנות הנשיאים היה בו כוונות עליונות יותר מכולם, ולכן היה דוד מתאוה לזה: **חביב כו' כשירה.** שגם על ידי קרבניהם שרה עליהם הרוח האלקי כבעת שירת הים, ולכן כתיב מלת זה, שהוא מלה המיוחדת והמפלאת מאוד בעניינה: **כשני לוחות הברית.** שעל ידי הקרבנות מלבד הרוח ששרה עליהם עוד ניתוסף השגתם בידיעת התורה העליונה וסודותיה, ולכן חביבה קרבנם כשני לוחות, ששם ידיעת התורה והשגותיה טמונה בקרבה: **קרבנו של אהרן כו' נשיאים.** אף שהיה קרבן הנשיאים גדולה במעלה מאוד, כמו שאמרו לעיל שדוד מתאוה לזה מאוד, עם כל זה קרבן אהרן היה דומה לו בפעולתו ועניינו: **כשנים עשר שבטים.** הענין כי השנים עשר שבטי יה הם מכוונים לענין נעלה, שעל ידיהם שורה השכינה בישראל, וכמו שנאמר בכתוב (דברים לג, ה) ויהי בישורון מלך בהתאסף ראשי עם יחד, והמה דוגמת העליונים, כמו שאמרו בברכות (לב, ב) בתי שנים עשר מזלות בראתי כו', שנים עשר שבטים כו', וקרבן אהרן היה דומה בפעולתו להשפיע שפע טובה כמו זכותם:

בּוֹא וּרְאֵה כַּמָּה — בְּשֵׁם רַבִּי לֵוִי אָמַר — said in the name of R' Levi: חָס הַקָּדוֹשׁ בָּרוּךְ הוּא עַל מָמוֹנָם שֶׁל יִשְׂרָאֵל — Come and see how sparing the Holy One, blessed is He, is with the money of the people of Israel. אָמַר לָהֶם: מִי שֶׁנִּתְחַיֵּיב לְהָבִיא קָרְבָּן יָבִיא מִן הַבָּקָר — For [God] said to them, in effect: Whoever is obligated to bring an offering,[41] he should bring the offering from cattle if he can afford it, "אִם עֹלָה קָרְבָּנוֹ מִן הַבָּקָר" — as it is written, ***If one's offering is a burnt-offering*** *from the cattle* (above, 1:3). וְאִם לֹא מָצָא מִן הַבָּקָר יָבִיא כֶּבֶשׂ — And if he cannot find (i.e., afford)[42] an offering from the cattle, he may bring a sheep,[43] "אִם כֶּבֶשׂ" — as it is written, ***If*** *he offers* ***a sheep*** (ibid. 3:7).[44] וְאִם לֹא מָצָא מִן הַכְּבָשִׂים יָבִיא מִן הָעִזִּים — And if he cannot find (i.e., afford) an offering from the sheep, he may bring from the goats, "וְאִם עֵז" — as it states, ***If*** *his offering is* ***a goat*** (ibid., v. 12).[45] וְאִם לֹא מָצָא מִן הָעִזִּים יָבִיא מִן הָעוֹפוֹת — And if he cannot find (i.e., afford) an offering from the goats, he may bring from the fowl, "וְאִם מִן הָעוֹף" — as it states, ***If*** *one's offering to* HASHEM *is a burnt-offering* ***of fowl*** (ibid. 1:14). וְאִם לֹא מָצָא מֵהָעוֹף יָבִיא סֹלֶת — And if he cannot find (i.e., afford) an offering from among the fowl, he may bring fine flour, "סֹלֶת יִהְיֶה קָרְבָּנוֹ" — as it is stated, ***his offering shall be of fine flour*** (ibid. 2:1).[46] וְלֹא עוֹד אֶלָּא שֶׁכָּל הַקָּרְבָּנוֹת אֵינָן בָּאִים חֲצָיִים — And moreover, not only is a meal-offering acceptable to God, but all other offerings cannot be brought in halves, וְזוֹ בָּאָה חֲצָיִים — whereas this one, the meal-offering, is brought in halves, "מַחֲצִיתָהּ בַּבֹּקֶר וּמַחֲצִיתָהּ בָּעָרֶב" — as our verse states regarding the Kohen's meal-offering, ***half of it in the morning and half of it in the afternoon.*** וְלֹא עוֹד אֶלָּא כָּל מִי שֶׁהוּא מַקְרִיב אוֹתָהּ — And moreover, not only is a meal-offering acceptable to God, but when anyone offers it, מַעֲלֶה עָלָיו הַכָּתוּב כְּאִלּוּ הוּא מַקְרִיב מִסּוֹף הָעוֹלָם וְעַד סוֹפוֹ — Scripture considers it as if he is bringing an offering from one end of the world until the other end, שֶׁנֶּאֱמַר "כִּי מִמִּזְרַח שֶׁמֶשׁ עַד מְבוֹאוֹ וְגוֹ'" — as it is stated, ***For from the rising of the sun to its setting, etc.,*** *My Name is great among the nations, and in every place [where offerings] are presented to My Name, and also "pure meal-offerings"* (Malachi 1:11).[47]

NOTES

41. After rejecting all other possibilities, *Yefeh To'ar* concludes that the Midrash here is referring to a concept taught above (7 §3), that burnt-offerings atone for sinful thoughts. Although it is not, strictly speaking, an obligatory offering, one who seeks atonement for such thoughts would bring a burnt-offering, and he would be expected to make this offering in accordance with his financial abilities — a wealthy person would bring a bull, a less wealthy man would offer a sheep, etc., as the Midrash goes on to elaborate.

42. *Yefeh To'ar.*

43. The Torah does not obligate him to borrow money, work extra hours, or undergo personal austerity in order to raise money to bring the offering of higher value (*Yefeh To'ar, Eitz Yosef*).

44. Actually, this verse speaks of a peace-offering, whereas our passage is dealing with burnt-offerings, and it would seem more appropriate for the Midrash to quote 1:10, which states regarding burnt-offerings, *And if one's offering is from the flock, from the sheep or from the goats.* (Indeed, *Maharzu* emends the text to cite this verse instead of 3:7.) *Yefeh To'ar* suggests that the reason the Midrash cites the "wrong" verse is because 1:10 mentions sheep and goats together, implying that they are on the same level, whereas the Midrash goes on to distinguish between the two, putting them on two separate levels.

45. Here, too the cited verse deals with the peace-offering. See previous note.

46. Apparently, a meal-offering can also atone for improper thoughts (see note 41).

47. Since the verse links "the rising and setting of the sun" to *pure meal-offerings,* it implies that a meal-offering brought with pure intent, despite its quantitatively small amount, increases positive spiritual influence throughout the entire world (*Eitz Yosef;* see *Radal,* who explains that the Midrash refers specifically to the tenth-*ephah* brought by the Kohen Gadol every day: half in the morning with the rising of the sun, and half in the evening with its setting).

בְּשֵׁם רַבִּי לֵוִי אָמַר: בּוֹא וּרְאֵה כַּמָּה חָס הַקָּדוֹשׁ בָּרוּךְ הוּא עַל מָמוֹנָם שֶׁל יִשְׂרָאֵל, אָמַר לָהֶם: מִי שֶׁנִּתְחַיֵּב לְהָבִיא קָרְבָּן יָבִיא מִן הַבָּקָר, (לעיל א, ג) "אִם עֹלָה קָרְבָּנוֹ °", וְאִם לֹא מָצָא מִן הַבָּקָר יָבִיא כֶּבֶשׂ, (לעיל ג, ז) "אִם כֶּבֶשׂ", וְאִם לֹא מָצָא מִן הַכְּבָשִׂים יָבִיא מִן הָעִזִּים, "וְאִם עֵז", וְאִם לֹא מָצָא מִן הָעִזִּים יָבִיא מִן הָעוֹפוֹת, (לעיל א, יד) "וְאִם מִן הָעוֹף", וְאִם לֹא מָצָא מֵהָעוֹף יָבִיא סֹלֶת, °"סֹלֶת מִנְחָה תָּמִיד"°, וְלֹא עוֹד אֶלָּא שֶׁכָּל הַקָּרְבָּנוֹת אֵינָן בָּאִים חֲצָיִים וְזוֹ בָּאָה חֲצָיִים, [ו, יג] "מַחֲצִיתָהּ בַּבֹּקֶר וּמַחֲצִיתָהּ בָּעָרֶב", וְלֹא עוֹד אֶלָּא כָּל מִי שֶׁהוּא מַקְרִיב אוֹתָהּ מַעֲלֶה עָלָיו הַכָּתוּב כְּאִלּוּ הוּא מַקְרִיב מִסּוֹף הָעוֹלָם וְעַד סוֹפוֹ, שֶׁנֶּאֱמַר (מלאכי א, יא) "כִּי מִמִּזְרַח שֶׁמֶשׁ עַד מְבוֹאוֹ וְגוֹ'":

עץ יוסף

גדול מקריב עשירית האיפה בכל יום מיום שנמשח עד עולם, וכהן הדיוט מקריב אותו ביום חינוכו לעבודה כדאיתא בפרק התכלת (מנחות נא, ב), ועשירית האיפה דקאמר הכא דמעכבת, היינו ביום חנוכה לעבודה, דכיון דלא הביאום הוי ליה כאילו לא נתכהנו ועבודתם פסולה: **ואם לא מצא.** פירוש שלא מלא ידו עושר שראוי לו בקר, שממונו מעט וכפי ממונו סגי ליה בכבש, כיון דמטה ידו אין ראוי להצריכו ללוות: **יביא סולת סולת יהיה קרבנו.** כן צריך לומר (יפה תואר ועיין שם): **כי ממזרח שמש וגו'.** ובכל מקום מוקטר מוגש לשמי ומנחה טהורה, ומדמקיש מנחה טהורה למזרח שמש עד מבואו, אלמא דחשיבה כמקריב מסוף העולם ועד סופו, כי אין הכוונה על כמות הקרבנות כי אם על איכותה וכוונתה, ולכן אף שהמנחה היא קטנה בכמותה, אך אם היא טהורה בכוונתה ירבה השפע בכל העולם כולו. והרד"ל כתב, ודרש ליה על עשירית האיפה שקריבה מחציתה בבוקר ממזרח שמש, ומחציתה בערב במבוא השמש, עיין שם:

פירוש מהרז"ו

חס הקב"ה. כמו שמסודרים הקרבנות בסדר ויקרא, תחילה אם עולה קרבנו מן הבקר, ואחר כך ואם מן הצאן מן הכבשים או מן העזים, ואחר כך ואם מן העוף, ואחר כך ונפש כי תקריב קרבן מנחה, ומה שכתב במדרש יביא כבש אם כבש וכו' מן העזים ואם עז, תפס לשון הכתוב אצל שלמים בסדר ויקרא, ושם לא כתוב לא עוף ולא מנחה, רק בריש ויקרא אצל קרבן עולה כתוב כנ"ל, וצריך להגיהה כאשר מסודרים בריש ויקרא כנ"ל, וכמו שהתחיל המדרש מן הבקר אם עולה קרבנו, ומה שכתב מי שנתחייב קרבן, כי העולה באה לכפר על ההרהור, או על ידי נדר:

חידושי הרד"ל

שנאמר כי ממזרח שמש עד מבואו וגו' ובכל מקום מוקטר מגש לשמי ומנחה טהורה. כן צריך לומר. ודרש ליה על עשירית האיפה שקרבים מחציתה בבוקר, ממזרח שמש, ומחציתה בערב, במבוא השמש, וזהו מנחה טהורה, שמעלה עליו הכתוב כאילו היא מוקטרת בכל מקום, מסוף העולם ועד סופו:

חידושי הרש"ש

ר' יהושע דסכנין בשם ר' לוי מי שנתחייב להביא קרבן יביא מן הבקר אם עולה קרבנו. צריך לומר מן הבקר. **ואם לא מצא מן הבקר יביא כבש.** צריך לומר **אם כבש**, והוא הכתוב בפרשת שלמים (ויקרא ג, ז) וכן הוא בילקוט: **ואם לא מצא מן הכבשים יביא מן העזים.** משמע לכאורה דכבש הוא קודם לעז, ולא כן תנן בשלהי כריתות (כח, ב) עיין שם: **ואם לא מצא מן העוף יביא סולת.** צריך לומר **סלת יהיה קרבנו** (שם ב, א). ואולי צריך להוסיף כעין לשון זה. ולא עוד אלא שחבבה עליו להיותה חובה לכהן גדול בכל יום שנאמר סלת מנחה תמיד:

אם למקרא

אִם עֹלָה קָרְבָּנוֹ מִן הַבָּקָר זָכָר תָּמִים יַקְרִיבֶנּוּ אֶל פֶּתַח אֹהֶל מוֹעֵד יַקְרִיב אֹתוֹ לִרְצֹנוֹ לִפְנֵי ה': (ויקרא א:ג)

אִם־כֶּשֶׂב הוּא־מַקְרִיב אֶת־קָרְבָּנוֹ וְהִקְרִיב אֹתוֹ לִפְנֵי ה': (שם ג:ז)

וְאִם מִן הָעוֹף עֹלָה קָרְבָּנוֹ לַה' וְהִקְרִיב מִן הַתֹּרִים אוֹ מִן בְּנֵי הַיּוֹנָה אֶת קָרְבָּנוֹ: (שם א:יד)

שינוי נוסחאות

(ד) יביא מן הבקר "אם עלה קרבנו". "מן הבקר", כן הגיה רש"ש, וכן הוא באמת בכל הכי"י: ואם לא מצא מהעוף יביא סלת, "סלת מנחה תמיד". במקום "סלת מנחה תמיד" צ"ל פסוק אחר, "סלת יהיה קרבנו", כן הגיה יפ"ת, וכן הוא באמת בכי"י:

מתנות כהונה

ממזרח שמש עד מבואו וגו'. וסיפיה דקרא ומנחה טהורה:

אשד הנחלים

[ד] כמה חס. כי אין הכוונה על כמות הקרבנות, כי אם על איכותה וכוונתה, ולכן כתיב על המנחה כי גדול שמי, (מלאכי א, יא) כי ממזרח שמש עד מבואו גדול שמי גו' ומנחה טהורה, להורות אף שהמנחה היא קטנה בכמותה, אך אם היא טהורה בכוונתה, על ידי זה גדול שמי בכל העולם, כי על ידה מרבה השפע בכל העולם כולו, וזה שאמר גדול שמי בגוים, לפי שהקרבנות היו עוזרים גם להם, כמו שאמרו (סוכה נה, ב) השבעים פרים כנגד שבעים אומות הקדמונים, כי כל טוב העולם היו יונקים מטוב הקרבנות כנודע:

באור מהרי"פ

פסולה. ואף על גב דתניא (בתורת כהנים פרשה ג' משנה ג') אחד כהן גדול ואחד כהן הדיוט שעבדו עד שלא הביאו עשירית האיפה, עבודתו כשירה. אפשר דלא פליגי אהא, דהתם לדורות, והכא במלואים דאהרן ובניו גופייהו, וזה לרבי יוחנן וריש לקיש דסבירי להו דמלואים כל הכתוב בהן מעכב בהן, אף על גב דאיכא מילי דלא מעכבי לדורות, כמבואר (יומא ג, ב – ד, ב), ועוד משמע התם דחד מנייהו עשירית האיפה (פירוש דמעכב במלואים ואינו מעכב לדורות), דבעי התם (ה, ב) עשירית האיפה דלא כתיבא בעניינא דמלואים מנלן, ומשני אתיא זה זה, מזה קרבן אהרן ובניו אשר יקריבו לה' עשירית האיפה (שם ח'), נראה משום דיליף התם דכל הכתוב בפרשת מלואים מעכב בהם, בעי מנלן דעשירית האיפה דלא כתיבי התם דמעכבא נמי במלואים אף על גב דלא מעכבא לדורות, אלא דהתם יליף לה מגזירה שוה דזה זה, והכא יליף לה רבי יוחנן בשם ר' שמעון מביום המשח אותו, ומכל מקום עשירית האיפה זולת יום חנוך פשוט דלא מעכב, אפילו באהרן שמצווה להקריבו, והכי דייק מלשון רש"י שפירש שם עשירית האיפה דלא כתיבא בעניינא דמלואים מנלן, ופרש"י עשירית האיפה שהכהנים צריכים להביא ביום חנוכם ואפילו ההדיוט עכ"ל רש"י יפה תואר. אמר הכותב מה שהבאתי בדברי היפה תואר על מלת כשרה, כי באמת יש לי פליאה גדולה על דברי יפה תואר בזה, שהרי שם בתורת כהנים (פ"ג משנה ג) מבואר להיפך, וזה לשון התורת כהנים כשהכהן מתקרב לעבודה בתחלה מביא עשירית האיפה משלו ועובד בידו, אחד כהן גדול ואחד כהן הדיוט שעבדו עד שלא הביאו עשירית האיפה משלו עבודתם פסולה עד כאן, הרי כתוב מפורש להיפך. ואין לומר דבמקום אחר זולת זה (אשר לא מצאתי) כתוב דין זה ושם נאמר כשרה, אם כן מאי קאי ואפשר דלא פליגי אהא וכו', הרי מוכרח הוא כדבריו בלתי ספק כלל כי היכי דלא יהיו דברי תורת כהנים סותרים זה את זה, והיא פליאה גדולה אם לא שנאמר שגירסת התורת כהנים שהיה ביד היפה תואר היה כתוב בהיפך במקום פסולה כשרה: **[ד] ביום המשח וגו'. רבי יוחנן בשם רבי שמעון בן יהוצדק אמר מלמד וכו'** (ויקרא ו, יב) **זה קרבן אהרן ובניו אשר יקריבו לה' ביום המשח אותו, עשירית האיפה סולת מנחה תמיד, מחציתה בבוקר ומחציתה בערב.** וזה לשון קרבן אהרן על תורת כהנים, עבודתו פסולה (עיין בדבור שלפני זה לשון התורת כהנים), נראה לי דיליף ליה מדאמר זה קרבן אהרן ובניו וגו', דמשמע מיניה עכובא, זה יהיה כדי שיוכל להקריב ואם לא היה פסול מלהקריב ועבודתו פסולה עכ"ל. ועיין מתנות כהונה ודבריו אינם ברורים אצלי: **במה חס הקב"ה וכו' מי שנתחייב וכו'.** הענין מוקשה מאד במאי קמיירי, אם בקרבן קבועה הרי בכל אחד מפורש מינו, אם פר אם כשבה אם שעירה ואין להם חליפין, ואי בקרבן עולה ויורד, כגון שמיעת הקול ובטוי שפתים וטומאת מקדש וקדשיו ויולדת ומצורע, הרי אין בשום אחד מהן מין הבקר, ועוד דאי בקרבן עולה ויורד מיירי למה מביא המקראות דמיירי בעולת נדבה (א, ג) אם עולה קרבנו וגו', ולשון אם כבש ואם עז מיירי בזבחי שלמים והכל נדבה, ואיהו קאי במי שנתחייב. ונראה דמיירי בקרבן נדבה, דאמר הרי עלי קרבן עולה או הרי עלי קרבן מנחה, אך יש להעיר למה מביא המדרש אם כבש ואם עז הנאמר אצל זבח שלמים, ולא הביא מה שנאמר אצל עולת נדבה שהוא עוסק בענינה, היינו המקרא (א, י) ואם מן הצאן קרבנו מן הכשבים או מן העזים לעולה שה תמים יקריבנו: **סולת מנחה תמיד.** טעות סופר הוא דדאי בכהן גדול מיירי שהיא מנחת חביתין והיא חובת תמיד לכהן גדול, וכאן צריך לגרוס סולת יהיה קרבנו (ויקרא ב, א) הנאמר סמוך אצל עולת העוף, ודורש על פי רמז שהיא תמורת העוף (ויקרא ב, א):

Chapter 9

וְזֹאת תּוֹרַת זֶבַח הַשְּׁלָמִים אֲשֶׁר יַקְרִיב לַה׳. אִם עַל תּוֹדָה יַקְרִיבֶנּוּ וְהִקְרִיב עַל זֶבַח הַתּוֹדָה חַלּוֹת מַצּוֹת בְּלוּלֹת בַּשֶּׁמֶן וּרְקִיקֵי מַצּוֹת מְשֻׁחִים בַּשָּׁמֶן וְסֹלֶת מֻרְבֶּכֶת חַלֹּת בְּלוּלֹת בַּשָּׁמֶן.

This is the law of the feast peace-offering that one will offer to HASHEM: If he shall offer it for a thanksgiving-offering, he shall offer with the feast thanksgiving-offering unleavened loaves mixed with oil, unleavened wafers smeared with oil, and loaves of scalded fine flour mixed with oil (7:11-12).

§1 וְזֹאת תּוֹרַת זֶבַח הַשְּׁלָמִים אֲשֶׁר יַקְרִיב לַה׳ — *THIS IS THE LAW OF THE FEAST PEACE-OFFERING THAT ONE WILL OFFER TO HASHEM.*

The Midrash will explain why it is that exclusively with regard to the *shelamim*-offering, the verse states אֲשֶׁר יַקְרִיב לַה׳, *that one will offer "to HASHEM"*:[1]

זֶה שֶׁאָמַר הַכָּתוּב "זֹבֵחַ תּוֹדָה יְכַבְּדָנְנִי" — This verse supports **that which Scripture states, *He who offers "todah" honors Me*** (*Psalms* 50:23). The Midrash examines this verse from *Psalms*:[2] **"זוֹבֵחַ חַטָּאת" "זוֹבֵחַ אָשָׁם" אֵין כְּתִיב כָּאן — *He who offers a sin-offering*** *honors Me*, or, ***He who offers a guilt-offering*** *honors Me*, **is not written here,**[3] **אֶלָּא "זֹבֵחַ תּוֹדָה" — rather, *He who offers a thanksgiving-offering*** *honors Me*, is written. **לָמָּה — Why** is this so? **חַטָּאת בָּאָה עַל חֵטְא וְאָשָׁם בָּא עַל חֵטְא —** Because whereas **a *chatas*-offering is brought** to atone **for a sin and an *asham*-offering is brought** to atone **for a sin, תּוֹדָה אֵינָהּ בָּאָה עַל חֵטְא — a *todah*-offering is not brought** to atone **for a sin;**[4] as our verse states, **"אִם עַל תּוֹדָה יַקְרִיבֶנּוּ"** — *This is the law of the feast peace-offering that one will offer to HASHEM:* ***If he shall offer it for a thanksgiving-offering.***[5]

Having quoted the above verse from *Psalms*, the Midrash digresses to expound it at length:[6]

דָּבָר אַחֵר "זֹבֵחַ תּוֹדָה יְכַבְּדָנְנִי" — Alternatively, "*zovei'ach todah*" *honors Me* — זֶה עָכָן שֶׁזָּבַח אֶת יִצְרוֹ בַּתּוֹדָה — this is an allusion to **Achan, who slaughtered his** evil **inclination through confession,**[7] **"וַיֹּאמֶר יְהוֹשֻׁעַ אֶל עָכָן בְּנִי שִׂים נָא כָבוֹד . . . וַיַּעַן עָכָן אֶת יְהוֹשֻׁעַ"** — as is stated, ***Then Joshua said to Achan, "My son, please give honor*** *to HASHEM, God of Israel, and confess to Him,* ***etc." And Achan answered Joshua*** *and said, "Indeed, I have sinned against HASHEM, God of Israel; thus and thus have I done"* (*Joshua* 7:19-20).

The next words in the verse from *Psalms* are also expounded as relating to Achan's repentance:

"וְשָׂם דֶּרֶךְ" — *And one who orders the way,* *I will show him the salvation of God* (*Psalms* ibid.), **שֶׁהֶרְאָה לַשָּׁבִים אֶת הַדֶּרֶךְ — for [Achan] showed penitents the way.**[8] **הָדָא הוּא דִכְתִיב — Thus, it is written,**[9] **"וּבְנֵי זֶרַח זִמְרִי וְאֵיתָן וְהֵימָן וְכַלְכֹּל וָדָרַע כֻּלָּם חֲמִשָּׁה" — *The sons of Zerah: Zimri, Ethan, Heman, Calcol, and Dara— five in all*** (*I Chronicles* 2:6). The Midrash expounds this verse, part by part:[10] **"זִמְרִי", רַבִּי יְהוֹשֻׁעַ בֶּן לֵוִי אָמַר: זֶה עָכָן — *Zimri* — R' Yehoshua ben Levi said: This is Achan.**[11]

NOTES

1. *Eitz Yosef.*

2. According to this verse's plain meaning, the word תּוֹדָה means *confession* (*Rashi*, *Radak*, and *Metzudos*, to verse; see further in this Midrash). Here the Midrash interprets it to refer to a קָרְבַּן תּוֹדָה, *a todah-offering.*

3. These offerings were discussed above, in Chapters 4 and 5 respectively.

4. Only when a man humbly comes to appreciate God's beneficence and greatness does he bring a *todah*-offering. That offering is therefore an expression of true love for God and the most valued of offerings (*Eshed HaNechalim*, followed by *Eitz Yosef*).

5. The Midrash cites these verses to prove that the *thanksgiving-offering* spoken of in the *Psalms* verse is not brought in connection with a sin. This is evident from these verses' categorization of the *thanksgiving-offering* as a type of שְׁלָמִים, *peace-offering* [since that type of sacrifice is never related to sin] (*Yefeh To'ar*, see there for additional discussion).

Thus, our Midrash is teaching that because the קָרְבַּן שְׁלָמִים, *the peace-offering*, is not brought pursuant to any sin, it is particularly precious and desirable to God, and for this reason, our verse refers to one who brings a *shelamim*-offering as offering it *to HASHEM* (*Eitz Yosef*, see there for additional discussion). See Insight above on 7 §4, "The Desirable Offering."

6. *Eitz Yosef* above, s.v. זשה״ב.

7. When the Jewish nation began their conquest of the Land of Israel, as they stood poised to overrun the city of Jericho, Joshua decreed that the spoils of that city were to be consecrated and he solemnly warned the nation against taking anything (*Joshua* 6:17-19). This prohibition was violated by Achan, who took some valuables from the city. Achan eventually confessed to his crime before being executed for it (ibid. Ch. 7).

Achan is said to have *slaughtered his evil inclination* when he admitted his sin and overcame the urge to deny it (*Eitz Yosef*; see *Matnos Kehunah*, *Eshed HaNechalim*, *Rashi* to *Sanhedrin* 43b). The Midrash interprets the cited verse to mean, *The one who slaughtered through confession honored Me* (*Eitz Yosef*; see *Maharzu*). This interpretation is prompted by the verse's use of the expression זֹבֵחַ תּוֹדָה, lit., *one who slaughters "todah,"* as opposed to מַקְרִיב תּוֹדָה, *one who offers a todah-offering*; this leads the Midrash to associate the word תּוֹדָה with the phrase וְתֶן לוֹ תוֹדָה, *and confess to Him*, that was spoken by Joshua to Achan [in the verse that will be cited presently] (*Maharzu*).

The lesson imparted by the *Psalms* verse as it is explained here is that anyone who follows Achan's example of confessing and repenting his sins in spite of the difficulty involved will merit a share in the World to Come as Achan did (*Eitz Yosef*; see the coming lines where it will be taught that Achan merited to participate in the World to Come; also see *Beis Elokim*, *Shaar HaTeshuvah*, Ch. 14, who cites our Midrash as one of several indications that repentance benefits the sinner in the next world).

8. Achan openly displayed the power of the repentance that he performed. Achan submitted himself to be killed in order to atone for his sins. His example may be followed by anyone who is prepared to give up his life for God's honor (*Eshed HaNechalim*, followed by *Eitz Yosef*).

9. The Midrash is commenting on the end of the verse from *Psalms*: אַרְאֶנּוּ בְּיֵשַׁע אֱלֹהִים, *I will show him the salvation of God*, which it interprets to indicate that Achan merited a share in the World to Come consequent to his repentance. The Midrash will prove that Achan participated in the World to Come from the verse it is now citing (*Eitz Yosef*; see there where he contemplates inserting the end of the *Psalms* verse into the Midrash text; compare *Yalkut Shimoni*, *Nach* §763).

10. It is a general principle that the genealogical records that appear in the Book of *Chronicles* are not merely lists of names but are rather given to homiletical interpretations (*Beur Maharif* and *Eitz Yosef* below, both s.v. איתן זה, based on above, 1 §3; see discussion in Kleinman edition of Midrash Rabbah, 1 §3, note 50).

11. Although Achan was not a *son of Zerah* but rather his great-grandson (see *Joshua* 7:1,18; *I Chronicles* 2:7), the Midrash interprets this verse to be referring to Achan non-literally as the *son of Zerah*, as did *Joshua* 7:24 [and 22:20]. The Midrash [and its parallel in *Sanhedrin* 44b] deduces that *Zimri* is another name for Achan based on the fact that [as the Midrash will state presently,] the words כֻּלָּם חֲמִשָּׁה, *five in all*, that appear at the end of this verse, suggest that this verse teaches that a sinner whom it names merited a share in the World to Come. Now, it is evident that this sinner is "*Zimri*" because the other names carry no connotation of sin. Thus, since Achan was a descendant of *Zerah*, and since, as will be explained in the coming lines, Achan may be associated with "*Zimri*," it may be assumed that Achan is the sinner described by this verse as "*Zimri*" (*Eitz Yosef*, from *Maharsha* [*Chidushei Aggados* to *Sanhedrin* ibid.]; for additional approaches see *Rashi* to *Sanhedrin* ibid. [whose approach is questioned by *Yefeh To'ar* and *Maharsha*] and *Maharzu*).

פרשה ט

א [ז, יא] "וְזֹאת תּוֹרַת זֶבַח הַשְּׁלָמִים אֲשֶׁר יַקְרִיב לַה'", זֶה שֶׁאָמַר הַכָּתוּב (תהלים נ, כג) "זֹבֵחַ תּוֹדָה יְכַבְּדָנְנִי", "זוֹבֵחַ חַטָּאת" "זוֹבֵחַ אָשָׁם" אֵין כְּתִיב כָּאן, אֶלָּא "זֹבֵחַ תּוֹדָה" לָמָּה, חַטָּאת בָּאָה עַל חֵטְא וְאָשָׁם בָּא עַל חֵטְא, תּוֹדָה אֵינָהּ בָּאָה עַל חֵטְא, [ז, יב] "אִם עַל תּוֹדָה יַקְרִיבֶנּוּ". דָּבָר אַחֵר "זֹבֵחַ תּוֹדָה יְכַבְּדָנְנִי", זֶה עָכָן שֶׁזִּבַּח אֶת יִצְרוֹ *בַּתּוֹדָה, (יהושע ז, יט-כ) "וַיֹּאמֶר יְהוֹשֻׁעַ אֶל עָכָן בְּנִי שִׂים נָא כָבוֹד ... וַיַּעַן עָכָן *אֶת יְהוֹשֻׁעַ", (תהלים נ, כג) "וְשָׂם דֶּרֶךְ", שֶׁהֶרְאָה לַשָּׁבִים אֶת הַדֶּרֶךְ, הֲדָא הוּא דִכְתִיב (דברי הימים-א ב, ו) "וּבְנֵי זֶרַח זִמְרִי וְאֵיתָן וְהֵימָן וְכַלְכֹּל וָדָרַע כֻּלָּם חֲמִשָּׁה", "זִמְרִי", רַבִּי יְהוֹשֻׁעַ בֶּן לֵוִי אָמַר: זֶה עָכָן, וְלָמָּה קוֹרְאוֹ זִמְרִי, שֶׁעָשָׂה כְּמַעֲשֵׂה זִמְרִי, וְרַבָּנָן אָמְרֵי: שֶׁנִּזְמְרוּ יִשְׂרָאֵל עַל יָדוֹ, "אֵיתָן" זֶה אַבְרָהָם אָבִינוּ, אעַל שֵׁם (תהלים פט, א) "מַשְׂכִּיל לְאֵיתָן הָאֶזְרָחִי", "הֵימָן" זֶה מֹשֶׁה,

עץ יוסף

(א) **זה שאמר הכתוב זובח תודה.** משום דקשיא ליה מאי שנא דכתיב הכא אשר יקריב לה', מה שאין כן בתורת העולה ותורת החטאת ותורת האשם ותורת המנחה הנכתבים לעיל, לכן בעי לתרוצי דמשום קרבן שלמים חביב טפי לפי שאינו בא על חטא, להכי קאמר ביה אשר יקריב לה' דבהאי ניחא להקדוש ברוך הוא טפי שיקריב, אבל כל הקרבנות דלעיל על חטא באים, ואפילו עולה, שהרי על הרהור הלב היא באה כדלעיל, והמנחה במקום עולה היא שכשאחד לא תשיג ידו מביאה במקום עולה, כדלעיל סוף פרשה ח, להכי מייתי זובח תודה יכבדנני, דטעמא דנקט תודה טפי משאר קרבנות משום שאינה באה על החטא כדמפרש ואזיל, ואיידי דמייתי קרא דריש ליה הכא בשאר דרשות (יפה תואר): **אינה באה על חטא.** כי אם מהכרת הטובה יכנע ויתודה לפניו יתברך ויתן לו תודה כי יכיר שפלותו מול גדלו יתברך, וזהו גדר האהבה האמיתית, והוא נחשב מכל: **שים נא כבוד וגו' ותן לו תודה ויען עכן.** כן צריך לומר (רד"ל): **שזבח את יצרו בתודה.** כן צריך לומר, שבתודה שהודה הרג את יצרו המסיתו שיכפור, ופירוש **זובח תודה** זובח בתודה, שפעמים תחסר בי"ת השימוש, ואומרו **יכבדנני** עתיד במקום עבר. וענין הכתוב לומר שהשב בתשובה ומודה על חטאו יזכה לעולם הבא כעכן: **שהראה לשבים את הדרך.** כלומר שהראה לבני אדם כוחו של התשובה שעשה שמסר נפשו למות למען חטאו שיתכפר עליו, וכל אדם אם ירצה יוכל למסור נפשו למען כבוד ה': **הדא הוא דכתיב ובני זרח.** אסיפא דכתיב אראנו בישע אלהים קאי, [ואפשר שצריך לומר כן בפנים המדרש לשבים את הדרך, אראנו בישע אלהים הדא הוא דכתיב ובני זרח] כדי לפרש דזכה עכן לעולם הבא כדילפינן מדרשת האי קרא, וזכה שנמנה עם הצדיקים: **זמרי כו' זה עכן.** ואף על גב דעכן לאו בן זרח היה אלא בן בן בנו כדכתיב (יהושע ז, א) עכן בן כרמי בן זבדי בן זרח, וכן כתיב (שם ז, יח), וכן בדברי הימים (א' ב, ח) כתיב ובני כרמי עכר אשר מעל בחרם, ואם כן על כרחך הא דכתיב (יהושע ז, כד) ויקח יהושע את עכן בן זרח שלהיותו מזרעו קאמר בן זרח. יש לומר דמשמע ליה דזמרי היינו עכן מדהוצרך הכתוב לכתוב כלם חמשה שהוא למותר שמי לא ידע שהם חמשה, אלא על כרחך שזמרי היינו עכן שעשה כמעשה זמרי, או על שם שנזמרו ישראל על ידו, ובא הכתוב לכלול אותו עם הצדיקים לומר שגם הוא יבוא לעולם הבא, שאלו הארבע מצינו בהם שהיו חכמים כמו שנאמר (מלכים א' ה, יא) ויחכם מכל אדם מאיתן האזרחי והימן וכלכל ודרדע [מהרש"א סנהדרין פרק נגמר הדין מד, ב], כי אחרי תשובת עכן בתשובתו הגדולה שמסר עצמו למיתה נחשב עמהם: **במעשה זמרי.** נואף, כדאמרינן בפרק נגמר הדין (שם מד, א) שבא עכן על נערה המאורסה: **שנזמרו ישראל.** שנכרתו ישראל על ידו, מלשון (ויקרא כה, ד) לא תזמור כרמך, ורצה לומר שמתו רובה של סנהדרין על ידו: **איתן זה אברהם אבינו.** אל תתמה על מה שיפרשו השמות שיראה שהם בני זרח על משה ואברהם כו', כי דברי הימים ניתן לידרש: **זה אברהם אבינו.** לפי שעכן משך ערלתו כדאיתא בפרק נגמר הדין (שם), ולפי ששב בתשובה יזכה עם אברהם אבינו שהיה ראשון למילה: **זה משה.** לפי שעכן עבר על חמשה חומשי תורה בכלל כדאיתא בפרק הנזכר לעיל, ולפי ששב בתשובה יזכה לעולם הבא עם משה שהוריד את התורה מלמעלה למטה:

פירוש מהרז"ו

(א) **דבר אחר זובח תודה.** היה לו לומר מקריב תודה, שהעיקר הוא הקרבת הדם למזבח, והקרבת החלב לאשים, ולמה תלה בזביחה, על כן דורש תודה, מלשון הכתוב בעכן (יהושע ז, יט) ויאמר יהושע אל עכן וגו' ותן לו תודה, שהוא מלשון ווידוי, שיש בזה זביחת היצר בווידוי וכבוד לה', וזהו זובח תודה יכבדנני, וזהו על פי מדה כ' ומדה ט"ז ומדה ט', שאם אינו ענין לקרבן תודה תנהו ענין לווידוי, על פי מדת ממעל, וכאילו כתוב זובח יצרו בווידוי, כמו שכתוב אצל עכן, על פי מדה י"ז: **ושם דרך.** אין לו ביאור לפי הפשט, איזה דרך שם, על כן דורש שהוא דבר הלמד מענינו, שמדבר בווידוי ותשובה, ופירושו שזביחות תודה זו אינו על עצמו בלבד, אלא ששם דרך לאחרים, שעל כן סמוך לו בתהלים (נא, ב) בבוא אליו נתן הנביא כאשר בא אל בת שבע, שהתודה גם כן, ואמר שם במזמור (שם טו) אלמדה פושעים דרכיך וחטאים אליך ישובו, והסמיכות ראיה לדרשה הנ"ל: **זמרי זה וכו' איתן וכו'.** הנה אנו רואים שחז"ל הוציאו הפסוק מפשוטו, שהפסוק מבואר יפה, שחושב מספר בני זרח בן יהודה, ולמה דורש על זמרי שבא משמעון, וכן האחרים, אלא שזה דרך חז"ל בקודש, שאם על פי המדות לא יתכן דרך הפשט, בהכרח לדרוש על פי המדות לדרכים אחרים, וכן הכא לפי הפשט יקשה מאד, איך אמר בדברי הימים (א, ב, ה) ובני זרח זמרי ואיתן והימן וכלכל ודרדע כולם חמשה, הרי כתוב במלכים (א, ה, יא) ויחכם מכל האדם מאיתן האזרחי והימן וכלכל ודרדע בני מחול, הלא היו בני מחול ולא בני זרח, והם שני כתובים מכחישים, ועוד שמאחר שבא לפרש על שלמה שהיה חכם מכל החכמים הידועים בעולם, למה חושב אלו שאינם ידועים כלל שהיו חכמים, היה לו לומר על חכמים המפורסים בתורה, ועוד שהרי מפורש ביהושע עכן בן כרמי בן זבדי בן זרח, ואם כן היה לו לומר ובני זרח זבדי וזמרי ואיתן וגו', והרי הם שני כתובים מכחישים עוד הפעם, ועל כן דרשו והכריעו כאן, וכן בפסוק ויחכם מכל אדם מאיתן וגו', איתן על אברהם, וכן כולם, שהם החכמים היותר גדולים בתורה, וכמו שמפורש במדבר רבה (יט, ג) ושם מצויין לפסיקתא, וקהלת רבה, מה היה חכמתם, (ועיין סנהדרין מ"ד, ובהכרח שכיוונו לדברי המדרש כאן, או למה שכתב בסדר עולם (פרק כא)

מסורת המדרש

א. ב"ר ט"ו:

אם למקרא

זֹבֵחַ תּוֹדָה יְכַבְּדָנְנִי וְשָׂם דֶּרֶךְ אַרְאֶנּוּ בְּיֵשַׁע אֱלֹהִים: (תהלים נ:כג)

וַיֹּאמֶר יְהוֹשֻׁעַ אֶל עָכָן בְּנִי שִׂים נָא כָבוֹד לַה' אֱלֹהֵי יִשְׂרָאֵל וְתֶן לוֹ תוֹדָה וְהַגֶּד נָא לִי מֶה עָשִׂיתָ אַל תְּכַחֵד מִמֶּנִּי: וַיַּעַן עָכָן אֶת יְהוֹשֻׁעַ וַיֹּאמַר אָמְנָה אָנֹכִי חָטָאתִי לַה' אֱלֹהֵי יִשְׂרָאֵל וְכָזֹאת וְכָזֹאת עָשִׂיתִי: (יהושע ז:יט-כ)

וּבְנֵי זֶרַח זִמְרִי וְאֵיתָן וְהֵימָן וְכַלְכֹּל וָדָרַע כֻּלָּם חֲמִשָּׁה: (דברי הימים א ב:ו)

מַשְׂכִּיל לְאֵיתָן הָאֶזְרָחִי: (תהלים פט:א)

ידי משה

[א] **במעשה זמרי.** כדאיתא בפרק נגמר הדין (סנהדרין מד, ב) שפירש רש"י שם שבא על נערה המאורסה:

שינוי נוסחאות

(א) **"ובני זרח זמרי ואיתן והימן וכלכל ודרע כלם חמשה".** כן כתוב בפסוק כתוב כאן "ודרע", אבל בפסוק אחר (מלכים־א ה, יא) הוא נקרא "דרדע", והמדרש דורש שמו כאילו כתוב כן גם כאן:

חידושי הרד"ל

[א] **נא כבוד וגו' ותן לי תודה ויען עכן.** כן צריך לומר: **לשבים את הדרך אראנו בישע אלהים הדא הוא דכתיב ובני זרח בו'.** כן צריך לומר. ורצה לומר שנמנה עם הצדיקים, וזכה לעולם הבא, והראיה ופשט ספקו של אלישע אחר שאלל לרבי מאיר ומקבלין כדון, ואמר ליה עד הכא עד דכדוכה כו', וכן עכן שם קודש שנידון במיתה וזכה לעולם הבא: **איתן זה בו'.** כל המאמר בבמדבר רבה פרשה י"ט: **זמרי רבי יהושע בן לוי אמר בו'.** ירושלמי פ"ו דסנהדרין ה"ג:

חידושי הרש"ש

[א] **ואיתן והימן וכלכל ודרדע.** צריך לומר ודרע, וכן לקמן ודרדע זה דור המדבר צריך לומר ודרע:

באור מהרי"פ

[א] **במעשה זמרי.** (סנהדרין פרק נגמר הדין מד, ב) פרש"י כמעשה זמרי, נואף, כדאמרן לעיל בא על נערה המאורסה: **איתן זה אברהם וכו'.** וכי תימא מה ענין אברהם ומשה וכו' אצל בני זרח, ידוע דדברי הימים ניתן להדרש, ואמרו חז"ל אין משיבין על הדרש וכל שכן בדברי הימים: **לאיתן האזרחי.** ונקרא איתן למעלתו כמאמר חז"ל (ראש השנה פרק קמא יא, א) בירח האיתנים שנולדו בו איתני עולם, ונקרא אזרחי לפי שבא ממזרח, כמה דאמרת (ישעיה מא, ב) מי העיר ממזרח צדק יקראהו לרגלו וגו':

אמרי יושר

[א] **שעשה במעשה זמרי.** שמתו ישראל בסבתו, כמו בזמרי על חטאו: **ורבנן אמרי שנזמרו ישראל על ידו.** דמפיק לה בלי השוואה, אלא זמרי דריש ליה כזמרו:

מתנות כהונה

[א] **הכי גרסינן שזבח את יצרו בתודה.** פירוש במה שהתודה על חטאתו: **שנזמרו.** שנכרתו מלשון זמיר עריצים:

אשד הנחלים

[א] **אינו בא על חטא.** כי אם מהכרת הטובה יכנע ויתודה לפניו יתברך ויתן לו תודה, כי יכיר שפלותו מול גדלו יתברך, וזהו גדר האהבה האמיתית, והוא נחשב מכל: **שזבח את יצרו והתודה.** כלומר על ידי שזבח והתגבר על יצרו, על כן הודה על חטאתו. ומליצת הזביחה הוא ענין גדול, לפי שהאדם החוטא הצריך לכפות יצרו, מבלי לעשות עוד פעולתו הרעה, עם כל זה לא יכונה בשם זובח את יצרו, שעל כל פנים יצרו נשאר בו, רק כופיהו לשעתו מבלי יעשה דבר איסור, אבל בדבר המותר הוא אתו עמו, לאכול ולשתות ולהתענג בדבר המותר, אבל בעכן שעל ידי הודאתו היה הולך למות בחטאו, ועל כן ההודאה הוא ענין זביחה ממש, שמסר נפשו למות למען חטאו שיתכפר עליו: **שהראה לשבים את הדרך.** כלומר הראה לבני אדם כמה גדול כחו של שכל האדם, אם ירצה יוכל למסור נפשו למען כבוד ה' וכמו שפרשתי: **במעשה זמרי.** כי על ידי פעולת שניהם נפלו עם רב מישראל, וכן איכות החטא, בעת שהיה ישראל במעמד העליוני מאוד, חטאו בפתע פתאום, והרסו הכוונה העליונה לפי שעתה: **זה אברהם כו' משה.** כלומר כי אחרי תשובת עכן בתשובתו הגדולה, נחשב עמהם:

וְלָמָּה קוֹרְאוֹ זִמְרִי — **And why** then **does [Scripture] call [Achan]** ***Zimri?*** שֶׁעָשָׂה כְּמַעֲשֵׂה זִמְרִי — **Because he did** something that was **similar to what Zimri did.**[12] וְרַבָּנָן אָמְרִי: שֶׁנִּזְמְרוּ יִשְׂרָאֵל עַל יָדוֹ — **And** other **Sages said: Because Israel was cut down** [שֶׁנִּזְמְרוּ] **on his account.**[13] "אֵיתָן" זֶה אַבְרָהָם אָבִינוּ — ***Ethan*** — **this is** an allusion to **Abraham, our patriarch,** עַל שֵׁם "מַשְׂכִּיל לְאֵיתָן הָאֶזְרָחִי" — **based on** the verse, ***A "maskil" by Ethan the Ezrahite*** (*Psalms* 89:1).[14] "הֵימָן" זֶה מֹשֶׁה — ***Heman*** [הֵימָן] — **this is** an allusion to **Moses,**

NOTES

12. Zimri was a leader of the tribe of Simeon who brazenly cohabited with a Midianite woman before being struck down by Phinehas (*Numbers* 25:6-8).

Our Midrash and its comparison of Achan's deeds to Zimri's accords with the Gemara (*Sanhedrin* 44a, also mentioned below, in note 18) that teaches that Achan committed adultery with a betrothed maiden (*Yedei Moshe* and *Beur Maharif*, from *Rashi* to *Sanhedrin* 44b, first explanation; *Eitz Yosef*). Alternatively, the equivalence is based on the fact that Achan's misdeed caused Jews to die, as did Zimri's (*Imrei Yosher*; *Rashi* ibid., second approach).

13. *Matnos Kehunah*, *Eitz Yosef*.

This view accords with the teaching of the Gemara (ibid. 44a) that, as a result of Achan's sin [Yair ben Menashe, who was equivalent to (ibid.)] the *greater part of the Sanhedrin* (i.e., to 36 judges), fell during the Jewish defeat at Ai (*Eitz Yosef*).

14. The Gemara (*Bava Basra* 15a) identifies אֵיתָן הָאֶזְרָחִי, *Ethan the Ezrahite*, as Abraham, based on *Isaiah* 41:2, where Abraham [who, at God's command, traveled westward from his birthplace to Canaan (*Radak* ad loc.)] is referred to as מִמִּזְרָח, *[the one] from the east*.

פרשה ט

א [ז, יא] "וְזֹאת תּוֹרַת זֶבַח הַשְּׁלָמִים אֲשֶׁר יַקְרִיב לַה'", זֶה שֶׁאָמַר הַכָּתוּב (תהלים נ, כג) "זֹבֵחַ תּוֹדָה יְכַבְּדָנְנִי", "זוֹבֵחַ חַטָּאת" "זוֹבֵחַ אָשָׁם" אֵין כְּתִיב כָּאן, אֶלָּא "זֹבֵחַ תּוֹדָה" לָמָּה, חַטָּאת בָּאָה עַל חֵטְא וְאָשָׁם בָּא עַל חֵטְא, תּוֹדָה אֵינָהּ בָּאָה עַל חֵטְא, [ז, יב] "אִם עַל תּוֹדָה יַקְרִיבֶנּוּ". דָּבָר אַחֵר "זֹבֵחַ תּוֹדָה יְכַבְּדָנְנִי", זֶה עָכָן שֶׁזָּבַח אֶת יִצְרוֹ *בַּתּוֹדָה, (יהושע ז, יט-כ) "וַיֹּאמֶר יְהוֹשֻׁעַ אֶל עָכָן בְּנִי שִׂים נָא כָבוֹד ... וַיַּעַן עָכָן *אֶת יְהוֹשֻׁעַ", (תהלים נ, כג) "וְשָׂם דֶּרֶךְ", שֶׁהֶרְאָה לַשָּׁבִים אֶת הַדֶּרֶךְ, הָדָא הוּא דִכְתִיב (דברי הימים-א ב, ו) "וּבְנֵי זֶרַח זִמְרִי וְאֵיתָן וְהֵימָן וְכַלְכֹּל וָדָרַע כֻּלָּם חֲמִשָּׁה", "זִמְרִי", רַבִּי יְהוֹשֻׁעַ בֶּן לֵוִי אָמַר: זֶה עָכָן, וְלָמָּה קוֹרְאוֹ זִמְרִי, שֶׁעָשָׂה כְּמַעֲשֵׂה זִמְרִי, וְרַבָּנָן אָמְרֵי: שֶׁנִּזְמְרוּ יִשְׂרָאֵל עַל יָדוֹ, "אֵיתָן" זֶה אַבְרָהָם אָבִינוּ, [א]עַל שֵׁם (תהלים פט, א) "מַשְׂכִּיל לְאֵיתָן הָאֶזְרָחִי", "הֵימָן" זֶה מֹשֶׁה,

עץ יוסף

(א) **זה שאמר הכתוב זובח תודה.** משום דקשיא ליה מאי שנא דכתיב הכא אשר יקריב לה', מה שאין כן בתורת העולה ותורת החטאת ותורת האשם ותורת המנחה הנכתבים לעיל, לכן בעי לתרוצי דמשום קרבן שלמים חביב טפי לפי שאינו בא על חטא, להכי קאמר ביה אשר יקריב לה' דבהאי ניחא להקדוש ברוך הוא טפי שיקריב, אבל כל הקרבנות דלעיל על חטא באים, ואפילו עולה, שהרי על הרהור הלב היא באה כדלעיל, והמנחה במקום עולה היא שכשאחד לא תשיג ידו מביאה במקום עולה, כדלעיל סוף פרשה ח, להכי מייתי זובח תודה יכבדנני, דטעמא דנקט תודה טפי משאר קרבנות משום שאינה באה על החטא כדמפרש ואזיל, ואיידי דמייתי קרא דריש ליה הכא בשאר דרשות (יפה תואר): **אינה באה על חטא.** כי אם מהכרת הטובה יכנע ויתודה לפניו יתברך ויתן לו תודה כי יכיר שפלותו מול גדלו יתברך, וזהו גדר האהבה האמיתית, והוא נחשב מכל: **שים נא כבוד וגו' ותן לו תודה ויען עכן.** כן צריך לומר (רד"ל): **שזבח את יצרו בתודה.** כן צריך לומר, שבתודה שהודה הרג את יצרו המסיתו שיכפור, ופירוש **זובח תודה** שזבח בתודה, שפעמים תחסר בי"ת השימוש, ואומרו **יכבדנני** עתיד במקום עבר. וענין הכתוב לומר שהשב בתשובה ומודה על חטאו יזכה לעולם הבא כעכן: **שהראה לשבים את הדרך.** כלומר שהראה לבני אדם כוחו של התשובה שעשה שמסר נפשו למות למען חטאו שיתכפר עליו, וכל אדם אם ירצה יוכל למסור נפשו למען כבוד ה': **הדא הוא דכתיב ובני זרח.** הסיפא דכתיב הראנו בישע אלהים קאי, [ואפשר שצריך לומר כן בפנים המדרש לשבים את הדרך, הראנו בישע אלהים הדא הוא דכתיב ובני זרח] כדי לפרש דזכה עכן לעולם הבא דילפינן מדרשת האי קרא, וזכה שנמנה עם הצדיקים: **זמרי בו' זה עכן.** ואף על גב דעכן לאו בן זרח היה אלא בן בנו כדכתיב (יהושע ז, א) עכן בן כרמי בן זבדי בן זרח, וכן כתיב (שם ז, יח), וכן בדברי הימים (א' ב, ז) כתיב ובני כרמי עכר עוכר ישראל אשר מעל בחרם, ואם כן על כרחך הא דכתיב (יהושע ז, כד) ויקח יהושע את עכן בן זרח שלהיותו מזרעו קאמר בן זרח. יש לומר דמשמע ליה דזמרי היינו עכן מדהוצרך הכתוב לכתוב כלם חמשה שהוא למותר שמי לא ידע שהם חמשה, אלא על כרחך דזמרי היינו עכן שעשה כמעשה זמרי, או על שם שנזמרו ישראל על ידו, ובא הכתוב לכלול אותו עם הצדיקים לומר שגם הוא יבוא לעולם הבא, שאלו הארבע מצינו בהם שהיו חכמים כמו שנאמר (מלכים א' ה, יא) ויחכם מכל אדם מאיתן האזרחי והימן וכלכל ודרדע [מהרש"א סנהדרין פרק נגמר הדין מד, ב], כי אחרי תשובת עכן בתשובתו הגדולה שמסר עצמו למיתה נחשב עמהם: **במעשה זמרי.** נואף, כדאמרינן בפרק נגמר הדין (שם מד, א) שבא עכן על נערה המאורסה: **שנזמרו ישראל.** שנכרתו ישראל על ידו, מלשון (ויקרא כה, ד) לא תזמור כרמך, ורצה לומר שמתו רובה של סנהדרין על ידו: **איתן זה אברהם אבינו.** אל תתמה על מה שיפרשו השמות שיראה שהם בני זרח על משה ואברהם כו', כי דברי הימים ניתן לידרש: **זה אברהם אבינו.** לפי שעכן משך ערלתו כדאיתא בפרק נגמר הדין (שם), ולפי ששב בתשובה יזכה עם אברהם אבינו שהיה ראשון למילה: **זה משה.** לפי שעכן עבר על חמשה חומשי תורה בכלל כדאיתא בפרק הנזכר לעיל, ולפי ששב בתשובה יזכה לעולם הבא עם משה שהוריד את התורה מלמעלה למטה:

פירוש מהרז"ו

(א) **דבר אחר זובח תודה.** היה לו לומר מקריב תודה, שהעיקר הוא הקרבת הדם למזבח, והקרבת החלב לאשים, ולמה תלה בזביחה, על כן דורש תודה, מלשון הכתוב בעכן (יהושע ז, יט) ויאמר יהושע אל עכן וגו' ותן לו תודה, שהוא מלשון ווידוי, שיש בזה זביחת היצר בווידוי וכבוד לה', וזהו זובח תודה יכבדנני, וזהו על פי מדה כ' ומדה ט"ז ומדה ט', שאם אינו ענין לקרבן תודה תנהו ענין לווידוי, על פי מדת ממעל, ואילו כתוב זובח יצרו בווידוי, כמו שכתוב אצל עכן, על פי מדה י"ז: **ושם דרך.** אין לו ביאור לפי הפשט, איזה דרך שם, על כן דורש שהוא דבר הלמד מענינו, שמדבר בווידוי ותשובה, ופירושו שזביחות תודה זו אינו על עצמו בלבד, אלא ששם דרך לאחרים, שעל כן סמוך לו בתהלים (נא, ב) בבוא אליו נתן הנביא כאשר בא אל בת שבע, שהתודה גם כן, ואמר שם במזמור (שם טו) אלמדה פושעים דרכיך וחטאים אליך ישובו, והסמיכות ראיה לדרשה הנ"ל: **זמרי זה ובו' איתן ובו'.** הנה אנו רואים שחז"ל הוציאו הפסוק מפשוטו, שהפסוק מבואר יפה, שחושב מספר בני זרח בן יהודה, ולמה דורש על זמרי שבא משמעון, וכן האחרים, אלא שזה דרך חז"ל בקודש, שאם על פי המדות לא יתכן דרך הפשט, בהכרח לדרוש על פי המדות לדרכים אחרים, וכן הכא לפי הפשט יקשה מאד, איך אמר בדברי הימים (א', ב, ה) ובני זרח זמרי ואיתן והימן וכלכל ודרדע כולם חמשה, הרי כתוב במלכים (א', ה, יא) ויחכם מכל האדם מאיתן האזרחי והימן וכלכל ודרדע בני מחול, הלא היו בני מחול ולא בני זרח, והם שני כתובים מכחישים, ועוד שמאחר שבא לפרש על שלמה שהיה חכם מכל החכמים הידועים בעולם, למה חושב אלו שאינם ידועים כלל שהיו חכמים, היה לו לומר על חכמים המפורסמים בתורה, ועוד שהרי מפורש ביהושע עכן בן כרמי בן זבדי בן זרח, ואם כן היה לו לומר ובני זרח זבדי וזמרי ואיתן וגו', והרי הם שני כתובים מכחישים עוד הפעם, ועל כן דרשו והכריעו כאן, וכן בפסוק ויחכם מכל אדם מאיתן וגו', איתן על אברהם, וכן כולם, שהם החכמים היותר גדולים בתורה, וכמו שמפורש במדבר רבה (יט, ג) ושם מצויין לפסיקתא, וקהלת רבה, מה היה חכמתם, (ועיין סנהדרין מ"ד, ובהכרח שכיוונו לדברי המדרש כאן, או למה שכתב בסדר עולם (פרק כא)

מתנות כהונה

[א] **הכי גרסינן שזבח את יצרו בתודה.** פירוש במה שהתודה על חטאתו: **שנזמרו.** שנכרתו מלשון זמיר עריצים:

אשד הנחלים

[א] **אינו בא על חטא.** כי אם מהכרת הטובה יכנע ויתודה לפניו יתברך ויתן לו תודה, כי יכיר שפלותו מול גדלו יתברך, וזהו גדר האהבה האמיתית, והוא נחשב מכל: **שזבח את יצרו והתודה.** כלומר על ידי שזבח והתגבר על יצרו, על כן הודה על חטאתו. ומליצת הזביחה הוא ענין גדול, לפי שהאדם החוטא הצריך לכפות יצרו, מבלי לעשות עוד פעולתו הרעה, עם כל זה לא יכונה בשם זובח את יצרו, שעל כל פנים יצרו נשאר בו, רק כופיהו לשעתו מבלי יעשה דבר איסור, אבל בדבר המותר הוא אתו עמו, לאכול ולשתות ולהתענג בדבר המותר, אבל בעכן שעל ידי הודאתו היה הולך למות בחטאו, ועל כן ההודאה הוא ענין זביחה ממש, שמסר נפשו למות למען חטאו שיתכפר עליו: **שהראה לשבים את הדרך.** כלומר הראה לבני אדם כמה גדול כחו של שכל האדם, אם ירצה יוכל למסור נפשו למען כבוד ה' וכמו שפרשתי: **במעשה זמרי.** כי על ידי פעולת שניהם נפלו עם רב מישראל, וכן איכות החטא, בעת שהיה ישראל במעמד העליוני מאוד, חטאו בפתע פתאום, והרסו הכוונה העליונה לפי שעתה: **זה אברהם בו' משה.** כלומר כי אחרי תשובת עכן בתשובתו הגדולה, נחשב עמהם:

חידושי הרד"ל

[א] **נא כבוד וגו' ותן לי תודה ויען עכן.** כן צריך לומר: **לשבים את הדרך אראנו בישע אלהים הדא הוא דכתיב ובני זרח בו'.** כן צריך לומר. ורצה לומר שנמנה עם הצדיקים, וזכה לעולם הבא, כדמפרש. והראה ופשט ספקו של אלישע אחר ששאל לרבי מאיר ומקבלין כדון, ואמר ליה עד דכא עד דכדוכה כו', וכן עכן שם קודם שנידון במיתה וזכה לעולם הבא: **איתן זה בו'.** כל המאמר בבמדבר רבה פרשה י"ט: **זמרי רבי יהושע בן לוי אמר בו'.** ירושלמי פ"ו דסנהדרין ה"ג:

חידושי הרש"ש

[א] **ואיתן והימן וכלכל ודרדע.** צריך לומר ודרע, וכן לקמן ודרדע זה דור המדבר צריך לומר ודרע:

באור מהרי"פ

[א] **במעשה זמרי.** (סנהדרין פרק נגמר הדין מד, ב) פרש"י כמעשה זמרי, נואף, כדאמרכן לעיל בא על נערה המאורסה: **איתן זה אברהם ובו'.** וכי תימא מה ענין אברהם ומשה וכו' אצל בני זרח, ידוע דדברי הימים ניתן להדרש, ואמרו חז"ל אין משיבין על הדרש וכל שכן בדברי הימים: **לאיתן האזרחי.** ונקרא איתן למעלתו כמאמר חז"ל (ראש השנה פרק קמא יא, א) בירח האיתנים שנולדו בו איתני עולם, ונקרא אזרחי לפי שבא ממזרח, כמה דאמרת (ישעיה מא, ב) מי העיר ממזרח צדק יקראהו לרגלו וגו':

אמרי יושר

[א] **שעשה במעשה זמרי.** שמתו ישראל בסבתו, כמו בזמרי על חטאו: **ורבנן אמרי שנזמרו ישראל על ידו.** דמפיק לה בלי השוואה, אלא זמרי דריש ליה נזמרו:

מסורת המדרש

א. ב"ר ט"ו:

אם למקרא

זֹבֵחַ תּוֹדָה יְכַבְּדָנְנִי וְשָׂם דֶּרֶךְ אַרְאֶנּוּ בְּיֵשַׁע אֱלֹהִים: (תהלים נ:כג)

וַיֹּאמֶר יְהוֹשֻׁעַ אֶל עָכָן בְּנִי שִׂים נָא כָבוֹד לַה' אֱלֹהֵי יִשְׂרָאֵל וְתֶן לוֹ תוֹדָה וְהַגֶּד נָא לִי מֶה עָשִׂיתָ אַל תְּכַחֵד מִמֶּנִּי: וַיַּעַן עָכָן אֶת יְהוֹשֻׁעַ וַיֹּאמַר אָמְנָה אָנֹכִי חָטָאתִי לַה' אֱלֹהֵי יִשְׂרָאֵל וְכָזֹאת וְכָזֹאת עָשִׂיתִי: (יהושע ז:יט-כ)

וּבְנֵי זֶרַח זִמְרִי וְאֵיתָן וְהֵימָן וְכַלְכֹּל וָדָרַע כֻּלָּם חֲמִשָּׁה: (דברי הימים א ב:ו)

מַשְׂכִּיל לְאֵיתָן הָאֶזְרָחִי (תהלים פט:א)

ידי משה

[א] **במעשה זמרי.** כדאיתא בפרק נגמר הדין (סנהדרין מד, ב) שפירש רש"י שם שבא על נערה המאורסה:

שינוי נוסחאות

(א) "ובני זרח זמרי ואיתן והימן וכלכל ודרע כלם חמשה". כן כתוב בפסוק כתוב כאן "ודרע", אבל בפסוק אחר (מלכים-א ה, יא) הוא נקרא "דרדע", והמדרש דורש שמו כאילו כתוב כן גם כאן:

שֶׁנֶּאֱמַר "בְּכָל בֵּיתִי נֶאֱמָן הוּא" — as is stated, *in My entire house [Moses] is the trusted one* [נֶאֱמָן] (*Numbers* 12:7). רַבִּי שְׁמוּאֵל בַּר נַחְמָן אָמַר: זֶה עָכָן — **R' Shmuel bar Nachman said: This** (i.e., *Heman* [הֵימָן]) **is** an allusion to **Achan,**[15] עַל שֵׁם "אָמְנָה אָנֹכִי חָטָאתִי" — **based on** the verse, *And Achan answered Joshua and said, "Indeed* [אָמְנָה], *I have sinned against HASHEM, God of Israel"* (*Joshua* 7:20). "כַּלְכֹּל" זֶה יוֹסֵף — *Calcol* [כַּלְכֹּל] — **this** is an allusion to **Joseph,** עַל שֵׁם "וַיְכַלְכֵּל יוֹסֵף" — **based on** the verse, *Joseph sustained* [וַיְכַלְכֵּל] *his father and his brothers* (*Genesis* 47:12). "וְדַרְדַּע" — *And Darda* [וְדַרְדַּע][16] — זֶה דּוֹר הַמִּדְבָּר שֶׁכּוּלּוֹ דֵּעָה — **this is** an allusion to **the generation** [דּוֹר] **of the Wilderness that was entirely knowledge** [דֵּעָה].[17] "כֻּלָּם חֲמִשָּׁה", וְכִי אֵין אָנוּ יוֹדְעִים שֶׁכּוּלָּם חֲמִשָּׁה — *Five in all*; now, **do we not know that** the aforementioned names number **five in all?!** אֶלָּא מְלַמֵּד שֶׁאַף עָכָן הָיָה עִמָּהֶן לָעוֹלָם הַבָּא — **Rather,** with these words **[the verse] is teaching that Achan was with [the others indicated] in the World to Come.**[18] וְכֵן אָמַר יְהוֹשֻׁעַ "יַעְכָּרְךָ ה' בַּיּוֹם הַזֶּה" — **And thus did Joshua say** to Achan, ***"HASHEM shall sully you on this day"*** (*Joshua* 7:25), the implication being, הַיּוֹם הַזֶּה אַתָּה עָכוּר וְאֵין אַתָּה עָכוּר לֶעָתִיד לָבֹא — ***"This* day you are sullied, but you are not sullied in the future existence."**[19]

§2 The Midrash offers another exposition of the verse from *Psalms* that was cited above:

דָּבָר אַחֵר "זֹבֵחַ תּוֹדָה יְכַבְּדָנְנִי" — **Alternatively,** ***He who offers "todah" honors Me*** [יְכַבְּדָנְנִי] — רַבִּי הוּנָא בְּשֵׁם רַבִּי אַחָא: "יְכַבְּדֵנִי" אֵין כְּתִיב כָּאן אֶלָּא "יְכַבְּדָנְנִי" — **R' Huna said in the name of R' Acha: *"yechabedeini"*** [יְכַבְּדֵנִי] **is not written here, rather *"yechabedanneni"*** [יְכַבְּדָנְנִי] is written, the implication being,[20] כָּבוֹד אַחַר כָּבוֹד — **honor after honor.**[21]

The Midrash derives another lesson from the word יְכַבְּדָנְנִי:

דָּבָר אַחֵר "זֹבֵחַ תּוֹדָה יְכַבְּדָנְנִי" — **Alternatively,** ***He who offers "todah" honors Me*** — רַבִּי בֶּרֶכְיָה בְּשֵׁם רַבִּי אַבָּא בַּר כָּהֲנָא — **R' Berechyah said in the name of R' Abba bar Kahana:**

NOTES

15. R' Shmuel bar Nachman disagrees with the earlier statement that associated Achan with *Zimri*. Consequently, it is unclear how R' Shmuel bar Nachman interprets the name *Zimri* of this verse. Elsewhere, where similar expositions appear (see, for example, *Yalkut Shimoni* loc. cit.; see, however, *Yerushalmi Sanhedrin* 6:3), this statement of R' Shmuel bar Nachman is omitted (*Maharzu*).

16. Although the final name in the verse from *Chronicles* that is being expounded by our Midrash is not דַּרְדַּע but דָּרַע, דַּרְדַּע does appear in *I Kings* 5:11, in a list of four names that is otherwise identical to the final four names of the *Chronicles* verse. Apparently, our Midrash equates these names and therefore expounds the *Chronicles* verse as if דַּרְדַּע were written there. Alternatively, see *Rashash* (compare *Yalkut Shimoni* loc. cit.), who substitutes the word דָּרַע for דַּרְדַּע in the text of our Midrash.

17. The generation of Jews that sojourned in the Wilderness after leaving Egypt is referred to this way because they were provided with manna from Heaven, and thus were able to devote themselves entirely to Torah study (see *Eitz Yosef*, who compares *Mechilta, Beshalach* §17).

18. The Gemara (*Sanhedrin* 44a) derives that in addition to Achan's taking from the consecrated spoils of Jericho, he also stretched his skin in order to appear uncircumcised, violated the five Books of the Torah in general, and engaged in licentious behavior. Thus, the Midrash expounds the verse to teach that because he performed a supreme act of repentance through which he forfeited his very life, he merited to share the World to Come with individuals who excelled in the specific areas in which he had been deficient: Abraham, the first man to be circumcised; Moses, who brought the Torah down from heaven; Joseph, who battled mightily to avoid licentiousness; and the generation of the Wilderness, who adhered to their vow (of *Numbers* 21:2-3) to consecrate cities they conquered (*Eitz Yosef*).

19. Achan was only *sullied* in his physical existence; in the spiritual realm he would enjoy prominence (*Eshed HaNechalim*, followed by *Eitz Yosef*).

[Note that this exposition is also found in a Mishnah in *Sanhedrin* 44a, and that a lengthy narrative regarding Achan's confession appears in *Bamidbar Rabbah* 23 §6 and *Tanchuma*, *Masei* §6.]

20. The Midrash sees the seemingly superfluous נ as suggestive of additional *honor* (*Matnos Kehunah*, *Maharzu*, *Eitz Yosef*).

21. As long as a man is absorbed in the pleasures of this world he cannot appreciate God's honor. However, if a man succeeds in negating the influence of his evil inclination, he will begin to feel an appreciation for God's honor that will continue to grow with the passage of time. Thus, this Midrash understands the cited phrase to teach that one who *slaughters his evil inclination* (see above, at note 7) *honors [God]* with ever-increasing honor (*Eshed HaNechalim*, followed by *Eitz Yosef*).

See Insight Ⓐ for another approach.

INSIGHTS

Ⓐ **Honor After Honor** *Ksav Sofer* (to our verse) offers a beautiful explanation of the double honor that is shown to God by one who brings a *todah*-offering. He quotes the Gemara (*Berachos* 54b) that teaches that a *todah*-offering is brought by one who survived a perilous experience. One who thanks God as he should, says *Ksav Sofer*, expresses gratitude not only for his safe delivery from danger, but also for originally placing him in that danger. Because he knows that God does only what is best for a man, the discerning survivor is confident that his experience, with all of its attendant unpleasantness, was yet another example of Divine kindness. It may have served to inspire him to improve himself in some area or it may have laid the groundwork for a positive future development; but undoubtedly it was good. As the Sages teach (ibid. 48b), כְּשֵׁם שֶׁמְּבָרֵךְ עַל הַטּוֹבָה כָּךְ מְבָרֵךְ עַל הָרָעָה, *Just as one recites a blessing for the good* — with joy — *so too one recites a blessing for the bad*. And King David exclaimed, אֲבָרְכָה אֶת ה' בְּכָל עֵת, *I shall bless HASHEM at all times* — not only when things are good but also when they seem not to be. Thus, one who lays a *todah*-offering upon God's Altar in the ideal manner offers it both for the salvation and for the distress that preceded it, and he thereby shows God *honor after honor*.

Elsewhere (*Teshuvos Ksav Sofer, Orach Chaim* §27), *Ksav Sofer* uses this idea to illuminate the wording of the blessing of *HaGomel* that is recited today by one who survives an ordeal [of the type for which a *todah*-offering should be brought]. The blessing describes God as הַגּוֹמֵל לְחַיָּבִים טוֹבוֹת, שֶׁגְּמָלַנִי כָּל טוֹב, *He Who bestows good things upon the guilty, Who has bestowed upon me all good*. *Ksav Sofer* explains that the *good things* to which the blessing refers are not instances of Divine salvation from distress but rather the distressful situations themselves, those brought by God specifically *upon the guilty*. We thank God for those as well because we know that they too were expressions of God's beneficence. As the blessing concludes, *Who has bestowed upon me all good*; the entirety of the experience, the suffering as well as the redemption, all of it was *good*.

Based on the above understanding of the first half of the verse from *Psalms*, *Ksav Sofer* goes on to suggest an explanation of its cryptic second half, וְשָׂם דֶּרֶךְ אַרְאֶנּוּ בְּיֵשַׁע אֱלֹהִים, *And one who orders the way, I will show him the salvation of God*. He explains that these words represent a guarantee to the ardent believer whom the first half of the verse describes, a man who found it within himself to thank his Maker for his travails. Scripture assures this individual that with his meritorious behavior, he sets himself on a *way* that will eventually lead to his being *shown the salvation of God*. Because the Divine Name employed by this verse is the one associated with Divine justice, the implication is that this man will eventually merit to be *shown* the *salvation* that lay within the difficulties he endured. When the Gemara (*Pesachim* 50a) teaches that in the World to Come the institution of blessing God for bad tidings will become obsolete and one will bless God only for the good, it means that at that time it will be evident precisely how the *bad* was not really bad at all.

[See the related thoughts of *Tzelach* to *Pesachim* ibid. and *Beis HaLevi, Beshalach* s.v. אז ישיר משה.]

חידושי הרד"ל

[ב] אלו מסקלי דרכים. כן צריך לומר: **אלו סופרים משנים כו'.** ודרש עליהם אראנו בישע אלהים, דלקמן פרשה ל' (סימן ב) שהם זוכים לעמוד בימינו של הקב"ה:

חידושי הרש"ש

[ב] ר' ברכיה בשם ר' אבא בר כהנא כבדני אין כתיב כאן. אולי צריך לומר מכבדני:

אמרי יושר

[ב] יכבדנני בעולם הזה ובעולם הבא. מכפל שני נוני"ס דייק לה. או נמי מדקאמר יכבדני ביו"ד העתיד, ולזה אמר אם על תודה, שמורה לשון זה שבח גדול בתודה:

עץ יוסף

על שם אמנה אנכי חטאתי. ובאיתן וכלכל ודרדע סבירא ליה דהיינו אברהם ויוסף ודור המדבר, ורמז בהימן שעל ידי שאמר אמנה אנכי חטאתי זכה להיות עם הנזכר, אבל בילקוט (תתעג) ליתא דברי רב שמואל בר נחמן: **זה יוסף.** לפי שעכן בא על נערה המאורסה כדלעיל, ולפי ששב בתשובה יזכה עם יוסף שמסר נפשו על זה: **זה דור המדבר.** לפי שעכן מעל בחרם, ולפי ששב בתשובה זכה עם דור המדבר שנזהרו מזה כמו שנאמר והחרמתי את עריהם: **שכולו דעה.** שלא היה להם עסק אלא בתורה, ועל זה אמרו (תנחומא בשלח סימן כ) לא ניתנה תורה אלא לאוכלי המן: **היום הזה אתה עבור.** כלומר מחיי הגוף, ולא מחיי הנפש כי שמה תזכה למעלה רמה: **(ב) יכבדני אין כתיב כן אלא יכבדנני.** כן צריך לומר. ודריש תוספת הנו"ן לרבוי: **כבוד אחר כבוד.** הענין לפי שהאדם כל זמן שהוא שקוע בחומריותו, אינו מרגיש בכבוד ה' וגדולתו וכבודו, ואם הוא משביח יצרו, ונוטע בלבו ציורים חדשים מהרגשת ה' אז יתחיל להכיר מעט כבודו יתברך, אכן אם הוא זובח יצרו ומבטלו מכל וכל, אז יתחיל להרגיש כבוד אחר כבוד יותר ויותר, כי בכל עת יצמח בו הכרת הכבוד יותר ויותר, כי לא יעמוד על מדריגה אחת קיימת כי אם יתוסף בלבו ההרגשה עת אחר עת, ולכן כתיב יכבדנני בב' נונין, כי תמיד יכבדנני יותר ויותר: **כבדני אין כתיב כן.** כתב היפה תואר שקרוב דגרסינן מכבדנני אין כתיב כאן: **יכבדנני בעולם הבא.** לאפוקי שאר הקרבנות שהם בטלים לעתיד לבא, כדלקמן: **מסלקי דרכים.** מן האבנים והצרורות ובקוצים שלא יוזקו רבים, וזהו גמילות חסד לרבים. ואפשר שצריך לומר, אלו מסקלי דרכים: **סופרים ומשנים כו'.** ודרך היינו התורה, כאומר (שמות יח, כ) והודעת להם את הדרך, ושם מטנין (דברים לא, יט) שימה בפיהם, ומשום דגירסא דינקותא קיימת מפרש השימה במלמדי תינוקות, ודרש עליהם אראנו בישע אלהים דלקמן, רצה לומר שהם זוכים לעמוד בימינו של הקדוש ברוך הוא: **פירות מעושרין.** כדי שלא יכשלו באכילת טבלים, ולפי שזה כמרימי מכשול מהדרך פן יכשלו בה קאמר ושם דרך:

שֶׁנֶּאֱמַר (במדבר יב, יח) **"בְּכָל בֵּיתִי נֶאֱמָן הוּא", רַבִּי שְׁמוּאֵל בַּר נַחְמָן אָמַר: זֶה עָכָן, עַל שֵׁם** (יהושע ז, כ) **"אָמְנָה אָנֹכִי חָטָאתִי", "כַּלְכֹּל" זֶה יוֹסֵף, בעַל שֵׁם "וַיְכַלְכֵּל יוֹסֵף", "וְדַרְדַּע" זֶה דּוֹר הַמִּדְבָּר שֶׁכּוּלּוֹ דֵּעָה, "כֻּלָּם חֲמִשָּׁה", וְכִי אֵין אָנוּ יוֹדְעִים שֶׁכּוּלָּם חֲמִשָּׁה, אֶלָּא מְלַמֵּד שֶׁאַף עָכָן הָיָה עִמָּהֶן לָעוֹלָם הַבָּא, וְכֵן אָמַר יְהוֹשֻׁעַ** (שם שם כה) **"יַעְכָּרְךָ ה' בַּיּוֹם הַזֶּה", הַיּוֹם הַזֶּה אַתָּה עָכוּר וְאֵין אַתָּה עָכוּר לֶעָתִיד לָבֹא:**

ב דָּבָר אַחֵר (תהלים נ, כג) **"זֹבֵחַ תּוֹדָה יְכַבְּדָנְנִי" רַבִּי הוּנָא בְּשֵׁם רַבִּי אַחָא: "יְכַבְּדָנִי" אֵין כְּתִיב כָּאן אֶלָּא "יְכַבְּדָנְנִי", כָּבוֹד אַחַר כָּבוֹד, דָּבָר אַחֵר "זֹבֵחַ תּוֹדָה יְכַבְּדָנְנִי", רַבִּי בֶּרֶכְיָה בְּשֵׁם רַבִּי אַבָּא בַּר כַּהֲנָא: "כִּבְּדָנִי" אֵין כְּתִיב כָּאן אֶלָּא "יְכַבְּדָנְנִי", כִּבְּדַנִי גבָּעוֹלָם הַזֶּה יְכַבְּדֵנִי בָּעוֹלָם הַבָּא.** (שם) **"וְשָׂם דֶּרֶךְ", אֵלּוּ מְסַלְּקֵי דְרָכִים, דָּבָר אַחֵר "וְשָׂם דֶּרֶךְ" אֵלּוּ סוֹפְרִים וּמַשְׁנִים, שֶׁהֵן מְלַמְּדִין אֶת הַתִּינוֹקוֹת בֶּאֱמוּנָה, דָּבָר אַחֵר "וְשָׂם דֶּרֶךְ", רַבִּי יוֹסֵי בְּרַבִּי יְהוּדָה בְּשֵׁם רַבִּי מְנַחֵם בְּרַבִּי יוֹסֵי: אֵלּוּ חֶנְוָנִין שֶׁהֵן מוֹכְרִין פֵּירוֹת מְעוּשָּׂרִין לָרַבִּים, דָּבָר אַחֵר "וְשָׂם דֶּרֶךְ" אֵלּוּ שֶׁהֵן מַדְלִיקִין נֵרוֹת כְּדֵי לְהָאִיר בָּהֶם לָרַבִּים**

פירוש מהרז"ו

שהחמשה אלה היו נביאים במצרים, כן הוא בילקוט). ומאחר שהסכימו חז"ל ששני הפסוקים אלו, היינו של מלכים א היא, ויחכם וגו' מאיתן וגו', ופסוק של דברי הימים (א, ב, ו) ובני זרח, כוונה אחת להם, שלא היו לא בני זרח ולא בני מחול, הנה בכל השמות הם שוים כנ"ל, רק זמרי אינו כתוב במלכים א', על כן דרשו על פי מדה י"ז, על זמרי בן סלוא המפורש בתורה, ורומז על עכן שמפורש בפסוק הסמוך בדברי הימים (א, ב, ה ו), ובני כרמי עכר עוכר ישראל אשר מעל בחרם, שהפסוק השני בא לפרש מה שכתב בפסוק הקודם, ובני זרח זמרי, שהוא עכן, ועם כל זה כולם חמשה בני כרמי עכר עוכר ישראל, היינו זמרי הנ"ל, שנמנים יחד שקנה עולמו בשעה אחת, ובוידוי, ודימה עכן לזמרי, שכמו שזמרי היה עשיר וגדול בשבטו, כך עכן וכמו שכתב מפורש במדבר רבה (כג, ו) שלא היה בשבטו עשיר ממנו: **רבי שמואל בר נחמן אמר זה עכן.** וחולק על הנ"ל שאמר זמרי זה עכן, ואם כן צריך עיון מה סובר בזמרי, ובכל המקומות שציינתי על מקום מאמר זה ליתא לדברי רבי שמואל בר נחמן אלו: **(ב) כבוד אחר כבוד.** דורש יכבדנני שני נוני"ן, על פי מדה יו"ד, ועל שהוא בתיבת יכבדנני, הרי שמורה על כופל הכבוד, ואולי רומז למה שכתוב (תהלים עג, כד) ואחר כבוד תקחני, וכמו שהעתקתי לעיל סוף פרשה ז' בשם הפסיקתא: **סופרים ומשנים.** משימים דרך עץ החיים, שעל ידי זה יבואו לגוף התורה: **אלו החנונים.** כמו שמבואר (דמאי פ"ב מ"ד) החנונים אינם רשאים למכור את הדמאי, וכל זה בכלל מפנים דרכי ה': **מדליקי נרות.** במבואות האפלים אף ביום, וכן בלילה. והוא בתנחומא תצוה (סוף סימן ח):

מסורת המדרש

ב. פדר"א פ' ל"ט:
ג. סנהדרין מ"ג ע"ב:

אם למקרא

לֹא־כֵן עַבְדִּי מֹשֶׁה בְּכָל־בֵּיתִי נֶאֱמָן הוּא: (במדבר יב:ז)

וַיֹּאמֶר יְהוֹשֻׁעַ מֶה עֲכַרְתָּנוּ יַעְכָּרְךָ ה' בַּיּוֹם הַזֶּה וַיִּרְגְּמוּ אֹתוֹ כָל־יִשְׂרָאֵל אֶבֶן וַיִּשְׂרְפוּ אֹתָם בָּאֵשׁ וַיִּסְקְלוּ אֹתָם בָּאֲבָנִים: (יהושע ז:כה)

זֹבֵחַ תּוֹדָה יְכַבְּדָנְנִי וְשָׂם דֶּרֶךְ אַרְאֶנּוּ בְּיֵשַׁע אֱלֹהִים: (תהלים נ:כג)

ידי משה

[ב] יכבדנני בעולם הזה ובעולם הבא. פירוש דהיינו ימות משיח, שכל הקרבנות עתידין לבטל חוץ מקרבן תודה, מה שאין כן שאר קרבנות יתבטלו לעתיד, ואם כן יכבדנני קאי על קרבן תודה. וקל להבין:

שינוי נוסחאות

"יעברך ה' ביום הזה". כן הוא לשון הפסוק אבל בכל הדפוסים של מדרש (ואף בכל הכי"י) כתוב "היום" במקום "ביום":

מתנות כהונה

נראה דהכי גרסינן רבי שמואל בר נחמן אמר זה עכן על שם אמנה אנכי וגו', אבל בילקוט (תהלים תשסג) לא גרס ליה כלל: **[ב] כבוד אחר כבוד.** דרש שני נוני"ן, לשני מיני כבוד: **מסלקי דרכים.** מן האבנים והצרורות ובקוצים, וזהו גמילות חסד לרבים: **מלמד תינוקות בו'.** התורה נקרא דרך, ועוד שהם מורים להם הדרך ללמוד תורה:

אשד הנחלים

היום הזה. כלומר מחיי הגוף ולא מחיי הנפש, כי שמה תזכה למעלה רמה ותזכה להיות במחיצתן: **[ב] כבוד אחר כבוד.** הענין לפי שהאדם כל זמן שהוא שקוע בחומריותו ובתאוותיו, אינו מרגיש בכבוד ה' וגדולתו וכבודו, ואם הוא משביח יצרו ונוטע בלבו ציורים חדשים מהרגשת ה', אז יתחיל להכיר מעט כבודו יתברך, אכן אם הוא זובח את יצרו ומבטלו מכל וכל, אז יתחיל להרגיש כבוד אחר כבוד יותר ויותר, כי בכל עת יצמח בו הכרת הכבוד יותר ויותר, כי לא יעמוד על מדריגה אחת קיימת, כי אם יתוסף בלבו ההרגשה עת אחר עת, ולכן כתיב יכבדנני בשתי נונין, כי תמיד יכבדנני יותר ויותר: **בעולם הזה כו' ובעולם הבא.** הענין הזה בארתי בארוכה בפירוש האגדות, שאמרו (סנהדרין מג, ב) כל הזובח את יצרו ומתודה עליו, מעלה עליו הכתוב כאלו כבדו בעולם הזה ובעולם הבא, והוא ששמעתי מן אדוני אבי הרב הגאון המנוח מורינו הרב אריה יהודה ליב זכרונו לברכה, שרצונם לומר לפי שהאדם אם הוא בתגבורת כוחותיו, ועם כל זה עובד ה', הוא עובד בשני הכוחות, בכח הגוף שהוא בעולם הזה, ובכח הנפש שהיא ממרומים, אבל כשזובח יצרו ומבטלו מכל וכל, אז אין בו כי אם הכח הנפשי הפועל בו, והרי זה כנפש לבדה המשמשת במרום בלי יצר ותאוה מאומה, ואז אין זה גבורה כל כך, ועם כל זה מעלה עליו הכתוב כאלו כבדו בעולם הזה גם כן, וזה אמר כאן כבדני בעולם הזה וכבדני בעולם הבא. או כפשוטו גם כן, כי אחרי התבטלו הכח הרע מנפשו גם בעולם הזה, אז הכיבוד שבעולם הזה נחשב ככיבוד שבעולם הבא, ששם אין בו רע למאומה, כמו כן כאן ביטל הרע מכל וכל אחר שזבח את יצרו ובטלו כל מחשבותיו: **אלו מסלקי דרכים.** כלומר שמשים דרך המועיל לרבים לבלי ינגפו. ועל דרך הציור בארתי גם כן שמה, על מאמרם (מועד קטן ה, א) (אבל) כל הַשָּׂם אורחותיו בעולם הזה זוכה ורואה בישועתו של הקב"ה, שנאמר ושם דרך אל תקרי וְשָׂם, אלא וְשָׁם (בשין ימיני). ובארתי שמה במה שאמר הַשָּׁם אורחותיו, ולא אמר הַשָּׁם דרכיו כנאמר בכתוב, ועוד מה ענין הישועה. ובארתי לפי שהאדם המהלך בדרך המיצועי, הוא דבר קשה למאוד, אחרי שיצרו עמו ועם כל זה כופיהו, ולזה צריך סיוע מלמעלה. והנה הדרך נקרא דרך טבע הלב הנטוע בו, למשל מדת הרחמים בכלל לרחם על כל, והאורח נקרא המתפשט מן הדרך, והוא מושאל על מי

"כִּבְּדָנְנִי" אֵין כְּתִיב כָּאן אֶלָּא "יְכַבְּדָנְנִי" — ***Honored Me* is not written here, rather, *will honor Me*** is written; the implication being,[22] כִּבְּדַנִי בָּעוֹלָם הַזֶּה יְכַבְּדֵנִי בָּעוֹלָם הַבָּא — **he honored Me in this world** and **he will honor Me in the World to Come.**[23]

The Midrash will now discuss the second half of the verse from *Psalms*, וְשָׂם דֶּרֶךְ אַרְאֶנּוּ בְּיֵשַׁע אֱלֹהִים, *And one who orders the way, I will show him the salvation of God*, explaining in a number of different ways to whom this refers:

"וְשָׂם דֶּרֶךְ", אֵלּוּ מְסַלְּקֵי דְרָכִים — ***And one who orders the way* — these are** people **who clear pathways.**[24] דָּבָר אַחֵר "וְשָׂם דֶּרֶךְ" אֵלּוּ סוֹפְרִים וּמַשְׁנִים — **Alternatively, *"vesam" the way* — these are teachers of young children and teachers of Mishnah,**[25] שֶׁהֵן מְלַמְּדִין אֶת הַתִּינוֹקוֹת בֶּאֱמוּנָה — **who teach children faithfully.**[26] דָּבָר אַחֵר "וְשָׂם דֶּרֶךְ" — **Alternatively, *and one who orders the way*** — רַבִּי יוֹסֵי בְּרַבִּי יְהוּדָה בְּשֵׁם רַבִּי מְנַחֵם בְּרַבִּי יוֹסֵי: — **R' Yose the son of R' Yehudah said in the name of R' Menachem the son of R' Yose:** אֵלּוּ חֶנְוָנִין שֶׁהֵן מוֹכְרִין פֵּירוֹת מְעוּשָּׂרִין לָרַבִּים — **These are storekeepers who sell tithed fruits to the public.**[27] דָּבָר אַחֵר "וְשָׂם דֶּרֶךְ" אֵלּוּ שֶׁהֵן מַדְלִיקִין נֵרוֹת כְּדֵי לְהָאִיר בָּהֶם לָרַבִּים — **Alternatively, *and one who orders the way* — these are** people **who kindle lamps in order to illuminate for the public with them;**[28]

NOTES

22. *Yefeh To'ar* writes that the word יְכַבְּדָנְנִי, which suggests continuously giving honor, actually appears appropriate for this verse, whereas כִּבְּדָנִי, in the past tense, would seem to be misapplied. *Yefeh To'ar* (cited by *Eitz Yosef*) and *Rashash* consider emending the text so that the Midrash is questioning why מְכַבְּדָנִי, *he honors me*, was not used. (Also see *Imrei Yosher*, whose first approach appears to indicate that his version of this Midrash was slightly different from ours; compare *Sanhedrin* 43b with *Rashi* s.v. זובח את יצרו.)

23. This Midrash interprets the word תּוֹדָה of the *Psalms* verse to mean *todah-offering*. Thus, that verse's indication that God *will be honored* by offerers of that sacrifice in the World to Come accords with the Midrash below (§7), where it is taught that the *todah*-offering is the only sacrifice that will be offered in the Messianic era (*Yedei Moshe*; see *Eitz Yosef*).

24. I.e., people who perform kindness with the public by removing stones, pebbles, and briers that could potentially be harmful to passersby (*Matnos Kehunah*, followed by *Eitz Yosef*).

25. Here the Midrash understands the word וְשָׂם to have the meaning that the root שׂם has in *Deuteronomy* 31:19, where it refers to the *placement* of Torah in *the mouths* of others, i.e., to the teaching of Torah. The word דֶּרֶךְ, *the way*, is used in reference to Torah in *Exodus* 18:20. Thus, based on the teaching of the Sages (*Shabbos* 21b) that one retains what he learns as a child [i.e., it remains *placed* in his mouth], the words וְשָׂם דֶּרֶךְ of the *Psalms* verse are expounded as a reference to those who teach Torah to the young (*Eitz Yosef*; also see *Matnos Kehunah*). Alternatively, the verse is interpreted as referring to these educators because they *place* [their previously uninitiated charges] on the *way* that leads to Torah scholarship (*Maharzu*; also see *Matnos Kehunah*).

26. The promise that these men will *be shown the salvation of God* is consistent with below, 30 §2, where it is taught that those who teach children faithfully *merit to stand at the right of the Holy One, blessed is He* (*Radal*, followed by *Eitz Yosef*).

27. [The Midrash refers to storekeepers who tithe the fruits at their own expense before offering them for sale] in order to prevent people from transgressing the prohibition against eating untithed fruits. Since these men resemble people who clear a path of obstacles that could be stumbled upon, they are identified by the words וְשָׂם דֶּרֶךְ, *And one who orders the way* (*Eitz Yosef*; also see *Maharzu*, who references *Demai* 2:4).

28. See Insight Ⓐ.

INSIGHTS

Ⓐ The Miracle of Nature The Midrash taught above (§1) that the *todah* is not brought for sin, but rather in commemoration of a miracle. *He who offers todah honors Me*. The verse goes on to say, *and one who orders the way, I will show him the salvation of God*. This, expounds the Midrash, refers to one who kindles lamps to light the way for the public. In the context of our Midrash, *Sfas Emes* (*Parashas Tzav*) explains this figuratively, as referring to the one *who offers todah* mentioned in the first part of the verse. He thereby "kindles lamps," opening the eyes of the public to appreciate God's myriad miracles throughout life and nature.

Nature, like miracles, is nothing more than the will of the Creator. The only difference is that the miracles of nature are ongoing and repetitive, to the point that we have come to take them for granted. What we term "miracles" are simply those expressions of the Divine will that are out-of-the-ordinary occurrences. [Nature, in the memorable formulation of the *Chazon Ish* (Letters, I §35), is nothing more than רָצוֹן הַיּוֹתֵר מַתְמִיד — "the most continuous Will of God."]

One who recognizes a miracle in God's benevolence to him, and brings a *todah*-offering, is lighting the way for others, opening their jaded eyes to God's dominion and direction of the world. Thus King David says, with respect to those who offer thanks to God for their miraculous deliverance: *Whoever is wise let him note these things, and they will comprehend the kindnesses of Hashem* (*Psalms* 107:43).

In truth, every servant of God and every honest seeker of truth will see how He directs world and human affairs at all times. One who serves Him with honesty will make this clear to others. He is illuminating a path hitherto concealed from those who could not see, and enabling them to now see and travel along it. He is a שָׂם דֶּרֶךְ.

The prophet says (*Hosea* 14:10): יְשָׁרִים דַּרְכֵי ה' וְצַדִּקִים יֵלְכוּ בָם, *the paths of God are straight, the righteous ones will walk in them*. They will see the paths ahead unencumbered, and illuminate them to be easily traveled. They will clear from them the darkness that envelops so much of life in this world — our unawareness of God that pervades much of our reality. The righteous man is a שָׂם דֶּרֶךְ. He clears and orders the path of life to make God's hand and direction apparent.

It is for this reason that both leaven (*chametz*) and (*matzah*) loaves accompany the *todah*. Our Sages refer to the evil inclination as the *se'or sheb'isah*, the sourdough leavening agent that causes the dough to rise, filling it with air and giving it an appearance that does not reflect its true reality. The *chametz* loaves, then, represent the occurrences in life in which God's hand is cloaked in nature and not discernible to the naked eye. Matzah, on the other hand, is symbolic of Divine direction that is apparent to all. Thus when one brings a *todah*-offering with its loaves, he is declaring that life contains both events in which God's hand is manifest (*matzah*) and those in which it is hidden (*chametz*). But hidden is not absent. It is only the illusion of absence. In reality, both take place by His deed and direction.

Thus our Sages tell us (*Berachos* 54b) that there are four who must bring a *todah*-offering: those who travel at sea, those who pass through a desert, those who have recovered from illness, and those who have been released from jail. All have experienced miraculous salvation cloaked in nature. All are mentioned in *Psalm* 107, which begins, *Give thanks to Hashem for He is good, for His kindness endures forever!*, and which ends, *Whoever is wise let him note these things, and they will comprehend the kindnesses of Hashem*. This is the essence of the *todah*-offering. The *todah* illuminates the way for those blinded by the bright but illusory lights of this world from seeing the ever-present Hand of the Creator. It is that Hand that orchestrates the miracles of our daily existence no less than the grand salvations that undeniably proclaim His majesty.

שֶׁנֶּאֱמַר (במדבר יב, ז) "בְּכָל בֵּיתִי נֶאֱמָן הוּא", רַבִּי שְׁמוּאֵל בַּר נַחְמָן אָמַר: זֶה עָכָן, עַל שֵׁם (יהושע ז, כ) "אָמְנָה אָנֹכִי חָטָאתִי", "כַּלְכֹּל" זֶה יוֹסֵף, עַל שֵׁם "וַיְכַלְכֵּל יוֹסֵף", "וְדַרְדַּע" זֶה דוֹר הַמִּדְבָּר שֶׁכּוּלּוֹ דֵּעָה, "כֻּלָּם חֲמִשָּׁה", וְכִי אֵין אָנוּ יוֹדְעִים שֶׁכּוּלָּם חֲמִשָּׁה, אֶלָּא מְלַמֵּד שֶׁאַף עָכָן הָיָה עִמָּהֶן לָעוֹלָם הַבָּא, וְכֵן אָמַר יְהוֹשֻׁעַ (שם שם כה) "יַעְכָּרְךָ ה' בַּיּוֹם הַזֶּה", הַיּוֹם הַזֶּה אַתָּה עָכוּר וְאֵין אַתָּה עָכוּר לֶעָתִיד לָבֹא:

ב דָּבָר אַחֵר (תהלים נ, כג) "זֹבֵחַ תּוֹדָה יְכַבְּדָנְנִי" רַבִּי הוּנָא בְּשֵׁם רַבִּי אַחָא: "יְכַבְּדָנִי" אֵין כְּתִיב כָּאן אֶלָּא "יְכַבְּדָנְנִי", כָּבוֹד אַחַר כָּבוֹד, דָּבָר אַחֵר "זֹבֵחַ תּוֹדָה יְכַבְּדָנְנִי", רַבִּי בֶּרֶכְיָה בְּשֵׁם רַבִּי אַבָּא בַּר כַּהֲנָא: "כִּבְּדָנִי" אֵין כְּתִיב כָּאן אֶלָּא "יְכַבְּדָנְנִי", כִּבְּדַנִי ג בָּעוֹלָם הַזֶּה יְכַבְּדֵנִי בָּעוֹלָם הַבָּא. (שם) "וְשָׂם דֶּרֶךְ", אֵלּוּ מְסַלְּקֵי דְרָכִים, דָּבָר אַחֵר "וְשָׂם דֶּרֶךְ" אֵלּוּ סוֹפְרִים וּמַשְׁנִים, שֶׁהֵן מְלַמְּדִין אֶת הַתִּינוֹקוֹת בֶּאֱמוּנָה, דָּבָר אַחֵר "וְשָׂם דֶּרֶךְ", רַבִּי יוֹסֵי בְּרַבִּי יְהוּדָה בְּשֵׁם רַבִּי מְנַחֵם בְּרַבִּי יוֹסֵי: אֵלּוּ חֶנְוָנִין שֶׁהֵן מוֹכְרִין פֵּירוֹת מְעוּשָּׂרִין לָרַבִּים, דָּבָר אַחֵר "וְשָׂם דֶּרֶךְ" אֵלּוּ שֶׁהֵן מַדְלִיקִין נֵרוֹת כְּדֵי לְהָאִיר בָּהֶם לָרַבִּים,

עץ יוסף

על שם אמנה אנכי חטאתי. ובאיתן וכלכל ודרדע סבירא ליה דהיינו אברהם ויוסף ודור המדבר, ורמז בהימן שעל ידי שאמר אמנה אנכי חטאתי זכה להיות עם הנזכר, אבל בילקוט (תתעג) ליתא דברי רב שמואל בר נחמן: **זה יוסף.** לפי שעכן בא על נערה המאורסה כדלעיל, ולפי ששב בתשובה יזכה עם יוסף שמסר נפשו על זה: **זה דור המדבר.** לפי שעכן מעל בחרם, ולפי ששב בתשובה זכה עם דור המדבר שנזהרו מזה כמו שנאמר והחרמתי את עריהם: **שכולו דעה.** שלא היה להם עסק אלא בתורה, ועל זה אמרו (תנחומא בשלח סימן כ) לא ניתנה תורה אלא לאוכלי המן: **היום הזה אתה עכור.** כלומר מחיי הגוף, ולא מחיי הנפש כי שמה תזכה למעלה רמה: **(ב) יכבדני אין כתיב כן אלא יכבדנני.** כן צריך לומר. ודריש תוספת הנו"ן לרבוי: **כבוד אחר כבוד.** הענין לפי שהאדם כל זמן שהוא שקוע בחומריותיו, אינו מרגיש בכבוד ה' וגדולתו וכבודו, ואם הוא משביח יצרו, ונוטע בלבו ציורים חדשים מהרגשת ה' אז יתחיל להכיר מעט כבודו יתברך, אכן אם הוא זובח יצרו ומבטלו מכל וכל, אז יתחיל להרגיש כבוד אחר כבוד יותר ויותר, כי בכל עת יצמח בו הכרת הכבוד יותר ויותר, כי לא יעמוד על מדריגה אחת קיימת כי אם יתוסף בלבו ההרגשה עת אחר עת, ולכן כתיב יכבדנני בב' נונין, כי תמיד יכבדנני יותר ויותר: **כבדני אין כתיב כן.** כתב היפה תואר שקרוב דגרסינן מכבדני אין כתיב כאן: **יכבדנני בעולם הבא.** לאפוקי שאר הקרבנות שהם בטלים לעתיד לבא, כדלקמן: **מסלקי דרכים.** מן האבנים ולצרורות ודרקנים שלא יוזקו רבים, וזהו גמילות חסד לרבים. ואפשר שצריך לומר, אלו מסלקי דרכים: **סופרים ומשנים כו'.** ודרך היינו התורה, כאומר (שמות יח, כ) והודעת להם את הדרך, ושם מטנין (דברים לא, יט) שימה בפיהם, ומשום דגירסא דינקותא קיימת מפרש השימה במלמדי תינוקות, ודרש עליהם אראנו בישע אלהים דלקמן, רלה לומר שהם זוכים לעמוד בימינו של הקדוש ברוך הוא: **פירות מעושרין.** כדי שלא יכשלו באכילת טבלים, ולפי שזה כמרימי מכשול מהדרך פן יכשלו בה קאמר ושם דרך:

פירוש מהרז"ו

שהחמשה אלה היו נביאים במצרים, כן הוא בילקוט). ומאחר שהסכימו חז"ל ששני הפסוקים אלו, היינו של מלכים א היא, ויחכם וגו' מאיתן וגו', ופסוק של דברי הימים (א, ב, ו) ובני זרח, כוונה אחת להם, שלא היו לא בני זרח ולא בני מחול, הנה בכל השמות הם שוים כנ"ל, רק זמרי אינו כתוב במלכים א', על כן דרשו על פי מדה י"ז, על זמרי זה עכן שלוא המפורש בתורה, ורומז על עכן שמפורש בפסוק הסמוך בדברי הימים (א, ב, ז), ובני כרמי עכר עוכר ישראל אשר מעל בחרם, שהפסוק השני בא לפרש מה שכתב בפסוק הקודם, ובני זרח זמרי, שהוא עכן, ועם כל זה כולם חמשה בני כרמי עכר עוכר ישראל, היינו זמרי הנ"ל, שנמנים יחד שקנה עולמו בשעה אחת, ובוידוי, ודימה עכן לזמרי, שכמו שזמרי היה עשיר וגדול בשבטו, כך עכן וכמו שכתב מפורש במדבר רבה (כג, ו) שלא היה בשבטו עשיר ממנו: **רבי שמואל בר נחמן אמר זה עכן.** וחולק על הנ"ל שאמר זמרי זה עכן, ואם כן צריך עיון מה סובר בזמרי, ובכל המקומות שציינתי על מקום מאמר זה ליתא לדברי רבי שמואל בר נחמן אלו: **(ב) כבוד אחר כבוד.** דורש יכבדנני שני נונ"ן, על פי מדה יו"ד, ועל שהוא בתיבת יכבדנני, הרי שמורה על כופל הכבוד, ואולי רומז למה שכתוב (תהלים עג, כד) ואחר כבוד תקחני, וכמו שהעתקתי לעיל סוף פרשה ז' בסם הפסיקתא: **סופרים ומשנים.** משימים דרך עץ החיים, שעל ידי זה יבואו לגוף התורה: **אלו החנונים.** כמו שמבואר (דמאי פ"ב מ"ד) החנונים אינם רשאים למכור את הדמאי, וכל זה בכלל מפנים דרכי ה': **מדליקי נרות.** במבואות האפלים אף ביום, וכן בלילה. והוא בתנחומא תלוה (סוף סימן ח):

חידושי הרד"ל

[ב] **אלו מסקלי דרכים.** כן צריך לומר: **אלו סופרים משנים כו'.** ודרש עליהם אראנו בישע אלהים, דלקמן פרשה ל' (סימן ג) שהם זוכים לעמוד בימינו של הקב"ה.

חידושי הרש"ש

[ב] **ר' ברכיה בשם ר' אבא בר כהנא כבדני אין כתיב כאן.** אולי צריך לומר מכבדני.

אמרי יושר

[ב] **יכבדנני בעולם הזה ובעולם הבא.** מכפל שני נוני"ם דייק לה. אי נמי מדקאמר יכבדנני ביו"ד העתיד, ולזה אמר אתם על תודה, שמורה לשון זה שבח גדול בתודה:

מסורת המדרש

ב. פדר"א פ' נ"ט: ג. סנהדרין מ"ג ע"ב:

אם למקרא

לֹא־כֵן עַבְדִּי מֹשֶׁה בְּכָל־בֵּיתִי נֶאֱמָן הוּא: (במדבר יב:ז)

וַיֹּאמֶר יְהוֹשֻׁעַ מֶה עֲכַרְתָּנוּ יַעְכָּרְךָ ה' בַּיּוֹם הַזֶּה וַיִּרְגְּמוּ אֹתוֹ כָל־יִשְׂרָאֵל אֶבֶן וַיִּשְׂרְפוּ אֹתָם בָּאֵשׁ וַיִּסְקְלוּ אֹתָם בָּאֲבָנִים: (יהושע ז:כה)

זֹבֵחַ תּוֹדָה יְכַבְּדָנְנִי וְשָׂם דֶּרֶךְ אַרְאֶנּוּ בְּיֵשַׁע אֱלֹהִים: (תהלים נ:כג)

ידי משה

[ב] **יכבדנני בעולם הזה ובעולם הבא.** פירוש דהיינו ימות משיח, שכל הקרבנות עתידין לבטל חוץ מקרבן תודה, מה שאין כן שאר קרבנות יתבטלו לעתיד, ואם כן יכבדנני קאי על קרבן תודה. וקל להבין:

שינוי נוסחאות

"יעכרך ה' ביום הזה". כן הוא לשון הפסוק אבל בכל הדפוסים של מדרש (ואף בכל הכי"י) כתוב "היום" במקום "ביום".

מתנות כהונה

נראה דהכי גרסינן רבי שמואל בר נחמן אמר זה עכן על שם אמנה אנכי וגו', אבל בילקוט (תהלים תשסג) לא גרס ליה כלל: **[ב] כבוד אחר כבוד.** דרש שני נוני"ן, לשני מיני כבוד: **מסלקי דרכים.** מן האבנים ולצרורות ודרקנים, וזהו גמילות חסד לרבים: **מלמד תינוקות כו'.** התורה נקראת דרך, ועוד שהם מורים להם הדרך ללמוד תורה:

אשד הנחלים

היום הזה. כלומר מחיי הגוף ולא מחיי הנפש, כי שמה תזכה למעלה רמה ותזכה להיות במחיצתן: **[ב] כבוד אחר כבוד.** הענין לפי שהאדם כל זמן שהוא שקוע בחומריותו ובתאוותיו, אינו מרגיש בכבוד ה' וגדולתו וכבודו, ואם הוא משביח יצרו ונוטע בלבו ציורים חדשים מהרגשת ה', אז יתחיל להכיר מעט כבודו יתברך, אכן אם הוא זובח את יצרו ומבטלו מכל וכל, אז יתחיל להרגיש כבוד אחר כבוד יותר ויותר, כי בכל עת יצמח בו הכרת הכבוד יותר ויותר, כי לא יעמוד על מדריגה אחת קיימת, כי אם יתוסף בלבו ההרגשה עת אחר עת, ולכן כתיב יכבדנני בשתי נונין, כי תמיד יכבדנני יותר ויותר: **בעולם הזה כו' ובעולם הבא.** הענין הזה בארתי בארוכה בפירוש האגדות, שאמרו (סנהדרין מג, ב) כל הזובח את יצרו ומתודה עליו, מעלה עליו הכתוב כאלו כבדו בעולם הזה ובעולם הבא, והוא ששמעתי מן אדוני אבי הרב הגאון המנוח מורינו הרב אריה יהודה ליב זכרונו לברכה, שרצונם לומר לפי שהאדם אם הוא בתגבורת כוחותיו, ועם כל זה עובד ה', הוא עובד בשני הכוחות, בכח הגוף שהוא בעולם הזה, ובכח הנפש שהיא ממרומים, אבל כשזובח יצרו ומבטלו מכל וכל, אז אין בו כי אם הכח הנפשי הפועל בו, והרי זה כנפש לבדה המשמשת במרום בלי יצר ותאוה מאומה, ואז אין זה גבורה כל כך, ועם כל זה מעלה עליו הכתוב כאלו כבדו בעולם הזה גם כן, וזה אמר כאן כבדני בעולם הזה וכבדני בעולם הבא. או כפשוטו גם כן, כי אחרי התבטלו הכח הרע מנפשו גם בעולם הזה, אז הכיבוד שבעולם הזה נחשב ככיבוד שבעולם הבא, ששם אין בו רע למאומה, כמו כן כאן ביטל הרע מכל וכל אחר שזבח את יצרו ובטלו כל מחשבותיו: **אלו מסלקי דרכים.** כלומר שמשים דרך המועיל לרבים לבלי ינגפו. ועל דרך הציור בארתי גם כן שמה, על מאמרם (מועד קטן ה, א) (אבל) כל הַשָּׁם אורחותיו בעולם הזה זוכה ורואה בישועתו של הקב"ה, שנאמר ושם דרך אל תקרי וְשָׂם, אלא וְשָׁם (בשין ימיני). ובארתי שמה במה שאמר הַשָּׁם אורחותיו, ולא אמר הַשָּׁם דרכיו כנאמר בכתוב, ועוד מה ענין הישועה. ובארתי לפי שהאדם המהלך בדרך המיצועי, הוא דבר קשה למאוד, אחרי שיצרו עמו ועם כל זה כופיהו, ולזה צריך סיוע מלמעלה. והנה הדרך נקרא דרך טבע הלב הנטוע בו, למשל מדת הרחמים בכלל לרחם על כל, והאורח נקרא המתפשט מן הדרך, והוא מושאל על מי

דְּאָמַר רַבִּי שִׁמְעוֹן בֶּן לָקִישׁ — **for R' Shimon ben Lakish said:** שָׁאוּל לֹא זָכָה לַמְּלוּכָה אֶלָּא עַל יְדֵי שֶׁהָיָה זְקֵינוֹ מַדְלִיק נֵרוֹת לָרַבִּים — **Saul did not merit the kingship** for any reason **other than because his grandfather** (Abiel) **would kindle lamps for the public.**[29] אָמְרוּ: מְבוֹאוֹת אֲפֵילוֹת הָיוּ מִבֵּיתוֹ לְבֵית הַמִּדְרָשׁ וְהָיָה מַדְלִיק נֵרוֹת בָּהֶם כְּדֵי לְהָאִיר בָּהֶם לָרַבִּים — **[People] said: There were dark alleyways** extending **from [Abiel's] house to the house of study, and he would kindle lamps in [the alleyways] in order to illuminate for the public with them.**

The Midrash infers from Scripture that King Saul's grandfather maintained this practice:

כָּתוּב אֶחָד אוֹמֵר "וְנֵר הוֹלִיד אֶת קִישׁ" — **One verse states,** ***Ner begot Kish.*** *Kish begot Saul* (*I Chronicles* 8:33), וְכָתוּב אֶחָד אוֹמֵר "קִישׁ בֶּן אֲבִיאֵל" — **and one verse states,** ***Kish son of Abiel*** *. . . He had a son named Saul* (*I Samuel* 9:1-2). הָא כֵּיצַד — **How can this be?** The Midrash answers: אֲבִיאֵל הָיָה שְׁמוֹ, אֶלָּא עַל יְדֵי שֶׁהָיָה מַדְלִיק נֵרוֹת לָרַבִּים זָכָה וְנִקְרָא שְׁמוֹ נֵר — **Abiel was his** actual **name, but because he would kindle lamps** (נֵרוֹת) **for the public, he merited to be called by the name** ***Ner*** (נֵר, meaning, *lamp*).

§3 The Midrash continues to expound the second half of the verse from *Psalms*:

דָּבָר אַחֵר "וְשָׂם דֶּרֶךְ" — **Alternatively,** ***"vesam" the way,*** *I will show him the salvation of God* — אָמַר רַבִּי יַנַּאי: "וְשָׁם" כְּתִיב — **R' Yannai said: "*vesham*" is written,**[30] so that the verse may be interpreted to mean, דְּשַׁיֵּים אוֹרְחֵיהּ סַגֵּי שְׁוֵי — **one who appraises his ways has tremendous value.**[31]

The Midrash recounts a story that illustrates this concept:

מַעֲשֶׂה בְּרַבִּי יַנַּאי שֶׁהָיָה מְהַלֵּךְ בַּדֶּרֶךְ וְרָאָה אָדָם אֶחָד שֶׁהָיָה מְשׁוּפָּע בְּיוֹתֵר — There was once **an incident involving R' Yannai, who was traveling on the way when he saw a certain man who was elegant in the extreme.**[32] אֲמַר לֵיהּ: מִשְׁגַּח רַבִּי מִתְקַבְּלָא גַּבָּן — **[R' Yannai] said to him,** "Please **give heed** to us (i.e., to me), **my master,** and **be accepted** as a guest to eat **with us."**[33] אֲמַר לֵיהּ: אֵין — **[The man] said to him, "Yes,** I accept the invitation." הִכְנִיסוֹ לְבֵיתוֹ הֶאֱכִילוֹ וְהִשְׁקָהוּ — So **[R' Yannai] brought him into his house, fed him, and gave him to drink.** בְּדָקוֹ בְּמִקְרָא וְלֹא מְצָאוֹ בְּמִשְׁנָה וְלֹא מְצָאוֹ בְּאַגָּדָה וְלֹא מְצָאוֹ בְּתַלְמוּד וְלֹא מְצָאוֹ — **[R' Yannai] tested [his guest] in Scripture and he did not find him** to be knowledgeable; he tested him **in Mishnah and he did not find him** to be knowledgeable; he tested him **in Aggadah and he did not find him** to be knowledgeable; he tested him **in Talmud and he did not find him** to be knowledgeable.[34] אֲמַר לֵיהּ: סַב בָּרֵיךְ — **[R' Yannai] said to him, "Take** a cup (of wine) and **recite** ***Bircas HaMazon.***[35] אֲמַר לֵיהּ: יְבָרֵךְ יַנַּאי בְּבֵיתֵיהּ — **[The man] said to him, "Let Yannai recite** ***Bircas HaMazon*** **in his own house."**[36] אֲמַר לֵיהּ: אִית בָּךְ אֲמַר מַה דַּאֲנָא אָמַר לָךְ — **[R' Yannai]** then **asked him, "Are you able to repeat** after me **what I say to you?"**[37] אֲמַר לֵיהּ: אֵין — **[The man] said to him, "Yes,** I am." אֲמַר לֵיהּ: אֱמוֹר אֲכַל כַּלְבָּא פִּיסְתֵּיהּ דְּיַנַּאי — **[R' Yannai] said to him, "Say** as follows: **'The dog ate the bread of Yannai.'** "[38] קָם תַּפְסֵיהּ, אֲמַר לֵיהּ: יְרוּתָתִי גַּבָּךְ דְּאַתְּ מוֹנֵעַ לִי — **[The man] arose, grabbed [R' Yannai],** held him firmly, and **said to him, "My inheritance is in your possession, for you are withholding it from me!"**[39] אֲמַר לֵיהּ: וּמַה יְרוּתָתָךְ גַּבִּי — **[R' Yannai] asked him, "And what inheritance of yours is in my possession?!"**[40] אֲמַר לֵיהּ: חַד זְמַן הֲוֵינָא עָבַר קָמֵי בֵּית סִפְרָא — **[The man] said to him, "One time, I was passing by a school,**[41] וּשְׁמָעִית קָלְהוֹן דְּמֵינִקַיָּא אָמְרִין "תּוֹרָה צִוָּה לָנוּ מֹשֶׁה מוֹרָשָׁה קְהִלַּת יַעֲקֹב" — **and I heard the voices of the children saying,** ***'The Torah that Moses commanded us is the inheritance of the Congregation of Jacob'*** (*Deuteronomy* 33:4);

NOTES

29. Saul himself was extremely righteous (see *Yoma* 22b). However, because God knew that Saul would not heed his commandment in the episode with Amalek as would be befitting for a king (see *I Samuel* Ch. 15), his personal merits would have been insufficient to gain him that office. Saul was granted the opportunity to benefit the public by leading them and saving them from their enemies only because compounded with his own merits was the fact that his grandfather had benefited the public and saved them from mishap (*Yefeh To'ar*, followed in part by *Anaf Yosef* and *Eitz Yosef*; see *Nechmad LeMareh* for another approach).

As it was explained just above, in the verse from *Psalms* God promises regarding those who *illuminate for the public, I will show him the salvation of God.* This was fulfilled in the case of Abiel through his grandson, King Saul, who witnessed God's *salvation* in battle (see *I Samuel* 11:13) and who merited (as taught in *Berachos* 12b) a lofty place in the World to Come (see *Radal*, followed by *Eitz Yosef*).

30. The Midrash is noting that while the cited word is pronounced וְשָׂם, if taken unvowelized its letters could be pronounced וְשָׁם, which can mean, *and one who appraises* (*Eitz Yosef*, from *Minchas Shai* [to verse]; see *Matnos Kehunah*; compare *Moed Katan* 5b and *Sotah* 5a).

31. *Matnos Kehunah*; see *Maharzu*.

The Midrash refers to someone who scrutinizes the way he performs worldly tasks, ensuring that they are carried out justly and properly. The Midrash interprets the verse to teach that such a person is regarded very highly by God (*I will show him the salvation of God*) even if he is not knowledgeable in Torah, because good character traits are valued tremendously (*Eshed HaNechalim*, followed by *Eitz Yosef*; also see *Matnos Kehunah*).

32. See *Matnos Kehunah*, followed by *Eitz Yosef*; also see *Imrei Yosher*.

Alternatively, the man was *humble in the extreme* (*Mesoras HaMidrash*, from *Maarich*, s.v. שפע).

The man's dress [or humility] led R' Yannai to assume that he was a Torah scholar (*Matnos Kehunah*, followed by *Eitz Yosef*).

33. *Matnos Kehunah*, followed by *Eitz Yosef*.

34. The Midrash does not list the tests in the order in which they took place; the examination on Talmud must have preceded the one on Mishnah, for if the man would have first proven himself ignorant in Mishnah there would have been no need for an examination in Talmud [which is based on the Mishnah] (*Eitz Yosef*).

35. *Matnos Kehunah*, followed by *Eitz Yosef*.

R' Yannai's instructions were in keeping with the law (see *Berachos* 46a) that calls for a guest to lead *Bircas HaMazon* (*Eitz Yosef*). [In the times of the Midrash, it was customary for one person to hold up a cup of wine and recite *Bircas HaMazon* on behalf of all those who had eaten.]

36. Because the man did not know how to recite *Bircas HaMazon* he insisted that, as the host, R' Yannai should do so.

37. *Matnos Kehunah*; see *Eitz Yosef*. [Lit., *is it within you to say what I say to you.*]

38. *Matnos Kehunah*, followed by *Eitz Yosef*.

R' Yannai likened his ignorant guest [who had not even gone to the trouble of learning to recite *Bircas HaMazon* (compare *Succah* 38a with *Rashi* s.v. ותבא לו)] to a dog (*Eitz Yosef*).

[According to *Pri Tzaddik* (*Simchas Torah* §46), R' Yannai's comment reflected his understanding that since his guest was completely ignorant, he was merely obligated to feed him as a dog. He quotes *Bava Basra* 8a (see also *Shabbos* 155b), where it is told that the impoverished R' Yonasan ben Amram, who did not want to derive personal benefit from his Torah scholarship, asked to be provided for *as a dog and as a raven.*]

39. *Matnos Kehunah*, *Eitz Yosef*.

40. *Eitz Yosef*.

41. See *Matnos Kehunah*, followed by *Eitz Yosef*.

דְּאָמַר רַבִּי שִׁמְעוֹן בֶּן לָקִישׁ: שָׁאוּל לֹא זָכָה לַמְּלוּכָה אֶלָּא עַל יְדֵי שֶׁהָיָה זְקֵינוֹ מַדְלִיק נֵרוֹת לָרַבִּים, אָמְרוּ: מְבוֹאוֹת אֲפֵילוֹת הָיוּ מִבֵּיתוֹ לְבֵית הַמִּדְרָשׁ וְהָיָה מַדְלִיק נֵרוֹת בָּהֶם כְּדֵי לְהָאִיר בָּהֶם לָרַבִּים, כָּתוּב אֶחָד אוֹמֵר (דברי הימים-א ח, לג) "וְנֵר הוֹלִיד אֶת קִישׁ" וְכָתוּב אֶחָד אוֹמֵר (שמואל-א ט, א) "קִישׁ בֶּן אֲבִיאֵל", הָא כֵּיצַד, אֲבִיאֵל הָיָה שְׁמוֹ, אֶלָּא עַל יְדֵי שֶׁהָיָה מַדְלִיק נֵרוֹת לָרַבִּים זָכָה וְנִקְרָא שְׁמוֹ נֵר:

ג דָּבָר אַחֵר "וְשָׂם דֶּרֶךְ", אָמַר רַבִּי יַנַּאי: "וְשָׁם" כְּתִיב, דְּשָׁיֵים אוֹרְחֵיהּ, יַסְגֵּי שָׁוֵי, מַעֲשֶׂה בְּרַבִּי יַנַּאי שֶׁהָיָה מְהַלֵּךְ בַּדֶּרֶךְ וְרָאָה אָדָם אֶחָד שֶׁהָיָה מְשׁוּפָּע בְּיוֹתֵר, אֲמַר לֵיהּ: מַשְׁגַּח רַבִּי מִתְקַבְּלָא גַּבָּן, אֲמַר °לוֹ: אִין, הִכְנִיסוֹ לְבֵיתוֹ הֶאֱכִילוֹ וְהִשְׁקָהוּ, בְּדָקוֹ בְּמִקְרָא וְלֹא מְצָאוֹ בְּמִשְׁנָה וְלֹא מְצָאוֹ בְּאַגָּדָה וְלֹא מְצָאוֹ בְּתַלְמוּד וְלֹא מְצָאוֹ, אֲמַר לֵיהּ: סַב בָּרֵיךְ, אֲמַר לֵיהּ: יְבָרֵךְ יַנַּאי בְּבֵיתֵיהּ, אֲמַר לֵיהּ: אִית בָּךְ אֲמַר מַה דַּאֲנָא אָמַר לָךְ, אֲמַר לֵיהּ: אִין, אֲמַר לֵיהּ: אֱמוֹר אֲכַל כַּלְבָּא פִּיסְתֵּיהּ דְּיַנַּאי, קָם תַּפְסֵיהּ, אֲמַר לֵיהּ: יְרוּתָתִי גַּבָּךְ דְּאַתְּ מוֹנֵעַ לִי, אֲמַר לֵיהּ: וּמַה יְרוּתָתָךְ גַּבִּי, אֲמַר לֵיהּ: חַד זְמַן הֲוֵינָא עָבַר קָמֵי בֵּית סִפְרָא וּשְׁמָעִית קָלְהוֹן דְּמֵינִיקַיָּא אָמְרִין (דברים לג, ד) "תּוֹרָה צִוָּה לָנוּ מֹשֶׁה מוֹרָשָׁה קְהִלַּת יַעֲקֹב",

פירוש מהרז"ו

נר הוליד וגו'. דורש על פי מדה ט"ו, שבדברי הימים (א, ח, לג) כתוב נר הוליד את קיש, ובשמואל (א, ט, א) כתוב קיש בן אביאל, והכריע שאביאל נקרא נר, על שהדליק נר מצוה, על פי מדת ממעל ומנגד: (ג) **מורשה קהלת יעקב.** עיין שמות רבה (לג, ז): **דשיים אורחי.** כמו שכתב (ד, ז) שמים, שהם שמים מעשיהם של בריות, ומה שכתב סגי שוי, פירוש שהוא יקר הרבה, כמו שכתוב (תהלים נ, ג) אראנו בישע אלהים:

עץ יוסף

על ידי שהיה זקינו מדליק נרות לרבים. ולכן ניתנה לו המלוכה שעל ידו יזכה הרבים אשר יוציאם ואשר יביאם ויושיעם מצריהם כזקינו שהיה מציל הרבים מהמכשולות, ודרש עליו אראנו בישע אלהים כמה דאת אמר (שמואל א' יא, יג) כי היום עשה ה' תשועה בישראל, וכן זכה לעולם הבא במחילתו של שמואל הנביא: **אביאל היה שמו.** של אביו של קיש [וגם היה אביו של נר אבי אבנר כדכתיב (שמואל א' יד, נא) וקיש אבי שאול ונר אבי אבנר בן אביאל], אלא על ידי שהיה זקנו של שאול הוא אביאל מדליק נרות לרבים זכה שנקרא שמו נר, ולכן מה דכתיב [בדברי הימים א' ח, לג] ונר הוליד את קיש הוא שם התואר לא שם העצם, אבל בנו נר הוא שם העצם: (ג) **ושם כתיב.** דריש ושם מלשון שומת בית דין שהוא בשי"ן ימנית, וקושטא דמילתא דקרינן בשי"ן שמאלית כמו דדריש הכא מקמי זה באנפי אחרינא בשי"ן שמאלית כדקרינן, והכי אשכחנא בכולי נוסחי עתיקי, אך דרש זה הוא על דרך אל תקרי בשי"ן שמאלית אלא בשי"ן ימנית (מנחת שי): **דשיים אורחיה.** שמעייני עולם הזה ואורחותיה שם אותם לעשותם כפי הישר והטוב, אז שוים המה הרבה כי אף שאינו בן תורה עם כל זה נחשב מאד בעיני ה', כי הדרך ארץ שהמה המדות הטובות האנושיות המה יקרים גם כן למאוד: **משופע.** שהיה משופע בבגדים נאים כבגדי תלמידי חכמים, ולכן היה סבור שהוא חכם [והמעתיק פירש משופע שפל וענו, ולכן חשב שהוא חכם (יד יוסף)]: **אמר ליה משגיח רבי כו'.** פירוש תשגיח נא עליו ותהיה מקובל לאכול אצלינו: **אמר ליה אין.** פירוש אמר ליה הן: **בתלמוד ולא מצאו כו'.** לא כתבו הענינים כסדרן, דבדיקת התלמוד קדמה למשנה, שאם לא נמצא במשנה איך ימצא בתלמוד: **סב בריך.** קח הכוס וברך ברכת המזון כדקיימא לן דאורח מברך: **אית בך אמר מה דאנא אמר לך.** כלומר אם תוכל לומר אחרי מה שאני אומר: **אבל כלבא פיסתיה דינאי.** פירוש הכלב אכל פתו של ינאי, ורצה לומר כי מה שאכל זה שהיה עם הארץ הוי ליה ככלב: **קם תפסיה.** האורח קם ותפס לרבי ינאי ואחזו בחזקה כתובע ממונו תביעה, ואמר ליה ירותתי גבך דאת מונע לי, כלומר ראה הירושה שיש לי בידך ואתה מעכבה ממני: **אמר ליה ומה ירתותך גבי.** פירוש ושאל לו רבי ינאי מה היא הירושה שיש לך בידי: **אמר ליה חד זמן כו'.** אמר ליה האורח פעם אחת הייתי עובר לפני בית הספר רצה לומר בית המדרש שלומדים בו התינוקות, ושמעתי קולם של התינוקות אומרים תורה צוה כו':

חידושי הרד"ל

אלו שהן מדליקין כו' שאול לא זכה כו'. ודרש עליו אראנו בישע אלהים, כמה דאת אמר (שמואל א' יא, יג) כי היום עשה ה' תשועה בישראל, וכן זכה לעולם הבא במחילתו של שמואל הנביא: **דאמר רבי שמעון בן לקיש שאול כו'.** ירושלמי סוף פרק ג' דשביעית, ותנחומא תצוה פ"ח: [ג] **ירותתי גבך כו' מורשה קהלת יעקב.** עיין פסחים מט, ב:

באור מהרי"פ

[ג] **פיסתיה דינאי.** ז"ל ר' בנימין מוספיא ערך פסתא א', ירושלמי (פסחים פרק אלו דברים, סוף ה"ד) הדין דאכיל חובן ובדעתיה למיכל קופר מבערא פסתא, פירוש לחם, מלשון (תהלים עב,טז) פסת בר, עד כאן:

אמרי יושר

[ג] **שהיה משופע ביותר.** רצה לומר הדור יותר, ואדם של צורה חשב בו שהיה בן תורה, ואחר כך לא מצאו כן:

מסורת המדרש

ד. סוטה פ"א:

אם למקרא

וְנֵר הוֹלִיד אֶת־קִישׁ וְקִישׁ הוֹלִיד אֶת שָׁאוּל וְשָׁאוּל הוֹלִיד אֶת יְהוֹנָתָן וְאֶת מַלְכִּי שׁוּעַ וְאֶת אֲבִינָדָב וְאֶת אֶשְׁבָּעַל: (דברי הימים א ח:לג)

וַיְהִי אִישׁ מִבִּנְיָמִין וּשְׁמוֹ קִישׁ בֶּן אֲבִיאֵל בֶּן צְרוֹר בֶּן בְּכוֹרַת בֶּן אֲפִיחַ בֶּן אִישׁ יְמִינִי גִּבּוֹר חָיִל: (שמואל א ט:א)

תּוֹרָה צִוָּה לָנוּ מֹשֶׁה מוֹרָשָׁה קְהִלַּת יַעֲקֹב: (דברים לג:ד)

ענף יוסף

(ב) **שאול לא זכה למלוכה כו'.** תימא מאי רבותיה שלא זכה רק בשביל זקנו, והלא נאמר בו (שמואל א יג, א) בן שנה שאול במלכו, ואמרו חכמינו ז"ל (יומא כב, ב) כבן שנה שאין בו חטא, ואמרו (שם) שלא נמשכה מלכותו מפני שלא היה בו דופי, ואמרו (שם) שהיה צדיק מדוד, ויש לומר שלפי שגלוי לפני ה' שלא יקיים דברו בעמלק כראוי למלך, לא היתה זכותו מספקת למלוך, לולי שנצטרפת עמו זכותו של זקנו שהיה מועיל לרבים (יפה תואר):

מתנות כהונה

הכי גרסינן **על ידי שהיה מדליק:** [ג] **ושם כתיב.** ופירושו הכתיב הוא בשי"ן, אף על פי שהקרי הוא בסיבולת כמו סמ"ך: **דשיים.** לשון שומת בית דין: **אורחיה.** דרכיו, כלומר ששם אורחותיו בדרך ארץ: **שגי שוה.** הרבה שוה, שגי כמו סגי: **משופע.** מלוין ונאה בבגדיו כתלמיד חכם, והיה סובר רבי ינאי שהוא תלמיד חכם: **אמר ליה משגח רבי כו'.** פירוש תשגח נא עליו, ותהיה מקובל לאכול אצלנו: **סב בריך.** קח הכוס וברך ברכת המזון: **הכי גרסינן בילקוט** (תהלים רמז תשסג) **אית בך אמר מה דאנא אמר לך.** פירוש יש בך בינה כל כך שתענה אחרי מה שאני אומר לך: **הכי גרסינן אבל כלבא פיסתיה דינאי.** פירוש הכלב אכל פתו של ינאי: **קם תפסיה.** האורח קם ותפס לרבי ינאי ואחזו בחזקה: **הכי גרסינן אמר ליה ירותתי גבך דאת כו'.** פירוש האורח אמר לרבי ינאי, ירושתי יש לי אצלך, ואתה מונע אותו ממני, ורצה לומר התורה היא ירושת כל ישראל בשוה, ואתה הוא היודע אותה ומונעה ממני, לקרות אותי כלב כאילו אין לי חלק בה: **הוינא עבר.** הייתי עובר לפני בית הספר, רצה לומר בית המדרש שלומדים בו התינוקות: **ושמעתי.** קולם של התינוקות:

נחמד למראה

[ב] **דאמר רבי שמעון בן לקיש, שאול לא זכה למלוכה אלא על ידי שהיה זקנו מדליק נרות לרבים וכו'.** הקשה הרב יפה תואר מאי רבותיה שלא זכה רק בשביל זקנו, והלא נאמר בו (שמואל א, יג, א) בן שנה שאול במלכו, ואמרו רז"ל (יומא כב, ב) כבן שנה שלא חטא וכו'. ותירץ לפי שגלוי לפני הקב"ה שלא יקיים דברו בעמלק, לא היתה זכותו מספקת למלוך, לולי שנצטרפה עמו זכות זקנו וכו', יעיין שם. ועוד נראה לי לדרוש אותו לשבח, דאדרבה מפני שהיה צדיק גמור, לא היה ראוי להיות מלך, על פי מאי דאיתא במסכת יומא (כב, ב) אמר

אשד הנחלים

שמפלס דרכיו לרחם למשל על מי שראוי דווקא, והנה ההולך בדרך המיצוע אינו הולך בדרכיו וטבעו, כי אם בארחותיו, שעושה הכל בהתבוננות עצומה לפלס דרכיו בכל עת, אבל אינו הולך בדרכיו כפי טבעו לבד, רק שעל ידי שיפלס אורחותיו, קונה לו גם כן דרך חדשה, כי נתהפך טבעיו בקרבו, ולכן השימת דרך אי אפשר לו, כי אם כששם ומפלס אורחותיו ומסלק הדרך הכולל הנטוע, ולכן אמרו שם כל השם אורחותיו, ועל ידי זה משים לו דרך חדשה, אף שהוא דבר כבד למאוד עם כל זה זוכה ורואה בישועתו של הקב"ה, כי ה' ברוך הוא עוזר לישרים. וזהו המליצה כאן אלו מסלקי דרכים, כי אם פועלים בארחות כפי ההתבוננות: **אלו סופרים כו' מעושרים כו' ומדליקין נרות כו'.** חשב כמה עניינים במה שמשים דרך להועיל לרבים, אחד בענין הלימוד והידיעה, השני בענין שמירת אכילת האיסור, השלישי העזר והמיצועים המביא ללמוד התורה, כמי שיאיר לרבים בכוונה בכדי שידעו ללכת לבתי מדרשות ולבתי כנסיות: [ג] **דשיים אורחיה סגי שוי.** כלומר הוא שוה הרבה, כי דבר גדול הוא למאוד: **מעשה.** עיין במתנות כהונה באורו. ודרש כל הַשָּׂם אורחותיו שהם ענייני עולם הזה ואורחותיה, אך הוא שָׂם אותם לעשותם כפי הישר והטוב, אז שוים המה הרבה, כי אף שאינו בן תורה עם כל זה נחשב מאוד בעיני ה', כי הדרך ארץ שהמה המדות טובות האנושיות, המה יקרים גם כן למאוד: **קדמה דרך ארץ.** כלומר שהעולם היה עודנה בלי נתינת

״מוֹרָשָׁה קְהִלַּת יַנַּאי״ אֵין כְּתִיב כָּאן — now, ***the inheritance of the Congregation of 'Yannai'* is not written here,** אֶלָּא ״קְהִלַּת יַעֲקֹב״ — **rather** *the inheritance of* ***the Congregation of 'Jacob'*** is written!"[42] After conceding that his guest's rebuke was warranted, R' Yannai began a new conversation with him:[43] אֲמַר לֵיהּ: לָמָּה זְכִית לְמֵיכַל עַל פְּתוֹרִי — **[R' Yannai] asked him, "Why have you merited to eat at my table?"**[44] אֲמַר לוֹ: מִיּוֹמַי לָא שְׁמָעִית מִילָּא בִּישָׁא וְחָזַרְתִּי לְמָרֵהּ — **[The guest] answered him, "In all my days, I have never heard a bad word** spoken by one person about another **and reported it back to the person being spoken of;**[45] וְלָא חֲמֵית תְּרֵין דְּמִתְכַּתְּשִׁין דֵּין עִם דֵּין וְלָא יְהָבִית שְׁלָמָא בֵּינֵיהוֹן — **and I have never seen two** people **quarreling with each other and not made peace between them."**[46] אֲמַר לֵיהּ: כָּל הָדָא דֶּרֶךְ אֶרֶץ גַּבָּךְ וְקָרִיתָךְ כַּלְבָּא — **[R' Yannai] said to him** regretfully, **"There exists within you such a large degree of** ***derech eretz*** **and** yet **I called you a dog!"**[47] קָרָא עֲלֵיהּ ״וְשָׂם דֶּרֶךְ״, דְּשָׁיֵים אוֹרְחֵיהּ סַגֵּי שָׁוֵי — **[R' Yannai] applied to [his guest] the following verse, *"vesam" the way,*** *I will show him the salvation of God*, which (as above) may be interpreted to mean, **one who appraises his ways has enormous value.**[48]

The Midrash will prove the significance of *derech eretz* in order to defend the idea that its possession alone might cause one to be *shown the salvation of God*:[49]

דְּאָמַר רַבִּי יִשְׁמָעֵאל בַּר רַב נַחְמָן: עֶשְׂרִים וְשִׁשָּׁה דוֹרוֹת קָדְמָה דֶּרֶךְ אֶרֶץ אֶת הַתּוֹרָה — **For R' Yishmael bar Rav Nachman said: *Derech eretz* preceded the Torah by twenty-six generations.**[50] הָדָא הוּא דִכְתִיב ״לִשְׁמֹר אֶת דֶּרֶךְ עֵץ הַחַיִּים״ — **Thus, it is written, *to guard the way to the Tree of Life*** (*Genesis* 3:24); the Midrash expounds: ״דֶּרֶךְ״ זוֹ דֶּרֶךְ אֶרֶץ — ***The way*** [דֶּרֶךְ] **— this is** an allusion to ***derech eretz*** [דֶּרֶךְ אֶרֶץ]; וְאַחַר כָּךְ ״עֵץ הַחַיִּים״ זוֹ תּוֹרָה — **and** only **afterward, *the Tree of Life* — this is** an allusion to **Torah.**[51]

NOTES

42. In other words, the wording of the verse suggests that the Torah was granted to the entirety of the Jewish people that comprises scholars and ignoramuses alike. Thus, even the ignorant have a portion in Torah, for it would not have been given to the scholars alone. If so, R' Yannai, who merited Torah scholarship, was in possession of the Torah that was this simpleton's *inheritance*. And R' Yannai erred in calling his guest a *dog*, since, as a factor in the giving of the Torah, he too had some importance in God's eyes. The man claimed that by being referred to in a negative manner, his portion in Torah was being *withheld* from him (*Eitz Yosef*).

See Insight Ⓐ.

43. *Eitz Yosef.*

44. R' Yannai felt confident that the man must have had some special merit, aside from his inherent value as a Jew, through which he deserved to eat at the sage's table (ibid.).

45. *Matnos Kehunah*, followed by *Eitz Yosef*. [Lit., *and returned it to its master*.]

Alternatively, the man was testifying that he *never heard a man say something derogatory about him after which he went back and contended with the speaker over his remarks*; he would habitually overlook affronts (ibid.).

46. Ibid.

47. The term *derech eretz*, lit., *the way of the land*, is used here to refer to a manner of behavior that is proper, but not necessarily obligated by halachah (compare *Bamidbar Rabbah* 13 §15/16 et al.).

48. This was apropos to R' Yannai's guest, who was careful to act properly in spite of his ignorance (see *Imrei Yosher*; compare note 31 above).

49. *Eitz Yosef.*

50. The Torah was given to the 26th generation of man: Ten generations from Adam to Noah (*Avos* 5:2), ten more from Noah to Abraham (ibid.), Isaac, Jacob, Levi, Kohath, Amram, and Moses (*Maharzu*). Because the Midrash will prove presently that *derech eretz* was mandated sometime before the laws of the Torah, and there is no indication of exactly when this took place, the Midrash assumes that mankind was instructed to act with *derech eretz* ever since the advent of the first man (*Eitz Yosef*).

[Although the Sages teach elsewhere (for example, below, 19 §1) that the Torah preceded the world by two millennia, there they refer to its original writing, in *black fire upon white fire* (see *Tanchuma*, *Bereishis* §1), and here they speak of the time at which the Torah was introduced into our world (*Anaf Yosef*, from *Yefeh To'ar*).]

51. This association is based on *Proverbs* 3:18, where the expression עֵץ חַיִּים, *a tree of life*, describes the Torah (*Maharzu*).

Although according to the verse's plain meaning it states that God emplaced *Cherubim and the flame of the ever-turning sword* in order *to guard the way to the Tree of Life* from man, here the Midrash understands the cited words to mean that man was enjoined to *guard*, i.e., to uphold, *the way* — *derech eretz*, and, thereafter, *the Tree of Life* — the Torah (*Maharzu*, see there for additional discussion).

Thus, long before the world was exposed to the Divine Torah, people acted according to the dictates of straightness and faithfulness as they can be appreciated by the human intellect. With this the Sages are teaching that good character traits complement God's Torah and that a man must implant these in himself if the Torah is to dwell within him (*Eshed HaNechalim*, indicating *Avos* 3:9, followed by *Eitz Yosef*).

See Insight Ⓑ.

INSIGHTS

Ⓐ **Torah: Heritage of the Nation** *R' Aharon Kotler* sees in our Midrash a fundamental lesson about the relationship between the Torah and the Jewish people. The Torah is, quite literally, *the inheritance of the Congregation of Jacob*, jointly owned by each and every member of that group.

The law is that if one heir makes improvements to an inherited field he owns jointly with his brothers, they share in those improvements even though they did not contribute to them (*Bava Basra* 143b). And so it is with the Torah that is the joint inheritance of the entire Jewish people. Whenever an individual toils in Torah, the benefits are shared by all Jews, who are equal partners in that heritage.

Similarly, Torah scholars are described as *the heart of the Jewish people* (*Yalkut Shimoni*, *Nach* §271 s.v. דרכך). Just as the heart pumps blood to the entire body, providing it with all its necessary nutrients, so too the Torah scholar; the Torah he studies provides vitality to all Jews, regardless of their involvement in that study. The Torah is their lifeblood, even if they have little or no knowledge of the Torah itself.

The Gemara (*Sanhedrin* 99b) castigates a Jew who claims that Torah scholars are of no benefit to him, calling him an *apikoros* and one who is insolent toward the Torah. For such a person thereby denies the essentiality of the Torah to the Jewish people. Without its study, the Jewish people in particular — and the rest of the world in general — would not exist. As the Gemara there cites from *Jeremiah* 33:25: אִם לֹא בְרִיתִי יוֹמָם וָלָיְלָה חֻקּוֹת שָׁמַיִם וָאָרֶץ לֹא שָׂמְתִּי, *If not for My covenant* [i.e., the Torah] *day and night, I would not have established the statutes of heaven and earth.*

The Torah scholar does more than elevate himself. He elevates the entire Jewish nation with him. And indeed this elevates all of creation as well (*Mishnas Rav Aharon*, Vol. I, p. 37).

Ⓑ **Derech Eretz Precedes Torah** The relationship between Torah and *derech eretz* is the subject of much discussion. The statement of Midrash that *derech eretz* precedes Torah surely does not mean that the prevailing mores of society somehow take precedence over Torah. One explanation, as mentioned in the note, is that the attitudes embedded in the unencumbered human mind by its Creator have value and are even a foundation that is assumed as a given by the Torah.

Alternatively, *R' Elazar Shach* (*Machsheves Mussar*, p. 79) explains that the *derech eretz* of the Torah itself — the lessons that the Torah teaches us regarding proper behavior, decency, manners, respect for another, proper speech, and other human qualities — are a prerequisite for the proper study of Torah. The various narratives in the Book of *Genesis* teach us how one should treat guests, how one should speak to others, how to deal with those who are worried or brokenhearted, how not to respond sharply to a wife, how to confront an enemy, how to arrange a

"מוֹרָשָׁה קְהִלַּת יַנַּאי" אֵין כְּתִיב כָּאן, אֶלָּא "קְהִלַּת יַעֲקֹב", אֲמַר לֵיהּ: לָמָּה זָכִית לְמֵיכַל עַל *פְּתוֹרִי, אֲמַר לוֹ: מִיּוֹמַי לָא שְׁמָעִית מִילָּא בִישָׁא וְחָזַרְתִּי לְמָרֵהּ, וְלָא חֲמֵית תְּרֵין דְּמִתְכַּתְּשִׁין דֵּין עִם דֵּין וְלָא יְהָבִית שְׁלָמָא בֵּינֵיהוֹן, אֲמַר לֵיהּ: כָּל הָדָא דֶּרֶךְ אֶרֶץ גַּבָּךְ וְקָרֵיתָךְ כַּלְבָּא, קָרָא עֲלֵיהּ "וְשָׂם דֶּרֶךְ", דְּשָׁיֵים אוֹרְחֵיהּ סַגֵּי שָׁוֵי, דְּאָמַר רַבִּי יִשְׁמָעֵאל בַּר רַב נַחְמָן: עֶשְׂרִים וְשִׁשָּׁה דּוֹרוֹת קָדְמָה דֶּרֶךְ אֶרֶץ אֶת הַתּוֹרָה, הֲדָא הוּא דִכְתִיב (בראשית ג, כד) "לִשְׁמֹר אֶת דֶּרֶךְ עֵץ הַחַיִּים", "דֶּרֶךְ" זוֹ דֶּרֶךְ אֶרֶץ, וְאַחַר כָּךְ "עֵץ הַחַיִּים" זוֹ תּוֹרָה. "אַרְאֶנּוּ בְּיֵשַׁע אֱלֹהִים", אָמַר רַבִּי אַבָּהוּ: זֶה אֶחָד מִן הַמִּקְרָאוֹת שֶׁיְּשׁוּעָתוֹ שֶׁל הַקָּדוֹשׁ בָּרוּךְ הוּא יְשׁוּעָתָן שֶׁל יִשְׂרָאֵל, (תהלים פ, ג) "וּלְכָה לִישֻׁעָתָה לָּנוּ".

עץ יוסף

מורשה קהלת ינאי אין כתיב כאן אלא קהלת יעקב. וכן הוא גירסת הילקוט (תהלים פרק נ רמז תשסג), ורצה לומר דמדכתיב מורשה קהלת יעקב נראה שהתורה ירושה להמון ישראל ואפילו עמי הארצות יש להם חלק בה, כלומר שלהצטרפותם עם תלמידי חכמים ניתנה התורה, שמפני התלמידי חכמים לבדם לא היתה ניתנת, ונמצא שרבי ינאי שזכה לתורה יש בידו מירושת האיש ההמוני ההוא, וזו הוכחה מגולה על שקראו כלב, שמאחר שגם הוא מצטרף בזכות נתינת התורה נחשב גם הוא קהל לפני ה', ומכיון דאינו מחשיבו אלא לכלב נמצא שגוזל ממנו זכותו אשר אין לו חלק בענין התורה, ואז ודאי נענה לו רבי ינאי, ושאל לו דמכל מקום צריך שיהיה לו שום זכות מיוחד משאר עמי הארץ שעל ידו זכה לאכול על שולחנו. ודע שבמדרש שמט היפה תואר הגירסא מורשה קהלת יעקב ליעקב אין כתיב כן אלא קהלת יעקב, ופירש היפה תואר, דאילו כתיב ליעקב היה אפשר לומר למיוחדים שבישראל, אבל כיון דכתיב קהלת יעקב משמע דכל הקהל כאחד יש להם חלק בירושה: **לא שמעית מלה כו'.** פירוש מימי לא שמעתי דבר רע שהיה אחד מדבר על חבירו וחזרתיו לאדוניה, כלומר להגידו ולהלשינו לאותו הנאמר עליו. או רצה לומר לא שמעתי קללה או גידוף משום אדם עלי וחזרתי לערער עמו על זה, אלא הייתי מהשומעים חרפתם ואינם משיבים: **ולא חמית כו'.** ולא ראיתי שנים מריבים זה עם זה שלא נתתי שלום ביניהם: **דאמר ר' ישמעאל בר רב נחמן כו'.** כי היכי דלא תקשי אטו משום דרך ארץ יזכה אדם לישע אלהים, לכן מייתי דר' ישמעאל דלאו מילתא זוטרתי היא דרך ארץ כיון דקדמה עשרים ושש דורות לתורה: **עשרים ושש דורות קדמה.** שהרי לעשרים וששה דורות ניתנה התורה, ולדרך ארץ הזהיר מתחלה דמכיון דלשמור את דרך וכו' שמעינן דרך ארץ ואחר כך תורה, הרי דמקמי תורה אזהרה אדרך ארץ, ומדלא שמעינן באיזה דור, נקטינן דמאדם הראשון הוזהרו בו, שהעולם היה עומד בלי נתינת התורה האלקית, כי אם התנהגו כפי השכל הישר והאמונה בלי תורה. ועיין בענף: **דרך זו דרך ארץ, ואחר כך עץ החיים זו תורה.** ולהורות באו שהמדות הטובות המה משרתים לתורה וצריך האדם לנטוע בלבו המדות הטובות בכדי שעל ידי זה תשכון התורה בקרבו כי צריך שיראת חטאו יהיה קודמת לחכמתו: **זה אחד מן המקראות כו'.** פירוש ולכה לישועתה לנו אחד מן המקראות, ומייתי לה הכא למילף מיניה לפרש הכי נמי בישע אלהים, משום דסתימת הכוונה בכתוב שנאמר בישע אלהים נוכל לומר כביכול שהוא ישועת אלהים, ונוכל לומר שהכוונה בישע של אלהים במה שעוזרם ומושיעם, ולכן בא בעל המאמר ואמר שפירושו שהוא ישועת אלהים, כמו דכתיב ולכה לישועתה לנו. והוזקק לזה משום דקשה ליה דבישעי מבעי ליה כיון דהקדוש ברוך הוא הוא המדבר, על כרחך שהיתור בא לאשמועינן שהישועה לאלהים עצמו: **זה אחד מן המקראות כו'.** כי רבים הם המורים על זה דהיינו (שמות יד, ל) ויושע ה' את ישראל, ונרננה בישועתך (תהלים כ, ו) כדלקמן בבמדבר רבה פרשה ב (סימן ב), וכן (דברים ל, ג) ושב ה' אלהיך את שבותך כדאיתא בפרק בני העיר (מגילה כט, א), וכן הני קראי דמייתי בירושלמי דסוכה (פ"ד ה"ג) ובתנחומא סוף פרשת אחרי: **שישועתו של הקדוש ברוך הוא כו'.** משום כשאנו בגלות שמו מחולל ואין כבוד שמו נודע כאשר הוא בזמן הגאולתינו: **ולכה לישועתה לנו.** וכדאיתא בשוחר טוב מזמור פ' ולכה מלא כתיב, שכל הישועה שלך היא:

פירוש מהרז"ו

דרך זו דרך ארץ. ואחר כך ועץ החיים זו תורה, משמע שמה שכתוב (בראשית ג, כד) לשמור את דרך עץ החיים, שהאדם ישמור את דרך עץ החיים, ופשט הכתוב וישכן מקדם לגן עדן את הכרובים ואת להט החרב המתהפכת לשמור את דרך עץ החיים, שהכרובים ולהט החרב ישמרו הדרך שלא יבא האדם שם, כמו שכתוב בפסוק הקודם ועתה פן ישלח ידו ולקח גם מעץ החיים. אך הענין בזה שמאחר שמצינו שהתורה נקראת עץ חיים, כמפורש במשלי (ג, יח) עץ חיים היא למחזיקים בה, ומצוה אותנו שנחזיק בעץ החיים, ודורשים בפרקי דרבי אליעזר זה לשונו (פרק יב), ויניחהו בגן עדן לעבדה ולשמרה, ומה עבודה היה בתוך הגן וכו', ומהו לעבדה ולשמרה, אלא לעסוק בדברי תורה ולשמור את דרך עץ החיים, ואין עץ החיים אלא תורה שנאמר (משלי שם) עץ חיים היא למחזיקים בה עכ"ל, וכן בריש התנא דבי אליהו ז"ל (פרשה א), לשמור את דרך עץ החיים, דרך זה דרך ארץ, עץ החיים זו תורה וכו', שנאמר עץ חיים היא למחזיקים בה. וכן הוא לקמן (לה, ו) אלא פירושו בהכרח שדורשים פסוק זה על פי מדה דל"א מוקדם שהוא מאוחר, בענין כאלו כתוב ויגרש את האדם לשמור את דרך עץ החיים וישכן מקדם לגן עדן את הכרובים, ומה שכתוב לשמור את דרך עץ החיים, כמו שכתוב (בראשית יח, יט) ושמרו דרך ה', וכמו שכתוב (ב, טו) ויניחהו בגן עדן לעבדה ולשמרה, כמו שכתב בפרקי דרבי אליעזר הנ"ל, ובבראשית רבה (טז, ה): **עשרים וששה דורות.** עשרה דורות מאדם ועד נח, ועשרה דורות עד אברהם, הרי עשרים דורות, יצחק, יעקב, לוי, קהת, עמרם, משה, הרי עשרים וששה דורות: **זה אחד מן המקראות.** עיין תנחומא סוף פרשה אחרי מות בארוכות:

חידושי הרד"ל

דרך זו דרך ארץ. לקמן פרשה ל"ה (סימן ו):

חידושי הרש"ש

[ג] אמר ר' אבהו כו' שישועתן של ישראל ישועתו של הקדוש ברוך הוא. כן צריך לומר. וכן הוא בילקוט תהלים:

אמרי יושר

קרא עליו ושם דרך. יש לומר שעל עצמו קרא, וכאלו מתחרט על מה עשה, כי דרך ארץ היא חשובה ועיקר, אבל הכנון הוא שעל אותו אדם קרא ושם דרך, וגדול כחו, כיון שהיה זהיר בדרך ארץ ובמדת השלום:

מסורת המדרש

ה. מדרש תהלים מזמור פ': ירושלמי סוכה פ"ד:

אם למקרא

גַּם כִּי יִתְנוּ בַגּוֹיִם עַתָּה אֲקַבְּצֵם וַיָּחֵלּוּ מְּעָט מִמַּשָּׂא מֶלֶךְ שָׂרִים: (הושע ח:י)

לִפְנֵי אֶפְרַיִם וּבִנְיָמִן וּמְנַשֶּׁה עוֹרְרָה אֶת־גְּבוּרָתֶךָ וּלְכָה לִישֻׁעָתָה לָּנוּ: (תהלים פ:ג)

ענף יוסף

(ג) עשרים וששה דורות קדמה דרך ארץ את התורה. ואין מה שאמרו שהתורה קדמה אלפים שנה לעולם סותר לזה, דהתם בכתיבתה למעלה אש שחורה על גבי אש לבנה מיירי, והכא בנתינתה למטה (יפה תואר):

מתנות כהונה

הכי גרסינן מורשה קהלת ינאי אין כתיב כו'. למה זכית כו'. מה זכות מצאת בעצמך שעליו תמכת וסמכת לאכול על שלחני: **מימי לא שמעתי וכו'.** מימי לא שמעית דבר רע שהיה אחד מדבר על חבירו וחזרתיו לאדוניה, כלומר להגידו ולהלשינו לאותו הנאמר עליו, או רצה לומר לא שמעתי אדם אומר דבר רע עלי וחזרתי לערער עמו על זה, מפני שהייתי מוחל על עלבוני: **ולא חמית כו'.** ולא ראיתי שנים מריבים זה עם זה שלא נתתי שלום ביניהם: **הכי גרסינן בילקוט** (תהלים רמז תשסג) **קרא עליה ושם דרך דשיים אורחיה סגי שווי. אראנו בישע אלהים:**

נחמד למראה

רב יהודה אמר שמואל מפני מה לא נמשכה מלכות בית שאול, מפני שלא היה בו שום דופי, דאמר רבי יוחנן משום רבי שמעון בן יהוצדק אין מעמידין פרנס על הציבור אלא אם כן קופה של שרצים תלויה לו מאחוריו וכו', עד כאן. והשתא יש לדקדק אם האמת הוא שאין מעמידין פרנס על הציבור אלא אם כן קופה של שרצים וכו', איך נתמנה שאול להיות מלך מתחלה, אלא שצריך לומר שזה היה בשביל זכות זקנו שהיה מדליק וכו', שיהיה מלך אף על פי שלא ימשך מלכותו, מפני שלא היה בו דופי. וזהו שאמר רבי שמעון בן לקיש שאול לא זכה למלוכה אלא על ידי שהיה זקנו וכו', רצונו לומר שמפני שלא היה בו דופי לא היה ראוי למלוך, וזכה לזה על ידי זקנו, ודוק:

אשד הנחלים

התורה האלקית, כי אם התנהגו כפי השכל הישר והאמונה בלי תורה, ולכן התנהגו רק בעניינים אנושיים שכליים. ולהורות באו שהמדות הטובות המה משרתות לתורה האלקית, וצריך האדם לנטוע בלבו המדות הטובות, בכדי שעל ידי זה תשכון התורה בקרבו, כי צריך שיראת חטאו יהיה קודמת לחכמתו. והדברים בזה ארוכים למאוד: **דרך זו דרך ארץ כו'.** עניינו בארוכה בארתי בריש ספרי מאורי אש על התנא דבי אליהו, עיין שם ותבין הדבר על בוריו: **שישועתו של הקב"ה ישועתן של ישראל כו'.**

The Midrash cites the final clause of the verse from *Psalms*, followed by an exposition that will shed light on it:

"אַרְאֵנוּ בְּיֵשַׁע אֱלֹהִים" — *I will show him the salvation of God;*[52]

אָמַר רַבִּי אַבָּהוּ: זֶה אֶחָד מִן הַמִּקְרָאוֹת שֶׁיְּשׁוּעָתוֹ שֶׁל הַקָּדוֹשׁ בָּרוּךְ הוּא יְשׁוּעָתָן שֶׁל יִשְׂרָאֵל — **R' Abahu said: This** (i.e., the following verse)[53] **is one of the verses** that teach **that the salvation of the Holy One, blessed is He, is the salvation of Israel:**[54] **"וּלְכָה לִישֻׁעָתָה לָּנוּ" — *It is for You to save us*** (*Psalms* 80:3).[55]

NOTES

52. The Midrash is troubled by the fact that the verse concludes with God promising, "אַרְאֵנוּ בְּיֵשַׁע "אֱלֹהִים, *I will show him the salvation "of God,"* as opposed to more simply, *I will show him "My salvation"* (*Eitz Yosef*).

53. Ibid.

54. As long as the Jews [— God's chosen people —] are in exile, His Name is desecrated and His Glory is not revealed [to mankind] as it is at times of Jewish prominence (ibid.). Thus, *the salvation of the Holy One, blessed is He,* is equated, so to speak, with *the salvation of Israel* from exile.

There are many verses that make this point; others are discussed in *Bamidbar Rabbah* 2 [§2], *Megillah* [29a], *Yerushalmi Succah* [4:3], and *Tanchuma, Acharei Mos* §12 (ibid.).

55. Our Midrash accords with *Midrash Shocher Tov* §80, where the unique spelling of the word לְכָה, *for you* (typically spelled לְךָ), prompts the Midrash to interpret the verse as suggesting that the Psalmist tells God, *the entire salvation* [of *us*, the Jewish people] *is "for You"* (ibid.).

Based on the concept that emerges from this verse, the Midrash is intimating that when the *Psalms* verse cited above states אַרְאֵנוּ בְּיֵשַׁע "אֱלֹהִים", *I will show him the salvation "of God,"* it does not refer to the salvation of the Jews that will be effected *by* God, but rather to the *salvation of God* Himself, so to speak (ibid.).

INSIGHTS

shidduch, what to look for in a wife, how to conduct oneself when negotiating a purchase, and many other lessons of proper interpersonal and social behavior. The Torah is not only a book of laws. It teaches us everything we need to know about proper living. If one would but know how and where to look in the Torah, he would be able to find in it the answers of what to do and how to act.

On the Mishnah in *Avos* (3:17), which states, "If there is no Torah, there is no *derech eretz," Rabbeinu Yonah* (*Commentary* ad loc.) explains that one who is not knowledgeable in Torah will not have excellent character traits, as most good character traits are taught by the Torah. For example, the laws of returning collateral to a poor man, the requirement to give gifts to one's Hebrew servant who is departing his employ, the obligation to have fair and honest balances, and many other laws in the Torah that deal with interpersonal relationships, teach us how to act in an ethical and moral way. Without Torah, one's character traits and one's morality will never be completely correct.

Conversely, though, our Sages say there as well, "If there is no *derech eretz,* there is no Torah." This means, explains *Rabbeinu Yonah,* that before one can expect Torah to be part and parcel of his personality, he must rectify his own character traits, as the Torah will not take up residence in the personality of one who is not a *mentsch.* It is impossible to first learn, and then just expect to acquire decency and good character traits. One must first be a *mensch* for the Torah to have any permanence in his personality.

R' Aharon Kotler makes a related point: Some have a tendency to denigrate the requirements of elementary decency, thinking that they are relatively unimportant vis-a-vis one's spiritual state. Our Sages tell us here that this is not so. Rather, a prerequisite of success in spiritual endeavors is decency, proper comportment, and making sure that things are done properly and with propriety.

Our Sages relate (*Yalkut Shimoni, Tehillim* §823) that God tested the leadership qualities of Moses and David by seeing how they conducted themselves as shepherds. Now, what relationship could there possibly be between shepherding a flock of sheep and establishing the Jewish nation or the Davidic dynasty? The difference between the two is not only quantitative and qualitative, but of a vastly different order altogether.

Clearly, our Sages teach us, there is a connection. A good shepherd takes care of his flock of sheep in a perfect, caring manner. His sense of responsibility and commitment is highly developed. These are among the greatest leadership qualities needed to lead a nation.

Conversely, one who cannot be relied upon to care for a flock of sheep can certainly not be depended on for more important matters. It is simply not true that a person negligent with regard to relatively unimportant things will be more scrupulous when faced with matters of greater import. In the depths of a man's psyche, there is a common root. One who is disorganized in material matters will be disorganized in his spiritual pursuits as well. The way one acts with regard to mundane affairs is critical to his success in the more sublime, spiritual realm. Indeed, *derech eretz* precedes Torah, for without *derech eretz,* one's Torah will be deficient as well (*Mishnas Rav Aharon* I, pp. 116-117).

"מוֹרָשָׁה קְהִלַּת יַנַּאי" אֵין כְּתִיב כָּאן, אֶלָּא "קְהִלַּת יַעֲקֹב", אֲמַר לֵיהּ: לָמָּה זְכִית לְמֵיכַל עַל *פְּתוֹרִי, אֲמַר לוֹ: מִיּוֹמַי לָא שְׁמָעִית מִילָּא בִישָׁא וְחָזַרְתִּי לְמָרָהּ, וְלָא חֲמֵית תְּרֵין דְּמִתְכַּתְּשִׁין דִּין עִם דִּין וְלָא יְהָבִית שְׁלָמָא בֵּינֵיהוֹן, אֲמַר לֵיהּ: כָּל הָדָא דֶּרֶךְ אֶרֶץ גַּבָּךְ וְקָרִיתָךְ כַּלְבָּא, קָרָא עֲלֵיהּ "וְשָׂם דֶּרֶךְ", דְּשָׁיֵים אוֹרְחֵיהּ סַגֵּי שָׁוֵי, דְּאָמַר רַבִּי יִשְׁמָעֵאל בַּר רַב נַחְמָן: עֶשְׂרִים וְשִׁשָּׁה דּוֹרוֹת קָדְמָה דֶּרֶךְ אֶרֶץ אֶת הַתּוֹרָה, הֲדָא הוּא דִכְתִיב (בראשית ג, כד) "לִשְׁמֹר אֶת דֶּרֶךְ עֵץ הַחַיִּים", "דֶּרֶךְ" זוֹ דֶּרֶךְ אֶרֶץ, וְאַחַר כָּךְ "עֵץ הַחַיִּים" זוֹ תּוֹרָה. "אַרְאֶנּוּ בְּיֵשַׁע אֱלֹהִים", אָמַר רַבִּי אַבָּהוּ: זֶה אֶחָד מִן הַמִּקְרָאוֹת שֶׁיְּשׁוּעָתוֹ שֶׁל הַקָּדוֹשׁ בָּרוּךְ הוּא יְשׁוּעָתָן שֶׁל יִשְׂרָאֵל, (תהלים פ, ג) "וּלְכָה לִישֻׁעָתָה לָּנוּ":

עץ יוסף

מורשה קהלת ינאי אין כתיב כאן אלא קהלת יעקב. וכן הוא גירסת הילקוט (תהלים פרק נ רמז תשסג), ורצה לומר דמדכתיב מורשה קהלת יעקב נראה שהתורה ירושה להמון ישראל ואפילו עמי הארצות יש להם חלק בה, כלומר שלהצטרפותם עם תלמידי חכמים ניתנה התורה, שמפני התלמידי חכמים לבדם לא היתה ניתנת, ונמצא שרבי ינאי שזכה לתורה יש בידו מירושת האיש ההמוני ההוא, וזו תוכחת מגולה על שקראו כלב, שמאחר שגם הוא מצטרף בזכות נתינת התורה נחשב גם הוא קצת לפני ה', ומכיון דאינו מחשיבו אלא לכלב נמצא שגוזל ממנו זכותו אשר אין לו חלק בענין התורה, ואז ודאי נענה לו רבי ינאי, ושאל לו דמכל מקום צריך שיהיה לו שום זכות מיוחד משאר עמי הארץ שעל ידו זכה לאכול על שולחנו. ודע שבמדרש שעם היפה תואר הגירסא מורשה קהלת יעקב ליעקב אין כתיב כן אלא קהלת יעקב, ופירש היפה תואר, דאילו כתיב ליעקב היה אפשר לומר למיוחדים שבישראל, אבל כיון דכתיב קהלת יעקב משמע דכל הקהל כאחד יש להם חלק בירושה: **לא שמעית מלה כו'.** פירוש מימי לא שמעתי דבר רע שהיה אחד מדבר על חבירו וחזרתיו לאדוניה, כלומר להגידו ולהלשינו לאותו הנאמר עליו. או רצה לומר לא שמעתי קללה או גידוף משום אדם עלי וחזרתי לערער עמו על זה, אלא הייתי מהשומעים חרפתם ואינם משיבים: **ולא חמית כו'.** ולא ראיתי שנים מריבים זה עם זה שלא נתתי שלום ביניהם: **דאמר ר' ישמעאל בר רב נחמן כו'.** כי היכי דלא תקשי אטו משום דרך ארץ יזכה אדם לישע אלהים, לכן מייתי דר' ישמעאל דלאו מילתא זוטרתי היא דרך ארץ כיון דקדמה עשרים ושש דורות לתורה: **עשרים ושש דורות קדמה.** שהרי לעשרים וששה דורות ניתנה התורה, ולדרך ארץ אזהר מתחלה למכון דלשמור את דרך וכו' שמעינן דרך ארץ ואחר כך תורה, הרי דמקמי תורה אזהרה אדרך ארץ, ומדלא שמעינן באיזה דור, נקטינן דמאדם הראשון הוזהרו בו, שהעולם היה עומדת בלי נתינת התורה האלקית, כי אם התנהגו כפי השכל הישר והאמונה בלי תורה. ועיין בענף: **דרך זו דרך ארץ, ואחר כך עץ החיים זו תורה.** ולהורות באו שהמדות הטובות המה משרתים לתורה וצריך האדם לנטוע בלבו המדות הטובות בכדי שעל ידי זה תשכון התורה בקרבו כי צריך שיראת חטאו יהיה קודמת לחכמתו: **זה אחד מן המקראות כו'.** פירוש ולכה לישועתה לנו אחד מן המקראות, ומייתי לה הכא למילף מיניה לפרש הכי נמי בישע אלהים, משום דסתימת הכוונה בכתוב שנאמר בישע אלהים נוכל לומר כביכול שהוא ישועת אלהים, ונוכל לומר שהכוונה בישע של אלהים במה שעוזרם ומושיעם, ולכן בא בעל המאמר ואמר שפירושו שהוא ישועת אלהים, כמו דכתיב ולכה לישועתה לנו. והוזקק לזה משום דקשה ליה דבישעי מבעי ליה כיון דהקדוש ברוך הוא הוא המדבר, על כרחך שהיתור בא לאשמועינן שהישועה לאלהים עצמו: **זה אחד מן המקראות כו'.** כי רבים הם המורים על זה דהיינו (שמות יד, ל) ויושע ה' את ישראל, ונרננה בישועתך (תהלים כ, ו) כדלקמן בבמדבר רבה פרשה ב (סימן ב), וכן (דברים ל, ג) ושב ה' אלהיך את שבותך כדאיתא בפרק בני העיר (מגילה כט, א), וכן הני קראי דמייתי בירושלמי דסוכה (פ"ד ה"ג) ובתנחומא סוף פרשת אחרי: **שישועתו של הקדוש ברוך הוא כו'.** משום כשאנו בגלות שמו מחולל ואין כבוד שמו נודע כאשר הוא בזמן הגאלתינו: **ולכה לישועתה לנו.** וכדאיתא בשוחר טוב מזמור פ' ולכה מלא כתיב, שכל הישועה שלך היא:

פירוש מהרז"ו

דרך זו דרך ארץ. ואחר כך ועץ החיים זו תורה, משמע שמה שכתוב (בראשית ג, כד) לשמור את דרך עץ החיים, שהאדם ישמור את דרך עץ החיים, ופשט הכתוב וישכן מקדם לגן עדן את הכרובים ואת להט החרב המתהפכת לשמור את דרך עץ החיים, שהכרובים ולהט החרב ישמרו הדרך שלא יבא האדם שם, כמו שכתוב בפסוק הקודם ועתה פן ישלח ידו ולקח מעץ החיים. אך הענין בזה שמאחר שמצינו שהתורה נקראת עץ חיים, כמפורש במשלי (ג, יח) עץ חיים היא למחזיקים בה, ומלוה אותו שמחזיק בעץ החיים, ודורשים בפרקי דרבי אליעזר זה לשונו (פרק יב), ויניחהו בגן עדן לעבדה ולשמרה, ומה עבודה היא בתוך הגן וכו', ומהו לעבדה ולשמרה, אלא לעסוק בדברי תורה ולשמור את דרך עץ החיים, ואין עץ החיים אלא תורה שנאמר (משלי שם) עץ חיים היא למחזיקים בה עכ"ל, וכן בריש התנא דבי אליהו ז"ל (פרשה א), לשמור את דרך עץ החיים, דרך זה דרך ארץ, עץ החיים זו תורה וכו', שנאמר עץ חיים היא למחזיקים בה. וכן הוא לקמן (לה, ו) אלא פירושו בהכרח שדורשים פסוק זה על פי מדה ל"א מוקדם שהוא מאוחר, בענין כאלו כתוב ויגרש את האדם לשמור את דרך עץ החיים וישכן מקדם לגן עדן את הכרובים, ומה שכתוב לשמור את דרך עץ החיים, כמו שכתוב (בראשית יח, יט) ושמרו דרך ה', וכמו שכתוב (ב, טו) ויניחהו בגן עדן לעבדה ולשמרה, כמו שכתב בפרקי דרבי אליעזר הנ"ל, ובבראשית רבה (טז, ה). **עשרים וששה דורות.** עשרה דורות מאדם ועד נח, ועשרה דורות עד אברהם, הרי עשרים דורות, יצחק, יעקב, לוי, קהת, עמרם, משה, הרי עשרים וששה דורות: **זה אחד מן המקראות.** עיין תנחומא סוף פרשה אחרי מות באריכות:

חידושי הרד"ל

דרך זו דרך ארץ. לקמן פרשה ל"ה (סימן ו):

חידושי הרש"ש

[ג] אמר ר' אבהו כו' שישועתן של ישראל ישועתו של הקדוש ברוך הוא. כן צריך לומר. וכן הוא בילקוט תהלים:

אמרי יושר

קרא עליו ושם דרך. יש לומר שעל עצמו קרא, וכאלו מתחרט על מה שעשה, כי דרך ארץ היא חשובה ועיקר, אבל הנכון הוא שעל אותו אדם קרא ושם דרך, וגדול כחו, כיון שהיה זהיר בדרך ארץ ובמדת השלום:

מסורת המדרש

ה. מדרש תהלים מזמור פ': ירושלמי סוכה פ"ד:

אם למקרא

גַּם כִּי יִתְנוּ בַגּוֹיִם עַתָּה אֲקַבְּצֵם וַיָּחֵלּוּ מְּעָט מִמַּשָּׂא מֶלֶךְ שָׂרִים:
(הושע ח:י)

לִפְנֵי אֶפְרַיִם וּבִנְיָמִן וּמְנַשֶּׁה עוֹרְרָה אֶת גְּבוּרָתֶךָ וּלְכָה לִישֻׁעָתָה לָּנוּ:
(תהלים פ:ג)

ענף יוסף

(ג) עשרים וששה דורות קדמה דרך ארץ את התורה. ואין מה שאמרו שהתורה קדמה אלפים שנה לעולם סותר לזה, דהתם בכתיבתה למעלה אש שחורה על גבי אש לבנה מיירי, והכא בנתינתה למטה (יפה תואר):

מתנות כהונה

הכי גרסינן מורשה קהילת ינאי אין כתיב כו'. למה זכית כו'. מה זכות מצאת בעצמך שעליו תמכת וסמכת לאכול על שלחני: **מימי לא שמעתי וכו'.** מימי לא שמעית דבר רע שהיה אחד מדבר על חבירו וחזרתיו לאדוניה, כלומר להגידו ולהלשינו לאותו הנאמר עליו, או רצה לומר לא שמעתי אדם אומר דבר רע עלי וחזרתי לעורר עמו על זה, מפני שהייתי מוחל על עלבוני: **ולא חמית כו'.** ולא ראיתי שנים מריבים זה עם זה שלא נתתי שלום ביניהם: **הכי גרסינן בילקוט** (תהלים רמז תשסג) **קרא עליה ושם דרך דשיים אורחיה סגי שווי. אראנו בישע אלהים:**

נחמד למראה

רב יהודה אמר שמואל מפני מה לא נמשכה מלכות בית שאול, מפני שלא היה בה שום דופי, דאמר רבי יוחנן משום רבי שמעון בן יהוצדק אין מעמידין פרנס על הציבור אלא אם כן קופה של שרצים תלויה לו מאחוריו וכו', עד כאן. והשתא יש לדקדק אם האמת הוא שאין מעמידין פרנס על הציבור אלא אם כן קופה של שרצים וכו', איך נתמנה שאול להיות מלך מתחלה, אלא שצריך לומר שזה היה בשביל זכות זקנו שהיה מדליק וכו', שיהיה מלך אף על פי שלא ימשך מלכותו, מפני שלא היה בו דופי. וזהו שאמר רבי שמעון בן לקיש שאול לא זכה למלוכה אלא על ידי שהיה זקנו וכו', רצונו לומר שמפני שלא היה בו דופי לא היה ראוי למלוך, וזכה לזה על ידי זקנו, ודוק:

אשד הנחלים

התורה האלקית, כי אם התנהגו כפי השכל הישר והאמונה בלי תורה, ולכן התנהגו רק בעניינים אנושיים שכליים. ולהורות באו שהמדות הטובות המה משרתות לתורה האלקית, וצריך האדם לנטוע בלבו המדות הטובות, בכדי שעל ידי זה תשכון התורה בקרבו, כי צריך שיראת חטאו יהיה קודמת לחכמתו. והדברים בזה ארוכים למאוד: **דרך זו דרך ארץ כו'.** עניינו בארוכה בארתי בריש ספרי מאורי אש על התנא דבי אליהו, עיין שם ותבין הדבר על בוריו: **שישועתו של הקב"ה ישועתן של ישראל כו'.**

§4 [אִם עַל תּוֹדָה יַקְרִיבֶנּוּ — *IF HE SHALL OFFER IT FOR A THANKSGIVING-OFFERING.*]

The Midrash will present a parable to explain why our verse includes the seemingly superfluous word יַקְרִיבֶנּוּ, lit., *he shall offer it*, in the context of the *shelamim*-offering:[56]

אָמַר רַבִּי פִּנְחָס: מָשָׁל לְמֶלֶךְ שֶׁבָּאוּ אֲרִיסָיו וּבְנֵי בֵיתוֹ לְכַבְּדוֹ — **R' Pinchas said:** God's acceptance of the various offerings is **analogous to a king whose sharecroppers and household members came to honor him.** בָּא אֶחָד וְאָמַר: מִי הוּא זֶה — **One** of them **came** and presented a gift, **and [the king] asked** his servants, **"Who is this** man?" אָמְרוּ לוֹ: אֲרִיסְךָ הוּא — **They replied to him, "He is your sharecropper."** אָמַר לָהֶן: טְלוּ סְדוּרוֹ — **[The king] said to [his servants], "Take his arrangement."**[57] בָּא אֶחָד וְכִבְּדוֹ וְאָמַר: מִי הוּא זֶה — **A** second **man came and honored [the king]** with a gift, **and [the king] asked** his servants, **"Who is this** man?" אָמְרוּ לוֹ: בֶּן בֵּיתְךָ הוּא — **They replied to him, "He is a member of your household."** טְלוּ סְדוּרוֹ — Once again, the king instructed his servants, **"Take his arrangement."** בָּא אַחֵר וְאָמַר: מִי הוּא זֶה — **Another** man **came and** presented a gift, **and [the king] asked** his servants, **"Who is this** man?" אָמְרוּ לוֹ: לֹא אֲרִיסְךָ וְלֹא בֶּן בֵּיתְךָ אֶלָּא בָּא לְכַבֶּדְךָ — **They replied to him,** "He is **not your sharecropper, nor** is he **a member of your household; rather [this individual] came** on his own accord **to honor you."** אָמַר: יַהֲבוּ לֵיהּ סְלִירָא וְיֵשֵׁב עָלֶיהָ — **[The king] said** to his servants, **"Give him a chair**[58] **and let him sit upon it!"**[59]

The Midrash relates the parable to our verse:

כָּךְ חַטָּאת בָּאָה עַל חֵטְא וְאָשָׁם בָּא עַל חֵטְא — **Similarly,** whereas **a** ***chatas*****-offering is brought** to atone **for a sin and an** ***asham*****-offering is brought** to atone **for a sin,** תּוֹדָה אֵינָהּ בָּאָה עַל חֵטְא — **a** ***todah*****-offering is not brought** to atone **for a sin;**[60] thus, our verse states, "אִם עַל תּוֹדָה יַקְרִיבֶנּוּ" — ***If for a thanksgiving-offering "yakrivenu."***[61]

§5 [אִם עַל תּוֹדָה יַקְרִיבֶנּוּ — *IF HE SHALL OFFER IT FOR A THANKSGIVING-OFFERING.*]

The Midrash will cite a verse from *Proverbs* that it will use to explain the seemingly unnecessary word יַקְרִיבֶנּוּ, lit., *he shall offer it*:

דָּבָר אַחֵר, "אִם עַל תּוֹדָה יַקְרִיבֶנּוּ" — **Alternatively,** ***If he shall offer it for a thanksgiving-offering*** — זֶה שֶׁאָמַר הַכָּתוּב "אֱוִלִים יָלִיץ אָשָׁם" — **this is** illustrative of **that which Scripture states,** ***A guilt-offering will intercede for foolish ones,*** *but [HASHEM's] favor is among the upright* (*Proverbs* 14:9). Before it elaborates on the above statement, the Midrash digresses to expound this verse from *Proverbs*:[62] אָמַר רַבִּי יוּדָן — **R' Yudan said:** הַטִּפֵּשׁ הַזֶּה מְתַרְגֵּם חוֹבָתוֹ בְּפִיו וְאוֹמֵר: לֹא חַטָּאת אֲנִי חַיָּיב וְלֹא אָשָׁם אֲנִי חַיָּיב — This verse suggests that **a fool announces his guilt**[63] **with his mouth and he says, "Is it not a mere** ***chatas*****-offering** that **I am obligated** to bring? **Is it not a mere** ***asham*****-offering** that **I am obligated** to bring?!"[64] רַבִּי יוּדָן בְּשֵׁם רַבִּי לֵוִי אָמַר: אֵלּוּ בְּנֵי אָדָם שֶׁנּוֹהֲגִים הֶתֵּר בְּשְׁפָחוֹת בָּעוֹלָם הַזֶּה — **R' Yudan said in the name of R' Levi: [The** ***fools*** **referred to by this verse] are people who act permissively with maidservants in this world.**[65] הַקָּדוֹשׁ בָּרוּךְ הוּא תּוֹלֶה אוֹתָן בְּקָדְקְדֵי רָאשֵׁיהֶם לֶעָתִיד לָבֹא — **The Holy One, blessed is He, will hang them by the tops of their heads in the future existence.**[66] הָדָא הוּא דִכְתִיב "אַךְ אֱלֹהִים יִמְחַץ רֹאשׁ אוֹיְבָיו קָדְקֹד שֵׂעָר מִתְהַלֵּךְ בַּאֲשָׁמָיו" — **Thus, it is written,** ***God will cleave only the head of His foes, the hairy skull of him who saunters with his guilt*** (*Psalms* 68:22).[67]

NOTES

56. *Maharzu*, *Eitz Yosef*.

57. I.e., the gift that the man had arranged and prepared (*Matnos Kehunah*, followed by *Eitz Yosef*).

Thus, while the king accepted the man's gift, he did not particularly draw him close (*Maharzu*).

58. *Matnos Kehunah*, first approach, followed by *Radal* and *Eitz Yosef*.

59. Because the third man was not obligated to display honor to the king as the first two were, his doing so demonstrated that he possessed true esteem and love for his monarch. For this reason, in addition to accepting the man's gift, the king also drew him close affectionately (*Maharzu*; also see *Yedei Moshe*, *Imrei Yosher*, *Eitz Yosef*).

60. Thus, like the third man of the parable, one who offers a *todah*-offering acts not because he has to but rather because he chooses to, and he therefore merits special treatment from the King (*Maharzu*, see there for further discussion; also see *Yedei Moshe*).

61. The Midrash interprets the word יַקְרִיבֶנּוּ to mean *He will bring him close*, for God will draw near and show honor to one who brings a *shelamim*-offering [such as a *todah*-offering] in a way that God does not do with respect to those who bring other offerings (*Eitz Yosef*; also see *Radal*).

62. Note that we have translated the verse simply based on *Rashi* and *Metzudos* ad loc. Presently, the Midrash will offer homiletical interpretations.

63. *Matnos Kehunah*, followed by *Radal* and *Eitz Yosef*.

64. Elucidation follows *Eitz Yosef*, who explains that the fool unabashedly admits to having committed sins that are of a less severe nature than others, pointing to the fact that his sin only requires him to bring an offering (also see *Radal*).

The words יָלִיץ אָשָׁם are understood here to mean *he advocates on behalf of his sin* (see *Radal*, *Eitz Yosef*).

65. [One of the sins for which the Torah requires that an *asham*-offering be brought is cohabitation with a שִׁפְחָה חֲרוּפָה, *a designated maidservant* (see *Leviticus* 19:20-22).] To illustrate the cited verse, R' Yudan gives the example of people who act permissively with a designated maidservant because they are comfortable in the knowledge that they can achieve atonement by bringing *asham*-offerings (*Eitz Yosef*).

66. The *asham*-offerings brought by these sinners will not help them; first, because *asham*-offerings are effective only for one who sins occasionally, not for one who regularly acts with permissiveness, and second, because offerings are not prescribed for one who originally sinned with intention to repent (*Yefeh To'ar*).

See Insight Ⓐ.

67. One would have expected the verse to use the term בַּחֲטָאָיו, *with his sins*, as opposed to בַּאֲשָׁמָיו, *with his guilt*. Additionally, the use of the word מִתְהַלֵּךְ, meaning *who walks* or *saunters*, in place of the more concise מְהַלֵּךְ, which has the same meaning, suggests habitual repetition of a pattern of behavior. The Midrash therefore interprets the verse to be teaching of the severe punishment that awaits those who repeatedly sin because of their overconfidence in their *asham* (guilt)-offerings (*Eitz Yosef*, first approach; see there and *Maharzu* for others).

INSIGHTS

Ⓐ **Hanged by Their Skulls** *Radal* explains the relationship between the sin of *permissiveness with maidservants* and the fate described by our Midrash:

When God took the Jewish nation out of Egypt, He is said to have *raised their heads* (see *Exodus* 14:8 with *Onkelos*). The most basic symbolism associated with the *tefillin* that are worn on the head is that they represent a crown, and thereby evoke the freedom from slavery that we gained upon our exodus from Egypt. As the Gemara teaches (in *Rosh Hashanah* 8b with *Rashi* ad loc.), freed slaves might don crowns as an indication of their newfound freedom.

Halachah treats the offspring of a union between a Jew and a maidservant as slaves (*Yevamos* 78a). One who allows this to happen to his children brazenly rejects what God has done to *raise his head* through freeing him from bondage. It is therefore fitting that he be hanged by his skull.

[See *Yefeh To'ar* and *Eshed HaNechalim* for alternative approaches.]

ד אָמַר רַבִּי פִּנְחָס: מָשָׁל לְמֶלֶךְ שֶׁבָּאוּ *אֲרִיסָיו וּבְנֵי בֵיתוֹ לְכַבְּדוֹ בָּא *אֶחָד וְאָמַר: מִי הוּא זֶה, אָמְרוּ לוֹ: אֲרִיסְךָ הוּא, אָמַר לָהֶן: טְלוּ סְדוּרוֹ, בָּא אֶחָד וְכִבְּדוֹ וְאָמַר: מִי הוּא זֶה, אָמְרוּ לוֹ: בֶּן בֵּיתְךָ הוּא, טְלוּ סְדוּרוֹ, בָּא אַחֵר וְאָמַר: מִי הוּא זֶה, אָמְרוּ *לוֹ לֹא אֲרִיסְךָ וְלֹא בֶּן בֵּיתְךָ אֶלָּא בָּא לְכַבֶּדְךָ, אָמַר: יַהֲבוּ לֵיהּ סְלִירָא וְיֵשֵׁב עָלֶיהָ, כָּךְ חַטָּאת בָּאָה עַל חֵטְא וְאָשָׁם בָּא עַל חֵטְא, תּוֹדָה *אֵינָהּ *בָּאָה עַל חֵטְא, [ז, יב] "אִם עַל תּוֹדָה יַקְרִיבֶנּוּ":

ה דָּבָר אַחֵר, [ז, יב] "אִם עַל תּוֹדָה יַקְרִיבֶנּוּ" זֶה שֶׁאָמַר הַכָּתוּב (משלי יד, ט) "אֱוִלִים יָלִיץ אָשָׁם", אָמַר רַבִּי יוּדָן: הַטִּפֵּשׁ הַזֶּה מְתַרְגֵּם חוֹבָתוֹ בְּפִיו וְאוֹמֵר: לֹא חַטָּאת אֲנִי חַיָּב וְלֹא אָשָׁם אֲנִי חַיָּב, רַבִּי יוּדָן בְּשֵׁם רַבִּי לֵוִי אָמַר: אֵלּוּ בְּנֵי אָדָם שֶׁנּוֹהֲגִים הֶתֵּר בִּשְׁפָחוֹת בָּעוֹלָם הַזֶּה, הַקָּדוֹשׁ בָּרוּךְ הוּא תּוֹלֶה אוֹתָן בְּקָדְקֳדֵי רָאשֵׁיהֶם לֶעָתִיד לָבֹא, הֲדָא הוּא דִכְתִיב (תהלים סח, כב) "אַךְ אֱלֹהִים יִמְחַץ רֹאשׁ אֹיְבָיו קָדְקֹד שֵׂעָר מִתְהַלֵּךְ בַּאֲשָׁמָיו", כָּל עַמָּא יֵימְרוּן: יֵזִיל הַהוּא גַּבְרָא בְּחוֹבֵיהּ יֵזִיל הַהוּא גַּבְרָא בְּחוֹבֵיהּ,

עץ יוסף

(ד) אמר ר' פנחס משל כו'. משום דקשיא ליה באומרו אם על תודה יקריבנו למה ליה למימר יקריבנו, דבלאו יקריבנו הטענין מובן. לכן מתרץ שה' יתן כבוד טפי למביא שלמים, והיינו יקריבנו שה' יקרבנו אליו לכבדו טפי מאיתך, כמלך שמושיב על כסא למי שלא בא אלא לכבדו שזה ראוי שיכובד יותר מאחרים: **סדורו.** סדר מתנתו שערך והכין: **סלירא.** פירוש כסא: **(ה) זה שאמר הכתוב אולים יליץ אשם.** משום דקשיא ליה דיקריבנו יתירא הוא כדלעיל, בעי לתרוצי קרוב למה שאמר לעיל שהקדוש ברוך הוא יקריב אליו מביא התודה שמפיק רצון מה' שיעתר לו בבקשתו, ולהכי מייתי הא דכתיב ובין ישרים רצון כדמפרש ליה על מביא התודה שיפיק רצון מה', ואידי דמייתי קרא מפרש ליה: **מתרגם חובתו בפיו.** וכן הוא הנוסחא בילקוט (תהלים פרק סח רמז תשצ), ופירושו הטיפש הזה כשעושה חטא יפרש וממליץ עבור חובתו לכל בפיו שלא עבר על כריתות ומיתות בית דין וחייבי לאוין, רק אשם הוא חייב, או חטאת. ורצה לומר שאומר ומה הוא שחטאתי, **לא חטאת אני חייב ולא אשם אני חייב** בתמיה, חטאת אני מביא, אשם אני מביא. **ור' יודן** הביא לדוגמא שייך לפסוק אוילים יליץ אשם, ואמר **אלו בני אדם שנוהגים היתר בשפחות.** רצה לומר בשפחה חרופה, **בעולם הזה,** על סמך שיביא אשם, **הקדוש ברוך הוא תולה אותן כו' הדא הוא דכתיב אך אלהים ימחץ ראש אויביו קדקד שער מתהלך באשמיו.** דמדאמר קרא באשמיו ולא אמר בחטאיו, משמע דמיירי בחטא שקרבנו אשם, ורצה לומר מתהלך בבטחון. אשמיו, רצה לומר שתולה על סמך שיביא אשם שפחה חרופה. ומשום שקשה דהוי ליה למימר מהלך באשמיו, אבל מתהלך משמע התמדת הדבר פעמים רבות, לכן אמר שהאמת כן הוא שאין לו תקנה דוקא אלא כשחוטא שני פעמים על סמך שיביא קרבן, כדתנן (יומא פה, ב) האומר אחטא ואשוב אחטא ואשוב אין מספיקים בידו לעשות תשובה, וזהו שאמר, **כל עמא יימרון יזיל ההוא גברא בחוביה יזיל ההוא כו',** רצה לומר כל העם יאמרו שישולח ביד פשעו, ולכן אמר כפול יזיל ההוא כו' יזיל ההוא כו'. או אפשר שדרש מתהלך לשתי תיבות מת הלך באשמיו [כמו שדרשו בבראשית רבה (יט, יד) על מתהלך בגן, מת הלך אותו שבגן], ורצה לומר שכולם יאמרו שמת בעונותיו וישולח ביד פשעו אותו שהלך בבטחון אשמיו:

פירוש מהרז"ו

(ד) בא אחד. מהנזכרים שהם חייבים לכבדו, ולא קרבם אלא ביחוד, אף על פי שקבל מה שהביא, וכן בן ביתו גם כן מחויב לכבדו ולהביא לו, אך אדם אחר אם בא לכבדו, אינו אלא מטיב לבו ומראה שהוא גדול בעיניו וחביב, על כן לבד מה שמקבל מתנתו עוד הוא מקרבו ומחבבו. והנה במשל האריס מלאכתו בשדה רחוק ממנו, (וכן) [ובן] ביתו קרוב אליו, ובנמשל בין אם יביא ישראל קרבן שיש להם חלק בארץ וחיים ממנה, שהם בדמיון אריסיו, או כהן גדול שהוא בן ביתו, וכן כל שבט לוי נקראים משרתיו ובני ביתו. ובסדר זה מדבר בקרבנות ישראל, ומקרבן כהן גדול, שאם מחוייבים להביא חטאת ואשם אין לקרבם בעבור זה, אך אם אין מחוייבים מביא תודה, על זה אמר אם על תודה יקריבנו, ותחלה דבר כאן בפרשה בחטאת, זאת תורת החטאת, ואחר כך זאת תורת האשם, ולא כתב יקריבנו רק בתודה, שהוא מיותר שהרי כתוב בו והקריב על זבח התודה, על כן דורש על פי מדה כ' ומדת ממעל, אל תקרי יקריבנו אלא יקרבנו, שהמביא תודה יקריב אותה. וכמו שכתב לעיל ריש הפרשה. ומה שכתב סלירא ויתב עליה, אין צריך לומר סילון וכמו שכתב לקמן (כה, ה) סילון דהבא, והובא בערך סילון, אך ערך סלירא לא הובא בערוך, או שצריך לומר סלה, ופירושו גם כן כסא, בערוך שם: **(ה) ימחץ ראש אויביו קדקד שער.** שנותן הטנון על ראשם וידוס בראשם (ועיין לקמן כה, ח) למי שמתהלך באשמיו, שמתנהג בהם כמו בדבר היתר: **כל עמו ימרון.** זה פירוש אחר על מה שכתב מתהלך באשמיו, שיאמרו כולם ילך לאבדון בחובותיו:

מתנות כהונה

[ד] סדורו. סדר מתנתו שערך והכין: **סלירא.** פירוש כסא. ועוד מלאתי פירוש שכרו, והוא לשון לעז: **הכי גרסינן כך חטאת כו' יקריבנו.** משמעותו כאלו הוא לשון קרוב, ובאחרים לא כתיב כן: **[ה] הכי גרסינן מתרגם חובתו.** פירוש מפרשו וממליצו לפני כל בעזות פנים, כמה דאת אמר (ישעיה ג, ט) חטאתם כסדום, הגידו ולא כחדו: **ולא אשם אני חייב.** בתמיה, והלא ודאי אני חייב לפיכך אני חייב להביאו, והכי מסיים לקמן סוף פרשת קדושים (כה, ח), חטאת אני מביא אשם אני מביא: **הכי גרסינן נוהגים התר בשפחות: כל עמא יימרון כו'.** וכל העם יאמרו ילך אותו האיש בחובתו:

אשד הנחלים

[ד] משל כו' לא אריסך ולא בן ביתך כו'. הדבר הזה הוא ציור נפלא, לבאר סתימת הכוונה בכתוב שנאמר בישע אלהים, שנוכל לומר כביכול שהוא ישועת אלהים, ונוכל לומר שהכוונה בישע של אלהים במה שעוזרם ומושיעם, ובעל המדרש כולל את שתיהם, שבאמת הישע האלהים הוא ישועת ישראל. וענין המשל הוא נפלא בענייננו, לפי שיש בסדר הבריאה המכונה בשם אריס ואינו בן בית, כעולם הגלגלים שומרי משמרת ה' ונוטלים פרס ממעשם, והפרס הוא שהם ששים ושמחים לעשות רצון קונם, וזה שכרם שסידר להם ברוך הוא שכר פעולתם, ובני בית הם המלאכים יושבים ראשונה במלכות, וכל התדבקותם אליו יתברך, ושכרם גם כן שהם תמיד לפניו ומשיגים כבודו, והאינו בן בית ואינו אריס הוא האדם השקוע בעולם השפל, מקום החומריות מקום הנסתר והנעלם מהשגת כבודו יתברך, רק מצד נפשו העליונה בעת שהיא מכרת כבוד ה' אז ראה לכבדו, וזה מעלה יותר גדולה שימצא הטוב פה בעולם החומרי, ולכן מכין לו כסא כבוד לשבת אצלו כביכול, והן המה המוסיפים כח למעלה בפעולתם, וזהו המכונה בישע אלהים, שעל ידי זה ימשך ישועתן של ישרים, שאין הישע כי אם לישועתן של ישרים, וזהו שישועתו של הקב"ה הוא ישועתו של ישרים. וזהו אם על תודה יקריבנו, שמקרב ה' אליו, ומקרב ה' אל רצונו וזהו הישועה. ואין להאריך יותר כי מצוייר הוא למתבונן: **[ה] מתרגם חובתו כו' לא חטאת.** כי שם מליץ הונח על מי שעומד להצדיק זולתו, והנה האויל הבלתי מתבונן על חטאו, הוא מצדיק נפשו ועומד למליץ בעד עצמו, כאלו לא חטא ואינו חייב לא חטאת ולא אשם כי אינו מרגיש. והמתנות כהונה פירש בלשון בתמיה, ופירושו האויל שחטא, יעמוד למליץ במה שמתרגם חובתו בפיו, והוא יותר נכון: **היתר בשפחות כו' בקדקדי ראשיהם כו'.** ענין המליצה הזאת והוא כמאמרם במסכת עבודת כוכבים (ה, א), שהעבירה עצמה מלפפתו ומוליכתו לגיהנם, כי שכר עבירה עבירה, וכמאמרם (סוטה ג, ב) ולא שמע אליה לשכב אצלה בעולם הזה להיות עמה בעולם הבא. והנה הרגיל בתאוות הזמה

חידושי הרד"ל

[ד] סלירא וישב עליה. עיין מתנות כהונה. ופירוש הראשון נכון, (ולפירוש ב' הגירסא סלידא, בדלי"ת, שהוא שכר פעולה. ועיין עוד ערך סלרין), שמתפרש הדרשא על תודה יקריבנו, בזכות קרבן תודה יקריבנו הקב"ה כביכול, לישב לפניו: **[ה] אמר רבי יודן הטפש הזה.** כמו לקמן סוף פרשה כ"ה (סימן ח), ובמדבר רבה פרשה י (סימן א), ושיר השירים רבה פרשה ה פסוק טו: **מתרגם חובתו.** עיין מתנות כהונה, ודריש יליץ כמו המליץ שהוא מתורגמן, ועניינו כאן מפרש וממליץ עבור חובתו לכל, שלא עבר על כריתות וחייבי לאווין, רק אשם הוא חייב: **בקדקדי ראשיהם.** עיין בידי משה בבמדבר רבה שם, ונראה הטעם מפני שהקב"ה פדה עמו מבית עבדים, ונתן להם הרמת ראש, (כמו שכתוב (שמות יד, ח) ביד רמה, ותרגם אונקלוס בריש גלי) ולפשוטו זהו סימן תפילין, טטפת ועטרה על הראש, לסימן חירות, (כמו שאמרו פרק קמא דראש השנה ח, ב) שלוח עבדים עטרותיהם בראשיהם), וזה שכתוב וראו כו' כי שם ה' כו' זהו תפלין שבראש, וזה שבא על השפחה שוולדה כמותה, עושה זרעו עבדים, ולכן נתלה בקדקד ראשו:

באור מהרי"פ

[ד] מתנות כהונה ד"ה סלירא וכו'. ועוד מצאתי פירוש שכרו. כתב ר' בנימין מוספיא ערך סלרין, ויקרא רבה פסוק וכי ימוך מעלין לו סלרין, אמר בנימין, פירוש בלשון רומי שכר פועל ואומן: **[ה] היתר בשפחות.** פירוש כמו שפחה חרופה שבא אשם עליה:

אם למקרא

אֱוִלִים יָלִיץ אָשָׁם וּבֵין יְשָׁרִים רָצוֹן: (משלי יד:ט)

אַךְ אֱלֹהִים יִמְחַץ רֹאשׁ אֹיְבָיו קָדְקֹד שֵׂעָר מִתְהַלֵּךְ בַּאֲשָׁמָיו: (תהלים סח:כב)

ידי משה

[ד] אמר ליה אריסך הוא וכו'. נראה לי שצריך לומר בכל השלשה טלו סילרא כמו גבי השלישי שאמר יהבו לי סילרא. והכי פירושו לפי שמה שאריסו ובני ביתו היו מכבדין אותו, לא היה בזה שום כיבוד, כי משלו נתנו לו, אבל מה שכיבד אותו אחד מן השוק הוא נדבת לבו, לפיכך לאריסו ובן ביתו ציוה ליקח מהן סלירות, פירוש מקום מושבותם, אבל להשלישי ציוה שיתנו לו כסא לישב, כמו כן חטאת ואשם חוב הם, אבל נדבה מלינו שהיה הטוב, לכן כתיב גבי תודה לשון יקריבנו, מה שלא נכתב גבי חטאת ואשם, כי מלת יקריבנו הוא לשון קריבה וחיבה: **[ה] אמר רבי יודן עד דבר אחר אוילים.** לא תבין עד שתעיין הגרסא לקמן בסדר קדושים פרשה כ"ה [סימן ח] עיין שם ותבין:

אמרי יושר

[ד] ומי זה אמרו לו כו' בא לכבדך בדורון **אמר ליה תנו לו כסא וישב עליה.** כיון שאינו חייב לי כלום ומכבדני כך התודה: **[ה] בני אדם שנוהגים היתר בשפחות ביון שאין עונש שפחה חרופה אלא אשם.** זהו מהלך באשמיו, הקדוש ברוך הוא תולה אותם בקדקדם:

כָּל עַמָּא יֵימְרוּן: יֵזִיל הַהוּא גַּבְרָא בְּחוֹבֵיהּ יֵזִיל הַהוּא גַּבְרָא בְּחוֹבֵיהּ — And in the future, when these sinners are punished, **the entire nation will proclaim, "Let that man go in his sin! Let that man go in his sin!"**[68]

NOTES

68. Based on *Matnos Kehunah* and *Eitz Yosef*. (See *Maharzu* for another approach.)

The onlookers will wish upon the sinner that he be delivered to his sin [so that the sin itself may exact retribution (compare, for example, *Mishlei* 10:3 with *Metzudas David*)]. The repetition of their statement corresponds to the multiple transgressions of the sinner to whom they refer (*Eitz Yosef*).

חידושי הרד"ל

[ד] **סלירא וישב עליה.** עיין מתנות כהונה. ופירוש הראשון נכון, (ולפירוש ב' הגירסא סלידא, בדלי"ת, שהוא שכר פעולה. ועיין עוד ערך סלרין), שמתפרש הדרשא על תודה יקריבנו, בזכות קרבן תודה יקריבנו הקב"ה כביכול, לישב לפניו: [ה] **אמר רבי יודן הטפש הזה.** כמו לקמן סוף פרשה כ"ה (סימן ח), ובמדבר רבה פרשה י (סימן א), ושיר השירים רבה פרשה ה פסוק טו: **מתרגם חובתו.** עיין מתנות כהונה, ודריש יליץ כמו המליץ שהוא מתורגמן, ועניינו כאן מפרש וממליץ עבור חובתו לכל, שלא עבר על כריתות וחייבי לאווין, רק אשם הוא חייב: **בקדקדי ראשיהם.** עיין בידי משה בבמדבר רבה שם, ונראה הטעם מפני שהקב"ה פדה עמו מבית עבדים, ונתן להם הרמת ראש, (כמו שכתוב (שמות יד, ח) ביד רמה, ותרגם אונקלוס בריש גלי) ולפשוטו זהו סימן תפילין, טטפת ועטרה על הראש, לסימן חירות, (כמו שאמרו פרק קמא דראש השנה ח, ב) שלוח עבדים טטרותיהם בראשיהם), וזה שכתוב וראו כו' כי שם ה' כו' זהו תפלין שבראש, וזה שבא על השפחה שוולדה כמותה, עושה זרעו עבדים, ולכן נתלה בקדקד ראשו:

באור מהרי"פ

[ד] **מתנות כהונה ד"ה סלירא וכו'. ועוד מצאתי פירוש שכרו.** כתב ר' בנימין מוספיא ערך סלרין, ויקרא רבה פסוק וכי ימוך מטלין לו סלרין, אמר בנימין, פירוש בלשון רומי שכר פועל ואומן: [ה] **היתר בשפחות.** פירוש כמו שפחה חרופה שבא אשם עליה:

עץ יוסף

(ד) **אמר ר' פנחס משל כו'.** משום דקשיא ליה באומרו אם על תודה יקריבנו למה ליה למימר יקריבנו, דבלאו יקריבנו הענין מובן. לכן מתרץ שה' יתן כבוד טפי למביא שלמים, והיינו יקריבנו שה' יקרבנו אליו לכבדו טפי מאיך, כמלך שמושיב על כסא למי שלא בא אלא לכבדו שזה ראוי שיכובד יותר מאחרים: **סדורו.** סדר מתנתו שערך והכין: **סלירא.** פירוש כסא: (ה) **זה שאמר הכתוב אוילים יליץ אשם.** משום דקשיא ליה דיקריבנו יתירא הוא כדלעיל, בעי לתרוצי קרוב למה שאמר לעיל שהקדוש ברוך הוא יקריב אליו מביא התודה שמפיק רצון מה' שיעתר לו בבקשתו, ולהכי מייתי הא דכתיב ובין ישרים רצון כדמפרש ליה על מביא התודה שיפיק רצון מה', ואידי דמייתי קרא מפרש ליה: **מתרגם חובתו בפיו.** וכן הוא הנוסחא בילקוט (תהלים פרק סח רמז תשלה), ופירושו הטיפש הזה כשעושה חטא יפרש וממליץ עבור חובתו לכל בפיו שלא עבר על כריתות ומיתות בית דין וחייבי לאוין, רק אשם הוא חייב, או חטאת. ורצה לומר שאומר ומה הוא שחטאתי, **לא חטאת אני חייב ולא אשם אני חייב** בתמיה, חטאת אני מביא, אשם אני מביא. **ור' יודן** הביא לדוגמא שהייך לפסוק אוילים יליץ אשם, ואמר **אלו בני אדם שנוהגים היתר בשפחות.** רצה לומר בשפחה חרופה, **בעולם הזה,** על סמך שיביא אשם, **הקדוש ברוך הוא תולה אותן כו' הדא הוא דכתיב אך אלהים ימחץ ראש אויביו קדקד שער מתהלך באשמיו.** דמדאמר קרא באשמיו ולא אמר בחטאיו, משמע דמיירי בחטא שקרבנו אשם, ורצה לומר מתהלך בבטחון. אשמיו, רצה לומר שחוטא על סמך שיביא אשם שפחה חרופה. ומשום שקשה דהוי ליה למימר מהלך באשמיו, אבל מתהלך משמע התמדת הדבר פעמים רבות, לכן אמר שהאמת כן הוא שאין לו תקנה דוקא אלא כשחוטא שני פעמים על סמך שיביא קרבן, כדתנן (יומא פה, ב) האומר אחטא ואשוב אחטא ואשוב אין מספיקים בידו לעשות תשובה, וזהו שאמר, **כל עמא יימרון יזיל ההוא גברא בחוביה יזיל ההוא כו',** רצה לומר כל העם יאמרו שישולח ביד פשעו, ולכן אמר כפול יזיל ההוא כו' יזיל ההוא כו'. או אפשר שדרש מתהלך לשתי תיבות מת הלך באשמיו [כמו שדרשו בבראשית רבה (יט, יד) על מתהלך בגן, מת הלך אותו שבגן], ורצה לומר שכולם יאמרו שמת בעונותיו וישולח ביד פשעו אותו שהלך בבטחון אשמיו:

מדרש

ד אָמַר רַבִּי פִּנְחָס: מָשָׁל לְמֶלֶךְ שֶׁבָּאוּ *אֲרִיסָיו וּבְנֵי בֵיתוֹ לְכַבְּדוֹ בָּא *אֶחָד וְאָמַר: מִי הוּא זֶה, אָמְרוּ לוֹ: אֲרִיסְךָ הוּא, אָמַר לָהֶן: טְלוּ סְדוּרוֹ, בָּא אֶחָד וְכִבְּדוֹ וְאָמַר: מִי הוּא זֶה, אָמְרוּ לוֹ: בֶּן בֵּיתְךָ הוּא, טְלוּ סְדוּרוֹ, בָּא אַחֵר וְאָמַר: מִי הוּא זֶה, אָמְרוּ *לוֹ לֹא אֲרִיסְךָ וְלֹא בֶּן בֵּיתְךָ אֶלָּא בָא לְכַבֶּדְךָ, אָמַר: יָהֲבוּ לֵיהּ סְלִירָא וְיֵשֵׁב עָלֶיהָ, כָּךְ חַטָּאת בָּאָה עַל חֵטְא וְאָשָׁם בָּא עַל חֵטְא, תּוֹדָה *אֵינָהּ *בָּאָה עַל חֵטְא, [ז, יב] "אִם עַל תּוֹדָה יַקְרִיבֶנּוּ":

ה דָּבָר אַחֵר, [ז, יב] "אִם עַל תּוֹדָה יַקְרִיבֶנּוּ" זֶה שֶׁאָמַר הַכָּתוּב (משלי יד, ט) "אֱוִלִים יָלִיץ אָשָׁם", אָמַר רַבִּי יוּדָן: הַטִּפֵּשׁ הַזֶּה מְתַרְגֵּם חוֹבָתוֹ בְּפִיו וְאוֹמֵר: לֹא חַטָּאת אֲנִי חַיָּב וְלֹא אָשָׁם אֲנִי חַיָּב, רַבִּי יוּדָן בְּשֵׁם רַבִּי לֵוִי אָמַר: אֵלּוּ בְּנֵי אָדָם שֶׁנּוֹהֲגִים הֶתֵּר בִּשְׁפָחוֹת בָּעוֹלָם הַזֶּה, הַקָּדוֹשׁ בָּרוּךְ הוּא תּוֹלֶה אוֹתָן בְּקָדְקְדֵי רָאשֵׁיהֶם לֶעָתִיד לָבֹא, הָדָא הוּא דִכְתִיב (תהלים סח, כב) "אַךְ אֱלֹהִים יִמְחַץ רֹאשׁ אֹיְבָיו קָדְקֹד שֵׂעָר מִתְהַלֵּךְ בַּאֲשָׁמָיו", כָּל עַמָּא יֵימְרוּן: יֵזִיל הַהוּא גַבְרָא בְּחוֹבֵיהּ יֵזִיל הַהוּא גַּבְרָא בְּחוֹבֵיהּ,

פירוש מהרז"ו

(ד) **בא אחד.** מהנזכרים שהם חייבים לכבדו, ולא קרבם אלנו ביחוד, אף על פי שקבל מה שהביא, וכן בן ביתו גם כן מחויב לכבדו ולהביא לו, אך אדם אחר אם בא לכבדו, אינו אלא מטיב לבו ומראה שהוא גדול בעיניו וחביב, על כן לבד מה שמקבל מתנתו עוד הוא מקרבו ומחבבו. והנה במשל האריס מלאכתו בשדה רחוק ממנו, (וכן) [ובן] ביתו קרוב אליו, ובנמשל בין אם יביא ישראל קרבן שיש להם חלק בארץ וחיים ממנה, שהם בדמיון אריסיו, או כהן גדול שהוא בן ביתו, וכן כל שבט לוי נקראים משרתיו ובני ביתו. ובסדר זה מדבר בקרבנות ישראל, ומקרבן כהן גדול, שאם מחויבים להביא חטאת ואשם אין לקרבם בעבור זה, אך אם אין מחויבים מביא תודה, על זה אמר אם על תודה יקריבנו, ותחלה דבר כאן בפרשה בחטאת, זאת תורת החטאת, ואחר כך זאת תורת האשם, ולא כתב יקריבנו רק בתודה, שהוא מיותר שהרי כתוב בו והקריב על זבח התודה, על כן דורש על פי מדה כ' ומדת ממטל, אל תקרי יקריבנו אלא יקרבנו, שהמביא תודה יקריב אותה. וכמו שכתב לעיל ריש הפרשה. ומה שכתב סלירא ויתב עליה, או לריך לומר סילון וכמו שכתב לקמן (כה, ה) סילון דהבא, והובא בערך סילון, אך ערך סלירא לא הובא בערוך, או שלריך לומר סלה, ופירושו גם כן כסא, בערוך שם: (ה) **ימחץ ראש אויביו קדקד שער.** שנותן הטון על ראשם וידוס בראשם (ועיין לקמן כה, ח) למי שמתהלך באשמיו, שמתנהג בהם כמו בדבר היתר: **כל עמו ימרון.** זה פירוש אחר על מה שכתב מתהלך באשמיו, שיאמרו כולם ילך לאבדון בחובותיו:

מתנות כהונה

[ד] **סדורו.** סדר מתנתו שערך והכין: **סלירא.** פירוש כסא. ועוד מצאתי פירוש שכרו, והוא לשון לעז: **הכי גרסינן כך חטאת כו': יקריבנו.** משמעותו כאלו הוא לשון צווי, ובאחרים לא כתיב כן: [ה] **הכי גרסינן מתרגם חובתו.** פירוש מפרשו וממליצו לפני כל בעזות פנים, כמה דאת אמר (ישעיה ג, ט) חטאתם כסדום, הגידו ולא כחדו: **ולא אשם אני חייב.** בתמיה, והלא ודאי אני חייב לפיכך אני חייב להביאו, והכי מסיים לקמן סוף פרשת קדושים (כה, ח), חטאת אני מביא אשם אני מביא: **הכי גרסינן נוהגים התר בשפחות: כל עמא יימרון כו'.** וכל העם יאמרו ילך אותו האיש בחובתו:

אשד הנחלים

[ד] **משל כו' לא אריסך ולא בן ביתך כו'.** הדבר הזה הוא ציור נפלא, לבאר סתימת הכוונה בכתוב שנאמר בישע אלהים, שנוכל לומר כביכול שהוא ישועת אלהים, ונוכל לומר שהכוונה בישע של אלהים במה שעוזרם ומושיעם, ובעל המדרש כולל את שתיהם, שבאמת הישע האלהים הוא ישועת ישראל. וענין המשל הוא נפלא בעניינו, לפי שיש בסדר הבריאה המכונה בשם אריס ואינו בן בית, כעולם הגלגלים שומרי משמרת ה' ונוטלים פרס ממעשם, והפרס הוא שהם ששים ושמחים לעשות רצון קונם, וזה שכרם שסידר להם ברוך הוא שכר פעולתם, ובני בית הם המלאכים יושבים ראשונה במלכות, וכל התדבקותם אליו יתברך, ושכרם גם כן שהם תמיד לפניו ומשיגים כבודו, והאינו בן בית ואינו אריס הוא האדם השקוע בעולם השפל, מקום החומריות מקום הנסתר והנעלם מהשגת כבודו יתברך, רק מצד נפשו העליונה בעת שהיא מכרת כבוד ה' אז ראה לכבדו, וזה מעלה יותר גדולה שימצא הטוב פה בעולם החומרי, ולכן מכין לו כסא כבוד לשבת אצלו כביכול, והן המה המוסיפים כח למעלה בפעולתם, וזהו המכונה בישע אלהים, שעל ידי זה ימשך ישועתן של ישרים, שאין הישע כי אם לישועתן של ישרים, וזהו שישועתו של הקב"ה הוא ישועתו של ישרים. וזהו אם על תודה יקריבנו, שמקרב ה' אליו, ומקרב ה' אל רצונו וזהו הישועה. ואין להאריך יותר כי מצוייר הוא למתבונן: [ה] **מתרגם חובתו כו' לא חטאת.** כי שם מליץ הונח על מי שעומד להצדיק זולתו, והנה האויל הבלתי מתבונן על חטאו, הוא מצדיק נפשו ועומד למליץ בעד עצמו, כאלו לא חטא ואינו חייב לא חטאת ולא אשם כי אינו מרגיש. והמתנות כהונה פירש בלשון בתמיה, ופירושו האויל שחטא, יעמוד למליץ במה שמתרגם חובתו בפיו, והוא יותר נכון: **היתר בשפחות כו' בקדקדי ראשיהם כו'.** ענין המליצה הזאת והוא כמאמרם במסכת עבודת כוכבים (ה, א), שהעבירה עצמה מלפפתו ומוליכתו לגיהנם, כי שכר עבירה עבירה, וכמאמרם (סוטה ג, ב) ולא שמע אליה לשכב אצלה בעולם הזה להיות עמה בעולם הבא. והנה הרגיל בתאוות הזמה

אם למקרא

אֱוִלִים יָלִיץ אָשָׁם וּבֵין יְשָׁרִים רָצוֹן:
(משלי יד:ט)

אַךְ אֱלֹהִים יִמְחַץ רֹאשׁ אֹיְבָיו קָדְקֹד שֵׂעָר מִתְהַלֵּךְ בַּאֲשָׁמָיו:
(תהלים סח:כב)

ידי משה

[ד] **אמר ליה אריסך הוא וכו'.** נראה לי שלריך לומר בכל השלשה טלו סילרא כמו גבי השלישי שאמר יהבו לי סילרא. והכי פירושו לפי שמה שאריסו ובני ביתו היו מכבדין אותו, לא היה בזה שום כיבוד, כי משלו נתנו לו, אבל מה שכיבד אותו אחד מן השוק הוא נדבת לבו, לפיכך לאריסו ובן ביתו ליוה ליקח מהן סלירות, פירוש מקום מושבותם, אבל להשלישי ליוה שיתנו לו כסא לישב, כמו כן חטאת ואשם חוב הם, אבל נדבה מלינו שהיה הטוב, לכן כתיב גבי תודה לשון יקריבנו, מה שלא נכתב גבי חטאת ואשם, כי מלת יקריבנו הוא לשון קריבה וחיבה: [ה] **אמר רבי יודן עד דבר אחר אוילים.** לא תבין עד שתעיין הגרסא לקמן בסדר קדושים פרשה כ"ה [סימן ח] עיין שם ותבין:

אמרי יושר

[ד] **ומי זה אמרו לו כו' בא לכבדך** בדורון **אמר ליה תנו לו כסא וישב עליה.** כיון שאינו חייב לי כלום ומכבדני כך התודה: [ה] **בני אדם שנוהגים היתר בשפחות כיון שאין עונש שפחה חרופה אלא אשם.** זהו מהלך באשמיו, הקדוש ברוך הוא תולה אותם בקדקדם:

A second, related exposition of the verse from *Proverbs*: "דָּבָר אַחֵר, "אֱוִלִים יָלִיץ אָשָׁם וּבֵין יְשָׁרִים רָצוֹן — **Alternatively,** ***A guilt-offering will intercede for foolish ones, but favor is among the upright*** — זֶה שֶׁהֵבִיא קָרְבָּנוֹ וְאֵינוֹ מִתְכַּפֵּר לוֹ — **this is** an allusion to one **who brought his offering but it does not achieve atonement for him** because he is unrepentant.[69] מַה יַּעֲשֶׂה — **What** then **should he do?** יֵלֵךְ אֵצֶל שִׁבְטוֹ שֶׁל לֵוִי — **He should go to the tribe of Levi,**[70] שֶׁכָּתַב בּוֹ "וְיָשַׁב מְצָרֵף וּמְטַהֵר כֶּסֶף וְטִהַר אֶת בְּנֵי לֵוִי — **about whom is written,** ***He will sit smelting and purifying silver; he will purify the children of Levi . . .*** *and they will be for HASHEM presenters of offerings in righteousness. Then the offering of Judah and Jerusalem will be pleasing to HASHEM* (*Malachi* 3:3-4).[71]

The Midrash presents a final approach to the *Proverbs* passage and then relates it to our verse:

"דָּבָר אַחֵר, "אֱוִלִים יָלִיץ אָשָׁם — **Alternatively,** ***A guilt-offering will interpose for foolish ones*** — זֶה שֶׁמֵּבִיא קָרְבָּן עַל חֶטְאוֹ — **this is** a reference to **one who brings an offering on account of his sin;**[72] "וּבֵין יְשָׁרִים רָצוֹן" — ***but favor is among the upright*** — זֶה שֶׁהֵבִיא קָרְבָּן שֶׁלֹּא עַל חֵטְא — **this is** an allusion to one **who brought an offering** that was **unrelated to a sin.**[73] Thus, our verse states: "אִם עַל תּוֹדָה יַקְרִיבֶנּוּ" — ***If for a thanksgiving-offering, "yakrivenu."***[74]

§6 [וְזֹאת תּוֹרַת זֶבַח הַשְּׁלָמִים אֲשֶׁר יַקְרִיב לַה׳ — *THIS IS THE LAW OF THE FEAST PEACE-OFFERING THAT ONE WILL OFFER TO HASHEM.*]

The Midrash cites a discussion regarding sacrificial offerings in the era before the giving of the Torah. It appears here because toward the discussion's conclusion our verse will be invoked in support of one of the two disparate views:[75]

רַבִּי אֶלְעָזָר וְרַבִּי יוֹסֵי בַּר חֲנִינָא — **R' Elazar and R' Yose bar Chanina** had the following dispute: רַבִּי אֶלְעָזָר אָמַר: שְׁלָמִים הִקְרִיבוּ בְּנֵי נֹחַ — **R' Elazar said: Noahides offered** ***shelamim*****-offerings,**[76] רַבִּי יוֹסֵי בַּר חֲנִינָא אָמַר: עוֹלוֹת הִקְרִיבוּ בְּנֵי נֹחַ — and **R' Yose bar Chanina said: Noahides offered** only ***olah*****-offerings.**[77] מָתִיב רַבִּי אֶלְעָזָר לְרַבִּי יוֹסֵי בַּר חֲנִינָא — **R' Elazar challenged R' Yose bar Chanina** as follows: Scripture states, "וְהֶבֶל הֵבִיא גַם הוּא מִבְּכֹרוֹת צֹאנוֹ וּמֵחֶלְבֵהֶן" — ***And as for Abel, he also brought of the firstlings of his flock and from their fats*** (*Genesis* 4:3); the implication of the end of this verse being that Abel brought דָּבָר שֶׁחֶלְבּוֹ קָרֵב — **something whose fat** alone **is offered,** i.e., a *shelamim*-offering.[78] דָּא מָה עָבֵיד לֵיהּ רַבִּי יוֹסֵי בַּר חֲנִינָא — **How does R' Yose bar Chanina interpret** the final word of **this** verse?[79] עָבֵד לָהּ מִשַּׁמְנֵיהוֹן — **He interprets it** to mean **from their fattest,** i.e., from the choicest animals among his flock.[80] מָתִיב רַבִּי אֶלְעָזָר לְרַבִּי יוֹסֵי בַּר חֲנִינָא — Additionally, **R' Elazar challenged R' Yose bar Chanina** as follows: Scripture states, "וַיִּשְׁלַח אֶת נַעֲרֵי בְּנֵי יִשְׂרָאֵל וַיַּעֲלוּ עֹלֹת וַיִּזְבְּחוּ שְׁלָמִים" — ***[Moses] sent the youths of the Children of Israel and they brought up burnt-offerings, and they slaughtered bulls as feast peace-offerings*** [שְׁלָמִים] *to HASHEM* (*Exodus* 24:5).[81] דָּא מָה עָבֵד לָהּ רַבִּי יוֹסֵי בַּר חֲנִינָא — **How does R' Yose bar Chanina interpret this?** עָבֵיד לָהּ כְּמַאן דְּאָמַר שְׁלָמִים הָיוּ — **He interprets it in accordance with the one who says [the bulls] were** offered **whole** [שְׁלֵמִים],[82] בְּעוֹרָן בְּלֹא הֶפְשֵׁט וְנִתּוּחַ — **with their skin, without** having undergone **skinning and dismemberment.**[83] מָתִיב רַבִּי אֶלְעָזָר לְרַבִּי יוֹסֵי בַּר חֲנִינָא — Additionally, **R' Elazar challenged R' Yose bar Chanina** as follows: Scripture states, "וַיִּקַּח יִתְרוֹ חֹתֵן מֹשֶׁה עֹלָה וּזְבָחִים לֵאלֹהִים" — ***Jethro, the father-in-law of Moses, took a burnt-offering and feast-offerings for God*** (*Exodus* 18:12).[84]

NOTES

69. *Radal, Eitz Yosef.*

Thus, the first half of the verse states that *foolish ones* are in need of *a guilt-offering* to *intercede* with God on their behalf and consequently, they will need to take some action if their offering is ineffective due to their failure to improve their behavior (see *Eitz Yosef*).

70. Because the tribe of Levi is uniquely qualified to teach Torah and inspire people spiritually (see *Malachi* 2:6-7), they will be able to positively influence the sinner. And since Levites are called *upright* (in *II Chronicles* 29:34), the Midrash interprets the second half of the cited verse to mean that when the *foolish ones* of which the verse speaks are *among the upright*, i.e., when they will attach themselves to the Levites and learn from their ways, they will then achieve *favor* with the acceptance of their offerings (*Eitz Yosef*; see *Radal*; see *Matnos Kehunah*, *Yedei Moshe*, *Imrei Yosher*, and *Eshed HaNechalim* for additional approaches).

71. [This verse describes the activities of a *messenger* God will send at the time of the future Redemption.]

The Midrash is teaching that just as the Levites' purification will be followed by *offerings* that *will be pleasing*, so will the offerings of those who had been described as *foolish* be favorably received after their exposure to the Levites (see *Yefeh To'ar* et al.).

72. The *foolish one* (i.e., the sinner) must produce a *guilt-offering* that serves to advocate on his behalf (*Eitz Yosef*).

73. The offering of the *upright* individual, that is not brought because of a sin he committed, but rather as an expression of thanksgiving, for God's Name, is *favorable* to God (ibid.).

74. As it did above (at note 61), the Midrash is explaining the seemingly unnecessary word, יַקְרִיבֶנּוּ, to mean *He will bring him close.* Here the Midrash understands this to suggest that one who offers a *todah*-offering will gain Divine *favor* resulting in God's listening to his prayers (*Eitz Yosef*, above, s.v. זה שאמר הכתוב).

75. *Eitz Yosef.*

76. Because all of mankind descend from Noah (see *Genesis* 9:19), the term בְּנֵי נֹחַ, *Noahides*, is used here as a general reference to humanity in the era before the Jewish nation was set apart from the nations through their receipt of the Torah.

77. *Matnos Kehunah*, followed by *Eitz Yosef.*

R' Yose bar Chanina maintains that prior to the giving of the Torah at Sinai, only *olah*-offerings, which are consumed on the altar in their entirety, were sacrificed; the sublime concept of God, the Kohen, and the offering's owner all sharing in the meat of a *shelamim*-offering did not exist (see *Imrei Yosher*; see also *Maharsha, Chidushei Aggados* to *Zevachim* 116a). See Insight above on 2 §9, "Eat, Drink, and Be Holy."

78. Whereas an *olah*-offering is consumed on the Altar in its entirety, the meat of a *shelamim*-offering is eaten [primarily] by its owner and only its fat is placed on the Altar (*Eitz Yosef*).

79. Lit., *this — what does R' Yose bar Chanina do with it?* [This phrase appears again below.]

80. The word מֵחֶלְבֵהֶן, *from their fats*, is understood to indicate the animals' abundant flesh. Alternatively, this root is interpreted to suggest *the finest* as it is used in *Numbers* 18:12 (*Yefeh To'ar* to *Berishis Rabbah* 22 §(9)[5]).

81. The events described by this verse occurred a day or two before the giving of the Torah (see *Mechilta*, *Yisro*, *Masechta BaChodesh*, *Parashah* 3, and *Shabbos* 88a, both cited in *Eitz Yosef*), at a time when all of mankind shared the status of Noahides. That *shelamim*-offerings were slaughtered then clearly refutes the position of R' Yose bar Chanina (*Eitz Yosef*; compare *Rashi* to *Zevachim* 116a s.v. זבחים ועולות; see, however, *Parashas Derachim*, *Derush* 1 for a lengthy consideration of the halachic status of the Israelites in the period before the giving of the Torah).

82. *Matnos Kehunah.*

83. In other words, R' Yose bar Chanina interprets the word שְׁלָמִים of the cited verse to mean not *shelamim*-offerings, but *whole ones*, for in truth only *olah*-offerings were brought, but they were brought *whole*. Although, typically, *olah*-offerings must be skinned and dismembered (see *Zevachim* 53b), that law was only effected at Sinai (or later, see ibid. 115b) and Noahides did not abide by it (*Eitz Yosef*).

84. The Midrash infers that in this context, the generic term זְבָחִים, *feast-offerings*, must refer to שְׁלָמִים, *peace-offerings*, because the verse already spoke of *olah*-offerings and Jethro did not have any sins at this point for which he would have brought a *chatas*-offering or an *asham*-offering (*Yefeh To'ar* ibid., followed in part by *Eitz Yosef*). And since R' Elazar

דָּבָר אַחֵר, "אֱוִלִים יָלִיץ אָשָׁם°", זֶה שֶׁהֵבִיא קָרְבָּנוֹ וְאֵינוֹ מִתְכַּפֵּר לוֹ, מַה יַּעֲשֶׂה, יֵלֵךְ אֵצֶל שִׁבְטוֹ שֶׁל לֵוִי שֶׁכָּתוּב בּוֹ (מלאכי ג, ג) "וְיָשַׁב מְצָרֵף וּמְטַהֵר כֶּסֶף וְטִהַר אֶת בְּנֵי לֵוִי", °, (משלי יד, ט) "וּבֵין יְשָׁרִים רָצוֹן", זֶה שֶׁהֵבִיא קָרְבָּן שֶׁלֹּא עַל חֵטְא, [ז, יב] "אִם עַל תּוֹדָה יַקְרִיבֶנּוּ":

ו רַבִּי אֶלְעָזָר וְרַבִּי יוֹסֵי בַּר חֲנִינָא, רַבִּי אֶלְעָזָר אָמַר: שְׁלָמִים הִקְרִיבוּ בְּנֵי נֹחַ, רַבִּי יוֹסֵי בַּר חֲנִינָא אָמַר: עוֹלוֹת הִקְרִיבוּ בְּנֵי נֹחַ°, מָתִיב רַבִּי אֶלְעָזָר לְרַבִּי יוֹסֵי בַּר חֲנִינָא: (בראשית ד, ד) "וְהֶבֶל הֵבִיא גַם הוּא מִבְּכֹרוֹת צֹאנוֹ וּמֵחֶלְבֵהֶן", דָּבָר שֶׁחֶלְבּוֹ קָרֵב, דָּא מָה עֲבִיד לֵיהּ רַבִּי יוֹסֵי בַּר חֲנִינָא, עֲבֵד לָהּ מִשַּׁמְנֵיהוֹן, מָתִיב רַבִּי אֶלְעָזָר לְרַבִּי יוֹסֵי בַּר חֲנִינָא: (שמות כד, ה) "וַיִּשְׁלַח אֶת נַעֲרֵי בְּנֵי יִשְׂרָאֵל וַיַּעֲלוּ עֹלֹת וַיִּזְבְּחוּ זְבָחִים שְׁלָמִים", דָּא מָה עֲבֵד לָהּ רַבִּי יוֹסֵי בַּר חֲנִינָא, עָבֵיד לָהּ כְּמַאן דְּאָמַר שְׁלֵמִים הָיוּ בְּעוֹרָן בְּלֹא הֶפְשֵׁט וְנִתּוּחַ, מָתִיב רַבִּי אֶלְעָזָר לְרַבִּי יוֹסֵי בַּר חֲנִינָא: (שם יח, יב) "וַיִּקַּח יִתְרוֹ חֹתֵן מֹשֶׁה עֹלָה וּזְבָחִים לֵאלֹהִים", דָּא מָה עֲבֵד לָהּ רַבִּי יוֹסֵי בַּר חֲנִינָא, עָבֵד כְּמַאן דְּאָמַר לְאַחַר מַתַּן תּוֹרָה נִתְגַּיֵּיר יִתְרוֹ, אִיפַּלְגוּ רַבִּי חִיָּיא בַּר אַבָּא וְרַבִּי יַנַּאי, חַד אָמַר לְאַחַר מַתַּן תּוֹרָה נִתְגַּיֵּיר יִתְרוֹ וְחַד אָמַר קוֹדֶם מַתַּן תּוֹרָה נִתְגַּיֵּיר יִתְרוֹ, אָמַר רַבִּי הוּנָא: וְלָא פְּלִיגֵי, מַאן דְּאָמַר קוֹדֶם מַתַּן תּוֹרָה נִתְגַּיֵּיר יִתְרוֹ כְּמַאן דְּאָמַר שְׁלָמִים הִקְרִיבוּ בְּנֵי נֹחַ, וּמַאן דְּאָמַר לְאַחַר מַתַּן תּוֹרָה נִתְגַּיֵּיר יִתְרוֹ כְּמַאן דְּאָמַר עוֹלוֹת הִקְרִיבוּ בְּנֵי נֹחַ, וְדָא מְסַיֵּיעַ לֵיהּ לְרַבִּי יוֹסֵי בַּר חֲנִינָא, (שיר ד, טז) "עוּרִי צָפוֹן וּבוֹאִי תֵימָן", "עוּרִי צָפוֹן" זוֹ עוֹלָה שֶׁנִּשְׁחֶטֶת בַּצָּפוֹן, וְלָמָּה קוֹרֵא אוֹתָהּ "עוּרִי", דָּבָר שֶׁהוּא יָשֵׁן וְנִתְעוֹרֵר,

עץ יוסף

דבר אחר אוילים יליץ אשם ובין ישרים רצונו זה שהביא קרבנו ואינו מתכפר לו. מה יעשה ילך אצל שבטו של לוי שכתוב בו וישב מצרף ומטהר כסף וטהר את בני לוי. דבר אחר אוילים יליץ אשם זה שמביא קרבן על חטאו. ובין ישרים רצון זה שהביא קרבן שלא על חטא אם על תודה יקריבנו. כן צריך לומר (רד"ל). ופירוש **זה שהביא קרבנו ואינו מתכפר לו**, כלומר שהוא שונה באולתו ולכן אינו מתכפר לו, וזה אמר אוילים יליץ אשם, שהאוילים המליץ בינותם ובין ה' קרבן אשם, ולא יועילם אחר שהם שונים באולתם. ואמר **מה יעשה**, רצה לומר מה תקנתם, **ילכו אצל שבטו של לוי** [שנקראו ישרים כמה דאת אמר (דברי הימים ב' כט, לד) כי הלוים ישרי לבב] שכתוב בו כו', וילמדום דרך ה' כדכתיב בהם (מלאכי ב, ו-ז) כי תורה יבקשו מפיהו, ורבים השיב מעון, וגם כתיב שם (מלאכי ג, ג) והיו לה' מגישי מנחה בצדקה, וזה שאמר ובין ישרים, רצה לומר כשיהיו בין ישרים שילכו ויטפלו עמהם ללמוד ממעשיהם, רצון, פירוש יהיו קרבנותיהם לרצון. ואחרי זה מפרש אוילים יליץ אשם רצה לומר, שהאויל יעמוד מליץ על חטאו, אשם, כלומר שהעלאת קרבנו יטהרנו, אבל בין ישרים רצון, שאינו מביא קרבנו על חטא כי אם תודה לשם ה', וזהו לרצון לפני ה': **(ו) רבי אלעזר ורבי יוסי בר חנינא.** משום דמכתיב הכא אשר יקריבו לה' ולא קאמר אשר הקריבו איכא סייעתא לרבי יוסי דאמר שלא הקריבו בני נח שלמים מייתי הכא פלוגתייהו: **שלמים הקריבו בני נח.** פירוש שהקריבו שלמים גם כן: **עולות.** הקריבו, פירוש עולות לבד: **דבר שחלבו קרב.** היינו שלמים שחלבו קרב לגבוה והבשר נאכל לבעלים, אבל עולות כולן כליל לאשים: **מה עביד ליה.** מה עושה ממנו ואיך מקיימו: **עבד ליה משמניהון.** שהקריב היותר שמנות, והיינו מחלביהן שהשמנות חלבן מרובה, או שפירושו מלשון (במדבר יח, יב) חלב יצהר שרוצה לומר הטוב והנבחר: **וישלח את נערי כו'.** פירוש וזה קודם מתן תורה הוה שכל הפרשה ההיא דכתיב ואל משה אמר עלה אל ה' היה בארבע בסיון, שהעליה הנזכר היא עליית מתן תורה, ומה שכתוב שם ויבא משה ויספר לעם את כל דברי ה', הוא מצות פרישה והגבלה כפירש רש"י שם. ומה שאמר שם וישכם בבקר ויבן מזבח כו' וישלח את נערי כו' בחמישי בסיון היה כדאיתא במכילתא, ומתן תורה בששי או בשביעי הוה כדאיתא בשבת פרק רבי עקיבא (פח, ב), וכיון דוישלח את נערי וגו' קודם מתן תורה היה הרי שהקריבו בני נח שלמים, דקודם מתן תורה כולהו בני נח הוו: **שלמים היו בעורן כו'.** כלומר לעולם עולות הוו, ומאי שלמים דקאמר לשון שלימות שהיו שלימות בלא הפשט ונתוח, דאף על גב דעולה טעונה הפשט ונתוח, לא הקריבוה בני נח כמשפטה, דדין הפשט ונתוח בסיני נאמר, ואפילו בני ישראל במדבר יש אומרים שהקריבוה בלא הפשט ונתוח, שלא נתפרשו דיני קרבנות אלא באהל מועד, כדאיתא בזבחים פרק פרת חטאת (קטו, ב): **עולה וזבחים.** וזבחים היינו שלמים: **כמאן דאמר לאחר מתן תורה נתגייר יתרו.** ואף על גב דפרשת יתרו מקמי פרשה מתן תורה כתיבה, אין מוקדם ומאוחר בתורה: **ולא פליגי.** פירוש אין עיקר פלוגתייהו בהכי, דכולי עלמא הוו סבירא ליה קודם מתן תורה דמה לנו לטוות סדר כל הפרשיות, אלא טעם פלוגתייהו בהא דלעיל, אי הקריבו בני נח שלמים, דלמאן דאמר עולות דוקא מטעם הכתובים דמייתינן בסמוך אילטריך לדחוקי נפשיה לומר דלאחר מתן תורה בא, כי היכי דלא תקשי ליה קרא דעולה וזבחים לאלהים, ולמאן דאמר שלמים גם כן הקריבו אוקי פרשיות כסדרן דקודם מתן תורה בא: **זו עולה שנשחטה בצפון.** פירוש בצפון העזרה דכתיב (ויקרא א, יא) צפונה לפני ה': **שהוא ישן ונתעורר.** שמתחלה היו בני נח נוהגים בה ואחר כך נעזבו ממנה, ועכשיו אזהר רחמנא שיחזרו ישראל לנהוג אותו:

פירוש מהרז"ו

(ו) רבי אלעזר ורבי יוסי בר חנינא. בראשית רבה (כב, ה) ושם נסמן ומבואר: **אלא אשר יקריבו לה'.** צריך לומר אשר יקריב לה', ובעבור זה הובא כל הדרשה לכאן דרך אגב: **הנתונות בצפון.** שעיקר הגלות בצפון הוא, כמו שכתב ירמיה (טז, כג, לג):

מתנות כהונה

אצל שבטו כו'. ליטהר עמהם: **[ו] שלמים הקריבו בני נח.** מפורש בבראשית רבה (כב, ה. לד, ט), ובשיר השירים רבה (ד, פסוק טז), וכל זה במסכת זבחים (קטז, א), ובירושלמי בפרק אין בין, ובפרק קמא דמגילה (פ"א הי"א) ובמדבר רבה (יג, ב):

שלמים הקריבו. פירוש גם שלמים, ורבי יוסי סבר עולות דוקא ולא שלמים, והכי מוכח לקמן, ובבראשית רבה (לד, ט) איתא הכי בהדיא: הכי גרסינן **כמאן דאמר שלמים היו.** פירוש דריש שלמים, כמו שְׁלֵמִים בצר"י תחת הלמ"ד, לשון ויבא יעקב שלם:

אשד הנחלים

ונפשו שקועה בזה, חטאו ועונשו שהרהורי לבו יהיו אתו עמו גם שמה, ולא יוכל להתטהר מעוונו, וזהו שתולה בקדקדיהם על דרך מליצה, כלומר אף שאינם מתאוים לראות פניהם, כי רחוקים המה מחמודות כאלה שהמה מתאות החומר, עם כל זה ציורם הרע מלפפתם, כאלו אחוזים המה בהן באחורי ראשיהן: **שבטו של לוי.** וזהו אוילים יליץ יעמוד מליץ על אשמו, כי שבטו של לוי בהעלאת קרבניהם יוכלו לטהרו ולצרפו, אבל בין ישרים שאינו מביא קרבנו על חטא כי אם תודה לשם ה', אז הוא לרצון לפני יתברך באין צורך למליץ: **[ו] שלמים הקריבו בני נח.** עיין לעיל [בראשית רבה] פרשה כ"ב [סימן ה] ושם פרשתי: **שרוח הדרומית מנשבת כו'.** הענין אף שהוא כפשוטו גם כן, עם כל זה רמוז בו ענין הכינוים של דרום וצפון המכונה אצל חכמי אמת, והם שני מדות רחמים ודין, ובזמן שזה שולט אין זה שולט, כי אם או רחמים גמורים או דין גמור, ולכן היה או כולו טוב בעת שהיו טובים, או חס ושלום כולו רע בשעה שהיו רעים, אבל לעתיד לבא

חידושי הרד"ל

דבר אחר אוילים יליץ אשם ובין ישרים רצונו זה שהביא קרבנו כו' את בני לוי וגו' וערבה לה' מנחת יהודה וירושלים. דבר אחר אוילים יליץ אשם, זה שמביא קרבן על חטאו, ובין ישרים רצונו זה שמביא קרבן שלא על חטאו. כן צריך לומר. ופירושו, תחלה דרש אוילים, זה שמביא קרבנו כדת האוילים זבח, שאין עושה תשובה, ואין מתכפר לו, ותקנתו שילך בין ישרים הן שבטו של לוי, (שנקראו ישרים כמה דאת אמר (דברי הימים ב' כט, לד) כי הלוים ישרי לבב), כי תורה יבקשו מפיהו ורבים השיב מעון, ואז יהיה קרבנו לרצון, ומביא סמך לזה מדכתיב אחר וטהר את בני לוי כו', וערבה לה' מנחת יהודה וירושלים:

אמרי יושר

זה שמביא קרבן ואין מתכפר לו. מלך חומרתו שהוא מחייבי כריתות וכיוצא, ילך אצל שבט לוי ויטהר לעתיד עמם מפיסול יוחסין, כי הם יטהרו, והיושב אצלם גם כן, דכתיב (מלאכי ג, ג) (וזיקק) [וטיהר] את בני לוי [וזקק]. או פירוש אחר, ילך אצל בני לוי וילמדוהו, כדי שיתכפר ולא יחטא עוד, כדכתיב (דברים לג, י) יורו משפטיך ליעקב, וזהו אוילים, אם ילכו בין ישרים, שהם שבט לוי, יעלו לרצון ויתכפר להם. ונראה שהגירסא הנכונה אין מתכפר, רצה לומר אין הכפרה תלויה בקרבן בעצם, רק העיקר הוא לימוד הכהנים הלוים לו, כמו שנאמר יורו משפטיך ליעקב ותורתך לישראל, כאשר ישימו קטורה (שם), זהו אוילים נראה להם שהאשם מכפר, אבל רצון האל וכוונתו אינו אלא הערת הישרים הלויים לחוטא: **[ו] רבי יוסי בר חנינא אומר עולות לבד הקריבו.** ואחר כך במתן תורה נתחדש דיקות השכינה, ואכילת ישראל והכהנים ושכינה על שולחן אחד, שהם השלמים: **לאחר מתן תורה בא.** דכתיב וישב משה לשפוט העם, ואם כן היה להם משפטים. וקמיפלגי בהאי פלוגתא, דמאן דאמר לאחר מתן תורה, סבירא ליה עולות לבד הקריבו בני נח:

מסורת המדרש

ו. ילקוט בראשית וילקוט שה"ש.

אם למקרא

וְיָשַׁב מְצָרֵף וּמְטַהֵר כֶּסֶף וְטִהַר אֶת בְּנֵי לֵוִי וְזִקַּק אֹתָם כַּזָּהָב וְכַכָּסֶף וְהָיוּ לַה' מַגִּישֵׁי מִנְחָה בִּצְדָקָה: (מלאכי ג:ג)

אֱוִלִים יָלִיץ אָשָׁם וּבֵין יְשָׁרִים רָצוֹן: (משלי יד:ט)

וְהֶבֶל הֵבִיא גַם הוּא מִבְּכֹרוֹת צֹאנוֹ וּמֵחֶלְבֵהֶן וַיִּשַׁע ה' אֶל הֶבֶל וְאֶל מִנְחָתוֹ: (בראשית ד:ד)

וַיִּשְׁלַח אֶת נַעֲרֵי בְּנֵי יִשְׂרָאֵל וַיַּעֲלוּ עֹלֹת וַיִּזְבְּחוּ זְבָחִים שְׁלָמִים לַה' פָּרִים: (שמות כד:ה)

וַיִּקַּח יִתְרוֹ חֹתֵן מֹשֶׁה עֹלָה וּזְבָחִים לֵאלֹהִים וַיָּבֹא אַהֲרֹן וְכֹל זִקְנֵי יִשְׂרָאֵל לֶאֱכָל לֶחֶם עִם חֹתֵן מֹשֶׁה לִפְנֵי הָאֱלֹהִים: (שם יח:יב)

עוּרִי צָפוֹן וּבוֹאִי תֵימָן הָפִיחִי גַנִּי יִזְּלוּ בְשָׂמָיו יָבֹא דוֹדִי לְגַנּוֹ וְיֹאכַל פְּרִי מְגָדָיו: (שיר השירים ד:טז)

חידושי הרש"ש

[ו] רבי אלעזר אמר שלמים הקריבו בני נח רבי יוסי בר חנינא אמר עולות הקריבו. כן צריך לומר:

באור מהרי"פ

ואינו מתכפר לו. כגון מי ששונה באולתו: **וטהר את בני לוי.** סיפיה דקרא והיו לה' מגישי מנחה בצדקה, פירוש אחר שיהיו בני לוי גרופים ונקיים מטונף, יהיו מגישי מנחה שלא בא על חטא אלא שבא בצדקה, היינו קרבן תודה, ומי שילך אצלם ילמוד ממעשיהם ויעשה כמוהם:

ידי משה

זה שהביא קרבנו ואינו מתכפר. פירוש לפי שהקרבן בעל מום, ילך לעתיד לבני לוי והם הכהנים של אמת ומגישי מנחה בצדקה, מה שאין כן כהני זמן הזה שמקריבין בעלי מומין. וכן פירש בעל אילה שלוחה:

דָא מָה עָבֵד לָהּ רַבִּי יוֹסֵי בַּר חֲנִינָא — How does R' Yose bar Chanina interpret this? עָבֵד כְּמַאן דְּאָמַר לְאַחַר מַתַּן תּוֹרָה נִתְגַּיֵּיר יִתְרוֹ — **He interprets [the verse] in accordance with the one who says Jethro converted after the giving of the Torah.**[85]

The Midrash elaborates on the dispute that was just touched upon:

אִיפַּלְגוּ רַבִּי חִיָּיא בַּר אַבָּא וְרַבִּי יַנַּאי — **R' Chiya bar Abba and R' Yannai disputed** the following matter: חַד אָמַר לְאַחַר מַתַּן תּוֹרָה נִתְגַּיֵּיר יִתְרוֹ — **One** of them **said: Jethro converted after the giving of the Torah.** וְחַד אָמַר קוֹדֶם מַתַּן תּוֹרָה נִתְגַּיֵּיר יִתְרוֹ — **And** the other **one said: Jethro converted before the giving of the Torah.** The Midrash qualifies this debate: אָמַר רַבִּי הוּנָא: וְלָא פְּלִיגֵי — **R' Huna said: And [these Sages] do not dispute** this matter per se;[86] מאן דְּאמַר קוֹדֶם מַתַּן תּוֹרָה נִתְגַּיֵּיר יִתְרוֹ כְּמַאן דְּאָמַר שְׁלָמִים הִקְרִיבוּ בְּנֵי נֹחַ — rather, **the one who says Jethro converted before the giving of the Torah concurs with the one who says Noahides offered *shelamim*-offerings,** וּמַאן דְּאָמַר לְאַחַר מַתַּן תּוֹרָה נִתְגַּיֵּיר יִתְרוֹ כְּמַאן דְּאָמַר עוֹלוֹת הִקְרִיבוּ בְּנֵי נֹחַ — **and the one who says Jethro converted after the giving of the Torah concurs with the one who says Noahides offered** only ***olah*-offerings.**[87]

The Midrash presents verses that appear to support R' Yose bar Chanina's position:

וְדָא מְסַיֵּיעַ לֵיהּ לְרַבִּי יוֹסֵי בַּר חֲנִינָא — **And this** verse **supports** the position assumed by **R' Yose bar Chanina:** "עוּרִי צָפוֹן וּבוֹאִי תֵימָן" — ***Awake, O north, and come, O south!*** (*Song of Songs* 4:16). The verse is expounded, one phrase at a time: "עוּרִי צָפוֹן" זוֹ עוֹלָה שֶׁנִּשְׁחֲטָה בַּצָּפוֹן — ***Awake, O north*** **— this is** an allusion to **the *olah*-offering, that was slaughtered** exclusively **in the north** section of the Temple Courtyard.[88] וְלָמָּה קוֹרֵא אוֹתָהּ "עוּרִי" — **And why does [the verse] call [the *olah*-offering] *awake*?** Because the *olah*-offering is דָּבָר שֶׁהוּא יָשֵׁן וְנִתְעוֹרֵר — **something that was dormant and was awakened.**[89]

NOTES

apparently assumed that the episode with Jethro took place before the giving of the Torah, he sees in this verse a proof that *shelamim*-offerings were brought by Noahides.

85. The Midrash refers to the sage (cited just below) who places the episode with Jethro described in *Exodus* 18 at a point in time subsequent to the giving of the Torah at Mount Sinai (compare *Zevachim* 116a). According to this view, when Jethro brought the sacrifices described by the cited verse, he did so as a Jew, after the giving of the Torah, and was undoubtedly eligible to bring *shelamim*-offerings.

And although the Torah records Jethro's visit before the giving of the Torah, the Sages teach (in *Pesachim* 6b) that the Torah does not record events in chronological order (*Eitz Yosef*).

86. In other words, if not for the concern that the Midrash will presently state, both sages would agree that Jethro arrived before the giving of the Torah, as a simple reading of the Torah would lead one to believe; the argument exists only because one sage feels compelled to veer from the simple understanding (ibid.).

87. As we have learned just above, proponents of the view that *shelamim*-offerings were not brought by Noahides can reconcile their view with *Exodus* 18:12 only if they accept that Jethro converted after the giving of the Torah. Those who hold that *shelamim*-offerings were brought by Noahides, on the other hand, are free to say that Jethro converted before the giving of the Torah (ibid.).

88. *Eitz Yosef*, referencing *Leviticus* 1:11.

Our Midrash accords with *Seder Olam* (Ch. 7) where it is taught that this verse was stated on the day that the Tabernacle was erected in the Wilderness (*Rashi* to *Bereishis Rabbah* 22 §5; *Yefeh To'ar* ad loc. points to *Bamidbar Rabbah* 13 §2). On that day the Jewish people began to offer sacrifices on a large scale and God called upon them to bring specific ones.

89. After it had been brought by Noahides in ancient times the *olah*-offering had been discontinued and in this verse [stated when the Tabernacle was erected (see the preceding note)] God was instructing the Jews to reintroduce the *olah*-offering (*Eitz Yosef*).

דבר אחר אוילים יליץ אשם ובין ישרים רצונו זה שהביא קרבנו ואינו מתכפר לו. מה יעשה ילך אצל שבטו של לוי שכתוב בו וישב מצרף ומטהר כסף וטהר את בני לוי. דבר אחר אוילים יליץ אשם זה שמביא קרבן על חטאו.

(ו) **רבי אלעזר ורבי יוסי בר חנינא.** בראשית רבה (כב, ה) ושם נסמן ומבואר: **אלא אשר יקריבו לה'.** צריך לומר אשר יקריב לה', ובעבור זה הובא כל הדרשה לכאן דרך אגב: **הנתונות בצפון.** שעיקר הגלות בצפון הוא, כמו שכתב ירמיה (טז, כג, לג):

דָּבָר אַחֵר, "אֱוִלִים יָלִיץ אָשָׁם°", זֶה שֶׁהֵבִיא קָרְבָּנוֹ וְאֵינוֹ מִתְכַּפֵּר לוֹ, מַה יַּעֲשֶׂה, יֵלֵךְ אֵצֶל שִׁבְטוֹ שֶׁל לֵוִי שֶׁכָּתַב בּוֹ (מלאכי ג, ג) "וְיָשַׁב מְצָרֵף וּמְטַהֵר כֶּסֶף וְטִהַר אֶת בְּנֵי לֵוִי", (משלי יד, ט) "וּבֵין יְשָׁרִים רָצוֹן°", זֶה שֶׁהֵבִיא קָרְבָּן שֶׁלֹּא עַל חֵטְא, [ז, יב] "אִם עַל תּוֹדָה יַקְרִיבֶנּוּ":

ו רַבִּי אֶלְעָזָר וְרַבִּי יוֹסֵי בַּר חֲנִינָא, רַבִּי אֶלְעָזָר אָמַר: שְׁלָמִים הִקְרִיבוּ בְּנֵי נֹחַ, °רַבִּי יוֹסֵי בַּר חֲנִינָא אָמַר: עוֹלוֹת הִקְרִיבוּ בְּנֵי נֹחַ°, מָתִיב רַבִּי אֶלְעָזָר לְרַבִּי יוֹסֵי בַּר חֲנִינָא: (בראשית ד, ד) "וְהֶבֶל הֵבִיא גַם הוּא מִבְּכֹרוֹת צֹאנוֹ וּמֵחֶלְבֵהֶן", דָּבָר שֶׁחֶלְבּוֹ קָרֵב, דָּא מָה עָבֵיד לֵיהּ רַבִּי יוֹסֵי בַּר חֲנִינָא, עָבֵד לָהּ מִשַּׁמְנֵיהוֹן, מָתִיב רַבִּי אֶלְעָזָר לְרַבִּי יוֹסֵי בַּר חֲנִינָא: (שמות כד, ה) "וַיִּשְׁלַח אֶת נַעֲרֵי בְּנֵי יִשְׂרָאֵל וַיַּעֲלוּ עֹלֹת וַיִּזְבְּחוּ שְׁלָמִים", דָּא מָה עָבֵד לָהּ רַבִּי יוֹסֵי בַּר חֲנִינָא, עָבֵיד לָהּ כְּמַאן דְּאָמַר שְׁלָמִים הָיוּ בְעוֹרָן בְּלֹא הֶפְשֵׁט וְנִתּוּחַ, מָתִיב רַבִּי אֶלְעָזָר לְרַבִּי יוֹסֵי בַּר חֲנִינָא: (שם יח, יב) "וַיִּקַּח יִתְרוֹ חֹתֵן מֹשֶׁה עֹלָה וּזְבָחִים לֵאלֹהִים", דָּא מָה עָבֵד לָהּ רַבִּי יוֹסֵי בַּר חֲנִינָא, עָבֵד כְּמַאן דְּאָמַר לְאַחַר מַתַּן תּוֹרָה נִתְגַּיֵּיר יִתְרוֹ, אִיפַּלְגוּ רַבִּי חִיָּיא בַּר אַבָּא וְרַבִּי יַנַּאי, חַד אָמַר לְאַחַר מַתַּן תּוֹרָה נִתְגַּיֵּיר יִתְרוֹ וְחַד אָמַר קוֹדֶם מַתַּן תּוֹרָה נִתְגַּיֵּיר יִתְרוֹ, אָמַר רַבִּי הוּנָא: וְלָא פְּלִיגֵי, מַאן דְּאָמַר קוֹדֶם מַתַּן תּוֹרָה נִתְגַּיֵּיר יִתְרוֹ כְּמַאן דְּאָמַר שְׁלָמִים הִקְרִיבוּ בְּנֵי נֹחַ, וּמַאן דְּאָמַר לְאַחַר מַתַּן תּוֹרָה נִתְגַּיֵּיר יִתְרוֹ כְּמַאן דְּאָמַר עוֹלוֹת הִקְרִיבוּ בְּנֵי נֹחַ, וְדָא מְסַיֵּיעַ לֵיהּ לְרַבִּי יוֹסֵי בַּר חֲנִינָא, (שיר ד, טז) "עוּרִי צָפוֹן וּבוֹאִי תֵימָן", "עוּרִי צָפוֹן" זוֹ עוֹלָה שֶׁנִּשְׁחֶטֶת בַּצָּפוֹן, וְלָמָּה קוֹרֵא אוֹתָהּ "עוּרִי", דָּבָר שֶׁהוּא יָשֵׁן וְנִתְעוֹרֵר,

ובין ישרים רצון זה שהביא קרבן שלא על חטא אם על תודה יקריבנו. כן צריך לומר (רד"ל). ופירוש **זה שהביא קרבנו ואינו מתכפר לו,** כלומר שהוא שונה באולתו ולכן אינו מתכפר לו, וזה אמר אוילים יליץ אשם, שהאוילים המליץ בינותם ובין ה' קרבן אשם, ולא יועילם אחר שהם שונים באולתם. ואמר **מה יעשה,** רצה לומר מה תקנתם, **ילכו אצל שבטו של לוי** [שנקראו ישרים כמה דאת אמר (דברי הימים ב' כט, לד) כי הלוים ישרי לבב] שכתוב בו כו', וילמדום דרך ה' כדכתיב בהם (מלאכי ב, ו־ז) כי תורה יבקשו מפיהו, ורבים השיב מעון, וגם כתיב שם (מלאכי ג, ג) והיו לה' מגישי מנחה בצדקה, וזה שאמר ובין ישרים, רצה לומר כשיהיו בין ישרים שילכו ויטפלו עמהם ללמוד ממעשיהם, רצון, פירוש יהיו קרבנותיהם לרצון. ואחרי זה מפרש אוילים יליץ אשם רצה לומר, שהאויל יעמוד מליץ על חטאו, אשם, כלומר שהעלאת קרבנו יטהרנו, אבל בין ישרים רצון, שאינו מביא קרבנו על חטא כי אם תודה לשם ה', וזהו לרצון לפני ה': (ו) **רבי אלעזר ורבי יוסי בר חנינא.** משום דמדכתיב הכא אשר יקריבו לה' ולא קאמר אשר הקריבו איכא סייעתא לרבי יוסי דאמר שלא הקריבו בני נח שלמים מייתי הכא פלוגתייהו: **שלמים הקריבו בני נח.** פירוש שהקריבו שלמים גם כן: **עולות.** הקריבו, פירוש עולות לבד: **דבר שחלבו קרב.** היינו שלמים שחלבו קרב לגבוה והבשר נאכל לבעלים, אבל עולות כולן כליל לאשים: **מה עביד ליה.** מה עושה ממנו ואיך מקיימו: **עבד ליה משמניהון.** שהקריב היותר שמנות, והיינו מחלביהן שהשמנות חלבן מרובה, או שפירושו מלשון (במדבר יח, יב) חלב יצהר שרוצה לומר הטוב והנבחר: **וישלח את נערי בנ"י.** פירוש וזה קודם מתן תורה הוה שכל הפרשה ההיא דכתיב ואל משה אמר עלה אל ה' היא בארבעה בסיון, שהעליה הנזכר היא עליית מתן תורה, ומה שכתוב שם ויבא משה ויספר לעם את כל דברי ה', הוא מצות פרישה והגבלה כפירש רש"י שם. ומה שאמר שם וישכם בבקר ויבן מזבח כו' וישלח את נערי כו' בחמישי בסיון היה כדאיתא במכילתא, ומתן תורה בששי או בשביעי הוה כדאיתא בשבת פרק רבי עקיבא (פח, א), וכיון דוישלח את נערי וגו' קודם מתן תורה היה הרי שהקריבו בני נח שלמים, דקודם מתן תורה כולהו בני נח הוו: **שלמים היו בעורן כו'.** כלומר לעולם עולות הוו, ומאי שלמים דקאמר לשון שלימות שהיו שלימות בלא הפשט ונתוח, דאף על גב דעולה טעונה הפשט ונתוח, לא הקריבוה בני נח כמשפטה, דדין הפשט ונתוח בסיני נאמר, ואפילו בני ישראל במדבר יש אומרים שהקריבוה בלא הפשט ונתוח, שלא נתפרשו דיני קרבנות אלא באהל מועד, כדאיתא בזבחים פרק פרת חטאת (קטו, ב): **עולה וזבחים.** וזבחים היינו שלמים: **כמאן דאמר לאחר מתן נתגייר יתרו.** ואף על גב דפרשת יתרו מקמי פרשה מתן תורה כתיבה, אין מוקדם ומאוחר בתורה: **ולא פליגי.** פירוש אין עיקר פלוגתייהו בהכי, דכולי עלמא הוו סבירא ליה קודם מתן תורה דמה לנו לטוות סדר כל הפרשיות, אלא טעם פלוגתייהו בהא דלעיל, אי הקריבו בני נח שלמים, דלמאן דאמר עולות דוקא מטעם הכתובים דמייתין בסמוך אצטריך לדחוקי נפשיה לומר דלאחר מתן תורה בא, כי היכי דלא תקשי ליה קרא דעולה וזבחים לאלהים, ולמאן דאמר שלמים גם כן הקריבו אוקי פרשיות כסדרן דקודם מתן תורה בא: **זו עולה שנשחטה בצפון.** פירוש בצפון העזרה דכתיב (ויקרא א, יא) צפונה לפני ה': **שהוא ישן ונתעורר.** שמתחלה היו בני נח נוהגים בה ואחר כך נעזבו ממנה, ועכשיו אזהר רחמנא שיחזרו ישראל לנהוג אותו:

מתנות כהונה

אצל שבטו כו'. ליטהר עמהם: [ו] **שלמים הקריבו בני נח.** מפורש בבראשית רבה (כב, ה. לד, ט), ובשיר השירים רבה (ד, פסוק טז), וכל זה במסכת זבחים (קטז, א), ובירושלמי בפרק אין בין (פ"א הי"א) ובפרק קמא דמגילה (פ"א הי"א) ובקהלת רבה (יג, ב): **שלמים הקריבו.** פירוש גם שלמים, ורבי יוסי סבר עולות דוקא ולא שלמים, והכי מוכח לקמן, ובבראשית רבה (לד, ט) איתא הכי בהדיא: הכי גרסינן **כמאן דאמר שלמים היו.** פירוש דריש שלמים, כמו שלמים בצל"י תחת הלמ"ד, לשון ויבא יעקב שלם.

אשד הנחלים

ונפשו שקועה בזה, חטאו ועונשו שהרהורי לבו יהיו אתו עמו גם שמה, ולא יוכל להתטהר מעוונו, וזהו שתולה בקדקדיהם על דרך מליצה, כלומר אף שאינם מתאוים לראות פניהם, כי רחוקים המה מחמודות כאלה שהמה מתאות החומר, עם כל זה ציורם הרע מלפפתם, כאלו אחוזים המה בהן באחורי ראשיהן: **שבטו של לוי.** וזהו אווילים יליץ יעמוד מליץ על אשמו, כי שבטו של לוי בהעלאת קרבניהם יוכלו לטהרו ולצרפו, אבל בין ישרים שאינו מביא קרבנו על חטא כי אם תודה לשם ה', אז הוא לרצון לפני יתברך באין צורך למליץ: [ו] **שלמים הקריבו בני נח.** עיין לעיל [בראשית רבה] פרשה כ"ב [סימן ה] ושם פרשתי: **שרוח הדרומית מנשבת בו'.** הענין אף שהוא כפשוטו גם כן, עם כל זה רמוז בו ענין הכינוים של דרום וצפון המכונה אצל חכמי אמת, והם שני מדות רחמים ודין, ובזמן שזה שולט אין זה שולט, כי אם או רחמים גמורים או דין גמור, ולכן היה או כולו טוב בעת שהיו טובים, או חס ושלום כולו רע בשעה שהיו רעים, אבל לעתיד לבא

חידושי הרד"ל

דבר אחר אוילים יליץ אשם ובין ישרים רצונו זה שהביא קרבנו כו' את בני לוי וגו' וערבה לה' מנחת יהודה וירושלים. דבר אחר אוילים יליץ אשם, זה שמביא קרבן על חטאו, ובין ישרים רצונו זה שמביא קרבן שלא על חטאו. כן צריך לומר. ופירושו, תחלה דרש אוילים, זה שמביא קרבנו כתת האוילים זבח, שאין עושה תשובה, ואין מתכפר לו, ותקנתו שילך בין ישרים הן שבטו של לוי, (שנקראו ישרים כמה דאת אמר (דברי הימים ב' כט, לד) כי הלוים ישרי לבב), כי תורה יבקשו מפיהו ורבים השיב מעון, ואז יהיה קרבנו לרצון, ומביא סמך לזה מדכתיב אחר וטהר את בני לוי כו', וערבה לה' מנחת יהודה וירושלים:

אמרי יושר

זה שמביא קרבן ואין מתכפר לו. מצד חומרתו שהוא מחייבי כריתות וכיוצא, ילך אצל שבט לוי ויטהר לעתיד עמס מפיסול יוחסין, כי הם יטהרו, והיושב אצלם גם כן, דכתיב (מלאכי ג ג) (וזיקק) [וטיהר] את בני לוי [וזקק]. או פירוש אחר, ילך אצל בני לוי וילמדוהו, כדי שיתכפר ולא יחטא עוד, כדכתיב (דברים לג י) יורו משפטיך ליעקב, וזהו אוילים, אם ילכו בין ישרים, שהם שבט לוי, יעלו לרצון ויתכפר להם. ונראה שהגירסא הנכונה אין מתכפר, רצה לומר אין הכפרה תלויה בקרבן בעצם, רק העיקר הוא לימוד הכהנים הלוים לו, כמו שנאמר יורו משפטיך ליעקב ותורתך לישראל, כאשר ישימו קטורה (שם), זהו אוילים נראה להם שהאשם מכפר, אבל רצון האל וכוונתו אינו אלא הערת הישרים הלויים לחוטא: [ו] **רבי יוסי בר חנינא אומר עולות לבד הקריבו.** ואחר כך במתן תורה נתחדש דביקות השכינה, ואכילת ישראל והכהנים ושכינה על שולחן אחד, שהם השלמים: **לאחר מתן תורה בא.** דכתיב וישב משה לשפוט העם, ואם כן היה להם משפטים. וקמיפלגי בהאי פלוגתא, דמאן דאמר לאחר מתן תורה, סבירא ליה עולות לבד הקריבו בני נח:

מסורת המדרש

ו. ילקוט בראשית וילקוט שה"ש:

אם למקרא

וְיָשַׁב מְצָרֵף וּמְטַהֵר כֶּסֶף וְטִהַר אֶת בְּנֵי לֵוִי וְזִקַּק אֹתָם כַּזָּהָב וְכַכָּסֶף וְהָיוּ לַה' מַגִּישֵׁי מִנְחָה בִּצְדָקָה:
(מלאכי ג:ג)

אֱוִלִים יָלִיץ אָשָׁם וּבֵין יְשָׁרִים רָצוֹן:
(משלי יד:ט)

וְהֶבֶל הֵבִיא גַם הוּא מִבְּכֹרוֹת צֹאנוֹ וּמֵחֶלְבֵהֶן וַיִּשַׁע ה' אֶל־הֶבֶל וְאֶל־מִנְחָתוֹ:
(בראשית ד:ד)

וַיִּשְׁלַח אֶת נַעֲרֵי בְּנֵי יִשְׂרָאֵל וַיַּעֲלוּ עֹלֹת וַיִּזְבְּחוּ זְבָחִים שְׁלָמִים לַה' פָּרִים:
(שמות כד:ה)

וַיִּקַּח יִתְרוֹ חֹתֵן מֹשֶׁה עֹלָה וּזְבָחִים לֵאלֹהִים וַיָּבֹא אַהֲרֹן וְכֹל זִקְנֵי יִשְׂרָאֵל לֶאֱכָל לֶחֶם עִם חֹתֵן מֹשֶׁה לִפְנֵי הָאֱלֹהִים:
(שם יח:יב)

עוּרִי צָפוֹן וּבוֹאִי תֵימָן הָפִיחִי גַנִּי יִזְּלוּ בְשָׂמָיו יָבֹא דוֹדִי לְגַנּוֹ וְיֹאכַל פְּרִי מְגָדָיו:
(שיר השירים ד:טז)

חידושי הרש"ש

[ו] **רבי אלעזר אמר שלמים הקריבו בני נח רבי יוסי בר חנינא אמר עולות הקריבו.** כן צריך לומר:

באור מהרי"פ

ואינו מתכפר לו. כגון מי ששונה באולתו: **וטהר את בני לוי.** סיפיה דקרא והיו לה' מגישי מנחה בצדקה, פירוש אחר שיהיו בני לוי צרופים ונקיים מטונס, יהיו מגישי מנחה שלא בא על חטא אלא שבא בצדקה, הייני קרבן תודה, ומי שילך אצלם ילמוד ממעשיהם ויעשה כמוהם:

ידי משה

זה שהביא קרבנו ואינו מתכפר. פירוש לפי שהקרבן בעל מום, ילך לעתיד לבני לוי והם הכהנים של אמת ומגישי מנחה בצדקה, מה שאין כן כהני זמן הזה שמקריבין בעלי מומין. וכן פירש בעל אילה שלוחה:

"וּבוֹאִי תֵימָן" זוֹ שְׁלָמִים שֶׁנִּשְׁחָטוּ בַּדָּרוֹם — *And come, O south* — **this is an allusion to the *shelamim*-offering, that was slaughtered** even **in the south** section of the Temple Courtyard.[90] וְלָמָּה קוֹרֵא "וּבוֹאִי" אוֹתָהּ — **And why does [Scripture] call [the *shelamim*-offering] *and come*?** Because the *shelamim*-offering is דָּבָר שֶׁהוּא חִידּוּשׁ — **something that is a novelty.**[91] וְאַף קְרָיָא מְסַיֵּיעַ לְרַבִּי יוֹסֵי בַּר חֲנִינָא — **And also** the following **verse supports** the position assumed by **R' Yose bar Chanina:** "זֹאת תּוֹרַת הָעֹלָה הִיא הָעֹלָה", שֶׁהִקְרִיבוּ בְּנֵי נֹחַ — ***This is the law of the burnt-offering: it is the burnt-offering*** (*Leviticus* 6:2); the implication being, the offering **that Noahides offered.**[92] וְכַדּוּ דְּאָתוּ שְׁלָמִים, "זֹאת תּוֹרַת זֶבַח הַשְּׁלָמִים" — **But when it comes** to speak of the ***shelamim*-offering,**[93] our verse states, ***This is the law of the feast peace-offering*** *that one will offer to HASHEM*. The Midrash examines this verse: "אֲשֶׁר הִקְרִיבוּ לַה'" אֵין כְּתִיב כָּאן — ***That they offered to HASHEM*** **is not written here,** אֶלָּא "אֲשֶׁר יַקְרִיב(וּ) לַה'" מִכָּאן וּלְהַבָּא — **rather, *that one will offer to HASHEM* is written;** the implication being that the offering under discussion will be brought **from this time and forward.**[94]

The Midrash turns its attention to defense of R' Elazar's position:[95]

מַה מְקַיֵּים רַבִּי אֶלְעָזָר לִקְרָיֵיהּ דְּרַבִּי יוֹסֵי בְּרַבִּי חֲנִינָא, "עוּרִי צָפוֹן" — **How does R' Elazar interpret the verse** brought in support **of R' Yose bar Chanina — *Awake, O north,*** etc.? R' Elazar explains this verse based on the following three facts: לִכְשֶׁיִּתְעוֹרְרוּ הַגָּלִיּוֹת הַנְּתוּנוֹת בַּצָּפוֹן יָבֹאוּ וְיַחֲנוּ בַּדָּרוֹם — (i) **When the exiles who are located in the north will awaken, they will come and encamp in the south;**[96] שֶׁנֶּאֱמַר "הִנְנִי מֵבִיא אוֹתָם מֵאֶרֶץ צָפוֹן" — **as is stated, *Behold, I will bring them from the land of the north*** (*Jeremiah* 31:7).[97] לִכְשֶׁיִּתְעוֹרֵר גּוֹג הַנָּתוּן בַּצָּפוֹן יָבֹא וְיִפּוֹל בַּדָּרוֹם — (ii) **When Gog, who is located in the north, will awaken, he will come and fall upon the south,**[98] כְּמָה דְתֵימָא "וְשֹׁבַבְתִּיךָ וְשִׁשֵּׁאתִיךָ וְהַעֲלִיתִיךָ מִיַּרְכְּתֵי צָפוֹן" — **as is stated, *I will lead you astray and seduce you; I will cause you to ascend from the uttermost north*** *and bring you upon the mountains of Israel* (*Ezekiel* 39:2).[99] לִכְשֶׁיִּתְעוֹרֵר מֶלֶךְ הַמָּשִׁיחַ שֶׁנָּתוּן בַּצָּפוֹן יָבֹא וְיִבְנֶה בֵּית הַמִּקְדָּשׁ הַנָּתוּן בַּדָּרוֹם — (iii) **When the King Messiah, who is located in the north, will awaken, he will come and build the Holy Temple that is located in the south;**[100]

NOTES

90. Elucidation follows *Eitz Yosef*, who explains that because the Torah did not designate a specific area of the Temple Courtyard in which *shelamim*-offerings should be slaughtered, *Zevachim* 55a teaches that they may be slaughtered anywhere in the Courtyard. He adds that our Midrash specifies the *south* section of the Courtyard simply because [it is contrasting the *shelamim*-offering with the *olah*-offering that must be slaughtered in the *north* and] *south* typically appears alongside its opposite, *north*.

91. The word וּבוֹאִי, *and come*, implies an invitation to something that is *coming* for the first time. Now, although *shelamim*-offerings had been brought in the interval between the giving of the Torah and the erection of the Tabernacle, the Midrash relates this verse to the *shelamim*-offering because that sacrifice had not been performed by Noahides and was therefore a relatively new phenomenon (*Yefeh To'ar* to *Bereishis Rabbah* ibid.). The verse thus proves that Noahides did not bring *shelamim*-offerings.

92. The words הִיא הָעֹלָה, *it is the burnt-offering*, are superfluous unless they are intended to imply that the verse is discussing an offering that is familiar (see *Eitz Yosef*). The Midrash explains that the Torah describes the *olah*-offering this way because it had long been brought by Noahides.

93. *Matnos Kehunah*, followed by *Eitz Yosef*.

94. Had the *shelamim*-offering previously been in practice, the verse should have indicated as much, as it did with respect to the *olah*-offering (*Yefeh To'ar* ibid.).

95. The Midrash does not feel the need to defend R' Elazar from the challenges posed by the verses from *Leviticus* because the defense is self-evident (*Yefeh To'ar*). Specifically, R' Elazar explains the verse's inclusion of the words הִיא הָעֹלָה, *it is the burnt-offering*, as the Gemara does in *Zevachim* 83a, and he feels that the verse did not say *the feast peace-offering that they "offered" to HASHEM*, simply because the verse is focused on future offerings and there is no need for it to allude to past ones (*Yefeh To'ar* to *Bereishis Rabbah* ibid.; see additional discussion in note 109 below).

96. The Midrash refers to the lands to which Jews were exiled as *north* (see the following note) and to *Eretz Yisrael* as *south*. Although *Eretz Yisrael is in the center of the world* (*Ezekiel* 38:12 with *Tanchuma*, *Kedoshim* §10), it is called *south* in relation to the northern regions from where the exiles will travel (see *Eitz Yosef*).

97. [In this verse, God pledges that He will one day gather together the exiled Jewish people. The verse proves that Scripture refers to Jewish exiles as being located in the *north*.] Although Jews were scattered to the four corners of the world, Jewish exiles are primarily to the *north* [of *Eretz Yisrael*] (*Eitz Yosef*; see *Maharzu*, who indicates several verses).

98. [The climactic war of Gog and Magog, which will introduce the End of Days and the Messianic era, is foretold in *Ezekiel*, Chs. 38-39, and in *Zecharia*, Ch. 14. In it, Gog — allied with a multitude of nations — will advance to attack the Jewish people in their own land and will ultimately be destroyed.]

The Midrash refers to *Eretz Yisrael* as *the south* because of its geographical relationship to the place from which Gog will embark (*Eitz Yosef* above, s.v. יבאו ויחנו).

99. This verse, in which God addresses Gog, indicates that he will approach *Eretz Yisrael* from the *north*.

100. Our Midrash states that the Messiah is *in the north* because the Sages teach (in *Sanhedrin* [98a according to the version of *Hagahos HaGra*], *Shemos Rabbah* 1 §26, and *Tanchuma*, *Shemos* §8) that the Messiah is in Rome. The site of the Temple is referred to as *the south* based on *Yoma* 12a, where it is taught that the Temple Mount, the Temple's chambers, and the Temple's Courtyards were situated in the portion of Judah, whose land was located on the *southern* border of *Eretz Yisrael* (see *Joshua* 15:1), adjacent to the portion of Benjamin, where the Temple structure was erected (*Eitz Yosef*; see also *Radal*, who offers other sources that prove that the Temple was in the *south*, among them *Bereishis Rabbah* at the very end of Ch. 39).

See Insight Ⓐ.

INSIGHTS

Ⓐ **The Construction of the Third Temple** According to our Midrash, the Third Temple will be built by the Messiah. Similarly, *Succah* 52b refers to the Messiah as a "craftsman," since he will rebuild the Temple. *Yerushalmi* (*Megillah* 1:11) states as well that the future Temple will be built by man (though not necessarily by the Messiah). *Rambam* in *Hil. Melachim* (11:1) adopts our Midrash's view that the Temple will be built by the Messiah.

According to various other Aggadic teachings, however, the future Temple will *not* be made by man, but will miraculously descend intact from Heaven. According to *Mechilta* (on *Exodus* 15:17, *Beshalach*, *Masechta De Shirah* §10), this is alluded to by the verse (there): מִקְּדָשׁ ה' כּוֹנְנוּ יָדֶיךָ, *the Sanctuary, my Lord, that Your hands established*, i.e., the future Temple will be built by God (see also *Rashi* to *Exodus* ad loc.). And the Gemara in *Bava Kamma* (60b) infers from the verse (*Zechariah* 2:9), וַאֲנִי אֶהְיֶה לָּהּ נְאֻם ה' חוֹמַת אֵשׁ סָבִיב וּלְכָבוֹד אֶהְיֶה בְתוֹכָהּ, *And I will be for it — the word of Hashem — a wall of fire all around and for glory will I be in its midst*, that God in the future will rebuild the Temple with fire (see also *Pesikta Rabbasi* [Friedman edition], Ch. 28, p. 134; *Shemos Rabbah* 48 §4; *Tanchuma, Vayakhel* §5). *Rashi* (*Succah* 41a, *Rosh Hashanah* 30a) and *Tosafos* (*Succah* ibid., *Shevuos* 15b) adopt this view (see below).

It would seem to be simply a dispute among the Sages whether the future Temple will be built by God or by man. Indeed, *Shoshanim LeDavid* (*Middos, Introduction*) suggests that the underlying issue of such a dispute would be whether the natural laws will change in the Messianic era, which is the subject of a dispute between Shmuel and R' Yochanan in *Berachos* 34b. The view that the future Temple will be built by man would follow Shmuel, who maintains that there will be no changes in the natural order in the times of the Messiah. It follows,

"וּבוֹאִי תֵימָן" זוֹ °תּוֹדָה שֶׁנִּשְׁחֲטָה° בַּדָּרוֹם, וְלָמָּה קוֹרֵא אוֹתָהּ "וּבוֹאִי" דָּבָר שֶׁהוּא חִידּוּשׁ, וְאַף קְרָיָא מְסַיֵּיעַ לְרַבִּי יוֹסֵי בַּר חֲנִינָא, (לעיל ו, ב) "זֹאת תּוֹרַת הָעֹלָה הִיא הָעֹלָה", שֶׁהִקְרִיבוּ בְּנֵי נֹחַ, וְכַדּוּ דַּאֲתוֹ שְׁלָמִים, "זֹאת תּוֹרַת זֶבַח הַשְּׁלָמִים אֲשֶׁר הִקְרִיבוּ לַה' " אֵין כְּתִיב כָּאן, אֶלָּא (לעיל ז, יא) "אֲשֶׁר יַקְרִיב(ו) לַה' ", מִכָּאן וּלְהַבָּא, מַה מְקַיֵּים רַבִּי *אֶלְעָזָר לִקְרָיֵיהּ דְּרַבִּי יוֹסֵי בְּרַבִּי חֲנִינָא, "עוּרִי צָפוֹן" לִכְשֶׁיִּתְעוֹרְרוּ הַגָּלֻיּוֹת הַנְּתוּנוֹת בַּצָּפוֹן יָבֹאוּ וְיַחֲנוּ בַּדָּרוֹם שֶׁנֶּאֱמַר (ירמיה לא, ז) "הִנְנִי מֵבִיא אוֹתָם מֵאֶרֶץ צָפוֹן", לִכְשֶׁיִּתְעוֹרֵר גּוֹג הַנָּתוּן בַּצָּפוֹן יָבֹא וְיִפּוֹל בַּדָּרוֹם, כְּמָה דְתֵימָא (יחזקאל לט, ב) "וְשֹׁבַבְתִּיךָ וְשִׁשֵּׁאתִיךָ וְהַעֲלִיתִיךָ מִיַּרְכְּתֵי צָפוֹן", °מֶלֶךְ הַמָּשִׁיחַ שֶׁנָּתוּן בַּצָּפוֹן יָבֹא וְיִבְנֶה בֵּית הַמִּקְדָּשׁ הַנָּתוּן בַּדָּרוֹם, הָדָא *הוּא דִכְתִיב (ישעיה מא, כה) "הַעִירוֹתִי מִצָּפוֹן וַיַּאת מִמִּזְרַח שֶׁמֶשׁ", אָמַר רַבִּי יוֹסֵי בְּשֵׁם רַבִּי בִּנְיָמִין בַּר לֵוִי: לְפִי שֶׁבָּעוֹלָם הַזֶּה ׳בִּזְמַן שֶׁרוּחַ דְּרוֹמִית מְנַשֶּׁבֶת אֵין רוּחַ צְפוֹנִית מְנַשֶּׁבֶת וּבִזְמַן שֶׁרוּחַ צְפוֹנִית מְנַשֶּׁבֶת אֵין רוּחַ דְּרוֹמִית מְנַשֶּׁבֶת, אֲבָל לֶעָתִיד לָבֹא, אָמַר הַקָּדוֹשׁ בָּרוּךְ הוּא: אֲנִי מֵבִיא אַרְגֶּסְטֵס בָּעוֹלָם שֶׁמְּשַׁמְּשׁוֹת בּוֹ שְׁתֵּי רוּחוֹת, הָדָא הוּא דִכְתִיב (שם מג, ו) "אֹמַר לַצָּפוֹן תֵּנִי וּלְתֵימָן אַל תִּכְלָאִי הָבִיאִי בָנַי מֵרָחוֹק וּבְנוֹתַי מִקְצֵה הָאָרֶץ", אָמַר רַבִּי יוֹחָנָן: ׳לִמֶּדְתְךָ תּוֹרָה דֶּרֶךְ אֶרֶץ, שֶׁאֵין חָתָן נִכְנָס לַחוּפָּה אֶלָּא אִם כֵּן נוֹתֶנֶת לוֹ כַּלָּה רְשׁוּת, הָדָא *הוּא דִכְתִיב (שיר ד, טז) "יָבֹא דוֹדִי לְגַנּוֹ וְיֹאכַל פְּרִי מְגָדָיו", וְאַחַר כָּךְ (שם ה, א) "בָּאתִי לְגַנִּי אֲחֹתִי כַלָּה":

ז רַבִּי פִּנְחָס וְרַבִּי לֵוִי וְרַבִּי יוֹחָנָן בְּשֵׁם רַבִּי מְנַחֵם דְּגַלְיָא: לֶעָתִיד לָבֹא כָּל הַקָּרְבָּנוֹת בְּטֵלִין וְקָרְבַּן תּוֹדָה אֵינוֹ בָּטֵל, כָּל הַתְּפִלּוֹת בְּטֵלוֹת הַהוֹדָאָה אֵינָהּ בְּטֵלָה, הָדָא *הוּא דִכְתִיב

עץ יוסף

ובואי תימן זו תודה. בכל המקומות שליינתי ביד יוסף (מסורת המדרש) הגירסא זו שלמים: **שנשחטה בדרום.** רלונו לומר אף בדרום דלא יחד קרא להם דוכתא וכדתנן (זבחים נה, א) שלמים קדשים קלים שחיטתן בכל מקום בעזרה, ומשום דדרום נגדיי ללפון נקט תימן וכאורחייהו שנזכרים תמיד זה אלל זה: **היא העולה שהקריבו בני נח.** דהיא משמע הידועה בשכבר, דאם לא כן היא למה לי: **וכדו דאתי לשלמים.** כשבא לדבר בשלמים: **יבואו ויחנו בדרום.** אף על פי שארץ ישראל באמצע העולם, קרי ליה דרום לגבי מקום שממנו הגליות באות דהוי לפון העולם, וכן מה שנאמר בגוג ומגוג שיפלו בדרום: **שנאמר הנני מביא אותם מארץ צפון.** ואף על גב דנתפזרו בארבע כנפות הארץ, עיקר הגליות בלפון: **מירכתי צפון לכשיתעורר מלך המשיח.** כך לריך לומר: **בית המקדש הנתון בדרום.** שחלק יהודה היה בלד דרום כמבואר ביהושע (פרק טו), והר הבית והלשכות והעזרות היו בחלקו של יהודה, ואולם והיכל וקדש קדשים בחלק בנימין הסמוך לו כדאיתא בפרק קמא דיומא (יב, א): **מלך המשיח שנתון בצפון.** שיושב עם אדום במדינה כדאיתא בשיר השירים רבה (ד, על פסוק טז) ובתנחומא, ובפרק חלק (סנהדרין לח, א) אמרו דקאי ברומי: **אין רוח צפונית מנשבת.** והא דאמרו בפרק לא יחפור (בבא בתרא כה, א) ארבע רוחות מנשבות בכל יום ורוח לפונית עם כולם, היינו מעט מזער כדי למתקן, והכא נשיבתם קמיירי: **ארגסטס.** ולקמן בבמדבר רבה (יג, ג) גרס אגרסטס, ופירש הערוך דהיינו ענין זר חוץ מהמנהג, והיינו רוח המשמש לשתי רוחות כאחת: **הדא הוא דכתיב אומר לצפון תני.** וענין זה להבאת הבנים מרחוק, שאם יבואו דרך ים באניות אלא מזה ואלא מזה יהיה הרוח מביא כולם ביחד: **אמר רבי יוחנן.** עיין במדבר רבה פרשה י"ג (סימן ב): **למדתך תורה דרך ארץ.** אף על גב דהאי קרא יבא דודי לגנו וגו' בישראל והקדוש ברוך הוא מיירי שקוראים אל ה' והוא יענם ליזקק להם, מכל מקום מדנקט לה במשל חתן וכלה למדך דרך ארץ שאין חתן נכנס לחופה אלא אם כן נותנת לו כלה רשות, כלומר אף שיודע ומבין שהכלה חפץ באהבתו עם כל זה מטבע הבושה שאין לו ליכנס עד שתתן לו הכלה רשות: **הדא הוא דכתיב יבא דודי לגנו.** מפרש גנו לשון גנונו והיינו חופה כדאיתא בבמדבר רבה שם: **(ז) דגליא.** פירוש שם מקום. והאות אמת גרס רגליא, ופירש בשם רש"י דנכנס רגלים היה: **לעתיד לבא כל הקרבנות של יחיד בטלים.** מפני שלא יחטאו ולא ילטרכו להביא קרבנות אבל קרבנות חובה של לבור לא בטלים, כדכתיב (תהלים נא, כא) אז תחפוץ זבחי לדק וגו': **וקרבן תודה אינו בטל.** והוא הדין קרבנות שלמים שאינן באים אלא להודאה ולכבוד: **כל התפילות בטילות.** שלא ילטרכו להתפלל הם ושלום על איזה לרה או חולי, ואין בזה חס ושלום ביטול מלוה מהתורה, כמו מלות מעקה למי שאין לו בית:

פירוש מהרז"ו

והעליתיך מירכתי צפון. וסיפא דקרא על הרי ישראל תפול, שהם בדרום: **העירותי מצפון ויאת.** וכתיב (ישעיה מא, כז) אחריו ראשון לליון הנה הנם וגו' הן עבדי אתמך בו וגו', והיינו מלך המשיח: **שמשמשות בו שתי רוחות.** וזהו עורי לפון ובואי תימן הפיחי גני, והפחה הוא על ידי רוח, כמו שכתוב יחזקאל (לז, ט) מארבע הרוחות בואי הרוח ופחי, ואם כן מה שכתוב (ישעיה מג, ו) אומר ללפון תני ולתימן אל תכלאי, הוא גם כן על ידי הרוח, על פי מדה י"ג וגזירה שוה:

חידושי הרד"ל

[ו] מירכתי צפון לכשיתעורר מלך המשיח בו'. כן לריך לומר. וכן הוא בירושלמי פרק א' דמגלה (ה"א), ובבמדבר רבה (יג, ג): **בית המקדש הנתון בדרום.** כדתנן בפרק ב דמדות (משנה א) רובו מן הדרום, וכמו שכתוב (יחזקאל מ, ב) ועליה כמבנה עיר מנגב, וכמו שכתוב בבראשית רבה סוף פרשה נ"ט, עיין שם בהגהותי בסייעתא דשמיא: **בעולם הזה בשעה שרוח בו'.** אסתר רבה פרשה ג' (סימן יד): **שמשמשות בו שתי רוחות בו' אל תכלאי.** אפשר ירמוז לשתי מתנות עושר וחכמה, כמו שאמרו שולחן בלפון ומנורה בדרום, שבעולם הזה אין משמשות כאחת, ומבטלות זו את זה, כמו שאמרו (ברכות ה, ב) לא כל אדם זוכה לשתי שולחנות, אבל לעתיד לבוא מתאחדות לשמש כאחת, אומר ללפון תני, מלפון זהב יאתה (איוב לז, כב), ובכלל זה לא תכלאי לסבב מוגבים למתנת החכמה: **[ז] רבי פנחס בו' לעתיד לבוא כל הקרבנות בו'.** עיין לקמן פרשה כ"ז (סימן יב), ושוחר טוב מזמור נו ומזמור ק, ותנחומא פ' אמור:

חידושי הרש"ש

ובואי תימן זו תודה בו'. בכל המקומות שליין המתנות כהונה איתא אלו שלמים, וכן נראה להגיה כאן: **בחדושי הרד"ל בד"ה בית המקדש הנתון בדרום כדתנן בפרק ב' דמדות רובו מן הדרום בו'.** עיין שם בפירוש הרמב"ם ותראה שאין משם ראיה רק סתירה, וכן מקרא דיחזקאל יש סתירה עיין שם בפירוש הרד"ק:

מסורת המדרש

ז. ילקוט ישעיה רמז שי"ו:
ח. במד"ר פ' י"ד:

אם למקרא

הִנְנִי מֵבִיא אוֹתָם מֵאֶרֶץ צָפוֹן וְקִבַּצְתִּים מִיַּרְכְּתֵי אָרֶץ בָּם עִוֵּר וּפִסֵּחַ הָרָה וְיֹלֶדֶת יַחְדָּו קָהָל גָּדוֹל יָשׁוּבוּ הֵנָּה: (ירמיה לא:ז)

וְשֹׁבַבְתִּיךָ וְשִׁשֵּׁאתִיךָ וְהַעֲלִיתִיךָ מִיַּרְכְּתֵי צָפוֹן וַהֲבֵאוֹתִךָ עַל הָרֵי יִשְׂרָאֵל: (יחזקאל לט:ב)

הַעִירוֹתִי מִצָּפוֹן וַיַּאת מִמִּזְרַח שֶׁמֶשׁ יִקְרָא בִשְׁמִי וְיָבֹא סְגָנִים כְּמוֹ חֹמֶר וּכְמוֹ יוֹצֵר יִרְמָס טִיט: (ישעיה מא:כה)

אֹמַר לַצָּפוֹן תֵּנִי וּלְתֵימָן אַל תִּכְלָאִי הָבִיאִי בָנַי מֵרָחוֹק וּבְנוֹתַי מִקְצֵה הָאָרֶץ: (שם מג:ו)

בָּאתִי לְגַנִּי אֲחֹתִי כַלָּה אָרִיתִי מוֹרִי עִם־בְּשָׂמִי אָכַלְתִּי יַעְרִי עִם דִּבְשִׁי שָׁתִיתִי יֵינִי עִם־חֲלָבִי אִכְלוּ רֵעִים שְׁתוּ וְשִׁכְרוּ דּוֹדִים: (שיר השירים ה:א)

שינוי נוסחאות

(ו) "ובואי תימן" **זו תודה שנשחטה בדרום.** רש"ש נוטה להגיה "שלמים שנשחטו" במקום "תודה שנשחטה", וכן הוא באמת בכי"י: **הָדָא הוּא דִכְתִיב.** בהרבה מקומות בויקרא רבא (החל מכאן), במקום "הדה הוא דכתיב" (או "הדה היא דכתיב", שהוא יותר נכון ע"פ דקדוק) התחילו לכתוב בספרים הישנים "הדהי דכתיב", הדהי (="הדה היא") במילה אחת, (ובכי"י תמיד כתוב בראשי תבות <הה"ד>), ובדפוסים יותר מאוחרים קיצרו "הדהי" ל"הדה", או שכתבו בקיצור <ה"ד> במקום <הה"ד>, ולכן בהרבה ספרי דפוס יש בכמה מקומות בויקרא רבה "הדה דכתיב" או "הוא דכתיב", אבל הכל שיבוש, וצריך לומר "הדה הוא (או היא) דכתיב" כמו באלפי מקומות אחרים במדרש. (ברוב המקומות כבר תוקנה הלשון בד' וילנא:)

מתנות כהונה

וכדו דאתי שלמים. כשבא לדבר בשלמים: **ארגסטס.** פירש הערוך רוח המשמש לשני רוחות כאחת, סלבקסו בלע"ז:
[ז] דגליא. שם מקום:

אשד הנחלים

יעורר את שתיהם למזגם יחד, ואז ישוב גם הדין רחמים, כי הדין בטל לגבי רחמים. ולכן אמרו בחזית (שיר השירים רבה ב, יח על פסוק ז) מה תעירו ומה תעוררו את האהבה עד שתחפץ, עד שתחפץ מדת הדין מאליו, ואין להאריך: **שאין חתן כו'.** כלומר אף שיודע ומבין שהכלה חפץ באהבתו, עם כל זה מטבע הבושה שאין לו ליכנס עד שתתן לו רשות, שכמו כן מצינו גם באהבת המחזה העליונה החפיצה מאוד לדבק בנביאים, ועם כל זה לא תשפיע בפתע פתאום בלא בקשת המקבל ונתינת רשות, כי זה עוזר שעל ידי זה יכין עצמו יותר בכוונה הראוי לקבל המחזה כראוי: **[ז] כל הקרבנות בטלים.** לפי שלא באים רק על החטא ולעתיד לבא כל החטאים בטלים, כי יוסר היצר ולב האבן, לבד קרבן תודה שבא להכרת חסדי ה' לא יבטל, כי יתעלו תמיד יותר ויותר ויחפצו לדבק בה':

אמרי יושר

אני מביא רוח ארגסטס. דייק ולתימן אל תכלאי, אף על פי שדרכה שלא לנשב עם רוח לפון: **[ז] כל הקרבנות בטלין.** כי לא יחטאו עוד, ולא ילטרכו קרבן, רק קרבן הודאה על הנסים ועל הפורקן, וכן כל התפילות, כי לא ילטרכו לשאלת לרכים:

באור מהרי"פ

[ו] הנני מביא וגו'. (ירמיה לא, ח) הנני מביא אותם מארץ לפון, וקבלתים מירכתי ארץ בם עור ופסח הרה ויולדת יחדו קהל גדול ישובו הנה. (יחזקאל לט, ב) ושובבתיך וששאתיך והעליתיך מירכתי לפון והביאותיך על הרי ישראל. (ישעיה מא, כה) העירותי מלפון ויאת ממזרח שמש יקרא בשמי ויבא סגנים כמו חומר וכמו יולר ירמס טיט. באלה שלשה המקראות שמביא המדרש על קבוץ גלויות ועל גוג ועל מלך המשיח, לא נזכר בהם מלת דרום, רק המדרש סומך הכל על המקרא עורי לפון ובואי תימן: **מתנות כהונה ד"ה ארגסטוס פירש הערוך וכו'.** ומסיים הערוך בזה הלשון ספרים אחרים אגרסטוס, וכן מסתברא כלומר אגרסתא סלבטקי בלע"ז. וזה לשון ר' בנימין מוספיא אמר בנימין, פירוש בלשון יוני רוח מערבית לפונית: **יבוא דודי וגו'.** מקרא דבתר עורי לפון ובואי תימן וגו' הוא:

הָדָא הוּא דִכְתִיב ״הַעִירוֹתִי מִצָּפוֹן וַיַּאת מִמִּזְרַח שֶׁמֶשׁ״ — **thus, it is written,** ***I have awakened someone from the north, and he has come;*** *he calls out in My Name* ***from where the sun rises*** (*Isaiah* 41:25).[101]

The Midrash offers a final interpretation of the verse from *Song of Songs*:

אָמַר רַבִּי יוֹסֵי בְּשֵׁם רַבִּי בִּנְיָמִין בַּר לֵוִי — **R' Yose said in the name of R' Binyamin bar Levi:** In this verse, God is calling to the winds of the north and the south לְפִי שֶׁבָּעוֹלָם הַזֶּה בִּזְמַן שֶׁרוּחַ דְּרוֹמִית מְנַשֶּׁבֶת אֵין רוּחַ צְפוֹנִית מְנַשֶּׁבֶת — **because in this world, when the south wind is blowing, the north wind is not blowing,**[102] וּבִזְמַן שֶׁרוּחַ צְפוֹנִית מְנַשֶּׁבֶת אֵין רוּחַ דְּרוֹמִית מְנַשֶּׁבֶת — **and when the north wind is blowing, the south wind is not blowing,** אֲבָל לֶעָתִיד לָבֹא, אָמַר הַקָּדוֹשׁ בָּרוּךְ הוּא: אֲנִי מֵבִיא אַרְגֶּסְטֵס בָּעוֹלָם שֶׁמְּשַׁמְּשׁוֹת בּוֹ שְׁתֵּי רוּחוֹת — **but regarding the future** existence, **the Holy One, blessed is He, said, "I shall bring to the world a phenomenon, in which two** opposing **winds function."**[103] הָדָא הוּא דִכְתִיב ״אֹמַר לַצָּפוֹן תֵּנִי וּלְתֵימָן אַל תִּכְלָאִי הָבִיאִי בָנַי מֵרָחוֹק וּבְנוֹתַי מִקְצֵה הָאָרֶץ״ — **Thus it is written,** ***I will say to the north, "Give [them] over!" and to the south, "Do not withhold! Bring My sons from afar and My daughters from the ends of the earth"*** (ibid. 43:6).[104]

NOTES

101. Our Midrash interprets this verse as referring to the Messiah based on the verses that follow it in *Isaiah* (*Maharzu*; compare *Radak* to verse).

Thus, according to R' Elazar, with the words עוּרִי צָפוֹן, *Awake, O north*, the verse encompasses three distinct calls for someone from *the north* to end their longtime inactivity, and it beckons them, וּבוֹאִי תֵימָן, *and come south*: The verse simultaneously calls upon Jewish exiles to be stirred from their interminable displacement and to take up residence in *Eretz Yisrael*, upon Gog to actuate his prophesied march toward *Eretz Yisrael*, and upon the Messiah to at last initiate his long-awaited reconstruction of the Temple (see *Yefeh To'ar*).

102. [Although the Gemara (*Bava Basra* 25a) states that the northern wind blows together with the winds that blow from each of the other directions, there the Gemara refers to a small northerly breeze that serves to mitigate the effects of the other winds; here the Midrash means that the northern wind does not blow at full force while the southern wind does (*Eitz Yosef*).]

103. Translation is based on *Yefeh To'ar*, from *Aruch* (s.v. ארגסטוס; see also *Eitz Yosef*). [*Aruch* (cited in *Beur Maharif*) writes that our Midrash should read אַגְרֶסְטוּס in place of אַרְגֶּסְטֵס, as does its parallel in *Bamidbar Rabbah* 13 §2, and he offers a word that he says אַגְרֶסְטוּס means. According to *Yefeh To'ar* (also see *Eitz Yosef*) that word describes something extraordinary.]

In an alternative approach, *Mussaf HeAruch* (to *Aruch* ibid., also cited in *Beur Maharif*; see also *Matnos Kehunah*, *Eitz Yosef*) explains that our Midrash uses the Greek term for "northwest wind." Perhaps such a wind can be said to be blowing in two directions simultaneously, and is therefore used by our Midrash to convey the idea of opposing winds blowing at the same time.

104. With these words God will command the directions to immediately return the Jewish exiles from around the world. Since exiles will be arriving by sea from opposite directions, both northerly and southerly winds will be required simultaneously (*Yefeh To'ar*, followed by *Eitz Yosef*). Furthermore, the fact that God will need to instruct the southern wind not to *withhold* while the north wind blows indicates that, typically, one direction does *withhold* its wind while the other blows (*Yefeh To'ar*, *Imrei Yosher*).

According to this Midrash, in the first *Song of Songs* verse discussed above, God calls to the north wind with the words עוּרִי צָפוֹן, *Awake, O north*, and to the south wind with וּבוֹאִי תֵימָן, *and come, O south*, directing them to return the exiles who find themselves in each of those directions (*Eitz Yosef* to *Shir HaShirim Rabbah* at the end of Ch. 4; also see *Maharzu*).

See Insight Ⓐ.

INSIGHTS

then, that the future Temple would be built in a natural fashion by man. The opinion that the Temple will miraculously descend from on high, however, would follow R' Yochanan, who asserts that the current norms will cease in the Messianic era, which will be a time of supernatural existence. Accordingly, *Rambam's* view would be consistent, in that he writes that the Temple will be built by the Messiah (as cited above) and also appears to adopt Shmuel's view (see *Hil. Melachim* 12:1,2).

Nonetheless, many commentators seek to reconcile these apparently contradictory teachings of the Sages:

Aruch LaNer (on *Rashi* to *Succah* 41a s.v. אי נמי) explains that both teachings are true: The Messiah will build a *physical* Temple, after which a *spiritual* Temple will descend from Heaven, inhabiting the physical one. This is akin to the soul that dwells within the human body and the spiritual fire that descends from on high and mixes with the fire on the Altar kindled by the Kohanim in the Sanctuary and Temple. [Note: *Rashi* (*Succah* 41a, *Rosh Hashanah* 30a) and *Tosafos* (*Succah* ibid., *Shevuos* 15b) themselves cannot hold *Aruch LaNer's* approach. For they use the view that the next Temple will descend from heaven to resolve a difficulty with the Gemara in *Succah* (41a), which implies that the third Temple might be built at night, or on the Sabbath or Yom Tov, despite the law prohibiting the building of the Temple during these times (see *Shevuos* 15b). They explain that these restrictions apply only to human construction of the Temple. The third Temple, however, will miraculously descend intact from Heaven. According to *Aruch LaNer*, however, the third Temple will first be built by man, something which cannot be done at night or on Yom Tov. Perforce, *Rashi* and *Tosafos* must mean that a *physical* structure will descend from heaven (see *Vayoel Moshe* p. 75).]

Maharil Diskin presents another possible resolution. He first notes that there must at least be some human involvement in the future Temple's construction, as it is a mitzvah to build the Temple (see *Rambam, Sefer HaMitzvos, Mitzvos Asei* §20; *Sefer HaChinuch* §95). He thus posits that the building will descend from heaven, but will be missing the gates. It will be our obligation to install the gates, using the gates of the earlier Temple, which were concealed at the time of the destruction, as intimated by the verse (*Lamentations* 2:9), *Her gates have sunk into the earth* (see *Rashi* ad loc.). He demonstrates from the Gemara (*Bava Basra* 53b) that by doing this it will be regarded as if we have built the entire structure, thereby fulfilling the mitzvah to build the Temple. This theory explains the seeming redundancy in our Yom Tov prayers: וְהַרְאֵנוּ בְּבִנְיָנוֹ וְשַׂמְּחֵנוּ בְּתִקּוּנוֹ, *show us its rebuilding and gladden us in its perfection*. The "rebuilding" would refer to the building descending from Heaven. The "perfecting" would be our completion of the Temple by installing its gates (*Maharal Diskin*, quoted by *Siach Yitzchak* in *Siddur Ishei Yisrael*, Jerusalem 5707; see also *Shoshanim LeDavid, Introduction to Tractate Middos*, who explains that the Temple will be built jointly by the Messiah and by Heaven).

Maharam Schik (Responsa, *Yoreh Deah* §213) offers another way to reconcile the two views, based on a seeming contradiction in a verse regarding the redemption — אֲנִי ה׳ בְּעִתָּהּ אֲחִישֶׁנָּה, *I, HASHEM, "in its time" "I will hasten it"* (*Isaiah* 60:22). The Gemara (*Sanhedrin* 98a) notes that the expression, בְּעִתָּהּ, *in its time*, implies that the redemption will occur at a preordained time, whereas the word אֲחִישֶׁנָּה, *I will hasten it*, implies that God will bring the redemption *before* the preordained time! To resolve this contradiction the Gemara answers that the Messianic age may come about in one of two ways: If the people possess sufficient merit, the redemption may arrive even *before* the preordained date; otherwise they will be redeemed at the preordained time. *Maharam Schik* suggests that the redemption will differ greatly, depending on its timing. If we merit an early redemption, it will dawn miraculously and be completed rapidly. In that event, we will merit a Temple miraculously built in heaven. On the other hand, if this does not happen, the redemption will come at the appointed time, events will transpire in a natural fashion and according to a natural timetable. In such circumstances, the ultimate Temple will be erected by human hands — under the direction of the Messiah.

[For further discussion, see the many sources on this matter cited in *Otzar Mefarshei HaTalmud, Succah* 41a, notes 56 and 57; and the lengthy discourse of *Vayoel Moshe* pp. 74ff.]

Ⓐ **Winds of Conflict** *Radal* reads deeper meaning into our Midrash's teaching that the north and south winds will not blow in unison until the future existence: The north is associated with material prosperity

"וּבוֹאִי תֵימָן" זוֹ °תוֹדָה שֶׁנִּשְׁחֲטָה° בַּדָּרוֹם, וְלָמָּה קוֹרֵא אוֹתָהּ "וּבוֹאִי" דָּבָר שֶׁהוּא חִידּוּשׁ, וְאַף קְרָיָא מְסַיֵּיעַ לְרַבִּי יוֹסֵי בַּר חֲנִינָא, (לעיל ו, ב) "זֹאת תּוֹרַת הָעֹלָה הִיא הָעֹלָה", שֶׁהִקְרִיבוּ בְּנֵי נֹחַ, וְכַדּוּ דַּאֲתוֹ שְׁלָמִים, "זֹאת תּוֹרַת זֶבַח הַשְּׁלָמִים אֲשֶׁר הִקְרִיבוּ לַה'" אֵין כְּתִיב כָּאן, אֶלָּא (לעיל ז, יא) "אֲשֶׁר יַקְרִיב(ו) לַה'", מִכָּאן וּלְהַבָּא, מָה מְקַיֵּים רַבִּי *אֶלְעָזָר לִקְרְיָיה דְּרַבִּי יוֹסֵי בְּרַבִּי חֲנִינָא, "עוּרִי צָפוֹן" לִכְשֶׁיִּתְעוֹרְרוּ הַגָּלֻיּוֹת הַנְּתוּנוֹת בַּצָּפוֹן יָבֹאוּ וְיַחֲנוּ בַּדָּרוֹם שֶׁנֶּאֱמַר (ירמיה לא, ז) "הִנְנִי מֵבִיא אוֹתָם מֵאֶרֶץ צָפוֹן", לִכְשֶׁיִּתְעוֹרֵר גּוֹג הַנָּתוּן בַּצָּפוֹן יָבֹא וְיִפּוֹל בַּדָּרוֹם, כְּמָה דְתֵימָא (יחזקאל לט, ב) "וְשֹׁבַבְתִּיךָ וְשִׁשֵּׁאתִיךָ וְהַעֲלִיתִיךָ מִיַּרְכְּתֵי צָפוֹן", °מֶלֶךְ הַמָּשִׁיחַ שֶׁנָּתוּן בַּצָּפוֹן יָבֹא וְיִבְנֶה בֵּית הַמִּקְדָּשׁ הַנָּתוּן בַּדָּרוֹם, הָדָא *הוּא דִכְתִיב (ישעיה מא, כה) "הַעִירוֹתִי מִצָּפוֹן וַיַּאת מִמִּזְרַח שֶׁמֶשׁ", אָמַר רַבִּי יוֹסֵי בְּשֵׁם רַבִּי בִּנְיָמִין בַּר לֵוִי: לְפִי שֶׁבָּעוֹלָם הַזֶּה בִּזְמַן שֶׁרוּחַ דְּרוֹמִית מְנַשֶּׁבֶת אֵין רוּחַ צְפוֹנִית מְנַשֶּׁבֶת וּבִזְמַן שֶׁרוּחַ צְפוֹנִית מְנַשֶּׁבֶת אֵין רוּחַ דְּרוֹמִית מְנַשֶּׁבֶת, אֲבָל לֶעָתִיד לָבֹא, אָמַר הַקָּדוֹשׁ בָּרוּךְ הוּא: אֲנִי מֵבִיא אַרְגֶּסְטֵס בָּעוֹלָם שֶׁמְּשַׁמְּשׁוֹת בּוֹ שְׁתֵּי רוּחוֹת, הָדָא הוּא דִכְתִיב (שם מג, ו) "אֹמַר לַצָּפוֹן תֵּנִי וּלְתֵימָן אַל תִּכְלָאִי הָבִיאִי בָנַי מֵרָחוֹק וּבְנוֹתַי מִקְצֵה הָאָרֶץ", אָמַר רַבִּי יוֹחָנָן: חלִמֶּדְתְּךָ תּוֹרָה דֶּרֶךְ אֶרֶץ, שֶׁאֵין חָתָן נִכְנָס לַחוּפָּה אֶלָּא אִם כֵּן נוֹתֶנֶת לוֹ כַּלָּה רְשׁוּת, הָדָא *הוּא דִכְתִיב (שיר ד, טז) "יָבֹא דוֹדִי לְגַנּוֹ וְיֹאכַל פְּרִי מְגָדָיו", וְאַחַר כָּךְ (שם ה, א) "בָּאתִי לְגַנִּי אֲחֹתִי כַלָּה":

ז רַבִּי פִּנְחָס וְרַבִּי לֵוִי וְרַבִּי יוֹחָנָן בְּשֵׁם רַבִּי מְנַחֵם דְּגַלְיָא: לֶעָתִיד לָבֹא כָּל הַקָּרְבָּנוֹת בְּטֵלִין וְקָרְבַּן תּוֹדָה אֵינוֹ בָּטֵל, כָּל הַתְּפִלּוֹת בְּטֵלוֹת הַהוֹדָאָה אֵינָהּ בְּטֵלָה, הָדָא *הוּא דִכְתִיב

ובואי תימן זו תודה. בכל המקומות שציינתי ביד יוסף (מסורת המדרש) הגירסא זו שלמים: **שנשחטה בדרום.** רצונו לומר אף בדרום דלא יחד קרא להם דוכתא וכדתנן (זבחים נה, א) שלמים קדשים קלים שחיטתן בכל מקום בעזרה, ומשום דדרום נגדיי לצפון נקט תימן וכאורחייהו שנזכרים תמיד זה אצל זה: **היא העולה שהקריבו בני נח.** דהיא משמע הידועה בשכבר, דאם לא כן היא למה לי: **וכדו דאתי לשלמים.** כשבא לדבר בשלמים: **יבואו ויחנו בדרום.** אף על פי שארץ ישראל באמצע העולם, קרי ליה דרום לגבי מקום שממנו הגליות באות דהוי לפון העולם, וכן מה שנאמר בגוג ומגוג שיפלו בדרום: **שנאמר הנני מביא אותם מארץ צפון.** ואף על גב דנתפזרו בארבע כנפות הארץ, עיקר הגליות בצפון: **מירכתי צפון לכשיתעורר מלך המשיח.** כך צריך לומר: **בית המקדש הנתון בדרום.** שחלק יהודה היה בצד דרום ככתוב ביהושע (פרק טו), והר הבית והלשכות והעזרות היו בחלקו של יהודה, ואולם והיכל וקדש קדשים בחלק בנימין הסמוך לו כדאיתא בפרק קמא דיומא (יב, א): **מלך המשיח שנתון בצפון.** שיושב עם אדום במדינה כדאיתא בשיר השירים רבה (ד, על פסוק טז) ובתנחומא, ובפרק חלק (סנהדרין לח, א) אמרו דקאי ברומי: **אין רוח צפונית מנשבת.** והא דאמרו בפרק לא יחפור (בבא בתרא כה, א) ארבע רוחות מנשבות בכל יום ורוח צפונית עם כולם, היינו מעט מזער כדי לתקן, והכא בשיבתם קמיירי: **ארגסטס.** ולקמן בבמדבר רבה (יג, ב) גרס אגרסטס, ופירש הערוך דהיינו ענין זר חוץ מהמנהג, והיינו רוח המשמש לשתי רוחות כאחת: **הדא הוא דכתיב אומר לצפון תני.** וענין זה להבאת הבנים מרחוק, שאם יביאום דרך ים באניות אלה מזה ואלה מזה יהיה הרוח מביא כולם ביחד: **אמר רבי יוחנן.** עיין במדבר רבה פרשה י"ג (סימן ב): **למדתך תורה דרך ארץ.** אף על גב דהאי קרא יבא דודי לגנו וגו' בישראל והקדוש ברוך הוא איירי שקוראים אל ה' והוא יענה ליזקק להם, מכל מקום מדנקט לה במשל חתן וכלה למדך דרך ארץ שאין חתן נכנס לחופה אלא אם כן נותנת לו כלה רשות, כלומר אף שיודע ומבין שהכלה חפץ באהבתו עם כל זה מטבע הבושה שאין לו ליכנס עד שתתן לו הכלה רשות: **הדא הוא דכתיב יבא דודי לגנו.** מפרש גנו לשון גנונו והיינו חופה כדאיתא בבמדבר רבה שם: **(ז) דגליא.** פירוש שם מקום. והאות אמת גרס רגליא, ופירש בשם רש"י דנכנס רגלים היה: **לעתיד לבא כל הקרבנות** של יחיד **בטלים.** מפני שלא יחטאו ולא יצטרכו להביא קרבנות אבל קרבנות חובה של צבור לא בטלים, כדכתיב (תהלים נא, כא) אז תחפוץ זבחי צדק וגו': **וקרבן תודה אינו בטל.** והוא הדין קרבנות שלמים שאינן באים אלא להודאה ולכבוד: **כל התפילות בטילות.** שלא יצטרכו להתפלל חס ושלום על איזה צרה או חולי, ואין בזה חס ושלום ביטול מצוה מהתורה, כמו מצות מעקה למי שאין לו בית:

והעליתיך מירכתי צפון. וסיפא דקרא על הרי ישראל תפול, שהם בדרום: **העירותי מצפון ויאת.** וכתיב (ישעיה מא, כז) אחריו ראשון לציון הנה הנם וגו' הן עבדי אתמך בו וגו', והיינו מלך המשיח: **שמשמשות בו שתי רוחות.** וזהו עורי צפון ובואי תימן הפיחי גני, והפחה הוא על ידי רוח, כמו שכתוב יחזקאל (לז, ט) מארבע הרוחות בואי הרוח ופחי, ואם כן מה שכתוב (ישעיה מג, ו) אומר לצפון תני ולתימן אל תכלאי, הוא גם כן על ידי הרוח, על פי מדה י"ז וגזירה שוה:

חידושי הרד"ל

[ו] מירכתי צפון לכשיתעורר מלך המשיח כו'. כן צריך לומר. וכן הוא בירושלמי פרק א' דמגלה (ה"א), ובבמדבר רבה (יג, ב): **בית המקדש הנתון בדרום.** כדתנן בפרק ב דמדות (משנה א) רובו מן הדרום, וכמו שכתוב (יחזקאל מ, ב) ועליה כמבנה עיר מנגב, וכמו שכתוב בבראשית רבה סוף פרשה ל"ט, עיין שם בהגהותי בסייעתא דשמיא: **בעולם הזה בשעה שרוח כו'.** אסתר רבה פרשה ב' [סימן יד]: **שמשמשות בו שתי רוחות כו' אל תכלאי.** אפשר ירמוז לשתי מתנות עושר וחכמה, כמו שאמרו שולחן בצפון ומנורה בדרום, שבעולם הזה אין משמשות כאחת, ומבטלות זה את זה, כמו שאמרו (ברכות ה, ב) לא כל אדם זוכה לשתי שולחנות, אבל לעתיד לבוא מתאחדות לשמש כאחת, אומר לצפון תני, מצפון זהב יאתה (איוב לז, כב), ובכל זה לא תכלאי לסבב מונעים למתנת התימן, החכמה: **[ז] רבי פנחס כו' לעתיד לבוא כל הקרבנות כו'.** עיין לקמן פרשה כ"ז (סימן יב), ושוחר טוב מזמור נו ומזמור ק, ותנחומא פ' אמור:

חידושי הרש"ש

ובואי תימן זו תודה כו'. בכל המקומות שציין המתנות כהונה איתא אלו שלמים, וכן נראה להגיה כאן: **בחדושי הרד"ל בד"ה בית המקדש הנתון בדרום כדתנן בפרק ב' דמדות רובו מן הדרום כו'.** עיין שם בפירוש הרמב"ם ותראה שאין משם ראיה רק סתירה, וכן מקרא דיחזקאל יש סתירה עיין שם בפירוש הרד"ק:

מסורת המדרש

ז. ילקוט ישעיה רמז ש"ו:
ח. במד"ר פ' י"ד:

אם למקרא

הִנְנִי מֵבִיא אוֹתָם מֵאֶרֶץ צָפוֹן וְקִבַּצְתִּים מִיַּרְכְּתֵי אָרֶץ בָּם עִוֵּר וּפִסֵּחַ הָרָה וְיֹלֶדֶת יַחְדָּו קָהָל גָּדוֹל יָשׁוּבוּ הֵנָּה: (ירמיה לא:ז)

וְשֹׁבַבְתִּיךָ וְשִׁשֵּׁאתִיךָ וְהַעֲלִיתִיךָ מִיַּרְכְּתֵי צָפוֹן וַהֲבֵאוֹתִךָ עַל הָרֵי יִשְׂרָאֵל: (יחזקאל לט:ב)

הַעִירוֹתִי מִצָּפוֹן וַיַּאת מִמִּזְרַח שֶׁמֶשׁ יִקְרָא בִשְׁמִי וְיָבֹא סְגָנִים כְּמוֹ חֹמֶר וּכְמוֹ יוֹצֵר יִרְמָס טִיט: (ישעיה מא:כה)

אֹמַר לַצָּפוֹן תֵּנִי וּלְתֵימָן אַל תִּכְלָאִי הָבִיאִי בָנַי מֵרָחוֹק וּבְנוֹתַי מִקְצֵה הָאָרֶץ: (שם מג:ו)

בָּאתִי לְגַנִּי אֲחֹתִי כַלָּה אָרִיתִי מוֹרִי עִם־בְּשָׂמִי אָכַלְתִּי יַעְרִי עִם־דִּבְשִׁי שָׁתִיתִי יֵינִי עִם־חֲלָבִי אִכְלוּ רֵעִים שְׁתוּ וְשִׁכְרוּ דּוֹדִים: (שיר השירים ה:א)

שינוי נוסחאות

(ו) "ובואי תימן" **זו תודה שנשחטה בדרום.** רש"ש נוטה להגיה "שלמים שנשחטו" במקום "תודה שנשחטה", וכן הוא באמת בכי"י: **הָדָא הוּא דִּכְתִיב.** בהרבה מקומות בויקרא רבא (החל מכאן), במקום "הדה הוא דכתיב" (או "הדה היא דכתיב", שהוא יותר נכון ע"פ דקדוק) התחילו לכתוב בספרים הישנים "הדהי דכתיב", הדהי (="הדה היא") במילה אחת, (ובכי"י תמיד כתוב בראשי תבות >הה"ד<), ובדפוסים יותר מאוחרים קיצרו "הדהי" ל"הדה", או שכתבו בקיצור >ה"ד< במקום >הה"ד<, ולכן בהרבה ספרי דפוס יש בכמה מקומות בויקרא רבה "הדה דכתיב" או "הוא דכתיב", אבל הכל שיבוש, וצריך לומר "הדה הוא (או היא) דכתיב" כמו באלפי מקומות אחרים במדרש. (ברוב המקומות כבר תוקנה הלשון בד' וילנא:)

מתנות כהונה

וכדו דאתי שלמים. כשבא לדבר בשלמים: **ארגסטס.** פירש הערוך רוח המשמש לשני רוחות כאחת, סלבקסו בלע"ז:
[ז] דגליא. שם מקום:

אשד הנחלים

יעורר את שתיהם למזגם יחד, ואז ישוב גם הדין רחמים, כי הדין בטל לגבי רחמים. ולכן אמרו בחזית (שיר השירים רבה ב, יח על פסוק ז) מה תעירו ומה תעוררו את האהבה עד שתחפץ, עד שתחפץ מדת הדין מאליו, ואין להאריך: **שאין חתן כו'.** כלומר אף שיודע ומבין שהכלה חפץ באהבתו, עם כל זה מטבע הבושה שאין לו ליכנס עד שתתן לו רשות, שכמו כן מצינו גם באהבת המחזה העליונה החפיצה מאוד לדבק בנביאים, ועם כל זה לא תשפיע בפתע פתאום בלא בקשת המקבל ונתינת רשות, כי זה עוזר שעל ידי זה יכין עצמו יותר בכוונה הראוי לקבל המחזה כראוי: **[ז] כל הקרבנות בטלים.** לפי שלא באים רק על החטא ולעתיד לבא כל החטאים בטלים, כי יוסר היצר ולב האבן, לבד קרבן תודה שבא להכרת חסדי ה' לא יבטל, כי יתעלו תמיד יותר ויותר ויחפצו לדבק בה':

אמרי יושר

אני מביא רוח ארגסטס. דייק ולתימן אל תכלאי, אף על פי שדרכה שלא לנשב עם רוח צפון: **[ז] כל הקרבנות בטלין.** כי לא יחטאו עוד, ולא יצטרכו קרבן, רק קרבן הודאה על הנסים ועל הפורקן, וכן כל התפילות, כי לא יצטרכו לשאלת צרכים:

באור מהרי"פ

[ו] הנני מביא וגו'. (ירמיה לא, ח) הנני מביא אותם מארץ צפון, וקבצתים מירכתי ארץ בם עור ופסח הרה ויולדת יחדו קהל גדול ישובו הנה. (יחזקאל לט, ב) ושובבתיך וששאתיך והעליתיך מירכתי צפון והביאותיך על הרי ישראל. (ישעיה מא, כה) העירותי מצפון ויאת ממזרח שמש יקרא בשמי ויבא סגנים כמו חומר וכמו יוצר ירמס טיט. באלה שלשה המקראות שמביא המדרש על קבוץ גלויות ועל גוג ועל מלך המשיח, לא נזכר בהם מלת דרום, רק המדרש סומך הכל על המקרא עורי צפון ובואי תימן: **מתנות כהונה ד"ה ארגסטוס פירש הערוך וכו'.** ומסיים הערוך בזה הלשון ספרים אחרים אגרסטוס, וכן מסתברא כלומר ארגסטא סלבטקי בלע"ז. וזה לשון ר' בנימין מוספיא אמר בנימין, פירוש בלשון יוני רוח מערבית לפונית: **יבוא דודי וגו'.** מקרא דבתר עורי צפון ובואי תימן וגו' הוא:

The Midrash cites an exposition of the end of the second verse from *Song of Songs* that was cited just above:[105]

אָמַר רַבִּי יוֹחָנָן: לִמֶּדְתְּךָ תוֹרָה דֶּרֶךְ אֶרֶץ — **R' Yochanan said:** In the following verse, **the Torah taught you *derech eretz*.**[106] שֶׁאֵין חָתָן נִכְנָס לַחוּפָּה אֶלָּא אִם כֵּן נוֹתֶנֶת לוֹ כַּלָּה רְשׁוּת — Specifically, the Torah taught **that a groom should not enter the wedding canopy unless the bride gives him permission** to do so.[107] הֲדָא הוּא דִכְתִיב "יָבֹא דוֹדִי לְגַנּוֹ וְיֹאכַל פְּרִי מְגָדָיו" — **Thus it is written, *Let my Beloved come "legano" and eat its precious fruits*** (*Song of Songs* 4:16), וְאַחַר כָּךְ "בָּאתִי לְגַנִּי אֲחֹתִי כַלָּה" — **and** only **afterward** (in the following verse) does it state, ***I have come "legani," My sister, O bride*** (ibid. 5:1).[108]

§7 [וְזֹאת תּוֹרַת זֶבַח הַשְּׁלָמִים אֲשֶׁר יַקְרִיב לַה׳] — ***THIS IS THE LAW OF THE FEAST PEACE-OFFERING THAT ONE WILL OFFER TO HASHEM.]***

The Midrash teaches of a unique quality of the *todah*-offering:[109]

רַבִּי פִּנְחָס וְרַבִּי לֵוִי וְרַבִּי יוֹחָנָן בְּשֵׁם רַבִּי מְנַחֵם דְּגַלְיָא — **R' Pinchas and R' Levi and R' Yochanan** said **in the name of R' Menachem of Galia:**[110] לֶעָתִיד לָבֹא כָּל הַקָּרְבָּנוֹת בְּטֵלִין — **In the future** existence, **all of the sacrificial offerings will be eliminated,**[111] וְקָרְבַּן תּוֹדָה אֵינוֹ בָטֵל — **but the *todah*-offering will not be eliminated.**[112] Similarly, in the future existence, כָּל הַתְּפִלּוֹת בְּטֵלוֹת הַהוֹדָאָה אֵינָהּ בְּטֵלָה — **all of the prayers will be eliminated,** but prayers of **thanksgiving will not be eliminated.**[113] הֲדָא הוּא דִכְתִיב — **Thus it is written,**

NOTES

105. This exposition is cited at this point to deflect the question of what the relationship is between the end of this verse and the beginning, as it was just explained to regard the promised ingathering of the exiles. Because the Midrash will now teach that the end of the verse contains a reference to a *wedding canopy*, it pertains to the theme of the future Redemption, at which time the relationship between the Jewish people and God — referred to metaphorically [throughout *Song of Songs*] as one of a bride and groom — will be enhanced (*Yefeh To'ar*).

106. See note 47 above, regarding the term *derech eretz*.

107. Even when the groom is confident in his bride's desire to marry him, he should nevertheless act modestly and receive her permission before entering the wedding canopy (*Eshed HaNechalim*, followed by *Eitz Yosef*).

108. The Midrash is noting that in the first verse cited, the *bride* invites her *Beloved* to come into גַּנּוֹ, *his "gan,"* and only afterward does he tell her that he has indeed done so.

The Midrash interprets this verse as a lesson regarding the wedding canopy because it understands the word לְגַנּוֹ, lit., *to his garden*, as לְגִנּוּנוֹ, *to his canopy* (*Eitz Yosef*, comparing *Bamidbar Rabbah* 13 §2). And although according to its plain meaning, this verse [does not speak of a bride and groom but rather] depicts the call of the Jewish people to God, Who responds by drawing near to them, we may nevertheless derive a lesson regarding marriage from Scripture's use of the metaphor of a bride and groom (*Eitz Yosef*).

109. This Midrash seeks to explain the seemingly unnecessary word יַקְרִיבֶנּוּ, *he shall offer it*, as an indication of the fact that at one point that sacrifice alone will be offered. It is also possible that the Midrash is using this fact to explain the future tense of the words אֲשֶׁר יַקְרִיב, *that one will offer*, which was cited above (at note 94), as proof that *shelamim*-offerings were not brought by Noahides (*Yefeh To'ar*).

110. *Matnos Kehunah*, followed by *Eitz Yosef*.

111. I.e., all of the offerings brought by individuals. Obligatory communal offerings will still be performed (see *Psalms* 51:20-21). The reason for this is that man will cease to sin (see below 18 §1) so that all of the offerings that relate to sin will be unnecessary (*Eitz Yosef*; also see *Imrei Yosher*, *Eshed HaNechalim*). [*Yefeh To'ar* indicates the Midrash above, 7 §3, where it is taught that even עוֹלַת נְדָבָה, the *voluntary olah-offering*, is brought to atone for sinful thoughts.]

112. I.e., the *todah*-offering and other *shelamim*-offerings that are brought to thank or to honor God (*Eitz Yosef*).

113. At that time there will be no need to pray because of distress or sickness, Heaven forbid (*Eitz Yosef*; also see *Imrei Yosher*).

See Insight Ⓐ.

INSIGHTS

(see *Job* 37:22) and the south with wisdom (see *Jeremiah* 49:7). The Sages (in *Bava Basra* 25b; see *Rabbeinu Gershom* ad loc.) find an allusion to this in the fact that within the Sanctuary of the Temple, the *Shulchan* (Table) on which twelve loaves of bread (the *lechem hapanim*) were placed each week stood on the northern side, while the *Menorah* was positioned on the southern side (see *Exodus* 26:35, *Yoma* 33b). Now, in our world, a man's attainment of either wisdom or wealth detracts from his ability to attain the other of the pair, so that it is rare to find an individual who merits both of these blessings (see *Berachos* 5b). Thus, our Midrash states that *in this world, when the southern wind blows*, i.e., when the blessing associated with the south — wisdom — is bestowed, *the northern wind does not blow*, i.e., wealth is not granted, and vice versa. Only in the utopian Messianic era will these dual blessings be enjoyed in unison. At that time God will call upon *the north* to *give over* wealth, while simultaneously instructing *the south* to nevertheless *not withhold* wisdom.

In an alternative approach, *Eshed HaNechalim* cites the teaching of the Kabbalists that *south* is suggestive of the Divine Attribute of Mercy (רַחֲמִים) while *north* represents God's Strict Judgment (דִּין). Based on this concept, he explains our Midrash to mean that in this world whenever human behavior causes one of these Attributes to be ascendant, the other is not. In the future, however, God will activate both Attributes simultaneously. And because God's judgment is less significant than His mercy, the result of their confluence will be the transmutation of the Attribute of Judgment to Mercy.

[For another metaphorical approach to this Midrash, see our edition of *Esther Rabbah* 2 §14, Insight A.]

Ⓐ **The Eternal Torah** *Yefeh To'ar* discusses (here and below, to 13 §3) how our Midrash, which speaks of a time when few sacrifices will be brought and almost no prayers recited, might be reconciled with a basic tenet of our faith — that the Torah is eternal and no part of it will ever be changed. After some discussion, *Yefeh To'ar* (followed in part by *Eitz Yosef*) concludes that while all of the Torah's mitzvos will be in effect in the blissful Messianic era, some will fall into disuse simply for lack of the conditions under which they may be performed. Thus, no sin-related offerings will be brought because there will be no sins, and no prayerful entreaties will be recited because there will be no want. [With regard to prayer, *Yefeh To'ar* notes that this may be said not only according to *Ramban* (*Hasagos* to *Sefer HaMitzvos*, *Asei* 5), who argues that the Biblical obligation to pray applies only to one who finds himself in distress, but even according to *Rambam* (there), who maintains that there is a Biblical obligation to pray daily. For even according to *Rambam* it could be argued that the mitzvah requires that one pray *for his needs*, whereas, in a world where humanity will lack for nothing, man will be exempt from prayer.]

It should be noted, however, that in *Niddah* 61b, Rav Yosef says, based on a statement of R' Yochanan, that: מִצְוֹת בְּטֵלוֹת לֶעָתִיד לָבֹא, *mitzvos will be eliminated in the future existence*. The above comments of *Yefeh To'ar* follow the approach of *Rashba* (ad loc.), who explains that after the future Revivification of the Dead, mankind *will* be obligated in mitzvah performance; the above Gemara refers specifically to the period before the Revivification, at which time those who are in the World of Souls will indeed be exempt from mitzvos.

[For an overview of the many sources that deal with this topic, see the Mossad HaRav Kook ed. of *Chidushei HaRashba* to *Niddah* ibid. For another explanation of why the *todah* alone will not be eliminated, see *Maharal*, *Tiferes Yisrael*, Ch. 30, explained by *Sifsei Chaim*, *Moadim*, Vol. II, p. 222.]

ובואי תימן זו תודה. בכל המקומות שציינתי ביד יוסף (מסורת המדרש) הגירסא זו שלמים: **שנשחטה בדרום.** רצונו לומר אף בדרום דלא יחד קרא להם דוכתא וכדתנן (זבחים נה, א) שלמים קדשים קלים שחיטתן בכל מקום בעזרה, ומשום דדרום נגדיי לצפון נקט תימן וכאורחייהו שנזכרים תמיד זה אצל זה: **היא העולה שהקריבו בני נח.** דהיא משמע הידועה בשכבר, דאם לא כן היא למה לי: **וכדו דאתי לשלמים.** כשבא לדבר בשלמים: **יבואו ויחנו בדרום.** אף על פי שארץ ישראל באמצע העולם, קרי ליה דרום לגבי מקום שממנו הגליות באות דהוי צפון העולם, וכן מה שנאמר בגוג ומגוג שיפלו בדרום: **שנאמר הנני מביא אותם מארץ צפון.** ואף על גב דנתפזרו בארבע כנפות הארץ, עיקר הגליות בצפון: **מירכתי צפון לכשיתעורר מלך המשיח.** כך צריך לומר: **בית המקדש הנתון בדרום.** שחלק יהודה היה בצד דרום ככתוב ביהושע (פרק טו), והר הבית והלשכות והעזרות היו בחלקו של יהודה, ואולם והיכל וקדש קדשים בחלק בנימין הסמוך לו כדאיתא בפרק קמא דיומא (יב, א): **מלך המשיח שנתון בצפון.** שיושב עם אדום במדינה כדאיתא בשיר השירים רבה (ד, על פסוק טז) ובתנחומא, ובפרק חלק (סנהדרין לח, א) אמרו דקאי ברומי: **אין רוח צפונית מנשבת.** והא דאמרו בפרק לא יחפור (בבא בתרא כה, א) ארבע רוחות מנשבות בכל יום ורוח צפונית עם כולם, היינו מעט מזער כדי למתקן, והכא נשיבתם קמיירי: **ארגסטס.** ולקמן בבמדבר רבה (יג, ב) גרס אגרסטס, ופירש הערוך דהיינו ענין זר חוץ מהמנהג, והיינו רוח המשמש לשתי רוחות כאחת:

והעליתיך מירכתי צפון. וסיפא דקרא על הרי ישראל תפול, שהם בדרום: **העירותי מצפון ויאת.** וכתיב (ישעיה מא, כז) אחריו ראשון לציון הנה הנם וגו׳ הן עבדי אתמך בו וגו׳, והיינו מלך המשיח: **שמשמשות בו שתי רוחות.** וזהו עורי צפון ובואי תימן הפיחי גני, והפחה הוא על ידי רוח, כמו שכתוב יחזקאל (לז, ט) מארבע הרוחות בואי הרוח ופחי, ואם כן מה שכתוב (ישעיה מג, ו) אומר לצפון תני ולתימן אל תכלאי, הוא גם כן על ידי הרוח, על פי מדה י״ז וגזירה שוה:

״וּבוֹאִי תֵימָן״ זוֹ °תּוֹדָה שֶׁנִּשְׁחֲטָה° בַּדָּרוֹם, וְלָמָּה קוֹרֵא אוֹתָהּ ״וּבוֹאִי״ דָּבָר שֶׁהוּא חִידּוּשׁ, וְאַף קְרָיָא מְסַיֵּיעַ לְרַבִּי יוֹסֵי בַּר חֲנִינָא, (לעיל ו, ב) ״זֹאת תּוֹרַת הָעֹלָה הִיא הָעֹלָה״, שֶׁהִקְרִיבוּ בְּנֵי נֹחַ, וְכַדוּ דַּאֲתוֹ שְׁלָמִים, ״זֹאת תּוֹרַת זֶבַח הַשְּׁלָמִים אֲשֶׁר הִקְרִיבוּ לַה׳״ אֵין כְּתִיב כָּאן, אֶלָּא (לעיל ז, יא) ״אֲשֶׁר יַקְרִיב(ו) לַה׳״, מִכָּאן וּלְהַבָּא, מָה מְקַיֵּים רַבִּי *אֶלְעָזָר לִקְרָיֵיהּ דְּרַבִּי יוֹסֵי בְּרַבִּי חֲנִינָא, ״עוּרִי צָפוֹן״ לִכְשֶׁיִּתְעוֹרְרוּ הַגָּלֻיּוֹת הַנְּתוּנוֹת בַּצָּפוֹן יָבֹאוּ וְיַחֲנוּ בַּדָּרוֹם שֶׁנֶּאֱמַר (ירמיה לא, ז) ״הִנְנִי מֵבִיא אוֹתָם מֵאֶרֶץ צָפוֹן״, לִכְשֶׁיִּתְעוֹרֵר גּוֹג הַנָּתוּן בַּצָּפוֹן יָבֹא וְיִפּוֹל בַּדָּרוֹם, כְּמָה דְתֵימָא (יחזקאל לט, ב) ״וְשֹׁבַבְתִּיךָ וְשִׁשֵּׁאתִיךָ וְהַעֲלִיתִיךָ מִיַּרְכְּתֵי צָפוֹן״, °מֶלֶךְ הַמָּשִׁיחַ שֶׁנָּתוּן בַּצָּפוֹן יָבֹא וְיִבְנֶה בֵּית הַמִּקְדָּשׁ הַנָּתוּן בַּדָּרוֹם, הָדָא *הוּא דִכְתִיב (ישעיה מא, כה) ״הַעִירוֹתִי מִצָּפוֹן וַיַּאת מִמִּזְרַח שֶׁמֶשׁ״, אָמַר רַבִּי יוֹסֵי בְּשֵׁם רַבִּי בִּנְיָמִין בַּר לֵוִי: לְפִי שֶׁבָּעוֹלָם הַזֶּה ז׳בִּזְמַן שֶׁרוּחַ דְּרוֹמִית מְנַשֶּׁבֶת אֵין רוּחַ צְפוֹנִית מְנַשֶּׁבֶת וּבִזְמַן שֶׁרוּחַ צְפוֹנִית מְנַשֶּׁבֶת אֵין רוּחַ דְּרוֹמִית מְנַשֶּׁבֶת, אֲבָל לֶעָתִיד לָבֹא, אָמַר הַקָּדוֹשׁ בָּרוּךְ הוּא: אֲנִי מֵבִיא אַרְגֶּסְטֵס בָּעוֹלָם שֶׁמְּשַׁמְּשׁוֹת בּוֹ שְׁתֵּי רוּחוֹת, הָדָא הוּא דִכְתִיב (שם מג, ו) ״אֹמַר לַצָּפוֹן תֵּנִי וּלְתֵימָן אַל תִּכְלָאִי הָבִיאִי בָנַי מֵרָחוֹק וּבְנוֹתַי מִקְצֵה הָאָרֶץ״, אָמַר רַבִּי יוֹחָנָן: ח׳לִמֶּדְךָ תּוֹרָה דֶּרֶךְ אֶרֶץ, שֶׁאֵין חָתָן נִכְנָס לַחוּפָּה אֶלָּא אִם כֵּן נוֹתֶנֶת לוֹ כַּלָּה רְשׁוּת, הָדָא *הוּא דִכְתִיב (שיר ד, טז) ״יָבֹא דוֹדִי לְגַנּוֹ וְיֹאכַל פְּרִי מְגָדָיו״, וְאַחַר כָּךְ (שם ה, א) ״בָּאתִי לְגַנִּי אֲחֹתִי כַלָּה״:

ז רַבִּי פִּנְחָס וְרַבִּי לֵוִי וְרַבִּי יוֹחָנָן בְּשֵׁם רַבִּי מְנַחֵם דְּגַלְיָא: לֶעָתִיד לָבֹא כָּל הַקָּרְבָּנוֹת בְּטֵלִין וְקָרְבַּן תּוֹדָה אֵינוֹ בָּטֵל, כָּל הַתְּפִלּוֹת בְּטֵלוֹת הַהוֹדָאָה אֵינָהּ בְּטֵלָה, הָדָא *הוּא דִכְתִיב

הדא הוא דכתיב אומר לצפון תני. וענין זה להבאת הבנים מרחוק, שאם יביאום דרך ים באניות אלה מזה ואלה מזה יהיה הרוח מביא כולם ביחד: **אמר רבי יוחנן.** עיין במדבר רבה פרשה י״ג (סימן ב): **למדתך תורה דרך ארץ.** אף על גב דהאי קרא יבא דודי לגנו וגו׳ בישראל והקדוש ברוך הוא איירי שקוראים אל ה׳ והוא יענם ליזקק להם, מכל מקום מדנקט לה במשל חתן וכלה למדך דרך ארץ שאין חתן נכנס לחופה אלא אם כן נותנת לו כלה רשות, כלומר אף שיודע ומבין שהכלה חפץ באהבתו עם כל זה מטבע הבושה שאין לו ליכנס עד שתתן לו הכלה רשות: **הדא הוא דכתיב יבא דודי לגנו.** מפרש גנו לשון גנונו והיינו חופה כדאיתא בבמדבר רבה שם: (ז) **דגליא.** פירוש שם מקום. והאות אמת גרס רגליא, ופירש בשם רש״י דנכנס רגלים היה: **לעתיד לבא כל הקרבנות** של יחיד **בטלים.** מפני שלא יחטאו ולא יצטרכו להביא קרבנות אבל קרבנות חובה של צבור לא בטלים, כדכתיב (תהלים נא, כא) אז תחפוץ זבחי צדק וגו׳: **וקרבן תודה אינו בטל.** והוא הדין קרבנות שלמים שאינן באים אלא להודאה ולכבוד: **כל התפילות בטילות.** שלא יצטרכו להתפלל חס ושלום על איזה צרה או חולי, ואין בזה חס ושלום ביטול מצוה מהתורה, כמו מצות מעקה למי שאין לו בית:

מתנות כהונה

וכדו דאתי שלמים. כשבא לדבר בשלמים: **ארגסטס.** פירש הערוך רוח המשמש לשני רוחות כאחת, שלבקסו בלע״ז: **[ז] דגליא.** שם מקום:

אשד הנחלים

יעורר את שתיהם למזגם יחד, ואז ישוב גם הדין רחמים, כי הדין בטל לגבי רחמים. ולכן אמרו בחזית (שיר השירים רבה ב, יח על פסוק ז) מה תעירו ומה תעוררו את האהבה עד שתחפץ, עד שתחפץ מדת הדין מאליו, ואין להאריך: **שאין חתן כו׳.** כלומר אף שיודע ומבין שהכלה חפץ באהבתו, עם כל זה מטבע הבושה שאין לו ליכנס עד שתתן לו רשות, שכמו כן מצינו גם באהבת המחזה העליונה החפיצה מאוד לדבק בנביאים, ועם כל זה לא תשפיע בפתע פתאום בלא בקשת המקבל ונתינת רשות, כי זה עוזר שעל ידי זה יכין עצמו יותר בכוונה הראוי לקבל המחזה כראוי: **[ז] כל הקרבנות בטלים.** לפי שלא באים רק על החטא ולעתיד לבא כל החטאים בטלים, כי יוסר היצר ולב האבן, לבד קרבן תודה שבא להכרת חסדי ה׳ לא יבטל, כי יתעלו תמיד יותר ויותר ויחפצו לדבק בה׳:

באור מהרי״פ

[ו] הנני מביא וגו׳. (ירמיה לא, ח) הנני מביא אותם מארץ צפון, וקבצתים מירכתי ארץ בם עור ופסח הרה ויולדת יחדו קהל גדול ישובו הנה. (יחזקאל לט, ב) ושובבתיך וששאתיך והעליתיך מירכתי צפון והביאותיך על הרי ישראל. (ישעיה מא, כה) העירותי מצפון ויאת ממזרח שמש יקרא בשמי ויבא סגנים כמו חומר וכמו יוצר ירמס טיט. באלה שלשה המקראות שמביא המדרש על קבוץ גלויות ועל גוג ועל מלך המשיח, לא נזכר בהם מלת דרום, רק המדרש סומך הכל על המקרא עורי צפון ובואי תימן: **מתנות כהונה ד״ה ארגסטוס פירש הערוך וכו׳.** ומסיים הערוך בזה הלשון ספרים אחרים אגרסטוס, וכן מסתברא כלומר ארגסתא שלבטקי בלע״ז. וזה לשון ר׳ בנימין מוספיא אמר בנימין, פירוש בלשון יוני רוח מערבית צפונית: **יבוא דודי וגו׳.** מקרא דבתר עורי צפון ובואי תימן וגו׳ הוא:

חידושי הרד״ל

[ו] מירכתי צפון לכשיתעורר מלך המשיח כו׳. כן צריך לומר. וכן הוא בירושלמי פרק א׳ דמגלה (הי״א), ובבמדבר רבה (יג, ב): **בית המקדש הנתון בדרום.** כדתנן בפרק ב דמדות (משנה א) רובו מן הדרום, וכמו שכתוב (יחזקאל מ, ב) ועליה כמבנה עיר מנגב, וכמו שכתוב בבראשית רבה סוף פרשה ל״ט, עיין שם בהגהותי בסייעתא דשמיא: **בעולם הזה בשעה שרוח כו׳.** אסתר רבה פרשה ב׳ [סימן יד]: **שמשמשות בו שתי רוחות כו׳ אל תכלאי.** אפשר ירמוז לשתי מתנות עושר וחכמה, כמו שאמרו שולחן בצפון ומנורה בדרום, שבעולם הזה אין משמשות כאחת, ומבטלות זה את זה, כמו שאמרו (ברכות ה, ב) לא כל אדם זוכה לשתי שולחנות, אבל לעתיד לבוא מתאחדות לשמש כאחת, אומר לצפון תני, מצפון זהב יאתה (איוב לז, כב), ובכל זה לא תכלאי לסבב מונעים למתנת התימן, החכמה: **[ז] רבי פנחס כו׳ לעתיד לבוא כל הקרבנות כו׳.** עיין לקמן פרשה כ״ז (סימן יב), ושוחר טוב מזמור ג ומזמור ק, ובתנחומא פ׳ אמור:

חידושי הרש״ש

ובואי תימן זו תודה כו׳. בכל המקומות שציין המתנות כהונה איתא אלו שלמים, וכן נראה להגיה כאן: **בחדושי הרד״ל בד״ה בית המקדש הנתון בדרום כדתנן בפרק ב׳ דמדות רובו מן הדרום כו׳.** עיין שם בפירוש הרמב״ם ותראה שאין משם ראיה רק סתירה, וכן מקרא דיחזקאל יש סתירה עיין שם בפירוש הרד״ק:

אמרי יושר

אני מביא רוח ארגסטס. דייק ולתימן אל תכלאי, אף על פי שדרכה שלא לנשב עם רוח צפון: **[ז] כל הקרבנות בטלין.** כי לא יחטאו עוד, ולא יצטרכו קרבן, רק קרבן תודאה על הנסים ועל הפורקן, וכן כל התפילות, כי לא יצטרכו לשאלת צרכים:

מסורת המדרש

ז. ילקוט ישעיה רמז ש״ו: ח. במד״ר פ׳ י״ד:

אם למקרא

הִנְנִי מֵבִיא אוֹתָם מֵאֶרֶץ צָפוֹן וְקִבַּצְתִּים מִיַּרְכְּתֵי אָרֶץ בָּם עִוֵּר וּפִסֵּחַ הָרָה וְיֹלֶדֶת יַחְדָּו קָהָל גָּדוֹל יָשׁוּבוּ הֵנָּה: (ירמיה לא:ז)

וְשֹׁבַבְתִּיךָ וְשִׁשֵּׁאתִיךָ וְהַעֲלִיתִיךָ מִיַּרְכְּתֵי צָפוֹן וַהֲבִאוֹתִךָ עַל הָרֵי יִשְׂרָאֵל: (יחזקאל לט:ב)

הַעִירוֹתִי מִצָּפוֹן וַיַּאת מִמִּזְרַח שֶׁמֶשׁ יִקְרָא בִשְׁמִי וְיָבֹא סְגָנִים כְּמוֹ חֹמֶר וּכְמוֹ יוֹצֵר יִרְמָס טִיט: (ישעיה מא:כה)

אֹמַר לַצָּפוֹן תֵּנִי וּלְתֵימָן אַל תִּכְלָאִי הָבִיאִי בָנַי מֵרָחוֹק וּבְנוֹתַי מִקְצֵה הָאָרֶץ: (שם מג:ו)

בָּאתִי לְגַנִּי אֲחֹתִי כַלָּה אָרִיתִי מוֹרִי עִם בְּשָׂמִי אָכַלְתִּי יַעְרִי עִם דִּבְשִׁי שָׁתִיתִי יֵינִי עִם חֲלָבִי אִכְלוּ רֵעִים שְׁתוּ וְשִׁכְרוּ דּוֹדִים: (שיר השירים ה:א)

שינוי נוסחאות

(ו) ״ובואי תימן״ **זו תודה שנשחטה בדרום.** רש״ש נוטה להגיה ״שלמים שנשחטו״ במקום ״תודה שנשחטה״, וכן הוא באמת בכי״: **הדא הוא דכתיב.** בהרבה מקומות בויקרא רבא (החל מכאן), במקום ״הדה הוא דכתיב״ (או ״הדה היא דכתיב״, שהוא יותר נכון ע״פ דקדוק) התחילו לכתוב בספרים הישנים ״הדהי דכתיב״, הדהי (=״הדה היא״) במילה אחת, (ובכי״ תמיד כתוב בראשי תבות >הה״ד<), ובדפוסים יותר מאוחרים קיצרו ״הדהי״ ל״הדה״, או שכתבו בקיצור >ה״ד< במקום >הה״ד<, ולכן בהרבה ספרי דפוס יש בכמה מקומות בויקרא רבה ״הדה דכתיב״ או ״הוא דכתיב״, אבל הכל שיבוש, וצריך לומר ״הדה הוא (או היא) דכתיב״ כמו באלפי מקומות אחרים במדרש. (כרוב המקומות כבר תוקנה הלשון בד׳ וילנא:)

"קוֹל שָׂשׂוֹן וְקוֹל שִׂמְחָה קוֹל חָתָן וְקוֹל כַּלָּה קוֹל אֹמְרִים הוֹדוּ אֶת ה׳ צְבָאוֹת וְגוֹ׳" — *Thus said HASHEM: There will again be heard in . . . the cities of Judah and in the streets of Jerusalem . . .* ***the sound of joy and the sound of gladness, the sound of the groom and the sound of the bride, the sound of people saying, "Give thanks to HASHEM, Master of Legions, etc.*** *[for HASHEM is good, for His mercy is forever," bringing thanksgiving-offerings to the Temple of HASHEM; for I will return the captivity of the land as at first, said HASHEM]* (*Jeremiah* 33:10-11).[114] The Midrash expounds: *Give thanks to HASHEM, Master of Legions* — זוֹ הוֹדָאָה — **this is** a reference to verbal **thanksgiving;** "מְבִאִים תּוֹדָה בֵּית ה׳", זֶה קָרְבָּן תּוֹדָה — ***bringing todah-offerings to the Temple of HASHEM*** — **this is** a reference to the ***todah*-offering.**[115]

The Midrash supports the above idea from a verse in *Psalms*: וְכֵן דָּוִד אָמַר "עָלַי אֱלֹהִים נְדָרֶיךָ אֲשַׁלֵּם תּוֹדֹת לָךְ" — **And so did David state,** ***Upon me, O God, are [my] vows unto You; I shall render thanksgivings to You*** (*Psalms* 56:13). The Midrash observes: "תּוֹדָה" אֵין כְּתִיב כָּאן אֶלָּא "תּוֹדֹת" — ***Thanksgiving*** **is not written here** (in the singular), **but rather** ***thanksgivings*** is written (in the plural); indicating both הַהוֹדָאָה וְקָרְבַּן תּוֹדָה — verbal **thanksgiving and the** ***todah*-offering.**[116]

זֹאת הַתּוֹרָה לָעֹלָה לַמִּנְחָה וְלַחַטָּאת וְלָאָשָׁם וְלַמִּלּוּאִים וּלְזֶבַח הַשְּׁלָמִים.

This is the law of the burnt-offering, the meal-offering, the sin-offering, and the guilt-offering; and the inauguration-offerings, and the feast peace-offerings (7:37).

§8 [זֹאת הַתּוֹרָה לָעֹלָה לַמִּנְחָה וְלַחַטָּאת וְלָאָשָׁם וְלַמִּלּוּאִים וּלְזֶבַח הַשְּׁלָמִים] — *THIS IS THE "TORAH" OF THE BURNT-OFFERING, THE MEAL-OFFERING, THE SIN-OFFERING, AND THE GUILT-OFFERING; AND THE INAUGURATION-OFFERINGS, AND THE FEAST PEACE-OFFERINGS.]*

The Midrash uses a parable to explain why the Torah concluded its discussion of the various offerings with the above, apparently unnecessary verse:[117]

אָמַר רַבִּי אַחָא: מָשָׁל לְשִׁלְטוֹן שֶׁנִּכְנַס לַמְּדִינָה — **R' Acha said:** The message of this verse is **analogous to a ruler who entered a province,**[118] וְעִמּוֹ כִּיתּוֹת כִּיתּוֹת שֶׁל לִסְטִים — **and with him** were **numerous groups of bandits,** who were bound in chains.[119] אָמַר אֶחָד לַחֲבֵירוֹ: מַה דְּחִיל הָדֵין שִׁלְטָא — Upon seeing this, **one** resident of the province **exclaimed to his friend, "How fearsome is this ruler!"**[120] אֲמַר לוֹ: הָדָא פִּסְטָמָא דִילָךְ טָבָא וְלֵית אַתְּ דָּחִיל מִינֵּיהּ — **[His friend] responded to him, "When your speech will be good you will not fear him."**[121] כָּךְ כֵּיוָן שֶׁשָּׁמְעוּ יִשְׂרָאֵל פָּרָשַׁת קָרְבָּנוֹת נִתְיָרְאוּ — **Similarly, when** the nation of **Israel heard the Scriptural passage of** the **sacrificial offerings, they became afraid.**[122] אָמַר לָהֶן מֹשֶׁה: אַל תִּירָאוּ — So **Moses said to them, "Do not be afraid.** הִתְעַסְּקוּ בַּתּוֹרָה וְאֵין אַתֶּם יְרֵאִים מִכָּל אֵלֶּה — **Engage in Torah** study, **and you will not** have need to **fear all these** offerings."[123] הָדָא הוּא דִכְתִיב "זֹאת הַתּוֹרָה לָעֹלָה לַמִּנְחָה" — **Thus it is written,** ***This is the "Torah" of the burnt-offering, the meal-offering,*** *etc.*[124]

The Midrash addresses a peculiarity in the order in which our verse lists the offerings:

NOTES

114. From the verse that follows these verses, it is evident that this passage refers to the Messianic era (*Eitz Yosef*).

115. The verse thus proves that both *thanksgiving prayers* and *todah-offerings* will continue to exist in the Messianic era (*Yefeh To'ar*).

116. [The Midrash sees this exposition as proof of the above idea because] the fact that King David did not vow to donate *olah*-offerings indicates that he was speaking of a future era during which he could bring only *todah*-offerings (*Eitz Yosef*).

117. *Maharzu*; also see *Eitz Yosef.*

118. Apparently, the ruler was assuming command over the province.

119. Based on *Eitz Yosef.*

120. This man was afraid that the ruler was so cruel that he would severely punish any infraction, large or small, and that it would be impossible to withstand his scrutiny (*Eitz Yosef*; see *Maharzu*).

121. Translation follows *Eitz Yosef*, citing *Aruch* (s.v. פסטם; see also *Matnos Kehunah*), who explains that the friend was insisting that were the man to honor the ruler and humble himself before him, the ruler would certainly overlook any inadvertent or insignificant misdeeds. (For another approach, see *Mussaf HeAruch* [on *Aruch* ibid.], cited by *Eitz Yosef*, with *Maharzu*.)

122. When the Jews became aware of the various types of offerings that are required [to atone for sins] they grew fearful because at times a man does not realize that he has sinned and must bring an offering, at other times he does not have time to bring one, and he certainly cannot bring an offering when there is no Temple (*Eitz Yosef*; see also *Matnos Kehunah*, *Maharzu*).

123. Alternatively, Moses was telling the Jews that even without bringing sacrifices they could achieve atonement for their sins through Torah study (see *Yefeh To'ar*, referencing above, 7 [§3]; *Imrei Yosher*; see *Maharzu* for another approach).

124. R' Acha understands this verse to teach that *Torah* study can fill the role of the various offerings (compare *Menachos* 110a). His parable illustrates that although, ideally, one should bring the required offerings and retain the merit of Torah study for his reward in the World to Come, he may nevertheless take comfort in the knowledge that, if necessary, his Torah learning will atone for his misdeeds (*Eitz Yosef* above, s.v. משל לשלטון). See Insight Ⓐ.

INSIGHTS

Ⓐ **The Torah of Offerings** An alternative and more elaborate explanation for the fear that Israel experienced when they heard the passage dealing with the various types of offerings is presented by *Divrei Yoel*:

The verse states (*Jeremiah* 7:21-23): *Thus said HASHEM, . . . "For I did not speak with your forefathers, nor did I command them, on the day I took them out of the land of Egypt, concerning burnt- or peace-offerings. Rather, it was only this thing that I commanded them, saying, 'Hearken to My voice, that I will be your God and you will be My people' "* . . . What does this mean? Were the commandments regarding the offerings not given with the rest of the Torah at Sinai, at the time God said to us (*Exodus* 19:5-6): *And now, if you hearken well to Me and observe My covenant, you shall be to Me the most beloved treasure of all peoples, for Mine is the entire world. You shall be to Me a kingdom of ministers and a holy nation?*

Many commentators explain that the verse in *Jeremiah* means that *the emphasis* of the commandments at Sinai was not on "offerings," which are indeed not mentioned in the Ten Commandments, but rather on obeying the will of God and being His people (see *Radak* ad loc.; see also *Rambam* in *Moreh Nevuchim* 3:22).

In a somewhat novel approach, *Abarbanel* (ad loc.) explains that there was, in fact, no mention of the commandments regarding offerings at Sinai; the nation of Israel was then enjoined only to be faithful to God, conduct themselves properly, and keep the commandments they were given. It was only when Israel subsequently sinned by creating the Golden Calf that God instituted for them the sacrificial order so that they could atone for the sins they had demonstrated a tendency to commit. *Abarbanel's* assertion, however, is at odds with the teaching of the Sages in *Sifra* (*Parashas Tzav*, Ch. 18), which states unequivocally that all the various laws of offerings *were* given immediately at Sinai, and not only after the sin of the Golden Calf.

Divrei Yoel presents a modification of *Abarbanel's* approach, and with it an explanation of our Midrash. The Gemara (*Menachos* 110a) cites Reish Lakish, who derives Scripturally that whoever engages in the study of Torah is considered as if he has offered an *olah*, a *minchah*, a *chatas*, and an *asham*. The Gemara then cites Rava who, after rejecting Reish Lakish's inference, states that whoever engages in the study

(ירמיה לג, יא) "קוֹל שָׂשׂוֹן וְקוֹל שִׂמְחָה קוֹל חָתָן וְקוֹל כַּלָּה קוֹל אֹמְרִים הוֹדוּ אֶת ה' צְבָאוֹת וְגוֹ'", זוֹ הוֹדָאָה, "מְבִאִים תּוֹדָה בֵּית ה'" (שם), זֶה קָרְבַּן תּוֹדָה, וְכֵן דָּוִד אָמַר (תהלים נו, יג) "עָלַי אֱלֹהִים נְדָרֶיךָ אֲשַׁלֵּם תּוֹדֹת לָךְ", "תּוֹדָה" אֵין כְּתִיב כָּאן אֶלָּא "תּוֹדֹת", הַהוֹדָאָה וְקָרְבַּן תּוֹדָה:

ח אָמַר רַבִּי אַחָא: מָשָׁל לְשִׁלְטוֹן שֶׁנִּכְנַס לַמְּדִינָה וְעִמּוֹ כִּיתּוֹת כִּיתּוֹת שֶׁל לִסְטִים, אָמַר אֶחָד לַחֲבֵירוֹ: מַה דְּחִיל הָדֵין שִׁלִּיטָא, אֲמַר לוֹ: הָדָא פִּסְטְמָא דִּילָךְ טָבָא וְלֵית אַתְּ דָּחֵיל מִינֵיהּ, כָּךְ כֵּיוָן שֶׁשָּׁמְעוּ יִשְׂרָאֵל פָּרָשַׁת קָרְבָּנוֹת נִתְיָרְאוּ, אָמַר לָהֶן מֹשֶׁה: אַל תִּירָאוּ, הִתְעַסְּקוּ בַּתּוֹרָה וְאֵין אַתֶּם יְרֵאִים מִכָּל אֵלֶּה, הָדָא *הוּא דִכְתִיב (ז, לז) "זֹאת הַתּוֹרָה לָעֹלָה לַמִּנְחָה",

וְלָמָּה שְׁלָמִים בָּאַחֲרוֹנָה, שֶׁיֵּשׁ בָּהּ מִינִין הַרְבֵּה, אָמַר רַבִּי סִימוֹן: הָדָא גַּרְזְמִיתָא אֵינָהּ בָּאָה אֶלָּא בָּאַחֲרוֹנָה, לָמָּה, שֶׁיֵּשׁ בָּהּ מִינִים הַרְבֵּה, כָּךְ לָמָּה שְׁלָמִים בָּאַחֲרוֹנָה, שֶׁיֵּשׁ בָּהּ מִינִים הַרְבֵּה, דָּם וְאֵימוּרִים לַמִּזְבֵּחַ, חָזֶה וָשׁוֹק לַכֹּהֲנִים, עוֹר וּבָשָׂר לַבְּעָלִים, רַבִּי שִׁמְעוֹן אוֹמֵר: מִי שֶׁהוּא שָׁלֵם מֵבִיא שְׁלָמִים, וְאֵין אוֹנֵן מֵבִיא שְׁלָמִים:

ט אָמַר רַבִּי שִׁמְעוֹן בֶּן יוֹחַאי: גָּדוֹל הַשָּׁלוֹם, שֶׁכָּל הַבְּרָכוֹת כְּלוּלוֹת בּוֹ (תהלים כט, יא) "ה' עֹז לְעַמּוֹ יִתֵּן ה' יְבָרֵךְ אֶת עַמּוֹ בַשָּׁלוֹם",

הדא הוא דכתיב קול ששון כו'. ולימות המשיח מיירי דכתיב התם אצמיח לדוד צמח צדקה וגו' לא יכרת לדוד איש יושב על כסא, וזה לא נתקיים בבית שני: **וכן דוד אמר עלי אלהים כו'.** ולעתיד מיירי דליכא אלא קרבן תודה, דאם לא כן מה שנא דנקט תודות ולא עולות שבאות גם כן בנדר ונדבה:

(ח) משל לשלטון כו'. משום דקשיא ליה אחר שפירש הכתוב תורת העולה ותורת החטאת וכו' תו למה לי למימר זאת התורה לעולה ולמנחה וכו'. ומשני דאתא למימר שעסק התורה עולה במקום עולה ומנחה וכו', אלא דסבירא ליה לר' אחא שאין לסמוך על זה לכתחלה, שכל שאפשר להביא קרבנו ממש עדיף טפי וישאר זכות התורה לעולם הבא, ועל צד הדחק הוא דסמכינן אהכי, ולזה אמר **משל לשלטון שנכנס למדינה ועמו כתות של לסטים,** אסורים בזיקים, ואמר אחד מהמדינה לחבירו מה מורא השלטון הזה, כי נפל פחדו עליו כי מי יוכל לדקדק במעשיו ועל ידי שהשלטון זה אכזרי ומורא מאד יפקוד על כל דבר פשע כקטן כגדול ומי יוכל ליזהר, והשיבו חבירו כשיהיה דיבורו טוב לא ירא ממנו, כי כשיכבד להשלטון ויכנע מפניו ודאי שיעבור על השגגות והדברים הקלים ולא יפקוד רע בחטאים גדולים, וכן ישראל נתיראו בראותם כמה מיני קרבנות, כי מי יוכל ליזהר בכולם, כי פעמים יחטא ולאו אדעתיה כדי שיוכל להביא קרבנו, ופעמים שלא יהיה לו זמן להביאו, וכל שכן בזמן שאין בית המקדש קיים מה יעשה, ועל זה נתן להם תקנה בהטיב דבורם בתורה: **פסטמא.** פירוש הדבור שלך יהא טוב, כלומר התעסקו בתורה ואי אתה מתיירא (ערוך). והמוסף הערוך כתב פירושו בלשון יוני בטחון וכסל: **למה שלמים באחרונה.** רלונו לומר כיון דקאמר דזאת התורה אתא למימר שהעוסק בתורה כמביא עולה ומנחה כו', אם כן קשה היכי נקט הקל בסופה דהוי ליה למנקט הקל תחלה ושוב החמור דהוה לא זו אף זו, אבל מאחר שאמר שהתורה עולה במקום החמורים מאי קא משמע לן שלמים בסיפא: **גרזמיתא.** מין מאכל שיש בו תורמסין ומינים הרבה ונקרא בלע"ז לופינ"י (ערוך). והמוסף הערוך כתב פירושו בלשון יוני מין מרק מעורב בציר, ומאכל זה היה הטעולה על שולחן מלכים בקנות סעודה בזמן קדמון, אבל עכשיו נשכח תקונו, גרון בלשון יוני ציר, זימוס מרק, עד כאן לשונו: **כך למה שלמים באחרונה כו'.** רלה לומר שקיימא לן בזה שאם אדם יקריב שלמים ושאר קרבנות, מקריב שלמים באחרונה: **ואין אונן מביא שלמים.** מפני שהבשר נאכל לבעלים, ואונן אסור בקדשים, דכתיב לא אכלתי באוני ממנו, וילפינן מיניה בפרק קמא דיומא (יג, ב ועיין זבחים קא, א) לקדשים בקל וחומר: **(ט) גדול שלום.** משום דהא דקשיא ליה למה שלמים באחרונה מיתרלא בהא דאמר ר' מני שכל הברכות חותמין בשלום וכן הקרבנות כדלקמן מייתי לה הכא, ואגב אורחיה מייתי מילי דכולהו תנאי וכולהו אמוראי דמיירי במעלת השלום: **שכל הברכות כלולות בו.** שכל ההצלחות הזמניות והנפשיות עומדות על תל השלום: **ה' עוז לעמו יתן כו'.** והכי פירושו דקרא, ה' עוז ותעצומות בהצלחת אשר לא תנתק יתן לעמו, ולכן יברך את עמו, בכלי המחזיק כל סתם ברכה והוא השלום:

פירוש מהרז"ו

(ח) אמר רבי אחא. בא לדרוש מה שכתב בסדר הזה בסוף צווי קרבנות, זאת התורה לעולה ולמנחה ולחטאת ולאשם ולמילואים ולזבח השלמים: **דחיל הדין שליטא.** שמעניש בני אדם עונשים רבים. ובנמשל על שראו ישראל שמלאה על קרבנות רבים, ומדקדק כל כך, ויראו מי יכול לעמוד בזה: **הדה פסטמא.** פירש במוסף ערוך, בלשון יוני כסל ובטחון, והכוונה אם יהיו לך מעשים טובים ולב טוב, אתה בטוח שלא תירא מכל זה, שהתורה מאירה עיני השכל שלא יכשל בכל חטא, וכמו שכתב שמות רבה (לג, ג) באריכות. ולא יצטרכו לקרבנות: **שלמים באחרונה.** בפרשיות פרשת שלמים באחרונה, וכן בפסוק הנ"ל שלמים באחרונה: **(ט) גדול השלום.** ירושלמי (פ"א דפאה מ"א) על המשנה והבאת שלום בין אדם לחבירו, במדבר רבה פרשה יא סימן ז ,ופרשה יב, סימן ח, וסוף פרשה י"ט, ודברים רבה פרשה ה, סימן יב: **שכל הברכות כלולות בו.** שהשלום כלי מחזיק ברכה, וזהו מה שכתב (תהלים כט, יא) ה' יברך את עמו בשלום, שכל הברכות בתוך השלום, וכמו שאמרו בילה (ז, ב) עפר לא נאמר, בעפר שצריך עפר למעלה ולמטה, וכן כאן הברכות בתוך השלום:

מתנות כהונה

[ח] מה דחיל כו'. מה נורא זה השלטון: **הדא פסטמא כו'.** פירש הערוך דבור והנהגה שלך יהא טוב, ואין אתה צריך להתיירא ממנו: **נתייראו.** מפני כשאין בית המקדש קיים מה תהא על עוברי עבירה, או רלה לומר כל השגיאות מי יבין וידע מה תהא תקנתו: **גרזמיתא.** פירש הערוך מאכל שבא באחרונה שקורין ליפינ"א, והכי מוכח בכמה דוכתין: **מי שהוא שלם.** דייק מלשון של שלמים:

אשד הנחלים

קול ששון כו' קול חתן כו'. קול חתן הוא שם המושאל לדיבוק השפע העליונה למטה, כמו שבארנו: **תודות, ההודאה וקרבן תודה.** שלא ידומה אחר שלעתיד לבא כולם יכספו לדבק בה', ויודו כולם ויכירו כבודו, אם כן מה צריך להכנה בהבאת תודה שיעלה זכרון לפניו כאלו הוא מוסר נפשו לה', לזה אומר שלא כן כי אם יהיה הקרבנות גם כן, כי הוא עזר גדול להשפיע מלמעלה כל טוב: **[ח] של לסטים.** מצאנו בבראשית רבה פרשה בראשית (כב, ו), שמדמה היצר הרע ללסטים, כמו שאמרו שם היצר הרע דומה לליסטים שפוף. והנה הקרבנות שהם קדושה גדולה וצריך שמירה לזה מאוד כמו שכתוב (במדבר יח, ז) והזר הקרב יומת, וכדומה האזהרות הרבות הגדולות והנוראות לזה. והנה כששמעו ישראל זאת נתייראו מאוד, מפני אימת הכבוד, ואמר להם למה אתם יראים, אם אתם מיישרים דרכיכם אז לא תיראו, כי בודאי תהיו נזהרים בזה, וזה על ידי לימוד וידיעת דיני הקרבנות, שידעו איך שלא ימעלו בהם וישמרום בטהרה, ולכן כתיב תורת העולה: **מינים הרבה כו' גרזמיתא כו'.** הדבר הבא למתק האוכל שבקרבו מעורב עם מינים הרבה, כן השלמים יש בה כל הפעולות הנוהגת בכל קרבנות המיוחדים, והשלמים המה מכוונת בכוונתה אל כל אלה ולכן היא באה באחרונה: **שלם מביא כו' ולא אונן.** כי שלם הוא מי ששמח ואינו נחסר לו מאומה, והאונן הוא בצער, ולכן אינו מביא שלמים (ידי משה), ואם כן השלמים נבחרים יותר מכולם: **[ט] שכל הברכות כלולות.** כי גדר השלום, שאין בו שום ניגוד מאומה, רק הכל בשלימות. והנה הברכה העליונה כשלא ימצא בה ניגוד ורע, ואז כל ההשפעות הטובות נמזגים יחד ברבוי מופלג, וכן השלום שלמטה נקרא אם האדם בשלימותו בלי ניגוד מאומה, כי כל כחות נפשו פונים

באור מהרי"פ

[ח] פסטמא דילך וכו'. זה לשון הערוך ערך פסטם, פירוש הדבור שלך יהא טוב כלומר התעסק בתורה ואי אתה מתיירא ממנו, כמו הנשים סוטטות בה עד כאן לשון הערוך. וזה לשון ר' בנימין מוספיא, אמר בנימין, פירוש בטחון וכסל עד כאן. אמר הכותב איני יכול לכוון היטב לשון המדרש על פי פירוש ר' בנימין מוספיא, וגם על פי פירוש הערוך אינו נח לי: **[ט] ה' עוז וגו'.** והכי פירושו **ה' עוז** ותוקף בכל מיני ההצלחות **לעמו,** ובמה **ה' יברך את עמו בשלום** שהוא כלי מחזיק ברכה של כל ההצלחות שבעולם:

ליקוטים

[ח] ביון ששמעו ישראל פרשת קרבנות נתיראו אמר להן משה אל תיראו התעסקו בתורה וכו'. כדאיתא לעיל (ו, ג) שאם יתעסקו בפרשת קרבנות יהיה נחשב כאילו הקריבם (יד יוסף):

אמרי יושר

[ח] ביון ששמעו ישראל פרשת הקרבנות נתייראו. שנצטרך חסרון כיס כדי להביא הקרבנות הרבים, אמר להם משה אם תתנהגו כשורה אי אתם צריכין קרבן, זאת התורה, חליפי עולה ושלמים: **למה שלמים באחרונה.** היה לו להקדימם, כי שלמים קדשים קלים, לעולות ממטה למעלה, תירץ כי יש בו מינים רבים, והפשוט יוקדם למורכב. או תירצו באופן אחר, להגדיל השלום ולחתום בשלמים, כדרך שחתמו הכהנים בשלום:

מסורת המדרש

ט. עי' לעיל פ' ו':

אם למקרא

קוֹל שָׂשׂוֹן וְקוֹל שִׂמְחָה קוֹל חָתָן וְקוֹל כַּלָּה קוֹל אֹמְרִים הוֹדוּ אֶת ה' צְבָאוֹת כִּי טוֹב ה' כִּי לְעוֹלָם חַסְדּוֹ מְבִאִים תּוֹדָה בֵּית ה' כִּי אָשִׁיב אֶת שְׁבוּת הָאָרֶץ כְּבָרִאשֹׁנָה אָמַר ה': (ירמיה לג:יא)

עָלַי אֱלֹהִים נְדָרֶיךָ אֲשַׁלֵּם תּוֹדֹת לָךְ: (תהלים נו:יג)

ה' עֹז לְעַמּוֹ יִתֵּן ה' יְבָרֵךְ אֶת עַמּוֹ בַשָּׁלוֹם: (תהלים כט:יא)

ידי משה

[ח] מי שהוא שלם ולא אונן מביא שלמים. לפי שהבשר נאכל בשמחה ואונן הוא בצער:

וְלָמָּה שְׁלָמִים בָּאַחֲרוֹנָה — And why is the ***shelamim*-offering** listed **last?**[125] **שֶׁיֵּשׁ בָּהּ מִינִין הַרְבֵּה — Because there are within it many** different **types.** The Midrash elaborates: **אָמַר רַבִּי סִימוֹן: הָדָא גַּרְזְמִיתָא אֵינָהּ בָּאָה אֶלָּא בָּאַחֲרוֹנָה — R' Simone said: The** ***garzemisa*** **does not come** at any point **other than last** (i.e., at the end of a meal);[126] **לָמָּה — why** is this? **שֶׁיֵּשׁ בָּהּ מִינִים הַרְבֵּה — Because there are within it many** different **types. כָּךְ לָמָּה שְׁלָמִים בָּאַחֲרוֹנָה — Similarly, why is** the ***shelamim*-offering last? שֶׁיֵּשׁ בָּהּ מִינִים הַרְבֵּה — Because there are within it many** different **types.** Specifically, this offering encompasses **דָּם וְאֵימוּרִים לַמִּזְבֵּחַ — blood and designated parts** that go **to the Altar, חָזֶה וְשׁוֹק לַכֹּהֲנִים —** the **breast and thigh** that go **to the Kohanim, עוֹר וּבָשָׂר לַבְּעָלִים —** and the **skin and** the balance of the **flesh** that go **to the owner** of the offering.[127]

The Midrash cites a law regarding the *shelamim* that is hinted at by that offering's name:[128]

רַבִּי שִׁמְעוֹן אוֹמֵר: מִי שֶׁהוּא שָׁלֵם מֵבִיא שְׁלָמִים — R' Shimon said: One who is complete [שָׁלֵם] **may bring a *shelamim*-offering** [שְׁלָמִים]; **וְאֵין אוֹנֵן מֵבִיא שְׁלָמִים — but an *onein* may not bring a *shelamim*-offering.**[129]

§9 At the end of the coming section, the Midrash will explain the appearance of the *shelamim*-offering at the end of the above verse's list of offerings based on the significance of שָׁלוֹם, *peace*. Incidentally, the Midrash will cite numerous Tannaic and Amoraic sayings that extol the virtues of that quality:[130]

NOTES

125. Because the holiness of the *shelamim*-offering is of a lesser degree than that of the other offerings named in this verse (see *Zevachim* 55a) and we have just learned that our verse is intended to teach that one who studies Torah is considered as having brought each of these offerings, the Midrash questions why the *shelamim*-offering should have appeared at the end of the verse. For after having indicated that Torah study can fill the role of the more holy offerings, why would the Torah need to relate that it is also so with respect to the less holy *shelamim*-offering? (*Eitz Yosef*; see also *Imrei Yosher*, *Maharzu*).

126. According to *Aruch* (s.v. גרזם), *garzemisa* is a dish that was made of lupine (a species of bean) and many other ingredients. *Mussaf HeAruch* (ad loc.) adds that in earlier times this dish was eaten by royalty at the conclusion of a meal, but its method of preparation was eventually forgotten (*Eitz Yosef*; see also *Matnos Kehunah*).

127. *Garzemisa* is eaten last because its complexity allows it to have a positive effect on all of the different types of food that were eaten during the meal. In a similar fashion, because the *shelamim*-offering combines all of the different services that the various offerings involve, it must be brought after all other offerings (*Eshed HaNechalim*).

Thus, the Midrash is deriving from the order of our verse that if one has to bring a *shelamim*-offering in addition to other offerings, he should make the *shelamim*-offering the last one he brings (*Eitz Yosef*).

128. See *Matnos Kehunah*.

129. The term *onein* describes a person who is in mourning for one of his seven closest relatives (father, mother, brother, [unmarried] sister, son, daughter, or spouse) during the period immediately following the relative's death.

Because one is deemed *complete* [שָׁלֵם] only if he is joyous and lacks for nothing, the *shelamim*'s name [שְׁלָמִים] alludes to the fact that an *onein*, who is in pain, cannot bring it (*Eshed HaNechalim*; see *Rashi* to *Moed Katan* 15b for another approach). The reason an *onein* cannot bring a *shelamim* is that the meat of a *shelamim* is to be eaten by the offering's owner and (as derived in *Zevachim* 101a from *Deuteronomy* 26:14) an *onein* cannot eat sanctified meat (*Eitz Yosef*).

[The reason this exposition appears at this point in the Midrash is as follows: Elsewhere (*Tanchuma*, *Tzav* §4 and *Toras Kohanim* 16:2) the Sages teach that the קָרְבַּן שְׁלָמִים, the *peace-offering*, is called by that name because it *makes peace* (שָׁלוֹם) *between the Altar, the Kohanim, and the Israelite* (its owner), each of whom receives a component of this offering. Thus, after citing R' Simone, who made note of the unique quality of the *shelamim*, our Midrash contends that the *shelamim*'s name is rooted (not in the allocation of its parts but rather) in the inability of an *onein* to offer it (*Yefeh To'ar*). Alternatively, the Midrash is offering a second explanation for the verse's placement of *shelamim* at the end of its list of offerings. The Midrash is saying that because the *shelamim* can be brought only by one who is in a joyous state and thereby *complete*, it is the choicest of offerings and therefore listed last (see *Eshed HaNechalim*).]

130. *Eitz Yosef.*

INSIGHTS

of Torah needs neither an *olah*, nor a *minchah*, [nor a *chatas*], nor an *asham*. *Iyun Yaakov* (ad loc.) explains that there is an essential difference here between Reish Lakish and Rava. According to Reish Lakish, the spiritual rectification that can be achieved by studying Torah is merely *comparable* to that achieved through an offering, but the latter remains superior. Rava, however, teaches that the advantage of Torah study *exceeds* even that of the offering (see also *Midrash HaNe'elam*, *Vayeira* 100a).

In keeping with the Talmudic principle that "these and those are the words of the living God" (*Eruvin* 13b), we may say that both the views of Reish Lakish and of Rava are correct, albeit in different circumstances (see *Rashi* to *Kesubos* 57a s.v. הא קמ"ל). Rava, who maintains that Torah study is superior to offering a sacrifice, speaks of one who studies Torah purely for its own sake (*lishmah*) and not for personal benefit (see *Avos* 6:1, and see *Ohr HaChaim to Leviticus* 26:3). Reish Lakish, while similarly dealing with one who studies Torah for its own sake (for without this quality it would not be comparable at all to offering a sacrifice), speaks of one whose *lishmah* is of a lesser degree (see *R' Chaim Vital* in his introduction to *Eitz Chaim* for a discussion of the various levels of *lishmah*). This type of study, while laudable, is only *comparable* to offering a sacrifice; the offering itself, however, remains superior.

When Israel received the Torah at Sinai, their dedication to Torah study was so pure that their study of Torah was superior to offerings (as Rava teaches). And although the laws of offerings were indeed given to them at that time (as stated in *Sifra*), they had no need as of yet for the sacrifices themselves. One might say that the laws of sacrifice that had been given to them were conditional, held in reserve should their spiritual level diminish through sin, impairing the purity of their Torah study and forcing them to resort to actual sacrifices in order to elevate themselves. This might be the meaning of the verse in *Jeremiah*, which states: *nor did I "command" them, on the day I took them out of the land of Egypt, concerning burnt- or peace-offering.* That is, I *gave* them these laws at that time, but did not yet formulate them as mandatory *commandments*, since they were not yet necessary.

Thus we can understand why, as our Midrash teaches, the people of Israel grew frightened upon hearing the Scriptural passage of the sacrificial offerings. Involved as they were in their exalted level of Torah study, they were keenly aware that they had no need for sacrifices, for Torah study on this level is superior to sacrifices. Thus, they thought that their being told the laws of sacrifices could only mean that they would necessarily fall from their exalted status and require those sacrifices. And this filled them with dread.

However, as the Midrash says, Moses assuaged their fears and informed them that nothing was predestined. It remained in their power to maintain their lofty level. The passages of the sacrificial offerings remained conditional: Should they sustain their transcendent spiritual level by properly engaging in Torah study and not become entangled in sin, their need for offerings would be obviated.

In the parable given by the Midrash, the groups of bandits are a metaphor for the evil inclination, which tries incessantly to entrap us in sin and rob us of our potential. And the Ruler deals harshly with those bandits, shackling them in chains. The people of the province are frightened: will He indeed punish us for any and every misstep? But they are reassured: "When your speech will be good you will not fear Him." When your speech will center around Torah study, you have no need to fear the Ruler. If you will reach the exalted level of pure *lishmah*, then you will not even need offerings. But even if you do not achieve that exalted level, you need not fear the forces of sin. For Torah study, even if it falls short of the ideal, is a shield and protector against the machinations of the *yetzer hara* (*Divrei Yoel, Parashas Tzav*, p. 114ff).

(ירמיה לג, יא) "קוֹל שָׂשׂוֹן וְקוֹל שִׂמְחָה קוֹל חָתָן וְקוֹל כַּלָּה קוֹל אֹמְרִים הוֹדוּ אֶת ה' צְבָאוֹת וְגוֹ'", זוֹ הוֹדָאָה, "מְבִאִים תּוֹדָה בֵּית ה'" (שם), זֶה קָרְבַּן תּוֹדָה, וְכֵן דָּוִד אָמַר (תהלים נו, יג) "עָלַי אֱלֹהִים נְדָרֶיךָ אֲשַׁלֵּם תּוֹדֹת לָךְ", "תּוֹדָה" אֵין כְּתִיב כָּאן אֶלָּא "תּוֹדֹת", הַהוֹדָאָה וְקָרְבַּן תּוֹדָה:

ח אָמַר רַבִּי אַחָא: מָשָׁל לְשִׁלְטוֹן שֶׁנִּכְנַס לַמְּדִינָה וְעִמּוֹ כִּיתּוֹת כִּיתּוֹת שֶׁל לִסְטִים, אָמַר אֶחָד לַחֲבֵירוֹ: מַה דְּחִיל הָדֵין שַׁלִּיטָא, אֲמַר לוֹ: הָדָא פִּסְטָמָא דִילָךְ טָבָא וְלֵית אַתְּ דָּחֵיל מִינֵּיהּ, כָּךְ כֵּיוָן שֶׁשָּׁמְעוּ יִשְׂרָאֵל פָּרָשַׁת קָרְבָּנוֹת נִתְיָרְאוּ, אָמַר לָהֶן מֹשֶׁה: אַל תִּירָאוּ, הִתְעַסְּקוּ בַּתּוֹרָה וְאֵין אַתֶּם יְרֵאִים מִכָּל אֵלֶּה, הָדָא *הוּא דִכְתִיב (ז, לז) "זֹאת הַתּוֹרָה לָעֹלָה לַמִּנְחָה", וְלָמָּה שְׁלָמִים בָּאַחֲרוֹנָה, שֶׁיֵּשׁ בָּהּ מִינִין הַרְבֵּה, אָמַר רַבִּי סִימוֹן: הָדָא גַּרְזְמִיתָא אֵינָהּ בָּאָה אֶלָּא בָּאַחֲרוֹנָה, לָמָּה, שֶׁיֵּשׁ בָּהּ מִינִים הַרְבֵּה, כָּךְ לָמָּה שְׁלָמִים בָּאַחֲרוֹנָה, שֶׁיֵּשׁ בָּהּ מִינִים הַרְבֵּה, דָּם וְאֵימוּרִים לַמִּזְבֵּחַ, חָזֶה וָשׁוֹק לַכֹּהֲנִים, עוֹר וּבָשָׂר לַבְּעָלִים, רַבִּי שִׁמְעוֹן אוֹמֵר: מִי שֶׁהוּא שָׁלֵם מֵבִיא שְׁלָמִים, וְאֵין אוֹנֵן מֵבִיא שְׁלָמִים:

ט אָמַר רַבִּי שִׁמְעוֹן בֶּן יוֹחָאי: גָּדוֹל הַשָּׁלוֹם, שֶׁכָּל הַבְּרָכוֹת כְּלוּלוֹת בּוֹ (תהלים כט, יא) "ה' עֹז לְעַמּוֹ יִתֵּן ה' יְבָרֵךְ אֶת עַמּוֹ בַשָּׁלוֹם",

עץ יוסף

הדא הוא דכתיב קול ששון כו'. ולימות המשיח איירי דכתיב התם אצמיח לדוד צמח צדקה וגו' לא יכרת לדוד איש יושב על כסא, וזה לא נתקיים בבית שני: **ובן דוד אמר עלי אלהים כו'.** ולעתיד איירי דליכא אלא קרבן תודה, דאם לא כן מה שנא דנקט תודות ולא עולות שבאות גם כן בנדר ונדבה:

(ח) משל לשלטון כו'. משום דקשיא ליה אחר שפירש הכתוב תורת העולה ותורת החטאת וכו' תו למה לי למימר זאת התורה לעולה ולמנחה וכו'. ומשני דאתא למימר שעסק התורה עולה במקום עולה ומנחה וכו', אלא דסבירא ליה לר' אחא שאין לסמוך על זה לכתחלה, שכל שאפשר להביא קרבנו ממש עדיף טפי וישאר זכות התורה לעולם הבא, ועל צד הדחק הוא דסמכינן אהכי, ולזה אמר **משל לשלטון שנכנס למדינה ועמו כתות של לסטים,** אסוריס בזיקים, ואמר אחד מהמדינה לחבירו מה נורא השלטון הזה, כי נפל פחדו עליו כי מי יוכל לדקדק במעשיו ועל ידי שהשלטון זה אכזרי ונורא מאד יפקוד על כל דבר פשע כקטן כגדול ומי יוכל ליזהר, והשיבו חבירו כשיהיה דיבורו טוב לא ירא ממנו, כי כשיכבד להשלטון ויכנע מפניו ודאי שיעבור על השגגות והדברים הקלים ולא יפקוד רע בחטאים גדולים, וכן ישראל נתיראו בראותם כמה מיני קרבנות, כי מי יוכל ליזהר בכולם, כי פעמים יחטא ולאו אדעתיה כדי שיוכל להביא קרבנו, ופעמים שלא יהיה לו זמן להביאו, וכל שכן בזמן שאין בית המקדש קיים מה יעשה, ועל זה נתן להם תקנה בהטיב דבורם בתורה: **פסטמא.** פירוש הדבור שלך יהא טוב, כלומר התעסקו בתורה ואי אתה מתיירא (ערוך). והמוסף הערוך כתב פירושו בלשון יוני בטחון וכסל: **למה שלמים באחרונה.** רצונו לומר כיון דקאמר דזאת התורה אתא למימר שהעוסק בתורה כמביא עולה ומנחה כו', אם כן קשה היכי נקט הקל בסופה דהוי ליה למנקט הקל תחלה ושוב החמור דהוה לא זו אף זו, אבל מאחר שאמר שהתורה עולה במקום החמורים אתי קא משמע לן שלמים בסופה: **גרזמיתא.** מין מאכל שיש בו תורמסין ומינים הרבה ונקרא בלע"ז לופינ"י (ערוך). והמוסף הערוך כתב פירושו בלשון יוני מין מרק מעורב בציר, ומאכל זה היה הטולה על שולחן מלכים בקנות סעודה בזמן קדמון, אבל עכשיו נשכח תקונו, גרון בלשון יוני ציר, זימוס מרק, עד כאן לשונו: **כך למה שלמים באחרונה כו'.** רצה לומר קיימא לן בזה שאם אדם יקריב שלמים ושאר קרבנות, מקריב שלמים באחרונה: **ואין אונן מביא שלמים.** מפני שהבשר נאכל לבעלים, ואונן אסור בקדשים, דכתיב לא אכלתי באוני ממנו, וילפינן מיניה בפרק קמא דיומא (יג, ב ועיין זבחים קא, א) לקדשים בקל וחומר: **(ט) גדול שלום.** משום דהא דקשיא ליה למה שלמים באחרונה מיתרצא בהא דאמר ר' מני שכל הברכות חותמין בשלום וכן הקרבנות כדלקמן מייתי לה הכא, ואגב אורחיה מייתי מילי דכולהו תנאי וכולהו אמוראי דמיירי במעלת השלום: **שכל הברכות כלולות בו.** שכל ההצלחות הזמניות והנפשיות עומדות על תל השלום: **ה' עוז לעמו יתן כו'.** והכי פירושו דקרא, ה' עוז ותעצומות בהצלחת אשר לא תנתק יתן לעמו, ולכן יברך את עמו, בכלי המחזיק כל סתם ברכה והוא השלום:

פירוש מהרז"ו

(ח) אמר רבי אחא. בא לדרוש מה שכתב בסדר הזה בסוף צווי קרבנות, זאת התורה לעולה ולמנחה ולחטאת ולאשם ולמלואים ולזבח השלמים: **דחיל הדין שליטא.** שמעניש בני אדם עונשים רבים. וכנמשל על שראו ישראל שמצוה על קרבנות רבים, ומדקדק כל כך, ויראו מי יוכל לעמוד בזה: **הדה פסטמא.** פירש במוסף ערוך, בלשון יוני כסל ובטחון, והכוונה אם יהיו לך מעשים טובים ולב טוב, אתה בטוח שלא תירא מכל זה, שהתורה מאירה עיני השכל שלא יכשל בכל חטא, וכמו שכתב שמות רבה (לג, ג) באריכות. ולא יצטרכו לקרבנות: **שלמים באחרונה.** בפרשיות פרשת שלמים באחרונה, וכן בפסוק הנ"ל שלמים באחרונה: **(ט) גדול השלום.** ירושלמי (פ"א דפאה מ"א) על המשנה והבאת שלום בין אדם לחבירו, במדבר רבה פרשה יא סימן ז, ופרשה יב, סימן ח, וסוף פרשה י"ט, ודברים רבה פרשה ה, סימן יב: **שכל הברכות כלולות בו.** שהשלום כלי מחזיק ברכה, וזהו מה שכתב (תהלים כט, יא) ה' יברך את עמו בשלום, שכל הברכות בתוך השלום, וכמו שאמרו ביצה (ז, ב) עפר לא נאמר, בעפר שצריך עפר למעלה ולמטה, וכן כאן הברכות בתוך השלום:

באור מהרי"פ

[ח] פסטמא דילך וכו'. זה לשון הערוך ערך פסטם, פירוש הדבור שלך יהא טוב כלומר התעסק בתורה ואי אתה מתיירא ממנו, כמו הנשים סוטטות בה עד כאן לשון הערוך. וזה לשון ר' בנימין מוספיא, אמר בנימין, פירוש בטחון וכסל עד כאן. אמר הכותב איני יכול לכוון היטב לשון המדרש על פי פירוש ר' בנימין מוספיא, וגם על פי פירוש הערוך אינו נח לי: **[ט] ה' עוז וגו'.** והכי פירושו ה' עוז ותוקף בכל מיני ההצלחות **לעמו,** ובמה **ה' יברך את עמו בשלום** שהוא כלי מחזיק ברכה של כל ההצלחות שבעולם:

ליקוטים

[ח] כיון ששמעו ישראל פרשת קרבנות נתיראו אמר להן משה אל תיראו התעסקו בתורה וכו'. כדאיתא לעיל (ו, ג) שאם יתעסקו בפרשת קרבנות יהיה נחשב כאילו הקריבם (יד יוסף):

אמרי יושר

[ח] כיון ששמעו ישראל פרשת הקרבנות נתייראו. שנצטרך חסרון כיס כדי להביא הקרבנות הרבים, אמר להם משה אם תתנהגו כשורה אי אתם צריכין קרבן, זאת התורה, חליפי עולה ושלמים: **למה שלמים באחרונה.** היה לו להקדימם, כי שלמים קדשים קלים, לעולות ממטה למעלה, תירץ כי יש בו מינים רבים, והפשוט יוקדם למורכב. או תירצו באופן אחר, להגדיל השלום ולחתום בשלמים, כדרך שחתמו הכהנים בשלום:

מסורת המדרש

ט. עי' לעיל פ' ו':

אם למקרא

קוֹל שָׂשׂוֹן וְקוֹל שִׂמְחָה קוֹל חָתָן וְקוֹל כַּלָּה קוֹל אֹמְרִים הוֹדוּ אֶת ה' צְבָאוֹת כִּי טוֹב ה' כִּי לְעוֹלָם חַסְדּוֹ מְבִאִים תּוֹדָה בֵּית ה' כִּי אָשִׁיב אֶת שְׁבוּת הָאָרֶץ כְּבָרִאשֹׁנָה אָמַר ה': (ירמיה לג:יא)

עָלַי אֱלֹהִים נְדָרֶיךָ אֲשַׁלֵּם תּוֹדֹת לָךְ: (תהלים נו:יג)

ה' עֹז לְעַמּוֹ יִתֵּן ה' יְבָרֵךְ אֶת עַמּוֹ בַשָּׁלוֹם: (תהלים כט:יא)

ידי משה

[ח] מי שהוא שלם ולא אונן מביא שלמים. לפי שהבשר נאכל בשמחה והאונן הוא בצער:

מתנות כהונה

[ח] מה דחיל כו'. מה נורא זה השלטון: **הדא פסטמא כו'.** פירש הערוך דבור והנהגה שלך יהא טוב, ואין אתה צריך להתיירא ממנו: **נתייראו.** מפני כשאין בית המקדש קיים מה תהא על עוברי עבירה, או רצה לומר כל השגיאות מי יבין וידע מה תהא תקנתו: **גרזמיתא.** פירש הערוך מאכל שבא באחרונה שקורין ליפינ"א, והכי מוכח בכמה דוכתין: **מי שהוא שלם.** דייק מלשון של שלמים:

אשד הנחלים

קול ששון כו' קול חתן כו'. קול חתן הוא שם המושאל לדיבוק השפע העליונה למטה, כמו שבארנו: **תודות, ההודאה וקרבן תודה.** שלא ידומה אחר שלעתיד לבא כולם יכספו לדבק בה', ויודו כולם ויכירו כבודו, אם כן מה צריך להכנה בהבאת תודה שיעלה זכרון לפניו כאלו הוא מוסר נפשו לה', לזה אומר שלא כן כי אם יהיה הקרבנות גם כן, כי הוא עזר גדול להשפיע מלמעלה כל טוב: **[ח] של לסטים.** מצאנו בבראשית רבה פרשת בראשית (כב, ו), שמדמה היצר הרע ללסטים, כמו שאמרו שם היצר הרע דומה לליסטים שפוף. והנה הקרבנות שהם קדושה גדולה וצריך שמירה לזה מאוד כמו שכתוב (במדבר יח, ז) והזר הקרב יומת, וכדומה האזהרות הרבות הגדולות והנוראות לזה. והנה כששמעו ישראל זאת נתייראו מאוד, מפני אימת הכבוד, ואמר להם למה אתם יראים, אם אתם מיישרים דרכיכם אז לא תיראו, כי בודאי תהיו נזהרים בזה, וזה על ידי לימוד וידיעת דיני הקרבנות, שידעו איך שלא ימעלו בהם וישמרום בטהרה, ולכן כתיב תורת העולה: **מינים הרבה כו' גרזמיתא כו'.** הדבר הבא למתק האוכל שבקרבו מעורב עם מינים הרבה, כן השלמים יש בה כל הפעולות הנוהגת בכל קרבנות המיוחדים, והשלמים המה מכוונת בכוונתה אל כל אלה ולכן היא באה באחרונה: **שלם מביא כו' ולא אונן.** כי שלם הוא מי ששמח ואינו נחסר לו מאומה, והאונן הוא בצער, ולכן אינו מביא שלמים (ידי משה), ואם כן השלמים נבחרים יותר מכולם: **[ט] שכל הברכות כלולות.** כי גדר השלום, שאין בו שום ניגוד מאומה, רק הכל בשלימות. והנה הברכה העליונה כשלא ימצא בה ניגוד ורע, ואז כל ההשפעות הטובות נמזגים יחד ברבוי מופלג, וכן השלום שלמטה נקרא אם האדם בשלימותו בלי ניגוד מאומה, כי כל כחות נפשו פונים

אָמַר רַבִּי שִׁמְעוֹן בֶּן יוֹחָאי: גָּדוֹל הַשָּׁלוֹם שֶׁכָּל הַבְּרָכוֹת כְּלוּלוֹת בּוֹ — **R' Shimon ben Yochai said: Great is peace for all blessings are subsumed within it,**[131] as is stated, "ה' עֹז לְעַמּוֹ יִתֵּן ה' יְבָרֵךְ אֶת עַמּוֹ בַשָּׁלוֹם" — ***HASHEM will give might to His nation, HASHEM will bless His nation with peace*** (*Psalms* 29:11).[132]

NOTES

131. All success — be it temporal or spiritual — is dependent upon *peace* (*Eitz Yosef*).

132. The Midrash understands the verse to mean that *so that* He can bestow significant prosperity ("might") upon His nation, Hashem blesses them with *peace* — the vessel that holds all blessing (*Eitz Yosef* and *Beur Maharif*, based on *Uktzin* 3:12; also see *Maharzu*). The word בַשָּׁלוֹם, lit., *"in" peace*, is interpreted to suggest that God's blessings to His nation will be contained within *peace* (*Maharzu*).

(ירמיה לג, יא) "קוֹל שָׂשׂוֹן וְקוֹל שִׂמְחָה קוֹל חָתָן וְקוֹל כַּלָּה קוֹל אֹמְרִים הוֹדוּ אֶת ה' צְבָאוֹת וְגוֹ'", זוֹ הוֹדָאָה, "מְבִאִים תּוֹדָה בֵּית ה'" (שם), זֶה קָרְבַּן תּוֹדָה, וְכֵן דָּוִד אָמַר (תהלים נו, יג) "עָלַי אֱלֹהִים נְדָרֶיךָ אֲשַׁלֵּם תּוֹדֹת לָךְ", "תּוֹדָה" אֵין כְּתִיב כָּאן אֶלָּא "תּוֹדֹת", הַהוֹדָאָה וְקָרְבַּן תּוֹדָה:

ח אָמַר רַבִּי אַחָא: מָשָׁל לְשִׁלְטוֹן שֶׁנִּכְנַס לִמְדִינָה וְעִמּוֹ כִּיתּוֹת כִּיתּוֹת שֶׁל לִסְטִים, אָמַר אֶחָד לַחֲבֵירוֹ: מַה דְּחִיל הַדֵּין שַׁלִּיטָא, אֲמַר לוֹ: הָדָא פִּסְטָמָא דִילָךְ טָבָא וְלֵית אַתְּ דָּחֵיל מִינֵיהּ, כָּךְ כֵּיוָן שֶׁשָּׁמְעוּ יִשְׂרָאֵל פָּרָשַׁת קָרְבָּנוֹת נִתְיָרְאוּ, אָמַר לָהֶן מֹשֶׁה: אַל תִּירָאוּ, הִתְעַסְּקוּ בַּתּוֹרָה וְאֵין אַתֶּם יְרֵאִים מִכָּל אֵלֶּה, הָדָא *הוּא דִכְתִיב (ז, לז) "זֹאת הַתּוֹרָה לָעֹלָה לַמִּנְחָה", וְלָמָּה שְׁלָמִים בָּאַחֲרוֹנָה, שֶׁיֵּשׁ בָּהּ מִינִין הַרְבֵּה, אָמַר רַבִּי סִימוֹן: הָדָא גַּרְזְמִיתָא אֵינָהּ בָּאָה אֶלָּא בָּאַחֲרוֹנָה, לָמָּה, שֶׁיֵּשׁ בָּהּ מִינִים הַרְבֵּה, כָּךְ לָמָּה שְׁלָמִים בָּאַחֲרוֹנָה, שֶׁיֵּשׁ בָּהּ מִינִים הַרְבֵּה, דָּם וְאֵימוּרִים לַמִּזְבֵּחַ, חָזֶה וָשׁוֹק לַכֹּהֲנִים, עוֹר וּבָשָׂר לַבְּעָלִים, רַבִּי שִׁמְעוֹן אוֹמֵר: מִי שֶׁהוּא שָׁלֵם מֵבִיא שְׁלָמִים, וְאֵין אוֹנֵן מֵבִיא שְׁלָמִים:

ט אָמַר רַבִּי שִׁמְעוֹן בֶּן יוֹחָאי: גָּדוֹל הַשָּׁלוֹם, שֶׁכָּל הַבְּרָכוֹת כְּלוּלוֹת בּוֹ (תהלים כט, יא) "ה' עֹז לְעַמּוֹ יִתֵּן ה' יְבָרֵךְ אֶת עַמּוֹ בַשָּׁלוֹם",

הדא הוא דכתיב קול ששון כו'. ולימות המשיח מיירי דכתיב התם אצמיח לדוד צמח צדקה וגו' לא יכרת לדוד איש יושב על כסא, וזה לא נתקיים בבית שני: **ובן דוד אמר עלי אלהים כו'.** ולעתיד מיירי דליכא אלא קרבן תודה, דאם לא כן מה שנא דנקט תודות ולא עולות שבאות גם כן בנדר ונדבה:

(ח) משל לשלטון כו'. משום דקשיא ליה אחר שפירש הכתוב תורת העולה ותורת החטאת וכו' תו למה לי למימר זאת התורה לעולה ולמנחה וכו'. ומשני דאתא למימר שעסק התורה עולה במקום עולה ומנחה וכו', אלא דקשיא ליה לר' אחא שאין לסמוך על זה לכתחלה, שכל שאפשר להביא קרבנו ממש עדיף טפי ושאר זכות התורה לעולם הבא, ועל צד הדחק הוא דסמכינן אהכי, ולזה אמר **משל לשלטון שנכנס למדינה ועמו כתות של לסטים**, אסורים בזיקים, ואמר אחד מהמדינה לחבירו מה מורא השלטון הזה, כי נפל פחדו עליו כי מי יוכל לדקדק במעשיו ועל ידי שלטון זה אכזרי ונורא מאד יפקוד על כל דבר פשע כקטן כגדול ומי יוכל ליזהר, והשיבו חבירו כשיהיה דיבורו טוב לא ירא ממנו, כי כשיכבד להשלטון ויכנע מפניו ודאי שיעבור על השגגות והדברים הקלים ולא יפקוד רע בחטאים גדולים, וכן ישראל נתיראו כראותם כמה מיני קרבנות, כי מי יוכל ליזהר בכולם, כי פעמים יחטא ולאו אדעתיה כדי שיוכל להביא קרבנו, ופעמים שלא יהיה לו זמן להביאו, וכל שכן בזמן שאין בית המקדש קיים מה יעשה, ועל זה נתן להם תקנה בהטיב דבורם בתורה: **פסטמא.** פירוש הדבור שלך יהא טוב, כלומר התעסקו בתורה ואי אתה מתיירא (ערוך). והמוסף הערוך כתב פירושו בלשון יוני בטחון וכסל: **למה שלמים באחרונה.** רצונו לומר כיון דקאמר דזאת התורה אתא למימר שהעוסק בתורה כמביא עולה ומנחה כו', אם כן קשה היכי נקט הקל בסופה דהוי ליה למנקט הקל תחלה וטוב החמור חמור דהוה לא זו אף זו, אבל מאחר שאמר שהתורה עולה במקום החמורים מאי קא משמע לן שלמים בסיפא: **גרזמיתא.** מין מאכל שיש בו תורמסין ומינים הרבה ונקרא בלע"ז לופינ"י (ערוך). והמוסף הערוך כתב פירושו בלשון יוני מין מרק מעורב בציר, ומאכל זה היה העולה על שולחן מלכים בקנוח סעודה בזמן קדמון, אבל עכשיו נשכח תקונו, גרון בלשון יוני ציר, זימוס מרק, עד כאן לשונו: **כך למה שלמים באחרונה כו'.** רצה לומר שקיימא לן בזה שאם אדם יקריב שלמים ושאר קרבנות, מקריב שלמים באחרונה: **ואין אונן מביא שלמים.** מפני שהבשר נאכל לבעלים, ואונן אסור בקדשים, דכתיב לא אכלתי באוני ממנו, וילפינן מיניה בפרק קמא דיומא (יג, ב ועיין זבחים קא, א) לקדשים בקל וחומר: **(ט) גדול שלום.** משום דהא דקשיא ליה למה שלמים באחרונה מיתרצא בהא דאמר ר' מני שכל הברכות חותמין בשלום וכן הקרבנות כדלקמן מייתי לה הכא, ואגב אורחיה מייתי מילי דכולהו תנאי וכולהו אמוראי דמיירי במעלת השלום: **שכל הברכות כלולות בו.** שכל ההצלחות הזמניות והנפשיות עומדות על תל השלום: **ה' עוז לעמו יתן כו'.** והכי פירושו דקרא, ה' עוז ותעצומות בהצלחת אשר לא תנתק יתן לעמו, ולכן יברך את עמו, בכלי המחזיק כל סתם ברכה והוא השלום:

(ח) אמר רבי אחא. בא לדרוש מה שכתב בסדר הזה בסוף צווי קרבנות, זאת התורה לעולה ולמנחה ולחטאת ולאשם ולמילואים ולזבח השלמים: **דחיל הדין שליטא.** שמעניש בני אדם עונשים רבים. ובנמשל על שראו ישראל שמצוה על קרבנות רבים, ומדקדק כל כך, ויראו מי יוכל לעמוד בזה: **הדה פסטמא.** פירש במוסף ערוך, בלשון יוני כסל ובטחון, והכוונה אם יהיו לך מעשים טובים ולב טוב, אתה בטוח שלא תירא מכל זה, שהתורה מאירה עיני השכל שלא יכשל בכל חטא, וכמו שכתב שמות רבה (לג, ג) באריכות. ולא יצטרכו לקרבנות: **שלמים באחרונה.** בפרשיות פרשת שלמים באחרונה, וכן בפסוק הנ"ל שלמים באחרונה: **(ט) גדול השלום.** ירושלמי (פ"א דפאה מ"א) על המשנה והבאת שלום בין אדם לחבירו, במדבר רבה פרשה יא סימן ז, ופרשה יב, סימן ח, וסוף פרשה י"ט, ודברים רבה פרשה ה, סימן יב: **שבכל הברכות כלולות בו.** שהשלום כלי מחזיק ברכה, וזהו מה שכתב (תהלים כט, יא) ה' יברך את עמו בשלום, שכל הברכות בתוך השלום, וכמו שאמרו ביצה (ז, ב) עפר לא נאמר, בעפר שצריך עפר למעלה ולמטה, וכן כאן הברכות בתוך השלום:

מתנות כהונה

[ח] מה דחיל כו'. מה נורא זה השלטון: **הדא פסטמא כו'.** פירש הערוך דבור והנהגה שלך יהא טוב, ואין אתה צריך להתיירא ממנו: **נתייראו.** מפני כשאין בית המקדש קיים מה תהא על עוברי עבירה, או רצה לומר כל השגיאות מי יבין וידע מה תהא תקנתו: **גרזמיתא.** פירש הערוך מאכל שבא באחרונה שקורין ליפינ"א, והכי מוכח בכמה דוכתין: **מי שהוא שלם.** דייק מלשון של שלמים:

אשד הנחלים

קול ששון כו' קול חתן כו'. קול חתן הוא שם המושאל לדיבוק השפע העליונה למטה, כמו שבארנו: **תודות, ההודאה וקרבן תודה.** שלא ידומה אחר שלעתיד לבא כולם יכספו לדבק בה', ויודו כולם ויכירו כבודו, אם כו מה צריך להכנה בהבאת תודה שיעלה זכרון לפניו כאלו הוא מוסר נפשו לה', לזה אומר שלא כן כי אם יהיה הקרבנות גם כן, כי הוא עזר גדול להשפיע מלמעלה כל טוב: **[ח] של לסטים.** מצאנו בבראשית רבה פרשה בראשית (כב, ו), שמדמה היצר הרע ללסטים, כמו שאמרו שם היצר הרע דומה לליסטים שפוף. והנה הקרבנות שהם קדושה גדולה וצריך שמירה לזה מאוד כמו שכתוב (במדבר יח, ז) והזר הקרב יומת, וכדומה האזהרות הרבות הגדולות והנוראות לזה. והנה כששמעו ישראל זאת נתייראו מאוד, מפני אימת הכבוד, ואמר להם למה אתם יראים, אם אתם מיישרים דרכיכם אז לא תיראו, כי בודאי תהיו נזהרים בזה, וזה על ידי לימוד וידיעת דיני הקרבנות, שידעו איך שלא ימעלו בהם וישמרום בטהרה, ולכן כתיב תורת העולה: **מינים הרבה כו' גרזמיתא כו'.** הדבר הבא למתק האוכל שבקרבו מעורב עם מינים הרבה, כן השלמים יש בה כל הפעולות הנוהגת בכל קרבנות המיוחדים, והשלמים המה מכוונת בכוונתה אל כל אלה ולכן היא באה באחרונה: **שלם מביא כו' ולא אונן.** כי שלם הוא מי ששמח ואינו נחסר לו מאומה, והאונן הוא בצער, ולכן אינו מביא שלמים (ידי משה), ואם כן השלמים נבחרים יותר מכולם: **[ט] שכל הברכות כלולות.** כי גדר השלום, שאין בו שום ניגוד מאומה, רק הכל בשלימות. והנה הברכה העליונה כשלא ימצא בה ניגוד ורע, ואז כל ההשפעות הטובות נמזגים יחד ברבוי מופלג, וכן השלום שלמטה נקרא אם האדם בשלימותו בלי ניגוד מאומה, כי כל כחות נפשו פונים

באור מהרי"פ

[ח] פסטמא דילך וכו'. זה לשון הערוך ערך פסטם, פירוש הדבור שלך יהא טוב כלומר התעסק בתורה ואי אתה מתיירא ממנו, כמו הכנים סוטטות בה עד כאן לשון הערוך. וזה לשון ר' בנימין מוספיא, אמר בנימין, פירוש בטחון וכסל עד כאן. אמר הכותב איני יכול לכוון היטב לשון המדרש על פי פירוש ר' בנימין מוספיא, וגם על פי פירוש הערוך אינו נח לי: **[ט] ה' עוז וגו'.** והכי פירושו **ה' עוז** ותוקף בכל מיני ההצלחות **לעמו**, ובמה **ה' יברך את עמו בשלום** שהוא כלי מחזיק ברכה של כל ההצלחות שבעולם:

ליקוטים

[ח] כיון ששמעו ישראל פרשת קרבנות נתיראו אמר להן משה אל תיראו התעסקו בתורה וכו'. כדאיתא לעיל (ו, ג) שאם יתעסקו בפרשת קרבנות יהיה נחשב כאילו הקריבם (יד יוסף):

אמרי יושר

[ח] כיון ששמעו ישראל פרשת הקרבנות נתייראו. שנצטרך חסרון כיס כדי להביא הקרבנות הרבים, אמר להם משה אם תנהגו כשורה אי אתם צריכין קרבן, זאת התורה, חליפי עולה ושלמים: **למה שלמים באחרונה.** היה לו להקדימם, כי שלמים קדשים קלים, לעולות ממטה למעלה, תירץ כי יש בו מינים רבים, והפשוט יוקדם למורכב. או תירצו באופן אחר, להגדיל השלום ולחתום בשלמים, כדרך שחתמו הכהנים בשלום:

מסורת המדרש

ט. עי' לעיל פ' ו':

אם למקרא

קוֹל שָׂשׂוֹן וְקוֹל שִׂמְחָה קוֹל חָתָן וְקוֹל כַּלָּה קוֹל אֹמְרִים הוֹדוּ אֶת ה' צְבָאוֹת כִּי טוֹב ה' כִּי לְעוֹלָם חַסְדּוֹ מְבִאִים תּוֹדָה בֵּית ה' כִּי אָשִׁיב אֶת שְׁבוּת הָאָרֶץ כְּבָרִאשֹׁנָה אָמַר ה': (ירמיה לג:יא)

עָלַי אֱלֹהִים נְדָרֶיךָ אֲשַׁלֵּם תּוֹדֹת לָךְ: (תהלים נו:יג)

ה' עֹז לְעַמּוֹ יִתֵּן ה' יְבָרֵךְ אֶת עַמּוֹ בַשָּׁלוֹם: (תהלים כט:יא)

ידי משה

[ח] מי שהוא שלם ולא אונן מביא שלמים. לפי שהבשר נאכל בשמחה ואונן הוא בצער:

חִזְקִיָּה אָמַר תַּרְתֵּי — Chizkiyah said two things regarding the importance of peace: **חִזְקִיָּה אָמַר: גָּדוֹל שָׁלוֹם — First, Chizkiyah said: Great is peace, שֶׁבְּכָל הַמִּצְוֹת כְּתִיב בְּהוֹ — for with regard to all of the** other **commandments, there is written** such language as **"כִּי תִרְאֶה"** — ***If you see*** *(the donkey of someone you hate crouching under its burden . . . you shall help repeatedly with him — Exodus* 23:5); **"כִּי תִפְגַּע"** — ***If you encounter*** *(an ox of your enemy or his donkey wandering, you shall return it to him repeatedly* — ibid., v. 4); and **"כִּי יִקָּרֵא"** — ***If*** *(a bird's nest)* ***happens to be*** *(before you on the road . . . you shall not take the mother with the young — Deuteronomy* 22:6); the implication being — **אִם בָּאת מִצְוָה לְיָדְךָ אַתָּה זָקוּק לַעֲשׂוֹתָהּ — if** an opportunity to fulfill **a commandment comes to you, you are bound to fulfill it, וְאִם לָאו אִי אַתָּה זָקוּק לַעֲשׂוֹתָהּ — but if** such an opportunity does **not** come your way, **you are not bound to fulfill it.**[133] **בְּרַם הָכָא "בַּקֵּשׁ שָׁלוֹם וְרָדְפֵהוּ" — However, here** (i.e., with respect to peace),[134] ***seek peace and pursue it*** (*Psalms* 34:15) is written, suggesting — **בַּקְּשֵׁהוּ לִמְקוֹמְךָ "וְרָדְפֵהוּ" לְמָקוֹם אַחֵר — *seek* it in your own place *and pursue it* in a different place.**[135]

חִזְקִיָּה אָמַר חוֹרִי — Chizkiyah said another, related statement: **גָּדוֹל הַשָּׁלוֹם — Great is peace, שֶׁבְּכָל הַמַּסָּעוֹת כְּתִיב "וַיִּסְעוּ . . . וַיַּחֲנוּ" — for regarding all the journeys** of the Jewish nation leaving Egypt on their way to Sinai ***and "they" journeyed . . . and "they" encamped* is written,**[136] the implication being — **נוֹסְעִים בְּמַחֲלוֹקֶת וְחוֹנִים בְּמַחֲלוֹקֶת — journeying in disunity and camping in disunity. כֵּיוָן שֶׁבָּאוּ כוּלָּם לִפְנֵי הַר סִינַי —** However, **when all of them arrived before Mount Sinai, נַעֲשׂוּ כוּלָּם חֲנִיָּיה אַחַת — they all became one** unified **encampment; הֲדָא הוּא דִכְתִיב "וַיִּחַן שָׁם יִשְׂרָאֵל" — thus it is written, *and Israel encamped there,*** *opposite the mountain* (*Exodus* 19:2). The Midrash explains the inference: **"וַיַּחֲנוּ שָׁם בְּנֵי יִשְׂרָאֵל" אֵין כְּתִיב כָּאן — *And the Children of Israel encamped there*** (in the plural) **is not written here; אֶלָּא "וַיִּחַן שָׁם יִשְׂרָאֵל" — rather, *and Israel encamped there*** (in the singular) is written.[137] **אָמַר הַקָּדוֹשׁ בָּרוּךְ הוּא: הֲרֵי שָׁעָה שֶׁאֲנִי נוֹתֵן תּוֹרָה לְבָנַי —** Upon seeing this, **the Holy One, blessed is He, said, "Here is the time** at **which I will give** the **Torah to My children!"**[138]

NOTES

133. While there are numerous mitzvos that one is obligated to extend himself to perform, here the Midrash speaks specifically of mitzvos that are similar in nature to the mitzvah of *peace* (*Yefeh To'ar*).

134. *Matnos Kehunah.*

135. If one can achieve peace where he lives he must *seek it* there, and if he cannot do so he must *pursue* peace by traveling to wherever it can be achieved. Alternatively, man is enjoined to *seek* peace with his neighbors and to *pursue* peace with the people of other cities (*Eitz Yosef*).

According to Chizkiyah, the unique wording that the Torah used with regard to peace is indicative of a certain superiority that peace has over other mitzvos (*Yefeh To'ar*).

See Insight Ⓐ.

136. The reference is apparently to the travels mentioned in *Exodus* — see 12:37, 13:20, 15:27, 16:1, 17:1, and 19:2. [In *Numbers* 33:5ff, these plural expressions are also used. But the Midrash here will contrast these plural expressions with the singular expression used with regard to the encampment at Mount Sinai, a distinction that is not found in the *Numbers* verses. See also *Yefeh To'ar* here.]

137. The verse's description of the Jewish people in the singular form suggests that at the time of their encampment at Mount Sinai, the entire Jewish people was [united] like one man (*Maharzu*; compare *Rashi* to verse; see further in *Maharzu* for a suggestion, based on *Mechilta*, of why this encampment proved more peaceful than the others).

138. *Pesikta DeRav Kahana* (Ch. 12, quoted at length in *Eitz Yosef*) adds that God delayed giving the Torah until the Jews joined together at Sinai, for God said, *"The Torah is entirely peace and to whom shall I give it? To a nation that loves peace!" Pesikta* relates this episode to *Mishlei* 3:17, דְּרָכֶיהָ דַרְכֵי נֹעַם וְכָל נְתִיבוֹתֶיהָ שָׁלוֹם, *[The Torah's] ways are ways of pleasantness and all its pathways are peace.*

God had previously determined that He would give the Torah on Mount Sinai (see *Psalms* 68:17). But had the Jewish people not been completely unified upon their arrival there, God would have waited until a state of peace was achieved (*Eitz Yosef*).

[*Eshed HaNechalim* explains that it was specifically at Mount Sinai that the Jews were able to achieve unprecedented feelings of unity with one another. He writes that the experience of intense awareness of God's Oneness and grandeur that took place at the giving of the Torah caused all feelings of self-love to be negated.]

See Insight Ⓑ.

INSIGHTS

Ⓐ **Inner Peace** *Eshed HaNechalim* explains that *peace* exists when things coexist in harmony and no one force conflicts with another, and that one achieves inner peace when he breaks free of internal struggle and all of his energies can be focused on accomplishing what he should. One must *pursue peace* in a manner that is not required with respect to other mitzvos because each of the mitzvos that is performed by someone in a state of inner peace is elevated to a level of perfection. Based on the above, *Eshed HaNechalim* suggests a deeper meaning of our Midrash's statement that one must *pursue peace* in *his place* and *in a different place*: The Midrash is teaching that only after one has succeeded in creating harmony between the various forces within himself, so that his inclinations are not opposed to his rational intellect, will his rebuke be received by others in whom he wishes to effect a similar state of serenity.

Ⓑ **Harmony, Diversity, and Survival** Must all parties be in complete agreement in order to achieve peace? Is this practical or even desirable? Is there no place for differences of opinion?

Our forefather Jacob, before his passing, gathered his twelve sons, giving each one the unique blessing destined for him. Interestingly, the Midrash comments that at this time Jacob also exhorted them to avoid dissension (*Bereishis Rabbah* 98 §2). *R' Yaakov Kamenetsky* (*Emes LeYaakov* on *Genesis* 49:1 s.v. האספו ואגידה) explains that the Jewish people were not to be a one-dimensional people, everyone of one mind. To the contrary, they were to be twelve tribes, each assigned its unique role, in accordance with its talents and inclinations. The twelve tribes were to complement one another, forming a complete nation. Jacob warned his sons that the tribes were not to infringe on each other's areas of expertise: Thus we find that the Hasmoneans, who, upon vanquishing the Syrian-Greeks, assumed the throne, were punished, their entire family wiped out. For the throne was the sole domain of Judah and no one had the right to usurp it (see *Ramban* on *Genesis* 49:10). However, each tribe had to respect the others, always mindful that together they formed a single nation, and that each tribe represented a legitimate path of Godly service. To underscore this, Jacob gathered all twelve sons to bless them, so that all would hear the individual blessing each received. Jacob, in effect, was pointing out to all of them the particular qualities that each possessed, to be used together for the betterment of the nation.

The various tribes can have differences of opinion, with each tribe living in accordance with its tradition, as long as each tribe realizes that the paths of the others are also legitimate. As the Mishnah in *Avos* (5:18) teaches, any dispute for the sake of Heaven will endure. That is, each view truly "for the sake of Heaven" is deemed correct, in keeping with the principle, אֵלּוּ וְאֵלּוּ דִּבְרֵי אֱלֹהִים חַיִּים, *these and these are the words of the Living God* (see *Eruvin* 13b).

R' Yaakov reiterated this message in a public address, noting that the Jewish people are composed of different camps, each with its own Torah leaders and each with very different viewpoints. Each group need not forsake its traditions to make peace. Rather, peace means accepting diversity, valuing the contributions of others and living together in harmony.

Maharatz Chayes (*Toras Neviim*, Introduction) sees this understanding of unity as a necessary condition for the Torah to flourish. It is inevitable that scholars will dispute matters of Jewish law, for no two people think alike. Should the disputants be concerned for their personal honor, they will develop enmity for one another. This will lead to

חִזְקִיָּה אָמַר תַּרְתֵּי: חִזְקִיָּה אָמַר: גָּדוֹל שָׁלוֹם, שֶׁבְּכָל הַמִּצְוֹת כְּתִיב בְּהוֹ (שמות כג, ה) "כִּי תִרְאֶה", (שם שם ד) "כִּי תִפְגַּע", (דברים כב, ו) "כִּי יִקָּרֵא", אִם בָּאת מִצְוָה לְיָדְךָ אַתָּה זָקוּק לַעֲשׂוֹתָהּ וְאִם לָאו אִי אַתָּה זָקוּק לַעֲשׂוֹתָהּ, בְּרַם הָכָא (תהלים לד, טו) "בַּקֵּשׁ שָׁלוֹם וְרָדְפֵהוּ", בַּקְּשֵׁהוּ לִמְקוֹמְךָ "וְרָדְפֵהוּ" לְמָקוֹם אַחֵר, חִזְקִיָּה אָמַר [יא] חוֹרֵי: גָּדוֹל הַשָּׁלוֹם שֶׁבְּכָל הַמַּסָּעוֹת כְּתִיב (שמות יג; יז, א; ועוד) "וַיִּסְעוּ ... וַיַּחֲנוּ", נוֹסְעִים בְּמַחֲלוֹקֶת וְחוֹנִים בְּמַחֲלוֹקֶת, כֵּיוָן שֶׁבָּאוּ כּוּלָּם לִפְנֵי הַר סִינַי נַעֲשׂוּ כּוּלָּם חֲנָיָה אַחַת, הֲדָא הוּא דִּכְתִיב (שמות יט, ב) "וַיִּחַן שָׁם יִשְׂרָאֵל", "וַיַּחֲנוּ שָׁם בְּנֵי יִשְׂרָאֵל" אֵין כְּתִיב כָּאן, אֶלָּא "וַיִּחַן שָׁם יִשְׂרָאֵל", אָמַר הַקָּדוֹשׁ בָּרוּךְ הוּא: הֲרֵי שָׁעָה שֶׁאֲנִי נוֹתֵן תּוֹרָה לְבָנַי, בַּר קַפָּרָא אָמַר תְּלָת: בַּר קַפָּרָא אָמַר: [יב] גָּדוֹל שָׁלוֹם, שֶׁדִּבְּרוּ הַכְּתוּבִים דִּבְרֵי בְּדָאוּת בַּתּוֹרָה בִּשְׁבִיל לְהַטִּיל שָׁלוֹם בֵּין אַבְרָהָם לְשָׂרָה, הֲדָא הוּא דִּכְתִיב (בראשית יח, יב) "אַחֲרֵי בְלֹתִי הָיְתָה לִּי עֶדְנָה וַאדֹנִי זָקֵן", אֲבָל לְאַבְרָהָם לֹא אָמַר כֵּן, אֶלָּא (שם שם יג) "וַאֲנִי זָקַנְתִּי", בַּר קַפָּרָא אָמַר חוֹרֵי: גָּדוֹל הַשָּׁלוֹם, שֶׁדִּבְּרוּ הַכְּתוּבִים לְשׁוֹן בְּדַאי בַּנְּבִיאִים בִּשְׁבִיל לְהַטִּיל שָׁלוֹם בֵּין אִישׁ לְאִשְׁתּוֹ, שֶׁנֶּאֱמַר (שופטים יג, ג) "הִנֵּה נָא אַתְּ עֲקָרָה וְלֹא יָלַדְתְּ וְהָרִית וְיָלַדְתְּ בֵּן", אֲבָל לְמָנוֹחַ לֹא אָמַר כֵּן, אֶלָּא (שם שם יג) "מִכֹּל אֲשֶׁר אָמַרְתִּי אֶל הָאִשָּׁה תִּשָּׁמֵר", מִכָּל מָקוֹם סַמָּנִים הִיא צְרִיכָה, בַּר קַפָּרָא אָמַר חוֹרֵי: גָּדוֹל שָׁלוֹם, [יג] וּמָה אִם הָעֶלְיוֹנִים שֶׁאֵין לָהֶם לֹא קִנְאָה וְלֹא שִׂנְאָה וְלֹא תַחֲרוּת וְלֹא מַצּוֹת וְרִיבוֹת וְלֹא מַחֲלוֹקֶת וְלֹא עַיִן רָעָה צְרִיכִין שָׁלוֹם, הֲדָא הוּא דִּכְתִיב (איוב כה, ב) "עֹשֶׂה שָׁלוֹם בִּמְרוֹמָיו", הַתַּחְתּוֹנִים שֶׁיֵּשׁ בָּהֶם כָּל הַמִּדּוֹת הַלָּלוּ עַל אַחַת כַּמָּה וְכַמָּה.

עץ יוסף

בקשהו במקומך. פירוש אם אפשר במקומך בקש השלום, ואם לא תוכל טרח ללכת למקום אחר למצאו כגון להתרפס לפני רעך ולהרבות אהובים. עוד יש לפרש בקשהו עם אנשי מקומך, ורדפהו אפילו עם בני עיר אחרת: **הרי שעה שאני נותן תורה.** וכדאיתא בפסיקתא (בחודש השלישי סימן יד) דרכיה דרכי נועם וכל נתיבותיה שלום, בקש הקדוש ברוך הוא ליתן תורה לישראל בשעה שיצאו ממצרים והיו חלוקים אלו עם אלו, והיו אומרים בכל שעה נתנה ראש ונשובה מצרימה מה כתיב ויסעו מסוכות ויחנו באתם, היו נוסעים במריבה, וחונים במריבה, כשבאו לסיני השוו כולם אגודה אחת, ויחנו שם ישראל אין כתיב כאן אלא ויחן שם ישראל נעשו הומניה אחת, אמר הקדוש ברוך הוא התורה כולה שלום ולמי אני נותנה לאומה שהיא אוהבת שלום, הוי וכל נתיבותיה שלום עד כאן לשונו. אבל אם לא היה אז באחדות גמור, אף על פי שבשם ההר חמד אלהים לשבתו לתת התורה עליו, מכל מקום לא היה נותנה מיד אלא היה מעכבם שם עד יהיו בשלום: **בדאות.** מלשון (מלכים א' יב, לג) בחדש אשר בדא מלבו, ופירש רש"י לשון כזב:

לא אמר כן כו'. דאם כן יהיה ביניהם קטטה, שהעקרות ממנה והיא היתה מתרעמת על בעלה כי מלדו העקרות, כדלקמן בבמדבר רבה פרשה י' (סימן ה), אבל אמר **דמכל מקום סמנים היא צריכה.** שאין הורתה בדרך נס גמור, אלא סמנים צריכה לעשות בדרך רפואה, והיינו מכל אשר אמרתי אל האשה תשמר, שתזהר מהדברים המעכבים הרפואה, כגון קור, וקצת מאכלים, וכל אשר צויתיה תשמור, היינו הסמנים שלוה עליה שתעשה, וזה שלא כמה שאמר לה הנה נא את עקרה והרית וגו', שלפי זה לא יועילו סמנים כלל, וההריון נס גמור, אבל בהתרפאות על ידי סמנים, נראה שלא היתה עקרה ממש: **חורי.** שנית: **מצות.** פירוש ריבות. ומה שנכתב בפנים המדרש מצות וריבות, מילת וריבות היה כתוב על הגליון לפרש תיבת מצות והכניסוהו בפנים המדרש: **צריכין שלום.** וכדאמר במדרש במדבר רבה פרשה י"ב (סימן ח) החיות של אש, ורקיע של שלג, ולא זה מכבה את זה כו', מטעם לא ראתה חמה פגימתה של לבנה כו', לית מזל חמי כו', שבכל כיוצא כאלו תמצא השנאה והקנאה בין האנשים, ומשלמות מעשה ה' בעליונים שלא יהיה בהם כדברים האלה:

פירוש מהרז"ו

ורדפהו. משמע למקום אחר מרחוק, ואם כן מה שכתוב (תהלים לד, טו) בקש שלום, הוא מקרוב: **ויחנו שם בני ישראל אין כתיב כאן.** אלא ויסעו ויחנו, כתיב בני ישראל, ואלו ויחן כתיב ישראל, לשון יחיד, כאלו היו כולם איש אחד, ומסיים במכילתא פסוק זה שאמר להם הרבה ימים אתם עושים כאן, בזה גלה לנו המכילתא טעם המחלוקת, על שהיה מטריח עליהם ללכת יומם ולילה, ולא היו חונים במקום אחד זמן רב, על כן היו מתרעמים תמיד על משה, אך כאשר אמר להם שיעשו שם זמן רב, היינו שהיו שם שנה פחות עשרה ימים אצל הר סיני, והכיה את רוחם בבשורה זו, ועשו תשובה ושלום, וזכו לקבלת התורה: **בר קפרא.** בראשית רבה (מח, יח): **ואני זקנתי.** שרה אמרה על עצמה שהיא זקנה, לא אברהם: **שסמנים היא צריכה.** וזהו תשמר, כמו שאומרים לחולה שצריך רפואה שישמור עצמו מדברים המזיקים לו, שיועילו לו הרפואות:

חידושי הרד"ל

[ט] **נוסעים במחלוקת כו'.** איכא בפתיחתא סימן יח:

באור מהרי"פ

בקשהו למקומך וכו'. פירוש אם תשיגהו במקומך מוטב ואם לאו רדפהו במקום אחר עד שתשיגהו:

אמרי יושר

[ט] **סמנים היא צריכה.** שהיא חולנית לכך:

מסורת המדרש

י. מסכת ד"א פ' י"א: יא. פדר"א פ' מ"א: יב. יבמות ס"ה. ירושלמי פאה פ"ק. במד"ר פ' י"א. תנחומא פרשה זו ופרשה שופטים. ילקוט פרשה וארא. מסכת ד"א פ' י"א: יג. דב"ר פ"ה:

אם למקרא

כִּי תִפְגַּע שׁוֹר אֹיִבְךָ אוֹ חֲמֹרוֹ תֹּעֶה הָשֵׁב תְּשִׁיבֶנּוּ לוֹ: כִּי תִרְאֶה חֲמוֹר שֹׂנַאֲךָ רֹבֵץ תַּחַת מַשָּׂאוֹ וְחָדַלְתָּ מֵעֲזֹב לוֹ עָזֹב תַּעֲזֹב עִמּוֹ: (שמות כג:ד-ה)

כִּי יִקָּרֵא קַן צִפּוֹר לְפָנֶיךָ בַּדֶּרֶךְ בְּכָל עֵץ אוֹ עַל הָאָרֶץ אֶפְרֹחִים אוֹ בֵיצִים וְהָאֵם רֹבֶצֶת עַל הָאֶפְרֹחִים אוֹ עַל הַבֵּיצִים לֹא תִקַּח הָאֵם עַל הַבָּנִים: (דברים כב:ו)

סוּר מֵרָע וַעֲשֵׂה טוֹב בַּקֵּשׁ שָׁלוֹם וְרָדְפֵהוּ: (תהלים לד:טו)

וַיִּסְעוּ מִסֻּכֹּת וַיַּחֲנוּ בְאֵתָם בִּקְצֵה הַמִּדְבָּר: (שמות יג:כ)

וַיִּסְעוּ מֵרְפִידִים וַיָּבֹאוּ מִדְבַּר סִינַי וַיַּחֲנוּ בַּמִּדְבָּר וַיִּחַן שָׁם יִשְׂרָאֵל נֶגֶד הָהָר: (שם יט:ב)

וַתִּצְחַק שָׂרָה בְּקִרְבָּהּ לֵאמֹר אַחֲרֵי בְלֹתִי הָיְתָה לִּי עֶדְנָה וַאדֹנִי זָקֵן: וַיֹּאמֶר ה' אֶל אַבְרָהָם לָמָּה זֶּה צָחֲקָה שָׂרָה לֵאמֹר הַאַף אֻמְנָם אֵלֵד וַאֲנִי זָקַנְתִּי: (בראשית יח:יב-יג)

וַיִּסְעוּ מֵרְפִידִים וַיָּבֹאוּ מִדְבַּר סִינַי וַיַּחֲנוּ בַּמִּדְבָּר וַיִּחַן שָׁם יִשְׂרָאֵל נֶגֶד הָהָר: (שם שם יג)

וַיֵּרָא מַלְאַךְ ה' אֶל הָאִשָּׁה וַיֹּאמֶר אֵלֶיהָ הִנֵּה נָא אַתְּ עֲקָרָה וְלֹא יָלַדְתְּ וְהָרִית וְיָלַדְתְּ בֵּן: (שופטים יג:ג)

וַיֹּאמֶר מַלְאַךְ ה' אֶל מָנוֹחַ מִכֹּל אֲשֶׁר אָמַרְתִּי אֶל הָאִשָּׁה תִּשָּׁמֵר: (שם שם יג)

הַמְשֵׁל וָפַחַד עִמּוֹ עֹשֶׂה שָׁלוֹם בִּמְרוֹמָיו: (איוב כה:ב)

מתנות כהונה

[ט] **ברם הכא.** אבל הכא גבי שלום כתיב (תהלים לד, טו) בקש שלום כו': **ויחנו.** משמע לשון רבים, כלומר מחולקים זה מזה ויחן כאיש אחד בלב אחד: **הרי שעה.** בעוד שהם בלב אחד: **מכל מקום.** כלומר סמני רפואות צריכה להריון, אבל אינה עקרה ממש: **מצות.** מריבות:

אשד הנחלים

רק לטוב אמיתי, ולכן כל המצות תלויות בו, כי על ידי ההזדככות הזאת כל מעשיו ומצותיו בשלימות גמור. ולכן מדת השלום גדולה מכל המצות שמחויבים לבקש אחריו ולרדוף אחר מדה הזאת, בכדי שישריש בקרבו המדה הזאת בשלימות, כי גדרה האהבה הזכה החפיצה רק טוב וחסד: **בקשיהו למקומך כו' ממקום אחר.** אף שהכוונה כפשוטה שיעשה שלום אף מרחוק, עם כל זה גם כוונה פנימה לוטה בה, כי הנה יש שלום פנימי ליחד הכחות יחד לבלי יתנגד היצר נגד השכל, ואחר כך יוכל לעשות שלום במקום אחר, כי המוכיח ראוי להיות תחילה שלום בעצמו, ואז יקובל תוכחתו לאחרים, וזהו בקש שלום בנפשך. אז תוכל לרדפיהו במקום אחר: **נוסעים במחלוקת.** שלא נמצא בלבם אחדות גמורה זה עם זה, זולתי בקבלת התורה בסיני, שאז מפני רוב הכרתם את אחדות ה' וכבודו, נתבטלה כל אהבת עצמם מלבם, כי הרגישו שכלם נובעים רק ממקור העליון, וזהו כדמות ציור הכתוב (מלאכי ב, י) הלא אב אחד לכולנו הלא אל אחד בראנו מדוע נבגוד איש באחיו וגו', ולכן כתיב בלשון יחיד. ודי בזה: **דברים בדאים כו'.** הביא שני דברים, אחד שהכתוב נשמר מבלי לדבר כדמות לשון הרע, אף שהוא אמת, כמו שהיה בשרה אצל אברהם, השני שלא יגלה חסרון הזולת לפני רעהו, כמו שלא גילה המלאך למנוח שאשתו עקרה בטבע, רק ברמז שצריכה רפואה. והשלישי הוא ענין דק אף שהמלאכים המה פשוטים בלי הרכבה ובלי שני יצרים, ולכן אין בהם שום קנאה ושנאה על רעהו, עם כל זה המה צריכים לשלום. והענין כי הם תלוים ומקויימים בסבה העליונה והם מסובבים, ואם כן יש בהם צד הנגוד לקיומם, אחר שסבתם מחוץ ואין בהם סבה בעצמותם, וכמו שהאריך הרב המורה (ח"ב פ"ז) שהמלאכים יש להם סבות עצמם ותשוקיהם, אך אין להאריך פה, ואיש מבין יבין:

בַּר קַפָּרָא אָמַר תְּלָת — **Bar Kappara said three** things regarding the importance of peace: בַּר קַפָּרָא אָמַר: גָּדוֹל שָׁלוֹם — First, **Bar Kappara said: Great is peace,** שֶׁדִּבְּרוּ הַכְּתוּבִים דִּבְרֵי בַּדָּאוּת בַּתּוֹרָה בִּשְׁבִיל לְהַטִּיל שָׁלוֹם בֵּין אַבְרָהָם לְשָׂרָה — **for the Scriptural verses spoke words of falsehood in the Torah in order to promote peace between Abraham and Sarah.** The Midrash elaborates: הָדָא הוּא דִכְתִיב "אַחֲרֵי בְלֹתִי הָיְתָה לִי עֶדְנָה וַאדֹנִי זָקֵן" — **Thus, it is written,** *And Sarah laughed at herself, saying,* ***"After I have withered shall I again have delicate skin? And my husband is old!"*** (*Genesis* 18:12);[139] אֲבָל לְאַבְרָהָם לֹא אָמַר כֵּן — **but** in relaying Sarah's statement **to Abraham, [God] did not say this,** אֶלָּא "וַאֲנִי זָקַנְתִּי" — **but** rather He reported that Sarah had said, *"Shall I in truth bear a child,* ***though 'I' have aged?"*** (ibid., v. 13).[140]

בַּר קַפָּרָא אָמַר חוֹרִי — **Bar Kappara said another,** related statement: גָּדוֹל הַשָּׁלוֹם — **Great is peace,** שֶׁדִּבְּרוּ הַכְּתוּבִים לְשׁוֹן בַּדַּאי בַּנְּבִיאִים בִּשְׁבִיל לְהַטִּיל שָׁלוֹם בֵּין אִישׁ לְאִשְׁתּוֹ — **for the Scriptural verses spoke an expression of falsehood in the Prophets in order to promote peace between a man and his wife.** The Midrash elaborates: שֶׁנֶּאֱמַר "הִנֵּה נָא אַתְּ עֲקָרָה וְלֹא יָלַדְתְּ וְהָרִית וְיָלַדְתְּ בֵּן" — **As it is stated,** *An angel of God appeared to the woman and said to her,* ***"Behold now — you are barren and have not given birth, but you shall conceive and give birth to a son"*** (*Judges* 13:3).[141] אֲבָל לְמָנוֹחַ לֹא אָמַר כֵּן אֶלָּא "מִכֹּל אֲשֶׁר אָמַרְתִּי אֶל הָאִשָּׁה תִּשָּׁמֵר" — **But to Manoah, [the angel] did not say this, but** rather he said, ***"Of everything that I spoke to the woman, she should beware"*** (ibid., v. 13); the implication being — מִכָּל מָקוֹם סַמָּנִים הִיא צְרִיכָה — she is not barren but **in any case she requires medicine** in order to conceive.[142]

בַּר קַפָּרָא אָמַר חוֹרִי — **Bar Kappara said another,** related statement: גָּדוֹל שָׁלוֹם — **Great is peace;** וּמַה אִם הָעֶלְיוֹנִים שֶׁאֵין לָהֶם לֹא קִנְאָה וְלֹא שִׂנְאָה וְלֹא תַּחֲרוּת וְלֹא מַצּוּת וְרִיבוֹת וְלֹא מַחֲלוֹקֶת וְלֹא עַיִן רָעָה — **now, if the upper beings, who do not have jealousy, nor hatred, nor rivalry, nor strife and quarrels,**[143] **nor disunity, nor** the **evil eye,** צְרִיכִין שָׁלוֹם, הָדָא הוּא דִכְתִיב "עֹשֶׂה שָׁלוֹם בִּמְרוֹמָיו" — **require peace, as is written,** ***He makes peace in His heights*** (*Job* 25:2),[144] הַתַּחְתּוֹנִים שֶׁיֵּשׁ בָּהֶם כָּל הַמִּדּוֹת הַלָּלוּ עַל אַחַת כַּמָּה וְכַמָּה — then with respect to **the lower beings, who have all of these** negative **aspects, how much more so** do they require peace![145]

NOTES

139. This verse describes Sarah's reaction after she overheard the angel's prediction that she and Abraham would bear a child in their old age.

140. Thus, for the furtherance of peace, God told Abraham that Sarah viewed it as unlikely that she would have a child when, in fact, she had questioned Abraham's ability to do so.

[See Insights on this matter in Kleinman edition of *Bereishis Rabbah,* 48 §18.]

141. [The woman of this verse was Manoah's wife, who was to miraculously bear Samson despite her physical inability to conceive.]

142. *Matnos Kehunah, Eitz Yosef.*

According to *Bamidbar Rabbah* 10 (§5), Manoah's wife would tell him that his inability to father offspring was the cause of their childlessness. Thus, in order to prevent a quarrel between them the angel did not tell Manoah, as he had told Manoah's wife, that she was *barren* by nature and would require a miracle to conceive. Instead, the angel said that she would bear a child provided that she adhered to a certain regimen. According to this Midrash, when the angel said, *Of everything that I spoke to the woman, she should beware,* he was referring to his warnings regarding things that would be detrimental to her therapy, and with the words, *Everything that I commanded her, she shall observe* (*Judges* 13:14), he referred to medicines that he had instructed her to take (*Eitz Yosef*; see also *Maharzu*).

[*Chidushei Re'ach* writes that although previously the Midrash proved that God Himself spoke untruth *to promote peace,* here the Midrash teaches that even one who has been sent on a mission by another, such as the angel of this episode, is licensed to omit certain details that he was instructed to communicate if by doing so he will promote peace. See *Eshed HaNechalim* for an additional difference between the two sources.]

143. According to *Eitz Yosef* (also see *Matnos Kehunah*), the word וְרִיבוֹת, *and quarrels,* is not part of the actual Midrash text but rather an explanation of the preceding word, מַצּוּת.

144. *Bamidbar Rabbah* 12 (§8) provides several examples of how God *makes peace* among the upper beings. Those examples involve interactions between those beings that would typically lead to discord among people. It is an indication of the perfection of God's creation of the upper realms that nothing of this sort actually exists there (*Eitz Yosef*).

145. I.e., if God saw a need to *make peace* among the upper beings despite the fact that there could be no real discord among them, how much more so is peace necessary among human beings.

INSIGHTS

schisms, with each camp developing its own "Torah," with its own fundamental beliefs and tenets. Under such conditions, the Torah and the nation could never endure. People would be turned away in confusion, unable to accept or even understand the most basic matters of faith.

This is why unity, together with a commitment to the truth, is so important. The Houses of Hillel and Shammai are a perfect example. The many halachic disputes that separated Beis Shammai and Beis Hillel never intruded on their personal relations. Harmony and brotherhood reigned between them, in keeping with the prophet's commandment (*Zechariah* 8:19): וְהָאֱמֶת וְהַשָּׁלוֹם אֱהָבוּ, *Love truth and peace!* (See *Yevamos* 14b).

This understanding resolves a difficulty in *Pirkei Avos*: In one Mishnah (1:2) Shimon HaTzaddik says that the world stands upon three things: Torah, Divine service, and acts of kindness. Yet in a subsequent Mishnah (ibid., Mishnah 18) Rabban Shimon ben Gamliel lists three different things that the world stands on: justice, truth, and peace. *Rabbeinu Yonah* (to Mishnah 2 there) distinguishes between the two dicta: Shimon HaTzaddik refers to the things upon which the creation of the world was contingent. Rabban Shimon ben Gamliel refers to the things that ensure the *continued* existence of the world. God created the world because of Torah, the Divine service, and kindness, but He *sustains* it because of justice, truth, and peace.

But a question remains: If Torah (along with the Divine service, and kindness) is reason for God to *create* the world in the first place, as Shimon HaTzaddik says, then certainly they are reason enough to *preserve* that creation! Why, then, must Rabban Shimon ben Gamliel search for other bases for the world's continued existence? (See *Tos. Yom Tov* to Mishnah 18.)

Maharatz Chayes explains. Surely, Torah sustains the world. But truth and peace are still needed — to sustain the Torah! A true quest for truth allows no room for personal antagonism. A true quest for truth brings peace. And it is only through truth and peace that the Torah is sustained.

[See also Insight above, on 1 §1, "The Power of Unity."]

חִזְקִיָּה אָמַר תַּרְתֵּי: יחִזְקִיָּה אָמַר: גָּדוֹל שָׁלוֹם, שֶׁבְּכָל הַמִּצְוֹת כְּתִיב בְּהוּ (שמות כג, ה) "כִּי תִרְאֶה", (שם שם ד) "כִּי תִפְגַּע", (דברים כב, ו) "כִּי יִקָּרֵא", אִם בָּאת מִצְוָה לְיָדְךָ אַתָּה זָקוּק לַעֲשׂוֹתָהּ וְאִם לָאו אִי אַתָּה זָקוּק לַעֲשׂוֹתָהּ, בְּרַם הָכָא (תהלים לד, טו) "בַּקֵּשׁ שָׁלוֹם וְרָדְפֵהוּ", בַּקְּשֵׁהוּ לִמְקוֹמְךָ "וְרָדְפֵהוּ" לְמָקוֹם אַחֵר, חִזְקִיָּה אָמַר יאחוֹרִי: גָּדוֹל הַשָּׁלוֹם שֶׁבְּכָל הַמַּסָּעוֹת כְּתִיב (שמות יג; יז, א; ועוד) "וַיִּסְעוּ ... וַיַּחֲנוּ", נוֹסְעִים בְּמַחֲלֹקֶת וְחוֹנִים בְּמַחֲלֹקֶת, כֵּיוָן שֶׁבָּאוּ כּוּלָּם לִפְנֵי הַר סִינַי נַעֲשׂוּ כּוּלָּם חֲנָיָה אַחַת, הֲדָא הוּא דִכְתִיב (שמות יט, ב) "וַיִּחַן שָׁם יִשְׂרָאֵל", "וַיַּחֲנוּ שָׁם בְּנֵי יִשְׂרָאֵל" אֵין כְּתִיב כָּאן, אֶלָּא "וַיִּחַן שָׁם יִשְׂרָאֵל", אָמַר הַקָּדוֹשׁ בָּרוּךְ הוּא: הֲרֵי שָׁעָה שֶׁאֲנִי נוֹתֵן תּוֹרָה לְבָנַי, בַּר קַפָּרָא אָמַר תְּלָת: בַּר קַפָּרָא אָמַר: יבגָּדוֹל שָׁלוֹם, שֶׁדִּבְּרוּ הַכְּתוּבִים דִּבְרֵי בַדָּאוּת בַּתּוֹרָה בִּשְׁבִיל לְהַטִּיל שָׁלוֹם בֵּין אַבְרָהָם לְשָׂרָה, הֲדָא הוּא דִכְתִיב (בראשית יח, יב) "אַחֲרֵי בְלֹתִי הָיְתָה לִּי עֶדְנָה וַאדֹנִי זָקֵן", אֲבָל לְאַבְרָהָם לֹא אָמַר כֵּן, אֶלָּא (שם שם יג) "וַאֲנִי זָקַנְתִּי", בַּר קַפָּרָא אָמַר חוֹרִי: גָּדוֹל הַשָּׁלוֹם, שֶׁדִּבְּרוּ הַכְּתוּבִים לְשׁוֹן בַּדַּאי בַּנְּבִיאִים בִּשְׁבִיל לְהַטִּיל שָׁלוֹם בֵּין אִישׁ לְאִשְׁתּוֹ, שֶׁנֶּאֱמַר (שופטים יג, ג) "הִנֵּה נָא אַתְּ עֲקָרָה וְלֹא יָלַדְתְּ וְהָרִית וְיָלַדְתְּ בֵּן", אֲבָל לְמָנוֹחַ לֹא אָמַר כֵּן, אֶלָּא (שם שם יג) "מִכֹּל אֲשֶׁר אָמַרְתִּי אֶל הָאִשָּׁה תִּשָּׁמֵר", מִכָּל מָקוֹם סַמָּנִים הִיא צְרִיכָה, בַּר קַפָּרָא אָמַר חוֹרִי: גָּדוֹל שָׁלוֹם, יגוּמָה אִם הָעֶלְיוֹנִים שֶׁאֵין לָהֶם לֹא קִנְאָה וְלֹא שִׂנְאָה וְלֹא תַחֲרוּת וְלֹא מַצּוּת וּרִיבוֹת וְלֹא מַחֲלֹקֶת וְלֹא עַיִן רָעָה צְרִיכִין שָׁלוֹם, הֲדָא הוּא דִכְתִיב (איוב כה, ב) "עֹשֶׂה שָׁלוֹם בִּמְרוֹמָיו", הַתַּחְתּוֹנִים שֶׁיֵּשׁ בָּהֶם כָּל הַמִּדּוֹת הַלָּלוּ עַל אַחַת כַּמָּה וְכַמָּה.

עץ יוסף

בקשהו במקומך. פירוש אם אפשר במקומך בקש השלום, ואם לא תוכל טרח ללכת למקום אחר למלאו כגון להתרפס לפני רעך ולהרבות אהובים. עוד יש לפרש בקשהו עם אנשי מקומך, ורדפהו אפילו עם בני עיר אחרת: **הרי שעה שאני נותן תורה.** וכדאיתא בפסיקתא (בחודש השלישי סימן יד) דרכיה דרכי נועם וכל נתיבותיה שלום, בקש הקדוש ברוך הוא ליתן תורה לישראל בשעה שיצאו ממצרים והיו חלוקים אלו עם אלו, והיו אומרים בכל שעה נתנה ראש ונשובה מצרימה מה כתיב ויסעו מסוכות ויחנו באתם, היו נוסעים במריבה, וחונים במריבה, כשבאו לסיני השוו כולם אגודה אחת, ויחנו שם ישראל אין כתיב כאן אלא ויחן שם ישראל נעשו הומניא אחת, אמר הקדוש ברוך הוא התורה כולה שלום ולמי אני נותנה לאומה שהיא אוהבת שלום, הוי וכל נתיבותיה שלום עד כאן לשונו. אבל אם לא היה אז בהתאחדות גמור, אף על פי שגם ההר חמד אלהים לשבתו לתת התורה עליו, מכל מקום לא היה נותנה מיד אלא היה מעכבם שם עד יהיו בשלום: **בדאות.** מלשון (מלכים א' יב, לג) בחדש אשר בדא מלבו, ופירש רש"י לשון כזב: **לא אמר כן כו'.** דאם כן יהיה ביניהם קטטה, שהעקרות ממנה והיא היתה מתרעמת על בעלה כי מלדו העקרות, כדלקמן בבמדבר רבה פרשה י' (סימן ה), אבל אמר **דמכל מקום סמנים היא צריכה.** שאין הורתה בדרך נס גמור, אלא סמנים צריכה לעשות בדרך רפואה, והיינו מכל אשר אמרתי אל האשה תשמר, שתזהר מהדברים המעכבים הרפואה, כגון קור, וקצת מאכלים, וכל אשר צויתיה תשמור, היינו הסמנים שלוה עליה שתעשה, וזה שלא כמה שאמר לה הנה נא את עקרה והרית וגו', שלפי זה לא יועילו סמנים כלל, וההריון נס גמור, אבל בהתרפאות על ידי סמנים, נראה שלא היתה עקרה ממש: **חורי.** שנית: **מצות.** פירוש ריבות. ומה שנכתב בפנים המדרש מצות וריבות, מילת וריבות היה נכתב על הגליון לפרש תיבת מצות והכניסוהו בפנים המדרש: **צריכין שלום.** וכדאמר במדבר רבה פרשה י"ב (סימן ח) החיות של אש, ורקיע של שלג, ולא זה מכבה את זה כו', מעולם לא ראתה חמה פגימתה של לבנה כו', לית מזל חמי כו', שבכל כיוצא כאלו תמצא השנאה והקנאה בין האנשים, ומשלמות מעשה ה' בעליונים שלא יהיה בהם כדברים האלה:

פירוש מהרז"ו

ורדפהו. משמע למקום אחר מרחוק, ואם כן מה שכתוב (תהלים לד, טו) בקש שלום, הוא מקרוב: **ויחנו שם בני ישראל אין כתיב כאן.** אלא ויסעו ויחנו, כתיב בני ישראל, ואלא ויחן כתיב ישראל, לשון יחיד, כאלו היו כולם איש אחד, ומסיים במכילתא פסוק זה שאמר להם ימים הרבה אתם עושים כאן, בזה גלה לנו המכילתא טעם המחלוקת, על שהיה מטריח עליהם ללכת יומם ולילה, ולא היו חונים במקום אחד זמן רב, על כן היו מתרעמים תמיד על משה, אך כאשר אמר להם שיעשו שם זמן רב, היינו שהיו שם שנה פחות עשרה ימים אלא הר סיני, והחיה את רוחם בבשורה זו, ועשו תשובה ושלום, וזכו לקבלת התורה: **בר קפרא.** בראשית רבה (מח, יח): **ואני זקנתי.** שרה אמרה על עצמה שהיא זקנה, לא אברהם: **סממנים היא צריכה.** וזהו תשמר, כמו שאומרים לחולה שצריך רפואה שישמור עצמו מהדברים המזיקים לו, שיועילו לו הרפואות:

חידושי הרד"ל

[ט] **נוסעים במחלוקת כו'.** איכה בפתיחתא סימן יח:

באור מהרי"פ

בקשהו למקומך וכו'. פירוש אם תשיגהו במקומך מוטב ואם לאו רדפהו במקום אחר עד שתשיגהו:

אמרי יושר

[ט] **סמנים היא צריכה.** שהיא חולנית לבד:

מסורת המדרש

י. מסכת ד"א פ' י"א: יא. פדר"א פ' מ"א: יב. יבמות ס"ה. ירושלמי פאה פ"ק. במד"ר פ' י"א. תנחומא פרשה זו ופרשה שופטים. ילקוט פרשה וארא. מסכת ד"א פ' י"א: יג. דב"ר פ"ה:

אם למקרא

כִּי תִפְגַּע שׁוֹר אֹיִבְךָ אוֹ חֲמֹרוֹ תֹּעֶה הָשֵׁב תְּשִׁיבֶנּוּ לוֹ: כִּי תִרְאֶה חֲמוֹר שֹׂנַאֲךָ רֹבֵץ תַּחַת מַשָּׂאוֹ וְחָדַלְתָּ מֵעֲזֹב לוֹ עָזֹב תַּעֲזֹב עִמּוֹ: (שמות כג:ד-ה)

כִּי יִקָּרֵא קַן צִפּוֹר לְפָנֶיךָ בַּדֶּרֶךְ בְּכָל עֵץ אוֹ עַל הָאָרֶץ אֶפְרֹחִים אוֹ בֵיצִים וְהָאֵם רֹבֶצֶת עַל הָאֶפְרֹחִים אוֹ עַל הַבֵּיצִים לֹא תִקַּח הָאֵם עַל הַבָּנִים: (דברים כב:ו)

סוּר מֵרָע וַעֲשֵׂה טוֹב בַּקֵּשׁ שָׁלוֹם וְרָדְפֵהוּ: (תהלים לד:טו)

וַיִּסְעוּ מִסֻּכֹּת וַיַּחֲנוּ בְאֵתָם בִּקְצֵה הַמִּדְבָּר: (שמות יג:כ)

וַיִּסְעוּ מֵרְפִידִים וַיָּבֹאוּ מִדְבַּר סִינַי וַיַּחֲנוּ בַּמִּדְבָּר וַיִּחַן שָׁם יִשְׂרָאֵל נֶגֶד הָהָר: (שם יט:ב)

וַתִּצְחַק שָׂרָה בְּקִרְבָּהּ לֵאמֹר אַחֲרֵי בְלֹתִי הָיְתָה לִּי עֶדְנָה וַאדֹנִי זָקֵן: וַיֹּאמֶר ה' אֶל אַבְרָהָם לָמָּה זֶּה צָחֲקָה שָׂרָה לֵאמֹר הַאַף אֻמְנָם אֵלֵד וַאֲנִי זָקַנְתִּי: (בראשית יח:יב-יג)

וַיִּסְעוּ מֵרְפִידִים וַיָּבֹאוּ מִדְבַּר סִינַי וַיַּחֲנוּ בַּמִּדְבָּר וַיִּחַן שָׁם יִשְׂרָאֵל נֶגֶד הָהָר: (שם שם יג)

וַיֵּרָא מַלְאַךְ ה' אֶל הָאִשָּׁה וַיֹּאמֶר אֵלֶיהָ הִנֵּה נָא אַתְּ עֲקָרָה וְלֹא יָלַדְתְּ וְהָרִית וְיָלַדְתְּ בֵּן: (שופטים יג:ג)

וַיֹּאמֶר מַלְאַךְ ה' אֶל מָנוֹחַ מִכֹּל אֲשֶׁר אָמַרְתִּי אֶל הָאִשָּׁה תִּשָּׁמֵר: (שם שם יג)

הַמְשֵׁל וָפַחַד עִמּוֹ עֹשֶׂה שָׁלוֹם בִּמְרוֹמָיו: (איוב כה:ב)

מתנות כהונה

[ט] **ברם הבא.** אבל הכא גבי שלום כתיב (תהלים לד, טו) בקש שלום כו': **ויחנו.** משמע לשון רבים, כלומר מחולקים זה מזה ויחן כאיש אחד בלב אחד: **הרי שעה.** בעוד שהם בלב אחד: **מכל מקום.** כלומר סמני רפואות צריכה להריון, אבל אינה עקרה ממש: **מצות.** מריבות:

אשד הנחלים

רק לטוב אמיתי, ולכן כל המצוות תלויות בו, כי על ידי ההזדככות הזאת כל מעשיו ומצוותיו בשלימות גמור. ולכן מדת השלום גדולה מכל המצוות שמחייבו לבקש אחריו ולרדוף אחר מדה הזאת, בכדי שישריש בקרבו המדה הזאת בשלימות, כי גדרה האהבה הזכה החפיצה רק טוב וחסד: **בקשיהו למקומך כו' ממקום אחר.** אף שהכוונה כפשוטה שיעשה שלום אף מרחוק, עם כל זה גם כוונה פנימה לוטה בה, כי הנה יש שלום פנימי ליחד הכחות יחד לבלי יתנגד היצר נגד השכל, ואחר כך יוכל לעשות שלום במקום אחר, כי המוכיח ראוי להיות תחילה שלום בעצמו, ואז יקובל תוכחתו לאחרים, וזהו בקש שלום בנפשך. אז תוכל לרדפיהו במקום אחר: **נוסעים במחלוקת.** שלא נמצא בלבם אחדות גמורה זה עם זה, זולתי בקבלת התורה בסיני, שאז מפני רוב הכרתם את אחדות ה' וכבודו, נתבטלה כל אהבת עצמם מלבם, כי הרגישו שכלם נובעים רק ממקור העליון, וזהו כדמות ציור הכתוב (מלאכי ב, י) הלא אב אחד לכולנו הלא אל אחד בראנו מדוע נבגוד איש באחיו וגו', ולכן כתיב בלשון יחיד. ודי בזה: **דברים בדאים כו'.** הביא שני דברים, אחד שהכתוב נשמר מבלי לדבר כדמות לשון הרע, אף שהוא אמת, כמו שהיה בשרה אצל אברהם, השני שלא יגלה חסרון הזולת לפני רעהו, כמו שלא גילה המלאך למנוח שאשתו עקרה בטבע, רק ברמז שצריכה רפואה. והשלישי הוא ענין דק אף שהמלאכים המה פשוטים בלי הרכבה ובלי שני יצרים, ולכן אין בהם שום קנאה ושנאה על רעהו, עם כל זה המה צריכים לשלום. והענין כי הם תלוים ומקויימים בסבה העליונה והם מסובבים, ואם כן יש בהם צד הנגוד לקיומם, אחר שסבתם מחוץ ואין בהם סבה בעצמותם, וכמו שהאריך הרב המורה (ח"ב פ"ו) שהמלאכים יש להם סבות עצמם ותשוקיהם, אך אין להאריך פה, ואיש מבין יבין:

אָמַר רַבָּן שִׁמְעוֹן בֶּן גַּמְלִיאֵל: גָּדוֹל שָׁלוֹם — **Rabban Shimon ben Gamliel said: Great is peace,** שֶׁדִּבְּרוּ הַכְּתוּבִים לְשׁוֹן בַּדָּיוֹת בַּתּוֹרָה לְהַטִּיל שָׁלוֹם בֵּין יוֹסֵף לְאֶחָיו — **for the Scriptural verses spoke an expression of falsehood in the Torah in order to promote peace between Joseph and his brothers.** The Midrash elaborates: "הָדָא הוּא דִכְתִיב "כֹּה תֹאמְרוּ לְיוֹסֵף אָנָּא שָׂא נָא — **Thus it is written,** *So [Joseph's brothers] instructed that Joseph be told: Your father gave orders before his death, saying,* ***"Thus shall you say to Joseph, 'O please, kindly forgive*** *the flagrant offense of your brothers'* " (*Genesis* 50:16-17); וְלֹא אַשְׁכְּחָן בְּיַעֲקֹב דְּפַקֵּד כְּלוּם — **and,** yet, **we do not find regarding Jacob that he commanded anything** in this regard.[146]

אָמַר רַבִּי יוֹסֵי הַגְּלִילִי: גָּדוֹל שָׁלוֹם — **R' Yose HaGelili said: Great is peace,** שֶׁאֲפִילוּ בִּשְׁעַת הַמִּלְחָמָה אֵין פּוֹתְחִין אֶלָּא בְּשָׁלוֹם — **for even in time of war, we do not open** with anything **other than with peace;**[147] הָדָא הוּא דִכְתִיב "כִּי תִקְרַב אֶל עִיר וְגוֹ'" — **thus it is written,** ***When you draw near to a city*** *to wage war against it, you shall call out to it for peace* (*Deuteronomy* 20:10).

אָמַר רַבִּי יוּדָן בַּר רַבִּי יוֹסֵי: גָּדוֹל שָׁלוֹם — **R' Yudan bar R' Yose said: Great is peace,** שֶׁשְּׁמוֹ שֶׁל הַקָּדוֹשׁ בָּרוּךְ הוּא נִקְרָא שָׁלוֹם — **for the Name of the Holy One, blessed is He, is "Peace";**[148] הָדָא הוּא דִכְתִיב "וַיִּקְרָא לוֹ ה' שָׁלוֹם" — **thus it is written,** *Gideon built an altar there to HASHEM,* ***and called Him, "HASHEM Peace"*** (*Judges* 6:24).[149]

The Midrash cites a halachic ramification of the above concept: אָמַר רַבִּי תַּנְחוּם בַּר יוּדָן — **R' Tanchum bar Yudan said:** מִכָּאן שֶׁאָסוּר לוֹ לְאָדָם לִשְׁאוֹל בִּשְׁלוֹם חֲבֵירוֹ בְּמָקוֹם מְטוּנָּף — **From here** we learn **that is it prohibited for a man to inquire about his friend's peace in an unclean place.**[150]

תָּנֵי רַבִּי יִשְׁמָעֵאל: גָּדוֹל שָׁלוֹם — **R' Yishmael taught: Great is peace,** שֶׁשֵּׁם הַגָּדוֹל שֶׁנִּכְתַּב בִּקְדוּשָּׁה — **for** regarding **the Great Name that was written in holiness,** אָמַר הַקָּדוֹשׁ בָּרוּךְ הוּא: יִמָּחֶה בַּמַּיִם — **the Holy One, blessed is He, said, "Let it be erased into water,** כְּדֵי לְהַטִּיל שָׁלוֹם בֵּין אִישׁ לְאִשְׁתּוֹ — **in order to promote peace between a man and his wife!"**[151]

The Midrash recounts a related story: רַבִּי מֵאִיר הֲוָה יָתִיב וְדָרֵישׁ בְּלֵילֵי שַׁבַּתָּא — **R' Meir would sit and lecture in Midrash on Friday nights.** הֲוָיָה תַּמָּן חֲדָא אִיתְּתָא יָצִיבָא וְשָׁמְעָה לֵיהּ תָּנְיָא מִדְרְשָׁא — Once, **a certain woman was standing there and she was listening to him learning Midrash.**[152]

NOTES

146. It is thus apparent that, for the sake of peace, Joseph's brothers fabricated the story of their father's request that Joseph forgive them.

[That the brothers spoke untruthfully proves nothing, as they may have feared for their lives (see *Leviticus* 18:5 with *Yoma* 85b, where it is taught that, generally speaking, one may transgress a Torah prohibition to save a life). The Midrash, however, takes notes that these *Scriptural verses spoke falsehood,* because the fact that Scripture recorded the episode can only be to provide general instruction with respect to the significance of peace (*Eitz Yosef,* from *Yefeh To'ar* and *Nezer HaKodesh* [both on *Bereishis Rabbah* 100 §8]; see, however, the variant text found in *Bereishis Rabbah* ibid.; see also *Yefeh To'ar, Radal,* and *Eitz Yosef* ad loc.). And although many experiences of the Biblical figures are known to us only through a verse's tangential reference to an earlier event (see, for example, *Deuteronomy* 1:22), the Midrash feels that had Jacob truly given the orders that the tribes claimed he gave, the Torah would have said so clearly, both because it reflects favorably on the righteous Jacob and because of its inherent lesson (*Eitz Yosef,* from *Yefeh To'ar* [ibid.]; for related discussion see the Insight in our edition of *Bereishis Rabbah* ibid.). Note, however, that *Sefer HaYashar* writes (in *Parashas Vayechi,* apparently in contradiction to our Midrash) that Jacob actually did leave the instructions that his sons relayed (*Eitz Yosef*).]

147. That peaceful gestures are to be extended even at a time of war against enemies whose destruction is permitted by the Torah is evidence that peace must never be neglected entirely. Although the Torah allows for war to be made under certain conditions, it does so only after attempts to make peace are rebuffed (*Eitz Yosef*; see also *Eshed HaNechalim*).

148. God alone is absolute *peace* because that term suggests an absence of any conflict or disparity, an impossibility in all beings (who are made up of multiple and varied elements) other than God (*Eshed HaNechalim*; see *Sefer HaIkkarim,* at the very end, cited by *Yefeh To'ar,* for a related approach).

149. Our translation reflects the Midrash's understanding of the verse, according to which it relates what *Gideon called HASHEM* (compare *Rashi* to *Shabbos* 10b s.v. ויקרא and *Tosafos* ad loc. s.v. דמתרגמינן). [According to the verse's plain meaning, Gideon called the *altar, "HASHEM is (the source of) our peace"* (*Rashi* to verse; see also *Radak* ad loc.).] The Midrash further interprets the words ה' שָׁלוֹם, lit., *HASHEM peace,* to mean *HASHEM,* Who is *Peace* (*Eshed HaNechalim,* followed by *Eitz Yosef*), so that Gideon used the word *peace* in description of God.

150. Because שָׁלוֹם, *peace,* is a Divine Name, it is irreverent to speak that word in an unclean place. (See *Eshed HaNechalim,* followed by *Eitz Yosef,* for further discussion.)

See Insight Ⓐ.

151. If a man warned his wife not to seclude herself with a specific man and she violated his warning, she is brought to the Temple and subjected to a procedure that will either kill her miraculously (if she is guilty of adultery) or prove her innocence. As part of this procedure, the woman must drink water into which a passage from the Torah, including numerous Divine Names, had been erased (see *Numbers* 5:11-31). God commanded that His holy Name be erased because doing so allows the woman to affirm her innocence and restore her relationship with her husband.

152. *Matnos Kehunah,* followed by *Eitz Yosef,* first approach. (See *Eitz Yosef* for additional explanations and versions of the text.)

INSIGHTS

Ⓐ **"Shalom" as a Divine Name** Our Midrash and a parallel passage in the Gemara (*Shabbos* 10b) engender broad discussion in the halachic literature regarding the status of the word *shalom,* meaning "peace." That Gemara clearly puts *shalom* on a level above other references to God, such as נֶאֱמָן, *faithful,* which are merely adjectives that describe Him, as opposed to actual Divine Names. The simplest understanding of the Sages' words would make it forbidden to erase the Hebrew word *shalom.* While this is indeed the position of *Tosafos* (to *Sotah* 10a s.v. אלא מעתה), the overwhelming majority of authorities allow for the word *shalom* to be erased (*Shach, Nekudos HaKesef* at the end of *Yoreh Deah* §276; also see *Mishnah Berurah* 85:10). *Rosh* (*Teshuvos* 3:15) explains that although it is a Divine Name, *shalom* is not treated with the same stringency as other Divine Names, because the word's use in that capacity is based on its description of God's actions as opposed to God Himself.

Rama records a practice of avoiding writing the complete [Hebrew] word *shalom* anywhere other than in a *sefer,* for fear that it will come to a state of disrespect (*Yoreh Deah* 276:13). And, in fact, many people today are careful to write שלו' without completing the word. However, *Shach* (ad loc.) notes that most people follow the view of *Rosh,* who permits freely writing the word *shalom.*

Also subject to dispute is whether one whose name is Shalom may be addressed by his name in an unclean area such as a bathhouse. While some authorities point to the above Gemara as proof that *any* mention of the word *shalom* is forbidden in such an environment (*Bach, Orach Chaim* §84, and others), other authorities disagree. Of these, some argue that the prohibition of the Gemara and our Midrash applies specifically to one who uses the word *shalom* to mean *peace* [as it is in that context that the word relates to God] (*Taz, Orach Chaim* 84:2). Other authorities go further, asserting that it is forbidden to inquire about someone's *"shalom"* in an unclean place only because the Sages instituted that one should greet his friend with God's Name (*Berachos* 54a); hence, when greeting a friend with the expression *"shalom,"* one is actually using the word *shalom* in the context of a Divine Name. But other uses of the word *shalom* are permitted in all places (*Sfas Emes* and *Meromei Sadeh* to *Berachos* 10b; *Dibros Moshe, Shabbos* 20:58, and *Igros Moshe, Orach Chaim* VI §5; also see *Mishnah Berurah* 84:6, who adopts a compromise position).

אָמַר רַבָּן שִׁמְעוֹן בֶּן גַּמְלִיאֵל: יגָּדוֹל שָׁלוֹם, שֶׁדִּבְּרוּ הַכְּתוּבִים לָשׁוֹן בַּדָּיוֹת בַּתּוֹרָה לְהַטִּיל שָׁלוֹם בֵּין יוֹסֵף לְאֶחָיו, הָדָא הוּא דִכְתִיב (בראשית נ, יז) "כֹּה תֹאמְרוּ לְיוֹסֵף אָנָּא שָׂא נָא", וְלֹא אַשְׁכְּחָן בְּיַעֲקֹב דְּפַקֵּד כְּלוּם, אָמַר רַבִּי יוֹסֵי הַגְּלִילִי: גָּדוֹל שָׁלוֹם, שֶׁאֲפִילּוּ בִּשְׁעַת הַמִּלְחָמָה אֵין פּוֹתְחִין אֶלָּא בְּשָׁלוֹם, הָדָא *הוּא דִכְתִיב (דברים כ, י) "כִּי תִקְרַב אֶל עִיר וְגוֹ'", אָמַר רַבִּי יוּדָן בַּר רַבִּי יוֹסֵי: גָּדוֹל שָׁלוֹם, שֶׁשְּׁמוֹ שֶׁל הַקָּדוֹשׁ בָּרוּךְ הוּא נִקְרָא שָׁלוֹם, הָדָא הוּא דִכְתִיב (שופטים ו, כד) "וַיִּקְרָא לוֹ ה' שָׁלוֹם", אָמַר רַבִּי תַּנְחוּם בַּר יוּדָן: מִכָּאן שֶׁאָסוּר לוֹ לְאָדָם לִשְׁאוֹל בִּשְׁלוֹם חֲבֵירוֹ בְּמָקוֹם מְטוּנָּף, תָּנֵי רַבִּי יִשְׁמָעֵאל: גָּדוֹל שָׁלוֹם, שֶׁשֵּׁם הַגָּדוֹל שֶׁנִּכְתַּב בִּקְדוּשָּׁה אָמַר הַקָּדוֹשׁ בָּרוּךְ הוּא: יִמָּחֶה בַּמַּיִם כְּדֵי לְהַטִּיל שָׁלוֹם בֵּין אִישׁ לְאִשְׁתּוֹ, טרַבִּי מֵאִיר הֲוָה יָתֵיב וְדָרֵישׁ בְּלֵילֵי שַׁבַּתָּא, הֲוָיָה תַּמָּן חֲדָא אִיתְּתָא יַצִּיבָא וְשָׁמְעָה לֵיהּ תָּנְתָא מִדְרְשָׁא, אַמְתִּינַת עַד דְּיֶחְסַל, מִדְּדְרַשׁ, אָזְלָה לְבֵיתָהּ, אַשְׁכְּחָא בּוּצִינָא טָפֵי, אֲמַר לָהּ בַּעְלָהּ: אָן הֲוֵית, אָמְרָה לֵיהּ: אֲנָא יָתִיבָא וְשָׁמְעָה °קָלֵיָּא דָּרוֹשָׁא, אֲמַר לָהּ: כֵּן וְכֵן לָא אִעַיֵּילַת לְהָכָא עַד דַּאֲזַלְתְּ וְרוֹקַת בְּאַנְפֵּי דָרוֹשָׁא, יְתִיבָא שַׁבַּתָּא קַמַּייתָא תִּנְיָתָא וּתְלִיתָא, אֲמָרוּן לָהּ מְגֵירָתָא: כַּדוּ אַתּוּן צְהִיבִין, אָתְיָנָן עִמָּךְ לְגַבֵּי דָרוֹשָׁא, כֵּיוָן דְּחָמֵי יַתְהוֹן רַבִּי מֵאִיר צָפָה בְּרוּחַ הַקּוֹדֶשׁ, אֲמַר לְהוֹ: אִית מִנְּכוֹן אִיתְּתָא דְּחַכִּימָא לְמִילְחַשׁ בְּעֵינָא,

עץ יוסף

בין יוסף לאחיו. ואמר שדברו הכתובים לשון בדוים כו' בין יוסף לאחיו, ולא הביא ראיה מהשבטים עצמם שדברו דברים בדוים בשביל השלום. יש לומר דסבירא ליה דמן השבטים עצמם ליכא ראיה שהרי מפני הסכנה דברו שקר והא פשיטא דמותר לשקר וכדאמרינן (יומא פה, ב ועוד) וחי בהם ולא שימות בהם, אלא מהכתובים איכא ראיה, דמאי קא משמע לן בהא, דהיכי דאיכא סכנה פשיטא, אלא אם אינו ענין לעצמו תנהו לענין שלום בעלמא אף על גב דליכא פקוח נפש (יפה תואר וזר הקדש): **ולא אשכחן ביעקב כו'.** ואם תאמר מאי ראיה היא זו והרי כמה מילי דלא כתיבי בדוכתייהו וילפינן להו מספורים אחרים, כגון (דברים א, כב) ותקרבון אלי ותאמרו נשלחה אנשים לפנינו שלא נזכר במקומו, וכאלה רבים. ויש לומר דכיון דשבח יעקב הוא אילו שת לבו לצוות קודם מותו, שאף על פי שהוא חשב שאין צורך לדבר כי לב יוסף שלם, מכל מקום יותר טוב היה אילו צוה ולא יסמוך אפירוקי לסכנתא, אם כן לא הוה שתיק קרא מיניה שאין דרך הכתוב להעלים מה שהוא שבח הצדיקים, ועוד כדי שנלמוד ממנו (יפה תואר), אבל בספר הישר איתא שבאמת צוה יעקב זה: **שאפילו בשעת המלחמה כו'.** רצה לומר כי השלום גדול כי הוא דבר שאין ראוי כלל שיסולק ואל תאמר כי בשעת מלחמה אין כאן שלום כי המלחמה הוא הפך השלום, שמאחר שראינו שהתורה התירה להרגם כי הם ראוים להריגה, עם כל זה גדול השלום כי אף בשעת מלחמה לא יסולק השלום, ולא ניתן רשות למלחמה רק כאשר אינם רוצים בשלום, אבל אם יתפוצו בשלום יקובלו, ומזה תראה כי אין הסרה מן השלום (מהר"ל נתיבות עולם נתיב השלום פרק א): **ששמו של הקדוש ברוך הוא נקרא שלום.** מפני שהוא אחד הגמור, ופשוט תכלית הפשיטות, ואם כן אין בו הרכבה מאומה ואין בעצמותו שום ניגוד: **ה' שלום.** דרשו ה' שהוא שלום, שגדר השלום רק אצלו יתברך, כי הוא האחד הגמור הפשוט ואין בו שום ניגוד והרכבה מאומה: **במקום מטונף.** שזכירת שם שלום מביא לידי זכירת ה' שהוא השלום הגמור ולכן אסור להזכיר במקום מטונף: **יציבא.** עומדת: **תנתא מדרשא.** שונה מדרש (מתנות כהונה). או פירושו נתאחרה הדרשא דרבי מאיר. והאות אמת כתב שהני תיבות תנתא מדרשא מיותרים. ולי נראה דצריך לומר איעני מדרשא, ופירושו, נמשך הדרשא, ועיין בבמדבר רבה פרשה ט' (סימן כ). והרד"ל גורס חדא איתתא וילפא שמעא ליה [רגילה לשמוע לו] ענתא מדרשא [נתאחרה הדרשה] אמתינת כו', וכן הוא בירושלמי סוף פרק א' דסוטה ובבמדבר רבה פרשה ט', וכך צריך לומר. עד כאן לשונו: **אמתינת כו'.** המתינה עד שמסיים: **בוצינא טפי.** פירוש הנר כבה, שלא תכבה (ויקרא ו, ה) תרגום אונקלוס לא תטפי: **אן הוית.** אנה היית: **קליא דרושא.** פירוש קול של הדרשן: **בן ובן.** הוא לשון שבועה, כן וכן יהיה לי שלא תכנס לכאן, כלומר לביתי, עד שתלך ותרוק בפני הדורש, ואותו האיש היה רשע ומכוין לצערה (מתנות כהונה): **יתיבא.** כן צריך לומר. פירוש ישבה חוץ לביתו שבת ראשונה ושניה ושלישית: **מגירתא.** שכינותיה: **בדו.** כזאת, כלומר עדיין לעת כזאת: **אתון צהיבין.** אתם שרוים בכעס יחד (ערוך ערך צהב ג'): **אתינן כו'.** נבא עמך אצל הדרשן, וכן עשו והלכו למצוא לה תקנה: **דחמי.** שראה: **אית מנבון כו'.** כלום יש מכם ובכם אשה דחכימא כו'. פירוש חכמה ובקיאה ללחוש על העין שחש בעיניו, וכשהיו מלחשים היו צריכין לרוק על העין:

פירוש מהרז"ו

אמר רבן שמעון בן גמליאל. בראשית רבה (ק, ח) ושם פירשתי באיזה אופן היו הבדיות: **כי תקרב אל עיר.** וקראת אליה לשלום: **רבי מאיר.** ירושלמי פאה שם במדבר רבה (ט, כ). דברים רבה (ה, ט): **לא כן ובן.** לא יהיה לי כך וכך ולשון שבועה הוא. ועיין מתנות כהונה, וידי משה, שאינם מעתיקים תיבת לא אלא כן וכן, ופירוש גם כן לשון שבועה כך וכך יהיה לי:

מתנות כהונה

רבי מאיר הוה יתב כו'. גם זה בפרשת נשא (ט, כ) ובפרשת שופטים (ה, טו): **יציבא.** עומדת: **תנתא מדרשא.** שונה מדרש: **אמתינת כו'.** המתינה עד שסיים: **ממדרש.** גרס, פירוש משדרש הלכה לביתה: **בוצינא טפי.** הנר כבוי, לא תכבה (ויקרא ו, ו) תרגום אונקלוס לא תטפי: **אן הוית.** אנה היית: **קליה דרושא.** גרס, פירוש קול של הדורש: **בן ובן כו'.** בין כך ובין כך לא תכנס לכאן, כלומר לבית עד כו', עד שתלך ותרוק בפני הדורש, ואותו האיש היה רשע ומכוין לצערה, כדאיתא בפרשת שופטים: **יתיבא גרסינן כו'.** פירוש ישבה חוץ לביתו שבת ראשונה ושנייה ושלישית: **אמרו לה מגירתא.** שכנותיה: **בדו.** כזאת, כלומר עדיין לעת כזאת: **אתון צהיבין.** אתם שרוים בכעס יחד, כך פירש הערוך: **אתינון כו'.** נבא עמך אצל הדרשן, וכן עשו והלכו למצוא לה תקנה: **ביון כו'.** משראה אותם רבי מאיר היה צופה ברוח הקדש את כל המאורע: **אמר להן גרסינן.** פירוש אמר אל הנשים, כלום יש מכם ובכם אשה **דחכימא כו'.** פירוש חכמה ובקיאה ויודעת ללחוש על העין, למי שחש בעיניו וכשהיו מלחשין היו צריכין לרוק על העין:

אשד הנחלים

לשון בדיות כו' כה תאמר כו'. אף שאמת הוא שדברו אחיו ככה, עם כל זה אם היה עָוֶל בדבר, לא היה הכתוב מספר ככה, אלא ודאי שמהראוי בשביל שלום לשנות: **בשעת המלחמה.** שראינו שהתורה התירה להרגם כי הם ראוים להריגה, עם כל זה גדול השלום, שאם יתפוצו בשלום יקובלו: **ששמו של הקב"ה נקרא שלום.** מפני שהוא אחד הגמור, ופשוט בתכלית הפשיטות, ואם כן אין בו הרכבה מאומה ואין בעצמותו שום ניגוד. ובין תבין כי המלאכים צריכים לשלום אבל אינם נקראים שלום, אבל הוא יתברך הוא בעצמותו שלום. הבן כל זה: **ה' שלום.** דרשו ה' שהוא שלום, שגדר השלום רק אצלו יתברך, כי הוא האחד הגמור הפשוט, ואין בו שום ניגוד והרכבה מאומה: **שאסור לשאול.** שזכירת שם שלום מביא לידי זכירת ה' שהוא השלום הגמור, ולכן אסור להזכיר: **כן וכן.** עיין במתנות כהונה. והידי משה פירש שנשבע כן וכן יהיה לו אם תעייל להכא עד שתרוק לפניו, והוא נכון. ופירוש המעשה כולה עיין במתנות כהונה:

חידושי הרד"ל

שאסור כו' שלום במקום מטונף. שבת י, א: **חדא איתתא וילפא שמעא ליה** (רגילה לשמוע לו), **ענתא מדרשא** (נתאחרה הדרשה דרבי מאיר), **אמתינת כו'.** וכן הוא בירושלמי סוף פרק א' דסוטה, ובמדבר רבה פרשה ט', וכן צריך להיות.

באור מהרי"פ

אתון צהיבין. פירוש עדיין אתם בכעס, וכעסתה צרתה (שמואל א' א, ו) תרגום ומהבהא לה:

ידי משה

[ט] **ולא אשכחן דפקד יעקב כלום.** פירוש שהכתוב שינה שתלמד ממנו שתעשה שלום, דאם לא תאמר הכי מה שלום שייך כאן מה שאמר שדברו הכתובים וכו', והלא יוסף לא ראה שינוי הכתובים, אלא על כרחך כמו שפרשתי שהתורה שתשנה מחמת שלום: **כן וכן לא תעייל להכא.** עיין מתנות כהונה, ולא יפה כיון, אלא הפירוש שנשבע, כן וכן לשון קללה הוא, כלומר כן יהיה לי אם תעייל להכא עד שתרוק בפניו.

מסורת המדרש

יד. יבמות דף ס"ה. מסכת ד"א פ' י"א: טו. ירושלמי פ"ק דסוטה:

אם למקרא

כֹּה תֹאמְרוּ לְיוֹסֵף אָנָּא שָׂא נָא פֶּשַׁע אַחֶיךָ וְחַטָּאתָם כִּי רָעָה גְמָלוּךָ וְעַתָּה שָׂא נָא לְפֶשַׁע עַבְדֵי אֱלֹהֵי אָבִיךָ וַיֵּבְךְּ יוֹסֵף בְּדַבְּרָם אֵלָיו: (בראשית נ:יז)

כִּי־תִקְרַב אֶל עִיר לְהִלָּחֵם עָלֶיהָ וְקָרָאתָ אֵלֶיהָ לְשָׁלוֹם: (דברים כ:י)

וַיִּבֶן שָׁם גִּדְעוֹן מִזְבֵּחַ לַה' וַיִּקְרָא לוֹ ה' שָׁלוֹם עַד הַיּוֹם הַזֶּה עוֹדֶנּוּ בְּעָפְרַת אֲבִי הָעֶזְרִי: (שופטים ו:כד)

שינוי נוסחאות

(ט) **ושמעה קליא דרושא.** בספרים הישנים היה כתוב "קליה דרשא", והגיה מ"כ "קליה דרושא" (אולי צ"ל בדבריו "קליה דרושא"), דהיינו "קולו של הדורש", ומקראקא ואילך כתבו "דרושא". אבל מה שנמצא בספרים מאוחרים "קליא" במקום "קליה" הוא שיבוש בעלמא.

אַמְתִּינַת עַד דְּיֶחְסַל — She waited until [R' Meir] concluded.[153] מִדְּדְרַשׁ אָזְלָה לְבֵיתָהּ אַשְׁכְּחָא בּוּצִינָא טָפֵי — After he had lectured she went to her home and she found the candle extinguished[154] due to the lateness of the hour. אֲמַר לָהּ בַּעְלָהּ: אָן הֲוֵית — Her husband asked her, "Where were you?!" אָמְרָה לֵיהּ: אֲנָא יָתִיבָא וְשָׁמְעָה קָלֵיהּ דְּרוֹשָׁא — She answered him, "I was sitting and listening to the voice of the Midrash-lecturer." אֲמַר לָהּ: כֵּן וְכֵן לָא אַעֲיילַתְּ לְהָכָא — He said to her, "Such-and-such shall happen to me so that you shall not come here (i.e., into my house),[155] עַד דַּאֲזַלְתְּ וְרוֹקַת בְּאַנְפֵּי דְּרוֹשָׁא — until you go and spit in the face of the Midrash-lecturer!"[156] יְתִיבָא שַׁבַּתָּא קַמַּיְיתָא תִּנְיָיתָא וּתְלִיתָא — So she sat outside the house for a first week, a second week, and a third week.[157] אֲמָרוּן לָהּ מְגִירָתָא: כְּדוּ אַתּוּן צְהִיבִין — Eventually, her neighbors said to her, "You are still in a state of anger with each other?![158] אָתְיָנָן עִמָּךְ לְגַבֵּי דְּרוֹשָׁא — We will go with you to the Midrash-lecturer." And so they went to find a solution to her predicament.[159] כֵּיוָן דְּחָמֵי יַתְהוֹן רַבִּי מֵאִיר צָפָה בְּרוּחַ הַקּוֹדֶשׁ — When R' Meir saw them he perceived through the Divine Spirit all that had occurred.[160] אֲמַר לְהוֹ: אִית מִנְּכוֹן אִיתְּתָא דַּחֲכִימָא לְמִילְחַשׁ בְּעֵינָא — He asked them, "Is there a woman among you who is proficient in chanting incantations regarding the eye for one whose eye is ailing?"[161]

NOTES

153. *Matnos Kehunah*, followed by *Eitz Yosef*.

154. Ibid.

Presumably, the fact that the woman was not home while the house was still lit was a factor in her husband's angry reaction that is described below.

155. Elucidation follows *Yedei Moshe*, followed by *Eshed HaNechalim*, *Maharzu*, and *Eitz Yosef*, who explains that the man was taking an oath. (See *Matnos Kehunah* for another approach.)

156. The man was wicked and wished to cause his wife anguish (*Matnos Kehunah*, followed by *Eitz Yosef*; see also *Devarim Rabbah* 5 §15).

157. *Eitz Yosef*.

158. Ibid., from *Aruch*; also see *Matnos Kehunah*.

159. *Matnos Kehunah*, followed by *Eitz Yosef*.

160. *Matnos Kehunah*.

[According to the parallel of this Midrash that appears in *Devarim Rabbah* ibid., Elijah the Prophet came and told R' Meir, *"Because of you this woman left her house,"* and then proceeded to tell him what had transpired between her and her husband. Also there, as well as in *Yerushalmi Sotah* 1:5, it is added that upon seeing the woman approaching, R' Meir feigned an eye ailment.]

161. Elucidation follows *Matnos Kehunah*, followed by *Eitz Yosef*, who adds that it was commonplace to spit into an ailing eye while chanting incantations to heal it.

אָמַר רַבָּן שִׁמְעוֹן בֶּן גַּמְלִיאֵל: [יד]גָּדוֹל שָׁלוֹם, שֶׁדִּבְּרוּ הַכְּתוּבִים לְשׁוֹן בַּדָּיוֹת בַּתּוֹרָה לְהַטִּיל שָׁלוֹם בֵּין יוֹסֵף לְאֶחָיו, הָדָא הוּא דִכְתִיב (בראשית נ, יז) "כֹּה תֹאמְרוּ לְיוֹסֵף אָנָּא שָׂא נָא", וְלֹא אַשְׁכְּחָן בְּיַעֲקֹב דְּפַקֵּד כְּלוּם, אָמַר רַבִּי יוֹסֵי הַגְּלִילִי: גָּדוֹל שָׁלוֹם, שֶׁאֲפִילוּ בִּשְׁעַת הַמִּלְחָמָה אֵין פּוֹתְחִין אֶלָּא בְּשָׁלוֹם, הָדָא *הוּא דִכְתִיב (דברים כ, י) "כִּי תִקְרַב אֶל עִיר וְגוֹ'", אָמַר רַבִּי יוּדָן בַּר רַבִּי יוֹסֵי: גָּדוֹל שָׁלוֹם, שֶׁשְּׁמוֹ שֶׁל הַקָּדוֹשׁ בָּרוּךְ הוּא נִקְרָא שָׁלוֹם, הָדָא הוּא דִכְתִיב (שופטים ו, כד) "וַיִּקְרָא לוֹ ה' שָׁלוֹם", אָמַר רַבִּי תַּנְחוּם בַּר יוּדָן: מִכָּאן שֶׁאָסוּר לוֹ לְאָדָם לִשְׁאוֹל בִּשְׁלוֹם חֲבֵירוֹ בְּמָקוֹם מְטוּנָּף, תָּנֵי רַבִּי יִשְׁמָעֵאל: גָּדוֹל שָׁלוֹם, שֶׁשֵּׁם הַגָּדוֹל שֶׁנִּכְתַּב בִּקְדוּשָּׁה אָמַר הַקָּדוֹשׁ בָּרוּךְ הוּא: יִמָּחֶה בַּמַּיִם כְּדֵי לְהַטִּיל שָׁלוֹם בֵּין אִישׁ לְאִשְׁתּוֹ, [טו]רַבִּי מֵאִיר הֲוָה יָתֵיב וְדָרֵישׁ בְּלֵילֵי שַׁבַּתָּא, הֲוָיָה תַּמָּן חֲדָא אִתְּתָא יַצִּיבָא וְשָׁמְעָה לֵיהּ תָּנְתָא מִדְרְשָׁא, אַמְתִּינַת עַד דְּיֶחְסַל, מִדְּרַשׁ, אָזְלָה לְבֵיתָהּ, אַשְׁכְּחָא בּוּצִינָא טָפֵי, אֲמַר לָהּ בַּעְלָהּ: אָן הֲוֵית, אָמְרָה לֵיהּ: אֲנָא יְתִיבָא וְשָׁמְעָה °קָלַיָּא דָרוֹשָׁא, אֲמַר לָהּ: כֵּן וְכֵן לָא אִעַיְּילְתְּ לְהָכָא עַד דַּאֲזַלְתְּ וְרוֹקַת בְּאַנְפֵּי דָרוֹשָׁא, יְתִיבָא שַׁבַּתָּא קַמַּיְיתָא תִּנְיָתָא וּתְלִיתָא, אֲמָרוּן לָהּ מְגֵירָתָא: כַּדּוּ אַתּוּן צְהִיבִין, אָתְיָנָן עִמָּךְ לְגַבֵּי דָרוֹשָׁא, כֵּיוָן דְּחָמֵי יַתְהוֹן רַבִּי מֵאִיר צָפָה בְּרוּחַ הַקּוֹדֶשׁ, אֲמַר לְהוֹ: אִית מִנְּכוֹן אִתְּתָא דְּחַכִּימָא לְמִילְחַשׁ בְּעֵינָא,

עץ יוסף

בין יוסף לאחיו. ואמר שדברו הכתובים לשון בדוים כו' בין יוסף לאחיו, ולא הביא ראיה מהשבטים עצמם שדברו דברים בדוים בשביל השלום. יש לומר דסבירא ליה דמן השבטים עצמם ליכא ראיה שהרי מפני הסכנה דברו שקר ובהא פשיטא דמותר לשקר וכדאמרינן (יומא פה, ב ועוד) וחי בהם ולא שימות בהם, אלא מהכתובים איכא ראיה, דמאי קא משמע לן בהא, דהיכי דאיכא סכנה פשיטא, אלא אם אינו ענין לעצמו תנהו לענין שלום בעלמא אף על גב דליכא פקוח נפש (יפה תואר וזר הקדש): **ולא אשכחן ביעקב כו'.** ואם תאמר מאי ראיה היא זו הרי כמה מילי דלא כתיבי בדוכתייהו וילפינן להו מספורים אחרים, כגון (דברים א, כב) ותקרבון אלי ותאמרו נשלחה אנשים לפנינו שלא נזכר במקומו, ואלה רבים. ויש לומר דכיון דשבח יעקב הוא אילו שת לבו לצוות קודם מותו, שאף על פי שהוא חשב שאין צורך לדבר כי לב יוסף שלם, מכל מקום יותר טוב היה אילו צוה ולא יסמוך אפירוקי לסכנתא, אם כן לא הוה שתיק קרא מיניה שאין דרך הכתוב להעלים מה שהוא שבח הצדיקים, ועוד כדי שנלמוד ממנו (יפה תואר), אבל בספר הישר איתא שבאמת צוה יעקב זה: **שאפילו בשעת המלחמה כו'.** רצה לומר כי השלום גדול כי הוא דבר שאין ראוי כלל שיסולק ואל תאמר כי בשעת מלחמה אין כאן שלום כי המלחמה הוא הפך השלום, שמאחר שראינו שהתורה התירה להרגם כי הם ראוים להריגה, עם כל זה גדול השלום כי אף בשעת מלחמה לא יסולק השלום, ולא ניתן רשות למלחמה רק כאשר אינם רוצים בשלום, אבל אם יחפוצו בשלום יקובלו, ומזה תראה כי אין הסרה מן השלום (מהר"ל נתיבות עולם נתיב השלום פרק א): **ששמו של הקדוש ברוך הוא נקרא שלום.** מפני שהוא אחד הגמור, ופשוט תכלית הפשיטות, ואם כן אין בו הרכבה מאומה ואין בעצמותו שום ניגוד: **ה' שלום.** דרשו ה' שהוא שלום, שגדר השלום רק אצלו יתברך, כי הוא האחד הגמור הפשוט ואין בו שום ניגוד והרכבה מאומה: **במקום מטונף.** שזכירת שם שלום מביא לידי זכירת ה' שהוא השלום הגמור ולכן אסור להזכיר במקום מטונף: **יציבא.** עומדת: **תנתא מדרשא.** שונה מדרש (מתנות כהונה). או פירושו נתאחרה הדרשא דרבי מאיר. והאות אמת כתב שהני תיבות תנתא מדרשא מיותרים. ולי נראה דצריך לומר איטעי מדרשא, ופירושו, נמשך הדרשא, ועיין בבמדבר רבה פרשה ט' (סימן כ). והרד"ל גורס חדא איתתא וילפא שמעא ליה [רגילה לשמוע לו] ענתא מדרשא [נתאחרה הדרשה] אמתינת כו', וכן הוא בירושלמי סוף פרק א' דסוטה ובבמדבר רבה פרשה ט', וכך צריך לומר. עד כאן לשונו: **אמתינת כו'.** המתינה עד שמסיים: **בוצינא טפי.** פירוש הנר כבה, שלא תכבה (ויקרא ו, ה) תרגום אונקלוס לא תטפי: **אן הוית.** אנה הוית: **קליא דרושא.** פירוש קול של הדרשן: **בן ובן.** הוא לשון שבועה, כן וכן יהיה לי שלא תכנס לכאן, כלומר לביתי, עד שתלך ותרוק בפני הדורש, ואותו האיש היה רשע ומכוין לצערה (מתנות כהונה): **יתיבא.** כן צריך לומר. פירוש ישבה חוץ לביתו שבת ראשונה ושניה ושלישית: **מגירתא.** שכינותיה: **בדו.** כזאת, כלומר עדיין לעת כזאת: **אתון צהיבין.** אתם שרוים בכעס יחד (ערוך ערך צהב ג'): **אתינן כו'.** נבא עמך אצל הדרשן, וכן עשו והלכו למצוא לה תקנה: **דחמי.** שראה: **אית מנבון כו'.** כלום יש מכם ובכם אשה דחכימא כו'. פירוש חכמה ובקיאה ללחוש על העין שחש בעיניו, וכשהיו מלחשים היו צריכין לרוק על העין:

פירוש מהרז"ו

אמר רבן שמעון בן גמליאל. בראשית רבה (ק, ח) ושם פירשתי באיזה אופן היו הבדיות: **כי תקרב אל עיר.** וקראת אליה לשלום: **רבי מאיר.** ירושלמי פאה שם במדבר רבה (ט, כ), דברים רבה (ה, ט): **לא כן וכן.** לא יהיה לי כך וכך ולשון שבועה הוא. ועיין מתנות כהונה, וידי משה, שאינם מעתיקים תיבת לא אלא כן וכן, ופירוש גם כן לשון שבועה כך וכך יהיה לי:

מסורת המדרש

יד. יבמות דף ס"ה. מסכת ד"א פ' י"א: טו. ירושלמי פ"ק דסוטה:

אם למקרא

כֹּה תֹאמְרוּ לְיוֹסֵף אָנָּא שָׂא נָא פֶּשַׁע אַחֶיךָ וְחַטָּאתָם כִּי רָעָה גְמָלוּךָ וְעַתָּה שָׂא נָא לְפֶשַׁע עַבְדֵי אֱלֹהֵי אָבִיךָ וַיֵּבְךְּ יוֹסֵף בְּדַבְּרָם אֵלָיו: (בראשית נ:יז)

כִּי־תִקְרַב אֶל עִיר לְהִלָּחֵם עָלֶיהָ וְקָרָאתָ אֵלֶיהָ לְשָׁלוֹם: (דברים כ:י)

וַיִּבֶן שָׁם גִּדְעוֹן מִזְבֵּחַ לַה' וַיִּקְרָא לוֹ ה' שָׁלוֹם עַד הַיּוֹם הַזֶּה עוֹדֶנּוּ בְּעָפְרַת אֲבִי הָעֶזְרִי: (שופטים ו:כד)

שינוי נוסחאות

(ט) **ושמעה קליא דרושא.** בספרים הישנים היה כתוב "קליה דרשא", והגיה מ"כ "קליה דרושא" (אולי צ"ל בדבריו "קליה דדרושא"), דהיינו "קולו של הדורש", ומקראקא ואילך כתבו "דרושא" כהגהת מ"כ. אבל מה שנמצא בספרים מאוחרים "קליא" במקום "קליה" הוא שיבוש בעלמא.

חידושי הרד"ל

שאסור כו' שלום במקום מטונף. שבת י, א: **חדא איתתא וילפא שמעא ליה** (רגילה לשמוע לו), **ענתא מדרשא** (נתאחרה הדרשא דרבי מאיר), **אמתינת כו'.** וכן הוא בירושלמי סוף פ"א דסוטה, ובמדבר רבה פ"ח, וכן צריך להיות.

באור מהרי"פ

אתון צהיבין. פירוש עדיין אתם בכעס, וכעסתה צרתה (שמואל א' א, ו) תרגום ומרגזא לה:

ידי משה

[ט] **ולא אשכחן דפקד יעקב כלום.** פירוש שהכתוב שינה שתלמד ממנו שתעשה שלום, דאם לא תאמר הכי מה שלום שייך כאן מה שאמר שדברו הכתובים וכו', והלא יוסף לא ראה שינוי הכתובים, אלא על כרחך כמו שפרשתי שהורה שתשנה מחמת שלום: **כן וכן לא תעייל להבא.** עיין מתנות כהונה, ולא יפה כיון, אלא הפירוש שנשבע, כן וכן לשון קללה הוא, כלומר זה יהיה לי אם תעייל להכא עד שתרוק בפניו:

מתנות כהונה

רבי מאיר הוה יתב כו'. גם זה בפרשת נשא (ט, כ) ובפרשת שופטים (ה, טו): **יציבא.** עומדת: **תנתא מדרשא.** שונה מדרש: **אמתינת כו'.** המתינה עד שסיים: **ממדרש.** גרס, פירוש משדרש הלכה לביתה: **בוצינא טפי.** הנר כבוי, לא תכבה (ויקרא ו, ו) תרגם אונקלוס לא תטפי: **אן הוית.** אנא היית: **קליה דרושא.** גרס, פירוש קול של הדורש: **כן וכן כו'.** בין כך ובין כך לא תכנס לכאן, כלומר לבית עד כו', עד שתלך ותרוק בפני הדורש, ואותו האיש היה רשע ומכוין לצערה, כדאיתא בפרשת שופטים: **יתיבא גרסינן כו'.** פירוש ישבה חוץ לביתו שבת ראשונה ושנייה ושלישית: **אמרו לה מגירתא.** שכנותיה: **בדו.** כזאת, כלומר עדיין לעת כזאת: **אתון צהיבין.** אתם שרויין בכעס יחד, כך פירש הערוך: **אתינון כו'.** נבא עמך אצל הדרשן, וכן עשו והלכו למצוא לה תקנה: **ביון כו'.** משראה אותם רבי מאיר היה צופה ברוח הקדש את כל המאורע: **אמר להן גרסינן.** פירוש אמר אל הנשים, כלום יש מכם ובכם אשה **דחכימא כו'**, פירוש חכמה ובקיאה ויודעת ללחוש על העין, למי שחש בעיניו וכשהיו מלחשין היו צריכין לרוק על העין:

אשד הנחלים

לשון בדיות כו' כה תאמר כו'. אף שאמת הוא שדברו אחיו ככה, עם כל זה אם היה עָוֶל בדבר, לא היה הכתוב מספר ככה, אלא ודאי שמהראוי בשביל שלום לשנות: **בשעת המלחמה.** שראינו שהתורה התירה להרגם כי הם ראוים להריגה, עם כל זה גדול השלום, שאם יחפוצו בשלום יקובלו: **ששמו של הקב"ה נקרא שלום.** מפני שהוא אחד הגמור, ופשוט בתכלית הפשיטות, ואם כן אין בו הרכבה מאומה ואין בעצמותו שום ניגוד. ובזה תבין כי המלאכים צריכים לשלום אבל אינם נקראים שלום, אבל הוא יתברך הוא בעצמותו שלום. הבן כל זה: **ה' שלום.** דרשו ה' שהוא שלום, שגדר השלום רק אצלו יתברך, כי הוא האחד הגמור הפשוט, ואין בו שום ניגוד והרכבה מאומה: **שאסור לשאול.** שזכירת שם שלום מביא לידי זכירת ה' שהוא השלום הגמור, ולכן אסור להזכיר: **כן וכן.** עיין במתנות כהונה. והידי משה פירש שנשבע כן וכן יהיה לו אם תעייל להכא עד שתרוק לפניו, והוא נכון. ופירוש המעשה כולה עיין במתנות כהונה:

אָמְרִין לָהּ מְגֵירָתָא: כְּדוּ אַתְּ אָזְלַת וְרוֹקַת בְּאַנְפֵּיהּ וְתִשְׁרֵי לְבַעֲלִךְ — [The woman's] neighbors said to her, "Now you can go and spit in his face and be permitted to your husband!" And so the woman went and sat before R' Meir in order to recite incantations and spit into his eye.[162] כֵּיוָן דְּיָתְבָא קָמֵּיהּ אִידְחִילַת מִינֵּיהּ — When she sat before him, she became frightened of him.[163] אָמְרָה לֵיהּ: רַבִּי לֵית אֲנָא חַכִּימָא לְמִילְחַשׁ עֵינָא — She said to him, "Rabbi, I am not really proficient in chanting incantations regarding the eye."[164] אֲמַר לָהּ: אֲפִילּוּ הָכִי רוֹקִי בְּאַנְפַּי שֶׁבַע זִימְנִין וַאֲנָא מִיתְּשִׁים — He responded to her, "Even so, spit in my face seven times and I will be healed."[165] עָבְדָה הָכֵין — She did so.[166] אֲמַר לָהּ: אִיזִילִי אִמְרִי לְבַעֲלִיךְ: אַתְּ אֲמַרְתְּ חֲדָא זִימְנָא וַאֲנָא רָקִית שֶׁבַע זִימְנִין — He said to her, "Go tell your husband, 'You said to spit at the lecturer one time, and I spit seven times!' "[167] אָמְרוּ לוֹ תַּלְמִידָיו: רַבִּי, כָּךְ מְבַזִּין אֶת הַתּוֹרָה — [R' Meir's] students asked him, "Rebbi, do we disgrace the Torah this way? לָא הֲוָה לָךְ לְמֵימַר לְחַד מִינָּן לְמִלְחַשׁ לָךְ — Should you not have told one of us to chant incantations and spit for you?"[168] אֲמַר לְהוֹ לָא דַּיּוֹ לְמֵאִיר לִהְיוֹת שָׁוֶה לְקוֹנוֹ — He responded to them, "Is it not enough for Meir to be equal to his Creator?! דְּתָנֵי רַבִּי יִשְׁמָעֵאל: גָּדוֹל שָׁלוֹם — For R' Yishmael taught: Great is peace, שֶׁשֵּׁם הַגָּדוֹל שֶׁנִּכְתַּב בִּקְדוּשָּׁה — for regarding the Great Name that was written in holiness, אָמַר הַקָּדוֹשׁ בָּרוּךְ הוּא יִמָּחֶה עַל הַמַּיִם — the Holy One, blessed is He, said, 'Let it be erased into the water בִּשְׁבִיל לְהַטִּיל שָׁלוֹם בֵּין אִישׁ לְאִשְׁתּוֹ — in order to promote peace between a man and his wife!' "[169]

אָמַר רַבִּי שִׁמְעוֹן בֶּן חֲלַפְתָּא: גָּדוֹל שָׁלוֹם — R' Shimon ben Chalafta said: Great is peace, שֶׁכְּשֶׁבָּרָא הַקָּדוֹשׁ בָּרוּךְ הוּא אֶת עוֹלָמוֹ — for when the Holy One, blessed is He, created His world, עָשָׂה שָׁלוֹם בֵּין הָעֶלְיוֹנִים לַתַּחְתּוֹנִים — he made peace between the upper realms and the lower realms. The Midrash elaborates: בַּיּוֹם הָרִאשׁוֹן בָּרָא מִן הָעֶלְיוֹנִים וּמִן הַתַּחְתּוֹנִים — On the first day, [God] created from the upper realms and from the lower realms; הָדָא הוּא דִכְתִיב "בְּרֵאשִׁית בָּרָא אֱלֹהִים אֵת הַשָּׁמַיִם וְאֵת הָאָרֶץ" — thus it is written, *In the beginning God created the heavens and the earth* (*Genesis* 1:1). בַּשֵּׁנִי בָּרָא מִן הָעֶלְיוֹנִים הָדָא הוּא דִכְתִיב "וַיֹּאמֶר אֱלֹהִים יְהִי רָקִיעַ" — On the second day, He created from the upper realms; thus it is written, *God said, "Let there be a firmament"* (ibid., v. 6). בַּשְּׁלִישִׁי בָּרָא מִן הַתַּחְתּוֹנִים "וַיֹּאמֶר אֱלֹהִים יִקָּווּ הַמַּיִם" — On the third day, He created from the lower realms; thus it is written, *God said, "Let the waters beneath the heaven be gathered into one area, and let the dry land appear"* (ibid., v. 9). בָּרְבִיעִי מִן הָעֶלְיוֹנִים "יְהִי מְאֹרֹת בִּרְקִיעַ הַשָּׁמַיִם" — On the fourth day, He created from the upper realms; thus it is written, *God said, "Let there be luminaries in the firmament of the heaven"* (ibid., v. 14). בַּחֲמִישִׁי בָּרָא מִן הַתַּחְתּוֹנִים "וַיֹּאמֶר אֱלֹהִים יִשְׁרְצוּ הַמַּיִם" — On the fifth day, He created from the lower realms; thus it is written, *God said, "Let the waters teem with teeming living creatures, and fowl, etc."* (ibid., v. 20). בַּשִּׁשִּׁי בָּא לִבְרְאוֹת אָדָם — On the sixth day, He prepared to create man. אָמַר: אִם אֲנִי בּוֹרֵא אוֹתוֹ מִן הָעֶלְיוֹנִים — [God] said to himself then, "If I create him from the upper realms, הֲרֵי הָעֶלְיוֹנִים רַבִּים מִן הַתַּחְתּוֹנִים בְּרִיָּה אַחַת — the upper realms will be more than the lower realms by one creation; אִם אֲנִי בּוֹרֵא אוֹתוֹ מִן הַתַּחְתּוֹנִים — and if I create him from the lower realms, הֲרֵי הַתַּחְתּוֹנִים רַבִּים עַל הָעֶלְיוֹנִים בְּרִיָּה אַחַת — the lower realms will be more than the upper realms by one creation!"[170] מֶה עָשָׂה — So what did God do? בְּרָאוֹ מִן הָעֶלְיוֹנִים וּמִן הַתַּחְתּוֹנִים — He created [man] from the upper realms and from the lower realms. הָדָא הוּא דִכְתִיב "וַיִּיצֶר ה' אֱלֹהִים אֶת הָאָדָם עָפָר מִן הָאֲדָמָה" — Thus it is written, *And HASHEM God formed the man of dust from the ground* (ibid. 2:7) — מִן הַתַּחְתּוֹנִים — from the lower realms; "וַיִּפַּח בְּאַפָּיו נִשְׁמַת חַיִּים" — *and He blew into his nostrils the soul of life* (ibid.) — מִן הָעֶלְיוֹנִים — from the upper realms.[171]

The Midrash at last presents the lesson regarding peace that will serve to explain why our verse concludes its list with *shelamim*-offerings:

רַבִּי מָנֵי דִּשְׁאַב וְרַבִּי יְהוֹשֻׁעַ דְּסִכְנִין בְּשֵׁם רַבִּי לֵוִי — R' Manei of She'av and R' Yehoshua of Sichnin[172] said in the name of R' Levi: גָּדוֹל שָׁלוֹם — Great is peace, שֶׁכָּל הַבְּרָכוֹת וְטוֹבוֹת וְנֶחָמוֹת שֶׁהַקָּדוֹשׁ בָּרוּךְ הוּא מְבִיאָן עַל יִשְׂרָאֵל חוֹתְמִין בְּשָׁלוֹם — for all the blessings and good things and consolations that the Holy One, blessed is He, brings upon Israel conclude with peace.[173] The Midrash demonstrates this: בִּקְרִיאַת שְׁמַע "פּוֹרֵס סוּכַּת שָׁלוֹם" — In the *Shema* recitation — "Who spreads the shelter of peace."[174]

NOTES

162. *Matnos Kehunah*, followed by *Eitz Yosef*.

163. The woman was overcome with embarrassment (*Matnos Kehunah*, followed by *Eitz Yosef*).

164. Ibid.

165. Ibid.

166. Ibid.

167. Ibid.

168. R' Meir's students saw it as a disgrace to the honor of the Torah that so great a scholar had allowed the woman to spit in his face.

169. R' Meir argued that he need not show more concern for his prestige as a Torah scholar than God Himself shows for His own honor (see *Korban HaEidah* to *Yerushalmi* loc. cit.).

Although R' Meir could have physically coerced the husband to accept his wife back into their home, he felt that the man would harbor resentment toward his wife for causing him that pain. Alternatively, R' Meir felt that [while he was clearly in the wrong] the man did not deserve to be physically coerced since the wife had, after all, acted improperly in returning late (*Eitz Yosef* from *Sheyarei Korban* [to *Yerushalmi* loc. cit.]).

170. This would cause the Creation of the universe to be tainted by jealousy (see *Rashi* to *Genesis* 2:7).

171. In this way, God caused Creation to be balanced and He thereby *made peace between the upper realms and the lower realms*.

See Insight Ⓐ.

172. *Matnos Kehunah*.

173. What upholds something is its conclusion [e.g., the signature that appears at the end of a document]. Thus, peace, which enables longevity, is fittingly placed at the end of blessings and good things (*Eitz Yosef*, from *Nesivos Olam* [*Nesiv HaShalom*, Ch. 1 s.v. ופי' דבר זה, second approach]). These words are recited at the end of the blessings of the evening *Shema* on the Sabbath.

174. [A number of Midrash manuscripts conform to the more prevalent version of that blessings, "הַפּוֹרֵס סוּכַּת שָׁלוֹם", *"the One" Who spreads a shelter of peace*.]

INSIGHTS

Ⓐ **The Heavenly Soul** According to our Midrash, God was concerned that the upper realms would be jealous if man were to be made from the lower ones and to avoid this He gave man a soul from the upper realms. But how was the upper realms' jealousy prevented if the soul it provided was compelled to join the body and become an inhabitant of the lower realms?

The answer is that the soul of a worthy person is not confined to this world at all. In truth, the soul that exists within a man remains rooted in the heavens from which it emanates. From there, the soul extends down through innumerable different realms until at last its very lowest part takes up residence in the body on earth. The soul may be compared to a rope that dangles down to the earth from where it is secured high above (compare *Deuteronomy* 32:9). And just as one who tugs on the bottom of such a rope causes its entire length to vibrate, so do the deeds of a man affect his soul all the way to its heavenly roots (*Anaf Yosef*, citing *Nefesh HaChaim*).

אמרין לה מגירתא כו'. אמרו לו השכנות, כדו כו', בכן את תלך ורוקק לו בפניו ותהא מותר לבעליך וכן עשתה והלכה וישבה לפניו ללחוש עינו: כיון דיתבא כו'. כשישבה לפניו ללחוש היתה מתיירא מפניו מפני הבושה: לית אנא חבימא. אין אנא חכמה ובקיאה ללחוש על העין: רוקי באנפי. תהיה רוקק בעיני שבע פעמים: ואנא מינשים. פירוש מתרפא: עבדא הכין. עשתה כן: איזילי כו'. לך אמור לבעליך אתה אמרת לרוק בפני הדורש פעם אחד לבד ואני כו': לחד מינן. לאחד ממנו: לא דיו למאיר כו'. ואם תאמר בשלמא בסוטה אי אפשר בענין אחר, מה שאין כן באשה זו הלא היו יכולים לכוף אותו שיתרצה. ויש לומר שאף שאם היה מתרצה עכשיו מכל מקום היה נוטר השנאה בלבו על אשר הביאתו לידי מלקות. או יש לומר דלדעת רבי מאיר שאין הבטל ראוי למכות שבאמת היא עשתה שלא כדין שאיחרה בבית הכנסת (שירי קרבן): עשה שלום בין העליונים כו'. עיין בבראשית רבה (יב, ז), ועיין בענף כאן: וטובות. הייתי קרבנות דמפרש בסמוך: חותמים בשלום. משום שאין קיום הדבר אלא בחותמיו, ושלום נותן קיום, לפיכך חותם כל הברכות וטובות וכו' חותמים בשלום (ספר נתיבות עולם): בעולם הבא. דהיינו נחמות דקאמר לעיל, מנין, כלומר שאולי אינם צריכים עוד לברכת שלום אחר שלא יהיה יצר הרע בעולם ולא שנאה ולא תחרות. תלמוד לומר הנני נוטה אליה כנהר שלום, ושעיה כוליה נחמתא, וסיים בכך נחמתא: אינו פותח אלא בשלום. והכא לא נקטיה איהו חותם כהכי דלעיל, שבשורות טובות של מלך המשיח אין להם סוף, שבכל יום יהיה מוסיף בטובה, לכן פתח בשלום:

אמר רבי שמעון בן חלפתא. בראשית רבה (יב, ח) כל הענין, ורש"י על המדרש מגיה שם מכאן, ושם מבואר: בבלל בפרט מנין. שפסוק זאת התורה הוא כלל, שהזכיר כל הקרבנות בפסוק אחד, אך לפני פסוק זה חושב כל הקרבנות בפרשיות מיוחדות:

*אָמְרִין לָהּ מְגֵירָתָא: כַּדוּ אַתְּ אָזְלַת וְרוֹקַת בְּאַנְפֵּיהּ וְתִשְׁרֵי לְבַעְלִךְ כֵּיוָן דִּיתְבָא קַמֵּיהּ אִידְחִילַת מִינֵּיהּ אָמְרָה לֵיהּ: רַבִּי לֵית אֲנָא חֲכִימָא לְמִילְחַשׁ עֵינָא, אֲמַר לָהּ: אֲפִילּוּ הָכִי רוֹקִי בְּאַנְפַּי שְׁבַע זִימְנִין וַאֲנָא מִינְשִׁים, עָבְדָה הָכֵין, אֲמַר לָהּ: אִיזִילִי אִמְרִי לְבַעְלִיךְ: אַתְּ אֲמַרְתְּ חֲדָא זִימְנָא וַאֲנָא רָקִית שְׁבַע זִימְנִין, אָמְרוּ לוֹ תַּלְמִידָיו: רַבִּי, כָּךְ מְבַזִּין אֶת הַתּוֹרָה, לֹא הֲוָה לָךְ לְמֵימַר לְחַד מִינָּן לְמִלְחַשׁ לָךְ, אֲמַר לְהוֹ: לֹא דַיּוֹ לְמֵאִיר לִהְיוֹת שָׁוֶה לְקוֹנוֹ, דְּתָנֵי רַבִּי יִשְׁמָעֵאל: טזגָּדוֹל שָׁלוֹם שֶׁשֵּׁם הַגָּדוֹל שֶׁנִּכְתַּב בִּקְדוּשָּׁה אָמַר הַקָּדוֹשׁ בָּרוּךְ הוּא יִמָּחֶה עַל הַמַּיִם בִּשְׁבִיל לְהָטִיל שָׁלוֹם בֵּין אִישׁ לְאִשְׁתּוֹ, אָמַר רַבִּי שִׁמְעוֹן בֶּן חֲלַפְתָּא: גָּדוֹל שָׁלוֹם שֶׁכְּשֶׁבָּרָא הַקָּדוֹשׁ בָּרוּךְ הוּא אֶת עוֹלָמוֹ עָשָׂה שָׁלוֹם בֵּין הָעֶלְיוֹנִים לַתַּחְתּוֹנִים, בַּיּוֹם הָרִאשׁוֹן בָּרָא מִן הָעֶלְיוֹנִים וּמִן הַתַּחְתּוֹנִים, הֲדָא הוּא דִכְתִיב (בראשית א, א) "בְּרֵאשִׁית בָּרָא אֱלֹהִים אֵת הַשָּׁמַיִם וְאֵת הָאָרֶץ", בַּשֵּׁנִי בָּרָא מִן הָעֶלְיוֹנִים, הֲדָא הוּא דִכְתִיב (שם שם ו) "וַיֹּאמֶר אֱלֹהִים יְהִי רָקִיעַ", בַּשְּׁלִישִׁי בָּרָא מִן הַתַּחְתּוֹנִים, (שם שם ט) "וַיֹּאמֶר אֱלֹהִים יִקָּווּ הַמַּיִם", בָּרְבִיעִי מִן הָעֶלְיוֹנִים, (שם שם יד) "יְהִי מְאֹרֹת בִּרְקִיעַ הַשָּׁמַיִם", בַּחֲמִישִׁי בָּרָא מִן הַתַּחְתּוֹנִים, (שם שם כ) "וַיֹּאמֶר אֱלֹהִים יִשְׁרְצוּ הַמַּיִם", בַּשִּׁשִּׁי בָּא לִבְרֹאות אָדָם, אָמַר: אִם אֲנִי בּוֹרֵא אוֹתוֹ מִן הָעֶלְיוֹנִים הֲרֵי הָעֶלְיוֹנִים רַבִּים מִן הַתַּחְתּוֹנִים בְּרִיָּה אַחַת, אִם אֲנִי בּוֹרֵא אוֹתוֹ מִן הַתַּחְתּוֹנִים הֲרֵי הַתַּחְתּוֹנִים רַבִּים עַל הָעֶלְיוֹנִים בְּרִיָּה אַחַת, מֶה עָשָׂה, בְּרָאוֹ מִן הָעֶלְיוֹנִים וּמִן הַתַּחְתּוֹנִים, הֲדָא הוּא דִכְתִיב (שם ב, ז) "וַיִּיצֶר ה' אֱלֹהִים אֶת הָאָדָם עָפָר מִן הָאֲדָמָה" מִן הַתַּחְתּוֹנִים, (שם) "וַיִּפַּח בְּאַפָּיו נִשְׁמַת חַיִּים" מִן הָעֶלְיוֹנִים, רַבִּי מָנִי דִּשְׁאָב וְרַבִּי יְהוֹשֻׁעַ דְּסִכְנִין בְּשֵׁם רַבִּי לֵוִי: יזגָּדוֹל שָׁלוֹם שֶׁכָּל הַבְּרָכוֹת וְטוֹבוֹת וְנֶחָמוֹת שֶׁהַקָּדוֹשׁ בָּרוּךְ הוּא מְבִיאָן עַל יִשְׂרָאֵל חוֹתְמִין בְּשָׁלוֹם, בִּקְרִיאַת שְׁמַע "פּוֹרֵס סֻכַּת שָׁלוֹם", בַּתְּפִלָּה "עוֹשֶׂה שָׁלוֹם", בְּבִרְכַּת כֹּהֲנִים (במדבר ו, כו) "וְיָשֵׂם לְךָ שָׁלוֹם", וְאֵין לִי אֶלָּא בִּבְרָכוֹת, בְּקָרְבָּנוֹת מִנַּיִן, [ז, לז] "זֹאת הַתּוֹרָה לָעֹלָה לַמִּנְחָה וְלַחַטָּאת וְלָאָשָׁם וְלַמִּלּוּאִים וּלְזֶבַח הַשְּׁלָמִים", אֵין לִי אֶלָּא בִּכְלָל, בִּפְרָט מִנַּיִן, (לעיל ו, ב) "זֹאת תּוֹרַת הָעֹלָה", (שם שם ז) "וְזֹאת תּוֹרַת הַמִּנְחָה", (שם שם יח) "זֹאת תּוֹרַת הַחַטָּאת", (שם ז א) "וְזֹאת תּוֹרַת הָאָשָׁם", (שם שם יא) "וְזֹאת תּוֹרַת זֶבַח הַשְּׁלָמִים", וְאֵין לִי אֶלָּא בְּקָרְבְּנוֹת יָחִיד, בְּקָרְבְּנוֹת צִבּוּר מִנַּיִן, תַּלְמוּד לוֹמַר (במדבר כט, לט) "אֵלֶּה תַּעֲשׂוּ לַה' בְּמוֹעֲדֵיכֶם" וּמְסַיֵּים בִּשְׁלָמִים, וְאֵין לִי אֶלָּא בָּעוֹלָם הַזֶּה, בָּעוֹלָם הַבָּא מִנַּיִן, (ישעיה סו, יב) "הִנְנִי נֹטֶה אֵלֶיהָ כְּנָהָר שָׁלוֹם", רַבָּנָן אָמְרִי: גָּדוֹל שָׁלוֹם, שֶׁכְּשֶׁמֶּלֶךְ הַמָּשִׁיחַ בָּא אֵינוֹ פּוֹתֵחַ אֶלָּא בְּשָׁלוֹם, שֶׁנֶּאֱמַר (שם נב, ז) "מַה נָּאווּ עַל הֶהָרִים רַגְלֵי מְבַשֵּׂר מַשְׁמִיעַ שָׁלוֹם":

מתנות כהונה

אמרין כו'. אמרו לה השכנות בדו כו', בכן את תלך ורקק לו בפניו ותהא מותרת לבעליך, וכן עשתה והלכה וישבה לפניו ללחוש עינו: כיון דיתבת כו'. כשישבה לפניו ללחוש היתה מתיירא מפניו מפני הבושה: לית אנא חבימא. אין אנא חכמה ובקיאה ללחוש על העין: רוקי באנפי. היה רוקק בעיני שבעה פעמים: ואנא מינשים. פירוש מתרפא, והרבה דוגמתם בתלמוד: עבדא הכין. עשתה כן: איזילי כו'. לך אמור לבעליך אתה אמרת לרוק בפני הדורש פעם אחד ואני כו': לחד מינן. לאחד ממנו: ימחה על המים. במגילת סוטה: דשאב. שם מקום, וכן דסכנין: שלמים. לעולם מסיים בשלמים:

אשד הנחלים

עשה שלום בין העליונים לתחתונים. הענין הזה בארתי בסדר בראשית (יב, ז): בעולם הבא מנין. כלומר שאולי אינם צריכים עוד לברכת שלום אחר שלא יהיה יצר רע בעולם, ולא שנאה ולא תחרות. תלמוד לומר כו' כנהר שלום. כי גם לעתיד לבא צריכה לזו, וכמו שבארתי לעיל. וכן המלך המשיח אינו פותח אלא בשלום. שזהו הבשורה האמיתית בכל העניינים הן בגופנים והן בנפשיים. קורא נעים ידעתי כי יש לדבר ולבאר בזה הרבה על דרך הגדר האמיתי, אבל לא הניחני העת להאריך בזה, אכן רמזתי בזה כמה עניינים למבין:

חידושי הרש"ש

[ט] אמרין לה מגירתא. כן צריך לומר: בששי בא לבראות אדם וכו' הרי העליונים רבים על התחתונים. צריך עיון הרי נבראו בו גם כן בהמה וחיה מן התחתונים, ועיין באסתר רבה (ז, יא) בפסוק בחודש הראשון דאיתא שם יום חמישי בו נבראו עופות ובהמות. ועיין מה שכתבתי על הגליון בבראשית רבה פרשה ח (סימן א):

ענף יוסף

(ט) מה עשה ברא אותו מן העליונים ומן כו'. ולכאורה הלא עתה תתגבר הקנאה יותר, משאם היה בורא אותו מן התחתונים לבד, שעתה יש בו חלק מן העליונים, והוא כולו למטה עם חלק עליון שבו, אך הענין הוא שהאדם השלם כראוי, עיקרו הוא נטוע למעלה בשורש נשמתו העליונה, ועובר דרך אלפי רבואות עולמות, עד שקהו השני הוא ככנס בגוף האדם למטה, וזהו כי חלק ה' עמו יעקב חבל נחלתו, שעיקרו קשור ונטוע למעלה חלק הוי"ה ממש כביכול, ומשתלשל החבל עד בואה לגוף האדם, וכל מעשיו מגיעים לעורר שורשו העליון, כענין החבל שאם ינענע קצה התחתון, מתעורר ומתנענע גם כן ראש קצהו העליון, משתלשלת הכל ומתפשטת בכלל (נפש החיים):

מסורת המדרש

טז. מסכת ד"א פ' יא: יז. שם:

אם למקרא

בְּרֵאשִׁית בָּרָא אֱלֹהִים אֵת הַשָּׁמַיִם וְאֵת הָאָרֶץ: (בראשית א:א)
וַיֹּאמֶר אֱלֹהִים יְהִי רָקִיעַ בְּתוֹךְ הַמָּיִם וִיהִי מַבְדִּיל בֵּין מַיִם לָמָיִם: (שם שם ו)
וַיֹּאמֶר אֱלֹהִים יְהִי מְאֹרֹת בִּרְקִיעַ הַשָּׁמַיִם לְהַבְדִּיל בֵּין הַיּוֹם וּבֵין הַלָּיְלָה וְהָיוּ לְאֹתֹת וּלְמוֹעֲדִים וּלְיָמִים וְשָׁנִים: (שם שם יד)
וַיֹּאמֶר אֱלֹהִים יִשְׁרְצוּ הַמַּיִם שֶׁרֶץ נֶפֶשׁ חַיָּה וְעוֹף יְעוֹפֵף עַל הָאָרֶץ עַל פְּנֵי רְקִיעַ הַשָּׁמָיִם: (שם שם כ)
וַיִּיצֶר ה' אֱלֹהִים אֶת הָאָדָם עָפָר מִן הָאֲדָמָה וַיִּפַּח בְּאַפָּיו נִשְׁמַת חַיִּים וַיְהִי הָאָדָם לְנֶפֶשׁ חַיָּה: (שם ב:ז)
יִשָּׂא ה' פָּנָיו אֵלֶיךָ וְיָשֵׂם לְךָ שָׁלוֹם: (במדבר ו:כו)
אֵלֶּה תַּעֲשׂוּ לַה' בְּמוֹעֲדֵיכֶם לְבַד מִנִּדְרֵיכֶם וְנִדְבֹתֵיכֶם לְעֹלֹתֵיכֶם וּלְמִנְחֹתֵיכֶם וּלְנִסְכֵּיכֶם וּלְשַׁלְמֵיכֶם: (במדבר כט:לט)
כִּי כֹה אָמַר ה' הִנְנִי נֹטֶה אֵלֶיהָ כְּנָהָר שָׁלוֹם וּכְנַחַל שׁוֹטֵף כְּבוֹד גּוֹיִם וִינַקְתֶּם עַל צַד תִּנָּשֵׂאוּ וְעַל בִּרְכַּיִם תְּשָׁעֳשָׁעוּ: (ישעיה סו:יב)
מַה נָּאווּ עַל הֶהָרִים רַגְלֵי מְבַשֵּׂר מַשְׁמִיעַ שָׁלוֹם מְבַשֵּׂר טוֹב מַשְׁמִיעַ יְשׁוּעָה אֹמֵר לְצִיּוֹן מָלַךְ אֱלֹהָיִךְ: (שם נב:ז)

בַּתְּפִלָּה "עוֹשֶׂה שָׁלוֹם" — **In prayer — "He who makes peace."**[175] בְּבִרְכַּת כֹּהֲנִים "וְיָשֵׂם לְךָ שָׁלוֹם" — **In the Priestly Blessing — *and may He establish peace for you*** (*Numbers* 6:26).[176] וְאֵין לִי אֶלָּא בַּבְּרָכוֹת בַּקָּרְבָּנוֹת מִנַּיִן — **And I know only,** at this point, that the above is true **regarding blessings; from where** can it be proven **regarding offerings** that their conclusion is with peace?[177] From our verse, "זֹאת הַתּוֹרָה לָעֹלָה לַמִּנְחָה וְלַחַטָּאת וְלָאָשָׁם וְלַמִּלּוּאִים וּלְזֶבַח הַשְּׁלָמִים" — ***This is the law of the burnt-offering, the meal-offering, the sin-offering, and the guilt-offering; and the inauguration-offerings, and the feast peace-offerings.***[178] אֵין לִי אֶלָּא בִּכְלָל בִּפְרָט מִנַּיִן — And **I only know,** at this point, that the above is true **regarding the general; from where** can it be proven **regarding the specific?** From the following verses,[179] "זֹאת תּוֹרַת הָעֹלָה ... וְזֹאת תּוֹרַת הַמִּנְחָה ... זֹאת תּוֹרַת הַחַטָּאת ... וְזֹאת תּוֹרַת הָאָשָׁם ... וְזֹאת תּוֹרַת זֶבַח הַשְּׁלָמִים" — ***This is the law of the burnt-offering*** (*Leviticus* 6:2) ***... This is the law of the meal-offering*** (ibid., v. 7) ***... This is the law of the sin-offering*** (ibid., v. 18) ***... This is the law of the guilt-offering*** (ibid., 7:1), ***... This is the law of the feast peace-offering*** (ibid., v. 11). וְאֵין לִי אֶלָּא בְּקָרְבְּנוֹת יָחִיד בְּקָרְבְּנוֹת צִבּוּר מִנַּיִן — **And I only know,** at this point, that the above is true **regarding an individual's offerings; from where** can it be proven **regarding communal offerings?** תַּלְמוּד לוֹמַר "אֵלֶּה תַּעֲשׂוּ לַה׳ בְּמוֹעֲדֵיכֶם" — **The Torah states, *These are what you shall make for HASHEM on your appointed festivals*** (*Numbers* 29:39),[180] וּמְסַיֵּים בִּשְׁלָמִים— **and [the verse] concludes with *shelamim*-offerings.**[181] וְאֵין לִי אֶלָּא בָּעוֹלָם הַזֶּה בָּעוֹלָם הַבָּא מִנַּיִן — **And I only know,** at this point, that the above is true **regarding this world; from where** can it be proven **regarding the World to Come?**[182] From the following verse, "הִנְנִי נֹטֶה אֵלֶיהָ כְּנָהָר שָׁלוֹם" — ***Behold, I will extend peace to her like a river*** (*Isaiah* 66:12).[183]

A final citation regarding the value of peace:

רַבָּנָן אָמְרֵי: גָּדוֹל שָׁלוֹם — **The Sages said: Great is peace,** שֶׁכְּשֶׁמֶּלֶךְ הַמָּשִׁיחַ בָּא אֵינוֹ פּוֹתֵחַ אֶלָּא בְּשָׁלוֹם — **for when the King Messiah arrives, he will not open** with anything **other than with peace;** שֶׁנֶּאֱמַר "מַה נָּאווּ עַל הֶהָרִים רַגְלֵי מְבַשֵּׂר מַשְׁמִיעַ שָׁלוֹם" — **as is stated, *How pleasant are the footsteps of the herald upon the mountains, announcing peace*** (ibid. 52:7).[184]

NOTES

175. Our Midrash appears to accord with *Maseches Soferim* 10:7, where it is evident that in the times of the Sages of the Midrash these words formed the conclusion of the final blessing of the *Shemoneh Esrei*, the mainstay of Jewish prayer. [In the version of this Midrash that appears in *Tanchuma, Pinchas* §1, however, the words that we recite today, הַמְבָרֵךְ אֶת עַמּוֹ יִשְׂרָאֵל בַּשָּׁלוֹם, *He who blesses His nation, Israel, with peace*, appear.]

176. This is the last phrase of the formula used by Kohanim to bless the Jewish people.

177. The Midrash is questioning its prior statement that *all the ... good things ... conclude with peace*, which is a reference to sacrificial offerings (see *Eitz Yosef* s.v. וטובות).

178. [See note 129 above regarding how the *shelamim*-offering relates to peace.]

179. In the verse just cited, the Torah places the *shelamim*-offering at the end of a single verse containing the names of all of the various offerings. Now the Midrash will show that the specific passage that speaks of the *shelamim* comes after the passages relating to each of the other offerings (*Maharzu*).

[If not for this second inference, one could explain the *shelamim*'s appearance at the end of the list of offerings as it was explained above, at note 127 (*Yefeh To'ar*).]

180. The verse refers to the communal festival offerings that were delineated in the preceding verses.

181. [The rest of the verse reads, לְבַד מִנִּדְרֵיכֶם וְנִדְבֹתֵיכֶם לְעֹלֹתֵיכֶם וּלְמִנְחֹתֵיכֶם וּלְנִסְכֵּיכֶם וּלְשַׁלְמֵיכֶם, *aside from your vows and free-will offerings for your burnt-offerings, your meal-offerings, your libations, and your peace-offerings*.]

182. The Midrash seeks to justify its prior statement that *all the ... consolations ... conclude with peace* (*Eitz Yosef*). Without a specific inference, it could be argued that in the utopian Messianic era there will be no need for a blessing of *peace* (*Eshed HaNechalim*, followed by *Eitz Yosef*).

183. Our Midrash is noting that while the Book of *Isaiah* is entirely about consolation [i.e., the ultimate redemption of the Jewish people] (*Bava Basra* 14b), its concluding consolation regards *peace* (see *Eitz Yosef*).

184. This verse speaks of the Messiah and teaches that his initial announcement will be one of *peace*.

The Midrash does not state that the Messiah will *conclude* with peace, following the pattern that was used above, because there will be no conclusion to the good tidings heralded by the Messiah; each day will bring increased goodness. Thus, the Messiah can only *open with peace* (*Eitz Yosef*).

אמר רבי שמעון בן חלפתא. בראשית רבה (יב, ח) כל הענין, ורש"י על המדרש מגיה שם מכאן, ושם מבואר: בכלל בפרט מנין. שפסוק זאת התורה הוא כלל, שהזכיר כל הקרבנות בפסוק אחד, אך לפני פסוק זה חושב כל הקרבנות בפרשיות מיוחדות:

*אָמְרִין לָהּ מְגִירָתָא: כַּדוּ אַתְּ אָזְלַת וְרוֹקַת בְּאַנְפֵּיהּ וְתִשְׁרֵי לְבַעֲלִךְ כֵּיוָן דְּיָתְבָא קָמֵיהּ אִידְחִילַת מִינֵּיהּ אָמְרָה לֵיהּ: רַבִּי לֵית אֲנָא חֲכִימָא לְמִילְחַשׁ עֵינָא, אֲמַר לָהּ: אֲפִילוּ הָכִי רוֹקִי בְּאַנְפִּי שְׁבַע זִימְנִין וַאֲנָא מִינְשִׁים, עָבְדָה הָכֵין, אֲמַר לָהּ: אִיזִילִי אִמְרִי לְבַעֲלִיךְ: אַתְּ אֲמַרְתְּ חֲדָא זִימְנָא וַאֲנָא רָקִית שְׁבַע זִמְנִין, אָמְרוּ לוֹ תַּלְמִידָיו: רַבִּי, כָּךְ מְבַזִּין אֶת הַתּוֹרָה, לֹא הֲוָה לָךְ לְמֵימַר לְחַד מִינָּן לְמִלְחַשׁ לָךְ, אֲמַר לְהוֹן: לֹא דַּיּוֹ לְמֵאִיר לִהְיוֹת שָׁוֶה לְקוֹנוֹ, דְּתָנֵי רַבִּי יִשְׁמָעֵאל: [טז]גָּדוֹל שָׁלוֹם שֶׁשֵּׁם הַגָּדוֹל שֶׁנִּכְתַּב בִּקְדֻשָּׁה אָמַר הַקָּדוֹשׁ בָּרוּךְ הוּא יִמָּחֶה עַל הַמַּיִם בִּשְׁבִיל לְהַטִּיל שָׁלוֹם בֵּין אִישׁ לְאִשְׁתּוֹ, אָמַר רַבִּי שִׁמְעוֹן בֶּן חֲלַפְתָּא: גָּדוֹל שָׁלוֹם שֶׁכְּשֶׁבָּרָא הַקָּדוֹשׁ בָּרוּךְ הוּא אֶת עוֹלָמוֹ עָשָׂה שָׁלוֹם בֵּין הָעֶלְיוֹנִים לַתַּחְתּוֹנִים, בַּיּוֹם הָרִאשׁוֹן בָּרָא מִן הָעֶלְיוֹנִים וּמִן הַתַּחְתּוֹנִים, הָדָא הוּא דִכְתִיב (בראשית א, א) "בְּרֵאשִׁית בָּרָא אֱלֹהִים אֵת הַשָּׁמַיִם וְאֵת הָאָרֶץ", בַּשֵּׁנִי בָּרָא מִן הָעֶלְיוֹנִים, הָדָא הוּא דִכְתִיב (שם שם ו) "וַיֹּאמֶר אֱלֹהִים יְהִי רָקִיעַ", בַּשְּׁלִישִׁי בָּרָא מִן הַתַּחְתּוֹנִים, (שם שם ט) "וַיֹּאמֶר אֱלֹהִים יִקָּווּ הַמַּיִם", בָּרְבִיעִי מִן הָעֶלְיוֹנִים, (שם שם יד) "יְהִי מְאֹרֹת בִּרְקִיעַ הַשָּׁמַיִם", בַּחֲמִישִׁי בָּרָא מִן הַתַּחְתּוֹנִים, (שם שם כ) "וַיֹּאמֶר אֱלֹהִים יִשְׁרְצוּ הַמַּיִם", בַּשִּׁשִּׁי בָּא לִבְרֹאוֹת אָדָם, אָמַר: אִם אֲנִי בּוֹרֵא אוֹתוֹ מִן הָעֶלְיוֹנִים הֲרֵי הָעֶלְיוֹנִים רַבִּים מִן הַתַּחְתּוֹנִים בְּרִיָּה אַחַת, אִם אֲנִי בּוֹרֵא אוֹתוֹ מִן הַתַּחְתּוֹנִים הֲרֵי הַתַּחְתּוֹנִים רַבִּים עַל הָעֶלְיוֹנִים בְּרִיָּה אַחַת, מֶה עָשָׂה, בְּרָאוֹ מִן הָעֶלְיוֹנִים וּמִן הַתַּחְתּוֹנִים, הָדָא הוּא דִכְתִיב (שם ב, ז) "וַיִּיצֶר ה׳ אֱלֹהִים אֶת הָאָדָם עָפָר מִן הָאֲדָמָה" מִן הַתַּחְתּוֹנִים, (שם) "וַיִּפַּח בְּאַפָּיו נִשְׁמַת חַיִּים" מִן הָעֶלְיוֹנִים, רַבִּי מָנֵי דִּשְׁאַב וְרַבִּי יְהוֹשֻׁעַ דְּסִכְנִין בְּשֵׁם רַבִּי לֵוִי: [יז]גָּדוֹל שָׁלוֹם שֶׁכָּל הַבְּרָכוֹת וְטוֹבוֹת וְנֶחָמוֹת שֶׁהַקָּדוֹשׁ בָּרוּךְ הוּא מְבִיאָן עַל יִשְׂרָאֵל חוֹתְמִין בְּשָׁלוֹם, בִּקְרִיאַת שְׁמַע "פּוֹרֵס סֻכַּת שָׁלוֹם", בַּתְּפִלָּה "עוֹשֶׂה שָׁלוֹם", בְּבִרְכַּת כֹּהֲנִים (במדבר ו, כו) "וְיָשֵׂם לְךָ שָׁלוֹם", וְאֵין לִי אֶלָּא בִּבְרָכוֹת, בַּקָּרְבָּנוֹת מִנַּיִן, [ז, לז] "זֹאת הַתּוֹרָה לָעֹלָה לַמִּנְחָה וְלַחַטָּאת וְלָאָשָׁם וְלַמִּלּוּאִים וּלְזֶבַח הַשְּׁלָמִים", אֵין לִי אֶלָּא בִּכְלָל, בִּפְרָט מִנַּיִן, (לעיל ו, ב) "זֹאת תּוֹרַת הָעֹלָה", (שם שם ז) "וְזֹאת תּוֹרַת הַמִּנְחָה", (שם שם יח) "זֹאת תּוֹרַת הַחַטָּאת", (שם ז א) "וְזֹאת תּוֹרַת הָאָשָׁם", (שם שם יא) "וְזֹאת תּוֹרַת זֶבַח הַשְּׁלָמִים", וְאֵין לִי אֶלָּא בְּקָרְבְּנוֹת יָחִיד, בְּקָרְבְּנוֹת צִבּוּר מִנַּיִן, תַּלְמוּד לוֹמַר (במדבר כט, לט) "אֵלֶּה תַּעֲשׂוּ לַה׳ בְּמוֹעֲדֵיכֶם" וּמְסַיֵּם בִּשְׁלָמִים, וְאֵין לִי אֶלָּא בָּעוֹלָם הַזֶּה, בָּעוֹלָם הַבָּא מִנַּיִן, (ישעיה סו, יב) "הִנְנִי נֹטֶה אֵלֶיהָ כְּנָהָר שָׁלוֹם", רַבָּנָן אָמְרִי: גָּדוֹל שָׁלוֹם, שֶׁכְּשֶׁמֶּלֶךְ הַמָּשִׁיחַ בָּא אֵינוֹ פּוֹתֵחַ אֶלָּא בְּשָׁלוֹם, שֶׁנֶּאֱמַר (שם נב, ז) "מַה נָּאווּ עַל הֶהָרִים רַגְלֵי מְבַשֵּׂר מַשְׁמִיעַ שָׁלוֹם":

עץ יוסף

אמרין לה מגירתא כו׳. אמרו לו השכנות, בדו כו׳, בכן את תלך ורוקק לו בפניו ותהא מותר לבעליך וכן עשתה והלכה וישבה לפניו ללחוש עינו: כיון דיתבא כו׳. כשישבה לפניו ללחוש היתה מתיירא מפניו מפני הבושה: לית אנא חכימא. אין אנא חכמה ובקיאה ללחוש על העין: רוקי באנפי. תהיה רוקק בעיני שבע פעמים: ואנא מינשים. פירוש מתרפא: עבדא הכין. עשתה כן: איזילי כו׳. לך אמור לבעליך אתה אמרת לרוק בפני הדורש פעם אחד לבד ואני כו׳: לחד מינן. לאחד ממנו: לא דיו למאיר כו׳. ואם תאמר בשלמא בסוטה אי אפשר בענין אחר, מה שאין כן באשה זו הלא היו יכולים לכוף אותו שיתרצה. ויש לומר שאף שאם היה מתרצה עכשיו מכל מקום היה נוטר השנאה בלבו על אשר הביאתו לידי מלקות. או יש לומר דדעת רבי מאיר שאין הבעל ראוי למכות שבאמת היא עשתה שלא כדין שאיחרה בבית הכנסת (שירי קרבן): עשה שלום בין העליונים כו׳. עיין בבראשית רבה (יב, ז), ועיין בענף כאן: וטובות. היינו קרבנות דמפרש בסמוך: חותמים בשלום. משום שאין קיום הדבר אלא בחותמיו, ושלום נותן קיום, לפיכך חותם כל הברכות וטובות וכו׳ חותמים בשלום (ספר נתיבות עולם): בעולם הבא. דהיינו נחמות דקאמר לעיל, מנין, כלומר שאולי אינם צריכים עוד לברכת שלום אחר שלא יהיה יצר הרע בעולם ולא שנאה ולא תחרות. תלמוד לומר הנני נוטה אליה כנהר שלום, וישעיה כוליה נחמתא, וסיים בהך נחמתא: אינו פותח אלא בשלום. והכא לא נקטיה אינו חותם כהכי דלעיל, שבשורות טובות של מלך המשיח אין להם סוף, שבכל יום יהיה מוסיף בטובה, לכן פתח בשלום:

חידושי הרש"ש

[ט] אמרין לה מגירתא. כן צריך לומר: בששי בא לבראות אדם וכו׳ הרי העליונים רבים על התחתונים. צריך עיון הרי נבראו בו גם כן בהמה וחיה מן התחתונים, ועיין באסתר רבה (ז, יא) בפסוק בחודש הראשון דאיתא שם יום חמישי בו נבראו עופות ובהמות. ועיין מה שכתבתי על הגליון בבראשית רבה פרשה ח (סימן א):

ענף יוסף

(ט) מה עשה ברא אותו מן העליונים ומן כו׳. ולכאורה הלא עתה תתגבר הקנאה יותר, מאשר היה בורא אותו מן התחתונים לבד, שעתה יש בו חלק מן העליונים, והוא כולו למטה עם חלק העליון שבו, אך הענין הוא שהאדם השלם כראוי, עיקרו הוא נטוע למעלה בשורש נשמתו העליונה, ועובר דרך אלפי רבואות עולמות, עד שקצהו השני הוא נכנס בגוף האדם למטה, וזהו כי חלק ה׳ עמו יעקב חבל נחלתו, שעיקרו קשור ונטוע למעלה חלק הוי"ה ממש כביכול, ומשתלשל החבל עד בואה לגוף האדם, וכל מעשיו מגיעים לעורר שורשו העליון, כענין החבל שאם ינענע קצה התחתון, מתעורר ומתנועע גם ראש קצהו העליון, כמאמר דהנשמה משתכחת בכלא ומתפשטת בכלא (נפש החיים):

מסורת המדרש

טז. מסכת ד"א פ׳ יא:
יז. שם:

אם למקרא

בְּרֵאשִׁית בָּרָא אֱלֹהִים אֵת הַשָּׁמַיִם וְאֵת הָאָרֶץ: (בראשית א:א)
וַיֹּאמֶר אֱלֹהִים יְהִי רָקִיעַ בְּתוֹךְ הַמָּיִם וִיהִי מַבְדִּיל בֵּין מַיִם לָמָיִם: (שם שם ו)
וַיֹּאמֶר אֱלֹהִים יְהִי מְאֹרֹת בִּרְקִיעַ הַשָּׁמַיִם לְהַבְדִּיל בֵּין הַיּוֹם וּבֵין הַלָּיְלָה וְהָיוּ לְאֹתֹת וּלְמוֹעֲדִים וּלְיָמִים וְשָׁנִים: (שם שם יד)
וַיֹּאמֶר אֱלֹהִים יִשְׁרְצוּ הַמַּיִם שֶׁרֶץ נֶפֶשׁ חַיָּה וְעוֹף יְעוֹפֵף עַל הָאָרֶץ עַל פְּנֵי רְקִיעַ הַשָּׁמָיִם: (שם שם כ)
וַיִּיצֶר ה׳ אֱלֹהִים אֶת הָאָדָם עָפָר מִן הָאֲדָמָה וַיִּפַּח בְּאַפָּיו נִשְׁמַת חַיִּים וַיְהִי הָאָדָם לְנֶפֶשׁ חַיָּה: (שם ב:ז)
יִשָּׂא ה׳ פָּנָיו אֵלֶיךָ וְיָשֵׂם לְךָ שָׁלוֹם: (במדבר ו:כו)
אֵלֶּה תַּעֲשׂוּ לַה׳ בְּמוֹעֲדֵיכֶם לְבַד מִנִּדְרֵיכֶם וְנִדְבֹתֵיכֶם לְעֹלֹתֵיכֶם וּלְמִנְחֹתֵיכֶם וּלְנִסְכֵּיכֶם וּלְשַׁלְמֵיכֶם: (במדבר כט:לט)
כִּי־כֹה אָמַר ה׳ הִנְנִי נֹטֶה אֵלֶיהָ כְּנָהָר שָׁלוֹם וּכְנַחַל שׁוֹטֵף כְּבוֹד גּוֹיִם וִינַקְתֶּם עַל צַד תִּנָּשֵׂאוּ וְעַל בִּרְכַּיִם תְּשָׁעֳשָׁעוּ: (ישעיה סו:יב)
מַה נָּאווּ עַל הֶהָרִים רַגְלֵי מְבַשֵּׂר מַשְׁמִיעַ שָׁלוֹם מְבַשֵּׂר טוֹב מַשְׁמִיעַ יְשׁוּעָה אֹמֵר לְצִיּוֹן מָלַךְ אֱלֹהָיִךְ: (שם נב:ז)

מתנות כהונה

אמרין כו׳. אמרו לה השכנות בדו כו׳, בכן את תלך ורקק לו בפניו ותהא מותרת לבעליך, וכן עשתה והלכה וישבה לפניו ללחוש עינו: כיון דיתבת כו׳. כשישבה לפניו ללחוש היתה מתיירא מפניו מפני הבושה: לית אנא חכימא. אין אנא חכמה ובקיאה ללחוש על העין: רוקי באנפי. היא רוקק בעיני שבעה פעמים: ואנא מינשים. פירוש מתרפא, והרבה דוגמתם בתלמוד: עבדא הכין. עשתה כן: איזילי כו׳. לך אמור לבעליך אתה אמרת לרוק בפני הדורש פעם אחד ואני כו׳: לחד מינן. לאחד ממנו: ימחה על המים. במגילת סוטה: דשאב. שם מקום, וכן דסכנין: שלמים. לעולם מסיים בשלמים:

אשד הנחלים

עשה שלום בין העליונים לתחתונים. הענין הזה בארתי בסדר בראשית (יב, ז): בעולם הבא מנין. כלומר שאולי אינם צריכים עוד לברכת שלום אחר שלא יהיה יצר רע בעולם, ולא שנאה ולא תחרות. תלמוד לומר כו׳ כנהר שלום. כי גם לעתיד לבא צריכה לזו, וכמו שבארתי לעיל. וכן המלך המשיח אינו פותח אלא בשלום. שזהו הבשורה האמיתית בכל העניינים הן בגופנים והן בנפשיים. קורא נעים ידעתי כי יש לדבר ולבאר בזה הרבה על דרך הגדר האמיתי, אבל לא הניחני העת להאריך בזה, אכן רמזתי בזה כמה עניינים למבין:

Chapter 10

וַיְדַבֵּר ה׳ אֶל מֹשֶׁה לֵּאמֹר. קַח אֶת אַהֲרֹן וְאֶת בָּנָיו אִתּוֹ וְאֵת הַבְּגָדִים וְאֵת שֶׁמֶן הַמִּשְׁחָה וְאֵת פַּר הַחַטָּאת וְאֵת שְׁנֵי הָאֵילִים וְאֵת סַל הַמַּצּוֹת.

HASHEM spoke to Moses, saying: Take Aaron and his sons with him, and the garments and the oil of anointment, and the bull of the sin-offering, and the two rams, and the basket of matzos (8:1-2).

§1 קַח אֶת אַהֲרֹן וְאֶת בָּנָיו אִתּוֹ וגו׳ — *TAKE AARON AND HIS SONS WITH HIM, ETC.*

The Midrash analyzes a verse from *Psalms*, ultimately relating it to our verse regarding Aaron:

זֶה שֶׁאָמַר הַכָּתוּב ״אָהַבְתָּ צֶּדֶק וַתִּשְׂנָא רֶשַׁע וגו׳ ״ — **This is** understood through **that which Scripture states,** ***You love righteousness and hate wickedness;*** *therefore has God, your God, anointed you with oil of joy from among your peers* (*Psalms* 45:8).

רַבִּי יוּדָן בְּשֵׁם רַבִּי עֲזַרְיָה פָּתַר קְרָיָא בְּאָבִינוּ אַבְרָהָם — **R' Yudan in the name of R' Azaryah interpreted the verse as concerning our forefather Abraham.** בְּשָׁעָה שֶׁבִּקֵּשׁ רַחֲמִים עַל סְדוֹמִיִּים — **When [Abraham] prayed for mercy for the Sodomites,**[1] אָמַר לְפָנָיו: — **he said before [God],** רִבּוֹנוֹ שֶׁל עוֹלָם — **"Master of the universe!** נִשְׁבַּעְתָּ שֶׁאֵי אַתָּה מֵבִיא מַבּוּל לְעוֹלָם — **You swore** in the time of Noah **that You would not bring a flood upon the world** ever again, הֲדָא הוּא דִכְתִיב ״כִּי מֵי נֹחַ זֹאת לִי״ — **as it is written,** ***For [like] the waters of Noah this shall be to Me;*** *just as I swore that the waters of Noah would never again pass over the earth, etc.* (*Isaiah* 54:9). מַבּוּל שֶׁל מַיִם אִי אַתָּה מֵבִיא, מַבּוּל שֶׁל אֵשׁ אַתָּה מֵבִיא — Are You saying that You promised only that **You would not bring a flood of water,** but **You will bring a flood**[2] **of fire?** מַה אַתָּה מַעֲרִים עַל הַשְּׁבוּעָה — **Are You** then **contriving a way around the oath?** אִם כֵּן לֹא יָצָאתָ יְדֵי שְׁבוּעָה — **If so, You will not have fulfilled the oath!"**[3] הֲדָא הוּא דִכְתִיב ״חָלִלָה לְּךָ מֵעֲשֹׂת כַּדָּבָר הַזֶּה״ — **Thus it is written,** ***It would be sacrilege to You to do such a thing*** (*Genesis* 18:25).[4] אָמַר לְפָנָיו: ״חָלִלָה לְּךָ הֲשֹׁפֵט כָּל הָאָרֶץ לֹא יַעֲשֶׂה מִשְׁפָּט״ – **[Abraham] said** further **before [God],** ***"It would be sacrilege to You! Shall the Judge of all the earth not do justice?"*** (ibid.). אִם מִשְׁפָּט אַתָּה מְבַקֵּשׁ אֵין כָּאן עוֹלָם, אִם עוֹלָם אַתָּה מְבַקֵּשׁ אֵין כָּאן מִשְׁפָּט — With these words, Abraham meant: **"If** it is strict **justice that You desire, there can be no** viable **world;**[5] **if** it is a viable **world** that **You desire, there can be no** strict **justice.**[6] אַתְּ בָּעֵי תְּפֹשׂ חַבְלָא בִּתְרֵין רֵישֵׁי — **You wish to seize the rope at both ends,** as it were — בָּעֵית עוֹלָמָךְ וּבָעֵית דִּינָא דְקוּשְׁטָא — **You desire** the continued existence of **Your world and** at the same time You **desire** strict **justice!**[7] אִם אֵין אַתְּ מְווּתֵר צִיבְחַר לֵית עוֹלָמָךְ יָכִיל קָאֵים — **If You do not forgo** strict justice **a little, Your world cannot endure!"**[8]

Having presented Abraham's arguments on behalf of the Sodomites, the Midrash returns to the verse in *Psalms* (45:8) cited at the beginning of the section and applies it to the above incident.

אָמַר לוֹ הַקָּדוֹשׁ בָּרוּךְ הוּא — **The Holy One, blessed is He,** thereupon said to **[Abraham],** ״אַבְרָהָם, ״אָהַבְתָּ צֶּדֶק וַתִּשְׂנָא רֶשַׁע — **"Abraham,** ***you love righteousness*** (or: *vindication*) ***and hate wickedness*** (or: *finding guilt*)" (*Psalms* ibid.). אָהַבְתָּ לְצַדֵּק בְּרִיּוֹתַי וְשָׂנֵאתָ מִלְּחַיְּבָן — By this He meant: **"*You love* to vindicate My creations *and you hate* assigning guilt**[9] **to them.**[10] ״עַל כֵּן מְשָׁחֲךָ אֱלֹהִים אֱלֹהֶיךָ שֶׁמֶן שָׂשׂוֹן מֵחֲבֵרֶיךָ״ — And ***therefore has God, your God, anointed you, with oil of joy from among your peers*** [i.e., He has chosen and elevated you above your peers]." מַהוּ ״מֵחֲבֵרֶיךָ״ — **What is** meant by ***from among your peers?*** אָמַר לוֹ: חַיֶּיךָ — **[God] said to [Abraham], "By your life,** I swear שֶׁעֲשָׂרָה דוֹרוֹת שֶׁמִּנֹּחַ עַד אֶצְלְךָ עִם אֶחָד מֵהֶם לֹא דִיבַּרְתִּי, וְעִמְּךָ אֲנִי מְדַבֵּר — **that from** the **ten generations from Noah until yourself, I did not speak with a single one,**[11] but **with you I shall speak,"**[12] שֶׁנֶּאֱמַר ״וַיֹּאמֶר ה׳ אֶל אַבְרָם לֶךְ לְךָ״ — **as it is stated, *And HASHEM said to Abram, "Go for yourself"*** (*Genesis* 12:1).[13]

NOTES

1. Abraham's prayer that the city of Sodom and her neighbors not be destroyed because of the sins of their inhabitants is described in *Genesis* 18:23-32. [This section of the Midrash appears, with slight variations, in *Bereishis Rabbah* 39 §6 and 49 §9.]

2. Although מַבּוּל is generally translated "flood," its actual meaning is "that which wipes out" (*Rashi* to *Genesis* 6:17), or "that which brings destruction" (*Ibn Ezra* ad loc.), so that is appropriately applied to fire as well.

3. Being that God's intention in making the oath was to assure that the world would never again be destroyed, any form of destruction should be included in the oath (*Maharzu*).

4. The expression חָלִלָה לְּךָ, "it would be a sacrilege (a desecration) to You" alludes to God's supposed abrogation ("desecration") of His oath (see *Numbers* 30:3) (*Rashash* and *Eitz Yosef* to *Bereishis Rabbah* 39 §6).

5. For man, who dwells in a physical world and is driven by an evil inclination, is prone to sin. Therefore, should the world be run with strict justice, it will not last (*Eitz Yosef* to *Bereishis Rabbah* 49 §9).

6. Accordingly, the words הֲשֹׁפֵט כָּל הָאָרֶץ לֹא יַעֲשֶׂה מִשְׁפָּט are understood not as a question, but as a statement: *The Judge of all the earth will not do justice*, i.e., must not do absolute justice with no mercy at all, or there will no longer be a world (*Matnos Kehunah*, *Eitz Yosef*, from *Nezer HaKodesh* to *Bereishis Rabbah* 39 §6).

7. I.e., just as it is self-contradictory to pull a rope at two ends in opposite directions, so do strict justice and the continued existence of the world contradict each other.

8. See Insight on *Bereishis Rabbah* 49 §9, "The World and Justice."

9. The words צֶדֶק (*righteousness*) and רֶשַׁע (*wickedness*) are thus understood as being related to וְהִצְדִּיקוּ ... וְהִרְשִׁיעוּ, *and they vindicate ... and they find guilty* (*Deuteronomy* 25:1).

10. I.e., you first try to find a merit with which to vindicate them, and if there is no merit, you hate assigning guilt to them, meaning you attempt to defend them by other means. For in the case of the Sodomites, who had no merit, Abraham attempted to save them by invoking the oath not to bring another flood and by emphasizing the necessity for mercy in judgment (*Eitz Yosef*).

11. Noah and his descendants are referred to as Abraham's peers because all of their lifetimes overlapped his own. Although Noah as well as at least one of his descendants were prophets, Abraham's prophecy was superior to theirs in both the number of times he received prophecy and the number of commandments he was given during those prophecies (*Maharzu* to *Bereishis Rabbah* 49 §9).

12. Thus the expression *oil of joy* refers to the unique level of prophecy that Abraham merited, which is likened to oil; because just as oil rises above other liquids, so did Abraham become elevated above his peers through his level of prophecy (ibid.). The reason it is called oil of *joy* is that a prophet must be in a state of joy to merit a Divine revelation (*Radal* to *Bereishis Rabbah* 39 §6), or because the greatest joy emanates from perception of God and the receipt of spiritual bounty (*Eitz Yosef* ibid.).

13. That Abraham was granted a unique gift of prophecy is alluded to specifically in the seemingly superfluous expression *for yourself*, which alludes to the fact that Abraham received a gift of prophecy that was exclusively his (*Eitz Yosef*).

Although Abraham received this prophecy long before his prayer for Sodom, God, Who knows the future, was aware of what Abraham would do, and granted Abraham prophecy in advance in that merit (*Imrei Yosher*). Alternatively, the fact that the Torah relates that Abraham prayed for Sodom indicates Abraham's love of vindicating people, and that this was his way in earlier days as well, which merited him this unique level of prophecy (*Maharzu* and *Anaf Yosef* to *Bereishis Rabbah* 39 §6).

פרשה י

א [ח, ב] "קח את אהרן ואת בניו אתו וגו'", זה שאמר הכתוב (תהלים מה, ח) "אהבת צדק ותשנא רשע וגו'", רבי יודן בשם רבי עזריה פתר קריא באבינו אברהם, [א]בשעה שבקש רחמים על סדומיים אמר לפניו: רבונו של עולם, נשבעת שאי אתה מביא מבול לעולם, הדא הוא דכתיב (ישעיה נד, ט) "כי מי נח זאת לי", מבול של מים אי אתה מביא, מבול של אש אתה מביא, מה אתה מערים על השבועה, אם כן לא יצאת ידי שבועה, הדא הוא דכתיב (בראשית יח, כה) "חללה לך מעשת כדבר הזה", אמר לפניו: "חללה לך השפט כל הארץ לא יעשה משפט", אם משפט אתה מבקש אין כאן עולם, אם עולם אתה מבקש אין כאן משפט, את בעי תפש חבלא בתרין רישי, בעית °עלמא *ובעית דינא דקושטא, אם אין *את מוותר ציבחר לית עולמך יכיל קאים, אמר לו הקדוש ברוך הוא: אברהם, (תהלים שם שם) "אהבת צדק ותשנא רשע", אהבת לצדק בריותי ושנאת מלחייבן, (שם) "על כן משחך אלהים אלהיך שמן ששון מחבריך", מהו "מחבריך", אמר לו: חייך שעשרה דורות שמנח עד אצלך עם אחד מהם לא דיברתי, ועמך אני מדבר, שנאמר (בראשית יב, א) "ויאמר ה' אל אברם לך לך":

ב רבי עזריה בשם רבי יהודה בר סימון פתר קריא בישעיה, אמר ישעיה: מטייל הייתי בבית תלמודי [ב]*ושמעתי קולו של הקדוש ברוך הוא °אומרת (ישעיה ו, ח) "את מי אשלח ומי ילך לנו", שלחתי את °מיכה והיו מכין אותו בלחי, הדא הוא דכתיב (מיכה ד, יד) "°בשבט יכו על הלחי°", שלחתי את עמוס והיו קורין אותו פסילוס,

חידושי הרד"ל

[א] פתר קרא באברהם כו'. בראשית רבה ריש פרשה ל"ט: חייך שעשרה דורות שמנח כו'. לדברי הספרים שכתוב אברהם מלא יו"ד, יש לרמוז היו"ד על עשרה דורות אלו: [ב] מטייל הייתי בבית תלמודי כו'. נראה דמקרא (דלקמיה דקרא דגוי נתתי, שמביא להלן), בבקר בבקר יעיר לי אזן לשמוע כלמודים (ישעיה נ, ד), דרש שכשהיה מטייל בלמודו, יעיר לו אזן לשמוע הנבואה, כשמוע הלמודים, ומיד אחר כן אנכי לא מריתי (שם כו'), גוי נתתי כו':

חידושי הרש"ש

[א] מה אתה מערים על השבועה כו' הדא דכתיב חלילה לך כו'. עיין מה שכתבתי לעיל בבראשית רבה (לט, ו): [ב] שלחתי את מיכה והיו מכין אותו כו'. צריך עיין שעל כרחך עד ישעיה קדמון, שבמיכה (א, א) כתיב בימי יותם כו', ובישעיה (א, א) כתיב בימי עוזיהו כו', עיין פסחים (פז, א) ברש"י בהגה, וכן כתב רש"י בריש הושע(א, ב)שמיכה היה אחרון לכולם:

ידי משה

[ב] מטייל הייתי. לפי שאין שכינה שורה אלא מתוך שמחה:

עץ יוסף

(א) זה שאמר הכתוב אהבת צדק כו'. משום דקשיא ליה מאי לשון קיחה, ובעי לפרש לשון עילוי כדלכתוב לקמן, מייתי האי קרא דמדריש בעלויא דאהרן מתוך אחיו, ומכיון דמייתי ליה דריש ליה נמי באברהם וישעיה: השופט כל הארץ וגו'. דקשה ליה, למה דקדק לומר השופט כל הארץ, לכך מפרש דהכי קאמר מי שהוא שופט כל הארץ כמוך ראוי שלא יעשה משפט שהוא דין גמור, שאין העולם מתקיים בדין אלא צריך לשתף דין ברחמים, ולפי זה לא מפרש השופט כל הארץ, בתמיה כפירוש רש"י, אלא ה' זה הוא ה' האמיתית, כמו הנגלה נגליתי שפירושו הלא נגלה נגלתי, כן כאן גם כן פירושו הלא מי שהוא שופט כל הארץ ראוי שלא יעשה משפט כראוי בדין גמור (נזר הקודש): אין כאן עולם. אי אפשר לעולם להתקיים: אין כאן משפט. פירוש אין כאן משפט ברור בלא רחמים: את בעי תפוס כו'. אתה רוצה לאחוז החבל בשני ראשין, אתה רוצה העולם, ואתה רוצה גם הדין גמור בלי רחמים: אהבת לצדק בריותי. אם ימצא להם זכות: ושנאת מלחייבם. אף אם לא ימצא להם זכות, שהרי בקשת להטות עליהם חסד, וגם בקשת לזכותם מפני השבועה: שנאמר לך לך. רצה לומר הכפל לך לך בא לומר, לך לתודך הוה דבור הנבואה, ועיין בענף: (ב) פתר קריא בישעיה. רצה לומר שהאי קרא מקויים בישעיה: מטייל הייתי. רמז שעל ידי התבודדות בתורה ובעיון במעשה ה', היה מוכן לקבלת הנבואה. או הטיול רמז לשמחה של מצוה כי זו הכנה לקבלת הנבואה כמו שאמרו בפסחים (קיז, א) אין הנבואה שורה לא מתוך עצלות וכו', אלא מתוך שמחה של מצוה: שלחתי את מיכיהו והיו מכין אותו בלחי. (מלכים א' כב, כד) ויגש צדקיהו בן כנענה ויכה את מיכיהו על הלחי. כן צריך לומר. וכן הוא בפסיקתא רבתי (פרק לג). אבל הגירסא שלפנינו אי אפשר לקיימה, שהרי ישעיה על כרחך מקמי מיכה נתנבא, שהרי בישעיה כתיב (ישעיה א, א) בימי עוזיהו יותם אחז יחזקיהו, ובמיכה כתיב (מיכה א, א) בימי יותם אחז יחזקיהו, והא דאמר בפרק קמא דמסכת בבא בתרא (יד, ב) ארבע נביאים נתנבאו באותו הפרק הושע, ישעיה, עמוס, ומיכה, לא נקט מיכה בהדייהו, אלא משום בימי יותם אחז יחזקיהו כדפירש רש"י: פסילוס. פירש בערוך קטיע לישנא, פירוש קטוע ומוכרת בלשונו, ובזוהר סדר ויחי דמגמגם בלישנא פסילם קרי ליה (מתנות כהונה).

פירוש מהרז"ו

(א) אהבת צדק. עיין בראשית רבה (מט, ט) ושם נסמן ומבואר: כי מי נח זאת לי. וסיפא דקרא אשר נשבעתי מעבור מי נח עוד על הארץ, וכוונת השבועה שלא לכלות עוד העולם, כמו המבול, ומה הפרש בין מים לאש: חלילה לך. משמע שיש כאן עול, היינו העברת השבועה, ומרומז במה שכתב כדבר הזה אשר דברת ונשבעת, על כן אמר שני פעמים חלילה לך, אחד על העברת השבועה, ואחד על שבקש לעשות משפט של כליה. ויתר הדברים מבוארים שם בבראשית רבה: (ב) שלחתי את מיכיהו. עיין ביפה תואר. אחר זמן רב מצאתי כן בהדיא בפסיקתא רבתי (פרשה לג סימן ג), ושם הביא דרך אגב גם את זכריה, שהרגוהו, ואת ירמיה, שרצו להרגו, שהיו אחרי ישעיה:

מסורת המדרש

א. ילקוט תהלים: ב. ילקוט ישעיה רמז ש"ז:

אם למקרא

אהבת צדק ותשנא רשע על כן משחך אלהים אלהיך שמן ששון מחבריך: (תהלים מה:ח)

כי מי נח זאת לי אשר נשבעתי מעבר מי נח עוד על הארץ כן נשבעתי מקצף עליך ומגער בך: (ישעיה נד:ט)

חללה לך מעשת כדבר הזה להמית צדיק עם רשע והיה כצדיק כרשע חללה לך השפט כל הארץ לא יעשה משפט: (בראשית יח:כה)

ויאמר ה' אל אברם לך לך מארצך וממולדתך ומבית אביך אל הארץ אשר אראך: (בראשית יב:א)

ואשמע את קול אדני אמר את מי אשלח ומי ילך לנו ואמר הנני שלחני: (ישעיה ו:ח)

עתה תתגדדי בת גדוד מצור שם עלינו בשבט יכו על הלחי את שפט ישראל: (מיכה ד:יד)

ענף יוסף

(א) שנאמר ויאמר ה' אל אברם לך לך. כן הוא הנוסחא במדרשים שלפנינו, וכן הוא בבראשית רבה (פרשה מט כ), אבל במדרש רבה שעם היפה תואר הנוסח, שנאמר אחר הדברים האלה וגו', וכתב היפה תואר וזה לשונו, קשה אמאי שביק דבורא קמא, דהיינו ויאמר ה' אל אברם לך לך, וכדנקיט בבראשית רבה ונקט האי קרא, ושמא יש לומר משום דבדבור זה הוזכר שבחו על נח, דקאמר אנכי מגן לך, ואמר בבראשית רבה (פרשה מד, ה) מנח לא העמדתי מגינים, ממך אני מעמיד מגינים, להכי ניחא ליה למנקט דבור זה. עד כאן לשונו: (ב) שלחתי את עמוס. שעמוס קודם לישעיה היה כדאיתא בסדר עולם, שבעמוס הוא אומר שנתים לפני הרעש, ובישעיה הוא אומר וינוע אמות הספים וגו', שנתנבא ביום הרעש, וזה נעלם מהכלל כי פז שכתב שעמוס היה אחר ישעיה. אבל קשה בפרק קמא דבבא בתרא (יד ע"ב) דפריך לקדמיה להושע ברישא, הוי ליה למפרך נמי לקדמיה לעמוס ברישא:

שינוי נוסחאות

(א) בעית עלמא. בכל הספרים חדשים גם ישנים היה כתוב "עולמך" ובחלקם בקיצור "עולמ'", אבל בוארשא תרי"ג החליטו להשלים את הקיצור לכתוב "עולמי" והוא טעות בלי ספק, אבל כן העתיקו לוארשא, ובוילנא תרמ"ז הבינו שא"א לקיים גרסת "עולמי" ושינו ל"עלמא", וגם הוא אפשרי, אבל הגירסא המקורית והנכונה היא "עולמך": (ב) ושמעתי קולו של הקדוש ברוך הוא אומרת. כך כתוב בכל הדפוסים, וצ"ל "אומר" (ל' זכר) כדאיתא בכי"י, וגם בדפוס ראשון אפשר לקרוא כך: שלחתי את מיכה. עצ"י הגיה ע"פ יפ"ת "מיכיהו", שהיה בימי יהושפט, ואילו מיכה היה אחרי תחילת נבואת ישעיה:

מתנות כהונה

[א] השופט כל הארץ. דרש הה"א תמיה קיימת, כמו (שמואל א' ב, כז) הנגלה נגליתי, ופירושו מי שהוא שופט כל הארץ אינו יכול לעשות משפט אמת כי אם חסד: את בעי תפס כו'. אתה רוצה לאחוז ולתפוס החבל בשני ראשיו, תפלת עולמך ותפלת דין: אם אין אתה מוותר. גרס, והכי גרסינן לעיל פרשה וירא (מט, ט): ציבחר. מעט: אין עולמך יכול לקיים: הכי גרסינן ועמך אני מדבר שנאמר ויאמר ה' אל אברם לך לך. וכן הוא לעיל פרשה וירא (מט, ט), ובילקוט תהלים (רמז תשנ), וכן עיקר, שזה היה תחלת דבר ה' לאברהם: [ב] פסילוס. פירש בערוך קטיעא לישנא, פירוש קטוע ומוכרת בלשונו, ובספר הזוהר פרשת ויחי (רכה, א), דמגמגם בלישנא פסילם קרי ליה, ועיין ריש מדרש קהלת [רבה] (א, ג):

אשד הנחלים

[א] אהבת צדק גו'. בארתי בסדר לך לך (לט, ו) עיין שם, ותבין המאמר בשלימות: [ב] מטייל הייתי. כי הנביא צריך להתבודדות עצומה להפנות מחשבתו מכל העניינים העולמיים, והולך ושב מרוב העמקת מחשבתו, וזהו נקרא טיול בפי חז"ל (חגיגה יד, ב ועיין רמב"ם הלכות יסודי התורה פ"ד הי"ג) מטייל בפרד"ס, ועל ידי זה שמע קול הנבואה:

אמרי יושר

[א] מה אתה מערים על השבועה. מזה הגד חלילה לך, גם כפל חלילה מלך שני פעם עולם אתה מבקש, אין כאן דין, זהו השופט כל הארץ תתפוש ליקרא מי שירלה, זה ידע בודאי שלא יעשה משפט: ועמך דברתי. בזכות הגלת סדום, שהיה עתיד להתעורר, רצה אלהים ודיבר עמו, כי דיבור בין הבתרים קדם להגלת סדום: [ב] מטייל הייתי. נאמר כאן (ישעיה ו ח) ואשמע את קול ה' ולהלן (בראשית ג ח) וישמעו את קול ה' אלהים מתהלך, ועליו נאמר (ישעיה סז ז)[ו]הבית ימלא עשן, בית מדרשו, היה מטייל על כל החקירה, ולא משתדל להנבואות כברוך, ושם כל זה קבל עליו, וכן הוא אומר גוי נתתי למכים ולחיי למורטים: שלחתי את מיכה. קשה הרי מיכה היה אחר ישעיה, כי לא נתנבא עד יותם, וישעיה התחיל בימי עוזיה יותם (ישעיה א א), יש לומר דלאו דוקא, אלא לעתיד יתנבא, והשם הקדוש ברוך הוא מגיעת הגליות, בין מלך המעוברים שהוא עמוס, בין מלך העתיד שהוא מיכה, ולזה כפל את מי אשלח, ומי ילך לנו, כל שכן שמעו ישעיה אומר (שם פסוק ה) בתוך עם טמא שפתים, אין זה ראוי לנביא, רק מי שיסבול חרפתם, והשיב גוי נתתי למכים, הנני שלחני. אני אהיה עמוס, ה' נתן לי לשון למודים (שם נ ד), ולאחר גוי נתתי למכים הנגי, קבלתי עלי הכאות וחרפות, אף על פי שהיה מזרע המלוכה, וכנגד שני אלו כפל ערתנין סרבנין, אם אתה מקבל להתבזות כעמוס, וללקות כמיכה, לך. והנכון על מיכיהו בן ימלא שבספר מלכים (א' כב, כד) ויגש צדקיהו בן כנענה ויך את מיכיהו על הלחי, בימי יהושפט. אי נמי פליגי רבותינו ז"ל, וסבירא ליה דכאן היו ארבע נביאים, וכמו במקום

§2 The Midrash presents another interpretation of the verse in *Psalms* cited above:

רַבִּי עֲזַרְיָה בְּשֵׁם רַבִּי יְהוּדָה בַּר סִימוֹן פָּתַר קְרָיָא בִּישַׁעְיָה — R' Azaryah in the name of R' Yehudah bar Simone interpreted the verse in *Psalms* as **concerning Isaiah. אָמַר יְשַׁעְיָה: מְטַיֵּיל הָיִיתִי בְּבֵית תַּלְמוּדִי — Isaiah said: I was strolling in my house of study**[14] **וְשָׁמַעְתִּי קוֹלוֹ שֶׁל הַקָּדוֹשׁ בָּרוּךְ הוּא אוֹמֵר — when I heard the voice of the Holy One, blessed is He, saying, "אֶת מִי אֶשְׁלַח וּמִי יֵלֶךְ לָנוּ" — *"Whom shall I send, and who shall go for us?*** (*Isaiah* 6:8).[15] **שָׁלַחְתִּי אֶת מִיכָיְהוּ וְהָיוּ מַכִּין אוֹתוֹ בַּלֶּחִי — I sent Micaiahu and [the people] struck him on the cheek, הָדָא הוּא דִכְתִיב "וַיִּגַּשׁ צִדְקִיָּהוּ בֶן כְּנַעֲנָה וַיַּכֶּה אֶת מִיכָיְהוּ עַל הַלֶּחִי" — as it is written, *Zedekiah son of Chenaanah then approached and struck Micaiahu on the cheek*** (*I Kings* 22:24). **שָׁלַחְתִּי אֶת עָמוֹס וְהָיוּ קוֹרִין אוֹתוֹ פְּסִילוּס — I sent Amos, and [the people]** derisively **called him 'the tongue-impaired,' "**

NOTES

14. This indicates that it was as a result of Isaiah's deep contemplation of Torah and the works of God that he became a worthy recipient of prophecy. Alternatively, *strolling* implies a strong sense of joy in performance of mitzvos, a prerequisite for receiving prophecy (*Eitz Yosef*).

15. In the vision described there, Isaiah was offered the choice of prophesying to Israel, which he accepted, as the verse concludes, *And I said, "Here I am! Send me!"* Although this verse is in the sixth chapter of *Isaiah*, that entire passage is out of its chronological place and in reality contains the first prophecy that Isaiah received, as is evident from the verse cited here (*Eitz Yosef,* based on *Mechilta* to *Exodus* 15:9; see also *Rashi* to *Isaiah* 6:1).

פרשה י

א [ח, ב] "קַח אֶת אַהֲרֹן וְאֶת בָּנָיו אִתּוֹ וְגוֹ'", זֶה שֶׁאָמַר הַכָּתוּב (תהלים מה, ח) "אָהַבְתָּ צֶּדֶק וַתִּשְׂנָא רֶשַׁע וְגוֹ'", רַבִּי יוּדָן בְּשֵׁם רַבִּי עֲזַרְיָה פְּתַר קְרָיָא בְּאָבִינוּ אַבְרָהָם, [א]בְּשָׁעָה שֶׁבִּקֵּשׁ רַחֲמִים עַל סְדוֹמִיִּים אָמַר לְפָנָיו: רִבּוֹנוֹ שֶׁל עוֹלָם, נִשְׁבַּעְתָּ שֶׁאִי אַתָּה מֵבִיא מַבּוּל לָעוֹלָם, הָדָא הוּא דִכְתִיב (ישעיה נד, ט) "כִּי מֵי נֹחַ זֹאת לִי", מַבּוּל שֶׁל מַיִם אִי אַתָּה מֵבִיא, מַבּוּל שֶׁל אֵשׁ אַתָּה מֵבִיא, מָה אַתָּה מַעֲרִים עַל הַשְּׁבוּעָה, אִם כֵּן לֹא יָצָאתָ יְדֵי שְׁבוּעָה, הָדָא הוּא דִכְתִיב (בראשית יח, כה) "חָלִלָה לְּךָ מֵעֲשֹׂת כַּדָּבָר הַזֶּה", אָמַר לְפָנָיו: "חָלִלָה לְּךָ הֲשֹׁפֵט כָּל הָאָרֶץ לֹא יַעֲשֶׂה מִשְׁפָּט", אִם מִשְׁפָּט אַתָּה מְבַקֵּשׁ אֵין כָּאן עוֹלָם, אִם עוֹלָם אַתָּה מְבַקֵּשׁ אֵין כָּאן מִשְׁפָּט, אַתְּ בָּעֵי תְּפֹשׂ חַבְלָא בִּתְרֵין רֵישֵׁי, בָּעֵית °*עָלְמָא *וּבָעֵית דִּינָא דְקוּשְׁטָא, אִם אֵין *אַתְּ מְוַותֵּר צִיבְחַר לֵית עוֹלְמָךְ יָכֵיל קָאֵים, אָמַר לוֹ הַקָּדוֹשׁ בָּרוּךְ הוּא: אַבְרָהָם, (תהלים שם שם) "אָהַבְתָּ צֶּדֶק וַתִּשְׂנָא רֶשַׁע", אָהַבְתָּ לְצַדֵּק בְּרִיּוֹתַי וְשָׂנֵאתָ מִלְּחַיְּיבָן, (שם) "עַל כֵּן מְשָׁחֲךָ אֱלֹהִים אֱלֹהֶיךָ שֶׁמֶן שָׂשׂוֹן מֵחֲבֵרֶיךָ", מַהוּ "מֵחֲבֵרֶיךָ", אָמַר לוֹ: חַיֶּיךָ שֶׁעֲשָׂרָה דוֹרוֹת שֶׁמִּנֹּחַ עַד אֶצְלְךָ עִם אֶחָד מֵהֶם לֹא דִּבַּרְתִּי, וְעִמְּךָ אֲנִי מְדַבֵּר, שֶׁנֶּאֱמַר (בראשית יב, א) "וַיֹּאמֶר ה' אֶל אַבְרָם לֶךְ לְךָ":

ב רַבִּי עֲזַרְיָה בְּשֵׁם רַבִּי יְהוּדָה בַּר סִימוֹן פְּתַר קְרָיָא בִּישַׁעְיָה, אָמַר יְשַׁעְיָה: מְטַיֵּיל הָיִיתִי בְּבֵית תַּלְמוּדִי [ב]*וְשָׁמַעְתִּי קוֹלוֹ שֶׁל הַקָּדוֹשׁ בָּרוּךְ הוּא °אוֹמֶרֶת (ישעיה ו, ח) "אֶת מִי אֶשְׁלַח וּמִי יֵלֶךְ לָנוּ", שָׁלַחְתִּי אֶת °מִיכָה וְהָיוּ מַכִּין אוֹתוֹ בַּלְּחִי, הָדָא הוּא דִכְתִיב (מיכה ד, יד) "°בַּשֵּׁבֶט יַכּוּ עַל הַלְּחִי", °שָׁלַחְתִּי אֶת עָמוֹס וְהָיוּ קוֹרִין אוֹתוֹ פְּסִילוֹס,

עץ יוסף

(א) **זה שאמר הכתוב אהבת צדק כו'.** משום דקשיא ליה מאי לשון קיחה, ובעי לפרש לשון עילוי כדלכתוב לקמן, מייתי האי קרא דמדריש בעלויה דאהרן מתוך אחיו, ומכיון דמייתי ליה דריש ליה נמי באברהם וישעיה: **השופט כל הארץ וגו'.** דקשה ליה, למה דקדק לומר השופט כל הארץ, לכך מפרש דהכי קאמר מי שהוא שופט כל הארץ כמוך ראוי שלא יעשה משפט שהוא דין גמור, שאין העולם מתקיים בדין אלא צריך לשתף דין ברחמים, ולפי זה לא מפרש השופט כל הארץ, בתמיה כפירוש רש"י, אלא ה' זה הוא ה' האמיתית, כמו הנגלה נגליתי שפירושו הלא נגלה נגלתי, כן כאן גם כן פירושו הלא מי שהוא שופט כל הארץ ראוי שלא יעשה משפט כראוי בדין גמור (נזר הקודש): **אין כאן עולם.** אי אפשר לעולם להתקיים: **אין כאן משפט.** פירוש אין כאן משפט ברור בלא רחמים: **את בעי תפוס כו'.** אתה רוצה לאחוז החבל בשני ראשין, אתה רוצה העולם, ואתה רוצה גם הדין גמור בלי רחמים: **אהבת לצדק בריותי.** אם ימצא להם זכות: **ושנאת מלחייבם.** אף אם לא ימצא להם זכות, שהרי בקשת להטות עליהם חסד, וגם בקשת לזכותם מפני השבועה: **שנאמר לך לך.** רצה לומר הכפל לך לך בא לומר, לך לתועלתך להודך הוה דבור הנבואה, ועיין בענף: (ב) **פתר קריא בישעיה.** רצה לומר שהאי קרא מקויים בישעיה: **מטייל הייתי.** רמז שעל ידי ההתבודדות בתורה ובעיון במעשה ה', היה מוכן לקבלת הנבואה. או הטיול רמז לשמחה של מצוה כי זו הכנה לקבלת הנבואה כמו שאמרו בפסחים (קיז, א) אין הנבואה שורה לא מתוך עצלות וכו', אלא מתוך שמחה של מצוה: **שלחתי את מיכיהו והיו מכין אותו בלחי.** (מלכים א' כב, כד) **ויגש צדקיהו בן כנענה ויכה את מיכיהו על הלחי.** כן צריך לומר. וכן הוא בפסיקתא רבתי (פרק לג). אבל הגירסא שלפנינו אי אפשר לקיימה, שהרי ישעיה על כרחך מקמי מיכה נתנבא, שהרי בישעיה כתיב (ישעיה א, א) בימי עוזיהו יותם אחז יחזקיהו, ובמיכה כתיב (מיכה א, א) בימי יותם אחז יחזקיהו, והא דאמר בפרק קמא דמסכת בבא בתרא (יד, ב) ארבע נביאים נתנבאו באותו הפרק הושע, ישעיה, עמוס, ומיכה, לא נקט מיכה בהדייהו, אלא משום בימי יותם אחז יחזקיהו כדפירש רש"י: **פסילוס.** פירש בערוך קטיע לישנא, פירושו קטוע ומוכרת בלשונו, ובזוהר סדר ויחי דמגמגם בלישנא פסילס קרי ליה (מתנות כהונה):

פירוש מהרז"ו

(א) **אהבת צדק.** עיין בראשית רבה (מט, ט) ושם נסמן ומבואר: **כי מי נח זאת לי.** וסיפא דקרא אשר נשבעתי מעבור מי נח עוד על הארץ, וכוונת השבועה שלא לכלות עוד העולם, כמו המבול, ומה הפרש בין מים לאש: **חלילה לך.** משמע שיש כאן עול, היינו העברת השבועה, ומרומז במה שכתב כדבר הזה אשר דברת ונשבעת, על כן אמר שני פעמים חלילה לך, אחד על העברת השבועה, ואחד על שבקש לעשות משפט של כליה. ויתר הדברים מבוארים שם בבראשית רבה: (ב) **שלחתי את מיכיהו.** עיין ביפה תואר. אחר זמן רב מצאתי כן בהדיא בפסיקתא רבתי (פרשה לג סימן ג), ושם הביא דרך אגב גם את זכריה, שהרגוהו, ואת ירמיה, שרצו להרגו, שהיו אחרי ישעיה:

מתנות כהונה

[א] **השופט כל הארץ.** דרש הה"א תמיה קיימת, כמו (שמואל א' ב, כז) הנגלה נגליתי, ופירושו מי שהוא שופט כל הארץ אינו יכול לעשות משפט אמת כי אם חסד: **את בעי תפס כו'.** אתה רוצה לאחוז ולתפוס החבל בשני ראשיו, תפלת עולמך ותפלת דין: **אם אין אתה מוותר.** גרס, והכי גרסינן לעיל פרשה וירא (מט, ט): **ציבחר.** מעט: **אין עולמך יכול לקיים: הכי גרסינן ועמך אני מדבר שנאמר ויאמר ה' אל אברם לך לך.** וכן הוא לעיל פרשה וירא (מט, ט), ובילקוט תהלים (רמז תשנ), וכן עיקר, שזה היה תחלת דבר ה' לאברהם: [ב] **פסילוס.** פירש בערוך קטיעא בלשנא, פירוש קטוע ומוכרת בלשונו, ובספר הזוהר פרשת ויחי (רכה, א), דמגמגם בלישנא פסילס קרי ליה, ועיין ריש מדרש קהלת [רבה] (א, ב):

אשד הנחלים

[א] **אהבת צדק גו'.** בארתי בסדר לך לך (לט, ו) עיין שם, ותבין המאמר בשלימות: [ב] **מטייל הייתי.** כי הנביא צריך להתבודדות עצומה להפנות מחשבתו מכל העניינים העולמיים, והולך ושב מרוב העמקת מחשבתו, וזהו נקרא טיול בפי חז"ל (חגיגה יד, ב ועיין רמב"ם הלכות יסודי התורה פ"ד ה"ג) מטייל בפרד"ס, ועל ידי זה שמע קול הנבואה:

אמרי יושר

[א] **מה אתה מערים על השבועה.** מזה הלך חלילה לך, גם כפל חלילה מלך שני שאם עולם אתה מבקש, אין כאן דין, זהו השופט כל הארץ תתפוס ליקרא מי שירצה, כי ידע בודאי שלא יעשה משפט: **ועמך דברתי.** בזכות הצלת סדום, שהיה עתיד להתעורר, רצה אלהים ודיבר עמו, כי דיבור בין הבתרים קדם להצלת סדום: [ב] **מטייל הייתי.** נאמר כאן (ישעיה ו, ח) ואשמע את קול ה' אלהים מתהלך, ועליו נאמר (ישעיה שם ד) [ו]הבית ימלא עשן, בית מדרש, היה משתדל על לב התקירה, ולא משתדל להנבאות כברוך, ועם כל זה קבל עליו, וכן הוא אומר גוי אשר נתתי לארץ למורשה: **שלחתי את מיכה.** קשה הרי מיכה היה אחר ישעיה, כי לא נתנבא עד יותם, וישעיה התחיל בימי עוזיה יותם (ישעיה א, א), יש לומר דלאו דוקא, אלא לעתיד יתנבא, והשם הקדוש ברוך הוא מגיעת השליחות, בין מלך המוכיחים שהוא עמוס, בין מלך העתיד שהוא מיכה, ולזה כפל את מי אשלח, ומי ילך לנו, כל שכן בשלטון ישעיה אומר (שם פסוק ה) בתוך עם טמא שפתים, אין זה ראוי לנביא, רק מי שיסבול חרפתם, והשיב נגד עניים, הנני שלחני, אני איני עמוס, כי נתן לי לשון למודים (שם נ, ד), ולאחר נתת למכים הגני, קבלתי עלי הכאות וחרפות, אף על פי שהיה מזרע המלוכה, וכנגד שני אלו כפל טרחנין סרבנין, אם אף מקבל להתבזות כעמוס, ולקות כמיכה, לך. והנכון על מיכיהו בן ימלה בספר מלכים (א' כב, כד) ויגש צדקיהו בן כנענה ויך את מיכיהו על הלחי, בימי יהושפט. אי נמי פליגי רבוותא ז"ל, וסבירא ליה דכאן היו ארבע נביאים, וכמו במקום

חידושי הרד"ל

[א] **פתר קרא באברהם כו'.** בראשית רבה ריש פרשה ל"ט: **חייך שעשרה דורות שמנח כו'.** לדברי הספרים שכתוב חבריך מלא יו"ד, יש לרמוז היו"ד על עשרה דורות אלו: [ב] **מטייל הייתי בבית תלמודי כו'.** נראה דמקרא (דלקמיה דקרא דגוי נתתי, שמביא להלן), בבקר בבקר יעיר לי אזן לשמוע כלמודים (ישעיה נ, ד), דרש שבשיהיה מטייל בלמודו, יעיר לו אזן לשמוע הנבואה, כשומע הלמודים, ומיד אחר כן אנכי לא מריתי (שם ה), גוי נתתי כו':

חידושי הרש"ש

[א] **מה אתה מערים על השבועה כו' הדא הוא דכתיב חלילה לך כו'.** עיין מה שכתבתי לעיל בבראשית רבה (לט, ו): [ב] **שלחתי את מיכה והיו מכין אותו כו'.** צריך עיין שעל כרחך ישעיה קדמו, שבמיכה (א, א) כתיב בימי יותם כו', ובישעיה (א, א) כתיב בימי עוזיהו כו', עיין פסחים (פז, א) ברש"י בהגה, וכן כתב רש"י בריש הושע(א, ב), שמיכה היה אחרון לכולם:

ידי משה

[ב] **מטייל הייתי.** לפי שאין שכינה שורה אלא מתוך שמחה:

שינוי נוסחאות

(א) **בעית עלמא.** בכל הספרים חדשים גם ישנים היה כתוב "עולמך" ובחלקם בקיצור "עולמ'", אבל בוארשא תר"ג החליטו להשלים את הקיצור לכתוב "עולמי" והוא טעות בלי ספק, אבל כן העתיקו לוארשא, ובווילנא תרמ"ז הבינו שא"א לקיים גרסת "עולמי" ושינו ל"עלמא", וגם הוא אפשרי, אבל הגירסא המקורית והנכונה היא "עולמך": (ב) **ושמעתי קולו של הקדוש ברוך הוא אומרת.** כך כתוב בכל הדפוסים, וצ"ל "אומר" (ל' זכר) כדאיתא בכי"י, וגם בדפוס ראשון אפשר לקרוא כך: **שלחתי את מיכה.** עצ"י הגיה ע"פ יפ"ת "מיכיהו", שהיה בימי יהושפט, ואילו מיכה היה אחרי תחילת נבואת ישעיה:

מסורת המדרש

א. ילקוט תהלים: ב. ילקוט ישעיה רמז ס"ו:

אם למקרא

אָהַבְתָּ צֶּדֶק וַתִּשְׂנָא רֶשַׁע עַל כֵּן מְשָׁחֲךָ אֱלֹהִים אֱלֹהֶיךָ שֶׁמֶן שָׂשׂוֹן מֵחֲבֵרֶיךָ: (תהלים מה:ח)

כִּי מֵי נֹחַ זֹאת לִי אֲשֶׁר נִשְׁבַּעְתִּי מֵעֲבֹר מֵי נֹחַ עוֹד עַל הָאָרֶץ כֵּן נִשְׁבַּעְתִּי מִקְּצֹף עָלַיִךְ וּמִגְּעָר בָּךְ: (ישעיה נד:ט)

חָלִלָה לְּךָ מֵעֲשֹׂת כַּדָּבָר הַזֶּה לְהָמִית צַדִּיק עִם רָשָׁע וְהָיָה כַצַּדִּיק כָּרָשָׁע חָלִלָה לָּךְ הֲשֹׁפֵט כָּל הָאָרֶץ לֹא יַעֲשֶׂה מִשְׁפָּט: (בראשית יח:כה)

וַיֹּאמֶר ה' אֶל אַבְרָם לֶךְ לְךָ מֵאַרְצְךָ וּמִמּוֹלַדְתְּךָ וּמִבֵּית אָבִיךָ אֶל הָאָרֶץ אֲשֶׁר אַרְאֶךָּ: (בראשית יב:א)

וָאֶשְׁמַע אֶת קוֹל אֲדֹנָי אֹמֵר אֶת מִי אֶשְׁלַח וּמִי יֵלֶךְ לָנוּ וָאֹמַר הִנְנִי שְׁלָחֵנִי: (ישעיה ו:ח)

עַתָּה תִּתְגֹּדְדִי בַת גְּדוּד מָצוֹר שָׂם עָלֵינוּ בַּשֵּׁבֶט יַכּוּ עַל הַלְּחִי אֵת שֹׁפֵט יִשְׂרָאֵל: (מיכה ד:יד)

ענף יוסף

(א) **שנאמר ויאמר ה' אל אברם לך לך.** כן הוא הנוסחא במדרשים שלפנינו, וכן הוא בבראשית רבה (פרשה מט כ), אבל בהמדרש רבה שעם היפה תואר הנוסחא, שנאמר אחר הדברים האלה וגו', וכתב היפה תואר וזה לשונו, קשה אמאי שביק דבורא קמא, דהיינו ויאמר ה' אל אברם לך לך, ולכן דקדק בבראשית רבה ונקט האי קרא, ושמא יש לומר משום דבדבור זה הוזכר שכרו על זה, דקאמר אנכי מגן לך, ואמר בבראשית רבה (פרשה מד, ה) מנח לא העמדתי מגינים, ממך אני מעמיד מגינים, להכי ניחא ליה למנקט דבור זה, עד כאן לשונו: (ב) **שלחתי את עמוס.** שעמוס קודם לישעיה היה כדאיתא בסדר עולם, שבעמוס הוא אומר שנתים לפני הרעש, ובישעיה הוא אומר וינועו אמות הסיפים וגו', שנתנבא ביום הרעש, וזה נעלם מהכלי פז שכתב שעמוס היה אחר ישעיה. אבל קשה בפרק קמא דבבא בתרא (יד ע"ב) דפריך לקדמיה להושע ברישא, הוי ליה למפרך נמי לקדמיה לעמוס ברישא:

דְּאָמַר רַבִּי אָמַר רַבִּי פִּנְחָס: לָמָּה נִקְרָא שְׁמוֹ עָמוֹס — **as Rebbi said in the name of R' Pinchas: Why was he called Amos** [עָמוֹס]**?** שֶׁהָיָה עָמוּס בִּלְשׁוֹנוֹ — **Because he was burdened** [עמוס] **in his speech.**[16] מֵעַתָּה "אֶת מִי אֶשְׁלַח וּמִי יֵלֶךְ לָנוּ — God concluded, **"Now,** ***Whom shall I send, and who shall go for us?"*** וָאֹמַר הִנְנִי שְׁלָחֵנִי" — And Isaiah's reply was, ***And I said, "Here I am! Send me!"*** (*Isaiah* ibid.). אָמַר לוֹ הַקָּדוֹשׁ בָּרוּךְ הוּא: יְשַׁעְיָה, בָּנַי טַרְחָנִין סַרְבָנִים הֵם — **The Holy One, blessed is He, said to him, "Isaiah,** realize that **My children,** the people of Israel, **are troublesome** and **obstinate.** אִם אַתָּה מְקַבֵּל עָלֶיךָ לְהִתְבַּזּוֹת וְלִלְקוֹת מִבָּנַי — **If you accept upon yourself to be humiliated and flogged by My children,** אַתְּ הוֹלֵךְ בִּשְׁלִיחוּתִי — **you may go on My mission** to prophesy to them. וְאִם לָאו אֵין אַתָּה הוֹלֵךְ בִּשְׁלִיחוּתִי — **But if not, you may not go on My mission."** אָמַר לוֹ: עַל מְנָת כֵּן — **[Isaiah] responded to Him, "On this condition** I accept the mission," "גֵּוִי נָתַתִּי לְמַכִּים וּלְחָיַי לְמֹרְטִים" — as Isaiah testified elsewhere, ***I submitted my body to those who smite and my cheeks to those who pluck;*** *I did not hide my face from humiliation and spit* (ibid. 50:6). וְאֵינִי כְּדַי לֵילֵךְ בִּשְׁלִיחוּת אֵצֶל בָּנֶיךָ — Isaiah concluded, "Nevertheless, **I** feel that I **am unworthy to go on a mission to Your children."** אָמַר לוֹ הַקָּדוֹשׁ בָּרוּךְ הוּא: יְשַׁעְיָה, "אָהַבְתָּ צֶּדֶק" — **The Holy One, blessed is He, said to him, "Isaiah,** ***You love righteousness,*** אָהַבְתָּ לְצַדֵּק אֶת בָּנַי — in that *you love* **to make My children righteous,**[17] "וַתִּשְׂנָא רֶשַׁע", שֶׁשָּׂנֵאתָ מִלְּחַיְּיבָן — ***and you hate wickedness*** (or: *finding guilt*), in **that** ***you hate*** **assigning guilt to them.**[18] "עַל כֵּן מְשָׁחֲךָ אֱלֹהִים אֱלֹהֶיךָ" — ***Therefore has God, your God, anointed you,*** *with oil of joy*[19] *from among your peers"* (*Psalms* ibid.). מַהוּ "מֵחֲבֵרֶיךָ" — **What is** the meaning of ***from among your peers?*** אָמַר לוֹ: חַיֶּיךָ כָּל הַנְּבִיאִים קִבְּלוּ נְבִיאוּת נָבִיא מִן נָבִיא — **[God] said to [Isaiah],** "I swear by **your life, all the** other **prophets received** their **prophecy** passed down one **prophet from** another **prophet."** "וַיָּאצֶל מִן הָרוּחַ אֲשֶׁר עָלָיו וגו' " — For example, Scripture states, ***And [God] increased some of the spirit that was upon [Moses]*** *and gave it to the seventy men, the elders* (*Numbers* 11:25), "וַיֹּאמְרוּ נָחָה רוּחַ אֵלִיָּהוּ עַל אֱלִישָׁע" — and it states further, ***And they said, "The spirit of Elijah has rested upon Elisha!"*** (*II Kings* 2:15). אֲבָל אַתְּ מִפִּי הַקָּדוֹשׁ בָּרוּךְ הוּא — God continues, **"However, you** will not be like this; you will receive your prophecy directly **from the mouth of the Holy One, blessed is He,"**[20]

NOTES

16. I.e., he spoke as though he were carrying a weight upon his tongue (*Matnos Kehunah*). *Maharzu* adds that the intention of the Midrash is to interpret the opening words of the Book of *Amos* (1:1) דִּבְרֵי עָמוֹס, *the words of Amos,* as *he who was burdened in his words*. Although the name Amos reflects his speech impairment for which he was mocked by others, Scripture chose to call him by this name, for it actually reflects his praise in that he conveyed God's prophecies to the people in spite of being mocked (*Eitz Yosef*).

17. I.e., by accepting My mission to prophesy to them and turn them away from their evil ways, toward the path of righteousness (*Yefeh To'ar*, *Eitz Yosef*).

18. I.e., you hate the idea of allowing them to continue following their sinful ways (ibid.).

19. See above, note 12.

20. Since Isaiah did not need a supporting intermediary to receive his prophecy from God, he experienced a greater sense of mercy and compassion by speaking more directly to the Source of mercy and compassion. This was a reward for the mercy and compassion he showed toward the Jewish people (*Anaf Yosef,* from *Nezer HaKodesh*). See Insight Ⓐ.

INSIGHTS

Ⓐ **Conduits of the Divine** The Midrash states that the ability to prophesy is usually transmitted from one prophet to another. *Ran* explains the process. When the Divine spirit pours down from Above upon a particular prophet, the effect is not limited to the recipient of the prophecy, but spreads out also to those with whom he is connected. This is what occurred in the incident of the seventy elders cited in the Midrash. Although not all of the seventy were worthy of prophecy, the abundant prophetic spirit that came to rest upon Moses spilled over to them, and allowed them to prophesy as well.

This occurred also when God chastised Aaron and Miriam for speaking ill of Moses. The Torah states (*Numbers* 12:4) that God commanded Moses, Aaron, and Miriam to come to the Tent of Meeting. When they arrived, God spoke only to the latter two, but not to Moses. Why then was it necessary to call Moses? *Ran* explains that Aaron and Miriam, although both prophets, were not able to receive prophecy without prior preparation. Moses, by contrast, existed in a constant state of readiness for prophecy. His exalted presence allowed them to receive a Divine communication despite their unpreparedness (*Derashos HaRan, Derush* §8).

[In this vein, *Tosefta* (*Sotah* 12:5) states that in Elijah's time, there were numerous prophets as great as he, but the Divine Spirit was withheld from them when Elijah left the world. *Abarbanel* (*II Kings* Ch. 2) attributes this to the process described by *Ran*. Whereas these other prophets were indeed great, their stature was derived from Elijah. When he was no longer present, their connection to the Divine was severed.]

This is what the Midrash means when it says that prophecy is transmitted from one prophet to another. The power of prophecy that was manifested in the nation of Israel throughout the era of the prophets had its source in the connection between God and Moses. Moses called down an abundant flow of Divine revelation. He passed it on to Joshua, who in turn passed it on to the prophets that followed. This was the cause, according to *Ran,* of the eventual disappearance of prophecy. No prophet could completely replicate his own level of spiritual connection in his disciple, but only a facsimile thereof. Thus, each successive prophet was inevitably of lesser stature than the one who preceded him. With each successive transmission something was lost, and the reservoir of prophecy was depleted, until nothing remained, and prophecy in Israel came to an end (*Ran* ibid.).

Ran employs this idea to explain the final exchange between the prophet Elijah and his disciple Elisha. Elijah instructed Elisha to make a final request of him. Elisha asked that he be granted twice the prophetic spirit of Elijah himself. Elijah responded (*II Kings* 2:10): הִקְשִׁיתָ לִשְׁאוֹל, *You have made a difficult request.* Since Elisha's prophecy was derived from Elijah's, his request could not be fulfilled, for Elijah could not possibly give more than he himself possessed. Elijah then added: אִם תִּרְאֶה אֹתִי לֻקָּח מֵאִתָּךְ יְהִי לְךָ כֵן וְאִם אַיִן לֹא יִהְיֶה, *If you see me taken from you, so shall it be for you, but if not, it shall not be.* Elijah knew that at the moment he would merit to ascend to Heaven, he would undoubtedly be elevated far beyond his previous station, his very body transfigured, and become as one with the angels. In that instant, the Divine spirit resting upon Elijah would surely be many times greater than it had been previously, easily enough to grant Elisha twice Elijah's former stature. Elisha need only remain close and observe, and he would receive the benefit of Elijah's expanded influence. This indeed came to pass; hence, when the disciples of the prophets caught sight of Elisha afterward, they exclaimed (ibid., v. 15): נָחָה רוּחַ אֵלִיָּהוּ עַל אֱלִישָׁע, *The spirit of Elijah has rested upon Elisha!*

The same reasoning may be applied with respect to Torah knowledge. All Torah we possess was received by Moses at Sinai. It was transmitted to Joshua not merely through Moses' teaching, but also through conduits of the spirit that convey to the disciple the Divine wisdom that rests upon the master. This was true not only of Moses and Joshua, but remains the case throughout the ages, with all teachers of Torah and their disciples. The phenomenon is illustrated in *Eruvin* 13b, which quotes Rebbi as saying that he was sharper than his fellows because he saw R' Meir from behind, i.e., when attending his lectures, and if he had been seated where he could observe R' Meir's face, he would have been even sharper still. For proof he cited this verse (*Isaiah* 30:20): וְהָיוּ עֵינֶיךָ רֹאוֹת אֶת מוֹרֶיךָ, *And your eyes shall behold your teachers.* We see that a portion of one's growth in Torah is due not to the factual knowledge being transmitted, but to the indefinable effect

דְּאָמַר רַבִּי אָמַר רַבִּי פִּנְחָס: לָמָּה נִקְרָא שְׁמוֹ עָמוֹס, שֶׁהָיָה עָמוּס בִּלְשׁוֹנוֹ, מֵעַתָּה (ישעיה שם שם) "אֶת מִי אֶשְׁלַח וּמִי יֵלֶךְ לָנוּ, וָאֹמַר הִנְנִי שְׁלָחֵנִי", אָמַר לוֹ הַקָּדוֹשׁ בָּרוּךְ הוּא: יְשַׁעְיָה, בָּנַי טַרְחָנִין סַרְבָנִים הֵם, אִם אַתָּה מְקַבֵּל עָלֶיךָ *לְהִתְבַּזּוֹת וְלִלְקוֹת מִבָּנַי אַתְּ הוֹלֵךְ בִּשְׁלִיחוּתִי, וְאִם לָאו אֵין אַתָּה הוֹלֵךְ בִּשְׁלִיחוּתִי, אָמַר לוֹ: עַל מְנָת כֵּן, (שם נ, ו) "גֵּוִי נָתַתִּי לְמַכִּים וּלְחָיַי לְמֹרְטִים", וְאֵינִי כְּדַי לֵילֵךְ בִּשְׁלִיחוּת אֵצֶל בָּנֶיךָ, אָמַר לוֹ הַקָּדוֹשׁ בָּרוּךְ הוּא: יְשַׁעְיָה, (תהלים מה, ח) "אָהַבְתָּ צֶדֶק", אָהַבְתָּ לְצַדֵּק אֶת בָּנַי, (שם) "וַתִּשְׂנָא רֶשַׁע", שֶׁשָּׂנֵאתָ מְלַחַיְּבָן, (שם) "עַל כֵּן מְשָׁחֲךָ אֱלֹהִים אֱלֹהֶיךָ", מַהוּ (שם) "מֵחֲבֵרֶיךָ", אָמַר לוֹ: חַיֶּיךָ כָּל הַנְּבִיאִים קִבְּלוּ נְבִיאוּת נָבִיא מִן נָבִיא, (במדבר יא, כה) "וַיָּאצֶל מִן הָרוּחַ אֲשֶׁר עָלָיו וְגוֹ'" (מלכים-ב ב, טו) "וַיֹּאמְרוּ נָחָה רוּחַ אֵלִיָּהוּ עַל אֱלִישָׁע", אֲבָל אַתְּ מִפִּי הַקָּדוֹשׁ בָּרוּךְ הוּא,

למה נקרא שמו עמוס כו'. ואם תאמר אם בני דורו היו מבזים אותו למה הכתוב יקראנו על שם מומו. ויש לומר דבשבחו דבר הכתוב שאף על פי שהיו מבזים אותו לא נסוג אחור משליחות ה': **עמוס בלשונו.** כבד בלשונו, כאילו עמסוהו משא על לשונו: **מעתה את מי אשלח כו'.** ואף על גב דמקמי האי קרא כתיבי כמה נבואות בישעיהו, הא שנינו במכילתא (פרשת השירה פרשה ז) בשנת מות המלך עוזיהו, זו היה תחלת הפרשה, ולמה נכתב כאן, שאין מוקדם ומאוחר בתורה: **גוי נתתי כו' ואיני כדאי.** כלומר, אני מקבל עלי את הכל באהבה כמו שמספר בעצמו גוי נתתי למכים וגו', וכמו שנותן באהבה עזה, כי אף על פי כן התבונן שאינו כדאי להיות הולך בשליחות הזאת, כי כדאי לסבול לכל היסורים בכדי לקבל המחזה העליונה: **אהבת לצדק את בני.** היינו שרצה לזכותם על ידי שליחותו ולהשיבם בתשובה ושלא יעמדו בחובתם: **נביא מן נביא.** שלא היה בכחו לקבל הנבואה זולתי על ידי אצילת הרוח מן נביא אחר, כי מהראוי יאצל גם על הבלתי ראוי עודנה, ואף שהיה אלישע גדול בנבואתו מישעיה כפי הנראה מפשטות הכתובים ומניסיו הגדולים, עם כל זה בבחינתו הגדולה, לא היה בכחו לקבל כי אם על ידי רוח אליהו, אכן ישעיה בבחינתו לא היה מקבל מאחר כי אם מעלמו: **אבל את מפי הקדוש ברוך הוא.** מפרש שמן שמן הוא משל אל הנבואה, ומחביריך, פירוש יותר מחביריך (כלי פז):

עמוס בלשונו. לשון משא כבד, כמו שכתוב אלא משה (שמות ד, י), כי כבד פה וכבד לשון אנכי, וכוונת המדרש על מה שכתוב (עמוס ז, יב) ויאמר אמציה אל עמוס חוזה [לך] ברח לך אל ארץ יהודה ואכל שם לחם ושם תנבא, ובית אל לא תוסיף עוד להנבא וגו', וכמו שכתוב בריש מדרש קהלת, למה נקרא שמו עמוס שהיה עמוס בלשונו, אמרו אנשי דורו הניח הקב"ה כל בריותיו ולא השרה שכינתו אלא על הדין קטיע, ליסנא פסילותא, ודורש מה שכתב בריש עמוס, דברי עמוס שהיה עמוס בדבריו ובלשונו, כך למתדי מדברי המדרש שם. ועל מה שכתב שהכוונה במה שנאמר (ישעיה ו, ח) את מי אשלח ומי ילך לנו, על מיכיהו ועמוס, על זה אמר ישעיה (ישעיה נ, ה) ואנכי לא מריתי אחור לא נסוגותי, כי חסרון עמוס אין בי, כי ה' אלהים נתן לי לשון למודים (ישעיה שם פסוק ד), ולמעשה מיכיהו איני חושש, כי גוי נתתי למכים ולחיי למורטים (שם פסוק ו), על כן אני אומר הנני שלחני, ומה שכתב אמר לו הקב"ה לישעיה בני טרחנין וכו', היינו מה שכתוב (שם פסוק ה) ה' אלהים פתח לי אזן (שאמר לי) ואנכי לא מריתי וגו', גוי נתתי למכים, הרי שפתח לי אזן, שאמר לי בני טרחנין וכו' (להזבות) [להתבזות] וללקות וכו', ומהתשובה שאמר ואנכי לא מריתי אחור לא נסוגותי גוי נתתי למכים ולחיי למורטים, אנו יודעים שזה היה השאלה ששאל אותו אם יתרצה על זה, והשיב שמתרצה על זה, וזה על פי מדה ט' וי"ז, ועל מה שכתוב (שם ד) יעיר לי אזן לשמוע כלמודים, דרש מטייל הייתי בבית תלמודי, שמעתי קולו של הקב"ה אומר את מי אשלח עוד הפעם, ה' פתח לי אזן, היינו מה שכתב בני טרחנין וכו', ועל זה אמר ואנכי לא מריתי, על מה שאמר בני טרחנין, אחור לא נסוגותי, על מה שאמר את מי אשלח, אלא גוי נתתי למכים. ומה שאמר ואיני כדאי לילך, שמאחר שקבל עליו שיכו וימרטו אותו ויריקו בפניו, הרי שהחזיק עצמו שאינו כדאי, ועל שהתרצה וקבל עליו, עזרו השם יתברך שלא הכו אותו ולא מרטו אותו ולא ירקו בפניו, שעל זה אמר (שם פסוק ז) וה' אלהים יעזר לי על כן לא נכלמתי על כן שמתי פני כחלמיש ואדע כי לא אבוש, שלא כנגד שלש הנ"ל, ואחר כך אמר ישעיהו (פסוק ח) קרוב מצדיקי מי יריב אתי, על שלמד זכות על ישראל כנגד השטן ומדת הדין, ואמר (שם) מי הוא בעל משפטי יגש אלי, ועל זה דרש כאן, אהבת לצדק (תהלים מה, ח), לצדק את בני, כנגד מה שאמר קרוב מצדיקי, ומה שדרש (שם) ותשנא רשע, כנגד מה שאמר (ישעיה נ, ט) מי הוא ירשיעני, ומה שכתוב (תהלים שם) על כן משחך ה' אלהיך, כנגד מה שאמר (ישעיה שם ז) וה' אלהים יעזר לי:

מתנות כהונה

עמוס בלשונו. כבד בלשונו כאילו עמסוהו משא על לשונו:

נחמד למראה

[ב] אמר ליה הקב"ה ישעיה אהבת צדק. אהבת לצדק את בני, ותשנא רשע ששנאת מלחייבן וכו'. קשה דהא איפכא שמעינן, דתחלת דבר ה' אל ישעיה אמר (ישעיה ו, ה) ובתוך עם טמא שפתים אנכי יושב, דפתח בחובתם של ישראל, והיכי קאמר הכא ששנא מלחייבן. והרב יפה תואר נרגש מזה, ופירש דאהבת לצדק היינו שרצה לזכותם על ידי שליחותו ולהשיבם בתשובה וכו', יעויין שם. ולי נראה על פי שמעתי אומרים פירוש נחמד ותריץ בפסוק זה (שם, ח) ואשמע את קול ה' אומר את מי אשלח ומי ילך לנו, ואומר הנני שלחני. שדקדק בפסוק זה שהוא כפול, דהיינו אשלח היינו ילך. ועוד שבתחלה פתח בלשון יחיד אשלח, וסיים בלשון רבים ילך לנו, והיה ליה למימר או את מי אשלח ומי ילך לי, או את מי נשלח ומי ילך לנו. ועוד דקדקו בדברי ישעיה הנביא שאמר הנני שלחני, דתיבת שלחני מיותרת, היה די שיאמר הנני. ופירשו דהענין הוא שכשהקב"ה רוצה לשלוח נביא לדבר טוב על ישראל, אז אינו נמלך בפמליא של מעלה, והוא בעצמו שולח אותו, אבל אם הוא להרע את ישראל, אז נמלך בפמליא של מעלה אולי ילמדו עליהם סניגוריא. ואם לא ימצא בזה זכות, אז יהיה שליחות הנביא על ידי הוא ובית דינו, כענין (בראשית יט, כד) וה' המטיר על סדום. וזהו שאמר את מי אשלח לטובת ישראל, ומי ילך לנו רוצה לומר הוא ובית דינו לרעת ישראל. ועל זה ישעיה שהיה חפץ בטובת ישראל, ולא ברעתם, אמר הנני שלחני, כלומר אני רוצה להיות שלוחך דוקא, שהוא לטובת ישראל, ולא שליח ממך ובית דינך, שהוא לרעת ישראל, עד כאן שמעתי. ולפי זה הוא דקאמר המדרש אהבת לצדק, אהבת לצדק את בני, ותשנא רשע מלחייבן. מפני שאמר הנני שלחני, שמורה לטובה, ולא אמר הנני לבד, דאז היה מורה גם על הרעה. וזהו שאמר לצדק את בני. ודוק: **מהו מחביריך אמר ליה חייך כל הנביאים קבלו נביאות נביא מן נביא ויאצל מן הרוח וגו' אבל את מפי הקב"ה.** לא פליג אהא דאמרינן לעיל (שמות כח, ו) אמר רבי יצחק מה שהנביאים עתידים להתנבאות בכל דור ודור קבלו מהר סיני, שכן משה אומר להם לישראל (דברים כט, יד) כי

אשד הנחלים

גוי נתתי גו' ואיני כדאי. כלומר אני מקבל עלי את הכל באהבה, כמו שמספר בעצמו שגידי נתן למכים, וכמו שנותן באהבה עזה, כי אף על פי כן התבונן שאינו כדאי להיות הולך בשליחות הזאת, כי כדאי לסבול לכל היסורים בכדי לקבל המחזה העליונה: **אהבת לצדק.** כי הכח הזה נובע רק מהמדה הזאת, שחפץ לסבול עליו יסורים רבים, בכדי לצדק אותם ולהוכיחם: **נביא מן נביא.** שלא היה בכחו לקבל הנבואה זולת על ידי אצילת הרוח מן נביא אחר, כי מהראוי יאצל גם על הבלתי ראוי עודנה. ואף שהיה אלישע גדול בנבואתו מישעיה, כפי הנראה מפשטות הכתובים ומניסיו הגדולים, עם כל זה בבחינתו הגדולה לא היה בכחו לקבל כי אם על ידי רוח אליהו, אכן ישעיה בבחינתו לא היה מקבל מאחר

חידושי הרד"ל

ישעיה אהבת לצדק את בני. אפשר זה שנאמר (שם ס, כא) קודם מקרא זה דרוח ה' אלהים עלי יען משח כו', ועמך כלם צדיקים וגו': **אבל מפי הקדוש ברוך הוא כו'.** זה שמבואר בסנהדרין (קג, ב) וגם דם נקי שפך מנשה כו' עד אשר מלא כו' מפה לפה (מלכים ב' כא, טז), שהרג את ישעיה, דרש ליה מן פה לפה, שישעיה קיבל נבואות מפה לפה:

חידושי הרש"ש

מהו מחביריך כו' כל הנביאים כו' אבל אתה כו'. וכן איתא לקמן ותתחן רבה (ב, ד) אין לך גדול בנביאים ממשה וישעיה. אבל בפסחים (שם) איתא וגדול שבכולן שהיה גדול בשנים, מדתנבאה תחילה, כדמסיים שם שנאמר תחילת דבר ה' כו'. וזה דלא כהרב הגאון מורנו הרב שמואל לנדא ז"ל בספר אהבת ציון דרוש ט' שתפס המאמר כפשוטו שהיה גדול מכולן במעלה, ובנה על זה חומת הדרוש:

אמרי יושר

אחד, שמלכות יותם היה בחיי עוזיהו, וקרא הכל על יותם, והנה ארבע נביאים היו באותו הפרק (פסחים פז א), [הושע, ישעיה, עמוס, ומיכה], והושע קדם אליהם, אבל עיקר שנות האל היה עם הושע, דאמרינן בפרקין הלכה [שם] דאמר החליפם באומה אחרת, והושע אי אפשי בו, והשני האחרים בזוס, מי אשלח ראוי, ומי ילך לנו שלא ירצה להתבזות, לזה משחך, [לישעיה], כי השיב הנני וגו', וסוברים ז"ל דאין מוקדם ומאוחר, ופרשה בשנת מות (ישעיה ו), היא תחלת השליחות, ולמרכך לפירוש המתרגם בשנת דאיתנגע, והנה אף על פי שמשה רבינו עליו השלום סירב בשליחותו, היה זה בעבור אהרן שהיה נביא מתחלה, אבל ישעיה קיימא לן במתניתין (ברכות לד א) אין לא יהא סרבן בתוך שעה אם יאמרו לו עלה כפי צורך השעה, וכן כאן אם היה מסרב, היה מוסיף טובת ותחנון על ישראל, כיון שבעבור קושי ערפם סירב, ובלכתו יורה כי אין קושי ערפם ומרכתותם חזק, וזהו שנאת מלחייבם. או

אם למקרא

גֵּוִי נָתַתִּי לְמַכִּים וּלְחָיַי לְמֹרְטִים פָּנַי לֹא הִסְתַּרְתִּי מִכְּלִמּוֹת וָרֹק: (ישעיה נ:ו)

אָהַבְתָּ צֶּדֶק וַתִּשְׂנָא רֶשַׁע עַל כֵּן מְשָׁחֲךָ אֱלֹהִים אֱלֹהֶיךָ שֶׁמֶן שָׂשׂוֹן מֵחֲבֵרֶיךָ: (תהלים מה:ח)

וַיֵּרֶד ה' בֶּעָנָן וַיְדַבֵּר אֵלָיו וַיָּאצֶל מִן הָרוּחַ אֲשֶׁר עָלָיו וַיִּתֵּן עַל שִׁבְעִים אִישׁ הַזְּקֵנִים וַיְהִי כְּנוֹחַ עֲלֵיהֶם הָרוּחַ וַיִּתְנַבְּאוּ וְלֹא יָסָפוּ: (במדבר יא:כה)

וַיִּרְאֻהוּ בְנֵי הַנְּבִיאִים אֲשֶׁר בִּירִיחוֹ מִנֶּגֶד וַיֹּאמְרוּ נָחָה רוּחַ אֵלִיָּהוּ עַל אֱלִישָׁע וַיָּבֹאוּ לִקְרָאתוֹ וַיִּשְׁתַּחֲווּ לוֹ אָרְצָה: (מלכים ב ב:טו)

ענף יוסף

אהבת לצדק את בני. ואין קושיא מכיון דחפץ בטובתן, היאך למד עליהם קטיגוריא לומר, ובתוך עם טמא שפתים אנכי יושב, דאיתא בפסיקתא שאמרו מתוך צערו, שלא שקף קלוסו עם המלאכים היה משתומם, והוציא דבר יתר מפיו לומר ובתוך עם טמא שפתים וגו', ואם כן אין זה אלא כשגגה שיצא (יפה תואר): **אבל את מפי הקדוש ברוך הוא.** הכוונה שבודאי מקבל הנבואה מפי הקדוש ברוך הוא בעצמו בלא אמצעי, יתדבק יותר ברחמים, כענין שנאמר (משלי טז, טו) באור פני מלך חיים, וזה נכרע לו כמדתו מדה כנגד מדה, בעבור שהחזיק בעמוד החסד והרחמים ללמוד זכות על ישראל (נזר הקודש). ואף על גב דאלדד ומידד נמי מהקדוש ברוך הוא קבלו, כדליף בתנחומא מותנת עליהם הרוח, ואם כן איך אמר כאן שכל הנביאים קבלו נביאות נביא מן נביא, יש לומר דלא מיירי הכא אלא בנביאים הקבועים להוכיח את ישראל, אבל נביאות אלדד ומידד לא היתה אלא חדוש לצורך השעה (יפה תואר):

שינוי נוסחאות

והיו מבזין אותו בלחי, הדא הוא דכתיב "בשבט הוא על הלחי". עצ"י הגיה <דכתיב "ויגש צדקיהו בן כנענה ויכה את מיכיהו על הלחי"> (שהוא פסוק במלכים א' כב, כד), מהטעם הנ"ל:

INSIGHTS

of the aura of a sainted master (see further above, Insight to 3 §7, "Therefore, *'Alamos'* Love You"). It is for this reason, *Ran* asserts, that Torah scholarship has declined in the centuries that have passed since Sinai. With each transmission, the purity of the Torah is inevitably lessened, for the spirit of Divine wisdom that is transferred to the disciple is perforce less potent than that which rested upon the master. Hence the Rabbis taught (*Shabbos* 112b): אִם רִאשׁוֹנִים בְּנֵי מַלְאָכִים אָנוּ בְּנֵי אֲנָשִׁים וְאִם רִאשׁוֹנִים בְּנֵי אֲנָשִׁים אָנוּ כַּחֲמוֹרִים, *If the early ones were the sons of angels, we are the sons of men; if the early ones were the sons of men, we are like donkeys.* And they taught (*Eruvin* 53a): לִבָּן שֶׁל רִאשׁוֹנִים כְּפִתְחוֹ שֶׁל אוּלָם וְשֶׁל אַחֲרוֹנִים כְּפִתְחוֹ שֶׁל הֵיכָל וְאָנוּ כִּמְלֹא נֶקֶב מַחַט סִידְקִית, *The heart of the early [scholars] was like the broad entrance to the Temple Antechamber, and of the later [scholars] like the entrance to the Temple Sanctuary, but as for us, it is like the size of the eye of a mending needle* (*Ran* ibid.).

Ran concludes with various proofs that show that the transference of Divine influence is operative also with respect to geographical locations, such as the Holy Temple, or physical objects, such as the staff of Moses, or even the bodily remains of the righteous (which is one reason why we pray at their graves). In all matters of revelation and the Divine spirit, this rule holds sway: Wherever the Presence rests, the effects of its influence are seen not only upon the person or place for which it is primarily intended, but also upon its surroundings.

[See further, *Sefer HaIkkarim, Maamar* 3 §11, and *Abarbanel* on *II Kings* Ch. 2 and *Numbers* Ch. 12.]

דְּאָמַר רַבִּי אָמַר רַבִּי פִּנְחָס: לָמָּה נִקְרָא שְׁמוֹ עָמוֹס, שֶׁהָיָה עָמוּס בִּלְשׁוֹנוֹ, מֵעַתָּה (ישעיה שם שם) "אֶת מִי אֶשְׁלַח וּמִי יֵלֶךְ לָנוּ, וָאֹמַר הִנְנִי שְׁלָחֵנִי", אָמַר לוֹ הַקָּדוֹשׁ בָּרוּךְ הוּא: יְשַׁעְיָה, בָּנַי טַרְחָנִין סַרְבָנִים הֵם, אִם אַתָּה מְקַבֵּל עָלֶיךָ *לְהִתְבַּזּוֹת וְלִלְקוֹת מִבָּנַי אַתְּ הוֹלֵךְ בִּשְׁלִיחוּתִי, וְאִם לָאו אֵין אַתָּה הוֹלֵךְ בִּשְׁלִיחוּתִי, אָמַר לוֹ: עַל מְנָת כֵּן, (שם נ, ו) "גֵּוִי נָתַתִּי לְמַכִּים וּלְחָיַי לְמֹרְטִים", וְאֵינִי כְּדַי לֵילֵךְ בִּשְׁלִיחוּת אֵצֶל בָּנֶיךָ, אָמַר לוֹ הַקָּדוֹשׁ בָּרוּךְ הוּא: יְשַׁעְיָה, (תהלים מה, ח) "אָהַבְתָּ צֶּדֶק", אָהַבְתָּ לְצַדֵּק אֶת בָּנַי, (שם) "וַתִּשְׂנָא רֶשַׁע", שֶׁשָּׂנֵאתָ מְלַחַיְּבָן, (שם) "עַל כֵּן מְשָׁחֲךָ אֱלֹהִים אֱלֹהֶיךָ", מַהוּ (שם) "מֵחֲבֵרֶיךָ" אָמַר לוֹ: חַיֶּיךָ כָּל הַנְּבִיאִים קִבְּלוּ נְבִיאוּת נָבִיא מִן נָבִיא, (במדבר יא, כה) "וַיָּאצֶל מִן הָרוּחַ אֲשֶׁר עָלָיו וְגוֹ'" (מלכים-ב ב, טו) "וַיֹּאמְרוּ נָחָה רוּחַ אֵלִיָּהוּ עַל אֱלִישָׁע", אֲבָל אַתְּ מִפִּי הַקָּדוֹשׁ בָּרוּךְ הוּא,

למה נקרא שמו עמוס כו'. ואם תאמר אם בני דורו היו מבזים אותו למה הכתוב יקראנו על שם מומו. ויש לומר דבשבחו דבר הכתוב שאף על פי שהיו מבזים אותו לא נסוג אחור משליחות ה': **עמוס בלשונו.** כבד בלשונו, כאילו עמסוהו משא על לשונו: **מעתה את מי אשלח כו'.** ואף על גב דמקמי האי קרא כתיבי כמה נבואות דישעיהו, הא שנינו במכילתא (פרשת השירה פרשה ז) בשנת מות המלך עוזיהו, זו היה תחלת הפרשה, ולמה נכתב כאן, שאין מוקדם ומאוחר בתורה: **גוי נתתי כו' ואיני כדאי.** כלומר, אני מקבל עלי את הכל באהבה כמו שמספר בעצמו גוי נתתי למכים וגו', וכמו שנותן באהבה עזה, כי אף על פי כן התבונן שאינו כדאי להיות הולך בשליחות הזאת, כי כדאי לסבול לכל היסורים בכדי לקבל המחזה העליונה: **אהבת לצדק את בני.** היינו שרצה לזכותם על ידי שליחותו ולהשיבם בתשובה ושלא יעמדו בחוצפם: **נביא מן נביא.** שלא היה בכחו לקבל הנבואה זולתי על ידי אצילת הרוח מן נביא אחר, כי מהראוי יאצל גם על הבלתי ראוי עודנה, ואף שהיה אלישע גדול בנבואתו מישעיה כפי הנראה מפשטות הכתובים ומניסיו הגדולים, עם כל זה בבחינתו הגדולה, לא היה בכחו לקבל כי אם על ידי רוח אליהו, אכן ישעיה בבחינתו לא היה מקבל מאחר כי אם מעצמו: **אבל את מפי הקדוש ברוך הוא.** מפרש שמן ששון הוא משל אל הנבואה, ומחביריך, פירוש יותר מחביריך (כלי פז):

עמוס בלשונו. לשון משא כבד, כמו שכתוב אצל משה (שמות ד, י), כי כבד פה וכבד לשון אנכי, וכוונת המדרש על מה שכתוב (עמוס ז, יב) ויאמר אמציה אל עמוס חוזה [לך] ברח לך אל ארץ יהודה ואכל שם לחם ושם תנבא, ובית אל לא תוסיף עוד להנבא וגו', וכמו שכתוב בריש מדרש קהלת, למה נקרא שמו עמוס שהיה עמוס בלשונו, אמרו אנשי דורו הניח הקב"ה כל בריותיו ולא השרה שכינתו אלא על הדין קטיע, ליגלא פסילותא, ודורש מה שכתב בריש עמוס, דברי עמוס שהיה עמוס בדבריו ובלשונו, כך למדתי מדברי המדרש שם. ועל מה שכתב שהכוונה במה שנאמר (ישעיה ו, ח) את מי אשלח ומי ילך לנו, על מיכיהו ועמוס, על זה אמר ישעיה (ישעיה נ, ה) ואנכי לא מריתי אחור לא נסוגותי, כי חסרון עמוס אין בי, כי ה' אלהים נתן לי לשון למודים (ישעיה שם פסוק ד), ולמעשה מיכיהו איני חושש, כי גוי נתתי למכים ולחיי למורטים (שם פסוק ו), על כן אני אומר הנני שלחני, ומה שכתב אמר לו הקב"ה לישעיה בני טרחנין וכו', היינו מה שכתוב (שם פסוק ה) ה' אלהים פתח לי אזן (שאמר לי) ואנכי לא מריתי וגו', גוי נתתי למכים, הרי שפתח לי אזן, שאמר לי בני טרחנין וכו' (להבזות) [להתבזות] וללקות וכו', ומהתשובה שאמר ואנכי לא מריתי אחור לא נסוגותי גוי נתתי למכים ולחיי למורטים, אנו יודעים שזה היה השאלה ששאל אותו אם יתרצה על זה, והשיב שמתרצה על זה, וזה על פי מדה ט' וי"ז, ועל מה שכתוב (שם ד) יעיר לי אזן לשמוע כלמודים, דרש מטייל הייתי בבית תלמודי, שמעתי קולו של הקב"ה אומר את מי אשלח עוד הפעם, ה' פתח לי אזן, היינו מה שכתב בני טרחנין וכו', ועל זה אמר ואנכי לא מריתי, על מה שאמר את מי אשלח, אחור לא נסוגותי, על מה שאמר בני טרחנין, אלא גוי נתתי למכים. ומה שאמר ואיני כדאי לילך, שמאחר שקבל עליו שיכו וימרטו אותו וישרוקו בפניו, הרי שהחזיק עצמו שאינו כדאי, ועל שהתרצה וקבל עליו, עזרו השם יתברך שלא הכו אותו ולא מרטו אותו ולא ירקו בפניו, שעל זה אמר (שם פסוק ז) וה' אלהים יעזר לי על כן לא נכלמתי על כן שמתי פני כחלמיש ואדע כי לא אבוש, שלש כנגד שלש הנ"ל, ואחר כך אמר ישעיהו (פסוק ח) קרוב מצדיקי מי יריב אתי, על שלמד זכות על ישראל כנגד השטן ומדת הדין, ואמר (שם) מי הוא בעל משפטי יגש אלי, ועל זה דרש כאן, אהבת צדק (תהלים מה, ח), לצדק את בני, כנגד מה שאמר קרוב מצדיקי, ומה שדרש (שם) ותשנא רשע, כנגד מה שאמר (ישעיה נ, ט) מי הוא ירשיעני, ומה שכתוב (תהלים שם) על כן משחך ה' אלהיך, כנגד מה שאמר (ישעיה שם ז) וה' אלהים יעזר לי:

מתנות כהונה

עמוס בלשונו. כבד בלשונו כאילו עמסוהו משא על לשונו:

נחמד למראה

[ב] אמר ליה הקב"ה ישעיה אהבת צדק. אהבת לצדק את בני, ותשנא רשע ששנאת מלחייבן וכו'. קשה דהא איפכא שמעינן, דתחלת דבר ה' אל ישעיה אמר (ישעיה ו, ה) ובתוך עם טמא שפתים אנכי יושב, דפתח בחובתם של ישראל, והיכי קאמר הכא ששנא מלחייבן. והרב יפה תואר נרגש מזה, ופירש דאהבת צדק היינו שרצה לזכותם על ידי שליחותו ולהשיבם בתשובה וכו', יעויין שם. ולי נראה על פי ששמעתי אומרים פירוש נחמד וחריף בפסוק זה (שם, ח) ואשמע את קול ה' אומר את מי אשלח ומי ילך לנו, ואומר הנני שלחני. שדקדק בפסוק זה שהוא כפול, דהיינו אשלח היינו ילך. ועוד שבתחלה פתח בלשון יחיד אשלח, וסיים בלשון רבים ילך לנו, והיה ליה למימר או את מי אשלח ומי ילך לי, או את מי נשלח ומי ילך לנו. ועוד דקדקו בדברי ישעיה הנביא שאמר הנני שלחני, דתיבת שלחני מיותרת, היה די שיאמר הנני. ופירשו דהענין הוא שכשהקב"ה רוצה לשלוח נביא לדבר טוב על ישראל, אז אינו נמלך בפמליא של מעלה, והוא בעצמו שולח אותו, אבל אם הוא להרע את ישראל, אז נמלך בפמליא של מעלה אולי ילמדו עליהם סניגוריא. ואם לא ימצא בזה זכות, אז יהיה שליחות הנביא על ידי הוא ובית דינו, כענין (בראשית יט, כד) וה' המטיר על סדום. וזהו שאמר את מי אשלח לטובת ישראל, ומי ילך לנו רוצה לומר הוא ובית דינו לרעת ישראל. ועל זה ישעיה שהיה חפץ בטובת ישראל, ולא ברעתם, אמר הנני שלחני, כלומר אני רוצה להיות שלוחך דוקא, שהוא לטובת ישראל, ולא שליח ממך ובית דינך, שהוא לרעת ישראל, עד כאן שמעתי. ולפי זה הוא דקאמר המדרש אהבת צדק, אהבת לצדק את בני, ותשנא רשע מלחייבן. מפני שאמר הנני שלחני, שמורה לטובה, ולא אמר הנני לבד, דאז היה מורה גם על הרעה. וזהו שאמר לצדק את בני. ודוק: **מהו מחביריך אמר ליה חייך כל הנביאים קבלו נביאות נביא מן נביא ויאצל מן הרוח וגו' אבל את מפי הקב"ה.** לא פליג אהא דאמרינן לעיל (שמות כח, ו) אמר רבי יצחק מה שהנביאים עתידים להתנבאות בכל דור ודור קבלו מהר סיני, שכן משה אומר להם לישראל (דברים כט, יד) כי

אשד הנחלים

גוי נתתי גו' ואיני כדאי. כלומר אני מקבל עלי את הכל באהבה, כמו שמספר בעצמו שגיוי נתן למכים, וכמו שנותן באהבה עזה, כי אף על פי כן התבונן שאינו כדאי להיות הולך בשליחות הזאת, כי כדאי לסבול לכל היסורים בכדי לקבל המחזה העליונה: **אהבת לצדק.** כי הכח הזה נובע רק מהמדה הזאת, שחפץ לסבול עליו יסורים רבים, בכדי לצדק אותם ולהוכיחם: **נביא מן נביא.** שלא היה בכחו לקבל הנבואה זולת על ידי אצילת הרוח מן נביא אחר, כי מהראוי יאצל גם על הבלתי ראוי עודנה. ואף שהיה אלישע גדול בנבואתו מישעיה, כפי הנראה מפשטות הכתובים ומניסיו הגדולים, עם כל זה בבחינתו הגדולה לא היה בכחו לקבל כי אם על ידי רוח אליהו, אכן ישעיה בבחינתו לא היה מקבל מאחר

חידושי הרד"ל

ישעיה אהבת לצדק את בני. אפשר זה שנאמר (שם ס, כא) קודם מקרא זה רוח ה' אלהים עלי יען משח כו', ועמך כלם צדיקים וגו': **אבל מפי הקדוש ברוך הוא כו'.** זה שמבואר בסנהדרין (קג, ב) וגם דם נקי שפך מנשה כו' עד אשר מלא כו' מפה לפה (מלכים ב' כא, טז), שהרג את ישעיה, דרש ליה מן פה לפה, שישעיה קיבל נבואות מפה לפה:

חידושי הרש"ש

מהו מחביריך כו' כל הנביאים כו' אבל אתה כו'. וכן איתא לקמן ואתחנן רבה (ב, ד) אין לך גדול בנביאים ממשה וישעיה. אבל בפסחים (שם) איתא וגדול שבכולן הושע, ואולי הכוונה שם שהיה גדול בשנים, מדנתנבא תחילה, כדמסיים שם שנאמר תחילת דבר ה' כו'. וזה דלא כהרב הגאון מורנו הרב שמואל לנדא ז"ל בספר אהבת ציון דרוש ט' שתפס המאמר כפשוטו שהיה גדול מכולן במעלה, ובנה על זה חומת הדרוש:

אמרי יושר

אחד, שמלכות יותם היה בחיי עוזיהו, וקרא הכל על יותם, והנה ארבע נביאים היו באותו הפרק (פסחים פז א), [הושע, ישעיה, עמוס, ומיכה], והושע קדם אליהם, אבל עיקר שאלת האל היה עם הושע, דאמרינן ב[פרק] האשה דפסחים (שם) דאמר החליפם באומה אחרת, והושע אי איפשי בו, והשני האחרים בזוס, מי אשלח ראוי, ומי ילך לנו שלא ירצה להתבזות, לזה משחך, [ל]ישעיה, כי השיב הנני וגו', וסוברים ז"ל דאין מוקדם ומאוחר, ופרשת בשנת מות (ישעיה ו), היא תחלת השליחות, ונצטרך לפירוש המתרגם בשתא דאיתנגע, והנה אף על פי שמשה רבינו עליו השלום סירב בשליחותו, היה זה בעבור אהרן שהיה נביא מתחלה, אבל ישעיה קיימא לן במתניתין (ברכות לד א) לא יהא סרבן באותה שעה אם יאמרו לו עלה כפי צורך השעה, וכן כאן אם היה מסרב, היה מוסיף עונש וחרון על ישראל, כיון שבעד קושי ערפם סירב, ובלכתו יורה כי אין קושי ערפם וערתנותם חזק, וזהו שנאת מלחייבם. או

אם למקרא

גֵּוִי נָתַתִּי לְמַכִּים וּלְחָיַי לְמֹרְטִים פָּנַי לֹא הִסְתַּרְתִּי מִכְּלִמּוֹת וָרֹק:
(ישעיה נ:ו)

אָהַבְתָּ צֶּדֶק וַתִּשְׂנָא רֶשַׁע עַל כֵּן מְשָׁחֲךָ אֱלֹהִים אֱלֹהֶיךָ שֶׁמֶן שָׂשׂוֹן מֵחֲבֵרֶיךָ:
(תהלים מה:ח)

וַיֵּרֶד ה' בֶּעָנָן וַיְדַבֵּר אֵלָיו וַיָּאצֶל מִן הָרוּחַ אֲשֶׁר עָלָיו וַיִּתֵּן עַל שִׁבְעִים אִישׁ הַזְּקֵנִים וַיְהִי כְּנוֹחַ עֲלֵיהֶם הָרוּחַ וַיִּתְנַבְּאוּ וְלֹא יָסָפוּ:
(במדבר יא:כה)

וַיִּרְאֻהוּ בְנֵי הַנְּבִיאִים אֲשֶׁר בִּירִיחוֹ מִנֶּגֶד וַיֹּאמְרוּ נָחָה רוּחַ אֵלִיָּהוּ עַל אֱלִישָׁע וַיָּבֹאוּ לִקְרָאתוֹ וַיִּשְׁתַּחֲווּ לוֹ אָרְצָה:
(מלכים ב ב:טו)

ענף יוסף

אהבת לצדק את בני. ואין קושיא מכיון דחפץ בטובתן, היאך למד עליהם קטיגוריא לומר, ובתוך עם טמא שפתים אנכי יושב, דאיתא בפסיקתא שאמרו מתוך צערו, שלא שתף קלוסו עם המלאכים היה משתומם, והוציא דבר יתר מפיו לומר ובתוך עם טמא שפתים וגו', ואם כן אין זה אלא כשגגה שיצא (יפה תואר): **אבל את מפי הקדוש ברוך הוא.** הכוונה שבהיותו מקבל הנבואה מפי הקדוש ברוך הוא בעצמו בלא אמצעי, יתדבק יותר ברחמים, כענין שנאמר (משלי טז, טו) באור פני מלך חיים, וזה נפרע לו כמדתו מדה כנגד מדה, בעבור שהחזיק בעמוד החסד והרחמים ללמוד זכות על ישראל (נזר הקודש). ואף על גב דאלדד ומידד נמי מהקדוש ברוך הוא קבלו, כדיליף בתנחומא מותנא עליהם הרוח, ואם כן איך אמר כאן שכל הנביאים קבלו נביאות נביא מן נביא, יש לומר דלא איירי הכא אלא בנביאים הקבועים להוכיח את ישראל, אבל נביאות אלדד ומידד לא היתה אלא חדוש לצורך השעה (יפה תואר):

שינוי נוסחאות

והיו מכין אותו בלחי, הדא הוא דכתיב "בשבט יכו על הלחי". עצ"י הגיה >דכתיב "ויגש צדקיהו בן כנענה ויכה את מיכיהו על הלחי"< (שהוא פסוק במלכים-א כב, כד), מהטעם הנ"ל:

"רוּחַ ה' אֱלֹהִים עָלָי יַעַן מָשַׁח וגו'" — as it states, ***The spirit of my Lord, HASHEM/ELOHIM, is upon me, because HASHEM has anointed me, etc.*** (*Isaiah* 61:1). חַיֶּיךָ שֶׁכָּל הַנְּבִיאִים מִתְנַבְּאִים נְבוּאוֹת פְּשׁוּטוֹת — God continues, "I also swear by **your life that all the** other **prophets prophesy simple** (i.e., single) **prophecies,** וְאַתְּ נֶחָמוֹת כְּפוּלוֹת — **whereas you** will prophesy prophecies of **double consolations,**[21] "עוּרִי עוּרִי" — such as, ***Awaken! Awaken!*** (ibid. 51:9); "הִתְעוֹרְרִי הִתְעוֹרְרִי" — ***Awaken yourself! Awaken yourself!*** (ibid., v. 17); "שׂוֹשׂ אָשִׂישׂ" — ***I will rejoice intensely*** [literally: *rejoicing I will rejoice*] (ibid. 61:10); "אָנֹכִי אָנֹכִי הוּא מְנַחֶמְכֶם" — ***I, only I, am He Who comforts you*** (ibid. 51:12); "נַחֲמוּ נַחֲמוּ" — and ***Comfort, comfort*** *My people* (ibid. 40:1)."[22]

§3 The Midrash now returns to its initial purpose in citing the above verse in *Psalms*, applying it to Aaron, as the Midrash will conclude at the end of this section:

רַבִּי בֶּרֶכְיָה בְּשֵׁם רַבִּי אַבָּא בַּר כָּהֲנָא פָּתַר קְרָיָא בְּאַהֲרֹן — **R' Berechyah in the name of R' Abba bar Kahana interpreted the verse** as **concerning Aaron.** בְּשָׁעָה שֶׁעָשׂוּ יִשְׂרָאֵל אוֹתוֹ מַעֲשֶׂה — For **at the time that Israel committed "that act,"** i.e., producing and worshiping the Golden Calf, בַּתְּחִלָּה הָלְכוּ אֵצֶל חוּר, אָמְרוּ לוֹ: "קוּם עֲשֵׂה לָנוּ אֱלֹהִים" — **at first they went to Hur** and **said to him, *"Rise up, make for us gods"***[23] (*Exodus* 32:1). כֵּיוָן שֶׁלֹּא שָׁמַע לָהֶן עָמְדוּ עָלָיו וַהֲרָגוּהוּ — **When he did not heed them, they rose up against him and killed him.** הֲדָא הוּא דִכְתִיב "גַּם בִּכְנָפַיִךְ נִמְצְאוּ דַּם וגו'" — **Thus it is written, *Even on your hems is found the blood*** *of poor, innocent souls* (*Jeremiah* 2:34), זֶהוּ דָּמוֹ שֶׁל חוּר — **this being** a reference to **the blood of Hur.**[24] "לֹא בַמַּחְתֶּרֶת מְצָאתִים כִּי עַל כָּל אֵלֶּה" — The verse continues, ***You did not discover them in a break-in;***[25] ***rather, on account of all these*** [אֵלֶּה]! (ibid.).[26] עַל אֲשֶׁר עָשׂוּ "אֵלֶּה אֱלֹהֶיךָ יִשְׂרָאֵל" — The words עַל כָּל אֵלֶּה mean: **on account of the fact that they made** the calf and proclaimed, ***"This*** [אֵלֶּה] ***is your god, O Israel"*** (*Exodus* 32:4).[27]

The Midrash continues its narrative, relating the events following the murder of Hur:

וְאַחַר כָּךְ הָלְכוּ אֵצֶל אַהֲרֹן, אָמְרוּ לוֹ: "קוּם עֲשֵׂה לָנוּ אֱלֹהִים" — **And afterward, they went to Aaron** and **said to him, *"Rise up, make for us gods"*** (ibid., v. 1). כֵּיוָן שֶׁשָּׁמַע אַהֲרֹן כֵּן מִיַּד נִתְיָירֵא — **When Aaron heard this he immediately became frightened,** הֲדָא הוּא דִכְתִיב "וַיַּרְא אַהֲרֹן וַיִּבֶן מִזְבֵּחַ לְפָנָיו" — **as it is written, *Aaron saw and built an altar*** [מִזְבֵּחַ] ***before him*** (ibid., v. 5).[28] נִתְיָירֵא מֵהַזָּבוּחַ לְפָנָיו — This means **he was afraid because of the one who was slaughtered** [מֵהַזָּבוּחַ] **before him.**[29] אָמַר אַהֲרֹן: מָה אֶעֱשֶׂה — **Aaron said** to himself, **"What shall I do?** הֲרֵי הָרְגוּ אֶת חוּר שֶׁהָיָה נָבִיא — **Behold, they have** already **killed Hur, who was a prophet.**[30] עַכְשָׁיו אִם הוֹרְגִין אוֹתִי שֶׁאֲנִי כֹּהֵן — **Now, should they kill me — as I am a Kohen**[31] —

NOTES

21. This expression connotes a twofold superiority that Isaiah possessed: (i) He prophesied many more consolations than his peers did; (ii) he prophesied consolation using double phraseology. The use of double phraseology implies that he perceived his prophecy with a greater level of clarity than that of his peers due to his superior level of prophecy, and was consequently able to convey the messages of joy and consolation with greater emphasis, thus bringing more comfort to the nation (*Eitz Yosef*).

22. See Insight Ⓐ.

23. Hur was Aaron's nephew (Miriam's son). The people consulted him because he was a prophet, as the Midrash states below (*Eitz Yosef*). Additionally, Moses had told the people to approach Aaron and Hur to resolve any difficulties that would arise while Moses was away on the mountain (*Maharzu,* citing *Exodus* 24:14).

24. Accordingly, the word בִּכְנָפַיִךְ, *on your hems*, is translated instead as *in your gatherings* [כְּנוּפְיָא], as the verse states (*Exodus* 32:1), *And the nation gathered upon Aaron and said to him, "Rise up, make for us gods"* (*Yefeh To'ar, Eitz Yosef*). Although the verse in *Jeremiah* states *souls* in the plural, this can refer to an individual (Hur), as one who kills an individual is considered to have murdered all his future offspring that will no longer be brought into this world (*Eitz Yosef*, first explanation, from *Yefeh To'ar*). Alternatively, the verse is written in the plural, for in addition to Hur, the people murdered the elders as well (*Rashash, Eitz Yosef* in second explanation, citing *Bamidbar Rabbah* 15 §21).

25. One who discovers a thief breaking into his home is permitted to kill him if there is a legitimate concern that the thief will kill him if confronted (see *Exodus* 22:1). However, these souls were of people who had committed no crime (*Radak* ad loc.).

26. We have translated the verse as per *Rashi,* in accordance with the exposition of the Midrash.

27. Thus Scripture declares that Hur was murdered *on account of "these,"* i.e., his refusal to cooperate with the construction of the calf, of whom the people later said, "These are your gods."

28. Although this verse discusses the altar that Aaron constructed after he made the Golden Calf, the Midrash in this interpretation expounds the verse as referring to Aaron's motive in constructing the calf.

29. I.e., וַיַּרְא, *and he saw*, is understood to mean that *he realized* what would happen should he refuse to heed their demand (and was therefore afraid) (*Imrei Yosher*). Alternatively, וַיַּרְא is read as וַיִּירָא, *and he was afraid* (*Rashash* and *Maharzu* to *Shemos Rabbah* 41 §7). The words וַיִּבֶן מִזְבֵּחַ לְפָנָיו are read וַיָּבֶן מִזָּבֵחַ לְפָנָיו, *and he understood from the one who was slaughtered before him* what would result should he refuse (see *Bamidbar Rabbah* 15 §21).

30. See *Yefeh To'ar,* who wonders why nowhere in Scripture is it mentioned that Hur was a prophet; see *Maharzu,* who also addresses this point.

31. Although the priesthood had not yet been given to Aaron (for he only became a Kohen at the inauguration of the Tabernacle), he was a firstborn son, and thus served in the capacity of Kohen before the Tabernacle was built (*Anaf Yosef,* citing *Maharsha* to *Sanhedrin* 7a.) Alternatively, Aaron had become entitled to the priesthood earlier, when God punished

INSIGHTS

Ⓐ **Double Consolations** God promised Isaiah that he would prophesy "double consolations" — meaning, prophecies in which an exhortative or encouraging phrase is repeated.

What is the significance of the repeated phrase? In what way does it raise Isaiah's prophecy above that of other prophets?

Ateres Mordechai explains: As the Midrash states above, God praised Isaiah for seeking always to vindicate Israel and save her from punishment. More than other prophets, Isaiah was especially devoted to the welfare of the people in seeking to better their lot. God rewarded his unusual concern for his brethren by granting him the power to assist them still further through his prophecies. Where another prophet might suffice with a single word — עוּרִי, *Awaken;* נַחֲמוּ, *Comfort* — Isaiah would *increase* the hopefulness of the prophecy by repeating the expression, thereby expanding the scope of the prophecy. The single word עוּרִי wakens Israel to future greatness. The double expression wakens them to the opportunity for greatness in the present as well, through repentance and a renewed commitment to Torah and mitzvos. The single word נַחֲמוּ refers to the comforting of Israel in the future, after the Final Redemption; the word שׂוֹשׂ, *rejoice,* refers to the joy of that future time. The repetition of these expressions extends the prophecies to the present. Other prophets received only limited prophecies, applicable strictly to the future of Israel. Isaiah was granted an expansive vision, and so was able to hold out to a downtrodden folk not only the promise of future glory, when Israel, acclaimed among the nations, will bask in the light of the Divine Presence, but also the possibility of joy and comfort in the present darkness, through contemplation of Israel's inherent greatness, and through the spiritual growth that can be achieved even under conditions of exile and disgrace (*Ateres Mordechai, Tzav* §5, pp. 221-222).

"רוּחַ ה' אֱלֹהִים עָלַי יַעַן מָשַׁח וְגוֹ'", (ישעיה סא, א) חָיֶיךָ שֶׁכָּל הַנְּבִיאִים מִתְנַבְּאִים נְבוּאוֹת פְּשׁוּטוֹת וְאַתְּ נֶחָמוֹת כְּפוּלוֹת, "עוּרִי עוּרִי", (שם נא, ט; נב, א) "הִתְעוֹרְרִי הִתְעוֹרְרִי", (שם נא, יז) "שׂוֹשׂ אָשִׂישׂ", (שם סא, י) "אָנֹכִי אָנֹכִי הוּא מְנַחֶמְכֶם", (שם נא, יב) "נַחֲמוּ נַחֲמוּ": (שם מ, א)

ג רַבִּי בֶּרֶכְיָה בְּשֵׁם רַבִּי אַבָּא בַּר כָּהֲנָא פָּתַר קְרָיָא בְּאַהֲרֹן, בְּשָׁעָה שֶׁעָשׂוּ יִשְׂרָאֵל אוֹתוֹ מַעֲשֶׂה, בַּתְּחִלָּה הָלְכוּ אֵצֶל חוּר, אָמְרוּ לוֹ: (שמות לב, א) "קוּם עֲשֵׂה לָנוּ אֱלֹהִים", כֵּיוָן שֶׁלֹּא שָׁמַע לָהֶן עָמְדוּ עָלָיו וַהֲרָגוּהוּ, הֲדָא הוּא דִכְתִיב (ירמיה ב, לד) "גַּם בִּכְנָפַיִךְ נִמְצְאוּ דַּם וְגוֹ'", זֶהוּ דָמוֹ שֶׁל חוּר, (שם) "לֹא בַמַּחְתֶּרֶת מְצָאתִים כִּי עַל כָּל אֵלֶּה", עַל אֲשֶׁר עָשׂוּ (שמות לב, ד) "אֵלֶּה אֱלֹהֶיךָ יִשְׂרָאֵל", וְאַחַר כָּךְ הָלְכוּ אֵצֶל אַהֲרֹן, אָמְרוּ לוֹ: "קוּם עֲשֵׂה לָנוּ אֱלֹהִים", כֵּיוָן שֶׁשָּׁמַע אַהֲרֹן כֵּן מִיָּד נִתְיָרֵא, הֲדָא הוּא דִכְתִיב (שם שם ה) "וַיַּרְא אַהֲרֹן וַיִּבֶן מִזְבֵּחַ לְפָנָיו", נִתְיָרֵא מֵהַזָּבוּחַ לְפָנָיו, אָמַר אַהֲרֹן: מָה אֶעֱשֶׂה, הֲרֵי הָרְגוּ אֶת חוּר שֶׁהָיָה נָבִיא, עַכְשָׁיו אִם הוֹרְגִין אוֹתוֹ שֶׁאֲנִי כֹּהֵן מִתְקַיֵּם עֲלֵיהֶם הַמִּקְרָא שֶׁכָּתוּב (איכה ב, כ) "אִם יֵהָרֵג בְּמִקְדַּשׁ ה' כֹּהֵן וְנָבִיא", וּמִיָּד הֵם גּוֹלִין.

עץ יוסף

רוח ה' אלהים עלי כו'. פירוש רוח ה' עלי ולא רוח נביא כמו יהושע ואלישע שנחה עליהם רוח רבם, והסיבה יען דנתי ישראל לכף זכות, שחשבתי שמשח אותי לבשר ענוים, ולא חשדתי אותם לרשעים חלילה ומתעתעים בנביאי ה' (כלי פז): **יען משח וגו' ולא עוד אלא שכל הנביאים מתנבאים.** כן הובא הנוסחא בנזר הקודש: **ואת נחמות כפולות.** למד זה מדסמיך ליה מר ואהלות שהם שני מיני ריח, רמז אל הנחמות כפולות, וזהו שאמר שמן ששון, היינו נבואה יותר מחביריך שיהיו נבואותיך כפולות כמר ואהלות (כלי פז). והנחמה כפולה מורה על שהנביא בעת המחזה ראה הנחמות בהפלגה גדולה עד מאד, שלכן אמר בלשון כפול שתתעורר העוז תמיד יותר ויותר וישישו עד מאד, ויתנחמו מאד, וזה מורה שהיה השגתו ונבואתו גדולה וראה הרבה נחמות והשיג, ונמצא כמו יפה מחביריו בתרתי, האחד בנבואות הנחמות שחביריו לא נבאו נחמות הרבה כמוהו, והשני בלשון הנבואה שהיתה כפולה, והכפל מראה לחוזק הענין וכמו שכתבתי לעיל: **(ג) פתר קריא באהרן.** רצה לומר שהוא קרא מקויים באהרן: **הלכו אצל חור.** לפי שהיה גדול כאהרן שהיה נביא כדלקמן: **גם בכנפיך נמצאו דם.** מפרש בכנפיך לשון כנופיה, והיינו ויקהל העם על אהרן. וטעם תרעומות זה בימי ירמיה לומר, שאוחזים מעשה אבותיהם בידם בעבודה זרה ושפיכות דמים וראוי שישאו גם כן עון אבותם: **זה דמו של חור.** ואין קושיא מדכתיב נפשות אביונים נקיים לשון רבים, שהשופך דמים נחשב כשופך דם כל זרעותיו (יפה תואר).

ולפי מה דאיתא לקמן בסדר בהעלותך (במדבר רבה טו, כא) שהרגו גם הזקנים ניחא ממילא מה שכתוב בלשון רבים: **על אשר עשו אלה כו'.** הא דכתיב כי על כל אלה דריש על אלה אלהיך וגו': **המקרא שכתוב אם יהרג כו'.** כמו שסופן לעשות כן בזכריה בן יהוידע ויחרב בית המקדש על כך (רש"י סנהדרין ז, א). שהרי רוח הקודש משיבו לירמיה שעל כך היה עיקר החורבן, כמו שנאמר אם יהרג במקדש ה' כהן ונביא (מהרש"א שם): **ומיד הם גולים.** לכן מוטב דליעבדו לעגלא דאפשר הויא להו כפרה בתשובה (גמרא שם). אבל לא כיון אהרן קדוש ה' חס ושלום להציל נפשו מן ההריגה, רק כוונתו היה למען תקנת ישראל:

פירוש מהרז"ו

רוח ה' אלהים עלי. יען משח אותי רוחו בעצמו, ולא על ידי שלוחי, כמו בשבעים זקנים, ואלישע, ועוד, יען משח ה' אותי, כמו שכתוב (תהלים מה, ח) על כן משחך אלהים שמן ששון מחבריך, היינו תחלת שליחותו שנקרא משיחה, וכמו שאמר (ישעיה סא, א) שלחני לחבוש לנשברי לב וגו', (פסוק ג) שמן ששון תחת אבל, כנראה שמן ששון מחבריך, הרי הפסוקים של ישעיה ו' וג' וס"א, ושל תהלים מ"ח ענינם אחד, על פי מדה י"ז, דוק והתבונן בדרשה הנפלאה זו, ואיך דברי המדרש מיוסדים ומסודרים בפסוקים מלמדים זה על זה: **(ג) אותו מעשה.** של העגל. וכל הענין בשמות רבה (מא, ז), ושם נדרש ומבואר, ועיין תנחומא תצוה (סימן י) ביתר ביאור: **בתחלה הלכו אצל חור.** כמו שכתוב (שמות כד, יד), ואל הזקנים אמר שבו לנו בזה עד אשר נשוב אליכם והנה אהרן וחור עמכם מי בעל דברים יגש אליהם. על כן הלכו וקרבו דבריהם לפני חור: **חור שהיה נביא.** כנראה, והנה אהרן וחור, מה אהרן נביא אף חור נביא היה: **אם הורגים אותי כהן.** המאמר הזה כולו מוקשה, שהרי אהרן היה גם כן נביא כמו זכריה, שכתוב בו (איכה ב, כ) אם יהרג במקדש ה' כהן ונביא, היינו זכריה לבדו, גם וכי לא היה שם רק חטא של זכריה, שגלו

חידושי הרש"ש

[ג] הלכו אצל חור כו' והרגוהו הדא הוא דכתיב גם בכנפיך כו'. ומאי דכתיב נפשות אביונים לשון רבים, הוא משום דגם את הזקנים הרגו. כדאיתא לקמן בהעלותך רבה (טו, כד):

אמרי יושר

פירושו שאף על פי שבתחלה האשים, ואמר (ישעיה ו ה) בתוך עם טמא שפתים, שב בתשובה מזה, ושנה אותו, כי אמר הנני שלחני, והלואי היה כדאי שאלך בשליחות בניך, לזה משחך אלהים יותר מחביריך, שבאותו פרק שמן ששון בקבלך השפע ממנו בעצמו, כמו שנאמר (שם סא א) רוח ה' אלהים עלי, על דרך (מלכים א יט, טז) ואת אלישע בן שפט וגו' תמשח לנביא תחתיך, וכיון שלא היה כן אמר שלא קבל מנביא בשר ודם, גם לבשר ענוים שלחני (ישעיה סא א), בנבואות כפולות, כי הוא מורה חוזק ענין או כפל לינחם הגוף והנפש: **[ג] וירא אהרן.** פירושו על ראיית השכל, כי הרגו וזבחו אחר קודש לו, ואם כן יעשו לו, יקצוף קצף גדול עליהם, על כן משחך יותר מחבירך כל שבט לוי:

ענף יוסף

(ג) הרי הרגו את חור שהיה נביא. כתב המהרש"א בחדושי אגדות בסנהדרין (ז, א ד"ה מה ראה) אפשר שקבלה היה בידם שחור היה הזבוח לפניו וקראו מוכיחים כן, שהרי בכל מעשים המפורסמים נזכר הוא בפרט עם אהרן, במלחמות עמלק נאמר (שמות יז, יב) אהרן וחור תמכו בידיו, ובמתן תורה (שם כד, יד) והנה אהרן וחור עמכם וגו', שהעמיד משה את אהרן וחור תחתיו כל זמן הארבעים יום שהיה בהר, ולא מצינו בשום מקום אחר כך מאותו מעשה ואילך שהוזכר חור עם אהרן, ועל כן אמרו שהוא ואהרן היו במקום משה באותן הארבעים יום, וכשנתעכב היה הוא מוכיחם והרגו אותו [עכ"ל]: **את חור שהיה נביא.** אבל אהרן לא היה נביא במדבר, שאף על פי שכתוב וידבר ה' אל משה ואל אהרן, כמה זמני, הא אמר לקמן בבמדבר רבה פרשה י"ד, שנאמרו שלש עשרה מיעוטים למעט את אהרן, ומה דאמר לקמן פרשה י"ב, ויחד אליו הדיבור לא קשה דהוא אקראי בעלמא, ולעצמו בלבד (יפה תואר), ולכאורה לא קשה מפרשה י"ב שזה היה אחר מעשה העגל ביום שמיני למלואים, ודע דבמכילתא ריש פרשה א' איתא, נמצא ממעט אהרן מכל הדברות שבתורה חוץ משלשה מקומות מפני שאי אפשר. וכתב האות אמת חדא בפרשת שמיני (ויקרא י, ט) וידבר ה' אל אהרן לאמר יין ושכר אל תשת אתה ובניך עמך, ואידך בפרשת קרח (במדבר יח, א) ויאמר ה' אל אהרן אתה ובניך ובית אביך אתך תשאו את עון המקדש, (שם ח) וידבר ה' אל אהרן ואני הנה נתתי לך את משמרת תרומותי וגו', ואלו שני דברות דשייכי להדדי ובמקום אחד נאמרו חשבינהו כחדא, שלא אמר שלשה דברות, אלא שלשה מקומות, ואידך (שם כ) ויאמר ה' אל אהרן בארצם לא תנחל וחלק לא יהיה לך בתוכם, אבל לך לקראת משה המדברה (שמות ד, כז) לא קחשיב שאין זה מן הדברות שבתורה. ובזית רענן כתב דזה לשונו אבל וידבר ה' אל אהרן ואני הנה וגו' יליף שם בספרי שנאמר למשה שיאמר לאהרן עד כאן. והיתרון והמעלה שיש במקומות אלה שנכתב בהם משה ואהרן, יש אומרים שבאותן י"ג מיעוטין כתב שהיה אהרן שומע מה שהיה ה' מדבר עם משה מתוך קודש הקדשים, אבל לא היה הדבור מיוחד אליו אפילו בשותפות אחיו. אי נמי שאפילו שאהרן היה שומע כמשה, לא היה לו רשות לומר מפיו כי אשר דבר ה' לי, גם לא היה לו רשות לגלות לשום אדם מה ששמע, עד שישמענו קודם מפי משה ויאמרנו תמיד מפי משה לבד, אף על פי ששמע מפי ה' כמוהו. והקשה היפה תואר אי חור היה חשוב מאהרן, היאך אקדים קרא אהרן לחור בכמה מקומות. ולכאורה זה לא קשה דאיתא לקמן ריש סדר נשא ובפרק ג' דהוריות (יג, א) שכהן גדול קודם לנביא, אך זה אינו שהרי לא היה אז כהן גדול, ולא היה מקדש ולא משכן, ועיין מה שכתבתי לקמן בסמוך: **אם הורגים אותי שאני כהן.** אף שעדיין אז לא נתנה הכהונה לאהרן כנראה אהרן היה בכור, והעבודה היה בבכורות בכמה מקומות בבמה, והוי ליה ככהן במקדש (מהרש"א). גם יש לומר שממעשה הסנה זכה אהרן לכהונה, כדאיתא בסמוך:

מתנות כהונה

[ג] על אשר עשה אלה וגו'. הא דכתיב כי על כל אלה, דריש על אלה אלהיך וגו':
ויבן [וכו'] מהזבוח. עיין לעיל בפרשה כי תשא (מא, ח):

נחמד למראה

את אשר ישנו פה עמנו עומד היום ואת אשר איננו פה עמנו היום. עמנו עומד היום אין כתיב כאן, אלא עמנו היום וכו', וכן ישעיה (ישעיה מח, טז) אמר מעת היותה שם אני וכו', עד כאן. דאין הכי נמי דנשמות שלהם קבלו אותם מסיני, אבל לא נתעוררו עד שקבלו מהנביאים שקדמו להם, על דרך (שבחול) [כשיחול] השפע על המוכן, יחול על הבלתי מוכן, ועל ידי זה נתנבאו חלקם שקבלו מסיני. אבל ישעיה הנביא נתנבא אותו החלק מפי הקב"ה, רצונו לומר שנתעורר על ידי השפעתו יתברך, ולא על ידי השפעת נביא אחר. ודוק:

אשד הנחלים

נחמות כפולות. הנחמה הכפולה מורה על שהנביא בעת המחזה ראה הנחמות בהפלגה גדולה עד מאוד, שלכן אמר בלשון כפול שתתעורר העוז תמיד יותר ויותר, וישישו עד מאוד, ויתנחמו מאוד, וזה מורה שהיה השגתו ונבואתו גדולה, וראה הרבה נחמות והשיג, הבן זה: **[ג] ומיד הם גולים.** כי לא כיון למען הצלת עצמו, כי זה לא יתכן באהרן קדוש ה', כי אם למען ישראל עצמם שירא פן יהרגנו ואז חס ושלום יתחתם גזר דינם על החורבן, כמו שהיה הגזר דין בחורבן הבית באמת. וזהו אהבת צדק, שכל כונתו היה להצדיק את ישראל על כן משחהו ה' כי אם מעצמו:

מסורת המדרש

ג. ילקוט ישעיה רמז רע"ג:
ד. ילקוט נ"ך רמז תר"ל:
ה. במ"ר פ' ט"ו סנהדרין ק"ח פדר"א. פ' מ"ה:
ו. ילקוט נ"ך רמז רס"ח:

אם למקרא

רוּחַ אֲדֹנָי ה' עָלָי יַעַן מָשַׁח ה' אֹתִי לְבַשֵּׂר עֲנָוִים שְׁלָחַנִי לַחֲבֹשׁ לְנִשְׁבְּרֵי לֵב לִקְרֹא לִשְׁבוּיִם דְּרוֹר וְלַאֲסוּרִים פְּקַח קוֹחַ: (ישעיה סא:א)

עוּרִי עוּרִי לִבְשִׁי עֹז זְרוֹעַ ה' עוּרִי כִּימֵי קֶדֶם דֹּרוֹת עוֹלָמִים הֲלוֹא אַתְּ הִיא הַמַּחְצֶבֶת רַהַב מְחוֹלֶלֶת תַּנִּין: (שם נא:ט)

עוּרִי עוּרִי לִבְשִׁי עֻזֵּךְ צִיּוֹן לִבְשִׁי | בִּגְדֵי תִפְאַרְתֵּךְ יְרוּשָׁלַםִ עִיר הַקֹּדֶשׁ כִּי לֹא יוֹסִיף יָבֹא בָךְ עוֹד עָרֵל וְטָמֵא: (שם נב:א)

הִתְעוֹרְרִי הִתְעוֹרְרִי קוּמִי יְרוּשָׁלַםִ אֲשֶׁר שָׁתִית מִיַּד ה' אֶת כּוֹס חֲמָתוֹ אֶת קֻבַּעַת כּוֹס הַתַּרְעֵלָה שָׁתִית מָצִית: (שם נא:יז)

שׂוֹשׂ אָשִׂישׂ בַּה' תָּגֵל נַפְשִׁי בֵּאלֹהַי כִּי הִלְבִּישַׁנִי בִּגְדֵי יֶשַׁע מְעִיל צְדָקָה יְעָטָנִי כֶּחָתָן יְכַהֵן פְּאֵר וְכַכַּלָּה תַּעְדֶּה כֵלֶיהָ: (שם סא:י)

אָנֹכִי אָנֹכִי הוּא מְנַחֶמְכֶם מִי אַתְּ וַתִּירְאִי מֵאֱנוֹשׁ יָמוּת וּמִבֶּן אָדָם חָצִיר יִנָּתֵן: (שם נא:יב)

נַחֲמוּ נַחֲמוּ עַמִּי יֹאמַר אֱלֹהֵיכֶם: (שם מ:א)

וַיַּרְא הָעָם כִּי בֹשֵׁשׁ מֹשֶׁה לָרֶדֶת מִן הָהָר וַיִּקָּהֵל הָעָם עַל אַהֲרֹן וַיֹּאמְרוּ אֵלָיו קוּם עֲשֵׂה לָנוּ אֱלֹהִים אֲשֶׁר יֵלְכוּ לְפָנֵינוּ כִּי זֶה מֹשֶׁה הָאִישׁ אֲשֶׁר הֶעֱלָנוּ מֵאֶרֶץ מִצְרַיִם לֹא יָדַעְנוּ מֶה הָיָה לוֹ: (שמות לב:א)

גַּם בִּכְנָפַיִךְ נִמְצְאוּ דַּם נַפְשׁוֹת אֶבְיוֹנִים נְקִיִּים לֹא בַמַּחְתֶּרֶת מְצָאתִים כִּי עַל כָּל אֵלֶּה: (ירמיה ב:לד)

וַיִּקַּח מִיָּדָם וַיָּצַר אֹתוֹ בַּחֶרֶט וַיַּעֲשֵׂהוּ עֵגֶל מַסֵּכָה וַיֹּאמְרוּ אֵלֶּה אֱלֹהֶיךָ יִשְׂרָאֵל אֲשֶׁר הֶעֱלוּךָ מֵאֶרֶץ מִצְרָיִם: וַיַּרְא אַהֲרֹן וַיִּבֶן מִזְבֵּחַ לְפָנָיו וַיִּקְרָא אַהֲרֹן וַיֹּאמַר חַג לַה' מָחָר: (שמות לב:ד-ה)

רְאֵה ה' וְהַבִּיטָה לְמִי עוֹלַלְתָּ כֹּה אִם תֹּאכַלְנָה נָשִׁים פִּרְיָם עֹלְלֵי טִפֻּחִים אִם יֵהָרֵג בְּמִקְדַּשׁ אֲדֹנָי כֹּהֵן וְנָבִיא: (איכה ב:כ)

מִתְקַיֵּים עֲלֵיהֶם הַמִּקְרָא שֶׁכָּתוּב "אִם יֵהָרֵג בְּמִקְדַּשׁ ה' כֹּהֵן וְנָבִיא", וּמִיָּד הֵם גּוֹלִין — the verse that is written, ***Should a Kohen and a prophet be slain in the Sanctuary of the Lord*** (*Lamentations* 2:20), **would be fulfilled by them, and they would be immediately** condemned to be **exiled."**[32] He therefore reluctantly agreed to build the calf so the people would not kill him and be punished.

NOTES

Moses for continuously protesting his appointment as leader of the nation, by taking the priesthood from him and giving it to Aaron (*Anaf Yosef*, based on *Shemos Rabbah* 3 §17 and *Zevachim* 102a).

32. The verse in *Lamentations* refers to Zechariah son of Jehoiada the Kohen who prophesied against King Joash and was stoned to death in the Temple Courtyard (see *II Chronicles* 24:20-22). Aaron prophetically understood that although the murder of Zechariah preceded the destruction of the Temple and the exile by many years, it was the major impetus leading to the exile (*Maharsha* to *Sanhedrin* 7a; see *Rashi* ad loc.; see *Eitz Yosef*).

חידושי הרש"ש

[ג] הלכו אצל חור כו' והרגוהו הדא הוא דכתיב גם בכנפיך כו'. ואף דכתיב נפשות אביונים לשון רבים, הוא משום דגם את הזקנים הרגו. כדאיתא לקמן בהעלותך רבה (טו, כד):

אמרי יושר

פירושו שאף על פי שבתחלה האשימם, ואמר (ישעיה ו, ה) בתוך עם טמא שפתים, שב בתשובה מזה, ושנה אותו, כי אמר הנני שלחני, והלואי אהיה כדאי שאלך בשליחות בניך, לזה משחך אלהים יותר מחבריך, שבאותו פרק שמן ששון בקבלך השפע ממנו בעצמו, כמו שנאמר (שם סא, א) רוח ה' אלהים עלי, על דרך (מלכים א יט, טז) ואת אלישע בן שפט וגו' תמשח לנביא תחתיך, וכיון שלא היה כן אמר אלא קבל מנביא בשר ודם, גם לבשר ענוים שלחני (ישעיה סא, א), בנבואות כפולות, כי הוא מורה חוזק ענין או כפל לינחם הגוף והנפש: [ג] וירא אהרן. פירשוהו על ראיית השכל, כי הרגו וזבחו אחר קודם לו, ואם כן יעשו לו, יקצוף קצף גדול עליהם, על כן משחך יותר מחבירך כל שבט לוי:

עץ יוסף

רוח ה' אלהים עלי כו'. פירוש רוח ה' עלי ולא רוח נביא כמו יהושע ואלישע שנחה עליהם רוח רבם, והסיבה יען דנתי ישראל לכף זכות, שחשבתי שמשח אותי לבשר ענוים, ולא חשדתי אותם לרשעים חלילה ומתעטפים בנביאי ה' (כלי פז): **יען משח וגו' ולא עוד אלא שכל הנביאים מתנבאים.** כן הובא הנוסחא בגזר הקודש: **ואת נחמות כפולות.** למד זה מדסמיך ליה מר והאלות שהם שני מיני ריח, רמז אל הנחמות כפולות, וזהו שאמר שמן ששון, היינו נבואה יותר מחבירך שיהיו נבואותיך כפולות כמר ואהלות (כלי פז). והנחמה כפולה מורה על שהנביא בעת המחזה ראה הנחמות בהפלגה גדולה עד מאד, שלכן אמר בלשון כפול שתתעורר העוז תמיד יותר ויותר וישישו עד מאד, ויתנחמו מאד, וזה מורה שהיה השגתו ונבואתו גדולה וראה הרבה נחמות והשיגן, ונמצא כחו יפה מחביריו בתרתי, האחד בנבואות הנחמות שחביריו לא נבאו נחמות הרבה כמוהו, והשני בלשון הנבואה שהיתה כפולה, והכפל מראה לחוזק הענין וכמו שכתבתי לעיל: **(ג) פתר קריא באהרן.** רצה לומר שהאי קרא מקויים באהרן: **הלכו אצל חור.** לפי שהיה גדול כאהרן שהיה נביא כדלקמן: **גם בכנפיך נמצאו דם.** מפרש בכנפיך לשון כנופיא, והיינו ויקהל העם על אהרן. וטעם תרעומת זה בימי ירמיה לומר, שאותם מעשה אבותיהם בידם בעבודה זרה ושפיכות דמים וראוי שישאו גם כן עון אבותם: **זה דמו של חור.** ואין קושיא מדכתיב נפשות אביונים נקיים לשון רבים, שהשופך דמים נחשב כשופך דם כל זרעותיו (יפה תואר).

מדרש

"רוח ה' אלהים עלי יען משח וגו'" (ישעיה סא, א), **חייך שכל הנביאים מתנבאים נבואות פשוטות [ג] ואת נחמות כפולות,** (שם נא, ט; נב, א) **"עורי עורי",** (שם נא, יז) **"התעוררי התעוררי",** (שם סא, י) **"שוש אשיש",** (שם נא, יב) **"אנכי אנכי הוא מנחמכם",** (שם מ, א) **"נחמו נחמו":**

ג [ד] רבי ברכיה בשם רבי אבא בר כהנא פתר קריא באהרן, בשעה שעשו ישראל אותו מעשה, בתחלה הלכו אצל חור, אמרו לו: (שמות לב, א) **"קום עשה לנו אלהים", [ה] כיון שלא שמע להן עמדו עליו והרגוהו, הדא הוא דכתיב** (ירמיה ב, לד) **"גם בכנפיך נמצאו דם וגו'", [ו] זהו דמו של חור,** (שם) **"לא במחתרת מצאתים כי על כל אלה", על אשר עשו** (שמות לב, ד) **"אלה אלהיך ישראל", ואחר כך הלכו אצל אהרן, אמרו לו: "קום עשה לנו אלהים", כיון ששמע אהרן כן מיד נתיירא, הדא הוא דכתיב** (שם שם ה) **"וירא אהרן ויבן מזבח לפניו", נתיירא מהזבוח לפניו, אמר אהרן: מה אעשה, הרי הרגו את חור שהיה נביא, עכשיו אם הורגין אותו שאני כהן מתקיימים עליהם המקרא שכתוב** (איכה ב, כ) **"אם יהרג במקדש ה' כהן ונביא", ומיד הם גולין.**

פירוש מהרז"ו

רוח ה' אלהים עלי. יען משח אותי רוחו בעצמו, ולא של רבותי, כמו בשבעים זקנים, ואלישע, ועוד, יען משח ה' אותי, כמו שכתוב (תהלים מה, ח) על כן משחך אלהים שמן ששון מחבריך, היינו תחלת שליחותו שנקרא משיחה, וכמו שאמר (ישעיה סא, א) שלחני לחבוש לנשברי לב וגו', (פסוק ג) שמן ששון תחת אבל, כנ"ל שמן ששון מחבריך, הרי הפסוקים של ישעיה ו' וג' וס"א, ושל תהלים מ"ח ענינם אחד, על פי מדה י"ז, דוק והתבונן בדרשה הנפלאה זו, ואיך דברי המדרש מיוסדים ומסודרים בפסוקים מלמדים זה על זה: **(ג) אותו מעשה.** של העגל. וכל הענין בשמות רבה (מא, ז), וגם נדרש ומבואר, ועיין תנחומא תצוה (סימן י) ביתר ביאור: **בתחלה הלכו אצל חור.** כמו שכתוב (שמות כד, יד), ואלו הזקנים אמר שבו לנו בזה עד אשר נשוב אליכם והנה אהרן וחור עמכם מי בעל דברים יגש אליהם. על כן הלכו וקרבו דבריהם לפני חור: **חור שהיה נביא.** כנ"ל, והנה אהרן וחור, מה אהרן נביא אף חור נביא היה: **אם הורגים אותי כהן.** המאמר הזה כולו מוקשה, שהרי אהרן היה גם כן נביא כמו זכריה, שכתוב בו (איכה ב, כ) אם יהרג במקדש ה' כהן ונביא, היינו זכריה לבדו, גם וכי לא היה שם רק חטא של זכריה, שגלו. ולפי מה דאיתא לקמן בסדר בהעלותך (במדבר רבה טו, כא) שהרגו גם הזקנים ניחא ממילא מה שכתוב בלשון רבים: **על אשר עשו אלה כו'.** הא דכתיב כי על כל אלה דריש על אלה אלהיך וגו': **המקרא שכתוב אם יהרג כו'.** כמו שסופן לעשות כן בזכריה בן יהוידע ויחרב בית המקדש על כך (רש"י סנהדרין ז, א). שהרי רוח הקודש משיבו לירמיה שעל כך היה עיקר החורבן, כמו שנאמר אם יהרג במקדש ה' כהן ונביא (מהרש"א שם): **ומיד הם גולים.** לכן מוטב דליעבדו לעגלא אפשר הויא להו כפרה בתשובה (גמרא שם). אבל לא כיון אהרן קדוש ה' חס ושלום להצלת נפשו מן ההריגה, רק כוונתו היה למען תקנת ישראל:

מתנות כהונה

[ג] **על אשר עשה אלה וגו'.** הא דכתיב כי על כל אלה, דריש על אלה אלהיך וגו':
ויבן [וכו'] מהזבוח. עיין לעיל בפרשה כי תשא (מא, ח):

נחמד למראה

את אשר ישנו פה עמנו עומד היום ואת אשר איננו פה עמנו היום. עמנו עומד היום אין כתיב כאן, אלא עמנו היום וכו', וכן ישעיה (ישעיה מח, טז) אמר מעת היותה שם אני וכו', עד כאן. דאין הכי נמי דנשמות שלהם קבלו אותם מסיני, אבל לא נתעוררו עד שקבלו מהנביאים שקדמו להם, על דרך (שבחול) [כשיחול] השפע על המוכן, יחול על הבלתי מוכן, ועל ידי זה נתנבאו חלקם שקבלו מסיני. אבל ישעיה הנביא נתנבא אותו החלק מפי הקב"ה, רצונו לומר שנתעורר על ידי השפעתו יתברך, ולא על ידי השפעת נביא אחר. ודוק:

אשד הנחלים

כי אם מעצמו: **נחמות כפולות.** הנחמה הכפולה מורה על שהנביא בעת המחזה ראה הנחמות בהפלגה גדולה עד מאוד, שלכן אמר בלשון כפול שתתעורר העוז תמיד יותר ויותר, וישישו עד מאוד, ויתנחמו מאוד, וזה מורה שהיה השגתו ונבואתו גדולה, וראה הרבה נחמות והשיגן, הבן זה: [ג] **ומיד הם גולים.** כי לא כיון למען הצלת עצמו, כי זה לא יתכן באהרן קדוש ה', כי אם למען ישראל עצמם שירא פן יהרגנו ואז חס ושלום יתחתם גזר דינם על החורבן, כמו שהיה הגזר דין בחורבן הבית באמת. וזהו אהבת צדק, שכל כונתו היה להצדיק את ישראל על כן משחהו ה'

ענף יוסף

(ג) הרי הרגו את חור שהיה נביא. כתב המהרש"א בחדושי אגדות בסנהדרין (ז, א ד"ה מה ראה) אפשר שקבלה היה בידם שחור היה הזבוח לפניו וקראי מוכיחים כן, שהרי בכל מעשים המפורסמים נזכר הוא בפרט עם אהרן, במלחמות עמלק נאמר (שמות יז, יב) אהרן וחור תמכו בידיו, ובמתן תורה (שם כד, יד) והנה אהרן וחור עמכם וגו', שהעמיד משה את אהרן וחור תחתיו כל זמן הארבעים יום שהיה בהר, ולא מצינו בשום מקום אחר כך מאותו מעשה ואילך שהוזכר חור עם אהרן, ועל כן אמרו שהוא ואהרן היו במקום משה באותן הארבעים יום, וכשנתעכב היה הוא מוכיחם והרגו אותו [עכ"ל]: **את חור שהיה נביא.** אבל אהרן לא היה נביא במדבר, שאף על פי שנאמר וידבר ה' אל משה ואל אהרן, כמה זמני, הא אמר לקמן בבמדבר רבה פרשה י"ד, שנאמרו שלש עשרה מיעוטים למעט את אהרן, ומה דאמר לקמן פרשה י"ב, ויחד אליו הדיבור לא קשה דהוא לעצמו בלבד (יפה תואר), ולכאורה לא קשה מפרשה י"ב שזה היה אחר מעשה העגל ביום שמיני למלואים, ודע דבמכילתא ריש פרשה א' איתא, נמצא ממעט אהרן מכל הדברות שבתורה חוץ משלשה מקומות מפני שאי אפשר. וכתב האות אמת הדא בפרשת שמיני (ויקרא י, ט) וידבר ה' אל אהרן לאמר יין ושכר אל תשת אתה ובניך עמך, ואידך בפרשת קרח (במדבר יח, א) ויאמר ה' אל אהרן אתה ובניך ובית אביך אתך תשאו את עון המקדש, (שם ח) וידבר ה' אל אהרן ואני הנה נתתי לך את משמרת תרומותי וגו', ואלו שני דברות דשייכי להדדי ובמקום אחד נאמרו חשבינהו כחדא, שלא אמר שלשה מקומות, ואידך (שם כ) ויאמר ה' אל אהרן בארצם לא תנחל וחלק לא יהיה לך בתוכם, אבל לך לקראת משה המדברה (שמות ד, כז) לא קחשיב שאין זה מן הדברות שבתורה. ובזית רענן כתב לשונו אבל וידבר ה' אל אהרן ואני הנה וגו' יליף שם בספרי שנאמר למשה שיאמר לאהרן עד כאן. והיתרון והמעלה שיש במקומות אלה שנכתב בהם משה ואהרן, יש אומרים שבאותן י"ג מיעוטין היה אהרן שומע מה שהיה ה' מדבר עם משה מתוך קודש הקדשים, אבל לא היה הדבור מיוחד אליו אפילו בשותפות אחיו. אי נמי שאפילו שאהרן היה שומע כמשה, לא היה לו רשות לומר מפיו כאשר דבר ה' לי, גם לא היה לו רשות לגלות לשום אדם מה ששמע, עד שישמעו קודם מפי משה ויאמרנו תמיד מפי משה לבד, אף על פי ששמע מפי ה' כמוהו. והקשה היפה תואר אי חור היה חשוב מאהרן, היאך אקדים קרא אהרן לחור בכמה מקומות. ולכאורה זה לא קשה דאיתא לקמן ריש סדר נשא ובפרק ג' דהוריות (יג, א) שכהן גדול קודם לנביא, אך זה אינו שהרי לא היה אז כהן גדול, ולא היה מקדש ולא משכן, ועיין מה שכתבתי לקמן בסמוך: **אם הורגים אותי שאני כהן.** אף שעדיין אז לא נתנה הכהונה לאהרן כנ"ל אהרן היה בכור, והעבודה היה בבכורות בכמה מקומות בבמה, והוי ליה ככהן במקדש (מהרש"א). גם יש לומר שממעשה הסנה זכה אהרן לכהונה, כדאיתא בסמוך:

מסורת המדרש

ג. ילקוט ישעיה רמז רע"ג:
ד. ילקוט נ"ך רמז תר"ע:
ה. במ"ר פ' ט"ו סנהדרין ז' פדר"א. פ' מ"ה:
ו. ילקוט נ"ך רמז רס"ח:

אם למקרא

רוּחַ אֲדֹנָי ה' עָלָי יַעַן מָשַׁח ה' אֹתִי לְבַשֵּׂר עֲנָוִים שְׁלָחַנִי לַחֲבֹשׁ לְנִשְׁבְּרֵי לֵב לִקְרֹא לִשְׁבוּיִם דְּרוֹר וְלַאֲסוּרִים פְּקַח־קוֹחַ׃ (ישעיה סא:א)

עוּרִי עוּרִי לִבְשִׁי־עֹז זְרוֹעַ ה' עוּרִי כִּימֵי קֶדֶם דֹּרוֹת עוֹלָמִים הֲלוֹא אַתְּ־הִיא הַמַּחְצֶבֶת רַהַב מְחוֹלֶלֶת תַּנִּין׃ (שם נא:ט)

עוּרִי עוּרִי לִבְשִׁי עֻזֵּךְ צִיּוֹן לִבְשִׁי ׀ בִּגְדֵי תִפְאַרְתֵּךְ יְרוּשָׁלַ͏ִם עִיר הַקֹּדֶשׁ כִּי לֹא יוֹסִיף יָבֹא־בָךְ עוֹד עָרֵל וְטָמֵא׃ (שם נב:א)

הִתְעוֹרְרִי הִתְעוֹרְרִי קוּמִי יְרוּשָׁלַ͏ִם אֲשֶׁר שָׁתִית מִיַּד ה' אֶת־כּוֹס חֲמָתוֹ אֶת־קֻבַּעַת כּוֹס הַתַּרְעֵלָה שָׁתִית מָצִית׃ (שם נא:יז)

שׂוֹשׂ אָשִׂישׂ בַּה' תָּגֵל נַפְשִׁי בֵּאלֹהַי כִּי הִלְבִּישַׁנִי בִּגְדֵי־יֶשַׁע מְעִיל צְדָקָה יְעָטָנִי כֶּחָתָן יְכַהֵן פְּאֵר וְכַכַּלָּה תַּעְדֶּה כֵלֶיהָ׃ (שם סא:י)

אָנֹכִי אָנֹכִי הוּא מְנַחֶמְכֶם מִי־אַתְּ וַתִּירְאִי מֵאֱנוֹשׁ יָמוּת וּמִבֶּן־אָדָם חָצִיר יִנָּתֵן׃ (שם נא:יב)

נַחֲמוּ נַחֲמוּ עַמִּי יֹאמַר אֱלֹהֵיכֶם׃ (שם מ:א)

וַיַּרְא הָעָם כִּי־בֹשֵׁשׁ מֹשֶׁה לָרֶדֶת מִן־הָהָר וַיִּקָּהֵל הָעָם עַל־אַהֲרֹן וַיֹּאמְרוּ אֵלָיו קוּם עֲשֵׂה־לָנוּ אֱלֹהִים אֲשֶׁר יֵלְכוּ לְפָנֵינוּ כִּי־זֶה ׀ מֹשֶׁה הָאִישׁ אֲשֶׁר הֶעֱלָנוּ מֵאֶרֶץ מִצְרַיִם לֹא יָדַעְנוּ מֶה־הָיָה לוֹ׃ (שמות לב:א)

גַּם בִּכְנָפַיִךְ נִמְצְאוּ דַּם נַפְשׁוֹת אֶבְיוֹנִים נְקִיִּים לֹא־בַמַּחְתֶּרֶת מְצָאתִים כִּי עַל־כָּל־אֵלֶּה׃ (ירמיה ב:לד)

וַיִּקַּח מִיָּדָם וַיָּצַר אֹתוֹ בַּחֶרֶט וַיַּעֲשֵׂהוּ עֵגֶל מַסֵּכָה וַיֹּאמְרוּ אֵלֶּה אֱלֹהֶיךָ יִשְׂרָאֵל אֲשֶׁר הֶעֱלוּךָ מֵאֶרֶץ מִצְרָיִם׃ וַיַּרְא אַהֲרֹן וַיִּבֶן מִזְבֵּחַ לְפָנָיו וַיִּקְרָא אַהֲרֹן וַיֹּאמַר חַג לַה' מָחָר׃ (שמות לב:ד-ה)

רְאֵה ה' וְהַבִּיטָה לְמִי עוֹלַלְתָּ כֹּה אִם־תֹּאכַלְנָה נָשִׁים פִּרְיָם עֹלֲלֵי טִפֻּחִים אִם־יֵהָרֵג בְּמִקְדַּשׁ אֲדֹנָי כֹּהֵן וְנָבִיא׃ (איכה ב:כ)

The Midrash presents two more interpretations of the words *Aaron saw*:

דָּבָר אַחֵר, "וַיַּרְא אַהֲרֹן" — **Another interpretation** of *Aaron saw and built an altar before him:* מָה רָאָה — **What did he "see"?** אִם בּוֹנִין הֵם אוֹתוֹ — He *perceived* the following: **"If [the people] build [the altar],** זֶה מֵבִיא צְרוֹר וְזֶה אֶבֶן וְנִמְצֵאת מְלַאכְתָּם כָּלָה בְּבַת אַחַת — **this** person **will bring a pebble and that** person will bring **a rock and it will emerge that their work will be finished all at once.** מִתּוֹךְ שֶׁאֲנִי בּוֹנֶה אוֹתוֹ אֲנִי מִתְעַצֵּל בִּמְלַאכְתִּי וְרַבֵּינוּ מֹשֶׁה יוֹרֵד וּמַעֲבִירָהּ לַעֲבוֹדָה זָרָה — However, **if I build it, I will dawdle at my work, and our teacher, Moses, will descend** in the meantime, before the work is complete, **and cast away the idolatry.** וּמִתּוֹךְ שֶׁאֲנִי בּוֹנֶה אוֹתוֹ אֲנִי בּוֹנֶה אוֹתוֹ בִּשְׁמוֹ שֶׁל הַקָּדוֹשׁ בָּרוּךְ הוּא — Additionally, **if I build it, I will build it in the name of the Holy One, blessed is He,** and not for the sake of idolatry." הָדָא הוּא דִכְתִיב "וַיִּקְרָא אַהֲרֹן וַיֹּאמַר חַג לַה' מָחָר" — **Thus it is written** at the end of the same verse, *Aaron called out and said, "A festival for HASHEM tomorrow!"* (*Exodus* 32:5). "חַג לָעֵגֶל מָחָר" אֵין כְּתִיב כָּאן — **It is not written here, "A festival** *for the calf* **tomorrow,"** אֶלָּא "חַג לַה' מָחָר" — **but** *"A festival for HASHEM tomorrow!"* Thus, it is clear that Aaron built the altar for the sake of God.

דָּבָר אַחֵר "וַיַּרְא אַהֲרֹן" — **Another interpretation:** The verse states, ***Aaron saw*** *and built an altar before him.* מָה רָאָה — **What did he "see"?** אָמַר אַהֲרֹן: אִם בּוֹנִין הֵן אוֹתוֹ הַסִּרְחוֹן נִתְלֶה בָּהֶן — **Aaron said** to himself, **"If [the people] build [the altar], the foulness** of the sin **will be attributed to them.** מוּטָב שֶׁיִּתָּלֶה הַסִּרְחוֹן בִּי וְלֹא בְּיִשְׂרָאֵל — **Better that the foulness** of this sin **be attributed to me and not to Israel!"**

The Midrash elucidates this interpretation with a parable:

רַבִּי אַבָּא בַּר יוּדָן בְּשֵׁם רַבִּי אַבָּא — **R' Abba bar Yudan** said **in the name of R' Abba:** מָשָׁל לְבֶן מְלָכִים שֶׁנִּתְגָּאָה לִבּוֹ עָלָיו וְלָקַח אֶת הַסַּיִף לַחְתּוֹךְ אֶת אָבִיו — **This can be compared to a prince whose heart became haughty** and rebellious **and he took a sword to slash his father,** the king. אָמַר לוֹ פַּדְגוֹגוֹ: אַל תְּיַיגַּע אֶת עַצְמְךָ — **[The prince's] caretaker** saw this and **said to him, "Do not exert yourself;** תֵּן לִי וַאֲנִי חוֹתֵךְ — **give** the sword **to me and I will slash** the king." הֵצִיץ הַמֶּלֶךְ עָלָיו, אָמַר לוֹ: יוֹדֵעַ אֲנִי לְהֵיכָן הָיְתָה כַּוָּנָתְךָ — **The king peered at him** and heard him, and **said to him, "I know what your intention was.** מוּטָב שֶׁיִּתָּלֶה הַסִּרְחוֹן בְּךָ וְלֹא בִּבְנִי — You were thinking that **it is better that the foulness** of the sin **be attributed to you and not to my son.** חַיֶּיךָ מִן פַּלְטִין דִּידִי לֵית אַתְּ זָיֵיעַ — As a reward, I swear **by your life, you shall never depart from my palace,**[33] וּמוֹתַר פְּתוֹרִי אַתְּ אָכֵיל — **you shall eat the remnants** of the food **of my table,** עֶשְׂרִים וְאַרְבַּע אֲנִינָס אַתְּ נָסֵיב — and **you shall receive twenty-four entitlements** from me."

The meaning of the end of the parable is explained:[34]

כָּךְ מִן פַּלְטִין דִּילִי לֵית אַתְּ זָיֵיעַ, "וּמִן הַמִּקְדָּשׁ לֹא יֵצֵא" — **Similarly,** God said to Aaron, **"You shall never depart from My palace,"** as it is stated regarding the Kohen Gadol, ***He shall not leave the Sanctuary*** (*Leviticus* 21:12).[35] וּמוֹתַר פְּתוֹרִי אַתְּ אָכֵיל, "וְהַנּוֹתֶרֶת מִן הַמִּנְחָה" — **"And you shall eat the remnants of My table,"** as it is written, ***The remnant of the meal-offering*** *is for Aaron and his sons* (ibid. 2:10). עֶשְׂרִים וְאַרְבָּעָה אֲנִינָס אַתְּ נָסֵיב, אֵלּוּ כ"ד מַתְּנוֹת כְּהוּנָּה שֶׁנִּיתְּנוּ לְאַהֲרֹן וּלְבָנָיו – "And **you shall receive twenty-four entitlements** from Me" — **these are** alluding to **the twenty-four entitlements of the priesthood, which were granted to Aaron and to his sons.**[36]

The Midrash returns to the verse in *Psalms* cited at the beginning of the chapter and relates it to this incident with Aaron:

אָמַר לוֹ הַקָּדוֹשׁ בָּרוּךְ הוּא לְאַהֲרֹן: "אָהַבְתָּ צֶּדֶק" — **The Holy One, blessed is He, said to Aaron, "*You love righteousness*** (or: *vindication*) (*Psalms* 45:8), אָהַבְתָּ לְצַדֵּק אֶת בָּנַי — in that *you love to* **vindicate My children;** וְשָׂנֵאתָ מִלְּחַיְּיבָן — ***and** you hate wickedness* in that **you hate assigning** any **guilt to them.**[37] "עַל כֵּן מְשָׁחֲךָ אֱלֹהִים אֱלֹהֶיךָ" — ***Therefore has God, your God, anointed** you, with oil of joy from among your peers"* (ibid.). אָמַר לוֹ: חַיֶּיךָ שֶׁמִּכָּל שִׁבְטוֹ שֶׁל לֵוִי לֹא נִבְחַר לִכְהוּנָּה גְדוֹלָה אֶלָּא אַתָּה — This means that **[God] said to [Aaron],** "I swear **by your life, that from among the entire tribe of Levi, only you have been chosen for the position of Kohen Gadol."**[38] "קַח אֶת אַהֲרֹן וְאֶת בָּנָיו אִתּוֹ" — Thus our verse states, ***Take*** [קַח] ***Aaron and his sons with*** *him and the garments and the oil of anointment, etc.*[39]

NOTES

33. I.e., you will never be barred from entering the palace whenever you please (*Eitz Yosef*).

34. The beginning of the parable is self-explanatory, as it corresponds to the earlier discussion of the Midrash with regard to Aaron's intentions in building the altar.

35. Although this verse refers to the prohibition upon the Kohen Gadol from abandoning the service in the Temple and leaving under certain circumstances (see *Ramban* ad loc., from *Sifra* to *Leviticus* 10:7), the plain wording of the text also implies that he may enter the Sanctuary whenever he wishes (*Eitz Yosef*).

36. As listed in *Numbers* Ch. 18 (see *Eitz Yosef*, who enumerates them).

37. According to all three explanations of the verse *Aaron saw*, his intention was to save the nation from punishment.

38. And the *oil of joy* refers to the oil with which Aaron was anointed, as is written further in our passage in *Leviticus* (8:10) (*Maharzu*, *Eitz Yosef*).

39. *Yefeh To'ar* asserts that the Midrash is addressing the term קַח, *Take*, an expression that usually denotes acquiring ownership of something, and is thus inappropriate for Moses "taking" Aaron. The Midrash therefore explains that the root לקח can also indicate "elevation in status" (as explained in *Bereishis Rabbah* 16 §5). Thus, our verse alludes to Aaron's elevation as reward for his efforts to vindicate the people of Israel, as alluded to in the verse in *Psalms*. See Insight Ⓐ.

INSIGHTS

Ⓐ **Motivating Factors and Unintended Consequences** The Torah (*Deuteronomy* 2:20) makes it clear that Aaron was punished for his role in making the Golden Calf. Our Midrash, however, puts things in a different light. It explains how Aaron's intentions were pure. He was afraid that the people would kill him, and thus be guilty of killing a prophet (Hur) and a Kohen, and then would be punished by exile immediately. In addition, the Midrash tells us that he offered to build the altar himself so that he could dawdle and delay this travesty, whereas if he would have allowed the people to build it on their own, it would have been done quickly. He also offered to build it so that he could erect it in the name of God, and not for the purposes of worshiping alien deities. The Midrash also tells us that he preferred that the foulness of this sin be attributed to him and not to the people of Israel. How do all these factors accord with the fact that Aaron was punished by God for his role in building and facilitating the Golden Calf?

Be'er Yosef explains: People generally judge an action in black and white. If the motivation for the action was pure, and especially if the outcome is good, they tend to characterize that action as unequivocally "good" — even if some of the means of implementation might have been inappropriate. Conversely, an action that is deemed bad in motivation and outcome is characterized as absolutely "bad" — even if it might have contained some positive elements. Man's perceptions are easily colored. There is little room for nuance in human judgment.

God's ways are different. He examines every action minutely, down to its smallest details and nuances, and He determines how much good it contains and how much evil. Sometimes a good action can have inappropriate points and traces of evil, and sometimes an action which, generally speaking, is evil can have dimensions and traces of good. God, Who understands and perceives the thoughts of man, and Who views every hidden thing, can weigh every action on His exacting scales

דָּבָר אַחֵר, (שמות לב, ה) "וַיַּרְא אַהֲרֹן", מָה רָאָה, אִם בּוֹנִין הֵם אוֹתוֹ זֶה מֵבִיא צְרוֹר וְזֶה אֶבֶן וְנִמְצֵאת מְלַאכְתָּם כָּלָה בְּבַת אַחַת, מִתּוֹךְ שֶׁאֲנִי בּוֹנֶה אוֹתוֹ אֲנִי מִתְעַצֵּל בִּמְלַאכְתִּי *וְרַבֵּינוּ מֹשֶׁה יוֹרֵד *וּמַעֲבִירָהּ לַעֲבוֹדָה זָרָה, וּמִתּוֹךְ שֶׁאֲנִי בּוֹנֶה אוֹתוֹ אֲנִי בּוֹנֶה אוֹתוֹ בִּשְׁמוֹ שֶׁל הַקָּדוֹשׁ בָּרוּךְ הוּא, הָדָא הוּא דִכְתִיב (שם) "וַיִּקְרָא אַהֲרֹן וַיֹּאמַר חַג לַה' מָחָר", "חַג לָעֵגֶל מָחָר" אֵין כְּתִיב כָּאן אֶלָּא "חַג לַה' מָחָר". דָּבָר אַחֵר "וַיַּרְא אַהֲרֹן", מָה רָאָה, אָמַר אַהֲרֹן: אִם בּוֹנִין הֵן אוֹתוֹ הַסִּרְחוֹן נִתְלֶה בָּהֶן, מוּטָב שֶׁיִּתָּלֶה הַסִּרְחוֹן בִּי וְלֹא בְּיִשְׂרָאֵל, רַבִּי אַבָּא בַּר יוּדָן בְּשֵׁם רַבִּי אַבָּא: [ז]מָשָׁל לְבֶן מְלָכִים שֶׁנִּתְגָּאָה לִבּוֹ עָלָיו וְלָקַח אֶת הַסַּיִף לַחְתֹּךְ אֶת אָבִיו, אָמַר לוֹ פַּדְגּוֹגוֹ: אַל תְּיַיגֵּעַ אֶת עַצְמְךָ, תֵּן לִי וַאֲנִי חוֹתֵךְ, הֵצִיץ הַמֶּלֶךְ עָלָיו, אָמַר לוֹ: יוֹדֵעַ אֲנִי לְהֵיכָן הָיְתָה כַּוָּנָתְךָ, מוּטָב שֶׁיִּתָּלֶה הַסִּרְחוֹן בְּךָ וְלֹא בִבְנִי, חַיֶּיךָ מִן פַּלָטִין דִּידִי לֵית אַתְּ זָיֵיעַ, וּמוֹתַר פָּתוֹרִי אַתְּ אָכֵיל, עֶשְׂרִים וְאַרְבַּע אֲנִינָס אַתְּ נָסֵיב, כָּךְ מִן פָּלָטִין דִּילִי לֵית אַתְּ זָיֵיעַ, (לקמן כא, יב) "וּמִן הַמִּקְדָּשׁ לֹא יֵצֵא", וּמוֹתַר פָּתוֹרִי אַתְּ אָכֵיל, (לעיל ב, ג) "וְהַנּוֹתֶרֶת מִן הַמִּנְחָה", עֶשְׂרִים וְאַרְבָּעָה אֲנִינָס אַתְּ נָסֵיב, אֵלּוּ כ"ד מַתְּנוֹת כְּהֻנָּה שֶׁנִּיתְּנוּ לְאַהֲרֹן וּלְבָנָיו, אָמַר לוֹ הַקָּדוֹשׁ בָּרוּךְ הוּא לְאַהֲרֹן: (תהלים מה, ח) "אָהַבְתָּ צֶּדֶק", אָהַבְתָּ לְצַדֵּק אֶת בָּנַי, וְשָׂנֵאתָ מִלְּחַיְּבָן, (שם) "עַל כֵּן מְשָׁחֲךָ אֱלֹהִים אֱלֹהֶיךָ", אָמַר לוֹ: חַיֶּיךָ שֶׁמִּכָּל שִׁבְטוֹ שֶׁל לֵוִי לֹא נִבְחַר לִכְהוּנָּה גְדוֹלָה אֶלָּא אַתָּה, [ח, ב] "קַח אֶת אַהֲרֹן וְאֶת בָּנָיו אִתּוֹ":

ד דָּבָר אַחֵר, [ח, ב] "קַח אֶת אַהֲרֹן וְאֶת בָּנָיו אִתּוֹ", זֶה שֶׁאָמַר הַכָּתוּב (משלי כד, יא) "הַצֵּל לְקֻחִים לַמָּוֶת וּמָטִים לַהֶרֶג וְגוֹ'", [ח]אַנְטוֹנִינוּס סְלַק לְגַבֵּי רַבִּי, אַשְׁכְּחֵיהּ דְּיָתֵיב וְתַלְמִידָיו קַמֵּיהּ, אֲמַר לֵיהּ: הָלֵין אִינּוּן דְּאַתְּ מְגַלֵּיג עֲלֵיהוֹן, אֲמַר לֵיהּ: אִין, וְעֵירָא דְּאִית בְּהוֹן מְחַיֶּה מֵתִין, בָּתַר יוֹמִין נָטָה עַבְדּוֹ שֶׁל אַנְטוֹנִינוּס לְמִיתָה, שְׁלַח וַאֲמַר: שְׁלַח לִי חַד מִן תַּלְמִידָךְ דְּהוּא מְחַיֶּה לִי הָדֵין מִיתָא, שָׁלַח לֵיהּ חַד מִן *תַּלְמִידוֹי, וְאִית דְּאָמַר רַבִּי שִׁמְעוֹן בֶּן חֲלַפְתָּא הֲוָה אֲזִיל, אַשְׁכְּחֵיהּ רְבִיעַ, אֲמַר לֵיהּ: מָה אַתְּ רְבִיעַ וּמָרָךְ קָאֵים עַל רַגְלֵיהּ, מִיָּד נִזְדַּעְזַע וְקָם לֵיהּ. דָּבָר אַחֵר, "הַצֵּל לְקֻחִים לַמָּוֶת", אֵלּוּ בָּנָיו שֶׁל אַהֲרֹן, "וּמָטִים לַהֶרֶג אִם תַּחְשׂוֹךְ", אֵלּוּ בָּנָיו שֶׁל אַהֲרֹן שֶׁהָיוּ בְּצַד הַמִּיתָה, אָמַר רַב חָנָן: כְּתִיב (שמות לב, ד) "וַיִּקַּח מִיָּדָם וַיָּצַר אוֹתוֹ בַּחֶרֶט", תָּבֹא לְקִיחָה שֶׁל כָּאן וּתְכַפֵּר עַל לְקִיחָה שֶׁלְּהַלָּן, מֵתוּ שְׁנַיִם וְנִשְׁאֲרוּ שְׁנַיִם, [ח, ב] "קַח אֶת אַהֲרֹן וְאֶת בָּנָיו":

עץ יוסף

משה יורד ומעבירה לעגל. כן הוא במדרש שעם היפה תואר: **פדגוגו.** אומן המגדל תינוקות המלך: **לית את זייע.** כלומר שיכנס שם בכל אות נפשו, וכן הכהן למקדש: **ומותר פתורי את אכיל.** ומותר שולחני, שיורי מאכלי, אתה תאכל: **אנונס.** פירוש מתנות: **ומן המקדש לא יצא.** שאף על פי שטנייתו שלא יניח עבודתו ויצא, מכל מקום אגב אורחיה למדנו שהיה נכנס למקדש כרצונו תמיד: **עשרים וארבע מתנות כהונה.** שתים עשרה במקדש ושתים עשרה בגבולין. שתים עשרה שבמקדש, חטאת, ואשם, וזבחי שלמי צבור, ועור העולה, ומותר העומר, ושתי הלחם, ולחם הפנים, ושיורי מנחות, ותרומת לחמי תודה, ותרומת חזה ושוק, וזרוע איל נזיר, ולוג שמן של מצורע. שתים עשרה שבגבולין, תרומה גדולה, ותרומת מעשר, וחלה, ובכורים, ראשית הגז, והמתנות, בכור אדם, ובכור בהמה טהורה, ופטר חמור, והחרמים, ושדה אחוזה, וגזל הגר, כדאיתא בספרי (קרח סימן ד): **קח את אהרן.** דריש קח לשון עלוי וגדולה: (ד) **זה שאמר הכתוב הצל לקוחים למות ומטים להרג אם תחשך.** כן צריך לומר. והשתא דלשון לקיחה דכתיב הכא, הוא משום בניו, דאתי לאצוליהו מהמיתה, שהיו לקוחים לה, כתיב בהו קיחה, שזה כלוקח דבר מרשות אחד לרשותו, ולר' חנין לקיחה זו לכפר על ויקח מידם: **אנטנינוס סלק בו'.** שמפני שהיה הולך ללמוד תורה אצלו בהחבא, ועל כן צוה לו שלא ימצא שם אדם בעת בואו, כדאיתא בפרק קמא דמסכת עבודה זרה (י, ב), כשמצאו ותלמידיו לפניו אמר לו למה לא נזהר בדבריו, והשיבו שאין אלו אנשים אלא מלאכים, על כן אמר כאן כשאנטונינוס הלך אצל רבי ומצא שישב ותלמידיו לפניו אמר ליה הן הם שאתה מתפאר בהם, כלומר במה נודע כחם: **זעירא בו'.** הקטן שיש בהם מחיה מתים: **בתר יומין.** לאחר ימים: **אשכחיה רביע.** מצא אותו עבד שהיה רובץ ושוכב על מטתו שכיב מרע, אמר ליה דרך הגערה מה זה שאתה רובץ ושוכב ואדוניך עומד על רגליו: **נזדעזע וקם ליה.** וזהו הצל לקוחים למות, פירוש הצל בתפלתך הקרובים למיתה הטבעית, כעובדא זו דרבי שמעון בן חלפתא: **אלו בניו של אהרן.** שנגזרה עליהם מיתה כדלקמן: **תבא לקיחה.** שעל ידי התפילה (כדלקמן

פירוש מהרז"ו

רק עבורו, הרי עברו על כל התורה, ואיך יאמר אהרן פסוק של איכה. ועיין לקמן (כ, ה) ומה שכתבנו שם בשם התנחומא, ועיין דברים רבה (א, יז), שמות רבה (כח, ו), רות רבה פסוק ויאמר בועז לקוצרים, ויתבאר הכל. ועיין סנהדרין (ז, א) ורש"י שם: **מה ראה אם בונים.** תיקון לשון, אמר אהרן אם בונים, וכמו שכתוב בסמוך, אמר אהרן אם בונים הן וכו', ועיין שמות רבה (לז, ב): **אלא חג לה' מחר.** עיין זה סדר כי תשא באריכות: **ולקח סייף.** בשמות רבה (לז, ב) המשל בצפורן לחתור: **קח את אהרן ואת בניו.** ואת שמן המשחה, וזהו על כן משחך: (ד) **אנטנינוס סלק.** בגמרא עבודה זרה (י, א) המעשה ביתר ביאור, עיין שם:

חידושי הרד"ל

[ג] **ומשה רבינו יורד ומבערה.** כן צריך לומר: [ד] **אנטנינוס כו'.** מביא זה גם כן לדרוש הצל לקוחים ומטים למות, על ידי תפלתם: **רבי שמעון בן חלפתא היה.** שמלאכו בו עוד פעם שביטל גזירת המיתה מהילד הנימול, במעשה שבקהלת רבה פרשה ג' פסוק ז': **ומרך קאים על רגלו.** עיין מתנות כהונה. ונכון לפרש שאנטיניוס עומד שם לראות הפלא בעצמו, ואמר זה כלפי הקיסר: **מיד נזדעזע.** אולי יש לפרש שהזיע (שהוא ענין אחד עם זעזוע) וחללתו חמה. וקלת כעין מעשה זו עיין עבודת כוכבים (י, ב): **תבא לקיחה של כאן.** היינו קח את אהרן דהכא, ובתנחומא משמע דהיינו קח את המחתה וגו' והולך אל העדה וכפר עליהם, דפרשת קרח (במדבר יז, יא), ובזכות זה שכפר שם על העדה, נתכפר למה שהביא כאן חטאה ונגף על העם:

חידושי הרש"ש

[ד] **דבר אחר הצל לקוחים כו' ומטים להרג אם תחשך.** כן צריך לומר:

באור מהרי"פ

[ג] **ומתוך שאני בונה ובו'.** הוא כמו דבר אחר: [ד] **דאת מגליג עליהון.** הערוך ערך גלג זה לשונו, ובפסיקתא דעניה סוערה [ד"ה שמשותיך] אמר ליה סבא סבא כל מה דאת יכול מגלגלא ליה גליג, פירוש לאשתבחא שבח, עד כאן:

אמרי יושר

[ד] **הצל לקוחים למות.** שבסבת הלקיחה, ויקח מידם ויצר אותו בחרט (שמות לב ד), נתחייבו מיתה, ובאהרן התאנף ה' להשמידו (דברים ט כ), תבוא לקיחה אחרת לתשובות:

מסורת המדרש

ז. ש"ר פ' ל"ז:
ח. פסיקתא פ' מ"ז:

אם למקרא

וּמִן־הַמִּקְדָּשׁ לֹא יֵצֵא וְלֹא יְחַלֵּל אֵת מִקְדַּשׁ אֱלֹהָיו כִּי נֵזֶר שֶׁמֶן מִשְׁחַת אֱלֹהָיו עָלָיו אֲנִי ה': (ויקרא כא:יב)

וְהַנּוֹתֶרֶת מִן הַמִּנְחָה לְאַהֲרֹן וּלְבָנָיו קֹדֶשׁ קָדָשִׁים מֵאִשֵּׁי ה': (שם ב:ג)

אָהַבְתָּ צֶּדֶק וַתִּשְׂנָא רֶשַׁע עַל כֵּן מְשָׁחֲךָ אֱלֹהִים אֱלֹהֶיךָ שֶׁמֶן שָׂשׂוֹן מֵחֲבֵרֶיךָ: (תהלים מה:ח)

הַצֵּל לְקֻחִים לַמָּוֶת וּמָטִים לַהֶרֶג אִם תַּחְשׂוֹךְ: (משלי כד:יא)

וַיִּקַּח מִיָּדָם וַיָּצַר אֹתוֹ בַּחֶרֶט וַיַּעֲשֵׂהוּ עֵגֶל מַסֵּכָה וַיֹּאמְרוּ אֵלֶּה אֱלֹהֶיךָ יִשְׂרָאֵל אֲשֶׁר הֶעֱלוּךָ מֵאֶרֶץ מִצְרָיִם: (שמות לב:ד)

ענף יוסף

לא נבחר אלא אתה. ואם תאמר והלא בסנה כבר נגזר עליו להיות כהן, כדאיתא לעיל (שמות רבה פרשה ג כא) גבי הלא אהרן אחיך הלוי, יש לומר דהתם לענין הכהונה עצמה, והכא לענין כהונה גדולה:

ידי משה

[ד] **אלו בניו של אהרן שהיו בצד המיתה.** פירוש אלעזר ואיתמר שהיו גם כן חייבי מיתה, ותפילת משה עשתה מחצה ונשארו שנים, ולזה אמר **ומטים להרג** פירוש, שהיו נוטים להריגה. וקל להבין:

שינוי נוסחאות

(ד)"קח את אהרן ואת בניו" (בסוף הפיסקא). במקצת דפוסים מילים אלו נספחו לתחילת פיסקא הבאה:

מתנות כהונה

שנתגאה. בערוך גרס שנזז לבו, ועיין ערך נז: **פדגוג.** אומן המגדל תינוקות המלך: **מן פלטין דידי כו'.** מפלטין שלי לא תזוז: **ומותר.** שלחני, שיורי מאכלי אתה תאכל: **אנונם כו'.** מתנות את לוקח: [ד] **הכי גרסינן ותלמידיו קמיה.** יושבים לפניו: **מגליג.** מספר ומשתבח עליהם ובהם: **זעירא.** הקטן שיש בהם מחיה מתים: **בתר יומין.** לאחר ימים: **אשכחיה רביע.**

אשד הנחלים

להיות כהן לעולם: **ומעבירם לעבודת כוכבים.** אולי צריך לומר מעבודת כוכבים. וגם אני בינה לשם ה', ואז כאשר יבוא משה יקדש בשם ה', אחר שנבנה בהתחלה לשם ה'. וכל כוונתם לבאר מלת ראיה הנאמר כאן, שהכוונה על ראיית התבונות במה שראה והבין, מה שיהיה אם הוא לא יעשה למענם: **לחתוך.** כי העגל ועבודתם הוא דבר נגד כבוד ה' ממש, או המשל הוא נגד משה שהיה מלך, והם אבו לעשות עגל להיות מנהיג תמורת משה: [ד] **אנטנינוס כו'.** דרש על דרך מליצה, שיצילם בתפילתו ממות לחיים, ולא שייך זה לדרוש אהרן כי אם הדבר אחר, וזה הובא רק באגב: **בצד המיתה.** פירוש אלעזר ואיתמר היו גם כן חייבי מיתה, לולא תפלת משה שעשה מחצה, ונשארו שנים, וזהו ומטים להרג אם תחשוך (ידי משה). וזהו קח את אהרן ואת בניו אתו, כלומר התפלל עליהם שיהיו עם אהרן וישארו בחיים: **שלהלן.** כלומר

§4 [קַח אֶת אַהֲרֹן וְאֶת בָּנָיו אִתּוֹ וְגוֹ׳] — *TAKE AARON AND HIS SONS WITH HIM, ETC.*]

The Midrash offers an alternative interpretation of the word קַח:

״דָּבָר אַחֵר, ״קַח אֶת אַהֲרֹן וְאֶת בָּנָיו אִתּוֹ — **Another interpretation** of ***Take Aaron and his sons with him***: זֶה שֶׁאָמַר הַכָּתוּב ״הַצֵּל לְקֻחִים לַמָּוֶת וּמָטִים לַהֶרֶג וְגוֹ׳ ״ — **This** expression of "take" **is** to be understood in light of **what Scripture states,** *If you desist from* ***rescuing those being taken to death, and those on the way to be killed,*** **etc.** (*Proverbs* 24:11).[40]

Before discussing how this relates to our passage, the Midrash records an incident that demonstrates the underlying concept of this verse:

אַנְטוֹנִינוּס סָלֵק לְגַבֵּי רַבִּי — **Antoninus**[41] once **went up to** visit **Rebbi.** אַשְׁכְּחֵיהּ דְּיָתֵיב וְתַלְמִידָיו קַמֵּיהּ — **He found [Rebbi] sitting** with **his students before him.** אָמַר לֵיהּ: הָלֵין אִינּוּן דְּאַתְּ מְגַלֵּיג עֲלֵיהוֹן — **[Antoninus] said to him, "Are these** students **the ones of whom you boast?"**[42] אָמַר לֵיהּ: אִין, זְעֵירָא דְּאִית בְּהוֹן מְחַיֶּה מֵתִין — **He responded to him, "Yes.** Even **the lowest** ranked **among them** has such spiritual powers that he **can revive the dead!"** בָּתַר יוֹמִין נָטָה עַבְדּוֹ שֶׁל אַנְטוֹנִינוּס לְמִיתָה — **Some days later, a servant of Antoninus was on the verge of death.** שְׁלַח וַאֲמַר: שְׁלַח לִי חַד מִן תַּלְמִידָךְ דְּהוּא מְחַיֶּה לִי הָדֵין מֵיתָא — **[Antoninus] sent** a messenger to Rebbi **saying, "Send me one of your students, that he may revive this** nearly **dead** individual." שְׁלַח לֵיהּ חַד מִן תַּלְמִידוֹי, וְאִית דְּאָמַר רַבִּי שִׁמְעוֹן בֶּן חֲלַפְתָּא הֲוָה — **He sent him one of his students — some say [the student] was R' Shimon ben Chalafta.** אָזִיל, אַשְׁכְּחֵיהּ רְבִיעַ — **He went and found [the servant] lying down** in the throes of death. אָמַר לֵיהּ: מָה אַתְּ רְבִיעַ וּמָרָךְ קָאֵים עַל רַגְלֵיהּ — **[The student] said to [the servant], "How do you lie down while your master stands on his feet?"**[43] מִיָּד נִזְדַּעְזַע וְקָם לֵיהּ — **Thereupon [the servant] convulsed and** then **stood up for him.**[44]

The Midrash now relates the *Proverbs* verse to Aaron and his sons:

דָּבָר אַחֵר, ״הַצֵּל לְקוּחִים לַמָּוֶת״, אֵלּוּ בָּנָיו שֶׁל אַהֲרֹן — **Another interpretation** of the verse in *Proverbs, **Rescuing those being taken to death*** — **these are** referring to **the sons of Aaron** upon whom death had been decreed;[45] ״וּמָטִים לַהֶרֶג אִם תַּחְשׂוֹךְ״, אֵלּוּ בָּנָיו שֶׁל אַהֲרֹן שֶׁהָיוּ בְּצַד הַמִּיתָה — ***and those on the way to be killed, if you shall desist*** from saving them — **these** refer to **the sons of Aaron who were on the verge of death.**[46]

NOTES

40. The meaning of the passage, as derived from its context, is: If you desist from helping people escape from death, then you will find yourself in a helpless situation when *you* are in trouble (*Rashi* to verse).

41. A high-ranking Roman who is often mentioned as an acquaintance of Rebbi. *Doros HaRishonim* identifies him as the emperor Marcus Aurelius Antoninus, who ruled from 161-180 C.E. In the course of his travels through the empire he visited Judea, where he met Rebbi, with whom he formed a lifelong friendship. (See above, 3 §2, note 48.)

42. The Talmud tells that Antoninus would study Torah with Rebbi in secret. If others in the Roman empire ever discovered this secret, Antoninus would face severe repercussions. Therefore, he commanded Rebbi that no human shall be present when he arrives to learn. It happened that Antoninus arrived and one of Rebbi's students was present. Antoninus questioned why Rebbi had disregarded his command, to which Rebbi replied, "This is not a human, but an angel" (*Avodah Zarah* 10b). It is based on this comment of Rebbi that Antoninus asked, "Are these students the ones of whom you boast?" (*Eitz Yosef*).

43. The student referred to himself as the master of this servant (*Matnos Kehunah*). Alternatively, Antoninus had come to observe the miracle, and the student was referring to him (*Radal*).

44. The Midrash now interprets the words לְקֻחִים לַמָּוֶת (*being taken to death*) as referring to someone who is very ill, on the brink of death. The student, who was able to revive one who was nearly dead through his prayers, thus fulfilled the *Proverbs* verse about saving those being taken to death (*Eitz Yosef*).

45. See the following note. While the first part of the Midrash, which cites the incident involving Antoninus, interprets the verse as referring to those who are physically on the verge of death, this exposition interprets it as referring to those upon whom a Heavenly decree of death has been issued (*Yefeh To'ar*; see also *Eitz Yosef*).

46. As the Midrash will discuss below (at the end of §5, see note 94), there was a Heavenly decree that all four of Aaron's sons would die for his part in the sin of the Golden Calf. Through the prayers of Moses, half of the decree was nullified, and only Nadab and Abihu perished. It is to this effort of Moses to save Aaron's sons that the verse in *Proverbs* alludes (*Eitz Yosef*). The expression *on the way to be killed* alludes specifically to Elazar and Ithamar, who were "on their way" to death but were saved through the prayer of Moses (*Yedei Moshe*).

Thus the expression "take" in our verse in *Leviticus* means "save from death." Just as the verse in *Proverbs* describes one who is slated to die as one who is being "taken" to death, because he has been removed from the domain of "alive" and replaced in the domain of "dead," so too is the act of saving such an individual called "taking" from death, for he, too, moves the person from one domain to another. In our verse, it refers to saving those upon whom a Heavenly decree of death lies (*Yefeh To'ar, Eitz Yosef*). Thus the words *take Aaron and his sons with him* allude that God commanded Moses to pray for the annulment of the decree, thus "taking" Aaron's sons from death, and allowing them to be *with him,* i.e., to remain alive with Aaron (*Eshed HaNechalim*).

INSIGHTS

of justice and reward man for those aspects that are good, and punish him for those that are not. Thus, for a single action, man can receive both reward and punishment.

This, then, is the meaning of our Midrash. Aaron's intentions in facilitating the Golden Calf were pure. He understood that if he had protested, the people would kill him as well and then go on to build the Golden Calf on their own, which would ensure their destruction. So he took it upon himself to build the calf, slowly, so that Moses would have time to return and destroy it. He built the altar for the sake of God, and announced that the "festival" for God would be the following day, knowing full well that Moses would be back by then and would put things right. He thus saved the Jewish people from destruction and merited, as a result, the crown of priesthood and the twenty-four priestly gifts, as the Midrash spells out. But in the final analysis, he did facilitate the making of the Golden Calf, which was worshiped by thousands of Jews. Thus, it was rightly called *the calf that Aaron made* (*Exodus* 32:35), and he was punished for his role despite all the mitigating factors (*Be'er Yosef* on *Deuteronomy* 9:20).

Aaron knew he would be punished for his role, yet he preferred that the foulness of the sin be attributed to him rather than to Israel. This was a great personal sacrifice on Aaron's part, but one that made him eminently suited to be the Kohen Gadol, as the one who put the welfare of his people ahead of his own. The verse (9:7) states that *Moses said to Aaron: Come near to the Altar and perform the service . . . ,* on which the Sages (cited by *Rashi* ad loc.) comment that Aaron was reticent and bashful about serving as Kohen Gadol, because he was now to bring the sin offerings to atone for the sin of the Golden Calf. Aaron was convinced that with his role in that sin, he could hardly be the one to serve as the Kohen Gadol to bring about atonement. Moses said to him, "Why are you shy? לְכָךְ נִבְחַרְתָּ — for this you were chosen!" This can be explained to mean that it is for *this very reason* — your role in the Golden Calf — that you were chosen! It is only in the merit of your willingness in the incident of the Golden Calf to give up your life so that the Jewish people survive that you were chosen for the High Priesthood. There is no reason to be shy and afraid. It is precisely *because of this* that you, Aaron, are the most deserving to be the Kohen Gadol for the people of Israel. You deserved great punishment for what you did, but you deserve great reward as well (*Be'er Yosef* on *Deuteronomy* 10:6).

דָּבָר אַחֵר, (שמות לב, ה) "וַיַּרְא אַהֲרֹן", מָה רָאָה, אִם בּוֹנִין הֵם אוֹתוֹ זֶה מֵבִיא צְרוֹר וְזֶה אֶבֶן וְנִמְצֵאת מְלַאכְתָּם כָּלָה בְּבַת אַחַת, מִתּוֹךְ שֶׁאֲנִי בּוֹנֶה אוֹתוֹ אֲנִי מִתְעַצֵּל בִּמְלַאכְתִּי *וְרַבֵּינוּ מֹשֶׁה יוֹרֵד *וּמַעֲבִירָהּ לַעֲבוֹדָה זָרָה, וּמִתּוֹךְ שֶׁאֲנִי בּוֹנֶה אוֹתוֹ אֲנִי בּוֹנֶה אוֹתוֹ בִּשְׁמוֹ שֶׁל הַקָּדוֹשׁ בָּרוּךְ הוּא, הָדָא הוּא דִכְתִיב (שם) "וַיִּקְרָא אַהֲרֹן וַיֹּאמַר חַג לַה' מָחָר", "חַג לָעֵגֶל מָחָר" אֵין כְּתִיב כָּאן אֶלָּא "חַג לַה' מָחָר". דָּבָר אַחֵר "וַיַּרְא אַהֲרֹן", מָה רָאָה, אָמַר אַהֲרֹן: אִם בּוֹנִין הֵן אוֹתוֹ הַסִּרְחוֹן נִתְלֶה בָּהֶן, מוּטָב שֶׁיִּתָּלֶה הַסִּרְחוֹן בִּי וְלֹא בְּיִשְׂרָאֵל, רַבִּי אַבָּא בַּר יוּדָן בְּשֵׁם רַבִּי אַבָּא: [ז] מָשָׁל לְבֶן מְלָכִים שֶׁנִּתְגָּאָה לִבּוֹ עָלָיו וְלָקַח אֶת הַסַּיִף לַחְתֹּךְ אֶת אָבִיו, אָמַר לוֹ פַּדְגוֹגוֹ: אַל תְּיַגֵּעַ אֶת עַצְמְךָ, תֵּן לִי וַאֲנִי חוֹתֵךְ, הֵצִיץ הַמֶּלֶךְ עָלָיו, אָמַר לוֹ: יוֹדֵעַ אֲנִי לְהֵיכָן הָיְתָה כַּוָּנָתְךָ, מוּטָב שֶׁיִּתָּלֶה הַסִּרְחוֹן בְּךָ וְלֹא בִּבְנִי, חַיֶּיךָ מִן פַּלָּטִין דִּידִי לֵית אַתְּ זָיֵיעַ, וּמוֹתַר פְּתוֹרֵי אַתְּ אָכֵיל, עֶשְׂרִים וְאַרְבַּע אֲנִינָס אַתְּ נָסֵיב, כָּךְ מִן פַּלָּטִין דִּילִי לֵית אַתְּ זָיֵיעַ, (לקמן כא, יב) "וּמִן הַמִּקְדָּשׁ לֹא יֵצֵא", וּמוֹתַר פְּתוֹרֵי אַתְּ אָכֵיל, (לעיל ב, ג) "וְהַנּוֹתֶרֶת מִן הַמִּנְחָה", עֶשְׂרִים וְאַרְבָּעָה אֲנִינָס אַתְּ נָסֵיב, אֵלּוּ כ"ד מַתְּנוֹת כְּהֻנָּה שֶׁנִּיתְּנוּ לְאַהֲרֹן וּלְבָנָיו, אָמַר לוֹ הַקָּדוֹשׁ בָּרוּךְ הוּא לְאַהֲרֹן: (תהלים מה, ח) [ח] "אָהַבְתָּ צֶּדֶק", אָהַבְתָּ לְצַדֵּק אֶת בָּנַי, וְשָׂנֵאתָ מִלְּחַיְּבָן, (שם) "עַל כֵּן מְשָׁחֲךָ אֱלֹהִים אֱלֹהֶיךָ", אָמַר לוֹ: חַיֶּיךָ שֶׁמִּכָּל שִׁבְטוֹ שֶׁל לֵוִי לֹא נִבְחַר לִכְהֻנָּה גְּדוֹלָה אֶלָּא אַתָּה, [ח, ב] "קַח אֶת אַהֲרֹן וְאֶת בָּנָיו אִתּוֹ":

ד דָּבָר אַחֵר, [ח, ב] "קַח אֶת אַהֲרֹן וְאֶת בָּנָיו אִתּוֹ", זֶה שֶׁאָמַר הַכָּתוּב (משלי כד, יא) "הַצֵּל לְקֻחִים לַמָּוֶת וּמָטִים לַהֶרֶג וְגוֹ'", [ח] אַנְטוֹנִינוּס סָלַק לְגַבֵּי רַבִּי, אַשְׁכְּחֵיהּ דְּיָתֵיב וְתַלְמִידָיו קָמֵּיהּ, אֲמַר לֵיהּ: הָלֵין אִינּוּן דְּאַתְּ מְגַלֵּיג עֲלֵיהוֹן, אֲמַר לֵיהּ: אִין, זְעֵירָא דְּאִית בְּהוֹן מְחַיֶּה מֵתִין, בָּתַר יוֹמִין נָטָה עַבְדּוֹ שֶׁל אַנְטוֹנִינוּס לְמִיתָה, שְׁלַח וַאֲמַר: שְׁלַח לִי חַד מִן תַּלְמִידָךְ דְּהוּא מְחַיֶּה לִי הָדֵין מֵיתָא, שְׁלַח לֵיהּ חַד מִן *תַּלְמִידוֹי, וְאִית דְּאָמַר רַבִּי שִׁמְעוֹן בֶּן חֲלַפְתָּא הֲוָה אָזֵיל, אַשְׁכְּחֵיהּ רְבִיעַ, אֲמַר לֵיהּ: מָה אַתְּ רְבִיעַ וּמָרָךְ קָאִים עַל רַגְלֵיהּ, מִיָּד נִזְדַּעְזַע וְקָם לֵיהּ. דָּבָר אַחֵר, "הַצֵּל לְקוּחִים לַמָּוֶת", אֵלּוּ בָּנָיו שֶׁל אַהֲרֹן, "וּמָטִים לַהֶרֶג אִם תַּחְשׂוֹךְ", אֵלּוּ בָּנָיו שֶׁל אַהֲרֹן שֶׁהָיוּ בְּצַד הַמִּיתָה, אָמַר רַב חָנָן: כְּתִיב (שמות לב, ד) "וַיִּקַּח מִיָּדָם וַיָּצַר אוֹתוֹ בַּחֶרֶט", תָּבֹא לְקִיחָה שֶׁל כָּאן וּתְכַפֵּר עַל לְקִיחָה שֶׁלְּהַלָּן, מֵתוּ שְׁנַיִם וְנִשְׁאֲרוּ שְׁנַיִם, [ח, ב] "קַח אֶת אַהֲרֹן וְאֶת בָּנָיו":

עץ יוסף

משה יורד ומעבירה לעגל. כן הוא במדרש שעם היפה תואר: **פדגוגו.** אומן המגדל תינוקות המלך: **לית את זייע.** כלומר שיכנס שם בכל אות נפשו, וכן הכהן למקדש: **ומותר פתורי את אביל.** ומותר שולחני, שיורי מאכלי, אתה תאכל: **אנונס.** פירוש מתנות: **ומן המקדש לא יצא.** שאף על פי שענינו שלא יניח עבודתו ויצא, מכל מקום אגב אורחיה למדנו שהיה נכנס למקדש כרצונו תמיד: **עשרים וארבע מתנות כהונה.** שתים עשרה במקדש ושתים עשרה בגבולין. שתים עשרה שבמקדש, חטאת, ואשם, וזבחי שלמי צבור, ועור העולה, ומותר העומר, ושתי הלחם, ולחם הפנים, ושירי מנחות, ותרומת לחמי תודה, ותרומת חזה ושוק, וזרוע איל נזיר, ולוג שמן של מצורע. שתים עשרה שבגבולין, תרומה גדולה, ותרומת מעשר, וחלה, ובכורים, ראשית הגז, והמתנות, בכור אדם, ובכור בהמה טהורה, ופטר חמור, והחרמים, ושדה אחוזה, וגזל הגר, כדאיתא בספרי (קרח סימן ד): **קח את אהרן.** דריש קח לשון עלוי וגדולה: **(ד) זה שאמר הכתוב הצל לקוחים למות ומטים להרג אם תחשך.** כן צריך לומר. והשתא דלשון לקיחה דכתיב הכא, הוא משום בניו, דאתי לאצוליהו מהמיתה, שהיו לקוחים לה, כתיב בהו קיחה, שזה כלוקח דבר מרשות אחד לרשותו, ולר' חנין לקיחה זו לכפר על ויקח מידם: **אנטנינוס סלק כו'.** שמפני שהיה הולך ללמוד תורה אצלו בהחבא, ועל כן נוה לו שלא ימצא שם אדם בעת בואו, כדאיתא בפרק קמא דמסכת עבודה זרה (י, ב), כשמצאו ותלמידיו לפניו אמר לו למה לא נזהר בדבריו, והשיבו שאין אלו אנשים אלא מלאכים, על כן אמר כאן כשאנטוניוס הלך אצל רבי ומצא שישב ותלמידיו לפניו אמר ליה הן הם שאתה מתפאר בהם, כלומר במה נודע כחם: **זעירא כו'.** הקטן שיש בהם מחיה מתים: **בתר יומין.** לאחר ימים: **אשכחיה רביע.** מצא אותו עבד שהיה רובץ ושוכב על מטתו שכיב מרע, אמר ליה דרך הגערה מה זה שאתה רובץ ושוכב ואדוניך עומד על רגליו: **נזדעזע וקם ליה.** וזהו הצל לקוחים למות, פירוש הצל בתפלתך הקרובים למיתה הטבעית, כעובדא זו דרבי שמעון בן חלפתא: **אלו בניו של אהרן.** שנגזרה עליהם מיתה כדלקמן: **תבא לקיחה.** שעל ידי התפילה (כדלקמן

פירוש מהרז"ו

רק עבורו, הרי עברו על כל התורה, ואיך יאמר אהרן פסוק של איכה. ועיין לקמן (כ, ה) ומה שכתבנו שם בשם התנחומא, ועיין דברים רבה (א, יז), שמות רבה (כח, ו), רות רבה פסוק ויאמר בועז לקוצרים, ויתבאר הכל. ועיין סנהדרין (ז, א) ורש"י שם: **מה ראה אם בונים.** תיקון לשון, אמר אהרן אם בונים, וכמו שכתוב בסמוך, אמר אהרן אם בונים הן וכו', ועיין שמות רבה (לז, ב): **אלא חג לה' מחר.** עיין זה סדר כי תשא באריכות: **ולקח סייף.** בשמות רבה (לז, ב) המשל בצפורן לחתור: **קח את אהרן ואת בניו.** ואת שמן המשחה, וזהו על כן משחך: **(ד) אנטנינוס סלק.** בגמרא עבודה זרה (י, א) המעשה ביתר ביאור, עיין שם:

חידושי הרד"ל

[ג] **ומשה רבינו יורד ומבערה.** כן צריך לומר: [ד] **אנטנינוס כו'.** מביא זה גם כן לדרוש הצל לקוחים ומטים למות, על ידי תפלתם: **רבי שמעון בן חלפתא היה.** שמצאתו בו עוד פעם שביטל גזירת המיתה מהילד הנימול, במעשה שבקהלת רבה פרשה ג' פסוק ז': **ומרך קאים על רגלו.** עיין מתנות כהונה. ונכון לפרש שאנטונינוס עומד שם לראות הפלא בעצמו, ואמר זה כלפי הקיסר: **מיד נזדעזע.** אולי יש לפרש שהזיע (שהוא ענין אחד עם זעזוע) וחלצתו חמה. וקצת כענין מעשה זו עיין עבודת כוכבים (י, ב): **תבא לקיחה של כאן.** היינו קח את אהרן דהכא, ובתנחומא משמע דהיינו קח את המחתה וגו' והולך אל העדה וכפר עליהם, דפרשת קרח (במדבר יז, יא), ובזכות זה שכפר שם על העדה, נתכפר למה שהביא כאן חטאה ונגף על העם:

חידושי הרש"ש

[ד] **דבר אחר הצל לקוחים כו' ומטים להרג אם תחשך.** כן צריך לומר:

באור מהרי"פ

[ג] **ומתוך שאני בונה וכו'.** הוא כמו דבר אחר: [ד] **דאת מגליג עליהון.** הערוך ערך גלג זה לשונו, ובפסיקתא דעניה סוערה [ד"ה שמשותיך] אמר ליה סבא סבא כל מה דאת יכול מגלגלא ליה גליג, פירוש לאשתבחא שבח, עד כאן:

אמרי יושר

[ד] **הצל לקוחים למות.** שבסבת הלקיחה, ויקח מידם ויצר אותו בחרט (שמות לב ד), נתחייבו מיתה, ובאהרן התאנף ה' להשמידו (דברים ט כ), תבוא לקיחה אחרת לחשיבות:

מסורת המדרש

ז. ש"ר פ' ל"ז:
ח. פסיקתא פ' מ"ז:

אם למקרא

וּמִן־הַמִּקְדָּשׁ לֹא יֵצֵא וְלֹא יְחַלֵּל אֵת מִקְדַּשׁ אֱלֹהָיו כִּי נֵזֶר שֶׁמֶן מִשְׁחַת אֱלֹהָיו עָלָיו אֲנִי ה': (ויקרא כא:יב)

וְהַנּוֹתֶרֶת מִן הַמִּנְחָה לְאַהֲרֹן וּלְבָנָיו קֹדֶשׁ קָדָשִׁים מֵאִשֵּׁי ה': (שם ב:ג)

אָהַבְתָּ צֶּדֶק וַתִּשְׂנָא רֶשַׁע עַל כֵּן מְשָׁחֲךָ אֱלֹהִים אֱלֹהֶיךָ שֶׁמֶן שָׂשׂוֹן מֵחֲבֵרֶיךָ: (תהלים מה:ח)

הַצֵּל לְקֻחִים לַמָּוֶת וּמָטִים לַהֶרֶג אִם תַּחְשׂוֹךְ: (משלי כד:יא)

וַיִּקַּח מִיָּדָם וַיָּצַר אֹתוֹ בַּחֶרֶט וַיַּעֲשֵׂהוּ עֵגֶל מַסֵּכָה וַיֹּאמְרוּ אֵלֶּה אֱלֹהֶיךָ יִשְׂרָאֵל אֲשֶׁר הֶעֱלוּךָ מֵאֶרֶץ מִצְרָיִם: (שמות לב:ד)

ענף יוסף

לא נבחר אלא אתה. ואם תאמר והלא בסנה כבר נגזר עליו להיות כהן, כדאיתא לעיל (שמות רבה פרשה ג כא) גבי הלא אהרן אחיך הלוי, יש לומר דהתם לענין הכהונה עצמה, והכא לענין כהונה גדולה:

ידי משה

[ד] **אלו בניו של אהרן שהיו בצד המיתה.** פירוש אלעזר ואיתמר שהיו גם כן חייבי מיתה, ותפילת משה עשתה מחצה ונשארו שנים, ולזה אמר **ומטים להרג** פירוש, שהיו נוטים להריגה. וקל להבין:

שינוי נוסחאות

(ד) "קח את אהרן ואת בניו" (בסוף הפיסקא). במקצת דפוסים מילים אלו נספחו לתחילת פיסקא הבאה:

מתנות כהונה

שנתגאה. בערוך גרס שנזז לבו, ועיין ערך נז: **פדגוג.** אומן המגדל תינוקות המלך: **מן פלטין דידי כו'.** מפלטין שלי לא תזוז: **ומותר.** שלחני, שיורי מאכלי אתה תאכל: **אנונם כו'.** מתנות את לוקח: [ד] **הכי גרסינן ותלמידיו קמיה.** יושבים לפניו: **מגליג.** מספר ומשתבח עליהם ובהם: **זעירא.** הקטן שיש בהם מחיה מתים: **בתר יומין.** לאחר ימים: **אשכחיה רביע.**

אשד הנחלים

להיות כהן לעולם: **ומעבירם לעבודת כוכבים.** אולי צריך לומר מעבודת כוכבים. וגם אני בינה לשם ה', ואז כאשר יבוא משה יקדש בשם ה', אחר שנבנה בהתחלה לשם ה'. וכל כוונתם לבאר מלת ראיה הנאמר כאן, שהכוונה על ראיית התבונות במה שראה והבין, מה שיהיה אם הוא לא יעשה למענם: **לחתוך.** כי העגל ועבודתם הוא דבר נגד כבוד ה' ממש, או המשל הוא נגד משה שהיה מלך, והם אבו לעשות עגל להיות מנהיג תמורת משה: [ד] **אנטנינוס כו'.** דרש על דרך מליצה, שיצילם בתפילתו ממות לחיים, ולא שייך זה לדרוש אהרן כי אם הדבר אחר, וזה הובא רק באגב: **בצד המיתה.** פירוש אלעזר ואיתמר היו גם כן חייבי מיתה, לולא תפלת משה שעשה מחצה, ונשארו שנים, וזהו ומטים להרג אם תחשוך (ידי משה). וזהו קח את אהרן ואת בניו אתו, כלומר התפלל עליהם שיהיו עם אהרן וישארו בחיים: **שלהלן.** כלומר

Another interpretation of the expression "take" in our verse in *Leviticus*:

אָמַר רַב חָנָן: כְּתִיב "וַיִּקַּח מִיָּדָם וַיָּצַר אוֹתוֹ בַּחֶרֶט" — **R' Chanan said: It is written** regarding Aaron's role in the Golden Calf, when he collected the people's golden jewelry, ***He "took" it from their hands and bound it up in a cloth,*** *and fashioned it into a molten calf* (*Exodus* 32:4). תָּבֹא לְקִיחָה שֶׁל כָּאן וּתְכַפֵּר עַל לְקִיחָה שֶׁלְּהַלָּן — **Let the "taking"** that is written **here come and atone for the "taking"** of the gold written **over there.**[47] מֵתוּ שְׁנַיִם וְנִשְׁאֲרוּ שְׁנַיִם, "קַח אֶת אַהֲרֹן וְאֶת בָּנָיו" — As a result,[48] only **two** of Aaron's sons **died, while two remained** alive. This is the meaning of our verse, ***Take Aaron and his sons.***

NOTES

47. As will be discussed below (§5), it was actually Moses' prayers that caused the decree against Aaron to be rescinded. The intention of the Midrash here, then, is that through Moses' prayers God conceded that the taking of Aaron and his sons into service as Kohanim would serve as an atonement and spare two of them from death. Although the "taking" of our verse refers to all four of Aaron's sons, Moses' prayer was only partially accepted, as the Midrash will discuss below (*Yefeh To'ar*; see also *Eitz Yosef*).

48. I.e., as a result of Moses' prayer according to the first explanation, or, according to R' Chanan, as a result of the merit of "taking" Aaron and his sons into service as Kohanim.

משה יורד ומעבירה לעגל. כן הוא במדרש שעם היפה תואר: פדגוגו. אומן המגדל תינוקות המלך: לית את זייע. כלומר שיכנס שם בכל אות נפשו, וכן הכהן למקדש: ומותר פתורי את אביל. ומותר שולחני, שירי מאכלי, אתה תאכל: אנונס. פירוש מתנות: ומן המקדש לא יצא. שאף על פי שמעינו שלא יניח עבודתו ויצא, מכל מקום אגב אורחיה למדנו שהיה נכנס למקדש כרצונו תמיד: עשרים וארבע מתנות כהונה. שתים עשרה במקדש ושתים עשרה בגבולין. שתים עשרה שבמקדש, חטאת, ואשם, וזבחי שלמי צבור, ועור העולה, ומותר העומר, ושתי הלחם, ולחם הפנים, ושירי מנחות, ותרומת לחמי תודה, ותרומת חזה ושוק, וזרוע איל נזיר, ולוג שמן של מצורע. שתים עשרה שבגבולין, תרומה גדולה, ותרומת מעשר, וחלה, ובכורים, ראשית הגז, והמתנות, בכור אדם, ובכור בהמה טהורה, ופטר חמור, והחרמים, ושדה אחוזה, וגזל הגר, כדאיתא בספרי (קרח סימן ד): קח את אהרן. דריש קח לשון עלוי וגדולה: (ד) זה שאמר הכתוב הצל לקוחים למות ומטים להרג אם תחשך. כן צריך לומר. והשתא דלשון לקיחה דכתיב הכא, הוא משום בניו, דאתי לאצולינהו מהמיתה, שהיו לקוחים לה, כתיב בהו קיחה, שזה כלוקח דבר מרשות אחד לרשותו, ולר' חנין לקיחה זו לכפר על ויקח מידם: אנטונינוס סלק כו'. שמפני שהיה הולך ללמוד תורה אצלו בהחבא, ועל כן צוה לו שלא ימצא שם אדם בעת בואו, כדאיתא בפרק קמא דמסכת עבודה זרה (י, ב), כשמצאו ותלמידיו לפניו אמר לו למה לא נזהר בדבריו, והשיבו שאין אלו אנשים אלא מלאכים, על כן אמר כאן כשאנטונינוס הלך אצל רבי ומצא שישב ותלמידיו לפניו אמר ליה הן הם שאתה מתפאר בהם, כלומר במה נודע כחם: זעירא כו'. הקטן שיש בהם מחיה מתים: בתר יומין. לאחר ימים: אשכחיה רביע. מצא אותו עבד שהיה רובץ ושוכב על מטתו שכיב מרע, אמר ליה דרך הגערה מה זה שאתה רובץ ושוכב ואדוניך עומד על רגליו: נזדעזע וקם ליה. וזהו הצל לקוחים למות, פירוש הצל בתפלתך הקרובים למיתה הטבעית, כעובדא זו דרבי שמעון בן חלפתא: אלו בניו של אהרן. שנגזרה עליהם מיתה כדלקמן: תבא לקיחה. שעל ידי התפילה (כדלקמן

רק עבורו, הרי עברו על כל התורה, ואיך יאמר אהרן פסוק של איכה. ועיין לקמן (כ, ה) ומה שכתבנו שם בשם התנחומא, ועיין דברים רבה (א, יז), שמות רבה (כח, ו), רות רבה פסוק ויאמר בועז לקוצרים, ויתבאר הכל. ועיין סנהדרין (ז, א) ורש"י שם: מה ראה אם בונים. תיקון לשון, אמר אהרן אם בונים, וכמו שכתוב בסמוך, אמר אהרן אם בונים הן וכו', ועיין שמות רבה (לז, ג): אלא חג לה' מחר. עיין זה סדר כי תשא בארוכות: ולקח סייף. בשמות רבה (לז, ב) המשל בלפורן לחתוך: קח את אהרן ואת בניו. ואת שמן המשחה, וזהו על כן משחך: (ד) אנטונינוס סלק. בגמרא עבודה זרה (י, א) המעשה ביתר ביאור, עיין שם:

דָּבָר אַחֵר, (שמות לב, ה) "וַיַּרְא אַהֲרֹן", מָה רָאָה, אִם בּוֹנִין הֵם אוֹתוֹ זֶה מֵבִיא צְרוֹר וְזֶה אֶבֶן וְנִמְצֵאת מְלַאכְתָּם כָּלָה בְּבַת אַחַת, מִתּוֹךְ שֶׁאֲנִי בּוֹנֶה אוֹתוֹ אֲנִי מִתְעַצֵּל בִּמְלַאכְתִּי *וְרַבֵּינוּ מֹשֶׁה יוֹרֵד *וּמַעֲבִירָהּ לַעֲבוֹדָה זָרָה, וּמִתּוֹךְ שֶׁאֲנִי בוֹנֶה אוֹתוֹ אֲנִי בוֹנֶה אוֹתוֹ בִּשְׁמוֹ שֶׁל הַקָּדוֹשׁ בָּרוּךְ הוּא, הֲדָא הוּא דִכְתִיב (שם) "וַיִּקְרָא אַהֲרֹן וַיֹּאמַר חַג לַה' מָחָר", "חַג לָעֵגֶל מָחָר" אֵין כְּתִיב כָּאן אֶלָּא "חַג לַה' מָחָר". דָּבָר אַחֵר "וַיַּרְא אַהֲרֹן", מָה רָאָה, אָמַר אַהֲרֹן: אִם בּוֹנִין הֵן אוֹתוֹ הַסִּרְחוֹן נִתְלֶה בָּהֶן, מוּטָב שֶׁיִּתָּלֶה הַסִּרְחוֹן בִּי וְלֹא בְּיִשְׂרָאֵל, רַבִּי אַבָּא בַּר יוּדָן בְּשֵׁם רַבִּי אַבָּא: מָשָׁל לְבֶן מְלָכִים שֶׁנִּתְגָּאָה לִבּוֹ עָלָיו וְלָקַח אֶת הַסַּיִף לַחְתֹּךְ אֶת אָבִיו, אָמַר לוֹ פַּדְגּוֹגוֹ: אַל תְּיַגֵּעַ אֶת עַצְמְךָ, תֵּן לִי וַאֲנִי חוֹתֵךְ, הֵצִיץ הַמֶּלֶךְ עָלָיו, אָמַר לוֹ: יוֹדֵעַ אֲנִי לְהֵיכָן הָיְתָה כַּוָּנָתְךָ, מוּטָב שֶׁיִּתָּלֶה הַסִּרְחוֹן בְּךָ וְלֹא בִּבְנִי, חַיֶּיךָ מִן פַּלְטִין דִּידִי לֵית אַתְּ זָיֵיעַ, וּמוֹתַר פְּתוֹרֵי אַתְּ אָבֵיל, עֶשְׂרִים וְאַרְבַּע אֲנוֹנֵס אַתְּ נָסֵיב, כָּךְ מִן פַּלְטִין דִּילִי לֵית אַתְּ זָיֵיעַ, (לקמן כא, יב) "וּמִן הַמִּקְדָּשׁ לֹא יֵצֵא", וּמוֹתַר פְּתוֹרֵי אַתְּ אָבֵיל, (לעיל ב, ג) "וְהַנּוֹתֶרֶת מִן הַמִּנְחָה", עֶשְׂרִים וְאַרְבָּעָה אֲנוֹנֵס אַתְּ נָסֵיב, אֵלּוּ כ"ד מַתְּנוֹת כְּהוּנָּה שֶׁנִּיתְּנוּ לְאַהֲרֹן וּלְבָנָיו, אָמַר לוֹ הַקָּדוֹשׁ בָּרוּךְ הוּא לְאַהֲרֹן: (תהלים מה, ח) "אָהַבְתָּ צֶּדֶק", אָהַבְתָּ לְצַדֵּק אֶת בָּנַי, וְשָׂנֵאתָ מִלְּחַיְּיבָן, (שם) "עַל כֵּן מְשָׁחֲךָ אֱלֹהִים אֱלֹהֶיךָ", אָמַר לוֹ: חַיֶּיךָ שֶׁמִּכָּל שִׁבְטוֹ שֶׁל לֵוִי לֹא נִבְחַר לִכְהוּנָּה גְדוֹלָה אֶלָּא אַתָּה, [ח, ב] "קַח אֶת אַהֲרֹן וְאֶת בָּנָיו אִתּוֹ":

ד דָּבָר אַחֵר, [ח, ב] "קַח אֶת אַהֲרֹן וְאֶת בָּנָיו אִתּוֹ", זֶה שֶׁאָמַר הַכָּתוּב (משלי כד, יא) "הַצֵּל לְקֻחִים לַמָּוֶת וּמָטִים לַהֶרֶג וְגוֹ'", אַנְטוֹנִינוּס סָלֵק לְגַבֵּי רַבִּי, אַשְׁכְּחֵיהּ דְּיָתֵיב וְתַלְמִידָיו קַמֵּיהּ, אֲמַר לֵיהּ: הָלֵין אִינּוּן דְּאַתְּ מַגְלֵיג עֲלֵיהוֹן, אֲמַר לֵיהּ: אִין, זְעֵירָא דְּאִית בְּהוֹן מְחַיֶּה מֵתִין, בָּתַר יוֹמִין נָטָה עַבְדּוֹ שֶׁל אַנְטוֹנִינוּס לְמִיתָה, שְׁלַח וַאֲמַר: שְׁלַח לִי חַד מִן תַּלְמִידָךְ דְּהוּא מְחַיֶּה לִי הָדֵין מֵיתָא, שְׁלַח לֵיהּ חַד מִן *תַּלְמִידוֹי, וְאִית דְּאָמַר רַבִּי שִׁמְעוֹן בֶּן חֲלַפְתָּא הֲוָה אָזִיל, אַשְׁכְּחֵיהּ רְבִיעַ, אֲמַר לֵיהּ: מָה אַתְּ רְבִיעַ וּמָרָךְ קָאֵים עַל רַגְלֵיהּ, מִיָּד נִזְדַּעְזַע וְקָם לֵיהּ. דָּבָר אַחֵר, "הַצֵּל לְקוּחִים לַמָּוֶת", אֵלּוּ בָּנָיו שֶׁל אַהֲרֹן, "וּמָטִים לַהֶרֶג אִם תַּחְשׂוֹךְ", אֵלּוּ בָּנָיו שֶׁל אַהֲרֹן שֶׁהָיוּ בְּצַד הַמִּיתָה, אָמַר רַב חָנָן: כְּתִיב (שמות לב, ד) "וַיִּקַּח מִיָּדָם וַיָּצַר אוֹתוֹ בַּחֶרֶט", תָּבֹא לְקִיחָה שֶׁל כָּאן וּתְכַפֵּר עַל לְקִיחָה שֶׁלְּהַלָּן, מֵתוּ שְׁנַיִם וְנִשְׁאֲרוּ שְׁנַיִם, [ח, ב] "קַח אֶת אַהֲרֹן וְאֶת בָּנָיו":

מתנות כהונה

שנתגאה. בערוך גרס שנזו לבו, ועיין ערך נז: פדגוג. אומן המגדל תינוקות המלך: מן פלטין דידי כו'. מפלטין שלי לא תזוז: ומותר. שלחני, שירי מאכלי אתה תאכל: אנונס כו'. מתנות את לוקח: [ד] הכי גרסינן ותלמידיו קמיה. יושבים לפניו: מגליג. מספר ומשתבח עליהם ובהם: זעירא. הקטן שיש בהם מחיה מתים: בתר יומין. לאחר ימים: אשכחיה רביע.

אשד הנחלים

להיות כהן לעולם: ומעבירם לעבודת כוכבים. אולי צריך לומר מעבודת כוכבים. וגם אני בונה לשם ה', ואז כאשר יבוא משה יקדש בשם ה', אחר שנבנה בהתחלה לשם ה'. וכל כוונתם לבאר מלת ראיה הנאמר כאן, שהכוונה על ראיית התבונות במה שראה והבין, מה שיהיה אם הוא לא יעשה למענם: לחתוך. כי העגל ועבודתם הוא דבר נגד כבוד ה' ממש, או המשל הוא נגד משה שהיה מלך, והם אבו לעשות עגל להיות מנהיג תמורת משה: [ד] אנטונינוס כו'. דרש על דרך מליצה, שיצילם בתפלתו ממות לחיים, ולא שייך זה לדרוש אהרן כי אם הדבר אחר, וזה הובא רק באגב: בצד המיתה. פירוש אלעזר ואיתמר היו גם כן חייבי מיתה, לולא תפלת משה שעשה מחצה, ונשארו שנים, וזהו ומטים להרג אם תחשוך (ידי משה). וזהו קח את אהרן ואת בניו אתו, כלומר התפלל עליהם שיהיו עם אהרן וישארו בחיים: שלהלן. כלומר

חידושי הרד"ל

[ג] ומשה רבינו יורד ומעבירה. כן צריך לומר: [ד] אנטונינוס כו'. מביא זה גם כן לדרוש הצל לקוחים ומטים למות, על ידי תפלתם: רבי שמעון בן חלפתא היה. שמלתו בו עוד פעם שביטל גזירת המיתה מהילד הנימול, במעשה שבקהלת רבה פרשה ג' פסוק ז': ומרך קאים על רגלו. עיין מתנות כהונה. וכנון לפרש שאנטונינוס עומד שם לראות הפלא בעצמו, ואמר זה כלפי הקיסר: מיד נזדעזע. אולי יש לפרש שהיה (שהוא) ענין אחד עם זעזוע ותלתלתו חמה. וקלת כענין מעשה זו עיין עבודת כוכבים (י, ב): תבא לקיחה של כאן. היינו קח את אהרן דהכא, ובתנחומא משמע דהיינו קח את המטפה וגו' והולך אל העדה וכפר עליהם, דפרשת קרח (במדבר יז, יא), ובזכות זה שכפר שם על העדה, נתכפר למה שהביא כאן חטאה ונגף על העם:

חידושי הרש"ש

[ד] דבר אחר הצל לקוחים כו' ומטים להרג אם תחשך. כן צריך לומר:

באור מהרי"פ

[ג] ומתוך שאני בונה וכו'. הוא כמו דבר אחר: [ד] דאת מגליג עליהון. הערוך ערך גלג זה לשונו, ובפסיקתא דעניה סוערה [ד"ה שמשותיך] אמר ליה סבא סבא כל מה דאת יכול מגלגלא ליה גליג, פירוש להשתבחא שבח, עד כאן:

אמרי יושר

[ד] הצל לקוחים למות. שבסבת הלקיחה, ויקח מידם ויצר אותו בחרט (שמות לב ד), נתחייבו מיתה, ובאהרן התפלל ה' להשמידו (דברים ט כ), תבוא לקיחה אחרת להשיבו:

מסורת המדרש

ז. ב"ר פ' ל"ז: ח. פסיקתא פ' מ"ז:

אם למקרא

וּמִן־הַמִּקְדָּשׁ לֹא יֵצֵא וְלֹא יְחַלֵּל אֵת מִקְדַּשׁ אֱלֹהָיו כִּי נֵזֶר שֶׁמֶן מִשְׁחַת אֱלֹהָיו עָלָיו אֲנִי ה': (ויקרא כא:יב)

וְהַנּוֹתֶרֶת מִן הַמִּנְחָה לְאַהֲרֹן וּלְבָנָיו קֹדֶשׁ קָדָשִׁים מֵאִשֵּׁי ה': (שם ב:ג)

אָהַבְתָּ צֶּדֶק וַתִּשְׂנָא רֶשַׁע עַל כֵּן מְשָׁחֲךָ אֱלֹהִים אֱלֹהֶיךָ שֶׁמֶן שָׂשׂוֹן מֵחֲבֵרֶיךָ: (תהלים מה:ח)

הַצֵּל לְקֻחִים לַמָּוֶת וּמָטִים לַהֶרֶג אִם תַּחְשׂוֹךְ: (משלי כד:יא)

וַיִּקַּח מִיָּדָם וַיָּצַר אֹתוֹ בַּחֶרֶט וַיַּעֲשֵׂהוּ עֵגֶל מַסֵּכָה וַיֹּאמְרוּ אֵלֶּה אֱלֹהֶיךָ יִשְׂרָאֵל אֲשֶׁר הֶעֱלוּךָ מֵאֶרֶץ מִצְרָיִם: (שמות לב:ד)

ענף יוסף

לא נבחר אלא אתה. ואם תאמר והלא בסנה כבר נגזר עליו להיות כהן, כדאיתא לעיל (שמות רבה פרשה ג כא) גבי הלא אהרן אחיך הלוי, יש לומר דהתם לענין הכהונה טלמה, והכא לענין כהונה גדולה:

ידי משה

[ד] אלו בניו של אהרן שהיו בצד המיתה. פירוש אלעזר ואיתמר שהיו גם כן חייבי מיתה, ותפילת משה עשתה מחלה ונשארו שנים, ולזה אמר ומטים להרג פירוש, שהיו נוטים להריגה. וקל להבין:

שינוי נוסחאות

(ד) "קח את אהרן ואת בניו" (בסוף הפיסקא). במקצת דפוסים מילים אלו נספחו לתחילת פיסקא הבאה:

§5 Having mentioned Moses' prayer on behalf of Aaron and its efficacy in annulling the decree against him, the Midrash records a dispute regarding the role of prayer and repentance in annulling decrees in general:

רַבִּי יְהוּדָה וְרַבִּי יְהוֹשֻׁעַ בֶּן לֵוִי — **R' Yehudah** bar Rebbi **and R' Yehoshua ben Levi** disagreed about the following matter: רַבִּי יְהוּדָה אָמַר: תְּשׁוּבָה עוֹשָׂה מֶחֱצָה — **R' Yehudah** bar Rebbi **said: Repentance accomplishes** annulment of only **half** of an evil decree, וּתְפִלָּה עוֹשָׂה הַכֹּל — while **prayer accomplishes total** annulment of the decree. רַבִּי יְהוֹשֻׁעַ בֶּן לֵוִי אָמַר: תְּשׁוּבָה עָשְׂתָה אֶת הַכֹּל — And **R' Yehoshua ben Levi said** the opposite: **Repentance accomplishes total** annulment of an evil decree, וּתְפִלָּה עָשְׂתָה מֶחֱצָה — while **prayer accomplishes half.**[49]

The Midrash seeks a source for R' Yehudah's opinion that repentance annuls half of an evil decree:

עַל דַּעְתֵּיהּ דְּרַבִּי יְהוּדָה בַּר רַבִּי תְּשׁוּבָה עוֹשָׂה מֶחֱצָה — **According to the opinion of R' Yehudah bar Rebbi** that **repentance accomplishes half,** מִמִּי אַתְּ לָמֵד — **from whom do you learn** this? מִקַּיִן, שֶׁנִּגְזְרָה עָלָיו גְּזֵירָה — **From Cain, upon whom a decree was issued** that he must become *a vagrant and a wanderer on earth* (*Genesis* 4:12) as a punishment for killing his brother, כֵּיוָן שֶׁעָשָׂה תְּשׁוּבָה נִמְנַע מִמֶּנּוּ חֲצִי גְזֵירָה — and **once he repented, half of the decree was withheld from** being carried out against **him.**

The Midrash elaborates on this derivation:

וּמִנַּיִן שֶׁעָשָׂה תְּשׁוּבָה — **And from where** do we know **that** [Cain] **repented?** שֶׁנֶּאֱמַר "וַיֹּאמֶר קַיִן אֶל ה' גָּדוֹל עֲוֹנִי מִנְּשֹׂא" — **As it is stated,** ***Cain said to HASHEM, "My iniquity is too great to be forgiven"*** (ibid., v. 13).[50] וּמִנַּיִן שֶׁנִּמְנַע מִמֶּנּוּ חֲצִי הַגְּזֵירָה — **And from where** do we know **that half of the decree was withheld from** being carried out against **him?** הָדָא הוּא דִכְתִיב "וַיֵּצֵא קַיִן מִלִּפְנֵי ה' וַיֵּשֶׁב בְּאֶרֶץ נוֹד קִדְמַת עֵדֶן" — **Because it is written,** ***Cain left the presence of HASHEM and settled in the "land of wandering," east of Eden*** (ibid., v. 16). "נָע וָנָד" אֵין כְּתִיב — **It is not written** here, "in the land of ***vagrancy and wandering,"*** as the original decree had stated,[51] אֶלָּא "בְּאֶרֶץ נוֹד קִדְמַת עֵדֶן" — **but** only ***in the land of wandering east of Eden.***[52]

The Midrash digresses to analyze the verse just cited, about Cain "leaving the presence of Hashem":

דָּבָר אַחֵר "וַיֵּצֵא קַיִן" — **Another interpretation** related to the verse, ***Cain left*** *the presence of HASHEM*:[53] מֵהֵיכָן יָצָא — **From where did he "leave"?**[54] רַבִּי יוּדָן בְּשֵׁם רַבִּי אַיְבוּ אָמַר: הִפְשִׁיל בְּגָדָיו לַאֲחוֹרָיו — **R' Yudan said in the name of R' Aivu: He cast his garments**[55] **over his back** וְיָצָא כְּגוֹנֵב דַּעַת הָעֶלְיוֹנָה — **and left like one who deceives the Supreme One,** i.e., as if he were fooling God. רַבִּי בֶּרֶכְיָה בְּשֵׁם רַבִּי אֶלְעַאי בַּר שְׁמַעְיָה אָמַר — **R' Berechyah said** similarly **in the name of R' El'ai bar Shemayah:** יָצָא כִּמְעָרִים וְכִמְרַמֶּה בְּבוֹרְאוֹ — **He left like one who tricks and deceives his Creator.**[56]

Another explanation of Cain leaving the presence of God:

רַבִּי הוּנָא בְּשֵׁם רַבִּי חֲנִינָא בַּר יִצְחָק אָמַר: יָצָא שָׂמֵחַ — **R' Huna said in the name of R' Chanina bar Yitzchak: He left joyful,**[57]

NOTES

49. [R' Yehudah's position is that prayer *always* fully annuls a decree; repentance *at times* only accomplishes half, but at times it may accomplish everything. R' Yehoshua ben Levi posits the opposite opinion: repentance *always* annuls the entire decree, while prayer may at times accomplish only half. This is evident from many statements in Scripture and the Talmud regarding both repentance and prayer, that they can fully annul an evil decree (*Yefeh To'ar*).]

50. The Midrash (unlike *Rashi* on this verse) interprets Cain's statement as a confession and admission of the severity of his sin, by declaring that indeed his sin was too great to warrant forgiveness (see *Pirkei DeRabbi Eliezer* §21 and *Ramban* ad loc.) (*Maharzu*, *Eitz Yosef*).

51. The redundant expression of being a vagrant *and* a wanderer implies that Cain would wander from place to place, and that in each locale he would not even find respite for the short period of his stay. By later stating only one of these expressions, Scripture implies that Cain actually experienced only the first degree of wandering (*Maharzu*; see also *Eitz Yosef*).

52. Thus Cain's repentance accomplished annulment of half of the decree. See Insight Ⓐ.

53. According to the explanation that Cain's repentance annulled half his decree, the word וַיֵּצֵא refers to Cain's acquittal, as in the expression יָצָא בְדִימוּס, which means *went out in acquittal* (see below, 29 §1). The following interpretation, however, explains the word וַיֵּצֵא differently (*Yefeh To'ar*; see also *Eitz Yosef*).

54. In other words, how is it possible that Cain left God's presence? It is impossible to hide from God! (*Eitz Yosef*).

55. In *Bereishis Rabbah* 22 §13, the text reads הִפְשִׁיל דְּבָרִים לַאֲחוֹרָיו, *he cast the words over his back*, i.e., he disregarded his own words of repentance, for he had never repented wholeheartedly (ibid.).

56. I.e., he acted as though he were humbling himself before God while in reality he was not sincere (ibid.). These opinions are cited here in order to explain why according to R' Yehoshua ben Levi's opinion that repentance annuls the entire decree, Cain's repentance did not do so. The Midrash explains that his repentance was halfhearted and deceptive (ibid.).

57. According to this explanation, the word וַיֵּצֵא refers to Cain's acquittal (as according to the first explanation; see note 53). The Midrash will now prove that the word has an additional connotation of joy (ibid.).

INSIGHTS

Ⓐ **Sin and Atonement** According to our Midrash, Cain's repentance was only partially accepted. Of the original two sentences passed upon him, that he will be נָע וָנָד, *a vagrant and a wanderer* (or, more literally: *drifting and displaced*), only the first was mitigated.

This Midrash bears explanation. We would expect that if Cain's repentance was sincere the entire punishment would be lifted, and if it was not, it would remain in its entirety. What is the meaning of this specific, partial reprieve?

R' Yisrael Yaakov Kanievsky (*Karyana D'Igresa* Vol. 2 §302) explains that a sin has two effects on the sinner: The primary effect is that his spiritual state becomes diminished. The secondary effect is that he thereafter becomes prone to further sin, as the Sages teach: עֲבֵירָה גּוֹרֶרֶת עֲבֵירָה, *one sin leads to another* (*Avos* 4:2).

When Cain murdered his brother, it was decreed that he would be נָע וָנָד, *drifting and displaced*. The sin of murder itself had caused him to be נָד, *displaced*, from the spiritual place he had previously occupied. But the sin had also made him prone to further sin, and each additional sin would reduce his spiritual state even more, causing him to move further and further from his spiritual home. Not only was he displaced, he would continue to be נָע, to *drift* and be displaced time and time again to ever greater distances.

As taught at the end of *Yoma*, some sins are forgiven immediately upon repentance. Others require the passage of Yom Kippur, and some require a measure of suffering as well. Some of the most heinous sins are not completely forgiven until the sinner's death completes the atonement. But all this relates only to the complete restoration of the sinner's spiritual state. However, that secondary effect of sin — that the sinner remains in the *clutches* of sin, prone to sinning again and again — is removed immediately by sincere repentance no matter how heinous the crime. By utterly renouncing his sin and wholeheartedly pledging that it would never be repeated, one has freed himself from the tug of sin. It may take time until his spiritual state is restored, but sin no longer has a stranglehold on him.

Our Midrash teaches that when Cain repented he was granted a partial reprieve. The sin of murder could not be eradicated by repentance alone; he would still remain נָד, displaced from his true "home." But his repentance removed from him the decree of נָע, of drifting further and further away in sin.

Cain had broken the hold that sin had on him; he could now begin the long journey back.

ה רַבִּי יְהוּדָה וְרַבִּי יְהוֹשֻׁעַ בֶּן לֵוִי, רַבִּי יְהוּדָה אָמַר: תְּשׁוּבָה עוֹשָׂה מֶחֱצָה וּתְפִלָּה עוֹשָׂה הַכֹּל, רַבִּי יְהוֹשֻׁעַ בֶּן לֵוִי אָמַר: תְּשׁוּבָה עָשְׂתָה אֶת הַכֹּל וּתְפִלָּה עָשְׂתָה מֶחֱצָה, עַל דַּעְתֵּיהּ דְּרַבִּי יְהוּדָה בַּר רַבִּי תְּשׁוּבָה עוֹשָׂה מֶחֱצָה, מִמִּי אַתְּ לָמֵד, מִקַּיִן, שֶׁנִּגְזְרָה עָלָיו גְּזֵירָה, כֵּיוָן שֶׁעָשָׂה תְּשׁוּבָה נִמְנַע מִמֶּנּוּ חֲצִי גְּזֵירָה, וּמִנַּיִן שֶׁעָשָׂה תְּשׁוּבָה, שֶׁנֶּאֱמַר (בראשית ד, יג) **"וַיֹּאמֶר קַיִן אֶל ה' גָּדוֹל עֲוֹנִי מִנְּשֹׂא", וּמִנַּיִן שֶׁנִּמְנַע מִמֶּנּוּ חֲצִי הַגְּזֵירָה, הָדָא הוּא דִכְתִיב** (שם שם טז) **"וַיֵּצֵא קַיִן מִלִּפְנֵי ה' וַיֵּשֶׁב בְּאֶרֶץ נוֹד קִדְמַת עֵדֶן", "נָע וָנָד" אֵין כְּתִיב, אֶלָּא "בְּאֶרֶץ נוֹד קִדְמַת עֵדֶן", דָּבָר אַחֵר "וַיֵּצֵא קַיִן", מֵהֵיכָן יָצָא, רַבִּי יוּדָן בְּשֵׁם רַבִּי אַיְבוּ אָמַר: הִפְשִׁיל בְּגָדָיו לַאֲחוֹרָיו וְיָצָא כְּגוֹנֵב דַּעַת הָעֶלְיוֹנָה, רַבִּי בֶּרֶכְיָה בְּשֵׁם רַבִּי אֶלְעַאי בַּר שְׁמַעְיָה אָמַר: יָצָא כִּמְעָרִים וּכְמִרְמָה בְּבוֹרְאוֹ, רַבִּי הוּנָא בְּשֵׁם רַבִּי חֲנִינָא בַּר יִצְחָק אָמַר: יָצָא שָׂמֵחַ, כְּמָה דְתֵימַר,** (שמות ד, יד) **"וְגַם הִנֵּה הוּא יֹצֵא לִקְרָאתֶךָ וְרָאֲךָ וְשָׂמַח", כֵּיוָן שֶׁיָּצָא פָּגַע בּוֹ אָדָם הָרִאשׁוֹן, אָמַר לוֹ: מַה נַּעֲשָׂה בְּדִינְךָ, אָמַר לוֹ: עָשִׂיתִי תְּשׁוּבָה וְנִתְפַּשַּׁרְתִּי, כֵּיוָן שֶׁשָּׁמַע אָדָם הָרִאשׁוֹן כָּךְ הִתְחִיל טוֹפֵחַ עַל פָּנָיו, אָמַר לוֹ: כָּל כָּךְ הִיא כֹּחָהּ שֶׁל תְּשׁוּבָה וְלֹא הָיִיתִי יוֹדֵעַ, [יא]בְּאוֹתָהּ שָׁעָה אָמַר אָדָם הָרִאשׁוֹן** (תהלים צב, א) **"מִזְמוֹר שִׁיר לְיוֹם הַשַּׁבָּת", אָמַר רַבִּי לֵוִי: הַמִּזְמוֹר הַזֶּה אָדָם הָרִאשׁוֹן אֲמָרוֹ, עַל דַּעְתֵּיהּ דְּרַבִּי יְהוּדָה בְּרַבִּי דְּאָמַר תְּפִלָּה עָשְׂתָה אֶת הַכֹּל, מִמִּי אַתְּ לָמֵד, מֵחִזְקִיָּה, חִזְקִיָּה עִיקַּר מַלְכוּתוֹ לֹא הָיְתָה אֶלָּא אַרְבַּע עֶשְׂרֵה שָׁנָה, הָדָא *הוּא דִכְתִיב** (ישעיה לו, א) **"וַיְהִי בְּאַרְבַּע עֶשְׂרֵה שָׁנָה לַמֶּלֶךְ חִזְקִיָּהוּ", וְכֵיוָן שֶׁהִתְפַּלֵּל הוֹסִיפוּ לוֹ חֲמֵשׁ עֶשְׂרֵה שָׁנָה, שֶׁנֶּאֱמַר** (שם לח, ה) **"הִנְנִי יוֹסִף עַל יָמֶיךָ חֲמֵשׁ עֶשְׂרֵה שָׁנָה", עַל דַּעְתֵּיהּ דְּרַבִּי יְהוֹשֻׁעַ בֶּן לֵוִי דְּאָמַר תְּשׁוּבָה עָשְׂתָה אֶת הַכֹּל, מִמִּי אַתְּ לָמֵד, מֵאַנְשֵׁי עֲנָתוֹת, שֶׁנֶּאֱמַר** (ירמיה יא, כב) **"כֹּה אָמַר ה' וְגוֹ' הַבַּחוּרִים יָמֻתוּ בַחֶרֶב",**

עץ יוסף

סימן ה') נתן לו הקדוש ברוך הוא לקיחה זו שתכפר, ועל כן אף שהלקיחה היתה בארבעתן, מכל מקום התפלה לא עשתה אלא מחצה: (ה) **ר' יהודה ורבי יהושע בן לוי כו'.** מסכים למה שפרשתי לעיל סימן ד' שטעם קח את אהרן וגו', מפני שלקחת שתי בניו ממות לחיים, מייתי להא דאפליגו רבי יהודה ורבי יהושע בן לוי, דעתיה דרבי יהושע בן לוי בתפלת משה נמנע ממנו חצי הגזירה, אבל לרבי יהודה דקאמר דתפלה עושה הכל צריך לומר שבתפלתו ניצולו ארבעתן ושוב מתו בחטאם: **עושה מחצה.** כלומר כשנגזרה גזירה רעה על אחד ובא לבטלה על ידי תשובה תתבטל חציה, ואם על ידי תפלה תתבטל כולה, ולרבי יהושע בן לוי איפכא. ועיין ביפה תואר: **גדול עוני מנשוא.** והוא וידוי שאמר אמת, כי עוני גדול מלסלות. ורבי יהושע בן לוי סבירא ליה שפירושו כמו שאמרו בבראשית רבה (כב, כה) לעליונים ותחתונים אתה סובל וכו', או כמו שאמרו בפרק חלק (סנהדרין קא, ב) שבא בעלילה, או כמו שפירש הדבר אחר: **אלא בארץ נוד.** דכיון דלא אשכחן מקום דלקרי הכי, מפרשינן שבכל מקום שהלך הארץ מזדעזעת תחתיו, כפירש רש"י: **דבר אחר ויצא קין.** משום דלפירוש ראשון שפירש שנמנע ממנו חצי הגזירה פירש ויצא קין שיצא בזכות מלפני ה', להכי קאמר דמכל מקום יש לפרש ויצא קין לגנאי, והיינו דלא תקשי למאן דאמר דתשובה עושה כולה דשאני הכא שהיתה תשובה ברמאות לכן לא הגליה: **הפשיל בגדיו לאחוריו.** בבראשית רבה (כב, כח) איתא הפשיל דברים לאחוריו, ועיין שם מה שכתבתי. עוד יש לומר דקאי אדברי קין במה שאמר דרך וידוי ותחנונים גדול עוני מנשוא, כמלדיק עליו את דין שמים, והוא כמודה ועוזב ירוחם, אבל משיצא הפשיל דברים הללו לאחוריו, כי לא שב בלב שלם, ויצא כגונב דעת העליונה, כאילו יצא מלפני ה', וכהאי גוונא נמי אמר ר' ברכיה יצא כמערים כו', פירוש שעשה עצמו כמכניע לפני בוראו וכאילו הוא קדוש וטהור ולבו בל עמו. ובבראשית רבה (שם) גרס כמפרים במקום כמערים שכתב כאן, ועיין שם ביאורו: **יצא שמח.** שדרך הלשון לכתוב לשון יציאה בכיוצא בזה, על דרך יצא פלוני זכאי או חייב בדינו, ומייתי גזירה שוה לאסמכתא דיציאה זו היה שמחה מדאשכחן יציאה גבי וראך ושמח בלבו: **ונתפשרתי.** כלומר התשובה עשתה מחלה, דמתחילה כתיב נע ונד תהיה בארץ, ואחר כך כתיב וישב בארץ נוד, והוא כעין פשרה (נזר הקודש): **מזמור שיר בו'.** סיפיה דקרא טוב להודות לה'. ועיין מה שכתבתי בבראשית רבה (שם): **ויהי בארבע עשרה שנה.** ובתר הכי עניא כתיב בימים ההם חלה חזקיה וגו':

פירוש מהרז"ו

(ה) **רבי יהודה ורבי יהושע בן לוי.** בפסיקתא (פרשה מז) איתא רבי יהודה ברבי חייא, ועיין דברים רבה (ח, א), סנהדרין (לז, ב): **ויאמר קין אל ה'.** בראשית רבה (כב, יא): **גדול עוני מנשא.** כמו שכתוב פרקי דרבי אליעזר (פרק כא), וזה לשונו גדול עווני מנשוא, שאין בו כפרה, ונחשב לו הדבר כתשובה וכו', ומה שאמר שנגזרה עליו גזירה, היינו מה שכתוב (בראשית ד, יב) נע ונד תהיה בארץ, ופירושו שיגלה תמיד ממקום למקום זהו נע, אך אם יבא למקום אחד, יהיה לו מנוח לכף רגלו לנוח שעה אחת עד שעה שיגלה למקום אחר, על כן הוסיף לו תיבת ונד, שגם במקום המנוחה לא יהיה במנוחה, וזה בטל כשעשה תשובה, שלא היה עליו רק חצי העונש: **ויצא קין מלפני ה'.** היינו שיצא מאת פני ה', והכתוב אומר (תהלים קלט, ז) אנה אלך מרוחך: **הפשיל בגדיו לאחוריו.** בבראשית רבה שם מבואר כל המאמר, וקתנו שם: **הבחורים ימותו בחרב.** וסיפא דקרא ושארית לא תהיה להם, ומאין נמלאו אנשי ענתות לשוב מהגולה והם שני כתובים המכחישים, והכריע שעשו תשובה, שמפורש בכמה פסוקים שהתשובה מועלת לבטל הגזירה. ואם אין לך ללמוד

חידושי הרד"ל

[ה] **רבי יהודה ברבי חייא ורבי יהושע בן לוי כו'.** כן צריך לומר. ועיין סנהדרין (לז, ב), ובדברים רבה פרשה ח' [סימן א]:

חידושי הרש"ש

[ה] **הפשיל (בגדיו) לאחוריו.** לעיל בבראשית רבה (כב, יג) הגירסא דברים, ופירש המתנות כהונה דברי הפסוק יתברך: **על דעתיה דר' יהודה ברבי דאמר תפלה עשתה את הכל כו' חזקיה עיקר מלכותו לא היתה בו'.** נראה דרצה לומר משום דמדת הקב"ה תוספתו מרובה על העיקר (בראשית רבה סא, ד), והוא בתפלתו נענה לתוספת זו, אם כן עשתה את הכל:

באור מהרי"פ

[ה] **הפשיל בגדיו לאחוריו.** ובבראשית רבה (כב, יג) גורס הפשיל דבריו לאחוריו, ופירש נזר הקודש אותם דברים שדבר קין לפני הקב"ה דרך וידוי ותחנונים גדול עוני מנשוא כמצדיק עליו דין שמים והוא כמודה ועוזב ירוחם, אבל משיצא הפשיל דברים הללו לאחוריו, כי לא שב בלב שלם, ויצא כגונב דעת העליונה, ונחשב לו כאלו יצא מלפני ה': **כה אמר ה'.** (ירמיה יא, כב כג) לכן כה אמר ה' צבאות הנני פוקד עליהם הבחורים ימותו בחרב בניהם ובנותיהם ימותו ברעב. ושארית לא תהיה להם כי אביא רעה אל אנשי ענתות שנת פקודתם:

אמרי יושר

[ה] **אדם הראשון אמרו.** זהו טוב הוא להודות לה' (תהלים לב ב), ולשוב בתשובה בהודאת העון, ולא הייתי יודע, אני כאיש בער:

מסורת המדרש

ט. דב"ר פ"ח:
י. מדרש תהלים מזמור ק':
יא. פסיקתא פ' מ"ו:

אם למקרא

וַיֹּאמֶר קַיִן אֶל ה' גָּדוֹל עֲוֹנִי מִנְּשֹׂא: (בראשית ד:יג)

וַיֵּצֵא קַיִן מִלִּפְנֵי ה' וַיֵּשֶׁב בְּאֶרֶץ־נוֹד קִדְמַת־עֵדֶן: (שם שם טז)

וַיִּחַר אַף ה' בְּמֹשֶׁה וַיֹּאמֶר הֲלֹא אַהֲרֹן אָחִיךָ הַלֵּוִי יָדַעְתִּי כִּי דַבֵּר יְדַבֵּר הוּא וְגַם הִנֵּה הוּא יֹצֵא לִקְרָאתֶךָ וְרָאֲךָ וְשָׂמַח בְּלִבּוֹ: (שמות ד:יד)

מִזְמוֹר שִׁיר לְיוֹם הַשַּׁבָּת: (תהלים צב:א)

וַיְהִי בְּאַרְבַּע עֶשְׂרֵה שָׁנָה לַמֶּלֶךְ חִזְקִיָּהוּ עָלָה סַנְחֵרִיב מֶלֶךְ־אַשּׁוּר עַל כָּל־עָרֵי יְהוּדָה הַבְּצֻרוֹת וַיִּתְפְּשֵׂם: (ישעיה לו:א)

הָלוֹךְ וְאָמַרְתָּ אֶל חִזְקִיָּהוּ כֹּה אָמַר ה' אֱלֹהֵי דָּוִד אָבִיךָ שָׁמַעְתִּי אֶת תְּפִלָּתֶךָ רָאִיתִי אֶת־דִּמְעָתֶךָ הִנְנִי יוֹסִף עַל־יָמֶיךָ חֲמֵשׁ עֶשְׂרֵה שָׁנָה: (שם לח:ה)

לָכֵן כֹּה אָמַר ה' צְבָאוֹת הִנְנִי פֹקֵד עֲלֵיהֶם הַבַּחוּרִים יָמֻתוּ בַחֶרֶב בְּנֵיהֶם וּבְנוֹתֵיהֶם יָמֻתוּ בָּרָעָב: (ירמיה יא:כב)

מתנות כהונה

מלא אותו עבד שהיה רובץ ושוכב על מטתו שכיב מרע, אמר ליה דרך הגערה מה זה שאתה רובץ ושוכב ואדוניך עומד על רגליו, ועל עצמו אמר כן: [ה] **בארץ נוד.** קדריש מלשון נע ונד: **הכי גרסינן בילקוט פרשת בראשית** (רמז לח) **יצא כמערים וכמרמה.** והכי מוכח בבראשית רבה (כב, יג) דגרס שם כמפרים, והסופר טעה והקדים הפ"א לעי"ן: **ונתפשרתי.** כלומר נח ממני רתיחת מדת הדין ונעשה כפושרין: **טופח.** מכה בטפח: **מזמור שיר וגו'.** סיפיה דקרא טוב להודות לה': **ויהי בארבע עשרה שנה כו'.** בתר הכי עניינא כתיב (ישעיה לח, א), בימים ההם חלה חזקיה וגו':

אשד הנחלים

במה שחטא ולקח וצר אותו. והיתה הכפרה במה שנשארו על כל פנים השנים בחיים: [ה] **תשובה עושה מחצה ותפלה כו'.** ענין המחלוקת על דרך הציור, להיות כי התשובה הוא העתקת הנפש ממדה למדה, ויען כי העוון נרשם בנפש, ועל ידי הרושם נחתם הגזר דין למעלה, על כן אין כח בתשובה לכלות הגזר דין לגמרי, כי על כל פנים העוון עצמו אינו נמחק, אך התפילה והבקשה בצירוף התשובה הנעשית בעת התפילה, אז מעורר הרחמים למעלה, עד שנמחק לגמרי וממילא נמחק הגזר דין לגמרי. ודעת השני להיפך, שעיקרה היא התשובה היא המעבירה הגזר דין לגמרי, אחרי שנתהפך הנפש ונעתקה ממדתה, אך התפילה בלא תשובה אמיתית כי אם בשעת התפילה, לא יועיל רק מחצה. ומה שיש לחקור בזה היטב על דרך הגדר אין כאן מקומו: **הפשיל בגדיו.** עד **על דעתיה דרבי יהודה.** פרשתי לעיל בסדר בראשית (כב, יג) עיין שם:

כְּמָה דְתֵימַר, "וְגַם הִנֵּה הוּא יֹצֵא לִקְרָאתֶךָ וְרָאֲךָ וְשָׂמַח" — similar to that which is stated regarding Aaron meeting Moses, ***"Moreover, behold, he is going out*** [יֹצֵא] ***to meet you and when he sees you he will rejoice*** *in his heart"* (Exodus 4:14).[58] **כֵּיוָן שֶׁיָּצָא פָּגַע בּוֹ אָדָם הָרִאשׁוֹן — When [Cain] departed,** Adam **the first man encountered him** **אָמַר לוֹ: מַה נַּעֲשָׂה בְּדִינְךָ — and said to him, "What occurred with your judgment?"** **אָמַר לוֹ: עָשִׂיתִי תְשׁוּבָה וְנִתְפַּשַּׁרְתִּי — [Cain] responded to him, "I repented and was given a compromise** in my verdict, i.e., half the decree was annulled." **כֵּיוָן שֶׁשָּׁמַע אָדָם הָרִאשׁוֹן כָּךְ הִתְחִיל טוֹפֵחַ עַל פָּנָיו — When** Adam **the first man heard this, he began to slap himself on the face** out of anguish. **אָמַר לוֹ: כָּל כָּךְ הִיא כֹּחָהּ שֶׁל תְּשׁוּבָה וְלֹא הָיִיתִי יוֹדֵעַ — He said to him, "Such is the power of repentance, and I did not know** about it!" **בְּאוֹתָהּ שָׁעָה אָמַר אָדָם הָרִאשׁוֹן "מִזְמוֹר שִׁיר לְיוֹם הַשַּׁבָּת" — At that moment,** Adam **the first man recited** the psalm beginning, ***A psalm, a song for the Sabbath day*** (Psalms 92:1),[59] **אָמַר רַבִּי לֵוִי: הַמִּזְמוֹר הַזֶּה אָדָם הָרִאשׁוֹן אֲמָרוֹ — as R' Levi said: This psalm was** originally **recited by** Adam **the first man.**

Returning to our original topic, the Midrash seeks a source for the other half of R' Yehudah's statement, that prayer completely annuls an evil decree:

עַל דַּעְתֵּיהּ דְּרַבִּי יְהוּדָה בְּרַבִּי דְּאָמַר תְּפִלָּה עָשְׂתָה אֶת הַכֹּל — According to the opinion of R' Yehudah bar Rebbi, who states that prayer accomplishes total atonement, **מִמִּי אַתְּ לָמֵד — from whom do you learn** this? **מֵחִזְקִיָּה — From Hezekiah,** **חִזְקִיָּה עִיקַּר מַלְכוּתוֹ לֹא הָיְתָה אֶלָּא אַרְבַּע עֶשְׂרֵה שָׁנָה — for Hezekiah's entire reign was** slated to last for **only fourteen years.** **הֲדָא הוּא דִכְתִיב "וַיְהִי בְּאַרְבַּע עֶשְׂרֵה שָׁנָה לַמֶּלֶךְ חִזְקִיָּהוּ" — Thus it is written, *It happened in the fourteenth year of King Hezekiah*** (Isaiah 36:1), and later it states, *In those days Hezekiah became deathly ill. Isaiah son of Amoz, the prophet, came to him, and he said to him, "Thus said HASHEM: Instruct your household, for you shall die; and you shall not live"* (ibid. 38:1).[60] **וְכֵיוָן שֶׁהִתְפַּלֵּל הוֹסִיפוּ לוֹ חֲמֵשׁ עֶשְׂרֵה שָׁנָה — However, once he prayed** for his life,[61] **fifteen years were added to his life,** **שֶׁנֶּאֱמַר "הִנְנִי יוֹסֵף עַל יָמֶיךָ חֲמֵשׁ עֶשְׂרֵה שָׁנָה" — as it is stated, *Behold, I am going to add fifteen years to your days*** (ibid., v. 5).[62]

The Midrash now goes on to the opinion of R' Yehoshua ben Levi and seeks sources for it:

עַל דַּעְתֵּיהּ דְּרַבִּי יְהוֹשֻׁעַ בֶּן לֵוִי דְּאָמַר תְּשׁוּבָה עָשְׂתָה אֶת הַכֹּל — According to the opinion of R' Yehoshua ben Levi, who states that repentance accomplishes total annulment of an evil decree, **מִמִּי אַתְּ לָמֵד — from whom do you learn** this? **מֵאַנְשֵׁי עֲנָתוֹת — From the people of Anathoth,** **שֶׁנֶּאֱמַר "כֹּה אָמַר ה' וְגוֹ' הַבַּחוּרִים יָמֻתוּ בַחֶרֶב" — for it is stated,** *Therefore, **thus said HASHEM,** concerning the men of Anathoth who seek your* [Jeremiah's] *life, saying: Do not prophecy in the Name of HASHEM, so that you not die at our hand, **etc.** "Behold, I shall punish them; **the young men will die by the sword,** etc. There will be no remnant of them, etc."* (Jeremiah 11:21-23).

NOTES

58. This verse shows that the verb יצא is associated with joy.

59. The psalm continues (v. 2): טוֹב לְהֹדוֹת לַה', which the Midrash interprets as, *It is good to admit [one's sins] to HASHEM* (*Imrei Yosher*; see also *Matnos Kehunah* and *Eitz Yosef*).

60. *Matnos Kehunah, Eitz Yosef.*

61. As it states: וַיַּסֵּב חִזְקִיָּהוּ פָּנָיו אֶל הַקִּיר וַיִּתְפַּלֵּל אֶל ה' — *[Hezekiah] then turned his face to the wall and prayed to HASHEM* (Isaiah 38:2).

62. Since the amount of additional years that Hezekiah was granted exceeded that of the years he had already reigned, thus fulfilling the statement of the Midrash elsewhere (*Bereishis Rabbah* 61 §4) that when God increases an existing blessing the bonus exceeds the original amount, Hezekiah's prayer is considered to have accomplished complete annulment of the decree (*Rashash*; see *Yefeh To'ar* at the beginning of this section).

ה רַבִּי יְהוּדָה וְרַבִּי יְהוֹשֻׁעַ בֶּן לֵוִי, רַבִּי יְהוּדָה אָמַר: תְּשׁוּבָה עוֹשָׂה מֶחֱצָה וּתְפִלָּה עוֹשָׂה הַכֹּל, רַבִּי יְהוֹשֻׁעַ בֶּן לֵוִי אָמַר: תְּשׁוּבָה עָשְׂתָה אֶת הַכֹּל וּתְפִלָּה עָשְׂתָה מֶחֱצָה, עַל דַּעְתֵּיהּ דְּרַבִּי יְהוּדָה בַּר רַבִּי תְּשׁוּבָה עוֹשָׂה מֶחֱצָה, מִמִּי אַתְּ לָמֵד, מִקַּיִן, שֶׁנִּגְזְרָה עָלָיו גְּזֵירָה, וְכֵיוָן שֶׁעָשָׂה תְּשׁוּבָה נִמְנַע מִמֶּנּוּ חֲצִי גְזֵירָה, וּמִנַּיִן שֶׁעָשָׂה תְּשׁוּבָה, שֶׁנֶּאֱמַר (בראשית ד, יג) **"וַיֹּאמֶר קַיִן אֶל ה' גָּדוֹל עֲוֹנִי מִנְּשֹׂא", וּמִנַּיִן שֶׁנִּמְנַע מִמֶּנּוּ חֲצִי הַגְּזֵירָה, הָדָא הוּא דִכְתִיב** (שם שם טז) **"וַיֵּצֵא קַיִן מִלִּפְנֵי ה' וַיֵּשֶׁב בְּאֶרֶץ נוֹד קִדְמַת עֵדֶן", "נָע וָנָד" אֵין כְּתִיב, אֶלָּא "בְּאֶרֶץ נוֹד קִדְמַת עֵדֶן", דָּבָר אַחֵר "וַיֵּצֵא קַיִן", מֵהֵיכָן יָצָא, רַבִּי יוּדָן בְּשֵׁם רַבִּי אַיְבוּ אָמַר: הִפְשִׁיל בְּגָדָיו לַאֲחוֹרָיו וְיָצָא כְּגוֹנֵב דַּעַת הָעֶלְיוֹנָה, רַבִּי בֶּרֶכְיָה בְּשֵׁם רַבִּי אֶלְעַאי בַּר שִׁמְעְיָה אָמַר: יָצָא כִּמְעָרִים וּכְמִרְמֶה בְּבוֹרְאוֹ, רַבִּי הוּנָא בְּשֵׁם רַבִּי חֲנִינָא בַּר יִצְחָק אָמַר: יָצָא שָׂמֵחַ, כְּמָה דְתֵימַר,** (שמות ד, יד) **"וְגַם הִנֵּה הוּא יֹצֵא לִקְרָאתֶךָ וְרָאֲךָ וְשָׂמַח", כֵּיוָן שֶׁיָּצָא פָּגַע בּוֹ אָדָם הָרִאשׁוֹן, אָמַר לוֹ: מַה נַּעֲשָׂה בְּדִינְךָ, אָמַר לוֹ: עָשִׂיתִי תְּשׁוּבָה וְנִתְפַּשַּׁרְתִּי, כֵּיוָן שֶׁשָּׁמַע אָדָם הָרִאשׁוֹן כָּךְ הִתְחִיל טוֹפֵחַ עַל פָּנָיו, אָמַר לוֹ: כָּל כָּךְ הִיא כֹּחָהּ שֶׁל תְּשׁוּבָה וְלֹא הָיִיתִי יוֹדֵעַ, [יא] בְּאוֹתָהּ שָׁעָה אָמַר אָדָם הָרִאשׁוֹן** (תהלים צב, א) **"מִזְמוֹר שִׁיר לְיוֹם הַשַּׁבָּת", אָמַר רַבִּי לֵוִי: הַמִּזְמוֹר הַזֶּה אָדָם הָרִאשׁוֹן אֲמָרוֹ, עַל דַּעְתֵּיהּ דְּרַבִּי יְהוּדָה בְּרַבִּי דְּאָמַר תְּפִלָּה עָשְׂתָה אֶת הַכֹּל, מִמִּי אַתְּ לָמֵד, מֵחִזְקִיָּה, חִזְקִיָּה עִיקַּר מַלְכוּתוֹ לֹא הָיְתָה אֶלָּא אַרְבַּע עֶשְׂרֵה שָׁנָה, הָדָא *הוּא דִכְתִיב** (ישעיה לו, א) **"וַיְהִי בְּאַרְבַּע עֶשְׂרֵה שָׁנָה לַמֶּלֶךְ חִזְקִיָּהוּ", וְכֵיוָן שֶׁהִתְפַּלֵּל הוֹסִיפוּ לוֹ חֲמֵשׁ עֶשְׂרֵה שָׁנָה, שֶׁנֶּאֱמַר** (שם לח, ה) **"הִנְנִי יוֹסִף עַל יָמֶיךָ חֲמֵשׁ עֶשְׂרֵה שָׁנָה", עַל דַּעְתֵּיהּ דְּרַבִּי יְהוֹשֻׁעַ בֶּן לֵוִי דְּאָמַר תְּשׁוּבָה עָשְׂתָה אֶת הַכֹּל, מִמִּי אַתְּ לָמֵד, מֵאַנְשֵׁי עֲנָתוֹת, שֶׁנֶּאֱמַר** (ירמיה יא, כב) **"כֹּה אָמַר ה' וְגוֹ' הַבַּחוּרִים יָמֻתוּ בַחֶרֶב",**

עץ יוסף

סימן ה') נתן לו הקדוש ברוך הוא לקיחה זו שתכפר, ועל כן אף שהלקיחה היתה בארבעתן, מכל מקום התפלה לא עשתה אלא מחלה: (ה) ר' יהודה ורבי יהושע בן לוי כו'. מסכים למה שפרשתי לעיל סימן ד' שטעם קח את אהרן וגו', מפני שלקח שתי בניו ממות לחיים, מייתי להא דאפליגו רבי יהודה ורבי יהושע בן לוי, דעתיה דרבי יהושע בן לוי בתפלת משה נמנע ממנו חצי הגזירה, אבל לרבי יהודה דקאמר דתפלה עושה הכל צריך לומר שבתפלתו ניצולו ארבעתן ושוב מתו בחטאם: עושה מחצה. כלומר כשנגזרה גזירה רעה על אחד ובא לבטלה על ידי תשובה תתבטל חציה, ואם על ידי תפלה תתבטל כולה, ולרבי יהושע בן לוי איפכא. ועיין ביפה תואר: גדול עוני מנשוא. והוא וידוי שאמר אמת, כי עוני גדול מלסלות. ורבי יהושע בן לוי סבירא ליה שפירושו כמו שאמרו בבראשית רבה (כב, כה) לעליונים ותחתונים אתה סובל וכו', או כמו שאמרו בפרק חלק (סנהדרין קא, ב) שבא בעלילה, או כמו שפירש הדבר אחר: אלא בארץ נוד. דכיון דלא אשכחן מקום לאיקרי הכי, מפרשינן שבכל מקום שהלך הארץ מזדעזעת תחתיו, כפירש רש"י: דבר אחר ויצא קין. משום דלפירוש ראשון שפירש שנמנע ממנו חצי הגזירה פירש ויצא קין שיצא בזכות מלפני ה', להכי קאמר דמכל מקום יש לפרש ויצא קין לגנאי, והיינו דלא תקשי למאן דאמר דתשובה עושה כולה דשאני הכא שהיתה תשובה ברמאות לכן לא הגליחה: הפשיל בגדיו לאחוריו. בבראשית רבה (כב, כח) איתא הפשיל דברים לאחוריו, ועיין שם מה שכתבתי. עוד יש לומר דקאי אדברי קין במה שאמר דרך וידוי ותחנונים גדול עוני מנשוא, כמצדיק עליו את דין שמים, והוא כמודה ועוזב ירוחם, אבל מעילא הפשיל דברים הללו לאחוריו, כי לא שב בלב שלם, ויצא כגונב דעת העליונה, כאילו יצא מלפני ה', וכהאי גוונא נמי אמר ר' ברכיה יצא כמערים כו', פירוש שעשה עצמו כמכניע לפני בוראו וכאילו הוא קדוש וטהור ולבו בל עמו. ובבראשית רבה (שם) גרס כמפרים במקום כמערים שכתב כאן, ועיין שם ביאורו: יצא שמח. שדרך הלשון לכתוב לשון יציאה בכיוצא בזה, על דרך יצא פלוני זכאי או חייב בדינו, ומייתי גזירה שוה לאסמכתא דיציאה זו היה שמחה מדאשכחן יציאה גבי ורואך ושמח בלבו: ונתפשרתי. כלומר התשובה עשתה מחלה, דמתחילה כתיב נע ונד תהיה בארץ, ואחר כך כתיב וישב בארץ נוד, והוא כעין פשרה (נזר הקודש): מזמור שיר בו'. סיפיה דקרא טוב להודות לה'. ועיין מה שכתבתי בבראשית רבה (שם): ויהי בארבע עשרה שנה. ובתר ההיא ענינא כתיב בימים ההם חלה חזקיה וגו':

פירוש מהרז"ו

(ה) רבי יהודה ורבי יהושע בן לוי. בפסיקתא (פרשה מז) איתא רבי יהודה ברבי חייא, ועיין דברים רבה (ח, א), סנהדרין (לז, ב): ויאמר קין אל ה'. בראשית רבה (כב, יא): גדול עוני מנשא. כמו שכתוב פרקי דרבי אליעזר (פרק כא), וזה לשונו גדול עוני מנשוא, שאין בו כפרה, ונחשב לו הדבר כתשובה וכו', ומה שאמר שנגזרה עליו גזרה, היינו מה שכתוב (בראשית ד, יב) נע ונד תהיה בארץ, ופירושו שיגלה תמיד ממקום למקום זהו נע, אף אם יבא למקום אחד, יהיה לו מנוח לכף רגלו לנוח שעה אחת עד שעה שיגלה למקום אחר, על כן הוסיף לו תיבת ונד, שגם במקום המנוחה לא יהיה במנוחה, וזה בטל כשעשה תשובה, שלא היה עליו רק חצי העונש: ויצא קין מלפני ה'. היתכן שילא מאת פני ה', והכתוב אומר (תהלים קלט, ז) אנה אלך מרוחך: הפשיל בגדיו לאחוריו. בבראשית רבה שם מבואר כל המאמר, קחנו משם: הבחורים ימותו בחרב. וסיפא דקרא ושארית לא תהיה להם, ומאין נמצאו אנשי ענתות לשוב מהגולה והם שני כתובים המכחישים, והכריע שעשו תשובה, שמפורש בכמה פסוקים שהתשובה מועלת לבטל הגזרה. ואם אין לך ללמוד

חידושי הרד"ל

[ה] רבי יהודה ברבי חייא ורבי יהושע בן לוי כו'. כן צריך לומר. ועיין סנהדרין (לז, ב), ובדברים רבה פרשה ח' (סימן א):

חידושי הרש"ש

[ה] הפשיל (בגדיו) לאחוריו. לעיל בבראשית רבה (כב, יג) הגירסא דברים, ופירש המתנות כהונה דברי הגס יתכבד: על דעתיה דר' יהודה ברבי דאמר תפלה עשתה את הכל כו' חזקיה עיקר מלכותו לא היתה כו'. נראה דרלה לומר משום דמדת הקב"ה תוספתו מרובה על העיקר (בראשית רבה סא, ד), והוא דתפלתו נענה לתוספת זו, אם כן עשתה את הכל:

באור מהרי"פ

[ה] הפשיל בגדיו לאחוריו. ובבראשית רבה (כב, יג) גורס הפשיל דבריו לאחוריו, ופירש נזר הקודש אותם דברים שדבר קין לפני הקב"ה דרך וידוי ותחנונים גדול עוני מנשוא כמצדיק עליו דין שמים והוא כמודה ועוזב ירוחם, אבל מעילא הפשיל דברים הללו לאחוריו, כי לא שב בלב שלם, ויצא כגונב דעת העליונה, ונחשב לו כאלו יצא מלפני ה': כה אמר ה'. (ירמיה יא, כב כג) לכן כה אמר ה' צבאות הנני פוקד עליהם הבחורים ימותו בחרב בניהם ובנותיהם ימותו ברעב. ושארית לא תהיה להם כי אביא רעה אל אנשי ענתות שנת פקודתם:

אמרי יושר

[ה] אדם הראשון אמרו. זהו טוב הוא להודות לה' (תהלים צב, ב), לשוב בתשובה בהודאת העון, ולא הייתי יודע, אני כאיש בער:

מסורת המדרש

ט. דב"ר פ"ח:
י. מדרש תהלים מזמור ק':
יא. פסיקתא פ' מ"ו:

אם למקרא

וַיֹּאמֶר קַיִן אֶל ה' גָּדוֹל עֲוֹנִי מִנְּשֹׂא: (בראשית ד:יג)

וַיֵּצֵא קַיִן מִלִּפְנֵי ה' וַיֵּשֶׁב בְּאֶרֶץ־נוֹד קִדְמַת־עֵדֶן: (שם שם טז)

וַיִּחַר אַף ה' בְּמֹשֶׁה וַיֹּאמֶר הֲלֹא אַהֲרֹן אָחִיךָ הַלֵּוִי יָדַעְתִּי כִּי־דַבֵּר יְדַבֵּר הוּא וְגַם הִנֵּה־הוּא יֹצֵא לִקְרָאתֶךָ וְרָאֲךָ וְשָׂמַח בְּלִבּוֹ: (שמות ד:יד)

מִזְמוֹר שִׁיר לְיוֹם הַשַּׁבָּת: (תהלים צב:א)

וַיְהִי בְּאַרְבַּע עֶשְׂרֵה שָׁנָה לַמֶּלֶךְ חִזְקִיָּהוּ עָלָה סַנְחֵרִיב מֶלֶךְ־אַשּׁוּר עַל כָּל־עָרֵי יְהוּדָה הַבְּצֻרוֹת וַיִּתְפְּשֵׂם: (ישעיה לו:א)

הָלוֹךְ וְאָמַרְתָּ אֶל חִזְקִיָּהוּ כֹּה אָמַר ה' אֱלֹהֵי דָּוִד אָבִיךָ שָׁמַעְתִּי אֶת תְּפִלָּתֶךָ רָאִיתִי אֶת־דִּמְעָתֶךָ הִנְנִי יוֹסִף עַל־יָמֶיךָ חֲמֵשׁ עֶשְׂרֵה שָׁנָה: (שם לח:ה)

לָכֵן כֹּה אָמַר ה' צְבָאוֹת הִנְנִי פֹקֵד עֲלֵיהֶם הַבַּחוּרִים יָמֻתוּ בַחֶרֶב בְּנֵיהֶם וּבְנוֹתֵיהֶם יָמֻתוּ בָּרָעָב: (ירמיה יא:כב)

מתנות כהונה

מלא אותו עבד שהיה רוכב ושוכב על מטתו שכיב מרע, אמר ליה דרך הגערה מה זה שאתה רוכב ושוכב ואדוניך עומד על רגליו, ועל עצמו אמר כן: [ה] בארץ נוד. קדריש מלשון נע ונד: הכי גרסינן בילקוט פרשת בראשית (רמז לח) יצא כמערים וכמרמה. והכי מוכח בבראשית רבה (כב, יג) דגרס שם כמפרים, והסופר טעה והקדים הפ"א לעי"ן: ונתפשרתי. כלומר נח ממני רתיחת מדת הדין ונעשה כפושרין: טופח. מכה בטפח: מזמור שיר וגו'. סיפיה דקרא טוב להודות לה': ויהי בארבע עשרה שנה כו'. בתר ההיא ענינא כתיב (ישעיה לח, א), בימים ההם חלה חזקיה וגו':

אשד הנחלים

במה שחטא ולקח וצר אותו. והיתה הכפרה במה שנשארו על כל פנים השנים בחיים: [ה] **תשובה עושה מחצה ותפלה כו'**. ענין המחלוקת על דרך הציור, להיות כי התשובה הוא העתקת הנפש ממדה למדה, ויען כי העוון נרשם בנפש, ועל ידי הרושם נחתם הגזר דין למעלה, על כן אין כח בתשובה לכלות הגזר דין לגמרי, כי על כל פנים העוון עצמו אינו נמחק, אך התפילה והבקשה בצירוף התשובה הנעשית בעת התפילה, אז מעורר הרחמים למעלה, עד שנמחק לגמרי וממילא נמחק הגזר דין לגמרי. ודעת השני להיפך, שעיקרה היא התשובה היא המעבירה הגזר דין לגמרי, אחרי שנתהפך הנפש ונעתקה ממדתה, אך התפילה בלא תשובה אמיתית כי אם בשעת התפילה, לא יועיל רק מחצה. ומה שיש לחקור בזה היטב על דרך הגדר אין כאן מקומו: **הפשיל בגדיו**. עד **על דעתיה דרבי יהודה**. פרשתי לעיל בסדר בראשית (כב, יג) עיין שם:

וְכֵיוָן שֶׁעָשׂוּ תְּשׁוּבָה זָכוּ לְהִתְיַחֵס — **But when they repented they merited to be recorded** among the returnees to Judah after the Babylonian exile, שֶׁנֶּאֱמַר ״אַנְשֵׁי עֲנָתוֹת מֵאָה וְעֶשְׂרִים וּשְׁמֹנָה״ — **as it is stated, *the people of Anathoth, one hundred twenty-eight*** (*Ezra* 2:23, *Nehemiah* 7:27).[63]

וְאִם אֵין לְךָ לִלְמוֹד מֵאַנְשֵׁי עֲנָתוֹת — **And if you are not** inclined **to learn** this concept **from the people of Anathoth,**[64] לְמַד מִיכָנְיָהוּ — you may **learn** it instead **from Jeconiah** king of Judah, ״הַעֶצֶב נִבְזֶה נָפוּץ וגו׳״ — of whom it is stated, ***Is this man*** *Coniah* (Jeconiah) ***a despised, shattered statue*** [עֶצֶב]? (*Jeremiah* 22:28).[65]

Before stating the derivation of this principle from Jeconiah, the Midrash digresses to explain the verse it has just cited, in particular the analogy of Jeconiah to an עֶצֶב נָפוּץ (translated above as "shattered statue"):

רַבִּי אַבָּא בַּר כָּהֲנָא אָמַר: כְּעֶצֶם הַזֶּה שֶׁל מוֹחַ שֶׁמְּשַׁמְּנִפְצוֹ אֵין בּוֹ מְאוּמָה — **R' Abba bar Kahana said:** Jeconiah's fate was to be **like a bone** [עֶצֶם][66] filled with **marrow, which, upon being emptied** [נָפוּץ] of its marrow, **contains nothing** of value.[67] So too, the verse means that nothing will remain of Jeconiah's descendants.[68] רַבִּי חֶלְבּוֹ אָמַר: כְּחוֹתָל שֶׁל תְּמָרָה שֶׁכְּשֶׁאַתָּה מְנַעֲרוֹ אֵין בּוֹ מְאוּמָה — **R' Chelbo said:** His fate was to be **like a bale of dates,**[69] **which, once you empty it** [נָפוּץ], **contains nothing** of value.[70]

The verse in *Jeremiah* continues with a second description of Jeconiah's fate:

״אִם כְּלִי אֵין חֵפֶץ בּוֹ״ — The verse continues, ***or an unwanted vessel.***[71] רַבִּי חָמָא בַּר חֲנִינָא אָמַר: כְּבַדִּין שֶׁל מֵי רַגְלַיִם — **R' Chama bar Chanina says:** In this analogy, Jeconiah's fate was to be **like a receptacle for urine.** רַבִּי שְׁמוּאֵל בַּר נַחְמָן אָמַר: כְּבַדִּין שֶׁל מַקִּיזֵי דָם — **R' Shmuel bar Nachman says: Like a receptacle for the** use of **bloodletters.**[72]

Before concluding the proof from Jeconiah that repentance annuls an evil decree, the Midrash cites an exposition of a subsequent verse in the above passage in *Jeremiah*:[73]

אָמַר רַבִּי זֵירָא: מִלְּתָא הָכָא שְׁמָעִית מִן רַבִּי שְׁמוּאֵל בַּר רַבִּי יִצְחָק — **R' Zeira said:** I once **heard an exposition here** (i.e., regarding this passage) **from R' Shmuel bar R' Yitzchak,** דַּהֲוָה דָּרִישׁ הָכָא — **which he would expound here,** וְלֵית אֲנָא יָדַע מַהוּ — **but I do not remember what it was.** אֲמַר לֵיהּ רַבִּי אַחָא אֲרִיכָא: דִּילְמָא דָא הִיא — **R' Acha the Tall said to him, "Perhaps it is** on **this** verse, ״כִּתְבוּ אֶת הָאִישׁ הַזֶּה עֲרִירִי גֶּבֶר לֹא יִצְלַח בְּיָמָיו״ — ***Inscribe this man*** (Jeconiah) ***to become childless, a man who will not succeed in his life***" (*Jeremiah* ibid., v. 30). אֲמַר לֵיהּ: הֵן, בְּיָמָיו אֵינוֹ מַצְלִיחַ — **He responded to him, "Yes,** that is indeed the verse he expounded, and he drew the following inference: It is only ***in his life*** that **he *will not succeed,*** בִּימֵי בְנוֹ מַצְלִיחַ — the implication being that **in the life of his son**[74] **he *will* succeed."**[75]

The Midrash cites a remark emphasizing the power of repentance, while concluding its proof from Jeconiah that repentance completely annuls an evil decree:

רַבִּי אַחָא וְרַבִּי אָבִין בַּר בִּנְיָמִין בְּשֵׁם רַבִּי אַבָּא — **R' Acha and R' Avin bar Binyamin** said **in the name of R' Abba:** גָּדוֹל הוּא כֹּחָהּ שֶׁל תְּשׁוּבָה — **Great is the power of repentance,** שֶׁמְּבַטֶּלֶת גְּזֵירָה וּמְבַטֵּל שְׁבוּעָה — **for it annuls an** evil **decree and** even **annuls** a decree reinforced with **an oath.** שְׁבוּעָה שֶׁנֶּאֱמַר ״חַי אָנִי נְאֻם ה׳ כִּי אִם יִהְיֶה כָּנְיָהוּ בֶּן יְהוֹיָקִים וגו׳״ — For we find that repentance annuls a decree reinforced with **an oath, as it is stated, *As I live***[76] — ***the word of HASHEM — even if you, Coniah son of Jehoiakim,*** *king of Judah, would be a signet ring on My right hand, I would pull you off it* (ibid., v. 24).[77] וּמְבַטֶּלֶת גְּזֵירָה — **And** we find that repentance **annuls an** evil **decree** (without an oath), as it states,

NOTES

63. This verse is written in two places, both in chapters that record the lineage of the returnees to Jerusalem and Judah in the days of Zerubbabel, more than fifty years after the Destruction. Therefore, it is clear that the original decree that there would be no remnant of the people of Anathoth was completely rescinded. This must have been accomplished through repentance alone, for the people of Anathoth could not have prayed for the annulment of a decree of which they were unaware, and since Jeremiah was not commanded to relay this decree to them, he certainly would not have risked his life to do so (*Yefeh To'ar*).

64. I.e., if you wish to refute this proof by saying that perhaps the decree of having no remnant was directed only at those people from Anathoth who threatened Jeremiah's life, while others merited descendants who remained to ascend to Jerusalem at the end of the Babylonian exile (*Eitz Yosef*).

65. The full verse reads: *Is this man Coniah a despised, shattered statue or an unwanted vessel? Why have he and his descendants been displaced and thrown into a land they did not know?* Thus the verse implies that Jeconiah's fate upon being exiled would indeed be comparable to that of the useless items mentioned at the beginning of the verse.

66. The letters מ and ב are at times interchangeable as they are both bilabial sounds. Hence עֶצֶב is interpreted as if it reads עֶצֶם, *bone* (*Rashash, Eitz Yosef*).

67. *Eitz Yosef.*

68. *Maharzu, Eitz Yosef.*

69. A batch of dates wrapped up with ropes, mats, etc. Accordingly, the word עֶצֶב is translated as *a handmade object* (as in יָדֶיךָ עִצְּבוּנִי, *Your hands made me* — *Job* 10:8), referring to the bale of dates (*Radal, Eitz Yosef* in first interpretation).

70. Upon emptying the dates, the bale is deemed useless and is discarded (*Eitz Yosef*).

71. I.e., a vessel that is unusable because people are repulsed by it (ibid.).

72. Both of these receptacles are repulsive and are quickly discarded. The latter is considered to be more despicable, for while a urine receptacle may be unwanted, its initial use is for a purpose that is part of the normal routine. Bloodletting, however, is performed to heal one who is ill; thus even its initial use is to treat a condition that is dreaded and unwanted (*Radal*).

73. As will be explained in note 80, the exposition cited in the coming paragraph is actually in opposition to the point that the Midrash is presently in the midst of proving, namely, that Jeconiah's repentance caused the decree against him to be rescinded.

74. This "son" actually refers to Zerubbabel, a descendant of Jeconiah, who became governor of Judea (see *Haggai* 1:1) when the Jews returned to rebuild the Temple (*Eitz Yosef*; see below).

75. According to this, the expression *inscribe this man to become childless* merely means that he would be unsuccessful just like one who is childless, and that too would be true only in his lifetime, for his descendant would indeed succeed after his death.

76. This expression denotes an oath.

77. Meaning that he would lose the throne. Nonetheless, Scripture states regarding Jeconiah's descendant, Zerubbabel, בַּיּוֹם הַהוּא נְאֻם ה׳ צְבָאוֹת אֶקָּחֲךָ זְרֻבָּבֶל בֶּן שְׁאַלְתִּיאֵל עַבְדִּי נְאֻם ה׳ וְשַׂמְתִּיךָ כַּחוֹתָם כִּי בְךָ בָחַרְתִּי נְאֻם ה׳ צְבָאוֹת — *On that day — the word of HASHEM, Master of Legions — I will take you, Zerubbabel son of She'altiel, My servant — the word of HASHEM — and I will make you like [My] signet ring; for you have I chosen — the word of HASHEM, Master of Legions* (*Haggai* 2:23). Thus we see that the decree was rescinded through repentance. Although the verse in *Jeremiah* stated only that Jeconiah, not his offspring, would lose his throne, by referring to Jeconiah as king of Judah, God implied that the reign of the royal house of Judah would cease. This is supported by *Shir HaShirim Rabbah* (8 §4) which interprets the words *I would pull you off it* to mean that God would pull the kingdom of the House of David off His hand (*Yefeh To'ar*; see also *Eitz Yosef*).

Although there is no explicit source in Scripture of Jeconiah's repentance, we can conclude that he repented, since the decree against him was rescinded, because had prayer caused the annulment, Scripture would have stated as such. Repentance, however, can be performed even in one's thoughts; therefore, Scripture need not mention it (*Yefeh To'ar*).

וְכֵיוָן שֶׁעָשׂוּ תְּשׁוּבָה זָכוּ לְהִתְיַחֵס, שֶׁנֶּאֱמַר (עזרא ב, כג; נחמיה ז, כז) "אַנְשֵׁי עֲנָתוֹת מֵאָה וְעֶשְׂרִים וּשְׁמֹנָה", וְאִם אֵין לְךָ לִלְמוֹד מֵאַנְשֵׁי עֲנָתוֹת לְמַד מִיכָנְיָהוּ (ירמיה כב, כח) "הַעֶצֶב נִבְזֶה נָפוּץ וְגוֹ'", רַבִּי אַבָּא בַּר כָּהֲנָא אָמַר: כְּעֶצֶם הַזֶּה שֶׁל מוֹחַ שֶׁמִּשְּׁמְּנַפְּצוֹ אֵין בּוֹ מְאוּמָה, רַבִּי חֶלְבּוֹ אָמַר: כַּחוֹתָל שֶׁל תְּמָרָה שֶׁכְּשֶׁאַתָּה מְנַעֲרוֹ אֵין בּוֹ מְאוּמָה, (שם) "אִם כְּלִי אֵין חֵפֶץ בּוֹ" רַבִּי חָמָא בַּר חֲנִינָא אָמַר: כְּבַדִּין שֶׁל מֵי רַגְלַיִם, רַבִּי שְׁמוּאֵל בַּר נַחְמָן אָמַר: כְּבַדִּין שֶׁל מַקִּיזֵי דָם, אָמַר רַבִּי זֵירָא: מִלְּתָא הָכָא שְׁמָעִית מִן רַבִּי שְׁמוּאֵל בַּר רַבִּי יִצְחָק, דַּהֲוָה דָּרִישׁ הָכָא וְלֵית אֲנָא יָדַע מַהוּ, אֲמַר לֵיהּ רַבִּי אַחָא אֲרִיכָא: דִּילְמָא דָא הִיא (שם כב, ל) "כִּתְבוּ אֶת הָאִישׁ הַזֶּה עֲרִירִי גֶּבֶר לֹא יִצְלַח בְּיָמָיו", אֲמַר לֵיהּ: הֵן, בְּיָמָיו אֵינוֹ מַצְלִיחַ, בִּימֵי בְּנוֹ מַצְלִיחַ, רַבִּי אַחָא וְרַבִּי אָבִין בַּר בִּנְיָמִין בְּשֵׁם רַבִּי אַבָּא: גָּדוֹל הוּא כֹּחָהּ שֶׁל תְּשׁוּבָה שֶׁמְּבַטֶּלֶת גְּזֵירָה וּמְבַטֵּל שְׁבוּעָה, שְׁבוּעָה שֶׁנֶּאֱמַר (שם כב, כד) "חַי אָנִי נְאֻם ה' כִּי אִם יִהְיֶה כָּנְיָהוּ בֶּן יְהוֹיָקִים וְגוֹ'", וּמְבַטֶּלֶת גְּזֵירָה, "כֹּה אָמַר ה' כִּתְבוּ אֶת הָאִישׁ הַזֶּה עֲרִירִי", וּכְתִיב (דברי הימים-א ג, יז) "וּבְנֵי יְכָנְיָה אַסִּר שְׁאַלְתִּיאֵל בְּנוֹ",

עץ יוסף

ואם אין לך ללמוד כו'. פירוש ואם אין אתה רוצה ללמוד מאנשי ענתות דמצית למדחי כי לא כל אנשי ענתות היו בכלל הגזירה אלא מקצתם, שהיו רודפי ירמיהו ונתקיימה בהם הגזירה כי לא שבו מעונם, ואנשי ענתות שעלו לבית שני היו האחרים שלא נגזרה עליהם גזירה: **בעצם הזה של מוח.** מפרש עצב כמו עצם, כי אותיות בומ"ף מתחלפין, ומפרש נפוץ על מה שמנפצים העצם להוציא המוח ממנו: **שמשמנפצו.** שמשמנענע ממנו המוח: **אין בו מאומה.** אין ראוי למאומה, כך נגזר על יכניה שלא ישאר כלום מזרעו: **כחותל של תמרה.** כלי שעושין מחריות של דקל, וממלאים אותו תמרים ואחר שהוא מנוער מהתמרים נזרק לאשפה ואין עוד חפץ בו. ומפרש נפוץ על מה שמנפצים ומנערים אותו להוציא ממנו התמרים, אבל לא ידעתי היאך מתפרש עצב על חותל התמרים: **מלתא כו'.** כלומר, שמעתי דבר חידוש שדריש מענין הפסוק הזה כתבו וגו', ולא ידעתי מה דרש, ואמר ליה שמא דרש מענין הכתוב שנאמר לא יצלח בימיו, ודייק מלת בימיו: **בימי בנו מצליח.** בימי בנו היינו זרובבל שהיה בן בנו שאלתיאל שהיה פחת יהודה, ואין זה סותר למה שאמר כי לא יצלח מזרעו איש יושב על כסא דוד ומושל עוד ביהודה, דיש לומר שכל זה בימיו קאמר, ונמצא לפי דבריו ליכא הכא ביטול גזירה במה שאמרו כתבו את האיש ערירי, כיון דפירושו שרק בימיו יהיה כערירי, אבל בימי בנו מצליח, ואם כן איך אמר המדרש מקודם ואם אין לך ללמוד מאנשי ענתות למד מיכניהו, הא מיכניהו ליכא ראיה כנכתב לעיל, לכן מביא המדרש קרא העצב נבזה נפוץ וגו' שמקרא זה משמע שאין לו תקנה ותקוה שהרי בין לדברי רבי אבא ובין לדברי רבי חלבו ור' חמא ור' שמואל קמדמי ליה למילתא שהוא נזרק ואינו מתקבל עוד (יפה תואר): **מבטלת שבועה.** קשה, הא בפרק קמא דראש השנה (יח, א) משמע דגזר דין שיש עמו שבועה אינו נקרע לכולי עלמא ואפילו בצבור. ונראה ליישב על פי מה שכתב הסדרי טהרה סוף מסכת נדה הובא בבאר אברהם במסכת ר"ה, הא דמחלקינן בין יחיד לצבור שגזר דין דיחיד אינו נקרע היינו דוקא כששב רק מיראה שזדונות נעשו לו כשגגות, דבצבור נקרע אפילו לאחר גזר דין וביחיד אינו נקרע לאחר גזר דין, אבל כששב מאהבה שזדונות נעשו לו כזכיות, אם כן נתוספו לו זכיות, אפילו גזר דין דיחיד נקרע. ואם כן יש לומר מה שאמרו שגזר דין שיש עמו שבועה אינו נקרע, כוונתם בתשובה מיראה, אבל מאהבה נקרע אפילו בגזר דין שיש עמה שבועה בין לצבור בין ליחיד שמזה לא איירי הגמרא שם כלל, ודוק: **חי אני נאם ה' וגו'. אם יהיה כניהו בן יהויקים מלך יהודה חותם על יד ימיני כי משם אתקנך.** ופירש רבי חנינא משם אני נותק מלכות בית דוד, כדאיתא בחזית (שיר השירים רבה ח על פסוק ו), ונתבטלה, דכתיב ביום ההוא אקחך זרובבל בן שאלתיאל עבדי ושמתיך כחותם, ושאלתיאל הוא בן בנו של יכניה כדאמר בסמוך, וקצר המדרש הזה שלא הזכיר קרא דאקחך זרובבל:

פירוש מהרז"ו

מאנשי ענתות, שהם רבים, ויתכן שהיו בהם צדיקים שלא היו בכלל הגזרה, ואולי גלו איזה מהם קודם הגזרה, שמפורש בירמיה שהיוצא אל הכשדים יחיה, למד מיכניה שהוא איש אחד: **שאין בו מאומה.** והכוונה על מה שכתוב בסיפא דקרא כי לא יצלח מזרעו יושב על כסא דוד, פירוש כשיצא בגולה לבבל לא ישאר מזרעו. ועיין שיר השירים רבה פסוק שימני כחותם, ועיין לקמן (יט, ו) בשינוי, ואיני יודע במאי פליגי ומה טעם כל אחד: **בדין של מי רגלים.** שהוא מאוס על האדם, וזהו אין חפץ בו, וכן של מקיזי דם, וצריך עיון גם כן במאי פליגי, ומה טעם כל אחד. הרי שגזר על יכניה כליון של זרע מלוכה, ולבסוף כתיב בדברי הימים (א, ג) שממנו יצא שלשלת היוחסין של מלכות בית דוד, ועל זה קאי מה שכתב רבי זירא ורבי אחא אריכא, עיין שיר השירים רבה פסוק שימני כחותם (ל"ז ב') [פרשה ח פסוק ו אות ב], ועיין שיר השירים רבה שם, וכאן חסר ושם מבואר כנ"ל: **מלתא הכא שמעית וכו' דהוה דריש הכי.** כן צריך לומר: **כי אם יהיה בניהו.** בימי בנו. וזרובבל היה בן שאלתיאל בן יכניה, וכן הוא בשיר השירים רבה שם, ובילקוט ירמיה (רמז שג): **אסיר בנו שאלתיאל.** הכי כתיב בקרא, אסיר שאלתיאל בנו. ובפסוק הקודם ובני יהויקים יכניה בנו צדקיהו בנו, ופירושו כמו בשאר מקומות, שיכניה בנו של יהויקים וצדקיהו בנו של יכניה, ואחר כך אמר ובני יכניה אסיר שאלתיאל בנו, והם שני כתובים מכחישים, והכריע שיכניה עצמו נקרא אסיר שאלתיאל. ועיין מה שכתב בשיר שם, שהיה הוא עצמו אסור בבית האסורים, ושם נזקק לאשתו וילדה בן, שילא ממנו שתילו של מלכות בן דוד, ודורש שאלתיאל מלשון שתילה, וכמו שאמרו

חידושי הרד"ל

בעצם הזה כו'. שיר השירים רבה סוף פ"ח, ועיין לקמן פרשה י"ט סימן ו': **בחותל של תמרה.** שהוא כלי נעשה בידים (וזהו העצב כמו [איוב י, ח] ידיך עצבוני) רק שהוא כלי נבזה כשמוציאין ממנו קורעין אותו ובטל חשיבותו: **כלי אין חפץ בו כו' של מי רגלים כו' של מקיזי דם.** שניהם דורשין אין חפץ בו שהכלי מאוס ואין ראוי לתשמיש בו, רק מאן דאמר של מקיזי דם משמע ליה כלי אין חפץ בו שאין חפץ כלל בהכלי, והרי מי רגלים טבעו של עולם הוא ובעל כרחו צריך אל הכלי, לכן דרש ליה על מקיזי דם, שרוב הקזה לרפואה מחולי כמו שנאמר (בבא בתרא נח, ב) בריש כל מרעין אנא דם, ואין חפץ בהכלי, שחפץ יותר שלא יחלה ולא יצטרך להקיז כלל:

חידושי הרש"ש

ואם אין לך ללמוד מאנשי ענתות למד מיכניה. פירוש שמא מתו מהם הרבה ואלו נשתיירו ולא עשתה את הכל: **העצב נבזה כו' בעצם הזה כו'.** כי אותיות בומ"ף מתחלפים שהם ממוצא אחד: **וכתיב** (דברי הימים א' ג, יז) **ובני יכניה אסיר בנו שלתיאל בנו.** טעות סופר כי ליתא במקרא, ולכן דורש שאסיר הוא תואר ליכניה, וטעם הגניזה מסכים לדרשה זו שמחבר אסיר ליכניה. אך בסנהדרין סוף דף ל"ז לא דרשו כן עיין שם:

אם למקרא

אַנְשֵׁי עֲנָתוֹת מֵאָה עֶשְׂרִים וּשְׁמֹנָה: (עזרא ב:כג, נחמיה ז:כז)

הַעֶצֶב נִבְזֶה נָפוּץ הָאִישׁ הַזֶּה כָּנְיָהוּ אִם כְּלִי אֵין חֵפֶץ בּוֹ מַדּוּעַ הוּטְלוּ הוּא וְזַרְעוֹ וְהֻשְׁלְכוּ עַל הָאָרֶץ אֲשֶׁר לֹא יָדָעוּ: (ירמיה כב:כח)

כֹּה | אָמַר ה' כִּתְבוּ אֶת־הָאִישׁ הַזֶּה עֲרִירִי גֶּבֶר לֹא־יִצְלַח בְּיָמָיו כִּי לֹא יִצְלַח מִזַּרְעוֹ אִישׁ יֹשֵׁב עַל־כִּסֵּא דָוִד וּמֹשֵׁל עוֹד בִּיהוּדָה: (שם שם ל)

חַי אָנִי נְאֻם ה' כִּי אִם יִהְיֶה כָּנְיָהוּ בֶן יְהוֹיָקִים מֶלֶךְ יְהוּדָה חוֹתָם עַל יַד יְמִינִי כִּי מִשָּׁם אֶתְּקֶנְךָּ: (שם שם כד)

וּבְנֵי יְכָנְיָה אַסִּר שְׁאַלְתִּיאֵל בְּנוֹ: (דברי הימים א ג:יז)

באור מהרי"פ

העצב וגו'. (ירמיה כב, כח) העצב נבזה נפוץ האיש הזה כניהו אם כלי אין חפץ בו מדוע הוטלו הוא וזרעו והשלכו אל ארץ אשר לא ידעו: **בעצם הזה וכו'.** דורש מלת העצב כמו העצם, בחילוף אותיות בומ"ף: **בחותל של תמרה וכו'.** לא נמצא אסמכתא שלה במקרא: **בשאתה מנערו.** רמוז במלת נפוץ: **מתנות כהונה [ד"ה] כבדין.** בערוך גורס ככרוז. זה לשון ר' בנימין מוספיה ערך כרוז, כרוז בלשון יוני מין כלי מיוחד לבלניס ולמי רגלים והקזה, עד כאן:

אמרי יושר

בימי בנו מצליח. והכי דייק העצב הזה, אבל אחר יצליח, והקדוש ברוך הוא מניח פתח לתשובה ממקום נתיקתו, שיהא ואמר אתקנך:

מתנות כהונה

ואם אין לך ללמוד. אם אין אתה רוצה ללמוד: **שמשמנפצו.** שמנער ממנו המוח שבו: **אין בו מאומה.** אין ראוי למאומה, והכי איתא בילקוט ירמיה: **כבדין.** בערוך גורס כברוז: **מלתא כו'.** דבר חדש שמעתי כאן בדבר הזה:

אשד הנחלים

בעצם הזה של מוח כו' של תמרה כו'. מלת עצב קדרשי, שהונח על עצבים ומיתרים שמקור ההרגשה תלויה בהם, אך המה נבזים ונפוצים ולכן המה גרועים מכל, ולכן דרשו על המוח שהוא מקור החיות וההרגש, ואם ישחת אז ההשחתה גדולה מאוד, יותר מהאברים האחרים שאין בם ההרגש כל כך. וזהו משל לאיש גדול המעלה אך הוא נשחת במעשיו שאז הוא גרוע מן האדם הפשוט. **ורבי חלבו אמר כחותל של חמרה.** כי הנה החותלות המה נקובים, והמה כדמות עצבים ומיתרים שהמה מתפשטים ונקובים, שבהם החיות מתפשט, ואם כן החותלות מצד עצמם המה כאין, רק מצד התמרים שמונחים בפנים, כן האדם כל מעלתו מצד פנימיותו שהוא הנפש והמדות הטובות, אך אם להיפך, אם נפשו רעה, אז הגוף כאין וכאפס כי במה נחשב הוא: **כבדין של מי רגלים כו', מקיזי דם.** דרש ככלי שיש בו דבר שאין חפץ בו, כלומר שעל ידי הדבר המונח בו נמאס הכלי. והוא ענין אחר מהמשל הראשון, שבמשל הראשון אומר שהכלי החיצון (שהוא משל על הגוף), אינו נחשב רק מצד הפנימיות (שהוא הנפש הטובה), וכאן אמר שעל ידי שהפנימיות רעה נשחתת גם החיצונית, שגם הגוף נשחת על ידי הנפש הרעה. והמחלוקת שבין ר' שמואל בר נחמן לר' חמא בר חנינא, לא ידעתי לבארו כעת: **ולית אנא ידע מהו.** כלומר שמעתי שדריש מענין הפסוק הזה כתבו גו', ולא ידעתי מה דרש. ואמר לי שמא דרש מענין הכתוב שנאמר לא יצלח בימיו, ודייק מלת בימיו: **ובני יכניה.** ונבטלה הגזירה שהיה עליו שישאר ערירי בלא זרע:

שינוי נוסחאות

(ה) **"ובני יכניה אסר שאלתיאל בנו".** בספרי הדפוס (אבל לא בכי"י) הוסיפו תיבת "בנו" בין "אסר" ל"שאלתיאל", והוא טעות, דליתיה בקרא:

"כֹּה אָמַר ה׳ כִּתְבוּ אֶת הָאִישׁ הַזֶּה עֲרִירִי" — ***Thus said HASHEM: Inscribe this man to become childless*** (ibid., v. 30), **וּכְתִיב** "וּבְנֵי יְכָנְיָה אַסִּר שְׁאַלְתִּיאֵל בְּנוֹ" — **and** yet **it is written, *The sons of Jeconiah: Assir, She'altiel his son*** (*I Chronicles* 3:17).[78] Hence, we find that the oath and decree against Jeconiah were rescinded as a result of his repentance,[79] as he had children, one of whom became a leader of the nation.[80]

NOTES

78. Zerubbabel, whose name is mentioned further (v. 19), was a grandson of She'altiel. The verse in *Haggai* that we have cited in the previous note refers to him as the son of She'altiel in accordance with the dictum (*Yevamos* 62b) that a grandson is sometimes referred to as a son (*Radak* and *Metzudas David* loc. cit.).

79. Having proved that the oath was rescinded, why was it necessary to offer an additional proof that a decree without an oath can be rescinded? *Yefeh To'ar* suggests that the Midrash seeks to prove that not only can a single decree be rescinded even when it was issued with an oath, but even if it is necessary to rescind two decrees and an oath, repentance will accomplish that as well. This is proven from the fact that a descendant of Jeconiah merited becoming the leader of the nation, although this involved rescinding both the decree that the reign of the House of David would cease, and the decree that Jeconiah would have no offspring at all, the former having been issued with an oath.

80. The opinion cited by the Midrash here clearly assumes that it had been decreed that Jeconiah would never have a child, and as such his family would never regain the throne. *Yefeh Kol* to *Shir HaShirim Rabbah* (8 §4) observes that this opinion disagrees with the earlier statement in the name of R' Shmuel bar Yitzchak that the original decree had only been that in Jeconiah's lifetime there would be no success and did not refer to literal childlessness. According to that opinion, the decree need not have been rescinded for Jeconiah to have children and for those children to become leaders of the nation.

וְכֵיוָן שֶׁעָשׂוּ תְּשׁוּבָה זָכוּ לְהִתְיַחֵס, שֶׁנֶּאֱמַר (עזרא ב, כג; נחמיה ז, כז) "אַנְשֵׁי עֲנָתוֹת מֵאָה וְעֶשְׂרִים וּשְׁמֹנָה", וְאִם אֵין לְךָ לִלְמוֹד מֵאַנְשֵׁי עֲנָתוֹת לְמַד מִיכָנְיָהוּ (ירמיה כב, כח) "הַעֶצֶב נִבְזֶה נָפוּץ וְגוֹ'", רַבִּי אַבָּא בַּר כָּהֲנָא אָמַר: כְּעֶצֶם הַזֶּה שֶׁל מוֹחַ שֶׁמְּשַׁמְּנַפְּצוֹ אֵין בּוֹ מְאוּמָה, רַבִּי חֶלְבּוֹ אָמַר: כְּחוֹתָל שֶׁל תְּמָרָה שֶׁכְּשֶׁאַתָּה מְנַעֲרוֹ אֵין בּוֹ מְאוּמָה, (שם) "אִם כְּלִי אֵין חֵפֶץ בּוֹ" רַבִּי חָמָא בַּר חֲנִינָא אָמַר: כְּבִדְיוֹן שֶׁל מֵי רַגְלַיִם, רַבִּי שְׁמוּאֵל בַּר נַחְמָן אָמַר: כְּבִדְיוֹן שֶׁל מַקִּיזֵי דָם, אָמַר רַבִּי זֵירָא: מִלְּתָא הָכָא שְׁמָעִית מִן רַבִּי שְׁמוּאֵל בַּר רַבִּי יִצְחָק, דַּהֲוָה דָּרִישׁ הָכָא וְלֵית אֲנָא יָדַע מַהוּ, אֲמַר לֵיהּ רַבִּי אַחָא אֲרִיכָא: דִּילְמָא דָא הִיא (שם כב, ל) "כִּתְבוּ אֶת הָאִישׁ הַזֶּה עֲרִירִי גֶּבֶר לֹא יִצְלַח בְּיָמָיו", אֲמַר לֵיהּ: הֵן, בְּיָמָיו אֵינוֹ מַצְלִיחַ, בִּימֵי בְּנוֹ מַצְלִיחַ, רַבִּי אַחָא וְרַבִּי אָבִין בַּר בִּנְיָמִין בְּשֵׁם רַבִּי אַבָּא: גָּדוֹל הוּא כֹּחָהּ שֶׁל תְּשׁוּבָה שֶׁמְּבַטֶּלֶת גְּזֵירָה וּמְבַטֵּל שְׁבוּעָה, שְׁבוּעָה שֶׁנֶּאֱמַר (שם כב, כד) "חַי אָנִי נְאֻם ה' כִּי אִם יִהְיֶה כָּנְיָהוּ בֶּן יְהוֹיָקִים וְגוֹ'", וּמְבַטֶּלֶת גְּזֵירָה, "כֹּה אָמַר ה' כִּתְבוּ אֶת הָאִישׁ הַזֶּה עֲרִירִי", וּכְתִיב (דברי הימים-א ג, יז) "וּבְנֵי יְכָנְיָה אַסִּר שְׁאַלְתִּיאֵל בְּנוֹ",

עץ יוסף

ואם אין לך ללמוד כו'. פירוש ואם אין אתה רוצה ללמוד מאנשי ענתות דמלית למדתי כי לא כל אנשי ענתות היו בכלל הגזירה אלא מקצתם, שהיו רודפי ירמיהו ונתקיימה בהם הגזירה כי לא שבו מטעם, ואנשי ענתות שעלו לבית שני היו האחרים שלא נגזרה עליהם גזירה: **בעצם הזה של מוח.** מפרש עצב כמו עצם, כי אותיות בומ"ף מתחלפין, ומפרש נפוץ על מה שמנפצים העצם להוציא המוח ממנו: **שמשמנפצו.** שמשמנענע ממנו המוח: **אין בו מאומה.** אין ראוי למאומה, כך נגזר על יכניה שלא ישאר כלום מזרעו: **בחותל של תמרה.** כלי שעושין מהריות של דקל, וממלאים אותו תמרים ואחר שהוא מנוער מהתמרים נזרק לאשפה ואין עוד חפץ בו. ומפרש נפוץ על מה שמנפצים ומנערים אותו להוציא ממנו התמרים, אבל לא ידעתי היאך מתפרש עצב על חותל התמרים: **מלתא כו'.** כלומר, שמעתי דבר חידוש שדריש מענין הפסוק הזה כתבו וגו', ולא ידעתי מה דרש, ואמר ליה שמא דרש מענין הכתוב שנאמר לא יצלח בימיו, ודייק מלת בימיו: **בימי בנו מצליח.** בימי בנו היינו זרובבל שהיה בן בנו שאלתיאל שהיה פחת יהודה, ואין זה סותר למה שאמר כי לא יצלח מזרעו איש יושב על כסא דוד ומושל עוד ביהודה, דיש לומר שכל זה בימיו קאמר, ונמצא לפי דבריו ליכא הכא ביטול גזירה במה שאמרו כתבו את האיש ערירי, כיון דפירושו שרק בימיו יהיה כערירי, אבל בימי בנו מצליח, ואם כן איך אמר המדרש מקודם ואם אין לך ללמוד מאנשי ענתות למד מיכניהו, הא מיכניהו ליכא ראיה כנכתב לעיל, לכן מביא המדרש קרא העצב נבזה נפוץ וגו' שמקרא זה משמע שאין לו תקנה ותקוה שהרי בין לדברי רבי אבא ובין לדברי רבי חלבו ור' חמא ור' שמואל קמדמי ליה למילתא שהוא נזרק ואינו מתקבל עוד (יפה תואר): **מבטלת שבועה.** קשה, הא בפרק קמא דראש השנה (יח, א) משמע דגזר דין שיש עמו שבועה אינו נקרע לכולי עלמא ואפילו בצבור. ונראה ליישב על פי מה שכתב הסדרי טהרה סוף מסכת נדה הובא בבאר אברהם במסכת ר"ה, הא דמחלקינן בין יחיד לצבור שגזר דין דיחיד אינו נקרע היינו דוקא כששב רק מיראה שזדונות נעשו לו כשגגות, דבצבור נקרע אפילו לאחר גזר דין, וביחיד אינו נקרע לאחר גזר דין, אבל כששב מאהבה שזדונות נעשו לו כזכיות, אם כן נתוספו לו זכיות, אפילו גזר דין דיחיד נקרע. ואם כן יש לומר מה שאמרו שגזר דין שיש עמו שבועה אינו נקרע, כוונתם בתשובה מיראה, אבל מאהבה נקרע אפילו בגזר דין שיש עמה שבועה בין לצבור בין ליחיד שמזה לא מיירי הגמרא שם כלל, ודוק: **חי אני נאם ה' וגו'. אם יהיה כניהו בן יהויקים מלך יהודה חותם על יד ימיני כי משם אתקנך.** ופירש רבי חנינא משם אני נותק מלכות בית דוד, כדאיתא בחזית (שיר השירים רבה ח על פסוק ו), ונתבטלה, דכתיב ביום ההוא אקחך זרובבל בן שאלתיאל עבדי ושמתיך כחותם, ושאלתיאל הוא בן בנו של יכניה כדאמר בסמוך, וקצר המדרש הזה שלא הזכיר קרא דאקחך זרובבל:

פירוש מהרז"ו

מאנשי ענתות, שהם רבים, ויתכן שהיו בהם צדיקים שלא היו בכלל הגזרה, ואולי גלו איזה מהם קודם הגזרה, שמפורש בירמיה שהיוצא אל הכשדים יחיה, למד מיכניה שהוא איש אחד: **שאין בו מאומה.** והכוונה על מה שכתוב בסיפא דקרא כי לא יצלח מזרעו יושב על כסא דוד, פירוש כשיצא בגולה לבבל לא ישאר מזרעו. ועיין שיר השירים רבה פסוק שימני כחותם, ועיין לקמן (יט, ו) בשינוי, ואיני יודע במאי פליגי ומה טעם כל אחד: **בדיון של מי רגלים.** שהוא מאוס על האדם, וזהו אין חפץ בו, וכן של מקיזי דם, וצריך עיון גם כן במאי פליגי, ומה טעם כל אחד. הרי שגזר על יכניה כליון של זרע מלוכה, ולבסוף כתיב בדברי הימים (א, ג) שממנו יצא שלשלת היוחסין של מלכות בית דוד, ועל זה קאי מה שכתב רבי זירא ורבי אחא אריכא, עיין שיר השירים רבה פסוק שימני כחותם (ל"ג ב') [פרשה ח פסוק ו אות ב], ועיין שיר השירים רבה שם, וכאן חסר ושם מבואר ככל: **מלתא הכא שמעית וכו' דהוה דריש הכי.** כן צריך לומר: **כי אם יהיה כניהו.** בימי בנו. וזרובבל היה בן שאלתיאל בן יכניה, וכן הוא בשיר השירים רבה שם, ובילקוט ירמיה (רמז שג): **אסיר בנו שאלתיאל.** הכי כתיב בקרא, אסיר שאלתיאל בנו. ובפסוק הקודם ובני יהויקים יכניה בנו צדקיהו בנו, ופירושו כמו בשאר מקומות, שיכניה בנו של יהויקים וצדקיהו בנו של יכניה, ואחר כך אמר ובני יכניה אסיר שאלתיאל בנו, והם שני כתובים מכחישים, והכריע שיכניה עצמו נקרא אסיר שאלתיאל. ועיין מה שכתב בשיר שם, שהיה הוא עצמו אסור בבית האסורים, והם נזקק לאשתו וילדה בן, שיצא ממנו אפילו של מלכות בן דוד, ודורש שאלתיאל מלשון שאילה, וכמו שאמרו

חידושי הרד"ל

בעצם הזה כו'. שיר השירים רבה סוף פ"ח, ועיין לקמן פרשה י"ט סימן ו': **בחותל של תמרה.** שהוא כלי נעשה בידים (וזהו העצב כמו [איוב י, ח] ידיך עצבוני) רק שהוא כלי נבזה כשמוציאין ממנו קורצין אותו ובטל חשיבותו: **כלי אין חפץ בו כו' של מי רגלים כו' של מקיזי דם.** שניהם דורשין אין חפץ בו שהכלי מאוס ואין ראוי לתשמיש בו, רק מאן דאמר של מקיזי דם משמע ליה כלי אין חפץ בו שאין חפץ כלל בהכלי, והרי מי רגלים טבעו של עולם הוא ובעל כרחו צריך אל הכלי, לכן דרש ליה על מקיזי דם, שרוב הקזה לרפואה מחולי כמו שנאמר (בבא בתרא נח, ב) בריש כל מרעין אנא דם, ואין חפץ בהכלי, שחפץ יותר שלא יחלה ולא יצטרך להקיז כלל:

חידושי הרש"ש

ואם אין לך ללמוד מאנשי ענתות למד מיכניה. פירוש שמא מתו מהם הרבה ואלו נשתיירו ולא עשתה את הכל: **העצב נבזה כו' בעצם הזה כו'.** כי אותיות בומ"ף מתחלפים שהם ממוצא אחד: **וכתיב** (דברי הימים א' ג, יז) **ובני יכניה אסיר בנו שלתיאל בנו.** טעות סופר כי ליתא במקרא, ולכן דורש שאסיר הוא תואר ליכניה, וטעם הנגינה מסכים לדרשה זו שמחבר אסיר ליכניה. אך בסנהדרין סוף דף ל"ז לא דרשו כן עיין שם:

אם למקרא

אַנְשֵׁי עֲנָתוֹת מֵאָה עֶשְׂרִים וּשְׁמֹנָה: (עזרא ב:כג, נחמיה ז:כז)

הַעֶצֶב נִבְזֶה נָפוּץ הָאִישׁ הַזֶּה כָּנְיָהוּ אִם כְּלִי אֵין חֵפֶץ בּוֹ מַדּוּעַ הוּטְלוּ הוּא וְזַרְעוֹ וְהֻשְׁלְכוּ עַל הָאָרֶץ אֲשֶׁר לֹא יָדָעוּ: (ירמיה כב:כח)

כֹּה | אָמַר ה' כִּתְבוּ אֶת־הָאִישׁ הַזֶּה עֲרִירִי גֶּבֶר לֹא־יִצְלַח בְּיָמָיו כִּי לֹא יִצְלַח מִזַּרְעוֹ אִישׁ יֹשֵׁב עַל־כִּסֵּא דָוִד וּמֹשֵׁל עוֹד בִּיהוּדָה: (שם שם ל)

חַי אָנִי נְאֻם ה' כִּי אִם יִהְיֶה כָּנְיָהוּ בֶּן יְהוֹיָקִים מֶלֶךְ יְהוּדָה חוֹתָם עַל יַד יְמִינִי כִּי מִשָּׁם אֶתְּקֶנְךָּ: (שם שם כד)

וּבְנֵי יְכָנְיָה אַסִּר שְׁאַלְתִּיאֵל בְּנוֹ: (דברי הימים א ג:יז)

באור מהרי"פ

העצב וגו'. (ירמיה כב, כח) העצב נבזה נפוץ האיש הזה כניהו אם כלי אין חפץ בו מדוע הוטלו הוא וזרעו והשלכו אל ארץ אשר לא ידעו: **בעצם הזה וכו'.** דורש מלת העצב כמו העצם, בחילוף אותיות בומ"ף: **בחותל של תמרה וכו'.** לא נמצא אסמכתא שלה במקרא: **בשאתה מנערו.** רמוז במלת נפוץ: **מתנות כהונה [ד"ה] כבדין.** בערוך גורס ככרוז. זה לשון ר' בנימין מוסיפא ערך כרוז, כרוז בלשון יוני מין כלי מיוחד לצבעים ולמי רגלים והקזה, עד כאן:

אמרי יושר

בימי בנו מצליח. והכי דייק העצב הזה, אבל אחר יצליח, והקדוש ברוך הוא מניח פתח לתשובה ממקום נתיקתו, שיה ואמר אתקנך:

מתנות כהונה

ואם אין לך ללמוד. אם אין אתה רוצה ללמוד: **שמשמנפצו.** שמנער ממנו המוח שבו: **אין בו מאומה.** אין ראוי למאומה, והכי איתא בילקוט ירמיה: **כבדין.** בערוך גורס כרוז: **מלתא כו'.** דבר חדש שמעתי כאן בדבר הזה:

אשד הנחלים

בעצם הזה של מוח כו' של תמרה כו'. מלת עצב קדרשי, שהונח על עצבים ומיתרים שמקור ההרגשה תלויה בהם, אך המה נבזים ונפוצים ולכן המה גרועים מכל, ולכן דרשו על המוח שהוא מקור החיות וההרגש, ואם ישחת אז ההשחתה גדולה מאוד, יותר מהאברים האחרים שאין בם ההרגש כל כך. וזהו משל לאיש גדול המעלה אך הוא נשחת במעשיו שאז הוא גרוע מן האדם הפשוט. **ורבי חלבו אמר כחותל של חמרה.** כי הנה החותלות המה נקובים, והמה כדמות עצבים ומיתרים שהמה מתפשטים ונקובים, שבהם החיות מתפשט, ואם כן החותלות מצד עצמם המה כאין, רק מצד התמרים שמונחים בפנים, כן האדם כל מעלתו מצד פנימיותו שהוא הנפש ומדותיו הטובות, אך אם להיפך, אם נפשו רעה, אז הגוף כאין וכאפס כי במה נחשב הוא: **כבדין של מי רגלים כו', מקיזי דם.** דרש ככלי שיש בו דבר שאין חפץ בו, כלומר שעל ידי הדבר המונח בו נמאס הכלי. והוא ענין אחר מהמשל הראשון, שבמשל הראשון אומר שהכלי החיצון (שהוא משל על הגוף), אינו נחשב רק מצד הפנימיות (שהוא הנפש הטובה), וכאן אמר שעל ידי שהפנימיות רעה מושחתת גם החיצונית, שגם הגוף נשחת על ידי הנפש הרעה. והמחלוקת שבין ר' שמואל בר נחמן לר' חמא בר חנינא, לא ידעתי לבארו כעת: **ולית אנא ידע מהו.** כלומר שמעתי שדריש מענין הפסוק הזה כתבו גו', ולא ידעתי מה דרש. ואמר לי שמא דרש מענין הכתוב שנאמר לא יצלח בימיו, ודייק מלת בימיו: **ובני יכניה.** ונבטלה הגזירה שהיה עליו שישאר ערירי בלא זרע:

שינוי נוסחאות

(ה) "ובני יכניה אסר שאלתיאל בנו" בספרי הדפוס (אבל לא בכי"י) הוסיפו תיבת "בנו" בין "אסר" ל"שאלתיאל", והוא טעות, דליתיה בקרא:

The Midrash digresses to expound the last verse cited:

״אַסִּיר״, שֶׁהָיָה בְּבֵית הָאֲסוּרִים — Jeconiah was called ***Assir*** [אַסִּר][81] **because he was** incarcerated [אָסוּר] **in prison** by Nebuchadnezzar.[82] ״שְׁאַלְתִּיאֵל בְּנוֹ״, שֶׁמִּמֶּנּוּ הוּשְׁתְּלָה מַלְכוּת בֵּית דָּוִד — The words ***She'altiel*** [שְׁאַלְתִּיאֵל] ***his son*** allude to the fact **that from him the kingdom of the House of David was** re-**planted** [הוּשְׁתְּלָה].

An alternative exposition of the names of Jeconiah's descendants:

אָמַר רַבִּי תַּנְחוּם בְּרַבִּי יִרְמְיָה: ״אַסִּיר״ זֶה הַקָּדוֹשׁ בָּרוּךְ הוּא, שֶׁאָסַר אֶת עַצְמוֹ בִּשְׁבוּעָה — **R' Tanchum the son of R' Yirmiyah said:** ***Assir*** [אַסִּר] **— this is** a reference to **the Holy One, blessed is He, Who bound** [אָסַר] **Himself with an oath** not to continue the Davidic dynasty through Jeconiah's offspring. ״שְׁאַלְתִּיאֵל״, שֶׁשָּׁאַל אֶל לְבֵית דִּינוֹ שֶׁל מַעְלָה עַל נִדְרוֹ — ***She'altiel*** [שְׁאַלְתִּיאֵל] alludes to the fact **that God sought annulment** [שָׁאַל אֶל] **from His Heavenly Court**[83] **for His vow** not to continue the dynasty through Jeconiah's descendants.[84]

Returning to our original topic, the Midrash now seeks a source for R' Yehoshua ben Levi's second statement, that prayer only partially annuls an evil decree:

עַל דַּעְתֵּיהּ דְּרַבִּי יְהוֹשֻׁעַ בֶּן לֵוִי דְּאָמַר תְּפִלָּה עוֹשָׂה מֶחֱצָה — **According to the opinion of R' Yehoshua ben Levi, who states that prayer accomplishes** annulment of only **half** the decree, מִמִּי אַתָּה לָמֵד **— from whom do you learn** this? מֵאַהֲרֹן, שֶׁבַּתְּחִלָּה נִגְזְרָה גְזֵירָה עָלָיו — **From Aaron, for originally a decree** of total destruction **was decreed upon him,** שֶׁנֶּאֱמַר ״וּבְאַהֲרֹן הִתְאַנַּף ה׳ מְאֹד לְהַשְׁמִידוֹ״ **— as it is stated, *HASHEM became very angry with Aaron to destroy him*** (*Deuteronomy* 9:20).[85] אָמַר רַבִּי יְהוֹשֻׁעַ דְּסִכְנִין בְּשֵׁם רַבִּי לֵוִי: אֵין הַשְׁמָדָה אֶלָּא כִּלּוּי בָּנִים — **R' Yehoshua of Sichnin said in the name of R' Levi:** The word **destruction** (i.e., destroy) in this context refers **specifically** to **annihilation** of one's **children,** כְּמָא דְאַתְּ אָמַר ״וָאַשְׁמִיד פִּרְיוֹ מִמַּעַל וְשָׁרָשָׁיו מִתָּחַת״ **— as it states, *And I "destroyed" his fruit***[86] ***from above and his roots from below*** (*Amos* 2:9). כֵּיוָן שֶׁהִתְפַּלֵּל מֹשֶׁה עָלָיו נִמְנְעָה מִמֶּנּוּ חֲצִי הַגְּזֵירָה — However, **once Moses prayed for him,**[87] **half the decree was withheld from him,** מֵתוּ שְׁנַיִם וְנִשְׁתַּיְּרוּ שְׁנַיִם — so that **two** of his sons **died**[88] **and two remained** alive. הָדָא הוּא דִכְתִיב ״קַח אֶת אַהֲרֹן וְאֶת בָּנָיו אִתּוֹ״ **— Thus it is written, *Take Aaron and his sons***, alluding that they were spared from death.[89]

§6 וְאֵת הַבְּגָדִים — ***AND THE GARMENTS.***

Our verse, which speaks of the priestly vestments, follows a series of passages detailing the laws of various sacrificial offerings. The Midrash expounds the juxtaposition of these two subjects:[90]

אָמַר רַבִּי סִימוֹן: כְּשֵׁם שֶׁהַקָּרְבָּנוֹת מְכַפְּרִים — **R' Simone said:** In juxtaposing the two subjects, Scripture indicates that **just as the sacrificial offerings atone** for sin, כָּךְ הַבְּגָדִים מְכַפְּרִים **— so do the** Kohen's **garments atone** for sin.[91]

The Midrash elaborates with regard to the various garments of the Kohanim and discusses for which particular sin each garment atones:

דִּתְנַן: כֹּהֵן גָּדוֹל מְשַׁמֵּשׁ בִּשְׁמֹנָה בְּגָדִים — **For it was taught in a Mishnah:** The **Kohen Gadol serves** while clothed **in eight** priestly **garments,** הַהֶדְיוֹט בְּאַרְבָּעָה — and **the ordinary [Kohen]** serves while clothed **in four** priestly garments. בִּכְתוֹנֶת וּמִכְנָסַיִם — An ordinary Kohen serves **in a tunic and** in **breeches,** בְּמִצְנֶפֶת וּבְאַבְנֵט — **in a turban and in a sash.** מוֹסִיף עָלָיו כֹּהֵן גָּדוֹל חֹשֶׁן וְאֵפוֹד וּמְעִיל וְצִיץ — The **Kohen Gadol** is similarly garbed, but **adds to his** garments **a breastplate and** an ***ephod*****, a robe and** a **head-plate** (*Yoma* 5:7). הַכְּתוֹנֶת לְכַפֵּר עַל לוֹבְשֵׁי כִּלְאַיִם — **The tunic** is **to atone for** those who wear **garments of *shaatnez*** (i.e., a forbidden mixture of wool and linen). כְּמָה דְתֵימַר ״וְעָשָׂה לוֹ כְּתֹנֶת פַּסִּים״ — This is derived from Scripture's use of the term *kesones* [כְּתֹנֶת], tunic, when speaking of a mixture of wool and linen, **as it is stated, *And he made for him a fine woolen "kesones"*** [כְּתֹנֶת] (*Genesis* 37:3).[92] מִכְנָסַיִם לְכַפֵּר עַל גִּלּוּי עֲרָיוֹת — **Breeches** are **to atone for** the sin of **immorality,** כְּמָה דְתֵימַר ״וַעֲשֵׂה לָהֶם מִכְנְסֵי בָד לְכַסּוֹת בְּשַׂר עֶרְוָה״ — **as it is stated, *You shall make them linen breeches to cover the flesh of nakedness*** (*Exodus* 28:42).[93] מִצְנֶפֶת לְכַפֵּר עַל גַּסּוּת הָרוּחַ — The **turban,** which is worn at the highest point of one's body, is **to atone for** one's carrying himself with **haughtiness,** הֵיךְ מָה דְאַתְּ אָמַר ״וְשַׂמְתָּ הַמִּצְנֶפֶת עַל רֹאשׁוֹ״ — **as it is stated, *You shall place the turban on his head*** (ibid. 29:6).[94]

NOTES

81. The Midrash interprets the phrase וּבְנֵי יְכָנְיָה אַסִּר שְׁאַלְתִּיאֵל בְּנוֹ not to mean that Jeconiah had two sons, named Assir and She'altiel, but as: "The sons of Jeconiah, [who is] Assir, were She'altiel, etc."

82. See *II Kings* 24:15 and 28:27 (Jehoiachin is another name for Jeconiah).

83. One can have his vow annulled by a court of three. [Of course God's recourse to the Heavenly Court to annul His vow is only a metaphor.]

84. Jeconiah therefore named his offspring Assir and She'altiel in commemoration of the annulment of the decree, which took place at the time that Jeconiah began to have children (*Eitz Yosef*). (According to this interpretation Assir is indeed the name of Jeconiah's son, and is not — as in the previous interpretation — an alternative name for Jeconiah himself.)

85. The passage in which this verse is written discusses the sin of worshiping the Golden Calf. This verse thus refers to God's anger at Aaron for his part in that sin.

86. *Fruit* refers to one's offspring, while *roots* refer to the father (*Eitz Yosef* to 7 §1, above).

87. As the verse in *Deuteronomy* concludes, וָאֶתְפַּלֵּל גַּם בְּעַד אַהֲרֹן בָּעֵת הַהִוא *— so I prayed also for Aaron at that time.*

88. Although Scripture states that Aaron's sons died for their own sin (see below, 10:1), R' Yehoshua ben Levi is of the opinion that they would not have died for that sin alone had it not been for Aaron's sin as well (*Yefeh To'ar, Eitz Yosef*).

89. *Eitz Yosef.* As the Midrash discussed at the end of the previous section (see note 48), the term קַח, *take*, alludes either that God commanded Moses to pray for Aaron's sons, or that He commanded him to *take* Aaron and his sons to atone for Aaron's *taking* of gold for the construction of the Golden Calf, thus sparing the lives of two of them.

90. Our elucidation follows the explanation of *Eitz Yosef* and *Rashash,* based on *Rashi* to *Zevachim* 88b. Alternatively, the juxtaposition is found within our verse itself, which mentions both *the garments* and *the bull of the sin-offering, and the two rams* (*Matnos Kehunah; Imrei Yosher*).

91. *Maharal* (*Chidushei Aggados* to *Zevachim* loc. cit.) explains that since the Kohen is fulfilling his role on behalf of all Jewish people, when he wears his vestments "for glory and splendor" (*Exodus* 28:2), he introduces a sense of loftiness in Israel that counteracts the degradation caused by sin.

Eitz Yosef states that the vestments atone only for unintentional sins (and only when he is not obligated to bring an offering as an atonement, e.g., if he remains unaware that he has sinned). However, *Tosafos* to *Sanhedrin* 37b s.v. מיום שחרב בית המקדש indicate that they would even atone for one who has sinned intentionally if he subsequently repents his wrong [assuming he is not subject to punishment by the earthly court]. (See also *Tosafos* to *Arachin* 16a s.v. הא דאהנו מעשיו and *Maharsha* to *Zevachim* loc. cit. s.v. ודע.)

92. The word כְּתֹנֶת is derived from the word כִּתָּן, which is Aramaic for *linen* (see *Onkelos, Deuteronomy* 22:11). Accordingly, the כְּתֹנֶת פַּסִּים, *fine woolen tunic,* is a tunic made of fine wool and linen. Thus, having shown a use of the word כְּתֹנֶת regarding a mixture of wool and linen, the Midrash asserts that the כְּתֹנֶת worn by the Kohen alludes to such a mixture, although the Kohen's כְּתֹנֶת was pure linen (Addendum to *Rashash*). See, alternatively, *Yedei Moshe* and *Radal*.

93. While in its literal meaning the verse simply states the purpose of the breeches, the Midrash interprets the phrase "to cover the flesh of nakedness" to mean that the breeches atone for sins of the flesh (*Maharzu; Eitz Yosef,* from *Rashi* to *Zevachim* 88b).

94. As stated in the Gemara (*Zevachim* 88b): Let something that is worn high on one's head come and atone for haughtiness. *Maharsha* (ad loc.) elaborates on why the turban atones for haughtiness, and says that covering one's head imbues him with a fear of God, in that it serves to remind one of His presence. [This is the antithesis of haughtiness, which is born of an indifference to God's presence.]

"אסיר", שהיה בבית האסורים, "שאלתיאל בנו", שממנו הושתלה מלכות בית דוד, אמר רבי תנחום ברבי ירמיה: "אסיר" זה הקדוש ברוך הוא, שאסר את עצמו בשבועה, "שאלתיאל", ששאל אל לבית דינו של מעלה על נדרו, על דעתיה דרבי יהושע בן לוי דאמר תפלה עשתה מחצה, ממי אתה למד, מאהרן, שבתחלה נגזרה גזירה עליו, שנאמר (דברים ט, כ) "ובאהרן התאנף ה' מאד להשמידו", אמר רבי יהושע דסכנין בשם רבי לוי: אין השמדה אלא כילוי בנים, כמא דאת אמר (עמוס ב, ט) "ואשמיד פריו ממעל ושרשיו מתחת", כיון שהתפלל משה עליו נמנעה ממנו חצי הגזירה, מתו שנים ונשתיירו שנים, הדא הוא דכתיב [ח, ב] "קח את אהרן ואת בניו אתו":

ו [ח, ב] "ואת הבגדים", אמר רבי סימון: יבכשם שהקרבנות מכפרים כך הבגדים מכפרים, דתנן: כהן גדול משמש בשמונה בגדים וההדיוט בארבעה, בכתונת ומכנסים במצנפת ובאבנט, מוסיף עליו כהן גדול חשן ואפוד ומעיל וציץ (יומא ז, ה), הכתונת לכפר על לובשי כלאים, כמה דתימר (בראשית לז, ג) "ועשה לו כתנת פסים", מכנסים לכפר על גילוי עריות, כמה דתימר (שמות כח, מב) "ועשה להם מכנסי בד לכסות בשר ערוה", מצנפת לכפר על גסות הרוח, היך מא דאת אמר (שם כט, ו) "ושמת המצנפת על ראשו",

עץ יוסף

הושתלה. לשון נטיעה, כמה דאת אמר (תהלים קכח, ג) בניך כשתילי זתים: **שאסר את עצמו בשבועה.** היינו בענין המלכות, וכדלעיל, ועל זה הוא שנשאל להתיר לו, ומפני שמעת לידת אלו ראה ה' להעמיד המלכות מהם קרא שמותם על הדבר הזה: **אין השמדה.** במקום הזה (מתנות כהונה): **מתו שנים.** שאף על פי דכתיב בהקריבם אש זרה סבירא ליה לרבי יהושע בן לוי שאין בזה עון לחייבם מיתה, אם לא שגם גזירת אהרן גרם מיתתן: **קח את אהרן ואת בניו אתו.** כלומר שטעם הקיחה מפני שהיו לקוחים למות והסירם מהם, כדלעיל בסימן הקודם: **(ו) כשם שהקרבנות כו'.** כלומר להכי אסמכינהו קרא לומר כשם שהקרבנות מכפרים כו': **ועשה לו כתונת פסים.** דלאו כלי מילת היתה אלא רקום בפסים כפירוש הרב אברהם בן עזרא, אי נמי כדפירש רש"י בפרק קמא דשבת (י, ב) גבי לעולם אל ישנה אדם בנו בין הבנים, שבשביל פס ידו נתן המילת ולא כל הכתונת, ואם כן דמי לכלאים (יפה תואר). ולכאורה קשה מה צורך להביא ראיה שכתונת רמז על כלאים, הא הכתונת של כלאים היתה, ולכן היתה מכפרת על כלאים, ולכן נראה דצריך לומר כדאיתא בירושלמי יומא (פ"ז ה"ג) הכתונת על לובשי כלאים, ויש אומרים על שפיכות דמים, כמו דאת אמר ועשה לו כתונת פסים, וגם בירושלמי גרסינן קרא (בראשית לז, לא) דויטבלו הכתונת בדם: **לכפר על גילוי עריות.** היינו בשוגג ולא אתיידע ליה: **לכסות בשר ערוה.** פירש רש"י (זבחים פח, ב) לחפות על גילוי עריות: **ושמת המצנפת.** וכיון דמקומה בגובה הגוף, תכפר על הגאוה, והכי אמר בגמרא (שם) יבא דבר שבגובה ויכפר על גובה:

פירוש מהרז"ו

לקמן (יט, ו) בהדיא. ודעת רבי תנחום שנקרא יכניה אסיר שאלתיאל, על שהקב"ה אסר עצמו בשבועה, ושאל לבית דין שיתירו לו, וזהו ובני יכניה, איך היו בנים ליכניה, הרי אסיר, שאסר יוסר על עצמו בשבועה, כמו שכתוב בריש מטות שבועה לאסור אסר על נפשו, הרי שאסור הוא שבועה, ואחר כך שאלתיאל, נוטריקון שאל היתר אל, וגם אל שייך גם לאסיר, והכוונה שמטטן נגד מדת הדין שקטרג לפני הקב"ה, איך אתה נותן בנים ליכניה, הרי נשבעת, והשיב מאחר שעשה תשובה בטלה הגזירה. וכמו שכתוב שם (יט, ו): **אלא כילוי בנים.** לעיל (ז, א), ועיין שמות רבה (לח, ד) ויאמר השמד, אלו בניו: **ונשתיירו שנים.** ועל שנים אלו הנותרים כיון במה שאמר ואת בניו לקדש, ועיין תנחומא אחרי מות (סימן ח): **(ו) כך הבגדים מכפרים.** ירושלמי יומא פרק בא לו כהן גדול (פ"ז ה"ג), שיר השירים רבה פסוק כמגדל דוד (כ"ד א') [פרשה ד פסוק ד אות ה], ערכין (טז, א): **לכסות בשר ערוה.** לכסות ולכפר על החוטאים בבשר ערוה, וכמו שדרשו בתורת כהנים (פרשה א) על פסוק וכסה ענן הקטורת, כיסוי זה איני יודע מהו, כשהוא אומר אשרי נשוי פשע כסוי חטאה, הוי אומר כסוי החטאים. וכן כאן לכסות חטא בשר ערוה, מצנפת נתון בגובה האדם לכפר על הגאוה והגובה, שהגאוה ניכרת בראש:

מתנות כהונה

הושתלה. לשון נטיעה כמה דאת אמר (תהלים קכח, ג) כשתילי זיתים, ובמדרש חזית (שיר השירים רבה ח, ג) ישנו למדרש זה באופן יותר מבואר ועיין שם: **אין השמדה.** במקום זה: **[ו] כשם שהקרבנות כו'.** דייק מדכתיב ואת הבגדים ואת שמן המשחה ואת פר החטאת הושוו להדדי:

אשד הנחלים

ששאל אל לבית דינו של מעלה כו'. ענין הדבר קשה מאוד לבארו, מהו ענין השבועה הנאמר אצלו יתברך, ומהו ענין ההיתר מבית דינו של מעלה. והנראה שהוא דרך משל כביכול, כמו שאצלנו בני אדם, אם האדם ירא פן לא יעמוד בדעתו, ופן יעלה בלבו מדת החמלה והרחמים ויגבר על דעתו, מוכרח היא לאסר את עצמו בשבועה מבלי יעבור מזה, כן מכונה כביכול שהוא מלא רחמים ומרחם על בריותיו, אם חטאו של אותו איש גורם שיענש, אז המדת הדין מתגבר על הרחמים לכובשו מבלי יעבור עוד, ומבלי ילמד עוד זכות עליו, אך אם יעשה תשובה אז הרחמים גובר עוד הפעם לכבוש המדת הדין תחתיו, ומוצא היתר על הגזירה, וזהו ענין ההיתר על הנדר, ודי בזה: **[ו] כתונת פסים.** טעות סופר הוא וצריך לומר, ויעשו את הכתנות שש מעשי אורג (שמות לט, כז), ונקט מעשי אורג, רמז לכלאים (ידי משה): **על גסות הרוח.** שעל הרוב המה הולכי נטוי גרון ובקומה זקופה, וניכר גאוותו מראשו:

באור מהרי"פ

כתבו וגו'. (שם ל) כה אמר ה' כתבו את האיש הזה ערירי גבר לא יצלח בימיו, כי לא יצלח מזרעו איש יושב על כסא דוד ומושל עוד ביהודה: **חי אני.** (שם, כד) חי אני נאם ה' כי אם כניהו בן יהויקים מלך יהודה חותם על יד ימיני כי משם אתקנך: **ומבטלת גזירה וכו'.** תימה למה לקרא אחרינא על גזירה הא גזירה בכלל שבועה הוי. ואולי יש לומר דהכי קאמר גדול כח התשובה שמבטלת שבועה ומבטלת גזירה, פירוש גם גזירה אחרת שהיא זולת הגזירה שעם השבועה: **מתנות כהונה ד"ה [הושתלה]. ובמדרש חזית וכו'.** במדרש חזית (ח, פסוק ו) ד"ה דבר אחר שימני כחותם וכו'. כי משם אתקנך, אמר רבי חנינא בר יצחק משם אני נוסק מלכות בית דוד. דבר אחר אנתקך אין כתיב כאן, אלא אתקנך, אתקנך בתשובה ממקום שנתיקתך שם תהיה תקנתך וכו', הדא הוא דכתיב כתבו וגו' גבר לא יצלח בימיו, בימיו אינו מצליח, אבל בימי בנו מצליח, דכתיב (חגי ב, כג) ביום ההוא נאום ה' צבאות אקחך זרובבל בן שאלתיאל נאם ה', ושמתיך כחותם כי בך בחרתי נאם ה' צבאות עכ"ל המדרש: **[ו] במצנפת.** אף על גב דגבי כהן הדיוט לא כתוב אלא מגבעות, ההיא נמי מצנפת הוי. והא דקרי ליה מגבעות מפני שהיתה יורדת עד מקום התפילין לפי שלא היה לו ציץ, ושל כהן גדול שהיה לו ציץ היתה קטנה, ולכן קרי לה מצנפת כמבואר גיטין (ז, א) בתוספות, גבי בזמן שמצנפת בראש כהן גדול:

חידושי הרד"ל

[ו] הכתונת על לובשי כלאים ויש אומרים על שפיכת דמים כמה דתימר ועשה לו כתונת כו'. כן הוא בירושלמי דיומא (פ"ז ה"ג), וגם גרסינן קרא דויטבלו הכתונת בדם וכן הוא בערכין ט"ז, א', וכן צריך להיות דלא כידי משה. ולמאן דאמר על הכלאים אין צריך להביא ראיה, שהוא פשוט מפני שהכתונת של כלאים.

חידושי הרש"ש

[ו] אמר ר' סימון כשם שהקרבנות מכפרים כך הבגדים מכפרים. ובגמרא זבחים (פח, ב) למה נסמכה פרשת קרבנות לפרשת בגדי כהונה לומר לך כשם שהקרבנות מכפרין כו', ופירש רש"י, בצו את אהרן זאת תורת העולה והחטאת והאשם ושלמים והדר קח את אהרן ואת הבגדים, ובערכין (טז, א) פירש בענין אחר עיין שם, ודלא כמתנות כהונה: **הכתונת לכפר על לובשי כלאים כמה דתימר ועשה לו כתונת פסים.** כי כתונת הוא מפשתן, תרגום פשתן כתן. ופסים משמע בגמרא שבת דהוא צמר, דאמרו שם (יוד, ב) בשביל משקל שני סלעים מילת כו', ומילת הוא צמר כדמוכח שם (נד, א) שפירש על הרחלות יוצאות כו' כבולות שמכבנין אותו למילת וכו' עיין שם. וראיתי מה שפירש (הרד"ל, ועיין הערה דלהלן) דכתונת בגדי כהונה היתה של כלאים וטעות הוא וכו': **בחדושי הרד"ל בסד"ה הכתונת על לובשי כלאים וכו' מפני שהכתונת של כלאים.** טעה במחילת כבוד תורתו, שהכתונת היתה של שש בין של כהן גדול ובין של כהן הדיוט, וכן שגה בזה מחבר הסליחה במוסף יום הכפורים המתחלת אבל אנחנו (סי' ק"ז) וז"ל טוהר הכתונת ארוגה פשתים ולמר. ועיין ביפה מראה בפרק בא לו (ירושלמי יומא פ"ז ה"ג):

מסורת המדרש

יב. זבחים דף פ"ח:

אם למקרא

וּבְאַהֲרֹן הִתְאַנַּף ה' מְאֹד לְהַשְׁמִידוֹ וָאֶתְפַּלֵּל גַּם בְּעַד אַהֲרֹן בָּעֵת הַהִוא: (דברים ט:כ)

וְאָנֹכִי הִשְׁמַדְתִּי אֶת הָאֱמֹרִי מִפְּנֵיהֶם אֲשֶׁר כְּגֹבַהּ אֲרָזִים גָּבְהוֹ וְחָסֹן הוּא כָּאַלּוֹנִים וָאַשְׁמִיד פִּרְיוֹ מִמַּעַל וְשָׁרָשָׁיו מִתָּחַת: (עמוס ב:ט)

וְיִשְׂרָאֵל אָהַב אֶת יוֹסֵף מִכָּל בָּנָיו כִּי בֶן זְקֻנִים הוּא לוֹ וְעָשָׂה לוֹ כְּתֹנֶת פַּסִּים: (בראשית לז:ג)

וַעֲשֵׂה לָהֶם מִכְנְסֵי בָד לְכַסּוֹת בְּשַׂר עֶרְוָה מִמָּתְנַיִם וְעַד יְרֵכַיִם יִהְיוּ: (שמות כח:מב)

וְשַׂמְתָּ הַמִּצְנֶפֶת עַל רֹאשׁוֹ וְנָתַתָּ אֶת נֵזֶר הַקֹּדֶשׁ עַל הַמִּצְנָפֶת: (שם כט:ו)

ידי משה

[ו] ועשה לו כתונת פסים. טעות דמוכח הוא, וצריך לומר ויעשו את הכתונת שש מעשה אורג והוא בפרשת פקודי (שמות לט, כז), ונקט מעשה אורג רמז לכלאים: **ושמת המצנפת על ראשו.** לשון קלות ראש דהיינו גסי הרוח.

אמרי יושר

אסיר זה הקב"ה. ובני יכניה, הסבה שהיה ליכניה זרע ובני, הגלגלה הוא, שאף על פי שאסר הקדוש ברוך הוא עצמו בשבועה, שאלתיאל על השבועה: **[ו] כך בגדים מכפרים.** וכן הוקשו כאן הבגדים לפר החטאת ושני האילים, בפסוק אחד:

ענף יוסף

(ה) שאלתיאל ששאל אל כו'. משמע מכאן דהקדוש ברוך הוא שואל על שבועתו לפני פמליא של מעלה. ותימא דבפרק המוכר את הספינה (בבא בתרא עד, א) איתא דאמר רבה בר בר חנה שמעתי בת קול שאומרת אוי לי שנשבעתי ועכשיו שנשבעתי מי מתיר לי, ואמאי אינו שואל על שבועתו לפני פמליא של מעלה (תורת חיים). אבל מצאתי בספר אמרות טהורות (מאמר חקור דין ח"ד פרק ט), שלא נמסרה למלאכי השרת שיהיו הם יכולים להתיר, וראיה מבת קול שילאה ואמרה עכשיו שנשבעתי מי מיפר לי, כדאיתא בפרק הספינה גבי עובדי דרבה בר בר חנה, וכן צריך לומר גבי יכניה שניבא עליו ירמיה כה אמר ה' כתבו את האיש הזה ערירי גבר לא יצלח בימיו כי לא יצלח מזרעו איש יושב על כסא דוד ומושל עוד ביהודה, ואיתא במדרש שנשאל לבית דין של מעלה דקאמר, הכוונה לנשמותיהן של צדיקים הנמצאים שם, או להצדיקים עצמם שנכנסים חיים לגן עדן, ולא למלאכי השרת עד כאן. וגם בזה לא מתורץ, דאם כן הוי ליה לשאול ברבה בר בר חנה גם כן לבית דין של מעלה, היינו לנשמותיהם של צדיקים כנ"ל, ואפשר לתרץ שהקדוש ברוך הוא אינו שואל כי אם כשעושין תשובה:

אַבְנֵט — With regard to **the sash,** מַאן דְּאָמַר עַל עוּקְמָנִין שֶׁבַּלֵּב — **[there is] one** sage **who says** that it atones **for** the **crookedness of the heart,** וּמַאן דְּאָמַר עַל הַגַּנָּבִים — **and [there is] one** sage **who says** it atones **for** the misdeeds of **the thieves.**

The Midrash examines the sources of these two opinions:

אָמַר רַבִּי לֵוִי: אַבְנֵט ל״ב אַמָּה הָיָה בוֹ — **R' Levi said:** The length of the **sash was thirty-two** ***amos,***[95] וְעוֹקְמוֹ לְפָנָיו וּלְאַחוֹרָיו — **and [the Kohen] would bend it** around **in front of himself and in back of himself,**[96] לְמַאן דְּאָמַר עַל הָעוּקְמָנִים שֶׁבַּלֵּב — which accounts **for the one who says** that the sash atones **for the crookedness of** one's **heart.** וּמַאן דְּאָמַר עַל הַגַּנָּבִים — **And the one who says** that the sash atones **for the thieves** לְפִי שֶׁהָיָה חָלוּל — derives his assertion from the sash itself, **because it was** woven with an inner **hollow** hiding place,[97] כְּנֶגֶד הַגַּנָּבִים שֶׁעוֹשִׂים מַעֲשֵׂיהֶם בַּסֵּתֶר — thus **corresponding to the thieves who perform their acts** of thievery **in secret.**[98]

The Midrash discusses the atonement achieved by the additional garments worn only by the Kohen Gadol:

חֹשֶׁן מְכַפֵּר עַל מַטֵּי דִינִין — **The breastplate atones for distorters of judgment,**[99] כְּמָא דְתֵימַר ״וְנָתַתָּ אֶל חֹשֶׁן הַמִּשְׁפָּט״ — **as it is stated,** ***Into the Breastplate of Judgment shall you place*** *the Urim and the Tumim* (*Exodus* 28:30).[100] אֵפוֹד לְכַפֵּר עַל עוֹבְדֵי עֲבוֹדָה זָרָה — **The** ***ephod*** acts **to atone for** the sins of **idolaters,** שֶׁנֶּאֱמַר ״וְאֵין אֵפוֹד וּתְרָפִים״ — **as [Scripture] states,** ***And without an ephod, then there are teraphim*** (*Hosea* 3:4).[101] מְעִיל — Regarding the **robe** worn by the Kohen Gadol, רַבִּי סִימוֹן בְּשֵׁם רַבִּי נָתָן אָמַר: שְׁנֵי דְבָרִים אֵין לָהֶם כַּפָּרָה — **R' Simone said in the name of R' Nassan:** There are **two things** (i.e., sins) that **have no atonement,** וְנָתְנָה לָהֶן תּוֹרָה כַּפָּרָה — **and** yet the **Torah provided them** with **an atonement.**[102] וְאֵלּוּ הֵן: לְשׁוֹן הָרַע וְהוֹרֵג נֶפֶשׁ בִּשְׁגָגָה — **And these are [the two sins]: malicious speech and the killing of a person inadvertently.** לְשׁוֹן הָרַע אֵין לוֹ כַּפָּרָה וְנָתְנָה לוֹ תּוֹרָה כַּפָּרָה — **Malicious speech has no atonement and** yet, **the Torah provided it** with **an atonement.** בַּמֶּה יִתְכַּפֵּר לוֹ — **With what is [the perpetrator]** of this sin **atoned?** בְּזוּגֵי הַמְּעִיל — **With the** sound that emerges from the **bells of the** Kohen Gadol's **robe.** הֲדָא הוּא דִכְתִיב — **Thus it is written,** ״פַּעֲמֹן זָהָב וְרִמּוֹן פַּעֲמֹן זָהָב וְרִמּוֹן . . . וְהָיָה עַל אַהֲרֹן לְשָׁרֵת וְנִשְׁמַע קוֹלוֹ״ — ***A gold bell and a pomegranate, a gold bell and a pomegranate*** *on the hem of the robe, all around.* ***It must be on Aaron in order to minister. Its sound shall be heard*** *when he enters the Sanctuary before HASHEM* (*Exodus* 28:34-35). אָמַר הַקָּדוֹשׁ בָּרוּךְ הוּא יָבוֹא הַקּוֹל וִיכַפֵּר עַל הַקּוֹל — **The Holy One, blessed is He,** in effect **said, "Let the sound** of the bells **come and atone for the sound** of malicious speech!"[103]

NOTES

95. Which is the numerical value of לֵב, *heart* (see *Matnos Kehunah*).

96. The winding 32 *amos* of the sash thus corresponds to the crookedness of the heart.

97. I.e., it was woven as a tube, thus alluding to a place in which a stolen object could be concealed (*Eshed HaNechalim*).

98. Elaborating on the sash's allusion to thieves, *Maharzu* notes that similarly the thief conceals his evil doings in the inner chambers of his heart.

99. I.e., those who administer justice improperly.

100. The designation *Breastplate of Judgment* indicates that it atones for a sin connected to judgment; see *Rashi* to *Exodus* 28:15.

101. The Midrash interprets the verse as saying that without the *ephod* being worn by the Kohen Gadol, the sin of *teraphim,* idols (see *Genesis* 31:19 and 30), is manifest. It thereby implies that when the Kohen *does* wear the *ephod* the sin of idolatry is expiated (*Eitz Yosef,* from *Rashi* to *Zevachim* 88b).

102. That is, these sins warrant no forgiveness; yet God, in His kindness, established a means of atonement (*Yefeh To'ar,* first explanation; *Beur Maharif*). Alternatively, they have no atonement by means of an offering, but the Torah established a different method of atonement (*Eitz Yosef;* see *Zevachim* loc. cit.).

103. *Chafetz Chaim* suggests that it is not only the gold bells that provide the atonement for malicious speech; the cloth "pomegranates" that are interspersed between them are also involved. While the bells produce sound, the pomegranates are silent. Accordingly, the alternating bells and pomegranates together serve to illustrate the lesson that while at times it is proper to sound one's voice, for the study of Torah, for prayer and the like, at other times it is appropriate to remain silent and thus avoid sinful and improper speech (*Shemiras HaLashon,* Vol. 2, Ch. 15 [*Parashas Tetzaveh*]).

For an additional reason as to why the Kohen Gadol's robe provides atonement for malicious speech, see Insight Ⓐ.

INSIGHTS

Ⓐ **Colored Perceptions** The Midrash teaches that the robe of the Kohen Gadol atones for the sin of *lashon hara,* malicious speech. To understand the connection, we must examine the source of one's impulse toward *lashon hara.*

Scripture states (*Esther* 3:8) that Haman slandered the Jews before Ahasuerus. The Gemara in *Megillah* (13b) describes Haman as a most skillful and effective slanderer. A detailed account of what he said to Ahasuerus appears in *Targum Sheni* (to *Esther* ibid.). It is clear that Haman's intent was largely to emphasize the separateness of Israel, which he maliciously interpreted for Ahasuerus as disdain for others. To this end, he gave Ahasuerus a verbal tour through the Jewish year, and showed how Jewish observances and prohibitions set them apart from other nations. *R' Shneur Kotler* observes that this litany of complaints might be taken, in another context, as a paean of praise to Israel, emphasizing as it does their constancy in matters of obligation and faith, their abjuring of other ideologies, their avoidance of intermarriage. Yet, the Gemara offers this as illustration of Haman's skill in the art of slander.

R' Shneur explains that effective *lashon hara* is less a matter of content than a matter of emphasis and perspective. Consider: The law is that one may not believe *lashon hara* even if it is obviously true. One might ask: How can a person be expected to dismiss that which one recognizes to be true? The answer is that while the raw facts may be accurate, the slanderer might well have taken them out of context, or neglected to supply exculpatory details that would allow the offender's behavior to be seen in a different light. In fact, such omission is characteristic of slanderers. They omit positive information because they operate from an alienated and bitter perspective, from which they discern only the faults of others, but never their virtues. Like a vulture that homes in on a decaying carcass, the unerring instinct of the slanderer is for misdeed and scandal. He does not see the whole of a person, which might allow him to view one's faults as tiny flaws in an otherwise magnificent jewel. Rather, his entire focus is on the faults; they fill his field of vision to the exclusion of all else.

This description fit Haman well. He was an arrogant man of outsized hatreds, of twisted perspective and uncharitable outlook. Small wonder, then, that he was an effective slanderer. He was skilled in portraying even positive attributes as negative traits.

R' Shneur's idea regarding the source of *lashon hara* is alluded to in the oft-quoted Scriptural passage concerning one who refrains from *lashon hara*: מִי הָאִישׁ הֶחָפֵץ חַיִּים אֹהֵב יָמִים לִרְאוֹת טוֹב. נְצֹר לְשׁוֹנְךָ מֵרָע וּשְׂפָתֶיךָ מִדַּבֵּר מִרְמָה, *Who is the man who desires life, who loves days to see good? Guard your tongue from evil, and your lips from speaking deceit* (*Psalms* 34:13-14). R' Shneur expounds: One *who loves to see the good* in others will surely be safeguarded from the sin of malicious speech, which derives entirely from the desire to emphasize the worst in one's fellow and see him in a negative light.

This brings us to the teaching of our Midrash. The robe of the Kohen Gadol was fashioned entirely of *techeiles,* wool colored with a blue dye extracted from an aquatic creature known as the *chilazon.* The Rabbis teach, in another context, that *techeiles* calls to mind God's Throne of Glory, for *techeiles* is similar in hue to the sea, whose color in turn resembles that of the sky, which, finally, resembles that of the Throne of Glory (*Menachos* 43b). A mind that has been elevated

על עומקנין שבלב. כן הוא במדרש שטס היפה תואר. ופירושו על הרהור הלב, ולפי שהם מעמיקים מה' לסתיר עלה קרי ליה עומקנין. או הגירסא טוקמנין, לשון עקוס וערמה: **ועוקמו לפניו ולאחריו.** ולכן מכפר על עוקמנין שבלב: **ואין אפוד ותרפים.** פירש רש"י בגמרא אין אפוד, נגלה עון תרפים, הא יש אפוד אין תרפים: **שני דברים אין לכם כפרה.** רלה לומר בקרבנות: **במיתת כהן גדול.** לפי שהוי ליה לכהן גדול להתפלל שלא תארע תקלה בישראל לכן הוי ליה כהן גדול כמשותף בחטא זה ואינו מתכפר אלא במיתתו: **(ז) למה על פניו.** פירוש למה נפל על פניו, כי כפי הטבע הוי ליה ליפול לאחור כי כן דרך המוכה הנופל מת או קרוב למיתה, וכל שכן זה שהיה טעון משא כבד משריון וכלים. ועוד כלל בזה הקושיא למה על פניו, שלפי מה שאמר שהמלא רמז על גדופו היה ראוי שיפול לאחריו שיראה טביעת האבן במצחו אשר הטיח לגדף וישמח לדיק כי חזה נקס, ולא שיפול על פניו ויתכסה מצחו: **בתחלה אתה דורש.** כלומר טעם זה פשוט ובתחלה ידרש זה, ומכל מקום המעמיק ימצא טעמים אחרים: **שש אמות וזרת.** תימא דשניס עשר אמות וזרתים ניכהו, שהרי קומת גלית שש אמות וזרת, נמלא שממקום ראשו שנפל לפניו עד המקום שהיה אילו נפל לאחוריו איכא שיעור שתי קומות דידיה. ויש לומר דבאמת הכי קאמר שלא יצטער אותו לדיק מה שהיה צריך להתרחק לפי קומתו שהוא שש אמות וזרת שהוא כפלים במרחק אילו נפל לאחריו: **טמנם בעפר כו'.** לעיל מיניה כתיב, ראה כל גאה הכניעהו גו', ונדרש על גלית שנתגאה כלפי מעלה ונפל תחתיו (רד"ל): **על במותימו תדרוך.** במותימו הוא גובה שבגוף והיינו ערפס, וכשנפל על פניו ידרוך על ערפו, וזה שנאמר (שמואל ב' כב, מא) ואויבי תתה לי עורף:

שהיה חלול. שהאבנט היה נארג נקבים נקבים, והגנבים מסתירים מעשיהם בחללי ונקבי הלב: **מעיל.** הגירסא בשיר השירים רבה שס, מעיל מהו מכפר על לשון הרע, עיין מה שכתבנו לקמן (כא, ג), ועיין זבחים (פח, ב) ובתוספות (ד"ה מכפרים): **ב' דברים אין להם כפרה.** הגירסא בערכין (טז, א) אין להם כפרה בקרבנות: **אמר יבא הקול.** פירוש אמר הקב"ה. עיין לקמן (טז, ו) יבא קול ויכפר על הקול, אלא לפורי מלורע, וכן כאן: **ואחרי מות הכהן.** ישוב הרולח אל ארץ אחוזתו. הרי שנתכפר לו: **ומצח אשה זונה.** וסיפא דקרא מאנת הכלם, שאין לך בושת פנים, רק עזות פנים. והגזירה שוה מלא כאן וכאן, ומאן דאמר על המגדפים מתיבת מצחו כאן וכאן. ועונש גלית, היה על החירופין, וכמו שכתוב (שמואל א' יז, י) אני חרפתי היום את מערכות ישראל, ודוד אמר לו אלהי מערכות ישראל אשר חרפת:

אַבְנֵט, מַאן דְּאָמַר עַל עוּקְמָנִין שֶׁבַּלֵּב וּמַאן דְּאָמַר עַל הַגַּנָּבִים, אָמַר רַבִּי לֵוִי: אַבְנֵט ל"ב אַמָּה הָיָה בּוֹ וְעוֹקְמוֹ לְפָנָיו וּלְאַחוֹרָיו, לְמַאן דְּאָמַר עַל הָעוּקְמָנִים שֶׁבַּלֵּב, וּמַאן דְּאָמַר עַל הַגַּנָּבִים, לְפִי שֶׁהָיָה חָלוּל, כְּנֶגֶד הַגַּנָּבִים שֶׁעוֹשִׂים מַעֲשֵׂיהֶם בַּסֵּתֶר, חֹשֶׁן מְכַפֵּר עַל מַטֵּי דִינִין כְּמָא דְתֵימַר (שם כח, ל) "וְנָתַתָּ אֶל חֹשֶׁן הַמִּשְׁפָּט", אֵפוֹד לְכַפֵּר עַל עוֹבְדֵי עֲבוֹדָה זָרָה, שֶׁנֶּאֱמַר (הושע ג, ד) "וְאֵין אֵפוֹד וּתְרָפִים", מְעִיל, רַבִּי סִימוֹן בְּשֵׁם רַבִּי נָתָן אָמַר: שְׁנֵי דְבָרִים אֵין לָהֶם כַּפָּרָה וְנָתְנָה לָהֶן תּוֹרָה כַּפָּרָה, וְאֵלּוּ הֵן: לָשׁוֹן הָרָע וְהוֹרֵג נֶפֶשׁ בִּשְׁגָגָה, לָשׁוֹן הָרַע אֵין לוֹ כַּפָּרָה וְנָתְנָה לוֹ תּוֹרָה כַּפָּרָה, בַּמֶּה יִתְכַּפֵּר לוֹ, בְּזוּגֵי הַמְּעִיל, הֲדָא הוּא דִכְתִיב (שמות כח, לד) "פַּעֲמֹן זָהָב וְרִמּוֹן פַּעֲמֹן זָהָב וְרִמּוֹן ... וְהָיָה עַל אַהֲרֹן לְשָׁרֵת וְנִשְׁמַע קוֹלוֹ", אָמַר יָבוֹא °הַקּוֹל וִיכַפֵּר עַל הַקּוֹל, הַהוֹרֵג נֶפֶשׁ בִּשְׁגָגָה אֵין לוֹ כַּפָּרָה וְנָתְנָה לוֹ תּוֹרָה כַּפָּרָה, בַּמֶּה יִתְכַּפֵּר לוֹ, בְּמִיתַת כֹּהֵן גָּדוֹל, הֲדָא הוּא דִכְתִיב (במדבר לה, כח) "וְאַחֲרֵי מוֹת הַכֹּהֵן הַגָּדוֹל", צִיץ, מַאן דְּאָמַר עַל עַזֵּי פָנִים מַאן דְּאָמַר עַל הַמְגַדְּפִים, מַאן דְּאָמַר עַל עַזֵּי פָנִים מִבְּנוֹת צִיּוֹן, כָּאן כְּתִיב (שמות כח, לח) "וְהָיָה עַל מֵצַח אַהֲרֹן", וּלְהַלָּן כְּתִיב (ירמיה ג, ג) "וּמֵצַח אִשָּׁה זוֹנָה הָיָה לָךְ", וּמַאן דְּאָמַר עַל מְגַדְּפִים, מִגָּלְיַת, כָּאן כְּתִיב "וְהָיָה עַל מִצְחוֹ תָּמִיד", וּלְהַלָּן כְּתִיב (שמואל-א יז, מט) "וַתִּטְבַּע הָאֶבֶן בְּמִצְחוֹ":

ז (שם) "וַיִּפֹּל עַל פָּנָיו אַרְצָה", יגלָמָּה עַל פָּנָיו, מִתְּחִלָּה אַתָּה דוֹרֵשׁ כְּדֵי שֶׁלֹּא יִצְטַעֵר אוֹתוֹ צַדִּיק שֵׁשׁ אַמּוֹת וָזֶרֶת, דָּבָר אַחֵר, לָמָּה עַל פָּנָיו, עַל שׁוּם דָּגוֹן אֱלֹהָיו שֶׁהָיָה נָתוּן עַל לִבּוֹ, הֵיכְמָה דְאַתְּ אָמַר (ויקרא כו, ל) "וְנָתַתִּי אֶת פִּגְרֵיכֶם עַל פִּגְרֵי גִּלּוּלֵיכֶם", דָּבָר אַחֵר, לָמָּה עַל פָּנָיו, הַפֶּה שֶׁאָמַר וְחֵירֵף וְגִידֵּף יִנָּתֵן בֶּעָפָר, הֲדָא הוּא דִכְתִיב (איוב מ, יג) "טָמְנֵם בֶּעָפָר יָחַד פְּנֵיהֶם חֲבֹשׁ בַּטָּמוּן", דָּבָר אַחֵר, לָמָּה עַל פָּנָיו, עַל שׁוּם (דברים לג, כט) "וְיִכָּחֲשׁוּ אֹיְבֶיךָ לָךְ וְאַתָּה עַל בָּמוֹתֵימוֹ תִדְרֹךְ וְגוֹ'":

מתנות כהונה

הכי גרסינן **ומאן דאמר על הגנבים.** והכי איתא במדרש חזית פסוק כמגדל דוד: הכי גרסינן **על העוקמנין שבלב.** והכי איתא במדרש חזית וכן **ועוקמו: אבנט שלושים ושתים אמה היה בו.** הכי גרסינן בירושלמי פרק בא לו (יומא פ"ז ה"ג), וזה רמז שהיה מכפר על הלב, ומשעוקמה לפניו ולאחריו, למד שמכפר על העקמומיות שבלב: **לשון הרע אין לו כפרה.** לא קבעה לו התורה כפרה, ובירושלמי (יומא פ"ז ה"ג, ובמדרש חזית (שיר השירים רבה ד, ז), גורס לא היה לו כפרה: **[ז] מתחלה אתה דורש.** פירוש מראש המקרא דכתיב גבייהו שש אמות וזרת, הכי איתא בהדיא במדרש חזית (שיר השירים ד, ז): **שלא יצטער כו'.** לכרות את ראשו וגם בשובו, ועיין לקמן במדרש חזית (שם):

אשד הנחלים

עוקמנין שבלב. ומקום האבנט הוא קרוב ללב: **כשהיה חלול.** ושם יוכל להכניס דבר הגנוב: **על עבודת כוכבים.** כי על ידי האיפוד ידעו העתידות, ואז אינם צריכים לפעולת חוזי כוכבים: **בזוגי המעיל.** אולי מפני שהם משמיעי קול בלכתו, לזכור מזה שהכל נשמע למעלה, ולא ידבר רע כי דבריו יהיו נשמעים למעלה: **במיתת כהן גדול.** שהגולה למקלט יעמוד שם עד מות הכהן הגדול, והוא יבכה על מיתתו ויכופר עליו. והנה חשבו כאן כמה עניינים כוללים כל המדות רעות שהמה העקרים, הן בין אדם למקום, כגילוי עריות ועקימות שבלב מאמונה רעה, ודעה רעה וגאוה וכדומה, ומחוקי המצוות, ככלאים וכדומה, שאין האדם יודע טעמם ועל כן אינו נזהר בהם הרבה, והן בין אדם לחבירו, כגניבה ולשון הרע וההורג נפש בשגגה וכדומה: **[ז] מתחילה אתה דורש כדי כו'.** פירוש שדרך המדרש כשדורש כמה דרשות והדרש שהוא קרוב לפשוטו אומר מתחילה, והכוונה בשלא יצטער אותו צדיק, שיצטרך לילך מלא קומתו של (גליות) [גלית] שהוא שש אמות (ידי משה). ועיין במתנות כהונה. והקושיא למה על פניו, מפני כי הנפילה מהפחד והכאב היה ראוי ליפול מאחוריו ופניו למעלה, ולכן אומר שהיה לסבה, או מפני דוד, או מפני שהעונש יהיה מכוון למדת מעשיו:

חידושי הרד"ל

חשן מכפר על מטי דינין כו' חשן המשפט. שנקרא משפט, וגם כתיב (שמות כח, כח) ולא יזח החשן, שלא יזח ויטהו ממקומו. (וגם יש לומר לשון חשן מידריס מענין חיש ומהר על הממהרים ואינן מתונים בדין ועל ידי [זה] טועים בו. וכן יש לומר להיפוך שיחישו ולא יעגו הדין): **[ז] כדי שלא יצטער.** וזה שכתוב (שמואל ב' כב, מא) ואויבי תתה לי עורף. (ונראה מה שכתב בתורת כהנים בחקותי, והביאו רש"י בחומש שם, על ונפלו אויביכם לפניכם לחרב, שיהיו נופלים שלא כדרך כל הארץ, דהיינו שתהיה נפילתם על פניהם לפניכם, שלא כדרך ליפול לאחוריו, וכדי שלא יצטער כדהכא): **הדא הוא דכתיב טמנם בעפר כו'.** לעיל מיניה כתיב ראה כל גאה הכניעהו והדוך רשעים תחתם, ונדרש על גלית שנתגאה כלפי מעלה ונפל תחתיו: **על שם על במותימו תדרך.** פירוש במותימו הוא מקום הגובה שבגוף והוא גב האדם, דהיינו שנפל על פניו ארצה דרך על גביו:

חידושי הרש"ש

כמה דתימר ונתת אל חושן המשפט. ובגמרא (ערכין טז, א) שנאמר ועשית חושן משפט, וכן הוא בירושלמי פרק בא לו:

באור מהרי"פ

על עוקמנין שבלב. ויש גורסים על עומקין שבלב, פירוש על הרהור הלב ועל שהם מעמיקים מה' לסתיר עלה (לשון הכתוב ישעיה כט, טו) קריא ליה עומקים. ויש גורסים עוקמנים לשון עקוס וערמה. ובגמרא (זבחים פח, ב) אבנט מכפר על הרהור הלב כל היכא דאיתיה, ופירש רש"י שהיו חוגרים כנגד אצילי ידיהם דהיינו כנגד הלב: **שנאמר ואין אפוד ותרפים.** בגמרא (ערכין טז, א) פרש"י ואין אפוד, נגלה עון תרפים עכ"ל רש"י, משמע הא בזמן שיש אפוד אין נגלה עון תרפים מפני שהאפוד מכפר עליו: **שנים אין להם כפרה.** פירוש לחומר חטאם ראוי להם שלא יכופרו ואף על פי כן נתן להם התורה כפרה: **[ז] שש אמות וזרת.** תימה דשתים עשרה אמות וזרתים ניכהו, שהרי קומת גלית שש אמות וזרת, נמלא שממקום ראשו שנפל על פניו עד מקום שהיה אילו נפל לאחוריו איכא שיעור שני קומות דידיה, והכי גרסינן בילקוט (שמואל א' רמז קכז) כדי שלא יצטער דוד וילך ויחתוך את ראשו, אלא לא נשתכח שנים עשר אמה וזרתיים, כילד מלא קומתו לפניו, ומלא קומתו לאחריו, וקומתו שש האמות וזרת עד כאן, וכן איתא בשוחר טוב (מזמור יח) ואולי גם כאן יש ליישב בדוחק לגרוס על אופן הלזה:

מסורת המדרש

יג. אגדת שמואל פ' כ"א:

אם למקרא

וְנָתַתָּ אֶל חֹשֶׁן הַמִּשְׁפָּט אֶת הָאוּרִים וְאֶת הַתֻּמִּים וְהָיוּ עַל לֵב אַהֲרֹן בְּבֹאוֹ לִפְנֵי ה' וְנָשָׂא אַהֲרֹן אֶת מִשְׁפַּט בְּנֵי יִשְׂרָאֵל עַל לִבּוֹ לִפְנֵי ה' תָּמִיד: (שם כח:ל)

כִּי יָמִים רַבִּים יֵשְׁבוּ בְּנֵי יִשְׂרָאֵל אֵין מֶלֶךְ וְאֵין שָׂר וְאֵין זֶבַח וְאֵין מַצֵּבָה וְאֵין אֵפוֹד וּתְרָפִים: (הושע ג:ד)

פַּעֲמֹן זָהָב וְרִמּוֹן פַּעֲמֹן זָהָב וְרִמּוֹן עַל שׁוּלֵי הַמְּעִיל סָבִיב: (שמות כח:לד)

כִּי בְעִיר מִקְלָטוֹ יֵשֵׁב עַד מוֹת הַכֹּהֵן הַגָּדֹל וְאַחֲרֵי מוֹת הַכֹּהֵן הַגָּדֹל יָשׁוּב הָרֹצֵחַ אֶל אֶרֶץ אֲחֻזָּתוֹ: (במדבר לה:כח)

וְהָיָה עַל מֵצַח אַהֲרֹן וְנָשָׂא אַהֲרֹן אֶת עֲוֹן הַקֳּדָשִׁים אֲשֶׁר יַקְדִּישׁוּ בְּנֵי יִשְׂרָאֵל לְכָל מַתְּנֹת קָדְשֵׁיהֶם וְהָיָה עַל מִצְחוֹ תָּמִיד לְרָצוֹן לָהֶם לִפְנֵי ה': (שמות כח:לח)

וַיִּמָּנְעוּ רְבִבִים וּמַלְקוֹשׁ לוֹא הָיָה וּמֵצַח אִשָּׁה זוֹנָה הָיָה לָךְ מֵאַנְתְּ הִכָּלֵם: (ירמיה ג:ג)

וַיִּשְׁלַח דָּוִד אֶת יָדוֹ אֶל הַכֶּלִי וַיִּקַּח מִשָּׁם אֶבֶן וַיְקַלַּע וַיַּךְ אֶת הַפְּלִשְׁתִּי אֶל מִצְחוֹ וַתִּטְבַּע הָאֶבֶן בְּמִצְחוֹ וַיִּפֹּל עַל פָּנָיו אָרְצָה: (שמואל א יז:מט)

וְהִשְׁמַדְתִּי אֶת בָּמֹתֵיכֶם וְהִכְרַתִּי אֶת חַמָּנֵיכֶם וְנָתַתִּי אֶת פִּגְרֵיכֶם עַל פִּגְרֵי גִּלּוּלֵיכֶם וְגָעֲלָה נַפְשִׁי אֶתְכֶם: (לקמן כו:ל)

טָמְנֵם בֶּעָפָר יָחַד פְּנֵיהֶם חֲבֹשׁ בַּטָּמוּן: (איוב מ:יג)

אַשְׁרֶיךָ יִשְׂרָאֵל מִי כָמוֹךָ עַם נוֹשַׁע בַּה' מָגֵן עֶזְרֶךָ וַאֲשֶׁר חֶרֶב גַּאֲוָתֶךָ וְיִכָּחֲשׁוּ אֹיְבֶיךָ לָךְ וְאַתָּה עַל בָּמוֹתֵימוֹ תִדְרֹךְ: (דברים לג:כט)

ידי משה

[ז] מתחלה אתה דורש. פירוש שדרך המדרש כשדורש כמה דרשות והדרש שהוא קרוב לפשוטו, אומר מתחלה אתה דורש. וקל להבין: **כדי שלא יצטער אותו צדיק.** וילך מלא קומתו של גלית שהוא שש אמות:

שינוי נוסחאות

(ו) **אמר יבוא הקול ויכפר על הקול.** הגיה א"א דצ"ל "אמר הקב"ה ... ":

The Midrash proceeds to the atonement provided for one who has inadvertently killed another person:

הַהוֹרֵג נֶפֶשׁ בִּשְׁגָגָה אֵין לוֹ כַּפָּרָה וְנָתְנָה לוֹ תוֹרָה כַּפָּרָה — **One who inadvertently kills a person has no atonement, and** yet **the Torah provided him** with an **atonement.** בַּמֶּה יִתְכַּפֵּר לוֹ — **With what is [the killer] atoned?** בְּמִיתַת כֹּהֵן גָּדוֹל — **With the death of the Kohen Gadol.** הָדָא הוּא דִכְתִיב — **Thus it is written** regarding one who has unintentionally killed another man, "וְאַחֲרֵי מוֹת הַכֹּהֵן הַגָּדוֹל" — *For he must dwell in his city of refuge until the death of the Kohen Gadol, **and after the death of the Kohen Gadol** the killer shall return to the land of his possession* (*Numbers* 35:28).[104]

The Midrash cites a dispute regarding which sin is atoned for by the headplate:

צִיץ — Regarding the **headplate,** מַאן דְּאָמַר עַל עַזֵּי פָנִים — **[there is] one** sage **who says** it atones **for brazen individuals,** מַאן דְּאָמַר עַל הַמְגַדְּפִים — and **[there is] one** sage **who says** it atones **for the blasphemers.** מַאן דְּאָמַר עַל עַזֵּי פָנִים מִבְּנוֹת צִיּוֹן — **The one who says** that it atones **for brazen individuals** derives his assertion **from** Scripture's description of the sinful **daughters of Zion.** כָּאן כְּתִיב "וְהָיָה עַל מֵצַח אַהֲרֹן" — For **here,** regarding the headplate, **it is written,** ***It shall be on Aaron's forehead*** (*Exodus* 28:38), וּלְהַלָּן כְּתִיב "וּמֵצַח אִשָּׁה זוֹנָה הָיָה לָךְ" — **and there,** regarding the daughters of Zion, **it is written,** ***Yet you had the forehead of a harlot woman,*** *you refused to be ashamed* (*Jeremiah* 3:3).[105] וּמַאן דְּאָמַר עַל מְגַדְּפִים, מִגָּלְיָת — **And the one who says** that the headplate atones **for blasphemers** derives his assertion **from Goliath.** כָּאן כְּתִיב "וְהָיָה עַל מִצְחוֹ תָּמִיד" — For **here,** with regard to the headplate, **it is written,** ***And it shall be on his forehead always*** (*Exodus* 28:38), וּלְהַלָּן כְּתִיב "וַתִּטְבַּע הָאֶבֶן בְּמִצְחוֹ" — **and there,** with regard to Goliath, **it is written,** ***The stone penetrated his forehead*** *and he fell upon his face, upon the ground* (*I Samuel* 17:49).[106]

§7 The Midrash expounds the conclusion of the verse cited above regarding Goliath's death:

"וַיִּפֹּל עַל פָּנָיו אַרְצָה" — *The stone penetrated his forehead **and he fell upon his face, upon the ground*** (ibid.). לָמָּה עַל פָּנָיו — Now, **why** did Goliath fall **upon his face?**[107] מִתְּחִלָּה אַתָּה דוֹרֵשׁ — **You could expound** the verse **initially,**[108] כְּדֵי שֶׁלֹּא יִצְטַעֵר אוֹתוֹ צַדִּיק שֵׁשׁ אַמּוֹת וָזֶרֶת — **so as not to trouble that righteous one** (i.e., David) to run the **six cubits and one span** of Goliath's height.[109] דָּבָר אַחֵר — **Another interpretation:** לָמָּה עַל פָּנָיו — **Why** did Goliath fall **upon his face?** עַל שׁוּם דָּגוֹן אֱלֹהָיו שֶׁהָיָה נָתוּן עַל לִבּוֹ — It was **because of Dagon,**[110] **his god, who lay upon his heart.** הֵכְמָה דְאַתְּ אָמַר "וְנָתַתִּי אֶת פִּגְרֵיכֶם עַל פִּגְרֵי גִּלּוּלֵיכֶם" — **It was** thus **as it is stated,** ***I will cast your carcasses upon the carcasses of your idols*** (*Leviticus* 26:30).[111] דָּבָר אַחֵר — **Another interpretation:** לָמָּה עַל פָּנָיו — **Why** did Goliath fall **upon his face?** הַפֶּה שֶׁאָמַר וְחֵירֵף וְגִידֵּף יִנָּתֵן בֶּעָפָר — So that **the mouth that spoke** up **and insulted and blasphemed** God **would be set in the dirt.** הָדָא הוּא דִכְתִיב — **Thus it is written,** "טָמְנֵם בֶּעָפָר יַחַד פְּנֵיהֶם חֲבֹשׁ בַּטָּמוּן" — *See every haughty one and humble him; crush the wicked in their places. **Bury them all together in the dirt; confine their faces into a grave*** (*Job* 40:12-13).

The Midrash offers its final explanation as to why Goliath fell on his face:

דָּבָר אַחֵר — **Another interpretation:** לָמָּה עַל פָּנָיו — **Why** did Goliath fall **upon his face?** עַל שׁוּם — It was **on account of** the verse, "וְיִכָּחֲשׁוּ אֹיְבֶיךָ לָךְ וְאַתָּה עַל בָּמוֹתֵימוֹ תִדְרֹךְ וגו׳" — ***Your foes will try to deceive you, but you will trample their highest point*** (*Deuteronomy* 33:29).[112]

NOTES

104. The Kohen Gadol is held somewhat responsible for the tragic killing, for he should have prayed more fervently on behalf of the entire nation that such mishaps be averted. Thus, his death serves as an atonement for the killing (*Eitz Yosef,* based on *Makkos* 11a; however, see *Yefeh To'ar*).

105. Chaste women cover their foreheads in disgrace if something shameful befalls them, while the wanton women, in their brazenness, do not (*Metzudas David* ad loc.). Scripture's use of the same term, מֵצַח, *forehead,* in connection to both the headplate and brazenness indicates that the headplate atones for brazenness (*Maharzu*).

The immodest behavior of the *daughters of Zion* is decried in *Isaiah* 3:16. Although the cited verse from *Jeremiah* does not explicitly mention the daughters of Zion, from the description of their arrogance in *Isaiah* it is logical that it was they who demonstrated the brazen *forehead of a harlot woman* (*Yefeh To'ar*).

106. Scripture's use of the same term, מֵצַח, *forehead,* concerning both the headplate and Goliath, who had directed blasphemous taunts at the Israelites (see *I Samuel* 17:26 and *Radak* there v. 40), implies that the atonement provided by the headplate is for blasphemy.

The headplate also serves another function — it atones for contaminated offerings (*Yoma* 7a et al.). However, by mandating that it be worn specifically on the forehead, Scripture indicates that it atones for these sins associated with the forehead (see *Maharsha* to *Zevachim* 88b; for an alternative understanding, see *Yefeh To'ar*).

107. Rather than falling backward in the normal manner of someone who is struck on his forehead (*Eitz Yosef,* first explanation; see also *Eshed HaNechalim*). Furthermore, had Goliath fallen backward with the stone embedded in his forehead, all would have seen that he had received a clear and fitting punishment for his brazen blasphemies (*Eitz Yosef,* second explanation).

108. That is, the following reason is the simplest and most obvious and therefore serves as an initial explanation.

109. See v. 4 there. After killing Goliath, David ran toward him and beheaded him. In truth, due to Goliath falling forward rather than backward David was spared going the distance of twice the giant's height (see *Yalkut Shimoni, I Samuel* §127). Perhaps the Midrash here means that David was spared going the extra distance that would have been caused by Goliath's height of six cubits and a span, i.e., a total of twelve cubits and two spans (*Eitz Yosef;* see also *Beur Maharif*).

110. Dagon was the name of the Philistine idol (see *I Samuel* 5:2-7).

111. For in falling forward, Goliath fell down on top of his miniature idol.

112. *Their highest point* refers to the nape of the neck; see *Rashi* ad loc. By falling on his face the nape of Goliath's neck was exposed, allowing it to be trampled upon.

INSIGHTS

through contemplation of God's Throne of Glory is one that cannot be constrained to a mean and narrow focus on the flaws of a fellow Jew. Such a mind sees the world from on high, and is thus afforded a view of broad vistas, a perspective that allows him to encompass the totality of another, and to appreciate his full stature. He sees his fellow with all his attributes, he comprehends his hidden depths, and in that grand panorama, the tiny flaws are all but invisible. One whose heart has been opened in this manner is almost incapable of *lashon hara.* He views others in a positive light. His perspective is one of kindness and understanding. Of the few flaws he might discern he is tolerant, for he sees them in context, and knows that they do not define the man.

One who thus broadens his perspective, who undertakes through reflection upon God's Throne of Glory to free himself of the desire for malicious speech and cultivate a positive and charitable view of his fellows, must surely atone for the sin of *lashon hara* (*Noam Siach,* pp. 59-60).

[For other approaches to this Midrash that incorporate the abovementioned progression from *techeiles* to the sea, the sky, and God's Throne of Glory, see *Chafetz Chaim, Shemiras HaLashon* Vol. 2, *Parashas Tetzaveh,* Ch. 16, and *Kli Yakar* on *Exodus* 28:31.]

ממשיך מן העמוד הקודם: אַבְנֵט, מַאן דְּאָמַר עַל עוּקְמָנִין שֶׁבַּלֵּב וּמַאן דְּאָמַר עַל הַגַּנָּבִים, אָמַר רַבִּי לֵוִי: אַבְנֵט ל"ב אַמָּה הָיָה בּוֹ וְעוֹקְמוֹ לְפָנָיו וְלַאֲחוֹרָיו, לְמַאן דְּאָמַר עַל הָעוּקְמָנִים שֶׁבַּלֵּב, וּמַאן דְּאָמַר עַל הַגַּנָּבִים, לְפִי שֶׁהָיָה חָלוּל, כְּנֶגֶד הַגַּנָּבִים שֶׁעוֹשִׂים מַעֲשֵׂיהֶם בַּסֵּתֶר, חֹשֶׁן מְכַפֵּר עַל מַטֵּי דִינִין כְּמָא דְּתֵימַר (שם כח, ל) "וְנָתַתָּ אֶל חֹשֶׁן הַמִּשְׁפָּט", אֵפוֹד לְכַפֵּר עַל עוֹבְדֵי עֲבוֹדָה זָרָה, שֶׁנֶּאֱמַר (הושע ג, ד) "וְאֵין אֵפוֹד וּתְרָפִים", מְעִיל, רַבִּי סִימוֹן בְּשֵׁם רַבִּי נָתָן אָמַר: שְׁנֵי דְבָרִים אֵין לָהֶם כַּפָּרָה וְנָתְנָה לָהֶן תּוֹרָה כַּפָּרָה, וְאֵלּוּ הֵן: לָשׁוֹן הָרָע וְהוֹרֵג נֶפֶשׁ בִּשְׁגָגָה, לָשׁוֹן הָרַע אֵין לוֹ כַּפָּרָה וְנָתְנָה לוֹ תוֹרָה כַּפָּרָה, בַּמֶּה יִתְכַּפֵּר לוֹ, בְּזַגֵּי הַמְּעִיל, הָדָא הוּא דִכְתִיב (שמות כח, לד) "פַּעֲמֹן זָהָב וְרִמּוֹן פַּעֲמֹן זָהָב וְרִמּוֹן ... וְהָיָה עַל אַהֲרֹן לְשָׁרֵת וְנִשְׁמַע קוֹלוֹ", אָמַר יָבוֹא °הַקּוֹל וִיכַפֵּר עַל הַקּוֹל, הַהוֹרֵג נֶפֶשׁ בִּשְׁגָגָה אֵין לוֹ כַּפָּרָה וְנָתְנָה לוֹ תוֹרָה כַּפָּרָה, בַּמֶּה יִתְכַּפֵּר לוֹ, בְּמִיתַת כֹּהֵן גָּדוֹל, הָדָא הוּא דִכְתִיב (במדבר לה, כח) "וְאַחֲרֵי מוֹת הַכֹּהֵן הַגָּדוֹל", צִיץ, מַאן דְּאָמַר עַל עַזֵּי פָנִים מַאן דְּאָמַר עַל הַמְגַדְּפִים, מַאן דְּאָמַר עַל עַזֵּי פָנִים מִבְּנוֹת צִיּוֹן, כָּאן כְּתִיב (שמות כח, לח) "וְהָיָה עַל מֵצַח אַהֲרֹן", וּלְהַלָּן כְּתִיב (ירמיה ג, ג) "וּמֵצַח אִשָּׁה זוֹנָה הָיָה לָךְ", וּמַאן דְּאָמַר עַל מְגַדְּפִים, מְגַלְיָת, כָּאן כְּתִיב "וְהָיָה עַל מִצְחוֹ תָּמִיד", וּלְהַלָּן כְּתִיב (שמואל-א יז, מט) "וַתִּטְבַּע הָאֶבֶן בְּמִצְחוֹ":

ז (שם) "וַיִּפֹּל עַל פָּנָיו אַרְצָה", לָמָּה עַל פָּנָיו, מִתְּחִלָּה אַתָּה דוֹרֵשׁ כְּדֵי שֶׁלֹּא יִצְטַעֵר אוֹתוֹ צַדִּיק שֵׁשׁ אַמּוֹת וָזֶרֶת, דָּבָר אַחֵר, לָמָּה עַל פָּנָיו, עַל שׁוּם דָּגוֹן אֱלֹהָיו שֶׁהָיָה נָתוּן עַל לִבּוֹ, הֵיכְמָה דְּאַתְּ אָמַר (ויקרא כו, ל) "וְנָתַתִּי אֶת פִּגְרֵיכֶם עַל פִּגְרֵי גִּלּוּלֵיכֶם", דָּבָר אַחֵר, לָמָּה עַל פָּנָיו, הַפֶּה שֶׁאָמַר וְחֵירֵף וְגִידֵּף יִנָּתֵן בֶּעָפָר, הָדָא הוּא דִכְתִיב (איוב מ, יג) "טָמְנֵם בֶּעָפָר יַחַד פְּנֵיהֶם חֲבֹשׁ בַּטָּמוּן", דָּבָר אַחֵר, לָמָּה עַל פָּנָיו, עַל שׁוּם (דברים לג, כט) "וְיִכָּחֲשׁוּ אֹיְבֶיךָ לָךְ וְאַתָּה עַל בָּמוֹתֵימוֹ תִדְרֹךְ וְגוֹ'":

עץ יוסף

על עומקנין שבלב. כן הוא במדרש שעם היפה תואר. ופירושו על הרהור הלב, ולפי שהם מעמיקים מה' לסתיר עלה קרי ליה עומקנין. או הגירסא עוקמנין, לשון עקום וערמה: **ועוקמו לפניו ולאחריו.** ולכן מכפר על עוקמנין שבלב: **ואין אפוד ותרפים.** פירש רש"י בגמרא אין אפוד, נגלה עון תרפים, הא יש אפוד אין תרפים: **שני דברים אין לכם כפרה.** רלה לומר בקרבנות: **במיתת כהן גדול.** לפי שהוי ליה לכהן גדול להתפלל שלא תארע תקלה בישראל לכן הוי ליה כהן גדול כמשותף בחטא זה ואינו מתכפר אלא במיתתו: **(ז) למה על פניו.** פירוש למה נפל על פניו, כי כפי הטבע הוי ליה ליפול לאחור כי כן דרך המוכה הנופל מת או קרוב למיתה, וכל שכן זה שהיה טעון משא כבד משריון וכלים. ועוד נכלל בזה הקושיא למה על פניו, שלפי מה שאמר שהמלאך רמז על גדופו היה ראוי שיפול לאחריו שיראה טביעת האבן במצחו אשר העיז לגדף וישמח לדיק כי חזה נקם, ולא שיפול על פניו ויתכסה מצחו: **בתחלה אתה דורש.** כלומר טעם זה פשוט ובתחלה ידרש זה, ומכל מקום המעמיק ימצא טעמים אחרים: **שש אמות וזרת.** תימא דשנים עשר אמות וזרתים ניניהו, שהרי קומת גלית שש אמות וזרת, נמצא שממקום ראשו שנפל לפניו עד המקום שהיה אילו נפל לאחוריו איכא שיעור שתי קומות דידיה. ויש לומר דבאמת הכי קאמר שלא יצטער אותו צדיק מה שהיה צריך להתרחק לפי קומתו שהוא שש אמות וזרת שהוא כפלים במרחק אילו נפל לאחריו: **טמנם בעפר כו'.** לעיל מיניה כתיב, ראה כל גאה הכניעהו גו', ונדרש על גלית שנתגאה כלפי מעלה ונפל תחתיו (רד"ל): **על במותימו תדרוך.** במותימו הוא גובה שבגוף והיינו ערפו, וכשנפל על פניו ידרוך על ערפו, וזה שנאמר (שמואל ב' כב, מא) ואויבי תתה לי עורף:

פירוש מהרז"ו

שהיה חלול. שהאבנט היה נארג נקבים נקבים, והגנבים מסתירים מעשיהם בחללי ונקבי הלב: **מעיל.** הגירסא בשיר השירים רבה שם, מעיל מהו מכפר על לשון הרע, עיין מה שכתבנו לקמן (כא, ג), ועיין זבחים (פח, ב) ובתוספות (ד"ה מכפרים): **ב' דברים אין להם כפרה.** הגירסא בערכין (טז, א) אין להם כפרה בקרבנות: **אמר יבא הקול.** פירוש אמר הקב"ה. עיין לקמן (טז, ו) יבא קול ויכפר על הקול, אלל לפורי מנורע, וכן כאן: **ואחרי מות הכהן.** ישוב הרוצח אל ארץ אחוזתו. הרי שנתכפר לו: **ומצח אשה זונה.** וסיפא דקרא מאנת הכלם, שאין לך בושת פנים, רק עזות פנים. והגזירה שוה מלה כאן וכאן, ומאן דאמר על המגדפים מתיבת מצחו כאן וכאן. וטונש גלית, היה על החירופין, וכמו שכתוב (שמואל א' יז, י) אני חרפתי היום את מערכות ישראל, ודוד אמר לו אלהי מערכות ישראל אשר חרפת:

חידושי הרד"ל

חשן מכפר על מטי דינין כו' חשן המשפט. שנקרא משפט, וגם כתיב (שמות כח, כח) ולא יזח החשן, שלא יזח ויטהו ממקומו. (וגם יש לומר לשון חשן מידרים מענין חיש ומהר על הממהרים ואינן מתונים בדין ועל ידי [זה] טועים בו. וכן יש לומר להיפוך שיחישו ולא יעגו הדין): **[ז] כדי שלא יצטער.** וזה שכתוב (שמואל ב' כב, מא) ואויבי תתה לי עורף. (ונראה מה שכתב בתורת כהנים בחקותי, והביאו רש"י בחומש שם, על ונפלו אויביכם לפניכם לחרב, שיהיו נופלים שלא כדרך כל הארץ, דהיינו שתהיה נפילתם על פניהם לפניכם, שלא כדרך ליפול לאחוריו, וכדי שלא יצטער כדהכא): **הדא הוא דכתיב טמנם בעפר כו'.** לעיל מיניה כתיב ראה כל גאה הכניעהו והדוך רשעים תחתם, ונדרש על גלית שנתגאה כלפי מעלה ונפל תחתיו: **על שם על במותימו תדרך.** פירוש במותימו הוא מקום הגובה שבגוף והוא גב האדם, דהיינו שנפל על פניו אראה דרך על גביו:

חידושי הרש"ש

במה דתימר ונתת אל חושן המשפט. ובגמרא (ערכין טז, א) שנאמר ועשית חושן משפט, וכן הוא בירושלמי פרק בא לו:

באור מהרי"פ

על עוקמנין שבלב. ויש גורסים על עומקנין שבלב, פירוש על הרהור הלב ועל שהם מעמיקים מה' לסתיר עלה (לשון הכתוב ישעיה כט, טו) קריא ליה עומקנים. ויש גורסים עוקמנים לשון עקום וערמה. ובגמרא (זבחים פח, ב) אבנט מכפר על הרהור הלב כל היכא דאיתיה, ופירש רש"י שהיו חוגרים כנגד אלילי ידיהם דהיינו כנגד הלב: **שנאמר ואין אפוד ותרפים.** בגמרא (ערכין טז, א) פרש"י ואין אפוד, נגלה עון תרפים עכ"ל רש"י, משמע הא בזמן שיש אפוד אין נגלה עון תרפים מפני שהאפוד מכפר עליו: **שנים אין להם כפרה.** פירוש לחומר חטאם ראוי להם שלא יכופרו ואף על פי כן נתן להם התורה כפרה: **[ז] שש אמות וזרת.** תימה דשנים עשרה אמות וזרתיים ניניהו, שהרי קומת גלית שש אמות וזרת, נמצא שממקום ראשו שנפל על פניו עד מקום שהיה אילו נפל לאחוריו איכא שיעור שתי קומות דידיה, והכי גרסינן בילקוט (שמואל א' רמז קכו) כדי שלא יצטער דוד וילך ויחתוך את ראשו, אלא נתכסר שנים עשר אמה וזרתיים, כיצד מלא קומתו לפניו, ומלא קומתו לאחריו, וקומתו שש האמות וזרת עד כאן, וכן איתא בשוחר טוב (מזמור יח) ואולי גם כאן יש ליישב בדוחק על האופן הזה:

מתנות כהונה

הכי גרסינן **ומאן דאמר על הגנבים.** והכי איתא במדרש חזית פסוק כמגדל דוד: הכי גרסינן **על העוקמנין שבלב.** והכי איתא במדרש חזית וכן **ועוקמו: אבנט שלושים ושתים אמה היה בו.** הכי גרסינן בירושלמי פרק בא לו (יומא פ"ז ה"ג), וזה רמז שהיה מכפר על הלב, ומשעוקמה לפניו ולאחריו, למד שמכפר על העקמומיות שבלב: **לשון הרע אין לו כפרה.** לא קבעה לו התורה כפרה, ובירושלמי (יומא פ"ז ה"ג, ובמדרש חזית (שיר השירים רבה ד, ז), גורס לא היה לו כפרה: **[ז] מתחלה אתה דורש.** פירוש מראש המקרא דכתיב גבהייהו שש אמות וזרת, הכי איתא בהדיא במדרש חזית (שיר השירים ד, ז): **שלא יצטער כו'.** לכרות את ראשו וגם בשובו, ועיין לקמן במדרש חזית (שם):

אשד הנחלים

עוקמנין שבלב. ומקום האבנט הוא קרוב ללב: **כשהיה חלול.** ושם יוכל להכניס דבר הגנוב: **על עבודת כוכבים.** כי על ידי האיפוד ידעו העתידות, ואז אינם צריכים לפעולת חוזי כוכבים: **בזגי המעיל.** אולי מפני שהם משמיעי קול בלכתו, לזכור מזה שהכל נשמע למעלה, ולא ידבר רע כי דבריו יהיו נשמעים למעלה: **במיתת כהן גדול.** שהגואל למקלט יעמוד שם עד מות הכהן הגדול, והוא יבכה על מיתתו ויכופר עליו. והנה חשב כאן כמה עניינים כוללים כל המדות רעות שהמה העיקרים, הן בין אדם למקום, כגילוי עריות ועקימומיות שבלב מאמונה רעה, ודעה רעה וגאוה וכדומה, ומחוקי המצוות, ככלאים וכדומה, שאין האדם יודע טעמם ועל כן אינו נזהר בהם הרבה, והן בין אדם לחבירו, כגניבה ולשון הרע וההורג נפש בשגגה וכדומה: **[ז] מתחלה אתה דורש כדי כו'.** פירוש שדרך המדרש כשדורש כמה דרשות והדרש שהוא קרוב לפשוטו אומר מתחילה, והכוונה בשלא יצטער אותו צדיק, שיצטרך לילך מלא קומתו של (גליות) [גלית] שהוא שש אמות (ידי משה). ועיין במתנות כהונה. והקושיא למה על פניו, מפני כי הנפילה מהפחד והכאב היה ראוי ליפול מאחוריו ופניו למעלה, ולכן אומר שהיה לסבה, או מפני דוד, או מפני שהעונש יהיה מכוון למדת מעשיו:

מסורת המדרש

יג. אגדת שמואל פ' כ"א:

אם למקרא

וְנָתַתָּ אֶל חֹשֶׁן הַמִּשְׁפָּט אֶת הָאוּרִים וְאֶת הַתֻּמִּים וְהָיוּ עַל לֵב אַהֲרֹן בְּבֹאוֹ לִפְנֵי ה' וְנָשָׂא אַהֲרֹן אֶת מִשְׁפַּט בְּנֵי יִשְׂרָאֵל עַל לִבּוֹ לִפְנֵי ה' תָּמִיד: (שם כח:ל)

כִּי יָמִים רַבִּים יֵשְׁבוּ בְּנֵי יִשְׂרָאֵל אֵין מֶלֶךְ וְאֵין שָׂר וְאֵין זֶבַח וְאֵין מַצֵּבָה וְאֵין אֵפוֹד וּתְרָפִים: (הושע ג:ד)

פַּעֲמֹן זָהָב וְרִמּוֹן פַּעֲמֹן זָהָב וְרִמּוֹן עַל שׁוּלֵי הַמְּעִיל סָבִיב: (שמות כח:לד)

כִּי בְעִיר מִקְלָטוֹ יֵשֵׁב עַד מוֹת הַכֹּהֵן הַגָּדֹל וְאַחֲרֵי מוֹת הַכֹּהֵן הַגָּדֹל יָשׁוּב הָרֹצֵחַ אֶל אֶרֶץ אֲחֻזָּתוֹ: (במדבר לה:כח)

וְהָיָה עַל מֵצַח אַהֲרֹן וְנָשָׂא אַהֲרֹן אֶת עֲוֹן הַקֳּדָשִׁים אֲשֶׁר יַקְדִּישׁוּ בְּנֵי יִשְׂרָאֵל לְכָל מַתְּנֹת קָדְשֵׁיהֶם וְהָיָה עַל מִצְחוֹ תָּמִיד לְרָצוֹן לָהֶם לִפְנֵי ה': (שמות כח:לח)

וַיִּמָּנְעוּ רְבִבִים וּמַלְקוֹשׁ לוֹא הָיָה וּמֵצַח אִשָּׁה זוֹנָה הָיָה לָךְ מֵאַנְתְּ הִכָּלֵם: (ירמיה ג:ג)

וַיִּשְׁלַח דָּוִד אֶת יָדוֹ אֶל הַכֶּלִי וַיִּקַּח מִשָּׁם אֶבֶן וַיְקַלַּע וַיַּךְ אֶת הַפְּלִשְׁתִּי אֶל מִצְחוֹ וַתִּטְבַּע הָאֶבֶן בְּמִצְחוֹ וַיִּפֹּל עַל פָּנָיו אָרְצָה: (שמואל א יז:מט)

וְהִשְׁמַדְתִּי אֶת בָּמֹתֵיכֶם וְהִכְרַתִּי אֶת חַמָּנֵיכֶם וְנָתַתִּי אֶת פִּגְרֵיכֶם עַל פִּגְרֵי גִּלּוּלֵיכֶם וְגָעֲלָה נַפְשִׁי אֶתְכֶם: (לקמן כו:ל)

טָמְנֵם בֶּעָפָר יָחַד פְּנֵיהֶם חֲבֹשׁ בַּטָּמוּן: (איוב מ:יג)

אַשְׁרֶיךָ יִשְׂרָאֵל מִי כָמוֹךָ עַם נוֹשַׁע בַּה' מָגֵן עֶזְרֶךָ וַאֲשֶׁר חֶרֶב גַּאֲוָתֶךָ וְיִכָּחֲשׁוּ אֹיְבֶיךָ לָךְ וְאַתָּה עַל בָּמוֹתֵימוֹ תִדְרֹךְ: (דברים לג:כט)

ידי משה

[ז] מתחלה אתה דורש. פירוש שדרך המדרש כשדורש כמה דרשות והדרש שהוא קרוב לפשוטו, אומר מתחלה אתה דורש. וקל להבין: **כדי שלא יצטער אותו צדיק.** וילך מלא קומתו של גלית שהוא שש אמות:

שינוי נוסחאות

(ו) **אמר יבוא הקול ויכפר על הקול.** הגיה א"א דצ"ל "אמר הקב"ה ...":

§8 וְאֵת שֶׁמֶן הַמִּשְׁחָה — *AND THE OIL OF ANOINTMENT.*

The Midrash discusses the miraculous nature of the oil of anointment:

אָמַר רַבִּי יְהוּדָה בְּרַבִּי אִלְעַאי: שֶׁמֶן הַמִּשְׁחָה שֶׁעָשָׂה מֹשֶׁה בַּמִּדְבָּר מַעֲשֵׂה נִסִּים נַעֲשׂוּ בּוֹ מִתְּחִלָּה וְעַד סוֹף — **R' Yehudah son of R' Il'ai said: The oil of anointment that Moses made in the Wilderness had miracles performed with it from beginning to end.**[113] מִתְּחִלָּה לֹא הָיָה אֶלָּא י״ב לוֹג — **At** its **inception [the oil] measured only twelve** ***log,***[114] שֶׁנֶּאֱמַר "שֶׁמֶן מִשְׁחַת קֹדֶשׁ יִהְיֶה זֶ"ה לִי" — **as [Scripture] states,** ***This*** **[זֶה]** ***shall remain for Me oil of sacred anointment for your generations*** (*Exodus* 30:31).[115] אִם לִשְׁרוֹת בּוֹ אֶת הָעֵצִים — Now, **even for soaking the** spice **woods**[116] **in [the oil],** לֹא הָיָה מַסְפִּיק — **[twelve** ***log*****]** normally **would not have sufficed.**[117] כַּמָּה הָאוּר שׂוֹרֵף — Consider **how much** oil **the fire** normally **burns off** in cooking the mixture, כַּמָּה הָעֵצִים בּוֹלְעִים — **how much** oil **the** various **woods** normally **absorb,** וְכַמָּה יוֹרָה בּוֹלַעַת — **and how much [the] pot** in which it is cooked normally **absorbs.** מִמֶּנּוּ נִמְשַׁח אַהֲרֹן וּבָנָיו כָּל שִׁבְעַת יְמֵי הַמִּלּוּאִים — Yet, **Aaron and his sons were anointed from [the oil] all seven days of the inauguration,**[118] מִמֶּנּוּ נִמְשְׁחוּ מִזְבַּח הַזָּהָב וְכָל כֵּלָיו — and also **the Golden Altar and all of its vessels were anointed from it,** מִמֶּנּוּ נִמְשַׁח מִזְבַּח הַנְּחֹשֶׁת וְכָל כֵּלָיו — and **the Copper Altar and all its vessels were** also **anointed from it,** וְשֻׁלְחָן וְכָל כֵּלָיו — as was **the Table and all its vessels,** וּמְנוֹרָה וְכָל כֵּלֶיהָ — **and the Menorah and all its vessels,** וְכִיּוֹר וְכַנּוֹ — **and the Laver and its base.**[119] מִמֶּנּוּ נִמְשְׁחוּ כֹּהֲנִים גְּדוֹלִים וּמְלָכִים — In addition, future **Kohanim Gedolim and kings were anointed from it** as well.[120]

The Midrash digresses to elaborate this last statement:

אֲפִילּוּ כֹּהֵן גָּדוֹל בֶּן כֹּהֵן גָּדוֹל טָעוּן מְשִׁיחָה עַד עֲשָׂרָה דוֹרוֹת — **Even a Kohen Gadol the son of a Kohen Gadol** in a chain of descent **extending for ten generations would require anointing.**[121] וְאֵין מוֹשְׁחִים מֶלֶךְ בֶּן מֶלֶךְ — **But they do not anoint a king** who is **the son of the** previous **king.**[122] וּמִפְּנֵי מָה מָשְׁחוּ אֶת שְׁלֹמֹה — **And** if so, **for what [reason] did they anoint Solomon** when he succeeded his father David as king?[123] מִפְּנֵי אֲדוֹנִיָּה — **Because of** the dispute of **Adonijah.**[124] וְאֶת יוֹאָשׁ — **And** why did they anoint **Joash,** the son of King Ahaziah?[125]

NOTES

113. No other batch of anointment oil was ever produced, and in fact it would be forbidden for one to produce another oil following the formula used by Moses; see Insight Ⓐ below. Nevertheless, the Midrash here stresses that this was the oil made by Moses in the Wilderness, for it was due to having been produced by Moses, and in the Wilderness where the Divine Presence was intensely manifest, that the oil enjoyed a surfeit of blessing and exhibited miraculous properties (*Eitz Yosef,* citing *Korban Aharon* to *Toras Kohanim* on our verse).

114. Between one and two gallons.

115. The numerical value of זֶה (*this*), is 12, alluding to it containing 12 *log* (*Matnos Kehunah, Eitz Yosef;* see *Kereisos* 5b). That the anointment oil measured 12 *log* is not in truth derived from this exposition, for Scripture states explicitly that it measured one *hin* (*Exodus* 30:24), and one *hin* is the equivalent of 12 *log.* However this verse is cited to indicate that the measure of 12 *log* remained constant throughout the generations, as the Midrash will proceed to explain (*Maharzu;* however, see *Rashash* and *Anaf Yosef*).

116. The various aromatic plants and barks with which the anointment oil was to be prepared; see *Exodus* 30:23-24.

117. Twelve *log* of oil is not enough oil to allow all of the required amounts of aromatic spices to be immersed in it; see *Kereisos* 5a.

118. See v. 12 below; see also *Exodus* 28:41. Moses was to repeat this procedure on each of the seven days of inauguration; see ibid. 29:35 and also *Yoma* 5a.

119. As part of the inauguration ritual, Moses anointed all of the Tabernacle's various utensils; see v. 11 below and *Numbers* 7:1.

120. Scripture describes the Kohen Gadol as the one *upon whose head the anointment oil has been poured* (below, 21:10). Although Scripture does not state explicitly that kings are to be anointed with the anointment oil, we find that King Solomon was so anointed; see *I Kings* 1:39 and *Rashi* ad loc. (*Eitz Yosef,* from *Yefeh To'ar*).

121. For Scripture refers to, *the Kohen from his sons who is anointed in his place* (above, 6:15), implying that even the Kohen Gadol's son would require anointing (*Kereisos* 5b). The Midrash here does not mean that a Kohen Gadol who descended from a chain of more than ten generations would need no anointing. Rather, the phrase "for ten generations" is an expression meaning indefinitely, as in the similar phrase, *even his tenth generation* (*Deuteronomy* 23:3), regarding the restriction on a *mamzer* or his descendants marrying a regular Jew (*Eitz Yosef,* citing *Yefeh To'ar* and *Rashash*).

122. The Gemara in *Kereisos* loc. cit. derives this from the verse, לְמַעַן יַאֲרִיךְ יָמִים עַל מַמְלַכְתּוֹ הוּא וּבָנָיו, *so that he will prolong years over his kingdom, he and his sons* (*Deuteronomy* 18:20), which indicates that the monarchy is hereditary. Hence the deceased king's heir does not require a new anointment.

123. See note 120 above.

124. Another son of David, who had attempted to claim the throne for himself (see *I Kings* Ch. 1). *Eitz Yosef,* citing *Korban Aharon,* explains that when the ascension is contested, the monarchy ceases to be an automatic inheritance. A new royal line commences with the ultimate successor, requiring a new anointing. See also *Kereisos* 5b.

125. See *II Kings* 11:12.

INSIGHTS

Ⓐ **Duplicating the Anointing Oil** R' Yehudah son of R' Il'ai states that preparing the anointing oil of Moses required a miracle, for it retained its full measure of twelve *log* despite being burned off by the fire and absorbed by the pot and spices. This presents a difficulty. The Torah prohibits a person, on pain of *kares,* to manufacture an exact duplicate, in ingredients and proportion, of the anointing oil made by Moses (*Exodus* 30:32). According to R' Yehudah son of R' Il'ai, however, it is physically *impossible* for an ordinary person to produce the twelve *log* of anointing oil from the ingredients used by Moses, since its manufacture requires a miracle! Under what circumstances, then, is this prohibition relevant?

Panim Yafos (*Exodus* 30:23) proposes the following: Although it is impossible, barring a miracle, to reproduce Moses' anointing oil, one transgresses the prohibition simply by *attempting* its reproduction. [*Panim Yafos* suggests that this is contingent upon a dispute between the Amoraim Rava and Abaye on *Temurah* 4b, regarding whether one can be deemed liable for performing a sinful act that did not achieve its purpose; in this case, duplication of the oil. He maintains that R' Yehudah son of R' Il'ai follows the view later explicated by Rava, that such an act too can render one liable to punishment. See there for further discussion, and see *Mishchas Shemen* (I §124).]

Another approach is advanced by the *Brisker Rav, R' Yitzchak Zev Soloveitchik* (*Chidushei HaGriz, Kereisos* 5b). He explains that R' Yehudah son of R' Il'ai is not saying that the anointing oil *must* be produced in the miraculous manner employed by Moses. Rather, the oil may be manufactured through a certain process described by R' Yose in *Kereisos* (ibid.), which results in twelve *log* of anointing oil without resorting to a miracle. [One might have thought that R' Yehudah son of R' Il'ai (who appears in *Kereisos* simply as R' Yehudah) disputes R' Yose; *Chidushei HaGriz* demonstrates otherwise.] Although the process actually utilized by Moses *did* involve a miracle, his process is not essential to the validity of the oil. Since oil produced via the alternative method is valid, one who employs this method to duplicate the oil violates the prohibition.

For discussion of *Chidushei HaGriz's* approach, see *Chidushei R' Aryeh Leib,* Vol. 2 §57; *Shiras David, Ki Sisa; Mishchas Shemen* ibid. For other solutions to this difficulty, see *Chasam Sofer, Ki Sisa; Maharam Schik, Taryag Mitzvos* §110; *Darash Moshe; Chochmah VaDaas, Exodus* 30:32.

ח [ח, ב] "**וְזֹאת שֶׁמֶן הַמִּשְׁחָה**", **אָמַר רַבִּי יְהוּדָה בְּרַבִּי אֶלְעַאי: יד"שֶׁמֶן הַמִּשְׁחָה שֶׁעָשָׂה מֹשֶׁה בַּמִּדְבָּר מַעֲשֵׂה נִסִּים נַעֲשׂוּ בוֹ מִתְּחִלָּה וְעַד סוֹף, מִתְּחִלָּה לֹא הָיָה אֶלָּא י"ב לוֹג, שֶׁנֶּאֱמַר** (שמות ל, לא) "**שֶׁמֶן מִשְׁחַת קֹדֶשׁ יִהְיֶה זֶ"ה לִי", אִם לִשְׁרוֹת בּוֹ אֶת הָעֵצִים לֹא הָיָה מַסְפִּיק, כַּמָּה הָאוּר שׂוֹרֵף, כַּמָּה הָעֵצִים בּוֹלְעִים, וְכַמָּה יוֹרָה בּוֹלַעַת, מִמֶּנּוּ נִמְשַׁח אַהֲרֹן וּבָנָיו כָּל שִׁבְעַת יְמֵי הַמִּלּוּאִים, מִמֶּנּוּ נִמְשְׁחוּ מִזְבַּח הַזָּהָב וְכָל כֵּלָיו, מִמֶּנּוּ נִמְשַׁח מִזְבַּח הַנְּחֹשֶׁת וְכָל כֵּלָיו וְשֻׁלְחָן וְכָל כֵּלָיו וּמְנוֹרָה וְכָל כֵּלֶיהָ וְכִיּוֹר וְכַנּוֹ, מִמֶּנּוּ נִמְשְׁחוּ כֹּהֲנִים גְּדוֹלִים וּמְלָכִים, אֲפִילוּ כֹּהֵן גָּדוֹל בֶּן כֹּהֵן גָּדוֹל טָעוּן מְשִׁיחָה עַד עֲשָׂרָה דּוֹרוֹת, וְאֵין מוֹשְׁחִים מֶלֶךְ בֶּן מֶלֶךְ, וּמִפְּנֵי מָה מָשְׁחוּ אֶת שְׁלֹמֹה, מִפְּנֵי אֲדֹנִיָּהוּ, וְאֶת יוֹאָשׁ מִפְּנֵי עֲתַלְיָה, וְאֶת יְהוֹאָחָז מִפְּנֵי יְהוֹיָקִים אָחִיו שֶׁהָיָה גָּדוֹל מִמֶּנּוּ שְׁתֵּי שָׁנִים, וְכֻלּוֹ קַיָּם לֶעָתִיד לָבֹא, הָדָא ° דִכְתִיב** (שמות ל, לא) "**שֶׁמֶן מִשְׁחַת קֹדֶשׁ יִהְיֶה זֶה לִי", אֵין מוֹשְׁחִין מְלָכִים אֶלָּא עַל גַּבֵּי מַעְיָן, שֶׁנֶּאֱמַר** (מלכים-א א, לג) "**וַיֹּאמֶר הַמֶּלֶךְ לָהֶם קְחוּ עִמָּכֶם אֶת עַבְדֵי אֲדֹנֵיכֶם וְהִרְכַּבְתֶּם אֶת שְׁלֹמֹה בְנִי עַל הַפִּרְדָּה אֲשֶׁר לִי וְהוֹרַדְתֶּם אֹתוֹ אֶל גִּחוֹן", וְאֵין מוֹשְׁחִין מְלָכִים אֶלָּא מִן הַקֶּרֶן,**

עץ יוסף

(ח) **שמן המשחה שעשה משה במדבר.** לא אמר זה להראות באיזה שמן הוא מדבר, שהרי לא היה ולא נעשה אלא זה, אלא הכוונה לתת טעם לנס שהיה נעשה בשמן המשחה תמיד, הוא מפני שעשאו משה קדוש ה' נמשך עליו השפע האלהי, ועוד שעשאו במדבר אשר היתה השכינה יותר גלויה בו מכל המקומות האחרים (קרבן אהרן): **יהיה זה לי.** וזה בגימטריא י"ב. ואיכא למידק דלמא מה שנאמר אחר הבישול הוא דהוה י"ב, דהאי קרא בהשארותו לעתיד מיירי כדלקמן, ושמא מתחלה הוה טפי שבלעום העיקרים והאור. ויראה דגמרא גמיר לה ואסמכוה אקרא (יפה תואר ועיין בענף): **אם לשרות בו.** העיקרין של הסמים שהיו שלש מאות ששים ושמונה מנין, ובגמרא דכריתות (ה, א) רצה רבי יוסי לקרב הדבר אל הטבע ואמר שהיו שולקין העיקרין במים כדי שיבלעו המים וכשיציף השמן עליהן לא יבלעוהו, ועיין שם מה שהשיב לו רבי יהודה: **ממנו נמשח אהרן ובניו כו'.** כדאיף בפרק קמא דיומא (ה, א) מאומרו שבעת ימים ימלא את ידכם, ואתקש משיחה לריבוי, דכתיב למשחה בהם ולמלא בם את ידם (קרבן אהרן): **ומלכים.** אף על פי שלא נזכר בפרשה שמן המשחה משיחה רק באהרן ובניו, שמכיון דאשכחן דלדוק הכהן לקח משמן המשחה שהיה באהל מועד ומשחו לשלמה, מזה נראה שניתן גם כן למשיחת מלכים, ואף על פי שיש לומר שהוראת שעה היתה, מכל מקום קבלת חכמינו ז"ל אין לנו לפקפק אחריה (יפה תואר): **ואפילו כהן גדול בן כהן גדול.** בגמרא (כריתות ה, ב) יליף לה מדכתיב והכהן המשיח תחתיו מבניו, דמלת המשיח יתירה דהיה די שיאמר והכהן אשר תחתיו מבניו, ולזה אמרו דהמשיח הוא תנאי לאומרו תחתיו, לומר שאם ימשח יהיה כהן גדול תחתיו, ואם לא ימשח לא יהיה כהן גדול תחתיו, ושיעור הכתוב והכהן המשיח, הוא אשר יהיה תחתיו מבניו (קרבן אהרן): **עד עשרה דורות.** זה לא נזכר בגמרא ולא בפוסקים, ונראה שאין לדבר קצבה אלא לעולם כהן גדול טעון משיחה, ולכן יראה שזה שאמר כאן עד עשרה דורות הוא דרך גוזמא לומר שאפילו יקרה כן שהוא דבר רחוק שימלא כהן גדול בן כהן גדול עשרה דורות טעון משיחה, והוא הדין עד סוף כל הדורות (יפה תואר). ואולי הוא על דרך הכתוב (דברים כג, ג) לא יבוא ממזר גו' גם דור עשירי גו', והכוונה לעולם, כדאיתא ביבמות (עח, ב) (רש"ש): **ואין מושחין מלך בן מלך.** בגמרא (כריתות שם) יליף לה מדכתיב למען יאריך ימים על ממלכתו הוא ובניו ירושה היא עד כאן, וביאורו דאחר דסמך הוא למלת ובניו, רצה לומר שהוא נותן המלוכה לבניו ואם כן ירושה היא לבנים מהאבות ומשיחת האב הראשון די לכל הבנים (קרבן אהרן): **מפני אדוניהו.** שהכריזו עליו יחי אדוני המלך (מלכים א' א, כה), וכשיש מחלוקת פסקה הירושה, שכן כתיב הוא ובניו בקרב ישראל, שירצה כאשר יהיה בקרב ישראל והסכמת כולם אז הוא מוריש את בניו ולא בעי משיחה, אבל אם יש מחלוקת לאו ירושה וממנו מתחיל וצריך משיחה (קרבן אהרן): **ואת יהואחז.** בגמרא (שם) פריך ומי הוה שמן המשחה, והתניא משנגנז ארון נגנז עמו לצנצנת ולצלוחית שמן המשחה ומי גנזה יאשיהו, ומשני רב פפא באפרסמונא דכי (יפה תואר): **גדול ממנו שתי שנים.** דכתיב ביהואחז (מלכים ב' כג, לא) בן שלש ועשרים שנה היה במלכו ושלשה חדשים מלך, וביהויקים כתיב בו (מלכים ב' כג, לו) חמש ועשרים במלכו, נמצא יהויקים גדול מיהואחז שתי שנים כמו שמצינו בסדר עולם (פרק כד): **יהיה זה לי.** דמלת זה יתירה דבו הוא מדבר, אלא הכוונה לומר זה פירוש בגימטריא זה יהיה קיים כולו לעתיד לבוא וכדאיתא לעיל (ג, ב) שכל מקום שנאמר לי אינו זז לא בעולם הזה ולא לעולם הבא, והביא שם מקרא זה גם כן עיין שם. והנה בתורת כהנים הנזכר לעיל ובכריתות (ה, א) איתא שנאמר שמן משחת קודש יהיה זה לי לדורותיכם הרי דלמדו שכולו קיים לעתיד לבוא מדכתיב לדורותיכם, אבל מכאן, ומלעיל פרשה ג' ומלקמן במדבר רבה פרשה ט"ו (סימן יז עיין שם) דלא מייתו כלל מלת לדורותיכם, משמע דסבירא ליה דממלת לי לחודא נמי משמע שהוא קיים לעולם: **על גבי מעין.** בברייתא דמייתי בגמרא מפרש, כדי שתמשוך מלכותו, כלומר דסימנא מלתא היא, וכי היכי דמשכי מיא תהיה מלכותו נמשכת: **והורדתם אותו אל גיחון.** בגמרא (כריתות ה, ב) פרש"י אלמא בעי משיחה על המעין, גיחון מעין קטן אצל ירושלים, ולא זהו גיחון היוצא מעדן. והרמ"ה כתב וז"ל והורדתם אותו אל

פירוש מהרז"ו

(ח) **אמר רבי יהודה ברבי אלעאי.** תורת כהנים פרשה לו במכילתא דמלואים (פרשה א), ובכריתות (ה, א): **מתחלה ועד סוף.** מתחלה בשעת עשיתו, ואחר כך בכניסת השמן, ואחר כך בשעת משיחת המשכן והכלים, וכולו קיים לעתיד, זהו סופו: **יהיה זה לי.** הביא פסוק זה שבסוף פרשת שמן המשחה בריש כי תשא, על שדורש ממנו בסוף הדרשה שכולו קיים לעתיד לבוא, וזה בגימטריא שנים עשרה לוג, אך העיקר מפסוק ושמן זית הין, שבריש הפרשה הנ"ל (שמות ל, כד), שההין שנים עשר לוג, וכן הוא בתורת כהנים הנ"ל בהדיא, וזיל קרי בי רב הוא, ומה שאמר העצים, הם הקני בושם וקנמון בשם: **שהיה גדול ממנו שתי שנים.** שהרי מפורש שהיה יהואחז במלכו בן עשרים ושלש שנה (מלכים ב כג, לא), ומלך ג' חדשים (שם), ואחר כך מלך יהויקים בן עשרים וחמש שנים (שם פסוק לו), הרי שהיה גדול ממנו שתי שנים פחות ג' חדשים, וכן הוא בסדר עולם (פרק כד), והביאו רש"י בגמרא, ושלמה ויואש ויהואחז, מפורשים בכתוב שמשחו אותם, כל אחד במקום פרשתו: **הדא הוא דכתיב וכו'.** יהיה זה לי, כמו שכתב לעיל (ג, א) שכל מקום שנאמר לי אינו זז לא בעולם הזה ולא בעולם הבא, וחושב שגם שמן המשחה מפסוק זה, ולזה כוון המדרש, אך בגמרא (כריתות ה, ב) איתא יהיה זה לי לדורותיכם, זה בגימטריא שנים עשר, שגם לעתיד לדורותיכם יהיה שנים עשר, וכן הוא בתורת כהנים (פרשה א), שבריש המאמר הביא פסוק שמן זית הין, ובסוף הביא פסוק יהיה זה לי לדורותיכם וכנ"ל:

חידושי הרד"ל

[ח] **אמר רבי יהודה בר אלעאי שמן כו'.** ירושלמי ריש פרק ו' דשקלים, עיין שם:

חידושי הרש"ש

[ח] **מתחלה לא היו אלא שנים עשר לוג אם לשרות כו'.** כן צריך לומר. ומן שנאמר עד לי, טעות סופר וצריך למחקם, (אף שגם מפירוש המתנות כהונה נראה דגרים להו). וכן בגמרא ליתא כי מקרא מפורש הוא (שמות ל, כד) ושמן זית הין. [ובדוחק יש ליישב על פי הגמרא מנחות (פט, א) עיין שם]. וכן משמע בתורת כהנים במכילתא דמילואים (אות ט) שמביא פסוק דושמן זית הין. [וכן בירושלמי שקלים פ"ו ה"א והוריות פ"ג ה"ב]: **אפילו כהן גדול בן כהן גדול כו'. (עד עשרה דורות).** גם זה ליתא בגמ', וכן ברמב"ם [ובתוספתא סוף פ"ד דסנהדרין הגירסא אפילו עד עשרה דורות והוא מכוון ביותר עיין חולין (מז ב) אפילו כטרפא דאסא וכר"ן שם]. ואולי הוא על דרך הכתוב (דברים כג, ג) לא יבא ממזר כו' גם דור עשירי כו', והכוונה לעולם, כדאיתא יבמות (עח, ב) [ועיין בכורות ריש דף י"ז ברש"י ובפרק א' דבכורים משנה ה', ובתוי"ט שם ובקדושין פרק ד' משנה ז', ובמשנה פרק ד' דזבים משנה ה' וברע"ב שם ובגמרא מגילה (כא, ב) אפילו עשרה קורין כו', ובביצה (יד, ב) אפילו עשר מלטות כו', ובזבחים (מד, א) ונסכין מכאן ועד עשרה ימים, ושם עמוד ב' ולוגו מכאן ועד עשרה ימים, ועיין בכורות (ג, א), ובזה נדחו דברי התוי"ט בפרק י"א דכתובות משנה ה' בד"ה שוה מנה]:

מסורת המדרש

יד. הוריות י"א. ירושלמי שקלים פ"ו והוריות פ"ג:

אם למקרא

וְאֶל בְּנֵי יִשְׂרָאֵל תְּדַבֵּר לֵאמֹר שֶׁמֶן מִשְׁחַת קֹדֶשׁ יִהְיֶה זֶה לִי לְדֹרֹתֵיכֶם:
(שמות ל:לא)

וַיֹּאמֶר הַמֶּלֶךְ לָהֶם קְחוּ עִמָּכֶם אֶת עַבְדֵי אֲדֹנֵיכֶם וְהִרְכַּבְתֶּם אֶת שְׁלֹמֹה בְנִי עַל הַפִּרְדָּה אֲשֶׁר לִי וְהוֹרַדְתֶּם אֹתוֹ אֶל־גִּחוֹן:
(מלכים א א:לג)

ענף יוסף

(ח) **מתחלה לא היה אלא שנים עשר לוג שנאמר שמן משחת קודש יהיה זה לי.** עיין בעץ מה שכתבתי בשם היפה תואר. אבל לי נראה שבאמת מקרא זה לא ילפינן אלא בהשארותו לעתיד שנים עשר לוג, וכמו שמסיים המדרש וכולו קיים לעתיד לבוא, הדא הוא דכתיב שמן משחת קודש יהיה זה לי, וכמו שכתבתי שם בעץ. וכאן מביא קרא זה בטעות וצריך להיות במקומו, שנאמר (שמות ל, כד) ושמן זית הין, וכן מצאתי בתורת כהנים במכילתא דמילואים (סימן ט) ובירושלמי (הוריות פ"ג ה"ג), וזה לשונו שמתחלה לא היה אלא שנים עשר לוג שנאמר ושמן זית הין עד כאן, רצה לומר וההין שנים עשר לוגין, וזה הקרא מיירי בתחילת לקיחתו כדכתיב שם (שמות ל, כג) ואתה קח לך וגו' ושמן זית הין:

באור מהרי"פ

[ח] **אמר רבי יהודה בר אלעאי שמן המשחה וכו'.** מכאן עד ד"ה ואת פר החטאת ואת שני האילים וגו' הכל מבואר בטעמם (הוריות יא, ב) ומי שרוצה לעמוד על ברור הענין על מכונו יעיין שם:

מתנות כהונה

[ח] **יהיה זה לי.** זה בגימטריא שנים עשר: **העצים.** כל מיני העיקרים שנתבשלו בשמן, ובפרק קמא דכריתות (ה, ב) גרס העיקרים: **מפני אדוניהו.** שהכריזו עליו יחי אדוני המלך (עיין מלכים א' א, כה), ולא יהיה ניכר מעלת שלמה עליו אם לא

אשר הנחלים

[ח] **ואין מושחין מלך בן מלך.** זה אומר באגב שאמר מי שצריך משיחה, והטעם לפי שהמלכות ירושה לבניו מאביו, זולתי שלמה מפני שהיו אחרים שרצו באדוניה, הוצרך להמשח להראות ההפך: **לעתיד לבא הדא הוא דכתיב כו' קודש.** כלומר שיש בה ענין קדושה

מִפְּנֵי עֲתַלְיָה — It was **because of Athaliah.**[126] וְאֶת יְהוֹאָחָז — **And Jehoahaz?** מִפְּנֵי יְהוֹיָקִים אָחִיו — **Because of his brother Jehoiakim,** שֶׁהָיָה גָּדוֹל מִמֶּנּוּ שְׁתֵּי שָׁנִים — **who was two years older than he.**[127]

The Midrash returns to its theme of the miraculous properties of the anointing oil:

וְכוּלּוֹ קַיָּים לֶעָתִיד לָבוֹא — **And** even though the anointing oil was vulnerable to so much absorption and put to so much use, **all of it remains intact for the future era** yet **to come.**[128] הָדָא הוּא דִכְתִיב "שֶׁמֶן מִשְׁחַת קֹדֶשׁ יִהְיֶה זֶה לִי" — **Thus it is written,** ***This shall remain for Me oil of sacred anointment*** *for your generations* (*Exodus* 30:31).[129]

The Midrash now reverts to its discussion concerning the anointment of kings:

אֵין מוֹשְׁחִין מְלָכִים אֶלָּא עַל מַעְיָן — **Kings are anointed only next to a spring,**[130] שֶׁנֶּאֱמַר — **as [Scripture] states,** "וַיֹּאמֶר הַמֶּלֶךְ לָהֶם קְחוּ עִמָּכֶם אֶת עַבְדֵי אֲדֹנֵיכֶם וְהִרְכַּבְתֶּם אֶת שְׁלֹמֹה בְנִי עַל הַפִּרְדָּה אֲשֶׁר לִי וְהוֹרַדְתֶּם אֹתוֹ אֶל גִּחוֹן" — ***The king said to them, "Take with you your master's servants and mount my son Solomon upon my mule and take him down to Gihon.***[131] *There Zadok the Kohen and Nathan the prophet shall anoint him as king over Israel"* (*I Kings* 1:33-34). וְאֵין מוֹשְׁחִין מְלָכִים אֶלָּא מִן הַקֶּרֶן — **And** similarly **kings are** to be **anointed only** with oil **from a horn.**[132]

NOTES

126. The mother of King Ahaziah, who had usurped the throne following her son's death. She sought to eradicate all the legitimate heirs of the royal House of David, including her own descendants. However, Joash was hidden away by his aunt inside the Temple precincts for six years until those loyal to the Davidic dynasty overthrew Athaliah, crowning Joash as king (see ibid, vv. 1-16).

127. Jehoahaz and Jehoiakim were both sons of King Josiah. Upon Josiah's death the common people anointed Jehoahaz, who was 23 years old at the time, as his father's successor (ibid. 23:30-31). But after three months he was captured and imprisoned by Pharaoh Necco, who crowned his brother Jehoiakim as king in his place (ibid., vv. 31-34). Since Scripture states that Jehoiakim was 25 years old when he became king (ibid., v. 36) it follows that he was two years older than his brother Jehoahaz.

Although Adonijah was similarly older than Solomon (see *I Kings* 1:6 and *Metzudas David* ad loc.), that would not have been sufficient reason for anointing Solomon since his succession was explicitly sanctioned by the prophet Nathan. Only because Adonijah contended for the throne was anointing deemed necessary (*Maharsha* to *Horayos* 11b).

128. I.e., the Messianic era, when the third Holy Temple will be built.

129. The verse's conclusion, *for your generations,* indicates that זֶה, the 12 *log* of oil (see note 115 above), will remain for all future generations; see *Kereisos* 5b and *Rashi* on this verse. Alternatively, the word לִי, *for Me* (when referring to God), connotes permanence; see 2 §2 above. Thus the phrase זֶה לִי implies that זֶה, the 12 *log* of oil, shall endure permanently (*Maharzu, Eitz Yosef*).

For a discussion of the significance of the anointment oil remaining intact perpetually, to be used again in the time of the Messiah, see Insight Ⓐ.

130. So that their monarchy will endure (*Kereisos* loc. cit.), for it symbolizes that just as a spring is a never-ending source of water, so shall the new king's monarchy endure forever (*Eitz Yosef*).

131. A small spring near Jerusalem, not to be confused with the river Gihon of *Genesis* 2:13, which was one of the four rivers of Eden (*Rashi* to *Kereisos* 5b; however, see *Ramah,* cited by *Eitz Yosef*).

132. That is, the anointment oil was removed from its container and placed in a horn from which the actual anointing was done (*Eitz Yosef*). The word קֶרֶן, *horn,* is used in Scripture to indicate grandeur and majesty, as in the verse, וַיָּרֶם קֶרֶן לְעַמּוֹ, *and He will have exalted the horn of His nation* (*Psalms* 148:14), and thus serves as a good portent for the endurance of the monarchy (*Anaf Yosef*). Furthermore, the physical horn is characterized by strength and durability (*Maharsha* to *Megillah* 14a s.v. שנמשח בקרן).

INSIGHTS

Ⓐ **The Anointing Oil and the World to Come** The special quality of the anointing oil, that its volume is not diminished even with use, has no parallel in the other holy items of the Tabernacle or Temple. The incense, for example, although certainly holy, was consumed by the flames of the Altar, and the supply had to be regularly replenished. What is different about the oil?

Maharal (in *Chidushei Aggados, Horayos* 11b) writes that the reason for this uniqueness is that the anointing oil serves to impart holiness to other things — the people or vessels that are anointed with it. In a broad-ranging essay on the miracle of Chanukah, *R' Yitzchak Hutner* (*Pachad Yitzchak, Chanukah* §11) sheds light on this enigmatic explanation of *Maharal.*

Maharal (*Gevuros Hashem,* Ch. 9) writes that *sechel,* the power of intellect and reasoning, exists as a foreigner in this world. Rav Hutner explains: The world in its present imperfect state is one that is largely determined by the material. While spirituality certainly exists even today, it is clearly not "at home" in this material world. Only when the world will reach its fulfillment, in the Messianic era, will spiritual existence become the norm and the material aspect of life exist only to serve the spiritual. *Sechel,* which can focus on the abstract separate from physical properties, represents the spirituality of the World to Come. Like spirituality, the power of the intellect is only a guest in this world, while its primary existence is in the future when true knowledge will reign supreme, when *the earth will be filled with the knowledge of God, as the water fills the sea* (*Isaiah* 11:9).

If we see a wise person leave his own city to dwell among uneducated folk, it is clear that his presence among them is not for his own benefit, but only so he can impart some of his wisdom to others. So too, when we observe the power of *sechel* in this material world, of which it is clearly not a part, it is evident that its purpose here is not for itself but rather for others — to impart the knowledge of Torah to the world.

This explains an interesting phenomenon that we find regarding teaching Torah. While one who performs kindness with his body is not assured that he will become stronger as a result, one who teaches Torah to others is assured that his wisdom will not suffer any loss but, on the contrary, will be enhanced thereby (see *Taanis* 7a). This is because the sole purpose of the power of *sechel* in this world is to *impart* Torah to the world. And a life force that fulfills the very purpose for which it exists in the world cannot be diminished thereby, but rather gathers strength. *Sechel* used to impart Torah to others is *sechel* that is fulfilling *its* purpose in this world, and thus gathers strength in the one who uses it in this way. It is only something that exists in this world for its *own* sake that is diminished by *imparting* to others.

It is the same with the שֶׁמֶן הַמִּשְׁחָה, *the Anointing Oil.* The very name for the Messianic era comes from מָשִׁיחַ — the one who is anointed with the Anointing Oil. That oil is an alien in this world; its home is in the Future World. Indeed the word שֶׁמֶן, *oil,* is derived from the word שְׁמֹנָה, *eight,* which, in the thought-world of *Maharal,* represents all that is above and beyond the natural, physical world. (This world was created in seven days; the eighth represents what is beyond this creation, the days of the Messianic era.) It exists in this world not for itself but to influence others — to impart holiness to that which is anointed with it. Accordingly, when used to impart holiness to others, the oil fulfills *its* purpose in this world and thus is not reduced thereby, but rather remains in its entirety, undiminished, for the World to Come.

ח [ח, ב] "וְאֵת שֶׁמֶן הַמִּשְׁחָה", אָמַר רַבִּי יְהוּדָה בְּרַבִּי אִלְעַאי: יד שֶׁמֶן הַמִּשְׁחָה שֶׁעָשָׂה מֹשֶׁה בַּמִּדְבָּר מַעֲשֵׂה נִסִּים נַעֲשׂוּ בוֹ מִתְּחִלָּה וְעַד סוֹף, מִתְּחִלָּה לֹא הָיָה אֶלָּא י"ב לוֹג, שֶׁנֶּאֱמַר (שמות ל, לא) "שֶׁמֶן מִשְׁחַת קֹדֶשׁ יִהְיֶה זֶ"ה לִי", אִם לִשְׁרוֹת בּוֹ אֶת הָעֵצִים לֹא הָיָה מַסְפִּיק, כַּמָּה הָאוּר שׂוֹרֵף, כַּמָּה הָעֵצִים בּוֹלְעִים, וְכַמָּה יוֹרָה בּוֹלַעַת, מִמֶּנּוּ נִמְשַׁח אַהֲרֹן וּבָנָיו כָּל שִׁבְעַת יְמֵי הַמִּילוּאִים, מִמֶּנּוּ נִמְשְׁחוּ מִזְבַּח הַזָּהָב וְכָל כֵּלָיו, מִמֶּנּוּ נִמְשַׁח מִזְבַּח הַנְּחֹשֶׁת וְכָל כֵּלָיו וְשֻׁלְחָן וְכָל כֵּלָיו וּמְנוֹרָה וְכָל כֵּלֶיהָ וְכִיּוֹר וְכַנּוֹ, מִמֶּנּוּ נִמְשְׁחוּ כֹּהֲנִים גְּדוֹלִים וּמְלָכִים, אֲפִילוּ כֹּהֵן גָּדוֹל בֶּן כֹּהֵן גָּדוֹל טָעוּן מְשִׁיחָה עַד עֲשָׂרָה דוֹרוֹת, וְאֵין מוֹשְׁחִים מֶלֶךְ בֶּן מֶלֶךְ, וּמִפְּנֵי מָה מָשְׁחוּ אֶת שְׁלֹמֹה, מִפְּנֵי אֲדֹנִיָּהוּ, וְאֶת יוֹאָשׁ מִפְּנֵי עֲתַלְיָה, וְאֶת יְהוֹאָחָז מִפְּנֵי יְהוֹיָקִים אָחִיו שֶׁהָיָה גָּדוֹל מִמֶּנּוּ שְׁתֵּי שָׁנִים, וְכוּלּוֹ קַיָּם לֶעָתִיד לָבֹא, הֲדָא ° דִכְתִיב (שמות ל, לא) "שֶׁמֶן מִשְׁחַת קֹדֶשׁ יִהְיֶה זֶה לִי", אֵין מוֹשְׁחִין מְלָכִים אֶלָּא עַל גַּבֵּי מַעְיָן, שֶׁנֶּאֱמַר (מלכים-א א, לג) "וַיֹּאמֶר הַמֶּלֶךְ לָהֶם קְחוּ עִמָּכֶם אֶת עַבְדֵי אֲדֹנֵיכֶם וְהִרְכַּבְתֶּם אֶת שְׁלֹמֹה בְנִי עַל הַפִּרְדָּה אֲשֶׁר לִי וְהוֹרַדְתֶּם אֹתוֹ אֶל גִּחוֹן", וְאֵין מוֹשְׁחִין מְלָכִים אֶלָּא מִן הַקֶּרֶן,

עץ יוסף

(ח) **שמן המשחה שעשה משה במדבר.** לא אמר זה להראות באיזה שמן הוא מדבר, שהרי לא היה ולא נעשה אלא זה, אלא הכוונה לתת טעם לנס שהיה נעשה בשמן המשחה תמיד, הוא מפני שעשאו משה קדוש ה' נמשך עליו השפע האלהי, ועוד שעשאו במדבר אשר היתה השכינה יותר גלויה בו מכל המקומות האחרים (קרבן אהרן): **יהיה זה לי.** וזה בגימטריא י"ב. ואיכא למידק דלמא מה שנאמר אחר הבישול הוא דהוה י"ב, דהאי קרא בהשארותו לעתיד מיירי כדלקמן, ושמא מתחלה הוה טפי שבלעום העיקרים והאור. וי"ל דגמרא גמיר לה ואסמכוה אקרא (יפה תואר ועיין בענף): **אם לשרות בו.** העיקרין של הסמים שהיו שלש מאות ששים ושמונה מנין, ובגמרא דכריתות (ה, א) רבי יוסי לקרב הדבר אל הטבע ואמר שהיו שולקין העיקרין במים כדי שיבלעו המים וכשיציף השמן עליהן לא יבלעוהו, ועיין שם מה שהשיב לו רבי יהודה: **ממנו נמשח אהרן ובניו כו'.** כדיליף בפרק קמא דיומא (ה, א) מאומרו שבעת ימים ימלא את ידכם, ואתקש משיחה לריבוי, דכתיב למשחה בהם ולמלא בם את ידם (קרבן אהרן): **ומלכים.** אף על פי שלא נזכר בפרשה שמן המשחה משיחה רק באהרן ובניו, שמכיון דאשכחן דצדוק הכהן לקח משמן המשחה שהיה באהל מועד ומשחו לשלמה, מזה נראה שניתן גם כן למשיחת מלכים, ואף על פי שיש לומר שהוראת שעה היתה, מכל מקום קבלת חכמינו ז"ל אין לנו לפקפק אחריה (יפה תואר): **ואפילו כהן גדול בן כהן גדול.** בגמרא (כריתות ה, ב) יליף לה מדכתיב והכהן המשיח תחתיו מבניו, דמלת המשיח יתירה דהיה די שיאמר והכהן אשר תחתיו מבניו, ולזה אמרו דהמשיח הוא תנאי לאומרו תחתיו, לומר שאם ימשח יהיה כהן גדול תחתיו, ואם לא ימשח לא יהיה כהן גדול תחתיו, ושיעור הכתוב והכהן המשיח, הוא אשר יהיה תחתיו מבניו (קרבן אהרן): **עד עשרה דורות.** זה לא נזכר בגמרא ולא בפוסקים, ונראה שאין לדבר קצבה אלא לעולם כהן גדול טעון משיחה, ולכן יראה שזה שאמר כאן עד עשרה דורות הוא דרך גוזמא לומר שאפילו יקרה כן שהוא דבר רחוק שימלא כהן גדול בן כהן גדול עשרה דורות טעון משיחה, והוא הדין עד סוף כל הדורות (יפה תואר). ואולי הוא על דרך הכתוב (דברים כג, ג) לא יבוא ממזר גו' גם דור עשירי גו', והכוונה לעולם, כדאיתא ביבמות (עח, ב) (רש"ש): **ואין מושחין מלך בן מלך.** בגמרא (כריתות שם) יליף לה מדכתיב למען יאריך ימים על ממלכתו הוא ובניו ירושה היא עד כאן, וביאורו דאחר דסמך הוא למלת ובניו, רצה לומר שהוא נותן המלוכה לבניו ואם כן ירושה היא לבנים מהאבות ומשיחת האב הראשון די לכל הבנים (קרבן אהרן): **מפני אדוניהו.** שהכריזו עליו יחי אדוני המלך (מלכים א' א, כה), וכשיש מחלוקת פסקה הירושה, שכן כתיב הוא ובניו בקרב ישראל, פירוש כאשר יהיה בקרב ישראל ובהסכמת כולם אז הוא מוריש את בניו ולא בעי משיחה, אבל אם יש מחלוקת לאו ירושה וממנו מתחיל וצריך משיחה (קרבן אהרן): **ואת יהואחז.** בגמרא (שם) פריך ומי הוה שמן המשחה, והתניא משנגנז ארון נגנז עמו צנצנת וצלוחית שמן המשחה ומי גנזה יאשיהו, ומשני רב פפא באפרסמונא דכי (יפה תואר): **גדול ממנו שתי שנים.** דכתיב ביהואחז (מלכים ב' כג, לא) בן שלש ועשרים שנה היה במלכו ושלשה חדשים מלך, וביהויקים כתיב בו (מלכים ב' כג, לו) חמש ועשרים במלכו, נמצא יהויקים גדול מיהואחז שתי שנים כמו שמצינו בסדר עולם (פרק כד): **יהיה זה לי.** דמלת זה יתירה דבו הוא מדבר, אלא הכוונה לומר זה פירוש בגימטריא זה יהיה קיים כולו לעתיד לבוא וכדאיתא לעיל (ב, ב) שכל מקום שנאמר לי אינו זז לא בעולם הזה ולא לעולם הבא, והביא שם מקרא זה גם כן עיין שם. והנה בתורת כהנים הנזכר לעיל ובכריתות (ה, א) איתא שנאמר שמן משחת קודש יהיה זה לי לדורותיכם הרי דלמדו שכולו קיים לעתיד לבוא מדכתיב לדורותיכם, אבל מכאן, ומלעיל פרשה ב' ומלקמן במדבר רבה פרשה ט"ו (סימן יז עיין שם) דלא מייתו כלל מלת לדורותיכם, משמע דסבירא ליה דממלת לי לחודא נמי משמע שהוא קיים לעולם: **על גבי מעין.** בברייתא דמייתי בגמרא מפרש, כדי שתמשוך מלכותו, כלומר דסימנא מלתא היא, וכי היכי דמשכי מיא תהיה מלכותו נמשכת: **והורדתם אותו אל גיחון.** בגמרא (כריתות ה, ב) פרש"י אלמא בעי משיחה על המעין, גיחון מעין קטן אצל ירושלים, ולא זהו גיחון היוצא מעדן. והרמ"ה כתב וז"ל והורדתם אותו אל

פירוש מהרז"ו

(ח) **אמר רבי יהודה ברבי אלעאי.** תורת כהנים פרשה לו במכילתא דמלואים (פרשה א), ובכריתות (ה, א): **מתחלה ועד סוף.** מתחלה בשעת עשיתו, ואחר כך בנתינת השמן, ואחר כך בשעת משיחת המשכן והכלים, וכולו קיים לעתיד, זהו סופו: **יהיה זה לי.** הביא פסוק זה שבסוף פרשת שמן המשחה בריש כי תשא, על שדורש ממנו בסוף הדרשה שכולו קיים לעתיד לבוא, וזה בגימטריא שנים עשרה לוג, אך העיקר מפסוק ושמן זית הין, שבריש הפרשה הנ"ל (שמות ל, כד), שההין שנים עשר לוג, וכן הוא בתורת כהנים הנ"ל בהדיא, וזיל קרי בי רב הוא, ומה שאמר העצים, הם הקני בושם וקנמון בשם: **שהיה גדול ממנו שתי שנים.** שהרי מפורש שהיה יהואחז במלכו בן עשרים ושלש שנה (מלכים ב כג, לא), ומלך ג' חדשים (שם), ואחר כך מלך יהויקים בן עשרים וחמש שנים (שם פסוק לו), הרי שהיה גדול ממנו שתי שנים פחות ג' חדשים, וכן הוא בסדר עולם (פרק כד), והביאו רש"י בגמרא, ושלמה ויואש ויהואחז, מפורשים בכתוב שמשחו אותם, כל אחד במקום פרשתו: **הדא הוא דכתיב וכו'.** יהיה זה לי, כמו שכתב לעיל (ב, א) שכל מקום שנאמר לי אינו זז לא בעולם הבא ולא בעולם הזה, וחושב שגם שמן המשחה מפסוק זה, ולזה כוון המדרש, אך בגמרא (כריתות ה, ב) איתא יהיה זה לי לדורותיכם, זה בגימטריא שנים עשר, שגם לעתיד לדורותיכם יהיה שנים עשר, וכן הוא בתורת כהנים (פרשה א), שבריש המאמר הביא פסוק שמן זית הין, ובסוף הביא פסוק יהיה זה לי לדורותיכם וכו"ל:

חידושי הרד"ל

[ח] **אמר רבי יהודה בר אלעאי שמן כו'.** ירושלמי ריש פרק ו' דשקלים, עיין שם:

חידושי הרש"ש

[ח] **מתחלה לא היו אלא שנים עשר לוג אם לשרות כו'.** כן צריך לומר. ומן שנאמר עד לי, טעות סופר וצריך למחקם, (אף שגם מפירוש המתנות כהונה נראה דגרים להו). וכן בגמרא ליתא כי מקרא מפורש הוא (שמות ל, כד) ושמן זית הין. [ובדוחק יש ליישב על פי הגמרא מנחות (פט, א) עיין שם]. וכן משמע בתורת כהנים במכילתא דמילואים (אות ט) שמביא פסוק דושמן זית הין. [וכן בירושלמי שקלים פ"ו ה"א ובהוריות פ"ג ה"ב]: **אפילו כהן גדול בן כהן גדול כו'.** (עד עשרה דורות). גם זה ליתא בגמ', וכן ברמב"ם [ובתוספתא סוף פ"ד דסנהדרין הגירסא אפילו עד עשרה דורות והוא מכוון ביותר עיין חולין (מז ב) אפילו כטרפא דאסא וברי"ן שם]. ואולי הוא על דרך הכתוב (דברים כג, ג) לא יבא ממזר כו' גם דור עשירי כו', והכוונה לעולם, כדאיתא יבמות (עח, ב) [ועיין בכורות ריש דף י"ז ברש"י ובפרק א' דבכורים משנה ה', ובתוי"ט שם ובקדושין פרק ד' משנה ז', ובמשנה פרק ד' דזבים משנה ה' וברע"ב שם ובגמרא מגילה (כא, ב) אפילו עשרה קורין כו', ובבילה (יד, ב) אפילו עשר מלטות כו', ובזבחים (מד, א) וסכין מכאן ועד עשרה ימים, ושם עמוד ב' ולוגו מכאן ועד עשרה ימים, ועיין בכורות (ג, א), ובזה נדחו דברי התוי"ט בפרק י"א דכתובות משנה ה' בד"ה שוה מנה]:

מסורת המדרש

יד. הוריות י"א. ירושלמי שקלים פ"ו והוריות פ"ג:

אם למקרא

וְאֶל בְּנֵי יִשְׂרָאֵל תְּדַבֵּר לֵאמֹר שֶׁמֶן מִשְׁחַת קֹדֶשׁ יִהְיֶה זֶה לִי לְדֹרֹתֵיכֶם: (שמות ל:לא)

וַיֹּאמֶר הַמֶּלֶךְ לָהֶם קְחוּ עִמָּכֶם אֶת עַבְדֵי אֲדֹנֵיכֶם וְהִרְכַּבְתֶּם אֶת שְׁלֹמֹה בְנִי עַל הַפִּרְדָּה אֲשֶׁר לִי וְהוֹרַדְתֶּם אֹתוֹ אֶל־גִּחוֹן: (מלכים א א:לג)

ענף יוסף

(ח) **מתחלה לא היה אלא שנים עשר לוג שנאמר שמן משחת קודש יהיה זה לי.** עיין בעץ מה שכתבתי בשם היפה תואר. אבל לי נראה שבאמת מקרא זה לא ילפינן אלא בהשארותו לעתיד שנים עשר לוג, וכמו שמסיים המדרש וכולו קיים לעתיד לבוא, הדא הוא דכתיב שמן משחת קודש יהיה זה לי, וכמו שכתבתי שם בעץ. וכאן מביא קרא זה בטעות וצריך להיות במקומו, שנאמר (שמות ל, כד) ושמן זית הין, וכן מצאתי בתורת כהנים במכילתא דמילואים (סימן ט) ובירושלמי (הוריות פ"ג ה"ג), וזה לשונו שמתחלה לא היה אלא שנים עשר לוג שנאמר ושמן זית הין עד כאן, רצה לומר וההין שנים עשר לוגין, וזה הקרא מיירי בתחילת לקיחתו כדכתיב שם (שמות ל, כג) ואתה קח לך וגו' ושמן זית הין:

באור מהרי"פ

[ח] **אמר רבי יהודה בר אלעאי שמן המשחה וכו'.** מכאן עד ד"ה ואת פר החטאת ואת שני האילים וגו' הכל מבואר בטעמם (הוריות יא, ב) ומי שרוצה לעמוד על ברור הענין על מכונו יעיין שם:

מתנות כהונה

[ח] **יהיה זה לי.** זה בגימטריא שנים עשר: **העצים.** כל מיני העיקרים שנתבשלו בשמן, ובפרק קמא דכריתות (ה, ב) גרס העיקרים: **מפני אדוניהו.** שהכריזו עליו יחי אדוני המלך (עיין מלכים א' א, כה), ולא יהיה ניכר מעלת שלמה עליו אם לא

אשד הנחלים

[ח] **ואין מושחין מלך בן מלך.** זה אומר באגב שאמר מי שצריך משיחה, והטעם לפי שהמלכות ירושה לבניו מאביו, זולתי שלמה מפני שהיו אחרים שרצו באדוניה, הוצרך להמשח להראות ההפך: **לעתיד לבא הדא הוא דכתיב כו' קודש.** כלומר שיש בה ענין קדושה

שָׁאוּל וְיֵהוּא נִמְשְׁחוּ מִן הַפַּךְ — While **Saul and Jehu were anointed** with oil poured **from a flask,**[133] שֶׁהָיְתָה מַלְכוּתָן מַלְכוּת עוֹבֶרֶת — it was **because their reigns were** to be **transient reigns.**[134] דָּוִד וּשְׁלֹמֹה נִמְשְׁחוּ מִן הַקֶּרֶן — **David and Solomon,** however, **were anointed** with oil **from a horn,**[135] מִפְּנֵי שֶׁמַּלְכוּתָן מַלְכוּת עוֹלָמִים — **because their reign is an everlasting reign.**[136]

§9 וְאֵת פַּר הַחַטָּאת וְאֵת שְׁנֵי הָאֵילִים — ***AND THE BULL OF THE SIN-OFFERING, AND THE TWO RAMS.***

While our verse identifies the bull as, *the bull of the sin-offering,* it simply groups the two rams together, omitting any mention of the offerings for which they were designated. The Midrash explains:[137]

רַב הוּנָא בְּשֵׁם רַבִּי אַבָּא בַּר כָּהֲנָא אָמַר: עָשָׂה כְּמִין גִּבְעָה — **Rav Huna said in the name of R' Abba bar Kahana:** The verse indicates that **[Moses]** arranged the animals so that they **formed the semblance of a mound,** אַיִל מִכָּאן וְאַיִל מִכָּאן וּפַר בְּאֶמְצַע — placing **a ram [on one side] and a ram [on the other side], and the bull,** which is the tallest of the three, **in the middle.**[138]

וְאֵת כָּל הָעֵדָה הַקְהֵל אֶל פֶּתַח אֹהֶל מוֹעֵד.

Gather the entire assembly to the entrance of the Tent of Meeting (8:3).

□ וְאֵת כָּל הָעֵדָה הַקְהֵל אֶל פֶּתַח אֹהֶל מוֹעֵד — ***GATHER THE ENTIRE ASSEMBLY TO THE ENTRANCE OF THE TENT OF MEETING.***

The Midrash notes a seeming difficulty involved with this directive:

אָמַר רַבִּי אֶלְעָזָר: כָּל יִשְׂרָאֵל שִׁשִּׁים רִבּוֹא — **R' Elazar said: All of Israel** numbers **six hundred thousand** men, וְאַתְּ אוֹמֵר "אֶל פֶּתַח אֹהֶל מוֹעֵד" — **and** yet **[the verse] says** that they are all to gather ***to the entrance of the Tent of Meeting?*** אֶלָּא זֶה אֶחָד מִן הַמְּקוֹמוֹת שֶׁהֶחֱזִיק מוּעָט אֶת הַמְּרוּבֶּה — **Rather, this is one of the places** in Scripture **where** a **small [area]** miraculously **held a large amount.**[139]

The Midrash presents another instance of this miraculous phenomenon:

דִּכְווֹתָהּ — **Similarly,** Scripture states regarding the creation of the seas, "יִקָּווּ הַמַּיִם מִתַּחַת הַשָּׁמַיִם אֶל מָקוֹם אֶחָד" — *God said, **"Let the waters beneath the heaven be gathered into one area,** and let the dry land appear"* (*Genesis* 1:9). בְּנוֹהַג שֶׁבָּעוֹלָם אָדָם מְפַנֶּה כְּלִי מָלֵא לְתוֹךְ כְּלִי רֵיקָן — Now, **in the normal way of the world,** when **a person empties** the contents of **a full vessel,** he does so **into an empty vessel.** אוֹ שֶׁמָּא כְּלִי מָלֵא לְתוֹךְ כְּלִי מָלֵא — **Or,** as an alternative, could he **possibly** empty **a full vessel into a** second **full vessel?** Clearly not! הָעוֹלָם כּוּלּוֹ מַיִם בְּמַיִם — At the time of creation, **the entire world consisted of water upon** more **water,**[140] וְאַתְּ אוֹמֵר יִקָּווּ הַמַּיִם — **and** yet **[the verse] says,** ***Let the waters*** *beneath the heaven be gathered into one area.* אֶלָּא זֶה אֶחָד מִן הַמְּקוֹמוֹת שֶׁהֶחֱזִיק מוּעָט אֶת הַמְּרוּבֶּה — **Rather, this** too **is one of the places** in Scripture **where** a **small [area]** miraculously **held a large amount.**

NOTES

133. Scripture states concerning Saul, וַיִּקַּח שְׁמוּאֵל אֶת פַּךְ הַשֶּׁמֶן וַיִּצֹק עַל רֹאשׁוֹ, *Then Samuel took a flask of oil and poured some onto [Saul's] head* (*I Samuel* 10:1). Concerning Jehu it states, וְלָקַחְתָּ פַךְ הַשֶּׁמֶן וְיָצַקְתָּ עַל רֹאשׁוֹ, *Then take the flask of oil and pour it on his head* (*II Kings* 9:3).

134. A flask, made of earthenware, symbolizes a truncated reign because it is fragile, breaking easily when dropped (*Maharsha* loc. cit.).

135. Scripture states regarding David, וַיִּקַּח שְׁמוּאֵל אֶת קֶרֶן הַשֶּׁמֶן וַיִּמְשַׁח אֹתוֹ, *Samuel took the horn of oil and anointed him* (*I Samuel* 16:13). And regarding Solomon it is written, וַיִּקַּח צָדוֹק הַכֹּהֵן אֶת קֶרֶן הַשֶּׁמֶן מִן הָאֹהֶל וַיִּמְשַׁח אֶת שְׁלֹמֹה, *Zadok the Kohen had taken the horn of oil from the Tent, and he anointed Solomon* (*I Kings* 1:39).

136. The Midrash refers not to the lengths of their individual reigns, but to the duration of their dynasties.

137. *Eitz Yosef.* See *Matnos Kehunah* for a different explanation of the focus of this passage.

138. Scripture refers to them as *the two rams* to indicate that the two of them were placed together, alongside the bull. The little hill they thereby formed symbolized the elevated status that Aaron and his sons were now to assume with their new position as Kohanim (*Eitz Yosef*). Alternatively, it was to illustrate to the Kohanim that, like a hill, which rises to a peak and then descends back to ground level, if they were now to become arrogant and haughty they would thereby forfeit their exalted position (*Yefeh To'ar*).

139. For a discussion of the purpose and significance of this miracle, see Insight Ⓐ.

140. That is, the entire surface of the world was submerged under large amounts of water.

INSIGHTS

Ⓐ **A Miraculous Expansion** At the inauguration of Aaron a miracle occurred, and the small area at the entrance to the Tabernacle expanded to encompass the entire nation. Now, God does not perform miracles without a purpose. One may therefore wonder why this miracle was needed. What lesson did it hold for that generation and future ones? The commentators offer several explanations:

According to one approach, the lesson was one of friendship and unity. A multitude of Jews were confined in a narrow place. Yet, there was room for all. This signaled to the nation that when Jews love one another and are united, when each person makes light of his own needs and focuses on the needs of his fellow, they will dwell amicably together, even in crowded quarters, free of dispute and discontent (see *Sanhedrin* 7a). The verse continues, זֶה הַדָּבָר אֲשֶׁר צִוָּה ה' לַעֲשׂוֹת, *This is the thing that HASHEM commanded be done,* i.e., He commands that the people of Israel always live at peace with one another, as they did in that moment of Aaron's ordination as Kohen Gadol (*R' Chanoch Tzvi of Bandin,* in *Yechahen Pe'er,* end of *Tzav* to the verse).

Baruch She'amar expresses a similar sentiment in his commentary to the Mishnah in *Avos* 5:7, which enumerates ten miracles that were performed for our ancestors in the Holy Temple. The language used to describe eight of the first nine miracles is different from that used to describe the tenth. The eight speak of the non-occurrence of certain natural events that would have been detrimental to the Temple service. For example: *the sacrificial meat never became putrid . . . the rains did not extinguish the fire on the Altar pyre . . . the wind did not disperse the vertical column of smoke from the Altar.* One would expect the final miracle to follow this style, in which case the Mishnah should say: מֵעוֹלָם לֹא הָיָה הַמָּקוֹם צַר לָלִין בִּירוּשָׁלַיִם, *There was never a time* [i.e., during the pilgrimage festivals] *when space was insufficient to stay overnight in Jerusalem.* Instead, the Mishnah says: וְלֹא אָמַר אָדָם לַחֲבֵרוֹ צַר לִי הַמָּקוֹם שֶׁאָלִין בִּירוּשָׁלַיִם, *No person said to his fellow, "The space is insufficient for me to stay overnight in Jerusalem."* The Mishnah changes the wording to emphasize the *attitudes* of the individual Jews, to indicate that despite the immense crowds that flocked to Jerusalem during the pilgrimage festivals, the feelings of brotherhood were so pervasive, and the love for one another so intense, that no man ever uttered a word of complaint.

R' Yosef Tzvi Dushinsky (in *Toras Maharitz* to our verse) maintains that this miracle was intended to allay the suspicions of those who feared that Moses was acting independently in appointing his brother Aaron as Kohen Gadol. The miracle demonstrated to the assembled Jews that Aaron's consecration, which they were about to witness, was Divinely ordained. *Maharitz* explains the significance of the miracle. When a too-small area expands to encompass large numbers of people, it is evidence that the place has departed the physical plane, and now occupies another, extra-physical dimension, outside the usual spatial constraints. This departure from the mundane stood as clear evidence of the sanctity of the moment, and announced to those present that all that was done there was done at God's command.

See *Oznayim LaTorah* (to our verse) for yet other answers to this question.

טושָׁאוּל וְיֵהוּא נִמְשְׁחוּ מִן הַפַּךְ, שֶׁהָיְתָה מַלְכוּתָן מַלְכוּת עוֹבֶרֶת, דָּוִד וּשְׁלֹמֹה נִמְשְׁחוּ מִן הַקֶּרֶן מִפְּנֵי שֶׁמַּלְכוּתָן מַלְכוּת עוֹלָמִים:

ט [ח, ב] "וְאֵת פַּר הַחַטָּאת וְאֵת שְׁנֵי הָאֵילִים" רַב הוּנָא בְּשֵׁם רַבִּי אַבָּא בַּר כָּהֲנָא אָמַר: עָשָׂה כְּמִין גִּבְעָה, אַיִל מִכָּאן וְאַיִל מִכָּאן וּפַר בְּאֶמְצַע. [ח, ג] "וְאֵת כָּל הָעֵדָה הַקְהֵל אֶל פֶּתַח אֹהֶל מוֹעֵד", אָמַר רַבִּי אֶלְעָזָר: כָּל יִשְׂרָאֵל שִׁשִּׁים רִבּוֹא וְאַתְּ אוֹמֵר "אֶל פֶּתַח אֹהֶל מוֹעֵד", אֶלָּא זֶה אֶחָד מִן הַמְּקוֹמוֹת טזשֶׁהֶחֱזִיק מוּעָט אֶת הַמְרוּבֶּה, דִּכְוָותָהּ (בראשית א, ט) "יִקָּווּ הַמַּיִם מִתַּחַת הַשָּׁמַיִם אֶל מָקוֹם אֶחָד", בְּנוֹהַג שֶׁבָּעוֹלָם אָדָם מְפַנֶּה כְּלִי מָלֵא לְתוֹךְ כְּלִי רֵיקָן אוֹ שֶׁמָּא כְּלִי מָלֵא לְתוֹךְ כְּלִי מָלֵא, *עוֹלָם כּוּלּוֹ מַיִם בְּמַיִם וְאַתְּ אוֹמֵר "יִקָּווּ הַמַּיִם", אֶלָּא זֶה אֶחָד מִן הַמְּקוֹמוֹת שֶׁהֶחֱזִיק מוּעָט אֶת הַמְרוּבֶּה, דִּכְוָותָהּ (שמות ט, ח) "קְחוּ לָכֶם מְלֹא חָפְנֵיכֶם פִּיחַ כִּבְשָׁן", אָמַר רַב הוּנָא: לָא דָּמֵי הָדֵין דְּחָפֵין לְהָדֵין דְּקָמֵיץ, הָדֵין דְּחָפֵין תְּרֵין הָדֵין דְּקָמֵיץ אַרְבַּע, חָפְנָיו תְּמַנְיָא קוֹמָצִין, נִמְצָא חָפְנוֹ שֶׁל מֹשֶׁה מַחֲזֶקֶת שְׁמוֹנָה קוֹמָצִין, אֶלָּא מְלַמֵּד שֶׁהַקָּדוֹשׁ בָּרוּךְ הוּא מַסְפִּיק וְאַהֲרֹן חוֹפֵן וּמֹשֶׁה °זוֹרְקָן, וְאַתְּ אָמַר (שם) "וּזְרָקוֹ מֹשֶׁה הַשָּׁמַיְמָה" בְּבַת אַחַת, אֶלָּא זֶה אֶחָד מִן הַמְּקוֹמוֹת שֶׁהֶחֱזִיק מוּעָט לַמְרוּבֶּה, וְדִכְוָותָהּ (שם כז, יח) "אֹרֶךְ הֶחָצֵר מֵאָה בָאַמָּה וְרֹחַב חֲמִשִּׁים בַּחֲמִשִּׁים", אָמַר רַבִּי יוֹסֵי בַּר חֲלַפְתָּא: אוֹרֶךְ הֶחָצֵר מֵאָה בָּאַמָּה וְכָל יִשְׂרָאֵל עוֹמְדִים בְּתוֹכָהּ, אֶלָּא זֶה אֶחָד מִן הַמְּקוֹמוֹת שֶׁהֶחֱזִיק מוּעָט אֶת הַמְרוּבֶּה, וְדִכְוָותָהּ (במדבר כ, י) "וַיַּקְהִלוּ מֹשֶׁה וְאַהֲרֹן אֶת הַקָּהָל אֶל פְּנֵי הַסָּלַע", אָמַר רַבִּי חָנִין: כְּמִין כְּבָרָה הָיְתָה, יזוְכָל יִשְׂרָאֵל עוֹמְדִין עָלֶיהָ, אֶלָּא זֶה אֶחָד מִן הַמְּקוֹמוֹת שֶׁהֶחֱזִיק מוּעָט אֶת הַמְרוּבֶּה, וְדִכְוָותָהּ (יהושע ג, ט) "וַיֹּאמֶר יְהוֹשֻׁעַ אֶל בְּנֵי יִשְׂרָאֵל גֹּשׁוּ הֵנָּה", רַב הוּנָא אָמַר: זְקָפָן בֵּין שְׁנֵי בַּדֵּי הָאָרוֹן, רַבִּי חָמָא בַּר חֲנִינָא אָמַר: שָׁמָן בֵּין שְׁתֵּי בַּדֵּי הָאָרוֹן,

פירוש מהרז"ו

נמשחו מן הפך. אבל שאול כתיב (שמואל א, י, א), ויקח שמואל את פך השמן ויצוק על ראשו, ואצל יהוא כתיב (מלכים ב, ט, א) ולקחת פך השמן ויצקת על ראשו, וכמו שכתוב (שמואל א, ב, א) רמה קרני ולא רמה פכי, גמרא שם (הוריות יב, א. כריתות ו, א), (ובברכות) (מגלה יד, א): (ט) זה אחד מן המקומות. בראשית רבה (ה, ז) כל הענין ושם נרשם ומבואר, ועיין תנחומא לו (סימן יב) באריכות, דבר נפלא: שהקב"ה מספיק. נותן כח בקומץ הפיח שיתפזר על כל ארץ מצרים, ועד השמים. ועיין שמות רבה (יא, ה) שמכת שחין היה על ידי שלשתן, ועיין ידי משה:

עץ יוסף

גיחון והוא אחד מד' נהרות שיוצאים מעדן, והרי הוא כמעין שאינו פוסק, אלמא בעי משיחה על המעין: שאול ויהוא נמשחו כו'. הנה עיקר השמן היה בצלוחית, ולצורך משיחת מלך היה הנביא לוקח מעט שמן מהצלוחית ומניח בקרן או בפך ומשח בזה את המלך. ועיין בענף: (ט) עשה כמין גבעה. מפום דקשה לו כי היכי דקאמר פר החטאת הוי ליה למימר ואת איל העולה ואיל המלואים כמו שנאמר בפר שהזכיר מעשהו. ולהכי משני שאמר שני האילים לומר שהעמיד שניהם יחדיו עם הפר ועשאן כמין גבעה, ואילו כתיב ואת איל העולה ואיל המלואים הוה אמינא כל אחד לעצמו העמידן. וטעם הגבעה מפני שהמעשה הזה מהמלואים לגדל ולרומם את אהרן ובניו ולכן שם כגבעה גבוה לפניהם שסימנא מילתא היא, וגם שישגיחו הרואים במעלתם ויזהרו בכבודם: כמין גבעה כו'. שדרך הגבעה להיות משופעת מכאן ומכאן: הדין דחפין כו'. רצה לומר דמלא חפניכם אמר רחמנא למשה ולאהרן, הרי ארבע חפנים, והחופן הוא פי שניהם בקומץ, דהחופן הוא ממלא ידו, והקומץ אינו אלא חופה שלשה אצבעותיו עד שמגיע לפס ידו, הרי שהארבע חופנים של משה ואהרן הם שמונה קומצין, ואחר כך נכנס דרך נס כל השמונה קומצין בחפנו של משה כדכתיב וזרקו משה השמימה וכל דבר הנזרק בכח אינו נזרק אלא ביד אחד, וזהו שאמר רב הונא כאן לא דמי הדין דחפין להדין דקמיץ, [פירוש שאינו דומה זה שלוקח בחפנו לזה שלוקח בקומצו], הדין דחפין תרין הדין דקמיץ, [פירוש זה שלוקח בחופן הוא נוטל כפלים מזה שנוטל בקומץ], ארבע חופנין תמניא קומצין, [פירוש שארבע חופנים של משה ואהרן הם שמונה קומצין]: מספיק. על ידי נס, שיחזיק. וכתב הידי משה שהגירסא הנכונה היא והקדוש ברוך הוא מהפך,

פירוש שמהפכו לשחין, וכן איתא בשמות רבה (יא, ו): וכל ישראל עומדים. פירוש היפה תואר שכולם היו בעזרה ביום הכפורים. (ועין מה שכתבתי בבראשית רבה (ה, ו) בשם הנזר הקודש [וזה לשונו, דייק מדכתיב ויקהילו משה ואהרן את הקהל אל פני הסלע, משמע שכולם עמדו אל פני הסלע, ונורך הנס הזה שלא יחשבו שמחק הסלע להוציא מים]. ולכאורה כאן אי אפשר לפרש כן, שהרי כבר אמר כאן ואת כל העדה הקהל כו' אלא זה אחד כו'. ואפשר שמקודם אמר שאין אפשר שכל ישראל יהיו עומדים לפני הפתח, ואחר כך אמר שבלא זה יש גם כן נס, שאין אפשר אפילו בעזרה יעמדו כולם): פני הסלע. משמעו שכל אחד ואחד היה עומד בפני הסלע ממש (מתנות כהונה): זקפן. העמידם: שָׁמָן. הוא מלשון שִׂימה, ובבראשית רבה (ה, ו) גרס למדן, ופירושו הושיבן כל אחד אצל בן גילו, זקן אצל זקן,

מתנות כהונה

במשיחת השמן: פך. כלי חרס שנשבר מהרה, וכן עלתה ממלכתם. וכל זה הוא בפרק קמא דכריתות (שם): [ט] איל מכאן כו'. כראה דדייק מיתורא דשני: אל פתח. משמע שכל אחד ואחד היה עומד לפני הפתח: הכי גרסינן יקוו המים כו' עד שהחזיק מועט את המרובה: הדין דחפין. זהו שלוקח בחפנו בשתי ידיו, קמין ביד אחת: הדין דחפין תרין הדין דקמיץ ארבע. מה שאדם נוטל בחפנו שהם שתי ידיו, משירצה ליטלו ביד אחת פעם אחר פעם, צריך ליטלו בארבע פעמים: חפניו. שתי חפנים הם שמונה קומצין, וכן כתיב (שמות ט, ח) קחו מלא חפניכם פיח כבשן. וכתיב ויקח משה מלא חפניו וגו' הא למדת שחפניו של משה היה מחזיק שיעור שני חפניהם דהיינו שמונה קומצין, ועיין בבראשית רבה (ה, ז) ובשמות רבה (יא, ה) ובקהלת רבה (ג יז): פני הסלע. משמע שכל אחד ואחד היה עומד בפני הסלע ממש: הכי גרסינן שהחזיק מועט את המרובה: הכי גרסינן בילקוט יהושע (רמז יד) וסמכן בין כו'. וכאן שגרס שמן צריך להיות מלשון שימה:

אשד הנחלים

אלקית, ולכן אינה נחסרת רק עומדת תמיד: [ט] כמין גבעה כו'. לא ידעתי מה כוונו בזה על דרך הציור, ובודאי דברו בזה על דרך הסוד המכוון לענין הקרבנות ההם ותועלותיהם, וכפי המפורסם בספרי חכמי אמת, מהו בחינת המכריע שהוא האמצעי, ומהו בחינת שני הצדדים, ואין להאריך: מחזקת שמונה קומצין אלא מלמד כו' ואת אמר כו'. לדעתי צריך להפך הגירסא, מחזקת שמונה קומצין ואת אמרת וזרקו. וכלומר שהדבר הנזרק הוא ביד אחת, ואם כן איך החזיק יד אחת שמונה קומצין, אלא מלמד שהקב"ה הוא מספק על פי נס. וכפירוש הידי משה, עיין בו, ויש גורסין הקב"ה מהפך, פירוש מהפך לשחין (עיין ידי משה): עומדין עליה. פירש אצלה: זקפן כו' שמן כו'

חידושי הרד"ל

[ט] עשה כמין גבעה כו'. אפשר רצה לומר כמו שאמרו בבראשית רבה פרשה ע"ו [סימן ז], למה נותן הגמלים באמצע כו' הוי רואה כו' יושב על בימה כו', עיין ידי משה שם. וכן כאן רמז לקרבן אהרן, כאלו נדון על הבימה וריחם עליו:

חידושי הרש"ש

[ט] הדין דחפין תרין אהדין דקמיץ. כן צריך לומר, וכמו דאיתא לעיל בבראשית רבה (ה, ז) ועיין שם במתנות כהונה: ארבע חופנים. כן צריך לומר. (רצה לומר תרי חופניו דמשה ותרי דאהרן). תמניא קומצין. (החזיקו תמניא קומצין לפי חשבון זה): נמצא חפנו כו'. בפירש"י (שמות ט, ח) הגירסא קמצו, והוא יותר נכון. והמתנות כהונה במחילת כבוד תורתו לא דק בכאן:

אמרי יושר

[ח] נמשחו מהפך. לא היה שמן המשחה: [ט] זקפן. רוותים ולא מצומצמים:

ידי משה

[ט] מלמד שהקדוש ברוך הוא היה מספיק. פירוש שהיה מספיק על פי נס שיחזיקו כל כך הרבה, כמו אם ישפוק עפר שמרון (מלכים א' כ, י). אבל הגירסא נכונה היא הקב"ה מהפך, פירוש שהיה הקב"ה מהפך ונעשה שחין וכן הוא בהדיא בשמות רבה (יא, ה), ואהרן קומצו ומשה זרק כן צריך לומר, כי מכת שחין היה על ידי שלשה הקב"ה ומשה ואהרן. וקל להבין: ואתה אומר וזרקו משה השמימה. פירוש ואין לומר שבשני ידים זרק, על זה מביא ואתה אמרת וזרקו משה השמימה, ודבר הנזרק רחוק אי אפשר לזרוק בשני ידים אלא ביד אחת, וכן איתא בגמרא:

מסורת המדרש

טו. אגדת שמואל פ' י"ד:
טז. ילקוט בראשית:
יז. במד"ר פ' י"ט:

אם למקרא

וַיֹּאמֶר אֱלֹהִים יִקָּווּ הַמַּיִם מִתַּחַת הַשָּׁמַיִם אֶל מָקוֹם אֶחָד וְתֵרָאֶה הַיַּבָּשָׁה וַיְהִי כֵן: (בראשית א:ט)

וַיֹּאמֶר ה' אֶל מֹשֶׁה וְאֶל אַהֲרֹן קְחוּ לָכֶם מְלֹא חָפְנֵיכֶם פִּיחַ כִּבְשָׁן וּזְרָקוֹ מֹשֶׁה הַשָּׁמַיְמָה לְעֵינֵי פַרְעֹה: (שמות ט:ח)

אֹרֶךְ הֶחָצֵר מֵאָה בָאַמָּה וְרֹחַב חֲמִשִּׁים בַּחֲמִשִּׁים וְקֹמָה חָמֵשׁ אַמּוֹת שֵׁשׁ מָשְׁזָר וְאַדְנֵיהֶם נְחֹשֶׁת: (שם כז:יח)

וַיַּקְהִלוּ מֹשֶׁה וְאַהֲרֹן אֶת הַקָּהָל אֶל פְּנֵי הַסָּלַע וַיֹּאמֶר לָהֶם שִׁמְעוּ נָא הַמֹּרִים הֲמִן הַסֶּלַע הַזֶּה נוֹצִיא לָכֶם מָיִם: (במדבר כ:י)

וַיֹּאמֶר יְהוֹשֻׁעַ אֶל בְּנֵי יִשְׂרָאֵל גֹּשׁוּ הֵנָּה וְשִׁמְעוּ אֶת דִּבְרֵי ה' אֱלֹהֵיכֶם: וַיֹּאמֶר יְהוֹשֻׁעַ בְּזֹאת תֵּדְעוּן כִּי אֵל חַי בְּקִרְבְּכֶם וְהוֹרֵשׁ יוֹרִישׁ מִפְּנֵיכֶם אֶת הַכְּנַעֲנִי וְאֶת הַחִתִּי וְאֶת הַחִוִּי וְאֶת הַפְּרִזִּי וְאֶת הַגִּרְגָּשִׁי וְהָאֱמֹרִי וְהַיְבוּסִי: (יהושע ג:ט-י)

ענף יוסף

שאול ויהוא נמשחו כו'. הנה שאול נמשח בשמן המשחה כדאיתא בבמדבר רבה פרשה ח' (סימן ד) אמר ליה הקדוש ברוך הוא דוד אינו שאול שנמשח בשמן המשחה. אבל יהוא נמשח בשמן אפרסמון כדאיתא

שינוי נוסחאות

(ט) ואהרן חופן ומשה זרקן. בדפוס ראשון היה כתוב "ומשה זורק", וכן נכון, אבל בד' ונציא כבר שינו לכתוב "זורקן", ואח"כ (החל מאמשטרדם תפ"ה) שינו המדפיסים עוד לכתוב "זרקן": רבי חמא בר חנינא אמר שמן. הגיה א"א "צמדן" במקום "שמן": שני בדי הארון. ארבע פעמים נזכר לשון זה כאן, בשתים מהם כתוב "שני" ובשנים מהם כתוב "שתי", וכמובן א"א לקיים גירסא זו, וצריך לומר בכולם ל' זכר "שני", וכן הוא בכי"י:

The Midrash presents a further example:

דִּכְווָתָהּ — **Similarly,** regarding the plague of boils, Scripture states, "קְחוּ לָכֶם מְלֹא חָפְנֵיכֶם פִּיחַ כִּבְשָׁן" — *HASHEM said to Moses and Aaron, "Take for yourselves cupped handfuls of furnace soot, and let Moses hurl it heavenward before Pharaoh's eyes"* (*Exodus* 9:8). אָמַר רַב הוּנָא: לָא דָמֵי הָדֵין דְּחָפֵין לְהָדֵין דְּקָמֵיץ — **Rav Huna said: This one who scoops with a cupped hand is unlike that one who scoops with a pinched hand;**[141] הָדֵין דְּחָפֵין תְּרֵין הָדֵין דְּקָמֵיץ — **this one who scoops with a cupped hand is** holding **double** the amount of **that one who scoops with a pinched hand.** אַרְבַּע חָפְנָיו תְּמָנְיָא קוֹמָצִין — Thus, **four cupped handfuls are** equal to **eight pinched handfuls.** נִמְצָא חָפְנוֹ שֶׁל מֹשֶׁה מַחֲזֶקֶת שְׁמוֹנָה קוֹמָצִין — **We find** then that **Moses' cupped hand held eight pinched handfuls** of soot.[142]

The Midrash digresses to describe another miracle regarding the soot that Moses hurled:

אֶלָּא מְלַמֵּד שֶׁהַקָּדוֹשׁ בָּרוּךְ הוּא מַסְפִּיק — **Rather,** the verse **teaches that** it was **the Holy One, blessed is He,** who **dispersed** the soot throughout the entire land,[143] וְאַהֲרֹן חוֹפֵן — **and** it was **Aaron** who, together with Moses, **scooped** the **handfuls** of soot, וּמֹשֶׁה זוֹרֵק — **and** it was **Moses** who **hurled** the soot heavenward.[144]

The Midrash resumes the previous discussion and elaborates the statement that Moses' hand held eight pinched handfuls:

וְאַתְּ אָמַר "וּזְרָקוֹ מֹשֶׁה הַשָּׁמַיְמָה" — **And** despite the fairly large amount of soot involved, **[the verse] says,** ***And let Moses hurl it heavenward,*** בְּבַת אַחַת — which implies that Moses was to hurl all eight pinched handfuls **in one throw!**[145] אֶלָּא זֶה אֶחָד מִן הַמְּקוֹמוֹת שֶׁהֶחֱזִיק מוּעָט לִמְרוּבֶּה — **Rather, this is** another **one of the places** in Scripture **that a small [area],** i.e., Moses' hand, miraculously **held a large amount.**

The Midrash offers several more instance of a limited space containing more than its apparent capacity:

וְדִכְווָתָהּ — **And similarly,** Scripture states regarding the Tabernacle Courtyard, "אֹרֶךְ הֶחָצֵר מֵאָה בָאַמָּה וְרֹחַב חֲמִשִּׁים בַּחֲמִשִּׁים" — ***The length of the Courtyard a hundred cubits; the width fifty by fifty*** (ibid. 27:18). אָמַר רַבִּי יוֹסֵי בַּר חֲלַפְתָּא: אוֹרֶךְ הֶחָצֵר מֵאָה בָאַמָּה — **R' Yose bar Chalafta said:** How is it that **the length of the Courtyard is** only **a hundred cubits,** וְכָל יִשְׂרָאֵל עוֹמְדִים בְּתוֹכָהּ — **and** yet **all of Israel would stand within it?**[146] אֶלָּא זֶה אֶחָד מִן הַמְּקוֹמוֹת שֶׁהֶחֱזִיק מוּעָט אֶת הַמְּרוּבֶּה — **Rather, this is** another **one of the places** in history **that a small [area]** miraculously **held a large amount.** וְדִכְווָתָהּ — **And similarly,** it is written regarding the rock from which Moses brought forth water, "וַיַּקְהִלוּ מֹשֶׁה וְאַהֲרֹן אֶת הַקָּהָל אֶל פְּנֵי הַסָּלַע" — ***Moses and Aaron gathered the congregation before the rock*** (*Numbers* 20:10). אָמַר רַבִּי חָנִין: כְּמִין כְּבָרָה הָיְתָה — **R' Chanin said: [The rock] was in the form of a sieve,**[147] וְכָל יִשְׂרָאֵל עוֹמְדִין עָלֶיהָ — and **yet all of Israel** were able to **stand before it?**[148] אֶלָּא זֶה אֶחָד מִן הַמְּקוֹמוֹת שֶׁהֶחֱזִיק מוּעָט אֶת הַמְּרוּבֶּה — **Rather, this is** another **one of the places** in Scripture **that a small [area]** miraculously **held a large amount.**

The Midrash describes an episode involving Joshua that also exhibited this phenomenon:

וְדִכְווָתָהּ — **And similarly,** Scripture states regarding the Holy Ark, "וַיֹּאמֶר יְהוֹשֻׁעַ אֶל בְּנֵי יִשְׂרָאֵל גֹּשׁוּ הֵנָּה" — ***And Joshua said to the Children of Israel, "Come hither*** *and hear the words of HASHEM, your God"* (*Joshua* 3:9).[149] רַב הוּנָא אָמַר: זְקָפָן בֵּין שְׁנֵי בַּדֵּי הָאָרוֹן — **R' Huna said: [Joshua] stood** all **[the Israelites] erect between the two staves of the Ark.** רַבִּי חָמָא בַּר חֲנִינָא אָמַר: צִמְדָן בֵּין שְׁתֵּי בַּדֵּי הָאָרוֹן — **R' Chama bar Chanina said: He arranged them in pairs between the two staves of the Ark.**[150]

NOTES

141. I.e., he scoops by folding his three middle fingers tightly over his palm; see *Menachos* 11a.

142. Since מְלֹא חָפְנֵיכֶם, *scooped handfuls,* is in the plural, the implication of the verse is that Moses and Aaron were each to take two handfuls of soot, yet the verse concludes, *let Moses hurl it heavenward,* indicating that Moses alone was to hurl all four handfuls (see *Shemos Rabbah* 11 §5). As the Midrash will explain below, this indicates that Moses held the four cupped handfuls, equal to eight pinched handfuls, in one hand. [That the four cupped handfuls were equivalent to eight pinched handfuls is a simple calculation and in no sense extraordinary. However, the Midrash mentions it to emphasize the large amount that Moses held in one hand. For a somewhat different approach to this passage, see *Matnos Kehunah.*]

143. That is, although it was Moses who hurled the soot, he did not naturally have the ability to cause it to scatter over all of Egypt; it was God Who added the force to his throw so that the soot spread and covered the entire country (*Maharzu;* see also *Eitz Yosef*).

144. Thus God, Moses, and Aaron each played a role in producing the plague of boils; see *Shemos Rabbah* 11:5. [Alternatively, the Midrash here is stressing that while Moses and Aaron did on their part what was humanly feasible (and somewhat beyond), the resulting dust cloud was clearly a Divine miracle.]

145. For the verse refers to Moses hurling the furnace soot only once. Since if one seeks to throw something with force to travel a great distance, he must throw it with one hand, the verse indicates that Moses was holding all eight pinched handfuls in one hand when he threw the soot (*Yedei Moshe,* based on *Rashi* ad loc.).

146. R' Yose bar Chalafta's question is difficult, for Scripture does not say that all of Israel stood within the Courtyard. *Eitz Yosef,* following *Yefeh To'ar* to *Bereishis Rabbah* 5 §7, suggests that R' Yose bar Chalafta understood that everyone would come to the Tabernacle Courtyard on Yom Kippur to observe the special services of that most holy day. For an alternative explanation, see *Nezer HaKodesh* to *Bereishis Rabbah* ibid., cited by *Eitz Yosef* here.

147. The Gemara in *Shabbos* 35a notes that the miraculous rock that provided water for the people of Israel in the Wilderness, known as the Well of Miriam (see *Taanis* 9a), has the appearance of a sieve, a fairly small household utensil.

148. The phrase אֶל פְּנֵי הַסָּלַע, *before the rock,* implies that each and every member of the congregation was standing directly in front of the rock (*Eitz Yosef,* from *Matnos Kehunah*).

149. *Hither* refers to the site of the Ark, which had been discussed in the previous verse there (*Maharzu* to *Bereishis Rabbah* 5 §7; see also *Eitz Yosef* there). Thus, Joshua was telling all of the Children of Israel to come and stand next to the Holy Ark. The Midrash will proceed to elaborate precisely where and how they stood.

150. I.e., he placed each one next to an appropriate companion, an elder next to an elder, a young man next to a young man (*Eitz Yosef,* based on *Rashi* to *Bereishis Rabbah* loc. cit.). Such an orderly arrangement would be an even greater miracle than simply having everyone stand haphazardly between the two staves, as R' Huna had implied (*Eitz Yosef*).

חידושי הרד"ל

[ט] **עשה במין גבעה כו'.** אפשר רצה לומר כמו שאמרו בבראשית רבה פרשה ע"ו [סימן ז], למה נותן הגמלים באמצע כו' הוי רואה כו' יושב על בימה כו', עיין ידי משה שם. וכן כאן רמז לקרבן אהרן, כאלו נדון על הבימה וריצה עליו:

חידושי הרש"ש

[ט] **הדין דחפין תרין אהדין דקמיץ.** כן צריך לומר, וכמו דאיתא לעיל בבראשית רבה (ה, ז) ועיין שם במתנות כהונה: **ארבע חופנים.** כן צריך לומר. (רצה לומר תרי חופניו דמשה ותרי דאהרן). **תמניא קומצין.** (החזיקו תמניא קומצין לפי חשבון זה): **נמצא חפנו כו'.** בפירש"י (שמות ט, ח) הגירסא קמצו, והוא יותר נכון. והמתנות כהונה במחילת כבוד תורתו לא דק בכאן:

אמרי יושר

[ח] **נמשחו מהפך.** לא היה שמן המשחה: [ט] **זקפן.** רווחים ולא מצומצמים:

ידי משה

[ט] **מלמד שהקדוש ברוך הוא היה מספיק.** פירוש שהיה מספיק על פי נס שיחזיקו כל כך הרבה, כמו אם ישפוק עפר שמרון (מלכים א' כ, י). אבל הגירסא נכונה היא הקב"ה מהפך, פירוש שהיה הקב"ה מהפך ונעשה שחין וכן הוא בהדיא בשמות רבה (יא, ה), ואהרן קומץ ומשה זרק כן צריך לומר, כי מכת שחין היה על ידי שלשה הקב"ה משה ואהרן. וקל להבין: **ואתה אומר וזרקו משה השמימה.** פירוש ואין לומר שבשני ידים זרק, על זה מביא ואתה אמרת וזרקו משה השמימה, ודבר הנזרק רחוק אי אפשר לזרוק בשני ידים אלא ביד אחת, וכן איתא בגמרא:

עץ יוסף

גיחון והוא אחד מד' נהרות שיוצאים מעדן, והרי הוא כמעין שאינו פוסק, אלמא בעי משיחה על המעין: **שאול ויהוא נמשחו כו'.** הנה עיקר השמן היה בצלוחית, ולצורך משיחת מלך היה הנביא לוקח מעט שמן מהצלוחית ומניח בקרן או בפך ומשח בזה את המלך. ועיין בענף: **(ט) עשה במין גבעה.** משום דקשה לו כי היכי דקאמר פר החטאת הוי ליה למימר ואת איל העולה ואיל המלואים כמו שנאמר בפר שהזכיר מַעֲשֵׂהוּ. ולהכי משני שאמר שני האילים לומר שהעמיד שניהם יחדיו עם הפר ועשאן כמין גבעה, ואילו כתיב ואת איל העולה ואיל המלואים הוה אמינא כל חד לעצמו העמידן. וטעם הגבעה מפני שהמעשה הזה מהמלואים לגדל ולרומם את אהרן ובניו ולכן שָׂם כגבעה גבוה לפניהם שסימנא מילתא היא, וגם שישגיחו הרואים במעלתם ויזהרו בכבודם: **במין גבעה כו'.** שדרך הגבעה להיות משופעת מכאן ומכאן: **הדין דחפין כו'.** רצה לומר דמלא חפניכם אמר רחמנא למשה ולאהרן, הרי ארבע חפנים, והחופן הוא פי שנים בקומץ, דהחופן הוא ממלא ידו, והקומץ אינו אלא חופה שלשה אצבעותיו עד שמגיע לפס ידו, הרי שהארבע חופנים של משה ואהרן הם שמונה קומצין, ואחר כך נכנס דרך נס כל השמונה קומצין בחפנו של משה כדכתיב וזרקו משה השמימה וכל דבר הנזרק בכח אינו נזרק אלא ביד אחד, וזהו שאמר **רב הונא כאן לא דמי הדין דחפין להדין דקמיץ,** [פירוש שאינו דומה זה שלוקח בחפנו לזה שלוקח בקומצו], **הדין דחפין תרין הדין דקמיץ,** [פירוש זה שלוקח בחופן הוא נוטל כפלים מזה שנוטל בקומץ], **ארבע חופנין תמניא קומצין,** [פירוש שארבע חופנים של משה ואהרן הם שמונה קומצין]: **מספיק.** על ידי נס, שיחזיק. וכתב הידי משה שהגירסא הנכונה היא **והקדוש ברוך הוא מהפך,** פירוש שמהפכו לשחין, וכן איתא בשמות רבה (יא, ו): **וכל ישראל עומדים.** פירוש היפה תואר שכולם היו בעזרה ביום הכפורים. (ועין מה שכתבתי בבראשית רבה (ה, ו) בשם הנזר הקודש [וזה לשונו, דייק מדכתיב ויקהילו משה ואהרן את הקהל אל פני הסלע, משמע שכולם עמדו אל פני הסלע, וצורך הנס הזה שלא יחשבו שמחק הסלע להוציא מים]. ולכאורה כאן אי אפשר לפרש כן, שהרי כבר אמר כאן ואת כל העדה הקהל כו' אלא זה אחד כו'. ואפשר שמקודם אמר שאין אפשר שכל ישראל יהיו עומדים לפני הפתח, ואחר כך אמר שבלא זה יש גם כן נס, שאין אפשר אפילו בעזרה יעמדו כולם): **פני הסלע.** משמעו שכל אחד ואחד היה עומד בפני הסלע ממש (מתנות כהונה): **זקפן.** העמידם: **שָׂמָן.** הוא מלשון שִׂימָה, ובבראשית רבה (ה, ו) גרס צמדן, ופירושו הושיבן כל אחד ואחד אצל בן גילו, זקן אצל זקן,

מדרש רבה

טו **שָׁאוּל וְיֵהוּא נִמְשְׁחוּ מִן הַפַּךְ, שֶׁהָיְתָה מַלְכוּתָן מַלְכוּת עוֹבֶרֶת, דָּוִד וּשְׁלֹמֹה נִמְשְׁחוּ מִן הַקֶּרֶן מִפְּנֵי שֶׁמַּלְכוּתָן מַלְכוּת עוֹלָמִים:**

ט [ח, ב] **"וְאֵת פַּר הַחַטָּאת וְאֵת שְׁנֵי הָאֵילִים" רַב הוּנָא בְּשֵׁם רַבִּי אַבָּא בַּר כָּהֲנָא אָמַר: עָשָׂה כְּמִין גִּבְעָה, אַיִל מִכָּאן וְאַיִל מִכָּאן וּפַר בָּאֶמְצַע.** [ח, ג] **"וְאֵת כָּל הָעֵדָה הַקְהֵל אֶל פֶּתַח אֹהֶל מוֹעֵד", אָמַר רַבִּי אֶלְעָזָר: כָּל יִשְׂרָאֵל שִׁשִּׁים רִבּוֹא וְאַתְּ אוֹמֵר "אֶל פֶּתַח אֹהֶל מוֹעֵד", אֶלָּא זֶה אֶחָד מִן הַמְּקוֹמוֹת** טז **שֶׁהֶחֱזִיק מוּעָט אֶת הַמְרֻבֶּה, דִּכְוָותָהּ** (בראשית א, ט) **"יִקָּווּ הַמַּיִם מִתַּחַת הַשָּׁמַיִם אֶל מָקוֹם אֶחָד", בְּנוֹהַג שֶׁבָּעוֹלָם אָדָם מְפַנֶּה כְּלִי מָלֵא לְתוֹךְ כְּלִי רֵיקָן אוֹ שֶׁמָּא כְּלִי מָלֵא לְתוֹךְ כְּלִי מָלֵא, *עוֹלָם כּוּלּוֹ מַיִם בְּמַיִם וְאַתְּ אוֹמֵר "יִקָּווּ הַמַּיִם", אֶלָּא זֶה אֶחָד מִן הַמְּקוֹמוֹת שֶׁהֶחֱזִיק מוּעָט אֶת הַמְרֻבֶּה, דִּכְוָותָהּ** (שמות ט, ח) **"קְחוּ לָכֶם מְלֹא חָפְנֵיכֶם פִּיחַ כִּבְשָׁן", אָמַר רַב הוּנָא: לָא דָמֵי הָדֵין דְּחָפֵין לְהָדֵין דְּקָמֵיץ, הָדֵין דְּחָפֵין תְּרֵין הָדֵין דְּקָמֵיץ, אַרְבַּע, חָפְנָיו תְּמָנְיָא קוֹמָצִין, נִמְצָא חָפְנוֹ שֶׁל מֹשֶׁה מַחֲזֶקֶת שְׁמוֹנָה קוֹמָצִין, אֶלָּא מְלַמֵּד שֶׁהַקָּדוֹשׁ בָּרוּךְ הוּא מַסְפִּיק וְאַהֲרֹן חוֹפֵן וּמֹשֶׁה °זָרְקָן, וְאַתְּ אָמַר** (שם) **"וּזְרָקוֹ מֹשֶׁה הַשָּׁמַיְמָה" בְּבַת אַחַת, אֶלָּא זֶה אֶחָד מִן הַמְּקוֹמוֹת שֶׁהֶחֱזִיק מוּעָט לַמְרֻבֶּה, וְדִכְוָותָהּ** (שם כז, יח) **"אֹרֶךְ הֶחָצֵר מֵאָה בָאַמָּה וְרֹחַב חֲמִשִּׁים בַּחֲמִשִּׁים", אָמַר רַבִּי יוֹסֵי בַּר חֲלַפְתָּא: אוֹרֶךְ הֶחָצֵר מֵאָה בָּאַמָּה וְכָל יִשְׂרָאֵל עוֹמְדִים בְּתוֹכָהּ, אֶלָּא זֶה אֶחָד מִן הַמְּקוֹמוֹת שֶׁהֶחֱזִיק מוּעָט אֶת הַמְרֻבֶּה, וְדִכְוָותָהּ** (במדבר כ, י) יז **"וַיַּקְהִלוּ מֹשֶׁה וְאַהֲרֹן אֶת הַקָּהָל אֶל פְּנֵי הַסָּלַע", אָמַר רַבִּי חָנִין: כְּמִין כְּבָרָה הָיְתָה, יְוְכָל יִשְׂרָאֵל עוֹמְדִין עָלֶיהָ, אֶלָּא זֶה אֶחָד מִן הַמְּקוֹמוֹת שֶׁהֶחֱזִיק מוּעָט אֶת הַמְרֻבֶּה, וְדִכְוָותָהּ** (יהושע ג, ט) **"וַיֹּאמֶר יְהוֹשֻׁעַ אֶל בְּנֵי יִשְׂרָאֵל גֹּשׁוּ הֵנָּה", רַב הוּנָא אָמַר: זְקָפָן בֵּין שְׁנֵי בַּדֵּי הָאָרוֹן, רַבִּי חָמָא בַּר חֲנִינָא אָמַר: שָׂמָן בֵּין שְׁתֵּי בַּדֵּי הָאָרוֹן,**

פירוש מהרז"ו

נמשחו מן הפך. אלא שאול כתיב (שמואל א, י, א), ויקח שמואל את פך השמן ויצוק על ראשו, ואלא יהוא כתיב (מלכים ב, ט, א) ולקחת פך השמן ויצקת על ראשו, וכמו שכתוב (שמואל א, ב, א) רמה קרני ולא רמה פכי, גמרא שם (הוריות יב, א. כריתות ו, א), (ובברכות) (מגלה יד, א): **(ט) זה אחד מן המקומות.** בראשית רבה (ה, ז) כל הענין וגם נדרש ומבואר, ועיין תנחומא נח (סימן יב) באריכות, דבר נפלא: **שהקב"ה מספיק.** נותן כח בקומץ הפיח שיתפזר על כל ארץ מצרים, ועד השמים. ועיין שמות רבה (יא, ה) שמכת שחין היה על ידי שלשתן, ועיין ידי משה:

מסורת המדרש

טו. אגדת שמואל פ' י"ד:
טז. ילקוט בראשית:
יז. במד"ר פ' י"ט:

אם למקרא

וַיֹּאמֶר אֱלֹהִים יִקָּווּ הַמַּיִם מִתַּחַת הַשָּׁמַיִם אֶל מָקוֹם אֶחָד וְתֵרָאֶה הַיַּבָּשָׁה וַיְהִי כֵן: (בראשית א:ט)

וַיֹּאמֶר ה' אֶל מֹשֶׁה וְאֶל אַהֲרֹן קְחוּ לָכֶם מְלֹא חָפְנֵיכֶם פִּיחַ כִּבְשָׁן וּזְרָקוֹ מֹשֶׁה הַשָּׁמַיְמָה לְעֵינֵי פַרְעֹה: (שמות ט:ח)

אֹרֶךְ הֶחָצֵר מֵאָה בָאַמָּה וְרֹחַב חֲמִשִּׁים בַּחֲמִשִּׁים וְקֹמָה חָמֵשׁ אַמּוֹת שֵׁשׁ מָשְׁזָר וְאַדְנֵיהֶם נְחֹשֶׁת: (שם כז:יח)

וַיַּקְהִלוּ מֹשֶׁה וְאַהֲרֹן אֶת הַקָּהָל אֶל פְּנֵי הַסָּלַע וַיֹּאמֶר לָהֶם שִׁמְעוּ נָא הַמֹּרִים הֲמִן הַסֶּלַע הַזֶּה נוֹצִיא לָכֶם מָיִם: (במדבר כ:י)

וַיֹּאמֶר יְהוֹשֻׁעַ אֶל בְּנֵי יִשְׂרָאֵל גֹּשׁוּ הֵנָּה וְשִׁמְעוּ אֶת דִּבְרֵי ה' אֱלֹהֵיכֶם: וַיֹּאמֶר יְהוֹשֻׁעַ בְּזֹאת תֵּדְעוּן כִּי אֵל חַי בְּקִרְבְּכֶם וְהוֹרֵשׁ יוֹרִישׁ מִפְּנֵיכֶם אֶת הַכְּנַעֲנִי וְאֶת הַחִתִּי וְאֶת הַחִוִּי וְאֶת הַפְּרִזִּי וְאֶת הַגִּרְגָּשִׁי וְהָאֱמֹרִי וְהַיְבוּסִי: (יהושע ג:ט-י)

ענף יוסף

שאול ויהוא נמשחו כו'. הנה שאול נמשח בשמן המשחה כדאיתא במדבר רבה פרשה ח' (סימן ד) אמר ליה הקדוש ברוך הוא לדוד אינו שאול שנמשח בשמן המשחה. אבל יהוא נמשח בשמן אפרסמון כדאיתא

שינוי נוסחאות

(ט) ואהרן חופן ומשה זורקן. בדפוס ראשון היה כתוב "ומשה זורק", וכן נכון, אבל בד' ונציא כבר שינו לכתוב "זורקן", ואח"כ (החל מאמשטרדם תפ"ה) שינו המדפיסים עוד לכתוב "זרקן": **רבי חמא בר חנינא אמר שמן.** הגיה א"א "צמדן" במקום "שמן": **שני בדי הארון.** ארבע פעמים נזכר לשון זה כאן, בשתים מהם כתוב "שני" ובשנים מהם כתוב "שתי", וכמובן א"א לקיים גירסא זו, וצריך לומר בכולם ל' זכר "שני", וכן הוא בכי"י:

מתנות כהונה

במשיחת השמן: **פך.** כלי חרס שנשבר מהרה, וכן עלתה ממלכתם. וכל זה הוא בפרק קמא דכריתות (שם): **[ט] איל מכאן כו'.** נראה דדייק מיתורא דשני: **אל פתח.** משמע שכל אחד ואחד היה עומד לפני הפתח: **הכי גרסינן יקוו המים כו' עד שהחזיק מועט את המרובה: הדין דחפין.** זהו שלוקח בחפנו בשתי ידיו, קמיץ ביד אחת: **הדין דחפין תרין הדין דקמיץ ארבע.** מה שאדם נוטל בחפנו שהם שתי ידיו, משירצה ליטלו ביד אחת פעם אחר פעם, צריך ליטלו בארבע פעמים: **חפניו.** שתי חפנים הם שמונה קומצין, וכן כתיב (שמות ט, ח) קחו מלא חפניכם פיח כבשן. וכתיב ויקח משה מלא חפניו וגו' הא למדת שחפניו של משה היה מחזיק שיעור שני חפניהם דהיינו שמונה קומצין, ועיין בבראשית רבה (ה, ז) ובשמות רבה (יא, ה) ובקהלת רבה (ג יז): פני הסלע. משמע שכל אחד ואחד היה עומד בפני הסלע ממש: **הכי גרסינן שהחזיק מועט את המרובה: הכי גרסינן בילקוט יהושע** (רמז יד) **וסמכן בין כו'.** וכאן שגרס שמן צריך להיות מלשון שימה:

אשד הנחלים

אלקית, ולכן אינה נחסרת רק עומדת תמיד: **[ט] כמין גבעה כו'.** לא ידעתי מה כוונו בזה על דרך הציור, ובודאי דברו בזה על דרך הסוד המכוון לענין הקרבנות ההם ותועלותיהם, וכפי המפורסם בספרי חכמי אמת, מהו בחינת המכריע שהוא האמצעי, ומהו בחינת שני הצדדים, ואין להאריך: **מחזקת שמונה קומצין אלא מלמד כו' ואת אמר כו'.** לדעתי צריך להפך הגירסא, מחזקת שמונה קומצין ואת אמרת וזרקו. וכלומר שהדבר הנזרק הוא ביד אחת, ואם כן איך החזיק יד אחת שמונה קומצין, אלא מלמד שהקב"ה הוא מספק על פי נס. וכפירוש הידי משה, עיין בו, ויש גורסין הקב"ה מהפך, פירוש מהפך לשחין (עיין ידי משה): **עומדין עליה.** פירש אצלה: **זקפן כו' שמן כו'**

וְרָבָא אָמַר: צִמְצְמָן בֵּין שְׁתֵּי בַּדֵּי הָאָרוֹן — **And Rava said: He fit them perfectly between the two staves of the Ark.**[151] הָדָא הוּא דִכְתִיב "וַיֹּאמֶר יְהוֹשֻׁעַ בְּזֹאת תֵּדְעוּ כִּי אֵל חַי בְּקִרְבְּכֶם" — **Thus it is written** in the subsequent verse, ***And Joshua said, "Through this you will know that the Living God is in your midst"*** (ibid., v. 10). אָמַר לָהֶם — **[Joshua] said to [the Israelites],** מִתּוֹךְ שֶׁהֶחֱזִיקוּ אֶתְכֶם שְׁנֵי בַּדֵּי הָאָרוֹן אַתֶּם יוֹדְעִים שֶׁשְּׁכִינָתוֹ בֵּינֵיכֶם — **"Because** the small area between **the two staves of the Ark held** all of **you, you** can **know that [God's] Divine Presence [dwells] among you!"**[152]

The Midrash demonstrates that similarly, the normal constraints of space did not apply to the Temple:

אַף בְּבֵית הַמִּקְדָּשׁ כֵּן — **In the Holy Temple** in Jerusalem **the same** phenomenon **[occurred] as well.**[153] דִּתְנִינַן: עוֹמְדִים צְפוּפִים וּמִשְׁתַּחֲוִים רְוָחִים — **As it was taught in a Mishnah: [The worshipers] stood tightly pressed**[154] together in the Temple Courtyard on the festivals, **yet** when **they prostrated** themselves, they were amply **spaced** (*Avos* 5:5). רַבִּי שְׁמוּאֵל בַּר אִיבְיָה בְּשֵׁם רַבִּי אַחִי אָמַר — **R' Shmuel bar Ivyah said in the name of R' Achi:** רֶיוַח אַרְבַּע אַמּוֹת בֵּין כָּל אֶחָד וְאֶחָד — **A space of four** ***amos*** separated **between each and every [worshiper],** אַמָּה לְכָל צַד — **an** ***amah*** **on each side,**[155] שֶׁלֹּא יְהֵא אֶחָד מֵהֶן שׁוֹמֵעַ קוֹל חֲבֵירוֹ מִתְפַּלֵּל — in order **that none of them would hear the voice of his fellow praying.**[156]

In conclusion, the Midrash foretells a comparable miracle taking place in the future:

אַף לֶעָתִיד לָבֹא כֵּן — **In the** Messianic **future time** yet **to come, the same** phenomenon **[will occur] as well,** שֶׁנֶּאֱמַר "בָּעֵת הַהִיא יִקְרְאוּ לִירוּשָׁלַיִם כִּסֵּא ה׳ וְנִקְווּ אֵלֶיהָ כָל הַגּוֹיִם" — **as [Scripture] states,** ***At that time people will call Jerusalem "The Throne of HASHEM," and all the nations will be gathered to her*** *in the Name of HASHEM — to Jerusalem* (*Jeremiah* 3:17). רַבִּי יוֹחָנָן סְלַק לְמִשְׁאַל בִּשְׁלָמֵיהּ דְּרַבִּי חֲנִינָא — **R' Yochanan** once **went down to inquire as to the well-being of R' Chanina,**[157] וְאַשְׁכְּחֵיהּ דַּהֲוָה עָסֵיק בְּהָדֵין פְּסוּקָא — **and found that he was engaged in** expounding **this verse,** "בָּעֵת הַהִיא יִקְרְאוּ לִירוּשָׁלַיִם כִּסֵּא ה׳ וְנִקְווּ אֵלֶיהָ כָל הַגּוֹיִם" — ***At that time people will call Jerusalem "The Throne of HASHEM," and all the nations will be gathered to her*** *in the Name of HASHEM — to Jerusalem.* אָמַר לוֹ: וּמַחֲזֶקֶת הִיא אוֹתָן — **[R' Yochanan] said to [R' Chanina], "And will [Jerusalem]** be able to **hold all of [the nations]?"** אָמַר לוֹ: — Upon which **[R' Chanina] said to him,** הַמִּקְרָא אוֹמֵר "הַרְחִיבִי מְקוֹם אָהֳלֵךְ . . . כִּי יָמִין וּשְׂמֹאול תִּפְרֹצִי" — **"Scripture states** regarding Jerusalem, ***Broaden the place of your tent*** *and let the curtains of your dwellings stretch out, etc.* ***For you will burst out to the right and to the left*"** (*Isaiah* 54:2-3)![158]

NOTES

151. In such a manner that was neither overly cramped nor excessively roomy. The people would thus realize how precisely they were being accommodated in the space between the Ark's staves and they would therefore appreciate the magnitude of the miracle (*Eitz Yosef;* see *Rashi* to *Bereishis Rabbah* loc. cit. for an alternative understanding).

152. The word זאת, *this,* indicates a miracle that they were presently witnessing. Therefore the Midrash sees it as alluding to this miraculous phenomenon, that they were all standing between the two staves of the Ark [rather than to the miraculous crossing of the Jordan River that was about to occur] (*Eitz Yosef*).

153. That is, this was not only a short-lived occurrence in the Tabernacle in the Wilderness, it was a constant phenomenon throughout the course of the existence of the Holy Temple (see *Eitz Yosef* and *Yefeh To'ar* to *Bereishis Rabbah* loc. cit.).

154. Our translation of צפופים as "tightly pressed" follows *Eitz Yosef,* citing *Rambam* and *Aruch;* however, see there the somewhat different understanding quoted from *Rashi.*

155. That is, each person was separated from his co-worshipers by a total of four *amos,* with an *amah* of space dividing him from his neighbor on each one of his four sides; see *Maharzu.* However, see the text from *Bereishis Rabbah* 5 §7, cited by *Eitz Yosef.*

[Accordingly, this constituted a double miracle. Not only were the worshipers able to prostrate themselves despite the very crowded conditions but also, when they were prostrate there was further space separating one from the other.]

156. For hearing someone else's prayer could disturb his own praying. Alternatively, if one were to confess his sins while praying he was spared the embarrassment of having his neighbor hear his admission of wrongdoing (*Eitz Yosef*).

157. That is, he went to visit R' Chanina.

158. The verse indicates that with the coming of the Messiah the land space of Jerusalem will miraculously expand, and will thus be able to contain far beyond its present capacity.

וְרָבָא אָמַר: צִמְצְמָן בֵּין שְׁתֵּי בַּדֵּי הָאָרוֹן, הָדָא הוּא דִכְתִיב (שם שם י) "וַיֹּאמֶר יְהוֹשֻׁעַ בְּזֹאת תֵּדְעוּן כִּי אֵל חַי בְּקִרְבְּכֶם", אָמַר לָהֶם: מִתּוֹךְ שֶׁהֶחֱזִיקוּ אֶתְכֶם שְׁנֵי בַּדֵּי הָאָרוֹן °יוֹדֵעַ אֲנִי° שֶׁשְּׁכִינָתוֹ בֵּינֵיכֶם, אַף בְּבֵית הַמִּקְדָּשׁ כֵּן, יחדִּתְנִינַן: עוֹמְדִים צְפוּפִים וּמִשְׁתַּחֲוִים רְווּחִים (אבות ה, ה), רַבִּי שְׁמוּאֵל בַּר אִיבְיָה בְּשֵׁם רַבִּי אַחִי אָמַר: רֶיוַח אַרְבַּע אַמּוֹת בֵּין כָּל אֶחָד וְאֶחָד, אַמָּה לְכָל צַד, שֶׁלֹּא יְהֵא אֶחָד מֵהֶן שׁוֹמֵעַ קוֹל חֲבֵירוֹ מִתְפַּלֵּל, אַף לֶעָתִיד לָבֹא כֵּן, שֶׁנֶּאֱמַר (ירמיה ג, יז) "בָּעֵת הַהִיא יִקְרְאוּ לִירוּשָׁלַיִם כִּסֵּא ה' וְנִקְווּ אֵלֶיהָ כָּל הַגּוֹיִם", רַבִּי יוֹחָנָן סְלַק לְמִשְׁאַל בִּשְׁלָמֵיהּ דְּרַבִּי חֲנִינָא, וְאַשְׁכְּחֵיהּ דַּהֲוָה עָסֵיק בְּהָדֵין פְּסוּקָא, "בָּעֵת הַהִיא יִקְרְאוּ לִירוּשָׁלַיִם כִּסֵּא ה' וְנִקְווּ אֵלֶיהָ כָּל הַגּוֹיִם", אָמַר לוֹ: וּמַחֲזֶקֶת יטהִיא אוֹתָן, אָמַר לוֹ: הַמִּקְרָא אוֹמֵר (ישעיה נד, ב-ג) "הַרְחִיבִי מְקוֹם אָהֳלֵךְ", "כִּי יָמִין וּשְׂמֹאול תִּפְרֹצִי":

עץ יוסף

ובחור אלא בחור, ולפי זה בא ר' אחא להגדיל הנס שנמלא מקום מוכן לכל אחד במדרגתו, ולא היו בערבוביא: **צמצמן.** פירוש שהיה המקום מחזיקם במלאום לא פחות ולא יותר, וזה כדי שלא יהיו דחוקים, וגם לא מרווחים, כדי שיכירו ויתנו לב בנס שהיה המקום כמדתם ממש: **בזאת תדעון כו'.** דבזאת משמע בנס העומד לפניהם, דכל זה מורה באצבע: **אף בבית המקדש כן.** משום דמשכן לא הוי אלא לפי שעה בשבעת ימי המלואים, לכן אמר אף בבית המקדש היה כן, פירוש היה כן תמיד בשעת התפלה דהתם הוי קדושה טפי דקדושתו קדושת עולם: **עומדים צפופים.** מלשון (מלכים ב' ו, ו) ויצף הברזל, שמרוב הקהל שהיו בעזרה היו נדחקים איש באיש עד שהיו רגליהם נטולות מהארץ ועומדים באויר (רש"י) (עיין רבינו עובדיה אבות ה, ה), והרמב"ם והערוך פירשו לפופים, דחוקים: **דבר אחר בין כל אחד כו'.** ובבראשית רבה (ה, ז [ו]) איתא ארבע אמות לכל אחד ואמה מכל צד, ופירושו משום דהשתחויה בפשוט ידים ורגלים היה צריך ארבע אמות לקומת האדם, ואמה מכל צד שיהיו רחוקים זה מזה ולא ישמעו תפלתם ויטרדו זה את זה, או כדי שלא יתבייש החוטא מהתוודות על חטאיו:

פירוש מהרז"ו

עומדים צפופים. אבות (פ"ה מ"י) עשרה נסים: **ארבע אמות בין כל אחד.** כן צריך לומר ארבע אמות, לכל אחד אמה לכל צד, אמה לראשו, אמה למרגלותיו, ואמה לכל צד מן הצדדים, כפי אורך גופו, ומן הסתם הכוונה שהאמה הזאת היה מתחשב לו ולחביריו סביבותיו, שהיה ריוח אמה לכל איש סביביו, שלא יהיה פיו של זה אצל רגליו של זה, ולא ישמע זה מה שהתפלל זה, שסוכב אצלו: **אף לעתיד לבוא כן.** יהיה המקום המועט מחזיק המרובה, שתחזיק ירושלים כל גויי הארץ:

מתנות כהונה

קול חבירו מתפלל. בשעה שהיו משתחוים:

אשד הנחלים

צמצמן כו'. עיין בסדר בראשית פרשה ה' (סימן ז), ושם פירשתי ההבדל שביניהם. ודע דשמה הגירסא סמכן, במקום שמן, עיי"ש:
כסא ה'. שיהיו ענין אלקי שיהיה מחזיק את כולם:

חידושי הרש"ש

מתוך שהחזיק אתכם שני בדי הארון אתם יודעים. כן צריך לומר, וכן הוא בבראשית רבה שם:

אמרי יושר

בזאת תדעו כי אל חי. ואיתו גשם, בקרבכם, כן אתם לא תטרידו ותעיקו גשם:

ענף יוסף

בכריתות דף ה (ע"ב), ולכאורה יש לשאול, כיון ששאול נמשח בשמן המשחה, מה לי אם נמשח בפך או בקרן, ויראה משום דסימנא מלתא היא, דקרן סימן גדולה ורוממות, על דרך וירם קרן לעמו, וירם קרן משיחו, אצמיח קרן לדוד, קרנו תרום בכבוד, או לשון זוהר ובהירות, על דרך כי קרן עור פניו, קרנים מידו לו, גם הוא לשון חוזק ועלמות, כדמתרגם בעלם, בכרן, שהוא כמו בקרן בחלוף הכ"ף בקו"ף, כמו שכתב הרמב"ן בפרשה אמור (ויקרא כג, כח) בפסוק בעלם היום הזה, ומזה הענין הקרן קיימת, ומשיחת הפך לסימן הפסק, שהוא כלי חסר פחות ומעותד אל השבירה:

מסורת המדרש

יח. יומא כ"א:
יט. פסיקתא רבתי פ' כ"א ב"ר פ"ה:

אם למקרא

בָּעֵת הַהִיא יִקְרְאוּ לִירוּשָׁלִַם כִּסֵּא ה' וְנִקְווּ אֵלֶיהָ כָל הַגּוֹיִם לְשֵׁם ה' לִירוּשָׁלִָם וְלֹא יֵלְכוּ עוֹד אַחֲרֵי שְׁרִרוּת לִבָּם הָרָע: (ירמיה ג:יז)

הַרְחִיבִי מְקוֹם אָהֳלֵךְ וִירִיעוֹת מִשְׁכְּנוֹתַיִךְ יַטּוּ אַל תַּחְשֹׂכִי הַאֲרִיכִי מֵיתָרַיִךְ וִיתֵדֹתַיִךְ חַזֵּקִי: כִּי־יָמִין וּשְׂמֹאול תִּפְרֹצִי וְזַרְעֵךְ גּוֹיִם יִירָשׁ וְעָרִים נְשַׁמּוֹת יוֹשִׁיבוּ: (ישעיה נד:ב-ג)

שינוי נוסחאות

יודע אני ששכינתו ביניכם. הגיה רש"ש "אתם יודעים" תחת "יודע אני", וכ"נ נכון, שהרי כתוב "בזאת תדעו":

שמיני

SHEMINI

Chapter 11

וַיְהִי בַּיּוֹם הַשְּׁמִינִי קָרָא מֹשֶׁה לְאַהֲרֹן וּלְבָנָיו וּלְזִקְנֵי יִשְׂרָאֵל.
It was on the eighth day, Moses summoned Aaron and his sons, and the elders of Israel (9:1).

§1 **וַיְהִי בַּיּוֹם הַשְּׁמִינִי** — *IT WAS ON THE EIGHTH DAY.*

The Midrash cites a passage from *Proverbs* and provides several interpretations for it, ultimately relating it to our verse:

רַב אַהֲבָה בַּר כָּהֲנָא פָּתַח: "חָכְמוֹת בָּנְתָה בֵיתָהּ וְגו' טָבְחָה טִבְחָהּ וְגו' שָׁלְחָה נַעֲרֹתֶיהָ וְגו' מִי פֶתִי וְגו'" — **Rav Ahavah bar Kahana opened** his discourse on this verse by quoting the following passage: ***Wisdom has built her house;*** *she carved out its seven pillars.* ***She prepared her meat*** *and mixed her wine, she also set her table.* ***She has sent out her maidens,*** *to announce upon the city heights:* ***"Whoever is unlearned,*** *let him turn here!" He who is lacking in his heart, she speaks to him* (*Proverbs* 9:1-4).[1]

Rav Ahavah (or, as it is written below, Abba) bar Kahana relates this passage to the inauguration of the Tabernacle, as explained below in §4. First, however, the Midrash presents alternative interpretations of the passage:

רַבִּי יִרְמְיָה בַּר אִלְעַאי פָּתַר קְרָא בִּבְרִיָּיתוֹ שֶׁל עוֹלָם — **R' Yirmiyah bar Il'ai interpreted the verse as concerning the creation of the world.** **"חָכְמוֹת בָּנְתָה בֵיתָהּ", זֶה הַקָּדוֹשׁ בָּרוּךְ הוּא, דִּכְתִיב בֵּיהּ "ה' בְּחָכְמָה יָסַד אָרֶץ"** — ***Wisdom has built her***[2] ***house*** — **this is** a reference to **the Holy One, blessed is He,** the "Builder" of the world, **of Whom it is written,** ***HASHEM founded the earth with wisdom*** (ibid. 3:19). **"חָצְבָה עַמּוּדֶיהָ שִׁבְעָה" אֵלּוּ שִׁבְעָה יְמֵי בְרֵאשִׁית, שֶׁנֶּאֱמַר "כִּי שֵׁשֶׁת יָמִים וְגו'"** — ***She carved out its seven pillars*** — **these** refer to the **seven days of Creation, as it is stated,** ***for in six days,*** *HASHEM made the heavens and the earth, the sea and all that is in them, and He rested on the seventh day* (*Exodus* 20:11),[3] **"וַיְבָרֶךְ אֱלֹהִים אֶת יוֹם הַשְּׁבִיעִי"** — **and** ***God blessed the seventh day*** *and sanctified it* (*Genesis* 2:3).[4] **"טָבְחָה טִבְחָהּ", "וַיֹּאמֶר אֱלֹהִים תּוֹצֵא הָאָרֶץ"** — ***She prepared her meat*** — corresponding to what is written, ***God said, "Let the earth bring forth*** *living creatures, each according to its kind: animal, and creeping thing, and beast of the land each according to its kind"* (ibid. 1:24), sources of "meat" to eat.[5] **"מָסְכָה יֵינָהּ", "וַיֹּאמֶר אֱלֹהִים יִקָּווּ הַמַּיִם"** — ***She mixed her wine*** — corresponding to what is written, ***God said, "Let the waters . . . be gathered*** *into one area, and let the dry land appear"* (ibid., v. 9), making the water drinkable.[6] **"אַף עָרְכָה שֻׁלְחָנָהּ", "וַיֹּאמֶר אֱלֹהִים תַּדְשֵׁא הָאָרֶץ דֶּשֶׁא עֵשֶׂב מַזְרִיעַ זֶרַע"** — ***She also set her table*** — corresponding to what is written, ***God said, "Let the earth sprout vegetation: herbage yielding seed,*** *fruit trees yielding fruit each after its kind, containing its own seed on the earth"* (ibid., v. 11).[7] **"שָׁלְחָה נַעֲרֹתֶיהָ תִקְרָא", זֶה אָדָם וְחַוָּה** — ***She has sent out her maidens to announce*** — **this is** a reference to **Adam and Eve.**[8] **"עַל גַּפֵּי מְרֹמֵי קָרֶת", שֶׁהֱטִיסָן הַקָּדוֹשׁ בָּרוּךְ הוּא וְקָרָא אוֹתָן אֱלוֹהוּת** — ***Upon the city heights*** — this means **that the Holy One, blessed is He, raised [Adam and Eve] on high**[9] **and referred to them**[10] **as godlike beings,**[11] **הָדָא הוּא דִכְתִיב "אֲנִי אָמַרְתִּי אֱלֹהִים אַתֶּם"** — **as it is written,** ***I said, You are godly,*** *sons of the Most High are you all* (*Psalms* 82:6).[12] **אַחַר כָּל הַשֶּׁבַח הַזֶּה "מִי פֶתִי יָסֻר הֵנָּה"** — Now, **after all this honor** that God accorded to them, ***Whoever is unlearned, let him turn here!*** (or: *Who is foolish enough to turn away from here!*). **הֵן הִנִּיחוּ דַּעְתּוֹ שֶׁל הַקָּדוֹשׁ בָּרוּךְ הוּא וְהָלְכוּ אַחַר דַּעְתּוֹ שֶׁל נָחָשׁ** — This means: How foolish it was of Adam and Eve that **they forsook** ("turned away from") **God's will and** instead **followed the will of the serpent!**

NOTES

1. Wisdom is personified here as a woman who builds a house, prepares a feast, and then invites the unlearned to come and "feast" on her edification. The Midrash presents several possible meanings for this metaphor.

2. The Hebrew word for "wisdom" (חָכְמָה, or in plural חָכְמוֹת) is feminine, and the feminine is thus used throughout the metaphor — even though, according to this interpretation, it refers to the wisdom of God.

3. Although God actually created the world in six days, and rested on the seventh, the Sages refer to the *seven* days of Creation, because the seventh day was when "rest" was created (see *Rashi* on *Genesis* 2:2 and *Tosafos* to *Sanhedrin* 38a s.v. חצבה, based on *Bereishis Rabbah* 10 §9) (*Radal* and *Eitz Yosef*).

4. This verse provides an additional reason for counting the Sabbath as the seventh "pillar" — because it is blessed and sanctified (see *Bereishis Rabbah* 11 §2) (*Eitz Yosef*).

5. [Although meat was forbidden to mankind before the Flood (*Sanhedrin* 59b), *Tosafos* to *Sanhedrin* 56b s.v. אכל assert that the prohibition was only to *kill* animals for food. However, one was permitted to eat an animal that died in some other fashion (*Yefeh To'ar*).]

6. For before the separation of water from earth, the water was muddy and undrinkable. This act of fixing the water for drinking is comparable to mixing wine, which also renders the wine drinkable (*Eitz Yosef*).

7. *She set her table* refers to raw fruits, vegetables, and seeds because they are ready to be served without preparation (*Matnos Kehunah*; *Radal*; *Eitz Yosef*).

8. The verse calls Adam and Eve נְעָרוֹת (translated here as *maidens*, but literally, *young women* or *youths*) because, as taught in *Bereishis Rabbah* (14 §7), they were created in the form of young adults (*Eitz Yosef*).

The Midrash interprets the phrase שָׁלְחָה נַעֲרֹתֶיהָ תִקְרָא (translated here as *She has sent out her maidens to announce* [or *to call out*]) as, "She has sent and called out for her maidens" — i.e., Adam and Eve — to come to the banquet she has prepared for them (*Eitz Yosef*).

9. Lit., *caused them to hover in the air.* The Midrash is interpreting גַּפֵּי as "wings" (*Matnos Kehunah*), as in *Daniel* 7:4.

10. The Midrash interprets קָרֶת (translated here as "city") as a verb, "she called."

11. God "raised them on high" by labeling them as godlike.

12. This verse is applied by the Sages to Adam and Eve before their sin (see *Shocher Tov* ad loc.) (*Yefeh To'ar*).

סֵדֶר שְׁמִינִי

פרשה יא

א [ט, א] "וַיְהִי בַּיּוֹם הַשְּׁמִינִי", רַב אַהֲבָה בַּר כַּהֲנָא פָּתַח: (משלי ט, א-ד) "חָכְמוֹת בָּנְתָה בֵיתָהּ וְגוֹ' טָבְחָה טִבְחָהּ וְגוֹ' שָׁלְחָה נַעֲרֹתֶיהָ וְגוֹ' מִי פֶתִי וְגוֹ'", רַבִּי יִרְמְיָה בַּר אֶלְעַאי פָּתַר קְרָא [א]בִּבְרִיָּיתוֹ שֶׁל עוֹלָם, "חָכְמוֹת בָּנְתָה בֵיתָהּ", זֶה הַקָּדוֹשׁ בָּרוּךְ הוּא, דִּכְתִיב בֵּיהּ (שם ג, יט) "ה' בְּחָכְמָה יָסַד אָרֶץ", (שם ט, א) "חָצְבָה עַמּוּדֶיהָ שִׁבְעָה" אֵלּוּ שִׁבְעָה יְמֵי בְרֵאשִׁית, שֶׁנֶּאֱמַר (שמות כ, י) "כִּי שֵׁשֶׁת יָמִים וְגוֹ'", (בראשית ב, ג) "וַיְבָרֶךְ אֱלֹהִים אֶת יוֹם הַשְּׁבִיעִי", "טָבְחָה טִבְחָהּ", (שם א, כד) "וַיֹּאמֶר אֱלֹהִים תּוֹצֵא הָאָרֶץ", (משלי שם ב) "מָסְכָה יֵינָהּ", (בראשית שם ט) "וַיֹּאמֶר אֱלֹהִים יִקָּווּ הַמַּיִם", (משלי שם שם) "אַף עָרְכָה שֻׁלְחָנָהּ", (בראשית שם יא) "וַיֹּאמֶר אֱלֹהִים תַּדְשֵׁא הָאָרֶץ דֶּשֶׁא עֵשֶׂב מַזְרִיעַ זֶרַע", "שָׁלְחָה נַעֲרֹתֶיהָ תִקְרָא", זֶה אָדָם וְחַוָּה, (משלי שם ג) "עַל גַּפֵּי מְרֹמֵי קָרֶת", °שֶׁהֶסִּיטָן הַקָּדוֹשׁ בָּרוּךְ הוּא וְקָרָא אוֹתָן אֱלוֹהוֹת, הָדָא הוּא דִכְתִיב (בראשית ג, ה) "°וִהְיִיתֶם בֵּאלֹהִים°", אַחַר כָּל הַשֶּׁבַח הַזֶּה (משלי שם ד) "מִי פֶתִי יָסֻר הֵנָּה", הֵן הֵנִיחוּ דַעְתּוֹ שֶׁל הַקָּדוֹשׁ בָּרוּךְ הוּא וְהָלְכוּ אַחַר דַּעְתּוֹ שֶׁל נָחָשׁ,

עץ יוסף

(א) **פתח חכמות בנתה וגו'.** משום דקשיא ליה מה שנאמר דקרא לאהרן ולבניו למעשה הקרבנות, ביום השמיני, ולא בשבעת הימים שעשאן משה, ובעי לתרוצי משום חצבה עמודיה שבעה, כמו שאפרש, פתח בהאי קרא. ומכוון דמייתי ליה, מפרש ליה ברישא בכל פירושי דאשכחן כדרך המדרש: **ה' בחכמה.** ומה שכתוב חכמות, מפני שבחכמתו כוללת חכמות רבות באחדות פשוטה: **אלו שבעת ימי בראשית.** שאף על פי שבששה ימים נברא העולם, מכל מקום היה חסר מנוחה, עד שבא שבת בא מנוחה, והיינו דכתיב (בראשית ב, ב) ויכל אלהים ביום השביעי (תוס' סנהדרין לח, א, ד"ה חצבה). וזהו גם כן כוונת המדרש במה שהביא כי ששת ימים וגו', הכוונה וסיפיה דקרא וינח ביום השביעי, ומה שהביא המדרש ויברך אלהים את יום השביעי, נראה שנתן עוד טעם, שלהיות יום השבת מבורך ומקודש בכמה מילי, כדלעיל בבראשית רבה (פרשה יא), הוי ליה יום השבת כבריאה אחריתי: **תוצא הארץ נפש חיה בהמה.** שהוא דבר העומד לטביחה: **מסכה יינה ויאמר אלהים יקוו המים.** כלומר שאז נתקן ענין המים הצריכים לשתיה, דהוי ליה כמזיגת היין לסעודה, שמתחלה לא היו המים ראוים לשתיה, שהיה יסוד העפר מעורב בהם, ובהקוות המים נבדלו חלק העפר מהמים: **אף ערכה כו' תדשא כו' עשב מזריע.** דבר הערוך ומוכן לשולחן, והן מיני פירות הארץ וזרעים חיים: **זה אדם וחוה.** ונקראו נערות שהיו כבחורים, כשנבראו כמו שאמר לעיל בבראשית רבה (פרשה יד סימן ז) (ככני) [כבן] עשרים נבראו, ופירוש שלחה נערותיה תקרא, החכמה הנזכר, שלחה לנערותיה וקראתם וזימנתם לסעודה: **שהסיטן הקדוש ברוך הוא.** שהגביה אותם במה שקראם אלהות, ודריש גפי מלשון כנפים, על דרך השאלה: **והייתם באלהים.** לא גרסינן לה, שזה מדברי הנחש, ועוד דוהייתם כאלהים קאמר, אלמא דעדיין לא היו כאלהים, וגרסינן במקומו אני אמרתי אלהים אתם, דדרשי לה במדרשות באדם הראשון קודם החטא: **הן הניחו דעתו כו'.** ומי פתי יסור הנה, הכי פירושו, כי כפתי הזה שיסורו מהנה, דהיינו שיניח דעתי מפני דעת הנחש:

פירוש מהרז"ו

(א) **שלחה נערותיה תקרא.** אם הפירוש ששלחה נערותיה לקרוא אחרים, הלא מאחר שמדבר בתחלת הבריאה את מי יקראו, על כן דורש שלחה שלוחיה לקרוא נערותיה, המה אדם וחוה, ושלוחיה המה המלאכים, שבתחלה הכין הסעודה, ואחר כך ברא, כמו שאמרו בראשית רבה (ח, ו), ועיין במדבר רבה (יב, ד), ובסנהדרין ל"ח, ובמדבר רבה שם כוון למה שכתב כאן: **מי פתי וכו' אחר דעתו של נחש.** כמו שכתוב (בראשית ג, יג) הנחש השיאני ואוכל, פיתה אותי, וזהו פתי, ועל ידי זה אבדו כל הסעודה הנ"ל. והנה תחלה קראה החכמה אותם נערותיה על גפי מרומי קרת, למעלה ולגדולה, ואחר כך מי פתי יסור הנה, ותיבת יסור מורה שסר מדרך טובה, כמו שכתוב (שמות לב, ח) סרו מהר מן הדרך, וכמו שכתוב (איכה ד, טו) סורו טמא, ומה שכתב אצל לוט (בראשית יט, ב) סורו, דרשו חז"ל (בראשית רבה נ, ד) עקמו עלי את הדרך, ומה שכתב אצל יעל (שופטים ד, יח), סורה אלי, היינו שהיה צריך לסור מדרכו וללכת אליה, וכן סורה שבה פה פלוני אלמוני (רות ד, א), וכן כאן פתי יסור, שסר בפתיות מדרך הטובה, ואחר כך כתיב (משלי ט, ד) חסר לב, שהוא רע יותר, ומהו אמרה לו (שם), ולא פירש מה שאמרה, על כן דורש שמתחלה קראה אותם על גפי מרומי קרת, לכו לחמו בלחמי ושתו ביין מסכתי (שם פסוק ה), על פי מדה ל"א, ואחר כך כשהשיאו הנחש, מי פתי יסור הנה, עזבו פתיים וחיו כשסרו מדרך הטובה, וכשלא עשו תשובה, אז קראה אותם חסר לב, יוסר לך לוקח לו קלון (שם פסוק ז), ופסוקים אחרונים מפרשים הראשונים, וזה על פי מדה ל"א כאשר סדרתי, ומה שכתב אמרה לו, שאין לצרפו אל מה שכתוב לכו לחמו בלחמי כנ"ל, שהרי הוא שייך אל מה שכתוב (שם פסוק ג) על גפי מרומי קרת כנ"ל, ובהכרח לדרוש על פי מדה י"ז, שמפורש בתורה מה שאמר לו אחר שאכל מעץ הדעת, כמו שכתוב (בראשית ג, יז) ולאדם אמר כי שמעת לקול אשתך וגו' ארורה האדמה וגו', עד כי עפר אתה ואל עפר תשוב, ובסנהדרין שם בשנוי:

מתנות כהונה

[א] **תוצא הארץ כו'.** שהיא כמו בהמה שנשחטה ולא ניתקנה עדיין למאכל בני אדם: **עשב מזריע זרע וגו'.** הוא כעורך שלחן ערוך לפני האוכל, ובירושלמי פרק אחד דיני ממונות (סנהדרין פ"ד ה"ט) גרס הכא טבחה וגו' אלו ימים ונהרות וכל צרכי עולם: **שהסיטן הקדוש ברוך הוא.** שהגביה אותם במה שקראם אלהות, ודריש גפי מלשון כנפים על דרך השאלה:

אשד הנחלים

[א] **זה הקב"ה כו'.** יש להבין מדוע קרא וכינה לחכמת ה', בשם חכמת נשים. אך לפי דעת בעלי חכמת האמת הוא כינוי על מדת החכמה העליונה הנובע מרצון העליון, והמקבל בערך המשפיע יקרא ככה וכנודע בלשונם, והשבעה המה שבעת ימי הבנין המקבלים מחכמה, שהמה מכוונים לשבעת ימי בראשית. וקרא להעולם בשם בית שהוא בית ה', וחשב גם יום השביעי שלא היה בו בריאה, אך היה בו ברכה על הקיום, כי היא מחזקת הכל, כמו שהמדה האחרונה הוא ענין כולל ומחזיק את כולם. ומצייר על דרך משל, כאלו החכמה הכינה לאדם כל מחסוריו, ונתנה הכח באדמה להספיק כל צרכי האדם, וטבח המה כל סוגי החיים והכנת המשקים מהמים, ועריכת השולחן בכל הדברים המספיקים, כדשאים וכל צרכי המזון, והקדים את מעלת האדם מאוד במעלה אלקית, ולא היו צריכים לעמול בעניינים גשמיים, כי היה הכל מוכן לפניהם. ועתה מי פתי יסור הנה לדעת הנחש, להשתקע בעניינים ארציים בחנם, עד שמזה נסתבב המיתה לכל חי מפני ההשתקעות בחומריות, ודי בזה בדרך כלל:

שינוי נוסחאות

(א) **חכמות בנתה ביתה.** בהרבה דפוסים נפלה טעות שכתבו "חכמות נשים בנתה ביתה", והוא מקרא אחר במשלי (יד, א) ואין לו ענין לכאן, אבל בספרים הישנים היה כתוב בלי "נשים" (ובד' וארשא כתבוהו בסוגריים). **שהסיטן הקדוש ברוך הוא** (וכן לקמן בפיסקא ג'). בספרים הישנים היה כתוב "שהטיסן" (וכן הוא בכי"י) ופ' א"א: הפריחן, אבל במ"כ איתא "הסיטן", ואינו ברור אם כתב כך מפני שכוונתו להגיה הספר או שמא פליטת הקולמוס בעלמא הוא (דהא אין טעם להגהה כזו, ועוד שלא כתב "הכי גרסינן" כדרכו כשמגיה ועוד שהוא עצמו פירש שדורש "גפי" לשון כנפיים). עכ"פ המדפיסים כולם (החל מקראקא שמ"ז) התחילו לכתוב "שהסיטן", עד שבא רד"ל (לקמן סימן ג) והחזיר עטרה ליושנה והגיה שצ"ל "שהטיסן": **והייתם כאלהים.** צ"ל "אני אמרתי אלהים אתם", יפ"ת, ורד"ל נדפס לקמן על פסוק ג'.

חידושי הרד"ל

[א] **רב אהבה בר כהנא פתח חכמות נשים כו'.** כן צריך לומר: **שבעה [וכו'] ימים [וגו'] ויברך כו' יום השביעי.** מכוון לדברי התוספות (סנהדרין לח, א) ד"ה חצבה, שלכן קורא עמודיה שבעה, שגם בשבת באה מנוחה, וכדאיתא בבראשית רבה סוף פרשה י: **טבחה תוצא הארץ נפש חיה בהמה כו'.** כן צריך לומר, פירוש דבר העומד לטביחה: **ערכה שולחנה כו' דשא עשב מזריע זרע.** פירוש דבר הערוך מוכן לשולחן, והמה מיני פירות הארץ וזרעים חיים:

חידושי הרש"ש

[א] **רב אהבה בר כהנא פתח חכמות נשים בנתה ביתה.** תיבת נשים טעות סופר, ובסנהדרין (לח, א) ליתא וכן לקמן באיכך דרשות: **על גפי מרומי קרת שהסיטן הקדוש ברוך הוא וקרא אותן אלוהות.** נראה משום דגפה הוא תואר לאלוהים, כמו גפא דרומי (פסחים פז, ב. מנחות מד, א): **הדא הוא דכתיב והייתם באלהים.** לכאורה נראה להגיה בצלם אלהים:

באור מהרי"פ

[א] **טבחה טבחה ויאמר אלהים וגו'.** פירוש סדר סעודה קחשיב המדרש ולא סדר המקראות: **מתנות כהונה עשב מזריע זרע וכו' ובירושלמי פרק אחד דיני ממונות וכו'.** ובירושלמי (סנהדרין פ"ד ה"ט), איננו גורס ויאמר אלהים תוציא הארץ, אלא דורש טבחה טבחה הוא כלל צרכי העולם, ומסכה יינה כולל ימים ונהרות: **שהסיטן.** צריך להיות שהטיסן, כל עוף כל כנף (בראשית ז, יד), תרגום ירושלמי כל דטייס [ועיין תרגום יונתן בראשית א, כ כאן]:

אמרי יושר

[א] **שלחה נערותיה תקרא אלו אדם וחוה.** ונערותיה הם הקרואים:

מסורת המדרש

א. ירושלמי פ"ג דסנהדרין:

אם למקרא

חָכְמוֹת בָּנְתָה בֵיתָהּ חָצְבָה עַמּוּדֶיהָ שִׁבְעָה: טָבְחָה טִבְחָהּ מָסְכָה יֵינָהּ אַף עָרְכָה שֻׁלְחָנָהּ: שָׁלְחָה נַעֲרֹתֶיהָ תִקְרָא עַל גַּפֵּי מְרֹמֵי קָרֶת: מִי פֶתִי יָסֻר הֵנָּה חֲסַר לֵב אָמְרָה לּוֹ: (משלי ט:א-ד)

ה' בְּחָכְמָה יָסַד אָרֶץ כּוֹנֵן שָׁמַיִם בִּתְבוּנָה: (שם ג:יט)

כִּי שֵׁשֶׁת יָמִים עָשָׂה ה' אֶת הַשָּׁמַיִם וְאֶת הָאָרֶץ אֶת הַיָּם וְאֶת כָּל אֲשֶׁר בָּם וַיָּנַח בַּיּוֹם הַשְּׁבִיעִי עַל כֵּן בֵּרַךְ ה' אֶת יוֹם הַשַּׁבָּת וַיְקַדְּשֵׁהוּ: (שמות כ:י)

וַיְבָרֶךְ אֱלֹהִים אֶת יוֹם הַשְּׁבִיעִי וַיְקַדֵּשׁ אֹתוֹ כִּי בוֹ שָׁבַת מִכָּל מְלַאכְתּוֹ אֲשֶׁר בָּרָא אֱלֹהִים לַעֲשׂוֹת: (בראשית ב:ג)

וַיֹּאמֶר אֱלֹהִים תּוֹצֵא הָאָרֶץ נֶפֶשׁ חַיָּה לְמִינָהּ בְּהֵמָה וָרֶמֶשׂ וְחַיְתוֹ אֶרֶץ לְמִינָהּ וַיְהִי כֵן: (שם א:כד)

וַיֹּאמֶר אֱלֹהִים יִקָּווּ הַמַּיִם מִתַּחַת הַשָּׁמַיִם אֶל מָקוֹם אֶחָד וְתֵרָאֶה הַיַּבָּשָׁה וַיְהִי כֵן: (שם שם ט)

וַיֹּאמֶר אֱלֹהִים תַּדְשֵׁא הָאָרֶץ דֶּשֶׁא עֵשֶׂב מַזְרִיעַ זֶרַע עֵץ פְּרִי עֹשֶׂה פְּרִי לְמִינוֹ אֲשֶׁר זַרְעוֹ בוֹ עַל הָאָרֶץ וַיְהִי כֵן: (שם שם יא)

כִּי יֹדֵעַ אֱלֹהִים כִּי בְּיוֹם אֲכָלְכֶם מִמֶּנּוּ וְנִפְקְחוּ עֵינֵיכֶם וִהְיִיתֶם כֵּאלֹהִים יֹדְעֵי טוֹב וָרָע: (שם ג:ה)

ענף יוסף

(א) **ויאמר אלהים תוצא הארץ כו'.** אין קושיא ממאי דנקט מילי שלא כסדרן בבריאה, דהכא נקט סדר תיקון סעודה, דברישא מתקנים תבשילי הבשר שהיא עיקר הסעודה, והדר עניני השתיה, והדר ענין הפירות ומגדנות ודומיהם, ובסדר הבריאה קדם יקוו המים שהוצרך למלאות הלחמים והבעלי חיים, ושוב תדשא הארץ שזה דבק עם היבשה, שנגלתה בהקוות המים (יפה תואר):

בִּשְׁבִיל כָּךְ ״חֲסַר לֵב אָמְרָה לוֹ״, ״כִּי עָפָר אַתָּה וְאֶל עָפָר תָּשׁוּב״ — **And as a result of this** foolish act, ***He who is lacking in his heart,***[13] ***she speaks to him*** — i.e., God[14] spoke to Adam and announced to him what his punishment would be: ***For you are dust, and to dust shall you return*** (*Genesis* ibid., v. 19).[15]

§2 The Midrash relates another interpretation of the passage in *Proverbs*:

רַבִּי יוֹנָה בְּשֵׁם רַבִּי אַבָּא בַּר יִרְמְיָה פָּתַר קְרָיָא בְּגוֹג לֶעָתִיד לָבֹא — **R' Yonah, in the name of R' Abba bar Yirmiyah, interpreted the verse as concerning** the war of **Gog,** king of Magog, which will take place **in the future.**[16] ״חָכְמוֹת בָּנְתָה בֵיתָהּ״ זֶה בֵּית הַמִּקְדָּשׁ — ***Wisdom has built her house*** — **this** *house* **is** a reference to **the** Third **Temple,** which God will build with wisdom in those Messianic times, הָדָא הוּא דִכְתִיב ״בְּחָכְמָה יִבָּנֶה בָּיִת״ — **for it is written, *Through wisdom a house will be built*** (*Proverbs* 24:3).[17] ״חָצְבָה עַמּוּדֶיהָ שִׁבְעָה״, אֵלּוּ ז׳ שָׁנִים שֶׁל גּוֹג — ***She carved out its seven pillars*** — **these are** referring to the **seven years of Gog,**[18] דְּאָמַר רַבִּי יוֹנָה בְּשֵׁם רַבִּי אַבָּא בַּר כָּהֲנָא: כָּל אוֹתָן ז׳ שָׁנִים מַסִּיקִין יְדוֹתֵיהֶן שֶׁל חֲרָבוֹת וִידוֹתֵיהֶן שֶׁל רְמָחִים וִידוֹתֵיהֶן שֶׁל סַכִּינִין — **for R' Yonah said in the name of R' Abba bar Kahana: All those seven years fires will be kindled from the** massive amount of **sword handles, spear handles, and knife handles** left behind by Gog's army, הָדָא הוּא דִכְתִיב ״וְיָצְאוּ יֹשְׁבֵי עָרֵי יִשְׂרָאֵל וּבִעֲרוּ וְהִשִּׂיקוּ בְּנֶשֶׁק וּמָגֵן וְצִנָּה בְּקֶשֶׁת וּבְחִצִּים וּבְמַקֵּל יָד וּבְרֹמַח וּבִעֲרוּ בָהֶם אֵשׁ שֶׁבַע שָׁנִים״ — **as it is written, *Then the inhabitants of the cities of Israel will go out and kindle fires and fuel them with [Gog's] weaponry***[19] ***— with shields and bucklers, with bows and with arrows, with maces and with spears — and they will fuel fires with them for seven years*** (*Ezekiel* 39:9). וְאוֹתָן שֶׁבַע שָׁנִים הֵן הֵן פַּרְטַגְמְיָא שֶׁל צַדִּיקִים לֶעָתִיד לָבֹא — **And those seven years will be like a pre-wedding feast for the righteous in the future.**[20] וְסִימָנָא דְּעָבֵיד פַּרְטַגְמְיָא אָכֵיל מִשְׁתּוּתָא — **And** the following saying is **a symbol** for the situation of the righteous at that time: **"He who prepares a pre-wedding feast will** soon **be eating at a wedding feast."**[21] ״טָבְחָה טִבְחָהּ״, ״בְּשַׂר גִּבּוֹרִים תֹּאכֵלוּ״ — ***She prepared her meat*** — corresponding to what is written, ***Eat the flesh of warriors*** (ibid., v. 18).[22] ״מָסְכָה יֵינָהּ״, ״וְדַם נְשִׂיאֵי הָאָרֶץ תִּשְׁתּוּ״ — ***She mixed her wine*** — corresponding to what is written, ***and drink the blood of the earth's princes*** (ibid.). ״אַף עָרְכָה שֻׁלְחָנָהּ״ ״וּשְׂבַעְתֶּם עַל שֻׁלְחָנִי סוּס וָרֶכֶב״ — ***She also set her table*** — corresponding to what is written, ***sate yourselves at My table with horse and rider*** (ibid., v. 20). ״שָׁלְחָה נַעֲרֹתֶיהָ תִקְרָא״, זֶה יְחֶזְקֵאל, שֶׁנֶּאֱמַר ״כֹּה אָמַר ה׳ אֱלֹהִים אֱמֹר לְצִפּוֹר כָּל כָּנָף וּלְכֹל חַיַּת הַשָּׂדֶה״ — ***She has sent out her maidens to announce*** — **this is** a reference to **Ezekiel,**[23] **as it states,** *Now you, Son of Man,* ***thus said the Lord HASHEM/ELOHIM: Say to every winged bird and to every beast of the field,*** *"Assemble and come, gather together from all around for My feast that I slaughter for you, a great feast upon the mountains of Israel; eat flesh and drink blood!"* (ibid., v. 17).[24]

NOTES

13. The heart symbolizes understanding. Adam and Eve lacked the "heart" (understanding) to make the appropriate decision regarding the Tree of Knowledge.

14. See above, note 2.

15. An alternative translation and interpretation of this last line in the Midrash is: בִּשְׁבִיל כָּךְ ״חֲסַר לֵב אָמְרָה לוֹ״, ״כִּי עָפָר אַתָּה וְאֶל עָפָר תָּשׁוּב״ — And *as a result of this* foolish act, *"You shall be lacking in your heart!" she told him* — i.e., God told Adam that his life ("heart") would now be cut short, *For you are dust, and to dust shall you return* (*Yefeh To'ar, Matnos Kehunah*).

16. As foreseen by Ezekiel (Chs. 38 and 39), Gog, the king of Magog, will launch a cataclysmic attack against the Jews in the Land of Israel at the dawn of the Messianic age.

17. This verse establishes the connection between "wisdom" and the Temple. (The Temple is built through great wisdom; see *Shemos Rabbah* 48 §4.) Because the word יִבָּנֶה is in the future tense, the Midrash takes it as a reference to the future Temple.

18. I.e., the seven years following the defeat of Gog, described in *Ezekiel* 39:9-10 and in the Midrash below. It is during these years that the Third Temple will be built. The Midrash is interpreting the phrase חָצְבָה עַמּוּדֶיהָ שִׁבְעָה (translated here as *she carved out its pillars*) as, "She carved out its pillars in seven [years]" (*Yefeh To'ar*).

19. The general term "weaponry" is followed by a list of specific articles of warfare, all of them made of wood. Metal weapons are not mentioned at all. But R' Abba bar Kahana derived from the general term "weaponry" that even metal items (i.e., their wooden handles) will be used for firewood. The point of this observation is that there will be such a large amount of booty that there will be a great surplus of these knives, swords, metal spears, etc., and people will have no use for them except to utilize the handles for fuel (*Yefeh To'ar*).

20. For the righteous who benefit from the spoils of Gog, it will be a fore-taste of the rewards they will enjoy in the World to Come.

Our translation of פַּרְטַגְמְיָא as "pre-wedding feast" follows *Anaf Yosef,* based on *Rash* to *Demai* 4:2. *Yefeh To'ar* concludes that this is the correct translation as well (although his application of the translation to our Midrash differs slightly). [*Aruch* has an altogether different translation for the word (followed by *Yefeh To'ar* initially, and by *Eitz Yosef*), but it is rejected out of hand by *Mussaf HeAruch* (s.v. משתיתא) and ultimately by *Yefeh To'ar*. *Matnos Kehunah* has yet a third translation.]

21. Just as a guest at the pre-wedding party will go on to eat at the wedding feast one day, the ability of individuals to benefit from the seven years of Gog's spoils may be taken as a sure sign that these people will merit the rewards of the Next World.

22. In this verse God tells Ezekiel to call out to birds and beasts of prey to "invite" them to the "feast" consisting of the flesh and blood of Gog's dead warriors.

23. נְעָרוֹת, translated here as *maidens,* can also mean *servants* (see for example, *Exodus* 2:5). The Midrash now interprets it as a reference to Ezekiel (perhaps accompanied by his disciples, to account for the plural — *Eitz Yosef*), who was *sent out* to *announce* God's invitation to the birds and beasts of prey to the "feast" of Gog.

24. In this interpretation the Midrash does not spell out how the continuation of the *Proverbs* passage should be understood, namely עַל גַּפֵּי מְרֹמֵי קָרֶת, מִי פֶתִי יָסֻר הֵנָּה, חֲסַר לֵב אָמְרָה לּוֹ. *Maharzu* explains that עַל גַּפֵּי מְרֹמֵי קָרֶת is now taken to mean that Ezekiel was to make his announcement "to [עַל] the winged creatures [גַּפֵּי] that fly on high [מְרֹמֵי קָרֶת]." The words מִי פֶתִי יָסֻר הֵנָּה, חֲסַר לֵב אָמְרָה לּוֹ, he explains, are interpreted as: *"Who is foolish enough to turn here?* [Gog is:] *He who is lacking in his heart* [i.e., lacking understanding]; *she speaks to him* and informs him of the punishment that awaits him." Alternatively, the words מִי פֶתִי יָסֻר הֵנָּה, חֲסַר לֵב אָמְרָה לּוֹ refer to the birds and beasts that Ezekiel was summoning, for any animal, since it lacks human intelligence, may be termed פֶּתִי and חֲסַר לֵב, and the verse is to be attached to what follows it: לְכוּ לַחֲמוּ בְלַחְמִי וּשְׁתוּ בְּיַיִן מָסָכְתִּי, *come and partake of my food and drink of the wine that I mixed.* Ezekiel was thus telling the "unintelligent" animals to *turn aside* and *come* to partake of the feast that God had prepared for them.

בִּשְׁבִיל כָּךְ (שם) "חֲסַר לֵב אֲמָרָה לוֹ", (בראשית שם יט) "כִּי עָפָר אַתָּה וְאֶל עָפָר תָּשׁוּב":

ב רַבִּי יוֹנָה בְּשֵׁם רַבִּי אַבָּא בַּר יִרְמְיָה פָּתַר קְרָיָא בְּגוֹג לֶעָתִיד לָבֹא, (משלי ט, א) "חָכְמוֹת בָּנְתָה בֵיתָהּ" זֶה בֵּית הַמִּקְדָּשׁ, הָדָא הוּא דִכְתִיב (שם כד, ג) "בְּחָכְמָה יִבָּנֶה בָּיִת", (שם ט, א) "חָצְבָה עַמּוּדֶיהָ שִׁבְעָה", אֵלּוּ ז' שָׁנִים שֶׁל גּוֹג, דְּאָמַר רַבִּי יוֹנָה בְּשֵׁם רַבִּי אַבָּא בַּר כָּהֲנָא: כָּל אוֹתָן ז' שָׁנִים מַסִּיקִין יְדוֹתֵיהֶן שֶׁל חֲרָבוֹת וִידוֹתֵיהֶן שֶׁל רְמָחִים וִידוֹתֵיהֶן שֶׁל סַכִּינִין, הָדָא הוּא דִכְתִיב (יחזקאל לט, ט) "וְיָצְאוּ יֹשְׁבֵי עָרֵי יִשְׂרָאֵל וּבִעֲרוּ וְהִשִּׂיקוּ בְּנֶשֶׁק וּמָגֵן וְצִנָּה בְּקֶשֶׁת וּבְחִצִּים וּבְמַקֵּל יָד וּבְרֹמַח וּבִעֲרוּ בָהֶם אֵשׁ שֶׁבַע שָׁנִים", וְאוֹתָן שֶׁבַע שָׁנִים הֵן הֵן פְּרַטְגַּמְיָא שֶׁל צַדִּיקִים לֶעָתִיד לָבֹא, וְסִימָנָא דְּעָבֵיד פְּרַטְגַּמְיָא אָבֵיל מִשְׁתּוּתָא, (משלי ט, ב) "טָבְחָה טִבְחָהּ", (יחזקאל לט, יח) "בְּשַׂר גִּבּוֹרִים תֹּאכֵלוּ", (משלי ט, ב) "מָסְכָה יֵינָהּ", (יחזקאל לט, יח) "וְדַם נְשִׂיאֵי הָאָרֶץ תִּשְׁתּוּ", (משלי ט, ב) "אַף עָרְכָה שֻׁלְחָנָהּ", (יחזקאל לט, כ) "וּשְׂבַעְתֶּם עַל שֻׁלְחָנִי סוּס וָרֶכֶב", (משלי ט, ג) "שָׁלְחָה נַעֲרֹתֶיהָ תִקְרָא", זֶה יְחֶזְקֵאל, שֶׁנֶּאֱמַר (יחזקאל לט, יז) "כֹּה אָמַר ה' אֱלֹהִים אֱמֹר לְצִפּוֹר כָּל כָּנָף וּלְכֹל חַיַּת הַשָּׂדֶה":

עץ יוסף

בשביל כך חסר כו'. כלומר בשביל זה, דהיינו שהיה חסר לב, לכן אמרה לו החכמה הנזכר, גזירת כי עפר אתה, ולא הזכיר הכתוב זה, כי כאומרו אמרה לו, יודעים שהיא הגזירה שגזר עליו, ועיין בענף: **(ב) בחכמה יבנה בית.** והיינו בית המקדש, כדאיתא בשמות רבה (פרשה מח ו): **הן פרטגמיא.** פירוש שיתעשרו בקבוץ השלל, כסוחר המקבץ מעות וסחורה: **דעביד פרטגמיא אביל משתותא.** פירוש שהזוכה ומרויח בפרגמטיא, עושה משתה ושמחה מיגיעו, וכן זה אם זכה לעשות פרגמטיא בשבע שנים, אלו יזכה לעולם הבא, ואי לא לא, וכדאיתא בירושלמי דשביעית סוף פרק ד (ה"ז), המת בשבע שני גוג, אין לו חלק לעולם הבא, סימנא דאכיל פרגמטיא אכיל משתותא. ופירושו שהמת בשבע שני גוג, לפי שהם פרגמטיא של צדיקים, סימן רע לו, שאילו היה צדיק היה נהנה בהם, ולכן הוא סימן שאין לו חלק לעולם הבא, ונתנו סימן לדבר ממאי דאמרי אינשי, אכיל פרגמטיא כו' וכו"ל, ועיין עוד בענף: **זה יחזקאל.** דריש נערותיה לשון שליח ומשרת, כמו משרתו יהושע בן נון נער (שמות לג, יא), ואמר נערותיה לשון רבים, על יחזקאל והנלוים אליו מבני הנביאים ההולכים במלאכות ה': **אמור לציפור.** ופירוש מי פתי יסור הנה וכו' לכו לחמו בלחמי, היינו החיה והעוף שאין בעלי דעת כאדם:

פירוש מהרז"ו

(ב) זה בית המקדש. השלישי שלעתיד, ומפלת גוג הוא הכנה טובה לכל הטוב שלעתיד, וכמו שכתוב יחזקאל (לט, ח) (ביום מפלת גוג) הוא היום [אשר] (ש)דברתי, פירוש שעליו נתנבאו הנביאים כל הטובה שעתידה לבא: **בחכמה יבנה בית.** משמע שלעתיד היינו הבנין שהתנבאו יחזקאל, וכמו שכתב שמות רבה (מח, ד) אף בנין שלעתיד, יבנה בשלשה אלו בחכמה ובתבונה ובדעת, שנאמר בחכמה יבנה בית, ובתבונה יתכונן, ובדעת חדרים ימלאו: **אלו שבע שנים של גוג.** דורש סמוכים שבפרשה מ' של יחזקאל כתוב בנין הבית, ובפרשה ל"ט (פסוק ט) שלפניה, כתוב ובערו בהם אש שבע שנים: **כל אותן שבע שנים וכו' אותן שבע שנים.** בא לדרוש, למה האריך הפסוק בבשורה זו, שיבערו בידות הכלי זיין, ולא יחטבו מן היערים, שהרי עיקר הטובה מה שנאבדו שונאיהם ושללו שולליהם, והעלים דבר קטן הוא, על כן דורש שמרומז כאן טובה העתידה, היקרה מאד, שאותן שבע שנים הן פרטגמיא וכו', והענין כמו שאמרו חז"ל סוף כתובות (קיב, ב) עתידין כל אילני סרק שבארץ ישראל שיטענו פירות וכו', ואם כן לא יהיה להם עצים לבער ולהסיק ולבשל, שהאילנות הטוענים פירות אסור להשחיתם, על כן פירש הפסוק (יחזקאל שם פסוק י) ולא ישאו עצים מן השדה ולא יחטבו מן היערים, שישאו כולם פירות, כי בנשק יבערו אש: **זה יחזקאל.** שיתנבא ויאמר על גפי מרומי קרת, היינו מה שכתוב (יחזקאל לט, יז) אמור לצפור כל כנף, על העופות שמעופפים בכנפיהם במרום, מי פתי יסור הנה (משלי ט, ד), שהחכמה קראה לגוג פתי וחסר לב, ואמרה לו הטוענם המפורש ביחזקאל ל"ט:

חידושי הרד"ל

[ב] שבע שנים מסיקין כו' בנשק כו'. חושב כאן שבע מיני כלי זיין, לשבעה שנים: **דעביד פרטגמיא עבד משתותא.** פרגמטיא, היא סעודות מריעות שהיו עושה בתולה קודם נשואין, (וכענין מכי יהבי שערי באסינתא [כתובות ח, א]), ואותן מרעים שהיו קרואים לסעודה זו, היו מזומנין גם כן לסעודת משתה של הנשואין עצמה, (וזה שמבואר בירושלמי דשביעית שהביא המתנות כהונה, שהמת באותן שבע שנים סימן שאינו מזומן לעולם הבא):

חידושי הרש"ש

[ב] בשר גבורים תאכלו. ודם כו' תשתו כו' לכן צריך לומר:

אמרי יושר

[ב] דעביד פרגמטיא. והוא עשיר יכול לעשות משתה ולאכול לשבעה, כן אחר שבעה שנים של פרגמטיא אלו, יזכו הצדיקים לסעודת משיח:

באור מהרי"פ

[ב] מתנות כהונה [ד"ה פרטגמיא] ומוכח בירושלמי וכו'. (ירושלמי שביעית פ"ד ה"ח) וזה לשונו, אמר רבי יונה בשם רבי חנינא בר ... המת בשבע שני גוג אין לו חלק לעתיד לבא, סימנא דאכיל פרטגמיא אכיל משתיתא, שמע רבי יוסי ואמר ויאות, עד כדון דלאתי תותבה לעלמא דאתי עד כאן. וזה לשון הערוך ערך משתיתא, פירוש דאכיל סחורות בעולם הזה כגון פרגמטיא, (פרקמטיא) כן הוספת בערוך ואולי טעות סופר הוא), אכיל סעודה שלו שהיה מזומן לו לעתיד לבא, כלומר לא נשייר לבא מה לאכול לעתיד לבוא עכ"ל הערוך. ורבי יוסי חולק על רבי יונה, ואמר ויאות עד כדון, כלומר וכי דבר זה נכון הוא בתמיה, אלא האמת דיש לו חלק לעולם הבא, ואף על פי שמת בשבע שני גוג, כך פירש היפה מראה, ורבי אליהו פולדא. וזה לשון ר' בנימין מוסיפת ערך הלוה, אמר בנימין, לא יתכן פירוש זה ועיין ערך פרטנס עד כאן. גם בעל יפה מראה לא הונח לו פירוש הערוך, כי לפי פירושו אין טעם וריח לבלתי היות למת בשבע שני גוג חלק לעולם הבא. והוא לשון רבינו שמשון (דמאי פרק ד' משנה ב') המדיר את חבירו שיאכל אצלו והוא אינו מאמינו על המעשרות אוכל עמו בשבת הראשונה, ואף על פי שאינו מאמינו על המעשרות ובלבד שיאמר לו מעושרים הן, וכתב הר"ש, בשבת הראשונה מפרש בירושלמי רבי יעקב בר רבי ינאי בשם רבי יוחנן, בשבת של פרטגמיא התירו משום איבה, לסעודת בחור שנשא בתולה קורין בלשון יון פרוטגמיא, ובויקרא רבה פרוטגמא של צדיקים לעתיד לבא עכ"ל הר"ש. וכתב היפה מראה וזה לשונו ולפי זה פירושו אותן שבע שנים הן פרוטגמא של צדיקים, שהן תחלת שמחתן וקבול שכרן, ולכן אומר כי מי שמת באותן שבע שנים סימן רע לו שנראה שאינו צדיק ראוי לזמן שכר, ופירוש דאכיל פרוטגמא, שמי שאוכל בסעודה תחלה הראשונה, הוא אוכל בסעודת משתה בשמחה, כי יש בו שמחה מרובה לפי שהוא תחלת שמחת החתן והכלה, ולפי גירסת ויקרא רבה הכי דברים דעביד פרטגמיא אכיל משתותא, פירושו שהעושה סעודת תחלת ראשונה אוכל משתה, כלומר מי שזכה לעשות משתה גדולה מרוב שמחה: **שלחה נערותיה יחזקאל.** וקראו לו נערותיה על דרך (שמות לג, יא) ומשרתו יהושע בן נון נער. תקרא על גפי מרומי קרת, אולי דורש על מלשון אגפיים, והוא רמז על העופות שנאמר בנבואה של יחזקאל, כה אמר ה' אמור לצפור כל כנף ולכל חית השדה הקבצו ובואו האספו מסביב על זבחי וגו':

אם למקרא

בְּזֵעַת אַפֶּיךָ תֹּאכַל לֶחֶם עַד שׁוּבְךָ אֶל־הָאֲדָמָה כִּי מִמֶּנָּה לֻקָּחְתָּ כִּי־עָפָר אַתָּה וְאֶל־עָפָר תָּשׁוּב: (שם ג:יט)

חָכְמוֹת בָּנְתָה בֵיתָהּ חָצְבָה עַמּוּדֶיהָ שִׁבְעָה: (משלי ט:א)

בְּחָכְמָה יִבָּנֶה בָּיִת וּבִתְבוּנָה יִתְכּוֹנָן: (שם כד:ג)

וְיָצְאוּ יֹשְׁבֵי עָרֵי יִשְׂרָאֵל וּבִעֲרוּ וְהִשִּׂיקוּ בְּנֶשֶׁק וּמָגֵן וְצִנָּה בְּקֶשֶׁת וּבְחִצִּים וּבְמַקֵּל יָד וּבְרֹמַח וּבִעֲרוּ בָהֶם אֵשׁ שֶׁבַע שָׁנִים: (יחזקאל לט:ט)

טָבְחָה טִבְחָהּ מָסְכָה יֵינָהּ אַף עָרְכָה שֻׁלְחָנָהּ: (משלי ט:ב)

וְאַתָּה בֶן־אָדָם כֹּה־אָמַר אֲדֹנָי ה' אֱמֹר לְצִפּוֹר כָּל־כָּנָף וּלְכֹל חַיַּת הַשָּׂדֶה הִקָּבְצוּ וָבֹאוּ הֵאָסְפוּ מִסָּבִיב עַל־זִבְחִי אֲשֶׁר אֲנִי זֹבֵחַ לָכֶם זֶבַח גָּדוֹל עַל הָרֵי יִשְׂרָאֵל וַאֲכַלְתֶּם בָּשָׂר וּשְׁתִיתֶם דָּם: בְּשַׂר גִּבּוֹרִים תֹּאכֵלוּ וְדַם נְשִׂיאֵי הָאָרֶץ תִּשְׁתּוּ אֵילִים כָּרִים וְעַתּוּדִים פָּרִים מְרִיאֵי בָשָׁן כֻּלָּם: (יחזקאל לט:יז-יח)

וּשְׂבַעְתֶּם עַל־שֻׁלְחָנִי סוּס וָרֶכֶב גִּבּוֹר וְכָל־אִישׁ מִלְחָמָה נְאֻם אֲדֹנָי ה': (שם שם כ)

שָׁלְחָה נַעֲרֹתֶיהָ תִקְרָא עַל־גַּפֵּי מְרֹמֵי קָרֶת: (משלי ט:ג)

ידי משה

[ב] מסיקין ידותיהן. פירש רש"י ובעל תולה לוהט, שיסיקו בתנור ויבשלו מאכלים בעצים של ידי הכלי זיין, עד כאן לשונו: **פרטגמיא.** בעל מתנות כהונה כתב שאינו יודע פירושו, ויפה תואר גרס פרגמטיא, פירוש סחורה, וכן הוא בפירוש ר"ש במסכת דמאי (פ"ד מ"ב) עיין שם:

מתנות כהונה

חסר לב אמרה לו. החכמה הנזכרה אמרה לו יחסר לבך: **[ב] פרטגמיא.** הערוך הביאו ולא פירשו, ומוכח בירושלמי דמסכת שביעית (פ"ד ה"ז) שפירושו קבול שכר, שאמר שם מי שמת באותן שבע שנים, אין לו חלק לעולם הבא שכבר קבל שכרו ואינו טועם טעם אחריו, וכן המשל אומר מי שאכל פרטגמיא מין קבול שכר טוב אכל משתה שלו, ובירושלמי פ"ד דמסכת דמאי (ה"א) איתא בשבת של פרטגמיא התירו משום איבה, ופירוש הר"ש לסעודת בחור שנשא בתולה קורין בלשון יון פרוטגמיא. הכי גרסינן בילקוט ובערוך ובירושלמי פרק ד' דשביעית (ה"ח) דאכל פרטגמיא אכל משתותא, וגירסת הספר יש לייסב גם כן על דרך זה וקל להבין:

אשד הנחלים

[ב] בגוג לעתיד כו'. הענין הזה בדרך הכלל, כאילו החכמה העליונה מוכיחה לבני אדם האחוזים באוולת, שמדמים כי תכלית העולם ואנשיו להתענג מחמודות, ולא ידעו כי לא זאת היא התכלית העליון, שבאמת התבל נשתנה מעת החטא של אדם הראשון, ועיקר התיקון יהיה באחרית לעתיד לבא, שאז ינהרו כולם לה' ויתדבקו בו, כי אז יהיה הכל מוכנים לסעודה, כי אז יהיה פורענות הרשעים, כאילו על דרך מליצה ה' יכין מטבח מהם, ויתבטלו כולם, ואם כן מי פתי יסור הנה להתענג באלה ההבלים, אשר לא זאת התכלית ולא זאת המנוחה, וזהו בדרך כללי. וחשב כמה עניינים כוללים, אחד שתתבטל המלחמה וכלי המלחמה מהעולם, ודבר זה יהיה נמשך שבעה שנים, וזהו חצבה עמודיה שבעה, ויהיה טבח גדול מגוג. ומלת פרטגמיא פירש המתנות כהונה שהוא מלשון קבול שכר, שאז יקבלו הישרים שכרם, ויתענגו מזה. ולפירוש הידי משה הוא מלשון סחורה, כמו פרגמטיא: **שלחה נערותיה זה יחזקאל.** שהיה מתנבא מפי החכמה העליונה על זה:

ענף יוסף

בשביל כך חסר לב אמר ליה כי עפר אתה ואל עפר תשוב. עיין מה שכתבתי בענף. והכוונה שאדם הראשון היה נברא חומר זך, עד שטעו בו מלאכי השרת, ורצו לומר לפניו קדוש, כדאיתא בבראשית רבה (פרשה ח ט), ועיין מה שכתבתי בענף שם, וכן במדרש קהלת (רבה פרשה יב ב) תפוח עקבו של אדם הראשון היה מכהה גלגל חמה, ועיין שם מה שכתבתי בענף. אך כאשר חטא אדם הראשון, על ידי הערלת כחות הטומאה עליו, נתעכר חומר האדם ואשתו וכל תולדותיו ירכו, עד גזר היכות אשר הם עתה, לכן הוכרח היות מות בעולם, ליטהר וללבן בכור הארץ זוהמת נפש, אשר היא עכירות האדם: **(ב) וסימנא דעביד פרטגמיא כו'.** עיין מה שכתבתי בענף. שוב ראיתי מה שכתב ר' שמשון במסכת דמאי פרק ד' (מ"ב) לסעודת בחור שנשא בתולה, קורין בלשון יון פרוטגמיא. ולפי זה פירושו דעביד פרטגמיא, שהעושה סעודת אירוסין ראשונה, יאכל משתותא, פירוש יאכל סעודת נשואין, שימי החופה קראו חכמינו ז"ל משתיתא, כדאיתא בירושלמי דברכות (פ"ו ה"ה), רבי יונה ורבי יוסי סלקון למשתיתיה דרבי חנינא, ופירוש לחופתו, לפי שהזווג הוא יסוד וקיום העולם, לכן קראו משתיתא, מלשון שממנה הושתת העולם, אבל מי שלא זכה לאכול סעודת אירוסין לא יאכל סעודת נשואין, וכן הזוכה לאותן שבע שנים יזכה גם כן לעולם הבא, אבל מי שמת באותן שבע שנים, כיון שלא זכה לטובת שבע שנים אלו, בידוע שגם לטובה שלאחריהם לא יזכה, ועיין בספר מטריך:

§3 Yet another interpretation of the *Proverbs* passage: בַּר קַפָּרָא פָּתַר קְרָיָא בַּתּוֹרָה — **Bar Kappara interpreted the verse as concerning the Torah.** "חָכְמוֹת בָּנְתָה בֵיתָהּ", זוֹ תּוֹרָה — ***Wisdom has built her house*** — **this** *wisdom* **is** a reference to **the Torah;**[25] הָדָא הוּא דִכְתִיב "כִּי ה' יִתֵּן חָכְמָה" — **thus it is written** in regard to the Torah, ***For HASHEM grants wisdom*** (*Proverbs* 2:6),[26] "ה' קָנָנִי רֵאשִׁית דַּרְכּוֹ" — and ***HASHEM made me as the beginning of His way*** (*Proverbs* 8:22).[27] "חָצְבָה עַמּוּדֶיהָ שִׁבְעָה", אֵלּוּ שִׁבְעָה סִפְרֵי תוֹרָה — ***She carved out its seven pillars*** — **these** refer to the **seven Books of the Torah.**

The Midrash interjects with an explanation of this statement: וְלֹא חֲמִשָּׁה הֵן — **But are there not five** Books in the Torah? Why does Bar Kappara state that there are seven? בַּר קַפָּרָא עָבֵיד מֵרֵישֵׁיהּ דְ"וַיְדַבֵּר" עַד "וַיְהִי בִּנְסֹעַ הָאָרֹן" חַד — **Bar Kappara** divides the Book of *Numbers* into three separate Books: He **makes one** Book **from the beginning of** ***And*** *God* ***spoke*** (*Numbers* 1:1) **until** just before the verse, ***When the Ark would journey*** (ibid. 10:35);[28] מִן "וַיְהִי" עַד "וּבְנֻחֹה" חַד — a second **one from** ***When*** *the Ark would journey* **through** the verse, ***And when it rested*** (ibid., v. 36);[29] וְעַד סֵיפֵיהּ חַד — **and** a third **one** from that point **until the end** of *Numbers.* הֲרֵי ז' — **Thus,** he arrives at the total of **seven** Books of the Torah altogether.

The Midrash returns to Bar Kappara's exposition on *Proverbs* 9:1-4:

"טָבְחָה טִבְחָהּ", אֵלּוּ הָעוֹנָשִׁים — ***She prepared her meat*** (lit., *she slaughtered her slaughtering*) — **these** refer to **the punishments** for transgressors prescribed by the Torah.[30] "מָסְכָה יֵינָהּ", אֵלּוּ קַלִּין וַחֲמוּרִין וּגְזֵירוֹת שָׁווֹת — ***She mixed her wine*** — **these are** referring to insights deduced from the Torah through such hermeneutic principles as ***kal vachomers*** **and** ***gezeirah shavahs.***[31] "אַף עָרְכָה שֻׁלְחָנָהּ", אֵלּוּ הָעֲרָכִין — ***And also set*** [עָרְכָה] ***her table*** — **these are** referring to **the valuation-vows** [עֲרָכִין].[32] "שָׁלְחָה נַעֲרֹתֶיהָ תִקְרָא", אֵלּוּ יִשְׂרָאֵל — ***She has sent out her maidens to announce*** — **these are** referring to the people of **Israel.**[33] "עַל גַּפֵּי מְרֹמֵי קָרֶת", שֶׁהֱטִיסָן הַקָּדוֹשׁ בָּרוּךְ הוּא וְקָרָא אוֹתָן אֱלוֹהוֹת — ***Upon the city heights*** — this means **that the Holy One, blessed is He, raised [Israel] on high and referred to them as godlike beings,**[34] הָדָא הוּא דִכְתִיב "אֲנִי אָמַרְתִּי אֱלֹהִים אַתֶּם" — **as it is written,** ***I said, You are godly,*** *sons of the Most High are you all* (*Psalms* 82:6).[35] אַחַר כָּל הַשֶּׁבַח הַזֶּה "מִי פֶתִי יָסֻר הֵנָּה" — Now, **after all this honor** that God accorded to them, ***whoever is unlearned, let him turn here!*** (or: *Who is foolish enough to turn away from here!*). הֵן הִנִּיחוּ דַעְתּוֹ שֶׁל הַקָּדוֹשׁ בָּרוּךְ הוּא וְאָמְרוּ לָעֵגֶל "אֵלֶּה אֱלֹהֶיךָ יִשְׂרָאֵל" — This means: How foolish it was of Israel that **they forsook** ("turned away from") **God's will and** instead **declared before the** Golden **Calf:** ***This is your god, O Israel*** (*Exodus* 32:4)! בִּשְׁבִיל כָּךְ "חֲסַר לֵב אָמְרָה לוֹ", "אָכֵן כְּאָדָם תְּמוּתוּן" — And **as a result of this** foolish act, ***He who is lacking in his heart,***[36] ***she speaks to him*** — i.e., God[37] (or the Torah)[38] spoke to Israel and announced to them what their punishment would be: ***But like men you shall die*** (*Psalms* 82:7).

§4 The Midrash returns to present R' Abba bar Kahana's interpretation of the *Proverbs* verses, which relates them to our *Leviticus* passage regarding the inauguration of the Tabernacle: רַבִּי אַבָּא בַּר כָּהֲנָא פָּתַר קְרָיָא בְּאֹהֶל מוֹעֵד — **R' Abba bar Kahana interpreted the verse as concerning the Tent of Meeting** (the Tabernacle). "חָכְמוֹת בָּנְתָה בֵיתָהּ" זֶה בְּצַלְאֵל, "וָאֲמַלֵּא אֹתוֹ רוּחַ אֱלֹהִים וְגוֹ'" — ***Wisdom has built her house*** — **this is** a reference to **Bezalel,** about whom it is written, ***I have filled him with a Godly spirit,*** *"with wisdom," insight, and knowledge, and with every craft* (*Exodus* 31:3).[39] "חָצְבָה עַמּוּדֶיהָ שִׁבְעָה" אֵלּוּ ז' יְמֵי הַמִּלּוּאִים, הָדָא הוּא דִכְתִיב "כִּי שִׁבְעַת יָמִים יְמַלֵּא אֶת יֶדְכֶם" — ***She carved out its seven pillars*** — **these are** referring to the **seven days of inauguration,**[40] **as it is written,** ***for you shall be inaugurated for a seven-day period*** (above, 8:33). "טָבְחָה טִבְחָהּ" אֵלּוּ הַקָּרְבָּנוֹת — ***She prepared her meat*** (lit., *slaughtered her slaughtering*) — **these are** referring to **the offerings** brought during that period.[41]

NOTES

25. And the "house" that wisdom built is the entire world. In other words, through the Torah, God created the world (*Yefeh To'ar, Eitz Yosef*). Alternatively, wisdom represents God (as in the previous interpretations), and the "house" that He built is Torah (*Rashash, Maharzu*).

26. The *wisdom* in this verse is the Torah, as the Midrash interprets in *Shemos Rabbah* 41:3. This verse thus establishes that Torah is called "wisdom" (*Yefeh To'ar*). According to the alternative interpretation in the previous note, the verse is adduced to establish that God is the Source of all wisdom, and that it is thus appropriate to personify Him as Wisdom. [In Midrash manuscripts and in *Yalkut Shimoni* (*Mishlei* ad loc.), this verse is not mentioned altogether.]

27. The Midrash cites this verse in order to prove that it was through the Torah that God created the world [see *Bereishis Rabbah* 1 §1] (*Yefeh To'ar*). According to the alternative interpretation in note 25, the verse is adduced to show that Torah is likened to a house, for later in this passage (*Proverbs* 8:34) wisdom speaks of her doorways and doorposts (*Rashash*; see also *Maharzu*).

28. I.e., the first Book goes from 1:1 to 10:34, inclusive.

29. I.e., the second Book consists of 10:35-10:36. This section is indeed marked off in Torah scrolls by special symbols placed before it and after it. There is a Baraisa recorded in *Shabbos* 115b-116a in which the significance of these symbols is discussed, giving two opinions. Bar Kappara followed the opinion (Rebbi) that the symbols indicate that these two verses constitute a separate Book of the Torah, thus dividing the book we know as the single Book of *Numbers* into three.

30. Several of which involve execution by the court or death by God's hand, which are analogous to "slaughtering" (*Eitz Yosef*, from *Yefeh To'ar*).

31. Through these instruments of Biblical interpretation, various details are compared and derived from one Torah topic or from one case and applied to another. This is analogous to the mixing of wine with other ingredients (*Eitz Yosef,* from *Yefeh To'ar*). Alternatively: Wine gladdens men's souls, and the analysis of Torah laws through these hermeneutic principles similarly affords one spiritual joy (*Eshed HaNechalim*).

32. A valuation-vow is a vow to give to the Temple treasury the fixed value of oneself or another Jew. The Torah establishes specific fixed valuations for different age groups and genders (see *Leviticus* 27:1-8). The Hebrew word for these "set valuations," עֲרָכִין, is related to the word used in the verse for "set table," עָרְכָה.

33. The people of Israel are called נַעַר ("youths") in *Hosea* 11:1: כִּי נַעַר יִשְׂרָאֵל וָאֹהֲבֵהוּ, *when Israel was a lad* [נער] *I loved him* (*Eitz Yosef,* from *Yefeh To'ar*). The Midrash here once again (see note 8) appears to be interpreting שָׁלְחָה נַעֲרֹתֶיהָ תִקְרָא as "She has sent and called out for her maidens" — i.e., God called out to Israel to come and receive the Torah, which has just been described.

34. See above, notes 9-11.

35. This verse is often applied by the Sages to Israel at the time they assemble to Sinai to accept the Torah, at which time it was intended that they become immortal (see, e.g., *Shemos Rabbah* 32 §1 and §7).

36. I.e., understanding.

37. See above, note 2.

38. See above, note 25.

39. According to this interpretation, *Wisdom* is God's wisdom, as embodied in Bezalel, and *her house* is the Tabernacle that he built through that wisdom (*Eitz Yosef*).

40. These seven days are referred to as עַמּוּדִים (translated here as "pillars") because the Sages teach (see *Rashi* on *Numbers* 7:1, from *Sifrei* ad loc.) that on each of these days Moses erected (הֶעֱמִיד) the Tabernacle and dismantled it at night. The inaugural days are "carved out" (or "inscribed") in the sense that they were decreed by God for reasons unknown to us (*Yefeh To'ar*).

41. During the seven inaugural days, it was Moses who performed all the tasks of the Divine service — including the sacrifices, the libations,

ג בַּר קַפָּרָא פָּתַר קְרָיָא בַּתּוֹרָה, (משלי ט, א) "חָכְמוֹת בָּנְתָה בֵיתָהּ", **זוֹ תוֹרָה, הָדָא הוּא דִכְתִיב** (שם ב, ו) "כִּי ה' יִתֵּן חָכְמָה", (שם ח, כב) "ה' קָנָנִי רֵאשִׁית דַּרְכּוֹ", (משלי שם שם) "חָצְבָה עַמּוּדֶיהָ שִׁבְעָה", **אֵלּוּ שִׁבְעָה סִפְרֵי תוֹרָה, וְלֹא חֲמִשָּׁה הֵן, בַּר קַפָּרָא עָבֵיד מֵרֵישֵׁיהּ דְ"וַיְדַבֵּר"** (במדבר א, א) **עַד "וַיְהִי בִּנְסֹעַ הָאָרֹן"** (שם י, לה) **חַד, מִן "וַיְהִי" עַד "וּבְנֻחֹה"** (שם שם לו) **חַד, וְעַד סֵיפֵיהּ חַד, הֲרֵי ז',** (משלי ט, ב) "טָבְחָה טִבְחָהּ", **אֵלּוּ הָעוֹנָשִׁים,** (שם) "מָסְכָה יֵינָהּ", **אֵלּוּ קַלִּין וַחֲמוּרִין וּגְזֵירוֹת שָׁווֹת,** (שם) "אַף עָרְכָה שֻׁלְחָנָהּ", **אֵלּוּ הָעֶרְכִין,** (שם שם ג) "שָׁלְחָה נַעֲרֹתֶיהָ תִקְרָא", **אֵלּוּ יִשְׂרָאֵל,** (שם) "עַל גַּפֵּי מְרֹמֵי קָרֶת", **שֶׁהֱסִיטָן הַקָּדוֹשׁ בָּרוּךְ הוּא וְקָרָא אוֹתָן אֱלָהוֹת, שֶׁנֶּאֱמַר** (תהלים פב, ו) "אֲנִי אָמַרְתִּי אֱלֹהִים אַתֶּם וְגוֹ'", **אַחַר כָּל הַשֶּׁבַח הַזֶּה** (משלי שם ד) "מִי פֶתִי יָסֻר הֵנָּה", **הֵן הִנִּיחוּ דַּעְתּוֹ שֶׁל הַקָּדוֹשׁ בָּרוּךְ הוּא וְאָמְרוּ לָעֵגֶל** (שמות לב, ד) "אֵלֶּה אֱלֹהֶיךָ יִשְׂרָאֵל", **בִּשְׁבִיל כֵּן** (משלי שם שם) "חֲסַר לֵב אָמְרָה לוֹ" (תהלים שם ז) "אָכֵן כְּאָדָם תְּמוּתוּן":

ד רַבִּי אַבָּא בַּר כָּהֲנָא פָּתַר קְרָיָא בְּאֹהֶל מוֹעֵד, (משלי ט, א) "חָכְמוֹת בָּנְתָה בֵיתָהּ" **זֶה בְּצַלְאֵל,** (שמות לא, ג) "וָאֲמַלֵּא אֹתוֹ רוּחַ אֱלֹהִים וְגוֹ'", (משלי שם שם) "חָצְבָה עַמּוּדֶיהָ שִׁבְעָה" **אֵלּוּ ז' יְמֵי הַמִּלּוּאִים, הָדָא הוּא דִכְתִיב** (לעיל ח, לג) "כִּי שִׁבְעַת יָמִים יְמַלֵּא אֶת יֶדְכֶם", (משלי שם ב) "טָבְחָה טִבְחָהּ" **אֵלּוּ הַקָּרְבָּנוֹת,** (שם) "מָסְכָה יֵינָהּ" **אֵלּוּ הַנְּסָכִים,** (שם) "אַף עָרְכָה שֻׁלְחָנָהּ" **זֶה סִדּוּר לֶחֶם הַפָּנִים,** (שם שם ג) "שָׁלְחָה נַעֲרֹתֶיהָ תִקְרָא" **זֶה מֹשֶׁה, הָדָא הוּא דִכְתִיב** [ט, א] "וַיְהִי בַּיּוֹם הַשְּׁמִינִי קָרָא מֹשֶׁה לְאַהֲרֹן וּלְבָנָיו וְגוֹ'":

(ג) **זו תורה.** רלה לומר חכמות, זו תורה, בנתה ביתה, זה העולם, שעל ידי התורה נברא העולם. **הדא הוא דכתיב כי ה' יתן חכמה.** זה לראיה שהחכמה שם נאמר על התורה, כדכתיב כי ה' יתן חכמה, דמיירי בתורה הנתונה לישראל מפיו, כדאיתא בשמות רבה פרשה מ"א. ולראיה שהעולם נבנה על ידי התורה, הביא קרא ה' קנני ראשית דרכו וגו', דמהאי קראי ילפינן שהתורה קדמה לעולם, ועל ידה ברא ה' העולם, כדאיתא בבראשית רבה (פרשה א ה): **אלו שבע ספרי תורה.** כלומר שעל ידי התורה שהיא שבעה חלקים, נברא העולם על ידה גם כן שבעה חלקים, שהרקיעים שבעה וכן הארצות שבעה, כדלקמן (פרשה כט ט): **אלו העונשים.** משום שתכלית הבריאה להצליח את ישראל, על ידי התורה עד שיהיו כמלאכי ה', אמר שהיו בה בתורה שלשה ענינים שבעבורה תתקבל אצלם, והם השכר והעונש, והפלפול, ואהבת ה', כי יש שעושה מפני השכר והעונש, ויש מפני התחכמות בעצמו, ויש מאהבת ה', ועל האחד אמר העונשים, ועל השני קל וחומר וגזירה שוה, שזה עיקר הפלפול, וכנגד השלישי ערכין, כי מאהבת ה' יקדיש ערך נפשו לה', והכוונה שנתן ה' לישראל דרך שיקבלו התורה בכל צד שאפשר להדריכם: **אלו העונשים.** דאית בהו מיתה וכרת, דדמי לטבחה: **קלים וחמורים.** דהא דמיא למסיכת היין, שמערבו זה בזה, וכן על ידי קל וחומר וגזירה שוה לומד מזה לזה: **אלו ישראל.** כמה דאת אמר (הושע יא, א) כי נער ישראל וגו': **שהסיטן.** שהפריזן: **חסר לב כו'.** פירושו על דרך שפירשתי לעיל (סימן א): (ד) **פתר קריא באוהל מועד.** משום דקשה למה לא נקרא אהרן לעבודה עד יום שמיני, שכל השבע היה משה מכהן בעבודה, וקאמר רבי אבא בר כהנא שזה היה כענין מנהגו של עולם, שאין מזמינים את האורחים אלא אחר תיקון הבית והסעודה, שיהיה הכל מתוקן לפניו, ולכן לא נקרא אהרן עד שהיה ענין הבית נגמר, וכן ענין הסעודה הנעשית שם, כי הקמת המשכן לא נשלם עד יום השמיני,

(ג) **פתר קריה בתורה.** שהחכמה העליונה שברא בה הבורא שמים וארץ וימים, היא בנתה התורה שנקראת בית, כמו שכתוב (במדבר יב, ז) בכל ביתי נאמן הוא, וכמו שאמרו בהדיא בשמות רבה (מז, ט) עיין שם על פסוק זה, וכמו שאמרו בראשית רבה (יז, ה) שנובלות חורה של מעלה, היא התורה: **ה' קנני ראשית דרכו.** הביא פסוק לראיה שהתורה בדמיון בית, כמו שכתב בבראשית רבה (א, ח), שהכוונה בית צריך להקדים שם דברים, וכן בתורה ה' קנני וגו' קדם (משלי ח, כב), ומאז (שם), ומעולם (שם כג), ומראש (שם), ומקדמי (שם), עיין מה שכתבתי שם: **שבעה ספרי תורה.** כמו שאמרו בראשית רבה (סד, ח), ונקראת אותה שבעה, עיין שם וכמו שמובא (שבת קטז, א) דעת רבי מאיר בברייתא, ודעת רבי שמואל בר נחמן אמר רבי יוחנן חצבה עמודיה שבעה, אלו שבעה ספרי תורה: **ויהי בנסוע.** שעל כן פרשת ויהי בנסוע מסומנת בנוני"ן לפניה ולאחריה, שהוא ספר בפני עצמו, שספר במדבר כולל שלושה ספרים: **אלו הערכין.** פרשת ערכין בסוף בחוקותי, וזהו ערכה. ועיין תנחומא בחוקותי (סימן ד) על פסוק כי מי בשחק יערוך לה', שחושב שם הרבה מיני ערכין, עריכות נרות, עריכות לחם הפנים וכו': **וקרא אותן אלהות.** עיין שמות רבה פרשה לב, מה שכתבתי שם: (ד) **קרא משה לאהרן ולבניו.** וזהו על גפי מרומי קרת, שיהיו אהרן ובניו הכהנים לפני ה', והכרח שהמדרש דורש מה שכתב מי פתי, על נדב ואביהוא, כמו שנאמר לקמן בפרשה שהקריבו אש זרה שלא צוה אותם:

חידושי הרד"ל

[ג] **בר קפרא עביד כו'.** בראשית רבה פרשה ס"ד (סימן ח): **טבחה אלו העונשים.** מלשון שר הטבחים: **יינה אלו קל וחומר כו'.** שכן עיקר יינה של תורה, שצריך להוציאו על ידי טורח, כמו היין מן הענבים: **שהסיטן הקדוש ברוך הוא.** מלשון פריחה, כלשון (משלי ט, ג) על גפי, שהוא כנפים: **וקרא אותן אלקות הדא הוא דכתיב והייתם כאלהים.** מקרא זה היה פתוי הנחש, וכמו שגרם לו אמרתי אלהים אתם (תהלים פב, ו), וזהו שמסיים כאן, חסר לב אמרה לו כי עפר כו', (כלומר שנחסר מעולת מעלתו הראשונה שהיה בלבו חכמת אלהים והיתה מחיה אותו לעולם), כדכתיב בסיפא דהאי קרא, אכן כאדם תמותון: **מי פתי יסור הנה.** סור הוא הנוטה מדרך הישר כמו שכתוב בבראשית רבה (ג, ז) סורו לא עמנו כו', ולשון הנה פירש רש"י בסנהדרין שם על עץ הדעת, ואפשר עיקריה סמוך על מי פתי יסור הנה, הכתוב להלן בפרשה, באשת כסילות, (ומיושב בסנהדרין לדרשת הגמרא בסנהדרין (שם) מי פתאו לזה אשה): [ד] **זה סדור לחם הפנים.** שנקרא מערכת (ויקרא כד, ו), וערוך על השולחן:

חידושי הרש"ש

[ג] **בר קפרא פתר קרייא וכו' הדא הוא דכתיב כי ה' יתן חכמה ה' קנני ראשית דרכו.** וכתיב שם באותה פרשה לשקוד על דלתותי לשמור מזוזות פתחי, והוא לראיה שהתורה מתארת את עצמה בתואר בית עם מזוזות ודלתות: **חד מן ויהי עד ובנחה חד.** ועד זה בכלל, לא כמו עד הראשון:

באור מהרי"פ

[ג] **כי ה' יתן חכמה.** זה לראיה שהתורה נקראת חכמה, ה' קנני ראשית דרכו (משלי ח, כב), ראיה שעל ידה נברא העולם, כמבואר בבראשית רבה (א, א): **אלו העונשים.** פירש דעונש מיתה

אם למקרא

כִּי ה' יִתֵּן חָכְמָה מִפִּיו דַּעַת וּתְבוּנָה: (שם ב:ו)

ה' קָנָנִי רֵאשִׁית דַּרְכּוֹ קֶדֶם מִפְעָלָיו מֵאָז: (שם ח:כב)

וַיְדַבֵּר ה' אֶל־מֹשֶׁה בְּמִדְבַּר סִינַי בְּאֹהֶל מוֹעֵד בְּאֶחָד לַחֹדֶשׁ הַשֵּׁנִי בַּשָּׁנָה הַשֵּׁנִית לְצֵאתָם מֵאֶרֶץ מִצְרַיִם לֵאמֹר: (במדבר א:א)

וַיְהִי בִּנְסֹעַ הָאָרֹן וַיֹּאמֶר מֹשֶׁה קוּמָה ה' וְיָפֻצוּ אֹיְבֶיךָ וְיָנֻסוּ מְשַׂנְאֶיךָ מִפָּנֶיךָ: וּבְנֻחֹה יֹאמַר שׁוּבָה ה' רִבְבוֹת אַלְפֵי יִשְׂרָאֵל: (שם י:לה-לו)

אֲנִי אָמַרְתִּי אֱלֹהִים אַתֶּם וּבְנֵי עֶלְיוֹן כֻּלְּכֶם: אָכֵן כְּאָדָם תְּמוּתוּן וּכְאַחַד הַשָּׂרִים תִּפֹּלוּ: (תהלים פב:ו-ז)

וַיִּקַּח מִיָּדָם וַיָּצַר אֹתוֹ בַּחֶרֶט וַיַּעֲשֵׂהוּ עֵגֶל מַסֵּכָה וַיֹּאמְרוּ אֵלֶּה אֱלֹהֶיךָ יִשְׂרָאֵל אֲשֶׁר הֶעֱלוּךָ מֵאֶרֶץ מִצְרָיִם: (שמות לב:ד)

חָכְמוֹת בָּנְתָה בֵיתָהּ חָצְבָה עַמּוּדֶיהָ שִׁבְעָה: טָבְחָה טִבְחָהּ מָסְכָה יֵינָהּ אַף עָרְכָה שֻׁלְחָנָהּ: שָׁלְחָה נַעֲרֹתֶיהָ תִקְרָא עַל גַּפֵּי מְרֹמֵי קָרֶת: (משלי ט:א-ג)

וָאֲמַלֵּא אֹתוֹ רוּחַ אֱלֹהִים בְּחָכְמָה וּבִתְבוּנָה וּבְדַעַת וּבְכָל מְלָאכָה: (שמות לא:ג)

וּמִפֶּתַח אֹהֶל מוֹעֵד לֹא תֵצְאוּ שִׁבְעַת יָמִים עַד יוֹם מְלֹאת יְמֵי מִלֻּאֵיכֶם כִּי שִׁבְעַת יָמִים יְמַלֵּא אֶת יֶדְכֶם: (לעיל ח:לג)

אמרי יושר

[ג] **ואמרו לעגל אלה אלהיך ישראל].** ישראל חטאו בעגל, אשר היו בהסתראה ועדים, מתו מיד. והאחרים חטאו במחשבה, ודיבור אלה אלהיך ישראל, ומעשה הזביחה. כנגד המחשבה, לוה להם עגל לעולה, העולה על רוחם. כנגד דיבור אלה אלהיך, נדבת המשכן, [ב]אלה פקודי (שמות לח, כה) [וכסף פקודי] העדה. כנגד המעשה, מעשה פרה: [ד] **שלחה נערותיה תקרא זה משה.** שעלה וקרא לנערותיה אהרן ובניו:

מתנות כהונה

[ג] **ה' קנני וגו'.** וכתיב (משלי ד, ז) ראשית חכמה, וּבילקוט משלי (רמז תתקכט) הביא פסוק זה לבדו:

אשד הנחלים

[ג] **בתורה כו'.** הענין בכללו כמו שכתבנו, שהחכמה העליונה מוכיחה להאנשים העוסקים רק בתענוגי הזמן, ושוכחים העיקר והתכלית העליוני שהוא התורה העליונה, והיא המכוונת נגד העולם שהוא בית ה', כי היא הראשונה במדריגה, וכמו שכתוב (משלי ב, ו) כי ה' יתן חכמה, וכן כתיב (משלי ח, כב) ה' קנני ראשית דרכו, כי על ידה נברא העולם, וכמו שאמרו בסדר בראשית בתחילתו שהתורה אומרת בי נסתכל הקב"ה וברא העולם כו' (ועיין שם באורי, ועיין בהקדמתי פרק ז), והיא דוגמת מתכונת העולם ומדורה, ולכן המה שבעה ספרי תורה, כנגד שבעת ימי הבריאה, מפני שעל ידה היה בריאת העולם. ואיך לא יראו ויפחדו מהעדר קיום התורה, הלא היא טבחה טבחה להעניש לממרים בה, ומסכה יינה, לבאר לנו מהו קלות ומהו חמורות, וכמו מזיגת היין יש עושה חזק ויש עושה רפה, כפי רצונו, כן מצוות התורה יש עונשים קלים ויש חמורים, שממנו נלמוד הדין על פי קל וחומר או על פי גזירה שוה לדעת שהמה שוים. או באורו לפי שהיין משמח בטבע הלב, לכן מכונה לימוד התורה על פי קל וחומר וגזירה שוה, שזהו עיקר הידיעה לדעת אם המה דומים, או חמורים או קלים שהיא משמחת הלב, כי דבר שכלי בטבע משמח ללב, וזה יותר נכון על פי פשוטו. ומה שקרא לערכין, שהוא שומת האדם ושויו בעניני ההקדש, בשם עריכת השולחן וסדרו, לא ידעתי ציורו. והנה ה' הגביה מעלת ישראל מקבלי התורה עליונה, עד שהיו אנשים אלקיים, ועתה מי פתי יסור מזה תיכף שעבדו העגל: [ד] **באהל מועד.** שזהו בית ה' שעל ידו השכינה שורה בישראל, וגם היא מכוונת לענין סדר הבריאה

וכרת דומים לטביחה: **קלים וחמורים.** פירוש הם דומים למסיכת היין שמערבב זה בזה, וכן על ידי קל וחומר וגזירה שוה לומדים זה מזה נמלא המה מעורבים וממוסכים זה בזה: **ערכה וגו' אלו הערכין.** ממלת ערכה קדרש: **נערותיה.** אלו ישראל על שם (הושע יא, א) כי נער ישראל ואוהבהו: [ד] **זה משה.** אולי נסמך על שנאמר על משה (שמות ב, ו) ותראהו את הילד והנה נער בוכה, לכך דורש נערותיה זה משה, ומה דכתיב בלשון רבים נקבות אין מדקדקין במדרש:

"מָסְכָה יֵינָהּ" אֵלּוּ הַנְּסָכִים — ***She mixed her wine*** — **these are** referring to **the** wine **libations** offered during that period. **"אַף עָרְכָה שֻׁלְחָנָהּ" זֶה סִדּוּר לֶחֶם הַפָּנִים** — ***She also set her table*** — **this is** a reference to **the arranging**[42] **of the Show-bread** on the Tabernacle's Table during that period. **"שָׁלְחָה נַעֲרֹתֶיהָ תִקְרָא" זֶה מֹשֶׁה** — ***She has sent out her maidens to announce*** (or: *to summon*) — **this is** a reference to **Moses.**[43] **הֲדָא הוּא דִכְתִיב "וַיְהִי בַּיּוֹם הַשְּׁמִינִי קָרָא מֹשֶׁה לְאַהֲרֹן וּלְבָנָיו וגו'"** — **Thus it is written, *It was on the eighth day, Moses summoned Aaron and his sons*** *and the elders of Israel.*[44]

NOTES

the setting up of the bread, etc. Aaron observed Moses' actions for the seven days, and was thus fully enabled to perform them himself thereafter (*Eitz Yosef*, from *Yefeh To'ar*).

42. Called עֵרֶךְ in *Exodus* 40:4 and 40:23 (*Radal*).

43. The word נַעַר, *youth*, is used in reference to Moses: וַתִּפְתַּח וַתִּרְאֵהוּ אֶת הַיֶּלֶד וְהִנֵּה נַעַר בֹּכֶה, *She opened it and saw him, the child, and behold, a youth was crying* (*Exodus* 2:6) (*Beur Maharif*). The verse thus means that God sent out Moses to call for Aaron and his sons.

44. Only after all was ready, i.e., the Tabernacle was built, it was erected the requisite number of times, and Aaron had finished learning how to perform the service, only then, did God send Moses to call Aaron and his sons to perform the service (*Eitz Yosef*).

Yefeh To'ar explains the point R' Abba bar Kahana was trying to make through this exposition as follows: It would have seemed appropriate for Aaron and his sons to begin their service on the very first day the Tabernacle was ready, under Moses' guidance. Why was it only *on the eighth day* that Moses summoned them to begin their service? The answer is provided by the comparison of these events to the verse describing wisdom's preparation of her banquet. When one prepares a banquet he does not invite in the guests until after the hall and the meal are prepared, in order that all be ready for the guests when they enter. Therefore, Aaron was not summoned to perform the service until everything — the Tabernacle and Aaron himself — was fully prepared (ibid.).

In this interpretation the Midrash does not explain how the continuation of the *Proverbs* passage (עַל גַּפֵּי מְרֹמֵי קָרֶת, מִי פֶתִי יָסֻר הֵנָּה, חֲסַר לֵב אָמְרָה לּוֹ) is to be applied to the inaugural days. The commentators fill in the missing details: עַל גַּפֵּי מְרֹמֵי קָרֶת, *upon the city heights*, refers to the elevated status of Aaron and his sons as priests of God (*Maharzu*). מִי פֶתִי יָסֻר הֵנָּה חֲסַר לֵב means: *Who is foolish enough to turn here* (to the Tabernacle, for the Divine service) before fully prepared? Such a person is *lacking in his heart* (i.e., in understanding)! אָמְרָה לּוֹ is connected to what follows it: לְכוּ לַחֲמוּ בְלַחֲמִי וּשְׁתוּ בְּיַיִן מָסָכְתִּי — Now that Aaron and his sons have completed their training, *she says to him: Come and partake of my food and drink of the wine that I mixed* (*Yefeh To'ar, Eitz Yosef*). See Insight Ⓐ.

INSIGHTS

Ⓐ **The Odyssey of Man: Creation, Revelation, and Redemption** The Midrash (§1-4) offers four interpretations of the passage in *Proverbs,* which it expounds variously as referring to: (i) the seven days of Creation; (ii) the giving of the Torah; (iii) the final redemption, and (iv) the inauguration of the Tabernacle. These expositions do not represent, as one might assume, separate approaches toward explaining the passage. Rather, all are elements of a single, sweeping explanation, one that employs these four moments to chart the course of Man's progress, from the first glorious instant of Man's creation and his subsequent descent into sin, until the advent of the final redemption and the realization of God's design for him.

The purpose of Man is to perfect Creation. Adam, the first man, was intended to guide all creatures in the service of God. The world that existed before Adam's sin was not the grossly physical world we inhabit today, but a place of greater spirituality, where even the lowliest of creatures were capable of understanding, and could be taught to worship God, each in its own fashion (see *Zohar, Emor* 107b). Had Adam fulfilled his purpose, he would have brought to fruition the promise of Creation, with the revelation of the Divine, all veils torn away and the world filled to overflowing with knowledge of God. When Adam emerged from the primeval clay, the universe stood ready, poised on the brink of a great transformation, to rise from darkness into the holy light of the Divine Presence. But Adam failed in his task. He succumbed to the temptation of sin, and the venom of the serpent was introduced into Creation. The world was coarsened, and Man with it, and all that once partook of the realm of the spirit descended into a state of utter physicality, to become a world in which God's Presence is hidden from view.

This is the first of the Midrash's interpretations of the passage in *Proverbs*. God built the house of Creation and carved out its seven pillars. He populated it with living creatures, and the vegetation to nourish them. He created Adam and Eve, "godlike beings" who straddled both the upper world and the lower, and commanded them to elevate the world through worship of God. Foolishly, they forsook God's will, and brought sin and death into the world.

Many years passed before Man was granted an opportunity to remedy the sin of Adam. The Midrash expounds the Scriptural passage as discussing this next pivotal moment, which occurred at the Revelation of Sinai. Here was Israel's chance to remake the world in God's image and undo the damage wrought by Adam. When the Jews stood at Mount Sinai to accept the Torah, the defilement of the serpent was removed from them (*Shabbos* 146a), and they returned to the purity of Adam before he sinned, to a level comparable to that of Moses himself, who, akin to the very angels, ascended the Heavens to receive the Torah. The people of Israel at that juncture, like Adam, were "raised on high," and were named "godlike beings" by the Holy One. Had all gone as planned, Moses would have returned to the encampment, sacred Tablets of the Law in hand, and he and Israel, in full communion with God, would have transformed the world as originally intended. In the event, Israel stumbled into the sin of the Golden Calf. Thus, they too failed to accomplish their purpose.

After this second failure, God took another approach. Rather than scale the heights of Godliness in a single moment of inspiration, Man is instead enjoined to take an incremental approach, in which the world, bit by bit, over a period of many years, is slowly cleansed of impurity and brought closer to God. For this effort, God chose Aaron, who, on the eighth day of the inauguration of the Tabernacle, brought down the Divine Presence to dwell in an earthly abode. This began a process of purification that will continue until the final redemption, when the venom of the serpent, introduced through sin, will be removed entirely from Creation, and the cloak of the material will be lifted, so that the Divine Presence, confined no longer to the Holy, will be revealed throughout the world. As the prophet states (*Isaiah* 9:11), כִּי מָלְאָה הָאָרֶץ דֵּעָה אֶת ה' כַּמַּיִם לַיָּם מְכַסִּים, *for the world will be filled with knowledge of HASHEM, as the water that covers the seabed.* Thus will the promise of Man be realized and the latent sanctity of Creation made manifest. In recognition of this process, the Midrash interprets the passage in *Proverbs* as discussing both the Tabernacle and the time of the final redemption.

This idea that the passage alludes to the fulfillment of Man's purpose in Creation is revealed in the phrase שָׁלְחָה נַעֲרֹתֶיהָ תִקְרָא, *she sent out her maidens; she will call.* The term תִקְרָא, *she will call,* implies the summoning of a person to fulfill his special calling. The calling of Adam and Eve and of Israel at Sinai was to bring all Creation to a recognition of God and to lead them in His worship. God summoned them to their calling, and named them "godlike beings," but in each case, they proved to be חֲסַר לֵב, *lacking in heart,* without the fortitude demanded of one who would complete God's design. God then summoned Aaron at the inauguration of the Tabernacle. As our verse states, וַיְהִי בַּיּוֹם הַשְּׁמִינִי קָרָא מֹשֶׁה לְאַהֲרֹן וּלְבָנָיו, *It was on the eighth day, Moses called Aaron and his sons.* He called them to their purpose, to bring the Divine Presence to dwell among Israel, to begin the holy work of cleansing and healing the world. In this instance, the Midrash does *not* expound the verse of חֲסַר לֵב, *lacking in heart,* for the labors of Aaron were in no way lacking. Rather, through the service of Aaron, the Divine Presence took root in the earthly realm, both in the Tabernacle and in the hearts of Israel, whence it influences the progress of history, chipping away, little by little, at the wall that separates Creation from Creator, steering a course ever closer to revelation. This course will culminate one day in the final redemption, when the veils that conceal His Presence will dissolve as the mist in sunlight, and the glory of God will burst forth to illuminate the darkness and burn away all wickedness forever: the world restored, God's hope fulfilled, Israel's faith rewarded, Man's long journey finally complete (see *Shem MiShmuel, Shemini* pp. 165-167,184; *Sfas Emes, Shemini* שנת תרל"ט ושנת תרנ"ו; *Ohr Gedalyahu, Shemini*, pp. 21-23).

ג בַּר קַפָּרָא פָּתַר קְרָיָא בַּתּוֹרָה, (משלי ט, א) **"חָכְמוֹת בָּנְתָה בֵיתָהּ", זוֹ תּוֹרָה, הֲדָא הוּא דִכְתִיב** (שם ב, ו) **"כִּי ה' יִתֵּן חָכְמָה",** (שם ח, כב) **"ה' קָנָנִי רֵאשִׁית דַּרְכּוֹ",** (משלי שם שם) **"חָצְבָה עַמּוּדֶיהָ שִׁבְעָה", אֵלּוּ שִׁבְעָה סִפְרֵי תוֹרָה, וְלֹא חֲמִשָּׁה הֵן, בַּר קַפָּרָא עָבֵיד מֵרֵישֵׁיהּ דְּ"וַיְדַבֵּר"** (במדבר א, א) **עַד "וַיְהִי בִּנְסֹעַ הָאָרֹן"** (שם י, לה) **חַד, מִן "וַיְהִי" עַד "וּבְנֻחֹה"** (שם שם לו) **חַד, וְעַד סֵיפֵיהּ חַד, הֲרֵי ז',** (משלי ט, ב) **"טָבְחָה טִבְחָהּ", אֵלּוּ הָעוֹנָשִׁים,** (שם) **"מָסְכָה יֵינָהּ", אֵלּוּ קַלִּין וַחֲמוּרִין וּגְזֵירוֹת שָׁווֹת,** (שם) **"אַף עָרְכָה שֻׁלְחָנָהּ", אֵלּוּ הָעֲרָכִין,** (שם שם ג) **"שָׁלְחָה נַעֲרֹתֶיהָ תִקְרָא", אֵלּוּ יִשְׂרָאֵל,** (שם) **"עַל גַּפֵּי מְרֹמֵי קָרֶת", שֶׁהֶסִּיטָן הַקָּדוֹשׁ בָּרוּךְ הוּא וְקָרָא אוֹתָן אֱלָהוּת, שֶׁנֶּאֱמַר** (תהלים פב, ו) **"אֲנִי אָמַרְתִּי אֱלֹהִים אַתֶּם וְגוֹ'", אַחַר כָּל הַשֶּׁבַח הַזֶּה** (משלי שם ד) **"מִי פֶתִי יָסֻר הֵנָּה", הֵן הִנִּיחוּ דַּעְתּוֹ שֶׁל הַקָּדוֹשׁ בָּרוּךְ הוּא וְאָמְרוּ לָעֵגֶל** (שמות לב, ד) **"אֵלֶּה אֱלֹהֶיךָ יִשְׂרָאֵל", בִּשְׁבִיל כֵּן** (משלי שם שם) **"חֲסַר לֵב אָמְרָה לּוֹ"** (תהלים שם ז) **"אָכֵן כְּאָדָם תְּמוּתוּן":**

ד רַבִּי אַבָּא בַּר כָּהֲנָא פָּתַר קְרָיָא בְּאֹהֶל מוֹעֵד, (משלי ט, א) **"חָכְמוֹת בָּנְתָה בֵיתָהּ" זֶה בְּצַלְאֵל,** (שמות לא, ג) **"וָאֲמַלֵּא אֹתוֹ רוּחַ אֱלֹהִים וְגוֹ'",** (משלי שם שם) **"חָצְבָה עַמּוּדֶיהָ שִׁבְעָה" אֵלּוּ ז' יְמֵי הַמִּלּוּאִים, הֲדָא הוּא דִכְתִיב** (לעיל ח, לג) **"כִּי שִׁבְעַת יָמִים יְמַלֵּא אֶת יֶדְכֶם",** (משלי שם ב) **"טָבְחָה טִבְחָהּ" אֵלּוּ הַקָּרְבָּנוֹת,** (שם) **"מָסְכָה יֵינָהּ" אֵלּוּ הַנְּסָכִים,** (שם) **"אַף עָרְכָה שֻׁלְחָנָהּ" זֶה סִדּוּר לֶחֶם הַפָּנִים,** (שם שם ג) **"שָׁלְחָה נַעֲרֹתֶיהָ תִקְרָא" זֶה מֹשֶׁה, הֲדָא הוּא דִכְתִיב** [ט, א] **"וַיְהִי בַּיּוֹם הַשְּׁמִינִי קָרָא מֹשֶׁה לְאַהֲרֹן וּלְבָנָיו וְגוֹ'":**

עץ יוסף

(ג) **זו תורה.** רלה לומר חכמות, זו תורה, בנתה ביתה, זה העולם, שעל ידי התורה נברא העולם. **הדא הוא דכתיב כי ה' יתן חכמה.** זה לראיה שהחכמה שם נאמר על התורה, כדכתיב כי ה' יתן חכמה, דמיירי בתורה הנתונה לישראל מפיו, כדאיתא בשמות רבה פרשה מ"א. ולראיה שהעולם נברא על ידי התורה, הביא קרא ה' קנני ראשית דרכו וגו', דמהכי קראי ילפינן שהתורה קדמה לעולם, ועל ידה נברא ה' העולם, כדאיתא בבראשית רבה (פרשה א ה): **אלו שבע ספרי תורה.** כלומר שעל ידי התורה שהיא שבעה חלקים, נברא העולם על ידה גם כן שבעה חלקים, שהרקיעים שבעה וכן הארצות שבעה, כדלקמן (פרשה כט ט): **אלו העונשים.** משום שתכלית הבריאה להשלים את ישראל, על ידי התורה עד שיהיו כמלאכי ה', אמר שהיו בה בתורה שלשה ענינים שבעבורה תתקבל אללם, והם השכר והעונש, והפלפול, ואהבת ה', כי יש שעושה מפני השכר והעונש, ויש מפני ההתחכמות בעצמו, ויש מאהבת ה', ועל האחד אמר העונשים, ועל השני קל וחומר וגזירה שוה, שזה עיקר הפלפול, וכנגד השלישי ערכין, כי מאהבת ה' יקדיש ערך נפשו לה', והכוונה שנתן ה' לישראל דרך שיקבלו התורה בכל צד שאפשר להדריכם: **אלו העונשים.** דאית בהו מיתה וכרת, דדמי לטבחה: **קלים וחמורים.** דהא דמיא למסיכת היין, שמערבו זה בזה, וכן על ידי קל וחומר וגזירה שוה לומד מזה לזה: **אלו ישראל.** כמה דאת אמר (הושע יא א) כי נער ישראל וגו': **שהטיסן.** שהפריחן: **חסר לב כו'.** פירושו על דרך שפירשתי לעיל (סימן א): **(ד) פתר קריא באוהל מועד.** משום דקשה למה לא נקרא אהרן לעבודה עד יום שמיני, שבכל השבע היה משה מכהן בעבודה, וקאמר רבי אבא בר כהנא שזה היה כענין מנהגו של עולם, שאין מזמינים את האורחים אלא אחר תיקון הבית והסעודה, שיהיה הכל מתוקן לפניו, ולכן לא נקרא אהרן עד שהיה ענין הבית נגמר, וכן ענין הסעודה הנעשית שם, כי הקמת המשכן לא נשלם עד יום השמיני,

פירוש מהרז"ו

(ג) **פתר קריה בתורה.** שהחכמה העליונה שברא בה הבורא שמים וארץ וימים, היא בנתה התורה שנקראת בית, כמו שכתוב (במדבר יב, ז) בכל ביתי נאמן הוא, וכמו שאמרו בהדיא שמות רבה (מז, ט) עיין שם על פסוק זה, וכמו שאמרו בראשית רבה (יז, ה) שנובלות אורה של מעלה, היא התורה: **ה' קנני ראשית דרכו.** הביא פסוק לראיה שהתורה בדמיון בית, כמו שכתב בבראשית רבה (א, ח), שהבונה בית צריך להקדים ששה דברים, וכן בתורה ה' קנני וגו' קדם (משלי ח, כב), ומאז (שם), ומעולם (שם כג), ומראש (שם), ומקדמי (שם), עיין מה שכתבתי שם: **שבעה ספרי תורה.** כמו שאמרו בראשית רבה (סד, ח), ונקרא אותה שבעה, עיין שם וכמו שמובא (שבת קטז, א) דעת רבי מאיר בברייתא, ודעת רבי שמואל בר נחמן אמר רבי יוחנן חצבה עמודיה שבעה, אלו שבעה ספרי תורה: **ויהי בנסוע.** שעל כן פרשת ויהי בנסוע מסומנת בנוני"ן לפניה ולאחריה, שהוא ספר בפני עצמו, שספר במדבר כולל שלושה ספרים: **אלו הערכין.** פרשת ערכין בסוף בחוקותי, וזהו ערכה. ועיין תנחומא בחוקותי (סימן ד) על פסוק כי מי בשחק יערוך לה', שחושב שם הרבה מיני ערכין, עריכות נרות, עריכות לחם הפנים וכו': **וקרא אותן אלהות.** עיין שמות רבה פרשה לב, מה שכתבתי שם: **(ד) קרא משה לאהרן ולבניו.** וזהו על גפי מרומי קרת, שיהיו אהרן ובניו כהנים לפני ה', והכרח שהמדרש דורש מה שכתב מי פתי, על נדב ואביהוא, כמו שנאמר לקמן בפרשה שהקריבו אש זרה שלא צוה אותם:

מתנות כהונה

[ג] **ה' קנני וגו'.** וכתיב (משלי ד, ז) ראשית חכמה, ובילקוט משלי (רמז תתקכט) הביא פסוק זה לבדו:

אשד הנחלים

[ג] **בתורה כו'.** הענין בכללו כמו שכתבנו, שהחכמה העליונה מוכיחה להאנשים העוסקים רק בתענוגי הזמן, ושוכחים העיקר והתכלית העליוני שהוא התורה העליונה, והיא המכוונת נגד העולם שהוא בית ה', כי היא הראשונה במדריגה, וכמו שכתוב (משלי ב, ו) כי ה' יתן חכמה, וכן כתיב (משלי ח, כב) ה' קנני ראשית דרכו, כי על ידה נברא העולם, וכמו שאמרו בסדר בראשית בתחילתו שהתורה אומרת בי נסתכל הקב"ה וברא העולם כו' (ועיין שם בבאורי, ועיין בהקדמתי פרק ז), והיא דוגמת מתכונת העולם ומדורה, ולכן המה שבעה ספרי תורה, כנגד שבעת ימי הבריאה, מפני שעל ידה היה בריאת העולם. ואיך לא יראו ויפחדו מהעדר קיום התורה, הלא היא טבחה טבחה להעניש לממרים בה, ומסכה יינה, לבאר לנו מהו קלות ומהו חמורות, וכמו מזיגת היין יש עושה חזק ויש עושה רפה, כפי רצוננו, כן מצוות התורה יש עונשים קלים ויש חמורים, שממנו נלמוד הדין על פי קל וחומר או על פי גזירה שוה לדעת שהמה שוים. או אורו לפי שהיין משמח בטבע הלב, לכן מכונה לימוד התורה על פי קל וחומר וגזירה שוה, שזהו עיקר הידיעה לדעת אם המה דומים, או חמורים או קלים שהיא משמחת הלב, כי דבר שכלי בטבע משמח ללב, וזה יותר נכון על פי פשוט. ומה שקרא לערכין, שהוא שומת האדם ושויו בענייני ההקדש, בשם עריכת השולחן וסדרו, לא ידעתי ציורו. והנה ה' הגביה מעלת ישראל מקבלי התורה עליונה, עד שהיו אנשים אלקיים, ועתה מי פתי יסור מזה תיכף שעבדו העגל: [ד] **באהל מועד.** שזהו בית ה' שעל ידו השכינה שורה בישראל, וגם היא מכוונת לענין סדר הבריאה

חידושי הרד"ל

[ג] **בר קפרא עביד כו'.** בראשית רבה פרשה ס"ד [סימן ח]: **טבחה אלו העונשים.** מלשון שר הטבחים: **יינה אלו קל וחומר כו'.** שהן עיקר ייגה של תורה, שצריך להוציאו על ידי טורח, כמו היין מן הענבים: **שהטיסן הקדוש ברוך הוא.** כן צריך לומר. והוא לשון פריחה, כלשון (משלי ט, ג) על גפי, שהוא כנפים: **וקרא אותן אלקות הדא הוא דכתיב והייתם באלהים.** מקרא זה היא פתוי הנחש, ונכון לגרוס אני אמרתי אלהים אתם (תהלים פב, ו), וזהו שמסיים כאן, חסר לב אמרה לו כי עפר כו', (כלומר שנחסר מטובת מעלתו הראשונה שהיה בלבו חכמת אלהים והיתה מחיה אותו לעולם), כדכתיב בסיפא דהאי קרא, אכן כאדם תמותון: **מי פתי יסור הנה.** סור הוא הנוטה מדרך הישר כמו שכתוב בבראשית רבה (נ, ז) סורו נא עקמו כו', ולשון הנה פירש רש"י בסנהדרין שם על עץ הדעת, ואפשר עיקריה סמוך על מי פתי יסור הנה, הכתוב להלן בפרשה, באשת כסילות, (ומיושב ביותר לדרשת הגמרא בסנהדרין (שם) מי פתאו לזה אשה): [ד] **זה סדור לחם הפנים.** שנקרא מערכת (ויקרא כד, ו), וערוך על השולחן:

חידושי הרש"ש

[ג] **בר קפרא פתר קרייא וכו' הדא הוא דכתיב כי ה' יתן חכמה ה' קנני ראשית דרכו.** וכתיב שם באותה פרשה לשקוד על דלתותי לשמור מזוזות פתחי, והוא לראיה שהתורה מתארת את עצמה בתואר בית עם מזוזותי ודלתותי: **חד מן ויהי עד ובנחה חד.** ועד זה בכלל, לא כמו עד הראשון:

באור מהרי"פ

[ג] **כי ה' יתן חכמה.** זה לראיה שהתורה נקראת חכמה, ה' קנני ראשית דרכו (משלי ח, כב), ראיה שעל ידה נברא העולם, כמבואר בראשית רבה (א, א): **אלו העונשים.** פירוש דעונש מיתה וכרת דומים לטביחה: **קלים וחמורים.** פירוש הם דומים למסיכת היין שמערבב זה בזה, וכן על ידי קל וחומר וגזירה שוה לומדים זה מזה כמלא המה מעורבים וממוסכים זה בזה: **ערכה וגו' אלו הערכין.** ממלת ערכה קדרש: **נערותיה.** אלו ישראל על שם (הושע יא, א) כי נער ישראל ואוהבהו: [ד] **זה משה.** אולי נסמך על שנאמר על משה (שמות ב, ו), ותראהו את הילד והנה נער בוכה, לכך דורש נערותיה זה משה, ומה דכתיב בלשון רבים נקבות אין מדקדקין במדרש:

אם למקרא

כִּי ה' יִתֵּן חָכְמָה מִפִּיו דַּעַת וּתְבוּנָה: (שם ב:ו)

ה' קָנָנִי רֵאשִׁית דַּרְכּוֹ קֶדֶם מִפְעָלָיו מֵאָז: (שם ח:כב)

וַיְדַבֵּר ה' אֶל־מֹשֶׁה בְּמִדְבַּר סִינַי בְּאֹהֶל מוֹעֵד בְּאֶחָד לַחֹדֶשׁ הַשֵּׁנִי בַּשָּׁנָה הַשֵּׁנִית לְצֵאתָם מֵאֶרֶץ מִצְרַיִם לֵאמֹר: (במדבר א:א)

וַיְהִי בִּנְסֹעַ הָאָרֹן וַיֹּאמֶר מֹשֶׁה קוּמָה ה' וְיָפֻצוּ אֹיְבֶיךָ וְיָנֻסוּ מְשַׂנְאֶיךָ מִפָּנֶיךָ: וּבְנֻחֹה יֹאמַר שׁוּבָה ה' רִבְבוֹת אַלְפֵי יִשְׂרָאֵל: (שם י:לה-לו)

אֲנִי אָמַרְתִּי אֱלֹהִים אַתֶּם וּבְנֵי עֶלְיוֹן כֻּלְּכֶם: אָכֵן כְּאָדָם תְּמוּתוּן וּכְאַחַד הַשָּׂרִים תִּפֹּלוּ: (תהלים פב:ו-ז)

וַיִּקַּח מִיָּדָם וַיָּצַר אֹתוֹ בַּחֶרֶט וַיַּעֲשֵׂהוּ עֵגֶל מַסֵּכָה וַיֹּאמְרוּ אֵלֶּה אֱלֹהֶיךָ יִשְׂרָאֵל אֲשֶׁר הֶעֱלוּךָ מֵאֶרֶץ מִצְרָיִם: (שמות לב:ד)

חָכְמוֹת בָּנְתָה בֵיתָהּ חָצְבָה עַמּוּדֶיהָ שִׁבְעָה: טָבְחָה טִבְחָהּ מָסְכָה יֵינָהּ אַף עָרְכָה שֻׁלְחָנָהּ: שָׁלְחָה נַעֲרֹתֶיהָ תִקְרָא עַל גַּפֵּי מְרֹמֵי קָרֶת: (משלי ט:א-ג)

וָאֲמַלֵּא אֹתוֹ רוּחַ אֱלֹהִים בְּחָכְמָה וּבִתְבוּנָה וּבְדַעַת וּבְכָל מְלָאכָה: (שמות לא:ג)

וּמִפֶּתַח אֹהֶל מוֹעֵד לֹא תֵצְאוּ שִׁבְעַת יָמִים עַד יוֹם מְלֹאת יְמֵי מִלֻּאֵיכֶם כִּי שִׁבְעַת יָמִים יְמַלֵּא אֶת יֶדְכֶם: (לעיל ח:לג)

אמרי יושר

[ג] **[ואמרו לעגל אלה אלהיך ישראל].** ישראל חטאו בעגל, אשר היו בהתראה ועדים, מתו מיד. והאחרים חטאו במחשבה, ודיבור אלה אלהיך ישראל, ומעשה הזביחה. כנגד המחשבה, צוה להם עגל לעולה, העולה על רוחם. כנגד דיבור אלה אלהיך, נדבת המשכן, [ב]אלה פקודי (שמות לח, כה) [וכסף פקודי] העדה. כנגד המעשה, מעשה פרה: [ד] **שלחה נערותיה תקרא זה משה.** ששלח וקרא לנערותיה אהרן ובניו:

§5 [וַיְהִי בַּיּוֹם הַשְּׁמִינִי קָרָא מֹשֶׁה לְאַהֲרֹן וּלְבָנָיו — *IT WAS ON THE EIGHTH DAY, MOSES SUMMONED AARON AND HIS SONS.*]

The Midrash comments on the transition from the seven days of inauguration, when Moses functioned as the sole Kohen, to the eighth day, when he handed the reins of the priesthood to Aaron and his sons. The concept that is the basis for its comment is based on a verse in *Psalms,* for which the Midrash now presents two interpretations, the second of which is relevant to our topic:[45]

זֶה שֶׁאָמַר הַכָּתוּב ״עִם חָסִיד תִּתְחַסָּד עִם גְּבַר תָּמִים תִּתַּמָּם עִם נָבָר תִּתְבָּרָר וְעִם עִקֵּשׁ תִּתְפַּתָּל״ — This is to be understood in light of **what Scripture says** elsewhere, ***With the pious You act with piety, with the wholehearted man You act wholeheartedly. With the clear man You act with clarity, and with the crooked man You act with obliqueness*** (*Psalms* 18:26-27). **רַבִּי יְהוּדָה וְרַבִּי נְחֶמְיָה — R' Yehudah and R' Nechemyah** offered interpretations of this passage:[46]

רַבִּי יְהוּדָה פָּתַר קְרָא בְּאַבְרָהָם אָבִינוּ — R' Yehudah interpreted the verse as concerning our forefather Abraham: בֵּיוָן שֶׁבָּא בַּחֲסִידוּת הַקָּדוֹשׁ בָּרוּךְ הוּא בָּא עִמּוֹ בַּחֲסִידוּת — When he acted toward God **with piety,**[47] **the Holy One, blessed is He,** responded in kind and **acted toward him with piety; בְּשָׁעָה שֶׁבָּא בִּתְמִימוּת הַקָּדוֹשׁ בָּרוּךְ הוּא בָּא עִמּוֹ בִּתְמִימוּת — when he acted** toward God **with wholeheartedness, the Holy One, blessed is He,** responded in kind and **acted toward him with wholeheartedness; וּבְשָׁעָה שֶׁבָּא בְּעַקְמָנוּת הַקָּדוֹשׁ בָּרוּךְ הוּא בָּא עִמּוֹ בְּעַקְמָנוּת — and when he acted with indirectness**[48] toward God, **the Holy One, blessed is He,** responded in kind and **acted toward him with indirectness; בְּשָׁעָה שֶׁנִּתְבָּרֵר עַל עֲסָקָיו הַקָּדוֹשׁ בָּרוּךְ הוּא בֵּירֵר לוֹ עֲסָקָיו — and when he sought clarity** from God **about his affairs,**[49] **the Holy One, blessed is He,** responded in kind and **gave him clarity about his affairs.**

R' Yehudah elaborates:

אֵימָתַי בָּא בַּחֲסִידוּת — When did [Abraham] act toward God **with piety? בְּשָׁעָה שֶׁאָמַר ״אַל נָא תַעֲבֹר מֵעַל עַבְדֶּךָ״ — When he said** to God, ***"Please pass not away from Your servant"*** (*Genesis* 18:3).[50] **מַה כְּתִיב תַּמָּן, ״וְאַבְרָהָם עוֹדֶנּוּ עֹמֵד לִפְנֵי ה׳״ —** And we find that God responded in kind and acted toward him with piety. For **what is written there** later in that narrative? ***Abraham was still standing before HASHEM*** (ibid., v. 22). **אָמַר רַבִּי סִימוֹן: תִּקּוּן סוֹפְרִים — And R' Simone said:** This is a **"correction of the scribes,"**[51] **שְׁכִינָה הָיְתָה מַמְתֶּנֶת לוֹ — for,** in fact, it was **the Divine Presence** that **was waiting for *[Abraham],*** and not vice versa.[52]

אֵימָתַי בָּא בִּתְמִימוּת — When did [Abraham] act toward God **with wholeheartedness? בְּשָׁעָה שֶׁאָמַר ״אוּלַי יַחְסְרוּן חֲמִשִּׁים הַצַּדִּיקִם חֲמִשָּׁה״ — When he said,** in his plea against the destruction of Sodom, ***"What if the fifty righteous people should lack five?*** *Would You destroy the entire city because of the five?"* (ibid., v. 28).[53] **מַה כְּתִיב, ״וַיֹּאמֶר לֹא אַשְׁחִית אִם אֶמְצָא שָׁם אַרְבָּעִים וַחֲמִשָּׁה״** — And we find that God responded in kind and acted toward him with wholeheartedness. For **what is written** following that? ***And He said, "I will not destroy if I find there forty-five"*** (ibid.).

NOTES

45. This relevance will become apparent below, §6.

46. Although the passage appears to be referring to four different kinds of people, the Midrash goes on to interpret it as dealing with four character traits in a single person, since it does not state more generally, "You deal with everyone in accordance with their character" (*Yefeh To'ar*).

The exact definition of these four traits and of the Midrash's application of them are uncertain, and are subject to many various interpretations by the commentaries. Moreover, there are several different textual versions of this entire exposition, some of which will be mentioned in the notes below.

47. Translation follows *Yefeh To'ar*; there are other interpretations in the other commentaries.

48. The trait of עַקְמָנוּת constitutes the Midrash's interpretation of וְעִם עִקֵּשׁ תִּתְפַּתָּל (translated above as *with the crooked man You act with obliqueness*) in the *Psalms* verse. Our translation of עַקְמָנוּת as "indirectness" follows *Yefeh To'ar*. See *Imrei Yosher, Matnos Kehunah,* and *Eshed HaNechalim,* who interpret it differently.

49. The trait of "seeking clarity (נִתְבָּרֵר) about one's affairs" constitutes the Midrash's interpretation of עִם נָבָר תִּתְבָּרָר (translated above as *With the clear man You act with clarity*). Many commentators (see *Yefeh To'ar, Maharzu*) take note of the fact that the Midrash (here and throughout the piece) discusses the fourth trait listed in *Psalms* (עִקֵּשׁ) before the third (נָבָר). [*Rashash* and *Eitz Yosef* indeed recommend textual emendation to parallel the Scriptural order.]

50. The Midrash adopts the following interpretation of the *Genesis* passage (see *Rashi* to *Genesis* 18:3): God appeared to Abraham, but then Abraham saw three "men" (really angels), whom Abraham ran to greet and shower with hospitality. But first he excused himself from God's Presence, imploring Him, *please pass not away from Your servant*. Abraham thus conducted himself with piety ("piety" being the quality of doing virtuous acts even when they are not required), for, being engaged in communication with the Divine Presence, Abraham could justifiably have ignored the wayfarers and allowed them to pass by without incident. The fact that he nevertheless could not contain himself from taking the opportunity to extend kindness to others shows his great piety. (This is *Yefeh To'ar's* interpretation of this difficult line; the commentators offer many others.)

51. This term is applied by the Sages to this and seventeen other verses in Scripture (see *Midrash Tanchuma, Beshalach* §16), whose plain meanings are inconsistent with their true messages. What it means is either that the Sages, who are referred to as *scribes* (see *Kiddushin* 30a), explained the verses according to their true intent (*Yefeh To'ar* and *Matnos Kehunah* to *Bereishis Rabbah* 49 §7; see also the responsum of *Rashba* [*Chadashos*] §368), or that in the manner that a *scribe* will edit his text to improve upon it, so did the Torah change what it "should have" written in these verses, in order to present more acceptable wording (*Eitz Yosef*, citing *Sefer HaIkkarim* 3:22).

[The words תִּקּוּן סוֹפְרִים, *a correction of the scribes*, cannot be taken at face value, that "scribes" altered the established text of the Torah, for it is axiomatic that the Torah as we have it was given to Moses at Mount Sinai and faithfully transmitted ever since (*Teshuvos Radvaz*, Vol. 3, §1020 (594), cited by *Eitz Yosef* to *Bereishis Rabbah* 49 §7; see *Rashba* and *Sefer HaIkkarim* loc. cit.; see further, *Matnos Kehunah* and *Yefeh To'ar* loc. cit. and *Eitz Yosef* to *Tanchuma* ad loc.). See also *Igros Moshe* III:114 at length.]

52. Earlier (v. 20), God had come to Abraham to tell him of the impending destruction of Sodom. If so, when our verse wishes to convey that they were still speaking, it should have stated that *God* was still standing before *Abraham*. The Torah did not do so because it is improper to speak of God as *standing before* a human being, as if He is subordinate to him (*Rashi* to *Genesis* 18:22 and *Yefeh To'ar* to *Bereishis Rabbah* 49 §7 s.v. שהשכינה).

At any rate, this verse (once understood as a "correction of the scribes") shows that God also acted toward Abraham in a manner that was beyond what was necessary and expected, by waiting for him until he sent the angels on the way (*Eitz Yosef* with *Yefeh To'ar*).

53. Abraham had already pleaded with God to spare Sodom if there could be found fifty righteous people there, and He acceded to this request (ibid., vv. 24-26). Then Abraham approached God again and asked if He would save the cities if there could be found forty-five righteous people in Sodom, continuing to lower the number further in successive requests. The trait of תְּמִימוּת ("wholeheartedness" or "innocence, guilelessness"), in the context of one's attitude toward God, means that a person has faith that whatever God does is best, without trying to calculate or comprehend God's reasons for His actions. Here Abraham's continued importuning for ever lower thresholds of righteous people to save Sodom might be seen as improper behavior, like someone who receives a gift and keeps asking for more. However, God understood that Abraham's motivation was not self-interest, but the desire to be reassured that God would exercise mercy in His judgment of Sodom, and He responded favorably, in accordance with Abraham's "wholeheartedness" (*Yefeh To'ar*).

ה זֶה שֶׁאָמַר הַכָּתוּב (תהלים יח, כו-כז) "עִם חָסִיד תִּתְחַסָּד עִם גְּבַר תָּמִים תִּתַּמָּם עִם נָבָר תִּתְבָּרָר וְעִם עִקֵּשׁ תִּתְפַּתָּל", בּרַבִּי יְהוּדָה וְרַב °נַחְמָן, רַבִּי יְהוּדָה פָּתַר קְרָא בְּאַבְרָהָם אָבִינוּ: כֵּיוָן שֶׁבָּא בַּחֲסִידוּת הַקָּדוֹשׁ בָּרוּךְ הוּא בָּא עִמּוֹ בַּחֲסִידוּת, בְּשָׁעָה שֶׁבָּא בִּתְמִימוּת הַקָּדוֹשׁ בָּרוּךְ הוּא בָּא עִמּוֹ בִּתְמִימוּת, וּבְשָׁעָה שֶׁבָּא בְּעַקְמָנוּת הַקָּדוֹשׁ בָּרוּךְ הוּא בָּא עִמּוֹ בְּעַקְמָנוּת, בְּשָׁעָה שֶׁנִּתְבָּרֵר עַל עֲסָקָיו הַקָּדוֹשׁ בָּרוּךְ הוּא בֵּירַר לוֹ עֲסָקָיו, אֵימָתַי בָּא בַּחֲסִידוּת, בְּשָׁעָה שֶׁאָמַר (בראשית יח, ג) "אַל נָא תַעֲבֹר מֵעַל עַבְדֶּךָ", מַה כְּתִיב תַּמָּן, (שם שם כב) "וְאַבְרָהָם עוֹדֶנּוּ עֹמֵד לִפְנֵי ה'", אָמַר רַבִּי סִימוֹן: *תַּקָּנַת סוֹפְרִים, שְׁכִינָה הָיְתָה מַמְתֶּנֶת לוֹ, אֵימָתַי בָּא בִּתְמִימוּת, בְּשָׁעָה שֶׁאָמַר (שם שם כח) "אוּלַי יַחְסְרוּן חֲמִשִּׁים הַצַּדִּיקִם חֲמִשָּׁה", מַה כְּתִיב, (שם) "וַיֹּאמֶר לֹא אַשְׁחִית אִם אֶמְצָא שָׁם אַרְבָּעִים וַחֲמִשָּׁה", אֵימָתַי בָּא בְּעַקְמָנוּת, בְּשָׁעָה שֶׁאָמַר (שם טו ב) "וְאָנֹכִי הוֹלֵךְ עֲרִירִי", מַה כְּתִיב תַּמָּן, (שם שם ד) "לֹא יִירָשְׁךָ זֶה", אֵימָתַי נִתְבָּרֵר עַל עֲסָקָיו, בְּשָׁעָה שֶׁאָמַר (שם שם ח) "בַּמָּה אֵדַע כִּי אִירָשֶׁנָּה", גמַה כְּתִיב תַּמָּן, (שם שם יג) "יָדֹעַ תֵּדַע כִּי גֵר יִהְיֶה זַרְעֲךָ",

עץ יוסף

שכל שבעת ימי המלואים היה משה מעמידו, ומקריב קרבנותיו עליו, וחוזר ופורק, כדאיתא בתורת כהנים, על זה אמר כאן חכמות בנתה ביתה זה בצלאל כו', פי' שה' בחכמה בנה הבית הזה, על ידי בצלאל שנתן בו חכמה, והחכמה האלהית גזרה שתהיין עמודות הבית שבעה פעמים קודם יום השמיני, והיינו חצבה עמודיה שבעה, כלומר קצבה שהקמותיה יהיה שבעה, ואף שאנו לא נדע ולא נשיג טעם לדבר הזה, שכמו שהבנין היה על ידי חכמתו יתברך הנעלמת, כן הדבר הזה, וענין הקרבנות רצה לומר ידיעת הקרבתם לאהרן, לא נגמרה עד עבור שבעת ימי המלואים, כי בהם למד מעשה הקרבנות והנסכים, וסדור לחם הפנים, ממעשה משה רבינו עליו השלום, ואחר שנשלמה הידיעה הזו כשולחן ערוך לפני אהרן, אז נקרא לכהונת העבודה, כקריאת האורח אחר תיקון הסעודה. וזו שאמר מי פתי יסור הנה וכו', כלומר טעם קדימת כל זה הוא, לפי שמי פתי יסור הנה לעבודת ה', וחסר לב פירוש, ומי החסר לב שיתקרב את עצמו לעבודת ה', קודם שימלא את ידיו בידיעת מעשה העבודה, אבל עתה שמלא יד אהרן ובניו, אמר להם לכו לחמו בלחמי וכו': (ה) **זה שאמר הכתוב עם חסיד כו'.** משום דבעי לאתויי הכא הא דאמר ר' שמואל בן נחמן כל שבעת ימי הסנה, היה הקדוש ברוך הוא מפתה כו', הדא הוא דכתיב ויהי ביום השמיני, להכי מייתי האי קרא עם חסיד וגו', שר' נחמיה פתרו במשה, וסבירא ליה גם כן שמאמר שלח נא ביד תשלח, חשבינן לה חטא במשה, עד שנענש ה' עליו, כדאכתוב לקמן: **באברהם אבינו כיון שבא בחסידות הקדוש ברוך הוא בא עמו בחסידות בשעה שבא בתמימות הקדוש ברוך הוא בא עמו בתמימות בשעה שנתברר על עסקיו הקדוש ברוך הוא בירר לו עסקיו ובשעה שבא בעקמנות הקדוש ברוך הוא בא עמו בעקמנות אימתי בא בחסידות כו' אימתי בא בתמימות כו' אימתי נתברר על עסקיו בשעה שאמר ואנכי הולך ערירי מה כתיב תמן לא יירשך זה אימתי בא בעקמנות בשעה שאמר במה אדע כי אירשנה כו'.** כן צריך לומר לפי דעתי, ועיין בשוחר טוב (מזמור יח) וכן איתא בפייט מוסף דראש השנה (בפייט אומן אדירי קול) ועל נאמו במה אדע נידון בקו ידוע תדע, וכן איתא בסוף סדר שמות (פרשה ה כו) ואם בשביל שאמר אברהם אבינו במה אדע כי אירשנה, ואמרת לו ידוע תדע כי גר יהיה זרעך, אם כן הרי עשו וישמעאל מבניו כו': **אל נא תעבור.** דאף על גב דעוסק במצוה פטור מן המצוה, עשה לפנים משורת הדין, להקביל פני אורחים. אף על פי שהיה מקבל פני שכינה, ועוד דבלאו הכי היה פטור מהכנסת אורחים, שהיה בצער מילתו, דיום שלישי היה, ומצטער פטור גם כן, ולכן עשה לו ה' גם כן לפנים משורת הדין, להמתין לו כלדברי סימון: **תקון סופרים.** רצה לומר שבאמת השכינה היתה ממתנת לאברהם, שהרי כתיב וירא ה' אל אברהם, הרי שהשכינה באת אצלו ואמר לו זעקת סדום ועמורה וגו', והוי ליה למימר וה' עודנו עומד וגו', אלא שהכתוב תקן הדבר מפני הכבוד, כסופר זה שמתקן דבר מה:

פירוש מהרז"ו

(ה) **נתברר על עסקיו.** זהו פירוש על מה שכתוב עם נבר תתבר, שמי שבא לברר דבריו שיהיו קיימים, שאמר במה אדע, שיתקיימו דבריך וביקש אות, והשיב לו בירר דברים, ידוע תדע, בענין הגלות, עד ודור רביעי ישובו הנה, ואז תירשנה. והנה סידור הכתוב עם חסיד וגו' עם גבר תמים, עם נבר עם עקש, והמדרש מקדים לפרש מה שכתוב עם עקש, היינו בא בעקמנות, קודם מה שכתוב עם נבר, וכן בדברי רבי נחמיה גם כן מקדים מה שכתוב עם עקש, למה שכתוב עם נבר. ויתכן לתרץ שבדברי רבי נחמיה הוצרך לסיים בדברי הבירור, שכן דרך המדרש שהדרשה ששייך לענין הפרשה דורשה לבסוף, וכן כאן שעיקר הכוונה על מה שכתב בסוף הסימן, ששייך למה שכתוב עם נבר, על בירור הדברים, על כן עשה המדרש כן גם בדברי רבי יהודה:

מתנות כהונה

[ה] אל נא תעבור. אין נא אלא לשון בקשה דרך חסד ורחמים, שימתין לו עד שיכניס האורחים: **תקנת סופרים.** נתבאר לעיל בבראשית רבה (מט, ז) ועיין שם: **אולי יחסרון וגו'.** ולדיק של יסוד עולם יצטרף עם כל תשעה ותשעה, כי תמים דרכו ומתמם עם תמימים: **ואנכי הולך ערירי.** שאמר כן דרך תוכחה: **לא יירשך זה.** סיפא דקרא כי אם אשר יצא ממעיך, ולא ממנו ישמעאל שהיה למורת רוח לו ולבניו עד היום הזה. או רצה לומר כיון שנולדו יצחק וישמעאל, לא ידע עדיין מי הוא אשר יירשנו, עד אשר הורשה לשלחו מעל פניו, שנאמר (בראשית כא, יב) אל ירע בעיניך על הנער וגו':

אשד הנחלים

מתוקנת על פי חכמה עליונה, ועל ידי בצלאל שהיה בו רוח אלהים, היה יודע בעשייתה, ולכן היה צריך שבעה ימי מלואים להכנת דוגמת מעשה בראשית, והאכילה והשתיה שבה שהמה העוזרים להשפעה, המה הקרבנות והנסכים, והנערים העוסקים בשבעת ימי המלואים, הלא המה משה, ומשה קרא לאהרן ובניו. ופירוש מי פתי, שחטא בדבר מה, ילך ויעשה קרבן ויתכפר לו, וזהו לחמו בלחמי ושתו ביין מסכתי: **[ה] זה שאמר הכתוב עם חסיד.** להלן מסיים הדרוש השייך לכאן, ובאגב דרש על עניינים אחרים: **בחסידות כו' בתמימות.** מגדר החסידות הוא הדביקות בה', ויען שאברהם היה טרוד לקבל אורחיו, ולהתעסק בענייני העולם, ועם כל זה ביקש שאל יפרד מנבואה ומקבלת המחזה, ויהיה ביכולתו לשמש גם במוחשיים גם בנפשיים בעת אחת, וזהו חסידות גדולה מאוד, וכן נעשתה לו. וגדר התמימות הוא האיש שמרוב תמימותו, יתראה לפעמים כאלו עושה או מבקש מהזולת דבר שאינו צריך, רק שתמימות לבו מכריחו, וכמו כן באברהם שביקש פעם אחר פעם אולי יחסרון, מה שלכאורה אין זה מגדר החכמה, לבקש מה' כמבקש מבן אדם מעט מעט, כאלו אונאה יש בדבר, רק תמימותו גברה בו מאוד: **בעקמנות.** שאיך לא הבין כי אחר שה' מבטיחו מסתמא יחוננו בזרע. אבל עם כל זה בכאן לא היה בירור על עסקיו, כי לא אמר דרך תלונה, כי אם בדרך תמיה, מה תתן לי ומה תבטיחני בבשורת הזרע, כי למי אניח זאת, אבל על במה אדע כאלו ביקש אות ומופת, ולא נמצא בלבו אמונה לזה כי אם בהודעות האות, ואז נתברר גם כן על עסקיו, שבישר לו מהרעה העתידה להיות בבניו גם כן:

חידושי הרד"ל

[ה] בעקמנות כו' זה שמי לעולם ולפי שעה אהיה כו'. ולכן בשם הויה נאמר אחר כך (שמות ג, טו) זה שמי לעולם. ולפי שבא בעקמנות לא זכה להגלות לו אז בשם המיוחד, שהוא מעלתו של משה, כמו שכתוב (שם ו, ג) וארא כו' ושמי ה' לא נודעתי גו', והוא שם ההנהגה התמידי, אף בעת שההנהגה על ידי איזה מדה ושם שיהיה, מכל מקום בהעלם מסותר בו הנהגת שם המהוה תמיד, אבל גלוי שם אהיה, שגילה לו עתה, אינו כי אם ההנהגה לפי שעה:

חידושי הרש"ש

[ה] רבי יהודה ור' נחמן. צריך לומר ורבי נחמיה: **בשעה שבא בעקמנות כו' בשעה שנתברר על עסקיו כו'.** טעות סופר הוא, וצריך לומר להיפך, בירור עסקיו קודם ביאת עקמנות כסידורן בקרא, וכן לקמן צריך לומר אימתי נתברר על עסקיו בשעה שאמר ואנכי כו', אימתי בא בעקמנות בשעה שאמר במה אדע וכו', (ודלא כמתנות כהונה שנדחק מאד לפרש הגירסא שלפנינו), וכן לקמן בדברי רב נחמן צריך לומר אימת נתברר וכו' בשעה שאמר ואמרו לי מה שמו, וכן הוא להדיא לעיל בשמות רבה (ג, ט) ושם ריש פרשה ד' קרי ליה בר לבב על ככה אימת בא בעקמנות בשעה שאמר לו ועתה לכה כו', הכל כסדר הכתוב. ועיין שוחר טוב (מזמור י"ח):

אמרי יושר

[ה] בשעה שבא בחסידות. כי בדרך שאדם רוצה לילך בה, מוליכים אותו. כשבא בחסידות, אל נא תעבור, כי רצה להקביל פני שכינה ולהקבלת אורחים, נתנהג בחסידות, וכתיב ואברהם עודנו עומד, דרך כינוי להקדוש ברוך הוא. כשבא בתמימות, אולי יחסרון חמישים [הצדיקים] חמשה, כי חשב שהיה בסדום קרוב לזה הסכום בתמימותו, גם הקדוש ברוך הוא השיב כן אעשה אם אמצא שם, אף על גב דליכא ספיקא קמיה שמיא. כשבא בעקמנות והתרעם אנכי הולך ערירי, אף הוא השיב לו, אשר יצא ממעיך בנזיפה, ולא שיבא את יצחק כל שהוא, שהיה אפשר זה להתקיים בישמעאל, בא עמו בעקמימות, והם דייקו [תחלת הפסוק] (בראשית טו, ד) והנה דבר ה' אליו, מסכים ונאות ושוה אליו, שדיבר בעקמימות:

מסורת המדרש

ב. מדרש תהלים מזמור י"ח:
ג. ש"ר פ"ה ופ"ל פסיקתא רבתי פ' מ"ז תנחומא קדושים י"ג תד"א ח"ב פ"ב:

אם למקרא

עִם־חָסִיד תִּתְחַסָּד עִם גְּבַר תָּמִים תִּתַּמָּם: עִם־נָבָר תִּתְבָּרָר וְעִם עִקֵּשׁ תִּתְפַּתָּל: (תהלים יח:כו-כז)

וַיֹּאמַר אֲדֹנָי אִם־נָא מָצָאתִי חֵן בְּעֵינֶיךָ אַל־נָא תַעֲבֹר מֵעַל עַבְדֶּךָ: (בראשית יח:ג)

וַיִּפְנוּ מִשָּׁם הָאֲנָשִׁים וַיֵּלְכוּ סְדֹמָה וְאַבְרָהָם עוֹדֶנּוּ עֹמֵד לִפְנֵי ה': (שם שם כב)

וַיֹּאמֶר אַבְרָם אֲדֹנָי ה' מַה־תִּתֶּן לִי וְאָנֹכִי הוֹלֵךְ עֲרִירִי וּבֶן מֶשֶׁק בֵּיתִי הוּא דַּמֶּשֶׂק אֱלִיעֶזֶר: (שם טו:ב)

וְהִנֵּה דְבַר ה' אֵלָיו לֵאמֹר לֹא יִירָשְׁךָ זֶה כִּי אִם אֲשֶׁר יֵצֵא מִמֵּעֶיךָ הוּא יִירָשֶׁךָ: (שם שם ד)

וַיֹּאמַר אֲדֹנָי ה' בַּמָּה אֵדַע כִּי אִירָשֶׁנָּה: (שם שם ח)

וַיֹּאמֶר לְאַבְרָם יָדֹעַ תֵּדַע כִּי גֵר יִהְיֶה זַרְעֲךָ בְּאֶרֶץ לֹא לָהֶם וַעֲבָדוּם וְעִנּוּ אֹתָם אַרְבַּע מֵאוֹת שָׁנָה: (שם שם יג)

באור מהרי"פ

[ה] כיון שבא בחסידות וכו'. כל הענין עד תומו מוקשה קצת, ובשוחר טוב (מזמור יח) נשתנה הגירסא ועיין שם:

שינוי נוסחאות

(ה) **רבי יהודה ורב נחמן.** צריך לומר "...ורבי נחמיה" דהוא בר פלוגתיה דר' יהודה, וכן כתוב בהדיא לקמן בהמשך המדרש: "רבי נחמיה פתר קרא". וכבר עמד בזה הרש"ש: **אימתי בא בעקמנות, בשעה שאמר "ואמרו לי מה שמו מה אמר אלהם".** ברש"ש (והסכים עמו עצ"י) גורס כאן "אימתי נתברר על עסקיו, בשעה ...": **אימתי נתברר על עסקיו, בשעה שאמר לו "ועתה לכה ...".** ברש"ש (והסכים עמו עצ"י) גורס "אימתי בא בעקמנות" בשעה שאמר לו (שם שם י) "ועתה לכה ...":

אֵימָתַי בָּא בַּעֲקָמְנוּת — **When did [Abraham] act** toward God **with indirectness?** בְּשָׁעָה שֶׁאָמַר "וְאָנֹכִי הוֹלֵךְ עֲרִירִי" — **When he said,** *"What can You give me,* ***seeing that I go childless,*** *and the steward of my house is the Damascene Eliezer?"* (ibid. 15:2).[54] מַה כְּתִיב תַּמָּן, "לֹא יִירָשְׁךָ זֶה" — And we find that God responded in kind and acted toward him with indirectness. For **what is written there?** ***That one will not inherit you;*** *only he that shall come forth from within you shall inherit you* (ibid., v. 4).[55]

אֵימָתַי נִתְבָּרֵר עַל עֲסָקָיו — **When did [Abraham] seek clarity** from God **about his affairs?** בְּשָׁעָה שֶׁאָמַר "בַּמָּה אֵדַע כִּי אִירָשֶׁנָּה" — **When he said,** ***"Whereby shall I know that I am to inherit it?"*** (ibid., v. 8).[56] מַה כְּתִיב תַּמָּן, "יָדֹעַ תֵּדַע כִּי גֵר יִהְיֶה זַרְעֲךָ" — And we find that God responded in kind and granted him clarity. For **what is written there?** ***Know with certainty that your offspring shall be aliens*** *in a land not their own — and they will serve them, and they will oppress them — four hundred years* (ibid., v. 13).[57]

NOTES

54. It is clear from Abraham's statement that he greatly longed for a child to follow his path and bring him joy, rather than having this role filled by his servant Eliezer. But he did not ask God directly, "Please grant me children," instead expressing his pain about his childlessness indirectly (*Yefeh To'ar*; the commentators offer several other explanations).

55. God responded to Abraham with "indirectness" in that He did not tell him that he would have a child who would be worthy of carrying on his legacy and would bring him pride and joy; rather, He simply said that a child would be born to him who would be his heir (*Yefeh To'ar*).

56. Abraham asked this after God had informed him that he would be granted *Eretz Yisrael*. With this question Abraham was "seeking clarity about his affairs," for the meaning of his question was, "In what merit (or at what price) will I be entitled to this land?" as the Sages explain elsewhere [*Bereishis Rabbah* 44 §14] (*Yefeh To'ar*).

57. God answered Abraham that the "price" for *Eretz Yisrael* was 400 years of subjugation to the Egyptians (and other foreign nations) (*Yefeh To'ar*).

ה זֶה שֶׁאָמַר הַכָּתוּב (תהלים יח, כו-כז) **"עִם חָסִיד תִּתְחַסָּד עִם גְּבַר תָּמִים תִּתַּמָּם עִם נָבָר תִּתְבָּרָר וְעִם עִקֵּשׁ תִּתְפַּתָּל", בַּרַבִּי יְהוּדָה וְרַב °נַחְמָן, רַבִּי יְהוּדָה פְּתַר קְרָא בְּאַבְרָהָם אָבִינוּ: כֵּיוָן שֶׁבָּא בַּחֲסִידוּת הַקָּדוֹשׁ בָּרוּךְ הוּא בָּא עִמּוֹ בַּחֲסִידוּת, בְּשָׁעָה שֶׁבָּא בִּתְמִימוּת הַקָּדוֹשׁ בָּרוּךְ הוּא בָּא עִמּוֹ בִּתְמִימוּת, וּבְשָׁעָה שֶׁבָּא בְּעַקְמָנוּת הַקָּדוֹשׁ בָּרוּךְ הוּא בָּא עִמּוֹ בְּעַקְמָנוּת, בְּשָׁעָה שֶׁנִּתְבָּרֵר עַל עֲסָקָיו הַקָּדוֹשׁ בָּרוּךְ הוּא בֵּירַר לוֹ עֲסָקָיו, אֵימָתַי בָּא בַּחֲסִידוּת, בְּשָׁעָה שֶׁאָמַר** (בראשית יח, ג) **"אַל נָא תַעֲבֹר מֵעַל עַבְדֶּךָ", מַה כְּתִיב תַּמָּן,** (שם שם כב) **"וְאַבְרָהָם עוֹדֶנּוּ עֹמֵד לִפְנֵי ה'", אָמַר רַבִּי סִימוֹן: *תַּקָּנַת סוֹפְרִים, שְׁכִינָה הָיְתָה מַמְתֶּנֶת לוֹ, אֵימָתַי בָּא בִּתְמִימוּת, בְּשָׁעָה שֶׁאָמַר** (שם שם כח) **"אוּלַי יַחְסְרוּן חֲמִשִּׁים הַצַּדִּיקִם חֲמִשָּׁה", מַה כְּתִיב,** (שם) **"וַיֹּאמֶר לֹא אַשְׁחִית אִם אֶמְצָא שָׁם אַרְבָּעִים וַחֲמִשָּׁה", אֵימָתַי בָּא בְּעַקְמָנוּת, בְּשָׁעָה שֶׁאָמַר** (שם טו ב) **"וְאָנֹכִי הוֹלֵךְ עֲרִירִי", מַה כְּתִיב תַּמָּן,** (שם שם ד) **"לֹא יִירָשְׁךָ זֶה", אֵימָתַי נִתְבָּרֵר עַל עֲסָקָיו, בְּשָׁעָה שֶׁאָמַר** (שם שם ח) **"בַּמָּה אֵדַע כִּי אִירָשֶׁנָּה", גמַה כְּתִיב תַּמָּן,** (שם שם יג) **"יָדֹעַ תֵּדַע כִּי גֵר יִהְיֶה זַרְעֲךָ",**

עץ יוסף

שכל שבעת ימי המלואים היה משה מעמידו, ומקריב קרבנותיו עליו, וחוזר ופורק, כדאיתא בתורת כהנים, על זה אמר כאן חכמות בנתה ביתה זה בצלאל כו', פי' שה' בחכמה בנה הבית הזה, על ידי בצלאל שנתן בו חכמה, והחכמה האלהית גזרה שתהיין עמידות הבית שבעה פעמים קודם יום השמיני, והיינו חצבה עמודיה שבעה, כלומר קצבה שהקמותיה יהיה שבעה, ואף שאנו לא נדע ולא נשיג טעם לדבר הזה, שכמו שהבנין היה על ידי חכמתו יתברך הנעלמת, כן הדבר הזה, וענין הקרבנות רלה לומר ידיעת הקרבתם לאהרן, לא נגמרה עד עבור שבעת ימי המלואים, כי בהם למד מעשה הקרבנות והנסכים, וסדור לחם הפנים, ממעשה משה רבינו עליו השלום, ואחר שנשלמה הידיעה הזו כשולחן ערוך לפני אהרן, אז נקרא לכהונת העבודה, כקריאת האורח אחר תיקון הסעודה. וזו שאמר מי פתי שיסור הנה וכו', כלומר טעם קדימת כל זה הוא, לפי שמי פתי שיסור הנה לעבודת ה', וחסר לב פירוש, ומי החסר לב שיתקרב את עלמו לעבודת ה', קודם שימלא את ידיו בידיעת מעשה העבודה, אבל עתה שמלא יד אהרן ובניו, אמר להם לכו לחמו בלחמי וכו': (ה) **זה שאמר הכתוב עם חסיד כו'.** משום דבעי לאתויי הכא הא דאמר ר' שמואל בן נחמן כל שבעת ימי הסנה, היה הקדוש ברוך הוא מפתה כו', הלא הוא דכתיב ויהי ביום השמיני, להכי מייתי האי קרא עם חסיד וגו', שר' נחמיה פתרו במשה, וסבירא ליה גם כן שמאמר שלח נא ביד תשלח, חשבינן לה חטא במשה, עד שטנשו ה' עליו, כדלהכתוב לקמן: **באברהם אבינו כיון שבא בחסידות הקדוש ברוך הוא בא עמו בחסידות בשעה שבא בתמימות הקדוש ברוך הוא בא עמו בתמימות בשעה שנתברר על עסקיו הקדוש ברוך הוא בירר לו עסקיו ובשעה שבא בעקמנות הקדוש ברוך הוא בא עמו בעקמנות אימתי בא בחסידות כו' אימתי בא בתמימות כו' אימתי נתברר על עסקיו בשעה שאמר ואנכי הולך ערירי מה כתיב תמן לא יירשך זה אימתי בא בעקמנות בשעה שאמר במה אדע כי אירשנה כו'.** כן לריך לומר לפי דעתי, ועיין בשוחר טוב (מזמור יח) וכן איתא בפייט מוסף דראש השנה (בפייט אומן אדירי קולו) ועל נאמו במה אדע נידון בקו ידוע תדע, וכן איתא בסוף סדר שמות (פרשה ה כו) ואם בשביל שאמר אברהם אבינו במה אדע כי אירשנה, ואמרת לו ידוע תדע כי גר יהיה זרעך, אם כן הרי עשו וישמעאל מבניו כו': **אל נא תעבור.** דאף על גב דעוסק במצוה פטור מן המצוה, עשה לפנים משורת הדין, להקביל פני אורחים. אף על פי שהיה מקבל פני שכינה, ועוד דבלאו הכי היה פטור מהכנסת אורחים, שהיה בלער מילתו, דיום שלישי היה, ומלטער פטור גם כן, ולכן עשה לו ה' גם כן לפנים משורת הדין, להמתין לו כדברי סימון: **תקון סופרים.** רלה לומר שבאמת השכינה היתה ממתנת לאברהם, שהרי כתיב וירא ה' אל אברהם, הרי שהשכינה באת אללו ואמר לו זעקת סדום ועמורה וגו', והוי ליה למימר וה' עודנו עומד וגו', אלא שהכתוב תקן הדבר מפני הכבוד, כסופר זה שמתקן דבר מה:

פירוש מהרז"ו

(ה) **נתברר על עסקיו.** זהו פירוש על מה שכתוב עם נבר תתבר, שמי שבא לברר דבריו שיהיו קיימים, שאמר במה אדע, שיתקיימו דבריך ובקש אות, והשיב לו בירר דברים, ידוע תדע, בענין הגלות, עד ודור רביעי ישובו הנה, ואז תירשנה. והנה סידור הכתוב עם חסיד וגו' עם גבר תמים, עם נבר עם עקש, והמדרש מקדים לפרש מה שכתוב עם עקש, היינו בא בעקמנות, קודם מה שכתוב עם נבר, וכן בדברי רבי נחמיה גם כן מקדים מה שכתוב עם עקש, למה שכתוב עם נבר. ויתכן לתרץ שבדברי רבי נחמיה הולרך לסיים בדברי הבירור, שכן דרך המדרש שהדרשה ששייך לענין הפרשה דורשה לבסוף, וכן כאן שעיקר הכוונה על מה שכתב בסוף הסימן, ששייך למה שכתוב עם נבר, על בירור הדברים, על כן עשה המדרש כן גם בדברי רבי יהודה:

מתנות כהונה

[ה] אל נא תעבור. אין נא אלא לשון בקשה דרך חסד ורחמים, שימתין לו עד שיכניס האורחים: **תקנת סופרים.** נתבאר לעיל בבראשית רבה (מט, ז) ועיין שם: **אולי יחסרון וגו'.** ולדיק של יסוד עולם יצטרף עם כל תשעה ותשעה, כי תמים דרכו ומתמם עם תמימים: **ואנכי הולך ערירי.** שאמר כן דרך תוכחה: **לא יירשך זה.** סיפא דקרא כי אם אשר יצא ממעיך, ולא ממנו ישמעאל שהיה למורת רוח לו ולבניו עד היום הזה. או רצה לומר כיון שנולד יצחק וישמעאל, לא ידע עדיין מי הוא אשר יירשנו, עד אשר הורשה לשלחו מעל פניו, שנאמר (בראשית כא, יב) אל ירע בעיניך על הנער וגו':

אשד הנחלים

מתוקנת על פי חכמה עליונה, ועל ידי בצלאל שהיה בו רוח אלהים, היה יודע בעשייתה, ולכן היה צריך שבעה ימי מלואים להכנת דוגמת מעשה בראשית, והאכילה והשתיה שבה שהמה העוזרים להשפעה, המה הקרבנות והנסכים, והנערים העוסקים בשבעת ימי המלואים, הלא המה משה, ומשה קרא לאהרן ובניו. ופירוש מי פתי, שחטא בדבר מה, ילך ויעשה קרבן ויתכפר לו, וזהו לחמו בלחמי ושתו ביין מסכתי: **[ה] זה שאמר הכתוב עם חסיד.** להלן מסיים הדרוש השייך לכאן, ובאגב דרש על עניינים אחרים: **בחסידות כו' בתמימות.** מגדר החסידות הוא הדביקות בה', ויען שאברהם היה טרוד לקבל אורחיו, ולהתעסק בענייני העולם, ועם כל זה ביקש שאל יפרד מנבואה ומקבלת המחזה, ויהיה ביכולתו לשמש גם במוחשיים גם בנפשיים בעת אחת, וזהו חסידות גדולה מאוד, וכן נעשתה לו. וגדר התמימות הוא האיש שמרוב תמימותו, יתראה לפעמים כאלו עושה או מבקש מהזולת דבר שאינו צריך, רק שתמימות לבו מכריחו, וכמו כן באברהם שביקש פעם אחר פעם אולי יחסרון, מה שלכאורה אין זה מגדר החכמה, לבקש מה' כמבקש מבן אדם מעט מעט, כאלו אונאה יש בדבר, רק תמימותו גברה בו מאוד: **בעקמנות.** שאיך לא הבין כי אחר שה' מבטיחו מסתמא יחוננו בזרע. אבל עם כל זה בכאן לא היה בירור על עסקיו, כי לא אמר דרך תלונה, כי אם בדרך תמיה, מה תתן לי ומה תבטיחני בבשורת הזרע, כי למי אניח זאת, אבל על במה אדע כאלו ביקש אות ומופת, ולא נמצא בלבו אמונה לזה כי אם בהודעות האות, ואז נתברר גם כן על עסקיו, שבישר לו מהרעה העתידה להיות בבניו גם כן:

חידושי הרד"ל

[ה] בעקמנות כו' זה שמי לעולם ולפי שעה אהיה כו'. ולכן בשם הויה נאמר אחר כך (שמות ג, טו) זה שמי לעולם. ולפי שבא בעקמנות לא זכה להגלות לו אז בשם המיוחד, שהוא מעלתו של משה, כמו שכתוב (שם ו, ג) וארא כו' ושמי ה' לא נודעתי גו', והוא שם ההנהגה התמידי, אף בעת שההנהגה על ידי איזה מדה ושם שיהיה, מכל מקום בהעלם מסותר בו הנהגת שם המהוה תמיד, אבל גלוי שם אהיה, שגילה לו עתה, אינו כי אם ההנהגה לפי שעה:

חידושי הרש"ש

[ה] רבי יהודה ור' נחמן. לריך לומר ורבי נחמיה: **בשעה שבא בעקמנות כו' בשעה שנתברר על עסקיו כו'.** טעות סופר הוא, ולריך לומר להיפך, בירור עסקיו קודם ביאת עקמנות כסידורן בקרא, וכן לקמן לריך לומר אימתי נתברר על עסקיו בשעה שאמר ואנכי כו', אימתי בא בעקמנות בשעה שאמר במה אדע וכו', (ודלא כמתנות כהונה שנדחק מאד לפרש הגירסא שלפנינו), וכן לקמן בדברי רב נחמן לריך לומר אימת נתברר וכו' בשעה שאמר ואמרו לי מה שמו, וכן הוא להדיא לעיל בשמות רבה (ג, ט) ושם ריש פרשה ד' קרי ליה בר לבב על ככה אימת בא בעקמנות בשעה שאמר לו ועתה לכה כו', הכל כסדר הכתוב. ועיין שוחר טוב (מזמור י"ח):

אמרי יושר

[ה] בשעה שבא בחסידות. כי בדרך שאדם רוצה לילך בה, מוליכים אותו. כשבא בחסידות, אל נא תעבור, כי רצה להקביל פני שכינה ולהקבלת אורחים, נתנהג בחסידות, וכתיב ואברהם עודנו עומד, דרך כינוי להקדוש ברוך הוא. כשבא בתמימות, אולי יחסרון חמשים [הצדיקים] חמשה, כי חשב שהיה בסדום קרוב לזה הסכום בתמימותו, גם הקדוש ברוך הוא השיב כן לעשה אם אמצא שם, אף על גב דליכא ספיקא קמיה שמיא. כשבא בעקמנות והתרעם אנכי הולך ערירי, אף הוא השיב לו, אשר יצא ממעיך בנזיפה, ולא שיבח את יצחק כל שהוא, שהיה אפשר זה להתקיים בישמעאל, בא עמו בעקמימות, והם דייקו [תחלת הפסוק] (בראשית טו, ד) והנה דבר ה' אליו, מסכים ונאות ושוה אליו, שדיבר בעקמימות:

מסורת המדרש

ב. מדרש תהלים מזמור י"ח:
ג. ש"ר פ"ה ופ"ל פסיקתא רבתי פ' מ"ז תנחומא קדושים י"ג תד"א ח"ב פ"ב:

אם למקרא

עִם־חָסִיד תִּתְחַסָּד עִם גְּבַר תָּמִים תִּתַּמָּם: עִם־נָבָר תִּתְבָּרָר וְעִם עִקֵּשׁ תִּתְפַּתָּל: (תהלים יח:כו-כז)

וַיֹּאמַר אֲדֹנָי אִם־נָא מָצָאתִי חֵן בְּעֵינֶיךָ אַל־נָא תַעֲבֹר מֵעַל עַבְדֶּךָ: (בראשית יח:ג)

וַיִּפְנוּ מִשָּׁם הָאֲנָשִׁים וַיֵּלְכוּ סְדֹמָה וְאַבְרָהָם עוֹדֶנּוּ עֹמֵד לִפְנֵי ה': (שם שם כב)

וַיֹּאמֶר אַבְרָם אֲדֹנָי ה' מַה־תִּתֶּן לִי וְאָנֹכִי הוֹלֵךְ עֲרִירִי וּבֶן מֶשֶׁק בֵּיתִי הוּא דַּמֶּשֶׂק אֱלִיעֶזֶר: (שם טו:ב)

וְהִנֵּה דְבַר ה' אֵלָיו לֵאמֹר לֹא יִירָשְׁךָ זֶה כִּי אִם אֲשֶׁר יֵצֵא מִמֵּעֶיךָ הוּא יִירָשֶׁךָ: (שם שם ד)

וַיֹּאמַר אֲדֹנָי ה' בַּמָּה אֵדַע כִּי אִירָשֶׁנָּה: (שם שם ח)

וַיֹּאמֶר לְאַבְרָם יָדֹעַ תֵּדַע כִּי גֵר יִהְיֶה זַרְעֲךָ בְּאֶרֶץ לֹא לָהֶם וַעֲבָדוּם וְעִנּוּ אֹתָם אַרְבַּע מֵאוֹת שָׁנָה: (שם שם יג)

באור מהרי"פ

[ה] כיון שבא בחסידות וכו'. כל הענין עד סופו מוקשה קצת, ובשוחר טוב (מזמור יח) נשתנה הגירסא ועיין שם:

שינוי נוסחאות

(ה) **רבי יהודה ורב נחמן.** צריך לומר "...ורבי נחמיה" דהוא בר פלוגתיה דר' יהודה, וכן כתוב בהדיא לקמן בהמשך המדרש: "רבי נחמיה פתר קרא". וכבר עמד בזה הרש"ש: **אימתי בא בעקמנות, בשעה שאמר** "ואמרו לי מה שמו מה אמר אלהם". ברש"ש (והסכים עמו עצ"י) גורס כאן "אימתי נתברר על עסקיו, בשעה ...": **אימתי נתברר על עסקיו, בשעה שאמר לו** "ועתה לכה ...". ברש"ש (והסכים עמו עצ"י) גורס "אימתי בא בעקמנות" בשעה שאמר לו (שם שם י) "ועתה לכה ...":

This completes R' Yehudah's exposition of the *Psalms* passage; the Midrash proceeds to present R' Nechemyah's interpretation: רַבִּי נְחֶמְיָה פָּתַר קְרָא בְּמֹשֶׁה — **R' Nechemyah interpreted the verse as concerning Moses:** בְּשָׁעָה שֶׁבָּא בַּחֲסִידוּת הַקָּדוֹשׁ בָּרוּךְ הוּא בָּא עִמּוֹ בַּחֲסִידוּת — **When [Moses] acted** toward God **with piety, the Holy One, blessed is He,** responded in kind and **acted toward him with piety;** בְּשָׁעָה שֶׁבָּא בִּתְמִימוּת הַקָּדוֹשׁ בָּרוּךְ הוּא בָּא עִמּוֹ בִּתְמִימוּת — **when he acted** toward God **with wholeheartedness, the Holy One, blessed is He,** responded in kind and **acted toward him with wholeheartedness;** בְּשָׁעָה שֶׁבָּא בְּעַקְמָנוּת הַקָּדוֹשׁ בָּרוּךְ הוּא בָּא עִמּוֹ בְּעַקְמָנוּת — **when he acted** toward God **with indirectness, the Holy One, blessed is He,** responded in kind and **acted toward him with indirectness;** בְּשָׁעָה שֶׁנִּתְבָּרֵר עַל עֲסָקָיו הַקָּדוֹשׁ בָּרוּךְ הוּא בֵּירֵר עֲסָקָיו — **when he sought clarity about his affairs, the Holy One, blessed is He,** responded in kind and **gave him clarity about his affairs.**

R' Nechemyah elaborates:

אֵימָתַי בָּא בַּחֲסִידוּת — **When did [Moses] act** toward God **with piety?** בְּשָׁעָה שֶׁאָמַר "הַרְאֵנִי נָא אֶת כְּבֹדֶךָ" — **When he said, *"Show me now Your glory"*** (*Exodus* 33:18).[58] מַה כְּתִיב תַּמָּן, "אֲנִי אַעֲבִיר כָּל טוּבִי וְגוֹ'" — And we find that God responded in kind and acted toward him with piety. For **what is written there? *I shall make all My goodness pass*** *before you, and I shall call out with the Name HASHEM before you; I shall show favor when I choose to show favor, and I shall show mercy when I choose to show mercy* (ibid., v. 19).[59] אֵימָתַי בָּא בִּתְמִימוּת — **When did [Moses] act** toward God **with wholeheartedness?** בְּשָׁעָה שֶׁאָמַר "מַדּוּעַ לֹא יִבְעַר הַסְּנֶה" — **When he said, *Why will the bush not be burned?*** (ibid. 3:3). אֲמַר לֵיהּ: מִן דִּיקְרִי קָאֵים בְּגַוֵּיהּ — **[God] answered [Moses],** It is **because My glory is present in it.**[60]

אֵימָתַי נִתְבָּרֵר עַל עֲסָקָיו — **When did [Moses] seek clarity** from God **about his affairs?** בְּשָׁעָה שֶׁאָמַר "וְאָמְרוּ לִי מַה שְּׁמוֹ מָה אֹמַר אֲלֵהֶם" — **When he said,** *"Behold, when I come to the Children of Israel and say to them, 'The God of your forefathers has sent me to you,'* ***and they say to me, 'What is His Name?' — what shall I say to them?"*** (ibid., v. 13).[61] מַה אָמַר לוֹ, זֶה שְׁמִי לְפִי שָׁעָה, "אֶהְיֶה אֲשֶׁר אֶהְיֶה" — And we find that God responded in kind and granted Him clarity. For **what did He say to him** in response? **This is My temporary name: *I Shall Be As I Shall Be*** (ibid., v. 14).[62] אֵימָתַי בָּא בְּעַקְמָנוּת — **When did [Moses] act** toward God **with indirectness?**[63] בְּשָׁעָה שֶׁאָמַר לוֹ "וְעַתָּה לְכָה וְאֶשְׁלָחֲךָ אֶל פַּרְעֹה", אָמַר לוֹ: "שְׁלַח נָא בְּיַד תִּשְׁלָח" — **When [God] said to him, *And now, go and I shall dispatch you to Pharaoh*** *and you shall take My people the Children of Israel out of Egypt* (ibid., v. 10), and **[Moses] replied to [God], *"Send through whomever You will send"*** (ibid. 4:13).[64] "וּמֵאָז בָּאתִי אֶל פַּרְעֹה" — And once again when Moses said, ***"From the time I came to Pharaoh*** *to speak in Your Name he did evil to this people, but You did not rescue Your people"* (ibid. 5:23).[65] מַה כְּתִיב תַּמָּן, "עַתָּה תִרְאֶה" — And we find that God responded in kind. For **what is written there,** in the next verse? *HASHEM said to Moses,* ***"Now you will see*** *what I shall do to Pharaoh, for through a strong hand will he send them out, and with a strong hand will he drive them from his land* (ibid. 6:1).[66]

§6 The following section is connected to the preceding one.

The Midrash has asserted that Moses' initial reluctance to accept God's mission was responded to in kind by God. The Midrash now elaborates on this theme and ultimately relates it to our verse here in *Leviticus*:[67]

NOTES

58. Moses requested to know more about God and thus be able to come closer to Him and serve Him better, the ultimate piety (*Eshed HaNechalim*).

59. God granted Moses' request for the opportunity to increase his piety.

60. Whereupon Moses hid his face (*Exodus* ibid., v. 6). The trait of תְּמִימוּת ("wholeheartedness" or "innocence") that Moses exhibited in this incident was that His curiosity about the burning bush immediately ceased when God told him his Presence was there, and he investigated no further. The Midrash here does not explain how God responded to Moses in kind, with תְּמִימוּת, but this information can be gleaned from elsewhere: In *Shemos Rabbah* 3 §1 the Midrash teaches that the reward for Moses' hiding his face was that he was granted the honor of speaking to God "face to face" (*Exodus* 33:11). This is considered תְּמִימוּת in the sense that God granted him this honor without calculating if Moses was truly deserving of such an unparalleled level of Divine communication based on his merits. (This is *Yefeh To'ar's* interpretation of this difficult line [cited by *Eitz Yosef*]; the commentators suggest many others.)

61. Moses wanted to be prepared should the Israelites ask him this question. He was thus "seeking clarity about his affairs" in that he wanted to be fully prepared for his mission (see *Shemos Rabbah* 3 §5).

[We have altered the standard Midrash text in accordance with the emendation put forth by *Rashash* and *Eitz Yosef.* The standard text stated: אֵימָתַי נִתְבָּרֵר עַל עֲסָקָיו בָּא בְּעַקְמָנוּת — *When did [Moses] seek clarity* from God *about his affairs* and *act* toward God *with indirectness?* בְּשָׁעָה שֶׁאָמַר "וְאָמְרוּ לִי מַה שְּׁמוֹ מָה אֹמַר אֲלֵהֶם" — *When he said, "Behold, when I come to the Children of Israel . . . and they say to me, 'What is His Name?' — what shall I say to them?"* That is: Moses Himself wanted to know God's Name; however, instead of asking Him for it directly, he couched it as a question the Israelites would surely ask (*Yefeh To'ar*).]

62. God provided Moses with the clarity that he had sought concerning His Name. [According to the original version of the Midrash: God answered Moses with indirectness, for He did not tell Moses what he wanted to know, His Ineffable Name. Rather, in precise response to his indirect question, he told him a temporary Name, which would suffice as an answer for the Israelites (*Yefeh To'ar*).]

63. According to the present interpretation, a better translation for עַקְמָנוּת would be "evasiveness."

64. Moses evaded God's request that he act as His emissary to Pharaoh.

[Here too we have altered the text in favor of the reading put forth by *Rashash* and *Eitz Yosef,* and in this instance *Midrash Shocher Tov* supports the emendation, and it is favored by *Yefeh To'ar* as well. The standard text stated: אֵימָתַי נִתְבָּרֵר עַל עֲסָקָיו — *When did [Moses] seek clarity* from God *about his affairs?* בְּשָׁעָה שֶׁאָמַר לוֹ "וְעַתָּה לְכָה וְאֶשְׁלָחֲךָ אֶל פַּרְעֹה", אָמַר לוֹ: "שְׁלַח נָא בְּיַד תִּשְׁלָח" — *When [God] said to him, "And now, go and I shall dispatch you to Pharaoh," and he replied to Him, "Send through whomever You will send." Yefeh To'ar* explains: Moses' words here are usually understood to mean, "Please send someone else." R' Nechemyah, however, interprets it to mean that Moses was seeking clarification: He wanted to know if he would not only free the Israelites from Egypt but also lead them into the Land of Israel (see *Rashi* on *Chumash* ad loc.).]

65. This statement, too, indicates Moses' reluctance in fulfilling God's mission.

[According to the standard text: Here too, according to R' Nechemyah, Moses sought clarification: Since his initial mission to Pharaoh was a failure, he wanted to know if perhaps some sin had caused God to retract His plan to liberate the Israelites (*Yefeh To'ar*).]

66. The Sages (in *Shemos Rabbah* 5:23; see *Rashi* to *Chumash* ad loc.) interpret the words *"Now" you will see* as insinuating: "You will see the salvation of Israel *now,* but you will not see their salvation in their conquest of the Land; someone else will be appointed to lead them in that endeavor."

[*Yefeh To'ar* explains the meaning according to the standard version: With this statement, God provided clarification to Moses regarding both of his questions. Moses now knew that God had not retracted His plan of liberation for the Israelites. And furthermore, God's statement, *"Now" you will see,* informed him that he would not be leading the people into *Eretz Yisrael,* as explained above in this note.]

67. *Yefeh To'ar.*

רַבִּי נְחֶמְיָה פָּתַר קְרָא בְּמֹשֶׁה: בְּשָׁעָה שֶׁבָּא בַּחֲסִידוּת הַקָּדוֹשׁ בָּרוּךְ הוּא בָּא עִמּוֹ בַּחֲסִידוּת, בְּשָׁעָה שֶׁבָּא בִּתְמִימוּת הַקָּדוֹשׁ בָּרוּךְ הוּא בָּא עִמּוֹ בִּתְמִימוּת, בְּשָׁעָה שֶׁבָּא בְּעַקְמָנוּת הַקָּדוֹשׁ בָּרוּךְ הוּא בָּא עִמּוֹ בְּעַקְמָנוּת, בְּשָׁעָה שֶׁנִּתְבָּרֵר עַל עֲסָקָיו הַקָּדוֹשׁ בָּרוּךְ הוּא בֵּירַר עֲסָקָיו, אֵימָתַי בָּא בַּחֲסִידוּת, בְּשָׁעָה שֶׁאָמַר (שמות לג, יח) "הַרְאֵנִי נָא אֶת כְּבֹדֶךָ", מַה כְּתִיב תַּמָּן, (שם שם יט) "אֲנִי אַעֲבִיר כָּל טוּבִי וְגוֹ'", אֵימָתַי בָּא בִּתְמִימוּת, בְּשָׁעָה שֶׁאָמַר (שם ג, ג) "מַדּוּעַ לֹא יִבְעַר הַסְּנֶה", אֲמַר לֵיהּ: מִן דִּיקָרִי קָאֵים בְּגַוֵּיהּ, "אֵימָתַי בָּא בְּעַקְמָנוּת", בְּשָׁעָה שֶׁאָמַר (שם שם יג) "וְאָמְרוּ לִי מַה שְּׁמוֹ מָה אֹמַר אֲלֵהֶם", מָה אָמַר לוֹ, זֶה שְׁמִי לְפִי שָׁעָה, (שם שם יד) "אֶהְיֶה אֲשֶׁר אֶהְיֶה", אֵימָתַי °נִתְבָּרֵר עַל עֲסָקָיו°, בְּשָׁעָה שֶׁאָמַר לוֹ (שם שם י) "וְעַתָּה לְכָה וְאֶשְׁלָחֲךָ אֶל פַּרְעֹה", אָמַר לוֹ: (שם ד, יג) "שְׁלַח נָא בְּיַד תִּשְׁלָח", (שם ה, כג) "וּמֵאָז בָּאתִי אֶל פַּרְעֹה", מַה כְּתִיב תַּמָּן (שם ו, א) "עַתָּה תִרְאֶה":

ו רַבִּי יוּדָן בְּשֵׁם רַבִּי יוֹסֵי בַּר יְהוּדָה וְרַבִּי בֶּרֶכְיָה בְּשֵׁם רַבִּי יְהוֹשֻׁעַ בֶּן קָרְחָה: כָּל מ' שָׁנָה ^ד^שֶׁהָיוּ יִשְׂרָאֵל בַּמִּדְבָּר לֹא נִמְנַע מֹשֶׁה מִלְּשַׁמֵּשׁ בִּכְהוּנָּה גְּדוֹלָה, הֲדָא הוּא דִכְתִיב (תהלים צט, ו) "מֹשֶׁה וְאַהֲרֹן בְּכֹהֲנָיו", רַבִּי בֶּרֶכְיָה בְּשֵׁם רַבִּי סִימוֹן מַיְיתֵי לָהּ מִן הָדֵין קְרָא, (דברי הימים-א כג, יג-יד) "בְּנֵי עַמְרָם אַהֲרֹן וּמֹשֶׁה וַיִּבָּדֵל אַהֲרֹן לְהַקְדִּישׁוֹ קֹדֶשׁ קָדָשִׁים *הוּא וּבָנָיו עַד עוֹלָם לְהַקְטִיר לִפְנֵי ה' לְשָׁרְתוֹ וּלְבָרֵךְ בִּשְׁמוֹ עַד עוֹלָם° וּמֹשֶׁה אִישׁ הָאֱלֹהִים בָּנָיו יִקָּרְאוּ עַל שֵׁבֶט הַלֵּוִי",

עץ יוסף

במשה בשעה שבא בחסידות הקדוש ברוך הוא בא עמו בחסידות בשעה שבא בתמימות הקדוש ברוך הוא בא עמו בתמימות בשעה שנתברר על עסקיו הקדוש ברוך הוא בירר את עסקיו בשעה שבא בעקמוניות הקדוש ברוך הוא בא עמו בעקמוניות אימתי בא בחסידות כו' אימתי בא בתמימות כו' אימתי נתברר על עסקיו בשעה שאמר ואמרו לי מה שמו מה אומר אליהם מה אמר לו זה שמי לפי שעה אהיה אשר אהיה אימתי בא בעקמנות בשעה שאמר לו ועתה לך כו'. כן צריך לומר לפי דעתי. וכדאיתא בשמות רבה (פרשה ג ו) אלהי אבותיכם שלחני אליכם, אותה שעה נתברר משה על עסקיו כו', וברבה סוף ספר שמות (פרשה ה כז) איתא עתה תראה וגו', במלחמת פרעה אתה תראה ואין אתה תראה מלחמת שלשים ואחד [מלכים], ועיין בשוחר טוב (מזמור יח): **בשעה שאמר הראני כו'.** נראה דהיינו חסידותיה, שרצה ללמוד מטוב מדותיו להתחסד, וה' נהג עמו בחסידות, להראות לו נפלאות מכבודו, ואמר לו אני אעביר כל טובי על פניך, והיינו מה שעבר על פניו, ויקרא ה' ה' אל רחום וחנון, ומשם למד חסידות טפי, על דרך שאמרו והלכת בדרכיו מה הוא חנון אף אתה חנון כו': **מדוע לא יבער הסנה כו'.** והשיבו ה' מפני ששכינת כבודו שם, אז בא משה בתמימות, והיינו במה שהסתיר פניו מהביט. וענין התמימות לפי זה הוא תמימת הדעת, היינו שלא העמיק לחקור על מראה השכינה ההיא איך היא, אלא ירא והסתיר פניו. ומה שה' בא עמו בתמימות, היינו מה שנתן שכרו, שבשכר ויסתר פניו, זכה לדבור פנים בפנים, כדלעיל שמות רבה (פרשה ג ב), וזה דרך תמימות שלא דקדק ה' עמו, אם ראוי למעלות אלו, אלא חננו במדרגות גבוהות כהנה: **(ו) רבי יודן כו'.** איידי דבעי לאתויי הכא דרבי חלבו, דאמר כל שבעת ימי המלואים כו', עד הדא הוא דכתיב ויהי ביום השמיני, וההוא סבירא ליה שלא שימש משה בכהונה אלא שבעת ימי המלואים, מייתי נמי הכא דרבי יודן ורבי ברכיה דפליגי עליה, וסבירא ליה ששמש כל ארבעים שנה: **משה ואהרן בכהניו.** משמע ליה בכהניו קאי נמי אמשה, וכינוי דכהניו קאי אקדוש ברוך הוא, וכמו שלא פסקה הכהונה מאהרן כל ימיו, כך לא פסקה ממשה כל ימיו, אלא מזרעו (מהרש"א): **יקראו על שבט הלוי.** משמע אבל משה בעצמו כהן היה (מתנות כהונה):

פירוש מהרז"ו

מדוע לא יבער הסנה. ובעבור תומו שלא ידע מה שרואה בעיניו, הלך להתקרב אל השכינה, ונתמם עמו במה שהודיעו שהמקום שעומד שם אדמת קודש הוא, מפני גילוי כבוד שכינתו יתברך שמו. ועיין פרקי דרבי אליעזר (פרק מ) ומה שכתבתי שם: **לך ואשלחך וכו' שלח נא.** הנה מה שפסוק לך ואשלחך אל פרעה, נאמר בתחלת הפרשה, ופסוק שלח נא וכו' בסוף הפרשה, שאמר לו לך ואנכי אהיה עם פיך, ועל זה השיב שלח נא ביד תשלח, ומכאן יתבונן הקורא כמה דקדקו חז"ל על לשונות התורה שיהיו נאמרים על פי מדת ממטל, אף שאינו כפי סדר הפסוקים, שלפי מה שכתוב יקשה, שהיה לו לומר ילך מי שילך, תשובה על מה שאמר ועתה לך, על כן דורש שמה שאמר שלח נא ביד תשלח, הוא תשובה על ראשית השליחות שאמר לו לך ואשלחך, ועל דיבור זה סובב כל הענין, כשאמר לו לך, כאלו אמר לו גם כן ואשלחך או לך בשליחותי, שעל זה שייך להשיב שלח ביד תשלח. וכן הוא הלשון בפרקי דרבי אליעזר (פרק מ), אמר לו לך ואשלחך אל פרעה, אמר לפניו רבון כל העולמים שלח נא ביד תשלח. והנה כאן חסר סיום המאמר מה שבא עמו בעקמנות, וסמוך על מה שמבואר בשמות רבה (ג, יז), מיד ויחר אף ה' במשה, מה חרון אף היה שם, שנטלה הכהונה ממשה ונתנה לאהרן, וכן הוא שם בריש פרשה ז', וכמ"ש בסמוך: **ומאז באתי.** בא לפרש עוד דרך אחר על מה שכתב בא עמו בעקמנות, שמשה אמר, ומאז באתי אל פרעה לדבר בשמך הרע לעם הזה, שהרהר אחר מדותיו, כמו שמובא שמות רבה (ו, א), והשיב לו בעקמנות עתה תראה, וגם כאן חסר הסיום כמו שמובא שמות רבה סוף פרשה ה', עתה תראה ולא במלחמות שלושים ואחד מלכים, וכן הוא בשיר השירים רבה פסוק הגידה לי דף יו"ד: **(ו) כל ארבעים שנה.** זבחים דף ק"ב (ע"א): **משה ואהרן בכהניו.** מקיש משה לאהרן, מה אהרן כל ארבעים שנה כהן, כך משה כל ארבעים שנה: **בניו יקראו על שבט לוי.** אבל הוא עצמו כהן, כמו אהרן כל ארבעים שנה. ורבי אלעזר בר יוסי פליג, שלא שמש משה בכהונה אלא שבעת ימי המלואים לבד, כמפורש

חידושי הרד"ל

[ו] כל ארבעים שנה כו' משה מלשמש בכהן גדול. שמות רבה (לז, א):

חידושי הרש"ש

אימתי בא בחסידות בשעה שאמר אל נא תעבור מעל עבדך. דאז היה בא להכניס אורחים דהוה גמילות חסדים והיא גדולה יותר מהקבלת פני שכינה (שבת קכז, א): **[ו] רבי ברכיה בשם רבי סימון מייתי לה מן הדין כו'.** פירוש שמשה שמש בכהונה גדולה:

באור מהרי"פ

[ו] בניו יקראו וגו'. אולי פירושו בניו נשארו על שבט הלוי וניטלה מהם הכהונה. ועיין מתנות כהונה ואינו נכון פירושו:

אמרי יושר

רבי נחמיה פתר במשה. הגירסא הנכונה כן, חסידות, הראני נא את כבודך, ועשה חסד. תמימות, מדוע לא יבער, ויסתר משה פניו, והשיבו בתמימות, אנכי אלהי אביך (שמות ג, ו), עמרם, בקולו של אביו בא עליו. או רצה לומר לו, אני שוכן בסנה ורצוני כן, ולא אמר לו רמזו, ולא לימד סיבתו לו. עם עקש תתפתל, כשבא בעקמימות ואמר, שלח נא ביד תשלח, הניחו, לסוף שבעה ימים, אמר קרא לאהרן שישמש, והכי דייק ויהי ביום השמיני, לסוף שהיה חושב שהיתה הכהונה שלו, ענשו בירור עסקיו כשאמר ליה ואמרו לי מה שמו (שמות ג, יג), וכן בפרשת שמות לעיל (שמות רבה פרשה ג ו, פרשה ד א) כאן נתברר על עסקיו:

שינוי נוסחאות

(ו) **להקדישו קדש קדשים הוא ובניו עד עולם להקטיר לפני ה' לשרתו ולברך בשמו עד עולם.** בכל המדרשים שבדפוס וכן בכל הכי"י הפסוק נכתב שלא בדיוק: הקדישו קדש קדשים לעמוד ולשרת בשם ה', ורק בדפוס וילנא תיקנוהו ע"פ לשון הפסוק (אבל השאירו "לעמד ולשרת בשם ה'" בסוגריים):

מתנות כהונה

מן דיקרי כו'. מפני שכבודי עומד בתוכו, לפיכך לא יבער, שנאמר מיד (שמות ג, ד) ויקרא אליו ה' מתוך הסנה. ובשוחר טוב (מזמור יח) גרס מן דבריה קאים בתוכו, פירוש מפני שמי שברא אותו שוכן בתוכה: **עתה תראה.** ודרשו חז"ל (סנהדרין קיא, א) עתה תראה וגו' ולא תראה מלחמות שלושים ואחד מלכים: **[ו] מייתי לה מן הדין קרא.** ענשו על שלח נא, ומאז באתי, שאהרן נעשה כהן ומשה

אשד הנחלים

בחסידות כו' הראני כו'. כי דעת מדותיו יתברך, הוא החסידות הגמורה, לדעת מזה ההנהגה האמיתית להתנהג כמוהו, על דרך הדבק במדותיו מה הוא רחום כו'. והתמימות היה בשעת ראיית הסנה, כי מרוב תמימות ושפלת רוחו, לא האמין בנפשו שיאצל עליו נבואה עליונה, ושהיה זה אש אלקי, שעל כן תמה מדוע לא יבער הסנה. והעקמנות בשעה שדימה כי ישראל ישאלו מה שמו, כי לא ימצא בלבם אמונה אמיתית עד שידעו שמו ומי שלחו: **לפי שעה, אהיה.** לא ידעתי באורו אל נכון מהו לפי שעה. ואולי הכוונה לפי שאמר לו ה' וארא אל אברהם באל שדי ושמי ה' לא נודעתי להם, שבשם הויה נתלה כל האותות והמופתים הכל למעלה מהטבע, אך בישראל נגלה עליהם בשם ה' בהשגחה הניסית, וזהו רק לפי שעה אמור להם אהיה אשר אהיה, אבל אחר כך אתנהג עמם בשם הויה: **עתה תראה.** כאלו כביכול כעס ה' עליו, ורמז לו שרק עתה תראה, כפירוש המתנות כהונה: **[ו] ומשה איש אלהים.** כן צריך לומר. ומדכתיב ובניו יקראו

מסורת המדרש

ד. פסיקתא רבתי פ' י"ד:

אם למקרא

וַיֹּאמַר הַרְאֵנִי נָא אֶת כְּבֹדֶךָ: וַיֹּאמֶר אֲנִי אַעֲבִיר כָּל טוּבִי עַל פָּנֶיךָ וְקָרָאתִי בְשֵׁם ה' לְפָנֶיךָ וְחַנֹּתִי אֶת אֲשֶׁר אָחֹן וְרִחַמְתִּי אֶת אֲשֶׁר אֲרַחֵם:
(שמות לג:יח-יט)

וַיֹּאמֶר מֹשֶׁה אָסֻרָה נָּא וְאֶרְאֶה אֶת הַמַּרְאֶה הַגָּדֹל הַזֶּה מַדּוּעַ לֹא יִבְעַר הַסְּנֶה:
(שם ג:ג)

וַיֹּאמֶר מֹשֶׁה אֶל הָאֱלֹהִים הִנֵּה אָנֹכִי בָא אֶל בְּנֵי יִשְׂרָאֵל וְאָמַרְתִּי לָהֶם אֱלֹהֵי אֲבוֹתֵיכֶם שְׁלָחַנִי אֲלֵיכֶם וְאָמְרוּ לִי מַה שְּׁמוֹ מָה אֹמַר אֲלֵהֶם: וַיֹּאמֶר אֱלֹהִים אֶל מֹשֶׁה אֶהְיֶה אֲשֶׁר אֶהְיֶה וַיֹּאמֶר כֹּה תֹאמַר לִבְנֵי יִשְׂרָאֵל אֶהְיֶה שְׁלָחַנִי אֲלֵיכֶם: וַיֹּאמֶר עוֹד אֱלֹהִים אֶל מֹשֶׁה כֹּה תֹאמַר אֶל בְּנֵי יִשְׂרָאֵל ה' אֱלֹהֵי אֲבֹתֵיכֶם אֱלֹהֵי אַבְרָהָם אֱלֹהֵי יִצְחָק וֵאלֹהֵי יַעֲקֹב שְׁלָחַנִי אֲלֵיכֶם זֶה שְּׁמִי לְעֹלָם וְזֶה זִכְרִי לְדֹר דֹּר:
(שם שם יג-טו)

וְעַתָּה לְכָה וְאֶשְׁלָחֲךָ אֶל פַּרְעֹה וְהוֹצֵא אֶת עַמִּי בְנֵי יִשְׂרָאֵל מִמִּצְרָיִם:
(שם שם י)

וַיֹּאמֶר בִּי אֲדֹנָי שְׁלַח נָא בְּיַד תִּשְׁלָח:
(שם ד:יג)

וּמֵאָז בָּאתִי אֶל פַּרְעֹה לְדַבֵּר בִּשְׁמֶךָ הֵרַע לָעָם הַזֶּה וְהַצֵּל לֹא הִצַּלְתָּ אֶת עַמֶּךָ:
(שם ה:כג)

וַיֹּאמֶר ה' אֶל מֹשֶׁה עַתָּה תִרְאֶה אֲשֶׁר אֶעֱשֶׂה לְפַרְעֹה כִּי בְיָד חֲזָקָה יְשַׁלְּחֵם וּבְיָד חֲזָקָה יְגָרְשֵׁם מֵאַרְצוֹ:
(שם ו:א)

מֹשֶׁה וְאַהֲרֹן בְּכֹהֲנָיו וּשְׁמוּאֵל בְּקֹרְאֵי שְׁמוֹ קֹרִאים אֶל ה' וְהוּא יַעֲנֵם:
(תהלים צט:ו)

בְּנֵי עַמְרָם אַהֲרֹן וּמֹשֶׁה וַיִּבָּדֵל אַהֲרֹן לְהַקְדִּישׁוֹ קֹדֶשׁ קָדָשִׁים הוּא וּבָנָיו עַד עוֹלָם לְהַקְטִיר לִפְנֵי ה' לְשָׁרְתוֹ וּלְבָרֵךְ בִּשְׁמוֹ עַד עוֹלָם: וּמֹשֶׁה אִישׁ הָאֱלֹהִים בָּנָיו יִקָּרְאוּ עַל שֵׁבֶט הַלֵּוִי:
(דברי הימים א כג:יג-יד)

ידי משה

[ו] וכתיב ומשה איש אלהים. כן צריך לומר. ומדכתיב ובניו יקראו על שבט לוי שמע מינה הוא בעצמו היה כהן גדול:

רַבִּי יוּדָן בְּשֵׁם רַבִּי יוֹסֵי בַּר יְהוּדָה וְרַבִּי בֶּרֶכְיָה בְּשֵׁם רַבִּי יְהוֹשֻׁעַ בֶּן קָרְחָה — **R' Yudan** said **in the name of R' Yose bar Yehudah, and R' Berechyah** said **in the name of R' Yehoshua ben Korchah:** כָּל מ׳ שָׁנָה שֶׁהָיוּ יִשְׂרָאֵל בַּמִּדְבָּר לֹא נִמְנַע מֹשֶׁה מִלְּשַׁמֵּשׁ בִּכְהוּנָּה גְדוֹלָה — **All forty years that Israel were in the Wilderness, Moses did not refrain from serving in the position of Kohen Gadol,**[68] הָדָא הוּא דִכְתִיב ״מֹשֶׁה וְאַהֲרֹן בְּכֹהֲנָיו״ — **as it is written,** ***Moses and Aaron were among His priests*** (*Psalms* 99:6).[69] רַבִּי בֶּרֶכְיָה בְּשֵׁם רַבִּי סִימוֹן מַיְיתֵי לָהּ מִן הָדֵין קְרָא — **R' Berechyah derives this,**[70] **in the name of R' Simone, from this verse:** ״בְּנֵי עַמְרָם אַהֲרֹן וּמֹשֶׁה וַיִּבָּדֵל אַהֲרֹן לְהַקְדִּישׁוֹ קֹדֶשׁ קָדָשִׁים הוּא וּבָנָיו עַד עוֹלָם לְהַקְטִיר לִפְנֵי ה׳ לְשָׁרְתוֹ וּלְבָרֵךְ בִּשְׁמוֹ עַד עוֹלָם וּמֹשֶׁה אִישׁ הָאֱלֹהִים בָּנָיו יִקָּרְאוּ עַל שֵׁבֶט הַלֵּוִי״ — ***The sons of Amram were Aaron and Moses. Aaron was set apart, to sanctify him as holy of holies, he and his sons forever, to burn offerings before HASHEM, to minister before Him, and to bless in His Name forever. [As for] Moses the man of God — his sons were reckoned as the tribe of Levi*** (*I Chronicles* 23:13-14).[71]

NOTES

68. The Torah itself testifies that Moses functioned as a Kohen during the seven days of inauguration (see *Exodus* Ch. 29, *Leviticus* Ch. 8, and *Exodus* Ch. 40). These Sages maintain that Moses continued to serve as Kohen (Gadol) for the rest of his life as well.

69. This verse compares Moses' priesthood with Aaron's priesthood, implying that just as Aaron's priesthood was permanent, so was Moses' (*Eitz Yosef*).

70. That Moses was a lifetime Kohen (*Yefeh To'ar, Rashash,* cf. *Matnos Kehunah*).

71. The verse is contrasting Moses' descendants with those of Aaron; the latter were Kohanim, while the former were considered ordinary Levites. The Midrash infers from this verse that it was Moses' *children* who were reckoned as Levites (as opposed to Kohanim), but as for Moses himself, he was a full-fledged Kohen, i.e., for life (*Eitz Yosef*).

חידושי הרד"ל

[ו] כל ארבעים שנה כו' משה מלשמש בכהן גדול. שמות רבה (לז, א):

חידושי הרש"ש

אימתי בא בחסידות בשעה שאמר אל נא תעבור מעל עבדך. דאז היה בא להכניס אורחים דהוה גמילות חסדים והיא גדולה יותר מהקבלת פני שכינה (שבת קכז, א): [ו] רבי ברכיה בשם רבי סימון מייתי לה מן הדין כו'. פירוש שמשה שמש בכהונה גדולה:

באור מהרי"פ

[ו] בניו יקראו וגו'. אולי פירושו בניו נשארו על שבט הלוי וניטלה מהם הכהונה. ועיין מתנות כהונה ואינו נכון פירושו:

אמרי יושר

רבי נחמיה פתר במשה. הגירסא הנכונה כן, חסידות, הראני נא את כבודך, ועשה חסד. תמימות, מדוע לא יבער, ויסתר משה פניו, והשיבו בתמימות, אנכי אלהי אביך (שמות ג, ו), עמרם, בקולו של אביו בא עליו. או רצה לומר לו, אני שוכן בסנה ורצוני כן, ולא אמר לו רמזו, ולא לימד סיבתו לו. עם עקש תתפתל, כשבא בעקמימות ואמר, שלח נא ביד תשלח, הניחו, לסוף שבעה ימים, אמר קרא לאהרן שישמש, והכי דייק ויהי ביום השמיני, לסוף שהיה חושב שהיתה הכהונה שלו, ענשו בירור עסקיו כשאמר ליה ואמרו לי מה שמו (שמות ג, יג), וכן בפרשת שמות לעיל (שמות רבה פרשה ג ו, פרשה ד א) כאן נתברר על עסקיו:

שינוי נוסחאות

(ו) **להקדישו קדש קדשים הוא ובניו עד עולם להקטיר לפני ה' לשרתו ולברך בשמו עד עולם.** בכל המדרשים שבדפוס וכן בכל הכי"י הפסוק נכתב שלא בדיוק: הקדישו קדש קדשים לעמוד ולשרת בשם ה', ורק בדפוס וילנא תיקנוהו ע"פ לשון הפסוק (אבל השאירו "לעמד ולשרת בשם ה'" בסוגריים):

עץ יוסף

במשה בשעה שבא בחסידות הקדוש ברוך הוא בא עמו בחסידות בשעה שבא בתמימות הקדוש ברוך הוא בא עמו בתמימות בשעה שנתברר על עסקיו הקדוש ברוך הוא בירר את עסקיו בשעה שבא בעקמוניות הקדוש ברוך הוא בא עמו בעקמוניות אימתי בא בחסידות כו' אימתי בא בתמימות כו' אימתי נתברר על עסקיו בשעה שאמר ואמרו לי מה שמו מה אומר אליהם מה אמר לו זה שמי לפי שעה אהיה אשר אהיה אימתי בא בעקמנות בשעה שאמר לו ועתה לך כו'. כן צריך לומר לפי דעתי. וכדאיתא בשמות רבה (פרשה ג ו) אלהי אבותיכם שלחני אליכם, אותה שעה נתברר משה על עסקיו כו', וברבה סוף ספר שמות (פרשה ה כז) איתא עתה תראה וגו', במלחמת פרעה אתה תראה ואין אתה תראה מלחמת שלשים ואחד [מלכים], ועיין בשוחר טוב (מזמור יח): **בשעה שאמר הראני כו'.** נראה דהיינו חסידותיה, שרצה ללמוד מטוב מדותיו להתחסד, וה' נהג עמו בחסידות, להראות לו נפלאות מכבודו, ואמר לו אני אעביר כל טובי על פניך, והיינו מה שעבר על פניו, ויקרא ה' ה' אל רחום וחנון, ומשם למד חסידות טפי, על דרך שאמרו והלכת בדרכיו מה הוא חנון אף אתה חנון כו': **מדוע לא יבער הסנה כו'.** והשיבו ה' מפני ששכינת כבודו שם, אז בא משה בתמימות, והיינו במה שהסתיר פניו מהביט. וענין התמימות לפי זה הוא תמימות הדעת, היינו שלא העמיק לחקור על מראה השכינה ההיא איך היא, אלא ירא והסתיר פניו. ומה שה' בא עמו בתמימות, היינו מה שנתן שכרו, שבשכר ויסתר פניו, זכה לדבור פנים בפנים, כדלעיל שמות רבה (פרשה ג ב), וזה דרך תמימות שלא דקדק ה' עמו, אם ראוי למעלות אלו, אלא חננו במדרגות גבוהות כאלה: (ו) **רבי יודן כו'.** איידי דבעי לאתויי הכא דרבי חלבו, דאמר כל שבעת ימי המלואים כו', עד הדא הוא דכתיב ויהי ביום השמיני, וההוא סבירא ליה שלא שימש משה בכהונה אלא שבעת ימי המלואים, מייתי נמי הכא דרבי יודן ורבי ברכיה דפליגי עליה, וסבירא ליה ששמש כל ארבעים שנה: **משה ואהרן בכהניו.** משמע ליה בכהניו קאי נמי אמשה, וכינוי דכהניו קאי אקדוש ברוך הוא, וכמו שלא פסקה הכהונה מאהרן כל ימיו, כך לא פסקה ממשה כל ימיו, אלא מזרעו (מהרש"א): **יקראו על שבט הלוי.** משמע אבל משה בעצמו כהן היה (מתנות כהונה):

מדרש רבה

רַבִּי נְחֶמְיָה פָּתַר קְרָא בְּמשֶׁה: בְּשָׁעָה שֶׁבָּא בַּחֲסִידוּת הַקָּדוֹשׁ בָּרוּךְ הוּא בָּא עִמּוֹ בַּחֲסִידוּת, בְּשָׁעָה שֶׁבָּא בִּתְמִימוּת הַקָּדוֹשׁ בָּרוּךְ הוּא בָּא עִמּוֹ בִּתְמִימוּת, בְּשָׁעָה שֶׁבָּא בְּעַקְמָנוּת הַקָּדוֹשׁ בָּרוּךְ הוּא בָּא עִמּוֹ בְּעַקְמָנוּת, בְּשָׁעָה שֶׁנִּתְבָּרֵר עַל עֲסָקָיו הַקָּדוֹשׁ בָּרוּךְ הוּא בֵּירֵר עֲסָקָיו, אֵימָתַי בָּא בַּחֲסִידוּת, בְּשָׁעָה שֶׁאָמַר (שמות לג, יח) "הַרְאֵנִי נָא אֶת כְּבֹדֶךָ", מַה כְּתִיב תַּמָּן, (שם שם יט) "אֲנִי אַעֲבִיר כָּל טוּבִי וְגוֹ'", אֵימָתַי בָּא בִּתְמִימוּת, בְּשָׁעָה שֶׁאָמַר (שם ג, ג) "מַדּוּעַ לֹא יִבְעַר הַסְּנֶה", אָמַר לֵיהּ: מִן דִּיקָרֵי קָאֵים בְּגַוֵּיהּ, "אֵימָתַי בָּא בְּעַקְמָנוּת", בְּשָׁעָה שֶׁאָמַר (שם שם יג) "וְאָמְרוּ לִי מַה שְּׁמוֹ מָה אֹמַר אֲלֵהֶם", מָה אָמַר לוֹ, זֶה שְׁמִי לְפִי שָׁעָה, (שם שם יד) "אֶהְיֶה אֲשֶׁר אֶהְיֶה", אֵימָתַי °נִתְבָּרֵר עַל עֲסָקָיו°, בְּשָׁעָה שֶׁאָמַר לוֹ (שם שם י) "וְעַתָּה לְכָה וְאֶשְׁלָחֲךָ אֶל פַּרְעֹה", אָמַר לוֹ: (שם ד, יג) "שְׁלַח נָא בְּיַד תִּשְׁלָח", (שם ה, כג) "וּמֵאָז בָּאתִי אֶל פַּרְעֹה", מַה כְּתִיב תַּמָּן (שם ו, א) "עַתָּה תִרְאֶה":

ו רַבִּי יוּדָן בְּשֵׁם רַבִּי יוֹסֵי בַּר יְהוּדָה וְרַבִּי בֶּרֶכְיָה בְּשֵׁם רַבִּי יְהוֹשֻׁעַ בֶּן קָרְחָה: כָּל מ' שָׁנָה שֶׁהָיוּ יִשְׂרָאֵל בַּמִּדְבָּר לֹא נִמְנַע מֹשֶׁה מִלְּשַׁמֵּשׁ בִּכְהוּנָּה גְּדוֹלָה, הֲדָא הוּא דִכְתִיב (תהלים צט, ו) "מֹשֶׁה וְאַהֲרֹן בְּכֹהֲנָיו", רַבִּי בֶּרֶכְיָה בְּשֵׁם רַבִּי סִימוֹן מַיְיתֵי לָהּ מִן הָדֵין קְרָא, (דברי הימים-א כג, יג-יד) "בְּנֵי עַמְרָם אַהֲרֹן וּמֹשֶׁה וַיִּבָּדֵל אַהֲרֹן לְהַקְדִּישׁוֹ קֹדֶשׁ קָדָשִׁים *הוּא וּבָנָיו עַד עוֹלָם לְהַקְטִיר לִפְנֵי ה' לְשָׁרְתוֹ וּלְבָרֵךְ בִּשְׁמוֹ עַד עוֹלָם° וּמֹשֶׁה אִישׁ הָאֱלֹהִים בָּנָיו יִקָּרְאוּ עַל שֵׁבֶט הַלֵּוִי",

פירוש מהרז"ו

מדוע לא יבער הסנה. ובעבור תומו שלא ידע מה שרואה בעיניו, הלך להתקרב אל השכינה, ונתמם עמו במה שהודיעו שהמקום שעומד שם אדמת קודש הוא, מפני גילוי כבוד שכינתו יתברך שמו. ועיין פרקי דרבי אליעזר (פרק מ) ומה שכתבתי שם: **לך ואשלחך וכו' שלח נא.** הנה מה שפסוק לך ואשלחך אל פרעה, נאמר בתחלת הפרשה, ופסוק שלח נא וכו' בסוף הפרשה, שאמר לו לך ואנכי אהיה עם פיך, ועל זה השיב שלח נא ביד תשלח, ומכאן יתבונן הקורא כמה דקדקו חז"ל על לשונות התורה שיהיו נאמרים על פי מדת ממטל, אף שאינו כפי סדר הפסוקים, שלפי מה שכתוב יקשה, שהיה לו לומר ילך מי שילך, תשובה על מה שאמר ועתה לך, על כן דורש שמה שאמר שלח נא ביד תשלח, הוא תשובה על ראשית השליחות שאמר לו לך ואשלחך, ועל דיבור זה סובב כל הענין, כשאמר לו לך, כאלו אמר לו גם כן ואשלחך, או לך בשליחותי, שעל זה שייך להשיב שלח ביד תשלח. וכן הוא הלשון בפרקי דרבי אליעזר (פרק מ), אמר לו לך ואשלחך אל פרעה, אמר לפניו רבון כל העולמים שלח נא ביד תשלח. והנה כאן חסר סיום המאמר מה שבא עמו בעקמנות, וסמוך על מה שמבואר בשמות רבה (ג, יז), מיד ויחר אף ה' במשה, מה חרון אף היה שם, שנטלה הכהונה ממשה ונתנה לאהרן, וכן הוא שם בריש פרשה ז', וכמ"ש בסמוך: **ומאז באתי.** בא לפרש עוד דרך אחר על מה שכתב בא עמו בעקמנות, שמשה אמר, ומאז באתי אל פרעה לדבר בשמך הרע לעם הזה, שהרהר אחר מדותיו, כמו שמובא שמות רבה (ו, א), והשיב לו בעקמנות עתה תראה, וגם כאן חסר הסיום כמו שמובא שמות רבה סוף פרשה ה', עתה תראה ולא תראה במלחמות שלושים ואחד מלכים, וכן הוא בשיר השירים רבה פסוק הגידה לי דף י"ד: (ו) **כל ארבעים שנה.** זבחים דף ק"ב (ע"א): **משה ואהרן בכהניו.** מקיש משה לאהרן, מה אהרן כל ארבעים שנה כהן, כך משה כל ארבעים שנה: **בניו יקראו על שבט לוי.** אבל הוא עצמו כהן, כמו אהרן כל ארבעים שנה. ורבי אלעזר בר יוסי פליג, שלא שמש משה בכהונה אלא שבעת ימי המלואים לבד, כמפורש

מסורת המדרש

ד. פסיקתא רבתי פ' י"ד:

אם למקרא

וַיֹּאמַר הַרְאֵנִי נָא אֶת כְּבֹדֶךָ: וַיֹּאמֶר אֲנִי אַעֲבִיר כָּל טוּבִי עַל פָּנֶיךָ וְקָרָאתִי בְשֵׁם ה' לְפָנֶיךָ וְחַנֹּתִי אֶת אֲשֶׁר אָחֹן וְרִחַמְתִּי אֶת אֲשֶׁר אֲרַחֵם: (שמות לג:יח-יט)

וַיֹּאמֶר מֹשֶׁה אָסֻרָה נָּא וְאֶרְאֶה אֶת הַמַּרְאֶה הַגָּדֹל הַזֶּה מַדּוּעַ לֹא יִבְעַר הַסְּנֶה: (שם ג:ג)

וַיֹּאמֶר מֹשֶׁה אֶל הָאֱלֹהִים הִנֵּה אָנֹכִי בָא אֶל בְּנֵי יִשְׂרָאֵל וְאָמַרְתִּי לָהֶם אֱלֹהֵי אֲבוֹתֵיכֶם שְׁלָחַנִי אֲלֵיכֶם וְאָמְרוּ לִי מַה שְּׁמוֹ מָה אֹמַר אֲלֵהֶם: וַיֹּאמֶר אֱלֹהִים אֶל מֹשֶׁה אֶהְיֶה אֲשֶׁר אֶהְיֶה וַיֹּאמֶר כֹּה תֹאמַר לִבְנֵי יִשְׂרָאֵל אֶהְיֶה שְׁלָחַנִי אֲלֵיכֶם: וַיֹּאמֶר עוֹד אֱלֹהִים אֶל מֹשֶׁה כֹּה תֹאמַר אֶל בְּנֵי יִשְׂרָאֵל ה' אֱלֹהֵי אֲבֹתֵיכֶם אֱלֹהֵי אַבְרָהָם אֱלֹהֵי יִצְחָק וֵאלֹהֵי יַעֲקֹב שְׁלָחַנִי אֲלֵיכֶם זֶה שְּׁמִי לְעֹלָם וְזֶה זִכְרִי לְדֹר דֹּר: (שם שם יג-טו)

וְעַתָּה לְכָה וְאֶשְׁלָחֲךָ אֶל־פַּרְעֹה וְהוֹצֵא אֶת עַמִּי בְנֵי יִשְׂרָאֵל מִמִּצְרָיִם: (שם שם י)

וַיֹּאמֶר בִּי אֲדֹנָי שְׁלַח נָא בְּיַד תִּשְׁלָח: (שם ד:יג)

וּמֵאָז בָּאתִי אֶל־פַּרְעֹה לְדַבֵּר בִּשְׁמֶךָ הֵרַע לָעָם הַזֶּה וְהַצֵּל לֹא־הִצַּלְתָּ אֶת־עַמֶּךָ: (שם ה:כג)

וַיֹּאמֶר ה' אֶל־מֹשֶׁה עַתָּה תִרְאֶה אֲשֶׁר אֶעֱשֶׂה לְפַרְעֹה כִּי בְיָד חֲזָקָה יְשַׁלְּחֵם וּבְיָד חֲזָקָה יְגָרְשֵׁם מֵאַרְצוֹ: (שם ו:א)

מֹשֶׁה וְאַהֲרֹן בְּכֹהֲנָיו וּשְׁמוּאֵל בְּקֹרְאֵי שְׁמוֹ קֹרְאִים אֶל ה' וְהוּא יַעֲנֵם: (תהלים צט:ו)

בְּנֵי עַמְרָם אַהֲרֹן וּמֹשֶׁה וַיִּבָּדֵל אַהֲרֹן לְהַקְדִּישׁוֹ קֹדֶשׁ קָדָשִׁים הוּא וּבָנָיו עַד עוֹלָם לְהַקְטִיר לִפְנֵי ה' לְשָׁרְתוֹ וּלְבָרֵךְ בִּשְׁמוֹ עַד עוֹלָם: וּמֹשֶׁה אִישׁ הָאֱלֹהִים בָּנָיו יִקָּרְאוּ עַל שֵׁבֶט הַלֵּוִי: (דברי הימים א כג:יג-יד)

ידי משה

[ו] **וכתיב ומשה איש אלהים.** כן צריך לומר. ומדכתיב ובניו יקראו על שבט לוי שמע מינה הוא בעצמו היה כהן גדול:

מתנות כהונה

מן דיקרי כו'. מפני שכבודי עומד בתוכו, לפיכך לא יבער, שנאמר מיד (שמות ג, ד) ויקרא אליו ה' מתוך הסנה. ובשוחר טוב (מזמור יח) גרס מן דברייה קאים בתוכו, פירוש מפני שמי שברא אותו שוכן בתוכה: **עתה תראה.** ודרשו חז"ל (סנהדרין קיא, א) עתה תראה וגו' ולא תראה מלחמת שלושים ואחד מלכים: [ו] **מייתי לה מן הדין קרא.** ענשו על שלח נא, ומאז באתי, שאהרן נעשה כהן ומשה

אשד הנחלים

בחסידות כו' הראני כו'. כי דעת מדותיו יתברך, הוא החסידות הגמורה, לדעת מזה ההנהגה האמיתית להתנהג כמוהו, על דרך הדבק במדותיו מה הוא רחום כו'. והתמימות היה בשעת ראיית הסנה, כי מרוב תמימות ושפלת רוחו, לא האמין בנפשו שיאצל עליו נבואה עליונה, ושהיה זה אש אלקי, שעל כן תמה מדוע לא יבער הסנה. והעקמנות בשעה שדימה כי ישראל ישאלו מה שמו, כי לא ימצא בלבם אמונה אמיתית עד שידעו שמו ומי שלחו: **לפי שעה, אהיה.** לא ידעתי באורו אל נכון מהו לפי שעה. ואולי הכוונה לפי שאמר לו ה' וארא אל אברהם באל שדי ושמי ה' לא נודעתי להם, שבשם הויה נתלה כל האותות והמופתים הכל למעלה מהטבע, אך בישראל נגלה עליהם בשם ה' בהשגחה הניסית, וזהו רק לפי שעה אמור להם אהיה אשר אהיה, אבל אחר כך אתנהג עמם בשם הויה: **עתה תראה.** כאלו כביכול כעס ה' עליו, ורמז לו שרק עתה תראה, כפירוש המתנות כהונה: [ו] **ומשה איש אלהים.** כן צריך לומר. ומדכתיב ובניו יקראו

אָמַר רַבִּי אֶלְעָזָר בַּר יוֹסֵי: פָּשׁוּט הוּא לָן שֶׁבְּחָלוּק לָבָן שִׁימֵּשׁ מֹשֶׁה כָּל שִׁבְעַת יְמֵי הַמִּילוּאִים — **R' Elazar bar Yose said,** however: **It is obvious to us that Moses served** as Kohen while dressed **in a** plain **white robe**[72] **all seven days of the inauguration** only, and not beyond that time. רַבִּי תַּנְחוּם בְּשֵׁם רַבִּי יוּדָן תָּנֵי — **R' Tanchum** similarly **taught** a Baraisa **in the name of R' Yudan:** כָּל שִׁבְעַת יְמֵי הַמִּילוּאִים הָיָה מֹשֶׁה מְשַׁמֵּשׁ בִּכְהוּנָּה גְדוֹלָה וְלֹא שָׁרְתָה שְׁכִינָה עַל יָדוֹ — **All seven days of the inauguration Moses served in the position of Kohen Gadol, and the Divine Presence did not** come to **rest** in the Tabernacle **through him** and his service; this occurred only when Aaron took over the following day.[73] הֲדָא הוּא דִכְתִיב "וַיַּרְא כָּל הָעָם וַיָּרֹנּוּ וַיִּפְּלוּ עַל פְּנֵיהֶם" — **Thus it is written** concerning the eighth day, i.e., the day following the seven days of inauguration, *And the glory of HASHEM appeared to the entire people. A fire went forth from before HASHEM and consumed upon the Altar the burnt-offering and the fats;* ***the people saw and sang glad song and fell upon their faces*** (9:23-24).[74]

NOTES

72. During this time he did not wear the white vestments of an ordinary Kohen, nor the eight "golden" vestments of the Kohen Gadol, but plain white garments specially made for this purpose. See *Rashi* to *Taanis* 11b (s.v. בחלוק לבן and s.v. בחלוק לבן שאין בו אימרא) and *Tosafos* to *Avodah Zarah* 34a (s.v. במה שמש and s.v. שאין בו אימרא) as to why this was so.

73. This Baraisa, like R' Elazar bar Yose, is of the opinion that Moses' service was not in the same class as Aaron's service and that Moses' service during the days of inauguration was only provisional, for only through Aaron's service did the Divine Presence rest in the Tabernacle (*Yefeh To'ar*). [See *Zevachim* 102a.] See Insight (A).

74. This report, that the people saw the glory of God, is related by Scripture after it relates the service performed by Aaron on the eighth

INSIGHTS

(A) **Moses as Kohen Gadol** The plain meaning, as explained by *Eitz Yosef* and *Yefeh To'ar*, is that the Midrash presents a dispute concerning Moses' status as Kohen Gadol: R' Yudan and R' Berechyah hold that Moses served as Kohen Gadol for forty years, whereas R' Elazar bar Yose and R' Tanchum argue that Moses served only as a temporary Kohen Gadol, for seven days. Indeed, the Gemara (*Zevachim* 102a) records a Baraisa in which these two opinions are mentioned. It is unclear, however, why the Midrash felt it necessary to mention R' Yudan and R' Berechyah's view, since the main point the Midrash seeks to convey is that Moses' punishment for resisting God's call to lead the Jewish people was for his brother Aaron to serve as Kohen Gadol in his stead. R' Yudan and R' Berechyah apparently would disagree with this.

There are some other issues that need clarification:

Why is a second verse needed as proof that Moses was considered a Kohen Gadol? Indeed, whereas the first verse states explicitly that Moses, like his brother, was a Kohen, the second verse makes no mention that he was a Kohen. We infer that Moses himself was a Kohen only from the verse's description of Moses' sons as Levites (see note 71).

Since R' Elazar bar Yose's main point is that Moses served only seven days and no longer, why does he stress that Moses during this time wore a plain white robe? He should have simply stated that Moses served only during the seven days of inauguration. We may also ask, according to the view that he served all forty years: What did Moses wear when performing the sacrificial service? [See *Tosafos, Avodah Zarah* 34a s.v. במה שמש.]

A more general question: Was there any difference between Aaron's status as Kohen Gadol and that of Moses?

The *Dubno Maggid* (*Tetzaveh* s.v. מדרש כל ארבעים שנה) presents a beautiful interpretation that addresses these issues, and according to which there is no dispute between the various Sages cited by the Midrash.

We find that the Sages draw comparisons between earthly royalty and the Royal Court of Heaven (see *Berachos* 58a). A mortal king has many officers, each with his own rank and specific role. A king is also served by a trusted adviser. Although this adviser bears no official rank or title, he possesses more power than all of the generals and ministers: He always has the king's ear and his order carries more weight than that of the highest ranking official.

There are two significant differences between the king's officers and his civilian adviser: Every officer must wear a distinct uniform identifying his position and rank. Additionally, he must observe all protocols and can appear before the king only at set times, in accord with his position. Thus, an officer who wishes to speak to the king may appear only at the designated times and only while dressed in full uniform. The king's trusted adviser, however, is not bound by any code of dress. Nor is there a set time when he may appear before the ruler. He does not need to change his clothes before seeking an audience with the king and is free to come as he pleases.

God, too, appointed Aaron as Kohen Gadol to serve Him. To fill this position, Aaron was required to wear the priestly garments and was warned (*Leviticus* 16:2), *he shall not come at all times into the Sanctuary*. As the designated High Priest, he was allowed to enter the Sanctuary only at the designated time, wearing the garments of priesthood. Regarding Moses, however, it is written (*Numbers* 12:7), *in My entire house he is the trusted one*. That is, he was free to enter the Sanctuary at any time. This may also be inferred from the above-mentioned verse in *Leviticus*: *Speak to Aaron, your brother — he shall not come at all times into the Sanctuary*. This implies that only Aaron was restricted regarding when he could enter the Holy of Holies, but Moses himself could come at all times (see *Sifra* to the verse with the commentary of *Raavad*; see, however, *Avos DeRabbi Nassan* 2:3).

This is why R' Elazar bar Yose focuses on Moses' attire: As God's trusted servant, Moses did not have to wear the garments of a Kohen Gadol. Rather, he wore a simple white robe. [When he says that he served all seven days of the inauguration, he does not mean that Moses did not serve all forty years in the Wilderness. R' Elazar refers to the seven days that Moses was *commanded* to serve. This is in contrast to the forty years in the Wilderness, when he was permitted — but not bound — to serve (see below).]

Divrei Shaul (*Shemini*) adds that the priestly garments serve to elevate and sanctify the Kohen who dons them, enabling him to reach the level of sanctity necessary to serve in the Temple. Moses, however, had already achieved the highest level of sanctity possible for a human to reach while remaining alive in this world. Hence he did not need to wear the priestly garments when he served in the Temple. Although Aaron, too, had reached a lofty level of sanctity, he still required the additional sanctity afforded by the priestly garments before he could serve in the Temple.

The *Dubno Maggid* elucidates the Midrash's statement, "All forty years that Israel were in the Wilderness, Moses did not *refrain* from serving in the position of Kohen Gadol." The Midrash did not say "Moses *served* all forty years" so that one not think that Moses was actually *the designated* Kohen Gadol. He was not. That role was assigned to Aaron. Conversely, one might have thought that once Aaron assumed his role as Kohen Gadol Moses could no longer serve in the Temple. To dispel this notion, the Midrash uses a passive expression; he did not "refrain" from serving, i.e., but would enter the Holy of Holies whenever he so desired. This is the meaning of the first proof-verse cited, *Moses and Aaron were among His priests*. The verse places Moses *before* Aaron because although Aaron was the designated Kohen Gadol, Moses, as "the King's trusted friend," was more elevated. [Cf. *Divrei Shaul* who agrees that Moses was *permitted* to serve all forty years but argues that in practice, Moses deferred to his brother Aaron and actually served only during the seven days of inauguration.]

In light of the above, we gain a new understanding of the view of R' Yudan and R' Berechyah introduced by the Midrash. They, too, agree that Aaron's designation as Kohen Gadol was a punishment to Moses for initially resisting God's call to lead the Israelites out of Egypt. How is this so if Moses could serve all forty years as Kohen Gadol? It is to answer this question that R' Berechyah quotes the *Chronicles* passage: *Aaron was set apart, to sanctify him as holy of holies, he and his sons forever ... [Concerning] Moses the man of God — his sons would be reckoned as the tribe of Levi*. I.e., Aaron was appointed Kohen Gadol *and would bequeath this right to his sons*. Moses, as a man of God, could himself serve without an appointment. But his sons would not inherit this right; they would forever be counted only as Levites. The eternal privilege of Kehunah would be given to Aaron alone.

אָמַר רַבִּי אֶלְעָזָר בַּר יוֹסֵי: פָּשׁוּט הוּא לָן שֶׁבְּחָלוּק לָבָן שִׁימֵּשׁ מֹשֶׁה כָּל שִׁבְעַת יְמֵי הַמִּילוּאִים, רַבִּי תַּנְחוּם בְּשֵׁם רַבִּי יוּדָן תָּנֵי: כָּל שִׁבְעַת יְמֵי הַמִּילוּאִים הָיָה מֹשֶׁה מְשַׁמֵּשׁ בִּכְהוּנָּה גְּדוֹלָה וְלֹא שָׁרְתָה שְׁכִינָה עַל יָדוֹ, הָדָא הוּא דִכְתִיב (ויקרא ט, כד) "וַיַּרְא כָּל הָעָם וַיָּרֹנּוּ וַיִּפְּלוּ עַל פְּנֵיהֶם", אָמַר רַב שְׁמוּאֵל בַּר נַחְמָן: כָּל שִׁבְעַת יְמֵי הַסְּנֶה הָיָה הַקָּדוֹשׁ בָּרוּךְ הוּא מְפַתֶּה אֶת מֹשֶׁה שֶׁיֵּלֵךְ בִּשְׁלִיחוּתוֹ לְמִצְרַיִם, הָדָא הוּא דִכְתִיב (שמות ד, י) "גַּם מִתְּמוֹל גַּם מִשִּׁלְשֹׁם גַּם מֵאָז דַּבֶּרְךָ אֶל עַבְדֶּךָ", הֲרֵי שִׁשָּׁה, וּבַשְּׁבִיעִי אָמַר לוֹ (שם שם יג) "שְׁלַח נָא בְּיַד תִּשְׁלָח", אָמַר לוֹ הַקָּדוֹשׁ בָּרוּךְ הוּא: מֹשֶׁה, אַתָּה אוֹמֵר "שְׁלַח נָא בְּיַד תִּשְׁלָח", חַיֶּיךָ שֶׁאֲנִי צוֹרְרָהּ לְךָ בִּכְנָפֶיךָ, אֵימָתַי פָּרַע לוֹ, רַבִּי בֶּרֶכְיָה אָמַר: רַבִּי לֵוִי וְרַבִּי חֶלְבּוֹ, רַבִּי לֵוִי אָמַר: כָּל ז' יְמֵי אֲדָר הָיָה מֹשֶׁה מְבַקֵּשׁ תְּפִלָּה וְתַחֲנוּנִים שֶׁיִּכָּנֵס לָאָרֶץ יִשְׂרָאֵל, בַּשְּׁבִיעִי אָמַר לוֹ (דברים ג, כז) "כִּי לֹא תַעֲבֹר אֶת הַיַּרְדֵּן הַזֶּה", רַבִּי חֶלְבּוֹ אָמַר: כָּל ז' יְמֵי הַמִּילוּאִים הָיָה מְשַׁמֵּשׁ בִּכְהוּנָּה גְדוֹלָה וְכַסָּבוּר שֶׁלּוֹ הִיא, בְּז' אָמַר לוֹ: לֹא שֶׁלְּךָ הִיא, אֶלָּא שֶׁל אַהֲרֹן אָחִיךָ הִיא, הָדָא הוּא דִכְתִיב "וַיְהִי בַּיּוֹם הַשְּׁמִינִי":

ז רַבִּי תַּנְחוּמָא וְרַבִּי חִיָּיא °אָמְרִין וְרַבִּי בֶּרֶכְיָה בְּשֵׁם רַבִּי אֶלְעָזָר הַמּוֹדָעִי: הַמִּדְרָשׁ הַזֶּה עָלָה בְּיָדֵינוּ מִן הַגּוֹלָה: בְּכָל מָקוֹם שֶׁנֶּאֱמַר "וַיְהִי בִּימֵי" אֵינוֹ אֶלָּא צָרָה, אָמַר רַבִּי שְׁמוּאֵל בַּר נַחְמָן: וַחֲמִשָּׁה הֵן: (בראשית יד, א) "וַיְהִי בִּימֵי אַמְרָפֶל", מַה צָּרָה הָיְתָה שָׁם, (שם שם ב) "עָשׂוּ מִלְחָמָה וְגוֹ'", מָשָׁל לְאוֹהֲבוֹ שֶׁל מֶלֶךְ שֶׁנִּכְנַס לַמְּדִינָה,

עץ יוסף

פשוט הוא לן כו'. משום דאיכא מאן דאמר דמסתפקא להו הך מילתא, וכדאמר בפרק א' דתענית (יא ב) ובפרק ב' דעבודה זרה (לד א), להכי קאמר רבי אלעזר שפשוט אצלינו שבחלוק לבן שמש כו', וכתב הרשב"א בתשובה (סימן מ"ב) חלוק לבן גמרא: **ולא שרתה שכינה.** וכיון שלבש אהרן בגדי כהונה גדולה ושמש, שרתה שכינה על ידו, כדכתיב כי היום ה' נראה אליכם, וכתיב וירא כבוד ה' אל כל העם וגו', וירא כל העם וירנו ויפלו על פניהם: **הרי ששה.** עיין מה שכתבתי [בעץ יוסף] שמות רבה (פרשה ג סימן ט): **כל שבעת ימי אדר.** שבשבעה באדר מת משה, כדאיתא בפרק קמא דקדושין (לח א) מקראי: **וכסבור שלו הוא.** כלומר שעל ידו שרתה השכינה (מתנות כהונה), מתרץ בזה, דאי כפשוטו שסבור שהכהונה שלו, הלא יקשה הא כבר נאמר לו, ועשית בגדי קדש לאהרן אחיך וגו', ובשבעת ימי המלואים הלביש אהרן ומשחו וקדשו, ועוד יקשה הרי משעה שאמר לו הלא אהרן אחיך הלוי, הודיעו שנטל ממנו הכהונה: **ויהי ביום השמיני.** רצה לומר דקשה כיון דלאו שייכות לענין השמיני עם השביעי, שהשביעי היו ימי המלואים, ומעשה השמיני לחנוך אהרן לעבודה, ולהשרות שכינה לישראל, לא הוה ליה לטפלו אל השביעי, לומר ויהי ביום השמיני וכו', שמאחר שיום זה נטל עשר עטרות, דחשיב מכל השביעי, אלא ויהי באחד לחדש מבעי ליה, או ויהי ממחרת, אלא על כרחך ששייכות אל מספר השביעי, שבשביעי חשב משה שהוא יהיה כהן, ובשמיני נדחה, דומה למעשהו בשלח נא ביד תשלח: **(ז) עלה בידינו מן הגולה.** פירוש קבלנו מחכמי גלות בבל (זית רענן): **וחמשה הן כו'.** הנה כל סימן זה פירשתי כבר בבראשית רבה (פרשה מב ד), והכא לא באתי אלא לפרש בקיצור:

פירוש מהרז"ו

בסדר צו, על משה וישחט ויקח משה את הדם ויתן על קרנות המזבח וגו' (ויקרא ח, טו), כל הפרשה שעשה משה לבדו, ועל שאינו מפורש אלו כלל על שינוי בגדים, כמו אצל אהרן ובניו, על כן בהכרח לומר ששימש בבגדים שלמים שהלך בהם תמיד, רק שהיו לבנים ונקיים. ורבי תנחום בשם רבי יודן בא לסיים מה ששייך כאן, אלא דכאן חסר, והוא מבואר בתורת כהנים ריש שמיני במסכתא דמלואים, שכל שבעה שימש משה ולא שרתה שכינה, כיון שלבש אהרן בגדי כהונה ושמש ביום שמיני, שרתה שכינה, כמו שכתוב (ויקרא ט, כג) וירא כבוד ה' אל כל העם ותצא אש מלפני ה' ותאכל על המזבח את העולה ואת החלבים וירא כל העם וירונו ויפלו על פניהם, וכן צריך לומר כאן, וכמו שאמר רבי חלבו בסוף סימן זה: **כל (זה) [שבעה] ימי אדר.** עיין דברים רבה (ט, ב): **(ז) רבי תנחומא.** בראשית רבה (מב, ג), במדבר רבה (יג, ה), בריש מדרש אסתר, במדרש רות פסוק ושם האיש אלימלך, מגילה דף יו"ד (ע"ב), ושם בבראשית רבה הגירסא, רבי תנחומא בשם רבי חייא ורבי ברכיה בשם ר"א אמרין, וכאן צריך להגיהה כמו שם, וכל הענין בתנחומא סדר שמיני סימן ט, כמו כאן: **וחמשה הן.** חמשה פעמים כתוב בתנ"ך ויהי בימי, א', ויהי בימי אמרפל, ב', ויהי בימי אחז, ג', ויהי בימי יהויקים, ד', ויהי בימי אחשורוש, ה', ויהי בימי שפוט השופטים, ובכל חמשה אלו הדוחק והקושי מבואר, שבארבעה אלו ויהי בימי אמרפל, ויהי בימי אחז, ויהי בימי יהויקים, ויהי בימי אחשורוש, שהיה המעשה בהם בעצמם, מה תועלת במה שאומר שבימיו היה בו המעשה, ואם כן הוא מיותר לגמרי, ואצל שפוט השופטים, אף שלא היה המעשה בהם עצמם, הקושיא מבואר שבא לפרש באיזה זמן היה המעשה וסתם, שהרי ימי השופטים היו ערך ארבע מאות שנה, והיה לו לומר זמן מסוים בימי שופט פלוני, אלא שבכל אלו הכוונה לדרוש שהיה ווי וצרה בימיהם, לבד המעשה שמספר: **מה צרה היתה שם עשו מלחמה.** שמלכים אלו אמרפל אריוך וכו' חדשו צרה זו בעולם שיהיה מלחמה, שעד עתה לא היה מלחמה, וכמו שאמרו בבראשית רבה (מב, א) מפסוק חרב פתחו רשעים, עיין מה שכתבתי שם בשם הילקוט בהדיא, זהו לפי פשט הכתוב. ודרשו עוד שהיה צרה אחרת, שעיקר כוונתם להרוג את אברהם, ולכך התגרו תחלה בסדום שישב שם לוט, ושבו אותו, כדי שיבא אברהם להצילו ויהרגו אותו, ודרשה זו היא הכרעה לשני כתובים מכחישים, שהתחיל ויהי בימי אמרפל, הרי שהיה אמרפל הראשון והעיקר, ואחר כך אמר בא כדרלעומר והמלכים אשר אתו, הרי שכדרלעומר הוא העיקר והשאר טפלים לו, והכריע שעל שעיקר הכוונה היה על אברהם, ואמרפל הוא נמרוד, שהיה מעולם שונא לאברהם והוא הפילו לכבשן, וכמו שאמרו בבראשית רבה (מב, ד), עיין מ"ש שם, ולעורר המלחמה היה

חידושי הרד"ל

בחלוק לבן. ירושלמי דיומא (פ"א ה"א), ובבבלי תענית (יא, ב).

באור מהרי"פ

[ז] עלה בידינו מן הגולה וכו'. פירוש קבלנו מחכמי גלות בבל, והם קבלו מאנשי כנסת הגדולה, כמבואר (מגילה י, ב) וזה לשונם, מסורת בידינו מאבותינו מאנשי כנסת הגדולה:

אמרי יושר

[ז] כל מקום שנאמר ויהי בימי צרה. דמורה היא לרה מיוחדת וכפולה:

ידי משה

אמר ר' שמואל בן נחמן כל שבעת ימי הסנה כו'. וסבירא ליה שאף כל ארבעים שנה שימש משה בכהונה גדולה מכל מקום ביום השמיני ניטלה ממנו מפני עונש, אבל מכאן ואילך שימש בכהונה גדולה. אי נמי סבירא ליה שמפני שאמר שלח נא ביד תשלח נענש שלא שמש בכהונה כל ארבעים שנה, ואף על פי שאמר לו הקב"ה קודם שאמר שלח נא ביד תשלח אל תקרב הלום לכהונה, יש לומר שהקב"ה הגיד לו מה שיהיה אחר כך. ואם תאמר די לצרה בשעתה. ויש לומר כמו שכתבתי לעיל (שמות רבה ג, יז) שהיה מן ההכרח לגלות לו לפי שאמר לו של נעליך מעל רגליך שיתאבל על אביו, וכהן גדול אינו נוהג אבילות ואם כן מכח זה היה מגלה לו. ודוק:

מסורת המדרש

ה. ש"ר פ' ג'. במד"ר פ' כ"א. שה"ר פ' א'. תנחומא סדר ויקרא וסדר חיי שרה וסדר ואתחנן. מדרש תהלים מזמור י"א. סדר עולם רבה פ"ה. ילקוט שמואל ב' רמז קס"א: ו. במדבר רבה פ"י. ילקוט אסתר. פסיקתא רבתי פ"ה:

אם למקרא

וַתֵּצֵא אֵשׁ מִלִּפְנֵי ה' וַתֹּאכַל עַל הַמִּזְבֵּחַ אֶת־הָעֹלָה וְאֶת הַחֲלָבִים וַיַּרְא כָּל הָעָם וַיָּרֹנּוּ וַיִּפְּלוּ עַל פְּנֵיהֶם: (לקמן ט:כד)

וַיֹּאמֶר מֹשֶׁה אֶל ה' בִּי אֲדֹנָי לֹא אִישׁ דְּבָרִים אָנֹכִי גַּם מִתְּמוֹל גַּם מִשִּׁלְשֹׁם גַּם מֵאָז דַּבֶּרְךָ אֶל־עַבְדֶּךָ כִּי כְבַד פֶּה וּכְבַד לָשׁוֹן אָנֹכִי: (שמות ד:י)

וַיֹּאמֶר בִּי אֲדֹנָי שְׁלַח נָא בְּיַד תִּשְׁלָח: (שם שם יג)

עֲלֵה רֹאשׁ הַפִּסְגָּה וְשָׂא עֵינֶיךָ יָמָּה וְצָפֹנָה וְתֵימָנָה וּמִזְרָחָה וּרְאֵה בְעֵינֶיךָ כִּי לֹא תַעֲבֹר אֶת הַיַּרְדֵּן הַזֶּה: (דברים ג:כז)

וַיְהִי בִּימֵי אַמְרָפֶל מֶלֶךְ שִׁנְעָר אַרְיוֹךְ מֶלֶךְ אֶלָּסָר כְּדָרְלָעֹמֶר מֶלֶךְ עֵילָם וְתִדְעָל מֶלֶךְ גּוֹיִם: עָשׂוּ מִלְחָמָה אֶת בֶּרַע מֶלֶךְ סְדֹם וְאֶת בִּרְשַׁע מֶלֶךְ עֲמֹרָה שִׁנְאָב מֶלֶךְ אַדְמָה וְשֶׁמְאֵבֶר מֶלֶךְ צְבוֹיִים וּמֶלֶךְ בֶּלַע הִיא־צֹעַר: (בראשית יד:א-ב)

שינוי נוסחאות

(ז) רבי תנחומא ורבי חייא אמרין ורבי ברכיה ... בספרים הישנים היה כתוב "רבי תנחומא ורבי חייא אמרין לה ורבי ברכיה ...", וכתב על זה המ"כ "אמרין ליה לא גרסינן", ואכן מחקו המדפיסים משם ואילך את תיבת "לה" (או "ליה") אבל לא מחקו את תיבת "אמרין", ודבר פשוט הוא שכוונת מ"כ היה למחוק את שתי התבות (שנראות כמיותרות), כמו שכתב בהדיא בדבריו:

מתנות כהונה

נאמר על שבט לוי, וכמו שפירש"י ז"ל בפרשת שמות (ד, יד) על ויחר אף ה' וגו': **ובניו יקראו וגו'.** משמע אבל משה עצמו יקרא על שם הכהנים: **ולא שרתה כו'.** עד יום השמיני, ככתוב (ויקרא ט, ד) כי היום ה' נראה אליכם וגו' על ידי קרבנות אהרן, ולכן וירא כל העם וגו', מכלל שעד עתה לא ראו כזאת: **גם מאז כו'.** עיין בשמות רבה (ג, ד) ובמדרש חזית (שיר השירים א, מד) פסוק (ז) הגידה לי: **וכסבור שלו הוא.** כלומר שעל ידו תשרה השכינה: **[ז] אמרין ליה.** לא גרסינן ליה, ועיין בריש מגילת רות (א, א), וריש מגילת

אשד הנחלים

על שבט הלוי, שמע מינה הוא בעצמו היה כהן גדול (ידי משה, מתנות כהונה): **בחלוק לבן.** עיין ביפה תואר: **וירא כל העם.** אבל קודם לכן לא ראו: **צוררה לך.** כלומר שהענין הזה יהיה שמור וצרור לך לשלם מדה במדה, שגם אתה תבקשני שבעה ימים ולא אשמע לך: **לא שלך כו' ויהי גו'.** כאלו רמיזת הכתוב שעד יום השמיני היה סבר משה שהכהונה הגדולה יהיה לו, ועתה ביום השמיני הבין שלא לו הוא, וקרא לאהרן ולבניו: **[ז] ויהי איננו אלא צרה.** פרשתי כל עניינו בסדר בראשית פרשה מ"ב [סימן ג], עיין שם השינויים ממה שנאמר כאן:

The Midrash explains why Moses was "shamed" in this manner, being "outshined" Aaron:

אָמַר רַב שְׁמוּאֵל בַּר נַחְמָן — **Rav Shmuel bar Nachman** said: כָּל שִׁבְעַת יְמֵי הַסְּנֶה הָיָה הַקָּדוֹשׁ בָּרוּךְ הוּא מְפַתֶּה אֶת מֹשֶׁה שֶׁיֵּלֵךְ בִּשְׁלִיחוּתוֹ לְמִצְרַיִם — **All seven days of the** burning **bush** incident, **the Holy One, blessed is He, was** involved in **persuading Moses to go on His mission to Egypt,** הָדָא הוּא דִכְתִיב "גַּם מִתְּמוֹל גַּם מִשִּׁלְשֹׁם גַּם מֵאָז דַּבֶּרְךָ אֶל עַבְדֶּךָ", הֲרֵי שִׁשָּׁה — **as it is written,** ***not since yesterday, nor since the day before yesterday, nor since You first spoke to Your servant*** (*Exodus* 4:10) — **that being** a total of **six** days,[75] וּבַשְּׁבִיעִי אָמַר לוֹ "שְׁלַח נָא בְּיַד תִּשְׁלָח" — **and on the seventh** day, **[Moses] said to [God],** ***"Send through whomever You will send"*** (ibid. 4:13). אָמַר לוֹ הַקָּדוֹשׁ בָּרוּךְ הוּא: מֹשֶׁה, אַתָּה אוֹמֵר "שְׁלַח נָא בְּיַד תִּשְׁלָח" — **The Holy One, blessed is He,** thereupon **said to [Moses], "Moses, you say,** ***'Send through whomever You will send,'*** חַיֶּיךָ שֶׁאֲנִי צוֹרְרָהּ לָךְ בִּכְנָפֶיךָ — **by your life,** I swear **that I shall bind [this response] for you into your hem!"**[76] אֵימָתַי פָּרַע לוֹ — And **when did [God] pay [Moses] back** for his reluctance to accept His mission? רַבִּי בֶּרֶכְיָה אָמַר: רַבִּי לֵוִי וְרַבִּי חֶלְבּוֹ — **R' Berechyah said: R' Levi and R' Chelbo** both gave answers to this question. רַבִּי לֵוִי אָמַר: כָּל ז' יְמֵי אֲדָר הָיָה מֹשֶׁה מְבַקֵּשׁ תְּפִלָּה וְתַחֲנוּנִים שֶׁיִּכָּנֵס לְאֶרֶץ יִשְׂרָאֵל — **R' Levi said:** At the end of his life, **all** during the first **seven days of Adar,**[77] **Moses was begging** with **prayer and supplications that he** be permitted to **enter the Land of Israel,**[78] בַּשְּׁבִיעִי אָמַר לוֹ "כִּי לֹא תַעֲבֹר אֶת הַיַּרְדֵּן הַזֶּה" — **and on the seventh day, [God] said to him,** ***for you shall not cross this Jordan*** (*Deuteronomy* 3:27).[79] רַבִּי חֶלְבּוֹ אָמַר: כָּל ז' יְמֵי הַמִּילוּאִים הָיָה מְשַׁמֵּשׁ בִּכְהוּנָּה גְדוֹלָה וְכִסְבוּר שֶׁלּוֹ הִיא — **R' Chelbo said: All seven days of the** Tabernacle **inauguration, Moses served in the position of Kohen Gadol, and he thought that [this position] was his.**[80] בְּז' אָמַר לוֹ: לֹא שֶׁלְּךָ הִיא, אֶלָּא שֶׁל אַהֲרֹן אָחִיךָ הִיא — But **at** the end of **the seventh** day, **[God] said to him, "[The position]** of Kohen Gadol **is not yours; it belongs to Aaron, your brother!"**[81] הָדָא הוּא דִכְתִיב "וַיְהִי בַּיּוֹם הַשְּׁמִינִי" — **Thus it is written,** ***It was on the eighth day*** *Moses summoned Aaron and his sons . . . He said to Aaron: Take for yourself a young bull for a sin-offering and a ram for a burnt-offering . . . for today* HASHEM *appears to you* (9:1-4).[82]

§7 [וַיְהִי בַּיּוֹם הַשְּׁמִינִי — *IT WAS ON THE EIGHTH DAY.*]

The Midrash discusses the implication of the term וַיְהִי, *It was*:

רַבִּי תַּנְחוּמָא וְרַבִּי חִיָּיא וְרַבִּי בֶּרֶכְיָה בְּשֵׁם רַבִּי אֶלְעָזָר הַמּוֹדָעִי — **R' Tanchuma and R' Chiya and R' Berechyah said in the name of R' Elazar HaModa'i:** הַמִּדְרָשׁ הַזֶּה עָלָה בְּיָדֵינוּ מִן הַגּוֹלָה — **We have received this** principle of **exegesis from** the Sages who were in **the exile** in Babylonia:[83] בְּכָל מָקוֹם שֶׁנֶּאֱמַר "וַיְהִי בִּימֵי" אֵינוֹ אֶלָּא צָרָה — **Wherever** the expression ***and it happened*** (or: *it was*) ***in the days of*** [וַיְהִי בִּימֵי] **is stated, it is nothing other than** an indication that some **misfortune** took place at that time.[84] אָמַר רַבִּי שְׁמוּאֵל בַּר נַחְמָן: וַחֲמִשָּׁה הֵן — **R' Shmuel bar Nachman said: And there are five** instances of this expression.

The Midrash enumerates and discusses the five instances. The first instance:

"וַיְהִי בִּימֵי אַמְרָפֶל" — ***And it happened in the days of Amraphel*** (*Genesis* 14:1). מַה צָּרָה הָיְתָה שָׁם — **What misfortune occurred there?** "עָשׂוּ מִלְחָמָה וגו'" — ***That these*** (Amraphel and his allies) ***made war,*** *on Bera, king of Sodom; Birsha, king of Gomorrah; Shinab, king of Admah; Shemeber, king of Zeboiim; and the king of Bela, which is Zoar* (ibid., v. 2). מָשָׁל לְאוֹהֲבוֹ שֶׁל מֶלֶךְ שֶׁנִּכְנַס לִמְדִינָה — **This may be compared to a friend of the king who entered a** certain **province** to live there,

NOTES

day. From the fact that Scripture reports the people seeing the glory of God only after Aaron's service and not earlier, it is implied that this had not occurred during the seven days when Moses performed the service (*Matnos Kehunah*).

75. Toward the end of the dialogue at the burning bush, Moses said to God, *Please, my Lord, I am not a man of words, not since yesterday, nor since the day before yesterday, nor since You first spoke to Your servant, for I am heavy of mouth and heavy of speech*. The Midrash understands Moses' words as referring to the period of time during which they were speaking. The terms *since yesterday*, *since the day before yesterday*, and *since You first spoke* indicate a duration of three days since God began to speak to Moses. The three appearances of the word גַּם, which means "also," denote a further addition of time, and hence indicate three more days (*Seder Olam Rabbah* 5; see *Rashi* on *Exodus* ad loc.; see also *Shemos Rabbah* 3 §14).

76. I.e., I will cause it to cling to you; I will preserve it for a future time, when it will come back to haunt you, as the Midrash goes on to elaborate.

77. For Moses died on the seventh of Adar (see *Kiddushin* 38a).

78. When Moses heard that it was time for him to die, he prayed that he be allowed to enter the Land of Israel. This is not the same as Moses' prayer to enter the Land in *Deuteronomy* 3:23, which occurred several weeks earlier. Although God denied Moses' request at that time, he made one last effort just before his death (*Yefeh To'ar*).

79. This verse is a quote of God's answer to Moses' earlier prayers when he beseeched God earlier (see previous note). The Midrash borrows that statement to express the idea that here, too, God did not acquiesce to Moses' request to let him enter the Land of Israel. What God actually said to Moses at this later time is found in *Deuteronomy* 32:49-52 (*Yefeh To'ar*). The seven days of prayers, followed by God's refusal to accept them, corresponded to the seven days during which Moses refused to accept God's mission to Pharaoh.

80. Moses could not have thought that he would continue being the sole Kohen to the exclusion of Aaron. After all, one of the main features of the seven-day inauguration rites was dressing Aaron and his sons in priestly vestments and anointing them and "sanctifying them"! Rather, the Midrash means that Moses thought that the privilege of causing the Divine Presence to rest in the Tabernacle would be his, as a result of his seven days of lone service (*Eitz Yosef*, explaining *Matnos Kehunah*).

81. God did not actually say these words; rather Moses understood this from the fact that God did not rest His Presence in the Tabernacle through Moses' seven days of service (see *Eshed HaNechalim*). The seven days of hoping that he would be the catalyst for the appearance of God's Presence, and the ultimate disappointment of not achieving this, correspond to the seven days during which Moses refused to accept God's mission to free the Israelites from Egypt.

82. The connection between the eighth day and the previous seven days of inauguration was that during the seven days, Moses thought that the Divine Presence would rest in the Tabernacle through him and this did not happen. On the eighth day, this did happen through Aaron. This was in repayment measure for measure for Moses' actions at the burning bush (*Eitz Yosef*).

83. *Eitz Yosef*, citing *Zayis Raanan* to *Yalkut Shimoni* II 596 §1; see *Megillah* 10b.

84. When the word וַיְהִי, *and it happened,* is used together with the word בִּימֵי, *in the days of*, it is essentially extra. Therefore it is homiletically treated as an amalgam of וַי and הִי, both of which are expressions of woe and anguish (*Yefeh To'ar* to *Bereishis Rabbah* 42 §3; see *Megillah* 11a). [See below, note 134 and the Insights referenced there.]

אָמַר רַבִּי אֶלְעָזָר בַּר יוֹסֵי: פָּשׁוּט הוּא לָן שֶׁבְּחָלוּק לָבָן שִׁימֵּשׁ מֹשֶׁה כָּל שִׁבְעַת יְמֵי הַמִּלּוּאִים, רַבִּי תַּנְחוּם בְּשֵׁם רַבִּי יוּדָן תָּנֵי: כָּל שִׁבְעַת יְמֵי הַמִּלּוּאִים הָיָה מֹשֶׁה מְשַׁמֵּשׁ בִּכְהֻנָּה גְּדוֹלָה וְלֹא שָׁרְתָה שְׁכִינָה עַל יָדוֹ, הָדָא הוּא דִכְתִיב (ויקרא ט, כד) "וַיַּרְא כָּל הָעָם וַיָּרֹנּוּ וַיִּפְּלוּ עַל פְּנֵיהֶם", אָמַר רַב שְׁמוּאֵל בַּר נַחְמָן: כָּל שִׁבְעַת יְמֵי הַסְּנֶה הָיָה הַקָּדוֹשׁ בָּרוּךְ הוּא מְפַתֶּה אֶת מֹשֶׁה שֶׁיֵּלֵךְ בִּשְׁלִיחוּתוֹ לְמִצְרַיִם, הָדָא הוּא דִכְתִיב (שמות ד, י) "גַּם מִתְּמוֹל גַּם מִשִּׁלְשֹׁם גַּם מֵאָז דַּבֶּרְךָ אֶל עַבְדֶּךָ", הֲרֵי שִׁשָּׁה, וּבַשְּׁבִיעִי אָמַר לוֹ (שם שם יג) "שְׁלַח נָא בְּיַד תִּשְׁלָח", אָמַר לוֹ הַקָּדוֹשׁ בָּרוּךְ הוּא: מֹשֶׁה, אַתָּה אוֹמֵר "שְׁלַח נָא בְּיַד תִּשְׁלָח", חַיֶּיךָ שֶׁאֲנִי צוֹרְרָהּ לְךָ בִּכְנָפֶיךָ, אֵימָתַי פָּרַע לוֹ, רַבִּי בֶּרֶכְיָה אָמַר: רַבִּי לֵוִי וְרַבִּי חֶלְבּוֹ, רַבִּי לֵוִי אָמַר: כָּל ז' יְמֵי אֲדָר הָיָה מֹשֶׁה מְבַקֵּשׁ תְּפִלָּה וְתַחֲנוּנִים שֶׁיִּכָּנֵס לְאֶרֶץ יִשְׂרָאֵל, בַּשְּׁבִיעִי אָמַר לוֹ (דברים ג, כז) "כִּי לֹא תַעֲבֹר אֶת הַיַּרְדֵּן הַזֶּה", רַבִּי חֶלְבּוֹ אָמַר: כָּל ז' יְמֵי הַמִּלּוּאִים הָיָה מְשַׁמֵּשׁ בִּכְהֻנָּה גְּדוֹלָה וְכַסָּבוּר שֶׁלּוֹ הִיא, בַּז' אָמַר לוֹ: לֹא שֶׁלְּךָ הִיא, אֶלָּא שֶׁל אַהֲרֹן אָחִיךָ הִיא, הָדָא הוּא דִכְתִיב "וַיְהִי בַּיּוֹם הַשְּׁמִינִי":

ז רַבִּי תַּנְחוּמָא וְרַבִּי חִיָּיא °אָמְרִין וְרַבִּי בֶּרֶכְיָה בְּשֵׁם רַבִּי אֶלְעָזָר הַמּוֹדָעִי: הַמִּדְרָשׁ הַזֶּה עָלָה בְּיָדֵינוּ מִן הַגּוֹלָה: בְּכָל מָקוֹם שֶׁנֶּאֱמַר "וַיְהִי בִּימֵי" אֵינוֹ אֶלָּא צָרָה, אָמַר רַבִּי שְׁמוּאֵל בַּר נַחְמָן: וַחֲמִשָּׁה הֵן: (בראשית יד, א) "וַיְהִי בִּימֵי אַמְרָפֶל", מַה צָּרָה הָיְתָה שָׁם, (שם שם ב) "עָשׂוּ מִלְחָמָה וְגוֹ'", מָשָׁל לְאוֹהֲבוֹ שֶׁל מֶלֶךְ שֶׁנִּכְנַס לַמְּדִינָה,

עץ יוסף

פשוט הוא לן כו'. משום דאיכא מאן דאמר דמסתפקא להו הך מילתא, וכדאמר בפרק א' דתענית (יא ב) ובפרק ב' דעבודה זרה (לד א), להכי קאמר רבי אלעזר שפשוט אצלינו שבחלוק לבן שמש כו', וכתב הרשב"א בתשובה (סימן מ"ב) חלוק לבן גמרא: **ולא שרתה שכינה.** וכיון שלבש אהרן בגדי כהונה גדולה ושמש, שרתה שכינה על ידו, כדכתיב כי היום ה' נראה אליכם, וכתיב וירא כבוד ה' אל כל העם וגו', וירא כל העם וירנו ויפלו על פניהם: **הרי ששה.** עיין מה שכתבתי ב[עץ יוסף] שמות רבה (פרשה ג סימן ט): **כל שבעת ימי אדר.** שבשבעה באדר מת משה, כדיליף בפרק קמא דקדושין (לח א) מקראי: **וכסבור שלו הוא.** כלומר שעל ידו שרתה השכינה (מתנות כהונה), מתרץ בזה, דאי כפשוטו שסבור שהכהונה שלו, הלא יקשה הא כבר נאמר לו, ועשית בגדי קדש לאהרן אחיך וגו', ובשבעת ימי המלואים הלבישם אהרן ומשחו וקדשו, ועוד יקשה הרי משעה שאמר לו הלא אהרן אחיך הלוי, הודיעו שנטל ממנו הכהונה: **ויהי ביום השמיני.** רצה לומר דקשה כיון דאין שייכות לענין השמיני עם השביעי, שהשביעי היו ימי המלואים, ומעשה השמיני לחנוך אהרן לעבודה, ולהשרות שכינה לישראל, לא הוה ליה לטפלו אל השביעי, לומר ויהי ביום השמיני וכו', שמאחר שיום זה נטל עשר עטרות, דחשיב מכל השביעי, אלא ויהי באחד לחדש מבעי ליה, או ויהי ממחרת, אלא על כרחך שייכות אל מספר השביעי, שבשביעי חשב משה שהוא יהיה כהן, ובשמיני נדחה, דומה למעשהו בשלח נא ביד תשלח: (ז) **עלה בידינו מן הגולה.** פירוש קבלנו מחכמי גלות בבל (זית רענן): **וחמשה הן כו'.** הנה כל סימן זה פירשתי כבר בבראשית רבה (פרשה מב ד), והכא לא באתי אלא לפרש בקיצור:

פירוש מהרז"ו

בסדר נו, על משה וישחט ויקח משה את הדם ויתן על קרנות המזבח וגו' (ויקרא ח, טו), כל הפרשה שעשה משה לבדו, ועל שאינו מפורש אלא כלל על שינוי בגדים, כמו אצל אהרן ובניו, על כן בהכרח לומר ששימש בבגדים עצמם שהלך בהם תמיד, רק שהיו לבנים ונקיים.

ורבי תנחום בשם רבי יודן בא לסיים מה ששייך כאן, אלא דכאן חסר, והוא מבואר בתורת כהנים ריש שמיני במסכתא דמלואים, שכל שבעה שימש משה ולא שרתה שכינה, כיון שלבש אהרן בגדי כהונה ושמש ביום שמיני, שרתה שכינה, כמו שכתוב (ויקרא ט, כג) וירא כבוד ה' אל כל העם ותצא אש מלפני ה' ותאכל על המזבח את העולה ואת החלבים וירא כל העם וירונו ויפלו על פניהם, וכן צריך לומר כאן, וכמו שאמר רבי חלבו בסוף סימן זה: **כל (זה) [שבעה] ימי אדר.** עיין דברים רבה (ט, ב): (ז) **רבי תנחומא.** בראשית רבה (מב, ג), במדבר רבה (יג, ה), בריש מדרש אסתר, במדרש רות פסוק ושם האיש אלימלך, מגילה דף יו"ד (ע"ב), ושם בבראשית רבה הגירסא, רבי תנחומא בשם רבי חייא ורבי ברכיה בשם ר"א אמרין, וכאן צריך להגיהה כמו שם, וכל הענין בתנחומא סדר שמיני סימן ט, כמו כאן: **וחמשה הן.** חמשה פעמים כתוב בתנ"ך ויהי בימי, א', ויהי בימי אמרפל, ב', ויהי בימי אחז, ג', ויהי בימי יהויקים, ד', ויהי בימי אחשורוש, ה', ויהי בימי שפוט השופטים, ובכל חמשה אלו הדוחק והקושי מבואר, שבארבעה אלו ויהי בימי אמרפל, ויהי בימי אחז, ויהי בימי יהויקים, ויהי בימי אחשורוש, שהיה המעשה בהם בעצמם, מה תועלת במה שאומר שבימיו היה בו המעשה, ואם כן הוא מיותר לגמרי, ואצל שפוט השופטים, אף שלא היה המעשה בהם עצמם, הקושיא מבואר שבא לפרש באיזה זמן היה המעשה וסתם, שהרי ימי השופטים היו ערך ארבע מאות שנה, והיה לו לומר זמן מסוים בימי שופט פלוני, אלא שבכל אלו הכוונה לדרוש שהיה ווי וצרה בימיהם, לבד המעשה שמספר: **מה צרה היתה שם עשו מלחמה.** שמלכים אלו אמרפל אריוך וכו' חדשו צרה זו בעולם שיהיה מלחמה, שעד עתה לא היה מלחמה, וכמו שאמרו בבראשית רבה (מב, א) מפסוק חרב פתחו רשעים, עיין מה שכתבתי שם בשם הילקוט בהדיא, זהו לפי פשט הכתוב. ודרשו עוד שהיה צרה אחרת, שעיקר כוונתם להרוג את אברהם, ולכך התגרו תחלה בסדום שישב שם לוט, ושבו אותו, כדי שיבא אברהם להצילו ויהרגו אותו, ודרשה זו היא הכרעה לשני כתובים מכחישים, שהתחיל ויהי בימי אמרפל, הרי שהיה אמרפל הראשון והעיקר, ואחר כך אמר בא כדרלעומר והמלכים אשר אתו, הרי שכדרלעומר הוא העיקר והשאר טפלים לו, והכריע שעל שעיקר הכוונה היה על אברהם, ואמרפל הוא נמרוד, שהיה מעולם שונא לאברהם והוא הפילו לכבשן, וכמו שאמרו בבראשית רבה (מב, ד), עיין מ"ש שם, ולעורר המלחמה היה

חידושי הרד"ל

בחלוק לבן. ירושלמי דיומא (פ"א ה"א), ובבבלי תענית (יא, ב):

באור מהרי"פ

[ז] עלה בידינו מן הגולה וכו'. פירוש קבלנו מחכמי גלות בבל, והם קבלו מאנשי כנסת הגדולה, כמבואר (מגילה י, ב) וזה לשונם, מסורת בידינו מאבותינו מאנשי כנסת הגדולה:

אמרי יושר

[ז] כל מקום שנאמר ויהי בימי צרה. דמורה היא צרה מיוחדת וכפלת:

ידי משה

אמר ר' שמואל בן נחמן כל שבעת ימי הסנה כו'. וסבירא ליה שאף כל ארבעים שנה שימש משה בכהונה גדולה מכל מקום ביום השמיני ניטלה ממנו מפני עונש, אבל מכאן ואילך שימש בכהונה גדולה. אי נמי סבירא ליה שמפני שאמר שלח נא ביד תשלח נענש שלא שמש בכהונה כל ארבעים שנה, ואף על פי שאמר לו הקב"ה קודם שאמר שלח נא ביד תשלח אל תקרב הלום לכהונה, יש לומר שהקב"ה הגיד לו מה שיהיה אחר כך. ואם תאמר די לצרה בשעתה. ויש לומר כמו שכתבתי לעיל (שמות רבה ג, יז) שהיה מן ההכרח לגלות לו לפי שאמר לו של נעליך מעל רגליך שיתאבל על אביו, וכהן גדול אינו נוהג אבילות ואם כן מכח זה היה מגלה לו. ודוק:

מסורת המדרש

ה. ש"ר פ' ג'. במד"ר פ' כ"א. שה"ר פ' א'. תנחומא סדר ויקרא וסדר חיי שרה וסדר ואתחנן. מדרש תהלים מזמור י"ח. סדר עולם רבה פ"ה. ילקוט שמואל ב' רמז קס"א. ו. במדבר רבה פ"י. ילקוט אסתר. פסיקתא רבתי פ"ה:

אם למקרא

וַתֵּצֵא אֵשׁ מִלִּפְנֵי ה' וַתֹּאכַל עַל הַמִּזְבֵּחַ אֶת הָעֹלָה וְאֶת הַחֲלָבִים וַיַּרְא כָּל הָעָם וַיָּרֹנּוּ וַיִּפְּלוּ עַל פְּנֵיהֶם: (לקמן ט:כד)

וַיֹּאמֶר מֹשֶׁה אֶל ה' בִּי אֲדֹנָי לֹא אִישׁ דְּבָרִים אָנֹכִי גַּם מִתְּמוֹל גַּם מִשִּׁלְשֹׁם גַּם מֵאָז דַּבֶּרְךָ אֶל עַבְדֶּךָ כִּי כְבַד פֶּה וּכְבַד לָשׁוֹן אָנֹכִי: (שמות ד:י)

וַיֹּאמֶר בִּי אֲדֹנָי שְׁלַח נָא בְּיַד תִּשְׁלָח: (שם שם יג)

עֲלֵה רֹאשׁ הַפִּסְגָּה וְשָׂא עֵינֶיךָ יָמָּה וְצָפֹנָה וְתֵימָנָה וּמִזְרָחָה וּרְאֵה בְעֵינֶיךָ כִּי לֹא תַעֲבֹר אֶת הַיַּרְדֵּן הַזֶּה: (דברים ג:כז)

וַיְהִי בִּימֵי אַמְרָפֶל מֶלֶךְ שִׁנְעָר אַרְיוֹךְ מֶלֶךְ אֶלָּסָר כְּדָרְלָעֹמֶר מֶלֶךְ עֵילָם וְתִדְעָל מֶלֶךְ גּוֹיִם: עָשׂוּ מִלְחָמָה אֶת בֶּרַע מֶלֶךְ סְדֹם וְאֶת בִּרְשַׁע מֶלֶךְ עֲמֹרָה שִׁנְאָב מֶלֶךְ אַדְמָה וְשֶׁמְאֵבֶר מֶלֶךְ צְבוֹיִם וּמֶלֶךְ בֶּלַע הִיא צֹעַר: (בראשית יד:א-ב)

שינויי נוסחאות

(ז) רבי תנחומא ורבי חייא אמרין ורבי ברכיה ... בספרים הישנים היה כתוב "רבי תנחומא ורבי חייא אמרין לה ורבי ברכיה ...", וכתב על זה המ"כ "אמרין ליה לא גרסינן", ואכן מחקו המדפיסים משם ואילך את תיבת "לה" (או "ליה") אבל לא מחקו את תיבת "אמרין", ודבר פשוט הוא שכוונת מ"כ היה למחוק את שתי התבות (שגיאות כמיותרות), כמו שכתב בהדיא בדבריו:

מתנות כהונה

נשאר על שבט לוי, וכמו שפירש"י ז"ל בפרשת שמות (ד, יד) על ויחר אף ה' וגו': **ובניו יקראו וגו'.** משמע אבל משה עצמו יקרא על שם הכהנים: **ולא שרתה כו'.** עד יום השמיני, ככתוב (ויקרא ט, ד) כי היום ה' נראה אליכם וגו' על ידי קרבנות אהרן, ולכן וירא כל העם וגו', מכלל שעד עתה לא ראו כזאת: **גם מאז כו'.** עיין בשמות רבה (ג, ד) ובמדרש חזית (שיר השירים א, מד) פסוק (ז) הגידה לי: **וכסבור שלו הוא.** כלומר שעל ידו תשרה השכינה: **[ז] אמרין ליה.** לא גרסינן ליה, ועיין בריש מגילת רות (א, א), וריש מגילת

אשד הנחלים

על שבט הלוי, שמע מינה הוא בעצמו היה כהן גדול (ידי משה, מתנות כהונה): **בחלוק לבן.** עיין ביפה תואר: **וירא כל העם.** אבל קודם לכן לא ראו: **צוררה לך.** כלומר שהענין הזה יהיה שמור וצרור לך לשלם מדה במדה, שגם אתה תבקשני שבעה ימים ולא אשמע לך: **לא שלך כו' ויהי גו'.** כאלו רמיזת הכתוב שעד יום השמיני היה סבר משה שהכהונה הגדולה יהיה לו, ועתה ביום השמיני הבין שלא לו הוא, וקרא לאהרן ולבניו: **[ז] ויהי איננו אלא צרה.** פרשתי כל עניינו בסדר בראשית פרשה מ"ב [סימן ג], עיין שם השינויים ממה שנאמר כאן:

בִּשְׁבִילוֹ הָיָה הַמֶּלֶךְ נִזְקָק בַּמְּדִינָה — and on his account the king would occasionally have favorable dealings with the entire province. בָּאוּ בַּרְבָּרִים וְנִזְדַּוְּוגוּ לוֹ — One time barbarians came and started a confrontation with [the king's friend], intending to kill him.[85] כֵּיוָן שֶׁבָּאוּ וְנִזְדַּוְּוגוּ לוֹ — When [these barbarians] came and started the confrontation with him, אָמְרוּ הַכֹּל: וַוי שֶׁאֵין הַמֶּלֶךְ נִזְקָק לַמְּדִינָה כְּמוֹ שֶׁהָיָה — all the people of the province said, "Woe to us, for the king will no longer have favorable dealings with the province, as he was accustomed to, if the barbarians kill his friend!" כָּךְ אַבְרָהָם אוֹהֲבוֹ שֶׁל הַקָּדוֹשׁ בָּרוּךְ הוּא הָיָה — Similarly, Abraham was the beloved of the Holy One, blessed is He, וּכְתִיב בּוֹ "וְנִבְרְכוּ בְךָ", וּבִשְׁבִילוֹ הָיָה הַקָּדוֹשׁ בָּרוּךְ הוּא נִזְקָק לְכָל הָעוֹלָם כּוּלּוֹ — of whom it is written, *and all the families of the earth **shall bless themselves by you*** (ibid. 12:3), and it was on his account that the Holy One, blessed is He, had favorable dealings with the entire world.[86] בָּאוּ כַּשְׂדִּיִּים וְנִזְדַּוְּוגוּ לוֹ — So when the Chaldeans came and started a confrontation with [Abraham],[87] אָמְרוּ: וַוי שֶׁאֵין הַקָּדוֹשׁ בָּרוּךְ הוּא נִזְקָק בְּעוֹלָמוֹ כְּמוֹת שֶׁהָיָה — [everyone] said, "Woe to us, for the Holy One, blessed is He, will no longer have favorable dealings with His world, as He was accustomed to, if Abraham is killed!"

The Midrash shows that when Amraphel and his allies came to wage war against the king of Sodom and his allies, they also intended to kill Abraham:[88]

הֲדָא הוּא דִכְתִיב "וַיָּשֻׁבוּ וַיָּבֹאוּ אֶל עֵין מִשְׁפָּט הִיא קָדֵשׁ" — Thus it is written, ***Then they turned back and came to En-mishpat*** [עֵין מִשְׁפָּט], ***which is Kadesh*** (ibid. 14:7). אָמַר רַבִּי חִיָּיא: לֹא בִּיקְּשׁוּ לְהִזְדַּוֵּוג אֶלָּא לְתוֹךְ גַּלְגַּל עֵינוֹ שֶׁל עוֹלָם — R' Chiya said: [Amraphel and his allies] sought specifically to start a confrontation with "the eyeball [עַיִן] of the world";[89] עַיִן שֶׁעָשְׂתָה מִדַּת הַדִּין בָּעוֹלָם בִּקְּשׁוּ לְסַמּוֹתָהּ — i.e., they sought to "blind" the "eye" that overcame the Attribute of Strict Justice in the world.[90]

Having expounded *En-mishpat* as a reference to Abraham, the Midrash proceeds to interpret the verse's next words as an allusion to him as well:

אָמַר רַבִּי אַחָא: "הוּא" כְּתִיב "הִיא קָדֵשׁ" — ***Which is Kadesh.*** R' Acha said: The word *hu* [הוּא] (a masculine pronoun meaning *he* or *which*) is written — even though it is pronounced *hee* [הִיא] (a feminine pronoun meaning *she* or *which*) — so that it may be interpreted as an allusion to Abraham,[91] הוּא שֶׁקִּידֵּשׁ שְׁמוֹ שֶׁל הַקָּדוֹשׁ בָּרוּךְ הוּא וְיָרַד לְכִבְשַׁן הָאֵשׁ — and הוא קדש (translated here as *which is Kadesh*) can be interpreted, "he [הוּא] who sanctified [קָדֵשׁ]" the Name of the Holy One, blessed is He, when he refused to renounce his belief in God and descended into the fiery furnace.[92]

The Midrash concludes:

כֵּיוָן שֶׁבָּאוּ הַמְּלָכִים וְנִזְדַּוְּוגוּ לוֹ — When the kings came and started a confrontation with [Abraham], הִתְחִילוּ צוֹוְחִין: וַוי וַוי — [everyone] began crying out, "Woe to us! Woe to us!" "וַיְהִי בִּימֵי אַמְרָפֶל מֶלֶךְ" — Thus it is written, ***And it happened in the days of*** [וַיְהִי בִּימֵי] ***Amraphel king*** *of Shinar*.[93]

The second instance of וַיְהִי בִּימֵי, *and it happened in the days of*:

"וַיְהִי בִּימֵי אָחָז בֶּן יוֹתָם" — ***It happened in the days of Ahaz***[94] ***son of Jotham*** *son of Uzziah, king of Judah: Rezin, king of Aram, and Pekah son of Remaliah, king of Israel, went up to wage war against Jerusalem* (*Isaiah* 7:1). מַה צָּרָה הָיְתָה — What misfortune occurred at that time? "אֲרָם מִקֶּדֶם וּפְלִשְׁתִּים מֵאָחוֹר וגו'" — ***Aram from the east and the Philistines from the west,*** *they have consumed Israel*[95] *with every mouth.*[96] *Yet despite all this, His anger has not subsided and His hand is still outstretched* (ibid. 9:11).

NOTES

85. *Matnos Kehunah* and *Eitz Yosef* to *Bereishis Rabbah* 42 §3.

86. It was in Abraham's merit that all goodness and blessing came to the world. This would be lost if Abraham were to perish (*Yefeh To'ar* to *Bereishis Rabbah* 42 §3).

87. Amraphel was the king of *Shinar*. Babylonia, the land of the Chaldeans, is *Shinar* (*Maharzu*).

88. *Rashi* to *Bereishis Rabbah* 42 §3. In fact *Bereishis Rabbah* 42 §1 states that this was their primary intent in waging this war, which they expected Abraham to join (in order to save Lot). See Kleinman edition ad loc., note 11 and the Insight there.

89. I.e., with Abraham, who enlightened humanity on the subject of belief in God, teaching them to "see" that there is only one God (*Matnos Kehunah* to *Bereishis Rabbah* 42 §7). [In the phrase עֵין מִשְׁפָּט (translated here as a place name, *En-Mishpat*), the first word is taken by the Midrash to mean "eye."]

The plain meaning of this verse is that the battlefield about to be discussed had two names, En-Mishpat and Kadesh. Two anomalies, however, indicate that the verse has a deeper meaning as well. First, the verse states that the kings *turned back* to the site, implying that they had been at this place earlier, but neither En-Mishpat nor Kadesh is included in the list of previous battlefields. Second, Kadesh is not identified as En-Mishpat anywhere else in Scripture.

Because of these anomalies, the Midrash teaches that En-Mishpat is not merely an alternative name for the place called Kadesh, but is also an allusion to a person: Abraham. Accordingly, our verse is not describing only *where* they were headed to battle, but *against whom*; and it is telling us that they *turned [their attention] back* to Abraham in an attempt to realize their goal of killing him. See *Bereishis Rabbah* 42 §3 where Amraphel is identified as Nimrod. Having failed to kill Abraham when he cast him into the fiery furnace (see *Bereishis Rabbah* 38 §13), Nimrod/Amraphel wanted to try again (*Maharzu*).

[The Midrash is not suggesting that the kings' *only* reason for going to war was to attack Abraham, as the verse itself gives a different cause for the hostilities: the four kings wanted to put down a rebellion by their five vassal kings. Rather, the verse means that when war broke out and the kings realized that Abraham was there, they headed there to attack him (*Yefeh To'ar* to *Bereishis Rabbah* 42 §3).]

90. The second word in the phrase עֵין מִשְׁפָּט means "justice."

It was in the merit of Abraham, who "overcame" the Attribute of Justice, that all blessing come to the world (see above, note 86). In other words, due to Abraham's righteousness, God changed His relationship with the world from one of reward and punishment (strict justice) to one where God bestows blessing (in Abraham's merit) even though mankind as a whole did not deserve it. Abraham's demise would therefore prove to be a huge misfortune for all of humanity (*Eitz Yosef* to *Bereishis Rabbah* 42 §7, citing *Matnos Kehunah*).

Alternatively, שֶׁעָשְׂתָה מִדַּת הַדִּין בָּעוֹלָם is to be translated, "who applied the Attribute of Justice in the world," and refers to Abraham's insisting that justice (in the positive sense of fairness and equality) prevail in the world. Thus we find Abraham arguing on behalf of Sodom, הֲשֹׁפֵט כָּל הָאָרֶץ לֹא יַעֲשֶׂה מִשְׁפָּט, *shall the Judge of all the earth not do justice?* (*Genesis* 18:25). See also ibid., v. 19 (*Beur Maharif* and *Eitz Yosef* here).

[For other interpretations, see Insight Ⓐ to Kleinman edition of *Bereishis Rabbah*, 42 §3, "Abraham, the Eye of Justice."]

91. Scripture refers to Kadesh (ostensibly the name of a city) with the feminine pronoun היא (cities are considered feminine). By tradition, however, the pronoun is written here with a *vav* (הוא); it can thus be read הוּא, which is the masculine pronoun "he." The Midrash therefore takes it as alluding to a man, namely Abraham.

92. The incident of the fiery furnace is related in *Bereishis Rabbah* 38 §13; see *Rashi* to *Genesis* 11:28.

93. The words וַיְהִי בִּימֵי, *and it happened in the days of,* being an allusion to misfortune, as stated above.

94. Ahaz was a king of Judah, whom Scripture describes as a wicked person who committed terrible sins (see *II Kings* 16:2-4; see also *II Chronicles* 18:1-4).

95. I.e., Judah (*Rashi* to *Isaiah* 9:11; see *Yefeh To'ar* to *Bereishis Rabbah* 42 §3 and *Beur Maharif* here). Although this verse appears in a passage (beginning in v. 7 there) that prophesies the fall of Pekah son of Remaliah (king of Israel, and Judah's enemy), *this* verse is referring to the destruction that came upon *Judah*.

96. I.e., the people of Judah were under attack not only from Aram (as mentioned in *Isaiah* 7:1, just cited; see also *II Chronicles* 28:5), but also from the Philistines (see ibid. vv. 18-19).

בְּשְׁבִילוֹ הָיָה הַמֶּלֶךְ נִזְקָק בַּמְּדִינָה, בָּאוּ בַּרְבָּרִים וְנִזְדַּוְּגוּ לוֹ, כֵּיוָן שֶׁבָּאוּ וְנִזְדַּוְּגוּ לוֹ אָמְרוּ הַכֹּל: וַוי שֶׁאֵין הַמֶּלֶךְ נִזְקָק לַמְּדִינָה כְּמוֹ שֶׁהָיָה, כָּךְ אַבְרָהָם אוֹהֲבוֹ שֶׁל הַקָּדוֹשׁ בָּרוּךְ הוּא הָיָה, וּכְתִיב בּוֹ (שם יב, ג) "וְנִבְרְכוּ בְךָ", וּבִשְׁבִילוֹ הָיָה הַקָּדוֹשׁ בָּרוּךְ הוּא נִזְקָק לְכָל הָעוֹלָם כּוּלּוֹ, בָּאוּ כַּשְׂדִּיִּים וְנִזְדַּוְּגוּ לוֹ, אָמְרוּ: וַוי שֶׁאֵין הַקָּדוֹשׁ בָּרוּךְ הוּא נִזְקָק בְּעוֹלָמוֹ כְּמוֹת שֶׁהָיָה, הָדָא הוּא דִכְתִיב (שם יד, ז) "וַיָּשֻׁבוּ וַיָּבֹאוּ אֶל עֵין מִשְׁפָּט הִיא קָדֵשׁ", אָמַר רַבִּי חִיָּיא: לֹא בִיקְּשׁוּ לְהִזְדַּוֵּוג אֶלָּא לְתוֹךְ גַּלְגַּל עֵינוֹ שֶׁל עוֹלָם, עַיִן שֶׁעָשְׂתָה מִדַּת הַדִּין בָּעוֹלָם בִּקְּשׁוּ °לְסוֹתְמָהּ, "הִיא קָדֵשׁ", אָמַר רַבִּי אַחָא: "הוּא" כְּתִיב, הוּא שֶׁקִּידֵּשׁ שְׁמוֹ שֶׁל הַקָּדוֹשׁ בָּרוּךְ הוּא וְיָרַד לְכִבְשַׁן הָאֵשׁ, כֵּיוָן שֶׁבָּאוּ הַמְּלָכִים וְנִזְדַּוְּגוּ לוֹ, הִתְחִילוּ צוֹוְחִין: וַוי וַוי, "וַיְהִי בִּימֵי אָמְרָפֶל מֶלֶךְ". (ישעיה ז, א) "וַיְהִי בִּימֵי אָחָז בֶּן יוֹתָם", מַה צָּרָה הָיְתָה, (שם ט, יא) "אֲרָם מִקֶּדֶם וּפְלִשְׁתִּים מֵאָחוֹר וְגוֹ'", מָשָׁל לְמֶלֶךְ שֶׁמָּסַר אֶת בְּנוֹ לְפַדְגּוֹג וְהָיָה הַפַּדְגּוֹג שׂוֹנֵא אוֹתוֹ, אָמַר: אִם אֲנִי הוֹרֵג אוֹתוֹ עַכְשָׁיו נִמְצֵאתִי מִתְחַיֵּיב רֹאשִׁי לַמֶּלֶךְ, אֶלָּא הֲרֵינִי מוֹשֵׁךְ אֶת יוֹנַקְתּוֹ מִמֶּנּוּ וְהוּא מֵת מֵאֵלָיו, כָּךְ אָמַר אָחָז: אִם אֵין גְּדָיִים אֵין תְּיָשִׁים, אִם אֵין תְּיָשִׁים אֵין צֹאן, אִם אֵין צֹאן אֵין רוֹעֶה, אִם אֵין רוֹעֶה אֵין עוֹלָם, כָּךְ אָמַר אָחָז: אִם אֵין קְטַנִּים אֵין תַּלְמִידִים, אִם אֵין תַּלְמִידִים אֵין חֲכָמִים, אִם אֵין חֲכָמִים אֵין תּוֹרָה, אִם אֵין תּוֹרָה אֵין בָּתֵּי כְנֵסִיּוֹת וּבָתֵּי מִדְרָשׁוֹת, אִם אֵין בָּתֵּי כְנֵסִיּוֹת וּבָתֵּי מִדְרָשׁוֹת אֵין הַקָּדוֹשׁ בָּרוּךְ הוּא מַשְׁרֶה שְׁכִינָתוֹ בָּעוֹלָם, מֶה עָשָׂה, עָמַד וְנָעַל בָּתֵּי כְנֵסִיּוֹת וּבָתֵּי מִדְרָשׁוֹת, הָדָא הוּא דִכְתִיב (ישעיה ח, טז) "צוֹר תְּעוּדָה חֲתוֹם תּוֹרָה בְּלִמֻּדָי", רַב הוּנָא בְּשֵׁם רַבִּי אֶלְעָזָר אָמַר: לָמָּה נִקְרָא שְׁמוֹ אָחָז, שֶׁאָחַז בָּתֵּי כְנֵסִיּוֹת וּבָתֵּי מִדְרָשׁוֹת, רַבִּי יַעֲקֹב בְּשֵׁם רַבִּי אַחָא אָמַר: שְׁמַעְתְּ לָהּ מִן הָדָא, (שם שם יז) "וְחִכִּיתִי לַה' הַמַּסְתִּיר פָּנָיו וְגוֹ'", אֵין לְךָ שָׁעָה קָשָׁה כְּאוֹתָהּ שָׁעָה, שֶׁנֶּאֱמַר בָּהּ (דברים לא, יח) "וְאָנֹכִי הַסְתֵּר אַסְתִּיר פָּנַי בַּיּוֹם הַהוּא", מֵאוֹתָהּ שָׁעָה (ישעיה שם שם) "וְקִוֵּיתִי לוֹ", (דברים שם כא) "כִּי לֹא תִשָּׁכַח מִפִּי זַרְעוֹ", וּמָה הוֹעִיל לוֹ,

חידושי הרד"ל

[ז] בקשו לסותמה. כן הוא בשאר מקומות שיש מאמר זה שלפניהם שסייעתא דשמיא בבראשית רבה (מב, ג): וקויתי לו שאמר כי לא תשכח. כן צריך לומר:

באור מהרי"פ

שעשתה מדת הדין בעולם. כמו שמצינו במלאכתו בעבור סדום, (בראשית יח, כה) השופט כל הארץ לא יעשה משפט: ארם מקדם וגו'. תימה מה ענין צרה זו לאחז, הלא מקרא זה הוא (ישעיה ט, יא) וישגב ה' את צרי רצין עליו ואת אויביו יסכסך ארם מקדם ופלשתים מאחור, ויאכלו את ישראל בכל פה בכל זאת לא שב אפו ועוד ידו נטויה. ופירש רש"י והרד"ק דקאי על ישראל, ומפני שהיתה בטחונם על רצין מלך ארם, בשר להם הנביא כשלון עוזר שלהם ושמאלא יפלו הנעזרים, וכאן מפורש הגרה שהיתה לאחז, כי עלה עליו רצין מלך ארם ופקח מלך ישראל, כל אחד מהם לבדו עשו לו היזק גדול, וכל שכן בהתחברות שניהם אין לך צרה גדולה יותר מזו. ויש לומר דבאמת מפרש המדרש כפשוטו, כמפורש כאן במקראות הסמוכים, ומה שמביא המקרא ארם מקדם וגו', לדוגמא ולהפליג הצרה כמו שהיתה שם המלחמה פנים ואחור, כן היתה כאן, ששתי המלכים רצין ופקח הכינו המלחמה פנים ואחור על כן צווחו ווי. ויותר נתבאר פירוש זה לפי מה שכתב רש"י (ישעיה ט, יא) דבר אחר ארם מקדם ופלשתים מאחור היו משחיתים ביהודה בימי אחז כמו שמבואר (דברי הימים ב' כח, יז יח) עיין שם: משל למלך שמסר את בנו וכו'. הוא כמו דבר אחר: אם אין בתי כנסיות ובתי מדרשיות וכו' עמד ונעל בתי כנסיות ובתי מדרשיות וכו'. וקשה להולמה, כיון דנעילת בתי כנסיות ובתי מדרשיות היא סבה למנוע השראת השכינה בישראל, וכל כוונתו היתה לסלק השראת השכינה, אם כן די היה לו בנעילת בתי כנסיות ובתי מדרשיות, ולמה עוד סבות רחוקות אם אין קטנים אין תלמידים וכו'.

עץ יוסף

ברברים. תורגמא, תרגום ירושלמי ברבר, מעם לועז, תרגום ירושלמי מעם ברבראי (זית רענן): שאין המלך נזקק, למדינה כמו שהיה, למוד אם יהרגו את אוהבו, כן צריך לומר (אות אמת): ונברכו בך. ודרשו חכמינו ז"ל אפילו ספינות שבים נתברכו בשבילו: גלגל עינו של עולם. ויהיה פירושו עין משפט, עין העולם העושה משפט: עין שעשתה מדת הדין. בענין סדום, שהפך בזכותם ואמר (בראשית יח כה) השופט כל הארץ וגו', וכן דרכו תמיד כדכתיב (שם פסוק יט) כי ידעתיו וגו': לפדגוג. פירוש אומן המגדל את בני המלך: אם אין תישים. כי אין מי שיפרה וירבה הצאן, והצאן הנמצאים יכלו מעט מעט: אין רועה. פירוש אין רועה את הצאן: אין עולם. כלומר שלא יתנהג העולם כראוי, כי לא ימצאו סדר הצאן הצריכות לעיקר צורך המדינה: אין בתי כנסיות ובתי מדרשות. ולא ימצא מקום מוכן שתחול השכינה על איזה איש: צור תעודה. כלומר שאחז צרר וקשר והסגיר התעודה זה בתי מדרשות, שהם מקום בית ועד לתורה, כדי להיות חתום תורה בלמודי, להסכית התורה מישראל, ולסלק השכינה מישראל (נזר הקודש): וחכיתי לה' המסתיר בו'. שישעיה בא שוב לנחם את כנסת ישראל, שלא תתקיים מחשבת רשע זה להשכיח את התורה מישראל, כי אי אפשר להיות שום דבר מעכב למנוע התורה מישראל, ועל זה אמר וחכיתי לה' המסתיר פניו מבית יעקב, שאין לך שעה קשה לישראל, שהקדוש ברוך הוא עמהם בכעס וזעם, כאותה שעה שכתיב בה ואנכי הסתר אסתיר פני מהם, כי בהיותם בהסתר פנים, פני השגחתו, הם מעותדים לכל מקרה ופגעים רעים, ואף על פי כן גם על אותה שעה ופרק נאמר שם בכתוב כי לא תשכח מפי זרעו, ומזה ראיה ברורה שלעולם אין התורה משתכחת מישראל, אפילו בשעת זעם, ועל זה אמר ומאותה שעה קויתי לו, כלומר מאותה שעה שהיא קשה מאד קויתי לו תמיד, שהרי אם בשעה היותר קשה, הבטיח ה' כי לא תשכח התורה מפי זרעו, כל שכן בשאר זמנים (יפה תואר ונזר הקודש):

פירוש מהרז"ו

הוא העיקר והראשון כנגד אברהם, אך מנהיג מלחמה זו והגיבור שבכולם היה כדרלעומר: ונזדווגו לו. לשון זה נוהג במדרש על ההתחברות לכוונה רעה: אברהם אוהבו. כמו שכתוב (ישעיה מא, ח) זרע אברהם אוהבי, וכתיב בו (בראשית יח, יח) ונברכו בך כל משפחות האדמה, והיינו מה שאמר במשל שבשבילו היה נזקק למדינה, שנברכו כולם בשבילו: באו כשדים. הוא אמרפל ועמו שהוא מלך שנער, ושנער הוא בבל וכשדים: וישובו ויבואו אל עין משפט. הקשה לו מה שכתוב וישובו, משמע שכבר היו בעין משפט, ועתה שבו עוד הפעם, ועוד שלא מצינו שעיר קדש תקרא עין משפט, על כן דורש על פי מדה כ' ועל פי מדת ממעל, על אברהם שהיה חביב בעולם כבבת וגלגל עין, ועשה משפט בעולם, כמו שנאמר (בראשית יח, יט) כי ידעתיו וכו' לעשות צדקה ומשפט, וקידש שמו של הקב"ה באור כשדים על ידי נמרוד מכבר, ועתה שבו נמרוד (ועמו) [ועמד] עוד הפעם להרגו, וזהו וישובו: מושך את יונקתו. ובמשל יונקתו היא התורה המחיה אותו, כמו המינקת לילד, ולא עשה בפעם אחד לבטל גדולים וקטנים יחד, שהיה מתירא שימרדו בו ישראל ולא יפעל כוונתו, על כן עשה מעט מעט תחלה ביטל התינוקות, שאחז רצה שיתאחזו ישראל כמו הגוים עובדי כוכבים, ומה שאמר אם אין רועה אין עולם, אמר המדרש כן לפי האמת, אך לא כפי כוונת אחז. ובמקומות שצייינתי גורס במשל כך אמר אחז, ובנמשל גורס כך היה אחז סובר: אין בתי כנסיות ובתי מדרשות. ובבראשית רבה שם גירסא אחרת, והכל אל מקום אחד וכוונה אחת: צור תעודה. כמו שכתוב (ישעיה ח, יח) הנה אנכי והילדים אשר נתן לי ה' לאותות ולמופתים בישראל, היינו מה שכתב בפרשה הקודמת (שם ז, יד) על אחז, לכן יתן ה' לכם אות הנה העלמה הרה ויולדת בן וגו', ואם כן גם הפסוק צור תעודה גם כן מדבר באחז, שאמר לו ישעיה לא תועיל בכוונתך להשכיח התורה מישראל, כי וחכיתי לה' המסתיר פניו מבית יעקב, משמע שלכך יחכה לו, על שהוא מסתיר פניו מבית יעקב, אדרבה שהיה לו לומר וחכיתי וגו' המושיע לבית יעקב, לכן מתכה לו, על כן היה דורש על פי מדה י"ז, שבמקום שכתוב בתורה ואנכי הסתר אסתיר, שם כתיב כי לא תשכח מפי זרעו, אף

מסורת המדרש

ז. תד"א זוטא פ"ט. מדרש תהלים מזמור ב:

אם למקרא

וַאֲבָרְכָה מְבָרֲכֶיךָ וּמְקַלֶּלְךָ אָאֹר וְנִבְרְכוּ בְךָ כֹּל מִשְׁפְּחֹת הָאֲדָמָה: (שם יב:ג)

וַיָּשֻׁבוּ וַיָּבֹאוּ אֶל עֵין מִשְׁפָּט הִוא קָדֵשׁ וַיַּכּוּ אֶת כָּל שְׂדֵה הָעֲמָלֵקִי וְגַם אֶת הָאֱמֹרִי הַיֹּשֵׁב בְּחַצְצֹן תָּמָר: (שם יד:ז)

וַיְהִי בִּימֵי אָחָז בֶּן יוֹתָם בֶּן עֻזִּיָּהוּ מֶלֶךְ יְהוּדָה עָלָה רְצִין מֶלֶךְ אֲרָם וּפֶקַח בֶּן רְמַלְיָהוּ מֶלֶךְ יִשְׂרָאֵל יְרוּשָׁלַםִ לַמִּלְחָמָה עָלֶיהָ וְלֹא יָכֹל לְהִלָּחֵם עָלֶיהָ: (ישעיה ז:א)

אֲרָם מִקֶּדֶם וּפְלִשְׁתִּים מֵאָחוֹר וַיֹּאכְלוּ אֶת־יִשְׂרָאֵל בְּכָל־פֶּה בְּכָל־זֹאת לֹא־שָׁב אַפּוֹ וְעוֹד יָדוֹ נְטוּיָה: (שם ט:יא)

צוֹר תְּעוּדָה חֲתוֹם תּוֹרָה בְּלִמֻּדָי: וְחִכִּיתִי לַה' הַמַּסְתִּיר פָּנָיו מִבֵּית יַעֲקֹב וְקִוֵּיתִי לוֹ: הִנֵּה אָנֹכִי וְהַיְלָדִים אֲשֶׁר נָתַן לִי ה' לְאֹתוֹת וּלְמוֹפְתִים בְּיִשְׂרָאֵל מֵעִם ה' צְבָאוֹת הַשֹּׁכֵן בְּהַר צִיּוֹן: (שם ח:טז-יח)

וְאָנֹכִי הַסְתֵּר אַסְתִּיר פָּנַי בַּיּוֹם הַהוּא עַל כָּל הָרָעָה אֲשֶׁר עָשָׂה כִּי פָנָה אֶל אֱלֹהִים אֲחֵרִים: (דברים לא:יח)

אמרי יושר

ויהי בימי אחז בן יותם מה צרה. שאחז ונעל בתי כנסיות, ואז נענשו, ארם מקדם: אין לך שעה קשה כאותה שכתוב בה ואנכי הסתר אסתיר פני. ועם כל זה כתיב אחריו (דברים לא, כא) וענתה השירה לפניו לעד כי לא תשכח מפי זרעו, הכא נמי דכוותה, המסתיר פניו, ועם כל זה וקויתי לו, ולא יוכל אחז לבטל דברי תורה, כי הנה אנכי והתלמידים, לאות על זה, ואולי לזה התחיל המאמר, לא תחשוב שהצרה היא ביטול בית המדרש, כי על זה לא יוכל, רק ארם מקדם:

ליקוטים

[ז] ברברים. ערביים שבמערב, וזהו מה שעינינו רואות בזמנינו, שהמערב נקרא ברבריאה (מעריך ערך ברבריין). ובמוסף הערוך (ערך ברבריא) פירש ר' בנימין מוספייא ברבריא היא מדינה באפריקי:

מתנות כהונה

אסתר (א, א), ובפרשת נשא (י, ה), פירושו של המאמר זה: שמעת לה מן הדא. תשמענה מזה הכתוב שנעל כל בתי מדרשות:

°לסותמה וכו'. אולם בבראשית רבה סדר לך (מב, ג) שם הגירסא יותר מבוררת, והכי קאמר כך היה סבור בדעתו לומר אם אין קטנים אין תלמידים, אם אין תלמידים אין חכמים, אם אין חכמים אין זקנים, אם אין זקנים אין נביאים, אם אין נביאים אין הקב"ה משרה שכינתו עליהם, הדא הוא דכתיב (ישעיה ח, טז) תעודה חתום תורה בלמודי. רבי הוניא בר אלעזר אמר למה נקרא שמו אחז, שאחז בתי כנסיות ובתי מדרשות. עכ"ל המדרש שם. ולפי גירסא זו אתיא שפיר כיון שהלמוד של קטנים היא סבה ראשונה לכל המסובבים ממנה לתלמידים ולחכמים וכו', עד השראת השכינה, על כן היה סבור בדעתו כיון שיבטול בתי כנסיות ובתי מדרשות, ויבטל תינוקות של בית רבן מלמודם, ממילא לא יהיה השראת השכינה בישראל: מה שהדיין צריך לעשות לנשפט וכו'. אולי הדקדוק ממה דכתיב שתי פעמים ויהי, שמע מינה שהיתה צרה אחרת חוץ מן הרעב היינו ששפטו את שופטיהם:

The Midrash explains that there was an additional misfortune as well, alluded to in the words, וַיְהִי בִּימֵי אָחָז, *It happened in the days of Ahaz:*[97]

מָשָׁל לְמֶלֶךְ שֶׁמָּסַר אֶת בְּנוֹ לְפַדְגוֹג וְהָיָה הַפַּדְגוֹג שׂוֹנֵא אוֹתוֹ — **This may be compared to a king who handed his son over to a caretaker, and the caretaker hated [the son]** and determined to kill him. אָמַר: אִם אֲנִי הוֹרֵג אוֹתוֹ עַכְשָׁיו נִמְצֵאתִי מְחַיֵּיב רֹאשִׁי לַמֶּלֶךְ — **[The caretaker] said** to himself, **"If I kill [the son]** directly, **I will presently forfeit my head to** his father, **the king.** אֶלָּא הֲרֵינִי מוֹשֵׁךְ אֶת יוֹנַקְתּוֹ מִמֶּנּוּ וְהוּא מֵת מֵאֵלָיו — **Rather, I will** simply **take away his wet-nurse from him, and he will die by himself."** כָּךְ אָמַר אָחָז: אִם אֵין גְּדָיִים אֵין תְּיָשִׁים, אִם אֵין תְּיָשִׁים אֵין צֹאן — **So too Ahaz said** to himself, **"If there are no kids there will be no goats; if there are no goats there will be no flocks;** אִם אֵין צֹאן אֵין רוֹעֶה, אִם אֵין רוֹעֶה אֵין עוֹלָם — **if there are no flocks there will be no shepherd; if there is no shepherd there will be no world."**[98] כָּךְ אָמַר אָחָז: אִם אֵין קְטַנִּים אֵין תַּלְמִידִים, אִם אֵין תַּלְמִידִים אֵין חֲכָמִים — **Similarly Ahaz said** to himself, **"If there are no small children there will be no students; if there are no students there will be no scholars;** אִם אֵין חֲכָמִים אֵין תּוֹרָה, אִם אֵין תּוֹרָה אֵין בָּתֵּי כְנֵסִיּוֹת וּבָתֵּי מִדְרָשׁוֹת — **if there are no scholars there will be no Torah; if there is no Torah there will be no synagogues and study halls;** אִם אֵין בָּתֵּי כְנֵסִיּוֹת וּבָתֵּי מִדְרָשׁוֹת אֵין הַקָּדוֹשׁ בָּרוּךְ הוּא מַשְׁרֶה שְׁכִינָתוֹ בָּעוֹלָם — **if there are no synagogues and study halls the Holy One, blessed is He, will not cause His Divine Presence to rest in the world."**[99] מֶה עָשָׂה, עָמַד וְנָעַל בָּתֵּי כְנֵסִיּוֹת וּבָתֵּי מִדְרָשׁוֹת — So **what did [Ahaz] do? He arose and locked** the **synagogues and study halls,** so that the small children would not have a place to study Torah.[100] הָדָא הוּא דִכְתִיב "צוֹר תְּעוּדָה חֲתוֹם תּוֹרָה בְּלִמֻּדָי" — **Thus it is written,** ***Bind up the testimony and seal the Torah from among My students*** (ibid. 8:16).[101] רַב הוּנָא בְּשֵׁם רַבִּי אֶלְעָזָר אָמַר: לָמָּה נִקְרָא שְׁמוֹ אָחָז, שֶׁאָחַז בָּתֵּי כְנֵסִיּוֹת וּבָתֵּי מִדְרָשׁוֹת — **Rav Huna said in the name of R' Elazar: Why was he called Ahaz** [אחז]**? Because he "held tight"** [אָחַז], i.e., he shut down, the **synagogues and study halls.** רַבִּי יַעֲקֹב בְּשֵׁם רַבִּי אַחָא אָמַר: שְׁמַעְתְּ לָהּ מִן הָדָא, "וְחִכִּיתִי לַה' הַמַּסְתִּיר פָּנָיו וגו'" — **R' Yaakov said in the name of R' Acha: You may derive it** (that Ahaz attempted to close the synagogues and study halls) **from this** verse, ***I shall await HASHEM, Who conceals His face*** *from the House of Jacob, and I will hope to Him* (ibid., v. 17).[102] אֵין לְךָ שָׁעָה קָשָׁה כְּאוֹתָהּ שָׁעָה, שֶׁנֶּאֱמַר בָּהּ "וְאָנֹכִי הַסְתֵּר אַסְתִּיר פָּנַי בַּיּוֹם הַהוּא" — In his statement, with its reference to God "concealing His face," Isaiah was hinting at the following explanation for his expectation that Ahaz's decree would be unsuccessful: **You can have no** possible **worse time than that time of which it is stated,** ***But I will surely have concealed*** *My face on that day because of all the evil that it did* (Deuteronomy 31:18).[103]

NOTES

97. *Yefeh To'ar* (to *Bereishis Rabbah* 42 §3) explains why the Midrash feels it necessary to describe another misfortune: According to the Midrash, the words וַיְהִי בִּימֵי, *and it happened in the days of,* are an allusion specifically to a misfortune that is *not* stated explicitly in Scripture — for otherwise, Scripture should use this phrase for each and every misfortune it recounts. The Midrash therefore now describes a further misfortune, which is not explicit in Scripture.

98. I.e., the world will be unable to function normally, for there will be no goats for meat, milk, etc. Ahaz's statement here is a metaphor, which the Midrash now goes on to explain.

99. Ahaz worshiped idolatrous deities, and thought he could prevent God (Whom he feared as well) from interfering with his chosen course of behavior by terminating Torah study from the world (see *Yefeh To'ar* to *Bereishis Rabbah* 42 §3 and *Eitz Yosef* here). See Insight Ⓐ.

100. *Eitz Yosef* to *Rus Rabbah, Pesichta* §7, citing *Yefeh Mareh* to *Yerushalmi Sanhedrin* 10:2. The removal of the wet-nurse in the above parable is representative of Ahaz removing the source of spiritual nourishment from Israel.

101. This verse refers to Ahaz's attempt to prevent the study of Torah by locking the doors of the synagogues and study halls.

[This is the Midrash's understanding of this verse. It should be noted that the Biblical commentators give a completely different explanation both of the verse and of the passage as a whole.]

102. This verse alludes to the period of time when Ahaz interrupted Torah study by closing down synagogues and study halls. In this verse Isaiah attempts to console the Jewish people, by expressing his hope and expectation that that no matter how dire the situation, God will never let the Torah be forgotten from among the Jewish people. The Midrash goes on to explain Isaiah's statement (*Eitz Yosef,* from *Yefeh To'ar* and *Nezer HaKodesh* to *Bereishis Rabbah* 42 §3).

103. I.e. there is surely no time of Divine wrath as grave as that in which God removes His Providence from the Jewish people, leaving them susceptible to all sorts of calamities (ibid.). Isaiah's statement, with its reference to God "concealing His face," alludes to this verse in *Deuteronomy*, which includes the same phraseology. See Insight Ⓑ.

INSIGHTS

Ⓐ **Synagogues and Study Halls** In order to achieve his goal of completely removing God's Presence from the Jewish people, Ahaz felt compelled to close both the synagogues *and* the study halls. Though these are both places of holiness, they perform different functions, each vital in ensuring that God's Presence continue to rest among the Jewish people.

To merit that Presence, the Jewish people must actively maintain two spiritual forces: love between Jews and the Fear of Heaven. The first of these, love between Jews, is nurtured when Jews join together to serve God. In the synagogue, Jews of all backgrounds and ranks come together in common purpose; the rich stand shoulder to shoulder with the poor, the voices of the great mingle with the voices of the commoners. As Jews shed their differences in the service of God, they shed also their jealousies, rivalries, and petty grudges. The synagogue is thus the vehicle for the unification of the people and the promotion of love and harmony among them.

The second spiritual force is the Fear of Heaven. One who studies Torah encounters the endless depths of God's wisdom and learns to appreciate His greatness. Indeed, the study of Torah is the primary tool against the evil inclination. The Sages teach (*Kiddushin* 30b) that if one is accosted by his evil inclination, i.e., he is seized with temptation, the appropriate response is to מָשְׁכֵהוּ לְבֵית הַמִּדְרָשׁ, *draw him into the study hall.* Through the light of the Torah one learns to evaluate all things with clarity. Temptation fades and one's appreciation for the Divine increases.

Realizing the distinct spiritual value in these two institutions, Ahaz understood that for his plan to be successful, he would need to lock the doors of the synagogues *and* the study halls. As long as these foundations remained strong, God's Presence would not depart (see *Divrei Shaarei Chaim, Shemini*, pp. 88a-88b).

[See also *Bereishis Rabbah* 42 §3, Kleinman edition, p. 35, Insight Ⓐ.]

Ⓑ **The Consequences of Distance** *R' Aharon Kotler* (*Mishnas Rav Aharon* Vol. 1, pp. 151-154) explains why הֶסְתֵּר פָּנִים is the greatest imaginable punishment. It is an indication that God is not interested in a direct relationship with us. The prophet Isaiah echoes this sentiment when he declares in the Name of God: *When you come to appear before Me, who sought this from your hand, to trample My courtyards?* (*Isaiah* 1:12).

The Gemara (*Taanis* 25b) tells us that sometimes God will respond to a prayer of one who does not deserve it, in the manner of a king whose servant asks for undeserved wages, to which the king replies, "Just give it to him. I don't want to hear his voice." Such benefits from the King, however, are in truth a punishment. God's munificence has value to us only when it comes from "the light of His Countenance," when it is an expression of His giving relationship with us. Not so when it is a reflection of His unwillingness to hear our voice.

This distance between man and his Creator is the very essence of the damage wrought by sin. It can reach a point that God is not even interested in one's mitzvos, when "one can do a mitzvah

חידושי הרד"ל

[ז] בקשו לסמותה. כן הוא בשאר מקומות שיש מאמר זה שליינתים בסייעתא דשמיא בבראשית רבה (מב, ג): **וקויתי לו שאמר כי לא תשכח.** כן צריך לומר:

באור מהרי"פ

שעשתה מדת הדין בעולם. כמו שמצינו במליצתו בעבור סדום, (בראשית יח, כה) השופט כל הארץ לא יעשה משפט: **ארם מקדם וגו'.** תימה מה ענין צרה זו לאחז, הלא מקרא זה הוא (ישעיה ט, י א) וישגב ה' את צרי רצין עליו ואת אויביו יסכסך ארם מקדם ופלשתים מאחור, ויאכלו את ישראל בכל פה בכל זאת לא שב אפו ועוד ידו נטויה. ופירש רש"י והרד"ק דקאי על ישראל, ומפני שהיתה בטחונם על רצין מלך ארם, בשר להם הנביא כשלון עוזר שלהם וממילא יפלו הנעזרים, וכאן מפורש הצרה שהיתה לאחז, כי עלה עליו רצין מלך ארם ופקח מלך ישראל, כל אחד מהם לבדו עשו לו היזק גדול, וכל שכן בהתחברות שניהם אין לך צרה גדולה יותר מזו. ויש לומר דאמת מפרש המדרש כפשוטו, כמפורש כאן במקראות הסמוכים, ומה שמביא המקרא ארם מקדם וגו', לדוגמא ולהפליג הצרה כמו שהיתה שם המלחמה פנים ואחור, כן היתה כאן, ששתי המלכים רצין ופקח הכינו המלחמה פנים ואחור על כן צווחו ווי. ויותר נתבאר פירוש זה לפי מה שכתב רש"י (ישעיה ט, יא) דבר אחר ארם מקדם ופלשתים מאחור היו משחיתים ביהודה בימי אחז כמו שמבואר (דברי הימים ב' כח, יז יח) עיין שם: **משל למלך שמסר את בנו וכו'.** הוא כמו דבר אחר: **אם אין בתי כנסיות ובתי מדרשיות וכו' עמד ונעל בתי כנסיות ובתי מדרשיות וכו'.** וקשה להולמה, כיון דנעילת בתי כנסיות ובתי מדרשיות היא סבה למנוע השראת השכינה בישראל, וכל כוונתו היתה לסלק השראת השכינה, אם כן די היה לו בנעילת בתי כנסיות ובתי מדרשיות, ולמה עוד סבות רחוקות אם אין קטנים אין תלמידים וכו'. אולם בבראשית רבה סדר לך (מב, ג) שם הגירסא יותר מבוררת, והכי קאמר כך היה סבור בדעתו לומר אם אין קטנים אין תלמידים, אם אין תלמידים אין חכמים, אם אין חכמים אין זקנים, אם אין זקנים אין נביאים, אם אין נביאים אין הקב"ה משרה שכינתו עליהם, הדא הוא דכתיב (ישעיה ח, טז) תעודה חתום תורה בלמודי. רבי הונא בר אלעזר אמר למה נקרא שמו אחז, שאחז בתי כנסיות ובתי מדרשות. עכ"ל המדרש שם. ולפי גירסא זו אתיא שפיר כיון שהלמוד של קטנים היא סבה ראשונה לכל המסובבים ממנה לתלמידים ולחכמים וכו', עד השראת השכינה, על כן היה סבור בדעתו כיון שינעול בתי כנסיות ובתי מדרשות, ויבטל תינוקות של בית רבן מלמודם, ממילא לא יהיה השראת השכינה בישראל: **מה שהדיין צריך לעשות לנשפט וכו'.** אולי הדקדוק ממה דכתיב שתי פעמים ויהי, שמע מינה שהיתה צרה אחרת חוץ מן הרעב היינו ששפטו את שופטיהם:

עץ יוסף

ברברים. תוגרמה, תרגום ירושלמי ברבר, מעם לועז, תרגום ירושלמי מעם ברבראי (זית רענן): **שאין המלך נזקק למדינה כמו שהיה, למוד אם יהרגו את אוהבו,** כן צריך לומר (אות אמת): **ונברכו בך.** ודרשו חכמינו ז"ל אפילו ספינות שבים נתברכו בשבילו: **גלגל עינו של עולם.** ויהיה פירושו עין משפט, עין העולם העושה משפט: **עין שעשתה מדת הדין.** בענין סדום, שהפך בזכותם ואמר (בראשית יח כה) השופט כל הארץ וגו', וכן דרכו תמיד כדכתיב (שם פסוק יט) כי ידעתיו וגו': **לפדגוג.** פירוש אומן המגדל את בני המלך: **אם אין תישים.** כי אין מי שיפרה וירבה הצאן, והצאן הנמצאים יכלו מעט מעט: **אין רועה.** פירוש אין רועה את הצאן: **אין עולם.** כלומר שלא יתנהג העולם כראוי, כי לא ימצאו עדר הצאן הצריכות לעיקר צורך המדינה: **אין בתי כנסיות ובתי מדרשות.** ולא ימצא מקום מוכן שתחול השכינה על איזה איש: **צור תעודה.** כלומר שאחז צרר וקשר והסגיר התעודה, זה בתי מדרשות, שהם מקום בית ועד לתורה, כדי להיות חתום תורה בלמודי, להשכיח התורה מישראל, ולסלק השכינה מישראל (נזר הקודש): **וחכיתי לה' המסתיר כו'.** שישעיה בא שוב לנחם את כנסת ישראל, שלא תתקיים מחשבת רשע זה להשכיח את התורה מישראל, כי אי אפשר להיות שום דבר מעכב למנוע התורה מישראל, ועל זה אמר וחכיתי לה' המסתיר פניו מבית יעקב, שאין לך שעה קשה לישראל, שהקדוש ברוך הוא עמס מהם בכעס וזעם, כאותה שעה שכתיב בה ואנכי הסתר אסתיר פני מהם, כי בהיותם בהסתר פנים, פני השגחתו, הם מעותדים לכל מקרה ופגעים רעים, ואף על פי כן גם על אותה שעה ופרק נאמר שם בכתוב כי לא תשכח מפי זרעו, ומזה ראיה ברורה שלעולם אין התורה משתכחת מישראל, אפילו בשעת זעם, ועל זה אמר ומאותה שעה קויתי לו, כלומר מאותה שעה שהיא קשה מאד קויתי לו תמיד, שהרי אם בשעה היותר קשה, הבטיח ה' כי לא תשכח התורה מפי זרעו, כל שכן בשאר זמנים (יפה תואר ונזר הקודש):

מדרש

בִּשְׁבִילוֹ הָיָה הַמֶּלֶךְ נִזְקָק בַּמְּדִינָה, בָּאוּ בַּרְבָּרִים וְנִזְדַּוְּוגוּ לוֹ, כֵּיוָן שֶׁבָּאוּ וְנִזְדַּוְּוגוּ לוֹ אָמְרוּ הַכֹּל: וַוי שֶׁאֵין הַמֶּלֶךְ נִזְקָק לַמְּדִינָה כְּמוֹ שֶׁהָיָה, כָּךְ אַבְרָהָם אוֹהֲבוֹ שֶׁל הַקָּדוֹשׁ בָּרוּךְ הוּא הָיָה, וּכְתִיב בּוֹ (שם יב, ג) "וְנִבְרְכוּ בְךָ", וּבִשְׁבִילוֹ הָיָה הַקָּדוֹשׁ בָּרוּךְ הוּא נִזְקָק לְכָל הָעוֹלָם כּוּלּוֹ, בָּאוּ כַּשְׂדִּיִּים וְנִזְדַּוְּוגוּ לוֹ, אָמְרוּ: וַוי שֶׁאֵין הַקָּדוֹשׁ בָּרוּךְ הוּא נִזְקָק בְּעוֹלָמוֹ כְּמוֹת שֶׁהָיָה, הֲדָא הוּא דִכְתִיב (שם יד, ז) "וַיָּשֻׁבוּ וַיָּבֹאוּ אֶל עֵין מִשְׁפָּט הִיא קָדֵשׁ", אָמַר רַבִּי חֲנִינָא: לֹא בִיקְּשׁוּ לְהִזְדַּוֵּוג אֶלָּא לְתוֹךְ גַּלְגַּל עֵינוֹ שֶׁל עוֹלָם, עַיִן שֶׁעָשְׂתָה מִדַּת הַדִּין בָּעוֹלָם בִּקְּשׁוּ °לְסוּמָהּ, "הִיא קָדֵשׁ", אָמַר רַבִּי אַחָא: "הִוא" כְּתִיב, הוּא שֶׁקִּידֵּשׁ שְׁמוֹ שֶׁל הַקָּדוֹשׁ בָּרוּךְ הוּא וְיָרַד לְכִבְשַׁן הָאֵשׁ, כֵּיוָן שֶׁבָּאוּ הַמְּלָכִים וְנִזְדַּוְּוגוּ לוֹ, הִתְחִילוּ צוֹוחִין: וַוי וַוי, "וַיְהִי בִּימֵי אַמְרָפֶל מֶלֶךְ". (ישעיה ז, א) "וַיְהִי בִּימֵי אָחָז בֶּן יוֹתָם", מַה צָּרָה הָיְתָה, (שם ט, יא) "אֲרָם מִקֶּדֶם וּפְלִשְׁתִּים מֵאָחוֹר וְגוֹ'", מָשָׁל לְמֶלֶךְ שֶׁמָּסַר אֶת בְּנוֹ לְפַדְגּוֹג וְהָיָה הַפַּדְגּוֹג שׂוֹנֵא אוֹתוֹ, אָמַר: אִם אֲנִי הוֹרֵג אוֹתוֹ עַכְשָׁיו נִמְצֵאתִי מִתְחַיֵּיב רֹאשִׁי לַמֶּלֶךְ, אֶלָּא הֲרֵינִי מוֹשֵׁךְ אֶת יוֹנַקְתּוֹ מִמֶּנּוּ וְהוּא מֵת מֵאֵלָיו, כָּךְ אָמַר אָחָז: אִם אֵין גְּדָיִים אֵין תְּיָישִׁים, אִם אֵין תְּיָישִׁים אֵין צֹאן, אִם אֵין צֹאן אֵין רוֹעֶה, אִם אֵין רוֹעֶה אֵין עוֹלָם, כָּךְ אָמַר אָחָז: אִם אֵין קְטַנִּים אֵין תַּלְמִידִים, אִם אֵין תַּלְמִידִים אֵין חֲכָמִים, אִם אֵין חֲכָמִים אֵין תּוֹרָה, אִם אֵין תּוֹרָה אֵין בָּתֵּי כְנֵסִיּוֹת וּבָתֵּי מִדְרָשׁוֹת, אִם אֵין בָּתֵּי כְנֵסִיּוֹת וּבָתֵּי מִדְרָשׁוֹת אֵין הַקָּדוֹשׁ בָּרוּךְ הוּא מַשְׁרֶה שְׁכִינָתוֹ בָּעוֹלָם, מֶה עָשָׂה, עָמַד וְנָעַל בָּתֵּי כְנֵסִיּוֹת וּבָתֵּי מִדְרָשׁוֹת, הֲדָא הוּא דִכְתִיב (ישעיה ח, טז) "צוֹר תְּעוּדָה חֲתוֹם תּוֹרָה בְּלִמֻּדָי", רַב הוּנָא בְּשֵׁם רַבִּי אֶלְעָזָר יָאמַר: לָמָּה נִקְרָא שְׁמוֹ אָחָז, שֶׁאָחַז בָּתֵּי כְנֵסִיּוֹת וּבָתֵּי מִדְרָשׁוֹת, רַבִּי יַעֲקֹב בְּשֵׁם רַבִּי אַחָא אָמַר: שְׁמַעְתְּ לָהּ מִן הֲדָא, (שם שם יז) "וְחִכִּיתִי לַה' הַמַּסְתִּיר פָּנָיו וְגוֹ'", אֵין לְךָ שָׁעָה קָשָׁה כְּאוֹתָהּ שָׁעָה, שֶׁנֶּאֱמַר בָּהּ (דברים לא, יח) "וְאָנֹכִי הַסְתֵּר אַסְתִּיר פָּנַי בַּיּוֹם הַהוּא", מֵאוֹתָהּ שָׁעָה (ישעיה שם שם) "וְקִוֵּיתִי לוֹ", (דברים שם כא) "כִּי לֹא תִשָּׁכַח מִפִּי זַרְעוֹ", וּמָה הוֹעִיל לוֹ,

פירוש מהרז"ו

הוא העיקר והראשון כנגד אברהם, אך מנהיג מלחמה זו והגיבור שבכולם היה כדרלעומר: **ונזדווגו לו.** לשון זה נוהג במדרש על ההתחברות לכוונה רעה: **אברהם אוהבו.** כמו שכתוב (ישעיה מא, ח) זרע אברהם אוהבי, וכתיב בו (בראשית יח, יח) ונברכו בך כל משפחות האדמה, והיינו מה שאמר במשל שבשבילו היה נזקק למדינה, שנברכו כולם בשבילו: **באו כשדים.** הוא אמרפל ועמו שהוא מלך שנער, ושנער הוא בבל וכשדים: **וישובו ויבואו אל עין משפט.** הקשה לו מה שכתוב וישובו, משמע שכבר היו בעין משפט, ועתה שבו עוד הפעם, ועוד שלא מצינו שעיר קדש תקרא עין משפט, על כן דורש על פי מדה כ' ועל פי מדת ממטל, על אברהם שהיה חביב בעולם כבבת וגלגל עין, ועשה משפט בעולם, כמו שנאמר (בראשית יח, יט) כי ידעתיו וכו' לעשות צדקה ומשפט, וקידש שמו של הקב"ה באור כשדים על ידי נמרוד מכבר, ועתה שבו נמרוד (ועמו) [ועמדו] עוד הפעם להרגו, וזהו וישובו: **מושך את יונקתו.** וכנמשל יונקתו היא התורה המחיה אותנו, כמו המינקת לילד, ולא עשה בפעם אחד לבטל גדולים וקטנים יחד, שהיה מתירא שימרדו בו ישראל ולא יפעל כוונתו, על כן עשה מעט מעט תחלה ביטל התינוקות, שאחז רצה שיתאחזו ישראל כמו הגוים עובדי כוכבים, ומה שאמר אם אין רועה אין עולם, אמר המדרש כן לפי האמת, אך לא כפי כוונת אחז. ובמקומות שליינתי גורס במשל כך אמר אחז, ובנמשל גורס כך היה אחז סובר: **אין בתי כנסיות ובתי מדרשות.** ובבראשית רבה שם גירסא אחרת, והכל אל מקום אחד וכוונה אחת: **צור תעודה.** כמו שכתוב (ישעיה ח, יח) הנה אנכי והילדים אשר נתן לי ה' לאותות ולמופתים בישראל, היינו מה שכתב בפרשה הקודמת (שם ז, יד) על אחז, לכן יתן ה' לכם אות הנה העלמה הרה ויולדת בן וגו', ואם כן גם הפסוק צור תעודה גם כן מדבר באחז, שאמר לו ישעיה לא תועיל בכוונתך להשכיח התורה מישראל, כי וחכיתי לה' המסתיר פניו מבית יעקב, משמע שלכך יחכה לו, על שהוא מסתיר פניו מבית יעקב, אדרבה שהיה לו לומר וחכיתי וגו' המושיע לבית יעקב, לכן מחכה לו, על כן דורש על פי מדה י"ז, שבמקום שכתוב בתורה ואנכי הסתר אסתיר, שם כתיב כי לא תשכח מפי זרעו, אף

מתנות כהונה

אסתר (א, א), ובפרשת נשא (י, ה), פירושו של המאמר זה: **שמעת לה מן הדא.** תשמענה מזה הכתוב שנעל כל בתי מדרשות:

מסורת המדרש

ז. תד"א זוטא פ"ט. מדרש תהלים מזמור ב:

אם למקרא

וַאֲבָרְכָה מְבָרְכֶיךָ וּמְקַלֶּלְךָ אָאֹר וְנִבְרְכוּ בְךָ כֹּל מִשְׁפְּחֹת הָאֲדָמָה: (שם יב:ג)

וַיָּשֻׁבוּ וַיָּבֹאוּ אֶל עֵין מִשְׁפָּט הִוא קָדֵשׁ וַיַּכּוּ אֶת כָּל שְׂדֵה הָעֲמָלֵקִי וְגַם אֶת הָאֱמֹרִי הַיֹּשֵׁב בְּחַצְצֹן תָּמָר: (שם יד:ז)

וַיְהִי בִּימֵי אָחָז בֶּן יוֹתָם בֶּן עֻזִּיָּהוּ מֶלֶךְ יְהוּדָה עָלָה רְצִין מֶלֶךְ אֲרָם וּפֶקַח בֶּן רְמַלְיָהוּ מֶלֶךְ יִשְׂרָאֵל יְרוּשָׁלִַם לַמִּלְחָמָה עָלֶיהָ וְלֹא יָכֹל לְהִלָּחֵם עָלֶיהָ: (ישעיה ז:א)

אֲרָם מִקֶּדֶם וּפְלִשְׁתִּים מֵאָחוֹר וַיֹּאכְלוּ אֶת־יִשְׂרָאֵל בְּכָל־פֶּה בְּכָל־זֹאת לֹא־שָׁב אַפּוֹ וְעוֹד יָדוֹ נְטוּיָה: (שם ט:יא)

צוֹר תְּעוּדָה חֲתוֹם תּוֹרָה בְּלִמֻּדָי: וְחִכִּיתִי לַה' הַמַּסְתִּיר פָּנָיו מִבֵּית יַעֲקֹב וְקִוֵּיתִי לוֹ: הִנֵּה אָנֹכִי וְהַיְלָדִים אֲשֶׁר נָתַן לִי ה' לְאֹתוֹת וּלְמוֹפְתִים בְּיִשְׂרָאֵל מֵעִם ה' צְבָאוֹת הַשֹּׁכֵן בְּהַר צִיּוֹן: (שם ח:טז-יח)

וְאָנֹכִי הַסְתֵּר אַסְתִּיר פָּנַי בַּיּוֹם הַהוּא עַל כָּל הָרָעָה אֲשֶׁר עָשָׂה כִּי פָנָה אֶל אֱלֹהִים אֲחֵרִים: (דברים לא:יח)

אמרי יושר

ויהי בימי אחז בן יתום מה צרה. שאחז ונעל בתי כנסיות, ואז נענשו, ארם מקדם: **אין לך שעה קשה כאותה שכתוב בה ואנכי הסתר אסתיר פני.** ועם כל זה כתיב אחריו (דברים לא, כא) וענתה השירה לפניו לעד כי לא תשכח מפי זרעו, הכא נמי דכוותה, המסתיר פניו, ועם כל זה וקויתי לו, ולא יוכל אחז לבטל דברי תורה, כי הנה אנכי והתלמידים, לאות על זה, ואולי לזה התחיל המאמר, לא תחשוב שהצרה היא ביטול בית המדרש, כי על זה לא יוכל, רק ארם מקדם:

ליקוטים

[ז] ברברים. ערביים שבמערב, וזהו מה שעינינו רואות בזמנינו, שהמערב נקרא ברבריאה (מעריך ערך ברבריין). ובמוסף הערוך (ערך ברבריא) פירש ר' בנימין מוספייא ברבריא היא מדינה באפריקי:

מֵאוֹתָהּ שָׁעָה ״וְקִוֵּיתִי לוֹ״, ״כִּי לֹא תִשָּׁכַח מִפִּי זַרְעוֹ״ — From that time, *I will hope to Him* (*Isaiah* ibid.) always, for even about that time it is written, ***for it shall not be forgotten from the mouth of its offspring*** (*Deuteronomy* 31:21).[104] **וּמָה הוֹעִיל לוֹ — And what did [Ahaz's plan] avail him?**

NOTES

104. I.e., since that time described in *Deuteronomy* 31:18 would be the most difficult in Jewish history, and even so God specifically assures Israel in that context (in v. 21 there) that the Torah would never be forgotten from their descendants, we can be confident that surely in less critical times the Torah will not depart the Jewish people (*Eitz Yosef,* from *Yefeh To'ar* and *Nezer HaKodesh* to *Bereishis Rabbah* 42 §3). Isaiah thus reassures the Jews, based on Torah verses, that Ahaz's plans would come to nought, for God will never let the Torah be forgotten from among them. See also Kleinman edition of *Rus Rabbah*, *Pesichta* §7, p. 8[1], Insight B, and *Esther Rabbah*, *Pesichta* §11, p. 10[3], Insight Ⓐ.

INSIGHTS

and it will be torn up in his face" (*Rambam, Hil. Teshuvah* 7:7). The essence of joy in this world is a relationship with God. When man brings about הֶסְתֵּר פָּנִים, he is severing that relationship, and a mitzvah that he does might be rejected unless he mends that relationship. Now, clearly, even one who is distant from God is obligated to study Torah and observe the mitzvos. But his observance does not bring about the necessary relationship with God unless he takes steps to repair it.

This distance, this "hiding" of God's Countenance, is not in essence a punishment. It is rather a reflection of the reality of the distance sin places between man and his Creator.

There is, in truth, a dimension of Divine kindness in this distance. Were it not for this distance, it would be impossible for a person to exist in a situation of sin. After serious transgressions, it is dangerous to be in God's proximity, because His Providence is then manifest, and the sinner could not endure. But despite that element of kindness, such distance remains, in the main, a great tragedy.

In addition to the loss of a direct relationship, there is another dimension of misfortune here. When one is close to God — when His Countenance shines upon us — His Providence is clear and open. This clear perception of God's Providence is immeasurably helpful in assisting man to become even closer to God, to dedicate his heart to His worship, to fear Him, and thereby, to deserve His providential assistance in one's spiritual pursuits. Such closeness with God will help one acquire Torah knowledge and will bind one's heart, one's spirit, and one's soul to God and His Torah.

Distance prevents us from seeing. It allows us to ignore. But it deprives our lives of their true meaning and opportunity. It is for us to close the distance, to return to the One Whose nearness is waiting for us if only we seek it with sincerity.

בִּשְׁבִילוֹ הָיָה הַמֶּלֶךְ נִזְקָק בַּמְּדִינָה, בָּאוּ בַּרְבָּרִים וְנִזְדַּוְּגוּ לוֹ, כֵּיוָן שֶׁבָּאוּ וְנִזְדַּוְּגוּ לוֹ אָמְרוּ הַכֹּל: וַוי שֶׁאֵין הַמֶּלֶךְ נִזְקָק לַמְּדִינָה כְּמוֹ שֶׁהָיָה, כָּךְ אַבְרָהָם אוֹהֲבוֹ שֶׁל הַקָּדוֹשׁ בָּרוּךְ הוּא הָיָה, וּכְתִיב בּוֹ "וְנִבְרְכוּ בְךָ" (שם יב, ג), וּבִשְׁבִילוֹ הָיָה הַקָּדוֹשׁ בָּרוּךְ הוּא נִזְקָק לְכָל הָעוֹלָם כּוּלּוֹ, בָּאוּ כַּשְׂדִּיִּים וְנִזְדַּוְּגוּ לוֹ, אָמְרוּ: וַוי שֶׁאֵין הַקָּדוֹשׁ בָּרוּךְ הוּא נִזְקָק בְּעוֹלָמוֹ כְּמוֹת שֶׁהָיָה, הָדָא הוּא דִכְתִיב (שם יד, ז) "וַיָּשֻׁבוּ וַיָּבֹאוּ אֶל עֵין מִשְׁפָּט הִיא קָדֵשׁ", אָמַר רַבִּי חִיָּיא: לֹא בִּיקְּשׁוּ לְהִזְדַּוֵּוג אֶלָּא לְתוֹךְ גַּלְגַּל עֵינוֹ שֶׁל עוֹלָם, עַיִן שֶׁעָשְׂתָה מִדַּת הַדִּין בָּעוֹלָם בִּקְּשׁוּ °לְסוֹתְמָהּ, "הִיא קָדֵשׁ", אָמַר רַבִּי אַחָא: "הוּא" כְּתִיב, הוּא שֶׁקִּידֵּשׁ שְׁמוֹ שֶׁל הַקָּדוֹשׁ בָּרוּךְ הוּא וְיָרַד לְכִבְשַׁן הָאֵשׁ, כֵּיוָן שֶׁבָּאוּ הַמְּלָכִים וְנִזְדַּוְּגוּ לוֹ, הִתְחִילוּ צוֹוְחִין: וַוי וַוי, "וַיְהִי בִּימֵי אַמְרָפֶל מֶלֶךְ". "וַיְהִי בִּימֵי אָחָז בֶּן יוֹתָם" (ישעיה ז, א), מַה צָּרָה הָיְתָה, (שם ט, יא) "אֲרָם מִקֶּדֶם וּפְלִשְׁתִּים מֵאָחוֹר וְגוֹ'", מָשָׁל לְמֶלֶךְ שֶׁמָּסַר אֶת בְּנוֹ לְפַדָּגוֹג וְהָיָה הַפַּדָּגוֹג שׂוֹנֵא אוֹתוֹ, אָמַר: אִם אֲנִי הוֹרֵג אוֹתוֹ עַכְשָׁיו נִמְצֵאתִי מִתְחַיֵּיב רֹאשִׁי לַמֶּלֶךְ, אֶלָּא הֲרֵינִי מוֹשֵׁךְ אֶת יוֹנַקְתּוֹ מִמֶּנּוּ וְהוּא מֵת מֵאֵלָיו, כָּךְ אָמַר אָחָז: אִם אֵין גְּדָיִים אֵין תְּיָשִׁים, אִם אֵין תְּיָשִׁים אֵין צֹאן, אִם אֵין צֹאן אֵין רוֹעֶה, אִם אֵין רוֹעֶה אֵין עוֹלָם, כָּךְ אָמַר אָחָז: אִם אֵין קְטַנִּים אֵין תַּלְמִידִים, אִם אֵין תַּלְמִידִים אֵין חֲכָמִים, אִם אֵין חֲכָמִים אֵין תּוֹרָה, אִם אֵין תּוֹרָה אֵין בָּתֵּי כְנֵסִיּוֹת וּבָתֵּי מִדְרָשׁוֹת, אִם אֵין בָּתֵּי כְנֵסִיּוֹת וּבָתֵּי מִדְרָשׁוֹת אֵין הַקָּדוֹשׁ בָּרוּךְ הוּא מַשְׁרֶה שְׁכִינָתוֹ בָּעוֹלָם, מֶה עָשָׂה, עָמַד וְנָעַל בָּתֵּי כְנֵסִיּוֹת וּבָתֵּי מִדְרָשׁוֹת, הָדָא הוּא דִכְתִיב (ישעיה ח, טז) "צוֹר תְּעוּדָה חֲתוֹם תּוֹרָה בְּלִמֻּדָי", רַב הוּנָא בְּשֵׁם רַבִּי אֶלְעָזָר אָמַר: לָמָּה נִקְרָא שְׁמוֹ אָחָז, שֶׁאָחַז בָּתֵּי כְנֵסִיּוֹת וּבָתֵּי מִדְרָשׁוֹת, רַבִּי יַעֲקֹב בְּשֵׁם רַבִּי אַחָא אָמַר: שְׁמַעְתְּ לָהּ מִן הָדָא, (שם שם יז) "וְחִכִּיתִי לַה' הַמַּסְתִּיר פָּנָיו וְגוֹ'", אֵין לְךָ שָׁעָה קָשָׁה כְּאוֹתָהּ שָׁעָה, שֶׁנֶּאֱמַר בָּהּ (דברים לא, יח) "וְאָנֹכִי הַסְתֵּר אַסְתִּיר פָּנַי בַּיּוֹם הַהוּא", מֵאוֹתָהּ שָׁעָה (ישעיה שם שם) "וְקִוֵּיתִי לוֹ", (דברים שם כא) "כִּי לֹא תִשָּׁכַח מִפִּי זַרְעוֹ", וּמָה הוֹעִיל לוֹ,

עץ יוסף

ברברים. תוגרמה, תרגום ירושלמי ברבר, מעס לועז, תרגום ירושלמי מעס ברבראי (זית רענן): **שאין המלך נזקק למדינה כמו שהיה, למוד אם יהרגו את אוהבו**, כן צריך לומר (אות אמת): **ונברכו בך.** ודרשו חכמינו ז"ל אפילו ספינות שבים נתברכו בשבילו: **גלגל עינו של עולם.** ויהיה פירושו עין משפט, עין העולם העושה משפט: **עין שעשתה מדת הדין.** בענין סדום, שהפך בזכותם ואמר (בראשית יח כה) השופט כל הארץ וגו', וכן דרכו תמיד כדכתיב (שם פסוק יט) כי ידעתיו וגו': **לפדגוג.** פירוש אומן המגדל את בני המלך: **אם אין תישים.** כי אין מי שיפרה וירבה הצאן, והצאן הנמצאות יכלו מעט מעט: **אין רועה.** פירוש אין רועה את הצאן: **אין עולם.** כלומר שלא יתנהג העולם כראוי, כי לא ימצאו עדר הצאן הצריכות לעיקר צורך המדינה: **אין בתי כנסיות ובתי מדרשות.** ולא ימצא מקום מוכן שתחול השכינה על איזה איש: **צור תעודה.** כלומר שאחז צרר וקשר והסגיר התעודה, זה בתי מדרשות, שהם מקום בית ועד לתורה, כדי להיות חתום תורה בלמודי, להשכיח התורה מישראל, ולסלק השכינה מישראל (נזר הקודש): **וחכיתי לה' המסתיר כו'.** שישעיה בא שוב לנחם את כנסת ישראל, שלא תתקיים מחשבת רשע זה להשכיח את התורה מישראל, כי אי אפשר להיות שום דבר מעכב למנוע התורה מישראל, ועל זה אמר וחכיתי לה' המסתיר פניו מבית יעקב, שאין לך שעה קשה לישראל, שהקדוש ברוך הוא עמס בכעס וזעם, כאותה שעה שכתיב בה ואנכי הסתר אסתיר פני מהם, כי בהיותם בהסתר פנים, פני השגחתו, הם מעותדים לכל מקרה ופגעים רעים, ואף על פי כן גם על אותה שעה ופרק נאמר שם בכתוב כי לא תשכח מפי זרעו, ומזה ראיה ברורה שלעולם אין התורה משתכחת מישראל, אפילו בשעת זעם, ועל זה אמר ומאותה שעה קויתי לו, כלומר מאותה שעה שהיא קשה מאד קויתי לו תמיד, שהרי אם בשעה היותר קשה, הבטיח ה' כי לא תשכח התורה מפי זרעו, כל שכן בשאר זמנים (יפה תואר ונזר הקודש):

פירוש מהרז"ו

הוא העיקר והראשון כנגד אברהם, אך מנהיג מלחמה זו והגיבור שבכולם היה כדרלעומר: **ונזדווגו לו.** לשון זה נוהג במדרש על ההתחברות לכוונה רעה: **אברהם אוהבו.** כמו שכתוב (ישעיה מא, ח) זרע אברהם אוהבי, וכתיב בו (בראשית יח, יח) ונברכו בך כל משפחות האדמה, והיינו מה שאמר במשל שבשבילו היה נזקק למדינה, שנברכו כולם בשבילו: **באו כשדים.** הוא אמרפל ועמו שהוא מלך שנער, ושנער הוא בבל וכשדים: **וישובו ויבואו אל עין משפט.** הקשה לו מה שכתוב וישובו, משמע שכבר היו בעין משפט, ועתה שבו עוד הפעם, ועוד שלא מצינו שעיר קדש תקרא עין משפט, על כן דורש על פי מדה כ' ועל פי מדת ממשל, על אברהם שהיה חביב בעולם כבבת וגלגל עין, ועשה משפט בעולם, כמו שנאמר (בראשית יח, יט) כי ידעתיו וכו' לעשות צדקה ומשפט, וקידש שמו של הקב"ה באור כשדים על ידי נמרוד מכבר, ועתה שבו נמרוד (ועמו) [ועמד] עוד הפעם להרגו, וזהו וישובו: **מושך את יונקתו.** ובנמשל יונקתו היא התורה המחיה אותנו, כמו המינקת לילד, ולא עשה בפעם אחד לבטל גדולים וקטנים יחד, שהיה מתירא שימרדו בו ישראל ולא יפעל כוונתו, על כן עשה מעט מעט תחלה ביטל התינוקות, שאחז רצה שיתאחזו ישראל כמו הגוים עובדי כוכבים, ומה שאמר אם אין רועה אין עולם, אמר המדרש כן לפי האמת, אך לא כפי כוונת אחז. ובמקומות שציינתי גורס במשל כך אמר אחז, ובנמשל גורס כך היה אחז סובר: **אין בתי כנסיות ובתי מדרשות.** ובבראשית רבה שם גירסא אחרת, והכל אל מקום אחד וכוונה אחת: **צור תעודה.** כמו שכתוב (ישעיה ח, יח) הנה אנכי והילדים אשר נתן לי ה' לאותות ולמופתים בישראל, היינו מה שכתב בפרשה הקודמת (שם ז, יד) על אחז, לכן יתן ה' לכם אות הנה העלמה הרה ויולדת בן וגו', ואם כן גם הפסוק צור תעודה גם כן מדבר באחז, שאמר לו ישעיה לא תועיל בכוונתך להשכיח התורה מישראל, כי וחכיתי לה' המסתיר פניו מבית יעקב, משמע שלכך יחכה לו, על שהוא מסתיר פניו מבית יעקב, אדרבה שהיה לו לומר וחכיתי וגו' המושיע לבית יעקב, לכן מחכה לו, על כן דורש על פי מדה י"ז, שבמקום שכתוב בתורה ואנכי הסתר אסתיר, שם כתיב כי לא תשכח מפי זרעו, אף

מתנות כהונה

אסתר (א, א), ובפרשת נשא (י, ה), פירושו של המאמר זה: **שמעת לה מן הדא.** תשמענה מזה הכתוב שנעל כל בתי מדרשות:

חידושי הרד"ל

[ז] בקשו לסמותה. כן הוא בשאר מקומות שיש מאמר זה שציינתים בסייעתא דשמיא בבראשית רבה (מב, ג): **וקויתי לו שאמר כי לא תשכח.** כן צריך לומר:

באור מהרי"פ

שעשתה מדת הדין בעולם. כמו שמצינו במליצתו בעבור סדום, (בראשית יח, כה) השופט כל הארץ לא יעשה משפט: **ארם מקדם וגו'.** תימה מה ענין צרה זו לאחז, הלא מקרא זה הוא (ישעיה כט, י יא) וישגב ה' את צרי רצין עליו ואת אויביו יסכסך ארם מקדם ופלשתים מאחור, ויאכלו את ישראל בכל פה בכל זאת לא שב אפו ועוד ידו נטויה. ופירש רש"י והרד"ק דקאי על ישראל, ומפני שהיתה בטחונם על רצין מלך ארם, בשר להם הנביא כשלון עוזר שלהם וממילא יפלו הנעזרים, וכאן מפורש הצרה שהיתה לאחז, כי עלה עליו רצין מלך ארם ופקח מלך ישראל, כל אחד מהם לבדו עשו לו היזק גדול, וכל שכן בהתחברות שניהם אין לך צרה גדולה יותר מזו. ויש לומר דבאמת מפרש המדרש כפשוטו, כמפורש כאן במקראות הסמוכים, ומה שמביא המקרא ארם מקדם וגו', לדוגמא ולהפליג הצרה כמו שהיתה שם המלחמה פנים ואחור, כן היתה כאן, ששתי המלכים רצין ופקח הכינו המלחמה פנים ואחור על כן צווחו ווי. ויותר נתבאר פירוש זה לפי מה שכתב רש"י (ישעיה ט, יא) דבר אחר ארם מקדם ופלשתים מאחור היו משחיתים ביהודה בימי אחז כמו שמבואר (דברי הימים ב' כח, יז יח) עיין שם: **משל למלך שמסר את בנו וכו'.** הוא כמו דבר אחר: **אם אין בתי כנסיות ובתי מדרשיות וכו' עמד ונעל בתי כנסיות ובתי מדרשיות וכו'.** וקשה להולמה, כיון דנעילת בתי כנסיות ובתי מדרשיות היא סבה למנוע השראת השכינה בישראל, וכל כוונתו היתה לסלק השראת השכינה, אם כן די היה לו בנעילת בתי כנסיות ובתי מדרשיות, ולמה עוד סבות רחוקות אם אין קטנים אין תלמידים וכו'. אולם בבראשית רבה סדר לך (מב, ג) שם הגירסא יותר מבוררת, והכי קאמר כך היה סבור בדעתו לומר אם אין קטנים אין תלמידים, אם אין תלמידים אין חכמים, אם אין חכמים אין זקנים, אם אין זקנים אין נביאים, אם אין נביאים אין הקב"ה משרה שכינתו עליהם, הדא הוא דכתיב (ישעיה ח, טז) תעודה חתום תורה בלמודי. רבי הונא בר אלעזר אמר למה נקרא שמו אחז, שאחז בתי כנסיות ובתי מדרשות. עכ"ל המדרש שם. ולפי גירסא זו אתיא שפיר כיון שהלמוד של קטנים היא סבה ראשונה לכל המסובבים ממנה לתלמידים ולחכמים וכו', עד השראת השכינה, על כן היה סבור בדעתו כיון שינעול בתי כנסיות ובתי מדרשות, ויבטל תינוקות של בית רבן מלמודם, ממילא לא יהיה השראת השכינה בישראל: **מה שהדיין צריך לעשות לנשפט וכו'.** אולי הדקדוק ממה דכתיב שתי פעמים ויהי, שמע מינה שהיתה צרה אחרת חוץ מן הרעב היינו ששפטו את שופטיהם:

מסורת המדרש

ז. תד"א זוטא פ"ט. מדרש תהלים מזמור ב:

אם למקרא

וְאֲבָרְכָה מְבָרְכֶיךָ וּמְקַלֶּלְךָ אָאֹר וְנִבְרְכוּ בְךָ כֹּל מִשְׁפְּחֹת הָאֲדָמָה: (שם יב:ג)

וַיָּשֻׁבוּ וַיָּבֹאוּ אֶל עֵין מִשְׁפָּט הִוא קָדֵשׁ וַיַּכּוּ אֶת כָּל שְׂדֵה הָעֲמָלֵקִי וְגַם אֶת הָאֱמֹרִי הַיֹּשֵׁב בְּחַצְצֹן תָּמָר: (שם יד:ז)

וַיְהִי בִּימֵי אָחָז בֶּן יוֹתָם בֶּן עֻזִּיָּהוּ מֶלֶךְ יְהוּדָה עָלָה רְצִין מֶלֶךְ אֲרָם וּפֶקַח בֶּן רְמַלְיָהוּ מֶלֶךְ יִשְׂרָאֵל יְרוּשָׁלַם לַמִּלְחָמָה עָלֶיהָ וְלֹא יָכֹל לְהִלָּחֵם עָלֶיהָ: (ישעיה ז:א)

אֲרָם מִקֶּדֶם וּפְלִשְׁתִּים מֵאָחוֹר וַיֹּאכְלוּ אֶת יִשְׂרָאֵל בְּכָל פֶּה בְּכָל זֹאת לֹא שָׁב אַפּוֹ וְעוֹד יָדוֹ נְטוּיָה: (שם ט:יא)

צוֹר תְּעוּדָה חֲתוֹם תּוֹרָה בְּלִמֻּדָי: וְחִכִּיתִי לַה' הַמַּסְתִּיר פָּנָיו מִבֵּית יַעֲקֹב וְקִוֵּיתִי לוֹ: הִנֵּה אָנֹכִי וְהַיְלָדִים אֲשֶׁר נָתַן לִי ה' לְאֹתוֹת וּלְמוֹפְתִים בְּיִשְׂרָאֵל מֵעִם ה' צְבָאוֹת הַשֹּׁכֵן בְּהַר צִיּוֹן: (שם ח:טז-יח)

וְאָנֹכִי הַסְתֵּר אַסְתִּיר פָּנַי בַּיּוֹם הַהוּא עַל כָּל הָרָעָה אֲשֶׁר עָשָׂה כִּי פָנָה אֶל אֱלֹהִים אֲחֵרִים: (דברים לא:יח)

אמרי יושר

ויהי בימי אחז בן יותם מה צרה. שאחז נעל בתי כנסיות, ואז נענשו, ארם מקדם: **אין לך שעה קשה כאותה שכתוב בה ואנכי הסתר אסתיר פני.** ועם כל זה כתיב אחריו (דברים לא, כא) וענתה השירה לפניו לעד כי לא תשכח מפי זרעו, הכא נמי דכוותה, המסתיר פניו, ועם כל זה וקויתי לו, ולא יוכל אחז לבטל דברי תורה, כי הנה אנכי והתלמידים, לאות על זה, ואולי לזה התחיל המאמר, לא תחשוב שהצרה היא ביטול בית המדרש, כי על זה לא יוכל, רק ארם מקדם:

ליקוטים

[ז] ברברים. ערביים שבמערב, וזהו מה שעינינו רואות זמנינו, שהמערב נקרא ברבריאה (מעריך ערך ברבריין). ובמוסף הערוך (ערך ברבריא) פירש ר' בנימין מוספיא ברבריא היא מדינה באפריקי:

"הִנֵּה אָנֹכִי וְהַיְלָדִים אֲשֶׁר נָתַן לִי ה׳" — It came to naught, as the Isaiah passage continues, ***Behold, I and the children whom HASHEM has given me** are signs and symbols for Israel* (*Isaiah* ibid., v. 18).[105] וְכִי יְלָדָיו הָיוּ, וַהֲלֹא תַּלְמִידָיו הָיוּ — **Now, were they [Isaiah's] children? Where they not** actually **his disciples?**[106] אֶלָּא מִכָּאן לְתַלְמִידוֹ שֶׁל אָדָם שֶׁנִּקְרָא בְּנוֹ — **Rather,** it is derived **from here,** from the fact that Isaiah referred to them as his children, **that a person's student is called his son.**[107] כֵּיוָן שֶׁרָאוּ הַכֹּל שֶׁאָחַז בָּתֵּי כְנֵסִיּוֹת וּבָתֵּי מִדְרָשׁוֹת, הִתְחִילוּ הַכֹּל צוֹוְחִין: וַוי וַוי — **When everyone saw that [Ahaz] "held tight"** the **synagogues and study halls, everyone began crying out, "Woe** to us! **Woe** to us!"[108] "וַיְהִי בִּימֵי אָחָז" — Thus it is written, ***It happened in the days of*** [וַיְהִי בִּימֵי] ***Ahaz.***[109]

The third instance of וַיְהִי בִּימֵי, *and it happened in the days of*: "וַיְהִי בִּימֵי יְהוֹיָקִים בֶּן יֹאשִׁיָּהוּ" — ***And it happened in the days of Jehoiakim son of Josiah*** (*Jeremiah* 1:3). מַה צָּרָה הָיְתָה שָׁם — **What misfortune occurred there?** "רָאִיתִי אֶת הָאָרֶץ וְהִנֵּה תֹהוּ וָבֹהוּ" — As it is stated further in *Jeremiah*: ***I saw the land, and behold, it was void and empty*** (ibid. 4:23). מָשָׁל לִכְתָבִין שֶׁל מֶלֶךְ שֶׁנִּכְנְסוּ לִמְדִינָה — **This may be compared to written decrees of a king that were introduced in a province** under his jurisdiction, וְכָל מְדִינָה וּמְדִינָה שֶׁהָיוּ כְּתָבִין מַגִּיעִין הָיוּ בְּנֵי הַמְּדִינָה עוֹמְדִין עַל רַגְלֵיהֶן וּפוֹרְעִין אֶת רָאשֵׁיהֶן, וְקוֹרִין אוֹתָם בְּאֵימָה בְּיִרְאָה בִּרְתֵת בְּזִיעַ — **and** in **each and every province that** the **decrees would arrive [the people of the province] would stand on their feet, and uncover their heads and read them with dread, with fear, with trembling, and with quaking.**[110] כֵּיוָן שֶׁנִּכְנְסוּ לִמְדִינָתוֹ שֶׁל מֶלֶךְ עָמְדוּ וְקָרְעוּ אוֹתָן וְשָׂרְפוּ אוֹתָן — But **when [the decrees] were introduced in the king's** own **province, [the people there] stood up and ripped them up and burned them.**[111] וְאָמְרוּ: אוֹי לָנוּ כְּשֶׁיַּרְגִּישׁ הַמֶּלֶךְ בְּכָךְ — **But** then **[these people]** relented and **said, "Woe to us when the king realizes** that we have done **so!"** הֲדָא הוּא דִכְתִיב "וַיְהִי כִּקְרוֹא יְהוּדִי שָׁלֹשׁ דְּלָתוֹת וְאַרְבָּעָה וגו׳" — **Thus it is written, *It happened that when Jehudi read three or four parts,***[112] *[Jehoiakim] cut it out with a scribe's razor and threw it into the fire that was in the fireplace, until the entire scroll was burnt up by the fire that was in the fireplace* (ibid. 36:23). וְכֵיוָן שֶׁהִגִּיעַ לַפָּסוּק הַחֲמִישִׁי "הָיוּ צָרֶיהָ לְרֹאשׁ" — When *Jehudi read* the first four verses of *Lamentations*, Jehoiakim remained calm; **but when he reached the fifth verse, *Her adversaries have become [her] master*** (*Lamentations* 1:5),[113] "יִקְרָעֶהָ בְּתַעַר הַסֹּפֵר וְהַשְׁלֵךְ אֶל הָאֵשׁ אֲשֶׁר אֶל הָאָח" — ***[Jehoiakim] cut it out with a scribe's razor and threw it into the fire that was in the fireplace.*** כֵּיוָן שֶׁרָאוּ כֵּן הִתְחִילוּ צוֹוְחִין: וַוי וַוי — **When [the people] saw this,** that Jehoiakim had scornfully destroyed the Book of *Lamentations*, **they began crying out, "Woe** to us! **Woe** to us!"[114] "וַיְהִי בִּימֵי יְהוֹיָקִים" — Thus it is written, ***And it happened in the days of*** [וַיְהִי בִּימֵי] ***Jehoiakim.***[115]

The fourth instance of וַיְהִי בִּימֵי, *and it happened in the days of*: "וַיְהִי בִּימֵי אֲחַשְׁוֵרוֹשׁ" — ***And it happened in the days of Ahasuerus*** (*Esther* 1:1). מַה צָּרָה הָיְתָה שָׁם — **What misfortune happened there?** שֶׁנִּגְזַר לְהַשְׁמִיד לַהֲרוֹג וּלְאַבֵּד — The misfortune was **that it was decreed *to destroy, to slay, and to exterminate*** *all the Jews* (*Esther* 3:13).[116] מָשָׁל לְמֶלֶךְ שֶׁהָיָה לוֹ כֶּרֶם וְנִזְדַּוְּגוּ לוֹ ג׳ שׂוֹנְאִים — **This is compared to a king who had a vineyard, and three adversaries started a confrontation with him** over it.[117] הִתְחִיל אֶחָד מְקַטֵּף בְּעוֹלֵלוֹת וְאֶחָד הִתְחִיל לְגַנֵּב בְּאֶשְׁכּוֹלוֹת וְאֶחָד מְעַקֵּר בַּגְּפָנִים — **One** of the adversaries **began picking the scant clusters, and** following him **one began to pick the full clusters, and** the third **one** went ahead and began **uprooting the vines** themselves. פַּרְעֹה הִתְחִיל מְקַטֵּף בְּעוֹלֵלוֹת, הֲדָא הוּא דִכְתִיב "כָּל הַבֵּן הַיִּלּוֹד" — So it was with Israel:[118] **Pharaoh began "picking the scant clusters"; thus it is written,** *Pharaoh commanded his entire people, saying,* ***"Every son that will be born,*** *into the River shall you throw him! . . ."* (*Exodus* 1:22).[119] נְבוּכַדְנֶצַּר הִתְחִיל מְגַנֵּב בְּאֶשְׁכּוֹלוֹת, הֲדָא הוּא דִכְתִיב "הֶחָרָשׁ וְהַמַּסְגֵּר אָלֶף" — Then came **Nebuchadnezzar** who **began "picking the full clusters"; thus it is written,** *All of the men of war, seven thousand; and* ***the "charash" and the "masger" one thousand,*** *all of them mighty men, warriors — the king of Babylonia brought them to exile, to Babylonia* (*II Kings* 24:16).

NOTES

105. For I still teach Torah to my *children* (i.e., students, see further) who will be the next generation of scholars and through whom the glory of Torah will be rejuvenated. These children will thus serve as *signs and symbols* for future generations, as well, that the Torah will never be forgotten (*Nezer HaKodesh* to *Bereishis Rabbah* 42 §3).

106. Isaiah had only two sons. That Isaiah could point to two people would not indicate that Ahaz's plan had failed. Therefore, the verse must speak of his students, of which he had many (*Eitz Yosef* to *Bereishis Rabbah* 42 §3, citing *Yefeh To'ar*).

107. See, similarly, *Sanhedrin* 99b.

108. Although the Jews received reassurance from Isaiah that Ahaz's evil plan would not be permanent, they let out a collective cry of woe because even a temporary diminishment in Torah study can have disastrous effects. For Scripture states, כֹּה אָמַר ה׳ אִם לֹא בְרִיתִי יוֹמָם וָלָיְלָה, חֻקּוֹת שָׁמַיִם וָאָרֶץ לֹא שָׂמְתִּי, *Thus said HASHEM: If not for My covenant of day and night, I would not have established the statutes of heaven and earth* (*Jeremiah* 33:25), which teaches that the entire world exists only in the merit of Torah study (*Eitz Yosef*, citing *Nezer HaKodesh* to *Bereishis Rabbah* 42 §3; see *Pesachim*, 68b).

109. The words וַיְהִי בִּימֵי, *and it happened in the days of,* being an allusion to misfortune, as stated above.

110. All these terms connote reverence (see *Berachos* 22a).

111. The parable represents the fact that when God directed prophecies to the nations of the world they related to them seriously and mended their ways (as in Nineveh; see *Jonah* 3:4ff), but when such messages were sent to the Jews (the people of "the king's own province"), they related to them with scorn (*Midrash Tanchuma, Shemini* §9; *Rashash, Maharzu*).

112. Of the foreboding scroll Jeremiah had written and sent them (see *Jeremiah* Ch. 36). The Sages teach that this scroll was the Book of *Lamentations*, and the "three or four parts" Jehudi read refer to its verses.

113. Indicating that Jehoiakim would not remain king. [Even though the first four verses of *Lamentations* speak already of exile and destruction, Jehoiakim did not take them personally, for he told himself that they were written in an exaggerated fashion; while a majority of the people might be indeed sent into exile, a minority would certainly remain, and he would rule over them. See *Eitz Yosef*, citing *Moed Katan* 26a, and *Yefeh To'ar* to *Bereishis Rabbah* loc. cit.]

114. For the punishment foretold in *Jeremiah* 4:23, *I saw the land, and behold, it was void and empty* (cited above), would surely be fulfilled as punishment for Jehoiakim's actions (see *Eitz Yosef* to *Bereishis Rabbah* loc. cit., from *Yefeh To'ar*).

115. The words וַיְהִי בִּימֵי, *and it happened in the days of,* being an allusion to misfortune, as stated above.

116. [In light of the fact that this misfortune is explicitly stated in Scripture, this segment of the Midrash contradicts *Yefeh To'ar's* suggested thesis quoted above (see note 97). *Yefeh To'ar* (to *Bereishis Rabbah* loc. cit.) poses this question himself and answers it; see there.]

117. They wanted to destroy it.

118. Israel is referred to as a "grapevine" in *Psalms* 80:9.

119. Despite the severity of this decree, it is compared only to the destruction of "scant clusters" because it would not necessarily bring about the end of Israel as a people (see *Rashi* to *Exodus* 2:1, and *Esther Rabbah* 7 §23).

Our translation of עוֹלֵלוֹת as *scant clusters* follows *Maharzu*. See *Eitz Yosef* for an alternative translation and explanation.

(ישעיה שם יח) "הִנֵּה אָנֹכִי וְהַיְלָדִים אֲשֶׁר נָתַן לִי ה'", וְכִי יְלָדָיו הָיוּ, וַהֲלֹא תַּלְמִידָיו הָיוּ, אֶלָּא מִכָּאן לְתַלְמִידוֹ שֶׁל אָדָם שֶׁנִּקְרָא בְּנוֹ, כֵּיוָן שֶׁרָאוּ הַכֹּל שֶׁאָחָז בָּתֵּי כְנֵסִיּוֹת וּבָתֵּי מִדְרָשׁוֹת, הִתְחִילוּ הַכֹּל צוֹוְחִין: וַי וַי, "וַיְהִי בִּימֵי אָחָז". (ירמיה א, ג) "וַיְהִי בִּימֵי יְהוֹיָקִים בֶּן יֹאשִׁיָּהוּ", מַה צָּרָה הָיְתָה שָׁם, (שם ד, כג) "רָאִיתִי אֶת הָאָרֶץ וְהִנֵּה תֹהוּ וָבֹהוּ", מָשָׁל לִכְתָבִין שֶׁל מֶלֶךְ שֶׁנִּכְנְסוּ לַמְּדִינָה, וְכָל מְדִינָה וּמְדִינָה שֶׁהָיוּ כְּתָבִין מַגִּיעִין הָיוּ בְּנֵי הַמְּדִינָה עוֹמְדִין עַל רַגְלֵיהֶן וּפוֹרְעִין אֶת רָאשֵׁיהֶן, וְקוֹרִאין אוֹתָם בְּאֵימָה בְּיִרְאָה בִּרְתֵת בְּזִיעַ, כֵּיוָן שֶׁנִּכְנְסוּ לִמְדִינָתוֹ שֶׁל מֶלֶךְ עָמְדוּ וְקָרְעוּ אוֹתָן וְשָׂרְפוּ אוֹתָן, וְאָמְרוּ: אוֹי לָנוּ כְּשֶׁיַּרְגִּישׁ הַמֶּלֶךְ בְּכָךְ, הָדָא הוּא דִכְתִיב (שם לו, כג) "וַיְהִי כִּקְרוֹא יְהוּדִי שָׁלֹשׁ דְּלָתוֹת וְאַרְבָּעָה וְגוֹ'", וְכֵיוָן שֶׁהִגִּיעַ לַפָּסוּק הַחֲמִישִׁי (איכה א, ה) "הָיוּ צָרֶיהָ לְרֹאשׁ", (ירמיה שם שם) "יִקְרָעֶהָ בְּתַעַר הַסֹּפֵר וְהַשְׁלֵךְ אֶל הָאֵשׁ אֲשֶׁר אֶל הָאָח", כֵּיוָן שֶׁרָאוּ כֵּן הִתְחִילוּ צוֹוְחִין: וַי וַי, "וַיְהִי בִּימֵי יְהוֹיָקִים". (אסתר א, א) "וַיְהִי בִּימֵי אֲחַשְׁוֵרוֹשׁ", מַה צָּרָה הָיְתָה שָׁם, שֶׁנִּגְזַר לְהַשְׁמִיד לַהֲרוֹג וּלְאַבֵּד, מָשָׁל לְמֶלֶךְ שֶׁהָיָה לוֹ כֶּרֶם וְנִזְדַּוְּגוּ לוֹ ג' שׂוֹנְאִים, הִתְחִיל אֶחָד מְקַטֵּף בָּעוֹלֵלוֹת וְאֶחָד הִתְחִיל לְזַנֵּב בָּאֶשְׁכּוֹלוֹת וְאֶחָד מְעַקֵּר בַּגְּפָנִים, פַּרְעֹה הִתְחִיל מְקַטֵּף בָּעוֹלֵלוֹת, הָדָא הוּא דִכְתִיב (שמות א, כב) "כָּל הַבֵּן הַיִּלּוֹד", נְבוּכַדְנֶצַּר הִתְחִיל מְזַנֵּב בָּאֶשְׁכּוֹלוֹת, הָדָא הוּא דִכְתִיב (מלכים־ב כד, טז) "הֶחָרָשׁ וְהַמַּסְגֵּר אֶלֶף", רַבִּי בֶּרֶכְיָה בְּשֵׁם רַבִּי יְהוּדָה וְרַבָּנָן, רַבִּי בֶּרֶכְיָה בְּשֵׁם רַבִּי יְהוּדָה אָמַר: [ח]חָרָשׁ אֶלֶף וּמַסְגֵּר אֶלֶף, וְרַבָּנָן אָמְרִין זֶה וָזֶה אֶלֶף, רַבִּי יְהוּדָה בְּרַבִּי סִימוֹן אָמַר: [ט]אֵלּוּ תַּלְמִידֵי חֲכָמִים, רַבִּי שְׁמוּאֵל בַּר יִצְחָק אָמַר: אֵלּוּ הַבּוּלֶיוֹטִים, וְרַבָּנָן אָמְרֵי: אֵלּוּ הַיּוֹעֲצִים, הָמָן הָרָשָׁע הִתְחִיל לַעֲקֹר בַּגְּפָנִים, בִּיקֵּשׁ לַעֲקוֹר בֵּיצָתָן שֶׁל יִשְׂרָאֵל, בְּעָא לְמִזְבַּן בְּכָל *בֵּיעֲתָא.

עץ יוסף

התחילו הכל צווחין ווי. ואף על גב שאמר ישעיה שלא יועיל כוונתו, מכל מקום על כל פנים מחשבתו של אותו רשע, הועילה במקצת לפי שעה לבטל תורה הרבה מישראל, בהיותו אוחז בתי כנסיות ובתי מדרשות, לכן צווחו ווי, כי קיום כל העולם אינו אלא על ידי התורה, כדכתיב אם לא בריתי וגו' (נזר הקודש): וכיון שהגיעו לפסוק כו'. אגב אורחיה אשמועינן הכא מאי טעמא שרפה כקרוא ארבע דלתות, ולא קודם או אחר כך, ומסיק ליה דהמגילה ששרף היתה מגילות קינות, ודלתות היינו פסוקים, ולכן בפסוק החמישי התחיל לשרוף, לפי שנאמר שם היו צריה לראש, או כעס תחסור המלכות ממנו, אבל בפסוקים הראשונים לא חשש, דקאמר בהו ואמת מלכא, כדאיתא בגמרא (מועד קטן כו א), כלומר אף על פי שכתוב ישבה בדד, וגלתה יהודה, לאו לגמרי קאמר, אלא ברובה ודרך גוזמא קאמר קרא, והוא עדיין ימלוך על הנשארים: כיון שראו כן התחילו צווחין ווי. כי על ידי מעשה יהויקים נחתם הגזר דין בחורבן בית המקדש, אשר היא צרה כוללת לכל ברואי עולם: מקטף בעוללות. פירוש להכרית העוללות, והם פירות הקטנים שעדיין לא באו לידי גדולים: מזנב באשכלות. פירוש לחתוך פירות הגדולים עם הענפים: החרש והמסגר אלף. שהגלה נבוכדנצר אותם, והם החכמים או היועצים, והיינו אשכולות שהם עיקר הכרם, וחשב נבוכדנצר שימותו כולם בטלטולם וישתכח תורתם: זה וזה אלף. פירוש שניהם יחד הם אלף: הבוליותים. פירוש שרים שהכל נשמעים להם, ופתחו ואין סוגר: אלו תלמידי חכמים. ואיקרו חרש ומסגר, כדאמר בפרק המגרש (גיטין פח א) בשעה שפותחין בדברי תורה נעשו הכל כחרשין, ובשעה שסוגרין שוב אין פותחין: לקעקע ביצתן. פירוש לעקור שרשן ועיקרן: בעא למזבן בכל בעיתא. הוא פירוש על לקעקע ביצתן, בעיתא הוא תרגום ביצה, שאמר בסמוך לקעקע ביצתן. והרד"ל כתב וזה לשונו בעי למזכי בכל ביעתא כן צריך לומר. והוא פירוש לקעקע ביצתן.

פירוש מהרז"ו

על פי שזה כתוב על השירה, דעת חז"ל שהשירה היא התורה, כמו שאמרו בדברים רבה סוף פרשה ט', עיין מה שכתבתי בפירושי שם: וכי ילדיו היו. כפי המבואר בפרשה (ישעיה ז' ח') שילדיו שנתן לו ה', אחד מהר שלל חש בז, והשני עמנו אל, היו לאותות, כמפורש בפרשה על שישללו הגוים אותם בימי אחז, ושבימי יחזקיהו יושיע אותם, וזהו עמנו אל, אך אין להם שייכות אל התורה שלא תשכח, שמדבר בפסוקים כאן לגור תעודה, על כן דורשים שמה שכתב כאן ילדיו, על פי מדה כ' אם אינו ענין לבנים שילד, תנהו ענין לתלמידיו שנקראו בני הנביאים, וכמו שדרשו על פסוק (במדבר ג, א) ואלה תולדות אהרן ומשה, שבני אהרן הם בני משה על שלמדם תורה, וכמו שכתב רש"י בריש במדבר, ואמר ישעיה לאחז, לא תועיל לשכח התורה כי תלמידיו ילמדו אותה לישראל, ועל שאתה חושב לסלק השכינה מישראל לא תועיל גם כן, כי הנה אנכי והילדים וגו' מעם ה' צבאות השוכן בהר ציון: ויהי בימי יהויקים. בריש ירמיה, דברי ירמיה אשר היה דבר ה' אליו בימי יאשיהו מלך יהודה, ויהי בימי יהויקים עד תום עשתי עשרה שנה לצדקיהו, ולא אמר ויהי בימי יאשיהו, רק ויהי בימי יהויקים, על כן דרש שעיקר הצרה היה על ידי רשעת יהויקים, וענין המשל והנמשל, שיונה הנביא כשכינה על ניטוה עיר של גוים, שמעו לו ונתיראו ועשו תשובה, ועל יהויקים שהיה בבית המקדש ובירושלים, לא שמע ולא נתירא ולעקו עליו הכל ווי: שלש דלתות וארבעה. פירוש תיבת וארבעה, כמו הרביעי כמו שכתוב סוף משלי (ל, טו) שלש הנה לא תשבענה (ו)ארבע לא אמרה הון, שפירושו הרביעי, ודלתות פירושו כאן על הפסוקים וכמו שנאמר (משלי ח, לד) לשקוד על דלתותי. ועיין מה שכתבתי בפירושי בבראשית רבה ריש פרשה א' בשם מדרש תהלים, ומשמע כשקרא שלשה פסוקים וארבע עדיין לא קרע, ובפסוק חמישי היו צריה לראש, שהוא שנוגע לו בעצמו, שלא יהיה הוא המלך, רק מי שיצר לירושלים: מקטף בעוללות. ענבים רעים שאינם עיקר הכרם, ואחד לזנב באשכולות, שהם מעיקר הכרם, אך עם כל זה מאחר שהגפנים קיימים יכולים לגדל אחרים, ואחד מעקר בגפנים ולשרשם שלא יגדל עוד אחרים, כך פרעה גזר להרוג הבנים הקטנים, ולא מלאו לבו להרוג הגדולים, ולא שלט בחכמים, הם כל שבט לוי ובעמרם ובית דינו, שהיו הגדולים במצרים, אך נבוכדנצר שלט בחכמים וגדוליהם, ועם כל זה הניח השורש, הם כל בני הגולה שיגדלו חכמים וגדולים אחרים, אך המן ביקש לעקור הגפן כולו עם שרשיו: חרש אלף ומסגר אלף. דורש מה שכתוב והחרש והמסגר, שהיה לו לומר החרש והמסגר אלף, אך והחרש והמסגר משמע שכל אחד לבדו היה אלף, כאלו כתוב והחרש אלף והמסגר אלף, ודעת רבנן שאם כן היה לו לומר והחרש אלף והמסגר, ולמה אמר אלף לבסוף, אלא שהכל ביחד היה אלף: תלמידי חכמים. חרש כיון שפותח פיו נעשו הכל כחרשין, והמסגר שסוגרין ופוסקין ואין פותח: הבוליותים. פירוש בולי עשירים, ובעבור גדולתם ויראתם נעשו הכל כחרשין וסוגרין ואין פותחין, וכן הענין ביועצים: בכל בעיתא. עיין מתנות כהונה ויהי בימי אחשורוש, ועיין מדרש אסתר פסוק זה:

מתנות כהונה

הכי גרסינן ווי ווי ויהי בימי אחז: הכי גרסינן ושרפו אותה ואמרו אוי לנו כשירגיש המלך בכך הדא הוא דכתיב: הכי גרסינן יקרעה: רבי יהודה בר סימון אומר אלו תלמידי חכמים. לאו לאפלוגי אתא אלא לפרש: בכל בעיתא. הכי גרסינן גם כן ריש רות, ורצה לומר בכל רצונו ואוות נפשו. ובמגילת אסתר רבה (א, א) גרס בכל ביתא, פירוש בכל הבית יחד:

חידושי הרד"ל

בעי למזכי בכל ביעתא. כן צריך לומר, והוא פירוש לקעקע ביצתן. ופניו ליטול כל בילי ואפרוחי העוף, ואינו מניח כלום לקיום המין. (ולשון למזכי הוא לזכות מן ההפקר כאשוף ביצים עזובות):

חידושי הרש"ש

[ז] משל לכתבין של מלך שנכנסו למדינה וכו' כיון שנכנסו למדינתו של מלך כו'. רצה לומר למדינה שהוא בה מלך פרטי, וכן בנמשל אף שנקרא מלך הגוים כמו שנאמר מי לא ייראך מלך הגוים מכל מקום נקרא מלך ישראל בפרט: נבוכדנאצר התחיל מזנב באשכלות הדא הוא דכתיב החרש והמסגר אלף ר' ברכיה בשם ר' יהודה ורבנן. נראה דפליגי בפלוגתת ר' יוסי ורבנן בירושלמי אשר הביאו התוספות בחגיגה (ג, ב) ד"ה חרש, וכבר רמזתי עליהם לעיל בבראשית רבה מח, יב ד"ה ר' אביתר, עיין שם, ור' יהודה כרבנן דהתם, ורבנן דהכא כר' יוסי. אך במכילתא יתרו ריש פרשה ג' איתא פלוגתא דר' יהודה וחכמים בפסוק ושתים עשרה מצבה לשתים עשרה שבטי ישראל דרבי יהודה סובר דלכולם היה שתים עשרה מצבה וחכמים סברי דלכל שבט היה שתים עשרה, ולפי זה סותר רבי יהודה את עצמו. ואולי טעות סופר במכילתא וצריך לומר ר' יוסי תחת ר' יהודה, או ר' יהודה במדרש שלפנינו אינו רבי יהודה דמכילתא דהוא רבי יהודה בר אלעאי. ולעיל בבראשית רבה פרשה מ"ב איתא ר' ברכיה בלבדו ולא בשם רבי יהודה. ובירושלמי פ"ק דסנהדרין ה"ב ובנדרים פ"ו סוף ה"ט הגירסא ר' ברכיה בשם ר' חלבו. ונראה דמה דאיתא בגמרא דילן (סנהדרין לח, א) וכמה היו אלף, נראה דכוונו לדעת רבנן דהכא ורצה לומר דשניהם יחד היו אלף, וכבר כתב הטורי אבן בשמם במגילה בגמרא סתמה כב' מקומות כר' יוסי, ובחידושי לערכין (לג, ב) גבי ובתי החצרים שני חצרים של שני בתים הארכתי בפרט זה בס"ד:

מסורת המדרש

ח. ירושלמי נדרים פ"ד: ט. תנחומא סדר שמיני. סדר עולם רבה פ' כ"ה. ספרי ח"ב פיסקא ש"כ:

אם למקרא

וַיְהִי בִּימֵי יְהוֹיָקִים בֶּן יֹאשִׁיָּהוּ מֶלֶךְ יְהוּדָה עַד תֹּם עַשְׁתֵּי עֶשְׂרֵה שָׁנָה לְצִדְקִיָּהוּ בֶן יֹאשִׁיָּהוּ מֶלֶךְ יְהוּדָה עַד גְּלוֹת יְרוּשָׁלִַם בַּחֹדֶשׁ הַחֲמִישִׁי: (ירמיה א:ג)

רָאִיתִי אֶת הָאָרֶץ וְהִנֵּה תֹהוּ וָבֹהוּ וְאֶל הַשָּׁמַיִם וְאֵין אוֹרָם: (שם ד:כג)

וַיְהִי כִּקְרוֹא יְהוּדִי שָׁלֹשׁ דְּלָתוֹת וְאַרְבָּעָה יִקְרָעֶהָ בְּתַעַר הַסֹּפֵר וְהַשְׁלֵךְ אֶל הָאֵשׁ אֲשֶׁר אֶל הָאָח עַד תֹּם כָּל הַמְּגִלָּה עַל הָאֵשׁ אֲשֶׁר עַל הָאָח: (שם לו:כג)

הָיוּ צָרֶיהָ לְרֹאשׁ אֹיְבֶיהָ שָׁלוּ כִּי ה' הוֹגָהּ עַל רֹב פְּשָׁעֶיהָ עוֹלָלֶיהָ הָלְכוּ שְׁבִי לִפְנֵי צָר: (איכה א:ה)

וַיְהִי בִּימֵי אֲחַשְׁוֵרוֹשׁ הוּא אֲחַשְׁוֵרוֹשׁ הַמֹּלֵךְ מֵהֹדּוּ וְעַד כּוּשׁ שֶׁבַע וְעֶשְׂרִים וּמֵאָה מְדִינָה: (אסתר א:א)

וַיְצַו פַּרְעֹה לְכָל עַמּוֹ לֵאמֹר כָּל הַבֵּן הַיִּלּוֹד הַיְאֹרָה תַּשְׁלִיכֻהוּ וְכָל הַבַּת תְּחַיּוּן: (שמות א:כב)

וְאֵת כָּל אַנְשֵׁי הַחַיִל שִׁבְעַת אֲלָפִים וְהֶחָרָשׁ וְהַמַּסְגֵּר אֶלֶף הַכֹּל גִּבּוֹרִים עֹשֵׂי מִלְחָמָה וַיְבִיאֵם מֶלֶךְ בָּבֶל גּוֹלָה בָּבֶלָה: (מלכים ב כד:טז)

ליקוטים

בעיתא. פירש המתנות כהונה בכל רצונו ואוות נפשו. ושבוש הוא כי אינו אלא תרגום ביצה שאמר לקעקע ביצתם (מעריך ערך ביעתא):

The Midrash identifies these groups known as *charash* and *masger*, but first it discusses their total number:

רַבִּי בֶּרֶכְיָה בְּשֵׁם רַבִּי יְהוּדָה וְרַבָּנָן — Explanations for the phrase *the charash and the masger, one thousand* were offered by **R' Berechyah in the name of R' Yehudah and** by **the** other **Rabbis.** רַבִּי בֶּרֶכְיָה בְּשֵׁם רַבִּי יְהוּדָה אָמַר: חָרָשׁ אֶלֶף וּמַסְגֵּר אֶלֶף — **R' Berechyah said in the name of R' Yehudah:** This means that Nebuchadnezzar exiled **a thousand of the *charash*** and also **a thousand of the *masger*,** וְרַבָּנָן אָמְרִין זֶה וָזֶה אֶלֶף — **and the** other **Rabbis said: This** group **and that** group together totaled **one thousand.**[120]

The Midrash now identifies the *charash* and *masger*:

רַבִּי יְהוּדָה בְּרַבִּי סִימוֹן אָמַר: אֵלוּ תַּלְמִידֵי חֲכָמִים — **R' Yehudah the son of R' Simone said: [The *charash* and *masger*] are Torah scholars.**[121] רַבִּי שְׁמוּאֵל בַּר יִצְחָק אָמַר: אֵלוּ הַבּוּלֶיוּתִיס — **R' Shmuel bar Yitzchak said: [The *charash* and *masger*] are the officers,**[122] וְרַבָּנָן אָמְרֵי: אֵלוּ הַיּוֹעֲצִים — **and the** other **Rabbis said: [The *charash* and *masger*] are the advisers.**[123] הָמָן הָרָשָׁע הִתְחִיל לְעַקֵּר בַּגְּפָנִים, בִּיקֵּשׁ לְקַעְקֵעַ בֵּיצָתָן שֶׁל יִשְׂרָאֵל, בְּעָא לְמִזְבַּן בְּכָל בֵּיעָתָא — Then came **the wicked Haman** who went ahead and **began "to uproot the vines** themselves," and **sought to destroy the root of Israel; he wished with all his will to "buy"** the Jews in order to completely destroy them.[124]

NOTES

120. See *Rashash* and *Maharzu* for discussion of the basis of this debate.

121. The word חָרָשׁ, literally, *craftsman*, may also be vowelized חֵרֵשׁ, which means a *deaf-mute*, and alludes to Torah scholars. This is because their erudition was so great that once they began discussing Torah, everyone else was silenced, becoming like deaf-mutes. The word מַסְגֵּר, literally, *closers of the gate,* likewise alludes to Torah scholars, because once they closed discussion of a legal issue, there were no others who could reopen it (*Gittin* 88a).

122. Our translation of בּוּלֶיוּתִיס as *officers* follows *Eitz Yosef*. See *Maharzu* for an alternative translation.

These officers, too, may be referred to as חֵרֵשׁ (see previous note) because when they issue a command, every one is silent and obeys. And they may be referred to as מַסְגֵּר because when they close a discussion, it is over (see *Eitz Yosef*). The same is the case with the advisers mentioned below (*Maharzu*).

123. According to the Midrash, then, the *charash* and the *masger* whom Nebuchadnezzar exiled were the Torah scholars, officers, or advisers of Israel. The "full clusters" of the above parable, are representative of them. Just as the full clusters are the most important part of the vine, these men are the most important segment of the Jewish people. In exiling them, Nebuchadnezzar hoped they would die in exile and their wisdom would be lost to Israel (*Eitz Yosef*).

[The Torah scholars of Israel are similarly compared to "full clusters" in *Chullin* 92a, where the Gemara compares different segments of the Jewish people to different parts of a vineyard (see below, note 125).]

124. *Matnos Kehunah* here and to *Rus Rabbah*, *Pesichta* §7; see also *Esther Rabbah*, *Pesichta* §11. Haman paid Ahasuerus for the right to exterminate Israel. See end of *Esther Rabbah*, *Pesichta* §10.

[For a different version and accompanying explanation, see *Radal*. See also *Eitz Yosef*.]

(ישעיה שם יח) "הִנֵּה אָנֹכִי וְהַיְלָדִים אֲשֶׁר נָתַן לִי ה'", וְכִי יְלָדָיו הָיוּ, וַהֲלֹא תַלְמִידָיו הָיוּ, אֶלָּא מִכָּאן לְתַלְמִידוֹ שֶׁל אָדָם שֶׁנִּקְרָא בְּנוֹ, כֵּיוָן שֶׁרָאוּ הַכֹּל שֶׁאָחַז בָּתֵּי כְנֵסִיּוֹת וּבָתֵּי מִדְרָשׁוֹת, הִתְחִילוּ הַכֹּל צוֹוְחִין: וַוי וַוי, "וַיְהִי בִּימֵי אָחָז". (ירמיה א, ג) "וַיְהִי בִּימֵי יְהוֹיָקִים בֶּן יֹאשִׁיָּהוּ", מַה צָּרָה הָיְתָה שָׁם, (שם ד, כג) "רָאִיתִי אֶת הָאָרֶץ וְהִנֵּה תֹהוּ וָבֹהוּ", מָשָׁל לִכְתָבִין שֶׁל מֶלֶךְ שֶׁנִּכְנְסוּ לַמְּדִינָה, וְכָל מְדִינָה וּמְדִינָה שֶׁהָיוּ כְּתָבִין מַגִּיעִין הָיוּ בְּנֵי הַמְּדִינָה עוֹמְדִין עַל רַגְלֵיהֶן וּפוֹרְעִין אֶת רָאשֵׁיהֶן, וְקוֹרְאִין אוֹתָם בְּאֵימָה בְּיִרְאָה בִּרְתֵת בְּזִיעַ, כֵּיוָן שֶׁנִּכְנְסוּ לִמְדִינָתוֹ שֶׁל מֶלֶךְ עָמְדוּ וְקָרְעוּ אוֹתָן וְשָׂרְפוּ אוֹתָן, וְאָמְרוּ: אוֹי לָנוּ כְּשֶׁיַּרְגִּישׁ הַמֶּלֶךְ בְּכָךְ, הֲדָא הוּא דִכְתִיב (שם לו, כג) "וַיְהִי כִּקְרוֹא יְהוּדִי שָׁלֹשׁ דְּלָתוֹת וְאַרְבָּעָה וְגוֹ'", וְכֵיוָן שֶׁהִגִּיעַ לַפָּסוּק הַחֲמִישִׁי (איכה א, ה) "הָיוּ צָרֶיהָ לְרֹאשׁ", (ירמיה שם שם) "יִקְרָעֶהָ בְּתַעַר הַסֹּפֵר וְהַשְׁלֵךְ אֶל הָאֵשׁ אֲשֶׁר אֶל הָאָח", כֵּיוָן שֶׁרָאוּ כֵּן הִתְחִילוּ צוֹוְחִין: וַוי וַוי, "וַיְהִי בִּימֵי יְהוֹיָקִים". (אסתר א, א) "וַיְהִי בִּימֵי אֲחַשְׁוֵרוֹשׁ", מַה צָּרָה הָיְתָה שָׁם, שֶׁנִּגְזַר לְהַשְׁמִיד לַהֲרוֹג וּלְאַבֵּד, מָשָׁל לְמֶלֶךְ שֶׁהָיָה לוֹ כֶּרֶם וְנִזְדַּוְּגוּ לוֹ ג' שׂוֹנְאִים, הִתְחִיל אֶחָד מְקַטֵּף בָּעוֹלֵלוֹת וְאֶחָד הִתְחִיל לְזַנֵּב בָּאֶשְׁכּוֹלוֹת וְאֶחָד מְעַקֵּר בַּגְּפָנִים, פַּרְעֹה הִתְחִיל מְקַטֵּף בָּעוֹלֵלוֹת, הֲדָא הוּא דִכְתִיב (שמות א, כב) "כָּל הַבֵּן הַיִּלּוֹד", נְבוּכַדְנֶצַּר הִתְחִיל מְזַנֵּב בָּאֶשְׁכּוֹלוֹת, הֲדָא הוּא דִכְתִיב (מלכים־ב כד, טז) "הֶחָרָשׁ וְהַמַּסְגֵּר אָלֶף", רַבִּי בֶּרֶכְיָה בְּשֵׁם רַבִּי יְהוּדָה וְרַבָּנָן, רַבִּי בֶּרֶכְיָה בְּשֵׁם רַבִּי יְהוּדָה אָמַר: [ח]חָרָשׁ אֶלֶף וּמַסְגֵּר אֶלֶף, וְרַבָּנָן אָמְרִין זֶה וָזֶה אֶלֶף, רַבִּי יְהוּדָה בְּרַבִּי סִימוֹן אָמַר: [ט]אֵלּוּ תַלְמִידֵי חֲכָמִים, רַבִּי שְׁמוּאֵל בַּר יִצְחָק אָמַר: אֵלּוּ הַבּוּלֶיוֹטִיס, וְרַבָּנָן אָמְרֵי: אֵלּוּ הַיּוֹעֲצִים, הָמָן הָרָשָׁע הִתְחִיל לַעֲקֹר בַּגְּפָנִים, בִּיקֵּשׁ לְקַעְקֵעַ בֵּיצָתָן שֶׁל יִשְׂרָאֵל, בְּעָא לְמִזְבַּן בְּכָל *בֵּיעָתָא,

התחילו הכל צווחין ווי. ואף על גב שאמר ישעיה שלא יועיל כוונתו, מכל מקום על כל פנים מחשבתו של אותו רשע, הועילה במקצת לפי שעה לבטל תורה הרבה מישראל, בהיותו אוחז בתי כנסיות ובתי מדרשות, לכן צווחו ווי, כי קיום כל העולם אינו אלא על ידי התורה, כדכתיב אם לא בריתי וגו' (נזר הקודש): **וכיון שהגיעו לפסוק כו'.** אגב אורחיה אשמועינן הכא מאי טעמא שרפה כקרוא ארבע דלתות, ולא קודם או אחר כך, וסבירא ליה דהמגילה ששרף היתה מגילות קינות, ודלתות היינו פסוקים, ולכן בפסוק החמישי התחיל לשרוף, לפי שנאמר שם היו צריה לראש, אז כעס שתסור המלכות ממנו, אבל בפסוקים הראשונים לא חשש, דקאמר בהו ואנא מלכא, כדאיתא בגמרא (מועד קטן כו א), כלומר אף על פי שכתוב ישבה בדד, וגלתה יהודה, לאו לגמרי קאמר, אלא ברוחה ודרך גוזמא קאמר קרא, והוא עדיין ימלוך על הנשארים: **כיון שראו כן התחילו צווחין ווי.** כי על ידי מעשה יהויקים נחתם הגזר דין בחורבן בית המקדש, אשר היא צרה כוללת לכל ברואי עולם: **מקטף בעוללות.** פירוש להכרית העוללות, והם פירות הקטנים שעדיין לא באו לידי גדולים: **מזנב באשכלות.** פירוש לחתוך פירות הגדולים עם הענפים: **החרש והמסגר אלף.** שהגלה נבוכדנצר אותם, והם החכמים או היועצים, והיינו אשכולות שהם עיקר הכרם, וחשב נבוכדנצר שימותו כולם בטלטולם וישתכח תורתם: **זה וזה אלף.** פירוש שניהם יחד הם אלף: **הבוליותים.** פירוש שרים שהכל נשמעים להם, ופתחו ואין סוגר: **אלו תלמידי חכמים.** ואיקרו חרש ומסגר, כדאמר בפרק המגרש (גיטין פח א) בשעה שפותחין בדברי תורה נעשו הכל כחרשין, ובשעה שסוגרין שוב אין פותחין: **לקעקע ביצתן.** פירוש לעקור שרשן ועיקרן: **בעא למזבן בבל בעיתא.** הוא פירוש על לקעקע ביצתן, בעיתא הוא תרגום ביצה, שאמר בסמוך לקעקע ביצתן. והרד"ל כתב וזה לשונו בעי למזכי בכל ביעתא כן צריך לומר. והוא פירוש לקעקע ביצתן,

על פי שזה כתוב על השירה, דעת חז"ל שהשירה היא התורה, כמו שאמרו בדברים רבה סוף פרשה ט', עיין מה שכתבתי בפירושי שם: **וכי ילדיו היו.** כפי המבואר בפרשה (ישעיה ז' ח') שילדיו שנתן לו ה', אחד מהר שלל חש בז, והשני עמנו אל, היו לאותות, כמפורש בפרשה על שישללו הגוים אותם בימי אחז, ושבימי יחזקיהו יושיע אותם, וזהו עמנו אל, אך אין להם שייכות אל התורה שלא תשכח, שמדבר בפסוקים כאן צור תעודה, על כן דורשים שמה שכתב כאן ילדיו, על פי מדה כ' אם אינו ענין לבנים שילד, תנהו ענין לתלמידיו שנקראו בני הנביאים, וכמו שדרשו על פסוק (במדבר ג, א) ואלה תולדות אהרן ומשה, שבני אהרן הם בני משה על שלמדם תורה, וכמו שכתב רש"י בריש במדבר, ואמר ישעיהו לאחז, לא תועיל לשכח התורה כי תלמידיו ילמדו אותה לישראל, ועל שאתה חושב לסלק השכינה מישראל, לא תועיל גם כן, כי הנה אנכי והילדים וגו' מעם ה' צבאות השוכן בהר ציון: **ויהי בימי יהויקים.** בריש ירמיה, דברי ירמיה אשר היה דבר ה' אליו בימי יאשיהו מלך יהודה, ויהי בימי יהויקים עד תום עשתי עשרה שנה לצדקיהו, ולא אמר ויהי בימי יאשיהו, רק ויהי בימי יהויקים, על כן דרש שעיקר הצרה היה על ידי רשעת יהויקים, וענין המשל והנמשל, שיונה הנביא בקינה על ניטוה עיר של גוים, שמעו לו ונתיראו ועשו תשובה, ועל יהויקים שהיה בבית המקדש ובירושלים, לא שמע ולא נתירא ולעקו עליו הכל ווי: **שלש דלתות וארבעה.** פירוש תיבת וארבעה, כמו הרביעי כמו שכתוב סוף משלי (ל, טו) שלש הנה לא תשבענה (ו)ארבע לא אמרה הון, שפירושו הרביעי, ודלתות פירושו כאן על הפסוקים וכמו שנאמר (משלי ח, לד) לשקוד על דלתותי. ועיין מה שכתבתי בפירושי בבראשית רבה ריש פרשה א' בשם מדרש תהלים, ומשמע כשקרא שלשה פסוקים וארבע עדיין לא קרע, ובפסוק חמישי היו צריה לראש, שהוא שנוגע לו בעצמו, שלא יהיה הוא המלך, רק מי שיצר לירושלים: **מקטף בעוללות.** ענבים רעים שאינם עיקר הכרם, ואחד לזנב באשכולות, שהם מעיקר הכרם, אך עם כל זה מאחר שהגפנים קיימים יכולים לגדל אחרים, ואחד מעקר בגפנים ולשרשם שלא יגדל עוד אחרים, כך פרעה גזר להרוג הבנים הקטנים, ולא מלאו לבו להרוג הגדולים, ולא שלט בחכמיהם, הם כל שבט לוי ובעמרם ובית דינו, שהיו הגדולים במצרים, אך נבוכדנאצר שלט בחכמיהם וגדוליהם, ועם כל זה הניח השורש, הם כל בני הגולה שיגדלו חכמיהם וגדולים אחרים, אך המן ביקש לעקור הגפן כולו עם שרשיו: **חרש אלף ומסגר אלף.** דורש מה שכתוב והחרש והמסגר, שהיה לו לומר החרש והמסגר אלף, אך והחרש והמסגר משמע שכל אחד לבדו היה אלף, כאלו כתוב והחרש אלף והמסגר אלף, ודעת רבנן שאם כן היה לו לומר והחרש אלף והמסגר, ולמה אמר אלף לבסוף, אלא שהכל ביחד היה אלף: **תלמידי חכמים.** חרש כיון שפותח פיו נעשו הכל כחרשין, והמסגר שסוגרין ופוסקין ואין פותח: **הבוליותים.** פירוש בולי עשירים, ובעבור גדולתם ויראתם נעשו הכל כחרשין וסוגרין ואין פותחין, וכן הענין ביועצים: **בבל ביעתא.** עיין מתנות כהונה ויהי בימי אחשורוש, ועיין מדרש אסתר פסוק זה:

חידושי הרד"ל

בעי למיזבי בבל ביעתא. כן צריך לומר, והוא פירוש לקעקע ביצתן. ועניינו ליטול כל ביצי ואפרוחי העוף, ואינו מניח כלום לקיום המין. (ולשון למזכי הוא כזוכה מן ההפקר כאסוף ביצים עזובות):

חידושי הרש"ש

[ז] **משל לכתבין של מלך שנכנסו למדינה וכו' כיון שנכנסו למדינתו של מלך כו'.** רצה לומר למדינה שהוא בה מלך פרטי, וכן בנמשל אף שנקרא מלך הגוים כמו שנאמר מי לא יראך מלך הגוים מכל מקום נקרא מלך ישראל בפרט: **נבוכדנאצר התחיל מזנב באשכלות הדא הוא דכתיב החרש והמסגר אלף ר' ברכיה בשם ר' יהודה ורבנן.** נראה דפליגי בפלוגתא ר' יוסי ורבנן בירושלמי אשר הביאו התוספות בחגיגה (ג, ב) ד"ה חרש, וכבר רמזתי עליהם לעיל בבראשית רבה מח, יב ד"ה ר' אביתר, עיין שם, ור' יהודה כרבנן דהתם. אך במכילתא יתרו ריש פרשה ג' איתא פלוגתא דר' יהודה וחכמים בפסוק ושתים עשרה מצבה לשתים עשרה שבטי ישראל דרבי יהודה סובר דלכולם ביחד היו שתים עשרה מצבה וחכמים סברי דלכל שבט היה שתים עשרה, ולפי זה סותר רבי יהודה את עצמו. ואולי טעות סופר במכילתא וצריך לומר ר' יוסי תחת ר' יהודה, או ר' יהודה במדרש שלפנינו איננו רבי יהודה דמכילתא דהוא רבי יהודה בר אלעאי. ולעיל בבראשית רבה פרשה מ"ב איתא ר' ברכיה לבדו ולא בשם רבי יהודה. ובירושלמי פ"ק דסנהדרין ה"ב ובנדרים פ"ו סוף ה"ט הגירסא ר' ברכיה בשם ר' חלבו. ונראה דמה דאיתא בגמרא דילן (סנהדרין לח, א) וכמה היו אלף, נראה דכוונו לדעת רבנן דהכא ורצה לומר דשניהם יחד היו אלף, וכבר כתב הטורי אבן בשם למגילה בגמרא סתמה בב' מקומות כר' יוסי, ובחידושי לערכין (לג, ב) גבי ובתי החצרים שני חצרים של שני בתים הארכתי בפרט זה בס"ד:

מסורת המדרש

ח. ירושלמי נדרים פ"ד:

ט. תנחומא סדר שמיני. סדר עולם רבה פ' כ"ה. ספרי ח"ב פיסקא ש"כ:

אם למקרא

וַיְהִי בִּימֵי יְהוֹיָקִים בֶּן יֹאשִׁיָּהוּ מֶלֶךְ יְהוּדָה עַד תֹּם עַשְׁתֵּי עֶשְׂרֵה שָׁנָה לְצִדְקִיָּהוּ בֶן יֹאשִׁיָּהוּ מֶלֶךְ יְהוּדָה עַד גְּלוֹת יְרוּשָׁלַםִ בַּחֹדֶשׁ הַחֲמִישִׁי: (ירמיה א:ג)

רָאִיתִי אֶת הָאָרֶץ וְהִנֵּה תֹהוּ וָבֹהוּ וְאֶל הַשָּׁמַיִם וְאֵין אוֹרָם: (שם ד:כג)

וַיְהִי כִּקְרוֹא יְהוּדִי שָׁלֹשׁ דְּלָתוֹת וְאַרְבָּעָה יִקְרָעֶהָ בְּתַעַר הַסֹּפֵר וְהַשְׁלֵךְ אֶל הָאֵשׁ אֲשֶׁר אֶל הָאָח עַד תֹּם כָּל הַמְּגִלָּה עַל הָאֵשׁ אֲשֶׁר עַל הָאָח: (שם לו:כג)

הָיוּ צָרֶיהָ לְרֹאשׁ אֹיְבֶיהָ שָׁלוּ כִּי ה' הוֹגָהּ עַל רֹב פְּשָׁעֶיהָ עוֹלָלֶיהָ הָלְכוּ שְׁבִי לִפְנֵי צָר: (איכה א:ה)

וַיְהִי בִּימֵי אֲחַשְׁוֵרוֹשׁ הוּא אֲחַשְׁוֵרוֹשׁ הַמֹּלֵךְ מֵהֹדּוּ וְעַד כּוּשׁ שֶׁבַע וְעֶשְׂרִים וּמֵאָה מְדִינָה: (אסתר א:א)

וַיְצַו פַּרְעֹה לְכָל עַמּוֹ לֵאמֹר כָּל הַבֵּן הַיִּלּוֹד הַיְאֹרָה תַּשְׁלִיכֻהוּ וְכָל הַבַּת תְּחַיּוּן: (שמות א:כב)

וְאֵת כָּל אַנְשֵׁי הַחַיִל שִׁבְעַת אֲלָפִים וְהֶחָרָשׁ וְהַמַּסְגֵּר אֶלֶף הַכֹּל גִּבּוֹרִים עֹשֵׂי מִלְחָמָה וַיְבִיאֵם מֶלֶךְ בָּבֶל גּוֹלָה בָּבֶלָה: (מלכים ב כד:טז)

ליקוטים

ביעתא. פירש המתנות כהונה בכל רצונו ואוות נפשו. ושבוש הוא כי אינו אלא תרגום ביצה שאמר לקעקע ביצתם (מעריך ערך ביעתא):

מתנות כהונה

הכי גרסינן **ווי ווי ויהי בימי אחז:** הכי גרסינן **ושרפו אותה ואמרו אוי לנו כשירגיש המלך בכך הדא הוא דכתיב:** הכי גרסינן **יקרעה: רבי יהודה בר סימון אומר אלו תלמידי חכמים.** לאו לאפלוגי אתא אלא לפרש: **בבל בעיתא.** הכי גרסינן גם כן ריש רות, ורצה לומר בכל רצונו ואוות נפשו. ובמגילת אסתר רבה (א, א) גרס בכל ביתא, פירוש בכל הבית יחד:

הָדָא הוּא דִכְתִיב ״לְהַשְׁמִיד לַהֲרֹג וּלְאַבֵּד״ — **Thus it is written,** *The king's scribes were summoned on the thirteenth day of the first month, and everything was written exactly as Haman had dictated . . . Letters were sent by courier to all the provinces of the king,* ***to destroy, to slay, and to exterminate*** *all the Jews* (*Esther* 3:12-13).[125] וְכֵיוָן שֶׁרָאוּ הַכֹּל אֲחַשְׁוֵרוֹשׁ מוֹכֵר וְהָמָן לוֹקֵחַ, הִתְחִילוּ הַכֹּל צוֹוְחִין: וַוי וַוי — **And when everyone saw Ahasuerus selling** the Jews **and Haman buying** them, **they all began crying out, "Woe** to us! **Woe** to us!"[126] ״וַיְהִי בִּימֵי אֲחַשְׁוֵרוֹשׁ״ — Thus it is written, ***And it happened in the days of*** [וַיְהִי בִּימֵי] **Ahasuerus.**[127]

The fifth instance of וַיְהִי בִּימֵי, *and it happened in the days of*:

״וַיְהִי בִּימֵי שְׁפֹט הַשֹּׁפְטִים״ — ***And it happened in the days when the judges judged*** (*Ruth* 1:1). מַה צָּרָה הָיְתָה שָׁם — **What misfortune happened there?** ״וַיְהִי רָעָב בָּאָרֶץ״ — ***That there was a famine in the land*** (ibid.).[128] מָשָׁל לִמְדִינָה שֶׁהָיְתָה חַיֶּיבֶת לִיפַּס לַמֶּלֶךְ וְשָׁלַח הַמֶּלֶךְ גַּבָּאי טִמְיוֹן לִגְבּוֹת — **This is compared to a province that owed tax money to the king, and the king sent a tax collector to collect** the debt. מֶה עָשׂוּ בְּנֵי הַמְּדִינָה — **What did the people of that province do?** עָמְדוּ וְתָלוּ אוֹתוֹ וְגָבוּ אוֹתוֹ — **They arose and suspended [the tax collector] and fined him.**[129] אָמְרוּ: וַוי כְּשֶׁיַּרְגִּישׁ הַמֶּלֶךְ בַּדְּבָרִים הַלָּלוּ — Then upon reflection, **they said, "Woe** to us **when the king realizes** that we have done **these things;** מַה שֶּׁשְּׁלוּחוֹ שֶׁל מֶלֶךְ מְבַקֵּשׁ לַעֲשׂוֹת לָנוּ עָשִׂינוּ לוֹ — **what the king's messenger sought to do to us we** instead **did to him!"** כָּךְ כְּשֶׁהָיָה אֶחָד מִיִּשְׂרָאֵל עוֹשֶׂה דָּבָר שֶׁלֹּא כַּהוֹגֶן הָיוּ מוֹלִיכִין אוֹתוֹ אֵצֶל הַדַּיָּין — **Similarly,** during the period discussed in the verse, **when an individual among the Israelites would engage in unworthy behavior, they would take him to the judge,** מַה שֶּׁהַדַּיָּין צָרִיךְ לַעֲשׂוֹת לַנִּשְׁפָּט הָיָה הַנִּשְׁפָּט עוֹשֶׂה לַדַּיָּין — and **whatever the judge should have done to the defendant, the defendant would do to the judge.**[130] אָמַר לָהֶן הַקָּדוֹשׁ בָּרוּךְ הוּא: אַתֶּם מְבַזִּין אֶת שׁוֹפְטֵיכֶם — Then **the Holy One, blessed is He, said to [the Jewish people], "You degrade your judges;** הִנְנִי מֵבִיא עֲלֵיכֶם דָּבָר שֶׁאִי אַתֶּם יְכוֹלִין לַעֲמוֹד בּוֹ — **I will bring upon you something that you will not be able to withstand!"** וְאֵיזֶה זֶה, רָעָב — **And what is that? Hunger.** ״וַיְהִי רָעָב בָּאָרֶץ״ — Thus it is written, *And it happened in the days* [וַיְהִי בִּימֵי] *when the judges judged* (or: *the days of the judging of the judges*), ***that there was a famine in the land.***[131]

Having discussed the connotations of the phrase וַיְהִי בִּימֵי, *and it happened in the days of*, the Midrash now discusses the connotation of the word וַיְהִי, *and it happened,* by itself:

שִׁמְעוֹן בַּר רַב אַבָּא בְּשֵׁם רַבִּי יוֹחָנָן אָמַר: כָּל מָקוֹם שֶׁנֶּאֱמַר ״וַיְהִי״ מְשַׁמֵּשׁ צָרָה וְשִׂמְחָה — **Shimon bar Rav Abba said in the name of R' Yochanan: Anywhere** the expression ***and it happened*** [וַיְהִי] **is stated** in Scripture, **it functions as** an indication either of **misfortune or of joy.** אִם צָרָה אֵין צָרָה כַּיּוֹצֵא בָּהּ, אִם שִׂמְחָה אֵין שִׂמְחָה כַּיּוֹצֵא בָּהּ — **If** it functions as an indication of **misfortune, there is no misfortune like it,** i.e., it is an indication of very great misfortune; **if** it functions as an indication of **joy, there is no joy like it,** i.e., it is an indication of very great joy. אֲתָא רַבִּי יִשְׁמָעֵאל עֲבָדָהּ פַּלְגָא — **R' Yishmael came and made a distinction** with regard to this rule:[132] כָּל מָקוֹם שֶׁנֶּאֱמַר ״וַיְהִי״ אֵין שִׂמְחָה, ״וְהָיָה״ אֵין צָרָה — **Anywhere** the expression ***and it happened*** [וַיְהִי] **is stated** in Scripture, it always functions as an expression indicating some **lack of joy;**[133] anywhere the expression ***it shall be*** [וְהָיָה] is stated in Scripture, it functions as an expression indicating some **lack of misfortune.**[134]

The Midrash now presents a series of challenges to R' Yishmael's assertion that וַיְהִי, *and it happened,* always indicates some lack of joy:

אֲתִיבוּן: ״וַיֹּאמֶר אֱלֹהִים יְהִי אוֹר וַיְהִי אוֹר״ — **[The Sages] raised a question:** Is it not written, ***God said, "Let there be light," and there was*** [וַיְהִי] ***light*** (*Genesis* 1:3)? Was there some lack of joy in the creation of light? אָמַר לָהֶן: אַף הִיא אֵינָהּ שִׂמְחָה לְפִי שֶׁלֹּא זָכָה הָעוֹלָם לְהִשְׁתַּמֵּשׁ בְּאוֹתוֹ הָאוֹר — **[R' Yishmael] replied to them: Even [the light] lacked** some **joy, for the world did not merit to make use of that light.**[135] דְּאָמַר רַבִּי יְהוּדָה בַּר סִימוֹן: אוֹר שֶׁבָּרָא הַקָּדוֹשׁ בָּרוּךְ הוּא בְּיוֹם רִאשׁוֹן אָדָם צוֹפֶה וּמַבִּיט בּוֹ מִסּוֹף הָעוֹלָם וְעַד סוֹפוֹ — **For R' Yehudah bar Simone said: With the light that the Holy One, blessed is He, created on the first day, a person would be able to survey and observe** everything **from one end of the world to the other,** כֵּיוָן שֶׁרָאָה הַקָּדוֹשׁ בָּרוּךְ הוּא מַעֲשֵׂה דוֹר אֱנוֹשׁ וּמַעֲשֵׂה דוֹר הַמַּבּוּל שֶׁהֵן מְקוּלְקָלִין עָמַד וּגְנָזוֹ מֵהֶן — but **when the Holy One, blessed is He, foresaw that the deeds of the generation of Enosh and the deeds of the generation of the Flood were corrupt, He went ahead and set aside [that light] from** being used by **them.** הָדָא הוּא דִכְתִיב ״וְיִמָּנַע מֵרְשָׁעִים אוֹרָם״ — **Thus it is written,** ***as light is withheld from the wicked*** (*Job* 38:15).[136]

NOTES

125. The physical destruction of *all* the Jews is compared to the uprooting of a vine, in that there is no hope for any future rejuvenation.

126. See end of *Esther Rabbah*, *Pesichta* §10.

127. The words וַיְהִי בִּימֵי, *and it happened in the days of,* being an allusion to misfortune, as stated above.

128. The Midrash's question seems somewhat puzzling, for the misfortune is explicitly stated in the very verse stated here. *Eitz Yosef* to *Bereishis Rabbah* 42 §3 interprets the Midrash to be asking: For what sin were the Israelites punished with famine? The Midrash proceeds to explain the reason for this punishment by means of a parable. See *Beur Maharif* for an alternative explanation.

129. I.e. they punished the tax collector by collecting a fine from him (*Rashi* to *Bereishis Rabbah* 42 §3; see *Onkelos* to *Deuteronomy* 22:19). Alternatively, they oppressed (literally, *hung up*) the tax collector until he would give them whatever he had (*Maharzu*).

130. Literally, the words שְׁפֹט הַשֹּׁפְטִים mean *the judging of the judges*. This is taken by the Midrash to mean that during the period discussed in the verse the Jewish people would judge their judges, i.e., inflicting on their judges whatever punishment the latter wished to impose upon them (*Maharzu*).

131. The Midrash is saying that as punishment for the Israelites' *judging their judges* (see above note), a different "judge" was sent by God, one against whom they would be powerless — namely *famine*. (Famine is listed in *Ezekiel* 14:21 as one of God's instruments of judgment) (*Rashi* to *Bereishis Rabbah* 42 §3; see *Maharzu* for an alternative explanation). The words וַיְהִי בִּימֵי, *and it happened in the days of,* are an allusion to misfortune, as stated above.

132. He agreed only with a part of the rule that was related by Shimon bar Abba in the name of R' Yochanan (*Eitz Yosef*).

133. R' Yishmael differs with Shimon bar Abba in that he is of the opinion that in the majority of cases וַיְהִי, *and it happened*, indicates misfortune, and at the very least indicates some lack of joy (ibid.). Even a small amount of misfortune would suffice to state וַיְהִי (as will soon become apparent), and moreover, it is never an expression of joy.

134. According to R' Yishmael, in the majority of cases וְהָיָה, *it shall be*, indicates joy, and at the very least indicates some lack of misfortune (ibid.). See Kleinman edition of *Bereishis Rabbah,* 42 §3, p. 34^{1}, Insight Ⓑ and *Rus Rabbah*, *Pesichta* §7, p. 7^{2}, Insight Ⓐ for explanations as to why וַיְהִי connotes misfortune and וְהָיָה connotes joy.

135. As the Midrash will momentarily explain. And since there was an element that mitigated the joyousness of this event, the word וַיְהִי is appropriate.

136. Although the light was withheld from the righteous as well, Scripture refers to it as having been withheld only *from the wicked* because the righteous will eventually enjoy it in the Next World (see further). Alternatively, the verse's expression מֵרְשָׁעִים is to be interpreted to mean *on account of the wicked*, i.e., this light was withheld even from the righteous on account of the wicked (*Eitz Yosef*).

הָדָא הוּא דִכְתִיב (אסתר ג, יג) "לְהַשְׁמִיד לַהֲרֹג וּלְאַבֵּד", וְכֵיוָן שֶׁרָאוּ הַכֹּל אֲחַשְׁוֵרוֹשׁ מוֹכֵר וְהָמָן לוֹקֵחַ, הִתְחִילוּ הַכֹּל צוֹוְחִין: וַוי וַוי, "וַיְהִי בִּימֵי אֲחַשְׁוֵרוֹשׁ". (רות א, א) "וַיְהִי בִּימֵי שְׁפֹט הַשֹּׁפְטִים", מַה צָּרָה הָיְתָה שָׁם, (שם) "וַיְהִי רָעָב בָּאָרֶץ", מָשָׁל לִמְדִינָה שֶׁהָיְתָה חַיֶּיבֶת לִיפַס לַמֶּלֶךְ וְשָׁלַח הַמֶּלֶךְ גַּבָּאֵי טִמְיוֹן לִגְבּוֹת, מֶה עָשׂוּ בְּנֵי הַמְּדִינָה, עָמְדוּ וְתָלוּ אוֹתוֹ וְגָבוּ אוֹתוֹ, אָמְרוּ: וַוי כְּשֶׁיַּרְגִּישׁ הַמֶּלֶךְ בַּדְּבָרִים הַלָּלוּ, מַה שֶּׁשְּׁלוּחוֹ שֶׁל מֶלֶךְ מְבַקֵּשׁ לַעֲשׂוֹת לָנוּ עָשִׂינוּ לוֹ, כָּךְ כְּשֶׁהָיָה אֶחָד מִיִּשְׂרָאֵל עוֹשֶׂה דָבָר שֶׁלֹּא כַּהוֹגֶן הָיוּ מוֹלִיכִין אוֹתוֹ אֵצֶל הַדַּיָּין, מַה שֶּׁהַדַּיָּין צָרִיךְ לַעֲשׂוֹת לַנִּשְׁפָּט הָיָה הַנִּשְׁפָּט עוֹשֶׂה לַדַּיָּין, אָמַר לָהֶן הַקָּדוֹשׁ בָּרוּךְ הוּא: אַתֶּם מְבַזִּין אֶת שׁוֹפְטֵיכֶם, הִנְנִי מֵבִיא עֲלֵיכֶם דָּבָר שֶׁאִי אַתֶּם יְכוֹלִין לַעֲמוֹד בּוֹ, וְאֵיזֶה זֶה, רָעָב, "וַיְהִי רָעָב בָּאָרֶץ". שִׁמְעוֹן בַּר רַב אַבָּא בְּשֵׁם רַבִּי יוֹחָנָן אָמַר: [י]כָּל מָקוֹם שֶׁנֶּאֱמַר "וַיְהִי" מְשַׁמֵּשׁ צָרָה וְשִׂמְחָה, אִם צָרָה אֵין צָרָה כַּיּוֹצֵא בָהּ, אִם שִׂמְחָה אֵין שִׂמְחָה כַּיּוֹצֵא בָהּ, אֲתָא רַבִּי יִשְׁמָעֵאל עֲבָדָה פַלְגָא: כָּל מָקוֹם שֶׁנֶּאֱמַר "וַיְהִי" אֵין שִׂמְחָה, "וְהָיָה" אֵין צָרָה, אֲתִיבוּן: (בראשית א, ג) "וַיֹּאמֶר אֱלֹהִים יְהִי אוֹר וַיְהִי אוֹר", אָמַר לָהֶן: אַף הִיא אֵינָהּ שִׂמְחָה לְפִי שֶׁלֹּא זָכָה הָעוֹלָם לְהִשְׁתַּמֵּשׁ בְּאוֹתוֹ הָאוֹר, דְּאָמַר רַבִּי יְהוּדָה בַּר סִימוֹן: [יא]אוֹר שֶׁבָּרָא הַקָּדוֹשׁ בָּרוּךְ הוּא בַּיּוֹם רִאשׁוֹן אָדָם צוֹפֶה וּמַבִּיט בּוֹ מִסּוֹף הָעוֹלָם וְעַד סוֹפוֹ, כֵּיוָן שֶׁרָאָה הַקָּדוֹשׁ בָּרוּךְ הוּא מַעֲשֵׂה דוֹר אֱנוֹשׁ וּמַעֲשֵׂה דוֹר הַמַּבּוּל שֶׁהֵן מְקוּלְקָלִין עָמַד וּגְנָזוֹ מֵהֶן, הָדָא הוּא דִכְתִיב (איוב לח, טו) "וְיִמָּנַע מֵרְשָׁעִים אוֹרָם", וְהֵיכָן גְּנָזוֹ, בְּגַן עֵדֶן, שֶׁנֶּאֱמַר (תהלים צז, יא) "אוֹר זָרֻעַ לַצַּדִּיק וּלְיִשְׁרֵי לֵב שִׂמְחָה", אֲתִיבוּן: (בראשית א, ה) "וַיְהִי עֶרֶב וְגוֹ'", אָמַר לָהֶן: אַף הִיא אֵינָהּ שִׂמְחָה, שֶׁכָּל מַה שֶּׁנִּבְרָא בַּיּוֹם רִאשׁוֹן עָתִיד לִבְלוֹת, הָדָא הוּא דִכְתִיב (ישעיה נא, ו) "כִּי שָׁמַיִם כֶּעָשָׁן נִמְלָחוּ וְהָאָרֶץ וְגוֹ'", אֵיתִיבוּן: (בראשית שם ח; יג; יט; כג; לא) "וַיְהִי עֶרֶב וַיְהִי בֹקֶר יוֹם שֵׁנִי ... שְׁלִישִׁי ... רְבִיעִי ... חֲמִישִׁי ... הַשִּׁשִּׁי", אָמַר לָהֶן: אַף הִיא אֵינָהּ שִׂמְחָה שֶׁכָּל מַה שֶּׁנִּבְרָא בְּשֵׁשֶׁת יְמֵי בְרֵאשִׁית צְרִיכִין עֲשִׂיָּה, הַחִטִּין צְרִיכִין לִטְחוֹן הַחַרְדָּל צָרִיךְ לְמַתְּקָהּ וְתוּרְמוּסִין צְרִיכִין לְהַמְתִּיק, אֲתִיבוּן: (בראשית לט, ב) "וַיְהִי ה' אֶת יוֹסֵף וַיְהִי אִישׁ מַצְלִיחַ", אָמַר לָהֶן: אַף הִיא אֵינָהּ שִׂמְחָה, שֶׁמִּתּוֹךְ כָּךְ נִזְדַּמְּנָה לוֹ אוֹתָהּ רְשָׁעָה, אֲתִיבוּן: [ט, א] "וַיְהִי בַּיּוֹם הַשְּׁמִינִי", אָמַר לָהֶן אַף הִיא אֵינָהּ שִׂמְחָה, שֶׁבְּאוֹתוֹ הַיּוֹם מֵתוּ נָדָב וַאֲבִיהוּא, [יב]אֵיתִיבוּן: (במדבר ז, א) "וַיְהִי בְּיוֹם כַּלּוֹת מֹשֶׁה", אָמַר לָהֶן: אַף הִיא אֵינָהּ שִׂמְחָה, שֶׁבּוֹ בַּיּוֹם שֶׁנִּבְנָה בִּנְיָנוֹ שֶׁל בֵּית נִגְנַז, אֵיתִיבוּן: (יהושע ו, כז) "וַיְהִי ה' אֶת יְהוֹשֻׁעַ", אָמַר לָהֶן: אַף הִיא אֵינָהּ שִׂמְחָה, שֶׁנֶּהֱרַג יָאִיר שֶׁשָּׁקוּל כְּרוּבָּהּ שֶׁל סַנְהֶדְרִין,

מתנות כהונה

פלגא. חילוק וכל מאמר זה פירשתי בפרשת לך לך (מב, ג) ובמגילת אסתר (שם):

עץ יוסף

ועניינו ליטול כל בני ואפרוחי העוף ואינו מניח כלום לקיום המין, ולשון למזכי הוא כזוכה מן ההפקר, כאסוף בנים עזובות עד כאן לשונו: **ליפס.** מס: **גבאי טמיון.** פירוש גובה מס לאוצר המלך: **עבדא פלגא בו'.** פירוש פשרה וחלוקה, ואמר כל מקום שנאמר ויהי ברוב מקומות הוא צרה, ובא למעט מקומות, על כל פנים אין שמחה, אבל והיה הוא בהיפך, ברוב מקומות הוא שמחה, ובמיעוט על כל פנים אין צרה: **אדם.** פירוש אדם הראשון: **וימנע מרשעים אורם.** והמ"ם הוא מ"ם הסיבה, שבשביל הרשעים נמנע אף מצדיקים. אי נמי כפשוטו דמרשעים לבד נמנע שכיון שהצדיקים לבסוף יזכו בה שלהם מתוקנת, לא הוי מניעה לגבייהו: **נמלחו.** ענין השחתה וכליון, כמו (ירמיה לח יא) ובלוי מלחים: **החרדל.** שאינו נאכל מצד חריפותו צריכין להמתיקו: **ותורמוסין.** הוא מין קטניות שאינו נאכל מפני מרירותו צריכין להמתיקו, שמתבשלת שבע פעמים, ואחר כך היא מתוקה על ידי תיקון, כדאיתא במסכת ביצה פרק אין צדין (אולי צ"ל שבת עד ב): **אותה רשעה.** פוטיפרע, שעל ידי היותו מולח, וכל יש לו לרבו, מסר בידו, חשבה פוטיפרע שתפיק רצונה, שהוא ברשותו ואין דורש מעשיו, ועל ידי זה נתגלגל ששמו אותו בבור:

פירוש מהרז"ו

גבאי טמיון. מי שגובה ממון השייכים לאוצר המלך: **תלו אותו וגבו אותו.** שתלו אותו ליסרו, עד שימסור כל מה שבידו: **הנשפט עושה לדיין.** וזהו שפוט השופטים, ששפטו את שופטיהם: **אתם מבזים שופטיכם.** ומחרפים אותם, אף אני אתן לכם חרפת רעב, כמו שנאמר (יחזקאל לו, ל) חרפת רעב בגוים, ולהפך ואכלתם אכל ושבוע וגו' ולא יבושו עמי לעולם (יואל ב, כו): **ועבדא פלגא.** ששמעון בר אבא אמר שויהי צרה ושמחה, והוא אמר שאין [ויהי] אלא צרה ולא שמחה, והיה שמחה, כן הוא שם בבראשית רבה ומה שכתוב כאן רבי ישמעאל, שם בבראשית רבה איתא רבי שמואל בר נחמן: **ויהי אור.** והוא שמחה, וכדברי שמעון בר רב אבא: **אור שברא.** בראשית רבה (ג, ו) ושם נסמן ומבואר: **יום שני יום שלישי.** ואם על שעתידין לכלות, הרי כבר נשמע מויהי של יום ראשון, כמו שאמרו בבראשית רבה (יב, ד): **צריכים עשיה.** כמו שאמרו בבראשית רבה (יא, ו), ומרומז במה שכתוב אשר ברא אלהים לעשות, כל מה (שבא) [שנברא] צריכים עשיה עיין שם: **אותה רשעת.** אשת פוטיפרע, ואם לא היה מצליח לא היתה נותנת עיניה עליו, ובעבור זה ניתן בבית האסורים שתים עשרה שנה, ואין זה שמחה: **שבו ביום שנבנה.** פירוש שנגמר בנין בית המקדש, כמו שכתוב מלכים א' ח, ויעלו את ארון ה' ואת אוהל מועד ואת כל כלי הקודש אשר באהל ויעלו אותם הכהנים הלוים, פירוש לגנזם: **ויהי ה' את יהושע.** וכתיב מיד אחריו, וימעלו בני ישראל מעל בחרם, וכל הענין של מפלת מלחמת העי, ושם כתיב ויכו מהם אנשי העי כשלשים וששה איש, ואם היה אומר מספר שלם, כשלשים כשלשה, היינו אומרים שעל כן אמר כל, אף שחסר אחד או יותר אחד, שטוב לאחוז במספר שלם, אך מאחר שאומר כשלשים וששה, אם היה רק קרוב למספר זה, היה לו לומר לומר שלושים וחמשה, או שלושים ושבעה, על כן דורש כשלשים וששה איש, להורות שהיה איש אחד ששקול כשלשים וששה, ואיזה חשיבות במספר זה של שלושים וששה, על כן דורש שהכוונה על רובן של סנהדרין, שכל התורה תלויה בשבעים סנהדרין שבלשכת הגזית, וכל דין נפסק על פי רובה של סנהדרין שרובה ככולה, וזהו החשיבות של מספר שלשים וששה, וכדמות רמז על זה במלכים (א, ד, יג) לו חות יאיר בן מנשה שיאיר הוא הל"ו ודו"ק. ועיין סנהדרין (מב) [מד, א], בבא בתרא קכא (ע"ב):

חידושי הרד"ל

שבו ביום שנבנה בנינו של בית נגנז. בפסיקתא דכלת משה הגירסא, שעתיד לגנוז מפני בית המקדש, וכדאמרינן (סוטה ט, א) כשנבנה בית המקדש נגנז אהל מועד (וכל כליו), אבל בבראשית רבה שם ושאר מקומות מסיים עלה שנאמר (שמות מ, לה) ולא יכול משה לבוא אל אוהל מועד כי שכן עליו הענן, ונראה פירושו שתחילה היה הכבוד מלא כל המשכן, ואחר כך נגנז ושכן רק על הכרובים, (ועיין רמב"ן פ' פקודי), והוא כענין אור שבעת ימי בראשית שנגנז אחר כך, (וכמו כל ענייני המשכן שהיו שוין לימי בראשית):

חידושי הרש"ש

תורמסין צריכין להמתיק. כן צריך לומר:

באור מהרי"פ

ויהי אין שמחה וכו'. בבראשית רבה (מב, ג) הגירסא יותר מבוררת ועיין שם:

אמרי יושר

שכל הנברא בששה ימי בראשית צריך עשייה. ואם כן מבלי בחינה שלעתיד, אתרץ שאף עתה אינם שלמים:

שינוי נוסחאות

עין שעשתה מדת הדין בעולם בקשו לסותמה. רד"ל הגיה "בקשו לסמותה", וכן הוא באמת בכל הכי"י כולם: **שכל מה שנברא ביום ראשון עתיד לבלות.** בהרבה ספרים כתוב "לכלות", אבל בספרים הישנים היה כתוב "לבלות" וכן הוא בד' ווארשא, ושתי הנוסחאות איתנהו בכי"י:

מסורת המדרש

י. במד"ר פ' י"ד. פסיקתא פ"ה ופ"ז:
יא. חגיגה דף י"ב. ב"ר פ' י"א וי"ב. במד"ר פ' י"ג. ילקוט איוב רמז תתקכ"ד. ש"ר ל"ה:
יב. אדר"ן פ' מ':

אם למקרא

וְנִשְׁלוֹחַ סְפָרִים בְּיַד הָרָצִים אֶל כָּל מְדִינוֹת הַמֶּלֶךְ לְהַשְׁמִיד לַהֲרֹג וּלְאַבֵּד אֶת כָּל הַיְּהוּדִים מִנַּעַר וְעַד זָקֵן טַף וְנָשִׁים בְּיוֹם אֶחָד בִּשְׁלוֹשָׁה עָשָׂר לְחֹדֶשׁ שְׁנֵים עָשָׂר הוּא חֹדֶשׁ אֲדָר וּשְׁלָלָם לָבוֹז: (אסתר ג:יג)

וַיְהִי בִּימֵי שְׁפֹט הַשֹּׁפְטִים וַיְהִי רָעָב בָּאָרֶץ וַיֵּלֶךְ אִישׁ מִבֵּית לֶחֶם יְהוּדָה לָגוּר בִּשְׂדֵי מוֹאָב הוּא וְאִשְׁתּוֹ וּשְׁנֵי בָנָיו: (רות א:א)

וַיֹּאמֶר אֱלֹהִים יְהִי אוֹר וַיְהִי אוֹר: (בראשית א:ג)

וְיִמָּנַע מֵרְשָׁעִים אוֹרָם וּזְרוֹעַ רָמָה תִּשָּׁבֵר: (איוב לח:טו)

אוֹר זָרֻעַ לַצַּדִּיק וּלְיִשְׁרֵי לֵב שִׂמְחָה: (תהלים צז:יא)

וַיִּקְרָא אֱלֹהִים לָאוֹר יוֹם וְלַחֹשֶׁךְ קָרָא לָיְלָה וַיְהִי עֶרֶב וַיְהִי בֹקֶר יוֹם אֶחָד: (בראשית א:ה)

שְׂאוּ לַשָּׁמַיִם עֵינֵיכֶם וְהַבִּיטוּ אֶל הָאָרֶץ מִתַּחַת כִּי שָׁמַיִם כֶּעָשָׁן נִמְלָחוּ וְהָאָרֶץ כַּבֶּגֶד תִּבְלֶה וְיֹשְׁבֶיהָ כְּמוֹ כֵן יְמוּתוּן וִישׁוּעָתִי לְעוֹלָם תִּהְיֶה וְצִדְקָתִי לֹא תֵחָת: (ישעיה נא:ו)

וַיִּקְרָא אֱלֹהִים לָרָקִיעַ שָׁמָיִם וַיְהִי עֶרֶב וַיְהִי בֹקֶר יוֹם שֵׁנִי: (בראשית א:ח)

וַיְהִי עֶרֶב וַיְהִי בֹקֶר יוֹם שְׁלִישִׁי: (שם שם יג)

וַיְהִי עֶרֶב וַיְהִי בֹקֶר יוֹם רְבִיעִי: (שם שם יט)

וַיְהִי עֶרֶב וַיְהִי בֹקֶר יוֹם חֲמִישִׁי: (שם שם כג)

וַיַּרְא אֱלֹהִים אֶת כָּל אֲשֶׁר עָשָׂה וְהִנֵּה טוֹב מְאֹד וַיְהִי עֶרֶב וַיְהִי בֹקֶר יוֹם הַשִּׁשִּׁי: (שם שם לא)

וַיְהִי ה' אֶת יוֹסֵף וַיְהִי אִישׁ מַצְלִיחַ וַיְהִי בְּבֵית אֲדֹנָיו הַמִּצְרִי: (שם לט:ב)

וַיְהִי בְּיוֹם כַּלּוֹת מֹשֶׁה לְהָקִים אֶת הַמִּשְׁכָּן וַיִּמְשַׁח אֹתוֹ וַיְקַדֵּשׁ אֹתוֹ וְאֶת כָּל כֵּלָיו וְאֶת הַמִּזְבֵּחַ וְאֶת כָּל כֵּלָיו וַיִּמְשָׁחֵם וַיְקַדֵּשׁ אֹתָם: (במדבר ז:א)

וַיְהִי ה' אֶת יְהוֹשֻׁעַ וַיְהִי שָׁמְעוֹ בְּכָל הָאָרֶץ: (יהושע ו:כז)

וְהֵיכָן גְּנָזוֹ, בְּגַן עֵדֶן — **And where did [God] set [that light] aside? In the Garden of Eden,**[137] שֶׁנֶּאֱמַר "אוֹר זָרֻעַ לַצַּדִּיק וּלְיִשְׁרֵי לֵב שִׂמְחָה" — **as it states, *Light is sown for the righteous; and for the upright of heart, gladness*** (*Psalms* 97:11).[138]

אֲתִיבוּן: "וַיְהִי עֶרֶב וְגוֹ'" — **[The Sages] raised a question:** Is it not written, ***And there was*** [וַיְהִי] ***evening,*** *and there was* [וַיְהִי] *morning, one day* (*Genesis* 1:5)? Was there some lack of joy on the first day of Creation? אָמַר לָהֶן: אַף הִיא אֵינָהּ שִׂמְחָה, שֶׁכָּל מַה שֶּׁנִּבְרָא בְּיוֹם רִאשׁוֹן עָתִיד לִבְלוֹת — **[R' Yishmael] replied to them: Even [the first day of Creation] lacked** some **joy, for all that was created on the first day** — namely, the heavens and the earth — **is destined to come to an end.** הֲדָא הוּא דִכְתִיב "כִּי שָׁמַיִם כֶּעָשָׁן נִמְלָחוּ וְהָאָרֶץ וְגוֹ'" — **Thus it is written, *for the heavens will dissipate like smoke, and the earth*** *will wear out like a garment and its inhabitants will die, as well; but My salvation will be forever and My righteousness will not be broken* (*Isaiah* 51:6).

אִיתִיבוּן: "וַיְהִי עֶרֶב וַיְהִי בֹקֶר יוֹם שֵׁנִי . . . שְׁלִישִׁי . . . רְבִיעִי . . . חֲמִישִׁי . . . הַשִּׁשִּׁי" — **[The Sages] raised a question:** Is it not written, ***And there was*** [וַיְהִי] ***evening and there was*** [וַיְהִי] ***morning, a second day*** (*Genesis* 1:8), and similarly ***a third*** *day* (ibid., v. 13), ***a fourth*** *day* (v. 19), ***a fifth*** *day* (v. 23), and ***the sixth*** *day* (v. 31)? Was there some lack of joy on these days of Creation? אָמַר לָהֶן: אַף הִיא אֵינָהּ שִׂמְחָה שֶׁכָּל מַה שֶּׁנִּבְרָא בְּשֵׁשֶׁת יְמֵי בְרֵאשִׁית צְרִיכִין עֲשִׂיָּיה — **[R' Yishmael] replied to them: Even [those days of Creation] lacked** some **joy, for all that was created in the six days of Creation requires** further **preparation** to make it usable: הַחִטִּין צְרִיכִין לִטְחוֹן הַחַרְדָּל צָרִיךְ לְמַתְּקָהּ וְתוּרְמוּסִין צְרִיכִין לְהַמְתִּיק — **wheat needs to be ground, mustard requires sweetening, and lupines need to be sweetened.**[139]

Another challenge to R' Yishmael's view:

אֲתִיבוּן: "וַיְהִי ה' אֶת יוֹסֵף וַיְהִי אִישׁ מַצְלִיחַ" — **[The Sages] raised a question:** Is it not written, ***HASHEM was*** [וַיְהִי] ***with Joseph, and he became*** [וַיְהִי] ***a successful man*** (ibid. 39:2)? Was there some lack of joy here? אָמַר לָהֶן: אַף הִיא אֵינָהּ שִׂמְחָה, שֶׁמִּתּוֹךְ כָּךְ נִזְדַּמְּנָה לוֹ אוֹתָהּ רְשָׁעָה — **[R' Yishmael] replied to them: Even [Joseph's success] lacked** some **joy, for** it was **because of it** that **that wicked woman,** i.e., Potiphar's wife, **met up with [Joseph].**[140]

אֲתִיבוּן: "וַיְהִי בַּיּוֹם הַשְּׁמִינִי" — **[The Sages] raised a question:** Is it not written, ***It was*** [וַיְהִי] ***on the eighth day*** (9:1)? Was there some lack of joy on that day?[141] אָמַר לָהֶן אַף הִיא אֵינָהּ שִׂמְחָה, שֶׁבְּאוֹתוֹ הַיּוֹם מֵתוּ נָדָב וַאֲבִיהוּ — **[R' Yishmael] said to them: Even [that day] lacked** some **joy, for on that day Nadab and Abihu died.**

אִיתִיבוּן: "וַיְהִי בְּיוֹם כַּלּוֹת מֹשֶׁה" — **[The Sages] raised a question:** Is it not written, ***It was*** [וַיְהִי] ***on the day that Moses finished*** *erecting the Tabernacle* (*Numbers* 7:1)?[142] Was there some lack of joy here?[143] אָמַר לָהֶן: אַף הִיא אֵינָהּ שִׂמְחָה, שֶׁבּוֹ בַּיּוֹם שֶׁנִּבְנָה בִּנְיָנוֹ שֶׁל בֵּית נִגְנַז — **[R' Yishmael] replied to them: Even [the finishing of the Tabernacle] lacked** some **joy, for it was** ultimately **hidden away on the day that the structure of the** Holy **Temple was** finished being **built.**[144]

אִיתִיבוּן: "וַיְהִי ה' אֶת יְהוֹשֻׁעַ" — **[The Sages] raised a question:** Is it not written, ***HASHEM was*** [וַיְהִי] ***with Joshua*** (*Joshua* 6:27)? Was there some lack of joy here? אָמַר לָהֶן: אַף הִיא אֵינָהּ שִׂמְחָה, שֶׁנֶּהֱרַג יָאִיר שֶׁשָּׁקוּל כְּרוּבָּהּ שֶׁל סַנְהֶדְרִין — **[R' Yishmael] replied them: Even this** occasion **lacked** some **joy, for Yair** the son of Manasseh **was killed, who was equal** in stature **to a majority of the Sanhedrin** combined,[145]

NOTES

137. For future use by the righteous in the World to Come (see *Shemos Rabbah* 35 §1).

138. See Kleinman edition of *Rus Rabbah, Pesichta* §7, p. 9[2], Insight Ⓐ.

139. Untreated mustard seeds are too sharp to eat; and raw lupines are too bitter for human consumption (see *Shabbos* 127b). [The Gemara (ibid. 74a-b) states that lupines were usually boiled seven times in order to sweeten them.]

140. Because God rendered Joseph so successful, Potiphar appointed him to manage everything in his house without any oversight. And this, in turn, was precisely what led Potiphar's wife to make advances to Joseph, for she believed that any illicit actions between Joseph and herself would not be discovered. As a result of her actions, Joseph was thrown into jail. See *Genesis* 39:7ff (*Eitz Yosef*; cf. *Maharzu*).

141. This day was a day of great joy (see 9:23-24); indeed, the Sages state that it was as joyous before God as the day He created heaven and earth (*Megillah* 10b; see also *Rashi* to 9:1).

142. This refers to the same day as the one mentioned in *Leviticus* 9:1 above.

143. I.e., aside from that which was already alluded to by the use of the word וַיְהִי in *Leviticus* 9:1.

144. When the Holy Temple was built in Jerusalem, the Tabernacle, which had been used until that time, was "retired" and hidden away, as taught in *Sotah* 9a (*Maharzu, Radal*). The joy of its completion was thus diminished by the knowledge that it was not a permanent Temple, but would one day be replaced.

145. The Sanhedrin was composed of 71 sages. A majority of the Sanhedrin would thus be 36 sages. See further.

הָדָא הוּא דִכְתִיב (אסתר ג, יג) "לְהַשְׁמִיד לַהֲרֹג וּלְאַבֵּד", וְכֵיוָן שֶׁרָאוּ הַכֹּל אֲחַשְׁוֵרוֹשׁ מוֹכֵר וְהָמָן לוֹקֵחַ, הִתְחִילוּ הַכֹּל צוֹוְחִין: וַוי וַוי, "וַיְהִי בִּימֵי אֲחַשְׁוֵרוֹשׁ". (רות א, א) "וַיְהִי בִּימֵי שְׁפֹט הַשֹּׁפְטִים", מַה צָּרָה הָיְתָה שָׁם, (שם) "וַיְהִי רָעָב בָּאָרֶץ", מָשָׁל לִמְדִינָה שֶׁהָיְתָה חַיֶּבֶת לִיפַס לַמֶּלֶךְ וְשָׁלַח הַמֶּלֶךְ גַּבַּאי טִמְיוֹן לִגְבּוֹת, מֶה עָשׂוּ בְּנֵי הַמְּדִינָה, עָמְדוּ וְתָלוּ אוֹתוֹ וְגָבוּ אוֹתוֹ, אָמְרוּ: וַוי כְּשֶׁיַּרְגִּישׁ הַמֶּלֶךְ בִּדְבָרִים הַלָּלוּ, מַה שֶּׁשְּׁלוּחוֹ שֶׁל מֶלֶךְ מְבַקֵּשׁ לַעֲשׂוֹת לָנוּ עָשִׂינוּ לוֹ, כָּךְ כְּשֶׁהָיָה אֶחָד מִיִּשְׂרָאֵל עוֹשֶׂה דָּבָר שֶׁלֹּא כַּהֹוגֶן הָיוּ מוֹלִיכִין אוֹתוֹ אֵצֶל הַדַּיָּן, מַה שֶּׁהַדַּיָּן צָרִיךְ לַעֲשׂוֹת לַנִּשְׁפָּט הָיָה הַנִּשְׁפָּט עוֹשֶׂה לַדַּיָּן, אָמַר לָהֶן הַקָּדוֹשׁ בָּרוּךְ הוּא: אַתֶּם מְבַזִּין אֶת שׁוֹפְטֵיכֶם, הִנְנִי מֵבִיא עֲלֵיכֶם דָּבָר שֶׁאִי אַתֶּם יְכוֹלִין לַעֲמוֹד בּוֹ, וְאֵיזֶה זֶה, רָעָב, "וַיְהִי רָעָב בָּאָרֶץ". שִׁמְעוֹן בַּר רַב אַבָּא בְּשֵׁם רַבִּי יוֹחָנָן אָמַר: [י]כָּל מָקוֹם שֶׁנֶּאֱמַר "וַיְהִי" מְשַׁמֵּשׁ צָרָה וְשִׂמְחָה, אִם צָרָה אֵין צָרָה כַּיּוֹצֵא בָהּ, אִם שִׂמְחָה אֵין שִׂמְחָה כַּיּוֹצֵא בָהּ, אֲתָא רַבִּי יִשְׁמָעֵאל עֲבַדָּהּ פַּלְגָא: כָּל מָקוֹם שֶׁנֶּאֱמַר "וַיְהִי" אֵין שִׂמְחָה, "וְהָיָה" אֵין צָרָה, אַתִיבוּן: (בראשית א, ג) "וַיֹּאמֶר אֱלֹהִים יְהִי אוֹר וַיְהִי אוֹר", אָמַר לָהֶן: אַף הִיא אֵינָהּ שִׂמְחָה לְפִי שֶׁלֹּא זָכָה הָעוֹלָם לְהִשְׁתַּמֵּשׁ בְּאוֹתוֹ הָאוֹר, דְּאָמַר רַבִּי יְהוּדָה בַּר סִימוֹן: [יא]אוֹר שֶׁבָּרָא הַקָּדוֹשׁ בָּרוּךְ הוּא בְּיוֹם רִאשׁוֹן אָדָם צוֹפֶה וּמַבִּיט בּוֹ מִסּוֹף הָעוֹלָם וְעַד סוֹפוֹ, כֵּיוָן שֶׁרָאָה הַקָּדוֹשׁ בָּרוּךְ הוּא מַעֲשֵׂה דוֹר אֱנוֹשׁ וּמַעֲשֵׂה דוֹר הַמַּבּוּל שֶׁהֵן מְקוּלְקָלִין עָמַד וּגְנָזוֹ מֵהֶן, הָדָא הוּא דִכְתִיב (איוב לח, טו) "וְיִמָּנַע מֵרְשָׁעִים אוֹרָם", וְהֵיכָן גְּנָזוֹ, בְּגַן עֵדֶן, שֶׁנֶּאֱמַר (תהלים צז, יא) "אוֹר זָרֻעַ לַצַּדִּיק וּלְיִשְׁרֵי לֵב שִׂמְחָה", אַתִיבוּן: (בראשית א, ה) "וַיְהִי עֶרֶב וְגוֹ'", אָמַר לָהֶן: אַף הִיא אֵינָהּ שִׂמְחָה, שֶׁכָּל מַה שֶּׁנִּבְרָא בְּיוֹם רִאשׁוֹן עָתִיד לִבְלוֹת, הָדָא הוּא דִכְתִיב (ישעיה נא, ו) "כִּי שָׁמַיִם כֶּעָשָׁן נִמְלָחוּ וְהָאָרֶץ וְגוֹ'", אַתִיבוּן: (בראשית שם ח; יג; יט; כג; לא) "וַיְהִי עֶרֶב וַיְהִי בֹקֶר יוֹם שֵׁנִי ... שְׁלִישִׁי ... רְבִיעִי ... חֲמִישִׁי ... הַשִּׁשִּׁי", אָמַר לָהֶן: אַף הִיא אֵינָהּ שִׂמְחָה שֶׁכָּל מַה שֶּׁנִּבְרָא בְּשֵׁשֶׁת יְמֵי בְרֵאשִׁית צְרִיכִין עֲשִׂיָּה, הַחִטִּין צְרִיכִין לִטְחוֹן, הַחַרְדָּל צָרִיךְ לְמַתְּקָה וְתוּרְמוּסִין צְרִיכִין לְהַמְתִּיק, אַתִיבוּן: (בראשית לט, ב) "וַיְהִי ה' אֶת יוֹסֵף וַיְהִי אִישׁ מַצְלִיחַ", אָמַר לָהֶן: אַף הִיא אֵינָהּ שִׂמְחָה, שֶׁמִּתּוֹךְ כָּךְ נִזְדַּמְּנָה לוֹ אוֹתָהּ רְשָׁעָה, אַתִיבוּן: [ט, א] "וַיְהִי בַּיּוֹם הַשְּׁמִינִי", אָמַר לָהֶן אַף הִיא אֵינָהּ שִׂמְחָה, שֶׁבְּאוֹתוֹ הַיּוֹם מֵתוּ נָדָב וַאֲבִיהוּא, [יב]אַתִיבוּן: (במדבר ז, א) "וַיְהִי בְּיוֹם כַּלּוֹת מֹשֶׁה", אָמַר לָהֶן: אַף הִיא אֵינָהּ שִׂמְחָה, שֶׁבּוֹ בַּיּוֹם שֶׁנִּבְנָה בִּנְיָנוֹ שֶׁל בֵּית נִגְנַז, אַתִיבוּן: (יהושע ו, כז) "וַיְהִי ה' אֶת יְהוֹשֻׁעַ", אָמַר לָהֶן: אַף הִיא אֵינָהּ שִׂמְחָה, שֶׁנֶּהֱרַג יָאִיר שֶׁשָּׁקוּל כְּרוּבָּהּ שֶׁל סַנְהֶדְרִין,

עץ יוסף

וטעמו ליטול כל בני ואפרוחי העוף ולאו מניה כלום לקיום המין, ולשון למזכי הוא כזוכה מן ההפקר, כלשון בזים עזובות עד כאן לשונו: **ליפס.** מס: **גבאי טמיון.** פירוש גובה מס לאולר המלך: **עבדא פלגא כו'.** פירוש פשרה וחלוקה, ואמר כל מקום שנאמר ויהי ברוב מקומות הוא לרה, ובא למעט מקומות, על כל פנים אין שמחה, אבל והיה הוא בהיפך, ברוב מקומות הוא שמחה, ובמיעוט על כל פנים אין לרה: **אדם.** פירוש אדם הראשון: **וימנע מרשעים אורם.** והמ"ם הוא מ"ם הסיבה, שבשביל הרשעים נמנע אף מלדיקים. אי נמי כפשוטו מהרשעים לבד מנע שכיון שהלדיקים לבסוף יזכו בה שלהם מתוקנת, לא הוי מניעה לגבייהו: **נמלחו.** ענין השחתה וכליון, כמו (ירמיה לח יא) ובלוי מלחים: **החרדל.** שאינו נאכל מלד חריפותו לריכין להמתיקו: **ותורמוסין.** הוא מין קטניות שאינו נאכל מפני מרירותו לריכין להמתיקו, שמתבשלת שבע פעמים, ואחר כך היא מתוקה על ידי תיקון, כדאיתא במסכת ביצה פרק אין לדין (אולי צ"ל שבת עד ב): **אותה רשעה.** פוטיפרע, שעל ידי היותו מולח, וכל יש לו לרבו, מסר בידו, חשבה פוטיפרע שתפיק רלונה, שהוא ברשותו ואין דורש מעשיו, ועל ידי זה נתגלגל ששמו אותו בבור:

פירוש מהרז"ו

גבאי טמיון. מי שגובה ממון השייכים לאולר המלך: **תלו אותו וגבו אותו.** שתלו אותו ליסרו, עד שימסור כל מה שבידו: **הנשפט עושה לדיין.** וזהו שפוט השופטים, ששפטו את שופטיהם: **אתם מבזים שופטיכם.** ומחרפים אותם, אף אני אתן לכם חרפת רעב, כמו שנאמר (יחזקאל לו, ל) חרפת רעב בגוים, ולהפך ואכלתם אכול ושבוע וגו' ולא יבושו עמי לעולם (יואל ב, כו): **ועבדא פלגא.** ששמעון בר אבא אמר שויהי לרה ושמחה, והוא אמר שאין [ויהי] אלא לרה ולא שמחה, והיה שמחה, כן הוא גם בבראשית רבה ומה שכתוב כאן רבי ישמעאל, גם בבראשית רבה איתא רבי שמואל בר נחמן: **ויהי אור.** והוא שמחה, וכדברי שמעון בר רב אבא: **אור שברא.** בראשית רבה (ג, ו) וגם נסמן ומבואר: **יום שני יום שלישי.** ואם על שעתידין לכלות, הרי כבר נשמע מויהי של יום ראשון, כמו שאמרו בבראשית רבה (יב, ד): **צריכים עשיה.** כמו שאמרו בבראשית רבה (יא, ו), ומרומז במה שכתוב אשר ברא אלהים לעשות, כל מה (שבא) [שברא] לריכים עשיה שגמרו עיין שם: **אותה רשעה.** אשת פוטיפרע, ואם לא היה מלליח לא היתה נותנת עיניה עליו, ובעבור זה ניתן בבית האסורים שתים עשרה שנה, ואין זה שמחה: **שבו ביום שנבנה.** פירוש שנגמר בנין בית המקדש, כמו שכתוב מלכים א' ח, ויעלו את ארון ה' ואת אוהל מועד ואת כל כלי הקודש אשר באהל ויעלו אותם הכהנים הלוים, פירוש לגנזם: **ויהי ה' את יהושע.** וכתיב מיד אחריו, וימעלו בני ישראל מעל בחרם, וכל הענין של מפלת מלחמת העי, ושם כתיב ויכו מהם אנשי העי כשלשים וששה איש, ואם היה אומר מספר שלם, כשלשים כארבעים, היינו אומרים שעל כן אמר בכ', אף שחסר אחד או יתר אחד, שטוב לאחוז במספר שלם, אך מאחר שאומר כשלשים וששה, אם היה רק קרוב למספר זה, היה לו לומר שלושים וחמשה, או שלושים ושבעה, על כן דורש כשלשים וששה איש, להורות שהיה איש אחד ששקול כשלשים וששה, ואיזה חשיבות במספר זה של שלושים וששה, על כן דורש שהכוונה על רובן של סנהדרין, שכל התורה תלויה בשבעים סנהדרין שבלשכת הגזית, וכל דין נפסק על פי רובה של סנהדרין ברובה ככולה, וזהו החשיבות של מספר שלשים וששה, וכדמות רמז על זה במלכים (א, ד, יג) לו חות יאיר בן מנשה שיאיר הוא הל"ו ודו"ק. ועיין סנהדרין (מב) [מד, א], בבא בתרא קכא (ע"ב):

חידושי הרד"ל

שבו ביום שנבנה בנינו של בית נגנז. בפסיקתא דכלת משה הגירסא, שעתיד לגנוז מפני בית המקדש, וכדאמרינן (סוטה ט, א) כשנבנה בית המקדש נגנז אהל מועד (וכל כליו), אבל בבראשית רבה שם ושאר מקומות מסיים עלה שנאמר (שמות מ, לה) ולא יכול משה לבוא אל אוהל מועד כי שכן עליו הענן, ונראה פירושו שתחילה היה הכבוד מלא כל המשכן, ואחר כך נגנז ושכן רק על הכרובים, (ועיין רמב"ן פ' פקודי), והוא כענין אור שבעת ימי בראשית שנגנז אחר כך, (וכמו כל ענייני המשכן שהיו שוין לימי בראשית):

חידושי הרש"ש

תורמסין צריכין להמתיק. כן לריך לומר:

באור מהרי"פ

ויהי אין שמחה וכו'. בבראשית רבה (מב, ג) הגירסא יותר מבוררת ועיין שם:

אמרי יושר

שכל הנברא בששה ימי בראשית צריך עשייה. ואם כן מבלי בחינה שלעתיד, אתרץ שאף עתה אינם שלמים:

שינוי נוסחאות

עין שעשתה מדת הדין בעולם בקשו לסותמה. רד"ל הגיה "בקשו לסמותה", וכן הוא באמת בכל הכי"י כולם: שכל מה שנברא ביום ראשון עתיד לבלות. בהרבה ספרים כתוב "לכלות", אבל בספרים הישנים היה כתוב "לבלות" וכן הוא בד' וארשא, ושתי הנוסחאות איתנהו בכי"י:

מסורת המדרש

י. במד"ר פ' י"ד. פסיקתא פ"ה ופ"ז:
יא. חגיגה דף י"ב. ב"ר פ' י"א וי"ב. במד"ר פ' י"ג. ילקוט איוב רמז תתקכ"ד. ש"ר ל"ה:
יב. אדר"ן פ' מ':

אם למקרא

וְנִשְׁלוֹחַ סְפָרִים בְּיַד הָרָצִים אֶל כָּל־מְדִינוֹת הַמֶּלֶךְ לְהַשְׁמִיד לַהֲרֹג וּלְאַבֵּד אֶת כָּל־הַיְּהוּדִים מִנַּעַר וְעַד זָקֵן טַף וְנָשִׁים בְּיוֹם אֶחָד בִּשְׁלוֹשָׁה עָשָׂר לְחֹדֶשׁ שְׁנֵים עָשָׂר הוּא חֹדֶשׁ אֲדָר וּשְׁלָלָם לָבוֹז: (אסתר ג:יג)

וַיְהִי בִּימֵי שְׁפֹט הַשֹּׁפְטִים וַיְהִי רָעָב בָּאָרֶץ וַיֵּלֶךְ אִישׁ מִבֵּית לֶחֶם יְהוּדָה לָגוּר בִּשְׂדֵי מוֹאָב הוּא וְאִשְׁתּוֹ וּשְׁנֵי בָנָיו: (רות א:א)

וַיֹּאמֶר אֱלֹהִים יְהִי אוֹר וַיְהִי אוֹר: (בראשית א:ג)

וְיִמָּנַע מֵרְשָׁעִים אוֹרָם וּזְרוֹעַ רָמָה תִּשָּׁבֵר: (איוב לח:טו)

אוֹר זָרֻעַ לַצַּדִּיק וּלְיִשְׁרֵי לֵב שִׂמְחָה: (תהלים צז:יא)

וַיִּקְרָא אֱלֹהִים לָאוֹר יוֹם וְלַחֹשֶׁךְ קָרָא לָיְלָה וַיְהִי עֶרֶב וַיְהִי בֹקֶר יוֹם אֶחָד: (בראשית א:ה)

שְׂאוּ לַשָּׁמַיִם עֵינֵיכֶם וְהַבִּיטוּ אֶל הָאָרֶץ מִתַּחַת כִּי שָׁמַיִם כֶּעָשָׁן נִמְלָחוּ וְהָאָרֶץ כַּבֶּגֶד תִּבְלֶה וְיֹשְׁבֶיהָ כְּמוֹ כֵן יְמוּתוּן וִישׁוּעָתִי לְעוֹלָם תִּהְיֶה וְצִדְקָתִי לֹא תֵחָת: (ישעיה נא:ו)

וַיִּקְרָא אֱלֹהִים לָרָקִיעַ שָׁמָיִם וַיְהִי עֶרֶב וַיְהִי בֹקֶר יוֹם שֵׁנִי: (בראשית א:ח)

וַיְהִי עֶרֶב וַיְהִי בֹקֶר יוֹם שְׁלִישִׁי: (שם שם יג)

וַיְהִי עֶרֶב וַיְהִי בֹקֶר יוֹם רְבִיעִי: (שם שם יט)

וַיְהִי עֶרֶב וַיְהִי בֹקֶר יוֹם חֲמִישִׁי: (שם שם כג)

וַיַּרְא אֱלֹהִים אֶת כָּל אֲשֶׁר עָשָׂה וְהִנֵּה טוֹב מְאֹד וַיְהִי עֶרֶב וַיְהִי בֹקֶר יוֹם הַשִּׁשִּׁי: (שם שם לא)

וַיְהִי ה' אֶת יוֹסֵף וַיְהִי אִישׁ מַצְלִיחַ וַיְהִי בְּבֵית אֲדֹנָיו הַמִּצְרִי: (שם לט:ב)

וַיְהִי בְּיוֹם כַּלּוֹת מֹשֶׁה לְהָקִים אֶת הַמִּשְׁכָּן וַיִּמְשַׁח אֹתוֹ וַיְקַדֵּשׁ אֹתוֹ וְאֶת כָּל כֵּלָיו וְאֶת הַמִּזְבֵּחַ וְאֶת כָּל כֵּלָיו וַיִּמְשָׁחֵם וַיְקַדֵּשׁ אֹתָם: (במדבר ז:א)

וַיְהִי ה' אֶת יְהוֹשֻׁעַ וַיְהִי שָׁמְעוֹ בְּכָל הָאָרֶץ: (יהושע ו:כז)

מתנות כהונה

פלגא. חילוק וכל מאמר זה פירשתי בפרשת לך לך (מב, ג) ובמגילת אסתר (שם):

שֶׁנֶּאֱמַר "וַיַּכּוּ מֵהֶם אַנְשֵׁי הָעַי כִּשְׁלֹשִׁים וְשִׁשָּׁה אִישׁ" — as it is stated several verses later: ***The men of Ai struck down about thirty-six men of them*** (ibid. 7:5). אֵין כְּתִיב כָּאן, "שְׁלֹשִׁים וְשִׁשָּׁה" אֶלָּא "כִּשְׁלֹשִׁים וְשִׁשָּׁה אִישׁ" — Now, **it is not written here** that the men of Ai struck down ***thirty-six*** *of them,* **but rather, *about*** (or: *like*) ***thirty-six men*** *of them.*[146] אָמַר רַבִּי יוּדָן: זֶה יָאִיר בֶּן מְנַשֶּׁה שֶׁשָּׁקוּל כְּרוּבָּהּ שֶׁל סַנְהֶדְרִין — **R' Yudan said: This is** a reference to **Yair son of Manasseh, who was equal** in stature **to a majority of the Sanhedrin** combined.[147]

אֵיתִיבוּן: "וַיְהִי דָוִד לְכָל דְּרָכָיו מַשְׂכִּיל וַה' עִמּוֹ" — **[The Sages] raised a question:** Is it not written, ***David was*** [וַיְהִי] ***successful in all his ways, and HASHEM was with him*** (*I Samuel* 18:14)? Was there some lack of joy here? אָמַר לָהֶן: אַף הִיא אֵינָהּ שִׂמְחָה, שֶׁכָּתוּב בּוֹ "וַיְהִי שָׁאוּל עוֹיֵן אֶת דָּוִד" — **[R' Yishmael] replied to them: Even [David's success] lacked** some **joy, for it is written regarding it, *And Saul eyed David with suspicion from that day on*** (ibid., v. 9).[148] אֵיתִיבוּן: "וַיְהִי כִּי יָשַׁב הַמֶּלֶךְ בְּבֵיתוֹ וַה' הֵנִיחַ לוֹ" — **[The Sages] raised a question:** Is it not written, ***It happened*** [וַיְהִי] ***after the king was settled into his home and HASHEM had given him respite*** *from his enemies all around* (*II Samuel* 7:1)?[149] Was there some lack of joy here? אָמַר לָהֶן: אַף הִיא אֵינָהּ שִׂמְחָה, שֶׁבְּאוֹתוֹ הַיּוֹם בָּא נָתָן הַנָּבִיא וְאָמַר לוֹ "רַק אַתָּה לֹא תִבְנֶה הַבָּיִת" — **[R' Yishmael] said to them: Even this** occasion **lacked** some **joy, for on that day the prophet Nathan came and told [David], *You, however, shall not build the Temple*** (*I Kings* 8:19).[150]

The Midrash now presents R' Yishmael's proofs to his contention that the word וְהָיָה, *it shall be,* always indicates joy, or at least lack of misfortune:

אָמְרִין לֵיהּ: אָמְרִינַן דִּידָן, אֱמוֹר דִּילָךְ — **[The Sages]** then **said to [R' Yishmael]: We have said our [arguments]** against your position; now you **say yours,** in favor of your position. אָמַר לָהֶם: "וְהָיָה בַיּוֹם הַהוּא יִטְּפוּ הֶהָרִים עָסִיס" — **[R' Yishmael] said to them:** It is written, ***And it shall be*** [וְהָיָה] ***on that day that the mountains will drip with wine,*** *the hills will flow with milk, and all the watercourses of Judah will flow with water* (*Joel* 4:18); "וְהָיָה בַּיּוֹם הַהוּא יְחַיֶּה אִישׁ עֶגְלַת בָּקָר וגו' " — and, ***It shall be*** [וְהָיָה] ***on that day that each man will raise a heifer,*** *and two sheep* (*Isaiah* 7:21); "וְהָיָה בַּיּוֹם הַהוּא יֵצְאוּ מַיִם חַיִּים וגו' " — and, ***It shall be*** [וְהָיָה] ***on that day, spring water will flow,*** *out of Jerusalem; half of it [will flow] to the Eastern Sea and half of it to the Western Sea. This will be in summer and in winter* (*Zechariah* 14:8); "וְהָיָה כְּעֵץ שָׁתוּל עַל פַּלְגֵי מָיִם" — and ***He shall be*** [וְהָיָה] ***like a tree deeply rooted alongside brooks of water,*** *that yields its fruit in its season, and whose leaf never withers; and everything that he does will succeed* (*Psalms* 1:3); "וְהָיָה שְׁאֵרִית יַעֲקֹב בַּגּוֹיִם" — and, ***The remnant of Jacob will be*** [וְהָיָה] ***among the nations,*** *in the midst of many peoples, like a lion among the animals of the forest,* **etc.** (*Micah* 5:7).

The Midrash cites a challenge to R' Yishmael's statement that the word וְהָיָה, *it shall be,* always indicates at least some modicum of joy:

מְתִיבִין לֵיהּ: וְהָא כְּתִיב "וְהָיָה כַּאֲשֶׁר נִלְכְּדָה יְרוּשָׁלִָם" — **[The Sages]** again **raised a question to [R' Yishmael]: But is it not written, *It happened*** [וְהָיָה] ***when Jerusalem was captured?*** (*Jeremiah* 38:28).[151] Was there some lack of misfortune here? אָמַר לָהֶן: אַף הִיא אֵינָהּ צָרָה, שֶׁבּוֹ בַּיּוֹם נָטְלוּ יִשְׂרָאֵל אִיפּוֹפְּסִין עַל עֲוֹנוֹתֵיהֶם — **[R' Yishmael] replied to them: Even [the capture of Jerusalem] was not a** complete **misfortune, for on that day Israel received payment for their sins,** so that their guilt was now removed from them. דְּאָמַר רַבִּי יִשְׁמָעֵאל בַּר רַבִּי נַחְמָן: אִיפּוֹפְּסִין שְׁלֵימָה נָטְלוּ יִשְׂרָאֵל עַל עֲוֹנוֹתֵיהֶם בַּיּוֹם שֶׁחָרַב בֵּית הַמִּקְדָּשׁ — **For R' Yishmael the son of R' Nachman said: Israel received complete payment for their sins on the day the Holy Temple was destroyed.** הֲדָא הוּא דִכְתִיב "תַּם עֲוֹנֵךְ בַּת צִיּוֹן לֹא יוֹסִיף לְהַגְלוֹתֵךְ" — **Thus it is written, *Your iniquity is expiated, O daughter of Zion, He will not exile you again*** (*Lamentations* 4:22).[152]

§8 וּלְזִקְנֵי יִשְׂרָאֵל — ***AND THE ELDERS OF ISRAEL.***

The Midrash explains why Moses also called the elders of Israel:[153]

אָמַר רַבִּי עֲקִיבָא: נִמְשְׁלוּ יִשְׂרָאֵל לְעוֹף — **R' Akiva said:** The people of **Israel are compared to a bird.**[154] מַה הָעוֹף הַזֶּה אֵינוֹ פּוֹרֵחַ בְּלֹא כְנָפַיִם, כָּךְ יִשְׂרָאֵל אֵין יְכוֹלִים לַעֲשׂוֹת דָּבָר חוּץ מִזִּקְנֵיהֶם — For **just as a bird cannot fly without wings, so** the people of **Israel are not able to do anything without** the guidance of **their** Torah-**elders.**[155]

NOTES

146. Thus implying that they did not actually kill thirty-six people, but something that was "like" (equal to) thirty-six people. Moreover, the word Scripture uses for "men" here is אִישׁ, meaning "man" (singular), further intimating that the reference is to a single person (see *Esther Rabbah, Pesichta* §11).

147. *Maharzu* finds a hint for this identification in Scripture.

148. It was precisely David's success that led Saul to become jealous of him and harass him throughout his life.

149. The passage goes on to record that David expressed his desire to build a Temple for God (*II Samuel* 7:2).

150. David was informed that he was to be denied the honor of building the Temple, which would go instead to his son. [Though the Midrash cites a verse from *I Kings,* the same concept is stated in the *II Samuel* passage in different words (ibid. 5ff).]

151. The word וְהָיָה, *it shall be* — which according to R' Yishmael is supposed to indicate some lack of misfortune — can also mean *it happened.*

152. The destruction of the Temple served as atonement for Israel's sins. Indeed, if the Temple had not been destroyed as punishment for their sins, Israel would have perished instead. The Midrash elsewhere (*Eichah Rabbah* 4 §14) comments similarly: *Psalms* 79:1 states, מִזְמוֹר לְאָסָף אֱלֹהִים בָּאוּ גוֹיִם בְּנַחֲלָתֶךָ טִמְּאוּ אֶת הֵיכַל קָדְשֶׁךָ שָׂמוּ אֶת יְרוּשָׁלַםִ לְעִיִּים, *A "psalm" of Asaph: O God! The nations have entered into Your inheritance, they have defiled the Sanctuary of Your holiness, they have turned Jerusalem into heaps of rubble.* The description of the Temple's destruction is called a "psalm" rather than a "lamentation" because it was a cause for joy, in that God poured forth his wrath on the "sticks and stones" of the Temple instead of on the people of Israel (*Eitz Yosef,* citing *Nezer HaKodesh* to *Bereishis Rabbah* 42 §3; for another explanation, see Kleinman edition of *Bereishis Rabbah,* 42 §3, p. 37², Insight Ⓐ, and *Esther Rabbah, Pesichta* §11, p. 12², Insight Ⓐ).

The long exile into which the Jews were subsequently forced is likewise not considered a misfortune, since it too provides them with atonement for their sins (*Eitz Yosef*).

153. Aaron and his sons were to be installed as Kohanim; however, there seems to have been no reason for Moses to also call the elders.

154. See *Deuteronomy* 32:11, *Hosea* 11:11, *Psalms* 68:14, and *Song of Songs* 2:14.

155. The term "elder" generally refers to one who possesses Torah wisdom (*Kiddushin* 32b), and that is its meaning here as well (*Yefeh To'ar* to *Shemos* 5 §18, *Eitz Yosef*). The Jewish people endure and advance by virtue of the counsel of their Torah sages (see *Shemos Rabbah* 3 §8). See Insight Ⓐ.

INSIGHTS

Ⓐ **Essential Elders** *R' Chaim Shmulevitz* (*Sichos Mussar* pp. 159,197-198) explains that the presence of and respect for the elders of Israel as the bearers of the Jewish tradition are the critical elements of successful Jewish life. Without a זָקֵן, which in Hebrew is an amalgam of the words זֶה קָנָה חָכְמָה, *this one has acquired wisdom* (see *Kiddushin* 32b), a Jew's actions will be uninformed, misinformed, and misguided.

The comparison made here by the Midrash to a bird without wings is exact. Animals and various other living creatures cannot fly. But neither

שֶׁנֶּאֱמַר (שם ז, ה) "וַיַּכּוּ מֵהֶם אַנְשֵׁי הָעַי כִּשְׁלֹשִׁים וְשִׁשָּׁה אִישׁ", "שְׁלֹשִׁים וְשִׁשָּׁה" אֵין כְּתִיב כָּאן, אֶלָּא "כִּשְׁלֹשִׁים וְשִׁשָּׁה אִישׁ", אָמַר רַבִּי יוּדָן: זֶה יָאִיר בֶּן מְנַשֶּׁה שֶׁשָּׁקוּל כְּרוּבָּהּ שֶׁל סַנְהֶדְרִין, אֵיתִיבוּן: (שמואל-א יח, יד) "וַיְהִי דָוִד לְכָל דְּרָכָיו מַשְׂכִּיל וַה' עִמּוֹ", אָמַר לָהֶן: אַף הִיא אֵינָהּ שִׂמְחָה, שֶׁכָּתוּב בּוֹ (שם שם ט) "וַיְהִי שָׁאוּל עוֹיֵן אֶת דָּוִד", אֵיתִיבוּן: (שמואל-ב ז, א) "וַיְהִי כִּי יָשַׁב הַמֶּלֶךְ בְּבֵיתוֹ וַה' הֵנִיחַ לוֹ", אָמַר לָהֶן: אַף הִיא אֵינָהּ שִׂמְחָה, שֶׁבְּאוֹתוֹ הַיּוֹם בָּא נָתָן הַנָּבִיא וְאָמַר לוֹ (מלכים-א ח, יט) "רַק אַתָּה לֹא תִבְנֶה הַבָּיִת", אָמְרִין לֵיהּ: אָמְרִינַן דִּילָן, אֱמוֹר דִּילָךְ, אָמַר לָהֶם: (יואל ד, יח) "וְהָיָה בַיּוֹם הַהוּא יִטְּפוּ הֶהָרִים עָסִיס", (ישעיה ז, כא) "וְהָיָה בַּיּוֹם הַהוּא יְחַיֶּה אִישׁ עֶגְלַת בָּקָר וגו'", (זכריה יד, ח) "וְהָיָה בַּיּוֹם הַהוּא יֵצְאוּ מַיִם חַיִּים וגו'", (תהלים א, ג) "וְהָיָה כְּעֵץ שָׁתוּל עַל פַּלְגֵי מָיִם", (מיכה ה, ז) "וְהָיָה שְׁאֵרִית יַעֲקֹב בַּגּוֹיִם", מְתִיבִין לֵיהּ: וְהָא כְתִיב (ירמיה לח, כח) "וְהָיָה כַּאֲשֶׁר נִלְכְּדָה יְרוּשָׁלָיִם", אָמַר לָהֶן: אַף הִיא אֵינָהּ צָרָה, שֶׁבּוֹ בַּיּוֹם נָטְלוּ יִשְׂרָאֵל אִיפּוֹפְּסִין עַל עֲוֹנוֹתֵיהֶם, דְּאָמַר רַבִּי יִשְׁמָעֵאל בַּר רַבִּי נַחְמָן: אִיפּוֹפְסִין שְׁלֵימָה נָטְלוּ יִשְׂרָאֵל עַל עֲוֹנוֹתֵיהֶם בַּיּוֹם שֶׁחָרַב בֵּית הַמִּקְדָּשׁ, הָדָא הוּא דִכְתִיב (איכה ד, כב) "תַּם עֲוֹנֵךְ בַּת צִיּוֹן לֹא יוֹסִיף לְהַגְלוֹתֵךְ":

ח [ט, א] "וּלְזִקְנֵי יִשְׂרָאֵל", אָמַר רַבִּי עֲקִיבָא: יג נִמְשְׁלוּ יִשְׂרָאֵל לְעוֹף, מַה הָעוֹף הַזֶּה אֵינוֹ פּוֹרֵחַ בְּלֹא כְנָפַיִם, כָּךְ יִשְׂרָאֵל אֵין יְכוֹלִים לַעֲשׂוֹת דָּבָר חוּץ מִזְּקֵנֵיהֶם, אָמַר רַבִּי יוֹסֵי בַּר חֲלַפְתָּא: גְּדוֹלָה זִקְנָה, אִם זְקֵנִים הֵם חֲבִיבִין הֵם, אִם נְעָרִים הֵם נִטְפְּלָה לָהֶן יַלְדוּת, דְּתָנֵי יד רַבִּי שִׁמְעוֹן בֶּן יוֹחָאי: לֹא בְּמָקוֹם אֶחָד וְלֹא בִּשְׁנֵי מְקוֹמוֹת מָצִינוּ שֶׁחָלַק הַקָּדוֹשׁ בָּרוּךְ הוּא כָּבוֹד לַזְּקֵנִים, אֶלָּא בְּכַמָּה מְקוֹמוֹת, בַּסְּנֶה, (שמות ג, טז) "לֵךְ וְאָסַפְתָּ אֶת זִקְנֵי יִשְׂרָאֵל", בְּמִצְרַיִם, (שם שם יח) "וּבָאתָ אַתָּה וְזִקְנֵי יִשְׂרָאֵל", בְּסִינַי, (שם כד, א) "עֲלֵה אֶל ה' אַתָּה וְאַהֲרֹן נָדָב וַאֲבִיהוּא וְשִׁבְעִים מִזִּקְנֵי יִשְׂרָאֵל", בַּמִּדְבָּר, (במדבר יא, טז) "אֶסְפָה לִּי שִׁבְעִים אִישׁ", בְּאֹהֶל מוֹעֵד, [ט, א] "וּלְזִקְנֵי יִשְׂרָאֵל", אַף לֶעָתִיד לָבֹא הַקָּדוֹשׁ בָּרוּךְ הוּא חוֹלֵק כָּבוֹד לַזְּקֵנִים, הָדָא הוּא דִכְתִיב (ישעיה כד, כג) "וְחָפְרָה הַלְּבָנָה וּבוֹשָׁה הַחַמָּה" וּכְתִיב (שם) "וְנֶגֶד זְקֵנָיו כָּבוֹד",

עץ יוסף

איפופסין. פירוש גמול, ובזה נתכפרה עונותיהם, כמו שנאמר תם עונך בת ציון, שאלולי חורבן הבית לא היה נשאר הם ושלום מישראל שריד ופליט, וכדאמרינן (רבה איכה ד יד) מזמור לאסף אלהים באו גוים בנחלתך, קינה לאסף מבעי ליה, אלא אמר מזמור, על ששפך חמתו על העצים והאבנים, שאלולי כן לא היה נשאר הם ושלום שריד ופליט מישראל (נזר הקודש), וגם צרת גלות לא חשיבה צרה כלל, כיון דעל ידו יכופר עון, כמו שלא יצטער הלוה בפריעת חוב המלוה: (ח) **נמשלו ישראל לעוף.** דכתיב (שיר השירים ב יד) יונתי בחגוי הסלע, וכתיב (תהילים סח יד) כנפי יונה נחפה בכסף: **חוץ מזקניהם.** היינו תלמידי חכמים, כדאמר בקידושין (לב א) אין זקן אלא זה שקנה חכמה, כי בעצתם וזכותם, ישראל עומדים, כדלעיל בשמות רבה (פרשה ג, י), ולהכי אידמו לכנפים, כי הם סוככים בכנפיהם על ישראל: **גדולה זקנה בו'.** רצה לומר דאף על גב דסתם זקנים הנאמרים בפסוק הם חכמים כדלעיל, מכל מקום גדולה הזקנה ממש, הילכך אם החכמים הם זקנים ממש, הם חביבין ודאי, אבל אם נערים הם, נטפלה להם ילדות, כי אין דעתם שלמה מצד הילדות, ולכן אינם חביבין בהחלט, ועיין בתנחומא סדר שמיני, ומה שכתבתי שם [בעץ יוסף]: **עלה אל ה' בו'.** וזה בסיני היה, שפרשה זו קודם מתן תורה נאמרה כדפירש רש"י בחומש: **אף לעתיד לבוא בו'.** רצה לומר לא מיבעי בעולם הזה, אלא אף לעתיד לבוא שכל הארץ ימלא דעה את ה', על כל זה יחלוק כבוד לזקנים בחכמה ובמנין, שגם אז יהיו החכמים מכובדים, שכפי הכנת האנשים עכשיו, יתחכמו אז ויתחלפו במדרגה זה מזה:

פירוש מהרז"ו

אמרינן דילן. על ויהי, עתה אמור דילך על והיה: **איפופסין שלמה.** עיין איכה פסוק תם עונך (איכה ד, כב), (ד' פ') [פרשה ד, כה. במדבר רבה יג, ה] באריכות, ושם גורס אפוכי שלמה, וכן הגירסא בבמדבר רבה שם איפוכי, ופירושו תשלומים שלמים, וכמו שכתוב במדרש תהלים ריש מזמור ג' שמחה לצדיק עשות משפט, שמחה לצדיקו של עולם שעשה מדת הדין בביתו, עיין שם: (ח) **נמשלו ישראל לעוף.** שמות רבה (ג, ח) ושם נסמן, ומה שכתב שנמשלו לעוף, כמו שכתוב בשיר השירים (ב, יד) יונתי בחגוי הסלע, יונתי תמתי (שם ה, ב), יחרדו כצפור ממצרים (הושע יא, יא): **אם זקנים הם.** פירוש אם הם זקנים בשנים ובחכמה הוא בוודאי טוב, ואם זקנים בחכמה ולא בשנים, שהם ילדים נעשה הילדות טפלה להחכמה, והחכמה עיקר:

מתנות כהונה

[ח] **גדולה חכמה.** על דרך שאמרו חז"ל בפרק קמא דקידושין (לב, ב) זקן זה שקנה חכמה: **חביבין הן.** שהשיבה נאה לחכמים כקנקן ישן מלא ישן: **נטפלה להם ילדות.** הילדות טפל והחכמה עיקר: **וכתיב ונגד זקניו וגו'.** סיפיה דקרא של וחפרה הוא:

נחמד למראה

[ח] **אמר רבי יוסי בר חלפתא גדולה זקנה אם זקנים הם חביבים הם. אם נערים הם נטפלה להם ילדות.** צריך לדעת מהו כוונתו באמרו נטפלה להם ילדות דלכאורה נראה תפל מבלי מלח. ונראה לעניות דעתי במה שפירשו המפרשים בפירוש הפסוק במשלי (כ, יא) גם במעלליו יתנכר נער אם זך ואם ישר פעלו, שדקדקו כמו שהמכוון הוא שמפעולותיו יוכר הנער שיהיה צדיק, על דרך (ברכות מח,

אשד הנחלים

[ח] **בלא כנפים.** בסדר שמות פרשה ה' [סימן יב] שמה פרשתי, עיין שם: **נטפלה להם ילדות.** גם זה שם, ועיין שם בבאורי: **אף לעתיד לבא כו' לזקנים.** שלא ידומה אחר שלעתיד יוסר לב האבן ורוח חדשה יותן בקרבם, אם כן יהיו הנערים והזקנים שוים במעלה, לא כן, כי אם מדריגות מדריגות יש גם לעתיד לבא, והזקנים הם החביבים:

חידושי הרד"ל

[ח] **אמר רבי עקיבא נמשלו ישראל לעוף.** שמות רבה (ה, יב) עיין שם: **דתני רבי שמעון בן יוחאי לא במקום כו'.** ספרי בהעלותך (פיסקא צב):

חידושי הרש"ש

[ח] **במצרים ובאת אתה וזקני ישראל.** בשמות רבה (ה, יד) ליתא והוא הנכון כי גם זה היה בסנה, ובדבור אחד נאמר (שמות ג, טז) עם לך ואספת וכו':

אמרי יושר

והיה שמחה. יש אומרים לפי שהוא מהופך מן עבר לעתיד, גם כי אותיות שם הויה הם על סדרם: [ח] **אם ילדים הם גדולה זקנה שנטפלה לילדות שלהם.** ותיארם לכבדם בלשון זקנים על דרך (יבמות סב, ב) כמה טובה אשה טובה. או יהיה הפירוש על דרך רבי אלעזר בן עזריה דאקפוה שיתסרי דרי של שיבה לכבדו (עי' ברכות כח א): **ואף לעתיד לבא.** אף על פי שיש כח, מקרי הגוף כולם. אי נמי אף על פי שלא יצטרכו להיישרתם של זקנים, כי יתבטל יצר הרע. או אף על פי שחפרה

באור מהרי"פ

תם עונך וגו'. יש לתמוה הלא המקרא הזה נאמר כנלכדה ירושלים וגו' מיירי בגלות בבל, ובמקרא תם עונך אמר לא יוסיף להגלותך, ואחר גלות שוב היה גלות בחורבן בית שני. ועוד כי תם עונך וגו' מיירי בבית שני כמפורש (איכה ד, כב) שישי ושמחי בת אדום יושבת בארץ עוץ גם עליך תעבור כוס תשכרי ותתערי. תם עונך בת ציון לא יוסיף להגלותך פקד עונך בת אדום גלה על חטאתיך. הרי מבואר דבחורבן בית שני מיירי. ואולי על כל הדוחק יש להתיישב, דהמדרש סובר דבנין בית שני אינו נחשב לגאולה שלימה, מפני שעדיין היו שעבוד ישראל תחת יד מלכי פרס ומדי ואח"כ לא היה מלך מדוד, וכן לא נתקבצו כל השבטים, וכן חסרו מאורים ותומים וארון וכו', והגלות נחשב גלות ארוך מיום חורבן בית ראשון עד הגאולה האחרונה מיד אדום, והמקרא שישי ושמחי בת אדום מיירי גם כן בחורבן בית ראשון, ואם תאמר הלא החורבן היה על ידי כשדים ולמה שמחו לא יותר משארי אומות אחר שלא נחרב על ידם, יש לומר מפני שהיתה מסורת בידם שאין קרנם מתרוממת אלא במפלת ישראל, כמו שנאמר (בראשית כה, כג) ולאום מלאום יאמץ כשזה נופל זה קם, על כן שמחו מאד במפלת ישראל, היינו מיום חורבן הבית הראשון, ואז נתקיים המקרא (משלי כד, יז) בנפול אויבך אל תשמח וגו' והשיב מעליו אפו, ומאז נטלו ישראל אופכי שלמה על עונותיהם, היינו להתם הגלות הארוך כל עונותיהם ולא יוסיף עוד להגלותם אחר הגאולה האחרונה אמן כן יהי רצון: [ח] **אם זקנים וכו' ואם נערים וכו'.** עיין מתנות כהונה, ואין נוח לי פירושו. ואולי הפירוש כך, אם זקנים הם חביבין לפני הקב"ה מפני שכבר

מסורת המדרש

יג. תנחומא כאן סימן י"א. יד. ילקוט ישעיה רמז רנ"ד.

אם למקרא

וַיַּכּוּ מֵהֶם אַנְשֵׁי הָעַי כִּשְׁלֹשִׁים וְשִׁשָּׁה אִישׁ וַיִּרְדְּפוּם לִפְנֵי הַשַּׁעַר עַד הַשְּׁבָרִים וַיַּכּוּם בַּמּוֹרָד וַיִּמַּס לְבַב הָעָם וַיְהִי לְמָיִם: (שם ז:ה)

וַיְהִי דָוִד לְכָל דְּרָכָו מַשְׂכִּיל וַה' עִמּוֹ: (שמואל א יח:יד)

וַיְהִי שָׁאוּל עוֹיֵן אֶת דָּוִד מֵהַיּוֹם הַהוּא וָהָלְאָה: (שם שם ט)

וַיְהִי כִּי יָשַׁב הַמֶּלֶךְ בְּבֵיתוֹ וַה' הֵנִיחַ לוֹ מִסָּבִיב מִכָּל אֹיְבָיו: (שמואל ב ז:א)

רַק אַתָּה לֹא תִבְנֶה הַבָּיִת כִּי אִם בִּנְךָ הַיֹּצֵא מֵחֲלָצֶיךָ הוּא יִבְנֶה הַבַּיִת לִשְׁמִי: (מלכים א ח:יט)

וְהָיָה בַיּוֹם הַהוּא יִטְּפוּ הֶהָרִים עָסִיס וְהַגְּבָעוֹת תֵּלַכְנָה חָלָב וְכָל אֲפִיקֵי יְהוּדָה יֵלְכוּ מָיִם וּמַעְיָן מִבֵּית ה' יֵצֵא וְהִשְׁקָה אֶת נַחַל הַשִּׁטִּים: (יואל ד:יח)

וְהָיָה בַּיּוֹם הַהוּא יְחַיֶּה אִישׁ עֶגְלַת בָּקָר וּשְׁתֵּי צֹאן: (ישעיה ז:כא)

וְהָיָה בַּיּוֹם הַהוּא יֵצְאוּ מַיִם חַיִּים מִירוּשָׁלִַם חֶצְיָם אֶל הַיָּם הַקַּדְמוֹנִי וְחֶצְיָם אֶל הַיָּם הָאַחֲרוֹן בַּקַּיִץ וּבָחֹרֶף יִהְיֶה: (זכריה יד:ח)

וְהָיָה כְּעֵץ שָׁתוּל עַל פַּלְגֵי מָיִם אֲשֶׁר פִּרְיוֹ יִתֵּן בְּעִתּוֹ וְעָלֵהוּ לֹא יִבּוֹל וְכֹל אֲשֶׁר יַעֲשֶׂה יַצְלִיחַ: (תהלים א:ג)

וְהָיָה שְׁאֵרִית יַעֲקֹב בַּגּוֹיִם בְּקֶרֶב עַמִּים רַבִּים כְּאַרְיֵה בְּבַהֲמוֹת יַעַר כִּכְפִיר בְּעֶדְרֵי צֹאן אֲשֶׁר אִם עָבַר וְרָמַס וְטָרַף וְאֵין מַצִּיל: (מיכה ה:ז)

וַיֵּשֶׁב יִרְמְיָהוּ בַּחֲצַר הַמַּטָּרָה עַד יוֹם אֲשֶׁר נִלְכְּדָה יְרוּשָׁלָםִ וְהָיָה כַּאֲשֶׁר נִלְכְּדָה יְרוּשָׁלָםִ: (ירמיה לח:כח)

תַּם עֲוֹנֵךְ בַּת צִיּוֹן לֹא יוֹסִיף לְהַגְלוֹתֵךְ פָּקַד עֲוֹנֵךְ בַּת אֱדוֹם גִּלָּה עַל חַטֹּאתָיִךְ: (איכה ד:כב)

לֵךְ וְאָסַפְתָּ אֶת זִקְנֵי יִשְׂרָאֵל וְאָמַרְתָּ אֲלֵהֶם ה' אֱלֹהֵי אֲבֹתֵיכֶם נִרְאָה אֵלַי אֱלֹהֵי אַבְרָהָם יִצְחָק וְיַעֲקֹב לֵאמֹר פָּקֹד פָּקַדְתִּי אֶתְכֶם וְאֶת הֶעָשׂוּי לָכֶם בְּמִצְרָיִם: (שמות ג:טז) וְשָׁמְעוּ לְקֹלֶךָ וּבָאתָ אַתָּה וְזִקְנֵי יִשְׂרָאֵל אֶל מֶלֶךְ מִצְרַיִם וַאֲמַרְתֶּם אֵלָיו ה' אֱלֹהֵי הָעִבְרִיִּים נִקְרָה עָלֵינוּ וְעַתָּה נֵלְכָה נָּא דֶּרֶךְ שְׁלֹשֶׁת יָמִים בַּמִּדְבָּר וְנִזְבְּחָה לַה' אֱלֹהֵינוּ: (שם יח) וְאֶל מֹשֶׁה אָמַר עֲלֵה אֶל ה' אַתָּה וְאַהֲרֹן נָדָב וַאֲבִיהוּא וְשִׁבְעִים מִזִּקְנֵי יִשְׂרָאֵל וְהִשְׁתַּחֲוִיתֶם מֵרָחֹק: (שם כד:א) וַיֹּאמֶר ה' אֶל מֹשֶׁה אֶסְפָה לִּי שִׁבְעִים אִישׁ מִזִּקְנֵי יִשְׂרָאֵל אֲשֶׁר יָדַעְתָּ כִּי הֵם זִקְנֵי הָעָם וְשֹׁטְרָיו וְלָקַחְתָּ אֹתָם אֶל אֹהֶל מוֹעֵד וְהִתְיַצְּבוּ שָׁם עִמָּךְ: (במדבר יא:טז) וְחָפְרָה הַלְּבָנָה וּבוֹשָׁה הַחַמָּה כִּי מָלַךְ ה' צְבָאוֹת בְּהַר צִיּוֹן וּבִירוּשָׁלַםִ וְנֶגֶד זְקֵנָיו כָּבוֹד: (ישעיה כד:כג)

אָמַר רַבִּי יוֹסֵי בַּר חֲלַפְתָּא: גְּדוֹלָה זִקְנָה — **R' Yose bar Chalafta said: Old age**[156] **is a great** advantage: אִם זְקֵנִים הֵם חֲבִיבִין הֵם, אִם נְעָרִים הֵם נִטְפֵּלָה לָהֶן יַלְדוּת — **If [the Torah-elders] are older men, they are** always **cherished** as leaders; **if they are youths,** however, a certain aspect of **childishness** often **remains attached**[157] **to them.**[158]

The Midrash continues to expound on the greatness of Israel's elders:

דְּתָנֵי רַבִּי שִׁמְעוֹן בֶּן יוֹחָאי — **For R' Shimon ben Yochai taught** in a Baraisa: לֹא בְּמָקוֹם אֶחָד וְלֹא בִּשְׁנֵי מְקוֹמוֹת מָצִינוּ שֶׁחָלַק הַקָּדוֹשׁ בָּרוּךְ הוּא כָּבוֹד לַזְּקֵנִים, אֶלָּא בְּכַמָּה מְקוֹמוֹת — **Not in** just **one place or two places** in Scripture **do we find that the Holy One, blessed is He, accorded honor to the elders** of Israel, **but in many places:** בַּסְּנֶה, "לֵךְ וְאָסַפְתָּ אֶת זִקְנֵי יִשְׂרָאֵל" — When God appeared to Moses **in the** burning **bush,** He commanded him, ***Go and gather the elders of Israel*** (*Exodus* 3:16). בְּמִצְרַיִם, "וּבָאתָ אַתָּה וְזִקְנֵי יִשְׂרָאֵל" — **In Egypt** He accorded them honor as well, for God told Moses at the burning bush, ***You and the elders of Israel shall come*** *to the king of Egypt* (ibid. 3:18). בְּסִינַי, "עֲלֵה אֶל ה' אַתָּה וְאַהֲרֹן נָדָב וַאֲבִיהוּא וְשִׁבְעִים מִזִּקְנֵי יִשְׂרָאֵל" — **At Mount Sinai,** God commanded Moses, ***Go up to HASHEM, you, Aaron, Nadab and Abihu, and seventy of the elders of Israel*** (ibid. 24:1). בַּמִּדְבָּר, "אֶסְפָה לִי שִׁבְעִים אִישׁ" — **In the Wilderness,** God commanded Moses, ***Gather to Me seventy men*** *from the elders of Israel* (*Numbers* 11:16). בְּאֹהֶל מוֹעֵד, "וּלְזִקְנֵי יִשְׂרָאֵל" — And **at the** end of the inauguration of the **Tent of Meeting,** *Moses summoned Aaron and his sons,* ***and the elders of Israel.*** אַף לֶעָתִיד לָבֹא הַקָּדוֹשׁ בָּרוּךְ הוּא חוֹלֵק כָּבוֹד לַזְּקֵנִים — Furthermore, **in the future** Messianic times as well, **the Holy One, blessed is He, will accord honor to the elders;** הֲדָא הוּא דִכְתִיב "וְחָפְרָה הַלְּבָנָה וּבוֹשָׁה הַחַמָּה" וּכְתִיב "וְנֶגֶד זְקֵנָיו כָּבוֹד" — **thus it is written, *The moon will be humiliated and the sun will be shamed,*** *for HASHEM, Master of Legions, will reign in Mount Zion and in Jerusalem* (*Isaiah* 24:23), **and it is written** in the continuation of that verse, ***and there will be honor before His elders*** (ibid.).

NOTES

156. Here the word זִקְנָה refers not to Torah scholarship but to maturity in actual years. The greatness of an "elder" (in the sense of Torah leader) is enhanced when that person is older. A Torah sage aged 60, for example, is superior in wisdom and in leadership qualities than one of 20 years, as the Midrash goes on to elaborate (*Yefeh To'ar* ibid., *Eitz Yosef*). [*Matnos Kehunah,* however, explains that here, as above, זִקְנָה refers to Torah scholarship; see note 158.]

157. Translation of נִטְפֵּלָה follows *Yefeh To'ar;* see next note.

158. Older Torah sages are always cherished; younger ones often lack mature judgment, and therefore their status of being "cherished" is dependent on their particular personality (*Yefeh To'ar* ibid., *Eitz Yosef*). The present Midrash, then, accords with the opinion recorded in *Kiddushin* 32b, that when the Torah (below, 19:32) commands us to respect the Torah scholar (זָקֵן) it refers only to older sages, not to youths.

[*Matnos Kehunah* interprets this paragraph differently: Torah scholarship (זִקְנָה) is a great quality, whether its possessor is old or young. If they are old, they are cherished by virtue of their maturity. And even if they are youths, their youthfulness (in the sense of lack of maturity) is completely subordinated (נִטְפֵּלָה) — and compensated for — by their Torah wisdom. This interpretation would accord with the opinion of R' Yose HaGelili (*Kiddushin* ibid.) that the Torah's mandate of respect for Torah scholars is not dependent on the age of the sage.]

INSIGHTS

do they have to. They can live quite well without wings. The nations of the world can be successful without "elders."

Not so the Jewish people. Just as a bird without wings is completely helpless and cannot function, so, too, the Jewish people. Without its elders it cannot be successful, even to the extent that the flightless nations of the world are.

Elders are not a luxury to the Jew. They are fundamental to his existence. He must fly. And to fly, he needs his wings.

שֶׁנֶּאֱמַר (שם ז, ה) "וַיַּכּוּ מֵהֶם אַנְשֵׁי הָעַי כִּשְׁלֹשִׁים וְשִׁשָּׁה אִישׁ", "שְׁלֹשִׁים וְשִׁשָּׁה" אֵין כְּתִיב כָּאן, אֶלָּא "כִּשְׁלֹשִׁים וְשִׁשָּׁה אִישׁ", אָמַר רַבִּי יוּדָן: זֶה יָאִיר בֶּן מְנַשֶּׁה שֶׁשָּׁקוּל כְּרוּבָּהּ שֶׁל סַנְהֶדְרִין, אֵיתִיבוּן: (שמואל-א יח, יד) "וַיְהִי דָוִד לְכָל דְּרָכָיו מַשְׂכִּיל וַה' עִמּוֹ", אָמַר לְהֶן: אַף הִיא אֵינָהּ שִׂמְחָה, שֶׁכָּתוּב בּוֹ (שם שם ט) "וַיְהִי שָׁאוּל עוֹיֵן אֶת דָּוִד", אֵיתִיבוּן: (שמואל-ב ז, א) "וַיְהִי כִּי יָשַׁב הַמֶּלֶךְ בְּבֵיתוֹ וַה' הֵנִיחַ לוֹ", אָמַר לְהֶן: אַף הִיא אֵינָהּ שִׂמְחָה, שֶׁבְּאוֹתוֹ הַיּוֹם בָּא נָתָן הַנָּבִיא וְאָמַר לוֹ (מלכים-א ח, יט) "רַק אַתָּה לֹא תִבְנֶה הַבָּיִת", אָמְרִין לֵיהּ: אָמְרִינַן דִּילָן, אֱמוֹר דִּילָךְ, אָמַר לָהֶם: (יואל ד, יח) "וְהָיָה בַּיּוֹם הַהוּא יִטְּפוּ הֶהָרִים עָסִיס", (ישעיה ז, כא) "וְהָיָה בַּיּוֹם הַהוּא יְחַיֶּה אִישׁ עֶגְלַת בָּקָר וְגוֹ'", (זכריה יד, ח) "וְהָיָה בַּיּוֹם הַהוּא יֵצְאוּ מַיִם חַיִּים וְגוֹ'", (תהלים א, ג) "וְהָיָה כְּעֵץ שָׁתוּל עַל פַּלְגֵי מָיִם", (מיכה ה, ז) "וְהָיָה שְׁאֵרִית יַעֲקֹב בַּגּוֹיִם", מְתִיבִין לֵיהּ: וְהָא כְּתִיב (ירמיה לח, כח) "וְהָיָה כַּאֲשֶׁר נִלְכְּדָה יְרוּשָׁלָיִם", אָמַר לְהֶן: אַף הִיא אֵינָהּ צָרָה, שֶׁבּוֹ בַּיּוֹם נָטְלוּ יִשְׂרָאֵל אִיפּוֹפְּסִין עַל עֲוֹנוֹתֵיהֶם, דְּאָמַר רַבִּי יִשְׁמָעֵאל בַּר רַבִּי נַחְמָן: אִיפּוֹפְּסִין שְׁלֵימָה נָטְלוּ יִשְׂרָאֵל עַל עֲוֹנוֹתֵיהֶם בַּיּוֹם שֶׁחָרַב בֵּית הַמִּקְדָּשׁ, הֲדָא הוּא דִכְתִיב (איכה ד, כב) "תַּם עֲוֹנֵךְ בַּת צִיּוֹן לֹא יוֹסִיף לְהַגְלוֹתֵךְ":

ח [ט, א] "וּלְזִקְנֵי יִשְׂרָאֵל", אָמַר רַבִּי עֲקִיבָא: [יג]נִמְשְׁלוּ יִשְׂרָאֵל לָעוֹף, מָה הָעוֹף הַזֶּה אֵינוֹ פּוֹרֵחַ בְּלֹא כְנָפַיִם, כָּךְ יִשְׂרָאֵל אֵין יְכוֹלִים לַעֲשׂוֹת דָּבָר חוּץ מִזִּקְנֵיהֶם, אָמַר רַבִּי יוֹסֵי בַּר חֲלַפְתָּא: גְּדוֹלָה זִקְנָה, אִם זְקֵנִים הֵם חֲבִיבִין הֵם, אִם נְעָרִים הֵם נִטְפְּלָה לָהֶן יַלְדוּת, דְּתָנֵי [יד]רַבִּי שִׁמְעוֹן בֶּן יוֹחָאי: לֹא בְּמָקוֹם אֶחָד וְלֹא בִּשְׁנֵי מְקוֹמוֹת מָצִינוּ שֶׁחָלַק הַקָּדוֹשׁ בָּרוּךְ הוּא כָּבוֹד לַזְּקֵנִים, אֶלָּא בְּכַמָּה מְקוֹמוֹת, בַּסְּנֶה, (שמות ג, טז) "לֵךְ וְאָסַפְתָּ אֶת זִקְנֵי יִשְׂרָאֵל", בְּמִצְרַיִם, (שם שם יח) "וּבָאתָ אַתָּה וְזִקְנֵי יִשְׂרָאֵל", בְּסִינַי, (שם כד, א) "עֲלֵה אֶל ה' אַתָּה וְאַהֲרֹן נָדָב וַאֲבִיהוּא וְשִׁבְעִים מִזִּקְנֵי יִשְׂרָאֵל", בַּמִּדְבָּר, (במדבר יא, טז) "אֶסְפָה לִּי שִׁבְעִים אִישׁ", בְּאֹהֶל מוֹעֵד, [ט, א] "וּלְזִקְנֵי יִשְׂרָאֵל", אַף לֶעָתִיד לָבֹא הַקָּדוֹשׁ בָּרוּךְ הוּא חוֹלֵק כָּבוֹד לַזְּקֵנִים, הֲדָא הוּא דִכְתִיב (ישעיה כד, כג) "וְחָפְרָה הַלְּבָנָה וּבוֹשָׁה הַחַמָּה" וּכְתִיב (שם) "וְנֶגֶד זְקֵנָיו כָּבוֹד":

עץ יוסף

איפופסין. פירוש גמול, ובזה נתכפרה עוונותיהם, כמו שנאמר תם עונך בת ציון, שאלולי חורבן הבית לא היה נשאר חס ושלום משונאי ישראל שריד ופליט, וכדאמרינן (רבה איכה ד יד) מזמור לאסף אלהים באו גוים בנחלתך, קינה לאסף מבעי ליה, אלא אמר מזמור, על ששפך חמתו על העצים והאבנים, שאלולי כן לא היה נשאר חס ושלום שריד ופליט משונאי ישראל (בזר הקודש), וגם צרת גלות לא חשיבה צרה כלל, כיון דעל ידו יכופר עון, כמו שלא יעכב הלוה בפריעת חוב המלוה: **(ח) נמשלו ישראל לעוף.** דכתיב (שיר השירים ב יד) יונתי בחגוי הסלע, וכתיב (תהלים סח יד) כנפי יונה נחפה בכסף: **חוץ מזקניהם.** היינו תלמידי חכמים, כדאמר בקידושין (לב ב) אין זקן אלא זה שקנה חכמה, כי בעלתם וזכותם, ישראל עומדים, כדלעיל בשמות רבה (פרשה ג, י), ולהכי אידמו לכנפים, כי הם סוככים בכנפיהם על ישראל: **גדולה זקנה כו'.** רצה לומר דאף על גב דבסתם זקנים הנאמרים בפסוק הם חכמים כדלעיל, מכל מקום גדולה הזקנה ממש, הילכך אם החכמים הם זקנים ממש, הם חביבין ודאי, אבל אם נערים הם, נטפלה להם ילדות, כי אין דעתם שלמה מצד הילדות, ולכן אינם חביבין בהחלט, ועיין בתנחומא סדר שמיני, ומה שכתבתי שם [בעץ יוסף]: **עלה אל ה' כו'.** וזה בסיני היה, שפרשה זו קודם מתן תורה נאמרה כדפירש רש"י בחומש: **אף לעתיד לבוא כו'.** רצה לומר לא מבעי בעולם הזה, אלא אף לעתיד לבוא שכל הארץ ימלאה דעה את ה', על כל זה יחלוק כבוד לזקנים בחכמה ובמנין, שגם אז יהיו החכמים מכובדים, שכפי הכנת האנשים עכשיו, יתחכמו אז ויתחלפו במדרגה זה מזה:

פירוש מהרז"ו

אמרינן דילן. על ויהי, עתה אמור דילך על והיה: **איפופסין שלמה.** עיין איכה פסוק תם עונך (איכה ד, כב), (ד' פ') [פרשה ד, כה. במדבר רבה יג, ה] בהיכרות, ושם גורס אפוכי שלמה, וכן הגירסא בבמדבר רבה שם איפוכי, ופירושו תשלומים שלמים, וכמו שכתוב במדרש תהלים ריש מזמור ג' שמחה לצדיק עשות משפט, שמחה לצדיקו של עולם שעשה מדת הדין בציונו, עיין שם: **(ח) נמשלו ישראל לעוף.** שמות רבה (ג, ח) ושם נסמן, ומה שכתב שנמשלו לעוף, כמו שכתוב בשיר השירים (ב, יד) יונתי בחגוי הסלע, יונתי תמתי (שם ה, ב), יחרדו כצפור ממצרים (הושע יא, יא): **אם זקנים הם.** פירוש אם הם זקנים בשנים ובחכמה הוא בוודאי טוב, ואם זקנים בחכמה ולא בשנים, שהם ילדים נעשה הילדות טפלה להחכמה, והחכמה עיקר:

חידושי הרד"ל

[ח] אמר רבי עקיבא נמשלו ישראל לעוף. שמות רבה (ה, יב) עיין שם: **דתני רבי שמעון בן יוחאי לא במקום כו'.** ספרי בהעלותך (פיסקא צב):

חידושי הרש"ש

[ח] במצרים ובאת אתה וזקני ישראל. בשמות רבה (ה, יד) איתא והוא הנכון כי גם זה היה בסנה, והדבור אחד נאמר (שמות ג, טז) עם לך ואספת וכו':

אמרי יושר

והיה שמחה. יש אומרים לפי שהוא מהופך מן עבר לעתיד, גם כי אותיות שם הויה הם על סדרם: **[ח] אם ילדים הם גדולה זקנה שנטפלה לילדות שלהם.** ומוסרם לכבדם בלשון זקנים על דרך (יבמות סב, ב) כמה טובה אשה טובה. או יהיה הפירוש על דרך רבי אלעזר בן עזריה דאקפוה שיתסרי דרי של שיבה לכבודו (עי' ברכות כח א): **ואף לעתיד לבא.** אף על פי שיש כח, מקרי הגוף כולם. או כמו אף על פי שלא יצטרכו להיסרתם של זקנים, כי יתבטל יצר הרע. או אף על פי שחפרה

באור מהרי"פ

תם עונך וגו'. יש לתמוה הלא המקרא והיה כאשר נלכדה ירושלים וגו' מיירי בגלות בבל, ובמקרא תם עונך אמר לא יוסיף להגלותך, ואחר גלות בבל היה גלות בחורבן בית שני, ועוד הלא תם עונך וגו' מיירי בבית שני כמפורש (איכה ד, כא כב) שישי ושמחי בת אדום יושבת בארץ עוץ גם עליך תעבור כוס תשכרי ותתערי. תם עונך בת ציון לא יוסיף להגלותך פקד עונך בת אדום גלה על חטאתיך. הרי מבואר דבחורבן בית שני מיירי. ואולי על הדוחק יש להתישב, דהמדרש סובר דבנין בית שני אינו נחשב לגאולה שלימה, מפני שעדיין היה משועבד ישראל תחת יד מלכי פרס ומדי ולא היה מלך מדוד, וכן לא נתקבצו כל השבטים, וכן חסרו מאורים ותומים וכו', והגלות נחשב גלות ארוך מיום חורבן בית ראשון עד הגאולה האחרונה מיד אדום, והמקרא שישי ושמחי בת אדום מיירי גם כן בחורבן בית ראשון, ואם תאמר הלא החורבן היה על ידי כשדים ולמה שמחו אז יותר משארי אומות אחר שלא נחרב על ידם, יש לומר מפני שהיתה מסורת בידם שאין קרנם מתרומם אלא במפלת ישראל, כמו שנאמר (בראשית כה, כג) ולאום מלאום יאמץ כשזה נופל זה קם, על כן שמחו מאד במפלת ישראל, היינו מיום חורבן הבית הראשון, ואז נתקיים המקרא (משלי כד, יז) בנפול אויבך אל תשמח וגו' פן יראה ה' וגו' והשיב מעליו אפו, ומאז נטלו ישראל אופכי שלמה על עונותיהם, היינו להתם הגלות הארוך כל עונותיהם ולא יוסיף עוד להגלותם אחר הגאולה האחרונה אמן כן יהי רצון: **[ח] אם זקנים וכו' ואם נערים וכו'.** עיין מתנות כהונה, ואין נוח לי פירושו. ואולי הפירוש כך, אם זקנים הם חביבין לפני הקב"ה מפני שכבר

מסורת המדרש

יג. תנחומא כאן סימן י"ח.
יד. ילקוט ישעיה רמז רל"ד.

אם למקרא

וַיַּכּוּ מֵהֶם אַנְשֵׁי הָעַי כִּשְׁלֹשִׁים וְשִׁשָּׁה אִישׁ וַיִּרְדְּפוּם לִפְנֵי הַשַּׁעַר עַד הַשְּׁבָרִים וַיַּכּוּם בַּמּוֹרָד וַיִּמַּס לְבַב הָעָם וַיְהִי לְמָיִם: (שם ז:ה)

וַיְהִי דָוִד לְכָל דְּרָכָו מַשְׂכִּיל וַה' עִמּוֹ: (שמואל א יח:יד)

וַיְהִי שָׁאוּל עוֹיֵן אֶת דָּוִד מֵהַיּוֹם הַהוּא וָהָלְאָה: (שם שם ט)

וַיְהִי כִּי יָשַׁב הַמֶּלֶךְ בְּבֵיתוֹ וַה' הֵנִיחַ לוֹ מִסָּבִיב מִכָּל אֹיְבָיו: (שמואל ב ז:א)

רַק אַתָּה לֹא תִבְנֶה הַבָּיִת כִּי אִם בִּנְךָ הַיֹּצֵא מֵחֲלָצֶיךָ הוּא יִבְנֶה הַבַּיִת לִשְׁמִי: (מלכים א ח:יט)

וְהָיָה בַיּוֹם הַהוּא יִטְּפוּ הֶהָרִים עָסִיס וְהַגְּבָעוֹת תֵּלַכְנָה חָלָב וְכָל אֲפִיקֵי יְהוּדָה יֵלְכוּ מָיִם וּמַעְיָן מִבֵּית ה' יֵצֵא וְהִשְׁקָה אֶת נַחַל הַשִּׁטִּים: (יואל ד:יח)

וְהָיָה בַּיּוֹם הַהוּא יְחַיֶּה אִישׁ עֶגְלַת בָּקָר וּשְׁתֵּי צֹאן: (ישעיה ז:כא)

וְהָיָה בַּיּוֹם הַהוּא יֵצְאוּ מַיִם חַיִּים מִירוּשָׁלַיִם חֶצְיָם אֶל הַיָּם הַקַּדְמוֹנִי וְחֶצְיָם אֶל הַיָּם הָאַחֲרוֹן בַּקַּיִץ וּבָחֹרֶף יִהְיֶה: (זכריה יד:ח)

וְהָיָה כְּעֵץ שָׁתוּל עַל פַּלְגֵי מָיִם אֲשֶׁר פִּרְיוֹ יִתֵּן בְּעִתּוֹ וְעָלֵהוּ לֹא יִבּוֹל וְכֹל אֲשֶׁר יַעֲשֶׂה יַצְלִיחַ: (תהלים א:ג)

וְהָיָה שְׁאֵרִית יַעֲקֹב בַּגּוֹיִם בְּקֶרֶב עַמִּים רַבִּים כְּאַרְיֵה בְּבַהֲמוֹת יַעַר כִּכְפִיר בְּעֶדְרֵי צֹאן אֲשֶׁר אִם עָבַר וְרָמַס וְטָרַף וְאֵין מַצִּיל: (מיכה ה:ז)

וַיֵּשֶׁב יִרְמְיָהוּ בַּחֲצַר הַמַּטָּרָה עַד יוֹם אֲשֶׁר נִלְכְּדָה יְרוּשָׁלָם וְהָיָה כַּאֲשֶׁר נִלְכְּדָה יְרוּשָׁלָם: (ירמיה לח:כח)

תַּם עֲוֺנֵךְ בַּת צִיּוֹן לֹא יוֹסִיף לְהַגְלוֹתֵךְ פָּקַד עֲוֺנֵךְ בַּת אֱדוֹם גִּלָּה עַל חַטֹּאתָיִךְ: (איכה ד:כב)

לֵךְ וְאָסַפְתָּ אֶת זִקְנֵי יִשְׂרָאֵל וְאָמַרְתָּ אֲלֵהֶם ה' אֱלֹהֵי אֲבֹתֵיכֶם נִרְאָה אֵלַי אֱלֹהֵי אַבְרָהָם יִצְחָק וְיַעֲקֹב לֵאמֹר פָּקֹד פָּקַדְתִּי אֶתְכֶם וְאֶת הֶעָשׂוּי לָכֶם בְּמִצְרָיִם: (שמות ג:טז) וְשָׁמְעוּ לְקֹלֶךָ וּבָאתָ אַתָּה וְזִקְנֵי יִשְׂרָאֵל אֶל מֶלֶךְ מִצְרַיִם וַאֲמַרְתֶּם אֵלָיו ה' אֱלֹהֵי הָעִבְרִיִּים נִקְרָה עָלֵינוּ וְעַתָּה נֵלֲכָה נָּא דֶּרֶךְ שְׁלֹשֶׁת יָמִים בַּמִּדְבָּר וְנִזְבְּחָה לַה' אֱלֹהֵינוּ: (שם יח) וְאֶל מֹשֶׁה אָמַר עֲלֵה אֶל ה' אַתָּה וְאַהֲרֹן נָדָב וַאֲבִיהוּא וְשִׁבְעִים מִזִּקְנֵי יִשְׂרָאֵל וְהִשְׁתַּחֲוִיתֶם מֵרָחֹק: (שם כד:א) וַיֹּאמֶר ה' אֶל מֹשֶׁה אֶסְפָה לִּי שִׁבְעִים אִישׁ מִזִּקְנֵי יִשְׂרָאֵל אֲשֶׁר יָדַעְתָּ כִּי הֵם זִקְנֵי הָעָם וְשֹׁטְרָיו וְלָקַחְתָּ אֹתָם אֶל אֹהֶל מוֹעֵד וְהִתְיַצְּבוּ שָׁם עִמָּךְ: (במדבר יא:טז) וְחָפְרָה הַלְּבָנָה וּבוֹשָׁה הַחַמָּה כִּי מָלַךְ ה' צְבָאוֹת בְּהַר צִיּוֹן וּבִירוּשָׁלַםִ וְנֶגֶד זְקֵנָיו כָּבוֹד: (ישעיה כד:כג)

מתנות כהונה

[ח] גדולה חכמה. על דרך שאמרו חז"ל בפרק קמא דקידושין (לב, ב) זקן זה שקנה חכמה: **חביבין הן.** שהשיבה נאה לחכמים כקנקן ישן מלא ישן: **נטפלה להם ילדות.** הילדות טפל והחכמה עיקר: **וכתיב ונגד זקניו וגו'.** סיפיה דקרא של וחפרה הוא:

נחמד למראה

[ח] אמר רבי יוסי בר חלפתא גדולה זקנה אם זקנים הם חביבים הם. אם נערים הם נטפלה להם ילדות. צריך לדעת מהו כוונתו באמרו נטפלה להם ילדות דלכאורה נראה תפל מבלי מלח. ונראה לעניות דעתי במה שפירשו המפרשים בפירוש הפסוק במשלי (כ, יא) גם במעלליו יתנכר נער אם זך ואם ישר פעלו, שדקדקו כמו שהמכוון הוא שמפעולותיו יוכר הנער שיהיה צדיק, על דרך (ברכות מח,

אשד הנחלים

[ח] בלא כנפים. בסדר שמות פרשה ה' [סימן יב] שמה פרשתי, עיין שם: **נטפלה להם ילדות.** גם זה שם, ועיין שם בבאורי: **אף לעתיד לבא כו' לזקנים.** שלא ידומה אחר שלעתיד יוסר לב האבן ורוח חדשה יותן בקרבם, אם כן יהיו הנערים והזקנים שוים במעלה, לא כן, כי אם מדריגות יש גם לעתיד לבא, והזקנים הם החביבים:

Having cited the verse from *Isaiah*, the Midrash cites an exposition on that verse:

רַבִּי יִשְׁמָעֵאל בַּר בֵּיבַי וְרַבִּי שִׁמְעוֹן וְרַבִּי רְאוּבֵן בְּשֵׁם חֲנִינָא אָמְרוּ — **R' Yishmael bar Beivai and R' Shimon and R' Reuven said in the name of Chanina:** עָתִיד הַקָּדוֹשׁ בָּרוּךְ הוּא לְמַנּוֹת לוֹ יְשִׁיבָה שֶׁל זְקֵנִים מִשֶּׁלּוֹ — **In the future** Messianic times, **the Holy One, blessed is He, is going to appoint for Himself an academy of elders of His own** choosing; הָדָא הוּא דִכְתִיב "כִּי מָלַךְ ה' צְבָאוֹת בְּהַר צִיּוֹן וּבִירוּשָׁלִַם וְנֶגֶד זְקֵנָיו כָּבוֹד" — **thus it is written,** ***for HASHEM, Master of Legions, will reign in Mount Zion and in Jerusalem and there will be honor before "His elders."*** "נֶגֶד זְקֵנִים" אֵין כְּתִיב כָּאן אֶלָּא "נֶגֶד זְקֵנָיו כָּבוֹד" — Now, **it is not written here** "there will be honor **before the elders," but** ***there will be honor before "His" elders.***[159]

A further teaching regarding God and the righteous in future, Messianic times:

רַבִּי אָבִין בְּשֵׁם רַבִּי יִשְׁמָעֵאל בְּרַבִּי יְהוֹשֻׁעַ אָמַר — **R' Avin said in the name of R' Yishmael the son of R' Yehoshua:** עָתִיד הַקָּדוֹשׁ בָּרוּךְ הוּא לֵישֵׁב כְּגוֹרֶן וְצַדִּיקִים יוֹשְׁבִין לְפָנָיו — **In the future** Messianic times, **the Holy One, blessed is He, will sit** (as it were) in a formation shaped **like a threshing floor,** i.e., in a circle, **with the righteous**[160] **sitting before Him.**[161] כְּהַהוּא "וּמֶלֶךְ יִשְׂרָאֵל וִיהוֹשָׁפָט מֶלֶךְ יְהוּדָה יֹשְׁבִים אִישׁ עַל כִּסְאוֹ מְלֻבָּשִׁים בְּגָדִים בְּגֹרֶן" — It will be **like that** which is written elsewhere, ***The king of Israel and Jehoshaphat king of Judah were sitting, each man on his throne, dressed in [royal] garb, at the threshing floor*** *at the gateway of Samaria* (*I Kings* 22:10). וְכִי בְּגוֹרֶן הָיוּ יוֹשְׁבִים — **Now, were they** really **sitting at a threshing floor?** Surely not![162] אֶלָּא כִּי הָא דְתְנִינַן: סַנְהֶדְרִין כַּחֲצִי גוֹרֶן עֲגוּלָה כְּדֵי שֶׁיִּרְאוּ זֶה אֶת זֶה — **Rather,** what is intended is that they were sitting in a formation shaped like a threshing floor, i.e., in a circle, **similar to that which we learn in a Mishnah:** The members of a **Sanhedrin**[163] **were** seated in the shape of **half a circular threshing floor,** i.e., in a semicircle, **so that [the judges] could** all **see one another** (*Sanhedrin* 4:3).[164] אָמַר שְׁלֹמֹה: אֲנִי חֲמִיתֵיהּ מְצוּמְצָם בֵּינֵיהוֹן — King **Solomon said, "I saw** in a prophetic vision of the future Messianic times that **[God] was right between [the elders].**[165] הָדָא הוּא דִכְתִיב "נוֹדָע בַּשְּׁעָרִים בַּעְלָהּ בְּשִׁבְתּוֹ עִם זִקְנֵי אָרֶץ" — **For it is written** in *Proverbs*, ***Her husband is distinctive in the councils, when he sits with the elders of the land*** (*Proverbs* 31:23).[166]

§9 The following section is a continuation of the previous one, discussing the idea that the righteous will form a circle around God, as it were:

רַבִּי בֶּרֶכְיָה וְרַבִּי חֶלְבּוֹ וְעוּלָּא בִּירָאָה וְרַבִּי אֶלְעָזָר בְּשֵׁם רַבִּי חֲנִינָה — **R' Berechyah and R' Chelbo and Ulla Bira'ah and R' Elazar** said **in the name of R' Chaninah:** עָתִיד הַקָּדוֹשׁ בָּרוּךְ הוּא לִהְיוֹת רֹאשׁ חוֹלָה לַצַּדִּיקִים לֶעָתִיד לָבֹא — **In the future** Messianic times, **the Holy One, blessed is He, will be at the head**[167] **of a dance circle for the righteous,** הָדָא הוּא דִכְתִיב "שִׁיתוּ לִבְּכֶם לְחֵילָה" — **as it is written** regarding Jerusalem, ***Mark well in your hearts her ramparts*** [לְחֵילָה] (*Psalms* 48:14). "לְחוֹלָה" כְּתִיב — The word לְחֵילָה, pronounced **[lecheilah]** and meaning *her ramparts,* **is written** לחולה,[168] which would be pronounced *lecholah,* meaning, "her dance circle."[169] וְהֵן חָלִין לְפָנָיו בְּעַלְמוּת וּמַרְאִין עָלָיו כְּאִלּוּ בְּאֶצְבַּע — **And [the righteous] will dance before [God] with vigor and show Him** to one another **as if** pointing **with a finger,**

NOTES

159. The "honor" being that they will sit in the Presence of God.

160. I.e., the elders (*Shemos Rabbah* 5 §18).

161. The parallel passage in *Shemos Rabbah* 5 §18 fills in several critical details regarding this exposition. God will convene the elders (see previous note) into a Sanhedrin, with Him presiding, to judge the "deniers of Hashem" over their persecution of Israel. This is based on *Isaiah* 3:13-14: *HASHEM stands up to contend, and stands to judge nations. HASHEM will enter into judgment [along] with the elders and officers of His people, saying, "You* (the nations) *have consumed the vineyard* (Israel); *what you have robbed from the poor man is in your houses."*

162. A threshing floor is not a glamorous place; surely Samaria, the capital of the Kingdom of Israel, had a more appropriate venue for a meeting between two great kings (see *Eitz Yosef*).

163. A judicial body of twenty-three or seventy-one judges (*Rashi* to *Sanhedrin* ad loc.).

164. The semicircle seating arrangement encouraged debate among the judges and helped ensure that they would arrive at the proper decision. But they did not sit in a complete circle, so as to allow witnesses and litigants to come and face all of the judges (*Rashi* ibid.). The point of the Midrash is that when God convenes His elders for judgment, He will seat them in the manner of earthly kings and judges when they have their deliberations.

165. The elders were not sitting "before God" as above; rather, He was sitting together with them, right in their midst. (Of course, all these depictions are metaphors, describing the extent of Divine revelation the righteous will experience at that time.)

166. The Midrash understands this verse (and the entire אֵשֶׁת חַיִל section) as metaphorically referring to God (the husband in this verse) and His "wife," Israel. The metaphor of husband and wife is sometimes used by the prophets for the relationship between God and Israel (see, for example, *Hosea* Ch. 2). Additionally, the Midrash understands that since this verse uses the word נוֹדָע, *is distinctive,* to refer to God/the husband, it speaks of the Messianic future when God will be known and recognizable to the degree that it would be as if one could point to Him with a finger [see next section] (*Eitz Yosef*; see *Eshed HaNechalim* for an alternative explanation).

167. I.e., in the center (*Yefeh To'ar;* see also *Rabbeinu Gershom* to end of *Taanis*). Alternatively: He will be in the circle and leading it (*Matnos Kehunah*). See note 165.

168. I.e., it is one of the many words in Scripture that are pronounced (קְרִי) differently from the way they are written (כְּתִיב). [It should be noted that although this statement is mentioned in a number of places in the Midrashic and Talmudic literature, in extant texts of Scripture the word is both written and pronounced לְחֵילָה (*Anaf Yosef,* citing *Minchas Shai* to *Psalms* 48:15; see *Radal*). (In many Midrash manuscripts the word כְּתִיב is indeed missing.) It should also be noted that in an addendum to his monograph *Al Targum HaShivim* (New York, 5704), R' Chaim Heller seeks to demonstrate at length that the Sages often use the expression כְּתִיב, *is written,* in the sense of אַל תִּקְרֵי, *do not read . . .,* which introduces a play on words and does not reflect upon how the word is actually written.]

169. Although the plain meaning of this verse is that it is speaking of Jerusalem, the Midrash interprets it as referring to the Messianic future (see *Maharzu*).

The reward of the righteous is compared to a circle. Just as a circle has no beginning and no end, so too will there be no end to the eternal joy of the righteous in the World to Come (see *Rabbeinu Bachya, Exodus* 25:31). See Insight Ⓐ.

INSIGHTS

Ⓐ **The Circle of the Righteous** The gathering of the righteous in the World to Come is described as a dance. *Maharal* explains: A person is moved to dance through joy. True joy comes when one is spiritually fulfilled, when he rises above the physical and connects with the holy. Such elevation is symbolized by the physical act of dancing, in which one leaps from the ground, as if to free himself from his earthly shackles. Only the righteous, who in life were not enslaved to material things, can experience the sublime dance of the Next World, when the

רַבִּי יִשְׁמָעֵאל בַּר בִּיבִי וְרַבִּי שִׁמְעוֹן וְרַבִּי רְאוּבֵן בְּשֵׁם חֲנִינָא °אָמַר: עָתִיד הַקָּדוֹשׁ בָּרוּךְ הוּא לְמַנּוֹת לוֹ יְשִׁיבָה שֶׁל זְקֵנִים מִשֶּׁלּוֹ, הֲדָא הוּא דִכְתִיב (שם) "כִּי מָלַךְ ה' צְבָאוֹת בְּהַר צִיּוֹן וּבִירוּשָׁלַיִם וְנֶגֶד זְקֵנָיו כָּבוֹד", "נֶגֶד זְקֵנִים" אֵין כְּתִיב כָּאן אֶלָּא "נֶגֶד זְקֵנָיו כָּבוֹד", רַבִּי אָבִין בְּשֵׁם רַבִּי יִשְׁמָעֵאל בְּרַבִּי יְהוֹשֻׁעַ אָמַר: עָתִיד הַקָּדוֹשׁ בָּרוּךְ הוּא לֵישֵׁב כְּגֹרֶן וְצַדִּיקִים יוֹשְׁבִין לְפָנָיו, כְּהַהוּא (מלכים-א כב, י) "וּמֶלֶךְ יִשְׂרָאֵל וִיהוֹשָׁפָט מֶלֶךְ יְהוּדָה יֹשְׁבִים אִישׁ עַל כִּסְאוֹ מְלֻבָּשִׁים בְּגָדִים בְּגֹרֶן", וְכִי בְּגוֹרֶן הָיוּ יוֹשְׁבִים, אֶלָּא כִּי הָא דִתְנִינַן: [טו]סַנְהֶדְרִין כַּחֲצִי גֹרֶן עֲגֻלָּה כְּדֵי שֶׁיִּרְאוּ זֶה אֶת זֶה (סנהדרין ד, ג), אָמַר שְׁלֹמֹה: אֲנִי חֲמִיתֵיהּ מְצוּמְצָם בֵּינֵיהוֹן, הֲדָא הוּא דִכְתִיב (משלי לא, כג) "נוֹדָע בַּשְּׁעָרִים בַּעְלָהּ בְּשִׁבְתּוֹ עִם זִקְנֵי אָרֶץ":

ט רַבִּי בֶּרֶכְיָה וְרַבִּי חֶלְבּוֹ וְעוּלָּא בִּירָאָה וְרַבִּי אֶלְעָזָר בְּשֵׁם רַבִּי חֲנִינָה: [טז]עָתִיד הַקָּדוֹשׁ בָּרוּךְ הוּא לִהְיוֹת רֹאשׁ חוֹלָה לַצַּדִּיקִים לֶעָתִיד לָבֹא, הֲדָא הוּא דִכְתִיב (תהלים מח, יד) "שִׁיתוּ לִבְּכֶם לְחֵילָה", "לְחוֹלָה" כְּתִיב, וְהֵן °עוֹלִין עָלָיו *בְּעוֹלָמָה° וּמַרְאִין עָלָיו כְּאִלּוּ בְּאֶצְבַּע,

פירוש מהרז"ו

(ט) **להיות ראש חולה.** כמו שנאמר כחולת המחנים, כמו שמבואר שיר השירים רבה פסוק שובי דף ל"ד, בראשית רבה פח, יא, מדרש תהלים סוף מזמור מ"ח, שיר השירים רבה פסוק לריח שמניך ד' ז', קהלת רבה פסוק אין זכרון דף פ"ו, ובסוף תענית (לא, א). ירושלמי מגילה (פ"ו ה"ד): **ומראין עליו כאלו באצבע.** שתיבת זה פירושו בכמה מקומות שמראה באצבע, וכמו שכתב בראשית רבה (ק, ו) אבל כבד זה, עיין שם, וכמו שמבואר שמות רבה (טו, כח) החרדה הזה, ושם נסמן לכמה מקומות, ודורש פסוק זה על לעתיד, כמו שכתוב בסיפא דקרא למען תספרו לדור אחרון, ועל כן שיתו לבכם, לא אחד לעתיד, וכמו שכתב בבראשית רבה (מח, יא) וסעדו לבכם, הדא אמרה אין יצר הרע שולט במלאכים, היא דעתיה דרבי חנינא דאמר רבי חנינא שיתו (לבכם) [לבבכם] לחילה אין כתיב כאן, אלא לבכם, הדא אמרה אין יצר הרע שולט לעתיד לבוא, וכן כאן מפסוק כי זה אלהים אלהינו עולם ועד, וכמו שכתוב (ישעיה כה, ט) ואמר ביום ההוא:

עץ יוסף

עתיד הקדוש ברוך הוא לישב בגורן. פירוש שיהיה יושב אצלם בעגולה כגורן, כדרך המלכים כדמפרש ואזיל, והיינו נגד זקניו כבוד, פירוש כבוד ה' יהיה נגד זקניו, בהיותם יושבים בחצי עגולה ורואים זה את זה: **וכי בגורן היו יושבין.** הא אין כבוד מלכים לישב בגורן, ובפרק קמא דחולין (ה א) גרסינן מאי גורן [אלימא גורן] ממש, אטו שער שומרון גורן הוה: **כי הא דתנינן כו'.** רצה לומר שמקום מושבם נקרא גורן, להיותו כחצי עגולה כגורן. ועיין מה שכתבתי בשמות רבה (פרשה ג, י) [בעץ יוסף]: **כדי שיראו זה את זה.** פירש רש"י (שם ד"ה שיהו רואין) שיהיו רואים זה את זה, להיות שומעין איש דבר חבירו, ומתוכחים זה עם זה, עד שיצא הוראה כהלכה, שאילו היו יושבים בשורה שלא בעגולה, אין בני השורה רואה את בני סוף שורתו, ובעגולה שלימה לא היו יושבין כדי שיהיה מקום לצאת ולבא. והיפה תואר כתב מפני סופרי הדיינים: **אני חמיתי מצומצם ביניהון.** פירוש אני ראיתיו כו'. ורצה לומר שלמה ברוח הקודש ראה, שעתיד שהקדוש ברוך הוא יושב עם הזקנים כדלעיל, ואמר נודע בשערים בעלה על עתיד, שאז יהיה נודע וניכר שמראים עליו כאילו באצבע, ולפי זה אשת חיל רמז לכנסת ישראל, ובעלה רמז על הקדוש ברוך הוא, על דרך (הושע ב יח) תקראי אישי: (ט) **ראש חולה.** מלשון מחול הכרם. ומחול פירוש עגולה, וירצה שיסדר הצדיקים סביבו כעגולה, והוא יתברך יהיה באמצע, ולהיות ה' יתברך באמצע, אמר שיהיו מראין אותו באצבע, שהאמצע נראה לכל המסובבים, ומה שאמר שהקדוש ברוך הוא יהיה ראש חולה, הוא היותו באמצע כמו המרכז לעגולה (יפה מראה): **שיתו לבכם לחילה.** ואף על גב דפשטיה דהאי קרא מיירי בירושלים, כדכתיב התם (תהלים מח ג) הר ציון ירכתי צפון וגו', (פסוק יג) סובו ציון, יש לומר הרמוז בתיבת חילה, מיירי בגן עדן, דאפשר שהכתוב ידבר בענין זה, וירמוז בענין אחר: **לחולה כתיב.** לשון מחול הכרם דתנן בכלאים (פ"ד מ"א, ב, ג): **והן עולין עליו בעולמא.** צריך לומר והן חלין לפניו בעלמות (יפה תואר). ופירושו שהם ירקדו לפניו בחוזק ובזריזות, [כמו שנאמר בשמות רבה (פרשה א ל) ותלך העלמה, שהלכה בזריזות, ופירש רש"י כעלמה בכל כחה]:

מתנות כהונה

בגורן. הטעם מפרש לקמן בסמוך. ועיין בשמות רבה (ה, יב): **כההוא.** כלומר כההוא דכתיב: **כדי שיראו זה את זה.** ויוכלו להמתיק סוד יחדיו כמו שאמר הכתוב (ישעיה ל, כ) והיו עיניך רואות את מוריך: **אנא חמיתיה כו'.** אנא ראיתיו: **[ט] חולה.** מחול, ובלשון חכמים חינגא, והוא ילך ויחול בראשם וינהיגם: **והן עולין עליו בעולמה.** חפשתי בכמה מקומות שכתוב מדרש זה ולא מצאתי זה, וצריך לפרש ויעלו אחריו בזריזות, כמה דאת אמר (שמות לה, כב) ויבאו האנשים על הנשים, ועל כל פנים צריך לומר בעולמות:

נחמד למראה

א) בוצין בוצין מכתפיה ידיע, אם כן היה לו לומר גם במעלליו יתנכר נער, והכא קאמר יתנכר שהוא מורה היפך הפעולה, כמה דאת אמר (בראשית מב, ז) ויתנכר אליהם. ופירשו שדרך בני אדם כשרואים איזה פעולה זכה וברה עשויה שהיא נפלאה, ואינם יודעים מי עשאה, אומרים בפיהם בודאי שהיא עשויה מאיש זקן שקנה חכמה, כדכתיב (איוב יב, יב) בישישים חכמה ואורך ימים תבונה, אף על פי שעשה אותה פעולה נער רך בשנים ואב בחכמה, והם אומרים שזקן עשאה, ובזה יתנכר הנער ויחשב לזקן, וזהו שאמר גם במעלליו יתנכר נער, שאמרו שהוא זקן כשזך וישר פעלו, עד כאן. ועל פי זה יתבארו דברי רבי יוסי בר חלפתא אם זקנים הם. רוצה לומר אם זקנים הם ובאים בימים וחכמים, גם כן חביבים הם, ואם נערים הם והמה חכמים מחוכמים, הרי הם נקראים זקנים, והילדות היא טפל להם, אבל העיקר הוא שנקראים זקנים. ודוק:

אשד הנחלים

ישיבה של זקנים משלו. כלומר לא זקן סתם כי אם זקניו משלו הנבחרים והדבוקים בה', וזהו שכתוב זקניו בכינוי הידועים לו יתברך. והכוונה בישיבה הוא כמו שאמר להלן: **כגורן כו' אנא חמיתיה מצומצם.** עניינו על דרך הציור הַמְשָׁלִי, להיות הדבר העגול שוה מכל צדדיו אל המרכז, לא כן המרובע או תמונה אחרת, ולהיות שלעתיד לבא כולם ידעו את ה', על כן מכנה ישיבתם כבגורן עגולה, שכולם יהיו קרובים אל השכינה המצומצמת ביניהם. וזהו הכנוי אנא חמיתיה כו', ששלמה בעת שזכה לרוח הקדש, אז ראה והשיג השכינה שהיא מצומצם בפנים ביניהם: **[ט] ראש חולה.** מלשון מחול, שהוא רקוד הסבובי בעגול. והכוונה כמו שפרשתי, ומצורף לזה עוד, שהמרקד אינו עומד במקום אחד, והוא סובב תמיד על מרכזו בשמחה, כן הצדיקים ישיגו תמיד השגות גבוהות, כאלו ירקדו למעלה לראות בעולמות העליונים, וכאלו מראים באצבע בלא שום ספק, (לא כמו שבעולם הזה הידיעה האמיתית טמונה בחושך,

שינוי נוסחאות

(ט) **והן עולין עליו בעולמה.** ע' מ"כ שנתקשה במילים אלו והגיה "בעולמות" (נראה ברור שרצונו לומר "בעלמות", ע"ש בדבריו), אבל יפ"ת הגיה "והן חלין לפניו בעלמות", וכן הוא באמת בהרבה כי"י. **ומראין עליו כאלו באצבע ואומר.** – כנראה לעין אי אפשר (מצד דקדוק) לקיים גרסא זו, ובספרים הישנים היה כתוב >ואומ'< בקיצור, ואין ספק שכוונתם לומר "ואומרים", אבל אח"כ התחילו המדפיסים לכתוב "ואומר", ועוד יותר הרחיקו לטעות בקצת ספרים מאוחרים (וביניהם ד' וארשא) וכתבו "ואומרת". אבל כ"ז שיבוש הוא וצ"ל "ואומרים":

חידושי הרד"ל

עתיד הקדוש ברוך הוא למנות לו כו'. שיר השירים רבה פ"א סוף פ"ד, ושם פ"ז, וקהלת רבה פ"ז פי"ב [א, פסוק יא]: **[ט] לחולה כתיב.** עיין מנחת שי שלא נמצא כתוב כן בספרים שלנו, ואפשר גרסינן לחילה כתיב ביו"ד, והכוונה שכתוב בלא מפיק ה', כי היכי דנדרוש שה' זו אינה ה' נקבה, אלא מעיקר המלה הוא, שם מחול: **והן חלין עליו בעולמות.** כן הוא בשיר השירים רבה (ז, ב), וכן צריך לומר. ופירושו שהוא ראש חוללין והן עליו סביב:

אמרי יושר

הלבנה, הם לא, אף שנמשלו פני משה כפני חמה (בבא בתרא עה א). או אף על פי שכולם יהיו זקנים ולא יראה דבר זר. או אף על פי שבישיבה הלך אחר חכמה (שם קכ א) ולא אחר זקנה, פליג החכם האחד ואמר דהקדוש ברוך הוא מתכבד בהם, דייק זקניו: **[ט] ראש חולה.** דבר שאין לו תחלה וסוף, ויהיה שם מעמד של עונג, כאשר יתענגו החולים בכרמים, דוגמא לשכך אזן:

ידי משה

[ט] והן עולין עליו בעלמה. כן צריך לומר, ופירוש שהקב"ה ילך בראש ואח"כ ישראל כדרך כל הארץ שהבחור הולך והעלמות אחריו. וכן הכי גרסינן בירושלמי (מגילה פ"ב ה"ד):

באור מהרי"פ

נתיישבו דעתם מחמת זקנתם, אבל אם נערים הם, אינם חביבין כל כך לפני הקב"ה מפני שהתם נערים נטפלה להם ילדות: **[ט] ראש חולה לצדיקים.** ערוך ערך חל שלפני חל האחרון, וזה לשונו ויקרא רבה סדר שמיני (יא, ט) עתיד הקב"ה לעשות ראש חולה לצדיקים וכו' מחול בלע"ז רוטה:

ליקוטים

[ח] בחצי גורן עגולה. בעגולה שלימה לא היו יושבים כדי שיהיה מקום לצאת ולבוא. והיפה תואר כתב מפני סופרי הדיינים (נבחר מפנינים):

מסורת המדרש

טו. סנהדרין לו ע"ב: טז. ילקוט ישעיה רמז רכ"ד. תנחומא סדר שמיני:

אם למקרא

וּמֶלֶךְ יִשְׂרָאֵל וִיהוֹשָׁפָט מֶלֶךְ יְהוּדָה יֹשְׁבִים אִישׁ עַל כִּסְאוֹ מְלֻבָּשִׁים בְּגָדִים בְּגֹרֶן פֶּתַח שַׁעַר שֹׁמְרוֹן וְכָל הַנְּבִיאִים מִתְנַבְּאִים לִפְנֵיהֶם: (מלכים א כב:י)

נוֹדָע בַּשְּׁעָרִים בַּעְלָהּ בְּשִׁבְתּוֹ עִם זִקְנֵי אָרֶץ: (משלי לא:כג)

שִׁיתוּ לִבְּכֶם לְחֵילָה פַּסְּגוּ אַרְמְנוֹתֶיהָ לְמַעַן תְּסַפְּרוּ לְדוֹר אַחֲרוֹן: כִּי זֶה אֱלֹהִים אֱלֹהֵינוּ עוֹלָם וָעֶד הוּא יְנַהֲגֵנוּ עַל מוּת: (תהלים מח:יד-טו)

ענף יוסף

(ט) עתיד הקדוש ברוך הוא להיות ראש חולה כו'. הבחיי בסדר תרומה כתב, שכוונת האגדה זאת על מה שמתענגים מזיו השכינה בתענוג שאין לו סוף, שהמחול הוא עגול, ואין לו ראש וסוף, ולכך המשיל תענוג הנפשות שאין לו סוף, למחול שאין לו סוף, ומה שאמר שיהיו מראים באצבע, הכוונה שישיגו כל מה שאפשר להשיג, וזאת היא ראיה שכליית ולא חושית, כי כן יורה הפסוק שהביאו לראיה, שיתו לבכם, ולא אמר שיתו עיניכם עד כאן. ובספר כפתור ופרח כתב שיהיו מראין באצבע ממש טעמי תורה, מה שלא השיגו עומקיה וטעמיה בזה העולם, ומתוך אותן ההשגות והסודות ישיגו מדות אלהיות, וזהו מה שיאמרו כי זה אלהים אלהינו, רצה לומר דרכי אלהינו עולם ועד, רצה לומר אותה ההשגה ישאר בהם לעולם ועד, באין הפסק: **לחולה כתיב.** וכן הוא בירושלמי, ובתיקוני זוהר, ובמדרש חזית, ובקהלת רבה, אבל בכל הספרים שלנו כתוב וקרי לחילה, ביו"ד, והכי איתא באגדת תהלים (מנחת שי). והרד"ל כתב וזה לשונו ואפשר גרסינן לחילה כתוב ביו"ד, והכוונה שכתוב בלא מפיק ה"א, כי היכי דנדרוש שה' זו אינה ה' נקבה, אלא מעיקר המלה הוא שם מחול, עד כאן לשונו:

INSIGHTS

soul is freed from constraints of the flesh, and slips forever the bonds of earth (see *Maharal, Be'er HaGolah,* pp. 75-76; *Michtav MeEliyahu* Vol. 4, p. 149).

Several commentators explain the symbolism of the circle with the following observation: A circle is unique in that all points on its perimeter are equidistant from the center. The circle of the World to Come represents the elevation of each and every one of the souls of the righteous to a mutual level of spiritual completion, so that all are equidistant from the Holy One, each equally near to the light of His Divine Presence (*Yaaros Devash* Vol. 1, *Derush* §4, p. 102).

In this world, a righteous person might perfect certain character traits but not others; a Torah scholar might master certain areas of Torah but not others. The Sages inform us that in the World to Come, when the righteous are gathered together in a seamless circle, these differences will not have significance. That which divides them in this world will fall away, and they will be rendered a unified whole, so that in each will be found all the accomplishments attained in life by each of his fellows. As long as one serves truly for the sake of Heaven, even if only in a single area of service, he will merit a place in the circle, and so will be elevated along with the others to a shared plane of spiritual perfection, each cleaving in equal measure to the Holy One, all rejoicing as one in the sublime exaltation of His presence (*Maharal, Be'er HaGolah,* p. 76, as explained by *Michtav MeEliyahu* Vol. 4, pp. 149-150; see also *Oheiv Yisrael* לט"ו באב וליוה"כ).

Chafetz Chaim expounds the lesson of the circle as a guide to our actions in this world. In the World to Come, all will stand equidistant from the Divine Presence, just as the points on the perimeter of a circle are equidistant from the center. However, to merit a position in this exalted company, one's point of reference must be the center of the circle. No matter what a person's field of endeavor, whether sacred or mundane, his actions must be guided by the distance at which they place him from the Holy One, Blessed is He, Who resides at the center of the circle. One might spend his days in menial labor, but if his actions are performed for the sake of Heaven, and he conducts himself in all things in accordance with God's command, he too will be included in the circle of the World to Come, as near to the Divine Presence as the greatest Torah scholar (*Kol Kisvei Chafetz Chaim,* Vol. 3, *Sichos HeChafetz Chaim* p. 22; see there also, *Dugma MiSichos Avi z"l,* p. 57; see also *Chafetz Chaim al haTorah, Genesis* 2:9).

רַבִּי יִשְׁמָעֵאל בַּר בֵּיבַי וְרַבִּי שִׁמְעוֹן וְרַבִּי רְאוּבֵן בְּשֵׁם חֲנִינָא °אָמַר: עָתִיד הַקָּדוֹשׁ בָּרוּךְ הוּא לְמַנּוֹת לוֹ יְשִׁיבָה שֶׁל זְקֵנִים מִשֶּׁלּוֹ, הָדָא הוּא דִכְתִיב (שם) "כִּי מָלַךְ ה' צְבָאוֹת בְּהַר צִיּוֹן וּבִירוּשָׁלַיִם וְנֶגֶד זְקֵנָיו כָּבוֹד", "נֶגֶד זְקֵנִים" אֵין כְּתִיב כָּאן אֶלָּא "נֶגֶד זְקֵנָיו כָּבוֹד", רַבִּי אָבִין בְּשֵׁם רַבִּי יִשְׁמָעֵאל בְּרַבִּי יְהוֹשֻׁעַ אָמַר: עָתִיד הַקָּדוֹשׁ בָּרוּךְ הוּא לֵישֵׁב כְּגוֹרֶן וְצַדִּיקִים יוֹשְׁבִין לְפָנָיו, כְּהַהוּא (מלכים-א כב, י) "וּמֶלֶךְ יִשְׂרָאֵל וִיהוֹשָׁפָט מֶלֶךְ יְהוּדָה יֹשְׁבִים אִישׁ עַל כִּסְאוֹ מְלֻבָּשִׁים בְּגָדִים בְּגֹרֶן", וְכִי בְּגוֹרֶן הָיוּ יוֹשְׁבִים, אֶלָּא כִּי הָא דְתְנַן: [טו] סַנְהֶדְרִין כַּחֲצִי גוֹרֶן עֲגוּלָּה כְּדֵי שֶׁיִּרְאוּ זֶה אֶת זֶה (סנהדרין ד, ג), אָמַר שְׁלֹמֹה: אֲנִי חֲמִיתֵיהּ מְצוּמְצָם בֵּינֵיהוֹן, הָדָא הוּא דִכְתִיב (משלי לא, כג) "נוֹדָע בַּשְּׁעָרִים בַּעְלָהּ בְּשִׁבְתּוֹ עִם זִקְנֵי אָרֶץ":

ט רַבִּי בֶּרֶכְיָה וְרַבִּי חֶלְבּוֹ וְעוּלָּא בִּירָאָה וְרַבִּי אֶלְעָזָר בְּשֵׁם רַבִּי חֲנִינָה: [טז] עָתִיד הַקָּדוֹשׁ בָּרוּךְ הוּא לִהְיוֹת רֹאשׁ חוֹלָה לַצַּדִּיקִים לֶעָתִיד לָבֹא, הָדָא הוּא דִכְתִיב (תהלים מח, יד) "שִׁיתוּ לִבְּכֶם לְחֵילָה", "לְחוֹלָה" כְּתִיב, וְהֵן °עוֹלִין עָלָיו *בְּעוֹלָמָה° וּמַרְאִין עָלָיו כְּאִלּוּ בְּאֶצְבַּע,

עץ יוסף

עתיד הקדוש ברוך הוא לישב בגורן. פירוש שיהיה יושב אצלם בעגולה כגורן, כדרך המלכים כדמפרש ואזיל, והיינו נגד זקניו כבוד, פירוש כבוד ה' יהיה נגד זקניו, בהיותם יושבים בחצי עגולה ורואים זה את זה: **וכי בגורן היו יושבין.** הא אין כבוד מלכים לישב בגורן, ובפרק קמא דחולין (ה א) גרסינן מאי גורן [אלימא גורן] ממש, אטו שעד שומרון גורן הוה: **כי הא דתנינן כו'.** רצה לומר שמקום מושבם נקרא גורן, להיותו כחצי עגולה כגורן. ועיין מה שכתבתי בשמות רבה (פרשה ג, י) [בענף יוסף]: **כדי שיראו זה את זה.** פירש רש"י (שם ד"ה שיהו רואין) שיהיו רואים זה את זה, להיות שומעין איש דבר חבירו, ומתווכחים זה עם זה, עד שיצא הוראה כהלכה, שאילו היו יושבים בשורה שלא בעגולה, אין בני השורה רואה את בני סוף שורתו, ובעגולה שלימה לא היו יושבין כדי שיהיה מקום לצאת ולבא. והיפה תואר כתב מפני סופרי הדיינים: **אני חמיתי מצומצם ביניהון.** פירוש אני ראיתיו כו'. ורצה לומר שלמה ברוח הקודש ראה, שעתיד שהקדוש ברוך הוא יושב עם הזקנים כדלעיל, ואמר נודע בשערים בעלה על עתיד, שאז יהיה נודע וניכר שמראים עליו כאילו באצבע, ולפי זה אשת חיל רמז לכנסת ישראל, ובעלה רמז על הקדוש ברוך הוא, על דרך (הושע ב יח) תקראי אישי: **(ט) ראש חולה.** מלשון מחול הכרם. ומחול פירוש עגולה, וירצה שיסדר הצדיקים סביבו כעגולה, והוא יתברך יהיה באמצע, ולהיות ה' יתברך באמצע, אמר שיהיו מראין אותו באצבע, שהאמצע נראה לכל המסובבים, ומה שאמר שהקדוש ברוך הוא יהיה ראש חולה, הוא היותו באמצע כמו המרכז לעגולה (יפה מראה): **שיתו לבכם לחילה.** ואף על גב דפשטיה דהאי קרא איירי בירושלים, כדכתיב התם (תהילים מח ג) הר ציון ירכתי צפון וגו', (פסוק יג) סובו ציון, יש לומר הרמוז בתיבת חילה, איירי בגן עדן, דאפשר שהכתוב ידבר בענין זה, וירמוז בענין אחר: **לחולה כתיב.** לשון מחול הכרם דתנן בכלאים (פ"ד מ"א, ב, ג): **והן עולין עליו בעולמא.** צריך לומר והן חלין לפניו בעלמות (יפה תואר). ופירושו שהם ירקדו לפניו בחוזק וזריזות, [כמו שנאמר בשמות רבה (פרשה א ל) ותלך העלמה, שהלכה בזריזות, ופירש רש"י כעלמה בכל כחה]:

פירוש מהרז"ו

(ט) להיות ראש חולה. כמו שנאמר כחולת המחנים, כמו שמבואר שיר השירים רבה פסוק שובי דף ל"ד, בראשית רבה מח, יא, מדרש תהלים סוף מזמור מ"ח, שיר השירים רבה פסוק לריח שמניך ד' ז', קהלת רבה פסוק אין זכרון דף פ"ו, וכסוף תענית (לא, א). ירושלמי מגילה (פ"ו ה"ד): **ומראין עליו כאלו באצבע.** שתיבת זה פירושו בכמה מקומות שמראה באצבע, וכמו שכתב בראשית רבה (ק, ו) אבל כבד זה, עיין שם, וכמו שמבואר שמות רבה (טו, כח) החרדה הזה, ושם נסמן לכמה מקומות, ודורש פסוק זה על לעתיד, כמו שכתוב בסיפא דקרא למען תספרו לדור אחרון, ועל כן שיתו לבכם, לב אחד לעתיד, וכמו שכתב בבראשית רבה (מח, יא) וסעדו לבכם, הדה אמרה אין יצר הרע שולט במלאכים, היא דעתיה דרבי חנינא דאמר רבי חנינה שיתו (לבכם) [לבבכם] לחילה אין כתיב כאן, אלא לבכם, הדה אמרה אין יצר הרע שולט לעתיד לבוא, וכן כאן מפסוק כי זה אלהים אלהינו עולם ועד, וכמו שכתוב (ישעיה כה, ט) ואמר ביום ההוא:

חידושי הרד"ל

עתיד הקדוש ברוך הוא למנות לו כו'. שיר השירים רבה פ"א סוף פ"ד, ושם פ"ז, וקהלת רבה פי"ב (א, פסוק יא): **[ט] לחולה כתיב.** עיין מנחת שי שלא נמצא כתוב כן בספרים שלנו, ואפשר גרסינן לחילה כתיב ביו"ד, והכוונה שכתוב בלא מפיק ה', כי היכי דנדרוש שם' זו איננה ה' נקבה, אלא מעיקר המלה הוא, שם מחול: **והן חלין עליו בעולמות.** כן הוא בשיר השירים רבה (ז, ב), וכן צריך לומר. ופירושו שהוא ראש חוללין והן עליו סביב:

אמרי יושר

הלבנה, הם לא, אף שנמשלו פני משה כפני חמה (בבא בתרא עה א), או אף על פי שכולם יהיו זקנים ולא יראה דבר זר. או אף על פי שבישיבה הלך אחר חכמה (שם קכ א) ולא אחר זקנה, פליג החכם האחד ואמר דהקדוש ברוך הוא מתכבד בהם, דייק זקניו: **[ט] ראש חולה.** דבר שאין לו תחלה וסוף, ויהיה שם מעמד של עונג, כאשר יתענגו החולים בכרמים, דוגמא לשכר אזן:

ידי משה

[ט] והן עולין עליו בעלמה. כן צריך לומר, ופירוש שהקב"ה ילך בראש ואח"כ ישראל כדרך כל הארץ שהבחור הולך והעלמות אחריו. וכן הכי גרסינן בירושלמי (מגילה פ"ב ה"ד):

באור מהרי"פ

נתיישבו דעתם מחמת זקנתם, אבל אם נערים הם, אינם חביבין כל כך לפני הקב"ה מפני שהם נערים נטפלה להם ילדות: **[ט] ראש חולה לצדיקים.** ערוך ערך חל שלפני חל האחרון, וזה לשונו ויקרא רבה סדר שמיני (יא, ט) עתיד הקב"ה לעשות ראש חולה לצדיקים וכו' מחול בלע"ז רוטה:

ליקוטים

[ח] בחצי גורן עגולה. בעגולה שלימה לא היו יושבים כדי שיהיה מקום לצאת ולבוא. והיפה תואר כתב מפני סופרי הדיינים (נבחר מפנינים):

מתנות כהונה

בגורן. הטעם מפרש לקמן בסמוך. ועיין בשמות רבה (ה, יב): **כההוא.** כלומר כההוא דכתיב: **כדי שיראו זה את זה.** ויוכלו להמתיק סוד יחדיו כמו שאמר הכתוב (ישעיה ל, כ) והיו עיניך רואות את מוריך: **אנא חמיתיה כו'.** אנא ראיתיו: **[ט] חולה.** מחול, ובלשון חכמים חינגא, והוא ילך ויחול בראשם ויגיעם: **והן עולין עליו בעולמה.** חפשתי בכמה מקומות שכתוב מדרש זה ולא מצאתי זה, וצריך לפרש ויעלו אחריו בזריזות, כמה דאת אמר (שמות לה, כב) ויבאו האנשים על הנשים, ועל כל פנים צריך לומר בעולמות:

נחמד למראה

א) בולין בולין מכתפיה ידיע, אם כן היה לו לומר גם במעלליו יתנכר נער, והכא קאמר יתנכר שהוא מורה היפך הפעולה, כמה דאת אמר (בראשית מב, ז) ויתנכר אליהם. ופירשו שדרך בני אדם כשרואים איזה פעולה זכה וברה עשויה בנער שהיא נפלאה, ואינם יודעים מי עשאה, אומרים בפיהם בודאי שהיא עשויה מאיש זקן שקנה חכמה, כדכתיב (איוב יב, יב) בישישים חכמה ואורך ימים תבונה, אף על פי שעשה אותה פעולה נער רך בשנים ואב בחכמה, והם אומרים שזקן עשאה, ובזה יתנכר הנער ויחשב לזקן, וזהו שאמר גם במעלליו יתנכר נער, שאמרו שהוא זקן כשזך וישר פעלו, עד כאן. ועל פי זה יתבארו דברי רבי יוסי בר חלפתא אם זקנים הם. רוצה לומר אם זקנים הם ובאים בימים וחכמים, גם כן חביבים הם, ואם נערים הם והמה חכמים מחוכמים, הרי הם נקראים זקנים, והילדות היא טפל להם, אבל העיקר הוא שנקראים זקנים. ודוק:

אשד הנחלים

ישיבה של זקנים משלו. כלומר לא זקן סתם כי אם זקניו משלו הנבחרים והדבוקים בה', וזהו שכתוב זקניו בכינוי הידועים לו יתברך. והכוונה בישיבה הוא כמו שאמר להלן: **כגורן כו' אנא חמיתיה מצומצמה.** עניינו על דרך הציור המשלי, להיות הדבר העגול שוה מכל צדדיו אל המרכז, לא כן המרובע או תמונה אחרת, ולהיות שלעתיד לבא כולם ידעו את ה', על כן מכנה ישיבתם כבגורן עגולה, שכולם יהיו קרובים אל השכינה המצומצמת ביניהם. וזהו הכנוי אנא חמיתיה כו', ששלמה בעת שזכה לרוח הקדש, אז ראה והשיג השכינה שהיא מצומצם בפנים ביניהם: **[ט] ראש חולה.** מלשון מחול, שהוא רקוד הסבובי בעגול. והכוונה כמו שפרשתי, ומצורף לזה עוד, שהמרקד אינו עומד במקום אחד, והוא סובב תמיד על מרכזו בשמחה, כן הצדיקים ישיגו תמיד השגות גבוהות, כאלו ירקדו למעלה לראות בעולמות העליונים, וכאלו מראים באצבע בלא שום ספק, (לא כמו שבעולם הזה הידיעה האמיתית טמונה בחושך

שינוי נוסחאות

(ט) והן עולין עליו בעולמה. ע' מ"כ שנתקשה במילים אלו והגיה "בעולמות" (נראה ברור שרצונו לומר "בעלמות", ע"ש ביפ"ת), אבל יפ"ת הגיה "והן חלין לפניו בעלמות", וכן הוא באמת בהרבה כי"י. **ומראין עליו כאלו באצבע ואומר.** – כנראה לעין אי אפשר (מצד דקדוק) לקיים אלו גרסא זו, ובספרים הישנים היה כתוב >ואומ< בקיצור, ואין ספק שכוונתם לומר "ואומרים", אבל אח"כ התחילו המדפיסים לכתוב "ואומר", ועוד יותר הרחיקו לטעות בקצת ספרים מאוחרים (וביניהם ד' וארשא) וכתבו "ואומרת". אבל כ"ז שיבוש הוא וצ"ל "ואומרים":

מסורת המדרש

טו. סנהדרין לו ע"ב: טז. ילקוט ישעיה רמז רכ"ד. תנחומא סדר שמיני:

אם למקרא

וּמֶלֶךְ יִשְׂרָאֵל וִיהוֹשָׁפָט מֶלֶךְ יְהוּדָה יֹשְׁבִים אִישׁ עַל כִּסְאוֹ מְלֻבָּשִׁים בְּגָדִים בְּגֹרֶן פֶּתַח שַׁעַר שֹׁמְרוֹן וְכָל הַנְּבִיאִים מִתְנַבְּאִים לִפְנֵיהֶם: (מלכים א כב:י)

נוֹדָע בַּשְּׁעָרִים בַּעְלָהּ בְּשִׁבְתּוֹ עִם זִקְנֵי אָרֶץ: (משלי לא:כג)

שִׁיתוּ לִבְּכֶם לְחֵילָה פַּסְּגוּ אַרְמְנוֹתֶיהָ לְמַעַן תְּסַפְּרוּ לְדוֹר אַחֲרוֹן: כִּי זֶה אֱלֹהִים אֱלֹהֵינוּ עוֹלָם וָעֶד הוּא יְנַהֲגֵנוּ עַל מוּת: (תהלים מח:יד-טו)

ענף יוסף

(ט) עתיד הקדוש ברוך הוא להיות ראש חולה כו'. הבחיי בסדר תרומה כתב, שכוונת האגדה זאת על מה שמתענגים מזיו השכינה בתענוג שאין לו סוף, שהמחול הוא עגול, ואין לו ראש וסוף, ולכך המשיל תענוג הנפשות שאין לו סוף, למחול שאין לו סוף, ומה שאמר שיהיו מראים באצבע, הכוונה שישיגו כל מה שאפשר להשיג, וזאת היא ראיה שכלית ולא חושית, כי כן יורה הפסוק שהביאו לראיה, שיתו לבכם, ולא אמר שיתו עיניכם עד כאן. וכספר כפתור ופרח כתב שיהיו מראין באצבע ממש טעמי תורה, מה שלא השיגו עמוקיה וטעמיה בזה העולם, ומתוך אותן ההשגות והסודות ישיגו מדות אלהיות, וזהו מה שיאמרו כי זה אלהים אלהינו, רצה לומר דרכי אלהינו עולם ועד, רצה לומר אותה השגה ישאר בהם לעולם ועד, כאין הפסק: **לחולה כתיב.** וכן הוא בירושלמי, ובתיקוני זוהר, ובמדרש חזית, ובקהלת רבה, אבל בכל הספרים שלנו כתוב וקרי לחילה, ביו"ד, והכי איתא באגדת תהלים (מנחת שי). והרד"ל כתב וזה לשונו ואפשר גרסינן לחילה כתיב ביו"ד, והכוונה שכתוב בלא מפיק ה"א, כי היכי דנדרוש שם' זו איננה ה' נקבה, אלא מעיקר המלה הוא שם מחול, עד כאן לשונו:

"וְאוֹמְרִים "כִּי זֶה אֱלֹהִים אֱלֹהֵינוּ עוֹלָם וָעֶד, הוּא יְנַהֲגֵנוּ עַל מוּת" — **and they will say, *"For this is God, our God, forever and ever;*[170] *He will guide us* עַל מוּת"** (ibid., v. 15), **"עַלְמוּת", בְּעַלְמוּת, בִּזְרִיזוּת** — the word עַלְמוּת[171] meaning **"with vigor," "with alacrity."**[172] **"עַלְמוּת" — כְּאִלֵּין עוּלֵמָתָא, כִּדְכְתִיב "בְּתוֹךְ עֲלָמוֹת תּוֹפֵפוֹת"** — Another explanation for עַלְמוּת is that it means that the dance is done **"like those maidens"** who are the ones who usually do such dances, **as it is written, *in the midst of timbrel-playing maidens*** [עֲלָמוֹת] (*Psalms* 68:26).[173] **תִּרְגֵּם עֲקִילַס: אַתְנִיסָאָה, עוֹלָם שֶׁאֵין בּוֹ מוּת** — **Aquilas the convert**[174] **translated** [עַלְמוּת] **as *athanasia*** (αισαναθα), meaning "immortality."[175] **"עַלְמוּת", בִּשְׁנֵי עוֹלָמוֹת** — Another explanation for עַלְמוּת is that it means, **"in two worlds";**[176] **"יְנַהֲגֵנוּ" בָּעוֹלָם הַזֶּה וְ"יְנַהֲגֵנוּ" בָּעוֹלָם הַבָּא** — so that the verse means, **[God] *will guide us* in this world, and He *will guide us* in the World to Come.**[177]

NOTES

170. The demonstrative pronoun זֶה, *this*, indicates that one can see and point to something that is present: in this case, God (*Maharzu*; see *Bereishis Rabbah* 100 §6, etc.). As God will be in the center, all will be able to see Him and point to Him, as it were (*Eitz Yosef*, citing *Yefeh Marah* to *Yerushalmi Megillah* 2:4). See Insight Ⓐ.

171. Although the עַל מוּת is written as two separate words in the Scriptural text (according to the authoritative Ben Asher *masorah*), the Midrash interprets it — as do most Biblical commentators, in fact — as a single word from the root עלם (denoting youthfulness and vigor). [This accords with the Ben Naphtali *masorah*, according to which עַלְמוּת is written as one word.]

172. See Insight Ⓑ.

173. Tambourines (timbrels) would often accompany dancing (see *Exodus* 15:20).

174. He was the author of a Greek translation of Scripture, intended to replace the Septuagint, which was considered inaccurate. [In some sources Aquilas and Onkelos — both converts to Judaism in Tannaitic times, and both Bible translators — are conflated into a single person. There is also some confusion in some sources as to whether Aquilas' translation was into Greek or Aramaic. See *Yefeh To'ar* here and on *Bereishis Rabbah* 93 §3.]

175. Aquilas interpreted עַל מוּת to mean "superior (i.e., not susceptible) to death" (*Yefeh To'ar*), or he interpreted it as if written אַל מוּת, "not-death," for א and ע are sometimes interchangeable (*Matnos Kehunah*). In any event, Aquilas did not interpret our verse as an allusion to a "Divine dance" in the future Messianic era, though he did associate it with eternal life (i.e., the World to Come).

176. According to this explanation the Midrash interprets עלמות as if written עָלָמוֹת, meaning *worlds* (in the plural), referring to two worlds, as the Midrash goes on to elaborate (*Matnos Kehunah*; *Eitz Yosef*).

177. This interpretation is similar to that of Aquilas regarding the sense of the verse.

INSIGHTS

Ⓐ This Is My God The Midrash states that the righteous will, as it were, point to God with their finger. A similar teaching appears in *Shemos Rabbah* (23 §15), regarding those who experienced the splitting of the Sea of Reeds during Israel's exodus from Egypt. The Midrash there states: כָּל אֶחָד וְאֶחָד מַרְאֶה בְּאֶצְבָּעוֹ וְאוֹמֵר, *Each and every one pointed with his finger and said:* זֶה אֵלִי וְאַנְוֵהוּ, *This is my God and I will glorify Him* (*Exodus* 15:2). *R' Akiva Eiger* takes note of this parallel to our Midrash and explains that after God revealed Himself to Israel in the awe-inspiring miracle of the splitting of the Sea of Reeds, their awareness of God was almost palpable, such that they could, so to speak, point Him out with a finger, as one might point to his fellow who stands visible before him. Later, through sin, Israel fell from that peak of clarity, and the luminous vision of the Sea of Reeds was obscured. Our Midrash teaches that in the future time, after the Final Redemption, we will be restored to the clarity of old, to the unsullied vision of God experienced by our forefathers at the first redemption, and we will point with our fingers and say, זֶה אֱלֹהִים אֱלֹהֵינוּ עוֹלָם וָעֶד, *This is the Lord, our God, forever and ever* (*R' Leibele, R' Yehudah Leib Eiger*, in *Toras Emes*, Vol. 2, p. 202).

Ⓑ To the Swift the Race *Mesillas Yesharim* (Ch. 7) quotes the section of our Midrash that says that in the World to Come, God will guide us "with alacrity," which he understands to mean that we will then be granted the attribute of "alacrity." *Mesillas Yesharim* explains that one who employs this attribute in this world, who pursues mitzvos with diligence and zeal, will be rewarded in the Next World with this very attribute in its perfect form.

This raises an obvious difficulty. Diligence and alacrity in pursuit of Torah and mitzvos are worthy and useful traits in this world of striving, which exists to allow Man to earn reward by heeding God's commandments and emulating His ways. But this trait would seem to have no use in the Next World, where one reaps the reward of one's toil and all striving is ended, and there are no further commandments to observe.

Michtav MeEliyahu (Vol. 3, pp. 20-21) explains that the alacrity one receives in the Next World does not describe the manner in which one performs his actions, but rather takes the form of a certain swiftness of mind. [The term זְרִיזוּת, *alacrity*, has several related connotations: diligence, zeal, haste, swiftness.] To elaborate: In the future world, God will reveal to the righteous hidden areas of Torah and great secrets of Creation. As the Sages say (*Berachos* 17a): צַדִּיקִים יוֹשְׁבִין וְעַטְרוֹתֵיהֶם בְּרָאשֵׁיהֶם וְנֶהֱנִים מִזִּיו הַשְּׁכִינָה, *the righteous will sit, their crowns on their heads, and they will delight in the radiance of the Divine Presence.* They will gain a deep understanding of the ways of Hashem. They will be made privy to the hitherto-concealed purposes that lay behind His actions since the beginning of time, and will comprehend how all His works, even those that appeared harmful at the time, were actually done for the benefit of mankind (see *Daas Tevunos* §54, p. 46, Friedlander ed.).

This Torah of the future will not be equally accessible to all. Some will plumb its depths, others will be consigned to the shallows. Some will quickly absorb each new concept and move on to the next one, flying swiftly across the mental landscape; others will remain earth-bound, toiling slowly along muddy roads, struggling to assimilate even basic ideas. A swift grasp, easy understanding, effortless flight, these shall be the faces of זְרִיזוּת, *alacrity*, in the World to Come. They shall be vouchsafed to those who served with alacrity in this world, but not to those who were slothful. Even one who, in life, boasted a brilliant mind, who was capable of swift comprehension and instant recall, will not be assured access to these abilities in the Next World. They will be the exclusive province of those who were diligent in their holy work, who brooked no delay in fulfilling God's commandments, who performed their service to God with alacrity and zeal (*Michtav MeEliyahu* ibid.).

See further, *Sifsei Chaim, Middos VaAvodas Hashem* Vol. II, *Zerizus* §10, p. 370ff.

*** °וְאוֹמֵר** (שם שם טו) "**כִּי זֶה אֱלֹהִים אֱלֹהֵינוּ עוֹלָם וָעֶד* וְגוֹ'** ", *** בְּעַלְמוּת, בִּזְרִיזוּת, "עַלְמוּת" כְּאִלֵּין עוּלֵמְתָא, כִּדְכְתִיב** (שם סח, כו) "**בְּתוֹךְ עֲלָמוֹת תּוֹפֵפוֹת", תִּרְגֵּם עֲקִילַס: אַתְנִיסָאָה, עוֹלָם שֶׁאֵין בּוֹ מוֹת, "עַלְמוּת", בִּשְׁנֵי עוֹלָמוֹת, "יְנַהֲגֵנוּ" בָּעוֹלָם הַזֶּה וִ"יְנַהֲגֵנוּ" בָּעוֹלָם הַבָּא:**

ואומר. פירוש שכל אחד יאמר כי זה וגו': **בעלמות בזריזות.** כן צריך לומר כמו שפירשתי לעיל: **עלמות כאלין עולמתא.** זהו פירוש אחר, ורצה לומר שהם חלות במחול כעלמות, פירוש נערות החולות במחולות, וזהו שסיים המדרש כמו דאת אמר בתוך עלמות תופפות: **תרגום עקילס איתניסא עולם שאין בו מות.** כתב הערוך לשון יון תנסיא מות, והאל"ף שבראש התיבה מהפך פירושה, מן מות ללא מות, וזהו עלמות אל מות (מעריך). ורצה לומר שאותיות אחה"ע מתחלפין והעי"ן מתחלף באל"ף. או מפרש עלמות שעולות על מות, ושני תיבות עולם שאין בו מות דקאמר המדרש, אינו מדברי עקילס, אלא דברי המדרש הוא שמפרש מילתא דעקילס, דרצה לומר עולם שאין בו מות, עוד כתב המעריך וזה לשונו, ודע כי עד היום יש בספרי הרופאים מרקחת ששמה אתוסיא, לומר שמצלת מן המות: **עלמות בשני עולמות.** וכדאמר בפרק אין מעמידין (עבודה זרה לה א) גבי עלמות אהבוך קרי ביה עולמות. ועיין מה שכתבתי בקהלת רבה (פרשה א סימן ל):

מתנות כהונה

עולמתא. נערות: **תרגום עקילס אתניסתא.** פירושו אחריו עולם שאין בו מות, וכן איתא בילקוט תהלים (רמז תשנז), וכן פירוש בערוך תנסיאה, מות בלשון יון. ודריש עלמות אל מות, בחילוף אל"ף בעי"ן ששניהם ממוצא אחד. והכי גרסינן בירושלמי דמועד קטן (פ"ג ה"ז) אתנסייא עולם שאין בו מות, ובירושלמי דפרק הקורא את המגילה (פ"ב ה"ד), גרס אתא גייסא עולם שאין בו מות, ונקוד אתא גיסייא, ואף על פי שפירושו לא מצאתי, מכל מקום לא דבר רק היא כי הוא כתוב על קלף ישן נושן טוב ויפה, ומזקנים אתבונן: בשני עולמות. קרי ביה עולמות:

אשד הנחלים

מפני החומר המסתיר ההשגה). וגירסת הידי משה, והם עולים עליו כעלמה, ופירש שהקב"ה ילך בראש ואחר כך כלם, כדרך כל הארץ שהבחור הולך והעלמה אחריו, וכן הגירסא בירושלמי [עיין מגילה פ"ב ה"ד]: **בעולמות בזריזות.** דרש מלשון אלם שהוא חזק ותקיף, כמו אילי הארץ (מלכים ב' כד, טו). ופירושו שיהיו תשוקתם לדביקות ה' בזריזות גדול, היפך מבעולם הזה שהחומר מביא עצלות גדולה. או מלשון עלמות תופפות (תהילים סח, כו), שמדרכן הזריזות בעת רקודם, ודרכם לעורר הזריזות על ידי התפיפה בתוף: **איתנסאה.** תנסיאה הוא מות בלשון גריכיש, ואי כמו אין, שאין בו מות, והכוונה שהנפש תחיה לעד בהשגתה: **בעולם הזה כו' בעולם הבא.** כי הצדיקים בעולם הזה חייהם וכל תשוקתם להתענג מנועם ה', אך בהסתר מפני החומר, אך העיקר הוא בעולם הבא, ושם הנפש לבדה מתענגת בלי מחיצה מאומה, כי אין החומר מעיק עוד להשגתה:

באור מהרי"פ

בעלמות בזריזות וכו'. הגירסא בערוך ערך עלם א', בויקרא רבה ויהי ביום השמיני הוא ינהגנו עלמות, עלמות בעולמות עלמות בזריזות עלמות כאלין עולמתא, כמה דאת אמר (תהלים סח, כו) בתוך עלמות תופפות, עלמות תרגום עקילס אתנסיאה, עלמות בשני עולמות עד כאן, משמע שגירסת הערוך היא לפרש מלת עלמות בחמשה אופנים. א' לשון העלם והסתר. ב' לשון זריזות. ג' לשון נערות. ד' לשון אלמות בחילוף העיי"ן באל"ף, וזהו עולם שאין בו מות, כי זה לשון הערוך ערך אתנסיאה, בויקרא רבה, באלו מגלחין (ירושלמי מועד קטן פ"ג ה"ז) ינהגנו עלמות תרגום עקילס אתנסיאה עולם שאין בו מות, פירוש לשון יון תנסיאה מות עד כאן, נמצא לפי דעת הערוך מלת אתנסיאה הוא פירושו של מלת עלמות. ה' עלמות לשון שני עולמות, עד כאן לפי גירסת הערוך. וזה לשון היפה תואר, אתנסיאה, תמהני מבעל הערוך שכתב תנסיאה בלשון יון מות מי הזקיקו לזה. וברור הוא שפירוש אתנסיאה היא אתונה (והיא עיר החכמה המפורסמת, ופירושו של תרגום עקילס אתנסיאה), שהיה מעיר ששמה אתונא כדאשכחן באיכה רבתי (א, יא) חד מאתינס וכו' עד כאן. אמר הכותב ברור הוא לפי עניות דעתי שהיפה תואר כתב זה לפי הגירסא שבמדרש כאן, וכן הוא הגירסא בירושלמי בשני מקומות (ירושלמי דפוס ברלין מו"ק פ"ג הלכה ז', שם מגילה פ"ב הלכה ד') ולא ראה דברי הערוך רק בערך אתנסיאה, אבל אם היה רואה גירסת הערוך בערך עלם א', עלמות תרגום עקילס אתנסיאה עלמות בשני עולמות, ואינו גורס כמו במדרש שלנו שגורס תרגום עקילס אתנסיאה עולם שאין בו מות, וגירסת הערוך היא תרגום עקילס אתנסיאה ותו לא, על כן הוא מפרש אנתסיאה בלשון יון, אל מות, ובאמת היה עקילוס מאי פונטו ולא מאתונא, כמובא במאור עינים פרק מ"ה בשם תורת כהנים (פרשת בהר), עיין שם:

חידושי הרד"ל

עלמות בזריזות. כן צריך לומר. מלשון עלם, שהוא בחור וזריז בכחו:

אמרי יושר

עולם שאין בו מיתה. ינהגנו ויר־כבנו על מות, שלא ישלוט בנו:

אם למקרא

קִדְּמוּ שָׁרִים אַחַר נֹגְנִים בְּתוֹךְ עֲלָמוֹת תּוֹפֵפוֹת: (שם סח:כו)

ענף יוסף

תרגם עקילס. וכן הוא מוזכר בבראשית רבה (פרשה לג ג), וכתב שם היפה תואר וזה לשונו, אינו אונקלס הגר, דאונקלס לא תרגם אלא התורה, ועיין שם עוד:

שינוי נוסחאות

בעלמות בזריזות. צ"ל "עלמות, בעלמות בזריזות", כן היה בדפוס ראשון, וכן הגיה א"א ע"פ הערוך:

Chapter 12

וַיְדַבֵּר ה׳ אֶל אַהֲרֹן לֵאמֹר. יַיִן וְשֵׁכָר אַל תֵּשְׁתְּ אַתָּה וּבָנֶיךָ אִתָּךְ בְּבֹאֲכֶם אֶל אֹהֶל מוֹעֵד וְלֹא תָמֻתוּ חֻקַּת עוֹלָם לְדֹרֹתֵיכֶם.

HASHEM spoke to Aaron saying: Do not drink intoxicating wine, you and your sons with you, when you come to the Tent of Meeting, that you not die — this is an eternal decree for your generations (10:8-9).

§1 **יַיִן וְשֵׁכָר אַל תֵּשְׁתְּ** — *HASHEM SPOKE TO AARON, SAYING: DO* ***NOT DRINK INTOXICATING WINE,*** *YOU AND YOUR SONS WITH YOU, WHEN YOU COME TO THE TENT OF MEETING.*

Our verse states the Biblical prohibition against the Kohanim serving in the Holy Temple while intoxicated. According to R' Shimon (cited at the end of this section), it is juxtaposed to the preceding narrative of Nadab and Abihu because it was their entering the Tent of Meeting while intoxicated that caused their deaths. The Midrash will adduce support for R' Shimon's teaching from a verse in *Proverbs* (23:32). In common Midrashic style, however, it first expounds at length upon the adjoining verses there:[1]

הָדָא הוּא דִכְתִיב ״אַל תֵּרֶא יַיִן כִּי יִתְאַדָּם״ — Our verse states, *Do not drink intoxicating wine, etc.* **Thus it is written,** ***Do not look at wine becoming red*** (*Proverbs* 23:31). **מַהוּ ״כִּי יִתְאַדָּם״** — **What is [the meaning of]** ***becoming red?***[2] **כִּי יִתְאַוֶּה לְדַם נִדָּה וּלְדַם זָבָה** — It means: Do not look upon wine and drink it in excess, **for [one who does so] will,** in his drunkenness, **desire** intimacy with women even when they are unclean as the result of **the blood**[3] **of menstruation and the blood of** ***zivah.***[4]

The Midrash interprets the rest of *Proverbs* 23:31 in a similar vein:

״כִּי יִתֵּן בַּכּוֹס עֵינוֹ״ — The verse continues, ***for he will fix his eyes on the goblet*** [בַּכּוֹס]. **״בַּכִּיס״ כְּתִיב, לְשׁוֹן נְקִי הוּא** — The word that is read as *bakos* [בַּכּוֹס], *on the goblet*, **is** actually **written** in the text as ***bakis*** [בַּכִּיס], "on the pouch,"[5] **which is a euphemism** for the female anatomy, **כְּדִכְתִיב ״כִּיס אֶחָד יִהְיֶה לְכֻלָּנוּ״** — **as it is written** elsewhere, ***There will be one pouch*** [כִּיס] ***for all of us*** (*Proverbs* 1:14).[6] **״יִתְהַלֵּךְ בְּמֵישָׁרִים״** — The verse then concludes, ***He will walk in straight paths.***[7] **סוֹף שֶׁאִשְׁתּוֹ אוֹמֶרֶת לוֹ: כְּשׁוֹשַׁנָּה אֲדוּמָּה רָאִיתִי** — This means that his **end** will be **that his wife will say to him, "I saw** a spot of discharge **like a red rose,"**[8] **וְאֵינוֹ פּוֹרֵשׁ** — **and yet he will not separate** from her.[9] **אָמַר רַבִּי אַסִּי** — **R' Assi said: אִם תַּלְמִיד חָכָם הוּא** — **If [the drinker] is a Torah scholar, סוֹף שֶׁמְּטַמֵּא אֶת הַטָּהוֹר וּמְטַהֵר אֶת הַטָּמֵא** — **he will end up pronouncing impure that which is pure, and pronouncing pure that which is impure.**[10]

The Midrash offers a different interpretation of *Proverbs* 23:31:

דָּבָר אַחֵר — **Another interpretation: ״אַל תֵּרֶא יַיִן כִּי יִתְאַדָּם״** — ***Do not look at wine "ki yisadam"*** [כִּי יִתְאַדָּם] can be understood

NOTES

1. *Eitz Yosef*; see also *Tiferes Tzion.* [Most of the following lengthy discussion appears in *Esther Rabbah* 5 §1. The citations of the commentators to *Esther Rabbah* in the notes that follow refer to their comments on that passage.]

2. According to its plain meaning, this verse cautions against being seduced by the alluring appearance of red wine, for the immoderate consumption of wine harbors many dangers, which the *Proverbs* passage proceeds to enumerate. However, there are a number of difficulties with the simple reading. Wine has several characteristics that make it appealing: its taste and color, the fact that it warms the body and rejoices the spirit. Why does our verse single out its deep red hue? (*Eitz Yosef*). Moreover, the word יִתְאַדָּם actually means "becoming red." But the wine is red at the outset, and therefore the text should have stated more accurately כִּי אָדֹם, "when it *is* red" (*Maharzu* below, s.v. ודאי). The Midrash therefore takes a homiletic approach, and will interpret the phrase כִּי יִתְאַדָּם not as a description of one of the alluring qualities of wine, but as one of the reasons (among the others mentioned in the *Proverbs* passage) for abstaining from its excessive consumption (*Eitz Yosef*).

3. The Midrash interprets יִתְאַדָּם as a contraction of the words יִתְאַוֶּה (*desire*) and דָּם (*blood*) (*Matnos Kehunah*; *Eitz Yosef* to *Esther Rabbah*).

4. A post-menstrual discharge of blood. The distinction between "menstrual" and "post-menstrual" discharges of blood is a complex topic (see *Niddah* 72b-73a; *Rashi* to *Leviticus* 15:25; and *Rambam, Hil. Isurei Bi'ah* 6:1-6, for details), but for our purposes it is sufficient to say that the Torah prohibits relations with a woman while she is in the state of impurity (*tumah*) brought about by either type of discharge. Any Torah-observing Jew would recoil at the thought of transgressing this prohibition; however, under the influence of alcohol he might come to engage in relations with his wife despite her state of impurity. The verse thus cautions against the immoderate use of wine, for it leads to immoral behavior (*Eitz Yosef*).

5. That is, while the קְרִי is בַּכּוֹס, the כְּתִיב is בַּכִּיס. The verse thus intimates that on account of the goblet [כּוֹס — i.e., excessive drinking] one will fix his gaze on the pouch [כִּיס] (*Eitz Yosef* to *Esther Rabbah*).

6. The verse states in full: *Cast your lot among us; there will be one pouch for all of us.* The passage speaks of bandits attempting to convince a young man to join their group, yet the verse is self-contradictory. For the first phrase implies that the goods they steal will be divided by lot, which means that everyone will get a different-size share, while the second phrase indicates that they will be the common property of the gang, to be distributed equally (*Maharzu, Eitz Yosef*). Furthermore, how would the young recruit be swayed to join the gang with the offer of but "one pouch" of goods or money (*Maharzu*). The Midrash therefore interprets the second half of the verse euphemistically, as referring to promiscuous behavior (ibid., *Matnos Kehunah, Imrei Yosher, Eitz Yosef* to *Esther Rabbah*). See also *Maharzu;* for a different interpretation, see *Yedei Moshe*.

7. The difficulty here is that a drunkard most assuredly does not walk in straight paths, either figuratively or literally.

8. She expressly informs him that she has become a menstruant (*niddah*) and is forbidden to him (*Eitz Yosef*).

The simile of the red rose (כְּשׁוֹשַׁנָּה אֲדוּמָּה) comes from *Song of Songs* 7:3 (סוּגָה בַּשּׁוֹשַׁנִּים, *hedged with roses*). The Midrash (*Shir HaShirim Rabbah* ad loc.) and the Gemara (*Sanhedrin* 37a) associate this expression with a menstruating wife, and our Midrash adopts the allusion (see *Radal*, cited also by *Eitz Yosef*).

9. A drunkard cannot control his desires and abstain from sin. The import of *he will walk in straight paths* is that he will *persist* in his paths of pleasure and not let any obstacle divert him (*Eitz Yosef*; see also *Radal*).

[Although the Midrash has already stated that drinking leads to promiscuity, here it adds that even in this case, where the temptation to sin is not so strong, since the wife will eventually become permitted to her husband, wine will nonetheless entice the husband and he will be unable to abstain during the period of impurity (*Yefeh Anaf* to *Esther Rabbah*; see *Tosafos* to *Sanhedrin* 37a s.v. התורה).]

10. Excessive drinking also diminishes one's judgment. Hence, the phrase *he will walk in straight paths* further implies that a drunkard regards all paths as straight — i.e., in his distorted thinking he regards all his mistaken and illogical rulings as straight and true [for he lacks the ability to distinguish between things (*Maharzu*, end of s.v. כיס אחד and s.v. שמטמא)]. This idea is echoed later in the *Proverbs* passage (23:33): וְלִבְּךָ יְדַבֵּר תַּהְפֻּכוֹת, *and your heart will speak perversities* (*Eitz Yosef*; see also *Radal*). Such a person not only sins himself, but causes others to sin (*Imrei Yosher*).

The Midrash may also be understood as teaching that a scholar who is drunk is disqualified from rendering legal rulings, for the very reason that he is unable to make distinctions. See vv. 9-10 (*Matnos Kehunah*, second interpretation; see *Rashi* to v. 11).

(א) הדא הוא דכתיב אל תרא. סבירא ליה דטעם סמיכת מלוה זו למעשה זה דנדב ואביהו מפני שמתו על כניסתם שתויי יין כדרבי שמעון דלקמן, להכי מייתי הני קראי דיש סמך לענין זה במה שאמר בסופן ולכפעוני יפריש דדריש ליה שהפריש היין בין אהרן ובניו למיתה כדבסמוך, ולגבי אורחיה מפרש כל הני קראי דסמוכים אהדדי בגנות היין: **מהו כי יתאדם.** שאם כפי פשוטו שלא יביט אל מראהו היפה בעודנו בכוס עינו מאחר שאחריתו כנחש ישך, קשה שהוי ליה להזכיר מתועלת היין מה שהוא זן ומשמח ומחכים ומרפא, שמפני זה היה ראוי שיפותה בו האדם יותר מיופי מראהו, לכן פירש כי יתאוה לדם כו', דהשתא הוי כי יתאדם, וכן כוליה קראי נתינת טעם אל ההמנע משתיית היין: **לדם נדה כו'.** שעל ידי השכרות יהיה להוט אחר הזנות ולא יחוש לנדה וזיבה: **כיס אחד יהיה לכולנו.** דהתם אי אפשר לפרש כיס ממש, דאם כן סותר למה שאמר גורלך תפיל בתוכנו, דאי כיס אחד לכולם אין גורלו של אחד מהם מיוחד מחבריו. ועיין בקהלת רבה פרשה א' (פסוק ח) מלמן עסוקין בריבה אחת ואמר להן לא כן כתיב כיס כו': **סוף שאשתו כו'.** רלה לומר אפילו היא אומרת לו בפירוש שפירסה נדה מכל מקום אינו חושש: **סוף שאשתו כו'.** ופירוש יתהלך במשרים שיתהלך בדרכו ולא ימנענו דבר מכשול: **כשושנה אדומה.** רומז למה שנאמר בשיר השירים רבה פרשה ז' (פסוק ג) וכן בסנהדרין (לז, א) סוגה בשושנים שאומרת לו כשושנה אדומה ראיתי ופורש, ומשלו בסייג של שושנים הגודר בעד המשל כערמת חטים, וכי יתן עינו בכוס פורץ גדר השושנים ויתהלך במישרים (רד"ל): **סוף שמטמא כו'.** פירוש יתהלך במשרים, שכל הדרכים ישרים בעיניו, אף על פי שטועה בהוראתו, וזה שאמר בסיפא ולבך ידבר תהפוכות: **ודאי מסמיך ליה.** פירוש יתאדם ודאי פירושו שמסמיך ליה שמאדים פני שותהו, ויהיה ניכר בפניו שהוא שכור ובזו יבוזו לו. ולפי פירוש זה גם כן הוא נתינת טעם אל ההמנע משתיית היין: **נותן עינו בכוס כו'.** ולהכי כתיב בכיס, וקרינן בכוס, וטעם הדבר שעל ידי שהוא נותן עינו בכוס, אינו חושש לחסרון הממון, והחנוני נותן עינו בכיס ומרבה להוציא ממונו ולא ירגיש עד שמכלה ממונו: **מישרא.** ריק כמישור: **מה הדין קדרא כו'.** פירוש שאומר מה שעושה קדרה זאת של נחשת, יכול גם כן לעשות קדרה של חרס ומוכר אותו של נחשת ושותה יין בשוויו: **בטימיו.** באולרו, כלומר בשווי: **סוף שהוא מוכר כו'.** פירוש שעל ידי שאומר כדברים הנזכר על הקדירה, כן יאמר בכל כלי ביתו, עד שלבסוף ימכור את כולן ונעשה ביתו מישור, וזהו במשרים לשון מישור: **אמרין בנייא כו'.** אמרו בניו אבינו זה לא יניח לנו כלום: **אשקוניה כו'.** בניו השקוהו והשכירוהו והוליאוהו ונתנוהו **בחד בית עולם,** פירוש בית עולם, מערה מוכנת לקבור בו מתים, כדי שכשיקוץ מיינו לא ידע מי הביאו הלום ויתחרט ולא ישוב לכסלה עוד. וכתב המתנות כהונה שמלא בקובץ ישן, שהוליאו הקול מפני השכנים היאך שמת באמת והוליאוהו וקברוהו, וכוונת בניו היה שימות שם:

(א) אל תרא יין. במדבר רבה י, ב, אסתר ריש פרשה ה': **כיס אחד יהיה לכלנו.** ודרשא דקרא גורלך תפיל בתוכנו, משמע שיפילו גורל שיקבל כל אחד חלקו, ואיך אמר כיס אחד יהיה לכולנו, והם שני כתובים מכחישים, ועוד שהרי באים לפתות כמו שכתוב (משלי א, יג) כל הון יקר נמלא נמלא בתינו שלל, ואיזה פיתוי הוא שיהיה להם כיס אחד, על כן דורש ומכריע שמה שכתוב כיס אחד, הכוונה אשה זונה אחת לכולם, וזהו הפתוי שההכנסה שלהם יהיה הרבה, שימלאו בתיהם שלל, אך ההוצאה ימעטו, שלא יהיה לכל אחד אשה ובנים, וכמסופר בספרי יעאגראפיע שנמלא אומה אחת בקלה תבל, שכל בית אב אין להם רק אשה אחת לכוונה שלא ירבו ולמעט ההוצאה, וכן מה שכתוב כאן כי יתן בכוס עינו פירוש גם כן באשה, ומה שכתוב יתהלך במישרים, למוד מטעינו שהוא לרעה, שיהיה אצלו הכל ישר אם טמאה אם טהורה: **שמטמא את הטהור.** עיין מתנות כהונה, והשכור אינו יודע להבחין ולהבדיל וזהו במישרים. ועיין בל"ב מדות מדה י"א, שדורש שמי שיתן בכוס עינו, אפילו יתהלך במישרים אחריתו כנחש ישך: **וודאי מסמיך ליה.** שמה שכתוב יתאדם, בלשון התפעל, והיין בעצמו כבר הוא אדום מתולדתו, אלא פירושו שיתפעל האדם בשותה שיתאדם פניו:

פרשה יב

א [י, ט] "יַיִן וְשֵׁכָר אַל תֵּשְׁתְּ", הָדָא הוּא דִכְתִיב (משלי כג, לא) א"אַל תֵּרֶא יַיִן כִּי יִתְאַדָּם", מַהוּ "כִּי יִתְאַדָּם", כִּי יִתְאַוֶּה לְדַם נִדָּה וּלְדַם זָבָה, (שם) "כִּי יִתֵּן בַּכּוֹס עֵינוֹ", "בַּכִּיס" כְּתִיב, לָשׁוֹן נָקִי הוּא, כִּדְכְתִיב (שם א, יד) "כִּיס אֶחָד יִהְיֶה לְכֻלָּנוּ", (משלי שם שם) "יִתְהַלֵּךְ בְּמֵישָׁרִים", סוֹף שֶׁאִשְׁתּוֹ אוֹמֶרֶת לוֹ: כְּשׁוֹשַׁנָּה אֲדוּמָּה רָאִיתִי, וְאֵינוֹ פּוֹרֵשׁ, אָמַר רַבִּי אַסִּי: אִם תַּלְמִיד חָכָם הוּא סוֹף שֶׁמְּטַמֵּא אֶת הַטָּהוֹר וּמְטַהֵר אֶת הַטָּמֵא, דָּבָר אַחֵר, "אַל תֵּרֶא יַיִן כִּי יִתְאַדָּם" וַדַּאי מַסְמִיךְ לֵיהּ, ב"כִּי יִתֵּן בַּכּוֹס עֵינוֹ", הוּא נוֹתֵן עֵינוֹ בַּכּוֹס וְחֶנְוָנִי נוֹתֵן עֵינוֹ בַּכִּיס, "יִתְהַלֵּךְ בְּמֵישָׁרִים", סוֹף דְּהוּא עָבֵיד בֵּיתֵיהּ מֵישְׁרָא, מַה הָדֵין קִדְרָא דִּנְחָשֶׁת עֲבֵיד קִדְרָא דְחַסְפָּא עֲבַד, מְזַבֵּין לַהּ וְשָׁתֵי חַמְרָא בְּטִימִיתֵיהּ, רַבִּי יִצְחָק בַּר רְדִיפָא בְּשֵׁם רַבִּי אַמִּי אָמַר: סוֹף שֶׁהוּא מוֹכֵר אֶת כְּלֵי בֵיתוֹ וְשׁוֹתֶה בָּהֶן יַיִן, אָמַר רַבִּי אַחָא: מַעֲשֶׂה בְּאֶחָד שֶׁהָיָה מוֹכֵר כְּלֵי בֵיתוֹ וְשׁוֹתֶה בָּהֶן יַיִן, אָמְרִין *בְּנֵיהּ: לֵית הָדֵין אֲבוּנָן שָׁבֵיק לָן כְּלוּם, אַשְׁקוּנֵיהּ וְשַׁכְּרוּנֵיהּ וְאַפְּקוּנֵיהּ וְיַתְבוּנֵיהּ בְּחַד בֵּית *עָלַם.

חידושי הרד"ל

[א] **לשון נקי הוא כדכתיב כיס כו'.** עיין מתנות כהונה, וכוונא בזה בקהלת רבה (א, כד. [ח] ד). (פי' מלאן) עסוקין בריבה אחד ואמרין ליה לא כן כתיב כיס כו', עיין שם: **כשושנה אדומה כו'.** רומז למה שכתב בשיר השירים רבה (ז, ג) וכן בסנהדרין (לז, א) סוגה בשושנים, שאומרת לו כשושנה אדומה ראיתי ופורש, ומשלו בסייג של שושנים הגודר בעד המשל כערמת חטים, וכי יתן עינו בכוס פורץ גדר השושנים ויתהלך במישרים: **אם תלמיד חכם הוא סוף שמטמא כו' ומטהר כו'.** רלה לומר זה שאמר בסיפא ולבך ידבר תהפוכות: **בביתיה מישרה רבי יצחק בר רדיפא כו' ושותה בהן יין מה הדין קדירא כו' בטמיתיה אמר רבי אחא כו'.** כן צריך לומר. פירוש שתחלה מוכר קדרות נחושת, ואחר כך אף קדרא דחספא, ועבד ביתא מישרא בלי שום כלים:

אמרי יושר

[א] **הדא הוא דכתיב אל תרא יין כי יתאדם.** תימה, דהרי תחלת הכתובים למי אוי למי אבוי, וכן דרש במאמר, ואם כן למה התחילו באמצע קרא, ולא בלמי אוי, [ו]יש לומר לסמוך אל קרא, לאל תשת. עוד יש לומר ד[ל]מי אוי, היא דוקא למרבים בו ומאחרים על היין, אי נמי דפסוק למי אוי, מילי מילי קאמר, וכדי שלא נטעה לא התחיל בו, למי אוי, למי שאוכלה וממאן על דברי תורה, למי מדיים ומחלוקת, (למי שיח, דהיינו) למי שיש לו שיחה בטלה ושפת יתר, למי פלעים וחכלילות, למאחרים: **כי יתאו[ה] דם נדה.** דרשו כן מדלא קאמר יאדם: **כיס אחד יהיה לכלנו.** לשון נקי על אשה אחת של ערוה, כדכתיב (תהלים כ, יח) אם ראית גנב ותרץ עמו ועם מנאפים חלקך: **סוף שהוא מטמא את הטהור.** חוטא ומחטיא: **חנוני בכיס.** קרי וכתיב:

מסורת המדרש

א. תנחומא סדר שמיני: ב. מדרש משלי פ' כג:

אם למקרא

אַל־תֵּרֶא יַיִן כִּי יִתְאַדָּם כִּי־יִתֵּן בַּכּוֹס עֵינוֹ יִתְהַלֵּךְ בְּמֵישָׁרִים: (משלי כג:לא)
גּוֹרָלְךָ תַּפִּיל בְּתוֹכֵנוּ כִּיס אֶחָד יִהְיֶה לְכֻלָּנוּ: (שם א:יד)

ידי משה

[א] **לשון נקי כיס אחד יהיה לכלנו.** פירוש כיס של מעות, אבל באמת לריך לומר בכוס, והוא לשון ערוה כמו שאמרו חכמינו ז"ל (נדרים כ, ב) לא ישתה בכוס זה ויתן עיניו בכוס אחר, ומשום נקיות הלשון כתיב כיס. אבל בעל מתנות כהונה לא דק. ועיין לקמן במדבר רבה (י, ב) ותראה שטעה עלמו בעל מתנות כהונה (שם) איתא, כי יתן בכוס עינו בכיס כתיב על ידי הכוס יתן עינו בכיס. וקל להבין: **וודאי מסמיך ליה.** פירוש על כי יתאדם לא דרש המדרש שום דרש, כי הוא בודאי כפשוטו שפניו אדומים, אבל סיפא דקרא לריך אתה לדרוש. וקל להבין:

מתנות כהונה

[א] יתאוה לדם. פרשה זו יפה נדרשת פרשת נשא (י, ב): **יתאדם.** נוטריקון יתאוה לדם, שמתוך שכרותו היין יסיתו לדבר עבירה: **לשון נקי.** כלומר כיבה על הערוה, והכי איתא לקמן פרשת נשא (שם): **כיס אחד יהיה לכלנו.** כנוי בלשון נקי, כלומר זונה אחת יהיה לכולם: **שמטמא את הטהור כו'.** דריש יתהלך במישרים שהכל נעשה לו כשר וישר כמישור, או נוכל לפרש מדכתיב (ויקרא י, ט) יין ושכר וסמיך ליה ולהבדיל וגו', שמכאן למדו רז"ל (עירובין סד, ב) ששכור אסור להורות: **מסמיך.** מאדים והכל יכירו בשכרותו: **הוא נותן עיניו בכוס כו'.** דריש המסורת דכתיב כיס והקרי כוס: **מישרא.** ריק כמישור: **הכי גרסינן מה הדין קדרא כו'.** פירוש אומר מה שעושה קדרה זאת של נחשת, יכול גם כן לעשות קדרה של חרס, ומוכר אותו של נחושת ושותה יין בשווי: **בטמיתיה.** באולרו כלומר בשוויו: **סוף שהוא עושה כו'.** וזהו במישרים לשון מישור: **אמרין בנייא כו'.** אמרו בניו אבינו זה לא יניח לנו כלום: **אשקוניה כו'.** בניו השקוהו והשכירוהו והוליאוהו ונתנוהו **בחד בית עלם.** פירוש בית עולם, מערה מוכנת לקבור בו מתים, כדי שכשיקיץ מיינו לא ידע מי הביאו הלום, ויתחרט ולא ישוב לכסלה עוד. ומלאתי בקובץ ישן שהוליאו קול בפני השכנים היאך שמת באמת, והוליאוהו וקברוהו וכוונת בניו היה שימות שם:

אשד הנחלים

[א] **יתאוה לדם נידה.** וביאורו אל תרא ותחשוק ליין, כי יבעיר דמך ותתאוה אף בעת נידותה וראית דמה: **לשון נקי.** המתנות כהונה פירש, שזהו כינוי לזונה, וזהו כיס אחד יהיו לכולנו לזונה אחת. והידי משה פירש להיפך, שכיס הוא כמו כיס של מעות, אבל כוס הכוונה לזונה, על דרך (נדרים כ, ב) לא ישתה אדם בכוס זה ויתן עיניו בכוס אחר: **אם תלמיד חכם כו'.** כי התורה נקראת ישר, כמו שכתוב (יהושע י, יג) הלא היא כתובה על ספר הישר, ויסלף התלמיד חכם שיתהלך במשרים כפי רצונו ותאותו, לטהר הטמא, אם ירגיל ביינו: **ודאי מסמיך ליה.** דריש כי בלשון דהא, כלומר בודאי יתאדם מזה והכל יכירו שכרותו: **מישרה.** כלומר נעשה ריק מכל, ביתו וכלי ביתו, עד שנעשה ריק כמישור: **מעשה באחד.** הביאו המעשה לפה על פירוש יתהלך במשרים, שלפעמים יקרה שיזדמן לו

וַדַּאי — **literally,**[11] מַסְמִיק לֵיהּ — as saying that **[wine] makes [the one who drinks it] red.**[12] "כִּי יִתֵּן בַּכּוֹס עֵינוֹ" — The verse continues, ***for he will fix his eyes on the goblet.*** הוּא נוֹתֵן עֵינוֹ בַּכּוֹס וְחֶנְוָנִי נוֹתֵן עֵינוֹ בַּכִּיס — Since we pronounce the word *bakos* [בַּכּוֹס], *on the goblet*, but it is written *bakis* [בַּכִּיס], "on the pouch," we construe the verse as indicating that while **[the drunkard] fixes his eye on the goblet, the shopkeeper fixes his eye on the** drunkard's **pouch.**[13] "יִתְהַלֵּךְ בְּמֵישָׁרִים"— The verse concludes, ***He will walk in straight*** (or *unbroken*) ***paths*** [בְּמֵישָׁרִים]. סוֹף דְּהוּא עָבֵיד בֵּיתֵיהּ מֵישְׁרָא — This means that his **end** will be **that he makes his house** empty like **a plain** (מֵישְׁרָא).[14] מָה הָדֵין קִדְרָא דִּנְחֹשֶׁת עָבֵיד קִדְרָא דְחַסְפָּא עָבֵד — For he will rationalize to himself: **What this copper pot does, an earthenware pot can do.** מְזַבֵּין לֵהּ וְשָׁתֵי חַמְרָא בְּטִימִיתֵיהּ — **He will** then **sell [the copper pot] and drink wine with the proceeds.**[15] רַבִּי יִצְחָק בַּר רְדִיפָא בְּשֵׁם רַבִּי אַמִּי אָמַר — **R' Yitzchak bar Redifa said in the name of R' Ami:** סוֹף שֶׁהוּא מוֹכֵר אֶת כְּלֵי בֵיתוֹ וְשׁוֹתֶה בָּהֶן יַיִן — With this distorted thinking his **end** will be **that he sells** all **his household utensils and drinks wine with** the money he receives for **them.**[16]

The Midrash recounts an episode that illustrates this: אָמַר רַבִּי אַחָא — **R' Acha said:** מַעֲשֶׂה בְּאֶחָד שֶׁהָיָה מוֹכֵר כְּלֵי בֵיתוֹ וְשׁוֹתֶה בָּהֶן יַיִן — There was **an incident involving an individual who was selling off his household utensils and drinking wine with** the money he received for **them.** אָמְרִין בְּנֵיהּ לֵית הָדֵין אֲבוּנָן שָׁבֵיק לָן כְּלוּם — **His sons said,** "If this continues, **this father of ours will leave nothing for us** to inherit." What did they do? אַשְׁקוּנֵיהּ וְשַׁכְּרוּנֵיהּ וְאַפְּקוּנֵיהּ וִיַתְבוּנֵיהּ בְּחַד בֵּית עָלַם — **They gave him** wine **to drink and got him drunk, and** then **they took him out and placed him in a certain burial cave.**[17]

NOTES

11. I.e., since in the first interpretation the word יִתְאַדָּם was taken homiletically (see note 3), the Midrash now informs us that it is expounding the literal meaning of the word, which is *becoming red* (*Eitz Yosef*, Vagshal edition).

[We have followed *Eitz Yosef* in translating the word וַדַּאי as "literally" and placing it together with the words "אַל תֵּרֶא יַיִן כִּי יִתְאַדָּם"; see, however, *Maharzu* and *Eshed HaNechalim.*]

12. We have previously mentioned (above, note 2) that כִּי יִתְאַדָּם, *becoming red*, cannot be referring to the wine itself, since the wine is red at the outset. It must therefore be describing what happens to the excessive drinker: he literally turns red; his complexion takes on a reddish hue. And this means that people can see in his face that he is a drunkard, and they will scorn him (ibid.; *Maharzu*). *Eshed HaNechalim* writes that in this literal reading, the Midrash is taking "כִּי" יִתְאַדָּם to mean "*because* it makes red."

13. A drunkard pays no heed to the money he squanders in the wine shop, and the shopkeeper is more than willing to separate the drunkard from his money. Eventually the drunkard is left penniless (*Eitz Yosef*).

14. Ibid., *Eshed HaNechalim.* The word בְּמֵישָׁרִים, *in straight paths*, suggests מֵישְׁרָא, *a plain.* A plain is an empty, unbroken expanse of land; see note 16.

15. I.e., he will use some of the proceeds from his expensive copper pot to buy a cheap earthenware one, and spend the remainder to feed his addiction.

16. I.e., in his pursuit of wine he will eventually apply the same logic (viz., that he can make do with less) to his earthenware utensils, and to everything else in his household as well. He will thus end up reducing his home to an empty "plain" (*Radal, Eitz Yosef*).

[*HaTirosh* writes that he does not understand what R' Yitzchak bar Redifa is adding to the Midrash's discussion, for (according to *HaTirosh's* understanding) the preceding statement of the Midrash already meant that the drunkard would sell everything. *HaTirosh* therefore suggests emending our text to read: "לֹא" סוֹף שֶׁהוּא מוֹכֵר אֶת כְּלֵי בֵיתוֹ וְכוּ', according to which R' Yitzchak bar Redifa disagrees with the Midrash's earlier statement that "his end will be that he makes his house empty like a plain" and says that that will *not* necessarily be the end — for in fact the situation can deteriorate even further. See note 22.]

17. They anticipated that when their father awoke, the inexplicable circumstance of his being in such morbid surroundings would cause him to regret and abandon his foolish habit. Alternatively, the sons announced to the neighbors that their father had died, and then they "buried" him in one of the chambers of the cave, intending for him to die there (see *Matnos Kehunah* and *Eitz Yosef*).

פרשה יב

א [י, ט] **"יַיִן וְשֵׁכָר אַל תֵּשְׁתְּ", הָדָא הוּא דִכְתִיב** (משלי כג, לא) **א"אַל תֵּרֶא יַיִן כִּי יִתְאַדָּם", מַהוּ "כִּי יִתְאַדָּם", כִּי יִתְאַוֶּה לְדַם נִדָּה וּלְדַם זָבָה,** (שם) **"כִּי יִתֵּן בַּכּוֹס עֵינוֹ", "בַּכִּיס" כְּתִיב, לָשׁוֹן נָקִי הוּא, כִּדְכְתִיב** (שם א, יד) **"כִּיס אֶחָד יִהְיֶה לְכֻלָּנוּ",** (משלי שם שם) **"יִתְהַלֵּךְ בְּמֵישָׁרִים", סוֹף שֶׁאִשְׁתּוֹ אוֹמֶרֶת לוֹ: כְּשׁוֹשַׁנָּה אֲדֻמָּה רָאִיתִי, וְאֵינוֹ פּוֹרֵשׁ, אָמַר רַבִּי אַסִּי: אִם תַּלְמִיד חָכָם הוּא סוֹף שֶׁמְּטַמֵּא אֶת הַטָּהוֹר וּמְטַהֵר אֶת הַטָּמֵא, דָּבָר אַחֵר, "אַל תֵּרֶא יַיִן כִּי יִתְאַדָּם" וַדַּאי מַסְמִיק לֵיהּ, ב"כִּי יִתֵּן בַּכּוֹס עֵינוֹ", הוּא נוֹתֵן עֵינוֹ בַּכּוֹס וְחֶנְוָנִי נוֹתֵן עֵינוֹ בַּכִּיס, "יִתְהַלֵּךְ בְּמֵישָׁרִים", סוֹף דְּהוּא עָבֵיד בֵּיתֵיהּ מֵישְׁרָא, מָה הָדֵין קִדְרָא דִּנְחֹשֶׁת עָבֵיד קִדְרָא דְחַסְפָּא עָבֵד, מְזַבֵּין לֵהּ וְשָׁתֵי חַמְרָא בְּטִימִיתֵיהּ, רַבִּי יִצְחָק בַּר רְדִיפָא בְּשֵׁם רַבִּי אַמִּי אָמַר: סוֹף שֶׁהוּא מוֹכֵר אֶת כְּלֵי בֵיתוֹ וְשׁוֹתֶה בָּהֶן יַיִן, אָמַר רַבִּי אַחָא: מַעֲשֶׂה בְּאֶחָד שֶׁהָיָה מוֹכֵר כְּלֵי בֵיתוֹ וְשׁוֹתֶה בָּהֶן יַיִן, אָמְרִין *בְּנֵיהּ: לֵית הָדֵין אֲבוּנָן שָׁבֵיק לָן כְּלוּם, אַשְׁקוּנֵיהּ וְשַׁכְּרוּנֵיהּ וְאַפְּקוּנֵיהּ וְיַתְּבוּנֵיהּ בְּחַד בֵּית *עָלַם,**

עץ יוסף

(א) הדא הוא דכתיב אל תרא. סבירא ליה דטעם סמיכת מלוה זו למעשה זה דנדב ואביהו מפני שמתו על כניסתם שתויי יין כדרבי שמעון דלקמן, להכי מייתי הני קראי דיש סמך לענין זה במה שאמר בסופו ולכלפניו יפריש דדריש ליה שהפרים היין בין אהרן ובניו למיתה כדלסמוך, ואגב אורחיה מפרש כל הני קראי דסמוכים אהדדי בגנות היין: **מהו כי יתאדם.** שאם כפי פשוטו שלא יביט אל מראהו היפה בנותנו בכוס עינו מאחר שאחריתו כנחש ישך, קשה שהוי ליה להזכיר מתועלת היין מה שהוא זן ומשמח ומחכים ומרפא, שמפני זה היה ראוי שיפותה בו האדם יותר מיופי מראהו, לכן פירש כי יתאוה לדם כו', דהשתא הוי כי יתאדם, וכן כוליה קראי נתינת טעם אל ההמנע משתיית היין: **לדם נדה כו'.** שעל ידי השכרות יהיה להוט אחר הזנות ולא יחוש לנדה וזיבה: **כיס אחד יהיה לבולנו.** דהתם אי אפשר לפרש כיס ממש, דאם כן סותר למה שאמר גורלך תפיל בתוכנו, דאי כיס אחד לכולם אין גורלו של אחד מהם מיוחד מחבירו. ועיין בקהלת רבה פרשה א' (פסוק ח) מלאן עסוקין בריבה אחת ואמר להן לא כן כתיב כיס כו': **סוף שאשתו כו'.** רצה לומר אפילו היא אומרת לו בפירוש שפירסה נדה מכל מקום אינו חושש: **סוף שאשתו כו'.** ופירוש יתהלך במשרים שיתהלך בדרכו ולא ימנענו דבר מכשול: **כשושנה אדומה.** רומז למה שנאמר בשיר השירים רבה פרשה ז' (פסוק ג) וכן בסנהדרין (לז, א) סוגה בשושנים שאומרת לו כשושנה אדומה ראיתי ופורש, ומושלו בסייג של שושנים הגודר בעד המשל כערמת חטים, וכי יתן עינו בכוס פורץ גדר השושנים ויתהלך במישרים (רד"ל): **סוף שמטמא כו'.** ופירוש יתהלך במשרים, שכל הדרכים ישרים בעיניו, אף על פי שטועה בהוראתו, וזה שאמר בסיפא ולבך ידבר תהפוכות: **ודאי מסמיק ליה.** פירוש יתאדם ודאי פירושו שמסמיק ליה שמאדים פני שותהו, ויהיה ניכר בפניו שהוא שכור ובזו יבוזו לו. ולפי פירוש זה גם כן הוא נתינת טעם אל ההמנע משתיית היין: **נותן עינו בכוס כו'.** ולהכי כתיב בכיס, וקרינן בכוס, וטעם הדבר שעל ידי שהוא נותן עינו בכוס, אינו חושש לחסרון הממון, והחנוני נותן עינו בכיס ומרבה להוציא ממונו ולא ירגיש עד שמכלה ממונו: **מישרא.** ריק כמישור: **מה הדין קדרא כו'.** פירוש שאומר מה שעושה קדרה זאת של נחשת, יכול גם כן לעשות קדרה של חרס ומוכר אותו של נחשת ושותה יין בשויו: **בטימיו.** באלגרו, כלומר בשויו: **סוף שהוא מוכר כו'.** פירוש שעל ידי שאומר כדברים הנזכר על הקדירה, כן יאמר בכל כלי ביתו, עד שלבסוף ימכור את כולן ונעשה ביתו מישור, וזהו משרים לשון מישור: **אמרין בנייא כו'.** אמרו בניו אבינו זה לא יניח לנו כלום: **אשקוניה כו'.** בניו השקוהו והשכירוהו והוציאוהו ונתנוהו **בחד בית עולם,** פירוש בית עולם, מערה מוכנת לקבור בו מתים, כדי שכשיקוץ מיינו לא ידע מי הביאו הלום ויתחרט ולא ישוב לכסלה עוד. וכתב המתנות כהונה שמצא בקובץ ישן, שהוציאו הקול מפני השכנים היאך שמת באמת והוציאוהו וקברוהו, וכוונת בניו היה שימות שם:

פירוש מהרז"ו

(א) אל תרא יין. במדבר רבה י, ב, אסתר ריש פרשה ה': **כיס אחד יהיה לבלנו.** ורישא דקרא גורלך תפיל בתוכנו, משמע שיפילו גורל שיקבל כל אחד חלקו, ואיך אמר כיס אחד יהיה לכולנו, והם שני כתובים מכחישים, ועוד שהרי באים לפתות כמו שכתוב (משלי א, יג) כל הון יקר נמצא נמלא בתינו שלל, ואיזה פיתוי הוא שיהיה להם כיס אחד, על כן דורש ומכריע שמה שכתוב כיס אחד, הכוונה אשה זונה אחת לכולם, וזהו הפתוי שההכנסה שלהם יהיה הרבה, שימלאו בתיהם שלל, אך ההוצאה ימעטו, שלא יהיה לכל אחד אשה ובנים, וכמסופר בספרי יעאגראפיע שנמצא אומה אחת בקצה תבל, שכל בית אב אין להם רק אשה אחת לכוונה שלא ירבו ולמעט ההוצאה, וכן מה שכתוב כאן כי יתן בכוס עינו פירוש גם כן באשה, ומה שכתוב יתהלך במישרים, למוד מעניינו שהוא לרעה, שיהיה אצלו הכל ישר אם טמאה אם טהורה: **שמטמא את הטהור.** עיין מתנות כהונה, והשכור אינו יודע להבחין ולהבדיל וזהו במישרים. ועיין בל"ב מדות מדה י"א, שדורש שמי שיתן בכוס עינו, אפילו יתהלך במישרים אחריתו כנחש ישך: **וודאי מסמיק ליה.** שמה שכתוב יתאדם, בלשון התפעל, והיין בעצמו כבר הוא אדום מתולדתו, אלא פירושו שיתפעל האדם ששותה שיתאדם פניו:

מתנות כהונה

[א] יתאוה לדם. פרשה זו יפה נדרשת פרשת נשא (י, ב): **יתאדם.** נוטריקון יתאוה לדם, שמכח שכרותו היין יסיתו לדבר עבירה: **לשון נקי.** כלומר שיבא על הערוה, והכי איתא לקמן פרשת נשא (שם): **כיס אחד יהיה לבלנו.** כנוי בלשון נקי, כלומר זונה אחת יהיה לכולם: **שמטמא את הטהור כו'.** דריש יתהלך במישרים שהכל נעשה לו כשר וישר כמישור, או נוכל לפרש מדכתיב (ויקרא י, ט) יין ושכר וסמיך ליה ולהבדיל וגו', שמכאן למדו רז"ל (עירובין סד, ב) ששכור אסור להורות: **מסמיק.** מאדים והכל יכירו בשכרותו: **הוא נותן עינו בכוס כו'.** דריש המסורת דכתיב כיס והקרי כוס: **מישרא.** ריק כמישור: **הכי גרסינן מה הדין כו'.** פירוש אומר מה שעושה קדרה זאת של נחשת, יכול גם כן לעשות קדרה של חרס, ומוכר אותו של נחושת ושותה יין בשויו: **בטמיתיה.** באלגרו כלומר בשויו: **סוף שהוא עושה כו'.** וזהו במישרים לשון מישור: **אמרין בנייא כו'.** אמרו בניו אבינו זה לא יניח לנו כלום: **אשקוניה כו'.** בניו השקוהו והשכירוהו והוציאוהו ונתנוהו **בחד בית עלם.** פירוש בית עולם, מערה מוכנת לקבור בו מתים, כדי שכשיקוץ מיינו לא ידע מי הביאו הלום, ויתחרט ולא ישוב לכסלה עוד. ומצאתי בקובץ ישן שהוציאו קול בפני השכנים היאך שמת באמת, והוציאוהו וקברוהו וכוונת בניו היה שימות שם:

אשד הנחלים

[א] יתאוה לדם נידה. וביאורו אל תרא ותחשוק ליין, כי יבעיר דמך ותתאוה אף בעת נידותה וראית דמה: **לשון נקי.** המתנות כהונה פירש, שזהו כינוי לזונה, וזהו כיס אחד יהיו לכולנו לכולם זונה אחת. והידי משה פירש להיפך, שכיס הוא כמו כיס של מעות, אבל כוס הכוונה לזונה, על דרך (נדרים כ, ב) לא ישתה אדם בכוס זה ויתן עיניו בכוס אחר: **אם תלמיד חכם כו'.** כי התורה נקראת ישר, כמו שכתוב (יהושע י, יג) הלא היא כתובה על ספר הישר, ויסלף התלמיד חכם שיתהלך במשרים כפי רצונו ותאותו, לטהר הטמא, אם ירגיל ביינו: **ודאי מסמיק ליה.** דריש כי בלשון דהא, כלומר בודאי יתאדם מזה והכל יכירו שכרותו: **מישרה.** כלומר נעשה ריק מכל, ביתו וכלי ביתו, עד שנעשה ריק כמישור: **מעשה באחד.** הביאו המעשה לפה על פירוש יתהלך במשרים, שלפעמים יקרה שיזדמן לו

חידושי הרד"ל

[א] לשון נקי הוא בדכתיב כיס כו'. עיין מתנות כהונה, וכיוצא בזה בקהלת רבה (א, כב. [ח] ד). (פי') מלאן] עסוקין בריבה אחד ואמרין ליה לא כן כתיב כיס כו', עיין שם: **בשושנה אדומה כו'.** רומז למה שכתב בשיר השירים רבה (ז, ז) (וכן בסנהדרין לז, א) סוגה בשושנים, שאומרת לו כשושנה אדומה ראיתי ופורש, ומושלו בסייג של שושנים הגודר בעד המשל כערמת חטים, וכי יתן עינו בכוס פורץ גדר השושנים ויתהלך במישרים: **אם תלמיד חכם הוא סוף שמטמא כו' ומטהר כו'.** רצה לומר זה שאמר בסיפא ולבך ידבר תהפוכות: **ביתיה מישרה רבי יצחק בר רדיפא כו' ושותה בהן יין מה הדין קדירא כו' בטמיתיה אמר רבי אחא כו'.** כן צריך לומר. פירוש שתחלה מוכר קדרות נחושת, ואחר כך אף קדרא דחספא, ועבד ביתא מישרים בלי שום כלים:

אמרי יושר

[א] הדא הוא דכתיב אל תרא יין כי יתאדם. תימה, דהרי תחלת הכתובים למי אוי למי אבוי, וכן דרשם במאמר, ואם כן למה התחילו באל תרא יין, ולא בלמי אוי, [ו]יש לומר לסמוך אל תרא, לאל תשת. עוד יש לומר דו[למי אוי, היא דוקא למרבים בו ומאחרים על היין, אי נמי דפסוק למי אוי, מילי מילי קתני, וכדי שלא נטעה לא התחיל בו, למי אוי, למי שאוכה וממאן על דברי תורה, למי מדינים ומחלוקת, [למי שיח, דהיינו] למי שיש לו שיחה בטלה ושפת יתר, למי פצעים וקלילות, למאחרים: **כי יתאו[ה] דם נדה.** דרשו כן מדלא קאמר יאדם: **כיס אחד יהיה לבולנו.** לשון נקי על אשה אחת של ערוה, כדכתיב (תהילים נ, יח) אם ראית גנב ותרץ עמו ועם מנאפים חלקך: **סוף שהוא מטמא את הטהור.** חוטא ומחטיא: **חנוני בכיס.** קרי וכתיב:

מסורת המדרש

א. תנחומא סדר שמיני:
ב. מדרש משלי פ' כג:

אם למקרא

אַל־תֵּרֶא יַיִן כִּי יִתְאַדָּם כִּי יִתֵּן בַּכּוֹס עֵינוֹ יִתְהַלֵּךְ בְּמֵישָׁרִים: (משלי כג:לא)

גּוֹרָלְךָ תַּפִּיל בְּתוֹכֵנוּ כִּיס אֶחָד יִהְיֶה לְכֻלָּנוּ: (שם א:יד)

ידי משה

[א] לשון נקי כיס אחד יהיה לבלנו. פירוש כיס של מעות, אבל באמת צריך לומר בכוס, והוא לשון ערוה כמו שאמרו חכמינו ז"ל (נדרים כ, ב) לא ישתה בכוס זה ויתן עיניו בכוס אחר, ומשום נקיות הלשון כתיב כיס. אבל בעל מתנות כהונה לא דק. ועיין לקמן במדבר רבה (י, ב) ותראה שטעה עצמו בעל מתנות כהונה (שם איתא, כי יתן בכוס עינו בכיס כתיב על ידי הכוס יתן עינו בכיס). וקל להבין: **וודאי מסמיק ליה.** פירוש על כי יתאדם לא דרש המדרש שום דרש, כי הוא בודאי כפשוטא שפניו אדומים, אבל סיפא דקרא צריך אתה לדרוש. וקל להבין:

עָבְרִין שָׁפָיִין בִּתְרַע בֵּית עָלְמָא — Later, as some **wine merchants were passing by the entrance of the burial cave,** שָׁמְעוּן אַנְגַּרְיָיא בִּמְדִינְתָּא — **they heard** the raucous noise of **commandeering** taking place **in the city.**[18] פָּרְקִין טְעוּנֵיהוֹן בְּגוֹ בֵּית עָלְמָא — Fearful of having their wine seized, **they unloaded their cargo in the burial cave** where the drunken father was sleeping[19] וְאָזְלוּן לְמֶחֱמֵי קָלָא בִּמְדִינְתָּה — **and** then **went to see the uproar in the city.** אִיתְּעַר מִשְׁנְתֵיהּ — By and by **[the father] awoke from his sleep** חֲמָא זִיקָא יְהִיבָא לְעֵיל מִן רֵישֵׁיהּ — **and saw a wineskin placed above his head.** שָׁרָא יָתֵיהּ וִיהַב יָתֵיהּ בְּפוּמֵיהּ — **He untied it, put it in his mouth** and drank from it while still lying down,[20] until he eventually fell back asleep. בָּתַר שְׁלֹשָׁה יוֹמִין אָמְרִין בְּנֵיהּ — **After three days** had passed since the father was placed in the burial cave, **the sons said** to one another, לֵית אֲנַן אָזְלִינַן וְחָזֵינַן מַה הַהוּא אֲבוּנַן עָבֵיד — **"Shouldn't we go and see how that father of ours is doing?"** אָזְלוּן וְאַשְׁכְּחוּנֵיהּ וְהָא זִיקָא יְהִיב בְּפוּמֵיהּ — **They went and found him** lying down, **and there was the wineskin positioned in his mouth!** אָמְרִין: אוּף הָכָא לָא שְׁבַק לָךְ בָּרְיָיךְ — Exasperated, **they said** to him, **"Even here your Creator did not forsake you!** הוֹאִיל וִיהַב לָךְ לֵית אֲנַן יָדְעִין מַה נַּעֲבֵד לָךְ — **Since He has provided** wine **for you,**[21] **we do not know what we should do with you."** עָבְדוּן בֵּינֵיהוֹן תַּקָּנָה — So **they made an arrangement among themselves,** כָּל חַד וְחַד הֲוָה מַשְׁקֶה לֵיהּ חַד יוֹמָא — that **each one** of them **would provide drink for him** for **one day,** on a rotating basis.[22]

The Midrash returns to the *Proverbs* passage, which further describes the ill effects of wine:

"וְהָיִיתָ כְּשֹׁכֵב בְּלֶב יָם וּכְשֹׁכֵב בְּרֹאשׁ חִבֵּל" — ***And you will be like one who lies down in the heart of the sea, and like one who lies on the top of a "chibeil"*** [חִבֵּל][23] (23:34). כְּהָדָא אִילְפָא דְּמִטַּרְפָא בְּפִילָגוֹס דְּיַמָּא — The first part of the verse intimates that a drunkard's unsteady gait is **like a ship that is tossed about in the midst of a** stormy **sea,**[24] נָחֲתָא וְסָלְקָא נָחֲתָא וְסָלְקָא — **falling and rising, falling and rising** in the mighty waves.[25] "וּכְשֹׁכֵב בְּרֹאשׁ חִבֵּל"— And the second part of the verse, ***and like one who lies on the top of a "chibeil"*** [חִבֵּל], כְּהָדֵין תַּרְנְגוֹלָא דְּיָתֵיב בְּרֵישׁ חֲבַל — intimates that a drunkard is **like this rooster that perches on the top of a rope** (חֶבֶל),[26] אָזֵיל וְאָתֵי אָזֵיל וְאָתֵי — who **goes** swinging **back and forth** along with the rope.[27] כְּהָדֵין קְווּרְנִיטוֹן דְּיָתֵב בְּרֹאשׁ תּוֹרְנָא — Alternatively, the second part of the verse intimates that a drunkard is **like this** ship's **pilot** (רַב חוֹבֵל) **who sits on the top of the mast,**[28] אָזֵיל וְאָתֵי אָזֵיל וְאָתֵי — and **goes** swinging **back and forth** as the mast sways in the wind.[29]

NOTES

18. Government soldiers were either impressing men into forced labor or seizing personal property for the king's use. According to *Maarich* (cited by *Eitz Yosef*), the merchants heard while on the road that donkeys [and horses (*Peirush Kadum*)] were being impounded for the king's service.

19. *Matnos Kehunah*, followed by *Eitz Yosef*. (According to *Maarich* cited in the preceding note, it would seem that they hid their donkeys along with their wine. Indeed, *Peirush Kadum* writes this explicitly.)

20. *Matnos Kehunah*, followed by *Eitz Yosef*.

21. I.e., since it is evidently God's will that your craving for wine be satisfied (*Matnos Kehunah, Eitz Yosef*).

22. The end result of the story was thus that the father's addiction to wine succeeded not only in exhausting his *own* wealth, but in imposing an ongoing financial burden upon his sons, who had to finance his dependency (*HaTirosh*).

[According to *HaTirosh* (see note 16), this story is a continuation of R' Yitzchak bar Redifa's statement (he writes that the words אָמַר ר׳ אַחָא are also in error and should be emended to read אֶלָּא, *Rather*). He cites the story in order to point out that the drunkard will not only drain his own resources, making his house "empty like a plain" and causing his children not to have an inheritance. The situation will often be worse than that: his children may have to give of their own hard-earned money, on an ongoing basis, in order to support *him.*]

For a different explanation of the role of the story in our Midrash, see *Eshed HaNechalim*. See Insight Ⓐ.

23. The word חִבֵּל occurs nowhere else in Scripture. The Midrash will shortly offer two explanations of the verse, based on different interpretations of that word.

24. The entire phrase *one who lies down in the heart of the sea* is thus taken to refer to a ship (*Imrei Yosher*).

25. Like a ship that "rises skyward" and "descends to the depths" in a stormy sea (see *Psalms* 107:26), the drunkard staggers to and fro, as *Isaiah* 24:20 states, *Tottering, the land will totter like a drunkard* (*Eitz Yosef*).

26. The Midrash here interprets the word חִבֵּל to mean "rope" (חֶבֶל).

27. The phrase אָזֵיל וְאָתֵי אָזֵיל וְאָתֵי literally means "going and coming, going and coming."

28. To look out for the needs of the ship (*Eitz Yosef* to *Esther Rabbah*). The Midrash now interprets the word חִבֵּל to mean "mast of a ship" (see commentators to *Proverbs* ad loc.). According to this interpretation as well, the word is related to the word חֶבֶל (rope). [*Maharzu* writes that since the mast of a ship, which supports the sails, is connected to many ropes (חֲבָלִים), the pilot who sits there is called רַב חוֹבֵל, while the other sailors (who help control these ropes) are called חוֹבְלִים.]

29. *Maharzu*.

Yefeh To'ar explains that the Midrash's three analogies touch on different hazards posed by drunkenness. The first image (that of a ship

INSIGHTS

Ⓐ **The Path Chosen** *Michtav MeEliyahu* (Vol. 3, pp. 319-320) points out a fascinating lesson of this story. Our Sages tell us (*Makkos* 10b): בְּדֶרֶךְ שֶׁאָדָם רוֹצֶה לֵילֵךְ בָּהּ מוֹלִיכִין אוֹתוֹ, *One is led along the path that he wishes to travel*. This means that when man chooses a path in life — for good, or for bad — he will find that God orchestrates events so that the path he takes is indeed the one that he chose. And though his progress along the path is Divinely assisted, he will bear the rewards or consequences of his free-willed decision to embark upon his chosen path.

The Midrash's story about the drunkard demonstrates that this orchestration of events transpires even in ways that are just short of miraculous — sometimes strange, and even bizarre — as in this story. And if this is the case when one makes bad choices, then certainly מִדָּה טוֹבָה מְרוּבָּה, *the measure for good is even greater*, God will favor our *good* choices with that much greater Heavenly assistance.

Rav Dessler (*Michtav MeEliyahu*, Vol. 4, p. 29) points out further that the Midrash here is making yet another point regarding how God orchestrates events to further one's progress on his chosen path: Even plans executed by other people to derail the person *from* his path are manipulated by God to further the person *along* his path. The drunkard's sons, for their own selfish motives, made him drunk and brought him to the cemetery to rid him of his addiction to wine. Instead, they unwittingly created a situation in which they were forced to concede that "his Creator did not forsake him," that he was incorrigible and that they themselves would be the ones to supply him with wine.

If, then, the power of choice and will is so inexorable, why is it that so often our most powerful wishes — even good ones — are not realized?

The Ponovezher Rav quoted the *Chafetz Chaim*, who explained that this is because even our strongest ambition is not our sole focus. In our hearts and minds, there are so many different and contradictory wants and drives, such that our real aspirations are not focused and definitive. Rav Dessler quoted Rabbi Yisrael Salanter, who gave a poignant example: If we were given the opportunity to do so, we would want to master all of *Shas* in one night — and still have a good night's sleep as well!

We will merit Divine assistance to reach our goals, but they must be goals that we pursue with the full force of our desire and attention (*Sifsei Chaim, Middos VaAvodas Hashem*, p. 128).

עָבְרִין שָׁפְיָין בְּתְרַע בֵּית עָלַם, שְׁמָעוּן אַנְגַּרְיָיא בִּמְדִינְתָּא, פָּרְקִין טְעוּנֵיהוֹן בְּגוֹ בֵּית *עָלַם, וְאָזְלוּן לְמֶחֱמֵי קָלָא בִּמְדִינְתָּה, אִיתְּעַר מִשְּׁנְתֵיהּ, חֲמָא זִיקָא יְהִיבָא לְעֵיל מִן רֵישֵׁיהּ, שְׁרָא יָתֵיהּ וִיהַב יָתֵיהּ בְּפוּמֵיהּ, בָּתַר שְׁלֹשָׁה יוֹמִין אָמְרִין °בְּנַיָּיא: לֵית אֲנַן אָזְלִינַן וְחָזֵינַן מַה הַהוּא אֲבוּנָן עָבֵיד, אֲזָלוּן וְאַשְׁכְּחוּנֵיהּ וְהָא זִיקָא יְהִיב בְּפוּמֵיהּ, אָמְרִין: אוּף הָכָא לָא שְׁבַק לָךְ בָּרְיָיךְ, הוֹאִיל וִיהַב לָךְ לֵית אֲנַן יָדְעִין מַה נַּעֲבֵד לָךְ, עֲבָדוּן בֵּינֵיהוֹן תַּקָּנָה, כָּל חַד וְחַד הֲוָה מַשְׁקֶה לֵיהּ חַד יוֹמָא, (שם שם לד) "וְהָיִיתָ כְּשֹׁכֵב בְּלֶב יָם וּכְשֹׁכֵב בְּרֹאשׁ חִבֵּל", כְּהָדָא אִילְפָא דְּמִטַּרְפָּא °בְּפִילְגוּת דֵּימָא, נָחֲתָא וְסָלְקָא נָחֲתָא וְסָלְקָא, "וּכְשֹׁכֵב בְּרֹאשׁ חִבֵּל", כְּהָדֵין תַּרְנְגוּלָא דְּיָתֵיב בְּרֵישׁ חֲבַל, אָזֵיל וְאָתֵי אָזֵיל וְאָתֵי, כְּהָדֵין קְוּוֹרְנִיטוֹן דְּיָתֵב בְּרֹאשׁ תּוּרְנָא, אָזֵיל וְאָתֵי°, (שם שם לה) "הִכּוּנִי בַל חָלִיתִי", מַחוּ לֵיהּ וְלָא מַרְגִּישׁ, (שם) "הֲלָמוּנִי בַּל יָדָעְתִּי", טַלְמוּן לֵיהּ וְלָא יָדַע, שָׁתֵי שִׁיבְרָא חַמְשָׁא קִיסְטוֹן, אָמְרוּ לֵיהּ: עַשְׂרָא קִיסְטוֹן *אִישְׁתֵּית, וְאִם תֹּאמַר מִתְּעַר הוּא מִשִּׁנְתֵּיהּ וּמִנְשֵׁי לֵיהּ, תַּלְמוּד לוֹמַר (שם) "מָתַי אָקִיץ אוֹסִיף אֲבַקְשֶׁנּוּ עוֹד", (שם שם כט) "לְמִי אוֹי לְמִי אֲבוֹי לְמִי מְדָנִים לְמִי שִׂיחַ", רַב הוּנָא אָמַר: לְמִי שֶׁאֵינוֹ עָמֵל בְּדִבְרֵי תוֹרָה, "לְמִי מִדְיָנִים" לְמִי דִּינִין, "לְמִי שִׂיחַ" לְמִי פִּיטָטִין, (שם) "לְמִי פְּצָעִים חִנָּם" לְמִי פַּדְעִין דְּמַגָּן,

עץ יוסף

עברין שפיין כו'. עברו מוכרי יין השער דרך אותו בית עולם, מוכרי יין נקראים שופי יין (ערוך): **שמעין אנגריא.** שמעו קול הומיה בעיר כעין מלחמה (מתנות כהונה). אנגריא בכל מקום פירושו שעבוד. והמעריך (ערך אנגריא) כתב שפירושו שבדרך שמעו אומרים שבעיר היו תופסים חמורים לעבודת המלך: **פרקין כו'.** פרקו משא היין מעל חמוריהם ונתנוהו באותו מערה שהיה אותו איש ישן שם: **מתער כו'.** הקיץ משנתו וראה נוד נתונה למעלה מראשותיו: **שרי יתיה.** התיר אותו הנוד ונתנוהו בתוך פיו ושתה כך כשהוא שוכב: **לבתר שלשה ימים.** לאחר שלשה ימים אמרו בניו וכי אין אנו הולכים ונראה מה אותו אבינו עושה: **אזלו כו'.** הלכו ומצאוהו שוכב והנוד נתונה בפיו: **אמרין כו'.** אמרו אף כאן אין הקדוש ברוך הוא מניח אותך, הואיל והוא נותן לך אין אנו יודעים מה לעשות נגד רצון הקדוש ברוך הוא: **בריך.** בוראך: **עבדי כו'.** עשו ביניהם תקנה שכל אחד ישקנו יום אחד: **בהדא אילפא כו'.** פירוש כספינה זאת שהיא מטורפת בלב ים שיורדת ועולה בסערה, כאומר (תהלים קז, כו) יעלו שמים ירדו תהומות, וכן השכור תועה ביינו מפה ומפה, כאומר (ישעיה כד, כ) נוע תנוע ארץ כשיכור: **נחתא וסלקא.** פירוש יורדת ועולה: **בהדין תרנגולא כו'.** פירוש כתרנגולת השוכבת בראש החבל, כי החבל מתנועע עמה לכאן ולכאן: **בהדין קוורניטין.** חוזר לפרש וכשוכב בראש חבל על הקברניטין שיושב למעלה על תורן הספינה והולך ובא ומנענע, ומפרש חבל על הקברניטין שיושב כו', מענין רב החובל שהוא הקברניט: **מחו ליה.** מכין אותו: **טלמין.** לשון הכאה ודחייה ודחיפה (ערוך ערך טלם השני). אבל המעריך (ערך טלם ועיין במוסף) כתב [ואני אומר כי זה כבר הוא אמור לעיל הכוני בל חליתי מחו ליה ולא מרגיש, וזה שאמר אחר כך טלמין ליה ולא ידע, ענין אחר הוא לומר] שגוזלין ועושקין אותו והוא אינו יודע, [טלמין בערבי עושקין]: **שתי שברא חמשה כו'.** השתא מפרש הלמוני בל ידעתי היינו בממונו, דאי בגופו כבר נאמר הכוני בר חליתי, ופירושו הוא ששתה ה' מדות [קוסטן שם מדה] אמר ליה החנוני ששתית עשרה מדות. והרד"ל כתב דדרש הלמוני לשתי תיבות, הל מוני, הוללים אותו במנין הכוסות ובל יודע, עד כאן לשונו: **ומנשי ליה.** עוזב ממנו מלשתות עוד: **רב הונא אמר כו'.** כך היה דרכו של רב הונא לומר למי אוי כו', למי שאינו עמל בדברי תורה, וזה למאחרים על היין ועל ידי זה מבטלין מדברי תורה: **למי שאינו עמל בדברי תורה.** דרש למי שיח למי ששח דברים בטלים ואינו עוסק בדברי תורה והוא תשובה על למי אבוי, ואחר כך חוזר לדרוש למי מדינים, כפשטיה דקרא (רד"ל): **למי דינין.** דהיינו עונשין, שעל ידי היין נכשל בעבירות כדלעיל ונענש: **פוטיטין.** דברים הרבה, ועניינו שהכל ידברו ויעליזו עליו, או פירושו שבשכרותו ידבר דברי סכלות: **פדאין.** פלעים: **דמגן.** של חנם:

פירוש מהרז"ו

וכשוכב בראש חבל. מי הוא זה ששוכב בראש חבל, ודורש על התרנגול שטבעו שלעת ערב פורח לו למקום גבוה, להיות שם כל הלילה, ואם כן יקשה למה דווקא בראש חבל, על כן דורש עוד על מנהיג הספינה, שמקומו בראש התורן, ועל שם שהתורן עשוי על ידי חבלים, נקרא מי שיושב שם בשם רב החובל, ושאר העוסקים בשם חובלים, והם מתנועעים תמיד על ידי הספינה: **הלמוני בל ידעתי.** הכאה שתלוי בידיעה, היינו חשבון הכוסות שמשכרים בו בעת שכרותו, וכמו שכתוב (ישעיה כח, א) שכורי אפרים וגו' הלומי יין, הכאת הדעת וערבוב הראש, ואף על פי ששוכח חשבון הכוסות, אך עיקר היין לא ישכח ויבקשנו עוד:

מתנות כהונה

עברין שפיין כו'. עברו מוכרי יין בשער דרך אותו בית עולם. מוכרי יין נקראים שופי יין, כך פירש בערוך: **שמעון אנגריא.** שמעו קול הומיה בעיר, כעין מלחמה, אנגריא בכל מקום פירוש שיעבוד והכרח, ועיין בערוך: **פרקין כו'.** פרקו משא היין מעל חמוריהם ונתנוהו באותה מערה שהיה אותו איש ישן שם: **מתער כו'.** הקיץ משנתו וראה נוד נתונה למעלה מראשותיו: **שרא יתיה.** התיר אותו הנוד ונתנוהו בתוך פיו ושתה כך כשהוא שוכב: **לבתר שלושה ימים כו'.** לאחר שלושה ימים אמרו בניו וכי אין אנו הולכים, ונראה מה אותו אבינו עושה: **אזלו כו'.** הלכו ומצאוהו שוכב והנוד נתונה בפיו: **אמרין כו'.** אמרו אף כאן אין הקב"ה מניח אותך, הואיל והוא נותן לך אין אנו יודעין מה לעשות נגד רצון הקב"ה: **ברייך.** בוראך: **עבדי כו'.** עשו ביניהם תקנה שכל אחד ואחד ישקנו יום אחד, ועיין כעין מעשים אלו בפרשת נשא רבה (י ד): הכי גרסינן **בהדא אילפא דמטרפא בפילגוס דימא כו'.** וכן הוא במגלת אסתר (ה, א) ופירוש כספינה זאת שהיא מטורפת בלב ים: **נחתא כו'.** יורדת ועולה יורדת ועולה: **בהדין תרנגולא כו'.** כתרנגול שיושב על החבל שהוא הולך ובא: **בהדין קוורנוטיא.** חוזר לפרש, וכשוכב בראש חבל על הקברניטין, שיושב למעלה על תורן הספינה והולך ובא ומנענע: הכי גרסינן **אזיל ואתי אזיל ואתי: מחו ליה.** מכין אותו: **טלמין.** לשון הכאה ודחייה ודחיפה: **קיסטון.** שם מדה: **אמר ליה.** החנוני: **אישתית.** שתית: **ומנשי ליה.** עוזב ממנו מלשתות עוד: **הכי גרסינן תלמוד לומר** מתי אקיץ אוסיף וגו': **רב הונא אמר כו'.** כן היה דרכו לומר למי אוי, למי שאינו עמל בדברי תורה: **פיטטין.** דברים הרבה בלי צורך ודברי ריב וקטטה, כדרך השיכורים, ומגרה מדון בין אדם לחבירו, וכן הוא במדרש תהלים בהדיא: **פטיט.** דברן: הכי גרסינן **למי פדעין.** פירוש פצעים:

אשד הנחלים

השכרות כאילו בכוונה הוא, וכאילו הוא הולך דרך ישרה עד שלא ימנע ממנו רצונו, וזהו אות רעה כאלו יגזר עליו שימק בעוון זה ולא יסור מאוולתו, כי יתן לו משאלתו כאלו היה מתהלך במישרים: **ומנשי כו'.** ולא ישתה עוד, לא כן, כי אם אדרבא שמתגבר עליו התשוקה עד שיאמר בפה מלא, מתי אקיץ אוסיף אבקשנו עוד: **למי שאינו עמל.** לדברי המתנות כהונה אין זה באור על הכתוב כי אם שהיה רגיל לומר כן על מי שאינו עמל בדברי תורה. ואולי הוא דריש על דרך הסמך למאחרים על היין, שהיין כינוי לתורה המשמח הנפש, כיין המשמח,

חידושי הרד"ל

שתי אמר ליה עשרה קסטין כו'. דרש הלמוני לשתי תיבות, הל מוני, הוללים אותו במנין הכוסות ובל יודע: **למי שאינו עמל בדברי תורה.** דרש למי שיח, למי ששח דברים בטלים ואינו עוסק בדברי תורה, והוא תשובה על למי אבוי, ואחר כך חוזר לדרוש למי מדינים בענין אחר כפשטיה דקרא:

חידושי הרש"ש

[א] **הלמוני בל ידעתי וכו' שתי שברא חמשה קיסטין.** יתכן שדורש הלמוני מלשון שבקש להולמו ולא הולמתו (סנהדרין כא, ב), ורצה לומר כאן שהלמו עליו ביסורים הרבה:

באור מהרי"פ

[א] **אנגריא.** זה לשון ר' בנימין מוספיא, אמר בנימין, בלשון יווני ורומי עבודה נעשה באונס: **פלגוס דימא.** ערוך ערך פלגוס. בלב ים (שמות טו, ח) תרגום ירושלמי בגו פלגוס דימא רבה: **טלמין ליה.** זה לשון ר' בנימין מוספיא ערך טלם ב', פירוש בלשון יווני פועל עקירת שער ראש והעוקר והעושק את האדם:

אמרי יושר

בהדא אילפא. ואם כן שוכב בלב ים, הוא תאר לספינה שסוכן באמצע הים: **שתי חמשא קיסטין ואינון אמר ליה עשרה.** פירשו הלמוני, שמטעין אותו בחשבון הלוגין ששתה ואינו יודע:

אם למקרא

וְהָיִיתָ כְּשֹׁכֵב בְּלֶב יָם וּכְשֹׁכֵב בְּרֹאשׁ חִבֵּל: הִכּוּנִי בַל חָלִיתִי הֲלָמוּנִי בַּל יָדָעְתִּי מָתַי אָקִיץ אוֹסִיף אֲבַקְשֶׁנּוּ עוֹד: (משלי א:לד-לה)

לְמִי אוֹי לְמִי אֲבוֹי לְמִי מִדְיָנִים לְמִי שִׂיחַ לְמִי פְּצָעִים חִנָּם לְמִי חַכְלִלוּת עֵינָיִם: לַמְאַחֲרִים עַל הַיָּיִן לַבָּאִים לַחְקוֹר מִמְסָךְ: (שם שם כט-ל)

ידי משה

חמשה קסטין. פירוש, הוא שתה רק חמשה קסטין, והחנוני אומר עשרה קסטין, ולעיל קאי שאמר הוא נותן עינו בכוס והחנוני בכיס:

שינוי נוסחאות

(א) **כהדא אילפא דמטרפא בפילגות.** צ"ל "בפילגוס", כן היה כתוב בכל הספרים ובכל הכי"י עד שנפלה טעות בדפוסים המאוחרים (מוילנא תר"ג והלאה) לכתוב בת' במקום ס':

The Midrash turns to the next verse in the *Proverbs* passage: "הִכּוּנִי בַל חָלִיתִי" — The drunkard himself now speaks, ***"They struck me, but I did not become ill"*** (23:35). מָחוּ לֵיהּ וְלָא מַרְגִּישׁ — He admits that **[people] strike him and he does not feel** it.[30] "הֲלָמוּנִי בַּל יָדָעְתִּי"— ***"They beat me, but I was unaware"*** (ibid.). טָלְמוּן לֵיהּ וְלָא יָדַע — He confesses that **they assault him**[31] **and he is unaware.** שָׁתֵי שִׁיכְרָא חַמְשָׁא קִיסְטוֹן — For example,[32] **[the drunkard] drinks five *kistas***[33] **of wine,** אָמְרוּ לֵיהּ: עַשְׂרָא קִיסְטוֹן אִישְׁתֵּית — but **[the barkeepers] tell him, "You drank ten *kistas*,"** and they charge him for ten.[34] וְאִם תֹּאמַר מִתְּעַר הוּא מִשִּׁנְתֵיהּ וּמְנַשֵּׁי לֵיהּ — **And if you should say he will awaken from his stupor and abandon [drink],** תַּלְמוּד לוֹמַר "מָתַי אָקִיץ אוֹסִיף אֲבַקְשֶׁנּוּ עוֹד" — **Scripture states** otherwise, for it quotes the drunkard declaring, ***"When I awake I will continue asking for more"*** (ibid.).[35]

The Midrash returns to expound the beginning of the *Proverbs* passage, where five questions are posed. The first four questions:[36] "לְמִי אוֹי לְמִי אֲבוֹי לְמִי מִדְיָנִים לְמִי שִׂיחַ" — ***Who cries, "Alas!"? Who cries, "Woe!"? Who is contentious? Who prattles?*** (23:29). רַב הוּנָא אָמַר: לְמִי שֶׁאֵינוֹ עָמֵל בְּדִבְרֵי תוֹרָה — **Rav Huna said** in response to the first two questions: **One who does not toil in** studying **the words of the Torah.**[37]

The Midrash now explains the latter two questions according to their plain meaning:[38] "לְמִי מִדְיָנִים" לְמִי דִּינִין — ***Who is contentious?*** means **"Who has punishments?"**[39] "לְמִי שִׂיחַ" לְמִי פִּיטָטִין— ***Who prattles?*** means **"Who has chatter?"**[40] "לְמִי פְּצָעִים חִנָּם" לְמִי פַּדְעִין דְּמַגָּן— And a fifth question that follows in the verse, ***Who is wounded for naught?*** means **"Who has unwarranted injuries?"**[41]

NOTES

being tossed about in the sea) conjures up the real, physical dangers to which the tottering drunkard exposes himself, such as tripping or falling into a pit. The second (that of a rooster swinging back and forth on a rope) alludes to the physical discomfort a drunkard endures. And the third likens a drunkard's mental impairment to the disorientation a sailor experiences on a swaying masthead.

30. I.e., the wine has anesthetized him to the blows inflicted upon him.

31. According to *Aruch*, טָלְמוּן means to strike, push, or pull — a physical attack. But *Maarich* understands it to mean insult and disparage (*Eitz Yosef*).

32. The Midrash interprets the "beating" or "assault" of the verse to be referring to monetary exploitation rather than physical abuse, for the first part of the verse (*They struck me, etc.*) already spoke of a physical attack (ibid.; see, however, note 34).

33. A *kista* is a measure of liquid (ibid.), or a measuring cup, equal to one *log* (see *Pesachim* 109a).

34. This interpretation views הֲלָמוּנִי (*They beat me*) as two words: הל and מוני (the word הל meaning "trick" — related to the word הוֹלְלִים [see *Psalms* 5:6]; and the word מוני meaning "[regarding the] number" — related to the word מִנְיָן). And even so: בַּל יָדָעְתִּי, *but I was unaware* (*Radal*, cited by *Eitz Yosef*; see, however, *Rashash*).

[According to *Yefeh To'ar* and *Yedei Moshe*, the preceding lines of Midrash (beginning with שָׁתֵי שִׁיכְרָא חַמְשָׁא קִיסְטוֹן, the drunkard drinks five *kistas* of wine) are *not* connected to *Proverbs* 23:35. Rather, the Midrash has gone back to expound the קְרִי and כְּתִיב of verse 23:30 (see above with note 5), and is providing an illustration of the Midrash's statement above that "the drunkard fixes his eye on the goblet [כּוֹס], while the shopkeeper fixes his eye on the drunkard's pouch [כִּיס]" (see note 13).]

35. See Insight, "The Imagined Virtues of Drink," on *Esther Rabbah* 5 §1, in the Kleinman edition.

36. As explained in our opening introduction to this section, the Midrash's ultimate objective in discussing the *Proverbs* passage is to adduce support from verse 32 for R' Shimon's explanation of why *Leviticus* 10:9 (the prohibition against Kohanim serving while intoxicated) follows the deaths of Nadab and Abihu in the Torah (see there). It is not fully clear why the Midrash began by expounding verses 31, 34, and 35. However, from this point on it will proceed in order, beginning with verse 29 and culminating with verse 32, which is the verse that is relevant to our *Leviticus* passage and is therefore the verse with which it wishes to conclude.

37. [The literal translation of לְמִי אוֹי לְמִי אֲבוֹי is "*To whom* is it אוֹי (*oy*) and *to whom* is it אֲבוֹי (*vey*)?" The literal translation of Rav Huna's response, לְמִי שֶׁאֵינוֹ עָמֵל בְּדִבְרֵי תוֹרָה is "*to one* who does not toil, etc."] See Insight Ⓐ below, and see Insight, "Who cries, 'Alas,'" on *Esther Rabbah* 5 §1, Kleinman edition.

38. *Radal*, cited also by *Eitz Yosef*.

39. Excessive drinking causes a person to sin, as explained above [in the beginning of this section], and he is punished accordingly (*Eitz Yosef*).

40. I.e., a drunkard is the object of much public gossip and merriment. Alternatively, in his drunkenness he speaks foolishly (ibid.).

41. Here, the Midrash simply clarifies the Hebrew phrase by translating it into Aramaic.

INSIGHTS

Ⓐ **Rav Huna's Answer** It is somewhat perplexing that Rav Huna felt the need to "answer" these questions, since Scripture itself provides an answer in the very next verse (*Those who linger over wine, etc.*) — as the Midrash itself states shortly. We present here three approaches to this difficulty:

(i) *Matnos Kehunah* explains that Rav Huna was not actually expounding on this verse, but rather borrowing its language for an aphorism that he was wont to say ("Who cries, 'Alas!'? Who cries, 'Woe!'? One who does not toil in studying Torah.") *Eitz Yosef* follows *Matnos Kehunah* and adds that Rav Huna's aphorism was in fact *based upon* Scripture's answer, for *those who linger over wine* indeed neglect the study of Torah.

(ii) In his commentary to *Esther Rabbah*, *Eitz Yosef* writes that Rav Huna interprets the question לְמִי אֲבוֹי to mean "Who is poor (אֶבְיוֹן)," that is, "Who is poor in Torah?" And when Rav Huna answered, "One who does not toil in studying the words of Torah," this was his interpretation of Scripture's answer: *those who linger over wine* and thus do not study Torah. (See also *Eshed HaNechalim*, who suggests that *wine* represents Torah, and that the phrase לַמְאַחֲרִים עַל הַיָּיִן is to be understood: *those who delay in [the study of] Torah.*)

(iii) Rav Huna's answer does not comprise his interpretation of *those who linger over wine*. Rather, it comprises his homiletic interpretation of the fourth clause in the verse, viz., *Who prattles*, which he takes not as a fourth question but rather as the answer to the first two questions. Thus: *"Who cries, 'Alas!'? Who cries, 'Woe!'? One who prattles!"* — i.e., one who engages in idle talk and does not toil in the study of Torah. When the Midrash (shortly) cites *those who linger over wine*, it is in the context of explaining the *plain meaning* of the text [see note 39] (*Radal*, cited also by *Eitz Yosef*).

In any event, according to Rav Huna the sense of the verse is that one of the perils of drinking wine is that one who indulges in it will become remiss in his obligation to involve himself in Torah study.

עָבְרִין שַׁפָּיִין בְּתַרַע בֵּית עָלַם, שָׁמְעוּן אַנְגַּרְיָיא בִּמְדִינְתָּא, פָּרְקִין טְעוּנֵיהוֹן בְּגוֹ בֵּית *עָלַם, וְאָזְלוּן לְמֶחֱמֵי קָלָא בִּמְדִינְתָּה, אִיתְּעַר מִשְּׁנְתֵיהּ, חֲמָא זִיקָא יְהִיבָא לְעֵיל מִן רֵישֵׁיהּ, שְׁרָא יָתֵיהּ וִיהַב יָתֵיהּ בְּפוּמֵיהּ, בָּתַר שְׁלשָׁה יוֹמִין אָמְרִין °בְּנַיָּא: לֵית אֲנַן אָזְלִינַן וְחָזְיִנַן מָה הַהוּא אֲבוּנָן עָבֵיד, אָזְלוּן וְאַשְׁכְּחוּנֵיהּ וְהָא זִיקָא יְהִיב בְּפוּמֵיהּ, אָמְרִין: אוּף הָכָא לָא שָׁבַק לָךְ בָּרְיָיךְ, הוֹאִיל וִיהַב לָךְ לֵית אֲנַן יָדְעִין מָה נַעֲבֵד לָךְ, עֲבָדוּן בֵּינֵיהוֹן תַּקָּנָה, כָּל חַד וְחַד הֲוָה מַשְׁקֶה לֵיהּ חַד יוֹמָא, (שם שם לד) "וְהָיִיתָ כְּשֹׁכֵב בְּלֶב יָם וּכְשֹׁכֵב בְּרֹאשׁ חִבֵּל", כְּהָדָא אִילְפָא דְּמִטָּרְפָא °בְּפִלְגּוּת דֵּימָא, נָחֲתָא וְסָלְקָא נָחֲתָא וְסָלְקָא, "וּכְשֹׁכֵב בְּרֹאשׁ חִבֵּל", כְּהָדֵין תַּרְנְגוֹלָא דְּיָתֵיב בְּרֵישׁ חֲבַל, אָזֵיל וְאָתֵי אָזֵיל וְאָתֵי, כְּהָדֵין קֻוּרְנִיטוֹן דְּיָתֵב בְּרֹאשׁ תּוּרְנָא, אָזֵיל וְאָתֵי°, (שם שם לה) "הִכּוּנִי בַל חָלִיתִי", מָחוּ לֵיהּ וְלָא מַרְגִּישׁ, (שם) "הֲלָמוּנִי בַל יָדָעְתִּי", טַלְמוּן לֵיהּ וְלָא יָדַע, שָׁתֵי שִׁיכְרָא חַמְשָׁא קִיסְטוֹן, אָמְרוּ לֵיהּ: עַשְׂרָא קִיסְטוֹן *אִישְׁתֵּית, וְאִם תֹּאמַר מִתְּעַר הוּא מִשְּׁנְתֵיהּ וּמִנְשֵׁי לֵיהּ, תַּלְמוּד לוֹמַר (שם) "מָתַי אָקִיץ אוֹסִיף אֲבַקְשֶׁנּוּ עוֹד", (שם שם כט) "לְמִי אוֹי לְמִי אֲבוֹי לְמִי מִדְיָנִים לְמִי שִׂיחַ", רַב הוּנָא אָמַר: לְמִי שֶׁאֵינוֹ עָמֵל בְּדִבְרֵי תוֹרָה, "לְמִי מִדְיָנִים" לְמִי דִּינִין, "לְמִי שִׂיחַ" לְמִי פִּיטָטִין, (שם) "לְמִי פְּצָעִים חִנָּם" לְמִי פַּדְעִין דְּמַגָּן,

עץ יוסף

עברין שפיין כו'. עברו מוכרי יין השער דרך אותו בית עולם, מוכרי יין נקראים שופי יין (ערוך): **שמעין אנגריא.** שמעו קול הומיה בעיר כעין מלחמה (מתנות כהונה). אנגריא בכל מקום פירושו שעבוד. והמעריך (ערך אנגריא) כתב שפירושו שבדרך שמעו אומרים שבעיר היו תופסים חמורים לעבודת המלך: **פרקון כו'.** פרקו משא היין מעל חמוריהם ונתנוהו באותו מערה שהיה אותו איש ישן שם: **מתער כו'.** הקיץ משנתו וראה נוד נתונה למעלה מראשותיו: **שרי יתיה.** התיר אותו הנוד ונתנוהו בתוך פיו ושתה כך כשהוא שוכב: **לבתר שלשה ימים.** לאחר שלשה ימים אמרו בניו וכי אין אנו הולכים ונראה מה אותו אבינו עושה: **אזלו כו'.** הלכו ומצאוהו שוכב והנוד נתונה בפיו: **אמרין כו'.** אמרו אף כאן אין הקדוש ברוך הוא מניח אותך, הואיל והוא נותן לך אין אנו יודעים מה לעשות נגד רצון הקדוש ברוך הוא: **בורייך.** בוראך: **עבדי כו'.** עשו ביניהם תקנה שכל אחד ישקנו יום אחד: **כהדא אילפא כו'.** פירוש כספינה זאת שהיא מטורפת בלב ים שיורדת ועולה בסערה, כאומר (תהלים קז, כו) יעלו שמים ירדו תהומות, וכן השכור תועה בייגו מפה ומפה, כאומר (ישעיה כד, כ) נוע תנוע ארץ כשיכור: **נחתא וסלקא.** פירוש יורדת ועולה: **כהדין תרנגולא כו'.** פירוש כתרנגולת השוכבת בראש החבל, כי החבל מתנועע עמה לכאן ולכאן: **כהדין קורניטין.** חוזר לפרש וכשוכב בראש חבל על הקברניטין שיושב למעלה על תורן הספינה והולך ובא ומנענע, ומפרש חבל על הקברניטין שיושב כו', מענין רב החובל שהוא הקברניט: **מחו ליה.** מכין אותו: **טלמין.** לשון הכאה ודחייה ודחיפה (ערוך ערך טלם השני). אבל המעריך (ערך טלם ועיין במוסף) כתב [ואני אומר כי זה כבר הוא אמור לעיל הכוני בל חליתי מחו ליה ולא מרגיש, וזה שאמר אחר כך טלמין ליה ולא ידע, ענין אחר הוא לומר] שגוזלין וחומסין אותו והוא אינו יודע, [טלמין בערבי חומסין]: **שתי שברא חמשה כו'.** השתא מפרש הלמוני בל ידעתי היינו בממונו, דאי בגופו כבר נאמר הכוני בל חליתי, ופירושו הוא שתה ה' מדות [קסטון שם מדה] אמר ליה החנוני שתית עשרה מדות. והרד"ל כתב כדרש הלמוני לשתי תיבות, הל מוני, הוללים אותו במנין הכוסות ובל יודע, עד כאן לשונו: **ומנשי ליה.** עוזב ממנו מלאכתו עוד: **רב הונא אמר כו'.** כך היה דרכו של רב הונא לומר למי אוי כו', למי שאינו עמל בדברי תורה, וזה למאחרים על היין ועל ידי זה מבטלין מדברי תורה: **למי שאינו עמל בדברי תורה.** דרש למי שיח למי ששח דברים בטלים ואינו עוסק בדברי תורה והוא תשובה על למי אבוי, ואחר כך חוזר לדרוש למי מדינים, כפשטיה דקרא (רד"ל): **למי דינין.** דהיינו עונשין, שעל ידי היין נכשל בעבירות כדלעיל ונענש: **פוטיטין.** דברים הרבה, ועניינו שהכל ידברו ויעליזו עליו, או פירושו שבשכרותו ידבר דברי סכלות: **פדאין.** פצעים: **דמגן.** של חנם:

פירוש מהרז"ו

וכשוכב בראש חבל. מי הוא זה ששוכב בראש חבל, ודורש על התרנגול שטבעו שלעת ערב פורח לו למקום גבוה, להיות שם כל הלילה, ואם כן יקשה למה דווקא בראש חבל, על כן דורש עוד על מנהיג הספינה, שמקומו בראש התורן, ועל שם שהתורן עשוי על ידי חבלים, נקרא מי שיושב שם בשם רב החובל, ושאר העוסקים בשם חובלים, והם מתנועעים תמיד על ידי הספינה: **הלמוני בל ידעתי.** הכאה שאינו בידיעה, היינו חשבון הכוסות שמשכרים בו בעת שכרותו, וכמו שכתוב (ישעיה כח, א) שכורי אפרים וגו' הלומי יין, הכאת הדעת וערבוב הראש, ואף על פי ששוכח חשבון הכוסות, אך עיקר היין לא ישכח ויבקשנו עוד:

מתנות כהונה

עברין שפיין כו'. עברו מוכרי יין בשער דרך אותו בית עולם. מוכרי יין נקראים שופי יין, כך פירש בערוך: **שמעון אנגריא.** שמעו קול הומיה בעיר, כעין מלחמה, אנגריא בכל מקום פירוש שיעבוד והכרח, ועיין בערוך: **פרקין כו'.** פרקו משא היין מעל חמוריהם ונתנוהו באותה מערה שהיה אותו איש ישן שם: **מתער כו'.** הקיץ משנתו וראה נוד נתונה למעלה מראשותיו: **שרא יתיה.** התיר אותו הנוד ונתנוהו בתוך פיו ושתה כך כשהוא שוכב: **לבתר שלושה ימים כו'.** לאחר שלושה ימים אמרו בניו וכי אין אנו הולכים, ונראה מה אותו אבינו עושה: **אזלו כו'.** הלכו ומצאוהו שוכב והנוד נתונה בפיו: **אמרין כו'.** אמרו אף כאן אין הקב"ה מניח אותך, הואיל והוא נותן לך אין אנו יודעין מה לעשות נגד רצון הקב"ה: **ברייך.** בוראך: **עבדי כו'.** עשו ביניהם תקנה שכל אחד ואחד ישקנו יום אחד, ועיין כעין מעשים אלו בפרשת נשא רבה (י ד): הכי גרסינן **כהדא אילפא דמטרפא בפילגוס דימא כו'.** וכן הוא במגלת אסתר (ה, א) ופירוש כספינה זאת שהיא מטורפת בלב ים: **נחתא כו'.** יורדת ועולה יורדת ועולה: **כהדין תרנגולא כו'.** כתרנגול שיושב על החבל שהוא הולך ובא: **כהדין קוורנוטיא.** חוזר לפרש, וכשוכב בראש חבל על הקברניטין, שיושב למעלה על תורן הספינה והולך ובא ומנענע: הכי גרסינן **אזיל ואתי אזיל ואתי: מחו ליה.** מכין אותו: **טלמין.** לשון הכאה ודחייה ודחיפה: **קיסטון.** שם מדה: **אמר ליה.** החנוני: **אישתית.** שתית: **ומנשי ליה.** עוזב ממנו מלאכתו עוד: **הכי גרסינן תלמוד לומר** מתי אקיץ אוסיף וגו': **רב הונא אמר כו'.** כן היה דרכו לומר למי אוי, למי שאינו עמל בדברי תורה: **פיטטין.** דברים הרבה בלי צורך ודברי ריב וקטטה, כדרך השיכורים, ומגרה מדון בין אדם לחבירו, וכן הוא במדרש תהלים בהדיא: **פטיט.** דברן: הכי גרסינן **למי פדעין.** פירוש פצעים:

אשד הנחלים

השכרות כאילו בכוונה הוא, וכאילו הוא הולך דרך ישרה עד שלא ימנע ממנו רצונו, וזהו אות רעה כאלו יגזר עליו שימק בעוון זה ולא יסור מאוולתו, כי יתן לו משאלתו כאלו היה מתהלך במישרים: **ומנשי כו'.** ולא ישתה עוד, לא כן, כי אם אדרבא שמתגבר עליו התשוקה עד שיאמר בפה מלא, מתי אקיץ אוסיף אבקשנו עוד: **למי שאינו עמל.** לדברי המתנות כהונה אין זה באור על הכתוב כי אם שהיה רגיל לומר כן על מי שאינו עמל בדברי תורה. ואולי הוא דריש על דרך הסמך למאחרים על היין, שהיין כינוי לתורה המשמחת הנפש, כיין המשמח,

חידושי הרד"ל

שתי אמר ליה עשרה קסטין כו'. דרש הלמוני לשתי תיבות, הל מוני, הוללים אותו במנין הכוסות ובל יודע: **למי שאינו עמל בדברי תורה**. דרש למי שיח, למי ששח דברים בטלים ואינו עוסק בדברי תורה, והוא תשובה על למי אבוי, ואחר כך חוזר לדרוש למי מדינים בענין אחר כפשטיה דקרא:

חידושי הרש"ש

[א] **הלמוני בל ידעתי וכו' שתי שברא חמשה קיסטין.** יתכן שדורש הלמוני מלשון שבקש להולמו ולא הולמתו (סנהדרין כא, ב), ורצה לומר כאן שהלמו עליו ביסורים הרבה:

באור מהרי"פ

[א] **אנגריא.** זה לשון ר' בנימין מוספיא, אמר בנימין, בלשון יווני ורומי עבודה נעשה באונס: **פלגוס דימא.** ערוך ערך פלגוס. בלב ים (שמות טו, ח) תרגום ירושלמי בגו פלגוס דימא רבה: **טלמין ליה.** זה לשון ר' בנימין מוספיא ערך טלם ב', פירוש בלשון יווני פועל עקירת שער ראש והעוקר והעושק את האדם:

אמרי יושר

כהדא אילפא. ואם כן שוכב בלב ים, הוא אחר לספינה שוכן באמצע הים: **שתי חמשא קיסטין ואינון אמר ליה עשרה.** פירשו הלמוני, שמטעין אותו בחשבון הלוגין ששתה ואינו יודע:

אם למקרא

וְהָיִיתָ כְּשֹׁכֵב בְּלֶב יָם וּכְשֹׁכֵב בְּרֹאשׁ חִבֵּל: הִכּוּנִי בַל חָלִיתִי הֲלָמוּנִי בַּל יָדָעְתִּי מָתַי אָקִיץ אוֹסִיף אֲבַקְשֶׁנּוּ עוֹד: (משלי א:לד-לה)

לְמִי אוֹי לְמִי אֲבוֹי לְמִי מִדְיָנִים לְמִי שִׂיחַ לְמִי פְּצָעִים חִנָּם לְמִי חַכְלִלוּת עֵינָיִם: לַמְאַחֲרִים עַל הַיָּיִן לַבָּאִים לַחְקוֹר מִמְסָךְ: (שם שם כט-ל)

ידי משה

חמשה קסטין. פירוש, הוא שתה רק חמשה קסטין, והחנוני אומר עשרה קסטין, ולעיל קאי שאמר הוא נותן עינו בכוס והחנוני בכיס:

שינוי נוסחאות

(א) **כהדא אילפא דמטרפא בפילגות.** צ"ל "בפילגוס", כן היה כתוב בכל הספרים ובכל הכי"י עד שנפלה טעות בדפוסים המאוחרים (מוילנא תר"ג והלאה) לכתוב בת' במקום ס':

"לַמְאַחֲרִים עַל הַיָּיִן" — Scripture then answers all these questions by identifying these unfortunates as ***Those who linger over wine*** (ibid., v. 30).

The Midrash recounts an episode that is illustrative of the question, *Who is wounded for naught?*:

עוּבְדָא הֲוָה בְּחַד בַּר נָשׁ דַּהֲוָה אֲלִיף לְמִשְׁתֵּי תְרֵי עֲשַׂר קִסְטִין דַּחֲמַר בְּכָל יוֹמָא וְיוֹמָא — There was once **an incident involving a certain person who was accustomed to drinking twelve *kistas* of wine each and every day.** יוֹמָא חַד אִישְׁתֵּי חַד עֲשַׂר קִסְטִין — **One day he drank** only **eleven *kistas*.** דְּמִיךְ וְלָא אֲתָא שֵׁינְתָא — **He lay down to sleep, but sleep did not come.** קָם בַּחֲשׁוֹכָה אֲזַל לְגַבֵּי קַפֵּילָא — **He rose in the darkness** of night **and went to the tavern keeper.** אֲמַר לֵיהּ: זַבֵּין לִי חַד קִיסְטָא — **He said to [the tavern keeper], "Sell me one *kista*** of wine." אֲמַר לֵיהּ: לָא פָּתַחְנָא לָךְ — **[The tavern keeper] replied to him, "I will not open up for you,** דְּהִיא חֲשׁוֹכָה וְצָרֵי לִי מִן נָטוֹרַיָּא — **for it is dark** outside **and I am worried about the watchmen."**[42] תְּלָה עֵינֵיהּ וַחֲזָא נוּקְבָא בְּתַרְעָא — **The man lifted his eyes and saw a hole in the** tavern **door.** אֲמַר לֵיהּ: הַב לִי מִינֵּיהּ בְּהָדֵין נוּקְבָא — **He said to [the tavern keeper], "Give me some [wine] through this hole.** אַתְּ מְפַנֵּי מִלְּגָאו וַאֲנָא שָׁתֵי מִלְּבַר — **You pour from inside and I will drink from outside."** עֲבַד לֵיהּ כֵּן — **[The tavern keeper] did this for him.** אִישְׁתֵּי וּדְמִיךְ קֳדָם תַּרְעָא — **[The man] drank** the wine **and fell asleep in front of the door.** עָבְרִין עֲלֵיהּ נָטוֹרַיָּא, סְבוּרִינֵיהּ דַּהֲוָה גַּנָּב — By and by **watchmen passed by him and they thought that he was a thief,** מַחְיוּנֵיהּ וּפַדְעוּנֵיהּ — so **they beat him and wounded him.** וּקְרוֹ עֲלֵיהּ "לְמִי פְּצָעִים חִנָּם", לְמִי פִּדְעִין דַּמַּגָּן — **And** afterward **[people] applied to him** the verse, ***Who is wounded for naught?*,** and its Aramaic translation, **"Who has unwarranted injuries?"**

The Midrash returns to verse 29 in the *Proverbs* passage and explains its fifth and final question; it then explains the answer given in verse 30:

"לְמִי חַכְלִלוּת עֵינָיִם" — ***Whose eyes are red?*** means לְמִי שֶׁמְּשַׁמְּשִׁין דְּעַיְינִין — **"Whose eyes are sunlike** in their redness?"[43] כָּל אֵלֶּה לְמִי — **Upon whom are all these** misfortunes mentioned in the passage visited? "לַמְאַחֲרִים עַל הַיָּיִן" — Scripture answers immediately, ***Upon those who linger over wine*** (v. 30). זֶה שֶׁנִּכְנָס לְבֵי קַפֵּילָא קַדְמָאָה וְנָפֵיק בַּתְרָאָה — The Midrash elaborates: **This** "lingerer" **is one who enters the tavern first and leaves last.**[44]

The Midrash proceeds to the conclusion of verse 30:

"לַבָּאִים לַחְקוֹר מִמְסָךְ" — ***Those who come to inquire after mixed drink.*** מִן דְּמִשְׁמַע הָן אִית לֵיהּ חַמְרָא טָבָא דָּרֵיךְ בַּתְרֵיהּ — This refers to one who, **when he hears** about a place **where he can get good wine, marches off after it.**[45] מַה כְּתִיב בּוֹ בַּסּוֹף — **What is written regarding** what will happen to **[this person] in the end?** "אַחֲרִיתוֹ כְּנָחָשׁ יִשָּׁךְ וְגוֹ'" — ***His end is like that of one bitten by a snake,*** *like one "separated" by a serpent* (v. 32). מַה צִפְעוֹן זֶה מַפְרִישׁ בֵּין מִיתָה לַחַיִּים — This means:[46] **Just as the serpent separates between death and life,**[47] כָּךְ הִפְרִישׁ הַיַּיִן בֵּין אָדָם לְחַוָּה — **so wine separated between Adam and Eve.**[48] דְּאָמַר רַבִּי יְהוּדָה בַּר רַבִּי אִלְעַאי — **For R' Yehudah the son of R' Il'ai said:** אוֹתוֹ הָעֵץ שֶׁאָכַל מִמֶּנּוּ אָדָם הָרִאשׁוֹן עֲנָבִים הָיוּ — **That tree from which the first man ate was a grapevine.**[49] "עֲנָבֵימוֹ עִנְּבֵי רוֹשׁ וְגוֹ'" — Thus, it is written, ***Their grapes are grapes of gall,*** *clusters of bitterness* [מְרֹרֹת] *were given to them* (*Deuteronomy* 32:32). הַלָּלוּ הֵבִיאוּ מְרִירוּת לָעוֹלָם — The verse intimates that **these** grapes from the Tree of Knowledge **brought bitterness** (מְרִירוּת) **to the world.**[50]

The Midrash will now present three other expositions that compare the way "the serpent separates" to the way "wine separates." The final one will connect the *Proverbs* passage to our *Leviticus* passage:[51]

דָּבָר אַחֵר "וּכְצִפְעוֹנִי יַפְרִשׁ" — **Another exposition** of ***Like one separated by a serpent:*** מַה צִפְעוֹן זֶה מַפְרִישׁ בֵּין מִיתָה לַחַיִּים — **Just as this serpent separates between death and life,** כָּךְ הִפְרִישׁ הַיַּיִן בֵּין נֹחַ לְבָנָיו לַעַבְדוּת — **so wine separated between Noah and his descendants**[52] **with regard to slavery.**[53] הָדָא הוּא דִכְתִיב "וַיֵּשְׁתְּ מִן הַיַּיִן וַיִּשְׁכָּר וַיִּתְגַּל" — **Thus it is written** regarding Noah, ***He drank of the wine and he became drunk, and he uncovered himself*** (*Genesis* 9:21), שֶׁמִּתּוֹךְ כָּךְ אָמַר "אָרוּר כְּנָעַן" — **which resulted in his declaring, *"Cursed is Canaan"*** (ibid., v. 25).

NOTES

42. That is, since it is not customary for stores to be open so late, the watchmen will assume that there is some sort of trouble here, and I am concerned about the consequences.

43. [See *Bava Basra* 84a, where the Gemara derives from the terminology used in the Mishnah there that the sun is in fact red, as evidenced by its appearance during the morning and the evening, and it is only the sun's intense brightness during the rest of the day that prevents us from seeing its true color.] The current verse refers to the bloodshot eyes of the heavy drinker.

44. Although the verse mentions nothing about the lingerer arriving first, it is the nature of one who *lingers over* his *wine* to be the first to enter the tavern and the last to leave, as per *Isaiah* 5:11 which states, *Woe to those who rise early in the morning to pursue liquor, who stay up late at night while wine inflames them!* (*Eitz Yosef*; for a different approach see *Matnos Kehunah*).

45. The Midrash derives this interpretation from the word לַחְקֹר, *to inquire.* That is, a drunkard inquires and investigates where good wine can be had (*Eitz Yosef*).

46. The Midrash will explain how the word "separated" may be understood in this unusual context.

47. The soul gives life to the inanimate body. Thus, the soul is life itself, and a soulless body is death. When the lethal bite of the serpent causes the soul to depart from the body, there is a "separation," as the Midrash says, "between death and life" (ibid.).

48. The Midrash adopts the opinion of R' Yehudah (cited presently) that the Tree of Knowledge was a grapevine. The wine from this Tree caused an emotional separation between Adam and Eve, since Adam despised Eve for enticing him to partake of that forbidden fruit. Alternatively, Adam conjugally separated from Eve for 130 years in penance for having consumed the forbidden fruit of the grapevine, as taught in *Eruvin* 18b (ibid., citing *Yefeh To'ar*; see there for a third explanation).

49. Other opinions regarding the identity of the Tree of Knowledge are recorded in *Bereishis Rabbah* 15 §7, *Berachos* 40a, and *Sanhedrin* 70a-b.

50. The Midrash interprets this verse as referring to the bitterness of death. [Indeed, Scripture commonly uses the word מַר, *bitter*, in conjunction with "death"; see, e.g., *I Samuel* 15:32, *Ecclesiastes* 7:26. *Yalkut Shimoni, Ha'azinu* §946 explicitly links the verse cited by the Midrash here (*Their grapes are grapes of gall, etc.*) to the decree of death that was brought upon the world as punishment for eating of the Tree of Knowledge. See also *Avodah Zarah* 5a.] The simple meaning of that verse is that God is castigating either the Israelites or the nations of the world for their moral corruption, and Scripture, using an agricultural metaphor, compares their sordid behavior and its consequences to poisonous and bitter fruits (see *Rashi* ad loc.). However, the expression *clusters of bitterness* (as opposed to "bitter clusters") lends itself to the homiletic explanation of the Midrash, viz., that grapes are the quintessential bitter fruit (*"bitterness"*), for they brought about the ultimate bitterness.

51. See note 36 above.

52. Specifically, Canaan and his progeny (*Eitz Yosef*). See next note.

53. After the Flood, Noah planted a vineyard, drank of its wine, and became drunk. In his state of intoxication he uncovered himself and was humiliated by his son Ham, the father of Canaan. When Noah became sober and realized what had happened, he placed on Canaan and his descendants the curse that they should forever be enslaved (see *Genesis* 9:20-27).

(שם שם ל) "לַמְאַחֲרִים עַל הַיַּיִן", עוֹבְדָא הֲיָה בְּחַד בַּר נָשׁ דַּהֲוָה אָלֵיף לְמִשְׁתֵּי תְּרֵי עֲשַׂר קִסְטִין דַּחֲמַר בְּכָל יוֹמָא וְיוֹמָא, יוֹמָא חַד אִישְׁתֵּי חַד עֲשַׂר קִסְטִין, דְּמִיךְ וְלָא אֲתָא שִׁינְתָא, קָם בַּחֲשׁוֹכָה אֲזַל לְגַבֵּי קַפִּילָא, אֲמַר לֵיהּ: *זַבֵּין לִי חַד קִיסְטָא, אֲמַר לֵיהּ: לָא פַּתְחִנָא לָךְ, דְּהִיא חֲשׁוֹכָה וְצָרֵי לִי *מִן נָטוֹרַיָּא, תְּלָה עֵינֵיהּ וַחֲזָא נוּקְבָא בְּתַרְעָא, אֲמַר לֵיהּ: הַב לִי מִינֵּיהּ בְּהָדֵין נוּקְבָא, אַתְּ מַפְנֵי מִלְּגָאו וַאֲנָא שָׁתֵי מִלְּבַר, עֲבַד לֵיהּ כֵּן, אִישְׁתֵּי וּדְמִיךְ קֳדָם תַּרְעָא, עָבְרִין עֲלֵיהּ נָטוֹרַיָּא, סְבוּרִינֵיהּ דַּהֲוָה גַּנָּב, מַחְיוּנֵיהּ וּפַדְעוּנֵיהּ, וְקָרוּ עֲלֵיהּ "לְמִי פְּצָעִים חִנָּם", לְמִי פַּדְעִין דְּמַגָּן, (שם שם כט) "לְמִי חַכְלִלוּת עֵינָיִם", לְמִי שַׁמְשְׁמִין דְּעַיְינִין, כָּל אֵלֶּה לְמִי, (שם שם ל) "לַמְאַחֲרִים עַל הַיָּיִן", זֶה שֶׁנִּכְנַס לְבֵי קַפִּילָא קַדְמָאָה וְנָפֵיק בַּתְרָאָה, (שם) "לַבָּאִים לַחְקוֹר מִמְסָךְ", גמִן דְּמִשְׁמַע הָן אִית לֵיהּ חֲמַר טָבָא דְּרִיךְ בַּתְרֵיהּ, מַה כְּתִיב בּוֹ בַּסּוֹף, (שם שם לב) "אַחֲרִיתוֹ כְּנָחָשׁ יִשָּׁךְ וְגוֹ'", מַה צִפְעוֹן זֶה מַפְרִישׁ בֵּין מִיתָה לְחַיִּים כָּךְ הִפְרִישׁ הַיַּיִן בֵּין אָדָם לְחַוָּה, דְּאָמַר רַבִּי יְהוּדָה בַּר רַבִּי אִלְעַאי: אוֹתוֹ הָעֵץ שֶׁאָכַל מִמֶּנּוּ אָדָם הָרִאשׁוֹן עֲנָבִים הָיוּ, (דברים לב, לב) "עֲנָבֵימוֹ עִנְּבֵי רוֹשׁ וְגוֹ'", הַלָּלוּ הֵבִיאוּ מְרִירוּת לָעוֹלָם, דָּבָר אַחֵר (משלי כג, לב) "וּכְצִפְעֹנִי יַפְרִשׁ", מַה צִפְעוֹן זֶה מַפְרִישׁ בֵּין מִיתָה לְחַיִּים, כָּךְ הִפְרִישׁ הַיַּיִן בֵּין נֹחַ לְבָנָיו לַעֲבָדוּת, הָדָא הוּא דִכְתִיב (בראשית ט, כא) "וַיֵּשְׁתְּ מִן הַיַּיִן וַיִּשְׁכָּר וַיִּתְגַּל", שֶׁמִּתּוֹךְ כָּךְ אָמַר (בראשית ט, כה) "אָרוּר כְּנָעַן", דָּבָר אַחֵר "וּכְצִפְעֹנִי יַפְרִשׁ", כָּךְ הִפְרִישׁ הַיַּיִן בֵּין לוֹט לִבְנוֹתָיו לְמַמְזֵרוּת, הָדָא הוּא דִכְתִיב (שם יט, לג) "וַתַּשְׁקֶיןָ אֶת אֲבִיהֶן יַיִן", שֶׁמִּתּוֹךְ כָּךְ (שם שם לו) "וַתַּהֲרֶיןָ שְׁתֵּי בְנוֹת לוֹט מֵאֲבִיהֶן",

דהוה אליף כו'. שהיה רגיל לשתות שנים עשר מדות יין: **דמיך כו'.** השכיב עצמו לישן ולא בא עליו השינה, קם בחשך בלילה והלך אצל קפילא, פירוש החנוני המוכר יין: **וצרי לי כו'.** ודואג אני מן השומרים בלילה בעיר. והערוך גרס ולדו לי, ופירושו לשון אורב, מלשון ואשר לא צדה: **תלה עיניה כו'.** הגביה עיניו וראה נקב מתוך הדלת, ואמר ליה תן לי יין דרך הנקב: **את מפני.** מטרה ומפני המידה מן היין דרך הנקב מבפנים, ואנא אהא שותה מבחוץ, עשה לו כן, שתה וישן לפני הפתח, עברו עליו שומרי העיר והיו סבורים שהוא גנב, הכוהו ופצעוהו: **וקראו עליו כו'.** בריות קראו עליו המקרא הזה: **שמשמין אדומות כשמש.** ובילקוט (משלי פרק כג רמז תתקס) גרס סמקין: **זה שנכנס כו'.** אף על פי שהקדימה לא נזכרה בכתוב, אורחא דמלתא היא שהמאריך ביינו נכנס ראשון ויוצא אחרון, על דרך (ישעיה ה, יא) הוי משכימי בבקר שכר ירדפו מאחרי בנשף יין ידליקם: **שנכנס לבי קפילא כו'.** שנכנס לחנוני בראשונה ויצא באחרונה: **מן דמשמע כו'.** משמשמע היכן יין טוב למכור הולך אחריו, ודייק מלשון לחקור שחוקר ודורש היכן היין הטוב: **דריך.** פירוש הולך ודורך, ובלשון חכמים (כתובות ס, ב) ולא אדרכיה פירושו ולא השיגו: **מפריש בין מיתה לחיים.** לשון מפריש הוא משום שהאדם חי מצד הנפש, ומת מצד הגוף, כשיוצא הנפש מהגוף הויא הפרשה בין מות לחיים: **בין אדם לחוה.** שבאה על ידי שהסיתתו, אי נמי שפירש ממנה מאה שלשים שנה כדאיתא בפרק ב' דעירובין (יח, ב בראשית רבה כ, כח) (יפה תואר). או יובן עם מה שכתב ברקאנטי פרשת בראשית על פסוק ותרא האשה, ראתה דם, כי כשסחטה ענבים לאשכול הכופר, אירע בה מדה כנגד מדה, ומכאן תקון טומאת האשה בימי נדותה, כי הפרידה היין המשומר בענביו, וזהו שהפריש היין, ששתה, ועל ידי זה פירסה נדה, והפריש אדם ממנה (גבול בנימין): **בין אדם לחוה.** והוי מצי למימר שהפריש בהן בין מיתה לחיים, אלא דניחא ליה למימר הפרשה מוחשת. וכתב הרד"ל בין אדם לחוה למיתה, כן הוא בילקוט משלי (שם), ואתיא כמאן דאמר בבראשית רבה (כב, ז) חוה ראשונה חזרה לעפרה, ועיין בנשא רבה (י, ח) עד כאן לשונו: **לבניו.** זרע חם: **בין לוט לבנותיו.** דמסתמא שנא אותם והבדילם לרעה. אי נמי שהקדוש ברוך הוא הפריש בין לוט שנתכוון לעבירה, לבנותיו שנתכוונו לשם שמים כמו שאמרו חכמינו ז"ל בנזיר (כג, ב) כי ישרים דרכי ה' זה לוט ובנותיו כו', ולוט נתגלה קלונו, ובנותיו זכו לשכר כדלעיל בבראשית רבה (נ, טז):

שמשמין דעיינין. פירש במוסף הערוך עיניה אדומות כשמש, פירוש אחר על שנראה לפני השכור תמונות, כמו כדורי השמש מבלבול הדעת וערבוב הדמיון: **בנחש ישך.** וכצפעוני יפריש, כמו שנשך הנחש לאדם וחוה, שהחטיאם ונענשו על ידו, וכן הוא במדבר רבה שם, ומה שכתב שהפריש בין אדם לחוה, כמו שמבואר בבראשית רבה (כ, יא) שפירש ממנה מאה ושלושים שנה: **ענבים היו.** כמו שמבואר בבראשית רבה (טו, ז) ושם נסמן: **ענבימו ענבי רוש.** אשכלות מרורות למו. וריישא דקרא כי מגפן סדום גפנם, ובפני סדום נענשו כאבני גפרית, אם כן מה שכתב מרורות פירושו שהביאו מרורות לעולם: **בין נח לבניו.** בראשית רבה (לו, ה ו ז): **בין לוט לבנותיו.** תחלה היו בנות כשרות, ועל ידי היין נעשו זונות, עיין בראשית רבה (נא, ט י יא):

מתנות כהונה

דהוי אליף. שהיה רגיל לשתות שנים עשר מדות יין: **הכי גרסינן במגלת אסתר ובילקוט משלי יומא חד אשתי חד עשר כו': דמיך כו'.** השכיב עצמו לישן ולא בא השינה, קם בחשך בלילה והלך אצל קפילא, החנוני נקרא גם כן קפילא: **וצרי לי כו'.** פירוש צר לי ודואג אני מן השומרים בלילה בעיר. והערוך גרס (ערך לד השני) לדי לי, ופירושו לשון אורב ופחד, מלשון ואשר לא צדה (שמות כא, יג) והכי גרים במגלת אסתר (ה, א בדפוסים קדמונים. ובנוסחא דידן הגירסא צרי): **תלא עינא כו'.** הגביה עיניו וראה נקב בתוך הדלת, ואמר ליה תן לי יין דרך הנקב: **את מפני.** מטרה ומפני המדה מן היין דרך הנקב מבפנים ואני אהא שותה מבחוץ, עשה לו כן שתה וישן לפני הפתח, עברו עליו שומרי העיר והיו סבורים שהוא גנב הכוהו ופצעוהו: **וקרו עליו כו'.** הבריות קרו עליו המקרא הזה: **דמגן.** של חנם, תרגום של חנם מגן: **שמשמין.** אדומות כשמש וכן פירש הערוך (ערך שמש השלישי), ובילקוט (רמז תקכט) גרס סמקין: **שנכנס לבי קפילא כו'.** שנכנס לחנוני בראשונה ויצא באחרונה, ודייק מדכתיב למאחרים שאם לא בא בראשונה מאי רבותיה: **מן דמשמע כו'.** משמשמע היכן יין טוב למכור, הולך אחריו, ודייק מלשון לחקור שחוקר ודורש היכן היין טוב: **דריך הולך ודורך.** ובלשון חכמים (כתובות ס, ב) ולא אדרכיה, פירוש ולא השיגו: **ענבים היו גרסינן.** ועיין עוד גודל גנות השכרות במדבר רבה (י, ג ד): **הכי גרסינן בילקוט בין לוט לבנותיו לממזרות.** וכנון הוא, ויגיד עליו ריעו:

אשד הנחלים

והמה מאחרים הזמן, מבלי ללמוד וללמד: **הפריש היין.** וכל זה על ידי פיתוי הנחש, שזהו הצפעוני, ולכן אמר כצפעוני יפריש, שעל ידו היה כל זה: **דבר אחר כו'.** והביאו כל המעשים שקרו רק על ידי היין, המיתה התמידית בגזירה כלולה לכל העולם, העבדות התמידי לבני נח, הפסול התמידי לבני לוט, וזהו יפריש, שעשה פרישה אמיתית בלי יתחברו עוד:

חידושי הרד"ל

בין אדם לחוה למיתה. כן הוא בילקוט משלי (רמז תתקס), ואתיא כמאן דאמר בבראשית רבה (כב, ז) חוה ראשונה חזרה לעפרה, ועיין בנשא רבה (י, ב):

אמרי יושר

לית בחילא דהא חשוכא. פירשו זה למאחרים על היין, שבחשך קמים ובאיחור, עברו נטורי קרתא ומחין ליה, זהו הכוני בל חליתי: **הפריש היין בין נח לבניו לעבדות.** לומר שאף על פי שהיו יוצאי חלציו, עם כל זה נתנס לעבדים, ורמז המאמר שכל הקלקולים והפסדים יש ביין, מיתה, ועבדות, וגלות:

באור מהרי"פ

מתנות כהונה ד"ה שמשמין האדומות בשמש וכן פירש הערוך עד כאן. בערוך ערך שמש ג' מביא ולא פירש כלום. וזה לשון ר' בנימין מוספיא, פירוש עיניו אדומות כשמש, פירוש אחר לפני עיני השכור נתראים כדורים כשמש עד כאן:

מסורת המדרש

ג. במד"ר פרשה י סימן ו:

אם למקרא

אַחֲרִיתוֹ כְּנָחָשׁ יִשָּׁךְ וּכְצִפְעֹנִי יַפְרִשׁ: (משלי א:לב)

כִּי מִגֶּפֶן סְדֹם גַּפְנָם וּמִשַּׁדְמֹת עֲמֹרָה עֲנָבֵמוֹ עִנְּבֵי רוֹשׁ אַשְׁכְּלֹת מְרֹרֹת לָמוֹ: (דברים לב:לב)

אַחֲרִיתוֹ כְּנָחָשׁ יִשָּׁךְ וּכְצִפְעֹנִי יַפְרִשׁ: (משלי כג:לב)

וַיֵּשְׁתְּ מִן הַיַּיִן וַיִּשְׁכָּר וַיִּתְגַּל בְּתוֹךְ אָהֳלֹה: (בראשית ט:כא)

וַתַּשְׁקֶיןָ אֶת אֲבִיהֶן יַיִן בַּלַּיְלָה הוּא וַתָּבֹא הַבְּכִירָה וַתִּשְׁכַּב אֶת אָבִיהָ וְלֹא יָדַע בְּשִׁכְבָהּ וּבְקוּמָהּ: (שם יט:לג)

וַתַּהֲרֶיןָ שְׁתֵּי בְנוֹת־לוֹט מֵאֲבִיהֶן: (שם שם לו)

דָּבָר אַחֵר "וּכְצִפְעוֹנִי יַפְרִשׁ" — **Another exposition** of *Like one separated by a serpent*: כָּךְ הִפְרִישׁ הַיַּיִן בֵּין לוֹט לִבְנוֹתָיו לְמַמְזֵרוּת — Just as this serpent separates between death and life, **so wine separated between Lot and his daughters**[54] **with regard to illegitimacy.**[55] הֲדָא הוּא דִכְתִיב "וַתַּשְׁקֶיןָ אֶת אֲבִיהֶן יַיִן" — **Thus it is written,** ***So they plied their father with wine*** (ibid. 19:33), שֶׁמִּתּוֹךְ כָּךְ "וַתַּהֲרֶיןָ שְׁתֵּי בְנוֹת לוֹט מֵאֲבִיהֶן" — **which resulted in:** ***Lot's daughters conceived from their father*** (ibid., v. 36).[56]

NOTES

54. Thinking that the entire world had been destroyed along with the plain of Sodom, Lot's righteous daughters deemed it their responsibility to save the human race by bearing children, even though the only living male was their father. To accomplish their goal, they got their father drunk (ibid. 19:30-38).

55. Lot bore legitimate children with his wife, while his daughters bore illegitimate children though incestuous unions with their father. [The word לְמַמְזֵרוּת is not found in the earliest editions of the Midrash, but was added later (see *Os Emes* and *Matnos Kehunah* to *Esther Rabbah*). See *Maharzu* and *Eitz Yosef* for various interpretations of the Midrash *without* that word.]

56. In sum: Wine was the cause of three permanent tragedies: It brought death upon the world, it brought slavery to the descendants of Canaan, and it brought the stain of illegitimacy upon the descendants of Lot (*Eshed HaNechalim*).

(שם שם ל) "לַמְאַחֲרִים עַל הַיָּיִן", עוּבְדָא הֲוָה בְּחַד בַּר נָשׁ דַּהֲוָה אָלֵיף לְמִשְׁתֵּי תְּרֵי עֲשַׂר קִסְטִין דַּחֲמַר בְּכָל יוֹמָא וְיוֹמָא, יוֹמָא חַד אִישְׁתֵּי חַד עֲשַׂר קִסְטִין, דָּמִיךְ וְלָא אֲתָא שִׁינְתָא, קָם בַּחֲשׁוֹכָה אֲזַל לְגַבֵּי קְפֵילָא, אֲמַר לֵיהּ: *זַבֵּין לִי חַד קִיסְטָא, אֲמַר לֵיהּ: לָא פָּתְחֵנָא לָךְ, דְּהִיא חֲשׁוֹכָה וְצָרֵי לִי *מִן נָטוֹרַיָּא, תְּלָה עֵינֵיהּ וַחֲזָא נוּקְבָא בְּתַרְעָא, אֲמַר לֵיהּ: הַב לִי מִינֵּיהּ בְּהָדֵין נוּקְבָא, אַתְּ מַפְנֵי מִלְּגָאו וַאֲנָא שָׁתֵי מִלְּבַר, עֲבַד לֵיהּ כֵּן, אִישְׁתֵּי וְדָמִיךְ קֳדָם תַּרְעָא, עָבְרִין עֲלֵיהּ נָטוֹרַיָּא, סְבוּרֵיהּ דַּהֲוָה גַּנָּב, מַחְיוּנֵיהּ וּפַדְעוּנֵיהּ, וְקָרוּ עֲלֵיהּ "לְמִי פְּצָעִים חִנָּם", לְמִי פַּדְעִין דְּמַגָּן, (שם שם כט) "לְמִי חַכְלִלוּת עֵינָיִם", לְמִי שֶׁמְּשַׁמְּשִׁין דְּעַיְינִין, כָּל אֵלֶּה לְמִי, (שם שם ל) "לַמְאַחֲרִים עַל הַיָּיִן", זֶה שֶׁנִּכְנַס לְבֵי קְפֵילָא קַדְמָאָה וְנָפֵיק בַּתְרָאָה, (שם) "לַבָּאִים לַחְקוֹר מִמְסָךְ", גמִן דְּמַשְׁמַע הֵן אִית לֵיהּ חַמְרָא טָבָא דָּרֵיךְ בַּתְרֵיהּ, מַה כְּתִיב בּוֹ בַּסּוֹף, (שם שם לב) "אַחֲרִיתוֹ כְּנָחָשׁ יִשָּׁךְ וְגוֹ'", מַה צִּפְעוֹן זֶה מַפְרִישׁ בֵּין מִיתָה לְחַיִּים כָּךְ הִפְרִישׁ הַיַּיִן בֵּין אָדָם לְחַוָּה, דְּאָמַר רַבִּי יְהוּדָה בַּר רַבִּי אִלְעַאי: אוֹתוֹ הָעֵץ שֶׁאָכַל מִמֶּנּוּ אָדָם הָרִאשׁוֹן עֲנָבִים הָיוּ, (דברים לב, לב) "עֲנָבֵימוֹ עִנְּבֵי רוֹשׁ וְגוֹ'", הַלָּלוּ הֵבִיאוּ מְרִירוּת לָעוֹלָם, דָּבָר אַחֵר (משלי כג, לב) "וּכְצִפְעֹנִי יַפְרִשׁ", מַה צִּפְעוֹן זֶה מַפְרִישׁ בֵּין מִיתָה לְחַיִּים, כָּךְ הִפְרִישׁ הַיַּיִן בֵּין נֹחַ לְבָנָיו לַעֲבָדוּת, הָדָא הוּא דִכְתִיב (בראשית ט, כא) "וַיֵּשְׁתְּ מִן הַיַּיִן וַיִּשְׁכָּר וַיִּתְגַּל", שֶׁמִּתּוֹךְ כָּךְ אָמַר (בראשית ט, כה) "אָרוּר כְּנָעַן", דָּבָר אַחֵר "וּכְצִפְעֹנִי יַפְרִשׁ", כָּךְ הִפְרִישׁ הַיַּיִן בֵּין לוֹט לִבְנוֹתָיו לְמַמְזֵרוּת, הָדָא הוּא דִכְתִיב (שם יט, לג) "וַתַּשְׁקֶיןָ אֶת אֲבִיהֶן יַיִן", שֶׁמִּתּוֹךְ כָּךְ (שם שם לו) "וַתַּהֲרֶיןָ שְׁתֵּי בְנוֹת לוֹט מֵאֲבִיהֶן",

עץ יוסף

דהוה אליף כו'. שהיה רגיל לשתות שנים עשר מדות יין: **דמיך כו'.** השכיב עצמו לישן ולא בא עליו השינה, קם בחשך בלילה והלך אצל קפילא, פירוש החנוני המוכר יין: **וצרי לי כו'.** ודואג אני מן השומרים בלילה בעיר. והערוך גרס ולדו לי, ופירושו לשון אורב, מלשון ואשר לא צדה: **תלה עיניה כו'.** הגביה עיניו וראה נקב מתוך הדלת, ואמר ליה תן לי יין דרך הנקב: **את מפני.** מערה ומפני המידה מן היין דרך הנקב מבפנים, ואני אהא שותה מבחוץ, עשה לו כן, שתה וישן לפני הפתח, עברו עליו שומרי העיר והיו סבורים שהוא גנב, הכוהו ופצעוהו: **וקראו עליו כו'.** בריות קראו עליו המקרא הזה: **שמשמין אדומות כשמש.** ובילקוט (משלי פרק כג רמז תתקס) גרס סמקין: **זה שנכנס כו'.** אף על פי שהקדימה לא נזכרה בכתוב, אורחא דמלתא היא שהמאריך ביינו נכנס ראשון ויוצא אחרון, על דרך (ישעיה ה, יא) הוי משכימי בבקר שכר ירדפו מאחרי בנשף יין ידליקם: **שנכנס לבי קפילא כו',** שנכנס לחנוני בראשונה ויצא באחרונה: **מן דמשמע כו'.** משמועו היכן יין טוב למכור הולך אחריו, ודייק מלשון לחקור שחוקר ודורש היכן היין הטוב: **דריך.** פירוש הולך ודורך, ובלשון חכמים (כתובות ס, ב) ולא אדרכיה פירושו ולא השיגו. **מפריש בין מיתה לחיים.** לשון מפריש הוא משום שהאדם חי מצד הנפש, ומת מצד הגוף, כשיוצא הנפש מהגוף הויא הפרשה בין מות לחיים: **בין אדם לחוה.** שבאה על ידי שהסיתתו, אי נמי שפירש ממנה מאה שלשים שנה כדאיתא בפרק ב' דעירובין (יח, ב בראשית רבה כ, כח) (יפה תואר). או יובן עם מה שכתב ברקנאטי פרשת בראשית על פסוק ותרא האשה, ראתה דם, כי כשסחטה ענבים לאשכול הכופר, אירע בה מדה כנגד מדה, ומכאן תקון טומאת האשה בימי נדותה, כי הפרידה היין המשומר בענביו, וזהו שהפריש היין, ששתה, ועל ידי זה פירשה נדה, והפריש אדם ממנה (גבול בנימין): **בין אדם לחוה.** והוי מצי למימר שהפריש בהן בין מיתה לחיים, אלא דניחא ליה למימר הפרשה מוחשת. וכתב הרד"ל בין אדם לחוה למיתה, כן הוא בילקוט משלי (שם), ואתיא כמאן דאמר בבראשית רבה (כב, ז) חוה ראשונה חזרה לעפרה, ועיין בכנסת רבה (י, ח) עד כאן לשונו: **לבניו.** זרע חם: **בין לוט לבנותיו.** דמסתמא שנא אותם והבדילם לרעה. אי נמי שהקדוש ברוך הוא הפריש בין לוט שנתכוון לעבירה, לבנותיו שנתכוונו לשם שמים כמו שאמרו חכמינו ז"ל בנזיר (כג, ב) כי ישרים דרכי ה' זה לוט ובנותיו כו', ולוט נתגלה קלונו, ובנותיו זכו לשכר כדלעיל בבראשית רבה (נ, טז):

פירוש מהרז"ו

שמשמין דעיינין. פירש במוסף הערוך עינים אדומות כשמש, פירוש אחר על שנראה לפני השכור תמונות, כמו כדורי השמש מבלבול הדעת וערבוב הדמיון: **בנחש ישך.** וכצפעוני יפריש, כמו שנשך הנחש לאדם וחוה, שהחטיאם ונענשו על ידו, וכן הוא במדבר רבה שם, ומה שכתב שהפריש בין אדם לחוה, כמו שמבואר בבראשית רבה (כ, יא) שפירש ממנה מאה ושלושים שנה: **ענבים היו.** כמו שמבואר בבראשית רבה (טו, ז) ושם נסמן: **ענבימו ענבי רוש.** אשכלות מרורות למו. ורישא דקרא כי מגפן סדום גפנם, וגפני סדום נעשו כאבני גפרית, אם כן מה שכתב מרורות פירושו שהביאו מרורות לעולם: **בין נח לבניו.** בראשית רבה (לו, ה ו ז): **בין לוט לבנותיו.** תחלה היו בנות כשרות, ועל ידי היין נעשו זונות, עיין בראשית רבה (נא, ט י יא):

מסורת המדרש

ג. במד"ר פרשה י סימן ו:

אם למקרא

אַחֲרִיתוֹ כְּנָחָשׁ יִשָּׁךְ וּכְצִפְעֹנִי יַפְרִשׁ: (משלי א:לב)

כִּי מִגֶּפֶן סְדֹם גַּפְנָם וּמִשַּׁדְמֹת עֲמֹרָה עֲנָבֵמוֹ עִנְּבֵי רוֹשׁ אַשְׁכְּלֹת מְרֹרֹת לָמוֹ: (דברים לב:לב)

אַחֲרִיתוֹ כְּנָחָשׁ יִשָּׁךְ וּכְצִפְעֹנִי יַפְרִשׁ: (משלי כג:לב)

וַיֵּשְׁתְּ מִן הַיַּיִן וַיִּשְׁכָּר וַיִּתְגַּל בְּתוֹךְ אָהֳלֹה: (בראשית ט:כא)

וַתַּשְׁקֶיןָ אֶת אֲבִיהֶן יַיִן בַּלַּיְלָה הוּא וַתָּבֹא הַבְּכִירָה וַתִּשְׁכַּב אֶת אָבִיהָ וְלֹא יָדַע בְּשִׁכְבָהּ וּבְקוּמָהּ: (שם יט:לג)

וַתַּהֲרֶיןָ שְׁתֵּי בְנוֹת־לוֹט מֵאֲבִיהֶן: (שם שם לו)

חידושי הרד"ל

בין אדם לחוה למיתה. כן הוא בילקוט משלי (רמז תתקס), ואתיא כמאן דאמר בבראשית רבה (כב, ז) חוה ראשונה חזרה לעפרה, ועיין בכנסת רבה (י, ב):

אמרי יושר

לית בחילא דהא חשוכא. פירשו זה למאחרים על היין, שבחשך קמים ובאיחור, עברו נטורי קרתא ומחין ליה, זהו הכוני בל חליתי: **הפריש היין בין נח לבניו לעבדות.** לומר שאף על פי שהיו יוצאי חלציו, עם כל זה נתנם לעבדים, ורמז המאמר שכל הקלקולים והפסדים יש ביין, מיתה, ועבדות, וגלות:

באור מהרי"פ

מתנות כהונה ד"ה שמשמין האדומות כשמש וכן פירש הערוך עד כאן. בערוך ערך שמש ג' מביא ולא פירש כלום. וזה לשון ר' בנימין מוספיא, פירוש עיניו אדומות כשמש, פירוש אחר לפני עיני השכור נתראים כדורים כשמש עד כאן:

מתנות כהונה

דהוי אליף. שהיה רגיל לשתות שנים עשר מדות יין: **הכי גרסינן במגלת אסתר ובילקוט משלי יומא חד אשתי חד עשר כו': דמיך כו'.** השכיב עצמו לישן ולא בא השינה, קם בחשך בלילה והלך אצל קפילא, החנוני נקרא גם כן קפילא: **וצרי לי כו'.** פירוש צר לי ודואג אני מן השומרים בלילה בעיר. והערוך גרס (ערך לד השני) לדי לי, ופירושו לשון אורב ופחד, מלשון ואשר לא צדה (שמות כא, יג) והכי גרים במגלת אסתר (ה, א בדפוסים קדמונים. ובנוסחא דידן הגירסא צרי): **תלא עינא כו'.** הגביה עיניו וראה נקב בתוך הדלת, ואמר ליה תן לי יין דרך הנקב: **את מפני.** מערה ומפני המדה מן היין דרך הנקב מבפנים ואני אהא שותה מבחוץ, עשה לו כן שתה ויישן לפני הפתח, עברו עליו שומרי העיר והיו סבורים שהוא גנב הכוהו ופצעוהו: **וקרו עליו כו'.** הבריות קרו עליו המקרא הזה: **דמגן.** של חנם, תרגום של חנם מגן: **שמשמין.** אדומות כשמש וכן פירש הערוך (ערך שמש השלישי), ובילקוט (רמז תתקכט) גרס סמקין: **שנכנס לבי קפילא כו'.** שנכנס לחנוני בראשונה ויצא באחרונה, ודייק מדכתיב למאחרים שאם לא בא בראשונה מאי רבותיה: **מן דמשמע כו'.** משמועו היכן יין טוב למכור, הולך אחריו, ודייק מלשון לחקור שחוקר ודורש היכן היין טוב: **דריך הולך ודורך.** ובלשון חכמים (כתובות ס, ב) ולא אדרכיה, פירוש ולא השיגו: **ענבים היו גרסינן.** ועיין עוד גודל גנות השכרות במדבר רבה (י, ג ד): **הכי גרסינן בילקוט בין לוט לבנותיו לממזרות.** וכנון הוא, ויגיד עליו ריעו:

אשד הנחלים

והמה מאחרים הזמן, מבלי ללמוד וללמד: **הפריש היין.** וכל זה על ידי פיתוי הנחש, שזהו הצפעוני, ולכן אמר כצפעוני יפריש, שעל ידו היה כל זה: **דבר אחר כו'.** והביאו כל המעשים שקרו רק על ידי היין, המיתה התמידית בגזירה כלולה לכל העולם, העבדות התמידי לבני נח, הפסול התמידי לבני לוט, וזהו יפריש, שעשה פרישה אמיתית בלי יתחברו עוד:

דָּבָר אַחֵר, "וּכְצִפְעוֹנִי יַפְרִשׁ" — **Another exposition** of *Like one separated by a serpent*:[57] מַה צִפְעוֹן זֶה מַפְרִישׁ בֵּין מִיתָה לְחַיִּים — **Just as this serpent separates between death and life,** כָּךְ הִפְרִישׁ הַיַּיִן בֵּין אַהֲרֹן וּבָנָיו לְמִיתָה — **so wine separated between Aaron and his sons** Nadab and Abihu **with respect to** their **death,**[58] דְּתָנֵי רַבִּי שִׁמְעוֹן — **for R' Shimon taught** in a Baraisa: לֹא מֵתוּ בָנָיו שֶׁל אַהֲרֹן אֶלָּא עַל שֶׁנִּכְנְסוּ שְׁתוּיֵי יַיִן לְאֹהֶל מוֹעֵד — **The sons of Aaron died only because they entered the Tent of Meeting intoxicated with wine.**

The Midrash uses a parable to explain how R' Shimon knew that this was the cause of their deaths:

רַבִּי פִּנְחָס בְּשֵׁם רַבִּי לֵוִי אָמַר — **R' Pinchas said in the name of R' Levi:** מָשָׁל לְמֶלֶךְ שֶׁהָיָה לוֹ בֶּן בַּיִת נֶאֱמָן — It is **analogous to a king who had a trusted domestic.** מְצָאוֹ עוֹמֵד עַל פֶּתַח חֲנֻיּוֹת — One day **[the king] found him at the entrance of the** wine **shops**[59] וְהִתִּיז אֶת רֹאשׁוֹ בִּשְׁתִיקָה — **and, without a word** of explanation,[60] **he decapitated him** וּמִינָּה בֶּן בַּיִת אַחֵר תַּחְתָּיו — **and appointed another domestic in his place.** וְאֵין אָנוּ יוֹדְעִים מִפְּנֵי מָה הָרַג אֶת הָרִאשׁוֹן — **We would not know why he killed the first [domestic],** since he gave no reason, אֶלָּא מִמַּה שֶּׁמְּצַוֶּה אֶת הַשֵּׁנִי וְאָמַר: לֹא תִכָּנֵס בְּפֶתַח חֲנֻיּוֹת — **but from** the fact **that he commanded the second one, saying** to him, **"Do not enter through the doorway of** wine **shops,"** אָנוּ יוֹדְעִין שֶׁמִּתּוֹךְ כָּךְ הָרַג הָרִאשׁוֹן — **we can know that** it was **on account of this** infraction of drinking while on duty that **[the king] killed the first one.** כָּךְ "וַתֵּצֵא אֵשׁ מִלִּפְנֵי ה' וַתֹּאכַל אוֹתָם" — **Likewise,** it is written in regard to the sons of Aaron, ***A fire came forth from before HASHEM and consumed them*** (above, 10:2),[61] וְאֵין אָנוּ יוֹדְעִים מִפְּנֵי מָה מֵתוּ — **and we do not know why they died,** for the Torah does not specify a reason;[62] אֶלָּא מִמַּה שֶּׁמְּצַוֶּה אֶת אַהֲרֹן וְאָמַר לוֹ "יַיִן וְשֵׁכָר אַל תֵּשְׁתְּ" — **but from** the fact **that** immediately after the incident **[God] commanded Aaron, saying to him, *"Do not drink intoxicating wine,*** *you and your sons with you, when you come to the Tent of Meeting"* (our verse), אָנוּ יוֹדְעִין מִתּוֹךְ כָּךְ שֶׁלֹּא מֵתוּ אֶלָּא מִפְּנֵי הַיַּיִן — **we can know from this that [Nadab and Abihu] died only on account of the wine** they consumed before entering the Tabernacle.[63]

The Midrash notes that the fact that this was the cause of their death explains an unusual aspect of the *Do not drink* commandment:[64]

לְכָךְ חִבְּבוֹ הַכָּתוּב לְאַהֲרֹן — **Therefore, Scripture showed love to Aaron** וְיִיחֵד אֵלָיו הַדִּבּוּר בִּפְנֵי עַצְמוֹ — **and directed the** Divine **utterance to him alone,**[65] שֶׁנֶּאֱמַר — **as it is stated,**

NOTES

57. And it is for this interpretation that the entire discourse on the *Proverbs* passage was brought here (*Maharzu*).

58. That is, Aaron lived, while Nadab and Abihu died. [The Midrash could have distinguished between the sons themselves and written that Elazar and Ithamar lived while Nadab and Abihu died. But it settled on a starker distinction (viz., a father remaining alive while his children perished) (*Eitz Yosef*).]

59. The domestic was caught going into a tavern while on duty.

60. Literally, *in silence.* The king did not explain to his domestic, or to anyone else, why he was killing him; he just summarily executed him (*Eshed HaNechalim*; for a different interpretation see *Yedei Moshe*).

61. And (in parallel to the parable above) He appointed Elazar and Ithamar in their place; see *Numbers* 3:4 (*Maharzu*).

62. Although Scripture does say, *Nadab and Abihu ... brought before HASHEM an alien fire that He had not commanded them* (above, v. 1), our Midrash maintains that they would not have been killed for that transgression alone (*Eitz Yosef*). Alternatively, that verse is subject to interpretation, and in fact it is not incompatible with R' Shimon's teaching that Nadab and Abihu's sin was their being intoxicated (see *Mizrachi, Gur Aryeh,* and *Levush HaOrah* to verse 2 above).

63. See Insight Ⓐ.

64. *Eitz Yosef.*

65. This was very rare, for usually God spoke to Moses to convey His commandments to Aaron (see *Mechilta, Parashas Bo* 1:1, which says there were but three exceptions; see also *Bamidbar Rabbah* 6 §5 and 14 §19). Why did God speak to Aaron himself specifically *here*, in the context of the commandment not to enter the Sanctuary in a state of intoxication? The answer is that since Nadab and Abihu died for this reason, God wished to ensure that Aaron would suffer no more such losses in the future. He therefore told him this law *directly*, without

INSIGHTS

Ⓐ The Punishment of Nadab and Abihu The Midrash states in the name of R' Shimon that Nadab and Abihu were killed on account of the wine they drank before entering the Tabernacle. Numerous commentators raise the following difficulty: The prohibition for Kohanim to drink wine before entering was not mentioned in the Torah until *after* the deaths of Nadab and Abihu. Without a stated prohibition, they should not have been punished!

The commentators offer various solutions to this difficulty. According to *Ramban* (on v. 9), R' Shimon does not mean that their death was a punishment for violating the prohibition against drinking wine. Rather, they were killed for the sacrilege they committed by bringing אֵשׁ זָרָה, *an alien fire*, before God (as described in v. 1). R' Shimon is saying simply that their error was *caused* by inebriation, which muddled their thinking, and prevented them from recognizing that what they proposed to do was wrong. The Torah subsequently prohibited drinking wine to prevent this from recurring, to ensure that other Kohanim would not, while under the influence of wine, perform an act of sacrilege that would condemn them to death.

Alternatively, the primary reason for the deaths of Nadab and Abihu was the Divine decree imposed upon Aaron after he assisted in the making of the Golden Calf, as the Midrash stated above (10 §4,5). This decree was not fulfilled immediately, for it required the death of only two of Aaron's four sons, and it had not yet been determined which two they would be. Although Nadab and Abihu had not yet been warned against entering the Tabernacle in a state of inebriation, it was still a wrongful act. By performing the act, albeit unwittingly, they rendered themselves vulnerable to the earlier decree; therefore, the punishment for Aaron's involvement in the Golden Calf attached itself to them, and they died (*Peirush HaTur* on verse 2). [See *Tur* for a proof that the deaths were not meted out in *direct* punishment for drinking wine.]

Others insist that they were indeed punished for entering the Tabernacle after drinking wine. Although the prohibition had not yet been issued, they should have understood on their own that it is utterly disrespectful to appear before God, and to perform service in His dwelling place, while in a state of inebriation. Despite the lack of a formal prohibition, Nadab and Abihu were expected to know that the act was wrong; therefore, they were liable to punishment (*Kli Yakar* on v. 1; *Teshuvos Radvaz*, Vol. 2, §615; *Bikkurei Aviv, Shemini* p. 68). *Yefeh To'ar* maintains that the idea that their act was self-evidently wrong is expressed in our Midrash, in the parable of the trusted servant. The servant under discussion had not been expressly warned against entering the tavern. Still, he was punished, for such warning should not have been necessary for a trusted servant of the king. So too with regard to Nadab and Abihu, trusted servants of the King of kings.

Rosh dismisses the difficulty out of hand. In his view, the fact that the prohibition against drinking wine appears after the incident with Nadab and Abihu does *not* indicate that it was taught only after their death. Rather, *Rosh* asserts, all laws of sacrificial offerings, including those found only in later Torah chapters, were taught to Aaron and his sons *before* the seven days of inauguration. Although these teachings appear *later* in the Torah, this does not signify that they were *taught* later, as there is a principle (*Pesachim* 6b) that the Torah is not written in chronological order [אֵין מוּקְדָּם וּמְאוּחָר בַּתּוֹרָה]. It emerges that Nadab and Abihu had previously been warned against entering the Tabernacle after drinking wine. Therefore, when they transgressed this prohibition, they were punished (*Teshuvos HaRosh* 13:21). [Note that *Ramban* has a more restrictive understanding of when we may invoke the rule of אֵין מוּקְדָּם וּמְאוּחָר בַּתּוֹרָה; see his commentary to *Numbers* 16:1 and elsewhere.]

חידושי הרש"ש

דבר אחר וכצפעוני יפריש וכו' דתני רבי שמעון לא מתו בניו וכו'. לקמן בסוף הפרשה הגירסא ר' ישמעאל, וכן הוא ברש"י על התורה פסוק כ"ד:

באור מהרי"פ

[ב] זה הדבור. פירוש של בקרובי אקדש כמה דאת אמר (שמות כט, מג) ונועדתי שמה לבני ישראל ונקדש בכבודי, כמבואר (זבחים קטו, ב) ומובא ברש"י בחומש:

אמרי יושר

התיז את ראשו כו' ואמר לו אל תעמוד בפתח חנות. זהו לאמור לו, טעם מיתת בניו, זהו אתה ובניך אתך, לשתשארו הכל חיים, אל תשת: **[ב] זכה שנתייחד אליו הדיבור.** כי בזה יגוחם וישמח, כדכתיב ויהי דברך לי לששון ולשמחה, פקודי ה' ישרים משמחי לב:

ענף יוסף

(ב) שמא בי או בך הבית הזה מתקדשת. ואף על פי שמתו שנים, יש לומר שהקדוש ברוך הוא אמר לו ונקדש בכבודי, והיה סבור משה שפירושו שאתקדש על ידי מי אדם יחיד לדיק וירא שמים, אבל באמת היה כוונת הקדוש ברוך הוא כמו שדרשו חכמינו ז"ל, אל תיקרי בכבודי אלא במכובדי, וחכמינו ז"ל דרשו זה אחר שראו הם האמת שמתו שנים כנ"ל:

עץ יוסף

בין אהרן ובניו למיתה והוא הדין דהוי מצי למימר שהפריש בבניו בין מיתה לחיים, אלא דניחא ליה למימר הפרשה מוחשת: **ואין אנו יודעים מפני מה מתו.** ואף על גב דכתיב בהקריבם אש זרה, אי אפשר שמפני זה לבד מתו: **ויחד אליו הדבור.** שהשם דבר עמו ממש זה הדבר, ודייק זה מדלא כתיב הכא אל משה ואל אהרן כדאמר בשאר דוכתי, ועיין ביפה תואר: **(ב) פתח נמצאו דבריך כו'.** משום דבעי למימר שאהרן שתק וקיבל שכר על זה שנתייחד אליו הדבור, ועל ידי זה שמח מעצבו, לכן מביא דוגמא לזה מירמיה שאמר שדבר ה' הוא לו לששון, אף שכל נבואותיו היו של פורענות: **בסיני נאמר לי שאני עתיד לקדש את הבית. זה** הדבור אשר דבר ה' לאמר בקרובי אקדש נאמר לו בסיני באומר (שמות כט, מג) ונועדתי שמה לבני ישראל ונקדש בכבודי, וכדאמר בפרק פרת חטאת (זבחים קטו, ב) אל תקרי בכבודי אלא במכובדי כו': **ובאדם גדול אני מקדשו.** שבמותו נודע, שהקדוש ברוך הוא נודע על יראיו, שבשעה שה' עושה דין במקודש מתירא ומתעלה ומתקלס: **גדולים ממני וממך.** שלסבת שהם היותר גדולים, דקדק הקדוש ברוך הוא על חטא קל מאוד שעדיין לא נלטוו עליה, כדי לקדש הבית בהם, [להיות שלא היה מיתתם מיתה פשוטה כי אם דביקות הנפש למעלה, וזהו מיתת נשיקה, ועל ידי הקדושה הזאת נתחנך הבית בקדושה (נבחר מפנינים)]: **שבניו יראי שמים.** כלומר שלא היה מיתתן מיתה פשוטה כי אם על ידי שהיו יראי שמים על כן נתקדש המזבח על ידם: **שתק.** והצדיק את הדין, ולא הרהר לומר שעל חטא קל שעדיין לא נלטוו עליה ימותו, לכך זכה שתחול עליו הנבואה בזמן העצבות, ועל ידי זה שמח מעצבו ורגזו, שדבר ה' לנביא לששון ולשמחה היה, ויובן מעתה טעם פתיחתו במקרא זה:

דָּבָר אַחֵר, "וּכְצִפְעוֹנִי יַפְרִשׁ", מַה צִּפְעוֹן זֶה מַפְרִישׁ בֵּין מִיתָה לְחַיִּים, כָּךְ הִפְרִישׁ הַיַּיִן בֵּין אַהֲרֹן וּבָנָיו לְמִיתָה, דְּתָנֵי רַבִּי שִׁמְעוֹן: לֹא מֵתוּ בָּנָיו שֶׁל אַהֲרֹן אֶלָּא עַל שֶׁנִּכְנְסוּ שְׁתוּיֵי יַיִן לְאֹהֶל מוֹעֵד, רַבִּי פִּנְחָס בְּשֵׁם רַבִּי לֵוִי אָמַר: מָשָׁל לְמֶלֶךְ שֶׁהָיָה לוֹ בֶּן בַּיִת נֶאֱמָן, מְצָאוֹ עוֹמֵד עַל פֶּתַח חֲנֻיּוֹת, וְהִתִּיז אֶת רֹאשׁוֹ בִּשְׁתִיקָה, וּמִינָּה בֶּן בַּיִת אַחֵר תַּחְתָּיו, וְאֵין אָנוּ יוֹדְעִים מִפְּנֵי מָה הָרַג אֶת הָרִאשׁוֹן, אֶלָּא מִמַּה שֶּׁמְּצַוֶּה אֶת הַשֵּׁנִי וְאָמַר: לֹא תִכָּנֵס בְּפֶתַח חֲנֻיּוֹת, אָנוּ יוֹדְעִין שֶׁמִּתּוֹךְ כָּךְ הָרַג הָרִאשׁוֹן, כָּךְ [י, ב] "וַתֵּצֵא אֵשׁ מִלִּפְנֵי ה' וַתֹּאכַל אוֹתָם", וְאֵין אָנוּ יוֹדְעִים מִפְּנֵי מָה מֵתוּ, אֶלָּא מִמַּה שֶּׁמְּצַוֶּה אֶת אַהֲרֹן וְאָמַר לוֹ [י, ט] "יַיִן וְשֵׁכָר אַל תֵּשְׁתְּ", אָנוּ יוֹדְעִין מִתּוֹךְ כָּךְ שֶׁלֹּא מֵתוּ אֶלָּא מִפְּנֵי הַיַּיִן, לְכָךְ חִבְּבוֹ הַכָּתוּב לְאַהֲרֹן וְיִיחֵד אֵלָיו הַדִּבּוּר בִּפְנֵי עַצְמוֹ, שֶׁנֶּאֱמַר "יַיִן וְשֵׁכָר אַל תֵּשְׁתְּ":

ב רַבִּי יִצְחָק פָּתַח: (ירמיה טו, טז) "נִמְצְאוּ דְבָרֶיךָ וָאֹכְלֵם וַיְהִי דְבָרְךָ לִי לְשָׂשׂוֹן וּלְשִׂמְחַת לְבָבִי כִּי נִקְרָא שִׁמְךָ עָלַי ה' אֱלֹהֵי צְבָאוֹת" אָמַר רַבִּי שְׁמוּאֵל בַּר נַחְמָן: זֶה הַדִּבּוּר נֶאֱמַר לְמֹשֶׁה בְּסִינַי, וְלֹא נוֹדַע לוֹ עַד שֶׁבָּא מַעֲשֶׂה לְיָדוֹ, אָמַר מֹשֶׁה לְאַהֲרֹן: אָחִי, בְּסִינַי נֶאֱמַר לִי שֶׁאֲנִי עָתִיד לְקַדֵּשׁ אֶת הַבַּיִת הַזֶּה וּבְאָדָם גָּדוֹל אֲנִי מְקַדְּשׁוֹ, וְהָיִיתִי סָבוּר שֶׁמָּא אוֹ בִּי אוֹ בְּךָ הַבַּיִת הַזֶּה מִתְקַדֵּשׁ, וְעַכְשָׁיו שְׁנֵי בָנֶיךָ גְּדוֹלִים מִמֶּנִּי וּמִמְּךָ, כֵּיוָן שֶׁשָּׁמַע אַהֲרֹן שֶׁבָּנָיו יִרְאֵי שָׁמַיִם הֵן שָׁתַק, וְקִבֵּל שָׂכָר עַל שְׁתִיקָתוֹ, וּמִנַּיִן שֶׁשָּׁתַק, שֶׁנֶּאֱמַר [י, ג] "וַיִּדֹּם אַהֲרֹן", וּמִנַּיִן שֶׁקִּיבֵּל שָׂכָר עַל שְׁתִיקָתוֹ, שֶׁזָּכָה וְנִתְיַיחֵד אֵלָיו הַדִּיבּוּר, שֶׁנֶּאֱמַר [י, ח] "וַיְדַבֵּר ה' אֶל אַהֲרֹן":

פירוש מהרז"ו

בין אהרן ולבניו למיתה. ובשביל מאמר זה הובא כל הדרשה לכאן: **ומינה בן בית אחר תחתיו.** ובנמשל על אלעזר ואיתמר וכמו שכתוב (במדבר ג, ד) וימת נדב ואביהוא וגו' ויכהן אלעזר ואיתמר: **דתני רבי שמעון.** לקמן סוף הפרשה (סימן ה) גירסת רבי ישמעאל, עיין לקמן פרשה כ סימן י: **לאמר לבנים.** תורת כהנים כאן, ובקהלת רבה סוף פסוק טובים השנים ל"ה: **לכך חבבו.** על ששתק קבל שכר על שתיקתו, כמו שכתב לקמן (סימן ב), ויחוד הדבור היינו מה שכתוב (ויקרא י, ח) וידבר ה' אל אהרן לאמר, ועם כל זה הפירוש שאמר למשה שיאמר לאהרן, כמו שאמרו בריש מכילתא, שאהרן ממועט מכל הדברות שבתורה, חוץ משלשה מקומות, עיין שם וכן כאן, אלא שכתוב לאהרן לחבבו ולכבדו: **(ב) נמצאו דבריך.** ירמיה אמר כן אף על פי שהיה לו לער גדול מהדבור על שלא רצו ישראל לקבלו, עם כל זה ויהי דברך לי לששון ולשמחת לבבי כי נקרא שמך עלי ודברת עמי, וכן יפורש על אהרן כפי דרכו, אף על פי שמתו בני ולבי עלב, שמחתי בדבור שיחדת לי: **זה הדבור.** מה שכתוב הוא אשר דבר ה' בקרובי אקדש. עיין תורת כהנים סדר שמיני זבחים קט"ו (ע"ב) ושם בפלוגתא אם מפסוק וגם הכהנים הנגשים אל ה' יתקדשו פן יפרוץ בהם ה', הם נדב ואביהוא, וכמו שכתב במכילתא פסוק זה, הכהנים הנגשים הם נדב ואביהוא, לכוונה הנ"ל, וזהו כוונת המדרש במה שהביא פסוק נמצאו דבריך, היינו הדברים שדבר בסיני, שעתה נודע להם כוונתם וזהו המציאה, ומה שכתב ואוכלם, פירוש שקבלם באהבה, ועל ידי זה זכיתי שנקרא שמך עלי כנ"ל:

אם למקרא

נִמְצְאוּ דְבָרֶיךָ וָאֹכְלֵם וַיְהִי דְבָרְךָ לִי לְשָׂשׂוֹן וּלְשִׂמְחַת לְבָבִי כִּי נִקְרָא שִׁמְךָ עָלַי ה' אֱלֹהֵי צְבָאוֹת: (ירמיה טו:טז)

ידי משה

והתיז ראשו בשתיקה. פירוש לא שהרג אותו בשתיקה, רק בפרסמות הרג אותו, רק שלא ליוה אותו שלא לעמוד בחנות אלא לבנו שחזיב לו ליוה לו שלא ילך לחנות, וכן לבני אהרן לא ליוה שלא ישתו, ואהרן שחזיב להקב"ה ליוה. וקל להבין: **[ב] והייתי סבר שמא או בי או בך הבית זה מתקדש וכו' ביון ששמע אהרן שבניו יראי שמים הן שתק.** נראה לי כן המחבר (ר' אברהם מגלגנת בעל ליקוטים) דהכי פירושו, דאיתא בתלמיד האיך יעלה זאת על דעת אדם שיתקדש הבית על ידי מיתות שם אדם, ומשני דהכי פירושו על דרך שאמרו שמיכאל מקריב נשמותיהן של לדיקים על מזבח של מעלה, ואם כן בנשמותיהן נתחנך המזבח של מעלה, ואם כן הכי קאמר כיון ששמע אהרן שהם יראי שמים, פירוש הואיל ובנשמותיהן נתחנך המזבח שלמעלה, עם כן הם לדיקים גמורים, ואף על פי כן נשרפו, ושתק אהרן וקיבל שכר וכו': **ומניין ששתק.** פירוש מה היה לו לומר, ומשני שזכה ונתייחד, וגם כן על כרחך מכח שקיבל שכר על שתיקתו, על כן היה לו קלת להתרעם אלא לדיקים גמורים הם, ולא דיבר כלום. ודוק:

מתנות כהונה

נראה דהכי גרסינן עומד על פתח חנויות. וכן בסמוך לא תכנוס בפתח חניות: **לכך חבבו כו'.** מפני ששני בניו מתו על ידי זה: **[ב] שאני עתיד כו'.** הלשון הזה נאמר מפי הקב"ה:

נחמד למראה

[ב] והייתי סבור שמא או בי או בך. קשה דתיבת או הראשונה היא מיותרת. שמעתי דבר חריף בזה. כבר ידוע דבמקום אחד כתיב (שמות ו, כז) הוא משה ואהרן, ובמקום אחר כתיב (שם ו, כו) הוא אהרן ומשה, ללמדך ששקולים הם, האיש משה עניו מאד, הקדים לאהרן אחיו במה שאמר או בי, דמשמעו בכח או בך או בי, או בך גם כן משמעו או בי או בך, הרי שהשוה לאהרן למעלתו ולא עוד אלא שהקדימו במה שאמר או בי כדאמרן. ודוק:

אשר הנחלים

בשתיקה. כלומר שלא פירסם את חטאו, רק הרגו בפתע פתאום. ועיין בידי משה, ואין צורך לזה: **לכך חבבו כו' ויחד כו'.** כי זה לאות על חביבותו וקדושתו שהוא נבדל מכל העם בקדושה, שלכן צריך לשמור עצמו בקדושה יתירה מכל העם, ולכן כתיב אל תשת כי לך ולבניך, הצווי לשמור זה מאוד: **[ב] לקדש כו' גדולים ממני כו'.** כי הכתוב מדבר בנביא, אשר מרוב תשוקתו להשגת הנבואה לא יצר לו, אף כי יסבול עבור זה צרות רבות ורעות משונות מאוד, כי הדביקות גובר על הכל, וכמו כן בבני אהרן שמיתתם היה בדביקות ובקדושה, שעל ידם נתחנך הבית. והענין פירש הידי משה לפי מאמרם (מנחות קי, א, ובתוספות שם) שמיכאל מקריב נשמותיהן של צדיקים על מזבח של מעלה, וזה היה החינוך במזבח שלמטה. ועל דרך הציור גם כן, להיות שלא היה מיתתם מיתה פשוטה, כי אם דביקות הנפש למעלה, וזהו מיתת נשיקה, ועל ידי הקדושה הזאת נתחנך הבית בקדושה, ולכן היה סבר משה שעל ידו יהיה זה. ומה שאמר גדולים ממני, אין הכוונה שהיו גדולים ממנו בכל העניינים, כי אם יתכן שבאדם קטן ממנו יתכן שיתייחד בו מעלה אחת שהיא גדולה ממנו: **שבניו יראי שמים שתק.** כלומר שלא היה מיתתן מיתה פשוטה, כי אם על ידי שהיו יראי שמים, על כן נתקדש המזבח על ידם: **ומנין ששתק.** פירוש אולי שתק מרוב צער ומכאוב, לזה אמר שנאמר מלת וידום, שזה מורה השתיקה מפני ההכרה האמיתית, על דרך דום לה' (תהלים לז, ז):

"יַיִן וְשֵׁכָר אַל תֵּשְׁתְּ" — *HASHEM spoke to Aaron, saying,* ***"Do not drink intoxicating wine, etc."***[66]

§2 The Midrash will now state that the reason God spoke to Aaron alone was to reward him for his silence[67] and to replace his sorrow with gladness and joy. To illustrate the gladdening effect of prophecy, the Midrash prefaces its discourse with the words of Jeremiah, who celebrates the joy of receiving God's word even though his own prophecies were replete with forebodings of punishments for Israel:[68]

רַבִּי יִצְחָק פָּתַח — **R' Yitzchak opened** his discourse on our passage with a verse from *Jeremiah*: "נִמְצְאוּ דְבָרֶיךָ וָאֹכְלֵם וַיְהִי דְבָרְךָ לִי לְשָׂשׂוֹן וּלְשִׂמְחַת לְבָבִי כִּי נִקְרָא שִׁמְךָ עָלַי ה' אֱלֹהֵי צְבָאוֹת" — ***As soon as Your words come [to me] I devour them; for me Your word was the joy and gladness of my heart, for Your Name was proclaimed upon me, O HASHEM, God of Legions*** (*Jeremiah* 15:16). אָמַר רַבִּי שְׁמוּאֵל בַּר נַחְמָן — **R' Shmuel bar Nachman said:** זֶה הַדִּבּוּר נֶאֱמַר לְמֹשֶׁה בְּסִינַי — **This utterance**[69] was previously **addressed to Moses at Sinai,**[70] וְלֹא נוֹדַע לוֹ עַד שֶׁבָּא מַעֲשֶׂה לְיָדוֹ — **but** its import **was unknown to him until the incident** of the deaths of Nadab and Abihu **occurred.**[71] אָמַר מֹשֶׁה לְאַהֲרֹן — For **Moses told Aaron,** אָחִי, בְּסִינַי נֶאֱמַר לִי שֶׁאֲנִי עָתִיד לְקַדֵּשׁ אֶת הַבַּיִת הַזֶּה וּבְאָדָם גָּדוֹל אֲנִי מְקַדְּשׁוֹ — **"My brother, at Sinai it was said to me that 'I** (God) **will someday sanctify this House, and through a great man I will sanctify it,'**[72] וְהָיִיתִי סָבוּר שֶׁמָּא אוֹ בִי אוֹ בְךָ הַבַּיִת הַזֶּה מִתְקַדֵּשׁ — **and I thought** that **perhaps either through me or through you this House would be sanctified.** וְעַכְשָׁיו שְׁנֵי בָנֶיךָ גְּדוֹלִים מִמֶּנִּי וּמִמְּךָ — **And now** I see that **your two sons are greater than I or you."**[73]

NOTES

relying on an intermediary (Moses), thus demonstrating His love for Aaron (*Yefeh To'ar*, first interpretation; see also *Matnos Kehunah* and *Eitz Yosef*).

Alternatively: The Midrash is saying that *since Aaron remained silent* when Nadab and Abihu died, even though he was very distressed and had potential grounds to protest God's actions (see below, note 73), he was *rewarded* with this commandment being addressed specifically to him. See §2-3 below (*Yefeh To'ar*, second interpretation; see also *Maharzu*). In the beginning of §2 *Yefeh To'ar* writes that according to this approach, there is no specific relevance to the wine commandment; God could have equally well addressed any other Kohen-related commandment to Aaron. Furthermore, this approach assumes that Nadab and Abihu's transgression was *not* related to wine; it is for this reason that the Midrash needs to seek an explanation for why God addressed the wine commandment to Aaron at this time.

66. The Midrash's proof that the commandment was addressed to Aaron himself (i.e., *directly* — according to the first interpretation in the preceding note; or *alone, exclusively* — according to the second interpretation in the preceding note) is from the fact that the verse states *HASHEM spoke to Aaron* rather than stating "Hashem spoke to Moses and Aaron," as it does in other places [where it means that God spoke to Moses to relay to Aaron — see *Bamidbar Rabbah* cited above] (*Eitz Yosef*; see *Yefeh To'ar* at length; see, however, *Maharzu*).

For another approach to our Midrash, see *Eshed HaNechalim*.

67. According to some commentators, this same point was made already at the end of §1. See note 65.

68. *Eitz Yosef.* For different approaches, see Insight to note 78 below.

69. Namely, the Divine utterance that Moses reported to Aaron immediately after Nadab and Abihu died (above, v. 3), *Of this did HASHEM speak, saying, "I will be sanctified through those who are nearest Me"* (ibid.).

70. I.e., earlier, when God was instructing Moses regarding the construction of the Tabernacle, He said (*Exodus* 29:43), *And I shall set My meeting there with the Children of Israel, and it* (the Tabernacle) *shall be sanctified through My honor* [בִּכְבֹדִי]. And the Gemara (*Zevachim* 115b) teaches: "Do not read בִּכְבֹדִי (*through My honor*), but בִּמְכוּבָּדַי (*through My honored ones*)" (ibid.). We see that previously, at Sinai, God had said that He would be sanctified through people who were especially near to Him. But at the time Moses did not realize to whom God was referring (see further).

71. Until then, Moses assumed that God would sanctify the Tabernacle through either himself or Aaron, as the Midrash proceeds to relate.

72. That is, through the death of a great man. When God executes judgment against a spiritual giant, He is feared and exalted and praised (*Eitz Yosef*, from *Zevachim* ibid.). By doing so at the time of the Tabernacle's inauguration, God's House is sanctified, for the common folk — seeing how exacting He is even with the righteous — will regard it with the proper reverence and respect (*R' Shlomo Alkabetz*, cited by *Yefeh To'ar*). [For further discussion of the concept of the Temple being sanctified through a person's death, see *Yedei Moshe* (based on *Menachos* 110a with *Tosafos* s.v. ומיכאל), and see *Yefeh Toar* at length.]

73. [While Moses was clearly greater than Nadab and Abihu, he was observing that in at least one respect they were superior to him (*Eshed HaNechalim*).] It was because of their greatness that God was so exacting with them, punishing them for a transgression that: (a) was relatively minor, and (b) had not yet even been commanded, for the purpose of sanctifying God's House through them (*Eitz Yosef;* see, however, Insight to note 63 above). Indeed, it is a fundamental idea in Jewish thought that הַקָּבָּ"ה מְדַקְדֵּק עִם הַצַּדִּיקִים כְּחוּט הַשַּׂעֲרָה, the Holy One, blessed is He, is exacting with the righteous even to the extent of a hairsbreadth. See Insight Ⓐ

INSIGHTS

Ⓐ **The Dangers of Unbridled Love** *R' Shimon Schwab* (*Maayan Beis HaSho'evah*, on v. 4) addresses the remarkable assertion that Nadab and Abihu were greater than Moses and Aaron. In what way could they have been greater? It must be a reference to the unbridled, unlimited love of God that they possessed and sought to express, which was in a sense more powerful than that of Moses and Aaron, whose expressions of love of God were perforce limited by the restrictions placed by the law of God, which they dared not violate. Indeed, *Toras Kohanim* (*Mechilta D'Miluim* on v. 1, §32) comments on the fateful misstep of Nadab and Abihu: *they, too, in their joy, arose to add love to love ...*

There is a powerful lesson here: that even the purest love of God can cause one who is not careful to transgress the Divine will.

Commensurate with the love that man has for God, and his deep desire to go above and beyond the letter of the law, is the requirement to seek the guidance of his teachers, who can tell him whether what he proposes to do is indeed in accordance with God's will. That Nadab and Abihu failed to do. Our Sages tell us (*Toras Kohanim* ibid.) that Nadab and Abihu are referred to in v. 1 as *the sons of Aaron* to indicate that they did not in this instance honor him by asking his advice (see commentary of *Raavad* there). Neither did they take guidance from Moses on this occasion, but rather took אִישׁ מַחְתָּתוֹ, *each man his own firepan.* They went their own way. Fearless in doing what they felt was right, unwilling on this occasion to consult with those greater than they, they strove to express their love of God as they saw fit, with disastrous results.

This idea sheds light on a prayer that we utter every morning: וְכוֹף אֶת יִצְרֵנוּ לְהִשְׁתַּעְבֶּד לָךְ, *and compel our inclination to be subservient to You.* Can this refer to the *evil* inclination? Why, we have already said in the preceding portion of this prayer, וְאַל תַּשְׁלֶט בָּנוּ יֵצֶר הָרָע ... וְדַבְּקֵנוּ בְּיֵצֶר הַטּוֹב, *Let not the evil inclination dominate us ... and attach us to the good inclination.* We have already prayed that the evil inclination shall have no hold over us. What point would there be in praying further that our *evil* inclination shall be subservient to God? It must be, then, that the second prayer is in reference to the *good* inclination. It, too, must be subservient to God. The word יֵצֶר means the creative impulse that is innate to the human being. This is man's drive that propels him forward, allowing him no rest. The *yetzer* drives him forward in mundane matters — *A lover of money will never be satisfied with money* (*Ecclesiastes* 5:9) — and in spiritual matters, regarding which our Sages tell us (*Makkos* 10a): *One who loves mitzvos will not be satisfied with the mitzvos he does.* The good inclination, too, needs to be subjugated so that the great love that man has for God not cause him, in a moment of misguided ardor, to transgress His will.

Love of God without the restraints of fear of God can cause terrible destruction. It is like a mother who loves her child so much that she hugs him to death. A mother's love, when not coupled with the awareness that it must be tempered and tamed, can be an instrument for destruction.

Love of God in the context of the Torah of God — that is the will of God.

דָּבָר אַחֵר, "וּבִצְפּוּנַי יַפְרִשׁ", מַה צִּפְעוֹן זֶה מַפְרִישׁ בֵּין מִיתָה לַחַיִּים, כָּךְ הִפְרִישׁ הַיַּיִן בֵּין אַהֲרֹן וּבָנָיו לְמִיתָה, דְּתָנֵי רַבִּי שִׁמְעוֹן: לֹא מֵתוּ בָּנָיו שֶׁל אַהֲרֹן אֶלָּא עַל שֶׁנִּכְנְסוּ שְׁתוּיֵי יַיִן לְאֹהֶל מוֹעֵד, רַבִּי פִּנְחָס בְּשֵׁם רַבִּי לֵוִי אָמַר: מָשָׁל לְמֶלֶךְ שֶׁהָיָה לוֹ בֶּן בַּיִת נֶאֱמָן, מְצָאוֹ עוֹמֵד עַל פֶּתַח חֲנֻיּוֹת, וְהִתִּיז אֶת רֹאשׁוֹ בִּשְׁתִיקָה, וּמִינָּה בֶּן בַּיִת אַחֵר תַּחְתָּיו, וְאֵין אָנוּ יוֹדְעִים מִפְּנֵי מָה הָרַג אֶת הָרִאשׁוֹן, אֶלָּא מִמָּה שֶׁמְּצַוֶּה אֶת הַשֵּׁנִי וְאָמַר: לֹא תִּכָּנֵס בְּפֶתַח חֲנֻיּוֹת, אָנוּ יוֹדְעִין שֶׁמִּתּוֹךְ כָּךְ הָרַג הָרִאשׁוֹן, כָּךְ [י, ב] "וַתֵּצֵא אֵשׁ מִלִּפְנֵי ה' וַתֹּאכַל אוֹתָם", וְאֵין אָנוּ יוֹדְעִים מִפְּנֵי מָה מֵתוּ, אֶלָּא מִמָּה שֶׁמְּצַוֶּה אֶת אַהֲרֹן וְאָמַר לוֹ [י, ט] "יַיִן וְשֵׁכָר אַל תֵּשְׁתְּ", אָנוּ יוֹדְעִין מִתּוֹךְ כָּךְ שֶׁלֹּא מֵתוּ אֶלָּא מִפְּנֵי הַיַּיִן, לְכָךְ חִבְּבוֹ הַכָּתוּב לְאַהֲרֹן וְיִיחֵד אֵלָיו הַדִּבּוּר בִּפְנֵי עַצְמוֹ, שֶׁנֶּאֱמַר "יַיִן וְשֵׁכָר אַל תֵּשְׁתְּ":

ב רַבִּי יִצְחָק פָּתַח: (ירמיה טו, טז) "נִמְצְאוּ דְבָרֶיךָ וָאֹכְלֵם וַיְהִי דְבָרְךָ לִי לְשָׂשׂוֹן וּלְשִׂמְחַת לְבָבִי כִּי נִקְרָא שִׁמְךָ עָלַי ה' אֱלֹהֵי צְבָאוֹת" אָמַר רַבִּי שְׁמוּאֵל בַּר נַחְמָן: זֶה הַדִּבּוּר נֶאֱמַר לְמֹשֶׁה בְּסִינַי, וְלֹא נוֹדַע לוֹ עַד שֶׁבָּא מַעֲשֶׂה לְיָדוֹ, אָמַר מֹשֶׁה לְאַהֲרֹן: אָחִי, בְּסִינַי נֶאֱמַר לִי שֶׁאֲנִי עָתִיד לְקַדֵּשׁ אֶת הַבַּיִת הַזֶּה וּבְאָדָם גָּדוֹל אֲנִי מְקַדְּשׁוֹ, וְהָיִיתִי סָבוּר שֶׁמָּא אוֹ בִּי אוֹ בְּךָ הַבַּיִת הַזֶּה מִתְקַדֵּשׁ, וְעַכְשָׁיו שְׁנֵי בָנֶיךָ גְּדוֹלִים מִמֶּנִּי וּמִמְּךָ, כֵּיוָן שֶׁשָּׁמַע אַהֲרֹן שֶׁבָּנָיו יִרְאֵי שָׁמַיִם הֵן שָׁתַק, וְקִבֵּל שָׂכָר עַל שְׁתִיקָתוֹ, וּמִנַּיִן שֶׁשָּׁתַק, שֶׁנֶּאֱמַר [י, ג] "וַיִּדֹּם אַהֲרֹן", וּמִנַּיִן שֶׁקִּיבֵּל שָׂכָר עַל שְׁתִיקָתוֹ, שֶׁזָּכָה וְנִתְיַיחֵד אֵלָיו הַדִּיבּוּר, שֶׁנֶּאֱמַר [י, ח] "וַיְדַבֵּר ה' אֶל אַהֲרֹן":

בין אהרן ובניו למיתה והוא הדין דהוי מצי למימר שהפריש בבניו בין מיתה לחיים, אלא דניחא ליה למימר הפרשה מוחשת: **ואין אנו יודעים מפני מה מתו.** ואף על גב דכתיב בהקריבם אש זרה, אי אפשר שמפני זה לבד מתו: **וייחד אליו הדבור.** שהפסוק דבר עמו ממש זה הדבר, ודייק זה מדלא כתיב הכא אל משה ואל אהרן כדאמר בשאר דוכתי, ועיין ביפה תואר: **(ב) פתח נמצאו דבריך כו'.** משום דבעי למימר שאהרן שתק וקיבל שכר על זה שנתייחד אליו הדבור, ועל ידי זה שמח מעלבו, לכן מביא דוגמא לזה מירמיה שאמר שדבר ה' הוא לו לששון, אף שכל נבואותיו היו של פורענות: **בסיני נאמר לי שאני עתיד לקדש את הבית. זה** הדבור אשר דבר ה' לאמר בקרובי אקדש נאמר לו בסיני באומר (שמות כט, מג) ונועדתי שמה לבני ישראל ונקדש בכבודי, וכדאמר בפרק פרת חטאת (זבחים קטו, ב) אל תקרי בכבודי אלא במכובדי כו': **ובאדם גדול אני מקדשו.** שבמותו נודע, שהקדוש ברוך הוא נודע על יריאיו, שבשעה שה' עושה דין במקודש מתירא ומתעלה ומתקלס: **גדולים ממני וממך.** שלשבת שהם היותר גדולים, דקדק הקדוש ברוך הוא על חטא קל מאוד שעדיין לא נלכוו עליה, כדי לקדש הבית בהם, [ולהיות שלא היה מיתתם מיתה פשוטה כי אם דביקות הנפש למעלה, וזהו מיתת נשיקה, ועל ידי הקדושה הזאת נתחנך הבית בקדושה (נכתר מפניניים)]: **שבניו יראי שמים.** כלומר שלא היה מיתתן מיתה פשוטה כי אם על ידי שהיו יראי שמים על כן נתקדש המזבח על ידם: **שתק.** והצדיק את הדין, ולא הרהר לומר שעל חטא קל שעדיין לא נלכוו עליה ימותו, לכך זכה שתחול עליו הנבואה בזמן העלבות, ועל ידי זה ישמח מעלבו ורגזו, שדבר ה' לנביא לששון ולשמחה היה, ויובן מעתה טעם פתיחתו במקרא זה:

בין אהרן ולבניו למיתה. ובשביל מאמר זה הובא כל הדרשה לכאן: **ומינה בן בית אחר תחתיו.** וכנמשל על אלעזר ואיתמר וכמו שכתוב (במדבר ג, ד) וימת נדב ואביהוא וגו' ויכהן אלעזר ואיתמר: **דתני רבי שמעון.** לקמן סוף הפרשה (סימן ה) גירסא רבי ישמעאל, עיין לקמן פרשה כ סימן י: **לאמר לבנים.** תורת כהנים כאן, ובקהלת רבה סוף פסוק טובים השנים ל"ה: **לכך חבבו.** על ששתק קבל שכר על שתיקתו, כמו שכתב לקמן (סימן ב), ויחוד הדבור היינו מה שכתוב (ויקרא י, ח) וידבר ה' אל אהרן לאמר, וטעם כל זה הפירוש שאמר למשה שיאמר לאהרן, כמו שאמרו בריש מכילתא, שאהרן ממועט מכל הדברות שבתורה, חוץ משלשה מקומות, עיין שם וכן כאן, אלא שכתוב לאהרן לחבבו ולכבדו: **(ב) נמצאו דבריך.** ירמיה אמר כן אף על פי שהיה לו לצער גדול מהדבור על שלא רצו ישראל לקבלו, עם כל זה ויהי דברך לי לששון ולשמחת לבבי כי נקרא שמך עלי ודברת עמי, וכן יפורש על אהרן כפי דרכו, אף על פי שמתו בני ולבי עלב, שמחתי בדבור שיחדת לי: **זה הדבור.** מה שכתוב הוא אשר דבר ה' בקרובי אקדש. עיין תורת כהנים סדר שמיני זבחים קט"ו (ע"ב) ושם בפלוגתא אם מפסוק וגם הכהנים הנגשים אל ה' יתקדשו פן יפרוץ בהם ה', הם נדב ואביהוא, וכמו שכתב במכילתא פסוק זה, הכהנים הנגשים הם נדב ואביהוא, לכוונה הכ"ל, וזהו כוונת המדרש במה שהביא פסוק נמצאו דבריך, היינו הדברים שדבר בסיני, שעתה נודע להם כוונתם וזהו המציאה, ומה שכתב ואוכלם, פירוש שקבלם באהבה, ועל ידי זה זכיתי שנקרא שמך עלי כנ"ל:

דבר אחר ובצפעוני יפריש וכו' דתני רבי שמעון לא מתו בניו וכו'. לקמן בסוף הפרשה הגירסא ר' ישמעאל, וכן הוא ברש"י על התורה פסוק כ"ד:

באור מהרי"פ

[ב] זה הדבור. פירוש של בקרובי אקדש כמה דאת אמר (שמות כט, מג) ונועדתי שמה לבני ישראל ונקדש בכבודי, כמבואר (זבחים קטו, ב) ומובא ברש"י בחומש:

אמרי יושר

התיז את ראשו כו' ואמר לו אל תעמוד בפתח חנות. זהו לאמור לו, טעם מיתת בניו, זהו אתה ובניך אתך, לשתשמרו הכל חיים, אל תשת: [ב] זכה שנתייחד אליו הדיבור. כי בזה יועס וישמח, כדכתיב ולשמחה, פקודי ה' ישרים משמחי לב:

ענף יוסף

(ב) שמא בי או בך הבית הזה מתקדשת. על פי שמתו שנים, יש לומר שהקדוש ברוך הוא אמר לו ונקדש בכבודי, והיה סבור משה שפירושו שתתקדש על ידי מי אדם יחיד צדיק וירא שמים, אבל באמת היה כוונת הקדוש ברוך הוא כמו שדרשו חכמינו ז"ל, אל תיקרי בכבודי אלא במכובדי, וחכמינו ז"ל דרשו זה אחר שראו הם אמת שמתו שנים כנ"ל:

אם למקרא

נִמְצְאוּ דְבָרֶיךָ וָאֹכְלֵם וַיְהִי דְבָרְךָ לִי לְשָׂשׂוֹן וּלְשִׂמְחַת לְבָבִי כִּי נִקְרָא שִׁמְךָ עָלַי ה' אֱלֹהֵי צְבָאוֹת: (ירמיה טו:טז)

ידי משה

והתיז ראשו בשתיקה. פירוש לא שהרג אותו בשתיקה, רק בפרסיא הרג אותו, רק שלא ציוה אותו שלא לעמוד בחנות אלא לבנו שהביא לו ציוה לו שלא ילך לחנות, וכן לבני אהרן לא ציוה שלא ישתו, ואהרן שחביב להקב"ה ציוה. וקל להבין: [ב] והייתי סבר שמא או בי או בך הבית זה מתקדש וכו' כיון ששמע אהרן שבניו יראי שמים הן שתק. נראה לי בן המחבר (ר' אברהם מגלוגא בעל ליקוטים) דהכי פירושו, דאיתא באלשיך האיך יעלה זאת על דעת אדם שיתקדש הבית על ידי שימות שם אדם, ומשני דהכי פירושו על דרך שאמרו שמיכאל מקריב נשמותיהן של צדיקים על מזבח של מעלה, ואם כן בנשמותהן נתחנך המזבח של מעלה, ואם כן הכי קאמר כיון ששמע אהרן שהם יראי שמים, פירוש הואיל ובנשמותהן נתחנך המזבח שלמעלה, עם כל הם לצדיקים גמורים, ואף על פי כן נשרפו, ושתק אהרן וקיבל שכר וכו': ומניין ששתק. פירוש מה היה לו לומר, ומשני שזכה ונתייחד, ועם כן על כרחך מכח שקיבל שכר על שתיקתו, על כן היה לו קלה להתרעם אלא לצדיקים גמורים הם, ולא דיבר כלום. ודוק:

מתנות כהונה

נראה דהכי גרסינן עומד על פתח חנויות. וכן בסמוך לא תכנוס בפתח חנויות: **לכך חבבו כו'.** מפני ששני בניו מתו על ידי זה: **[ב] שאני עתיד כו'.** הלשון הזה נאמר מפי הקב"ה:

נחמד למראה

[ב] והייתי סבור שמא או בי או בך. קשה דקיבת או הראשונה היא מיותרת. שמעתי דבר חריף בזה. כבר ידוע דבמקום אחד כתיב (שמות ו, כו) הוא משה ואהרן, ובמקום אחר כתיב (שם ו, כז) הוא אהרן ומשה, ללמדך ששקולים הם, האיש משה ענו מאד, הקדים לאהרן אחיו במה שאמר או בי, דמשתמע בכה או בך או בי, או בך גם כן משתמע או בי או בך, הרי שהשוה לאהרן למעלתו ולא עוד אלא שהקדימו במה שאמר או בי כדאמרן. ודוק:

אשד הנחלים

בשתיקה. כלומר שלא פירסם את חטאו, רק הרגו בפתע פתאום. ועיין בידי משה, ואין צורך לזה: **לכך חבבו כו' ויחד כו'.** כי זה לאות על חביבותו וקדושתו שהוא נבדל מכל העם בקדושה, שלכן צריך לשמור עצמו בקדושה יתירה מכל העם, ולכן כתיב אל תשת כי לך ולבניך, הצווי לשמור זה מאוד: **[ב] לקדש כו' גדולים ממני כו'.** כי הכתוב מדבר בנביא, אשר מרוב תשוקתו להשגת הנבואה לא יצר לו, אף כי יסבול עבור זה צרות רבות ורעות משונות מאוד, כי הדביקות גובר על הכל, וכמו כן בבני אהרן שמיתתם היה בדביקות ובקדושה, שעל ידם נתחנך הבית. והענין פירש הידי משה לפי מאמרם (מנחות קי, א, ובתוספות שם) שמיכאל מקריב נשמותיהן של צדיקים על מזבח של מעלה, וזה היה החינוך במזבח שלמטה. ועל דרך הציור גם כן, להיות שלא היה מיתתם מיתה פשוטה, כי אם דביקות הנפש למעלה, וזהו מיתת נשיקה, ועל ידי הקדושה הזאת נתחנך הבית בקדושה, ולכן היה סבר משה שעל ידו יהיה זה. ומה שאמר גדולים ממני, אין הכוונה שהיו גדולים ממנו בכל העניינים, כי אם יתכן שבאדם קטן ממנו יתכן שיתייחד בו מעלה אחת שהיא גדולה ממנו: **שבניו יראי שמים שתק.** כלומר שלא היה מיתתן מיתה פשוטה, כי אם על ידי שהיו יראי שמים, על כן נתקדש המזבח על ידם: **ומנין ששתק.** פירוש אולי שתק מרוב צער ומכאוב, לזה אמר שנאמר מלת וידום, שזה מורה השתיקה מפני ההכרה האמיתית, על דרך דום לה' (תהלים לז, ז):

כֵּיוָן שֶׁשָּׁמַע אַהֲרֹן שֶׁבָּנָיו יִרְאֵי שָׁמַיִם הֵן שָׁתַק — **When Aaron heard that his sons were** considered **God-fearing**[74] **he kept silent,**[75] וְקִבֵּל שָׂכָר עַל שְׁתִיקָתוֹ — **and he received a reward for his silence.** וּמִנַּיִן שֶׁשָּׁתַק — **From where** do we know **that he kept silent?** שֶׁנֶּאֱמַר "וַיִּדֹּם אַהֲרֹן" — **For it is stated,** ***And Aaron was silent*** (above, v. 3).[76] וּמִנַּיִן שֶׁקִּיבֵּל שָׂכָר עַל שְׁתִיקָתוֹ — **And from** where do we know **that he received a reward for his silence?** שֶׁזָּכָה וְנִתְיַיחֵד אֵלָיו הַדִּיבּוּר — From the fact **that he merited** that the Divine **utterance was directed to him,**[77] שֶׁנֶּאֱמַר "וַיְדַבֵּר ה' אֶל אַהֲרֹן" — **as it is stated,** ***HASHEM spoke to Aaron*** (v. 8).[78]

NOTES

74. I.e., when he heard that theirs were not common deaths, but that because they were God-fearing their deaths became the vehicle for sanctifying the Tabernacle (ibid.; for an alternative explanation, see *Yedei Moshe*).

75. And he acknowledged the righteousness of the judgment rendered upon them, refusing to complain about it despite the fact that he had potential grounds to do so (ibid.).

76. The question and answer here seem too simple. *Eshed HaNechalim* offers a more complex interpretation of the sense of the Midrash: The Midrash is asking: How do we know that Aaron's silence was a meritorious act? Perhaps he was silent only because he was overcome with grief and pain? The Midrash answers that the word וַיִּדֹּם in the phrase וַיִּדֹּם אַהֲרֹן, *and Aaron was silent*, connotes a silence that results from the recognition of Truth [and the concomitant acceptance of God's actions], as elsewhere in Scripture (*Psalms* 37:8). For a different interpretation, see *Yedei Moshe.*

77. I.e., at his time of sorrow and agitation, in order to gladden him — as per the prefatory *Jeremiah* verse (*Imrei Yosher, Eitz Yosef*).

78. See Insight Ⓐ.

INSIGHTS

Ⓐ **Aaron and Jeremiah** The point of this section of Midrash is that Aaron was rewarded for his silence upon the death of his sons by having God address Himself to him directly. However, the Midrash itself does not explain how this is connected to the *Jeremiah* verse with which it began. We have explained the connection to be that Jeremiah speaks of his joy in having God speak to him; the Midrash, in parallel fashion, says that God rewarded Aaron by speaking to *him* so that *he* would be joyful, his sadness over the death of his sons assuaged. However, other commentators explain the connection differently:

(i) In the *Jeremiah* verse, Jeremiah tells us how he rejoiced in being God's prophet, even though it came along with much sadness — for the Israelites did not want to accept his prophecies about the upcoming destruction of Jerusalem [and in fact they tried to harm him in many ways]. The Midrash is saying that similarly, Aaron rejoiced to hear the word of God even though [it came at a time of sadness, viz., when] he was sad about the death of his sons (*Maharzu*, beginning of section).

(ii) Jeremiah was willing to suffer great hardship and terrible tribulations [at the hand of the Israelites] for the sake of having the incomparable privilege of hearing the word of God, for being close to God makes all suffering worthwhile. So, too, Nadab and Abihu were prepared to give up their lives for the sake of being close to Him and sanctifying His Name at the inauguration of the Sanctuary (*Eshed HaNechalim* ibid.).

Enduring Consequences There is a teaching cited in *Yalkut Reuveni, Parashas Shemini*, that one who cries on Yom Kippur over the death of the sons of Aaron is assured that none of his children will die during his lifetime. The *Ponovezher Rav* (cited in *Peninim MiShulchan Gavoah*, pp. 72-73) asks the obvious question: Why, thousands of years after their death, should a Jew be moved to grieve for Nadab and Abihu?

The Ponovezher Rav provides an answer, based on our Midrash. Imagine the greatness of Moses and Aaron, leaders of the Jewish people upon its establishment and during its formative years. It was their guidance and direction that established the spiritual level of the nation. Yet, Moses declares in our Midrash that Nadab and Abihu were even greater than he and Aaron! Imagine, then, how that founding generation would have looked had Nadab and Abihu lived and the Israelites had merited their leadership. Imagine what forty years under the direction and guidance of these two greatest of men would have done to the Jewish people at its inception, and the impact that would have had for so many subsequent generations. But they died in their youth. The founding generation of our people did not merit their influence, which was lost as well to all subsequent generations down to our time.

If Nadab and Abihu had lived, their generation and all subsequent generations would have been that much greater. *We* would have been that much greater. Thus their passing is a blow for us, as well, and contemplating our loss should bring tears to our eyes.

Our view of the Holocaust should be informed by similar sentiments. During that dark period, so many of our people's greatest and brightest were mercilessly butchered. But that tragedy is not limited to the generation that was annihilated, or even to their children and grandchildren. The tragedy continues for all generations to come, which will never, ever be able to recoup the loss of the spiritual and moral influence of those giants of the spirit taken from us in the Holocaust.

It is for this reason, explains *R' Aharon Kotler* (*Mishnas Rav Aharon*, Vol. 3, pp. 17-18), that we mourn between Pesach and Shavuos for the students of R' Akiva who died during that period. What does their death have to do with our lives today? The answer is that had they lived, the exalted spiritual level of these great luminaries would have immeasurably and enduringly raised the level of the Jewish people. Even today, we suffer from their untimely deaths. And for this we mourn.

What is true of the good that is lost is true as well of the good that is done. The effects of our good deeds are not limited to the present. They redound to our credit and to the benefit of our people for all eternity.

דָּבָר אַחֵר, "וּבִצְפּוּנֶי יַפְרִישׁ", מַה צִּפָּעוֹן זֶה מַפְרִישׁ בֵּין מִיתָה לְחַיִּים, כָּךְ הִפְרִישׁ הַיַּיִן בֵּין אַהֲרֹן וּבָנָיו לְמִיתָה, דְּתָנֵי רַבִּי שִׁמְעוֹן: לֹא מֵתוּ בָּנָיו שֶׁל אַהֲרֹן אֶלָּא עַל שֶׁנִּכְנְסוּ שְׁתוּיֵי יַיִן לְאֹהֶל מוֹעֵד, רַבִּי פִּנְחָס בְּשֵׁם רַבִּי לֵוִי אָמַר: מָשָׁל לְמֶלֶךְ שֶׁהָיָה לוֹ בֶּן בַּיִת נֶאֱמָן, מְצָאוֹ עוֹמֵד עַל פֶּתַח חֲנֻיוֹת, וְהִתִּיז אֶת רֹאשׁוֹ בִּשְׁתִיקָה, וּמִינָּה בֶּן בַּיִת אַחֵר תַּחְתָּיו, וְאֵין אָנוּ יוֹדְעִים מִפְּנֵי מָה הָרַג אֶת הָרִאשׁוֹן, אֶלָּא מִמַּה שֶּׁמְּצַוֶּה אֶת הַשֵּׁנִי וְאָמַר: לֹא תִּכָּנֵס בְּפֶתַח חֲנֻיוֹת, אָנוּ יוֹדְעִין שֶׁמִּתּוֹךְ כָּךְ הָרַג הָרִאשׁוֹן, כָּךְ [י, ב] "וַתֵּצֵא אֵשׁ מִלִּפְנֵי ה' וַתֹּאכַל אוֹתָם", וְאֵין אָנוּ יוֹדְעִים מִפְּנֵי מָה מֵתוּ, אֶלָּא מִמַּה שֶּׁמְּצַוֶּה אֶת אַהֲרֹן וְאָמַר לוֹ [י, ט] "יַיִן וְשֵׁכָר אַל תֵּשְׁתְּ", אָנוּ יוֹדְעִין מִתּוֹךְ כָּךְ שֶׁלֹּא מֵתוּ אֶלָּא מִפְּנֵי הַיַּיִן, לְכָךְ חִבְּבוֹ הַכָּתוּב לְאַהֲרֹן וְיִיחֵד אֵלָיו הַדִּבּוּר בִּפְנֵי עַצְמוֹ, שֶׁנֶּאֱמַר "יַיִן וְשֵׁכָר אַל תֵּשְׁתְּ":

ב רַבִּי יִצְחָק פָּתַח: (ירמיה טו, טז) "נִמְצְאוּ דְבָרֶיךָ וָאֹכְלֵם וַיְהִי דְבָרְךָ לִי לְשָׂשׂוֹן וּלְשִׂמְחַת לְבָבִי כִּי נִקְרָא שִׁמְךָ עָלַי ה' אֱלֹהֵי צְבָאוֹת" אָמַר רַבִּי שְׁמוּאֵל בַּר נַחְמָן: זֶה הַדִּבּוּר נֶאֱמַר לְמֹשֶׁה בְּסִינַי, וְלֹא נוֹדַע לוֹ עַד שֶׁבָּא מַעֲשֶׂה לְיָדוֹ, אָמַר מֹשֶׁה לְאַהֲרֹן: אָחִי, בְּסִינַי נֶאֱמַר לִי שֶׁאֲנִי עָתִיד לְקַדֵּשׁ אֶת הַבַּיִת הַזֶּה וּבְאָדָם גָּדוֹל אֲנִי מְקַדְּשׁוֹ, וְהָיִיתִי סָבוּר שֶׁמָּא אוֹ בִּי אוֹ בְּךָ הַבַּיִת הַזֶּה מִתְקַדֵּשׁ, וְעַכְשָׁיו שְׁנֵי בָנֶיךָ גְּדוֹלִים מִמֶּנִּי וּמִמְּךָ, כֵּיוָן שֶׁשָּׁמַע אַהֲרֹן שֶׁבָּנָיו יִרְאֵי שָׁמַיִם הֵן שָׁתַק, וְקִבֵּל שָׂכָר עַל שְׁתִיקָתוֹ, וּמִנַּיִן שֶׁשָּׁתַק, שֶׁנֶּאֱמַר [י, ג] "וַיִּדֹּם אַהֲרֹן", וּמִנַּיִן שֶׁקִּיבֵּל שָׂכָר עַל שְׁתִיקָתוֹ, שֶׁזָּכָה וְנִתְיַיחֵד אֵלָיו הַדִּיבּוּר, שֶׁנֶּאֱמַר [י, ח] "וַיְדַבֵּר ה' אֶל אַהֲרֹן":

עץ יוסף

בין אהרן ובניו למיתה והוא הדין דהוי מצי למימר שהפריש בבניו בין מיתה לחיים, אלא דניחא ליה למימר הפרשה מוחשת: **ואין אנו יודעים מפני מה מתו.** ואף על גב דכתיב בהקריבם אש זרה, אי אפשר שמפני זה לבד מתו: **וייחד אליו הדבור.** שהשם דבר עמו ממש זה הדבר, ודייק זה מדלא כתיב הכא אל משה ואל אהרן כדאמר בשאר דוכתי, ועיין ביפה תואר: **(ב) פתח נמצאו דבריך כו'.** משום דבעי למימר שאהרן שתק וקיבל שכר על זה שנתייחד אליו הדבור, ועל ידי זה שמח מעלבנו, לכן מביא דוגמא לזה מירמיה שאמר שדבר ה' הוא לו לששון, אף שכל נבואותיו היו של פורענות: **בסיני נאמר לי שאני עתיד לקדש את הבית.** זה הדבור אשר דבר ה' לאמר בקרובי אקדש נאמר לו בסיני באומר (שמות כט, מג) ונועדתי שמה לבני ישראל ונקדש בכבודי, וכדאמר בפרק פרת חטאת (זבחים קטו, ב) אל תקרי בכבודי אלא במכובדי כו': **ובאדם גדול אני מקדשו.** שבמותו נודע, שהקדוש ברוך הוא נודע על יריאיו, שבשעה שה' עושה דין במקורביו מתירא ומתעלה ומתקלס: **גדולים ממני וממך.** שלכבת שהם היותר גדולים, דקדק הקדוש ברוך הוא על חטא קל מאוד שעדיין לא נלטוו עליה, כדי לקדש הבית בהם, [להיות שלא היה מיתתם מיתה פשוטה כי אם דביקות הנפש למעלה, וזהו מיתת נשיקה, ועל ידי הקדושה הזאת נתחנך הבית בקדושה (נבחר מפניניס)]: **שבניו יראי שמים.** כלומר שלא היה מיתתן מיתה פשוטה כי אם על ידי שהיו יראי שמים על כן נתקדש המזבח על ידם: **שתק.** והצדיק את הדין, ולא הרהר לומר שעל חטא קל שעדיין לא נלטוו עליה ימותו, לכך זכה שתחול עליו הנבואה בזמן העלבות, ועל ידי זה ישמח מעלבו ורגזו, שדבר ה' לנביא לששון ולשמחה היה, ויובן מעתה טעם פתיחתו במקרא זה:

פירוש מהרז"ו

בין אהרן ולבניו למיתה. ובשביל מאמר זה הובא כל הדרשה לכאן: **ומינה בן בית אחר תחתיו.** ובנמשל על אלעזר ואיתמר וכמו שכתוב (במדבר ג, ד) וימת נדב ואביהוא וגו' ויכהן אלעזר ואיתמר: **דתני רבי שמעון.** לקמן סוף הפרשה (סימן ה) גירסא רבי ישמעאל, עיין לקמן פרשה כ סימן י: **לאמר לבנים.** תורת כהנים כאן, ובקהלת רבה סוף פסוק טובים השנים ל"ה: **לבך חבבו.** על ששתק קבל שכר על שתיקתו, כמו שכתב לקמן (סימן ב), ויחוד הדבור היינו מה שכתוב (ויקרא י, ח) וידבר ה' אל אהרן לאמר, ועם כל זה הפירוש שאמר למשה שיאמר לאהרן, כמו שאמרו בריש מכילתא, שאהרן ממועט מכל הדברות שבתורה, חוץ משלשה מקומות, עיין שם וכן כאן, אלא שכתוב לאהרן לחבבו ולכבדו: **(ב) נמצאו דבריך.** ירמיה אמר כן אף על פי שהיה לו לער גדול מהדבור על שלא רצו ישראל לקבלו, עם כל זה ויהי דברך לי לששון ולשמחת לבבי כי נקרא שמך עלי, וכן יפורש על אהרן כפי דרכו, אף על פי שמתו בני ולבי עלב, שמחתי בדבור שיחדת לי: **זה הדבור.** מה שכתוב הוא אשר דבר ה' בקרובי אקדש. עיין תורת כהנים סדר שמיני זבחים קט"ו (ע"ב) ושם בפלוגתא אם מפסוק וגם הכהנים הנגשים אל ה' יתקדשו פן יפרוץ בהם ה', הם נדב ואביהוא, וכמו שכתב במכילתא פסוק זה, הכהנים הנגשים הם נדב ואביהוא, לכוונה הנ"ל, וזהו כוונת המדרש במה שהביא פסוק נמלאו דבריך, היינו הדברים שדבר בסיני, שעתה נודע להם כוונתם וזהו המליאה, ומה שכתב ואוכלם, פירוש שקבלם באהבה, ועל ידי זה זכיתי שנקרא שמך עלי כנ"ל:

חידושי הרש"ש

דבר אחר וכצפעוני יפריש וכו' דתני רבי שמעון לא מתו בניו וכו'. לקמן בסוף הפרשה הגירסא ר' ישמעאל, וכן הוא ברש"י על התורה פסוק כ"ד:

באור מהרי"פ

[ב] זה הדבור. פירוש של בקרובי אקדש כמה דאת אמר (שמות כט, מג) ונועדתי שמה לבני ישראל ונקדש בכבודי, כמבואר (זבחים קטו, ב) ומובא ברש"י בחומש:

אמרי יושר

התיז את ראשו כו' ואמר לו אל תעמוד בפתח חנות. זהו לאמור לו, טעם מיתת בניו, זהו אתה ובניך אתך, לשתשארו הכל חיים, אל תשת: **[ב] זכה שנתייחד אליו הדיבור.** כי בזה ינוחם וישמח, כדכתיב ויהי דברך לי לששון ולשמחה, פקודי ה' ישרים משמחי לב:

ענף יוסף

(ב) שמא בי או בך הבית הזה מתקדשת. ואף על פי שמתו שנים, יש לומר שהקדוש ברוך הוא אמר לו ונקדש בכבודי, והיה סבור משה שפירושו שאתקדש על ידי מי שעושה כבודי, והיינו אדם יחיד צדיק וירא שמים, אבל באמת היה כוונת הקדוש ברוך הוא כמו שדרשו חכמינו ז"ל, אל תיקרי בכבודי אלא במכובדי, וחכמינו ז"ל דרשו זה אחר שראו הם האמת שמתו שנים כנ"ל:

אם למקרא

נִמְצְאוּ דְבָרֶיךָ וָאֹכְלֵם וַיְהִי דְבָרְךָ לִי לְשָׂשׂוֹן וּלְשִׂמְחַת לְבָבִי כִּי נִקְרָא שִׁמְךָ עָלַי ה' אֱלֹהֵי צְבָאוֹת: (ירמיה טו:טז)

ידי משה

והתיז ראשו בשתיקה. פירוש לא שהרג אותו בשתיקה, רק בפרהסיא הרג אותו, רק שלא ציוה אותו שלא לשתות בחנות אלא לבנו שחביב לו ציוה לו שלא ילך לחנות, וכן לבני אהרן לא ציוה שלא ישתו, ולאהרן שחביב להקב"ה ציוה. וקל להבין: **[ב] והייתי סבר שמא או בי או בך הבית זה מתקדש וכו' כיון ששמע אהרן שבניו יראי שמים הן שתק.** נראה לי כן המחבר (ר' אברהם מגלוגא בעל ליקוטים) דהכי פירושו, דאיתא באלשיך האיך יעלה זאת על דעת אדם שיתקדש הבית על ידי שימות שם אדם, ומשני דהכי פירושו על דרך שאמרו שמיכאל מקריב נשמותיהן של צדיקים על מזבח של מעלה, ואם כן בנשמותהן נתחנך המזבח של מעלה, ואם כן הכי קאמר כיון ששמע אהרן שהם יראי שמים, פירוש הואיל ובנשמותהן נתחנך המזבח שלמעלה, עם כן הם צדיקים גמורים, ואף על פי כן נשרפו, ושתק אהרן וקיבל שכר וכו': **ומניין ששתק.** פירוש מה היה לו לומר, ומשני שזכה ונתייחד, ועם כן על כרחך מכח שקיבל שכר על שתיקתו, על כן היה לו קלת להתרעם הלא צדיקים גמורים הם, ולא דיבר כלום. ודוק:

מתנות כהונה

נראה דהכי גרסינן עומד על פתח חניות. וכן בסמוך לא תכנוס בפתח חניות: **לבך חבבו כו'.** מפני ששני בניו מתו על ידי זה: **[ב] שאני עתיד כו'.** הלשון הזה נאמר מפי הקב"ה:

נחמד למראה

[ב] והייתי סבור שמא בי או בך. קשה דתיבת או הראשונה היא מיותרת. שמעתי דבר חריף בזה. כבר ידוע דבמקום אחד כתיב (שמות ו, כז) הוא משה ואהרן, ובמקום אחר כתיב (שם ו, כו) הוא אהרן ומשה, ללמדך ששקולים הם, האיש משה עניו מאד, הקדים לאהרן אחיו במה שאמר או בי, דמשתמע בכה או בך או בי, או בך גם כן משתמע או בי או בך, הרי שהשוה לאהרן למעלתו ולא עוד אלא שהקדימו במה שאמר או בי כדאמרן. ודוק:

אשד הנחלים

בשתיקה. כלומר שלא פירסם את חטאו, רק הרגו בפתע פתאום. ועיין בידי משה, ואין צורך לזה: **לכך חבבו כו' ויחד כו'.** כי זה לאות על חביבותו וקדושתו שהוא נבדל מכל העם בקדושה, שלכן צריך לשמור עצמו בקדושה יתירה מכל העם, ולכן כתיב אל תשת כי לך ולבניך, הצווי לשמור זה מאוד: **[ב] לקדש כו' גדולים ממני כו'.** כי הכתוב מדבר בנביא, אשר מרוב תשוקתו להשגת הנבואה לא יצר לו, אף כי יסבול עבור זה צרות רבות ורעות משונות מאוד, כי הדביקות גובר על הכל, וכמו כן בבני אהרן שמיתתם היה בדביקות ובקדושה, שעל ידם נתחנך הבית. והענין פירש הידי משה לפי מאמרם (מנחות קי, א, ובתוספות שם) שמיכאל מקריב נשמותיהן של צדיקים על מזבח של מעלה, וזה היה החינוך במזבח שלמטה. ועל דרך הציור גם כן, להיות שלא היה מיתתם מיתה פשוטה, כי אם דביקות הנפש למעלה, וזהו מיתת נשיקה, ועל ידי הקדושה הזאת נתחנך הבית בקדושה, ולכן היה סבר משה שעל ידו יהיה זה. ומה שאמר גדולים ממני, אין הכוונה שהיו גדולים ממנו בכל העניינים, כי אם יתכן שבאדם קטן ממנו יתכן שיתייחד בו מעלה אחת שהיא גדולה ממנו: **שבניו יראי שמים שתק.** כלומר שלא היה מיתתן מיתה פשוטה, כי אם על ידי שהיו יראי שמים, על כן נתקדש המזבח על ידם: **ומנין ששתק.** פירוש אולי שתק מרוב צער ומכאוב, לזה אמר שנאמר מלת וידום, שזה מורה השתיקה מפני ההכרה האמיתית, על דרך דום לה' (תהלים לז, ז):

§3 The Midrash continues with the theme that the purpose of addressing the commandment against intoxication to Aaron was to gladden him as a reward for his silence, and expounds *Psalms* 19:9 as providing proof of the cheering effect of prophecy. However, it first cites a Baraisa that utilizes the plain meaning of the *Psalms* verse in support of a different teaching:[79]

הָדָא הוּא דִכְתִיב ״פִּקּוּדֵי ה׳ יְשָׁרִים מְשַׂמְּחֵי לֵב״ — **It is this** idea **that is written** also in the verse, ***The precepts of HASHEM***[80] ***are upright, gladdening the heart*** (*Psalms* 19:9). תָּנֵי חִזְקִיָּה — **Chizkiyah taught** a Baraisa that cites this verse: נַעֲשׂוּ דִבְרֵי תוֹרָה עֲטָרָה לָרֹאשׁ — **The words of Torah become a crown for the head** (of those who study them), מוֹנְיָיק לַצַּוָּאר — **a necklace for the throat,** מוֹלִיגָא לַלֵּב — **a** soothing **remedy for the heart,** קִילוֹרִית לָעֵינַיִם — **a salve for the eyes,** כּוֹס עִיקָּרִין לִבְנֵי מֵעַיִם — **and a cup of root-potion for the intestines.**[81] עֲטָרָה לָרֹאשׁ מִנַּיִן — **From where** do we know that the words of Torah are **a crown for the head?** שֶׁנֶּאֱמַר ״כִּי לִוְיַת חֵן הֵם לְרֹאשֶׁךָ״ — **As it is stated,** ***For they are an adornment of grace for your head*** (*Proverbs* 1:9). מוֹנְיָיק לַצַּוָּאר — **A necklace for the throat?** שֶׁנֶּאֱמַר ״וַעֲנָקִים לְגַרְגְּרֹתֶיךָ״ — **As it is stated,** *. . . and a necklace for your throat* (ibid.). מוֹלִיגָא לַלֵּב — **A soothing remedy for the heart?** שֶׁנֶּאֱמַר ״פִּקּוּדֵי ה׳ יְשָׁרִים מְשַׂמְּחֵי לֵב״ — **As it is stated,** ***The precepts of HASHEM are upright, gladdening the heart*** (*Psalms* 19:9). קִילוֹרִית לָעֵינַיִם — **A salve for the eyes?** שֶׁנֶּאֱמַר ״מִצְוַת ה׳ בָּרָה מְאִירַת עֵינָיִם״ — **As it is stated,** ***The command of HASHEM is clear, enlightening the eyes*** (ibid.). כּוֹס עִיקָּרִין לִבְנֵי מֵעַיִם — **A cup of root-potion for the intestines?** שֶׁנֶּאֱמַר ״רִפְאוּת תְּהִי לְשָׁרֶּךָ״ — **As it is stated,** ***It will be health to your navel***[82] (*Proverbs* 3:8). מִנַּיִן לִרְמ״ח אֵיבָרִים שֶׁבָּאָדָם — **And from where** do we know that the words of Torah are a medicine **for all of the two hundred and forty-eight limbs in a person?**[83] שֶׁנֶּאֱמַר ״כִּי חַיִּים הֵם לְמֹצְאֵיהֶם וְגוֹ׳ ״ — **As it is stated,** ***For they are life to he who finds them,*** *and healing for all his flesh* (ibid. 4:22).

The Midrash now expounds *Psalms* 19:9 as referring to prophecy (not to Torah study, as per its plain meaning expounded above), and relates it to Aaron:

דָּבָר אַחֵר, ״פִּקּוּדֵי ה׳ יְשָׁרִים מְשַׂמְּחֵי לֵב״ — **Another interpretation of** ***The precepts of HASHEM are upright, gladdening the heart:*** זֶה אַהֲרֹן שֶׁהָיָה לִבּוֹ עָצֵב עָלָיו בִּשְׁבִיל בָּנָיו שֶׁמֵּתוּ — **This** verse alludes to **Aaron, whose heart was sad on account of his sons who had perished.** כֵּיוָן שֶׁנִּתְיַיחֵד עָלָיו הַדִּבּוּר שָׂמַח — **But when the** Divine **utterance was directed to him, he rejoiced.**[84] וּמִנַּיִן — **And from where** do we know that the prophecy was addressed solely to him? שֶׁנֶּאֱמַר ״וַיְדַבֵּר ה׳ אֶל אַהֲרֹן״ — **As it is stated,** ***And HASHEM spoke to Aaron.***

§4 The Midrash has discussed the dangers and ill-effects of wine, and that it is prohibited to Kohanim who serve in the Temple. In this section (§4) and the next (§5) the Midrash bids us to take *mussar* (ethical instruction) from three different sources regarding the necessity to exercise caution and restraint when drinking:[85]

אָמַר רַבִּי תַּנְחוּמָא — **R' Tanchuma said:** אִימֵּיהּ לָא יָכְלָה בֵּיהּ וְאַתְּ יָכִיל קָאֵים בֵּיהּ — **Its mother cannot** stand up **under it, and you can stand up under it?!** הָדָא גּוּפְנָא מִסְתַּמְּכָא בְּכַמָּה קָנֵי וּבְכַמָּה דוּקְרִין — That is to say, the "mother" of wine, **the vine** upon which it grows, **is supported by several reeds and several pronged poles,** וְלָא יָכְלִין קָיְימִין בֵּיהּ — **and** yet **they cannot stand up under** it and bear the weight of **[the wine]**[86] וְאַתְּ יָכִיל קָאֵים בֵּיהּ — **and you** think you **can stand up under** it and bear **it?!**[87]

The second piece of *mussar*:

אָמַר רַבִּי פִּנְחָס — **R' Pinchas said:** אָמַר הַקָּדוֹשׁ בָּרוּךְ הוּא — **The Holy One, blessed is He, has said,** לַקָּרְבָּנוֹת נָתַתִּי סִיקוּסִים וּלְךָ אֵינִי נוֹתֵן סִיקוּסִים — **"I have given measurements for** the amount of wine that accompanies **the offerings, and for you I have not given measurements** for your consumption of wine?! לַקָּרְבָּנוֹת שֶׁנֶּאֱמַר ״וְנִסְכֵּיהֶם חֲצִי הַהִין יִהְיֶה לַפָּר״ — I have given measurements **for the** wine that accompanies the **offerings, as it is stated,** ***And their libations: a half-hin for each bull*** (*Numbers* 28:14),[88] וּלְךָ אֵינִי נוֹתֵן סִיקוּסִים — **and for you I have not given measurements?!"**[89]

Before proceeding to the third piece of *mussar* (in §5), the Midrash notes that just as the physical nature of the vine serves as a warning against excessive drinking, so does its very name:

NOTES

79. *Eitz Yosef.*

80. I.e., the laws of the Torah that we study.

81. I.e., the words of Torah act as the specific medicine appropriate for each and every ailing part of the body (*Matnos Kehunah, Eitz Yosef*; see also *Anaf Yosef*). [*Maharzu* notes that the Midrash describes the Torah as comprising that which is most fitting for each of the listed parts of the body, and this is why it says that the Torah is a crown and a necklace for the head and neck, respectively. But the head and neck also require medicines at times, like the other parts of the body.]

Eshed HaNechalim appears to indicate that the Midrash is referring primarily to *spiritual* ailments. He writes that the Midrash mentions the five specific parts that it does because they are the primary ones, serving respectively as the sources of man's intellect, his character traits, his might (self-restraint), his sight (that leads him everywhere he goes, both toward virtue and toward sin), and his physical sustenance. Conducting oneself in accordance with the Torah heals the spiritual ailments that are rooted in these primary sources. [There is a basic idea in Jewish thought that the 248 positive commandments of the Torah parallel the 248 limbs of the body; see below, note 133.] At the same time, Torah study *also* heals the physical ailments suffered by the body, for it brings God's providential care upon him (see *Eshed HaNechalim* here and below, s.v. מנין לרמ״ח).

82. When applied to the navel, this potion heals the intestines (*Maharzu*).

83. I.e., not only for each individual part of the body but also for those ailments that affect the body as a whole (*Anaf Yosef*).

84. According to *Eshed HaNechalim* (here and at the end of §2), followed by *Eitz Yosef*, Scripture's testimony in verse 3 that וַיִּדֹּם אַהֲרֹן, *Aaron was silent*, indicates that Aaron had largely overcome his grief (for the word וַיִּדֹּם connotes a silence born of recognition of truth [and the concomitant acceptance of God's ways]. Nevertheless, some measure of sorrow entered his heart after his sons died, for sadness acts independently upon a person, inasmuch as the emotions operate in a context that is beyond one's knowledge and control. Prophecy has the power to eliminate the sadness, however, for it causes a person to rejoice and to forget all his worldly concerns. Such was the effect on Aaron when the Divine word was addressed to him.

Maharzu adds that even though the Divine Presence does not repose amidst sorrow (*Shabbos* 30b), an exception is made when the purpose is to console the bereaved (see *Bereishis Rabbah* 82 §3; see also ibid. §1).

85. See *Eitz Yosef.*

86. I.e., the weight of the juice of the fully ripened grapes.

87. After the juice has been fermented and turned into intoxicating wine. Surely the excessive consumption of wine will cause severe mental impairment! (ibid.).

88. This verse commands that a half-*hin* libation of wine accompany each bull in the Rosh Chodesh *mussaf* offering. A *hin* is the largest liquid measure mentioned in the Torah. It is equivalent to the volume of 72 eggs [approx. 4.4 quarts (*R' Avraham Chaim No'eh*) or 7.65 quarts (*Chazon Ish*)]. Despite the huge size of the animal that "consumes" the wine, the Torah limited the size of the wine libation to a relatively miniscule half-*hin* (*Eitz Yosef*). Even though the slaughtered bull is not affected in any way by the wine that accompanies it, God still limited the quantity of wine in the libation. How much more so should a human being, who is harmed by wine, be limited in his intake (*Eshed HaNechalim*).

89. Surely I require you to limit the amount of wine you consume!

ג הָדָא הוּא דִכְתִיב (תהלים יט, ט) **"פִּקּוּדֵי ה' יְשָׁרִים מְשַׂמְּחֵי לֵב", תָּנֵי חִזְקִיָּה: נַעֲשׂוּ דִבְרֵי תוֹרָה עֲטָרָה לָרֹאשׁ, מוֹנְיָיק לַצַּוָּאר, מוֹלִיגָא לַלֵּב, קִילוֹרִית לָעֵינַיִם, כּוֹס עִיקָרִין לִבְנֵי מֵעַיִם, עֲטָרָה לָרֹאשׁ מִנַּיִן, שֶׁנֶּאֱמַר** (משלי א, ט) **"כִּי לִוְיַת חֵן הֵם לְרֹאשֶׁךָ", מוֹנְיָיק לַצַּוָּאר, שֶׁנֶּאֱמַר** (שם) **"וַעֲנָקִים לְגַרְגְּרֹתֶיךָ", מוֹלִיגָא לַלֵּב, שֶׁנֶּאֱמַר** (תהלים יט, ט) **"פִּקּוּדֵי ה' יְשָׁרִים מְשַׂמְּחֵי לֵב", קִילוֹרִית לָעֵינַיִם, שֶׁנֶּאֱמַר** (שם) **"מִצְוַת ה' בָּרָה מְאִירַת עֵינָיִם", כּוֹס עִיקָרִין לִבְנֵי מֵעַיִם, שֶׁנֶּאֱמַר** (משלי ג, ח) **"רִפְאוּת תְּהִי לְשָׁרֶּךָ", מִנַּיִן לְרמ"ח אֵיבָרִים שֶׁבָּאָדָם, שֶׁנֶּאֱמַר** (שם ד, כב) **"כִּי חַיִּים הֵם לְמֹצְאֵיהֶם וְגוֹ'", דָּבָר אַחֵר, "פִּקּוּדֵי ה' יְשָׁרִים מְשַׂמְּחֵי לֵב", זֶה אַהֲרֹן שֶׁהָיָה לִבּוֹ עָצֵב עָלָיו בִּשְׁבִיל בָּנָיו שֶׁמֵּתוּ, כֵּיוָן שֶׁנִּתְיַיחֵד עָלָיו הַדִּבּוּר שָׂמַח, וּמִנַּיִן, שֶׁנֶּאֱמַר [י, ח] "וַיְדַבֵּר ה' אֶל אַהֲרֹן":**

ד אָמַר רַבִּי תַּנְחוּמָא: אִימֵּיהּ לָא יָכְלָה בֵיהּ וְאַתְּ יָכִיל קָאֵים בֵּיהּ, הָדָא גּוּפְנָא מִסְתַּמְּכָא בְּכַמָּה קָנֵי וּבְכַמָּה דוֹקְרִין וְלָא יָכְלִין קָיְימִין בֵּיהּ, וְאַתְּ יָכִיל קָאֵים בֵּיהּ, אָמַר רַבִּי פִּנְחָס, אָמַר הַקָּדוֹשׁ בָּרוּךְ הוּא: לַקָּרְבָּנוֹת נָתַתִּי סִיקוּסִים וּלְךָ אֵינִי נוֹתֵן סִיקוּסִים, לַקָּרְבָּנוֹת שֶׁנֶּאֱמַר (במדבר כח, יד) **"וְנִסְכֵּיהֶם חֲצִי הַהִין יִהְיֶה לַפָּר", וּלְךָ אֵינִי נוֹתֵן סִיקוּסִים, אָמַר אָבִין: אַלְנַיָּיא מִתְקָרְיֵי לִשְׁמָתְהוֹן, חִיזוּרָא מִתְקְרֵי חִיזוּר, רִמּוֹנָא מִתְקְרֵי רִימּוֹן, תּוּמְרְתָא מִתְקְרֵי תְּמָרָא, גּוּפְנָא מִתְקְרֵי ג' שְׁמָהָן, מִתְקְרֵי גּוּפְנָא, וְנָפְקִין מִן גּוּפְנָא עִנְבִין, מִן עִנְבִין חֲמַר,**

עץ יוסף

(ג) הדא הוא דכתיב פקודי ה' ישרים. גם טעם אגדה זו שסבת יחוד הדבור כאן לאהרן היה כדי לשמחו בשכר ששתק כדלעיל, ומייתי ראיה שדבר ה' לנביא שמחה מהאי קרא, ואיידי דמייתי ליה מייתי דרשת חזקיה ברישא דמפרש ליה בפסוק דברי תורה כפשטיה, והדר מסיק דמיירי בנבואת הנביא וזה שאמר זה אהרן כו': **מונייק.** פירוש ענק: **מוליגא.** משקה מלשון מלוגמא הנמצא בתלמוד: **קולירין.** כוס עיקרין, שמות לרפואות הם ונשתנו בשמותם לפי אבר המקבל הרפואה: **שהיה לבו עצב עליו.** כי אף על פי שכתוב וידום אהרן שמלת וידום מורה השתיקה מפני ההכרה האמיתית על דרך דום לה' עם כל זה בלבו נכנס יגון מעט, להיות כי אף שבאמת הוא התגבר על עצבונו ולכן שתק, אבל על כל פנים טבע העצבות מעצמו התעורר בקרבו, כי טבע הלב שעושה מעשיהו אף בלתי ידיעת האדם, אבל על ידי התייחדות הדיבור נתבטל העצב בו כי הנבואה משמח ומשכח כל ענייני העולם: **(ד) אמר רבי תנחומא כו'.** אין ושכר אל תשת קאי, ויהיב טעמא להרחקת היין ממשרתי אלהינו לפי שגורם נזקים כדלעיל, ולהכי מייתי מוסרים ליזהר מהיין לפי שאין האדם סובלו, ויואל מדעתו, וראוי שיקח מוסר מהגפן שאינה סובלת הפרי, ומהתורה שמעטה אותו בקרבנות, והדר מייתי דרבי יודן שיקח מוסר ממה שהחטיא היין את שלמה: **אימיה לא יכלה ליה כו'.** פירוש אמו של יין, שהוא הגפן אינו יכול לקיים בו ולסובלו, את יכול לקיים בו ולסובלו בתמיה, והדר מפרש היאך הגפן אינו יכול לקיים בו: **מסתמכת כו'.** היא מסומכת בכמה קנים ודקרים, מלשון (בילה ז, ב) דקר נעוץ, [ובפרק שתי הלחם (מנחות לה, א) כמין דקרנין פירוש קנים], ואינה יכולה לקיים, שהענבים מכבידים אותם למטה: **סיקוסים.** מדה ושיעור: **חצי ההין יהיה לפר.** ולפי האכילה דהיינו פר, היה ראוי יין מרובה, ועם כל זה נתן לו קצבה מועטת, חצי ההין לפר ושלישית לאיל וכו': **אלניא כו'.** האילנות נקראים בשמותיהם כמו הפרי: **חיזורא.** אילן שמגדל תפוחים נקרא חיזור, ושל רמון רמונא כו':

פירוש מהרז"ו

(ג) רפאות תהי לשרך. הוא הטבור, וכשנותנים כוס עקרים על הטבור, מתרפאים המעיים: **כי חיים הם למוצאיהם. ולכל בשרו מרפא:** וחז"ל סמכו כל ענין אל מה שיהיה לו, הראש והגרון, שייך להם העטרה והענק, אף על פי שצריכים גם כן רפואה, וכמו שאמרו חז"ל (עירובין נד, א) חש בראשו יעסוק בתורה, והלב והטבור, שאין שייך בהם תכשיטין, הזכיר בהם הרפואה: **שהיה לבו עצב עליו.** ואף שאין השכינה שורה מתוך עצבות, לנחם שאני, וכמו שכתב בבראשית רבה פרשה ח. ופרשה פב סי' א' וסי' ג, שמה שכתוב וירא אלהים עוד אל יעקב ויברך אותו, שברכו ברכת אבלים: **(ד) אמר רבי תנחומא אימיה לא יכלה.** בא לפרש למה יין ושכר אל תשת: **ולך איני נותן סיקוסים.** שיעור ומדה, כמו שאמרו חז"ל שעל רביעית יין חייב: **אילניא מתקרין לשמתהון.** פירוש האילנות נקראים על שם פירותיהם שמוליאים, תאנה או רימון, וכדומה כי תכלית האילן הוא הפרי, אך הגפן אינו נקרא על שם הענבים, שאין זה תכליתו אלא היין הוא תכליתו, ולא נקרא על שם היין כאלו הוא בו להיקרא על שמו:

חידושי הרד"ל

[ג] תני חזקיה נעשו דברי תורה כו'. דברים רבה (ח, ז): **[ד] שמהן גופנא כו'.** עיין ערוך ערך תלת נוסח אחר בזה (הר"מ ברלין):

באור מהרי"פ

[ג] ומנין שנאמר וידבר ה' אל אהרן. כי דבר ה' הוא לשמחת לבב הנביא, ובפרט שנתיחד אליו הדבור כמו שמבואר למעלה:

ליקוטים

[ד] באמרי יושר ד"ה אי שתי פלחיה. במדרש לפניגו ליתא, ובמדרש כת"י אחרי סימן ג' איתא עוד מימרא בלשון הזה, אמר ר' תנחומא אם שתי פלחיה חמר, יתיר מן פלחיה חמר:

אמרי יושר

[ג] מניין לרמ"ח איברים. ותרכבו האיברים הראשים בראש המאמר, לחשיבותם: **[ד] אי שתי פלחיה.** רלה לומר אם שותה חוקו בגמגום, יחמרו ויאדמו פניו ומתיפיפה, ויין חמר מלא מסך (תהלים עה, ט), ואם ישתה יותר מחוקו נעשה כחמור וכקוף, כדאיתא לעיל בנח, ושמו משותף: **הדא גופנא מסתמכא בכמה קני כו'.** הנה הגפן אין יכלה למיקם ביה, אלא נסמכת על עמודים מקנים, ואיך תמא אתה לבדך רוב יין, גם הענבים יורו זה, כי כשאתה ממרכן ביד, מוליא את כל מה שבתוכן, אבל בשאר פירות התמלית לבד יולא, אבל בענבים לא ישאר רק הטור בידך, כך שותה יין יקיאנו, גם ב"יין" הוא חשבונו שבעים, נכנס יין ילא סוד (סנהדרין לח, א), ואם כן הגפן יתן מוסר על שהכח יתלש בו בריבוין, הענבים יורו הסקתה, היין יורה הפסד השכל והסוד:

מסורת המדרש

ד. ילקוט נ"ך רמז תרע"ה. שוח"ט מזמור יט:

אם למקרא

פִּקּוּדֵי ה' יְשָׁרִים מְשַׂמְּחֵי לֵב מִצְוַת ה' בָּרָה מְאִירַת עֵינָיִם: (תהלים יט:ט)

כִּי לִוְיַת חֵן הֵם לְרֹאשֶׁךָ וַעֲנָקִים לְגַרְגְּרֹתֶיךָ: (משלי א:ט)

רִפְאוּת תְּהִי לְשָׁרֶּךָ וְשִׁקּוּי לְעַצְמוֹתֶיךָ: (שם ג:ח)

כִּי חַיִּים הֵם לְמֹצְאֵיהֶם וּלְכָל בְּשָׂרוֹ מַרְפֵּא: (שם ד:כב)

וְנִסְכֵּיהֶם חֲצִי הַהִין יִהְיֶה לַפָּר וּשְׁלִישִׁת הַהִין לָאַיִל וּרְבִיעִת הַהִין לַכֶּבֶשׂ יָיִן זֹאת עֹלַת חֹדֶשׁ בְּחָדְשׁוֹ לְחָדְשֵׁי הַשָּׁנָה: (במדבר כח:יד)

ענף יוסף

(ג) מנין לרמ"ח איברים. קשה כיון דכן, מה צריך לפרט אברים פרטיים, ויש לומר דמפני שיש חולי לאברים פרטיים, ויש חלאים כוללים כל הגוף, כשחפת וקדחת וכיוצא, ויש תרופות מיוחדות לכל מין מהחולאים, זה מועילות לפרטיים אינם מועילות לכוללים, וכן להיפך, לכן אמר שהתורה מועיל לפרטיים ולכוללים, ופירוש לרמ"ח איברים חולי כולל כולם, ומאברים הפרטיים נקט לב ועינים ובני מעים, שהם אברים המיוחדים, והוא הדין שהתורה רפואה לכל אבר פרטי: **שהיה לבו עצב עליו.** עיין מה שכתבתי בטנן. ובדברים אלו יש להבין קצת מה דאיתא בילקוט שמעוני, ויסם אותו על המזבח, עיני אברהם בעיני יצחק, ועיני יצחק בשמי שמים, והיו דמעות מנשרות ונופלות מעיני אברהם, עד שהיתה קומתו משוקעת בדמעות, אמר ליה בני הואיל והתחלת על רביעית דמך, [פירש הזית רענן סרלה לומר שהתחלת למסור להקדוש ברוך

שינוי נוסחאות

(ד) אמר אבין. בכל הכי"י כתוב "אמר רבי אבין", אבל בד"ר השמיטו "רבי" ומשם הועתקה הטעות בכל הדפוסים.

מתנות כהונה

[ג] מונייק. פירוש ענק: **מוליגא.** משקה מלשון מלוגמא הנמצא בתלמוד: **קילורין. כוס עיקרין.** שמות רפואות הן נשתנו בשמותן לפי אבר המקבל הרפואה: **[ד] אימיה לא יכלה כו'.** פירוש אמו של יין שהוא הגפן אינו יכול לקיים בו ולסובלו, ואת יכול לקיים בו ולסובלו בתמיה, והדר מפרש היאך הגפן אינו יכול לקיים בו: **מסתמכא כו'.** היא מסומכת בכמה קנים ודוקרים, מלשון דקר נעוץ, ובפרק שתי הלחם כמין דקרנין, פירוש קנים, ואינה יכולה לקיים שהענבים מכבידים אותה למטה: **סקוסים.** מדה ושיעור, ועיין לעיל בבראשית רבה פרשת ויכלו (ב, א): **אלנייא מתקריין כו'.** האילנות נקראין בשמותיהן כמו הפרי: **חיזורא.** אילן שמגדל תפוחים נקרא חיזור, ושל רימון רימונא כו':

אשד הנחלים

[ג] עטרה לראש. חשב האיברים הכוללים, הראש שבו משכן השכל, והלב משכן המדות, והצוואר הונח תמיד על הגבורה, והעינים לפי שהם העקרים לכל טוב ולהפכו, כמו שאמרו בהפכו (ירושלמי ברכות פ"א ה"ה) ליבא ועינא תרי סרסורי דחטאה, וכן בהיפך, והיא המיישרת לכל טוב, והבני מעים שבהם מקור ההזנה להיות הגוף ניזון מהם, והוא מקור החיות. והנה התורה האלהית מרפאה אותם ומייפן, הן מתחלואי הנפש ששרשן על ידי האיברים האלו התורה מרפאן, כי יתחזקו על ידה בטוב, והן מתחלואי הגוף גם כן, כי על ידי התורה יושגח בהשגחה טובה: **מנין לרמ"ח.** כי התורה כלולה לכל התלוכות האדם ורמ"ח איבריו הנמשכים אחרי איברים ראשיים האמורים, וההתנהגות כפי התורה מרפאה את כולם הן בגוף והן בנפש. **הבן זה: שהיה לבו עצוב כו' שמח.** כי אף על פי שכתוב וידום אהרן, עם כל זה בלבו הכניס יגון מעט. ואמר בלשון שהיה לבו עצוב עליו, להיות כי באמת הוא התגבר על עצבונו ולכן שתק, אבל על כל פנים טבע העצבות מעצמו התעורר בקרבו, כי טבע הלב שעושה מעשיהו אף בלתי ידיעת האדם, אבל על ידי התייחדות הדיבור נתבטל העצב, כי הנבואה משמח ומשכיח כל ענייני העולם: **[ד] אמו כו' הדא גופנא כו'.** המתנות כהונה פירש שהוא שני משלים, ואין צריך לזה, כי הגופנא הוא עץ הגפן, והיא אמו של היין, וצריך לסומכה בהרבה קנים, שמפני חוזקה מכנעת האילן עצמו, ואין זה באור על הכתוב כי אם צחות לבד, להתעורר מזה על חוזקה והשחתתה: **סקוסים כו' ולך כו'.** כלומר הקרבנות הנקרבות על גבי מזבח, נתתי להם מדה כמה יסכו עליהם ולא יותר, אף שאין מזיק להם היין, אף כי לך שהיין מזיק, ואם כן איך לא אתן לך מדה וגדר שלא תשתה:

אָמַר אָבִין — **Avin said:** אִלָּנַיָּא מִתְקָרְיִין לִשְׁמָהָתְהוֹן — **Trees are** generally **called by the names** of their fruit.[90] חִיזוּרָא מִתְקְרֵי חִיזוּר — Hence, a tree that bears **apples is called** an **apple** tree; רִמּוֹנָא מִתְקְרֵי רִימּוֹן — a tree that bears **pomegranates is called** a **pomegranate** tree; תּוּמַרְתָּא מִתְקְרֵי תְּמָרָא — and a tree that bears **dates is called** a **date** tree. גּוּפְנָא מִתְקְרֵי ג׳ שְׁמָהָן — **However,** in the case of **a vine,** it is called **three names:** מִתְקְרֵי גּוּפְנָא — **[The vine itself] is called *gufna*;** וְנָפְקִין מִן גּוּפְנָא עִנְבִין — **and** the fruits that **come out of the vine** are called **grapes;** מִן עִנְבִין חֲמַר — and that which comes out **from the grapes** is called **wine.**[91]

NOTES

90. This is because the purpose of a tree is to produce fruit (*Maharzu*).

91. The main purpose of a vine is not to produce grapes. It is therefore understandable that a vine is not called עִנְבָא, *a "grape" tree*. However, the Midrash is pointing out that a vine is not called חֲמַר or חַמְרָא, *a "wine" tree*, either — despite the fact that the primary purpose of a vine *is* to produce wine (ibid.).

ג הָדָא הוּא דִכְתִיב (תהלים יט, ט) "פִּקּוּדֵי ה' יְשָׁרִים מְשַׂמְּחֵי לֵב", **תָּנֵי חִזְקִיָּה:** נַעֲשׂוּ דִבְרֵי תוֹרָה עֲטָרָה לָרֹאשׁ, מוֹנְיָיק לַצַּוָּאר, מוֹלִיגָא לַלֵּב, קִילוֹרִית לָעֵינַיִם, כּוֹס עִיקָּרִין לִבְנֵי מֵעַיִם, עֲטָרָה לָרֹאשׁ מִנַּיִן, שֶׁנֶּאֱמַר (משלי א, ט) "כִּי לִוְיַת חֵן הֵם לְרֹאשֶׁךָ", מוֹנְיָיק לַצַּוָּאר, שֶׁנֶּאֱמַר (שם) "וַעֲנָקִים לְגַרְגְּרֹתֶיךָ", מוֹלִיגָא לַלֵּב, שֶׁנֶּאֱמַר (תהלים יט, ט) "פִּקּוּדֵי ה' יְשָׁרִים מְשַׂמְּחֵי לֵב", קִילוֹרִית לָעֵינַיִם, שֶׁנֶּאֱמַר (שם) "מִצְוַת ה' בָּרָה מְאִירַת עֵינָיִם", כּוֹס עִיקָּרִין לִבְנֵי מֵעַיִם, שֶׁנֶּאֱמַר (משלי ג, ח) "רִפְאוּת תְּהִי לְשָׁרֶּךָ", מִנַּיִן לְרמ"ח אֵיבָרִים שֶׁבָּאָדָם, שֶׁנֶּאֱמַר (שם ד, כב) "כִּי חַיִּים הֵם לְמֹצְאֵיהֶם וְגוֹ'", דָּבָר אַחֵר, "פִּקּוּדֵי ה' יְשָׁרִים מְשַׂמְּחֵי לֵב", זֶה אַהֲרֹן שֶׁהָיָה לִבּוֹ עָצֵב עָלָיו בִּשְׁבִיל בָּנָיו שֶׁמֵּתוּ, כֵּיוָן שֶׁנִּתְיַיחֵד עָלָיו הַדִּבּוּר שָׂמַח, וּמִנַּיִן, שֶׁנֶּאֱמַר [י, ח] "וַיְדַבֵּר ה' אֶל אַהֲרֹן":

ד אָמַר רַבִּי תַּנְחוּמָא: אִימֵּיהּ לָא יָכְלָה בֵּיהּ וְאַתְּ יָכִיל קָאֵים בֵּיהּ, הָדָא גּוּפְנָא מִסְתַּמְּכָא בְּכַמָּה קָנֵי וּבְכַמָּה דוֹקְרִין וְלָא יָכְלִין קָיְימִין בֵּיהּ, וְאַתְּ יָכִיל קָאֵים בֵּיהּ, אָמַר רַבִּי פִּנְחָס: אָמַר הַקָּדוֹשׁ בָּרוּךְ הוּא: לַקָּרְבָּנוֹת נָתַתִּי סִיקוּסִים וּלְךָ אֵינִי נוֹתֵן סִיקוּסִים, לַקָּרְבָּנוֹת שֶׁנֶּאֱמַר (במדבר כח, יד) "וְנִסְכֵּיהֶם חֲצִי הַהִין יִהְיֶה לַפָּר", וּלְךָ אֵינִי נוֹתֵן סִיקוּסִים, אָמַר אָבִין: אִלָנַיָּיא °מִתְקַרְיֵי לִשְׁמָתְהוֹן, חִיזוּרָא מִתְקְרֵי חִיזוּר, רִמּוֹנָא מִתְקְרֵי רִימּוֹן, תּוּמְרְתָא מִתְקְרֵי תְּמָרָא, גּוּפְנָא מִתְקְרֵי ג' שְׁמָהָן, מִתְקְרֵי גּוּפְנָא, וְנָפְקִין מִן גּוּפְנָא עִנְבִין, מִן עִנְבִין חֲמַר,

עץ יוסף

(ג) הדא הוא דכתיב פקודי ה' ישרים. גם טעם אגדה זו שסבת יחוד הדבור כאן לאהרן היה כדי לשמחו בשכר ששתק כדלעיל, ומייתי ראיה שדבר ה' לנביא שמחה מהאי קרא, ואיידי דמייתי ליה מייתי דרשת חזקיה ברישא דמפרש ליה בשבח דברי תורה כפשטיה, והדר מסיק דמיירי בנבואת הנביא וזה שאמר זה אהרן כו': **מונייק.** פירוש ענק: **מוליגא.** משקה מלשון מלוגמא הנמצא בתלמוד: **קולורין.** כוס עיקרין, שמות לרפואות הם ונשתנו בשמותם לפי אבר המקבל הרפואה: **שהיה לבו עצב עליו.** כי אף על פי שכתוב וידום אהרן שמלת וידום מורה השתיקה מפני ההכרה האמיתית על דרך דום לה' עם כל זה בלבו נכנס יגון מעט, להיות כי אף שבאמת הוא התגבר על עצבונו ולכן שתק, אבל על כל פנים טבע העצבות מעצמו התעורר בקרבו, כי טבע הלב שעושה מעשיהו אף בלתי ידיעת האדם, אבל על ידי התייחדות הדיבור נתבטל העצב כי הנבואה משמח ומשכיח כל ענייני העולם: **(ד) אמר רבי תנחומא כו'.** איין ושכר אל תשת קאי, ויהיב טעמא להרחקת היין ממשרתי אלהינו לפי שגורם נזקים כדלעיל, ולהכי מייתי מוסרים ליזהר מהיין לפי שאין האדם סובלו, ויוצא מדעתו, וראוי שיקח מוסר מהגפן שאינה סובלת הפרי, ומהתורה שמעטה אותו בקרבנות, והדר מייתי דרבי יודן שיקח מוסר ממה שהכשיל היין את שלמה: **אימיה לא יכלה ליה כו'.** פירוש אמו של יין, שהוא הגפן אינו יכול לקיים בו ולסובלו, את יכול לקיים בו ולסובלו בתמיה, והדר מפרש היאך הגפן אינו יכול לקיים בו: **מסתמכת כו'.** היא מסומכת בכמה קנים ודקרים, מלשון (בילה ז, ב) דקר נעוץ, [ובפרק שתי הלחם (מנחות לה, א) כמין דקרנין פירוש קנים], ואינה יכולה לקיים, שהענבים מכבידים אותם למטה: **סיקוסים.** מדה ושיעור: **חצי ההין יהיה לפר.** ולפי האכילה דהיינו פר, היה ראוי יין מרובה, ועם כל זה נתן לו קצבה מועטת, חצי ההין לפר ושלישית לאיל וכו': **אלניא כו'.** האילנות נקראים בשמותיהם כמו הפרי: **חיזורא.** אילן שמגדל תפוחים נקרא חיזור, ושל רמון רמונא כו':

פירוש מהרז"ו

(ג) רפאות תהי לשרך. הוא הטבור, וכשנותנים כוס עקרים על הטבור, מתרפאים המעיים: **כי חיים הם למוצאיהם.** ולכל בשרו מרפא: ורז"ל סמכו כל ענין אל מה שיאות לו, הראש והגרון, שייך להם העטרה והענק, אף על פי שצריכים גם כן רפואה, וכמו שאמרו חז"ל (עירובין נד, א) חש בראשו יעסוק בתורה, והלב והטבור, שאין שייך בהם תכשיטין, הזכיר בהם הרפואה: **שהיה לבו עצב עליו.** ואף שאין השכינה שורה מתוך עצבות, לנחם אותו, וכמו שכתב בבראשית רבה פרשה ח. ופרשה פב סי' א וסי' ג, שמה שכתוב וירא אלהים עוד אל יעקב ויברך אותו, שברכו ברכת אבלים: **(ד) אמר רבי תנחומא אימיה לא יכלה.** בא לפרש למה יין ושכר אל תשת: **ולך איני נותן סיקוסים.** שיעור ומדה, כמו שאמרו חז"ל שטעל רביעית יין חייב: **אילניא מתקרין לשמתהון.** פירוש האילנות נקראים על שם פירותיהם שמוציאים, תאנה או רימון, וכדומה כי תכלית האילן הוא הפרי, אך הגפן אינו נקרא על שם הענבים, שאין זה תכליתו אלא היין הוא תכליתו, ולא נקרא על שם היין כאלו הוא בו להיקרא על שמו:

מתנות כהונה

[ג] **מונייק.** פירוש ענק: **מוליגא.** משקה מלשון מלוגמא הנמצא בתלמוד: **קילורין. כוס עיקרין.** שמות רפואות הן נשתנו בשמותן לפי אבר המקבל הרפואה: [ד] **אימיה לא יכלה כו'.** פירוש אמו של היין שהוא הגפן אינו יכול לקיים בו ולסובלו, ואת יכול לקיים בו ולסובלו בתמיה, והדר מפרש היאך הגפן אינו יכול לקיים בו: **מסתמכא כו'.** היא מסומכת בכמה קנים ודוקרים, מלשון דקר נעוץ, ובפרק שתי הלחם כמין דקרנין, פירוש קנים, ואינה יכולה לקיים שהענבים מכבידים אותה למטה: **סקוסים.** מדה ושיעור, ועיין לעיל בבראשית רבה פרשת ויכלו (ב, א): **אלנייא מתקריין כו'.** האילנות נקראין בשמותיהן כמו הפרי: **חיזורא.** אילן שמגדל תפוחים נקרא חיזור, ושל רימון רימונא כו':

אשד הנחלים

[ג] **עטרה לראש.** חשב האיברים הכוללים, הראש שבו משכן השכל, והלב משכן המדות, והצוואר הונח תמיד על הגבורה, והעינים לפי שהם העקרים לכל טוב ולהפכו, כמו שאמרו בהפכו (ירושלמי ברכות פ"א ה"ה) ליבא ועינא תרי סרסורי דחטאה, וכן בהיפך, והיא המיישרת לכל טוב, והבני מעיים שבהם מקור ההזנה להיות הגוף ניזון מהם, והוא מקור החיות. והנה התורה האלהית מרפאה אותם ומייפן, הן מתחלואי הנפש ששרשן על ידי האיברים האלו התורה מרפאן, כי יתחזקו על ידה בטוב, והן מתחלואי הגוף גם כן, כי על ידי התורה יושגח בהשגחה טובה: **מנין לרמ"ח.** כי התורה כלולה לכל תהלוכות האדם ורמ"ח איבריו הנמשכים אחרי איברים הראשיים האמורים, וההתנהגות כפי התורה מרפאה את כולם הן בגוף והן בנפש. הבן זה: **שהיה לבו עצוב כו' שמח.** כי אף על פי שכתוב וידום אהרן, עם כל זה בלבו הכניס יגון מעט. ואמר בלשון שהיה לבו עצוב עליו, להיות כי באמת הוא התגבר על עצבונו ולכן שתק, אבל על כל פנים טבע העצבות מעצמו התעורר בקרבו, כי טבע הלב שעושה מעשיהו אף בלתי ידיעת האדם, אבל על ידי התייחדות הדיבור נתבטל העצב, כי הנבואה משמח ומשכיח כל ענייני העולם: [ד] **אמו כו' הדא גופנא כו'.** המתנות כהונה פירש שהוא שני משלים, ואין צריך לזה, כי הגופנא הוא עץ הגפן, והיא אמו של היין, וצריך לסומכה בהרבה קנים, שמפני חוזקה מכנעת האילן עצמו, ואין זה באור על הכתוב כי אם דברי צחות לבד, להתעורר מזה על חוזקה והשחתתה: **סקוסים כו' ולך כו'.** כלומר הקרבנות הנקרבות על גבי מזבח, נתתי להם מדה כמה יסכו עליהם ולא יותר, אף שאין מזיק להם היין, אף כי לך שהיין מזיק, ואם כן איך לא אתן לך מדה וגדר שלא תשתה:

חידושי הרד"ל

[ג] **תני חזקיה נעשו דברי תורה כו'.** דברים רבה (ח, ז): [ד] **שמהן גופנא כו'.** עיין ערוך ערך תלת נוסח אחר בזה (הר"מ ברלין):

באור מהרי"פ

[ג] **ומנין שנאמר וידבר ה' אל אהרן.** כי דבר ה' הוא לשמחת לבב הנביא, ובפרט שנתיחד אליו הדבור כמו שמבואר למעלה:

ליקוטים

[ד] **באמרי יושר ד"ה אי שתי פלחיה.** במדרש לפנינו ליתא, ובמדרש כת"י אחרי סימן ג' איכא עוד מימרא בלשון הזה, אמר ר' תנחומא אם שתי פלחיה חמר, יתיר מן פלחיה חמר:

אמרי יושר

[ג] **מניין לרמ"ח איברים.** ונקרנו האיברים הראשים בראש המאמר, לחשיבותם: [ד] **אי שתי פלחיה.** רצה לומר אם שותה חוקו בצמצום, יחמרו וילדמו פניו ומתייפה, לזה נקרא חמרא, ויין חמר מלא מסך (תהלים עה, ט), ואם ישתה יותר מחוקו נעשה כחמור וכקוף, כדאיתא לעיל בנח, ושמו משותף: **[הדא גופנא מסתמכת בכמה קני כו'].** הנה הגפן לא יכלה למיקם ביה, אלא נסמכת על עמודים מתים, ואיך תשא אתה לבדך רוב יין, גם הענבים יורו זה, כי כשאתה ממרסן ביד, מוציא את כל מה שבתוכן, אבל בשאר פירות התמלית לבד יצא, אבל בענבים לא ישאר רק הטער בידך, כך שותה יין יקיאנו, גם ב"יין" הוא חשבונו שבעים, נכנס יין יצא סוד (סנהדרין לח, א), ואם כן הגפן יתן מוסר על שהכח יחלש בו בריבויו, הענבים יורו הסקאה, היין יורה הפסד השכל והסוד:

מסורת המדרש

ד. ילקוט נ"ך רמז תרע"ה. שוח"ט מזמור יט:

אם למקרא

פִּקּוּדֵי ה' יְשָׁרִים מְשַׂמְּחֵי לֵב מִצְוַת ה' בָּרָה מְאִירַת עֵינָיִם: (תהלים יט:ט)

כִּי לִוְיַת חֵן הֵם לְרֹאשֶׁךָ וַעֲנָקִים לְגַרְגְּרֹתֶיךָ: (משלי א:ט)

רִפְאוּת תְּהִי לְשָׁרֶּךָ וְשִׁקּוּי לְעַצְמוֹתֶיךָ: (שם ג:ח)

כִּי חַיִּים הֵם לְמֹצְאֵיהֶם וּלְכָל בְּשָׂרוֹ מַרְפֵּא: (שם ד:כב)

וְנִסְכֵּיהֶם חֲצִי הַהִין יִהְיֶה לַפָּר וּשְׁלִישִׁת הַהִין לָאַיִל וּרְבִיעִת הַהִין לַכֶּבֶשׂ יָיִן זֹאת עֹלַת חֹדֶשׁ בְּחָדְשׁוֹ לְחָדְשֵׁי הַשָּׁנָה: (במדבר כח:יד)

ענף יוסף

(ג) מנין לרמ"ח איברים. קשה כיון דכן, מה צריך לפרט אברים פרטיים, ויש לומר דמפני שיש חולי לאברים פרטיים, ויש חלאים כוללים כל הגוף, כשחפת וקדחת וכיוצא, ויש תרופות מיוחדות לכל מין מהחולאים, זה מועילות לפרטיים אינם מועילות לכוללים, וכן להיפך, לכן אמר שהתורה מועיל לפרטיים ולכללים, ופירוש לרמ"ח איברים חולי כולל כולם, ומאברים הפרטיים נקט לב ועינים ובני מעים, שהם אברים המיוחדים, והוא הדין שהתורה רפואה לכל אבר פרטי: **שהיה לבו עצב עליו.** עיין מה שכתבתי בעז. ובדברים אלו יש להבין קצת מה דאיתא בילקוט שמעוני, ויסם אותו על המזבח, עיני אברהם בעיני יצחק, ועיני יצחק בשמי שמים, והיו דמעות מנשרות ונופלות מעיני אברהם, עד שהיתה קומתו משוטטות בדמעות, אמר ליה בני הואיל והתחלת על רביעית דמך, [פירש הזית רעגן שרצה לומר שהתחלת למסור להקדוש ברוך

שינוי נוסחאות

(ד) **אמר אבין.** בכל הכי"י כתוב "אמר רבי אבין", אבל בד"ר השמיטו "רבי" ומשם הועתקה הטעות בכל הדפוסים:

לוֹמַר לָךְ מָה עֲנָבִים הַלָּלוּ כָּל זְמַן שֶׁאַתָּה מְמָרְסָן אַתָּה מוֹצִיא מֵהֶן כָּל מַה שֶּׁבְּתוֹכָן — This[92] is **to tell you** that **just as when you squeeze these grapes you extract from them all that is inside them,**[93] כָּךְ כָּל מִי שֶׁשּׁוֹתֶה יַיִן הַרְבֵּה, סוֹף שֶׁמֵּקִיא אֶת כָּל מַה שֶּׁבְּמֵעָיו — **so** it is with **anyone who drinks much wine,** the **end** of the matter is **that he regurgitates everything in his stomach.**[94]

§5 The third ethical instruction (*mussar*) regarding the dangers of excessive drinking:

אָמַר רַבִּי יוּדָן — **R' Yudan said:** כָּל אוֹתָן שֶׁבַע שָׁנִים שֶׁבָּנָה שְׁלֹמֹה בֵּית הַמִּקְדָּשׁ — **During all those seven years that** King **Solomon was building the Holy Temple** לֹא שָׁתָה בָּהֶן יַיִן — **he did not drink wine.**[95] כֵּיוָן שֶׁבְּנָאוֹ וְנָשָׂא בִּתְיָה בַּת פַּרְעֹה — However, **once he built it and married Bisya, the daughter of Pharaoh,** אוֹתוֹ הַלַּיְלָה שָׁתָה יַיִן — **he drank wine that night.**[96] וְהָיוּ שָׁם ב׳ בְּלוּזְמָאוֹת — **And two celebrations were** taking place **there:** אַחַת שִׂמְחָה לְבִנְיַן בֵּית הַמִּקְדָּשׁ וְאַחַת שִׂמְחָה לְבַת פַּרְעֹה — **one, a rejoicing for the building of the Holy Temple; and the other, a rejoicing for** the marriage of Solomon to **Pharaoh's daughter.**[97] אָמַר הַקָּדוֹשׁ בָּרוּךְ הוּא שֶׁל מִי אֲקַבֵּל, שֶׁל אֵלּוּ אוֹ שֶׁל אֵלּוּ — Observing these two celebrations, **the Holy One, blessed is He, said, "Whose** celebration **shall I accept,** the celebration **of these or of those?"**[98] בְּאוֹתָהּ שָׁעָה עָלָה עַל דַּעְתּוֹ לְהַחֲרִיב אֶת יְרוּשָׁלַיִם — **At that moment it entered His mind to destroy Jerusalem.** הֲדָא הוּא דִכְתִיב ״כִּי עַל אַפִּי וְעַל חֲמָתִי הָיְתָה לִּי הָעִיר הַזֹּאת וְגוֹ׳ ״ — **Thus it is written,** ***For this city has aroused My anger*** [אַפִּי, lit., *my nose*] ***and My wrath in Me*** *from the day that they built it until this day, so that I should remove it from My presence* (*Jeremiah* 32:31).[99]

NOTES

92. The fact that the vine is called גּוּפְנָא and not עִנְּבָא, *a "grape" tree* (see *Eitz Yosef*)

93. The word גּוּפְנָא hints at this, for it is comprised of two words: גּוּ (inside) and פְּנָא (remove, empty out). That is, by squeezing a grape one *removes* and empties out what is *inside* (*Yefeh To'ar, Eitz Yosef*). See next note.

94. The statement that a grape becomes emptied when it is squeezed is not particularly novel. The Midrash therefore explains that the word *gufna* is used also to hint that drinking wine causes that which is inside *the body* to be emptied out (*Yefeh To'ar*; see also *Eitz Yosef*). [It is possible that the word גּוּפְנָא is thus interpreted to be a contraction of the words גּוּף (body) and פְּנָא (remove, empty out).]

Yefeh To'ar and *Eitz Yosef* suggest further that the word *gufna* alludes also to an ethereal type of "regurgitation," viz., that of the contents of the mind, for the Sages teach (*Eruvin* 65a, *Sanhedrin* 38a): "When wine enters, one's secrets exit" [due to the loss of inhibition caused by the intoxication].

Alternatively: *Maharzu* takes the Midrash's statement לוֹמַר לָךְ וְכוּ׳ not as coming to explain the name גּוּפְנָא, but rather as an independent clause coming to explain why wine is a dishonorable substance: When wine is extracted from a grape, nothing of the grape is left at all [except the peel; this is unlike other fruits that remain largely intact even after their juice is squeezed out (*Imrei Yosher*)]. And when wine is imbibed, it causes nothing at all to be left in the drinker's stomach — not the wine itself, and not even the other food that was there. Wine is thus dishonorable [for it is destructive, both in its production and in its use].

For the third piece of *mussar*, see next section (§5).

95. Solomon abstained from drink because he was committed to building the Temple as quickly as possible, and he did not want to be drawn to earthly pleasures and thus slacken in his work (*Eitz Yosef*). *Maharzu* comments that he does not know the Midrash's source for its assertion that Solomon did not drink wine for those seven years.

96. As part of his (double) celebration; see further.

Scripture states, *Solomon made a marriage alliance with Pharaoh, king of Egypt; he took Pharaoh's daughter in marriage and brought her to the City of David until he finished building his house and the House of* HASHEM (*I Kings* 3:1). According to *Bamidbar Rabbah* 10 §4, Solomon married Pharaoh's daughter on the very night that he completed the Temple. (It is possible that the words *he took Pharaoh's daughter in marriage* are to be interpreted as referring to the first stage of marriage [*erusin*], which was performed when the building of the Temple commenced [see *Seder Olam Rabbah* Ch. 15, cited by *Maharzu*], and that the second and final stage of marriage [*nisuin*] was performed only when the Temple was completed.)

[It is not clear why the Midrash calls the daughter of Pharaoh whom Solomon married "Bisya," for although this was indeed the name of the daughter of the Pharaoh who lived in the time of Moses (see *I Chronicles* 4:18), the aforementioned verse from *I Kings* does not mention that name. The name does not appear in *Yefeh To'ar's* text of our Midrash, and *Eitz Yosef* deletes it here. See, however, *Maharzu*.]

97. See Insight Ⓐ.

98. In light of the fact that Solomon's marriage to the daughter of Pharaoh was sinful, it is obvious which of the two celebrations was more "acceptable" to God. What the Midrash means is that God was weighing whose celebration was more powerful — that of the people rejoicing over the building of the Temple, whose joy and elation gave strength and endurance to that holy edifice; or that of the people rejoicing over Solomon's marriage to a foreign princess, who were effectively *destroying* the Temple. And when God saw that the latter was more powerful (see *Bamidbar Rabbah* ibid.), He decreed that Jerusalem would ultimately be destroyed, as the Midrash now relates (*Tiferes Tzion*).

Alternatively: [The "two celebrations" occurred together, and are regarded as one. Now,] a celebration involving [feasting and] physical pleasure, when conducted with the right intent for the sake of Heaven, is a mitzvah. Solomon certainly had such intent on that night, for he was celebrating the completion of the Temple. However, he had a second, less appropriate intent as well: to celebrate his (improper) marriage to the daughter of Pharaoh. The Midrash therefore quotes God as asking: *Which* of these intents should define the nature of this physical celebration? (*Eshed HaNechalim*).

99. The verse indicates that God's wrath was kindled against Jerusalem *from the day they built* the Temple (the most important part of the city). As our Midrash has explained, this is because that was when the sin of [Solomon's ongoing marriage to] the daughter of Pharaoh commenced (*Tiferes Tzion*).

It should be noted that according to the Sages, this act of Solomon did not have ramifications only for the First Temple that he built. The Gemara states (*Shabbos* 56b) that when Solomon married the daughter of Pharaoh, the angel Gabriel "planted a reed in the sea" from which sprouted the Roman empire — the destroyers of the *Second* Temple.

INSIGHTS

Ⓐ **Why Did Solomon Marry the Daughter of Pharaoh** The commentators proffer many reasons for Solomon marrying the daughter of Pharaoh, as well as his other foreign wives.

Malbim (to *I Kings* 3:1) writes that in marrying Pharaoh's daughter [and his other foreign wives], King Solomon intended to bring peace and security to the Land of Israel by forging a personal and familial relationship with its powerful neighbors.

Eshed HaNechalim cites *Shir HaShirim Rabbah* 1 §10 that Solomon married his wives [who were all princesses] for the sake of heaven, in order to convert them and bring them close to God [and through them, *Eshed HaNechalim* adds, the other leaders of the countries from whence they hailed]. (Note, however, that while *Eshed HaNechalim* cites this view as normative, it is a minority view in *Shir HaShirim Rabbah*.)

Recanti and *Shelah*, writing in a Kabbalistic vein, explain that he intended also to impart holiness to the bearers of idolatry and spiritual impurity.

Tiferes Tzion writes that Solomon wished to create a *nisayon* (spiritual test) for himself, in order to earn additional reward by succeeding in overcoming the challenges of the *nisayon*. See *Avodah Zarah* 17b, where we find two sages acting likewise. [Generally speaking, however, we are told that a person is to *avoid* creating *nisyonos* for himself; indeed, the Gemara (*Sanhedrin* 107a) uses King David as an example of someone who asked to be tested, and failed. See also *Michtav MeEliyahu*, Vol. 2, pp. 139-141 regarding the sin of Adam.]

In any event, despite whatever noble motives Solomon had, he sinned in marrying the daughter of Pharaoh, as the Midrash will point out in painful detail below.

לומר לך מה עֲנָבִים הַלָּלוּ כָּל זְמַן שֶׁאַתָּה מְמַרְסְן אַתָּה מוֹצִיא מֵהֶן כָּל מַה שֶּׁבְּתוֹכָן, כָּךְ כָּל מִי שֶׁשּׁוֹתֶה יַיִן הַרְבֵּה, סוֹף שֶׁמֵּקִיא אֶת כָּל מַה שֶּׁבְּמֵעָיו:

ה אָמַר רַבִּי יוּדָן: כָּל אוֹתָן שֶׁבַע שָׁנִים שֶׁבָּנָה שְׁלֹמֹה בֵּית הַמִּקְדָּשׁ לֹא שָׁתָה בָהֶן יַיִן, כֵּיוָן שֶׁבְּנָאוֹ וְנָשָׂא בִּתְיָה בַּת פַּרְעֹה, אוֹתוֹ הַלַּיְלָה שָׁתָה יַיִן, וְהָיוּ שָׁם ב' בְּלוּזְמָאוֹת, אַחַת שִׂמְחָה לְבִנְיַן בֵּית הַמִּקְדָּשׁ וְאַחַת שִׂמְחָה לְבַת פַּרְעֹה, אָמַר הַקָּדוֹשׁ בָּרוּךְ הוּא: שֶׁל מִי אֲקַבֵּל, שֶׁל אֵלּוּ אוֹ שֶׁל אֵלּוּ, בְּאוֹתָהּ שָׁעָה עָלָה עַל דַּעְתּוֹ לְהַחֲרִיב אֶת יְרוּשָׁלַיִם, הָדָא הוּא דִכְתִיב (ירמיה לב, לא) **"כִּי עַל אַפִּי וְעַל חֲמָתִי הָיְתָה לִּי הָעִיר הַזֹּאת וגו'", אָמַר רַבִּי הִילֵּל בַּר הִילֵנִי: כָּזֶה שֶׁהוּא עוֹבֵר בְּמָקוֹם הַמְטוּנָּף וְעִקֵּם חוֹטְמוֹ, אָמַר רַבִּי חוּנְיָא: פ' מִינֵי רִיקוּדִין רָקְדָה בַּת פַּרְעֹה בְּאוֹתָהּ הַלַּיְלָה, וְהָיָה שְׁלֹמֹה יָשֵׁן עַד ד' שָׁעוֹת בַּיּוֹם, וּמַפְתְּחוֹת שֶׁל בֵּית הַמִּקְדָּשׁ נְתוּנוֹת תַּחַת רֹאשׁוֹ, הָדָא הוּא דִתְנַן: עַל תָּמִיד שֶׁל שַׁחַר שֶׁקָּרַב בְּאַרְבַּע שָׁעוֹת** (עדיות ו, א), **נִכְנְסָה אִמּוֹ *וְהוֹכִיחַתּוּ, וְיֵשׁ אוֹמְרִים יָרָבְעָם בֶּן נְבָט נִכְנַס וְהוֹכִיחוֹ, וְיָכוֹל הָיָה, רַבִּי חַגַּי בְּשֵׁם רַבִּי יִצְחָק: עָמַד וְכִנֵּס אֶלֶף מִתּוֹךְ שִׁבְטוֹ וְנִכְנַס וְהוֹכִיחוֹ, הָדָא הוּא דִכְתִיב** (הושע יג, א) **"כְּדַבֵּר אֶפְרַיִם רְתֵת",**

עץ יוסף

לומר לך מה. כלומר לכן נקרא האילן גופנא, ולא על שם הפרי, דהיינו ענב כשאר האילנות שנקראו על שם פריים, משום רמיזא דגופנא כדרש שתי מלות גו פנא, כלומר שפנה ומוציא מה שבתוכו, והיינו שהענבים במרוסן יוציאו מה שבתוכן, שהרמז לזה שכן השותה יין הרבה סוף שמקיא וכו': **סוף שמקיא כו'.** ענינו מבואר, גם יתכן ירמוז להוצאת רוחו בשכרותו, על דרך (עירובין סה, א) נכנס יין יצא סוד: (ה) **לא שתה בהן יין.** שהיה מזרז בבנין בבית המקדש כדי שלא ימשך אחר תענוגיו ויתעצל: **בתיה בת פרעה.** תיבת בתיה מיותר, וכן במדרש שעם היפה תואר ליתא: **בלוזמאות.** המערוך (ערך בלוזמאות) כתב שהוא לשון יוני, ופירושו סעודות ואכילות גסות, ושם של גנאי הוא, מלשון בולמוס, ולפי שאין רוח המקום נוחה מהם קרי להו הכי. והמוסף הערוך כתב פירושו בלשון יוני מחול, וחברת אנשים מרקדים ושמחים: **כזה שהוא עובר כו'.** מפרש אפי לשון חוטם, כמו (שבת נט, ב) נזמי האף, שהיה מעקם חוטמו מפני הסרחון, ועניינו כעובר במקום מטונף שקן בו קאת ועוקם את חוטמו, ומכל מקום אינו נמנע מעבור שם לצרכיו, כך מכל מקום השרה ה' שכינתו בירושלים כמה שנים משנבנה בית המקדש עד שהוטמד דמות צלם בבית המקדש: **מיני רקודים.** לשמחה ושעשוע, ועל ידי כן לא ישן רוב הלילה, והיה ישן עד ד' שעות ביום, ועיין במדבר רבה פרשה י' (סימן ד), ובמסכת שבת פרק במה בהמה (שבת נו, ב): **דתנן.** ריש פרק ו' דמסכת עדיות: **ויכול היה.** בתמיה, וכי היה לו יכולת כל כך:

פירוש מהרז"ו

לומר לך מה ענבים. נראה לי שהוא עוד טעם אחר על גנות היין, תחלה מבטל שם פריו, ואינו משאיר ממנו מאומה, ובסוף מקלקל את האדם השותה אותו לאבד את היין עצמו, ואת אחרים עמו, שלא די שמקיא מה ששתה, אלא גם מאכלים שאכל מקיא ומאבד: (ה) **אמר רבי יודן.** בא לדרוש גם כן מה שכתוב (ויקרא י, ט) יין ושכר אל תשת, ובא לגלות גנות היין ומה שגרם ומה שנאמר עליו: **כיון שבנאו ונשא בתיה בת פרעה.** וכן הוא בבמדבר רבה (י, ד) באריכות וכאן קיצר, ומה שכתב שהיה שמה בתיה, לא ידעתי מנין לו, ועיין לעיל (א, ג) ושם מדבר מבתיה שגדלה את משה והיתה אשת כלב, ויתכן על שמלכי בית דוד נתפרש שם נשותיהם המלכה העקרית, ולמה לא גלה שם המלכה של שלמה, ודורש שגלה על פי גזירה שוה, שכאן כתיב בת פרעה, ובדברי הימים (א, ד, יח) כתוב ואלה בני בתיה בת פרעה, כמו שם בתיה אף כאן בתיה, הרי גלה שמה על פי גזירה שוה: **כל אותן שבע שנים.** לא ידעתי מנין לו: **אחת לשמחת בית המקדש.** ואינו יודע איך דורש שהיו שניהם בזאת הלילה, ובסדר עולם (פרק טו) איתא וזה לשונו, ויאהב שלמה את ה' ללכת בחוקות דוד אביו, ארבע שנים עד שלא התחיל לבנות הבית, אבל משהתחיל לבנות ויקח את בת פרעה ויביאה אל עיר דוד עד כלותו ביתו ואת בית ה' ואת חומות ירושלים סביב, הרי שנשא בת פרעה קודם כלותו לבנות בית ה', ודעת סדר עולם שם הביא גם כן מפסוק כי על אפי ועל חמתי היתה לי העיר הזאת מיום בנה אותה, והיינו משנת ארבע למלכותו, שאז התחיל לבנות בית המקדש וביתו וחומת ירושלים: **שמונים מיני ריקודין.** שם במדבר רבה איתא, ועלתה להלת בת פרעה יותר מהלת בית המקדש, וכן הכוונה בכאן שמחת בת פרעה היתה יותר משמחת בית המקדש, אך חשבון שמונים ריקודין איני יודע מנין: **הדה הוא דתנן.** עדיות (פ"ו מ"א): **נכנסה אמו והוכיחתו.** כאן בקיצור, ובבמדבר רבה שם באריכות עיין שם: **כדבר אפרים רתת.** וסיפא דקרא נשא הוא בישראל ויאשם בבעל וימות, ודורש על ירבעם שבא מאפרים, שעל שדבר דברים של רתת, הם דברי תוכחה, והיה ירבעם מירתת משלמה, ועם כל זה מלאו לבו להוכיחו, ומה שכתוב נשיא הוא בישראל, היינו שלמה, וכמו שנאמר בתורה אשר נשיא יחטא, ודרשו שהוא המלך שאין על גבו אלא ה' אלהיו, וירבעם היה אצל שלמה שר גדול, ומפורש במלכים א' י"א, וירבעם בן נבט אפרתי עבד שלמה וירם יד במלך וזה הדבר אשר הרים יד במלך שלמה בנה את המלוא סגר את פרץ עיר דוד אביו, ודרשו חז"ל שעשה שלמה זאת בשביל בת פרעה, לעשות לה אנגריא לצורך מרכבתה ועבדיה, וזה היה בעת שגמר בנין הבית, ואז העלה אותה מעיר דוד אל ביתה אשר בנה לה, ואז בנה את המלוא, ואז עשה שמחה לחנוכת הבית, ויתכן שדעת המדרש שעשה אז גם שמחת חנוכת ביתה, וזהו מה שכתב כאן שהיו שתי השמחות בלילה אחת, ושירבעם הוכיחו, והיינו מה שכתב שהרים יד במלך, על שסגר פרץ עיר דוד למען בית של בת פרעה, שלמענה היה השמחה, ואז הוכיחו גם כן על שישן עד ארבע שעות, ובזה יעלה ארוכה למה שהערנו, ולא יסתור דברי הסדר עולם שנשא בת פרעה בשנה הרביעית, אך השמחה היתה מחנוכת ביתה ביחד עם חנוכת בית המקדש: **שכנס אלף משבטו.** מרומז בתיבת רתת בגימטריא אלף. מבני המופלא מוה"ר אברהם ישראל שיחיה. אך בילקוט ירמיה ל"ב מצאתי הגירסא שמונים אלף משבטו:

חידושי הרד"ל

[ה] **אמר רבי הלל בזה שהוא עובר כו'.** איכה פרשה ב סימן ח' [סימן יב]: **וכנס אלף משבטו.** בילקוט ירמיה (רמז שכ) הגירסא, שמונים אלף:

באור מהרי"פ

[ה] [**במתנות כהונה בד"ה] בלוזמאות.** הערוך לא פירש, וזה לשון ר' בנימין מוספיא ערך בלזס, אמר בנימין פירוש בלשון יוני מחול וחברת אנשים מרקדים ושמחים ועיין מערוך:

ליקוטים

[ה] **שני בלוזמאות.** במתנות כהונה כתב ולפי הענין פירושו שמחות. ואני אומר אילו היה כן היה הספר אומר בהדיא [שני] שמחות כמו שאמר אחת שמחה וכו'. אלא לשון יוני הוא ופירושו סעודות ואכילות גסות (מערוך ערך בלוזמאות): **עמד וכנס אלף מתוך שבטו.** בילקוט ירמיה הגירסא שמונים אלף (יד יוסף ונבחר מפנינים). וכן הגירסא במדרש דפוס ונציאה:

אמרי יושר

הדא גופנא יש לה שלשה שמות. כי כל שלשתן מורים רמז אחד, כל אחד באמצעי שונה ומתחלף, ולזה נקרא בשלשה שמות, כי היא גופנא, דנפיק מינה מתקרי ענבין, דנפיק מענבין מתקרי חמר: [ה] **כי על אפי.** דרשוהו מלשון חוטם:

מסורת המדרש

ה. במד"ר פ"י, שבת פ' במה בהמה, מדרש משלי ל"א:

אם למקרא

כִּי עַל אַפִּי וְעַל חֲמָתִי הָיְתָה לִּי הָעִיר הַזֹּאת לְמִן הַיּוֹם אֲשֶׁר בָּנוּ אוֹתָהּ וְעַד הַיּוֹם הַזֶּה לַהֲסִירָהּ מֵעַל פָּנָי: (ירמיה לב:לא)

כְּדַבֵּר אֶפְרַיִם רְתֵת נָשָׂא הוּא בְּיִשְׂרָאֵל וַיֶּאְשַׁם בַּבַּעַל וַיָּמֹת: (הושע יג:א)

ענף יוסף

הוא דם הנפש, שהוא תלוי ברביעית דם], יוצרך יזדמן לך קרבן אחר תחתיך, באותה שעה פער פיו בבכיה וגעה געייה גדולה, והיו עיניו מרופפות ואופות לשכינה, והרים קולו ואמר אשא עיני אל ההרים מאין יבא עזרי, עזרי מעם ה' עושה שמים וארץ, באותה שעה הן אראלם צעקו חוצה וגו', עמדו מלאכי השרת שורות שורות ברקיע, ואומרים זה לזה, יחיד שוחט, ויחיד נשחט, אמרו מי יאמר לפניך על הים זה אלי ואנוהו, שבועת כה יהיה זרעך מה תעשה לה, מיד יצא קול אל תשלח ידך אל הנער עד כאן לשונו. כי אף על פי שאברהם ויצחק עשו הדבר בשמחה, מכל מקום טבע העצבות שלעולם מתעורר, כמו שכתבתי בעץ, ובזה יש ליישב קצת מה דאיתא בתנחומא סדר וירא סימן כ"ג, אמר [יצחק] אם בחר בי רבי נפשי נתונה לו על דמי לך לי מאד, ועיין שם מה שכתבתי [בעץ יוסף] ודו"ק:

ידי משה

[ה] **ארבע שעות ביום היה ישן.** אבל קודם לכן לא היה ישן אלא עד שלש שעות, שכן דרך מלכים לישן עד שלש שעות:

מתנות כהונה

[ה] **בלוזמאות.** הערוך (ערך בלזס) הביאו ולא פירשו, ולפי הענין פירושו שמחות: הכי גרסינן בילקוט ירמיה (רמז שכ) **אמר רב הלל בר הילני בזה שהוא עובר כו':** ועקם חוטמו. מעקמו מן הטינוף, ועל אפי דרש, לשון חוטם מדכתיב (ירמיה לב, לא) ועל חמתי: **דתנן.** מסכת עדיות (פ"ו מ"א): **ויכול היה.** בתמיה וכי היה לו יכולת כל כך: **עמד וכנס גרסינן:**

אשד הנחלים

תלת שמהן. שכל שם הוא כינוי מיוחד לדבר מיוחד מה שנעשה ממנו, כי כל מה שאתה ממרסו נשתנה טעמו ועניינו, וכן האדם ששותהו נשתנה גם כן על ידי זה לרעה, וזהו יין שהוא אינו חזק כל כך, ושכר המשכר ביותר: [ה] **של מי אקבל כו'.** עניינו כי השמחות שיש בהם תענוג גופני, גם כן הולך אחר הכוונה של אדם, אם הוא מכוין לשם מצוה ולשם ה', אז היא נחשבת למצוה, ואחר שהמלך הכין גם כן השמחות האלו לבתיה גם כן, שהוא מעניינים הגופנים, אם כן נבטלה הכוונה. ולכן אמר של מי אקבל, אם זה שמכוין לשמחת המקדש, עומד לנגדי שמחת בתיה: **כזה כו' חוטמו.** וזהו על אפי, שמכוונה על החוטם. והמליצה הוא כמי שמריח מרחוק מה יהיה סופו של הבית, ועם כל זה עשה את עצמו כאלו לא הרגיש בזה, והניח עד לאחרית: **שמונים מיני ריקודים.** יתכן מפני שהיו לו שמונים פלגשים, כמו שכתוב בשיר השירים (ו, ח) ששים המה מלכות ושמונים פלגשים, ואחת היא יונתי, זה בת פרעה שהיתה

כְּזֶה שֶׁהוּא — **אָמַר רַבִּי הִילֵּל בַּר הִילֶנִי R' Hillel bar Hileni**[100] **said:** עוֹבֵר בְּמָקוֹם הַמְטוּנָּף וְעִקֵּם חוֹטְמוֹ — The Holy One was, as it were, **like this** individual **who passes by a filthy area and turns up his nose** at the foul odor.[101]

The Midrash begins to describe the woeful consequences of Solomon's marrying Pharaoh's daughter:

אָמַר רַבִּי חוּנְיָא — R' Chonya said: פ׳ מִינֵי רִיקוּדִין רָקְדָה בַּת פַּרְעֹה בְּאוֹתָהּ הַלַּיְלָה — **Pharaoh's daughter danced eighty types of dances on that night** of her wedding and the Temple's completion,[102] וְהָיָה שְׁלֹמֹה יָשֵׁן עַד ד׳ שָׁעוֹת בַּיּוֹם — **and** as a result[103] **Solomon slept until the fourth hour of the day,**[104] וּמַפְתְּחוֹת שֶׁל בֵּית הַמִּקְדָּשׁ נְתוּנוֹת תַּחַת רֹאשׁוֹ — **and the keys of the Holy Temple lay under his head.**[105] הָדָא הוּא דִתְנַן: עַל תָּמִיד שֶׁל שַׁחַר שֶׁקָּרַב בְּאַרְבַּע שָׁעוֹת — **It is** in regard to **this** incident **that we learned** in a Mishnah: R' Yehudah ben Bava testified . . . **regarding the morning *tamid*-offering that it was offered in the fourth hour** of the day (*Eduyos* 6:1).[106] נִכְנְסָה אִמּוֹ — It was at the fourth hour that **[Solomon's] mother entered** his bedchamber to awaken[107]

NOTES

100. This is Helen, mother of R' Hillel.

101. R' Hillel is expounding the word אַפִּי (*My wrath*) in the *Jeremiah* verse, for אַף literally means *nose* (*Matnos Kehunah* et al.). He is teaching that God's situation was analogous to someone who was somewhat disgusted by the foul odor in a location where he had to pass, and turned up his nose at the smell. *Eitz Yosef* explains the point of the Midrash to be that despite the bad smell, the person in the analogy was not prevented from continuing on his path in order to attend to his affairs. Similarly, although God was aroused against Jerusalem and had thoughts of destroying her [because of Solomon's offensive actions], He nonetheless rested His *Shechinah* there for many years — until the time that an idol was placed in the Temple [by the evil King Manasseh; see Mishnah *Taanis* 26b with *Rashi* s.v. והועמד צלם בהיכל] and Jerusalem's fate was sealed (*Eitz Yosef*; cf. *Eshed HaNechalim*).

102. She did so for Solomon's joy and delight (ibid.; see *Eshed HaNechalim* for an explanation of the significance of the number eighty). *Maharzu* writes that the Midrash's point is that the joy of the (improper) wedding superseded the joy of the completion of the Temple (a point made explicitly in *Bamidbar Rabbah* loc. cit.). See Insight Ⓐ.

103. I.e., because Solomon was kept awake most of the night (*Eitz Yosef*). [See *Bamidbar Rabbah* loc. cit., where the celebration and the cause of Solomon's oversleeping are described differently; see also *Shabbos* 56b.]

104. Whereas normally he slept until the third hour, which is the custom of kings [as stated in the Mishnah, *Berachos* 1:2] (*Yedei Moshe*).

105. Solomon had placed the keys under his pillow, expecting to awaken early and open the doors of the Temple for its inauguration. Because he slept late, the people were unable to enter the Temple.

106. See Insight Ⓑ.

107. *Bamidbar Rabbah* ibid. relates that the people were afraid to awaken their king, and so they informed his mother Bath-sheba about the problem.

INSIGHTS

Ⓐ The Sacred and the Profane The Midrash throws into sharp relief the immense contrast between King Solomon's different activities on this fateful night. On the one hand, he celebrated the completion of God's sacred dwelling, symbol of His union with Israel, highest aspiration of Solomon's father David, crowning jewel of the Holy Land, the culmination of seven years of vast expenditure and the toil of thousands of men. At the same time, he celebrated his wrongful marriage to an idolatrous woman, daughter of a foreign culture. Her dances supplanted his lofty pursuits, and the inauguration of the Holy Temple was delayed.

King Solomon's sin was his marriage to the daughter of Pharaoh. Yet, the Midrash states that "this city" [i.e., Jerusalem and the Temple] aroused God's anger, and that He therefore determined, on that very night, to destroy Jerusalem. Why was it the city and Temple that became the target of God's wrath?

R' Shimshon Pincus (*Tiferes Shimshon, Exodus* 12:38) suggests that it was the completion of the Temple that indirectly caused Solomon to sin. King Solomon's choice to marry the daughter of Pharaoh on that particular night was not accidental. Rather, he wished to use the heightened sanctity of that time to perfect not only Israel, but also the wider world. [He saw this as fitting, for the building of the Holy Temple was an important step in undoing the sin of Adam, and thus returning Creation to its original path.] King Solomon hoped that by marrying the daughter of Pharaoh at this moment of unequalled closeness to God, he would begin the process of rectifying the idolatrous nations too, bringing even them into the ranks of the God-fearing. In this, Solomon erred. He failed to maintain the delicate balance of sacred and profane. Instead of bringing others close, he himself was drawn ever so slightly away. Since it was the completion of the Temple that led Solomon to sin, it was the Temple that became the focus of God's anger.

The *Dubno Maggid*, too, infers from the Midrash that God's anger with Solomon was bound up with completion of the Temple, but he explains the matter differently. He draws a comparison to a woman known locally as one of unsavory reputation. She marries a righteous man, famed far and wide for his piety. Suddenly, her unsavory reputation grows. Her wickedness is no longer only a matter of local knowledge; it is a byword even in distant places. This is due, of course, to her association with her famous husband. All shout the praises of the great man. His praise leads inevitably to her denigration.

A similar mechanism, writes the *Dubno Maggid*, is at work on the national level, with respect to the manner in which God perceives the nation after we sin. Let us take as an example the sin of the Golden Calf. This transgression was not, in and of itself, the greatest of Israel's sins. Far worse can be found in the prophecies of Ezekiel. Yet, because this sin is associated with Sinai, with the moment of God's revelation and our acceptance of His sovereignty, it reverberates more powerfully than the far more serious transgressions that followed. God's "memory" of the sweetness of Sinai, cornerstone of His union with His beloved people, will always carry with it the painful memory of betrayal.

So too with regard to the sin of King Solomon. Had he married the daughter of Pharaoh on some other night, the consequences would not have been nearly so dire. But to do so on this night, when God showed His love for His people by resting His Presence in their newly built Temple, to do so at the moment He fulfilled their deepest yearning of centuries, to thus sully the sacred with the profane, *this* infused the act with far greater significance than it would otherwise have merited. The thought of the Temple, of that physical representation of the eternal bond between God and Israel, was now tainted forever by Solomon's sin. Rightfully, then, did God exclaim: *This city has aroused My anger!* With every reminder — each day, every hour — of the existence of the holy city and the sacred dwelling it contained, God's wrath was renewed (see *Mishlei Yaakov, Parashas Shemini* §169; *Ohel Yaakov, Parashas Shemini*).

For yet another approach to the contrast between sacred and profane on the night of the Temple's completion, see *Ze'ev Yitraf* to *Psalms* Ch. 90.

Ⓑ R' Yehudah ben Bava's Testimony According to *Yerushalmi Berachos* 4:1 (cited by *Rav* and *Rambam* on the Mishnah in *Eduyos*), the incident regarding which R' Yehudah ben Bava testified was a different one: It occurred during the Second Temple era, when the Greeks laid siege to Jerusalem. Each day, the besieged Jews would lower from the ramparts two baskets filled with gold, and the Greeks would send up in return two lambs for the morning and afternoon *tamid*-offerings. One day, they sent up two goats instead, preventing the Jews from offering the morning *tamid* at the usual hour (the *tamid* was generally offered as soon as the eastern sky lit up — Mishnah *Yoma* 28a). After a delay of several hours, God miraculously caused them to find an unblemished lamb that was fit for sacrifice, and they offered the *tamid* at the end of the fourth hour of the day.

The *Yerushalmi* and Midrash interpret the Mishnah in *Eduyos* to mean that R' Yehudah ben Bava testified about an incident that took place. (The purpose of the testimony, *Tiferes Yisrael* writes, was to teach that the end of the fourth hour is still considered "morning," for the Torah in *Numbers* 28:4 commands, *The one lamb you shall make in the "morning."*) However, the Gemara (*Berachos* 27a) uses this testimony to support the opinion of R' Yehudah [bar Il'ai] in the Mishnah (ibid. 26a) that the morning *tamid*-offering could be brought only until the end of

לוֹמַר לְךָ מָה עֲנָבִים הַלָּלוּ כָּל זְמַן שֶׁאַתָּה מְמָרְסָן אַתָּה מוֹצִיא מֵהֶן כָּל מַה שֶּׁבְּתוֹכָן, כָּךְ כָּל מִי שֶׁשּׁוֹתֶה יַיִן הַרְבֵּה, סוֹף שֶׁמֵּקִיא אֶת כָּל מַה שֶּׁבְּמֵעָיו:

ה אָמַר רַבִּי יוּדָן: כָּל אוֹתָן שֶׁבַע שָׁנִים שֶׁבָּנָה שְׁלֹמֹה בֵּית הַמִּקְדָּשׁ לֹא שָׁתָה בָּהֶן יַיִן, כֵּיוָן שֶׁבְּנָאוֹ וְנָשָׂא בִּתְיָה בַּת פַּרְעֹה, אוֹתוֹ הַלַּיְלָה שָׁתָה יַיִן, וְהָיוּ שָׁם ב' בְּלוּזְמָאוֹת, אַחַת שִׂמְחָה לְבִנְיַן בֵּית הַמִּקְדָּשׁ וְאַחַת שִׂמְחָה לְבַת פַּרְעֹה, אָמַר הַקָּדוֹשׁ בָּרוּךְ הוּא: שֶׁל מִי אֲקַבֵּל, שֶׁל אֵלּוּ אוֹ שֶׁל אֵלּוּ, בְּאוֹתָהּ שָׁעָה עָלָה עַל דַּעְתּוֹ לְהַחֲרִיב אֶת יְרוּשָׁלַיִם, הָדָא הוּא דִכְתִיב (ירמיה לב, לא) "כִּי עַל אַפִּי וְעַל חֲמָתִי הָיְתָה לִּי הָעִיר הַזֹּאת וְגוֹ'", אָמַר רַבִּי הִילֵּל בַּר הִילֵנִי: כָּזֶה שֶׁהוּא עוֹבֵר בְּמָקוֹם הַמְּטוּנָּף וְעִקֵּם חוֹטְמוֹ, אָמַר רַבִּי חוּנְיָא: פ' מִינֵי רִיקּוּדִין רָקְדָה בַּת פַּרְעֹה בְּאוֹתָהּ הַלַּיְלָה, וְהָיָה שְׁלֹמֹה יָשֵׁן עַד ד' שָׁעוֹת בַּיּוֹם, וּמַפְתְּחוֹת שֶׁל בֵּית הַמִּקְדָּשׁ נְתוּנוֹת תַּחַת רֹאשׁוֹ, הָדָא הוּא דִתְנַן: עַל תָּמִיד שֶׁל שַׁחַר שֶׁקָּרַב בְּאַרְבַּע שָׁעוֹת (עדיות ו, א), נִכְנְסָה אִמּוֹ *וְהוֹכִיחַתּוּ, וְיֵשׁ אוֹמְרִים יָרָבְעָם בֶּן נְבָט נִכְנַס וְהוֹכִיחוֹ, וְיָכוֹל הָיָה, רַבִּי חַגַּי בְּשֵׁם רַבִּי יִצְחָק: עָמַד וְכִנֵּס אֶלֶף מִתּוֹךְ שִׁבְטוֹ וְנִכְנַס וְהוֹכִיחוֹ, הָדָא הוּא דִכְתִיב (הושע יג, א) "כְּדַבֵּר אֶפְרַיִם רְתֵת",

עץ יוסף

לומר לך מה. כלומר לכן נקרא האילן גופנא, ולא על שם הפרי, דהיינו ענב כשאר האילנות שנקראו על שם פריים, משום רמיזא דגופנא נדרש שתי מלות גו פנא, כלומר ספנה ומוציא מה שבתוכו, והיינו שהענבים במרוסן יוציאו מה שבתוכן, שהרמז לזה שכן השותה יין הרבה סוף שמקיא וכו': **סוף שמקיא כו'.** ענינו מבואר, גם יתכן ירמוז להוצאת רוחו בשכרותו, על דרך (עירובין סה, א) נכנס יין יצא סוד: (ה) **לא שתה בהן יין.** שהיה מזרז בבנין בבית המקדש כדי שלא ימשך אחר תענוגיו ויתעצל: **בתיה בת פרעה.** תיבת בתיה מיותר, וכן במדרש שעם היפה תואר ליתא: **בלוזמאות.** המערוך (ערך בלוזמאות) כתב שהוא לשון יוני, ופירושו סעודות ואכילות גסות, ושם של גנאי הוא, מלשון בולמוס, ולפי שאין רוח המקום נוחה מהם קרי להו הכי. והמוסף הערוך כתב פירושו בלשון יוני מחול, וחברת אנשים מרקדים ושמחים: **כזה שהוא עובר כו'.** מפרש אפי לשון חוטם, כמו (שבת נט, ב) נזמי האף, שהיה מעקם חוטמו מפני הסרחון, ועניינו כעובר במקום מטונף שיש בו קלא ועוקם את חוטמו, ומכל מקום אינו נמנע מעבור שם לצרכיו, כך מכל מקום השרה ה' שכינתו בירושלים כמה שנים משנבנה בית המקדש עד שהועמד דמות צלם בבית המקדש: **מיני רקודים.** לשמחה ושעשוע, ועל ידי כן לא ישן רוב הלילה, והיה ישן עד ד' שעות ביום, ועיין במדבר רבה פרשה י' (סימן ד), ובמסכת שבת פרק במה בהמה (שבת נו, ב): **דתנן.** ריש פרק ו' דמסכת עדיות: **ויכול היה.** בתמיה, וכי היה לו יכולת כל כך:

פירוש מהרז"ו

לומר לך מה ענבים. נראה לי שהוא עוד טעם אחר על גנות היין, תחלה מבטל שם פריו, ואינו משאיר ממנו מאומה, ובסוף מקלקל את האדם השותה אותו לאבד את היין עצמו, ואת אחרים עמו, שלא די שמקיא מה ששתה, אלא גם מאכלים שאכל מקיא ומאבד: (ה) **אמר רבי יודן.** בא לדרוש גם כן מה שכתוב (ויקרא י, ט) יין ושכר אל תשת, ובא לגלות גנות היין ומה שגרם ומה שנאמר עליו: **כיון שבנאו ונשא בתיה בת פרעה.** וכן הוא בבמדבר רבה (י, ד) באריכות וכאן קיצר, ומה שכתב שהיה שמה בתיה, לא ידעתי מנין לו, ועיין לעיל (א, ג) ושם מדבר מבתיה שגדלה את משה והיתה אשת כלב, ויתכן על שמלכי בית דוד נתפרש שם נשותיהם המלכה העקרית, ולמה לא גלה שם המלכה של שלמה, ודורש שגלה על פי גזירה שוה, שכאן כתיב בת פרעה, ובדברי הימים (א, ד, יח) כתוב ואלה בני בתיה בת פרעה, כמו שם בתיה אף כאן בתיה, הרי גלה שמה על פי גזירה שוה: **כל אותן שבע שנים.** לא ידעתי מנין לו: **אחת לשמחת בית המקדש.** ואינו יודע איך דורש שהיו שניהם בזאת הלילה, ובסדר עולם (פרק טו) איתא וזה לשונו, ויאהב שלמה את ה' ללכת בחוקות דוד אביו, ארבע שנים עד שלא התחיל לבנות הבית, אבל משהתחיל לבנות ויקח את בת פרעה ויביאה אל עיר דוד עד כלותו ביתו ואת בית ה' ואת חומות ירושלים סביב, הרי שנשא בת פרעה קודם כלותו לבנות בית ה', ודעת סדר עולם שם הביא גם כן מפסוק כי על אפי ועל חמתי היתה לי העיר הזאת מיום בנה אותם, והיינו משנת ארבע למלכותו, שאז התחיל לבנות בית המקדש וביתו וחומת ירושלים: **שמונים מיני ריקודין.** שם במדבר רבה איתא, ועלתה נהלת בת פרעה יותר מהלת בית המקדש, וכן הכוונה בכאן שמחת בת פרעה היתה יותר משמחת בית המקדש, אך חשבון שמונים ריקודין איני יודע מנין: **הדה הוא דתנן.** עדיות (פ"ו מ"א): **נכנסה אמו והוכיחתו.** כאן בקיצור, ובבמדבר רבה שם באריכות עיין שם: **כדבר אפרים רתת.** וסיפא דקרא נשא הוא בישראל ויאשם בבעל וימות, ודורש על ירבעם שבא מאפרים, שעל שדבר דברים של רתת, הם דברי תוכחה, והיה ירבעם מירתת משלמה, ועם כל זה מלאו לבו להוכיחו, ומה שכתוב נשא הוא בישראל, היינו שלמה, וכמו שנאמר בתורה אשר נשיא יחטא, ודרשו שהוא המלך שאין על גבו אלא ה' אלהיו, וירבעם היה אצל שלמה שר גדול, ומפורש במלכים א' י"א, וירבעם בן נבט אפרתי עבד שלמה וירם יד במלך וזה הדבר אשר הרים יד במלך שלמה בנה את המלוא סגר את פרץ עיר דוד אביו, ודרשו חז"ל שעשה שלמה זאת בשביל בת פרעה, לעשות לה אנגריא לצורך מרכבתה ועבדיה, וזה היה בעת שגמר בנין הבית, ואז העלה אותה מעיר דוד אל ביתה אשר בנה לה, ואז בנה את המלוא, ואז עשה שמחה לחנוכת הבית, ויתכן שדעת המדרש שעשה אז גם שמחת חנוכת ביתה, וזהו מה שכתב כאן שהיו שתי השמחות בלילה אחת, ושירבעם הוכיחו, והיינו מה שכתב שהרים יד במלך, על שסגר פרץ עיר דוד למען בית של בת פרעה, שלמענה היה השמחה, ואז הוכיחו גם כן על שישן עד ארבע שעות, ובזה יעלה ארוכה למה שהערנו, ולא יסתור דברי הסדר עולם שנשא בת פרעה בשנה הרביעית, אך השמחה היתה מחנוכת ביתה ביחד עם חנוכת בית המקדש: **שכנס אלף משבטו.** מרומז בתיבת רתת בגימטריא אלף. מבני המופלא מוה"ר אברהם ישראל שיחיה. אך בילקוט ירמיה ל"ב מצאתי הגירסא שמונים אלף משבטו:

חידושי הרד"ל

[ה] **אמר רבי הלל כזה שהוא עובר כו'.** איכה פרשה ב סימן א' [סימן יב]: **וכנס אלף משבטו.** בילקוט ירמיה (רמז שכ) הגירסא, שמונים אלף:

באור מהרי"פ

[ה] [במתנות כהונה בד"ה] **בלוזמאות.** הערוך לא פירש, וזה לשון ר' בנימין מוספיא ערך בלזם, אמר בנימין פירוש בלשון יוני מחול וחברת אנשים מרקדים ושמחים ועיין מעריך:

ליקוטים

[ה] **שני בלוזמאות.** במתנות כהונה כתב ולפי הענין פירושו שמחות. ואני אומר אילו היה כן היה הספר אומר בהדיא [שני] שמחות כמו שאמר אחת שמחה וכו'. אלא לשון יוני הוא ופירושו סעודות ואכילות גסות (מעריך ערך בלוזמאות): **עמד וכנס אלף מתוך שבטו.** בילקוט ירמיה הגירסא שמונים אלף (יד יוסף ונבחר מפנינים). וכן הגירסא במדרש דפוס ונציאה:

אמרי יושר

הדא גופנא יש לה שלשה שמות. כי כל שלשתן מורים רמז אחד, כל אחד באמצעי שונה ומתחלף, ולזה נקרא בשלשה שמות, כי היא גופנא, דנפיק מינה מתקרי ענבין, דנפיק מענבין מתקרי חמר: [ה] **כי על אפי.** דרשוהו מלשון חוטם:

מסורת המדרש

ה. במד"ר פ"י, שבת פ' במה בהמה, מדרש משלי ל"א:

אם למקרא

כִּי עַל אַפִּי וְעַל חֲמָתִי הָיְתָה לִּי הָעִיר הַזֹּאת לְמִן הַיּוֹם אֲשֶׁר בָּנוּ אוֹתָהּ וְעַד הַיּוֹם הַזֶּה לַהֲסִירָהּ מֵעַל פָּנָי: (ירמיה לב:לא)

כְּדַבֵּר אֶפְרַיִם רְתֵת נָשָׂא הוּא בְּיִשְׂרָאֵל וַיֶּאְשַׁם בַּבַּעַל וַיָּמֹת: (הושע יג:א)

ענף יוסף

הוא דם הנפש, שהוא תלוי ברביעית דם, ויוכרך יזדמן לך קרבן אחר תחתיך, באותה שעה פער פיו בבכיה וגעה געייה גדולה, והיו עיניו מרופפות וצופות לשכינה, והרים קולו ואמר אשא עיני אל ההרים מאין יבא עזרי, עזרי מעם ה' עושה שמים וארץ, באותה שעה הן אראלם צעקו חוצה וגו', עמדו מלאכי השרת שורות שורות ברקיע, ואומרים זה לזה, יחיד שוחט, ויחיד נשחט, אמרו מי יאמר לפניך על הים זה אלי ואנוהו, שבועת כה יהיה זרעך מה תעשה לה, מיד יצא קול אל תשלח ידך אל הנער עד כאן לשונו. כי אף על פי שאברהם ויצחק עשו הדבר בשמחה, מכל מקום טבע העצבות מעצמו מתעורר, כמו שכתבתי בעץ, ובזה יש ליישב קצת מה דאיתא בתנחומא סדר וירא סימן כ"ג, אמר [יצחק] אם בחר בי הרי נפשי נתונה לו על דמי צר לי מאד, ועיין שם מה שכתבתי [בעץ יוסף] ודו"ק:

ידי משה

[ה] **ארבע שעות ביום היה ישן.** אבל קודם לכן לא היה ישן אלא עד שלש שעות, שכן דרך מלכים לישן עד שלש שעות:

מתנות כהונה

[ה] **בלוזמאות.** הערוך (ערך בלזם) הביאו ולא פירשו, ולפי הענין פירושו שמחות: הכי גרסינן בילקוט ירמיה (רמז שכ) **אמר רב הלל בר הילני כזה שהוא עובר כו':** ועקם חוטמו. מעקמו מן הטינוף, ועל אפי דרש, לשון חוטם מדכתיב (ירמיה לב, לא) ועל חמתי: **דתנן.** מסכת עדיות (פ"ו מ"א): **ויכול היה.** בתמיה וכי היה לו יכולת כל כך: **עמד וכנס גרסינן:**

אשד הנחלים

תלת שמהן. שכל שם הוא כינוי מיוחד לדבר מיוחד מה שנעשה ממנו, כי כל מה שאתה ממרסו נשתנה טעמו ועניינו, וכן האדם ששותהו נשתנה גם כן על ידי זה לרעה, וזהו יין שהוא אינו חזק כל כך, ושכר המשכר ביותר: [ה] **של מי אקבל כו'.** עניינו כי השמחות שיש בהם תענוג גופני, גם כן הולך אחר הכוונה של אדם, אם הוא מכוין לשם מצוה ולשם ה', אז היא נחשבת למצוה, ואחר שהמלך הכין גם כן השמחות האלו לבתיה גם כן, שהוא מעניינים הגופנים, אם כן נבטלה הכוונה. ולכן אמר של מי אקבל, אם זה שמכוין לשמחת המקדש, עומד לנגדי שמחת בתיה: **כזה כו' חוטמו.** וזהו על אפי, שמכונה על החוטם. והמליצה הוא כמי שמריח מרחוק מה יהיה סופו של הבית, ועם כל זה עשה את עצמו כאלו לא הרגיש בזה, והניח עד לאחרית: **שמונים מיני ריקודים.** יתכן מפני שהיו לו שמונים פלגשים, כמו שכתוב בשיר השירים (ו, ח) ששים המה מלכות ושמונים פלגשים, ואחת היא יונתי, זה בת פרעה שהיתה

וְהוֹכִיחָתוּ — and rebuke him. וְיֵשׁ אוֹמְרִים יָרָבְעָם בֶּן נְבָט נִכְנַס וְהוֹכִיחוֹ — And some say that Jeroboam son of Nebat entered and rebuked him.[108]

The Midrash challenges the latter opinion:

וְיָכוֹל הָיָה — And was [Jeroboam] capable of confronting and rebuking the mighty King Solomon at that time? Surely he lacked the authority and the power to do so! רַבִּי חַגַּי בְּשֵׁם רַבִּי יִצְחָק — R' Chaggai said in the name of R' Yitzchak: עָמַד וְכִנֵּס אֶלֶף מִתּוֹךְ שִׁבְטוֹ וְנִכְנַס וְהוֹכִיחוֹ — [Jeroboam] rose and gathered a thousand men from within his tribe (Ephraim), and with that show of force he entered and rebuked [the king]. הָדָא הוּא דִכְתִיב "כְּדַבֵּר אֶפְרַיִם רְתֵת" — Thus it is written in the verse, ***When Ephraim spoke there was trembling*** [רְתֵת] (*Hosea* 13:1), which is to be expounded to mean:

NOTES

108. Jeroboam ben Nevat was the person who would one day rebel against King Solomon's son and successor, Rehoboam, and establish the Kingdom of Israel in the north (see *I Kings* Ch. 12).

[For another act that King Solomon performed in his efforts to please the daughter of Pharaoh, and its possible connection to our Midrash, see *Maharzu*, explaining *I Kings* 11:26-27 (see also ibid. 9:24) and *Sanhedrin* 101b.]

INSIGHTS

the fourth hour of the day — disputing the opinion of the Sages who hold that it could be offered until midday, i.e., the end of the sixth hour (see *Berachos* 26a-26b). But how does this incident prove that the *tamid* cannot be offered after the fourth hour?! Perhaps if Solomon had been awakened in the *sixth* hour of the day, they would have offered the *tamid* even then (for perhaps the sixth hour too is still called "morning")! *Raaved* to the Mishnah in *Eduyos* therefore explains that R' Yehudah ben Bava was *not* testifying to an incident that took place; he was testifying about a tradition he received from his teachers that the latest time for offering the *tamid* is the end of the fourth hour. (Accordingly, the Mishnah is to be read: עַל תָּמִיד שֶׁל שַׁחַר שֶׁ"קָרֵב" בְּאַרְבַּע שָׁעוֹת — R' Yehudah ben Bava testified . . . *regarding the morning tamid*-offering *that it "may be offered"* only *in the fourth hour* of the day, but not later.)

However, *Lechem Mishneh* (*Hil. Temidin U'Mussafin* 1:2) explains that it is possible to understand R' Yehudah ben Bava as testifying about an incident, and yet to take his testimony as support for the view that the morning *tamid*-offering may be offered only until the end of the fourth hour: When the incident occurred, a debate ensued among the sages of Jerusalem as to whether they were allowed to offer the *tamid* at that late hour, and they concluded that it was permitted. R' Yehudah ben Bava testified that the consensus they reached is that the *deadline* for offering the *tamid*-offering is the end of the fourth hour.

לומר לך מה עֲנָבִים הַלָּלוּ כָּל זְמַן שֶׁאַתָּה מְמָרְסָן אַתָּה מוֹצִיא מֵהֶן כָּל מַה שֶּׁבְּתוֹכָן, כָּךְ כָּל מִי שֶׁשּׁוֹתֶה יַיִן הַרְבֵּה, סוֹף שֶׁמֵּקִיא אֶת כָּל מַה שֶּׁבְּמֵעָיו:

ה אָמַר רַבִּי יוּדָן: כָּל אוֹתָן שֶׁבַע שָׁנִים שֶׁבָּנָה שְׁלֹמֹה בֵּית הַמִּקְדָּשׁ לֹא שָׁתָה בָּהֶן יַיִן, כֵּיוָן שֶׁבְּנָאוֹ וְנָשָׂא בִּתְיָה בַּת פַּרְעֹה, אוֹתוֹ הַלַּיְלָה שָׁתָה יַיִן, וְהָיוּ שָׁם ב' בְּלוּזְמָאוֹת, אַחַת שִׂמְחָה לְבִנְיַן בֵּית הַמִּקְדָּשׁ וְאַחַת שִׂמְחָה לְבַת פַּרְעֹה, אָמַר הַקָּדוֹשׁ בָּרוּךְ הוּא: שֶׁל מִי אֲקַבֵּל, שֶׁל אֵלּוּ אוֹ שֶׁל אֵלּוּ, בְּאוֹתָהּ שָׁעָה עָלָה עַל דַּעְתּוֹ לְהַחֲרִיב אֶת יְרוּשָׁלַיִם, הָדָא הוּא דִכְתִיב (ירמיה לב, לא) **"כִּי עַל אַפִּי וְעַל חֲמָתִי הָיְתָה לִּי הָעִיר הַזֹּאת וְגוֹ'", אָמַר רַבִּי הִלֵּל בַּר הִילֵנִי: כָּזֶה שֶׁהוּא עוֹבֵר בְּמָקוֹם הַמְטוּנָּף וְעִקֵּם חוֹטְמוֹ, אָמַר רַבִּי חוּנְיָא: פ' מִינֵי רִיקּוּדִין רָקְדָה בַּת פַּרְעֹה בְּאוֹתָהּ הַלַּיְלָה, וְהָיָה שְׁלֹמֹה יָשֵׁן עַד ד' שָׁעוֹת בַּיּוֹם, וּמַפְתְּחוֹת שֶׁל בֵּית הַמִּקְדָּשׁ נְתוּנוֹת תַּחַת רֹאשׁוֹ, הָדָא הוּא דִתְנַן: עַל תָּמִיד שֶׁל שַׁחַר שֶׁקָּרַב בְּאַרְבַּע שָׁעוֹת** (עדיות ו, א), **נִכְנְסָה אִמּוֹ *וְהוֹכִיחַתּוּ, וְיֵשׁ אוֹמְרִים יָרָבְעָם בֶּן נְבָט נִכְנַס וְהוֹכִיחוֹ, וְיָכוֹל הָיָה, רַבִּי חַגַּי בְּשֵׁם רַבִּי יִצְחָק: עָמַד וְכִנֵּס אֶלֶף מִתּוֹךְ שִׁבְטוֹ וְנִכְנַס וְהוֹכִיחוֹ, הָדָא הוּא דִכְתִיב** (הושע יג, א) **"כְּדַבֵּר אֶפְרַיִם רְתֵת",**

עץ יוסף

לומר לך מה. כלומר לכן נקרא האילן גופנא, ולא על שם הפרי, דהיינו ענב כשאר האילנות שנקראו על שם פרייה, משום רמיזא דגופנא נדרש שתי מלות גו פנא, כלומר שפנה ומוציא מה שבתוכו, והיינו שהענבים במרוסן יוציאו מה שבתוכן, שהרמז לזה שכן השותה יין הרבה סוף שמקיא וכו': **סוף שמקיא כו'.** ענינו מבואר, גם יתכן ירמוז להוצאת רוחו בשכרותו, על דרך (עירובין סה, א) נכנס יין יצא סוד: (ה) **לא שתה בהן יין.** שהיה מזדרז בבנין בבית המקדש כדי שלא ימשך אחר תענוגיו ויתעצל: **בתיה בת פרעה.** תיבת בתיה מיותר, וכן במדרש שעם היפה תואר ליתא: **בלוזמאות.** המעריך (ערך בלוזמאות) כתב שהוא לשון יוני, ופירושו סעודות ואכילות גסות, ושם של גנאי הוא, מלשון בולמוס, ולפי שאין רוח המקום נוחה מהם קרי להו הכי. והמוסף הערוך כתב פירושו בלשון יוני מחול, וחברת אנשים מרקדים ושמחים: **כזה שהוא עובר כו'.** מפרש אפי לשון חוטם, כמו (שבת נט, ב) נזמי האף, שהיה מעקם חוטמו מפני הסרחון, ועניינו כעובר במקום מטונף שקן בו קצת ועוקם את חוטמו, ומכל מקום אינו נמנע מעבור שם לצרכיו, כך מכל מקום השרה ה' שכינתו בירושלים כמה שנים משנבנה בית המקדש עד שהועמד דמות צלם בבית המקדש: **מיני רקודים.** לשמחה ושעשוע, ועל ידי כן לא ישן רוב הלילה, והיה ישן עד ד' שעות ביום, ועיין במדבר רבה פרשה י' (סימן ד), ובמסכת שבת פרק במה בהמה (שבת נו, ב): **דתנן.** ריש פרק ו' דמסכת עדיות: **ויכול היה.** בתמיה, וכי היה לו יכולת כל כך:

פירוש מהרז"ו

לומר לך מה ענבים. נראה לי שהוא עוד טעם אחר על גנות היין, תחלה מבטל שם פריו, ואינו משאיר ממנו מאומה, ובסוף מקלקל את האדם השותה אותו לאבד את היין עצמו, ואת אחרים עמו, שלא די שמקיא מה ששתה, אלא גם מאכלים שאכל מקיא ומאבד: (ה) **אמר רבי יודן.** בא לדרוש גם כן מה שכתוב (ויקרא י, ט) יין ושכר אל תשת, ובא לגלות גנות היין ומה שגורם ומה שנאמר עליו: **כיון שבנאו ונשא בתיה בת פרעה.** וכן הוא בבמדבר רבה (י, ד) באריכות וכאן קיצר, ומה שכתב שהיה שמה בתיה, לא ידעתי מנין לו, ועיין לעיל (א, ג) ושם מדבר מבתיה שגדלה את משה והיתה אשת כלב, ויתכן על שמלכי בית דוד נתפרש שם נשותיהם המלכה העקרית, ולמה לא גלה שם המלכה של שלמה, ודורש שגלה על פי גזירה שוה, שכאן כתיב בת פרעה, ובדברי הימים (א, ד, יח) כתוב ואלה בני בתיה בת פרעה, כמו שם בתיה אף כאן בתיה, הרי גלה שמה על פי גזירה שוה: **כל אותן שבע שנים.** לא ידעתי מנין לו: **אחת לשמחת בית המקדש.** ואיני יודע איך דורש שהיו שניהם בזאת הלילה, ובסדר עולם (פרק טו) איתא וזה לשונו, ויאהב שלמה את ה' ללכת בחוקות דוד אביו, ארבע שנים עד שלא התחיל לבנות הבית, אבל משהתחיל לבנות ויקח את בת פרעה ויביאה אל עיר דוד עד כלותו ביתו ואת בית ה' ואת חומות ירושלים סביב, הרי שנשא בת פרעה קודם כלותו לבנות בית ה', ודעת סדר עולם שם הביא גם כן מפסוק כי על אפי ועל חמתי היתה לי העיר הזאת מיום בנה אותם, והיינו משנת ארבע למלכותו, שאז התחיל לבנות בית המקדש וביתו וחומת ירושלים: **שמונים מיני ריקודין.** שם במדבר רבה איתא, ועלתה להלת בת פרעה יותר מהלת בית המקדש, וכן הכוונה בכאן שמחת בת פרעה היתה יותר משמחת בית המקדש, אך חשבון שמונים ריקודין איני יודע מנין: **הדה הוא דתנן.** עדיות (פ"ו מ"ח): **נכנסה אמו והוכיחתו.** כאן בקיצור, ובבמדבר רבה שם באריכות עיין שם: **כדבר אפרים רתת.** וסיפא דקרא נשיא הוא בישראל ויאשם בבעל וימות, ודורש על ירבעם שבא מאפרים, שעל שדבר דברים של רתת, הם דברי תוכחה, והיה ירבעם מירתת משלמה, ועם כל זה מלאו לבו להוכיחו, ומה שכתוב נשיא הוא בישראל, היינו שלמה, וכמו שנאמר בתורה אשר נשיא יחטא, ודרשו שהוא המלך שאין על גבו אלא ה' אלהיו, וירבעם היה אצל שלמה שר גדול, ומפורש במלכים א' י"א, וירבעם בן נבט אפרתי עבד שלמה וירם יד במלך וזה הדבר אשר הרים יד במלך שלמה בנה את המלוא סגר את פרץ עיר דוד אביו, ודרשו חז"ל שעשה שלמה זאת בשביל בת פרעה, לעשות לה אנגריא לצורך מרכבתה ועבדיה, וזה היה בעת שגמר בנין הבית, ואז העלה אותה מעיר דוד אל ביתה אשר בנה לה, ואז בנה את המלוא, ואז עשה שמחה לחנוכת הבית, ויתכן שדעת המדרש שעשה אז גם שמחת חנוכת ביתה, וזהו מה שכתב כאן שהיו שתי השמחות בלילה אחת, ושירבעם הוכיחו, והיינו מה שכתב שהרים יד במלך, על שסגר פרץ עיר דוד למען בית של בת פרעה, שלמענה היה השמחה, ואז הוכיחו גם כן על שישן עד ארבע שעות, ובזה יעלה ארוכה למה שהערנו, ולא יסתור דברי הסדר עולם שנשא בת פרעה בשנה הרביעית, אך השמחה היתה מחנוכת ביתה ביחד עם חנוכת בית המקדש: **שכנס אלף משבטו.** מרומז בתיבת רתת בגימטריא אלף. מבני המופלא מוה"ר אברהם ישראל שיחיה. אך בילקוט ירמיה ל"ב מצאתי הגירסא שמונים אלף משבטו:

מתנות כהונה

[ה] **בלוזמאות.** הערוך (ערך בלזם) הביאו ולא פירשו, ולפי הענין פירושו שמחות: הכי גרסינן בילקוט ירמיה (רמז שכ) **אמר רב הלל בר הילני כזה שהוא עובר כו':** ועקם חוטמו. מעקמו מן הטינוף, ועל אפי דרש, לשון חוטם מדכתיב (ירמיה לב, לא) ועל חמתי: **דתנן.** מסכת עדיות (פ"ו מ"א): **ויכול היה.** בתמיה וכי היה לו יכולת כל כך: **עמד וכנס גרסינן:**

אשד הנחלים

תלת שמהן. שכל שם הוא כינוי מיוחד לדבר מיוחד מה שנעשה ממנו, כי כל מה שאתה ממרסו נשתנה טעמו ועניינו, וכן האדם ששותהו נשתנה גם כן על ידי זה לרעה, וזהו יין שהוא אינו חזק כל כך, ושכר המשכר ביותר: [ה] **של מי אקבל כו'.** עניינו כי השמחות שיש בהם תענוג גופני, גם כן הולך אחר הכוונה של אדם, אם הוא מכוין לשם מצוה ולשם ה', אז היא נחשבת למצוה, ואחר שהמלך הכין גם כן השמחות האלו לבתיה גם כן, שהוא מעניינים הגופנים, אם כן נבטלה הכוונה. ולכן אמר של מי אקבל, אם זה שמכוין לשמחת המקדש, עומד לנגדי שמחת בתיה: **כזה כו' חוטמו.** וזהו על אפי, שמכוונה על החוטם: והמליצה הוא כמי שמריח מרחוק מה יהיה סופו של הבית, ועם כל זה עשה את עצמו כאלו לא הרגיש בזה, והניח עד לאחרית: **שמונים מיני ריקודים.** יתכן מפני שהיו לו שמונים פלגשים, כמו שכתוב בשיר השירים (ו, ח) ששים המה מלכות ושמונים פלגשים, ואחת היא יונתי, זה בת פרעה שהיתה

חידושי הרד"ל

[ה] **אמר רבי הלל בזה שהוא עובר כו'.** איכה פרשה ב סימן ח' [סימן יב]: **וכנס אלף משבטו.** בילקוט ירמיה (רמז שכ) הגירסא, שמונים אלף:

באור מהרי"פ

[ה] [במתנות כהונה בד"ה] **בלוזמאות.** הערוך לא פירש, וזה לשון ר' בנימין מוספיא ערך בלזם, אמר בנימין פירוש בלשון יווני מחול וחברת אנשים מרקדים ושמחים ועיין מעריך:

ליקוטים

[ה] **שני בלוזמאות.** במתנות כהונה כתב ולפי הענין פירושו שמחות. ואני אומר אילו היה כן היה הספר אומר בהדיא [שני] שמחות כמו שאמר אחת שמחה וכו'. אלא לשון יוני הוא ופירושו סעודות ואכילות גסות (מעריך ערך בלוזמאות): **עמד וכנס אלף מתוך שבטו.** בילקוט ירמיה הגירסא שמונים אלף (יד יוסף ונבחר מפנינים). וכן הגירסא במדרש דפוס ונציאה:

אמרי יושר

הדא גופנא יש לה תלתא שמות. כי כל שלשתן מורים רמז אחד, כל אחד באמצעי שוה ומתחלף, ולזה נקרא בשלשה שמות, כי היא גופנא, דנפיק מינה מתקרי ענבין, דנפיק מנענבין מתקרי חמר: [ה] **כי על אפי.** דרשוהו מלשון חוטם:

מסורת המדרש

ה. במד"ר פ"י, שבת פ' במה בהמה, מדרש משלי ל"א:

אם למקרא

כִּי עַל אַפִּי וְעַל חֲמָתִי הָיְתָה לִּי הָעִיר הַזֹּאת לְמִן הַיּוֹם אֲשֶׁר בָּנוּ אוֹתָהּ וְעַד הַיּוֹם הַזֶּה לַהֲסִירָהּ מֵעַל פָּנָי: (ירמיה לב:לא)

כְּדַבֵּר אֶפְרַיִם רְתֵת נָשָׂא הוּא בְּיִשְׂרָאֵל וַיֶּאְשַׁם בַּבַּעַל וַיָּמֹת: (הושע יג:א)

ענף יוסף

הוא דם הנפש, שהוא תלוי ברביעית דם], יוצרך יזדמן לך קרבן אחר תחתיך, באותה שעה פער פיו בבכיה וגעה געייה גדולה, והיו עיניו מרופפות וצופות לשכינה, והרים קולו ואמר אשא עיני אל ההרים מאין יבא עזרי, עזרי מעם ה' עושה שמים וארץ, באותה שעה הן אראלם צעקו חוצה וגו', עמדו מלאכי השרת שורות שורות ברקיע, ואומרים זה לזה, יחיד שוחט, ויחיד נשחט, אמרו מי יאמר לפניך על הים זה אלי ואנוהו, שבועת כה יהיה זרעך מה תעשה לה, מיד יצא קול אל תשלח ידך אל הנער עד כאן לשונו. כי אף על פי שאברהם ויצחק עשו הדבר בשמחה, מכל מקום טבע העצבות שלמטה מתעורר, כמו שכתבתי בענין, ובזה יש ליישב קצת מה דאיתא בתנחומא סדר וירא סימן כ"ג, אמר [יצחק] אם בחר בי הרי נפשי נתונה לו על דמי גר לי מאד, ועיין שם מה שכתבתי [בעץ יוסף] ודו"ק:

ידי משה

[ה] **ארבע שעות ביום היה ישן.** אבל קודם לכן לא היה ישן אלא עד שלש שעות, שכן דרך מלכים לישן עד שלש שעות:

כְּדַבֵּר יָרָבְעָם רִיתוּתוֹ שֶׁל שְׁלֹמֹה — **When** the Ephramite **Jeroboam spoke,** he caused **Solomon's trembling** (in anger).[109] אָמַר לוֹ הַקָּדוֹשׁ בָּרוּךְ הוּא — Afterward **the Holy One, blessed is He, said to [Jeroboam],** לָמָּה אַתָּה מוֹכִיחוֹ, נָשִׂיא הוּא בְּיִשְׂרָאֵל — **"Why do you rebuke [Solomon]?**[110] **He is a prince** (נָשִׂיא) and a great man[111] **in Israel!**[112] חַיֶּיךָ שֶׁאֲנִי מַטְעִימְךָ מִשְּׂרָרוּתוֹ וְאֵין אַתָּה יָכוֹל לַעֲמוֹד בָּהּ — **By your life! I will give you a taste of his rulership,**[113] **and you will not be able to withstand [its temptations]."**[114] כֵּיוָן שֶׁנִּכְנַס לַמַּלְכוּת מִיָּד "וַיֶּאְשַׁם בַּבַּעַל וַיָּמֹת" — Indeed, **once [Jeroboam] entered the kingship, immediately** ***he became guilty through*** (the idol) ***Baal and died*** (*Hosea* ibid.).

The Midrash returns to and elaborates on the first opinion:

וְרַבָּנָן אָמְרִין: וַדַּאי אִמּוֹ מוֹכִיחָתוֹ — **But the Rabbis said** that **the plain meaning** of the matter[115] is that **[Solomon's] mother rebuked him.**[116] נָטְלָה קוּרְדִּיקוֹן שֶׁלָּהּ וְהָיְתָה מְסַטַּרְתּוֹ לְכָאן וּלְכָאן — **She took her slipper and slapped him this way and that,** וְאָמְרָה לוֹ: "מַה בְּרִי וּמַה בַּר בִּטְנִי" — **and said to him,** ***"What is it, my son? And what is it, O son of my womb? And what is it, O son of my vows?"*** (*Proverbs* 31:2).

The Midrash explains what Bath-sheba was intimating in her rebuke:

אָמַר רַבִּי הוֹשַׁעְיָא — **R' Hoshaya said:** "מַה בְּנִי" אֵין כְּתִיב כָּאן אֶלָּא "מַה בְּרִי" — **"What is it, my** ***bein*** (בֵּן)**?" is not written here** (for the word "son"); **rather,** ***"What is it, my 'bar'*** [בַּר]**?"** is written.[117] אֵלּוּ צַוָּאוֹת וְאַזְהָרוֹת שֶׁל תּוֹרָה שֶׁנִּקְרֵאת "בַּר" — **These are the commands and warnings of the Torah, which is called** ***bar*** (בַּר), כְּמָא דְאַתְּ אָמַר "נַשְּׁקוּ בַר", שֶׁכָּל דְּבָרֶיהָ בָּרִים — **as it states,** ***Yearn for "bar"*** [בַּר] (*Psalms* 2:12), which alludes to Torah **because all her words are clear** (בָּרִים).[118] Bath-sheba was thus rebuking Solomon for not heeding the Torah's command and warning regarding the taking of wives.[119]

"וּמַה בַּר נְדָרָי" — ***And what is it, O son of my vows?***[120] אָמְרָה לֵיהּ — **[Bath-sheba] was saying to [Solomon]:** בְּרִי, הַרְבֵּה נָשִׁים נָשָׂא אָבִיךָ — **"My son, your father married many women;** וְכֵיוָן שֶׁבָּא נָתָן הַנָּבִיא וְאָמַר לוֹ "הִנֵּה בֵן נוֹלָד לָךְ . . . כִּי שְׁלֹמֹה יִהְיֶה שְׁמוֹ" — **and when the prophet Nathan came and said to him,** ***'Behold, a son will be born to you, etc. His name will be Solomon'*** (*I Chronicles* 22:9), הָיְתָה כָּל אַחַת אוֹמֶרֶת: אִם מַעֲמֶדֶת אֲנִי שְׁלֹמֹה אֲנִי מַקְרִיבָה כָּל קָרְבָּנוֹת שֶׁבַּתּוֹרָה — **each one** of the wives, including myself, **said, 'If I bring forth Solomon, I shall offer all the sacrifices** mentioned **in the Torah.'** וְעַכְשָׁיו עָמַדְתִּי וְקָרְבְּנוֹתַי בְּיָדִי וְאַתָּה יָשֵׁן — **And now I have risen** on this morning of the Temple's dedication, **with my sacrifices in hand** to fulfill my vows[121] **— and you are** still **sleeping?!"**[122]

The Midrash proceeds to the next verses in the *Proverbs* passage, where Bath-sheba continues her rebuke of Solomon:

"אַל תִּתֵּן לַנָּשִׁים חֵילֶךָ וּדְרָכֶיךָ לַמְחוֹת מְלָכִין" — ***Give not your strength to women, and let your conduct not blot out kings*** (*Proverbs* 31:3).

NOTES

109. See *Matnos Kehunah* and *Eitz Yosef. Maharzu* cites his son who pointed out that the *gematria* of רתת is 1000 [ר=200, ת=400, ת= 400]. The *Hosea* verse thus alludes to the thousand men Jeroboam brought with him to confront Solomon.

110. And condemn him so very much (*Eitz Yosef*). Even though he deserves to be rebuked, you are not the person to do it, for you are not as great as he (*Eshed HaNechalim*).

111. *Eitz Yosef.* See, however, *Maharzu* (s.v. כדבר אפרים רתת), who explains that the word נָשִׂיא, *prince*, refers to a king (namely, Solomon), as in the phrase in *Leviticus* 4:22, אֲשֶׁר "נָשִׂיא" יֶחֱטָא, *when a prince sins*, which is interpreted by the Sages (Mishnah *Horayos* 10a) to refer to the king. *Maharzu* also points out that the Midrash here is expounding the continuation of the *Hosea* verse, which reads, "נָשָׂא" הוּא בְּיִשְׂרָאֵל, *he was exalted in Israel*, as if written, "נָשִׂיא" הוּא בְּיִשְׂרָאֵל, *he is a prince (king) in Israel.*

112. And it is common that such men commit sins out of haughtiness. You should not be so astonished by this shortcoming (*Eitz Yosef*).

113. Jeroboam will become king over ten of the tribes of Israel, while Solomon ruled the entire world; see *Megillah* 11a-b (*Matnos Kehunah*, cited also by *Eitz Yosef*; see *Yefeh To'ar* for a variant text, cited ibid.).

Jeroboam's being exalted in this way would be his reward, מִדָּה כְּנֶגֶד מִדָּה (measure for measure), for having the courage to rebuke Solomon for the sake of heaven, placing God's honor ahead of Solomon's even though he was afraid of him ("trembling" before him, as per the plain meaning of the *Hosea* verse cited above — see *Rashi* and *Metzudas David* ad loc.). [The Gemara (*Sanhedrin* 101b) states similarly that Jeroboam merited kingship because he rebuked Solomon. The Gemara adds, however, that Jeroboam was punished for rebuking Solomon in *public*.] He would have the opportunity to prove that he was more capable than Solomon of withstanding the temptations of the throne (in which case he would merit that his descendants would continue to rule Israel, with honor, for all time). Or it would emerge that he was actually no better than Solomon, or even worse — in which case he should have followed the teaching of the Sages (*Avos* 2:4), "Do not judge your fellow man until you have been in the same position as he" (*Maharzu*; see also *Maharzu* above, s.v. כדבר אפרים רתת). God told him that in fact, the latter possibility would prove to be the case, as the Midrash goes on to say.

114. Rather, Jeroboam will sin to a much greater degree, for he will establish public idol worship to shore up his monarchy (see *I Kings* 12:25-33). See further.

115. Translation of the word וַדַּאי follows *Yedei Moshe* and *Eshed HaNechalim*. See also above, note 11.

116. For in *Proverbs* 31:1-9, Solomon himself records the words of his mother's reproof: *The words of Lemuel the king, the prophecy with which his mother disciplined him: What is it, my son? And what is it, O son of my womb? And what is it, O son of my vows? Give not strength to women, and let your conduct not blot out kings. It is not proper for kings who belong to God, it is not proper for kings to drink [much] wine, and for princes to imbibe strong drink. Lest he drink and forget the statute [of the Torah] and pervert the judgment of all the children of the poor. Give strong drink to the woebegone and wine to those of embittered soul. Let him drink and forget his poverty, and not remember his travail any more. Open your mouth on behalf of the mute, in the judgment of all confused children. Open your mouth, judge righteously, and obtain justice for the poor and destitute.*

The Midrash will expound upon verses 2-6 (the critical part of the reproof), taking us to the end of this chapter.

117. The Hebrew word for "son" is בֵּן, and the Aramaic equivalent is בַּר. Since it is highly unusual for Aramaic counterparts to appear in the Hebrew Scriptures, the Midrash sees fit to expound the word *bar* in the *Proverbs* verse as having an additional connotation.

118. As the psalmist says elsewhere, *The command of HASHEM is clear* [בָּרָה], *enlightening the eyes* [*Psalms* 19:9], and *The word of HASHEM is refined* [ibid. 18:31] (*Maharzu*; see *Eitz Yosef* for an additional explanation of why the Torah is called בַּר). Solomon's mother uses the word בַּר (*clear* or *refined*) instead of בֵּן in order to convey the message to Solomon that he must remain spiritually pure by following the Torah (see *Eshed HaNechalim*).

119. The Torah commands that a Jewish king *shall not have too many wives, so that his heart not turn astray* (*Deuteronomy* 17:17). Solomon violated this commandment, arguing that because of his wisdom the Torah's reason (*so that his heart not turn astray*) did not apply to him; see *Shemos Rabbah* 6 §1, *Sanhedrin* 21b. Bath-sheba upbraided Solomon for trying to "outsmart" the Torah (*Tiferes Tzion*). [Solomon had already taken many other foreign wives by the time he married Pharaoh's daughter (*Maharzu* below, s.v. אל תתן לנשים).]

120. Preceding this phrase in verse 2 is, וּמַה בַּר בִּטְנִי, *"And what is it, son of my womb?" Eitz Yosef* opines that the interpretation of that phrase is missing from our text of the Midrash. See there.

121. Since it was I who merited to bring you, Solomon, into the world.

122. It is possible that the Midrash is expounding the word בַּר (which, besides meaning "son," also means "outside") as indicating that Solomon kept Bath-sheba *outside* the Temple — i.e., his oversleeping prevented her from entering the Temple to fulfill her vows.

כִּדְבַר יָרָבְעָם רִיתוּתוֹ שֶׁל שְׁלֹמֹה, אָמַר לוֹ הַקָּדוֹשׁ בָּרוּךְ הוּא: לָמָּה אַתָּה מוֹכִיחוֹ, נָשִׂיא הוּא בְּיִשְׂרָאֵל, חַיֶּיךָ שֶׁאֲנִי מַטְעִימְךָ מִשְּׂרָרוּתוֹ וְאֵין אַתָּה יָכוֹל לַעֲמוֹד בָּהּ, כֵּיוָן שֶׁנִּכְנַס לַמַּלְכוּת מִיָּד (שם) "וַיֶּאְשַׁם בַּבַּעַל וַיָּמֹת", וְרַבָּנָן אָמְרִין: וַדַּאי אִמּוֹ מוֹכִיחָתוֹ, נָטְלָה קוּרְדִּיקוֹן שֶׁלָּהּ וְהָיְתָה °מְסָרְסַתּוֹ לְכָאן וּלְכָאן, וְאָמְרָה לוֹ: (משלי לא, ב) "מַה בְּרִי וּמַה בַּר בִּטְנִי", אָמַר רַבִּי הוֹשַׁעְיָא: "מַה בְּנִי" אֵין כְּתִיב כָּאן אֶלָּא "מַה בְּרִי", אֵלּוּ צַוָּאוֹת וְאַזְהָרוֹת שֶׁל תּוֹרָה שֶׁנִּקְרֵאת "בַּר", כְּמָא דְאַתְּ אָמַר (תהלים ב, יב) "נַשְּׁקוּ בַר", שֶׁכָּל דְּבָרֶיהָ בָּרִים, (משלי שם שם) "וּמֶה בַּר נְדָרָי", אָמְרָה לֵיהּ: בְּרִי, הַרְבֵּה נָשִׁים נָשָׂא אָבִיךָ, וְכֵיוָן שֶׁבָּא נָתָן הַנָּבִיא וְאָמַר לוֹ (דברי הימים־א כב, ט) "הִנֵּה בֵן נוֹלָד לָךְ ... כִּי שְׁלֹמֹה יִהְיֶה שְׁמוֹ", הָיְתָה כָּל אַחַת אוֹמֶרֶת: אִם מְעַמֶּדֶת אֲנִי שְׁלֹמֹה אֲנִי מַקְרִיבָה כָּל קָרְבָּנוֹת שֶׁבַּתּוֹרָה, וְעַכְשָׁיו עֲמַדְתִּי וְקָרְבְּנוֹתַי בְּיָדַי וְאַתָּה יָשֵׁן, (משלי לא, ג) "אַל תִּתֵּן לַנָּשִׁים חֵילֶךָ וּדְרָכֶיךָ לַמְחוֹת מְלָכִין", אָמְרָה לוֹ: בְּנִי, דּוֹר הַמַּבּוּל עַל יְדֵי שֶׁהָיוּ שְׁטוּפִים בְּזִמָּה נִמְחוּ מִן הָעוֹלָם, (שם שם ד) "אַל לַמְלָכִים לְמוֹאֵל", אָמַר רַבִּי יוֹחָנָן: אֵין נוֹתְנִין מַלְכוּת לְמִי שֶׁמַּפְלִיג עַל דְּבָרִים שֶׁל אֵל,

עץ יוסף

כדבר ירבעם. שבא מאפרים: **ריתותו.** רתתו ורגזו: **למה את מוכיחו.** ומאשימו הרבה, הוא נשיא וגדול ודרך העולם אשר נשיא יחטא ברום לבבו, ולכן אין לתמוה עליו כל כך, ואני מטעימך מהשררה ותראה שלא תוכל לעמוד בה בלא חטא, אלא תחטא יותר ממנו, וכן היה שנכשל בבעל כדי לקיים שררתו: **משררתו של עולם זה.** כן צריך לומר (יפה תואר). והמתנות כהונה גורס משררתו ואין אתה כו'. ומפרש שיטעום קצת משררתו של שלמה המלך, שמלך על עשרה שבטים ושלמה מלך תחת הכיפה: **קורדוקין.** מנעל שלה והיתה מכה אותו, ודריש ליה מדכתיב אשר יסרתו ולא נאמר הוכיחתו דמשמע יסורין ומכות, ועיין בפרק בן סורר (סנהדרין ע, ב): **והיתה מסטרתו.** כן צריך לומר, וכן הוא הלשון באסתר רבה פרשה ד' (סימן ו) ובירושלמי פרק א' דפאה (ה"א) ובקדושין (פ"א ה"ז) ובכמה מקומות (רד"ל): **נשקו בר.** ואיתא בשוחר טוב שם רב אמר נשקו בר של תורה שנאמר (משלי ט, ה) לכו לחמו בלחמי, ועיין שם מה שכתבתי. וכאן נותן עוד טעם שנקראת התורה בר על שם שכל דבריה ברים: **ומה בר נדרי.** נראה שחסר כאן, וצריך לומר מקודם, ומה בר בטני, כל הנשים של בית אביך כיון שמתעברות שוב אינם רואות פני המלך ואני דחקתי ונכנסתי כדי שיהיה לי בן מזורז ומלובן, [ודריש זה מדכתיב בר בטני, ולא קאמר בן בטני דמשמע לשון ברירה ולבון]. ומה בר נדרי הרבה נשים נשא אביך וכיון שבא נתן כו': **נמחו מן העולם.** והיינו למחות מלכין שלא יהיו מעשיך כמעשים שהסבו למחות מלכין דהיינו דור המבול, וקראן מלכין להיותם ענקים, וכדמתרגמינן באמת איש (דברים ג, יא) באמת המלך, ונראה שפירושו באמת עוג שהיה ענק: **למי שמפליג.** דריש למואל למפליג על דברים של אל, והכי קאמר קרא אל למלכים, אין ראוי להיות למלכים מי שמפליג: **למי שמפליג.** לשון פליגא ומחלוקת שחולק על גזרתו יתברך כגון שאמר אני ארבה ולא אסור כדלעיל שמות רבה (ו, א):

פירוש מהרז"ו

אני מטעימך משררתו. על שמלאך לבך להוכיחו למען שמי, שהיה כבודי גדול בעיניך יותר מכבוד שלמה, מדה כנגד מדה אנסה אותך, ואם אז תוכל לעמוד בנסיון תהיה מלך בכבוד אתה ובניך לעולם, ואם לאו הרי אמרו אל תדין את חבירך עד שתגיע למקומו, ואז תדע שחטאת גם בזה ותענש: **נטלה קורדיקון.** וכן הלשון בבראשית רבה (מה, ו) על פסוק ותעניה שרי טפחתה בקורקידייקון על פניה, וכמו שמובא אצל דמא בן נתינה שהיתה אמו מסטרתו, וכן כאן אשר יסרתו אמו, כמנהג המייסרים, ומה שכתב לכאן ולכאן, פירוש משני צדי הפנים. ובבמדבר רבה שם איתא שכפתה אותו על העמוד ליסרו, וכן הוא בסנהדרין דף ע (ע"ב) ובמדרש משלי ל"א וילקוט שם, והנה בגמרא ובמדרש משלי שם, לא ביארו כלל למה יסרה אותו, עיין רש"י שם, והדבר ברור שבגמרא סמכו עצמם על דברי המדרשים, וכן הוא בכמה מקומות: **שכל דבריה ברים.** כמו שכתוב (תהלים יט, ט) מצות ה' ברה, וכמו שנאמר (משלי ל, ה) כל אמרת ה' צרופה: **אל תתן לנשים וכו' שטופים בזמה.** זה ראיה לדברי סדר עולם, שבעת שנשא את בת פרעה כבר נשא את הנשים הנכריות הרבות, דאם לא כן איזה זימה יש כאן, כי נשיאת בת פרעה לאשה אין זה זימה, וכמו שכתב בבמדבר רבה שם, ודורש גזירה שוה. ודרכיך למחות, כמו שנאמר בדור המבול אמחה את האדם וימח את כל היקום: **שמפליג על דברים של אל.** דורש למואל מלך, שלא מינו מלך ששמו למואל, ועל כרחך שהוא שלמה שאמר ספר משלי, ולמואל נוטריקון למה אל, או למפליג אל, שמסרב על דבריו, הוא אל למלכים, שלא יהיה לו חלק במלוכה, ומכלל לאו אתה שומע הן, שמי שאינו מפליג ושומע לדבריו הוא נתון מלך:

חידושי הרד"ל

והיתה מסטרתו לבאן כו'. כן צריך לומר. וכן הוא הלשון באסתר רבה (ד, ו), ובירושלמי דפיאה (פ"א ה"א), ובקדושין (פ"א ה"ז), ובכמה מקומות (דברים רבה א, טו):

חידושי הרש"ש

[ה] **ביון שנכנס למלכות וכו' והיתה מסרסתו לבאן ולבאן.** נראה שהוא מלשון סרס המקרא ודרשהו, ופירוש שהיתה מהפכתו, רצה לומר את הקורדיקון, ומכה בו אותו: **נטלה קורדקין כו' ואמרה לו מה ברי כו'.** כן צריך לומר:

ליקוטים

באמרי יושר בד"ה [אמו מוכיחתו] כפאתו על העמוד. לפנינו במדרש ליתא, אמנם בסנהדרין ע ע"ב, וכן לקמן במדבר רבה פרשה י סי' ד איתא, אשר יסרתו אמו (משלי לא, א) וכו' מלמד שכפאתו אמו על העמוד ואמרה לו מה ברי וכו':

אמרי יושר

מיד ויאשם בבעל וימות. לפי שהוכיחו על עבודת שמים, זכה למלוך, והיה שלא לשם שמים, לזה שררתו גרמה לו מיתה: **[אמו מוכיחתו] כפאתו על העמוד.** דייקו יסרתו מלשון פתחת למוסרי (תהילים קטז טז), ולא הוכיחתו לבד כדאמרינן: **מה העז הזו ערומה ובזויה.** כי אין לה צער, גם ירכותיה מגולות, בלי מכסה מאבר הזנב: **על שהיו שטופים בזימה נימוחו.** זהו למחות מלכים, ועשירים, שהם דור המבול: **[אל למלכים למואל].** מי שלמו אל, ויראתו עליהם הוא נתון מלך מאליו, כי הוא מושל, על דרך האומר למלך אתה עבד עבדי וזהו למלכים למואל ולא אמר למה אל:

מסורת המדרש

ו. תנחומא סדר שמות:

אם למקרא

מַה בְּרִי וּמֶה בַּר בִּטְנִי וּמֶה בַּר נְדָרָי: אַל תִּתֵּן לַנָּשִׁים חֵילֶךָ וּדְרָכֶיךָ לַמְחוֹת מְלָכִין: אַל לַמְלָכִים לְמוֹאֵל אַל לַמְלָכִים שְׁתוֹ יָיִן וּלְרוֹזְנִים אֵי שֵׁכָר: פֶּן יִשְׁתֶּה וְיִשְׁכַּח מְחֻקָּק וִישַׁנֶּה דִּין כָּל בְּנֵי עֹנִי: (משלי לא:ב-ה)

נַשְּׁקוּ בַר פֶּן יֶאֱנַף וְתֹאבְדוּ דֶרֶךְ כִּי יִבְעַר כִּמְעַט אַפּוֹ אַשְׁרֵי כָּל חוֹסֵי בוֹ: (תהלים ב:יב)

הִנֵּה בֵן נוֹלָד לָךְ הוּא יִהְיֶה אִישׁ מְנוּחָה וַהֲנִחוֹתִי לוֹ מִכָּל אוֹיְבָיו מִסָּבִיב כִּי שְׁלֹמֹה יִהְיֶה שְׁמוֹ וְשָׁלוֹם וָשֶׁקֶט אֶתֵּן עַל יִשְׂרָאֵל בְּיָמָיו: (דברי הימים א כב:ט)

ידי משה

ורבנן אמרי ודאי אמו הוכחתו. פירוש, זה דבר פשוט הוא שאמו הוכחתו, כי בפירוש נכתב שאמרה מה ברי, אבל לדברי רבי חגי הולרך לדרשה. **קורדייקין על פניו והיתה מטרפת לבאן ולבאן.** כן לריך לומר. פירוש שהיתה מטרפת המנעל בפניו לכאן ולכאן כמו שטורפה בפניו. ובעל מתנות כהונה בחנם דחק, וכן הוא לעיל במדרש בראשית (רבה מה, ו) עיין שם:

שינוי נוסחאות

(ה) וְהָיְתָה מְסָרְסַתּוֹ. רד"ל הגיה "מסטרתו":

מתנות כהונה

כדבר ירבעם. שבא מאפרים: **ריתותו.** רתתו ורוגזו: הכי גרסינן **מטעימך משררתו ואין אתה כו'.** שיטעום קצת משררתו של שלמה המלך, שמלך על עשרה שבטים, ושלמה מלך תחת הכפה: **קורדיקין.** מנעלים השוכים כך פירש הערוך (ערך קרדייקס), והכי מוכח לקמן (טז, א): **מסרסתו.** כלומר דחפתו והכתה אותו וטרדתו ממקום למקום: הכי גרסינן **אלא מה ברי אלו צואות ואזהרות של תורה שנקראת בר כמו דאת אמר נשקו בר שכל דבריה ברים ומה בר נדרי אמרה ליה כו'.** והכי מוכח לקמן בפרשת נשא (י, ד) ובפרק בן סורר (סנהדרין ע, ב): **נמחו מן העולם.** למחות דריש לשון מחייה:

נחמד למראה

[ה] **ורבנן אמרין ודאי אמו מוכיחתו נטלה קורדיקון וכו'.** ובסנהדרין (ע, ב) איתא מלמד שכפאתו אמו על העמוד, ופירש רש"י להלקותו עד כאן. על פי זה שמעתי פירוש נאה על פסוק (שיר השירים ג, יא) לאינה וראינה בנות ציון במלך שלמה בעטרה שעטרה לו אמו ביום חתונתו וביום שמחת לבו. ואיתא במדרש שיר השירים (ג, כא) חזרנו על כל המקרא ולא מצינו שעטרה לו אמו עטרה וכו', ודריש לה התם יעויין שם. אמנם לפי הפשט יתבאר באופן זה, שבאותה שעה שהוכיחתו אמו והכהו במנעלה, וכפאתו על העמוד בחרפה ובוז, ובהיותו מלך וחכם מכל בני קדם וסבל כל זה ולא בעט באמו, הורה לכל לדקו וחסידותו שסבל קלון כזה, ואז יצא לו שם גדול בכל הארץ ונתעטר במעלה רמה כזאת, וזה היה ביום חתונתו שנשא את בת פרעה, וביום שמחת לבו זה שמחת חנוכת בית המקדש, כדדרשי רבותינו ז"ל במדרש. וזהו שאמר

אשד הנחלים

אהובה מכל, כי היתה מראה לו שמחה נגד כולם: **למה את מוכיחו.** כלומר אמת שראוי הוא לתוכחה, אבל לא ממך, כי אתה נגרע ממנו: **ודאי אמו.** כלומר זהו פשוטו של דבר, שאמו הוכיחו (ידי משה): **ברי אלו צוואות.** כלומר שלכן תכנהו בשם ברי שהונח גם כן על דבר הזך והבר, וכאומר אתה שצריך להיות איש ברור ונקי, וזהו על ידי התורה שהיא ברורה ונקיה מכל תענוג גופני, וזהו שכל דבריה ברים, כלומר נקיים מכל פניה חיצונית וגופנית: **וקרבנותי בידי.** כלומר שנתקיים מלכותך על ידי קרבנותי: **דור המבול.** כי שם נאמר (בראשית ז, כג) וימח את כל היקום, וזהו למחות, כי הדבר הנימח לא נשאר מאומה, כי אם נפסד מכל וכל בכליון נצחי: **למי שמפליג כו'.** לפי שבאמת ידוע שכוונת שלמה היה לשם ה', כמו שאמרו במדרש (שיר השירים רבה א, י) שביקש להאהיבן ולגיירן, כי לקח את בנות

אָמְרָה לוֹ: בְּנִי, דוֹר הַמַּבּוּל עַל יְדֵי שֶׁהָיוּ שְׁטוּפִים בְּזִמָּה נִמְחוּ מִן הָעוֹלָם — [Bath-sheba] was saying to [Solomon], **"My son, because the generation of the Flood were steeped in lewdness,**[123] **they were blotted out from the world."**[124]

"אַל לַמְּלָכִים לְמוֹאֵל" — ***It is not proper for kings "lemo'el"*** [לְמוֹאֵל] (ibid., v. 4). אָמַר רַבִּי יוֹחָנָן — **R' Yochanan said:** אֵין נוֹתְנִין מַלְכוּת לְמִי שֶׁמַּפְלִיג עַל דְּבָרִים שֶׁל אֵל — Bath-sheba was saying that **we do not give kingship to one who disputes the words of God.**[125]

NOTES

123. As it says, *All flesh had corrupted its way* (*Genesis* 6:12 with *Rashi*).

124. With the words *"blot out* [לִמְחוֹת] *kings"* Bath-sheba alludes to the generation of the Flood, whose members she calls *kings* because they were giants; see *Targum Onkelos* to *Deuteronomy* 3:11 (*Eitz Yosef*). In addition, she uses the word לִמְחוֹת, which is from the same root (מחה) used by Scripture (*Genesis* 7:4,23) in connection with the generation of the Flood (*Maharzu*; see further, *Eshed HaNechalim*). Bath-sheba thus warns Solomon not to emulate their ways, for just as their lewdness caused them to be *blotted out* from the world, Solomon would bring that selfsame fate on himself.

125. The Midrash interprets לְמוֹאֵל as a contraction for לְמַפְלִיג אֵל, *for one who disputes God.* The verse thus reads, אַל לַמְּלָכִים לְמוֹאֵל, *It is not [proper] for one who disputes [the laws of] God to be [chosen for] kings.* Such a person was Solomon, who said, "I shall take many wives, and my heart will *not* turn astray." See note 119 above (*Eitz Yosef*). Alternatively, the phrase אַל לַמְּלָכִים לְמוֹאֵל is to be read as if written "אַל לַמְּלָכִים "לְמוֹ אֵל, which means, *Kings should not [act] against [the will of] God* (*Eshed HaNechalim*). [Note that in *Proverbs* 31:1, the name לְמוֹאֵל is written לְמוּאֵל.]

דִּבַּר יָרָבְעָם רִיתוּתוֹ שֶׁל שְׁלֹמֹה, אָמַר לוֹ הַקָּדוֹשׁ בָּרוּךְ הוּא: לָמָּה אַתָּה מוֹכִיחוֹ, נָשִׂיא הוּא בְּיִשְׂרָאֵל, חַיֶּיךָ שֶׁאֲנִי מַטְעִימְךָ מִשְּׂרָרוּתוֹ וְאֵין אַתָּה יָכוֹל לַעֲמוֹד בָּהּ, כֵּיוָן שֶׁנִּכְנַס לַמַּלְכוּת מִיָּד (שם) "וַיֶּאְשַׁם בַּבַּעַל וַיָּמֹת", וְרַבָּנָן אָמְרִין: וַדַּאי אִמּוֹ מוֹכִיחַתּוּ, נָטְלָה קוֹרְדִּיקוֹן שֶׁלָּהּ וְהָיְתָה °מְסָרְסַתּוּ לְכָאן וּלְכָאן, וְאָמְרָה לוֹ: (משלי לא, ב) "מַה בְּרִי וּמַה בַּר בִּטְנִי", אָמַר רַבִּי הוֹשַׁעְיָא: "מַה בְּנִי" אֵין כְּתִיב כָּאן אֶלָּא "מַה בְּרִי", אֵלּוּ צַוָּאוֹת וְאַזְהָרוֹת שֶׁל תּוֹרָה שֶׁנִּקְרֵאת "בַּר", כְּמָא דְאַתְּ אָמַר (תהלים ב, יב) "נַשְּׁקוּ בַר", שֶׁכָּל דְּבָרֶיהָ בָּרִים, (משלי שם שם) "וּמֶה בַּר נְדָרָי", אָמְרָה לֵיהּ: בְּרִי, הַרְבֵּה נָשִׁים נָשָׂא אָבִיךָ, וְכֵיוָן שֶׁבָּא נָתָן הַנָּבִיא וְאָמַר לוֹ (דברי הימים-א כב, ט) "הִנֵּה בֵן נוֹלָד לָךְ ... כִּי שְׁלֹמֹה יִהְיֶה שְׁמוֹ", הָיְתָה כָּל אַחַת אוֹמֶרֶת: אִם מְעֻמֶּדֶת אֲנִי שְׁלֹמֹה אֲנִי מַקְרִיבָה כָּל קָרְבָּנוֹת שֶׁבַּתּוֹרָה, וְעַכְשָׁיו עֲמַדְתִּי וְקָרְבְּנוֹתַי בְּיָדַי וְאַתָּה יָשֵׁן, (משלי לא, ג) "אַל תִּתֵּן לַנָּשִׁים חֵילֶךָ וּדְרָכֶיךָ לַמְחוֹת מְלָכִין", אָמְרָה לוֹ: בְּנִי, דּוֹר הַמַּבּוּל עַל יְדֵי שֶׁהָיוּ שְׁטוּפִים בְּזִמָּה נִמְחוּ מִן הָעוֹלָם, (שם שם ד) "אַל לַמְלָכִים לְמוֹאֵל", אָמַר רַבִּי יוֹחָנָן: אֵין נוֹתְנִין מַלְכוּת לְמִי שֶׁמַּפְלִיג עַל דְּבָרִים שֶׁל אֵל,

בדבר ירבעם. שבא מאפרים: **ריתותו.** רתחו ורוגזו: **למה את מוכיחו.** ומאשימו הרבה, הוא נשיא וגדול ודרך העולם אשר נשיא יחטא ברוס לבבו, ולכן אין לתמוה עליו כל כך, ואני מטעימך מהשררה ותראה שלא תוכל לעמוד בה בלא חטא, אלא תחטא יותר ממנו, וכן היה שנאשם בבעל כדי לקיים שררתו: **משררתו של עולם זה.** כן צריך לומר (יפה תואר). והמתנות כהונה גורס משררתו ואין אתה כו׳. ומפרש שיטעוס קצת משררתו של שלמה המלך, שמלך על עשרה שבטים ושלמה מלך תחת הכיפה: **קורדוקין.** מנעל שלה והיתה מכה אותו, ודריש ליה מדכתיב אשר יסרתו ולא נאמר הוכיחתו דמשמע יסורין ומכות, ועיין בפרק בן סורר (סנהדרין ע, ב): **והיתה מסטרתו.** כן צריך לומר, וכן הוא הלשון באסתר רבה פרשה ד׳ (סימן ו) ובירושלמי פרק א׳ דפאה (ה״א) ובקדושין (פ״א ה״ז) ובכמה מקומות (רד״ל): **נשקו בר.** ואיתא בשוחר טוב שם רב אמר נשקו בר של תורה שנאמר (משלי ט, ה) לכו לחמו בלחמי, ועיין שם מה שכתבתי. וכאן נותן עוד טעם שנקראת התורה בר על שם שכל דבריה ברים: **ומה בר נדרי.** נראה שחסר כאן, וצריך לומר מקודם, ומה בר בטני, כל הנשים של בית אביך, כיון שמתעברות שוב אינם רואות פני המלך ואני דחקתי ונכנסתי כדי שיהיה לי בן מזורז ומלובן, [ודריש זה מדכתיב בר בטני, ולא קאמר בן בטני דמשמע לשון ברירה ולבון], ומה בר נדרי הרבה נשים נשא אביך וכיון שבא נתן כו׳: **נמחו מן העולם.** והיינו למחות מלכין שלא יהיו מעשיך כמעשים שהסבו למחות מלכין דהיינו דור המבול, וקראן מלכין להיותם ענקים, וכדמתרגמינן באמת איש (דברים ג, יא) באמת המלך, ונראה שפירושו באמת עוג שהיה ענק: **למי שמפליג.** דריש למואל למפליג על דברים של אל,

אני מטעימך משררותו. על שמלאך לבך להוכיחו למען שמי, שהיה כבודי גדול בעיניך יותר מכבוד שלמה, מדה כנגד מדה אטעמך אותך, ואם אז תוכל לעמוד בנסיון תהיה מלך בכבוד אתה ובניך לעולם, ואם לאו הרי אמרו אל תדין את חבירך עד שתגיע למקומו, ואז תדע שחטאת גם בזה ותטענו: **נטלה קורדיקון.** וכן הלשון בבראשית רבה (מה, ו) על פסוק ותעניה שרי שטפחתה בקורקדייקון על פניה, וכמו שמובא אצל דמא בן נתינה שהיתה אמו מסטרתו, וכן כאן אשר יסרתו אמו, כמנהג המייסרים, ומה שכתב לכאן ולכאן, פירוש משני צדי הפנים. ובבמדבר רבה שם איתא שכפתה אותו על העמוד ליסרו, וכן הוא בסנהדרין דף ע (ע״ב) ובמדרש משלי לא ילקוט שם, והנה בגמרא ובמדרש משלי שם, לא ביארו כלל למה יסרה אותו, עיין רש״י שם, והדבר ברור שבגמרא סמכו עצמם על דברי המדרשים, וכן הוא בכמה מקומות: **שכל דבריה ברים.** כמו שכתוב (תהלים יט, ט) מצות ה׳ ברה, וכמו שנאמר (משלי ל, ה) כל אמרת ה׳ צרופה: **אל תתן לנשים וכו׳ שטופים בזמה.** זה ראיה לדברי סדר עולם, שבעת שנשא את בת פרעה כבר נשא את הנשים הנכריות הרבות, דאם לא כן איזה זימה יש כאן, כי נשיאת בת פרעה לאשה אין זה זימה, וכמו שכתב בבמדבר רבה שם, ודורש גזירה שוה. ודרכיך למחות, כמו שנאמר בדור המבול ואמחה את האדם וימח את כל היקום: **שמפליג על דברים של אל.** דורש למואל מלך, שלא מצינו מלך ששמו למואל, ועל כרחך שהוא שלמה שאמר ספר משלי, ולמואל נוטריקון למה אל, או למפליג אל, שמסרב על דבריו, הוא אל למלכים, שלא יהיה לו חלק במלוכה, ומכלל לאו אתה שומע הן, מי שאינו מפליג ושומע לדבריו הוא נתון מלך:

והכי קאמר קרא אל למלכים, אין ראוי להיות למלכים מי שמפליג: **למי שמפליג.** לשון פליגא ומחלוקת שחולק על גזרתו יתברך כגון שאמר אני ארבה ולא אסור כדלעיל שמות רבה (ו, א):

מתנות כהונה

בדבר ירבעם. שבא מאפרים: **ריתותו.** רתחו ורוגזו: הכי גרסינן **מטעימך משררתו ואין אתה כו׳.** שיטעוס קצת משררתו של שלמה המלך, שמלך על עשרה שבטים, ושלמה מלך תחת הכפה: **קורדיקין.** מנעלים השוביס כך פירש הערוך (ערך קרדייקס), והכי מוכח לקמן (טז, א): **מסרסתו.** כלומר דחפתו והכתה אותו וטרדתו ממקום למקום: הכי גרסינן **אלא מה ברי אלו צוואות ואזהרות של תורה שנקראת בר כמו דאת אמר נשקו בר שכל דבריה ברים ומה בר נדרי אמרה ליה כו׳.** והכי מוכח לקמן בפרשת נשא (י, ד) ובפרק בן סורר (סנהדרין ע, ב): **נמחו מן העולם.** למחות דריש לשון מחייה:

נחמד למראה

[ה] **ורבנן אמרין ודאי אמו מוכיחתו נטלה קורדיקון וכו׳.** ובסנהדרין (ע, ב) איתא מלמד שכפאתו אמו על העמוד, ופירש רש״י להלקותו עד כאן. על פי זה שמעתי פירוש נאה על פסוק (שיר השירים ג, יא) לאינה וראינה בנות ציון במלך שלמה בעטרה שעטרה לו אמו ביום חתונתו וביום שמחת לבו. ואיתא במדרש שיר השירים (ג, כא) חזרנו על כל המקרא ולא מצינו שעטרה לו אמו עטרה וכו׳, ודריש לה התם יעויין שם. אמנם לפי הפשט יתבאר באופן זה, שבאותה שעה שהוכיחתו אמו והכהו במנעלה, וכפאתו על העמוד בחרפה ובוז, ובהיותו מלך וחכם מכל בני קדם וסבל כל זה ולא בעט באמו, הורה לכל לדקו וחסידותו שסבל קלון כזה, ואז יצא לו שם גדול בכל הארץ ונתעטר במעלה רמה כזאת, וזה היה ביום חתונתו שנשא את בת פרעה, וביום שמחת לבו זה שמחת חנוכת בית המקדש, כדדרשי רבותינו ז״ל במדרש. וזהו שאמר

אשד הנחלים

אהובה מכל, כי היתה מראה לו שמחה נגד כולם: **למה את מוכיחו.** כלומר אמת שראוי הוא לתוכחה, אבל לא ממך, כי אתה נגרע ממנו: **ודאי אמו.** כלומר זהו פשוטו של דבר, שאמו הוכיחו (ידי משה): **ברי אלו צוואות.** כלומר שלכן תכנהו בשם ברי שהונח גם כן על דבר הזך והבר, וכאומר אתה שצריך להיות איש ברור ונקי, וזהו על ידי התורה שהיא ברורה ונקיה מכל תענוג גופני, וזהו שכל דבריה ברים, כלומר נקיים מכל פניה חיצונית וגופנית: **וקרבנותי בידי.** כלומר שנתקיים מלכותך על ידי קרבנותי: **דור המבול.** כי שם נאמר (בראשית ז, כג) וימח את כל היקום, וזהו למחות, כי הדבר הנימח לא נשאר מאומה, כי אם נפסד מכל וכל בכליון נצחי: **למי שמפליג כו׳.** לפי שבאמת ידוע שכוונת שלמה היה לשם ה׳, כמו שאמרו במדרש (שיר השירים רבה א, י) שביקש להאהיבן ולגיירן, כי לקח את בנות

חידושי הרד״ל

והיתה מסטרתו לבאן בו׳. כן צריך לומר. וכן הוא הלשון באסתר רבה (ד, ו), ובירושלמי דפיאה (פ״א ה״א), ובקדושין (פ״א ה״ז), ובכמה מקומות (דברים רבה א, טו):

חידושי הרש״ש

[ה] **כיון שנכנס למלכות וכו׳ והיתה מסרסתו לבאן ולבאן.** נראה שהוא מלשון סרס המקרא ודרשהו, ופירוש שהיתה מהפכתו, רצה לומר את הקורדיקון, ומכה בו אותו: **נטלה קורדקין בו׳ ואמרה לו מה ברי בו׳.** כן צריך לומר:

ליקוטים

באמרי יושר בד״ה [אמו מוכיחתו] כפאתו על העמוד. לפנינו במדרש ליתא, אמנם בסנהדרין ע ע״ב, וכן לקמן במדבר רבה פרשה י סי׳ ד איתא, אשר יסרתו אמו (משלי לא, א) וכו׳ מלמד שכפאתו אמו על העמוד ואמרה לו מה ברי וכו׳:

אמרי יושר

מיד ויאשם בבעל וימות. לפי שהוכיחו על עבודת שמים, זכה למלוך, והיה שלא לשם שמים, לזה שררתו גרמה לו מיתה: **[אמו מוכיחתו] כפאתו על העמוד.** דייקו יסרתו מלשון פתחת למוסרי (תהילים קטז טז), ולא הוכיחתו לבד כדאמריקן: **מה העז הזו ערומה ובזויה.** כי אין לה נער, גם יריכותיה מגולות, בלי מכסה מאבר הזנב: **על שהיו שטופים בזימה נימוחו.** זהו למחות מלכים, ועשירים, שהם דור המבול: **[אל למלכים למואל].** מי שלמו אל, ויראתו עליהם הוא נתון מלך מאליו, כי הוא מושל, על דרך האומר למלך אתה עבד עבדי וזהו למלכים למואל ולא אמר למה אל:

מסורת המדרש

ו. תנחומא סדר שמות:

אם למקרא

מַה בְּרִי וּמַה בַּר בִּטְנִי וּמֶה בַּר נְדָרָי: אַל תִּתֵּן לַנָּשִׁים חֵילֶךָ וּדְרָכֶיךָ לַמְחוֹת מְלָכִין: אַל לַמְלָכִים לְמוֹאֵל אַל לַמְלָכִים שְׁתוֹ יָיִן וּלְרוֹזְנִים אֵי שֵׁכָר: פֶּן יִשְׁתֶּה וְיִשְׁכַּח מְחֻקָּק וִישַׁנֶּה דִּין כָּל בְּנֵי עֹנִי: (משלי לא:ב-ה)

נַשְּׁקוּ בַר פֶּן יֶאֱנַף וְתֹאבְדוּ דֶרֶךְ כִּי יִבְעַר כִּמְעַט אַפּוֹ אַשְׁרֵי כָּל חוֹסֵי בוֹ: (תהלים ב:יב)

הִנֵּה בֵן נוֹלָד לָךְ הוּא יִהְיֶה אִישׁ מְנוּחָה וַהֲנִחוֹתִי לוֹ מִכָּל אוֹיְבָיו מִסָּבִיב כִּי שְׁלֹמֹה יִהְיֶה שְׁמוֹ וְשָׁלוֹם וָשֶׁקֶט אֶתֵּן עַל יִשְׂרָאֵל בְּיָמָיו: (דברי הימים א כב:ט)

ידי משה

ורבנן אמרי ודאי אמו הוכחתו. פירוש, זה דבר פשוט הוא שאמו הוכחתו, כי בפירוש נכתב שאמרה מה ברי, אבל לדברי רבי חגי הוצרך לדרשה. **קורדייקין על פניו והיתה מטרפת לבאן ולבאן.** כן צריך לומר. פירוש שהיתה מטרפת המנעל בפניו לכאן ולכאן כמו שטורפה בפניו. ובעל מתנות כהונה בתנס דחק, וכן הוא לעיל במדרש בראשית (רבה מה, ו) עיין שם:

שינוי נוסחאות

(ה) וְהָיְתָה מְסָרְסַתּוּ. רד״ל הגיה "מסטרתו":

וּמִי שֶׁעוֹשֶׂה דְּבָרִים שֶׁל אֵל הוּא נָתוּן מֶלֶךְ — **And one who carries out the words of God**[126] **— he is installed as king.**[127]

״אַל לַמְּלָכִים שְׁתוֹ יָיִן״ — ***It is not proper for kings to drink wine*** (ibid.). אַל יִשְׁתּוּ מְלָכִים יַיִן — That is, **kings should not drink** much **wine,** שֶׁמָּא יִשְׁכְּחוּ וְיֹאמְרוּ כְּאוֹתוֹ שֶׁאָמַר ״מִי ה׳ אֲשֶׁר אֶשְׁמַע בְּקוֹלוֹ״ — **lest they forget** God **and proclaim as** did **that** wicked **one** (Pharaoh) **who said, *"Who is HASHEM that I should heed His voice?"*** (*Exodus* 5:2).[128]

״וּלְרוֹזְנִים אֵי שֵׁכָר״ — ***. . . and for princes not*** [אֵי] ***to imbibe strong drink*** (*Proverbs* ibid.). ״אוֹ״ כְּתִיב — Although the word is pronounced *ay* [אֵי], **it is written *oh*** [אוֹ].[129] אוֹי מִן קֳדָם חַמְרָא — Bath-sheba was thus intimating: **Woe** (אוֹי) **on account of wine!**[130]

״פֶּן יִשְׁתֶּה וְיִשְׁכַּח מְחֻקָּק״ — ***Lest he drink and forget the statute*** [of the Torah] (ibid., v. 5). כָּל הַשּׁוֹתֶה יַיִן הַרְבֵּה סוֹף שֶׁהוּא שׁוֹכֵחַ בְּרמ״ח אֵיבָרִים שֶׁבּוֹ — **Anyone who drinks much wine eventually forgets the two hundred and forty-eight limbs in [his body].**[131] הָדָא הוּא דִּכְתִיב ״פֶּן יִשְׁתֶּה וְיִשְׁכַּח מְחֻקָּק״ — **Thus it is written** in the verse, ***Lest he drink and forget the statute*** [מְחֻקָּק] — ״מְחֻקָּק״ כְּתִיב, וְאִינּוּן רמ״ח — *mechukak* [מְחֻקָּק] **is written** here, without a *vav*,[132] **and the** numerical **value** (*gematria*) of **[those letters] is two hundred and forty-eight.**[133]

The Midrash mentions other instances where wine brought woe in its wake ("Woe on account of wine!"):[134]

רַבִּי חֲנִינָא בַּר פַּפָּא אָמַר — **R' Chanina bar Pappa said:** אָמַר הַקָּדוֹשׁ בָּרוּךְ הוּא — **The Holy One, blessed is He, said,** בַּיִת גָּדוֹל הָיָה לִי — **"I had a great House,**[135] וְלֹא הֶחֱרַבְתִּיו אֶלָּא מִפְּנֵי הַיַּיִן — **and I destroyed it only on account of wine."**[136] וְרַבָּנָן אָמְרֵי — **But the Rabbis said**[137] that the Holy One was saying, שְׁנֵי רוֹזְנִים הָיוּ לִי וְלֹא מֵתוּ אֶלָּא מִפְּנֵי הַיַּיִן — **"I had two princes,**[138] **and they died only on account of wine,"** דְּתָנֵי רַבִּי יִשְׁמָעֵאל — **for R' Yishmael taught** in a Baraisa:[139] לֹא מֵתוּ שְׁנֵי בָנָיו שֶׁל אַהֲרֹן אֶלָּא מִפְּנֵי שֶׁנִּכְנְסוּ שְׁתוּיֵי יַיִן וְכוּ׳ — **The two sons of Aaron died only because they entered** the Tent of Meeting **while intoxicated with wine, etc.**[140]

The Midrash has been discussing the dangers and dire consequences of overindulging in strong drink. Its practice, however, is to conclude each chapter on an upbeat note, and it does so here:[141]

אָמַר הַקָּדוֹשׁ בָּרוּךְ הוּא — **The Holy One, blessed is He, said,** לְפִי שֶׁבָּעוֹלָם הַזֶּה הַיַּיִן תַּקָּלָה לָעוֹלָם — **"Because in this world wine is a snare for mankind,** לֶעָתִיד לָבֹא אֲנִי עוֹשֵׂהוּ שִׂמְחָה — **in the Future era I will make it a** pure **joy."** הָדָא הוּא דִּכְתִיב ״וְהָיָה בַיּוֹם הַהוּא יִטְּפוּ הֶהָרִים עָסִיס״ — **Thus it is written** in the following verse, ***And it shall be on that day that the mountains will drip with sweet wine*** (*Joel* 4:18).[142]

NOTES

126. One who learns Torah, and also one who fervently fulfills the commandments (*Eitz Yosef*). See next note.

127. For regarding one who learns Torah it is written: *Through me* (the Torah), *kings will reign* (*Proverbs* 8:15). And regarding one who devoutly observes the commandments, God proclaims, "I rule over men, but who — as it were — rules [i.e., is like a *king*] over Me? A righteous person, for I decree a punishment and he cancels it (with his prayers)." See *Moed Katan* 16b, interpreting *II Samuel* 23:8 (ibid.).

The verse אַל לַמְּלָכִים לְמוֹאֵל is thus understood as follows: The word אַל means *where*, as in *I Samuel* 27:10; and the word לְמוֹאֵל is interpreted as a contraction for לְמוֹ אֵל, *with God.* The verse accordingly reads: *Where are [those who are] fit to be kings? [Those who are] with God* (ibid., Vagshal edition; for an alternative interpretation, see *Eshed HaNechalim*).

128. In this interpretation the phrase אַל לַמְּלָכִים שְׁתוֹ יָיִן is read in conjunction with the beginning of the verse, אַל לַמְּלָכִים לְמוֹאֵל; and the word לְמוֹאֵל is taken as if written with a *yud* in place of a *vav* (לְמִי אֵל = לְמִיאֵל = לְמוֹאֵל, *Who is Hashem*). The verse thus says: *[So that] there should not be kings [who proclaim,] "Who is Hashem?" kings should not drink wine* (ibid.).

Alternatively: The phrase אַל לַמְּלָכִים שְׁתוֹ יָיִן is read in conjunction with the *next* verse in the *Proverbs* passage (v. 5, cited further by the Midrash), פֶּן יִשְׁתֶּה וְיִשְׁכַּח מְחֻקָּק, *Lest he drink and forget the statute* [מְחֻקָּק]. The Midrash expounds the word מְחֻקָּק as referring to Moses, who is called מְחוֹקֵק, *lawgiver*, in *Deuteronomy* 33:21 (see *Rashi* there). Accordingly, the verse is to be understood: *Kings should not drink wine lest he (a king) drink and forget [God, and proclaim as Pharaoh did to] the lawgiver [Moses]* (see *Matnos Kehunah*).

For yet another approach that connects the phrase אַל לַמְּלָכִים שְׁתוֹ יָיִן to the *end* of verse 5 (not cited by the Midrash), see *Yedei Moshe* and *Eshed HaNechalim.*

Bamidbar Rabbah 10 §4 adds that while in truth, even people who are *not* kings should beware the dangers of wine, the warning is particularly apropos to kings, for they have the wherewithal to carry out whatever sins they plan and there is no one who has the authority to protest their actions.

129. That is, the word אֵי in the verse וּלְרוֹזְנִים אֵי שֵׁכָר is not written (כְּתִיב) the same way it is read (קְרִי). It is written אוֹ but read אֵי.

130. [That is: The verse is written, "וּלְרוֹזְנִים "אוֹ. Bath-sheba is thus saying: Woe (אוֹי) to royalty ("princes") like Solomon who overindulge in intoxicating drink.] The Midrash equates אוֹ with אוֹי (*woe*) based on the similarity of their pronunciations (*Matnos Kehunah*, followed by *Eitz Yosef*). Also, since the verse does not state אֵין (*not*) explicitly (stating only אֵי instead of אֵין), we infer that it intends also to allude to אוֹי, *woe* (*Eitz Yosef*).

For different explanations see *Maharzu* and *Eitz Yosef*, Vagshal edition.

131. When inebriated, one loses control over his limbs and becomes forgetful of his body. As *Midrash Tanchuma* here (§5) explains it, the wine enters each and every limb, causing general physical weakness and mental confusion (*Eitz Yosef*; see also *Maharzu*). (Note, however, that *Tanchuma* is not expounding the *Proverbs* verse; rather, it is expounding the Aramaic word for wine, חֲמַר, whose *gematria* is 248 [ח=8; מ=40; ר=200].) Alternatively, since all the limbs of the body are controlled by the brain, when the brain cannot function due to inebriation the whole body becomes "forgotten," i.e., cannot function (*Eshed HaNechalim*). The Midrash goes on to explain how this is derived from the *Proverbs* verse.

132. The full spelling of the word is מְחוּקָּק.

133. [מ=40; ח=8; ק=100; ק=100, for a total of 248.] The word מְחֻקָּק thus alludes to the limbs of the body; and the verse is telling us that drinking wine causes one to "forget" the limbs of the body, as explained in note 131. (For an explanation of why the limbs should be referred to as מְחֻקָּק, see *Eshed HaNechalim.*)

It is plausible that the Midrash means not only that wine causes a person to "forget" his actual limbs but also that it causes him to forget the 248 positive commandments of the Torah, for they parallel the 248 limbs of the body (ibid.; see above, note 82).

134. *Yefeh To'ar, Eitz Yosef.* [See, however, *Maharzu* and *Eshed HaNechalim*, who connect the statement of R' Chanina bar Pappa that follows to the immediately preceding passage, interpreting it as an alternative exposition of the phrase פֶּן יִשְׁתֶּה וְיִשְׁכַּח מְחֻקָּק.]

135. The Holy Temple in Jerusalem (*Yefeh To'ar, Eitz Yosef*).

136. For Scripture states regarding Israel, *For they, too, have erred because of wine and strayed because of liquor* (*Isaiah* 28:7). And although the Gemara (*Yoma* 9b) teaches that the First Temple was destroyed because of idolatry, immorality, and bloodshed (i.e., and not wine), it was the people's overindulgence in wine that brought them to commit those three grievous sins (*Yefeh To'ar*).

137. The Rabbis offer a different interpretation of וּלְרוֹזְנִים אֵי שֵׁכָר (verse 5 in the *Proverbs* passage, cited above). They, too, like R' Chanina bar Pappa, understand the verse as saying, "Woe on account of wine!" See note 140.

138. Aaron's sons Nadab and Abihu, who served as Deputy Kohanim Gedolim and thus qualified for the title of "princes" (*Yefeh To'ar* and *Eitz Yosef*, from Midrash below, 20 §2,10).

139. See above, end of §1, where the Midrash attributes this Baraisa to R' Shimon (see *Maharzu*).

140. The verse וּלְרוֹזְנִים אֵי שֵׁכָר is accordingly to be understood: *Regarding the princes (Nadab and Abihu), woe on account of wine!*, for it was because of wine that they died (*Yefeh To'ar, Eitz Yosef*). [Though the commentators do not explain how R' Chanina bar Pappa interprets this verse, it is possible that he takes וּלְרוֹזְנִים as a reference to the Kohanim, who were the ones who suffered most when the House of God was destroyed.]

141. Ibid. See next note.

142. The quality of sweetness implies that wine will offer an experience of joy devoid of all pitfalls (*Eitz Yosef*). *Eshed HaNechalim* writes that the Midrash is ending the chapter with the positive note that wine, like all else in God's creation, *can* be used for good (e.g., to uplift man's spirits), and therefore it will continue to exist in the Future era. At that time, when the evil inclination will not hold sway over man, it will indeed be used exclusively for good.

ומי שעושה דברים של אל הוא נתון מלך, (שם) "אל למלכים שתו יין", אל ישתו מלכים יין, שמא ישכחו ויאמרו כאותו שאמר (שמות ה, ב) "מי ה' אשר אשמע בקולו", (משלי שם שם) "ולרוזנים אי שכר", "או" כתיב, אוי מן קדם חמרא, (שם שם ה) "פן ישתה וישכח מחקק", כל השותה יין הרבה סוף שהוא שוכח ברמ"ח איברים שבו, הדא הוא דכתיב "פן ישתה וישכח מחקק", "מחקק" כתיב, ואינון רמ"ח, רבי חנינא בר פפא אמר: אמר הקדוש ברוך הוא: בית גדול היה לי ולא החרבתיו אלא מפני היין, ורבנן אמרי: שני רוזנים היו לי ולא מתו אלא מפני היין, דתני רבי ישמעאל: לא מתו שני בניו של אהרן אלא מפני שנכנסו שתויי יין וכו', אמר הקדוש ברוך הוא: לפי שבעולם הזה היין תקלה לעולם, לעתיד לבא אני עושהו שמחה, הדא הוא דכתיב (יואל ד, יח) "והיה ביום ההוא יטפו ההרים עסיס":

עץ יוסף

שעושים דברים של אל. שלומד תורתו, ועל ידי זה הוי מלך כאומר (משלי ח, טו) בי מלכים ימלוכו, וכן מי שמקיים מצותיו נתנה לו הממשלה בעולם, כאומר (מועד קטן טז, ב) מי מושל בי צדיק צדיק גוזר וה' מקיים כדלקמן סדר האזינו (י, ג): **באותו שאמר מי ה'.** דריש אל למלכים שתו יין דבק עם אל למלכים למואל, ודריש למואל ו' במקום יו"ד כלומר כדי שלא יהיו כמלכים שאמרו מי אל, ראוי למלכים שלא לשתות יין: **אי מן קדם חמרא.** דריש או כמו אוי, שכמשמע שוין הן במבטא, וגם מדלא כתיב בפירוש אין שכר שמע מינה שבא לרמוז גם כן אוי: **שוכח ברמ"ח אבריו.** שבשכרותו לא ירגיש בעצמו ומתבטל מכל אבריו וכו(ש)שוכח את גופו, ואמרו בתנחומא סדר זו (סימן ה) חמר בגימטריא רמ"ח, כנגד אברים שבאדם, היין נכנס בכל אבר ואבר והגוף מתרשל והדעת מטולטלת, ויתכן שירמוז לשכחת המצות שהן רמ"ח כנגד אבריו: **בית גדול היה לי.** היינו בית המקדש, והיינו אוי מן קדם חמרא: **שני רוזנים.** היינו נדב ואביהו שהיו סגני כהונה כדלקמן (כ, ז), ולכן אמר ולרוזנים אי שכר כלומר ועל הרוזנים אוי מן קדם חמרא: **אמר הקדוש ברוך הוא כו'.** דרך המדרש לומר כזאת לסיים בדבר טוב: **עסיס.** פירוש מתוק, כלומר שמחה בלי תקלה:

פירוש מהרז"ו

או כתיב. והקרי אי, הרי ביחד כאלו כתוב אוי: **כאלו שוכח רמ"ח אברים.** מחקק בגימטריא רמ"ח, וכמו שכתב לעיל סימן א הכוני בל חליתי, וכמו שמובא בתנחומא כאן (סימן ה) בלשון עברי שמו יין, ובלשון ארמי חמר בגימטריא רמ"ח, כנגד אברים שבאדם, היין נכנס בכל אבר ואבר והגוף מתרשל והדעת מטלטל, עיין שם: **בית גדול היה לי.** דורש מחוקק על בית המקדש, כמו שכתוב מלכים (א, ו, לה) מיושר על המחוקה, וכל הבית היה מחוקק בציורים, וזה היה יקרו ותפארתו, וחרב מפני היין שנתפתו בו ישראל, וכמו שכתב במדבר רבה (י, ג): **שני רוזנים.** הם נדב ואביהוא, שהיו סגני כהונה: **דתני רבי ישמעאל.** לעיל (סימן א) רבי שמעון, ועיין לקמן (כ, י):

חידושי הרד"ל

ויאמר כמו שאמר מי ה'. אפשר למואל (דלעיל), דרש למי (ו') במקום יו"ד ועיין במדבר רבה (י, ד).

באור מהרי"פ

מי ה' וגו'. וקרוב לזה דריש (סנהדרין ע, ב) למואל שמשתכרין ואומרים מה לנו לאל:

אמרי יושר

ולרוזנים אי שכר דכתיב (ווי) [אווי] מן קדם חמר. פירוש, דייקו דכתיב או, וקרינן אי, הוא מלשון אוי, ולרוזנים יבא אוי, מפני השכר: **מי שכל מלכי מזרח ומערב משכימים על פתחו.** זהו ולרוזנים אי, למי שיאמרו וישאלו הרוזנים עליו אוי, ישתכר וישתה: **סוף שהוא שוכח רמ"ח איברים.** כי השותה יין הרבה אם לא יקיא, יפול בשעמום מרוב הליחות והאידים כמבואר בספרי הרפואות, ויבטלו האיברים מתנועתם, וזהו ישכח מחקק, שחשבונו רמ"ח, וכן נקרא חמר, שמספרו כן, לרמוז זה:

אם למקרא

וַיֹּאמֶר פַּרְעֹה מִי ה' אֲשֶׁר אֶשְׁמַע בְּקֹלוֹ לְשַׁלַּח אֶת יִשְׂרָאֵל לֹא יָדַעְתִּי אֶת ה' וְגַם אֶת יִשְׂרָאֵל לֹא אֲשַׁלֵּחַ: (שמות ה:ב)

וְהָיָה בַיּוֹם הַהוּא יִטְּפוּ הֶהָרִים עָסִיס וְהַגְּבָעוֹת תֵּלַכְנָה חָלָב וְכָל אֲפִיקֵי יְהוּדָה יֵלְכוּ מָיִם וּמַעְיָן מִבֵּית ה' יֵצֵא וְהִשְׁקָה אֶת נַחַל הַשִּׁטִּים: (יואל ד:יח)

ידי משה

באותו שאמר מי ה' אשר אשמע בקולו. ולפי שהוכיחתו אמו היתה שנשא את בת פרעה ותעשה כמעשה אביה, וסיפא דקרא קדריש, דכתיב וישנה דין כל בני עוני, פירוש פרעה אביה ששנה דין ישראל שהיו בני עוני, ונתן מלאכת אנשים על נשים:

מתנות כהונה

ומי שעושה דברים של אל. דריש למואל נוטריקון למו אל, שהשם יתברך לו לאלהים ועושה כל הדברים שמצוה אותו הקב"ה, ובמדבר רבה (י, ד) הגירסא בפנים אחרים, כדאיתא פרק חלק (סנהדרין ע, ב), ובמדרש משלי (פרשה לא): **באותו שאמר מי ה' וגו'.** צריך לפרש כאותו שהשיב כך למשה שנקרא מחוקק, שנאמר שם (דברים לג, כא) חלקת מחוקק ספון: **הכי גרסינן אי שכר או כתיב אוי מן כו'.** ודריש או כמו אוי שכמשמע שוין הן במבטא:

נחמד למראה

צאינה וראינה בנות ציון וגו', בעטרה שעטרה לו אמו, רוצה לומר שאמו גרמה לו כל השבח הזה שנתעטר בו לעיני כל העם, וזה היה ביום חתונתו וביום שמחת לבו כדאמרן. ודוק:

אשד הנחלים

מלכים כולם למען למשוך אליו כל ראשי עם הארץ על ידן, ולכן עשה בהפלגה נגד ציווי ה' שאמר ולא ירבה לו נשים, ודימה שהוא יהיה יכול לעמוד בו, וזאת אֲמָרָהּ אל למלכים לעשות דבר שהוא למו אֱל, נגד דעת רצון אֱל, אך להיפך מי שעושה כפי צווי ה', אז הוא למואל, וזהו פשוטו שהוא למואל, כלומר נעלה מדרך טבע האנושיות, כי אם כביכול דוגמת אל: **באותו שאמר כו'.** לפי שהוכיחתו על לקיחת בת פרעה שתעשה כמעשה אביה, וסופיה דקרא קדריש דכתיב (משלי לא, ה) וִישַׁנֶּה דין כל בני עוני, פירוש פרעה אביה ששינה דין ישראל (ידי משה), והוא נכון: **ברמ"ח איברים.** כי כל איברי האדם נשלמים אם יש לו שכל, והם מתנהגים על ידו, ואחר שהשכל בטל על ידי השכרות, אז ממילא נשכח כל גופו ממנו. והכינוי בשם מחוקק על האיברים הוא כמאמרם ז"ל (בראשית רבה יב, א), שעל כל אבר ואבר נמלך הקב"ה עם פמליא שלו איך לעשותו, כאלו כל אחד נחקק על מדתו ושיעורו ועניינו לפעול בו פעולותיו ועניניו הטובים, ועתה על ידי השכרות נשכח מכל וכל: **אמר הקב"ה בית כו'.** דרש פן ישכח ה' את הבית החקוק, ויחריבנו על ידי זה: **שני רוזנים.** וזהו מחוקק, על דרך (שופטים ה, ט) לבי לחוקקי ישראל, כי שרי ישראל נקראו מחוקק: **שבעולם הזה תקלה כו' שמחה כו'.** הוא סיום המאמר בדבר טוב, להורות שבאמת כל שנבראו המה ישרתו לתכלית טוב, ואף היין מי ששותהו לשמח נפשו הוא טוב, ולכן לא יתבטל גם לעתיד, כי אם אדרבא שמבשר הכתוב שיטפו הרים עסיס, ורק בעולם הזה שעדיין החטא גובר אז הוא רע, ודי בזה:

Chapter 13

וַיְדַבֵּר ה׳ אֶל מֹשֶׁה וְאֶל אַהֲרֹן לֵאמֹר אֲלֵהֶם.

HASHEM spoke to Moses and to Aaron, saying to them (11:1).

§1 **וַיְדַבֵּר ה׳ אֶל מֹשֶׁה וְאֶל אַהֲרֹן לֵאמֹר אֲלֵהֶם** — ***HASHEM SPOKE TO MOSES AND TO AARON, SAYING TO THEM.***

Surely *saying to "them"* does not refer to Moses and Aaron, for if so the phrase is redundant. To whom else did God speak, and why did they deserve this honor?[1] The Midrash explains:

רַבִּי פִּנְחָס וְרַבִּי יִרְמְיָה פָּתַח — **R' Pinchas and R' Yirmiyah opened** their discourse with the exposition of the following verse: **"אֹזֶן שֹׁמַעַת תּוֹכַחַת חַיִּים וגו׳"** — ***An ear that hears the reproof of life*** *will abide in the midst of the wise* (*Proverbs* 15:31). **"אֹזֶן שֹׁמַעַת תּוֹכַחַת חַיִּים" אֵלוּ בָּנָיו שֶׁל אַהֲרֹן** — ***An ear that hears the reproof of life*** — **these are the** surviving **sons of Aaron,** viz., Elazar and Ithamar;[2] **"בְּקֶרֶב חֲכָמִים תָּלִין"** — and those two ***will abide in the midst of the wise,***[3] **זָכוּ שֶׁהָיוּ בְּצַד הַמִּיתָה** — **for they were next to death**[4] **וְנִתְיַיחֵד הַדִּיבּוּר אֲלֵיהֶם וְעַל אֲבִיהֶם וְעַל אֲחִי אֲבִיהֶם בְּחַיֵּיהֶם** — and yet **they merited that the word** of God **was directed unto them and unto their father and unto their father's brother** (Moses) **in their lifetimes.**[5] **הָדָא הוּא דִכְתִיב "וְאֵת שְׂעִיר הַחַטָּאת דָּרֹשׁ דָּרַשׁ מֹשֶׁה"** — **Thus it is written,** ***Moses inquired insistently*** [דָּרֹשׁ דָּרַשׁ] ***about the he-goat of the sin-offering, etc.*** (*Leviticus* 10:16ff).[6]

The Midrash will explain how the *Leviticus* passage supports R' Pinchas and R' Yirmiyah's exposition.[7] In the course of doing so it will expound upon several verses from the passage:[8]

מַהוּ "דָּרֹשׁ דָּרַשׁ" — **What is** the implication of the double expression ***darosh darash*** [דָּרֹשׁ דָּרַשׁ] in the verse just cited? **ב׳ דְּרִישׁוֹת** — It is that Moses made **two inquiries.** **אָמַר לָהֶם: אִם שְׁחַטְתֶּם לָמָּה לֹא אֲכַלְתֶּם** — **He asked [Elazar and Ithamar], "If you slaughtered the offering** with the intent of eating it,[9] **why didn't you eat it?"**[10] **אִם לֹא הֱיִיתֶם עֲתִידִין לֶאֱכוֹל לָמָּה שְׁחַטְתֶּם** — And he asked also, **"If you were not planning to eat** it, **why did you slaughter** it?" **מִיַּד "וַיִּקְצֹף עַל אֶלְעָזָר וְעַל אִיתָמָר"** — **Immediately:** ***and he was wrathful with Elazar and with Ithamar*** (ibid.). **וְכֵיוָן שֶׁכָּעַס נִתְעַלְּמָה מִמֶּנּוּ הֲלָכָה** — **And because [Moses] became angry, the law** in this matter[11] **eluded him.**[12]

The Midrash digresses to emphasize the serious consequences of anger:[13]

אָמַר רַבִּי הוּנָא: בִּשְׁלֹשָׁה מְקוֹמוֹת כָּעַס מֹשֶׁה וְנִתְעַלְּמָה מִמֶּנּוּ הֲלָכָה — **R' Huna said: On three occasions Moses became angry and the law eluded him,** **וְאֵלּוּ הֵן** — **and these are [the three]** affected areas of law: **בְּשַׁבָּת וּבִכְלֵי מַתָּכוֹת וְאוֹנֵן** — **with regard to the Sabbath, with regard to** the purification of **metal utensils, and** with regard to the law of **the** ***onein.***[14]

The Midrash elaborates on each:

בְּשַׁבָּת מִנַּיִן — **From where** do we know that anger caused Moses to forget a law **regarding the Sabbath?** **שֶׁנֶּאֱמַר "וַיּוֹתִרוּ אֲנָשִׁים מִמֶּנּוּ וגו׳"** — **As it is stated,** ***And people left over from it,*** *and Moses became angry with them* (*Exodus* 16:20).[15] **כֵּיוָן שֶׁכָּעַס שָׁכַח לוֹמַר לָהֶם הִלְכוֹת שַׁבָּת** — **Since [Moses] became angry** over this infraction, **he forgot to tell [the people] the laws of the Sabbath.**[16] **אָמַר לָהֶם "הוּא אֲשֶׁר דִּבֶּר ה׳ ... אִכְלֻהוּ הַיּוֹם כִּי שַׁבָּת הַיּוֹם לַה׳"** — Only after double portions of manna fell on the first Friday, and the princes reported the people's perplexity over this irregularity to him (ibid., v. 22), **did [Moses] say to them,** ***"This is what HASHEM has spoken ...***[17] ***Eat it today, for today is a Sabbath for HASHEM"*** (ibid., vv. 23-25).

NOTES

1. [The phrase *saying to "them"* cannot be referring to the Jewish people, either, since the next verse states, *Speak to the Children of Israel* (*Eitz Yosef*, end of section, citing *Toras Kohanim*).]

2. I.e., the *Proverbs* verse applies to Elazar and Ithamar (*Eitz Yosef*). The Midrash will shortly explain how.

3. "The wise" are Moses and Aaron.

4. Death had been decreed on all four sons of Aaron — not just Nadab and Avihu but on Elazar and Ithamar as well — as per the Midrash above, 10 §4-5 (ibid. and *Maharzu*). See Midrash below with note 24.

5. The Torah has related (above, 10:16-18) that Moses angrily rebuked Elazar and Ithamar (and through them, Aaron) for not partaking of the Rosh Chodesh he-goat offering during the inauguration period, but burning it instead. However, as the Midrash below will explain, Moses' reproof was ill-conceived, since as *onein*-mourners following the deaths of Nadab and Abihu, the surviving Kohanim were forbidden to eat the meat of that sin-offering. [The term *onein* refers to a close relative of the deceased, during the time period before the burial.] Nevertheless, Elazar and Ithamar suffered Moses' wrathful rebuke in silence, even though they could have refuted it (*Matnos Kehunah, Eshed HaNechalim*), and as a reward were saved from death and accorded the honor of a direct Divine communication (see note 37). All this is intimated by the *Proverbs* verse, which the Midrash interprets as follows: *An ear that hears reproof* (i.e., Elazar and Ithamar, who endured the humiliation of Moses' unwarranted reproof and did not correct and embarrass him) will merit *life* and *will abide in the midst of the wise* (i.e., will yet live and even hear the word of God along with the wise, Moses and Aaron). Thus, our verse states: *HASHEM spoke* [the laws of *kashrus* in the following passage] *to Moses and to Aaron, saying* [it also] *to* ***them*** — i.e., to Elazar and Ithamar (*Eitz Yosef*; see *Tiferes Tzion* for an expanded interpretation).

6. See preceding note, and see further.

7. That is, it will explain how we see from this passage that Elazar and Ithamar suffered Moses' reproof in silence and thus merited to hear the word of God.

8. *Eitz Yosef.*

9. Ibid.

10. See 10:17. The Midrash below records Aaron's response to this. See note 30.

11. Viz., that the surviving Kohanim were forbidden to eat the Rosh Chodesh he-goat. See Midrash below and note 22.

12. Lit., *became hidden from him.*

[It would seem, however, that the reverse occurred: Moses' error preceded his anger, for it was on the basis of his (mis)understanding that Aaron's sons had violated the law that he became angry at them! See *Rashash* at length. See also *Tiferes Tzion*, and *Yefeh To'ar* below, s.v. נעלמה.]

13. Viz., that it can cause even the greatest prophet and sage (Moses) to forget his learning (*Tiferes Tzion*).

14. [The Midrash does not include the incident of Zimri (*Numbers* 25:6-9), when Moses forgot the law of הַבּוֹעֵל אֲרַמִּית קַנָּאִין פּוֹגְעִין בּוֹ (the law that under certain circumstances zealots may act independently regarding one who cohabits with a non-Jewish woman), because there it was not due to anger that he forgot that law. Rather, it was due to the great pain and anguish he felt over Zimri's brazenness and the public desecration of God's honor (*Eitz Yosef*).]

15. Moses had warned the people not to leave over until morning from their daily allotment of manna (*Exodus* 16:19), but to trust that a new portion would come on the morrow. When some people disobeyed, Moses became angry.

16. Namely, that each person would receive a double portion of manna on Friday morning, one for Friday and one for the Sabbath; and that because the Sabbath was holy and a day of rest, they must bake or cook the Sabbath portion on Friday. God's communication of these laws to Moses is recorded ibid., v. 5.

17. See preceding note. In his anger over the "leaving over" transgression, which occurred prior to that first Friday, Moses forgot to relay God's communication to the people. It was only after being apprised by the princes of the people's surprise over the double portions that Moses remembered, and only then did he report *what HASHEM has spoken* (see *Maharzu* and *Eitz Yosef*).

חידושי הרד"ל

[א] **בניו של אהרן שהיה בצד המיתה בקרב חכמים כו'.** כן צריך לומר. ולשון תוכחת חיים דרש, שעל ידי שקבלו תוכחה זכו לחיים, אחרי שנגזר עליהם מיתה:

חידושי הרש"ש

[א] **וכיון שכעס נתעלמה ממנו הלכה שאונן אסור לאכול בקדשים.** לכאורה הטעות היה קודם להקפדה, ונראה לי דסבירא ליה דמפני טומאה נשרף וכרבי יהודה ורבי שמעון (זבחים קא, א) אבל מחמת אנינות היו יכולין לאכול לערב, ומשה רבינו ידע גם כן זה קודם הכעס, וקצפו היה מדוע שורף ולא הניחוהו לאכלו לערב, ואולי זה הא דאיתא בגמרא שם שתי דרישות למה, אמר ליה מפני מה חטאת זו נשרפת ואלו מונחות, הוא דלא כדפירש רש"י שם דרש עליהם למה מונחות ולא המתין לערב ולא אכלו ביום, דלפי מה שכתבתי קודם קצפו בתחלה היה יודע שאסורים לאכלם בעוד יום אלא דדרש מהם מדוע זו נשרפה ואלו מונחות, דלא לומר נשרפה, ממה נפשך היה לכם או להניח כולם או לשרוף כולם, וכמו שפירש הקרבן אהרן להגירסא דתורת כהנים, ורש"י בפירוש התורה, ומפני מה נאכלו אלו, עיין שם, והיה סבור שאגב מרירייהו פשעו בו ונטמא, כדאיתא בגמרא שם, ולכן כעס, ובא מזה לכלל טעות, לאמור מדוע שהיה להם לאכלו בעוד יום באנינות. אחר זה מצאתי בתורת כהנים (שמיני פרשה א) וזה לשונו, אמר רבי יהודה, חנניא בן יהודה היה דורש לא היתה הקפדה שגרמה בו למשה לטעות, אחר מיתתו הרהר כמשיב על דבריו, ומי גרם לו שהקפיד אלא שטעה עד כאן, והקרבן אהרן נדחק ליישב דברי חנניא, ולדידי ברור כמו שכתבתי:

עץ יוסף

(א) **פתח אוזן שומעת כו'.** משום דפירושו לאמר אליהם היינו לבניו לאלעזר ולאיתמר כדרבי חייא דלקמן, בעי למימר דטעם זכותם, לזה מפני ששמעו תוכחת משה כשכעס עליהם ושתקו כדלקמן, ולהכי מייתי סמך מהאי קרא כדמפרש ואזיל: **אלו בניו של אהרן.** פירוש זה הפסוק נתקיים בבניו של אהרן: **בניו של אהרן שהיו בצד המיתה בקרב חכמים כו'.** כן צריך לומר. ולשון תוכחת חיים דרש, שעל ידי שקבלו תוכחה זכו לחיים אחרי שנגזר עליהם מיתה (רד"ל): **שהיו בצד המיתה.** שהיו קרובים למות עם נדב ואביהו [והיינו כמאן דאמר לעיל (י, ד) ומטים ליהרג אלו בניו של אהרן, שהיו בצד המיתה] וזכו להנצל ולהתייחד הדבור עליהם. ומפרש תלין ענין חיות וקיום כמו (תהלים מט, יג) ביקר בל ילין. והכי דריש קרא אוזן שומעת תוכחת חיים תלין בין החכמים, דהיינו שבחייה נתייחד הדבור לה עם החכמים דהיינו אהרן ומשה, וזהו טוב חלקם שעם היותם קרובים למות חיו וזכו למעלה זו: **הדא הוא דכתיב ואת שעיר החטאת.** מפרש ואזיל איך שמעו בני אהרן תוכחת משה ושתקו אף על פי שהיו יודעים להשיב יפה, כדלקמן, ואגב מפרש כל הני קראי הכא: **אם שחטתם.** כלומר אם שחטתם אדעתא לאכול: **בשלשה מקומות כו'.** והא דלא חשיב דמעשה זמרי דאמר בבמדבר רבה (כ, כד) נתרשלו ידיו של משה ונתעלמה ממנו הלכה, משום דהתם הוה מילתא טפי מכעס, דהיינו צרה ויגון גדול על עזותו וחלול כבוד ה' יתברך בפרהסיא: **שכח לומר להם הלכות שבת.** עד שבאו אליו ביום השבת, אז אמר להם, כדאיתא במכילתא (בשלח פרשת ויסע פרשה ה) שחרית שהיו רגילים לצאת וללקוט באו לשאול אם נצא או לא, ואמר להם את שבידכם אכלו אמרו לו הואיל ולא יצאנו שחרית נצא בין הערבים, אמר להם כי שבת היום לה', הרי שעדיין לא הודיע לישראל שאסורים בלקיטתו ביום השבת עד יום השבת שאמר להם אכלוהו היום וגו', ואף על פי שביום הששי שמצאו לחם משנה אמר להם הוא אשר דבר ה' שבתון שבת קודש לה' מחר וגו', אפשר שחשבו שאף על פי שיכולים ללקוט בשבת, הקדים להם לחם משנה ביום הששי כדי שיהיה מתוקן להם השבת מיום הששי, שאסורים בתיקונו ביום השבת, וזה אמר את אשר תאפו אפו וגו', אבל אם ירצו ללקוט בשבת לאכול כמות שהוא חי יצאו ללקוט: **אמר אלעזר הכהן תחתיו.** שאם לא מפני ששכחת משה מה שנא השתא דקאמר אלעזר הדין לישראל ולא משה: **למשה רבי צוה.** הקדוש ברוך הוא שהוא יאמר אליכם, ולי לא צוה על ידי משה שאני אומר להם הלכות אלו, והיינו כאשר צוה ה' את משה, דאם לא כן מאי קאמר והלא כל התורה צוה ה' את משה ומפי משה היו כולם מקבלים, ולא היה עולה על הדעת שה' דבר וצוה לאלעזר, אלא על כרחך שהכי קאמר שצוה ה' את משה שהוא יגיד לכם, אלא שהוא שכח לומר ואני אומר תחתיו, דהשתא קא משמע לן דלא יחשבו שה' דבר וצוה את אלעזר על ידי משה שהוא יהיה המגיד ההלכה לישראל: **נעלמה ממנו הלכה שאונן כו'.** יש לתמוה שהרי השכחה קדמה לכעסו שאילו זכר שאונן אסור בקדשים לא כעס על שלא אכלוהו. ועיין ביפה תואר מה שמתרץ: **לא אשתריתון.** וכי גם אתם לא נשארתם מן המיתה, שגם עליכם נקנסה מיתה אלא שהועיל תפלתו של משה על המחלה כדלעיל, ודייק זה דאם לא כן הנותרים למה לי:

פירוש מהרז"ו

(א) **אוזן שומעת תוכחת חיים.** בקרב חכמים תלין, ואיך הוא התוכחת חיים או מתים, על כן דורש על פי מדה ל"א, כאלו כתיב אוזן חיים שומע תוכחת, היינו אלעזר ואיתמר שהיו נטוים לצד מיתה, וכמו שכתב לעיל (י, ד), ונשארו חיים, ושמעו תוכחת משה, וכך צריך לומר אלו בניו של אהרן שהיו בצד מיתה, בקרב חכמים תלין שזכו ונתייחד הדבור עליהם וכו'. ועיין במדבר רבה (יג, ח), וזהו בקרב חכמים תלין, בקרב משה ואהרן, ומה שכתוב בחייהם, דורש תיבת חיים על פי מדה כ"ב, כאלו כתיב בקרב חכמים תלין חיים בחייהם: **בשלשה מקומות.** בספרי מטות פסוק ויאמר אלעזר הכהן: **ויותירו אנשים ממנו.** וסיפא דקרא ויקצוף עליהם משה, ושכח לומר להם שילקטו בששי לחם משנה, ושלא ילקטו בשבת, ועיין שמות רבה (כה, י): **אמר להם הוא אשר דבר.** כאן חסר, והגירסא בשמות רבה שם כיון שלקטו ביום הששי ומצאו כפלים, ובאו הנשיאים ואמרו למשה, אמר להם הוא אשר דבר ה', לא אמר אשר דברתי, אלא אשר דבר ה', ששכח עיין שם. ועל ידי מעשה שראה נזכר ההלכה:

פרשה יג

א [יא, א] "וַיְדַבֵּר ה' אֶל מֹשֶׁה וְאֶל אַהֲרֹן לֵאמֹר אֲלֵהֶם", רַבִּי פִּנְחָס וְרַבִּי יִרְמְיָה פָּתַח: (משלי טו, לא) "אֹזֶן שֹׁמַעַת תּוֹכַחַת חַיִּים וְגוֹ'", "אֹזֶן שֹׁמַעַת תּוֹכַחַת חַיִּים" אֵלּוּ בָּנָיו שֶׁל אַהֲרֹן, (שם) "בְּקֶרֶב חֲכָמִים תָּלִין", שֶׁהָיוּ בְּצַד הַמִּיתָה, זָכוּ וְנִתְיַיחֵד הַדִּיבּוּר אֲלֵיהֶם וְעַל אֲבִיהֶם וְעַל אֲחִי אֲבִיהֶם בְּחַיֵּיהֶם, הֲדָא הוּא דִכְתִיב [י, טז] "וְאֵת שְׂעִיר הַחַטָּאת דָּרֹשׁ דָּרַשׁ מֹשֶׁה", מַהוּ "דָּרֹשׁ דָּרַשׁ", ב' דְּרִישׁוֹת, אָמַר לָהֶם: אִם שְׁחַטְתֶּם לָמָּה לֹא אֲכַלְתֶּם, אִם לֹא הֱיִיתֶם עֲתִידִין לֶאֱכוֹל לָמָּה שְׁחַטְתֶּם, מִיָּד [שם] "וַיִּקְצֹף עַל אֶלְעָזָר וְעַל אִיתָמָר", וְכֵיוָן שֶׁכָּעַס נִתְעַלְּמָה מִמֶּנּוּ הֲלָכָה, אָמַר רַבִּי הוּנָא: בִּשְׁלֹשָׁה מְקוֹמוֹת [א]כָּעַס מֹשֶׁה וְנִתְעַלְּמָה מִמֶּנּוּ הֲלָכָה, וְאֵלּוּ הֵן: בְּשַׁבָּת וּבִכְלֵי מַתָּכוֹת וְאוֹנֵן, בְּשַׁבָּת מִנַּיִן, שֶׁנֶּאֱמַר (שמות טז, כ) "וַיּוֹתִרוּ אֲנָשִׁים מִמֶּנּוּ וְגוֹ'", כֵּיוָן שֶׁכָּעַס שָׁכַח לוֹמַר לָהֶם הִלְכוֹת שַׁבָּת, אָמַר לָהֶם (שם שם כג-כה) "הוּא אֲשֶׁר דִּבֶּר ה' ... אִכְלֻהוּ הַיּוֹם כִּי שַׁבָּת הַיּוֹם לַה'", וּבִכְלֵי מַתָּכוֹת מִנַּיִן, שֶׁנֶּאֱמַר (במדבר לא, יד) "וַיִּקְצֹף מֹשֶׁה עַל פְּקוּדֵי הֶחָיִל", וְכֵיוָן שֶׁכָּעַס נִתְעַלְּמָה מִמֶּנּוּ הֲלָכָה, שָׁכַח לוֹמַר לָהֶם הִלְכוֹת כְּלֵי מַתָּכוֹת, וְכֵיוָן שֶׁלֹּא אָמַר מֹשֶׁה אָמַר אֶלְעָזָר הַכֹּהֵן תַּחְתָּיו, שֶׁנֶּאֱמַר (שם שם כא) "וַיֹּאמֶר אֶלְעָזָר הַכֹּהֵן אֶל אַנְשֵׁי הַצָּבָא", אָמַר לָהֶם: לְמֹשֶׁה רַבִּי צִוָּה וְלִי לֹא צִוָּה, בְּאוֹנֵן מִנַּיִן, שֶׁנֶּאֱמַר [י, טז] "וַיִּקְצֹף עַל אֶלְעָזָר וְעַל אִיתָמָר", וְכֵיוָן שֶׁכָּעַס נִתְעַלְּמָה מִמֶּנּוּ הֲלָכָה שֶׁאוֹנֵן אָסוּר לֶאֱכוֹל בַּקֳּדָשִׁים. [י, טז] "הַנּוֹתָרִם לֵאמֹר", רַבִּי פִּנְחָס וְרַבִּי יְהוּדָה בְּרַבִּי סִימוֹן: אֲמַר לְהוֹן: אַף אַתּוּן לָא אִשְׁתְּרֵיתוּן.

מסורת המדרש

א. פסחים ס"ו אדר"נ פ"א:

אם למקרא

אֹזֶן שֹׁמַעַת תּוֹכַחַת חַיִּים בְּקֶרֶב חֲכָמִים תָּלִין: (משלי טו:לא)

וְלֹא שָׁמְעוּ אֶל מֹשֶׁה וַיּוֹתִרוּ אֲנָשִׁים מִמֶּנּוּ עַד בֹּקֶר וַיָּרֻם תּוֹלָעִים וַיִּבְאַשׁ וַיִּקְצֹף עֲלֵהֶם מֹשֶׁה: (שמות טז:כ)

וַיֹּאמֶר אֲלֵהֶם הוּא אֲשֶׁר דִּבֶּר ה' שַׁבָּתוֹן שַׁבַּת קֹדֶשׁ לַה' מָחָר אֵת אֲשֶׁר תֹּאפוּ אֵפוּ וְאֵת אֲשֶׁר תְּבַשְּׁלוּ בַּשֵּׁלוּ וְאֵת כָּל הָעֹדֵף הַנִּיחוּ לָכֶם לְמִשְׁמֶרֶת עַד הַבֹּקֶר: וַיַּנִּיחוּ אֹתוֹ עַד הַבֹּקֶר כַּאֲשֶׁר צִוָּה מֹשֶׁה וְלֹא הִבְאִישׁ וְרִמָּה לֹא הָיְתָה בּוֹ: וַיֹּאמֶר מֹשֶׁה אִכְלֻהוּ הַיּוֹם כִּי שַׁבָּת הַיּוֹם לַה' הַיּוֹם לֹא תִמְצָאֻהוּ בַּשָּׂדֶה: (שם שם כג-כה)

וַיִּקְצֹף מֹשֶׁה עַל פְּקוּדֵי הֶחָיִל שָׂרֵי הָאֲלָפִים וְשָׂרֵי הַמֵּאוֹת הַבָּאִים מִצְּבָא הַמִּלְחָמָה: (במדבר לא:יד)

וַיֹּאמֶר אֶלְעָזָר הַכֹּהֵן אֶל אַנְשֵׁי הַצָּבָא הַבָּאִים לַמִּלְחָמָה זֹאת חֻקַּת הַתּוֹרָה אֲשֶׁר צִוָּה ה' אֶת מֹשֶׁה: (שם שם כא)

אמרי יושר

[א] **זה אלעזר ואיתמר ששמעו תוכחת.** אף על פי שהיה להם מה להשיב, והם חיים שנשארו חיים ונותרו, ולא מתו כאחיהם, או כמו שכתב רש"י דממנו למיתת אחיהם ולא הרהרו. גם תשמע דיבור דכתיב בתריה בקרב חכמים, שכן כתיב בתריה וידבר ה' אל משה ואל אהרן לאמר אליהם, לרבות אלעזר ואיתמר, וכל דיבור שנדבר לאהרן קיימא לן דאינו אלא משה שיאמר לאהרן, ואם כן נשתוו אלעזר ואיתמר לאביהם בזה. או אף שגם הם אמרו אל בני ישראל: **כיון שכעס שכח דין האונן.** כי אלו זכר דין האונן, לא היה כועס:

מתנות כהונה

[א] **בצד המיתה.** כלומר קרובים למות גם המה וכדלקמן: **זכו ונתייחד כו'.** במה ששמעו תוכחה ממשה והיה בידם להשיבו ולא עשו כדלקמן: הכי גרסינן **הלכות שבת אמר להם הוא אשר דבר ה' אכלוהו כו'.** ועיין שם בפרש"י: **לא אשתריתון.** וכי גם אתם לא נשארתם מן המיתה שגם עליכם נקנסה מיתה, אלא שהועיל תפלתו של משה על המחלה כדלעיל

אשד הנחלים

[א] **אזן גו' שהיו בצד המיתה זכו כו'.** דרשו האוזן ששומעת תוכחת יזכו לחיים, ויזכו שבקרב חכמים תלין, זהו שנתייחד עליהם הדיבור הנבואיי. וכפירוש המתנות כהונה ששמעו תוכחה ממשה, שהיה בידם להשיבם ולא השיבו כדלהלן: **ונתעלמה כו' הוא אשר דבר.** כי מלת הוא, הוא מלת הזכירה, כאלו אומר עתה אני מבין כי הוא הדבר כו': **ולי לא ציוה.** מרוב ענוה לא אבה להגיד, אף שידע עד שענה אהרן בעצמו: **אף אתון כו'.** כלומר כי גם אתם הייתם ראוים למות, רק שנותרתם ולולא הזכות לא נותרתם:

באור מהרי"פ

[א] **ונתייחד הדבור אליהם.** זה לשון תורת כהנים, לאמר אליהם לבנים או אינו אלא לאמר להם לישראל, כשהוא אומר דברו אל בני ישראל לאמר זאת החיה וגו', זהו הדבור האמור לישראל הא מה אני מקיים לאמר אליהם, לבנים לאלעזר ולאיתמר, עכ"ל תורת כהנים: **הדא הוא דכתיב ואת שעיר החטאת וכו'.** זו ראיה שקבלו תוכחת משה ולא השיבו אותו כלום, אף על פי שהיו יכולים להשיבו: **הצבא.** הבאים למלחמה זאת חוקת התורה אשר צוה ה' את משה (במדבר לא, כא):

The second case of anger:

וּבִכְלֵי מַתָּכוֹת מִנַּיִן — **And from where** do we know that anger caused Moses to forget a law **concerning metal utensils?** שֶׁנֶּאֱמַר "וַיִּקְצֹף מֹשֶׁה עַל פְּקוּדֵי הֶחָיִל" — **As it is stated, *Moses was angry with the commanders of the army*** (*Numbers* 31:14);[18] וְכֵיוָן שֶׁכָּעַס נִתְעַלְּמָה מִמֶּנּוּ הֲלָכָה — **and since he was angry, a law** of the Torah **eluded him.** שָׁכַח לוֹמַר לָהֶם הִלְכוֹת כְּלֵי מַתָּכוֹת — That is, **he forgot to tell [the commanders] the laws of metal utensils.**[19] וְכֵיוָן שֶׁלֹּא אָמַר מֹשֶׁה אָמַר אֶלְעָזָר הַכֹּהֵן תַּחְתָּיו — **And since Moses did not relate** them, **Elazar the Kohen related** them **in his stead,** שֶׁנֶּאֱמַר "וַיֹּאמֶר אֶלְעָזָר הַכֹּהֵן אֶל אַנְשֵׁי הַצָּבָא" — **for it is stated, *And Elazar the Kohen said to the men of the army*** *who came to the battle, "This is the decree of the Torah that HASHEM commanded Moses, etc."* (ibid., v. 21ff).[20] אָמַר לָהֶם: לְמֹשֶׁה רַבִּי צִוָּה — **[Elazar] was saying to them, "To Moses my teacher [God] commanded** the law of purifying metal utensils, וְלִי לֹא צִוָּה — **but to me He did not command** it."[21]

The third instance of Moses' anger:

בְּאוֹנֵן מִנַּיִן — **From where** do we know that anger caused Moses to forget a law **concerning an *onein*?** שֶׁנֶּאֱמַר "וַיִּקְצֹף עַל אֶלְעָזָר וְעַל אִיתָמָר" — **As it is stated, *and he was wrathful with Elazar and with Ithamar.*** וְכֵיוָן שֶׁכָּעַס נִתְעַלְּמָה מִמֶּנּוּ הֲלָכָה שֶׁאוֹנֵן אָסוּר לֶאֱכוֹל בְּקֳדָשִׁים — **And since [Moses] became angry, the law that** a Kohen who is **an *onein* is prohibited to eat from consecrated offerings eluded him.**[22]

The Midrash continues its exposition of the verse cited above (10:16):

"הַנּוֹתָרִם לֵאמֹר" — *Aaron's **remaining** sons, **saying.***

It is obvious that Elazar and Ithamar are Aaron's "remaining" sons, since they did not die along with Nadab and Abihu. What does Scripture imply with this extra word?[23] The Midrash explains:

רַבִּי פִּנְחָס וְרַבִּי יְהוּדָה בְּרַבִּי סִימוֹן — **R' Pinchas and R' Yehudah son of R' Simone** said: אָמַר לְהוֹן — **[Moses] was informing [Elazar and Ithamar]:** אַף אַתּוּן לָא אִשְׁתְּרֵיתוּן — **You, too, did not "remain"** free from death. For it was decreed that *all* of Aaron's sons would die;[24] however, I nullified half the decree with my prayers.[25]

NOTES

18. God had ordered Israel to wage war against the Midianites as retribution for their enticing Israel to commit the sins of immorality and idolatry, for which 24,000 Jews died in a plague. Moses was angry with the commanders for sparing the lives of the Midianite women, who were the primary instruments of the enticement.

19. That is, the laws regarding the purification of the metal utensils captured from Midian. [By "laws" the Midrash appears to be referring both to the law of *kashering* metal utensils (such as those used by the Midianites for cooking nonkosher food) as well as to the law of immersing them in a *mikveh* (as we do with all metal utensils acquired from non-Jews). See next note.

[Although Moses had instructed the commanders in regard to *other* laws (regarding the purification of people, garments, and articles of various materials from ritual impurity; see ibid., vv. 19-20), in his anger he forgot to teach *these* laws regarding metal utensils.]

20. In the next verse (v. 22) Elazar mentions six metals. In the verse after that (v. 23) he states: *Everything that comes into the fire, you shall pass through the fire and it will be purified; but it must be purified with the water of sprinkling; and everything that would not come in the fire, you shall pass through the water.* The Talmud quotes this verse both as the source for the law of *kashering* metal utensils in fire (*Nazir* 37b) and as the source for the law of immersing in a *mikveh* metal utensils acquired from a non-Jew (*Avodah Zarah* 75b). See *Rashi* to *Avodah Zarah* ibid. and *Netziv, Haamek She'eilah* 137:12.

21. I.e., as with all the precepts of the Torah, God commanded the laws of purifying metal utensils to Moses for him to relay to the people. God did not command Moses that Elazar should relate them, and certainly God did not directly order Elazar to relate them. Perforce the only reason Elazar did so is that in his anger Moses had forgotten those laws (*Eitz Yosef*).

22. See notes 5, 11, and 12 above. Although the Kohanim (Aaron and his sons, who were *onein*-mourners) *were* permitted to eat the other he-goats offered on the Rosh Chodesh of the inauguration period (namely, the he-goat of the inaugural offering of that day and the inauguration offering of Nachshon ben Aminadav, the prince of the Tribe of Judah), those were unique, one-time offerings for which an exception was made. The exception did not apply to the Rosh Chodesh offering, which was to be offered on every Rosh Chodesh as long as the Tabernacle or Temple stood (*Zevachim* 101a, *Rashi* to *Leviticus* 10:16). This distinction eluded Moses.

23. *Yefeh To'ar, Eitz Yosef.*

24. See Midrash above, 10 §4-5. The Midrash there (§5) explains that because of Aaron's role in the sin of the Golden Calf, God *became angry with Aaron, to destroy him* (*Deuteronomy* 9:20); and "destruction" in this context means the annihilation of (all) his children.

25. As the *Deuteronomy* verse concludes, *so I prayed also for Aaron at that time.* See *Rashi* loc. cit. and *Eitz Yosef.*

פרשה יג

א [יא, א] "וַיְדַבֵּר ה' אֶל מֹשֶׁה וְאֶל אַהֲרֹן לֵאמֹר אֲלֵהֶם", רַבִּי פִּנְחָס וְרַבִּי יִרְמְיָה פָּתַח: (משלי טו, לא) "אֹזֶן שֹׁמַעַת תּוֹכַחַת חַיִּים וְגוֹ'", "אֹזֶן שֹׁמַעַת תּוֹכַחַת חַיִּים" אֵלּוּ בָּנָיו שֶׁל אַהֲרֹן, (שם) "בְּקֶרֶב חֲכָמִים תָּלִין", שֶׁהָיוּ בְּצַד הַמִּיתָה, זָכוּ וְנִתְיַיחֵד הַדִּיבּוּר אֲלֵיהֶם וְעַל אֲבִיהֶם וְעַל אֲחִי אֲבִיהֶם בְּחַיֵּיהֶם, הָדָא הוּא דִכְתִיב [י, טז] "וְאֵת שְׂעִיר הַחַטָּאת דָּרֹשׁ דָּרַשׁ מֹשֶׁה", מַהוּ "דָּרֹשׁ דָּרַשׁ", ב' דְּרִישׁוֹת, אָמַר לָהֶם: אִם שְׁחַטְתֶּם לָמָּה לֹא אֲכַלְתֶּם, אִם לֹא הֱיִיתֶם עֲתִידִין לֶאֱכוֹל לָמָּה שְׁחַטְתֶּם, מִיָּד [שם] "וַיִּקְצֹף עַל אֶלְעָזָר וְעַל אִיתָמָר", וְכֵיוָן שֶׁכָּעַס נִתְעַלְּמָה מִמֶּנּוּ הֲלָכָה, אָמַר רַבִּי הוּנָא: בִּשְׁלֹשָׁה מְקוֹמוֹת [א]כָּעַס מֹשֶׁה וְנִתְעַלְּמָה מִמֶּנּוּ הֲלָכָה, וְאֵלּוּ הֵן: בְּשַׁבָּת וּבִכְלֵי מַתָּכוֹת וְאוֹנֵן, בְּשַׁבָּת מִנַּיִן, שֶׁנֶּאֱמַר (שמות טז, כ) "וַיּוֹתִרוּ אֲנָשִׁים מִמֶּנּוּ וְגוֹ'", כֵּיוָן שֶׁכָּעַס שָׁכַח לוֹמַר לָהֶם הִלְכוֹת שַׁבָּת, אָמַר לָהֶם (שם שם כג-כה) "הוּא אֲשֶׁר דִּבֶּר ה' ... אִכְלֻהוּ הַיּוֹם כִּי שַׁבָּת הַיּוֹם לַה'", וּבִכְלֵי מַתָּכוֹת מִנַּיִן, שֶׁנֶּאֱמַר (במדבר לא, יד) "וַיִּקְצֹף מֹשֶׁה עַל פְּקוּדֵי הֶחָיִל", וְכֵיוָן שֶׁכָּעַס נִתְעַלְּמָה מִמֶּנּוּ הֲלָכָה, שָׁכַח לוֹמַר לָהֶם הִלְכוֹת כְּלֵי מַתָּכוֹת, וְכֵיוָן שֶׁלֹּא אָמַר מֹשֶׁה אָמַר אֶלְעָזָר הַכֹּהֵן תַּחְתָּיו, שֶׁנֶּאֱמַר (שם שם כא) "וַיֹּאמֶר אֶלְעָזָר הַכֹּהֵן אֶל אַנְשֵׁי הַצָּבָא", אָמַר לָהֶם: לְמֹשֶׁה רַבִּי צִוָּה וְלִי לֹא צִוָּה, בְּאוֹנֵן מִנַּיִן, שֶׁנֶּאֱמַר [י, טז] "וַיִּקְצֹף עַל אֶלְעָזָר וְעַל אִיתָמָר", וְכֵיוָן שֶׁכָּעַס נִתְעַלְּמָה מִמֶּנּוּ הֲלָכָה שֶׁאוֹנֵן אָסוּר לֶאֱכוֹל בַּקֳּדָשִׁים. [י, טז] "הַנּוֹתָרִם לֵאמֹר", רַבִּי פִּנְחָס וְרַבִּי יְהוּדָה בְּרַבִּי סִימוֹן: אֲמַר לְהוֹן: אַף אַתּוּן לָא אִשְׁתְּאַרִיתוּן.

עץ יוסף

(א) **פתח אוזן שומעת בו'.** משום דפירושו לאמר אליהם היינו לבניו לאלעזר ולאיתמר כדרבי חייא דלקמן, בעי למימר דטעם זכותם, לזה מפני שמעו תוכחת משה כשכעס עליהם ושתקו כדלקמן, ולהכי מייתי סמך מהאי קרא כדמפרש ואזיל: **אלו בניו של אהרן.** פירוש זה הפסוק נתקיים בבניו של אהרן: **בניו של אהרן שהיו בצד המיתה בקרב חכמים כו'.** כן צריך לומר. ולשון תוכחת חיים דרש, שעל ידי שקבלו תוכחה זכו לחיים אחרי שנגזר עליהם מיתה (רד"ל): **שהיו בצד המיתה.** שהיו קרובים למות עם נדב ואביהו (והיינו כמאן דאמר לעיל (י, ד) ומטים ליהרג אלו בניו של אהרן, שהיו בצד המיתה) וזכו להנצל ולהתייחד הדבור עליהם. ומפרש תלין ענין חיות וקיום כמו (תהלים מט, יג) ביקר בל ילין. והכי דריש קרא אוזן שומעת תוכחת חיים תלין בין החכמים, דהיינו שבחייה נתייחד הדבור לה עם החכמים דהיינו אהרן ומשה, וזה טוב חלקם שעם היותם קרובים למות חיו וזכו למעלה זו: **הדא הוא דכתיב ואת שעיר החטאת.** מפרש ואזיל איך שמעו בני אהרן תוכחת משה ושתקו אף על פי שהיו יודעים להשיב יפה, כדלקמן, ואגב מפרש כל הני קראי הכא: **אם שחטתם.** כלומר אם שחטתם אדעתא לאכול: **בשלשה מקומות בו'.** והא דלא חשיב למעשה זמרי דאמר בבמדבר רבה (כ, כד) נתרשלו ידיו של משה ונתעלמה ממנו הלכה, משום דהתם הוה מילתא טפי מכעס, דהיינו לרה ויגון גדול על עזותו וחלול כבוד ה' יתברך בפרהסיא: **שכח לומר להם הלכות שבת.** עד שבאו אליו ביום השבת, אז אמר להם, כדאיתא במכילתא (בשלח פרשת ויסע פרשה ה) שחרית שהיו רגילים לצאת וללקוט באו לשאול אם נלא או לא, ואמר להם את שבידכם אכלו אמרו לו הותיל ולא יצאתו שחרית נלא בין הערבים, אמר להם כי שבת היום לה', הרי שעדיין לא הודיע לישראל שאסורים בלקיטתו ביום השבת עד יום השבת שאמר להם אכלוהו היום וגו', ואף על פי שביום הששי שמצאו לחם משנה אמר להם הוא אשר דבר ה' שבתון שבת קודש לה' מחר וגו', אפשר שחשבו שאף על פי שיכולים ללקוט בשבת, הקדים להם לחם משנה ביום הששי כדי שיהיה מתוקן להם השבת מיום הששי, שאסורים בתיקונו ביום השבת, וזה אמר את אשר תאפו אפו וגו', אבל אם ירצו ללקוט בשבת לאכול כמות שהוא חי יצאו ללקוט: **אמר אלעזר הכהן תחתיו.** שאם לא מפני שכחת משה מה שנה השתא דקאמר אלעזר הדין לישראל ולא משה: **למשה רבי צוה.** הקדוש ברוך הוא שהוא יאמר אליכם, ולי לא צוה על ידי משה שאני אומר להם הלכות אלו, והיינו כאשר צוה ה' את משה, דאם לא כן מאי קאמר והלא כל התורה צוה ה' את משה, ומפי משה היו כולם מקבלים, ולא היה צולה על הדעת שה' דבר וצוה לאלעזר, אלא על כרחך שהכי קאמר שצוה ה' את משה שהוא יגיד לכם, אלא שהוא שכח לומר ואני אומר תחתיו, דהשתא קא משמע לן דלא יחשבו שה' דבר וצוה את אלעזר על ידי משה שהוא יהיה המגיד ההלכה לישראל: **נעלמה ממנו הלכה שאונן כו'.** יש לתמוה שהרי השכחה קדמה לכעסו שאילו זכר שאונן אסור בקדשים לא כעס על שלא אכלוהו. ועיין ביפה תואר מה שמתרץ: **לא אשתריתון.** וכי גם אתם לא נשארתם מן המיתה, שגם עליכם נקנסה מיתה אלא שהועיל תפלתו של משה על המחלה כדלעיל, ודייק זה דאם לא כן הנותרים למה לי:

פירוש מהרז"ו

(א) **אוזן שומעת תוכחת חיים.** בקרב חכמים תלין, ואיך הוא התוכחת חיים או מתים, על כן דורש על פי מדה ל"א, כאלו כתיב אוזן חיים שומע תוכחת, היינו אלעזר ואיתמר שהיו נטויים לצד מיתה, וכמו שכתב לעיל (י, ד), ונשארו חיים, ושמעו תוכחת משה, וכך צריך לומר אלו בניו של אהרן שהיו בצד מיתה, בקרב חכמים תלין שזכו ונתייחד הדבור עליהם וכו'. ועיין במדבר רבה (יג, ח), וזהו בקרב חכמים תלין, בקרב משה ואהרן, ומה שכתוב בחייהם, דורש תיבת חיים על פי מדה כ"ב, כאלו כתיב בקרב חכמים תלין חיים בחייהם: **בשלשה מקומות.** בספרי מטות פסוק ויאמר אלעזר הכהן: **ויותירו אנשים ממנו.** וסיפא דקרא ויקצוף עליהם משה, ושכח לומר להם שילקטו בששי לחם משנה, ושלא ילקטו בשבת, ועיין שמות רבה (כה, י): **אמר להם הוא אשר דבר.** כאן חסר, והגירסא בשמות רבה שם כיון שלקטו ביום הששי ומצאו כפלים, ובאו הנשיאים ואמרו למשה, אמר להם הוא אשר דבר ה', לא אמר אשר דברתי, אלא אשר דבר ה', ששכח עיין שם. ועל ידי מעשה שראה נזכר ההלכה:

מתנות כהונה

[א] **בצד המיתה.** כלומר קרובים למות גם המה וכדלקמן: **זכו ונתייחד כו'.** במה ששמעו תוכחה ממשה והיה בידם להשיבו ולא עשו כדלקמן: הכי גרסינן **הלכות שבת אמר להם הוא אשר דבר ה' אכלוהו כו'.** ועיין שם בפרש"י: **לא אשתריתון.** וכי גם אתם לא נשארתם מן המיתה שגם עליכם נקנסה מיתה, אלא שהועיל תפלתו של משה על המחלה כדלעיל

אשד הנחלים

[א] **אזן גו' שהיו בצד המיתה זכו כו'.** דרשו האוזן ששומעת תוכחת יזכו לחיים, ויזכו שבקרב חכמים תלין, זהו שנתייחד עליהם הדיבור הנבואיי. וכפירוש המתנות כהונה ששמעו תוכחה ממשה, שהיה בידם להשיבם ולא השיבו כדלהלן: **ונתעלמה כו' הוא אשר דבר.** כי מלת הוא, הוא מלת הזכירה, כאלו אומר עתה אני מבין כי הוא הדבר כו': **ולי לא ציוה.** מרוב ענוה לא אבה להגיד, אף שידע עד שענה אהרן בעצמו: **אף אתון כו'.** כלומר כי גם אתם הייתם ראוים למות, רק שנותרתם ולולא הזכות לא נותרתם:

חידושי הרד"ל

[א] **בניו של אהרן שהיה בצד המיתה בקרב חכמים כו'** כן צריך לומר. ולשון תוכחת חיים דרש, שעל ידי שקבלו תוכחה זכו לחיים, אחרי שנגזר עליהם מיתה:

חידושי הרש"ש

[א] **וכיון שכעס נתעלמה ממנו הלכה שאונן אסור לאכול בקדשים** לכאורה הטעות היה קודם להקפדה, ונראה לי דסבירא ליה דמפני טומאה נשרף כרבי יהודה ורבי שמעון (זבחים קא, א) אבל מחמת אנינות היו יכולין לאכול לערב, ומשה רבינו ידע גם כן זה קודם הכעס, וקצפו היה מדוע שורף ולא הניחוהו לאכלו לערב [ולפי זה הא דאיתא בגמרא שם שתי דרישות למה, אמר ליה מפני מה חטאת זו נשרפת ואלו מונחות, הוא דלא כדפירש רש"י שם דדרש עליהם למה מונחות להמתין לערב ולא נאכלו ביום, דלפי מה שכתבתי קודם קצפו בתחלה היה יודע שאסורים לאכלם בעוד יום אלא דדרש מהם מדוע זו נשרפה ואלו מונחות, רצה לומר דלא נשרפה, ממה נפשך היה לכם או להניח כולם או לשרוף כולם, וכמו שפירש הקרבן אהרן להגירסא דתורת כהנים, ורש"י בפירוש התורה, ומפני מה נאכלו אלו, עיין שם], והיה סבור שאגב מרירייהו פשעו בו ונטמא, כדאיתא בגמרא שם, ולכן כעס, ובא מזה לכלל טעות, לאמור מדוע לא אכלתם דמשמעו שהיה להם לאכלו בעוד יום באנינות. אחר זה מצאתי בתורת כהנים (שמיני פרשה א) וזה לשונו, אמר רבי יהודה, חנניא בן יהודה היה דורש כל ימיו קשה הקפדה שגרמה בו למשה לטעות, אחר מיתתו הריני כמשיב על דבריו, ומי גרם לו שהקפיד אלא שטעה עד כאן, והקרבן אהרן נדחק ליישב דברי חנניא, ולדידי ברור כמו שכתבתי:

באור מהרי"פ

[א] **ונתייחד הדבור אליהם.** זה לשון התורת כהנים, לאמר אליהם לבניו או אינו אלא לאמר להם לישראל, כשהוא אומר דברו אל בני ישראל לאמר זאת החיה וגו', זהו הדבור האמור לישראל הא מה אני מקיים לאמר אליהם, לבניו לאלעזר ולאיתמר, עכ"ל תורת כהנים: **הדא הוא דכתיב ואת שעיר החטאת וכו'.** זו ראיה שקבלו תוכחת משה ולא השיבו אותו כלום, אף על פי שהיו יכולים להשיבו: **הצבא.** הבאים למלחמה זאת חוקת התורה אשר צוה ה' את משה (במדבר לא, כא):

מסורת המדרש

א. פסחים ס"ו אדר"נ פ"א:

אם למקרא

אֹזֶן שֹׁמַעַת תּוֹכַחַת חַיִּים בְּקֶרֶב חֲכָמִים תָּלִין: (משלי טו:לא)

וְלֹא שָׁמְעוּ אֶל מֹשֶׁה וַיּוֹתִרוּ אֲנָשִׁים מִמֶּנּוּ עַד בֹּקֶר וַיָּרֻם תּוֹלָעִים וַיִּבְאַשׁ וַיִּקְצֹף עֲלֵהֶם מֹשֶׁה: (שמות טז:כ)

וַיֹּאמֶר אֲלֵהֶם הוּא אֲשֶׁר דִּבֶּר ה' שַׁבָּתוֹן שַׁבַּת קֹדֶשׁ לַה' מָחָר אֵת אֲשֶׁר תֹּאפוּ אֵפוּ וְאֵת אֲשֶׁר תְּבַשְּׁלוּ בַּשֵּׁלוּ וְאֵת כָּל הָעֹדֵף הַנִּיחוּ לָכֶם לְמִשְׁמֶרֶת עַד הַבֹּקֶר: וַיַּנִּיחוּ אֹתוֹ עַד הַבֹּקֶר כַּאֲשֶׁר צִוָּה מֹשֶׁה וְלֹא הִבְאִישׁ וְרִמָּה לֹא הָיְתָה בּוֹ: וַיֹּאמֶר מֹשֶׁה אִכְלֻהוּ הַיּוֹם כִּי שַׁבָּת הַיּוֹם לַה' הַיּוֹם לֹא תִמְצָאֻהוּ בַּשָּׂדֶה: (שם שם כג-כה)

וַיִּקְצֹף מֹשֶׁה עַל פְּקוּדֵי הֶחָיִל שָׂרֵי הָאֲלָפִים וְשָׂרֵי הַמֵּאוֹת הַבָּאִים מִצְּבָא הַמִּלְחָמָה: (במדבר לא:יד)

וַיֹּאמֶר אֶלְעָזָר הַכֹּהֵן אֶל אַנְשֵׁי הַצָּבָא הַבָּאִים לַמִּלְחָמָה זֹאת חֻקַּת הַתּוֹרָה אֲשֶׁר צִוָּה ה' אֶת מֹשֶׁה: (שם שם כא)

אמרי יושר

[א] **זה אלעזר ואיתמר ששמעו תוכחת.** אף על פי שהיה להם מה להשיב, והם חיים שנשארו חיים ונותרו, ולא מתו כאחיהם, או כמו שכתב רש"י שדממו למיתת אחיהם ולא הרהרו. גם תשמע דיבור דכתיב בתריה בקרב חכמים, שכן כתיב בתריה וידבר ה' אל משה ואל אהרן לאמר אליהם, לרבות אלעזר ואיתמר, וכל דיבור שנדבר לאהרן קיימא לן דאינו אלא משה שיאמר לאהרן, ואם כן נשתוו אלעזר ואיתמר לאביהם בזה, או שגם הם דברו אל בני ישראל: **כיון שכעס שכח דין האונן.** כי אלו זכר דין האונן, לא היה כועס:

The Midrash now expounds verse 10:19:[26]

״וַיְדַבֵּר אַהֲרֹן אֶל מֹשֶׁה״ — ***Aaron spoke to Moses.*** בְּדִיבּוּר עָנָה כְּנֶגְדוֹ — The implication of *he "spoke"* [וַיְדַבֵּר] is that **[Aaron] answered [Moses] with sharp speech,**[27] כְּדִכְתִיב ״דִּבֶּר הָאִישׁ אֲדֹנֵי הָאָרֶץ וגו׳ ״ — **like that which is written, *The man, the lord of the land, spoke*** [דִּבֶּר] ***harshly to us*** (*Genesis* 42:30).[28]

״הֵן הַיּוֹם הִקְרִיבוּ אֶת חַטָּאתָם וְאֶת עֹלָתָם״ — Verse 10:19 continues: ***"Was it they who this day offered their sin-offering and their burnt offering?"*** אָמַר לוֹ — **[Aaron] was saying to him,** הַיּוֹם מֵתוּ בָּנַי וְהַיּוֹם אַקְרִיב קָרְבָּן — **"Today my sons** Nadab and Abihu **died, and today I may bring an offering;**[29] הַיּוֹם מֵתוּ וְהַיּוֹם אוֹכַל בַּקֳּדָשִׁים — however, **today my sons died, and I should *eat* from the consecrated offerings?!** Certainly not!"[30]

מִיָּד דָּרַשׁ אַהֲרֹן קַל וָחוֹמֶר לְמֹשֶׁה — **Whereupon Aaron expounded a *kal vachomer* argument to Moses** to prove his point: וּמַה מַּעֲשֵׂר הַקַּל אָסוּר לְאוֹנֵן — **Since** the second **tithe,** whose laws are relatively **lenient,**[31] **is forbidden to an *onein,***[32] חַטָּאת דַּחֲמִיר אֵינוֹ דִין שֶׁיְּהֵא אָסוּר בְּאוֹנֵן — **is it not logical that a sin-offering,** whose laws are **stringent,**[33] **should be forbidden for an *onein*!?**

The Midrash expounds Moses' reaction (10:20):

מִיָּד ״וַיִּשְׁמַע מֹשֶׁה וַיִּיטַב בְּעֵינָיו״ — **Immediately, *Moses heard and he approved.*** הוֹצִיא כָּרוֹז לְכָל הַמַּחֲנֶה וְאָמַר — **[Moses] issued a proclamation to the entire camp, saying,** אֲנִי טָעִיתִי אֶת הַהֲלָכָה וְאַהֲרֹן אָחִי בָּא וְלִמֵּד לִי — **"I misunderstood the law and my brother Aaron came and taught it to me."**[34]

NOTES

26. This verse will show that Elazar and Ithamar suffered Moses' reproof in silence, supporting R' Pinchas and R' Yirmiyah's exposition (see note 7 above).

27. I.e., forcefully. There are two verbs for speaking — דבר (*speak*) and אמר (*say*). דבר connotes harsh and forceful speech unless it is accompanied and tempered by a form of אמר [as in, e.g., וַיְדַבֵּר ה׳ אֶל מֹשֶׁה לֵּאמֹר] (see *Eitz Yosef*).

28. By stating דִּבֶּר... קָשׁוֹת, *spoke harshly*, the verse explicitly links the root דבר to harsh speech (*Eshed HaNechalim*).

29. That is, I am permitted to bring an offering even though my sons died today, for the law is that a Kohen Gadol (but not an ordinary Kohen) may perform the sacrificial service while he is an *onein*. Aaron was debunking Moses' suspicion that perhaps Elazar or Ithamar had brought the Rosh Chodesh sin-offering and thereby invalidated it [which would explain why they did not eat it]. Aaron thus countered, "Was it they (Elazar and Ithamar, who are ordinary Kohanim) who offered the sin-offering on this day? Why, the entire service of this special day was performed by me, and as Kohen Gadol I may serve even as an *onein*" (*Eitz Yosef*, from *Zevachim* 101a; see also *Yefeh To'ar*).

30. As 10:19 continues: וְאָכַלְתִּי חַטָּאת הַיּוֹם הַיִּיטַב בְּעֵינֵי ה׳, *were I to eat this day's sin-offering, would HASHEM approve?* This distinction between *bringing* an offering and *eating* it was a second distinction that eluded Moses; see *Tiferes Tzion* above, s.v. מיד ויקצף על אלעזר ועל איתמר.

31. After a farmer separates a "first tithe" from his crop for the Levite, he separates a "second tithe." That tithe (or its redemption money) may be eaten by any Jew, anywhere in Jerusalem.

32. As it states [in the וִדּוּי מַעֲשֵׂר, the "Confession of the Tithes" recited by the farmer, attesting that he has given all the various tithes as required]: לֹא אָכַלְתִּי בְאֹנִי מִמֶּנּוּ, *I have not eaten of it in my state of onein-mourning* [*Deuteronomy* 26:14] (*Eitz Yosef*).

33. A sin-offering (*chatas*) is one of the "most holy" offerings (קָדְשֵׁי קָדָשִׁים). It may be eaten only by Kohanim, only in the Temple Courtyard, and only on the day it was slaughtered.

34. The Midrash derives this from the word וַיִּשְׁמַע (lit., *he heard*), which the Midrash regards as superfluous since it is obvious that Moses heard what Aaron was saying to him. Nor can וַיִּשְׁמַע be construed as *he acceded*, as in וַיִּשְׁמַע אַבְרָהָם אֶל עֶפְרוֹן, *Abraham acceded to Ephron* (*Genesis* 23:16), since Moses' acceptance of Aaron's *kal vachomer* argument would in any event be indicated by וַיִּיטַב בְּעֵינָיו, *he approved.* The Midrash thus interprets the word as וַיַּשְׁמַע, *he made heard* (or, *caused to hear*) — i.e., Moses proclaimed Aaron's correct understanding of the law to all (see *Yefeh To'ar, Eitz Yosef,* and *Tiferes Tzion*). See Insight Ⓐ.

INSIGHTS

Ⓐ To Err Is Human ... The Gemara (*Zevachim* 101b) comments that Moses was not embarrassed to admit his mistake; he did not say, "I had not heard this from God," but rather, "I heard but I forgot."

The Gemara implies that Moses thereby did something commendable. Why? Since when is the fact that one does not lie considered to be something unusual, especially for one on the exalted level of Moses? Moreover, our Midrash tells us that Moses sent word around the entire camp, notifying everyone that he had erred and Aaron had set him straight. What purpose was there in Moses publicizing his error to the whole nation?

R' Chaim Shmulevitz (*Sichos Mussar* pp. 265-266 [*Maamar* 62; *Shemini* 5732]) explains that Moses could have easily justified concealing the fact that he had forgotten. With the exception of the first two commandments, which the Jewish people heard directly from God, the rest of the Torah was transmitted through Moses. Now, if Moses could forget, one could think that perhaps he forgot other things as well. This conceivably could weaken the entire basis of our belief in the Divine Torah. And this alone, one might think, would be reason enough for Moses to conceal the fact that he had indeed heard but forgotten.

Moses rejected such reasoning. The Torah demands מִדְּבַר שֶׁקֶר תִּרְחָק, *Distance yourself from falsehood* (*Exodus* 23:7). Stand for truth. Do not allow even the desire "to preserve the foundations of Judaism" to induce you to resort to falsehood. Moses' admission was indeed praiseworthy.

There is more. Surely there would have been a national benefit in not revealing that he had heard yet forgotten. But had he taken that course, would it have been completely altruistic? Moses realized that at the root of such calculations, there was also a trace of personal benefit — that he would be spared the embarrassment of it being known that he had forgotten the word of God. Cognizant of this selfish interest, Moses rejected any calculation of the public benefit. And he sent word around the entire camp to publicize this halachah to all, and for all time: Never bend the rules of Torah "for the sake of Heaven" when the slightest selfish motive might be involved! Follow the law to the letter, and leave the outcome to God.

The willingness to admit error in the face of embarrassment and adversity is the ultimate proof that one is truly a servant of God. A true servant is one who has nothing of his own, who lives entirely for the benefit of his master. As the era of prophecy drew to a close, God called to us to *remember the Torah of Moses "My servant" (Malachi* 3:22). Moses was God's servant because he had no ulterior motives and sought no personal gain. It is for this reason alone that God calls the Torah "the Torah of Moses" – because Moses' Torah is God's Torah, as a servant has nothing of his own. It all belongs to his Master (*Sichos Mussar,* p. 225 [*Maamar* 52; *Zachor-Purim* 5731]).

The story is told of the very first *shiur* delivered by R' Chaim Soloveitchik of Brisk in the great yeshivah of Volozhin. The year was 1880, and R' Chaim was a young man of 27, famous for his brilliance and his novel analytical approach to learning. There were those who opposed his appointment as one of the Roshei Yeshivah, and a special delegation of recognized *gedolei Torah* were present to determine whether his recent appointment was indeed warranted. R' Chaim began his *shiur* with a brilliant analysis of a difficult passage in the *Rambam*. The exposition was fluent and stunningly clear, and the faces of those in attendance reflected their fascination. Abruptly, R' Chaim stopped. "I made a mistake," he announced. He had suddenly recalled a different passage in the *Rambam,* which was at odds with the novel approach he had just set forth. He could have ignored that other passage; no one else had brought it up. He could have brought his maiden *shiur* to a triumphant conclusion. But for one problem: It wasn't true.

And so, in the presence of the many luminaries who had come to hear the first *shiur* of the young prodigy, R' Chaim stopped and went no further. He was not embarrassed to say, "I was wrong. My thesis is untenable." Truth would prevail.

And truth did prevail. The illustrious delegation that had come to determine his qualifications to serve as Rosh Yeshivah decided that

[י, יט] "וַיְדַבֵּר אַהֲרֹן אֶל מֹשֶׁה" בְּדִיבּוּר עָנָה כְּנֶגְדוֹ, כְּדִכְתִיב (בראשית מב, ל) "דִּבֶּר הָאִישׁ אֲדֹנֵי הָאָרֶץ וְגוֹ'". [י, יט] "הֵן הַיּוֹם הִקְרִיבוּ אֶת חַטָּאתָם וְאֶת עֹלָתָם", אָמַר לוֹ: הַיּוֹם מֵתוּ בָנַי וְהַיּוֹם אַקְרִיב קָרְבָּן, הַיּוֹם מֵתוּ וְהַיּוֹם אוֹכַל בַּקֳּדָשִׁים, מִיָּד [ב]דָּרַשׁ אַהֲרֹן קַל וָחוֹמֶר לְמֹשֶׁה, וּמַה מַּעֲשֵׂר הַקַּל אָסוּר לְאוֹנֵן, חַטָּאת דַּחֲמִיר אֵינוֹ דִּין שֶׁיְּהֵא אָסוּר בְּאוֹנֵן, מִיָּד [י, כ] "וַיִּשְׁמַע מֹשֶׁה וַיִּיטַב בְּעֵינָיו", הוֹצִיא כָּרוֹז לְכָל הַמַּחֲנֶה וְאָמַר: אֲנִי טָעִיתִי אֶת הַהֲלָכָה וְאַהֲרֹן אָחִי בָּא וְלִמֵּד לִי, אֶלְעָזָר יָדַע אֶת הַהֲלָכָה וְשָׁתַק, אִיתָמָר יָדַע אֶת הַהֲלָכָה וְשָׁתַק, זָכוּ וְנִתְיַיחֵד הַדִּיבּוּר עֲלֵיהֶם וְעַל אֲבִיהֶם וְעַל אֲחִי אֲבִיהֶם בְּחַיֵּיהֶם, הָדָא הוּא דִכְתִיב [יא, א] "וַיְדַבֵּר ה' אֶל מֹשֶׁה וְאֶל אַהֲרֹן לֵאמֹר אֲלֵהֶם", [ג]תָּנֵי רַבִּי חִיָּיא: "לֵאמֹר אֲלֵהֶם", לַבָּנִים, לְאֶלְעָזָר וְאִיתָמָר:

ב רַבִּי שִׁמְעוֹן בֶּן יוֹחָאי פָּתַח: (חבקוק ג, ו) "עָמַד וַיְמֹדֶד אֶרֶץ" מָדַד הַקָּדוֹשׁ בָּרוּךְ הוּא כָּל הָאוּמּוֹת וְלֹא מָצָא אוּמָּה שֶׁהִיא רְאוּיָה לְקַבֵּל אֶת הַתּוֹרָה אֶלָּא דּוֹר הַמִּדְבָּר, מָדַד הַקָּדוֹשׁ בָּרוּךְ הוּא כָּל הֶהָרִים וְלֹא מָצָא הַר שֶׁתִּנָּתֵן בּוֹ אֶת הַתּוֹרָה אֶלָּא סִינַי, מָדַד הַקָּדוֹשׁ בָּרוּךְ הוּא אֶת כָּל הָעֲיָירוֹת וְלֹא מָצָא עִיר שֶׁיִּבָּנֶה בָּהּ בֵּית הַמִּקְדָּשׁ אֶלָּא יְרוּשָׁלַיִם, מָדַד הַקָּדוֹשׁ בָּרוּךְ הוּא כָּל הָאֲרָצוֹת וְלֹא מָצָא אֶרֶץ שֶׁרְאוּיָה לִינָּתֵן לְיִשְׂרָאֵל אֶלָּא אֶרֶץ יִשְׂרָאֵל, הָדָא הוּא דִכְתִיב "עָמַד וַיְמֹדֶד אֶרֶץ רָאָה וַיַּתֵּר גּוֹיִם", רַב אָמַר: דָּמָן הִתִּיר וּמָמוֹנָן הִתִּיר, דָּמָן הִתִּיר (דברים כ, טז) "לֹא תְחַיֶּה כָּל נְשָׁמָה", מָמוֹנָן הִתִּיר שֶׁנֶּאֱמַר (שם שם יד) "וְאָכַלְתָּ אֶת שְׁלַל אֹיְבֶיךָ", רַב הוּנָא אָמַר: הִתִּיר זוֹנִין שֶׁלָּהֶן,

עץ יוסף

בדיבור ענה כנגדו. כלומר בכח, דלשון דבור בלי לשון אמירה אחריו מורה על קושיא, ולשון התורת כהנים אין דבור אלא לשון עז, וזהו שמביא דבר האיש וגו' קשות: **והיום אקריב קרבן.** בניחותא, כלומר אף שהיום מתו בני הייתי מקריב קרבן אילו הייתי רואה משום דכהן גדול מקריב אונן, וקמפרש הן היום, היום הקריבו, כדמפרש בגמרא (זבחים קא, א) דקאמר ליה משה דלמא באכילות אקריבתיה ופסלתיה, והשיבו אהרן וכי בני שהם הדיוטות הקריבו היום, על ידי היתה, ואני כהן גדול ומקריב אונן: **והיום אוכל בקדשים.** בתמיה: **אסור לאונן.** דכתיב (דברים כו, יד) לא אכלתי באוני ממנו: **הוציא כרוז כו'.** דריש וישמע משה וַיַּשְׁמַע. שהשמיע הדבר לכל. והוזקק לזה דאם לא כן וישמע למה לי, לא הוי ליה למימר רק וייטב בעיני משה, דאי אפשר לפרש לשון קבלה כמו (בראשית כג, טז) וישמע אברהם אל עפרון, דזה בכלל וייטב בעיניו: **זכו ונתייחד בו',** דמכיון דקצף משה עליהם, להם להשיבו ולא לאהרן, אלא שמפני הכבוד שתקו: **לאמר אליהם לבנים.** בתורת כהנים שנו או אינו אלא לומר להם לישראל, כשהוא אומר דברו אל בני ישראל לאמר זהו הדבור האמור לישראל, הא מה אני מקיים לאמר אליהם לאמר לבניו לאלעזר ולאיתמר, היינו שאלעזר ואיתמר יהיו שלוחים לישראל שהם יאמרו לישראל: **(ב) פתח עמד וימודד ארץ כו'.** על קרא זאת החיה אשר תאכלו קאי כדמסיים סוף סימן זה, ואגב דריש ליה לכולא קרא: **מדד הקדוש ברוך הוא כו'.** טעם מדידה זו, לומר שלא יקשה עלינו טעם בחירת ה' עם זולת עם, ומקום זולת מקום, שבחר בישראל מכל האומות, ובהר סיני מכל המקומות למתן תורה ובארץ ישראל מכל המקומות לקדושה, ובירושלים מזולתם לבנין בית המקדש וקביעות השכינה, עם היות הכל ביחס אחד אלו יתברך שהכל מעשה ידיו, וגם כן למה ניתנה התורה לדור המדבר טפי מדור אחר, לכן אמר שכבר מדד ה' בדעתו וראה שאין ראוי אלא כך וכך: **מדד הקדוש ברוך הוא כל האומות.** ואף על גב דקרא וימודד ארץ כתיב מדריש כמו וימודד יושבי ארץ: **שהיא ראויה לקבל את התורה אלא ישראל ומדד הקדוש ברוך הוא את כל הדורות ולא מצא דור שהיה ראוי לקבל את התורה אלא דור המדבר.** כן צריך לומר (יפה תואר), וכן הוא בילקוט (חבקוק פרק ג, תקסג): **מדד הקדוש ברוך הוא כל העיירות.** בילקוט גרסינן מקמי הכי מדד הקדוש ברוך הוא כל ההרים [רצה לומר של ארץ ישראל או של ירושלים, ועיין ביפה תואר] ולא מצא הר שהיה ראוי שתשרה עליו שכינה אלא הר המוריה: **דמן התיר וממונן התיר.** אצטריך למימר תרווייהו, דחד לא אתי מאידך, דלא ידעינן איזה קל ואיזה חמור, שיש אדם שגופו חביב עליו מממונו ויש אדם שממונו חביב עליו מגופו, משום הכי דריש תרתי מויתר גוים כיון דסתמא כתיב הי מינייהו מפקת: **זונין.** כלי זיין שלהם, היינו ז'

פירוש מהרז"ו

והיום אקריב קרבן. בהכרח שפירושו בניחותא, שכהן גדול מקריב אונן ואינו אוכל אונן, ומה שאמר והיום אוכל בקדשים הוא בתמיה. ועיין זבחים ק"א ב', ועיין רש"י בחומש כאן, וכי הם הקריבו הלא אני הקרבתי: **בחייהם.** פירוש שאלו הזכיר שמם במותם, היה גם כן ראיה שהם גדולים בעיני ה', וכמו שמובא בזוהר בענין גלפחד, על שהזכיר השם יתברך שמו במותו, ידע שהוא בן עולם הבא, וכמעשה שעל שמשיח קרא שמו של רבי יהושע בן לוי בר לואי (סנהדרין צח, א), אמר לו אליהו אבטח לך ולאבוך לעלמא דאתי, קל וחומר השם יתברך, אך שזכו יותר שקרא שמותם בחייהם וביותר בדבור של מצוה בנבואה: **(ב) עמד וימודד ארץ.** וסיפא דקרא ראה ויתר גוים כדלקמן, ואגב דורש רישא דקרא, ובא לדרוש מה שכתב כאן זאת החיה אשר תאכלו מכל הבהמה, כמו שמבואר בסוף הסימן: **מדד כל העירות מדד כל הארצות.** תחלה היה לו לומר מדד כל הארצות וכו', ואחר כך מדד כל העירות, אלא על שדורש פסוק וימודד ארץ, על כן אומר כל הארצות בסוף, ודורש מה שכתב ויתר, מלשון היתר של איסור בלשון משנה, מה שאסר בכל אדם התיר בכנענים ושבעה אומות: **התיר זונין שלהם.** פירוש אזור, והאזור מוסיף גבורה באדם, כמו שכתוב (איוב לח, ג) אזר נא כגבר חלציך, וכמו שכתוב (מלכים ב ג, כא) מכל חוגר חגורה ומעלה, וכמו שאומרים אוזר ישראל בגבורה, וכמו שכתוב (איוב יב, יח) מוסר מלכים פתח ויאסור אזור במתניהם, ופשט הכתוב על פי מדה ל"א, עיין שמות רבה (מה, ב) מה שכתבתי שם:

חידושי הרש"ש

בדבור ענה בנגדו. לשון התורת כהנים אין דבור אלא לשון עז כו': **הן היום הקריבו וכו' אמר לו היום מתו בני.** רצה לומר להקריב הוא דרשאי, אבל היום מתו וכו' והיום אוכל בתמיהה: **מיד וישמע משה וייטב בעיניו הוציא כרוז לכל המחנה וכו'.** נראה דדריש וישמע כמו וַיַּשְׁמַע. עיין מה שכתבתי בס"ד לעיל בשמות רבה (כא, ג ד"ה הוא יושב): **[ב] מדד הקדוש ברוך הוא כל ולא מצא כו' ומדד הקדוש ברוך הוא את כל הדורות ולא מצא דור שהיה ראוי לקבל את התורה אלא דור המדבר** כן צריך לומר, וכן הוא בילקוט חבקוק (רמז תקסג):

באור מהרי"פ

היום אקריב קרבן. פירוש זה אמר בניחותא דכהן גדול מקריב אונן, והיום אוכל בקדשים הוא בלשון בתמיה: **הוציא כרוז.** נלמד מן וישמע משה כמו וַיַּשְׁמַע משה, דאם לא כן וישמע למה לי הוה ליה למימר רק וייטב בעיני משה: **[ב] עמד וימודד ארץ וכו'.** המשך הדרוש למקרא זה מבואר בסוף המאמר דמסיים זאת החיה אשר תאכלו: **זונין שלהם.** בערוך ערך זנם גורס זונם שלהן עיין שם:

מסורת המדרש

ב. אדר"נ פ' ל"ז:
ג. ת"כ סדר זה:

אם למקרא

דִּבֶּר הָאִישׁ אֲדֹנֵי הָאָרֶץ אִתָּנוּ קָשׁוֹת וַיִּתֵּן אֹתָנוּ כִּמְרַגְּלִים אֶת הָאָרֶץ: (בראשית מב:ל)

עָמַד וַיְמֹדֶד אֶרֶץ רָאָה וַיַּתֵּר גּוֹיִם וַיִּתְפֹּצְצוּ הַרְרֵי עַד שַׁחוּ גִּבְעוֹת עוֹלָם הֲלִיכוֹת עוֹלָם לוֹ: (חבקוק ג:ו)

רַק מֵעָרֵי הָעַמִּים הָאֵלֶּה אֲשֶׁר ה' אֱלֹהֶיךָ נֹתֵן לְךָ נַחֲלָה לֹא תְחַיֶּה כָּל נְשָׁמָה: (דברים כ:טז)

רַק הַנָּשִׁים וְהַטַּף וְהַבְּהֵמָה וְכֹל אֲשֶׁר יִהְיֶה בָעִיר כָּל שְׁלָלָהּ תָּבֹז לָךְ וְאָכַלְתָּ אֶת שְׁלַל אֹיְבֶיךָ אֲשֶׁר נָתַן ה' אֱלֹהֶיךָ לָךְ: (שם שם יד)

אמרי יושר

חטאת החמורה על אחת כמה וכמה. דייקו ואכלתי חטאת היום ייטיב, דהא אחטאת קאי, וסמיך ואת שעיר החטאת דרש דרש משה, אלא לרמוז הקל וחומר: **הוציא כרוז במחנה.** קרי ביה וישמע משה, בפת"ח: **לא מצא ים אחר ליקרע אלא ים סוף.** להקנות לישראל אמונה, ולמצריים אמונה, והיה ים סוף קרוב להם: **[ב] התיר דמם.** בת ישראל לא תניק בנה של עכו"ם (עבודה זרה כו, א), ומה לי כבות, ומה לי שלא להטיל ממון בנכר, ואם כן כיון שאין אנו מניקין ומחיים, הרי אנו כאלו ממיתים, בזה הערך התיר דמם. ויש מפרשים שהוא נכרית מניקה בת ישראל, והחלב הוא דם מבושל:

מתנות כהונה

ודריש הנותרים: **בדבור ענה כו'.** כלומר בכח, דהוה ליה למימר ויען או ויאמר: **לאלעזר ואיתמר.** עיין בפירש רש"י (ויקרא יא, א): **[ב] הכי גרסינן שיבנה בו בית המקדש: דמן התיר.** סיפיה דקרא של עמד וימודד ארץ קדריש, דכתיב (חבקוק ג, ו) ראה ויתר גוים: **זונין.** אזורות וחגורות שלהן כך פירש הערוך (ערך זן הראשון):

אשד הנחלים

בדיבור. שהוא קשות, וזהו שמביא דיבר האיש וגו' קשות: **אליהם לבנים.** כי גם המה זכו לדיבור. ודעתם שנתגלה עליהם הדיבור הנבואיי באמצעות הנבואה ע"י משה ואהרן, דאם כפשוטו האמירה לבד אם כן היה לכל הכהנים גם כן: **[ב] ולא מצא או מה כו' דור המדבר.** כלומר מלבד אומות אחרות, אף באומה ישראלית לא מצא שעת הכושר ליתן התורה כי אם לדור המדבר, כי היו דור דעה, וכן בקדושת המקום, דוקא הר סיני מוכן לזה, וכן ארץ ישראל קדושה מכל הארצות. ולהורות בא שיש בבני אדם הבדלים עצמיים, וכן המקום משתנה מבלעדי מקום, וכמו שהאריך הכוזרי בבאורו. וענין המדידה, כאילו נמדד מקום רוח אלקי, דוקא אותן האנשים והמקומות יהיו מוכנים לזה, לא זולת: **התיר זונין כו'.** הוא על דרך הכתוב (איוב יב, יח) מוסר מלכים פיתח, שהחגור הוא סימן הגבורה, והתרת החגורה

The Midrash now concludes its support of R' Pinchas and R' Yirmiyah's exposition by explicitly identifying Elazar and Ithamar as the anonymous "them" in our verse (11:1):[35]

אֶלְעָזָר יָדַע אֶת הַהֲלָכָה וְשָׁתַק — **Elazar knew the law but remained silent;** אִיתָמָר יָדַע אֶת הַהֲלָכָה וְשָׁתַק — and **Ithamar knew the law but remained silent.**[36] זָכוּ וְנִתְיַיחֵד הַדִּיבּוּר עֲלֵיהֶם וְעַל אֲבִיהֶם וְעַל אֲחִי אֲבִיהֶם בְּחַיֵּיהֶם — For keeping silent **they merited that the word** of God **was directed onto them and onto their father and onto their father's brother in their lifetimes.**[37] הָדָא הוּא דִכְתִיב ״וַיְדַבֵּר ה׳ אֶל מֹשֶׁה וְאֶל אַהֲרֹן לֵאמֹר אֲלֵהֶם״ — **Thus it is written** in our verse, ***HASHEM* spoke to Moses and to Aaron, saying to them,** תָּנֵי רַבִּי חִיָּיא: ״לֵאמֹר אֲלֵהֶם״, לְבָנִים, לְאֶלְעָזָר וְאִיתָמָר — regarding which **R' Chiya taught: *Saying to them*** refers to **the sons** of Aaron — viz., **to Elazar and Ithamar.**[38]

דַּבְּרוּ אֶל בְּנֵי יִשְׂרָאֵל לֵאמֹר זֹאת הַחַיָּה אֲשֶׁר תֹּאכְלוּ מִכָּל הַבְּהֵמָה אֲשֶׁר עַל הָאָרֶץ.

Speak to the Children of Israel, saying: These are the creatures that you may eat from among all the animals that are upon the earth (11:2).

§2 The laws of *kashrus* begin with the verse, *These are the creatures* (הַחַיָּה) *that you may eat from among all the animals that are upon the earth.* The choice of the word הַחַיָּה (*creatures*) instead of the usual הַבְּהֵמָה (*animals*) invites exegesis.[39] A verse from *Habakkuk* provides the key to unlocking the hidden message of הַחַיָּה, which does not emerge until the very end of this section (§2):[40]

רַבִּי שִׁמְעוֹן בֶּן יוֹחַאי פָּתַח: ״עָמַד וַיְמֹדֶד אֶרֶץ״ — **R' Shimon ben Yochai opened** his discourse by quoting the verse, ***He stood and measured the land;*** *He looked and released nations* (*Habakkuk* 3:6). מָדַד הַקָּדוֹשׁ בָּרוּךְ הוּא כָּל הָאוּמּוֹת וְלֹא מָצָא אוּמָּה שֶׁהִיא רְאוּיָה לְקַבֵּל אֶת הַתּוֹרָה אֶלָּא דּוֹר הַמִּדְבָּר — The first part of the verse intimates: **The Holy One, blessed is He, measured**[41] **all the nations,**[42] **but found no nation worthy of receiving the Torah except the Generation of the Wilderness.**[43] מָדַד הַקָּדוֹשׁ בָּרוּךְ הוּא כָּל הֶהָרִים וְלֹא מָצָא הַר שֶׁתִּנָּתֵן בּוֹ אֶת הַתּוֹרָה אֶלָּא סִינַי — **The Holy One, blessed is He, measured all the mountains, but found no mountain on which the Torah should be given except Sinai.** מָדַד הַקָּדוֹשׁ בָּרוּךְ הוּא אֶת כָּל הָעֲיָירוֹת וְלֹא מָצָא עִיר שֶׁיִּבָּנֶה בָּהּ בֵּית הַמִּקְדָּשׁ אֶלָּא יְרוּשָׁלַיִם — **The Holy One, blessed is He, measured all the cities, but found no city in which the Holy Temple should be built except Jerusalem.** מָדַד הַקָּדוֹשׁ בָּרוּךְ הוּא כָּל הָאֲרָצוֹת וְלֹא מָצָא אֶרֶץ שֶׁרְאוּיָה לִינָּתֵן לְיִשְׂרָאֵל אֶלָּא אֶרֶץ יִשְׂרָאֵל — **The Holy One, blessed is He, measured all the lands, but found no land worthy to be given to Israel except the Land of Israel.**[44]

NOTES

35. See above, note 5 (end) and note 7.

36. That is, Aaron was not the only one who knew the law; his sons did, too. See next note.

37. Because Moses expressed his anger against Elazar and Ithamar, it was they who should have refuted him, not Aaron. [This is so even though Moses *was* angry at Aaron, and had expressed his anger to Elazar and Ithamar only in order to spare Aaron's dignity; see *Rashi* to 10:16 (*Mizrachi* to 10:19).] However, they kept quiet out of respect [both for their father Aaron (it would be improper for them to speak in his presence while he remains silent) and for Moses (it would be improper for them, Moses' students, to refute their teacher) — *Rashi* to 10:19]. For that they were rewarded with a direct communication from God (*Eitz Yosef*). See Insight Ⓐ.

38. See note 1. According to *Toras Kohanim*, Elazar and Ithamar were rewarded not only in that they received the word of God along with Moses and Aaron; they were rewarded further in that they would be the ones to relay the laws of *kashrus* to the people (see ibid.).

39. *Yefeh To'ar* (end of section, s.v. משל לרופא), *Imrei Yosher* (end of section, s.v. ישראל), *Eitz Yosef* (end of section, s.v. זאת החיה), and *Tiferes Tzion* here.

40. According to *Eitz Yosef* and the first explanation in *Yefeh To'ar*, it is the *second* half of the *Habakkuk* verse that is related to ours; however, as is typical with Midrashim, once the Midrash quotes a verse it expounds it in its entirety. According to *Tiferes Tzion* and the second explanation in *Yefeh To'ar*, the first half of the verse is also relevant (see below, note 61), and therefore it is necessary to expound the first half as well.

41. "Measured" in the sense of examined and assessed. The purpose of the measuring was to ensure that the selection being made was not arbitrary but was based on worthiness. [The same applies to the other "measurings" mentioned next] (*Eitz Yosef*).

42. Even though the verse says that God *measured "the land,"* the Midrash interprets this to mean "the *inhabitants* of the land" (ibid.).

43. *Yefeh To'ar* (cited by *Eitz Yosef*) emends the Midrash to read: ". . . but found no nation worthy of receiving the Torah except Israel. The Holy One, blessed is He, measured all the generations, but found no generation worthy of receiving the Torah except the Generation of the Wilderness." This text accords with *Yalkut Shimoni, Habakkuk* (§563); see also *Yalkut Shimoni* here (§535).

44. The logical sequence would actually be that God first measured the

INSIGHTS

anyone willing to endure such humiliation for the sake of truth was surely most eminently suited to deliver the *shiur* in the most eminent of all yeshivos (*Peninei HaGriz*, cited in *Ohel Moshe, Vayikra* p. 6, note 71).

Ⓐ **The Rewards of Rebuke** *Maayanei Chaim* (cited by *Chochmas HaMatzpun, Devarim*, p. 24) presents another reason for the silence of Elazar and Ithamar: They did not want to miss an opportunity to receive rebuke from the leader of Israel. It was worthwhile for them to hear the voice of a man of God rebuking them, even though ultimately those words were undeserved.

Another Midrash (*Yalkut Shimoni, Mishlei* §15) cites the verse in *Proverbs* (15:31), אֹזֶן שֹׁמַעַת תּוֹכַחַת חַיִּים בְּקֶרֶב חֲכָמִים תָּלִין, *The ear that hears life-giving reproof will abide in the midst of the wise.* The Midrash there explains that this verse applies to the children of Aaron because, although they were able to do so, they did not respond, in order that they be able to hear Moses' reproach. Their merit was that not only was the word of God directed to them, but that it was directed even to Aaron their father. That is the power of seeking the great man's rebuke.

There is a story told of Rabbi Yehudah Leib Alter of Gur — the *Sfas Emes*. As a youth, he once studied with his friend with great diligence for the entire night. Only close to morning did he lie down to sleep, but since he had retired so late, he slept until well into the day. His grandfather, the *Chidushei HaRim*, who raised his orphaned grandson, rebuked him extensively for sleeping so long and not rising early to learn Torah. The *Sfas Emes* listened closely to the harsh rebuke, and did not interrupt his grandfather with even a word to explain what had happened. His friend, who was also present, was astounded. When the friend asked him afterward why he had kept quiet and did not tell his grandfather that he had studied Torah the entire night, the *Sfas Emes* replied, "I did not want to interrupt my grandfather in the middle of his rebuke, so that I should merit to hear from him yet more ethical remonstrations."

The *Sfas Emes* then showed his friend the passage in *Numbers* Ch. 32, where the children of Gad and Reuben ask Moses for an inheritance on the east bank of the Jordan, and Moses admonishes them for seeking — by their unwillingness to enter the land of Canaan and conquer its inhabitants alongside the other tribes — to dishearten the entire nation from entering the Land! Only after Moses' extensive rebuke do the children of Gad and Reuben say to him that they wish only to build pens for their flock and cities for their wives and children, but they will indeed enter the Land to fight alongside the rest of the nation. Why, asked the *Sfas Emes*, if their intent had been all along to enter the Land to fight, did they not defend themselves against Moses' accusation immediately?

The reason, *Sfas Emes* explained, was that they were eager to hear Moses' reproof, despite the fact that he had misjudged their intentions. The reproach of a holy man is a balm to the spirit and has the power to help one grow. There will always be time to defend. Now is the time to grow.

[י, יט] "וַיְדַבֵּר אַהֲרֹן אֶל מֹשֶׁה" בְּדִבּוּר עָנָה כְּנֶגְדּוֹ, כִּדְכְתִיב (בראשית מב, ל) "דִּבֶּר הָאִישׁ אֲדֹנֵי הָאָרֶץ וְגוֹ'". [י, יט] "הֵן הַיּוֹם הִקְרִיבוּ אֶת חַטָּאתָם וְאֶת עֹלָתָם", אָמַר לוֹ: הַיּוֹם מֵתוּ בָנַי וְהַיּוֹם אַקְרִיב קָרְבָּן, הַיּוֹם מֵתוּ וְהַיּוֹם אוֹכַל בְּקָדָשִׁים, מִיָּד דָּרַשׁ אַהֲרֹן קַל וָחוֹמֶר לְמֹשֶׁה, וּמָה מַעֲשֵׂר הַקַּל אָסוּר לְאוֹנֵן, חַטָּאת דְּחָמִיר אֵינוֹ דִּין שֶׁיְּהֵא אָסוּר בְּאוֹנֵן, מִיָּד [י, כ] "וַיִּשְׁמַע מֹשֶׁה וַיִּיטַב בְּעֵינָיו", הוֹצִיא כָּרוֹז לְכָל הַמַּחֲנֶה וְאָמַר: אֲנִי טָעִיתִי אֶת הַהֲלָכָה וְאַהֲרֹן אָחִי בָּא וְלִמֵּד לִי, אֶלְעָזָר יָדַע אֶת הַהֲלָכָה וְשָׁתַק, אִיתָמָר יָדַע אֶת הַהֲלָכָה וְשָׁתַק, זָכוּ וְנִתְיַיחֵד הַדִּבּוּר עֲלֵיהֶם וְעַל אֲבִיהֶם וְעַל אֲחִי אֲבִיהֶם בְּחַיֵּיהֶם, הֲדָא הוּא דִכְתִיב [יא, א] "וַיְדַבֵּר ה' אֶל מֹשֶׁה וְאֶל אַהֲרֹן לֵאמֹר אֲלֵהֶם", תָּנֵי רַבִּי חִיָּיא: "לֵאמֹר אֲלֵהֶם", לְבָנִים, לְאֶלְעָזָר וְאִיתָמָר:

ב רַבִּי שִׁמְעוֹן בֶּן יוֹחָאי פָּתַח: (חבקוק ג, ו) "עָמַד וַיְמֹדֶד אֶרֶץ" מָדַד הַקָּדוֹשׁ בָּרוּךְ הוּא כָּל הָאוּמּוֹת וְלֹא מָצָא אוּמָּה שֶׁהִיא רְאוּיָה לְקַבֵּל אֶת הַתּוֹרָה אֶלָּא דּוֹר הַמִּדְבָּר, מָדַד הַקָּדוֹשׁ בָּרוּךְ הוּא כָּל הֶהָרִים וְלֹא מָצָא הַר שֶׁתִּנָּתֵן בּוֹ אֶת הַתּוֹרָה אֶלָּא סִינַי, מָדַד הַקָּדוֹשׁ בָּרוּךְ הוּא אֶת כָּל הָעֲיָירוֹת וְלֹא מָצָא עִיר שֶׁיִּבָּנֶה בָּהּ בֵּית הַמִּקְדָּשׁ אֶלָּא יְרוּשָׁלַיִם, מָדַד הַקָּדוֹשׁ בָּרוּךְ הוּא כָּל הָאֲרָצוֹת וְלֹא מָצָא אֶרֶץ שֶׁרְאוּיָה לִינָּתֵן לְיִשְׂרָאֵל אֶלָּא אֶרֶץ יִשְׂרָאֵל, הֲדָא הוּא דִכְתִיב "עָמַד וַיְמֹדֶד אֶרֶץ רָאָה וַיַּתֵּר גּוֹיִם", רַב אָמַר: דָּמָן הִתִּיר וּמָמוֹנָן הִתִּיר, דָּמָן הִתִּיר (דברים כ, טז) "לֹא תְחַיֶּה כָּל נְשָׁמָה", מָמוֹנָן הִתִּיר שֶׁנֶּאֱמַר (שם שם יד) "וְאָכַלְתָּ אֶת שְׁלַל אֹיְבֶיךָ", רַב הוּנָא אָמַר: הִתִּיר זוֹנִין שֶׁלָּהֶן,

עץ יוסף

בדיבור ענה כנגדו. כלומר בכח, דלשון דבור בלי לשון אמירה אחריו מורה על קושיא, ולשון התורת כהנים אין דבור אלא לשון עז, וזהו שמביא דבר האיש וגו' קשות: **והיום אקריב קרבן.** בניחותא, כלומר אף שהיום מתו בני הייתי מקריב קרבן אילו הייתי רואה משום דכהן גדול מקריב אונן, וקמפרש הן היום, היום הקריבו, כדמפרש בגמרא (זבחים קא, א) דקאמר ליה משה דלמא באנינות אקריבתיה ופסלתיה, והשיבו אהרן וכי בני שהם הדיוטות הקריבו היום, על ידי היתה, ואני כהן גדול ומקריב אונן: **והיום אוכל בקדשים.** בתמיה: **אסור לאונן.** דכתיב (דברים כו, יד) לא אכלתי באוני ממנו: **הוציא כרוז כו'.** דריש וישמע משה וַיַּשְׁמַע. שהשמיע הדבר לכל. והוזקק לזה דאם לא כן וישמע למה לי, לא הוי ליה למימר רק וייטב בעיני משה, דאי אפשר לפרש לשון קבלה כמו (בראשית כג, טז) וישמע אברהם אל עפרון, דזה בכלל וייטב בעיניו: **זכו ונתייחד בו',** דמכיון דקפץ משה עליהם, להם להשיבו ולא לאהרן, אלא שמפני הכבוד שתקו: **לאמר אליהם לבנים.** בתורת כהנים שנו או אינו אלא לומר להם לישראל, כשהוא אומר דברו אל בני ישראל לאמר זהו הדבור האמור לישראל, הא מה אני מקיים לאמר אליהם לאמר לבניו לאלעזר ולאיתמר, היינו שאלעזר ואיתמר יהיו שלוחים לישראל שהם יאמרו לישראל: **(ב) פתח עמד וימודד ארץ כו'.** על קרא זאת החיה אשר תאכלו קאי כדמסיים סוף סימן זה, ואגב דריש ליה לכולה קרא: **מדד הקדוש ברוך הוא כו'.** טעם מדידה זו, לומר שלא יקשה עליו טעם בחירת ה' עם זולת עם, ומקום זולת מקום, שבחר בישראל מכל האומות, והר סיני מכל המקומות למתן תורה ובארץ ישראל מכל המקומות לקדושה, וירושלים מזולתם לבנין בית המקדש וקביעות השכינה, עם היות הכל ביום אחד אלא יתברך שהכל מעשה ידיו, וגם כן למה ניתנה התורה לדור המדבר טפי מדור אחר, לכן אמר שכבר מדד ה' בדעתו וראה שאין ראוי אלא כך וכך: **מדד הקדוש ברוך הוא כל האומות.** ואף על גב דקרא וימודד ארץ כתיב מדריש כמו וימודד יושבי ארץ: **שהיא ראויה לקבל את התורה אלא ישראל ומדד הקדוש ברוך הוא את כל הדורות ולא מצא דור שהיה ראוי לקבל את התורה אלא דור המדבר.** כן צריך לומר (יפה תואר), וכן הוא בילקוט (חבקוק פרק ג, תקסג): **מדד הקדוש ברוך הוא כל העיירות.** בילקוט גרסינן מקמי הכי מדד הקדוש ברוך הוא כל ההרים [רצה לומר של ארץ ישראל או של ירושלים, ועיין ביפה תואר] ולא מצא הר שהיה ראוי שתשרה עליו שכינה אלא הר המוריה: **דמן התיר וממונן התיר.** אצטריך למימר תרווייהו, דחד לא אתי מאידך, דלא ידעינן איזה קל ואיזה חמור, שיש אדם שגופו חביב עליו מממונו ויש אדם שממונו חביב עליו מגופו, משום הכי דריש תרתי מויתר גוים כיון דסתמא כתיב הי מינייהו מפקת: **זונין.** כלי זיין שלהם, היינו ז'

פירוש מהרז"ו

והיום אקריב קרבן. בהכרח שפירושו בניחותא, שכהן גדול מקריב אונן ואינו אוכל אונן, ומה שאמר והיום אוכל בקדשים הוא בתמיה. ועיין זבחים ק"א ב', ועיין רש"י בחומש כאן, וכי הם הקריבו הלא אני הקרבתי: **בחייהם.** פירוש שאלו הזכיר שמם במותם, היה גם כן ראיה שהם גדולים בעיני ה', וכמו שמובא בזוהר בענין צלפחד, על שהזכיר השם יתברך שמו במותו, ידע שהוא בן עולם הבא, וכמעשה שעל שמשיח קרא שמו של רבי יהושע בן לוי בר לואי (סנהדרין לח, א), אמר לו אליהו אבטח לך ולאבוך לעלמא דאתי, קל וחומר השם יתברך, אך שזכו יותר שקרא שמותם בחייהם וביותר בדבור של מצוה בנבואה: **(ב) עמד וימודד ארץ.** וסיפא דקרא ראה ויתר גוים כדלקמן, ואגב דורש רישא דקרא, ובא לדרוש מה שכתב כאן זאת החיה אשר תאכלו מכל הבהמה, כמו שמבואר בסוף הסימן: **מדד כל העירות מדד כל הארצות.** תחלה היה לו לומר מדד כל הארצות וכו', ואחר כך מדד כל העירות, אלא על שדורש פסוק וימודד ארץ, על כן אומר כל הארצות בסוף, ודורש מה שכתב ויתר, מלשון היתר של איסור בלשון משנה, מה שאסר בכל אדם התיר בכנענים ושבעה אומות: **התיר זונין שלהם.** פירוש אוזר, והאזור מוסיף גבורה באדם, כמו שכתוב (איוב לח, ג) אזר נא כגבר חלציך, וכמו שכתוב (מלכים ב ג, כא) מכל חוגר חגורה ומעלה, וכמו שאומרים אוזר ישראל בגבורה, וכמו שכתוב (איוב יב, יח) מוסר מלכים פתח ויאסור אזור במתניהם, ופשט הכתוב על פי מדה לה"א, עיין שמות רבה (מה, ב) מה שכתבתי שם:

חידושי הרש"ש

בדבור ענה כנגדו. לשון התורת כהנים אין דבור אלא לשון עז כו': **הן היום הקריבו וכו' אמר לו היום מתו בני.** רצה לומר להקריב הוא דרשאי, אבל היום מתו וכו' והיום אוכל בתמיהה: **מיד וישמע משה וייטב בעיניו הוציא כרוז לכל המחנה וכו'.** נראה דדריש וישמע כמו וַיַּשְׁמַע. עיין מה שכתבתי בס"ד לעיל בשמות רבה (כח, ג ד"ה הוא יושב): **[ב] מדד הקדוש ברוך הוא כל ולא מצא כו' ומדד הקדוש ברוך הוא את כל הדורות ולא מצא דור שהיה ראוי לקבל את התורה אלא דור המדבר** כן צריך לומר, וכן הוא בילקוט חבקוק (רמז תקסז):

באור מהרי"פ

היום אקריב קרבן. פירוש זה אמר בניחותא דכהן גדול מקריב אונן, והיום אוכל בקדשים הוא בלשון בתמיה: **הוציא כרוז.** נלמד מן וישמע משה כמו וַיַּשְׁמַע משה, דאם לא כן וישמע למה לי הוה ליה למימר רק וייטב בעיני משה: **[ב] עמד וימודד ארץ וכו'.** המשך הדרוש למקרא זה מבואר בסוף המאמר דמסיים זאת החיה אשר תאכלו: **זונין שלהם.** בערוך ערך זנם גורס זונם שלהן עיין שם:

מסורת המדרש

ב. אדר"נ פ' ל"ז:
ג. ת"כ סדר זה:

אם למקרא

דִּבֶּר הָאִישׁ אֲדֹנֵי הָאָרֶץ אִתָּנוּ קָשׁוֹת וַיִּתֵּן אֹתָנוּ כִּמְרַגְּלִים אֶת הָאָרֶץ: (בראשית מב:ל)

עָמַד וַיְמֹדֶד אֶרֶץ רָאָה וַיַּתֵּר גּוֹיִם וַיִּתְפֹּצְצוּ הַרְרֵי עַד שַׁחוּ גִּבְעוֹת עוֹלָם הֲלִיכוֹת עוֹלָם לוֹ: (חבקוק ג:ו)

רַק מֵעָרֵי הָעַמִּים הָאֵלֶּה אֲשֶׁר ה' אֱלֹהֶיךָ נֹתֵן לְךָ נַחֲלָה לֹא תְחַיֶּה כָּל נְשָׁמָה: (דברים כ:טז)

רַק הַנָּשִׁים וְהַטַּף וְהַבְּהֵמָה וְכֹל אֲשֶׁר יִהְיֶה בָעִיר כָּל שְׁלָלָהּ תָּבֹז לָךְ וְאָכַלְתָּ אֶת שְׁלַל אֹיְבֶיךָ אֲשֶׁר נָתַן ה' אֱלֹהֶיךָ לָךְ: (שם שם יד)

אמרי יושר

חטאת החמורה על אחת כמה וכמה. דייקו ואכלתי חטאת היום יתירא, דהא אחטאת קאי, וסמיך ואת שעיר החטאת דרש דרש משה, אלא לרמוז הקל וחומר: **הוציא כרוז במחנה.** קרי ביה וישמע משה, בפת"ח: **לא מצא ים אחר ליקרע אלא ים סוף.** להקנות לישראל ולמצריים אמונה, והיה ים סוף קרוב להם: **[ב] התיר דמם.** בת ישראל לא תניק בנה של עכו"ם (עבודה זרה כו, א), ומה לי כבות, ומה לי שלא להטיל שמן בנר, ואם כן כיון שאין אנו מניקין ומחיים, הרי אנו כאלו ממיתים, בזה הערך התיר דמם. ויש מפרשים שהוא נכרית מניקה בת ישראל, והחלב הוא דם מבושל:

מתנות כהונה

ודריש הנותרים: **בדבור ענה בו'.** כלומר בכח, דהוה ליה למימר ויען או ויאמר: **לאלעזר ואיתמר.** עיין בפירש רש"י (ויקרא יא, א): **[ב] הכי גרסינן שיבנה בו בית המקדש: דמן התיר.** סיפיה דקרא של עמד וימודד ארץ קדריש, דכתיב (חבקוק ג, ו) ראה ויתר גוים: **זונין.** אזורות וחגורות שלהן כך פירש הערוך (ערך זן הראשון):

אשד הנחלים

בדיבור. שהוא קשות, וזהו שמביא דיבר האיש וגו' קשות: **אליהם לבנים.** כי גם המה זכו לדיבור. ודעתם שנתגלה עליהם הדיבור הנבואיי באמצעות הנבואה ע"י משה ואהרן, דאם כפשוטו האמירה לבד אם כן היה לכל הכהנים גם כן: **[ב] ולא מצא או מה כו' דור המדבר.** כלומר מלבד אומות אחרות, אף באומה ישראלית לא מצא שעת הכושר ליתן התורה כי אם לדור המדבר, כי היו דור דעה, וכן בקדושת המקום, דוקא הר סיני מוכן לזה, וכן ארץ ישראל קדושה מכל הארצות. ולהורות בא שיש בבני אדם הבדלים עצמיים, וכן המקום משתנה מבלעדי מקום, וכמו שהאריך הכוזרי בבאורו. וענין המדידה, כאילו נמדד מקום רוח אלקי, דוקא אותן האנשים והמקומות יהיו מוכנים לזה, לא זולת: **התיר זונין כו'.** הוא על דרך הכתוב (איוב יב, יח) מוסר מלכים פיתח, שהחגור הוא סימן הגבורה, והתרת החגורה

הָדָא הוּא דִכְתִיב "עָמַד וַיְמֹדֶד אֶרֶץ רָאָה וַיַּתֵּר גּוֹיִם" — **Thus it is written** in the *Habakkuk* verse, ***He stood and measured the land; He looked and released nations.***

The Midrash now interprets the second half of the *Habakkuk* verse:

רַב אָמַר — **Rav said:** *He . . . released nations* implies that דָּמָן שֶׁל כְּנַעֲנִים הִתִּיר וּמָמוֹנָן הִתִּיר — **[the Holy One] released**[45] **the blood [of the seven Canaanite Nations],**[46] **and He released their property.** דָּמָן הִתִּיר "לֹא תְחַיֶּה כָּל נְשָׁמָה" — **He released their blood,** as it says, ***You shall not allow any person to live*** (*Deuteronomy* 20:16).[47] מָמוֹנָן הִתִּיר שֶׁנֶּאֱמַר "וְאָכַלְתָּ אֶת שְׁלַל אֹיְבֶיךָ" — And **He released their property, as it says, *You shall consume the booty of your enemies*** (ibid., v. 14).[48]

Another interpretation of *He . . . released nations*:

רַב הוּנָא אָמַר — **Rav Huna said:** הִתִּיר זוֹנִין שֶׁלָּהֶן — This means that **[the Holy One] released their "weapons,"**[49]

NOTES

lands and then the cities, but the Midrash states the reverse. The reason for this is that it is the Midrash's style to conclude a series with the subject of the verse it is expounding — which in our case is *He stood and measured the "land"* (*Maharzu*).

See Insight Ⓐ.

45. I.e., made free or permitted (ibid.).

46. *Tiferes Tzion.* See verses cited next by the Midrash.

47. The Israelites were commanded to destroy the seven Canaanite nations when they entered the Land. Hence "God released (permitted)" the shedding of "their blood."

48. The Israelites were allowed to plunder their decimated Canaanite foe. Hence: "God released their property."

49. I.e., the seven Noahide commandments. In saying that God released (or, removed) the seven Noahide commandments from the nations, the Midrash means that non-Jews would get less reward than heretofore for fulfilling them (ibid.). See next note.

INSIGHTS

Ⓐ **Measuring Up** *R' Moshe Feinstein* (*Darash Moshe, Derush* 32, delivered in 1927, while still in Soviet Russia) explains how each of the things named by our Midrash was uniquely suited to the function that God chose it to perform:

Every society enacts laws to govern the interrelation of its members. Society obeys these laws not because they are inherently moral or just, but because without them anarchy would reign. The fundamental striving of the individual is the pursuit of his own happiness; society's laws are needed to create an environment in which one man's happiness is not pursued at the expense of another's. Such laws are not moral, they are pragmatic. Let there arise an individual or individuals who feel powerful enough to protect their own interests independently, and there will be no moral compunction about breaking the agreements of the social contract. When God sought to give the Torah to mankind, he sought a nation that would accept it as a *moral* imperative, quite apart from enlightened self-interest. And He "measured all the nations, but found no nation worthy of receiving the Torah except Israel," which was founded by its patriarchs on the foundations of *the way of HASHEM, doing charity and justice* (*Genesis* 18:19). This nation was trained by its forefathers to see the essence of life not in its ephemeral pleasures but in the eternal values of God's ways, His charity and justice. This nation alone could be entrusted with the mission of keeping God's Torah even at the expense of their earthly weal. They would adapt their lives to the way of the Torah and not the other way around.

But it was not enough that the nation be fitting. The generation had to be fitting as well. It would be difficult for a generation accustomed to material pursuits and focus to make the God-centered lifestyle of Torah so part of the national consciousness that it would forever remain the focus of the Jewish people. Thus, "the Holy One, blessed is He, measured all the generations, but found no generation worthy of receiving the Torah except the Generation of the Wilderness." That sublime generation, which spent forty years in a barren Wilderness where God alone provided their needs and human endeavor was futile, lived an existence of complete focus on the spiritual. Only after the Torah took hold in that generation could their descendants proceed to live lives devoted to Torah even under the more challenging conditions of life in their own land, while involved in material pursuits. And ordering their lives in that land according to the Torah, they would learn for all time that far from encumbering one's enjoyment of life, the Torah in fact enhances it, imbuing even the fleeting material things in life with the enduring joy and significance of the eternal.

Indeed, the nation did, in the main, cling to God's Torah throughout the subsequent millennia of difficulty and persecution.

In choosing a mountain on which the Torah could be given, God took note of the impossibility of learning Torah and mitzvos without the trait of humility. It is a fundamental requirement of Torah study to be willing to learn from every man (see *Avos* 4:1). Torah will not enter a heart brimming with arrogance. So "the Holy One, blessed is He, measured all the mountains, but found no mountain on which the Torah should be given except Sinai," because the diminutive height of Mount Sinai serves as a metaphor for humility (see *Sotah* 5a).

Complete devotion to Torah is at odds with the feeling that one's possessions are really his own. Only a person who is mindful of the reality that all belongs to God, Who metes out to a man — or takes from him — according to His will, is free of the worries that plague men who feel possessive about what they have. Because Jerusalem was not apportioned to the tribes as was the rest of *Eretz Yisrael* (*Yoma* 12a), it was uniquely suited to house the Temple. For when the Jewish people would make their thrice-yearly pilgrimage to the Temple in this "free city," they would be reminded that their "possessions" were simply on loan to them by God. This would empower them to adhere fully to the Torah and its mitzvos. And so, "the Holy One, blessed is He, measured all the cities, but found no city in which the Holy Temple should be built except Jerusalem."

And while the Jewish nation has much to teach the nations of the world, there is the danger that it in turn will be influenced by those practices and ideas of the nations that are antithetical to Torah. And so, "the Holy One, blessed is He, measured all the lands, but found no land worthy to be given to Israel except the Land of Israel." That is, the ideal was not for them to be scattered throughout the world but rather to be in a "land of their own" — in *Eretz Yisrael* — shielded from alien influences and able to develop fully according to the Torah. Only in their own land would the nation of Israel truly thrive.

[י, יט] "וַיְדַבֵּר אַהֲרֹן אֶל מֹשֶׁה" בְּדִיבּוּר עָנָה כְּנֶגְדּוֹ, כִּדְכְתִיב (בראשית מב, ל) "דִּבֶּר הָאִישׁ אֲדֹנֵי הָאָרֶץ וְגוֹ'". [י, יט] "הֵן הַיּוֹם הִקְרִיבוּ אֶת חַטָּאתָם וְאֶת עֹלָתָם", אָמַר לוֹ: הַיּוֹם מֵתוּ בָּנַי וְהַיּוֹם אַקְרִיב קָרְבָּן, הַיּוֹם מֵתוּ וְהַיּוֹם אוֹכֵל בְּקָדָשִׁים, מִיָּד דָּרַשׁ אַהֲרֹן קַל וָחוֹמֶר לְמֹשֶׁה, וּמָה מַעֲשֵׂר הַקַּל אָסוּר לְאוֹנֵן, חַטָּאת דַּחֲמִיר אֵינוֹ דִּין שֶׁיְּהֵא אָסוּר בְּאוֹנֵן, מִיָּד [י, כ] "וַיִּשְׁמַע מֹשֶׁה וַיִּיטַב בְּעֵינָיו", הוֹצִיא כָּרוֹז לְכָל הַמַּחֲנֶה וְאָמַר: אֲנִי טָעִיתִי אֶת הַהֲלָכָה וְאַהֲרֹן אָחִי בָּא וְלִמֵּד לִי, אֶלְעָזָר יָדַע אֶת הַהֲלָכָה וְשָׁתַק, אִיתָמָר יָדַע אֶת הַהֲלָכָה וְשָׁתַק, זָכוּ וְנִתְיַיחֵד הַדִּיבּוּר עֲלֵיהֶם וְעַל אֲבִיהֶם וְעַל אֲחִי אֲבִיהֶם בְּחַיֵּיהֶם, הֲדָא הוּא דִכְתִיב [יא, א] "וַיְדַבֵּר ה' אֶל מֹשֶׁה וְאֶל אַהֲרֹן לֵאמֹר אֲלֵהֶם", גתָּנֵי רַבִּי חִיָּיא: "לֵאמֹר אֲלֵהֶם", לְבָנִים, לְאֶלְעָזָר וְאִיתָמָר:

ב רַבִּי שִׁמְעוֹן בֶּן יוֹחָאי פָּתַח: (חבקוק ג, ו) "עָמַד וַיְמֹדֶד אֶרֶץ" מָדַד הַקָּדוֹשׁ בָּרוּךְ הוּא כָּל הָאוּמּוֹת וְלֹא מָצָא אוּמָּה שֶׁהִיא רְאוּיָה לְקַבֵּל אֶת הַתּוֹרָה אֶלָּא דּוֹר הַמִּדְבָּר, מָדַד הַקָּדוֹשׁ בָּרוּךְ הוּא כָּל הֶהָרִים וְלֹא מָצָא הַר שֶׁתִּנָּתֵן בּוֹ אֶת הַתּוֹרָה אֶלָּא סִינַי, מָדַד הַקָּדוֹשׁ בָּרוּךְ הוּא אֶת כָּל הֶעֲיָירוֹת וְלֹא מָצָא עִיר שֶׁיִּבָּנֶה בָּהּ בֵּית הַמִּקְדָּשׁ אֶלָּא יְרוּשָׁלַיִם, מָדַד הַקָּדוֹשׁ בָּרוּךְ הוּא כָּל הָאֲרָצוֹת וְלֹא מָצָא אֶרֶץ שֶׁרְאוּיָה לִינָּתֵן לְיִשְׂרָאֵל אֶלָּא אֶרֶץ יִשְׂרָאֵל, הֲדָא הוּא דִכְתִיב "עָמַד וַיְמֹדֶד אֶרֶץ רָאָה וַיַּתֵּר גּוֹיִם", רַב אָמַר: דָּמָן הִתִּיר וּמָמוֹנָן הִתִּיר, דָּמָן הִתִּיר (דברים כ, טז) "לֹא תְחַיֶּה כָּל נְשָׁמָה", מָמוֹנָן הִתִּיר שֶׁנֶּאֱמַר (שם שם יד) "וְאָכַלְתָּ אֶת שְׁלַל אֹיְבֶיךָ", רַב הוּנָא אָמַר: הִתִּיר זוֹנִין שֶׁלָּהֶן,

עץ יוסף

בדיבור ענה בנגדו. כלומר בכח, דלשון דבור בלי לשון אמירה אחריו מורה על קושיא, ולשון התורת כהנים אין דבור אלא לשון עז, וזהו שמביא דבר האיש וגו' קשות: **והיום אקריב קרבן.** בניחותא, כלומר אף שהיום מתו בני הייתי מקריב קרבן אילו הייתי רואה משום דכהן גדול מקריב אונן, וקמפרש הן היום, היום הקריבו, כדמפרש בגמרא (זבחים קא, א) דקאמר ליה משה דלמא באנינות אקריבתיה ופסלתיה, והשיבו אהרן וכי בני שהם הדיוטות הקריבו היום, על ידי היתה, ואני כהן גדול ומקריב אונן: **והיום אוכל בקדשים.** בתמיה: **אסור לאונן.** דכתיב (דברים כו, יד) לא אכלתי באוני ממנו: **הוציא כרוז כו'.** דריש וישמע משה וַיַּשְׁמַע. שהשמיע הדבר לכל. והוזקק לזה דאם לא כן וישמע למה לי, לא הוי ליה למימר רק וייטב בעיני משה, דאי אפשר לפרש לשון קבלה כמו (בראשית כג, טז) וישמע אברהם אל עפרון, דזה בכלל וייטב בעיניו: **זכו ונתייחד בו',** דמכיון דקצף משה עליהם, להם להשיבו ולא לאהרן, אלא שמפני הכבוד שתקו: **לאמר אליהם לבנים.** בתורת כהנים שנו או אינו אלא לומר להם לישראל, כשהוא אומר דברו אל בני ישראל לאמר זהו הדבור האמור לישראל, הא מה אני מקיים לאמר אליהם לאמר לבנים לאלעזר ולאיתמר, היינו שאלעזר ואיתמר יהיו שלוחים לישראל שהם יאמרו לישראל: **(ב) פתח עמד וימודד ארץ כו'.** על קרא זאת החיה אשר תאכלו קאי כדמסיים סוף סימן זה, ואגב דריש ליה לכולה קרא: **מדד הקדוש ברוך הוא כו'.** טעם מדידה זו, לומר שלא יקשה עלינו טעם בחירת ה' עם זולת עם, ומקום זולת מקום, שבחר בישראל מכל האומות, ובהר סיני מכל המקומות למתן תורה ובארץ ישראל מכל המקומות לקדושה, ובירושלים מזולתם לבנין בית המקדש וקביעות השכינה, עם היות הכל ביחס אחד אצלו יתברך שהכל מעשה ידיו, וגם כן למה ניתנה התורה לדור המדבר טפי מדור אחר, לכן אמר שכבר מדד ה' בדעתו וראה שאין ראוי אלא כך וכך: **מדד הקדוש ברוך הוא כל האומות.** ואף על גב דקרא ומודד ארץ כתיב מדריש כמו ומודד יושבי ארץ: **שהיא ראויה לקבל את התורה אלא ישראל ומדד הקדוש ברוך הוא את כל הדורות ולא מצא דור שהיה ראוי לקבל את התורה אלא דור המדבר.** כן צריך לומר (יפה תואר), וכן הוא בילקוט (חבקוק פרק ג, תקסג): **מדד הקדוש ברוך הוא כל העיירות.** בילקוט גרסינן מקמי הכי מדד הקדוש ברוך הוא כל ההרים [רצה לומר של ארץ ישראל או של ירושלים, ועיין ביפה תואר] ולא מצא הר שהיה ראוי שתשרה עליו שכינה אלא הר המוריה: **דמן התיר וממונן התיר.** אצטריך למימר תרווייהו, דחד לא אתי מאידך, דלא ידעינן איזה קל ואיזה חמור, שיש אדם שגופו חביב עליו מממונו ויש אדם שממונו חביב עליו מגופו, משום הכי דריש תרתי מויתר גוים כיון דסתמא כתיב הי מינייהו מפקת: **זונין.** כלי זיין שלהם, היינו ז'

פירוש מהרז"ו

והיום אקריב קרבן. בהכרח שפירושו בניחותא, שכהן גדול מקריב אונן ואינו אוכל אונן, ומה שאמר והיום אוכל בקדשים הוא בתמיה. ועיין זבחים ק"א ב', ועיין רש"י בחומש כאן, וכי הם הקריבו הלא אני הקרבתי: **בחייהם.** פירוש שלא הזכיר שמם במותם, היה גם כן ראיה שהם גדולים בעיני ה', וכמו שמובא בזוהר בענין לנפחד, על שהזכיר השם יתברך שמו במותו, ידע שהוא בן עולם הבא, וכמעשה שעל שמשיח קרא שמו של רבי יהושע בן לוי בר לואי (סנהדרין לח, א), אמר לו אליהו אבטח לך ולאבוך לעלמא דאתי, קל וחומר השם יתברך, אך שזכו יותר שקרא שמותם בחייהם וביותר בדבור של מצוה בנבואה: **(ב) עמד וימודד ארץ.** וסיפא דקרא ראה ויתר גוים כדלקמן, ואגב דורש רישא דקרא, ובא לדרוש מה שכתב כאן זאת החיה אשר תאכלו מכל הבהמה, כמו שמבואר בסוף הסימן: **מדד כל העירות מדד כל הארצות.** תחלה היה לו לומר מדד כל הארצות וכו', ואחר כך מדד כל העירות, אלא על שדורש פסוק וימודד ארץ, על כן אומר כל הארצות בסוף, ודורש מה שכתב ויתר, מלשון היתר של איסור בלשון משנה, מה שאסר בכל אדם התיר בכנענים ושבעה אומות: **התיר זונין שלהם.** פירוש אזור, והאזור מוסיף גבורה באדם, כמו שכתוב (איוב לח, ג) אזר נא כגבר חלציך, וכמו שכתוב (מלכים ב ג, כא) מכל חוגר חגורה ומעלה, וכמו שאומרים אוזר ישראל בגבורה, וכמו שכתוב (איוב יב, יח) מוסר מלכים פתח ויאסור אזור במתניהם, ופשט הכתוב על פי מדה ל"ח, עיין שמות רבה (מה, ב) מה שכתבתי שם:

חידושי הרש"ש

בדבור ענה בנגדו. לשון התורת כהנים אין דבור אלא לשון עז כו': **הן היום הקריבו וכו' אמר לו היום מתו בני.** רצה לומר להקריב הוא דרשאי, אבל היום מתו וכו' והיום אוכל בתמיהה: **מיד וישמע משה וייטב בעיניו הוציא כרוז לכל המחנה וכו'.** נראה דדריש וישמע כמו וַיַּשְׁמַע. עיין מה שכתבתי בס"ד לעיל בשמות רבה (כא, ג ד"ה הוא יושב): **[ב] מדד הקדוש ברוך הוא כל ולא מצא כו' ומדד הקדוש ברוך הוא את כל הדורות ולא מצא דור שהיה ראוי לקבל את התורה אלא דור המדבר** כן צריך לומר, וכן הוא בילקוט חבקוק (רמז תקסז):

באור מהרי"פ

היום אקריב קרבן. פירוש זה אמר בניחותא דכהן גדול מקריב אונן, והיום אוכל בקדשים הוא בלשון בתמיה: **הוציא כרוז.** נלמד מן וישמע משה כמו וַיַּשְׁמַע משה, דאם לא כן וישמע למה לי הוה ליה למימר רק וייטב בעיני משה: **[ב] עמד וימודד ארץ וכו'.** המשך הדרוש למקרא זה מבואר בסוף המאמר דמסיים זאת החיה אשר תאכלו: **זונין שלהם.** בערוך ערך זנם גורס זונם שלהן עיין שם:

מסורת המדרש

ב. אדר"נ פ' ל"ז:
ג. ת"כ סדר זה:

אם למקרא

דִּבֶּר הָאִישׁ אֲדֹנֵי הָאָרֶץ אִתָּנוּ קָשׁוֹת וַיִּתֵּן אֹתָנוּ כִּמְרַגְּלִים אֶת הָאָרֶץ: (בראשית מב:ל)

עָמַד וַיְמֹדֶד אֶרֶץ רָאָה וַיַּתֵּר גּוֹיִם וַיִּתְפֹּצְצוּ הַרְרֵי עַד שַׁחוּ גִּבְעוֹת עוֹלָם הֲלִיכוֹת עוֹלָם לוֹ: (חבקוק ג:ו)

רַק מֵעָרֵי הָעַמִּים הָאֵלֶּה אֲשֶׁר ה' אֱלֹהֶיךָ נֹתֵן לְךָ נַחֲלָה לֹא תְחַיֶּה כָּל נְשָׁמָה: (דברים כ:טז)

רַק הַנָּשִׁים וְהַטַּף וְהַבְּהֵמָה וְכֹל אֲשֶׁר יִהְיֶה בָעִיר כָּל־שְׁלָלָהּ תָּבֹז לָךְ וְאָכַלְתָּ אֶת שְׁלַל אֹיְבֶיךָ אֲשֶׁר נָתַן ה' אֱלֹהֶיךָ לָךְ: (שם שם יד)

אמרי יושר

חטאת החמורה על אחת כמה וכמה. דייקו ואכלתי חטאת היום יתירא, דהא אחטאת קאי, וסמיך ואת שעיר החטאת דרש דרש משה, אלא לרמוז הקל וחומר: **הוציא כרוז במחנה.** קרי ביה וַיַּשְׁמַע משה, בפת"ח: **לא מצא ים אחר ליקרע אלא ים סוף.** להקנות לישראל ולמצריים אמונה, והיה ים סוף קרוב להם: **[ב] התיר דמם.** בת ישראל לא תניק בנה של עכו"ם (עבודה זרה כו, א), ומה לי כבות, ומה לי שלא להטיל שמן בגר, ואם כן כיון שאין אנו מניקין ומחיים, הרי אנו כאלו ממיתים, בזה הערך התיר דמם. ויש מפרשים שהוא נכרית מניקה בת ישראל, והחלב הוא דם מבושל:

מתנות כהונה

ודריש הנותרים: **בדבור ענה בו'.** כלומר בכח, דהוה ליה למימר ויען או ויאמר: **לאלעזר ואיתמר.** עיין בפירש רש"י (ויקרא יא, א): **[ב] הכי גרסינן שיבנה בו בית המקדש: דמן התיר.** סיפיה דקרא של עמד וימודד ארץ קדריס, דכתיב (חבקוק ג, ו) ראה ויתר גוים: **זונין.** אזורות וחגורות שלהן כך פירש הערוך (ערך זן הראשון):

אשד הנחלים

בדיבור. שהוא קשות, וזהו שמביא דיבר האיש וגו' קשות: **אליהם לבנים.** כי גם המה זכו לדיבור. ודעתם שנתגלה עליהם הדיבור הנבואיי באמצעות הנבואה ע"י משה ואהרן, דאם כפשוטו האמירה לבד אם כן היה לכל הכהנים גם כן: **[ב] ולא מצא או מה כו' דור המדבר.** כלומר מלבד אומות אחרות, אף באומה ישראלית לא מצא שעת הכושר ליתן התורה כי אם לדור המדבר, כי היו דור דעה, וכן בקדושת המקום, דוקא הר סיני מוכן לזה, וכן ארץ ישראל קדושה מכל הארצות. ולהורות בא שיש בבני אדם הבדלים עצמיים, וכן המקום משתנה מבלעדי מקום, וכמו שהאריך הכוזרי בבאורו. וענין המדידה, כאילו נמדד מקום רוח אלקי, דוקא אותן האנשים והמקומות יהיו מוכנים לזה, לא זולת: **התיר זונין כו'.** הוא על דרך הכתוב (איוב יב, יח) מוסר מלכים פיתח, שהחגור הוא סימן הגבורה, והתרת החגורה

כִּדְכְתִיב ״מוּסַר מְלָכִים פִּתֵּחַ״ — **like that which is written,** ***He loosens the yoke of kings*** (*Job* 12:18).[50]

The Midrash presents a parable to explain the "release" of the Seven Noahide Laws just cited:

עוּלָּא בִּירָאָה בְּשֵׁם רַבִּי שִׁמְעוֹן בֶּן יוֹחָאי אָמַר — **Ulla Bira'ah**[51] **said in the name of R' Shimon ben Yochai:** מָשָׁל לְאֶחָד שֶׁיָּצָא לַגּוֹרֶן וְכַלְבּוֹ וַחֲמוֹרוֹ עִמּוֹ — It is **analogous to one who went out to the granary with his dog and his donkey.** הִטְעִין לַחֲמוֹרוֹ חֲמִשָּׁה סְאִין וּלְכַלְבּוֹ שְׁנֵי סְאִין — **He loaded five** ***se'ahs***[52] **on his donkey and two** ***se'ahs*** **on his dog,** וְהָיָה הַחֲמוֹר מְהַלֵּךְ וְהַכֶּלֶב מַלְחִית — **and the donkey walked along but the dog** crawled on its belly and **crouched**[53] under the "heavy" load. נָטַל מִמֶּנּוּ אֶחָד וְנָתַן עַל גַּבֵּי הַחֲמוֹר — **[The man] took one** ***se'ah*** **from [the dog] and placed** it **atop the donkey,** אַף עַל פִּי כֵן הָיָה מַלְחִית — **but even so [the dog] continued crouching.** אָמַר לוֹ — Exasperated, **[the man] said to [the dog],** אַתְּ טָעִין מַלְחִית, לֵית אַתְּ טָעִין מַלְחִית — "When **you are laden you crouch,** and when **you are not laden you crouch!"**[54] כָּךְ אֲפִילּוּ שִׁבְעָה מִצְוֹת שֶׁקִּבְּלוּ בְּנֵי נֹחַ — **Similarly, even the seven commandments that the Children of Noah accepted** upon themselves — כֵּיוָן שֶׁלֹּא יָכְלוּ לַעֲמוֹד בָּהֶן עָמַד וּפְרָקוֹם לְיִשְׂרָאֵל — **since [the Children of Noah] could not abide by them, [the Holy One] rose and unloaded them** from the Noahides[55] and loaded them **upon Israel.**[56]

The Midrash presents another parable to explain why the Noahides are "released" from the other mitzvos of the Torah:[57]

אָמַר רַבִּי תַּנְחוּם בַּר חֲנִילָאי — **R' Tanchum bar Chanilai said:** מָשָׁל לְרוֹפֵא שֶׁנִּכְנַס לְבַקֵּר שְׁנֵי חוֹלִים — It is **analogous to a doctor who came in to examine two sick people.** אֶחָד לְחַיִּים וְאֶחָד לְמִיתָה — He decided that **one could** recover and **live and** that the other **one would die.** אָמַר לָזֶה שֶׁל חַיִּים זֶה תֹּאכַל וְזֶה לֹא תֹּאכַל — **He said to the one who could live, "This you should eat and this you should not eat."** וְשֶׁאֵינוֹ לְחַיִּים אָמַר: כָּל דִּבְעֵי הָבוּ לֵיהּ — **And** regarding the one **who would not live he said, "Give him anything he wants** to eat." כָּךְ אוּמּוֹת הָעוֹלָם שֶׁאֵינָן לְחַיֵּי הָעוֹלָם הַבָּא כְּתִיב בָּהֶם — **Similarly, it is written regarding the** idolatrous **nations of the world, who are not** destined **for life in the World to Come,**[58] ״כְּיֶרֶק עֵשֶׂב נָתַתִּי לָכֶם אֶת כֹּל״ — *Every moving thing that lives shall be food for you;* ***like the green herbage I have given you everything*** (*Genesis* 9:3).[59]

NOTES

50. I.e., God loosens the yoke of mitzvos from the kings of the nations (and their peoples). They would no longer be obligated to fulfill the Noahide commandments in the same way as before, and their reward for fulfilling them would thus be diminished (see below, note 55). [According to this interpretation, the reference is to all the nations, not just the Seven Nations of Canaan.]

[It seems puzzling to call the Noahide commandments "weapons." The explanation would seem to be that the reward earned for fulfilling them could serve as a "weapon" in the nations' battles against Israel; see next paragraph.]

Eshed HaNechalim has a completely different interpretation of Rav Huna's statement. הִתִּיר זוֹנִין שֶׁלָּהֶן means: "[The Holy One] untied their belt." This is a borrowed expression meaning that He weakened them so that they would not be able to succeed in battle against Israel. See also *Tiferes Tzion*.

51. Ulla was from a town near Tzefas, whose modern Arabic name is "Biriya."

52. *Eitz Yosef* emends our text to read "fifteen *se'ahs*" (see similarly *Sifrei* [*Devarim* §343]), and he notes that fifteen *se'ahs* is the typical load for a donkey (from Mishnah *Bava Metzia* 80a with *Rashi* s.v. חייב). See also *Rashash*.

A *se'ah* is a measure of volume. According to *Chazon Ish* it is equal to 14.4 liters.

53. Translation follows *Matnos Kehunah* and *Eitz Yosef*. See, however, *Beur Maharif*.

54. "I don't know what to do with you! Even when I remove half your load, you stretch out and crawl on your belly. I think it best to unburden you altogether" (*Eitz Yosef*; see also *Radal*).

Alternatively, the Midrash is to be rendered: "*Do you* think you can *carry* a load while *crouching? You can't carry* while *crouching!*" (see *Matnos Kehunah*).

55. *Eitz Yosef* cites the Gemara (*Avodah Zarah* 2b-3a), which asks: If God has "released the nations" from their obligation to fulfill the seven Noahide commandments due to their non-compliance, does this not mean that the sinner has profited from his transgressions (חוֹטֵא נִשְׂכָּר)?! The Gemara (as explained by *Rashi* to ibid. 6a s.v. ולפני עור and to *Bava Kamma* 38a s.v. לומר) answers that Noahides are *not* fully exempted from their obligation to fulfill the Noahide commandments, for they will in fact be punished for any violation thereof. What is meant by *He stood and released nations* is that God downgraded the reward Noahides receive for performing those mitzvos, from the level of "one who is commanded and performs" (מְצֻוֶּה וְעוֹשֶׂה) to that of "one who is not commanded and performs" (אֵינוֹ מְצֻוֶּה וְעוֹשֶׂה). [As to why the former merits more reward than the latter, see Insight Ⓐ.]

56. The Midrash's language is somewhat difficult to understand, for the Jews are already obligated to observe these seven commandments! *Eitz Yosef* explains: When the seven commandments were "unloaded" from the Noahides [i.e., when they stopped observing them (*Yefeh To'ar* s.v. ופרקם)] they became separated and alienated from Israel [as they now had nothing in common with her (see *Yefeh To'ar*)]; the hatred for Israel that subsequently consumed them constitutes an additional load (burden) that Israel has to bear. See *Yefeh To'ar* ibid. for another approach.

An additional difficulty: In the parable the dog was unloaded twice. But where do we find that the Noahides were twice relieved of mitzvos? *Yefeh To'ar* (s.v. א״ל את טעין) and *Eitz Yosef* answer: The Gemara (*Chullin* 92a) teaches that, in fact, the Noahides initially accepted *thirty* commandments upon themselves. They were first relieved of twenty-three of them, and afterward the final seven were stripped away.

[*Yefeh To'ar* (s.v. עמד ופרקן) raises yet a third difficulty: In the parable, the dog was unloaded in order to make his lot *easier*. But when the seven commandments were "unloaded" from the Noahides, it made their lot *harder*, for they still remain bound by those commandments, but receive less reward than previously for fulfilling them (see preceding note)! See there for a possible resolution.]

57. Actually, the parable that follows was stated specifically in connection with the laws of *kashrus*; see further, and see *Midrash Tanchuma* here (§6). However, it applies by extension to all the other mitzvos of the Torah as well. See *Yefeh To'ar* (s.v. משל לרופא), who offers an explanation for why the Torah teaches this idea specifically in the context of the laws of *kashrus*.

Yefeh To'ar (s.v. ויתכן) notes that the preceding parable and the following parable offer conflicting explanations of why non-Jews are "released" from mitzvos. According to the first, as we have seen, the Noahides lost the mitzvos because they would not shoulder the "burden" of observing them. According to the second, it is because of their inherent spiritual nature, as we shall see. See also *Imrei Yosher* (end of s.v. ישראל שהם לחיי העוה״ב).

58. The pious of the nations of the world do indeed attain a share in the World to Come (*Rambam, Hil. Teshuvah* 3:5 and *Hil. Melachim* 8:11). The Midrash refers here to the sinful, idolatrous nations.

59. After the Flood, God gave Noah and his descendants the right to

INSIGHTS

Ⓐ **Commanded Performance** The *yetzer hara* (evil inclination) strives with particular zeal to thwart one from performing a mitzvah to which he is obligated. As a result, one who is performing a mitzvah to which he is obligated must expend greater effort than one who does so voluntarily, and the former therefore receives greater reward (*Tosafos*). Alternatively: God receives no benefit from our mitzvos. Rather, He makes decrees, and by fulfilling His will [as expressed in His decrees], we receive reward. Therefore, a mitzvah that is the fulfillment of a Divine decree is worth more than one that is not the fulfillment of a Divine decree (see *Tos. HaRosh* and *Ritva* to *Kiddushin* 31a).

כְּדִכְתִיב (איוב יב, יח) "מוּסַר מְלָכִים פִּתֵּחַ", עוּלָּא בִּירָאָה בְּשֵׁם רַבִּי שִׁמְעוֹן בֶּן יוֹחָאי אָמַר: מָשָׁל לְאֶחָד שֶׁיָּצָא לַגּוֹרֶן וְכַלְבּוֹ וַחֲמוֹרוֹ עִמּוֹ, הִטְעִין לַחֲמוֹרוֹ חֲמִשָּׁה סְאִין וּלְכַלְבּוֹ שְׁנֵי סְאִין, וְהָיָה הַחֲמוֹר מְהַלֵּךְ וְהַכֶּלֶב מַלְחִית, נָטַל מִמֶּנּוּ אֶחָד וְנָתַן עַל גַּבֵּי הַחֲמוֹר, אַף עַל פִּי כֵן הָיָה מַלְחִית, אָמַר לוֹ: אַתְּ טָעִין מַלְחִית, לֵית אַתְּ טָעִין מַלְחִית, כָּךְ אֲפִילּוּ שִׁבְעָה מִצְוֹת שֶׁקִּבְּלוּ בְּנֵי נֹחַ, כֵּיוָן שֶׁלֹּא יָכְלוּ לַעֲמוֹד בָּהֶן עָמַד וּפְרָקָם לְיִשְׂרָאֵל, אָמַר רַבִּי תַּנְחוּם בַּר חֲנִילָאִי: מָשָׁל לְרוֹפֵא שֶׁנִּכְנַס לְבַקֵּר שְׁנֵי חוֹלִים אֶחָד לְחַיִּים וְאֶחָד לְמִיתָה, אָמַר לָזֶה שֶׁל חַיִּים: זֶה תֹּאכַל וְזֶה לֹא תֹאכַל, וְשֶׁאֵינוֹ לְחַיִּים אָמַר: כָּל דְּבָעֵי הָבוּ לֵיהּ, כָּךְ אוּמּוֹת הָעוֹלָם שֶׁאֵינָן לְחַיֵּי הָעוֹלָם הַבָּא, כְּתִיב בָּהֶם (בראשית ט, ג) "כְּיֶרֶק עֵשֶׂב נָתַתִּי לָכֶם אֶת כֹּל", אֲבָל יִשְׂרָאֵל שֶׁהֵם לְחַיֵּי הָעוֹלָם הַבָּא, (דברים יד, ד) "זֹאת °הַבְּהֵמָה אֲשֶׁר תֹּאכֵלוּ":

ג דָּבָר אַחֵר "זֹאת *הַבְּהֵמָה", הָדָא הוּא דִכְתִיב (משלי ל, ה) "כָּל אִמְרַת אֱלוֹהַּ צְרוּפָה", רַב אָמַר: לֹא *נִתְּנוּ הַמִּצְוֹת לְיִשְׂרָאֵל ׳אֶלָּא לְצָרֵף בָּהֶן אֶת הַבְּרִיּוֹת, וְכָל כָּךְ לָמָּה, שֶׁנֶּאֱמַר (שם) "מָגֵן הוּא °לְכָל הַחֹסִים בּוֹ", אָמַר רַבִּי יוּדָן בַּר רַבִּי שִׁמְעוֹן: °כָּל בְּהֵמוֹת וְלִוְיָתָן הֵן קְנִיגִין שֶׁל צַדִּיקִים לֶעָתִיד לָבֹא,

עץ יוסף

מלות, שמעתה לא יקבלו עליהם שכר דהוו אין מצווה ועושה, ועולא בירא מפרש ואזיל למלתא: **מלחית.** הולך על גחונו ורובץ תחת משאו, ופירוש המלה מגזרת ויגהר עליו (מלכים ב' ד, לד) דמתרגמינן ואלחית עלוהי (ערוך): **אמר ליה את טעין מלחית כו'.** [עיין מתנות כהונה, ואחר המחילה יראה לעניות דעתי שאין זה פשוטן של דברים (כנזכר מפניניס), אבל] הכוונה במליצת המשל שאמר בעל הכלב איני יודע מה לעשות לך, כי הלא ראיתו שבין היותך טעונה אתה מלחית וזוחל על גחונך ובין כשאינך טעונה [שככר הקלתי משאך] גם כן אתה מלחית כבתחילה, על כן יותר טוב הוה לפרוק מעליך גם את הכל [בינה לעתים דרוש ל"ח ועיין שם]: **עמד ופרקן.** ובגמרא (בבא קמא לח, א) פריך אם כן מלינו חוטא נשכר, ומשני לומר שאפילו מקיימים אותה אין מקבלים עליהם שכר כמצווה ועושה אלא כמי שאינו מצווה ועושה: **ופרקום לישראל.** אף על פי שבלאו הכי היו לישראל המלות, מכל מקום כשפרקום מהם נעשו לישראל שונאים מחמת שנפרדים מהם מכל וכל, ואם כן המלות הם למשא לישראל, ומה שהיה פירוק המשא בני נח, היינו כדאיתא פרק גיד הנשה (חולין לב, א) שקיבלו עליהם שלשים מלות ופירק מתחלה עשרים ושבע ואחר כך שבע: **זאת החיה אשר תאכלו.** ולהכי אפקה כאן בלשון זאת החיה להורות שמפני שראוים לחיי עולם הבא נווס ליזהר מהמטמטמים את הלב: (ג) **הדא הוא דכתיב כל אמרת אלוה צרופה.** משום דקשיא ליה דבתר דכתיב הכא אשר תאכלו מה לריך לומר תו אותה תאכלו, להכי דריש דאשר תאכלו אלטריך למימר שעל ידי המלוה הזאת שיזהרו מחיה טמאה יזכו לאכילת סעודת עולם הבא, וזה שאמר לפיכך משה מזהיר לישראל כו', כלומר להכי אלטריך למימר הכא זאת החיה אשר תאכלו, ולא סגי במה שאמר אחר כך אותה תאכלו: **אלא לצרף בו'.** ולא שיש חס ושלום תועלת לו יתברך מקיומם, או הזיק מביטולם, והראיה שלעתיד יתיר להם להוראת שעה שיאכלו מבהמות על ידי נתילת לויתן, ואילו היה חס ושלום שום לד היזק מביטולם לא היה מתירו בשום לד בשביל הנאתם, אלא על כרחך שהוא לתועלת ישראל, ומאחר שיהנו מהסעודה יניחו ההיזק הנמשך להם מזה: **כל בהמות ולויתן.** תיבת כל לא גרסינן, כי בהמות שם חיה אחת, כאומר (איוב מ, טו) הנה נא בהמות אשר עשיתי עמך (יפה תואר): **קניגין.** לידה דרך שחוק שרודפים החיות דרך שמחה:

פירוש מהרז"ו

זאת הבהמה אשר תאכלו. הנה כאן כתוב זאת החיה אשר תאכלו מכל הבהמה, אך בדברים (יד, ד) כתיב זאת הבהמה אשר תאכלו, ועל שבסימן הסמוך הוצרך להצריך זאת הבהמה, הזכירו גם כאן: (ג) **זאת הבהמה.** כאן כתוב זאת החיה, והביא פסוק של דברים י"ד ד', זאת הבהמה, לדרוש על בהמות בהררי אלף: **אלא לצרף בהם.** לזקקם ולהביאם לחיי העולם הבא בשכר קיום המלות, וזהו מה שכתוב בסיפא דקרא מגן הוא לכל החוסים בו, ועיין ברא‌שית רבה ריש פרשה מ"ד, וכאן הובא הדרשה על פסוק שבמשלי ל', וכמו שכתוב בזוהר סדר זה באריכות, ובבראשית רבה שם הביא פסוק שבתהלים י"ח אמרת ה' לרופה מגן הוא לכל החוסים בו, וזה לשונו שם, וכי מה אכפית ליה להקב"ה בין שוחט מן הלואר או מן העורף, הא לא נתנו המלות אלא ללרף בהן הבריות. ועל שכאן מדבר מענין השחיטה שלעתיד, על כן הביא הדרשה לכאן. וזה לשון התנחומא כאן (סימן ז) אמר הקדוש ברוך הוא לישראל הזהרו עלמכם שלא לשקן וכו', אמרת ה' לרופה בשביל ללרף הבריות אם כן מה אכפית ליה להקב"ה שיאכלו בלא שחיטה וכו', תדע שלא נלטוו השחיטה הזו אלא ללרף ישראל, כי לעתיד לבוא עושים הסעודה ללדיקים מן הבהמה ולויתן ואין שם שחיטה, ועיין עוד בתנחומא שם שמביא בסימן ח, ובתנחומא תזריע (סימן ה) מביא הדרשה על המילה, ואם כן הוא הדין על כל המלות, וכפשטות דקרא כל אמרות ה' לרופה: **כל בהמות ולויתן.** תיבת כל מיותר וטעות סופר, שכך שמה בהמות, וכמו שכתוב כאן בהמות נותן ללויתן בקרניו, וכמו שכתוב לקמן סוף פרשה כ"ב (סי' י) בהמה אחת היא וכו': **קניגין של צדיקים.** כינוס כל חי קרוי קניגין, וכמו שאמרו חולין דף ס' וכי משה קניגי ובלסטירי היה, והיה דרכם לקבן חיות ולגרות אותם להלחם זה בזה, ושם נקבצים כל העם לראות את השחוק ההוא, וחז"ל אסרו על ישראל לראות השחוק ההוא וכדומה לו, מפסוק (הושע ט, א) אל תשמח ישראל אל גיל כעמים,

מתנות כהונה

מלחית. רובץ ושף וזוחל על בטנו. ועיין לעיל: **את טעין מלחית.** בתמיה, וכי דרך רבילה תרלה לשאת, אין אתה תוכל לשאת דרך רבילה, ונוטל ממנו ונותנו על החמור כך מלאתי בילקוט תרי עשר: **אחד לחיים בו'.** אחד חולה הוא לחיים שיחיה ממנו כו': [ג] **קניגין.** לדה דרך שחוק, שרודפים החיות דרך שמחה כך פירש הערוך (ערך קנג):

אשד הנחלים

הוא שם המושאל על החלישות, שהחליש אז את כחם לבלי יעמדו נגד ישראל במלחמתם: [ג] **אלא לצרף כו'.** אין הכוונה שאין טעם למצוות האלקית, כי בודאי בכל אחד יש סגולה מיוחדת הידועה לנותן התורה, רק בא להוציא שלא ידומה כי המצוות הוא חס ושלום לטובת הנותן, על דרך אם יצדק מה יפעל לו [עיין איוב לה, ו-ז אם חטאת מה תפעל בו וגו' אם צדקת מה תתן לו וגו'], כי אם לטובת המקבל, לצרפם ולזככם יותר ויותר, כי מצוות התורה מכוונים לזכך הנפש ולטהרה מכל מדה רעה, ולצרפו ולעשותו זך במעשיו:

באור מהרי"פ

מלחית. נראה דהוא מלשון כי שמים כעשן נמלחו (ישעיה נא, ו), וכן משמע ליה מערוך ערך מלח א' עיין שם: [ג] **זאת הבהמה אשר תאכלו.** נראה דלריך להיות זאת החיה וגו'. וכן דבר אחר וזאת החיה וגו': **כל בהמות.** לא גרסינן מלת כל, והכי גרסינן, אמר רבי יודן בן שמעון בהמות ולויתן וכו', וכן הוא במקרא (איוב מ, טו) הנה נא בהמות אשר עשיתי עמך חציר כבקר יאכל. **קניגין.** זה לשון הערוך ערך קנג, ובדרך חטאים לא עמד בקניגין (עבודה זרה יח, ב), פירוש כשהולכים בעיירות לרדוף חיות והוא שחוק להם עד כאן. וזה לשון ר' בנימין מוספיא, אמר בנימין, פירוש קניגיא בלשון יווני לידת חיות מדבריות, פירוש קניגי הלד אותם עד כאן:

חידושי הרד"ל

[ב] **בשם רבי שמעון בן יוחאי משל לאחד שיצא לגורן כו'.** ספרי פרשת הברכה (פיסקא שמג): **את טעין מלחית לית את טעין מלחית.** כשאתה טעון הרבה דהיינו שתי סאין כבתחלה, וכשאינך טעון הרבה רק סאה אחת, אף על פי כן אתה מלחית, כלומר ואיני יודע עוד מה לעשות עמך בטעינה, אם לא לפרוק לגמרי ממך (עיין ספרי שם), וכדלהלן עמד ופרקה כו'. (ועיין רבינו בחיי כאן מה שחסר כאן במאמר): [ג] **לא נתנו המצות אלא בו'.** בראשית רבה (מד, א), וחכמים אומרים זו כו'. בילקוט (רמז תקלה) הגירסא והלדיקים אומרים כו', כלומר שואלים כן. והתשובה להם, מפרש ואזיל רבי אבא בר כהנא חדוש כו':

חידושי הרש"ש

משל לאחד שיצא לגורן וכו' הטעין לחמורו חמשה סאין. בספרי ברכה הגירסא לתך והוא ט"ו סאין, והיא נראית עקרית כי כן הוא משא החמור כדאיתא בבבא מליעא (פ, א): **והיה החמור מהלך והכלב מלחית.** עיין מתנות כהונה. ויגהר עליו (מלכים ב' ד, לד) תרגום ואלחת עלוהי, ערוך ערך לחת. אך בתרגום יונתן שלפנינו הגירסא ואלהי [עלוהי], ועיין שם רש"י ורד"ק: [ג] **רב אמר לא נתנה מצות וכו' וכל כך למה שנאמר מגן הוא לכל החוסים בו.** לריך לומר מגן הוא לחוסים, וכן הוא במשלי: **אמר ר' יודן בר שמעון כל בהמות ולויתן.** נראה למחוק מלת כל עיין לקמן פרשה כ"ב סימן ט ד"ה בהמה ובמה שכתבתי שם. וכן בערוך ערך קנג הביא מאמר זה בלי מלת כל (עיין שם): **הן קניגין של צדיקים.** נראה שהוא ענין טוגג והוא קרוב ללשון אשכנז (פערגנינגען), ודרש מגן מלשון קניגן:

מסורת המדרש

ד. מדרש תהלים מזמור י"ח אגדת שמואל פ"ד ילקוט שמואל א' רמז קס"א:

אם למקרא

מוּסַר מְלָכִים פִּתֵּחַ וַיֶּאְסֹר אֵזוֹר בְּמָתְנֵיהֶם: (איוב יב:יח)

כָּל־רֶמֶשׂ אֲשֶׁר הוּא חַי לָכֶם יִהְיֶה לְאָכְלָה כְּיֶרֶק עֵשֶׂב נָתַתִּי לָכֶם אֶת כֹּל: (בראשית ט:ג)

זֹאת הַבְּהֵמָה אֲשֶׁר תֹּאכֵלוּ שׁוֹר שֵׂה כְשָׂבִים וְשֵׂה עִזִּים: (דברים יד:ד)

כָּל אִמְרַת אֱלוֹהַּ צְרוּפָה מָגֵן הוּא לַחֹסִים בּוֹ: (משלי ל:ה)

שינוי נוסחאות

(ב) (בסוף) **זֹאת הַבְּהֵמָה אֲשֶׁר תֹּאכֵלוּ.** לכאורה צ"ל "החיה" במקום "הבהמה", וכן הגיהו בסוגריים בד' וארשא, וכן מובא בעץ יוסף ובאור מהרי"פ: (ג) **דבר אחר זאת הבהמה.** גם כאן נראה דצ"ל "החיה", כיון שהוא "דבר אחר" על האמור לעיל. **שנאמר מגן הוא לכל החסים בו.** מקרא זה הוא פסוק בתהילים יח, ולכן צריך למחוק "כל" ולגרוס "לחסים בו" שהוא המשך הפסוק דלעיל ממשלי וכן כתב רש"ש: **כל בהמות ולויתן.** צריך למחוק "כל", כן כתב רש"ש, ובאמת ליתיה בשום כתב יד.

אמרי יושר

ישראל שהם לחיי העולם הבא אמר להם את זה לא תאכלו. פירושו זאת החיה, כנסת ישראל שהיא חיה לעולם הבא, אני אומר לה את זה לא תאכלו, ודייקו דלא קאמר זאת הבהמה. והנה חכם זה סובר שיש טעם למלות, ורב דקאמר לא ניתנו המלות אלא ללרף בהן הבריות, סובר שאין טעם למלות, אלא כדי שיעשו ליוויו יתברך. שני המשלים רבי שמעון בר יוחאי המשיל לכלב וחמור, פירוש ראה שהיו מתרעמים במלות שהיו עליהם לטורח, והאחר המשיל לרופא, פירוש ראה שנמסרו למיתה והתיר, והיינו שלא יטלו שכר כמלווה ועושה: [ג] **בהמות ולויתן הן הן קניגי של צדיקים לעתיד לבא.** זה פירושו על זאת החיה אשר תאכלו, לעתיד, מכל הבהמה, דהיינו בהמות [וכו']:

אֲבָל יִשְׂרָאֵל שֶׁהֵם לְחַיֵּי הָעוֹלָם הַבָּא — **But** for the Children of **Israel, who** *are* destined **for life in the World to Come,** the Torah prescribes: [60]"זֹאת הַחַיָּה אֲשֶׁר תֹּאכְלוּ" — ***These are the creatures that you may eat.***[61]

> כֹּל מַפְרֶסֶת פַּרְסָה וְשֹׁסַעַת שֶׁסַע פְּרָסֹת מַעֲלַת גֵּרָה בַּבְּהֵמָה אֹתָהּ תֹּאכֵלוּ.
>
> *Everything among the animals that has a split hoof, which is completely separated into double hooves, and that brings up its cud — that one you may eat* (11:3).

§3 After verse 2 states *These are the creatures that you may eat* [זֹאת הַחַיָּה אֲשֶׁר תֹּאכְלוּ], why is it necessary to repeat in verse 3, *that one you may eat* [אֹתָהּ תֹּאכֵלוּ]? In this section the Midrash will explain why there is no redundancy:[62]

דָּבָר אַחֵר — **Another interpretation:** "זֹאת הַבְּהֵמָה" — ***These are the animals*** *that you may eat.*[63] הֲדָא הוּא דִכְתִיב "כָּל אִמְרַת אֱלוֹהַּ צְרוּפָה" — **It is** an allusion to **this** prohibition against eating impure animals **that is written** in the following verse, ***Every word of God is refined*** (*Proverbs* 30:5). רַב אָמַר: לֹא נִתְּנוּ הַמִּצְוֹת לְיִשְׂרָאֵל אֶלָּא לְצָרֵף בָּהֶן אֶת הַבְּרִיּוֹת — **Rav stated** in explanation: **The commandments were given to Israel only to refine humankind through them.**[64] וְכָל כָּךְ לָמָּה — **And why all this?**[65] שֶׁנֶּאֱמַר "מָגֵן הוּא לַחֹסִים בּוֹ" — It is **as is stated** in the second half of the *Proverbs* verse, ***He is a shield to those who trust in Him.***[66]

The Midrash introduces a teaching that it will eventually relate to our passage:

אָמַר רַבִּי יוּדָן בַּר רַבִּי שִׁמְעוֹן — **R' Yudan the son of R' Shimon said:** בְּהֵמוֹת וְלִוְיָתָן הֵן קְנִיגִין שֶׁל צַדִּיקִים לֶעָתִיד לָבֹא — **The Behemoth**[67] **and the Leviathan**[68] **are "beasts of contest" for the righteous in the Future era;**[69]

NOTES

eat the flesh of every living thing [something that had been denied to Adam and his progeny, who ate *the herb of the field* (*Genesis* 3:18)]. This includes the nonkosher animals that are forbidden to Israel.

60. Text follows emendation of *Beur Maharif* and *Eitz Yosef*, who change הַבְּהֵמָה to הַחַיָּה, in conformity with our verse (*Leviticus* 11:2). [According to *Maharzu*, the Midrash is actually quoting *Deuteronomy* 14:4 (זֹאת הַבְּהֵמָה אֲשֶׁר תֹּאכֵלוּ), although his explanation of why it does so is not fully clear; see note 63 below.]

61. The current section of Midrash (§2) began with the implicit question of why verse 11:2 states *These are the creatures* (הַחַיָּה), and not the more typical *These are the animals* (הַבְּהֵמָה). It now becomes apparent that with the word הַחַיָּה (lit., *the living one*), Scripture wishes to intimate that it is because Jews are inherently destined for life (חַיִּים) in the World to Come that they are commanded to avoid eating nonkosher animals that מְטַמְטֵם אֶת הַלֵּב, "close up the heart" [i.e., that deaden capacity for spiritual growth] (*Yefeh To'ar, Eitz Yosef*; see also *Imrei Yosher*). The same cannot be said of Noahides, and for this reason they were not required to abstain from nonkosher animals. Indeed, God "released" them from their obligation with respect to the seven Noahide commandments as well — רָאָה וַיַּתֵּר גּוֹיִם, *He looked and released nations*, as stated in the second half of the *Habakkuk* verse, expounded above — for the same basic reason. (*Yefeh To'ar* in the beginning of our section points out that in *Midrash Tanchuma* [*Shemini* §6] — so named because it cites expositions by the same R' Tanchum that our Midrash cites here — the parable of the doctor and the two patients is explicitly linked to the verse רָאָה וַיַּתֵּר גּוֹיִם.) In truth, the same basic reason applies as well to all the mitzvos in whose fulfillment non-Jews were never obligated in the first place; see above, note 57.

We mentioned in note 40 above that according to *Tiferes Tzion* and the second explanation of *Yefeh To'ar*, even the first half of the *Habakkuk* verse relates to the theme of eternal life. For there the prophet states, *He stood and measured the land*, which the Midrash interpreted: "The Holy One ... measured all the nations, but found no nation worthy of receiving the Torah except Israel" (see above, note 43). And it is through fulfilling the Torah, which is the Tree of *Life*, that Israel merits eternal *life* in the World to Come.

62. See below, note 87.

63. The Midrash here is quoting *Deuteronomy* 14:4 (זֹאת הַבְּהֵמָה אֲשֶׁר תֹּאכֵלוּ) rather than our verse (v. 2). *Beur Maharif* emends the Midrash as he did above (see note 60) to cite our verse; indeed, it is *our* verse that is quoted at the end of this section (§3). But *Maharzu* retains the *Deuteronomy* quote because "הַבְּהֵמָה" alludes to the Behemoth (בְּהֵמוֹת) of *Psalms* 50:10 (*the Behemoth of a thousand mountains*), which the Midrash will introduce shortly.

64. It is obvious that every word of God is "refined." Rav therefore understands the verse to be teaching that every word of God "refines."

Rav is making two points: (i) The commandments were not given for God's benefit. He gains nothing in our fulfilling them, and no harm comes to Him in our neglecting them. (ii) The commandments were given for *our* benefit, to refine and purify our characters and our souls (see *Eshed HaNechalim, Yefeh To'ar,* and *Eitz Yosef*).

[It should be noted that according to the way we have interpreted Rav's statement, Rav holds that the mitzvos all have reasons (for they serve the purpose of refining man). See also *Ramban* to *Deuteronomy* 22:6. However, *Imrei Yosher* (end of §2, s.v. ישראל) writes that Rav holds that there is no rational reason for the mitzvos; they represent only the unknowable Will of God, and serve only to provide man with instructions to follow faithfully. This is also the understanding of *Rambam, Moreh Nevuchim* III:26 (although he adds that this is very much a minority view among the Sages; and he proceeds to limit Rav's statement to *details within* the commandments, not to the *entirety* of the commandments). These commentators translate the word לְצָרֵף not as to *purify* or *refine,* but as to *try* or *test.* See *Yefeh To'ar*, who strongly objects to this explanation of Rav's statement — arguing, among other things, that it would contradict the parable of the doctor in the preceding section (§2). See further, Insight Ⓐ following note 80 below; and see Insight ("To Purify Us") to Kleinman edition of *Bereishis Rabbah,* 44 §1.]

65. That is, why did God give Israel so many commandments to refine them?

66. That is: In order that they merit His protection [in times of need]. See *Tanchuma* here (§8), where the text reads: לָמָּה? שֶׁיְּהֵא מָגֵן עָלֶיךָ שֶׁנֶּאֱמַר "מָגֵן הוּא לַחֹסִים בּוֹ".

Alternatively, *Maharzu* explains Rav's statement to mean that God gave Israel the commandments in order to purify them, so that He would be able to bring them to the World to Come as reward for fulfilling the commandments. [That is, the purity that they attain through fulfilling the commandments would make them worthy of, and fit for, the World to Come.] It is with respect to bringing people to the World to Come that the *Proverbs* verse calls God a *shield to those who trust in Him.*

The thrust of this opening part of our section (§3) would seem to be that the *Proverbs* verse corroborates the lesson taught at the end of the preceding section (§2), viz., that observing the laws of *kashrus* purifies and refines us, and makes us capable of spiritual growth (see above, note 61). [Indeed, in some versions of the Midrash, the opening words of the current section (דָּבָר אַחֵר: "זֹאת הַבְּהֵמָה") are omitted, such that the end of the preceding section runs straight into the citation of *Psalms* 30:5 (הֲדָא הוּא דִכְתִיב "כָּל אִמְרַת אֱלוֹהַּ צְרוּפָה") that makes this point.]

However, *Maharzu* explains differently: In other Midrashim (*Bereishis Rabbah* 44 §1; see also *Tanchuma* here, §7-8), the statement that the commandments were given for the purpose of refining Israel is supported by the rhetorical question: "Of what concern is it to the Holy One, blessed is He, whether one slaughters an animal from the front of the neck (as required by the Torah) or from the back of the neck?" (The answer is: Surely not at all!) *Maharzu* writes that our Midrash cites Rav's statement here because since it was made in the context of the laws of ritual slaughter, it is related to the coming discussion regarding the future slaughter of the Behemoth.

For other explanations of how the current part of the Midrash is connected to that which follows, see *Yedei Moshe.*

67. This is a monstrous beast of the land, described in *Job* 40:15-24.

68. This is a monstrous creature of the sea, described ibid., verses 25-32.

69. The world קְנִיגִין refers to animal contests and hunts held for entertainment (*Eitz Yosef; Maharzu*). The term is thus borrowed to describe the contest between the Behemoth and the Leviathan in the World to Come.

כִּדְכְתִיב (איוב יב, יח) "מוּסַר מְלָכִים פִּתֵּחַ", עוּלָא בִּירָאָה בְּשֵׁם רַבִּי שִׁמְעוֹן בֶּן יוֹחָאי אָמַר: מָשָׁל לְאֶחָד שֶׁיָּצָא לַגּוֹרֶן וְכַלְבּוֹ וַחֲמוֹרוֹ עִמּוֹ, הִטְעִין לַחֲמוֹרוֹ חֲמִשָּׁה סְאִין וּלְכַלְבּוֹ שְׁנֵי סְאִין, וְהָיָה הַחֲמוֹר מְהַלֵּךְ וְהַכֶּלֶב מַלְחִית, נָטַל מִמֶּנּוּ אֶחָד וְנָתַן עַל גַּבֵּי הַחֲמוֹר, אַף עַל פִּי כֵן הָיָה מַלְחִית, אָמַר לוֹ: אַתְּ טָעֵין מַלְחִית, לֵית אַתְּ טָעֵין מַלְחִית, כָּךְ אֲפִילוּ שִׁבְעָה מִצְוֹת שֶׁקִּבְּלוּ בְּנֵי נֹחַ, כֵּיוָן שֶׁלֹּא יָכְלוּ לַעֲמוֹד בָּהֶן עָמַד וּפְרָקוֹם לְיִשְׂרָאֵל, אָמַר רַבִּי תַּנְחוּם בַּר חֲנִילָאי: מָשָׁל לְרוֹפֵא שֶׁנִּכְנַס לְבַקֵּר שְׁנֵי חוֹלִים אֶחָד לַחַיִּים וְאֶחָד לְמִיתָה, אָמַר לָזֶה שֶׁל חַיִּים: זֶה תֹּאכַל וְזֶה לֹא תֹּאכַל, וְשֶׁאֵינוֹ לַחַיִּים אָמַר: כָּל דְּבָעֵי הָבוּ לֵיהּ, כָּךְ אוּמּוֹת הָעוֹלָם שֶׁאֵינָן לְחַיֵּי הָעוֹלָם הַבָּא, כְּתִיב בָּהֶם (בראשית ט, ג) "כְּיֶרֶק עֵשֶׂב נָתַתִּי לָכֶם אֶת כֹּל", אֲבָל יִשְׂרָאֵל שֶׁהֵם לְחַיֵּי הָעוֹלָם הַבָּא, (דברים יד, ד) "זֹאת °הַבְּהֵמָה אֲשֶׁר תֹּאכֵלוּ":

ג דָּבָר אַחֵר "זֹאת *הַבְּהֵמָה", הָדָא הוּא דִכְתִיב (משלי ל, ה) "כָּל אִמְרַת אֱלוֹהַּ צְרוּפָה", רַב אָמַר: לֹא *נִתְּנוּ הַמִּצְוֹת לְיִשְׂרָאֵל [ד]אֶלָּא לְצָרֵף בָּהֶן אֶת הַבְּרִיּוֹת, וְכָל כָּךְ לָמָּה, שֶׁנֶּאֱמַר (שם) "מָגֵן הוּא °לְכָל הַחֹסִים בּוֹ", אָמַר רַבִּי יוּדָן בַּר רַבִּי שִׁמְעוֹן: °כָּל בְּהֵמוֹת וְלִוְיָתָן הֵן קְנִיגִין שֶׁל צַדִּיקִים לֶעָתִיד לָבֹא,

עץ יוסף

מלות, שמעתה לא יקבלו עליהם שכר דהוו אין מצווה ועושה, ועולא בירלה מפרש ואזיל למלתא: **מלחית.** הולך על גחונו ורובץ תחת משאו, ופירוש המלה מגזרת ויגהר עליו (מלכים ב' ד, לד) דמתרגמינן ואלחית עלוהי (ערוך): **אמר ליה את טעין מלחית כו'.** [עיין מתנות כהונה, ואחר המחילה ירלה לעניות דעתי שאין זה פשוטו של דברים (כבתר מפניניס), אבל הכוונה במליצת המשל שאמר בעל הכלב איני יודע מה לעשות לך, כי הלא ראיתי שבין היותך טעונה אתה מלחית וזוחל על גחונך ובין כשאינך טעונה [שכבר הקלתי משאך] גם כן אתה מלחית כבתחילה, על כן יותר טוב הוה לפרוק מעליך גם את הכל [ניצה לעתים דרוש ל"ח ועיין שם]: **עמד ופרקן.** ובגמרא (בבא קמא לח, א) פריך אם כן מלינו חוטא נשכר, ומשני לומר שאפילו מקיימים אותה אין מקבלים עליהם שכר כמצווה ועושה אלא כמי שאינו מצווה ועושה: **ופרקום לישראל.** אף על פי שבלאו הכי היו לישראל המלות, מכל מקום כשפרקום מהם נעשו לישראל שונאים מחמת שנפרדים מהם מכל וכל, ואם כן המלות הם למשא לישראל, ומה שהיה פירוק המשא בני נח, היינו כדאיתא פרק גיד הנשה (חולין לב, א) שקיבלו עליהם שלשים מלות ופירק מתחלה עשרים ושבע ואחר כך שבע: **זאת החיה אשר תאכלו.** ולהכי אפקה כאן בלשון זאת החיה להורות שמפני שראוים לחיי עולם הבא נוס ליזהר מהמטמטמים את הלב: **(ג) הדא הוא דכתיב כל אמרת אלוה צרופה.** משום דקשיא ליה דכתר דכתיב הכא אשר תאכלו מה לריך לומר תו אותה תאכלו, להכי דריש דאשר תאכלו אלטריך למימר שעל ידי המלוה הזאת שיזהרו מחיה טמאה יזכו לאכילת סעודת עולם הבא, וזה שאמר לפיכך משה מזהיר לישראל כו', כלומר להכי אלטריך למימר הכא זאת החיה אשר תאכלו, ולא סגי במה שאמר אחר כך אותה תאכלו: **אלא לצרף כו'.** ולא שיש חס ושלום תועלת לו יתברך מקיומם, או היזק מביטולם, והראיה שלעתיד יתיר להם להוראת שעה שיאכלו מבהמות על ידי נתילת לויתן, ואילו היה חס ושלום שום לד היזק מביטולם לא היה מתירו בשום לד בשביל הנאתם, אלא על כרחך שהוא לתועלת ישראל, ומאחר שיהנו מהסעודה יניחו ההיזק הנמשך להם מזה: **כל בהמות ולויתן.** תיבת כל לא גרסינן, כי בהמות שם חיה אחת, כאומר (איוב מ, טו) הנה נא בהמות אשר עשיתי עמך (יפה תואר): **קניגין.** לידה דרך שחוק שרודפים החיות דרך שמחה:

פירוש מהרז"ו

זאת הבהמה אשר תאכלו. הנה כאן כתוב זאת החיה אשר תאכלו מכל הבהמה, אך בדברים (יד, ד) כתיב זאת הבהמה אשר תאכלו, ועל שבסימן הסמוך הולרך להלריך זאת הבהמה, הזכירו גם כאן: **(ג) זאת הבהמה.** כאן כתוב זאת החיה, והביא פסוק של דברים י"ד ד', זאת הבהמה, לדרוש על בהמות בהררי אלף: **אלא לצרף בהם.** לזקקם ולהביאם לחיי העולם הבא בשכר קיום המלות, וזהו מה שכתוב בסיפא דקרא מגן הוא לכל החוסים בו, ועיין בראשית רבה ריש פרשה מ"ד, וכאן הובא הדרשה על פסוק שבמשלי ל', וכמו שכתוב בזוהר סדר זה באריכות, ובבראשית רבה שם הביא פסוק שבתהלים י"ח אמרת ה' לרופה מגן הוא לכל החוסים בו, וזה לשונו שם, וכי מה אכפית ליה להקב"ה בין שוחט מן הלואר או מן העורף, הא לא נתנו המלות אלא ללרף בהן הבריות. ועל שכאן מדבר מענין השחיטה שלעתיד, על כן הביא הדרשה לכאן. וזה לשון התנחומא כאן (סימן ז) אמר הקדוש ברוך הוא לישראל הזהרו עלמכם שלא לשקץ וכו', אמרת ה' לרופה בשביל ללרף הבריות אם כן מה אכפית ליה להקב"ה שיאכלו בלא שחיטה וכו', תדע שלא נלטוו השחיטה הזו אלא ללרף ישראל, כי לעתיד לבוא עושים הסעודה ללדיקים מן הבהמה ולויתן ואין שם שחיטה, ועיין עוד בתנחומא שם שמביא בסימן ח, ובתנחומא תזריע (סימן ה) מביא הדרשה על המילה, ואם כן הוא הדין על כל המלות, וכפשטות דקרא כל אמרות ה' לרופה: **כל בהמות ולויתן.** תיבת כל מיותר וטעות סופר, שכך שמה בהמות, וכמו שכתוב כאן בהמות נותן ללויתן בקרניו, וכמו שכתוב לקמן סוף פרשה כ"ב (סי' י) בהמה אחת היא וכו': **קניגין של צדיקים.** כינוס כל חי קרוי קניגין, וכמו שאמרו חולין דף ס' וכי משה קניגי ובלסטירי היה, והיה דרכם לקבץ חיות ולגרות אותם להלחם זה בזה, ושם נקבלים כל העם לראות את השחוק ההוא, וחז"ל אסרו על ישראל לראות השחוק ההוא וכדומה לו, מפסוק (הושע ט, א) אל תשמח ישראל אל גיל כעמים,

חידושי הרד"ל

[ב] **בשם רבי שמעון בן יוחאי משל לאחד שיצא לגורן כו'.** ספרי פרשת הברכה (פיסקא שמג): **את טעין מלחית לית את טעין מלחית.** כשאתה טעון הרבה דהיינו שתי סאין כבתחלה, וכשאינך טעון הרבה רק סאה אחת, אף על פי כן אתה מלחית, כלומר ואיני יודע עוד מה לעשות עמך בטעינה, אם לא לפרוק לגמרי ממך (עיין ספרי שם), וכלהלן עמד ופרקה כו'. (ועיין רבינו בחיי כאן מה שחסר כאן במאמר): [ג] **לא נתנו המצות אלא כו'.** בראשית רבה (מד, א), וחכמים אומרים זו כו'. ילקוט (רמז תקלה) הגירסא והלדיקים אומרים כו', כלומר שואלים כן. והתשובה להם, מפרש ואזיל רבי אבא בר כהנא חדוש כו':

חידושי הרש"ש

משל לאחד שיצא לגורן וכו' הטעין לחמורו חמשה סאין. בספרי ברכה הגירסא לתך והוא ט"ו סאין, והיא נראית עקרית כי כן הוא משא החמור כדאיתא בבבא מציעא (פ, א): **והיה החמור מהלך והכלב מלחית.** עיין מתנות כהונה. ויגהר עליו (מלכים ב' ד, לד) תרגום ואלחית עלוהי, ערוך לחת. אך בתרגום יונתן שלפנינו הגירסא ואלהי [ועלוהי], ועיין שם רש"י ורד"ק: [ג] **רב אמר לא נתנה מצות וכו' וכל כך למה שנאמר מגן הוא לכל החוסים בו.** לריך לומר מגן הוא לחוסים, וכן הוא במשלי: **אמר ר' יודן בר שמעון כל בהמות ולויתן.** נראה למחוק מלת כל עיין לקמן פרשה כ"ב סימן ט ד"ה בהמה ובמה שכתבתי שם. וכן בערוך ערך קנג הביא מאמר זה בלי מלת כל (עיין שם): **הן קניגין של צדיקים.** נראה שהוא ענין עונג והוא קרוב ללשון אשכנז (פערגעניגען), ודרש מגן מלשון קיגן:

מסורת המדרש

ד. מדרש תהלים מזמור י"ח אגדת שמואל פ"ד ילקוט שמואל א' רמז קס"א:

אם למקרא

מוּסַר מְלָכִים פִּתֵּחַ וַיֶּאְסֹר אֵזוֹר בְּמָתְנֵיהֶם: (איוב יב:יח)

כָּל־רֶמֶשׂ אֲשֶׁר הוּא חַי לָכֶם יִהְיֶה לְאָכְלָה כְּיֶרֶק עֵשֶׂב נָתַתִּי לָכֶם אֶת־כֹּל: (בראשית ט:ג)

זֹאת הַבְּהֵמָה אֲשֶׁר תֹּאכֵלוּ שׁוֹר שֵׂה כְשָׂבִים וְשֵׂה עִזִּים: (דברים יד:ד)

כָּל־אִמְרַת אֱלוֹהַּ צְרוּפָה מָגֵן הוּא לַחֹסִים בּוֹ: (משלי ל:ה)

שינויי נוסחאות

(ב) (בסוף) **זאת הבהמה אשר תאכלו.** לכאורה צ"ל "החיה" במקום "הבהמה", וכן הגיהו בסוגריים בד'וארשא, וכן מובא בעץ יוסף ובאור מהרי"פ: (ג) **דבר אחר זאת הבהמה.** גם כאן נראה דצ"ל "החיה", כיון שהוא "דבר אחר" על האמור לעיל. **שנאמר מגן הוא לכל החסים בו.** מקרא זה הוא פסוק בתהלים יח, ולכן צריך למחוק "כל" ולגרוס "לחסים בו" שהוא המשך הפסוק דלעיל ממשלי וכן כתב רש"ש: **כל בהמות ולויתן.** צריך למחוק "כל", כן כתב רש"ש, ובאמת ליתיה בשום כתב יד.

אמרי יושר

ישראל שהם לחיי העולם הבא אמר להם את זה לא תאבלו. פירושו זאת החיה, כנסת ישראל שהיא חיה לעולם הבא, אני אומר לה את זה לא תאכלו, ודייקו דלא קאמר זאת הבהמה. והנה חכם זה סובר שיש טעם למלות, ורב דקאמר לא ניתנו המלות אלא ללרף בהן הבריות, סובר שאין טעם למלות, אלא כדי שיעשו ליווי יתברך. שני המשלים רבי שמעון בר יוחאי המשיל לכלב וחמור, פירוש רלה שהיו מתרעמים במלות שהיו עליהם לטורח, והאחר המשיל לרופא, פירוש רלה שנמסרו למיתה והתיר, והיינו שלא יטלו שכר כמלווה ועושה: [ג] **בהמות ולויתן הן הן קניגי של צדיקים לעתיד לבא.** זה פירושו על זאת החיה אשר תאכלו, לעתיד, מכל הבהמה, דהיינו בהמות [וכו']:

מתנות כהונה

מלחית. רובץ ושף וזוחל על בטנו. ועיין לעיל: **את טעין מלחית.** בתמיה, וכי דרך רבילה תרלה לשאת, אין אתה תוכל לשאת דרך רבילה, ונוטל ממנו ונותנו על החמור כך מלאתי בילקוט תרי עשר: **אחד לחיים בו'.** אחד חולה הוא לחיים שיחיה ממנו כו': [ג] **קניגין.** לדה דרך שחוק, שרודפים החיות דרך שמחה כך פירש הערוך (ערך קנג):

אשד הנחלים

הוא שם המושאל על החלישות, שהחליש אז את כחם לבלי יעמדו נגד ישראל במלחמתם: [ג] **אלא לצרף בו'.** אין הכוונה שאין טעם למצוות האלקית, כי בודאי בכל אחד יש סגולה מיוחדת הידועה לנותן התורה, רק בא להוציא שלא ידומה כי המצוות הוא חס ושלום לטובת הנותן, על דרך אם יצדק מה יפעל לו [עיין איוב לה, ו-ז אם חטאת מה תפעל בו וגו' אם צדקת מה תתן לו וגו'], כי אם לטובת המקבל, לצרפם ולזככם יותר ויותר, כי מצוות התורה מכוונים לזכך הנפש ולטהרה מכל מדה רעה, ולצרפו ולעשותו זך במעשיו:

באור מהרי"פ

מלחית. נראה דהוא מלשון כי שמים כעשן נמלחו (ישעיה נא, ו), וכן משמע ליה מערוך ערך מלח א' עיין שם: [ג] **זאת הבהמה אשר תאכלו.** נראה דלריך להיות זאת החיה וגו'. וכן דבר אחר וזאת החיה וגו': **כל בהמות.** לא גרסינן מלת כל, והכי גרסינן, אמר רבי יודן בן שמעון בהמות ולויתן וכו', וכן הוא במקרא (איוב מ, טו) הנה נא בהמות אשר עשיתי עמך חציר כבקר יאכל. **קניגין.** זה לשון הערוך ערך קנג, ובדרך הטלים לא עמד בקניגין (עבודה זרה יח, ב), פירוש כשהולכים בעיירות לרדוף חיות והוא שחוק להם עד כאן. וזה לשון ר' בנימין מוספיא, אמר בנימין, פירוש קניגיא בלשון יווני לידת חיות מדבריות, פירוש קניגי הלד אותם עד כאן:

וְכָל מִי שֶׁלֹּא רָאָה קְנִיגִין שֶׁל אוּמּוֹת הָעוֹלָם בָּעוֹלָם הַזֶּה זוֹכֶה לִרְאוֹתָהּ לָעוֹלָם הַבָּא — and whoever did not see this type of **contest of beasts of the nations of the world in this world will merit to see [the contest] in the World to Come.**[70]

After this contest between the Behemoth and the Leviathan, the righteous people will eat the meat of these animals. The Midrash explains how these animals will be killed:

כֵּיצַד הֵם נִשְׁחָטִים — How will [these creatures] be slaughtered? בְּהֵמוֹת נוֹתֵץ לַלִּוְיָתָן בְּקַרְנָיו וְקוֹרְעוֹ — The Behemoth will thrust into the Leviathan with its horns and tear it; וְלִוְיָתָן נוֹתֵץ לַבְּהֵמוֹת בִּסְנַפִּירָיו וְנוֹחֲרוֹ — and the Leviathan will thrust into the Behemoth with its fins and pierce it through and through.

The Midrash asks:

וַחֲכָמִים אוֹמְרִים זוֹ שְׁחִיטָה כְּשֵׁרָה הִיא — But the Sages say:[71] **Is this a proper ritual slaughtering?!**[72] **וְלֹא כָּךְ תָּנִינַן — But did we not learn thus** in a Mishnah (*Chullin* 1:2): **הַכֹּל שׁוֹחֲטִין וּבַכֹּל שׁוֹחֲטִין וּלְעוֹלָם שׁוֹחֲטִין — "All may slaughter,**[73] **and we may slaughter with anything,**[74] **and we may always slaughter,**[75] **חוּץ מִמַּגַּל קָצִיר וְהַמְּגֵרָה וְהַשִּׁנַּיִם מִפְּנֵי שֶׁהֵן חוֹנְקִין — except** with **a harvesting sickle, a saw, and teeth,**[76] **because they tear**[77] rather than cut."[78] **— ? —**

The Midrash resolves the difficulty:

אָמַר רַבִּי אָבִין בַּר כָּהֲנָא — R' Avin bar Kahana said: אָמַר הַקָּדוֹשׁ בָּרוּךְ הוּא — The Holy One, blessed is He, said, תּוֹרָה חֲדָשָׁה מֵאִתִּי תֵצֵא — "A new instruction will go forth from Me" (*Isaiah* 51:4),[79] which implies: **חִדּוּשׁ תּוֹרָה מֵאִתִּי תֵּצֵא — A novel,** anomalous **instruction will go forth from Me.**[80]

The Midrash now turns to the banquet itself, discussing who exactly will be invited to attend:

אָמַר רַבִּי בֶּרֶכְיָה בְּשֵׁם רַבִּי יִצְחָק — R' Berechyah said in the name of R' Yitzchak: אֲרִיסְטוֹן עָתִיד הַקָּדוֹשׁ בָּרוּךְ הוּא לַעֲשׂוֹת לַעֲבָדָיו הַצַּדִּיקִים לֶעָתִיד לָבֹא — The Holy One, blessed is He, will make a feast[81] **for His servants, the righteous, in the Future era, וְכָל מִי שֶׁלֹּא אָכַל נְבֵלוֹת בָּעוֹלָם הַזֶּה זוֹכֶה לִרְאוֹתוֹ — and anyone** among the righteous[82] **who never ate *neveilos***[83] **in this world will merit to see it**[84]

NOTES

70. A Jew is forbidden to witness such spectacles, as it says: *Rejoice not, Israel, like the exultation of the peoples* (*Hosea* 9:1). These entertainments constitute "a session of jesters" (מוֹשַׁב לֵצִים; see *Avodah Zarah* 18b), and cause idleness from Torah study and unnecessary pain for the animals (*Eitz Yosef*, Vagshal edition). Only those individuals who never attended such a contest in this world will be allowed to witness the contest between the Behemoth and the Leviathan in the World to Come. See Insight Ⓐ.

71. *Os Emes* [and *Rashash*] emend this to "But the righteous say" — i.e., those deserving individuals will ask this of God in the World to Come. *Yefeh To'ar* deletes "But the Sages say" altogether, so that the author of the Midrash is himself posing the question. The text of *Yalkut Shimoni* (§535) comports with the emendation of *Os Emes* (*Eitz Yosef*).

72. I.e., can animals killed in these manners be said to have undergone kosher *shechitah* (ritual slaughter)? [The Behemoth, a land creature, certainly should require *shechitah*. Whether the Leviathan, a creature of the sea, should also require *shechitah* is less clear (a fish, for example, does not require *shechitah*). *Midrash Tanchuma* here (§7) implies that the Leviathan should also need *shechitah*; but *Eitz Yosef* mentions only the Behemoth.]

73. I.e., even a *mumar* (a Jew who habitually transgresses one of the commandments) who transgresses due to temptation (see *Rav* ad loc.).

74. With any suitably sharp and smooth substance such as glass or the shell of a reed (ibid.).

75. I.e., either by day or at night (with proper illumination), and even in places where it could be thought that one is slaughtering to the heavenly bodies or to an angel (ibid.). [In the Mishnah and Gemara the words וּבַכֹּל שׁוֹחֲטִין, *and we may slaughter with anything*, appear *after* וּלְעוֹלָם שׁוֹחֲטִין, *and we may always slaughter*, such that they are positioned right before the list of exceptions that follows (see further).]

76. I.e., two or more teeth, embedded in an animal's jawbone (ibid.).

77. Lit., *strangle*. See Artscroll Yad Avraham Mishnah commentary ad loc. and footnote 1 there.

78. Both a harvesting sickle and a saw have serrated cutting edges, which tear the trachea and esophagus rather than smoothly cutting them, as is required for a proper slaughtering. Since the Leviathan's fins have serrations like those on a saw, they are unfit for ritual slaughtering; the Behemoth killed in this fashion would thus be unkosher (*Eitz Yosef*; see there for other reasons that the fins would be disqualified as implements of *shechitah*).

79. *Isaiah* 51:4 actually states: כִּי תוֹרָה מֵאִתִּי תֵצֵא, *for instruction* [תּוֹרָה] *will go forth from Me.* However, the prophet cannot be referring to a law given previously at Sinai, for then he would not have used the future-tense verb תֵצֵא, *will go forth.* The Midrash therefore understands the word תּוֹרָה as referring to "a *new* instruction," i.e., one that will be given sometime in the future. [But see *Radal*, who emends the Midrash to match the actual verse.]

80. That is, *on this one occasion* (הוֹרָאַת שָׁעָה) God will permit the consumption of an improperly slaughtered animal, much as He made a temporary allowance for Elijah to offer a sacrifice on a private altar on Mount Carmel (*I Kings* Ch. 18), rather than on the Temple Altar as required (*Eitz Yosef*; see also *Eshed HaNechalim, Radal,* and *Anaf Yosef*).

81. [*Matnos Kehunah* and *Imrei Yosher* translate the term אֲרִיסְטוֹן as *morning meal* and *daytime meal*, respectively. This is indeed the term's original meaning, but it later came to refer to *any* large meal.]

82. See *Eitz Yosef*; indeed, *Rambam* (*Hil. Teshuvah* 3:1) defines a righteous person (צַדִּיק) as one whose merits outweigh his iniquities.

83. A *neveilah* is an animal that died without ritual slaughter. With this example the Midrash intends all forbidden foods.

84. I.e., will merit to eat from that feast. The unusual choice of "to see it" is meant to parallel the previous "will merit to see it" relating to the gladiatorial contest between the Behemoth and the Leviathan, which is the other delight the righteous will experience in the World to Come (*Maharzu*). [*Os Emes*, however, emends our text to read זוֹכֶה לְאָכְלָן, *merits to eat them.* See also *Beur Maharif* and *Yalkut Shimoni* §536.]

INSIGHTS

Ⓐ **The Final Battle** Surely the battle waged between the Behemoth and the Leviathan that will be witnessed by the righteous cannot be understood on a superficial level. Rather, these creatures and the battle that they will wage represent spiritual concepts (see *Eshed Nechalim*). The commentators advance several metaphoric interpretations:

According to *Shem MiShmuel* (*Shemini*), these creatures represent positive attributes: Behemoth, specifically the ox, represents fear of God, as an ox appears on the left of the heavenly *chayos* (*Ezekiel* 1:10). And the Leviathan symbolizes love of God, לִוְיָתָן being from the root לְוָיָה, *joined.* The final outcome of the battle between the Behemoth and the Leviathan is the integration of what each represents into a single approach. Although these traits of fear and love are opposites and tend to detract one from the other, the Divine light that will be revealed in the World to Come will enable them to unite. Likewise, at that time all Jews, each with his own special characteristic, will be fused into a single united nation, the Divine light revealed at that time removing all causes of friction.

Yaaros Devash (Vol. 1, *Derush* 1) suggests that these creatures are representative of various aspects of the evil inclination: The Behemoth corresponds to the desire for food, drink, and physical comforts. For it is written (*Psalms* 50:10), *the Behemoth of a thousand mountains*, which is expounded to mean that the Behemoth grazes upon a thousand lush mountains every day, stripping them bare (see below, 22 §10). And the Leviathan (לְוָיָה, *joining*) symbolizes carnal desire. The death of these two beasts alludes to the elimination of these desires in the World to Come.

See also *Rashba* (*Peirush HaHaggados, Bava Basra* 74b, also cited by *Rabbeinu Bachya, Genesis* 1:21) for a lengthy and profound elucidation of the symbolic concepts represented by the Leviathan and Behemoth. [See also the explanation of *Pri Tzaddik, Rosh Chodesh Adar,* pp. 201-202/§2; *Succos* pp. 378-379/§11.]

וכל מי שלא ראה כו'. שראייתו אסור משום מושב לצים, והדברים הללו מביאים לידי ביטול תורה: **נותץ כו'.** דוחפו ודן בו: **וחכמים אומרים וכו' זו כו'.** האות אמת כתב שצריך לומר והצדיקים אומרים וכו', ולפי זה הצדיקים הוא שעושים כך לעתיד, והקדוש ברוך הוא מחדש תורה חדשה וכו'. והיפה תואר מוחק הכי תיבות וחכמים אומרים, וכתב שבטבע המדרש מקשה, ור' אבין מתרץ, ובילקוט (תקלה) הגירסא כמו שהגיה האות אמת: **זו שחיטה כשרה היא.** בתמיה: **ולא כך תנינא כו'.** וספרי הלויתן הם כמגרה. והוא הדין דהוי מצי למימר שהיא שחיטה שאינה מכח אדם, ועוד דאין כאן שחיטה כלל כיון דנחירה עביד, אלא דניחא ליה להקשות דאפילו הוא שחיטה ועל ידי אדם, מכל מקום פסולה מפני פגימת הסכין: **וכל מי שלא אכל נבלות כו'.** פירוש אפילו לדיק דהיינו רובו זכיות לא יזכה לסעודה זו, והטעם לפי שהחוטא בדבר אחד לא יזכה עוד באותו הדבר, ועל כן מי שחוטא בפיו באכילה אסורה לא יזכה לאכילה זו:
חדוש תורה מאתי תצא. לפי שעה כאליהו בהר הכרמל, ועיין בענף: **בשביל שתאכלו ממנה.** פירוש מהסעודה הנזכר, שבשביל שמרס פיהם מנבלות וטריפות יזכו לאכול מסעודה העתידה:

ועיין בראשית רבה (ז, ד) מענין בהמות, ולקמן (כב, ד), במדבר רבה (כא, יח) פסיקתא רבתי (פרשה טז): **לראותו לעולם הבא.** פירוש שיזכה לאכול אותה סעודה, ואגב שאמר אצל הקניגין לראות אותה אמר גם כאן לראות:

וְכָל מִי שֶׁלֹּא רָאָה קְנִיגִין שֶׁל אוּמוֹת הָעוֹלָם בָּעוֹלָם הַזֶּה זוֹכֶה לִרְאוֹתָהּ לָעוֹלָם הַבָּא, כֵּיצַד הֵם נִשְׁחָטִים, בְּהֵמוֹת נוֹתֵץ לַלִּוְיָתָן בְּקַרְנָיו וְקוֹרְעוֹ, וְלִוְיָתָן נוֹתֵץ לַבְּהֵמוֹת בִּסְנַפִּירָיו וְנוֹחֲרוֹ, °וַחֲכָמִים אוֹמְרִים: זוֹ שְׁחִיטָה כְּשֵׁרָה הִיא, וְלֹא כָךְ תָּנִינַן: הַכֹּל שׁוֹחֲטִין וּבַכֹּל שׁוֹחֲטִין וּלְעוֹלָם שׁוֹחֲטִין חוּץ מִמַּגַּל קָצִיר וְהַמְּגֵרָה וְהַשִּׁנַּיִם מִפְּנֵי שֶׁהֵן חוֹנְקִין (חולין א, ב), **אָמַר רַבִּי אָבִין בַּר כָּהֲנָא: אָמַר הַקָּדוֹשׁ בָּרוּךְ הוּא: תּוֹרָה חֲדָשָׁה מֵאִתִּי תֵּצֵא, חִדּוּשׁ תּוֹרָה מֵאִתִּי תֵּצֵא, אָמַר רַבִּי בֶּרֶכְיָה בְּשֵׁם רַבִּי יִצְחָק: אֲרִיסְטוֹן עָתִיד הַקָּדוֹשׁ בָּרוּךְ הוּא לַעֲשׂוֹת לַעֲבָדָיו הַצַּדִּיקִים לֶעָתִיד לָבֹא, וְכָל מִי שֶׁלֹּא אָכַל נְבֵלוֹת בָּעוֹלָם הַזֶּה זוֹכֶה לִרְאוֹתוֹ לָעוֹלָם הַבָּא, הֲדָא הוּא דִכְתִיב** (לעיל ז, כד) **"וְחֵלֶב נְבֵלָה וְחֵלֶב טְרֵפָה יֵעָשֶׂה לְכָל מְלָאכָה וְאָכֹל לֹא תֹאכְלֻהוּ", בִּשְׁבִיל שֶׁתֹּאכְלוּ מִמֶּנּוּ לֶעָתִיד לָבֹא, לְפִיכָךְ מֹשֶׁה מַזְהִיר לְיִשְׂרָאֵל וְאוֹמֵר לָהֶם:** [יא, ב] **"זֹאת הַחַיָּה אֲשֶׁר תֹּאכֵלוּ":**

מתנות כהונה

נותץ כו'. דוחפו ודן בו: **זו שחיטה כשירה היא.** בתמיה: **אריסטון.** סעודה לבקר: **בשביל שתאכלו כו'.** ואכול יתירה קדריש, בשביל שתאכלו ממנו לעתיד לא תאכלוהו בעולם הזה:

אשד הנחלים

כל בהמות כו' נותץ ללויתן בקרניו. הדבר הזה לכאורה מוזר בעיני רודפי אחר הציור הנשגב, וכי הצדיקים יתענגו במשחק כזאת אשר המה מהבל יחד. אך אחר הנודע לפי הציור, שענין הבהמות והלוויתן המה מרמזים לעניינים גדולים המכונים להשגה, כמו שאמרו בבבא בתרא [עיין עד, ב] שעתיד להבהיק מעור של לוויתן כל בתי ירושלים, והכוונה על אור ההשגה שיתגלה לעתיד, על דרך (ירמיה לא, לג) כי כולם ידעו אותי, והנה הסעודה מאלה הוא להרבות ההשגה, כי יהיה כענין אכילת אדם הראשון בגן עדן, וכמו שאמרו (סנהדרין נט, ב) שהיו המלאכים צולין לו בשר, ועניינו בכלל לפי דעת חכמי אמת כי על ידי אכילת החיים נכלל החיות בַּמְדַבֵּר, וניתקן על ידו, כמו שבאמת המזון מחזיק את כח השכל, כי הכח הפנימי נשאר במזון, והוא הכח החיים השוכן בקרבו אף לאחר הסתלקות החיים, והנה הדגים והבהמות הם משני סוגים מתחלפים, הדגים מהמים והבהמות מעפר, והמה כחות מתנגדות זו בזו, ולמעלה כדוגמתו מכונים המה לעניני המדות העליונות המתנגדות יחד, והמה יתנגחו זה בזה, כל אחד מבטל כח זולתו המתקומם לו, והנה גדר השחוק הגופני, הוא הטבע בראותו איש יתנצח מול רעהו להפילו, וכל אחד מתנגש למול רעהו, וכאשר יתגברו שניהם ויפולו יחד אז מטבע לשחוק, כי שניהם לא בצעו מאוויים, וכן גדר השחוק הנפשי, שכל ההכנה והפעולה מול ההפכיים הגדולים השולטים בעולם, טוב ורע, נגע ועונג, צער ושמחה, שכלות וסכלות, אור וחושך וכדומה, וכאשר יתקוממו זה על זה ויתבטלו זה את זה, ואז יהיו המיזוג האמיתי, לא כח זה לבד ולא זה לבד, ואז יהיה השחוק לצדיקים, וכל זה ישיגו בשכר שלא שחקו בעניינים הגופנים ההבליים. דע זה והבינהו על פי ציורי חכמי אמת ודרכיהם. והנה הביא זה לפה, מסוד הבהמות הטהורות והטמאות, שכל זה מכוון לענין נעלה מאוד מאוד, ולכן מסיים להלן שכל מי שלא אכל נבילות זוכה לראותו בעולם הבא, כי על ידי אכילת הנבילות ניטמטם הנפש, ואינו זוכה לזה, כמאמרם (יומא לט, א) אל תקרי ונטמאתם אלא ונטמטם: **חדוש תורה כו'.** אין זה סותר לדעת הרמב"ם ז"ל שאומר (יסודי התורה פ"ט ה"א) שלא תוחלף התורה ולא תבטל לעתיד, ואיך יאמר כאן שיוכשר בסכין פגום, ותורה חדשה מאתו תצא. אולי הכוונה רק לפי שעה כאליהו בהר הכרמל וכדומה. והאמת יש בזה מקום עיון מאוד במאמרם (נדה סא,ב) עתידות מצוות שיהיו בטילות לעתיד, ועוד כמה מאמרים, עיין בספר העקרים, ובספר אור ה' להרב חסדאי קרקש, ובספר נוה שלום, וביתר המחקרים האחרונים, ובדעת בעלי חכמי אמת: **בשביל שתאכלו.** דרש כפירוש המתנות כהונה שבשכר זה אכול (לעתיד לבא, בשביל שלא תאכלוהו עתה בעולם הזה מנבלותו:

באור מהרי"פ

תורה חדשה וגו'. (ישעיה נא, ד) הקשיבו אלי עמי ולאומי אלי האזינו, כי תורה מאתי תלא ומשפטי לאור עמים ארגיע. וכאן הגירסא כי תורה מאתי תלא, חידוש תורה מאתי תלא: **זוכה לראותו.** הכי גרסינן זוכה לאכול. וכתב אות אמת בשביל שתאכלו ממנה, פירוש מסעודה הנזכרת, ולא קאי אנבלה וטריפה שזכר קודם, והכי איתא בשוחר טוב (מזמור יח פסוק ל כי בך) וחלב נבלה וחלב טרפה וגו' אם לא אכלתם אותם בעולם הזה, חייכם שאריסטון גדול מתוקן לכם לעולם הבא, שנאמר (יואל ב, כו) ואכלתם אכול ושבוע וגו':

אמרי יושר

נותץ לבהמות בסנפיריו. זהו יבטח (איוב מ, כג), ממלחמת חבירו, כי יגיח ירדן (שם), כל עוד שלא יבא תחיית המתים, וקרא כתיב בבהמות. ובפרק הספינה (בבא בתרא עד ב) פירשו כי יגיח ירדן אל פיו של לויתן, לפי שירדן יורד לים ששם הלויתן. ושם (עה א) פליג, דאמר גבריאל עושה מלחמה עמו. או אולי להכאת בהמות קרא שם שהקדוש ברוך הוא עוזרו לגבריאל, העושו יגש חרבו (איוב שם יט): **אריסטוון גדול.** פירושו בלשון יון, סעודה של יום, וכל מי שלא אכל שקלים ורמשים, זוכה ואוכל לעולם הבא, זאת החיה אשר תאכלו לעתיד, כדי שתזכו לסעודה שלעתיד שתאכלו בה, הזהרו במצוה זו, וזהו ואכול, לשתזכו לאכול בסעודה העתידה, לא תאכלו חלב:

ידי משה

[ג] **דבר אחר זאת הבהמה הדא הוא דאמרת כל אמרת אלוה צרופה וכו' אמר ר' יודן בר רבי שמעון כל בהמות וכו' אמר ר' אבין בר כהנא אמר הקב"ה תורה חדשה מאתי תצא.** עיין ביפה תואר שמקשה הרבה במדרש זה. ונראה לי ליישב בתכלית הקילור על דרך שמחולקין הרמב"ם והרמב"ן בפירוש הגמרא (ברכות לג, ב), האומר על קן ליפור יגיע רחמיך משתקין אותו לפי שעושה מדותיו של הקב"ה רחמניות ואינו אלא גזירות, פירש הרמב"ן כפשוטא כפירש רש"י, והרמב"ם פירש ומקשה והלא מדותיו של הקב"ה הם רחמים כמו רחום וחנון, ויש לומר דהכי פירושו שלא ליוה הקב"ה מלוה זו רק להורות לבני אדם מדות רחמניות שיתקע בלבו מדת רחמנות, כי מה איכפת להקב"ה לשחוט מן הלוואר או מן העורף, רק כדי שיחזיק האדם במדת רחמניות ולא במדת אכזריות, מה שאין כן הקב"ה לא ליוה מלוה זו מכח רחמנות שלו, רק שתהיה אתה רחום, עד כאן דברי הרמב"ם. והרמב"ן פירש שעושה מדותיו של הקב"ה רחמניות, פירוש שאין למלות טעם, והם רק חוק וגזירת המלך כמלך שמלוה על עבדיו לקיים דבריו בלתי טעם, ואין אתה רשאי לדרוש טעם למלות. ואם כן יש נפקא מינה בין הרמב"ם ובין הרמב"ן, אליבא דהרמב"ם יש טעם למלוה והקב"ה ליוה לשחוט בסכין בדוק ומן הלוואר דוקא, בשביל שיתקע בלב האדם רחמנות, ואליבא דהרמב"ן אין טעם למלוה, רק גזירת המלך, ותלוי בזה שלעתיד שיתן הקב"ה בהמות ללויתן בסנפירו, עם כן אם הטעם שהם גזירת מלך, אם כן לריך הקב"ה לקיים מלוה זו, ולא שחיטה כשירה הוא זה, מה שאין כן אם אמרינן שיש טעם למלות, והטעם הוא לשחוט דוקא בסכין בדוק בשביל שיתקע בלב האדם רחמניות, מה שאין כן הקב"ה בעלמו שוחט אין לריך לזה, כי אם הם גזירות הקב"ה לקיימן, על דרך דאיתא שלא כמידת מלך בשר ודם וכו' הקב"ה גוזר גזירה והוא בעלמה מקיימה, והשתא אתי שפיר שרב אמר ודרש כל אמרת אלוה לרופה, שלא נתן הקב"ה את המלות רק ללרף בהן את הבריות, כי מה איכפת להקב"ה אם הוא שוחט מן העורף או מן הלוואר, ולא נתן רק בשביל ללרף את האדם, פירוש שיתקע בלב אדם מדת רחמניות, רק שקשה מנלן הא, לזה מביא דרש רבי יודן בר רבי שמעון כל בהמות ולויתן כו', וקשה קושית חכמים וכי שחיטה כשירה זו, אמר ר' אבין בר כהנא תורה חדשה מאתי תלא, חידוש תורה מאתי תלא, פירוש חידוש הוא לגבי הקב"ה, פירוש לדידי הוא מותר, ואם כן הטעם שיש למלות טעם, ולא

חידושי הרד"ל

אמר הקדוש ברוך הוא (ישעיה נא, ד) **תורה מאתי תצא חדוש תורה מאתי כו'.** כן צריך לומר, ורלה לומר חדוש הוראת שעה: **ואכול כו' בשביל שתאכלו ממנו לעתיד לבוא.** עיין מתנות כהונה דדרש ואכול (יתירא), וכמו שכתוב (יואל ב, כו) ואכלתם אכול ושבוע והללתם וגו', דמדרש בסעודה לעתיד לבוא: **לפיכך משה כו' אשר תאכלו תני רבי חייא מלמד כו' וזה טמא, ורבנן אמרי זאת החיה [וכו'] מטריפתה לא תאכלו.** [כן צריך לומר]:

חידושי הרש"ש

ולא כך תנינן כו'. והשינים מפני שהן חונקין. מדהשמיט לפורן דתנן שם, משמע דמטעם פגימה אתו עלה. וקשה לי דתיפוק ליה דפסול משום מחובר. ולכאורה הא מזה סייעתא להגאון מורינו הרב עקיבא איגר בתשובה (סימן נא), דדוקא מחובר לאדם פסול ולא מחובר לבהמה, עיין שם, ודלא כדעת השו"ע (יו"ד סימן י סעיף ב). ואולי יש לחלק בין בהמה לדגים, עיין ערובין (כז, ב) דדגים לא מקרי גדולי קרקע, ויצא מזה דין חדש דמחובר לדגים כשר אליבא דכולי עלמא. אך יש לומר דהמדרש בכאן אזיל בשיטת בית שמאי (עוקלין פ"ג מ"ח) דדגים כיון שנלודין הרי הן כמתים, וגם רבי יוסי הגלילי סבירא ליה כוותייהו בחולין (עה, א). אך קלת קשה דתיפוק ליה דבעינן כח גברא בשחיטה כדאיתא חולין (לא, ב) במשנה נפלה סכין ושחטה כו' פסולה שנאמר (דברים כז, ז) וזבחת ואכלת, מה שאתה זובח אתה אוכל. [ועיין בשו"ע יו"ד סס"ה בהגהה ובביאור הגר"א זלה"ה]. ועיין (בבא בתרא עה, א) ואלמלא הקב"ה עוזרו, ובחידושי אגדות שם:

אם למקרא

וְחֵלֶב נְבֵלָה וְחֵלֶב טְרֵפָה יֵעָשֶׂה לְכָל מְלָאכָה וְאָכֹל לֹא תֹאכְלֻהוּ: (ויקרא ז:כד)

ענף יוסף

(ג) **חדוש תורה מאתי תצא.** ביאור המאמר הוא, שלהיות מדין תורתינו שלפעמים ישתנה איזה דבר מדינו, להוראת שעה לבד, על ידי נביא, כמנין אליהו שהקריבו באיסור במה במאמר הקדוש ברוך הוא, כדאיתא בבמדבר רבה פרשה י"ד (סימן א), כמו כן לעתיד לתענוג מעשה הקניגי ההיא, יהיה בהמות מומת על הלד ההוא, והקדוש ברוך הוא יכשירנו לאכילה לאותה שעה, שלא ימנע המאכל הנאות ההוא מהלדיקים. ודוק בלשון ר' אבין דקאמר חדוש תורה מאתי תלא, לומר שאין דבר כאן הפך תורתינו, ותורה חדשה מתחלפת אליה חס ושלום, רק חדוש בדיני התורה, והחידוש הוא הויתור על האיסור הזה באותה שעה, כמו שהיה חדוש שחיטת אליהו בהר הכרמל באותה שעה, אשר לא ידעו ישראל היות רלון ה' כן, אלא על פיו, והיה חדוש אללם, כמו שכל ברירות דבר נעלם מעין המעיין, נקרא חדוש בהלכה, מבלי היות הדבר ההוא סותר שיטת ההלכה, וכמו שאמרו בבראשית רבה (פרשה סד ד) אין כל יום ויום שאין הקדוש ברוך הוא מחדש הלכה

שינוי נוסחאות

וחכמים אומרים. צ"ל "והצדיקים אומרים", כן הגיה א"א, וכן כתב רש"ש: **חדוש תורה מאתי תצא.** בד"ר יש כאן הגהה בתוך המדרש עצמו, וז"ל: "אינו מן הספר: כת' ה' הה"ר אדוני מורי ר' מאי' בכ' הה' ר' שמעון פי' לתחיית המתים יהיה חידוש תורה זה ודכוותה איתא במסכ' נדה, ומוכח מדכתיב במתים חפשי כיון שמת אדם נעשה חפשי מן המצות, ומשמע התם דלעולם המצות אינן בטלות לא בעולם הזה ולא בימות המשיח ולא בזמן אחר אלא לתחיית המתים שכבר נעשו המתים חפשים מהם, וכן כתב הר"מ והאריך בביאור זה, ע"כ":

לָעוֹלָם הַבָּא — **in the World to Come.**[85] הָדָא הוּא דִכְתִיב "וְחֵלֶב נְבֵלָה וְחֵלֶב טְרֵפָה יֵעָשֶׂה לְכָל מְלָאכָה וְאָכֹל לֹא תֹאכְלֻהוּ" — **It is this** idea **that is written,** ***The fat of an animal that dies*** (a *neveilah*) ***and the fat of an animal that has been torn to death*** (a *tereifah*) ***may be put to any use; but surely you may not eat it*** (*Leviticus* 7:24).[86] בִּשְׁבִיל שֶׁתֹּאכְלוּ מִמֶּנּוּ לֶעָתִיד לָבֹא — That is to say, "do not eat" *neveilos* and *tereifos* in this world, **in order that you will** merit to **"eat" from [the aforementioned feast] in the Future era.** לְפִיכָךְ — **Therefore,** because partaking of this feast is contingent on observing the laws of forbidden foods, מֹשֶׁה מַזְהִיר לְיִשְׂרָאֵל וְאוֹמֵר לָהֶם — **Moses warns Israel and says to them,** "זֹאת הַחַיָּה אֲשֶׁר תֹּאכְלוּ" — ***These are the creatures "that you may eat."***[87]

NOTES

85. However, if a righteous person did partake of a forbidden food even once, he will not be invited to this feast. For once a person sins with one part of his body, no reward can accrue to him through that part (unless he has repented). Thus, one who has sinned with his mouth by eating a forbidden thing will be denied the privilege of eating from the Behemoth and Leviathan (*Eitz Yosef*).

86. Literally: *eat, you may not eat it.* The Midrash will expound upon the positive "eat" and the negative "not eat."

87. I.e., Moses utters the apparently redundant phrase זֹאת הַחַיָּה "אֲשֶׁר תֹּאכְלוּ", *These are the creatures "that you may eat"* (see our introduction to this section) for the purpose of signaling that it is only through observing the laws of *These are the creatures* (i.e., through not eating impure animals) that one gains the merit to partake of the banquet God will serve to the righteous in the World to Come (*Eitz Yosef*, beginning of this section) — the words אֲשֶׁר תֹּאכְלוּ being interpreted to mean "*in order* that you may eat [of that banquet]" (*Yefeh To'ar*).

Alternatively, the Midrash is interpreting verse 2 as follows: *These are the creatures that you will eat: from the entirety of the Behemoth* [מִכָּל הַבְּהֵמָה] (*Imrei Yosher* s.v. בהמות ולויתן). A third alternative: The word הַחַיָּה (translated here as *creatures*) is a term that can refer to the human soul. The human being (soul) will eat from the Behemoth [as in the immediately preceding alternative] (*Tiferes Tzion*, end of s.v. א״ר יודן).

See Insight Ⓐ.

INSIGHTS

Ⓐ **The Future Feast of the Leviathan** The commentaries differ as to whether the Midrash refers to an actual feast, with the righteous physically partaking of the flesh of the Leviathan and Behemoth (*Maharsha, Bava Basra* 74b), or only to a figurative banquet (*Maharal, Chidushei Aggados*, ibid.).

Maharsha follows the approach of *Rashba* (*Peirushei HaHaggados, Bava Basra* 74b) and *Rabbeinu Bachya* (*Genesis* 1:21 and *Shulchan shel Arba* §4), who explain that at some point during or following the Messianic era (see end of Insight) the righteous will literally eat the flesh of the Leviathan and Behemoth. This is not meant, however, to delight their palates, a notion at odds with the spiritual essence of the World to Come. Rather, the flesh of these creatures contains special properties and provides a special form of sustenance to the body, thereby providing vitality to the soul.

We know that certain foods and beverages gladden the heart, making it receptive to attain wisdom. In a similar vein, we find that Elisha listened to music to improve his mood so that he could receive the Divine Presence, as it states, *It happened that as the musician played, the hand of HASHEM came upon him* (*II Kings* 3:15). Moreover, it is quite possible that the Leviathan and Behemoth, created specifically in the beginning of time for the sustenance of the righteous in the World to Come, are a source of intellectual benefit, much like the Tree of Knowledge in the Garden of Eden (see *Genesis* 3:6). These foods resemble the ethereal manna that the Israelites ate in the Wilderness after the Exodus from Egypt. They physically consumed the manna, which contained special properties that enabled them to attain the Divine knowledge of the Torah they received at Sinai. The manna supplied energy and contained no impurities. It was completely absorbed by the limbs of the body; no waste was produced to be eliminated from the body (see *Yoma* 75b). So too, the Leviathan and Behemoth contain spiritual nourishment enabling the righteous in the future to gain Divine knowledge.

[*Rashba* and *Rabbeinu Bachya* explain that this does not contradict the famous dictum of Rav, "In the World to Come there is no eating or drinking ... rather the righteous sit with their crowns on their heads and delight in the radiance of the Divine Presence" (*Berachos* 17a). The two statements refer to different stages. At some point in the future, one which will mark the culmination of the body's need for physical nourishment, the final physical feast, that of the Leviathan and Behemoth, will take place, supplying the righteous with spiritual sustenance and enrichment, serving to prepare their souls for the ultimate eternal bliss in the Afterlife. After this, the body will be purified and elevated to a state in which it will live forever without any physical source of nourishment at all, with the righteous delighting in the radiance of the Divine Presence.]

Maharal (*Chidushei Aggados* loc. cit.), however, insists that the righteous will not consume a physical feast in the next world, nor are the Leviathan and Behemoth actual creatures of the sea and land. Rather, the Midrash is to be understood figuratively. Just as the term "food" describes that which nourishes the body, so too may it be used to describe that which nourishes the soul. Hence, R' Akiva (*Yoma* 75b) described the manna as the "food" of angels, who do not eat in the physical sense. R' Akiva understands that although angels do not need physical food, they do require a flow of Divine will and Divine illumination to sustain them, which R' Akiva refers to figuratively as "food." Thus, when the Midrash refers to a banquet in the Next World of the flesh of the Leviathan and Behemoth, it refers to the spiritual sustenance obtained from these "creatures."

The Leviathan, corresponding to the forces of water, and Behemoth, corresponding to the forces of land, are representative of all the fine qualities found in this world, which the righteous will acquire in the Afterlife. These "creatures" are not physical sea and land creatures, but are rather related to the water and land, respectively, each one drawing its power from the sea or land (see also *Maharal, Gur Aryeh, Genesis* 1:21 and *Derech Chaim* 3:16).

In essence, then, all agree that the feast of the Leviathan and Behemoth is one of spiritual sustenance, whether one actually ingests the flesh of the Leviathan or gains this nourishment through a spiritual process.

[According to *Maharal* it might be said that the metaphorical feast of the Leviathan and Behemoth is not at all at odds with Rav's teaching. For Rav meant only that there is no *physical* eating in the World to Come; he did not rule out a spiritual form of sustenance. Nonetheless, *Maharal*, too, addresses the issue of how the Feast of Behemoth and Leviathan comports with the dictum of Rav, understanding that dictum to mean that there will be no need for sustenance of *any* sort in the Afterlife, just the delight in the radiance of the Divine Presence. *Maharal* presents an answer similar to that of *Rashba* and *Rabbeinu Bachya*, suggesting that there will be two stages: the righteous will first achieve perfection through the spiritual nourishment of the Leviathan and Behemoth, after which they will delight in the radiance of the Divine Presence.]

[The identities of the stages during which the feast of the Leviathan and the period of delighting in the radiance of the Divine Presence, respectively, will occur depends upon various views concerning the duration and exact nature of bodily life after the Resurrection of the Dead. See Appendix "Olam Haba" to Volume 3 of the Schottenstein edition of *Sanhedrin* for a summary of the various views.]

וְכָל מִי שֶׁלֹּא רָאָה קְנִיגִין שֶׁל אוּמּוֹת הָעוֹלָם בָּעוֹלָם הַזֶּה זוֹכֶה לִרְאוֹתָהּ לָעוֹלָם הַבָּא, כֵּיצַד הֵם נִשְׁחָטִים, בְּהֵמוֹת נוֹתֵץ לַלִּוְיָתָן בְּקַרְנָיו וְקוֹרְעוֹ, וְלִוְיָתָן נוֹתֵץ לַבְּהֵמוֹת בִּסְנַפִּירָיו וְנוֹחֲרוֹ, °וַחֲכָמִים אוֹמְרִים: זוֹ שְׁחִיטָה כְּשֵׁירָה הִיא, וְלֹא כָּךְ תָּנִינַן: הַכֹּל שׁוֹחֲטִין וּבַכֹּל שׁוֹחֲטִין וּלְעוֹלָם שׁוֹחֲטִין חוּץ מִמַּגַּל קָצִיר וְהַמְּגֵרָה וְהַשִּׁנַּיִם מִפְּנֵי שֶׁהֵן חוֹנְקִין (חולין א, ב), אָמַר רַבִּי אָבִין בַּר כָּהֲנָא: אָמַר הַקָּדוֹשׁ בָּרוּךְ הוּא: תּוֹרָה חֲדָשָׁה מֵאִתִּי תֵּצֵא, חִדּוּשׁ תּוֹרָה מֵאִתִּי תֵּצֵא, אָמַר רַבִּי בֶּרֶכְיָה בְּשֵׁם רַבִּי יִצְחָק: אֲרִיסְטוֹן עָתִיד הַקָּדוֹשׁ בָּרוּךְ הוּא לַעֲשׂוֹת לַעֲבָדָיו הַצַּדִּיקִים לֶעָתִיד לָבֹא, וְכָל מִי שֶׁלֹּא אָכַל נְבֵלוֹת בָּעוֹלָם הַזֶּה זוֹכֶה לִרְאוֹתוֹ לָעוֹלָם הַבָּא, הָדָא הוּא דִכְתִיב (לעיל ז, כד) "וְחֵלֶב נְבֵלָה וְחֵלֶב טְרֵפָה יֵעָשֶׂה לְכָל מְלָאכָה וְאָכֹל לֹא תֹאכְלֻהוּ", בִּשְׁבִיל שֶׁתֹּאכְלוּ מִמֶּנּוּ לֶעָתִיד לָבֹא, לְפִיכָךְ מֹשֶׁה מַזְהִיר לְיִשְׂרָאֵל וְאוֹמֵר לָהֶם: [יא, ב] "זֹאת הַחַיָּה אֲשֶׁר תֹּאכֵלוּ":

וכל מי שלא ראה כו׳. שראייתו אסור משום מושב לצים, והדברים הללו מביאים לידי ביטול תורה: **נותץ כו׳.** דחפו ודן בו: **וחכמים אומרים וכי זו כו׳.** האות אמת כתב שצריך לומר והצדיקים אומרים וכו׳, ולפי זה הצדיקים הוא ששואלים כך לעתיד, והקדוש ברוך הוא משיבם תורה חדשה וכו׳. והיפה תואר מוחק הני תיבות וחכמים אומרים, וכתב שבעל המדרש מקשה, ור׳ אבין מתרץ, ובילקוט (תקלה) הגירסא כמו שהגיה האות אמת: **זו שחיטה כשרה היא.** בתמיה: **ולא כך תנינא כו׳.** וסנפירי הלויתן הם כמגרה. והוא הדין דהוי מצי למימר שהיא שחיטה שאינה מכח אדם, ועוד דאין כאן שחיטה כלל כיון דנחירה עביד, אלא דניחא ליה להקשות דאפילו הוא שחיטה ועל ידי אדם, מכל מקום פסולה מפני פגימת הסכין: **וכל מי שלא אכל נבלות כו׳.** פירוש אפילו נדיק דהיינו רובו זכיות לא יזכה לסעודה זו, והטעם לפי שהחוטא בדבר אחד לא יזכה עוד באותו הדבר, ועל כן מי שחוטא בפיו באכילה אסורה לא יזכה לאכילה זו:

ועיין ברחשית רבה (ז, ד) מענין בהמות, ולקמן (כב, ד), במדבר רבה (כא,יח) פסיקתא רבתי (פרשה טז): **לראותו לעולם הבא.** פירוש שיזכה לאכול אותה סעודה, ואגב שאמר אצל הקניגין לראות אותה אמר גם כאן לראות:

חדוש תורה מאתי תצא. לפי שעה כאליהו בהר הכרמל, ועיין בענף: **בשביל שתאכלו ממנה.** פירוש מהסעודה הנזכר, שבשביל שמרס פיהם מנבלות וטריפות יזכו לאכול מסעודה העתידה:

מתנות כהונה

נותץ כו׳. דחפו ודן בו: **זו שחיטה כשירה היא.** בתמיה: **אריסטון.** סעודה לבקר: **בשביל שתאכלו כו׳.** ואכול יתירה קדריש, בשביל שתאכלו ממנו לעתיד לא תאכלוהו בעולם הזה:

אשד הנחלים

כל בהמות כו׳ נותץ ללויתן בקרניו. הדבר הזה לכאורה מוזר בעיני רודפי אחר הציור הנשגב, וכי הצדיקים יתענגו במשחק כזאת אשר המה מהבל יחד. אך אחר הנודע לפי הציור, שענין הבהמות והלויתן המה מרמזים לעניינים גדולים המכונים להשגה, כמו שאמרו בבבא בתרא [עיין עה, ב] שעתיד להבהיק מעור של לויתן כל בתי ירושלים, והכוונה על אור ההשגה שיתגלה לעתיד, על דרך (ירמיה לא, לג) כי כולם ידעו אותי, והנה הסעודה מאלה הוא להרבות ההשגה, כי יהיה כענין אכילת אדם הראשון בגן עדן, וכמו שאמרו (סנהדרין נט, ב) שהיו המלאכים צולין לו בשר, ועניינו בכלל לפי דעת חכמי אמת כי על ידי אכילת החיים נכלל החיות בַּמְדַבֵּר, וניתקן על ידו, כמו שבאמת המזון מחזיק את כח השכל, כי הכח הפנימי נשאר במזון, והוא הכח החיים השוכן בקרבו אף לאחר הסתלקות החיים, והנה הדגים והבהמות הם משני סוגים מתחלפים, הדגים מהמים והבהמות מעפר, והמה כחות מתנגדות זו בזו, ולמעלה כדוגמתו מכונים המה לעניני המדות העליונות המתנגדות יחד, והמה יתנגחו זה בזה, כל אחד מבטל כח זולתו המתקומם לו, והנה גדר השחוק הגופני, הוא הטבע בראותו איש יתנצח מול רעהו להפילו, וכל אחד מתנגש למול רעהו, וכאשר יתגברו שניהם ויפולו יחד אז מטבע לשחוק, כי שניהם לא בצעו מאוויים, וכן גדר השחוק הנפשי, שכל ההכנה והפעולה מול ההפכיים הגדולים השולטים בעולם, טוב ורע, נגע וענג, צער ושמחה, שכלות וסכלות, אור וחושך וכדומה, וכאשר יתקוממו זה על זה ויתבטלו זה את זה, ואז יהיו המיזוג האמיתי, לא כח זה לבד ולא זה לבד, ואז יהיה השחוק לצדיקים, וכל זה ישיגו בשכר שלא שחקו בעניינים הגופנים ההבליים. דע זה והבינהו על פי ציורי חכמי אמת ודרכיהם. והנה הביא זה לפה, מסוד הבהמות הטהורות והטמאות, שכל זה מכוון לענין נעלה מאוד מאוד, ולכן מסיים להלן שכל מי שלא אכל נבילות זוכה לראותו בעולם הבא, כי על ידי אכילת הנבילות ניטמטם הנפש, ואינו זוכה לזה, כמאמרם (יומא לט, א) אל תקרי ונטמאתם אלא ונטמטם: **חדוש תורה כו׳.** אין זה סותר לדעת הרמב"ם ז"ל שאומר (יסודי התורה פ"ט ה"א) שלא תוחלף התורה ולא תבטל לעתיד, ואיך יאמר כאן שיוכשר בסכין פגום, ותורה חדשה מאתו תצא. אולי הכוונה רק לפי שעה כאליהו בהר הכרמל וכדומה. והאמת יש בזה מקום עיון מאוד במאמרם (נדה סא,ב) עתידות מצוות שיהיו בטילות לעתיד, ועוד כמה מאמרים, עיין בספר העקרים, ובספר אור ה׳ להרב חסדאי קרקש, ובספר נוה שלום, וביתר המחקרים האחרונים, ובדעת בעלי חכמי אמת: **בשביל שתאכלו.** דרש כפירוש המתנות כהונה שבשכר זה אכול (לעתיד לבא, בשביל שלא תאכלוהו עתה בעולם הזה מנבלותו:

באור מהרי"פ

תורה חדשה וגו׳. (ישעיה נא, ד) הקשיבו אלי עמי ולאומי אלי האזינו, כי תורה מאתי תצא ומשפטי לאור עמים ארגיע. וכאן הגירסא כי תורה מאתי תצא, חידוש תורה מאתי תצא: **זוכה לראותו.** הכי גרסינן זוכה לאכול. וכתב אות אמת בשביל שתאכלו ממנה, פירוש מסעודה הנזכרת, וקורא ונבילה וטריפה שזכר קודם, והכי איתא בשוחר טוב (מזמור יח פסוק ל כי בך) וחלב נבלה וחלב טרפה וגו׳ אם לא תאכלהו אותם בעולם הזה, חייכם שאריסטון גדול מתוקן לכם לעולם הבא, שנאמר (יואל ב, כו) ואכלתם אכול ושבוע וגו׳:

אמרי יושר

נותץ לבהמות בסנפיריו. זהו יבטח (איוב מ, כג), ממלחמת חבירו, כי יגיח ירדן (שם), כל עוד שלא יגח חיות המתים, וקרא כתיב בבהמות. ובפרק השפינה (בבא בתרא עד ב) פירשו כי יגיח ירדן אל פיהו של לויתן, לפי שירדן יורד לים שם הלויתן. ושם (עה א) פליג, דאמר גבריאל עושה מלחמה עמו. או אולי להכלאת בהמות קרא שם שהקדוש ברוך הוא עוזרו לגבריאל, הטעם יגש חרבו (איוב שם יט): **אריסטון גדול.** פירושו בלשון יון, סעודה של יום, וכל מי שלא אכל שקלים ורמשים, זוכה ואוכל לעולם הבא, זאת החיה אשר תאכלו לעתיד, כדי שתזכו לסעודה שלעתיד שתאכלו בה. שהזהרו במצוה זו, וזהו ואכול, לשתזכו לאכול בסעודה העתידה, לא תאכלו חלב:

ידי משה

[ג] דבר אחר זאת הבהמה הדא הוא דאמרת כל אמרת אלוה צרופה וכו׳ אמר ר׳ יודן בר רבי שמעון כל בהמות וכו׳ אמר ר׳ אבין בר כהנא אמר הקב"ה תורה חדשה מאתי תצא. עיין ביפה תואר שהקשה הרבה במדרש זה. ונראה לי ליישב בתחילת הקושיה על דרך שמחלוקין הרמב"ם והרמב"ן בפירוש הגמרא (ברכות לג, ב) האומר על קן ציפור יגיעו רחמיך משתקין אותו לפי שעושה מדותיו של הקב"ה רחמנות ואינו אלא גזירות, פירש הרמב"ן כפשוטו כפירש רש"י, והרמב"ם פירש ומקשה והלא מדותיו של הקב"ה הם רחמים כמו רחום וחנון, ויש לומר דהכי פירושו שלא ציוה הקב"ה מצוה זו רק להורות לבני אדם מדות רחמנות שיתקע בלבו מדת רחמנות, כי מה איכפת להקב"ה לשחוט מן הצואר או מן העורף, רק כדי שיתקע האדם מדת רחמנות ולא במדת הקב"ה, מה שאין כן הקב"ה לא ציוה מצוה זו מצד רחמנות שלו, רק שתהיה אתה רחום, כמו דברי הרמב"ם. והרמב"ן פירש שעושה מדותיו של הקב"ה רחמנות, פירוש שאין למצות טעם, והם רק חוק וגזירת המלך כמלך שלו מצוה לעבדיו לקיים דבריו בלתי טעם, ואין אדם רשאי לדרוש טעם למצות. ואם כן יש נפקא מינה בין הרמב"ם ובין הרמב"ן, אליבא דהרמב"ם יש טעם למצוה והקב"ה ציוה לשחוט בסכין בדוק ומן הצואר דוקא, בשביל שיתקע בלב האדם רחמנות, ואליבא דהרמב"ן אין טעם למצוה, רק גזירת המלך, ותלוי בזה שלעתיד שיתן הקב"ה בהמות ללויתן לשחיטה, עם כן אם הטעם משום גזירת מלך, אם כן צריך הקב"ה לקיים מצוה זו, ולא שחיטה כשירה הוא כך, מה שאין כן אם אמרינן שיש טעם למצות, והטעם הוא לשחוט דוקא בסכין בדוק בשביל שיתקע בלב האדם רחמנות, מה שאין כן הקב"ה בעצמו שוחט אין צריך לזה, כי אם הם גזירות הקב"ה לקיימן, על דרך דאיתא שלא כמידת מלך בשר ודם וכו׳ הקב"ה גוזר גזירה והוא בעצמו מקיימה, והשתא אתי שפיר שרב אמר ודרש כל אמרת אלוה צרופה, שלא נתן הקב"ה את המצות רק לצרף בהן את הבריות, כי מה איכפת להקב"ה אם הוא שוחט מן הצואר או מן העורף, ולא נתן רק בשביל לצרף את האדם, פירוש שיתקע בלב אדם מדת רחמנות, רק שהקשה מנלן הא, לזה מביא דרש רבי יודן בר רבי שמעון כל בהמות ולויתן כו׳, וקשה קושית חכמים וכי שחיטה כשירה זו, אמר ר׳ אבין בר כהנא תורה חדשה מאתי תצא, חידוש תורה מאתי תצא, פירוש חידוש הוא לגבי הקב"ה, פירוש לדידיה הוא מותר, ואם כן הטעם שיש למצות טעם, ולא

חידושי הרד"ל

אמר הקדוש ברוך הוא (ישעיה נא, ד) **תורה מאתי תצא חדוש תורה מאתי כו׳.** כן צריך לומר, ורצה לומר חדוש הוראת שעה: **ואכול כו׳ בשביל שתאכלו ממנו לעתיד לבוא.** עיין מתנות כהונה דדרש ואכול [יתירא]. וכמו שכתוב (יואל ב, כו) ואכלתם אכול ושבוע והללתם וגו׳, דמדרש בסעודת לעתיד לבוא: **לפיכך משה כו׳ אשר תאכלו תני רבי חייא מלמד כו׳ וזה טמא, ורבנן אמרי זאת החיה [וכו׳] מטריפתה לא תאכלו.** [כן צריך לומר]:

חידושי הרש"ש

ולא כך תנינן כו׳. והשינים מפני שהן חונקין. מדהשמיט לפורן דתנן שם, משמע דמטעם פגימה אתו עלה. וקשה לי דתיפוק ליה דפסול משום מחובר. ולכאורה הא מזה סייעתא להגאון מורינו הרב עקיבא איגר בתשובה (סימן נא), דדוקא מחובר לאדם פסול ולא מחובר לבהמה, עיין שם, ודלא כדעת השו"ע (יו"ד סימן י סעיף ב). ואולי יש לחלק בין בהמה לדגים, עיין ערובין (כז, ב) דדגים לא מקרי גדולי קרקע, ויצא מזה דין חדש דמחובר לדגים כשר אליבא דכולי עלמא. אך יש לומר דהמדרש בכאן אזיל בשיטת בית שמאי (עוקצין פ"ג מ"ח) דדגים כיון שנצודין הרי הן כמתים, וגם רבי יוסי הגלילי סבירא ליה כוותייהו בחולין (עה, א). אך קצת קשה דתיפוק ליה דבעינן כח גברא בשחיטה כדאיתא חולין (לא, ב) במשנה נפלה סכין ושחטה כו׳ פסולה שנאמר (דברים כז, ז) וזבחת ואכלת, מה שאתה זובח אתה אוכל. [ועיין בשו"ע יו"ד סס"ה בהגהה ובביאור הגר"א זלה"ה. ועיין (בבא בתרא עה, א) ואלמלא הקב"ה עוזרו, ובחידושי אגדות שם:

אם למקרא

וְחֵלֶב נְבֵלָה וְחֵלֶב טְרֵפָה יֵעָשֶׂה לְכָל מְלָאכָה וְאָכֹל לֹא תֹאכְלֻהוּ:
(ויקרא ז:כד)

ענף יוסף

(ג) **חדוש תורה מאתי תצא.** ביאור המאמר הוא, שלהיות מדין תורתינו שלפעמים ישתנה איזה דבר מדינו, להוראות שעה לבד, על ידי נביא, כענין ארבע שהקריבו באיסור במה במאמר הקדוש ברוך הוא, כדאיתא בבמדבר רבה פרשה י"ד (סימן א), כמו כן לעתיד לתענוג מעשה הקניגי ההיא, יהיה בהמות מומת על הגד ההוא, והקדוש ברוך הוא יכשירנו לאכילה לאותה שעה, שלא ימנע המאכל הנאות ההוא מהצדיקים. ודוק בלשון ר׳ אבין דקאמר חדוש תורה מאתי תצא, לומר שאין דבר כאן הפך תורתינו, ותורה חדשה מתחלפת אליה חס ושלום, רק חדוש בדיני התורה, והחידוש הוא הויתור על האיסור הזה באותה שעה, כמו שהיה חדוש שחיטת אליהו בהר הכרמל באותה שעה, אשר לא ידעו ישראל היות רצון ה׳ כן, אלא על פיו, והיה חדוש אצלם, כמו שכל ברירות דבר נעלם מעין המעיין, נקרא חדוש בהלכה, מבלי היות הדבר ההוא סותר שיטת ההלכה, וכמו שאמרו בבראשית רבה (פרשה סד ד) אין כל יום ויום שאין הקדוש ברוך הוא מחדש הלכה

שינוי נוסחאות

וחכמים אומרים. צ"ל "והצדיקים אומרים", כן הגיה א"א, וכן כתב רש"ש: **חדוש תורה מאתי תצא.** בד"ר יש כאן הגהה בתוך המדרש עצמו, וז"ל: "אינו מן הספר: כת׳ ה׳ הה"ר אדוני מורי ר׳ מאי׳ בכ׳ הה׳ ר׳ שמעון פי׳ לתחיית המתים יהיה חידוש תורה זה ודכוותה איתא במסכ׳ נדה, ומוכח מדכתיב במתים חפשי כיון שמת אדם נעשה חפשי מן המצות, ומשמע התם דלעולם המצות אינן בטלות לא בעולם הזה ולא בימות המשיח ולא בזמן אחר אלא לתחיית המתים שכבר נעשו המתים חפשים מהם, וכן כתב הר"מ והאריך בביאור זה, ע"כ":

§4 Our verse states: *This is the creature* [הַחַיָּה] *that you may eat.* Now, the word *This* connotes that God was showing Moses something.[88] And the word הַחַיָּה means literally *that lives*, and thus implies something upon which the life (חיות) of the animal hangs — viz., a defect that may prove fatal.[89] The Midrash thus expounds our verse as alluding the following:[90]

כְּמִין גֻּלְגֹּלֶת שֶׁל אֵשׁ הֶרְאָה לוֹ הַקָּדוֹשׁ בָּרוּךְ הוּא לְמֹשֶׁה מִתַּחַת כִּסֵּא הַכָּבוֹד — **The Holy One, blessed is He, showed Moses the semblance of a fiery skull under the Throne of Glory,**[91] וְאָמַר לוֹ: אִם נִיקַּב קְרוּם שֶׁל מוֹחַ אֲפִילּוּ כָּל שֶׁהוּא — **and He said to him, "If the membrane of the brain is punctured even a minimal amount,** the animal is a *tereifah.*"[92] וְרַבָּנָן אָמְרֵי: "זֹאת הַחַיָּה אֲשֶׁר תֹּאכֵלוּ" — **But the Rabbis say:** ***This is the creature*** **[הַחַיָּה]** ***that you may eat*** implies as follows:[93] הַחַיָּה מִטְּרֵיפָתָהּ תֹּאכֵלוּ וְשֶׁאֵינָהּ חַיָּה מִטְּרֵיפָתָהּ לֹא תֹאכֵלוּ — "This" one **"that can live"** (הַחַיָּה)[94] **despite its** ***tereifah*****-like defect "you may eat," and** that one **that cannot live because of its** ***tereifah*****-defect you may not eat.**[95]

As noted in the beginning of §3 above, given that verse 2 states *These are the creatures that you may eat* [זֹאת הַחַיָּה אֲשֶׁר תֹּאכֵלוּ], it appears extraneous to repeat in verse 3 *that one you may eat* [אֹתָהּ תֹּאכֵלוּ]. The Midrash will now offer another explanation for this:[96]

אָמַר רֵישׁ לָקִישׁ — **Reish Lakish said:** אִם זְכִיתֶם תֹּאכֵלוּ — With the extra *that you may eat* Scripture is intimating: **If you merit** to hold fast to the Torah, **you will eat** (consume) your enemies, the Four Kingdoms;[97] וְאִם לָאו תֵּאָכְלוּ לַמַּלְכֻיּוֹת — **and if not, you will be eaten** (consumed) **by the Four Kingdoms.**[98]

The Midrash presents another teaching about the consequences of not fulfilling the Torah:

אָמַר רַבִּי אַחָא — **R' Acha said:** כְּתִיב "אִם תֹּאבוּ וּשְׁמַעְתֶּם טוּב הָאָרֶץ תֹּאכֵלוּ וְאִם תְּמָאֲנוּ וּמְרִיתֶם חֶרֶב תְּאֻכְּלוּ" — **It is written,** ***If you are willing and obey, you will eat the goodness of the land. But if you refuse and rebel, you will be devoured by the sword*** [חֶרֶב תְּאֻכְּלוּ] (*Isaiah* 1:19-20). חֲרוּבִין תֹּאכֵלוּ — This verse implies that if you rebel against the Torah **you will eat carobs** (חֲרוּבִין תֹּאכֵלוּ),[99] דְּאָמַר רַבִּי אַחָא — and it accords with that **which R' Acha** also **said:** צְרִיךְ יְהוּדָאָה לְחֵירוּבָא עָבֵיד תְּתוּבָא — When **a Jew needs** to eat **carobs, he will repent.**[100]

A related teaching from the Sages:[101]

יָאֵי מִסְכֵּנוּתָא לִיהוּדָאֵי — **Poverty is becoming to the Jewish people** כְּעֻזְקְתָא סוּמַקְתָּא דְּעַל לִבֵּיהּ דְּסוּסְיָא חִיוּורָא — **like a red strap on the breast of a white horse.**[102]

Section 4 concludes as it began, with an interpretation of *"This" is the creature that you may eat*:

NOTES

88. *Maharzu.* See *Shemos Rabbah* 15 §28.

89. *Matnos Kehunah.* An animal that has one of eighteen fatal defects (listed in Mishnah *Chullin* 42) is called a *tereifah* and is forbidden for consumption. The Midrash will say that God showed Moses one of the defects that makes an animal a *tereifah.*

90. The Midrash at the very end of the current chapter offers another explanation (cited by *Rashi* to our verse).

91. As opposed to a vision of an ordinary skull in an ordinary setting, this image suggests the spiritual dimension of the law of *kashrus.* [Moses had difficulty understanding why one defect made an animal unkosher as a *tereifah*, while another, very similar defect did not have that effect. God therefore showed him how great the *spiritual* differences were between the two (*Tiferes Tzion*).]

92. There are two membranes covering the brain — an upper one that is attached to the skull, and one beneath that is next to the brain. If the lower one is punctured even if the upper one is not, the animal is declared a *tereifah* and is forbidden for consumption. (This is the "membrane of the brain" mentioned by the Midrash.) However, if the lower membrane remains whole and it is only the upper membrane that is punctured, the animal is kosher (*Eitz Yosef*).

[According to *Eitz Yosef*, the Holy One actually showed Moses *several* examples of cases where an animal becomes a definitive *tereifah* from a minimal perforation. The Midrash mentions only one of them here. Cf. *Matnos Kehunah*.]

93. The Rabbis have a different understanding of what the word *This* means in our verse (*Matnos Kehunah, Eitz Yosef*) — viz., it is not an expression of "showing" (as above), but an expression of "differentiating" (between this and that).

94. *Eshed HaNechalim* writes that [the Torah could have written זֹאת "חַיָּה" אֲשֶׁר תֹּאכֵלוּ, *This is "an animal" that you may eat.* However,] the Torah wrote the word "הַחַיָּה" (with the article ה) *so that* it would be able to be rendered: "[the one] that can live."

95. For example: Another one of the eighteen *tereifah* defects is a punctured lung (Mishnah *Chullin* ibid.). Now, the lung also has two membranes on its surface, one atop the other (Gemara ibid. 46a). Our verse is teaching that if the lung has been punctured and the animal thus exhibits signs of being a *tereifah,* we must check to see if it will live despite its *tereifah*-like defect. That is, if only one of the membranes is punctured — even the inner one — "this" animal will live and you may eat it. But if both membranes are punctured, "that" animal is decidedly a *tereifah* [see ibid. 46b] (*Eitz Yosef*).

96. *Yefeh To'ar, Eitz Yosef.*

97. The word זֹאת, *This,* in verse 2 alludes to the Torah, as it states (*Deuteronomy* 4:44), וְזֹאת הַתּוֹרָה אֲשֶׁר שָׂם מֹשֶׁה לִפְנֵי בְּנֵי יִשְׂרָאֵל, *This* [זֹאת] *is the Torah that Moses placed before the Children of Israel* (*Radal, Eitz Yosef*). And the word הַחַיָּה, *creatures*, alludes to the enemies of Israel — specifically, the Four Kingdoms [Babylonia, Persia, Greece, and Rome] which the prophet envisioned as four *chayos* (beasts) in *Daniel* Ch. 7 (*Matnos Kehunah*).

Maharzu explains further how הַחַיָּה comes to be identified as the Four Kingdoms, by pointing out an anomaly in our passage: Although verse 2 says, *These are the creatures that you may eat*, it does not actually list any kosher animals. (Contrast to *Deuteronomy* 14:4-6, where the statement *These are the animals that you may eat* is immediately followed by specific examples.) Only when the Torah states that there are animals that one may *not* eat (verse 4) does it follow with specific examples — the camel, the hyrax, the hare, and the swine. The Midrash addresses this anomaly by expounding that those very animals *also* serve to define the *creatures* of verse 2. And those four animals are expounded by the Sages (in §5 below) to refer to the Four Kingdoms! See next note.

98. The Midrash thus expounds זֹאת הַחַיָּה אֲשֶׁר תֹּאכֵלוּ to mean that when Israel fulfills the commandments of the Torah, she will consume her enemies (the Four Kingdoms). Conversely, when she does not fulfill them, she will be consumed by them (*Maharzu, Eshed HaNechalim*).

99. I.e., you will be reduced to eating the hard pods of the carob tree, which are food for the very poor.

The word חרב, vowelized חֶרֶב (*sword*) in our verse, can also be read חָרוּב (if vowelized חָרָב), which means *carob*. And the word תְּאֻכְּלוּ can also be vowelized תֹּאכְלוּ. R' Acha expounds the verse this way because *you will be devoured by the sword* is not the opposite of *you will eat the goodness of the land* — but "you will eat carobs" is (*Maharzu*). Alternatively: If the verse were meant (solely) in its plain sense, it should have stated חֶרֶב תֹּאכַלְכֶם, *the sword will devour you*, rather than חֶרֶב תְּאֻכְּלוּ (*Eshed HaNechalim*). [Note: *Eshed HaNechalim* explains חֲרוּבִין to mean "bread that is as dry (פַּת חֲרֵיבָה) as carobs."]

100. I.e., when a Jew suffers such an extremity of poverty that he must resort to eating carobs [which is really food for animals, not people (*Maharzu*)], he will be moved to repent his sins. For poverty humbles the prideful soul and, thus reduced, a person can confront his failures and imperfections (*Matnos Kehunah*, first interpretation; *Eitz Yosef*).

101. This exact teaching appears in *Chagigah* 9b (though with slightly different words).

102. White horses are indolent, and not as strong as other horses. However, a horse feels proud when it is outfitted with special adornments, and becomes invigorated. Poverty — even though it is itself a bad thing [unlike adornments] — can have the same beneficial effect on a human being: it rouses people from the stupor of indolence. And this is a good thing, for indolence is what primarily prevents people from [fulfilling the Torah and] doing good [deeds] (*Eshed HaNechalim, Eitz Yosef*; see *Yefeh To'ar, Radal, Tiferes Tzion*, and commentators on the Gemara for other explanations).

ד כְּמִין גֻּלְגֹּלֶת שֶׁל אֵשׁ הֶרְאָה לוֹ הַקָּדוֹשׁ בָּרוּךְ הוּא לְמֹשֶׁה מִתַּחַת כִּסֵּא הַכָּבוֹד, וְאָמַר לוֹ: אִם נִיקַּב קְרוֹם שֶׁל מוֹחַ אֲפִילּוּ כָּל שֶׁהוּא, וְרַבָּנָן אָמְרֵי: "זֹאת הַחַיָּה אֲשֶׁר תֹּאכֵלוּ", הַחַיָּה מְטֻרֶפֶת תֹּאכֵלוּ וְשֶׁאֵינָהּ חַיָּה מְטֻרֶפֶת לֹא תֹאכֵלוּ, אָמַר רֵישׁ לָקִישׁ: אִם זְכִיתֶם תֹּאכֵלוּ, וְאִם לָאו תֵּאָכְלוּ לַמַּלְכֻיּוֹת, אָמַר רַבִּי אַחָא: כְּתִיב (ישעיה א, יט-כ) "אִם תֹּאבוּ וּשְׁמַעְתֶּם טוּב הָאָרֶץ תֹּאכֵלוּ וְאִם תְּמָאֲנוּ וּמְרִיתֶם חֶרֶב תְּאֻכְּלוּ", חָרוּבִין תֹּאכֵלוּ, דְּאָמַר רַבִּי אַחָא: °וְצָרִיךְ יְהוּדָאָה לְחֵירוּבָא עָבֵיד תְּתוּבָא, יָאֵי °מִסְכֵּינוּתֵיהּ לִיהוּדָאֵי כְּעֻזְקְתָא סוּמַקְתָּא דְּעַל לִבֵּיהּ דְּסוּסְיָא חִיוָּרָא, תָּנָא רַבִּי חִיָּיא: מְלַמֵּד שֶׁהָיָה מֹשֶׁה אוֹחֵז בַּחַיָּה וּמַרְאֶה לָהֶן לְיִשְׂרָאֵל, וְאוֹמֵר לָהֶם: זֶה טָהוֹר וְזֶה טָמֵא:

ה אָמַר רַבִּי שְׁמוּאֵל בַּר נַחְמָן: כָּל הַנְּבִיאִים רָאוּ הַמַּלְכֻיּוֹת בְּעִיסּוּקָן,

עץ יוסף

(ד) **כמין גולגלת כו'** ליפלא דזאת קדריס משוס דמורה על הרמוז: **אם ניקב קרום של מוח.** שצני קרומיס יש למוח, העליון דבוק לעלס, והשני סמוך למוח, ואס ניקב הסמוך למוח אף על פי שלא נקב העליון הסמוך לעלס, טרפה, ולהיפך כשרה: **אפילו כל שהוא.** והוא הדין שהראה לו כמה מילי דנקיבתן במשהו, ותלא מינייהו נקט הכא: **ורבנן אמרי זאת כו'.** אתו לתרוצי ליפלא דזאת, זאת שהיא יכולה לחיות מטריפתה תאכלו, לאפוקי שאינה יכולה לחיות מטריפתה שלא תאכלו, בדרך משל אם ניקבה הריאה והרי יש בה סימני טריפות, חזינן, אי חיה מטריפתה דהיינו שלא נקבו שתי הקרומות כי אז תחיה ואינה טרפה ממש בכהאי גוונא תאכל: **אם זכיתם תאכלו.** משוס דקשיא ליה דלאוקא תאכלו יתיר הוא, דריש ריש לקיש דלאתא לומר אם זכיתס כו', היינו אס זכיתס לאחוז בזאת התורה אז החיה תאכלו: **צריך יהודאה לחרובה עביד תתובא.** פירוש כאשר יהודי בא לדקדוקי עניות וצריך לאכול חרובין מפני דחקו, עושה אז תשובה, שהעניות מועיל להכניע את נפש האדם ועל ידי זה יעשה תשובה. והמעריך (ערך חורבא) כתב הפירוש האמיתי הוא, כשצריך היהודי לחורבה יעשה ישוב, כלומר יהיה בעיניו כישוב ואל יבקש גדולות, והיינו דסמך ליה יאה מסכנותא כו': **יאה מסכינותא כו'.** נאה ויפה עניות לישראל כרלועה אדומה על לב סוס לבן, עזקתא פירושו רלועה. והמליצה הזאת הוא כפי הנודע שהסוס הלבן בטבע הוא עלל ואינו בעל כח כשאר הסוסים, והנה מטבע הסוס כשמלבישים על לוארו במלבושי כבוד יתגאה וילך במרולה, והנה זה תועלת לעללותו, כן העניות, אף שמלד עלמו הוא רע עם כל זה מועיל להקיץ להאנשים מתרדימת עללותם, שעל הרוב המניעה מעשות טוב הוא על ידי העללות: **בעזקתא סומקתא דעל לביה דסוסיא חיורא.** ירמוז שהרלועה אדומה הרומזת למדת הדין אוחזת בעד הסוס לבן שלא ירוץ יותר מדאי, כן אוחזת מדת הדין בעד שפע מדת הטובה לישראל יותר מדאי כדי לאחוז על לבם שלא יבעטו מרוב טובה (רד"ל): **שהיה משה אוחז בחיה.** דזאת משמע שמורה באלבע, ואף על גב דזאת החיה דבור הקדוש ברוך הוא אפשר שכוונתו שידבר כן לישראל: (ה) **בעיסוקן.** פירוש בהלכתן כדמתרגמינן (קהלת ג, א) לכל חפץ לכל עיסקא. פירוש אחר, בלרתם לישראל מענין (בראשית כו, כ) כי התעשקו עמו:

פירוש מהרז"ו

(ד) **כמין גולגולת.** דורש מה שכתוב זאת החיה, משמע שהראה לו באלבע לעיניו, זה תאכלו, וזה לא תאכלו: **אם זכיתם תאכלו.** דורש מה שכתוב זאת החיה אשר תאכלו, ולא פירש איזה תאכלו, והתחיל לפרש אותם שלא יאכלו, הגמל והשפן והארנבת, (ופשוטו כמו שכתוב דברים יד, ד' ה' ו' וכאן על פי מדה י"ז), ועל שכאן חסר, על כן דורש שמה שכתוב זאת החיה אשר תאכלו, הם אותן שחושב הגמל והשפן וכו', שאמר עליהם לא תאכלו, ודורש אם זכיתם תאכלו אותם ותכלם, ואם לאו תאוכלו מהם: **אם תאבו ושמעתם.** הביא ראיה לדברי ריש לקיש ממה שכתוב אם תאבו ושמעתם טוב הארץ תאכלו, והיה לו לומר שבהיפך שאם לא תשמעו יביא עליכם רעב, והכרח שיפורש על פי מדה ט' וממעל, אם תמאנו ומריתם יהיה לכם רעב כנגד טוב הארץ תאכלו, וכאלו מפורש גם כלול בזה כאלו כתוב עוד, אם תאבו ושמעתם חרב תאכלו, שתאכלו החיות שקרויות חרב, וכנגד מה שכתוב ואם תמאנו ומריתם חרב תאוכלו, שהחיות יאכלו ויבלו אתכם, וכמו שכתב לקמן סימן ה שהחרב רומז להחיות שראה דניאל: **חרובין תאכלו.** דרשה אחרת ודבר אחר, שיהיה פירושו דבר והפכו, שאם תזכו תאכלו טוב הארץ, ואם לא תזכו תאכלו חרובין, דבר של דלות הארץ שהוא מענין רעב, שעל פי מדה כ' וממעל, אל תקרי תאוכלו אלא תאכלו, ואל תקרי חרב אלא חרובין, ויתכן שלרבים יאמר חרובין ולאחד יאמר חרב, ועיין לקמן פרשה לה סימן ו, ספרי עקב סוף פיסקא מ': **עביד תשובה.** שהחרובין הם מאכל עזים בארץ ישראל, במשנה (שבת פרק כ"ד מ"ב) אין מרסקין את השחת ולא את החרובין לפני הבהמה בשבת, ומתוך הדחק אוכלים העניים ואז הוא נכנע ועושה תשובה. ועיין שיר [השירים רבה] פסוק משכני (ז' ב') [פרשה א פסוק ד אות ד]: **תני רבי חייא.** עיין שמות רבה (טו, כח) בדרך נפלא, ותנחומא כאן (סימן ז) באריכות:

מתנות כהונה

[ד] **ניקב קרום של מוח.** החיה קדריס, דמשמעותיה דבר שחיות תלוי בו לא תאכלוהו כגון נקיבת הקרום, והוא הדין לדומה לו: **תאבלו למלביות.** המסורת קדריס תְּאֻכְּלוּ, והמלכיות נמשלו לחיות כדניאל: **צריך יהודאי כו'.** היהודי לריך לדקדוקי עניות, עד שלריך לאכול חרובין מפני דחקו, ואז עושה תשובה ושב להקב"ה בלב שלם. ומלאתי פירוש אחר בילקוט ישעיה יהודי שבא מכה וחורבה עליו נעשה תושב, ועוזב מעשה נערות, ועיין לקמן (לה, ו): **יאי עניותא כו'.** נאה ויפה עניות לישראל כרלועה אדומה על לב סוס לבן: **עזקתא.** רלועה, והכי איתא סוף פרק קמא דחגיגה (ט, ב) יאה עניותא לישראל כברזא סומקא לסוסיא חיורא, ופירש רש"י רלועה, והוא אסור בזיקים (ירמיה מ, א) תרגום בעזיקיא: [ה] **בעיסוקין.** בממשלתן שימשלו על ישראל, כדאיתא בבמה בהמה (שבת נב, א) חמור שעסקי רעים:

אשד הנחלים

[ד] **כמין גולגלת של אש כו'.** עיין בספר קל"ח פתחי חכמה בראשיתו, ובהקדמתי לשיר השירים מגדר התמונה. ומה שאמר כאן מתחת כסא הכבוד, לפי שהמרכבה העליונה היא דוגמת החיות למטה, פני שור פני נשר פני אריה, והנה לעומתם למעלה נמשך למטה, הן הטהרה והן הפכה, ואחר שהבין משה בנבואה בכסא הכבוד למעלה, הבין דוגמתם למטה ענין טריפותם וטהרתם. והענין הזה הוא דבר עמוק מאוד, להיות המרכבה העליונה דוגמת קומה שלימה כסדורה ועניינה, וכפי הידיעה בהם בפרטות כן תודע הדברים למטה, ואולי שלכן נכתב החיה בה' הידיעה, כאלו רומז על החיות העליונות: **החיה מטריפתה.** כלומר שלכן נכתב בה' הידיעה, לרמוז אם היא חיה מְטֻרֶפֶת, שתוכל לחיות, היא כשירה, ואם לא טריפה: **אם זכיתם תאכלו כו'.** כבר מצאנו בדברי רז"ל (להלן סימן ה), ובכתבי הקודש (דניאל פ"ז) שדימו הארבע גליות לחיות ובהמות, ולכן דרש על דרך רמז על הגליות אשר הם נאכלים מהם, או אוכלים אותם: **חרוב כו'.** דאם כפשוטו היה לו לומר חרב תאכלכם, ולכן דריש מלשון חורב, פתו חריבה כחרובין, שהעניות מועיל להכניע את נפש האדם, ועל ידי זה יעשה תשובה: **סומקא לסוסיא חוורתי.** המליצה הזאת הוא כפי הנודע שהסוס הלבן בטבע הוא עצל, ואינו בעל כח כשאר הסוסים, והנה מטבע הסוס כשמלבישים על צווארו במלבושי כבוד יתגאה וילך במרוצה, והנה זה תועלת לעצלותו, כן העניות, אף שמצד עצמו הוא רע, עם כל זה מועיל להקיץ להאנשים מתרדימת עצלותם, שעל הרוב המניעה מעשות טוב הוא על ידי העצלות: **אוחז בחיה.** ולכן כתיב זאת שהראה להם באצבע

חידושי הרד"ל

[ד] (ובילקוט [כאן רמז תקלו] גרס לה, אמר רבי אבהו) כמין גלגלת של אש כו' אפילו כל שהוא, אמר ריש לקיש אם זכיתם כו' חיורא כו', אמר רבי שמואל בן נחמן כל הנביאים כו'. כן לריך לומר: **אם זכיתם תאבלו.** אם זכיתם לאחוז בזאת התורה, אז החיה תאכלו: **דאמר רבי אחא צריך יהודאה כו'.** לקמן פרשה ל"ה [סימן ו], ושיר השירים רבה (א, כז על פסוק ד): **יאי מסבינותא כו'.** (חגיגה ט, ב), עיין שם בתוספות (ד"ה כברזא סומקא): **דעל לביה דסוסיא חיורא.** ירמוז שהרלועה אדומה הרומזת למדת הדין, אוחזת בעד הסוס לבן שלא ירוץ יותר מדאי, כן אוחזת מדת הדין בעד שפע מדת הטובה לישראל יותר מדאי, כדי לאחוז על לבם שלא יבעטו מרוב טובה:

באור מהרי"פ

[ד] **כמין גולגלן של אש ובו'.** מלת זאת קדריס, דמשמע הוראה לדבר שכנגדו, ורבנן דרשי מלת זאת באופן אחר:

אמרי יושר

[ד] **ואם לאו תאבלו למלביות.** וזהו אשר תאכלו מכל הבהמה, קרי ביה תאכלו בציר"י, מכל הבהמה שהם המלכיות, ולזה דרשו לקמן שהם רמוזים בגמל והחזיר, שהוא דבר מתייחס לטונף המלוה שבה מדבר, אם יאכלום ימסרו לאומות הרמוזות כנגדם:

מסורת המדרש

ה. חגיגה דף י'. ת"כ סדר זה:

אם למקרא

אִם־תֹּאבוּ וּשְׁמַעְתֶּם טוּב הָאָרֶץ תֹּאכֵלוּ: וְאִם תְּמָאֲנוּ וּמְרִיתֶם חֶרֶב תְּאֻכְּלוּ כִּי פִּי ה' דִּבֵּר:
(ישעיה א:יט-כ)

ענף יוסף

בבית דין של מעלה, ומבואר שאין חדוש זה סותר הדין, דאם כן היה שינוי בתורה בכל יום ויום, אלא ענין ברירת נעלם מענייני התורה (יפה תואר):

ידי משה

שהם גזירות, דאם לא כן קשה הא הקב"ה לריך גם כן לשומרן, אלא על כרחך שהטעם שהם להורות לאדם שיתקע בלבו מדת רחמניות, ואם כן הרי בהדיא מוכח שכל אמרת אלוה לרופה, שלא ניתנו המלות אלא ללרף בהם את הבריות, פירוש שילמדו הבריות מדת רחמניות. ודוק היטב כן נראה לי בן המחבר (ר' אברהם מגלוגא בעל זרע אברהם):

שינוי נוסחאות

(ד) **וצריך יהודאה לחירובא עביד תתובא.** צ"ל "צריך", כן הוא בד"ה שבמ"כ ועצ"י וגם ברד"ל ומסתמא כיוונו להגיה כך, וכ"ה בכל הכי"י: **יאי מסכינותיה ליהודאי.** צ"ל "מסכנותא", וכן היה בד"ר ונשתבש בדפוסים אח"כ:

תָּנָא רַבִּי חִיָּיא — **R' Chiya taught:** מְלַמֵּד שֶׁהָיָה מֹשֶׁה אוֹחֵז בַּחַיָּה וּמַרְאֶה לָהֶן לְיִשְׂרָאֵל, וְאוֹמֵר לָהֶם — **[The verse] teaches that Moses would hold up** each and every **creature and show** it **to the Jewish people and say to them,** זֶה טָהוֹר וְזֶה טָמֵא — **"This one is pure and this one is impure."**[103]

אַךְ אֶת זֶה לֹא תֹאכְלוּ מִמַּעֲלֵי הַגֵּרָה וּמִמַּפְרִיסֵי הַפַּרְסָה אֶת הַגָּמָל כִּי מַעֲלֵה גֵרָה הוּא וּפַרְסָה אֵינֶנּוּ מַפְרִיס טָמֵא הוּא לָכֶם. וְאֶת הַשָּׁפָן כִּי מַעֲלֵה גֵרָה הוּא וּפַרְסָה לֹא יַפְרִיס טָמֵא הוּא לָכֶם. וְאֶת הָאַרְנֶבֶת כִּי מַעֲלַת גֵּרָה הִוא וּפַרְסָה לֹא הִפְרִיסָה טְמֵאָה הִוא לָכֶם. וְאֶת הַחֲזִיר כִּי מַפְרִיס פַּרְסָה הוּא וְשֹׁסַע שֶׁסַע פַּרְסָה וְהוּא גֵּרָה לֹא יִגָּר טָמֵא הוּא לָכֶם.

But this is what you shall not eat from among those that bring up their cud or that have split hooves: the camel, for it brings up its cud, but its hoof is not split — it is unclean to you; and the hyrax, for it brings up its cud, but its hoof is not split — it is unclean to you; and the hare, for it brings up its cud, but its hoof is not split — it is unclean to you; and the swine, for its hoof is split and its hoof is completely separated, but it does not chew its cud —it is unclean to you (11:4-7).

§5 After the introductory clause, *These are the creatures that you may eat* (11:2), Scripture proceeds in verse 3 to identify a kosher animal as one that *both* chews its cud and has completely split hooves. But then in verses 4-7 Scripture takes the seemingly unnecessary step of explicitly proscribing the four animals (the camel, hyrax, hare, and swine) that possess only one of those signs. The Midrash will cite R' Shmuel bar Nachman's resolution of this difficulty, which comes at the end of his lengthy teaching cited here in its entirety:[104]

אָמַר רַבִּי שְׁמוּאֵל בַּר נַחְמָן — **R' Shmuel bar Nachman said:** כָּל הַנְּבִיאִים רָאוּ הַמַּלְכֻיּוֹת בְּעִיסוּקָן — **All the prophets foresaw the** Four **Kingdoms in their successes.**[105]

NOTES

103. The word *This* implies that something is being pointed to (see above, with note 88) (*Eshed HaNechalim, Eitz Yosef*). And even though it was actually God Who spoke this verse, perhaps He meant that Moses should present the laws of *kashrus* in this demonstrative manner (*Eitz Yosef*).

104. *Tiferes Tzion*. See Midrash below at note 173ff.

Alternatively, the thrust of our section may be explained as follows: The Midrash wishes to expound the four animals mentioned in verses 4-7 as alluding to the four empires that have subjugated Israel at different times in its history (see Midrash ibid.). This means that God, through these verses, gave Moses foreknowledge of these difficult periods in Jewish history. The Midrash therefore seeks to show that Moses was not unique; *all* the prophets of Israel were given this foreknowledge (see *Yefeh To'ar*). [As to *why* the prophets were given this foreknowledge, *Yefeh To'ar* offers two possibilities: (i) to allude thereby to the joyous time of Israel's redemption (i.e., the Messianic era) that would come *after* these difficult periods; (ii) so that the prophets would each beseech God to protect Israel from the other nations.]

105. *Eitz Yosef.* Alternatively, the word בְּעִיסוּקָן is to translated as "in their oppression" [of Israel] (ibid.; see there for derivations of these translations), or as "when they were engaged in ruling" (see *Maharzu* below, s.v. פורה דרכתי לבדי).

ד כְּמִין גֻּלְגֹּלֶת שֶׁל אֵשׁ הֶרְאָה לוֹ הַקָּדוֹשׁ בָּרוּךְ הוּא לְמשֶׁה מִתַּחַת כִּסֵּא הַכָּבוֹד, וְאָמַר לוֹ: אִם נִיקַּב קְרוּם שֶׁל מוֹחַ אֲפִילוּ כָּל שֶׁהוּא, וְרַבָּנָן אָמְרֵי: "זֹאת הַחַיָּה אֲשֶׁר תֹּאכֵלוּ", הַחַיָּה מְטְרֵיפְתָּהּ תֹּאכֵלוּ וְשֶׁאֵינָהּ חַיָּה מְטְרֵיפְתָּהּ לֹא תֹאכֵלוּ, אָמַר רֵישׁ לָקִישׁ: אִם זְכִיתֶם תֹּאכֵלוּ, וְאִם לָאו תֵּאָכְלוּ לַמַּלְכֻיּוֹת, אָמַר רַבִּי אַחָא: כְּתִיב (ישעיה א, יט-כ) "אִם תֹּאבוּ וּשְׁמַעְתֶּם טוּב הָאָרֶץ תֹּאכֵלוּ וְאִם תְּמָאֲנוּ וּמְרִיתֶם חֶרֶב תְּאֻכְּלוּ", חֲרוּבִין תֹּאכֵלוּ, דְּאָמַר רַבִּי אַחָא: °וְצָרִיךְ יְהוּדָאָה לְחֵירוּבָא עָבֵיד תְּתוּבָא, יָאֵי °מִסְכֵּינוּתֵיהּ לִיהוּדָאֵי בְּעֻזְקְתָא סוּמַקְתָּא דְּעַל לִבֵּיהּ דְּסוּסְיָא חִיוּרָא, תָּנָא רַבִּי חִיָּיא: מְלַמֵּד שֶׁהָיָה מֹשֶׁה אוֹחֵז בַּחַיָּה וּמַרְאֶה לָהֶן לְיִשְׂרָאֵל, וְאוֹמֵר לָהֶם: "זֶה טָהוֹר וְזֶה טָמֵא:

ה אָמַר רַבִּי שְׁמוּאֵל בַּר נַחְמָן: כָּל הַנְּבִיאִים רָאוּ הַמַּלְכֻיּוֹת בְּעִיסוּקָן,

עץ יוסף

(ד) **כמין גולגלת כו׳** ליטנא דזאת קדרים משום דמורה על הרמוז: **אם ניקב קרום של מוח.** שטני קרומים יש למוח, העליון דבוק לעצם, והשני סמוך למוח, ואם ניקב הסמוך למוח אף על פי שלא נקב העליון הסמוך לעצם, טרפה, ולהיפך כשרה: **אפילו כל שהוא.** והוא הדין שהראה לו כמה מילי דנקיבתן במשהו, וחדא מינייהו נקט הכא: **ורבנן אמרי זאת כו׳.** אתו לתרוצי ליטנא דזאת, זאת שהיא יכולה לחיות מטריפתה תאכלו, לאפוקי שאינה יכולה לחיות מטריפתה שלא תאכלו, בדרך משל אם ניקבה הריאה והרי יש בה סימני טריפות, חזינן, אי חיה מטריפתה דהיינו שלא נקבו שתי הקרומות כי זו תחיה ואינה טרפה ממש כבהאי גוונא תאכל: **אם זכיתם תאכלו.** משום דקשיא ליה דלותא תאכלו יתיר הוא, דריש ריש לקיש דאתא לומר אם זכיתם כו׳, היינו אם זכיתם לאחוז בזאת התורה אז החיה תאכלו: **צריך יהודאה לחרובה עביד תתובא.** פירוש כאשר יהודי בא לדקדוקי עניות וצריך לאכול חרובין מפני דחקו, עושה אז תשובה, שהעניות מועיל להכניע את נפש האדם ועל ידי זה יעשה תשובה. והמעריך (ערך חורבה) כתב הפירוש האמיתי הוא, כשצריך היהודי לחורבה יעשה ישוב, כלומר יהיה בעיניו כישוב ואל יבקש גדולות, והיינו דסמך ליה יאה מסכנותא כו׳: **יאה מסכינותא כו׳.** נאה ויפה עניות לישראל כרצועה אדומה על לב סוס לבן, עזקתא פירושו רצועה. והמליצה הזאת הוא כפי הנודע שהסוס הלבן בטבע הוא עצל ואינו בעל כח כשאר הסוסים, והנה מטבע הסוס כשמלבישים על צוארו במלבושי כבוד יתגאה וילך במרוצה, והנה זה תועלת לעצלותו, כן העניות, אף שמצד עצמו הוא רע עם כל זה מועיל להקיץ להאנשים מתרדימת עצלותם, שעל הרוב המניעה מעשות טוב הוא על ידי העצלות: **בעזקתא סומקתא דעל לביה דסוסיא חיורא.** ירמוז שהרצועה אדומה הרומזת למדת הדין אוחזת בעד הסוס לבן שלא ירוץ יותר מדאי, כן אוחזת מדת הדין בעד שפע מדת הטובה לישראל יותר מדאי כדי לאחוז על לבם שלא יבעטו מרוב טובה (רד"ל): **שהיה משה אוחז בחיה.** דזאת משמע שמורה באצבע, ואף על גב דזאת החיה דבור הקדוש ברוך הוא אפשר שכוונתו שידבר כן לישראל: **(ה) בעיסוקן.** פירוש בהצלחתן כדמתרגמינן (קהלת ג, א) לכל חפץ לכל עיסקא. פירוש אחר, בצרתם לישראל מענין (בראשית כו, כ) כי התעשקו עמו:

פירוש מהרז"ו

(ד) **כמין גולגולת.** דורש מה שכתוב זאת החיה, משמע שהראה לו באצבע לעיניו, זה תאכלו, וזה לא תאכלו: **אם זכיתם תאכלו.** דורש מה שכתוב זאת החיה אשר תאכלו, ולא פירש איזה תאכלו, והתחיל לפרש אותם שלא יאכלו, הגמל והשפן והארנבת, (ופשוטו כמו שכתוב דברים יד, ד׳ ה׳ ו׳ וכאן על פי מדה י"ז), ועל שכאן חסר, על כן דורש שמה שכתוב זאת החיה אשר תאכלו, הם אותן שחושב הגמל והשפן וכו׳, שאמר עליהם לא תאכלו, ודורש אם זכיתם תאכלו אותם ותכלם, ואם לאו תאכלו מהם: **אם תאבו ושמעתם.** הביא ראיה לדברי ריש לקיש ממה שכתוב אם תאבו ושמעתם טוב הארץ תאכלו, והיה לו לומר שבהיפך שאם לא תשמעו יביא עליכם רעב, ובהכרח שיפורש על פי מדה ט׳ וממעל, אם תמאנו ומריתם יהיה לכם רעב כנגד טוב הארץ תאכלו, וכאלו מפורש גם כלול בזה כאלו כתוב עוד, אם תאבו ושמעתם חרב תאכלו, שתאכלו החיות שקרויות חרב, וכנגד מה שכתוב ואם תמאנו ומריתם חרב תאוכלו, שהחיות יאכלו ויבלו אתכם, וכמו שכתב לקמן סימן ה שהחרב רומז להחיות שראה דניאל: **חרובין תאכלו.** דרשה אחרת ודבר אחר, שיהיה פירושו דבר והפכו, שאם תזכו תאכלו טוב הארץ, ואם לא תזכו תאכלו חרובין, דבר של דלות הארץ שהוא מענין רעב, שעל פי מדה כ׳ וממעל, אל תקרי תאוכלו אלא תאכלו, ואל תקרי חרב אלא חרובין, ויתכן שלרבים יאמר חרובין ולאחד יאמר חרב, ועיין לקמן פרשה לה סימן ו, ספרי עקב סוף פיסקא מ׳: **עביד תשובה.** שהחרובין הם מאכל עזים בארץ ישראל, במשנה (שבת פרק כ"ד מ"ב) אין מרסקין את השחת ולא את החרובין לפני הבהמה בשבת, ומתוך הדחק אוכלים העניים ואז הוא נכנע ועושה תשובה. ועיין שיר [השירים רבה] פסוק משכני (ז׳ ב׳) [פרשה א פסוק ד אות ד]: **תני רבי חייא.** עיין שמות רבה (טו, כח) בדרך נפלא, ותנחומא כאן (סימן ז) באריכות:

מתנות כהונה

[ד] **ניקב קרום של מוח.** החיה קדרים, דמשמעותיה דבר שחיות תלוי בו לא תאכלוהו כגון נקיבת הקרום, והוא הדין לדומה לו: **תאכלו למלכיות.** המסורת קדרים תֵּאָכְלוּ, והמלכיות נמשלו לחיות בדניאל: **צריך יהודאי כו׳.** היהודי צריך לדקדוקי עניות, עד שצריך לאכול חרובין מפני דחקו, ואז עושה תשובה ושב להקב"ה בלב שלם. ומצאתי פירוש אחר בילקוט ישעיה יהודי שבא מכה וחורבה עליו נעשה תושב, ועוזב מעשה נערות, ועיין לקמן (לה, ו): **יאי עניותא כו׳.** נאה ויפה עניות לישראל כרצועה אדומה על לב סוס לבן: **עזקתא.** רצועה, והכי איתא סוף פרק קמא דחגיגה (ט, ב) יאה עניותא לישראל כברזא סומקא לסוסיא חיורא, ופירש רש"י רצועה, והוא אסור בזיקים (ירמיה מ, א) תרגום בעזקיא: **[ה] בעיסוקין.** בממשלתן שימשלו על ישראל, כדאיתא בבמה בהמה (שבת נב, א) חמור שעסקיו רעים:

אשד הנחלים

[ד] **כמין גולגולת של אש כו׳.** עיין בספר קל"ח פתחי חכמה בראשיתו, ובהקדמתי לשיר השירים מגדר התמונה. ומה שאמר כאן מתחת כסא הכבוד, לפי שהמרכבה העליונה היא דוגמת החיות למטה, פני שור פני נשר פני אריה, והנה לעומתם למעלה נמשך למטה, הן הטהרה והן הפכה, ואחר שהבין משה בנבואה בכסא הכבוד למעלה, הבין דוגמתם למטה ענין טריפותם וטהרתם. והענין הזה הוא דבר עמוק מאוד, להיות המרכבה העליונה דוגמת קומה שלימה כסדורה ועניינה, וכפי הידיעה בהם בפרטות כן תוודע הדברים למטה, ואולי שלכן נכתב החיה בה׳ הידיעה, כאלו רומז על החיות העליונות: **החיה מטריפתה.** כלומר שלכן נכתב בה׳ הידיעה, לרמוז אם היא חיה מְטְרֵיפְתָּה, שתוכל לחיות, היא כשירה, ואם לא טריפה: **אם זכיתם תאכלו כו׳.** כבר מצאנו בדברי רז"ל (להלן סימן ה), ובכתבי הקודש (דניאל פ"ז) שדימו הארבע גליות לחיות ובהמות, ולכן דרש על דרך רמז על הגליות אשר הם נאכלים מהם, או אוכלים אותם: **חרוב כו׳.** דאם כפשוטו היה לו לומר חרב תאכלכם, ולכן דריש מלשון חורב, פתו חריבה כחרובין, שהעניות מועיל להכניע את נפש האדם, ועל ידי זה יעשה תשובה: **סומקא לסוסיא חוורתי.** המליצה הזאת הוא כפי הנודע שהסוס הלבן בטבע הוא עצל, ואינו בעל כח כשאר הסוסים, והנה מטבע הסוס כשמלבישים על צווארו במלבושי כבוד יתגאה וילך במרוצה, והנה זה תועלת לעצלותו, כן העניות, אף שמצד עצמו הוא רע, עם כל זה מועיל להקיץ להאנשים מתרדימת עצלותם, שעל הרוב המניעה מעשות טוב הוא על ידי העצלות: **אוחז בחיה.** ולכן כתיב זאת שהראה להם באצבע:

חידושי הרד"ל

[ד] (ובילקוט [כאן רמז תקלו] גרס לה, **אמר רבי אבהו) כמין גלגלת של אש כו׳ אפילו כל שהוא, אמר ריש לקיש אם זכיתם כו׳ חיורא כו׳, אמר רבי שמואל בן נחמן כל הנביאים כו׳.** כן צריך לומר: **אם זכיתם תאכלו.** אם זכיתם לאחוז בזאת התורה, אז החיה תאכלו: **דאמר רבי אחא צריך יהודאה כו׳.** לקמן פרשה ל"ה [סימן ו], ושיר השירים רבה (א, כז על פסוק ד): **יאי מסכינותא כו׳.** (חגיגה ט, ב), עיין שם בתוספות (ד"ה כברזא סומקא): **דעל לביה דסוסיא חיורא.** ירמוז שהרצועה אדומה הרומזת למדת הדין, אוחזת בעד הסוס לבן שלא ירוץ יותר מדאי, כן אוחזת מדת הדין בעד שפע מדת הטובה לישראל יותר מדאי, כדי לאחוז על לבם שלא יבעטו מרוב טובה:

באור מהרי"פ

[ד] **כמין גולגלן של אש וכו׳.** מלת זאת קדרים, דמשמע הוראה לדבר שכנגדו, ורבנן דרשי מלת זאת באופן אחר:

אמרי יושר

[ד] **ואם לאו תאכלו למלכיות.** וזהו אשר תאכלו מכל הבהמה, קרי ביה תאכלו בצירי, מכל הבהמה שהם המלכיות, ולזה דרשו לקמן שהם רמוזים בגמל והחזיר, שהוא דבר מתייחס לטונש המלוה שבה מדבר, אם יאכלום ימסרו לאומות הרמוזות כנגדם:

מסורת המדרש

ה. חגיגה דף י׳. ת"כ סדר זה:

אם למקרא

אִם־תֹּאבוּ וּשְׁמַעְתֶּם טוּב הָאָרֶץ תֹּאכֵלוּ: וְאִם תְּמָאֲנוּ וּמְרִיתֶם חֶרֶב תְּאֻכְּלוּ כִּי פִּי ה׳ דִּבֵּר: (ישעיה א:יט-כ)

ענף יוסף

בבית דין של מעלה, ומבואר שאין חדוש זה סותר הדין, דאם כן היה שינוי בתורה בכל יום ויום, אלא ענין בבירת נעלם מעניני התורה (יפה תואר):

ידי משה

שהם גזירות, דאם לא כן קשה הא הקב"ה צריך גם כן לשומרן, אלא על כרחך שהטעם שהם להורות לאדם שיתקע בלבו מדת רחמניות, ואם כן הרי בהדיא מוכח שכל אמרת אלוה צרופה, שלא ניתנו המצות אלא לצרף בהם את הבריות, פירוש שילמדו הבריות מדת רחמניות. ודוק היטב כן נראה לי בן המחבר (ר׳ אברהם מגלוגא בעל זרע אברהם):

שינוי נוסחאות

(ד) **וצריך יהודאה לחירובא עביד תתובא.** צ"ל "צריך", כן הוא בד"ה שבמ"כ ועצ"י וגם ברד"ל ומסתמא כיוונו להגיה כך, וכ"ה בכל הכי"י: **יאי מסכינותיה ליהודאי.** צ"ל "מסכנותא", וכן היה בד"ר ונשתבש בדפוסים אח"כ:

הֲדָא הוּא דִכְתִיב "וְנָהָר יֹצֵא מֵעֵדֶן לְהַשְׁקוֹת וְגוֹ'" — **Thus it is written, *A river goes out from Eden to water*** *the garden, and from there it is divided and becomes four headwaters* (*Genesis* 2:10).[106] רַבִּי תַּנְחוּמָא וְאָמְרֵי לָהּ רַבִּי מְנַחֲמָא בְּשֵׁם רַבִּי יְהוֹשֻׁעַ בֶּן לֵוִי אָמַר — **R' Tanchuma, and some say R' Menachama, said in the name of R' Yehoshua ben Levi:** עָתִיד הַקָּדוֹשׁ בָּרוּךְ הוּא לְהַשְׁקוֹת כּוֹס הַתַּרְעֵלָה לְאוּמּוֹת הָעוֹלָם לֶעָתִיד לָבֹא — **The Holy One, blessed is He, will give the nations of the world to drink the cup of doom**[107] **in the Future era.** הֲדָא הוּא דִכְתִיב "וְנָהָר יֹצֵא מֵעֵדֶן", מְקוֹם שֶׁהַדִּין יוֹצֵא — **Thus it is written** in the aforementioned verse, ***A river goes out "from Eden,"*** which is to be expounded as meaning "from the **place** from **which judgment goes out."**[108] "וּמִשָּׁם יִפָּרֵד וְהָיָה לְאַרְבָּעָה רָאשִׁים" — ***And from there it is divided and becomes four headwaters*** — לְאַרְבָּעָה נְהָרִים אֵין כְּתִיב כָּאן, אֶלָּא לְאַרְבָּעָה רָאשִׁים, אֵלּוּ אַרְבָּעָה רָאשֵׁי מַלְכֻיּוֹת — **"four rivers" is not written here, rather *four headwaters*; these are** an allusion to **four heads of kingdoms.**[109] "שֵׁם הָאֶחָד פִּישׁוֹן", זֶה בָּבֶל — ***The name of the first is Pishon*** (ibid., v. 11) — **this** corresponds to **Babylonia,** עַל שֵׁם "וּפָשׁוּ פָּרָשָׁיו" — and it is called *Pishon* [פִּישׁוֹן] **after** what is stated regarding Babylonia: ***u'phashu parashav*** [וּפָשׁוּ פָּרָשָׁיו], *its horsemen are many* (*Habakkuk* 1:8).[110] "הוּא הַסֹּבֵב אֵת כָּל אֶרֶץ הַחֲוִילָה", זֶה נְבוּכַדְנֶצַּר הָרָשָׁע — *Genesis* 2:11 continues: . . . ***the one that encircles the whole land of Chavilah* — this** alludes to **the wicked Nebuchadnezzar,** king of Babylonia, שֶׁעָלָה וְהִקִּיף אֶת כָּל אֶרֶץ יִשְׂרָאֵל שֶׁמְּיַיחֶלֶת לְהַקָּדוֹשׁ בָּרוּךְ הוּא — **who ascended**[111] **and encircled**[112] **the whole Land of Israel, which hopes to the Holy One, blessed is He,** for its salvation.[113] הֲדָא הוּא דִכְתִיב "הוֹחִילִי לֵאלֹהִים" — **Thus it is written, *Hope to God!*** *For I shall yet thank Him for the salvations of His countenance* (*Psalms* 42:6).

Genesis 2:11 continues with a description of the land of *Chavilah* — the Land of Israel:

"אֲשֶׁר שָׁם הַזָּהָב", אֵלּוּ דִּבְרֵי תוֹרָה, שֶׁנֶּאֱמַר "הַנֶּחֱמָדִים מִזָּהָב וּמִפָּז רָב" — . . . ***where the gold is* — these are the words of Torah,**[114] regarding **which it is stated, *They are more desirable than gold, than even much fine gold*** (*Psalms* 19:11). "וּזֲהַב הָאָרֶץ הַהִוא טוֹב", מְלַמֵּד שֶׁאֵין תּוֹרָה כְּתוֹרַת אֶרֶץ יִשְׂרָאֵל וְאֵין חָכְמָה כְּחָכְמַת אֶרֶץ יִשְׂרָאֵל — And the next verse in *Genesis*, ***The gold of that land is good*** (2:12), which further alludes to the Torah, **teaches that there is no Torah like the Torah of the Land of Israel and there is no wisdom like the wisdom of the Land of Israel.**[115] "שָׁם הַבְּדֹלַח וְאֶבֶן הַשֹּׁהַם", מִקְרָא מִשְׁנָה וְתַלְמוּד הֲלָכוֹת וְאַגָּדוֹת — ***Bedolach is there, and the shoham stone*** (ibid.) — these varieties of gems[116] allude to the various elements of Torah: **Scripture, Mishnah, Talmud, legal rulings, and homiletic teachings.**

The Midrash now discusses the second river that issues from Eden:

"וְשֵׁם הַנָּהָר הַשֵּׁנִי גִּיחוֹן", זֶה מָדַי — ***The name of the second river is Gichon*** (ibid., v. 13) — **this** corresponds to **Media,** שֶׁהֶעֱמִידָה אֶת הָמָן הָרָשָׁע שֶׁשָּׁף עַמָּא כְּנָחָשׁ — **which produced the wicked Haman, who bit the** Jewish **people like a serpent.**[117] עַל שׁוּם "עַל גְּחֹנְךָ תֵלֵךְ" — And the river is called *Gichon* [גִּיחוֹן] **after** what is stated in the serpent's curse, ***Upon your belly*** [גְּחֹנְךָ] ***you shall go*** (ibid. 3:14). "הוּא הַסּוֹבֵב אֵת כָּל אֶרֶץ כּוּשׁ" — Another indication of the river's correspondence to Media is that it is ***the one that encircles the whole land of "Cush"*** (ibid. 2:13), שֶׁנֶּאֱמַר "מֵהֹדּוּ וְעַד כּוּשׁ" — **for it is stated** that the Median king Ahasuerus reigned ***from Hodu to "Cush"*** (*Esther* 1:1).

The third river:

"וְשֵׁם הַנָּהָר הַשְּׁלִישִׁי חִדֶּקֶל" זוֹ יָוָן — ***The name of the third river is Chidekel*** [חִדֶּקֶל] (ibid., v. 14) — **this** corresponds to **Greece,** שֶׁהִיא חַדָּה וְקַלָּה בִּגְזֵרוֹתֶיהָ עַל יִשְׂרָאֵל — **for she was sharp** (חַדָּה) **and swift** (קַלָּה) **in her** evil **decrees against Israel,** וְאוֹמֶר לָהֶם כִּתְבוּ עַל קֶרֶן הַשּׁוֹר שֶׁאֵין לְיִשְׂרָאֵל חֵלֶק בֵּאלֹהֵי יִשְׂרָאֵל — **saying to them, "Write on the horn of an ox that Israel has no portion in the God of Israel."**[118] "הַהֹלֵךְ קִדְמַת אַשּׁוּר" — Verse 14 continues: . . . ***the one that flows toward the east of Ashur*** (Assyria). אָמַר רַב הוּנָא — **Rav Huna said:** כָּל הַמַּלְכֻיּוֹת נִקְרָאוּ עַל שֵׁם אַשּׁוּר, שֶׁהָיוּ מְאַשְּׁרִין עַצְמָן מִיִּשְׂרָאֵל — **All the kingdoms may be called by the name Ashur** (אַשּׁוּר), **since they strengthened** (מְאַשְּׁרִין) **themselves on account of Israel.**[119]

NOTES

106. A reference to the Four Kingdoms, as the Midrash will shortly explain.

107. The phrase כּוֹס הַתַּרְעֵלָה (lit., *cup of poison*) is usually translated "cup of bitterness." However, *Matnos Kehunah* (followed by *Eitz Yosef*) writes that it is an expression of "closing up, sealing, and failure and downfall" — which suggests a sealing of their fate, or "doom."

108. The Midrash interprets מֵעֵדֶן, *from Eden*, as an acrostic for מִמְּקוֹם דִּין, *from* the place of *judgment* (*Matnos Kehunah, Eitz Yosef*). Just as Eden is the source of all good, both material and spiritual, so it is the source of punishment of the wicked (see *Eshed HaNechalim* to *Bereishis Rabbah* 16 §4). See next note.

109. That is, in place of using the word נְהָרִים, *rivers*, the verse uses the word רָאשִׁים, which literally means *heads.* The verse thus alludes to the heads of the Four Kingdoms that subjugated and oppressed the Jewish people. That the four rivers issued from "the place of judgment" indicates that each empire would receive its just punishment. The Midrash goes on to quote and expound the continuation of the *Genesis* passage that names the four rivers.

110. The *Habakkuk* passage begins (v. 6), *For behold, I am establishing the Chaldeans* (another name for the Babylonians). Thus, וּפָשׁוּ פָּרָשָׁיו refers to Babylonia (*Eitz Yosef*).

111. *Eretz Yisrael* is the highest of all the lands (*Kiddushin* 69a et al.); the Babylonian ruler thus "ascended" to there (*Eitz Yosef*). [Regarding the sense in which *Eretz Yisrael* is the highest of all lands, see *Kiddushin* ibid., note 13 in Schottenstein edition.]

112. I.e., he laid siege to Jerusalem all around, as it says (*Jeremiah* 52:4): *Nebuchadnezzar . . . came . . . and built a siege tower around it* (*Eitz Yosef*).

113. I.e., the people of Israel hope to the Holy One; and because they are the people of hope (תּוֹחֶלֶת), their land is called by the related word חֲוִילָה (ibid.).

114. The word זָהָב (*gold*) alludes to Torah, for the Torah is read in the synagogue thrice weekly: on the Sabbath (the seventh day of the week, יוֹם ז'), on Thursday (the fifth day of the week, יוֹם ה'), and on Monday (the second day of the week, יוֹם ב'). Here we have the letters זהב, *gold* (ibid., citing *Olelos Ephraim*).

115. For it is stated, *For from Zion the Torah will come forth* (*Isaiah* 2:3). Indeed, a scholar gains greater insight into the words of Torah in the Land of Israel than he gains elsewhere, as the Gemara *Bava Basra* 158b attests: "The air of *Eretz Yisrael* makes one wise" (ibid.; see also *Matnos Kehunah*).

116. The *bedolach* and *shoham* stones are two types of jewels, and each comes in a number of variations (ibid.).

117. Text and translation follows *Eitz Yosef* (see also *Bereishis Rabbah* 16 §4 and *Eitz Yosef* there, and see *Esther Rabbah, Pesichta* §5). Haman's "biting the [Jewish] people like a snake" refers to Haman's use of his evil tongue to slander the Jews to King Ahasuerus, much as the first snake used his tongue for evil by causing Eve to sin.

118. Greece wanted to publicize Israel's denial of God to the point that they proclaimed so even on their chattel. Or, perhaps they wished to intimate that by committing the sin of the Golden Calf, Israel distanced itself from God and no longer had a portion in Him (*Eitz Yosef* to *Bereishis Rabbah* 2 §5, citing *Yefeh To'ar*).

119. The word אַשּׁוּר is interpreted to mean *strengthened*, for the root אשר can connote *strength.* R' Huna is teaching that the host nations of Israel's exiles became strong and prosperous with the Jews in their midst, for the *Shechinah* always accompanied Israel, and the flow of bounty that the *Shechinah* provided spilled over to those nations. Alternatively, the Midrash is interpreting the word אַשּׁוּר to mean *wealthy*, for the letter א in אַשּׁוּר can be interchanged with an ע, and the root עשר means *wealth* (see *Matnos Kehunah* and *Eitz Yosef* here, and *Eitz Yosef* to *Bereishis*

הָדָא הוּא דִכְתִיב (בראשית ב, י) "וְנָהָר יֹצֵא מֵעֵדֶן לְהַשְׁקוֹת וְגוֹ'", רַבִּי תַּנְחוּמָא וְאָמְרֵי לָהּ רַבִּי מְנַחְמָא בְּשֵׁם רַבִּי יְהוֹשֻׁעַ בֶּן לֵוִי אָמַר: עָתִיד הַקָּדוֹשׁ בָּרוּךְ הוּא לְהַשְׁקוֹת כּוֹס הַתַּרְעֵלָה לְאוּמּוֹת הָעוֹלָם לֶעָתִיד לָבֹא, הָדָא הוּא דִכְתִיב "וְנָהָר יֹצֵא מֵעֵדֶן", מְקוֹם שֶׁהַדִּין יוֹצֵא, (שם) "וּמִשָּׁם יִפָּרֵד וְהָיָה לְאַרְבָּעָה רָאשִׁים", °אֵלּוּ אַרְבָּעָה נְהָרוֹת,° (שם שם יא) "שֵׁם הָאֶחָד פִּישׁוֹן", זֶה בָּבֶל, עַל שֵׁם (חבקוק א, ח) "וּפָשׁוּ פָּרָשָׁיו", (בראשית שם שם) "הוּא הַסֹּבֵב אֵת כָּל אֶרֶץ הַחֲוִילָה", זֶה נְבוּכַדְנֶצַּר הָרָשָׁע, שֶׁעָלָה וְהִקִּיף אֶת כָּל אֶרֶץ יִשְׂרָאֵל שֶׁמְּיַיחֶלֶת לְהַקָּדוֹשׁ בָּרוּךְ הוּא, הָדָא הוּא דִכְתִיב (תהלים מב, ו) "הוֹחִילִי לֵאלֹהִים", (בראשית שם שם) "אֲשֶׁר שָׁם הַזָּהָב", אֵלּוּ דִּבְרֵי תוֹרָה, שֶׁנֶּאֱמַר (שם יט, יא) "הַנֶּחֱמָדִים מִזָּהָב וּמִפַּז רָב", (בראשית שם יב) "וּזֲהַב הָאָרֶץ הַהִיא טוֹב", מְלַמֵּד שֶׁאֵין תּוֹרָה כְּתוֹרַת אֶרֶץ יִשְׂרָאֵל וְאֵין חָכְמָה כְּחָכְמַת אֶרֶץ יִשְׂרָאֵל, (שם) "שָׁם הַבְּדֹלַח וְאֶבֶן הַשֹּׁהַם", מִקְרָא מִשְׁנָה וְתַלְמוּד הֲלָכוֹת וְאַגָּדוֹת, (שם שם יג) "וְשֵׁם הַנָּהָר הַשֵּׁנִי גִּיחוֹן", זֶה מָדַי שֶׁהֶעֱמִידָה אֶת הָמָן הָרָשָׁע שֶׁמָּשַׁךְ °עִיסָּה כְּנָחָשׁ°, עַל שׁוּם (שם ג, יד) "עַל גְּחֹנְךָ תֵלֵךְ", (שם ב, יג) "הוּא הַסּוֹבֵב אֵת כָּל אֶרֶץ כּוּשׁ", שֶׁנֶּאֱמַר (אסתר א, א) "מֵהֹדּוּ וְעַד כּוּשׁ", (בראשית שם יד) "וְשֵׁם הַנָּהָר הַשְּׁלִישִׁי חִדֶּקֶל", זוֹ יָוָן שֶׁהָיְתָה חַדָּה וְקַלָּה בִּגְזֵרוֹתֶיהָ עַל יִשְׂרָאֵל, וְאוֹמֶר לָהֶם כִּתְבוּ עַל קֶרֶן הַשּׁוֹר שֶׁאֵין לְיִשְׂרָאֵל חֵלֶק בֵּאלֹהֵי יִשְׂרָאֵל, (שם) "הַהֹלֵךְ קִדְמַת אַשּׁוּר", אָמַר רַב הוּנָא: כָּל הַמַּלְכֻיּוֹת נִקְרָאוּ עַל שֵׁם אַשּׁוּר, שֶׁהָיוּ מְאַשְּׁרִין עַצְמָן מִיִּשְׂרָאֵל, אָמַר רַבִּי יוֹסֵי בְּרַבִּי חֲנִינָא: כָּל הַמַּלְכֻיּוֹת נִקְרָאוּ עַל שֵׁם מִצְרַיִם, עַל שֵׁם שֶׁהָיוּ מְצִירִין לְיִשְׂרָאֵל, (שם) "וְהַנָּהָר הָרְבִיעִי הוּא פְרָת", הוּא אֱדוֹם שֶׁפָּרַת וְרָבַת בִּתְפִלָּתוֹ שֶׁל זָקֵן, דָּבָר אַחֵר, שֶׁפָּרַת וְרָבַת וְהֵצֵירָה לְעוֹלָמוֹ שֶׁל יִשְׂרָאֵל, דָּבָר אַחֵר שֶׁפָּרַת וְרָבַת וְהֵצֵירָה לִבְנוֹ, דָּבָר אַחֵר שֶׁפָּרַת וְרָבַת וְהֵצֵירָה לְבֵיתוֹ, דָּבָר אַחֵר "פְּרָת" עַל שׁוּם סוֹפָהּ, שֶׁנֶּאֱמַר (ישעיה סג, ג) "פּוּרָה דָּרַכְתִּי לְבַדִּי", אַבְרָהָם רָאָה הַמַּלְכֻיּוֹת בְּעִיסּוּקָן (בראשית טו, יב) "וְהִנֵּה אֵימָה" ח זוֹ בָּבֶל, עַל שֵׁם (דניאל ג, יט) "נְבוּכַדְנֶצַּר הִתְמְלִי חֱמָא",

פירוש מהרז"ו

(ה) **עתיד הקב"ה.** בראשית רבה (טז, ד) עיין שם: **ופשו פרשיו.** ובפסוקים הקודמים, הנני מקים את הכשדים, ועל זה אמר ופשו פרשיו: **הוא פרת הוא אדום.** כמו שכתוב (בראשית ל"ו, א) עשו הוא אדום שתיבת הוא מיותר כאן לדרוש גזירה שוה על אדום: **פורה דרכתי לבדי.** ובפסוק הקודם מי זה בא מאדום, ומה שכתב בעסוקן, פירושו בשעה שעסוק ומושל: **והנה אימה זו בבל.** בראשית רבה (מד, יז) מכילתא יתרו פסוק וכל העם רואים: **שפרת ורבת.** פרת נוטריקון, פ' פרת, ר' רבת, ת' תפלה: **שפרת ורבת והצירה.** בבראשית רבה ט"ז שם הגירסא, פרת שהפירה והצירה לבניו, וכן צריך להגיה כאן, והפרה מלשון ביטול כמו הפרת נדר, ומה שכתב שלש פעמים ורבת, הוא מיותר ועומד הוא למחוק, וכך צריך לומר פרת שהפירה והצירה לבניו (או לעולמו של ישראל), פרת שהפירה והצירה לביתו:

עץ יוסף

התרעלה. לשון ערלה ואוטם וכסלון (מתנות כהונה): **ממקום שהדין יוצא.** מעדן דריש נוטריקון, ממקום דין (מתנות כהונה). ועיין מה שכתבתי בבראשית רבה פרשה ט"ז (סימן ז): **ופשו פרשיו.** דבבבל כתיב, כדכתיב התם הנני מקים את הכשדים וגו' עד ופשו פרשיו, פירוש שירבה פרשיו: **שעלה והקיף.** לפי שארץ ישראל גבוה מכל הארצות להכי קאמר שעלה והקיף, פירוש שעלה על ארץ ישראל ובנה עליה מצור מסביב, כדכתיב בסוף ירמיה (נב, ד) ויבנו עליה דָּיֵק מסביב: **הוחילי לאלהים.** כלומר שבישראל כתיב כן, ולפי שישראל בני התוחלת יכונה ארצם בלשון תוחלת דהיינו חוילה, וגם התוחלת על ענין הארץ הוא שמקוים לחזור אליה: **אשר שם הזהב אלו דברי תורה.** זהב רומז לתורה, לפי שזמן קריאתה היא ביום ז' וביום ה' וביום ב', וזהו אותיות זהב (עוללות אפרים): **אין תורה כתורת ארץ ישראל.** בספרי ריש פרשת עקב יליף לה מן הכתוב: **כתורת ארץ ישראל.** דאוירא דארץ ישראל מחכים כדאיתא בפרק מי שמת (בבא בתרא קנח, ב): **מקרא משנה כו'.** דבדולח ואבן השוהם מיני מרגליות הם, ויש בהן מינים ממינים שונים, וכן יש בתורה מקרא משנה כו': **שמשך עיסה.** צריך לומר שסף עמה, וכן איתא לעיל בבראשית רבה (טז, ז), ולקמן סוף פרשה טו נראה גם כן להגיה כן. או אפשר שהגירסא שם שנושך ועושה כנחש, וכן קרוב דגרסינן הכא (יפה תואר). והמתנות כהונה כתב שצריך לומר שמשך ערסה: **על קרן השור.** פירשתי בבראשית רבה פרשה ב (סימן ה): **שהיו מאשרין עצמן מישראל.** מאשרין פירושו מחזקים, שנעשו עשירים וחזקים, ועיין מה שכתבתי בבראשית רבה פרשה ט"ז (סימן ד [ז]): **על שם מצרים.** נפקא ליה מדכתיב (ישעיה כז, יג) ביום ההוא יתקע בשופר גדול ובאו האובדים בארץ אשור והנדחים בארץ מצרים, דקשה מאי שנא דנקט הני אשור ומצרים טפי משאר ארצות שנתפזרו שם, אלא שהם רמז לכולם: **שפרת ורבת.** והתמיד מלכותם. ואגב אורחיה אשמועינן שסבת קיומה כל כך הוא מברכת הזקן יצחק אבינו, אבל בפרת לא רמיזא רק פְּרִיָּתָהּ ורְבִיָּתָהּ: **לעולמו של ישראל.** רצה לומר שמהצלחתה נמשך הצרות והדוחק לישראל בהצלחת העולם, שאי אפשר לשניהם יחד בהצלחה, כי כשזה קם זה נופל, כדאיתא בפרק קמא דמגילה (ו, א): **והצירה לבניו.** פירוש שהם מצירים ומצערים לישראל שהם בניו של הקדוש ברוך הוא בכוונה: **והצירה לביתו.** זה בית המקדש: **אימה זו בבל כו'. התמלי חמא.** כלומר והממלא חימה מטיל אימה על רואיו, או שאל"ף והחי"ת מתחלפין. אבל לעיל בשמות רבה (נא, ז [ה])

מתנות כהונה

התרעלה. לשון ערלה ואוטם וכסלון, ועיין [בערוך] ערך רעל וערך ערב: **מקום שהדין יוצא כו'.** מעדן דריש נוטריקון ממקום דין: **מייחלות.** דריש החוילה לשון מייחלות: **אין תורה כתורת ארץ ישראל.** כמו שאמרו חכמינו ז"ל (בבא בתרא קנח, ב) אוירא דארץ ישראל מחכים, ויש לו סוד ליודעי חן: **שמשך עיסה.** נראה דצריך לומר ערסא, ולעיל פרשת בראשית רבה (טז, ד) גרס שהיה המן שף עמא כנחש: **על גחנוך.** דרש גיחון לשון גחון: **שהיו מאשרין.** מחזיקים, שנעשו עשירים וחזקים, ועיין לעיל פרשת בראשית שכתבתי בשם רש"י (שם) שהגירסא משובשת, וצריך לומר שנקראו: **בתפלתו של זקן.** ברכת יצחק שברכו על חרבך תחיה ומשמני הארץ וגו' (בראשית כז, מ): **לבנו.** לישראל שנקראו בני בכורי, ולעיל פרשת בראשית (שם) גרסינן לבניו:

אשד הנחלים

[ה] **כוס התרעילה כו'.** כבר פירשתי בסדר בראשית (טז, ד) עניינו וכל העניינים האלו:

ידי משה

[ה] **שפרת ורבת בתפלתו של זקן.** זה הדרש שייך יפה לכאן, אבל אותם שלשה דבר אחר האחרים, שהֵצֵרָה לעולמו, וכן שהֵצֵרָה לבנו, [וכן שהֵצֵרָה לביתו], הם שייכים לסוף פרשה ט"ו, שדריש שם נגע צרעת זה אדום, שבא בכחו של זקן, ושם שייכין אותו שלשה דבר אחר, שבכל אחד אומר לשון והֵצֵרָה, כי מלת צרעת דריש לשון צרה, או לשון צרת הבת, והטעות נעשתה, מאחר שדרש כאן גם כן בכחו של זקן, מייתי גם כן אותם שלשה דבר אחר, וגם הלשון בתפלתו של זקן,

מסורת המדרש

ו. ילקוט סדר בראשית:
ז. ב"ר פ' ב' ופ' ט"ו ולקמן ט"ו תנחומא תזריע סי' י"א:
ח. ש"ר פ' נ"א מדרש תהלים פ' נ"א ילקוט פ' לך:

אם למקרא

וְנִסְכֵּיהֶם חֲצִי הַהִין יִהְיֶה לַפָּר וּשְׁלִישִׁת הַהִין לָאַיִל וּרְבִיעִת הַהִין לַכֶּבֶשׂ יָיִן זֹאת עֹלַת חֹדֶשׁ בְּחָדְשׁוֹ לְחָדְשֵׁי הַשָּׁנָה: (במדבר כח:יד)

וְנָהָר יֹצֵא מֵעֵדֶן לְהַשְׁקוֹת אֶת הַגָּן וּמִשָּׁם יִפָּרֵד וְהָיָה לְאַרְבָּעָה רָאשִׁים: שֵׁם הָאֶחָד פִּישׁוֹן הוּא הַסֹּבֵב אֵת כָּל אֶרֶץ הַחֲוִילָה אֲשֶׁר שָׁם הַזָּהָב: וּזֲהַב הָאָרֶץ הַהִוא טוֹב שָׁם הַבְּדֹלַח וְאֶבֶן הַשֹּׁהַם: וְשֵׁם הַנָּהָר הַשֵּׁנִי גִּיחוֹן הוּא הַסּוֹבֵב אֵת כָּל אֶרֶץ כּוּשׁ: וְשֵׁם הַנָּהָר הַשְּׁלִישִׁי חִדֶּקֶל הוּא הַהֹלֵךְ קִדְמַת אַשּׁוּר וְהַנָּהָר הָרְבִיעִי הוּא פְרָת: (בראשית ב:י-יד)

וְקַלּוּ מִנְּמֵרִים סוּסָיו וְחַדּוּ מִזְּאֵבֵי עֶרֶב וּפָשׁוּ פָּרָשָׁיו וּפָרָשָׁיו מֵרָחוֹק יָבֹאוּ יָעֻפוּ כְּנֶשֶׁר חָשׁ לֶאֱכוֹל: (חבקוק א:ח)

מַה תִּשְׁתּוֹחֲחִי נַפְשִׁי וַתֶּהֱמִי עָלָי הוֹחִילִי לֵאלֹהִים כִּי עוֹד אוֹדֶנּוּ יְשׁוּעוֹת פָּנָיו: (תהלים מב:ו)

הַנֶּחֱמָדִים מִזָּהָב וּמִפַּז רָב וּמְתוּקִים מִדְּבַשׁ וְנֹפֶת צוּפִים: (שם יט:יא)

וַיֹּאמֶר ה' אֱלֹהִים אֶל הַנָּחָשׁ כִּי עָשִׂיתָ זֹּאת אָרוּר אַתָּה מִכָּל הַבְּהֵמָה וּמִכֹּל חַיַּת הַשָּׂדֶה עַל גְּחֹנְךָ תֵלֵךְ וְעָפָר תֹּאכַל כָּל יְמֵי חַיֶּיךָ: (בראשית ג:יד)

וַיְהִי בִּימֵי אֲחַשְׁוֵרוֹשׁ הוּא אֲחַשְׁוֵרוֹשׁ הַמֹּלֵךְ מֵהֹדּוּ וְעַד כּוּשׁ שֶׁבַע וְעֶשְׂרִים וּמֵאָה מְדִינָה: (אסתר א:א)

פּוּרָה דָּרַכְתִּי לְבַדִּי וּמֵעַמִּים אֵין אִישׁ אִתִּי וְאֶדְרְכֵם בְּאַפִּי וְאֶרְמְסֵם בַּחֲמָתִי וְיֵז נִצְחָם עַל בְּגָדַי וְכָל מַלְבּוּשַׁי אֶגְאָלְתִּי: (ישעיה סג:ג)

וַיְהִי הַשֶּׁמֶשׁ לָבוֹא וְתַרְדֵּמָה נָפְלָה עַל אַבְרָם וְהִנֵּה אֵימָה חֲשֵׁכָה גְדֹלָה נֹפֶלֶת עָלָיו: (בראשית טו:יב)

בֵּאדַיִן נְבוּכַדְנֶצַּר הִתְמְלִי חֱמָא וּצְלֵם אַנְפּוֹהִי אֶשְׁתַּנִּיו עַל שַׁדְרַךְ מֵישַׁךְ וַעֲבֵד נְגוֹ עָנֵה וְאָמַר לְמֵזֵא לְאַתּוּנָא חַד שִׁבְעָה עַל דִּי חֲזֵה לְמֵזְיֵהּ: (דניאל ג:יט)

חידושי הרד"ל

[ה] **כוס התרעלה.** עיין מתנות כהונה. ועיין בסייעתא דשמיא בהגהות בראשית רבה (פרשה טז סימן ד): **שאין תורה כתורת ארץ ישראל.** בספרי ריש פרשת עקב, יליף לה מן הכתוב (הר"מ ברלין): **עקרב משרצת ששים.** שמות רבה (א, ח) עיין שם:

באור מהרי"פ

[ה] **תרעלה.** הערוך ערך רעל ב', וברכים כושלות תרגומו ורכובן דרעלן חסינו. וכונתו על המקרא (ישעיה לה, ג) חזקו ידים רפות וברכים כושלות אמצו. ובעל מראה מקומות שבספר מתורגמן, מורה על המקרא (איוב ד, ג), ולא כוון האמת, כי שם כתיב (פסוק ד) וברכים כורעות, ולא כושלות, גם התרגום לא מתרגם כן שם, עיין שם בשני מקומות הללו ותמצא כי האמת אתנו: **ההולך קדמת אשור אמר רב הונא וכו'.** אולי הוא דורש שהוא קודם במדרגת הצרתו לישראל יותר מכל המלכות הנקראים בשם אשור:

אמרי יושר

[ה] **בשלשה דברים קדמה מלכות יון למלכות אדום.** וזהו הוא ההולך, בהקדמה וייתור על אשור שהוא אדום, שכל המלכיות נקראו על שם אשור:

ליקוטים

[ה] **באמרי יושר בד"ה בשלשה דברים קדמה מלכות יון למלכות אדום.** לפנינו ליתא כאן במדרש, ואיתא לעיל בבראשית רבה (טז, ד), על הדרש ושם הנהר השלישי חדקל, זו יון, והמשך הפסוק, הוא ההולך קדמת אשור:

שינויי נוסחאות

(ה) **אלו ארבעה נהרות.** הגיה א"א במקום "אלו ארבעה נהרות": <"לארבעה נהרים" אין כתיב כאן, אלא "לארבעה ראשים", אלו ארבעה ראשי מלכיות>: **שמשך עיסה כנחש.** הנוסח הזה משובש, וא"א הגיה "ששף עמה כנחש", ומ"כ הגיה "שמשך ערסא כנחש" או "ששף עמהם כנחש", ור"ג "ששף עמא כנחש" ע"פ אסתר רבה:

אָמַר רַבִּי יוֹסֵי בְּרַבִּי חֲנִינָא — R' Yose the son of R' Chanina said: כָּל הַמַּלְכֻיּוֹת נִקְרָאוּ עַל שֵׁם מִצְרַיִם, עַל שֵׁם שֶׁהָיוּ מְצִירִין לְיִשְׂרָאֵל — All the kingdoms may be called by the name Mitzrayim (מִצְרַיִם), **since they tormented** (מְצִירִין) **Israel.**[120]

The fourth river: **"וְהַנָּהָר הָרְבִיעִי הוּא פְרָת" — *And the fourth river is the Pras*** [פְּרָת] (ibid.). **הוּא אֱדוֹם שֶׁפָּרָת וְרָבַת בִּתְפִלָּתוֹ שֶׁל זָקֵן — That is** the one that corresponds to **Edom,**[121] **which expanded** (פָּרָת) **and became great** (רָבַת) **due to the elder's** (Isaac's) **prayer.**[122] **דָּבָר אַחֵר, שֶׁפָּרָת וְרָבַת וְהֵצִירָה לְעוֹלָמוֹ שֶׁל יִשְׂרָאֵל — Another interpretation:** The river is called *Pras* [פְּרָת] **because [Edom] expanded** (פָּרָת) **and became great** (רָבַת) and thereby **constricted Israel's world.**[123] **דָּבָר אַחֵר שֶׁפָּרָת וְרָבַת וְהֵצִירָה לִבְנוֹ — Another interpretation:** It is called *Pras* **because [Edom] expanded** (פָּרָת) **and became great** (רָבַת) **and** intentionally[124] **tormented [God's] son,** Israel.[125] **דָּבָר אַחֵר שֶׁפָּרָת וְרָבַת וְהֵצִירָה לְבֵיתוֹ — Another interpretation:** It is called *Pras* **because [Edom] expanded** (פָּרָת) **and became great** (רָבַת) **and caused trouble for [God's] House.**[126] **דָּבָר אַחֵר — Another,** and final, **interpretation: "פְּרָת" עַל שׁוּם סוֹפָהּ, שֶׁנֶּאֱמַר "פּוּרָה דָּרַכְתִּי לְבַדִּי" —** The fourth river is called ***Pras* after** what will be **[Edom's] fate, for it is stated, *I alone have trodden a winepress*** [פּוּרָה] (*Isaiah* 63:3).[127]

This section (§5) began with R' Shmuel bar Nachman's assertion that all the prophets envisioned the Four Kingdoms in their successes. He now presents three examples.[128] The first example: **אַבְרָהָם רָאָה הַמַּלְכֻיּוֹת בְּעִיסּוּקָן — Abraham saw the** Four **Kingdoms in their successes**[129] in the prophetic vision he experienced at the Covenant Between the Parts (*Genesis* 15:12):[130] **"וְהִנֵּה אֵימָה" זוֹ בָּבֶל — *And behold — a dread!*** [אֵימָה] **— this** alludes **to Babylonia, עַל שֵׁם "נְבוּכַדְנֶצַּר הִתְמְלִי חֱמָא" — in line with** the verse, ***Nebuchadnezzar was filled with fury*** [חֱמָא] (*Daniel* 3:19).[131]

NOTES

Rabbah loc. cit.). According to this interpretation, the Midrash may be understood as saying that the host nations enriched themselves at Israel's expense.

120. The Midrash is saying that "אַשּׁוּר" and "מִצְרַיִם" are representative of *all* the nations of Israel's dispersion (for they all "strengthened themselves on account of Israel" and they all "tormented Israel"). *Eitz Yosef* explains that the Midrash derives this from the verse, *It shall be on that day a great shofar will be blown, and those who are lost in the land of "Assyria" and those cast away in the land of "Egypt" will come together, and they will prostrate themselves to HASHEM on the holy mountain in Jerusalem* (*Isaiah* 27:13). Even though on that day there will be an ingathering of Jews from *all* the lands of their dispersion, the verse, seemingly strangely, mentions only אַשּׁוּר and מִצְרַיִם. Perforce "אַשּׁוּר" and "מִצְרַיִם" include all the other lands as well (*Eitz Yosef*).

121. I.e., the Roman empire, which comes from Esau.

122. For Isaac had blessed Esau (*Genesis* 27:39-40): *Behold, of the fatness of the earth shall be your dwelling and of the dew of the heavens above. By your sword you shall live, etc.* (see *Matnos Kehunah*).

Maharzu explains that the name פְּרָת is to be taken as an acronym for פָּרָת (*expanded*), רָבַת (*became great*), and תְּפִילָּה (*prayer* — i.e., the prayer of Isaac). *Eitz Yosef*, however, takes פְּרָת to be a contraction for only the two words פָּרָת and רָבַת. He explains that these words connote that the kingdom of Edom would last for a very long time (apparently because of their similarity to the words פְּרוּ וּרְבוּ, *be fruitful and multiply*), and that the Midrash mentions Isaac's prayer only tangentially, in order to explain the cause of Edom's protracted dominion (which continues to this day).

123. The word הֵצִירָה in this context connotes constriction, as well as "causing צָרוֹת (tribulations)." Rebecca was told by the prophet that the twins she was carrying, Jacob and Esau, would become two great nations. However, וּלְאֹם מִלְאֹם יֶאֱמָץ, *the might shall pass from one regime to the other* (*Genesis* 25:23), i.e., the two nations will never be mighty simultaneously; when one flourishes, the other must falter (*Megillah* 6a). Hence, when Edom enjoys worldly success, Israel's "world" perforce becomes constricted; her standing and fortunes must fade, as her tribulations increase (*Eitz Yosef*).

124. See ibid. This contrasts with the preceding interpretation, where it is the historical dynamic mentioned above (see previous note) that causes Israel to fall.

125. Israel is called *My firstborn "son"* in *Exodus* 4:22 (*Matnos Kehunah*).

126. The Romans destroyed the Second Temple.

127. This *Isaiah* passage begins (63:1), *Who is this coming from Edom?* (see *Maharzu*), and it proceeds to describe God's vengeance on Edom for her persecution of His people. The word פּוּרָה, *winepress*, mentioned in verse 63:3 is thus a metapohor for Edom. The Midrash is saying that the name פְּרָת hints at the פּוּרָה that God will trample, and thus serves as an allusion to Edom's terrible fate.

128. The Midrash above demonstrated that *Genesis* 2:10 alludes to the Four Kingdoms, indicating that Adam (the subject of the opening chapters of *Genesis*) envisioned them. If it can be shown to be true of four prophets (Adam plus the three that follow), we may presume that it is indeed true of *all* prophets (*Yefeh To'ar*, beginning of this section; see note 104).

129. See note 105 above for other explanations of the word עִיסּוּקָן.

130. That verse states as follows, וְהִנֵּה אֵימָה חֲשֵׁכָה גְדֹלָה נֹפֶלֶת עָלָיו, *And behold — a dread! great darkness fell upon him.*

131. I.e., one who is filled with *fury* fills those who encounter him with *dread*. Alternatively, the letters א and ה are interchangeable, and so the words אֵימָה (*dread*) and חֵמָה (*fury*) can be exegetically linked [even though their meanings are not otherwise related]. See, however, *Shemos Rabbah* 51 §7, which in place of the verse cited here from *Daniel* cites a verse from *Habakkuk* (1:7) that includes the word אָיֹם, which has the same root as אֵימָה, and means *dreaded* (*Eitz Yosef*).

הָדָא הוּא דִכְתִיב (בראשית ב, י) "וְנָהָר יֹצֵא מֵעֵדֶן לְהַשְׁקוֹת וְגוֹ'", רַבִּי תַּנְחוּמָא וְאָמְרִי לָהּ רַבִּי מְנַחֲמָא בְּשֵׁם רַבִּי יְהוֹשֻׁעַ בֶּן לֵוִי אָמַר: עָתִיד הַקָּדוֹשׁ בָּרוּךְ הוּא לְהַשְׁקוֹת כּוֹס הַתַּרְעֵלָה לְאוּמּוֹת הָעוֹלָם לֶעָתִיד לָבֹא, הָדָא הוּא דִכְתִיב "וְנָהָר יֹצֵא מֵעֵדֶן", מָקוֹם שֶׁהַדִּין יוֹצֵא, (שם) "וּמִשָּׁם יִפָּרֵד וְהָיָה לְאַרְבָּעָה רָאשִׁים", °אֵלּוּ אַרְבַּע מַלְכֻיּוֹת, (שם שם יא) "שֵׁם הָאֶחָד פִּישׁוֹן", זֶה בָּבֶל, עַל שֵׁם (חבקוק א, ח) "וּפָשׁוּ פָּרָשָׁיו", (בראשית שם שם) "הוּא הַסֹּבֵב אֵת כָּל אֶרֶץ הַחֲוִילָה", זֶה נְבוּכַדְנֶצַּר הָרָשָׁע, שֶׁעָלָה וְהִקִּיף אֶת כָּל אֶרֶץ יִשְׂרָאֵל שֶׁמְּיַיחֶלֶת לְהַקָּדוֹשׁ בָּרוּךְ הוּא, הָדָא הוּא דִכְתִיב (תהלים מב, ו) "הוֹחִילִי לֵאלֹהִים", (בראשית שם שם) "אֲשֶׁר שָׁם הַזָּהָב", אֵלּוּ דִּבְרֵי תוֹרָה, שֶׁנֶּאֱמַר (שם יט, יא) "הַנֶּחֱמָדִים מִזָּהָב וּמִפַּז רָב", (בראשית שם יב) "וּזֲהַב הָאָרֶץ הַהִיא טוֹב", מְלַמֵּד שֶׁאֵין תּוֹרָה כְּתוֹרַת אֶרֶץ יִשְׂרָאֵל וְאֵין חָכְמָה כְּחָכְמַת אֶרֶץ יִשְׂרָאֵל, (שם) "שָׁם הַבְּדֹלַח וְאֶבֶן הַשֹּׁהַם", מִקְרָא מִשְׁנָה וְתַלְמוּד הֲלָכוֹת וְאַגָּדוֹת, (שם שם יג) "וְשֵׁם הַנָּהָר הַשֵּׁנִי גִּיחוֹן", זֶה מָדַי שֶׁהֶעֱמִידָה אֶת הָמָן הָרָשָׁע שֶׁמָּשַׁךְ °עֵיסָה כַּנָּחָשׁ, עַל שׁוּם (שם ג, יד) "עַל גְּחֹנְךָ תֵלֵךְ", (שם ב, יג) "הוּא הַסּוֹבֵב אֵת כָּל אֶרֶץ כּוּשׁ", שֶׁנֶּאֱמַר (אסתר א, א) "מֵהֹדּוּ וְעַד כּוּשׁ", (בראשית שם יד) "וְשֵׁם הַנָּהָר הַשְּׁלִישִׁי חִדֶּקֶל", זוֹ יָוָן שֶׁהָיְתָה חַדָּה וְקַלָּה בִּגְזֵרוֹתֶיהָ עַל יִשְׂרָאֵל, וְאוֹמֶר לָהֶם כִּתְבוּ עַל קֶרֶן הַשּׁוֹר שֶׁאֵין לְיִשְׂרָאֵל חֵלֶק בֵּאלֹהֵי יִשְׂרָאֵל, (שם) "הַהֹלֵךְ קִדְמַת אַשּׁוּר", אָמַר רַב הוּנָא: כָּל הַמַּלְכֻיּוֹת נִקְרְאוּ עַל שֵׁם אַשּׁוּר, שֶׁהָיוּ מְאַשְּׁרִין עַצְמָן מִיִּשְׂרָאֵל, אָמַר רַבִּי יוֹסֵי בְּרַבִּי חֲנִינָא: כָּל הַמַּלְכֻיּוֹת נִקְרְאוּ עַל שֵׁם מִצְרַיִם, עַל שֵׁם שֶׁהָיוּ מְצִירִין לְיִשְׂרָאֵל, (שם) "וְהַנָּהָר הָרְבִיעִי הוּא פְרָת", הוּא אֱדוֹם שֶׁפָּרַת וְרָבַת בִּתְפִלָּתוֹ שֶׁל זָקֵן, דָּבָר אַחֵר, שֶׁפָּרַת וְרָבַת וְהֵצִירָה לְעוֹלָמוֹ שֶׁל יִשְׂרָאֵל, דָּבָר אַחֵר שֶׁפָּרַת וְרָבַת וְהֵצִירָה לִבְנוֹ, דָּבָר אַחֵר שֶׁפָּרַת וְרָבַת וְהֵצִירָה לְבֵיתוֹ, דָּבָר אַחֵר "פְּרָת" עַל שׁוּם סוֹפָהּ, שֶׁנֶּאֱמַר (ישעיה סג, ג) "פּוּרָה דָּרַכְתִּי לְבַדִּי", אַבְרָהָם רָאָה הַמַּלְכֻיּוֹת בְּעִיסּוּקָן (בראשית טו, יב) "וְהִנֵּה אֵימָה" זוּ בָּבֶל, עַל שֵׁם (דניאל ג, יט) "נְבוּכַדְנֶצַּר הִתְמְלִי חֱמָא",

עץ יוסף

התרעלה. לשון ערלה ואוטס וכשלון (מתנות כהונה): ממקום שהדין יוצא. מעדן דריש נוטריקון, ממקום דין (מתנות כהונה). ועיין מה שכתבתי בבראשית רבה פרשה ט"ז (סימן ז): ופשו פרשיו. דבבבל כתיב, כדכתיב התם הנני מקים את הכשדים וגו' עד ופשו פרשיו, פירוש שירבה פרשיו: שעלה והקיף. לפי שארץ ישראל גבוה מכל הארצות להכי קאמר שעלה והקיף, פירוש שעלה על ארץ ישראל וסבב עליה מגור מסביב, כדכתיב בסוף ירמיה (נב, ד) ויבנו עליה דייק מסביב: הוחילי לאלהים. כלומר שבישראל כתיב כן, ולפי שישראל בני התוחלת יכונה ארצם בלשון תוחלת דהיינו חוילה, וגם התוחלת על ענין הארץ הוא שמקוים לחזור אליה: אשר שם הזהב אלו דברי תורה. זהב רומז לתורה, לפי שזמן קריאתה היא ביום ז' וביום ה' וביום ב', וזהו אותיות זהב (עוללות אפרים): אין תורה כתורת ארץ ישראל. בספרי ריש פרשת עקב יליף לה מן הכתוב: כתורת ארץ ישראל. דאוירא דארץ ישראל מחכים כדאיתא בפרק מי שמת (בבא בתרא קנח, ב): מקרא משנה כו'. דבדולח ואבן השוהם מיני מרגליות הם, ויש בהן מינים ממינים שונים, וכן יש בתורה מקרא משנה כו': שמשך עיסה. צריך לומר שסף טמא, וכן איתא לעיל בבראשית רבה (טז, ז), ולקמן סוף פרשה טו נראה גם כן להגיה כן. או אפשר שהגירסא שם שנושך ונושה כנחש, וכן קרוב דגרסינן הכא (יפה תואר). והמתנות כהונה כתב שצריך לומר שמשך ערסה: על קרן השור. פירשתי בבראשית רבה פרשה ב (סימן ה): שהיו מאשרין עצמן מישראל. מאשרין פירושו מחזקים, שנעשו עשירים וחזקים, ועיין מה שכתבתי בבראשית רבה פרשה ט"ז (סימן ד [ז]): על שם מצרים. נפקא ליה מדכתיב (ישעיה כז, יג) ביום ההוא יתקע בשופר גדול ובאו האובדים בארץ אשור והנדחים בארץ מצרים, דקשה מאי שנא דנקט הני אשור ומצרים טפי משאר ארצות שנתפזרו שם, אלא שהם רמז לכולם: שפרת ורבת. והתמיד מלכותם. ולענ"ד אורחיה אשמועינן שסבת קיומה כל כך הוא מברכת הזקן יצחק אבינו, אבל בפרת לא רמיזא רק פריתה ורביתה: לעולמו של ישראל. רצה לומר שמהלכתה נמשך הצרות והדוחק לישראל בהלכות העולם, שאי אפשר לשניהם יחד בהצלחה, כי כשזה קם זה נופל, כדאיתא בפרק קמא דמגילה (ו, א): והצירה לבנו. פירוש שהם מצירים ומצערים לישראל שהם בניו של הקדוש ברוך הוא בכוונה: והצירה לביתו. זה בית המקדש: אימה זו בבל כו'. התמלי חמא. כלומר והממלה אימה מטיל אימה על רואיו, או שאל"ף והחי"ת מתחלפין. אבל לעיל בשמות רבה (נא, ז [ה])

פירוש מהרז"ו

(ה) עתיד הקב"ה. בראשית רבה (טז, ד) עיין שם: ופשו פרשיו. ובפסוקים הקודמים, הנני מקים את הכשדים, ועל זה אמר ופשו פרשיו: הוא פרת הוא אדום. כמו שכתוב (בראשית ל"ו, א) עשו הוא אדום שתיבת הוא מיותר כאן לדרוש גזירה שוה על אדום: פורה דרכתי לבדי. ובפסוק הקודם מי זה בא מאדום, ומה שכתב בעסוקן פירושו בשעה שעסוק ומושל: והנה אימה זו בבל. בראשית רבה (מד, יז) מכילתא יתרו פסוק וכל העם רואים: שפרת ורבת. פרת נוטריקון, פ' פרת, ר' רבת, ת' תפלה: שפרת ורבת והצירה. בבראשית רבה ט"ז שם הגירסא, פרת שהפירה והצירה לבנו, וכן צריך להגיה כאן, והפרה מלשון ביטול כמו הפרת נדר, ומה שכתב שלש פעמים ורבת, הוא מיותר וטועה הוא למחוק, וכן צריך לומר פרת שהפירה והצירה לבנו (או לעולמו של ישראל), פרת שהפירה והצירה לביתו:

חידושי הרד"ל

[ה] כוס התרעלה. עיין מתנות כהונה. ועיין בסייעתא דשמיא בהגהות בראשית רבה (פרשה טז סימן ד): שאין תורה כתורת ארץ ישראל. בספרי ריש פרשת עקב, יליף לה מן הכתוב (הר"מ ברלין): עקרב משרצת ששים. שמות רבה (א, ח) עיין שם:

באור מהרי"פ

[ה] תרעלה. הערוך ערך רעל ג', וברכיס כושלות תרגומו ורכובן דרעלן חסינו. וכוונתו על המקרא (ישעיה לה, ג) חזקו ידים רפות וברכים כושלות אמצו. ובעל מראה מקומות שבספר מתורגמן, מורה על המקרא (איוב ד, ג), ולא כוון האמת, כי שם כתיב (פסוק ד) וברכים כורעות, ולא כושלות, גם התרגום לא מתרגם כן שם, עיין שם בשני מקומות אלו: ההולך קדמת אשור אמר רב הונא וכו'. אולי הוא דורש שהוא קודם במדרגת הגלותו לישראל יותר מכל המלכות הנקראים בשם אשור:

אמרי יושר

[ה] בשלשה דברים קדמה מלכות יון למלכות אדום. וזהו הוא הולך, בהקדמה וייתור על אשור שהוא אדום, שכל המלכיות נקראו על שם אשור:

ליקוטים

[ה] באמרי יושר בד"ה בשלשה דברים קדמה מלכות יון למלכות אדום. לפנינו ליתא כאן במדרש, ואיתא לעיל בבראשית רבה (טז, ד) על הדרש של הנהר השלישי חדקל, זו יוון, דהמשך הפסוק, הוא ההולך קדמת אשור:

מסורת המדרש

ו. ילקוט סדר בראשית:

ז. ב"ר פ' ב' ופ' ט"ז ולקמן ט"ו תנחומא תזריע סי' י"א:

ח. שי"ר פ' ג' מדרש תהלים פ' נ"ג ילקוט פ' לך:

אם למקרא

וְנִסְכֵּיהֶם חֲצִי הַהִין יִהְיֶה לַפָּר וּשְׁלִישִׁת הַהִין לָאַיִל וּרְבִיעִת הַהִין לַכֶּבֶשׂ יָיִן זֹאת עֹלַת חֹדֶשׁ בְּחָדְשׁוֹ לְחָדְשֵׁי הַשָּׁנָה: (במדבר כח:יד)

וְנָהָר יֹצֵא מֵעֵדֶן לְהַשְׁקוֹת אֶת הַגָּן וּמִשָּׁם יִפָּרֵד וְהָיָה לְאַרְבָּעָה רָאשִׁים: שֵׁם הָאֶחָד פִּישׁוֹן הוּא הַסֹּבֵב אֵת כָּל אֶרֶץ הַחֲוִילָה אֲשֶׁר שָׁם הַזָּהָב: וּזֲהַב הָאָרֶץ הַהִוא טוֹב שָׁם הַבְּדֹלַח וְאֶבֶן הַשֹּׁהַם: וְשֵׁם הַנָּהָר הַשֵּׁנִי גִּיחוֹן הוּא הַסּוֹבֵב אֵת כָּל אֶרֶץ כּוּשׁ: וְשֵׁם הַנָּהָר הַשְּׁלִישִׁי חִדֶּקֶל הוּא הַהֹלֵךְ קִדְמַת אַשּׁוּר וְהַנָּהָר הָרְבִיעִי הוּא פְרָת: (בראשית ב:י-יד)

וְקַלּוּ מִנְּמֵרִים סוּסָיו וְחַדּוּ מִזְּאֵבֵי עֶרֶב וּפָשׁוּ פָּרָשָׁיו וּפָרָשָׁיו מֵרָחוֹק יָבֹאוּ יָעֻפוּ כְּנֶשֶׁר חָשׁ לֶאֱכוֹל: (חבקוק א:ח)

מַה תִּשְׁתּוֹחֲחִי נַפְשִׁי וַתֶּהֱמִי עָלָי הוֹחִילִי לֵאלֹהִים כִּי עוֹד אוֹדֶנּוּ יְשׁוּעוֹת פָּנָיו: (תהלים מב:ו)

הַנֶּחֱמָדִים מִזָּהָב וּמִפַּז רָב וּמְתוּקִים מִדְּבַשׁ וְנֹפֶת צוּפִים: (שם יט:יא)

וַיֹּאמֶר ה' אֱלֹהִים אֶל הַנָּחָשׁ כִּי עָשִׂיתָ זֹּאת אָרוּר אַתָּה מִכָּל הַבְּהֵמָה וּמִכֹּל חַיַּת הַשָּׂדֶה עַל גְּחֹנְךָ תֵלֵךְ וְעָפָר תֹּאכַל כָּל יְמֵי חַיֶּיךָ: (בראשית ג:יד)

וַיְהִי בִּימֵי אֲחַשְׁוֵרוֹשׁ הוּא אֲחַשְׁוֵרוֹשׁ הַמֹּלֵךְ מֵהֹדּוּ וְעַד כּוּשׁ שֶׁבַע וְעֶשְׂרִים וּמֵאָה מְדִינָה: (אסתר א:א)

פּוּרָה דָּרַכְתִּי לְבַדִּי וּמֵעַמִּים אֵין אִישׁ אִתִּי וְאֶדְרְכֵם בְּאַפִּי וְאֶרְמְסֵם בַּחֲמָתִי וְיֵז נִצְחָם עַל בְּגָדַי וְכָל מַלְבּוּשַׁי אֶגְאָלְתִּי: (ישעיה סג:ג)

וַיְהִי הַשֶּׁמֶשׁ לָבוֹא וְתַרְדֵּמָה נָפְלָה עַל אַבְרָם וְהִנֵּה אֵימָה חֲשֵׁכָה גְדֹלָה נֹפֶלֶת עָלָיו: (בראשית טו:יב)

בֵּאדַיִן נְבוּכַדְנֶצַּר הִתְמְלִי חֱמָא וּצְלֵם אַנְפּוֹהִי אֶשְׁתַּנִּו עַל שַׁדְרַךְ מֵישַׁךְ וַעֲבֵד נְגוֹ עָנֵה וְאָמַר לְמֵזֵא לְאַתּוּנָא חַד שִׁבְעָה עַל דִּי חֲזֵה לְמֵזְיֵהּ: (דניאל ג:יט)

שינוי נוסחאות

(ה) אלו ארבעה נהרות. הגיה א"א במקום "אלו ארבעה נהרות": <"לארבעה ראשים", אין כתיב כאן, אלא "לארבעה ראשים", אלו ארבעה ראשי מלכיות>: שמשך עיסה כנחש. הנוסח הזה משובש, וא"א הגיה "שסף עמה כנחש", ומ"כ הגיה "שמשך ערסא כנחש" או "שסף עמהם כנחש", וי"נ "שסף עמא כנחש" ע"פ אסתר רבה:

מתנות כהונה

התרעלה. לשון ערלה ואוטס וכשלון, ועיין [בערוך] ערך רעל וערך ערב: מקום שהדין יוצא בו'. מעדן דריש נוטריקון ממקום דין: מייחלות. דריש החוילה לשון מייחלות: אין תורה כתורת ארץ ישראל. כמו שאמרו חכמינו ז"ל (בבא בתרא קנח, ב) אוירא דארץ ישראל מחכים, ויש לו סוד ליודעי חן: שמשך עיסה. נראה דצריך לומר ערסה, ולעיל פרשת בראשית רבה (טז, ד) גרס שסיה המן שף טמא כנחש: על גחנוך. דרש גיחון לשון גחון: שהיו מאשרין. מחזיקים, שנעשו עשירים וחזקים, ועיין לעיל פרשת בראשית כתבתי בשם רש"י (שם) שהגירסא משובשת, וצריך לומר שנקראו: בתפלתו של זקן. ברכת יצחק שברכו על חרבך תחיה ומשמני הארץ וגו' (בראשית כז, מ): לבנו. לישראל שנקראו בני בכורי, ולעיל פרשת בראשית (שם) גרסינן לביתו:

אשד הנחלים

[ה] כוס התרעלה כו'. כבר פירשתי בסדר בראשית (טז, ד) עניינו וכל העניינים האלו:

ידי משה

[ה] שפרת ורבת בתפלתו של זקן. זה הדרש שייך יפה לכאן, אבל אותם שלשה דבר אחר האחרים, שהצרה לעולמו, וכן שהצרה לבנו, [וכן שהצרה לביתו,] הם שייכים לסוף פרשה ט"ו, שדריש שם גבי נגע לצרעת זה אדום, שבא מכחו של זקן, ושם שייכין אותן שלשה דבר אחר, שבכל אחד אומר לשון הצרה, כי מלת לצרעת דריש לשון לצרה, או לשון לצרת הבית, והטעות נעשתה, מאחר שדרש כאן גם כן בכחו של זקן, מייתי גם כן אותם שלשה דבר אחר, וגם הלשון בתפלתו של זקן,

שֶׁהֶחֱשִׁיכָה "חֲשֵׁכָה" זוֹ מָדַי — ***Darkness*** **— this** alludes to **Media,** בִּגְזֵרוֹתֶיהָ אֶת יִשְׂרָאֵל — **who darkened Israel with her** evil **decrees,** שֶׁנֶּאֱמַר "לְהַשְׁמִיד לַהֲרֹג וּלְאַבֵּד" — **for it is stated** that Haman persuaded Ahasuerus to decree regarding the Jews that were ***to be destroyed, to be slain, and to be exterminated*** (*Esther* 3:12). "גְּדֹלָה" זוֹ יָוָן — ***Great*** **— this** alludes to **Greece.**[132]

The Midrash proceeds to explain that Greece was "great" in the number of its officials:[133]

אָמַר רַב נַחְמָן — **R' Nachman said:** מְלַמֵּד שֶׁהָיְתָה מַלְכוּת יָוָן מַעֲמֶדֶת מֵאָה וְשִׁבְעִים וְאֶחָד אִפַּרְכִין — **[The word *great*] teaches that the kingdom of Greece installed one hundred and seventy-one provincial governors**[134] וּמֵאָה וְעֶשְׂרִים וְשִׁבְעָה אִסְטְרַטְלִיטִין — and **one hundred and twenty-seven military governors.** וְרַבָּנָן אָמְרֵי: שִׁשִּׁים שִׁשִּׁים — **But the Rabbis say** that there were only **sixty of each.**[135] וְרַבִּי בֶּרֶכְיָה וְרַבִּי חָנִין עַל הָדָא דְרַבָּנָן — **And R' Berechyah and R' Chanin** offer proof **for this** opinion **of the Rabbis** from the following verse, "הַמּוֹלִיכְךָ בַּמִּדְבָּר הַגָּדֹל וְהַנּוֹרָא נָחָשׁ שָׂרָף וְעַקְרָב" — ***Who leads you through the great and awesome Wilderness — of snake, fiery serpent, and scorpion*** (*Deuteronomy* 8:15). "נָחָשׁ" זֶה בָּבֶל — ***Snake*** **— this** alludes to **Babylonia;**[136] "שָׂרָף" זֶה מָדַי — ***fiery serpent*** **— this** alludes to **Media;**[137] "עַקְרָב" זֶה יָוָן — ***scorpion*** **— this** alludes to **Greece.** מָה עַקְרָב זֶה מַשְׁרֶצֶת שִׁשִּׁים שִׁשִּׁים — **Just as a scorpion breeds sixty** young **at a time,** כָּךְ הָיְתָה מַלְכוּת יָוָן מַעֲמֶדֶת שִׁשִּׁים שִׁשִּׁים — **so the kingdom of Greece installed sixty of each** type of official.

The Midrash returns to Abraham's vision at the Covenant Between the Parts, and finds the allusion to the fourth Kingdom:

"נֹפֶלֶת" זוֹ אֱדוֹם, עַל שֵׁם "מִקּוֹל נִפְלָם רָעֲשָׁה הָאָרֶץ" — ***Fell*** [נֹפֶלֶת][138] **— this refers to *Edom*, in line with** the verse, ***From the sound of their*** (Edom's) ***fall*** [נִפְלָם] ***the earth quakes*** (*Jeremiah* 49:21).

An alternative interpretation of the *Genesis* verse:[139]

וְיֵשׁ אוֹמְרִים "אֵימָה" זוֹ אֱדוֹם, עַל שֵׁם "דְּחִילָה וְאֵימְתָנִי" — **And some say:** ***Dread*** [אֵימָה] **— this alludes to Edom, in line with** the verse, ***terrifying and dreadful*** [וְאֵימְתָנִי] (*Daniel* 7:7).[140] "חֲשֵׁכָה" זוֹ יָוָן — ***Darkness*** **— this** alludes to **Greece.**[141]

NOTES

132. The Midrash implies that the Greek exile was in a sense more profound and darker than those that preceded it. See Insight at note 141 below, "The Light of the World — The Darkness of Greece" and to *Bereishis Rabbah* 44 §17, "The Great Darkness of Greece." See also Insight to *Esther Rabbah, Pesichta* §5, "A Conquest Like No Other."

133. *Eitz Yosef.*

134. The term eparch is of Greek origin, and refers to rulers of a province, or eparchy.

135. See *Tiferes Tzion* here for explanation of R' Nachman's opinion. See also *Tiferes Tzion* to *Bereishis Rabbah* 44 §17 for explanation of the Rabbis' opinion; see also further in Midrash here.

136. For Nebuchadnezzar king of Babylonia had a snake that was worshiped by the Babylonians (see *Bereishis Rabbah* 68 §13, cited by *Maharzu* and *Eitz Yosef*).

137. The Medians worshiped fire (*Eitz Yosef*). Alternatively, the "fiery serpent" refers to Haman, the Median (*Maharzu*; see above, note 117).

138. See note 130.

139. According to the view presented now, the four words אֵימָה חֲשֵׁכָה גְדֹלָה נֹפֶלֶת refer to the same four kingdoms, but in reverse order.

140. In Daniel's vision of the four beasts, this verse refers to Edom, the fourth beast.

141. "Who *darkened* the eyes of Israel with her (evil) decrees" (*Bereishis Rabbah* 2 §4). See Insight Ⓐ.

INSIGHTS

Ⓐ **The Light of the World — The Darkness of Greece** The Midrash depicts Israel's exile under Greece as "darkness"; above, it describes the darkness as "great." The Midrash does not explain how the darkness of Greece was made manifest, nor why it is deemed more substantial than the darkness experienced under the oppressive rule of the other three Kingdoms. However, the Midrash cited in note 141 does elaborate these matters. *Bereishis Rabbah* 2 §4 states: "וְחֹשֶׁךְ" זֶה גָּלוּת יָוָן שֶׁהֶחֱשִׁיכָה עֵינֵיהֶם שֶׁל יִשְׂרָאֵל בִּגְזֵירוֹתֵיהֶן שֶׁהָיְתָה אוֹמֶרֶת לָהֶם כִּתְבוּ עַל קֶרֶן הַשּׁוֹר שֶׁאֵין לָכֶם חֵלֶק בֵּאלֹהֵי יִשְׂרָאֵל, *"And darkness"* (*Genesis* 1:2) *— this is the exile of Greece, which darkened the eyes of Israel with their decrees, for [the Greek rulership] would say to them, "Inscribe upon the horn of an ox that you have no portion in the God of Israel"* (see also *Bereishis Rabbah* 44 §17).

The statement that Greece "darkened the eyes of Israel" encapsulates the effect of the Greek exile, and explains why the era of Greek rule represented Israel's darkest hour. The term "the eyes of Israel" refers to the Holy Temple, regarding which the verse states (*I Kings* 9:3), וְהָיוּ עֵינַי וְלִבִּי שָׁם כָּל הַיָּמִים, *My eyes and My heart shall be there all the days.* The Greek exile was unique in that Israel was not banished from the Holy Land, nor was the Holy Temple destroyed. The Greeks had no wish to annihilate or enslave the Jews. Their war was not against the Jewish people per se, but against their worship of God, and most particularly against Jewish exceptionalism — the belief that we are a people chosen by God, unique among other nations. This belief lies at the heart of Jewish sanctity. Our special relationship with the One Above invites His particular scrutiny, and thus demands that we hold ourselves apart from others, that we aspire to holiness and purity, that we cultivate a special refinement in thought and deed. It is only thus that we grow close to God, and become worthy of being named His people. This idea, that Israel enjoys a distinctive place in God's attention, and its corollary, that Israel must cultivate the attributes of holiness, were anathema to the Greeks. Israel walks a separate path in the high places, far above the meanderings of other nations. It is a path that leads to God, and it is one favored by the light of His benign countenance. The Greeks sought to force Israel from that path, to compel them to renounce their allegiance to God and become as one with all other nations. Thus ran the credo of the Hellenists, those Jews who adopted the mores of the Greek conquerors: נִהְיֶה כְּכָל הַגּוֹיִם בֵּית יִשְׂרָאֵל, "Let us be as all nations, O House of Israel!"

The Greeks' objective was implemented by the decree that required Jews to renounce the God of Israel with an inscription incised on the horn of an ox. The ox called to mind the sin of the Golden Calf (*Maharal, Ner Mitzvah*, pp. 14-15), the intent of which was to escape God's direct scrutiny and supervision, and instead relate to Him through a medium, as do all other nations (see *Ramban* on *Exodus* 32:1). The Greek edict served to remind the Jews that they themselves had once wished to undo their special relationship with God. The Greeks attempted, by force of their decree, to bring about a resurgence among Jews of the viewpoint that led to the sin of the Golden Calf — that earliest and most deadly of Israel's transgressions.

This is not to say that the Greeks wished to uproot the Torah entirely. In fact, as connoisseurs of wisdom and beauty, they too valued the beauty of the Torah, and ordered that it be translated into Greek. However, they envisioned not a living document, whose laws Jews must follow, and whose values they must embrace, but rather a denatured Torah, one reduced to nothing more than an artifact of Jewish culture, stamped with the Greek hallmark of external beauty, but emptied of sacred purpose. The Greek decrees were designed to strip from the Torah its moral core, to extinguish its inner light, to preserve the form while removing the substance. Without the moral and ethical compass provided by the Torah, the Jews would abandon the lonely path of the Divine, or so the Greeks hoped. No longer would Israel lay claim to a unique bond with the Creator. Jewish exceptionalism would be no more.

The Holy Temple represented the ultimate expression of God's special regard for the nation of Israel. At the building of the Temple, God promised that His "eyes" and His "heart" would be there always (as cited above). God's "eyes" symbolize the Divine Providence enjoyed by Israel, whose needs are attended to by God Himself, and over whom God Himself stands guard. His "heart" represents God's abiding love

(בראשית שם שם) "חֲשֵׁכָה" זוֹ מָדַי, שֶׁהֶחֱשִׁיכָה בִּגְזֵרוֹתֶיהָ אֶת יִשְׂרָאֵל, שֶׁנֶּאֱמַר (אסתר ג, יב) "לְהַשְׁמִיד לַהֲרֹג וּלְאַבֵּד", "גְּדֹלָה" (בראשית שם שם) זוֹ יָוָן, אָמַר רַב נַחְמָן: מְלַמֵּד שֶׁהָיְתָה מַלְכוּת יָוָן מַעֲמֶדֶת מֵאָה וְשִׁבְעִים וְאֶחָד אִפַּרְכִין, מֵאָה וְעֶשְׂרִים וְשִׁבְעָה אִסְטְרַטְלִיטִין, וְרַבָּנָן אָמְרֵי: שִׁשִּׁים שִׁשִּׁים, וְרַבִּי בֶּרֶכְיָה וְרַבִּי חָנִין עַל הָדָא דְרַבָּנָן: (דברים ח, טו) "הַמּוֹלִיכֲךָ בַּמִּדְבָּר הַגָּדֹל וְהַנּוֹרָא נָחָשׁ שָׂרָף וְעַקְרָב", "נָחָשׁ" זֶה בָּבֶל, "שָׂרָף" זֶה מָדַי, "עַקְרָב" זֶה יָוָן, מָה עַקְרָב זֶה מַשְׁרֶצֶת שִׁשִּׁים שִׁשִּׁים כָּךְ הָיְתָה מַלְכוּת יָוָן מַעֲמֶדֶת שִׁשִּׁים שִׁשִּׁים, (בראשית שם שם) "נֹפֶלֶת" זוֹ אֱדוֹם, עַל שֵׁם (ירמיה מט, כא) "מִקּוֹל נִפְלָם רָעֲשָׁה הָאָרֶץ", וְיֵשׁ אוֹמְרִים "אֵימָה" זוֹ אֱדוֹם, עַל שֵׁם (דניאל ז, ז) "דְּחִילָה וְאֵימְתָנִי", "חֲשֵׁכָה" זוֹ יָוָן, "גְּדֹלָה" זוֹ מָדַי, עַל שֵׁם (אסתר ג, א) "גִּדַּל הַמֶּלֶךְ אֲחַשְׁוֵרוֹשׁ", "נֹפֶלֶת" זוֹ בָּבֶל, עַל שֵׁם (ישעיה כא, ט) "נָפְלָה נָפְלָה בָּבֶל", רָאָה דָנִיֵּאל הַמַּלְכֻיּוֹת בְּעִיסּוּקָן, הָדָא הוּא דִכְתִיב (דניאל ז, ב-ג) "חָזֵה הֲוֵית בְּחֶזְוִי עִם לֵילְיָא וַאֲרוּ אַרְבַּע רוּחֵי שְׁמַיָּא מְגִיחָן לְיַמָּא רַבָּא וְאַרְבַּע חֵיוָן רַבְרְבָן סָלְקָן מִן יַמָּא", אִם זְכִיתֶם "מִן יַמָּא" וְאִם לָאו מִן חוּרְשָׁא, הָדָא חֵיוְתָא דְיַמָּא כִּי סָלְקָא מִן יַמָּא הִיא מְמַכְיָא, סָלְקָא מִן חוּרְשָׁא לֵית הִיא מְמַכְיָא, דִּכְוָותָהּ (תהלים פ, יד) "יְכַרְסְמֶנָּה חֲזִיר מִיָּעַר", עַיִ"ן תְּלוּיָה, אִם זְכִיתֶם מִן הַיְאוֹר, וְאִם לָאו מִן הַיַּעַר, הָדָא חֵיוְתָא כִּי סָלְקָא מִן נַהֲרָא הִיא מְמַכְיָא, סָלְקָא מִן חוּרְשָׁא לֵית הִיא מְמַכְיָא, (דניאל שם ג) "שָׁנְיָן דָּא מִן דָּא", אַל תִּקְרֵי "שָׁנְיָן" אֶלָּא "סָנְיָן דָּא מִן דָּא", מְלַמֵּד שֶׁכָּל אוּמָּה שֶׁשּׁוֹלֶטֶת בָּעוֹלָם הִיא °שׂוֹנְאָה לְיִשְׂרָאֵל וּמְשַׁעְבֶּדֶת בָּהֶן, (שם ד) "קַדְמָיְתָא כְאַרְיֵה" זוֹ בָּבֶל, יִרְמְיָה רָאָה אוֹתָהּ אֲרִי וְרָאָה אוֹתָהּ נֶשֶׁר, דִּכְתִיב (ירמיה ד, ז) "עָלָה אַרְיֵה מִסֻּבְּכוֹ", (שם מח, מ) "הִנֵּה כַנֶּשֶׁר יַעֲלֶה וְיִדְאֶה",

עץ יוסף

גרסינן אימה זו בבל שנאמר איום ונורא הוא: **זו יון.** שהיא גדולה בשרים כדמסיק והולך: **אפרכין ואסטרטליטין.** מיני שררות זו למעלה מזו: **מן ימא.** ולא יהיו קשים כנגדם: **ממכיא.** חלושה ונמוכה ונכנעת, תרגום שפל מן הטור (מכיה) [מכיך] מן משכה: **עין תלויה.** וקרי ביה מיער חסר עי"ן והוא כמו מיאור שהברת הא' אינה ניכרת כל כך, והוא חזיר הגדל בים, ובאבות דרבי נתן (לג, ג) איתא שהכתיב הוא מיאור והקרי מיער: **אם זכיתם מן יאור כו'.** באבות דרבי נתן (מג, ג) כך איתא, בזמן שישראל עושין רצונו של מקום הם דומות על ישראל כאותו שעולה מן יאור, מה חזיר של יאור אינו הורג נפשות ואינו מזיק לבריות, כך כל זמן שישראל עושים רצונו של מקום אין אומה ולשון הורגין בהם ולא מלקין אותם, אבל בזמן שאין עושין רצונו של מקום הם דומות על ישראל כאותו שעולה מן יער הורג נפשות ומזיק כו': **הדא חיותה כי סלקא מן יאור היא ממכיה.** כן צריך לומר: **ירמיה ראה אותה כו' אמרין לדניאל כו'.** משום דקשיא ליה מאי טעמא נראתה היא זו לדניאל בשני צורות טפי מאחריניתא, לכן רצה לומר לפי שהיו בה שתי ענינים, האחד הכח והגבורה כארי, והשני מהירות הטעופפות כנשר, על כן ירמיה ראה אותה בשני צורות אלו, אלא שראה אותם כאריה בפני עצמו וכנשר בפני עצמו לפי שהיה מנבא הענינים כולו בפני עצמו, כשהיה מנבא על השחתתו בעולם כחו ראה אותם כאריה ואמר עלה אריה מסבכו הנה כאריה יעלה, וכשהיה מתנבא על מהירותו ראה כנשר, אבל לדניאל שלא נראה לו אלא פעם אחת ענין כולל המלכיות, ראה אותה בצורת אריה בפנים להורות על הכח, ובצורת נשר בכנפים להורות על הטעופפות, ולכן אמר כאילו אמרו לדניאל באיזה צורה משני אלה ראית, והשיב אפין כארי, וגפין די נשר, לאות ידי שתיהן: **הנה כנשר יעלה וידאה.** צריך לומר הנה כנשר ידאה (ירמיה מח, מ), והוא הכתוב במפלת מואב, כי זה על בבל שהשמיד את מואב כאמור (יפה תואר):

פירוש מהרז"ו

נחש זו בבל. כמו שמבואר בדברים רבה (פס, יג) ובריש יוסיפון שהיו עובדים לנחש, ושרף זו מדי, מרמז על המן כנ"ל, ושרף הוא גם כן נחש: **מקול נפלם רעשה.** ירמיה (מט, כא): **ראה דניאל.** תיקון הלשון דניאל ראה, כנזכר לעיל, הנביאים ראו, אברהם ראה, ולקמן אמר משה ראה: **אם זכו מן ימא.** דורש שכאן כתוב סלקון מן ימא, והם המלכיות הקדומות המבוארות שם בפרשה קדמייתא כאריה, ובירמיה הכתוב, על כן הכם אריה מיער זאב ערבות ישדדם וגו', שיעלו מן היער לא מן הים, והם שני כתובים מכחישים מדה ט"ו, על כן דורש ומכריע זכו מן ימא, לא זכו מן היער שחיות היער קשים מן החיות של ים, עיין שיר פסוק כמטע שעברתי (דף י"ט ב') [פרשה ג פסוק ד אות ב], מדרש תהלים פ', וילקוט שם, וכאן חסר וצריך להגיה כמו שם: **ממכיא לית היא ממכיא.** פירש הערוך מלשון נמיכות, וכתב המוסף הערוך תרגום שפל מן הטור (ויקרא יג, כ), מכיך מן משכא, ועיין אבות דרבי נתן (פרק לד) ההפרש ביניהם ביתר ביאור, ובשיר השירים רבה שם הגירסא בהפך, מיער ממכיה ומימא לית הוא מכיה, מלשון הכאה ומכה, ודרך אחד לשתיהם: **אל תקרי שניין אלא סניין.** הוקשה לו מאחר שמפורש קדמייתא כאריה, ותנינא דמיא לדוב, הרי שהן משונות, אם כן מה שכתב שניין דא מן דא, מיותר, על כן דורש אל תקרי שניין אלא סניין מלשון שנאה, שמואסים את ישראל כל אחד יותר מחבירו, ובשיר השירים רבה שם איתא שמכותיהן משונות זו מזו: **ירמיה ראה אותה אריה.** כמו שכתוב על כן הכם אריה מיער הנ"ל, עלה אריה מסובכו (ירמיה ד, ז). עיין שמות רבה (כג, ה). ובירמיה מ"ט (יט) במשל אדום כתיב, הנה כאריה יעלה מגאון הירדן:

חידושי הרד"ל

מיער [וכו'] אם זכיתם מן היאורה. עיין מתנות כהונה, ועיין אבות דרבי נתן (פרק לד).

חידושי הרש"ש

[ה] גדולה זו אנטיוכוס וכו' ורבנן אמרי ס' רבוא. צריך לומר סמ"ך סמ"ך: **אמר רב נחמן מלמד שהיתה מעמדת מאה ושבעים ואחד אפרכין מאה ועשרים ושבעה כו'.** לעיל בבראשית רבה (מד, יז) איתא ק"כ כו' ק"כ כו': **נחש זה בבל.** יתכן על שם שהיה לה תנין לעבודה זרה כדאיתא לעיל בבראשית רבה סוף פרשה ס"ח (סימן יג).

באור מהרי"פ

הכי גרסינן (דניאל ז, ז) **בתר דנה חזה הוית בחזווא ליליא וארו חיוא רביעתה וגו'.** ודייק מדכתיב אלא החיה הרביעית בחזוי ליליא מה דלא כתיב בשארי החיות שמע מינה בלילה אחרת היה החזון שלה: **במתנות כהונה ד"ה ממכיא וכו' מזקת אחרים.** וכשהיא סלקא מן [ימא] לית היא ממכיא פירוש אינה מזקת לאחרים, וכשהיא סלקא מן חורשא ממכיא פירוש מזקת את אחרים:

אמרי יושר

אם זכיתם בינוניים מן ימא ואם לאו מן חורשא. דייקו שני המשלים הכתובים, וארבע רוחי, וארבע חיון: **כל אומה שונאה את ישראל יותר.** זהו סניין, שולטות זו האחרונה יותר מדא קדמייתא, על דרך שונא היה קין וכו' (לקמן פרשה כז סימן יא):

ידי משה

גם כן לקוח משם, כי שם נדרש ממלת נגע לרעת כי יהיה בזקן. וקל להבין.

אם למקרא

וַיִּקָּרְאוּ סֹפְרֵי הַמֶּלֶךְ בַּחֹדֶשׁ הָרִאשׁוֹן בִּשְׁלוֹשָׁה עָשָׂר יוֹם בּוֹ וַיִּכָּתֵב כְּכָל אֲשֶׁר צִוָּה הָמָן אֶל אֲחַשְׁדַּרְפְּנֵי הַמֶּלֶךְ וְאֶל הַפַּחוֹת אֲשֶׁר עַל מְדִינָה וּמְדִינָה וְאֶל שָׂרֵי עַם וָעָם מְדִינָה וּמְדִינָה כִּכְתָבָהּ וְעַם וָעָם כִּלְשׁוֹנוֹ בְּשֵׁם הַמֶּלֶךְ אֲחַשְׁוֵרֹשׁ נִכְתָּב וְנֶחְתָּם בְּטַבַּעַת הַמֶּלֶךְ: (אסתר ג:יב)

הַמּוֹלִיכֲךָ בַּמִּדְבָּר הַגָּדֹל וְהַנּוֹרָא נָחָשׁ שָׂרָף וְעַקְרָב וְצִמָּאוֹן אֲשֶׁר אֵין מָיִם הַמּוֹצִיא לְךָ מַיִם מִצּוּר הַחַלָּמִישׁ: (דברים ח:טו)

מִקּוֹל נִפְלָם רָעֲשָׁה הָאָרֶץ צְעָקָה בְּיַם סוּף נִשְׁמַע קוֹלָהּ: (ירמיה מט:כא)

בָּאתַר דְּנָה חָזֵה הֲוֵית בְּחֶזְוֵי לֵילְיָא וַאֲרוּ חֵיוָה רְבִיעָאָה דְּחִילָה וְאֵימְתָנִי וְתַקִּיפָא יַתִּירָה וְשִׁנַּיִן דִּי פַרְזֶל לַהּ רַבְרְבָן אָכְלָה וּמַדֱּקָה וּשְׁאָרָא בְּרַגְלַהּ רָפְסָה וְהִיא מְשַׁנְּיָה מִן כָּל חֵיוָתָא דִּי קָדָמַהּ וְקַרְנַיִן עֲשַׂר לַהּ: (דניאל ז:ז)

אַחַר הַדְּבָרִים הָאֵלֶּה גִּדַּל הַמֶּלֶךְ אֲחַשְׁוֵרוֹשׁ אֶת הָמָן בֶּן הַמְּדָתָא הָאֲגָגִי וַיְנַשְּׂאֵהוּ וַיָּשֶׂם אֶת כִּסְאוֹ מֵעַל כָּל הַשָּׂרִים אֲשֶׁר אִתּוֹ: (אסתר ג:א)

וְהִנֵּה זֶה בָא רֶכֶב אִישׁ צֶמֶד פָּרָשִׁים וַיַּעַן וַיֹּאמֶר נָפְלָה נָפְלָה בָּבֶל וְכָל פְּסִילֵי אֱלֹהֶיהָ שִׁבַּר לָאָרֶץ: (ישעיה כא:ט)

עָנֵה דָנִיֵּאל וְאָמַר חָזֵה הֲוֵית בְּחֶזְוִי עִם לֵילְיָא וַאֲרוּ אַרְבַּע רוּחֵי שְׁמַיָּא מְגִיחָן לְיַמָּא רַבָּא: וְאַרְבַּע חֵיוָן רַבְרְבָן סָלְקָן מִן יַמָּא שָׁנְיָן דָּא מִן דָּא: קַדְמָיְתָא כְאַרְיֵה וְגַפִּין דִּי נְשַׁר לַהּ חָזֵה הֲוֵית עַד דִּי מְּרִיטוּ גַפַּהּ וּנְטִילַת מִן אַרְעָא וְעַל רַגְלַיִן כֶּאֱנָשׁ הֳקִימַת וּלְבַב אֱנָשׁ יְהִיב לַהּ: וַאֲרוּ חֵיוָה אָחֳרִי תִנְיָנָה דָּמְיָה לְדֹב וְלִשְׂטַר חַד הֳקִמַת וּתְלָת עִלְעִין בְּפֻמַּהּ בֵּין שִׁנַּהּ וְכֵן אָמְרִין לַהּ קוּמִי אֲכֻלִי בְּשַׂר שַׂגִּיא: בָּאתַר דְּנָה חָזֵה הֲוֵית וַאֲרוּ אָחֳרִי כִּנְמַר וְלַהּ גַּפִּין אַרְבַּע דִּי עוֹף עַל גַּבַּהּ וְאַרְבְּעָה רֵאשִׁין לְחֵיוְתָא וְשָׁלְטָן יְהִיב לַהּ: בָּאתַר דְּנָה חָזֵה הֲוֵית בְּחֶזְוֵי לֵילְיָא וַאֲרוּ חֵיוָה רְבִיעָיָה דְּחִילָה וְאֵימְתָנִי וְתַקִּיפָא יַתִּירָא וְשִׁנַּיִן דִּי פַרְזֶל לַהּ רַבְרְבָן אָכְלָה וּמַדֱּקָה וּשְׁאָרָא בְּרַגְלַהּ רָפְסָה וְהִיא מְשַׁנְּיָה מִן כָּל חֵיוָתָא דִּי קָדָמַהּ וְקַרְנַיִן עֲשַׂר לַהּ: (דניאל ז:ב-ז) יְכַרְסְמֶנָּה חֲזִיר מִיָּעַר וְזִיז שָׂדַי יִרְעֶנָּה: (תהלים פ:יד) עָלָה אַרְיֵה מִסֻּבְּכוֹ וּמַשְׁחִית גּוֹיִם נָסַע יָצָא מִמְּקֹמוֹ לָשׂוּם אַרְצֵךְ לְשַׁמָּה עָרַיִךְ תִּצֶּינָה מֵאֵין יוֹשֵׁב: (ירמיה ד:ז) כִּי כֹה אָמַר ה' הִנֵּה כַנֶּשֶׁר יִדְאֶה וּפָרַשׂ כְּנָפָיו אֶל מוֹאָב: (שם מח:מ)

מתנות כהונה

אפרכין אסטרטליטון. מיני שררות על ארצות חלוקות, וכן פירש בערוך (ערך אסטרטיא): **הכי גרסינן בבראשית רבה** (מד, יז) **ובילקוט רבנן אמרי ששים ששים.** וכן עיקר, ועיין בבראשית רבה (שם) ושם יתבאר: **הכי גרסינן נחש שרף ועקרב נחש זה בבל שרף זה מדי עקרב זה יון מה עקרב** וכו' וכן שם בבראשית רבה (שם): **נפלה נפלה בבל גרסינן,** ופסוק הוא (ישעיהו כא, ט): **חורשא.** יער: **ממכיא.** פירושו החיה שבים כשעולה מן הים מיד היא מתה. ממכיא לשון מך, ולכן אם זכיתם, יהיו האומות כחיות הים, שאינן יכולין לשלוט בשום בריה, ואם לאו, יהיו כחיה העולה מן היער המשכלת ומזקת הבריות. וכן מצאתי במדרש תהלים (מזמור פ) בהדיא וזה לשונו, אם זכיתם הרי הם כחיות הים, כשהן עולות ליבשה מיד מתות. ובילקוט (תהלים רמז תתל) גרס להיפך, וכן במדרש חזית (שיר השירים ג, ג) פסוק כמטע שעברתי, ולפי אותן גירסות יהיה ממכיא פועל יוצא, ורוצה לומר מזקת אחרים והמכוון אחד הוא: **העין תלויה.** וקרי ביה מיור חסר עי"ן, והוא כמו מיאור, שהברת האל"ף אינה ניכרת כל כך, והוא חזיר הגדל בים, והכי איתא בהדיא באבות דרבי נתן (פרק לד), ובאבות דרבי נתן איתא שהכתיב הוא מיאור והקרי מיער: **הכי גרסינן וראה אותה נשר דכתיב עלה ארי מסובכו הנה כנשר וגו':**

״גְּדֹלָה״ זוֹ מָדַי, עַל שֵׁם ״גִּדַּל הַמֶּלֶךְ אֲחַשְׁוֵרוֹשׁ״ — ***Great*** [גְּדֹלָה] — **this alludes to Media, in line with** the verse, ***King Ahasuerus made*** *Haman* ***great*** [גִּדַּל] (*Esther* 3:1). ״נֹפֶלֶת״ זוֹ בָּבֶל, עַל שֵׁם ״נָפְלָה נָפְלָה בָּבֶל״ — ***Fell*** [נֹפֶלֶת] — **this alludes to Babylonia, in line with** the verse, ***It has fallen! Babylonia has fallen*** [נָפְלָה נָפְלָה] (*Isaiah* 21:9).

The second example of a prophet who beheld the Four Kingdoms in a vision:

רָאָה דָּנִיֵּאל הַמַּלְכִיּוֹת בְּעִיסוּקָן — **Daniel,** too, **foresaw the** Four **Kingdoms in their successes.**[142] הָדָא הוּא דִכְתִיב ״חָזֵה הֲוֵית בְּחֶזְוִי עִם לֵילְיָא וַאֲרוּ אַרְבַּע רוּחֵי שְׁמַיָּא מְגִיחָן לְיַמָּא רַבָּא וְאַרְבַּע חֵיוָן רַבְרְבָן סָלְקָן מִן יַמָּא״ — **Thus it is written,** ***I saw in my vision of night that behold! the four winds of heaven***[143] ***were stirring up the Great Sea. Four immense beasts***[144] ***came up from the sea*** (*Daniel* 7:2-3).

The prophet Jeremiah also had a vision of the Four Kingdoms.[145] However, in his vision the beasts that represented them emerged from the *forest*, not from the sea as in Daniel's vision.[146] The Midrash reconciles the two visions with the following distinction:[147]

אִם זְכִיתֶם ״מִן יַמָּא״ וְאִם לָאו מִן חוּרְשָׁא — The prophecy is intimating to Israel: **If you are meritorious,** the Four Kingdoms will come **"from the sea"; and if not,** they will come **"from the forest."**[148] הָדָא חֵיוְתָא דְיַמָּא כִּי סָלְקָא מִן יַמָּא הִיא מְמַכְיָא, סָלְקָא מִן חוּרְשָׁא לֵית הִיא מְמַכְיָא — **When a sea beast emerges from the sea, it is lowly** and submissive.[149] However, when **[a land animal] emerges from the forest, it is not lowly** and submissive.[150] דִּכְוָותָהּ ״יְכַרְסְמֶנָּה חֲזִיר מִיָּעַר״ — **Similar to this** is the message of the verse, ***The boar from the forest will ravage it*** (*Psalms* 80:14). עַיִ״ן תְּלוּיָה, אִם זְכִיתֶם מִן הַיְאוֹר, וְאִם לָאו ״מִן הַיַּעַר״ — The letter ***ayin*** (ע) in the word *ya'ar* [יַעַר] is **suspended,**[151] which teaches: **If you are meritorious,** your enemies will come **"from the river," and if not,** they will come **"from the forest."** הָדָא חֵיוְתָא כִּי סָלְקָא מִן נַהֲרָא הִיא מְמַכְיָא, סָלְקָא מִן חוּרְשָׁא לֵית הִיא מְמַכְיָא — For **when this beast emerges from the river, it is lowly** and submissive; but when **it emerges from the forest, it is not lowly** and submissive.

The Midrash continues its interpretation of Daniel's vision:

״שָׁנְיָן דָּא מִן דָּא״ — ***Each*** (beast) ***different from the other*** (*Daniel* 7:3). אַל תִּקְרֵי ״שָׁנְיָן״ אֶלָּא ״סָנְיָן דָּא מִן דָּא״ — **Do not read** "each **different** (שָׁנְיָן) from the other," but **"each more hateful** (סָנְיָן) **than the other."**[152] מְלַמֵּד שֶׁכָּל אוּמָּה שֶׁשּׁוֹלֶטֶת בָּעוֹלָם הִיא שׂוֹנְאָה לְיִשְׂרָאֵל וּמְשַׁעְבֶּדֶת בָּהֶן — **[The verse]** thus **teaches that every nation that rules the world hates Israel**[153] **and subjugates them.**

The first beast in the vision:

״קַדְמָיְתָא כְּאַרְיֵה״ זוֹ בָּבֶל — ***The first was like a lion,*** *and it had eagle's wings* (ibid., v. 4) — **this** alludes to **Babylonia.**

Of the four beasts Daniel will see, only this one is formed as two different animals. The Midrash explains why this beast was unique:[154]

NOTES

142. See note 105 above for other explanations of the word עִיסוּקָן.

143. These represent the four celestial ministers (שָׂרִים) appointed over the Four Kingdoms (*Tiferes Tzion*).

144. These represent the Four Kingdoms themselves (ibid.).

145. See Midrash below, expounding *Jeremiah* 5:6. (The Midrash there expounds the *Jeremiah* passage in the context of explaining Daniel's vision, but does not use Jeremiah as one of its examples of a prophet who saw the Four Kingdoms. It is unclear why not.)

146. The *Jeremiah* verse states, *Therefore the lion of the "forest" struck them, etc.*

147. *Maharzu, Tiferes Tzion.*

148. Every land animal has a counterpart in the sea (*Chullin* 127a). If Israel merits (i.e., if she complies with God's Will), the Four Kingdoms will relate to her not like the *land*-versions of the animals in the *Daniel* and *Jeremiah* prophecies but rather like the *sea*-versions — more specifically, like sea animals who have *left* the sea to go onto dry land and are thus weakened (see *Eitz Yosef* below, s.v. אם זכיתם, citing *Avos DeRabbi Nassan* 34:3, and see further).

Tiferes Tzion writes that it is not by accident that the *Jeremiah* verse speaks of the animals coming from the forest while the *Daniel* verse speaks of their coming from the sea: In Jeremiah's time, the Jews had not yet begun to repent, so Jeremiah saw the animals in their land-form. By contrast, in Daniel's time, the Jews, chastened by their destruction and exile, *had* begun to repent, so Daniel saw the animals in their sea-form. He explains further that the way that the other nations relate to Israel is determined by God (in correspondence to Israel's merits) in the manner described by *Proverbs* 21:1, פַּלְגֵי מַיִם לֶב מֶלֶךְ בְּיַד ה׳ עַל כָּל אֲשֶׁר יַחְפֹּץ יַטֶּנּוּ, *Like streams of water is the heart of a king in the hand of HASHEM, wherever He wishes, so He directs it.*

149. [For it is greatly weakened when on land, and in fact will soon die (see *Chullin* loc. cit.).] Just as the sea creature that has come ashore poses no threat of death or bodily harm to humans, similarly the nations will pose no threat of death or bodily harm toward Israel (see *Eitz Yosef* below, loc. cit.).

150. [Emerging from the forest into the clearing does not adversely affect the animal.] It is [still] vicious and murderous; and the nations will relate to Israel in like manner when she does not obey God (ibid.).

151. I.e., according to the Masoretic tradition, the letter *ayin* is written above the other letters of the word, like this: מִיַּעַר. We therefore read the word מִיוֹר, as though the ע were missing. מִיוֹר, in turn, is similar to מִיְאוֹר (*from the river*), since the pronunciation of the א in that word is barely perceptible (ibid., *Matnos Kehunah*).

152. The word שָׁנְיָן, *different*, is apparently superfluous, for Daniel goes on to describe the various beasts in his vision (lion, bear, etc.), and it is therefore unnecessary to say that they were different from one another. The Midrash therefore expounds the word by exchanging the *shin* (ש) in שָׁנְיָן for a *samech* (ס), which yields סָנְיָן, *hateful* (*Maharzu*).

153. I.e., each conquering nation despises Israel more than its predecessor did — "each more hateful than the other" (ibid.).

154. *Eitz Yosef.*

INSIGHTS

for His chosen people, His earthly partners in the work of Creation. God's singular attachment to Israel was expressed most strongly in the Holy Temple, where God rested His Divine Presence, the great beacon of light that drew the gaze of all Israel and illuminated the nation in return. This light of God's "eyes" shone forth in the workings of His Divine Providence over Israel, and pierced like a thorn deep into the eye of the Greek nation. Greece attempted to extract the thorn, to extinguish the sacred light of "the eyes of Israel" by eradicating the holiness that makes us worthy of His regard, and Israel was plunged into a period of great darkness (*Ohr Gedalyahu, Chanukah* pp. 55-58; see *Sfas Emes, Chanukah* שנת תרמ״ז s.v. איתא במדרש and שנת תר״נ s.v. מה שהיה הנס בנרות).

Sfas Emes (ibid.) expounds: The Holy Temple was the source of a Divine light that shone for all the world (see below, 31 §7). The Greeks, in their wickedness, extinguished this light for a time, and brought darkness upon Israel and all Creation. When God delivered us from their hands, He responded in equal measure, by providing us, in direct contravention of their unholy intentions, the sacred light of Chanukah, a remnant of the light of the Holy Temple, to illuminate the world after the Temple's destruction, and to shine for Israel in the darkness of her exile.

There will come a time when light will call to light and the remnant spark will awaken the ancient fire in the hearts of His people. The many fires will join in a towering blaze, to ignite the brand that shall kindle the ever-burning flame on the Temple Altar, dispelling the long darkness forever.

"חֲשֵׁכָה" (בראשית שם שם) זוֹ מָדַי, שֶׁהֶחְשִׁיכָה בִּגְזֵרוֹתֶיהָ אֶת יִשְׂרָאֵל, שֶׁנֶּאֱמַר (אסתר ג, יב) "לְהַשְׁמִיד לַהֲרֹג וּלְאַבֵּד", "גְּדֹלָה" (בראשית שם שם) זוֹ יָוָן, אָמַר רַב נַחְמָן: מְלַמֵּד שֶׁהָיְתָה מַלְכוּת יָוָן מַעֲמֶדֶת מֵאָה וּשְׁבְעִים וְאֶחָד אִפַּרְכִין, מֵאָה וְעֶשְׂרִים וְשִׁבְעָה אִסְטְרַטְלִיטִין, וְרַבָּנָן אָמְרֵי: שִׁשִּׁים שִׁשִּׁים, וְרַבִּי בֶּרֶכְיָה וְרַבִּי חָנִין עַל הָדָא דְרַבָּנָן: (דברים ח, טו) "הַמּוֹלִיכְךָ בַּמִּדְבָּר הַגָּדֹל וְהַנּוֹרָא נָחָשׁ שָׂרָף וְעַקְרָב", "נָחָשׁ" זֶה בָּבֶל, "שָׂרָף" זֶה מָדַי, "עַקְרָב" זֶה יָוָן, מָה עַקְרָב זֶה מַשְׁרֶצֶת שִׁשִּׁים שִׁשִּׁים כָּךְ הָיְתָה מַלְכוּת יָוָן מַעֲמֶדֶת שִׁשִּׁים שִׁשִּׁים, (בראשית שם שם) "נֹפֶלֶת" זוֹ אֱדוֹם, עַל שֵׁם (ירמיה מט, כא) "מִקּוֹל נִפְלָם רָעֲשָׁה הָאָרֶץ", וְיֵשׁ אוֹמְרִים "אֵימָה" זוֹ אֱדוֹם, עַל שֵׁם (דניאל ז, ז) "דְּחִילָה וְאֵימְתָנִי", "חֲשֵׁכָה" זוֹ יָוָן, "גְּדֹלָה" זוֹ מָדַי, עַל שֵׁם (אסתר ג, א) "גִּדַּל הַמֶּלֶךְ אֲחַשְׁוֵרוֹשׁ", "נֹפֶלֶת" זוֹ בָּבֶל, עַל שֵׁם (ישעיה כא, ט) "נָפְלָה נָפְלָה בָּבֶל", רָאָה דָנִיֵּאל הַמַּלְכֻיּוֹת בְּעִיסּוּקָן, הָדָא הוּא דִכְתִיב (דניאל ז, ב-ג) "חָזֵה הֲוֵית בְּחֶזְוִי עִם לֵילְיָא וַאֲרוּ אַרְבַּע רוּחֵי שְׁמַיָּא מְגִיחָן לְיַמָּא רַבָּא וְאַרְבַּע חֵיוָן רַבְרְבָן סָלְקָן מִן יַמָּא", אִם זְכִיתֶם "מִן יַמָּא" וְאִם לָאו מִן חוּרְשָׁא, הָדָא חֵיוְתָא דְיַמָּא כִּי סָלְקָא מִן יַמָּא הִיא מְמַכְיָא, סָלְקָא מִן חוּרְשָׁא לֵית הִיא מְמַכְיָא, דִּכְווֹתָהּ (תהלים פ, יד) "יְכַרְסְמֶנָּה חֲזִיר מִיָּעַר", עַיִ"ן תְּלוּיָה, אִם זְכִיתֶם מִן הַיְאוֹר, וְאִם לָאו מִן הַיַּעַר, הָדָא חֵיוְתָא כִּי סָלְקָא מִן נַהֲרָא הִיא מְמַכְיָא, סָלְקָא מִן חוּרְשָׁא לֵית הִיא מְמַכְיָא, (דניאל שם ג) "שָׁנְיָן דָּא מִן דָּא", אַל תִּקְרֵי "שָׁנְיָן" אֶלָּא "סָנְיָן דָּא מִן דָּא", מְלַמֵּד שֶׁכָּל אוּמָּה שֶׁשּׁוֹלֶטֶת בָּעוֹלָם הִיא °שׂוֹנְאָה לְיִשְׂרָאֵל וּמְשַׁעְבֶּדֶת בָּהֶן, (שם שם ד) "קַדְמָיְתָא כְאַרְיֵה" זוֹ בָּבֶל, יִרְמְיָה רָאָה אוֹתָהּ אֲרִי וְרָאָה אוֹתָהּ נֶשֶׁר, דִּכְתִיב (ירמיה ד, ז) "עָלָה אַרְיֵה מִסֻּבְּכוֹ", (שם מח, מ) "הִנֵּה כַנֶּשֶׁר יַעֲלֶה וְיִדְאֶה",

עץ יוסף

גרסינן אימה זו בבל שנאמר איום ונורא הוא: זו יון. שהיא גדולה בשרים כדמסיק והולך: אפרכין ואסטרטליטין. מיני שררות זו למעלה מזו: מן ימא. ולא יהיו קשים כנגדם: ממכיא. חלושה ונמוכה וככנעת, תרגום שפל מן הטור (מכיך) [מכיך] מן משכה: עין תלויה. וקרי ביה מיער חסר עי"ן והוא כמו מיאור שהברת הא' אינה ניכרת כל כך, והוא חזיר הגדל בים, ובאבות דרבי נתן (לג, ג) איתא שהכתיב הוא מיאר והקרי מיער: אם זכיתם מן יאור כו'. באבות דרבי נתן (מג, ג) כך איתא, בזמן שישראל עושין רצונו של מקום הם דומות על ישראל כאותו שעולה מן יאור, מה חזיר של יאור אינו הורג נפשות ואינו מזיק לבריות, כך כל זמן שישראל עושים רצונו של מקום אין אומה ולשון הורגין בהם ולא מלקין אותם, אבל בזמן שאין עושין רצונו של מקום הם דומות על ישראל כאותו שעולה מן יער הורג נפשות ומזיק כו': הדא חיותה כי סלקא מן יאור היא ממכיה. כן צריך לומר: ירמיה ראה אותה כו' אמרין לדניאל כו'. משום דקשיא ליה מאי טעמא כראתה היה זו לדניאל בשני צורות טפי מאחריניתא, לכן רצה לומר לפי שהיו בה שתי ענינים, האחד הכח והגבורה כארי, והשני מהירות העופפות כנשר, על כן ירמיה ראה אותה בשני צורות אלו, אלא שראה אותם כאריה בפני עצמו וכנשר בפני עצמו לפי שהיה מגבא הענינים כולו בפני עצמו, כשהיה מנבא על השחתתו בעולם כחו ראה אותם כאריה ואמר עלה אריה מסבכו הנה כאריה יעלה, וכשהיה מתנבא על מהירותו ראה כנשר, אבל דניאל שלא נראה לו אלא פעם אחת ענין כולל המלכיות, ראה אותה בצורת אריה בפנים להורות על הכח, וכצורת נשר בכנפים להורות על העופפות, ולכן אמר כאילו אמרו לדניאל באיזה צורה משני אלה ראית, והשיב אפין כארי, וגפין די נשר, לצאת ידי שתיהן: הנה כנשר יעלה וידאה. צריך לומר הנה כנשר ידאה (ירמיה מח, מ), והוא הכתוב במפלת מואב, כי זה על בבל שהשמיד את מואב נאמר (יפה תואר):

פירוש מהרז"ו

נחש זו בבל. כמו שמבואר דברים רבה (סח, יג) ובריש יוסיפון שהיו עובדים לנחש, ושרף זו מדי, מרמז על המן כנ"ל, ושרף הוא גם כן נחש: מקול נפלם רעשה. ירמיה (מט, כא): ראה דניאל. תיקון הלשון דניאל ראה, כנזכר לעיל, הנביאים ראו, אברהם ראה, ולקמן אמר משה ראה: אם זכו מן ימא. דורש שכאן כתוב סלקון מן ימא, והם המלכיות הקדומות המבוארות שם בפרשה קדמייתא כאריה, ובירמיה הכתוב, על כן הכם אריה מיער זאב ערבות ישדדם וגו', שיעלו מן היער לא מן הים, והם שני כתובים מכחישים מדה ט"ו, על כן דורש ומכריע זכו מן ימא, לא זכו מן היער שחיות היער קשים מן החיות של ים, עיין שיר פסוק כמעט שעברתי (דף י"ט ב') [פרשה ג פסוק ד אות ב], מדרש תהלים פ', וילקוט שם, וכאן חסר וצריך להגיה כמו שם: ממכיא לית היא ממכיא. פירש הערוך מלשון נמיכות, וכתב המוסף הערוך תרגום שפל מן הטור (ויקרא יג, כ), מכיך מן משכא, ועיין אבות דרבי נתן (פרק לד) ההפרש ביניהם ביתר ביאור, ובשיר השירים רבה שם הגירסא בהפך, מיער ממכיה ומימא לית הוא מכיה, מלשון הכאה ומכה, ודרך אחד לשתיהם: אל תקרי שניין אלא סניין. הוקשה לו מאחר שמפורש קדמייתא כאריה, ותניגא דמיא לדוב, הרי שהן משונות, אם כן מה שכתב שניין דא מן דא, מיותר, על כן דורש אל תקרי שניין אלא סניין מלשון שנאה, ששונאים את ישראל כל אחד יותר מחבירו, ובשיר השירים רבה שם איתא שמכותיהן משונות זו מזו: ירמיה ראה אותה אריה. כמו שכתוב על כן הכם אריה מיער הנ"ל, עלה אריה מסובכו (ירמיה ד, ז). עיין שמות רבה (כג, ה). ובירמיה מ"ט (יט) במשא אדום כתיב, הנה כאריה יעלה מגאון הירדן:

מתנות כהונה

אפרכין אסטרטליטון. מיני שררות על ארצות חלוקות, וכן פירש בערוך (ערך אסטרטיא): הכי גרסינן בבראשית רבה (מד, יז) ובילקוט רבנין אמרי ששים ששים. וכן עיקר, ועיין בבראשית רבה (שם) ושם יתבאר: הכי גרסינן נחש שרף ועקרב נחש זה בבל שרף זה מדי עקרב זה יון מה עקרב וכן הוא בבראשית רבה (שם): נפלה נפלה בבל גרסינן, ופסוק הוא (ישעיהו כא, ט): חורשא. יער: ממכיא. פירושו החיה שבים כשעולה מן הים מיד היא מתה. ממכיא לשון מך, ולכן אם תזכו, יהיו האומות כחיות העולות מן הים, שאינן יכולין לשלוט בשום בריה, ואם לא, יהיו כחיה העולה מן היער המשכלת ומזקת הבריות. וכן מצאתי במדרש תהלים (מזמור פ) בהדיא וזה לשונו, אם זכיתם הרי הם כחיות הים, כשהן עולות ליבשה מיד מתות. ובילקוט (תהלים רמז תתל) גרס להיפך, וכן במדרש חזית (שיר השירים ג, ב) פסוק כמעט שעברתי, ולפי אותן גירסות יהיה ממכיא פועל יוצא, ורוצה לומר מזקת אחרים והמכוון אחד הוא: העין תלויה. וקרי ביה מיור חסר עי"ן, והוא כמו מיאור, שהברת האל"ף אינה ניכרת כל כך, והוא חזיר הגדל בים, והכי איתא בהדיא באבות דרבי נתן (פרק לד), ובאבות דרבי נתן איתא שהכתיב הוא מיאור והקרי מיער: הכי גרסינן וראה אותה נשר דכתיב עלה ארי מסובכו הנה כנשר וגו':

חידושי הרד"ל

מיער [וכו'] אם זכיתם מן היאורה. עיין מתנות כהונה, ועיין אבות דרבי נתן (פרק לד):

חידושי הרש"ש

[ה] גדולה זו אנטיוכוס וכו' ורבנן אמרי ס' רבוא. צריך לומר סמ"ך סמ"ך: אמר רב נחמן מלמד שהיתה מעמדת מאה ושבעים ואחד אפרכין מאה ועשרים ושבעה כו'. לעיל בבראשית רבה (מד, יז) איתא ק"כ כו' ק"כ כו': נחש זה בבל. יתכן על שם שהיה לה תנין לעבודה זרה כדאיתא לעיל בבראשית רבה סוף פרשה ס"ח (סימן יג):

באור מהרי"פ

הכי גרסינן (דניאל ז, ז) בתר דנה חזה הוית בחזויא ליליא וארו חיויא רביעתה וגו'. ודייק מדכתיב אצל החיה הרביעית בחזוי ליליא מה דלא כתיב בשארי החיות שמע מינה בלילה אחרת היה החזיון שלה: במתנות כהונה ד"ה ממכיא וכו' מזקת אחרים. וכשהיא סלקא מן [ימא] לית היא ממכיא פירוש אינה מזקת לאחרים, וכשהיא סלקא מן חורשא ממכיא פירוש מזקת את אחרים:

אמרי יושר

אם זכיתם בינוניים מן ימא ואם לאו מן חורשא. דייקו שני המשלים הכתובים, ארבע רוחי, וארבע חיון: כל אומה שונאה את ישראל יותר. זהו שניין, שונאות זו האחרונה יותר מזו הקדמייתא, על דרך שומה היה קוץ וכו' (לקמן פרשה כז סימן יא):

ידי משה

גם כן לקוח משם, כי שם נדרש ממלת נגע לרעת כי יהיה בזקן. וקול להבין:

אם למקרא

וַיִּקָּרְאוּ סֹפְרֵי הַמֶּלֶךְ בַּחֹדֶשׁ הָרִאשׁוֹן בִּשְׁלוֹשָׁה עָשָׂר יוֹם בּוֹ וַיִּכָּתֵב כְּכָל אֲשֶׁר צִוָּה הָמָן אֶל אֲחַשְׁדַּרְפְּנֵי הַמֶּלֶךְ וְאֶל הַפַּחוֹת אֲשֶׁר עַל מְדִינָה וּמְדִינָה וְאֶל שָׂרֵי עַם וָעָם מְדִינָה וּמְדִינָה כִּכְתָבָהּ וְעַם וָעָם כִּלְשׁוֹנוֹ בְּשֵׁם הַמֶּלֶךְ אֲחַשְׁוֵרֹשׁ נִכְתָּב וְנֶחְתָּם בְּטַבַּעַת הַמֶּלֶךְ: (אסתר ג:יב)

הַמּוֹלִיכְךָ בַּמִּדְבָּר הַגָּדֹל וְהַנּוֹרָא נָחָשׁ שָׂרָף וְעַקְרָב וְצִמָּאוֹן אֲשֶׁר אֵין מָיִם הַמּוֹצִיא לְךָ מַיִם מִצּוּר הַחַלָּמִישׁ: (דברים ח:טו)

מִקּוֹל נִפְלָם רָעֲשָׁה הָאָרֶץ צְעָקָה בְּיַם סוּף נִשְׁמַע קוֹלָהּ: (ירמיה מט:כא)

בָּאתַר דְּנָה חָזֵה הֲוֵית בְּחֶזְוֵי לֵילְיָא וַאֲרוּ חֵיוָה רְבִיעָאָה דְּחִילָה וְאֵימְתָנִי וְתַקִּיפָא יַתִּירָה וְשִׁנַּיִן דִּי פַרְזֶל לַהּ רַבְרְבָן אָכְלָה וּמַדֱּקָה וּשְׁאָרָא בְּרַגְלַהּ רָפְסָה וְהִיא מְשַׁנְּיָה מִן כָּל חֵיוָתָא דִּי קָדָמַהּ וְקַרְנַיִן עֲשַׂר לַהּ: (דניאל ז:ז)

אַחַר הַדְּבָרִים הָאֵלֶּה גִּדַּל הַמֶּלֶךְ אֲחַשְׁוֵרוֹשׁ אֶת הָמָן בֶּן הַמְּדָתָא הָאֲגָגִי וַיְנַשְּׂאֵהוּ וַיָּשֶׂם אֶת כִּסְאוֹ מֵעַל כָּל הַשָּׂרִים אֲשֶׁר אִתּוֹ: (אסתר ג:א)

וְהִנֵּה זֶה בָא רֶכֶב אִישׁ צֶמֶד פָּרָשִׁים וַיַּעַן וַיֹּאמֶר נָפְלָה נָפְלָה בָּבֶל וְכָל פְּסִילֵי אֱלֹהֶיהָ שִׁבַּר לָאָרֶץ: (ישעיה כא:ט)

עָנֵה דָנִיֵּאל וְאָמַר חָזֵה הֲוֵית בְּחֶזְוִי עִם לֵילְיָא וַאֲרוּ אַרְבַּע רוּחֵי שְׁמַיָּא מְגִיחָן לְיַמָּא רַבָּא: וְאַרְבַּע חֵיוָן רַבְרְבָן סָלְקָן מִן יַמָּא שָׁנְיָן דָּא מִן דָּא: קַדְמָיְתָא כְאַרְיֵה וְגַפִּין דִּי נְשַׁר לַהּ חָזֵה הֲוֵית עַד דִּי מְּרִיטוּ גַפַּהּ וּנְטִילַת מִן אַרְעָא וְעַל רַגְלַיִן כֶּאֱנָשׁ הֳקִימַת וּלְבַב אֱנָשׁ יְהִיב לַהּ: וַאֲרוּ חֵיוָה אָחֳרִי תִנְיָנָה דָּמְיָה לְדֹב וְלִשְׂטַר חַד הֳקִמַת וּתְלָת עִלְעִין בְּפֻמַּהּ בֵּין שִׁנַּהּ וְכֵן אָמְרִין לַהּ קוּמִי אֲכֻלִי בְּשַׂר שַׂגִּיא: בָּאתַר דְּנָה חָזֵה הֲוֵית וַאֲרוּ אָחֳרִי כִּנְמַר וְלַהּ גַּפִּין אַרְבַּע דִּי עוֹף עַל גַּבַּהּ וְאַרְבְּעָה רֵאשִׁין לְחֵיוְתָא וְשָׁלְטָן יְהִיב לַהּ: בָּאתַר דְּנָה חָזֵה הֲוֵית בְּחֶזְוֵי לֵילְיָא וַאֲרוּ חֵיוָה רְבִיעָאָה דְּחִילָה וְאֵימְתָנִי וְתַקִּיפָא יַתִּירָה וְשִׁנַּיִן דִּי פַרְזֶל לַהּ רַבְרְבָן אָכְלָה וּמַדֱּקָה וּשְׁאָרָא בְּרַגְלַהּ רָפְסָה וְהִיא מְשַׁנְּיָה מִן כָּל חֵיוָתָא דִּי קָדָמַהּ וְקַרְנַיִן עֲשַׂר לַהּ: (דניאל ז:ב-ז) יְכַרְסְמֶנָּה חֲזִיר מִיָּעַר וְזִיז שָׂדַי יִרְעֶנָּה: (תהלים פ:יד) עָלָה אַרְיֵה מִסֻּבְּכוֹ וּמַשְׁחִית גּוֹיִם נָסַע יָצָא מִמְּקֹמוֹ לָשׂוּם אַרְצֵךְ לְשַׁמָּה עָרַיִךְ תִּצֶּינָה מֵאֵין יוֹשֵׁב: (ירמיה ד:ז) כֹּה אָמַר ה' הִנֵּה כַנֶּשֶׁר יִדְאֶה וּפָרַשׂ כְּנָפָיו אֶל מוֹאָב: (שם מח:מ)

יִרְמְיָה רָאָה אוֹתָהּ אֲרִי וְרָאָה אוֹתָהּ נֶשֶׁר — **Jeremiah saw [Babylonia] as a lion, and** in a different vision **he saw her as an eagle,** דִּכְתִיב ״עָלָה אַרְיֵה מִסֻּבְּכוֹ״ ״הִנֵּה כַנֶּשֶׁר יִדְאֶה״ — **for it is written,** ***The lion has left its den*** (*Jeremiah* 4:7),[155] and, ***Behold, like an eagle it will swoop down*** (ibid. 48:40).[156]

NOTES

155. In that passage Jeremiah summons the people to repent, for the Babylonian "lion" is coming to destroy Judah and Jerusalem.

156. This verse speaks of the impending downfall of Moab at the hands of Babylonia (ibid.). [The standard Midrash texts have here הִנֵּה כַנֶּשֶׁר ״יַעֲלֶה״ וְיִדְאֶה, which is a verse in *Jeremiah* 49:22. That cannot be the verse meant by our Midrash, since that verse is not likening *Babylonia* to an eagle. It is rather the similar verse הִנֵּה כַנֶּשֶׁר וְיִדְאֶה (ibid. 48:40), referring to Babylonia, that is meant by our Midrash, and the Midrash text must be emended accordingly (*Eitz Yosef,* from *Yefeh To'ar*). Our text of the Midrash follows that emendation.]

The Babylonian empire possessed two great characteristics — the strength and courage of a *lion,* and the nimble swiftness of an *eagle.* Because Jeremiah had to prophesy about these qualities separately, on different occasions, he envisioned Babylonia as either one beast or the other. Thus, when he prophesied about Babylonia's awesome power of destruction, he saw her in the guise of a lion (*the lion has left its den*); and when he prophesied about Babylonia's swiftness, he saw her as an eagle (*Like an eagle it will swoop down*) (ibid.).

חידושי הרד"ל

מיער [וכו'] אם זכיתם מן היאורה. עיין מתנות כהונה, ועיין אבות דרבי נתן (פרק לד).

חידושי הרש"ש

[ה] **גדולה זו אנטיוכוס וכו' ורבנן אמרי ס' רבוא.** צריך לומר סמ"ך סמ"ך: **אמר רב נחמן מלמד שהיתה מעמדת מאה ושבעים ואחד אפרכין מאה ועשרים ושבעה כו'.** לעיל בבראשית רבה (מב, יז) איתא ק"כ כו' ק"כ כו': **נחש זה בבל.** יתכן על שם שהיה לה הנין לעבודה זרה כדאיתא לעיל בבראשית רבה סוף פרשה ס"ח (סימן יג).

באור מהרי"פ

הכי גרסינן (דניאל ז, ז) **בתר דנה חזה הוית בחזווא ליליא וארו חיוא רביעתא וגו'.** ודייק מדכתיב אלא החיה הרביעית בחזוי ליליא מה דלא כתיב באשרי החיות שמע מינה בלילה אחרת היה החזון שלה. **במתנות כהונה ד"ה ממכיא וכו' מזקת אחרים.** וכשהיא סלקא מן [ימא] לית היא ממכיה פירוש אינה מזקת לאחרים, וכשהיא סלקא מן חורשא ממכיא פירוש מזקת את אחרים.

אמרי יושר

אם זכיתם בינונים מן ימא ואם לאו מן חורשא. דייקו שני המשלים הכתובים, ארבע רוחי, וארבע חיון: **כל אומה שונאה את ישראל יותר.** זהו סניין, שונאות זו האחרונה יותר מזה קדמייתא, על דרך שוטה היה קין וכו' (לקמן פרשה כז סימן יא).

ידי משה

גם כן לקוח משם, כי שם נדרש ממלת נגע לרעת כי יהיה בזקן. וקל להבין.

עץ יוסף

גרסינן אימה זו בבל שנאמר איום ונורא הוא: **זו יון.** שהיא גדולה בשרים כדמסיק והולך: **אפרכין ואסטרטליטין.** מיני שררות זו למעלה מזו: **מן ימא.** ולא יהיו קשים כנגדם: **ממכיא.** חלושה ונמוכה ונכנעת, תרגום שפל מן הטור (מכיה) [מכיך] מן משכלא: **עין תלויה.** וקרי ביה מיער חסר עי"ן והוא כמו מיאור שהברת הא' אינה ניכרת כל כך, והוא חזיר הגדל בים, ובאבות דרבי נתן (לג, ג) איתא שהכתיב הוא מיאר והקרי מיער: **אם זכיתם מן יאור כו'.** באבות דרבי נתן (מג, ג) כך איתא, בזמן שישראל עושין רצונו של מקום הם דומות על ישראל כאותו שטולה מן יאור, מה חזיר של יאור אינו הורג נפשות ואינו מזיק לבריות, כך כל זמן שישראל עושים רצונו של מקום אין אומה ולשון הורגין בהם ולא מלקין אותם, אבל בזמן שאין עושין רצונו של מקום הם דומות על ישראל כאותו שטולה מן יער הורג נפשות ומזיק כו': **הדא חיותה כי סלקא מן יאור היא ממכיה.** כן צריך לומר: **ירמיה ראה אותה כו' אמרין לדניאל כו'.** משום דקשיא ליה מאי טעמא נראתה היא זו לדניאל בשני צורות טפי מאחריניתא, לכן רצה לומר לפי שהיו בה שתי ענינים, האחד הכח והגבורה כארי, והשני מהירות הטעופפות כנשר, על כן ירמיה ראה אותה בשני צורות אלו, אלא שראה אותם כאריה בפני עצמו וכנשר בפני עצמו לפי שהיה מנבא הטעניינים כולו בפני עצמו, כשהיה מנבא על השחתתו בעולם כחו ראה אותם כאריה ואמר עלה אריה מסבכו הנה כאריה יעלה, וכשהיה מתנבא על מהירותו ראה כנשר, אבל דניאל שלא נראה לו אלא פעם אחת ענין כולל המלכיות, ראה אותה בצורת אריה בפנים להורות על הכח, וכצורת נשר בכנפים להורות על הטעופפות, ולכן אמר כאילו אמרו לדניאל באיזה צורה מאלו ראית, והשיב אפין כארי, וגפין די נשר, לאלא ידי שתיהן: **הנה כנשר יעלה וידאה.** צריך לומר הנה כנשר ידאה (ירמיה מח, מ), והוא הכתוב במפלת מואב, כי זה על בבל שהשמיד את מואב נאמר (יפה תואר).

פירוש מהרז"ו

נחש זו בבל. כמו שמבואר דברים רבה (פח, יג) ובריש יוסיפון שהיו עובדים לנחש, ושרף זו מדי, מרמז על המן כנ"ל, ושרף הוא גם כן נחש: **מקול נפלם רעשה.** ירמיה (מט, כא): **ראה דניאל.** תיקון הלשון דניאל ראה, כנזכר לעיל, הנביאים ראו, אברהם ראה, ולקמן אמר משה ראה: **אם זכו מן ימא.** דורש שכאן כתוב סלקן מן ימא, והם המלכיות הקדומות המבוארות שם בפרשה קדמייתא כאריה, וכירמיה הכתוב, על כן הכס אריה מיער זאב ערבות ישדדם וגו', שיעלו מן היער לא מן הים, והם שני כתובים מכחישים מדה ט"ו, על כן דורש ומכריע זכו מן ימא, לא זכו מן היער שחיות היער קשים מן החיות של ים, עיין שיר פסוק כמטע שטעברתי (דף י"ט ב') [פרשה ג פסוק ד אות ב], מדרש תהלים פ', וילקוט שם, וכאן חסר וצריך להגיה כמו שם: **ממכיא לית היא ממכיא.** פירש הערוך מלשון נמיכות, וכתב המוסף הערוך תרגום שפל מן הטור (ויקרא יג, כ), מכוך מן משכלא, ועיין אבות דרבי נתן (פרק לד) ההפרש ביניהם ביותר ביאור, ובשיר השירים רבה שם הגירסא בהפך, מיער ממכיה ומימא לית הוא מכיה, מלשון הכאה ומכה, ודרך אחד לשתיהם: **אל תקרי שניין אלא סניין.** הוקשה לו מאחר שמפורש קדמייתא כאריה, ותנינא דמיא לדוב, הרי שהן משונות, אם כן מה שכתב שניין דא מן דא, מיותר, על כן דורש אל תקרי שניין אלא סניין מלשון שנאה, שנואים את ישראל כל אחד יותר מחבירו, ובשיר השירים רבה שם איתא שמכותיהן משונות זו מזו: **ירמיה ראה אותה אריה.** כמו שכתוב על כן הכס אריה מיער הנ"ל, עלה אריה מסובכו (ירמיה ד, ז). עיין שמות רבה (כג, ה). ובירמיה מ"ט (יט) במשא אדום כתיב, הנה כאריה יעלה מגאון הירדן:

(בראשית שם שם) "חֲשֵׁכָה" זוֹ מָדַי, שֶׁהֶחֱשִׁיכָה בִּגְזֵרוֹתֶיהָ אֶת יִשְׂרָאֵל, שֶׁנֶּאֱמַר (אסתר ג, יב) "לְהַשְׁמִיד לַהֲרֹג וּלְאַבֵּד", "גְּדֹלָה" (בראשית שם שם) זוֹ יָוָן, אָמַר רַב נַחְמָן: מְלַמֵּד שֶׁהָיְתָה מַלְכוּת יָוָן מַעֲמֶדֶת מֵאָה וְשִׁבְעִים וְאֶחָד אִפַּרְכִין, מֵאָה וְעֶשְׂרִים וְשִׁבְעָה אִסְטְרַטְלִיטִין, וְרַבָּנָן אָמְרֵי: שִׁשִּׁים שִׁשִּׁים, וְרַבִּי בֶּרֶכְיָה וְרַבִּי חָנִין עַל הָדָא דְרַבָּנָן: (דברים ח, טו) "הַמּוֹלִיכְךָ בַּמִּדְבָּר הַגָּדֹל וְהַנּוֹרָא נָחָשׁ שָׂרָף וְעַקְרָב", "נָחָשׁ" זֶה בָּבֶל, "שָׂרָף" זֶה מָדַי, "עַקְרָב" זֶה יָוָן, מָה עַקְרָב זֶה מַשְׁרֶצֶת שִׁשִּׁים שִׁשִּׁים כָּךְ הָיְתָה מַלְכוּת יָוָן מַעֲמֶדֶת שִׁשִּׁים שִׁשִּׁים. (בראשית שם שם) "נֹפֶלֶת" זוֹ אֱדוֹם, עַל שֵׁם (ירמיה מט, כא) "מִקּוֹל נִפְלָם רָעֲשָׁה הָאָרֶץ", וְיֵשׁ אוֹמְרִים "אֵימָה" זוֹ אֱדוֹם, עַל שֵׁם (דניאל ז, ז) "דְּחִילָה וְאֵימְתָנִי", "חֲשֵׁכָה" זוֹ יָוָן, "גְּדֹלָה" זוֹ מָדַי, עַל שֵׁם (אסתר ג, א) "גִּדַּל הַמֶּלֶךְ אֲחַשְׁוֵרוֹשׁ", "נֹפֶלֶת" זוֹ בָּבֶל, עַל שֵׁם (ישעיה כא, ט) "נָפְלָה נָפְלָה בָּבֶל", רָאָה דָּנִיֵּאל הַמַּלְכֻיּוֹת בְּעִיסוּקָן, הָדָא הוּא דִכְתִיב (דניאל ז, ב-ג) "חָזֵה הֲוֵית בְּחֶזְוִי עִם לֵילְיָא וַאֲרוּ אַרְבַּע רוּחֵי שְׁמַיָּא מְגִיחָן לְיַמָּא רַבָּא וְאַרְבַּע חֵיוָן רַבְרְבָן סָלְקָן מִן יַמָּא", אִם זְכִיתֶם "מִן יַמָּא" וְאִם לָאו מִן חוֹרְשָׁא, הָדָא חֵיוְתָא דִּימָּא כִּי סָלְקָא מִן יַמָּא הִיא מְמַכְיָא, סָלְקָא מִן חוֹרְשָׁא לֵית הִיא מְמַכְיָא, דִּכְוָותָהּ (תהלים פ, יד) "יְכַרְסְמֶנָּה חֲזִיר מִיָּעַר", עַיִ"ן תְּלוּיָה, אִם זְכִיתֶם מִן הַיְאוֹר, וְאִם לָאו מִן הַיַּעַר, הָדָא חֵיוְתָא כִּי סָלְקָא מִן נַהֲרָא הִיא מְמַכְיָא, סָלְקָא מִן חוֹרְשָׁא לֵית הִיא מְמַכְיָא, (דניאל שם ג) "שָׁנְיָן דָּא מִן דָּא", אַל תִּקְרֵי "שָׁנְיָן" אֶלָּא "סַנְיָן דָּא מִן דָּא", מְלַמֵּד שֶׁכָּל אוּמָּה שֶׁשּׁוֹלֶטֶת בָּעוֹלָם הִיא °שׂוֹנְאָה לְיִשְׂרָאֵל וּמְשַׁעְבֶּדֶת בָּהֶן, (שם ד) "קַדְמָיְתָא כְאַרְיֵה" זוֹ בָּבֶל, יִרְמְיָה רָאָה אוֹתָהּ אֲרִי וְרָאָה אוֹתָהּ נֶשֶׁר, דִּכְתִיב (ירמיה ד, ז) "עָלָה אַרְיֵה מִסֻּבְּכוֹ", (שם מח, מ) "הִנֵּה כַנֶּשֶׁר יַעֲלֶה וְיִדְאֶה",

מתנות כהונה

אפרכין אסטרטליטון. מיני שררות על ארצות חלוקות, וכן פירש בערוך (ערך אסטרטיא): **הכי גרסינן בבראשית רבה** (מב, יז) **ובילקוט רבנן אמרי ששים ששים.** וכן עיקר, ועיין בבראשית רבה (שם) ושם יתבאר: **הכי גרסינן נחש שרף ועקרב נחש זה בבל שרף זה מדי עקרב זה יון מה עקרב** וכן הוא בבראשית רבה (שם): **נפלה נפלה בבל גרסינן,** ופסוק הוא (ישעיה כא, ט): **חורשא.** יער: **ממכיא.** פירושו החיה שבים כשטולה מן הים מיד היא מתה. ממכיה לשון מך, ולכן אם תזכו, יהיו האומות כחיות הטעולות מן הים, שאין יכולין לשלוט בשום בריה, ואם לא, יהיו כחיה טעולה מן היער המשכלת ומזקת הבריות. וכן מצאתי במדרש תהלים (מזמור פ) בהדיא וזה לשונו, אם זכיתם הרי הם כחיות הים, כשהן עולות ליבשה מיד מתות. ובילקוט (תהלים רמז תתל) גרס להיפך, וכן במדרש חזית (שיר השירים ג, ג) פסוק כמטע שטעברתי, ולפי אותן גירסות יהיה ממכיה פועל יוצא, ורוצה לומר מזקת אחרים והמכוון אחד הוא: **העין תלויה.** וקרי ביה מיור חסר עי"ן, והוא כמו מיאור, שהברת האל"ף אינה ניכרת כל כך, והוא חזיר הגדל בים, והכי איתא בהדיא באבות דרבי נתן (פרק לד), ובאבות דרבי נתן איתא שהכתיב הוא מיאור והקרי מיער: **הכי גרסינן וראה אותה נשר דכתיב עלה ארי מסובכו הנה כנשר וגו':**

אם למקרא

וַיִּקָּרְאוּ סֹפְרֵי הַמֶּלֶךְ בַּחֹדֶשׁ הָרִאשׁוֹן בִּשְׁלוֹשָׁה עָשָׂר יוֹם בּוֹ וַיִּכָּתֵב כְּכָל אֲשֶׁר צִוָּה הָמָן אֶל אֲחַשְׁדַּרְפְּנֵי הַמֶּלֶךְ וְאֶל הַפַּחוֹת אֲשֶׁר עַל מְדִינָה וּמְדִינָה וְאֶל שָׂרֵי עַם וָעָם מְדִינָה וּמְדִינָה כִּכְתָבָהּ וְעַם וָעָם כִּלְשׁוֹנוֹ בְּשֵׁם הַמֶּלֶךְ אֲחַשְׁוֵרֹשׁ נִכְתָּב וְנֶחְתָּם בְּטַבַּעַת הַמֶּלֶךְ: (אסתר ג:יב)

הַמּוֹלִיכְךָ בַּמִּדְבָּר הַגָּדֹל וְהַנּוֹרָא נָחָשׁ שָׂרָף וְעַקְרָב וְצִמָּאוֹן אֲשֶׁר אֵין מָיִם הַמּוֹצִיא לְךָ מַיִם מִצּוּר הַחַלָּמִישׁ: (דברים ח:טו)

מִקּוֹל נִפְלָם רָעֲשָׁה הָאָרֶץ צְעָקָה בְּיַם סוּף נִשְׁמַע קוֹלָהּ: (ירמיה מט:כא)

בָּאתַר דְּנָה חָזֵה הֲוֵית בְּחֶזְוֵי לֵילְיָא וַאֲרוּ חֵיוָה רְבִיעָאָה דְּחִילָה וְאֵימְתָנִי וְתַקִּיפָא יַתִּירָה וְשִׁנַּיִן דִּי פַרְזֶל לַהּ רַבְרְבָן אָכְלָה וּמַדֱּקָה וּשְׁאָרָא בְּרַגְלַהּ רָפְסָה וְהִיא מְשַׁנְּיָה מִן כָּל חֵיוָתָא דִּי קָדָמַהּ וְקַרְנַיִן עֲשַׂר לַהּ: (דניאל ז:ז)

אַחַר הַדְּבָרִים הָאֵלֶּה גִּדַּל הַמֶּלֶךְ אֲחַשְׁוֵרוֹשׁ אֶת הָמָן בֶּן הַמְּדָתָא הָאֲגָגִי וַיְנַשְּׂאֵהוּ וַיָּשֶׂם אֶת כִּסְאוֹ מֵעַל כָּל הַשָּׂרִים אֲשֶׁר אִתּוֹ: (אסתר ג:א)

וְהִנֵּה זֶה בָא רֶכֶב אִישׁ צֶמֶד פָּרָשִׁים וַיַּעַן וַיֹּאמֶר נָפְלָה נָפְלָה בָּבֶל וְכָל פְּסִילֵי אֱלֹהֶיהָ שִׁבַּר לָאָרֶץ: (ישעיה כא:ט)

עָנֵה דָנִיֵּאל וְאָמַר חָזֵה הֲוֵית בְּחֶזְוִי עִם לֵילְיָא וַאֲרוּ אַרְבַּע רוּחֵי שְׁמַיָּא מְגִיחָן לְיַמָּא רַבָּא: וְאַרְבַּע חֵיוָן רַבְרְבָן סָלְקָן מִן יַמָּא שָׁנְיָן דָּא מִן דָּא: קַדְמָיְתָא כְאַרְיֵה וְגַפִּין דִּי נְשַׁר לַהּ חָזֵה הֲוֵית עַד דִּי מְּרִיטוּ גַפַּהּ וּנְטִילַת מִן אַרְעָא וְעַל רַגְלַיִן כֶּאֱנָשׁ הֳקִימַת וּלְבַב אֱנָשׁ יְהִיב לַהּ: וַאֲרוּ חֵיוָה אָחֳרִי תִנְיָנָה דָּמְיָה לְדֹב וְלִשְׂטַר חַד הֳקִמַת וּתְלָת עִלְעִין בְּפֻמַּהּ בֵּין שִׁנַּהּ וְכֵן אָמְרִין לַהּ קוּמִי אֲכֻלִי בְּשַׂר שַׂגִּיא: בָּאתַר דְּנָה חָזֵה הֲוֵית וַאֲרוּ אָחֳרִי כִּנְמַר וְלַהּ גַּפִּין אַרְבַּע דִּי עוֹף עַל גַּבַּהּ וְאַרְבְּעָה רֵאשִׁין לְחֵיוְתָא וְשָׁלְטָן יְהִיב לַהּ: בָּאתַר דְּנָה חָזֵה הֲוֵית בְּחֶזְוֵי לֵילְיָא וַאֲרוּ חֵיוָה רְבִיעָאָה דְּחִילָה וְאֵימְתָנִי וְתַקִּיפָא יַתִּירָה וְשִׁנַּיִן דִּי פַרְזֶל לַהּ רַבְרְבָן אָכְלָה וּמַדֱּקָה וּשְׁאָרָא בְּרַגְלַהּ רָפְסָה וְהִיא מְשַׁנְּיָה מִן כָּל חֵיוָתָא דִּי קָדָמַהּ וְקַרְנַיִן עֲשַׂר לַהּ: (דניאל ז:ב-ז) יְכַרְסְמֶנָּה חֲזִיר מִיָּעַר וְזִיז שָׂדַי יִרְעֶנָּה: (תהלים פ:יד) עָלָה אַרְיֵה מִסֻּבְּכוֹ וּמַשְׁחִית גּוֹיִם נָסַע יָצָא מִמְּקֹמוֹ לָשׂוּם אַרְצֵךְ לְשַׁמָּה עָרַיִךְ תִּצֶּינָה מֵאֵין יוֹשֵׁב: (ירמיה ד:ז) כִּי כֹה אָמַר ה' הִנֵּה כַנֶּשֶׁר יִדְאֶה וּפָרַשׂ כְּנָפָיו אֶל מוֹאָב: (שם מח:מ)

אָמְרִין לְדָנִיֵּאל: אַתְּ מָה חֲמֵית לְהוֹן — [People] therefore **asked Daniel, "In what** guise **did you see [the Babylonians],** as a lion or as an eagle?" אָמַר לְהוֹן: חֲמֵיתִי אַפִּין כְּאַרְיֵה וְגַפִּין דִּנְשַׁר — **[Daniel] replied to them, "I saw** that **its face was like a lion, and it had eagle's wings."**[157] הָדָא הוּא דִכְתִיב "קַדְמָיְתָא כְאַרְיֵה וְגַפִּין דִּי נְשַׁר לַהּ חָזֵה הֲוֵית עַד דִּי מְרִיטוּ גַפַּיהּ וּנְטִילַת מִן אַרְעָא" — **Thus it is written, *The first was like a lion, and it had eagle's wings. I was watching as its wings were plucked, and it was removed from the earth*** *and stood upon two feet like a man, and it was given a human heart* (*Daniel* 7:4).

The Midrash records a dispute regarding the latter part of this verse:

רַבִּי אֶלְעָזָר וְרַבִּי שְׁמוּאֵל בַּר נַחְמָן — **R' Elazar and R' Shmuel bar Nachman** argue over how to reconcile its conflicting statements.[158] רַבִּי אֶלְעָזָר אוֹמֵר: כָּל אוֹתוֹ אֲרִי לָקָה וְלִבּוֹ לֹא לָקָה — **R' Elazar said: All of that lion was struck**[159] **but its heart was not struck,**[160] דִּכְתִיב "וּלְבַב אֱנָשׁ יְהִיב לַהּ" — **as it is written,** ***and it was given a human heart.*** וְרַבִּי שְׁמוּאֵל בַּר נַחְמָן אָמַר: אַף לִבּוֹ לָקָה — **But R' Shmuel bar Nachman said** that **even its heart was struck,** דִּכְתִיב "לִבְבֵיהּ מִן אֲנָשָׁא יְשַׁנּוֹן" — **as it is written, *They will change its heart from that of a man,*** *and a beast's heart will be given to it* (*Daniel* 4:13).[161]

The second beast in Daniel's vision:

"חָזֵה הֲוֵית . . . וַאֲרוּ חֵיוָה אָחֳרִי תִנְיָנָה דָּמְיָה לְדֹב" — **"I saw** in my vision ***that behold! another beast, a second one, similar to a bear*** [דֹב]" (*Daniel* 7:5). "לְדֹב" כְּתִיב, זֶה מָדַי — Now, **"to a *deiv* (דֵב)" is written** here,[162] which implies that **this** beast represents the empire of **Media.** הוּא דַעְתֵּיהּ דְּרַבִּי יוֹחָנָן — **This is the opinion of R' Yochanan,** דְּאָמַר רַבִּי יוֹחָנָן — **for R' Yochanan said** in exposition of *Jeremiah* 5:6: "עַל כֵּן הִכָּם אַרְיֵה מִיַּעַר" זוֹ בָּבֶל — ***Therefore the lion of the forest struck them***[163] **— this is** a reference to **Babylonia.** "זְאֵב עֲרָבוֹת יְשָׁדְדֵם" זוֹ מָדַי — ***The wolf of the deserts vanquishes them* — this is Media.**[164] "נָמֵר שֹׁקֵד עַל עָרֵיהֶם" זוֹ יָוָן — ***The leopard stalks their cities* — this is Greece.**[165] "כָּל הַיּוֹצֵא מֵהֵנָּה יִטָּרֵף" זוֹ אֱדוֹם — ***Whoever leaves them will be torn apart* — this is Edom.**[166] לָמָּה — And why is the final exile so lengthy and harsh? "כִּי רַבּוּ פִּשְׁעֵיהֶם עָצְמוּ מְשׁוּבוֹתֵיהֶם" — ***Because their sins are abundant and their waywardness is intense*** (ibid.).

The third beast in Daniel's vision:

"חָזֵה הֲוֵית . . . וַאֲרוּ אָחֳרִי כִּנְמַר", זוֹ יָוָן — ***"After this I was watching and behold! another [beast], like a leopard"*** (*Daniel* 7:6) **— this is** an allusion to **Greece,** שֶׁהָיְתָה מַעֲמֶדֶת בִּגְזֵירוֹתֶיהָ וְאוֹמֶרֶת לְיִשְׂרָאֵל — **which was brazen**[167] **in its decrees, saying to Israel,** כִּתְבוּ עַל קֶרֶן הַשּׁוֹר שֶׁאֵין לָכֶם חֵלֶק לָעוֹלָם הַבָּא — **"Write on the horn of an ox that you have no portion in the World to Come."**[168]

The fourth and final beast:

"בָּאתַר דְּנָה חָזֵה הֲוֵית בְּחֶזְוֵי לֵילְיָא וַאֲרוּ חֵיוָה רְבִיעָאָה דְּחִילָה וְאֵמְתָנִי וְתַקִּיפָא יַתִּירָה", זוֹ אֱדוֹם — ***"After this I was watching in night visions, and behold! a fourth beast, terrifying, awesome, and exceedingly strong"*** (ibid., v. 7) **— this is** an allusion to **Edom.** דָּנִיֵּאל רָאָה שְׁלָשְׁתָּן בְּלַיְלָה אֶחָד וְלָזוֹ בְּלַיְלָה אֶחָד — **Daniel saw three of them** (i.e., the first three beasts) **on one night and this** fourth beast **on a different night.**[169] לָמָּה — **Why** was the fourth beast seen in a separate vision? רַבִּי יוֹחָנָן וְרַבִּי שִׁמְעוֹן בֶּן לָקִישׁ — **R' Yochanan and R' Shimon ben Lakish** (Reish Lakish) offered different explanations. רַבִּי יוֹחָנָן אָמַר: שֶׁשְּׁקוּלָה כְּנֶגֶד שְׁלָשְׁתָּן — **R' Yochanan said that [Edom] is equal to** all **three of them.**

NOTES

157. Since Daniel, on the other hand, was shown only one general vision of the Four Kingdoms, the beast representing Babylonia had to embody both of that nation's qualities. It thus exhibited the face [and body — see Midrash below] of a lion to symbolize Babylonia's strength, and the wings of an eagle to evoke her swiftness (ibid.).

158. If Babylonia's wings are plucked and it is removed from the earth (i.e., it is to be destroyed), in what sense is it stood upon its feet and given a human heart?

159. I.e., the entire lion-like **body** of Babylonia will be utterly destroyed, as is indicated by the phrase *and it was removed from the earth.* And even though the verse then states, in seeming self-contradiction, *and stood upon two feet like a man,* that phrase refers to Babylonia being *given a human* **heart** [see following note] (ibid.).

160. I.e., Babylonia's "heart" (consciousness or cognition) was not completely eradicated during the time its "body" was being destroyed. Rather, some small level of awareness remained so that Babylonia could sense and experience its pain and anguish. This is the meaning of *it was given a human heart* (ibid.).

161. R' Shmuel bar Nachman derives from this verse that Babylonia will lose all consciousness and awareness at the time of its destruction. And as for the verse cited by R' Elazar that suggests the opposite, *and it was given a human heart* — R' Shmuel bar Nachman [understands that verse as indicating weakness, not strength — that is, the expression *a human heart* indicates a lack of morale (*Abarbanel, Maayenei HaYeshuah* 8:2) — and] applies that verse to the weakened monarchy of Belshazzar, the last Babylonian ruler (*Eitz Yosef*; but see there for two serious difficulties with R' Shmuel bar Nachman's opinion).

Regarding how R' Elazar will interpret R' Shmuel bar Nachman's verse, *Eitz Yosef* writes that R' Elazar understands *They will change its heart from that of a man* as referring to a [relatively] *small* change (ibid.).

[*Eshed HaNechalim* writes that the preceding passage contains underlying esoteric (Kabbalistic) elements; see there.]

162. The word *bear* is normally written with a *vav*: דוֹב. Since here it appears as דֹב, the Midrash reads it דֵב, and a דֵב is a wolf (*Eitz Yosef*). [Since in Aramaic translation the letter ד is exchanged for a ז (and since the Book of *Daniel* is written in Aramaic), the Midrash associates דב with זאב, the Hebrew for *wolf* (*Yedei Moshe*).]

The Midrash does not mean that Media/Persia is compared only to a wolf and not to a bear, for the Sages explicitly compare Persia to a bear (*Megillah* 11a et al.). Rather, it means that Media is *also* compared to a wolf (*Tiferes Tzion*).

163. I.e., struck Israel.

164. After the lion strikes and kills its prey, the wolf of the desert goes out at night and eats what is left of the carcass. Similarly, it was Babylonia that struck and exiled Israel, and Media only continued the conquest after Nebuchadnezzar's downfall (*Tiferes Tzion*).

165. The Greek domination of Israel occurred in "their cities" — in the Land of Israel itself (ibid.; for why Greece is likened specifically to a leopard, see note 167).

166. The Babylonian/Median exile lasted only 70 years, and many of the captives returned home (see *Ezra* 3:12). And under the Greeks the Jews did not leave their land at all. However, *whoever leaves Eretz Yisrael* at the time of the Roman conquest *will be torn apart* in foreign lands, never to return (ibid.).

167. *Radal* emends our text to state מַעֲמֶדֶת פָּנִים, which he explains to be the equivalent of מְעִיזָה פָּנִים (be brazen, impudent, bold), as in *Bereishis Rabbah* 94 §9 (כָּל הַמַּעֲמִיד פָּנִים). And brazenness (עַזּוּת) is the unique characteristic of the leopard, for the Sages teach (*Avos* 5:23): הֱוֵי עַז כַּנָּמֵר, *Be brazen* (or bold) *like a leopard*. See also *Eitz Yosef*.

Alternatively, *Os Emes* emends our text to state מְנַמֶּרֶת. This is also *Matnos Kehunah's* text, and appears in various Midrash manuscripts as well. The phrase זוֹ יָוָן שֶׁהָיְתָה מְנַמֶּרֶת בִּגְזֵירוֹתֶיהָ means either: *This is Greece, which varied its decrees,* or: *This is Greece, which weakened* Israel *through its decrees* (see *Matnos Kehunah* and *Eitz Yosef*).

168. In all other iterations of the Greek decree the expression is: בֵּאלֹהֵי יִשְׂרָאֵל, *in the God of Israel* (*Matnos Kehunah*; see above with note 118). Presumably, our text should be emended accordingly.

169. The Midrash derives this from what Daniel states here in connection with the fourth beast: *I was watching in night visions.* For since he stated initially, *I saw in my vision at night . . . four immense beasts* (7:2-3), the mention of a *night vision* here would be superfluous if it did not indicate a separate vision. [Accordingly, *my vision at night* (v. 2) cannot be understood literally as a single vision, but rather means "visions" in the plural] (*Eitz Yosef*).

אָמְרִין לְדָנִיֵּאל: אַתְּ מָה חֲמֵית לְהוֹן, אָמַר לְהוֹן: חֲמֵיתִי אַפִּין כְּאַרְיֵה וְגַפִּין דִּנְשַׁר, הָדָא הוּא דִכְתִיב (דניאל ז, ד) "קַדְמָיְתָא כְאַרְיֵה וְגַפִּין דִּי נְשַׁר לַהּ חָזֵה הֲוֵית עַד דִּי מְּרִיטוּ גַפַּיהּ וּנְטִילַת מִן אַרְעָא", רַבִּי אֶלְעָזָר וְרַבִּי שְׁמוּאֵל בַּר נַחְמָן, רַבִּי אֶלְעָזָר אוֹמֵר: כָּל אוֹתוֹ אֲרִי לָקָה וְלִבּוֹ לֹא לָקָה, דִּכְתִיב (שם) "וּלְבַב אֱנָשׁ יְהִיב לַהּ", וְרַבִּי שְׁמוּאֵל בַּר נַחְמָן אָמַר: אַף לִבּוֹ לָקָה, דִּכְתִיב (שם ד יג) "לִבְבֵיהּ מִן אֲנָשָׁא יְשַׁנּוֹן", (שם ז, ב-ה) "חָזֵה הֲוֵית ... וַאֲרוּ חֵיוָה אָחֳרִי תִנְיָנָה דָּמְיָה לְדֹב", "לְדֵב" כְּתִיב, ט"זֶה מָדַי, הוּא דַעְתֵּיהּ דְּרַבִּי יוֹחָנָן, דְּאָמַר רַבִּי יוֹחָנָן: (ירמיה ה, ו) "עַל כֵּן הִכָּם אַרְיֵה מִיַּעַר" זוֹ בָּבֶל, (שם) "זְאֵב עֲרָבוֹת יְשָׁדְדֵם" זוֹ מָדַי, (שם) "נָמֵר שֹׁקֵד עַל עָרֵיהֶם" זוֹ יָוָן, (שם) "כָּל הַיּוֹצֵא מֵהֵנָּה יִטָּרֵף" זוֹ אֱדוֹם, לָמָּה, (שם) "כִּי רַבּוּ פִּשְׁעֵיהֶם עָצְמוּ מְשֻׁבוֹתֵיהֶם", (דניאל שם ב-ו) "חָזֵה הֲוֵית וַאֲרוּ אָחֳרִי כִּנְמַר", זוֹ יָוָן שֶׁהָיְתָה °מְעַמֶּדֶת בִּגְזֵירוֹתֶיהָ וְאוֹמֶרֶת לְיִשְׂרָאֵל: כִּתְבוּ עַל קֶרֶן הַשּׁוֹר שֶׁאֵין לָכֶם חֵלֶק לָעוֹלָם הַבָּא, (שם שם ז) "בָּאתַר דְּנָה חָזֵה הֲוֵית בְּחֶזְוֵי לֵילְיָא וַאֲרוּ חֵיוָה רְבִיעָאָה דְּחִילָה וְאֵמְתָנִי וְתַקִּיפָא יַתִּירָה", זוֹ אֱדוֹם, דָּנִיֵּאל רָאָה שְׁלָשְׁתָּן בְּלַיְלָה אֶחָד וְלָזוֹ בְּלַיְלָה אֶחָד, לָמָּה, רַבִּי יוֹחָנָן וְרַבִּי שִׁמְעוֹן בֶּן לָקִישׁ, רַבִּי יוֹחָנָן אָמַר: שֶׁשְּׁקוּלָה כְּנֶגֶד שְׁלָשְׁתָּן, וְרַבִּי שִׁמְעוֹן בֶּן לָקִישׁ אָמַר: "יַתִּירָה", מְתִיב רַבִּי יוֹחָנָן לְרַבִּי שִׁמְעוֹן בֶּן לָקִישׁ: (יחזקאל כא, יט) "בֶּן אָדָם הִנָּבֵא וְהַךְ כַּף אֶל כָּף", דָּא מָה עָבֵד לָהּ רַבִּי שִׁמְעוֹן בֶּן לָקִישׁ, (שם) "וְתִכָּפֵל", מֹשֶׁה רָאָה אֶת הַמַּלְכֻיּוֹת בְּעִיסוּקָן, [יא, ד] "אֶת הַגָּמָל" זוֹ בָּבֶל, שֶׁנֶּאֱמַר (תהלים קלז, ח) "אַשְׁרֵי שֶׁיְּשַׁלֶּם לָךְ אֶת גְּמוּלֵךְ שֶׁגָּמַלְתְּ לָנוּ",

עץ יוסף

חמית. פירוש רואה: **כל אותו ארי לקה כו'.** פירוש כל גופו שנדמה לאריה, מדכתיב ונטילת מן ארעא משמע שנאבדה לגמרי, ואף על גב דכתיב ועל רגלין כאנש הקימת, היינו לענין הלב שנתן לה לבב אנוש קאמר שעומדת על רגלין כאיש: **ולבו לא לקה.** אף כשנטרד היה לו קצת לבב אנוש בכדי להרגיש בצערו וכדכתיב ולבב אנש יהיב לה, אבל לא דעת גלולה, שבפירוש כתיב (דניאל ד, כה) ולקצת ירחין כו' מנדעי עלי יתוב, ומפרש מה שנאמר לבביה מן אינשא ישנון, שנשתנה קצת, ואידך מאן דאמר דריש מן אינשא ישנון לגמרי, ואידך קרא דלבב אינש יהב ליה מפרש ליה על מלכות בלשצר שנתלשה אז כמפורש שם. אבל קשה הא האי קרא דלבביה מן אנשא ישנון בחלום נבוכדנצר כתיב על מה שהיה נטרד שבע שנים עם חיות השדה, ומה ענין זה ללקות הארי דהכא שמיירי מאבוד אומת בבל, ובשלמא לרבי אלעזר דאמר כל אותו ארי לקה ולבו לא לקה יש לומר דהכי פירושו, כלומר, שאף שנאבד המלכות והכח מאומה זו עדיין יש חכמה בה כבתחילה שזה רמז לב אדם, ולא מיירי רבי אלעזר כלל מנבוכדנצר שנטרד שבע שנים, אלא ממפלת אומת בבל, אבל על רבי שמואל בר נחמן קשה כנזכר לעיל. ועוד קשה דדניאל בשנה אחת לבלשצר ראה החזון הזה, ואם כן מה שנאמר חזה הוית עד די מריטו גפה היינו מה שיהיה לאחר מכאן ואם כן מה שנאמר ולבב אנוש יהיב ליה יהיה אז והיכי מצי מיירי על לבב נבוכדנצר שקדם ככר ובטל מן העולם: **לדב כתיב.** ודב זה אזב: **שהיתה מעמדת.** פנים כענין הנמר שהוא עז פנים, כמו שאמרו (אבות ה, כ) עז כנמר, וכהא דבראשית רבה (לד, ח) כל המעמיד פנים כו'. ואות אמת גרס שהיתה מנמרת, והוא מענין ריחו לא נמר שפירושו חלוף או רפיון: **ולזו בלילה אחד.** דאם לא כן למה הוצרך לומר בחזוי ליליא בתר דכתיב לעיל על ארבעתם בחזוי עם ליליא לפי זה מה שנאמר לעיל בחזוי עם ליליא, לאו דוקא בלילה אחד, אלא כלומר בחזיוני הלילות: **יתירה.** רצה לומר יותר מכל שלשתם כדכתיב בה ותקיפא יתירה: **מתיב רבי יוחנן לרבי שמעון בן לקיש כו'.** רצה לומר דכתיב שם בן אדם הנבא והך כף אל כף ותכפל חרב שלישתה חרב חללים הוא חרב חלל הגדול וגו' נתתי אבחת חרב וגו', וזהו שמקשה ודא מה עביד לה רבי שמעון בן לקיש, ורצה לומר דהאי קרא באדום משתעי שהחריבה בית שני כי על שני המקדשים נתנבא יחזקאל באותה הנבואה דכתיב לעיל מיניה והטף אל מקדשים, ומדכתיב כף אל כף משמע להורות שמלכות אדום יהיה כמו שלשה הראשונות, והא דכתיב שם ותכפל חרב שלישתה, פירושה מכופלת שלשה פעמים שהיא שקולה כנגד שלשה מלכיות הראשונות,

פירוש מהרז"ו

כנמר זו מוקדון. וסיפא דקרא ושלטון יהיב לה, וזהו שאמר מעמדת בגזרותיה, פירוש ששלטה על התורה והדת: **שלשתן בלילה אחת.** שאצל קדמייתא כאריה וגו', תנינא כדוב וגו', אחרי כנמר וגו', אינו כתיב רק פעם אחד לילה אצל כולם, אך אצל הרביעית כתוב עוד הפעם בחזווי ליליא וארו חיוה רביעיא, על פי מדה יו"ד, שני לילות: **ששקולה כנגד שלשתן.** ועל כן כתוב חיוה רביעיא דחילא ואמתני ותקיפא, שלש לשונות של תקפה, כנגד שלש החיות, ומה שכתב עוד ויתירה, פירושו לרבי יוחנן שיתירה מכל אחת מהנ"ל, על שהיא כנגד כולם: **כף אל כף.** תחילה כתוב חרב חרב הוחדה וגו', היא הוחדה חרב וגו', מגורי אל חרב וגו', הרי ארבע פעמים חרב, על פי מדה יו"ד, כנגד ארבע חיות הנ"ל, ואחר כך כתיב ואתה בן אדם הנבא והך כף אל כף ותכפל חרב שלישיתה חרב חללים היא חרב חלל הגדול, שיכפל החרב האחרון הנ"ל כנגד שלשה הנ"ל, שעל כן כתוב בפסוק זה שלוש פעמים חרב שהיא שקולה כשלושה הנ"ל, וזהו חרב חלל הגדול. ותירץ ריש לקיש שעל כן כתוב ותכפל, לבד מה שכתוב חרב שלישיתה, שלבד שתהיה משולשת עוד תכפל, וכמו שכתב ויתירה כנ"ל: **משה ראה.** בשביל מאמר זה הובא כל הדרשה לכאן: **את גמולך שגמלת.** וריסיה דקרא בת בבל השדודה, וזהו את הגמל, על פי מדת ממעל, מלשון גמול:

חידושי הרד"ל

ולבו לא לקה. אף כשנטרד היה לו קצת לבב אנוש בכדי להרגיש בצערו, אבל לא דעת גלולה, שבפירוש כתיב (דניאל ד, כו לה) ולקצת ירחין כו' מנדעי עלי יתוב. ומפרש מה שכתוב (שם יג) לבביה מן אינשא ישנון, שנשתנה קצת, ואידך מאן דאמר דרש מן אינשא ישנון, לגמרי, ואידך קרא דלבב אינש יהב ליה (דניאל ז, ד), מפרש ליה על מלכות בלשצר, שנתלשה מלכותו אז, כמפורש שם: **דאמר רבי יוחנן על כן הכם כו'.** אסתר רבה (פתיחתא א): **שהיתה מעמדת בגזרותיה.** עיין מתנות כהונה, ונראה לריך לומר, מעמדת פנים בגזרותיה, ופירושו מעיזה פנים, וכההיא דבראשית רבה (לד, ט) כל המעמיד פנים כו', ולכן מושלה בנמר כמו שאמרו (אבות פ"ה, כ) עז כנמר: **מתיב כו' לרבי שמעון בן לקיש בן אדם הנבא והך כף אל כף ותכפל חרב שלישתה חרב חללים היא חרב חלל הגדול כו' נתתי אבחת חרב וגו' ודא מה עבד כו'.** כן לריך לומר. דדרש ארבעה פעמים חרב על ד' מלכיות, וחרב שלישיה על ראשונים שקולה נגד שלשתן לרבי יוחנן, וריש לקיש מוקי תכפל, משמעותו עוד יותר משלשה פעמים:

מסורת המדרש

ט. ב"ר פ' נ"ט:

אם למקרא

לִבְבֵהּ מִן אֲנָשָׁא יְשַׁנּוֹן וּלְבַב חֵיוָא יִתְיְהִב לֵהּ וְשִׁבְעָה עִדָּנִין יַחְלְפוּן עֲלוֹהִי:
(דניאל ד:יג)

עַל־כֵּן הִכָּם אַרְיֵה מִיַּעַר זְאֵב עֲרָבוֹת יְשָׁדְדֵם נָמֵר שֹׁקֵד עַל־עָרֵיהֶם כָּל־הַיּוֹצֵא מֵהֵנָּה יִטָּרֵף כִּי רַבּוּ פִּשְׁעֵיהֶם עָצְמוּ מְשֻׁבוֹתֵיהֶם:
(ירמיה ה:ו)

וְאַתָּה בֶן־אָדָם הִנָּבֵא וְהַךְ כַּף אֶל־כָּף וְתִכָּפֵל חֶרֶב שְׁלִישִׁתָה חֶרֶב חֲלָלִים הִיא חֶרֶב חָלָל הַגָּדוֹל הַחֹדֶרֶת לָהֶם:
(יחזקאל כא:יט)

בַּת־בָּבֶל הַשְּׁדוּדָה אַשְׁרֵי שֶׁיְשַׁלֶּם־לָךְ אֶת־גְּמוּלֵךְ שֶׁגָּמַלְתְּ לָנוּ:
(תהלים קלז:ח)

ידי משה

לדב כתיב. פירוש זאב, כי זאב נקרא בלשון תרגום דב, כי ז' מתחלף בלשון תרגום עם ד', כמו (ויקרא טו, כה) כי יזוב כי ידוב, ולכן אמר הוא דעתיה דרבי יוחנן וגו' זאב ערבות וגו' זהו מדי. וקל להבין:

שינוי נוסחאות

וארו אחרי כנמר, זו יון שהיתה מעמדת בגזרותיה. הגיהו א"א ומ"כ שצ"ל "שהיתה מנמרת בגזרותיה": שאין לכם חלק לעולם הבא. כתב מ"כ שבכל מקום שיש לשון זה מצינו "שאין לכם חלק באלהי ישראל", ואכן בכל הכי"י כך נמצא גם כאן, ונראה שהוא טעות הדפוס:

אמרי יושר

לבו לא לקה. דכתיב (דניאל ז ד) עד די מריטו גפיה וגו' ולבב אינש (שלים) יהיב לה: **ולזו בלילה אחד.** דייק דלא כתיב בחזוי לילה רק ברביעית, שהיה בלילה אחרת:

מתנות כהונה

כל אותו ארי. נבוכדנצר: **הכי גרסינן ישנון. חזה הוית: הכי גרסינן לדוב לדב כתיב זה מדי הוא דעתיה דרבי יוחנן דאמר רבי יוחנן על כן כו'** עד **זו יון** שהיתה מנמרת בגזרותיה. כלומר שהיתה גוזרת גזירות משונות זו מזו והכי גרסינן גם כן בבראשית רבה פרשה לט (ג). וגם הגירסא מעמדת יש ליישבו, וקל להבין: **לעולם הבא.** בכל מקום (בראשית ד ב. וטז, ד וטוד) גרס באלהי ישראל: **ולזו בלילה אחד.** בלילה מיוחדת ראה ממשלת אדום: **יתירה.** יותר משלשתן: **כף על כף.** סיפיה דקרא ותכפל חרב וגו', ואותה נבואה נאמרת על אדום, וכתיב כף על כף, להורות שמלכות אדום יהיה כמו שלשה הראשונות לה: **ומשני** ותכפל. כתיב

אשד הנחלים

ולבו לא לקה כו' אף לבו. יש להבין הדבר במה נחלקו ומה כיוונו בזה. ואם שיש בה ציור על דרך פשוטו לבאר מה היה דמיונו בעת שנתהפך לדעת הבהמות, אם היה לבבו שלם עודנו רק הרהוריו הטתו להיות כדמות החיות וטבעיו, אבל עם כל זה בלבו חשב ששקר דמיונו, או גם לבו לקה עליו. אך מה שרצו בזה הוא ענין עמוק מאוד בחכמת התולדות, ואבאר מעט בזה כפי קוצר דעתי, בכדי שיובן כל העניינים הנדרשים פה בשלימות על דרך הציור האמיתי, אבל רק בדרך כלל, בכדי שיובן מה חקרו בעה שדימו מלכות זו לחיה זו, ומלכות אחרת לחיה אחרת. דע והבן כי האדם כל עוד נשמתו בו, הוא נבדל בסוגו מבעלי חיים, שהמה נפשות אחרות בסוג, ונפש הבעלי חיים אין להם נצחיית, ונפשות בני אדם מקורם מלמעלה בניצחיית, ואף כי נשחתה עם כל זה יש תקומה לה, אך אחרי התרגלו בעוון אז נהפך גם לבו בקרבו, עד שאין תקוה לו, ואז הוא נמשל כבהמה וחיה ממש, כי שב בו רק נפש הבהמית. והנה כולם עתידין להצרף באחרית כפי שגזרה

וְרַבִּי שִׁמְעוֹן בֶּן לָקִישׁ אָמַר: יַתִּירָה — **R' Shimon ben Lakish said** that Edom is **greater** than all three of them.[170] מְתִיב רַבִּי יוֹחָנָן לְרַבִּי שִׁמְעוֹן בֶּן לָקִישׁ — **R' Yochanan challenged R' Shimon ben Lakish** from the following verse: "בֶּן אָדָם הִנָּבֵא וְהַךְ כַּף אֶל כָּף" — ***Son of Man, prophesy and pound hand to hand,*** *etc.* (*Ezekiel* 21:19).[171] דָא מָה עָבֵד לָהּ רַבִּי שִׁמְעוֹן בֶּן לָקִישׁ — **What does R' Shimon ben Lakish do with this** verse? "וְתִכָּפֵל" — Reish Lakish responded: ***"And"*** **. . .** ***will be multiplied*** is written there, with a superfluous *vav* (*And*).[172]

The Midrash presents its third and final example of a prophet who beheld the Four Kingdoms in a vision. In doing so, it answers the original question of this section — why Scripture takes the seemingly unnecessary step of prohibiting by name the four animals (camel, hyrax, hare, and swine) that possess just one of the two required signs of *kashrus* — for the Midrash will show that those four animals allude to the four empires that the prophets envisioned:[173]

מֹשֶׁה רָאָה אֶת הַמַּלְכֻיּוֹת בְּעִיסּוּקָן — **Moses,** too, **foresaw the** Four **Kingdoms in their successes,** for in prophetically transmitting the laws of *kashrus* he said, "אֶת הַגָּמָל" — *But this is what you shall not eat from among those that bring up their cud or that have split hooves:* ***the camel*** [גָּמָל] (*Leviticus* 11:4) —

NOTES

170. For Daniel describes Edom as being *"exceedingly"* strong (ibid.). [Although *Eitz Yosef* writes this in explanation of Reish Lakish's opinion, presumably it serves as the basis for R' Yochanan's opinion as well.] See Insight Ⓐ.

171. The verse states in full: וְאַתָּה בֶן אָדָם הִנָּבֵא וְהַךְ כַּף אֶל כָּף וְתִכָּפֵל חֶרֶב שְׁלִישִׁתָה חֶרֶב חֲלָלִים הִיא חֶרֶב חָלָל הַגָּדוֹל הַחֹדֶרֶת לָהֶם, *And you, Son of Man, prophesy and pound hand to hand: and the sword will be multiplied thrice, the sword of the slain; it is the sword of the great massacre that will penetrate to them.* The passage is speaking of Edom, for it prophesies about the fallen Temples (ibid., v. 7) and it was Edom that destroyed the Second Temple. The words כַּף אֶל כָּף (*hand to hand*, with each *hand* representing one empire) suggest that Edom is simply a coequal of each of the other three empires. However, the verse then states, וְתִכָּפֵל חֶרֶב שְׁלִישִׁתָה (*the sword* [Edom] *will be multiplied thrice*), which teaches that Edom's power is actually a multiple of three, thus making Edom the equivalent of the first three empires combined. That is to say, equal to them but not *greater* than them [as Reish Lakish holds] (*Eitz Yosef*).

172. Reish Lakish maintains that since Scripture did not state simply תִּכָּפֵל (*will be multiplied*) but rather וְתִכָּפֵל, the extra *vav* comes to increase the measure of Edom's power, to teach that it is more than a multiple of three. Hence, Edom's power is indeed greater than that of the other empires combined. R' Yochanan, on the other hand, attaches no exegetical significance to the *vav* (ibid.).

173. *Tiferes Tzion*. See note 104 for *Yefeh To'ar's* approach.

INSIGHTS

Ⓐ **The Three Watches of the Night** Daniel dreamed of three beasts on one night, one beast on the other. The Midrash deduces that the fourth Kingdom is the equivalent of, or even greater than, the other three combined.

Maharal connects the teaching of this Midrash to the Gemara that states: שְׁלֹשָׁה מִשְׁמָרוֹת הָוֵי הַלַּיְלָה, *The night consists of three watches* (*Berachos* 3a). *Maharal* explains that night represents exile, the withdrawal of God's light from His people. On Daniel's first night of dreaming, he saw three beasts, one for each of the three watches of the night, each watch symbolizing Israel's exile under one of the three Kingdoms — Babylonia, Media, and Greece. On the next night, he dreamed of but a single beast, one that encompassed all *three* watches of the night. This indicated that the exile of Israel under Edom, the fourth Kingdom, would be equal in difficulty to the exiles she endured under all the other three Kingdoms combined. [The connection between the watches of the night and the exile of Israel is made clear in the Gemara there, which relates that at every watch God says, "Woe is to the children, because of whose sins I destroyed My Temple and burned My Sanctuary and exiled them among the nations of the world."]

The Four Kingdoms correspond to the four spiritual forces that constitute Man. These are three levels of the human soul — *nefesh, ruach,* and *neshamah* — as well as the unifying force that binds the three and forms that unique creature, the human being, differentiated from all others by the power of speech. [The unifying force is identified by some as the *tzelem Elokim* — see *Shem MiShmuel, Tazria,* שנת תרע"א, p. 209.] Each of the first three Kingdoms was sent to subjugate another aspect of the soul of Man, as represented by the nation of Israel. The purpose of the fourth Kingdom, however, was to rule Man in his totality, to subjugate the unifying force that ties together the three aspects of the soul. Thus, the exile under Edom includes features of all three that preceded it; therefore, it is deemed equal to, and has outlasted, all three combined. [This quality of the Edomite exile is seen from the fact that the fourth beast, which represented Edom, was the only one of the four beasts to speak (see *Daniel* 7:8,11). The speech of the Edomite beast alludes to the power Edom holds over Man's unifying force, the *tzelem Elokim,* source of Man's ability to speak] (*Maharal, Netzach Yisrael,* Ch. 18; *Ner Mitzvah*, pp. 10-16; and *Chidushei Aggados, Shabbos* 31b s.v. על שלש עבירות).

The Gemara in *Berachos* (ibid.) states that the three watches of the night, whose passage is marked primarily in Heaven, may be discerned on earth as well via the following signs: At the first watch, a donkey brays; at the second, dogs howl; at the third, a mother nurses her infant, and a woman speaks with her husband. On a basic level, these may be understood simply as the means by which one determines when the different parts of the night have arrived. However, *Maharal* expounds these descriptions to reveal a deeper level of meaning, in which the different sounds symbolize the various sufferings to which Israel has been subjected in her times of exile.

As mentioned, night represents the darkness of exile. The braying of the donkey in the first watch of the night signifies the heavy yoke that was placed upon Israel by those who enslaved her people or burdened them with confiscatory taxes and levies. In such periods of exile, Israel was like a donkey, a beast of burden, used by its owner until its strength is depleted and every bit of value has been extracted. In the second part of the night, dogs howl. This alludes to a Rabbinic teaching (*Bava Kamma* 60b): *If dogs are howling, the Angel of Death has come to the city.* The reference is to the periods of religious persecution that featured so prominently in the different eras of Israel's exile, and to the pogroms and burnings that followed when Jews remained steadfast and refused to renounce their beliefs. [*Maharal* (*Ner Mitzvah* p. 15) draws a distinction in this respect between the Greek exile and the Edomite one. The Greeks wished to tear Israel away from God. They carried out executions not for their own sake, but to force compliance with their religious decrees. In the case of Edom, however, the true objective was to kill Jews. The religious decrees, which the authorities expected would be disobeyed, were simply a means to that end.] In the final watch of the night, a child suckles and a woman speaks with her husband. The relationship between Israel and her persecutors may be likened to that of a woman and her husband (see *Isaiah* 26:13). When a man is displeased with his wife, he sends her away. So too Israel at the hands of her rulers. Beginning with the destruction of the First Temple, through medieval times, and even in the modern era, the Jewish nation has often suffered cruel decrees of banishment and expulsion. The Gemara's comparison of Israel to a suckling infant refers to the steady erosion, as the exile continues, of Israel's proficiency in Torah knowledge. The upheavals and persecutions of centuries have taken their toll, and the scholars of Israel have been made bereft of much Torah learning. Just as an infant cannot feed itself, but depends entirely upon its mother for nourishment, so too are the scholars incapable of producing new and original learning of their own, relying instead entirely upon the works of earlier luminaries (*Maharal, Netzach Yisrael* ibid., *Ner Mitzvah* ibid, and *Derush Al HaTorah*.; see also *Beurei HaGra* to *Berachos* ibid. and *Maharsha* there).

Servitude, death, religious coercion, expulsions, an erosion of Torah knowledge: these are the tribulations Israel has suffered, cast into the darkness, helpless before the braying and howling of her enemies, deep in the watches of the *galus* night; a night that will end only with the dawn of a new light on Zion.

אֲמָרִין לְדָנִיֵּאל: אַתְּ מָה חֲמֵית לְהוֹן, אֲמַר לְהוֹן: חֲמֵיתִי אַפִּין כְּאַרְיֵה וְגַפִּין דִּנְשַׁר, הֲדָא הוּא דִכְתִיב (דניאל ז, ד) "קַדְמָיְתָא כְאַרְיֵה וְגַפִּין דִּי נְשַׁר לַהּ חָזֵה הֲוֵית עַד דִּי מְרִיטוּ גַפַּיהּ וּנְטִילַת מִן אַרְעָא", רַבִּי אֶלְעָזָר וְרַבִּי שְׁמוּאֵל בַּר נַחְמָן, רַבִּי אֶלְעָזָר אוֹמֵר: כָּל אוֹתוֹ אֲרִי לָקָה וְלִבּוֹ לֹא לָקָה, דִּכְתִיב (שם) "וּלְבַב אֱנָשׁ יְהִיב לַהּ", וְרַבִּי שְׁמוּאֵל בַּר נַחְמָן אָמַר: אַף לִבּוֹ לָקָה, דִּכְתִיב (שם ד יג) "לִבְבֵהּ מִן אֲנָשָׁא יְשַׁנּוֹן", (שם ז, ב-ה) "חָזֵה הֲוֵית ... וַאֲרוּ חֵיוָה אָחֳרִי תִנְיָנָה דָּמְיָה לְדֹב", "לְדֵב" כְּתִיב, [ט] זֶה מָדַי, הוּא דַעְתֵּיהּ דְּרַבִּי יוֹחָנָן, דְּאָמַר רַבִּי יוֹחָנָן: (ירמיה ה, ו) "עַל כֵּן הִכָּם אַרְיֵה מִיַּעַר" זוֹ בָּבֶל, (שם) "זְאֵב עֲרָבוֹת יְשָׁדְדֵם" זוֹ מָדַי, (שם) "נָמֵר שֹׁקֵד עַל עָרֵיהֶם" זוֹ יָוָן, (שם) "כָּל הַיּוֹצֵא מֵהֵנָּה יִטָּרֵף" זוֹ אֱדוֹם, לָמָּה, (שם) "כִּי רַבּוּ פִּשְׁעֵיהֶם עָצְמוּ מְשֻׁבוֹתֵיהֶם", (דניאל שם ב-ו) "חָזֵה הֲוֵית וַאֲרוּ אָחֳרִי כִּנְמַר", זוֹ יָוָן שֶׁהָיְתָה °מַעֲמֶדֶת בִּגְזֵירוֹתֶיהָ וְאוֹמֶרֶת לְיִשְׂרָאֵל: כִּתְבוּ עַל קֶרֶן הַשּׁוֹר שֶׁאֵין לָכֶם חֵלֶק לָעוֹלָם הַבָּא, (שם שם ז) "בָּאתַר דְּנָה חָזֵה הֲוֵית בְּחֶזְוֵי לֵילְיָא וַאֲרוּ חֵיוָה רְבִיעָאָה דְּחִילָה וְאֵמְתָנִי וְתַקִּיפָא יַתִּירָה", זוֹ אֱדוֹם, דָּנִיֵּאל רָאָה שְׁלָשְׁתָּן בְּלַיְלָה אֶחָד וְלָזוֹ בְּלַיְלָה אֶחָד, לָמָּה, רַבִּי יוֹחָנָן וְרַבִּי שִׁמְעוֹן בֶּן לָקִישׁ, רַבִּי יוֹחָנָן אָמַר: שֶׁשְּׁקוּלָה כְּנֶגֶד שְׁלָשְׁתָּן, וְרַבִּי שִׁמְעוֹן בֶּן לָקִישׁ אָמַר: "יַתִּירָה", מְתִיב רַבִּי יוֹחָנָן לְרַבִּי שִׁמְעוֹן בֶּן לָקִישׁ: (יחזקאל כא, יט) "בֶּן אָדָם הִנָּבֵא וְהַךְ כַּף אֶל כָּף", (שם) "וְתִכָּפֵל", דָּא מָה עָבֵד לַהּ רַבִּי שִׁמְעוֹן בֶּן לָקִישׁ, מֹשֶׁה רָאָה אֶת הַמַּלְכֻיּוֹת בְּעִיסּוּקָן, [יא, ד] "אֶת הַגָּמָל" זוֹ בָּבֶל, שֶׁנֶּאֱמַר (תהלים קלז, ח) "אַשְׁרֵי שֶׁיְשַׁלֶּם לָךְ אֶת גְּמוּלֵךְ שֶׁגָּמַלְתְּ לָנוּ",

עץ יוסף

חמית. פירוש רואה: **כל אותו ארי לקה כו'.** פירוש כל גופו שנדמה לאריה, מדכתיב ונטילת מן ארעא משמע שנאבדה לגמרי, ואף על גב דכתיב ועל רגלין כאנש הקימת, היינו לענין הלב שנתן לה לבב אנוש קאמר שעומדת על רגליו כאיש: **ולבו לא לקה.** אף כשנטרד היה לו קצת לבב אנוש בכדי להרגיש בצערו וכדכתיב ולבב אנש יהיב לה, אבל לא דעת גמורה, שבפירוש כתיב (דניאל ד, כה) ולקצת ירחין כו' מנדעי עלי יתוב, ומפרש מה שנאמר לבביה מן אינשא ישנון, שנשתנה קצת, ואידך מאן דאמר דריש מן אינשא ישנון לגמרי, ואידך קרא דלבב אינש יהב ליה מפרש ליה על מלכות בלשצר שנחלשה אז כמפורש שם. אבל קשה הא האי קרא לבביה מן אנשא ישנון בחלום נבוכדנצר כתיב על מה שהיה נטרד שבע שנים עם חיות השדה, ומה ענין זה ללקות הארי דהכא שמיירי מאבוד אומת בבל, ובשלמא לרבי אלעזר דאמר כל אותו ארי לקה ולבו לא לקה יש לומר דהכי פירושו, כלומר, שאף שנאבד המלכות והכח מאומה זו עדיין יש חכמה בה כבתחילה שזה רמז לב אדם, ולא איירי רבי אלעזר כלל מנבוכדנצר שנטרד שבע שנים, אלא ממפלת אומת בבל, אבל על רבי שמואל בר נחמן קשה כנזכר לעיל. ועוד קשה דדניאל בשנה אחת לבלשצר ראה החזון הזה, ואם כן מה שנאמר חזה הוית עד די מריטו גפה היינו מה שיהיה לאחר מכאן ואם כן מה שנאמר ולבב אנוש יהיב ליה יהיה אז והיכי מצי מיירי על לבב נבוכדנצר שקדם כבר ובטל מן העולם: **לדב כתיב.** ודב זה זאב: **שהיתה מעמדת.** פנים כענין הנמר שהוא עז פנים, כמו שאמרו (אבות ה, כ) עז כנמר, וכההיא דבראשית רבה (לד, ח) כל המעמיד פנים כו'. ואות אמת גרס שהיתה מנמרת, והוא מענין ריחו לא נמר שפירושו חלוף או רפיון: **ולזו בלילה אחד.** דאם לא כן למה הוצרך לומר בחזוי ליליא בתר דכתיב לעיל על ארבעתם בחזוי עם ליליא לפי זה מה שנאמר לעיל בחזוי עם ליליא, לאו דוקא בלילה אחד, אלא כלומר בחזיוני הלילות: **יתירה.** רצה לומר יותר מכל שלשתם כדכתיב בה ותקיפא יתירה: **מתיב רבי יוחנן לרבי שמעון בן לקיש כו'.** רצה לומר דכתיב שם בן אדם הנבא והך כף אל כף ותכפל חרב שלישתה חרב חללים הוא חרב חלל הגדול וגו' נתתי אבחת חרב וגו', וזהו שמקשה ודא מה עביד לה רבי שמעון בן לקיש, ורצה לומר דהאי קרא באדום משתעי שהחריבה בית שני כי על שני המקדשים נתנבא יחזקאל באותה הנבואה דכתיב לעיל מיניה והטף אל מקדשים, ומדכתיב כף אל כף משמע להורות שמלכות אדום יהיה כמו שלשה הראשונות, והא דכתיב שם ותכפל חרב שליתיתה, פירושה מכופלת שלשה פעמים שהיא שקולה כנגד שלשה מלכיות הראשונות,

פירוש מהרז"ו

כנמר זו מוקדון. וסיפא דקרא ושלטון יהיב לה, וזהו שאמר מעמדת בגזרותיה, פירוש שגלטה על התורה והדת: **שלשתן בלילה אחת.** שאלו קדמייתא כאריה וגו', תניינא לדוב וגו', אחרי כנמר וגו', אינו כתיב רק פעם אחד לילה אלא כולם, אך אלו הרביעית כתוב עוד הפעם בחזוי ליליא וארו חיוה רביעיה, על פי מדה יו"ד, שני לילות, ששקולה כנגד שלשתן. ועל כן כתוב חיוה רביעיה דחילה ואמתני ותקיפה, שלש לשונות של תקפה, כנגד שלש החיות, ומה שכתב עוד ויתירה פירושו לרבי יוחנן שיתירה מכל אחת מהנ"ל, על שהיא כנגד כולם: **כף אל כף.** תחילה כתוב חרב חרב הוחדה וגו', היא הוחדה חרב וגו', מגורי אל חרב וגו', הרי ארבע פעמים חרב, על פי מדה יו"ד, כנגד ארבע חיות הנ"ל, ואחר כך כתיב ואתה בן אדם הנבא והך כף אל כף ותכפל חרב שליתיתה חרב חללים היא חרב חלל הגדול, שיכפל החרב האחרון הנ"ל כנגד שלשה הנ"ל, שעל כן כתוב בפסוק זה שלש פעמים חרב שהיא שקולה כשלשה הנ"ל, וזהו חרב חלל הגדול. ותירץ ריש לקיש שעל כן כתוב ותכפל, לבד מה שכתוב חרב שליתיתה, שלבד שתהיה משולשת עוד תכפל, וכמו שכתב ויתירה כנ"ל: **משה ראה.** בשביל מאמר זה הובא כל הדרשה לכאן: **את גמולך שגמלת.** ורישיה דקרא בת בבל השדודה, וזהו את הגמל, על פי מדת ממעל, מלשון גמול:

חידושי הרד"ל

ולבו לא לקה. אף כשנטרד היה לו קצת לבב אנוש בכדי להרגיש בצערו, אבל לא דעת גמורה, שבפירוש כתיב (דניאל ד, כו לא) ולקצת ירחין כו' מנדעי עלי יתוב. ומפרש מה שכתוב (שם יג) לבביה מן אינשא ישנון, שנשתנה קצת, ואידך מאן דאמר דרש מן אינשא ישנון, לגמרי, ואידך קרא דלבב אינש יהב ליה (דניאל ז, ד), מפרש ליה על מלכות בלשצר, שנחלשה מלכותו אז, כמפורש שם: **דאמר רבי יוחנן על כן הכם כו'.** אסתר רבה (פתיחתא א): **שהיתה מעמדת בגזרותיה.** עיין מתנות כהונה, ונראה צריך לומר, מעמדת פנים בגזרותיה, ופירושו מעיזה פנים, (וכההיא דבראשית רבה (לד, ט) כל המעמיד פנים כו'), ולכן מושלה בנמר כמו שאמרו (אבות פ"ה, כ) עז כנמר: **מתיב כו' לרבי שמעון בן לקיש בן אדם הנבא והך כף אל כף ותכפל חרב שלישתה חרב חללים היא חרב חלל הגדול כו' נתתי אבחת חרב וגו' ודא מה עבד כו'.** כן צריך לומר. דדרש ארבעה פעמים חרב על ד' [מלכיות], וחרב שלישתיה על ראמולוס ששקולה כנגד שלשתן לרבי יוחנן, וריש לקיש משני תכפל, משמעותו עוד יותר משלשה פעמים:

אמרי יושר

לבו לא לקה. דכתיב (דניאל ז ד) די מריטו גפיה וגו' ולבב אינש (שלים) יהיב לה: **ולזו בלילה אחד.** דייק דלא כתיב בחזוי לילה רק ברביעית, שהיה בלילה אחרת:

מסורת המדרש

ט. ב"ר פ' נ"ט:

אם למקרא

לִבְבֵהּ מִן אֲנָשָׁא יְשַׁנּוֹן וּלְבַב חֵיוָא יִתְיְהִב לֵהּ וְשִׁבְעָה עִדָּנִין יַחְלְפוּן עֲלוֹהִי: (דניאל ד:יג)

עַל כֵּן הִכָּם אַרְיֵה מִיַּעַר זְאֵב עֲרָבוֹת יְשָׁדְדֵם נָמֵר שֹׁקֵד עַל עָרֵיהֶם כָּל הַיּוֹצֵא מֵהֵנָּה יִטָּרֵף כִּי רַבּוּ פִּשְׁעֵיהֶם עָצְמוּ מְשֻׁבוֹתֵיהֶם: (ירמיה ה:ו)

וְאַתָּה בֶן אָדָם הִנָּבֵא וְהַךְ כַּף אֶל כָּף וְתִכָּפֵל חֶרֶב שְׁלִישִׁתָה חֶרֶב חֲלָלִים הִיא חֶרֶב חָלָל הַגָּדוֹל הַחֹדֶרֶת לָהֶם: (יחזקאל כא:יט)

בַּת בָּבֶל הַשְּׁדוּדָה אַשְׁרֵי שֶׁיְשַׁלֶּם לָךְ אֶת גְּמוּלֵךְ שֶׁגָּמַלְתְּ לָנוּ: (תהלים קלז:ח)

ידי משה

לדב כתיב. פירוש זאב, כי זאב נקרא בלשון תרגום דב, כי ז' מתחלף בלשון תרגום עם ד', כמו (ויקרא טו, כה) כי יזוב כי ידוב, ולכן אמר הוא דעתיה דרבי יוחנן וגו' זאב ערבות וגו' זהו מדי. וקל להבין:

שינוי נוסחאות

וארו אחרי כנמר, זו יון שהיתה מעמדת בגזורותיה. הגיהו א"א ומ"כ שצ"ל "שהיתה מנמרת בגזורותיה": שאין לכם חלק לעולם הבא. כתב מ"כ שבכל מקום שיש לשון זה מצינו "שאין לכם חלק באלהי ישראל", ואכן בכל הכי"י כך נמצא גם כאן, ונראה שהוא טעות הדפוס:

מתנות כהונה

כל אותו ארי. נבוכדנצר: **הכי גרסינן ישנון. חזה הוית: הכי גרסינן לדוב לדב כתיב זה מדי הוא דעתיה דרבי יוחנן דאמר רבי יוחנן על כן כו'** עד **זו יון** שהיתה מנמרת בגזרותיה. כלומר שהיתה גוזרת גזירות משונות זו מזו והכי גרסינן גם כן בבראשית רבה פרשה לט (ג). וגם הגירסא מעמדת יש ליישבו, וקל להבין: **לעולם הבא.** בכל מקום (בראשית ד ב. וטז, ד ועוד) גרס באלהי ישראל: **ולזו בלילה אחד.** בלילה מיוחדת ראה ממשלת אדום: **יתירה.** יותר משלשתן: **כף על כף.** סיפיה דקרא ותכפל חרב וגו', ואותה נבואה נאמרת על אדום, וכתיב כף על כף, להורות שמלכות אדום יהיה כמו שלשה הראשונות לה: **ומשני** ותכפל. כתיב

אשד הנחלים

ולבו לא לקה כו' אף לבו. יש להבין הדבר במה נחלקו ומה כיוונו בזה. ואם שיש בה ציור על דרך פשוטו לבאר מה היה דמיונו בעת שנתהפך לדעת הבהמות, אם היה לבבו שלם עודנו רק הרהוריו הטתו להיות כדמות החיות וטבעיו, אבל עם כל זה בלבו חשב ששקר דמיונו, או גם לבו לקה עליו. אך מה שרצו בזה הוא ענין עמוק מאוד בחכמת התולדות, ואבאר מעט בזה כפי קוצר דעתי, בכדי שיובן כל העניינים הנדרשים פה בשלימות על דרך הציור האמיתי, אבל רק בדרך כלל, בכדי שיובן מה חקרו בעה שדימו מלכות זו לחיה זו, ומלכות אחרת לחיה אחרת. דע והבן כי האדם כל עוד נשמתו בו, הוא נבדל בסוגו מבעלי חיים, שהמה נפשות אחרות בסוג, ונפש הבעלי חיים אין להם נצחיית, ונפשות בני אדם מקורם מלמעלה בניצחיית, ואף כי נשחתה עם כל זה יש תקומה לה, אך אחרי התרגלו בעוון אז נהפך גם לבו בקרבו, עד שאין תקוה לו, ואז הוא נמשל כבהמה וחיה ממש, כי שב בו רק נפש הבהמית. והנה כולם עתידין להצרף באחרית כפי שגזרה

זוֹ בָּבֶל — **this is** an allusion to **Babylonia,** שֶׁנֶּאֱמַר ״אַשְׁרֵי שֶׁיְּשַׁלֶּם לָךְ אֶת גְּמוּלֵךְ שֶׁגָּמַלְתְּ לָנוּ״ — **for it is stated,** *O violated daughter of Babylonia,* ***praiseworthy is he who repays your deed*** [גְּמוּלֵךְ] ***in the manner that you have dealt*** [גָּמַלְתְּ] ***with us*** (*Psalms* 137:8).[174]

NOTES

174. David praises the conquering Darius of Media for treating Babylonia as cruelly as Babylonia had treated Israel (see *Metzudas David* ad loc.). The appearance of the words גְּמוּלֵךְ and גָּמַלְתְּ clearly connect the "Babylonian" of the verse to the גָּמָל, *camel. Tiferes Tzion* explains that just as a camel will consume anything, whether it be thorns, stacks of grain, or standing corn, so Nebuchadnezzar consumed everyone, the wicked and the righteous alike.

אָמְרִין לְדָנִיֵּאל: אַתְּ מָה חֲמֵית לְהוֹן, אָמַר לְהוֹן: חֲמֵיתִי אַפִּין כְּאַרְיֵה וְגַפִּין דִּנְשַׁר, הָדָא הוּא דִכְתִיב (דניאל ז, ד) "קַדְמָיְתָא כְאַרְיֵה וְגַפִּין דִּי נְשַׁר לַהּ חָזֵה הֲוֵית עַד דִּי מְּרִיטוּ גַפַּיהּ וּנְטִילַת מִן אַרְעָא", רַבִּי אֶלְעָזָר וְרַבִּי שְׁמוּאֵל בַּר נַחְמָן, רַבִּי אֶלְעָזָר אוֹמֵר: כָּל אוֹתוֹ אֲרִי לָקָה וְלִבּוֹ לֹא לָקָה, דִּכְתִיב (שם) "וּלְבַב אֱנָשׁ יְהִיב לַהּ", וְרַבִּי שְׁמוּאֵל בַּר נַחְמָן אָמַר: אַף לִבּוֹ לָקָה, דִּכְתִיב (שם ד יג) "לִבְבֵהּ מִן אֲנָשָׁא יְשַׁנּוֹן", (שם ז, ב-ה) "חָזֵה הֲוֵית ... וַאֲרוּ חֵיוָה אָחֳרִי תִנְיָנָה דָּמְיָה לְדֹב", "לְדֵב" כְּתִיב, זֶה מָדַי, הוּא דַעְתֵּיהּ דְּרַבִּי יוֹחָנָן, דְּאָמַר רַבִּי יוֹחָנָן: (ירמיה ה, ו) "עַל כֵּן הִכָּם אַרְיֵה מִיַּעַר" זוֹ בָּבֶל, (שם) "זְאֵב עֲרָבוֹת יְשָׁדְדֵם" זוֹ מָדַי, (שם) "נָמֵר שֹׁקֵד עַל עָרֵיהֶם" זוֹ יָוָן, (שם) "כָּל הַיּוֹצֵא מֵהֵנָּה יִטָּרֵף" זוֹ אֱדוֹם, לָמָּה, (שם) "כִּי רַבּוּ פִּשְׁעֵיהֶם עָצְמוּ מְשֻׁבוֹתֵיהֶם", (דניאל שם ב-ו) "חָזֵה הֲוֵית וַאֲרוּ אָחֳרִי כִּנְמַר", זוֹ יָוָן שֶׁהָיְתָה °מַעֲמֶדֶת בִּגְזֵירוֹתֶיהָ וְאוֹמֶרֶת לְיִשְׂרָאֵל: כִּתְבוּ עַל קֶרֶן הַשּׁוֹר שֶׁאֵין לָכֶם חֵלֶק לָעוֹלָם הַבָּא, (שם שם ז) "בָּאתַר דְּנָה חָזֵה הֲוֵית בְּחֶזְוֵי לֵילְיָא וַאֲרוּ חֵיוָה רְבִיעָאָה דְּחִילָה וְאֵמְתָנִי וְתַקִּיפָא יַתִּירָה", זוֹ אֱדוֹם, דָּנִיֵּאל רָאָה שְׁלָשְׁתָּן בְּלַיְלָה אֶחָד וְלָזוֹ בְּלַיְלָה אֶחָד, לָמָּה, רַבִּי יוֹחָנָן וְרַבִּי שִׁמְעוֹן בֶּן לָקִישׁ, רַבִּי יוֹחָנָן אָמַר: שֶׁשְּׁקוּלָה כְּנֶגֶד שְׁלָשְׁתָּן, וְרַבִּי שִׁמְעוֹן בֶּן לָקִישׁ אָמַר: "יַתִּירָה", מְתִיב רַבִּי יוֹחָנָן לְרַבִּי שִׁמְעוֹן בֶּן לָקִישׁ: (יחזקאל כא, יט) "בֶּן אָדָם הִנָּבֵא וְהַךְ כַּף אֶל כָּף", דָּא מָה עָבֵד לָהּ רַבִּי שִׁמְעוֹן בֶּן לָקִישׁ, (שם) "וְתִכָּפֵל", מֹשֶׁה רָאָה אֶת הַמַּלְכֻיּוֹת בְּעִיסּוּקָן, [יא, ד] "אֶת הַגָּמָל" זוֹ בָּבֶל, שֶׁנֶּאֱמַר (תהלים קלז, ח) "אַשְׁרֵי שֶׁיְשַׁלֶּם לָךְ אֶת גְּמוּלֵךְ שֶׁגָּמַלְתְּ לָנוּ",

עץ יוסף

חמית. פירוש רואה: **כל אותו ארי לקה כו'.** פירוש כל גופו שנדמה לאריה, מדכתיב ונטילת מן ארעא משמע שנאבדה לגמרי, ואף על גב דכתיב ועל רגליו כאנש הקימת, היינו לענין הלב שנתן לה לבב אנוש קאמר שעומדת על רגליו כאיש: **ולבו לא לקה.** אף כשנטרד היה לו קצת לבב אנוש בכדי להרגיש בצערו וכדכתיב ולבב אנש יהיב לה, אבל לא דעת גלולה, שבפירוש כתיב (דניאל ד, כה) ולקצת ירחין כו' מנדעי עלי יתוב, ומפרש מה שנאמר לבביה מן אינשא ישנון, שנשתנה קצת, ואידך מאן דאמר דריש מן אינשא ישנון לגמרי, ואידך קרא דלבב אינש יהב ליה מפרש ליה על מלכות בלשצר שנתלשה אז כמפורש שם. אבל קשה הא האי קרא דלבביה מן אנשא ישנון בחלום נבוכדנצר כתיב על מה שהיה נטרד שבע שנים עם חיות השדה, ומה ענין זה ללקות האריה דהכא שמיירי מאבוד אומת בבל, ובשלמא לרבי אלעזר דאמר כל אותו ארי לקה ולבו לא לקה יש לומר דהכי פירושו, כלומר, שאף שנאבד המלכות והכח מאומה זו עדיין יש חכמה בה כבתחילה שזה רמז לב אדם, ולא מיירי רבי אלעזר כלל מנבוכדנצר שנטרד שבע שנים, אלא ממפלת אומת בבל, אבל על רבי שמואל בר נחמן קשה כנזכר לעיל. ועוד קשה דדניאל בשנה אחת לבלשצר ראה החזון הזה, ואם כן מה שנאמר חזה הוית עד די מריטו גפה היינו מה שיהיה לאחר מכאן ואם כן מה שנאמר ולבב אנוש יהיב ליה יהיה אז והיכי מצי מיירי על לבב נבוכדנצר שקדם כבר ובטל מן העולם: **לדב כתיב.** ודב זה זאב: **שהיתה מעמדת.** פנים כענין הנמר שהוא עז פנים, כמו שאמרו (אבות ה, כ) עז כנמר, וכההיא דבראשית רבה (לד, ח) כל המעמיד פנים כו'. ואות אמת גרס שהיתה מנמרת, והוא מענין ריחו לא נמר שפירושו חלוף או רפיון: **ולזו בלילה אחד.** דאם לא כן למה הוצרך לומר בחזוי ליליא בתר דכתיב לעיל על ארבעתם בחזוי עם ליליא לפי זה מה שנאמר לעיל בחזוי עם ליליא, לאו דוקא בלילה אחד, אלא כלומר בחזיוני הלילות: **יתירה.** רצה לומר יותר מכל שלשתם כדכתיב בה ותקיפא יתירה: **מתיב רבי יוחנן לרבי שמעון בן לקיש כו'.** רצה לומר דכתיב שם בן אדם הנבא והך כף אל כף ותכפל חרב שלישתה חרב חללים הוא חרב חלל הגדול וגו' נתתי אבחת חרב וגו', וזהו שמקשה ודא מה עביד לה רבי שמעון בן לקיש, ורצה לומר דהאי קרא באדום משתעי שהחריבה בית שני כי על שני המקדשים נתנבא יחזקאל באותה הנבואה דכתיב לעיל מיניה והטף אל מקדשים, ומדכתיב כף אל כף משמע להורות שמלכות אדום יהיה כמו שלשה הראשונות, והא דכתיב שם ותכפל חרב שלישתה, פירושה מכופלת שלשה פעמים שהיא שקולה כנגד שלשה מלכיות הראשונות,

פירוש מהרז"ו

כנמר זו מוקדון. וסיפא דקרא ושלטון יהיב לה, וזהו שאמר מעמדת בגזרותיה, פירוש שנשלטה על התורה והדת: **שלשתן בלילה אחת.** שאלו קדמייתא כאריה וגו', תנינה לדוב וגו', אחרי כנמר וגו', אינו כתיב רק פעם אחד לילה אלא כולם, אך אלו הרביעית כתוב עוד הפעם בחזוי ליליא וארו חיוה רביעיה, על פי מדה יו"ד, שני לילות: **ששקולה כנגד שלשתן.** ועל כן כתוב חיוה רביעיה דחילא ואמתני ותקיפה, שלש לשונות של תקיפה, כנגד שלש החיות, ומה שכתב עוד ויתירה, פירושו לרבי יוחנן שיתירה מכל אחת מהנ"ל, על שהיא כנגד כולם: **כף אל כף.** תחילה כתוב חרב חרב הוחדה וגו', היא הוחדה חרב וגו', מגורי אל חרב וגו', הרי ארבע פעמים חרב, על פי מדה יו"ד, כנגד ארבע חיות הנ"ל, ואחר כך כתיב ואתה בן אדם הנבא והך כף אל כף ותכפל חרב שלישיתה חרב חללים היא חרב חלל הגדול, שיכפל החרב האחרון הנ"ל כנגד שלשה הנ"ל, שעל כן כתוב בפסוק זה שלוש פעמים חרב שהיא שקולה כשלושה הנ"ל, וזהו חרב חלל הגדול. ותירץ ריש לקיש שעל כן כתוב ותכפל, לבד מה שכתוב חרב שלישיתה, שלבד שתהיה משולשת עוד תכפל, וכמו שכתב ויתירה כנ"ל: **משה ראה.** בשביל מאמר זה הובא כל הדרשה לכאן: **את גמולך שגמלת.** ורישיה דקרא בת בבל השדודה, וזהו את הגמל, על פי מדת ממעל, מלשון גמול:

חידושי הרד"ל

ולבו לא לקה. אף כשנטרד היה לו קצת לבב אנוש בכדי להרגיש בצערו, אבל לא דעת גלולה, שבפירוש כתיב (דניאל ד, כו לא) ולקצת ירחין כו' מנדעי עלי יתוב. ומפרש מה שכתוב (שם יג) לבביה מן אינשא ישנון, שנשתנה קצת, ואידך מאן דאמר דרש מן אינשא ישנון, לגמרי, ואידך קרא דלבב אינש יהב ליה (דניאל ז, ד), מפרש ליה על מלכות בלשצר, שנתלשה מלכותו אז, כמפורש שם: **דאמר רבי יוחנן על הכם כו'.** אסתר רבה (פתיחתא א): **שהיתה מעמדת בגזרותיה.** עיין מתנות כהונה, ונראה צריך לומר, מעמדת פנים בגזרותיה, ופירושו מעיזה פנים, וכההיא דבראשית רבה (לד, ט) כל המעמיד פנים כו', ולכן מושלה בנמר כמו שאמרו (אבות פ"ה, כ) עז כנמר: **מתיב בו' לרבי שמעון בן לקיש בן אדם הנבא והך כף אל כף ותכפל חרב שלישתה חרב חללים היא חרב חלל הגדול בו' נתתי אבחת חרב וגו' ודא מה עבד בו'.** כן צריך לומר. דדרש ארבעה פעמים חרב על ד' [מלכיות], וחרב שלישתיה על רומולוס ששקולה נגד שלשתן לרבי יוחנן, וריש לקיש משני תכפל, משמעותו עוד יותר משלשה פעמים:

אמרי יושר

לבו לא לקה. דכתיב (דניאל ז ד) די מריטו גפיה וגו' ולבב אינש (שלים) יהיב לה: **ולזו בלילה אחד.** דייק דלא כתיב בחזוי לילה רק ברביעית, שהיה בלילה אחרת:

מסורת המדרש

ט. ב"ר פ' ל"ט:

אם למקרא

לִבְבֵהּ מִן אֲנָשָׁא יְשַׁנּוֹן וּלְבַב חֵיוָא יִתְיְהִב לֵהּ וְשִׁבְעָה עִדָּנִין יַחְלְפוּן עֲלוֹהִי: (דניאל ד:יג)

עַל־כֵּן הִכָּם אַרְיֵה מִיַּעַר זְאֵב עֲרָבוֹת יְשָׁדְדֵם נָמֵר שֹׁקֵד עַל עָרֵיהֶם כָּל־הַיּוֹצֵא מֵהֵנָּה יִטָּרֵף כִּי רַבּוּ פִּשְׁעֵיהֶם עָצְמוּ מְשׁוּבוֹתֵיהֶם: (ירמיה ה:ו)

וְאַתָּה בֶן אָדָם הִנָּבֵא וְהַךְ כַּף אֶל כָּף וְתִכָּפֵל חֶרֶב שְׁלִישִׁתָה חֶרֶב חֲלָלִים הִיא חֶרֶב חָלָל הַגָּדוֹל הַחֹדֶרֶת לָהֶם: (יחזקאל כא:יט)

בַּת־בָּבֶל הַשְּׁדוּדָה אַשְׁרֵי שֶׁיְשַׁלֶּם־לָךְ אֶת־גְּמוּלֵךְ שֶׁגָּמַלְתְּ לָנוּ: (תהלים קלז:ח)

ידי משה

לדב כתיב. פירוש זאב, כי זאב נקרא בלשון תרגום דב, כי ז' מתחלף בלשון תרגום עם ד', כמו (ויקרא טו, כה) כי יזוב כי ידוב, ולכן אמר הוא דעתיה דרבי יהודה וגו' זאב ערבות וגו' זהו מדי. וקל להבין:

שינוי נוסחאות

וארו אחרי כנמר, זו יון שהיתה מעמדת בגזירותיה. הגיהו א"א ומ"כ שצ"ל "שהיתה מנמרת בגזירותיה": **שאין לכם חלק לעולם הבא.** כתב מ"כ שבכל מקום שיש לשון זה מצינו "שאין לכם חלק באלהי ישראל", ואכן בכל הכי"י כך נמצא גם כאן, ונראה שהוא טעות הדפוס:

מתנות כהונה

כל אותו ארי. נבוכדנצר: **הכי גרסינן ישנון. חזה הוית: הכי גרסינן לדוב לדב כתיב זה מדי הוא דעתיה דרבי יוחנן דאמר רבי יוחנן על כן כו'** עד **זו יון** שהיתה מנמרת בגזרותיה. כלומר שהיתה גוזרת גזירות משונות זו מזו והכי גרסינן גם כן בבראשית רבה פרשה לט (ג). וגם הגירסא מעמדת יש ליישבו, וקל להבין: **לעולם הבא.** בכל מקום (בראשית ד ב. וטז, ד ועוד) גרס באלהי ישראל: **ולזו בלילה אחד.** בלילה מיוחדת ראה ממשלת אדום: **יתירה.** יותר משלשתן: **כף על כף.** סיפיה דקרא ותכפל חרב וגו', ואותה נבואה נאמרת על אדום, וכתיב כף על כף, להורות שמלכות אדום יהיה כמו שלשה הראשונות לה: **ומשני** ותכפל. כתיב

אשד הנחלים

ולבו לא לקה כו' אף לבו. יש להבין הדבר במה נחלקו ומה כיוונו בזה. ואם שיש בה ציור על דרך פשוטו לבאר מה היה דמיונו בעת שנתהפך לדעת הבהמות, אם היה לבבו שלם עודנו רק הרהוריו הטתו להיות כדמות החיות וטבעיו, אבל עם כל זה בלבו חשב ששקר דמיונו, או גם לבו לקה עליו. אך מה שרצו בזה הוא ענין עמוק מאוד בחכמת התולדות, ואבאר מעט בזה כפי קוצר דעתי, בכדי שיובן כל העניינים הנדרשים פה בשלימות על דרך הציור האמיתי, אבל רק בדרך כלל, בכדי שיובן מה חקרו בעה שדימו מלכות זו לחיה זו, ומלכות אחרת לחיה אחרת. דע והבן כי האדם כל עוד נשמתו בו, הוא נבדל בסוגו מבעלי חיים, שהמה נפשות אחרות בסוג, ונפש הבעלי חיים אין להם נצחיית, ונפשות בני אדם מקורם מלמעלה בניצחיית, ואף כי נשחתה עם כל זה יש תקומה לה, אך אחרי התרגלו בעוון אז נהפך גם לבו בקרבו, עד שאין תקוה לו, ואז הוא נמשל כבהמה וחיה ממש, כי שב בו רק נפש הבהמית. והנה כולם עתידין להצרף באחרית כפי שגזרה

The second beast in Moses' prophecy:

"וְאֶת הַשָּׁפָן" זוֹ מָדַי — ***And the hyrax*** (*Leviticus* 11:5) — **this is Media.** רַבָּנִין וְרַבִּי יְהוּדָה בְּרַבִּי סִימוֹן — **The Rabbis and R' Yehudah son of R' Simone** offer different explanations of the connection between the hyrax and Media. רַבָּנִין אָמְרִי — **The Rabbis say:** מַה הַשָּׁפָן הַזֶּה יֵשׁ בּוֹ סִימָנֵי טוּמְאָה וְסִימָנֵי טָהֳרָה — **Just as the hyrax exhibits** both **signs of impurity and signs of purity,** כָּךְ הָיְתָה מַלְכוּת מָדַי מַעֲמֶדֶת צַדִּיק וְרָשָׁע — **so did the empire of Media produce** both **righteous** leaders **and wicked** leaders.[175] אָמַר רַבִּי יְהוּדָה בְּרַבִּי סִימוֹן — **R' Yehudah son of R' Simone said:** דָּרְיָוֶשׁ הָאַחֲרוֹן בְּנָהּ שֶׁל אֶסְתֵּר הָיָה — **The last Darius was Esther's son** (with Ahasuerus).[176] טָהוֹר מֵאִמּוֹ וְטָמֵא מֵאָבִיו — **He was pure from his mother's** side[177] **and impure from his father's** side.[178]

The third and fourth beasts in Moses' prophecy:

"וְאֶת הָאַרְנֶבֶת" זוֹ יָוָן — ***And the hare*** (ibid., v. 6) — **this is** a reference to **Greece,** אִמּוֹ שֶׁל תַּלְמַי אַרְנֶבֶת שְׁמָהּ — for **the name of the mother of** the Greek king **Ptolemy was** ***Arneves*** (Hare).[179] "וְאֶת הַחֲזִיר" זוֹ פָּרָס — ***And the swine*** (ibid., v. 7) — **this is Persia.**[180]

In Moses' prophetic transmission of the laws of *kashrus* here in *Leviticus*, the four beasts are mentioned in separate verses. However, when Moses reviews those laws in Mishneh Torah (*Deuteronomy*), the arrangement is different, as the Midrash notes: מֹשֶׁה נָתַן שְׁלָשְׁתָּם בְּפָסוּק אֶחָד — There **Moses placed three of them in one verse,**[181] וְלָזוֹ בְּפָסוּק אֶחָד — **and this one**[182] **in a different verse.**[183] וְלָמָּה — **And why** did he mention the fourth beast separately? רַבִּי יוֹחָנָן וְרַבִּי שִׁמְעוֹן — **R' Yochanan and R' Shimon** ben Lakish (Reish Lakish) offered different explanations: רַבִּי יוֹחָנָן אָמַר: שֶׁשְּׁקוּלָה כְּנֶגֶד שְׁלָשְׁתָּן — **R' Yochanan said that [Edom] is equal to** all **three of them.** רַבִּי שִׁמְעוֹן בֶּן לָקִישׁ אָמַר: יְתֵירָה — **R' Shimon ben Lakish said** that Edom is **greater** than all three of them. מְתִיב רַבִּי יוֹחָנָן לְרַבִּי שִׁמְעוֹן — **R' Yochanan challenged R' Shimon** from the following verse:[184] "בֶּן אָדָם הִנָּבֵא וְהַךְ כַּף אֶל כָּף" — ***Son of Man, prophesy and pound hand to hand,*** etc. (*Ezekiel* 21:19). דָּא מָה עֲבִיד לֵיהּ רֵישׁ לָקִישׁ — **What does Reish Lakish do with this** verse? "וְתִכָּפֵל" — Reish Lakish responded: ***"And"*** . . . ***will be multiplied*** is written there, with a superfluous *vav* (*And*).

The Midrash now explains why it associates the swine with Edom:

רַבִּי פִּנְחָס וְרַבִּי חִלְקִיָּה בְּשֵׁם רַבִּי סִימוֹן — **R' Pinchas and R' Chilkiyah in the name of R' Simone** said: מִכָּל הַנְּבִיאִים לֹא פִּרְסְמוּהָ אֶלָּא שְׁנַיִם — **Of all the prophets, none publicized [the deceptive nature of Edom] except two:**[185] אָסָף וּמֹשֶׁה — **Asaph and Moses.** אָסָף אָמַר "יְכַרְסְמֶנָּה חֲזִיר מִיָּעַר" — **Asaph said,** ***The swine of the forest ravages it*** (*Psalms* 80:14).[186] מֹשֶׁה אָמַר "וְאֶת הַחֲזִיר כִּי מַפְרִיס פַּרְסָה" — **Moses said,** ***And the swine, for its hoof is split.***[187] לָמָּה נִמְשְׁלָה לַחֲזִיר — **And why is [Edom] likened to a swine?** לוֹמַר לָךְ — **To tell you:** מָה חֲזִיר בְּשָׁעָה שֶׁהוּא רוֹבֵץ מוֹצִיא טְלָפָיו וְאוֹמֵר: רְאוּ שֶׁאֲנִי טָהוֹר — **Just as a swine, when it lies down, extends its hooves and says, "See, I am kosher,"**[188] כָּךְ מַלְכוּת אֱדוֹם מִתְגָּאָה וְחוֹמֶסֶת וְגוֹזֶלֶת וְנִרְאֵת כְּאִלּוּ מַצַּעַת בִּימָה — **so the empire of Edom exalts itself, and robs and steals while giving the appearance of setting up a** judicial **platform.**[189]

NOTES

175. I.e., some of its kings were righteous, such as Cyrus and Darius [who consented to the rebuilding of the Temple (see *Ezra* 6:14 with *Rashi*)], and some were wicked, such as Ahasuerus (*Yefeh To'ar*, cited by *Eitz Yosef*; see, however, *Matnos Kehunah*).

[Actually, the camel, hare, and swine likewise exhibit one sign of purity and one sign of impurity. *Yefeh To'ar* explains that since the Midrash has identified the camel with Babylonia, and will momentarily identify the hare and swine respectively with Greece and Rome, it expounds the hyrax as the animal identified with Media (even though the same exposition could indeed have been made equally using the camel, hare, and swine). For a different approach, see note 178 below.]

176. This is the Darius mentioned in *Ezra* 6:1. The completion of the Second Temple occurred in the sixth year of his reign (ibid., v. 15). [The Midrash refers to him as "the last Darius" because there was an earlier Darius, namely Darius the Mede, who preceded Cyrus (Ahasuerus' predecessor) as king of Persia/Media. Darius the son of Esther is referred to as "Darius the Persian." See Artscroll commentary to *Daniel* 9:1.]

177. I.e., he was a kosher and pedigreed Jew from his mother's side.

178. R' Yehudah son of R' Simone draws an even closer analogy between Media and the hyrax: Just as the hyrax is half pure and half impure (for it has one kosher sign and one unkosher sign), so Darius is half pure and half impure (see *Eitz Yosef*).

[*Tiferes Tzion* has a different approach to our Midrash: Although the camel, hare and swine also exhibit one sign of purity and one sign of impurity (see note 175), the hyrax is unique, for the sign of its impurity is not absolute: although its front hooves are indeed not split (and this suffices to render the animal forbidden), its back hooves *are* split (as *Malbim* ad loc. writes as well). And R' Yehudah son of R' Simone is not disagreeing with the Rabbis; rather, they are working together to show that of the Four Kingdoms, it is (only) Media that can be shown to be represented by the hyrax. The Rabbis are addressing the fact that the hyrax has one kosher sign and one unkosher sign (and they are saying that the former alludes to Cyrus and the latter to Ahasuerus); R' Yehudah son of R' Simone is addressing the "half-kosher" sign (and he says that it alludes to Darius, who was "kosher" only on his mother's side but not on his father's).]

179. According to the Gemara (*Megillah* 9b), *Arneves* (Hare) was the name of Ptolemy's *wife*. However, *Eitz Yosef* writes that he found a source that calls the mother "Lagos" (the Greek word for hare). [The Ptolemaic dynasty was a Greek royal family that ruled the Ptolemaic empire in Egypt during the Hellenistic period. Their rule lasted from 305 B.C.E. to 30 B.C.E. They were the last dynasty of Ancient Egypt.]

180. פָּרָס (*Persia*) is another name for Edom (*Matnos Kehunah, Eitz Yosef*; for various reasons why this should be so, see *Tiferes Tzion*). According to *Maharzu*, our text should be emended to "Seir" (a reference to Mount Seir, the abode of Esau, progenitor of Edom). In either case, it seems that the intent was to avoid the ire of the censor.

The Midrash will explain below why it associates the swine with Edom.

181. *But this you shall not eat ... the camel, the hare, and the hyrax* (*Deuteronomy* 14:7).

182. Again, the Midrash refers to Edom discreetly and not by name (*Matnos Kehunah; Eitz Yosef* above, s.v. ואת החזיר זו פרס).

183. *And the swine . . . is unclean for you* (ibid., v. 8).

184. See notes 171-172 above for explanation of R' Yochanan's challenge and Reish Lakish's reply. (The context of the discussion there is *Daniel* Ch. 7 which, like our *Leviticus* passage, refers to Edom separately from the other three empires.)

185. That is, while many prophets mentioned the fourth empire, only two called attention to its duplicity [by associating Edom with a swine] (*Eitz Yosef*).

186. Verse 1 of this psalm identifies it as *a psalm of Asaph.* [He is mentioned in *Bava Basra* 14b as one of the contributing authors of the Book of *Psalms.* See *Tosafos* to ibid. 15a s.v. ועל ידי regarding his identity.] The Midrash understands the *swine of the forest* as a reference to Edom. (Cf. *Avos DeRabbi Nassan* 34:3, which takes it as a general reference to the enemies of Israel.)

187. The *swine* in this verse, too, alludes to Edom, as stated by the Midrash above (see note 180).

188. The swine cunningly displays its one sign of purity (split hooves), confident that the sign of its impurity (not chewing its cud) cannot be seen.

189. [That is, a platform where judges sit and judge. Despite their own thievery,] the Edomites prosecute other thieves in court, in a cunning effort to give the impression that they distance themselves from such behavior (*Eitz Yosef*). Alternatively, it is possible that the Midrash means that the Edomites set up a judicial system that robbed from people while giving the appearance of executing justice fairly; see *Midrash Tehillim* to *Psalms* 80:14. In either case, just as the swine makes a false show of its *kashrus*, so the Edomite government makes a false show of its honesty.

For a different interpretation of the Midrash's phrase וְנִרְאֵת כְּאִלּוּ מַצַּעַת בִּימָה, see *Matnos Kehunah*.

ולכן היא מכופלת שלשה פעמים. ומשני ריש לקיש ותכפל כתיב בוי"ו ולא כתיב תכפל, לרבוי אתא טפי מכפל שלשה, ורבי יוחנן וי"ו לא דריש: **צדיק ורשע.** שקצת מהמלכים היו צדיקים כגון כורש ודריוש וקצתם רשעים כגון אחשורוש (יפה תואר). או צדיק זה מרדכי, רשע זה המן (מתנות כהונה): **טהור מאמו.** והיינו רמז השפן דאית ביה סימני טומאה וטהרה: **אמו של תלמי בו'.** בפרק קמא דמגילה (ט, ב) איתא שלא כתבו לו את הארנבת מפני שאשתו ארנבת שמה, ומפרש דהא והא איתא: **ואת החזיר זו פרס.** בכנוי מדבר על מלכות רביעית, וכן במלת ולזו כוונתו על מלכות רביעית: **שלשתן בפסוק אחד בו'.** רצה לומר במשנה תורה (יפה תואר): **מכל הנביאים.** שהזכירו מנהג מלכות רביעית לא הזכירו בפרסום זיופה אלא שנים: **כאילו מצעת בימה.** לדון את הגזלנים ולהרחיק הגזל, שהיא מתחכמת להראות לעולם שהיא פרושה מהגזל: **גחין.** הרכין ומטה את עצמו והיה לוחש באזנו של יועצו: **שמקלסת.** שפירוש מעלת גרה מעלין גרון שמחזרת דרך גרונו המאכל, ולפי דרשה זו יהיה הגרון הקריאה בגרון בקילוסו:

דריוש האחרון. עליו בלבד רמז במה שכתוב השפן: **זו פרס.** צריך לומר זו שעיר: **רבי יוחנן וריש לקיש.** פירשתי לעיל (ד"ה כף): **אסף ומשה.** עיין בראשית רבה בריש פרשה ס"ה, ושם נסמן ומבואר: **שפרט דוד.** מיני שבחים והילולים בפרט, אמר נבוכדנצר בכלל בפסוק אחד: **ודי מהלכין בגוה.** שהם מתגאים כנגד השם יתברך שכתוב בו, ה' מלך גאות לבש, כמו נבוכדנצר שאמר אעלה על במתי עב אדמה לעליון, הרי כשהזכיר גאות איניש בשעה שמודה להשם יתברך, כוונתו גם כן על גאותו של הקב"ה: **וכל קרני רשעים.** וכמו שכתוב אצל נבוכדנצר בפסוק אעלה הנ"ל, אך אל שאול תורד וגו': **זו מדי וכו'.** עד כרש מלך פרס, שפרס ומדי ממלכה אחת, על כן מביא ראיה מפרס למדי. וסיפא דקרא כל ממלכות הארץ נתן לי ה' אלהי השמים והוא פקד עלי לבנות לו בית וגו':

[יא, ה] **"וְאֶת הַשָּׁפָן" זוֹ מָדַי, רַבָּנִין וְרַבִּי יְהוּדָה בְּרַבִּי סִימוֹן, רַבָּנִין אָמְרֵי: מָה הַשָּׁפָן הַזֶּה יֵשׁ בּוֹ סִימָנֵי טוּמְאָה וְסִימָנֵי טָהֳרָה, כָּךְ הָיְתָה מַלְכוּת מָדַי מַעֲמֶדֶת צַדִּיק וְרָשָׁע, אָמַר רַבִּי יְהוּדָה בְּרַבִּי סִימוֹן: דָּרְיָוֶשׁ הָאַחֲרוֹן בְּנָהּ שֶׁל אֶסְתֵּר הָיָה טָהוֹר מֵאִמּוֹ וְטָמֵא מֵאָבִיו.** [יא, ו] **"וְאֶת הָאַרְנֶבֶת" זוֹ יָוָן, אִמּוֹ שֶׁל תַּלְמַי אַרְנֶבֶת שְׁמָהּ,** [יא, ז] **"וְאֶת הַחֲזִיר" זוֹ פָּרַס, מֹשֶׁה נָתַן שְׁלָשְׁתָּם בְּפָסוּק אֶחָד וְלָזוֹ בְּפָסוּק אֶחָד, וְלָמָּה, רַבִּי יוֹחָנָן וְרַבִּי שִׁמְעוֹן, רַבִּי יוֹחָנָן אָמַר: שֶׁשְּׁקוּלָה כְּנֶגֶד שְׁלָשְׁתָּן, רַבִּי שִׁמְעוֹן בֶּן לָקִישׁ אָמַר: יְתֵירָה, מָתִיב רַבִּי יוֹחָנָן לְרַבִּי שִׁמְעוֹן:** (יחזקאל שם שם) **"בֶּן אָדָם הִנָּבֵא וְהַךְ כַּף אֶל כָּף", דָּא מָה עָבֵיד לֵיהּ רֵישׁ לָקִישׁ,** (שם) **"וְתִכָּפֵל", רַבִּי פִּנְחָס וְרַבִּי חִלְקִיָּה בְּשֵׁם רַבִּי סִימוֹן: מִכָּל הַנְּבִיאִים לֹא *פִרְסְמוּהָ אֶלָּא שְׁנַיִם, אָסָף וּמֹשֶׁה, אָסָף אָמַר** (תהלים פ, יד) **"יְכַרְסְמֶנָּה חֲזִיר מִיָּעַר", מֹשֶׁה אָמַר** [יא, ז] **"וְאֶת הַחֲזִיר כִּי מַפְרִיס פַּרְסָה" לָמָּה נִמְשְׁלָה לַחֲזִיר, לוֹמַר לָךְ מָה חֲזִיר בְּשָׁעָה שֶׁהוּא רוֹבֵץ מוֹצִיא טְלָפָיו וְאוֹמֵר: רְאוּ שֶׁאֲנִי טָהוֹר, כָּךְ מַלְכוּת אֱדוֹם מִתְגָּאָה וְחוֹמֶסֶת וְגוֹזֶלֶת וְנִרְאֵית כְּאִלּוּ מַצַּעַת בִּימָה, מַעֲשֶׂה בְּשִׁלְטוֹן אֶחָד שֶׁהָיָה הוֹרֵג הַגַּנָּבִים וְהַמְנָאֲפִים וְהַמְכַשְּׁפִים, גָּחִין וְאָמַר לְסַנְקְלִיטִיו: שְׁלָשְׁתָּן עָשִׂיתִי בְּלַיְלָה אֶחָד, דָּבָר אַחֵר,** [יא, ד] **"אֶת הַגָּמָל" זוֹ בָּבֶל,** [שם] **"כִּי מַעֲלֵה גֵרָה הוּא", שֶׁמְּקַלֶּסֶת לְהַקָּדוֹשׁ בָּרוּךְ הוּא, רַבִּי בֶּרֶכְיָה וְרַבִּי חֶלְבּוֹ בְּשֵׁם רַבִּי יִשְׁמָעֵאל בַּר נַחְמָן: כָּל מַה שֶּׁפֵּרַט יְדָוִד כָּלַל אוֹתוֹ רָשָׁע בְּפָסוּק אֶחָד, שֶׁנֶּאֱמַר** (דניאל ד, לד) **"כְּעַן אֲנָה נְבוּכַדְנֶצַּר מְשַׁבַּח וּמְרוֹמֵם וּמְהַדַּר לְמֶלֶךְ שְׁמַיָּא", "מְשַׁבַּח",** (תהלים קמז, יב) **"שַׁבְּחִי יְרוּשָׁלַיִם אֶת ה'", "וּמְרוֹמֵם"** (שם ל, ב) **"אֲרוֹמִמְךָ ה'", "וּמְהַדַּר",** (שם קד, א) **"ה' אֱלֹהַי גָּדַלְתָּ מְּאֹד הוֹד וְהָדָר לָבָשְׁתָּ",** (דניאל שם שם) **"דִּי כָל מַעֲבָדוֹהִי קְשׁוֹט",** (תהלים קלח, ב) **"עַל חַסְדְּךָ וְעַל אֲמִתֶּךָ",** (דניאל שם שם) **"וְאָרְחָתֵהּ דִּין",** (תהלים צו, י) **"יָדִין עַמִּים בְּמֵישָׁרִים",** (דניאל שם שם) **"וְדִי מַהְלְכִין בְּגֵוָה",** (תהלים צג, א) **"ה' מָלָךְ גֵּאוּת לָבֵשׁ",** (דניאל שם שם) **"יָכִל לְהַשְׁפָּלָה",** (תהלים עה, יא) **"וְכָל קַרְנֵי רְשָׁעִים אֲגַדֵּעַ",** [יא, ה] **"וְאֶת הַשָּׁפָן" זוֹ מָדַי,** [שם] **"כִּי מַעֲלֵה גֵרָה הוּא", שֶׁמְּקַלֶּסֶת לְהַקָּדוֹשׁ בָּרוּךְ הוּא, שֶׁנֶּאֱמַר** (עזרא א, ב) **"כֹּה אָמַר כֹּרֶשׁ מֶלֶךְ פָּרַס",** [יא, ו] **"וְאֶת הָאַרְנֶבֶת" זוֹ יָוָן,** [שם] **"כִּי מַעֲלַת גֵּרָה הִיא", שֶׁמְּקַלֶּסֶת לְהַקָּדוֹשׁ בָּרוּךְ הוּא,**

חידושי הרד"ל

אמר רבי יהודה בר סימון דריוש בו'. אסתר רבה (ח, ג): **רבי פנחס בו' לא פרסמוה בו'.** בראשית רבה (סה, א): **לסנקליטין.** עיין מתנות כהונה, ובאמת סנקליטין הן יועצי המלך, אבל הממונים על ההריגה נקראים ספקליטורין:

חידושי הרש"ש

משה נתן שלשתם בפסוק אחד בו'. רצה לומר במשנה תורה:

באור מהרי"פ

בפסוק אחד ולזו בפסוק אחר. (דברים יד ז') אך את זה לא תאכלו ממעלי הגרה וממפריסי הפרסה השסועה את הגמל ואת הארנבת ואת השפן כי מעלה גרה המה ופרסה לא הפריסו טמאים הם לכם. ואת החזיר כי מפריס פרסה הוא ולא גרה טמא הוא לכם מבשרם לא תאכלו ובנבלתם לא תגעו: **לא פרסמוה.** פירוש מנהג המלכות הרביעית: **כה אמר וגו'.** (עזרא א, ב) כה אמר כורש מלך פרס כל ממלכות הארץ נתן לי ה' אלהי השמים והוא פקד עלי לבנות לו בית בירושלים אשר ביהודה:

מסורת המדרש

י. אדר"נ פ' ל"ד: יא. מדרש תהלים מזמור ה' תנחומא סדר בא:

אם למקרא

כְּעַן אֲנָה נְבוּכַדְנֶצַּר מְשַׁבַּח וּמְרוֹמֵם וּמְהַדַּר לְמֶלֶךְ שְׁמַיָּא דִּי כָל מַעֲבָדוֹהִי קְשֹׁט וְאֹרְחָתֵהּ דִּין וְדִי מַהְלְכִין בְּגֵוָה יָכִל לְהַשְׁפָּלָה: (דניאל ד:לד)

שַׁבְּחִי יְרוּשָׁלַםִ אֶת ה' הַלְלִי אֱלֹהַיִךְ צִיּוֹן: (תהלים קמז:יב)

אֲרוֹמִמְךָ ה' כִּי דִלִּיתָנִי וְלֹא שִׂמַּחְתָּ אֹיְבַי לִי: (שם ל:ב)

בָּרְכִי נַפְשִׁי אֶת ה' ה' אֱלֹהַי גָּדַלְתָּ מְּאֹד הוֹד וְהָדָר לָבָשְׁתָּ: (שם קד:א)

אֶשְׁתַּחֲוֶה אֶל הֵיכַל קָדְשְׁךָ וְאוֹדֶה אֶת שְׁמֶךָ עַל חַסְדְּךָ וְעַל אֲמִתֶּךָ כִּי הִגְדַּלְתָּ עַל כָּל שִׁמְךָ אִמְרָתֶךָ: (שם קלח:ב)

אִמְרוּ בַגּוֹיִם ה' מָלָךְ אַף תִּכּוֹן תֵּבֵל בַּל תִּמּוֹט יָדִין עַמִּים בְּמֵישָׁרִים: (שם צו:י)

ה' מָלָךְ גֵּאוּת לָבֵשׁ לָבֵשׁ ה' עֹז הִתְאַזָּר אַף תִּכּוֹן תֵּבֵל בַּל תִּמּוֹט: (שם צג:א)

וְכָל קַרְנֵי רְשָׁעִים אֲגַדֵּעַ תְּרוֹמַמְנָה קַרְנוֹת צַדִּיק: (שם עה:יא)

כֹּה אָמַר כֹּרֶשׁ מֶלֶךְ פָּרַס כֹּל מַמְלְכוֹת הָאָרֶץ נָתַן לִי ה' אֱלֹהֵי הַשָּׁמַיִם וְהוּא פָקַד עָלַי לִבְנוֹת לוֹ בַיִת בִּירוּשָׁלַםִ אֲשֶׁר בִּיהוּדָה: (עזרא א:ב)

מתנות כהונה

שתהיה כפולה ויתירה עליהם: **צדיק ורשע.** צדיק מרדכי, רשע המן. או רצה לומר המן ודריוש: **זו פרס.** דרך כנוי מדבר על מלכות רביעית: **ולזו בפסוק אחד.** מלכות רביעית: **מוציא טלפיו.** מתחתיו ופושט אותם למרחוק ואומר ראו כו', כך מלכות רביעית כו': **הכי גרסינן וגוזלת ונראית באלו כו'.** וכן הוא בבראשית רבה (סה, א): **מצעת בימה.** כאלו עשתה מטפחת ומצעת על הבימה שמניחין עליה ספר תורה, כלומר מראה את עצמה כאלו צדקה הדין לאמתו, ובמדרש תהלים גרס, ומראה כאלו הם דיינים של אמת, והטוב היה להגיה מצדקת הבימה. בימה היא מקום המשפט, ורבים הם בספר זה. ובר לבב שיערב לבו להגיה, יהיה אלהיו עמו: **גחין.** הרכין ונוטה עצמו והיה לוחש באזני: **סנקליטין.** שרים הממונים על ההריגה:

אשד הנחלים

החכמה העליונה, ולכן חקרו על נבוכדנצר אם לבבו לבב אנוש היה עודנה בעת שנתהפך לרוח הבהמות, או לא. והנה ידוע עוד כי הבעלי חיים כל מין יש לו טבע מיוחד מה שאין בזולתו, והאדם אם יש לו התכונה ההיא אז הוא נמשל כדמות החיה ההיא, ובזה חקרו בחכמת התולדות מענייניהם למה נדמו והושוו, ויש אשר נדמה לשני חיות יחד, וזהו אפין דארי וגפין דנשר, וכל חקירתם בחכמת התולדות המכוונים במדות הן לטב והן למוטב, כמו שמדרך חכמי אמת לכנות בכמו אלה: **שמקלסת להקב"ה כו' שפרט דוד כלל כו'.** וכלומר שכמו שיש בגמל אף שהוא מין טמא, עם כל זה יש בו סימני טהרה, וכן יש בהם תכונה טובה, והיא הכח המתפעל בעת שיתעוררו להכיר כבוד ה', אז יכירו בשלימות בדרך כלל נשגב מאוד, כי יש בהם התכונה הזאת, הבן זה. וההבדל שבין השבח והרוממות וההדר ושאריתם, יש בהם ציור על דרך הדרוש, להיות כי יתכן שהאיש המקבל טובה מה' ישבחנו בעבור קבלת הטובה, אבל עם כל זה לא יכיר גדלו יתברך, אבל הרוממות הוא שעל ידי קבלת הטוב יתעורר להכיר גדלו. אבל יש עוד שיחשבנו חס ושלום כאחד הנמצאים בגדלות, כאלו חס ושלום ה' ברוך הוא יקבל טובה מנמצאים, אשר באמת לא יתן לו שום שלימות, כי הוא בעצמותו מופשט מכל, ורק אנו מכירים אותו מנבראיו שזהו לבושו יתברך, וזהו שכנה דוד על הנבראים כולם שהם לבושו יתברך, ולא חס ושלום מעצמותו, וזהו ומהדר. אך יש מי שמשבח רק על החסד ולא על הדין, כי לא יתעורר רק מקבלת הטובה, אבל לא יבין על הרעה איך שהיא טובה, אבל הוא אמר די כל מעבדוהי קשוט, אף הדין והעונש הוא הכל בדרך אמת, ומזה נמשך ההכרה הגדולה שיבין האדם שפלות עצמו ולא יחשבנו לשום ממש, וזהו די מהלכין בגאוה וגאון להשפילם, ודי בזה:

The Midrash cites an actual case of such hypocrisy and duplicity:

מַעֲשֶׂה בְּשִׁלְטוֹן אֶחָד שֶׁהָיָה הוֹרֵג הַגַּנָּבִים וְהַמְנָאֲפִים וְהַמְכַשְּׁפִים — There was **an incident involving a certain** Roman **governor who** had **the thieves and adulterers and sorcerers** in his district **put to death,** גָּחִין וְאָמַר לְסַנְקְלִיטָיו — and afterward **he bent over and said** in a whisper **to his executioners,**[190] שְׁלָשְׁתָּן עָשִׂיתִי בְּלַיְלָה אֶחָד — **"I did** all **three of [these acts] in one night."**

The Midrash offers a second interpretation of how the four animals in the *Leviticus* passage allude to the Four Kingdoms:[191]

דָּבָר אַחֵר — **Another explanation:** "אֶת הַגָּמָל" זוֹ בָּבֶל — ***And the camel*** **— this is Babylonia;** "כִּי מַעֲלֵה גֵרָה הוּא", שֶׁמְּקַלֶּסֶת לְהַקָּדוֹשׁ בָּרוּךְ הוּא — ***. . . for it brings up its cud*** — this implies **that it praises the Holy One, blessed is He.**[192] רַבִּי בֶּרֶכְיָה וְרַבִּי חֶלְבּוֹ בְּשֵׁם רַבִּי יִשְׁמָעֵאל בַּר נַחְמָן — **R' Berechyah and R' Chelbo in the name of R' Yishmael bar Nachman** explained: כָּל מַה שֶּׁפֵּרֵט דָּוִד כָּלַל אוֹתוֹ רָשָׁע בְּפָסוּק אֶחָד — **All** the praises **that David detailed** in his psalms, **that wicked one** (Nebuchadnezzar, king of Babylonia) **included in a single verse.**[193] שֶׁנֶּאֱמַר "כְּעַן אֲנָה נְבוּכַדְנֶצַּר מְשַׁבַּח וּמְרוֹמֵם וּמְהַדַּר לְמֶלֶךְ שְׁמַיָּא" — **For it is stated,** ***"Now I, Nebuchadnezzar, praise, exalt, and glorify the King of Heaven"*** (*Daniel* 4:34).[194] "מְשַׁבַּח", "שַׁבְּחִי יְרוּשָׁלַיִם אֶת ה'" — ***"Praise"*** [מְשַׁבַּח] corresponds to what David said, ***Praise*** [שַׁבְּחִי] ***HASHEM, O Jerusalem*** (*Psalms* 147:12); "וּמְרוֹמֵם" "אֲרוֹמִמְךָ ה'" — ***"exalt"*** [וּמְרוֹמֵם] corresponds to ***I will exalt You*** [אֲרוֹמִמְךָ], ***HASHEM*** (ibid. 30:2); "וּמְהַדַּר", "ה' אֱלֹהַי גָּדַלְתָּ מְאֹד הוֹד וְהָדָר לָבָשְׁתָּ" — ***"and glorify"*** [וּמְהַדַּר] corresponds to ***HASHEM, my God, You are very great; You have donned splendor and glory*** [וְהָדָר] (ibid. 104:1). "דִּי כָל מַעֲבָדוֹהִי קְשֹׁט", "עַל חַסְדְּךָ וְעַל אֲמִתֶּךָ" — Nebuchadnezzar then said, ***"and Whose actions are all in truth,"*** which correlates with ***for Your kindness and for Your truth*** (ibid. 138:2). "וְאָרְחָתֵהּ דִּין", "יָדִין עַמִּים בְּמֵישָׁרִים" — He continued, ***"and Whose paths are justice,"*** corresponding to ***He will judge the peoples with fairness*** (ibid. 96:10). "וְדִי מַהְלְכִין בְּגֵוָה", "ה' מָלָךְ גֵּאוּת לָבֵשׁ" — ***"Those who walk proudly"*** [בְּגֵוָה] recalls ***HASHEM has reigned, He has donned loftiness*** [גֵּאוּת] (ibid. 93:1);[195] "יָכִל לְהַשְׁפָּלָה", "וְכָל קַרְנֵי רְשָׁעִים אֲגַדֵּעַ" — and ***"He is able to humble"*** corresponds to ***I shall cut down all the pride of the wicked*** (ibid. 75:11).

The Midrash continues its second interpretation of the four beasts of *Leviticus*:

"וְאֶת הַשָּׁפָן" זוֹ מָדַי — ***And the hyrax*** **— this is Media;** "כִּי מַעֲלֵה גֵרָה הוּא", שֶׁמְּקַלֶּסֶת לְהַקָּדוֹשׁ בָּרוּךְ הוּא — ***. . . for it brings up its cud*** — this implies **that it praises the Holy One, blessed is He,**[196] שֶׁנֶּאֱמַר "כֹּה אָמַר כֹּרֶשׁ מֶלֶךְ פָּרַס" — **as it is stated,** ***Thus said Cyrus king of Persia,*** *etc.* (*Ezra* 1:2).[197] "וְאֶת הָאַרְנֶבֶת" זוֹ יָוָן — ***And the hare*** **— this is Greece;** "כִּי מַעֲלַת גֵּרָה הִיא", שֶׁמְּקַלֶּסֶת לְהַקָּדוֹשׁ בָּרוּךְ הוּא — ***. . . for it brings up its cud*** — this implies **that it praises the Holy One, blessed is He.**

NOTES

190. *Matnos Kehunah.* According to *Radal*, however, they were the governor's advisers.

191. In this interpretation and the two that follow, the connection is made through the *kashrus* sign of מַעֲלֵה גֵרָה, *brings up the cud.* In each interpretation the connection is manifest in a different way.

192. In this interpretation, the word גֵּרָה is taken as related to the word גָּרוֹן, *throat.* "Bringing up the cud" involves returning the food from the first stomach to the throat to be re-chewed and then sent down to the second stomach. "Praise" likewise comes from the throat. The former thus alludes to the latter (*Eitz Yosef*). Although the camel is an unkosher animal, its one kosher sign indicates that it has a positive aspect, or a redeeming value. Babylonia's praising God is a reflection of that (see *Eshed HaNechalim*). [The same holds true of the other three animals/empires discussed below.]

193. As punishment for his arrogance, God smote Nebuchadnezzar with a lengthy period of madness when he lost his mind and lived like an animal. The punishment lasted until he recognized that God is the master of the universe and that all that he had acquired and achieved had come from Him. It was upon recovering from his madness that Nebuchadnezzar uttered the verse of praise cited next by the Midrash. See *Daniel* Ch. 4.

194. The verse continues, *Whose actions are all in truth, and Whose paths are in justice, and those who walk proudly He is able to humble.* The Midrash will propose correlations for each part of the verse.

195. The question arises: How can the haughtiness of man correspond to God's loftiness? *Maharzu* explains: *Those who walk proudly* are those who exalt themselves at the expense of God, of Whom it is written, *He has donned loftiness.* One such person was Nebuchadnezzar, who proclaimed, *"I will ascend over the tops of the clouds; I will liken myself to the Most High!"* (*Isaiah* 14:14). Thus, when Nebuchadnezzar mentions such wicked people in the course of his praising God, he perforce wishes to evoke the idea of what they seek to eclipse — viz., God's loftiness.

196. See note 192.

197. The passage states in pertinent part: *Thus said Cyrus king of Persia: All the kingdoms of the earth has HASHEM, God of heaven, given to me and He has commanded me to build Him a Temple in Jerusalem, which is in Judah. Whoever is among you of His entire people — may his God be with him — and let him go up to Jerusalem which is in Judah and build the Temple of HASHEM, God of Israel — He is the God!*

The Babylonian empire was conquered jointly by Darius the Mede (see *Daniel* 6:1 and 9:1) and his son-in-law, Cyrus the Persian. Darius ruled for one year and was immediately succeeded by Cyrus (see Yossipon Ch. 3 and *Rashi* to *Daniel* 6:29). Hence, as *Maharzu* writes, Media and Persia are considered one empire, and the Midrash is thus justified in bringing proof from Persia for Media.

[יא, ה] "וְאֶת הַשָּׁפָן" זוֹ מָדַי, רַבָּנִין וְרַבִּי יְהוּדָה בְּרַבִּי סִימוֹן, רַבָּנִין אָמְרִי: מַה הַשָּׁפָן הַזֶּה יֵשׁ בּוֹ סִימָנֵי טוּמְאָה וְסִימָנֵי טָהֳרָה, כָּךְ הָיְתָה מַלְכוּת מָדַי מַעֲמֶדֶת צַדִּיק וְרָשָׁע, אָמַר רַבִּי יְהוּדָה בְּרַבִּי סִימוֹן: דָּרְיָוֶשׁ הָאַחֲרוֹן בְּנָהּ שֶׁל אֶסְתֵּר הָיָה טָהוֹר מֵאִמּוֹ וְטָמֵא מֵאָבִיו, [יא, ו] "וְאֶת הָאַרְנֶבֶת" זוֹ יָוָן, אִמּוֹ שֶׁל תַּלְמַי אַרְנֶבֶת שְׁמָהּ, [יא, ז] "וְאֶת הַחֲזִיר" זוֹ פָּרַס, מֹשֶׁה נָתַן שְׁלָשְׁתָּם בְּפָסוּק אֶחָד וְלָזוֹ בְּפָסוּק אֶחָד, וְלָמָּה, רַבִּי יוֹחָנָן וְרַבִּי שִׁמְעוֹן, רַבִּי יוֹחָנָן אָמַר: שֶׁשְּׁקוּלָה כְּנֶגֶד שְׁלָשְׁתָּן, רַבִּי שִׁמְעוֹן בֶּן לָקִישׁ אָמַר: יְתֵירָה, מָתִיב רַבִּי יוֹחָנָן לְרַבִּי שִׁמְעוֹן: (יחזקאל שם שם) "בֶּן אָדָם הִנָּבֵא וְהַךְ כַּף אֶל כָּף", דָּא מַה עָבֵיד לֵיהּ רֵישׁ לָקִישׁ, (שם) "וְתִכָּפֵל", רַבִּי פִּנְחָס וְרַבִּי חִלְקִיָּה בְּשֵׁם רַבִּי סִימוֹן: מִכָּל הַנְּבִיאִים לֹא *פִּרְסְמוּהָ אֶלָּא שְׁנַיִם, אָסָף וּמֹשֶׁה, אָסָף אָמַר (תהלים פ, יד) "יְכַרְסְמֶנָּה חֲזִיר מִיָּעַר", מֹשֶׁה אָמַר [יא, ז] "וְאֶת הַחֲזִיר כִּי מַפְרִיס פַּרְסָה" לָמָּה נִמְשְׁלָה לַחֲזִיר, לוֹמַר לָךְ מַה חֲזִיר בְּשָׁעָה שֶׁהוּא רוֹבֵץ מוֹצִיא טְלָפָיו וְאוֹמֵר: רְאוּ שֶׁאֲנִי טָהוֹר, כָּךְ מַלְכוּת אֱדוֹם מִתְגָּאָה וְחוֹמֶסֶת וְגוֹזֶלֶת וְנִרְאֵית כְּאִלּוּ מַצַּעַת בִּימָה, מַעֲשֶׂה בְּשִׁלְטוֹן אֶחָד שֶׁהָיָה הוֹרֵג הַגַּנָּבִים וְהַמְנָאֲפִים וְהַמְכַשְּׁפִים, גָּחִין וְאָמַר לְסַנְקְלִיטַיו: שְׁלָשְׁתָּן עָשִׂיתִי בְּלַיְלָה אֶחָד, דָּבָר אַחֵר, [יא, ד] "אֶת הַגָּמָל" זוֹ בָּבֶל, [שם] "כִּי מַעֲלֵה גֵרָה הוּא", שֶׁמְּקַלֶּסֶת לְהַקָּדוֹשׁ בָּרוּךְ הוּא, רַבִּי בֶּרֶכְיָה וְרַבִּי חֶלְבּוֹ בְּשֵׁם רַבִּי יִשְׁמָעֵאל בַּר נַחְמָן: כָּל מַה שֶּׁפֵּרַט דָּוִד כָּלַל אוֹתוֹ רָשָׁע בְּפָסוּק אֶחָד, שֶׁנֶּאֱמַר (דניאל ד, לד) "כְּעַן אֲנָה נְבוּכַדְנֶצַּר מְשַׁבַּח וּמְרוֹמֵם וּמְהַדַּר לְמֶלֶךְ שְׁמַיָּא", "מְשַׁבַּח", (תהלים קמז, יב) "שַׁבְּחִי יְרוּשָׁלַיִם אֶת ה'", "וּמְרוֹמֵם" (שם ל, ב) "אֲרוֹמִמְךָ ה'", "וּמְהַדַּר", (שם קד, א) "ה' אֱלֹהַי גָּדַלְתָּ מְּאֹד הוֹד וְהָדָר לָבָשְׁתָּ", (דניאל שם שם) "דִּי כָל מַעֲבָדוֹהִי קְשֹׁט", (תהלים קלח, ב) "עַל חַסְדְּךָ וְעַל אֲמִתֶּךָ", (דניאל שם שם) "וְאָרְחָתֵיהּ דִּין", (תהלים צו, י) "יָדִין עַמִּים בְּמֵישָׁרִים", (דניאל שם שם) "וְדִי מַהְלְכִין בְּגֵוָה", (תהלים צג, א) "ה' מָלָךְ גֵּאוּת לָבֵשׁ", (דניאל שם שם) "יָכִל לְהַשְׁפָּלָה", (תהלים עה, יא) "וְכָל קַרְנֵי רְשָׁעִים אֲגַדֵּעַ", [יא, ה] "וְאֶת הַשָּׁפָן" זוֹ מָדַי, [שם] "כִּי מַעֲלֵה גֵרָה הוּא", שֶׁמְּקַלֶּסֶת לְהַקָּדוֹשׁ בָּרוּךְ הוּא, שֶׁנֶּאֱמַר (עזרא א, ב) "כֹּה אָמַר כֹּרֶשׁ מֶלֶךְ פָּרַס", [יא, ו] "וְאֶת הָאַרְנֶבֶת" זוֹ יָוָן, [שם] "כִּי מַעֲלַת גֵּרָה הִיא", שֶׁמְּקַלֶּסֶת לְהַקָּדוֹשׁ בָּרוּךְ הוּא,

עץ יוסף

ולכן היא מכופלת שלשה פעמים. ומשני ריש לקיש ותכפל כתיב בוי"ו ולא כתיב תכפל, לרבויי אתא טפי מכפל שלשה, ורבי יוחנן וי"ו לא דריש: **צדיק ורשע.** שקצת מהמלכים היו צדיקים כגון כורש ודריוש, וקצתם רשעים כגון אחשורוש (יפה תואר). אי נמי צדיק זה מרדכי, רשע זה המן (מתנות כהונה): **טהור מאמו.** והיינו רמז השפן דאית ביה סימני טומאה וטהרה: **אמו של תלמי כו'.** בפרק קמא דמגילה (ט, ב) איתא שלא כתבו לו את הארנבת מפני שאשתו ארנבת שמה, ואפשר דהא והא איתא: **ואת החזיר זו פרס.** בכוי מדבר על מלכות רביעית, וכן במלת ולזו כוונתו על מלכות רביעית: **שלשתן בפסוק אחד כו'.** רצה לומר במשנה תורה (יפה תואר): **מכל הנביאים.** שהזכירו מנהג מלכות רביעית לא הזכירו בפרסום אלא שנים: **באילו מצעת בימה.** לדון את הגזלנים ולהרחיק הטול, שהיא מתחכמת להראות לעולם שהיא פרושה מהגזל: **גחין.** הרכין ומטה את עצמו והיה לוחש באזנו של יועצו: **שמקלסת.** פירוש מעלת גרה מענין גרון שמחזרת דרך גרונו המאכל, ולפי דרשה זו יחזיר הגרון הקריאה בגרון בקילוסו:

פירוש מהרז"ו

דריוש האחרון. עליו בלבד רמז במה שכתוב השפן: **זו פרס.** צריך לומר זו שעיר: **רבי יוחנן וריש לקיש.** פירשתי לעיל (ד"ה כף): **אסף ומשה.** עיין בראשית רבה בריש פרשה ס"ה, ושם נסמן ומבואר: **שפרט דוד.** מיני שבחים והילולים בפרט, אמר נבוכדנצר בכלל בפסוק אחד: **ודי מהלכין בגוה.** שהם מתגאים כנגד השם יתברך שכתוב בו, ה' מלך גאות לבש, כמו נבוכדנצר שאמר אעלה על במתי עב אדמה לעליון, הרי כשהזכיר גאות אינש בשעה שמודה להשם יתברך, כוונתו גם כן על גאותו של הקב"ה: **וכל קרני רשעים.** וכמו שכתוב אצל נבוכדנצר בפסוק אעלה הנ"ל, אך אל שאול תורד וגו': **זו מדי וכו'.** עד כרש מלך פרס, שפרס ומדי ממלכה אחת, על כן מביא ראיה מפרס למדי. וסיפא דקרא כל ממלכות הארץ נתן לי ה' אלהי השמים והוא פקד עלי לבנות לו בית וגו':

חידושי הרד"ל

אמר רבי יהודה בר סימון דריוש כו'. אסתר רבה (ח, ג): **רבי פנחס כו' לא פרסמוה כו'.** בראשית רבה (סה, א): **לסנקליטין.** עיין מתנות כהונה, ובאמת סנקליטין הן יועצי המלך, אבל הממונים על ההריגה נקראים ספקליטורין:

חידושי הרש"ש

משה נתן שלשתם בפסוק אחד כו'. רצה לומר במשנה תורה:

באור מהרי"פ

בפסוק אחד ולזו בפסוק אחר. (דברים יד ז-ח) אך את זה לא תאכלו ממעלי הגרה וממפריסי הפרסה השסועה את הגמל ואת הארנבת ואת השפן כי מעלה גרה המה ופרסה לא הפריסו טמאים הם לכם. ואת החזיר כי מפריס פרסה הוא ולא גרה טמא הוא לכם מבשרם לא תאכלו ובנבלתם לא תגעו: **לא פרסמוה.** פירוש מנהג החיה הרביעית: **כה אמר וגו'.** (עזרא א, ב) כה אמר כורש מלך פרס כל ממלכות הארץ נתן לי ה' אלהי השמים והוא פקד עלי לבנות לו בית בירושלים אשר ביהודה:

מסורת המדרש

י. אדר"נ פ' ל"ד: יא. מדרש תהלים מזמור ה' תנחומא סדר כה:

אם למקרא

כְּעַן אֲנָה נְבוּכַדְנֶצַּר מְשַׁבַּח וּמְרוֹמֵם וּמְהַדַּר לְמֶלֶךְ שְׁמַיָּא דִּי כָל מַעֲבָדוֹהִי קְשֹׁט וְאֹרְחָתֵהּ דִּין וְדִי מַהְלְכִין בְּגֵוָה יָכִל לְהַשְׁפָּלָה: (דניאל ד:לד)

שַׁבְּחִי יְרוּשָׁלַםִ אֶת ה' הַלְלִי אֱלֹהַיִךְ צִיּוֹן: (תהלים קמז:יב)

אֲרוֹמִמְךָ ה' כִּי דִלִּיתָנִי וְלֹא שִׂמַּחְתָּ אֹיְבַי לִי: (שם ל:ב)

בָּרְכִי נַפְשִׁי אֶת ה' ה' אֱלֹהַי גָּדַלְתָּ מְּאֹד הוֹד וְהָדָר לָבָשְׁתָּ: (שם קד:א)

אֶשְׁתַּחֲוֶה אֶל הֵיכַל קָדְשְׁךָ וְאוֹדֶה אֶת שְׁמֶךָ עַל חַסְדְּךָ וְעַל אֲמִתֶּךָ כִּי הִגְדַּלְתָּ עַל כָּל שִׁמְךָ אִמְרָתֶךָ: (שם קלח:ב)

אִמְרוּ בַגּוֹיִם ה' מָלָךְ אַף תִּכּוֹן תֵּבֵל בַּל תִּמּוֹט יָדִין עַמִּים בְּמֵישָׁרִים: (שם צו:י)

ה' מָלָךְ גֵּאוּת לָבֵשׁ לָבֵשׁ ה' עֹז הִתְאַזָּר אַף תִּכּוֹן תֵּבֵל בַּל תִּמּוֹט: (שם צג:א)

וְכָל קַרְנֵי רְשָׁעִים אֲגַדֵּעַ תְּרוֹמַמְנָה קַרְנוֹת צַדִּיק: (שם עה:יא)

כֹּה אָמַר כֹּרֶשׁ מֶלֶךְ פָּרַס כֹּל מַמְלְכוֹת הָאָרֶץ נָתַן לִי ה' אֱלֹהֵי הַשָּׁמָיִם וְהוּא פָקַד עָלַי לִבְנוֹת לוֹ בַיִת בִּירוּשָׁלַםִ אֲשֶׁר בִּיהוּדָה: (עזרא א:ב)

מתנות כהונה

שתהיה כפולה ויתירה עליהם: **צדיק ורשע.** צדיק מרדכי, רשע המן. או רצה לומר המן ודריוש: **זו פרס.** דרך כנוי מדבר על מלכות רביעית: **ולזו בפסוק אחד.** מלכות רביעית: **מוציא טלפיו.** מתחתיו ופושט אותם למרחוק ואומר ראו כו', כך מלכות רביעית כו': **הכי גרסינן וגוזלת ונראית כאלו כו'.** וכן הוא בבראשית רבה (סה, א): **מצעת בימה.** כאלו עשתה מטפחת ומצעת על הבימה שמניחין עליה ספר תורה, כלומר מראה את עצמה כאלו צדקה הדין לאמתו, ובמדרש תהלים גרס, ומראה כאלו הם דיינים של אמת, והטוב היה להגיה מצדקת הבימה. בימה היא מקום המשפט, ורבים הם בספר זה. וכר לבב שיערב לבו להגיה, יהיה אלהיו עמו: **גחין.** הרכין ונוטה עצמו והיה לוחש באזני: **סנקליטין.** שרים הממונים על ההריגה:

אשד הנחלים

החכמה העליונה, ולכן חקרו על נבוכדנצר אם לבבו לבב אנוש היה עודנה בעת שנתהפך לרוח הבהמות, או לא. והנה ידוע עוד כי הבעלי חיים כל מין יש לו טבע מיוחד מה שאין בזולתו, והאדם אם יש לו התכונה ההיא אז הוא נמשל כדמות החיה ההיא, ובזה חקרו בחכמת התולדות מענייניהם למה נדמו והושוו, ויש אשר נדמה לשני חיות יחד, וזהו אפין דארי וגפין דנשר, וכל חקירתם בחכמת התולדות המכוונים במדות הן לטב והן למוטב, כמו שמדרך חכמי אמת לכנות בכמו אלה: **שמקלסת להקב"ה כו' שפרט דוד כלל כו'.** וכלומר שכמו שיש בגמל אף שהוא מין טמא, עם כל זה יש בו סימני טהרה, וכן יש בהם תכונה טובה, והיא הכח המתפעל בעת שיתעוררו להכיר כבוד ה', אז יכירו בשלימות בדרך כלל נשגב מאוד, כי יש בהם התכונה הזאת, הבן זה. וההבדל שבין השבח והרוממות וההדר ושאריתם, יש בהם ציור על דרך הדרוש, להיות כי יתכן שהאיש המקבל טובה מה' ישבחנו בעבור קבלת הטובה, אבל עם כל זה לא יכיר גדלו יתברך, אבל הרוממות הוא שעל ידי קבלת הטוב יתעורר להכיר גדלו. אבל יש עוד שיחשבנו חס ושלום כאחד הנמצאים בגדלות, כאלו חס ושלום ה' ברוך הוא יקבל טובה מנמצאים, אשר באמת לא יתן לו שום שלימות, כי הוא בעצמותו מופשט מכל, ורק אנו מכירים אותו מנבראיו שזהו לבושו יתברך, וזהו שכנה דוד על הנבראים כולם שהם לבושו יתברך, ולא חס ושלום מעצמותו, וזהו ומהדר. אך יש מי שמשבח רק על החסד ולא על הדין, כי לא יתעורר רק מקבלת הטובה, אבל לא יבין על הרעה איך שהיא טובה, אבל הוא אמר די כל מעבדוהי קשוט, אף הדין והעונש הוא הכל בדרך אמת, ומזה נמשך ההכרה הגדולה שיבין האדם שפלות עצמו ולא יחשבנו לשום ממש, וזהו די מהלכין בגאוה וגאון להשפילם, ודי בזה:

אֲלֶכְּסַנְדְּרוֹס מוֹקְדוֹן כַּד הֲוָה חָמֵי לְרַבִּי שִׁמְעוֹן הַצַּדִּיק אוֹמֵר — For when Alexander the Macedonian[198] saw R' Shimon the Righteous[199] he would say, בָּרוּךְ ה' אֱלוֹהוֹ שֶׁל שִׁמְעוֹן הַצַּדִּיק — "Blessed is Hashem, God of Shimon the Righteous!"[200] "אֶת הַחֲזִיר" זוֹ אֱדוֹם — *And the swine* — this is Edom; "וְהוּא גֵּרָה לֹא יִגָּר", שֶׁאֵינָהּ מְקַלֶּסֶת לְהַקָּדוֹשׁ בָּרוּךְ הוּא — *. . . but it does not chew its cud* (11:7) — this implies that it does *not* praise the Holy One, blessed is He. וְלֹא דַיָּהּ שֶׁאֵינָהּ מְקַלֶּסֶת — And it is not enough that [Edom] does not praise Him, אֶלָּא מְחָרֶפֶת וּמְגַדֶּפֶת, וְאוֹמֶרֶת: "מִי לִי בַשָּׁמָיִם" — but it reviles and blasphemes and says, *"Whom do I have in Heaven?"* (*Psalms* 73:25)![201]

The Midrash presents a third interpretation of how the four beasts of *Leviticus* allude to the Four Kingdoms:[202]

דָּבָר אַחֵר — Another explanation: "אֶת הַגָּמָל" זוֹ בָּבֶל — *And the camel* — this is Babylonia; "כִּי מַעֲלֵה גֵרָה הוּא" שֶׁמְּגַדֶּלֶת אֶת דָּנִיֵּאל — *. . . for it brings up its cud* — this implies that [Babylonia] raised the righteous Daniel to high office,[203] שֶׁנֶּאֱמַר "וְדָנִיֵּאל בִּתְרַע מַלְכָּא" — as it is stated, *and Daniel was at the king's gate* (*Daniel* 2:49). "וְאֶת הַשָּׁפָן" זוֹ מָדַי — *And the hyrax* — this is Media; "כִּי מַעֲלֵה גֵרָה הוּא", שֶׁמְּגַדֶּלֶת אֶת מָרְדְּכַי — *. . . for it brings up its cud* — this implies that [Media] raised the righteous Mordecai to high office, שֶׁנֶּאֱמַר "וּמָרְדֳּכַי יֹשֵׁב בְּשַׁעַר הַמֶּלֶךְ" — as it is stated, *while Mordecai was sitting at the king's gate* (*Esther* 2:19). "וְאֶת הָאַרְנֶבֶת" זוֹ יָוָן — *And the hare* — this is Greece; "כִּי מַעֲלַת גֵּרָה הִיא", שֶׁמְּגַדֶּלֶת הַצַּדִּיקִים — *. . . for it brings up its cud* — this implies that [Greece] elevates the righteous in their esteem. אֲלֶכְּסַנְדְּרוֹס כַּד הֲוָה חָמֵי לְשִׁמְעוֹן הַצַּדִּיק הֲוָה קָאֵים עַל רַגְלֵיהּ — For when Alexander the Great saw Shimon the Righteous, he would rise to his feet. אָמְרִין לֵיהּ מִינָאֵי: מִן קֳדָם יְהוּדָאֵי אַתְּ קָאֵים — Heretics[204] would say to him, "You, a great conqueror, rise before a Jew?!" אָמַר לָהֶם: בְּשָׁעָה שֶׁאֲנִי יוֹצֵא לְמִלְחָמָה דְּמוּתוֹ אֲנִי רוֹאֶה וְנוֹצֵחַ — [Alexander] answered them, "When I go out to battle I see his image, and I am victorious."[205] "וְאֶת הַחֲזִיר" זוֹ אֱדוֹם — *And the swine* — this is Edom; "וְהוּא גֵּרָה לֹא יִגָּר", שֶׁאֵינָהּ מְגַדֶּלֶת הַצַּדִּיקִים — *. . . but it does not chew its cud* — this implies that [Edom] does *not* elevate the righteous in their esteem. וְלֹא דַי שֶׁאֵינָהּ מְגַדֶּלֶת, אֶלָּא שֶׁהוֹרֶגֶת אוֹתָם — And it is not enough that [Edom] does not elevate the righteous, but it slays them! הֲדָא הוּא דִכְתִיב "קָצַפְתִּי עַל עַמִּי חִלַּלְתִּי נַחֲלָתִי וְגוֹ'" — Thus it is written, *I became angry at My people; I degraded My heritage, etc., you made your yoke very heavy upon the elder* (*Isaiah* 47:6). "נַחֲלָתִי", רַבִּי עֲקִיבָא וַחֲבֵרָיו — *My heritage* refers to R' Akiva and his colleagues.[206]

The Midrash presents a fourth and final interpretation of how the four beasts of *Leviticus* allude to the Four Kingdoms:[207]

דָּבָר אַחֵר — Another explanation: "אֶת הַגָּמָל" זוֹ בָּבֶל — *And the camel* — this is Babylonia; "כִּי מַעֲלֵה גֵרָה הוּא", שֶׁגָּרְרָה מַלְכוּת אַחֲרֶיהָ — *. . . for it brings up its cud* — this implies that [Babylonia] drags another empire after it.[208] "וְאֶת הַשָּׁפָן" זוֹ מָדַי — *And the hyrax* — this is Media; "כִּי מַעֲלֵה גֵרָה" שֶׁגָּרְרָה מַלְכוּת אַחֲרֶיהָ — *. . . for it brings up its cud* — this implies that [Media] drags another empire after it. "וְאֶת הָאַרְנֶבֶת" זוֹ יָוָן — *And the hare* — this is Greece; "כִּי מַעֲלַת גֵּרָה", שֶׁגָּרְרָה מַלְכוּת אַחֲרֶיהָ — *. . . for it brings up its cud* — this implies that [Greece] drags another empire after it. "וְאֶת הַחֲזִיר" זוֹ אֱדוֹם — *And the swine* — this is Edom; "וְהוּא גֵּרָה לֹא יִגָּר", שֶׁאֵינָהּ גּוֹרֶרֶת מַלְכוּת אַחֲרֶיהָ — *. . . but it does not chew its cud* — this implies that [Edom] does *not* drag another empire after it.[209] וְלָמָּה נִקְרָא שְׁמָהּ חֲזִיר — And why is [Edom] called by the name *chazir* [חזיר]? שֶׁמַּחֲזֶרֶת עֲטָרָה לְבַעְלֶיהָ — Because it ultimately restores (מַחֲזֶרֶת) the crown of universal sovereignty to its rightful owner, the Holy One, blessed is He.[210] הֲדָא הוּא דִכְתִיב "וְעָלוּ מוֹשִׁעִים בְּהַר צִיּוֹן לִשְׁפֹּט אֶת הַר עֵשָׂו וְהָיְתָה לַה' הַמְּלוּכָה" — Thus it is written, *And saviors will ascend Mount Zion to judge the Mountain of Esau, and the kingdom will be* HASHEM'S (*Obadiah* 1:21).

NOTES

198. Alexander the Great.

199. Shimon HaTzaddik (the Righteous) was one of the last of the Men of the Great Assembly (*Avos* 1:2), and served as Kohen Gadol during the Second Temple era (see *Yoma* 9a and 39a). See Midrash below and *Yoma* 69a for how Alexander became involved with him.

200. That is, Alexander and the Greek people were able to recognize and be impressed by a superior human being (such as R' Shimon), to the point of exuberantly praising his God (*Eshed HaNechalim*).

201. I.e., Edom denies God's existence, claiming that there is no one in Heaven that rules over it (*Eitz Yosef*, second interpretation in Vagshal edition).

202. Here, too, the connection will be made through the *kashrus* sign of מַעֲלֵה גֵרָה, *brings up the cud* (see note 191). However, in this interpretation the word גֵּרָה is taken as related to the word גֵּרוּת, *sojourning* (*Eitz Yosef*). See next note.

203. The verse is thus read: כִּי מַעֲלֵה (*for it elevates*) גֵרָה (*a sojourner*). The righteous are called "sojourners" in this world, as in *I Chronicles* 29:15 which states: *For we* (the Jewish people, who had donated their wealth for the building of the First Temple) *are like sojourners* [גֵּרִים] *before You* (ibid.).

204. *Radal* and *Eitz Yosef* emend this to "Cutheans." As the Gemara (*Yoma* 69a) relates, the Cutheans had obtained permission from Alexander to destroy the Holy Temple in Jerusalem [so that their own temple on Mount Gerizim would be unrivaled]. Apprised of this decree, Shimon HaTzaddik went out to meet Alexander.

205. I.e., an angel bearing Shimon's likeness appears before me and brings me victory (*Maharsha* to *Yoma* ibid.). God sent this apparition to Alexander so that when he eventually met Shimon HaTzaddik, he would believe that the Jews prayed for him — and he would spare their house of prayer, the Holy Temple (see *Iyun Yaakov* ad loc.).

206. I.e., the Ten Martyrs, the ten great Sages of the Mishnah executed by the Roman government (*Matnos Kehunah, Maharzu*). The expression *My heritage* applies to them because they were men of exceptional wisdom and piety; alternatively, it applies to them because they gave up their lives for the sanctification of God's Name and disdained worldly matters (*Yefeh To'ar*, first approach). [Even though there were other people in Jewish history of whom the same could be said as well,] the Midrash is relying on the verse's conclusion, *you made your yoke very heavy upon the "elder,"* which *Tanchuma* (*Tazria* §11) interprets as a reference to R' Akiva (*Eitz Yosef*), who at 120 years of age was the oldest of the Ten Martyrs (*Maharzu*). [See, however, *Radal*, who has a different text of the Midrash according to which the Midrash's identification of R' Akiva and his colleagues is based *exclusively* on the verse's conclusion. See also *Matnos Kehunah* and *Yefeh To'ar* (second, preferred approach).]

For discussion of the fact that the *Isaiah* passage (in v. 5) mentions the Chaldeans (Babylonians) and *not* the Edomites, see *Yefeh To'ar* and *Maharzu*.

207. The Midrash once again connects the beasts to the empires through the *kashrus* sign of מַעֲלֵה גֵרָה, *brings up the cud.* In this interpretation the word גֵּרָה (*cud*) is taken as related to the root גרר, which means *drag* or *pull*.

208. I.e., it implies that another world-dominating empire follows in Babylonia's wake (*Eitz Yosef*). Alternatively, that another empire that subjugates Israel follows in its wake (*Matnos Kehunah*).

209. [Although there were other great kingdoms in the world after Rome, *Ramban* to *Numbers* 24:24 writes that since it was Rome that exiled us, we are still considered to be in the Roman exile even when we are not under Roman jurisdiction (see *Yefeh To'ar*).]

210. There will be no other worldwide sovereign after the demise of the Edomite empire. Rather, an earthly kingdom of God will be established (see *Daniel* 2:44, cited by *Maharzu*; see also *Matnos Kehunah*).

מי לי בשמים. פירוש מי יתן לי ואהיה בשמים להלחם עם הקדוש ברוך הוא, כי עמך לא חפלתי להלחם בארץ: **שמגדלת את דניאל.** ופירוש גרה לפי זה ענין גרות, כלומר הצדיקים שנקראו גרים בעולם, על דרך (דברי הימים א' כט, טו) כי גרים אנחנו לפניך: **כד הוה חמי.** כשהיה רואה: **אמרי ליה כותאי מן קדם.** כן צריך לומר: **זה רבי עקיבא וחביריו.** שנקראו נחלת ה' ביחוד בחכמתם וחסידותם. עוד יש לומר דלאו משום נחלתו קאמר אלא אסיפא סמיך דכתיב על זקן הכבדת עולך מאד, כמו שדרשו בתנחומא (תזריע יא) על זקן וגו' זה רבי עקיבא שעבדה בו המלכות עד אין סוף: **מלכות אחריה.** פירוש שגם אחריה היה מלוכה אלא אומות העולם:

אֲלֶכְּסַנְדְּרוֹס מוֹקְדֹן כַּד *הֲוָה חָמֵי לְרַבִּי שִׁמְעוֹן הַצַּדִּיק אוֹמֵר: בָּרוּךְ ה' °אֱלֹהֵי שֶׁל שִׁמְעוֹן הַצַּדִּיק, [יא, ז] "אֶת הַחֲזִיר" זוֹ אֱדוֹם, [שם] "וְהוּא גֵּרָה לֹא יִגָּר", שֶׁאֵינָהּ מְקַלֶּסֶת לְהַקָּדוֹשׁ בָּרוּךְ הוּא, וְלֹא דַּיָּהּ שֶׁאֵינָהּ מְקַלֶּסֶת, אֶלָּא מְחָרֶפֶת וּמְגַדֶּפֶת, וְאוֹמֶרֶת: (תהלים עג, כה) "מִי לִי בַשָּׁמָיִם", דָּבָר אַחֵר, [יא, ד] "אֶת הַגָּמָל" זוֹ בָּבֶל, [שם] "כִּי מַעֲלֵה גֵרָה הוּא" שֶׁמְּגַדֶּלֶת אֶת דָּנִיֵּאל, שֶׁנֶּאֱמַר (דניאל ב, מט) "וְדָנִיֵּאל בִּתְרַע מַלְכָּא", [יא, ה] "וְאֶת הַשָּׁפָן" זוֹ מָדַי, [שם] "כִּי מַעֲלֵה גֵרָה הוּא", שֶׁמְּגַדֶּלֶת אֶת מָרְדְּכַי, שֶׁנֶּאֱמַר (אסתר ב, יט) "וּמָרְדְּכַי יֹשֵׁב בְּשַׁעַר הַמֶּלֶךְ", [יא, ו] "וְאֶת הָאַרְנֶבֶת" זוֹ יָוָן, [שם] "כִּי מַעֲלַת גֵּרָה הִיא", שֶׁמְּגַדֶּלֶת הַצַּדִּיקִים, אֲלֶכְּסַנְדְּרוֹס כַּד הֲוָה חָמֵי לְשִׁמְעוֹן הַצַּדִּיק הֲוָה קָאֵים עַל רַגְלֵיהּ, יב אָמְרִין לֵיהּ *מִינָאֵי: מִן קֳדָם יְהוּדָאֵי אַתְּ קָאֵים, אָמַר לָהֶם: בְּשָׁעָה שֶׁאֲנִי יוֹצֵא לַמִּלְחָמָה דְּמוּתוֹ אֲנִי רוֹאֶה וְנוֹצֵחַ, [יא, ז] "וְאֶת הַחֲזִיר" זוֹ אֱדוֹם, [שם] "וְהוּא גֵּרָה לֹא יִגָּר", שֶׁאֵינָהּ מְגַדֶּלֶת הַצַּדִּיקִים, וְלֹא דַי שֶׁאֵינָהּ מְגַדֶּלֶת, אֶלָּא *שֶׁהוֹרֶגֶת אוֹתָם, הָדָא הוּא דִכְתִיב (ישעיה מז, ו) "קָצַפְתִּי עַל עַמִּי חִלַּלְתִּי נַחֲלָתִי וְגוֹ'", "נַחֲלָתִי", רַבִּי עֲקִיבָא וַחֲבֵירָיו, דָּבָר אַחֵר, [יא, ד] "אֶת הַגָּמָל" זוֹ בָבֶל, [שם] "כִּי מַעֲלֵה גֵרָה הוּא", שֶׁגָּרְרָה מַלְכוּת אַחֲרֶיהָ, ° [יא, ו] "וְאֶת הָאַרְנֶבֶת" זוֹ יָוָן, [שם] "כִּי מַעֲלַת גֵּרָה", שֶׁגָּרְרָה מַלְכוּת אַחֲרֶיהָ, [יא, ה] °"וְאֶת הַשָּׁפָן" זוֹ מָדַי, "כִּי מַעֲלֵה גֵרָה" שֶׁגָּרְרָה מַלְכוּת אַחֲרֶיהָ*, [יא, ז] "וְאֶת הַחֲזִיר" זוֹ אֱדוֹם, [שם] "וְהוּא גֵּרָה לֹא יִגָּר", שֶׁאֵינָהּ גּוֹרֶרֶת מַלְכוּת אַחֲרֶיהָ, וְלָמָּה נִקְרָא שְׁמָהּ חֲזִיר, שֶׁמַּחֲזֶרֶת עֲטָרָה לִבְעָלֶיהָ, הָדָא הוּא דִכְתִיב (עובדיה א, כא) "וְעָלוּ מוֹשִׁעִים בְּהַר צִיּוֹן לִשְׁפֹּט אֶת הַר עֵשָׂו וְהָיְתָה לַה' הַמְּלוּכָה":

ואומרת מי לי בשמים. לעיל (פרשה ז סימן ו ד"ה מי), פרשתי בדרך המדות: **נחלתי רבי עקיבא וחביריו.** סיפא דקרא קא דריש על זקן הכבדת עולך מאד זה רבי עקיבא, שהיה הזקן שבכל הרוגי מלכות, שהיה בן מאה ועשרים שנה, כמו שכתב בבראשית רבה (ק, י), וכמו שמובא תנחומא תזריע (סימן י) בהדיא על זקן הכבדת עולך מאד זה רבי עקיבא. ומה שכתב וחביריו הם עשרה הרוגי מלכות, וצריך עיון שפסוק זה ודומיהם כתוב אצל כשדים, כמו שכתוב בפסוק הקודם ובואי בת כשדים, ורבי עקיבא הרגו טורנוסרופוס שר רומי היא היתה הרביעית, ונראה לי שדורש סיפא דקרא מה שכתוב יקראו לך גברת ממלכות על רומי, שעליה אמר בפסוק שאחר זה ותאמרי לעולם אהיה גברת וגו', האומרה בלבבה אני ואפסי עוד, וכמו שכתבתי לעיל (סימן זה ד"ה כף) בדברי רבי יוחנן וריש לקיש, וכן מצאתי בילקוט ישעיה מ"ו: **זו ארם.** עיין בראשית רבה (סג, ח) מדרש תהלים פ' פסוק יכרסמנה חזיר מיער, ושלש מלכיות הראשונות גררו אחריהם מלכיות, בבל גררה מדי, מדי גררה מוקדון, מוקדון גררה ארם, ואחר זה כתוב וביומיהון די מלכיא אינון יקים אלהי שמיא מלכו די לעלמין לא תתחבל וגו' והיא תקים לעלמיא, ועיין מדרש קהלת פסוק מה שהיה הוא שיהיה (פ"ה ב') [פרשה א פסוק ט אות א]:

מתנות כהונה

מינאי. המינים והאפיקורסים: **מן קדם כו'.** מלפני יהודי אתה עומד: **חללתי נחלתי וגו'.** גרס. וסיפיה דקרא קדריש: **וחביריו.** הרוגי מלכות: **שגררה מלכות אחריה.** כלומר מלכות שהיתה משעבדת בישראל: **שמחזרת עטרה כו'.** לשוב כולם לה' יתברך, וכן יהי רצון במהרה בימינו אמן:

אשד הנחלים

כד הוי חמי כו'. הביא זה לכאן להורות שיש בהם כח ההתפעלות, וכח ההכרה להתפעל מאיש גדול המעלה, עד שמלא פיהם קלוס ושבח, וזהו כמו שאמרו לעיל שמקלסת כו'. ופרטי העניינים המה עניינים נסתרים מחכמת התולדות, ואין לחקור בהם:

חידושי הרד"ל

כל כו' כלל אותו רשע כו'. עיין סנהדרין (לג, ג): **אמר ליה כותאי מן קדם יהודאי כו'.** כן צריך לומר, ועיין יומא (סט, א). ובמגלת תענית פ"ח. אבל בפסיקתא דפרה (פיסקא ד) הגירסא, אמר ליה בני פלטין דידיה, וכן ראיתי ביוסיפון לרומיים (ושם פורע השרים בשמם): **חללתי נחלתי וגו' על זקן הכבדת עלך מאד זה רבי עקיבא וחבירו.** כן צריך לומר: **ולמה נקרא כו' שמחזרת כו'.** קהלת רבה פ"א פי"א, עיין מה שכתבתי שם בהגהות בסייעתא דשמיא:

חידושי הרש"ש

דבר אחר ואת הגמל וכו' שגררה מלכות אחריה. אולי הכוונה שאחריה מלכה מדי וכן כולם, אבל אחר ראמילוס לא תגרר עוד מלכות אדום כי רק לה' המלוכה כדמסיים: **ואת הארנבת זו אנטיוכוס וכו' ואת השפן זו מדי וכו'.** צריך לומר קודם ואת השפן כו' ואחר כך הארנבת כו' כסדרן בכתוב, וסדר מלכותן, וכדלעיל:

באור מהרי"פ

גרה זה דניאל. והצדיקים נקראו גרים, כמו (תהלים קיט, יט) גר אנכי בארץ. **נחלתי וגו' על זקן הכבדת עולך, זה רבי עקיבא וכו'.** אך קשה מאד דהאי קרא בבבל כתיב (ישעיה מז, ה ו) שבי דומם ובואי בחשך בת כשדים וגו', קצפתי על עמי וגו', ועתה שמעי זאת עדינה וגו':

מסורת המדרש

יב. מגילת תענית פ"ח:

אם למקרא

מִי לִי בַשָּׁמָיִם וְעִמְּךָ לֹא חָפַצְתִּי בָאָרֶץ: (תהלים עג:כה)

וְדָנִיֵּאל בְּעָא מִן מַלְכָּא וּמַנִּי עַל עֲבִידְתָּא דִּי מְדִינַת בָּבֶל לְשַׁדְרַךְ מֵישַׁךְ וַעֲבֵד נְגוֹ וְדָנִיֵּאל בִּתְרַע מַלְכָּא: (דניאל ב:מט)

וּבְהִקָּבֵץ בְּתוּלוֹת שֵׁנִית וּמָרְדֳּכַי יֹשֵׁב בְּשַׁעַר הַמֶּלֶךְ: (אסתר ב:יט)

קָצַפְתִּי עַל עַמִּי חִלַּלְתִּי נַחֲלָתִי וָאֶתְּנֵם בְּיָדֵךְ לֹא שַׂמְתְּ לָהֶם רַחֲמִים עַל זָקֵן הִכְבַּדְתְּ עֻלֵּךְ מְאֹד: (ישעיה מז:ו)

וְעָלוּ מוֹשִׁעִים בְּהַר צִיּוֹן לִשְׁפֹּט אֶת הַר עֵשָׂו וְהָיְתָה לַה' הַמְּלוּכָה: (עובדיה א:כא)

שינוי נוסחאות

ברוך ה' אלהי של שמעון הצדיק. צ"ל "אלוהו של שמעון הצדיק", כן היה בכל הספרים חדשים גם ישנים, ונשתבש בד' וילנא תר"ג ומשם הועתק לדפוסים אחרים: **וְאֶת הָאַרְנֶבֶת זוֹ יָוָן, כִּי מַעֲלַת גֵּרָה, שֶׁגָּרְרָה מַלְכוּת אַחֲרֶיהָ, "וְאֶת הַשָּׁפָן" זוֹ מָדַי, כִּי מַעֲלֵה גֵרָה שֶׁגָּרְרָה מַלְכוּת אַחֲרֶיהָ.** צריך להפוך הסדר ולגרוס "שפן זו מדי" קודם "ארנבת זו יון", כן כתב רש"ש, וכן הוא באמת בכי"י:

אמרי יושר

החזיר שמחזרת. מלכות לישראל, שהם בעליה:

תזריע

TAZRIA

Chapter 14

דַּבֵּר אֶל בְּנֵי יִשְׂרָאֵל לֵאמֹר אִשָּׁה כִּי תַזְרִיעַ וְיָלְדָה זָכָר וְטָמְאָה שִׁבְעַת יָמִים כִּימֵי נִדַּת דְּוֹתָהּ תִּטְמָא.

Speak to the Children of Israel saying: When a woman conceives and gives birth to a male, she shall be contaminated for a seven-day period, as during the days of her menstrual infirmity shall she be contaminated (12:2).

§1 **אִשָּׁה כִּי תַזְרִיעַ** — ***WHEN A WOMAN CONCEIVES** AND GIVES BIRTH TO A MALE, SHE SHALL BE CONTAMINATED FOR A SEVEN-DAY PERIOD.*

The Midrash begins its discussion of this passage with the exposition of a verse from *Psalms*:[1]

הָדָא הוּא דִכְתִיב — **Thus it is written,** "אָחוֹר וָקֶדֶם צַרְתָּנִי" — ***Last and first You have fashioned me,*** *and You have laid Your hand upon me* (*Psalms* 139:5). **אָמַר רַבִּי יוֹחָנָן: אִם זָכָה אָדָם נוֹחֵל שְׁנֵי עוֹלָמוֹת** — **R' Yochanan said: If a man merits, he inherits two worlds, הַזֶּה וְהַבָּא** — **this** world **and the next. הָדָא הוּא דִכְתִיב "אָחוֹר וָקֶדֶם צַרְתָּנִי"** — **Thus it is written, *Last and first You have fashioned me.***[2] **וְאִם לָאו** — **But if** he does **not** merit, **בָּא לִיתֵּן דִּין וְחֶשְׁבּוֹן** — **he will be required to give justification and reckoning** for his actions,[3] **שֶׁנֶּאֱמַר "וַתָּשֶׁת עָלַי כַּפֶּכָה"** — **as [Scripture] states, *And You have laid Your hand upon me.*** **כְּדִכְתִיב "כַּפְּךָ מֵעָלַי הַרְחֵק"**— The term, *Your hand,* refers to Divine retribution, **as it is written, *Remove Your hand from upon me*** (*Job* 13:21).[4]

The Midrash cites a discussion of the Sages that concerns the verse from *Psalms*:

אָמַר רַבִּי שְׁמוּאֵל בַּר נַחְמָן — **R' Shmuel bar Nachman said: בְּשָׁעָה שֶׁבָּרָא הַקָּדוֹשׁ בָּרוּךְ הוּא אָדָם הָרִאשׁוֹן** — **At the time that the Holy One, blessed is He,** originally **created** Adam, **the first man, אַנְדְּרוֹגִינוֹס בְּרָאוֹ** — **He created him as a hermaphrodite.**[5] **אָמַר רֵישׁ לָקִישׁ: בְּשָׁעָה שֶׁנִּבְרָא דוּ פַּרְצוּפִין נִבְרָא** — **Reish Lakish said: When [Adam] was created, he was created as two** frontal **figures,**[6] **וּנְסָרוֹ** — **and then [God] sawed him** apart,[7] **וְנַעֲשָׂה שְׁנַיִם גַּבִּים** — **and** the place of **[the cut] was transformed into two backs, גַּב לְזָכָר גַּב לִנְקֵבָה** — **one back for the male,** Adam, and **one back for the female,** Eve.[8] **אֵיתִיבוּן לֵיהּ** — **[The Sages] challenged [Reish Lakish]** from the verse, **"וַיִּקַּח אַחַת מִצַּלְעֹתָיו"** — ***And He took one of his "tzelas"*** [צַלְעֹתָיו] . . . *and HASHEM God fashioned the "tzela"* [צֵלָע] *that He had taken from the man into a woman* (*Genesis* 2:21-22).[9] **אָמַר לְהֶן: מִסִּטְרוֹהִי** — **[Reish Lakish] responded to them:** *one of his "tzelas"* means, one **of his sides, כְּדִכְתִיב "וּלְצֶלַע הַמִּשְׁכָּן"** — **as is written** in the verse, ***for the second side*** [צֶלַע] ***of the Tabernacle,*** *on the north* (*Exodus* 26:20).[10]

The Midrash presents another exposition based on the verse from *Psalms*:

אָמַר רַבִּי בֶּרֶכְיָה וְרַבִּי חֶלְבּוֹ וְרַבִּי שְׁמוּאֵל בַּר נַחְמָן — **R' Berechyah and R' Chelbo and R' Shmuel bar Nachman said: בְּשָׁעָה שֶׁבָּרָא הַקָּדוֹשׁ בָּרוּךְ הוּא אָדָם הָרִאשׁוֹן** — **At the time that the Holy One, blessed is He,** originally **created** Adam, **the first man, מִסּוֹף הָעוֹלָם וְעַד סוֹפוֹ מְלֹא כָל הָעוֹלָם כּוּלּוֹ בְּרָאוֹ** — **He created him** as extending **from one end of the world to the other,** throughout **the entire expanse of the world.**[11]

NOTES

1. The Midrash ultimately connects the verse to our passage. However, as is common in Midrash, it first presents several interpretations that do not relate to this passage.

2. That is, *You have fashioned me* to have dominion over both *last* and *first* (*Rashi* to *Bereishis Rabbah* 8 §1). *Last* refers to the Next World, which the person experiences later, after having lived his life in this world; *first* refers to this world, which the person experiences first (*Matnos Kehunah, Eitz Yosef*).

3. [I.e., he will be held accountable for his actions and will be punished for improper behavior. See *Eitz Yosef* for a somewhat different understanding of this phrase.]

4. In this verse Job is asking God to refrain from punishing him long enough for him to put forward his arguments; see *Metzudas David* ad loc.

5. I.e., with both male and female genital organs.

6. One male and one female, which were joined back to back. Thus, when he was created, Adam's back was a female figure. Reish Lakish interprets אָחוֹר וָקֶדֶם (translated above as, *last and first*) in spatial terms, *back and front* (see following paragraph). Accordingly, the verse means that Adam was fashioned with two figures, one as his front, and one as his back (see *Berachos* 61a). [Although the psalm was composed by David, the subject of this verse is clearly Adam for he was fashioned directly by God (*Maharzu* to *Bereishis Rabbah* 8 §1 s.v. ולסטר משכנא).]

Both R' Shmuel bar Nachman and Reish Lakish understand the verse זָכָר וּנְקֵבָה בְּרָאָם, *He created them male and female* (*Genesis* 5:10), as indicating that God created Adam as both male and female; see *Bereishis Rabbah* 8 §1. However, for R' Shmuel bar Nachman that means that Adam was created as a hermaphrodite, while for Reish Lakish it means that he was created as two distinct figures, albeit joined in one body. *Eitz Yosef* though suggests that in fact R' Shmuel bar Nachman and Reish Lakish do not disagree; Reish Lakish is clarifying that R' Shmuel bar Nachman's description of Adam as an אַנְדְּרוֹגִינוֹס does not mean that he was a typical hermaphrodite, but rather that he had both a complete male figure and a complete female figure.

7. I.e., God separated the two figures (*Eitz Yosef*).

8. [When God formed Eve from part of Adam's body, He did not then fashion her figure, for it had already existed when she had been joined to Adam. Rather, he formed backs, for her and for Adam, since they had not had backs when they had been attached together. See below.]

9. The word צֶלַע is often used for "rib"; see, e.g., *Chullin* 52a. The Sages understood that this is its meaning also in this verse. Hence, the verse would be saying that God fashioned Eve from one of Adam's ribs, not that her figure had already existed as part of Adam's body.

10. In the context of the Tabernacle, צֶלַע clearly means "side" rather than "rib"; furthermore, the Aramaic translation given there by *Onkelos* is סְטַר, *side* (see *Bereishis Rabbah* loc. cit.). Reish Lakish is arguing that in the verse regarding Adam it likewise means "side" and not "rib." Accordingly, the verse is saying that God made Eve out of one of Adam's two sides, i.e., the side with the female figure.

11. His body was large enough to have encompassed the entire world, from east to west and from north to south and from the earth up to the firmament. Adam was at this time in the Garden of Eden, which is much larger than our world; see *Pesachim* 94a (*Eitz Yosef*). After he sinned and was expelled from the Garden of Eden, he was reduced to normal human dimensions; see *Chagigah* 12a and *Tosafos* ad loc. s.v. אידי ואידי חד שיעורא הוא. For further discussion of this concept, see Insight Ⓐ.

INSIGHTS

Ⓐ **Adam, Giant of a Man** Many authorities suggest that these descriptions of Adam's size are not meant to be understood literally; see, e.g., *Yad Ramah* to *Sanhedrin* 38b. *Tashbetz* (R' Shimon ben Tzemach Duran), in the introduction to his work on Jewish philosophy, *Magen Avos,* writes that the Sages meant that Adam comprehended the nature and the workings of the entire material universe, from one end to the other and up to the highest reaches of the physical heavens (see *Margaliyos HaYam* to *Sanhedrin* loc. cit.). In a somewhat similar vein, R' Eliyahu Dessler explains that the connotation of the measurements given here is that Adam was a microcosm of all creation. Thus, all the elements of heaven and earth, everything that existed from the beginning of world history and everything that will exist to its very end, were contained within his person (*Michtav MeEliyahu* II, p. 137). [See also *Meshech Chochmah* on *Genesis* 50:10.]

סֵדֶר תַזְרִיעַ

פרשה יד

א [יב, ב] **"אִשָּׁה כִּי תַזְרִיעַ", הֲדָא הוּא דִכְתִיב** (תהלים קלט, ה) **"אָחוֹר וָקֶדֶם צַרְתָּנִי", אָמַר רַבִּי יוֹחָנָן: אִם זָכָה אָדָם נוֹחֵל שְׁנֵי עוֹלָמוֹת, הַזֶּה וְהַבָּא, הֲדָא הוּא דִכְתִיב "אָחוֹר וָקֶדֶם צַרְתָּנִי", וְאִם לָאו, בָּא לִיתֵּן דִּין וְחֶשְׁבּוֹן, שֶׁנֶּאֱמַר** (שם) **"וַתָּשֶׁת עָלַי כַּפֶּכָה", כְּדִכְתִיב** (איוב יג, כא) **"כַּפְּךָ מֵעָלַי הַרְחַק", אָמַר רַבִּי שְׁמוּאֵל בַּר נַחְמָן: בְּשָׁעָה שֶׁבָּרָא הַקָּדוֹשׁ בָּרוּךְ הוּא אָדָם הָרִאשׁוֹן אַנְדְּרוֹגִינוֹס בְּרָאוֹ, אָמַר רֵישׁ לָקִישׁ: בְּשָׁעָה *שֶׁנִּבְרָא אדוּ פַּרְצוּפִין *נִבְרָא, וְנִסְּרוֹ וְנַעֲשָׂה שְׁנַיִם גַּבִּים, גַּב לְזָכָר גַּב לִנְקֵבָה, *אֵיתִיבִין לֵיהּ:** (בראשית ב, כא) **"וַיִּקַּח אַחַת מִצַּלְעֹתָיו", אָמַר לְהֶן: מִסִּטְרוֹהִי, כְּדִכְתִיב** (שמות כו, כ) **"וּלְצֶלַע הַמִּשְׁכָּן", אָמַר רַבִּי בֶּרֶכְיָה וְרַבִּי חֶלְבּוֹ וְרַבִּי שְׁמוּאֵל בַּר נַחְמָן: בְּשָׁעָה שֶׁבָּרָא הַקָּדוֹשׁ בָּרוּךְ הוּא אָדָם הָרִאשׁוֹן מִסּוֹף הָעוֹלָם וְעַד סוֹפוֹ מְלֹא כָל הָעוֹלָם כּוּלּוֹ בְּרָאוֹ, מִן הַמִּזְרָח לַמַּעֲרָב מִנַּיִן, שֶׁנֶּאֱמַר "אָחוֹר וָקֶדֶם צַרְתָּנִי", מִן הַצָּפוֹן לַדָּרוֹם מִנַּיִן, שֶׁנֶּאֱמַר** (דברים ד, לב) **"וּלְמִקְצֵה הַשָּׁמַיִם וְעַד קְצֵה הַשָּׁמָיִם", וּמִנַּיִן בַּחֲלָלוֹ שֶׁל עוֹלָם, שֶׁנֶּאֱמַר "וַתָּשֶׁת עָלַי כַּפֶּכָה", אָמַר רַבִּי אֶלְעָזָר: "אָחוֹר" °זֶה יוֹם °רִאשׁוֹן, "וָקֶדֶם" °זֶה יוֹם הָאַחֲרוֹן, עַל דַּעְתֵּיהּ דְּרַבִּי אֶלְעָזָר דִּכְתִיב** (בראשית א, כד) **"תּוֹצֵא הָאָרֶץ נֶפֶשׁ חַיָּה לְמִינָהּ",**

פירוש מהרז"ו

(א) **הדא הוא דכתיב אחור וקדם צרתני.** משום דבעי למימר כשם שיצירתו של אדם אחר בהמה חיה ועוף, כך תורתו וכו', והאהיא גופא תיקשה לן, למה נולד אחר הבעל חי, הקדים הנך דרשות דדריש אאחור וקדם דיהיב טעמא לאיחור יצירתו: **נוחל שני עולמות.** אחור זה עולם הבא הבא לבסוף, וקדם זה העולם הזה הקודם לו. וקשה הא רבי יוחנן אמר בברכות (ה, ב) לא כל אדם זוכה לשתי שולחנות, ועיין בתוספות שם, ועיין בענף: **ואם לאו בא ליתן כו'.** שאין צריך לומר שלא יזכה לעולם הבא אלא שנענש על חטאיו: **דין וחשבון.** הקדים דין לחשבון, לפי שהאדם כשהולך לבית עולמו קודם שיתן חשבון מודיעים לו כל דיני התורה, ואחר כך שואלין אותו הבא על אשת חבירו מה דינו, העושה מלאכה בשבת מה דינו, והוא משיב על הן הן ועל לאו לאו, ואחר כך מזכירין אותו כי הוא אשר עשה כן העבירות אשר שאלו אותו הדין ואומרים לו אתה האיש, באופן כי מתחלה הוא נותן הדין, ואחר כך החשבון, והוא נותן את שתיהן: **ותשת עלי כפך.** לשון יסורים, דומיא דכפך מעלי הרחק: **אנדרוגינוס.** אנדרוגינוס דהכא פירושו דו פרצופים, ורבי שמעון בן לקיש בא לפרש דבריו: **דו פרצופין.** שני פרצופין נבראו תחלה, אחד מלפניו ואחד מלאחריו, ונסרו פירושו וחלקו לשנים, ועשה מן האחד את חוה: **מצלעותיו.** דמשמע דצלע ממש הוא שלקח מגוף האדם לא פרצוף: **מסטרוהי.** פירוש אחד משני צדדיו, כלומר חלקיו, ולטולם שנסרו: **מסוף העולם כו'.** פירוש שגופו היה ממלא העולם מכל הצדדים ממזרח למערב מצפון לדרום, וכן קומתו ממלא החלל מהארץ ועד לרקיע, והוא היה בגן עדן שהיא גדולה מהעולם הרבה: **אחור וקדם צרתני.** דקדם הוא רוח מזרחית, כדכתיב (שמות כז, יג) קדמה מזרחה, ומדמזרח קרוי קדם, מכלל דמערב קרוי אחור: **ולמקצה השמים כו'.** דרום וצפון נקראו קצוות בפי התוכניים (מתנות כהונה): **ותשת עלי כפך.** כמה דאת אמר (ישעיה מח, יג) ידי יסדה ארץ וימיני טפחה שמים (מתנות כהונה). או כמו נשא לבבנו אל כפים (איכה ג, מא): **אחור זה יום הראשון.** צריך לומר אחור זה יום אחרון, וכן הוא בתנחומא סדר זו (סימן א), וכן גרס רש"י בבראשית רבה (ח, א), וכן גרס בספר נשמת החיים (מאמר שני פרק יז), ופירושו שגופו נברא אחור לכל מעשה יום אחרון: **וקדם זה יום אחרון.** פירוש וקדם למעשה יום אחרון, ואות אמת הגיה כן:

(א) **אחור וקדם.** בראשית רבה (ריש פרשה ח), תנחומא כאן ריש תזריע: **אנדרוגינוס.** בערוך ערך אנתרופי, אנדרו בלשון יוני זכר, גיניס בלשון יוני נקבה, ובמוסף הערוך, בלשון יוני ורומי אדם שיש לו ערות זכר ונקבה, וזהו אחור וקדם שתי יצירות יחד, ושאר הפירוש

מתנות כהונה

[א] **הזה והבא.** העולם הזה הוא קדם, שבא לו לאדם בראשונה, ועולם הבא נקרא אחור, שבאה לו לאדם לבסוף: **בך מצאתי הגירסא במדרש תהלים ונסרו ונעשה שנים גבים גב לזכר וגב לנקבה.** וכן עיקר: **מסטרוהי.** אחד משני צדדיו, כלומר חלקיו, ולטולם כדלעיל שנסר וכו': **אחור וקדם.** קדם היינו מזרח, שנאמר (שמות כז, יג) קדמה מזרחה, ומדמזרח נקרא פנים, מערב שהוא הפאה שכנגדו נקרא אחור, וכדפרשתי בכמה מקומות: **שנאמר ולמקצה וגו'.** דרום וצפון נקראו קצוות בפי התוכנים, וגם מדהאי קדם ואחור קאי על מזרח ומערב, מכלל דולמקצה וגו' קאי על דרום וצפון: **ותשת עלי וגו'.** כפך היינו היד, וכתיב השמים כסאי, וכתיב (שמות יז, טז) כי יד על כס יה, ומאחר ששת עליו כפו, שמע מינה שכל החלל עד השמים נתמלא ממנו. או יש לומר דדייק מדכתיב (ישעיה מ, יב) שמים בזרת תכן, וכתיב נמי (שם מח, יג) ידי יסדה ארץ וימיני טפחה שמים: **זה יום הראשון.** פירוש למעשה יום ראשון, והכי גרסינן לעיל פרשת בראשית (ח, א), ובמדרש תהלים (מזמור קלט), אבל רש"י ז"ל גרס יום האחרון, וכן הוא בתנחומא בפרשה זו, ובילקוט ריש פרשת בראשית (רמז יב), ועיין במה שכתבתי לעיל בפרשת בראשית: **נפש חיה למינה.** זה נאמר תחלת יום ששי:

אשד הנחלים

[א] **אם זכה כו'.** כלומר שהאדם נברא בגוף ונפש, הגוף מתענג מענייני עולם הזה, והנפש מענייני עולם הבא, ואף שבטבעם המה הפכיים, עם כל זה אם זכה האדם להתנהג ביושר, יש לו חמודות עולם הזה, ולא יטרידנו זה משלימות הנפשי, כי גם ענייני עולם הזה משתמש לעניינים הנפשים, וינוח בחייו להשיג שלימותו, וזהו אחור לאחרית הזמן, לחיי עולם הבא לנפש, וקדם לחיי עולם הזה, צרתני, ותשת עלי כפיך, להשגיח על מעשי ליתן דין וחשבון עליו, כי אין מעשי בני אדם מופקרין: **אנדרוגינוס כו'.** עיין בסדר בראשית (ח, א), ועיין בשפע טל, ועיין בדברי המחקרים. וכל אחד יכול לבקש ציור לזה כפי ידיעתו. ועיין בסדר בראשית כל הענין עד דבר אחר כי אשא דעי, ושם בארתי ע"פ כולו:

ענף יוסף

(א) **אם זכה אדם נוחל שני עולמות.** כלומר שהאדם נברא בגוף ונפש, הגוף מתענג מענייני עולם הזה, והנפש מענייני עולם הבא, ואף שבטבעם המה הפכיים, עם כל זה אם זכה האדם להתנהג ביותר, יש לו חמודות עולם הזה, ולא יטרידנו זה משלימות הנפשי, כי גם ענייני עולם הזה משתמש לעניינים הנפשים, וינוח בחייו להשיג שלימותו, וזהו אחור, לאחרית הזמן לחיי עולם הבא לנפש, וקדם, לחיי עולם הזה, צרתני ותשת עלי כפיך, להשגיח על מעשי, ליתן דין וחשבון עליו, כי אין מעשה בני אדם מופקרין: **אמר ריש לקיש בשעה שנבראו דו פרצופין נבראו ונסרו ונעשו שנים גבים גב לזכר וגב לנקבה.** וזהו אחור וקדם צרתני, וקשה מאחר שנבראו בשני פרצופין, שבכל צד היה פרצוף, למה מכנה צד אחד בשם אחור, והשני בשם קדם, הלא שני הצדדים שוים הם, ויש לומר משום דאותו הצד שהיה בו פרצוף אדם, הנלכה תחילה, על כן מכנה אותו הצד בשם קדם, והצד השני שהיה בו פרצוף הנקבה, מכנה בשם אחור, על שם שהיא בצד אחוריו של אדם. אבל קשה אם כן היה לו להקדים צד הזכר שהלך תחלה, ולומר קדם ואחור צרתני, ואפשר שמחמת קושיא זו מוקי ליה אידך מאן דאמר להאי קרא בפירושים אחרים (ועיין בספר נפתלי שבע רצון):

חידושי הרש"ש

[א] **נאמר ותשת עלי כפכה.** כדכתיב (איוב יג, כא) כפך מעלי הרחק כאן מבואר כמו שהגהתי לעיל בבראשית רבה (ח א ד"ה ומנין): **אמר ר' שמואל בר נחמן בשעה שברא וכו' ונעשה שנים גבים גב לזכר וכו'.** לעיל בבראשית רבה ריש פרשה ח' הגירסא ועשאו, פירוש שהוצרך לעשות מחדש הגביים להעלות ולקרום בשר עור וכדכתיב ויסגור בשר תחתינה:

באור מהרי"פ

[מתנות כהונה ד"ה **זה יום הראשון וכו'] וכן הוא בתנחומא.** זה לשון התנחומא (סימן א) רבי אלעזר בן פדת אומר אחור למעשה יום הששי, וקדם למעשה יום הששי, כיצד ששה דברים ברא הקב"ה ביום הששי, ואלו הן נפש חיה ובהמה וחיתו ארץ ואדם וחוה ונפשו של אדם הראשון נבראת תחלה, שנאמר (בראשית א, כד) תוצא הארץ נפש חיה, ואין נפש חיה אלא נפשו של אדם, שנאמר (שם ב, ז) ויהי האדם לנפש חיה, הוי קודם למעשה יום הששי, ואחור למעשה יום הששי, שהיה עוסק בו כל יום הששי, הוי אחור וקדם צרתני עכ"ל התנחומא:

אמרי יושר

[א] **אנדרוגינוס בראו.** להיות אמצעי, מקבל מלמעלה, ומשפיע רצון לעולם: **ומניין אף בחללו של עולם.** תימה והלא כפל הוא, מצפון לדרום, ויש לומר דמצפון לדרום אין פירושו רק מהנקודה למרכז. אי נמי דחכמים אזלי לשיטתייהו דהשמים אינם אלא כיפה מכסה ואינו כדור סובב (פסחים צד ב), אפשר להיות מרחקו מהארץ כמצפון לדרום:

שינוי נוסחאות

(א) **"אחור" זה יום ראשון.** א"א הגיה "אחור למעשה יום ראשון" (וכן הוא בב"ר ח:א, וכן נוטים דברי מ"כ כאן להגיה כן), ועצ"י מגיה עוד "יום האחרון" במקום "יום ראשון": **"וקדם" זה יום האחרון.** גם כאן הגיה א"א "קדם למעשה יום האחרון", וכן בסמוך:

מסורת המדרש

א. ברכות פ' הרואה. עירובין דף י"ח. ב"ר פ"ח ופ' י"ז. שוח"ט מזמור קל"ט:

אם למקרא

אָחוֹר וָקֶדֶם צַרְתָּנִי וַתָּשֶׁת עָלַי כַּפֶּכָה: (תהלים קלט:ה)

כַּפְּךָ מֵעָלַי הַרְחַק וְאֵמָתְךָ אַל תְּבַעֲתַנִּי: (איוב יג:כא)

וַיַּפֵּל ה' אֱלֹהִים תַּרְדֵּמָה עַל הָאָדָם וַיִּישָׁן וַיִּקַּח אַחַת מִצַּלְעֹתָיו וַיִּסְגֹּר בָּשָׂר תַּחְתֶּנָּה: (בראשית ב:כא)

וּלְצֶלַע הַמִּשְׁכָּן הַשֵּׁנִית לִפְאַת צָפוֹן עֶשְׂרִים קָרֶשׁ: (שמות כו:כ)

כִּי שְׁאַל נָא לְיָמִים רִאשֹׁנִים אֲשֶׁר הָיוּ לְפָנֶיךָ לְמִן הַיּוֹם אֲשֶׁר בָּרָא אֱלֹהִים אָדָם עַל הָאָרֶץ וּלְמִקְצֵה הַשָּׁמַיִם וְעַד קְצֵה הַשָּׁמָיִם הֲנִהְיָה כַּדָּבָר הַגָּדוֹל הַזֶּה אוֹ הֲנִשְׁמַע כָּמֹהוּ: (דברים ד:לב)

וַיֹּאמֶר אֱלֹהִים תּוֹצֵא הָאָרֶץ נֶפֶשׁ חַיָּה לְמִינָהּ בְּהֵמָה וָרֶמֶשׂ וְחַיְתוֹ אֶרֶץ לְמִינָהּ וַיְהִי כֵן: (בראשית א:כד)

ידי משה

[א] **ותשת עלי כפך.** עיין מתנות כהונה שדחק לפרש, ובחנם דחק, והכי פירושו, שרצון המדרש לדרוש ותשת עלי כפך ששם עליו כיפת השמים, כי היה מגיע עד כיפת השמים, עד שהיה הכיפה מונחת עליו, כדאיתא בגמרא (חגיגה יב, א) שהיתה קומתו מן הארץ עד לשמים. וקל להבין: **אחור זה יום ראשון.** הגירסא זאת מחוורת היא בעיני, ואין צריך לפירוש מתנות כהונה בשם המקובלים, והכי פירושו, **אחור זה יום הראשון** פירוש אחור מן כל הנבראים, מן יום ראשון היה מאוחר שבכולם, **וקדם זה יום אחרון** פירוש, שהיה נברא קודם יום האחרון, והוא יום השבת שהוא יום אחרון, והוא נברא קודם, **על דעתיה דרבי אלעזר דכתיב תוציא וגו'**

מִן הַמִּזְרָח לַמַּעֲרָב מִנַּיִן — **From where is it** derived that Adam extended **from the east** of the world **to the west?** שֶׁנֶּאֱמַר "אָחוֹר וָקֶדֶם צַרְתָּנִי" — **As [Scripture] states,** ***Back and front You have fashioned me*** (*Psalms* 139:5).[12] מִן הַצָּפוֹן לַדָּרוֹם מִנַּיִן — **From where is it** derived that he extended **from the north** of the world **to the south?** שֶׁנֶּאֱמַר "וּלְמִקְצֵה הַשָּׁמַיִם וְעַד קְצֵה הַשָּׁמָיִם" — **As [Scripture] states,** *From the day that God created Adam on the earth* ***and from one end of the heaven to the other end of heaven*** (*Deuteronomy* 4:32).[13] וּמִנַּיִן כַּחֲלָלוֹ שֶׁל עוֹלָם — **And from where is it** derived that **[Adam] was as** large as **the** entire **cavity of the world?**[14] שֶׁנֶּאֱמַר "וַתָּשֶׁת עָלַי כַּפֶּכָה" — **As [Scripture] states,** ***And You laid Your dome*** [כִּיפָּה] ***upon me*** (*Psalms* ibid.).[15]

The Midrash returns to the original understanding of אָחוֹר וָקֶדֶם צַרְתָּנִי as *last and first You have fashioned me,* and presents several additional interpretations of that verse:

אָמַר רַבִּי אֶלְעָזָר — **R' Elazar said:** "אָחוֹר" לְמַעֲשֵׂה יוֹם הָאַחֲרוֹן — Man was fashioned ***last*** **of** all **the work of the final day** of creation,[16] "וָקֶדֶם" לְמַעֲשֵׂה יוֹם הָאַחֲרוֹן — ***and first*** **of** all **the work of the final day** of creation.[17] עַל דַּעְתֵּיהּ דְּרַבִּי אֶלְעָזָר — **According to the opinion of R' Elazar,** דִּכְתִיב "תּוֹצֵא הָאָרֶץ נֶפֶשׁ חַיָּה לְמִינָהּ" — regarding **that which is written,** ***Let the earth bring forth living creature(s), each according to its kind,*** *animal, and creeping thing, and beast of the land* (*Genesis* 1:24),

NOTES

12. See note 6 above. I.e., *You fashioned me* as encompassing both *back,* the west, *and front,* the east. Scripture often refers to east as קֶדֶם, *front* (see e.g., *Numbers* 3:38); by extension west would be אָחוֹר, *back* (*Matnos Kehunah, Eitz Yosef*). See also *Deuteronomy* 34:2 and *Ramban* to *Exodus* 26:18.

13. Implying that when he was created Adam reached from one end of heaven to the other. *Matnos Kehunah,* cited by *Eitz Yosef,* writes that astronomers would refer to the north and south horizons as "the ends of heaven" [presumably because they are stationary and fixed, as opposed to the east and west where the stars and planets rise and set]. See *Rashi* and *Yefeh To'ar* to *Bereishis Rabbah* loc. cit. for alternative approaches.

14. I.e., that he was large enough to have filled the entire expanse between heaven and earth (see *Eitz Yosef* s.v. מסוף העולם).

15. That is, Adam was so large that the sky, God's dome, rested directly upon him. In accordance with this exposition, we have here translated כַּפֶּכָה as derived from the word כִּיפָּה, *dome*, rather than from כַּף, *hand* (see *Yedei Moshe;* see also *Eitz Yosef*, Vagshal edition, and *Bereishis Rabbah* 4 §5). See *Matnos Kehunah* for an alternative understanding.

16. Physically, man was the last species created on the sixth day of creation, after the creation of the animals and beasts; see *Genesis* 1:25-27.

17. The human soul was created before the creation of the animals, as the Midrash will proceed to explain (see *Eitz Yosef*).

(א) הדא הוא דכתיב אחור וקדם צרתני. משום דבעי למימר כשם שיצירתו של אדם אחר בהמה חיה ועוף, כך תורתו וכו', והאיש גופא תיקשה לן, למה נולד אחר הבעל חי, הקדים הכך דרשות דדריש אאחור וקדם דיהיב טעמא לאיחור יצירתו:

(א) אחור וקדם. בראשית רבה (ריש פרשה ח), תנחומא כאן ריש תזריע: **אנדרוגינוס.** בערוך ערך אנדרופי, אנדרו בלשון יוני זכר, גינוס בלשון יוני נקבה, ובמוסף הערוך, בלשון יוני ורומי אדם שיש לו ערות זכר ונקבה, וזהו אחור וקדם שתי יצירות יחד, ושאר הפירוש

סֵדֶר תַזְרִיעַ

פרשה יד

א [יב, ב] "אִשָּׁה כִּי תַזְרִיעַ", הָדָא הוּא דִכְתִיב (תהלים קלט, ה) "אָחוֹר וָקֶדֶם צַרְתָּנִי", אָמַר רַבִּי יוֹחָנָן: אִם זָכָה אָדָם נוֹחֵל שְׁנֵי עוֹלָמוֹת, הַזֶּה וְהַבָּא, הָדָא הוּא דִכְתִיב "אָחוֹר וָקֶדֶם צַרְתָּנִי", וְאִם לָאו, בָּא לִיתֵּן דִּין וְחֶשְׁבּוֹן, שֶׁנֶּאֱמַר (שם) "וַתָּשֶׁת עָלַי כַּפֶּכָה", כְּדִכְתִיב (איוב יג, כא) "כַּפְּךָ מֵעָלַי הַרְחַק", אָמַר רַבִּי שְׁמוּאֵל בַּר נַחְמָן: בְּשָׁעָה שֶׁבָּרָא הַקָּדוֹשׁ בָּרוּךְ הוּא אָדָם הָרִאשׁוֹן אַנְדְּרוֹגִינוֹס בְּרָאוֹ, אָמַר רֵישׁ לָקִישׁ: בְּשָׁעָה *שֶׁנִּבְרָא [א]דוּ פַּרְצוּפִין *נִבְרָא, וּנְסָרוֹ וְנַעֲשָׂה שְׁנַיִם גַּבִּים, גַּב לְזָכָר גַּב לִנְקֵבָה, *אַיְתִיבִין לֵיהּ: (בראשית ב, כא) "וַיִּקַּח אַחַת מִצַּלְעֹתָיו", אָמַר לָהֶן: מִסִּטְרוֹהִי, כְּדִכְתִיב (שמות כו, כ) "וּלְצֶלַע הַמִּשְׁכָּן", אָמַר רַבִּי בֶּרֶכְיָה וְרַבִּי חֶלְבּוֹ וְרַבִּי שְׁמוּאֵל בַּר נַחְמָן: בְּשָׁעָה שֶׁבָּרָא הַקָּדוֹשׁ בָּרוּךְ הוּא אָדָם הָרִאשׁוֹן מִסּוֹף הָעוֹלָם וְעַד סוֹפוֹ מְלֹא כָל הָעוֹלָם כּוּלּוֹ בְּרָאוֹ, מִן הַמִּזְרָח לַמַּעֲרָב מִנַּיִן, שֶׁנֶּאֱמַר "אָחוֹר וָקֶדֶם צַרְתָּנִי", מִן הַצָּפוֹן לַדָּרוֹם מִנַּיִן, שֶׁנֶּאֱמַר (דברים ד, לב) "וּלְמִקְצֵה הַשָּׁמַיִם וְעַד קְצֵה הַשָּׁמָיִם", וּמִנַּיִן כַּחֲלָלוֹ שֶׁל עוֹלָם, שֶׁנֶּאֱמַר "וַתָּשֶׁת עָלַי כַּפֶּכָה", אָמַר רַבִּי אֶלְעָזָר: "אָחוֹר" °זֶה יוֹם °רִאשׁוֹן, "וָקֶדֶם" °זֶה יוֹם הָאַחֲרוֹן, עַל דַּעְתֵּיהּ דְּרַבִּי אֶלְעָזָר דִּכְתִיב (בראשית א, כד) "תּוֹצֵא הָאָרֶץ נֶפֶשׁ חַיָּה לְמִינָהּ",

נוחל שני עולמות. אחור זה עולם הבא הבא לבסוף, וקדם זה העולם הזה הקודם לו. וקשה הא רבי יוחנן אמר בברכות (ה, ב) לא כל אדם זוכה לשתי שולחנות, ועיין בתוספות שם, ועיין בטנף: **ואם לאו בא ליתן כו'.** שאין לריך לומר שלא יזכה לעולם הבא אלא שנענש על חטאיו: **דין וחשבון.** הקדים דין לחשבון, לפי שהאדם כשהולך לבית עולמו קודם שיתן חשבון מודיעים לו כל דיני התורה, ואחר כך שואלין אותו הבא על אשת חבירו מה דינו, העושה מלאכה בשבת מה דינו, והוא משיב על הן הן ועל לאו לאו, ואחר כך מזכירין אותו כי הוא אשר עשה כן העבירות אשר שאלו אותו הדין ואומרים לו אתה האיש, באופן כי מתחלה הוא נותן הדין, ואחר כך החשבון, והוא נותן את שתיקן: **ותשת עלי כפך.** לשון יסורים, דומיא דכפך מעלי הרחק: **אנדרוגינוס.** אנדרוגינוס דהכא פירושו דו פרצופים, ורבי שמעון בן לקיש בא לפרש דבריו: **דו פרצופין.** שני פרצופין נבראו תחלה, אחד מלפניו ואחד מלאחריו, ונסרו פירושו וחלקו לשנים, ועשה מן האחד את חוה: **מצלעותיו.** דמשמע דלצלע ממש הוא שלקח מגוף האדם לא פרצוף: **מסטרוהי.** פירוש אחד משני לדדיו, כלומר חלקיו, ולעולם שנסרו: **מסוף העולם כו'.** פירוש שגופו היה ממלא העולם מכל הצדדים ממזרח למערב מצפון לדרום, וכן קומתו ממלא החלל מהארץ ועד לרקיע, והוא היה בגן עדן שהיא גדולה מהעולם הרבה: **אחור וקדם צרתני.** דקדם הוא רוח מזרחית, כדכתיב (שמות כז, יג) קדמה מזרחה, ומדמזרח קרוי קדם, מכלל דמערב קרוי אחור: **ולמקצה השמים כו'.** דרום וצפון נקראו קצוות בפי התוכניים (מתנות כהונה): **ותשת עלי כפך.** כמה דאת אמר (ישעיה מח, יג) ידי יסדה ארץ וימיני טפחה שמים (מתנות כהונה). או כמו נשא לבבנו אל כפים (איכה ג, מא): **אחור זה יום הראשון.** לריך לומר אחור זה יום אחרון, וכן הוא בתנחומא סדר זו (סימן א), וכן גרס רש"י בבראשית רבה (ח, א), וכן גרס בספר נשמת החיים (מאמר שני פרק יז), ופירושו שגופו נברא אחור לכל מעשה יום אחרון: **וקדם זה יום אחרון.** פירוש וקדם למעשה יום אחרון, ואות אמת הגיה כן:

מתנות כהונה

[א] הזה והבא. העולם הזה הוא קדם, שבא לו לאדם בראשונה, ועולם הבא נקרא אחור, שבאה לו לאדם לבסוף: **כך מצאתי הגירסא במדרש תהלים ונסרו ונעשה שנים גבים גב לזכר וגב לנקבה.** וכן עיקר: **מסטרוהי.** אחד משני לדדיו, כלומר חלקיו, ולעולם כדלעיל שנסר וכו': **אחור וקדם.** קדם היינו מזרח, שנאמר (שמות כז, יג) קדמה מזרחה, ומדמזרח נקרא פנים, מערב שהוא הפאה שכנגדו נקרא אחור, וכדפרשתי בכמה מקומות: **שנאמר ולמקצה וגו'.** דרום וצפון נקראו קלוות בפי התוכנים, וגם מדהאי קדם ואחור קאי על מזרח ומערב, מכלל דולמקלה וגו' קאי על דרום וצפון: **ותשת עלי וגו'.** כפך היינו היד, וכתיב השמים כסאי, וכתיב (שמות יז, טז) כי יד על כס יה, ומאחר ששת עליו כפו, שמע מינה שכל החלל עד השמים נתמלא ממנו. או יש לומר דדייק מדכתיב (ישעיה מ, יב) שמים בזרת תכן, וכתיב נמי (שם מח, יג) ידי יסדה ארץ וימיני טפחה שמים: **זה יום הראשון.** פירוש למעשה יום ראשון, והכי גרסינן לעיל פרשת בראשית (ח, א), ובמדרש תהלים (מזמור קלט), אבל רש"י ז"ל גרס יום האחרון, וכן הוא בתנחומא בפרשה זו, ובילקוט ריש פרשת בראשית (רמז יב), ועיין במה שכתבתי לעיל בפרשת בראשית: **נפש חיה למינה.** זה נאמר תחלת יום ששי:

אשד הנחלים

[א] אם זכה כו'. כלומר שהאדם נברא בגוף ונפש, הגוף מתענג מענייני עולם הזה, והנפש מענייני עולם הבא, ואף שבטבעם המה הפכיים, עם כל זה אם זכה האדם להתנהג ביושר, יש לו חמודות עולם הזה, ולא יטרידנו זה משלימות הנפשי, כי גם ענייני עולם הזה משתמש לעניינים הנפשים, וינוח בחייו להשיג שלימותו, וזהו אחור לאחרית הזמן, לחיי עולם הבא לנפש, וקדם לחיי עולם הזה, צרתני, ותשת עלי כפיך, להשגיח על מעשי ליתן דין וחשבון עליו, כי אין מעשי בני אדם מופקרין: **אנדרוגינוס כו'.** עיין בסדר בראשית (ח, א), ועיין בשפע טל, ועיין בדברי המחקרים. וכל אחד יכול לבקש ציור לזה כפי ידיעתו. ועיין בסדר בראשית כל הענין עד דבר אחר כי אשא דעי, ושם בארתי ע"פ כולו:

ענף יוסף

(א) אם זכה אדם נוחל שני עולמות. כלומר שהאדם נברא בגוף ונפש, הגוף מתענג מענייני עולם הזה, והנפש מענייני עולם הבא, ואף שבטבעם המה הפכיים, עם כל זה אם זכה האדם להתנהג ביותר, יש לו חמודות עולם הזה, ולא יטרידנו זה משלימות הנפשי, כי גם ענייני עולם הזה משתמש לעניינים הנפשים, וינוח בחייו להשיג שלימותו, וזהו אחור, לאחרית הזמן לחיי עולם הבא לנפש, וקדם, לחיי עולם הזה, צרתני ותשת עלי כפיך, להשגיח על מעשי, ליתן דין וחשבון עליו, כי אין מעשה בני אדם מופקרין: **אמר ריש לקיש בשעה שנבראו דו פרצופין נבראו ונסרו ונעשו שנים גבים גב לזכר וגב לנקבה.** וזהו אחור וקדם צרתני, וקשה מאחר שנבראו בשני פרצופין, שבכל צד היה פרצוף, למה מכנה צד אחד בשם אחור, והשני בשם קדם, הלא שני הצדדים שוים הם, ויש לומר משום דאותו הצד שהיה בו פרצוף אדם, הלכה תחילה, על כן מכנה אותו הצד בשם קדם, והצד השני שהיה בו פרצוף הנקבה, מכנה בשם אחור, על שם שהיא בצד אחוריו של אדם. אבל קשה אם כן היה לו להקדים צד הזכר שהלך תחלה, ולומר קדם ואחור צרתני, ואפשר שמחמת קושיא זו מוקי ליה איידך מאן דאמר להאי קרא בפירושים אחרים (ועיין בספר נפתלי שבע רצון):

מסורת המדרש

א. ברכות פ' הרואה. עירובין דף י"ח. ב"ר פ"ח ופ' י"ז. שוח"ט מזמור קל"ט:

אם למקרא

אָחוֹר וָקֶדֶם צַרְתָּנִי וַתָּשֶׁת עָלַי כַּפֶּכָה: (תהלים קלט:ה)

כַּפְּךָ מֵעָלַי הַרְחַק וְאֵמָתְךָ אַל תְּבַעֲתַנִּי: (איוב יג:כא)

וַיַּפֵּל ה' אֱלֹהִים תַּרְדֵּמָה עַל הָאָדָם וַיִּישָׁן וַיִּקַּח אַחַת מִצַּלְעֹתָיו וַיִּסְגֹּר בָּשָׂר תַּחְתֶּנָּה: (בראשית ב:כא)

וּלְצֶלַע הַמִּשְׁכָּן הַשֵּׁנִית לִפְאַת צָפוֹן עֶשְׂרִים קָרֶשׁ: (שמות כו:כ)

כִּי שְׁאַל נָא לְיָמִים רִאשֹׁנִים אֲשֶׁר הָיוּ לְפָנֶיךָ לְמִן הַיּוֹם אֲשֶׁר בָּרָא אֱלֹהִים אָדָם עַל הָאָרֶץ וּלְמִקְצֵה הַשָּׁמַיִם וְעַד קְצֵה הַשָּׁמָיִם הֲנִהְיָה כַּדָּבָר הַגָּדוֹל הַזֶּה אוֹ הֲנִשְׁמַע כָּמֹהוּ: (דברים ד:לב)

וַיֹּאמֶר אֱלֹהִים תּוֹצֵא הָאָרֶץ נֶפֶשׁ חַיָּה לְמִינָהּ בְּהֵמָה וָרֶמֶשׂ וְחַיְתוֹ אֶרֶץ לְמִינָהּ וַיְהִי כֵן: (בראשית א:כד)

ידי משה

[א] ותשת עלי כפך. עיין מתנות כהונה שדחק לפרש, ובחנם דחק, והכי פירושו, שרלון המדרש לדרוש ותשת עלי כפך שסם עליו כיפת השמים, כי היה מגיע עד כיפת השמים, עד שהיה הכיפה מונחת עליו, כדאיתא בגמרא (חגיגה יב, א) שהיתה קומתו מן הארץ עד לשמים. וקל להבין: **אחור זה יום ראשון.** הגירסא זאת מחוורת היא בעיני, ואין לריך לפירוש מתנות כהונה בשם המקובלים, והכי פירושו, **אחור זה יום הראשון** פירוש אחור מן כל הנבראים, מן יום ראשון היה מאוחר שבכולם, **וקדם זה יום אחרון** פירוש, שהיה נברא קודם יום האחרון, והוא יום השבת שהוא יום אחרון, והוא נברא קודם, **על דעתיה דרבי אלעזר דכתיב תוציא וגו'**

חידושי הרש"ש

[א] נאמר ותשת עלי כפכה. כדכתיב (איוב יג, כא) כפך מעלי הרחק כאן מבואר כמו שהגהתי לעיל בבראשית רבה (ח א ד"ה ומנין): **אמר ר' שמואל בר נחמן בשעה שברא וכו' ונעשה שנים גבים גב לזכר וכו'.** לעיל בבראשית רבה ריש פרשה ח' הגירסא ועשאו, פירוש שהולרך לעשות מחדש הגביים להעלות ולקרום בשר עור וכדכתיב ויסגור בשר תחתינה:

באור מהרי"פ

[מתנות כהונה ד"ה זה יום הראשון וכו'] וכן הוא בתנחומא. זה לשון התנחומא (סימן א) רבי אלעזר בן פדת אומר אחור למעשה יום הששי, וקדם למעשה יום הששי, כילד ששה דברים ברא הקב"ה ביום הששי, ואלו הן נפש חיה ובהמה וחיתו ארץ ואדם וחוה ונפשו של אדם הראשון נבראת תחלה, שנאמר (בראשית א, כד) תוצא הארץ נפש חיה, ואין נפש חיה אלא נפשו של אדם, שנאמר (שם ב, ז) ויהי האדם לנפש חיה, הוי קודם למעשה יום הששי, ואחור למעשה יום הששי, שהיה עוסק בו כל יום הששי, הוי אחור וקדם לרתני עכ"ל התנחומא:

אמרי יושר

[א] אנדרוגינוס בראו. להיות אמלעי, מקבל מלמעלה, ומשפיע רלון לעולם: **ומניין אף בחללו של עולם.** תימה והלא כפל הוא, מלפון לדרום, ויש לומר דמלפון לדרום אין פירושו רק מהנקודה למרכז. או נמי דחכמים אזלי לשיטתייהו דהשמים אינם אלא כיפה מכסה ואינו כדור סובב (פסחים לד ב), אפשר להיות מרחקו מהארץ כמלפון לדרום:

שינוי נוסחאות

(א) "אחור" זה יום ראשון. א"א הגיה "אחור למעשה יום ראשון" (וכן הוא בב"ר ח:א, וכן נוטים דברי מ"כ כאן להגיה כן), ועצ"י מגיה עוד "יום האחרון" במקום "יום ראשון": **"וקדם" זה יום האחרון.** גם כאן הגיה א"א "קדם למעשה יום האחרון", וכן בסמוך:

"נֶפֶשׁ חַיָּה" — *living creature,* lit., *living soul* — זו רוחו של אדם הָרִאשׁוֹן — **this is** a reference to **the spirit of** Adam, **the first man.**[18]

An alternative approach:

אָמַר רֵישׁ לָקִישׁ — **Reish Lakish said:** "אָחוֹר" לְמַעֲשֵׂה יוֹם הָאַחֲרוֹן — Man was fashioned ***last*** of all **the work of the final day** of creation, "וָקֶדֶם" לְמַעֲשֵׂה יוֹם הָרִאשׁוֹן — ***and first*** of all **the work of the first day** of creation.[19] עַל דַּעְתֵּיהּ דְּרֵישׁ לָקִישׁ — **According to the opinion of Reish Lakish,** דִּכְתִיב "וְרוּחַ אֱלֹהִים מְרַחֶפֶת עַל פְּנֵי הַמָּיִם" — regarding **that which is written,** ***and the spirit of God hovered upon the surface of the waters*** (*Genesis* 1:2), זֶה רוּחוֹ שֶׁל מֶלֶךְ הַמָּשִׁיחַ — *the spirit of God* — **this is** a reference to **the spirit of the King Messiah.**[20] אִם זָכָה אָדָם, אוֹמְרִים לוֹ — Reish Lakish continued: Hence, **if a man has been worthy,** [**the angels**] **say to him** respectfully, אַתָּה קָדַמְתָּ לְכָל מַעֲשֵׂה בְרֵאשִׁית — **"You preceded all the work of creation."**[21] וְאִם לָאו, אוֹמְרִים לוֹ — **But if he has not** been worthy, **they say to him** disdainfully, יַתּוּשׁ קְדָמְךָ שִׁלְשׁוּל קְדָמְךָ — **"The gnat preceded you, the earthworm preceded you."**[22]

The Midrash cites another, somewhat similar exposition of the verse from *Psalms*:

אָמַר רַבִּי יִשְׁמָעֵאל בְּרַבִּי תַּנְחוּם — **R' Yishmael son of R' Tanchum said:** "אָחוֹר" לְכָל הַמַּעֲשִׂים — The verse means that man was ***last*** **in regard to all the works** of creation,[23] "וָקֶדֶם" לְכָל הָעוֹנָשִׁין — ***and first*** **in regard to all the retributions.**[24]

NOTES

18. As Scripture states, וַיְהִי הָאָדָם לְנֶפֶשׁ חַיָּה, *and Adam became a living creature* [*Genesis* 2:7] (*Rashi* to *Bereishis Rabbah* 7 §5 and 8 §1). Accordingly, Adam's spirit was created at the start of the sixth day, before the *animal and creeping thing and beast of the land.*

19. That is, according to Reish Lakish the human soul was created at the very beginning of creation, as the Midrash proceeds to explain (*Eitz Yosef*).

20. *The spirit of God* alludes to the King Messiah, in accordance with the verse, וְנָחָה עָלָיו רוּחַ ה׳, *the spirit of HASHEM will rest upon him* (*Isaiah* 11:2), which refers to the Messiah (*Bereishis Rabbah* 8 §1). [Thus, while the first physical human was made at the close of creation on the sixth day, the first human soul was made already on the first day, when the world was still *astonishingly empty, with darkness upon the surface of the deep.* Some versions of the Midrash and some parallel passages read, זֶה רוּחוֹ שֶׁל אָדָם הָרִאשׁוֹן, *this is the spirit of the first man* (see *Yalkut Shimoni, Psalms* §887 and *Midrash Tanchuma, Tazria* §1). Accordingly, it was the creation of Adam himself that both preceded and followed that of the rest of the work of creation. Adam is referred to as *the spirit of God* because it was God who blew the soul into Adam; see *Genesis* 2:7 (*Yefeh To'ar* to *Bereishis Rabbah* loc. cit. s.v. זו רוחו של מלך המשיח). *Matnos Kehunah* and *Eitz Yosef* cite a Kabbalistic teaching that the Messiah will possess the same soul as that of Adam; accordingly, even our version of the text, זוֹ רוּחוֹ שֶׁל מֶלֶךְ הַמָּשִׁיחַ, is in fact referring to Adam's soul. However, see *Yefeh To'ar* loc. cit.]

For an explanation of the verse's conclusion, וַתָּשֶׁת עָלַי כַּפֶּכָה, *And You have laid Your hand upon me,* in accordance with the exposition of Reish Lakish, see Insight Ⓐ.

21. According man seniority on account of his soul, which was created before all other beings (*Eitz Yosef*). This attitude is therefore appropriate regarding one who has lived a worthy life, accentuating his spiritual side over his physical side (*Eitz Yosef,* Vagshal edition).

22. Since man's body was created after that of all the animals (*Eitz Yosef*). Such an attitude is appropriate in regard to one who has not been worthy, who has allowed his physical body to dominate his soul (*Eitz Yosef,* Vagshal edition). For further elaboration of man's dual position in creation, see Insight Ⓑ.

23. In accordance with the plain meaning of Scripture, this view maintains that man was created last of all the beings, both in body and in soul (*Eitz Yosef*).

24. At the time of the Flood man was destroyed first, before the animals, as indicated by the verse, *He blotted out all existence on the face of the*

INSIGHTS

Ⓐ **The Miracle of Body and Soul** While the Midrash has presented several interpretations of the verse's conclusion, וַתָּשֶׁת עָלַי כַּפֶּכָה, *And You have laid Your hand upon me,* it does not explain how these words are to be interpreted according to the exposition of Reish Lakish. *R' Gedaliah Schorr* (*Ohr Gedalyahu, Vayikra* p. 36) suggests the following: Reish Lakish sees the first part of the verse, אָחוֹר וָקֶדֶם צַרְתָּנִי, *Last and first You have fashioned me,* as contrasting Man's body with his soul — the soul is first in Creation and the body last. How can these two, physical and spiritual, coexist in one being? Are they not diametrically opposed? Therefore the verse concludes: וַתָּשֶׁת עָלַי כַּפֶּכָה, *And You have laid Your hand upon me.* Yes, body and soul are polar opposites. But they can coexist because God has "laid His hand" upon man. It is indeed a special miracle of God's creation that the physical-spiritual hybrid known as Man can exist. [And it is only through His Torah that they can live and accomplish in harmony.]

According to *Rama* (*Orach Chaim* 6:1), this is the meaning of the blessing we recite to thank God for the wonders of bodily function: רוֹפֵא כָל בָּשָׂר וּמַפְלִיא לַעֲשׂוֹת, *Who heals all flesh and acts wondrously.* It is a wondrous act of God that the soul of Man is guarded inside him, the spiritual bound together with the physical. It is only the Great Healer Who can make the body whole and healthy, thereby preserving the soul within it.

Ⓑ **First and Last** What shame is there in being preceded by the gnat or the earthworm? Cannot the world be viewed as having been created in ascending order of complexity and importance, in which case the last is actually the highest and the best?

R' Yitzchak Reitbord (*Beis Yitzchak, Parashas Tazria;* Jerusalem, 5670) cites a response that he heard to this question. There is a story told of a great conclave of philosophers and scientists who convened to investigate the benefit of every creature and thing in the world. After months of intensive research and study, they succeeded in discovering the purpose of everything they could find in the world. Some things serve as food, others have medicinal purposes. Some serve man. Some can be lethal in one circumstance but beneficial in another. Everything has a purpose. Everything contributes in some fashion to the maintenance of the world.

At the feast celebrating the successful conclusion of their ambitious enterprise, one of the participants posed to his fellow savants a question that none had previously considered: We have found the purpose of everything that we have investigated, except one — ourselves! What does *Man* contribute to the maintenance of the world? On the contrary, Man *consumes* and *damages* the world. He cuts down trees, he kills animals for food, he hunts birds, catches fish, destroys plant and vegetable life, he depletes the world's minerals and resources — all for his own benefit, not the world's! Wouldn't the world itself be better off without him?

A perplexing question indeed. Unless one realizes that Man is not there for the world; rather, the world is there for Man. The world contains the tools that God gave Man to accomplish his purpose in creation — to utilize all that is in it in fulfilling the will of its Creator.

When a person partakes of this world and blesses God accordingly, when he employs the things in the world for any manner of mitzvah purposes, he has not "destroyed" the things in the world but has rather given them a spiritual dimension. He has sanctified the physical. Far from consuming the world, he has uplifted it.

This might be what the Midrash means when it states that man was created first. He was created first in the sense that everything in Creation is there to serve him, to be his tool in accomplishing a spiritual purpose. And if Man indeed lives his life in this manner, then they say to him, "You preceded all the work of creation."

But if Man uses the world for his own selfish gratification, then he is indeed a parasite who does not contribute to the world but rather depletes it. In that case, he was created last. Everything else in the world preceded him — even the gnat and the earthworm. All things contribute to the maintenance of the world — except for this type of Man, who has come last onto the scene, invading their domain, consuming and destroying them, no better than a thief and a murderer. There is no greater shame than that.

"נֶפֶשׁ חַיָּה" זוֹ רוּחוֹ שֶׁל אָדָם הָרִאשׁוֹן, אָמַר רֵישׁ לָקִישׁ: "אָחוֹר" °זֶה יוֹם° הָאַחֲרוֹן, "וָקֶדֶם" °זֶה יוֹם° הָרִאשׁוֹן, עַל דַּעְתֵּיהּ דְּרֵישׁ לָקִישׁ דִּכְתִיב (שם שם ב) "וְרוּחַ אֱלֹהִים מְרַחֶפֶת עַל פְּנֵי הַמָּיִם", זֶה רוּחוֹ שֶׁל מֶלֶךְ הַמָּשִׁיחַ, באִם זָכָה אָדָם, אוֹמְרִים לוֹ: אַתָּה קָדַמְתָּ לְכָל מַעֲשֵׂה בְרֵאשִׁית, וְאִם לָאו, אוֹמְרִים לוֹ: יַתּוּשׁ קְדָמְךָ שִׁלְשׁוּל קְדָמְךָ, אָמַר רַבִּי יִשְׁמָעֵאל בְּרַבִּי תַּנְחוּם: "אָחוֹר" לְכָל הַמַּעֲשִׂים, "וָקֶדֶם" לְכָל הָעוֹנָשִׁין, רַבִּי יוֹחָנָן אוֹמֵר: אַף קִילוּסוֹ לֹא בָא אֶלָּא בָּאַחֲרוֹנָה שֶׁנֶּאֱמַר (תהלים קמח, י) "הַחַיָּה וְכָל בְּהֵמָה רֶמֶשׂ וְצִפּוֹר כָּנָף", וְאַחַר כָּךְ (שם שם יא) "מַלְכֵי אֶרֶץ וְכָל לְאֻמִּים", אָמַר רַבִּי שִׂמְלָאי: כְּשֵׁם שֶׁיְּצִירָתוֹ שֶׁל אָדָם אַחַר בְּהֵמָה חַיָּה וָעוֹף, כָּךְ תּוֹרָתוֹ אַחַר בְּהֵמָה חַיָּה וָעוֹף, הָדָא הוּא דִכְתִיב [יא, מו] "זֹאת תּוֹרַת הַבְּהֵמָה" וְאַחַר כָּךְ [יב, א] "אִשָּׁה כִּי תַזְרִיעַ":

ב דָּבָר אַחֵר, [יב, ב] "אִשָּׁה כִּי תַזְרִיעַ", הָדָא הוּא דִכְתִיב (איוב לו, ג) "אֶשָּׂא דֵעִי לְמֵרָחוֹק וּלְפֹעֲלִי אֶתֵּן צֶדֶק", אָמַר רַבִּי מֵאִיר: הַלָּשׁוֹן הַזֶּה גמְשַׁמֵּשׁ שְׁתֵּי לְשׁוֹנוֹת, לְשׁוֹן שִׁירָה לְשׁוֹן דָּבָר, לְשׁוֹן שִׁירָה עַל שִׁבְחָן שֶׁל צַדִּיקִים, לְשׁוֹן דָּבָר עַל מַפַּלְתָּן שֶׁל רְשָׁעִים, "לְמֵרָחוֹק" נֶאֱמַר עַל הָרְחוֹקִים שֶׁנִּקְרְבוּ, "אֶשָּׂא דֵעִי לְמֵרָחוֹק וּלְפֹעֲלִי אֶתֵּן צֶדֶק", אָמַר רַבִּי נָתָן: מְחַשְּׁבִין לִשְׁמוֹ שֶׁל אַבְרָהָם אָבִינוּ אוֹתוֹ שֶׁבָּא מֵרָחוֹק,

עץ יוסף

רוחו של אדם הראשון. שהנשמה נבראת קודם מעשה יום אחרון: **אחור זה יום אחרון.** פירוש אחור למעשה יום אחרון וקדם למעשה יום ראשון, וכן הגיה האות אמת, ורצה לומר שגופו מאוחר לכל ורוחו קודם לכל: **רוחו של מלך המשיח.** וכבר כתב הזוהר וחכמי האמת בכמה דוכתי דבן דוד הוא עצמו נשמת אדם הראשון, ואד"ם נוטריקון אדם דוד משיח: **אתה קדמת למעשה בראשית.** וזה מצד הנשמה שהיא קדמה לכלל מעשה בראשית, ואם לא זכה אומרים יתוש קדמך במעשה בראשית, וזה מצד הגוף שנברא באחרונה: **אחור לכל המעשים.** דסבירא ליה דנפשו וגופו נבראו אחרי הכל, כפשטיה דקרא: **וקדם לכל העונשים.** כדכתיב במבול (בראשית ז, כג) וימח את כל היקום מאדם עד בהמה, ברישא אדם, והדר בהמה: **(ב) אשא דעי כו'.** משום דקשיא ליה לימא אשה כי תלד זכר, לכן בעי לתרוצי על דרך הדרש, שרמז לחסד ה' בזרע, שמטפה של לכלוכית נותן נפש שלימה לאביו, וחסד עם התינוק בהיותו כזרע בבטן אמו שמאיר לו שם ושוב מתירו משם, ומשום דעל כל האי מתפרש ולפועלי אתן צדק כדלקמן נקט האי קרא, ואיידי דמייתי ליה מפרש ליה ברישא באנפי אחריתי כדרך המדרש: **משמש שתי לשונות.** רצה לומר הלשון הזה אשא יפורש לשון שירה, כמו (ישעיה כד, יד) ישאו קולם ירונו, והאומר אשא דעי למרחוק אשא קול שירה בשומי דעי להבין מרחוק, וזה על שבחן של צדיקים [האמור בפרשה שם לא יגרע מצדיק כו' וכל המענה] ויהיה פירושו ולפועלי אתן צדק, אתן שבח והודאה לצדקתו עם הצדיקים. ויפורש לשון דבור, כלומר שאין נשיאות הקול לשירה רק לדיבור דעלמא, והיינו על מפלתן של רשעים שידבר ויודה על הדבר, אבל לא יאמר שירה, שאין לשורר על הרעה שנעשה לרשעים אם לא היה לו בזה הצלה, ולפי זה פירוש ולפועלי אתן צדק שיצדיק דינו (יפה תואר): **על הרחוקים שנקרבו.** שיטה אחרת היא זו, דלרבי מאיר דמיירי בצדיקים ורשעים יתפרש רחוק מעבירה, או רחוק מה', אבל השתא מפרש ליה על בעלי תשובה שהיו רחוקים מהקדוש ברוך הוא ונתקרבו, ולפי זה השירה לה' שפושט ידו לקבל שבים. ובילקוט איוב (תתקכ) הגירסא, נאמר על הרחוקים ואמרי לה על הרחוקים שנתקרבו: **אמר רבי נתן מחשבין.** כלומר מעיינים ונותנים מחשבתם באברהם שבא מרחוק, והיינו אשא דעי למרחוק, ועל זה לפועלי אתן צדק והודאה, והיינו על שענהו ה' שם בהר המוריה שנאמר עליו (בראשית כב, ד) מרחוק. אי נמי ההודאה היא על מה שהקריבו ה' והדריכו לארץ ישראל כאומרו (ישעיה מא, ב) מי העיר ממזרח:

פירוש מהרז"ו

שם בבראשית רבה: **(ב) לשון שירה ולשון דבר.** לשון שירה כמו שכתוב שאו זמרה ושאו מדבר ועריו, וכמו שכתוב ישאו בתוף ובכנור, ומה שאמר על שבחן של צדיקים, כמבואר בפרשה שם לא יגרע מצדיק עינו וכדומה שם, ומה שכתב לשון דבר כמו שכתוב ישא פרעה את ראשך, וכמו שמבואר בהדיא לעיל (א, יא) באריכות, ושם (ד, ג), ומה שכתב על מפלתם של רשעים מרומז כמו שכתוב למרחוק, הם הרשעים הרחוקים, ואמר עוד שם לא יחיה רשע, והשירה כמו שכתוב באבוד רשעים רנה, והיה לו לומר מרחוק, על כן דורש למרחוק נוטריקון, לא מרחוק, שהיו רחוקים ונתקרבו: **מחשבין לשמו של אברהם.** וזהו אשא דעי, שיחשוב בדעתו למרחוק, למי שבא מרחוק הוא אברהם שבא מארץ, בבל שנקראת רחוקה כמו שכתוב מארץ רחוקה באו אלי מבבל, עיין לעיל (א, יב) ומה שכתבתי שם, וכמו שכתוב (ישעיה סוף מ"ו) קורא ממזרח עיט מארץ מרחק איש עצתו, על אברהם גם כתוב אלנו וירא את המקום מרחוק, וכאן כוון לשני אופנים אלו אלא שקיצר, ויתכן שעל שבא מרחוק ראה את המקום המקודש מרחוק, וקרא אותו הר עד שבא יעקב וקרא אותו בית ושער השמים:

חידושי הרד"ל

[ב] הזה משמש שתי לשונות. עיין ידי משה. ועיקר נראה דעל לפועלי אתן צדק קאי, שמשמש לשון שירה על שבחן של צדיקים (האמור בפרשה שם, לא יגרע מצדיק כו' וכל המענה), ולשון דבר על מפלתן של רשעים (האמור שם לא יחיה רשע כו'), שאין אומרים שירה על מפלתן של רשעים (כדאיתא בסנהדרין לט, ב, ובמכילתא בשלח (מסכתא דשירה פרשה א) שלכן לא נאמר כי טוב בצאת לפני החלוץ ביהושפט), אלא לשון דבר כמו לדוק הדין: **נאמר על הרחוקים שנתקרבו.** בילקוט איוב (רמז תתקכ) הגירסא נאמר על הרחוקים. ואמרי לה על הרחוקים שנתקרבו, אפשר ללשון ראשון הוא על הרשעים שרחוקים מה', וללשון שני רחוקים שנתקרבו הן צדיקים ובעלי תשובה, עיין סוף פרק חמישי דברכות (לד, ב):

חידושי הרש"ש

[ב] למרחוק נאמר על הרחוקים שנקרבו וכו'. מדלא כתיב לרחוק אלא למרחוק משמע שכבר שב ממקום הרחוק שהיה בו ונתקרב כדכתיב מרחוק ה' נראה לי (ירמיה לא, ב). ועיין לעיל בשמות רבה (א, כג), וכן דרשו לעיל בבראשית רבה ט"ו (סימן ד) ופרשה כ"ד (סימן א) מארץ מרחק איש עצתו על אברהם:

אמרי יושר

אם זכה. ועשה הגוף נשמה: **אתה קדמת.** בנשמתך, ואם לאו יתוש קדמך לבריאת גוף: **בשם שבריאתו אחרון.** ואין זה גרעון, רק כי התכלית לא יבא עד סוף, כן בעבור זה בא קילוסו ותורתו באחרונה, לחשיבות: **[ב] על (שלותן) [שבחן] של צדיקים.** שבאה לעולם הבא מרחוק, גם פורענות רשעים הוא לעתיד: **על אברהם.** שהיה רחוק ונתקרב, או על הגירות, או וירא את המקום מרחוק (בראשית כב ד), ונתקרב הוא למקום, או המקום קפץ:

מסורת המדרש

ב. ב"ר פ"ח:

אם למקרא

וְהָאָרֶץ הָיְתָה תֹהוּ וָבֹהוּ וְחֹשֶׁךְ עַל פְּנֵי תְהוֹם וְרוּחַ אֱלֹהִים מְרַחֶפֶת עַל פְּנֵי הַמָּיִם:
(שם שם ב)

הַחַיָּה וְכָל בְּהֵמָה רֶמֶשׂ וְצִפּוֹר כָּנָף: מַלְכֵי אֶרֶץ וְכָל לְאֻמִּים שָׂרִים וְכָל שֹׁפְטֵי אָרֶץ:
(תהלים קמח:י-יא)

אֶשָּׂא דֵעִי לְמֵרָחוֹק וְלְפֹעֲלִי אֶתֵּן צֶדֶק
(איוב לו:ג)

ידי משה

זהו רוחו של אדם הראשון, נמצא שלא היה בריאתו קודם יום ראשון, כי אף רוחו שלו נברא ביום הששי, אבל **ריש לקיש אומר אחור זה יום אחרון** כמשמעו, **וקדם זה יום הראשון,** דסבר שרוחו של אדם הראשון נברא קודם בריאת העולם, לזה אמר **על דעתיה דריש לקיש וכו' זה רוחו של אדם הראשון,** כן צריך לומר. ודוק היטב: **[ב] לשון שירה ולשון שבר.** כן צריך לומר. ומילת אשא קדריש לשון שירה, נראה לי על דרך דאיתא בגמרא דערכין (יא, א) בכתף ישאו, ישאו זה שירה. ולשון שבר כמו (איכה ג, מז) השאת והשבר: **אמר רבי נתן משבחין לשמו של הקדוש ברוך הוא.** כן צריך לומר, וכן לקמן:

שינוי נוסחאות

זה רוחו של מלך המשיח. במ"כ הגיה שצ"ל "זה רוחו של אדם הראשון", וכן הגיה בב"ר ח:א (שגם שם מובא דרוש זה), אבל המדפיסים לא הכניסו את הגהתו לפנים המדרש לא כאן ולא שם. ובכי"י שונים נמצאות שתי הנוסחאות:

מתנות כהונה

אמר ריש לקיש אחור זה יום אחרון. למעשה יום האחרון שהאדם נברא באחרונה: הכי גרסינן **ורוח אלהים וגו' רוחו של אדם הראשון.** והכי גרסינן בילקוט תהלים (רמז תתפז) ובפרשת בראשית (רמז יב), והרואה יראה כי כן עיקר. והגירסא שלפנינו יש ליישבה לפי דעת המקובלים ז"ל, שאמרו שרוחו של אדם זהו רוחו של משיח בסוד הגלגול, וסימנם אד"ם, אד"ם דו"ד משי"ח, רוח אחד לכלם. והראשון עיקר, וכן מצאתי אחר כך בא"ח (הרב אברהם בן אשר, בספרו אור השכל) פרשת בראשית, ואבן שועיב בפרשת מצורע: הכי גרסינן **אם זכה אדם אומרים לו קדמת כו'.** וכן הוא לעיל פרשה בראשית, וסיומא מלתא דריש לקיש היא שלפיכך נבראת רוחו ביום ראשון וגופו ביום אחרון שאם יזכה אומרים לו אתה קדמת כו' דרך חשיבות ומעלה, וכן בהיפוך כשאינו זכאי, ואחר כך גרסינן אמר רבי ישמעאל כו': **וקדם לכל. עונשין,** שאין כל בריה נפקדה על מעשיה כי אם האדם לבדו, או רצה לומר באשר הוא עלול לקבל כל מיני עונש, מפני חולשת הרכבתו וזך מזגו והראשון עיקר:

אשד הנחלים

[ב] שירה כו' דבר. הידי משה גרס לשון שירה ולשון שבר. ומלת אשא קדייק, פעם משמש לשון שירה, כמו שאמרו בערכין (יא, א) בכתף ישאו, ישאו זה שירה, ולשון שבר, כמו (איכה ג, מז) השאת והשבר (ידי משה). ועניינו כי ההתבוננות הגדולה בהעמקה נפלאה בדבר שלא נראה כל כך לעיני החוש, נקרא דעת רחוק, בלשון הקודש, וכאומר אשא מדעי ואתבונן אל עניינים הרחוקים מראות, רק בעיני הלב. והנה אליהוא מנחם לאיוב על צרותיו ופורענותיו, שיתבונן היטב בזה, ולא יראה הדבר בחושיו הקרובים, וכן יתבונן על שבחן של צדיקים במה

באור מהרי"פ

ואחר כך מלכי ארץ וכו'. פירוש מה שהם מאוחרים מכולם היינו לא זכה כאן. מלכי עובדי כוכבים, אלו רשעי מלכי ארץ וכל לאומים, אבל קלוסי של ישראל קודם אפילו לקלוס מלאכי מרום, שהרי בפרשה יב (סימן ד) דרשינן מקרא דבתריה הודו על ארץ ושמים, דבתחלה קלוסה של ארץ ואחר כך קלוסו של שמים, והיינו ישראל שהם בכלל זכה, וזהו שמסיים (תהלים קמח, יד) וירם קרן לעמו וגו' לבני ישראל עם קרובו: **[ב] הלשון הזה.** פירוש מלת אשא לשון שירה וכו', ולשון דבר. בעל ידי משה גורס, ולשון שבר, כמו השאת והשבר (איכה ג, מז), והוא דורש מלת למרחוק, או על הצדיקים המרוחקים מעבירה, או על הרשעים המרוחקים מהשם יתברך: **למרחוק נאמר על הרחוקים שנקרבו.** שיטה אחרת היא, דלרבי מאיר קאי או על הצדיקים או על הרשעים כמבואר בסמוך למעלה:

The Midrash finds a parallel to the order of creation elsewhere in Scripture:

רַבִּי יוֹחָנָן אוֹמֵר — R' Yochanan said: **אַף קִילוּסוֹ לֹא בָא אֶלָּא בָּאַחֲרוֹנָה** — Similarly, **[man's] praise** of God **also only comes at the end,** after the praises uttered by the other creatures, **שֶׁנֶּאֱמַר "הַחַיָּה וְכָל בְּהֵמָה רֶמֶשׂ וְצִפּוֹר כָּנָף"** — **as [Scripture] states,** ***Beasts and all cattle, crawling things and winged fowl*** (*Psalms* 148:10), **וְאַחַר כָּךְ "מַלְכֵי אֶרֶץ וְכָל לְאֻמִּים"** — **and following that,** ***kings of the earth and all regimes,*** *princes and all judges on earth, young men and also maidens, old men together with youths. Let them praise the Name of HASHEM* (ibid., vv. 11-13).

The Midrash mentions a further parallel, one that concerns our passage:

אָמַר רַבִּי שִׂמְלַאי — R' Simlai said: **כְּשֵׁם שֶׁיְּצִירָתוֹ שֶׁל אָדָם אַחַר בְּהֵמָה חַיָּה וָעוֹף** — **Just as the creation of man was after** that of **animal, beast, and bird,** **כָּךְ תּוֹרָתוֹ אַחַר בְּהֵמָה חַיָּה וָעוֹף** — **so is his Torah** recorded **after** that of **animal, beast and bird.**[25] **הָדָא הוּא דִכְתִיב "זֹאת תּוֹרַת הַבְּהֵמָה"** — **Thus it is written,** ***This is the law of the animal,*** *the bird, every living creature etc.* (above, 11:46), **וְאַחַר כָּךְ "אִשָּׁה כִּי תַזְרִיעַ"** — **and following that** passage is our verse, ***When a woman conceives*** *and gives birth to a male, she shall be contaminated for a seven-day period.*

§2 The Midrash presents an exposition of a verse from *Job* relating to our verse:[26]

דָּבָר אַחֵר — Another interpretation: **"אִשָּׁה כִּי תַזְרִיעַ"** — ***When a woman conceives*** *and gives birth.* **הָדָא הוּא דִכְתִיב "אֶשָּׂא דֵעִי לְמֵרָחוֹק וּלְפֹעֲלִי אֶתֵּן צֶדֶק"** — **Thus it is written,** ***I will raise my awareness from afar, I will ascribe righteousness to my Maker*** (*Job* 36:3). **אָמַר רַבִּי מֵאִיר: הַלָּשׁוֹן הַזֶּה מְשַׁמֵּשׁ שְׁתֵּי לְשׁוֹנוֹת** — **R' Meir said that this term,** אֶשָּׂא (*I will raise*), **carries two connotations** here, **לְשׁוֹן שִׁירָה לְשׁוֹן דָּבָר** — **the connotation of** joyous **song** and **the connotation of** plain **speech.** **לְשׁוֹן שִׁירָה עַל שִׁבְחָן שֶׁל צַדִּיקִים** — It carries **the connotation of** joyous **song regarding the glory of the righteous.**[27] **לְשׁוֹן דָּבָר עַל מַפַּלְתָּן שֶׁל רְשָׁעִים** — It carries **the connotation of** plain **speech regarding the downfall of the wicked.**[28] **"לְמֵרָחוֹק" נֶאֱמַר עַל הָרְחוֹקִים שֶׁנִּתְקָרְבוּ**— ***"From afar"*** **is stated** here **regarding those who had been far** from God but **who have** now **come close** to Him.[29]

The Midrash offers an alternative interpretation of the verse in *Job*:

"אֶשָּׂא דֵעִי לְמֵרָחוֹק וּלְפֹעֲלִי אֶתֵּן צֶדֶק"— ***I will raise my awareness from afar, I will ascribe righteousness to my Maker.*** **אָמַר רַבִּי נָתָן: מְחַשְּׁבִין לִשְׁמוֹ שֶׁל אַבְרָהָם אָבִינוּ** — **R' Nassan said:** So as to *ascribe righteousness* to God **one should contemplate the name of our forefather Abraham,**[30] **אוֹתוֹ שֶׁבָּא מֵרָחוֹק** — **he who came from afar.**[31]

NOTES

earth from man to animal (*Genesis* 7:23), which first mentions *man* and then *animal* (*Eitz Yosef,* based on *Berachos* 61a). God inflicts retribution upon the world due to mankind, for only man has free will and only man has obligations and restrictions regarding his behavior; the ill effects suffered by the animals are only incidental results of the people's punishment; [see *Sanhedrin* 108a] (*Matnos Kehunah* here and to *Bereishis Rabbah* 8 §1). Accordingly, these two aspects, last in creation but first in retribution, are interconnected. Man was created last because he was the very purpose of creation and God prepared the world for him before bringing him into existence (*Sanhedrin* 38a). Therefore, it is man who is targeted if he fails to carry out his mission properly and it is he who is punished first, before the animals (*Yefeh To'ar* to *Bereishis Rabbah* 8 §1 s.v. אחור לכל המעשים).

[R' Yishmael is attributing a double meaning to צַרְתָּנִי, understanding it vis-à-vis אָחוֹר in the sense of יְצִירָה, creation, but in regard to קֶדֶם as related to צָרָה, *misfortune* (*Maharsha* to *Berachos* 61a s.v. אחור למע"ב).]

25. That is, the laws regarding the persons's very body, its purity and contamination, follow the laws of contamination regarding an animal's body (*Yefeh To'ar*).

26. As with the verse from *Psalms* discussed in the previous passage, before expounding the verse from *Job* in connection to our verse the Midrash first cites several unrelated interpretations.

27. Mentioned later in that passage, לֹא יִגְרַע מִצַּדִּיק עֵינָיו ... וַיֹּשִׁיבֵם לָנֶצַח וַיִּגְבָּהוּ, *He will not remove His eyes from a righteous man ... He will seat them [there] forever and they will become exalted* (*Job* 36:7). In this sense the verse means, אֶשָּׂא, *I will raise* my voice in song, דֵעִי, when I focus *my awareness on* the righteous who are called רָחוֹק, *far;* see note 29 below (see *Eitz Yosef*). [*Eitz Yosef* notes that the word *raise* having the connotation of joyous song is found in the verse, הֵמָּה יִשְׂאוּ קוֹלָם יָרֹנּוּ בִּגְאוֹן ה׳ צָהֲלוּ מִיָּם, *They will yet raise their voice, they will shout over the greatness of HASHEM* (*Isaiah* 24:14). See also other examples cited by *Maharzu.*]

28. Likewise mentioned in the passage in *Job,* לֹא יְחַיֶּה רָשָׁע, *He will not keep the wicked alive* (*Job* 36:6) [*Maharzu, Radal*]. Joyous song is not appropriate for the downfall of the wicked per se; see *Sanhedrin* 39b (*Eitz Yosef, Radal*). However, one should speak about their downfall and acknowledge God's greatness demonstrated therein (*Eitz Yosef*; see *Maharzu* for an alternative approach).

29. I.e., the penitent (see *Berachos* 34b). The Midrash is now returning to the sense of אֶשָּׂא as "joyous song," according to which לְמֵרָחוֹק, *from afar,* must be taken as referring to the righteous, a seeming incongruity for the righteous are close to God, not far. Therefore the Midrash explains that it refers to the penitent, who are now righteous; they are called רָחוֹק because they had been distant in the past but have since come close. The parallel passage in *Yalkut Shimoni Job* §922 contains an alternative exposition that reads simply, לְמֵרָחוֹק נֶאֱמַר עַל הָרְחוֹקִים, ***"From afar"*** **is stated regarding those who are far.** This exposition follows the sense of אֶשָּׂא as "plain speech," according to which לְמֵרָחוֹק refers to the wicked. See *Radal;* see *Eitz Yosef* for an alternative understanding.

30. R' Nassan interprets אֶשָּׂא דֵעִי in the sense of "contemplation" rather than as either "joyous song" or "plain speech."

31. That is, one should contemplate God's great kindness in taking Abraham from Ur Kasdim and Aram Naharayim, land(s) distant both physically and spiritually, and bringing him to the Land of Canaan, for he and his descendants to serve Him there (*Eitz Yosef,* second explanation; see also *Maharzu* and *Aggadas Bereishis* 80 §1). [The Midrash refers to "the name of our forefather Abraham" because Abraham's original name אַבְרָם (Abram) alludes to his earlier homeland אֲרָם, Aram, for it is a contraction of אַב לַאֲרָם, "father of Aram"; see *Berachos* 13a.]

"נֶפֶשׁ חַיָּה" זוֹ רוּחוֹ שֶׁל אָדָם הָרִאשׁוֹן, אָמַר רֵישׁ לָקִישׁ: "אָחוֹר" זֶה יוֹם הָאַחֲרוֹן, "וָקֶדֶם" זֶה יוֹם הָרִאשׁוֹן, עַל דַּעְתֵּיהּ דְּרֵישׁ לָקִישׁ דִּכְתִיב (שם שם ב) "וְרוּחַ אֱלֹהִים מְרַחֶפֶת עַל פְּנֵי הַמָּיִם", זֶה רוּחוֹ שֶׁל מֶלֶךְ הַמָּשִׁיחַ, אִם זָכָה אָדָם, אוֹמְרִים לוֹ: אַתָּה קָדַמְתָּ לְכָל מַעֲשֵׂה בְרֵאשִׁית, וְאִם לָאו, אוֹמְרִים לוֹ: יַתּוּשׁ קְדָמְךָ שִׁלְשׁוּל קְדָמְךָ, אָמַר רַבִּי יִשְׁמָעֵאל בְּרַבִּי תַּנְחוּם: "אָחוֹר" לְכָל הַמַּעֲשִׂים, "וָקֶדֶם" לְכָל הָעוֹנָשִׁין, רַבִּי יוֹחָנָן אוֹמֵר: אַף קִילוּסוֹ לֹא בָא אֶלָּא בָּאַחֲרוֹנָה שֶׁנֶּאֱמַר (תהלים קמח, י) "הַחַיָּה וְכָל בְּהֵמָה רֶמֶשׂ וְצִפּוֹר כָּנָף", וְאַחַר כָּךְ (שם שם יא) "מַלְכֵי אֶרֶץ וְכָל לְאֻמִּים", אָמַר רַבִּי שְׂמְלַאי: כְּשֵׁם שֶׁיְּצִירָתוֹ שֶׁל אָדָם אַחַר בְּהֵמָה חַיָּה וָעוֹף, כָּךְ תּוֹרָתוֹ אַחַר בְּהֵמָה חַיָּה וָעוֹף, הֲדָא הוּא דִכְתִיב [יא, מו] "זֹאת תּוֹרַת הַבְּהֵמָה" וְאַחַר כָּךְ [יב, א] "אִשָּׁה כִּי תַזְרִיעַ":

ב דָּבָר אַחֵר, [יב, ב] "אִשָּׁה כִּי תַזְרִיעַ", הֲדָא הוּא דִכְתִיב (איוב לו, ג) "אֶשָּׂא דֵעִי לְמֵרָחוֹק וּלְפֹעֲלִי אֶתֵּן צֶדֶק", אָמַר רַבִּי מֵאִיר: הַלָּשׁוֹן הַזֶּה מְשַׁמֵּשׁ שְׁתֵּי לְשׁוֹנוֹת, לְשׁוֹן שִׁירָה לְשׁוֹן דָּבָר, לְשׁוֹן שִׁירָה עַל שִׁבְחָן שֶׁל צַדִּיקִים, לְשׁוֹן דָּבָר עַל מַפַּלְתָּן שֶׁל רְשָׁעִים, "לְמֵרָחוֹק" נֶאֱמַר עַל הָרְחוֹקִים שֶׁנִּתְקָרְבוּ, "אֶשָּׂא דֵעִי לְמֵרָחוֹק וּלְפֹעֲלִי אֶתֵּן צֶדֶק", אָמַר רַבִּי נָתָן: מְחַשְּׁבִין לִשְׁמוֹ שֶׁל אַבְרָהָם אָבִינוּ אוֹתוֹ שֶׁבָּא מֵרָחוֹק,

רוחו של אדם הראשון. שהנשמה נבראת קודם מעשה יום אחרון: **אחור זה יום אחרון.** פירוש אחור למעשה יום אחרון וקדם למעשה יום ראשון, וכן הגיה האות אמת, ורצה לומר שגופו מאוחר לכל ורוחו קודם לכל: **רוחו של מלך המשיח.** וכבר כתב הזוהר וחכמי האמת בכמה דוכתי דכן דוד הוא עצמו נשמת אדם הראשון, ואד"ם נוטריקון אדם דוד משיח: **אתה קדמת למעשה בראשית.** וזה מצד הנשמה שהיא קדמה לכלל מעשה בראשית, ואם לא זכה אומרים יתוש קדמך במעשה בראשית, וזה מצד הגוף שנברא באחרונה: **אחור לכל המעשים.** דסבירא ליה דנפשו וגופו נבראו אחרי הכל, כפשטיה דקרא: **וקדם לכל העונשים.** כדכתיב במבול (בראשית ז, כג) וימח את כל היקום מאדם עד בהמה, ברישא אדם, והדר בהמה: **(ב) אשא דעי כו'.** משום דקשיא ליה לימא אשה כי תלד זכר, לכן בעי לתרוצי על דרך הדרש, שרמז לחסד ה' בזרע, שמטפה של בלוכית נותן נפש שלימה לאביו, וחסד עם התינוק בהיותו כזרע בבטן אמו שמאיר לו שם ושוב מתירו משם, ומשום דעל כל האי מתפרש ולפועלי אתן צדק כדלקמן נקט האי קרא, ואיידי דמייתי ליה מפרש ליה ברישא באנפי אחריתי כדרך המדרש: **משמש שתי לשונות.** רצה לומר הלשון הזה אשא יפורש לשון שירה, כמו (ישעיה כד, יד) ישאו קולם ירונו, ואומר אשא דעי למרחוק אשא קול שירה בשומי דעי להבין מרחוק, וזה על שבחן של צדיקים [האמור בפרשה שם לא יגרע מצדיק כו' וכל המענה] ויהיה פירושו ולפועלי אתן צדק, אתן שבח והודה לצדקתו עם הצדיקים. ויפורש לשון דבור, כלומר שאין נשיאות הקול לשירה רק לדיבור דעלמא, והיינו על מפלתן של רשעים שידבר ויודה על הדבר, אבל לא יאמר שירה, שאין לשורר על הרעה שנעשה לרשעים אם לא היה לו בזה הלנה, ולפי זה פירוש ולפועלי אתן צדק שיצדיק דינו (יפה תואר): **על הרחוקים שנקרבו.** שיטה אחרת היא זו, דלרבי מאיר דמיירי בצדיקים ורשעים יתפרש רחוק מעבירה, או רחוק מה', אבל הכא מפרש ליה על בעלי תשובה שהיו רחוקים מהקדוש ברוך הוא ונתקרבו, ולפי זה השירה לה' שפושט ידו לקבל שבים. ובילקוט איוב (תתקכ) הגירסא, נאמר על הרחוקים ואמרי לה על הרחוקים שנתקרבו: **אמר רבי נתן מחשבין.** כלומר מעיינים ונותנים מחשבתם באברהם שבא מרחוק, והיינו אשא דעי למרחוק, ועל זה לפועלי אתן צדק והודאה, והיינו על שנגהו ה' שם בהר המוריה שנאמר עליו (בראשית כב, ד) מרחוק. או נמי ההודאה היא על מה שהקריבו ה' והדריכו לארץ ישראל כאמרו (ישעיה מא, ב) מי העיר ממזרח:

שם בבראשית רבה: **(ב) לשון שירה ולשון דבר.** לשון שירה כמו שכתוב שאו זמרה ושאו מדבר ועריו, וכמו שכתוב ישאו בתוף וכנור, ומה שאמר על שבחן של צדיקים, כמבואר בפרשה שם לא יגרע מצדיק עינו וכדומה שם, ומה שכתב לשון דבר כמו שכתוב ישא פרעה את ראשך, וכמו שמבואר בהדיא לעיל (א, יא) בארוכות, ושם (ד, ג), ומה שכתב על מפלתם של רשעים מרומז כמו שכתוב למרחוק, הם הרשעים הרחוקים, ואמר עוד שם לא יחיה רשע, והשירה כמו שכתוב באבוד רשעים רנה, והיה לו לומר מרחוק, על כן דורש למרחוק נוטריקון, לא מרחוק, שהיו רחוקים ונתקרבו: **מחשבין לשמו של אברהם.** וזהו אשא דעי, שיחשוב בדעתו למרחוק, למי שבא מרחוק הוא אברהם שבא מארץ, בכל שנקראת רחוקה כמו שכתוב מארץ רחוקה באו אלי מבבל, עיין לעיל (א, יב) ומה שכתבתי שם, וכמו שכתוב (ישעיה סוף מ"ו) קורא ממזרח עיט מארץ מרחק איש עצתו, על אברהם גם כתוב אלו וירא את המקום מרחוק, וכאן כוון לשני אופנים אלו אלא שקיצר, ויתכן שעל שבא מרחוק ראה את המקום המקודש מרחוק, וקרא אותו הר עד שבא יעקב וקרא אותו בית ושער השמים:

חידושי הרד"ל

[ב] הזה משמש שתי לשונות. עיין ידי משה. ועיקר כוונה דעל לפועלי אתן צדק קאי, שמשמש לשון שירה על שבחן של צדיקים (האמור בפרשה שם, לא יגרע מצדיק כו' וכל המענה), ולשון דבר על מפלתן של רשעים (האמור שם לא יחיה רשע כו'), שאין אומרים שירה על מפלתן של רשעים (כדאיתא בסנהדרין לט, ב, ובמכילתא בשלח [מסכתא דשירה פרשה א]) שלכן לא נאמר כי טוב בצאת לפני החלוץ [ביהושפט], אלא לשון דבר כמו לצדק הדין: **נאמר על הרחוקים שנתקרבו.** בילקוט איוב (רמז תתקכ) הגירסא נאמר על הרחוקים. ואמרי לה על הרחוקים שנתקרבו, אפשר דלשון ראשון הוא על הרשעים שרחוקים מה', וללשון שני לצדיקים שנתקרבו כן לצדיקים ובעלי תשובה, עיין סוף פרק חמישי דברכות (לד, ב):

חידושי הרש"ש

[ב] למרחוק נאמר על הרחוקים שנקרבו וכו'. מדלא כתיב לרחוק אלא למרחוק משמע שכבר בא ממקום הרחוק שהיה בו ונתקרב. כבתיב מרחוק ה' נראה לי (ירמיה לא, ב). ועיין לעיל בשמות רבה (ה, כג), וכן דרשו לעיל בבראשית רבה ע"ו (סימן ד) ופרשה כ"ד (סימן א) מארץ מרחק איש עצתו על אברהם:

אמרי יושר

אם זכה. ועשה הגוף נשמה: אתה קדמת. בנשמתך, ואם לאו יתוש קדמך לבריאת גוף: **כשם שבריאתו אחרון.** ואין זה גרעון, רק כי התכלית לא יבא עד סוף, כן בעבור זה בא קילוסו ותורתו באחרונה לחשיבות: [ב] על (שלותן) [שבחן] של צדיקים. שבאה לעולם הבא מרחוק, גם פורענות רשעים הוא לעתיד: על אברהם. שהיה רחוק ונתקרב, או על הגירות, או וירא את המקום מרחוק (בראשית כב, ד), ונתקרב הוא למקום, או המקום קפץ:

מסורת המדרש

ב. ב"ר פ"ח:

אם למקרא

וְהָאָרֶץ הָיְתָה תֹהוּ וָבֹהוּ וְחֹשֶׁךְ עַל פְּנֵי תְהוֹם וְרוּחַ אֱלֹהִים מְרַחֶפֶת עַל פְּנֵי הַמָּיִם:
(שם שם ב)

הַחַיָּה וְכָל בְּהֵמָה רֶמֶשׂ וְצִפּוֹר כָּנָף: מַלְכֵי אֶרֶץ וְכָל לְאֻמִּים שָׂרִים וְכָל שֹׁפְטֵי אָרֶץ:
(תהלים קמח:י-יא)

אֶשָּׂא דֵעִי לְמֵרָחוֹק וּלְפֹעֲלִי אֶתֵּן צֶדֶק:
(איוב לו:ג)

ידי משה

זהו רוחו של אדם הראשון, כמאן שלא היה בריאתו קודם יום ראשון, כי אף רוחו שלו נברא ביום הששי, אבל **ריש לקיש אומר אחור זה יום אחרון** כמשמעו, **וקדם זה יום הראשון,** דסבר שרוחו של אדם הראשון נברא קודם בריאת העולם, לזה אמר **על דעתיה דריש לקיש וכו' זה רוחו של אדם הראשון,** כן צריך לומר. ודוק היטב: **[ב] לשון שירה ולשון שבר.** כן צריך לומר. ומילת אשא קדריש לשון שירה, נראה לי על דרך דאיתא בגמרא דערכין (יא, א) בכתף ישאו, ישאו זה שירה. ולשון שבר כמו (איכה ג, מז) השאת והשבר: **אמר רבי נתן משבחין לשמו של הקדוש ברוך הוא.** כן צריך לומר, וכן לקמן:

מתנות כהונה

אמר ריש לקיש אחור זה יום אחרון. למעשה יום האחרון שהאדם נברא באחרונה: הכי גרסינן **ורוח אלהים וגו' רוחו של אדם הראשון.** והכי גרסינן בילקוט תהלים (רמז תתפז) ובפרשת בראשית (רמז יב), והרואה יראה כי כן עיקר. והגירסא שלפנינו יש ליישבה לפי דעת המקובלים ז"ל, שאמרו שרוחו של אדם זהו רוחו של משיח בסוד הגלגול, וסימנם אד"ם, אד"ם דו"ד משי"ח, רוח אחד לכלם. והראשון עיקר, וכן מלאתי אחר כך בתב"א (הרב אברהם בן אשר, בספרו אור השכל) פרשת בראשית, ובאתן טוטיב בפרשת מזורע: הכי גרסינן **אם זכה אדם אומרים לו קדמת כו'.** וכן הוא לעיל פרשה בראשית, וסיומא מלתא דריש לקיש היא שלפיכך נבראת רוחו ביום ראשון וגופו ביום אחרון שאם יזכה אומרים לו אתה קדמת כו' דרך חשיבות ומעלה, וכן בהיפוך כשאינו זכאי, ואחר כך גרסינן אמר רבי ישמעאל כו': **וקדם לכל. עונשין,** שאין כל בריה נפקדה על מעשיה כי אם האדם לבדו, או רצה לומר באשר הוא עלול לקבל כל מיני עונש, מפני חולשת הרכבתו וזך מזגו והראשון עיקר:

אשד הנחלים

[ב] שירה כו' דבר. הידי משה גרס לשון שירה ולשון שבר. ומלת אשא קדריק, פעם משמש לשון שירה, כמו שאמרו בערכין (יא, א) בכתף ישאו, ישאו זה שירה, ולשון שבר, כמו (איכה ג, מז) השאת והשבר (ידי משה). ועניינו כי ההתבוננות הגדולה בהעמקה נפלאה בדבר שלא נראה כל כך לעיני החוש, נקרא דעת רחוק, בלשון הקודש, וכאומר אשא מדעי ואתבונן אל עניינים הרחוקים מראות, רק בעיני הלב. והנה אליהוא מנחם לאיוב על צרותיו ופורענותיו, שיתבונן היטב בזה, ולא יראה הדבר בחושיו הקרובים, וכן יתבונן על שבחן של צדיקים במה

באור מהרי"פ

ואחר כך מלכי ארץ וכו'. פירוש מה שהם מאוחרים מכולם היינו לא זכה כלן, מלכי עובדי כוכבים, אלו רשעי מלכי ארץ וכל לאומים, אבל קלוסי של ישראל קודם אפילו לקלוס מלאכי מרום, שהרי בפרשה יב (סימן ד) דרשינן מקרא דבתריה הודו על ארץ ושמים, דבתחלה קלוסה של ארץ ואחר כך קלוסו של שמים, והיינו ישראל שהם בכלל זכה, וזהו שמסיים (תהלים קמח, יד) וירם קרן לעמו וגו' לבני ישראל עם קרובו: **[ב] הלשון הזה.** פירוש מלת אשא לשון שירה וכו', ולשון דבר. בעל ידי משה גורס, ולשון שבר, כמו השאת והשבר (איכה ג, מז), והוא דורש מלת אשא למרחוק, או על הצדיקים המרוחקים מעבירה, או על הרשעים המרוחקים מהשם יתברך: **למרחוק נאמר על הרחוקים שנקרבו.** שיטה אחרת היא, דלרבי מאיר קאי או על הצדיקים או על הרשעים כמבואר בסמוך למעלה.

הֲדָא הוּא דִכְתִיב "וַיִּשָּׂא אַבְרָהָם אֶת עֵינָיו וַיַּרְא אֶת הַמָּקוֹם מֵרָחֹק" — **Thus it is written, *Abraham raised his eyes and perceived the place from afar*** (*Genesis* 22:4).[32]

Another interpretation of the verse based on a somewhat different understanding of לְמֵרָחוֹק, *from afar*:

וְאָמַר רַבִּי חֲנִינָא בַּר פַּפָּא — **And R' Chanina bar Pappa said:** מְחַשְּׁבִין אָנוּ לִשְׁמוֹ שֶׁל הַקָּדוֹשׁ בָּרוּךְ הוּא — **One should contemplate the Name of the Holy One, blessed is He,**[33] שֶׁהָיִינוּ רְחוֹקִים וְקֵרְבָנוּ לוֹ — **that we,** the Jewish people, **had been far** from God **and He brought us close to Him.**[34]

The Midrash now offers an interpretation of לְמֵרָחוֹק, *from afar,* in terms of that which is distant from man rather than that which is distant from God:

אָמַר רַבִּי חַגַּי — **R' Chaggai said:** דְּבָרִים שֶׁרְחוֹקִים מִמֶּנּוּ — One should contemplate **things that are far from us,** מַהֲלַךְ ה' מֵאוֹת שָׁנָה — the distance of **a five-hundred-year journey.**[35] שֶׁהַבְּרִיּוֹת יְשֵׁנִין עַל מִטּוֹתֵיהֶן — **For people sleep in their beds,** וְהַקָּדוֹשׁ בָּרוּךְ הוּא מַשִּׁיב רוּחוֹת — **and** without any effort on their part, **the Holy One, blessed is He, makes the winds blow,** וּמַעֲלֶה עֲנָנִים — **and the clouds rise,** וּמוֹרִיד גְּשָׁמִים — **and the rains descend,** וּמְגַדֵּל צְמָחִים — **and** thus **He makes the plants grow.** וּמַעֲרִיךְ וּמְנַגְּבָן — **And** subsequently **He dries [the plants] out.**[36] שֶׁלְחָן לִפְנֵי כָּל אֶחָד וְאֶחָד — **And He** thereby **sets a table** full of food **for every single person.**[37]

A general comment concerning the verse from *Job*:

אָמַר רַבִּי שְׁמוּאֵל בַּר אִידִי בְּשֵׁם רַבִּי אַחָא — **R' Shmuel bar Idi said in the name of R' Acha:** הַפָּסוּק הַזֶּה אִם אֱלִיהוּ אֲמָרוֹ מֵאֵלָיו — **If Elihu,** the speaker in this passage, **said this verse on his own,** שֶׁבַח — it is a fitting **praise** of God;[38] וְאִם בְּרוּחַ הַקֹּדֶשׁ אֲמָרוֹ — however, **if he said it through the spirit of Divine Inspiration,**[39] שִׁבְחֵי שְׁבָחִים — then it represents **the praise of praises,** i.e., a very great praise.[40]

The Midrash presents a final interpretation of the verse in *Job,* connecting it with the phenomena discussed in our verse:

רַבִּי לֵוִי אָמַר תְּלַת — **R' Levi said three** parables regarding the conception and birth of a child:[41] בְּנוֹהַג שֶׁבָּעוֹלָם — **In the usual practice of the world,** מַפְקִיד אָדָם אֵצֶל חֲבֵירוֹ אוּנְקִיָּא שֶׁל כֶּסֶף בַּחֲשַׁאי — **if a man deposits an ounce of silver in secret with his fellow** for safekeeping,[42] וּמַחֲזִיר לוֹ לִיטְרָא שֶׁל זָהָב בְּפַרְהֶסְיָא — and **[the fellow]** subsequently **returns a *litra* of gold to him in public,** אֵינוֹ מַחֲזִיק לוֹ טוֹבָה — **would not [the depositor] be grateful to [his fellow]?**[43] כָּךְ הַקָּדוֹשׁ בָּרוּךְ הוּא — **So** is it with **the Holy One, blessed is He,** מַפְקִידִין לוֹ הַבְּרִיּוֹת טִיפָּה שֶׁל לִכְלוּכִית בַּחֲשַׁאי — **people deposit a fetid drop in secret with Him,**[44] וְהַקָּדוֹשׁ בָּרוּךְ הוּא מַחֲזִיר לָהֶם נְפָשׁוֹת מְשׁוּבָּחוֹת שְׁלֵמוֹת בְּפַרְהֶסְיָא — **and the Holy One, blessed is He, returns to them complete, quality beings in public.**[45] וְאֵין זֶה שֶׁבַח — **And is this not a** matter for **praise?** הֱוֵי "אֶשָּׂא דֵעִי לְמֵרָחוֹק וּלְפֹעֲלִי אֶתֵּן צֶדֶק" — Thus **it is, *I will raise my awareness from afar, I will ascribe righteousness to my Maker.***[46]

The second parable:

רַבִּי לֵוִי אָמַר אוֹחֲרִי — **R' Levi said another** parable: בְּנוֹהַג שֶׁבָּעוֹלָם — **In the usual practice of the world,** אָדָם חָבוּשׁ בְּבֵית הָאֲסוּרִין — **if a man is confined in prison,** וְאֵין כָּל בְּרִיָּה מַשְׁגַּחַת עָלָיו — **and not a person is paying attention to him,**[47] בָּא אֶחָד וְהִדְלִיק לוֹ שָׁם נֵר — **and then one** person **comes and kindles a lamp for him there,** אֵינוֹ מַחֲזִיק לוֹ טוֹבָה — **would not [the prisoner] be grateful to [his benefactor]?** כָּךְ הַקָּדוֹשׁ בָּרוּךְ הוּא — **So** is it with **the Holy One, blessed is He;** הַוָּלָד שָׁרוּי בִּמְעֵי אִמּוֹ — **the** unborn **child is lodged in** the dark prison of **his mother's womb,** וּמֵאִיר לוֹ שָׁם נֵר — **and [God] causes a lamp to shine for him there.** הוּא שֶׁאִיּוֹב אוֹמֵר "בְּהִלּוֹ נֵרוֹ עֲלֵי רֹאשִׁי" — **This is** the intent of **what Job said,** *If only I could be as in the early months . . .* ***when His lamp would shine over my head*** (*Job* 29:2-3).[48] אֵין זֶה שֶׁבַח — **Is this not a** matter for **praise?** הֱוֵי "וּלְפֹעֲלִי אֶתֵּן צֶדֶק" — Thus **it is,** *I will raise my awareness from afar,* ***I will ascribe righteousness to my Maker.***

The third parable:

רַבִּי לֵוִי אוֹמֵר אוֹחֲרִי — **R' Levi said another** parable: בְּנוֹהַג שֶׁבָּעוֹלָם — **In the usual practice of the world,** אָדָם חָבוּשׁ בְּבֵית הָאֲסוּרִין — **if a man is confined in prison,** וְאֵין כָּל בְּרִיָּה מַשְׁגַּחַת עָלָיו — **and not a person is paying attention to him,** בָּא אֶחָד וְהִתִּירוֹ וְהוֹצִיאוֹ מִשָּׁם — **and then one** person **comes and releases him** from his shackles **and takes him out from there,**

NOTES

32. That is, מֵרָחֹק also alludes to Mount Moriah, the site of the "binding of Isaac," referred to in this verse as מֵרָחֹק, *from afar.* One should contemplate God's kindness to Abraham there, that He heard his prayer and spared his son Isaac (*Eitz Yosef*).

33. I.e., according to R' Chanina bar Pappa, one will ascribe righteousness to God through contemplating God Himself.

34. That is, we were distant from God when we were slaves in Egypt and God brought us close to Him by taking us out of Egypt and giving us His Torah (*Eitz Yosef*).

35. According to *Chagigah* 13a, the distance between the earth and the lowest of the seven heavens is that of a 500-year journey. Thus, the Midrash means that one should contemplate what God does in heaven for the sake of man; see below. [See *Yefeh To'ar* for a discussion of the distance meant by "a 500-year journey."]

36. God brings the hot, dry summer after the harvest so that the produce can be dried for storage through the winter.

37. That is, one will *ascribe righteousness* to God through contemplating all that He does in heaven to provide food for people on earth. Further on, the passage from *Job* discusses God's making the rain to give food to the people; see *Job* 36:27-31 (*Maharzu*).

38. That is, if Elihu was "raising his awareness from afar," in the sense of his human intellect, the result is still a fitting praise of God, because even human wisdom can grasp God's wondrousness to a large extent (*Eitz Yosef*).

39. I.e., prophecy. The Talmud lists Elihu as a prophet (*Bava Basra* 15b).

40. If Elihu meant that he would "raise his awareness" through Divine Inspiration then the praise is much more profound, for prophecy far transcends human intellect (*Eitz Yosef*). See *Maharzu* for an alternative approach.

41. These parables will all relate, either explicitly or implicitly, to the verse from *Job*.

42. Which the fellow could easily deny, since it had been done in secret without any witnesses. [Our translation of אוּנְקִיָּא as "ounce" follows *Rashash,* based on *Matnos Kehunah* to *Bereishis Rabbah* 29 §1.]

43. For not only did the fellow return the deposit in full but he added to its value many times over. [See *Yefeh To'ar* for a discussion of the significance of the return being done in public.]

44. Referring to the drop of semen that the man deposits in the womb where it is seen and cared for by no one other than God (*Matnos Kehunah, Eitz Yosef*).

45. I.e., the full-born child. While the act of conception is done discreetly, in private, the birth occurs with much fanfare. See *Sanhedrin* 92a.

46. That is, *I will ascribe righteousness* to God when contemplating *from afar,* the distant past, my very conception and birth (*Maharzu* s.v. והתירו והוציאו משם).

47. [I.e., no one is concerned with his plight.]

48. The Midrash is interpreting *the early months* as a reference to the nine months of gestation, the earliest period in a person's life and whose duration is a matter of mere months and not years; see *Niddah* 30b (*Eitz Yosef*). The verse thus indicates that God provides light for the unborn child in the womb. According to *Yefeh To'ar,* the Midrash is not referring to a physical light but rather to the light of the human intellect, which is a God-given gift to humans *in utero,* at the very onset of each person's life. See also *Niddah* loc. cit.

הָדָא הוּא דִכְתִיב (בראשית כב, ד) "וַיִּשָּׂא אַבְרָהָם אֶת עֵינָיו וַיַּרְא אֶת הַמָּקוֹם מֵרָחֹק", וְאָמַר רַבִּי חֲנִינָא בַּר פַּפָּא: מְחַשְּׁבִין אָנוּ לִשְׁמוֹ שֶׁל הַקָּדוֹשׁ בָּרוּךְ הוּא, שֶׁהָיִינוּ רְחוֹקִים וְקֵרְבָנוּ לוֹ, אָמַר רַבִּי חַגַּי: דְּבָרִים שֶׁרְחוֹקִים מִמֶּנּוּ מַהֲלַךְ ה' מֵאוֹת שָׁנָה, שֶׁהַבְּרִיּוֹת יְשֵׁנִין עַל מִטּוֹתֵיהֶן וְהַקָּדוֹשׁ בָּרוּךְ הוּא מַשִּׁיב רוּחוֹת וּמַעֲלֶה עֲנָנִים וּמוֹרִיד גְּשָׁמִים וּמְגַדֵּל צְמָחִים וּמְנַגְּבָן וּמַעֲרִיךְ שֻׁלְחָן לִפְנֵי כָּל אֶחָד וְאֶחָד, אָמַר רַבִּי שְׁמוּאֵל בַּר אִידִי בְּשֵׁם רַבִּי אַחָא: הַפָּסוּק הַזֶּה אִם אֱלִיהוּ אֲמָרוֹ מֵאֵלָיו שֶׁבַח, וְאִם בְּרוּחַ הַקֹּדֶשׁ אֲמָרוֹ שִׁבְחֵי שְׁבָחִים, רַבִּי לֵוִי אָמַר תְּלָת: בְּנוֹהַג שֶׁבָּעוֹלָם מַפְקִיד אָדָם אֵצֶל חֲבֵירוֹ °אַרְנְקִי שֶׁל כֶּסֶף בַּחֲשָׁאי וּמַחֲזִיר לוֹ לִיטְרָא שֶׁל זָהָב בְּפַרְהֶסְיָא, אֵינוֹ מַחֲזִיק לוֹ טוֹבָה, כָּךְ הַקָּדוֹשׁ בָּרוּךְ הוּא מַפְקִידִין לוֹ הַבְּרִיּוֹת טִיפָּה *שֶׁל לְכְלוּכִית בַּחֲשַׁאי וְהַקָּדוֹשׁ בָּרוּךְ הוּא מַחֲזִיר לָהֶם נְפָשׁוֹת מְשׁוּבָּחוֹת שְׁלֵמוֹת בְּפַרְהֶסְיָא, וְאֵין זֶה שֶׁבַח, הֱוֵי "אֶשָּׂא דֵעִי לְמֵרָחוֹק וּלְפֹעֲלִי אֶתֵּן צֶדֶק", רַבִּי לֵוִי אָמַר אוֹחֳרִי: בְּנוֹהַג שֶׁבָּעוֹלָם אָדָם חָבוּשׁ בְּבֵית הָאֲסוּרִין וְאֵין כָּל בְּרִיָּה מַשְׁגַּחַת עָלָיו, בָּא אֶחָד וְהִדְלִיק לוֹ שָׁם נֵר, אֵינוֹ מַחֲזִיק לוֹ טוֹבָה, כָּךְ הַקָּדוֹשׁ בָּרוּךְ הוּא, הַוָּלָד שָׁרוּי בִּמְעֵי אִמּוֹ וּמֵאִיר לוֹ שָׁם נֵר, הוּא שֶׁאִיּוֹב אוֹמֵר (שם כט, ג) "בְּהִלּוֹ נֵרוֹ עֲלֵי רֹאשִׁי", אֵין זֶה שֶׁבַח, הֱוֵי "וּלְפֹעֲלִי אֶתֵּן צֶדֶק", רַבִּי לֵוִי אוֹמֵר אוֹחֳרִי: בְּנוֹהַג שֶׁבָּעוֹלָם אָדָם חָבוּשׁ בְּבֵית הָאֲסוּרִין וְאֵין כָּל בְּרִיָּה מַשְׁגַּחַת עָלָיו, בָּא אֶחָד וְהִתִּירוֹ וְהוֹצִיאוֹ מִשָּׁם, אֵינוֹ מַחֲזִיק לוֹ טוֹבָה, כָּךְ הַוָּלָד שָׁרוּי בִּמְעֵי אִמּוֹ וּבָא הַקָּדוֹשׁ בָּרוּךְ הוּא וְהִתִּירוֹ וְהוֹצִיאוֹ מִשָּׁם:

ג דָּבָר אַחֵר, [יב, ב] "אִשָּׁה כִּי תַזְרִיעַ וְיָלְדָה זָכָר", הָדָא הוּא דִכְתִיב (איוב י, יב) "חַיִּים וָחֶסֶד עָשִׂיתָ עִמָּדִי וּפְקֻדָּתְךָ שָׁמְרָה רוּחִי", רַבִּי אַבָּא בַּר כַּהֲנָא אָמַר תְּלָת: בְּנוֹהַג שֶׁבָּעוֹלָם אִם נוֹטֵל אָדָם אַרְנְקִי שֶׁל מָעוֹת וְנוֹתֵן הַפֶּה לְמַטָּה אֵין הַמָּעוֹת מִתְפַּזְּרוֹת, וְהַוָּלָד שָׁרוּי בִּמְעֵי אִמּוֹ וְהַקָּדוֹשׁ בָּרוּךְ הוּא מְשַׁמְּרוֹ שֶׁלֹּא יִפּוֹל וְיָמוּת, אֵין זֶה שֶׁבַח, הֱוֵי "חַיִּים וָחֶסֶד עָשִׂיתָ עִמָּדִי",

עץ יוסף

ואמר ר' חנינא בר פפא מחשבין כו'. לרבי חנינא הטעון וההודאה על מה שקרבנו ה' לעבודתו אחרי היותינו רחוקים ממנו במלריס: **אמר ר' חגי דברים כו'.** לר' חגי ההודאה והטעון על הקריבו אלינו הדברים הרחוקים כגשמים ורוחות: **מהלך חמש מאות שנה כו'.** כי כן השיעור מהארץ עד לרקיע הראשון: **מנגבן.** מייבשן: **אם אליהוא אמרו כו'.** רלה לומר מה שאמר שישים דעתו למרחוק כדי להודות לה' על פעולותיו, אפילו לא יאמר זה רק מאליו הוא שבח, כי בחכמתו ישיג הרבה מנפלאות ה' בטבעיות, כמו שישיג החוקר, ויש בזה הרבה להודות לה', ומפני שהוא תחלת מענה, יש לומר שעדיין אינו מדברי רוח הקודש, אלא התחלת דבר כנטילת רשות לדבר (רד"ל). אמנם אם דבר ברוח הקודש עדיף טפי שמשיג מנפלאות ה' למעלה מהשגת החוקר, ועל אלה יגדל כבוד ה' לאין חקר: **ואם ברוח הקודש אמרו.** משום דנביא הוה כדאיתא בפרק קמא דבבא בתרא (טו, ב), בוודאי דבריו ברוח הקודש היה, שה' העיר את רוחו להשיב את איוב: **לכלוכית.** טיפה של שכבת זרע: **ומאיר לו שם נר.** מסיים בסוף פרק המפלת (נדה ל, ב) וצופה מסוף העולם ועד סופו. ויש לפרש דהיינו אשא דעי למרחוק שבנר שכלו צופה בכל העולם, ועל זה יתן לדק לפועלו (רד"ל): **בהלו נרו עלי ראשי.** ולעיל מיניה כתיב מי יתנני כירחי קדם, והיינו ירחי לידה, כדאמר בפרק המפלת (שם) איזהו ימים שיש בהם ירחים ואין בהם שנים הוי אומר אלו ירחי לידה: **בבית האסורים כו'.** כך הוולד, וזה מה שנאמר במענה שם (איוב לו, ח) על יוצא מבית האסורים, ואם אסורים בזיקים גו' (רד"ל): (ג) **הדא הוא דכתיב חיים וחסד עשית.** גם כוונת אגדה זו לפרש כי תזריע לחסדי ה' בגוף האדם הילוד, שהקדוש ברוך הוא שומרהו מהפלה ומהחמימות והזנתו מהחלב כדלקמן: **שלא יפול וימות.** וזהו חיים וחסד, ויש לפרש שזה שנאמר ופקודתך שמרה רוחי, שפקודתך על הטבע היא שומרת רוחי בבטנו (רד"ל): **אין זה שבח.** בתמיה, כי לולי השגחת ה' בשמירתו לא היה מועיל:

פירוש מהרז"ו

ומוריד גשמים. וכמו שנאמר בסוף הפרשה שם כי יגרע נטפי מים וגו' יתן אכל למכביר, וזהו שאמר ועורך שולחן: **אם אליהוא אמר מאליו.** אף אם אמר פסוקים אלו מחכמתו היה ראוי לשבחו, וכל שכן וקל וחומר שאמרו ברוח הקדש, שהיה נביא עם איוב ורעיו, וכמו שכתב בסדר עולם (פרק כא), ומשה כתב ספר איוב: **ארנקי של כסף.** בראשית רבה (יז, ז), ולפי מה שכתב כאן ארנקי, אינו מובן שהרי הארנקי אין לו שיעור, ויתכן שיעלה הכסף יותר מליטרא של זהב, אך בבראשית רבה שם הגירסא אונקיא של כסף, ואונקיא הוא משקל קטן כמו שמבואר בבראשית רבה ריש פרשה כ"ט, וכשמחזיר לו ליטרא של זהב זהו שבח: **והתירו והוציאו משם.** וזהו למרחוק לתחלת בריאתו, ואז לפועלי אתן לדק, וזהו אמיתת כוונת התנא (אבות פ"ג מ"א), דע מאין באת מטיפה סרוחה, ודוק מאד, וזהו מה שכתוב אשה כי תזריע וילדה, ורמז והבן ההפרש שבין הזריעה והלידה, וגירסת הילקוט וביותר אם הוא זכר אשה כי תזריע וילדה זכר. וכמו שכתוב בסופם של סימנים הסמוכים: (ג) **הדא הוא דכתיב חיים וחסד.** ובפסוקים הקודמים הלא כחלב תתיכני וכגבינה תקפיאני עור ובשר תלבישני, הרי שמדבר בתחלת יצירת הולד, ועל זה אמר חיים וחסד וגו', וכמו שכתב (סימן ט): **הוי חיים וחסד.** כוונתו על סיפא דקרא הנ"ל, ופקודתך שמרה רוחי, רק פקודתך שמרה רוחי שאחיה, ובכלל זה ופקודתך מה שהבריות מפקידים אללי, שמרה רוחי, רוח החיים שנתת כי בבטן אמי:

חידושי הרד"ל

אם אליהוא אמרו מאליו כו'. מפני שהוא תחלת מענה, יש לומר שעדיין אינו מדברי רוח הקדש, אלא התחלת דבר, כנטילת רשות לדבר: **ומאיר לו שם נר.** (מסיים בסוף פרק המפלת (נדה ל, ב) וצופה מסוף העולם ועד סופו. ויש לפרש דהיינו אשא דעי למרחוק, שבנר שכלו צופה בכל העולם, ועל זה יתן לדק לפועלו: **חבוש בבית האסורים כו' כך הולד כו'.** וזה שיעור מה שנאמר במענה שם על יוצא מבית האסורים, ואם אסורים בזיקים כו': [ג] **משמרו שלא יפול וימות.** כן הוא להלן, וזהו חיים וחסד, ויש לפרש שזה שנאמר (איוב י, יב) ופקודתך שמרה רוחי, שפקודתך על הטבע, היא שומרת רוחי בבטן:

חידושי הרש"ש

ר' לוי אמר תלת בנוהג שבעולם מפקיד אדם אצל חבירו ארנקו וכו'. בילקוט איוב הגירסא אונקיא והוא משקל קטן, כמו שפירש המתנות כהונה לעיל בבראשית רבה ריש פרשה כ"ט (ונראה לי דהוא הנקרא אונק בלע"ז), וגירסא זו יותר נאות נגד ליטרא שבחזרה:

באור מהרי"פ

אם מאליו וכו'. פירוש משום דאליהוא נביא היה, כדאיתא (ב"ב טו, ב וירושלמי סוטה פ"ה הלכה ה) אליהוא זה יצחק, בן ברכאל בן שברכו האל, שנאמר (בראשית כו, יב) ויברכהו ה' עד כאן. ועיין לקמן בביאורנו וגם מבואר הירושלמי הלזה מובא בילקוט איוב (רמז תתקיח), ובגו בה שני גדולי הדור, יפה מראה ובעל זית רענן (פ"ג ע"א דפוס ווילנא) עיין שם ותמצא. לכך אמר אם מאליו, פירוש משכלו, ראוי הוא להשיג בחקירתו שבחים של הקב"ה, ואם ברוח הקודש שהוא למעלה יותר משכל האנושי ישיג שבחי שבחים:

שינוי נוסחאות

(ב) **מפקיד אדם אצל חבירו ארנקי.** רש"ש הגיה "אונקיא" במקום "ארנקי", וכן הוא בכמה כ"י.

מסורת המדרש

ג. ילקוט ל"ך תתק"כ: ד. תנחומא סדר זו:

אם למקרא

וַיִּשָּׂא אַבְרָהָם אֶת עֵינָיו וַיַּרְא אֶת הַמָּקוֹם מֵרָחֹק: (בראשית כב:ד)

בְּהִלּוֹ נֵרוֹ עֲלֵי רֹאשִׁי לְאוֹרוֹ אֵלֶךְ חֹשֶׁךְ: (איוב כט:ג)

חַיִּים וָחֶסֶד עָשִׂיתָ עִמָּדִי וּפְקֻדָּתְךָ שָׁמְרָה רוּחִי: (איוב י:יב)

ידי משה

אם אליהוא אמרו. פירוש, אליהוא חבירו של איוב, מאליו, שבח, ואם הקב"ה אמרו שבח שבחים:

אמרי יושר

שבח שבחים. כי אחת דבר אלהים שתים זו שמעתי (תהילים סב יב), ולזה דריש בה רבי לוי תלת. או יוסב למעלה כי דרשנו על מתן שכר ופורענות, או פירושו שבח שבחים לאליהוא [שזכה] לרוח הקדש, או אינו דומה המתכבד מהדיוט למתכבד מנכבד, ואם כן רוח הקדש היא משבחת להקדוש ברוך הוא, וקוראה אותו ואומרת, לפועלי אתן לדק, ולעיל מיניה (איוב לו ב) אמר כי עוד לאלוה מילים, דאמת רוח הקדש מדבר ואומר אשא דעי: **אדם חבוש בבית האסורים בא אחד והשיח עמו, בא אחד והדליק הנר, בא אחד והוציאו.** שהחבוש יצר בדד וידוס ובחשך ועטור, וכאן הקדוש ברוך הוא מגביה בגופו, וזהו עשית שלא יעשה סכל, ולמלמדו תורה והאירו בשכל, ונותן לו תנועה ומוליאו לאויר העולם: [ג] **חיים וחסד.** שאף על פי שהאשה עומדת זקופה לא כבהמה, עם כל זה הולד קיים. גם בבחינה שמטיה רותחין, גם בבחינת החלב, מפי עוללים ויונקים יסדת עז, שהחלב נקי וממוזג, גם מקום יניקתו בכבוד, גם נקב הדד לא גדול ולא קטן שימות בו, זהו חיים, גם חסד, מהבחינות הללו, גם בבחינת המאכל שאינו דוחה הולד, גם בבחינת הפיקין שיש לה:

מתנות כהונה

[ב] **דברים שרחוקים ממנו כו'.** על זה נאמר (איוב לו, ג) אשא דעי וגו', לשבח להקב"ה: **לכלוכית.** טפה של שכבת זרע:

אשר הנחלים

שהטיב הקב"ה להם, ואז ידע כי הכל כפי הראוי, והעיקר ההתבוננות הגדולה והנפלאה בעינינו, שנבחר איש אחד מיוחד עד שנתגלה לו מקום המיוחד להשראת השכינה, וזהו וירא את המקום מרחוק, שזהו דבר הרחוק מעייני החוש, וכן כלל האומה במה שנתקרבו לה'. והידי משה גרס משבחין לשמו של אברהם כו', וכן לקמן, ופירושו משבחין אנו, ונתבונן משמו של אברהם במה שנתקרב, ועל ידי זה ולפועלי זה הקב"ה אתן צדק. ויען כי אליהוא היה ממשפחת רם מאברהם, כנודע ממאמרם [עיין בבא בתרא טו, ב וילקוט איוב תתקיח], על כן החל לקחת ציורו מאלה העניינים והבן זה: **שרחוקין ממנו מהלך כו'.** כי ההרגל הגדול והתמדת הטובה, תשכיח מאתנו להרגיש אלו הטובות הגדולות והנוראות, וזהו אשא דעי, והתבוננות על הטובות הבאות אלינו מריחוק מקום כל כך: **טפה לכלוכית כו'.** וזהו ולפועלי, העושי ובוראי, אם אתבונן על דבר הרחוק, איך כי מדבר רחוק ופחות כוננתי, אתן על זה צדק ותודה: **ומאיר לו שם נר.** הוא נר החיות והשגחת הקיום שמה בבטן אמו, ודרש הכל על הכתוב אשה כי תזריע, שהכתוב באגב מרמז על ההתבוננות הטובה הגדולה שמהזרע המלוכלך יולד בן אדם, ולכן יתן תודה על זה: [ג] **תלת בנוהג כו'.** המה שלשה ענייני ההתבוננות, במה שהולד במעי אמו חי, כמעט היפך הטבע, אחר שפה רחמה למטה

אֵינוֹ מַחֲזִיק לוֹ טוֹבָה — **would not [the prisoner] be grateful to [his benefactor]?** כָּךְ — **So** too, הַוָּלָד שָׁרוּי בִּמְעֵי אִמּוֹ — **the** unborn **child is lodged in** the prison of **his mother's womb,**[49] וּבָא הַקָּדוֹשׁ בָּרוּךְ הוּא וְהִתִּירוֹ וְהוֹצִיאוֹ מִשָּׁם — **and the Holy One, blessed is He, comes and releases him and takes him out of there.**[50]

§3 The Midrash expounds another verse from *Job* as referring to gestation and childbirth:

דָּבָר אַחֵר — **Another interpretation:** ״אִשָּׁה כִּי תַזְרִיעַ וְיָלְדָה זָכָר״ — ***When a woman conceives and gives birth to a male.*** הָדָא הוּא דִכְתִיב ״חַיִּים וָחֶסֶד עָשִׂיתָ עִמָּדִי וּפְקֻדָּתְךָ שָׁמְרָה רוּחִי״ — **Thus it is written,** ***You granted me life and kindness and Your ordinances protected my spirit*** (*Job* 10:12).[51] רַבִּי אַבָּא בַּר כָּהֲנָא אָמַר תְּלָת — **R' Abba bar Kahana said three** parables in explanation of this verse:[52] בְּנוֹהַג שֶׁבָּעוֹלָם — **In the usual practice of the world,** אִם נוֹטֵל אָדָם אַרְנָקִי שֶׁל מָעוֹת — **if a person takes a purse** full **of coins,** וְנוֹתֵן הַפֶּה לְמַטָּה — **and places its opening** facing **downward,** אֵין הַמָּעוֹת מִתְפַּזְּרוֹת — **will not the coins** fall and **scatter** on the ground? וְהַוָּלָד שָׁרוּי בִּמְעֵי אִמּוֹ — **And** yet **the** unborn **child is lodged in his mother's womb,**[53] וְהַקָּדוֹשׁ בָּרוּךְ הוּא מְשַׁמְּרוֹ שֶׁלֹּא יִפּוֹל וְיָמוּת — **and the Holy One, blessed is He, guards [the child]** so **that he should not fall** out **and die.** אֵין זֶה שֶׁבַח — **Is this not** a matter for **praise?** הֱוֵי ״חַיִּים וָחֶסֶד עָשִׂיתָ עִמָּדִי״ — Thus **it is, *You granted me life and kindness*** *and Your ordinances protected my spirit.*[54]

NOTES

49. [The unborn child is both confined by the walls of the womb as if locked in a prison, as well as attached to the womb by the umbilical cord as if tied by ropes or chains.]

50. Accordingly, it is fitting to praise God also for the child's deliverance from the womb. The parallel passage in *Yalkut Shimoni, Job* §920 concludes this parable like the previous parables with the phrase, הֱוֵי ״וּלְפֹעֲלִי אֶתֵּן צֶדֶק״, thus it is, *I will raise my awareness from afar, I will ascribe righteousness to my Maker.*

The mention of conception in our verse, אִשָּׁה כִּי תַזְרִיעַ וְיָלְדָה זָכָר, *when a woman conceives and gives birth,* appears superfluous, for the subject of the passage is the laws dealing with the birth, not conception. *Eitz Yosef* (s.v. אשה דעי) suggests that the Midrash sees this wording as alluding to all the kindness discussed here, which God does for the child between conception and birth. See also *Maharzu* s.v. והתירו והוציאו משם. For further discussion of the Midrash's elaboration of God's kindness to the child in the womb, see Insight Ⓐ.

51. The previous two verses in *Job* describe the forming of the child in the womb (see section 9 below); accordingly, the Midrash will interpret this verse as referring to God's kindness to the unborn and newborn child (*Maharzu*).

52. As with the parables of R' Levi in the previous section, each of these parables relate to either the fetus in the womb or to the child at the time of birth.

53. Whose opening faces downward toward the vaginal canal.

54. That is, Job was praising God for granting him life by guarding him when he was in his mother's womb. *Radal*, cited by *Eitz Yosef,* suggests that the latter part of the verse, *and Your ordinances protected my spirit,* refers to the rules of nature, i.e., that God ordained that despite its downward opening the womb should retain the fetus. See *Maharzu* for an alternative interpretation.

INSIGHTS

Ⓐ **Simple Appreciation** Most people do not consider thanking God for the Divine kindness experienced while yet unborn. Even people who are aware of their obligation to thank God for the gift of their own lives and those of their children often fail to contemplate the many miracles that had to occur before a healthy child could enter our world. The reason for this is that people tend to take for granted matters that are part of the world's natural order. There is a tendency to assume that God put a system in place in which things simply happen on their own, and that the benefits granted by that system were not given directly by God to its many beneficiaries.

Our Midrash calls upon us to reject the fallacy of such thinking. Our Midrash enumerates the miracles that a baby experiences *in utero* because we are obligated to realize that each of these represents a Divine gift for which are to thank our Creator. That each of these things takes place is only because from the moment a human being is formed God is providentially ensuring that he has what he needs to survive and to thrive (*Bikkurei Aviv, Parashas Tazria,* p. 70).

The Gemara (*Berachos* 7b) teaches that when Leah thanked God after she bore Judah (*Genesis* 29:35), she was the first person in history to thank Him. Many commentators wonder how it can be said that the great Patriarchs who preceded her did not thank their Creator for the miracles they experienced?! Another question: The Sages castigate one who recites *Hallel* every day, calling it an act of blasphemy (*Shabbos* 118b); but what is the crime of one who wishes to acknowledge God's kindness daily?!

A man must realize that he benefits from God's kindness every minute of every day. And he must give voice to his appreciation of that kindness. The Sages infer from Scripture that one should praise God for each and every breath that he takes (*Bereishis Rabbah* 14 §9). The fact that these benefits are "natural" and are enjoyed equally by innumerable members of the human race in no way mitigates the individual's obligation.

One who recites daily the psalms that make up *Hallel*, thanking God for the miraculous Exodus from Egypt, gives the impression that he does not view the natural phenomena that he enjoys on a constant basis to be a compelling reason to praise God. That belief is akin to blasphemy. The commonplace everyday miracles are no less gifts of the Divine than the extraordinary miracles of the Exodus. Surely others had thanked God for the miraculous, but Leah's thanks were first in that they were offered upon the "ordinary" birth of a child. What others saw simply as nature, taking its course as it does countless times on any given day, our matriarch perceived as the extraordinary gift from God that it was (*Ksav Sofer* to *Genesis* ibid.; see a different explanation in the Insight, Kleinman edition of *Bereishis Rabbah* 71 §4, "True Gratitude").

[See the related Insight on 9 §2 above, "The Miracle of Nature."]

הָדָא הוּא דִכְתִיב (בראשית כב, ד) "וַיִּשָּׂא אַבְרָהָם אֶת עֵינָיו וַיַּרְא אֶת הַמָּקוֹם מֵרָחֹק", וְאָמַר רַבִּי חֲנִינָא בַּר פַּפָּא: מְחַשְּׁבִין אָנוּ לִשְׁמוֹ שֶׁל הַקָּדוֹשׁ בָּרוּךְ הוּא, שֶׁהָיִינוּ רְחוֹקִים וְקֵרְבָנוּ לוֹ, אָמַר רַבִּי חַגַּי: דְּבָרִים שֶׁרְחוֹקִים מִמֶּנּוּ מַהֲלַךְ ה' מֵאוֹת שָׁנָה, שֶׁהַבְּרִיּוֹת יְשֵׁנִין עַל מִטּוֹתֵיהֶן וְהַקָּדוֹשׁ בָּרוּךְ הוּא מַשִּׁיב רוּחוֹת וּמַעֲלֶה עֲנָנִים וּמוֹרִיד גְּשָׁמִים וּמְגַדֵּל צְמָחִים וּמְנַגְּבָן וּמַעֲרִיךְ שֻׁלְחָן לִפְנֵי כָּל אֶחָד וְאֶחָד, אָמַר רַבִּי שְׁמוּאֵל בַּר אִידִי בְּשֵׁם רַבִּי אַחָא: הַפָּסוּק הַזֶּה אִם אֵלִיהוּ אֲמָרוֹ מֵאֵלָיו שֶׁבַח, וְאִם בְּרוּחַ הַקֹּדֶשׁ אֲמָרוֹ שִׁבְחֵי שְׁבָחִים, רַבִּי לֵוִי אָמַר תְּלָת: בְּנוֹהַג שֶׁבָּעוֹלָם מַפְקִיד אָדָם אֵצֶל חֲבֵירוֹ °אַרְנְקִי שֶׁל כֶּסֶף בַּחֲשַׁאי וּמַחֲזִיר לוֹ לִיטְרָא שֶׁל זָהָב בְּפַרְהֶסְיָא, אֵינוֹ מַחֲזִיק לוֹ טוֹבָה, כָּךְ הַקָּדוֹשׁ בָּרוּךְ הוּא מַפְקִידִין לוֹ הַבְּרִיּוֹת טִיפָּה *שֶׁל לִבְלוּכִית בַּחֲשַׁאי וְהַקָּדוֹשׁ בָּרוּךְ הוּא מַחֲזִיר לָהֶם נְפָשׁוֹת מְשׁוּבָּחוֹת שְׁלֵמוֹת בְּפַרְהֶסְיָא, וְאֵין זֶה שֶׁבַח, הֱוֵי "אֶשָּׂא דֵעִי לְמֵרָחוֹק וּלְפֹעֲלִי אֶתֵּן צֶדֶק", רַבִּי לֵוִי אָמַר אוֹחֳרִי: בְּנוֹהַג שֶׁבָּעוֹלָם אָדָם חָבוּשׁ בְּבֵית הָאֲסוּרִין וְאֵין כָּל בְּרִיָּה מַשְׁגַּחַת עָלָיו, בָּא אֶחָד וְהִדְלִיק לוֹ שָׁם נֵר, אֵינוֹ מַחֲזִיק לוֹ טוֹבָה, כָּךְ הַקָּדוֹשׁ בָּרוּךְ הוּא, הַוָּלָד שָׁרוּי בִּמְעֵי אִמּוֹ וּמֵאִיר לוֹ שָׁם נֵר, הוּא שֶׁאִיּוֹב אוֹמֵר (שם כט, ג) "בְּהִלּוֹ נֵרוֹ עֲלֵי רֹאשִׁי", אֵין זֶה שֶׁבַח, הֱוֵי "וּלְפֹעֲלִי אֶתֵּן צֶדֶק", רַבִּי לֵוִי אוֹמֵר אוֹחֳרִי: בְּנוֹהַג שֶׁבָּעוֹלָם אָדָם חָבוּשׁ בְּבֵית הָאֲסוּרִין וְאֵין כָּל בְּרִיָּה מַשְׁגַּחַת עָלָיו, בָּא אֶחָד וְהִתִּירוֹ וְהוֹצִיאוֹ מִשָּׁם, אֵינוֹ מַחֲזִיק לוֹ טוֹבָה, כָּךְ הַוָּלָד שָׁרוּי בִּמְעֵי אִמּוֹ וּבָא הַקָּדוֹשׁ בָּרוּךְ הוּא וְהִתִּירוֹ וְהוֹצִיאוֹ מִשָּׁם:

ג דָּבָר אַחֵר, [יב, ב] "אִשָּׁה כִּי תַזְרִיעַ וְיָלְדָה זָכָר", הָדָא הוּא דִכְתִיב (איוב י, יב) "חַיִּים וָחֶסֶד עָשִׂיתָ עִמָּדִי וּפְקֻדָּתְךָ שָׁמְרָה רוּחִי", רַבִּי אַבָּא בַּר כַּהֲנָא אָמַר תְּלָת: בְּנוֹהַג שֶׁבָּעוֹלָם אִם נוֹטֵל אָדָם אַרְנְקִי שֶׁל מָעוֹת וְנוֹתֵן הַפֶּה לְמַטָּה אֵין הַמָּעוֹת מִתְפַּזְּרוֹת, וְהַוָּלָד שָׁרוּי בִּמְעֵי אִמּוֹ וְהַקָּדוֹשׁ בָּרוּךְ הוּא מְשַׁמְּרוֹ שֶׁלֹּא יִפּוֹל וְיָמוּת, אֵין זֶה שֶׁבַח, הֱוֵי "חַיִּים וָחֶסֶד עָשִׂיתָ עִמָּדִי",

עץ יוסף

ואמר ר' חנינא בר פפא מחשבין כו'. לרבי חנינא הטעון והסודאה על מה שקרבנו ה' לעבודתו אחרי היותינו רחוקים ממנו במלריס: **אמר ר' חגי דברים כו'.** לר' חגי הסודאה והטעון על הקריבו אלינו הדברים הרחוקים כגשמים ורוחות: **מהלך חמש מאות שנה כו'.** כי כן השיעור מהארץ עד לרקיע הראשון: **מנגבן.** מייבשן: **אם אליהוא אמרו כו'.** רלה לומר מה שאמר שישים דעתו למרחוק כדי להודות לה' על פעולותיו, אפילו לא יאמר זה רק מאליו הוא שבח, כי בחכמתו ישיג הרבה מנפלאות ה' בטבעיות, כמו שישיג החוקר, ויש בזה הרבה להודות לה', ומפני שהוא תחלת מענה, יש לומר שעדיין אינו מדברי רוח הקודש, אלא התחלת דבר כנטילת רשות לדבר (רד"ל). אמנם אם דבר ברוח הקודש עדיף טפי שמשיג מנפלאות ה' למעלה מהשגת החוקר, ועל אלה יגדל כבוד ה' לאין חקר: **ואם ברוח הקודש אמרו.** משום דנביא הוה כדאיתא בפרק קמא דבבא בתרא (טו, ב), בוודאי דבריו ברוח הקודש היה, שה' העיר את רוחו להשיב את איוב: **לבלוכית.** טיפה של שכבת זרע: **ומאיר לו שם נר.** מסיים בסוף פרק המפלת (נדה ל, ב) וצופה מסוף העולם ועד סופו. ויש לפרש דהיינו אשא דעי למרחוק שבנר שכלו צופה בכל העולם, ועל זה יתן צדק לפועלו (רד"ל): **בהלו נרו עלי ראשי.** ולעיל מיניה כתיב מי יתנני כירחי קדם, והיינו ירחי לידה, כדאמר בפרק המפלת (שם) איזהו ימים שיש בהם ירחים ואין בהם שנים הוי אומר אלו ירחי לידה: **בבית האסורים כו'.** כך הוולד, וזה מה שנאמר במענה שם (איוב לו, ח) על יולא מבית האסורים, ואם אסורים בזיקים גו' (רד"ל): (ג) **הדא הוא דכתיב חיים וחסד עשית.** גם כוונת אגדה זו לפרש כי תזריע לחסדי ה' בגוף האדם הילוד, שהקדוש ברוך הוא שומרהו מהפלה ומהחמימות והזכתו מהחלב כדלקמן: **שלא יפול וימות.** וזהו חיים וחסד, ויש לפרש שזה שנאמר ופקודתך שמרה רוחי, שפקודתך על הטבע היא שומרת רוחי בבטן (רד"ל): **אין זה שבח.** בתמיה, כי לולי השגחת ה' בשמירתו לא היה מועיל:

פירוש מהרז"ו

ומוריד גשמים. וכמו שנאמר בסוף הפרשה שם כי יגרע נטפי מים וגו' וזהו שאמר ועורך שולחן: כי בם ידין עמים יתן אוכל למכביר, וזהו שאמר ועורך שולחן: **אם אליהו אמר מאליו.** אף אם אמר פסוקים אלו מחכמתו היה ראוי לשבחו, וכל שכן וקל וחומר שאמרו ברוח הקודש, שהיה נביא עם איוב ורעיו, וכמו שכתב בסדר עולם (פרק כא), ומשה כתב ספר איוב: **ארנקי של כסף.** בראשית רבה (יז, ז), ולפי מה שכתב כאן ארנקי, אינו מובן שהרי הארנקי אין לו שיעור, ויתכן שיעלה הכסף יותר מליטרא של זהב, אך בבראשית רבה שם הגירסא אונקיא של כסף, ואונקיא הוא משקל קטן כמו שמבואר בבראשית רבה ריש פרשה כ"ט, וכשמחזיר לו ליטרא של זהב זהו שבח: **והתירו והוציאו משם.** וזהו למרחוק לתחלת בריאתו, ואז לפועלי אתן צדק, וזהו אמיתת כוונת התנא (אבות פ"ג מ"א), דע מאין באת מטיפה סרוחה, ודוק מאד, וזהו מה שכתוב אשה כי תזריע וילדה, ורצה והבחן ההפרש שבין הזריעה והלידה, וגירסת הילקוט וביותר אם הוא זכר אשה כי תזריע וילדה זכר. וכמו שכתוב בסופם של סימנים הסמוכים: (ג) **הדא הוא דכתיב חיים וחסד.** ובפסוקים הקודמים הלא כחלב תתיכני וכגבינה תקפיאני עור ובשר תלבישני, הרי שמדבר בתחלת יצירת הולד, ועל זה אמר חיים וחסד וגו', וכמו שכתב (סימן ט): **הוי חיים וחסד.** כוונתו על סיפא דקרא הנ"ל, ופקודתך שמרה רוחי, רק פקודתך שמרה רוחי שאחיה, ובכלל זה ופקודתך מה שהבריות מפקידים אללי, שמרה רוחי, רוח החיים שנתת בי בבטן אמי:

מתנות כהונה

[ב] **דברים שרחוקים ממנו כו'.** על זה נאמר (איוב לו, ג) אשא דעי וגו', לשבח להקב"ה: **לבלוכית.** טפה של שכבת זרע:

אשד הנחלים

שהטיב הקב"ה להם, ואז ידע כי הכל כפי הראוי, והעיקר ההתבוננות הגדולה והנפלאה בעינינו, שנבחר איש אחד מיוחד עד שנתגלה לו מקום המיוחד להשראת השכינה, וזהו וירא את המקום מרחוק, שזהו דבר הרחוק מעיני החוש, וכן על כלל האומה במה שנתקרבו לה'. והידי משה גרס משבחין לשמו של אברהם כו', וכן לקמן, ופירושו משבחין אנו, ונתבונן משמו של אברהם במה שנתקרב, ועל ידי זה ולפועלי זה הקב"ה אתן צדק. ויען כי אליהוא היה ממשפחת רם מאברהם, כנודע ממאמרם [עיין בבא בתרא טו, ב וילקוט איוב תתקיח], על כן החל לקחת ציורו מאלה העניינים והבן זה: **שרחוקין ממנו מהלך כו'.** כי ההרגל הגדול והתמדת הטובה, תשכיח מאתנו להרגיש אלו הטובות הגדולות והנוראות, וזהו אשא דעי, והתבוננות על הטובות הבאות אלינו מריחוק מקום כל כך: **טפה לבלוכית כו'.** וזהו ולפועלי, העושי ובוראי, אם אתבונן על דבר הרחוק, איך כי מדבר רחוק ופחות כוננתי, אתן על זה צדק ותודה: **ומאיר לו שם נר.** הוא נר החיות והשגחת הקיום שמה בבטן אמו, ודרש הכל על הכתוב אשה כי תזריע, שהכתוב באגב מרמז על ההתבוננות הטובה הגדולה שמהזרע המלוכלך יולד בן אדם, ולכן יתן תודה על זה: [ג] **תלת בנוהג כו'.** המה שלשה ענייני ההתבוננת, במה שהולד במעי אמו חי, כמעט היפך הטבע, אחר שפה רחמה למטה

חידושי הרד"ל

אם אליהוא אמרו מאליו כו'. מפני שהוא תחלת מענה, יש לומר שעדיין אינו מדברי רוח הקדש, אלא התחלת דבר, כנטילת רשות לדבר: **ומאיר לו שם נר.** מסיים בסוף פרק המפלת (נדה ל, ב) וצופה מסוף העולם ועד סופו. ויש לפרש דהיינו אשא דעי למרחוק, שבנר שכלו צופה בכל העולם, ועל זה יתן צדק לפועלו: **חבוש בבית האסורים כו' כך הולד כו'.** וזה שיעור מה שנאמר במענה שם על יולא מבית האסורים, ואם אסורים בזיקים כו': [ג] **משמרו שלא יפול וימות.** כן הוא להלן, וזהו חיים וחסד, ויש לפרש שזה שנאמר (איוב י, יב) ופקודתך שמרה רוחי, שפקודתך על הטבע, היא שומרת רוחי בבטן:

חידושי הרש"ש

ר' לוי אמר תלת בנוהג שבעולם מפקיד אדם אצל חבירו ארנקו וכו'. בילקוט איוב הגירסא אונקיל והוא משקל קטן, כמו שפירש המתנות כהונה לעיל בבראשית רבה ריש פרשה כ"ט (ונראה לי דהוא הנקרא אונץ בלע"ז), וגירסא זו יותר נאות נגד ליטרא שבחזרה:

באור מהרי"פ

אם מאליו וכו'. פירוש משום דאליהוא נביא היה, כדאיתא (ב"ב טו, ב וירושלמי סוטה פ"ה הלכה ה') אליהוא זה יצחק, בן ברכאל בן שברכו האל, שנאמר (בראשית כו, יב) ויברכהו ה' עד כאן. (ועיין לקמן בביאורנו וגם מבואר דהירושלמי הלזה מובא בילקוט איוב (רמז תתקיח), ושגו בה שני גדולי הדור, יפה מראה ובעל זית רענן (פ"ו ע"א דפוס ווינציא) עיין שם ותתפלא. לכך אמר אם מאליו, פירוש משכלו, ראוי הוא להשיג בחקירתו שבחים של הקב"ה, ואם ברוח הקודש שהוא למעלה יותר משכל האנושי ישיג שבחי שבחים:

שינוי נוסחאות

(ב) **מפקיד אדם אצל חבירו ארנקי.** רש"ש הגיה "אונקיא" במקום "ארנקי", וכן הוא בכמה כי"י.

מסורת המדרש

ג. ילקוט ל"ך תתק"ח: ד. תנחומא סדר זו:

אם למקרא

וַיִּשָּׂא אַבְרָהָם אֶת עֵינָיו וַיַּרְא אֶת הַמָּקוֹם מֵרָחֹק: (בראשית כב:ד)

בְּהִלּוֹ נֵרוֹ עֲלֵי רֹאשִׁי לְאוֹרוֹ אֵלֶךְ חֹשֶׁךְ: (איוב כט:ג)

חַיִּים וָחֶסֶד עָשִׂיתָ עִמָּדִי וּפְקֻדָּתְךָ שָׁמְרָה רוּחִי: (איוב י:יב)

ידי משה

אם אליהוא אמרו. פירוש, אליהוא חבירו של איוב, מאליו, שבח, ואם הקב"ה אמרו שבח שבחים:

אמרי יושר

שבח שבחים. כי אחת דבר אלהים שתים זו שמעתי (תהלים סב, יב), ולזה דרש בה רבי לוי תלת. או יוסב למעלה כי דרשנו על מתן שכר ופורענות, או פירושו שבח שבחים לאליהוא (שזכרה) [שזכה] לרוח הקדש, או אינו דומה המתכבד מהדיוט למתכבד מנכבד, ואם כן רוח הקדש היא משבחת להקדוש ברוך הוא, וקוראה אותו ואומרת, לפועלי אתן צדק, ולעיל מיניה (איוב לו ב) אמר כי עוד לאלוה מילים, אלמא רוח הקדש מדבר ואומר אשא דעי: **אדם חבוש בבית האסורים בא אחד והשיח עמו, בא אחד והדליק הנר, בא אחד והוציאו.** שהחבוש ישב בדד וידום ובחשך ועלור, וכאן הקדוש ברוך הוא משגיח בגופו, וזהו עשית שלא יעשה סנדל, ומלמדו תורה והאירו בשכל, ונותן לו תנועה ומוציאו לאויר העולם: [ג] **חיים וחסד.** שאף על פי שהאשה עומדת זקופה לא כבהמה, עם כל זה הולד קיים. גם בבחינה שמטיה רותחין, גם בבחינת החלב, מפי עוללים ויונקים יסדת עז, שהחלב נקי וממוזג, גם מקום יניקתו בכבוד, גם נקב הדד לא גדול ולא קטן שימות בו, זהו חיים, גם חסד, מהבחינות הללו, גם בבחינת המאכל שאינו דוחה הולד, גם בבחינת הפיקין שיש לה:

The second parable:

רַבִּי אַבָּא בַּר כָּהֲנָא אָמַר אוֹחֲרִי — **R' Abba bar Kahana said another** parable: בְּנוֹהַג שֶׁבָּעוֹלָם — **In the usual practice of the world,**[55] בְּהֵמָה זוֹ מְהַלֶּכֶת רְבוּצָה — **the** pregnant **animal walks** on four legs, with her body **lying** horizontal, וְהַוָּלָד נָתוּן בְּתוֹךְ מֵעֶיהָ כְּמִין סְקִיפַּסְטִי — **and the** unborn **child is placed within the middle of her womb as if in a roofed carriage.**[56] וְהָאִשָּׁה זוֹ מְהַלֶּכֶת זְקוּפָה — **But** in contrast, **the** pregnant **woman walks erect,** וְהַוָּלָד נָתוּן בְּתוֹךְ מֵעֶיהָ — **and the** unborn **child is placed within her womb,**[57] וְהַקָּדוֹשׁ בָּרוּךְ הוּא מְשַׁמְּרוֹ שֶׁלֹּא יִפּוֹל וְיָמוּת — **and the Holy One, blessed is He, guards him so that he should not fall** out **and die.** הֱוֵי ״חַיִּים וָחֶסֶד עָשִׂיתָ עִמָּדִי״ — Thus **it is,** ***You granted me life and kindness*** *and Your ordinances protected my spirit.*

The third parable:

רַבִּי אַבָּא בַּר כָּהֲנָא אָמַר אוֹחֲרִי — **R' Abba bar Kahana said another** parable: בְּנוֹהַג שֶׁבָּעוֹלָם — **In the usual practice of the world,** בְּהֵמָה זוֹ דַּדֶּיהָ בִּמְקוֹם רַחְמָהּ — **the** mother **animal's teats are in the area of her womb,**[58] וְהַוָּלָד יוֹנֵק בִּמְקוֹם בָּשְׁתָּהּ — **and the child suckles at the place of her shame.**[59] וְהָאִשָּׁה זוֹ דַּדֶּיהָ בְּמָקוֹם נָאֶה — **But** in contrast, **the woman's breasts are in a becoming location** on her body, וְהַוָּלָד יוֹנֵק בְּמָקוֹם כְּבוֹדָהּ — **and the child,** therefore, **suckles at the place of her dignity.**[60] וְאֵין זֶה חַיִּים וָחֶסֶד — **Is this not** ***life and kindness?***[61] הֱוֵי ״חַיִּים וָחֶסֶד עָשִׂיתָ עִמָּדִי״ — Thus **it is,** ***You granted me life and kindness*** *and Your ordinances protected my spirit.*

More expositions of the verse from *Job* in terms of the miracles of pregnancy:

אָמַר רַבִּי אֶלְעָזָר: — **R' Elazar said:** אִם יִשְׁהֶה אָדָם בְּקַמִּין שָׁעָה אַחַת — **If a person were to remain in a furnace room** of a bathhouse **for** even **a short while,** אֵינוֹ מֵת — **would he not die?** וּמֵעֶיהָ שֶׁל אִשָּׁה מְרוּתָּחִין — **And** yet **the innards of a woman are** exceedingly **hot,** וְהַוָּלָד נָתוּן בְּתוֹךְ מֵעֶיהָ — **and the** unborn **child is placed within her innards** throughout the pregnancy, וְהַקָּדוֹשׁ בָּרוּךְ הוּא מְשַׁמְּרוֹ — **and the Holy One, blessed is He, guards [the child],** שֶׁלֹּא יַעֲשֶׂה שְׁפִיר וְשֶׁלֹּא יַעֲשֶׂה שִׁלְיָא וְשֶׁלֹּא יַעֲשֶׂה סַנְדָּל — **that he should not develop into an** empty **membrane, and that he should not develop into a** mere **afterbirth, and that he should not develop into a** faceless **"sandal."**[62] וְאֵין זֶה חַיִּים וָחֶסֶד — **Is this not** ***life and kindness?*** הֱוֵי ״חַיִּים וָחֶסֶד עָשִׂיתָ עִמָּדִי״ — Thus **it is,** ***You granted me life and kindness*** *and Your ordinances protected my spirit.* אָמַר רַבִּי תַּחְלִיפָא דְקֵסָרְיָא — **R' Tachlifa of Caesarea said:** אִם אָכַל אָדָם פְּרוּסָה אַחַר פְּרוּסָה — **If a person were to eat one piece** of food **after another piece** לֹא שְׁנִיָּה דוֹחָה אֶת הָרִאשׁוֹנָה — **would not the second piece press against the first?** הָאִשָּׁה הַזּוֹ — Now, **the** pregnant **woman,** כַּמָּה מַאֲכָל הִיא אוֹכֶלֶת וְכַמָּה מַשְׁקֶה הִיא שׁוֹתָה — **she eats much food and she drinks much liquid** in the course of her pregnancy, וְאֵינוֹ דוֹחֶה הַוָּלָד — **and** yet **it does not press against the** unborn **child** and force it out of her womb.[63] אֵין זֶה ״חַיִּים וָחֶסֶד״ — **Is this not** ***life and kindness?***

In a similar vein, the Midrash expounds the verse from *Job* as relating to the miracles involved with childbirth:

אָמַר רַבִּי סִימוֹן: מֵעֶיהָ שֶׁל אִשָּׁה עֲשׂוּיָה כִּינִין כִּינִין — **R' Simone said: The womb of a woman is constructed of coils** upon **coils,**[64] פִּיקִין פִּיקִין — **rings** upon **rings,** חֲבִילִין חֲבִילִין — **and bands** upon **bands.**[65] בְּשָׁעָה שֶׁהִיא יוֹשֶׁבֶת עַל הַמַּשְׁבֵּר — Therefore, **when she sits on the birth stool** to deliver her child, אֵינָהּ מַשְׁלִיכָתוֹ בְּבַת אַחַת — **she does not expel him at once.**[66] בְּמַתְלָא אָמַר — **An aphorism is said** describing childbirth, אִשְׁתְּרֵי חַד חֲבַל אִשְׁתְּרֵי תְּרֵין חַבְלִין — **"First it is one band that is loosened, then it is two bands that are loosened."**[67] אָמַר רַבִּי מֵאִיר: כָּל תִּשְׁעָה חֳדָשִׁים שֶׁאֵין הָאִשָּׁה רוֹאָה דָם — **R' Meir said: All nine months during which the** pregnant **woman does not see** a discharge of menstrual **blood,** בְּדִין הוּא שֶׁתְּהֵא רוֹאָה — **in reality she should be seeing** a discharge.[68] מֶה הַקָּדוֹשׁ בָּרוּךְ הוּא עוֹשֶׂה — **What does the Holy One, blessed is He, do** that causes the menstrual discharges to be in abeyance? מְסַלְּקוֹ לְמַעְלָה לְדַדֶּיהָ — **He raises [the blood] upward** from the mother's womb **to her breasts,**

NOTES

55. I.e., the norm for most living creatures.

56. Translation follows *Mussaf HeAruch* s.v. סקפטס, cited by *Eitz Yosef.* That is, the unborn animal enjoys a comfortable ride, protected from all the elements; see *Yefeh To'ar*. According to *Midrash Tanchuma* here (*Tazria* §3), the animal fetus itself lies in a horizontal position within the womb.

57. Where he is suspended vertically and seemingly vulnerable to being dislodged by the movement of his mother (*Yefeh To'ar*)

58. The teats of an animal are in close proximity to its cervix, the opening to the womb.

59. That is, the genitals.

60. See *Shir HaShirim Rabbah* 4 §5a.

61. For it is more than just an issue of protecting the dignity of mother and child; it concerns the actual life of the child. If the human breasts were located near the genitalia, the infant might hesitate to nurse from such a place or, out of modesty, the mother might hesitate to uncover herself to nurse her child. Such reluctance could then result in the infant's death. It is, therefore, a matter of *life* that God placed the breasts of the woman near her heart (*Eitz Yosef;* see *Radal* for an alternative interpretation).

62. These three terms, שְׁפִיר, שִׁלְיָא, and סַנְדָּל, are used here to refer to three types of fetuses that have failed to develop correctly. The שְׁפִיר is the membrane of tissue that under normal conditions becomes the skin of the fetus and within which the sinews, bones, and flesh of the fetus form (*Eitz Yosef; Rashi* to *Niddah* 21b). At times the fetus does not develop properly and the mother miscarries a membrane containing nothing but formless liquid; see *Niddah* 24b (see, however, *Matnos Kehunah*). The שִׁלְיָא, "afterbirth," consists of the placenta together with the amniotic sac (the fluid-filled sac in which the embryo grows). Ordinarily, this sac is ruptured in the course of the birth, after which the remainder is expelled together with the placenta. At times the fetus disintegrates inside the sac and the afterbirth is expelled from the mother without any observable trace of a child. A סַנְדָּל, "sandal," is a deformed fetus that lacks any discernible facial features, so called because it resembles the flat sole of a sandal (*Eitz Yosef,* from *Rambam,* Commentary to Mishnah, *Niddah* 3:4; however, see *Rashi* to *Niddah* 25b). See *Niddah* 25b. In the course of a normal pregnancy, God protects the unborn child and prevents the occurrence of any of these malformations.

[The Midrash seems to imply that it could be expected that the heat inside the mother's innards would have resulted in one of these malformations, and that God is to be praised for ensuring that that does not occur. However, *Eitz Yosef* argues that in fact this passage consists of two distinct praises. First, God is praised for keeping the unborn child alive despite the heat of the mother's innards and then, independently, God is praised for ensuring the healthy development of the fetus.]

63. Which could result in a miscarriage. Even though the womb is separate from the digestive system and the food she eats does not come in direct contact with the fetus, one would have expected that a full stomach would press against the womb, which lies underneath, putting pressure on the child within. Hence, if not for God's protection, the fetus might be forced out of the womb (*Eitz Yosef*).

64. Translation follows *Aruch* and *Yefeh To'ar.*

65. That is, there are bands of sinew and muscle that are wound around the opening of the womb in coils and rings, thereby keeping the womb closed (see *Yefeh To'ar*).

66. [Which would endanger the child.]

67. I.e., the birth does not occur instantly, but rather it is a process, for each band is loosened individually (*Maharzu;* however, see *Matnos Kehunah* and *Eitz Yosef*).

68. Inherently, even pregnant women should have a monthly discharge (see *Maharzu*). [The body continues producing menstrual blood even during pregnancy.]

רַבִּי אַבָּא בַּר כָּהֲנָא אָמַר אוֹחֲרֵי: בְּנוֹהַג שֶׁבָּעוֹלָם בְּהֵמָה זוֹ מְהַלֶּכֶת רְבוּצָה וְהַוָּלָד נָתוּן בְּתוֹךְ מֵעֶיהָ כְּמִין °שַׂק, וְהָאִשָּׁה זוֹ מְהַלֶּכֶת זְקוּפָה וְהַוָּלָד נָתוּן בְּתוֹךְ מֵעֶיהָ, וְהַקָּדוֹשׁ בָּרוּךְ הוּא מְשַׁמְּרוֹ שֶׁלֹּא יִפּוֹל וְיָמוּת, הֱוֵי "חַיִּים וָחֶסֶד עָשִׂיתָ עִמָּדִי", רַבִּי אַבָּא בַּר כָּהֲנָא אָמַר אוֹחֲרֵי: בְּנוֹהַג שֶׁבָּעוֹלָם בְּהֵמָה זוֹ דַּדֶּיהָ בִּמְקוֹם רַחְמָהּ וְהַוָּלָד יוֹנֵק בִּמְקוֹם בָּשְׁתָּהּ, וְהָאִשָּׁה זוֹ דַּדֶּיהָ בְּמָקוֹם נָאֶה וְהַוָּלָד יוֹנֵק בִּמְקוֹם כְּבוֹדָהּ, וְאֵין זֶה חַיִּים וָחֶסֶד, הֱוֵי "חַיִּים וָחֶסֶד עָשִׂיתָ עִמָּדִי", אָמַר רַבִּי אֶלְעָזָר: אִם יִשְׁהֶה אָדָם °בְּחַמִּין שָׁעָה אַחַת אֵינוֹ מֵת, וּמֵעֶיהָ שֶׁל אִשָּׁה מְרוּתָּחִין וְהַוָּלָד נָתוּן בְּתוֹךְ מֵעֶיהָ, וְהַקָּדוֹשׁ בָּרוּךְ הוּא מְשַׁמְּרוֹ שֶׁלֹּא יֵעָשֶׂה שָׁפִיר וְשֶׁלֹּא יֵעָשֶׂה שִׁלְיָא וְשֶׁלֹּא יֵעָשֶׂה סַנְדָּל, וְאֵין זֶה חַיִּים וָחֶסֶד, הֱוֵי "חַיִּים וָחֶסֶד עָשִׂיתָ עִמָּדִי", אָמַר רַבִּי תַּחְלִיפָא דְּקֵסָרְיָא: אִם אָכַל אָדָם פְּרוּסָה אַחַר פְּרוּסָה, לֹא שְׁנִיָּה דּוֹחָה אֶת הָרִאשׁוֹנָה, הָאִשָּׁה הַזּוֹ כַּמָּה מַאֲכָל הִיא אוֹכֶלֶת וְכַמָּה מַשְׁקֶה הִיא שׁוֹתָה וְאֵינוֹ דּוֹחֶה הַוָּלָד, אֵין זֶה "חַיִּים וָחֶסֶד", אָמַר רַבִּי סִימוֹן: מֵעֶיהָ שֶׁל אִשָּׁה עֲשׂוּיָה °קִינִין קִינִין פִּיקִין פִּיקִין חֲבִילִין חֲבִילִין, בְּשָׁעָה שֶׁהִיא יוֹשֶׁבֶת עַל הַמַּשְׁבֵּר אֵינָהּ מַשְׁלִיכַתּוּ בְּבַת אַחַת, בְּמַתְלָא אָמַר: אִשְׁתְּרֵי חַד חֲבַל אִשְׁתְּרֵי תְּרֵין חֲבָלִין, אָמַר רַבִּי מֵאִיר: כָּל תִּשְׁעָה חֳדָשִׁים שֶׁאֵין הָאִשָּׁה רוֹאָה דָּם בְּדִין הוּא שֶׁתְּהֵא רוֹאָה, מָה הַקָּדוֹשׁ בָּרוּךְ הוּא עוֹשֶׂה, מְסַלְּקוֹ לְמַעְלָה לְדַדֶּיהָ וְעוֹשֵׂהוּ חָלָב, כְּדֵי שֶׁיֵּצֵא הַוָּלָד וְיִהְיֶה לוֹ מָזוֹן לֶאֱכוֹל, וּבְיוֹתֵר אִם הָיָה זָכָר, שֶׁנֶּאֱמַר [יב, ב] "אִשָּׁה כִּי תַזְרִיעַ וְיָלְדָה זָכָר":

ד דָּבָר אַחֵר, [יב, ב] "אִשָּׁה כִּי תַזְרִיעַ", הֲדָא הוּא דִכְתִיב (איוב לח, ח) "וַיָּסֶךְ בִּדְלָתַיִם יָם בְּגִיחוֹ מֵרֶחֶם יֵצֵא", רַבִּי אֱלִיעֶזֶר וְרַבִּי יְהוֹשֻׁעַ וְרַבִּי עֲקִיבָא, רַבִּי אֱלִיעֶזֶר אוֹמֵר: כְּשֵׁם שֶׁיֵּשׁ דְּלָתוֹת לְבַיִת

עץ יוסף

בהמה זו מהלכת כו'. רלה לומר שהבהמה להיותה רבוצה גם העובר אפילו בעת תנועתה כרע רבץ ואין מחריד, מה שאין כן האשה שבתנועתה הולד מתנועע וקרוב ליפול שאינו אלא נתלה באויר: **והולד נתון בתוך מעיה במין שק.** זה טעות סופר, והעיקר כגירסת הערוך כמין סקיפסטי, פירוש תיבה מכוסה בלשון יוני (מעריך), והמוסף הערוך כתב פירושו בלשון יוני עגלה ולב מכוסה להגן מן הרוח וגשם ושרב: **אין זה חיים.** שאם אילו ינק ממקום הטנופת היה התינוק קץ ואינו יונק, או האם הוה טריחא לה להניקו בכל עת שלא תגלה ערותה ולפעמים היה מת למעוט מזונו: **בחמין.** בערוך גרס בקמין, ונראה שהוא אמבטי: **אינו מת.** בתמיה: **ומעיה של אשה מרותחין.** וזה גם באשה טפי מבהמה שאין מעיה כל כך חמין מפני שאינה אוכלת ושותה דברים חמין כאשה, ועוד כח הבהמות לסבול החום יותר מהאדם שהוא אסטניס: **והקדוש ברוך הוא משמרו.** מילתא אחריתי הוא שה' משמרו גם כן שלא יעשה שפיר כו': **שפיר.** עור הולד שהעצמות והגידים והבשר נוצרים בתוכו, ושליא היא כמין לבוש שהולד שוכב בתוכה, וסנדל היא חתיכת בשר כצורת סנדל: **אם אוכל אדם.** ואף שהמאכל הולך אל האיצטומכא ובני מעים, והולד ברחם, מכל מקום על ידי שהאשה זקופה כובד האיצטומכא היה דוחה את הרחם ודוחה הולד לולי השגחת ה': **קינין קינין.** מיני חדרים: **פוקין פוקין.** פירוש עגולי בשר כטבעת, כמו פיקה של גרגרת: **חבלים חבלים.** פירוש שהתינוק מקושר בכמה חבלים וקשורים. והערוך גרס במקום קינים קינים כינים כינים, ופירושו לשון כנויות והדרא דכנתא (חולין קיג, א): **במתלא אמר כו'.** במשל אומרים בני האדם כשהותר חבל אחד הותרו שני חבלים, כשהם קלועים ומגודלים זה בזה ובראשם קשר, כשהותר חבל אחד מתוך אותו קשר שני החבלים נמצאים מותרים: **אם היה זכר.** כלומר כל החסדים הנזכרים עושה ה' עם העובר וביותר עושה עמו חסד אם עשאו זכר ולא נקבה, לכן סמך וילדה זכר לכי תזריע דדרשו על החסדים שעושה ה' יתברך עם הזרע מתחילת זמן העיבור עד סופו (יפה תואר): **(ד) ויסך בדלתים ים.** גם דעת אגדה זו לפרש אשה כי תזריע כאגדה דלעיל דרמיז אחסדי ה' עם העובר בבטן אמו, ולהכי מייתי נמי קראי דמשתעי בשמירת ה' העובר בבטן אמו והוצאתו לאויר העולם, ואת תיבתו בענין רואיו כדמפרש ואזיל: **רבי אליעזר ורבי יהושע ורבי עקיבא כו'.** מר אמר חדא ומר אמר חדא ולא פליגי:

פירוש מהרז"ו

פיקין פיקין. בליטות בליטות, שכל קשר עושה בליטה: **אשתרי חד חבל.** פירוש שאין האשה יולדת בפעם אחת, אלא תחלה הותר חבל אחד, ואחר כך שני חבלים, ואחר כך שלושה עד כולם והולד יוצא: **בדין הוא שתהא רואה.** פירוש לפי דין חוקי הטבע היה ראוי שתהא רואה: **(ד) ויסך בדלתים ים בגיחו מרחם יצא.** תחלת הפסוק משמע שמדבר בים, ואחר כך אמר בגיחו מרחם יצא, ואין לים רחם, ואחר כך אמר ופה ישית בגאון גליך, הרי שמדבר בים, ולפי הפשט מדבר הכל בים, וכמו שכתב בהדיא בבראשית רבה סוף פרשה כ"ג, ותיבת בגיחו מרחם, יתפרש בהכרח על תחלת הבריאה שנולד כמו הולד שנולד ברחם, אך כבר הודעתו נאמנה שזה דרך חז"ל בקודש על פי המדות, לפרש כל תיבה כפי משמעות התיבה עצמה שתבא בדיוק לפי משמעותה, ותיבת בגיחו מרחם לא יתפרש על הים כי אם על הולד שיוצא מרחם אמו, ובהכרח לפרש שאר תיבות הפסוק על פי המדות שיאותו לענין תיבת בגיחו מרחם, על הילד, וגם כפי הפשט על הים, ותיבת גיחו מרחם, על פי משל כנזכר לקמן, ואלו ואלו דברי אלהים חיים הפך בה והפך בה, כי כוונת התורה באמת לשני הדרכים: **כשם שיש דלתות לבית.** תנאים אלו אינם חולקים זה על זה, אלא כל

חידושי הרד"ל

במקום נאה. בילקוט איוב (רמז תתקה) הגירסא במקום יופיה, (וגם כאן אפשר לריך לומר במקום נויה), וכמו שאמרו בברכות (י, ב) בהוד יפיה ועיין שיר השירים רבה פ"ד: **ואין זה חיים וחסד.** כחיים שהוא המזון שזימן לולד בהנקתו עשית עמדי חסד דרך כבוד: **במה מאכל כו' ואינו דוחה כו'.** ואף שהמאכל ומשקה הם במעבר אחר ממקום הוולד, מכל מקום היה להם לדחוק על ידי מלוי המעיים את הוולד ממקומו, (גם המשקין מתמלין ויוצאים במקום הוולד): **קינין קינין.** עיין מתנות כהונה, ובילקוט איוב (שם) הגירסא כנין, וכן הוא בערוך ערך כן האחרון, ופירושו לשון כנויות והדרא דכנתא: **אמר רבי מאיר כל תשעה כו'.** ועושה חלב. רבי מאיר לטעמיה פ"ק דנדה (ט, א): **[ד] רבי אליעזר ורבי יהושע ורבי עקיבא כו'.** בכורות (מה, א). ושם נשנו דברי רבי יהושע ורבי עקיבא בהיפך:

חידושי הרש"ש

[ג] אמר ר' סימון מעיה של אשה עשויה קינין קינין פיקין פיקין. אולי הוא מלשון פיקה של גרגרת בסוף פרק הזרוע (חולין קלד, ב) שפירש רש"י והרע"ב (חולין פרק י' משנה ד) פתחה של קנה, וכלקמן דיש דלתות לאשה:

באור מהרי"פ

[ג] מתנות כהונה בד"ה בחמין וכו' בערוך וכו'. זה לשון הערוך קמין, ירושלמי (שבת פ"ג ה"ג) ברחצואה היו סוחמין בקמין מערב שבת ורוחצין בשבת. ויקרא רבה וכו', אם יתמין אדם בקמין וכו' אינו מת. לשון לעז הוא קמיני עכ"ל, נראה דיש קצת חסרון בדבריו. וזה לשון בעל אות אמת גירסת הערוך בקמין, ומביא חבר לזו המלה מירושלמי דשבת, ומשם נראה שהוא מקום האור שעושין למרחץ מתחתיו:

אם למקרא

וַיָּסֶךְ בִּדְלָתַיִם יָם בְּגִיחוֹ מֵרֶחֶם יֵצֵא: בְּשׂוּמִי עָנָן לְבֻשׁוֹ וַעֲרָפֶל חֲתֻלָּתוֹ: וָאֶשְׁבֹּר עָלָיו חֻקִּי וָאָשִׂים בְּרִיחַ וּדְלָתָיִם: (איוב לח:ח-יא)

ענף יוסף

(ג) בהמה זו מהלכת רבוצה כו' והאשה כו'. הטעם שהבהמה הולכת בקומה כפופה, והאדם הולך קוממיות, הוא כי ידוע שכל היסודות נכספות וגם כלות לנוח, ביסודם הטבעי, סובב סובב הולך הרוח, האש כי ילהב ופנה למעלה, המים מניחים המקום גבוה ויורדים למקום נמוך, והארץ לעולם במקומה עומדת, וזרוק חוטרא לאוירא אעקריה קאי, ולכן בהיות שרוח הבהמה יורדת היא למטה לארץ, הנה היא בקומה כפופה, נטה למטה, כי עפר היא ואל עפר תשוב, אמנם האדם אשר מלך נשמתו הוא שמיימי, כי נשמתו היא מן השמים, לכן הוא הולך קוממיות ונוטה לצד העליון, והחלק היותר גובר עליו שהוא נשמתו תחזקהו בקומה זקופה, ותעלהו לשמי מרומה, ולמקור אשר ממנו חצובה (ספר נשמת חיים):

אמרי יושר

[ד] ויסך בדלתים ים. מקוה הדם לעיבור:

שינוי נוסחאות

(ג) והולד נתון בתוך מעיה במין שק. כל זה לא היה כתוב בכל בספרים הישנים, והגיה כן המ"כ מתוך הערוך, אבל בערוך עצמו איתא "סקיפסטי" במקום "שק", כמו שמזכיר המ"כ עצמו: **אם ישהה אדם בחמין.** הביא א"א (וגם מ"כ) גרסת ערוך "בקמין" ופירושו חדר האש שבבית המרחץ: **מעיה של אשה עשויה קינין קינין.** צ"ל "כינין כינין", כ"כ בערוך ובילקוט איוב.

מתנות כהונה

[ג] הכי גרסינן **בהמה זו מהלכת רבוצה והולד נתון בתוך מעיה כמין שק והאשה זו מהלכת זקופה והולד נתון בו'.** כן הביאו הערוך (ערך סקפטס): הכי גרסינן **ואין זה חיים וחסד: בחמין.** בערוך (ערך קמין) גרס קמין. ומשמע במקום שמסיקין שם האור: **שפיר.** פרש"י במסכת נדה מחוי כמין שכבת זרע: **סנדל.** מעוך כמין סנדל: הכי גרסינן **ואין זה חיים וחסד: קינין קינין בו'.** מיני חדרים הם: **חבילין חבילין.** שהתינוק מקושר בכמה חבלים וקשורים, ועיין עוד בערוך והוא גרס כינים: **במתלא.** במשל האמור בפי הבריות, כשהותר חבל אחד הותרו שני חבלים, כשהם קלועים ומגודלים זה בזה ובראשם קשר, כשהותר חבל אחד מתוך אותו קשר, שני החבלים נמצאים מותרים: **וביותר בשהוא זכר.** כי הטבע מקפדת יותר על הוית וקיום הזכר מנקבה, וגם הכתוב פתח בו בלשון פשיטותא כי תזריע וילדה זכר, ולא כתיב אם תלד זכר, כמו אצל הנקבה:

אשד הנחלים

ועם כל זה הולד אצור בה, והיפך הוולד של בהמה שעל כל פנים היא מהלכת רבוצה והולד מונח ברחבה, ולא כן באשה. וכן מקום ההנקה הוא ממקום נאה, היפך מקום הבהמות, וכמו שאמרו (ברכות י, א) מלמד שעשה לה דדים במקום בינה, שזהו מקום הלב, וזהו רק חיים של חסד, הן בענין החיות והן בענין הנפשיות, כי החלב הוא המזג הראשון להולד, והוא ממקום נאה מאוד, וזהו ופקודתך, והשגחתך שמרה לרוחי להיות אצור וחי בתוכה. וזהו הציור בכתוב אשה כי תזריע וילדה, שזה מן הפלא יותר מן בריאת הבעלי חיים, וכל אחד מאלו מתבונן על הפלאים מיצירת האדם, שזהו חיים של חסד היפך הטבע: **בדין הוא כו'. אם היה זכר.** כלומר מצד הטבע היתה רואה כל הנך חדשים דם, כי אחר שהוולד נוצר אם כן אין הדמים מועילים להוולד, רק משום שמעט מעט הדם נעכר ונעשה חלב בדדיה, וזהו על צד ההשגחה לקיום

וְעוֹשֵׂהוּ חָלָב — **and He transforms it** there **into milk,**[69] כְּדֵי שֶׁיֵּצֵא הַוָּלָד וְיִהְיֶה לוֹ מָזוֹן לֶאֱכוֹל — **so that** ultimately **the child will come forth** out of the womb **and he will** then **have food to eat.**

In a concluding remark, the Midrash connects God's kindness toward the infant with our verse:

וּבְיוֹתֵר אִם הָיָה זָכָר — **And** God's kindness is **even greater if [the baby] is a male,**[70] שֶׁנֶּאֱמַר "אִשָּׁה כִּי תַזְרִיעַ וְיָלְדָה זָכָר" — **as [Scripture] states,** ***When a woman conceives and gives birth to a male.***[71]

§4 The Midrash interprets another passage from *Job* as discussing gestation and childbirth:

דָּבָר אַחֵר — **Another interpretation:** "אִשָּׁה כִּי תַזְרִיעַ" — ***When a woman conceives*** *and gives birth to a male.* הֲדָא הוּא דִכְתִיב "וַיָּסֶךְ בִּדְלָתַיִם יָם בְּגִיחוֹ מֵרֶחֶם יֵצֵא" — **Thus it is written,** ***As He closed in the sea with bolted doors as it sallied forth to emerge from the womb*** (*Job* 38:8).[72] רַבִּי אֱלִיעֶזֶר וְרַבִּי יְהוֹשֻׁעַ וְרַבִּי עֲקִיבָא — **R' Eliezer, R' Yehoshua, and R' Akiva** each described an aspect of the womb's anatomy.[73] רַבִּי אֱלִיעֶזֶר אוֹמֵר: כְּשֵׁם שֶׁיֵּשׁ דְּלָתוֹת לַבַּיִת — **R' Eliezer says: Just as a house has doors,**

NOTES

69. R' Meir's explanation here is consistent with his position in *Niddah* 9a, where he argues that the reason women do not menstruate after childbirth is that the blood is metamorphosed into milk (*Radal*).

70. That is, God has done even more kindness to the unborn child if He made him a male (*Eitz Yosef;* for an alternative understanding, see *Matnos Kehunah*).

71. The mention of conception in our verse alludes to all of God's kindness concerning the conception and gestation of the child; see note 51 above. Since this allusion is found in the context of the male child the implication is that God's kindness is greater in regard to a male.

For further discussion of the role of God's providential role in the birth of a male child, see Insight Ⓐ.

72. The plain sense of the verse is referring to God's creation of the sea, *bolted doors* being a metaphor for the sands of the beach and *the womb* a metaphor for its watery depths (see commentaries ad loc.). However, the Midrash understands *the womb* literally, interpreting *the sea* as a metaphor for the fluid-filled womb (*Maharzu* s.v. כשם שיש דלתות), or for the unborn infant (*Eitz Yosef* s.v. בגיחו; see note 77 below).

73. These Sages do not disagree with each other; rather, each one is focusing on a different aspect (*Eitz Yosef*). This discussion is from a Baraisa that is also found (with slight variations) in *Bechoros* 45a. The Midrash cites it here in support of its interpretation of the verse in *Job* as referring to the human womb. See below.

INSIGHTS

Ⓐ **The Providential Male** An interesting explanation of *R' David Cohen* for the custom of making a *Shalom Zachar* upon the birth of a boy may shed light on our Midrash's assertion that God's providence is more evident in the birth of a male.

Tosafos to *Bava Kamma* 80a s.v. לבי ישוע הבן cite the interpretation of *Rabbeinu Tam* that ישוע הבן refers to a celebration of the birth of a boy, celebrating the fact that he was "rescued" from his mother's womb, as the verse in *Isaiah* (66:7) states, regarding the birth of a boy: וְהִמְלִיטָה זָכָר, *and she will deliver* [literally, *rescue*] *a male.*

Dagul MeiRevavah, at the end of *Yoreh Deah* §178, cites *Terumas HaDeshen* §269, who asks that the celebration should be the same for the birth of a girl, who is apparently no less rescued from the womb than a boy.

Rabbi Cohen suggests a possible explanation, based on the modern understanding of gender determination. The mother's egg always has an X chromosome. The father's sperm is divided between those having an X chromosome and those having a Y chromosome. If an X-chromosome sperm fertilizes the egg, the resulting XX embryo will be a girl. If a Y-chromosome sperm fertilizes the egg, the resulting XY embryo will be a boy.

Some studies suggest that the normal acidic environment of the vaginal canal favors the survival of X-chromosome sperm cells, which would thus favor the formation of a girl. Under certain circumstances, however, an alkaline substance is secreted, which neutralizes the acidic environment, thereby increasing the chances that a Y-chromosome sperm cell will survive and fertilize the egg, thus forming a male embryo. If the facts reported by these studies are indeed accurate, we can thereby explain why we celebrate the birth of a boy, whose formation indicates a "rescue" from the womb of his mother (*Ohel David,* Vol. 5, on *Isaiah* 66:7 [and elsewhere]).

One could similarly account for our Midrash's assertion that there is greater providence evident in the birth of a boy: The boy's formation results from an "intervention" that overrides the natural environment favoring the formation of a girl.

רַבִּי אַבָּא בַּר כָּהֲנָא אָמַר אוֹחֲרִי: בְּנוֹהַג שֶׁבָּעוֹלָם בְּהֵמָה זוֹ מְהַלֶּכֶת רְבוּצָה וְהַוָּלָד נָתוּן בְּתוֹךְ מֵעֶיהָ כְּמִין °שַׂק, וְהָאִשָּׁה זוֹ מְהַלֶּכֶת זְקוּפָה וְהַוָּלָד נָתוּן בְּתוֹךְ מֵעֶיהָ, וְהַקָּדוֹשׁ בָּרוּךְ הוּא מְשַׁמְּרוֹ שֶׁלֹּא יִפּוֹל וְיָמוּת, הֱוֵי "חַיִּים וָחֶסֶד עָשִׂיתָ עִמָּדִי". רַבִּי אַבָּא בַּר כָּהֲנָא אָמַר אוֹחֲרִי: בְּנוֹהַג שֶׁבָּעוֹלָם בְּהֵמָה זוֹ דַּדֶּיהָ בִּמְקוֹם רַחְמָהּ וְהַוָּלָד יוֹנֵק בִּמְקוֹם בָּשְׁתָּהּ, וְהָאִשָּׁה זוֹ דַּדֶּיהָ בְּמָקוֹם נָאֶה וְהַוָּלָד יוֹנֵק בִּמְקוֹם כְּבוֹדָהּ, וְאֵין זֶה חַיִּים וָחֶסֶד, הֱוֵי "חַיִּים וָחֶסֶד עָשִׂיתָ עִמָּדִי". אָמַר רַבִּי אֶלְעָזָר: אִם יִשְׁהֶה אָדָם °בְּחַמִּין שָׁעָה אַחַת אֵינוֹ מֵת, וּמֵעֶיהָ שֶׁל אִשָּׁה מְרוּתָּחִין וְהַוָּלָד נָתוּן בְּתוֹךְ מֵעֶיהָ, וְהַקָּדוֹשׁ בָּרוּךְ הוּא מְשַׁמְּרוֹ שֶׁלֹּא יֵעָשֶׂה שָׁפִיר וְשֶׁלֹּא יֵעָשֶׂה שִׁלְיָא וְשֶׁלֹּא יֵעָשֶׂה סַנְדָּל, וְאֵין זֶה חַיִּים וָחֶסֶד, הֱוֵי "חַיִּים וָחֶסֶד עָשִׂיתָ עִמָּדִי". אָמַר רַבִּי תַּחְלִיפָא דְּקֵסָרְיָא: אִם אֲכַל אָדָם פְּרוּסָה אַחַר פְּרוּסָה, לֹא שְׁנִיָּה דּוֹחָה אֶת הָרִאשׁוֹנָה, הָאִשָּׁה הַזּוֹ כַּמָּה מַאֲכָל הִיא אוֹכֶלֶת וְכַמָּה מַשְׁקֶה הִיא שׁוֹתָה וְאֵינוֹ דּוֹחֶה הַוָּלָד, אֵין זֶה "חַיִּים וָחֶסֶד", אָמַר רַבִּי סִימוֹן: מֵעֶיהָ שֶׁל אִשָּׁה עֲשׂוּיָה °קִינִין קִינִין פִּיקִין פִּיקִין חֲבִילִין חֲבִילִין, בְּשָׁעָה שֶׁהִיא יוֹשֶׁבֶת עַל הַמַּשְׁבֵּר אֵינָהּ מַשְׁלִיכַתּוּ בְּבַת אַחַת, בְּמַתְלָא אָמַר: אִשְׁתְּרֵי חַד חֲבַל אִשְׁתְּרֵי תְּרֵין חַבְלִין, אָמַר רַבִּי מֵאִיר: כָּל תִּשְׁעָה חֳדָשִׁים שֶׁאֵין הָאִשָּׁה רוֹאָה דָּם בְּדִין הוּא שֶׁתְּהֵא רוֹאָה, מָה הַקָּדוֹשׁ בָּרוּךְ הוּא עוֹשֶׂה, מְסַלְּקוֹ לְמַעְלָה לְדַדֶּיהָ וְעוֹשֵׂהוּ חָלָב, כְּדֵי שֶׁיֵּצֵא הַוָּלָד וְיִהְיֶה לוֹ מָזוֹן לֶאֱכוֹל, וּבְיוֹתֵר אִם הָיָה זָכָר, שֶׁנֶּאֱמַר [יב, ב] "אִשָּׁה כִּי תַזְרִיעַ וְיָלְדָה זָכָר".

ד דָּבָר אַחֵר, [יב, ב] "אִשָּׁה כִּי תַזְרִיעַ", הֲדָא הוּא דִכְתִיב (איוב לח, ח) "וַיָּסֶךְ בִּדְלָתַיִם יָם בְּגִיחוֹ מֵרֶחֶם יֵצֵא", רַבִּי אֱלִיעֶזֶר וְרַבִּי יְהוֹשֻׁעַ וְרַבִּי עֲקִיבָא, רַבִּי אֱלִיעֶזֶר אוֹמֵר: כְּשֵׁם שֶׁיֵּשׁ דְּלָתוֹת לַבַּיִת

עץ יוסף

בהמה זו מהלכת כו'. רלה לומר שהבהמה להיותה רבוצה גם העובר אפילו בעת תנועתה כרע רבץ ואין מחריד, מה שאין כן האשה שבתנועתה הולד מתנועע וקרוב ליפול שאינו אלא נתלה באויר: **והולד נתון בתוך מעיה כמין שק.** זה טעות סופר, והעיקר כגירסת הערוך כמין סקיפסטי, פירוש תיבה מכוסה בלשון יוני (מעריך), והמוסף הערוך כתב פירושו בלשון יוני עגולה ולב מכוסה להגן מן הרוח וגשם וכדומה: **אין זה חיים.** שאם אילו ינק ממקום הטנופת היה התינוק קץ ואינו יונק, או האם הוה טריחא לה להניקו בכל עת שלא תגלה ערותה ולפעמים היה מת למטוט מזונו: **בחמין.** בערוך גרס בקמין, ונראה שהוא אמבטי: **אינו מת.** בתמיה: **ומעיה של אשה מרותחין.** וזה גם בלאשה טפי מבהמה שאין מעיה כל כך חמין מפני שהיא אוכלת ושותה דברים חמין כאשה, ועוד כח הבהמות לסבול החום יותר מהאדם שהוא אסטניס: **והקדוש ברוך הוא משמרו.** מילתא אחריתי הוא שה' משמרו גם כן שלא יעשה שפיר כו': **שפיר.** עור הולד שהעצמות והגידים והבשר נוצרים בתוכו, ושליא היא כמין לבוש שהולד שוכב בתוכה, וסנדל היא חתיכת בשר כצורת סנדל: **אם אוכל אדם.** ואף שהמאכל הולך אל האיצטומכא ובני מעים, והולד ברחם, מכל מקום על ידי שהאשה זקופה כובד האיצטומכא היה דוחה את הרחם ודוחה הולד לולי השגחת ה': **קינין קינין.** מיני חדרים: **פוקין פוקין.** פירוש עגולי בשר כטבעת, כמו פיקה של גרגרת: **חבלים חבלים.** פירוש שהתינוק מקושר בכמה חבלים וקשורים. והערוך גרס במקום קינים קינים כינים כינים, ופירושו לשון כנויות והדרא דכנתא (חולין קיג, א): **במתלא אמר כו'.** במשל אומרים בני האדם כשהותר חבל אחד הותרו שני חבלים, כשהם קלועים ומגודלים זה בזה ובראשם קשר, כשהותר חבל אחד מתוך אותו קשר שני החבלים נמצאים מותרים: **אם היה זכר.** כלומר כל החסדים הנזכרים עושה ה' עם העובר וביותר עושה עמו חסד אם עשאו זכר ולא נקבה, לכן סמך וילדה זכר לכי תזריע דדרשו על החסדים שעושה ה' יתברך עם הזרע מתחלת זמן העיבור עד סופו (יפה תואר): **(ד) ויסך בדלתים ים.** גם דעת אגדה זו לפרש אשה כי תזריע כאגדה דלעיל דרמיז אחסדי ה' עם העובר בבטן אמו, והכי מייתי נמי קרא דמשתעי בשמירת ה' העובר בבטן אמו והוצאתו לאויר העולם, ואת תיבתו בעין רואיו כדמפרש ואזיל: **רבי אליעזר ורבי יהושע ורבי עקיבא כו'.** מר אמר חדא ומר אמר חדא ולא פליגי:

פירוש מהרז"ו

פיקין פיקין. בליטות בליטות, שכל קשר עושה בליטה: **אשתרי חד חבל.** פירוש שאין האשה יולדת בפעם אחת, אלא תחלה הותר חבל אחד, ואחר כך שני חבלים, ואחר כך שלשה עד כולם והולד יוצא: **בדין הוא שתהא רואה.** פירוש לפי דין חוקי הטבע היה ראוי שתהא רואה: **(ד) ויסך בדלתים ים בגיחו מרחם יצא.** תחלת הפסוק משמע שמדבר בים, ואחר כך אמר בגיחו מרחם יצא, ואין ליס רחם, ואחר כך אמר ופה ישית בגאון גליך, הרי שמדבר בים, ולפי הפשט מדבר הכל בים, וכמו שכתב בהדיא בבראשית רבה סוף פרשה כ"ג, ותיבת בגיחו מרחם, יתפרש בהכרח על תחלת הבריאה שנולד כמו הולד שנולד ברחם, אך כבר הודענו נאמנה שזה דרך חז"ל בקודש על פי המדות, לפרש כל תיבה כפי משמעות התיבה עצמה שתבא בדיוק לפי משמעותה, ותיבת בגיחו מרחם לא יתפרש על הים כי אם על הולד שיוצא מרחם אמו, ובהכרח לפרש שאר תיבות הפסוק על פי המדות שיאותו לענין תיבת בגיחו מרחם, על הילד, וגם כפי הפשט על הים, ותיבת גיחו מרחם, על פי משל כנזכר לקמן, ואלו ואלו דברי אלהים חיים הפך בה והפך בה, כי כוונת התורה באמת לשני הדרכים: **כשם שיש דלתות לבית.** תנאים אלו אינם חולקים זה על זה, אלא כל

אם למקרא

וַיָּסֶךְ בִּדְלָתַיִם יָם בְּגִיחוֹ מֵרֶחֶם יֵצֵא: בְּשׂוּמִי עָנָן לְבֻשׁוֹ וַעֲרָפֶל חֲתֻלָּתוֹ: וָאֶשְׁבֹּר עָלָיו חֻקִּי וָאָשִׂים בְּרִיחַ וּדְלָתָיִם: (איוב לח:ח-י)

ענף יוסף

(ג) בהמה זו מהלכת רבוצה כו' והאשה כו'. הטעם שהבהמה הולכת בקומה כפופה, והאדם הולך קוממיות, הוא כי ידוע שכל היסודות נכספות וגם כלות לנוח, ביסודם הטבעי, סובב סובב הולך הרוח, והאש כי ילהב ופנה למעלה, המים מניחים המקום גבוה ויורדים למקום נמוך, והארץ לעולם במקומה עומדת, וזרוק חוטרא לאוירא אעקריה קאי, ולכן בהיות שרוח הבהמה יורדת היא למטה לארץ, הנה היא בקומה כפופה, נטה למטה, כי עפר היא ואל עפר תשוב, אמנם האדם אשר מלך נשמתו הוא שמימי, כי נשמתו היא מן השמים, לכן הוא הולך קוממיות ונוטה לצד העליון, והחלק היותר גובר עליו שהוא נשמתו תחזקהו בקומה זקופה, ותעלהו לשמי מרומה, ולמקור אשר ממנו חוצבה (ספר נשמת חיים):

אמרי יושר

[ד] ויסך בדלתים ים. מקוה הדם לעיבור:

שינוי נוסחאות

(ג) והולד נתון בתוך מעיה כמין שק. כל זה לא היה כתוב כלל בספרים הישנים, והגיה כן המ"כ מתוך הערוך, אבל בערוך עצמו איתא "סקיפסטי" במקום "שק", כמו שמזכיר המ"כ עצמו: **אם ישהה אדם בחמין.** הביא א"א (וגם המ"כ) גרסת ערוך "בקמין" ופירושו חדר האש שבבית המרחץ: **מעיה של אשה עשויה קינין קינין.** צ"ל "כינין כינין", כ"כ בערוך ובילקוט איוב.

חידושי הרד"ל

במקום נאה. בילקוט איוב (רמז תתקכה) הגירסא במקום יופיה, (וגם כאן אפשר לגריך לומר במקום נויה, וכמו שאמרו בברכות (י, ב) בהוד יפיה ועיין שיר השירים רבה פ"ד: **ואין זה חיים וחסד.** כחיים שהוא המזון שזימן לולד בהנקתו עשית עמדי חסד דרך כבוד: **כמה מאכל כו' ואינו דוחה כו'.** ואף שהמאכל ומשקה הם במעבר אחר ממקום הוולד, מכל מקום היה להם לדחוק על ידי מלוי המעיים את הוולד ממקומו, (גם המשקין מתמלין ויוצאים במקום הוולד): **קינין קינין.** עיין מתנות כהונה, ובילקוט איוב (שם) הגירסא כנין, וכן הוא בערוך ערך כן אחרון, ופירוש לשון כנויות והדרא דכנתא: **אמר רבי מאיר כל תשעה כו'.** ועושה חלב. כרבי מאיר לטעמיה פ"ק דנדה (ט, א): **[ד] רבי אליעזר ורבי יהושע ורבי עקיבא כו'.** בכורות (מה, א). ושם נשנו דברי רבי יהושע ורבי עקיבא בהיפך:

חידושי הרש"ש

[ג] אמר ר' סימון מעיה של אשה עשויה קינין קינין פיקין פיקין. אולי הוא מלשון פיקה של גרגרת שבסוף פרק הזרוע (חולין קלד, ב) שפירש רש"י והרע"ב (חולין פרק י משנה ד) פתחה של קנה, וכדלקמן דיש דלתות לאשה:

באור מהרזי"פ

[ג] מתנות כהונה בד"ה בחמין וכו' בערוך וכו'. זה לשון הערוך ערך קמין, ירושלמי (שבת פ"ג ה"ג) בראשונה היו טומנין בקמין מערב שבת ורוחצין בשבת. ויקרא רבה וכו', אם המתין אדם בקמין וכו' אינו מת. לשון לעז הוא קמיני עכ"ל, נראה דיש קצת חסרון בדבריו. זה לשון בעל אות אמת גירסת הערוך בקמין, ומביא חבר לזו המלה מירושלמי דשבת, ומשם נראה שהוא מקום האור שעושין למרחץ מתחתיו:

מתנות כהונה

[ג] הכי גרסינן בהמה זו מהלכת רבוצה והולד נתון בתוך מעיה כמין שק והאשה זו מהלכת זקופה והולד נתון כו'. כן הביאו הערוך (ערך סקפטס): הכי גרסינן **ואין זה חיים וחסד: בחמין.** בערוך (ערך קמין) גרס קמין. ומשמע במקום שמסיקין שם האור: **שפיר.** פרש"י במסכת נדה מהוי כמין שכבת זרע: **סנדל.** מעוך כמין סנדל: הכי גרסינן **ואין זה חיים וחסד: קינין קינין כו'.** מיני חדרים הם: **חבילין חבילין.** שהתינוק מקושר בכמה חבלים וקשורים, ועיין עוד בערוך והוא גרס כינים: **במתלא.** במשל האמור בפי הבריות, כשהותר חבל אחד הותרו שני חבלים, כשהם קלועים ומגודלים זה בזה ובראשם קשר, כשהותר חבל אחד מתוך אותו קשר, שני החבלים נמצאים מותרים: **וביותר בשהוא זכר.** כי הטבע מקפדת יותר על הוית וקיום הזכר מנקבה, וגם הכתוב פתח בו בלשון פשיטות כי תזריע וילדה זכר, ולא כתיב אם תלד זכר, כמו אצל הנקבה:

אשד הנחלים

ועם כל זה הולד אצור בה, והיפך הוולד של בהמה שעל כל פנים היא מהלכת רבוצה והולד מונח ברחבה, ולא כן באשה. וכן מקום ההנקה הוא ממקום נאה, היפך מקום הבהמות, וכמו שאמרו (ברכות י, א) מלמד שעשה לה דדים במקום בינה, שזהו מקום הלב, וזהו רק חיים של חסד, הן בענין החיות והן בענין הנפשיות, כי החלב הוא המזג הראשון להולד, והוא ממקום נאה מאוד, וזהו ופקודתך, והשגחתך שמרה לרוחי להיות אצור וחי בתוכה. וזהו הציור בכתוב אשה כי תזריע וילדה, שזה מן הפלא יותר מן בריאת הבעלי חיים, וכל אחד מאלו מתבונן על הפלאים מיצירת האדם, שזהו חיים של חסד היפך הטבע: **בדין הוא כו'. אם היה זכר.** כלומר מצד הטבע היתה רואה כל הנך חדשים דם, כי אחר שהולד נוצר אם כן אין הדמים מועילים להולד, רק משום שמעט מעט הדם נעכר ונעשה חלב בדדיה, וזהו על צד ההשגחה לקיום

הָדָא כָּךְ יֵשׁ דְּלָתוֹת לָאִשָּׁה — so the womb of **a woman has doors.** הוּא דִכְתִיב "כִּי לֹא סָגַר דַּלְתֵי בִטְנִי" — **Thus it is written,** ***For no one closed the doors of my womb*** (*Job* 3:9).[74] וְרַבִּי יְהוֹשֻׁעַ אוֹמֵר: כְּשֵׁם שֶׁיֵּשׁ מַפְתְּחוֹת לְבַיִת כָּךְ לָאִשָּׁה הָדָא — **And R' Yehoshua says: Just as a house has keys so** the womb of **a woman has** keys.[75] הוּא דִכְתִיב "וַיִּשְׁמַע אֵלֶיהָ אֱלֹהִים וַיִּפְתַּח אֶת רַחְמָהּ" — **Thus it is written,** *God remembered Rachel;* ***God hearkened to her and He unlocked her womb*** (*Genesis* 30:22). רַבִּי עֲקִיבָא אוֹמֵר: כְּשֵׁם שֶׁיֵּשׁ צִירִים לְבַיִת כָּךְ יֵשׁ צִירִים לָאִשָּׁה — **R' Akiva says: Just as a house has hinges** for its doors, **so** the womb of **a woman has hinges** for its doors. הָדָא הוּא דִכְתִיב "וַתִּכְרַע וַתֵּלֶד כִּי נֶהֶפְכוּ עָלֶיהָ צִירֶיהָ" — **Thus it is written,** *His daughter-in-law, the wife of Phinehas, was soon to give birth, and when she heard the news about the capture of the Ark of God and [that] her father-in-law died, and her husband,* ***she crouched down and gave birth, for her hinges had altered upon her.*** *As she was about to die, those standing around her spoke to her, "Fear not, for you have borne a son!"* (*I Samuel* 4:19-20).[76]

The Midrash explains the end of the verse in terms of the fetus inside the womb:

"בְּגִיחוֹ מֵרֶחֶם יֵצֵא" — ***As it sallied forth to emerge from the womb*** (*Job* 38:8) — עַל יְדֵי שֶׁמִּתְגָּאֶה לָצֵאת — meaning that God closed in the unborn child *with bolted doors* **because he arrogantly** [גָּאֶה] **wishes to emerge.**[77]

The Midrash continues with its exposition of the passage from *Job:*[78]

"בְּשׂוּמִי עָנָן לְבוּשׁוֹ" — ***When I put a cloud on it as a garment*** (ibid. 38:9) — זֶה הַשָּׁפִיר — **this is** referring to **the** outer **membrane** of the developing fetus;[79] "וַעֲרָפֶל חֲתֻלָּתוֹ" — ***and a fog as its swaddling*** (ibid.) — זֶה הַשִּׁלְיָא — **this is** referring to **the afterbirth.**[80] "וָאֶשְׁבֹּר עָלָיו חֻקִּי" — ***And I constrained it with My decrees*** (ibid., v. 10) — אֵלוּ שְׁלֹשָׁה חֳדָשִׁים הָרִאשׁוֹנִים — **this is** alluding to **the first three months** of pregnancy;[81] "וָאָשִׂים בְּרִיחַ וּדְלָתָיִם" — ***and I emplaced a bar and bolted doors*** (ibid.) — אֵלוּ שְׁלֹשָׁה חֳדָשִׁים הָאֶמְצָעִים — **this is** alluding to **the middle three months.**[82] "וָאֹמַר עַד פֹּה תָבוֹא וְלֹא תֹסִיף" — ***And I said until here shall you go and no further*** (ibid., v. 11) — אֵלוּ ג' חֳדָשִׁים הָאַחֲרוֹנִים — **this is** alluding to **the last three months;**[83] "וּפֹא יָשִׁית בִּגְאוֹן גַּלֶּיךָ" — ***and here shall your waves*** [גַּלֶּיךָ] ***be set in glory*** (ibid.). רַבִּי אִיבוֹ אָמַר: בִּגְאוֹן גְּלָלֶיךָ — **R' Eivu said:** This is to be understood as, *and here shall* ***your excrement*** [גְּלָלֶיךָ] *be set* ***in glory.***[84] לְפִי שֶׁהַוָּלָד הַזֶּה כְּשֶׁהוּא יוֹצֵא — **For when this child comes forth** out of the womb,[85] יוֹצֵא מָלֵא גְּלָלִין וְכָל מִינֵי סֵירוּחִין — **he comes forth full of excrement and all kinds of malodorous substances,** וְהַכֹּל מְחַבְּקִים אוֹתוֹ וּמְנַשְּׁקִין אוֹתוֹ — **and** yet **everyone embraces him and kisses him.**[86]

Here too, the Midrash concludes the section by connecting God's acts of kindness with our verse:

וּבְיוֹתֵר אִם הוּא זָכָר — **And** God's kindness is **even greater if [the baby] is a male.**[87] הָדָא הוּא דִכְתִיב "אִשָּׁה כִּי תַזְרִיעַ וְיָלְדָה זָכָר" — **Thus it is written,** ***When a woman conceives and gives birth to a male.***[88]

§5 The Midrash cites and expounds a verse from *Psalms* that discusses conception:

דָּבָר אַחֵר — **Another interpretation:** "אִשָּׁה כִּי תַזְרִיעַ" — ***When a woman conceives*** *and gives birth to a male.* הָדָא הוּא דִכְתִיב "הֵן בְּעָווֹן חוֹלָלְתִּי" — **Thus it is written,** ***Behold, in iniquity was I fashioned,*** *and in sin did my mother conceive me* (ibid. 51:7). רַבִּי אַחָא אָמַר "בְּעָווֹן" מָלֵא — **R' Acha said:** The word בְּעָוֹן, ***in iniquity,*** in this verse **is** spelled in the **full** form, with a second *vav* [בְּעָווֹן],[89] אֲפִילוּ אִם יִהְיֶה חָסִיד שֶׁבַּחֲסִידִים — indicating that **even if one be the** most **pious of the pious,** אִי אֶפְשָׁר שֶׁלֹּא יִהְיֶה לוֹ צַד אֶחָד מֵעָוֹן — **it is impossible that he should not have** involved in his act **one part of iniquity.**[90]

NOTES

74. Job was protesting that the door to his womb, i.e., the womb from which he had been born, had not been closed shut thereby preventing his birth (see *Rashi* ad loc.). [Since, as indicated in this verse, the womb has doors, it is reasonable to interpret the other verse from *Job, He closed in the sea with bolted doors,* as referring to the human womb rather than to the ocean, which in fact has no doors.]

75. [That is, just as the doors of houses have locks that require keys to open them, so too the doors of a woman's womb have locks that require keys (see *Maharzu*). Alternatively, the word מַפְתְּחוֹת here refers to the locks themselves rather than to the keys with which they are locked and unlocked; see *Bechoros* loc. cit.]

76. I.e, the hinges of her womb malfunctioned, resulting in her death; see *Rashi* ad loc.

77. Expounding בְּגִיחוֹ, *as it sallied forth,* as if it were written בְּגֵיאוֹ, "in its arrogance," the ח and the א being interchangeable since they are both guttural. That is, the fetus arrogantly believes that it can leave the womb and live independently before it is in truth physically ready. God therefore created the womb with "doors" that are normally closed shut so as to prevent its premature exit (*Eitz Yosef*).

[*Eitz Yosef* explains that the infant seeking to escape from the confines of the womb is thus comparable to the sea, which rages at the shore as if seeking to escape its natural boundaries. Accordingly, the Midrash understands that the verse is using the word, יָם, *sea,* as a metaphor for the unborn child; see note 72 above.]

78. The remainder of the passage reads: בְּשׂוּמִי עָנָן לְבֻשׁוֹ וַעֲרָפֶל חֲתֻלָּתוֹ. וָאֶשְׁבֹּר עָלָיו חֻקִּי וָאָשִׂים בְּרִיחַ וּדְלָתָיִם. וָאֹמַר עַד פֹּה תָבוֹא וְלֹא תֹסִיף וּפֹא יָשִׁית בִּגְאוֹן גַּלֶּיךָ, *When I put a cloud on it as its garment and a fog as its swaddling, and I constrained it with My decrees, and I emplaced a bar and bolted doors, and said, "Until here shall you go, and no further, and here shall your waves be set in glory!"* (*Job* 38:9-11).

Here too, in its plain sense the passage is discussing the newly created sea, which is poetically described as a newborn. As with the first verse, the Midrash reverses the metaphor, interpreting the passage, including its ocean-like references, in terms of a human infant (see *Maharzu*).

79. See note 62 above. [Perhaps the שָׁפִיר is called *a cloud* because it is at first featureless until the inner tissues and bones develop sufficiently.]

80. I.e., the amniotic sac. The fetus is enveloped by the amniotic sac as if enveloped by a thick fog (*Eitz Yosef*).

81. During which the child resides in the lowest section of the womb (see *Niddah* 31a), near the opening, and only a Divine decree prevents the child from falling out of the womb (*Eitz Yosef*).

82. When the child resides in the middle section of the womb (see *Niddah* loc. cit.), where he is secured physically as if with a bolted door (*Eitz Yosef*). Alternatively, the change of wording is indicative of the fact that medically the danger of miscarriage is less during the second three months of pregnancy than during the first (*Yefeh To'ar,* second explanation).

83. That is, except for the most unusual circumstances, the pregnancy will not extend beyond these three months (*Eitz Yosef*).

84. Interpreting גַּלֶּיךָ (*your waves*) as if it were written with a double ל, גְּלָלֶיךָ, *your excrement.*

85. During or at the end of this three-month period (see *Yefeh To'ar*).

86. Although normally they would be repelled by such filth, God ordained that people should instinctively find the child endearing, as if the excrement glorified him (*Eitz Yosef*). This attraction that people feel toward a baby is one more example of God's kindness for the newborn (*Yefeh To'ar*).

87. See note 70 above.

88. See notes 71 and 51 above (see *Maharzu* here; however, see *Eitz Yosef*).

89. The second *vav* acting as a vowel, representing the *cholam* (long O) sound. Normally, עָוֹן appears in Scripture with only one *vav;* see *Rashi* to *I Chronicles* 21:8.

90. I.e., that he should not have some physical motivation involved in the act of conception (*Maharzu;* see *Eitz Yosef* for an alternative approach). The expanded form of the word עָווֹן indicates that this motivation is ubiquitous, so that even the most righteous do not fully escape it (see *Eitz Yosef*). Accordingly, David was not in any sense impugning his parents' piety when he declared here that he had been thus conceived (*Maharzu*). See Insight below on note 94, "One Part of Iniquity."

חידושי הרד"ל

בגיחו כו'. שיתגאה לצאת, ובגיחו מפרש כפשטיה, לשון נמשך לצאת, ולשון מתגאה דנקט הוא מסיפא דקרא בגאון גליך: **בשומי ענן לבושו כו'.** תוספתא דברכות (פ"ב הי"ד): **רבי איבו אמר בגאון גלליך.** כן צריך לומר ופירושו, אף על פי שהוא מלא גלים, שם הקב"ה בחוק הטבע שמתגאה להתחבב בעיני הכל לחבקו ולנשקו. ועיין פרשה כ"ז [סימן ז]: [ה] **בעוון חוללתי בעוון מלא רבי אחא כו'.** כן הוא בערוך ערך עו (הר"מ ברלין):

באור מהרי"פ

[ד] **בעון גללך.** נראה דצריך לומר בגאון גללך, כמובן, והוא מדמה הולד לים:

אמרי יושר

לאשה דלתות וצירים ומפתח. כי תעקר מסבת סיתום וצריך מפתח, או בהיפוך הרחם ועקלתנות זהו צירים, או מרפיון הרחם שאינה קולטת, והיינו דלתות, או היפוך האבר כלו, או היפוך פיו לבד: **ואשבור עליו חוקי אלו שלשה חדשים ראשונים.** שלא היה ראוי להסתכל בטיפת הרחם, עם כל זה השגחתי ודנתי מה תהא עליה:

כך לאשה. פירוש מפתח אחד לאשה: **בגיחו כו' שמתגאה כו'.** דרש בגיחו כאילו כתוב בגאו בחלוף אותיות אחה"ע, ורצה לומר בגיחו בשביל גאו, כלומר שהשמירות הללו ששם ה' ברחם האשה דלתות ומפתחות הוא מפני שמירת הולד לפי שמתגאה לצאת מרחם קודם זמנו ורע לו, ולפי זה כינה את העובר כים על שם שהוא כים נגרש ומתגאה לצאת, ויסך אלוה בעדו כמו ששם ה' גבול לים שלא יצא וישטוף את העולם. והרד"ל כתב בגיחו מפרש כפשוטיה לשון נמשך לצאת, ולשון מתגאה דנקט הוא מסיפיה דקרא בגאון גליך. עד כאן לשונו: **זה השליא.** על ידי שטמון בתוכה, כטמון במקום אפל, קרי לה ערפל: **שלשה חדשים הראשונים.** מפני שאז הולד במדור התחתון כדאיתא בפרק המפלת (נדה לא, א), ולכן קרוב יותר ליפול לפי שפי הרחם למטה ואז הוא קרוב לפה, וה' דרך גם מעמידו, והיינו ואשבור עליו חוקי שנתן לו חוק בל יעבור ובטל חק הטבע: **שלשה חדשים האמצעים.** שהוא במדור האמצעי והרי הוא בשמירה יותר כאילו שם לה בריח ודלתים: **אלו שלשה חדשים האחרונים.** שבתוך זה הזמן תהיה לידתו, יש שנולד לשביעי ויש לתשיעי, ולא יוסיפו עבור מזה הזמן, ואם יקרה לפעמים שיוסיף עבור מזה הזמן זהו על המקרה הרחוק, והכא בדרך העולם מדבר: **בגאון גליך.** כן צריך לומר, ומה שנכתב בעון גלליך הוא טעות סופר. ופירושו אף על פי שהוא מלא גלים, שם הקדוש ברוך הוא בחק הטבע שמתגאה להתחבב בעיני הכל לחבקו ולנשקו, ומפרש גליך לשון גללים, פירושו גלל וטינוף: **וביותר אם הוא זכר כו'.** הכוונה דאיתא בנדה (לא, ב) מפני מה אמרה תורה זכר לשבעה ונקבה לארבע עשרה, זכר שהכל שמחים בו מתחרטת לשבעה, נקבה שהכל עצבים בה מתחרטת לארבע עשרה, וזה שאמר המדרש וביותר אם הוא זכר, רצה לומר שהשמחה יותר כשהוא זכר הדא הוא דכתיב אשה כי תזריע וילדה זכר וגו' שבעת ימים, ובנקבה ארבע עשר ימים שמע מניה שיש יותר שמחה בזכר מבנקבה וכנזכר לעיל: **(ה) הדא הוא דכתיב הן בעון כו'.** גם כוונת אגדה זו לפרש דאשה כי תזריע רמז לחסדי ה' עם העובר, שהאב והאם לא יכוונו רק להנאתם וה' בהשגחתו על הטפה היא מהוה ממנה העובר, ולהכי מייתי האי קרא דרמיז ביה ענין זה כדמפרש ואזיל, ואיידי דמייתי קרא מפרש ליה כוליה כדרך המדרש: **ר' אחא אמר בעון מלא אפילו אם יהיה חסיד.** כן צריך לומר (יפה תואר). דמיתורא דוי"ו דעון דריש שאין נקי מעון, דרבויא הוא לומר שדרך העון למלאות מאד שאפילו חסיד אינו נמלט

כָּךְ יֵשׁ דְּלָתוֹת לְאִשָּׁה, הָדָא הוּא דִכְתִיב (שם ג, י) "כִּי לֹא סָגַר דַּלְתֵי בִטְנִי", וְרַבִּי יְהוֹשֻׁעַ אוֹמֵר: כְּשֵׁם שֶׁיֵּשׁ מַפְתְּחוֹת לְבַיִת כָּךְ לְאִשָּׁה, הָדָא הוּא דִכְתִיב (בראשית ל, כב) "וַיִּשְׁמַע אֵלֶיהָ אֱלֹהִים וַיִּפְתַּח אֶת רַחְמָהּ", רַבִּי עֲקִיבָא אוֹמֵר: כְּשֵׁם שֶׁיֵּשׁ צִירִים לְבַיִת כָּךְ יֵשׁ צִירִים לְאִשָּׁה הָדָא הוּא דִכְתִיב (שמואל-א ד, יט) "וַתִּכְרַע וַתֵּלֶד כִּי נֶהֶפְכוּ עָלֶיהָ צִירֶיהָ", (איוב לח, ח) "בְּגִיחוֹ מֵרֶחֶם יֵצֵא", עַל יְדֵי שֶׁמִּתְגָּאָה לָצֵאת (שם שם ט) "בְּשׂוּמִי עָנָן לְבֻשׁוֹ" זֶה הַשְּׁפִיר, (שם) "וַעֲרָפֶל חֲתֻלָּתוֹ" זֶה הַשִּׁלְיָא, (שם שם י) "וָאֶשְׁבֹּר עָלָיו חֻקִּי", אֵלּוּ שְׁלֹשָׁה חֳדָשִׁים הָרִאשׁוֹנִים, (שם) "וָאָשִׂים בְּרִיחַ וּדְלָתָיִם", אֵלּוּ שְׁלֹשָׁה חֳדָשִׁים הָאֶמְצָעִים, (שם שם יא) "וָאֹמַר עַד פֹּה תָבוֹא וְלֹא תֹסִיף", אֵלּוּ ג' חֳדָשִׁים הָאַחֲרוֹנִים, "וּפֹא יָשִׁית בִּגְאוֹן גַּלֶּיךָ" רַבִּי אֵיבוּ אָמַר: °בַּעֲוֹן גְּלָלֶיךָ, לְפִי שֶׁהַוָּלָד הַזֶּה כְּשֶׁהוּא יוֹצֵא *יוֹצֵא מָלֵא גְלָלִין וְכָל מִינֵי סֵירוּחִין, וְהַכֹּל מְחַבְּקִים אוֹתוֹ וּמְנַשְּׁקִין אוֹתוֹ, וּבְיוֹתֵר אִם הוּא זָכָר, הָדָא הוּא דִכְתִיב [יב, ב] "אִשָּׁה כִּי תַזְרִיעַ וְיָלְדָה זָכָר":

ה דָּבָר אַחֵר, [יב, ב] "אִשָּׁה כִּי תַזְרִיעַ", הָדָא הוּא דִכְתִיב (תהלים נא, ז) "הֵן בְּעָווֹן חוֹלָלְתִּי", [ה]רַבִּי אַחָא אָמַר: °אֲפִילוּ אִם יִהְיֶה חָסִיד שֶׁבַּחֲסִידִים אִי אֶפְשָׁר שֶׁלֹּא יִהְיֶה לוֹ צַד אֶחָד מֵעָוֹן,

אחד דורש מפסוק מיוחד. דלתי בטני פירוש על בטן אמו שנולד בה ויצא ממנה, כמו שכתוב בפסוק הסמוך למה לא מרחם אמות מבטן יצאתי ואגוע, אם כן מה שכתב דלתי בטני, גם כן הכוונה בטן אמו, כי יגיד עליו ריעו הנ"ל, הרי מכאן ראיה שיש לאשה דלתים, ואף שכתיב כי לא סגר דלתי בטני, וכל דלת סגור צריך מפתח לפתוח, אין מכאן ראיה על מפתח, כי יש דלתות שנסגרים בלא מפתח, על כן הוסיף רבי יהושע לדרוש מפסוק ויפתח את רחמה, שאין פתיחה של דלת סגור כי אם במפתח, ורבי עקיבא הוסיף שלהדלתות של אשה יש גם כן צירים, כדרך צירי דלתות הבית, וזהו מה שכתב ויסך בדלתים ים, משל על אם ורחם האשה שהוא מלא דם, כמו שכתב בסוף הפרשה כאן: **שמתגאה לצאת.** שמה שכתוב בגיחו מרחם יצא הוא כפול לשון, שיציאת הולד מרחם נקרא גיח, כמו שכתוב כי אתה גוחי מבטן, על כן דרש אל תקרי בגיחו אלא בגיאו, בעבור גיאו לצאת בלא עתו, על כן עשה לו דלתות ושפיר ושליא: **ענן לבושו וערפל חתולהו.** לפי הפשט על הים, מה שכתוב ענן וערפל כמשמעו שסוככים עליו תמיד ענן וערפל ושואבים מימיו, כמו שכתב בבראשית רבה (יג, י)„ ומה שכתוב לבושו וחתולתו הם דברי משל. ולפי הדרשה על הולד, מה שכתוב לבושו וחתולתו כמשמעו, ומה שכתוב ענן וערפל הוא משל: **ופה ישית בגאון גליך.** לפי הפשט על הים, הוא כמשמעו על הגלים המתגאים והולכים עד חול החוף ואינם הולכים יותר, ולפי הדרשה על הולד, אין לתיבת גליך שום ביאור, ובהכרח לדרוש אל תקרי בגאון גליך אלא באון ועון גלליך, וכמו שמשתתפים טינוף הגוף עם טינוף הנפש בעונות בענין הנואה והגללים, כמו שכתוב אם רחץ ה' את צואת בנות ציון, כך משתתפים בשם עון ואון, שגם טינוף הגוף נקרא בשם עון ואון, וזהו בעון ואון גלליך, על פי מדה כ' וממעל, ואף שלפי הדרש אין מקום לאות גימ"ל במלת און, עם כל זה זהו של מדת ממעל, שהתיבה הנדרשת מרחפת על פי תיבה הכתובה לפי הענין, פעם כל התיבה ופעם בחסרון או ביתרון אות להשלים הדרשה, וזהו כי אשה כי תזריע וגו', רומז על הפליאות מעת כי תזריע עד עת לידה: **(ה) חסיד וכו' צד אחד מעון.** שמאחר שאמר ובחטא יחמתני אמי, אם כן מה שכתוב בעון חוללתי על אביו, שבין מצד האב ובין מצד האם יש בהם צד שדומה לחטא ועון, אבל השכל והנשמה האצולה ממרומים, ואם כן נראה מצד שבא דוד לפגוס כבוד אביו ואמו, לזה דורש שהכוונה שאפילו החסיד המובחר שבכל החסידים, לא יתכן שיולידו בדרך אחר מקלתו, והדר דריש סיפיה דקרא דהן בעון חוללתי, דרצה לומר שתחילת יצירתו היתה בעון שלא נתכוין מולידו למצות פרו ורבו, אלא להנאת עצמו הנאת המשגל וזה נחשב קצת לעון: **אפשר שלא כו'.** שאי אפשר לעמוד תמיד על הנקיות הגמור מפני טבע החומר, ועיין בענף:

מתנות כהונה

[ד] **ויפתח.** לשון מפתח ופתח: **בגיחו כו'.** על ידי שמתגאה דריש בגיחו, כאלו כתיב בגאו, בחילוף אחה"ע: **גלליך.** לשון גלל וטינוף. נראה דהכי גרסינן **הדא הוא דכתיב אשה כי תזריע וגו'.** ודו"ק:

אשד הנחלים

הולד, וכל שכן אם היה זכר שאז ההשגחה והטבע פוקד עליו יותר כו'. כמו שפירש המתנות כהונה: [ד] **כשם שיש מפתחות.** ולכן דרשו כל הכתוב על יצירת האדם, שהוא דוגמא ממש לזה: **שמתגאה.** וזהו בגיחו שהטבע דוחקת לצאת בחוזק גדול, כאלו יוצא בגאון גדול, אך הוא מלובש וחתול בענן וערפל, שזהו השפיר והשליא: **ואשבור עליו חוקי בשלשה חדשים הראשונים.** שאז החוק שנתייסד שלא יניע עצמו מאומה, ובשלשה חדשים האמצעים ימצא בו כח התנועה, אך ואשים עליו בריח ודלתים לבלי יצא, ובשלשה חדשים האחרונים שאז יתעורר בו הטבע לצאת מעט מעט, אך הכל במדה ובמשקל ואומר אליו עד פה תבוא: **מלא גללים.** וכאלו הכתוב משחק על דרך מליצה, ופה

מסורת המדרש

ה. ילקוט נ"ך רמז תשס"ה:

אם למקרא

הֵן בְּעָווֹן חוֹלָלְתִּי וּבְחֵטְא יֶחֱמַתְנִי אִמִּי: (תהלים נא:ז)

שינוי נוסחאות

(ד) **ופא ישית בגאון גליך.** בכל נוסחאות המדרש שבדפוס הובא פסוק זה שלא בדיוק: **בעון גלליך.** בספרים הישנים היה כתוב "בעוז גלליך" ולא הגיה מ"כ כלום לשנות נוסח זה, אבל באמשטרדם ת"א התחילו לכתוב "בעון" (וכן הוא באמת ברוב כי"י), וכולם העתיקו את זה אח"כ, וברד"ל הגיה "בגאון" במקום "בעון", וכן הוא במקצת כתי"י: (ה) **רבי אחא אמר: אפילו אם יהיה חסיד שבחסידים ... .** צריך להוסיף לפני "אפילו": <"בְּעָווֹן" מָלֵא>, כ"כ יפ"ת ורד"ל ועצ"י וכ"ה בילקוט ובכי"י:

אָמַר דָּוִד לִפְנֵי הַקָּדוֹשׁ בָּרוּךְ הוּא — David said before the Holy One, blessed is He: רִבּוֹן הָעוֹלָמִים — Master of the Worlds, כְּלוּם נִתְכַּוֵּון אַבָּא יִשַׁי לְהַעֲמִידֵנִי — when I was being conceived, **did** my **father, Jesse, at all intend to bring me into existence?**[91] **וַהֲלֹא לֹא נִתְכַּוֵּון אֶלָּא לַהֲנָאָתוֹ — But** in fact, **was not his intention only for his** own **pleasure?**[92] **תֵּדַע שֶׁהוּא כֵּן — One may know that this is so, שֶׁמֵּאַחַר שֶׁעָשׂוּ צָרְכֵיהֶן — for** even with regard to the very righteous, **after [the man and wife] have carried out their** own **needs,**[93] **זֶה הוֹפֵךְ פָּנָיו לְכָאן וְזוֹ הוֹפֶכֶת פָּנֶיהָ לְכָאן — this one turns his face in this direction and that one turns her face in that direction.**[94] **וְאַתָּה מַכְנִיס כָּל טִיפָּה וְטִיפָּה שֶׁיֵּשׁ בּוֹ — And it is You,** God, **Who brings each and every drop** of semen **that is there** into the womb.[95] **וְהוּא שֶׁדָּוִד אָמַר ״כִּי אָבִי וְאִמִּי עֲזָבוּנִי וה׳ יַאַסְפֵנִי״ — And this** is the meaning **of that which David said, *Though my father and mother have forsaken me, HASHEM has gathered me in*** (ibid. 27:10).[96]

The Midrash explains the second half of the original verse from *Psalms*:

״וּבְחֵטְא יֶחֱמַתְנִי אִמִּי״ — *And in "cheit" did my mother conceive me* (ibid. 51:7). **אָמַר רַבִּי חִיָּיא בַּר אַבָּא — R' Chiya bar Abba said: אֵין הָאִשָּׁה קוֹלֶטֶת אֶלָּא אַחַר נִדָּתָהּ — A woman conceives only after her menses,**[97] **וּבְסָמוּךְ — and near** to them.[98]

The Midrash returns to its discussion of God's active role in ensuring the success of conception, finding in our verse an allusion to that role:

וּבְיוֹתֵר אִם הָיָה זָכָר — And God's kindness is **even greater if [the baby] is a male. הָדָא הוּא דִכְתִיב ״אִשָּׁה כִּי תַזְרִיעַ וְיָלְדָה זָכָר״ — Thus it is written, *When a woman conceives and gives birth to a male.***[99]

§6 Citing another verse from *Psalms*, the Midrash discusses a different aspect of God's role in conception:

דָּבָר אַחֵר — Another interpretation: ״אִשָּׁה כִּי תַזְרִיעַ״ — *When a woman conceives* *and gives birth to a male.* **הָדָא הוּא דִכְתִיב ״אָרְחִי וְרִבְעִי זֵרִיתָ וְכָל דְּרָכַי הִסְכַּנְתָּה״ — Thus it is written, *You have selected my path and my breeding, You are familiar with all my ways*** (*Psalms* 139:3). **רַבִּי יוֹחָנָן וְרֵישׁ לָקִישׁ — R' Yochanan and Reish Lakish** disagreed regarding the formation of the

NOTES

91. I.e., did he engage in relations with my mother for the purpose of conceiving a child? An altruistic intent to ensure the future continuity of humanity and to fulfill the Divine command of *"Be fruitful and multiply"* (*Genesis* 1:28) would have been the proper motivation for performing this act; see below.

92. The Talmud lists Jesse as one of four people in history who did not die on account of their own sins but rather due to Adam's sin of eating from the Tree of Knowledge (*Bava Basra* 17a). Clearly, then, he would have been concerned about fulfilling the Divine commandment (*Radal*). The Midrash means though that intimacy itself involves physical desire, and not only the more exalted urge. Although that is in no sense an actual sin and violates no Torah prohibition, Scripture calls it עָוֹן, *iniquity,* for it is deemed a blemish relative to the exalted essence of the human soul (*Maharzu;* see also *Anaf Yosef,* first explanation).

93. I.e., their desires.

94. Showing no concern for the success of the conception (see *Eitz Yosef*), thereby indicating that they were motivated, at least to an extent, by desire. [Since such is the behavior of even the most pious, it can be assumed that even Jesse acted in this fashion.] See Insight Ⓐ.

95. Where it forms the child.

96. That is, at the time of his conception his parents "abandoned" him and it was God Who ensured that the semen would enter the womb, allowing the conception to take place (*Yefeh To'ar, Maharzu*).

97. That is, after the menses have finished, allowing her to purify herself through immersion in a *mikveh.* R' Chiya bar Abba is apparently interpreting חֵטְא in the sense of *purging* or *cleansing,* as in the verse, תְּחַטְּאֵנִי בְאֵזוֹב, *Purge me with hyssop* (*Psalms* 57:9); see *Niddah* 31b (*Matnos Kehunah, Eitz Yosef*).

98. I.e., immediately after she has purified herself from her menstrual contamination; see above (*Maharzu, Eitz Yosef;* however, see *Matnos Kehunah* and *Imrei Yosher,* first explanation).

99. For as mentioned previously, the reference to conception in our verse alludes to all of God's kindness involved therein; see notes 70 and 71 above.

INSIGHTS

Ⓐ **One Part of Iniquity** The Midrash expounds a verse to teach that the marital act, even when performed by "the pious of the pious," such as King David's father Jesse, must perforce involve "one part of iniquity," for a person invariably acts, to some small degree at least, for one's own pleasure.

Maharal addresses this Midrash in the context of a discussion concerning the Aristotelian view that sees the procreative act as something shameful and unclean. This, asserts *Maharal,* is *not* the Torah viewpoint. First, the marital act lies at the foundation of the world, for without it, the world would remain unpopulated. It is beyond imagining that God would have dishonored His Name by founding His creation upon an act of degradation. Perforce, the act is in no way a shameful one. Furthermore, the verse states, regarding Adam and Eve before they sinned (*Genesis* 2:25): וַיִּהְיוּ שְׁנֵיהֶם עֲרוּמִּים ... וְלֹא יִתְבֹּשָׁשׁוּ, *and they were both naked . . . and they were not ashamed.* Clearly, these matters are not inherently shameful. The shame that presently attaches to them is not *intrinsic.* It was introduced from elsewhere, through the agency of Adam, the First Man, who, with his sin, transformed the human condition.

Before the sin, the existence of Adam and Eve centered around *avodas Hashem,* serving God. Their physical acts were entirely pure, performed for no reason other than to fulfill the will of the One Above. When hungry they ate, when thirsty they drank, not for their own pleasure, but in service of God, to fulfill His command to live and populate creation. So too with regard to the marital act. Whatever pleasure was derived from its performance was for the sake of God, never for themselves. This mode of existence was all they knew. It was not in them even to imagine the possibility of acting in service of themselves. Thus, all they did was holy, as were all their limbs. No differentiation was made between the various parts of the human anatomy. The arms, the legs, the eyes, the reproductive organs were all regarded equally as nothing more than tools with which to fulfill the will of the Creator. Then the serpent came. He seduced Adam and Eve, and injected his venom into Man. From that point on, Man became aware of the possibility of self-gratification, of performing an act for one's own sake and not for the sake of God. This is the essence of sin: the turning away from the Creator to gratify one's own desires. Before he sinned, Man perceived his own will as one with that of the Creator. After he sinned, Man perceived his own will as something distinct from that of the Creator. All sin proceeds from that illusory self-awareness, product of the evil inclination, fed by the venom of the primeval serpent.

Maharal cites our Midrash as proof that all mankind is subject to the effects of Adam's sin. No one is exempt. When the Midrash says that one who cohabits with his wife has "one part of iniquity," the iniquity referenced is *not* the marital act itself, which is not sinful in the least, but rather the long-ago sin of Adam, which allowed the evil inclination entry into Man, and thus changed Man's perception of his relationship with the Creator. Since the moment of Adam's sin, no person can perform the procreative act purely for the sake of Heaven. Even the most righteous must perforce turn, in some hidden recess of the heart, ever so slightly toward oneself, a vestige of the sin of Adam. The Midrash illustrates this with the example of Jesse, father of King David, who was completely without sin, and would not have died at all, were it not for "the counsel of the serpent" that led to the sin of Adam that decreed death upon mankind (*Bava Basra* 17a). Even Jesse, the perfect and greatly pious, was powerless to perform an act that would be selfless and pure in its entirety. In his heart too, there seethed a drop of the hateful venom, turning him, in the smallest imaginable measure, toward the path of self-gratification (*Maharal, Be'er HaGolah,* pp. 92-93, and *Gur Aryeh* to *Rashi, Genesis* 3:7; see also *Nefesh HaChaim,* gloss to 1:6, s.v. וזה היה קודם; see *Sforno, Genesis* 2:25; see also *Chidushei HaLev, Tazria* pp. 42-43).

אָמַר דָּוִד לִפְנֵי הַקָּדוֹשׁ בָּרוּךְ הוּא: רִבּוֹן הָעוֹלָמִים, כְּלוּם נִתְכַּוֵּן אַבָּא יִשַׁי לְהַעֲמִידֵנִי, וַהֲלֹא לֹא נִתְכַּוֵּן אֶלָּא לַהֲנָאָתוֹ, תֵּדַע שֶׁהוּא כֵּן שֶׁמֵּאַחַר שֶׁעָשׂוּ צָרְכֵיהֶן זֶה הוֹפֵךְ פָּנָיו לְכָאן וְזוֹ הוֹפֶכֶת פָּנֶיהָ לְכָאן, וְאַתָּה מַכְנִיס כָּל טִיפָּה וְטִיפָּה שֶׁיֵּשׁ בּוֹ, וְהוּא שֶׁדָּוִד אָמַר (שם כז, י) "כִּי אָבִי וְאִמִּי עֲזָבוּנִי וַה' יַאַסְפֵנִי", (שם נא שם) "וּבְחֵטְא יֶחֱמַתְנִי אִמִּי", אָמַר רַבִּי חִיָּיא בַּר אַבָּא: אֵין הָאִשָּׁה קוֹלֶטֶת אֶלָּא אַחַר נִדָּתָהּ וּבְסָמוּךְ, וּבְיוֹתֵר אִם הָיָה זָכָר, הָדָא הוּא דִכְתִיב [יב, ב] "אִשָּׁה כִּי תַזְרִיעַ וְיָלְדָה זָכָר":

ו דָּבָר אַחֵר, [יב, ב] "אִשָּׁה כִּי תַזְרִיעַ", הָדָא הוּא דִכְתִיב (שם קלט, ג) "אָרְחִי וְרִבְעִי זֵרִיתָ וְכָל דְּרָכַי הִסְכַּנְתָּה", רַבִּי יוֹחָנָן וְרֵישׁ לָקִישׁ, רַבִּי יוֹחָנָן אָמַר: אֵין הַקָּדוֹשׁ בָּרוּךְ הוּא צָר אֶת הָאָדָם אֶלָּא מִטִּפָּה שֶׁל לְבָנוֹת, °וְרֵישׁ לָקִישׁ אָמַר: "זֵרִיתָ" כְּאָדָם שֶׁזּוֹרֶה וְנוֹתֵן תֶּבֶן בִּפְנֵי עַצְמוֹ° עַד שֶׁמַּעֲמִיד הַדָּגָן עַל בֻּרְיוֹ, רַבִּי שִׁמְעוֹן בֶּן לָקִישׁ אָמַר: אַף אֵינוֹ מְאַבֵּד אֶת הַטִּפָּה אֶלָּא זוֹרֶה מִטִּפָּה לַמּוֹחַ וּמִטִּפָּה לָעֲצָמוֹת וּמִטִּפָּה לַגִּידִים, וּבְיוֹתֵר אִם הָיָה זָכָר, הָדָא הוּא דִכְתִיב [יב, ב] "אִשָּׁה כִּי תַזְרִיעַ וְיָלְדָה זָכָר":

ז דָּבָר אַחֵר, [יב, ב] "אִשָּׁה כִּי תַזְרִיעַ", הָדָא הוּא דִכְתִיב (קהלת יא, ב) "תֶּן חֵלֶק לְשִׁבְעָה וְגַם לִשְׁמוֹנָה", "תֶּן חֵלֶק לְשִׁבְעָה" אֵלּוּ ז' יְמֵי נִדָּה, "וְגַם לִשְׁמוֹנָה" אֵלּוּ ח' יְמֵי הַמִּילָה, אָמַר הַקָּדוֹשׁ בָּרוּךְ הוּא: אִם שָׁמַרְתָּ יְמֵי נִדָּה אֲנִי נוֹתֵן לְךָ בֵּן וְאַתָּה מוֹלוֹ לִשְׁמוֹנָה יָמִים, הֱוֵי [יב, ג] "וּבַיּוֹם הַשְּׁמִינִי יִמּוֹל בְּשַׂר עָרְלָתוֹ":

ח תָּנָא: צוּרַת הַוָּלָד *כֵּיצַד, תְּחִלַּת בְּרִיָּיתוֹ דּוֹמֶה לְרָשׁוֹן, ב' עֵינָיו כְּב' טִיפִּין שֶׁל זְבוּב, וּב' חוֹטָמָיו כִּשְׁתֵּי טִיפִּין שֶׁל זְבוּב, וּשְׁתֵּי אָזְנָיו כִּשְׁתֵּי טִיפִּין שֶׁל זְבוּב, וּשְׁתֵּי זְרוֹעוֹתָיו כִּשְׁתֵּי חוּטִין שֶׁל זְהוֹרִית,

עץ יוסף

תדע לך. שאלו יכוונו לחיות זרע לא יהפכו פניהם מיד, שמהנהגת העיבור שלא יפסיד מהולדת האבר מיד אבל ישקוד שם שעה, וכן היה ראוי שתעמוד במלבה בעת העבור שוקדת דביקת הרגלים יולדת הנשימה ותיקן אחר זה: **אחר נדתה ובסמוך.** פירוש שלא יעברו ימים רבים אחרי נדתה אלא סמוך להעברת ימי נדתה והיינו כדרבי יוחנן דאמר בפרק המפלת (נדה לא, ב) אין אשה מתעברת אלא סמוך לטבילתה, ודריש ליה מבחטא יחמתני אמי שהוא לשון טהרה, כלשון וחטאו את הבית כדאיתא התם, ופירש רש"י הכי קאמר על ידי דם נדות שהוא המביאו לידי עון חוללתי שהוא גרם לי (שעברה) [שנבראתי], וכשנתחטאת אמי ממנו יחמתני: **(ו) ארחי ורבעי כו'.** גם כוונת אגדה זו לפרש כי תזריע על חסד ה' עם הטובר, ויותר כשעושהו זכר, והיינו דמסיים וביותר אם הוא זכר, אלא דמפרש ליה בברירת טיפת הזרע ממש וזריקתה לאיברים, ולהכי נקט האי קרא דמשמע ליה בהכי וכדמפרש ואזיל, ולפי זה יהיה פירוש ארחי ורבעי על ענין התשמיש כדפירש רש"י בפרק המפלת (נדה לא, א) ארחי תשמיש כמו דרך גבר בעלמה, ורבעי תשמיש לשון לרבעה: **מטיפה של לבנות.** כלומר מהיותר ברור שבזרע, כמו שאמר בפרק המפלת על זה הפסוק שלא נוצר אדם מכל הטיפה אלא מן הברור שבה, ודריש לה מזרית כדמפרש כאדם שזורה וכו': **רבי שמעון בן לקיש אמר אף כו'.** מודה הוא בדרשת רבי יוחנן, אלא שהוסיף עוד דזרית אתא נמי למימר שאינו מאבד הטפה הנשארת אלא שזורה ממנו לעצמות ולשאר האברים, וזהו שאמר אלא זורה מטפה למוח היינו מן הטוב ממנו למוח, ומטפה לעצמות היינו מן הנשאר: **וביותר אם היה זכר.** פירוש ביותר עושה ה' חסד עמו שעושהו זכר כדפירשתי לעיל (סימן ג): **(ז) חלק לשבעה כו'.** משום דקשיא ליה מאי טעמא להזכיר דין המילה הכא לגבי דיני הנדות, בעי למימר דרמיז שבזכות שמירת ימי נדה תזכה לבן שיקיים בו מצות מילה, ומייתי סמך לזה האי קרא דזה פירושו למאי דמפרש שבעה ימי נדה ושמנה ימי מילה: **אלו שבעה ימי נדה.** פירוש תן חלק לה' לקיים מצותו בשבעה ימי נדה, ובכן תתן לו גם כן חלק ותתקיים מצותו במילה. או הכוונה שיהיה חלוק והפרדה בינו ובין אשתו בשבעה ימי נדה, ואז תזכה גם למצות שמנה: **(ח) דומה לרשון.** הוא חגב: **בשני טיפין של זבוב.** כעיני הזבוב: **ושתי חוטמיו.** בגמרא (נדה כה, א) מייתי דתני רבי חייא שתי עיניו מרוחקים זה מזה, ושתי חוטמיו מקורבין זה לזה: **זהורית.** נימא של משי. ועיין בירושלמי (נדה פ"ג ה"ג) ובבלי פרק המפלת (שם):

פירוש מהרז"ו

כי אם באופן זה של גד החשק והתאוה המשותפת לעוברי עבירה, אלא שמתכוונים בכוונתם: **אבא ישי להעמידני.** והגם שכוונת הצדיק לקיים מצות פרו ורבו, מאחר שאין להם שום יכולת על יצירת הולד, אין להם אלא מעשה התאוה וההנאה: **כי אבי ואמי עזבוני.** הרי כתיב בתהלים כ"ב כי אתה גוחי מבטן מבטיחי על שדי אמי, הרי שאמו לא עזבה אותו, ושאול המלך כשרצה ליקח את דוד אצלו, שלח לישי שישלח אותו אליו ואמר לו עוד יעמוד נא דוד לפני, הרי שלא עזבו, והם שני כתובים מכחישים, על כן דורש ומכריע על תחלת יצירתו, שאין לאביו ולאמו שום יכולת ופעולה בזה רק השם יתברך לבדו: **אלא אחר נדתה.** כמו שמבואר נדה (לא, ב) אין האשה מתעברת אלא סמוך לווסתה שנאמר הן בעוון חוללתי, ורבי יוחנן אמר סמוך לטבילתה שנאמר ובחטא יחמתני אמי, אמר רבי יצחק מאי משמע דהאי חטאה לישנא דדכויי הוא, דכתיב וחטא את הבית, ומתרגמינן ודכי ית ביתא, ואי תימא מהכא תחטאני באזוב ואטהר, הובא בילקוט תהלים (רמז תשסה), ולזה כוון גם כאן: **(ו) אלא של לבנות.** זרית מלשון זורה הגורן, עיין נדה (לא, ב) שאין הולד נוצר כי אם מן המלובן המובחר, וריש לקיש מדייק יותר שמחלק את המלובן לכמה חלקים, זיכוך אחר זיכוך, המובחר שבמובחר למוח, והנשאר לשאר אברים: **(ז) תן חלק לשבעה.** עיין קהלת רבה פסוק זה (דף קי"ג [פרשה יא פסוק ב אות א]), ודרשה זו על פי מדה י"ג על דברים המפורשים בתורה, שהם של שבעה ושמונה: **(ח) תנא צורת הולד.** עיין נדה (ל, ב):

מתנות כהונה

[ה] אחר נדתה. מיד אחר הטבילה, ודייק מדכתיב (תהלים נא, ז) ובחטא יחמתני אמי, ואין חטוי אלא לשון טהרה (עיין במדבר יט, ט ברש"י ד"ה חטאת), וכן הוא בפרק המפלת (נדה לא, ב): **ובסמוך.** סמוך לנדתה: **[ו] של לבנות.** המלובן והמובחר והמבורר שבו: מטפה למוח כו'. הטוב ממנו למוח, וקלטו הראוי לעצמות וכן הכל: הכי גרסינן **הדא הוא דכתיב אשה כי תזריע: [ח]** הכי גרסינן בילקוט איוב (רמז תקלז) **דומה לרשון.** והוא חגב, וכן הוא בתוספתא פרק המפלת: **זהורית.** נימא של משי, ובירושלמי

אשד הנחלים

בעולם, תשית בגאון גלליך המלאים והמטונפים, ובודאי צריך אתה להתגאות בזה בתמיה, ועם כל זה יאהבוך ויחבקוך: **[ו] מטפה למוח כו'. לעצמות.** כלומר שבטפה עצמה יש הבדלים, שמהזך נעשה המוח, ומהבלתי זך העצמות, וכן כל אבר מיוחד: **[ז] אם שמרת.** הוא בדרך אסמכתא, אם תתן חלק לשבעה לשמור ימי נדותה, אז תזכה גם לשמונה, ועיין בהקדמתי בפ"א, והסבה כמו שביארו לעיל שאין האשה מתעברת כי אם סמוך לנדתה, שאז התשוקה גוברת בה יותר, ואם האשה מזרעת תחילה, הרי היא יולדת זכר: **[ח] צורת הולד כיצד כו'.** הבאור בזה על דרך חכמת הרפואה, עיין בספר הרמ"ג, ובספר תפארת האדם:

חידושי הרד"ל

כלום נתכוין אבא ישי כו' להנאתו. אפשר הדבר מכוון למה שנאמר בדוד בשוחר טוב שם, שנתכוין לשפחתו, עיין שם, אבל בלאו הכי לא יתכן שישי שמת בעטיו של נחש לא יכוין רק להנאתו, ולא לקיום המצוה והמין:

חידושי הרש"ש

[ו] רבי יוחנן וריש לקיש רבי יוחנן אומר אין הקדוש ברוך הוא צר את האדם וכו' כאדם שזורה ונותן תבן בפני עצמו. רצה לומר ואינו הולך לאבוד אלא מגניעו לבהמה וכדאיתא, וכן מהטיפה אין הולך מאתה כלום לאבוד וכדמפרש בסמוך מטיפה למוח וכו': **[ז] אמר הקדוש ברוך הוא אם שמרת ימי נדה אני נותן לך כו' הוי וביום השמיני.** פירוש ובפסוק שלפניו מסיים כנדת דותה תטמא:

באור מהרי"פ

[ח] מתנות כהונה בד"ה דומה לרשון והוא חגב וכו'. (חולין סה, ב) ובתרגום סלעם זה רשון, עיין שם, וכן הוא בתוספות (נדה כה, א ד"ה תחלת ברייתו):

אמרי יושר

[ה] אין אשה קולטת אלא סמוך לנדתה. זהו ובחטא יחמתני אמי, ולזה וכפר עליה הכהן (ויקרא יב ח), או סמוך לטבילתה וחיטוייה, וביותר אם הוא זכר, כי צריך התעוררת חום יותר, ועוד שיש לו כח למשוך יותר: **[ו] טיפה אחת למוח.** רצה לומר שאינו זורה ומשליך השאר לאיבוד, אלא מהטב נוצרו האיברים הטבים והפחותים, איש איש כערכו: **האשה מזרעת אודם.** חכמינו ז"ל סוברים כסברת הפילוסוף (מובא ברמב"ן כאן פסוק ב), שאין לזרע האשה מבוא להולדה אלא האודם שלה, וכסברת הרמב"ן (שם), והרלב"ג חולק כי הטבע לא יפעל דבר לבטלה:

אם למקרא

כִּי אָבִי וְאִמִּי עֲזָבוּנִי וַה' יַאַסְפֵנִי: (שם כז:י)

אָרְחִי וְרִבְעִי זֵרִיתָ וְכָל דְּרָכַי הִסְכַּנְתָּה: (תהלים קלט:ג)

תֶּן־חֵלֶק לְשִׁבְעָה וְגַם לִשְׁמוֹנָה כִּי לֹא תֵדַע מַה־יִּהְיֶה רָעָה עַל־הָאָרֶץ: (קהלת יא:ב)

ענף יוסף

(ה) אמר דוד כלום נתכוין ישי אבי כו'. ואף על גב שאמרו חכמינו ז"ל בשבת (נה ב) שישי לא חטא מעולם שמת בעטיו של נחש, פירוש שלא עבר על אחד

שינוי נוסחאות

(ו) רבי יוחנן וריש לקיש. בד' אמשטרדם ת"א הוסיפו וכתבו "רבי יוחנן וריש לקיש ורבי שמעון בן לקיש", כאילו יש כאן שלש שיטות, וכאילו ריש לקיש חולק על רשב"ל, וכמובן אינו אלא טעות. ורוב הדפוסים אח"כ לא קיבלו שינוי נוסח זה, אבל בוילנא תרמ"ז העתיקו טעות זו מד' אמשטרדם: **רבי יוחנן אמר: אין הקדוש ברוך הוא צר את האדם אלא מטפה של לבנות, וריש לקיש אמר: זרית כאדם שזורה.** במקום "וריש לקיש אמר" צריך לומר "רבי יוחנן אמר", והוא המשך דברי ר' יוחנן, כן היה כתוב בכל הספרים עד אמשטרדם ת"א, ובאמשטרדם כנראה שנתקשו איך באו דברי ר' יוחנן זה אחר זה ולכן שינו לכתוב כאן "וריש לקיש", לומר שהוא חולק על ר' יוחנן וגם על רשב"ל שבאו דבריו אח"כ, וכבר כתבתי לעיל שכל הגישה הזאת היא טעות גסה, אבל כאן (בניגוד ללעיל) כתבו כל המדפיסים אח"כ כאמשטרדם "וריש לקיש", אבל באמת צריך להחזיר הנוסח לכמו שהיה בספרים ישנים, שהוא המשך דברי ר' יוחנן שממשיך להסביר לשון "זרית" לפי שיטתו. **ונותן תבן בפני עצמו.** בכל הספרים הישנים היה כתוב כאן עוד "וקש בפני עצמו", אבל באמשטרדם ת"א השמיטו תבות אלו (בטעות) וכן העתיקו כל המדפיסים אח"כ, עד שהחזירו הנוסח הישן בוילנא תרמ"ז:

human embryo. רַבִּי יוֹחָנָן אָמַר: אֵין הַקָּדוֹשׁ בָּרוּךְ הוּא צָר אֶת הָאָדָם אֶלָּא מִטִּפָּה שֶׁל לְבָנוֹת — **R' Yochanan said: The Holy One, blessed is He, forms man only from a refined drop** of semen.[100] רַבִּי יוֹחָנָן אָמַר: "זֵרִיתָ" — **R' Yochanan said** in support of his position: ***You have "zair"*** [זֵרִיתָ] *my path and my breeding* means כְּאָדָם שֶׁזּוֹרֶה וְנוֹתֵן תֶּבֶן בִּפְנֵי עַצְמוֹ וְקַשׁ בִּפְנֵי עַצְמוֹ — that God "winnows" the semen **like a person who winnows** [זוֹרֶה] grain, **placing the straw by itself** separate from the grain **and the stubble by itself** separate from the grain,[101] עַד שֶׁמַּעֲמִיד הַדָּגָן עַל בָּרְיוֹ — **until he reduces the grain to its pure state.**[102] רַבִּי שִׁמְעוֹן בֶּן לָקִישׁ אָמַר: אַף אֵינוֹ מְאַבֵּד אֶת הַטִּפָּה — **R' Shimon ben Lakish said: In fact, [God] does not waste** any part of **the drop,**[103] אֶלָּא זוֹרֶה מִטִּפָּה לַמּוֹחַ — **rather, He "winnows"** the choicest part **from the drop to** form **the brain,**[104] וּמִטִּפָּה לָעֲצָמוֹת — **and from** the remainder of **the drop,** He selects that which is best **to** form **the bones,** וּמִטִּפָּה לַגִּידִים — **and** similarly, **from the** remainder of **the drop,** He selects that which is best **to** form **the sinews.**[105]

As in the previous sections, the Midrash links God's role in the conception and birth of the child with our verse:

וּבְיוֹתֵר אִם הָיָה זָכָר — **And** God's kindness is **even greater if [the child] is a male.** הָדָא הוּא דִכְתִיב "אִשָּׁה כִּי תַזְרִיעַ וְיָלְדָה זָכָר" — **Thus it is written, *When a woman conceives and gives birth to a male.***[106]

וּבַיּוֹם הַשְּׁמִינִי יִמּוֹל בְּשַׂר עָרְלָתוֹ.

On the eighth day, the flesh of his foreskin shall be circumcised (12:3).

§7 In this passage Scripture is discussing the contamination of the new mother, hence the mention here of circumcision appears incongruous.[107] Midrash finds the explanation in a verse from *Ecclesiastes*:

דָּבָר אַחֵר — **Another interpretation:** "אִשָּׁה כִּי תַזְרִיעַ" — ***When a woman conceives*** *and gives birth to a male, she shall be contaminated for a seven-day period, as during the days of her menstrual infirmity shall she be contaminated. On the eighth day, the flesh of his foreskin shall be circumcised.* הָדָא הוּא דִכְתִיב "תֶּן חֵלֶק לְשִׁבְעָה וְגַם לִשְׁמוֹנָה" — **Thus it is written, *Give a portion for seven, and also for eight*** (*Ecclesiastes* 11:2). "תֶּן חֵלֶק לְשִׁבְעָה" אֵלּוּ ז' יְמֵי נִדָּה — ***Give a portion for seven*** — **these** seven **are the seven days of menstruation;**[108] "וְגַם לִשְׁמוֹנָה" אֵלּוּ ח' יְמֵי הַמִּילָה — ***and also for eight*** — **these are the eight days of circumcision.**[109] אָמַר הַקָּדוֹשׁ בָּרוּךְ הוּא — **The Holy One, blessed is He, said:** אִם שָׁמַרְתָּ יְמֵי נִדָּה — **If you have observed** the restrictions of **the** seven **days of menstruation,** אֲנִי נוֹתֵן לְךָ בֵּן — **I will give you a son** in reward, וְאַתָּה מוֹלוֹ לִשְׁמוֹנָה יָמִים — **and you will circumcise him at eight days** from birth.[110] הֱוֵי "וּבַיּוֹם הַשְּׁמִינִי יִמּוֹל בְּשַׂר עָרְלָתוֹ" — Thus **it is, *On the eighth day the flesh of his foreskin shall be circumcised.***[111]

NOTES

100. Translation follows *Matnos Kehunah, Eitz Yosef;* see *Niddah* 31a. That is, God forms the human embryo from only the choicest part of the semen.

101. The phrase אָרְחִי וְרִבְעִי, *my path and my breeding,* refers to the act of procreation, the term אָרְחִי, *my path,* being comparable to the phrase דֶּרֶךְ גֶּבֶר בְּעַלְמָה, *the way of a man with a young woman* (*Proverbs* 30:19), which refers to procreation; see *Metzudas David* ad loc. and *Kiddushin* 2b (*Eitz Yosef,* from *Rashi* to *Niddah* 31a). The sense of the verse is then that God "winnows" the semen at the time of procreation, removing all its coarse elements, as the straw and the stubble are removed from the grain through the winnowing. [תֶּבֶן and קַשׁ refer to two inedible parts of the harvested grain.]

102. Unadulterated with any waste matter. So too, God purifies the semen of any dross or imperfections and then uses only the refined drop of semen to form the child.

103. I.e., the child is formed from the entirety of the drop of semen (in contrast to the position of R' Yochanan that only the highest-quality part is used and the rest is discarded like the chaff of the grain). See below.

104. [Reish Lakish accepts the main thrust of R' Yochanan's exposition, that the verse from *Psalms* indicates that God "winnows" the semen at the time of conception. However, he differs with regard to what is done with the various parts after the winnowing (see *Eitz Yosef*).]

105. That is, according to Reish Lakish, the most refined semen is used for the brain; the lesser organs and limbs are formed from the poorer quality portions of the semen, each from the appropriate quality level (*Matnos Kehunah, Eitz Yosef*). According to *Maharzu,* Reish Lakish is referring to the already refined drop of semen, which is then subdivided to form the different organs of the fetus.

106. See notes 70 and 71 above.

107. *Eitz Yosef.*

108. During which the woman is *tamei,* and relations with her are forbidden; see below, 15:19 and 18:19. The verse thus means, *give* God His *portion,* i.e., observe His commandment, regarding the *seven* days of menstruation (*Eitz Yosef,* first explanation).

109. That is, the eight days from birth to circumcision. Accordingly, the verse means, *also give* God His *portion* by observing His commandment regarding the eight days of circumcision (ibid.).

110. I.e., this is the connotation of the verse from *Ecclesiastes.*

111. That is, since the circumcision is in effect a reward for observing the rules of menstruation, it is appropriate that Scripture mentions it here after the reference to menstrual impurity.

For further discussion of the connection between the laws of family purity, which concern menstruation, and the commandment of circumcision, see Insight Ⓐ.

INSIGHTS

Ⓐ **The Signs of Seven and Eight** *R' Zalman Sorotzkin* presents a fascinating interpretation of our Midrash, explaining the connection between the laws of family purity and circumcision. Just as the Torah gave two signs to distinguish the pure among animals (split hooves and chewing the cud) and fish (fins and scales), so too did the Torah give two signs to distinguish the "pure" human being. These two signs – circumcision (for a man) and immersion in the *mikveh* – identify the person who belongs to a "kingdom of priests and a holy nation" (*Exodus* 19:6), imbuing him with holiness. At Mount Sinai, before our ancestors could enter the covenant with God and receive His Torah, they had to undergo circumcision and immersion in a *mikveh* (*Kereisos* 9a). Similarly, a non-Jewish man who wishes to join the holy nation does not become a convert until he has undergone circumcision and immersion (*Yevamos* 46a).

Even those males who are born Jewish have these two signs. The immersion, however, precedes conception — where his mother has observed the laws of *niddah.* The circumcision follows, eight days after birth. These two signs distinguish the Jew from the rest of mankind, and are therefore mentioned together in this Torah section (*Oznaim LaTorah*).

In a much lengthier treatment (*HaDei'ah VeHaDibbur* 1 §18), Rav Sorotzkin elaborates that these two signs are the means through which a Jew fulfills the call of the preceding passage, *For I am HASHEM your God – you are to sanctify yourselves and you shall become holy* (11:44). Each of the two signs, though, accomplishes a different purpose.

To live a Godly life, a person must battle on two fronts — he must maintain defenses against the external threats posed by the world to his Torah way of life, and he must engage in the internal struggle against his evil inclination.

Immersion in the *mikveh* — spiritual purity *of the body* — is what arms the Jew for his internal struggle. Purity and impurity are antithetical one to the other. They cannot coexist. A person who has purified his body has made it open to the influence of holiness and can resist the impure strivings of his evil inclination.

Circumcision arms the Jew against external threats. Circumcising oneself or one's child entails pain and self-sacrifice, blood and

אָמַר דָּוִד לִפְנֵי הַקָּדוֹשׁ בָּרוּךְ הוּא: רִבּוֹן הָעוֹלָמִים, כְּלוּם נִתְכַּוֵּן אַבָּא יִשַׁי לְהַעֲמִידֵנִי, וַהֲלֹא לֹא נִתְכַּוֵּן אֶלָּא לַהֲנָאָתוֹ, תֵּדַע שֶׁהוּא כֵּן שֶׁמֵּאַחַר שֶׁעָשׂוּ צָרְכֵיהֶן זֶה הוֹפֵךְ פָּנָיו לְכָאן וְזוֹ הוֹפֶכֶת פָּנֶיהָ לְכָאן, וְאַתָּה מַכְנִיס כָּל טִיפָּה וְטִיפָּה שֶׁיֵּשׁ בּוֹ, וְהוּא שֶׁדָּוִד אָמַר (שם כז, י) "כִּי אָבִי וְאִמִּי עֲזָבוּנִי וַה' יַאַסְפֵנִי", (שם נא שם) "וּבְחֵטְא יֶחֱמַתְנִי אִמִּי", אָמַר רַבִּי חִיָּיא בַּר אַבָּא: אֵין הָאִשָּׁה קוֹלֶטֶת אֶלָּא אַחַר נִדָּתָהּ וּבְסָמוּךְ, וּבְיוֹתֵר אִם הָיָה זָכָר, הָדָא הוּא דִכְתִיב [יב, ב] "אִשָּׁה כִּי תַזְרִיעַ וְיָלְדָה זָכָר":

ו דָּבָר אַחֵר, [יב, ב] "אִשָּׁה כִּי תַזְרִיעַ", הָדָא הוּא דִכְתִיב (שם קלט, ג) "אָרְחִי וְרִבְעִי זֵרִיתָ וְכָל דְּרָכַי הִסְכַּנְתָּה", רַבִּי יוֹחָנָן וְרֵישׁ לָקִישׁ, רַבִּי יוֹחָנָן אָמַר: אֵין הַקָּדוֹשׁ בָּרוּךְ הוּא צָר אֶת הָאָדָם אֶלָּא מְטִפָּה שֶׁל לְבָנוֹת, °וְרֵישׁ לָקִישׁ° אָמַר: "זֵרִיתָ" כְּאָדָם שֶׁזּוֹרֶה וְנוֹתֵן תֶּבֶן בִּפְנֵי עַצְמוֹ ° עַד שֶׁמַּעֲמִיד הַדָּגָן עַל בָּרְיוֹ, רַבִּי שִׁמְעוֹן בֶּן לָקִישׁ אָמַר: אַף אֵינוֹ מְאַבֵּד אֶת הַטִּפָּה אֶלָּא זוֹרֶה מְטִפָּה לַמּוֹחַ וּמְטִפָּה לַעֲצָמוֹת וּמְטִפָּה לַגִּידִים, וּבְיוֹתֵר אִם הָיָה זָכָר, הָדָא הוּא דִכְתִיב [יב, ב] "אִשָּׁה כִּי תַזְרִיעַ וְיָלְדָה זָכָר":

ז דָּבָר אַחֵר, [יב, ב] "אִשָּׁה כִּי תַזְרִיעַ", הָדָא הוּא דִכְתִיב (קהלת יא, ב) "תֶּן חֵלֶק לְשִׁבְעָה וְגַם לִשְׁמוֹנָה", "תֶּן חֵלֶק לְשִׁבְעָה" אֵלּוּ ז' יְמֵי נִדָּה, "וְגַם לִשְׁמוֹנָה" אֵלּוּ ח' יְמֵי הַמִּילָה, אָמַר הַקָּדוֹשׁ בָּרוּךְ הוּא: אִם שָׁמַרְתָּ יְמֵי נִדָּה אֲנִי נוֹתֵן לְךָ בֵּן וְאַתָּה מוֹלוֹ לִשְׁמוֹנָה יָמִים, הֱוֵי [יב, ג] "וּבַיּוֹם הַשְּׁמִינִי יִמּוֹל בְּשַׂר עָרְלָתוֹ":

ח תָּנָא: צוּרַת הַוָּלָד *כֵּיצַד, תְּחִלַּת בְּרִיָּיתוֹ דּוֹמֶה לְרָשׁוֹן, ב' עֵינָיו כְּב' טִיפִּין שֶׁל זְבוּב, וּב' חוֹטְמָיו כִּשְׁתֵּי טִיפִּין שֶׁל זְבוּב, וּשְׁתֵּי אָזְנָיו כִּשְׁתֵּי טִיפִּין שֶׁל זְבוּב, וּשְׁתֵּי זְרוֹעוֹתָיו כִּשְׁתֵּי חוּטִין שֶׁל זְהוֹרִית,

עץ יוסף

תדע לך. שאילו יכוונו לחיות זרע לא יהפכו פניהם מיד, שמהנהגת הטיבור שלא יפסיד מהולאת האבר מיד אבל ישקוד שם שעה, וכן היה ראוי שתעמוד במלבה בעת העבור שוקדת דביקת הרגלים יולרת הנשימה ותישן אחר זה: **אחר נדתה ובסמוך.** פירוש שלא יעברו ימים רבים אחרי נדתה אלא סמוך להעברת ימי נדתה והיינו כדרבי יוחנן דאמר בפרק המפלת (נדה לא, ב) אין אשה מתעברת אלא סמוך לטבילתה, ודריש ליה מבחטא יחמתני אמי שהוא לשון טהרה, כלשון וחטאו את הבית כדאיתא התם, ופירש רש"י הכי קאמר על ידי דם נדות שהוא המביאו לידי טון חוללתי שהוא גרס לי (שעברה) [שנכראתי], וכשנתחטאת אמי ממנו יחמתני: **(ו) ארחי ורבעי כו'.** גם כוונת אגדה זו לפרש כי תזריע על חסד ה' עם העובר, ויותר כשעושהו זכר, והיינו דמסיים וביותר אם הוא זכר, אלא דמפרש ליה בברירת טיפת הזרע ממש וזריקתה לאיברים, ולהכי נקט האי קרא דמשמע ליה בהכי וכדמפרש ואזיל, ולפי זה יהיה פירוש ארחי ורבעי על ענין התשמיש כדפירש רש"י בפרק המפלת (נדה לא, א) ארחי תשמיש כמו דרך גבר בעלמה, ורבעי תשמיש לשון לרבעה: **מטיפה של לבנות.** כלומר מהיותר ברור שבזרע, כמו שאמר בפרק המפלת על זה הפסוק שלא נולר אדם מכל הטיפה אלא מן הברור שבה, ודריש לה מזרית כדמפרש כאדם שזורה וכו': **רבי שמעון בן לקיש אמר אף כו'.** מודה הוא בדרשת רבי יוחנן, אלא שהוסיף עוד דזרית אתא נמי למימר שאינו מאבד הטפה הנשארת אלא שזורה ממנו לעלמות ולשאר האברים, וזהו שאמר אלא זורה מטפה למוח היינו מן הטוב ממנו למוח, ומטפה לעלמות היינו מן הנשאר: **וביותר אם היה זכר.** פירוש ביותר עושה ה' חסד עמו שעושהו זכר כדפירשתי לעיל (סימן ג): **(ז) חלק לשבעה כו'.** משום דקשיא ליה מאי טעמא להזכיר דין המילה הכא לגבי דיני הנדות, בעי למימר דרמיז שבזכות שמירת ימי נדה תזכה לבן שיקיים בו מצות מילה, ומייתי סמך לזה האי קרא דזה פירושו למאי דמפרש שבעה ימי נדה ושמנה ימי מילה: **אלו שבעה ימי נדה.** פירוש תן חלק לה' לקיים מצותו בשבעה ימי נדה, ובכן תתן לו גם כן חלק ותתקיים מצותו במילה. או הכוונה שיהיה חלוק והפרדה בינו ובין אשתו בשבעה ימי נדה, ואז תזכה גם למצות שמנה: **(ח) דומה לרשון.** הוא חגב: **כשני טיפין של זבוב.** כעיני הזבוב: **ושתי חוטמיו.** בגמרא (נדה כה, א) מייתי דתני רבי חייא שתי עיניו מרוחקים זה מזה, ושתי חוטמיו מקורבין זה לזה: **זהורית.** נימא של משי. ועיין בירושלמי (נדה פ"ג ה"ג) ובבלי פרק המפלת (שם):

פירוש מהרז"ו

כי אם באופן זה של לד החשק והתאוה המשותפת לעוברי עבירה, אלא שמשתנים בכוונתם: **אבא ישי להעמידני.** והגם שכוונת הלדיק לקיים מלות פרו ורבו, מאחר שאין להם שום יכולת על יצירת הולד, אין להם אלא מעשה התאוה וההנאה: **כי אבי ואמי עזבוני.** הרי כתיב בתהלים כ"ב כי אתה גוחי מבטן מבטיחי על שדי אמי, הרי שאמו לא עזבה אותו, ושאול המלך כשרצה ליקח את דוד אצלו, שלח לישי שישלח אותו אליו ואמר לו עוד יעמוד נא דוד לפני, הרי שלא עזבו, והם שני כתובים מכחישים, על כן דורש ומכריע על תחלת יצירתו, שאין לאביו ולאמו שום יכולת ופעולה בזה רק השם יתברך לבדו: **אלא אחר נדתה.** כמו שמבואר נדה (לא, ב) אין האשה מתעברת אלא סמוך לווסתה שנאמר הן בעוון חוללתי, ורבי יוחנן אמר סמוך לטבילתה שנאמר ובחטא יחמתני אמי, אמר רבי ילחק מאי משמע דהאי חטא לישנא דדכויי הוא, דכתיב וחטא את הבית, ומתרגמינן ודכי ית ביתא, ואי תימא מהכא תחטאני באזוב ואטהר, הובא בילקוט תהלים (רמז תשסה), ולזה כוון גם כאן: **(ו) אלא של לבנות.** זרית מלשון זורה הגורן, עיין נדה (לא, ב) שאין הולד נולר כי אם מן המלובן המובחר, וריש לקיש מדייק יותר שמחלק את המלובן לכמה חלקים, זיכוך אחר זיכוך, המובחר שבמובחר למוח, והנשאר לשאר אברים: **(ז) תן חלק לשבעה.** עיין קהלת רבה פסוק זה (דף קי"ג [פרשה יא פסוק ב אות א], ודרשה זו על פי מדה י"ז על דברים המפורשים בתורה, שהם של שבעה ושמונה: **(ח) תנא צורת הולד.** עיין נדה (ל, ב):

מתנות כהונה

[ה] אחר נדתה. מיד אחר הטבילה, ודייק מדכתיב (תהלים נא, ז) ובחטא יחמתני אמי, ואין חטוי אלא לשון טהרה (עיין במדבר יט, ט ברש"י ד"ה חטאת), וכן הוא בפרק המפלת (נדה לא, ב): **ובסמוך.** סמוך לנדתה: **[ו] של לבנות.** המלובן והמובחר והמבורר שבו: מטפה למוח כו'. הטוב ממנו למוח, וקלתו הראוי לעלמות וכן הכל: הכי גרסינן **הדא הוא דכתיב אשה כי תזריע:** **[ח]** הכי גרסינן בילקוט איוב (רמז תקלז) **דומה לרשון.** והוא חגב, וכן הוא בתוספתא פרק המפלת: **זהורית.** נימא של משי, ובירושלמי

אשד הנחלים

בעולם, תשית בגאון גלליך המלאים והמטונפים, ובודאי צריך אתה להתגאות בזה בתמיה, ועם כל זה יאהבוך ויחבקוך: **[ו] מטפה למוח כו'. לעצמות.** כלומר שבטפה עצמה יש הבדלים, שמהזך נעשה המוח, ומהבלתי זך העצמות, וכן כל אבר מיוחד: **[ז] אם שמרת.** הוא בדרך אסמכתא, אם תתן חלק לשבעה לשמור ימי נדותה, אז תזכה גם לשמונה, ועיין בהקדמתי בפ"א, והסבה כמו שביארו לעיל שאין האשה מתעברת כי אם סמוך לנדתה, שאז התשוקה גוברת בה יותר, ואם האשה מזרעת תחילה, הרי היא יולדת זכר: **[ח] צורת הולד כיצד כו'.** הבאור בזה על דרך חכמת הרפואה, עיין בספר הרמ"ג, ובספר תפארת האדם:

חידושי הרד"ל

כלום נתכוין אבא ישי כו' להנאתו. אפשר הדבר מכוון למה שנאמר בדוד בשוחר טוב שם, שנתכוין לשפחתו, עיין שם, אבל בלאו הכי לא יתכן שישי שמת בעטיו של נחש לא יכוין רק להנאתו, ולא לקיום המלוה והמין:

חידושי הרש"ש

[ו] רבי יוחנן וריש לקיש רבי יוחנן אומר אין הקדוש ברוך הוא צר את האדם וכו' כאדם שזורה ונותן תבן בפני עצמו. רלה לומר ואינו הולך לאבוד אלא מלניעו לבהמה וכדאיתא, וכן מהטיפה אין הולך מאתה כלום לאבוד וכדמפרש בסמוך מטיפה למוח וכו': **[ז] אמר הקדוש ברוך הוא אם שמרת ימי נדה אני נותן לך כו' הוי וביום השמיני.** פירוש ובפסוק שלפניו מסיים נדת דותה תטמא:

באור מהרי"פ

[ח] מתנות כהונה בד"ה דומה לרשון והוא חגב וכו'. (חולין סה, ב) ובחגבים סלעם זה רשון, עיין שם, וכן הוא בתוספות (נדה כה, א ד"ה תחלת ברייתו):

אמרי יושר

[ה] אין אשה קולטת אלא סמוך לנדתה. זהו ובחטא יחמתני אמי, ולזה וכפר עליה הכהן (ויקרא יב ח), או סמוך לטבילתה וחיטוייה, וביותר אם הוא זכר, כי לריך התעוררת חום יותר, ועוד שיש לו כח למשוך יותר: **[ו] טיפה אחת למוח.** רלה לומר שאינו זורה ומשליך השאר לאיבוד, אלא מהטב נולרו האיברים הטבים והפחותים, איש איש כערכו: **האשה מזרעת אודם.** חכמינו ז"ל סוברים כסברת הפילוסוף (מובא ברמב"ן כאן פסוק ב), שאין לזרע האשה מבוא להולדה אלא האודם שלה, וכסברת הרמב"ן (שם), והרלב"ג חולק כי הטבע לא יפעל דבר לבטלה:

אם למקרא

כִּי אָבִי וְאִמִּי עֲזָבוּנִי וַה' יַאַסְפֵנִי: (שם כז:י)

אָרְחִי וְרִבְעִי זֵרִיתָ וְכָל דְּרָכַי הִסְכַּנְתָּה: (תהלים קלט:ג)

תֶּן־חֵלֶק לְשִׁבְעָה וְגַם לִשְׁמוֹנָה כִּי לֹא תֵדַע מַה־יִּהְיֶה רָעָה עַל־הָאָרֶץ: (קהלת יא:ב)

ענף יוסף

(ה) אמר דוד כלום נתכוין ישי אבי כו'. ואף על גב שאמרו חכמינו ז"ל בשבת (נה ב) שישי לא חטא מעולם שמת בעטיו של נחש, פירוש שלא עבר על אחד

שינוי נוסחאות

(ו) רבי יוחנן וריש לקיש. בד' אמשטרדם ת"א הוסיפו וכתבו "רבי יוחנן וריש לקיש ורבי שמעון בן לקיש", כאילו יש כאן שלש שיטות, וכאילו ריש לקיש חולק על רשב"ל, וכמובן אינו אלא טעות. ורוב הדפוסים אח"כ לא קיבלו שינוי נוסח זה, אבל בוילנא תרמ"ז העתיקו טעות זו מד' אמשטרדם: **רבי יוחנן אמר: אין הקדוש ברוך הוא צר את האדם אלא מטפה של לבנות, וריש לקיש אמר: זרית כאדם שזורה.** במקום "וריש לקיש אמר" צריך לומר "רבי יוחנן אמר", והוא המשך דברי ר' יוחנן, כן היה כתוב בכל הספרים עד אמשטרדם ת"א, ובאמשטרדם כנראה שנתקשו איך באו דברי ר' יוחנן זה אחר זה ולכן שינו לכתוב כאן "וריש לקיש", לומר שהוא חולק על ר' יוחנן וגם על רשב"ל שבאו דבריו אח"כ, וכבר כתבתי לעיל שכל הגישה הזאת היא טעות גסה, אבל כאן (בניגוד ללעיל) כתבו כל המדפיסים אח"כ כאמשטרדם "וריש לקיש", אבל באמת צריך להחזיר הנוסח לכמו שהיה בספרים ישנים, שהוא המשך דברי ר' יוחנן שממשיך להסביר לשון "זרית" לפי שיטתו. **ונותן תבן בפני עצמו.** בכל הספרים הישנים היה כתוב כאן עוד "וקש בפני עצמו", אבל באמשטרדם ת"א השמיטו תבות אלו (בטעות) וכן העתיקו כל המדפיסים אח"כ, עד שהחזירו הנוסח הישן בוילנא תרמ"ז:

§8 The Midrash returns to its discussion of the fetus in the womb:

תָּנָא — It is taught in a Baraisa: **צוּרַת הַוָּלָד כֵּיצַד — How is the appearance of the** unborn **child** to be described? **תְּחִלַּת בְּרִיָּיתוֹ דּוֹמֶה לְרָשׁוֹן —** In **its original formation** the embryo **is similar to a grasshopper.**[112] **ב׳ עֵינָיו כְּב׳ טִיפִּין שֶׁל זְבוּב — Its two eyes are like the two dots of a fly,**[113] **וּב׳ חוֹטְמָיו כִּשְׁתֵּי טִיפִּין שֶׁל זְבוּב — and its two nostrils are like the two dots of a fly, וּשְׁתֵּי אָזְנָיו כִּשְׁתֵּי טִיפִּין שֶׁל זְבוּב — and its two ears are like the two dots of a fly,**[114] **וּשְׁתֵּי זְרוֹעוֹתָיו כִּשְׁתֵּי חוּטִין שֶׁל זְהוֹרִית — and its two arms are like two crimson threads** of silk.[115]

NOTES

112. [I.e., when the embryo starts to form, when it first has discernible features (see *Niddah* 25a), it is about the size of a grasshopper. Our translation of רָשׁוֹן as grasshopper follows *Matnos Kehunah* and *Eitz Yosef*; see *Onkelos* to above, 11:22, and *Chullin* 65a-b; see also *Tosafos* to *Niddah* loc. cit. s.v. תחלת ברייתו.]

113. I.e., like the two eyes of a fly (*Eitz Yosef*).

114. [That is, like the two nostrils and the two ears of the fly, respectively. Despite their minute size at this stage, the Gemara in *Niddah* 25a states that the eyes and the nostrils are already properly spaced on the child's face; the two nostrils are adjacent to each other while the two eyes are further apart.]

115. *Matnos Kehunah, Eitz Yosef.*

INSIGHTS

devotion. Through circumcision, the Jew stands prepared to resist all external threats to his security and comfort. He will remain devoted to God, come what may.

Both signs are needed for the Jew to survive. The *Eccleisastes* verse expounded by our Midrash reads in full: "תֶּן חֵלֶק לְשִׁבְעָה וְגַם לִשְׁמוֹנָה כִּי לֹא תֵדַע מַה יִּהְיֶה רָעָה עַל הָאָרֶץ", *Give a portion for seven, and also for eight, "for you never know what calamity will strike the land."* You never know what challenges, internal and external, your infant child will face in the course of his life. Prepare him early on through the two signs with purity, holiness, and fortitude, and you will thereby enable him to safely navigate the sometimes treacherous and turbulent waters of life to his eternal destination on the shores of eternity.

אָמַר דָּוִד לִפְנֵי הַקָּדוֹשׁ בָּרוּךְ הוּא: רִבּוֹן הָעוֹלָמִים, כְּלוּם נִתְכַּוֵּן אַבָּא יִשַׁי לְהַעֲמִידֵנִי, וַהֲלֹא לֹא נִתְכַּוֵּן אֶלָּא לַהֲנָאָתוֹ, תֵּדַע שֶׁהוּא כֵּן שֶׁמֵּאַחַר שֶׁעָשׂוּ צָרְכֵיהֶן זֶה הוֹפֵךְ פָּנָיו לְכָאן וְזוֹ הוֹפֶכֶת פָּנֶיהָ לְכָאן, וְאַתָּה מַכְנִיס כָּל טִיפָּה וְטִיפָּה שֶׁיֵּשׁ בּוֹ, וְהוּא שֶׁדָּוִד אָמַר (שם כז, י) "כִּי אָבִי וְאִמִּי עֲזָבוּנִי וַה' יַאַסְפֵנִי", (שם נא שם) "וּבְחֵטְא יֶחֱמַתְנִי אִמִּי", אָמַר רַבִּי חִיָּיא בַּר אַבָּא: אֵין הָאִשָּׁה קוֹלֶטֶת אֶלָּא אַחַר נִדָּתָהּ וּבְסָמוּךְ, וּבְיוֹתֵר אִם הָיָה זָכָר, הָדָא הוּא דִכְתִיב [יב, ב] "אִשָּׁה כִּי תַזְרִיעַ וְיָלְדָה זָכָר":

ו דָּבָר אַחֵר, [יב, ב] "אִשָּׁה כִּי תַזְרִיעַ", הָדָא הוּא דִכְתִיב (שם קלט, ג) "אָרְחִי וְרִבְעִי זֵרִיתָ וְכָל דְּרָכַי הִסְכַּנְתָּה", רַבִּי יוֹחָנָן וְרֵישׁ לָקִישׁ, רַבִּי יוֹחָנָן אָמַר: אֵין הַקָּדוֹשׁ בָּרוּךְ הוּא צָר אֶת הָאָדָם אֶלָּא מִטִּפָּה שֶׁל לַבָּנוֹת, °וְרֵישׁ לָקִישׁ° אָמַר: "זֵרִיתָ" כְּאָדָם שֶׁזּוֹרֶה וְנוֹתֵן תֶּבֶן בִּפְנֵי עַצְמוֹ° עַד שֶׁמַּעֲמִיד הַדָּגָן עַל בָּרְיוֹ, רַבִּי שִׁמְעוֹן בֶּן לָקִישׁ אָמַר: אַף אֵינוֹ מְאַבֵּד אֶת הַטִּפָּה אֶלָּא זוֹרֶה מְטַפָּה לַמּוֹחַ וּמְטַפָּה לָעֲצָמוֹת וּמְטַפָּה לַגִּידִים, וּבְיוֹתֵר אִם הָיָה זָכָר, הָדָא הוּא דִכְתִיב [יב, ב] "אִשָּׁה כִּי תַזְרִיעַ וְיָלְדָה זָכָר":

ז דָּבָר אַחֵר, [יב, ב] "אִשָּׁה כִּי תַזְרִיעַ", הָדָא הוּא דִכְתִיב (קהלת יא, ב) "תֶּן חֵלֶק לְשִׁבְעָה וְגַם לִשְׁמוֹנָה", "תֶּן חֵלֶק לְשִׁבְעָה" אֵלּוּ ז' יְמֵי נִדָּה, "וְגַם לִשְׁמוֹנָה" אֵלּוּ ח' יְמֵי הַמִּילָה, אָמַר הַקָּדוֹשׁ בָּרוּךְ הוּא: אִם שָׁמַרְתָּ יְמֵי נִדָּה אֲנִי נוֹתֵן לְךָ בֵּן וְאַתָּה מוֹלוֹ לִשְׁמוֹנָה יָמִים, הֱוֵי [יב, ג] "וּבַיּוֹם הַשְּׁמִינִי יִמּוֹל בְּשַׂר עָרְלָתוֹ":

ח תָּנָא: צוּרַת הַוָּלָד *כֵּיצַד, תְּחִלַּת בְּרִיָּיתוֹ דּוֹמֶה לְרָשׁוֹן, ב' עֵינָיו כְּב' טִיפִּין שֶׁל זְבוּב, וּב' חוֹטָמָיו כִּשְׁתֵּי טִיפִּין שֶׁל זְבוּב, וּשְׁתֵּי אָזְנָיו כִּשְׁתֵּי טִיפִּין שֶׁל זְבוּב, וּשְׁתֵּי זְרוֹעוֹתָיו כִּשְׁתֵּי חוּטִין שֶׁל זְהוֹרִית,

עץ יוסף

תדע לך. שאילו יכוונו לחיות זרע לא יהפכו פניהם מיד, שמהנהגת הטיבור שלא יפסיד מהולאת האבר מיד אבל יעקוד שם שעה, וכן היה ראוי שתעמוד במלבה בעת העבור שוקדת דביקת הרגלים ועולרת הנשימה ותישן אחר זה: **אחר נדתה ובסמוך.** פירוש שלא יעברו ימים רבים אחרי נדתה אלא סמוך להטבלת ימי נדתה והיינו כדרבי יוחנן דאמר בפרק המפלת (נדה לא, ב) אין אשה מתעברת אלא סמוך לטבילתה, ודריש ליה מבחטא יחמתני אמי שהוא לשון טהרה, כלשון וחטאו את הבית כדאיתא התם, ופירש רש"י הכי קאמר על ידי דם נדות שהוא המביאו לידי עון הוללתי שהוא גרם לי (שעברה) [שנבראתי], וכשנתחטאת אמי ממנו יחמתני: **(ו) ארחי ורבעי כו'.** גם כוונת אגדה זו לפרש כי תזריע על חסד ה' עם העובר, ויותר כשעושהו זכר, והיינו דמסיים וביותר אם הוא זכר, אלא דמפרש ליה בברירת טיפת הזרע ממש וזריקתה לאיברים, ולהכי נקט האי קרא דמשמע ליה בהכי וכדמפרש ואזיל, ולפי זה יהיה פירוש ארחי ורבעי על ענין התשמיש כדפירש רש"י בפרק המפלת (נדה לא, א) ארחי תשמיש כמו דרך גבר בעלמה, ורבעי תשמיש לשון לרבעה: **מטיפה של לבנות.** כלומר מהיותר ברור שבזרע, כמו שאמר בפרק המפלת על זה הפסוק שלא נולד אדם מכל הטיפה אלא מן הברור שבה, ודריש לה מזרית כדמפרש כאדם שזורה וכו': **רבי שמעון בן לקיש אמר אף כו'.** מודה הוא בדרשת רבי יוחנן, אלא שהוסיף עוד דזרית אתא נמי למימר שאינו מאבד הטפה הנשארת אלא שזורה ממנו לעצמות ולשאר האברים, וזהו שאמר אלא זורה מטפה למוח היינו מן הטוב ממנו למוח, ומטפה לעצמות היינו מן הנשאר: **וביותר אם היה זכר.** פירוש ביותר עושה ה' חסד עמו שעושהו זכר כדפירשתי לעיל (סימן ג): **(ז) חלק לשבעה כו'.** משום דקשיא ליה מאי טעמא להזכיר דין המילה הכא לגבי דיני הנדות, בעי למימר דרמיז שבזכות שמירת ימי נדה תזכה לבן שיקיים בו מצות מילה, ומייתי סמך לזה האי קרא דזה פירושו למאי דמפרש שבעה ימי נדה ושמנה ימי מילה: **אלו שבעה ימי נדה.** פירוש תן חלק לה' לקיים מצותו בשבעה ימי נדה, ובכן תתן לו גם כן חלק ותתקיים מצותו במילה. או הכוונה שישים חלוק והפרדה בינו ובין אשתו בשבעה ימי נדה, ואז תזכה גם למצות שמנה: **(ח) דומה לרשון.** הוא חגב: **בשני טיפין של זבוב.** כעיני הזבוב: **ושתי חוטמיו.** בגמרא (נדה כה, א) מייתי דתני רבי חייא שתי עיניו מרוחקים זה מזה, ושתי חוטמיו מקורבין זה לזה: **זהורית.** נימא של משי. ועיין בירושלמי (נדה פ"ג ה"ג) ובבלי פרק המפלת (שם):

פירוש מהרז"ו

כי אם באופן זה של גד החשק והתאוה המשותפת לעוברי עבירה, אלא שמשתנים בכוונתם: **אבא ישי להעמידני.** והגם שכוונת הצדיק לקיים מצות פרו ורבו, מאחר שאין להם שום יכולת על יצירת הולד, אין להם אלא מעשה התאוה וההנאה: **כי אבי ואמי עזבוני.** הרי כתיב בתהלים כ"ב כי אתה גוחי מבטן מבטיחי על שדי אמי, הרי שאמו לא עזבה אותו, ושאול המלך כשרצה ליקח את דוד אצלו, שלח לישי שישלח אותו אליו ואמר לו עוד יעמוד נא דוד לפני, הרי שלא עזבו, והם שני כתובים מכחישים, על כן דורש ומכריע על תחלת יצירתו, שאין לאביו ולאמו שום יכולת ופעולה בזה רק השם יתברך לבדו: **אלא אחר נדתה.** כמו שמבואר נדה (לא, ב) אין האשה מתעברת אלא סמוך לווסתה שנאמר הן בעוון חוללתי, ורבי יוחנן אמר סמוך לטבילתה שנאמר ובחטא יחמתני אמי, אמר רבי יצחק מאי משמע דהאי חטא לישנא דדכויי הוא, דכתיב וחטא את הבית, ומתרגמינן ודכי ית ביתא, ואי תימא מהכא תחטאני באזוב ואטהר, הובא בילקוט תהלים (רמז תשסה), ולזה כוון גם כאן: **(ו) אלא של לבנות.** זרית מלשון זורה הגורן, עיין נדה (לא, ב) שאין הולד נוצר כי אם מן המלובן המובחר, וריש לקיש מדייק יותר שמחלק את המלובן לכמה חלקים, זיכוך אחר זיכוך, המובחר שבמובחר למוח, והנשאר לשאר אברים: **(ז) תן חלק לשבעה.** עיין קהלת רבה פסוק זה (דף קי"ג [פרשה יא פסוק ב אות א], ודרשה זו על פי מדה י"ז על דברים המפורשים בתורה, שהם של שבעה ושמונה: **(ח) תנא צורת הולד.** עיין נדה (ל, ב):

חידושי הרד"ל

כלום נתכוין אבא ישי כו' להנאתו. אפשר הדבר מכוון למה שנאמר בדוד בשוחר טוב שם, שנתכוין לשפחתו, עיין שם, אבל בלאו הכי לא יתכן שישי שמת בעטיו של נחש לא יכוין רק להנאתו, ולא לקיום המצוה והמין:

חידושי הרש"ש

[ו] רבי יוחנן וריש לקיש רבי יוחנן אומר אין הקדוש ברוך הוא צר את האדם וכו' כאדם שזורה ונותן תבן בפני עצמו. רצה לומר ואינו הולך לאבוד אלא מגניעו לבהמה וכדאיתא, וכן מהטיפה אין הולך מאתה כלום לאבוד וכדמפרש בסמוך מטיפה למוח וכו': **[ז] אמר הקדוש ברוך הוא אם שמרת ימי נדה אני נותן לך כו' הוי וביום השמיני.** פירוש ובפסוק שלפניו מסיים נדת דותה תטמא:

באור מהרי"פ

[ח] מתנות כהונה בד"ה דומה לרשון והוא חגב וכו'. (חולין סה, ב) ובחגבים סלעם זה רשון, עיין שם, וכן הוא בתוספות (נדה כה, א ד"ה תחלת ברייתו):

אמרי יושר

[ה] אין אשה קולטת אלא סמוך לנדתה. זהו ובחטא יחמתני אמי, ולזה וכפר עליה הכהן (ויקרא יב ח), או סמוך לטבילתה וחיטוייה, וביותר אם הוא זכר, כי צריך התעוררת חום יותר, ועוד שיש לו כח למשוך יותר: **[ו] טיפה אחת למוח.** רצה לומר שאינו זורה ומשליך השאר לאיבוד, אלא מהטב נוצרו האיברים העבים והפחותים, איש איש כערכו: **האשה מזרעת אודם.** חכמינו ז"ל סוברים כסברת הפילוסוף (מובא ברמב"ן כאן פסוק ב), שאין לזרע האשה מבוא להולדה אלא האודם שלה, וכסברת הרמב"ן (שם), והרלב"ג חולק כי הטבע לא יפעל דבר לבטלה:

אם למקרא

כִּי אָבִי וְאִמִּי עֲזָבוּנִי וַה' יַאַסְפֵנִי: (שם כז:י)

אָרְחִי וְרִבְעִי זֵרִיתָ וְכָל דְּרָכַי הִסְכַּנְתָּה: (תהלים קלט:ג)

תֶּן חֵלֶק לְשִׁבְעָה וְגַם לִשְׁמוֹנָה כִּי לֹא תֵדַע מַה יִּהְיֶה רָעָה עַל הָאָרֶץ: (קהלת יא:ב)

ענף יוסף

(ה) אמר דוד כלום נתכוין ישי אבי כו'. ואף על גב שאמרו חכמינו ז"ל בשבת (נה ב) שישי לא חטא מעולם שמת בעטיו של נחש, פירוש שלא עבר על אחד

שינוי נוסחאות

(ו) רבי יוחנן וריש לקיש. בד' אמשטרדם ת"א הוסיפו וכתבו "רבי יוחנן וריש לקיש ורבי שמעון בן לקיש", כאילו יש כאן שלש שיטות, וכאילו ריש לקיש חולק על רשב"ל, וכמובן אינו אלא טעות. ורוב הדפוסים אח"כ לא קיבלו שינוי נוסח זה, אבל בווילנא תרמ"ז העתיקו טעות זו מד' אמשטרדם: **רבי יוחנן אמר: אין הקדוש ברוך הוא צר את האדם אלא מטפה של לבנות, וריש לקיש אמר: זרית כאדם שזורה.** במקום "וריש לקיש אמר" צריך לומר "רבי יוחנן אמר", והוא המשך דברי ר' יוחנן, כן היה כתוב בכל הספרים עד אמשטרדם ת"א, ובאמשטרדם כנראה שנתקשו איך באו דברי ר' יוחנן זה אחר זה ולכן שינו לכתוב כאן "וריש לקיש", לומר שהוא חולק על ר' יוחנן וגם על רשב"ל שבאו דבריו אח"כ, וכבר כתבתי לעיל שכל הגישה הזאת היא טעות גסה, אבל כאן (בניגוד לעיל) כתבו כל המדפיסים אח"כ כבאמשטרדם "וריש לקיש", אבל באמת צריך להחזיר הנוסח לכמו שהיה בספרים ישנים, שהוא המשך דברי ר' יוחנן שממשיך להסביר לשון "זרית" לפי שיטתו. **ונותן תבן בפני עצמו.** בכל הספרים הישנים היה כתוב כאן עוד "וקש בפני עצמו", אבל באמשטרדם ת"א השמיטו תבות אלו (בטעות) וכן העתיקו כל המדפיסים אח"כ, עד שהחזירו הנוסח הישן בווילנא תרמ"ז:

מתנות כהונה

[ה] אחר נדתה. מיד אחר הטבילה, ודייק מדכתיב (תהלים נז, א) ובחטא יחמתני אמי, ואין חטוי אלא לשון טהרה (עיין במדבר יט, ט ברש"י ד"ה חטאת), וכן הוא בפרק המפלת (נדה לא, ב): **ובסמוך.** סמוך לנדתה: **[ו] של לבנות.** המלובן והמובחר והמבורר שבו: מטפה למוח כו'. הטוב ממנו למוח, וקלתו הראוי לעצמות וכן הכל: הכי גרסינן **הדא הוא דכתיב אשה כי תזריע:** **[ח]** הכי גרסינן בילקוט איוב (רמז תקלז) **דומה לרשון.** והוא חגב, וכן הוא בתוספתא פרק המפלת: **זהורית.** נימא של משי, ובירושלמי

אשד הנחלים

בעולם, תשית בגאון גלליך המלאים והמטונפים, ובודאי צריך אתה להתגאות בזה בתמיה, ועם כל זה יאהבוך ויחבקוך: **[ו] מטפה למוח כו'. לעצמות.** כלומר שבטפה עצמה יש הבדלים, שמהזך נעשה המוח, ומהבלתי זך העצמות, וכן כל אבר מיוחד: **[ז] אם שמרת.** הוא בדרך אסמכתא, אם תתן חלק לשבעה לשמור ימי נדותה, אז תזכה גם לשמונה, ועיין בהקדמתי בפ"א, והסבה כמו שביארו לעיל שאין האשה מתעברת כי אם סמוך לנדתה, שאז התשוקה גוברת בה יותר, ואם האשה מזרעת תחילה, הרי היא יולדת זכר: **[ח] צורת הולד כיצד כו'.** הבאור בזה על דרך חכמת הרפואה, עיין בספר הרמ"ג, ובספר תפארת האדם:

פִּיו דּוֹמֶה לְשְׂעוֹרָה — **Its mouth is similar to** the split on **a barley grain,**[116] גְּוִיָּתוֹ כַּעֲדָשָׁה — **its male member is like a lentil.**[117] וּשְׁאָר אֵבָרָיו מְצוּמְצָמִים בּוֹ כְּגוֹלֶם — **And the remainder of [the embryo's] limbs are fused with** the body of **[the embryo]** as in **an unshaped form,**[118] "וְעָלָיו הוּא אוֹמֵר "גָּלְמִי רָאוּ עֵינֶיךָ — **and** it is **regarding** this early stage of **[the fetus]** that **[Scripture] states,** ***Your eyes saw my unshaped form*** (*Psalms* 139:16).[119] וְאִם הָיְתָה נְקֵבָה — **And if [the embryo] is a female,** סְדוּקָה כִּשְׂעוֹרָה לָאֳרְכָּהּ — **[the genital area] is split lengthwise like a barley grain.**[120] אֵין בָּהּ נִתּוּחַ יָדַיִם וְרַגְלַיִם — At this point, **[the embryo] does not** yet **have differentiated hands and feet.**[121]

The Midrash now describes the fetus at a later stage in its development:

כֵּיצַד הַוָּלָד שָׁרוּי בִּמְעֵי אִמּוֹ — **How does the** unborn **child lie in its mother's womb?** מְקוּפָּל וּמוּנָּח כְּפִנְקָס — He is **folded and laid** down **like a** closed **ledger,**[122] רֹאשׁוֹ מוּנָּח לוֹ בֵּין בִּרְכָּיו — **his head lies between his knees,** שְׁתֵּי יָדָיו עַל שְׁתֵּי צְדָעָיו — **his two hands** rest **on his two temples,** שְׁנֵי עֲקֵבָיו עַל שְׁנֵי עַגְבוֹתָיו — and **his two heels** rest **against his two buttocks.**[123] פִּיו סָתוּם, טַבּוּרוֹ פָּתוּחַ — **His mouth is closed** and **his navel is open,** וְאוֹכֵל מִמַּה שֶׁאִמּוֹ אוֹכֶלֶת — **and he eats of what his mother eats,** וְשׁוֹתֶה מִמַּה שֶׁאִמּוֹ שׁוֹתָה — **and drinks of what his mother drinks.**[124] וְאֵינוֹ מוֹצִיא רְעִי — **But he does not discharge excrement,** שֶׁמָּא יַהֲרוֹג אֶת אִמּוֹ — for were he to do so, **he might** thereby **kill his mother.**[125] יָצָא לַאֲוִיר הָעוֹלָם — However, **once he** is born and **emerges into the air of the world,** נִפְתַּח הַסָּתוּם וְנִסְתַּם הַפָּתוּחַ — miraculously, **that which was closed** [i.e., the mouth] **opens and that which was open** [i.e., the navel] **closes.**[126]

§9 The body formed in the womb will eventually die and decompose, but even death is not the final end. The Midrash discusses the body's future revivification:[127]

בֵּית שַׁמַּאי וּבֵית הִלֵּל — **Beis Shammai and Beis Hillel** disagree with regard to the revivification of the dead. בֵּית שַׁמַּאי אוֹמְרִים — **Beis Shammai say:** לֹא כְּשֵׁם שֶׁיְּצִירַת הַוָּלָד בָּעוֹלָם הַזֶּה כָּךְ יְצִירָתוֹ לָעוֹלָם הַבָּא — **The [body's] formation in the Next World will not be like the formation of the child in this world.**[128] בָּעוֹלָם הַזֶּה מַתְחִיל בְּעוֹר וּבְבָשָׂר וְגוֹמֵר בְּגִידִים וַעֲצָמוֹת — **[The formation]** of the child **in this world begins with the skin and flesh and finishes with the sinews and bones.**[129] אֲבָל לֶעָתִיד לָבֹא מַתְחִיל בְּגִידִים וַעֲצָמוֹת — **But in the future time** yet **to come, [the formation] will begin with the sinews and bones,** וְגוֹמֵר בְּעוֹר — **and it will finish with the skin.** שֶׁכֵּן כְּתִיב בְּמֵתֵי יְחֶזְקֵאל — **For so is it written regarding the dead** resurrected **by** the prophet **Ezekiel,**[130] "וְרָאִיתִי וְהִנֵּה עֲלֵיהֶם גִּדִים וּבָשָׂר עָלָה וַיִּקְרַם עֲלֵיהֶם עוֹר מִלְמָעְלָה וְרוּחַ אֵין בָּהֶם" — ***Then I looked and behold upon them were sinews, and flesh came up and skin covered them over, but there was no spirit in them*** (*Ezekiel* 37:8).[131]

An objection is raised:

אָמַר רַבִּי חִיָּיא בַּר אַבָּא: אֵין פָּרָשַׁת יְחֶזְקֵאל רְאָיָה — **R' Chiya bar Abba said: The passage involving Ezekiel is no proof** with regard to the future revivification. לְמָה מֵתֵי יְחֶזְקֵאל דּוֹמִין — **For what are the dead** revivified by the prophet **Ezekiel comparable to?** לְמִי שֶׁנִּכְנַס לַמֶּרְחָץ — **To one who goes to the bath,** זֶה שֶׁפָּשַׁט אַחֲרוֹן לָבַשׁ רִאשׁוֹן — **that which he doffed last** before bathing **he dons first** after bathing.[132]

Beis Hillel disputes Beis Shammai's position:

בֵּית הִלֵּל אוֹמְרִים — **Beis Hillel say:** כְּשֵׁם שֶׁיְּצִירָתוֹ שֶׁל אָדָם בָּעוֹלָם הַזֶּה — **As is the person's formation in this world,** כָּךְ יְצִירָתוֹ בָּעוֹלָם הַבָּא — **so will be his formation in the Next World.** בָּעוֹלָם הַזֶּה מַתְחִיל בְּעוֹר וּבָשָׂר וְגוֹמֵר בְּגִידִים וַעֲצָמוֹת — **In this world [the formation]** of the person **begins with the skin and flesh and ends with sinews and bones,** וְלֶעָתִיד לָבֹא כְּמוֹ כֵן — **and so too will it be in the future time** yet **to come.**

Beis Hillel adduces support for their position from a passage in *Job*:[133]

NOTES

116. I.e., it is small and thin like the indentation on a grain of barley; see *Eitz Yosef.*

117. It has the size and appearance of a lentil; see *Yefeh To'ar.* Translation of גְּוִיָּתוֹ follows *Eitz Yosef,* from *Rashi* to *Niddah* 25a; however, see *Yefeh To'ar* for an alternative understanding.

118. I.e., the other limbs of the embryo do not yet exist independently.

119. This passage in *Psalms* is discussing the formation of the fetus inside the womb; see v. 13 there, תְּסֻכֵּנִי בְּבֶטֶן אִמִּי, *You have covered me in my mother's womb* (*Eitz Yosef*).

120. [I.e., the split runs from side to side rather than from top to bottom; see *Niddah* 25b.]

121. Although the Midrash stated above that the two arms are already discernible, appearing like two crimson threads, they are not yet separated from the body of the fetus (*Eitz Yosef;* however, see *Rashi* to *Niddah* 25b s.v. שתי ירכותיו). [Alternatively, although the arms are already distinct, the hands themselves are not yet formed.]

122. In Talmudic times, a ledger was composed of many wax-coated tablets connected together (*Rashi, Shabbos* 104b).

123. [The fetus is thus folded together as one would fold up the tablets of a ledger.]

124. Nutrition is passed from mother to child through the umbilical cord and navel (*Maharzu*).

125. The womb is not designed to eliminate the excrement of the fetus (*Eitz Yosef,* citing *Rashi* to *Niddah* 30b). The fetus does not need to discharge excrement, for the nutrition it gets from the mother has already been processed and purified (*Maharzu*).

126. For otherwise, the newborn baby would not be able to survive out of the womb (see *Niddah* 30b).

127. *Eitz Yosef;* however, see *Maharzu* s.v. במתי יחזקאל.

128. *Ramban* in *Toras HaAdam, Shaar HaGemul* (R' Chavel ed., p. 302) cites this passage, found also in *Bereishis Rabbah* 14 §5, to demonstrate that the term עוֹלָם הַבָּא, the Next World, refers to the future era following the physical resurrection of the dead rather than to the world of the disembodied souls after death.

129. As indicated by the verse from *Job* cited below, עוֹר וּבָשָׂר תַּלְבִּישֵׁנִי וּבַעֲצָמוֹת וְגִידִים תְּסֹכְכֵנִי, *You clothe me with skin and flesh; You cover me with bones and sinews* (*Job* 10:11), which mentions *skin and flesh* first and only afterward, *bones and sinews* (*Matnos Kehunah, Eitz Yosef*).

130. In the vision of "the valley of the dry bones"; see *Ezekiel* Ch. 37. Ezekiel's revivification of the dead can be seen as a model for the future revivification; see *Sanhedrin* 92b.

131. The skin covered them only after the appearance of the sinews and flesh.

132. I.e., the undergarment, which he removed last when undressing, is the article that he puts on first when he gets dressed again. Similarly, the "dry bones" of Ezekiel were being "dressed" once more with bodies; therefore, the sinews, which are closest to the bones, were placed first, followed by the flesh and only afterward the outer skin. But by the time of the future revivification the bones of most of the dead will have decomposed and God will entirely reconstruct their bodies; hence it remains conceivable that the reconstruction will begin with the skin, as with their original formation in the womb (*Eitz Yosef*). [However, according to 18 §1 below, there is a small bone in the spine, the *luz* bone, that is indestructible and remains intact till the time of the revivification. See *Nezer HaKodesh* to *Bereishis Rabbah* 14 §5, cited by *Eitz Yosef* here.]

133. The passage reads in full: זְכָר נָא כִּי כַחֹמֶר עֲשִׂיתָנִי וְאֶל עָפָר תְּשִׁיבֵנִי. הֲלֹא כֶחָלָב תַּתִּיכֵנִי וְכַגְּבִנָּה תַּקְפִּיאֵנִי. עוֹר וּבָשָׂר תַּלְבִּישֵׁנִי וּבַעֲצָמוֹת וְגִידִים תְּסֹכְכֵנִי. חַיִּים וָחֶסֶד עָשִׂיתָ עִמָּדִי וּפְקֻדָּתְךָ שָׁמְרָה רוּחִי, *Remember, please, that You molded me like clay, and that You will return me to the dust. Behold, You pour me out like milk, and curdle me like cheese. You clothe me with skin and flesh; You cover me with bones and sinews. You granted me life and kindness and Your ordinances protected my spirit* (*Job* 10:9-12).

The Midrash now proceeds to expound the passage.

חידושי הרד"ל

[ט] **אם של אשה מלא דם וממנו יוצא כו' ונופלת לתוכו ועומד ומיד נוצר הוולד.** כן צריך לומר כדלקמן נקפא ועומד:

באור מהרי"פ

חתוך ידים ורגלים אין בה. זה קאי על זכר ונקבה, ולשון הגמרא שם (נדה כה, א) חתוך ידים ורגלים אין לו, שכן כתיב במתי יחזקאל (יחזקאל לב, ה - ח), כה אמר ה' אלהים לעצמות האלה הנה אני מביא בכם רוח וחייתם, ונתתי עליכם גידים והעליתי עליכם בשר וקרמתי עליכם עור ונתתי בכם רוח וחייתם וידעתם כי אני ה', ונבאתי כאשר צויתי ויהיה קול כהנבאי והנה רעש ותקרבו עצמות עצם אל עצמו, וראיתי והנה עליהם גידים ובשר עלה ויקרם עליהם עור מלמעלה ורוח אין בהם. וכפי שהולעתי המקראות יובן מאמר זה בקל למבין. (ועיין נדה כה, א בתוספות ד"ה עור ובשר) שם מביא מדרש הלזה: [ט] **זה מצייר וכו'.** פירוש מפני שאינו יכול לראות את עצמו:

אמרי יושר

[ט] **בעולם הזה מתחיל בדברים הרכים עור ובשר ואחר כך גידים ועצמות.** כי הגרעין אינו מתקשה עד סוף הבישול בפירות, וגם אמרו אחר כך כי לולא כן היה בוקע כריסה ויוצא מיד, כיון שהוא קרוב לרחם, ולעתיד אינו כן רק ההתחלה בעצמות לוז של שדרה, ונקרם עליהם העור כדרך מתי יחזקאל, וסבירא ליה דקרא דעור ובשר תלבישני מיירי בעולם הזה: **רבי חייא בר אבא.** אומר אין מביאין ראיה מיחזקאל, דהתם נשארו העצמות ליסוד, והכא כבר נרקבו, אלא מה שהיה הוא שיהיה והיצירות שוות, ודייק תלבישני שהוא עתיד: **לשני ציירין זה צר דמותו של זה.** ולזה אשה מזרעת תחלה יולדת זכר, כי צר הנגדי לה ומקבילה, כי היא מתאוה לו, דלית ספר דמספר לגרמיה:

דומה לשעורה. בגמרא גרסינן פיו מתוח כחוט השערה, ופירש רש"י סדק קטן ונראה כאילו חוט השערה מתוח שם: **גוויתו.** פירוש גיד אבר הזכר. והיפה תואר פירש גויתו גופו, כי כל גופו עגול ושיעורו כעדשה: **גלמי ראו עיניך.** דלעיל מיניה כתיב תסוככני בבטן אמי, אלמא ביצירת העובר מיירי: **בשעורה.** שהיא סדוקה לארכה: **אין בה.** פירוש בצורה הנזכר, ולא בנקבה בלחוד קאי, ובגמרא גרס ותתוך ידים ורגלים אין לו, ופירש רש"י חתוך ידים ורגלים עדיין אין נראין כדאמרינן תחלת ברייתו דומה לרשון, והא דתני ושתי זרועותיו כשתי חוטין היינו שיש להם הכרה לבד אבל אינם נפרדים ובולטים מהגוף. ומיהו בגמרא לא גרסינן ב' זרועותיו: **פנקס.** פירש רש"י לוחין שכותבים בהם הגלחים: **על שתי צלעיו.** בגמרא גרסינן צדעיו. ותו איתא התם שתי אציליו על שתי ארכבותיו, ופירש רש"י אציליו אושול"ש. ורבינו תם פירש דאצילו היינו קוד"א: **יהרוג את אמו.** פירש רש"י שבית הרחם אינו רחב להוציא רעי הנאסף בו: **נפתח הסתום.** פיו: **נסתם בפתוח.** טבורו: [ט] [ח] **מתחיל בעור ובשר.** כמו שנאמר באיוב (י, יא) עור ובשר תלבישני וגידים ועצמות תסוככני: **וגומר בעור ובשר.** כן צריך לומר: **למה מתי יחזקאל כו'.** לפי שעצמותיהם היו בעולם ראוי שיבא עליהם המחובר להם תחלה ואחר כך המחובר לדבר ההוא, כדרך הנכנס למרחץ שאם ילבש העליון תחלה, איך ילבש אחר כך התחתון שצריך שיהיה מתחתיו, וכן אם יכסה העור על העצם איך יבא אחר כך בשר וגידים בנתים, ואף על פי שהיה אפשר דרך נס, אינו נכון, אבל בתחיית המתים שרוב המתים עצמותיהם שבו אל העפר הרי הם כיצירה חדשה ויתחיל בעור, ואף על פי שעדיין נשאר עצם לוז כדלקמן פרשה י"ח (סימן א), מכל מקום אז גם הוא יהיה נשאר בהוויתו אלא יהיה נמחה כחלב ונקפה כגבינה [כדאיתא בזוהר פנחס רכב, א], וממנו יצוייר בנין כל הגוף, לכך שפיר שייך ביה קדימת עור ובשר לגידים ועצמות (נזר הקודש): **התכתני.** הוא לשון עבר ומורה על היצירה הראשונה, ולא אמר כן אלא תתיכני שהוא לשון עתיד כמשפט איו"ן: [ט] **אם הרחם.** שבו התינוק מונח נקרא אם: **מלא דם וממנו יוצא כו' ונופלת לתוכו ועומד ומיד הולד כו'** כן צריך לומר, וכדלקמן נקפא ועומד (רד"ל): **משל לחלב כו'.** שפלוסופי יון אומרים שכל גוף העובר מדם הנקבה ואין לאיש חלק בו אלא נתינת הצורה שהיא על ידי זרע האיש כמסו בחלב, וזה דעת מאמר זה (יפה תואר): **מסו.** שם, או עשב שנותנין בחלב להעמיד ולהפריד מי החלב מן הגבינה. מסו לשון חלוקה, כמה דאת אמר (מעשרות א, ב) הרמונים משימסו, וכן אם של אשה היא מלאה דם וטיפה של לבנות יורד לתוכה ומיד נקפה (מתנות כהונה): **רופף.** מנענע ונע ונד: **לשני ציירין זה צר דמותו של זה וזה צר דמותו של זה.** כן צריך לומר (יפה תואר). ובאות אמת גריס זה נותן צורת דמותו של זה וזה נותן צורת דמותו של זה. וכתב היפה תואר

פִּיו דּוֹמֶה לִשְׂעוֹרָה, גְּוִיָּתוֹ כַּעֲדָשָׁה, וּשְׁאָר אֵבָרָיו מְצוּמְצָמִים בּוֹ כְּגוֹלֶם, וְעָלָיו הוּא אוֹמֵר (תהלים קלט, טז) "גָּלְמִי רָאוּ עֵינֶיךָ", וְאִם הָיְתָה נְקֵבָה סְדוּקָה כִּשְׂעוֹרָה לְאָרְכָּהּ, נִתּוּחַ יָדַיִם וְרַגְלַיִם אֵין בָּהּ, כֵּיצַד הַוָּלָד שָׁרוּי בִּמְעֵי אִמּוֹ, מְקוּפָּל וּמוּנָּח כְּפִנְקָס, רֹאשׁוֹ מוּנָּח לוֹ בֵּין בִּרְכָּיו, שְׁתֵּי יָדָיו עַל שְׁתֵּי צְדָעָיו, שְׁנֵי עֲקֵבָיו עַל שְׁנֵי עַגְבוֹתָיו, פִּיו סָתוּם, טַבּוּרוֹ פָּתוּחַ, וְאוֹכֵל מִמַּה שֶּׁאִמּוֹ אוֹכֶלֶת וְשׁוֹתֶה מִמַּה שֶּׁאִמּוֹ שׁוֹתָה, וְאֵינוֹ מוֹצִיא רְעִי שֶׁמָּא יַהֲרוֹג אֶת אִמּוֹ, יָצָא לַאֲוִיר הָעוֹלָם נִפְתַּח הַסָּתוּם וְנִסְתַּם הַפָּתוּחַ:

ט בֵּית שַׁמַּאי וּבֵית הִלֵּל, בֵּית שַׁמַּאי אוֹמְרִים: לֹא כְּשֵׁם שֶׁיְּצִירַת הַוָּלָד בָּעוֹלָם הַזֶּה כָּךְ יְצִירָתוֹ לָעוֹלָם הַבָּא, בָּעוֹלָם הַזֶּה מַתְחִיל בְּעוֹר וּבְבָשָׂר וְגוֹמֵר בְּגִידִים וַעֲצָמוֹת אֲבָל לֶעָתִיד לָבֹא מַתְחִיל בְּגִידִים וַעֲצָמוֹת וְגוֹמֵר בְּעוֹר, שֶׁכֵּן כְּתִיב בְּמֵתֵי יְחֶזְקֵאל (יחזקאל לז, ח) "וְרָאִיתִי וְהִנֵּה עֲלֵיהֶם גִּדִים וּבָשָׂר עָלָה וַיִּקְרַם עֲלֵיהֶם עוֹר מִלְמָעְלָה וְרוּחַ אֵין בָּהֶם", אָמַר רַבִּי חִיָּיא בַּר אַבָּא: אֵין פָּרָשַׁת יְחֶזְקֵאל רְאָיָה, לְמָה מֵתֵי יְחֶזְקֵאל דּוֹמִין, לְמִי שֶׁנִּכְנַס לַמֶּרְחָץ זֶה שֶׁפָּשַׁט אַחֲרוֹן לָבַשׁ רִאשׁוֹן, בֵּית הִלֵּל אוֹמְרִים: כְּשֵׁם שֶׁיְּצִירָתוֹ שֶׁל אָדָם בָּעוֹלָם הַזֶּה כָּךְ יְצִירָתוֹ בָּעוֹלָם הַבָּא, בָּעוֹלָם הַזֶּה מַתְחִיל בְּעוֹר וּבָשָׂר וְגוֹמֵר בְּגִידִים וַעֲצָמוֹת וְלֶעָתִיד לָבֹא כְּמוֹ כֵן, שֶׁכֵּן אִיּוֹב אוֹמֵר (איוב י, ט-י) "זְכָר נָא כִּי כַחֹמֶר עֲשִׂיתָנִי ... הֲלֹא כֶחָלָב תַּתִּיכֵנִי", "הִתַּכְתַּנִי" אֵינוֹ אוֹמֵר אֶלָּא "תַּתִּיכֵנִי", (שם) "כַּגְּבִינָה תַּקְפִּיאֵנִי", "הִקְפֵּאתַנִי" אֵינוֹ אוֹמֵר אֶלָּא "תַּקְפִּיאֵנִי", (שם שם יא) "עוֹר וּבָשָׂר תַּלְבִּישֵׁנִי", "הִלְבַּשְׁתַּנִי" אֵינוֹ אוֹמֵר אֶלָּא "תַּלְבִּישֵׁנִי", "וּבַעֲצָמוֹת וְגִידִים סִכְסַכְתַּנִי" אֵינוֹ אוֹמֵר אֶלָּא (שם) "תְּשֹׂכְכֵנִי", הֱוֵי (שם שם יב) "חַיִּים וָחֶסֶד עָשִׂיתָ עִמָּדִי". אֵם שֶׁל אִשָּׁה מָלֵא דָם עוֹמֵד וּמִמֶּנּוּ יוֹצֵא לִמְקוֹם נִדָּתָהּ, וּבִרְצוֹנוֹ שֶׁל הַקָּדוֹשׁ בָּרוּךְ הוּא הוֹלֶכֶת טִפָּה שֶׁל לַבְנוּת וְנוֹפֶלֶת לְתוֹכָהּ מִיָּד הַוָּלָד נוֹצָר, מָשָׁל לְחָלָב שֶׁנָּתוּן בִּקְעָרָה, אִם נוֹתֵן לְתוֹכוֹ מָסוֹ נִקְפָּא וְעוֹמֵד וְאִם לָאו הוֹלֵךְ רוֹפֵף, לִשְׁנֵי יַצַּיָּירִין, זֶה צָר דְּמוּתוֹ שֶׁל זֶה וְזֶה צָר דְּמוּתוֹ שֶׁל זֶה,

פירוש מהרז"ו

ואוכל מה שאמו אוכלת. דרך הטבור יונק: **ואינו מוציא רעי.** שיונק מן המזון אחר שנברר ונבחר מכל פסולת: **נפתח הסתום.** הוא הפה, ונסתם הפתוח, זה הטבור: (ט) **כמתי יחזקאל.** פירוש כמתים שהחיה יחזקאל, ומביא ראיה מתחיית המתים על יצירת הולד: **זה שפשט ראשון.** שתחלה נבלה העור והבשר הרכים, ואחר כך הגידים הקשים, ונשארו העצמות, וכשהחיה אותם העלה על העצמות גידים, ואחר כך בשר ועור, אך יצירת הולד מחדש יהיה כמו היום: **הוי חיים וחסד.** פסוק זה נאמר אחר הפסוקים הנ"ל הלא כחלב תתיכני וגו', ועל כן חתם בו המדרש, ותיבת הוי, אינו שייך כאן, שהרי לא פתח בפסוק זה, ובילקוט כאן ליתא, וכן בבראשית רבה שם ליתא, ואולי נמשך לכאן מסימן ג' מפרשה זו: **וברצונו של הקב"ה.** כשעולה ברצונו לפקוד האשה שתתעבר: **משל לחלב.** עיין בראשית רבה סוף פרשה ד. ופרשה יד סי' ה שם:

מסורת המדרש

ו. ב"ר פ' י"ד ילקוט יחזקאל:

ז. ברכות דף ס' ע"א נדה פ"ג:

אם למקרא

גָּלְמִי רָאוּ עֵינֶיךָ וְעַל־סִפְרְךָ כֻּלָּם יִכָּתֵבוּ יָמִים יֻצָּרוּ וְלוֹ אֶחָד בָּהֶם: (תהלים קלט:טז)

וְרָאִיתִי וְהִנֵּה עֲלֵיהֶם גִּדִים וּבָשָׂר עָלָה וַיִּקְרַם עֲלֵיהֶם עוֹר מִלְמָעְלָה וְרוּחַ אֵין בָּהֶם: (יחזקאל לז:ח)

זְכָר נָא כִּי כַחֹמֶר עֲשִׂיתָנִי וְאֶל עָפָר תְּשִׁיבֵנִי: הֲלֹא כֶחָלָב תַּתִּיכֵנִי וְכַגְּבִנָּה תַּקְפִּיאֵנִי: עוֹר וּבָשָׂר תַּלְבִּישֵׁנִי וּבַעֲצָמוֹת וְגִידִים תְּשֹׂכְכֵנִי: חַיִּים וָחֶסֶד עָשִׂיתָ עִמָּדִי וּפְקֻדָּתְךָ שָׁמְרָה רוּחִי: (איוב י:ט-יב)

ענף יוסף

מתרי"ג מצות, שימות בשביל כך, אבל זאת הכוונה אין חטא הוא שימות בשביל כך, רק הוא מדרך הפרישות מן המותר לו, שלא ישמש רק לקיים פריה ורביה ולא להנאתו, כמו רבי אליעזר (נדרים כ ב) שמשמש מטתו כאילו כפאו שד. וביאור המאמר הוא על דרך שאמרו חכמינו ז"ל במדרש, שישי אבי דוד, לעת זקנתו פירש מאשתו, שמא מה שאמרה תורה (דברים כג ד) לא יבא עמוני ומואבי בקהל ה', הוא אפילו מואביות, והוא אסור לבא בקהל ישראל, ורצה להוציא נפשו מספק ושחרר שפחתו על התנאי, אם מואבי ולא מואבית אני כשר ומותר בך, ואם אפילו מואביות, אין בשחרור זה כלום ומותר בשפחה, עיין בספר ע"ח חלק ג' פרק י', ושפחתו גילה הדבר לגבירתה אשת ישי, ונכנסה היא במטה תחת שפחתה, ושמשה עם בעלה ישי, וישי סבר שבא על שפחתו, ומזה המעשה נולד דוד, וזה קשקש בדוד במעשה בת שבע, משום שהיה דוגמת בן תמורה, והשתא אתי שפיר שהכי קאמר דוד לפני הקדוש ברוך הוא, הן בעון חוללתי, ולמה משום שהגם שאני חסיד שבחסידים, מכל מקום צריך אני לחטוא בבת שבע, משום שיש בי צד אחד מעון, דהיינו מצד אבי,

מתנות כהונה

(נדה פ"ג ה"ג) מסיים ושני ידיו כשני טיפין כו': **נתוח.** בילקוט (רמז תקמז) גרס פתוח, ובפרק המפלת (לא, ב) גרס חתוך: הכי גרסינן **מקופל ומונח:** הכי גרסינן **על שתי צעדיו: עגבותיו.** עוגי של הירכים למעלה בגובה: [ט] **כך יצירתו לעולם הבא גרסינן: בעולם הזה.** מתחיל בעור ובשר, שנאמר ברישא (איוב י, יא) עור ובשר תלבישני, ואחר כך בגידים ועצמות תסוככני, וכל זה איתא בבראשית רבה (יד, ה) ושם פירשתיו עיין שם: **התכתני.** לשון עבר לא נאמר, אלא תתכני לשון עתיד, וכן כולם: **אם.** הרחם שבו התינוק מונח נקרא אם: **מסו.** מין סם שמעמידין בו החלב שתהא נקפה, או חלב קפואה הנמצא בתוך קיבה של עגל:

אשד הנחלים

[ט] **לא כשם שיצירת כו'.** עיין בסדר בראשית פרשה י"ד (סימן ה) ושם פרשתי: **זה צר דמותו כו'.** כי הזכר על ידי ציורו בה נצטייר צורת נקבה, וכן בהיפך, כמו שהמצייר אינו יכול להביט כי אם על צורת אחרים:

שֶׁכֵּן אִיּוֹב אוֹמֵר — For so Job said, ... "זְכָר נָא כִּי כַחֹמֶר עֲשִׂיתָנִי הֲלֹא כֶחָלָב תַּתִּיכֵנִי" — ***Remember, please, that You molded me like clay,*** *and that You will return me to the dust.* ***Behold, You pour me out like milk*** (*Job* 10:9-10). "הִתַּכְתַּנִי" אֵינוֹ אוֹמֵר — **[The verse] does not state,** ***hitachtani,*** **"You have poured me out,"** in the past tense, אֶלָּא "תַּתִּיכֵנִי" — **rather,** ***taticheini, You pour me out,*** which can be used for the future tense as well.[134] "כַּגְּבִינָה תַּקְפִּיאֵנִי" — The verse continues, ***You curdle me like cheese*** (ibid.). "הִקְפֵּיאתַנִי" אֵינוֹ אוֹמֵר — **[The verse] does not state,** *hikpeisani,* **"You have curdled me,"** in the past tense, אֶלָּא "תַּקְפִּיאֵנִי" — **rather,** *takpi'eini,* ***You curdle me,*** which can be used in the future tense as well. "עוֹר וּבָשָׂר תַּלְבִּישֵׁנִי" — ***You clothe me with skin and flesh*** (ibid., v. 11). "הִלְבַּשְׁתַּנִי" אֵינוֹ אוֹמֵר — **[The verse] does not state,** *hilbashtani,* **"You have clothed me,"** in the past tense, אֶלָּא "תַּלְבִּישֵׁנִי" — **rather,** *talbisheini,* ***You clothe me,*** which can be used in the future tense as well. "וּבַעֲצָמוֹת וְגִידִים" — *You cover me* ***with bones and sinews*** (ibid.). "סֹכַכְתַּנִי" אֵינוֹ אוֹמֵר — **[The verse] does not state,** *sochachtani,* **"You have covered me,"** in the past tense, אֶלָּא "תְּשֹׂכְכֵנִי" — **rather,** *tesochecheini,* ***You cover me,*** which can be used in the future tense as well.[135] הֱוֵי "חַיִּים וָחֶסֶד עָשִׂיתָ עִמָּדִי" — Thus it is, ***You granted me life and kindness*** (ibid. 12).[136]

The Midrash elaborates on Job's metaphor for the formation of the embryo, כַּגְּבִנָּה תַּקְפִּיאֵנִי, *You curdle me like cheese:*[137]

אֵם שֶׁל אִשָּׁה מָלֵא דָם עוֹמֵד — **The womb of a woman is full of blood constantly,**[138] וּמִמֶּנּוּ יוֹצֵא לִמְקוֹם נִדָּתָהּ — **and [the blood] goes from [the womb] to the place of her menstruation,** i.e., her genitals. וּבִרְצוֹנוֹ שֶׁל הַקָּדוֹשׁ בָּרוּךְ הוּא — **But when it is the will of the Holy One, blessed is He,** הוֹלֶכֶת טִפָּה שֶׁל לְבָנוֹת וְנוֹפֶלֶת לְתוֹכָהּ — **a drop of whiteness,** i.e., semen, **goes and lands inside [the blood],** מִיָּד הַוָּלָד נוֹצָר — and **immediately the child is formed.**[139] מָשָׁל לְחָלָב שֶׁנָּתוּן בִּקְעָרָה — **It is comparable to milk that is placed in a bowl;** אִם נוֹתֵן לְתוֹכוֹ מְסוּ — **if one puts rennet into [the milk],** נִקְפָּא וְעוֹמֵד — **[the milk] congeals and solidifies,** וְאִם לָאו — **and if not,** הוֹלֵךְ רוֹפֵף — **it moves** around **loosely** within the bowl.[140]

The Midrash offers another parable regarding the forming of the child, with respect to the determination of its gender:

לִשְׁנֵי צַיָּירִין — It is comparable **to two artists** who were fashioning images, זֶה צָר דְּמוּתוֹ שֶׁל זֶה — **this** artist **fashioned the image of that** artist, וְזֶה צָר דְּמוּתוֹ שֶׁל זֶה — **and that** artist **fashioned the image of this** artist.[141]

NOTES

134. The plain sense of the passage is that Job is describing how God had formed him in his mother's womb and the Midrash interpreted this passage in that sense in section 3, above. But the word תַּתִּיכֵנִי is technically in the future tense and could be understood as, *you **will** pour me,* and the same is true regarding the other words discussed below. The passage thus implies that in the future Job's body will be formed again in similar fashion to its original formation in the womb (see *Matnos Kehunah*).

135. Thereby indicating that in the future as well, at the time of the revivification, the skin and flesh will be formed before the bones and sinews. [Job referred to being "covered" by bones and sinews, for the bones and sinews surround and protect the vital internal organs (commentators ad loc.).]

136. That is, all of God's miracles involved in the formation of the person, both originally in the womb and in the future revivification, constitute חַיִּים וָחֶסֶד, *life and kindness.* The word הֱוֵי, "it is," is normally used in the Midrash to highlight the connection between an exposition and a previously quoted verse; see sections 2 and 3 above. *Maharzu* notes that it seems inappropriate here, for this verse had not been cited previously in this passage.

137. See *Bereishis Rabbah* 14 §5.

138. [I.e., even when she is not menstruating (however, see *Radal* and *Eitz Yosef*).]

139. The semen acts as a catalyst to begin the formation of the child out of the blood found in the womb.

140. That is, the milk will remain a liquid, with gentle but constant internal motion (see *Eitz Yosef*). Thus, the semen here acts as the rennet, solidifying the blood and forming the child. The Midrash in this passage maintains that the embryo is composed out of the mother's blood, the father's semen providing the force that gives form to that blood (*Yefeh To'ar,* cited by *Eitz Yosef*). However, according to the Gemara in *Niddah* 31a, both the mother and the father contribute to the physical formation of the child (see *Yefeh To'ar* to section 6 above, s.v. אף אינו מאבד את הטפה; see also *Ramban* on our verse).

141. Each artist draws the image of his colleague, whom he can see, rather than his own image, which he does not see. Similarly, when it is the man who is aroused for the conception, he produces a female child like his wife. If it is the woman who is aroused first, then the child will be a male like her husband. See *Niddah* 31a and note 50 in the Schottenstein edition there. [*Imrei Yosher* explains that each one produces a child in accordance with what he or she desires. Since when the man is aroused he desires the woman, he produces a girl; when the woman is aroused she desires the man and therefore produces a boy. See *Eitz Yosef,* citing *Yefeh To'ar,* for a somewhat similar approach.]

פִּיו דּוֹמֶה לְשְׂעוֹרָה, גְּוִיָּתוֹ כַּעֲדָשָׁה, וּשְׁאָר אֵבָרָיו מְצוּמְצָמִים בּוֹ כְּגוֹלֶם, וְעָלָיו הוּא אוֹמֵר (תהלים קלט, טז) "גָּלְמִי רָאוּ עֵינֶיךָ", וְאִם הָיְתָה נְקֵבָה סְדוּקָה כִּשְׂעוֹרָה לְאָרְכָּהּ, נִתּוּחַ יָדַיִם וְרַגְלַיִם אֵין בָּהּ, כֵּיצַד הַוָּלָד שָׁרוּי בִּמְעֵי אִמּוֹ, מְקוּפָּל וּמוּנָּח כְּפִנְקָס, רֹאשׁוֹ מוּנָּח לוֹ בֵּין בִּרְכָּיו, שְׁתֵּי יָדָיו עַל שְׁתֵּי צְדָעָיו, שְׁנֵי עֲקֵבָיו עַל שְׁנֵי עַגְבוֹתָיו, פִּיו סָתוּם, טַבּוּרוֹ פָּתוּחַ, וְאוֹכֵל מִמַּה שֶּׁאִמּוֹ אוֹכֶלֶת וְשׁוֹתֶה מִמַּה שֶּׁאִמּוֹ שׁוֹתָה, וְאֵינוֹ מוֹצִיא רְעִי שֶׁמָּא יַהֲרוֹג אֶת אִמּוֹ, יָצָא לָאֲוִיר הָעוֹלָם נִפְתַּח הַסָּתוּם וְנִסְתַּם הַפָּתוּחַ:

ט בֵּית שַׁמַּאי וּבֵית הִלֵּל, בֵּית שַׁמַּאי אוֹמְרִים: לֹא כְּשֵׁם שֶׁיְּצִירַת הַוָּלָד בָּעוֹלָם הַזֶּה כָּךְ יְצִירָתוֹ לָעוֹלָם הַבָּא, בָּעוֹלָם הַזֶּה מַתְחִיל בְּעוֹר וּבְבָשָׂר וְגוֹמֵר בְּגִידִים וַעֲצָמוֹת אֲבָל לֶעָתִיד לָבֹא מַתְחִיל בְּגִידִים וַעֲצָמוֹת וְגוֹמֵר בְּעוֹר, שֶׁכֵּן כְּתִיב בְּמֵתֵי יְחֶזְקֵאל (יחזקאל לז, ח) "וְרָאִיתִי וְהִנֵּה עֲלֵיהֶם גִּדִים וּבָשָׂר עָלָה וַיִּקְרַם עֲלֵיהֶם עוֹר מִלְמָעְלָה וְרוּחַ אֵין בָּהֶם", אָמַר רַבִּי חִיָּיא בַּר אַבָּא: אֵין פָּרָשַׁת יְחֶזְקֵאל רְאָיָה, לְמָה מֵתֵי יְחֶזְקֵאל דּוֹמִין, לְמִי שֶׁנִּכְנַס לַמֶּרְחָץ זֶה שֶׁפָּשַׁט אַחֲרוֹן לָבַשׁ רִאשׁוֹן, בֵּית הִלֵּל אוֹמְרִים: כְּשֵׁם שֶׁיְּצִירָתוֹ שֶׁל אָדָם בָּעוֹלָם הַזֶּה כָּךְ יְצִירָתוֹ בָּעוֹלָם הַבָּא, בָּעוֹלָם הַזֶּה מַתְחִיל בְּעוֹר וּבָשָׂר וְגוֹמֵר בְּגִידִים וַעֲצָמוֹת וְלֶעָתִיד לָבֹא כְּמוֹ כֵן, שֶׁכֵּן אִיּוֹב אוֹמֵר (איוב י, ט-יא) "זְכָר נָא כִּי כַחֹמֶר עֲשִׂיתָנִי ... הֲלֹא כֶחָלָב תַּתִּיכֵנִי", "הִתַּכְתַּנִי" אֵינוֹ אוֹמֵר אֶלָּא "תַּתִּיכֵנִי", (שם) "כַּגְּבִינָה תַּקְפִּיאֵנִי", "הִקְפֵּאתַנִי" אֵינוֹ אוֹמֵר אֶלָּא "תַּקְפִּיאֵנִי", (שם שם יא) "עוֹר וּבָשָׂר תַּלְבִּישֵׁנִי", "הִלְבַּשְׁתַּנִי" אֵינוֹ אוֹמֵר אֶלָּא "תַּלְבִּישֵׁנִי", "וּבַעֲצָמוֹת וְגִידִים סִכְכְתַּנִי" אֵינוֹ אוֹמֵר אֶלָּא (שם) "תְּשֹׂכְכֵנִי", הֱוֵי (שם שם יב) "חַיִּים וָחֶסֶד עָשִׂיתָ עִמָּדִי". אֵם שֶׁל אִשָּׁה מָלֵא דָם עוֹמֵד וּמִמֶּנּוּ יוֹצֵא לִמְקוֹם נִדָּתָהּ, וּבִרְצוֹנוֹ שֶׁל הַקָּדוֹשׁ בָּרוּךְ הוּא הוֹלֶכֶת טִפָּה שֶׁל לְבָנוֹת וְנוֹפֶלֶת לְתוֹכָהּ מִיָּד הַוָּלָד נוֹצָר, מָשָׁל לְחָלָב שֶׁנָּתוּן בִּקְעָרָה, אִם נוֹתֵן לְתוֹכוֹ מְסוֹ נִקְפָּא וְעוֹמֵד וְאִם לָאו הוֹלֵךְ רוֹפֵף, לִשְׁנֵי צַיָּירִין, זֶה צָר דְּמוּתוֹ שֶׁל זֶה וְזֶה צָר דְּמוּתוֹ שֶׁל זֶה,

עץ יוסף

דומה לשעורה. בגמרא גרסינן פיו מתוח כחוט השערה, ופירש רש"י סדק קטן ונראה כאילו חוט השערה מתוח שם: גווייתו. פירוש גיד אבר הזכר. והיפה תואר פירש גויתו גופו, כי כל גופו עגול ושיעורו כעדשה: גלמי ראו עיניך. דלעיל מיניה כתיב תסוכני בבטן אמי, אלמא ביצירת העובר מיירי: בשעורה. שהיא סדוקה לארכה: אין בה. פירוש בצורה הנזכר, ולא בנקבה בלחוד קאי, ובגמרא גרס ותתוך ידים ורגלים אין לו, ופירש רש"י תתוך ידים ורגלים עדיין אין נראין כדאמרינן תחלת ברייתו דומה לרשון, והא דתני ושתי זרועותיו כשתי חוטין היינו שיש להם הכרה לבד אבל אינם נפרדים ובולטים מהגוף. ומיהו בגמרא לא גרסינן ב' זרועותיו: פנקס. פירש רש"י לוחין שכותבים בהם הגלחים: על שתי צלעיו. בגמרא גרסינן לדעיו. ותו איתא התם שתי אליליו על שתי ארכובותיו, ופירש רש"י אליליו אוסול"ש. ורבינו תם פירש דאלילו היינו קוד"ה: יהרוג את אמו. פירש רש"י שבית הרחם איננו רחב להוציא רעי הנאסף בו: נפתח הסתום. פיו: נסתם בפתוח. טבורו: (ט) [ח] מתחיל בעור ובשר. כמו שנאמר באיוב (י, יא) עור ובשר תלבישני וגידים ועצמות תסוככני: וגומר בעור ובשר. כן צריך לומר: למה מתי יחזקאל כו'. לפי שעצמותיהם היו בעולם ראוי שיבא עליהם המחובר להם תחלה ואחר כך המחובר לדבר ההוא, כדרך הנכנס למרחץ שאם ילבש העליון תחלה, איך ילבש אחר כך התחתון שצריך שיהיה מתחתיו, וכן אם יכסה העור על העצם איך יבא אחר כך בשר וגידים בנתים, ואף על פי שהיה אפשר דרך נס, אינו נכון, אבל בתחיית המתים שרוב המתים עצמותיהם שבו אל העפר הרי הם כילירה חדשה ויתחיל בעור, ואף על פי שעדיין נשאר עצם לוז כדלקמן פרשה י"ח (סימן א), מכל מקום אז גם הוא יהיה נשאר כהוויתו אלא יהיה נמחה כחלב ונקפה כגבינה [כדאיתא בזוהר פנחס רכב, א], וממנו יצייר בנין כל הגוף, לכך שפיר שייך ביה קדימת עור ובשר לגידים ועצמות (נזר הקודש): התכתני. הוא לשון עבר ומורה על היצירה הראשונה,

פירוש מהרז"ו

ואוכל מה שאמו אוכלת. דרך הטבור יונק: ואינו מוציא רעי. שיונק מן המזון אחר שנברר ונבחר מכל פסולת: נפתח הסתום. הוא הפה, ונסתם הפתוח, זה הטבור: (ט) במתי יחזקאל. פירוש כמתים שהחיה יחזקאל, ומביא ראיה מתחיית המתים על יצירת הולד: זה שפשט ראשון. שתחלה נבלה העור והבשר הרכים, ואחר כך הגידים הקשים, ונשארו העצמות, וכשהחיה אותם העלה על העצמות גידים, ואחר כך בשר ועור, אך יצירת הולד מחדש יהיה כמו היום: הוי חיים וחסד. פסוק זה נאמר אחר הפסוקים הנ"ל הלא כחלב תתיכני וגו', ועל כן חתם בו המדרש, ותיבת הוי, אינו שייך כאן, שהרי לא פתח בפסוק זה, ובילקוט כאן ליתא, וכן בבראשית רבה שם ליתא, ואולי נמשך לכאן מסימן ג' מפרשה זו: וברצונו של הקב"ה. כשעולה ברצונו לפקוד האשה שתתעבר: משל לחלב. עיין בראשית רבה סוף פרשה ד. ופרשה יד סי' ה שם:

ולא אמר כן אלא תתיכני שהוא לשון עתיד כמשפט אית"ן: [ט] אם הרחם. שבו התינוק מונח נקרא אם: מלא דם וממנו יוצא כו' ונופלת לתוכו ועומד ומיד הולד בו'. כן צריך לומר, וכדלקמן נקפא ועומד (רד"ל). משל לחלב כו'. שפלוסופי יון אומרים שכל גוף העובר מדם הנקבה ואין לאיש חלק בו אלא נתינת הצורה שהיא על ידי זרע האיש כמסו בחלב, וזה דעת מאמר זה (יפה תואר): מסו. פסו, או עשב שנותנין בחלב להעמיד ולהפריד מי החלב מן הגבינה. מסו לשון חלוקה, כמה דאת אמר (מעשרות א, ב) הרמונים משימסו, וכן אם של אשה היא מלאה דם וטיפה של לבנות יורד לתוכה ומיד נקפה (מתנות כהונה): רופף. מנענע ונע ונד: לשני ציירין זה צר דמותו של זה וזה צר דמותו של זה. כן צריך לומר (יפה תואר). ובאות אמת גרים שזה נותן צורת דמותו של זה וזה נותן צורת דמותו של זה. וכתב היפה תואר

מתנות כהונה

(נדה פ"ג ה"ג) מסיים ושני ידיו כשני טיפין כו': נתוח. בילקוט (רמז תקמז) גרס פתוח, ובפרק המפלת (לא, ב) גרס תתוך: הכי גרסינן מקופל ומונח: הכי גרסינן על שתי צדעיו: עגבותיו. עוגבי של הירכים למעלה בגובה: [ט] כך יצירתו לעולם הבא גרסינן: בעולם הזה. מתחיל בעור ובשר, שנאמר ברישא (איוב י, יא) עור ובשר תלבישני, ואחר כך בגידים ועצמות תסוככני, וכל זה איתא בבראשית רבה (יד, ה) ושם פירשתיו עיין שם: התכתני. לשון עבר לא נאמר, אלא תתכני לשון עתיד, וכן כולם: אם. הרחם שבו התינוק מונח נקרא אם: מסו. מין סם שמעמידין בו החלב שתהא נקפה, או חלב קפוהה הנמצא בתוך קיבה בתוך קיבה של עגל:

אשד הנחלים

[ט] לא כשם שיצירת כו'. עיין בסדר בראשית פרשה י"ד (סימן ה) ושם פרשתי: זה צר דמותו כו'. כי הזכר על ידי ציורו בה נצטייר צורת נקבה, וכן בהיפך, כמו שהמצייר אינו יכול להביט כי אם על צורות אחרים:

חידושי הרד"ל

[ט] אם של אשה מלא דם וממנו יוצא כו' ונופלת לתוכו ועומד ומיד נוצר הוולד. כן צריך לומר כדלקמן נקפא ועומד:

באור מהרי"פ

חתוך ידים ורגלים אין בה. זה קאי על זכר ונקבה, ולשון הגמרא שם (נדה כה, א) חתוך ידים ורגלים אין לו, שכן כתיב במתי יחזקאל (יחזקאל לז, ה - ח), כה אמר ה' אלהים לעצמות האלה הנה אני מביא בכם רוח וחייתם, ונתתי עליכם גידים והעליתי עליכם בשר וקרמתי עליכם עור ונתתי בכם רוח וחייתם וידעתם כי אני ה', ונבאתי כאשר צויתי ויהיה קול כהנבאי והנה רעש ותקרבו עצמות עצם אל עצמו, וראיתי והנה עליהם גידים ובשר עלה ויקרם עליהם עור מלמעלה ורוח אין בהם. וכפי שהולעתי המקראות יובן מאמר זה בקל למבין. (ועיין נדה כה, א בתוספות ד"ה עור ובשר) שם מביא מדרש הלזה: [ט] זה מצייר וכו'. פירוש מפני שאינו יכול לראות את עצמו:

אמרי יושר

[ט] בעולם הזה מתחיל בדברים הרכים עור ובשר ואחר כך גידים ועצמות. כי הגרעין אינו מתקשה עד סוף הבישול בפירות, וגם אמרו אחר כך כי לולא כן היה בוקע כריסה ויולא מיד, כיון שהוא קרוב לרחם, ולעתיד אינו כן רק שהתחלה בעצמות לוז של שדרה, ונקרם עליהם העור כדרך מתי יחזקאל, וסבירא ליה דקרא דעור ובשר תלבישני מיירי בעולם הזה: רבי חייא בר אבא. אומר אין מביאין ראיה מיחזקאל, דהתם נשארו העצמות ליסוד, והכא מה שהיה הוא, אלא מה שהיה הוא כבר נרקבו, שיהיה והיצירות שוות, ודייק תלבישני שהוא עתיד: לשני ציירין זה צר דמותו של זה. ולזה אשה מזרעת תחלה יולדת זכר, כי לך הנגדי לא מקבילה, כי היא מתחלה לו, דלית ספר דמספר לגרמיה:

מסורת המדרש

ו. ב"ר פ' י"ד ילקוט יחזקאל:
ז. ברכות דף ס' ע"א נדה פ"ג:

אם למקרא

גָּלְמִי רָאוּ עֵינֶיךָ וְעַל־סִפְרְךָ כֻּלָּם יִכָּתֵבוּ יָמִים יֻצָּרוּ וְלוֹ אֶחָד בָּהֶם:
(תהלים קלט:טז)

וְרָאִיתִי וְהִנֵּה עֲלֵיהֶם גִּדִים וּבָשָׂר עָלָה וַיִּקְרַם עֲלֵיהֶם עוֹר מִלְמָעְלָה וְרוּחַ אֵין בָּהֶם:
(יחזקאל לז:ח)

זְכָר נָא כִּי כַחֹמֶר עֲשִׂיתָנִי וְאֶל עָפָר תְּשִׁיבֵנִי: הֲלֹא כֶחָלָב תַּתִּיכֵנִי וְכַגְּבִנָּה תַּקְפִּיאֵנִי: עוֹר וּבָשָׂר תַּלְבִּישֵׁנִי וּבַעֲצָמוֹת וְגִידִים תְּשֹׂכְכֵנִי: חַיִּים וָחֶסֶד עָשִׂיתָ עִמָּדִי וּפְקֻדָּתְךָ שָׁמְרָה רוּחִי:
(איוב י:ט-יב)

ענף יוסף

מתרי"ג מלות, שימות בשביל כך, אבל זאת הכוונה אין חטא הוא שימות בשביל כך, רק הוא מדרך הפרישות מן המותר לו, שלא ישמש רק לקיים פריה ורביה ולא להנאתו, כמו רבי אליעזר (נדרים כ ב) שמשמש מטתו כאילו כפאו שד. וביאור המאמר הוא על דרך שאמרו חכמינו ז"ל במדרש, שישי אבי דוד, לעת זקנתו פירש מאשתו, שמא מה שאמרה תורה (דברים כג ד) לא יבא עמוני ומואבי בקהל ה', הוא אפילו מואביות, והוא אסור לבא בקהל ישראל, ורצה להוציא נפשו מספק ושחרר שפחתו על התנאי, אם מואבי ולא מואבית אני כשר ומותר בך, ואם אפילו מואביות, אין בשחרור זה כלום ומותר בשפחה, עיין בספר ע"ח חלק ג' פרק י', ושפחתו גילה הדבר לגבירתה אשת ישי, ונכנסה היא במטה תחת שפחתה, ושמשה עם בעלה ישי, וישי סבר שבא על שפחתו, ומזה המעשה נולד דוד, וזה קשקש בדוד במעשה בת שבע, משום שהיה דוגמת בן תמורה, והשתא אתי שפיר שהכי קאמר דוד לפני הקדוש ברוך הוא, הן בעון חוללתי, ולמה משום שהגם שאני חסיד שבחסידים, מכל מקום צריך אני לחטוא בבת שבע, משום שיש בי לד אחד מעון, דהיינו מלד אבי,

The Midrash finds Scriptural support for the principle alluded to above, that each parent is responsible for the child of the opposite gender:

לְעוֹלָם הַנְּקֵבָה מִן אִישׁ וְהַזָּכָר מִן הָאִשָּׁה — **It is always** that **the female** child **derives from the man and the male** child **derives from the woman.**[142] הַזָּכָר מִן הָאִשָּׁה מִנַּיִן — **From where is it known that the male** child **derives from the woman?** שֶׁנֶּאֱמַר "וְאִשְׁתּוֹ הַיְהוּדִיָּה יָלְדָה אֶת יֶרֶד" — **For [Scripture] states,** ***His Jewish wife bore Jered,*** *the father of Gedor, and Heber, the father of Soco, and Jekuthiel, the father of Zanoah* (*I Chronicles* 4:18). וּכְתִיב "וּפִילַגְשׁוֹ וּשְׁמָהּ רְאוּמָה וַתֵּלֶד גַּם הִיא וְגוֹ'" — **And** furthermore **it is written,** ***And his concubine, whose name was Reumah, also bore children:*** *Tebah, Gaham, Tahash, and Maacah* (*Genesis* 22:24).[143] הָדָא הוּא דִכְתִיב "אִשָּׁה כִּי תַזְרִיעַ וְיָלְדָה זָכָר" — **Thus it is written,** ***When a woman conceives and gives birth to a male.***

וּנְקֵבָה מִן הָאִישׁ — **And** from where is it known that **the female** child **derives from the man?** שֶׁנֶּאֱמַר "וּבְתוּאֵל יָלַד אֶת רִבְקָה" — **For [Scripture] states,** ***And Bethuel begot Rebecca*** (ibid., v. 23);[144] "וְאֵת דִּינָה בִתּוֹ" — *these are the sons of Leah whom she bore to Jacob in Paddan-aram,* ***in addition to Dinah, his daughter*** (ibid. 46:15);[145] "וְשֵׁם בַּת אָשֵׁר שָׂרַח" — ***The name of Asher's daughter: Serah*** (*Numbers* 26:46).[146] אָמַר רַבִּי אָבִין — **R' Avin said:** לֵית סַפָּר דִּמְסַפֵּר לְגַרְמֵיהּ — **There is no barber who gives himself a haircut.**[147]

The Midrash presents a parable illustrating an alternative explanation of the phenomenon described above:[148]

מָשָׁל לִשְׁנַיִם שֶׁנִּכְנְסוּ לַמֶּרְחָץ — **It is comparable to two people who enter a** steam **bath;** זֶה שֶׁמֵּזִיעַ רִאשׁוֹן — **the one who perspires first** יָצָא רִאשׁוֹן — **exits** the bath **first.**[149]

The Midrash returns to the chronology of the embryo's development:

אָמַר רַבִּי אַבָּהוּ — **R' Abahu said:** טוֹבָה גְדוֹלָה עוֹשֶׂה הַקָּדוֹשׁ בָּרוּךְ הוּא עִם אִשָּׁה זוֹ בָּעוֹלָם הַזֶּה — **The Holy One, blessed is He, does a great favor to the** pregnant **woman in this world,** שֶׁלֹּא הִתְחִיל בְּצוּרַת הַוָּלָד בְּגִידִים וַעֲצָמוֹת — in **that, when forming the child, He does not begin with** the **sinews and** the **bones,**[150] שֶׁאִלּוּ הִתְחִיל כֵּן — **for if He were to so begin** the child's formation, הָיָה מְבַקֵּעַ כְּרֵיסָהּ וְיוֹצֵא — **[the fetus] would burst through [the mother's] womb and exit.**[151]

As is common in the Midrash, the discussion here concerning pregnancy and childbirth concludes with a remark concerning the Messianic era:[152]

לְפִי שֶׁבָּעוֹלָם הַזֶּה אִשָּׁה יוֹלֶדֶת בְּצַעַר — **For** while **it is that in this world a woman bears children in pain,**[153] אֲבָל לֶעָתִיד לָבֹא מַה כְּתִיב — **but what** is it that **is written [regarding]** childbirth in **the** Messianic **future time** yet **to come?** "בְּטֶרֶם תָּחִיל יָלָדָה בְּטֶרֶם יָבֹא חֵבֶל לָהּ וְגוֹ'" — ***Before she even feels her labor pains she will give birth, before any travail comes to her*** *she will deliver a son* (*Isaiah* 66:7).[154]

NOTES

142. That is, a female child is the result of the man being aroused first and a male child is a result of the woman being aroused. See *Niddah* 31a and the previous note; however, see *Yefeh To'ar* and *Eitz Yosef.*

143. The word גַּם, *also,* implies that, like Nahor's wife Milcah mentioned earlier in the passage, Reumah also gave birth to sons. Although Scripture normally attributes the children to the father, both of these verses stress that it was the woman who bore the sons listed therein, to indicate that male children are due to the woman (*Yefeh To'ar;* see also *Eshed HaNechalim*). [See *Yefeh To'ar* for a discussion as to why the Midrash does not cite the earlier verse regarding Milcah, הִנֵּה יָלְדָה מִלְכָּה גַם הִוא בָּנִים לְנָחוֹר, *behold Milcah too has borne sons to Nahor* (*Genesis* 22:20).]

144. In contrast to the male children listed in this passage who, as mentioned above, are attributed to their mothers (*Eitz Yosef*).

145. Since the verse refers to the children of Leah *whom she bore to Jacob,* the subsequent description of Dinah as, בִּתּוֹ, ***his daughter,*** appears superfluous. Hence, the Midrash understands that specifically as a daughter Dinah was attributed to Jacob (*Eitz Yosef*). [Alternatively, the Midrash is contrasting the description of the males as *sons of Leah,* with the description of Dinah as *his* (*Jacob's*) *daughter;* see *Niddah* 31a.]

146. It would have sufficed for the verse to have stated that Serah was the sister of Asher's sons mentioned previously there; see *Genesis* 46:17. Accordingly, the Midrash interprets the reference to Serah as בַּת אָשֵׁר, *the daughter of Asher,* as alluding to the father's responsibility for the siring of a daughter (*Eitz Yosef*).

147. So too, a person does not reproduce a version of his or her own self, i.e., a child of the same gender, but rather one of the opposite gender. Thus, the male produces the female child and the female produces the male (*Matnos Kehunah;* see also *Eitz Yosef*).

148. See *Imrei Yosher.*

149. Leaving the bath entirely to his friend who remains. So too, the partner who is aroused first while conceiving "exits" first, terminating his/her involvement with the conception of the child and leaving the actual formation of the child totally under the influence of the opposite partner (*Matnos Kehunah;* see similarly *Imrei Yosher*). See *Yefeh To'ar* and *Eitz Yosef* for an alternative interpretation of this parable.

150. For as stated above, both Beis Shammai and Beis Hillel agree that in this world the formation of the fetus in the womb begins with the skin and flesh and only then proceeds to the sinews and bones.

151. Without the buffering provided by the soft flesh and skin, the bones and sinews would immediately pierce through the wall of the womb (*Maharzu,* second explanation).

152. See *Maharzu* and *Eitz Yosef.*

153. As a result of Eve having sinned with the fruit of the Tree of Knowledge; see *Genesis* 3:16 (*Maharzu*).

154. For God will then rescind the decree regarding painful childbirth (*Maharzu*). The plain understanding of this verse is that Scripture is metaphorically describing Zion as a mother and the ingathered exiles as her children to whom she has suddenly and painlessly given birth; see *Radak* ad loc. However, the Midrash sees the wording of the verse as alluding to this idea, that in the Messianic future actual childbirth will be painless and easy (*Eitz Yosef*).

לעולם הנקבה מן איש והזכר מן האשה, הזכר מן האשה מנין, שנאמר (דברי הימים-א ד, יח) "ואשתו היהודיה ילדה את ירד", וכתיב (בראשית כב, כד) "ופילגשו ושמה ראומה ותלד גם היא וגו'", הדא הוא דכתיב [יב, ב] "אשה כי תזריע וילדה זכר", ונקבה מן האיש שנאמר (שם שם כג) "ובתואל ילד את רבקה", (שם מו, טו) "ואת דינה בתו", (במדבר כו, מו) "ושם בת אשר שרח", אמר רבי אבין: לית ספר דמספר לגרמיה, משל לשנים שנכנסו למרחץ זה שמזיע ראשון יצא ראשון, אמר רבי אבהו: טובה גדולה עושה הקדוש ברוך הוא עם אשה זו בעולם הזה שלא התחיל בצורת הולד בגידים ועצמות, שאלו התחיל כן היה מבקיע כריסה ויוצא לפי שבעולם הזה אשה יולדת בצער, לעתיד לבא מה כתיב (ישעיה סו, ז) "בטרם תחיל ילדה בטרם יבא חבל לה וגו'":

עץ יוסף

דגם בעל המשל הזה סבירא ליה שההולדה כהקפאת הגבינה וחומר הולד מדם הנקבה וצורתו מזרע הזכר, ומכל מקום יש כח בדמיון האשה לצייר הולד כצורה המצויירת בדמיונה בעת העיבור, וסבירא ליה שזה הציור מועיל להיות העובר זכר או נקבה, ועל כן ציור הזכר שמדבק דמיונו באשתו יסבב הולד מהזרע כמותה, וציור האשה בבעלה יסבב ההפך, ומי שציורו יהיה יותר חזק יגלה לשל חבירו: **הדא הוא דכתיב אשה כי תזריע.** דאם לא כן תזריע למה לי, אלא לומר שהיא סבת הזרעת זכר, ואף על פי שאין הזרע רק מהזכר לדעת המדרש הזה כדלעיל, פירוש תזריע תתן זרע כדפירש ר' אברהם בן עזרא הפסוק, על דרך חכמי יון: **ובתואל ילד את רבקה.** דאם לא כן ולבתואל נולדה רבקה מבעיא ליה כדרך שאמר בנים לנחור אחיך שלא הזכיר הולדתו רק שנולד לו: **ואת דינה בתו.** דבתו למה לי דהא אילדה ליעקב קאי, אלא מילתא אגב אורחיה קא משמע לן דיעקב סבת דינה, והא דכתיב (בראשית לד, א) ותצא דינה בת לאה, היינו משום דנדמית לה בהיותה יצאנית כדלעיל בבראשית רבה (פ, א): **ושם בת אשר.** דאם לא כן ושם אחותם סרח מבעי ליה כדכתיב בפרשת ויגש (מו, יז) וסרח אחותם, אלא דמילתא אגב אורחיה קא משמע לן: **אמר ר' אבין כו'.** ר' אבין חולק על הנתבאר לעיל וסובר שמשני הזרעים יחד התהוה הולד, ואשה מזרעת תחלה יולדת זכר וכו' כדעת הגמרא (ברכות ס, א). וטעמו שסבירא ליה שה' הטביע בזרע הזכר שיתהוה ממנו נקבה, ובזרע הנקבה שיתהוה ממנו זכר כדרך העולם שאין המספר [פירוש אומן בלן שמספר הבריות במספריים ותער] מספר את עצמו, אלא איש רעהו יעזורו, וכן האשה תביא צורת הזכר והאיש מביא צורת הנקבה, ולכן כשהאשה מזרעת תחלה יתחיל הטבע בהויית העובר בזרעה, ולכן תהיה יצירתו זכר כנמשך מטבע זרעה, וכשיצטרף זרע האיש אל זרעה תשלים ההויה בצורה שהותחלה ויתהוה הזכר משני הזרעים, וכשהאיש מזריע תחלה יהיה בהיפך שתחילת היצירה תהיה בזרעו ואחריתה בזרעה, ולכן יצוייר העובר בטבע הנמשך מזרעו שהוא העיקר וזרע האשה נלוה אליו. ומשל המרחץ כך הוא שכמו שהמזיע ראשון יוצא ראשון, לפי שהוכן ראשונה אל היציאה כן התחלת צורת העובר בזרע שנמצא ראשון: **טובה גדולה כו'.** משום עור ובשר תלבישני וגו' חיים וחסד וגו' דעסקינן ביה לעיל נקט לה, אלא שהפסיק המדרש בענין, ועכשיו חוזר לענינו: **לפי שבעולם הזה כו'.** לפי שדרך המדרש לסיים הפרשה במלתא דנחמתא נקט הך מילתא ביולדת מענין הפרשה דמיירי ביולדת. ויתכן דסבירא ליה דאשה כי תזריע רמיז לה, כלומר לעתיד כשתזרע מיד תלד, וכמו שדרשו במסכת שבת (ל, ב) גבי הרה ויולדת יחדיו: **מה כתיב בטרם תחיל כו'.** רמיזא בעלמא הוא, דעיקר קרא משל על קיבוץ גליות בפתע, כיולדת זכר בטרם תחיל:

פירוש מהרז"ו

ותלד גם היא. את טבח ואת גחם וגו', ומדקאמר גם היא, שכמו שמלכה ילדה בנים זכרים, כך פלגשו גם כן ילדה בנים זכרים, ויותר היה לו להביא פסוק הקודם לזה, הנה ילדה מלכה גם היא בנים וגו', ואחר כך כתוב ובתואל ילד את רבקה, וכן הוא בתנחומא כאן (סימן ג) וצריך עיון, ועיין נדה (לא, א) פסוקים אחרים: **מבקיע כריסה ויוצא.** פירוש שמיד שהיו נבראים העצמות, היתה מפלת אותם, או שהיו מנקבים את מעיה ויוצאים: **לפי שבעולם הזה בא לחתום בנחמה.** כי בעולם הזה תלד האשה בעצב, בשביל קללת האדם, ולעתיד תוסר הקללה, וכמו שנאמר והמליטה זכר:

באור מהרי"פ

ואת דינה בתו. אולי הוא דורש דמלת בתו מיותרת היא, אטו עד האידנא לא ידענו דדינה בתו היא, אלא לרמז שיעקב היה עיקר לבתו, וכן שם בת אשר סרח, לרמז כי הוא עיקר בלידתה:

אמרי יושר

שנים שנכנסו למרחץ המזיע ראשון יצא ראשון. ואם כן אם האשה מזרעת תחלה, תפלוט ראשון חוץ לרחם, והזרעה השניה תקלוט, ונשארה תוך הרחם, וזה טעם שני:

אם למקרא

וְאִשְׁתּוֹ הַיְהֻדִיָּה יָלְדָה אֶת יֶרֶד אֲבִי גְדוֹר וְאֶת חֶבֶר אֲבִי שׂוֹכוֹ וְאֶת יְקוּתִיאֵל אֲבִי זָנוֹחַ וְאֵלֶּה בְּנֵי בִּתְיָה בַת פַּרְעֹה אֲשֶׁר לָקַח מָרֶד:

(דברי הימים א ד:יח)

וּבְתוּאֵל יָלַד אֶת רִבְקָה שְׁמֹנָה אֵלֶּה יָלְדָה מִלְכָּה לְנָחוֹר אֲחִי אַבְרָהָם: וּפִילַגְשׁוֹ וּשְׁמָהּ רְאוּמָה וַתֵּלֶד גַּם הִוא אֶת טֶבַח וְאֶת גַּחַם וְאֶת תַּחַשׁ וְאֶת מַעֲכָה:

(בראשית כב: כג-כד)

אֵלֶּה בְּנֵי לֵאָה אֲשֶׁר יָלְדָה לְיַעֲקֹב בְּפַדַּן אֲרָם וְאֵת דִּינָה בִתּוֹ כָּל נֶפֶשׁ בָּנָיו וּבְנוֹתָיו שְׁלֹשִׁים וְשָׁלֹשׁ:

(שם מו:טו)

וְשֵׁם בַּת אָשֵׁר שָׂרַח:

(במדבר כו: מו)

בְּטֶרֶם תָּחִיל יָלָדָה בְּטֶרֶם יָבוֹא חֵבֶל לָהּ וְהִמְלִיטָה זָכָר:

(ישעיה סו:ז)

ידי משה

[ט] אבל לעתיד לבוא מתחיל בגידים ועצמות. פירוש לפי שיהיה נברא האדם לעתיד מן עצם ששמו לוז, ואם כן על כרחך יתחיל מן עצמות התחיה שלעתיד. וקל להבין:

מתנות כהונה

ספר. אומן בלן שמספר הבריות במספרים ותער, ואין ספר שיוכל לספר את עצמו, כן מן הזכר לא בא הזכר אלא מן הנקבה: **שמזיע ראשון יצא כו'.** ומניח המרחץ להנשארים וכחו כבר חלף הלך לו, כן כשהאיש מזריע תחלה בטל כחו ומניח שוב הפעולה אל זריעת הנקבה, והיא משלמת הפעולה ונותנת בו צורה ודמותה, וכן בהיפוך:

אשד הנחלים

ותלד גם היא. להורות שלידת הזכר תלוי בה: **שמזיע ראשון כו'.** מבאר בזה הסבה הטבעית במה כשהאיש מזריע תחילה נולד נקבה, וכן להיפך, וכפירוש המתנות כהונה: **בגידים ועצמות.** שהם בטבע חזקים, והיה כחם רב לדחוק ולצאת:

ענף יוסף

שכלום נתכוין אבי ישי להעמידני, והלא לא נתכוין אז אלא להנאת עצמו, אבל אמי לא כוונה אלא להעמידני, אבל אבי לא נתכוין להעמידני אלא להנאת עצמו, משום שהוא סבר שבא על שפחתו, לכן יש בי לד אחד מטון מלד אבי ישי, ועשה אותי כבן תמורה, וזה קשקש בקרבי, שחטאתי בבת שבע. ומה שהזכיר המדרש שניהם הופכים פניהם כמו שנאמר כי אבי ואמי עזבוני וה' יאספני, זה לא קאי על שלא כוונו במעשיהם לשם שמים, דהא אפילו רבי אליעזר שכוון לשם שמים כאילו כפאו שד, אפילו הכי הפך פניו לאחר המעשה, אלא שזה קאי על מה שאמר המדרש מקודם, על כמה חסדים שעשה ה' יתברך עם הטיפה, והולד כל התשעה חדשים, וזה אחד מהן (זקוקין דנור בהקדמה):

Chapter 15

אָדָם כִּי יִהְיֶה בְעוֹר בְּשָׂרוֹ שְׂאֵת אוֹ סַפַּחַת אוֹ בַהֶרֶת וְהָיָה בְעוֹר בְּשָׂרוֹ לְנֶגַע צָרָעַת.

If a person will have on the skin of his flesh a s'eis, or a sapachas, or a baheres, and it will become a tzaraas affliction on the skin of his flesh (13:2).

§1 אָדָם כִּי יִהְיֶה בְעוֹר בְּשָׂרוֹ שְׂאֵת אוֹ סַפַּחַת אוֹ בַהֶרֶת — ***IF A PERSON WILL HAVE ON THE SKIN OF HIS FLESH A S'EIS, OR A SAPACHAS, OR A BAHERES.***

The Midrash begins its exposition of *tzaraas* by citing a verse from *Job*, presenting several interpretations, the last of which is relevant to *tzaraas*:

הָדָא הוּא דִכְתִיב "לַעֲשׂוֹת לָרוּחַ מִשְׁקָל וּמַיִם תִּכֵּן בְּמִדָּה" — **This is** to be understood in light of **what is written, *[God] makes a prescribed weight for the wind and apportions water with a measure*** (*Job* 28:25).[1]

The Midrash expounds the opening clause, *[God] makes a prescribed weight for the wind*:

אָמַר רַב הוּנָא: בִּשְׁלֹשָׁה מְקוֹמוֹת יָצְתָה רוּחַ שֶׁלֹּא בְמִשְׁקָל — **Rav Huna said: In three places the wind emerged in excess of its prescribed weight** (i.e. force), וּכְבָר הָיָה לָהּ לְהַחֲרִיב אֶת הָעוֹלָם — **and it had** enough strength **to destroy the** entire **world.**[2] וְאֵלּוּ הֵן — **And these were [the three instances]:** אֶחָד בִּימֵי אִיּוֹב — **One in the days of Job,** וְאֶחָד בִּימֵי יוֹנָה — **and one in the days of Jonah,** וְאֶחָד בִּימֵי אֵלִיָּהוּ — **and one in the days of Elijah.** בִּימֵי אִיּוֹב שֶׁנֶּאֱמַר "וְהִנֵּה רוּחַ גְּדוֹלָה בָּאָה מֵעֵבֶר הַמִּדְבָּר" — **In the days of Job, as it is stated, *And behold, a great wind came from across the desert*** (*Job* 1:19).[3] בִּימֵי יוֹנָה שֶׁנֶּאֱמַר "וַה' הֵטִיל רוּחַ גְּדוֹלָה אֶל הַיָּם" — **In the days of Jonah, as it is stated, *Then HASHEM cast a great wind toward the sea*** (*Jonah* 1:4).[4] בִּימֵי אֵלִיָּהוּ שֶׁנֶּאֱמַר "וַיֹּאמֶר צֵא וְעָמַדְתָּ בָהָר וְגוֹ' וְהִנֵּה ה' עֹבֵר וְרוּחַ גְּדוֹלָה וְחָזָק מְפָרֵק הָרִים" — **In the days of Elijah, as it is stated, *[The word of God] then said, "Go out and stand on the mountain, etc." And behold HASHEM was passing, and a great, powerful wind, smashing mountains*** *and breaking rocks went before HASHEM* (*I Kings* 19:11).[5]

The Midrash elaborates:

אָמַר רַבִּי יוּדָא בַּר רַבִּי שָׁלוֹם: הִיא אוֹתָהּ שֶׁל אִיּוֹב הִיא אוֹתָהּ שֶׁל יוֹנָה הִיא אוֹתָהּ שֶׁל אֵלִיָּהוּ — **R' Yuda bar R' Shalom said: That** wind **of Job was the same as that of Jonah,** which was **the same as that of Elijah.**[6]

The Midrash explains why, in these three instances, God allowed destructive winds:

בִּשְׁבִיל אוֹתָהּ הַבַּיִת הָיְתָה אוֹתָהּ שֶׁל אִיּוֹב — **That** great wind that was in the days **of Job was for the purpose of** destroying **that** specific **house** in which Job's sons were sitting.[7] בִּשְׁבִיל אוֹתָהּ סְפִינָה הָיְתָה אוֹתָהּ שֶׁל יוֹנָה — Similarly, **that** great wind in the days **of Jonah was for the purpose of** targeting specifically **that ship** in which he sailed.[8] בִּשְׁבִיל אוֹתוֹ מַעֲשֶׂה הָיְתָה אוֹתָהּ שֶׁל אֵלִיָּהוּ — And **that** great wind in the days **of Elijah was** brought only **because of the incident** in which Elijah destroyed the prophets of Baal. As reward for this public sanctification of God's Name, Elijah merited witnessing this unique demonstration of God's might.[9]

The Midrash asserts that while all three were but a single wind, they were not all of equal might:

וְאֵין לְךָ גְּדוֹלָה בָּהֶם אֶלָּא אוֹתָהּ שֶׁל אֵלִיָּהוּ — **And none among [those winds] was greater than that** great wind in the days **of Elijah.**[10] הָדָא הוּא דִכְתִיב "וַיֹּאמֶר צֵא וְעָמַדְתָּ בָהָר" — **Thus it is written, *[The word of God] then said, "Go out and stand on the mountain*** *before HASHEM. And behold HASHEM was passing, and a great, powerful wind, smashing mountains and breaking rocks, went before HASHEM* (*I Kings* 19:11). While the might of an ordinary wind is diminished upon encountering mountains, with regard to this wind the opposite was true; Scripture depicts this wind as "*smashing mountains and breaking rocks.*"[11]

NOTES

1. Although the reason for citing this verse is not yet clear, the Midrash states "*This is* to be understood in light of *what is written*" as an allusion to its coming exposition (below, §2), where it connects this verse to our verse in *Leviticus.*

2. Although the verse states that there is a prescribed weight for the wind, R' Huna teaches that in three instances the wind exceeded its naturally endowed force.

3. When God wished to test Job, to prove the extent of his righteousness, He dispatched a punishing wind to destroy the house in which Job's sons were sitting.

4. God instructed His prophet, Jonah, to journey to the city of Nineveh. In an attempt to avoid God's directive, Jonah boarded a ship bound for the city of Tarshish. God then dispatched a fierce wind to create a tempest that threatened to capsize his ship, thus forcing him to abandon his plan.

5. The verse is referring to an incident following Elijah's defeat of the prophets of Baal. Forced to flee from Queen Jezebel, who supported the worship of Baal, and despondent at the realization that, other than himself, no true prophets of God remained, Elijah beseeched God to take his life. God responded by dispatching a mighty wind to pass before him, thus allowing Elijah to witness a portion of His strength (see *I Kings* 19:1-11).

In describing these winds as "great winds," Scripture implies that they were winds of unbridled force, unrestrained by the constraints of ordinary winds.

6. I.e., there were not three distinct winds of unbridled force, but only a single wind, which occurred and reoccurred these three times. *Eitz Yosef* provides the source of the assertion that they were all the same wind: In all three instances the wind is described as רוּחַ גְּדוֹלָה, *a great wind.* Use of the identical term in describing each instance leads R' Yuda to conclude that they were indeed one and the same.

Yefeh To'ar (cited by *Eitz Yosef*) questions what difference it makes if these three instances were a single recurring wind or three separate winds. He explains that God, unwilling to alter nature more than necessary, allowed but a single wind to exceed its limits. It was this wind that appeared in the days of Job and was then held in abeyance until the days of Jonah and Elijah, when it reappeared.

7. *Eitz Yosef* demonstrates from where the Midrash derives its assertion that only this specific house suffered a punishing wind. He explains that this wind was dispatched to test the extent of Job's devotion, to see if he would question his having been singled out for punishment. Were others to suffer along with him the test would be to no avail; Job would have no reason to question God's actions and his acceptance of adversity would prove nothing. In light of this, the Midrash concludes that this house *alone* was assailed by a mighty wind.

8. This is derived from the verse, *There was a great tempest in the sea, and the ship threatened to be broken* (*Jonah* 1:4). Use of the singular form "ship" to describe who was threatened, as opposed to the plural "ships," leads one to conclude that although Jonah's was surely not the only ship at sea, his ship alone was assailed by these great winds (*Eitz Yosef,* from *Rashi* to *Bereishis Rabbah* 24 §4).

9. Our elucidation follows the opinion of *Yedei Moshe*, who interprets the "incident" spoken of in the Midrash as an allusion to Elijah's sanctification of God's Name. See also *Radak* to *I Kings* 19:13.

Eitz Yosef suggests that the "incident" refers not to the act that engendered the great wind but to the wind itself. He thus interprets the Midrash as follows: Only for the purpose of displaying His might to Elijah did God allow the wind to surpass its normal strength and blow with unrestrained force.

10. See *Bereishis Rabbah* 24 §4 for elaboration of the might of that wind. See also *Yerushalmi Berachos* 57b.

11. *Ein Chanoch* explains that [being the same wind,] it was of equal strength as the other two occurrences described above. Yet, since only in this instance did it maintain its original might and remain unbroken

פרשה טו

א [יג, ב] "**אָדָם כִּי יִהְיֶה בְעוֹר בְּשָׂרוֹ שְׂאֵת אוֹ סַפַּחַת אוֹ בַהֶרֶת**", **הֲדָא הוּא דִכְתִיב** (איוב כח, כה) "**לַעֲשׂוֹת לָרוּחַ מִשְׁקָל וּמַיִם תִּכֵּן בְּמִדָּה**", **אָמַר רַב הוּנָא: בִּשְׁלֹשָׁה מְקוֹמוֹת יָצְתָה רוּחַ שֶׁלֹּא בְּמִשְׁקָל וּכְבָר הָיָה לָהּ לְהַחֲרִיב אֶת הָעוֹלָם, וְאֵלּוּ הֵן: אֶחָד בִּימֵי אִיּוֹב וְאֶחָד בִּימֵי יוֹנָה וְאֶחָד בִּימֵי אֵלִיָּהוּ, בִּימֵי אִיּוֹב שֶׁנֶּאֱמַר** (שם א, יט) "**וְהִנֵּה רוּחַ גְּדוֹלָה בָּאָה מֵעֵבֶר הַמִּדְבָּר**", **בִּימֵי יוֹנָה שֶׁנֶּאֱמַר** (יונה א, ד) "**וַה' הֵטִיל רוּחַ גְּדוֹלָה אֶל הַיָּם**", **בִּימֵי אֵלִיָּהוּ שֶׁנֶּאֱמַר** (מלכים-א יט, יא) "**וַיֹּאמֶר צֵא וְעָמַדְתָּ בָהָר וְגוֹ'** (לִפְנֵי ה') **וְהִנֵּה ה' עֹבֵר וְרוּחַ גְּדוֹלָה וְחָזָק מְפָרֵק הָרִים**", **אָמַר רַבִּי יוּדָא בַּר רַבִּי שָׁלוֹם: הִיא אוֹתָהּ שֶׁל אִיּוֹב הִיא אוֹתָהּ שֶׁל יוֹנָה הִיא אוֹתָהּ שֶׁל אֵלִיָּהוּ, בִּשְׁבִיל אוֹתָהּ הַבַּיִת הָיְתָה אוֹתָהּ שֶׁל אִיּוֹב, בִּשְׁבִיל אוֹתָהּ סְפִינָה הָיְתָה אוֹתָהּ שֶׁל יוֹנָה, בִּשְׁבִיל אוֹתוֹ מַעֲשֶׂה הָיְתָה אוֹתָהּ שֶׁל אֵלִיָּהוּ, וְאֵין לְךָ גְּדוֹלָה בָּהֶם אֶלָּא אוֹתָהּ שֶׁל אֵלִיָּהוּ, הֲדָא הוּא דִכְתִיב "וַיֹּאמֶר צֵא וְעָמַדְתָּ בָהָר", אָמַר רַבִּי תַּנְחוּם בְּרַבִּי חִיָּיא, וְאָמְרֵי לָהּ בְּשֵׁם רַבָּנָן: אֵין מֶלֶךְ הַמָּשִׁיחַ בָּא עַד שֶׁיִּכְלוּ כָּל הַנְּפָשׁוֹת שֶׁעָלוּ בְּמַחֲשָׁבָה לְהִבָּרְאוֹת, וְאֵלּוּ הֵן הָאֲמוּרוֹת בְּסֵפֶר שֶׁל אָדָם הָרִאשׁוֹן, הֲדָא הוּא דִכְתִיב** (בראשית ה, א) "**זֶה סֵפֶר תּוֹלְדֹת אָדָם**", **אָמַר רַבִּי יְהוֹשֻׁעַ בְּרַבִּי חֲנִינָא: בְּשָׁעָה שֶׁהָרוּחַ יוֹצֵא מִלִּפְנֵי הַקָּדוֹשׁ בָּרוּךְ הוּא מְשַׁבְּרוֹ בֶּהָרִים וּמְרַשְּׁלוֹ בַּגְּבָעוֹת, וְאוֹמֵר לוֹ: הֱוֵי זָהִיר שֶׁלֹּא תַזִּיק לִבְרִיּוֹתַי, שֶׁנֶּאֱמַר** (ישעיה נז, טז) "**כִּי רוּחַ מִלְּפָנַי יַעֲטוֹף וּנְשָׁמוֹת אֲנִי עָשִׂיתִי**", **בִּשְׁבִיל נְשָׁמוֹת שֶׁאֲנִי עָשִׂיתִי,** (איוב כח, כה) "**וּמַיִם תִּכֵּן בְּמִדָּה**" **רַבִּי יוּדָן בַּר רַבִּי שִׁמְעוֹן אָמַר: אֲפִילוּ מַיִם שֶׁיּוֹרְדִין מִלְמַעְלָה לֹא נִתְּנוּ אֶלָּא בְּמִדָּה,**

עץ יוסף

(א) **לעשות לרוח משקל.** משום דבעי למדרש אדם או דס, מייתי קרא מים תכן במדה, כי בהיות מדת המים שקולה באדם עם הדם, היא הגאות כלכמן, ואיידי דמייתי ליה לקרא מפרש ליה כוליה כדרך המדרש: **בשלשה מקומות כו'.** ואף שבודאי שמציאת הרוח היא בסיבה טבעית, מכל מקום השגחת ה' דבקה בהם שלא יצאו אלא במשקל הראוי לעולם, ומה שיצא בשלשה פעמים הנזכר שלא במשקל מאת ה' היה הדבר לצורך השעה ההיא: **אותה של איוב כו'.** דמדכתיב בשלשתן גדולה יליף דכולהו רוח אחד היו, ונשמר מאיוב ליונה, ומיונה לאליהו, ואף על גב דשל אליהו יותר גדולה, היינו שנתחזקה אז יותר, ומכל מקום היא היא. ואם תאמר ומה בלע בהיות אותה הרוח או אילו היתה רוח אחר. ויש לומר שלהיות יוצאת מהסדר הראוי רצה למעט בדבר שאינו ראוי כל מה שאפשר, ולכן כיון שאפשר בשמירת האחת להשלשה המקומות טפי עדיף מלחדש דבר שאינו הגון שלשה פעמים: **אותה הבית כו'.** דאם לא כן לא היה מקום לעלת השטן שיטיח איוב דברים, שאם מכה כוללת באה לעולם למה יטיח איוב דברים כי דרך הוא שהצדיק לוקה עם הכלל, אלא על כרחך שעליו בא ביחוד, ולכן היה קרוב להטיח דברים מאחר שמאת ה' היתה לו: **אותה ספינה.** מדכתיב והאניה חשבה להשבר, מכלל דעל אותה ספינה לבדה באה, מדלא כתיב והאניות (רש"י): **אותה מעשה כו'.** היינו שלא היה כלל בעולם, אלא בכדי שיראה אליהו אותו המעשה שהראה לו רוח ורעש ואש: **אמר ר' תנחום כו' אין מלך המשיח בא כו'.** עיין בבראשית רבה (כד, ד) ובקהלת רבה (א, יב) ונראה שצריך לומר מקודם המאמר של רבי יהושע בשעה שרוח יוצא כו' שנאמר כי רוח מלפני יעטוף כו' שזה הדרש שייך לענייננו, ואחר זה המאמר של רבי תנחום שהוא דרך אגב על הקרא כי רוח מלפני יעטוף, וכמו שפרשתי בקהלת רבה שהמשיח נקרא רוח, כדכתיב רוח אפינו משיח ה', וקאמר קרא הכי המשיח מלפני יתאחר [כמו (בראשית ל, מב) העטופים ללבן], על ידי נשמות אשר עשיתי, ועיין ב[פרק] חלק וב[פרק] הבא על יבמתו (יבמות סב, א), והגירסא שלפנינו יש ליישבה בדוחק, שדרש לעשות לרוח משקל על מלך המשיח כמו שכתב המתנות כהונה, אבל העיקר כמו שכתבתי: **אין מלך המשיח בא כו'.** הטעם כדי שלא יהיה פתחון פה לקצת נשמות לומר שאילו באו לעולם הזה היו מגדלות בירא"ת ה' (יפה תואר): **בספר של אדם הראשון.** דעלה כתיב (בראשית ה, א) זה ספר תולדות אדם, שנרשמו כולם בספרו ברמז: **משברו בהרים.** משברו להרוח בהרים הגבוהים: **ומרשלו.** לשון רפיון: **ונשמות אני עשיתי ועטוף משלהי ליה, כמה דאת אמר** (יונה ב, ח) **בהתעטף עלי נפשי וכמה דאת אמר** (תהלים קב, א) **תפלה לעני כי יעטוף בשביל נשמות שאני עשיתי.** כן צריך לומר (אות אמת): **מים שיורדים.** שאם ברכה לעולם נתנו במדה גם כן, שאם יוספו יותר מדאי יזיקו:

פירוש מהרז"ו

(א) **לעשות לרוח משקל.** בראשית רבה (כד, ד), קהלת רבה פסוק הולך אל דרום (פ"ד א') [פרשה א' פסוק ו' אות א'], וכל הענין בירושלמי ברכות פרק הרואה (פ"ט ה"ב): **צא ועמדת בהר.** וסיפא דקרא והנה רוח גדולה וחזק מפרק הרים ומשבר סלעים, הרי שהיתה יכולה להחריב העולם: **אמר רבי תנחום בר חייא.** מאמר רבי תנחום במקומות הנ"ל מקומו אחר מאמר רבי יהושע ברבי חנינא, שדורש פסוק כי רוח מלפני וגו', על הרוח היסודי, ורבי תנחום דורש על רוחות ונשמות בני אדם, כלל הדבר שכאן הובאו כל המאמרים שלא כסדר מקומם, וסמך עצמו על מה שמבואר במקומות הנ"ל, ויתר הביאור שם בבראשית רבה:

מתנות כהונה

[א] **אין מלך המשיח כו'.** דריש לעשות לרוח משקל על מלך המשיח, כעין שדרשו כי רוח מלפני יעטוף, בפרק קמא דעבודה זרה (ה, א), ובפרק כל היד (נדה יג, ב), ובפרק הבא על יבמתו (יבמות סב, א): **משברו בהרים.** משבר הרוח בהרים הגבוהים: **ומרשלו.** לשון רפיון, כמה דאת אמר (במדבר רבה יח, ו) נתרשלו ידי האוהב: **יעטוף.** לשון תולשה ואיחור, מלשון (בראשית ל, מב) העטופים ללבן. ומצאתי במדרש איוב (ילקוט רמז תתקטז) מה יעטוף משלהי כמה דאת אמר בהתעטף עלי רוחי, והכי גרסינן במדרש קהלת בפסוק הולך אל דרום (א, פסוק ו), ועיין בבראשית רבה (כד, ד) ובירושלמי פרק הרואה:

אשד הנחלים

[א] **בשלשה מקומות כו' שלא במשקל.** בסדר בראשית (כד, ד) שם פרשתי עניינם: **עד שיכלו.** הדבר הזה הוא מצוייר על פי חכמי אמת בספריהם, שעקר התיקון הוא בביאת המשיח, והנשמות על ידי בואם לעולם הזה זהו צירופם, אם לטוב, ואם למוטב יצרפו בגיהנם ויטהרו, ועיקר החטא נובע מסיבת אדם הקדמוני, ומשיח בא לתקן הכל, וכל הנפשות תלוים באדם הראשון, ועד עת קץ תלוי התיקון והצירוף על ידי היסורים, וכל עוד שיש נשמות שהם מאיפתו של אדם הראשון (עי' שמו"ר מ, ג) שלא נבראו, לא יתכן שיהיה התיקון הגמור, שהוא ביאת המשיח. ודרש לעשות לרוח, המה הנפשות, משקל ומדה כמה ומתי יבראו ומתי יתוקנו. ומתנות כהונה פירש על רוחו של המשיח, מתי יבוא: **בהרים.** המעכב מהירת מרוצתו ונחלש על ידי זה כח מרוצתו. והרי זה כאומר לו ראה שלא תזיק כו':

חידושי הרד"ל

[א] **בשלשה מקומות יצא הרוח כו'.** בראשית רבה (כד, ג) ושם נסמן: **הוא אותה של יונה בשביל אותה הבית כו' אותה של יונה ואין לך גדולה כו'.** כן צריך לומר. ופירושו שאותה של אליהו היתה להחריב כל העולם, וכן הוא בבראשית רבה (כד, ד), ובירושלמי שציינתי שם (ברכות פ"ט ה"ב): **ועמדת בהר אמר רבי יהושע בשעה שהרוח יוצא כו' שאני עשיתי אמר רבי תנחום כו' תולדות אדם ומים תבן כו'.** וכן צריך לומר. ועיין בבראשית רבה וירושלמי שם:

חידושי הרש"ש

[א] **אמר ר' תנחום בר' חייא וכו' אין מלך המשיח בא עד שיכלו כל הנפשות כו'.** והיינו לעשות לרוח משקל שהרוחות שעלו במחשבה הכל במשקל מעויין לפי חכמתו יתעלה: **כי רוח מלפני יעטוף.** מה שמביא במתנות כהונה במדרש איוב, כן הוא גם כן בבראשית רבה פכ"ד [סימן ד]: **ומים תכן במדה ר' יודן בר ר' שמעון אמר אפילו מים שיורדים מלמעלה לא נתנו אלא במדה.** רצה לומר לא מיבעיא מי הימים והנהרות שמשעת ימי בראשית אלא אפילו מי הגשמים:

באור מהרי"פ

[א] **אמר רבי יהודה וכו'.** בבראשית רבה (כד, ד) לא גרסינן מתיבת אמר עד תיבת בשביל ולא עד בכלל, עיין שם. וכאן פירש היפה תואר היא אותה וכו' דמדכתיב בשלשתן גדולה, יליף דכולהו רוח אחד היו, ונשמר מאיוב ליונה ומיונה לאליהו, ואף על גב דשל אליהו יותר גדולה, היינו שנתחזקה אז יותר ומכל מקום היא היא. עד כאן:

אם למקרא

לַעֲשׂוֹת לָרוּחַ מִשְׁקָל וּמַיִם תִּכֵּן בְּמִדָּה: (איוב כח:כה)

וְהִנֵּה רוּחַ גְּדוֹלָה בָּאָה מֵעֵבֶר הַמִּדְבָּר וַיִּגַּע בְּאַרְבַּע פִּנּוֹת הַבַּיִת וַיִּפֹּל עַל הַנְּעָרִים וַיָּמוּתוּ וָאִמָּלְטָה רַק אֲנִי לְבַדִּי לְהַגִּיד לָךְ: (שם א:יט)

וַה' הֵטִיל רוּחַ גְּדוֹלָה אֶל הַיָּם וַיְהִי סַעַר גָּדוֹל בַּיָּם וְהָאֳנִיָּה חִשְּׁבָה לְהִשָּׁבֵר: (יונה א:ד)

וַיֹּאמֶר צֵא וְעָמַדְתָּ בָהָר לִפְנֵי ה' וְהִנֵּה ה' עֹבֵר וְרוּחַ גְּדוֹלָה וְחָזָק מְפָרֵק הָרִים וּמְשַׁבֵּר סְלָעִים לִפְנֵי ה' לֹא בָרוּחַ ה' וְאַחַר הָרוּחַ רַעַשׁ לֹא בָרַעַשׁ ה': (מלכים א יט:יא)

זֶה סֵפֶר תּוֹלְדֹת אָדָם בְּיוֹם בְּרֹא אֱלֹהִים אָדָם בִּדְמוּת אֱלֹהִים עָשָׂה אֹתוֹ: (בראשית ה:א)

כִּי לֹא לְעוֹלָם אָרִיב וְלֹא לָנֶצַח אֶקְּצוֹף כִּי רוּחַ מִלְּפָנַי יַעֲטוֹף וּנְשָׁמוֹת אֲנִי עָשִׂיתִי: (ישעיה נז:טז)

לַעֲשׂוֹת לָרוּחַ מִשְׁקָל וּמַיִם תִּכֵּן בְּמִדָּה: (איוב כח:כה)

ידי משה

[א] **בשביל אותו מעשה היתה אותו של אליהו.** פירוש מה שהרג נביאי הבעל: **אותו של אליהו.** דכתיב (מלכים א' יט, יא) ויאמר צא ועמדת בהר וגו' מפרק הרים ומשבר סלעים:

אמרי יושר

[א] **כבר היה יכול לאבד העולם.** שיצא שלא במשקל. ורבי יהודה סבר שאף על פי כן אין שם פחד, כי לא היה אלא פרטי בציווי, והחכם האחר סבר שאף הרוח התמידי והמצוי, צריך שימור ואזהרה ועיכוב בהרים, זהו לעשות לרוח משקל: **הזהר שלא תזיק בריותי.** כי אין דבר חזק כאויר, ולזה בסבת האויר הנעצר בבטן הארץ, ורוצה לצאת תרעד הארץ, ויקרה זלזלה: **המים היורדים לעולם במדה.** כפי מה שיצטרך העולם:

The Midrash presents an alternative interpretation of the verse from *Job,* according to which the word רוּחַ refers not to "winds" but to "souls." The commentaries explain that all souls destined to be born were created at the beginning of Creation and stored until their prescribed time to be born.[12] The Midrash now expounds the phrase לַעֲשׂוֹת לָרוּחַ מִשְׁקָל, *God made a measure for "ruach,"* as an allusion to these souls:[13]

אָמַר רַבִּי תַּנְחוּם בְּרַבִּי חִיָּיא, וְאָמְרִי לָהּ בְּשֵׁם רַבָּנָן: אֵין מֶלֶךְ הַמָּשִׁיחַ בָּא עַד שֶׁיִּכְלוּ כָּל הַנְּפָשׁוֹת שֶׁעָלוּ בְּמַחֲשָׁבָה לְהִבָּרְאוֹת — R' Tanchum bar R' Chiya said, but others relate it in the name of the Sages: The **king Messiah will not arrive until all the souls [God] intended to create have been used up** (i.e., until all of them have actually come to life on earth).

R' Tanchum presents a Scriptural source for the assertion that all souls were created in the beginning of Creation:

וְאֵלּוּ הֵן הָאֲמוּרוֹת בְּסֵפֶר שֶׁל אָדָם הָרִאשׁוֹן — And these are those souls **spoken of in the book of Adam, the first man. הֲדָא הוּא דִכְתִיב "זֶה סֵפֶר תּוֹלְדֹת אָדָם" — Thus it is written, *This is the account of the descendants of man,*** *on the day that God created man* (*Genesis* 5:1). Upon creating Adam, God showed him "an account of his descendants," each of the future generations and its leaders.[14]

NOTES

against the mountains, it was deemed the strongest of the three. See Insight Ⓐ.

12. See *Rashi* to *Avodah Zarah* 5a, and *Rashba, Responsa* Vol. 7 §278.

13. Our elucidation follows the understanding of *Rashash*, who maintains that the Midrash interprets רוּחַ as a reference to souls. See *Eitz Yosef* and *Matnos Kehunah* for an alternative interpretation.

14. The Gemara (*Avodah Zarah* 5a; *Sanhedrin* 38b) explains that Adam did not have an actual book listing his descendants; rather, the verse means that God showed Adam his offspring who were destined to live in future generations.

INSIGHTS

Ⓐ **Wayward Winds** In *Minchas Ani* (on *Parashas Tazria*), *R' Yaakov Ettlinger,* author of the Talmudic commentary *Aruch LaNer,* points out a variety of difficulties with our Midrash. First, why would an unrestrained wind be described as one "without weight"? Second, why are the three winds listed out of order — following neither their chronology (Jonah prophesied in the days of Jeroboam son of Joash, many years after Elijah) nor their placement in Scripture? Also, what does R' Yuda bar R' Shalom mean to teach when he states that all three winds were one and the same? And in what way was the wind in the time of Elijah the greatest of all? *Minchas Ani* therefore presents the following explanation of our Midrash.

Winds can blow with great force, but they can be countervailed. A strong wind from, say, the north can be neutralized by a wind of equal force from the south [with the force of their collision being dissipated to the sides]. The countervailing winds interact like weights on a balance scale — one canceling the force exerted by the other. But what if strong winds from all four directions converge on a point in the middle? In that case, whatever is at the point of convergence is crushed like something in a vise. It is crushed by "a wind without weight," by winds whose force cannot be neutralized.

These were the great winds of Job, Jonah, and Elijah. About the wind of Job it is stated (*Job* 1:19): וְהִנֵּה רוּחַ גְּדוֹלָה בָּאָה מֵעֵבֶר הַמִּדְבָּר וַיִּגַּע בְּאַרְבַּע פִּנּוֹת הַבַּיִת וַיִּפֹּל עַל הַנְּעָרִים וַיָּמוּתוּ, *And behold, a great wind came from across the desert. It struck the four corners of the house, it collapsed upon the young men and killed them.* How does a wind strike all four corners of a house? Only if it converges on the house from all four sides can it be said to strike all four at once.

About the wind of Jonah it is stated (*Jonah* 1:4): וַה' הֵטִיל רוּחַ גְּדוֹלָה אֶל הַיָּם וַיְהִי סַעַר גָּדוֹל בַּיָּם וְהָאֳנִיָּה חִשְּׁבָה לְהִשָּׁבֵר, *Then HASHEM cast a great wind toward the sea; there was a great tempest in the sea and the ship threatened to be broken.* Winds (as *Alshich* points out) do not "break" ships. They can capsize ships or even smash them against the rocks, but the winds themselves do not shatter ships. Here too, the reference must be to winds converging on the ship from all four sides, threatening to crush it as in a vise.

The wind of Elijah, too, is described, as cited by our Midrash, as: רוּחַ גְּדוֹלָה וְחָזָק מְפָרֵק הָרִים וּמְשַׁבֵּר סְלָעִים, *a great, powerful wind, smashing mountains and breaking rocks* (*I Kings* 19:11). Ordinary winds, powerful as they may be, do not smash mountains or break rocks. They can only *cause* them to be smashed and broken by propelling one against the other. The only wind that can *smash* mountains and *break* rocks is one that converges from all four sides.

What are these crushing "winds without weight" of which the Midrash speaks? They are the "winds" of the rebellious human spirit, and it is these that are linked to *tzaraas*.

Many sins are caused by succumbing to the evil inclination of material desire, but these are not sins of the spirit. The spirit remains aware of what is right and wrong. The spirit affirms; it is the flesh that succumbs.

Other sins, however, are caused by three great "winds" of the human spirit — arrogance, the desire for social acceptance, and the allure of heresy. All three rob the person of any sense that his sins are wrong. These are sins of his spirit. These forces do not simply cast him down or cause him to be thrust against something else that breaks him. These forces converge upon the person from all sides, crushing him and his spirit in the middle. In this sense, these winds are all "one and the same." All cause a man's spirit — not his physical desires — to destroy him.

The wind of Job is the wind of arrogance. Job's sons led an extravagant lifestyle, causing Job to worry that this may have caused them to become arrogant and to blaspheme God (see *Job* 1:4-5). Indeed, the Torah warns (*Deuteronomy* 8:12-14): *Lest you eat and be satisfied ... and you increase silver and gold for yourselves, and everything that you have will increase — and your heart will become haughty and you will forget HASHEM, your God.* And indeed, *a great wind came from across the desert. It struck the four corners of the house, it collapsed upon the young men and killed them* (*Job* 1:19).

The wind of Jonah symbolizes the winds of societal influence. Only Jonah was the target of Divine displeasure, yet the great wind threatened to shatter the entire ship with all on board. It was only when the others on the ship dissociated themselves from him by casting him overboard that the seas swirling in a maelstrom around the ship grew calm.

And the wind of Elijah is the wind of heresy. The allure of idolatry continued to tug at the people even after the miraculous events on Mount Carmel. The thunder of their unified declaration, *HASHEM – He is the God!* (*I Kings* 18:39) — faded away and the people apparently slid back toward their sinful ways, as Elijah subsequently lamented (ibid. 19:10), *for the Children of Israel have forsaken Your covenant.* Whereupon Elijah beheld the *great, powerful wind, smashing mountains and breaking rocks* (ibid., v. 11). The wind of heresy is indeed the most destructive of all, shattering that which it envelops down to the foundations.

And the Midrash links these three winds to the afflictions of *tzaraas*. There are three afflictions mentioned in our verse, אָדָם כִּי יִהְיֶה בְעוֹר בְּשָׂרוֹ שְׂאֵת אוֹ סַפַּחַת אוֹ בַהֶרֶת, *If a person will have on the skin of his flesh a s'eis, or a sapachas, or a baheres.* The root meaning of the word שְׂאֵת is *raised up,* which is suggestive of arrogance. The word סַפַּחַת means *attached* (see *I Samuel* 2:36), symbolizing societal attachment. And בַּהֶרֶת, which is a very bright white, represents heresy, whose adherents can be reddened with sin yet rationalize their ways and view themselves to be as pure as the driven snow.

That is why the Midrash speaks of the winds of Job, Jonah, and Elijah in that order. For they correspond respectively to the series of *tzaraas* afflictions mentioned in the verse: *s'eis, sapachas,* and *baheres*.

And what is the cure for one caught in the vortex of these powerful winds, who has been afflicted with *tzaraas* in its various forms? וְהוּבָא אֶל אַהֲרֹן הַכֹּהֵן אוֹ אֶל אַחַד מִבָּנָיו הַכֹּהֲנִים, *he shall be brought to Aaron the Kohen, or to one of his sons the Kohanim.* It is only the dedicated servants of God who can teach the wind-battered sufferer the ways of true repentance, restoring him to spiritual health, to his God, and to his rightful place among the righteous nation.

פרשה טו

א [יג, ב] "אָדָם כִּי יִהְיֶה בְעוֹר בְּשָׂרוֹ שְׂאֵת אוֹ סַפַּחַת אוֹ בַהֶרֶת", הֲדָא הוּא דִכְתִיב (איוב כח, כה) "לַעֲשׂוֹת לָרוּחַ מִשְׁקָל וּמַיִם תִּכֵּן בְּמִדָּה", אָמַר רַב הוּנָא: בִּשְׁלֹשָׁה מְקוֹמוֹת יָצְתָה רוּחַ שֶׁלֹּא בְמִשְׁקָל וּכְבָר הָיָה לָהּ לְהַחֲרִיב אֶת הָעוֹלָם, וְאֵלּוּ הֵן: אֶחָד בִּימֵי אִיּוֹב וְאֶחָד בִּימֵי יוֹנָה וְאֶחָד בִּימֵי אֵלִיָּהוּ, בִּימֵי אִיּוֹב שֶׁנֶּאֱמַר (שם א, יט) "וְהִנֵּה רוּחַ גְּדוֹלָה בָּאָה מֵעֵבֶר הַמִּדְבָּר", בִּימֵי יוֹנָה שֶׁנֶּאֱמַר (יונה א, ד) "וַה' הֵטִיל רוּחַ גְּדוֹלָה אֶל הַיָּם", בִּימֵי אֵלִיָּהוּ שֶׁנֶּאֱמַר (מלכים-א יט, יא) "וַיֹּאמֶר צֵא וְעָמַדְתָּ בָהָר וְגוֹ' (לִפְנֵי ה') וְהִנֵּה ה' עֹבֵר וְרוּחַ גְּדוֹלָה וְחָזָק מְפָרֵק הָרִים", אָמַר רַבִּי יוּדָא בַּר רַבִּי שָׁלוֹם: הִיא אוֹתָהּ שֶׁל אִיּוֹב הִיא אוֹתָהּ שֶׁל יוֹנָה הִיא אוֹתָהּ שֶׁל אֵלִיָּהוּ, בִּשְׁבִיל אוֹתָהּ הַבַּיִת הָיְתָה אוֹתָהּ שֶׁל אִיּוֹב, בִּשְׁבִיל אוֹתָהּ סְפִינָה הָיְתָה אוֹתָהּ שֶׁל יוֹנָה, בִּשְׁבִיל אוֹתוֹ מַעֲשֶׂה הָיְתָה אוֹתָהּ שֶׁל אֵלִיָּהוּ, וְאֵין לְךָ גְּדוֹלָה בָּהֶם אֶלָּא אוֹתָהּ שֶׁל אֵלִיָּהוּ, הֲדָא הוּא דִכְתִיב "וַיֹּאמֶר צֵא וְעָמַדְתָּ בָהָר", אָמַר רַבִּי תַּנְחוּם בְּרַבִּי חִיָּיא, וְאָמְרֵי לָהּ בְּשֵׁם רַבָּנָן: אֵין מֶלֶךְ הַמָּשִׁיחַ בָּא עַד שֶׁיִּכְלוּ כָּל הַנְּפָשׁוֹת שֶׁעָלוּ בַמַּחֲשָׁבָה לְהִבָּרְאוֹת, וְאֵלּוּ הֵן הָאֲמוּרוֹת בְּסֵפֶר שֶׁל אָדָם הָרִאשׁוֹן, הֲדָא הוּא דִכְתִיב (בראשית ה, א) "זֶה סֵפֶר תּוֹלְדֹת אָדָם", אָמַר רַבִּי יְהוֹשֻׁעַ בְּרַבִּי חֲנִינָא: בְּשָׁעָה שֶׁהָרוּחַ יוֹצֵא מִלִּפְנֵי הַקָּדוֹשׁ בָּרוּךְ הוּא מְשַׁבְּרוֹ בֶּהָרִים וּמְרַשְּׁלוֹ בַּגְּבָעוֹת, וְאוֹמֵר לוֹ: הֱוֵי זָהִיר שֶׁלֹּא תַּזִּיק לִבְרִיּוֹתַי, שֶׁנֶּאֱמַר (ישעיה נז, טז) "כִּי רוּחַ מִלְּפָנַי יַעֲטוֹף וּנְשָׁמוֹת אֲנִי עָשִׂיתִי", בִּשְׁבִיל נְשָׁמוֹת שֶׁאֲנִי עָשִׂיתִי, (איוב כח, כה) "וּמַיִם תִּכֵּן בְּמִדָּה" רַבִּי יוּדָן בַּר רַבִּי שִׁמְעוֹן אָמַר: אֲפִילוּ מַיִם שֶׁיּוֹרְדִין מִלְמַעְלָה לֹא נִתְּנוּ אֶלָּא בְמִדָּה,

פירוש מהרז"ו

(א) **לעשות לרוח משקל.** בראשית רבה (כד, ד), קהלת רבה פסוק הולך אל דרום (פ"ד א') [פרשה א פסוק ו אות א], וכל הענין בירושלמי ברכות פרק הרואה (פ"ט ה"ב): **צא ועמדת בהר.** וסיפא דקרא והנה רוח גדולה וחזק מפרק הרים ומשבר סלעים, הרי שהיתה יכולה להחריב העולם: **אמר רבי תנחום בר חייא.** מאמר רבי תנחום במקומות הנ"ל מקומו אחר מאמר רבי יהושע ברבי חנינא, שדורש פסוק כי רוח מלפני וגו', על הרוח היסודי, ורבי תנחום דורש על רוחות ונשמות בני אדם, כלל הדבר שכאן הובאו כל המאמרים שלא כסדר מקומם, וסמך עצמו על מה שמבואר במקומות הנ"ל, ויתר הביאור שם בבראשית רבה:

עץ יוסף

(א) **לעשות לרוח משקל.** משום דבעי למדרש אדם או דם, מייתי קרא מים תכן במדה, כי בהיות מדת המים שקולה באדם עם הדם, היא הבריאות כדלקמן, ואיידי דמייתי ליה לקרא מפרש ליה כוליה כדרך המדרש: **בשלשה מקומות כו'.** ואף שבודאי שמציאות הרוח היא בסיבה טבעית, מכל מקום השגחת ה' דבקה בהם שלא יצאו אלא במשקל הראוי לעולם, ומה שיצא בשלשה פעמים הנזכר שלא במשקל מאת ה' היה הדבר לצורך השעה ההיא: **אותה של איוב כו'.** דמדכתיב בשלשתן גדולה יליף דכולהו רוח אחד היו, ונשמר מאיוב ליונה, ומיונה לאליהו, ואף על גב דשל אליהו יותר גדולה, היינו שנתחזקה אז יותר, ומכל מקום היא היא. ואם תאמר ומה בלע בהיות אותה הרוח או אילו היתה רוח אחר. ויש לומר שלהיות יוצאת מהסדר הראוי רצה למעט בדבר שאינו ראוי כל מה שאפשר, ולכן כיון שאפשר בשמירת האחת להשלשה המקומות טפי עדיף מלחדש דבר שאינו הגון שלשה פעמים: **אותה הבית כו'.** דאם לא כן לא היה מקום לעלת השטן שיטיח איוב דברים, שאם מכה כוללת באה לעולם למה יטיח איוב דברים כי דרך הוא שהצדיק לוקה עם הכלל, אלא על כרחך שעליו בא ביחוד, ולכן היה קרוב להטיח דברים מאחר שמאת ה' היתה לו: **אותה ספינה.** מדכתיב והאניה חשבה להשבר, מכלל דעל אותה ספינה לבדה באה, מדלא כתיב והאניות (רש"י): **אותה מעשה כו'.** היינו שלא היה כלל בעולם, אלא בכדי שיראה אליהו אותו המעשה שהראה לו רוח ורעש ואש: **אמר ר' תנחום כו' אין מלך המשיח בא כו'.** עיין בבראשית רבה (כד, ד) ובקהלת רבה (א, יב) ונראה שצריך לומר מקודם המאמר של רבי יהושע בשעה שרוח יוצא כו' שנאמר כי רוח מלפני יעטוף כו' שזה הדרש שייך לענייננו, ואחר זה המאמר של רבי תנחום שהוא דרך אגב על הקרא כי רוח מלפני יעטוף, וכמו שפרשתי בקהלת רבה שהמשיח נקרא רוח, כדכתיב רוח אפינו משיח ה', וקאמר קרא הכי המשיח מלפני יאחר [כמו (בראשית ל, מב) העטופים ללבן], על ידי נשמות אשר עשיתי, ועיין ב[פרק] חלק ובפרק הבא על יבמתו (יבמות סב, א), והגירסא שלפנינו יש ליישבה בדוחק, שדרש לעשות לרוח משקל על מלך המשיח כמו שכתב המתנות כהונה, אבל העיקר כמו שכתבתי: **אין מלך המשיח בא כו'.** הטעם כדי שלא יהיה פתחון פה לקצת נשמות לומר שאילו באו לעולם הזה היו מגדלות יראת ה' (יפה תואר): **בספר של אדם הראשון.** דעלה כתיב (בראשית ה, א) זה ספר תולדות אדם, שנרשמו כולם בספרו ברמז: **משברו בהרים.** משברו להרוח בהרים הגבוהים: **ומרשלו.** לשון רפיון: **ונשמות אני עשיתי ועטוף משלהי ליה, כמה דאת אמר** (יונה ב, ח) **בהתעטף עלי נפשי וכמה דאת אמר** (תהלים קב, א) **תפלה לעני כי יעטוף בשביל נשמות שאני עשיתי.** כן צריך לומר (אות אמת): **מים שיורדים.** שהם ברכה לעולם נתנו במדה גם כן, שאם יוסיפו יותר מדאי יזיקו:

מתנות כהונה

[א] **אין מלך המשיח כו'.** דריש לעשות לרוח משקל על מלך המשיח, כעין שדרשו כי רוח מלפני יעטוף, בפרק קמא דעבודה זרה (ה, א), ובפרק כל היד (נדה יג, ב), ובפרק הבא על יבמתו (יבמות סב, א): **משברו בהרים.** משבר הרוח בהרים הגבוהים: **ומרשלו.** לשון רפיון, כמה דאת אמר (במדבר רבה יח, ו) נתרשלו ידי האוהב: **יעטוף.** לשון חולשה ואיחור, מלשון (בראשית ל, מב) העטופים ללבן. ומצאתי במדרש איוב (ילקוט רמז תתקטז) מה יעטוף משלהי כמה דאת אמר בהתעטף עלי רוחי, והכי גרסינן במדרש קהלת בפסוק הולך אל דרום (א, פסוק ו), ועיין בבראשית רבה (כד, ד) ובירושלמי פרק הרואה:

אשד הנחלים

[א] **בשלשה מקומות כו' שלא במשקל.** בסדר בראשית (כד, ד) שם פרשתי עניינם: **עד שיכלו.** הדבר הזה הוא מצוייר על פי חכמי אמת בספריהם, שעקר התיקון הוא בביאת המשיח, והנשמות על ידי בואם לעולם הזה זהו צירופם, אם לטוב, ואם למוטב יצרפו בגיהנם ויטהרו, ועיקר החטא נובע מסיבת אדם הקדמוני, ומשיח בא לתקן הכל, וכל הנפשות תלוים באדם הראשון, ועד עת קץ תלוי התיקון והצירוף על ידי היסורים, וכל עוד שיש נשמות שהם מאיפתו של אדם הראשון (עי' שמו"ר מ, ג) שלא נבראו, לא יתכן שיהיה התיקון הגמור, שהוא ביאת המשיח. ודרש לעשות לרוח, המה הנפשות, משקל ומדה כמה ומתי יבראו ומתי יתוקנו. ומתנות כהונה פירש על רוחו של המשיח, מתי יבוא: **בהרים.** המעכב מהירת מרוצתו ונחלש על ידי זה כח מרוצתו. והרי זה כאומר לו ראה שלא תזיק כו':

חידושי הרד"ל

[א] **בשלשה מקומות יצא הרוח כו'.** בראשית רבה (כד, ג) ושם נסמן: **הוא אותה של יונה בשביל אותה הבית כו' אותה של יונה ואין לך גדולה כו'.** כן צריך לומר. ופירושו שאותה של אליהו היתה להחריב כל העולם, וכן הוא בבראשית רבה (כד, ד), ובירושלמי שציינתי שם (ברכות פ"ט ה"ב): **ועמדת בהר אמר רבי יהושע בשעה שהרוח יוצא כו' שאני עשיתי אמר רבי תנחום כו' תולדות אדם ומים תכן כו'.** וכן צריך לומר. ועיין בבראשית רבה וירושלמי שם:

חידושי הרש"ש

[א] **אמר ר' תנחום בר' חייא וכו' אין מלך המשיח בא עד שיכלו כל הנפשות כו'.** והיינו לעשות לרוח משקל שהרוחות שעלו במחשבה הכל במשקל מטויין לפי חכמתו יתעלה: **כי רוח מלפני יעטוף.** מה שמביא במתנות כהונה במדרש איוב, כן הוא גם כן בבראשית רבה פכ"ד [סימן ד]: **ומים תכן במדה ר' יודן בר ר' שמעון אמר אפילו מים שיורדים מלמעלה לא נתנו אלא במדה.** רצה לומר לא מיבעיא מי הימים והנהרות שמששת ימי בראשית אלא אפילו מי הגשמים:

באור מהרי"פ

[א] **אמר רבי יהודה וכו'.** בבראשית רבה (כד, ד) לא גרסינן מתיבת אמר עד תיבת בשביל ולא עד בכלל, עיין שם. וכאן פירש היפה תואר היא אותה וכו' דמדכתיב בשלשתן גדולה, יליף דכולהו רוח אחד היו, ונשמר מאיוב ליונה ומיונה לאליהו, ואף על גב דשל אליהו יותר גדולה, היינו שנתחזקה אז יותר ומכל מקום היא היא. עד כאן:

אם למקרא

לַעֲשׂוֹת לָרוּחַ מִשְׁקָל וּמַיִם תִּכֵּן בְּמִדָּה: (איוב כח:כה)

וְהִנֵּה רוּחַ גְּדוֹלָה בָּאָה מֵעֵבֶר הַמִּדְבָּר וַיִּגַּע בְּאַרְבַּע פִּנּוֹת הַבַּיִת וַיִּפֹּל עַל הַנְּעָרִים וַיָּמוּתוּ וָאִמָּלְטָה רַק אֲנִי לְבַדִּי לְהַגִּיד לָךְ: (שם א:יט)

וַה' הֵטִיל רוּחַ גְּדוֹלָה אֶל הַיָּם וַיְהִי סַעַר גָּדוֹל בַּיָּם וְהָאֳנִיָּה חִשְּׁבָה לְהִשָּׁבֵר: (יונה א:ד)

וַיֹּאמֶר צֵא וְעָמַדְתָּ בָהָר לִפְנֵי ה' וְהִנֵּה ה' עֹבֵר וְרוּחַ גְּדוֹלָה וְחָזָק מְפָרֵק הָרִים וּמְשַׁבֵּר סְלָעִים לִפְנֵי ה' לֹא בָרוּחַ ה' וְאַחַר הָרוּחַ רַעַשׁ לֹא בָרַעַשׁ ה': (מלכים א יט:יא)

זֶה סֵפֶר תּוֹלְדֹת אָדָם בְּיוֹם בְּרֹא אֱלֹהִים אָדָם בִּדְמוּת אֱלֹהִים עָשָׂה אֹתוֹ: (בראשית ה:א)

כִּי לֹא לְעוֹלָם אָרִיב וְלֹא לָנֶצַח אֶקְּצוֹף כִּי רוּחַ מִלְּפָנַי יַעֲטוֹף וּנְשָׁמוֹת אֲנִי עָשִׂיתִי: (ישעיה נז:טז)

לַעֲשׂוֹת לָרוּחַ מִשְׁקָל וּמַיִם תִּכֵּן בְּמִדָּה: (איוב כח:כה)

ידי משה

[א] **בשביל אותו מעשה היתה אותו של אליהו.** פירוש מה שהרג נביאי הבעל: **אותו של אליהו.** דכתיב (מלכים א' יט, יא) ויאמר צא ועמדת בהר וגו' מפרק הרים ומשבר סלעים:

אמרי יושר

[א] **כבר היה יכול לאבד העולם.** שיצא שלא במשקל. ורבי יהודה סבר שאף על פי כן אין שם פחד, כי לא היה אלא פרטי בציווי, והחכם האחר סבר שאף הרוח התמידי והמצוי, צריך שימור ואזהרה ועיכוב בהרים, וזהו לעשות לרוח משקל: **הזהר שלא תזיק בריותי.** כי אין דבר חזק כאויר, ולזה בסבת האויר הנעצר בבטן הארץ, ורוצה לצאת תרעד הארץ, ויקרה זלזלה: **המים היורדים לעולם במדה.** כפי מה שיצטרך העולם.

The Midrash returns to its discussion regarding the diminished strength of winds:

אָמַר רַבִּי יְהוֹשֻׁעַ בְּרַבִּי חֲנִינָא: בְּשָׁעָה שֶׁהָרוּחַ יוֹצֵא מִלִּפְנֵי הַקָּדוֹשׁ בָּרוּךְ הוּא מְשַׁבְּרוֹ בֶּהָרִים וּמְרַשְּׁלוֹ בַּגְּבָעוֹת — **R' Yehoshua bar R' Chanina said: At the moment that the wind sets forth from before the Holy One, blessed is He, He breaks it against mountains and weakens it on hills.** וְאוֹמֵר לוֹ: הֱוֵי זָהִיר שֶׁלֹּא תַזִּיק לִבְרִיּוֹתַי — **And He says to it, "Take heed that you not harm My creations!"** שֶׁנֶּאֱמַר "כִּי רוּחַ מִלְּפָנַי יַעֲטוֹף וּנְשָׁמוֹת אֲנִי עָשִׂיתִי" — **Thus it is stated,** ***For the wind [that emanates] from before Me becomes weakened, and the souls that I have made*** (*Isaiah* 57:16).[15] I.e., God cautions the wind, "Take care not to be too destructive, בִּשְׁבִיל נְשָׁמוֹת שֶׁאֲנִי עָשִׂיתִי — **for the sake of the souls that I have created.**"[16]

The Midrash expounds the second clause of the verse from *Job*: "וּמַיִם תִּכֵּן בְּמִדָּה" — ***And He apportions water with a measure*** (*Job* 28:25). רַבִּי יוּדָן בַּר רַבִּי שִׁמְעוֹן אָמַר: אֲפִילוּ מַיִם שֶׁיּוֹרְדִין מִלְמַעְלָה לֹא נִתְּנוּ אֶלָּא בְּמִדָּה — **R' Yudan bar R' Shimon said: Even water that descends from on high is granted only with a measure.**[17]

NOTES

15. The Midrash interprets יַעֲטוֹף as "weakness" or "containment" (see *Genesis* 30:42), a reference to God's disallowing the wind to reach its full strength, and His weakening it by crashing it against the mountains (*Matnos Kehunah*).

16. In parallel Midrashim (*Bereishis Rabbah* §24 and *Koheles Rabbah* §6) the order is reversed. There R' Tanchum's teaching is cited as a follow-up to that of R' Yehoshua. In this way, the connection of the three passages is clearer: R' Yehoshua continues the Midrash's discussion of the diminished force of physical winds, and shows how it is alluded to in the verse, כִּי רוּחַ מִלְּפָנַי יַעֲטוֹף וּנְשָׁמוֹת אֲנִי עָשִׂיתִי. The Midrash then focuses on the exposition of this verse, and cites R' Tanchum, whose statement, when cited in the Talmud (*Avodah Zarah* 5a; *Yevamos* 62a), is also derived from this verse (*Eitz Yosef*; *Maharzu*).

17. I.e., even rainwater, which comes from "on high," is in measured quantities; certainly, water in streams and rivers, having been placed there from the days of Creation, was obviously distributed according to need (*Rashash*). See *Radak* and *Metzudos David* to *Isaiah* 40:12.

חידושי הרד"ל

[א] **בשלשה מקומות יצא הרוח כו'.** בראשית רבה (כד, ג) ושם נסמן: **הוא אותה של יונה בשביל אותה הבית כו' אותה של יונה ואין לך גדולה כו'.** כן צריך לומר. ופירושו שאותה של אליהו היתה להחריב כל העולם, וכן הוא בבראשית רבה (כד, ד), ובירושלמי שציינתי שם (ברכות פ"ט ה"ב): **ועמדת בהר אמר רבי יהושע בשעה שהרוח יוצא כו' שאני עשיתי אמר רבי תנחום כו' תולדות אדם ומים תכן כו'.** וכן צריך לומר. ועיין בבראשית רבה וירושלמי שם:

חידושי הרש"ש

[א] **אמר ר' תנחום בר' חייא וכו' אין מלך המשיח בא עד שיכלו כל הנפשות כו'.** והיינו לעשות לרוח משקל שהרוחות שעלו במחשבה הכל במשקל מעויין לפי חכמתו יתעלה: **כי רוח מלפני יעטוף.** מה שמביא במתנות כהונה במדרש איוב, כן הוא גם כן בבראשית רבה פכ"ד [סימן ד]: **ומים תכן במדה ר' יודן בר ר' שמעון אמר אפילו מים שיורדים מלמעלה לא נתנו אלא במדה.** רצה לומר לא מיבעיא מי הימים והנהרות שמששת ימי בראשית אלא אפילו מי הגשמים:

באור מהרי"פ

[א] **אמר רבי יהודה וכו'.** בבראשית רבה (כד, ד) לא גרסינן מתיבת אמר עד תיבת בשביל ולא עד בכלל, עיין שם. וכאן פירש היפה תואר היא אותה וכו' דמדכתיב בשלשתן גדולה, יליף דכולהו רוח אחד היו, ונשמר מאיוב ליונה ומיונה לאליהו, ואף על גב דשל אליהו יותר גדולה, היינו שנתחזקה אז יותר ומכל מקום היא היא. עד כאן:

עץ יוסף

(א) **לעשות לרוח משקל.** משום דבעי למדרש אדם או דם, מייתי קרא מים תכן במדה, כי בהיות מדת המים שקולה באדם עם הדם, היא הבריאות כדלקמן, ואיידי דמייתי ליה לקרא מפרש ליה כוליה כדרך המדרש: **בשלשה מקומות כו'.** ואף שבודאי שמציאת הרוח היא בסיבה טבעית, מכל מקום השגחת ה' דבקה בהם שלא יצאו אלא במשקל הראוי לעולם, ומה שיצא בשלשה פעמים הנזכר שלא במשקל מאת ה' היה הדבר לצורך השעה ההיא: **אותה של איוב כו'.** דמדכתיב בשלשתן גדולה יליף דכולהו רוח אחד היו, ונשמר מאיוב ליונה, ומיונה לאליהו, ואף על גב דשל אליהו יותר גדולה, היינו שנתחזקה אז יותר, ומכל מקום היא היא. ואם תאמר ומה בלע בהיות אותה הרוח או אילו היתה רוח אחר. ויש לומר שלהיות יוצאת מהסדר הראוי רצה למעט בדבר שאינו ראוי כל מה שאפשר, ולכן כיון שאפשר בשמירת האחת להשלשה המקומות טפי עדיף מלהחדש דבר שאינו הגון שלשה פעמים: **אותה הבית כו'.** דאם לא כן לא היה מקום לעלת השטן שיטיח איוב דברים, שאם מכה כוללת באה לעולם למה יטיח איוב דברים כי דרך הוא שהצדיק לוקה עם הכלל, אלא על כרחך שעליו בא ביחוד, ולכן היה קרוב להטיח דברים מאחר שמאת ה' היתה לו: **אותה ספינה.** מדכתיב והאניה חשבה להשבר, מכלל דעל אותה ספינה לבדה באה, מדלא כתיב והאניות (רש"י): **אותה מעשה כו'.** היינו שלא היה כלל בעולם, אלא בכדי שיראה אליהו אותו המעשה שהראה לו רוח ורעש ואש: **אמר ר' תנחום כו' אין מלך המשיח בא כו'.** עיין בבראשית רבה (כד, ד) ובקהלת רבה (א, יב) ונראה שצריך לומר מקודם המאמר של רבי יהושע בשעה שרוח יוצא כו' שנאמר כי רוח מלפני יעטוף כו' שזה הדרש שייך לעניננו, ואחר זה המאמר של רבי תנחום שהוא דרך אגב על הקרא כי רוח מלפני יעטוף, וכמו שפרשתי בקהלת רבה שהמשיח נקרא רוח, כדכתיב רוח אפינו משיח ה', וקאמר קרא הכי המשיח מלפני יאחר [כמו (בראשית ל, מב) העטופים ללבן], על ידי נשמות אשר עשיתי, ועיין בפרק] חלק ובפרק הבא על יבמתו (יבמות סב, א), והגירסא שלפנינו יש ליישבה בדוחק, שדרש לעשות לרוח משקל על מלך המשיח כמו שכתב המתנות כהונה, אבל העיקר כמו שכתבתי: **אין מלך המשיח בא כו'.** הטעם כדי שלא יהיה פתחון פה לקצת נשמות לומר שאילו באו לעולם הזה היו מגדלות בירא"ת ה' (יפה תואר): **בספר של אדם הראשון.** דעלה כתיב (בראשית ה, א) זה ספר תולדות אדם, שנרשמו כולם בספרו ברמז: **משברו בהרים.** משברו להרוח בהרים הגבוהים: **ומרשלו.** לשון רפיון: **ונשמות אני עשיתי ועטוף משלהי ליה,** כמה דאת אמר (יונה ב, ח) **בהתעטף עלי נפשי וכמה דאת אמר** (תהלים קב, א) **תפלה לעני כי יעטוף בשביל נשמות שאני עשיתי.** כן צריך לומר (אות אמת): **מים שיורדים.** שהם ברכה לעולם נתנו במדה גם כן, שאם יוסיפו יותר מדאי יזיקו:

פרשה טו

א [יג, ב] **"אָדָם כִּי יִהְיֶה בְעוֹר בְּשָׂרוֹ שְׂאֵת אוֹ סַפַּחַת אוֹ בַהֶרֶת", הָדָא הוּא דִכְתִיב** (איוב כח, כה) **"לַעֲשׂוֹת לָרוּחַ מִשְׁקָל וּמַיִם תִּכֵּן בְּמִדָּה", אָמַר רַב הוּנָא: בִּשְׁלֹשָׁה מְקוֹמוֹת יָצְתָה רוּחַ שֶׁלֹּא בְמִשְׁקָל וּכְבָר הָיָה לָהּ לְהַחֲרִיב אֶת הָעוֹלָם, וְאֵלּוּ הֵן: אֶחָד בִּימֵי אִיּוֹב וְאֶחָד בִּימֵי יוֹנָה וְאֶחָד בִּימֵי אֵלִיָּהוּ, בִּימֵי אִיּוֹב שֶׁנֶּאֱמַר** (שם א, יט) **"וְהִנֵּה רוּחַ גְּדוֹלָה בָּאָה מֵעֵבֶר הַמִּדְבָּר", בִּימֵי יוֹנָה שֶׁנֶּאֱמַר** (יונה א, ד) **"וַה' הֵטִיל רוּחַ גְּדוֹלָה אֶל הַיָּם", בִּימֵי אֵלִיָּהוּ שֶׁנֶּאֱמַר** (מלכים-א יט, יא) **"וַיֹּאמֶר צֵא וְעָמַדְתָּ בָהָר וְגוֹ' (לִפְנֵי ה') וְהִנֵּה ה' עֹבֵר וְרוּחַ גְּדוֹלָה וְחָזָק מְפָרֵק הָרִים", אָמַר רַבִּי יוּדָא בַּר רַבִּי שָׁלוֹם: הִיא אוֹתָהּ שֶׁל אִיּוֹב הִיא אוֹתָהּ שֶׁל יוֹנָה הִיא אוֹתָהּ שֶׁל אֵלִיָּהוּ, בִּשְׁבִיל אוֹתָהּ הַבַּיִת הָיְתָה אוֹתָהּ שֶׁל אִיּוֹב, בִּשְׁבִיל אוֹתָהּ סְפִינָה הָיְתָה אוֹתָהּ שֶׁל יוֹנָה, בִּשְׁבִיל אוֹתוֹ מַעֲשֶׂה הָיְתָה אוֹתָהּ שֶׁל אֵלִיָּהוּ, וְאֵין לְךָ גְּדוֹלָה בָּהֶם אֶלָּא אוֹתָהּ שֶׁל אֵלִיָּהוּ, הָדָא הוּא דִכְתִיב "וַיֹּאמֶר צֵא וְעָמַדְתָּ בָהָר", אָמַר רַבִּי תַּנְחוּם בְּרַבִּי חִיָּיא, וְאָמְרֵי לָהּ בְּשֵׁם רַבָּנָן: אֵין מֶלֶךְ הַמָּשִׁיחַ בָּא עַד שֶׁיִּכְלוּ כָּל הַנְּפָשׁוֹת שֶׁעָלוּ בְּמַחֲשָׁבָה לְהִבָּרְאוֹת, וְאֵלּוּ הֵן הָאֲמוּרוֹת בְּסֵפֶר שֶׁל אָדָם הָרִאשׁוֹן, הָדָא הוּא דִכְתִיב** (בראשית ה, א) **"זֶה סֵפֶר תּוֹלְדֹת אָדָם", אָמַר רַבִּי יְהוֹשֻׁעַ בְּרַבִּי חֲנִינָא: בְּשָׁעָה שֶׁהָרוּחַ יוֹצֵא מִלִּפְנֵי הַקָּדוֹשׁ בָּרוּךְ הוּא מְשַׁבְּרוֹ בֶּהָרִים וּמַרְשְׁלוֹ בַּגְּבָעוֹת, וְאוֹמֵר לוֹ: הֱוֵי זָהִיר שֶׁלֹּא תַּזִּיק לִבְרִיּוֹתַי, שֶׁנֶּאֱמַר** (ישעיה נז, טז) **"כִּי רוּחַ מִלְּפָנַי יַעֲטוֹף וּנְשָׁמוֹת אֲנִי עָשִׂיתִי", בִּשְׁבִיל נְשָׁמוֹת שֶׁאֲנִי עָשִׂיתִי,** (איוב כח, כה) **"וּמַיִם תִּכֵּן בְּמִדָּה" רַבִּי יוּדָן בַּר רַבִּי שִׁמְעוֹן אָמַר: אֲפִילוּ מַיִם שֶׁיּוֹרְדִין מִלְמַעְלָה לֹא נִתְּנוּ אֶלָּא בְּמִדָּה,**

פירוש מהרז"ו

(א) **לעשות לרוח משקל.** בראשית רבה (כד, ד), קהלת רבה פסוק הולך אל דרום (פ"ד א') [פרשה א פסוק ו אות א], וכל הענין בירושלמי ברכות פרק הרואה (פ"ט ה"ב): **צא ועמדת בהר.** וסיפא דקרא והנה רוח גדולה וחזק מפרק הרים ומשבר סלעים, הרי שהיתה יכולה להחריב העולם: **אמר רבי תנחום בר חייא.** מאמר רבי תנחום במקומות הנ"ל מקומו אחר מאמר רבי יהושע ברבי חנינא, שדורש פסוק כי רוח מלפני וגו', על הרוח היסודי, ורבי תנחום דורש על רוחות ונשמות בני אדם, כלל הדבר שכאן הובאו כל המאמרים שלא כסדר מקומם, וסמך עצמו על מה שמבואר במקומות הנ"ל, ויתר הביאור שם בבראשית רבה:

מתנות כהונה

[א] **אין מלך המשיח כו'.** דריש לעשות לרוח משקל על מלך המשיח, כעין שדרשו כי רוח מלפני יעטוף, בפרק קמא דעבודה זרה (ה, א), ובפרק כל היד (נדה יג, ב), ובפרק הבא על יבמתו (יבמות סב, א): **משברו בהרים.** משבר הרוח בהרים הגבוהים: **ומרשלו.** לשון רפיון, כמה דאת אמר (במדבר רבה יח, ו) נתרשלו ידי האוהב: **יעטוף.** לשון חולשה ואיחור, מלשון (בראשית ל, מב) העטופים ללבן. ומצאתי במדרש איוב (ילקוט רמז תתקטז) מה יעטוף משלהי כמה דאת אמר בהתעטף עלי רוחי, והכי גרסינן במדרש קהלת בפסוק הולך אל דרום (א, פסוק ו), ועיין בבראשית רבה (כד, ד) ובירושלמי פרק הרואה:

אשד הנחלים

[א] **בשלשה מקומות כו' שלא במשקל.** בסדר בראשית (כד, ד) שם פרשתי עניינם: **עד שיכלו.** הדבר הזה הוא מצוייר על פי חכמי אמת בספריהם, שעקר התיקון הוא בביאת המשיח, והנשמות על ידי בואם לעולם הזה זהו צירופם, אם לטוב, ואם למוטב יצרפו בגיהנם ויטהרו, ועיקר החטא נובע מסיבת אדם הקדמוני, ומשיח בא לתקן הכל, וכל הנפשות תלוים באדם הראשון, ועד עת קץ תלוי התיקון והצירוף על ידי היסורים, וכל עוד שיש נשמות שהם מאיפתו של אדם הראשון (עי' שמו"ר מ, ג) שלא נבראו, לא יתכן שיהיה התיקון הגמור, שהוא ביאת המשיח. ודרש לעשות לרוח, המה הנפשות, משקל ומדה כמה ומתי יבראו ומתי יתוקנו. ומתנות כהונה פירש על רוחו של המשיח, מתי יבוא: **בהרים.** המעכב מהירת מרוצתו ונחלש על ידי זה כח מרוצתו. והרי זה כאומר לו ראה שלא תזיק כו':

אם למקרא

לַעֲשׂוֹת לָרוּחַ מִשְׁקָל וּמַיִם תִּכֵּן בְּמִדָּה: (איוב כח:כה)

וְהִנֵּה רוּחַ גְּדוֹלָה בָּאָה מֵעֵבֶר הַמִּדְבָּר וַיִּגַּע בְּאַרְבַּע פִּנּוֹת הַבַּיִת וַיִּפֹּל עַל הַנְּעָרִים וַיָּמוּתוּ וָאִמָּלְטָה רַק אֲנִי לְבַדִּי לְהַגִּיד לָךְ: (שם א:יט)

וַה' הֵטִיל רוּחַ גְּדוֹלָה אֶל הַיָּם וַיְהִי סַעַר גָּדוֹל בַּיָּם וְהָאֳנִיָּה חִשְּׁבָה לְהִשָּׁבֵר: (יונה א:ד)

וַיֹּאמֶר צֵא וְעָמַדְתָּ בָהָר לִפְנֵי ה' וְהִנֵּה ה' עֹבֵר וְרוּחַ גְּדוֹלָה וְחָזָק מְפָרֵק הָרִים וּמְשַׁבֵּר סְלָעִים לִפְנֵי ה' לֹא בָרוּחַ ה' וְאַחַר הָרוּחַ רַעַשׁ לֹא בָרַעַשׁ ה': (מלכים א יט:יא)

זֶה סֵפֶר תּוֹלְדֹת אָדָם בְּיוֹם בְּרֹא אֱלֹהִים אָדָם בִּדְמוּת אֱלֹהִים עָשָׂה אֹתוֹ: (בראשית ה:א)

כִּי לֹא לְעוֹלָם אָרִיב וְלֹא לָנֶצַח אֶקְּצוֹף כִּי רוּחַ מִלְּפָנַי יַעֲטוֹף וּנְשָׁמוֹת אֲנִי עָשִׂיתִי: (ישעיה נז:טז)

לַעֲשׂוֹת לָרוּחַ מִשְׁקָל וּמַיִם תִּכֵּן בְּמִדָּה: (איוב כח:כה)

ידי משה

[א] **בשביל אותו מעשה היתה אותו של אליהו.** פירוש מה שהרג נביאי הבעל: **אותו של אליהו.** דכתיב (מלכים א' יט, יא) ויאמר צא ועמדת בהר וגו' מפרק הרים ומשבר סלעים:

אמרי יושר

[א] **כבר היה יכול לאבד העולם.** שיצא שלא במשקל. ורבי יהודה סבר שאף על פי כן אין שם פחד, כי לא היה אלא פרטי בציווי, והחכם האחר סבר שאף הרוח התמידי והמצוי, צריך שימור ואזהרה ועיכוב בהרים, וזהו לעשות לרוח משקל: **הזהר שלא תזיק בריותי.** כי אין דבר חזק כאויר, ולזה בסבת האויר הנעצר בבטן הארץ, ורוצה לצאת תרעד הארץ, ויקרה זלזלה: **המים היורדים לעולם במדה.** כפי מה שיצטרך העולם:

"הָדָא הוּא דִכְתִיב "כִּי יְגָרַע נִטְפֵי מָיִם — **Thus it is written, *For He withholds*** [יְגָרַע] ***water droplets*** (ibid. 36:27), וּכְתִיב "וְנִגְרַע "מֵעֶרְכֶּךָ — **and it is** similarly **written, *And it shall be subtracted*** [וְנִגְרַע] ***from its valuation*** (*Leviticus* 27:18). In employing similar terms to describe both rainfall and the valuation process, Scripture equates the two. Thus, just as valuation is conducted with exacting measures, with value increased or reduced according to prescribed guidelines, so is rainfall apportioned according to a prescribed measure, in the amounts needed and where it is needed.

§2 [אָדָם כִּי יִהְיֶה בְעוֹר בְּשָׂרוֹ שְׂאֵת אוֹ סַפַּחַת אוֹ בַהֶרֶת — *IF A PERSON WILL HAVE ON THE SKIN OF HIS FLESH A S'EIS, OR A SAPACHAS, OR A BAHERES.*]

The Midrash presents another explanation of the *Job* verse, this time interpreting רוּחַ not in the sense of "wind" or "soul," but "spirit":

דָּבָר אַחֵר — **Another interpretation:** "לַעֲשׂוֹת לָרוּחַ מִשְׁקָל"— ***[God] makes a prescribed weight for the spirit***, i.e., the spirit of prophecy. אָמַר רַבִּי אַחָא: אֲפִילוּ רוּחַ הַקּוֹדֶשׁ שֶׁשּׁוֹרָה עַל הַנְּבִיאִים אֵינוֹ שׁוֹרָה אֶלָּא בְמִשְׁקָל — **R' Acha said: Even** the **prophetic inspiration that rests upon the prophets, rests only according to prescribed limits.**[18] יֵשׁ שֶׁמִּתְנַבֵּא סֵפֶר אֶחָד — **Some** prophets **prophesy** enough to comprise **a single book** of prophecies, וְיֵשׁ שְׁנַיִם — **and some** prophesy enough for **two** books of prophecies.[19] אָמַר רַבִּי סִימוֹן: שְׁנֵי פְּסוּקִים נִתְנַבֵּא בְּאֵרִי וְלֹא הָיָה בָהֶם כְּדֵי סֵפֶר, וְנִטְפְּלוּ בִּישַׁעְיָה — **R' Simone said:** For example, the prophet **Be'eri**[20] **prophesied** only **two verses, and** together **they did not suffice for** even **a single book;** therefore, **they were attached to** the prophecies recorded in ***Isaiah.*** וְאֵלּוּ הֵן — **And these are [the two prophecies]** attributed to Be'eri: "וְכִי יֹאמְרוּ אֲלֵיכֶם דִּרְשׁוּ אֶל הָאֹבוֹת וְאֶל הַיִּדְּעֹנִים" וַחֲבֵרוֹ — ***If people say to you, "Inquire of the necromancers and the diviners . . . "*** (*Isaiah* 8:19) **and its subsequent verse.**[21]

The Midrash interprets the second clause of the verse from *Job* as well as an allusion to spiritual matters:

"וּמַיִם תִּכֵּן בְּמִדָּה"— It is stated, ***and He apportions water with a measure.*** אָמַר רַבִּי יוּדָן בְּרַבִּי שְׁמוּאֵל אֲפִילוּ דִּבְרֵי תוֹרָה שֶׁנִּתְּנוּ מִלְמַעְלָה לֹא נִתְּנוּ אֶלָּא בְּמִדָּה — **R' Yudan bar R' Shmuel said:** "Water" is a metaphor for Torah;[22] thus, the verse means that **even the words of Torah,**[23] **which are granted from on high,**[24] **are granted only with a measure.** וְאֵלּוּ הֵן: מִקְרָא מִשְׁנָה תַּלְמוּד הֲלָכוֹת וְאַגָּדָה — **And these** five primary areas of Torah **are those** areas granted in this manner: **Scripture, Mishnah, Talmud, Halachos,**[25] **and Aggadah.**[26] יֵשׁ זוֹכֶה לְמִקְרָא וְיֵשׁ לְמִשְׁנָה — **Some merit** a sound understanding of **Scripture, and others** merit an understanding of **Mishnah,** וְיֵשׁ לְתַלְמוּד וְיֵשׁ לְהַגָּדָה — **some** are granted a penchant **for** understanding **Talmud, and some for Aggadah.** וְיֵשׁ זוֹכֶה לְכוּלָּן — **And some merit** a mastery in **all areas of Torah.**[27]

The Midrash offers another exposition of the verse, interpreting רוּחַ (*ruach*) as a reference to the innate abilities of man:

דָּבָר אַחֵר, "לַעֲשׂוֹת לָרוּחַ מִשְׁקָל" — **Another interpretation** of the verse, ***[God] makes a prescribed weight for the ruach,*** is that it alludes to man's inherent abilities. בְּנוֹהַג שֶׁבָּעוֹלָם הַבְּרִיּוֹת אוֹמְרִים — **In the** ordinary **way of the world, people** observe others' behavior and **say,** אִישׁ פְּלוֹנִי רוּחוֹ יְתֵירָה — **"So-and-so is endowed with a spirit of great depth.** He is imbued with wisdom and understanding, and has the capacity to accomplish great things." אִישׁ פְּלוֹנִי רוּחוֹ קְצָרָה, שֶׁנִּתְּנָה בּוֹ רוּחַ קְטִיקְטוֹן — Or conversely: **"So-and-so has a narrow spirit;** he is selfish and smallminded, **for a spirit of pettiness has been put into him."**[28]

The Midrash finally applies the *Job* verse to the *tzaraas* of our verse in *Leviticus*:

"וּמַיִם תִּכֵּן בְּמִדָּה" — The verse, ***and He apportions water with a measure***, refers to the balance of fluids in man's body. אָדָם הַזֶּה מְשׁוּקָל חֶצְיוֹ מַיִם וְחֶצְיוֹ דָם — **Man is** supposed to be **equally balanced — half water and half blood.** בְּשָׁעָה שֶׁהוּא זוֹכֶה לֹא הַמַּיִם רַבִּין עַל הַדָּם וְלֹא הַדָּם רַבִּין עַל הַמַּיִם — **When he merits** it, the measure of **the water does not surpass** that of **the blood, nor does** the amount of **the blood surpass** that of **the water.** וּבִזְמַן שֶׁחוֹטֵא פְּעָמִים שֶׁהַמַּיִם רַבִּין עַל הַדָּם וְנַעֲשֶׂה אִדְרִיפִּיקוֹס — **But when he sins,** the balance is upset as a punishment; **sometimes the** level of **water** becomes elevated and **surpasses that of the blood, so that he becomes afflicted with dropsy,** וּפְעָמִים שֶׁהַדָּם רַבִּין עַל הַמַּיִם — **and sometimes the** level of **blood** rises and **surpasses** that of **the water,**

NOTES

18. *Eitz Yosef* explains that the measure of prophetic inspiration bestowed on a prophet varies according to the needs of the generation, as well as the ability of the prophet to act on the prophecy.

19. See *Bava Basra* 14b, where the Gemara lists the prophets and the books of prophecy authored by each (*Eitz Yosef*).

20. Be'eri was the father of the prophet Hosea (see *Hosea* 1:1), and was himself a prophet. See *Rashi* to *Isaiah* 8:19. See also above, 6 §6.

21. Namely: לְתוֹרָה וְלִתְעוּדָה אִם לֹא יֹאמְרוּ כַּדָּבָר הַזֶּה אֲשֶׁר אֵין לוֹ שָׁחַר, *[I swear] by the Torah and the teaching that they will make this statement to you, which has no light of dawn* (*Isaiah* 8:20).

22. As in the verse, הוֹי כָּל צָמֵא לְכוּ לַמַּיִם וַאֲשֶׁר אֵין לוֹ כָּסֶף, *Ho, everyone who is thirsty, go to the water, even one with no money* (*Isaiah* 55:1). The commentaries (*Rashi, Radak,* and *Metzudos David* to the verse) explain this verse as a reference to Torah, which, like water, can be acquired at no cost; even one with no money can avail himself of it.

23. I.e., one's propensity for Torah study.

24. *Maharzu* questions the need to stress that Torah is granted from above; why is this a reason for it to not be subject to preset boundaries? He explains that the Midrash means to underscore that even Torah, which emanates from on high, and about which is stated: אֲרֻכָּה מֵאֶרֶץ מִדָּהּ וּרְחָבָה מִנִּי יָם, *Its measure is longer than the earth, and wider than the sea* (*Job* 11:9), is granted in measure. It is only the wisdom and depth of the Torah itself that Scripture attests is beyond measure. However, one's command over this wisdom is governed by no such rule, but rather is granted in measure.

25. I.e., the laws derived from Scripture.

26. The non-halachic branch of Rabbinic literature, containing such matters as anecdotes, Scriptural interpretations, ethical teachings, etc.

27. *Yefeh To'ar* questions the Midrash's assertion that mastery in Torah is "granted" from on high, with the implication that such knowledge is given regardless of one's efforts and labor toward achieving this wisdom. The Gemara (*Megillah* 6b) states that one who has not labored in Torah, yet claims to have achieved understanding, shall not be believed. Furthermore, no area of Torah is exclusive to any one person, but rather all who labor in its understanding will become learned in whichever portion of Torah he chooses. In light of this, he explains that the Midrash makes no claim that any part of Torah is exclusive to a select few; nor can anyone merit Torah knowledge without laboring over its words. The Midrash means only that while all must work for true understanding, not all must work equally hard. Each person is granted a specific area of Torah, whose mastery requires less effort on his part.

28. Our translation follows the opinion of *Maharzu,* in which the exposition of the Midrash continues the theme of wisdom spoken of in the preceding verses in *Job. Eitz Yosef*, however, explains the Midrash as referring to man's character. One imbued with רוּחַ יְתֵרָה is predisposed to haughtiness; רוּחַ קְצָרָה, to humility. According to this explanation, רוּחַ קְטִיקְטוֹן means not a spirit of pettiness, but one of unpretentiousness. (See *Matnos Kehunah's* explanation of קְטִיקְטוֹן.) In either case the Midrash has abandoned the portrayal of רוּחַ as physical wind, and interprets it instead in a manner consistent with the context of the surrounding verses.

הָדָא הוּא דִכְתִיב (שם לו, כז) "כִּי יְגָרַע נִטְפֵי מָיִם" וּכְתִיב (לקמן כז, יח) "וְנִגְרַע מֵעֶרְכְּךָ":

ב דָּבָר אַחֵר, (איוב כח, כה) "לַעֲשׂוֹת לָרוּחַ מִשְׁקָל", אָמַר רַבִּי אַחָא: אֲפִילּוּ רוּחַ הַקֹּדֶשׁ שֶׁשּׁוֹרָה עַל הַנְּבִיאִים אֵינוֹ שׁוֹרָה אֶלָּא בְּמִשְׁקָל, יֵשׁ שֶׁמִּתְנַבֵּא סֵפֶר אֶחָד וְיֵשׁ שְׁנַיִם, אָמַר רַבִּי סִימוֹן: שְׁנֵי *דְּבָרִים נִתְנַבֵּא בְּאֵרִי וְלֹא הָיָה בָהֶם כְּדֵי סֵפֶר, וְנִטְפְּלוּ בִּישַׁעְיָה, וְאֵלּוּ הֵן: (ישעיה ח, יט) "וְכִי יֹאמְרוּ אֲלֵיכֶם דִּרְשׁוּ אֶל הָאֹבוֹת וְאֶל הַיִּדְּעֹנִים" וַחֲבֵרוֹ, (איוב שם שם) "וּמַיִם תִּכֵּן בְּמִדָּה", אָמַר רַבִּי יוּדָן בְּרַבִּי שְׁמוּאֵל: אֲפִילּוּ דִּבְרֵי תוֹרָה שֶׁנִּתְּנוּ מִלְמַעְלָה לֹא נִתְּנוּ אֶלָּא בְּמִדָּה, וְאֵלּוּ הֵן: מִקְרָא מִשְׁנָה תַּלְמוּד הֲלָכוֹת וְאַגָּדָה, יֵשׁ זוֹכֶה לְמִקְרָא וְיֵשׁ לְמִשְׁנָה וְיֵשׁ לְתַלְמוּד וְיֵשׁ לַהֲגָדָה וְיֵשׁ זוֹכֶה לְכוּלָּן, דָּבָר אַחֵר, (שם) "לַעֲשׂוֹת לָרוּחַ מִשְׁקָל", בְּנוֹהַג שֶׁבָּעוֹלָם הַבְּרִיּוֹת אוֹמְרִים: אִישׁ פְּלוֹנִי רוּחוֹ יְתֵירָה, אִישׁ פְּלוֹנִי רוּחוֹ קְצָרָה, שֶׁנִּתְּנָה בּוֹ רוּחַ קְטִיקְטוֹן, (שם) "וּמַיִם תִּכֵּן בְּמִדָּה", אָדָם °הָיָה מְשׁוּקָּל חֶצְיוֹ מַיִם וְחֶצְיוֹ דָם בְּשָׁעָה שֶׁהוּא זוֹכֶה לֹא הַמַּיִם רָבִין עַל הַדָּם וְלֹא הַדָּם רָבִין עַל הַמַּיִם, וּבִזְמַן שֶׁחוֹטֵא פְּעָמִים שֶׁהַמַּיִם רָבִין עַל הַדָּם וְנַעֲשֶׂה אִדְרִיפִּיקוֹס וּפְעָמִים שֶׁהַדָּם רָבִין עַל הַמַּיִם וְנַעֲשֶׂה מְצוֹרָע, הָדָא הוּא דִכְתִיב [יג, ב] "אָדָם", אוֹ דָם:

עץ יוסף

הדא הוא דכתיב כי יגרע. משום דמים תכן במדה יש לפרשו על מי הים, או מימי בראשית שנבראו במדה, על דרך מי מדד בשעלו מים, מייתי מיגרע נטפי מים, דמיירי בגשמים, דכתיב כי יגרע כו': **(ב) אפילו רוח הקודש.** דכיון דקראי דגביה בחכמה ותורה משתעי, כדכתיב התם והחכמה מאין תמצא וגו' והחכמה מאין תבא וגו', ובתריה אז ראה ויספרה וגו', ודרשינן ליה לעיל בבראשית רבה (כד, ד) בתורה, מאי טעמא להזכרת רוח ומים בהדייהו. אלא דברות הקודש ותורה קמיירי, והא דכתיב התם בעשותו למטר חק, יש גם כן לפרש בתורה על דרך יערוף כמטר לקחי: **שמתנבא ספר אחד.** הכל לפי הכנת הנביא וכפי צורך השעה וכפי תכונת הדור: **ויש שנים.** כגון משה שכתב ספרו וספר איוב, ושמואל שכתב ספרו וספר שופטים ורות, וירמיהו שכתב ספרו וספר מלכים וקינות, כדאיתא בפרק קמא דבבא בתרא (יד, ב): **אמר רבי סימון שני פסוקים נתנבא.** כן צריך לומר (אות אמת): **אפילו דברי תורה.** דריש ומים תכן במדה על התורה שנקראת מים, שנאמר הוי כל צמא לכו למים, כן איתא בילקוט (איוב תתקטז): **שנתנו מלמעלה.** הזכיר זה, מפני שמזה הטעם נקראו מים, כדאמר בחזית (שיר השירים רבה א) פסוק (ב) כי טובים דודיך מיין, נמשלה תורה למים מה מים מן השמים כו': **יש זוכה כו'.** כההיא דאמר בפרק כל היד (נדה טז, ב) מלאך הממונה על הריון נוטל טיפה ומעמידה לפני הקדוש ברוך הוא ואומר טפה זו מה תהא עליה חכם או טיפש, ומשמע שנגזר עליו חכמה או טיפשות, ויש שנגזר עליו שיהיה לבו מוכן למקרא שבמעט יגיעה ישיגה, והמשנה קשה אצלו ולא ישיגה אלא ביגיעה רבה, ויש שנגזר עליו שיהיה לבו מוכן למשנה שבמעט יגיעה ישיגה אבל שאר דברים לא ישיג אלא ביגיעה רבה. וטעם היות זה מוכן יותר מזה, אפשר כפי מעשיו הטובים או יתברך מתחלה, או כפי הוראת מזלו או טבע מזגו: **רוחו יתירה.** פירוש בעל גאוה: **רוחו קצרה.** רוח נמוכה בעל ענוה: **קטיקטון.** סכלות מעט (מעריך): **חציו מים.** ידוע שהיסודות הם ד', אש, אויר, מים, עפר, וכנגדן יש באדם המרה הירוקה, והדם, והלבנה, והשחורה. המרה הירוקה, חמה ויבשה כטבע האש, וזאת המרה אצל הדם כמו הקצף העולה מן היין כשמרתיח, כן הוא קצף הדם כשירתיחוהו חום הכבד. והדם, הוא חם ולח כטבע האויר. והלבנה, קרה ולחה כטבע המים, והיא מותרי הדם שלא נתבשל. והשחורה, קרה ויבשה כטבע העפר, והוא שמרי הדם. וחציו מים וחציו דם הנזכר כאן, הם שני החלקים הנזכר, שהם הדם שהוא כנגד האויר, והלבנה שכנגד המים, ולכן אמר שברבות המים נעשה אידריפיקוס [פירוש בלשון יוני ורומי בעל חולי הנזילה המים (מוסף הערוך)] כמו שכתבו הרופאים שכשתרבה הליחה הלבנה בכל הגוף תמשוך השדפון הבשר, או דרופסיאה, וכשהדם רבה נעשה מצורע כמו שכתבו הרופאים שבהתערבות הדם יעורר הארס והשחין: **ונעשה מצורע.** וזה שאמר להלן כשהולך אצל הנדה בניו מצורעים שעל ידי רבוי הדם שבאמו, גורם בטבע הולד גם כן רבוי דם, וממילא לצרעת רבה (רד"ל): **אדם או דם.** פירוש אם חטא ירבו המים או הדם:

פירוש מהרז"ו

כי יגרע נטפי מים. מכאן אין ראיה על שמורידם במדה, עיין במדבר רבה (ה, ה. יג, טו) ובירושלמי סוף פרק ט' דברכות, ובירושלמי תענית פרק א', והגירסא שם שהוא ממניעם זה מזה, שנאמר כי יגרע נטפי מים כמו דלת אמרת (ויקרא כז, יח) ונגרע מערכך. אמר רבי יודן ולא עוד אלא שהוא מורידן במדה, שנאמר ומים תכן במדה, ומבואר בבראשית רבה שם: **(ב) אפילו רוח הקדש.** וכל דבר שהוא מלמעלה הוא יותר גדול מכל דברי העולם הזה, אף על פי כן הוא במדה: **אפילו דברי תורה.** שכתוב בה ארוכה מארץ מדה, והוא מצד עצמותה אך האדם הלומדה זוכה רק במדה: **רוח יתירה.** בעל שכל גדול ובינה גדולה וכן בכח וגבורה, ויש בעל דעת קטן ובעל כח קטן: **חציו מים וחציו דם.** כל אחד לפי טבעו יש בו חלק דם וחלק מים זה אצל זה, כמו שנראה בדם ההקזה, והמים הוא מין הזכה, ומה שכתב חציו, אין פירושו חציו ממש, אלא פירושו שעל ידי שני דברים אלו הגוף מתקיים וכחם שוה בהנהגת הגוף, וכשמתגבר אחד על חבירו נעשה חולה: **אידרופיקוס.** פירש המוסף הערוך חולי מעיים [מים כן צריך לומר]: **אדם או דם.** עיין תנחומא כאן (סימן ו), ועיין לעיל (ב, ז) אצל הקרבנות, דורש אדם על אדם הראשון, וכאן על הדם אצל הצרעת, על פי מדת דבר הלמד מענינו:

חידושי הרד"ל

[ב] אמר רבי סימון שני דברים כו'. לעיל סוף פרשה ו (סימן ו): **שנתנה בו רוח קטיקטון.** עיין מתנות כהונה, והערוך גורס (ולפי הנראה זה דבר בפני עצמו), יום שנתנה בו רוח קטריטון נעשה רומאטיקוס ועיין לקמן פרשה י"ח (ד): **אדם היה משוקל.** צריך לומר הזה משוקל: **פעמים שהדם רבה על המים ונעשה מצורע.** וכן אמרו בבכורות (מד, ב) דם רבה שחין רבה (הר"מ ברלין), ונראה שזה שאמר להלן כשהולך אצל הנדה בניו מצורעים, שעל ידי ריבוי הדם באמו גורם בטבע הולד גם כן לריבוי דם, וממילא לצרעת רבה:

חידושי הרש"ש

[ב] אמר רבי סימון שני דברים נתנבא בארי כו'. עיין מה שכתבתי לעיל (ו, ו): **אמר ר' יודן בר שמואל אפילו דברי תורה וכו' יש זוכה למקרא ויש למשנה ויש לתלמוד ויש להלכות ויש לאגדה.** כן צריך לומר: **ומים תכן במדה אדם היה משוקל חציו.** צריך לומר אדם הזה וכו': **פעמים שהמים רבין על הדם ונעשה אדריפיקוס.** בתנחומא איתא אסטניסים. ופירושו נראה לי כמו שפירש הרמב"ם בפרק שני דברכות (משנה ו) וזה לשונו ופירוש אסטניס קר הגוף, גזור מלת צנת שלג כו': **הדא הוא דכתיב אדם או דם.** נראה לי דצריך לומר אי דם, ביו"ד:

אם למקרא

כִּי יְגָרַע נִטְפֵי מָיִם יָזֹקּוּ מָטָר לְאֵדוֹ: (שם לו:כז)

אִם אַחַר הַיֹּבֵל יַקְדִּישׁ שָׂדֵהוּ וְחִשַּׁב לוֹ הַכֹּהֵן אֶת הַכֶּסֶף עַל פִּי הַשָּׁנִים הַנּוֹתָרֹת עַד שְׁנַת הַיֹּבֵל וְנִגְרַע מֵעֶרְכֶּךָ: (לקמן כז:יח)

לַעֲשׂוֹת לָרוּחַ מִשְׁקָל וּמַיִם תִּכֵּן בְּמִדָּה: (איוב כח:כה)

וְכִי יֹאמְרוּ אֲלֵיכֶם דִּרְשׁוּ אֶל הָאֹבוֹת וְאֶל הַיִּדְּעֹנִים הַמְצַפְצְפִים וְהַמַּהְגִּים הֲלוֹא עַם אֶל אֱלֹהָיו יִדְרֹשׁ בְּעַד הַחַיִּים אֶל הַמֵּתִים: (ישעיה ח:יט)

באור מהרי"פ

[ב] רוח קטיקון. זה לשון הערוך ערך קטרטון א', בויקרא רבה פרשת זאת תהיה יום שנתנה בו רוח קטרטון נעשה רומאטיקון עד כאן. והמעיין יראה איך הגירסא משובשת המדרש שבידנו. וזה לשון ר' בנימין מוספיא, אמר בנימין, קטריטון פירוש בלשון יוני ורומי שם פרטי לחולי הנזילה הנוטפת מן הראש אל הפה, ורומאטיקון שם כללי לחולי הנזילה הנוטפת מן הראש אל האברים, ופירוש רוח בלשון חכמים הוא חולי, והגירסא משונה בנוסחאות ומשגה היא עד כאן: **אדרופיקוס.** זה לשון ר' בנימין מוספיא, בלשון יוני ורומי בעל חולי המים:

שינוי נוסחאות

(ב) **שני דברים נתנבא.** א"א הגיע "שני פסוקים ...", והביאו בעץ יוסף: **אדם היה משוקל.** הגיה רד"ל "הזה" תחת "היה", וכן הגיה רש"ש בהשמטות, וכן איתא באמת בכמה כי"י:

מתנות כהונה

ונגרע מערכך. ואין ערך אלא לפי שנין בשיעור ומדה נכונה: **[ב] וחברו.** פסוק של אחריו: **אפילו דבר תורה.** דריש ומים תכן במדה, על התורה שנקראת מים שנאמר (ישעיה נה, א) הוי כל צמא לכו למים: **כך מצאתי בילקוט** (רמז תפ) **רוחו יתירה שנתנה בו רוח יתירה.** וכן עיקר, ויגיד עליו רעו: **קטיקטון.** לשון קצר וקטון מאד, כמו ירקרק ירוק שבירוקים, אדמדם אדום שבאדומים, וכן קטיקטון קטן שבקטנים, ובערוך (ערך קטרטון) גרס קטריטון ולא פירשו: **אדריפיקוס.** מצאתי פירושו הדרוקן: **אדם או דם.** בלשון נוטריקון:

אמרי יושר

[ב] נתנבא בארי. דקיימא לן כל מקום שכתוב בנביא בן פלוני, גם אביו הוא נביא: **אדם זה חציו מים.** צריך המזגה ושיווי בליחות, אבל בשעה שהוא חוטא, פעמים שהוא גובר עליו ליחות קרות ונעשה אידרופיקן, שהוא חולי השיקוי, פעמים שהדם רבה והטיפוס גובר, ונעשה מצורע:

אשד הנחלים

[ב] אפילו רוח הקודש. שתלוי מלמעלה ואין כילות לשפע שלמעלה, עם כל זה באה במדה משוערת איש איש כפי הכנתו, וזהו רוח הקודש מלפני יעטוף וישקל מבלי לצאת שלא במדה, כי נשמות אני עשיתי וידעתי הכנת כל אחד: **ואפילו דברי תורה.** שתלויה בשני דברים, אחת שהיא שפע מלמעלה ואחת התלוי ביגיעת האדם, עם כל זה היא ניתנה במדה, כי כל אחד יש לו כח מיוחד לדבר מיוחד מן התורה, מה שיגדל בו כחו בענין הזה יותר מהאחר, ויש שזוכה למשנה יותר, ויש לגמרא יותר, ויש להגדה: **איש פלוני רוחו כו' חציו מים.** דרש כולו על האדם, הן על תכונת רוחו ונפשו יש שיש בו רוח יתירה, הן ברוח חכמה ורוח גבורה ויתר הכחות, ויש להיפך רוח קטן שבקטנים, והיא חולי הנפש, והן גוף התלוי חיותו על ידי הדם שהיא הנפש, ויען כי הדם ממוזג במים, ואם ירבה המים ויתגבר יותר, אז ממנו יהיו כל חולי הנפח שהוא חולי הדרוקן, ולהיפך כשיעכר הדם לרוב ולא יהיה מימי כל כך, אז נעשה מצורע מפני עכירת הדם, וזהו ומים תיכן במדה, כמה יהיה ממוזג עם דמו, ולכן תלה כאן המצורע בשם אדם שכינויו על הדם כידוע, וממנו נמשכה הצרעת הללו:

וְנַעֲשָׂה מְצוֹרָע — so that he becomes afflicted with *tzaraas*.[29] **הָדָא הוּא דִכְתִיב ״אָדָם״ אוֹ דָם — Thus,** in describing one afflicted with *tzaraas*, **it is written,** *If **a person** [אָדָם] will have on the skin,*[30] for the word אָדָם can also be read, by altering the vowels, as אוֹ דָם, meaning **"or blood."**[31]

NOTES

29. As indicated in various places in Talmud (see *Shabbos* 33a; *Arachin* 16a), the root of both of these diseases is sin. Some sins cause an elevation in one's blood level, and others in one's water level. Consequently, some sins bring one to develop *tzaraas*, and others cause one to become afflicted with dropsy.

30. Using the word אָדָם, *adam,* rather than the more common term אִישׁ, *ish* (*Yefeh To'ar*).

31. The verse speaks of one who has sinned, and alludes to the effect his sin has on his body: it disrupts the balance of blood versus water, causing him to incur either a surplus of water *or blood* (אוֹ דָם), the effect of the latter case being that he will develop *on the skin of his flesh a s'eis, or a sapachas, or a baheres, etc.*

הָדָא הוּא דִכְתִיב (שם לו, כז) "כִּי יְגָרַע נִטְפֵי מָיִם" וּכְתִיב (לקמן כז, יח) "וְנִגְרַע מֵעֶרְכֶּךָ":

ב דָּבָר אַחֵר, (איוב כח, כה) "לַעֲשׂוֹת לָרוּחַ מִשְׁקָל", אָמַר רַבִּי אַחָא: אֲפִילוּ רוּחַ הַקֹּדֶשׁ שֶׁשּׁוֹרָה עַל הַנְּבִיאִים אֵינוֹ שׁוֹרָה אֶלָּא בְּמִשְׁקָל, יֵשׁ שֶׁמִּתְנַבֵּא סֵפֶר אֶחָד וְיֵשׁ שְׁנַיִם, אָמַר רַבִּי סִימוֹן: שְׁנֵי *דְבָרִים נִתְנַבֵּא בְּאֵרִי וְלֹא הָיָה בָהֶם כְּדֵי סֵפֶר, וְנִטְפְּלוּ בִּישַׁעְיָה, וְאֵלּוּ הֵן: (ישעיה ח, יט) "וְכִי יֹאמְרוּ אֲלֵיכֶם דִּרְשׁוּ אֶל הָאֹבוֹת וְאֶל הַיִּדְּעֹנִים" וַחֲבֵרוֹ, (איוב שם) "וּמַיִם תִּכֵּן בְּמִדָּה", אָמַר רַבִּי יוּדָן בְּרַבִּי שְׁמוּאֵל: אֲפִילוּ דִּבְרֵי תוֹרָה שֶׁנִּתְּנוּ מִלְמַעְלָה לֹא נִתְּנוּ אֶלָּא בְּמִדָּה, וְאֵלּוּ הֵן: מִקְרָא מִשְׁנָה תַּלְמוּד הֲלָכוֹת וְאַגָּדָה, יֵשׁ זוֹכֶה לְמִקְרָא וְיֵשׁ לְמִשְׁנָה וְיֵשׁ לְתַלְמוּד וְיֵשׁ לְהַגָּדָה וְיֵשׁ זוֹכֶה לְכוּלָּן, דָּבָר אַחֵר, (שם) "לַעֲשׂוֹת לָרוּחַ מִשְׁקָל", בְּנוֹהַג שֶׁבָּעוֹלָם הַבְּרִיּוֹת אוֹמְרִים: אִישׁ פְּלוֹנִי רוּחוֹ יְתֵירָה, אִישׁ פְּלוֹנִי רוּחוֹ קְצָרָה, שֶׁנִּתְּנָה בּוֹ רוּחַ קָטִיקָטוֹן, (שם) "וּמַיִם תִּכֵּן בְּמִדָּה", אָדָם °הָיָה מְשׁוּקָּל חֶצְיוֹ מַיִם וְחֶצְיוֹ דָּם בְּשָׁעָה שֶׁהוּא זוֹכֶה לֹא הַמַּיִם רָבִין עַל הַדָּם וְלֹא הַדָּם רָבִין עַל הַמַּיִם, וּבִזְמַן שֶׁחוֹטֵא פְּעָמִים שֶׁהַמַּיִם רָבִין עַל הַדָּם וְנַעֲשֶׂה אִדְרִיפִיקוֹס וּפְעָמִים שֶׁהַדָּם רָבִין עַל הַמַּיִם וְנַעֲשֶׂה מְצוֹרָע, הָדָא הוּא דִכְתִיב [יג, ב] "אָדָם", אוֹ דָּם:

עץ יוסף

הדא הוא דכתיב כי יגרע. משום דמים תכן במדה יש לפרשו על מי הים, או מימי בראשית שנבראו במדה, על דרך מי מדד בשעלו מים, מייתי מיגרע נטפי מים, דמיירי בגשמים, דכתיב כי יגרע כו': **(ב) אפילו רוח הקודש.** דכיון דקרא דגביה בחכמה ותורה משתעי, כדכתיב התם והחכמה מאין תמצא וגו' והחכמה מאין תבא וגו', ובתריה אז ראה ויספרה וגו', ודרשינן ליה לעיל בבראשית רבה (כד, ד) בתורה, מאי טעמא להזכרת רוח ומים בהדייהו. אלא דברוח הקודש ותורה קמיירי, והא דכתיב התם בעשותו למטר חק, יש גם כן לפרש בתורה על דרך יערוף כמטר לקחי: **שמתנבא ספר אחד.** הכל לפי הכנת הנביא וכפי צורך השעה וכפי תכונת הדור: **ויש שנים.** כגון משה שכתב ספרו וספר איוב, ושמואל שכתב ספרו וספר שופטים ורות, וירמיהו שכתב ספרו וספר מלכים וקינות, כדאיתא בפרק קמא דבבא בתרא (יד, ב): **אמר רבי סימון שני פסוקים נתנבא.** כן צריך לומר (אות אמת): **אפילו דברי תורה.** דריש ומים תכן במדה על התורה שנקראת מים, שנאמר הוי כל צמא לכו למים, כן איתא בילקוט (איוב תתקטז): **שנתנו מלמעלה.** הזכיר זה, מפני שמזה הטעם נקראו מים, כדאמר בחזית (שיר השירים רבה א) פסוק (ב) כי טובים דודיך מיין, נמשלה תורה למים מה מים מן השמים כו': **יש זוכה בו'.** כההיא דאמר בפרק כל היד (נדה טז, ב) מלאך הממונה על הריון נוטל טיפה ומעמידה לפני הקדוש ברוך הוא ואומר טפה זו מה תהא עליה חכם או טיפש, ומשמע שנגזר עליו חכמה או טיפשות, ויש שנגזר עליו שיהיה לבו מוכן למקרא שבמעט יגיעה ישיגה, והמשנה קשה אצלו ולא ישיגה אלא ביגיעה רבה, ויש שנגזר עליו שיהיה לבו מוכן למשנה שבמעט יגיעה ישיגה אבל שאר דברים לא ישיג אלא ביגיעה רבה. וטעם היות זה מוכן יותר מזה, אפשר כפי מעשיו הטובים או יתברך מתחלה, או כפי הוראת מזלו או טבע מזגו: **רוחו יתירה.** פירוש בעל גאוה: **רוחו קצרה.** רוח נמוכה בעל ענוה: **קטיקטון.** סכלות מעט (מעריך): **חציו מים.** ידוע שהיסודות הם ד', אש, אויר, מים, עפר, וכנגדן יש באדם המרה הירוקה, והדם, והלבנה, והשחורה. המרה הירוקה, חמה ויבשה כטבע האש, וזאת המרה אצל הדם כמו הקצף העולה מן היין כשמרתיח, כן הוא קצף הדם כשירתיחנו חום הכבד. והדם, הוא חם ולח כטבע האויר. והלבנה, קרה ולחה כטבע המים, והיא מותרי הדם שלא נתבשל. והשחורה, קרה ויבשה כטבע העפר, והוא שמרי הדם. וחציו מים וחציו דם הנזכר כאן, הם שני החלקים הנזכר, שהם הדם שהוא כנגד האויר, והלבנה שכנגד המים, ולכן אמר שבהרבות המים נעשה אידריפיקוס [פירוש בלשון יוני ורומי בעל חולי הנזילה המים (מוסף הערוך)] כמו שכתבו הרופאים שכשתרבה הליחה הלבנה בכל הגוף תמשוך השדפון הבשר, או דרופיסיאה, וכשהדם רבה נעשה מצורע כמו שכתבו הרופאים שבהתערבות הדם יעורר האדם והשחין: **ונעשה מצורע.** וזה שאמר להלן כשהולך אצל הנדה בניו מצורעים שעל ידי רבוי הדם בחמו, גורם בטבע הולד גם כן רבוי דם, וממילא לצרעת רבה (רד"ל): **אדם או דם.** פירוש אם חטא ירבו המים או הדם:

פירוש מהרז"ו

כי יגרע נטפי מים. מכאן אין ראיה על שמורידם במדה, עיין במדבר רבה (ה, ה. יג, טו) ובירושלמי סוף פרק ט' דברכות, ובירושלמי תענית פרק א', והגירסא שם שהוא ממעיטם זה מזה, שנאמר כי יגרע נטפי מים כמה דאת אמרת (ויקרא כז, יח) ונגרע מערכך. אמר רבי יודן ולא עוד אלא שהוא מורידן במדה, שנאמר ומים תכן במדה, ומבואר בבראשית רבה שם: **(ב) אפילו רוח הקודש.** וכל דבר שהוא מלמעלה הוא יותר גדול מכל דברי העולם הזה, אף על פי כן הוא במדה: **אפילו דברי תורה.** שכתוב בה ארוכה מארץ מדה, וזהו מלא עלמותה אף האדם הלומדה זוכה רק במדה: **רוח יתירה.** בעל שכל גדול ובינה גדולה וכן בכח וגבורה, ויש בעל דעת קטן ובעל כח קטן: **חציו מים וחציו דם.** כל אחד לפי טבעו יש בו חלק דם וחלק מים זה אצל זה, כמו שנראה בדם השחיטה, והמים הוא מין הזכה, ומה שכתב חציו, אין פירושו חציו ממש, אלא פירושו שעל ידי שני דברים אלו הגוף מתקיים וכשם שוה בהנהגת הגוף, וכשמתגבר אחד על חבירו נעשה חולה: **אידרופיקוס.** פירש המוסף הערוך חולי מעיים [מים כך צריך לומר]: **אדם או דם.** עיין תנחומא כאן (סימן ו), ועיין לעיל (ב, ד) אצל הקרבנות, דורש אדם על אדם הראשון, וכאן על הדם אצל הצרעת, על פי מדת דבר הלמד מענינו:

חידושי הרד"ל

[ב] **אמר רבי סימון שני דברים כו'.** לעיל סוף פרשה ו (סימן ו): **שנתנה בו רוח קטיקטון.** עיין מתנות כהונה, והערוך גורס (ולפי הנראה זה דבר בפני עצמו), יום שנתנה בו רוח קטריטון נעשה ריואמטיקוס ועיין לקמן פרשה י"ח (ד): **אדם היה משוקל.** צריך לומר הזה משוקל: **פעמים שהדם רבה על המים ונעשה מצורע.** וכן אמרו בבכורות (מד, ב) דם רבה שחין רבה (הר"מ ברלין), ונראה שזה שאמר להלן כשהולך אצל הנדה בניו מצורעים, שעל ידי ריבוי הדם בחמו גורם בטבע הוולד גם כן לריבוי דם, וממילא לצרעת רבה:

חידושי הרש"ש

[ב] **אמר רבי סימון שני דברים נתנבא בארי כו'.** עיין מה שכתב[תי] לעיל (ו, ו): **אמר ר' יודן בר שמואל אפילו דברי תורה וכו' יש זוכה למקרא ויש למשנה ויש לתלמוד ויש להלכות ויש לאגדה.** כן צריך לומר: **ומים תכן במדה אדם היה משוקל חציו.** צריך לומר אדם הזה וכו': **פעמים שהמים רבין על הדם ונעשה אדריפוקוס.** בתנחומא איתא אסטינס. ופירושו נראה לי כמו שפירש הרמב"ם בפרק שני דברכות (משנה ו) וזה לשונו ופירוש אסטנים קר הגוף, גזור ממלת צנת שלג כו': **הדא הוא דכתיב אדם או דם.** נראה לי דצריך לומר אי דם, ביו"ד:

אמרי יושר

[ב] **נתנבא בארי.** דקיימא לן כל מקום שכתוב בנביא בן פלוני, גם אביו הוא נביא: **אדם זה חציו מים.** צריך המזגה ושיווי בליחות, אבל בשעה שהוא חוטא, פעמים שהוא גובר עליו ליחות קרות ונעשה אידרופיקו, שהוא חולי השיקוי, פעמים שהדם רבה והעיפוש גובר, ונעשה מצורע:

אם למקרא

כִּי יְגָרַע נִטְפֵי מָיִם יָזֹקּוּ מָטָר לְאֵדוֹ: (שם לו:כז)

אִם אַחַר הַיֹּבֵל יַקְדִּישׁ שָׂדֵהוּ וְחִשַּׁב לוֹ הַכֹּהֵן אֶת הַכֶּסֶף עַל פִּי הַשָּׁנִים הַנּוֹתָרֹת עַד שְׁנַת הַיֹּבֵל וְנִגְרַע מֵעֶרְכֶּךָ: (לקמן כז:יח)

לַעֲשׂוֹת לָרוּחַ מִשְׁקָל וּמַיִם תִּכֵּן בְּמִדָּה: (איוב כח:כה)

וְכִי יֹאמְרוּ אֲלֵיכֶם דִּרְשׁוּ אֶל הָאֹבוֹת וְאֶל הַיִּדְּעֹנִים הַמְצַפְצְפִים וְהַמַּהְגִּים הֲלוֹא עַם אֶל אֱלֹהָיו יִדְרֹשׁ בְּעַד הַחַיִּים אֶל הַמֵּתִים: (ישעיה ח:יט)

באור מהרי"פ

[ב] **רוח קטיקין.** זה לשון הערוך ערך קטרטון א', בויקרא רבה פרשת זאת תהיה יום שנתנה בו רוח קטרטון נעשה רומאטיקין עד כאן. והמעיין יראה איך הגירסא משונה מגירסת המדרש שבידנו. וזה לשון ר' בנימין מוספייא, אמר בנימין, קטריטון פירוש בלשון יוני ורומי שם פרטי לחולי הנזילה הנוטפת מן הראש אל הפה, ורומאטיקן שם כללי לחולי הנזילה הנוטפת מן הראש אל האברים, ופירוש רוח בלשון חכמים הוא חולי, והגירסא משונה בנוסחאות ומשגה היא עד כאן: **אדרופיקוס.** זה לשון ר' בנימין מוספייא, בלשון יוני ורומי בעל חולי המים:

שינוי נוסחאות

(ב) **שני דברים נתנבא.** א"א הגיע "שני פסוקים ...", והביאו בעץ יוסף: **אדם היה משוקל.** הגיה רד"ל "הזה" תחת "היה", וכן הגיה רש"ש בהשמטות, וכן איתא באמת בכמה כ"י:

מתנות כהונה

ונגרע מערכך. ואין ערך אלא לפי שניו בשיעור ומדה נכונה: **[ב] וחברו.** פסוק של אחריו: **אפילו דבר תורה.** דריש ומים תכן במדה, על התורה שנקראת מים שנאמר (ישעיה נה, א) הוי כל צמא לכו למים: **כך מצאתי בילקוט** (רמז תפ) **רוחו יתירה שנתנה בו רוח יתירה.** וכן עיקר, ויגיד עליו רעו: **קטיקטון.** לשון קצר וקטון מאד, כמו ירקרק ירוק שבירוקים, אדמדם אדום שבאדומים, וכן קטיקטון קטן שבקטנים, ובערוך (ערך קטרטון) גרס קטריטון ולא פירשו: **אדריפיקוס.** מצאתי פירושו הדרוקן: **אדם או דם.** בלשון נוטריקון:

אשד הנחלים

[ב] **אפילו רוח הקודש.** שתלוי מלמעלה ואין כילות לשפע שלמעלה, עם כל זה באה במדה משוערת איש איש כפי הכנתו, וזהו רוח הקודש מלפני יעטוף וישקל מבלי לצאת שלא במדה, כי נשמות אני עשיתי וידעתי הכנת כל אחד: **ואפילו דברי תורה.** שתלויה בשני דברים, אחת שהיא שפע מלמעלה ואחת התלוי ביגיעת האדם, עם כל זה היא ניתנה במדה, כי כל אחד יש לו כח מיוחד לדבר מיוחד מן התורה, מה שיגדל בו כחו בענין הזה יותר מהאחר, ויש שזוכה למשנה יותר, ויש לגמרא יותר, ויש להגדה: **איש פלוני רוחו כו' חציו מים.** דרש כולו על האדם, הן על תכונת רוחו ונפשו יש שיש בו רוח יתירה, הן ברוח חכמה ורוח גבורה ויתר הכחות, ויש להיפך רוח קטן שבקטנים, והיא חולי הנפש, והן גוף התלוי חיותו על ידי הדם שהיא הנפש, ויען כי הדם ממוזג במים, ואם ירבה המים ויתגבר יותר, אז ממנו יהיו כל חולי הנפח שהוא חולי הדרוקן, ולהיפך כשיעכר הדם לרוב ולא יהיה מימי כל כך, אז נעשה מצורע מפני עכירת הדם, וזהו ומים תיכן במדה, כמה יהיה ממוזג עם דמו, ולכן תלה כאן המצורע בשם אדם שכינויו על הדם כידוע, וממנו נמשכה הצרעת הללו:

אָדָם כִּי יִהְיֶה בְעוֹר בְּשָׂרוֹ שְׂאֵת אוֹ סַפַּחַת אוֹ בַהֶרֶת וְהָיָה בְעוֹר בְּשָׂרוֹ לְנֶגַע צָרָעַת וְהוּבָא אֶל אַהֲרֹן הַכֹּהֵן אוֹ אֶל אַחַד מִבָּנָיו הַכֹּהֲנִים. וְרָאָה הַכֹּהֵן אֶת הַנֶּגַע בְּעוֹר הַבָּשָׂר וְשֵׂעָר בַּנֶּגַע הָפַךְ לָבָן וּמַרְאֵה הַנֶּגַע עָמֹק מֵעוֹר בְּשָׂרוֹ נֶגַע צָרַעַת הוּא וְרָאָהוּ הַכֹּהֵן וְטִמֵּא אֹתוֹ.

If a person will have on the skin of his flesh a s'eis, or a sapachas, or a baheres, and it will become a tzaraas affliction on the skin of his flesh; he shall be brought to Aaron the Kohen, or to one of his sons the Kohanim. The Kohen shall look at the affliction on the skin of his flesh: If hair in the affliction has changed to white, and the affliction's appearance is deeper than the skin of the flesh — it is a tzaraas affliction; the Kohen shall look at it and declare him contaminated (13:2-3).

§3 [אָדָם כִּי יִהְיֶה בְעוֹר בְּשָׂרוֹ שְׂאֵת אוֹ סַפַּחַת אוֹ בַהֶרֶת . . . וְרָאָה הַכֹּהֵן אֶת הַנֶּגַע בְּעוֹר הַבָּשָׂר וְשֵׂעָר בַּנֶּגַע הָפַךְ לָבָן . . . וְרָאָהוּ הַכֹּהֵן וְטִמֵּא אֹתוֹ — *IF A PERSON WILL HAVE ON THE SKIN OF HIS FLESH A S'EIS, OR A SAPACHAS, OR A BAHERES . . . THE KOHEN SHALL LOOK AT THE AFFLICTION ON THE SKIN OF HIS FLESH: IF HAIR IN THE AFFLICTION HAS CHANGED TO WHITE . . . THE KOHEN SHALL LOOK AT IT AND DECLARE HIM CONTAMINATED.*]

A sign of *tzaraas* is the whitening of hair on the afflicted area. The Midrash discusses this fact, in light of the observation made previously that *tzaraas* is caused by a surplus of blood and deficiency of water in the body:

דָּבָר אַחֵר, "אָדָם כִּי יִהְיֶה בְעוֹר בְּשָׂרוֹ" — **Another interpretation** of the verse, ***If a person will have on the skin of his flesh*** *a s'eis, or a sapachas, or a baheres, etc.*: הָדָא הוּא דִכְתִיב "מִי פִלַּג לַשֶּׁטֶף תְּעָלָה" — **This is** to be understood in light of **what is written, *Who fashioned a channel for the torrent*** (*shetef*) (*Job* 38:25).[32] אָמַר רַבִּי בֶּרֶכְיָה: אִית אַתְרִין דְּצָווְחִין לְשַׂעֲרָא שִׁיטְפָא — **R' Berechyah said: There are places** where **they call hair *"shetef,"*** and this is how it is to be understood in our verse as well.[33] מַעֲשֶׂה בְּאָדָם אֶחָד שֶׁהָיָה יוֹשֵׁב וְדוֹרֵשׁ וְאָמַר — **There was an incident with a certain man who was** once **sitting and expounding** about hair.[34] **He said,** אֵין לְךָ כָּל נִימָא וְנִימָא שֶׁלֹּא בָּרָא לָהּ הַקָּדוֹשׁ בָּרוּךְ הוּא גּוּמָא בִּפְנֵי עַצְמוֹ כְּדֵי שֶׁלֹּא תְּהֵא אַחַת מֵהֶן נֶהֱנֵית מֵחֲבֶרְתָּהּ — **"There is not a** single **hair** on the body **for which the Holy One, blessed is He, did not create** its own **individual follicle,** the reason for this being **so that one** hair **should never take nourishment from** what was intended for **another** hair."[35] אָמְרָה לוֹ אִשְׁתּוֹ וְעַכְשָׁיו אַתָּה מְבַקֵּשׁ לָצֵאת לָתוּר פַּרְנָסָתְךָ, תִּיב וּבוֹרְיָיךְ קָאִים לָךְ — Upon hearing these words, **his wife admonished him, "And now,** after telling me this, **you are** still **planning to leave** *Eretz Yisrael* **to seek out a means of sustenance?! Remain [here] and your Creator will** find a way to **sustain you** just as well!"[36] שְׁמַע לָהּ וִיתִיב לֵיהּ וְקָם לֵיהּ בּוֹרְיֵיהּ — **He listened to her and stayed** in *Eretz Yisrael,* **and** indeed **his Creator sustained him** there.

The Midrash expounds the second half of the cited verse in a similar manner:

"וְדֶרֶךְ לַחֲזִיז קֹלוֹת" — *Who fashioned a channel . . . **or a path for thunderclouds*** (ibid.). אֲפִילוּ קוֹל שֶׁיּוֹצֵא מִן הָרָקִיעַ עָשָׂה לוֹ הַקָּדוֹשׁ בָּרוּךְ הוּא שְׁבִיל בִּפְנֵי עַצְמוֹ — **Even for the sound** of each thunderclap **that emerges from the heavens** does **the Holy One, blessed is He, prepare its own** individual **path.** וְכָל כָּךְ לָמָּה — **And why** does God do **all of this?** שֶׁלֹּא תֵּצֵא וְתַחֲרִיב אֶת הָעוֹלָם — So **that [a second thunderclap] should not emerge** simultaneously **and destroy the world.**[37]

The Midrash returns to the subject of hairs and their nourishment, showing how it relates to *tzaraas*:

אָמַר רַבִּי אָבִין: מָשָׁל לְגִנַּת יָרָק שֶׁהַמַּעְיָן לְתוֹכָהּ — **R' Avin said: It may be compared to a vegetable garden through which a spring runs.** כָּל זְמַן שֶׁהַמַּעְיָן לְתוֹכָהּ יַרְקָהּ מַשְׁחִיר — **As long as the spring runs through it,** irrigating the garden, the color of **its vegetables will be dark-colored** and vibrant. פָּסַק הַמַּעְיָן הִלְבִּין יַרְקָהּ — But if **the spring ceases** to flow, **its vegetables will fade** and dry up. כָּךְ — **So it is** with *tzaraas.* זָכָה אָדָם — **If a person is meritorious,** refraining from sin, the proper proportion of blood and water in his body will be maintained,[38] and his hair, nurtured by

NOTES

32. This translation assumes that שֶׁטֶף (*shetef*) means "torrent," and the verse thus means that God prearranges the route ("channel") of each raindrop, from its cloud to the earth. However, the Midrash interprets *shetef* differently, as we will now see.

33. I.e., the verse is saying that God creates individual "channels" for each hair, as the Midrash will elaborate shortly.

34. There are clearly some details missing in this narrative, as the commentators note. In several parallel passages in other Midrashim (*Tanchuma, Yalkut Shimoni,* etc.), it is explained that this man was a Kohen who specialized in *tzaraas.* The man became impoverished and planned to leave *Eretz Yisrael* to earn some money abroad; he was therefore now expounding for his wife the basics of recognizing and diagnosing *tzaraas* so that she could take his place in his absence.

35. The relevance of this fact to *tzaraas* will be elaborated below.

36. Why, if God saw to it that every single hair on the body should have an adequate, undisturbed source of sustenance, all the more so must He see to it that every human being receives adequate sustenance! (*Yalkut Shimoni, Job* 9:17). See Insight Ⓐ.

37. The Gemara (*Bava Basra* 16a) elaborates on this idea and says that were two thunderclaps to emerge on a single path, it would bring the destruction of all of Creation.

38. See above, end of §2.

INSIGHTS

Ⓐ **Listening to Ourselves** *R' Chatzkel Levenstein* (*Ohr Yechezkel,* Vol. 6, pp. 325ff) exhorts us to confront the profound lesson of this Midrash. The Kohen was filled with wonder at the providence with which God attends to each of His creations — how even a tiny hair is given its own distinct source of nourishment so that it does not need to feed off that designated for a different hair. This providence provides for each of God's creations to flourish in its own location, for as long as His will sees fit. In his awe of this open display of providence, the Kohen sat and expounded the matter. And all the while, he himself was planning on uprooting himself from his native land to seek his livelihood abroad. He did not internalize the import of his own words and thoughts nor appreciate how at odds his own life was with them, until his wife called his attention to the glaring incongruity that was obvious to all but him. He had seen the hand of God in everything — except in his own livelihood.

What a common paradox of human behavior! People declare that they espouse values in which they firmly believe, while they themselves do not live in accord with those same values. They are not hypocrites. They are simply oblivious to the dissonance. As the Midrash elsewhere describes this phenomenon, "the ears do not hear what the mouth speaks" (see *Bereishis Rabbah* 38 §13).

How often do we see this phenomenon at work in prayer. The words of our prayers are full of expressions of the utmost trust in God and recognition of His infinite power. These words have the power to move and inspire us deeply and to profoundly change our lives and attitudes toward life. We say these words, sometimes with fervor. And we mean them. But do we *listen* to what we are saying?

People search far and wide for sources of inspiration, wisdom, and guidance. Yet often the key to what we so desperately seek is already being proclaimed loudly and clearly. We need only attune our ears to hear the message — the message contained in the thoughts articulated by the voice that is our own.

ג דָּבָר אַחֵר, [יג, ב] **"אָדָם כִּי יִהְיֶה בְעוֹר בְּשָׂרוֹ", הָדָא הוּא דִכְתִיב** (איוב לח, כה) **"מִי פִלַּג לַשֶּׁטֶף תְּעָלָה", אָמַר רַבִּי בֶּרֶכְיָה: אִית אַתְרִין דִּצְוְוחִין לְשַׂעֲרָא שִׁיטְפָא, מַעֲשֶׂה בְּאָדָם אֶחָד שֶׁהָיָה יוֹשֵׁב וְדוֹרֵשׁ וְאָמַר: אאֵין לָךְ כָּל נִימָא וְנִימָא שֶׁלֹּא בָּרָא לָהּ הַקָּדוֹשׁ בָּרוּךְ הוּא גּוּמָא בִּפְנֵי עַצְמוֹ כְּדֵי שֶׁלֹּא תְּהֵא אַחַת מֵהֶן נֶהֱנֵית מֵחֲבֶרְתָּהּ, אָמְרָה לוֹ אִשְׁתּוֹ: °וְעַכְשָׁיו אַתָּה מְבַקֵּשׁ לָצֵאת לָתוּר פַּרְנָסָתְךָ, °תּוּב וּבוֹרְיָיךְ קָאֵים לָךְ, שָׁמַע לָהּ וִיתִיב לֵיהּ וְקָם לֵיהּ בּוֹרְיֵיהּ,** (שם) **"וְדֶרֶךְ לַחֲזִיז קֹלוֹת" אֲפִילוּ קוֹל שֶׁיּוֹצֵא מִן הָרָקִיעַ עָשָׂה לוֹ הַקָּדוֹשׁ בָּרוּךְ הוּא שְׁבִיל בִּפְנֵי עַצְמוֹ, וְכָל כָּךְ לָמָּה, שֶׁלֹּא תֵּצֵא וְתַחֲרִיב אֶת הָעוֹלָם, °דָּבָר אַחֵר, "וְדֶרֶךְ לַחֲזִיז קֹלוֹת"° אָמַר רַבִּי אָבִין: מָשָׁל לְגִנַּת יָרָק שֶׁהַמַּעְיָן לְתוֹכָהּ, כָּל זְמַן שֶׁהַמַּעְיָן לְתוֹכָהּ יַרְקָהּ מַשְׁחִיר, פָּסַק הַמַּעְיָן הִלְבִּין יַרְקָהּ, כָּךְ זָכָה אָדָם,** [יג, לז] **"וְשֵׂעָר שָׁחֹר צָמַח בּוֹ נִרְפָּא הַנֶּתֶק טָהוֹר הוּא", וְאִם לָאו** [יג, ג] **"וְשֵׂעָר בַּנֶּגַע הָפַךְ לָבָן", הָדָא הוּא דִכְתִיב** [יג, ב] **"אָדָם כִּי יִהְיֶה", אוֹ דָם:**

ד דָּבָר אַחֵר, [יג, ב] **"אָדָם כִּי יִהְיֶה בְעוֹר בְּשָׂרוֹ", הָדָא הוּא דִכְתִיב** (משלי יט, כט) **"נָכוֹנוּ לַלֵּצִים שְׁפָטִים", מוּכָנִים הָיוּ לַלֵּצִים דִּינִים, בְּנוֹהַג שֶׁבָּעוֹלָם אָדָם רוֹכֵב עַל הַחֲמוֹר פְּעָמִים שֶׁסּוֹרֵחַ עָלָיו וּמַכֵּהוּ, פְּעָמִים שֶׁשּׁוֹחֵק עָלָיו וּמַכֵּהוּ, בְּרַם הָכָא "נָכוֹנוּ לַלֵּצִים שְׁפָטִים וּמַהֲלֻמוֹת", מָשָׁל לְמַטְרוֹנָה °שֶׁנִּכְנְסָה לְתוֹךְ פַּלְטִין שֶׁל מֶלֶךְ,**

עץ יוסף

(ג) **מי פלג לשטף תעלה.** משום דדריש אדם או דם, בעי למימר שרבוי הדם מביא לבון השער שהוא סימן טומאה בצרעת, להכי מייתי האי קרא דדריש ביה משל לגנת ירק וכו' וכמו שאפרש, ומכיון דמייתי ליה מפרש כולה ובפירוש אחר כדרך המדרש: **אית אתרין כו'.** יש מקום שקורין לשער שיטפא, והיינו שטף, ורצה לומר שלכל שער ברא הקדוש ברוך הוא מעין בפני עצמו. וטעם מאמר זה לאיוב מפורש בתנחומא (סימן ו), לפי שאיוב קרא תגר ואמר אשר בשערה ישופני והרבה פצעי חנם, אמר ליה אליהו חס ושלום חלילה לאל מרשע ושדי מעול, אלא כי פועל אדם ישלם לו כו', אמר ליה הקדוש ברוך הוא לאיוב אפילו השער שעליך מעין עשיתי לו ומדה נתתי לו, ובפרק קמא דמסכת בבא בתרא (טז, א) איתא שאיוב אמר רבונו של עולם שמא נתחלף לך בין איוב לאויב, אמר ליה הרבה נימין בראתי בראשו של אדם, וכל אחת ואחת בראתי לו גומא בפני עצמה, שלא יהיו שתים יונקות בגומא אחת, שאלמלא שתים יונקות בגומא אחת מחשיכות מאור עיניו של אדם, גומא בגומא לא מיחלף לי, בין איוב לאויב מיחלף לי: **שלא תהא כו'.** כבר כתבתי טעם הדבר: **ועכשיו אתה מבקש לצאת.** יש כאן חסרון לשון, ובתנחומא (שם) איתא מעשה בכהן אחד שהיה רואה את הנגעים, מטה ידו, בקש לצאת לחוץ לארץ, ואמרה לו אשתו ומה אם כל שער ושער ברא לו הקדוש ברוך הוא מעין בפני עצמו שהוא שותה ממנו, אתה שאתה בן אדם כמה שערות יש בך ובניך מתפרנסים על ידך לא כל שכן שיזמין לך הקדוש ברוך הוא פרנסה כו': **לתור.** לחפש ולרגל: **תוב כו'.** שב ומי שבראך יתקיים לך: **קול שיוצא כו'.** הוא קול הרעם היוצא מן העבים, והכי אמר בפרק קמא דבבא בתרא הרבה קולות בראתי בעבים, וכל קול וקול בראתי לו שביל בפני עצמו, שלא יהיו שתי קולות יוצאות משביל אחד, ומה הוא השביל עיין ביפה תואר: **דבר אחר ודרך לחזיז.** הני תיבות דבר אחר כו' מיותר ולא גרסינן ליה, ור' אבין אריש דקרא קאי (יפה תואר): **ירקה משחיר.** ירקותו קרי ליה שחור, לפי שבשבת ירקת העשבים הוא מלובן המים, ומשחרות הטפר, שהוא מראה ממולא מהן, ומראה הירוק הוא הממולא מכל המראים ועל כן נהגה הטין ממנו יותר, והירוק נוטה לשחרות והזהוב ללובן: **אדם כי יהיה.** או דם שהתגבורת הדם תמעט הליחה הלבנה ותלבין השער [שהוא כגנה אשר מים אין לה שירקה מלבין] שהוא סימן ללקות ולרעת: **(ד) נכונו ללצים שפטים כו'.** משום דקשיא ליה דהוי ליה למימר אדם מכם כי יהיה בעור בשרו כדקאמר אדם כי יקריב מכם קרבן, לכן מתרץ כאן שלא רצה לתלות בישראל לרמוז שאין הנגעים עתידים לבא רק על אומות העולם, ולהכי מייתי קרא דנכונו ללצים שפטים דמיניה דייק למלתא, ואגב אורחיה מפרש כוליה הכא כדרך המדרש: **ברם הכא.** צריך לומר אף הכא, שזה לשון במדבר רבה פרשה י"ג (סימן ד [ו]) נכונו ללצים שפטים, אמר הקדוש ברוך הוא עד שלא בראתי את האדם התקנתי לו חמשה מגלבין, שאת, ספחת, בהרת, שחין, מכוה, ולפי זה מדמה יסורי החמור ליסורי הרשעים, כי כמו שעם היות השוט והמתג מוכנים לא ילקה אם אינו סורח, כך עם היות טבע האדם מוכן לנגעים הללו לא ילקה אלא על ידי חטא: **ומהלומות משל למטרונה כו'.** נראה שרוצה לדרוש מהלומות נוטריקון מה אלו לאומות. ועיין בבמדבר רבה הנזכר לעיל וברש מדרש אגדת בראשית:

פירוש מהרז"ו

(ג) **לשטף תעלה.** תעלה פירושו גומא שגדלה השער בו, ומה שכתב אית אתרין, בתנחומא (סימן ו) כאן הגירסא, בערביא קורין לשער שיטפא: **נהנית מחברתה.** שלא יהיה שני שערות יונקות מגומא אחת, ומכחישות את האדם: **מעשה באדם אחד.** בתנחומא כאן המעשה באריכות עיין שם: **ודרך לחזיז קולות.** הוא סוף הפסוק של מי פלג לשטף הנ"ל, ודורש על הרעם: **דבר אחר ודרך לחזיז קולות.** הכוונה על רישא דקרא, וצריך לומר דבר אחר מי פלג לשטף תעלה: **(ד) נכונו ללצים שפטים.** במדבר רבה (יג, ד). ושם הגירסא כיון שחטאו ישראל פרשת אהלות ונגעים ואלות, פירוש פרשת תוכחות וכל עונשי התורה:

מתנות כהונה

[ג] **אית אתרא כו'.** יש מקום שקורין לשער שיטפא והיינו שטף: הכי גרסינן **אמרה לו אשתו ועכשיו כו'.** והכי מוכח בתנחומא פרשה זו: **משחיר.** כלומר ירוק ולא לבן: [ד] [**הדא הוא דכתיב וכו'.**] והכי גרסינן ליה בילקוט (רמז תקכד), אבל בפרשת נשא (יג, ד) גירסא אחרת עיין שם: הכי גרסינן **פעמים שסורח עליו ומכהו ופעמים ששוחק עליו וכו':**

אשד הנחלים

[ג] **כל נימא כו' ועכשיו אתה מבקש.** כי אחרי שצייר לה דרכי השגחה העליונה על פרט קטן שבקטנים, שאפילו השערות שאינם עיקר חיות האדם, עם כל זה ההשגחה פוקדת עליהם, לתת לכל שער חיות וגומא מיוחדת שיונקת ממנה, ואם כן מכל שכן על חיות האדם ומזונו, בודאי הוא מושגח על כל פרטיו, עד שאין צורך לו להשתדלות גדולה בזה, ומכאן מצאה האשה להוכיחו בזה. וכל זה הוכיח אליהוא לאיוב, שיתבונן מזה ההשגחה העליונה, ולא ייחס שום דבר אל הטבע לבדה: **לגנת ירק כו' משחיר.** דרש לחזיז, מלשון חזיון וחזות ומראה, ודוחק. והיותר נראה לגרוס זאת על מי פילג לשטף תעלה, שעל ידי שטף המים ותעלה, הצמחים יחיו וישחרו, וכשפסק מעיינם אז ילבינו, וכן באדם ככה, כמו שמפרש: **[ד] על החמור כו' ששוחק כו'.** כלומר אם סורח עליו מכהו בחזקה, ואם שוחק עליו מכהו, אבל לא בחזקה כל כך, אבל ללץ נכונו שפטים גדולים. וענין המשל להיות כי הגוף הוא נמשל כחמור הניתן למשא, שעל ידו תנהג הנפש בכל פעולותיה, ואם יחטא הגוף יתייסר, וזה אדם כי יהיה בעור בשרו. ויען שהמצורע בא על לשון הרע שנובע מסבת הליצנות, על כן מביא הפסוק הזה:

חידושי הרד"ל

[ג] **מי פלג לשטף כו'.** גומא בפני עצמו כו' (בבא בתרא טז, א): **ותחרוב את העולם אמר רבי אבין כו'.** כן צריך לומר, ושבנתיים יתיר: [ד] **נכונו ללצים שפטים מוכנים.** במדבר רבה (יג, ד) עיין שם:

חידושי הרש"ש

[ג] **דבר אחר ודרך לחזיז קולות אמר ר' אבין משל לגנת וכו'.** נראה דצריך לומר מי פלג לשטף תעלה, ודריש נמי שטף שער, ותעלה הוא תעלת מים, וכן איתא בתנחומא (סימן ו) שלכל שער יש לו מעיין בפני עצמו:

באור מהרי"פ

[ג] **אמר לו אשתו ועכשיו וכו'.** חסרון יש כאן, וזה לשון התנחומא (תזריע סימן ו) מעשה בכהן אחד שהיה רואה את הנגעים, מטה ידו בקש לצאת לחוצה לארץ, קרא לאשתו אמר לה בשביל שבני אדם רגילין לבוא אצלי לראות את הנגעים קשה עלי לצאת מהם, אלא בואי ואני מלמדך שתהא רואה את הנגעים, אם ראית שערו של אדם יבש המעין שלו תהא יודעת שלקה, לפי שכל שער ושער ברא לו הקב"ה מעין בפני עצמו שיהא שותה ממנו יבש המעין יבש השער, אמרה ליה אשתו ומה אם כל שער ושער ברא לו הקב"ה מעיין בפני עצמו שיהא שותה הימנו, אתה שאתה בן אדם כמה שערות יש בך, ובניך מתפרנסים על ידך, לא כל שכן שזימן לך הקב"ה פרנסה, לפיכך לא הניחה אותו לצאת לחוצה לארץ, עכ"ל התנחומא: **דבר אחר ודרך לחזיז קולות אמר רבי אבין.** לא גרסינן האי דבר אחר ודרך לחזיז קולות, כי רבי אבין קאי ארישא דקרא מי פלג לשטף וגו':

מסורת המדרש

א. ב"ב דף טז:
ב. במדבר רבה פ' י"ג ילקוט משלי וילקוט איוב:

אם למקרא

מִי פִלַּג לַשֶּׁטֶף תְּעָלָה וְדֶרֶךְ לַחֲזִיז קֹלוֹת: (איוב לח:כה)
נָכוֹנוּ לַלֵּצִים שְׁפָטִים וּמַהֲלֻמוֹת לְגֵו כְּסִילִים: (משלי יט:כט)

אמרי יושר

[ג] **מי פלג לשטף תעלה.** פירשוהו על דרך מי יכין לעורב צידו (איוב לח מא), ואנו למדין מכאן שמזון השער וגידולו, הוא מעשביות ואידיות הבשר, ואם כן כפי מזונו כן יהיה השער, ולכן אנו למדין הוראת הגוף, אם טהור הוא אם לאו מראיית השער, ואנו מטהרין השחור, כי הוא סימן לליחות טבעי כגינת ירק, כל זמן שהמעיין לתוכה, הירק משחיר מרוב רעננות, אבל לובן שער הוא הוראת כיבוי החום הטבעי ושריפה ורוב יובש, זהו פלג וחלק, לשטף דינים שונים בו:

שינוי נוסחאות

(ג) **אית אתרין.** נראה שמ"כ מגיה "אתרא", ל' יחיד, אבל ברוב הכי"י ובכל הדפוסים איתא "אתרין": **מעשה באדם אחד.** בספרים הישנים היה כתוב "מעשה בחסיד" וכ"ה בכל הכי"י, ואיני יודע למה שינוהו (מד' קראקא ואילך). **כדי שלא תהא אחת מהן נהנית מחברתה, אמרה לו אשתו: ועכשיו אתה מבקש וכו'.** בספרים הישנים היה כתוב רק "כדי שלו תהא אחת מהן נהנית מחברתה ועכשיו אתה מבקש וכו' ", ומ"כ הוסיף תיבות "אמרה לו אשתו". והנה בכל הכי"י כתוב, "כדי שלא תהא אחת מהן נהנית מחברתה, >למחר ביקש לצאת לפרנסתו, אמרה לו אשתו, אתמול היית יושב ודורש אין לך כל נימא ונימא שלא ברא לה הקב"ה תעלה בפני עצמה כדי שלא תהא אחת מהן נהנית מחברתה< ועכשיו אתה מבקש וכו' ". ונראה שהמדפיס הראשון השמיט

התיבות המסומנות ב>...< בטעות מחמת הדומות. וכן בא"א הגיה כעין זה: **תוב ובוריך קאים לך.** צ"ל "תיב" (=שב) תחת "תוב" (=שוב), כן היה בכל הספרים עד ששיבשו בד' שקלאוו: **שלא תצא ותחריב את העולם, דבר אחר ודרך לחזיז קלות.** א"א הגיה "דבר אחר מי פלג לשטף תעלה" תחת "דבר אחר ודרך לחזיז קולות" וכן הגיה רש"ש בהשמטות, אבל יפ"ת מחקו לגמרי, וכן כתב רד"ל: **(ד) פעמים שסורח עליו ומכהו, פעמים ששוחק עליו ומכהו.** כן הוא הנוסח ע"פ הגהת מ"ב, ובספרים הישנים היה כתוב "פעמים שסורח ששוחק עליו ומכהו. ובכל הכי"י איתא "פעמים שסורחת עליו ומכה אותה, פעמים שאין סורחת עליו ומכה אותה": **ברם הכא.** כן הוא בכל הדפוסים ובכל הכי"י, אבל יפ"ת הגיה ע"פ במדב"ר "אף הכא" וכן כ' עצ"י:

this water, will maintain its dark color, indicating that *tzaraas* is not present, "וְשֵׂעָר שָׁחֹר צָמַח בּוֹ נִרְפָּא הַנֶּתֶק טָהוֹר הוּא" — as it is written, *If ...* ***dark hair has sprouted in it, the nesek has healed — it is pure*** (below, v. 37). וְאִם לָאו "וְשֵׂעָר בַּנֶּגַע הָפַךְ לָבָן" **— But if** he is **not** meritorious, and he sins, his blood-to-water ratio will rise, causing *tzaraas,*[39] and the lower water level will cause his hair to be undernourished, thus leading to the situation described in our verse, ***If hair in the affliction has changed to white*** *... the Kohen shall look at it and declare him contaminated.* הֲדָא הוּא דִכְתִיב "אָדָם כִּי יִהְיֶה", אוֹ דָם — And **this is why it is written,** ***If a person*** [אָדָם] ***will have*** *on the skin,* for the word אָדָם can also be read, by altering the vowels, as אוֹ דָם, meaning "or blood."[40]

§4 [אָדָם כִּי יִהְיֶה בְעוֹר בְּשָׂרוֹ שְׂאֵת אוֹ סַפַּחַת אוֹ בַהֶרֶת] — *IF A PERSON WILL HAVE ON THE SKIN OF HIS FLESH A S'EIS, OR A SAPACHAS, OR A BAHERES.*]

The Midrash presents another lesson to be derived from this verse:[41]

דָּבָר אַחֵר, "אָדָם כִּי יִהְיֶה בְעוֹר בְּשָׂרוֹ" — **Another interpretation** of ***If a person will have on the skin of his flesh*** *a s'eis, or a sapachas, or a baheres:* הֲדָא הוּא דִכְתִיב "נָכוֹנוּ לַלֵּצִים שְׁפָטִים" — **This is** to be understood in light of **what is written,** ***Judgments are readied for the scoffers,*** *and blows for the backs of fools* (*Proverbs* 19:29). מוּכָנִים הָיוּ לַלֵּצִים דִּינִים — That is to say: **Punishments were designated**[42] **for scoffers** (i.e., sinners).[43]

An analogy:

בְּנוֹהַג שֶׁבָּעוֹלָם אָדָם רוֹכֵב עַל הַחֲמוֹר — **In the normal way of the world,** when **a person rides atop a donkey,** he carries a stick with which to control its behavior. פְּעָמִים שֶׁסּוֹרֵחַ עָלָיו וּמַכֵּהוּ, פְּעָמִים שֶׁשּׁוֹחֵק עָלָיו וּמַכֵּהוּ — **Sometimes [the animal] disobeys him and he strikes it,** and **sometimes it acts agreeably toward him and he strikes it** anyway.[44] בְּרַם הָכָא "נָכוֹנוּ לַלֵּצִים שְׁפָטִים" — **Here, however,** in describing God's ways, only one who is guilty of misconduct is afflicted, as stated, ***Judgments are readied for the scoffers.***

The Midrash expounds on the end of the *Proverbs* verse:

"וּמַהֲלֻמוֹת" — ***And blows*** *for the backs of fools* (ibid.) — מָשָׁל לְמַטְרוֹנָה שֶׁנִּכְנְסָה לְתוֹךְ פַּלְטִין שֶׁל מֶלֶךְ — **this may be compared to a matron who entered into the palace of a king.**

NOTES

39. See above ibid.

40. As explained above (ibid.), *tzaraas* is caused by the proliferation of blood, and this accounts for the use of the word אָדָם in our verse. The Midrash notes that it is this very same reason that explains why [abnormal appearance of] lightened hair is a sign of *tzaraas.*

41. *Yefeh To'ar* writes that the Midrash is addressing why our passage does not contain any explicit reference to Israel. For most Torah portions are introduced with a statement like דַּבֵּר אֶל בְּנֵי יִשְׂרָאֵל (*Speak to the Children of Israel ...*). Alternatively, it is comparing the wording here, אָדָם כִּי יִהְיֶה (*If a person will have*), to the wording in the beginning of *Leviticus* regarding sacrifices, "אָדָם כִּי יַקְרִיב "מִכֶּם (*If a person "among you" will bring ...*). The Midrash concludes that mention of Israel (or "you") is avoided here to intimate that the afflictions described here are not supposed to affect the people of Israel, but other nations. [*Midrash Tadshe,* in a parallel passage, states explicitly that the Midrash is addressing the "missing" word מִכֶּם.]

42. Or: Punishments are *appropriate and fitting* for scoffers (*Peirush Kadum*).

43. The Midrash here is simply rephrasing the verse, using different Hebrew words, to clarify its intent, which is: God has arranged the world in such a way that it is those who sin who have punishment in store. See further, Midrash below.

44. This appears to be the interpretation of *Matnos Kehunah.* In any event, *Peirush Kadum* says this explicitly, as do the manuscript versions of *Vayikra Rabbah* (see also *Yalkut Shimoni* on *Proverbs* ad loc.). *Yefeh To'ar* (followed by *Eitz Yosef*), however, seeks to make our Midrash conform to a parallel passage in *Bamidbar Rabbah* 13 §4, according to which the donkey is struck only when he is disobedient. It is unclear how the words פְּעָמִים שֶׁשּׁוֹחֵק עָלָיו וּמַכֵּהוּ should be understood in light of that passage. [In fact, the older Midrash text, used by *Yefeh To'ar,* had a different reading entirely: פְּעָמִים שֶׁסּוֹרֵחַ שֶׁשּׁוֹחֵק עָלָיו וּמַכֵּהוּ.] Furthermore, their interpretation requires emending בְּרַם הָכָא ("Here, however") to אַף הָכָא ("Here, too"), a reading that is not attested to in any known manuscript or printed edition.

ג דָּבָר אַחֵר, [יג, ב] "**אָדָם כִּי יִהְיֶה בְעוֹר בְּשָׂרוֹ", הֲדָא הוּא דִכְתִיב** (איוב לח, כה) "**מִי פִלַּג לַשֶּׁטֶף תְּעָלָה", אָמַר רַבִּי בֶּרֶכְיָה: אִית אַתְרִין דְּצָוְוחִין לְשַׂעֲרָא שִׁיטְפָא, מַעֲשֶׂה בְּאָדָם אֶחָד שֶׁהָיָה יוֹשֵׁב וְדוֹרֵשׁ וְאָמַר: אאֵין לְךָ כָּל נִימָא וְנִימָא שֶׁלֹּא בָּרָא לָהּ הַקָּדוֹשׁ בָּרוּךְ הוּא גּוּמָא בִּפְנֵי עַצְמוֹ כְּדֵי שֶׁלֹּא תְהֵא אַחַת מֵהֶן נֶהֱנֵית מֵחֲבֶרְתָּהּ, אָמְרָה לוֹ אִשְׁתּוֹ: וְעַכְשָׁיו אַתָּה מְבַקֵּשׁ לָצֵאת לָתוּר פַּרְנָסָתְךָ, °תּוּב וּבוֹרְיָיךְ קָאִים לָךְ, שְׁמַע לָהּ וִיתִיב לֵיהּ וְקָם לֵיהּ בּוֹרְיֵיהּ.** (שם) "**וְדֶרֶךְ לַחֲזִיז קֹלוֹת" אֲפִילּוּ קוֹל שֶׁיּוֹצֵא מִן הָרָקִיעַ עָשָׂה לוֹ הַקָּדוֹשׁ בָּרוּךְ הוּא שְׁבִיל בִּפְנֵי עַצְמוֹ, וְכָל כָּךְ לָמָּה, שֶׁלֹּא תֵצֵא וְתַחֲרִיב אֶת הָעוֹלָם, °דָּבָר אַחֵר, "וְדֶרֶךְ לַחֲזִיז קֹלוֹת"° אָמַר רַבִּי אָבִין: מָשָׁל לְגִנַּת יָרָק שֶׁהַמַּעְיָן לְתוֹכָהּ, כָּל זְמַן שֶׁהַמַּעְיָן לְתוֹכָהּ יַרְקָהּ מַשְׁחִיר, פָּסַק הַמַּעְיָן הִלְבִּין יַרְקָהּ, כָּךְ זָכָה אָדָם,** [יג, לז] "**וְשֵׂעָר שָׁחֹר צָמַח בּוֹ נִרְפָּא הַנֶּתֶק טָהוֹר הוּא", וְאִם לָאו** [יג, ג] "**וְשֵׂעָר בַּנֶּגַע הָפַךְ לָבָן", הֲדָא הוּא דִכְתִיב** [יג, ב] "**אָדָם כִּי יִהְיֶה", אוֹ דָם:**

ד דָּבָר אַחֵר, [יג, ב] "**אָדָם כִּי יִהְיֶה בְעוֹר בְּשָׂרוֹ", הֲדָא הוּא דִכְתִיב** (משלי יט, כט) "**נָכוֹנוּ לַלֵּצִים שְׁפָטִים", מוּכָנִים הָיוּ לַלֵּצִים דִּינִים, בְּנוֹהַג שֶׁבָּעוֹלָם אָדָם רוֹכֵב עַל הַחֲמוֹר פְּעָמִים שֶׁסּוֹרֵחַ עָלָיו וּמַכֵּהוּ, פְּעָמִים שֶׁשּׂוֹחֵק עָלָיו וּמַכֵּהוּ, בְּרַם הָכָא "בנָכוֹנוּ לַלֵּצִים שְׁפָטִים וּמַהֲלֻמוֹת", מָשָׁל לְמַטְרוֹנָה °שֶׁנִּכְנְסָה לְתוֹךְ פַּלְטִין שֶׁל מֶלֶךְ,**

(ג) מי פלג לשטף תעלה. משום דדריש אדם או דם, בעי למימר שרבוי הדם מביא לבן השער שהוא סימן טומאה בצרעת, ולהכי מייתי האי קרא דדריש ביה משל לגנת ירק וכו' וכמו שאפרש, ומכון דמייתי ליה מפרש כולה ובפירוש אחר כדרך המדרש: **אית אתרין כו'.** יש מקום שקורין לשער שיטפא, והיינו שטף, ורצה לומר שלכל שער ברא הקדוש ברוך הוא מעין בפני עצמו. וטעם מאמר זה לאיוב מפורש בתנחומא (סימן ו), לפי שאיוב קרא תגר ואמר אשר בסערה ישופני והרבה פצעי חנם, אמר ליה אליהו חס ושלום חלילה לאל מרשע ושדי מעול, אלא כי פועל אדם ישלם לו כו', אמר ליה הקדוש ברוך הוא לאיוב אפילו השער שעליך מעין עשיתי לו ומדה נתתי לו, ובפרק קמא דמסכת בבא בתרא (טז, א) איתא שאיוב אמר רבונו של עולם שמא נתחלף לך בין איוב לאויב, אמר ליה הרבה נימין בראתי בראשו של אדם, וכל אחת ואחת בראתי לו גומא בפני עצמה, שלא יהיו שתים יונקות בגומא אחת, שאלמלא שתים יונקות בגומא אחת מחשיכות מאור עיניו של אדם, גומא בגומא לא מיחלף לי, בין איוב לאויב מיחלף לי: **שלא תהא כו'.** כבר כתבתי טעם הדבר: **ועכשיו אתה מבקש לצאת.** יש כאן חסרון לשון, ובתנחומא (שם) איתא מעשה בכהן אחד שהיה רואה את הנגעים, מטה ידו, בקש לצאת לחוץ לארץ, ואמרה לו אשתו ומה אם כל שער ושער ברא לו הקדוש ברוך הוא מעין בפני עצמו שהוא שותה ממנו, אתה שאתה בן אדם כמה שערות יש בך ובניך מתפרנסים על ידך לא כל שכן שיזמין לך הקדוש ברוך הוא פרנסה כו': **לתור.** לחפש ולרגל: **תוב כו'.** שב ומי שבראך יתקיים לך: **קול שיוצא כו'.** הוא קול הרעם היוצא מן העבים, והכי אמר בפרק קמא דבבא בתרא הרבה קולות בראתי בעבים, וכל קול וקול בראתי לו שביל בפני עצמו, שלא יהיו שתי קולות יוצאות משביל אחד, ומה הוא השביל עיין ביפה תואר: **דבר אחר ודרך לחזיז.** הני תיבות דבר אחר כו' מיותר ולא גרסינן ליה, ור' אבין אריישא דקרא קאי (יפה תואר): **ירקה משחיר.** ירקותה קרי ליה שחור, לפי שבשבת ירקות העשבים הוא מלובן המים, ומשחרות השפר, שהוא מראה ממולע מהן, ומראה הירוק הוא הממולע מכל המראים ועל כן נהגה העין ממנו יותר, והירוק נוטה לשחרות והצהוב ללובן: **אדם כי יהיה.** או דם שהגבורת הדם תמעט הליחה הלבנה ותלבין השער [שהוא כגנה אשר מים אין לה שירקה מלבין] שהוא סימן ללקות ולרעת: **(ד) נכונו ללצים שפטים כו'.** משום דקשיא ליה דהוי ליה למימר אדם מכם כי יהיה בעור בשרו כדקאמר אדם כי יקריב מכם קרבן, לכן מתרץ כאן שלא רצה לתלות בישראל לרמוז שאין הנגעים עתידים לבא רק על אומות העולם, ולהכי מייתי קרא דנכונו ללצים שפטים דמיניה דייק למלתא, ואגב אורחיה מפרש כוליה הכא כדרך המדרש: **ברם הכא.** צריך לומר אף הכא, שזה לשון במדבר רבה פרשה י"ג (סימן ד [ו]) נכונו ללצים שפטים, אמר הקדוש ברוך הוא עד שלא בראתי את האדם התקנתי לו חמשה מגלבין, שאת, ספחת, בהרת, שחין, מכוה, ולפי זה מדמה יסורי החמור ליסורי הרשעים, כי כמו שעם היות השוט והמתג מוכנים לא ילקה אם אינו סורח, כך עם היות טבע האדם מוכן לנגעים הללו לא ילקה אלא על ידי חטא: **ומהלומות משל למטרונה כו'.** נראה שרוצה לדרוש מהלומות נוטריקון מה אלו לאומות. ועיין בבמדבר רבה הנזכר לעיל וברים מדרש אגדת בראשית:

(ג) לשטף תעלה. תעלה פירושו גומא שגדלה השער בו, ומה שכתב אית אתרין, בתנחומא (סימן ו) כאן הגירסא, בערביא קורין לשער שיטפא: **נהנית מחברתה.** שלא יהיה שני שערות יונקות מגומא אחת, ומכחישות את האדם: **מעשה באדם אחד.** בתנחומא כאן המעשה באריכות עיין שם: **ודרך לחזיז קולות.** הוא סוף הפסוק של מי פלג לשטף הנ"ל, ודורש על הרעם: **דבר אחר ודרך לחזיז קולות.** הכוונה על רישא דקרא, וצריך לומר דבר אחר מי פלג לשטף תעלה: **(ד) נכונו ללצים שפטים.** במדבר רבה (יג, ד). ושם הגירסא כיון ששמעו ישראל פרשת אהלות ונגעים ואלות, פירוש פרשת תוכחות וכל עונשי התורה:

מתנות כהונה

[ג] אית אתרא כו'. יש מקום שקורין לשער שיטפא והיינו שטף: הכי גרסינן **אמרה לו אשתו ועכשיו כו'.** והכי מוכח בתנחומא פרשה זו: **משחיר.** כלומר ירוק ולא לבן: [ד] [**הדא הוא דכתיב וכו'.**] והכי גרסינן ליה בילקוט (רמז תקכד), אבל בפרשת נשא (יג, ד) גירסא אחרת עיין שם: הכי גרסינן **פעמים שסורח עליו ומכהו ופעמים ששוחק עליו וכו':**

אשד הנחלים

[ג] כל נימא כו' ועכשיו אתה מבקש. כי אחרי שצייר לה דרכי השגחה העליונה על פרט קטן שבקטנים, שאפילו השערות שאינם עיקר חיות האדם, עם כל זה ההשגחה פוקדת עליהם, לתת לכל שער חיות וגומא מיוחדת שיונקת ממנה, ואם כן מכל שכן על חיות האדם ומזונו, בודאי הוא מושגח על כל פרטיו, עד שאין צורך לו להשתדלות גדולה בזה, ומכאן מצאה האשה להוכיחו בזה. וכל זה הוכיח אליהוא לאיוב, שיתבונן מזה ההשגחה העליונה, ולא ייחס שום דבר אל הטבע לבדה: **לגנת ירק כו' משחיר.** דרש לחזיז, מלשון חזיון וחזות ומראה, ודוחק. והיותר נראה לגרוס זאת על מי פילג לשטף תעלה, שעל ידי שטף המים ותעלה, הצמחים יחיו וישחרו, וכשפסק מעיינם אז ילבינו, וכן באדם ככה, כמו שמפרש: **[ד] על החמור כו' ששוחק כו'.** כלומר אם סורח עליו מכהו בחזקה, ואם שוחק עליו מכהו, אבל לא בחזקה כל כך, אבל ללץ נכונו שפטים גדולים. וענין המשל להיות כי הגוף הוא נמשל כחמור הניתן למשא, שעל ידו תנהג הנפש בכל פעולותיה, ואם יחטא הגוף יתייסר, וזה אדם כי יהיה בעור בשרו. ויען שהמצורע בא על לשון הרע שנובע מסבת הליצנות, על כן מביא הפסוק הזה:

חידושי הרד"ל

[ג] מי פלג לשטף כו'. גומא בפני עצמו כו' (בבא בתרא טז, א): **ותחרוב את העולם אמר רבי אבין כו'.** כן צריך לומר, ושבנתיים יתיר: **[ד] נכונו ללצים שפטים מוכנים.** במדבר רבה (יג, ד) עיין שם:

חידושי הרש"ש

[ג] דבר אחר ודרך לחזיז קולות אמר ר' אבין משל לגנת וכו'. נראה דצריך לומר מי פלג לשטף תעלה, ודריש כמי שטף שער, ותעלה הוא תעלת מים, וכן איתא בתנחומא (סימן ו) שלכל שער יש לו מעיין בפני עצמו:

באור מהרי"פ

[ג] אמר לו אשתו ועכשיו וכו'. חסרון יש כאן, וזה לשון התנחומא (תזריע סימן ו) מעשה בכהן אחד שהיה רואה את הנגעים, מטה ידו בקש לצאת לחוצה לארץ, קרא לאשתו אמר לה בשביל שבני אדם רגילין לבוא אצלי לראות את הנגעים קשה עלי לצאת מהם, אלא בואי ואני מלמדך שתהא רואה את הנגעים, אם ראית שערו של אדם יבש המעין שלו תהא יודעת שלקה, לפי שכל שער ושער ברא לו הקב"ה מעין בפני עצמו שיהא שותה ממנו יבש המעין יבש השער, אמרה ליה אשתו ומה אם כל שער ושער ברא לו הקב"ה מעיין בפני עצמו שיהא שותה הימנו, אתה שאתה בן אדם כמה שערות יש בך, ובניך מתפרנסים על ידך, לא כל שכן שזימן לך הקב"ה פרנסה, לפיכך לא הניחה אותו לצאת לחוצה לארץ, עכ"ל התנחומא: **דבר אחר ודרך לחזיז קולות אמר רבי אבין.** לא גרסינן האי דבר אחר ודרך לחזיז קולות, כי רבי אבין קאי ארישא דקרא מי פלג לשטף וגו':

מסורת המדרש

א. ב"ב דף טז:
ב. במדבר רבה פ' י"ג ילקוט משלי וילקוט איוב:

אם למקרא

מִי פִלַּג לַשֶּׁטֶף תְּעָלָה וְדֶרֶךְ לַחֲזִיז קֹלוֹת: (איוב לח:כה)
נָכוֹנוּ לַלֵּצִים שְׁפָטִים וּמַהֲלֻמוֹת לְגֵו כְּסִילִים: (משלי יט:כט)

אמרי יושר

[ג] מי פלג לשטף תעלה. פירשוהו על דרך מי יכין לעורב צידו (איוב לח מא), ואנו למדין מכאן שמזון השער וגידולו, הוא מעשניות ואידיות הבשר, ואם כן כפי מזונו כן יהיה השער, ולכן אנו למדין הוראת הגוף, אם טהור הוא אם לאו מראיית השער, ואנו מטהרין השחור, כי הוא סימן לליחות טבעי כגינת ירק, כל זמן שהמעיין לתוכה, הירק משחיר מרוב רעננות, אבל לובן שער הוא הוראת כיבוי החום הטבעי ושריפה ורוב יובש, זהו פלג וחלק, לשטף דינים שונים בו:

שינוי נוסחאות

(ג) אית אתרין. נראה שמ"כ מגיה "אתרא", ל' יחיד, אבל ברוב הכ"י ובכל הדפוסים איתא "אתרין": **מעשה באדם אחד.** בספרים הישנים היה כתוב "מעשה בחסיד" וכ"ה בכל הכי"י, ואיני יודע למה שינוהו (מד' קראקא ואילך). **כדי שלא תהא אחת מהן נהנית מחברתה, אמרה לו אשתו: ועכשיו אתה מבקש וכו'.** בספרים הישנים היה כתוב רק "כדי שלו תהא אחת מהן נהנית מחברתה ועכשיו אתה מבקש וכו' ", ומ"כ הוסיף תיבות "אמרה לו אשתו". והנה בכל הכי"י כתוב, "כדי שלא תהא אחת מהן נהנית מחברתה, >למחר ביקש לצאת לפרנסתו, אמרה לו אשתו, אתמול היית יושב ודורש אין לך כל נימא ונימא שלא ברא לה הקב"ה תעלה בפני עצמה כדי שלא תהא אחת מהן נהנית מחברתה< ועכשיו אתה מבקש וכו' ". ונראה שהמדפיס הראשון השמיט התיבות המסומנות ב>...< בטעות מחמת הדומות. וכן בא"א הגיה כעין זה: **תוב ובורייך קאים לך.** צ"ל "תיב" (=שב) תחת "תוב" (=שוב), כן היה בכל הספרים עד ששיבשו בד' שקלאוו: **שלא תצא ותחריב את העולם, דבר אחר ודרך לחזיז קלות.** א"א הגיה "דבר אחר מי פלג לשטף תעלה" תחת "דבר אחר ודרך לחזיז קולות" וכן הגיה רש"ש בהשמטות, אבל יפ"ת מחקו לגמרי, וכן כתב רד"ל: (ד) **פעמים שסורח עליו ומכהו, פעמים ששוחק עליו ומכהו. כן הוא הנוסח ע"פ הגהת מ"כ, ובספרים הישנים היה כתוב** "פעמים שסורח ששוחק עליו ומכהו". ובכל הכי"י איתא "פעמים שסורחת עליו ומכה אותה, פעמים שאין סורחת עליו ומכה אותה": **ברם הכא.** כן הוא בכל הדפוסים ובכל הכי"י, אבל יפ"ת הגיה ע"פ במדב"ר "אף הכא" וכן כ' עצ"י:

כֵּיוָן דַּחֲמַת מַגְלְבַיָּא תָּלָן דְּחִלַת — **When she saw straps hanging** there ready to inflict punishment, **she became frightened.** אָמַר לָהּ הַמֶּלֶךְ: אַל תִּתְיָירְאִי, אֵלּוּ לָעֲבָדִים וְלַשְּׁפָחוֹת, אֲבָל אַתְּ לֶאֱכוֹל וְלִשְׁתּוֹת וְלִשְׂמוֹחַ — **The king,** attempting to reassure her, **said to her, "Fear not! These** straps **are for** imposing punishment only on **the slaves and maidservants. You, however, are** here **to eat, drink, and rejoice."** כָּךְ כֵּיוָן שֶׁשָּׁמְעוּ יִשְׂרָאֵל פָּרָשַׁת נְגָעִים נִתְיָירְאוּ — **Similarly, when Israel heard [from Moses] the** Torah **portion** detailing the laws **of [skin] afflictions, they became frightened,** lest they be punished with these afflictions.[45] אָמַר לָהֶם מֹשֶׁה: אַל תִּתְיָירְאוּ, אֵלּוּ לְאוּמּוֹת הָעוֹלָם, אֲבָל אַתֶּם לֶאֱכוֹל וְלִשְׁתּוֹת וְלִשְׂמוֹחַ — Thereupon **Moses said to them, "Fear not! These** afflictions **are for** inflicting judgments upon **the** idolatrous **nations of the world.**[46] **You, however,** need not fear these afflictions, and may safely **eat, drink, and rejoice!"** שֶׁנֶּאֱמַר "רַבִּים מַכְאוֹבִים לָרָשָׁע וְהַבּוֹטֵחַ בַּה' חֶסֶד יְסוֹבְבֶנּוּ" — And **so it is stated,** ***Many are the agonies of the wicked, but as for one who trusts in Hashem, kindness surrounds him*** (*Psalms* 32:10).

The Midrash recounts an incident pertaining to the verse just cited (*Many are the agonies* . . .) and to the concept that adversity is designated only for sinners:

רַבִּי וְרַבִּי יִשְׁמָעֵאל בְּרַבִּי יוֹסֵי הָיוּ יוֹשְׁבִים וְעוֹסְקִים בִּמְגִילַּת קִינוֹת עֶרֶב תִּשְׁעָה בְּאָב שֶׁחָל לִהְיוֹת בְּשַׁבָּת עִם חֲשֵׁכָה מִן הַמִּנְחָה וּלְמַעְלָה — **Rebbi and R' Yishmael the son of R' Yose were** once **sitting** together **on the eve of the Ninth of Av and** were **engaged in studying** the **Book of** ***Lamentations.*** **It was a Sabbath, just before nightfall,** and they had been studying **since the** onset of the **afternoon.**[47] שִׁיְּירוּ בָהּ אָלֶף בֵּית אַחַת — Unable to complete the entire Book, **they left one** set of ***aleph-beis***[48] unstudied, אָמְרוּ: לְמָחָר אָנוּ גּוֹמְרִין אוֹתָהּ — **saying, "Tomorrow we will complete it."** כְּשֶׁעָלָה רַבִּי נִכְשַׁל בְּאֶצְבָּעוֹ הַקְּטַנָּה — **As Rebbi was going up** to his house, **he tripped on his small toe,** hurting himself, קָרָא עַל עַצְמוֹ "רַבִּים מַכְאוֹבִים לָרָשָׁע" — whereupon **he recited** this verse **regarding himself,** ***Many are the agonies of the wicked*** (*Psalms* 32:10).[49] אָמַר לוֹ רַבִּי יִשְׁמָעֵאל: אִלּוּ לֹא הָיִינוּ עֲסוּקִין בְּעִנְיָן "רוּחַ אַפֵּינוּ מְשִׁיחַ ה'" הָיִיתִי אוֹמֵר — Thereupon **R' Yishmael said to him, "Even if we had not just been occupied with the subject of,** ***the breath of our nostrils, Hashem's anointed,*** *was caught in their traps* (*Lamentations* 4:20),[50] **I would have said** that your pain is due to the misdeeds of others and not your own;[51] עַכְשָׁיו שֶׁאָנוּ עֲסוּקִין עַל אַחַת כַּמָּה וְכַמָּה — **now that we have** just **been occupied** in expounding this verse, **how much more** appropriate is it to apply this verse to you!"[52]

The Midrash describes the continuation of this incident, and derives several halachic conclusions from it:

כְּשֶׁעָלָה לְבֵיתוֹ נָתַן עָלֶיהָ סְפוֹג יָבֵשׁ וְכָרַךְ עָלֶיהָ גֶּמִי מִבַּחוּץ — **When [Rebbi] went up to his house, he placed on [his wound] a dry sponge, and wrapped** ***gemi***[53] **around its exterior.**[54] אָמַר רַבִּי יִשְׁמָעֵאל בְּרַבִּי יוֹסֵי: מִדְּבָרָיו לָמַדְנוּ ג' דְּבָרִים — Thereupon **R' Yishmael the son of R' Yose said: From [Rebbi's] actions**[55] **we learn three things:** סְפוֹג לֹא שֶׁהוּא מוֹצֵץ אֶלָּא שֶׁהוּא מְשַׁמֵּר אֶת הַמַּכָּה — (i) The purpose of placing a **sponge** on a wound **is not to draw** fluid from it; **rather, it is** meant **to protect the wound** from further irritation.[56] וְקוֹשֵׁר עָלֶיהָ גֶּמִי מֵהַבַּיִת מִפְּנֵי שֶׁהוּא מוּכָן — **And** (ii) **one may tie a** ***gemi*** **onto [a wound]** if the *gemi* is taken **from the house** (as opposed to taking it from the wild), **because it is** considered as **"designated"** for use on the Sabbath.[57]

NOTES

45. Like the matron and the straps in the parable, the Israelites at first thought that these *tzaraas* afflictions were to be used randomly against them, and this is why they feared. God therefore reassured them that these diseases are intended only for punishment for sinners. Since idolatrous nations are inveterate sinners by virtue of their idol worship — similar to the slaves in the parable, who frequently disobey their master — God described them as the usual recipients of these punishments. God was telling the Israelites that He did not expect them to sin and thereby incur these punishments. However, these afflictions did indeed befall individual Israelites who did commit the various sins for which *tzaraas* is the punishment (see below, 17 §3 and *Arachin* 16a). Indeed, the laws of *tzaraas* recorded here — involving Kohanim, purification rituals, sacrifices, etc. — do not apply at all to non-Jews (see Mishnah, *Negaim* 12:1) (*Yefeh To'ar*).

46. According to *Yefeh To'ar,* the Midrash here is interpreting the word מַהֲלֻמּוֹת — the word in the *Proverbs* verse that was used as a heading for this paragraph — as an abbreviation of מָה אֵלּוּ? לְאוּמּוֹת!, "What are these [afflictions] for? For the nations!" [Indeed, in many parallel passages (*Bamidbar Rabbah* ibid., *Tanchuma* here, etc.) מַהֲלֻמּוֹת is interpreted as an amalgam of smaller words, though not in this particular manner.]

47. An earlier version of the Midrash (before the text was emended by *Matnos Kehunah* and *Yefeh To'ar*) states עֶרֶב שַׁבָּת עִם חֲשֵׁכָה, i.e., it was a Friday afternoon (not the eve of the Ninth of Av). See below, note 61.

48. The Book of *Lamentations* is written in a series of alphabetical acrostics (except the last chapter, which contains twenty-two verses but is not arranged as an alphabetical acrostic); "a single *aleph-beis*" refers to one chapter. The Midrash therefore means that they left only a single chapter unstudied. Assumedly they studied the book in order, so it was the final chapter that was left unfinished (*Korban HaEidah* to *Yerushalmi Shabbos* 16:1; see below, note 50). The Midrash refers to it as an "*aleph-beis*" even though it is not arranged alphabetically.

49. Rebbi humbly attributed his suffering to his own sins. He said "*Many are the agonies*" because even before this incident he had endured much suffering throughout his lifetime (see *Yerushalmi Kilayim* 9:3; *Bereishis Rabbah* 33 §3) (*Eitz Yosef*).

50. The Midrash interprets this verse to mean, "Hashem's anointed one has been caught up by their (the people's) corrupt deeds (שְׁחִיתוֹת)"; i.e., the exalted leader of the generation, the "anointed one," often experiences suffering as a result of the misdeeds of the people, and not because of his own actions (see next note). R' Yishmael was telling Rebbi that as the leader of Jewry, his suffering was due to the sins of others.

Since this verse is at the end of Ch. 4 of *Lamentations,* it would have been one of the last verses studied (see above, note 48).

See *Eshed HaNechalim* for an entirely different explanation of the dialogue between Rebbi and R' Yishmael.

51. [The idea of the leaders of a generation being held accountable for their generation's sins is found in *Shabbos* 54b (see also *Maharsha* there to 55a). Although their own behavior is blameless, if they fail to protest the iniquities of others they are judged as having themselves transgressed those sins.]

52. While R' Yishmael believed of his own accord that Rebbi's suffering was caused by Israel's misconduct, having just expounded a verse in this manner, he felt as if Scripture were bearing witness to the veracity of his belief (*Eitz Yosef*).

53. A kind of string, made from reeds.

54. The Midrash stresses "around its exterior" because it is forbidden to apply *gemi* directly to a wound on the Sabbath, as it has healing properties; see below, note 56 (see *Eruvin* 103b and *Zevachim* 19a).

55. [The literal translation of מִדְּבָרָיו is "from his words." However, Rebbi uttered no words from which we derive these halachos. The parallel Midrash in *Eichah* 4 §23 and *Yerushalmi Shabbos* 45b cite R' Yishmael as saying not מִדְּבָרָיו לָמַדְנוּ, but מִמֶּנּוּ לָמַדְנוּ, which translates, "From him we learn."]

56. The Sages (see *Shabbos* 134b) prohibited performing any medicinal or therapeutic act on the Sabbath (for people who are not very ill). Drawing fluid from an open wound would constitute a violation of this law; since Rebbi put the dry sponge on his wound it may be derived that the main function of putting a sponge on a wound is not therapeutic (to draw moisture from it), but is to protect the wound from further aggravation.

57. The Rabbis forbade the use — and even the handling — of any item not designated for use on the Sabbath (*muktzeh*). This is not to say that one must have specific intent to use every item in his home. Rather, any man-made item that is normally used in day-to-day life is considered "designated." Though *gemi* is not man-made, its presence in the house indicates that it is intended for some use, and hence it is considered "designated." This we learn from Rebbi, since he used a *gemi* found in the house for his wound.

מגלביא. רצועות ומקלות שבהם מייסרים העוברים על דת: **אבל אתם לאכול כו'.** זה ודאי דפרשת נגעים נאמר לישראל, כי טומאת הכהנים והטהרה אין להם עסק אלא עם ישראל, אך הכוונה הוא כמו שאדם מיירא את בנו עם השבט שבידו כדי שהבן יעשה רצונו, ואם הבן עושה רצונו אין מכת שבט בא עליו, וכל זה שהאב נוטל השבט בידו ומראה לו ליירא בזה אין כוונתו בשום אופן כדי שיכנו בשבט, אלא כוונתו להיפך כדי שלא יצטרך להכותו, כי אם שיראה הבן זאת בידו ויעשה רצון אביו ויירא לעבור על רצונו ולא יצטרך להכותו, נמצא עשיית השבט ומה שמראה לו, הכל הוא חסד גמור בלי שום תערובות דין כי כל זה נעשה כדי שלא לענוש את בנו, כן ממש רצון הבורא יתברך שברא מדת הדין בעולם כדי שייראו ממנו וכן יעשו, שלא יצטרך להגיע עליהם מדת הדין כלל וכלל (סדורו של שבת חלק א שורש השישי ענף א): **רבי ורבי ישמעאל כו'.** מייתי הך עובדא, דלא תקשי אדלעיל הא אנו רואים שבאים נגעים אף על הצדיקים, שזה הוא כדי להגין על הדור: **מן המנחה ולמעלה.** דאז דוקא שרי לקרות בכתבי הקדש, ולא קודם לזה משום ביטול בית המדרש כדתנן בפרק כל כתבי (שבת קטו, א), והיינו דמשכי לבא, ובשבת היו דורשים דרשה לבעלי הבתים שעוסקים במלאכה כל ימות החול, ובתוך הדרשה היו מורין להם הלכות איסור והיתר, וטוב להם לשמוע מלקרות בכתובים, הילכך מן המנחה ולמעלה דאין זמן בית המדרש אז שרי. ועיין ביפה תואר: **רבים מכאובים לרשע.** לפי שהיה מדוכא ביסורין שלש עשרה שנה, שית בצמירתא ושבע בציפרנא (בבא מציעא פה, א), ונוסף לו עכשיו מכת האצבע: **אמר ליה רבי ישמעאל.** בירושלמי פרק כל כתבי (ה"א) גרסינן אמר ליה רבי חייא רבה בחבתן מטתך כו', פירוש בעונותינו הגיעך כן, ועל זה אמר רבי ישמעאל אילו לא כו', פירוש אפילו לא היינו עסוקים בפסוק רוח אפינו משיח ה' וגו' אפילו הכי הייתי אומר שהגיע לך כן בעון הדור שעליו נאמר נלכד בשחיתותם, ועכשיו שעסקנו בהאמת באותו ענין על אחת כמה וכמה שהוא לעד שהאמת כן הוא, ולא בשביל רבים מכאובים לרשע: **ספוג לא שהוא מוצץ כו'.** כלומר מה שנתן הספוג אינו לפי שהוא מוצץ ומרפא, דאם כן היה אסור, דכל רפואה אסורה במידי דליכא סכנה משום שחיקת סממנים, אלא מפני שהוא משמר את המכה שלא תפגע בשום מקום, או שמא תסרט בבגדו, ובירושלמי (שם) גרסינן ספוג אינו מרפא אלא משמר: **ומהבית.** רצה לומר מדנטל הגמי מהבית ולא מחוץ, שמע מינה שבבית מוכן והיינו דלא אסור משום מוקצה: **בכתבי הקדש.** בגמרא פירשו דהיינו כתובים דוקא: **אלא מן המנחה ולמעלה.** מדלא ישב לעסוק במגילות קינות אלא עם חשיכה, דאי הוה שרי לעסוק בהו קודם מנחה, הוה ליה לאתחולי מקמי הכי כדי שיוכל לגמרה בו ביום ולא יצטרך לשייר אלפא ביתא למחר: **שונין.** בעל פה (מתנות כהונה). ופירש רש"י בפרק כל כתבי (קטז, ב) כגון מדרש שיר השירים וקהלת: **אם צריך לדבר לבדוק.** כלומר אם צריך לראות פסוק אחד מתוך הכתב לדרשתו נוטל ורואה, דכולי האי לא גזור: **ושמואל אמר חרס כו'.** נראה דהיינו דגרסינן בפרק כל הכלים (שבת קכד, ב) אמר רב נחמן אמר שמואל חרס קטנה מותר לטלטל בחצר, אבל בכרמלית לא, ופירש רש"י בחצר דשכיחי בה כלים שהחרס הזה ראוי להם לכסוי ותורת כלי עליו. ומשום דקאמר הכא דקשר עליה גמי מהבית מפני שהוא מוכן מייתי הא דאמר שמואל נמי חרס כל שהוא, פירוש שאם הוא בחצר כל חרס מותר לטלטלו, ואפילו היא קטנה, משום דחזו לכסוי כלי, וכן גמי בכל מין שיהיה בין לח ובין יבש דלא חזי למאכל בהמה, מותר לטלטלו כיון דהוא מוכן בחצר להשתמש בו, ולאידי דמייתי להא מייתי נמי הא דמגופת החבית ושבריה,

לאכול ולשתות. עיין מדרש תדשא פ' ט"ו מסמיכות של פרשה שלמעלה, זאת החיה אשר תאכלו, וילידת האדם בין אכילה לנגעים, עיין שם: **רבי ורבי ישמעאל ברבי יוסי.** איכה רבתי פסוק רוח אפינו (ד' פ') [פרשה ד סי' כג]:

כֵּיוָן °דְּחָמִית מַגְלְבַיָּא תָּלָן דְּחָלַת, אָמַר לָהּ הַמֶּלֶךְ: אַל תִּתְיָירְאִי, אֵלּוּ לַעֲבָדִים וְלַשְּׁפָחוֹת, אֲבָל אַתְּ לֶאֱכוֹל וְלִשְׁתּוֹת וְלִשְׂמוֹחַ, כָּךְ כֵּיוָן שֶׁשָּׁמְעוּ יִשְׂרָאֵל פָּרָשַׁת נְגָעִים נִתְיָירְאוּ, אָמַר לָהֶם מֹשֶׁה: אַל תִּתְיָירְאוּ, אֵלּוּ לְאוּמּוֹת הָעוֹלָם, אֲבָל אַתֶּם לֶאֱכוֹל וְלִשְׁתּוֹת וְלִשְׂמוֹחַ, שֶׁנֶּאֱמַר (תהלים לב, י) "רַבִּים מַכְאוֹבִים לָרָשָׁע וְהַבּוֹטֵחַ בַּה' חֶסֶד יְסוֹבְבֶנּוּ". רַבִּי וְרַבִּי יִשְׁמָעֵאל בְּרַבִּי יוֹסֵי הָיוּ יוֹשְׁבִים וְעוֹסְקִים בִּמְגִילַּת קִינוֹת עֶרֶב תִּשְׁעָה בְּאָב שֶׁחָל לִהְיוֹת בְּשַׁבָּת עִם חֲשֵׁכָה מִן הַמִּנְחָה וּלְמַעְלָה, שִׁיְּירוּ בָּהּ אָלֶף בֵּית אַחַת, אָמְרוּ: לְמָחָר אָנוּ גּוֹמְרִין אוֹתָהּ, כְּשֶׁעָלָה רַבִּי נִכְשַׁל בְּאֶצְבָּעוֹ הַקְּטַנָּה, קָרָא עַל עַצְמוֹ "רַבִּים מַכְאוֹבִים לָרָשָׁע", אָמַר לוֹ רַבִּי יִשְׁמָעֵאל: אִלּוּ לֹא הָיִינוּ עֲסוּקִין בְּעִנְיָן (איכה ד, כ) "רוּחַ אַפֵּינוּ מְשִׁיחַ ה'" הָיִיתִי אוֹמֵר, עַכְשָׁיו שֶׁאָנוּ עֲסוּקִין עַל אַחַת כַּמָּה וְכַמָּה, כְּשֶׁעָלָה לְבֵיתוֹ נָתַן עָלֶיהָ סְפוֹג יָבֵשׁ וְכָרַךְ עָלֶיהָ גֶּמִי מִבַּחוּץ, אָמַר רַבִּי יִשְׁמָעֵאל בְּרַבִּי יוֹסֵי: מִדְּבָרָיו לָמַדְנוּ ג' דְּבָרִים: סְפוֹג לֹא שֶׁהוּא מוֹצֵץ אֶלָּא שֶׁהוּא מְשַׁמֵּר אֶת הַמַּכָּה, וְקוֹשֵׁר עָלֶיהָ גֶּמִי מֵהַבַּיִת מִפְּנֵי שֶׁהוּא מוּכָן, וְאֵין קוֹרִין בְּכִתְבֵי הַקֹּדֶשׁ אֶלָּא מִן הַמִּנְחָה וּלְמַעְלָה, אֲבָל שׁוֹנִין בָּהֶן וְדוֹרְשִׁין בָּהֶן, אִם צָרִיךְ לְדָבָר לִבְדּוֹק נוֹטֵל וּבוֹדֵק, וּשְׁמוּאֵל אָמַר: חֶרֶס כָּל שֶׁהוּא גֶּמִי כָּל שֶׁהוּא, תָּנֵי רַבִּי יוּדָן מִשּׁוּם רַבִּי שְׁמוּאֵל: מְגוּפַת הֶחָבִית וּשְׁבָרֶיהָ מוּתָּר לְטַלְטְלָן בְּשַׁבָּת,

מתנות כהונה

מגלביה. רצועות ומקלות שבהם מייסרים העוברים על דת: **תלן.** תולין: **דחלת.** יראתה: הכי גרסינן בירושלמי דפרק כל כתבי (שבת פט"ז ה"א) **במגילת קינות ערב תשעה באב שחל להיות בשבת עם חשכה מן המנחה ולמעלה.** והכי איתא בירושלמי בהדיא, ואז דוקא שרי לקרות בספר ולא קודם לזה, דגזרינן שמא יקרא בשטרי הדיוטות ולאחר מנחה לא גזרינן, וכן הוא בירושלמי דפרק בני העיר (מגילה פ"ג ה"ה), ולכן היו פוסטין, פירוש חוזרין וקורין ודורשין בספר קינות דוקא עם חשכה ולא קודם, שאז אינו מותר אלא בעל פה לא בכתב, ואם צריך לבדוק לראות בספר דבר מה, מותר אף קודם מנחה דבהא לא גזרו: **רוח אפינו משיח ה' הייתי אומר** גרסינן. פירוש הייתי אומר שנזדמן לך כזה לכפרת עון הדור, והכי איתא בהדיא אמר רבי חייא רבה בחבתן מטתך כו', פירוש בעונותינו הגיעך כן, ועל זה אמר רבי ישמעאל אלו לא כו' שנאמר רוח וגו' נלכד בשחיתותם, ועכשיו שעסוקין היינו בענין זה על אחת כמה וכמה אומר שבשביל כך נזדמן לך, שנאמר רוח אפינו משיח ה' נלכד בשחיתותם אשר אמרנו בצלו נחיה וגו', ולא בשביל עון עצמך: הכי גרסינן באיכה רבה (ד, כג) **נתן עליה ספוג יבש.** וכן עיקר והכי מסיק פרק רבי אליעזר דמילה (שבת קלד ב): **מוצץ.** פירוש מוציא הדם והזוהמא והוא נתרפא, והכי גרסינן באיכה רבה (ד, כה), ובירושלמי, לא שהוא מרפא, ואלו היה מרפא היה אסור בשבת: הכי גרסינן **אלא מן המנחה ולמעלה.** ורצה לומר מנחה קטנה דהיינו עם חשיכה, ופירושו אין קורין בספר וכדפירשתי לעיל: הכי גרסינן **אם צריך לדבר לבדוק.** פירוש אם צריך לבדוק ולחפש איזה פסוק, נוטל הספר ובודק ולא גזרו בהא שהוא באקראי בעלמא, כמו שהתירו בחזן לראות ראשי הפרשיות לאור הנר, דהוי אקראי בעלמא, ולא גזרינן שמא יטה: **חרס כל שהוא.** יניח על המכה לשמרו שמותר לטלטלו:

אשד הנחלים

אבל אתם לאכול. פירש הידי משה לפי שנגעי בתים היה לטובתם, שמצאו מטמונים מה שגנזוה הכנענים, ואם כן הנגעים לטובתם: **אלו לא היינו עסוקים כו' עכשיו.** כלומר אל תקרא עליך המקרא הזה, כי אצלך המה יסורי האהבה, כדמות משיח שהוא רוח אפינו, הסובל יסורי ישרים. ואפילו לא היינו עסוקים במקרא זה הייתי אומר שיסוריך ככה, ובפרט שאנחנו היינו עסוקים במקרא זה, בודאי אני אומר כך:

חידושי הרד"ל

ושמואל אמר חרס כו' גמי כל שהוא מותר לטלטל בתוך הבית תני רבי יודן כו'. כן הוא בירושלמי (פ"ח דשבת ה"ד), דווקא מן הבית אבל באשפה לא, וכמו במגופה להלן. ועיין בבלי שבת (קכד, א) שמביא זה לראיה למה שכתב לעיל, וקושר עליו גמי מבית מפני שהוא מוכן (הר"מ ברלין):

חידושי הרש"ש

[ד] רבי ורבי ישמעאל בר' יוסי היו כו' שחל להיות בשבת עם חשיכה מן המנחה ולמעלה שיירו בה אלף בית אחת. עיין מתנות כהונה שכתב הטעם דקודם המנחה אסור משום גזרה דשטרי הדיוטות. ותמוה דלטעם זה אפילו מן המנחה ולמעלה אסור כדאיתא בשבת (קטז, ב). ונראה לי דסבירא ליה דעל כרחך סבירא ליה להמדרש האי טעמא מדאמר לקמן אבל שונין בהן כו', ואם היה הטעם משום ביטול בית המדרש היה גם זה אסור וראיה לדבר שהרמב"ם השמיט זה, על כרחך דסבירא ליה דהתיר זה נשנית בברייתא דרבי נחמיה (עיין שבת שם) וזה דוקא לטעמיה ועל כרחך דהמדרש פליג בזה על רב אשי בגמרא שם, וכן בירושלמי איתא בדרבי נחמיה גם כן מן המנחה ולמעלה מותר ודלא כהקרבן העדה והיפה מראה שמחקו שם:

באור מהרי"פ

[ד] מתנות כהונה ד"ה דחלת וכו' בירושלמי פרק בני העיר. אמר הכותב חפשתי ולא מצאתי שם [עיין שם פ"ג ה"ד]: **מתנות כהונה בא"ד בעל פה ולא בכתב.** פירוש מפני גזירת שטרי הדיוטות, כאמור שם למעלה: **מתנות כהונה בד"ה רוח אפינו וכו' בשביל עון עצמך.** נראה דצריך לגרוס לא בשביל עצמך: **אבל שונין בהם וכו'.** (שבת קטז, ב) פרש"י שונין בהם כגון מדרש שיר השירים וקהלת עיין שם: **חרס כל שהוא וכו'.** שבת דף קכ"ד עמוד ב' ודף קכ"ה עמוד א' כל הענין:

אם למקרא

רַבִּים מַכְאוֹבִים לָרָשָׁע וְהַבּוֹטֵחַ בַּה' חֶסֶד יְסוֹבְבֶנּוּ: (תהלים לב:י)

רוּחַ אַפֵּינוּ מְשִׁיחַ ה' נִלְכַּד בִּשְׁחִיתוֹתָם אֲשֶׁר אָמַרְנוּ בְּצִלּוֹ נִחְיֶה בַגּוֹיִם: (איכה ד:כ)

אמרי יושר

[ד] אבל את לאכול ולשתות. צריך לומר כי זהו דרך כבוד ומוסר לבד כמטרונה, וכן כתיב רבים מכאובים לרשע, ולזה לא כתיב בדיני צרעת דבר לבני ישראל, וכן אמר אדם כי יהיה בעור בשרו, ולא אמר מכם. אבל כפי האמת לישראל נאמרו נגעים, וכן אמר לעיל בפרשת (מקץ) [וישב] (פרשה פח א), לא היו ראויין אומות העולם להיות בהם זבים ומצורעים כפי ההשגחה, רק לסבת ההלל מחרפות חרפת נבל אל תשימני (תהלים לט ט). או יובן במה שאמר להלן פרשה יח (סימן ד) כיון שעמדו ישראל על הר סיני לא היו בהן זבים ומצורעים, ולמה כו', ואם ישמרו התורה את לאכול ולשתות, ואם לאו לישראל ראויים לעונש השגחיי. או פירוש מה שאמרו אלו לאומות העולם, פירושו לערב רב, או נתרץ שחומר הנגע לגוי, רק טומאה אין בו: **ספוג אינו מרפא.** דאלו כן היה אסור משום גזירת שחיקת סמנים: **אם צריך.** לראות פסוק נוטל הספר ובודק:

ידי משה

[ד] אבל אתם לאכול ולשתות ולשמוח. כי הנגעים מתוך שהיו בקירות

שינוי נוסחאות

ערב תשעה באב שחל להיות בשבת עם חשכה. בספרים הישנים היה כתוב רק "ערב שבת עם חשכה", והגיה מ"כ וגם יפ"ת כלפנינו "ערב ט"ב שחל להיות בשבת עם חשכה": **ואין קורין בכתבי הקדש אלא מן המנחה ולמעלה.** בספרים הישנים היה כתוב "ואין קורין בכתבי הקדש מן המנחה ולמעלה", בלי "אלא", וכן פירש בפירוש קדום שאסור דוקא מן המנחה, וכן הביא דברי המדרש בדרכי משה א"ח בסוף סימן רנ"א, אבל גם מ"כ וגם יפ"ת הגיהו כלפנינו (וכן הוא בירושלמי):

וְאֵין קוֹרִין בְּכִתְבֵי הַקֹּדֶשׁ אֶלָּא מִן הַמִּנְחָה וּלְמַעְלָה — **And** (iii) **one may not read** out of **the Sacred Writings**[58] during the early part of the Sabbath day,[59] **but from the afternoon**[60] **and on** it is permitted;[61] אֲבָל שׁוֹנִין בָּהֶן וְדוֹרְשִׁין בָּהֶן, אִם צָרִיךְ לְדָבָר לִבְדּוֹק נוֹטֵל וּבוֹדֵק — **however,** although reading from them is forbidden, **one may recite them orally**[62] **and expound them, and** moreover, **if** in the course of one's learning he **needs to check something** in the text, **he may take [the text] and check.**[63]

Regarding the use of *gemi* on the Sabbath, the Midrash cites a similar statement by another sage:

וּשְׁמוּאֵל אָמַר: חֶרֶס כָּל שֶׁהוּא גֶּמִי כָּל שֶׁהוּא — **And Shmuel said:** A **small** shard of **pottery** may be placed on a wound on the Sabbath,[64] as well as **a small** piece of ***gemi***.[65]

The Midrash continues to expound similar laws:

תָּנֵי רַבִּי יוּדָן מִשּׁוּם רַבִּי שְׁמוּאֵל: מְגוּפַת הֶחָבִית וּשְׁבָרֶיהָ מוּתָּר לְטַלְטְלָן בְּשַׁבָּת — **R' Yudan taught in the name of R' Shmuel:**[66] The **stopper of a** broken **flask and [the flask's] broken shards** are **permitted to be handled on the Sabbath.**[67]

NOTES

58. I.e., *Kesuvim,* the third section of the *Tanach* (*Yefeh To'ar* and *Eitz Yosef,* from *Shabbos* 115a).

59. The Midrash alludes to the Mishnah (*Shabbos* 16:1) that forbids the reading of *Kesuvim* on the Sabbath. *Rashi* (to the Mishnah, *Shabbos* 115a) explains the reasoning behind this Rabbinic prohibition as follows: In Talmudic times it was customary to lecture for the general population on the Sabbath. Included in these lectures were discourses of practical aspects of halachah. So as to maximize attendance, the Rabbis prohibited the reading of *Kesuvim,* for people would become engrossed in them and not attend the lectures. [*Kesuvim* are recognized as the most engaging portion of Scripture (see *Yoma* 18b), and as such were the area of study the Rabbis addressed with their proscription.] Since the lectures pertained to daily halachic observances, it was considered more beneficial for the public to attend the lectures than to study *Kesuvim* (*Eitz Yosef,* from *Yefeh Toar*).

60. That is, *minchah ketanah*, approximately two-and-a-half hours before nightfall (*Matnos Kehunah, Korban HaEidah* to *Yerushalmi Shabbos* ibid.).

61. Rebbi and R' Yishmael waited until late afternoon to begin their study of *Lamentations,* and in the end they ran out of time before finishing. Why did they not start earlier? From this we learn there is a prohibition to read *Kesuvim* during the early part of the Sabbath day (*Matnos Kehunah, Yefeh To'ar*). Alternatively: The prohibition to read *Kesuvim* on the Sabbath is well-known, since it is taught in the Mishnah (*Shabbos* 16:1). What we learn from Rebbi and R' Yishmael is that this prohibition does not last the entire day, but expires in the afternoon, a fact that is not stated explicitly there, and which is indeed a matter of debate in *Talmud Bavli* (ibid. 116b) (*Yefeh To'ar*). At any rate, the reason the prohibition does not apply in the afternoon is that the halachah lectures were generally concluded before this time.

[The prohibition to study *Kesuvim* on Shabbos day no longer applies today, since lectures are no longer given to the general populace at this time (*Beis Yosef* on *Orach Chaim* #307, from *Baal HaMaor*).]

[An earlier version of the Midrash states וְאֵין קוֹרִין בְּכִתְבֵי הַקֹּדֶשׁ מִן הַמִּנְחָה וּלְמַעְלָה. Based on this reading and on the alternative version cited above in note 47, *Darchei Moshe* (*Orach Chaim* 251:4) rules that one should limit his Torah study on Friday afternoon, lest he neglect the necessary Sabbath preparations (see *Rama* ibid. §2).]

62. This interpretation of שׁוֹנִין follows *Eitz Yosef,* from *Matnos Kehunah* (on *Eichah Rabbah*). See *Rashi* to *Shabbos* ibid. for an alternative interpretation.

63. *Matnos Kehunah* explains that it is only when one reads the text continuously that there is a concern he will become engrossed in his learning and hence neglect the halachah lecture. However, the Rabbis saw no need to prohibit one from merely looking up a verse in the course of his discussion.

64. Because it is considered to be fit for various uses, and hence "designated."

65. As explained above.

We have followed *Matnos Kehunah's* interpretation of the Midrash. *Yefeh To'ar*, followed by *Eitz Yosef,* however, explain that this line — like the one following it — parallels the passage found in *Shabbos* 124b, where Shmuel distinguishes between a shard found in a courtyard and one found in a more public area (רְשׁוּת הָרַבִּים or כַּרְמְלִית).

66. This teaching, also related in the name of Shmuel, is found in *Talmud Bavli* as well, in *Shabbos* 124b. (See previous note.)

67. Since they can be used as makeshift covers for other vessels, they retain their classification as a vessel and are not *muktzeh* (*Eitz Yosef,* from *Rashi*).

כֵּיוָן דְּחָמֵית מַגְלַבְיָא תָּלֵן דְּחָלַת, אָמַר לָהּ הַמֶּלֶךְ: אַל תִּתְיָירְאִי, אֵלּוּ לַעֲבָדִים וְלִשְׁפָחוֹת, אֲבָל אַתְּ לֶאֱכוֹל וְלִשְׁתּוֹת וְלִשְׂמוֹחַ, כָּךְ כֵּיוָן שֶׁשָּׁמְעוּ יִשְׂרָאֵל פָּרָשַׁת נְגָעִים נִתְיָירְאוּ, אָמַר לָהֶם מֹשֶׁה: אַל תִּתְיָירְאוּ, אֵלּוּ לְאוּמּוֹת הָעוֹלָם, אֲבָל אַתֶּם לֶאֱכוֹל וְלִשְׁתּוֹת וְלִשְׂמוֹחַ, שֶׁנֶּאֱמַר (תהלים לב, י) "רַבִּים מַכְאוֹבִים לָרָשָׁע וְהַבּוֹטֵחַ בַּה' חֶסֶד יְסוֹבְבֶנּוּ". רַבִּי וְרַבִּי יִשְׁמָעֵאל בְּרַבִּי יוֹסֵי הָיוּ יוֹשְׁבִים וְעוֹסְקִים בִּמְגִלַּת קִינוֹת עֶרֶב תִּשְׁעָה בְּאָב שֶׁחָל לִהְיוֹת בְּשַׁבָּת עִם חֲשֵׁכָה מִן הַמִּנְחָה וּלְמַעְלָה, שִׁיְּרוּ בָהּ אָלֶף בֵּית אַחַת, אָמְרוּ: לְמָחָר אָנוּ גּוֹמְרִין אוֹתָהּ, כְּשֶׁעָלָה רַבִּי נִכְשַׁל בְּאֶצְבָּעוֹ הַקְּטַנָּה, קָרָא עַל עַצְמוֹ "רַבִּים מַכְאוֹבִים לָרָשָׁע", אָמַר לוֹ רַבִּי יִשְׁמָעֵאל: אִלּוּ לֹא הָיִינוּ עֲסוּקִין בְּעִנְיָן (איכה ד, כ) "רוּחַ אַפֵּינוּ מְשִׁיחַ ה'" הָיִיתִי אוֹמֵר, עַכְשָׁיו שֶׁאָנוּ עֲסוּקִין עַל אַחַת כַּמָּה וְכַמָּה, כְּשֶׁעָלָה לְבֵיתוֹ נָתַן עָלֶיהָ סְפוֹג יָבֵשׁ וְכָרַךְ עָלֶיהָ גֶּמִי מִבַּחוּץ, אָמַר רַבִּי יִשְׁמָעֵאל בְּרַבִּי יוֹסֵי: מִדְּבָרָיו לָמַדְנוּ ג' דְּבָרִים: סְפוֹג לֹא שֶׁהוּא מוֹצֵץ אֶלָּא שֶׁהוּא מְשַׁמֵּר אֶת הַמַּכָּה, וְקוֹשֵׁר עָלֶיהָ גֶּמִי מֵהַבַּיִת מִפְּנֵי שֶׁהוּא מוּכָן, וְאֵין קוֹרִין בְּכִתְבֵי הַקֹּדֶשׁ אֶלָּא מִן הַמִּנְחָה וּלְמַעְלָה, אֲבָל שׁוֹנִין בָּהֶן וְדוֹרְשִׁין בָּהֶן, אִם צָרִיךְ לְדָבָר לִבְדּוֹק נוֹטֵל וּבוֹדֵק, וּשְׁמוּאֵל אָמַר: חֶרֶס כָּל שֶׁהוּא גֶּמִי כָּל שֶׁהוּא, תָּנֵי רַבִּי יוֹדָן מִשּׁוּם רַבִּי שְׁמוּאֵל: מְגוּפַת הֶחָבִית וּשְׁבָרֶיהָ מוּתָּר לְטַלְטְלָן בְּשַׁבָּת,

לאכול ולשתות. עיין מדרש תדשא פ' ט"ו מסמיכות של פרשה שלמעלה, זאת החיה אשר תאכלו, וליולדת האדם בין אכילה לנגעים, עיין שם: **רבי ורבי ישמעאל ברבי יוסי.** איכה רבתי פסוק רוח אפינו (ד' פ') [פרשה ד סי' כג]:

מגלביא. רלועות ומקלות שבהם מייסרים העוברים על דת: **אבל אתם לאכול כו'.** זה ודאי דפרשת נגעים נאמר לישראל, כי טומאת הכהנים והטהרה אין להם עסק אלא עם ישראל, אך הכוונה הוא כמו שאדם מיירא את בנו עם השבט שבידו כדי שהבן יעשה רצונו, ואם הבן עושה רצונו אין מכת שבט בא עליו, וכל זה שהאב נוטל השבט בידו ומראה לו לייראו בזה אין כוונתו בשום אופן כדי שיכנו בשבט, אלא כוונתו להיפך כדי שלא יצטרך להכותו, כי אם שיראה הבן זאת בידו ויעשה רצון אביו ויירא לעבור על רצונו ולא יצטרך להכותו, נמלא עשיית השבט ומה שמראה לו, הכל הוא חסד גמור בלי שום תערובות דין כי כל זה נעשה כדי שלא לענוש את בנו, כן ממש רצון הבורא יתברך שברא מדת הדין בעולם כדי שייראו ממנו וכן יעשו, שלא יצטרך להגיע עליהם מדת הדין כלל וכלל (סדורו של שבת חלק א שורש השישי ענף א): **רבי ורבי ישמעאל כו'.** מייתי הך עובדא, דלא תקשי אדלעיל הא אנו רואים שבאים נגעים אף על הלדיקים, שזה הוא כדי להגין על הדור: **מן המנחה ולמעלה.** דאז דוקא שרי לקרות בכתבי הקדש, ולא קודם לזה משום ביטול בית המדרש כדתנן בפרק כל כתבי (שבת קטו, א), והיינו דמשכי לבא, ובשבת היו דורשים דרשה לבעלי הבתים שעוסקים במלאכה כל ימות החול, ובתוך הדרשה היו מורין להם הלכות איסור והיתר, וטוב להם לשמוע מלקרות בכתובים, הילכך מן המנחה ולמעלה דאין זמן בית המדרש אז שרי. ועיין ביפה תואר: **רבים מכאובים לרשע.** לפי שהיה מדוכא ביסורין שלש עשרה שנה, שית בלמירתא ושבע בליפרינא (בבא מליעא פה, א), ונוסף לו עכשיו מכת האלבע: **אמר ליה רבי ישמעאל.** בירושלמי פרק כל כתבי (ה"א) גרסינן אמר ליה רבי חייא רבה בחבתן מטתך כו', פירוש בעונותינו הגיעך כן, ועל זה אמר רבי ישמעאל אילו לא כו', פירוש אפילו לא היינו עסוקים בפסוק רוח אפינו משיח ה' וגו' אפילו הכי הייתי אומר שהגיע לך כן בעון הדור שעליו נאמר נלכד בשחיתותם, ועכשיו שעסקנו באמת באותו ענין על אחת כמה וכמה שהוא לעד שהאמת כן הוא, ולא בשביל רבים מכאובים לרשע: **ספוג לא שהוא מוצץ כו'.** כלומר מה שנתן הספוג אינו לפי שהוא מוצץ ומרפא, דאם כן היה אסור, דכל רפואה אסורה במידי דליכא סכנה משום שחיקת סממנים, אלא מפני שהוא משמר את המכה שלא תפגע בשום מקום, או שמא תסרט בבגדו, ובירושלמי (שם) גרסינן ספוג אינו מרפא אלא משמר: **ומהבית.** רלה לומר מדנטל הגמי מהבית ולא מחוץ, שמע מיניה שבבית מוכן ואינו אסור משום מוקצה: **בכתבי הקדש.** בגמרא פירשו דהיינו כתובים דוקא: **אלא מן המנחה ולמעלה.** מדלא ישב לעסוק במגילות קינות אלא עם חשיכה, דאי הוה שרי לעסוק בהו קודם מנחה, הוה ליה לאתחולי מקמי הכי כדי שיוכל לגמרה בו ביום ולא יצטרך לשייר אלפא ביתא למחר: **שונין.** בעל פה (מתנות כהונה). ופירוש רש"י בפרק כל כתבי (קטז, ב) כגון מדרש שיר השירים וקהלת: **אם צריך לדבר לבדוק.** כלומר אם לריך לראות פסוק אחד מתוך הכתב לדרשתו נוטל ורואה, דכולי האי לא גזור: **ושמואל אמר חרס כו'.** נראה דהיינו דגרסינן בפרק כל הכלים (שבת קכד, ב) אמר רב נחמן אמר שמואל חרס קטנה מותר לטלטל בחצר, אבל בכרמלית לא, ופירש רש"י בחצר דשכיחי בה כלים שהחרס הזה ראוי להם לכסוי ותורת כלי עליו. ומשום דקאמר הכא דקשר עליה גמי מהבית מפני שהוא מוכן מייתי הא דאמר שמואל נמי חרס כל שהוא, פירוש שאם הוא בחצר כל חרס מותר לטלטלו, ואפילו היא קטנה, משום דחזו לכסוי כלי, וכן גמי בכל מין שיהיה בין לח ובין יבש דלא חזי למאכל בהמה, מותר לטלטלו כיון דהוא מוכן בחצר להשתמש בו, ואיידי דמייתי להא מייתי נמי הא דמגופת החבית ושבריה,

מתנות כהונה

מגלביה. רלועות ומקלות שבהם מייסרים העוברים על דת: **תלן.** תולין: **דחלת.** יראתה: הכי גרסינן בירושלמי דפרק כל כתבי (שבת פט"ז ה"א) **במגילת קינות ערב תשעה באב שחל להיות בשבת עם חשכה מן המנחה ולמעלה.** והכי איתא בירושלמי בהדיא, ואז דוקא שרי לקרות בספר ולא קודם לזה, דגזרינן שמא יקרא בשטרי הדיוטות ולאחר מנחה לא גזרינן, וכן הוא בירושלמי דפרק בני העיר (מגילה פ"ג ה"ה), ולכן היו פוסטין, פירוש חוזרין וקורין ודורשין בספר קינות דוקא עם חשכה ולא קודם, שאז אינו מותר אלא בעל פה לא בכתב, ואם לריך לבדוק לראות בספר דבר מה, מותר אף קודם מנחה דבהא לא גזרו: **רוח אפינו משיח ה' הייתי אומר** גרסינן. פירוש הייתי אומר שנזדמן לך כזה לכפרת עון הדור, והכי איתא בהדיא אמר רבי חייא רבה בחבתן מטתך כו', פירוש בעונותינו הגיעך כן, ועל זה אמר רבי ישמעאל אלו לא כו' שנאמר רוח וגו' נלכד בשחיתותם, ועכשיו שעסוקין היינו בענין זה על אחת כמה וכמה אומר שבשביל כך נזדמן לך, שנאמר רוח אפינו משיח ה' נלכד בשחיתותם אשר אמרנו בצלו נחיה וגו', ולא בשביל עון עלמך: הכי גרסינן באיכה רבה (ד, כג) **נתן עליה ספוג יבש.** וכן עיקר והכי מסיק פרק רבי אליעזר דמילה (שבת קלד ב): **מוצץ.** פירוש מוליא הדם והזוהמא והוא נתרפא, והכי גרסינן באיכה רבה (ד, כה), ובירושלמי, לא שהוא מרפא, ואלו היה מרפא היה אסור בשבת: הכי גרסינן **אלא מן המנחה ולמעלה.** ורלה לומר מנחה קטנה דהיינו עם חשיכה, ופירושו אין קורין בספר וכדפירשתי לעיל: הכי גרסינן **אם צריך לדבר לבדוק.** פירוש אם לריך לבדוק ולחפש איזה פסוק, נוטל הספר ובודק ולא גזרו בהא שהוא באקראי בעלמא, כמו שהתירו בחזן לראות ראשי הפרשיות לאור הנר, דהוי אקראי בעלמא, ולא גזרינן שמא יטה: **חרס כל שהוא.** יניח על המכה לשמרו שמותר לטלטלו:

אשד הנחלים

אבל אתם לאכול. פירש הידי משה לפי שנגעי בתים היה לטובתם, שמצאו מטמונים מה שגנזוה הכנענים, ואם כן הנגעים לטובתם: **אלו לא היינו עסוקים כו' עבשיו.** כלומר אל תקרא עליך המקרא הזה, כי אצלך המה יסורי האהבה, כדמות משיח שהוא רוח אפינו, הסובל יסורי ישרים. ואפילו לא היינו עסוקים במקרא זה הייתי אומר שיסוריך ככה, ובפרט שאנחנו היינו עסוקים במקרא זה, בודאי אני אומר כך:

חידושי הרד"ל

ושמואל אמר חרס כו' גמי כל שהוא מותר לטלטל בתוך הבית תני רבי יודן כו'. כן הוא בירושלמי (פ"ח דשבת ה"ד), דוקא מן הבית אבל באשפה לא, וכמו במגופה להלן. ועיין בבלי שבת (קכד, א) שמביא זה לראיה למה שכתב לעיל, וקושר עליו גמי מבית מפני שהוא מוכן (הר"מ ברלין):

חידושי הרש"ש

[ד] **רבי ורבי ישמעאל בר' יוסי היו כו' שחל להיות בשבת עם חשיכה מן המנחה ולמעלה שיירו בה אלף בית אחת.** עיין מתנות כהונה שכתב הטעם דקודם המנחה אסור משום דשטרי הדיוטות. ותמוה דלטעם זה אפילו מן המנחה ולמעלה אסור כדאיתא בשבת (קטז, ב). ונראה לי דסבירא ליה דעל כרחך סבירא ליה להמדרש האי טעמא מדאמר לקמן אבל שונין בהן כו', ואם היה הטעם משום ביטול בית המדרש היה גם זה אסור וראיה לדבר שהרמב"ם השמיט זה, על כרחך דסבירא ליה דהתיר זה נשנית בברייתא דרבי נחמיה (עיין שבת שם) וזה דוקא לטעמיה ועל כרחך דהמדרש פליג בזה על רב אשי בגמרא שם, וכן בירושלמי איתא בדרבי נחמיה גם כן מן המנחה ולמעלה מותר ודלא כהקרבן העדה והיפה מראה שמחקו שם:

באור מהרי"פ

[ד] **מתנות כהונה ד"ה דחלת וכו' בירושלמי פרק בני העיר.** אמר הכותב חפשתי ולא מלאתי שם [עיין שם פ"ג ה"ד]: **מתנות כהונה בא"ד בעל פה ולא בכתב.** פירוש מפני גזירת שטרי הדיוטות, כאמור שם למעלה: **מתנות כהונה בד"ה רוח אפינו וכו' בשביל עון עצמך.** נראה דלריך לגרוס לא בשביל עלמך: **אבל שונין בהם וכו'.** (שבת קטז, ב) פרש"י שונין בהם כגון מדרש שיר השירים וקהלת עיין שם: **חרס כל שהוא וכו'.** שבת דף קכ"ד עמוד ב' ודף קכ"ה עמוד א' כל הענין:

אם למקרא

רַבִּים מַכְאוֹבִים לָרָשָׁע וְהַבּוֹטֵחַ בַּה' חֶסֶד יְסוֹבְבֶנּוּ: (תהלים לב:י)

רוּחַ אַפֵּינוּ מְשִׁיחַ ה' נִלְכַּד בִּשְׁחִיתוֹתָם אֲשֶׁר אָמַרְנוּ בְּצִלּוֹ נִחְיֶה בַגּוֹיִם: (איכה ד:כ)

אמרי יושר

[ד] **אבל את לאכול ולשתות.** לריך לומר כי זהו דרך כבוד ומוסר לבד כמטרונה, וכן כתיב רבים מכאובים לרשע, ולזה לא כתיב בדיני לרעת דבר לבני ישראל, וכן אמר אדם כי יהיה בעור בשרו, ולא אמר מכם. אבל כפי האמת לישראל נאמרו נגעים, וכן אמר לעיל בפרשת (מקץ) [וישב] (פרשה פח א), לא היו ראויין אומות העולם להיות בהם זבים ומלורעים כפי ההשגחה, רק לסבת ההלכה מחרפות חרפת נבל אל תשימני (תהילים לט ט). או יובן במה שאמר להלן פרשה יח (סימן ד) כיון שעמדו ישראל על הר סיני לא היו בהן זבים ומלורעים, ולמה כו', ואם ישמרו התורה את לאכול ולשתות, ואם לאו לישראל ראויים לעונש השגחיי. או פירוש מה שאמרו אלו לאומות העולם, פירושו לערב רב, או נתרץ שאומר הנגע לגוי, רק טומאה אין בו: **ספוג אינו מרפא.** דאלו כן היה אסור משום גזירת שחיקת סמנים: **אם צריך.** לראות פסוק נוטל הספר ובודק:

ידי משה

[ד] **אבל אתם לאכול ולשתות ולשמוח.** כי הנגעים מתוך שהיו בקירות

שינוי נוסחאות

ערב תשעה באב שחל להיות בשבת עם חשכה. בספרים הישנים היה כתוב רק "ערב שבת עם חשכה", והגיה מ"כ וגם יפ"ת כלפנינו "ערב ט"ב שחל להיות בשבת עם חשכה": **ואין קורין בכתבי הקדש אלא מן המנחה ולמעלה.** בספרים הישנים היה כתוב "ואין קורין בכתבי הקדש מן המנחה ולמעלה", בלי "אלא", וכן פירש בפירוש קדום שאסור דוקא מן המנחה, וכן הביא דברי המדרש בדרכי משה א"ח בסוף סימן רנ"א, אבל גם מ"כ וגם יפ"ת הגיהו כלפנינו (וכן הוא בירושלמי):

וְאִם זְרָקָן לְאַשְׁפָּה אָסוּר לְטַלְטְלָן — **But if they had been discarded in a trash heap, it is** thereafter **forbidden to handle them** on the Sabbath.[68]

The Midrash presents another exposition of the previously cited verse from *Psalms* 32:10:

רַבִּי אֶלְעָזָר וְרַבִּי תַּנְחוּם בְּצְרוֹרַיָּה בְּשֵׁם רַבִּי יִרְמְיָה: אֲפִילוּ רָשָׁע וְחָזַר בּוֹ הַקָּדוֹשׁ בָּרוּךְ הוּא מְקַבְּלוֹ — **R' Elazar and R' Tanchum of Batzrurah [said] in the name of R' Yirmiyah: Even a wicked person, if he repents** his sins, **is accepted by the Holy One, blessed is He,** שֶׁנֶּאֱמַר "וְהַבּוֹטֵחַ בַּה' חֶסֶד יְסוֹבְבֶנּוּ" — **as it is stated,** *Many are the agonies of the wicked,* ***but as for one who trusts in HASHEM, kindness surrounds him*** (*Psalms* ibid.).[69]

דַּבֵּר אֶל בְּנֵי יִשְׂרָאֵל לֵאמֹר אִשָּׁה כִּי תַזְרִיעַ וְיָלְדָה זָכָר וְטָמְאָה שִׁבְעַת יָמִים כִּימֵי נִדַּת דְּוֹתָהּ תִּטְמָא . . . אָדָם כִּי יִהְיֶה בְעוֹר בְּשָׂרוֹ שְׂאֵת אוֹ סַפַּחַת אוֹ בַהֶרֶת וְהָיָה בְעוֹר בְּשָׂרוֹ לְנֶגַע צָרָעַת.

Speak to the Children of Israel, saying: When a woman conceives and gives birth to a male, she shall be contaminated for a seven-day period, as during the days of her separation infirmity she shall be contaminated . . . If a person will have on the skin of his flesh a s'eis, or a sapachas, or a baheres, and it will become a tzaraas affliction on the skin of his flesh (12:2-13:2).

§5 The Midrash examines the juxtaposition of these sections:

מַה כְּתִיב לְמַעְלָה מִן הָעִנְיָן — **What is written** in the verse **preceding the subject** of *tzaraas?* "אִשָּׁה כִּי תַזְרִיעַ וְיָלְדָה זָכָר" — ***When a woman conceives and gives birth to a male,*** *she shall be contaminated for a seven-day period, as during the days of her separation infirmity she shall be contaminated* (ibid.). מַה כְּתִיב בָּתְרֵיהּ — And **what is written after [this verse]?** "אָדָם כִּי יִהְיֶה בְעוֹר בְּשָׂרוֹ" — ***If a person will have on the skin of his flesh*** *a s'eis, or a sapachas, or a baheres, and it will become a tzaraas affliction on the skin of his flesh.* וְכִי מַה עִנְיַן זֶה לָזֶה — **Now, what connection** of **one to the other** would lead to the juxtaposition of these verses?

The Midrash presents an analogy to explain the proximity of the verses:

אָמַר רַבִּי תַּנְחוּם בַּר רַבִּי חֲנִילַאי: מָשָׁל לַחֲמוֹרָה שֶׁרָעַת וְנִכְוֵית וְיָצָא בְּנָהּ כְּווּי — **R' Tanchum bar R' Chanilai said: It may be compared to a** pregnant **donkey who was injured and** whose wound was **cauterized.** When she gave birth, **her foal emerged burned** like her. מִי גָרַם לַוָּלָד שֶׁיֵּצֵא כָּווּי — **What caused the offspring to emerge burned?** שֶׁנִּכְוֵית אִמּוֹ — The fact that **his mother was seared,** causing a similar burn to be impressed upon her unborn offspring. כָּךְ — **So it is** with regard to the *metzora* (one afflicted with *tzaraas*). מִי גָרַם לַוָּלָד שֶׁיִּהְיֶה מְצוֹרָע — **Who causes a child,** free from sin, **to be a** ***metzora?*** אִמּוֹ שֶׁלֹּא שִׁמְּרָה יְמֵי נִדָּתָהּ — **His mother, for she failed to observe** the restrictions of **the days of her menstrual contamination,** and conceived this child during that period.[70]

R' Avin offers another analogy:

NOTES

68. By throwing the shard into the trash, the person shows that he no longer considers them to be of any use, and hence they are no longer considered "designated" for use (*Rashi* to *Shabbos* 125a).

69. *Yefeh To'ar* questions where this verse indicates God's acceptance of the wicked when they repent. The verse speaks only of the wicked (who have not repented) and of the righteous who trust in *HASHEM*; it makes no mention of one who repents his evil ways. Furthermore, why attribute God's acceptance of penitents to *this* verse? Many verses in Scripture state explicitly God's acceptance of those who forgo their evil ways. He therefore emends the text to omit the words: וְחָזַר בּוֹ, *and repents.* The Midrash thus tells us that even a wicked man, if he maintains his trust and belief in God, will merit God's kindness.

Alternatively, leaving the text as it is: The Midrash interprets the verse to be saying that if a wicked person (who presumably does not trust in God) becomes בּוֹטֵחַ ה' — i.e., he forsakes his wickedness through repentance, and instead puts his trust in God — then he will merit God's kindness (*Peirush Kadum*).

70. Verse 12:2 mentions, in passing, נִדַּת דְּוֹתָהּ, menstrual impurity. Thus, R' Tanchum expounds the juxtaposition of these sections to mean that unlike other instances of *tzaraas*, which are not a natural malaise but rather retribution for specific sins (see *Shabbos* 33a, and note 29 above), the child's affliction is not a form of punishment; rather, it is a result of the circumstances surrounding his birth. In conceiving a child while menstrual blood was present in the uterus, this woman caused the skin of the embryo to moulder and develop into *tzaraas* (*Yefeh To'ar, Eitz Yosef*). See *Ramban* to *Leviticus* 18:19 for a discussion as to *why* menstrual blood causes *tzaraas*. See further, Insight Ⓐ.

INSIGHTS

Ⓐ **When the Sacred Departs** According to our Midrash, a child may contract *tzaraas* as a result of the parents' negligence in observing the laws of *niddah* separation (in its various forms: *niddah, zivah,* and childbirth *tumah*). This is derived from the fact that the Torah states the laws of *tzaraas* immediately after the laws of *tumah* resulting from childbirth.

The question is obvious: Why, then, does the Torah not first complete its treatment of *niddah*-separation before stating the laws of *tzaraas?* Why does the Torah instead place *tzaraas* right after childbirth *tumah,* and only afterward teach the laws of *niddah* and *zivah* (at the end of *Parashas Metzora*)?

Drawing on the teachings of the *Zohar* and Chassidic masters, *Shem MiShmuel* (5671) explains that there is a special correlation between *tzaraas* and the *tumah* generated by childbirth.

The *Zohar* teaches that the forces of *tumah* are especially drawn to places and things that have been vacated of sanctity. This explains the unique severity of *tumas meis,* the *tumah* of a human corpse. Before the person died, his body was filled with his holy soul. The departure of the soul from the body creates a spiritual vacuum that the forces of *tumah* rush in to fill. Because the positive spiritual force of the human soul is so great, the corresponding negative force of *tumah* is especially great as well.

The Gemara (*Taanis* 2a) teaches: *There are three keys in the hand of the Holy One, blessed is He, that are not entrusted to an agent.* That is, God directs most of the world's events through a series of agents. But there are three things that occur by direct Divine action — things for which God Himself "holds the keys." One of these, the Gemara states, is the "key of childbirth." Thus, a strong Divine presence attends the birth of a child. And when the child is born, that presence departs, as it were. This departure of holiness from a mother who has given birth creates a vacuum filled by the forces of *tumah,* which is the *tumah* of childbirth.

A similar concept underlies the *tumah* of *tzaraas.* The *Kuzari* (2 §61) explains that when the Jewish people were living in the Land of Israel in a state of spiritual elevation, the Divine Presence attached itself to them — to their bodies, clothing, and homes. When an individual fell from this elevated spiritual level, the Divine Presence would depart from his clothing, house, or body, creating a marked *physical* change, just as there is a marked physical change in the body when the soul has departed. That physical change is *tzaraas.*

In light of the *Zohar* mentioned above, we can thus understand the *tumah* of *tzaraas.* The Divine Presence has departed from the person's body, clothing, or house, creating a spiritual void that is filled by the forces of *tumah.* This is the *tumah* of *tzaraas.*

Accordingly, we can well understand the special correlation between the *tumah* of childbirth and that of *tzaraas.* In both cases, the *tumah* is caused by the departure of the holy. That is why the laws of *tzaraas* are placed directly after the laws of childbirth *tumah* and not the other *tumos* of *niddah* separation.

וְאִם זְרָקָן לָאַשְׁפָּה אָסוּר לְטַלְטְלָן, רַבִּי אֶלְעָזָר וְרַבִּי תַּנְחוּם בְּצִרוֹרַיְיָה בְּשֵׁם רַבִּי יִרְמְיָה: אֲפִילוּ רָשָׁע וְחָזַר בּוֹ, הַקָּדוֹשׁ בָּרוּךְ הוּא מְקַבְּלוֹ, שֶׁנֶּאֱמַר (תהלים שם שם) "וְהַבּוֹטֵחַ בַּה' חֶסֶד יְסוֹבְבֶנּוּ":

ה מַה כְּתִיב לְמַעְלָה מִן הָעִנְיָן, [יב, ב] "אִשָּׁה כִּי תַזְרִיעַ וְיָלְדָה זָכָר", מַה כְּתִיב בַּתְרֵיהּ, [יג, ב] "אָדָם כִּי יִהְיֶה בְעוֹר בְּשָׂרוֹ", וְכִי מָה עִנְיָן זֶה לָזֶה, אָמַר רַבִּי תַּנְחוּם בַּר רַבִּי חֲנִילָאי: מָשָׁל לַחֲמוֹרָה שֶׁרָעֲתָה וְנִכְוֵית וְיָצָא בְּנָהּ כָּווּי, מִי גָרַם לַוָּלָד שֶׁיֵּצֵא כָּווּי, שֶׁנִּכְוֵית אִמּוֹ, כָּךְ מִי גָרַם לַוָּלָד שֶׁיִּהְיֶה מְצוֹרָע, אִמּוֹ שֶׁלֹּא שָׁמְרָה יְמֵי נִדָּתָהּ, אָמַר רַבִּי אָבִין: מָשָׁל לְגִנַּת יָרָק שֶׁהַמַּעְיָן *לְתוֹכָהּ, כָּל זְמַן שֶׁהַמַּעְיָן לְתוֹכָהּ הִיא עוֹשָׂה כְּרִיבִין, כָּךְ כָּל מִי שֶׁהוֹלֵךְ אֵצֶל אִשְׁתּוֹ נִדָּה עוֹשֶׂה *בָּנִים מְצוֹרָעִים, רַבִּי אָבִין קָרָא עָלֶיהָ (ירמיה לא, כח) "אָבוֹת יֹאכְלוּ בֹסֶר וְשִׁנֵּי בָנִים תִּקְהֶינָה", וְהֵן קוֹרְאִין עַל אֲבוֹתֵיהֶם (איכה ה, ז) "אֲבֹתֵינוּ חָטְאוּ וְאֵינָם וַאֲנַחְנוּ עֲוֹנֹתֵיהֶם סָבָלְנוּ":

ו רַבִּי אָבִין בְּשֵׁם רַבִּי יוֹחָנָן אָמַר: כְּתִיב [יב, ח] "וְאִם לֹא תִמְצָא יָדָהּ דֵּי שֶׂה", וּמַה כְּתִיב בַּתְרֵיהּ, [יג, ב] "אָדָם כִּי יִהְיֶה בְעוֹר בְּשָׂרוֹ", וְכִי מָה עִנְיָן זֶה אֵצֶל זֶה, אָמַר הַקָּדוֹשׁ בָּרוּךְ הוּא: אֲנִי אָמַרְתִּי לְךָ: הָבֵא קָרְבָּן לֵידָה, וְאַתָּה לֹא עָשִׂיתָ, כָּךְ חַיֶּיךָ שֶׁאֲנִי מַצְרִיכְךָ לָבֹא אֵצֶל כֹּהֵן, שֶׁנֶּאֱמַר [שם] "וְהוּבָא אֶל אַהֲרֹן הַכֹּהֵן", אָמַר רַבִּי יוֹחָנָן: לָמָּה נִסְמְכָה פָּרָשַׁת חַלָּה לְפָרָשַׁת עֲבוֹדָה זָרָה, לוֹמַר לְךָ שֶׁכָּל הַמְקַיֵּים מִצְוַת חַלָּה כְּאִלּוּ בִּטֵּל עֲבוֹדָה זָרָה, וְכָל הַמְבַטֵּל מִצְוַת חַלָּה כְּאִלּוּ קִיֵּים עֲבוֹדָה זָרָה, אָמַר רַבִּי אֶלְעָזָר: (משלי ו, כו) "כִּי בְעַד אִשָּׁה זוֹנָה עַד כִּכַּר לָחֶם", מִי גָרַם לוֹ שֶׁיִּכָּשֵׁל בְּאִשָּׁה זוֹנָה, עַל יְדֵי שֶׁאָכַל אֶת °כִּכָּרָהּ שֶׁאֵינוֹ מְעוּשָּׂר,

עץ יוסף

דטעמא נמי משום הכי וכדתני התם מגופה שנכתתה היא ושבריה מותר לטלטל בשבת, ופירש רש"י מגופה של חבית, שנכתתה החבית, היא, המגופה, ושבריה של חבית ניטלין בשבת, דחזו לכסוי מנא: **ואם זרקן לאשפה.** פירוש ואם זרק למגופה זו מבעוד יום לאשפה בטלה מתורת כלי: **הקדוש ברוך הוא מקבלו.** קשה, פשיטא שהקדוש ברוך הוא מקבל שבים, ועוד דמהאי קרא ליכא הוכחה. אלא הכי גרסינן אפילו רשע ובוטח בה' חסד יסובבנו, וכן הוא לקמן בבמדבר רבה [ועיין איכה רבה ד, כג], ופירושו דהבוטח בה' קאי ארשע הנזכר דאפילו הוא רשע, מאחר שבוטח בה' דלא תליף לגמרי אלא עודנו מחזיק קצת בה' על דרך (ברכות סג, א) בכל דרכיך דעהו אפילו לדבר עבירה, יטה אליו חסד (יפה תואר): **(ה) וכי מה ענין.** דאף על גב דתרווייהו דיני טומאה וטהרה, כיון דזו טומאה קלה וזו טומאה חמורה, וזו נוהגת וזו מקרית, היה ראוי שלא יסמכו זה לזה: **משל לחמורה כו'.** מפני שצרעת הבן מפני הנדה אפשר אם כדרך טבע שבהתהוות העובר מאותו דם המטונף מצטרע, ואם בדרך עונש שנושא הבן בעון הוריו, קאמר רבי תנחום שהוא בדרך טבע, ולזה אמר משל לחמורה שרעתה, פירוש לשון שכיב מרע, ועניינו שהיתה מעוברת ונעשית חולה ונכוית על ידי רפואתה, ושנכוית נרשם העובר מכוייתה, וכן רושם הנדות נמצא בעובר בטבע, ולפי זה אמר ר' אבין משל לגינת ירק, כי כמו שרבוי המים מטפסים הירק, כן בהיות האם מלא דם בזמן נדותה מטפס הולד, והוסיף ר' אבין לומר כי זה גם כן בדרך עונש, לכן קרא עליה אבות אכלו בוסר כו' (יפה תואר): **בריבין.** קשרים כמין אבעבועות ממותר הסרף שבקרבו (מתנות כהונה). או פירושו כמו סדורות כרוכות דפרק אלו טרפות (חולין נט, ב), דהיינו קליפה על קליפה, וכן על ידי רבוי הדם מעלה הולד צמחים והוא הצרעת. וגירסת הילקוט (תקכד) היא עשויה בילין, והוא מענין (איוב ח, יא) גומא בלא בילה (יפה תואר): **קרא עליה אבות יאכלו בוסר.** כי הבועל נדה הוא כדמות זה, שאינו ממתין על טהרתה, כאיש הממהר לאכול פרי טרם שנגמרה, ועל ידי זה יקהו שיני הבנים, שבאמת הבנים לא חטאו, ונדבק בהם החולאת ההיא אשר בטבעה להתדבק מזה: **(ו) אני אמרתי לך כו' חייך כו'.** ולכאורה הקרבן על האשה, מה הבעל חייב בזה, אך לפי שהבעל מביא קרבן עשיר על אשתו, כדאיתא במסכת בבא מציעא פרק המקבל (קד, א), אם כן אם אין הבעל חפץ, מוכרחת להביא קרבן עני, וזהו אם לא תמצא ידה די שה, שהבעל אינו רוצה להביא קרבן עשיר, ולזה הטונש עליו מדה כנגד מדה, שבקש להרויח כבש בחילוף בן יונה, ולזה נעשה מצורע שאפילו עני לא סגי לו בלא כבש לאשם, כמפורש בפרשה שאחריה (מלא העומר): **המקיים מצות חלה כו'.** שטעם מצות חלה להפריש לה', שהוא סיבה ראשונה ראשית העיסה, להורות ההשתעבדות אל הסבה הראשונה, ולפי שהמתקצר בזה צרעת המינות פרחה בנפשו, לזה אמר שהוא כעובד עבודה זרה שמכחיש אלוה ממעל: **מי גרם לו כו'.** והכי פירושו דקרא כי בעד אשה זונה וכו' כלומר להכשל בה, בכל עבירה מספיק, ואפילו עד ככר לחם שנראה שהיא קלה אפילו זה מספיק להכשילו, ועיין ביפה תואר: **שאינו מעושר.** כלומר, שאוכל אצל אשה ככר שאינו מעושר גורם לו להכשל בה אחר כך. ואפשר ככרו גרסינן, ובשביל שמזלזל במעשרות סופו להכשל בזונה [ועיין בסוטה ד, א] (רד"ל):

פירוש מהרז"ו

(ה) **שהולך אצל אשתו נדה.** כמו שכתב לעיל (סימן א) או דם, ודורש סמוכים. ועיין לקמן (כט, ה): (ו) **ואם לא תמצא ידה.** פסוק בסוף פרשת יולדות סמוך לפרשת צרעת: **הבא קרבן לידה.** כמו שכתוב בפסוק הנ"ל ולקחה שתי תורים וגו' וכפר עליה הכהן וטהרה, לכך אם לא יניח לאשתו להביא קרבן לידה, אז צריכה אל הכהן, על פי מדת סמוכים ועל פי מדת מנגד: **למה נסמכה פרשת חלה.** במדבר (טו, כ) ראשית עריסותיכם, ובפסוק (כב שם) וכי תשגו ולא תעשו את כל המצות, ודרשו חז"ל על עבודה זרה, ואגב שדורש סמיכות של נגעים דורש כמה סמוכות: **בכברה שאינו מעושר.** הככר של הזונה, שמן הסתם אינה מעשרת ולא נוטלת חלה, ועבירה גוררת עבירה שיכשל בה. ועיין מתנות כהונה בשם ילקוט משלי. ועיין סוטה דף ד' (ע"ב) הובא בילקוט משלי ו':

חידושי הרד"ל

אפילו רשע וחזר בו כו'. בילקוט תהלים (רמז תשיט) הגירסא, אפילו רשע ובוטח בו חסד יסובבנהו. ופירושו מדכתיב (תהלים לב, י) והבוטח, ולא כתיב ובוטח, דריש דקאי על רשע דרישיה, שאם בטחו בה', דהיינו שחזר בו כדהכא, חסד יסובבנהו, וגם מצינו ביומא (פו, ב) רשעים היו, אלא שתלו בטחונן כו': [ה] **משל לחמורה שרעתה ונכוית.** פירוש נתרועעה ונשברה רגלה. ואפשר גרסינן שרעתה, לשון שרוע וקלוט, שנשמטה ונשברה רגלה, ונכוית לרפואה, כמו שאמרו בחולין (מב, ב) שיכולה לכוות ולחיות, ועיין במדבר רבה (ט, ה): [ו] **שאכל את ככרה שאינו מעושר.** כלומר שאוכל אצל אשה ככר שאינו מעושר, גורם לו להכשל בה אחר כך. ואפשר ככרו, גרסינן, ובשביל שמזלזל במעשרות, סופו להכשל בזונה (ועיין בסוטה ד, ב):

חידושי הרש"ש

אפילו רשע וחזר בו הקדוש ברוך הוא מקבלו כו'. היפה ענף באיכה גורס אפילו רשע ובוטח בה' חסד יסובבנו, עיין שם:

באור מהרי"פ

[ו] **ואתה לא עשית בן וכו'.** אולי דורש ואם לא תמצא ידה פירוש שאינה רוצה להמציא, אף על פי שיש לה: **חלה לפרשת עבודה זרה וכו'.** (במדבר טו, כ־כב) מראשית עריסותיכם תתנו לה' תרומה לדורותיכם. וכי תשגו ולא תעשו את כל המצות האלה אשר דבר ה' אל משה:

אם למקרא

מַה לָּכֶם אַתֶּם מֹשְׁלִים אֶת הַמָּשָׁל הַזֶּה עַל אַדְמַת יִשְׂרָאֵל לֵאמֹר אָבוֹת יֹאכְלוּ בֹסֶר וְשִׁנֵּי הַבָּנִים תִּקְהֶינָה: (ירמיה לא:כח)

אֲבֹתֵינוּ חָטְאוּ וְאֵינָם וַאֲנַחְנוּ עֲוֹנֹתֵיהֶם סָבָלְנוּ: (איכה ה:ז)

כִּי בְעַד אִשָּׁה זוֹנָה עַד כִּכַּר לָחֶם וְאֵשֶׁת אִישׁ נֶפֶשׁ יְקָרָה תָצוּד: (משלי ו:כו)

אמרי יושר

[ה] **מה ענין זה לזה.** למה סמך צרעת להורות שמאמו ששימשה נדה, כי נתהווה מדם מטופש ובלתי טהור. או סמכוה לקרבן יולדת: [ו] **למה סמך פרשת חלה לפרשה עבודה זרה.** בפרשת שלח לך, **שכל המקיים חלה מבטל עבודה זרה** כי נותן מתנה משלו לכהן שליח האל, אם כן מודה השגחת האל, וכופר בעבודה זרה. **וכל המבטל חלה מקיים עבודה זרה אמר רבי אלעזר** גם מקיים גילוי עריות, כי לוקח חלת הכהן לו, הוא כלוקח אשת חבירו, כי אם הלחם אשר הוא אוכל (בראשית לט ו. ועי"ש מדרש פו ו): **בעד אשה זונה.** דרשוהו על הלהוט אחריה, או מי שיש לו אשה מזנה תחתיו בשביל שלא נתן לכהן מעשר, סופו צריך לכהן על ידי אשתו:

ידי משה

הבית היו מוצאים אוצרות מה שגנזו הכנענים, כמו שדרשו חכמינו ז"ל (הוריות י, א). אי נמי יש לומר על דרך דאיתא לקמן במדרש (דברים רבה ג, ד) שמה שישראל אוכלין בעולם הזה הוא בשביל יסורים, וזכות אבות צפון לעולם הבא, ואם כן הכי קאמר, אבל אתם לאכול וכו', פירוש שהנגעים באים עליכם כדי שמה שאתם אוכלים ושותים בעולם הזה לא יצטרך לנכות

מתנות כהונה

ואם זרקו לאשפה וכו'. לפי שבטלו מתורת כלי ואסור לטלטלו: **בצרורייה.** שם מקום: [ה] **הכי גרסינן שרעתה ונכוית ויצא בנה כווי מי גרם לולד שיצא כווי שנכות אמו כך מי כו': שרעתה.** שהיא חולה לשון שכיב מרע: **ונתכווית.** על ידי רפואתה. ועיין לקמן פרשת נשא (ט, ה): **ברובין.** קשרים כמין אבעבועות ממותר הסרף שבקרבו: [ו] **שאינו מעושר.** בילקוט משלי (רמז תתקלט) מסיים בו שלא נטלה חלה, ולפי זה קאי על אשתו, וקראה זונה משלא נטלה חלה:

אשד הנחלים

אפילו רשע וחזר. דרש והבוטח בה', שמוסב על למעלה, בתחילה רבים מכאובים לרשע, אבל אם אחר כך יבטח בה', אז החסד יסובבנו מכל צד להצילו מכאביו: [ה] **אמו שלא שמרה.** כי הצרעת באה מתמצית דם הנדה כנודע: **כריבין.** כלומר שכח הצמיחה פועל בה בכל עת שתכרך העלים עוד יותר ויותר עליו וסביבותיו, כן להיפך לרעה, דם הנדה שהיא עיקר הזרע הבא מהדם, עושה רושם ופועל בילד הצרעת הידוע: **קרא עליו אבות גו' והם קראו אבותינו גו'.** כי הבועל נדה הוא כדמות זה, שאינו ממתין על טהרתה כאיש הממהר לאכול הפרי טרם שנגמרה, ועל ידי זה יקהו שיני הבנים, שבאמת הבנים לא חטאו ונדבק בהם החולאת ההיא, אשר בטבעה להתדבק מזה: [ו] **מצות חלה כאילו ביטל עבודת כוכבים.** כי הנתינת חלה הוא אות שהוא מאמין בהשגחת ה' אשר הכל מאתו יתברך, ונותן לו ראשית עריסותיו, ואם כן הוא היפך העובדי כוכבים, המייחסים הכל אל הטבע והכוכב: **שיכשל באשה זונה כו' את ככרה.** אולי הכוונה שישטה אשתו

שינוי נוסחאות

(ו) **על ידי שאכל את ככרה.** כ' רד"ל אולי צ"ל "ככרו", וסמך לדבריו בכי"י, שגורסים כולם "שאכלת את ככרך", דלא קאי על הככר של האשה אלא על הככר של האוכל:

אָמַר רַבִּי אָבִין: מָשָׁל לְגִנַּת יָרָק שֶׁהַמַּעְיָן לְתוֹכָהּ — **R' Avin said: It may be compared to a vegetable garden through which a spring runs.** כָּל זְמַן שֶׁהַמַּעְיָן לְתוֹכָהּ — **As long as the spring runs through [the garden],** הִיא עוֹשָׂה כְּרִיכִין — **it will cause blighted plants** to grow right where the spring flows, due to overwatering.[71] כָּךְ כָּל מִי שֶׁהוֹלֵךְ אֵצֶל אִשְׁתּוֹ נִדָּה עוֹשֶׂה בָּנִים מְצוֹרָעִים — **Similarly, anyone who has relations with his wife during her period of menstruation will beget *tzaraas*-afflicted children.**

The Midrash continues to discuss the case of a child contracting *tzaraas* due to his parents' wrongdoing:

רַבִּי אָבִין קָרָא עֲלֵיהּ "אָבוֹת יֹאכְלוּ בֹסֶר וְשִׁנֵּי בָנִים תִּקְהֶינָה" — **R' Avin cited, regarding this** form of *tzaraas,* the verse, ***The fathers eat unripe grapes, but it is the teeth of the sons that are set on edge*** (*Jeremiah* 31:28).[72] וְהֵן קוֹרְאִין עַל אֲבוֹתֵיהֶם "אֲבֹתֵינוּ חָטְאוּ וְאֵינָם וַאֲנַחְנוּ עֲוֹנֹתֵיהֶם סָבָלְנוּ" — **And they** (i.e., children afflicted in this manner) **cite, regarding their fathers,** the verse, ***Our fathers sinned and are no more, and we have suffered for their iniquities*** (*Lamentations* 5:7)![73]

וּבִמְלֹאת יְמֵי טָהֳרָהּ לְבֵן אוֹ לְבַת תָּבִיא כֶּבֶשׂ בֶּן שְׁנָתוֹ לְעֹלָה וּבֶן יוֹנָה אוֹ תֹר לְחַטָּאת אֶל פֶּתַח אֹהֶל מוֹעֵד אֶל הַכֹּהֵן . . . וְאִם לֹא תִמְצָא יָדָהּ דֵּי שֶׂה וְלָקְחָה שְׁתֵּי תֹרִים אוֹ שְׁנֵי בְּנֵי יוֹנָה אֶחָד לְעֹלָה וְאֶחָד לְחַטָּאת וְכִפֶּר עָלֶיהָ הַכֹּהֵן וְטָהֵרָה . . . אָדָם כִּי יִהְיֶה בְעוֹר בְּשָׂרוֹ שְׂאֵת אוֹ סַפַּחַת אוֹ בַהֶרֶת וְהָיָה בְעוֹר בְּשָׂרוֹ לְנֶגַע צָרָעַת . . .

Upon the completion of the days of her purity for a son or for a daughter, she shall bring a sheep within its first year for a burnt-offering, and a young dove or a turtledove for a sin-offering, to the entrance of the Tent of Meeting, to the Kohen . . . But if she cannot afford a sheep, then she shall take two turtledoves or two young doves, one for a burnt-offering and one for a sin-offering; and the Kohen shall provide atonement for her and she shall become purified . . . If a person will have on the skin of his flesh a s'eis, or a sapachas, or a baheres, and it will become a tzaraas affliction on the skin of his flesh . . . (12:6-13:2).

§6 The Midrash continues to examine the juxtaposition of the two sections of childbirth and *tzaraas*:

רַבִּי אָבִין בְּשֵׁם רַבִּי יוֹחָנָן אָמַר: כְּתִיב "וְאִם לֹא תִמְצָא יָדָהּ דֵּי שֶׂה" — **R' Avin said in the name of R' Yochanan: It is written,** *Upon the completion of the days of her purity for a son or for a daughter, she shall bring a sheep within its first year for a burnt-offering . . .* ***But if she cannot afford a sheep,*** *then she shall take two turtledoves or two young doves* (ibid. 12:6,8). וּמַה כְּתִיב בָּתְרֵיהּ — **And what is written** immediately **after [this verse]?** "אָדָם כִּי יִהְיֶה בְעוֹר בְּשָׂרוֹ" — ***If a person will have on the skin of his flesh*** *a s'eis, or a sapachas, or a baheres, and it will become a tzaraas affliction on the skin of his flesh; he shall be brought to Aaron the Kohen or to one of his sons the Kohanim* (ibid. 13:2). וְכִי מָה עִנְיַן זֶה אֵצֶל זֶה — **Now, what is the common theme** that led Scripture to record **one near the other?** אָמַר הַקָּדוֹשׁ בָּרוּךְ הוּא: אֲנִי אָמַרְתִּי לְךָ: הָבֵא קָרְבָּן לֵידָה, וְאַתָּה לֹא עָשִׂיתָ, כָּךְ חַיֶּיךָ שֶׁאֲנִי מַצְרִיכְךָ לָבֹא אֵצֶל כֹּהֵן — Through this juxtaposition, **the Holy One, blessed is He,** in effect **says, "I commanded you**[74] **to bring a birth-offering and you did not do so.**[75] **By your life! I will** yet **compel you to come before the Kohen** to determine the status of your skin affliction."[76] שֶׁנֶּאֱמַר "וְהוּבָא אֶל אַהֲרֹן הַכֹּהֵן" — **Thus it is stated** following the laws pertaining to the offering of a poor woman: *If a person will have on the skin of his flesh a s'eis, or a sapachas, or a baheres, and it will become a tzaraas affliction on the skin of his flesh;* ***he shall be brought to Aaron the Kohen*** *or to one of his sons the Kohanim.*[77]

Having expounded the juxtaposition of the verses regarding *tzaraas*, the Midrash expounds the proximity of other verses as well:[78]

NOTES

71. Having been irrigated to excess, the produce contains an overabundance of moisture, causing it to wither (*Matnos Kehunah*).

72. This verse is a complaint of children who suffer for the sins of their fathers: It was our fathers who enjoyed the forbidden fruit of sin, yet *our* teeth feel the pain! (See commentators on the verse.)

Eitz Yosef elaborates on R' Avin's comparison. He says that both are instances of a man who lacks self-control and is driven by the need to immediately satisfy his desires; he rushes to partake of his grapes before they ripen, and is unable to restrain himself and wait to have relations until his wife is purified. This impulsive behavior brings pain, at times harming his teeth, and at times his son. Neither instance of suffering is retribution for some misdeed, but rather both are results of this impulsive behavior. (See also *Eshed HaNechalim.*)

73. *Yefeh To'ar* questions why R' Avin provides two verses to express what appears to be a single idea; both speak of a child's bemoaning his suffering for his father's sins. He explains that they are in fact two separate complaints, addressing two different scenarios. At times the father who has sinned will become afflicted with *tzaraas* as well. But while the son's affliction is not retribution for any wrongdoing but a physical malaise, the father's affliction is deserved retribution for his misdeed. Thus, the son questions why he, who has done no wrong, must suffer the same fate as his father, who having "consumed the unripe grapes" is deserving of punishment. Often, however, God reserves judgment and the father is not afflicted at all. Now the son has a different complaint, articulated in the second verse: *Our fathers sinned . . . and we* (alone) *have suffered for their iniquities!*

74. [The sentence is addressed to the woman's husband, as all the pronouns "you" are in the masculine form. Apparently this is because a married woman would normally seek money from her husband to pay for this offering.]

75. *Beur Maharif* wonders where the Midrash sees any allusion to a woman who has *not* brought her incumbent offering. He suggests that the Midrash is interpreting the phrase וְאִם לֹא תִמְצָא יָדָהּ דֵּי שֶׂה (translated here as *if she cannot afford a sheep*) in its more literal sense, "her hand does not find enough for a sheep," implying that she really has enough money to buy a sheep but her "hand" (or her husband's hand; see previous note) is unwilling to spend it, so she opts for the cheaper alternative, or neglects the offering altogether.

76. Since her husband did not allow her to spend the money necessary for the required offering (see previous notes), he is punished by contracting *tzaraas.* This punishment is especially fitting in that it conforms to the idea of one's judgment corresponding to the wrong he committed. This person sought to save the expense of a sheep, and offered only the less expensive doves; God therefore afflicts him with *tzaraas*, forcing him to ultimately bring a sheep as a *metzora's* sacrifice (*Eitz Yosef,* from *Melo HaOmer*). Alternatively: The punishment is fitting because by not bringing the required post-birth offering, a person shows that he believes that childbirth, being a completely natural occurrence, does not require acknowledgment of God's role in this momentous event. He is therefore appropriately afflicted with *tzaraas,* which, as a skin disease, gives the appearance of a natural phenomenon, but which is in fact a form of supernatural, Divine punishment, thus forcing the person to realize God's hand in orchestrating even "natural events" (*Yefeh To'ar*).

77. The Midrash derives its assertion from the terminology used to describe the *metzora's* approaching the Kohen. In place of "וּבָא" אֶל אַהֲרֹן הַכֹּהֵן, which would imply that he will come of his own volition, Scripture employs the term "וְהוּבָא" אֶל אַהֲרֹן הַכֹּהֵן, *he shall be "brought" to Aaron the Kohen*; a wording indicating that he will seek out the Kohen not of his own free will, but only because he is compelled to do so (*Ibn Ezra* to verse).

78. See *Yefeh To'ar,* who shows that there is a conceptual relevance between this case of juxtaposition and the previous one discussed.

וְאִם זְרָקָן לָאַשְׁפָּה אָסוּר לְטַלְטְלָן, רַבִּי אֶלְעָזָר וְרַבִּי תַּנְחוּם בְּצִרוֹרְיָיה בְּשֵׁם רַבִּי יִרְמְיָה: אֲפִילוּ רָשָׁע וְחָזַר בּוֹ, הַקָּדוֹשׁ בָּרוּךְ הוּא מְקַבְּלוֹ, שֶׁנֶּאֱמַר (תהלים שם) **"וְהַבּוֹטֵחַ בַּה' חֶסֶד יְסוֹבְבֶנּוּ":**

ה מַה כְּתִיב לְמַעְלָה מִן הָעִנְיָן, [יב, ב] **"אִשָּׁה כִּי תַזְרִיעַ וְיָלְדָה זָכָר", מַה כְּתִיב בַּתְרֵיהּ,** [יג, ב] **"אָדָם כִּי יִהְיֶה בְעוֹר בְּשָׂרוֹ", וְכִי מָה עִנְיָן זֶה לָזֶה, אָמַר רַבִּי תַּנְחוּם בַּר רַבִּי חֲנִילָאִי: מָשָׁל לַחֲמוֹרָה שֶׁרָעֲתָה וְנִכְוֵית וְיָצָא בְּנָהּ כָּוּוּי, מִי גָרַם לַוָּלָד שֶׁיֵּצֵא כָּוּוּי, שֶׁנִּכְוֵית אִמּוֹ, כָּךְ מִי גָרַם לַוָּלָד שֶׁיִּהְיֶה מְצוֹרָע, אִמּוֹ שֶׁלֹּא שָׁמְרָה יְמֵי נִדָּתָהּ, אָמַר רַבִּי אָבִין: מָשָׁל לְגִנַּת יָרָק שֶׁהַמַּעְיָן *לְתוֹכָהּ, כָּל זְמַן שֶׁהַמַּעְיָן לְתוֹכָהּ הִיא עוֹשָׂה בְּרִיכִין, כָּךְ כָּל מִי שֶׁהוֹלֵךְ אֵצֶל אִשְׁתּוֹ נִדָּה עוֹשֶׂה *בָּנִים מְצוֹרָעִים, רַבִּי אָבִין קָרָא עָלֶיהָ** (ירמיה לא, כח) **"אָבוֹת יֹאכְלוּ בֹסֶר וְשִׁנֵּי בָנִים תִּקְהֶינָה", וְהֵן קוֹרְאִין עַל אֲבוֹתֵיהֶם** (איכה ה, ז) **"אֲבֹתֵינוּ חָטְאוּ וְאֵינָם וַאֲנַחְנוּ עֲוֹנֹתֵיהֶם סָבָלְנוּ":**

ו רַבִּי אָבִין בְּשֵׁם רַבִּי יוֹחָנָן אָמַר: כְּתִיב [יב, ח] **"וְאִם לֹא תִמְצָא יָדָהּ דֵּי שֶׂה", וּמַה כְּתִיב בַּתְרֵיהּ,** [יג, ב] **"אָדָם כִּי יִהְיֶה בְעוֹר בְּשָׂרוֹ", וְכִי מָה עִנְיָן זֶה אֵצֶל זֶה, אָמַר הַקָּדוֹשׁ בָּרוּךְ הוּא: אֲנִי אָמַרְתִּי לְךָ: הָבֵא קָרְבַּן לֵידָה, וְאַתָּה לֹא עָשִׂיתָ, כָּךְ חַיָּיךְ שֶׁאֲנִי מַצְרִיכְךָ לָבֹא אֵצֶל כֹּהֵן, שֶׁנֶּאֱמַר** [שם] **"וְהוּבָא אֶל אַהֲרֹן הַכֹּהֵן", אָמַר רַבִּי יוֹחָנָן: לָמָּה נִסְמְכָה פָּרָשַׁת חַלָּה לְפָרָשַׁת עֲבוֹדָה זָרָה, לוֹמַר לָךְ שֶׁכָּל הַמְקַיֵּים מִצְוַת חַלָּה כְּאִלּוּ בִּטֵּל עֲבוֹדָה זָרָה, וְכָל הַמְבַטֵּל מִצְוַת חַלָּה כְּאִלּוּ קִיֵּים עֲבוֹדָה זָרָה, אָמַר רַבִּי אֶלְעָזָר:** (משלי ו, כו) **"כִּי בְעַד אִשָּׁה זוֹנָה עַד כִּכַּר לָחֶם", מִי גָרַם לוֹ שֶׁיִּכָּשֵׁל בְּאִשָּׁה זוֹנָה, עַל יְדֵי שֶׁאָכַל אֶת °כִּכָּרָהּ שֶׁאֵינוֹ מְעוּשָּׂר,**

עץ יוסף

דטעמא נמי משום הכי וכדתני התם מגופה שנכתתה היא ושבריה מותר לטלטל בשבת, ופירש רש"י מגופה של חבית, שנכתתה החבית, היא, המגופה, ושבריה של חבית ניטלין בשבת, דחזו לכסויי מנא: **ואם זרקן לאשפה.** פירוש ואם זרק למגופה זו מבעוד יום לאשפה בטלה מתורת כלי: **הקדוש ברוך הוא מקבלו.** קשה, פשיטא שהקדוש ברוך הוא מקבל שבים, ועוד דמהאי קרא ליכא הוכחה. אלא הכי גרסינן אפילו רשע ובוטח בה' חסד יסובבנו, וכן הוא לקמן בבמדבר רבה [עיין איכה רבה ד, כג], ופירושו דהבוטח בה' קאי ארשע הנזכר דאפילו הוא רשע, מאחר שבוטח בה' דלא תליף לגמרי אלא עודנו מחזיק אמונת בה' על דרך (ברכות סג, א) בכל דרכיך דעהו אפילו לדבר עבירה, יטה אליו חסד (יפה תואר): **(ה) וכי מה ענין.** דאף על גב דתרווייהו דיני טומאה וטהרה, כיון דזו טומאה קלה וזו טומאה חמורה, וזו נוהגת וזו מקרית, היה ראוי שלא יסמכו זה לזה: **משל לחמורה כו'.** מפני שלרעת הבן מפני הנדה אפשר אם כדרך טבע שבהתהוות העובר מאותו דם המטונף מלטרע, ואם בדרך עונש שנושא הבן בעון הוריו, קאמר רבי תנחום שהוא בדרך טבע, ולזה אמר משל לחמורה שרעתה, פירוש לשון שכיב מרע, וענינו שהיתה מעוברת ונעשית חולה ונכוית על ידי רפואתה, וכשנכוית נכוה העובר מכווייתה, וכן רובם הנדות נמלא בעובר בטבע, ולפי זה אמר ר' אבין משל לגינת ירק, כי כמו שרבוי המים מפסידים הירק, כן בהיות האם מלא דם בזמן נדותה מעפש הולד, והוסיף ר' אבין לומר כי זה גם כן בדרך עונש, לכן קרא עליה אבות אכלו בוסר כו' (יפה תואר): **בריכין.** קשרים כמין אבעבועות ממותר הסרף שבקרבו (מתנות כהונה). או פירושו כמו סדורות כרוכות דפרק אלו טרפות (חולין נט, ב), דהיינו קליפה על קליפה, וכן על ידי רבוי הדם מעלה הולד למחים והוא הלרעת. וגירסת הילקוט (תקכד) היא עשויה בילין, והוא מענין (איוב ח, יא) גומא בלא בילה (יפה תואר): **קרא עליה אבות יאכלו בוסר.** כי הבועל נדה הוא כדמות זה, שאינו ממתין על טהרתה, כאיש הממהר לאכול פרי טרם שנגמרה, ועל ידי זה יקהו שיני הבנים, שבאמת הבנים לא חטאו, ונדבק בהם החולאת ההיא אשר בטבעה להתדבק מזה: **(ו) אני אמרתי לך כו' חייך כו'.** ולכאורה הקרבן על האשה, מה הבעל חייב בזה, אך לפי שהבעל מביא קרבן עשיר על אשתו, כדאיתא במסכת בבא מציעא פרק המקבל (קד, א), אם כן אם אין הבעל חפץ, מוכרחת להביא קרבן עני, וזהו אם לא תמצא ידה די שה, שהבעל אינו רוצה להביא קרבן עשיר, ולזה הטונש עליו מדה כנגד מדה, שבקש להרויח כבש בחילוף בן יונה, ולזה נעשה מלורע שאפילו עני לא סגי לו בלא כבש לאשם, כמפורש בפרשה שאחריה (מלא העומר): **המקיים מצות חלה כו'.** שטעם מלות חלה להפריש לה', שהוא סיבה ראשונה ראשית העיסה, להורות ההשתעבדות אל הסבה הראשונה, ולפי שהמקלר בזה לרעת המינות פרחה בנפשו, לזה אמר שהוא כעובד עבודה זרה שמכחיש אלוה ממעל: **מי גרם לו כו'.** והכי פירושו דקרא כי בעד אשה זונה וכו' כלומר להכשל בה, בכל עבירה מספיק, ואפילו עד ככר לחם שנראה שהיא קלה אפילו זה מספיק להכשילו, ועיין ביפה תואר: **שאינו מעושר.** כלומר, שאוכל אצל אשה ככר שאינו מעושר גורם לו להכשל בה אחר כך. ואפשר ככרו גרסינן, ובשביל שמזלזל במעשרות סופו להכשל בזונה [ועיין בסוטה ד, א] (רד"ל):

פירוש מהרז"ו

(ה) שהולך אצל אשתו נדה. כמו שכתב לעיל (סימן א) או דם, ודורש סמוכים. ועיין לקמן (כט, ה): **(ו) ואם לא תמצא ידה.** פסוק בסוף פרשת יולדות סמוך לפרשת נגעים: **הבא קרבן לידה.** כמו שכתוב בפסוק הנ"ל ולקחה שתי תורים וגו' וכפר עליה הכהן וטהרה, לכך אם לא יניח לאשתו להביא קרבן לידה, אז יצטרך אל הכהן, על פי מדת סמוכים ועל פי מדת מדה כנגד מדה: **למה נסמכה פרשת חלה.** במדבר (טו, כ) ראשית עריסותיכם, ובפסוק (כב שם) וכי תשגו ולא תעשו את כל המצות, ודרשו חז"ל על עבודה זרה, ואגב שדורש סמיכות של נגעים דורש כמה סמוכות: **בכברה שאינו מעושר.** הככר של הזונה, שמן הסתם איננה מעשרת ולא נוטלת חלה, ועבירה גוררת עבירה שיכשל בה. ועיין מתנות כהונה בשם ילקוט משלי. ועיין סוטה דף ד' (ע"ב) הובא בילקוט משלי ו':

חידושי הרד"ל

אפילו רשע וחזר בו כו'. בילקוט תהלים (רמז תשיט) הגירסא, אפילו רשע ובוטח בו חסד יסובבנהו. ופירושו מדכתיב (תהלים לב, י) והבוטח, ולא כתיב ובוטח, דריש דקאי על רשע דרישא, שאם בטחו בה', דהיינו שחזר בו כדהכא, חסד יסובבנהו, (גם מצינו ביומא עו, ב, רשעים הוו, אלא שתלו בטחונן כו'): **[ה] משל לחמורה שרעת ונכוית.** פירוש נתרועעה ונשברה רגלה. (ואפשר גרסינן שרעת, לשון שרוע וקלוט, שנשמטה ונשברה רגלה, ונכוית לרפואה, כמו שאמרו בחולין (מב, ב) שיכולה לכוות ולחיות) ועיין במדבר רבה (ט, ה): **[ו] שאכל את ככרה שאינו מעושר.** כלומר שאוכל אצל אשה ככר שאינו מעושר, גורם לו להכשל בה אחר כך. ואפשר ככרו, גרסינן, ובשביל שמזלזל במעשרות, סופו להכשל בזונה (ועיין בסוטה ד, ב):

חידושי הרש"ש

אפילו רשע וחזר בו הקדוש ברוך הוא מקבלו כו'. היפה ענף באיכה גורס אפילו רשע ובוטח בה' חסד יסובבנו, עיין שם:

באור מהרי"פ

[ו] ואתה לא עשית כן וכו'. אולי דורש ואם לא תמצא ידה פירוש שאינה רוצה להמציא, אף על פי שיש לה: **חלה לפרשת עבודה זרה וכו'.** (במדבר טו, כא-כב) מראשית עריסותיכם תתנו לה' תרומה לדורותיכם. וכי תשגו ולא תעשו את כל המצות האלה אשר דבר ה' אל משה:

אם למקרא

מַה לָּכֶם אַתֶּם מֹשְׁלִים אֶת הַמָּשָׁל הַזֶּה עַל אַדְמַת יִשְׂרָאֵל לֵאמֹר אָבוֹת יֹאכְלוּ בֹסֶר וְשִׁנֵּי הַבָּנִים תִּקְהֶינָה: (ירמיה לא:כח)

אֲבֹתֵינוּ חָטְאוּ וְאֵינָם וַאֲנַחְנוּ עֲוֹנֹתֵיהֶם סָבָלְנוּ: (איכה ה:ז)

כִּי בְעַד אִשָּׁה זוֹנָה עַד כִּכַּר לָחֶם וְאֵשֶׁת אִישׁ נֶפֶשׁ יְקָרָה תָצוּד: (משלי ו:כו)

אמרי יושר

[ה] מה ענין זה לזה. למה סמך לרעת להורות שמאמו ששימשה נדה, כי נתהוה מדם מטופש ובלתי טהור. או סמכוה לקרבן יולדת: **[ו] למה סמך פרשת חלה לפרשה עבודה זרה.** בפרשת שלח לך, **שכל המקיים חלה מבטל עבודה זרה** כי נותן מתנה משלו לכהן שליח האל, אם כן מודה השגחת האל, וכופר בעבודה זרה. **וכל המבטל חלה מקיים עבודה זרה אמר רבי אלעזר** גם מקיים גילוי עריות, כי לקח חלת הכהן לו, הוא כלוקח אשת חבירו, כי אם הלחם אשר הוא אוכל (בראשית לט ו. ועי"ש מדרש פו ו): **בעד אשה זונה.** דרשוהו על להוט אחריה, או מי שיש לו אשה מזנה תחתיו בשביל שלא נתן לכהן מעשר, סופו לריך לכהן על ידי אשתו:

ידי משה

הבית היו מואסים אוצרות מה שגנזו הכנעניים, כמו שדרשו חכמינו ז"ל (הוריות י, א). אי נמי יש לומר על דרך דאיתא לקמן במדרש (דברים רבה ג, ד) שמה שישראל אוכלין בעולם הזה הוא בשביל יסורים, וזכות אבות לפון לעולם הבא, ואם כן הכי קאמר, אבל אתם לאכול וכו', פירוש שהנגעים באים עליכם כדי שמה שאתם אוכלים ושותים בעולם הזה לא יצטרך לנכות

מתנות כהונה

ואם זרקו לאשפה וכו'. לפי שבטלו מתורת כלי ואסור לטלטלו: **בצרורייה.** שם מקום: **[ה] הכי גרסינן שרעתה ונבוית ויצא בנה כווי מי גרם לולד שיצא כווי שנכוות אמו כך מי כו': שרעתה.** שהיא חולה לשון שכיב מרע: **ונתכווית.** על ידי רפואתה. ועיין לקמן פרשת נשא (ט, ה): **ברוכין.** קשרים כמין אבעבועות ממותר הסרף שבקרבו: **[ו] שאינו מעושר.** בילקוט משלי (רמז תתקלט) מסיים בו שלא נטלה חלה, ולפי זה קאי על אשתו, וקראה זונה משלא נטלה חלה:

אשד הנחלים

אפילו רשע וחזר. דרש והבוטח בה', שמוסב על למעלה, בתחילה רבים מכאובים לרשע, אבל אם אחר כך יבטח בה', אז החסד יסובבנו מכל צד להצילו מכאביו: **[ה] אמו שלא שמרה.** כי הצרעת באה מתמצית דם הנדה כנודע: **בריכין.** כלומר שכח הצמיחה פועל בה בכל עת שתכרך העלים עוד יותר ויותר עליו וסביבותיו, כן להיפך לרעה, דם הנדה שהיא עיקר הזרע הבא מהדם, עושה רושם ופועל בילד הצרעת הידוע: **קרא עליו אבות גו' והם קראו אבותינו גו'.** כי הבועל נדה הוא כדמות זה, שאינו ממתין על טהרתה כאיש הממהר לאכול הפרי טרם שנגמרה, ועל ידי זה יקהו שיני הבנים, שבאמת הבנים לא חטאו ונדבק בהם החולאת ההיא, אשר בטבעה להתדבק מזה: **[ו] מצות חלה כאילו ביטל עבודת כוכבים.** כי הנתינת חלה הוא אות שהוא מאמין בהשגחת ה' אשר הכל מאתו יתברך, ונותן לו ראשית עריסותיו, ואם כן הוא היפך העובדי כוכבים, המייחסים הכל אל הטבע והכוכב: **שיכשל באשה זונה כו' את ככרה.** אולי הכוונה שישטה אשתו

שינוי נוסחאות

(ו) על ידי שאכל את ככרה. כ' רד"ל אולי צ"ל "ככרו", וסמך לדבריו בכי"י, שגורסים כולם "שאכלת את ככרך", דלא קאי על הככר של האשה אלא על הככר של האוכל:

אָמַר רַבִּי יוֹחָנָן: לָמָּה נִסְמְכָה פָּרָשַׁת חַלָּה לְפָרָשַׁת עֲבוֹדָה זָרָה — **R' Yochanan said: Why was the Torah portion concerning the separation of *challah*[79] juxtaposed to the portion** that speaks **of idolatry?**[80] לוֹמַר לָךְ שֶׁכָּל הַמְקַיֵּים מִצְוַת חַלָּה כְּאִלּוּ בִּטֵּל עֲבוֹדָה זָרָה — **To tell you that** for **anyone who fulfills the commandment of** separating ***challah***, it **is** considered **as if he has negated idolatry.** וְכָל הַמְבַטֵּל מִצְוַת חַלָּה כְּאִלּוּ קִיֵּים עֲבוֹדָה זָרָה — **And** conversely, for **anyone who neglects the commandment of** separating ***challah,*** it **is** considered **as if he has validated idolatry.**[81]

The Midrash continues to discuss the dire significance of not keeping the mitzvah of *challah:*

אָמַר רַבִּי אֶלְעָזָר: "כִּי בְעַד אִשָּׁה זוֹנָה עַד כִּכַּר לָחֶם" — **R' Elazar said:** It is stated, ***For the sake of a licentious woman — even a loaf of bread*** (*Proverbs* 6:26). מִי גָרַם לוֹ שֶׁיִּכָּשֵׁל בְּאִשָּׁה זוֹנָה — This means: **Who caused him to succumb** to temptation and sin **with a licentious woman?** עַל יְדֵי שֶׁאָכַל אֶת כִּכָּרוֹ שֶׁאֵינוֹ מְעוּשָּׂר — It was **due to** his **having eaten his loaf** of bread **that was not tithed.**[82]

NOTES

79. I.e., the commandment to separate a portion of one's dough and present it to the Kohen (*Numbers* 15:17-21).

80. Regarding *challah* it is stated: רֵאשִׁית עֲרִסֹתֵכֶם חַלָּה תָּרִימוּ תְרוּמָה... מֵרֵאשִׁית עֲרִסֹתֵיכֶם תִּתְּנוּ לַה׳ תְּרוּמָה לְדֹרֹתֵיכֶם, *As the first of your kneading you shall set aside a loaf as a portion ... From the first of your kneadings shall you give a portion to HASHEM, for your generations* (*Numbers* ibid. 20-21). The subsequent verse, which states: וְכִי תִשְׁגּוּ וְלֹא תַעֲשׂוּ אֵת כָּל הַמִּצְוֹת הָאֵלֶּה אֲשֶׁר דִּבֶּר ה׳ אֶל מֹשֶׁה, *If you err and do not perform all of these commandments, which HASHEM has spoken to Moses,* refers to the sin of idolatry, as the Sages explain (see *Horayos* 8a).

81. *Eshed HaNechalim* sheds light on the connection between the commandment to separate *challah* and the sin of idolatry. One willing to part with a portion of his bread demonstrates a complete faith that all material goods come from God. However, with regard to one who is unwilling to part with any of his food the opposite is true. His reluctance stems from his uncertainty as to God's capacity to provide for his needs. Such lack of faith is similar to the lack of faith of an idolater, as neither believe God to be the sustaining force of Creation. Alternatively: *Challah* is called "the first portion of the dough" (רֵאשִׁית עֲרִיסוֹתֵכֶם) because it is separated before anyone has eaten from the bread. We find other, similar mitzvos in which we are enjoined to give the "first portion" to God (i.e., *terumah* [רֵאשִׁית דְּגָנְךָ; *Deuteronomy* 18:4], and *bikkurim* [רֵאשִׁית בִּכּוּרֵי אַדְמָתְךָ; *Exodus* 23:19]). Through these mitzvos the Torah seeks to inculcate within us the idea that God is the first Being (and thus entitled to all "firsts") and created the world from naught (יֵשׁ מֵאַיִן) — and not, as some idolaters would have it, that the world is eternally ancient, and was always coexistent with God. Thus, by not observing the precept of *challah* (and other similar mitzvos), one distances himself from this cardinal belief that God existed before anything else, and is considered to be embracing idolatry (based on *Nechmad LeMareh* to *Bereishis Rabbah* 1 §4).

82. By "loaf of bread that was not tithed" the Midrash here means "loaf of bread from which *challah* was not separated" (*Yalkut Shimoni* on *Proverbs* ad loc., cited in *Matnos Kehunah*), for the two precepts (tithing produce and separating *challah* from bread) are related. Although separating *challah* seems like a minor mitzvah, the Midrash teaches us that (due to its profound philosophical significance, as explained above) transgressing even this mitzvah may lead to the most immoral sins (*Yefeh To'ar*).

וְאִם זְרָקָן לָאַשְׁפָּה אָסוּר לְטַלְטְלָן, רַבִּי אֶלְעָזָר וְרַבִּי תַּנְחוּם בַּצְּרוֹרַיָּה בְּשֵׁם רַבִּי יִרְמְיָה: אֲפִילוּ רָשָׁע וְחָזַר בּוֹ, הַקָּדוֹשׁ בָּרוּךְ הוּא מְקַבְּלוֹ, שֶׁנֶּאֱמַר (תהלים שם שם) "וְהַבּוֹטֵחַ בַּה' חֶסֶד יְסוֹבְבֶנּוּ":

ה מַה כְּתִיב לְמַעְלָה מִן הָעִנְיָן, [יב, ב] "אִשָּׁה כִּי תַזְרִיעַ וְיָלְדָה זָכָר", מַה כְּתִיב בַּתְרֵיהּ, [יג, ב] "אָדָם כִּי יִהְיֶה בְעוֹר בְּשָׂרוֹ", וְכִי מָה עִנְיָן זֶה לָזֶה, אָמַר רַבִּי תַּנְחוּם בַּר רַבִּי חֲנִילָאי: מָשָׁל לַחֲמוֹרָה שֶׁרָעֲתָה וְנִכְוֵית וְיָצָא בְּנָהּ כָּווּי, מִי גָרַם לַוָּלָד שֶׁיֵּצֵא כָּווּי, שֶׁנִּכְווֹת אִמּוֹ, כָּךְ מִי גָרַם לַוָּלָד שֶׁיִּהְיֶה מְצוֹרָע, אִמּוֹ שֶׁלֹּא שָׁמְרָה יְמֵי נִדָּתָהּ, אָמַר רַבִּי אָבִין: מָשָׁל לְגִנַּת יָרָק שֶׁהַמַּעְיָן *לְתוֹכָהּ, כָּל זְמַן שֶׁהַמַּעְיָן לְתוֹכָהּ הִיא עוֹשָׂה בְּרִיכִין, כָּךְ כָּל מִי שֶׁהוֹלֵךְ אֵצֶל אִשְׁתּוֹ נִדָּה עוֹשֶׂה *בָּנִים מְצוֹרָעִים, רַבִּי אָבִין קָרָא עָלֶיהָ (ירמיה לא, כח) "אָבוֹת יֹאכְלוּ בֹסֶר וְשִׁנֵּי בָנִים תִּקְהֶינָה", וְהֵן קוֹרְאִין עַל אֲבוֹתֵיהֶם (איכה ה, ז) "אֲבֹתֵינוּ חָטְאוּ וְאֵינָם וַאֲנַחְנוּ עֲוֹנֹתֵיהֶם סָבָלְנוּ":

ו רַבִּי אָבִין בְּשֵׁם רַבִּי יוֹחָנָן אָמַר: כְּתִיב [יב, ח] "וְאִם לֹא תִמְצָא יָדָהּ דֵּי שֶׂה", וּמַה כְּתִיב בַּתְרֵיהּ, [יג, ב] "אָדָם כִּי יִהְיֶה בְעוֹר בְּשָׂרוֹ", וְכִי מָה עִנְיָן זֶה אֵצֶל זֶה, אָמַר הַקָּדוֹשׁ בָּרוּךְ הוּא: אֲנִי אָמַרְתִּי לְךָ: הָבֵא קָרְבַּן לֵידָה, וְאַתָּה לֹא עָשִׂיתָ, כָּךְ חַיֶּיךָ שֶׁאֲנִי מַצְרִיכְךָ לָבֹא אֵצֶל כֹּהֵן, שֶׁנֶּאֱמַר [שם] "וְהוּבָא אֶל אַהֲרֹן הַכֹּהֵן", אָמַר רַבִּי יוֹחָנָן: לָמָּה נִסְמְכָה פָּרָשַׁת חַלָּה לְפָרָשַׁת עֲבוֹדָה זָרָה, לוֹמַר לְךָ שֶׁכָּל הַמְקַיֵּם מִצְוַת חַלָּה כְּאִלּוּ בִּטֵּל עֲבוֹדָה זָרָה, וְכָל הַמְבַטֵּל מִצְוַת חַלָּה כְּאִלּוּ קִיֵּם עֲבוֹדָה זָרָה, אָמַר רַבִּי אֶלְעָזָר: (משלי ו, כו) "כִּי בְעַד אִשָּׁה זוֹנָה עַד כִּכַּר לָחֶם", מִי גָרַם לוֹ שֶׁיִּכָּשֵׁל בְּאִשָּׁה זוֹנָה, עַל יְדֵי שֶׁאָכַל אֶת °כִּכָּרָהּ שֶׁאֵינוֹ מְעוּשָּׂר,

עץ יוסף

דטעמא נמי משום הכי וכדתני התם מגופה שנכתתה היא ושבריה מותר לטלטל בשבת, ופירש רש"י מגופה של חבית, שנכתתה החבית, היא, המגופה, ושבריה של חבית ניטלין בשבת, דחזו לכסויי מנא: **ואם זרקן לאשפה.** פירוש ואם זרק למגופה זו מבעוד יום לאשפה בטלה מתורת כלי: **הקדוש ברוך הוא מקבלו.** קשה, פשיטא שהקדוש ברוך הוא מקבל שבים, ועוד דמהאי קרא ליכא הוכחה. אלא הכי גרסינן אפילו רשע ובוטח בה' חסד יסובבנו, וכן הוא לקמן בבמדבר רבה [עיין איכה רבה ד, כג], ופירושו דהבוטח בה' קאי ארשע הנזכר דאפילו הוא רשע, מאחר שבוטח בה' דלא אניף לגמרי אלא עודנו מחזיק קצת בה' על דרך (ברכות סג, א) בכל דרכיך דעהו אפילו לדבר עבירה, יטה אליו חסד (יפה תואר): (ה) **וכי מה ענין.** דאף על גב דתרווייהו דיני טומאה וטהרה, כיון דזו טומאה קלה וזו טומאה חמורה, וזו נוהגת וזו מקרית, היה ראוי שלא יסמכו זה לזה: **משל לחמורה כו'.** מפני שצרעת הבן מפני הנדה אפשר אם כדרך טבע שבהתהוות העובר מאותו דם המטונף מצטרע, ואם בדרך עונש שנושא הבן בעון הוריו, קאמר רבי תנחום שהוא בדרך טבע, ולזה אמר משל לחמורה שרעתה, פירוש לשון שכיב מרע, וענינו שהיתה מעוברת ונעשית חולה ונכוית על ידי רפואתה, וכשנכוית נרשם העובר מכוייתה, וכן רושם הנדות נמצא בעובר בטבע, ולפי זה אמר ר' אבין משל לגינת ירק, כי כמו שרבוי המים מטפשים הירק, כן בהיות האם מלא דם בזמן נדותה מטפש הולד, והוסיף ר' אבין לומר כי זה גם כן בדרך עונש, לכן קרא עליה אבות אכלו בוסר כו' (יפה תואר): **בריכין.** קשרים כמין אבעבועות ממותר הסרף שבקרבו (מתנות כהונה). או פירושו כמו סדורות כרוכות דפרק אלו טרפות (חולין נט, ב), דהיינו קליפה על קליפה, וכן על ידי רבוי הדם מעלה הולד גמיס והוא הצרעת. וגירסת הילקוט (תקכד) היא עשויה בילין, והוא מענין (איוב ח, יא) גומא בלא בילה (יפה תואר): **קרא עליה אבות יאכלו בוסר.** כי הבועל נדה הוא כדמות זה, שאינו ממתין על טהרתה, כאיש הממהר לאכול פרי טרם שנגמרה, ועל ידי זה יקהו שיני הבנים, שבאמת הבנים לא חטאו, ונדבק בהם החולאת ההיא אשר בטבעה להתדבק מזה: (ו) **אני אמרתי לך כו' חייך כו'.** ולכאורה הקרבן על האשה, מה הבעל חייב בזה, אך לפי שהבעל מביא קרבן עשיר על אשתו, כדאיתא במסכת בבא מציעא פרק המקבל (קד, א), אם כן אם אין הבעל חפץ, מוכרחת להביא קרבן עני, וזהו אם לא תמצא ידה די שה, שהבעל אינו רוצה להביא קרבן עשיר, ולזה העונש עליו מדה כנגד מדה, שבקש להרויח כבש בחילוף בן יונה, ולזה נעשה מצורע שאפילו עני לא סגי לו בלא כבש לאשם, כמפורש בפרשה שאחריה (מלא העומר): **המקיים מצות חלה כו'.** שטעם מצות חלה להפריש לה', שהוא סיבה ראשונה ראשית העיסה, להורות ההשתעבדות אל הסבה הראשונה, ולפי שהמקצר בזה מצרעת המינות פרחה בנפשו, לזה אמר שהוא כעובד עבודה זרה שמכחיש אלוה ממעל: **מי גרם לו כו'.** והכי פירושו דקרא כי בעד אשה זונה וכו' כלומר להכשל בה, בכל עבירה מספיק, ואפילו עד ככר לחם שנראה שהיא קלה אפילו זה מספיק להכשילו, ועיין ביפה תואר: **שאינו מעושר.** כלומר, שאוכל אצל אשה ככר שאינו מעושר גורם לו להכשל בה אחר כך. ואפשר ככרו גרסינן, ובשביל שמזלזל במעשרות סופו להכשל בזונה [ועיין בסוטה ד, א] (רד"ל):

פירוש מהרז"ו

(ה) **שהולך אצל אשתו נדה.** כמו שכתב לעיל (סימן א) או דם, ודורש סמוכים. ועיין לקמן (כט, ה): (ו) **ואם לא תמצא ידה.** פסוק בסוף פרשת יולדות סמוך לפרשת נגעים: **הבא קרבן לידה.** כמו שכתוב בפסוק הנ"ל ולקחה שתי תורים וגו' וכפר עליה הכהן וטהרה, לכך אם לא יניח לאשתו להביא קרבן לידה, אז יצטרך אל הכהן, על פי מדת סמוכים ועל פי מדת מנגד: **למה נסמכה פרשת חלה.** במדבר (טו, כ) ראשית עריסותיכם, ובפסוק (כב שם) וכי תשגו ולא תעשו את כל המצות, ודרשו חז"ל על עבודה זרה, ואגב שדורש סמיכות של נגעים דורש כמה סמוכות: **ככרה שאינו מעושר.** הככר של הזונה, שמן הסתם אינה מעשרת ולא נוטלת חלה, ועבירה גוררת עבירה שיכשל בה. ועיין מתנות כהונה בשם ילקוט משלי. ועיין סוטה דף ד' (ע"ב) הובא בילקוט משלי ו':

חידושי הרד"ל

אפילו רשע וחזר בו כו'. בילקוט תהלים (רמז תשיט) הגירסא, אפילו רשע ובוטח בו חסד יסובבנהו. ופירושו מדכתיב (תהלים לב, י) והבוטח, ולא כתיב ובוטח, דריש דקאי על רשע דרישא, שאם בטחו בה', דהיינו שחזר בו כדהכא, חסד יסובבנהו, (גם מצינו ביומא ט, ב, רשעים היו, אלא שתלו בטחונן כו'): [ה] **משל לחמורה שרעת ונבוית.** פירוש נתרועעה ונשברה רגלה. (ואפשר גרסינן שרעת, לשון שרוע וקלוט, שנשמטה ונשברה רגלה, (וניכוית לרפואה, כמו שאמרו בחולין (מב, ב) שיכולה לכוות ולחיות) ועיין במדבר רבה (ט, ה): [ו] **שאכל את ככרה שאינו מעושר.** כלומר שאוכל אצל אשה ככר שאינו מעושר, גורם לו להכשל בה אחר כך. ואפשר ככרו, גרסינן, ובשביל שמזלזל במעשרות, סופו להכשל בזונה (ועיין בסוטה ד, ב):

חידושי הרש"ש

אפילו רשע וחזר בו הקדוש ברוך הוא מקבלו כו'. היפה ענף באיכה גורס אפילו רשע ובוטח בה' חסד יסובבנו, עיין שם:

באור מהרי"פ

[ו] **ואתה לא עשית בן וכו'.** אולי דורש ואם לא תמצא ידה פירוש שאינה רוצה להמציא, אף על פי שיש לה: **חלה לפרשת עבודה זרה וכו'.** (במדבר טו, כא-כב) מראשית עריסותיכם תתנו לה' תרומה לדורותיכם. וכי תשגו ולא תעשו את כל המצות האלה אשר דבר ה' אל משה:

אם למקרא

מַה לָּכֶם אַתֶּם מֹשְׁלִים אֶת הַמָּשָׁל הַזֶּה עַל אַדְמַת יִשְׂרָאֵל לֵאמֹר אָבוֹת יֹאכְלוּ בֹסֶר וְשִׁנֵּי הַבָּנִים תִּקְהֶינָה: (ירמיה לא:כח)

אֲבֹתֵינוּ חָטְאוּ וְאֵינָם וַאֲנַחְנוּ עֲוֹנֹתֵיהֶם סָבָלְנוּ: (איכה ה:ז)

כִּי בְעַד אִשָּׁה זוֹנָה עַד כִּכַּר לָחֶם וְאֵשֶׁת אִישׁ נֶפֶשׁ יְקָרָה תָצוּד: (משלי ו:כו)

אמרי יושר

[ה] **מה ענין זה לזה.** למה סמך צרעת להורות שמאמו שטימאה נדה, כי נתהוה מדם מטופש ובלתי טהור. או סמכוה לקרבן יולדת: [ו] **למה סמך פרשת חלה לפרשה עבודה זרה.** בפרשת שלח לך, **שכל המקיים חלה מבטל עבודה זרה** כי נותן מתנה משלו לכהן שליח האל, אם כן מודה השגחת האל, וכופר בעבודה זרה. **וכל המבטל חלה מקיים עבודה זרה אמר רבי אלעזר** גם מקיים גילוי עריות, כי לקח חלת הכהן לו, הוא כלוקח אשת חבירו, כי אם הלחם אשר הוא אוכל (בראשית לט ו. ועי"ש מדרש פו ו): **בעד אשה זונה.** דרשוהו על הלהוט אחריה, או מי שיש לו אשה מזנה תחתיו בשביל שלא נתן לכהן מעשר, סופו צריך לכהן על ידי אשתו:

ידי משה

הבית היו מוצאים אוצרות מה שגנזו הכנענים, כמו שדרשו חכמינו ז"ל (הוריות י, א). אי נמי יש לומר על דרך דאיתא לקמן במדרש (דברים רבה ג, ד) שמה שישראל אוכלין בעולם הזה הוא בשביל יסורים, וזכות אבות צפון לעולם הבא, ואם כן הכי קאמר, אבל אתם לאכול וכו', פירוש שהנגעים באים עליכם כדי שמה שאתם אוכלים ושותים בעולם הזה לא יצטרך לנכות

מתנות כהונה

ואם זרקו לאשפה וכו'. לפי שבטלו מתורת כלי ואסור לטלטלו: **בצרורייה.** שם מקום: [ה] **הכי גרסינן שרעתה ונבוית ויצא בנה כווי מי גרם לולד שיצא כווי שנבות אמו כך מי כו': שרעתה.** שהיא חולה לשון שכיב מרע: **ונתכווית.** על ידי רפואתה. ועיין לקמן פרשת נשא (ט, ה): **ברובין.** קשרים כמין אבעבועות ממותר הסרף שבקרבו: [ו] **שאינו מעושר.** בילקוט משלי (רמז תתקלט) מסיים בו שלא נטלה חלה, ולפי זה קאי על אשתו, וקראה זונה משלא נטלה חלה:

אשד הנחלים

אפילו רשע וחזר. דרש והבוטח בה', שמוסב על למעלה, בתחילה רבים מכאובים לרשע, אבל אם אחר כך יבטח בה', אז החסד יסובבנו מכל צד להצילו מכאביו: [ה] **אמו שלא שמרה.** כי הצרעת באה מתמצית דם הנדה כנודע: **בריכין.** כלומר שכח הצמיחה פועל בה בכל עת שתכרך העלים עוד יותר ויותר עליו וסביבותיו, כן להיפך לרעה, דם הנדה שהיא עיקר הזרע הבא מהדם, עושה רושם ופועל בילד הצרעת הידוע: **קרא עליו אבות גו' והם קראו אבותינו גו'.** כי הבועל נדה הוא כדמות זה, שאינו ממתין על טהרתה כאיש הממהר לאכול הפרי טרם שנגמרה, ועל ידי זה יקהו שיני הבנים, שבאמת הבנים לא חטאו ונדבק בהם החולאת ההיא, אשר בטבעה להתדבק מזה: **[ו] מצות חלה כאילו ביטל עבודת כוכבים.** כי הנתינת חלה הוא אות שהוא מאמין בהשגחת ה' אשר הכל מאתו יתברך, ונותן לו ראשית עריסותיו, ואם כן הוא היפך העובדי כוכבים, המייחסים הכל אל הטבע והכוכב: **שיכשל באשה זונה כו' את ככרה.** אולי הכוונה שישטה אשתו

שינויי נוסחאות

(ו) **על ידי שאכל את ככרה.** כ' רד"ל אולי צ"ל "ככרו", וסמך לדבריו בכי"י, שגורסים כולם "שאכלת את ככרך", דלא קאי על הככר של האשה אלא על הככר של האוכל:

The Midrash presents a similar exposition of another set of juxtaposed verses:

אָמַר רַבִּי שִׁמְעוֹן בֶּן לָקִישׁ: כְּתִיב ״וְאִישׁ אֶת קֳדָשָׁיו לוֹ יִהְיוּ״ — **R' Shimon ben Lakish said: It is written** with regard to the requirement to present the Kohen with priestly gifts, ***And a man's holies shall be his,*** *and what a man gives to the Kohen shall be his* (*Numbers* 5:10). מַה כְּתִיב בַּתְרֵיהּ — **What is written after [this verse]?** ״אִישׁ כִּי תִשְׂטֶה אִשְׁתּוֹ״ — *Any* ***man whose wife shall go astray*** *and commit treachery against him ... The man shall bring his wife to the Kohen* (ibid., vv. 12-15).[83] מַה עִנְיָן זֶה לָזֶה — Now, **what connection** of **one to the other** would lead Scripture to juxtapose these verses? אָמַר הַקָּדוֹשׁ בָּרוּךְ הוּא: אֲנִי אָמַרְתִּי: תֵּן מַתְּנָתְךָ לַכֹּהֵן, וְלֹא עָשִׂיתָ כֵּן — In juxtaposing the two verses, **the Holy One, blessed is He,** in effect **says, "I commanded** that you **present your** priestly **gifts to a Kohen and you did not do so.**[84] חַיֶּיךָ שֶׁאֲנִי מַצְרִיכְךָ שֶׁתָּבִיא אִשְׁתְּךָ אֶל הַכֹּהֵן — **By your life! I will compel you to bring your wife to the Kohen** in humiliating circumstances!" שֶׁנֶּאֱמַר ״וְהֵבִיא הָאִישׁ אֶת אִשְׁתּוֹ אֶל הַכֹּהֵן״ — **Thus it is stated** in the passage following the laws of priestly gifts, ***The man shall bring his wife to the Kohen*** (ibid. 5:15).

§7 The Midrash continues discussing the concept just mentioned (see conclusion of previous section) that withholding money that rightfully belongs to others leads to severe consequences:

אָמַר רַבִּי לֵוִי: בְּרָכוֹת מְבָרְכוֹת אֶת בַּעֲלֵיהֶן וּקְלָלוֹת מְקַלְּלוֹת אֶת בַּעֲלֵיהֶן — **R' Levi said: Blessed acts** (i.e., actions done in an upright, righteous manner) **bring blessings for their masters,**[85] **and cursed acts** (unscrupulous actions) **bring curses for their masters.**[86] ״אֶבֶן שְׁלֵמָה וָצֶדֶק יִהְיֶה לָּךְ וגו׳״ — The first half of this teaching may be learned from the verse, ***A perfect and honest weight***[87] ***shall you have,*** *a perfect and honest measure shall you have* (*Deuteronomy* 25:15), אִם עָשִׂיתָ כֵּן יֵשׁ לְךָ מַה לִישָּׂא וּמַה לִיתֵּן וּמַה לִיקַּח וּמַה לִמְכּוֹר — which may be interpreted homiletically[88] to mean: **"If you do so,** i.e., if *your weights are perfect and honest*, then *you shall have* — i.e., **you shall have** the financial wherewithal **to transact business,**[89] **to buy and sell** merchandise."[90] קְלָלוֹת מְקַלְּלוֹת אֶת בַּעֲלֵיהֶן — The second half of the teaching, namely, **"cursed acts bring curses for their masters,"** ״לֹא יִהְיֶה לְךָ בְּכִיסְךָ אֶבֶן וָאָבֶן גְּדוֹלָה וּקְטַנָּה, לֹא יִהְיֶה לְךָ בְּבֵיתְךָ אֵיפָה וְאֵיפָה גְּדוֹלָה וּקְטַנָּה״ — may be learned from the verse, ***You shall not have in your pouch a weight and a weight — a large one and a small one.***[91] ***You shall not have in your house a measure and a measure — a large one and a small one*** (ibid. 25:13-14), אִם עָשִׂיתָ כֵּן לֹא יִהְיֶה לְךָ מַה לִישָּׂא וּמַה לִיתֵּן וּמַה לִיקַּח וּמַה לִמְכּוֹר — which may be interpreted similarly[92] to mean: **"If you do so,** i.e., if you do keep two unequal weights in your pouch or two unequal measures in your house, ***you shall not have*** the financial wherewithal **to transact business, to buy and sell** merchandise."

The Midrash continues to detail the consequences of dishonest business practices that are derived from this verse:

אָמַר הַקָּדוֹשׁ בָּרוּךְ הוּא אֲנִי אָמַרְתִּי: לֹא תַעֲשֶׂה אֵיפָה גְּדוֹלָה וּקְטַנָּה, וְעָשִׂיתָ — **The Holy One, blessed is He, is saying** here, in effect, **"I commanded** that **you should not make a large and a small measure, and you** ***did*** **make** them. חַיֶּיךָ שֶׁאֲפִילוּ בִּקְטַנָּה אֵינוֹ מַסְפִּיק אוֹתוֹ הָאִישׁ — **By your life,** I decree that **'that person'** (i.e., you) **shall lack** the wherewithal to afford **enough** goods **even for** filling **a small measure!"**[93]

The Midrash expounds another verse in similar exegetical fashion:

וְדִכְוָותָהּ ״לֹא תַעֲשׂוּן אִתִּי אֱלֹהֵי כֶסֶף וֵאלֹהֵי זָהָב״ — **And similarly:** It is written, ***You shall not make before Me gods of silver and gods of gold,*** *you shall not make for yourselves* (*Exodus* 20:20). אִם עָשִׂיתָ כֵּן חַיֶּיךָ שֶׁאֲפִילוּ שֶׁל עֵץ וְשֶׁל אֶבֶן אֵינוֹ מַסְפִּיק בְּיָדוֹ שֶׁתְּהֵא לוֹ — Here, too, this may be interpreted homiletically[94] to mean that God is saying, as it were, **"By your life! If you do so,** i.e., if you do make gods of silver and of gold, **[that person]** (i.e., you) **shall not have enough** money **to own anything, even** items **of wood and of stone!"**[95]

וְאִם פָּרוֹחַ תִּפְרַח הַצָּרַעַת בָּעוֹר וְכִסְּתָה הַצָּרַעַת אֵת כָּל עוֹר הַנֶּגַע מֵרֹאשׁוֹ וְעַד רַגְלָיו לְכָל מַרְאֵה עֵינֵי הַכֹּהֵן.

If the tzaraas will erupt on the skin, and the tzaraas will cover the entire skin of the affliction from his head to his feet, wherever the eyes of the Kohen can see (13:12).

§8 [לְכָל מַרְאֵה עֵינֵי הַכֹּהֵן — *WHEREVER THE EYES OF THE KOHEN CAN SEE.*]

Toras Kohanim (*Tazria, Parashah* 3, *Perek* 4:3) derives from the expression *wherever the eyes of the Kohen can see* that areas of one's body that are hidden from the Kohen's view (i.e., they are not normally visible; e.g., they are in a bodily crevice) are not subject to the rules of *tzaraas*. *Toras Kohanim* then proceeds to

NOTES

83. These verses detail the process of determining whether a *sotah*, a woman suspected of infidelity, is guilty or not. As part of this process she is brought before a Kohen and made to drink the specially prepared *waters of the sotah* (see *Numbers* ibid.).

84. This teaching is found in *Bavli Berachos* 63a as well. *Rashi* explains there that the Sages are interpreting וְאִישׁ אֶת קֳדָשָׁיו לוֹ יִהְיוּ (*And a man's holies shall be his*) not according to its simple sense, which is that the one who sets aside "holies" from his produce, etc., remains the owner of these items and can distribute them to the Kohanim of his choice. Rather, they interpret it: *"If a man's holies remain his* — i.e., he does not give them to a Kohen at all, but keeps them for himself — then ... *the man shall bring his wife to the Kohen."*

85. I.e., for those who perform those blessed acts.

86. I.e., for those who perform those cursed acts.

87. Lit., "stone," an object of fixed weight placed in the balance of a scale to determine the weight of goods being bought and sold.

88. *Yefeh To'ar* (cited in *Eitz Yosef*) explains that the reason the Midrash veers from the plain meaning of the verse is the apparent superfluity of the words "shall you have," which are written twice in the verse.

89. Lit., "to take and give," a common expression indicating business transactions.

90. "To transact business" and "to buy and sell" seem to be synonymous, so that one of the two phrases is superfluous. *Yefeh To'ar* (cited in *Eitz Yosef*) therefore suggests that in the second phrase the Midrash is not referring to business, but means that you will have enough money "to buy" whatever you need, and "to sell" possessions you no longer want in order to buy superior items (for a higher price, which you will be able to afford).

91. I.e., you must not put a heavier weight in the balance when weighing the goods you are buying and then put a lighter weight when you are selling (while representing that both weights are the same).

92. Here, too (see above, note 88), the homiletical approach is adopted because of the apparent superfluity of the words "you shall not have," which are written twice in the passage.

93. The Midrash interprets the passage (vv. 13-14) as follows: *"You shall not have* anything if you keep *in your pouch a weight and a weight* (as above) — *a large one and a small one you shall not have!"* (i.e., you shall not have enough to fill up a large one — or even a small one!) (*Matnos Kehunah*).

94. Here, too (see above, note 88), it is the apparent superfluity of the repeated phrase "you shall not make for yourselves" that leads the Midrash to interpret the verse homiletically (*Matnos Kehunah, Eitz Yosef*).

95. The Midrash interprets *you shall not make for yourselves* at the end of the verse to mean, "you shall not be able to 'make' (i.e., buy) anything for yourself."

אָמַר רַבִּי שִׁמְעוֹן בֶּן לָקִישׁ: כְּתִיב (במדבר ה, י) "וְאִישׁ אֶת קֳדָשָׁיו לוֹ יִהְיוּ", מַה כְּתִיב בָּתְרֵיהּ, (שם שם יב) "אִישׁ כִּי תִשְׂטֶה אִשְׁתּוֹ", וְכִי מָה עִנְיַן זֶה לָזֶה, אָמַר הַקָּדוֹשׁ בָּרוּךְ הוּא: אֲנִי אָמַרְתִּי: תֵּן מַתְּנָתְךָ לַכֹּהֵן, וְלֹא עָשִׂיתָ כֵּן, חַיֶּיךָ שֶׁאֲנִי מַצְרִיכְךָ שֶׁתָּבִיא אִשְׁתְּךָ אֶל הַכֹּהֵן, שֶׁנֶּאֱמַר (שם שם טו) "וְהֵבִיא הָאִישׁ אֶת אִשְׁתּוֹ אֶל הַכֹּהֵן".

ז אָמַר רַבִּי לֵוִי: בְּרָכוֹת מְבָרְכוֹת אֶת בַּעְלֵיהֶן [ג]וּקְלָלוֹת מְקַלְּלוֹת אֶת בַּעְלֵיהֶן, (דברים כה, טו) "אֶבֶן שְׁלֵמָה וָצֶדֶק יִהְיֶה לָּךְ וְגוֹ'", אִם עָשִׂיתָ כֵּן יֵשׁ לְךָ מַה לִּישָּׂא וּמַה לִּיתֵּן וּמַה לִּיקַּח וּמַה לִּמְכּוֹר, קְלָלוֹת מְקַלְּלוֹת אֶת בַּעְלֵיהֶן, (שם שם יג-יד) "לֹא יִהְיֶה לְךָ בְּכִיסְךָ אֶבֶן וָאָבֶן גְּדוֹלָה וּקְטַנָּה, לֹא יִהְיֶה לְךָ בְּבֵיתְךָ אֵיפָה וְאֵיפָה גְּדוֹלָה וּקְטַנָּה", אִם עָשִׂיתָ כֵּן לֹא יִהְיֶה לְךָ מַה לִּישָּׂא וּמַה לִּיתֵּן וּמַה לִּיקַּח וּמַה לִּמְכּוֹר, אָמַר הַקָּדוֹשׁ בָּרוּךְ הוּא: אֲנִי אָמַרְתִּי: לֹא תַעֲשֶׂה אֵיפָה גְדוֹלָה וּקְטַנָּה, וְעָשִׂיתָ, חַיֶּיךָ [ד]שֶׁאֲפִילוּ בִקְטַנָּה אֵינוֹ מַסְפִּיק אוֹתוֹ הָאִישׁ, וְדִכְוָותָהּ (שמות כ, יט) "לֹא תַעֲשׂוּן אִתִּי אֱלֹהֵי כֶסֶף וֵאלֹהֵי זָהָב", אִם עָשִׂיתָ כֵּן חַיֶּיךָ שֶׁאֲפִילוּ שֶׁל עֵץ וְשֶׁל אֶבֶן אֵינוֹ מַסְפִּיק בְּיָדוֹ שֶׁתְּהֵא לוֹ:

ח כֵּיצַד רְאִיַּת נְגָעִים, הָאִישׁ נִרְאֶה כְּעוֹדֵר וּכְמוֹסֵק זֵיתִים, כְּעוֹדֵר בֵּית הַסְּתָרִים, וּכְמוֹסֵק זֵיתִים בֵּית הַשֶּׁחִי, וְהָאִשָּׁה כְּאוֹרֶגֶת וְכִמְנִיקָה אֶת בְּנָהּ ° תַּחַת הַדַּד, כְּאוֹרֶגֶת בָּעֳמָרִים לַשֶּׁחִי לַיָּד הַיְמָנִית, רַבִּי יְהוּדָה אוֹמֵר *כְּטוֹוָה בַּפִּשְׁתָּן לַיָּד הַשְּׂמָאלִית, וּכְשֵׁם שֶׁנִּרְאָה לַנְּגָעִים כָּךְ נִרְאֶה לְתִגְלַחְתּוֹ (נגעים ב, ד),

עץ יוסף

וכי מה ענין. הא אין שום דמיון בין דיני אישות לדיני תרומה וקדשים, אלא דאתא לדרשה (הרא"מ): **ולא עשית כן.** וזה נרמז באומר ואיש את קדשיו לו יהיו, רצה לומר והאיש אשר קדשיו לו יהיו שלא יתנם לכהן והביא האיש אותו האיש את אשתו אל הכהן: **(ז) ברכות מברכות כו'.** כלומר היושר סבת הברכה, והגזל סבת הקללה, וקרי ליושר וגזל ברכה וקללה לפי שזה מבורך מה' ומהבריות וזה בהפך: **אם עשית כן יש לך כו'.** מיתורא קדריש, דלא יהיה לך תרי זימני למה לי, אלא על כרחך חד לקללה אתא, וכן יהיה לך תרי זימני חד לברכה: **מה לישא ומה ליתן.** היינו לסחורה: **ומה ליקח ומה למכור.** היינו לתשמישו שלוקח חפץ הצריך לו ומוכר חפץ שאינו נאות לו כדי ליקח טוב ממנו: **בקטנה אינו מספיק.** דלא יהיה לך אתרוייהו קאי, ופירושו אינו מספיק, שלא תהיה לו אפילו איפה קטנה שדמיה מועטים מגדולה מפני עוונותיו: **לא תעשון אתי כו'.** יתורא דריש דבתר לא תעשון אתי לא תעשו לכם למה לי, אלא לקללה שלא יספיק בידו לעשות כלל אפילו של עץ ואבן, דבלא תעשו לכם לא כתיב זהב וכסף: **שאפילו של עץ כו'.** אין להקשות מרבים שעשו עבודה זרה והצליחו, שאפשר היה להם זכות ומשלם לשונאיו אל פניו, או לכמה סבות אחרות האמורות בענין רשע וטוב לו: **(ח) כיצד ראיית נגעים.** על כל מראה עיני הכהן (יג, יב) קאי, דמיניה ילפינן שטהר הכתוב בית הסתרים, וכדאיתא בתורת כהנים (דיבורא דנגעים פרק ד), ואיידי דמייתי הא מתניתין מייתי נמי משנת כל הנגעים אדם רואה חוץ מנגעי עצמו וכו' השנויה אחריה בפרק שני דנגעים, כיון דשייכי לפרשה דידן, ומייתי נמי תוספתא דתני עלה מי רואה נגע מרים כו': **האיש נראה בעודר ובמוסק זתים, בעודר בבית הסתרים, ובמוסק בבית השחי, האשה בעורכת ובמניקה את בנה, בעורכת בבית הסתרים, ובמניקה את בנה תחת הדד, כאורגת בעומרים לשחי ליד הימנית, רבי יהודה אומר אף בטוה פשתן לשמאלית, וכשם שהוא נראה.** כן צריך לומר, וכן הוא במשנה פרק שני דנגעים (מ"ד), ובתורת כהנים. והכי פירושו, כעודר בבית הסתרים כחופר הוא לענין בית הסתרים, והוא בית הערוה, שהחופר בקרקע דרכו לפשוט רגליו, ולזה אמר שכל מה שיתגלה מבית הערוה בהיותו במצב אשר יהיה החופר בקרקע יטמא בנגעים, ומה שאין נראה בהיותו בזה המצב אינו מטמא. וכמוסק פירושו מלקט זתים ובוצר אותם בבית השחי, כלומר לענין בית השחי, שהמלקט זתים דרכו להגביה זרועותיו, וכל מה שיתגלה בבית השחי בהיותו במצב אשר הוא המוסק זתים טמא, ומה שלא יראה לא. האשה כעורכת פת בבית הסתרים, שהעורכת מפסקת את רגליה, וכמניקה את בנה לענין מה שיהיה לה מהנגע תחת הדד, דמה שנראה בהיותה מניקה את בנה אינו בית הסתרים, וכאורגת בעומרים בלמר לשחי, שמרימה ידה הימנית לארוג ומגלה בית השחי, כטווה פשתן שדרך הטווה להגביה ידה השמאלית: **לתגלחתו.** כשמטהר שצריך לגלח את כל שערו דמה שאין מטמא בנגעים אינו צריך גילוח:

פירוש מהרז"ו

איש את קדשיו לו יהיה. וסיפא דקרא איש אשר יתן לכהן לו יהיה, שקדשיו יתן לכהן, ואם לא יביא(ו) לו קדשיו, יביא לו אשתו, ומשמע גם כן כדרשת רבי לוי הסמוכה (סימן ז), שאם יתן לכהן יהיה לו לעצמו ברכות, כי במקום שכתוב מעשה טובה שראוי לברכה, כתוב בלשון ברכה אלא המעשה, וזהו לו יהיה וכן יהיה לך, וזהו ברכות מברכות את בעליהן וקללות מקללות, שאלא מעשה רע שראוי לקללה כתיב בו לשון קללה אלא המעשה: **(ח) האיש נראה בעודר.** בנגעים (פ"ב מ"ד) תנא כל הנגעים, שם משנה ה', זבחים ק"ב, סנהדרין ל"ד:

מתנות כהונה

שתביא אשתך. גרסינן: **[ז] יש לך מה לישא וכו'.** יהיה קדריש יהיה לך ממון הרבה, וכמו שפירש"י ז"ל בפרשת נשא (במדבר ה, י): **שאפילו בקטנה אינו מספיק כו'.** דכתיב וקטנה לא יהיה לך: **שאפילו של עץ כו'.** דכתיב (שמות כ, יט) אלהי כסף ואלהי זהב, וסמיך ליה לא תעשו לכם וקרא יתירא הוא: **[ח] ביצד ראיית הנגעים.** משנה היא במסכת נגעים (פ"ב מ"ד):

אשד הנחלים

ותזנה עליו, ועל ידי זה תובא אל הכהן להשקותה, וכל זה גרם לו שאכל ככרה שאינו מעושר, ולא נתן לכהן, ולכן נפרע במדה שמוכרח לבוא אל הכהן, וזהו כדלהלן, ודרש לו יהיו, אם יהיה לו ולעצמו שלא יתן לכהן, סוף שמזה ישטה אשתו. ויתכן עוד שאילו היה מדרכו לקרב הכהן לביתו, ושפתי כהן ישמרו דעת ותורה יבקשו מפיהו, והיה מורם בדרך הטובה, ולא היתה באה האשה גם כן לידי כך: **[ז] ברכות מברכות כו'.** כלומר המצוה עצמה היא סבה לברכת האיש, ולהיפך העבירה עצמה היא הסבה לקללה, כי תלוים זה בזה, וזהו יהיו לך, וכן חס ושלום להיפך, לא יהיו לך: **שאפילו של עץ.** עיין במתנות כהונה: **[ח] כמניקה.** בתורת כהנים (פרשת נגעים פרשתא ג פרק ד) איתא וזה לשונו, האשה כעורכת וכמניקה את בנה, כעורכת בבית הסתרים וכמניקה כו' תחת הדד, כאורגת בעומדים לשחי ליד הימנית, רבי יהודה אומר אף כטווה פשתן לשמאלית. ופירושו כל מה שיתראה באופן זה, הוא מטמא בנגעים:

מסורת המדרש

ג. רות רבה פ"ח:
ד. ספרי דברים פיסקא רצ"ד:

אם למקרא

וְאִישׁ אֶת קֳדָשָׁיו לוֹ יִהְיוּ אִישׁ אֲשֶׁר יִתֵּן לַכֹּהֵן לוֹ יִהְיֶה: (במדבר ה: י)

דַּבֵּר אֶל בְּנֵי יִשְׂרָאֵל וְאָמַרְתָּ אֲלֵהֶם אִישׁ אִישׁ כִּי תִשְׂטֶה אִשְׁתּוֹ וּמָעֲלָה בוֹ מָעַל: (שם שם יב)

וְהֵבִיא הָאִישׁ אֶת אִשְׁתּוֹ אֶל הַכֹּהֵן וְהֵבִיא אֶת קָרְבָּנָהּ עָלֶיהָ עֲשִׂירִת הָאֵיפָה קֶמַח שְׂעֹרִים לֹא יִצֹק עָלָיו שֶׁמֶן וְלֹא יִתֵּן עָלָיו לְבֹנָה כִּי מִנְחַת קְנָאֹת הוּא מִנְחַת זִכָּרוֹן מַזְכֶּרֶת עָוֹן: (שם שם טו)

לֹא יִהְיֶה לְךָ בְּכִיסְךָ אֶבֶן וָאָבֶן גְּדוֹלָה וּקְטַנָּה: לֹא יִהְיֶה לְךָ בְּבֵיתְךָ אֵיפָה וְאֵיפָה גְּדוֹלָה וּקְטַנָּה: אֶבֶן שְׁלֵמָה וָצֶדֶק יִהְיֶה לָּךְ אֵיפָה שְׁלֵמָה וָצֶדֶק יִהְיֶה לָּךְ לְמַעַן יַאֲרִיכוּ יָמֶיךָ עַל הָאֲדָמָה אֲשֶׁר ה' אֱלֹהֶיךָ נֹתֵן לָךְ: (דברים כה:יג-טו)

לֹא תַעֲשׂוּן אִתִּי אֱלֹהֵי כֶסֶף וֵאלֹהֵי זָהָב לֹא תַעֲשׂוּ לָכֶם: (שמות כ:יט)

ידי משה

לכם משכר עולם הבא, וזה שמסיים המדרש רבים מכאובים לרשע, פירוש של רשעים היסורים המה רבים, לפי שהם אינם מכפרת להם אם ישלם הקב"ה להם בעולם הזה ויכנה להם לעולם הבא, על דרך ומשלם לשונאיו על פניו להאבידו, מה שאין כן ישראל הוא טובה, לזה אמר והבוטח בה' חסד יסובבנו, פירוש זה עולם הבא: **[ח] וכמניקת את בנה תחת הדד ליד הימנית.** כן צריך לומר, אבל רבי יהודה סבר ליד השמאלית:

שינויי נוסחאות

(ח) והאשה כאורגת. לפנינו במשנה איתא "והאשה כעורכת", וכן הגיה רש"ש כאן. אמנם בכל הכי"י של מדרש איתא "כאורגת", וכן מובא בגמרא, נדה סז: **והאשה כאורגת וכמניקה את בנה תחת הדד.** המילים "תחת הדד" ליתא במתניתין שלנו, וכן המלים "כעודר בית הסתרים, וכמוסק זיתים בית השחי" לעיל ליתא במתניתין, וכל זה הוא הרחבת ביאור על המשנה (ואולי זה ברייתא באמת, ולא משנה), והנה בכל הכי"י של מדרש יש לשון עוד יותר מורחב: "והאשה כאורגת וכמניקה את בנה, >כאורגת בית הסתרים, וכמניקה את בנה< תחת הדד", ונראה שהמדפיס הראשון השמיט התיבות המסומנות ב>...< בטעות מחמת הדומות. ובעצ"י הגיה והזיר אותן התיבות לתוך המדרש: **כאורגת בעמרים.** הרש"ש הגיה "... בעומדים", כלשון המשנה: **דאכיל בהדי קולא ילקי בהדי קילא.** מ"כ הגיה "דאכיל בהדא קורא ילקי בהדא קילא":

חידושי הרד"ל

[ח] ביצד ראיית נגעים כו'. תורת כהנים ומתניתין דנגעים (פ"ב מ"ד):

חידושי הרש"ש

[ח] והאשה כאורגת. טעות סופר הוא, וצריך לומר כעורכת, וכן הובא במשנה נגעים (פ"ב מ"ד) ובתורת כהנים (פרשה ג): **באורגת בעמרים כו'.** צריך לומר בעומדים, וכן הוא שם במשנה, ועיין שם בתוספות יום טוב. והקרבן אהרן היה לפניו הגירסא בתורת כהנים כמו שהוא כאן, ופירש בצמר. פירוש שהוא לשון רבים מעמר, ותרגום צמר עמר, ויותר נראה כמו שהגהתי:

אמרי יושר

[ז] לא יהיה לך הספקה אפילו לעשות של עץ. אבן דייק דהדר כפליה לא תעשו לכם: **[ח] האיש נראה בעודר.** לבית סתרי הגוף, לחלק תחתון מהגוף, וכמוסק זתים, לחלק עליוני הגוף, ולהראות סתריו, דכתיב לכל מראה עיני הכהן:

באור מהרי"פ

[ז] ברכות מברכות וכו'. פירוש מפני שהצדק והיושר הם סבות להברכה לכן נקראו בשם ברכה, וכן הָעָוֶל: **[ח] ביצד ראיית הנגעים וכו'.** (משנה פ"ב דנגעים משנה ד') וזה לשונו, כיצד ראיית נגע האיש כעודר וכמוסק זיתים, האשה כעורכת וכמיניקה את בנה, כאורגת בעומדין לשחי ליד הימנית וכו' (מכאן ואילך המשנה כתובה כאן כצורתה). פירש רבינו עובדיה מברטנורא, כעודר וכמוסק, דרך העודר מפסק רגליו ודרך המוסק מגביה זרועותיו. **בעודר,** חופר בקרקע. **מוסק,** לוקט את זיתיו. כעורכת את הפת שמפסקת את רגליה. **וכמניקה את בנה.** לענין **תחת הדד,** דמה שנראה באותה שעה אינו נחשב בית הסתרים. **כאורגת בעומדים לשחי.** שמגביה ידה הימנית לארוג ומגלה בית השחי שלה. ובתוספות יו"ט כתב, ובשם הראב"ד מצאתי בעומדין, רצה לומר בדבר העומד שיהיו כלי האורג עומדים בקומה, ויש לה צורך להגביה ליד הימנית לקשור או להתיר, עד כאן. **בטווה בפשתן.** שדרך הטווה להגביה ידה השמאלית ומגלה השחי שמאלי, ומה שאינו נראה בכך נחשב בית הסתרים, וכתיב לכל מראה עיני הכהן פרט לבית הסתרים (סנהדרין לד, ב). **לתגלחתו.** ביום טהרתו, וצריך לגלח דכתיב (ויקרא יד, ט) את ראשו ואת זקנו ואת גבות עיניו, מה אלו מקום כנוס שער ונראה, אף כל מקום כנוס שער ונראה, פרט לבית הסתרים. הנה העתקתי לפניך המשנה כצורתה עם הפירוש, ומעתה תבין הטעות שנפל במדרש. גם איך המדרש מערב פירושו עם לשון המשנה:

define which parts of the body are considered "hidden" and which are considered visible. The Midrash quotes this passage from *Toras Kohanim*:[96]

כֵּיצַד רְאִיַּית נְגָעִים — How is the examination of afflictions performed by the Kohen?[97] **הָאִישׁ נִרְאֶה כְּעוֹדֵר וּכְמוֹסֵק זֵיתִים — A man is examined** while assuming a position **like someone hoeing, or like someone picking olives: כְּעוֹדֵר בֵּית הַסְּתָרִים** — He[98] assumes the position **"like someone hoeing"** when he has an affliction in his **private area,**[99] **וּכְמוֹסֵק זֵיתִים בֵּית הַשֶּׁחִי — and** the position **"like someone picking olives"** is assumed when he has an affliction in his **armpit.**[100]

The Baraisa continues:

וְהָאִשָּׁה כְּאוֹרֶגֶת וְכִמְנִיקָה אֶת בְּנָהּ — A woman, on the other hand, is examined while assuming the position **like someone weaving,**[101] **or like someone nursing her child. כְּאוֹרֶגֶת בֵּית הַסְּתָרִים, וּכְמֵנִיקָה אֶת בְּנָהּ תַּחַת הַדַּד** — She[102] assumes the position **"like someone weaving"** when she has an affliction in her **private area,**[103] **and** the position **"like someone nursing her child"**[104] is assumed when she has an affliction **underneath her breast. כְּאוֹרֶגֶת בְּעֲמָרִים לַשֶּׁחִי לַיָּד הַיְמָנִית** — She assumes the position **like someone weaving wool**[105] **for** examining **the armpit of the right hand. רַבִּי יְהוּדָה אוֹמֵר: כְּטוֹוָה בַּפִּשְׁתָּן לַיָּד הַשְּׂמָאלִית — R' Yehudah** added to these and **said:** She assumes the position **like someone spinning linen for** examining the armpit of **the left hand.**[106]

The Midrash continues to quote the *Toras Kohanim* Baraisa:[107] **וּכְשֵׁם שֶׁנִּרְאֶה לִנְגָעִים כָּךְ נִרְאֶה לְתִגְלַחְתּוֹ — And just as one** assumes these postures when he **is examined for *tzaraas* afflictions, so** does he or she assume them when, at the conclusion of his period of contamination, **he is examined for the shaving of his hair.**[108]

NOTES

96. The passage is also found, in a more abbreviated form, in the Mishnah (*Negaim* 2:4).

97. I.e., how does a Kohen determine whether a given affliction is "hidden" or "visible"?

98. This is an elaboration of the previous statement. (The elaboration is not found in the Mishnah.)

99. If one has an affliction in the genital area that is sometimes covered by his thighs and sometimes not, he is to stand in the position of one who hoes, i.e., partly spreading his legs. Since hoeing is a normal activity for a man, any skin visible in the posture assumed while hoeing is not considered a "hidden" part of the body and is susceptible to *tzaraas*; if it is not seen while standing in this position it is considered "hidden."

100. As a normal activity for a man to engage in, picking olives is used as a standard for determining the hidden areas on a man's arm. When one picks olives he raises his arms partly; thus, it is normal for a portion of his armpit to be visible. This skin is not "hidden" and is susceptible to *tzaraas* (*Eitz Yosef*).

101. Another version of the Baraisa/Midrash has כְּעוֹרֶכֶת, meaning "like someone rolling dough." See *Toras Kohanim* ibid., Mishnah ibid., *Niddah* 67a, *Rashash* here.

102. This is an elaboration of the previous statement. (The elaboration is not found in the Mishnah.) [Furthermore, the words כְּאוֹרֶגֶת בֵּית הַסְּתָרִים, וּכְמֵנִיקָה אֶת בְּנָהּ — found in the Baraisa in *Toras Kohanim* and in all known Midrash manuscripts — were omitted (almost certainly in error, מחמת הדומות) in the first printed edition and hence are missing in all subsequent editions as well.]

103. When a woman weaves (or rolls dough — see note 101) she moves her legs slightly apart.

104. When the breast is lifted slightly away from the abdomen.

105. The parallel Mishnah in *Negaim* (ibid.) lists not "weaving wool" but "weaving at a standing loom" as the position assumed in examining the upper right arm. In either case, this posture is the standard for determining visible areas on her upper right arm only, because, as the stronger arm, it is the arm raised to throw the shuttle of the loom, revealing a portion of her skin. See also *Tos. Yom Tov* to *Negaim* ibid.

106. When working a spindle a woman raises her left arm; thus it is deemed a normal position (*Eitz Yosef*).

107. This passage, too, is found in the Mishnah ibid.

108. One who has been afflicted with *tzaraas* must shave the hair of all visible parts of his body on the day he becomes pure (below, 14:9; see *Sotah* 16b). The Midrash imparts that the standard used there to determine "visible" is similar to the one applied in determining whether an affliction in a given area is *tzaraas*.

אָמַר רַבִּי שִׁמְעוֹן בֶּן לָקִישׁ: כְּתִיב (במדבר ה, י) "וְאִישׁ אֶת קֳדָשָׁיו לוֹ יִהְיוּ", מַה כְּתִיב בַּתְרֵיהּ, (שם שם יב) "אִישׁ כִּי תִשְׂטֶה אִשְׁתּוֹ", וְכִי מָה עִנְיַן זֶה לָזֶה, אָמַר הַקָּדוֹשׁ בָּרוּךְ הוּא: אֲנִי אָמַרְתִּי: תֵּן מַתְּנָתְךָ לַכֹּהֵן, וְלֹא עָשִׂיתָ כֵּן, חַיֶּיךָ שֶׁאֲנִי מַצְרִיכְךָ שֶׁתָּבִיא אִשְׁתְּךָ אֶל הַכֹּהֵן, שֶׁנֶּאֱמַר (שם שם טו) "וְהֵבִיא הָאִישׁ אֶת אִשְׁתּוֹ אֶל הַכֹּהֵן".

ז אָמַר רַבִּי לֵוִי: בְּרָכוֹת מְבָרְכוֹת אֶת בַּעֲלֵיהֶן [ג] וּקְלָלוֹת מְקַלְּלוֹת אֶת בַּעֲלֵיהֶן, (דברים כה, טו) "אֶבֶן שְׁלֵמָה וָצֶדֶק יִהְיֶה לָּךְ וְגוֹ'", אִם עָשִׂיתָ כֵן יֵשׁ לְךָ מַה לִּישָּׂא וּמַה לִּיתֵּן וּמַה לִּיקַּח וּמַה לִּמְכּוֹר, קְלָלוֹת מְקַלְּלוֹת אֶת בַּעֲלֵיהֶן, (שם שם יג-יד) "לֹא יִהְיֶה לְךָ בְּכִיסְךָ אֶבֶן וָאָבֶן גְּדוֹלָה וּקְטַנָּה, לֹא יִהְיֶה לְךָ בְּבֵיתְךָ אֵיפָה וְאֵיפָה גְּדוֹלָה וּקְטַנָּה", אִם עָשִׂיתָ כֵן לֹא יִהְיֶה לְךָ מַה לִּישָּׂא וּמַה לִּיתֵּן וּמַה לִּיקַּח וּמַה לִּמְכּוֹר, אָמַר הַקָּדוֹשׁ בָּרוּךְ הוּא: אֲנִי אָמַרְתִּי: לֹא תַעֲשֶׂה אֵיפָה גְּדוֹלָה וּקְטַנָּה, וְעָשִׂיתָ, חַיֶּיךָ [ד] שֶׁאֲפִילּוּ בִּקְטַנָּה אֵינוֹ מַסְפִּיק אוֹתוֹ הָאִישׁ, וְדִכְווֹתָהּ (שמות כ, יט) "לֹא תַעֲשׂוּן אִתִּי אֱלֹהֵי כֶסֶף וֵאלֹהֵי זָהָב", אִם עָשִׂיתָ כֵן חַיֶּיךָ שֶׁאֲפִילּוּ שֶׁל עֵץ וְשֶׁל אֶבֶן אֵינוֹ מַסְפִּיק בְּיָדוֹ שֶׁתְּהֵא לוֹ:

ח כֵּיצַד רְאִיַּת נְגָעִים, הָאִישׁ נִרְאֶה כְּעוֹדֵר וּכְמוֹסֵק זֵיתִים, כְּעוֹדֵר בֵּית הַסְּתָרִים, וּכְמוֹסֵק זֵיתִים בֵּית הַשֶּׁחִי, וְהָאִשָּׁה כְּאוֹרֶגֶת וְכִמְנִיקָה אֶת בְּנָהּ ° תַּחַת הַדַּד, כְּאוֹרֶגֶת בְּעֳמָרִים לַשֶּׁחִי לְיַד הַיְמָנִית, רַבִּי יְהוּדָה אוֹמֵר *כְּטוֹוָה בְּפִשְׁתָּן לַיָּד הַשְּׂמָאלִית, וּכְשֵׁם שֶׁנִּרְאָה לַנְּגָעִים כָּךְ נִרְאֶה לְתִגְלַחְתּוֹ (נגעים ב, ד),

פירוש מהרז"ו

איש את קדשיו לו יהיה. וסיפא דקרא איש אשר יתן לכהן לו יהיה, שקדשיו יתן לכהן, ואם לא יביאו לו קדשיו, יביא לו אשתו, ומשמע גם כן כדרשת רבי לוי הסמוכה (סימן ז), שאם יתן לכהן יהיה לו לעולמו ברכות, כי במקום שכתוב מעשה טובה שראוי לברכה, כתוב בלשון ברכה אצל המעשה, וזהו לו יהיה וכן יהיה לך, וזהו ברכות מברכות את בעליהן וקללות מקללות, שאצל מעשה רע שראוי לקללה כתיב בו לשון קללה אצל המעשה: **(ח) האיש נראה כעודר.** בנגעים (פ"ב מ"ד) תנא כל הנגעים, שם משנה ה', זבחים ק"ב, סנהדרין ל"ד:

עץ יוסף

וכי מה ענין. הא אין שום דמיון בין דיני אישות לדיני תרומה וקדשים, אלא דאתא לדרשה (הרא"מ): **ולא עשית כן.** וזה נרמז בחומר ואיש את קדשיו לו יהיו, רצה לומר והאיש אשר קדשיו לו יהיו שלא יתנם לכהן והביא אותו האיש את אשתו אל הכהן: **(ז) ברכות מברכות כו'.** כלומר היושר סבת הברכה, והגזל סבת הקללה, וקרי ליושר וגזל ברכה וקללה לפי שזה מבורך מה' ומהבריות וזה בהפך: **אם עשית כן יש לך כו'.** מיתורא קדריש, דלא יהיה לך תרי זימני למה לי, אלא על כרחך חד לקללה אתא, וכן יהיה לך תרי זימני חד לברכה: **מה לישא ומה ליתן.** היינו לסחורה: **ומה ליקח ומה למכור.** היינו לתשמישו שלוקח חפץ הצריך לו ומוכר חפץ שאינו נאות לו כדי ליקח טוב ממנו: **בקטנה אינו מספיק.** דלא יהיה לך אתרוייהו קאי, ופירושו אינו מספיק, שלא תהיה לו אפילו איפה קטנה שדמיה מועטים מגדולה מפני עוותותיו: **לא תעשון אתי כו'.** יתורא דריש דבהדר לא תעשו אתי לא תעשו לכם למה לי, אלא לקללה שלא יספיק בידו לעשות כלל אפילו של עץ ואבן, דבלא תעשו לכם לא כתיב זהב וכסף: **שאפילו של עץ כו'.** אין להקשות מרבים שעשו עבודה זרה והצליחו, שאפשר היה להם זכות ומשלם לשונאיו אל פניו, או לכמה סבות אחרות האמורות בענין רשע וטוב לו: **(ח) כיצד ראיית נגעים.** על כל מראה עיני הכהן (יג, יב) קאי, דמיניה ילפינן שטהר הכתוב בית הסתרים, וכדאיתא בתורת כהנים (דיבורא דנגעים פרק ד), ואיידי דמייתי הא מתניתין מייתי נמי משנת כל הנגעים אדם רואה חוץ מנגעי עצמו וכו' השנויה אחריה בפרק שני דנגעים, כיון דשייכי לפרשה דידן, ומייתי נמי תוספתא דתני עלה מי ראה נגע מרים כו': **האיש נראה כעודר וכמוסק זתים, כעודר בבית הסתרים, וכמוסק זתים בבית השחי, האשה כעורכת וכמניקה את בנה, כעורכת בבית הסתרים, וכמניקה את בנה תחת הדד, כאורגת בעומדים לשחי ליד הימנית, רבי יהודה אומר אף כטוה פשתן לשמאלית, וכשם שהוא נראה.** כן צריך לומר, וכן הוא במשנה פרק שני דנגעים (מ"ד), ובתורת כהנים. והכי פירושו, כעודר בבית הסתרים כחופר הוא לענין בית הסתרים, והוא בית הערוה, שהחופר בקרקע דרכו לפשוט רגליו, ולזה אמר שכל מה שיתגלה מבית הערוה בהיותו במצב אשר יהיה החופר בקרקע יטמא בנגעים, ומה שאין נראה בהיותו בזה המצב אינו מטמא. וכמוסק פירושו מלקט זתים ובוצר אותם בבית השחי, כלומר לענין בית השחי, שהמלקט זתים דרכו להגביה זרועותיו, וכל מה שיתגלה בבית השחי בהיותו במצב אשר הוא המוסק זתים טמא, ומה שלא יראה לא. והאשה כעורכת פת בבית הסתרים, שהעורכת מפסקת את רגליה, וכמניקה את בנה לענין מה שיהיה לה מהנגע תחת הדד, דמה שנראה בהיותה מניקה את בנה אינו בית הסתרים, וכאורגת בעומדים בלמד לשחי, שמרימה ידה הימנית לארוג ומגלה בית השחי, כטווה פשתן שדרך הטווה להגביה ידה השמאלית: **לתגלחתו.** כשמטהר שצריך לגלח את כל שערו דמה שאין מטמא בנגעים אינו צריך גילוח:

מתנות כהונה

שתביא אשתך. גרסינן: **[ז] יש לך מה לישא וכו'.** יהיה קדריש יהיה לך ממון הרבה, וכמו שפירש"י ז"ל בפרשת נשא (במדבר ה, י): **שאפילו בקטנה אינו מספיק כו'.** דכתיב וקטנה לא יהיה לך: **שאפילו של עץ כו'.** דכתיב (שמות כ, יט) אלהי כסף ואלהי זהב, וסמיך ליה לא תעשו לכם וקרא יתירא הוא: **[ח] כיצד ראיית הנגעים.** משנה היא במסכת נגעים (פ"ב מ"ד):

אשד הנחלים

ותזנה עליו, ועל ידי זה תבוא אל הכהן להשקותה, וכל זה גרם לו שאכל ככרה שאינו מעושר, ולא נתן לכהן, ולכן נפרע במדה שמוכרחת לבוא אל הכהן, וזהו כדלהלן, ודרש לו יהיו, אם יהיה לו ולעצמו שלא יתן לכהן, סוף שמזה ישטה אשתו. ויתכן עוד שאילו היה מדרכו לקרב הכהן לביתו, ושפתי כהן ישמרו דעת ותורה יבקשו מפיהו, והיה מורם בדרך הטובה, ולא היתה באה האשה גם כן לידי כך: **[ז] ברכות מברכות כו'.** כלומר המצוה עצמה היא סבה לברכת האיש, ולהיפך העבירה עצמה היא הסבה לקללה, כי תלוים זה בזה, וזהו יהיו לך, וכן חס ושלום להיפך, לא יהיו לך: **שאפילו של עץ.** עיין במתנות כהונה: **[ח] כמניקה.** בתורת כהנים (פרשת נגעים פרשתא ג פרק ד) איתא וזה לשונו, האשה כעורכת וכמניקה את בנה, כעורכת בבית הסתרים וכמניקה כו' תחת הדד, כאורגת בעומדים לשחי ליד הימנית, רבי יהודה אומר אף כטווה פשתן לשמאלית. ופירושו כל מה שיתראה באופן זה, הוא מטמא בנגעים:

חידושי הרד"ל

[ח] כיצד ראיית נגעים כו'. תורת כהנים ומתניתין דנגעים (פ"ב מ"ד):

חידושי הרש"ש

[ח] והאשה כאורגת. טעות סופר הוא, וצריך לומר כעורכת, וכן הובא במשנה נגעים (פ"ב מ"ד) ובתורת כהנים (פרשה ג): **כאורגת בעמרים כו'.** צריך לומר בעומדים, וכן הוא שם במשנה, ועיין שם בתוספות יום טוב. והקרבן אהרן היה לפניו הגירסא בתורת כהנים כמו שהוא כאן, ופירש בלמר. פירוש שהוא לשון רבים מעמר, ותרגום למר עמר, ויותר נראה כמו שהגהתי:

אמרי יושר

[ז] לא יהיה לך הספקה אפילו לעשות של עץ. אבן דייק דהדר כפליה לא תעשו לכם: **[ח] האיש נראה בעודר.** לבית סתרי הגוף, לחלק תחתון מהגוף, וכמוסק זתים, לחלק עליוני הגוף, ולהראות סתריו, דכתיב לכל מראה עיני הכהן:

באור מהרי"פ

[ז] ברכות מברכות וכו'. פירוש מפני שהצדק והיושר הם סבות להברכה לכן נקראו בשם ברכה, וכן העָוֶל: **[ח] כיצד ראיית הנגעים וכו'.** (משנה פ"ב דנגעים משנה ד') וזה לשונו, כיצד ראיית נגע האיש כעודר וכמוסק זיתים, האשה כעורכת וכמיניקה את בנה, כאורגת בעומדין לשחי ליד הימנית וכו' (מכאן ואילך המשנה כתובה כאן כצורתה). פירש רבינו עובדיה מברטנורא, כעודר וכמוסק, דרך העודר מפסק רגליו ודרך המוסק מגביה זרועותיו. **בעודר,** חופר בקרקע. **מוסק,** לוקט את זיתיו. כעורכת את הפת שמפסקת את רגליה. **וכמניקה את בנה.** לענין **תחת הדד,** דמה שנראה באותה שעה אינו נחשב בית הסתרים. **כאורגת בעומדים לשחי.** שמגביה ידה הימנית לארוג ומגלה בית השחי שלה. ובתוספות יו"ט כתב, ובשם הראב"ד מצאתי בעומדין, רצה לומר בדבר העומד שיהיו כלי האורג עומדים בקומה, ויש לה צורך להגביה ליד הימנית לקשור או להתיר, עד כאן. **כטווה בפשתן.** שדרך הטווה להגביה ידה השמאלית ומגלה השחי שמאלי, ומה שאינו נראה בכך נחשב בית הסתרים, וכתיב לכל מראה עיני הכהן פרט לבית הסתרים (סנהדרין לד, ב). **לתגלחתו.** ביום טהרתו, וצריך לגלח דכתיב (ויקרא יד, ט) את ראשו ואת זקנו ואת גבות עיניו, מה אלו מקום כנוס שער ונראה, אף כל מקום כנוס שער ונראה, פרט לבית הסתרים. הנה העתקתי לפניך המשנה כצורתה עם הפירוש, ומעתה תבין הטעות שנפל במדרש. גם איך המדרש מערב פירושו עם לשון המשנה:

מסורת המדרש

ג. רות רבה פ"ח:
ד. ספרי דברים פיסקא רנ"ד:

אם למקרא

וְאִישׁ אֶת קֳדָשָׁיו לוֹ יִהְיוּ אִישׁ אֲשֶׁר יִתֵּן לַכֹּהֵן לוֹ יִהְיֶה: (במדבר ה: י)

דַּבֵּר אֶל בְּנֵי יִשְׂרָאֵל וְאָמַרְתָּ אֲלֵהֶם אִישׁ אִישׁ כִּי תִשְׂטֶה אִשְׁתּוֹ וּמָעֲלָה בוֹ מָעַל: (שם שם יב)

וְהֵבִיא הָאִישׁ אֶת אִשְׁתּוֹ אֶל הַכֹּהֵן וְהֵבִיא אֶת קָרְבָּנָהּ עָלֶיהָ עֲשִׂירִת הָאֵיפָה קֶמַח שְׂעֹרִים לֹא יִצֹק עָלָיו שֶׁמֶן וְלֹא יִתֵּן עָלָיו לְבֹנָה כִּי מִנְחַת קְנָאֹת הוּא מִנְחַת זִכָּרוֹן מַזְכֶּרֶת עָוֹן: (שם שם טו)

לֹא יִהְיֶה לְךָ בְּכִיסְךָ אֶבֶן וָאָבֶן גְּדוֹלָה וּקְטַנָּה: לֹא יִהְיֶה לְךָ בְּבֵיתְךָ אֵיפָה וְאֵיפָה גְּדוֹלָה וּקְטַנָּה: אֶבֶן שְׁלֵמָה וָצֶדֶק יִהְיֶה לָּךְ אֵיפָה שְׁלֵמָה וָצֶדֶק יִהְיֶה לָּךְ לְמַעַן יַאֲרִיכוּ יָמֶיךָ עַל הָאֲדָמָה אֲשֶׁר ה' אֱלֹהֶיךָ נֹתֵן לָךְ: (דברים כה:יג-טו)

לֹא תַעֲשׂוּן אִתִּי אֱלֹהֵי כֶסֶף וֵאלֹהֵי זָהָב לֹא תַעֲשׂוּ לָכֶם: (שמות כ:יט)

ידי משה

לכם משכר עולם הבא, וזה שמסיים המדרש רבים מכאובים לרשע, פירוש של רשעים היסורים המה רבים, לפי שהם אינם איכפת להם אם ישלם הקב"ה להם בעולם הזה וינכה להם לעולם הבא, על דרך ומשלם לשונאיו על פניו להאבידו, מה שאין כן ישראל הוא טובה, לזה אמר והבוטח בה' חסד יסובבנו, פירוש זה עולם הבא: **[ח] וכמניקת את בנה תחת הדד ליד הימנית.** כן צריך לומר, אבל רבי יהודה סבר ליד השמאלית:

שינוי נוסחאות

(ח) והאשה כאורגת. לפנינו במשנה איתא "והאשה כעורכת", וכן הגיה רש"ש כאן. אמנם בכל הכי"י של מדרש איתא "כאורגת", וכן מובא בגמרא, נדה סז: **והאשה כאורגת וכמניקה את בנה תחת הדד.** המילים "תחת הדד" ליתא במתניתין שלנו, וכן המלים "כעודר בית הסתרים, וכמוסק זיתים בית השחי" לעיל ליתא במתניתין, וכל זה הוא הרחבת ביאור על המשנה (ואולי זה ברייתא באמת, ולא משנה), והנה בכל הכי"י של מדרש יש לשון עוד יותר מורחב: "והאשה כאורגת וכמניקה את בנה, <כאורגת בית הסתרים, וכמניקה את בנה> תחת הדד", ונראה שהמדפיס הראשון השמיט התיבות המסומנות ב<...> בטעות מחמת הדומות. ובעצ"י הגיה והזיר אותן התיבות לתוך המדרש: **כאורגת בעמרים.** הרש"ש הגיה "... בעומדים", כלשון המשנה: **דאכיל בהדי קולא ילקי בהדי קילא.** מ"כ הגיה "דאכיל בהדא קורא ילקי בהדא קילא":

The Midrash, having completed its citation from the Baraisa (which is also found, somewhat abbreviated, in the Mishnah, *Negaim* 2:4), goes on to quote from the continuation of the Mishnah (ibid. 2:5):

תָּנָא: כָּל הַנְּגָעִים אָדָם רוֹאֶה חוּץ מִנִּגְעֵי עַצְמוֹ — **It is taught** in the Mishnah: **A person** who is a Kohen **may examine all *tzaraas* afflictions, except his own.** רַבִּי מֵאִיר אוֹמֵר: אַף לֹא נִגְעֵי קְרוֹבָיו — **R' Meir said: Neither** may he examine **the *tzaraas* afflictions of his relatives.**[109]

The Midrash deals with a question that arises according to R' Meir's position:[110]

וּמִי רָאָה נֶגַע מִרְיָם — **Who, then, examined Miriam's *tzaraas* affliction?**[111] אִם תֹּאמַר מֹשֶׁה רָאָה — **If you say** it was **Moses** who **examined it,** זָר אֵינוֹ רוֹאֶה נְגָעִים — this cannot be, for **a non-Kohen,** such as Moses,[112] **may not examine *tzaraas* afflictions.** אֵין אִם תֹּאמַר אַהֲרֹן רָאָה — And **if you say Aaron examined** it, קָרוֹב רוֹאֶה אֶת הַנְּגָעִים — this also cannot be, for **a relative may not examine *tzaraas* afflictions.**[113] אָמַר הַקָּדוֹשׁ בָּרוּךְ הוּא: אֲנָא כָּהֲנָא, אֲנָא מַסְגִּירָהּ אֲנָא מְטַהֲרָהּ — **The Holy one, blessed is He, said,** seeing that there was no one else to take care of this matter, **"I am a Kohen!**[114] **I will quarantine her and I will purify her!"** הֲדָא הוּא דִכְתִיב "וְהָעָם לֹא נָסַע עַד הֵאָסֵף מִרְיָם" — **Thus it is written,** *Miriam was quarantined outside the camp for seven days,* ***and the people did not journey until Miriam was brought in*** (*Numbers* 12:15).[115] אִם כֵּן הָעָם הָיָה עִם הַשְּׁכִינָה וְהַשְּׁכִינָה מַמְתֶּנֶת לָהּ — **And if so,** we can understand why *the people did not journey until Miriam was brought in:* It was because **the people were** bound together **with God's Divine Presence** in their journeys,[116] **and the Divine Presence was waiting for [Miriam].**[117] This is why the people did not journey until Miriam was purified and returned to the camp.

NOTES

109. In the Gemara (*Sanhedrin* 34b) this is derived from a comparison between the examining of *tzaraas* to the arbitration of monetary disputes. Just as one is barred from arbitrating a dispute involving his relative, so is he excluded from examining their *tzaraas* (*Eitz Yosef*).

110. The following passage is a Baraisa, cited also in *Zevachim* 101b-102a.

111. Upon speaking ill of Moses, Miriam became afflicted with *tzaraas*, and was quarantined outside of the Camp of Israel (see *Numbers* 12:15). Since only a Kohen can rule on *tzaraas*, the Midrash questions who examined Miriam and declared her affliction to be *tzaraas*.

112. The assertion that Moses was considered a non-Kohen is a matter of debate above, 11 §6; see *Zevachim* ibid.

113. That is, according to R' Meir — for this Baraisa was authored in accordance with R' Meir's opinion (*Tosafos* to *Zevachim* ad loc.).

Eitz Yosef notes that Moses, too, could have been disqualified on the grounds of being Miriam's relative. However, the Midrash preferred to cite another reason (that Moses was a non-Kohen) that accords with all opinions, not only R' Meir. See also *Maharsha* to *Zevachim* 102a. See Insight Ⓐ.

Aaron's sons, who were Kohanim, were also disqualified because they were Miriam's nephews. See *Yefeh To'ar*, who discusses Aaron's grandson Phinehas, who was only distantly related to Miriam.

114. The assertion that God is a Kohen, as it were, is also found in *Sanhedrin* 39a, where it is derived from a homiletical interpretation of וְיִקְחוּ לִי תְּרוּמָה, *take for Me a terumah* (*Exodus* 25:2). The *"terumah"* of that verse refers to donations of precious materials for the Tabernacle, but the Gemara homiletically sees it as referring to the *terumah* portion of produce that is given to Kohanim.

115. The passive expression הֵאָסֵף, "was brought in" (as opposed to אֱסֹף, "bringing in"), implies that Miriam reentered the camp by herself, without someone officially bringing her in. I.e., no Kohen declared her to be purified of her *tzaraas,* which is normally the only way for a *metzora* to gain reentry into the camp. This wording therefore supports the Midrash's assertion that it was God Himself who declared Miriam's purification (*Matnos Kehunah*).

116. I.e., the people journeyed only when God's Presence — in the form of a pillar of cloud — journeyed; the people never moved on as long as the cloud was stationary (as stated in *Exodus* 40:36-37 and *Numbers* 9:15ff). Their location was thus "bound together" with that of the Divine Presence.

117. Since God was "in charge" of Miriam's *tzaraas,* He waited in place until the requisite seven days passed, when He could declare her purification.

INSIGHTS

Ⓐ **An Unrelated Matter** Some, however, explain that Moses was not disqualified on the basis of his being related to Miriam because, from a legal perspective, he was (unlike Aaron) no longer considered related to her.

One rationale for this is that Moses — who dwelled forty days on Mount Sinai without food or drink — had achieved such an elevated level, comparable to that of the angels, that he could no longer be considered a relative of other humans. Therefore he was not disqualified as a relative of Miriam, but only because he was considered a non-Kohen (*R' Simchah Bunim of Peshischa*, cited by *Bikkurei Aviv, Tazria,* pp. 70-71; *Sifsei Tzaddik, Tazria* §9).

Another explanation as to why Moses was no longer considered related to Miriam is said in the name of the *R' Yechiel of Ostrowca* (cited by *Ohr Avraham, Tazria-Metzora,* pp. 193-194, and *Iyunim BaParashah, Vayigash,* p. 145ff; this explanation is also found in *Ein Eliyahu* on *Zevachim* ad loc.). It is based on the well-known principle that a proselyte who converts is "like a newborn" (גֵּר שֶׁנִּתְגַּיֵּיר כְּקָטָן שֶׁנּוֹלַד דָּמֵי). That is, he enters the Jewish people with no pre-existing family relationships. Thus, according to Biblical law, his biological relatives are not considered related to him and he is permitted to marry them. (Such unions between biological relatives are prohibited, however, by Rabbinic decree.)

Now, before receiving the Torah at Mount Sinai, the Jews entered a covenant with God, undergoing circumcision and immersion, effectively rendering them "converts" (see *Kereisos* 9a). This leads *Maharal* (*Gur Aryeh, Genesis* 46:10) to ask why the people of that generation were prohibited from marrying their relatives (see *Yoma* 75a, cited by *Rashi* on *Numbers* 11:10). As converts, all their pre-existing relatives should no longer have been legally regarded as relatives! *Maharal* answers that Torah law divests a proselyte of all pre-existing family relationships only when he converts of his own volition. The Jewish people in the Wilderness, however, had been *compelled* to convert, as the Gemara states (*Shabbos* 88a) that "God overturned the mountain on them" and threatened to bury them should they refuse to accept the Torah. As "forced" converts, concludes *Maharal,* they retained their previous legal relationships (see further below).

Now Moses, contends R' Yechiel of Ostrowca, was not included in those forced to convert under the threat of being crushed by the mountain, because Moses was at that time *on* the mountain. Thus, Moses' "conversion" was voluntary; he became "like a newborn," and his biological relatives — such as his sister Miriam — were no longer legally deemed related to him. That is why he could have examined her *tzaraas* affliction were it not for the fact that he was a non-Kohen.

[Though the explanation is an ingenious one, its premises are not incontestible. First, it assumes that the "compulsion" of which the Gemara speaks was a physical one to which Moses was not subject. However, *Maharal* himself explains elsewhere (*Ohr Chadash,* Introduction) that the "overturning of the mountain" mentioned by the Gemara is meant figuratively: that the Israelites at Mount Sinai had such a clear perception of God and of the importance of His Torah that it was impossible for them to refuse to accept it. If this was true of the rest of the nation, it must surely be true of Moses as well. Moreover, *Kli Chemdah* (on *Vayigash*) explains that *Maharal* does not mean simply that a "forced" conversion does not effect a severance of previous ties. Rather, he means that the threat of being buried should they not accept the Torah was an indication that the Torah for the Jews was the *attachment* to their roots, unlike other converts, whose conversion to Judaism represents a *severance* from their roots (which is what creates the situation of "like a newborn"). That is why the Israelites' "conversion" at Sinai did not effect a newborn status, and this applied to Moses as well (*Iyunim BaParashah* ibid.). See also *Shev Shmaatsa,* Introduction אות ח׳, ט׳, who assumes that Moses' "conversion," too, was in fact regarded as forced.]

תָּנָא: כָּל הַנְּגָעִים אָדָם רוֹאֶה חוּץ מִנִּגְעֵי עַצְמוֹ, רַבִּי מֵאִיר אוֹמֵר אַף לֹא נִגְעֵי קְרוֹבָיו, וּמִי רָאָה נֶגַע מִרְיָם, אִם תֹּאמַר מֹשֶׁה רָאָה, זָר אֵינוֹ רוֹאֶה נְגָעִים, אִם תֹּאמַר אַהֲרֹן רָאָה, [ה] אֵין קָרוֹב רוֹאֶה אֶת הַנְּגָעִים, אָמַר הַקָּדוֹשׁ בָּרוּךְ הוּא: אֲנָא כָּהֲנָא, אֲנָא מַסְגִּירָהּ וַאֲנָא מְטַהֲרָהּ, הָדָא הוּא דִכְתִיב (במדבר יב, טו) "וְהָעָם לֹא נָסַע עַד הֵאָסֵף מִרְיָם", אִם כֵּן הָעָם הָיָה עִם הַשְּׁכִינָה וְהַשְּׁכִינָה מַמְתֶּנֶת לָהּ, אָמַר רַבִּי לֵוִי בְּשֵׁם רַב חָמָא בְּרַבִּי חֲנִינָא: צַעַר גָּדוֹל הָיָה לוֹ לְמֹשֶׁה בַּדָּבָר הַזֶּה, כָּךְ הוּא כְּבוֹדוֹ שֶׁל אַהֲרֹן אָחִי לִהְיוֹת רוֹאֶה אֶת הַנְּגָעִים, אָמַר לוֹ הַקָּדוֹשׁ בָּרוּךְ הוּא: וְלֹא נֶהֱנָה מִמֶּנּוּ כ"ד מַתְּנוֹת כְּהֻנָּה, בְּמַתְלָא אָמְרֵי: דְּאָכֵיל °בַּהֲדֵי קוּלָא יִלְקֵי °בַּהֲדֵי קִילָא:

ט [יג, ב] "שְׂאֵת" זוֹ בָּבֶל, עַל שׁוּם (ישעיה יד, ד) "וְנָשָׂאתָ הַמָּשָׁל הַזֶּה עַל מֶלֶךְ בָּבֶל וְאָמַרְתָּ אֵיךְ שָׁבַת נֹגֵשׂ שָׁבְתָה מַדְהֵבָה", רַבִּי אַבָּא בַּר כָּהֲנָא אָמַר: "שָׁבְתָה מַדְהֵבָה" מַלְכוּת שֶׁהִיא אוֹמֶרֶת: מְדוֹד וְהָבֵא, רַבִּי שְׁמוּאֵל בַּר נַחְמָן אָמַר: מַלְכוּת שֶׁהִיא מַדְהֶבֶת פָּנִים שֶׁל אָדָם בְּשָׁעָה שֶׁבָּא אֶצְלָהּ, וְרַבָּנָן אָמְרֵי: עַל שׁוּם (דניאל ב, לב) "רֵאשֵׁהּ דִּי דְהַב", (שם שם לח) "אַנְתְּ הוּא רֵאשָׁה דִּי דַהֲבָא". [יג, ב] "סַפַּחַת" זוֹ מָדַי, *שֶׁהֶעֱמִידָה הָמָן הָרָשָׁע שֶׁשָּׁף כְּנָחָשׁ, עַל שׁוּם (בראשית ג, יד) "עַל גְּחֹנְךָ תֵלֵךְ", [יג, ב] "בַּהֶרֶת" זוֹ יָוָן, שֶׁהָיְתָה מַבְהֶרֶת בִּגְזֵרוֹתֶיהָ עַל יִשְׂרָאֵל, וְאוֹמֶרֶת לָהֶן: כִּתְבוּ עַל קֶרֶן הַשּׁוֹר שֶׁאֵין לָכֶם חֵלֶק בֵּאלֹהֵי יִשְׂרָאֵל,

עץ יוסף

רבי מאיר אומר בו׳. טעמיה תניא בפרק אחד דיני ממונות (סנהדרין לד, ב) כל ריב וכל נגע מקיש ריבים לנגעים ונגעים לריבים, מה נגעים ביום אף ריבים ביום, ומה ריבים שלא בקרובים אף נגעים שלא בקרובים, ורבנן לא מקשי, סברי דיני ממונות בלילה: **זר אינו רואה.** והוא הדין דהיה יכול לומר דהרי קרוב אינו רואה נגעים, אלא ניחא ליה למימר טעמא דאתי לכולי עלמא, אבל טעם קרוב ליתא אלא לרבי מאיר, ועיין באלו קדשים (זבחים קב, א): **זר אינו בו׳.** ולא קשה מהכא למאן דאמר לעיל (יא, ו) דכל ארבעים שנה לא נמנע משה מכהונה גדולה, דהא מתרצי בפרק טבול יום (זבחים שם) שאני מראות נגעים דאהרן ובניו כתובים בפרשה: **אנא כהנא.** דהקדוש ברוך הוא כהן הוא כדאמר בסנהדרין (לט, א) אלהיכם כהן הוא, דכתיב ויקחו לי תרומה: **אנא מסגירה.** שהסגרה על ידי שכינה היא, מכיון דהעם לא נסע וזה מפני כבוד השכינה כדמפרש ואזיל: **העם היה עם השכינה.** דסבירא ליה שהעם שהעם לא נסע, הוא מפני שהיה עם השכינה, שלא יכלו לנסוע אלא כשהשכינה הולכת לפניהם כאומרו (שמות יג, כא) וה׳ הולך לפניהם יומם וגו׳, ומה שהשכינה לא נסעה היינו מפני שהיתה ממתנת לה, שה׳ הוא המסגירה והמטהרה, ולא סבירא ליה שעכוב העם עד האסף מרים כדי לחלוק לה כבוד בעלמא על שהמתינה למשה כשהושלך ליאור, כמו שאמר רש"י בחומש: **עשרים וארבע מתנות.** פרשתיו לעיל (ו, ג): **במתלא אמרי.** במשל אומרים: **דאכל בהדי קירא.** פירש הערוך מי שאוכל קור של דקל הרך ואינו שומרו כראוי, לוקה בקורתו של דקל. או פירושו מי שאוכל עם עוף שקורין אותו קורא, יפול עליו הפח שלוכדין בו העופות, יהי שלחנם לפניהם לפח (תהלים סט, כג) מתרגמינן רומיהון לקלא: **(ט) מדוד.** דינרין ומתנות: **מדהבת.** לשון דאבון: **ששף עושר בנחש.** צריך לומר ששף טמה כנחש, או צריך לומר שנושך ועושה כנחש (יפה תואר בויקרא רבה פרשה י"ג סימן ה׳): **על שום על גחונך בו׳.** פירוש שנקרא ספחת על שם הדבק הנחש לעפר שהולך על גחון, וספחת לשון דבוק וחבור. והרד"ל פירש דהיינו שסופף מעיו כמו שנאמר בפרקי דרבי אליעזר (פרק יד), ודרש ספחת כמו סחפת: **שהיתה מבהרת.** פירוש לשון בהרת, רצה לומר שהיו ישראל עושה רושם שאין להם חלק בה׳ כבהרת שהוא רושם בגוף, ולכן גזרה כתבו על קרן השור: **על קרן השור.** מי שיש לו שור יתקע על קרנו, ועיין ביאורי בבראשית רבה פרשה ב׳ (סימן ד [ה]):

פירוש מהרז"ו

משה זר הוא. ואף שמבואר לעיל (יא, ב) שהיה משה כהן כל ארבעים שנה ואכל קדשים, עם כל זה לשאר דינים של דורות היה דינו כזר, וכוונת המדרש בהכרח שמשה היה זר וגם קרוב, ואהרן על כל פנים היה קרוב: **דאכל בהדא קולא.** בערוך ערך קל שני, גרס דאכיל בהדא קורא ילקי בהדא קולא, והפירוש כמו שכתב במתנות כהונה, וסביב הדקל יש שיפים וקוצים: **(ט) שאת זו בבל.** תנחומא כאן (סימן י) וזה לשונו אדם כי יהיה וכו׳, הכתוב מדבר במלכיות הקדומות, שארבע מראות נגעים רומזים לארבע מלכיות הקדומות, שהיו קשים לישראל כנגעים לגוף: **מדהבה.** על שתיבה זו יחידית בתנ"ך דורשה נוטריקון, מדוד והבא, מדוד כל תבואתך והבא המס, ובערוך ערך מד גורס, מוד והבא, רבי אבא וכו׳ רבי טביומא אמר על שום פומא דדהבא, ורבנן אמרי וכו׳. ודברי רבי טביומא חסרים כאן, והערוך השיב לנו האבידה, ופירש נראה לו פומא דדהבא על שם הגין של זהב שנתון בפי הצלם, והיה מדבר אנכי ה׳ אלהיך, כמו שכתוב באריכות בשיר השירים רבה פסוק אמרתי אעלה בתמר קרוב לסופו (דף ל"ו ב׳) [פרשה ז פסוק ט אות א], ודניאל הוציא בלעו מפיו ועל זה אמר שבתה מדהבה: **ספחת זו מדי.** שעיקר הגזרה היה ממי שנספחה לה היינו המן: **ששף כנחש.** אין מקומו כאן רק לעיל (יג, ה) אצל גחון וכו׳, וכאן הובא דרך אגב: **מבהרת.** מבררת ומלבנת.

מתנות כהונה

הכי גרסינן משה רואה זר אינו רואה כו׳: אנא כהנא כו׳. שנאמר ויקחו לי תרומה: **האסף משמע.** מאליה וזה אי אפשר שנאמר וראה הכהן וטהר, שהכהן צריך לומר טהור אתה: **כך כבודו של אהרן.** בתמיה: **במתלא אמרי.** במשל אומרים דאכל כו׳. פירוש מי שאוכל רך הדקל, הנקרא קורא, בפרק כיצד מברכין (ברכות לו, א), ילקה בעץ או צרור הנקרא קילא, וכן מצאתי פירוש בילקוט ובערוך ערך קר השלישי, וכן הוא בילקוט אסתר (רמז תתרנו) פסוק ותלבש אסתר וגרסינן בהדיא קורא ילקה בהדא קילא: **[ט] מדוד.** דינרין ומתנות: **מדהבת.** זהב דהבא בלשון ארמי, כלומר מאדמת פני הבריות שנבהלו מפניה ואזיל חיורא ואתי סומקא, או פירוש לשון דאבון ותוגה: **ששף בנחש גרסינן.** ולעיל (יג, ה) גרס שמשך, ובפרשת בראשית (טז, ד) גרס שף עמה כנחש. וכאן נראה דדייק ספחת מלשון שף, בחילוף שי"ן בסמ"ך, או יש לומר דנחש, מצורע הוא, כדאמרינן (עיין תיקוני זהר תיקון ע׳, קכה, א) הני בהרת דע"ג נחש בהרת צרעת הן, וכן עיקר: **מבהרת גזריתיה.** כלומר מפורסמת וחריפה: **על קרן שור.** מי שיש לו שור יחקקה על קרנו:

אשד הנחלים

אנא כהנא כו׳. הוא על דרך הצחות, כי הכהן רואה הנגע מפני שהוא המיוחד שבעדה, ויודע הדין על בוריו ומשפט הנגע כהלכתא, ומכל שכן כביכול ה׳ בעצמו עושה כפי הדין, שסגרה וטהרה אחרי שנאספה מצרעתה: **העם היה עם השכינה.** וזהו הרבותא, והעם, אף שהיה השכינה עמהם, עם כל זה לא נסע עד האסף מרים: **כבודו של אהרן.** לפי פשוטו קשה שיצטער משה על כבוד המדומה ככה, ואולי מפני שהצרעת באה על ידי עון לשון הרע, וכדאי החוטא להלקות בו, עד שכמעט אין כבודו של כהן להטפל באיש החוטא כמוהו, ולזה היתה התשובה מדוע תשכח כי אהרן נהנה מהם, שהמה יתנו לו המתנות, ואם כן מהראוי שיטפל בהם: **[ט] שאת זו בבל.** מבאר עתה הרמז שבמקרא, המרמז על העתידות מה שיקרה להם באחרית, כי ארבעה מראות נגעים המה גם כן כנגד גליות שהיה מוכן לצירוף האומה,

חידושי הרד"ל

תנא כל הנגעים אדם כו׳. שם, ודברים רבה (ו, ח): **[ט] ששף בנחש על שום על גחונך תלך.** דהיינו שסופף מעיו, כמו שאמרו בפרקי דרבי אליעזר (פרק יד), ודרש ספחת, כמו סחפת:

באור מהרי"פ

מתנות כהונה ד"ה [במתלא] ובערוך ערך קל השלישי. טעות סופר הוא וצריך להיות קר הרביעי. וזה לשונו שם בויקרא רבה וכו׳ מאן דאכיל בהדא קורא ילקה בהדא קורא, פירוש מי שאכל קור של דקל, אם אינו שומרו כראוי לוקה בקורתו של דקל עד כאן. וזה לשון הערוך ערך קל (השני) [השביעי], מתלא אמר מאן דאכיל בהדא קורא ילקה בהדי קילא עד כאן. וזה לשון ר׳ בנימין מוספייא, אמר בנימין פירוש בלשון יווני עלים ורמחים, ובעל הערוך גרס בערך קר הרביעי, ילקה בהדי קירא, עד כאן: **[ט] שהיתה מבהרת בגזירותיה.** פירוש לשון רושם ובהרת:

אמרי יושר

שכינה ממתנת לה. ומצטערת על מרים, אינו בדין לנסוע: **[ט] שאת זו בבל.** כי הם מכפרים ארבע מלכיות על ישראל, כמו ארבע מראות נגעים: **וספחת זו מדי.** שבא המן שסיבב לעם ששף על גחונו להשתחוות כנחש, כי כולם כורעים ומשתחוים להמן, וכן דרשו סוף פרשה (י"ח) [י"ז] (סימן ז) (ובא הכהן) [והגיד לכהן], זה ירמיה:

מסורת המדרש

ה. נגעים פרק ב׳:
ו. ספרי במדבר פיסקא ק"ה ק"ו:
ז. ב"ר פ"ב ופ׳ ט"ז. לעיל פ׳ י"ג תנחומא סדר תזריע סי׳ י"א:

אם למקרא

וַתִּסָּגֵר מִרְיָם מִחוּץ לַמַּחֲנֶה שִׁבְעַת יָמִים וְהָעָם לֹא נָסַע עַד הֵאָסֵף מִרְיָם: (במדבר יב: טו)

וְנָשָׂאתָ הַמָּשָׁל הַזֶּה עַל מֶלֶךְ בָּבֶל וְאָמָרְתָּ אֵיךְ שָׁבַת נֹגֵשׂ שָׁבְתָה מַדְהֵבָה: (ישעיה יד:ד)

הוּא צַלְמָא רֵאשֵׁהּ דִּי דְהַב טָב חֲדוֹהִי וּדְרָעוֹהִי דִּי כְסַף מְעוֹהִי וְיַרְכָתֵהּ דִּי נְחָשׁ: (דניאל ב:לב)

וּבְכָל־דִּי דָיְרִין בְּנֵי־אֲנָשָׁא חֵיוַת בָּרָא וְעוֹף שְׁמַיָּא יְהַב בִּידָךְ וְהַשְׁלְטָךְ בְּכָלְּהוֹן אַנְתְּ הוּא רֵאשָׁה דִּי דַהֲבָא: (שם שם לח)

וַיֹּאמֶר ה׳ אֱלֹהִים אֶל־הַנָּחָשׁ כִּי עָשִׂיתָ זֹּאת אָרוּר אַתָּה מִכָּל־הַבְּהֵמָה וּמִכֹּל חַיַּת הַשָּׂדֶה עַל־גְּחֹנְךָ תֵלֵךְ וְעָפָר תֹּאכַל כָּל־יְמֵי חַיֶּיךָ: (בראשית ג:יד)

ידי משה

אם תאמר משה זר היה. הוי מצי ליה למימר תיכף דאין קרוב רואה. ויש לומר דאיתא פלוגתא בתורת כהנים (עיין פרשת נגעים סוף פרק א ובשבועות ו, א) ר"י ור"פ אם זר יכול לראות הנגע ולהגיד לכהן והכהן יאמר טמא או טהור, או לא, שדוקא הראייה מוכרחת להיות דוקא על ידי כהן בעצמו ולא על ידי זר מדכתיב לכל מראה עיני כהן, ואידך שסבירא ליה שזר רואה ויליף מדכתיב על פיהם יהיה כל ריב וכל נגע. ונפקא מינה בין שני מאן דאמרי, שאם רשאי הזר לראות ולומר לכהן, אם כן הכהן יכול להיות קרוב ואינו חשוב כנוגע, לפי שאינו יכול לטמא ממה שאמר לו הזר, מה שאין כן אם הכהן מחויב לראות בעצמו, אם כן כהן פסול לראות כו׳, לכן סתם המדרש מתחלה שאין זר רואה, ואחר כך יכול לומר שאין קרוב מטהר או מטמא, מה שאין כן אם היה מתחיל שאין קרוב וכו׳, היה קשה, היה

The Midrash now discusses the general idea that inspection and diagnosis of *tzaraas* are roles given specifically to the Kohen: אָמַר רַבִּי לֵוִי בְּשֵׁם רַב חָמָא בְּרַבִּי חֲנִינָא — **R' Levi said in the name of R' Chama son of R' Chanina:** צַעַר גָּדוֹל הָיָה לוֹ לְמֹשֶׁה בַּדָּבָר הַזֶּה — **Moses was greatly troubled over this,** i.e., over Aaron's involvement with examining skin afflictions. כָּךְ הוּא כְּבוֹדוֹ שֶׁל אַהֲרֹן אָחִי לִהְיוֹת רוֹאֶה אֶת הַנְּגָעִים — He wondered, **"Is this befitting the honor of my brother Aaron, to examine** people's ***tzaraas* afflictions?"** אָמַר לוֹ הַקָּדוֹשׁ בָּרוּךְ הוּא — **The Holy One, blessed is He, replied,** וְלֹא נֶהֱנֶה מִמֶּנּוּ כ״ד מַתְּנוֹת כְּהוּנָּה — **"And does he not receive** any **benefit out of this?** Does he not receive **the twenty-four priestly entitlements?!"**[118] בְּמַתְלָא אָמְרֵי: דְּאָכִיל בְּהָדָא קוֹרָא יִלְקֵי בְּהָדָא קִילָא — As **they say in a maxim: One who eats palm hearts is injured by the** sharp **trunk** of the palm tree.[119]

§9 As a conclusion to the section about *tzaraas,* the Midrash goes back and analyzes the symbolism of the four types of affliction mentioned in the opening verse of the passage: *If a person will have on the skin of his flesh a s'eis, or a sapachas, or a baheres, and it will become a tzaraas affliction on the skin of his flesh* (13:2): "שְׂאֵת" זוֹ בָּבֶל — (i) ***S'eis*** [שְׂאֵת] — **this** affliction **is** an allusion to the kingdom of **Babylonia.**[120] עַל שׁוּם "וְנָשָׂאתָ הַמָּשָׁל הַזֶּה עַל מֶלֶךְ בָּבֶל וְאָמַרְתָּ אֵיךְ שָׁבַת נֹגֵשׂ שָׁבְתָה מַדְהֵבָה" — This is **on account of** the verse, ***You will recite*** [וְנָשָׂאתָ] ***this parable about the king of Babylonia: How has the oppressor come to an end, has the arrogance come to an end!*** (*Isaiah* 14:4).[121]

The verse just cited ends with the word מַדְהֵבָה (*madhevah,* translated here as "arrogance," based on *Rashi* to that verse). The Midrash offers several explanations for this otherwise unknown term:

רַבִּי אַבָּא בַּר כָּהֲנָא אָמַר: "שָׁבְתָה מַדְהֵבָה" מַלְכוּת שֶׁהִיא אוֹמֶרֶת: מְדוֹד וְהָבֵא — **R' Abba bar Kahana said:** The word *madhevah* in the phrase ***has madhevah come to an end*** **is** a reference to **the kingdom that** always **says** to its subjects, **"Measure out** [מְדֹד] gold and silver **and bring** [הָבֵא] them to me!"[122]

רַבִּי שְׁמוּאֵל בַּר נַחְמָן אָמַר: מַלְכוּת שֶׁהִיא מַדְהֶבֶת פָּנִים שֶׁל אָדָם בְּשָׁעָה שֶׁבָּא אֶצְלָהּ — **R' Shmuel bar Nachman said:** *Madhevah* **is** a reference to **the kingdom that brings consternation**[123] [מַדְהֶבֶת] **to the countenance of any man who comes into contact with it.**

Alternatively:

וְרַבָּנָן אָמְרֵי: עַל שׁוּם "רֵאשֵׁהּ דִּי דְהַב" — **And** [the] **Sages say:** *Madhevah* **is** a reference to Babylonia **on account of** the description of that country found in the book of *Daniel* — ***This statue: its head of** fine **gold,***[124] which Daniel interpreted for Nebuchadnezzar, "אַנְתְּ הוּא רֵאשָׁה דִּי דַהֲבָא" — ***You are the head of gold*** (*Daniel* 2:38).

The Midrash goes on to the next affliction mentioned in the verse:

"סַפַּחַת" זוֹ מָדַי — (ii) ***Sapachas*** — **this** affliction **is** an allusion to the nation of **Media,** שֶׁהֶעֱמִידָה הָמָן הָרָשָׁע שֶׁשָּׁף כְּנָחָשׁ — the nation **that reared the wicked Haman, who struck** at the Jews **in the manner of a serpent;**[125] עַל שׁוּם "עַל גְּחֹנְךָ תֵלֵךְ" — and *sapachas* alludes to a serpent **on account of** what God decreed for it, ***Upon your belly shall you go*** (*Genesis* 3:14).[126]

The Midrash goes on to the next affliction:

"בַּהֶרֶת" זוֹ יָוָן — (iii) ***Baheres*** — **this** affliction **is** an allusion to **Greece,** שֶׁהָיְתָה מַבְהֶרֶת בִּגְזֵרוֹתֶיהָ עַל יִשְׂרָאֵל — **which acted blatantly in** promulgating **its decrees against the Jews,**[127] וְאוֹמֶרֶת לָהֶן: כִּתְבוּ עַל קֶרֶן הַשּׁוֹר שֶׁאֵין לָכֶם חֵלֶק בֵּאלֹהֵי יִשְׂרָאֵל — **declaring to them, "Inscribe** it **upon** your **ox's horn that you have no part in** the worship of **the God of Israel!"**[128]

NOTES

118. Enumerated in *Numbers* 18:8ff.

119. Palm hearts are a great delicacy, but in order to extract them one must face the dangerous task of handling the tree's sharp edges. So too a Kohen, in order to merit the twenty-four priestly gifts, must be prepared to perform the unpleasant task of examining *tzaraas.*

120. The Midrash associates each of the four afflictions with one of the Four Kingdoms mentioned in *Daniel* (Ch. 2, Ch. 8), the four empires that will subjugate Israel until the Messiah comes and liberates them, namely: Babylonia, Persia/Media, Greece, and Edom/Rome.

121. The words *"s'eis"* and "to recite" share the same root, נשא.

122. I.e., *madhevah* is an amalgam of the two words *medod* ("measure out") and *havei* ("bring"). Like *the oppressor* in the previous phrase, then, *madhevah* is a derogatory reference to Babylonia, the subject of this verse.

[Although the term מְדוֹד, *measure,* is generally used to describe amounts of non-monetary goods, R' Abba uses this term with regard to the taxes that Babylonia levied against other nations. This is an indication of the enormity of the Babylonian thirst for money; they demanded such vast sums of money, that it could not be counted in the normal fashion, but had to be measured by weight or by volume (*Chidushei Aggados* to *Shabbos* 149b).]

123. The Midrash relates *madhevah,* from the root דהב, to the similar root דאב, "to vex, to trouble" (*Matnos Kehunah*).

124. Nebuchadnezzar, king of Babylonia, had a dream about a statue, whose head was of gold, torso and arms of silver, etc. (see *Daniel* Ch. 2). Daniel, in interpreting the dream, explained that each of the four parts of the statue represented one of the Four Kingdoms, of which Babylonia was the first, and thus represented by the head of gold.

According to this interpretation, *madhevah* is derived from the Aramaic word דְּהַב (*dehav*), meaning "gold."

125. *Eitz Yosef* (to *Bereishis Rabbah* 16 §4) explains the comparison to a serpent as follows: Just as a snake strikes with its mouth, so did Haman attempt to destroy Israel in a similar manner, disparaging the Jews before Ahasuerus, so that he would sanction their destruction.

126. *Radal* explains that the Midrash is interpreting סַפַּחַת as if it were written סחפת, from the root סחף, "to slide along, to slither," an apt description of the serpent, as the cited verse shows. [The first two letters of ספחת are ספ, which is assonant with שפ (*Matnos Kehunah*). Hence, ספחת can be expounded as: something that is שף like the serpent that slithers.]

127. The word בַּהֶרֶת is of the root בהר, "to be bright, conspicuous, blatant." (The *baheres* affliction is called thus because it is the brightest shade of white of the various forms of *tzaraas.*) The Midrash equates this quality of blatantness to the Greek empire because their decrees were so all-encompassing and oppressive (*Matnos Kehunah*), or because they demanded of the Jews to declare their rejection of God blatantly, as the Midrash goes on to describe (*Yefeh To'ar, Eitz Yosef*).

128. This odd decree by the Greeks is mentioned frequently by the Sages. Anyone who owned an ox (or donkey — *Megillas Taanis* for 27 Iyar) was obligated to inscribe on its horn (or forehead — ibid.) that he had nothing to do with the God of Israel — on pain of death (*Midrash Tanchuma,* here). The point of this decree was apparently so that this sentiment should be well publicized for all to see (*Yefeh To'ar* to *Bereishis Rabbah* 2 §4).

תָּנָא: כָּל הַנְּגָעִים אָדָם רוֹאֶה חוּץ מִנִּגְעֵי עַצְמוֹ, רַבִּי מֵאִיר אוֹמֵר אַף לֹא נִגְעֵי קְרוֹבָיו, וּמִי רָאָה נֶגַע מִרְיָם, אִם תֹּאמַר מֹשֶׁה רָאָה, זָר אֵינוֹ רוֹאֶה נְגָעִים, אִם תֹּאמַר אַהֲרֹן רָאָה, °אֵין קָרוֹב רוֹאֶה אֶת הַנְּגָעִים, אָמַר הַקָּדוֹשׁ בָּרוּךְ הוּא: אֲנָא כָּהֲנָא, אֲנָא מַסְגִּירָהּ אֲנָא מְטַהֲרָהּ, הֲדָא הוּא דִכְתִיב (במדבר יב, טו) "וְהָעָם לֹא נָסַע עַד הֵאָסֵף מִרְיָם", אִם כֵּן הָעָם הָיָה עִם הַשְּׁכִינָה וְהַשְּׁכִינָה מַמְתֶּנֶת לָהּ, אָמַר רַבִּי לֵוִי בְּשֵׁם רַב חָמָא בְּרַבִּי חֲנִינָא: צַעַר גָּדוֹל הָיָה לוֹ לְמֹשֶׁה בַּדָּבָר הַזֶּה, כָּךְ הוּא כְּבוֹדוֹ שֶׁל אַהֲרֹן אָחִי לִהְיוֹת רוֹאֶה אֶת הַנְּגָעִים, אָמַר לוֹ הַקָּדוֹשׁ בָּרוּךְ הוּא: וְלֹא נֶהֱנֶה מִמֶּנּוּ כ״ד מַתְּנוֹת כְּהוּנָּה, בְּמַתְלָא אָמְרֵי: דְּאָכֵיל °בְּהָדֵי קוּלָא יִלְקֵי °בְּהָדֵי קִילָא:

ט [יג, ב] "שְׂאֵת" זוֹ בָּבֶל, עַל שׁוּם (ישעיה יד, ד) "וְנָשָׂאתָ הַמָּשָׁל הַזֶּה עַל מֶלֶךְ בָּבֶל וְאָמָרְתָּ אֵיךְ שָׁבַת נֹגֵשׂ שָׁבְתָה מַדְהֵבָה", רַבִּי אַבָּא בַּר כַּהֲנָא אָמַר: "שָׁבְתָה מַדְהֵבָה" מַלְכוּת שֶׁהִיא אוֹמֶרֶת: מְדוֹד וְהָבֵא, רַבִּי שְׁמוּאֵל בַּר נַחְמָן אָמַר: מַלְכוּת שֶׁהִיא מַדְהֶבֶת פָּנִים שֶׁל אָדָם בְּשָׁעָה שֶׁבָּא אֶצְלָהּ, וְרַבָּנָן אָמְרִי: עַל שׁוּם (דניאל ב, לב) "רֵאשֵׁהּ דִּי דְהַב", (שם שם לח) "אַנְתְּ הוּא רֵאשָׁה דִּי דַהֲבָא", [יג, ב] "סַפַּחַת" זוֹ מָדַי, *שֶׁהֶעֱמִידָה הָמָן הָרָשָׁע שֶׁשָּׁף כְּנָחָשׁ, עַל שׁוּם (בראשית ג, יד) "עַל גְּחֹנְךָ תֵלֵךְ", [יג, ב] "בַּהֶרֶת" זוֹ יָוָן, שֶׁהָיְתָה מַבְהֶרֶת בִּגְזֵרוֹתֶיהָ עַל יִשְׂרָאֵל, וְאוֹמֶרֶת לָהֶן: כִּתְבוּ עַל קֶרֶן הַשּׁוֹר שֶׁאֵין לָכֶם חֵלֶק בֵּאלֹהֵי יִשְׂרָאֵל,

רבי מאיר אומר כו׳. טעמיה תניא בפרק אחד דיני ממונות (סנהדרין לד, ב) כל ריב וכל נגע מקיש ריבים לנגעים ונגעים לריבים, מה נגעים ביום אף ריבים ביום, ומה ריבים שלא בקרובים אף נגעים שלא בקרובים, ורבנן לא מקשי, סברי דיני ממונות בלילה: **זר אינו רואה.** והוא הדין דהיה יכול לומר דהרי קרוב אינו רואה נגעים, אלא ניחא ליה למימר טעמא דאתי לכולי עלמא, אבל טעם קרוב ליתא אלא לרבי מאיר, ועיין בלאן קדשים (זבחים קב, א): **זר אינו כו׳.** ולא קשה מהכא למאן דאמר לעיל (יא, ו) דכל ארבעים שנה לא נמנע משה מכהונה גדולה, דהא מתרלי בפרק טבול יום (זבחים שם) שאני מראות נגעים דאהרן ובניו כתובים בפרשה: **אנא כהנא.** הקדוש ברוך הוא כהן הוא כדאמר בסנהדרין (לט, א) אלהיכם כהן הוא, דכתיב ויקחו לי תרומה: **אנא מסגירה.** שהסגרה על ידי שכינה היה, מכיון דהעם לא נסע וזה מפני כבוד השכינה כדמפרש ואזיל: **העם היה עם השכינה.** דסבירא ליה שהעם שהעם לא נסע, הוא מפני שהיה עם השכינה, שלא יכלו לנסוע אלא כשהשכינה הולכת לפניהם כאומרו (שמות יג, כא) וה׳ הולך לפניהם יומם וגו׳, ומה שהשכינה לא נסעה היינו מפני שהיתה ממתנת לה, שה׳ הוא המסגירה והמטהרה, ולא סבירא ליה שטעם עכוב העם עד האסף מרים כדי לחלוק לה כבוד בעלמא על שהמתינה למשה כשהושלך ליאור, כמו שאמר רש״י בחומש: **עשרים וארבע מתנות.** פרשתיו לעיל (י, ג): **במתלא אמרי.** במשל אומרים: **דאכל בהדי קירא.** פירש הערוך מי שאוכל קור של דקל דרך הוא ואינו שומרו כראוי, לוקה בקורתו של דקל. או פירושו מי שאוכל עם עוף שקורין אותו קורא, יפול עליו הפח שלוכדין בו העופות, יהי שלחנם לפניהם לפח (תהלים סט, כג) מתרגמינן רומיהון לקלא: **(ט) מדוד.** דינרין ומתנות: **מדהבת.** לשון דהבון: **ששף עושר כנחש.** צריך לומר ששף עמה כנחש, או צריך לומר שנושך ועושה כנחש (יפה תואר בויקרא רבה פרשה י״ג סימן ה): **על שום על גחונך כו׳.** פירוש שנקראת ספחת על שם הדבק הנחש לעפר שהולך על גחון, וספחת לשון דבוק וחבור. והרד״ל פירש דהיינו שסופף מעיו כמו שנאמר בפרקי דרבי אליעזר (פרק יד), ודרש ספחת כמו סחפת: **שהיתה מבהרת.** פירוש לשון בהרת, רצה לומר שהיו ישראל עושים רושם שאין להם חלק בה׳ כבהרת שהוא רושם בגוף, ולכן גזרה כתבו על קרן השור: **על קרן השור.** מי שיש לו שור יחקק על קרנו, ועיין ביאורי בבראשית רבה פרשה ב׳ (סימן ד [ה]):

פירוש מהרז״ו

משה זר הוא. ואף שמבואר לעיל (יא, ג) שהיה משה כהן כל ארבעים שנה ואוכל קדשים, עם כל זה לשאר דינים של דורות היה דינו כזר, וכוונת המדרש בהכרח שמשה היה זר וגם קרוב, ואהרן על כל פנים היה קרוב: **דאכל בהדא קולא.** בערוך ערך קל שני, גרס דאכיל בהדא קורא ילקי בהדא קולא, והפירוש כמו שכתב במתנות כהונה, וסביב הדקל יש שיכים וקוצים: **(ט) שאת זו בבל.** תנחומא כאן (סימן י) וזה לשונו אדם כי יהיה וכו׳, הכתוב מדבר במלכיות הקדומות, שארבע מראות נגעים רומזים לארבע מלכיות הקדומות, שהיו קשים לישראל כנגעים לגוף: **מדהבה.** על שתיבה זו יחידית בתנ״ך דורשה נוטריקון, מדוד והבא, מדוד כל תבואתך והבא המס, ובערוך ערך מד גורס, מוד והבא, רבי אבא וכו׳ רבי טביומא אמר על שום פומא דדהבא, ורבנן אמרי וכו׳. ודברי רבי טביומא חסרים כאן, והערוך הביא לנו האבידה, ופירש כראה לו פומא דדהבא על שם הציץ של זהב שנתון בפי הצלם, והיה מדבר אנכי ה׳ אלהיך, כמו שכתוב באריכות בשיר השירים רבה פסוק אמרתי אעלה בתמר קרוב לסופו (דף ל״ג ב׳) [פרשה ז פסוק ט אות א], ודניאל הוציא בלעו מפיו ועל זה אמר שבתה מדהבה: **ספחת זו מדי.** שעיקר הצרה היה ממי שנספח לה היינו המן: **ששף עמה כנחש.** אין מקומו כאן רק לעיל (יג, ה) אצל גיחון וכו׳, וכאן הובא דרך אגב: **מבהרת.** מבררת ומלבנת.

מתנות כהונה

הכי גרסינן משה רואה זר אינו רואה כו׳: אנא כהנא כו׳. שנאמר ויקחו לי תרומה: **האסף משמע.** מאליה וזה אי אפשר שנאמר וראה הכהן וטהר, שהכהן צריך לומר טהור אתה: **כך כבודו של אהרן.** בתמיה: **במתלא אמרי.** במשל אומרים דאכל כו׳. פירוש מי שאוכל רך הדקל, הנקרא קורא, בפרק כיצד מברכין (ברכות לו, א), ילקה בעץ או גרור הנקרא קילא, וכן מצאתי פירוש בילקוט ובערוך ערך קר השלישי, וכן הוא בילקוט אסתר (רמז תתרנו) פסוק ותלבש אסתר וגרסינן בהדיא קורא ילקה בהדא קילא: **[ט] מדוד.** דינרין ומתנות: **מדהבת.** זהב דהבא בלשון ארמי, כלומר מאדמת פני הבריות שנבהלו מפניה ואזיל חיורא ואתי סומקא, או פירוש לשון דאבון ותוגה: **ששף כנחש גרסינן.** ולעיל (יג, ה) גרס שמשך, ובפרשת בראשית (טז, ד) גרס שף עמה כנחש. וכאן נראה דדייק ספחת מלשון שף, בחילוף סי״ן בסמ״ך, או יש לומר דנחש, מאורע הוא, כדאמרינן (עיין תיקוני זהר תיקון ע׳, קכה, א) הכי בהרת דע״ג נחש בהרת לרעת הן, וכן עיקר: **מבהרת גזירותיה.** כלומר מפורסמת וחריפה: **על קרן שור.** מי שיש לו שור יחקקה על קרנו:

אשד הנחלים

אנא כהנא כו׳. הוא על דרך הצחות, כי הכהן רואה הנגע מפני שהוא המיוחד שבעדה, ויודע הדין על בוריו ומשפט הנגע כהלכתא, ומכל שכן כביכול ה׳ בעצמו עושה כפי הדין, שסגרה וטהרה אחרי שנאספה מצרעתה: **העם היה עם השכינה.** וזהו הרבותא, והעם, אף שהיה השכינה עמהם, עם כל זה לא נסע עד האסף מרים: **כבודו של אהרן.** לפי פשוטו קשה שיצטער משה על כבוד המדומה ככה, ואולי מפני שהצרעת באה על ידי עון לשון הרע, וכדאי החוטא להלקות בו, עד שכמעט אין כבודו של כהן להטפל באיש החוטא כמוהו, ולזה היתה התשובה מדוע תחשב כי אהרן נהנה מהם, שהמה יתנו לו המתנות, ואם כן מהראוי שיטפל בהם: **[ט] שאת זו בבל.** מבאר עתה הרמז שבמקרא, המרמז על העתידות מה שיקרה להם באחרית, כי ארבעה מראות נגעים המה גם כן כנגד גליות שהיה מוכן לצירוף האומה,

חידושי הרד״ל

תנא כל הנגעים אדם כו׳. שם, ודברים רבה (ו, ח): **[ט] ששף כנחש על שום על גחונך תלך.** דהיינו שסופף מעיו, כמו שאמרו בפרקי דרבי אליעזר (פרק יד), ודרש ספחת, כמו סחפת:

באור מהרי״פ

מתנות כהונה ד״ה [במתלא] ובערוך ערך קל השלישי. טעות סופר הוא וצריך להיות קר רביעי. וזה לשונו שם בויקרא רבה וכו׳ מאן דאכיל בהדא קורא ילקה בהדא קורא, פירוש מי שאוכל קור של דקל, אם אינו שומרו כראוי לוקה בקורתו של דקל עד כאן. וזה לשון הערוך ערך קל (השני) [השביעי], מתלא אמר מאן דאכיל בהדא קורא ילקה בהדי קילא עד כאן. וזה לשון ר׳ בנימין מוספיא, אמר בנימין פירוש בלשון יווני עלים ורמחים, ובעל הערוך גרס בערך קר רביעי, ילקה בהדי קירא, עד כאן: **[ט] שהיתה מבהרת בגזירותיה.** פירוש לשון רושם ובהרת:

אמרי יושר

שכינה ממתנת לה. ומצטערת על לנסוע: **[ט] שאת זו בבל.** כי הם מכפרים ארבע מלכיות על ישראל, כמו ארבע מראות נגעים: **וספחת זו מדי.** שבא המן שסיבב לעם ששף על גחונו להשתחוות כנחש, כי כולם כורעים ומשתחוים להמן, וכן דרשו סוף פרשה (י״ח) [י״ז] (סימן ז) [ובא הכהן] והגיד לכהן, זה ירמיה:

מסורת המדרש

ה. נגעים פרק ב׳: ו. ספרי במדבר פיסקא ק״ה ק״ו: ז. ב״ר פ״ב ופ׳ ט״ז. לעיל פ׳ י״ג תנחומא סדר תזריע סי׳ י״א:

אם למקרא

וַתִּסָּגֵר מִרְיָם מִחוּץ לַמַּחֲנֶה שִׁבְעַת יָמִים וְהָעָם לֹא נָסַע עַד הֵאָסֵף מִרְיָם: (במדבר יב:טו)

וְנָשָׂאתָ הַמָּשָׁל הַזֶּה עַל מֶלֶךְ בָּבֶל וְאָמָרְתָּ אֵיךְ שָׁבַת נֹגֵשׂ שָׁבְתָה מַדְהֵבָה: (ישעיה יד:ד)

הוּא צַלְמָא רֵאשֵׁהּ דִּי דְהַב טָב חֲדוֹהִי וּדְרָעוֹהִי דִּי כְסַף מְעוֹהִי וְיַרְכָתֵהּ דִּי נְחָשׁ: (דניאל ב:לב)

וּבְכָל דִּי דָאְרִין בְּנֵי אֲנָשָׁא חֵיוַת בָּרָא וְעוֹף שְׁמַיָּא יְהַב בִּידָךְ וְהַשְׁלְטָךְ בְּכָלְהוֹן אַנְתְּ הוּא רֵאשָׁה דִּי דַהֲבָא: (שם שם לח)

וַיֹּאמֶר ה׳ אֱלֹהִים אֶל הַנָּחָשׁ כִּי עָשִׂיתָ זֹּאת אָרוּר אַתָּה מִכָּל הַבְּהֵמָה וּמִכֹּל חַיַּת הַשָּׂדֶה עַל גְּחֹנְךָ תֵלֵךְ וְעָפָר תֹּאכַל כָּל יְמֵי חַיֶּיךָ: (בראשית ג:יד)

ידי משה

אם תאמר משה זר היה. הוי מצי ליה למימר תיכף דאין קרוב רואה. ויש לומר דאיתא פלוגתא בתורת כהנים (עיין פרשת נגעים סוף פרק א ובשבועות ו, א) ר״י ור״פ אם זר יכול לראות הנגע ולהגיד לכהן והכהן יאמר טמא או טהור, או לא, שדוקא הראייה מוכרחת להיות דוקא על ידי כהן בעצמו ולא על ידי זר מדכתיב לכל מראה עיני כהן, ואידך סבירא ליה שזר רואה ויליף מדכתיב על פיהם יהיה כל ריב וכל נגע. ונפקא מינה בין שני מאן דאמרי, שאם רשאי הזר לראות ולומר לכהן, אם כן הכהן יכול להיות קרוב ואינו חשוב כנוגע, לפי שאינו יכול לטעות ממה שאמר לו הזר, מה שאין כן אם הכהן מחויב לראות בעצמו, אם כן כהן פסול לראות כו׳, לכן שקט המדרש מתחלה שאין זר רואה, ואחר כך יכול לומר שאין קרוב מטהר או מטמא, מה שאין כן אם היה מתחיל שאין קרוב וכו׳, היה קשה, היה

The fourth and final affliction:

"נֶגַע צָרַעַת" זוֹ אֱדוֹם — (iv) ***A tzaraas affliction*** **— this** affliction **is** an allusion to the kingdom of **Edom** (Rome), **שֶׁבָּאתָה מִכֹּחוֹ שֶׁל זָקֵן** — **which derives** its might **from the strength of** the **elder,** i.e., Isaac,[129] **"וְהָיָה בְעוֹר בְּשָׂרוֹ לְנֶגַע צָרַעַת"** — for it states, ***And it will become a tzaraas affliction on the skin "of his flesh"*** (*Leviticus* 13:2).[130]

The Midrash concludes its exposition on *tzaraas* on an optimistic, encouraging note:

לְפִי שֶׁבָּעוֹלָם הַזֶּה הַכֹּהֵן רוֹאֶה אֶת הַנְּגָעִים — Scripture states that one must seek out a Kohen to observe his affliction; this is **because in this world the Kohen examines *tzaraas* afflictions** and rules on their impurity. **אֲבָל לָעוֹלָם הַבָּא** — **However, regarding the World to Come,**[131] **אָמַר הַקָּדוֹשׁ בָּרוּךְ הוּא: אֲנִי מְטַהֵר אֶתְכֶם** — **the Holy One, blessed is He, declares, "I** Myself **will purify you!"** **הֲדָא הוּא דִכְתִיב "וְזָרַקְתִּי עֲלֵיכֶם מַיִם טְהוֹרִים וּטְהַרְתֶּם"** — And **so it is written, *Then I will sprinkle pure water upon you that you may become cleansed*** (*Ezekiel* 36:25).[132]

NOTES

129. "The elder" refers to Isaac, who was Israel's father as well as Edom's. The Midrash is referring to the blessing that Isaac bestowed upon Esau (Edom): *By your sword you shall live* (*Genesis* 27:40). This blessing affords Esau's progeny dominion over Jacob's offspring, in the event that the latter abandon their devotion to God (see *Genesis* 27:40 and *Rashi* there, from *Bereishis Rabbah* 67§7). The capacity of Edom to oppress Israel is thus granted solely by virtue of Isaac's blessing. This is why, of all the Four Kingdoms, our subjugation to Esau has been by far the harshest and longest (*Matnos Kehunah*).

130. Having stated that *tzaraas* is an affliction of the skin, Scripture has no need to state also that it is "of his flesh." In doing so, Scripture alludes to an alternative meaning of the phrase. *Maharzu* explains that בָּשָׂר, *flesh*, denotes a familial connection, as it is stated, אֶל כָּל שְׁאֵר בְּשָׂרוֹ לֹא תִקְרְבוּ, *any man shall not approach his close relative* [בְּשָׂרוֹ] (*Leviticus* 18:6). Thus, terming *tzaraas* an affliction of one's flesh implies a connection between *tzaraas* and the suffering wrought by Edom, who descend from Isaac and are therefore of "our flesh."

131. I.e., the world that will exist after the Final Redemption.

132. The "sprinkling of water" and the "cleansing" of this verse refer to God's inculcating within us pure hearts that will fear Him and no longer be inclined to sin, as the context of the verse makes clear. Thus, in the Messianic future there will be no more sin, and hence no more *tzaraas* (which, as mentioned above many times, is not a natural disease but a form of punishment for sin), thereby obviating the role of the Kohen as inspector of *tzaraas* afflictions (*Yefeh To'ar*). See Insight Ⓐ.

INSIGHTS

Ⓐ **The Plagues of Exile** According to *Chavos Yair* (*Tazria*), our Midrash's link of the four different types of *tzaraas* to the four exiles relates to the treatment and station of the Jewish people under each of these exiles.

S'eis [שְׂאֵת, related to נשא, *raised*] corresponds to our nation's first exile — Babylonia. This was a relatively benign and "raised" sojourn. The Babylonians did not burden the Jews with hard labor. To the contrary, the Jews were accorded all the benefits and privileges of citizenship; they prospered and were treated with honor and dignity. Moreover, some Jews even rose to great prominence, serving with distinction in the royal court, such as Daniel, Nehemiah, Hananiah, Mishael, and Azariah. But the benevolent treatment that the Jews enjoyed in Babylonia was ultimately to their detriment, leading them to sin. They joined Babylonian society, and were influenced by their evil ways until they were completely assimilated. The Jewish people deviated from the Torah to such an extent that Ezra essentially had to teach the Torah to them anew, restoring the national faith and trust in God. The Midrash aptly compares this stage in our history to the affliction of *s'eis,* for this relatively comfortable "raised" exile eventually became a spiritual blemish upon the nation.

The next nation to subjugate the Jews was Media, which gave rise to the wicked Haman. Haman maligned the Jewish people to Ahasuerus, castigating them for being a nation aloof and apart, a people with their own laws and rituals, who would not accept the law of the land. Haman convinced Ahasuerus that the Jews deserved to be eliminated, as they would never assimilate into the prevailing culture. Should Ahasuerus wish to spare them out of compassion, he ran the risk of their infecting the rest of society with their strange customs and tenets, like the *sapachas* plague that infects the healthy skin. Indeed, our Sages elsewhere use the metaphor of *sapachas* to describe aliens who cleave to their former ways and thus have a harmful effect on the Jewish nation, who learn from their behavior (see *Yevamos* 47b with *Rashi*).

Baheres, the whitest of all the various types of *tzaraas,* corresponds to the next exile — Greece. The Greek conquerors sought to eradicate Jewish faith and practice, replacing it with Greek gods and Hellenistic culture. They aimed to force upon their various subjects the uniform beliefs, language, and practices of the dominant Greek culture. They therefore promulgated harsh decrees banning the study of Torah and the observance of the mitzvos through which the Jewish nation is distinguished. Similarly, they made the Jews inscribe upon the horn of their oxen that they "have no part in the God of Israel!" as a public acknowledgment before the world that they had forsaken their Jewish faith, and, like all the other subject nations, had adopted the pagan beliefs of their Greek overlords. Thus the Midrash compares the Greek exile to the *nega* of *baheres,* that whitest of skin afflictions, which gives the skin a smooth and even appearance, like the homogeneity the Greeks sought to impose.

The final and present exile of Edom is symbolized by the fourth and final affliction — the *nega* of *tzaraas.* In this exile, we have endured the cruelest suffering of our history — plunder, torture, forced conversions, murder, blood libels, and pogroms. And even during periods of relative respite, we have been confined to ghettoes, as if we were sub-human or afflicted with leprosy and must be excluded from the brotherhood of mankind. Thus, this exile is depicted by the Midrash as *tzaraas,* a reference to the forced segregation that has characterized our lives among these nations.

And so we await the time when the Holy One, blessed is He, will purify us of all our afflictions, when He will sprinkle the pure water upon us that we be cleansed and restored.

[יג, ב] "**נֶגַע צָרַעַת" זוֹ אֱדוֹם, שֶׁבָּאתָה °מַכֹּחָהּ שֶׁל זָקֵן,** [יג, ב] "**וְהָיָה בְעוֹר בְּשָׂרוֹ לְנֶגַע צָרַעַת", לְפִי שֶׁבָּעוֹלָם הַזֶּה הַכֹּהֵן רוֹאֶה אֶת הַנְּגָעִים אֲבָל לָעוֹלָם הַבָּא אָמַר הַקָּדוֹשׁ בָּרוּךְ הוּא: אֲנִי מְטַהֵר אֶתְכֶם, הָדָא הוּא דִכְתִיב** (יחזקאל לו, כה) "**וְזָרַקְתִּי עֲלֵיכֶם מַיִם טְהוֹרִים וּטְהַרְתֶּם":**

מכחה של זקן. יצחק אבינו עליו השלום שבירך אותו על חרבך תחיה ועל זה סומכת אדום, וזו היא העומדת להם בזמן הזה: **על שום והיה בעור בשרו.** דריש בשרו לשון שַׂר, והוא יצחק, והכוונה באומרו בעור בשרו שהוא מעור בשרו, כלומר שהוא נתלה ונשמח בברכת השר זקנו. אי נמי דריש בשרו לשון בשורה כלומר שבא מכח בשורת הזקן שבשרוהו בברכתו: **לפי שבעולם הזה כו'.** דרך המדרש לסיים בעניינא דלעתיד לסיים בדבר טוב: **רואה את הנגעים.** לפיכך כתיב והובא אל אהרן הכהן: **וזרקתי עליכם מים טהורים.** קשה טהרת נגעים מאן דכר שמיה גבי וזרקתי עליכם מים טהורים, דפשטא דטומאותיכם וגילוליכם דכתיב התם היינו טומאות עונות כדכתיב בתריה ונתתי לכם לב חדש וגו' ואת רוחי אתן בקרבכם וגו'. אמנם הכוונה בזה משום שהנגעים בישראל אינם טבעיים, רק בתוכחת על עון, על כן אין רפואתם כי אם על פי הכהן המורה לצדקה, והוא המישר אותו אל תשובה בהודיעו עלם חטאתו והתעוררת המצורע אל התשובה על ידי הסגירו באותן הימים, ובשנוי מראה נגעו, ולכן לעתיד שה' יהיה מטהר את ישראל ומכין לבם ליראה את שמו תהיה הישרתם יותר נכונה בלתי צריכה להישרת הכהן (יפה תואר):

והיה בעור בשרו. על שהוא אחינו בשרנו, על כן צרתו קשה מהכיל:

חידושי הרד"ל

מכחה של זקן. עיין מתנות כהונה, וידי משה לעיל סוף פרשת שמיני פירש דבראש או בזקן דריש:

ידי משה

לזר לראות ואחר כך יסגור הכהן, ואז לא שייך נגיעת קורבה, מה שאין כן אם אין זר רשאי לראות, אם כן שפיר מקשה מכח שאין קרוב וכו'. ודוק היטב:

אם למקרא

וְזָרַקְתִּי עֲלֵיכֶם מַיִם טְהוֹרִים וּטְהַרְתֶּם מִכֹּל טֻמְאוֹתֵיכֶם וּמִכָּל גִּלּוּלֵיכֶם אֲטַהֵר אֶתְכֶם:
(יחזקאל לו:כה)

שינוי נוסחאות

(ט) **שבאתה מכחה של זקן, והיה בעור בשרו.** לפני "והיה בעור בשרו" היה כתוב בספרים הישנים "על שום", ומ"כ כתב שנראה שהוא ט"ס, ואמנם בכמעט כל הדפוסים אח"ז השמיטו תיבות אלו, אבל בכל דפוסי אמשטרדם קיימו הגרסא הישנה, ובוארשא הכניסו התיבות בסוגריים מרובעים:

מתנות כהונה

הכי גרסינן בילקוט וכן הביאו רבינו בחיי נגע צרעת זו אדום שהקדוש ברוך הוא מלקה אותו בצרעת שנאמר מדוע נסחף אביריך לפי כו'. ודריש נסחף כמו נספח לשון ספחת: **מכחו של זקן.** יצחק שברכו והיה כאשר תריד וגו', ולכן הוא קשה מכל הגליות כנגע צרעת: **לפי שבעולם הזה כו'.** לפיכך כתיב והובא אל אהרן הכהן: **אבל לעתיד לבא כו'.** וכדי לסיים לדבר טוב נקטיה:

אשד הנחלים

והדברים ידועים על דרך הדרש: **שבעולם הזה הכהן כו' אני מטהר כו'.** הוא סיום המאמר בדבר טוב, להורות שלעתיד לבא יוטהרו מכל וכל, כי רוח הטומאה (שמכחה כל רע וכל עונש באה) יבער מן הארץ, וה' יטהרנו מעוונינו:

מצורע
METZORA

Chapter 16

וַיְדַבֵּר ה׳ אֶל מֹשֶׁה לֵּאמֹר. זֹאת תִּהְיֶה תּוֹרַת הַמְּצֹרָע בְּיוֹם טָהֳרָתוֹ וְהוּבָא אֶל הַכֹּהֵן.

HASHEM spoke to Moses, saying: This shall be the law of the metzora on the day of his purification: He shall be brought to the Kohen (14:1-2).

§1 **זֹאת תִּהְיֶה תּוֹרַת הַמְּצֹרָע** — ***THIS SHALL BE THE LAW OF THE METZORA.***

The Midrash will present two different interpretations of a passage in *Proverbs*, one of which serves to resolve a difficulty pertaining to our verse:[1]

הֲדָא הוּא דִכְתִיב "שֵׁשׁ הֵנָּה שָׂנֵא ה׳ וְשֶׁבַע תּוֹעֲבַת נַפְשׁוֹ" — **Thus it is written, *HASHEM hates these six, but seven is the abomination of His soul*** (*Proverbs* 6:16). **רַבִּי מֵאִיר וְרַבָּנָן** — **R' Meir and** the other **Sages** debated the interpretation of this verse:[2] **רַבִּי מֵאִיר אוֹמֵר: שֵׁשׁ וְשֶׁבַע הֲרֵי י״ג** — **R' Meir said:** The verse means that **there are six** abominable traits abhorred by God,[3] **and** also these additional **seven,**[4] **equaling thirteen** in all.[5] **וְרַבָּנָן אָמְרֵי: שֶׁבַע מְקַיְּימִין** — **While the** other **Sages say: There are seven that exist** in all,[6] **"וְשֶׁבַע" דִּכְתִיב, זוֹ שְׁבִיעִית שֶׁקָּשָׁה כְּנֶגֶד כּוּלָּם** — and the expression ***but "seven"*** **that is written** in the verse is to be understood as **"the seventh," and,** as the verse implies by labeling it *the abomination of His soul*, **it is as severe as all [the other six] combined. וְאֵיזֶה זֶה, "מְשַׁלֵּחַ מְדָנִים בֵּין אַחִים"** — **And which is the** seventh **one? The *one who stirs up strife among brothers*** (ibid., v. 19), i.e., slandering and thus causing hatred between friends.[7] **וְאִלּוּ הֵן: "עֵינַיִם רָמוֹת לְשׁוֹן שָׁקֶר וְיָדַיִם שֹׁפְכוֹת דָּם נָקִי, לֵב חֹרֵשׁ מַחְשְׁבוֹת אָוֶן רַגְלַיִם מְמַהֲרוֹת לָרוּץ לָרָעָה, יָפִיחַ כְּזָבִים עֵד שָׁקֶר וּמְשַׁלֵּחַ מְדָנִים בֵּין אַחִים"** — **And the following are the** seven abominable traits referred to in v. 16: ***haughty eyes, a false tongue, and hands spilling innocent blood, a heart plotting iniquitous thoughts, feet hastening to run to evil, one who spouts lies, a false witness;***[8] ***and one who stirs up strife among brothers*** (ibid., vv. 17-19).[9] **וְאָמַר רַבִּי יוֹחָנָן: וְכוּלָּן לָקוּ בְּצָרַעַת** — **And R' Yochanan said: All of those** who engaged in these behaviors **were stricken with *tzaraas.***[10]

NOTES

1. The difficulty is as follows: As explained by the Midrash below (at note 55; see also §2 and §4), the word מְצֹרָע found in our verse can be seen as a contraction of the words מוֹצִיא [שֵׁם] רַע, lit., *bring forth a bad name*, i.e., a defamer. The word מְצֹרָע thus alludes to the fact that one who defames others is punished with *tzaraas*; and our verse is to be rendered: "This (the law of *tzaraas*) shall be the law of the defamer." See similarly *Arachin* 15b. But inasmuch as *tzaraas* comes also as a punishment for *other* sins (as our Midrash will say shortly; see also 17 §3), why does the Torah allude (by use of the term מְצֹרָע) specifically to the sin of מוֹצִיא שֵׁם רַע? (*Eitz Yosef*).

2. [It is the Sages' interpretation of the verse that will provide an answer to our question.]

3. Listed in the preceding verses there (vv. 12-14). [See *Rashi* and *Metzudas David* for differing descriptions of the six sins. See *Yefeh To'ar*.]

4. Listed ibid., verses 17-19 (cited below).

5. According to R' Meir, all *seven* are deemed *the abomination of His soul* (*Eshed HaNechalim*).

6. *Matnos Kehunah*. But why then did the verse separate the *six* from the *seven*? Let it state simply, *HASHEM hates these seven*, or *These seven are the abomination of His soul*? The Midrash goes on to explain (*Eitz Yosef*)

7. I.e., the sin of slander (מוֹצִיא שֵׁם רַע) is graver than other sins. And this is the answer to our question (see notes 1-2): The reason the Torah alludes specifically to the sin of מוֹצִיא שֵׁם רַע in telling us to whom the laws of *tzaraas* will be applicable is that that sin is the most severe of those that cause one to be stricken with *tzaraas* (*Eitz Yosef*, beginning of section). [For a different approach to our question, see *Maharsha* to *Arachin* 16a, cited in brief by *Eitz Yosef* at the end of this section, s.v. המוציא שם רע.]

The gravity of the sin of slander is emphasized by the Gemara (*Arachin* 15b), which states that he who speaks evil of others proliferates iniquities equivalent to the three cardinal sins: idol worship, illicit relations and murder. In addition, our Sages state there that the tongue kills three people: the one who speaks it, the one who accepts it, and the one about whom it is said; and furthermore, it is deemed as though he has denied the existence of God (*Eitz Yosef*). [These dicta are stated in connection with one who speaks *lashon hara* — a broad term that includes many types of forbidden speech (see Schottenstein edition of *Arachin*, 15b note 8). For purposes of this chapter, the term מוֹצִיא שֵׁם רַע may be presumed to include all types of speech that fall under the category of *lashon hara*.]

8. [The phrase *one who spouts lies, a false witness* is counted as one, for one who accustoms himself to casual, purposeless lying will eventually come to bear false witness (*Yefeh To'ar*, first interpretation; *Eitz Yosef*).]

9. That is: According to the Sages, the six traits listed in vv. 12-14 (see note 3) — referred to in v. 16 with the words *HASHEM hates "these six"* — are all included in the list that follows (*Maharzu*; see there at length). The seventh trait in this list, *one who stirs up strife among brothers*, is the trait referred to in v. 16 with the words *but seven*, as the Midrash said above.

[For an entirely different and novel understanding of the dispute between R' Meir and the Sages, see *Maharsha* to *Arachin* 16a ד״ה על ו׳ דברים.]

10. R' Yochanan is informing us that *tzaraas* is the fitting punishment for one who violates any of the seven aforementioned sins (*Eshed HaNechalim*). See Insight Ⓐ.

INSIGHTS

Ⓐ **A Sevenfold Sin** The Midrash expounds the verse in *Proverbs* to teach that there are seven sins that warrant the penalty of *tzaraas*.

In *Aperion*, his work on *Chumash*, *R' Shlomo Ganzfried* (author of *Kitzur Shulchan Aruch*) learns from this that the *tzaraas* affliction is indicative of a sevenfold lack in the spiritual makeup of the afflicted one. [It stands to reason that a penalty triggered in seven different ways is one of seven facets, from which we may infer that a person to whom it adheres, even if he has not actually committed all seven sins, is somehow deficient in all seven areas.] This, he suggests, is why a *metzora* is quarantined for seven days. The seven days correspond to the seven sins. On each day of the seven, the *metzora* shall rectify one shortcoming of the seven, so that when the week ends, all will have been rectified and he will have achieved full atonement.

This might also serve to explain an unusual usage in the verse that recounts the prophet Elisha's instructions to Naaman, the Aramean general who petitioned Elisha to cure his *tzaraas* affliction (see below, note 49). Elisha instructs Naaman: הָלוֹךְ וְרָחַצְתָּ שֶׁבַע פְּעָמִים בַּיַּרְדֵּן, *Go and immerse seven times in the Jordan* (*II Kings* 5:10). The command "go" could have been worded לֵךְ, which is the usual form for the imperative. Instead, it is worded הָלוֹךְ, which is the usual form of the infinitive, and thus implies a continuing act of "going." [There are also other places in Scripture where the infinitive is used as the imperative, but it is still an unusual form.] *Aperion* suggests that Elisha's command of "Go" was stated not only with regard to Naaman's one-time journey to the Jordan, but also with regard to Naaman's ongoing *inner* journey, represented by his seven immersions, each being another station on an interior pilgrimage of introspection and repentance. With each immersion, Naaman was to rid himself of another of the seven shortcomings that are the hallmarks of a *metzora*. When all seven were rectified, and Naaman's journey was complete, the *tzaraas* would depart (see *Aperion* to *Leviticus* 13:2).

סֵדֶר מְצוֹרָע

פרשה טז

א [יד, ב] **"זֹאת תִּהְיֶה תּוֹרַת הַמְּצֹרָע", הָדָא הוּא דִכְתִיב** (משלי ו, טז) **"שֵׁשׁ הֵנָּה שָׂנֵא ה' וְשֶׁבַע תּוֹעֲבַת נַפְשׁוֹ", רַבִּי מֵאִיר וְרַבָּנָן, רַבִּי מֵאִיר אוֹמֵר: שֵׁשׁ וְשֶׁבַע הֲרֵי י"ג, וְרַבָּנָן אָמְרֵי: שֶׁבַע מְקַיְּימִין, "וְשֶׁבַע" דִּכְתִיב, זוֹ שְׁבִיעִית שֶׁקָּשָׁה כְּנֶגֶד כּוּלָּם, וְאֵיזֶה זֶה,** (שם שם יט) **"מְשַׁלֵּחַ מְדָנִים בֵּין אַחִים", וְאֵלּוּ הֵן:** (שם שם יז-יט) **"עֵינַיִם רָמוֹת לְשׁוֹן שָׁקֶר וְיָדַיִם שֹׁפְכוֹת דָּם נָקִי, לֵב חֹרֵשׁ מַחְשְׁבוֹת אָוֶן רַגְלַיִם מְמַהֲרוֹת לָרוּץ לָרָעָה, יָפִיחַ כְּזָבִים עֵד שָׁקֶר וּמְשַׁלֵּחַ מְדָנִים בֵּין אַחִים", אוְאָמַר רַבִּי יוֹחָנָן: וְכוּלָּן לָקוּ בְּצָרַעַת, "עֵינַיִם רָמוֹת" מִבְּנוֹת צִיּוֹן, דִּכְתִיב** (ישעיה ג, טז) **"יַעַן כִּי גָבְהוּ בְּנוֹת צִיּוֹן וַתֵּלַכְנָה נְטוּיוֹת גָּרוֹן וּמְשַׂקְּרוֹת עֵינָיִם" דִּכְתִיב** (שם שם יז) **"וְשִׂפַּח ה' קָדְקֹד בְּנוֹת צִיּוֹן", °דַּהֲוְיָין שַׁיְיפִין כְּרוּמְחִין וּמְהַלְּכִין בְּגַסּוּת הָרוּחַ, "וַתֵּלַכְנָה נְטוּיוֹת גָּרוֹן", שֶׁהָיְתָה אַחַת מֵהֶן לוֹבֶשֶׁת תַּכְשִׁיטֶיהָ וְהָיְתָה מַטָּה גְרוֹנָהּ בִּשְׁבִיל לְהַרְאוֹת אֶת תַּכְשִׁיטֶיהָ, "מְשַׂקְּרוֹת עֵינָיִם", רַבִּי מָנִי דְקֵיסָרִי אָמַר: שֶׁהָיוּ מְסַקְּרוֹת עֵינֵיהֶם בְּסִיקְרָא, וְרֵישׁ לָקִישׁ אָמַר: בְּקוֹלָרְיָא אֲדוּמָּה,** (שם שם טז) **"הָלוֹךְ וְטָפֹף תֵּלַכְנָה", כְּשֶׁהָיְתָה אַחַת מֵהֶן אֲרוּכָּה הָיְתָה מְבִיאָה שְׁתֵּי קְצָרוֹת, אַחַת מִכָּאן וְאַחַת מִכָּאן, כְּדֵי שֶׁתֵּרָאֶה אֲרוּכָּה, וּכְשֶׁהָיְתָה אַחַת מֵהֶן קְצָרָה הָיְתָה מְבִיאָה שְׁתֵּי קְצָרוֹת וְהָיְתָה נוֹתֶנֶת בְּרַגְלֶיהָ קוּנְדִּירִיקוֹן עָבֶה כְּדֵי שֶׁתֵּרָאֶה אֲרוּכָּה,**

עץ יוסף

(א) הדא הוא דכתיב שש הנה שנא ה'. משום דבעי לפרש המלורע המוליא שם רע כדלקמן, ויקשה מאי שנא דרמיז אהא טפי משאר מילי שהלרעת באה עליהם כדבסמוך, להכי מייתי האי קרא, ופלוגתיה דרבי מאיר ורבנן, דלרבנן דאמרו שהשביעית דהיינו משלח מדנים בין אחים קשה כנגד כולם ניחא, דלהכי אזהר טפי אמוליא שם רע מפני שקשה ששקול כנגד ששה תועבות, ומוליא שם רע היינו משלח מדנים כמובן: **שש ושבע הרי שלש עשרה.** הנה שבע מפורשים הם, והששה הם מה שהזכיר לעיל מיניה הולך עיקשות פה קורץ בעיניו וכו': **ומה מקיימין רבנן שבע.** כן לריך לומר, ופירושו למה חלק הכתוב למיכתב הכי, לימא שבע הנה שנא ה' או תועבת נפשו: **שקשה כנגד כולם.** כדאיתא בפרק יש בערכין (טו, ב) שמגדיל עונות כנגד עבודה זרה וגילוי עריות ושפיכות דמים גם אמרו חכמינו ז"ל (שם) שהורג שלש נפשות וכאילו כופר בעיקר: **יפיח כזבים עד שקר.** הדא היא, שפירושו הרגיל לכזב אפילו בדבר שאינו מעלה ומוריד סופו להעיד על שקר, אחר שהורגל לשונו על השקר: **וכולן לקו בצרעת.** אפשר בא לדרוש זה בלשון תועבת נפשו, שתועבה שהוא מלורע שהוא נתעב ומרוחק מן הבריות וכמה דאת אמר (איוב ל, י) תעבוני רחקו מני (רד"ל): **עינים רמות מבנות ציון.** היינו גלוי עריות כדלקמן (יז, ג), ומשום דסיבתו העין דעין רואה ולב חומד, תלה ליה בעינים: **דהוויין שייפין ברומחין.** שהיו מגביהות קומתן בזקיפה כרומח שהוא ישר שאין בו כפיפות. ושייפין נראה שהוא מלשון שפוי כובע שפירושו גובה, והיינו גבהו דקרא. ומה שאמר ומהלכין בגסות הרוח כמי מגבהו יליף לה דתרווייהו ענין גאות: **בקלוריא אדומה.** כחול אדום, ודומה לאחד ממיני דם ומפסיק הדמע (ערוך): **אחת מהן ארוכה.** דריש טפוף לשון העדפות ויתרון, כמו (ערכין יט, א) לטפויי קאתי, כלומר כמגדילות עלמן: **קונדיריקון.** מנעל שקורין גאפין בלע"ז:

פירוש מהרז"ו

(א) שש הנה שנא ה'. עיין בראשית רבה (עט, א) בשם לרות יעלך ובשבע וגו' (איוב ה, יט), ושם לא פליג רבי מאיר, ואתבאר מתוך דברינו: **הרי שלש עשרה.** עיין ביפה תואר, ולדעת רבנן ששה הראשונים נכללים בשבע האחרונים, הולך עקשות פה (משלי ו, יב), היינו לשון שקר (שם יז), [קורץ בעיניו (שם פסוק יג), עיניים רמות (שם פסוק יז)], מולל ברגליו (שם פסוק יג), רגלים ממהרות לרוץ לרעה (שם פסוק יח), מורה באלבעותיו (שם פסוק יג), ידים שופכות דם נקי (שם פסוק יז), תהפוכות בלבו (שם פסוק יד), לב חורש (שם פסוק יח), מדנים ישלח (שם פסוק יד), ומשלח מדנים (שם פסוק יט), הרי שהששה הראשונים נכללים בשבע האחרונים, אלא שבתחלה עושה בדרך קל, ואינו עדיין שנאוי לה', אלא לריך תוכחה ועונש, ואחר כך כשנשתרש בחטא נעשה שנאוי ותועבה, ואינם אלא שבעה. ומה שאמר, זו שביעית ואיזה זה ומשלח מדנים בין אחים, משמע שלריך חקירה על השביעית, שהרי היא מפורש שחושבה באחרונה. אלא שכוונתו למה שכתבנו, שהששה נכללים בשבעה. ומה שכתוב בששה מדנים ישלח, ומה שכתוב בשבעה ומשלח מדנים בין אחים, היינו מה שכתוב בהשבעה ומשלח מדנים בין אחים, ואם כן היא הששית, ויהיה השביעית יפיח כזבים, שאינו בששה הנ"ל, אך דעת חז"ל על חושבה לבסוף בין בחשבון הששה ובין בחשבון השבעה, בהכרח שהיא השביעית שהיא כנגד כולם, שמה שכתוב בין אחים, כולל אחים ממש ואוהבים דבקים מאח, ובין ישראל לאביהם שבשמים, שעל כן היא הקשה שבכולם: **עינים רמות מבנות ציון.** כי הוקשה לו, וכי עינים של רשעים הם גבוהות ורמות משאר אנשים, על כן דורש שפירושו עינים של רמות, כמו שכתוב (ישעיה ג, טז) כי גבהו בנות ציון, ועינים פירושו מסקרות עינים, שעל שהיו גבוהות הלב בגאוה ובתאוה, היו מסקרות עינים, על פי מדה ט' ועל פי מדה י"ז: **שייפין ברומחין.** עיין מתנות כהונה, ועם זה היו גסות הרוח, ככ"ל בהרמת הראש למעלה, כמו הרומח, ועיין לקמן (יז, ג) דקרי להו גילוי עריות, ומה שאמר אחת מהן לובשת תכשיטיו, אגב שאמר בסמוך אחת ארוכה, אמר גם כאן אחת לובשת, וכל הענין באיכה רבתי פסוק סורו טמא (ד, יח): **בקולריא אדומה.** בערוך ערך קלר א', גורס בקילורית אדומה, פירושו כחול אדום דומה לאחד ממיני דמים, ועיין במוסף הערוך שמאריך בזה: **שתראה ארוכה.** שתהא ארוכתה וגבהותה ניכרת יותר על ידי הקלרות. ומה שאמר אבל כשהיתה אחת מהן קלרה, שהיתה מביאה שתי קלרות, לא גרים לה באיכה רבתי שם, אלא היתה נותנת ברגליה וכו':

מתנות כהונה

[א] שבע מקויימין. פירוש שבע דוקא הן ולא יותר, והאי דכתיב שש ושבע ולא כתיב שבע שנא, היינו כמו והשביעית (שמות כג, יא): **שייפין כו'.** משופין, ופשוטן [ופושטין] גבהן למעלה בקומה זקופה כרומח, ובאיכה רבה בפסוק סורו טמא (ד, יח), גרס שייפין ברומהון, ואולי כי כן עיקר: **בקולירא אדומה.** כחל שכוחלין בו העינים, מלשון קילורית לעין: **וטפוף.** לשון לף בגובה, אשר הליף (דברים יא, ד) תרגם אונקלס דאטיף: **קונדיריקון.** פירוש הערוך (ערך קרדייקס) מנעלים: **עבה.** שהיו הסוליים עבים וגבוהים:

אשד הנחלים

[א] ר' מאיר אומר שש ושבע כו'. יתכן שחושב מה שנאמר בפסוקים שלפניו, אדם בליעל, איש און, הולך עקשות פה, הא תלת, קורץ בעיניו מולל ברגליו מורה באצבעותיו הא ארבע, תהפוכות בלבו חורש רע הא חמשה, בכל עת מדנים ישלח הא ששה, ואחר כך מפרש הכתוב זהו השש אשר שנא, והשבע האחרות האמור למטה, זהו תועבת נפשו מאוד. ודעת רבנן שהשש והשבע הם האמורים למטה, ופירוש ושבע פירושו השביעית, כמו שפירש המתנות כהונה: **וכולן לקו בצרעת.** להורות באו שהצרעת בא על עבירות חמורות כאלו: **שייפין ברומחין.** כן צריך לומר: **שהייתה אחת מהם לובשת כו'.** זהו כמו שאומר להלן שהיתה מביאה שתי קצרות כו':

חידושי הרד"ל

[א] הדא הוא דכתיב שש. מביא זה משום סיומא משלח מדנים בין אחים, שהוא המספר לשון הרע, ולסיים עלה תורת המלורע, המוליא שם רע, וכמו שאכתוב לקמן אם ירלה השם: **ורבנן אמרין שבע מה מקיימין ושבע כו'.** כן לריך לומר: **וכולן לקו בצרעת.** איפשר בא לדרוש זה בלשון תועבת נפשו, שתועבה הוא מלורע שהוא נתעב ומרוחק מן הבריות, וכמה דאת אמר (איוב ל, י) תעבוני רחקו מני: **ושפח ה' בנות ציון יען כי גבהו בנות ציון, דהוו שייפין.** כן לריך לומר: **דהוו שייפין כו'.** שלא נפרש כי גבהו הוא כלל וחוזר ופירש גבהותן, ותלכנה נטויות גרון כו', בא לפרש גבהו בעצמן דהוו שייפין כו':

חידושי הרש"ש

[א] רבנן אמרי שבע (פירוש בסך הכל) **מקיימין ושבע כו'.** (פירוש דהן מקיימין ומפרשין ושבע דכתיב, זו שביעית. ועיין בילקוט): **וכתיב ושפח ה' קדקוד בנות ציון.** כך לריך לומר: **הלוך וטפוף כו' היתה מביאה שתי קצרות כו'.** נראה לי דדרש טפוף מלשון טף, כי טף הוא מהכפולים, על משקל עם דל, וכן לפי דרשת הגמרא (יומא ט, ב) על שם שהיו מהלכות עקב בלד גודל, היינו כי כן דרך הליכות הטף כשמתחילין להתרגל בהליכה:

באור מהרי"פ

[א] דהוי שייפין וכו'. הערוך מביאו בערך שף שלפני שף האחרון, ולא פירש כלום. וזה לשון ר' בנימין מוספייא, אמר בנימין, פירוש זקופים ופשוטים: **מתנות כהונה בד"ה קונדיקון פירש הערוך מנעלים.** בערוך ערך קרדקיים מביא מדרש הלזה פירוש בלע"ז פטיטין. ור' בנימין מוספייא, בערך עכס פירש מנעלים: **וטפוף.** אולי פירוש לשון העדפה ויתרון כמו לטפויי קאתי:

מסורת המדרש

א. לקמן פ' י"ז וש"נ:

אם למקרא

שֵׁשׁ הֵנָּה שָׂנֵא ה' וְשֶׁבַע תּוֹעֲבַת נַפְשׁוֹ: עֵינַיִם רָמוֹת לְשׁוֹן שָׁקֶר וְיָדַיִם שֹׁפְכוֹת דָּם נָקִי: לֵב חֹרֵשׁ מַחְשְׁבוֹת אָוֶן רַגְלַיִם מְמַהֲרוֹת לָרוּץ לָרָעָה: יָפִיחַ כְּזָבִים עֵד שָׁקֶר וּמְשַׁלֵּחַ מְדָנִים בֵּין אַחִים: (משלי ו:טז-יט)

וַיֹּאמֶר ה' יַעַן כִּי גָבְהוּ בְּנוֹת צִיּוֹן וַתֵּלַכְנָה נְטוּיוֹת גָּרוֹן וּמְשַׂקְּרוֹת עֵינָיִם הָלוֹךְ וְטָפֹף תֵּלַכְנָה וּבְרַגְלֵיהֶם תְּעַכַּסְנָה: וְשִׂפַּח אֲדֹנָי קָדְקֹד בְּנוֹת צִיּוֹן וַה' פָּתְהֵן יְעָרֶה: (ישעיה ג:טז-יז)

אמרי יושר

[א] הרי שלש עשרה. והכתוב מנה כאן השביעי לבד. אי נמי שש הנה, הנזכר לעיל מיניה בסמוך (פסוק יב - יד), אדם בליעל, איש און, הולך עקשות פה, הרי שלשה, רביעי קורץ בעיניו מולל ברגליו מורה באצבעתיו, חמישי תהפוכות בלבו לחרוש רע, שביעי מדנים ישלח. אי נמי ניקח השביעי שמנה במדרש משלי (פרשה ו), עבודה זרה, גילוי עריות, שפיכות דמים, זקן, נואף, מי שהגיד מה שלא שמע, לשון הרע, ומחניף לחבירו, אלא דהתם סבירא ליה [כרבנן דכאן], ושבע שביעית: **היתה מביאה שתי קצרות.** זהו וטפוף, לשון טף על הקצרות, או כמו דאטפת אטפוך (אבות פ"ב מ"ו), מלשון לפה, והיא על הארוכה שלפה ועודפת על האחרת:

שינוי נוסחאות

(א) **ורבנן אמרי: שבע מקיימין, ושבע דכתיב** ... בא"א הגיה "ורבנן אמרי: שבע, מאי מקיימין רבנן ושבע דכתיב ...", וכן הגיהו יפ"ת ורד"ל, וע' רש"ש שפירש המדרש כן גם בלי להגיה: **דהוויין שייפין ברומחין ומהלכין בגסות הרוח.** לפני "דהוויין" הגיה רד"ל דצ"ל "כי גבהו בנות ציון":

The Midrash now shows how we derive that people who were guilty of evincing these traits were indeed stricken with *tzaraas*. It begins with a very lengthy discussion relating to the first of the seven, *haughty eyes*:

״עֵינַיִם רָמוֹת״ מִבְּנוֹת צִיּוֹן — That those with ***haughty eyes*** were stricken with *tzaraas* is derived **from** that which we find regarding **the daughters of Zion,**[11] **דִּכְתִיב ״יַעַן כִּי גָבְהוּ בְּנוֹת צִיּוֹן וַתֵּלַכְנָה נְטוּיוֹת גָּרוֹן וּמְשַׂקְּרוֹת עֵינָיִם״** — **for it is written** of the proud daughters of Zion, ***Because the daughters of Zion "gavhu," walking with outstretched necks and "mesakros" eyes;*** *walking with "tafof" steps, "te'akasna" with their feet* (*Isaiah* 3:16);[12] **דִּכְתִיב ״וְשִׂפַּח ה׳ קָדְקֹד בְּנוֹת צִיּוֹן״** — and their punishment for doing these things is stated in the very next verse, **for it is written,** ***[therefore] the Lord will afflict with lesions the heads of the daughters of Zion*** (ibid., v. 17).[13]

The Midrash explains, phrase by phrase, the actions of the daughters of Zion mentioned in *Isaiah* 3:16:

״כִּי גָבְהוּ בְּנוֹת צִיּוֹן״ דַּהֲווְיָן שָׁיְיפִין כְּרוֹמְחִין וּמְהַלְּכִין בְּגַסּוּת הָרוּחַ — The phrase ***Because the daughters of Zion "gavhu"*** [גָּבְהוּ] means **that they would raise** themselves **to their full height, like spears, and walk about proudly.**[14] **״וַתֵּלַכְנָה נְטוּיוֹת גָּרוֹן״, שֶׁהָיְתָה אַחַת מֵהֶן לוֹבֶשֶׁת תַּכְשִׁיטֶיהָ וְהָיְתָה מַטָּה גְרוֹנָהּ בִּשְׁבִיל לְהַרְאוֹת אֶת תַּכְשִׁיטֶיהָ** — The phrase ***walking with outstretched necks*** means **that one of [the daughters of Zion] would wear all her finery and turn her neck** in different directions[15] **to display her jewelry.** **״מְשַׂקְּרוֹת עֵינָיִם״, רַבִּי מָנִי דְקֵיסָרִי אָמַר** — Explaining the next phrase, ***"mesakros"*** [מְשַׂקְּרוֹת] ***eyes,*** **R' Mani of Caesarea said:** **שֶׁהָיוּ מְסַקְּרוֹת עֵינֵיהֶם בְּסִיקְרָא** — This means **they would paint** (מְסַקְּרוֹת) **their eyes with dye.**[16] **וְרֵישׁ לָקִישׁ אָמַר: בְּקוֹלָרְיָא אֲדוּמָּה** — **Reish Lakish said:** They would paint their eyes **with red dye.**[17] **״הָלוֹךְ וְטָפוֹף תֵּלַכְנָה״** — The following phrase is ***walking with "tafof"*** [טָפֹף] ***steps.*** **כְּשֶׁהָיְתָה אַחַת מֵהֶן אֲרוּכָּה** — This implies that **if one of [the daughters of Zion] was tall,** **הָיְתָה מְבִיאָה שְׁתֵּי קְצָרוֹת, אַחַת מִכָּאן וְאַחַת מִכָּאן, כְּדֵי שֶׁתֵּרָאֶה אֲרוּכָּה** — **she would bring two short [maidens]** and position them **on either side** of her **in order to appear** even **taller;** **וּכְשֶׁהָיְתָה אַחַת מֵהֶן קְצָרָה** — **and if one of them was short,** **הָיְתָה מְבִיאָה שְׁתֵּי קְצָרוֹת וְהָיְתָה נוֹתֶנֶת בְּרַגְלֶיהָ קוּנְדִירִיקוֹן עָבֶה כְּדֵי שֶׁתֵּרָאֶה אֲרוּכָּה** — **she would bring two short [maidens]** and position them on either side of her **and put high-soled shoes on her feet to appear taller.**[18]

NOTES

11. Who engaged in immodest behavior, which ultimately led to sexual immorality (see further, and see 17 §3). The sin of sexual immorality is referred to via the expression *haughty eyes* because it comes about through the eyes. See *Berachos* 12b; see also *Yalkut Shimoni, Isaiah* §445 (*Eitz Yosef*). The Midrash proceeds to expound the verses that discuss the promiscuity of the daughters of Zion.

12. The Midrash will momentarily explain the untranslated words in this verse (*gavhu, mesakros, tafof,* and *te'akasna*). Presumably, it is the phrase *"mesakros" eyes* in this verse from *Isaiah* that corresponds to the phrase עֵינַיִם רָמוֹת (*haughty eyes*) of the *Proverbs* passage. See *Maharzu* below (s.v. האומרים ימהר יחישה) who links יַעַן כִּי ״גָבְהוּ״ בְּנוֹת צִיּוֹן . . . וּמְשַׂקְּרוֹת ״עֵינָיִם״ to the phrase (*Isaiah* 5:15), ״וְעֵינֵי גְבֹהִים״ תִּשְׁפַּלְנָה (*and the eyes of the haughty will be brought low*) — a phrase almost identical to the *Proverbs* phrase we are discussing, עֵינַיִם רָמוֹת. [Indeed, the Midrash below quotes from another verse in *Isaiah* Ch. 5 to shed light on the verse we are discussing here (*Isaiah* 3:16); and *Maharzu* (s.v. למען נראה וכו׳) states further that *many* verses found in *Isaiah* Ch. 5 are to be understood as connected to those of Ch. 3.]

13. The Midrash understands the punishment indicated by this verse to be *tzaraas.* (This is in keeping with the view of R' Elazar below; see note 28.)

14. The Midrash thus takes the word גָּבְהוּ (lit., *were high*) not only in its figurative sense of "high in spirit," i.e., arrogant and proud (which is its plain sense in this verse), but also in its literal sense of being physically tall.

15. *Eichah Rabbah* 4 §18. While the plain meaning of the word נְטוּיוֹת in this verse is "outstretched," the root נטה can also mean "turn" (see e.g., *Numbers* 20:17, 22:26) and it is in this sense that the Midrash expounds it here.

16. The word מְשַׂקְּרוֹת means "winking." However, the Midrash expounds the word מְשַׂקְּרוֹת as if it were written מְסַקְּרוֹת (*painting*).

17. A feature of this blood-like dye was that it stopped tears from falling (*Eitz Yosef*, citing *Aruch*).

18. *Eitz Yosef* writes that this practice is alluded to in the word טָפֹף, which is similar to the Aramaic word טְפֵי, *increase*, indicating that the women would elongate themselves in this manner to appear more attractive. For alternative explanations of the etymology of טָפֹף, as it is interpreted by the Midrash, see *Matnos Kehunah* and *Peirush Kadum*.

סֵדֶר מְצֹרָע

פרשה טז

א [יד, ב] **"זֹאת תִּהְיֶה תּוֹרַת הַמְּצֹרָע", הָדָא הוּא דִכְתִיב** (משלי ו, טז) **"שֵׁשׁ הֵנָּה שָׂנֵא ה' וְשֶׁבַע תּוֹעֲבַת נַפְשׁוֹ", רַבִּי מֵאִיר וְרַבָּנָן, רַבִּי מֵאִיר אוֹמֵר: שֵׁשׁ וָשֶׁבַע הֲרֵי י"ג, וְרַבָּנָן אָמְרֵי: שֶׁבַע מְקַיְּמִין, "וְשֶׁבַע" דִּכְתִיב, זוֹ שְׁבִיעִית שֶׁקָּשָׁה כְּנֶגֶד כּוּלָּם, וְאֵיזֶה זֶה,** (שם שם יט) **"מְשַׁלֵּחַ מְדָנִים בֵּין אַחִים", וְאֵלּוּ הֵן:** (שם שם יז-יט) **"עֵינַיִם רָמוֹת לְשׁוֹן שָׁקֶר וְיָדַיִם שֹׁפְכוֹת דָּם נָקִי, לֵב חֹרֵשׁ מַחְשְׁבוֹת אָוֶן רַגְלַיִם מְמַהֲרוֹת לָרוּץ לָרָעָה, יָפִיחַ כְּזָבִים עֵד שָׁקֶר וּמְשַׁלֵּחַ מְדָנִים בֵּין אַחִים". [א]וְאָמַר רַבִּי יוֹחָנָן: וְכוּלָּן לָקוּ בְּצָרַעַת, "עֵינַיִם רָמוֹת" מִבְּנוֹת צִיּוֹן, דִּכְתִיב** (ישעיה ג, טז) **"יַעַן כִּי גָבְהוּ בְּנוֹת צִיּוֹן וַתֵּלַכְנָה נְטוּיוֹת גָּרוֹן וּמְשַׂקְּרוֹת עֵינָיִם" דִּכְתִיב** (שם שם יז) **"וְשִׂפַּח ה' קָדְקֹד בְּנוֹת צִיּוֹן". °דַּהֲוַיִין שָׁיְיפִין בְּרוֹמְחִין וּמְהַלְּכִין בְּגַסּוּת הָרוּחַ, "וַתֵּלַכְנָה נְטוּיוֹת גָּרוֹן", שֶׁהָיְתָה אַחַת מֵהֶן לוֹבֶשֶׁת תַּכְשִׁיטֶיהָ וְהָיְתָה מַטָּה גְרוֹנָהּ בִּשְׁבִיל לְהַרְאוֹת אֶת תַּכְשִׁיטֶיהָ, "מְשַׂקְּרוֹת עֵינָיִם", רַבִּי מָנִי דְקֵיסָרִי אָמַר: שֶׁהָיוּ מְסַקְּרוֹת עֵינֵיהֶם בְּסִיקְרָא, וְרֵישׁ לָקִישׁ אָמַר: בְּקוֹלְרְיָא אֲדוּמָּה,** (שם שם טז) **"הָלוֹךְ וְטָפוֹף תֵּלַכְנָה", כְּשֶׁהָיְתָה אַחַת מֵהֶן אֲרוּכָּה הָיְתָה מְבִיאָה שְׁתֵּי קְצָרוֹת, אַחַת מִכָּאן וְאַחַת מִכָּאן, כְּדֵי שֶׁתֵּרָאֶה אֲרוּכָּה, וּכְשֶׁהָיְתָה אַחַת מֵהֶן קְצָרָה הָיְתָה מְבִיאָה שְׁתֵּי קְצָרוֹת וְהָיְתָה נוֹתֶנֶת בְּרַגְלֶיהָ קוּנְדִּרִיקוֹן עָבֶה כְּדֵי שֶׁתֵּרָאֶה אֲרוּכָּה,**

עץ יוסף

(א) הדא הוא דכתיב שש הנה שנא ה'. משום דבעי לפרש המצורע המוציא שם רע כדלקמן, ויקשה מאי שנא דרמיז אהא טפי משאר מילי שהצרעת בא עליהם כדבסמוך, להכי מייתי האי קרא, ופלוגתיה דרבי מאיר ורבנן, דלרבנן דאמרו שהשביעית דהיינו משלח מדנים בין אחים קשה כנגד כולם ניחא, דלהכי אזהר טפי אמוציא שם רע מפני שקשה ששקול כנגד ששה תועבות, ומוציא שם רע היינו משלח מדנים כמובן: **שש ושבע הרי שלש עשרה.** הנה שבע מפורשים הם, והששה הם מה שהזכיר לעיל מיניה הולך עיקשות פה קורץ בעיניו וכו': **ומה מקיימין רבנן שבע.** כן צריך לומר, ופירושו למה חלק הכתוב למיכתב הכי, לימא שבע הנה שנא ה' או תועבת נפשו: **שקשה כנגד כולם.** כדאיתא בפרק יש בערכין (טו, ב) שמגדיל עונות כנגד עבודה זרה וגילוי עריות ושפיכות דמים גם אמרו חכמינו ז"ל (שם) שהורג שלש נפשות וכאילו כופר בעיקר: **יפיח כזבים עד שקר.** הדא היא, שפירושו הרגיל לכזב אפילו בדבר שאינו מעלה ומוריד סופו להעיד על שקר, אחר שהורגל לשונו על השקר: **וכולן לקו בצרעת.** אפשר בא לדרוש זה בלשון תועבת נפשו, שתועבה הוא מצורע שהוא נתעב ומרוחק מן הבריות וכמה דאת אמר (איוב ל, י) תעבוני רחקו מני (רד"ל): **עינים רמות מבנות ציון.** היינו גלוי עריות כדלקמן (יז, ג), ומשום דסיבתו העין דעין רואה ולב חומד, תלה ליה בעינים: **דהוויין שייפין ברומחין.** שהיו מגביהות קומתן בזקיפה כרומח שהוא ישר שאין בו כפיפות. ושייפין נראה שהוא מלשון שפוי כובע שפירושו גובה, והיינו גבהו דקרא. ומה שאמר ומהלכין בגסות הרוח נמי מגבהו יליף לה דתרווייהו ענין גאות: **בקולריא אדומה.** כחול אדום, ודומה לאחד ממיני דם ומפסיק הדמע (ערוך): **אחת מהן ארוכה.** דריש טפוף לשון העדפות ויתרון, כמו (ערכין יט, א) לטפויי קאתי, כלומר כמגדילות עצמן: **קונדיריקון.** מנעל שקורין גאפין בלע"ז:

פירוש מהרז"ו

(א) שש הנה שנא ה'. עיין בראשית רבה (עט, א) בשש צרות יצילך ובשבע וגו' (איוב ה, יט), ושם לא פליג רבי מאיר, ותתבאר מתוך דבריו: **הרי שלש עשרה.** עיין ביפה תואר, ולדעת רבנן ששה הראשונים נכללים בשבע האחרונים, הולך עקשות פה (משלי ו, יב), היינו לשון שקר (שם יז), [קורץ בעיניו (שם פסוק יג), עיניים רמות (שם פסוק יז)], מולל ברגליו (שם פסוק יג), רגלים ממהרות לרוץ לרעה (שם פסוק יח), מורה באצבעותיו (שם פסוק יג), ידים שופכות דם נקי (שם פסוק יז), תהפוכות בלבו (שם פסוק יד), לב חורש (שם פסוק יח), מדנים ישלח (שם פסוק יד), ומשלח מדנים (שם פסוק יט), הרי שהששה הראשונים נכללים בשבע האחרונים, אלא שבתחלה עושה בדרך קל, ואינו עדיין שנאוי לה', אלא צריך תוכחה ועונש, ואחר כך כשנשתרש בחטא נעשה שנאוי ותועבה, ואינם אלא שבעה. ומה שאמר, זו שביעית ואיזה זה ומשלח מדנים בין אחים, משמע שצריך חקירה על השביעית, שהרי היא מפורש שחושבה באחרונה. אלא שכוונתו למה שכתבנו, שהששה נכללים בשבעה. ומה שכתוב בששה מדנים ישלח, היינו מה שכתוב בהשבעה ומשלח מדנים בין אחים, ואם כן היא הששית, ויהיה השביעית יפיח כזבים, שאינו בששה הנ"ל, אך דעת חז"ל על שחושבה לבסוף בין בחשבון הששה ובין בחשבון השבעה, בהכרח שהיא השביעית שהיא כנגד כולם, שמה שכתוב בין אחים, כולל אחים ממש ואוהבים דבקים מאח, ובין ישראל לאביהם שבשמים, שעל כן היא הקשה שבכולם: **עינים רמות מבנות ציון.** כי הוקשה לו, וכי עינים של רשעים הם גבוהות ורמות משאר אנשים, על כן דורש שפירושו עינים של רמות, כמו שכתוב (ישעיה ג, טז) כי גבהו בנות ציון, ועינים פירושו מסקרות עינים, שעל שהיו גבוהות הלב בגאוה ובתאוה, היו מסקרות עינים, על פי מדה ט' ועל פי מדה י"ז: **שייפין ברומחין.** עיין מתנות כהונה, ועם זה היו גסות הרוח, כנ"ל בהרמת הראש למעלה, כמו הרומח, ועיין לקמן (יז, ב) דקרי להו גלוי עריות, ומה שאמר אחת מהן לובשת תכשיטיו, אגב שאמר בסמוך אחת ארוכה, אמר גם כאן אחת לובשת, וכל הענין באיכה רבתי פסוק סורו טמא (ד, יח): **בקולריא אדומה.** בערוך ערך קלר א', גורס בקילורית אדומה, פירושו כחול אדום דומה לאחד ממיני דמים, ועיין במוסף הערוך שמאריך בזה: **שתראה ארוכה.** שתהא ארוכתה וגבהותה ניכרת יותר על ידי הקצרות. ומה שאמר אגל כשהיתה אחת מהן קצרה, שהיתה מביאה שתי קצרות, לא גרים לה באיכה רבתי שם, אלא היתה נותנת ברגליה וכו':

מתנות כהונה

[א] שבע מקויימין. פירוש שבע דוקא הן ולא יותר, והאי דכתיב שש ושבע ולא כתיב שבע שנא, היינו כמו והשביעית (שמות כג, יא): **שייפין כו'.** משופין, ופשוטן [ופושטין] גבהן למעלה בקומה זקופה כרומח, ובאיכה רבה בפסוק סורו טמא (ד, יח), גרס שייפין ברומהון, ואולי כי כן עיקר: **בקולירא אדומה.** כחל שכוחלין בו העינים, מלשון קילורית לעין: **וטפוף.** לשון גף בגובה, אשר הגיף (דברים יח, ד) תרגם אונקלס דאטיף: **קונדיריקון.** פירוש הערוך (ערך קרדייקס) מנעלים: **עבה.** שהיו השוליים עבים וגבוהים:

אשד הנחלים

[א] ר' מאיר אומר שש ושבע כו'. יתכן שחושב מה שנאמר בפסוקים שלפניו, אדם בליעל, איש און, הולך עקשות פה, הא תלת, קורץ בעיניו מולל ברגליו מורה באצבעותיו הא ארבע, תהפוכות בלבו חורש רע הא חמשה, בכל עת מדנים ישלח הא ששה, ואחר כך מפרש הכתוב זהו השש אשר שנא, והשבע האחרות האמור למטה, זהו תועבת נפשו מאוד. ודעת רבנן שהשש והשבע הם האמורים למטה, ופירוש ושבע פירושו השביעית, כמו שפירש המתנות כהונה: **וכולן לקו בצרעת.** להורות באו שהצרעת בא על עבירות חמורות כאלו: **שייפין ברומחין.** כן צריך לומר: **שהייתה אחת מהם לובשת כו'.** זהו כמו שאומר להלן שהיתה מביאה שתי קצרות כו':

חידושי הרד"ל

[א] הדא הוא דכתיב שש. מביא זה משום סיומא משלח מדנים בין אחים, שהוא המספר לשון הרע, ולסיים עלה תורת המצורע, המוציא שם רע, וכמו שאכתוב לקמן אם ירצה השם: **ורבנן אמרין שבע מה מקיימין ושבע כו'.** כן צריך לומר: **וכולן לקו בצרעת.** אפשר בא לדרוש זה בלשון תועבת נפשו, שתועבה הוא מצורע שהוא נתעב ומרוחק מן הבריות, וכמה דאת אמר (איוב ל, י) תעבוני רחקו מני: **ושפח ה' בנות ציון יען כי גבהו בנות ציון, דהוו שייפין.** כן צריך לומר: **דהוו שייפין כו'.** שלא נפרש כי גבהו הוא כלל וחוזר ופירש גבהותן, ותלכנה נטויות גרון כו', בא לפרש גבהו בעצמן דהוו שייפין כו':

חידושי הרש"ש

[א] רבנן אמרי שבע (פירוש בסך הכל) **מקיימין ושבע כו'.** (פירוש דהן מקיימין ומפרשין ושבע דכתיב, זו שביעית. ועיין בילקוט): **וכתיב ושפח ה' קדקוד בנות ציון.** כך צריך לומר: **הלוך וטפוף כו' היתה מביאה שתי קצרות כו'.** נראה לי דדרש טפוף מלשון טף, כי טף הוא מהכפולים, על משקל עם דל, וכן לפי דרשת הגמרא (יומא ט, ב) על שם שהיו מהלכות עקב בצד גודל, היינו כי כן דרך הליכות הטף כשמתחילין להתרגל בהליכה:

באור מהרי"פ

[א] דהוי שייפין וכו'. הערוך מביאו בערך שף שלפני שף האחרון, ולא פירש כלום. וזה לשון ר' בנימין מוספייא, אמר בנימין, פירוש זקופים ופשוטים: **מתנות כהונה בד"ה קונדיקון פירש הערוך מנעלים.** בערוך ערך קרדקיים מביא מדרש הלזה פירוש בלע"ז פטיטין. ור' בנימין מוספייא, בערך עכס פירש מנעלים: **וטפוף.** אולי פירוש לשון העדפה ויתרון כמו לטפויי קאתי:

מסורת המדרש

א. לקמן פ' י"ז וש"נ:

אם למקרא

שֵׁשׁ הֵנָּה שָׂנֵא ה' וְשֶׁבַע תּוֹעֲבַת נַפְשׁוֹ: עֵינַיִם רָמוֹת לְשׁוֹן שָׁקֶר וְיָדַיִם שֹׁפְכוֹת דָּם נָקִי: לֵב חֹרֵשׁ מַחְשְׁבוֹת אָוֶן רַגְלַיִם מְמַהֲרוֹת לָרוּץ לָרָעָה: יָפִיחַ כְּזָבִים עֵד שָׁקֶר וּמְשַׁלֵּחַ מְדָנִים בֵּין אַחִים:
(משלי ו:טז-יט)

וַיֹּאמֶר ה' יַעַן כִּי גָבְהוּ בְּנוֹת צִיּוֹן וַתֵּלַכְנָה נְטוּיוֹת גָּרוֹן וּמְשַׂקְּרוֹת עֵינָיִם הָלוֹךְ וְטָפוֹף תֵּלַכְנָה וּבְרַגְלֵיהֶם תְּעַכַּסְנָה: וְשִׂפַּח אֲדֹנָי קָדְקֹד בְּנוֹת צִיּוֹן וַה' פָּתְהֵן יְעָרֶה:
(ישעיה ג:טז-יז)

אמרי יושר

[א] הרי שלש עשרה. והכתוב מנה כאן השביעי לבד. אי נמי שש הנה, הנזכר לעיל מיניה בסמוך (פסוק יב - יד), אדם בליעל, איש און, הולך עקשות פה, הרי שלשה, רביעי קורץ בעיניו מולל ברגליו מורה באצבעותיו, חמישי תהפוכות בלבו לחרוש רע, שביעי מדנים ישלח. אי נמי נייקה השביעי שמנה במדרש משלי (פרשה ו), עבודה זרה, גלוי עריות, שפיכות דמים, זקן, נואף, מי שהגיד מה שלא שמע, לשון הרע, ומחניף לחבירו, אלא דהתם סבירא ליה [כרבנן דכאן], ושבע שביעית: **היתה מביאה שתי קצרות.** זהו וטפוף, לשון טף על הקצרות, או כמו דאטפת אטפוך (אבות פ"ב מ"ו), מלשון צפה, והיא על הארוכה שצפה ועודפת על האחרת:

שינוי נוסחאות

(א) ורבנן אמרי: שבע מקיימין, ושבע דכתיב ... בא"א הגיה "ורבנן אמרי: שבע, מאי מקיימין רבנן ושבע דכתיב ...", וכן הגיהו יפ"ת ורד"ל, וע' רש"ש שפירש המדרש כן גם בלי להגיה: **דהוויין שייפין ברומחין ומהלכין בגסות הרוח.** לפני "דהוויין" הגיה רד"ל דצ"ל "כי גבהו בנות ציון":

"וּבְרַגְלֵיהֶם תְּעַכַּסְנָה", רַבִּי אַבָּא בַּר כָּהֲנָא אָמַר — Commenting on the next phrase, *"te'akasna"* [תְּעַכַּסְנָה] *with their feet,* **R' Abba bar Kahana said:** שֶׁהָיְתָה צוּרַת דְּרָקוֹן בְּמִנְעָלֶיהָ — **The figure of a serpent was on her shoes.**[19] וְרַבָּנָן אָמְרֵי: הָיְתָה מְבִיאָה שְׁפוֹפֶרֶת שֶׁל בֵּיצָה — **But the** other **Sages said: She would bring an egg-shell,** וְהָיְתָה מְמַלְּאָה אוֹתָהּ אֲפַרְסְמוֹן — **fill it with balsam,** וְנוֹתֶנֶת אוֹתָהּ תַּחַת עֲקֵיבָהּ בְּמִנְעָלָהּ — **and place it beneath the heel of her shoe;** וּכְשֶׁהָיְתָה רוֹאָה כַּת שֶׁל בַּחוּרִים — **and when she would see a group of young men** הָיְתָה רוֹפֶסֶת עָלֶיהָ וְהָיְתָה אוֹתוֹ הָרֵיחַ מְפַעְפֵּעַ בָּהֶן כְּאֶרֶס שֶׁל עַכְנָה — **she would tread on it** forcefully, **and its scent spread through them like the poison of a snake,** arousing their passions.[20] וְהָיָה הַקָּדוֹשׁ בָּרוּךְ הוּא אוֹמֵר לִישַׁעְיָה מָה אֵלּוּ עוֹשׂוֹת כָּאן, יָקוּמוּ וְיִגְלוּ מִכָּאן — **Then, the Holy One, blessed is He, would tell Isaiah, "What are these doing here? Let them get up and be exiled from here!"** וְהָיָה יְשַׁעְיָה אוֹמֵר לָהֶם: עֲשׂוּ תְּשׁוּבָה עַד שֶׁלֹּא יָבוֹאוּ עֲלֵיכֶם שׂוֹנְאִים — **And** in turn **Isaiah would tell [these women], "Repent before the enemies** have an opportunity to **come against you."** אָמְרוּ: אִם יָבוֹאוּ שׂוֹנְאִים עָלֵינוּ מָה הֵם יְכוֹלִים לַעֲשׂוֹת — To which **they replied, "Even if the enemies come against us, what can they possibly do?"**[21] שֶׁנֶּאֱמַר "הָאֹמְרִים יְמַהֵר יָחִישָׁה מַעֲשֵׂהוּ לְמַעַן נִרְאֶה" — **As it states** in Isaiah's description of the wicked of Israel,[22] ***Those who say, "Let Him hurry, let Him hasten His action, so that we may see it"*** (*Isaiah* 5:19). דּוּכּוּס רוֹאֵנִי וְנוֹטֵל אוֹתִי — The wicked women said, "If *only* **a commander** of the non-Jewish invaders **will see me and take me** in marriage![23] אִפַּרְכּוֹס רוֹאֶה אוֹתִי וְנוֹטֵל אוֹתִי — If *only* **an officer will see me and take me** in marriage![24] אִיסְטְרַטְלִיטוּס רוֹאֶה אוֹתִי וּמוֹשִׁיב אוֹתִי בְּקָרוֹן — If *only* **a general will see me and place me in** his state **carriage!"** הֲוֵי "וְתִקְרַב וְתָבוֹאָה עֲצַת קְדוֹשׁ יִשְׂרָאֵל וְנֵדָעָה" — **Thus** Isaiah cites the women as saying, ***"Let the plan of the Holy One of Israel approach and take place, so that we may know it"*** (ibid.); וְנֵדַע דְּמַן הוּא דְקַיְימָא, דִּילָן אוֹ דִּילֵיהּ — by which they meant, **"We will know whose** plan **will endure — ours or [God's]!"**[25] כֵּיוָן שֶׁגָּדְלוּ עֲוֹנוֹת בָּאוּ הַשּׂוֹנְאִים — **When their sins became** even **greater the enemies came** to Jerusalem, הָיוּ מִתְקַשְּׁטוֹת וְיוֹצְאוֹת לִפְנֵיהֶם כְּזוֹנוֹת — **and [these women] adorned themselves and went out before them** adorned[26] **like harlots.** דּוּכּוּס רָאָה אוֹתָן וּנְטָלָן — And indeed, **a commander saw them and took them** in marriage;[27] אִפַּרְכּוֹס רָאָה אוֹתָן וּנְטָלָן — **an officer saw them and took them** in marriage; אַסְטְרַטְלִיטוּס רָאָה אוֹתָן וּנְטָלָן וּמוֹשִׁיב אוֹתָן בְּקָרוֹן — **a general saw them, took them and seated them in** his state **carriage.** אָמַר הַקָּדוֹשׁ בָּרוּךְ הוּא: לָא קַיְימָא דִּילִי וְקַיְימָא דִּילְהוֹן — In response, **the Holy One, blessed is He, said, "My wishes will not stand, and theirs will?!"** I.e., will these promiscuous women's plans be realized, and not Mine? Certainly not! מָה עָשָׂה "וְשִׂפַּח ה' קָדְקֹד בְּנוֹת צִיּוֹן" — **What did [God] do?** Scripture informs us: ***[Therefore] the Lord will "vesipach"*** [וְשִׂפַּח] ***the heads of the daughters of Zion*** (ibid. 3:17). רַבִּי אֶלְעָזָר וְרַבִּי יוֹסֵי בְּרַבִּי חֲנִינָא — **R' Elazar and R' Yose the son of R' Chanina** debated the meaning of "vesipach": רַבִּי אֶלְעָזָר אוֹמֵר: הִלְקָן בְּצָרַעַת כְּדִכְתִיב "וְלַשְׂאֵת וְלַסַּפַּחַת" — **R' Elazar said: He afflicted them with *tzaraas*, as it is written, *and of the s'eis and of the "sapachas"*** [סַפַּחַת] (below, v. 56).[28] רַבִּי יוֹסֵי בַּר חֲנִינָא אָמַר: הֶעֱלָה עַל רֹאשָׁם מִשְׁפָּחוֹת מִשְׁפָּחוֹת שֶׁל כִּנִּים — **R' Yose bar Chanina said:** It means that **He brought swarms**[29] **of lice to fester on their heads.**[30]

Two additional interpretations of the words וְשִׂפַּח ה' קָדְקֹד בְּנוֹת צִיּוֹן:[31]

רַבִּי חִיָּיא בַּר אַבָּא אָמַר: עֲשָׂאָן שְׁפָחוֹת מְכוּדָּנוֹת — **R' Chiya bar Abba said: [God] made them *"mechudanos"* maidservants** to their masters. מַהוּ מְכוּדָּנוֹת — **What is** the meaning of ***"mechudanos"*** maidservants"? אַמְהָן מְשַׁעְבְּדָן — **Enslaved maidservants.**[32]

NOTES

19. The word תְּעַכַּסְנָה comes from the root עכס, which means "snake venom" [see next note], thus alluding to the form of a serpent (*Matnos Kehunah*). Alternatively, R' Abba sees תְּעַכַּסְנָה as being related to the Aramaic עַכְנָא, *a serpent* (*Eitz Yosef*). These women would paint the figure of a snake on their shoes. This was done for idolatrous purposes; see *Avodah Zarah* 42b (*Yedei Moshe, Eitz Yosef*; for an alternative version and interpretation, see *Eshed HaNechalim*).

20. The term תְּעַכַּסְנָה is seen by the Sages as stemming from the root word עכס, which means snake venom, as in the verse (*Proverbs* 7:22), וּכְעֶכֶס אֶל מוּסַר אֱוִיל, *like a venomous snake to discipline the foolish one* (*Rashash, Eitz Yosef*, based on *Shabbos* 62b with *Rashi*). [A snake spews venom only when it is angry; thus its venom is called עֶכֶס, which contains the same letters as כַּעַס, *anger* (*Rashi* loc. cit., *Eitz Yosef*). According to *Matnos Kehunah* cited in the previous note, R' Yose and the Sages agree that תְּעַכַּסְנָה is from the root עכס.]

21. In other words, how can they harm us? If they wish to engage in acts of immorality, why, this is what we wish, too! (*Midrash Rabbah HaMevoar*).

22. And specifically, of these wicked *women* of Israel (see *Maharzu*, who derives this from *Isaiah* 5:13; see above, note 12).

23. *Pesikta DeRav Kahana* §17. The Midrash appears to be expounding the phrase לְמַעַן נִרְאֶה, *so that we may see*, as if it were written לְמַעַן נֵרָאֶה, "so that we may be seen." (See, however, *Maharzu*, who explains that *so that we may see* means "so that we may see who will win, us or God" — see Midrash below, וְנֵדַע דְּמַן הוּא דְקַיְימָא וְכוּ', "We will know whose plan will endure, etc.")

24. Ibid.

25. That is, we will know if these officers will harm us, or take us as wives (*Peirush Kadum*).

26. *Pesikta DeRav Kahana* ibid.

27. Ibid.

28. R' Elazar explains the word וְשִׂפַּח as referring to סַפַּחַת, a type of *tzaraas* (*Matnos Kehunah* et al.). See note 13. As to why Isaiah mentions only the head, it is possible that he means that they will be stricken "from head to toe" (*Eitz Yosef*, second explanation).

29. Lit., *families [upon] families.*

30. R' Yose bar Chanina expounds the word וְשִׂפַּח as though it were written וְשִׁפַּח (with a *shin* in place of a *sin*), which is in turn related to the word מִשְׁפָּחָה, *family* (*Matnos Kehunah* et al.). That these were swarms of *lice* is deduced from Scripture's specification of the head, where lice (and not other creatures) are common (*Matnos Kehunah*, followed by *Eitz Yosef*; *Maharzu* s.v. למען נראה וכו').

God afflicted the daughters of Zion with *tzaraas* (according to R' Elazar) or lice (according to R' Yose bar Chanina) in order to make them repulsive to their new husbands (*Maharzu*). See note 35 below.

31. According to the interpretations that follow, קָדְקֹד does *not* mean *heads* in the literal sense (as translated above).

32. R' Chiya bar Abba, too, expounds the word וְשִׂפַּח as though it were written וְשִׁפַּח; however, he maintains that the word is cognate with שִׁפְחָה, *maidservant*. And he takes the word קָדְקֹד, *head*, to mean "prominent one." Accordingly, the meaning of וְשִׂפַּח ה' קָדְקֹד בְּנוֹת צִיּוֹן is: *The Lord will make maidservants of the most prominent of the daughters of Zion.* While these women thought that they would be beloved to their non-Jewish officer husbands [and that through their marriages they would become officers themselves (*Eshed HaNechalim, Maharzu* s.v. רבי חייא וכו')], this is not what happened. Rather, even the most prominent of them ("the heads") were forced to become maidservants (*Yefeh To'ar, Eitz Yosef*).

(שם) "וּבְרַגְלֵיהֶם תְּעַכַּסְנָה", רַבִּי אַבָּא בַּר כַּהֲנָא אָמַר: שֶׁהָיְתָה צוּרַת דְּרָקוֹן בְּמִנְעָלֶיהָ, וְרַבָּנָן אָמְרֵי: הָיְתָה מְבִיאָה שְׁפוֹפֶרֶת שֶׁל בֵּיצָה וְהָיְתָה מְמַלְּאָה אוֹתָהּ אֲפַרְסְמוֹן וְנוֹתֶנֶת אוֹתָהּ תַּחַת עֲקֵיבָהּ בְּמִנְעָלָהּ, וּכְשֶׁהָיְתָה רוֹאָה כַּת שֶׁל בַּחוּרִים הָיְתָה רוֹפֶסֶת עָלֶיהָ וְהָיְתָה אוֹתוֹ הָרֵיחַ מְפַעְפֵּעַ בָּהֶן כְּאֶרֶס שֶׁל עַכְנָה, וְהָיָה הַקָּדוֹשׁ בָּרוּךְ הוּא אוֹמֵר לִישַׁעְיָה: מָה אֵלּוּ עוֹשׂוֹת כָּאן, יָקוּמוּ וְיִגְלוּ מִכָּאן, וְהָיָה יְשַׁעְיָה אוֹמֵר לָהֶם: עֲשׂוּ תְּשׁוּבָה עַד שֶׁלֹּא יָבוֹאוּ עֲלֵיכֶם שׂוֹנְאִים, אָמְרוּ: אִם יָבוֹאוּ שׂוֹנְאִים עָלֵינוּ מָה הֵם יְכוֹלִים לַעֲשׂוֹת, שֶׁנֶּאֱמַר (ישעיה ה, יט) "הָאֹמְרִים יְמַהֵר יָחִישָׁה מַעֲשֵׂהוּ לְמַעַן נִרְאֶה", דוּכּוּס רוֹאֵנִי וְנוֹטֵל אוֹתִי, אִפַּרְכוֹס רוֹאֶה אוֹתִי וְנוֹטֵל אוֹתִי, אִיסְטְרַטְלִיטוּס רוֹאֶה אוֹתִי וּמוֹשִׁיב אוֹתִי בְּקָרוֹן, הֱוֵי (שם) "וְתִקְרַב וְתָבוֹאָה עֲצַת קְדוֹשׁ יִשְׂרָאֵל וְנֵדָעָה", וְנֵדַע דְּמַן הוּא דְקַיְּמָא, דִּילָן אוֹ דִילֵיהּ, כֵּיוָן שֶׁגָּדְלוּ עֲוֹנוֹת בָּאוּ הַשּׂוֹנְאִים, הָיוּ מִתְקַשְּׁטוֹת וְיוֹצְאוֹת לִפְנֵיהֶם כְּזוֹנוֹת, דוּכּוּס רָאָה אוֹתָן וּנְטָלָן, אִפַּרְכוֹס רָאָה אוֹתָן וּנְטָלָן, אִסְטְרַטְלִיטוּס רָאָה אוֹתָן וּנְטָלָן וּמוֹשִׁיב אוֹתָן בְּקָרוֹן, אָמַר הַקָּדוֹשׁ בָּרוּךְ הוּא: לָא קַיְּמָא דִילִי וְקַיְּמָא דִילְהוֹן, מֶה עָשָׂה, (ישעיה ג, יז) "וְשִׂפַּח ה' קָדְקֹד בְּנוֹת צִיּוֹן", רַבִּי אֶלְעָזָר וְרַבִּי יוֹסֵי בְּרַבִּי חֲנִינָא, רַבִּי אֶלְעָזָר אוֹמֵר: הִלְקָן בְּצָרַעַת כְּדִכְתִיב (לקמן יד, נו) "וְלַשְׂאֵת וְלַסַּפַּחַת" רַבִּי יוֹסֵי בַּר חֲנִינָא אָמַר: הֶעֱלָה עַל רֹאשָׁם מִשְׁפָּחוֹת מִשְׁפָּחוֹת שֶׁל כִּנִּים, רַבִּי חִיָּיא בַּר אַבָּא אָמַר: עֲשָׂאָן שְׁפָחוֹת מְכוּדָּנוֹת, מַהוּ מְכוּדָּנוֹת, אַמְהָן מְשַׁעְבְּדָן,

עץ יוסף

צורת דרקון. דריש תעכסנה לשון עכנה, ודרקון היינו עכנה, וזה אסור משום עבודה זרה, כמו (עבודה זרה מב, ב) המוצא צורת דרקון כו': [**שפופרת של ביצה.** במדרש איכה (ד, יט) הגירסא זפק של תרנגול:] **רופסת.** דורסת: **כארס של עכנא.** בפרק במה אשה (שבת סב, ב) גרסינן כארס נחש כעוס, ופירש רש"י שם תעכסנה כמו וכעכס אל מוסר אויל, והוא ארס של נחש וקרי ליה עכס על שם שאינו מעלה אלא על ידי כעס: **והיה ישעיה.** בילקוט (ישעיה שלט) ובאיכה רבתי (ד, יט) גרס והיה ירמיהו: **אפרכוס.** שר: **אסטרטליטוס.** יוונ: **לא קיימא דילי.** בתמיה: **וקיימא דילהון.** פירוש ושלהם מקיימין: **ושפח.** לשון ספחת: **הלקן בצרעת.** והא דתליא ליה בקדקד, אפשר מפני שהוא מקום יותר מוכן להעלות חטטין, או הכוונה מקדקד עד רגל: **כדכתיב ולשאת ולספחת.** והא דנקט ספחת טפי משאר, משום דספחת אינו שם נגע, אלא תולדה דשאת ודהרת כדאיתא בריש שבועות (ו, ב) וכייל שני המינים: **משפחות כו'.** דרש ושפח לשון משפחה, ומדכתיב קדקד משמע דכנים היו דשכיחי בקדקד (מתנות כהונה): **עשאן שפחות.** ופירוש ושפח לשון שפחה. וענין הקדקד לפי זה דרך משל אל החשובות שבהן שהן כראש וקדקד לאחרות. והיינו דלא נחמדו כמחשבתן אדרבה כבשום לשפחה משועבדות כשפחות הפחותות: **אמהן משעבדן.** הוא פירוש של שפחות מכודנות, וכן גירסת איכה רבתי (שם), מהו מכודנות אמהן משעבדן:

פירוש מהרז"ו

רבי אבא בר כהנא וכו' צורת דרקון. בערוך ערך דרקון הגירסא, רבי אסי אומר שהיתה לה צורת דרקון, ופירש עכס מין נחש, וזהו תעכסנה: **כעכס של עכנא.** עיין כלשון זה בבראשית רבה (סה, כב), שגורמות ברגליהן מעשה ארס ועכס עכנא: **הקב"ה אומר לישעיה וכו'.** היינו מה שאמר בסוף הענין, ואנו ואבלו פתחיה וגו', שלא יהיו בהם יושב שיגלו: **האומרים ימהר יחישה.** דורש שפסוק זה אמרו בנות ציון שאמר שם קודם לכן, לכן גלה עמי מבלי דעת, היינו בחטאת בנות ציון שדעתן קלות, וזהו בלי דעת, ועל זה אמר ועיני גבוהים כל"ל, יען כי גבהו בנות ציון וגו' ומשקרות עינים, ועליהם אמר, האומרים ימהר יחישה מעשהו, שהגלות יהיה טובתם, שאם כפשוטו איזה טובה יקוו ישראל מהגלות, שיבקשו שיגלו אותם, ועל כן דרשו כל"ל, ועל פי מדה כ': **למען נראה וכו'.** דמן הוא דקיימא שמה שנאמר (ישעיה ה, יט) למען נראה, פירושו נראה מי נוטל אני או הוא, עיין בראשית רבה (ה, יג) נראה מי נוטל, ושם נסמך לכמה מקומות, ולפי דרשה זו פסוקים של ישעיה ה' (פסוק יג - יט) לכן גלה וגו' האומרים ימהר וגו', כאלו היה מקומם בישעיה (ג, טז) יען כי גבהו, על פי מדה ל"ב, שאחר תיבת יען שייך תיבת לכן, כמו שכתוב ישעיה (ח, ו) יען כי מאס וגו', ולכן וגו' (שם פסוק ח), ושם כט (פסוק יג) יען כי נגש וגו', לכן הנני וגו' (שם פסוק יד), וכן כאן יען כי גבהו וגו' (שם ג, טז), לכן גלה וגו' (שם ה, יג), ואנו ואבלו וגו' (שם ג, כו), ואחר כך פסוק (יז) ושפח ה' קדקוד בנות ציון, אחר שהתעולל בהן והניחן, שנגמר מחשבתן הסכלה וישבו עם השרים בקרון, אז הראה להם השם יתברך ידו החזקה לנצח, ופרע להם מדה כנגד מדה, שהם גבהו ראשן למעלה כל"ל, על כן ספח קדקדן, אם בצרעת וספחת שבראש, וזה וספח, על פי גזירה שוה, ואם בכנים הרבה, ודרש וספח שכתוב בשי"ן מלשון משפחה, על פי מדת ממעל, ואיזה משפחה של קללה שייך בראש, על כן דורש על משפחת קללה של כינים: ורבי חייא בר אבא דורש ושפח מלשון שפחה, על פי מדת ממעל ומנגד, שהם דמו להיות שרות נגד רצון ה' יתברך, על כן נעשו שפחות משועבדים, ומה שכתוב שמר משפחותיהם, דורש ושפח נוטריקון שמר משפחות, שמה שנאמר בנות ציון מיותר, שהיה די שיאמר ושפח ה' קדקדן, שבהן מדבר, אלא אמר מלתא בטעמא, למה ספח קדקדן אם בצרעת אם בכנים, על שהן בנות ציון שלא יאבדו ממשפחתן, הלקן באופן שירחקו מהן:

חידושי הרד"ל

אם יבואו שונאים כו'. פסיקתא דותאמר ציון: **שפחות מכודנות.** אסורות בזיקים, להיות אמהן משעבדין לעולם:

חידושי הרש"ש

שפופרת של ביצה. במדרש איכה רבתי (ד, יח) הגירסא זפק של תרנגול, והוא יותר נכון. או אפשר דהכוונה פה לפירוש המהר"י בספרו בליקוטים הובא בתוס' רע"ק על המשניות דביצה פירושו אגס, ורצה לומר באגס שגדלים בו קנים, מלשון היגאה גמא בלא בצה (איוב ח, יא): **היתה רופסת כו' כארס כו'.** עיין מתנות כהונה, ולי נראה דלרבנן נמי פירוש תעכסנה מן וכעכס אל מוסר אויל (משלי ז, כב), שהוא ארס הנחש, וכפירש"י בשבת (סב, ב ד"ה תעכסנה): **רבי אלעזר ורבי יוסי בר חנינא רבי אלעזר אומר הלקן בצרעת.** ובשבת (סב, ב) איתא דרבי יוסי בר חנינא אומר לצרעת:

באור מהרי"פ

מתנות כהונה בד"ה רופסת וכו' תעכסנה לשון עצירה ובעיטה עד כאן. צריך עיון:

מסורת המדרש

ב. ילקוט ישעיה רמז של"ב:

אם למקרא

הָאֹמְרִים יְמַהֵר יָחִישָׁה מַעֲשֵׂהוּ לְמַעַן נִרְאֶה וְתִקְרַב וְתָבוֹאָה עֲצַת קְדוֹשׁ יִשְׂרָאֵל וְנֵדָעָה: (ישעיה ה:יט)

וְשִׂפַּח אֲדֹנָי קָדְקֹד בְּנוֹת צִיּוֹן וַה' פָּתְהֵן יְעָרֶה: (שם ג:יז)

וְלַשְׂאֵת וְלַסַּפַּחַת וְלַבֶּהָרֶת: (ויקרא יד:נו)

ידי משה

[א] צורת דרקון. ואסור משום עבודה זרה כמו שאיתא במשנה (עבודה זרה מב, ב) המוצא צורות דרקון וכו':

שינוי נוסחאות

והיה הקדוש ברוך הוא אומר לישעיה. בכמה כ"י איתא "לירמיה" במקום "לישעיה" (וכן לקמן בסמוך "והיה ירמיה" במקום "והיה ישעיה"), וע' מ"כ:

מתנות כהונה

צורות דרקון. דרש תעכסנה לשון עכס, שהוא ארס של נחש: **רופסת.** דורכת בכח, ודריש תעכסנה לשון עצירה ובעיטה: **אמר.** לישעיה: **והיה ישעיה אומר.** באיכה רבה (ג, ה) גרסינן ירמיהו, והכי גרסינן בילקוט בשם פסיקתא: **אפרכוס.** שר: **אסטרטליטוס.** יוונ: **לא קיימא דילי.** בתמיה: **וקיימא דילהון.** פירוש ושלהן מקויים: **ושפח.** לשון ספחת: **משפחות כו'.** דרש ושפח, לשון משפחה מדכתיב קדקד. ומשמע דכנים היו דשכיחי בקדקד: **הכי גרסינן מכודנות מהו מכודנות אמהן משעבדן.** פירוש אמהות משועבדות: **הכי גרסינן לקמן באיכה רבה** (ד, יח) **מהו ושפח ושפע.** והוא בחילוף אותיות אחה"ע, ופירוש הספיע ושפך דמם לחוץ, וכל זה כדי שלא יבאו עליהם השונאים ויתערב זרע קודש כו'. ודייק לשון קדקד בנות ציון שישאר הקדקד וראש יחס בנות ציון. ומצאתי בילקוט (ישעיה רמז שלט) בשם פסיקתא גרס ושפח שמר משפחותיהם:

אשד הנחלים

שהיתה צורת דרקון. כן צריך לומר. ואסור משום עבודת אלילים (ידי משה). והיותר נראה שדרקון הוא שם המושאל על הבושם המבעיר התאוה כמו שאומר להלן. והגירסא צרורות: **משפחות של בינים.** ודרש ושפח לשון משפחה, כלומר משפחה מאוסה: **שפחות מכודנות.** וזהו ושפח מלשון שפחה, לא כמו שדימו שיהיו קשרות בעת שילקחו להשרים:

רַבִּי חִיָּיא וְחִילְפָא בַּר אִידִי בְּשֵׁם רַבִּי יוֹסֵי אָמַר: מַהוּ "וְשִׂפַּח" — **R' Chiya and Chilfa bar Idi in the name of R' Yose said: What is** the meaning of ***vesipach*** [וְשִׂפַּח]? שָׁמַר מִשְׁפְּחוֹתֵיהֶם, כְּדֵי שֶׁלֹּא יִתְעָרֵב זֶרַע קֹדֶשׁ בְּעַמֵּי הָאֲרָצוֹת — **[God] guarded the families** (מִשְׁפָּחוֹת) **[of Israel] so that the holy children** of Israel **not mix with the peoples of** other **lands.**[33] And how did He accomplish this?[34] אָמַר הַקָּדוֹשׁ בָּרוּךְ הוּא: יוֹדֵעַ אֲנִי שֶׁאֵין אוּמּוֹת הָעוֹלָם בְּדֵילִין מִן הַצָּרַעַת — **The Holy One, blessed is He, said, "I know that the nations of the world do not separate themselves from** one who is afflicted with ***tzaraas***."[35] מֶה עָשָׂה — So **what did [God] do?** "ה' פָּתְהֵן יְעָרֶה" — The latter part of the verse states, ***HASHEM will "ye'areh"*** [יְעָרֶה] ***their private parts*** (*Isaiah* ibid.).[36] רָמַז הַקָּדוֹשׁ בָּרוּךְ הוּא לִמְעַיְינֵיהֶם וְהִיא מוֹצִיאָה דָם, וּמְמַלֵּא הַקָּרוֹן דָּם — This means: **[God] "gestured" to their sources,**[37] **and [each woman] discharged** a large amount of **blood, filling with blood the carriage** in which she was riding;[38] וְהָיָה אוֹתוֹ שִׁלְטוֹן נוֹעֲצָהּ בְּרוֹמַח וְנוֹתְנָהּ לִפְנֵי הַקָּרוֹן — **and,** seeing this, **the officer** who had married each woman, respectively, **would** become enraged, **pierce [his wife] with a dagger, thrust her** on the ground **in front of the carriage,** וְהָיָה קָרוֹן עוֹבֶרֶת עֲלֵיהֶן וּמְרַמְּסָן — **and the carriage would** then **ride over [these women] and crush them** to death. הוּא שֶׁיִּרְמְיָה אוֹמֵר "סוּרוּ טָמֵא קָרְאוּ לָמוֹ" — Indeed, **this is** the meaning of **what Jeremiah said,** ***"Away*** [סוּרוּ], ***unclean one!" people shouted at them*** (*Lamentations* 4:15). רַבִּי מֵאִיר אוֹמֵר: לָשׁוֹן יְוָנִי הוּא, סִירוֹן סִירוֹן — **R' Meir said: This** term (סוּרוּ) **is a** Hebrew adaptation from **the Greek language** and means, **"Drag** away, **drag** away!" (סִירוֹן סִירוֹן).[39]

Having established that people with *haughty eyes* — the first of the seven negative traits listed in *Proverbs* 6:17-19, cited above — were stricken with *tzaraas*,[40] the Midrash proceeds to show that people who possessed the other traits listed there were also afflicted with *tzaraas*. The second trait listed there is *a false tongue*:

"לְשׁוֹן שָׁקֶר" מִמִּרְיָם — That ***a false tongue*** is punished with *tzaraas* is derived **from** the incident of **Miriam,** דִּכְתִיב "וַתְּדַבֵּר מִרְיָם וְאַהֲרֹן בְּמֹשֶׁה" — **for it is written, *Miriam and Aaron spoke against Moses*** *regarding the Cushite woman he had married* (*Numbers* 12:1).[41]

NOTES

33. I.e., so that they do not assimilate (as they hoped to do) (*Eshed HaNechalim, Maharzu* loc. cit.). R' Yose reads וְשִׂפַּח of the *Isaiah* verse as though it were written וְשִׁפַּח, which is cognate to מִשְׁפָּחָה, *family*. [Alternatively, he takes וְשִׂפַּח as a contraction of שָׁמַר מִשְׁפָּחוֹת (*Matnos Kehunah*; *Maharzu* ibid.).] And like R' Chiya bar Abba, he interprets קָדְקֹד, *the heads*, as denoting prominence. Accordingly, the phrase וְשִׂפַּח ה' קָדְקֹד בְּנוֹת צִיּוֹן means as follows: *The Lord will preserve the prominence [and pure lineage] of the daughters of Zion*. The Midrash goes on to explain how God would accomplish this (*Eitz Yosef*).

[*Maharzu* (ibid.) explains that what led the Midrash to this exposition is the fact that the phrase *daughters of Zion* appears in the preceding verse in *Isaiah* (3:16). Verse 3:17 could therefore have stated more concisely, *the Lord will afflict "their heads."* The repetition of the phrase *daughters of Zion* tells us that God's concern was that these women's identity as "daughters of Zion," i.e., as Jews, be preserved.]

34. That is, how did God ensure that the women of Israel not assimilate?

35. *Tzaraas* was insufficient to get the officers to separate from their new Jewish wives; more drastic measures were required (see further).

The Midrash appears to be following the view of R' Yose bar Chanina above that God did not afflict the daughters of Zion with *tzaraas* [for He knew that would not suffice; He did afflict them with *lice* according to R' Yose bar Chanina, but that, too, apparently proved insufficient]. However, it is possible that the Midrash means that He *did* afflict them with *tzaraas* (in accord with the view of R' Elazar above), but that He then saw that it was insufficient (*Matnos Kehunah*, followed by *Eitz Yosef*; cf. *Maharzu*, cited in note 30).

36. In context, the plain meaning of the word יְעָרֶה is *will bare*. However, the Midrash will explain it differently.

37. I.e., to the sources of their menstrual blood, i.e., their wombs.

38. The word יְעָרֶה is thus interpreted to mean "will pour." The root ערה has the same meaning in *Genesis* 24:20 (*Maharzu*).

39. Translation follows *Eitz Yosef*, citing *Mussaf HeAruch*. Accordingly, the phrase סוּרוּ טָמֵא in the *Lamentations* verse is to be understood, "Drag away the unclean one!" or "Be dragged away, unclean one!"

Alternatively: The word סִירוֹן is to be understood as related to the Hebrew word סִרְחוֹן, *stench* (*Matnos Kehunah, Eitz Yosef*), for the women were foul-smelling because of the blood (*Peirush Kadum*). Accordingly, the *Lamentations* verse is to be understood, "[Remove the] stench of the unclean one!" or "[Remove the] foul-smelling one!"

40. See note 13 above.

41. Miriam informed Aaron that their brother Moses had separated himself from his wife (see *Rashi* ad loc.) — implying that he had done so on his own. In truth, however, God had instructed him to do so (*Eitz Yosef*; see *Rashi* to *Numbers* 12:8). See Insight Ⓐ.

INSIGHTS

Ⓐ **Speaking Lashon Hara About a Person in His Presence** The authorities debate whether derogatory speech spoken about a person in the person's own presence is prohibited as *lashon hara*. According to *Maharal*, such speech is not included in the prohibition of *lashon hara* [but may be forbidden in any event — see below] (see *Nesivos Olam, Nesiv HaLashon*, beg. of Ch. 7). The *Chafetz Chaim* disagrees and rules that such speech *is* prohibited as *lashon hara* (see *Chafetz Chaim, Hil. Lashon Hara, Be'er Mayim Chaim*, second gloss to 2:1).

The *Chafetz Chaim* brings proof to his view from the incident with Miriam. It is commonly agreed that Miriam's sin was one of *lashon hara* (see *Rambam, Hil. Tumas Tzaraas* 16:10). Yet *Sifrei* states, in the name of R' Nassan, that Miriam spoke in the presence of Moses (*Sifrei* to *Numbers* 12:2). Evidently, derogatory words even if spoken in the presence of the subject are classified as *lashon hara*. This would seem to contradict the ruling of *Maharal*.

R' Yitzchak Hutner resolves the difficulty. He observes that *lashon hara* consists of two parts, both of which are components of an act of spying. The two parts of *lashon hara* are: (a) seeking out damaging information about one's fellow, and (b) conveying that information to another, i.e., talebearing. This is seen from the verse that teaches this prohibition (*Leviticus* 19:16): לֹא תֵלֵךְ רָכִיל בְּעַמֶּיךָ, *Do not go about as a gossip among your people*. The root רכל, *to gossip*, is related to רגל, *to spy* (see *Rashi* ad loc.), for a gossip, like a spy, searches out the secrets of his fellows and repeats them to others. However, whereas the act of talebearing is a necessary part of the sin, the act of seeking out information is not. One cannot transgress the prohibition of *lashon hara* without relaying something derogatory about one person to another. One can, however, transgress the prohibition without seeking to uncover derogatory information regarding another. For example, one might come into possession of such information through legitimate means. Yet, if he repeats it to another, he has committed the sin of *lashon hara*.

Rav Hutner draws a subtle distinction between these two cases. As explained, a person's words are not deemed to be *lashon hara* unless they contain an element of מְרַגֵּל, *spying*. Where a person relays information that he came by legitimately, this criterion must perforce be fulfilled through the act of talebearing. Where, however, the damaging information was sought out and acquired improperly, the element of "spying" is present in the acquisition of the information itself. In this case, the subsequent act of talebearing, although a necessary condition of the sin, is not needed to fulfill the criterion of spying. If the person should happen to relay the tale in a manner that is not considered to be spying, the person has still transgressed the prohibition of *lashon hara*, on the basis of the spying performed when he initially acquired the derogatory information.

This distinction is crucial to resolving the difficulty with *Maharal*. The reason one who repeats the information in the presence of the subject has not committed *lashon hara* according to *Maharal* is that the act

רַבִּי חִיָּא וְחִילְפָא בַּר אִידִי בְּשֵׁם רַבִּי יוֹסֵי אָמַר: מַהוּ "וְשִׁפַּח", שָׁמַר מִשְׁפְּחוֹתֵיהֶם, כְּדֵי שֶׁלֹּא יִתְעָרֵב זֶרַע קֹדֶשׁ בְּעַמֵּי הָאֲרָצוֹת, אָמַר הַקָּדוֹשׁ בָּרוּךְ הוּא: יוֹדֵעַ אֲנִי שֶׁאֵין אוּמּוֹת הָעוֹלָם בְּדֵילִין מִן הַצָּרַעַת, מֶה עָשָׂה ג"ה' פָּתְהֵן יְעָרֶה" (ישעיה שם שם) רֶמֶז הַקָּדוֹשׁ בָּרוּךְ הוּא לְמַעְיְנֵיהֶם וְהִיא מוֹצִיאָה דָּם, וּמְמַלֵּא הַקֶּרֶן דָּם, וְהָיָה אוֹתוֹ שִׁלְטוֹן נוֹעֲצָהּ בְּרוֹמַח וְנוֹתְנָהּ לִפְנֵי הַקֶּרֶן, וְהָיָה קֶרֶן עוֹבֶרֶת עֲלֵיהֶן וּמְרַמְּסָן, הוּא שֶׁיִּרְמְיָה אוֹמֵר (איכה ד, טו) "סוּרוּ טָמֵא קָרְאוּ לָמוֹ", רַבִּי מֵאִיר אוֹמֵר: לְשׁוֹן יְוָנִי הוּא, סִירוֹן סִירוֹן. (משלי ו, יז) "לְשׁוֹן שָׁקֶר" מִמְּרְיָם, דִּכְתִיב (במדבר יב, א) "וַתְּדַבֵּר מִרְיָם וְאַהֲרֹן בְּמֹשֶׁה", וּמִנַּיִן שֶׁלָּקְתָה בְּצָרַעַת, שֶׁנֶּאֱמַר (שם שם י) "וְהֶעָנָן סָר מֵעַל הָאֹהֶל וְהִנֵּה מִרְיָם מְצֹרַעַת כַּשָּׁלֶג", (משלי שם שם) "וְיָדַיִם שֹׁפְכוֹת דָּם נָקִי" מִיּוֹאָב, שֶׁנֶּאֱמַר (מלכים-א ב, לב) "וְהֵשִׁיב ה' אֶת דָּמוֹ עַל רֹאשׁוֹ", וּמִנַּיִן שֶׁלָּקָה בְּצָרַעַת, שֶׁנֶּאֱמַר (שמואל-ב ג, כט) "יָחֻלוּ עַל רֹאשׁ יוֹאָב וְגוֹ' זָב וּמְצֹרָע", (משלי שם יח) "לֵב חֹרֵשׁ מַחְשְׁבוֹת אָוֶן" מֵעוּזִּיָּה, שֶׁבִּיקֵּשׁ לָבוֹז כְּהוּנָּה גְּדוֹלָה, וּמִנַּיִן שֶׁלָּקָה בְּצָרַעַת, שֶׁנֶּאֱמַר (מלכים-ב טו, ה) "וַיְנַגַּע ה' אֶת הַמֶּלֶךְ וַיְהִי מְצֹרָע עַד יוֹם מֹתוֹ", (משלי שם שם) "וְרַגְלַיִם מְמַהֲרוֹת לָרוּץ לָרָעָה" מִגֵּיחֲזִי, שֶׁנֶּאֱמַר (מלכים-ב ה, כ) "וַיֹּאמֶר גֵּיחֲזִי נַעַר אֱלִישָׁע", וּמִנַּיִן שֶׁלָּקָה בְּצָרַעַת, שֶׁנֶּאֱמַר (שם שם כז) "וְצָרַעַת נַעֲמָן תִּדְבַּק בְּךָ", (משלי שם יט) "וּמְשַׁלֵּחַ מְדָנִים בֵּין אַחִים" מִפַּרְעֹה, שֶׁשִּׁלַּח מְדָנִים בֵּין אַבְרָהָם לְשָׂרָה, וּמִנַּיִן שֶׁלָּקָה בְּצָרַעַת, שֶׁנֶּאֱמַר (בראשית יב, יז) "וַיְנַגַּע ה' אֶת פַּרְעֹה",

עץ יוסף

כדי לשמור. השתא נמי דריש ושפח לשון משפחה, וקדקד לשון ראשיות וחשיבות, והכי קאמר כדי להפריש חשיבות ומשפחות ויחס בנות ציון פתחן יערה. וכן גרס בילקוט ושפח כתיב שמר משפחותיהם שלא יתערב זרע קדש כו', אבל באיכה רבתי גריס מהו ושפח ושפט, ולפי זה פירושו השפט דמן, ומכל מקום פירוש קדקד בנות ציון שמירת יחסן, ועיין שם מה שכתבתי: **אמר הקדוש ברוך הוא כו'.** סיומא דמילתא דלעיל שלא הלקה אותם בצרעת לדברי רבי יוסי ברבי חנינא, ולרבי אליעזר צריך לומר שאחר שהלקן בצרעת אמר הקדוש ברוך הוא כן: **סירון סירון.** לשון יוני סחוב והשלך (מוסף הערוך). או פירושו לשון סרחון ומיאוס, כמו (ביצה ל, א) תבנא סריא, (בבא מציעא נג, ב) גגבא סריא: **ותדבר מרים.** והיינו שפירש מן האשה מעצמו, והיה שקר כי במצות ה' עשה כמו שאמרו ז"ל (שבת פז, א): **יחולו על ראש יואב כו'**, ומדקללו בצרעת שמע מינה שכן הוא הדין שילקה בצרעת, דאם לא כן לא היה מקללו בצרעת: **מעוזיה.** שכתוב בו (דברי הימים ב' כו, טז) כי גבה לבו עד להשחית (רד"ל): **לבוז.** פירוש לחטוף ולגזול [והוא מלשון (ישעיה י, ו) לבוז בז], שמחמת גסות הרוח שהיה בו עלה בדעתו שהוא הגון לדבר להקטיר קטורת: **ויאמר גחזי נער אלישע וגו'.** חי ה' כי אם רצתי אחריו ולקחתי מאתו מאומה, וירדוף גחזי אחרי נעמן וגו', ומדאכפל קרא לאשמועינן שאמר חי ה' כי אם רצתי אחריו, ולא סגי ליה באומר וירדוף גחזי וגו', שמע מינה דאתי לאשמועינן דעיקר חטאו בריצתו, כי לולא זה היה מתיישב בדבר וידע כי רע ומר, כי חזקה על כל חכם שיכוף את יצרו כשיתבונן בדעתו, אמנם ההורס מיד לעשות כמחשבתו הראשונה יחטא ואשם, וגם ריצתו גרמה חילול השם ושבועת שוא, כי אילו נשתהה ואחר כך הלך היה מאמין נעמן למה שאמר שבאו שני נערים מבני הנביאים, אבל עכשיו שראוהו הולך מיד היה רחוק בעיניו, כי בתוך רגע נתחדשה ביאת הנערים, לכן חשב נעמן שאין זה אלא שאלישע חמד ממונו ובא בתואנה זו, ונמצא שם שמים מתחלל, וגם כן זו היתה הסבה לשבועת שוא, כי מפני זה לא האמין נעמן לדברי גחזי בלא שבועה כדאיתא בפרק יש בערכין (טז, א) עיין שם: **ומשלח מדנים.** והא דלא מייתי ראיה נמי ליפיח כזבים עד שקר, משום דכיון דמייתי ראיה ללשון שקר דלא חמיר כולי האי כעדות שקר, מכל שכן דעדות שקר. ובתנחומא (סימן ד) איתא יפיח כזבים עד שקר מישראל, שעל שהעידו עדות שקר ואמרו אלה אלהיך לקו בצרעת: **ששלח מדנים.** כלומר שהפריד ביניהם: **וינגע ה' את פרעה וגו'.** על דבר שרי אשת אברם, דרצה לומר על הפרידתה מאברם, אבל לא על גילוי עריות, דאם לא כן אשת אברם למה לי:

פירוש מהרז"ו

אמר הקב"ה. דורש מה שנאמר ושפח ה' קדקד בנות ציון וה' פתחן יערה, שתיבת וה' מיותר שהיה לו לומר, ופתחן יערה, על כן דורש וה', על פי מדה ט', והקב"ה אמר שאין די בצרעת אלא עוד פתחן יערה, שעל ידי כן ישמור משפחותיהן, ודורש פתחן על מקום התאוה, שמתפתחים לזנות, על פי מדת ממטל, וזהו מעייניהם, ודורש יערה, מלשון ותער כדה (בראשית כד, כ), שפירושו ושפיכה: **סירון סירון.** במוסף ערוך מעתיק בערך סורין, רבי מאיר אומר סורין סורין, לשון יוני הוא סחוב והשלך, ופירוש הפסוק סורו טמא (איכה ד, טו), שאמרו שיסורו למי שתחלה קראו למו שהושיבו אותם עמם בקרן, ולמה אמר שיסורו, אמר בסיפיה דקרא, כי נצו גם נעו, מלשון מיאוס וטינוף מדם, כמו שכתב רש"י באיכה, גם מרומז בזה כי נצו, מלשון נטילה, על פי מדת ממטל, שנטלו ברומח, גם נעו שהשליכו אותן החוצה, וכמו שכתוב בפסוק הקודם (שם יד) נעו עורים בחוצות נגואלו בדם בלא יוכלו יגעו בלבושיהם סורו טמא וגו', על כן פירש מה שאמר עינים רמות, שלקו בצרעת, שאמר רבי יוחנן בריש הסימן וכולן לקו בצרעת, ועתה מתחיל לדרוש שאר ששה דברים, לשון שקר, ממרים, פירוש שמאחר שאמר להם הקב"ה אם יהיה נביאכם וגו' (במדבר יב, ו), לא כן עבדי משה וגו' (שם ז), הרי שדברה שקר במה שאמרה (שם ב) הרק אך במשה דבר ה' הלא גם בנו דבר, שהשוו עצמן למשה. ובדברים רבה פרשה ו וסימן ח עד סוף הפרשה, קורא אותה לשון הרע, וחטא של לשון הרע הוא אפילו שאומר אמת: **ויאמר גחזי נער אלישע.** חי ה' כי אם רצתי אחריו ולקחתי מאתו מאומה וירדוף גחזי אחרי נעמן: **מדנים בין אברהם.** שרצה להפריש ביניהם, וליקח אותה לאשה, וגם כמו שאמרו בבראשית רבה (מא, ב) שכל הלילה היתה שטוחה על פניה והתרעמה כנגד אברהם, וגם גלתה לפרעה שהיא אשת אברם ולא אחותו, וכל אלו דברי מדנים. ולשון התנחומא (סימן ד) לפי שנטל שרה מאברהם, והיינו המדנים שהפרידם:

חידושי הרד"ל

שמר משפחותיהם. עיין יבמות (יז, א): **שלא יתערב זרע.** תפס לשון המקרא (עזרא ט, ב): **לב חורש כו'.** בעוזיה שכתוב בו (דברי הימים ב' כו, טז) גבה לבו עד להשחית:

חידושי הרש"ש

לב חורש כו' מעוזיה שביקש לבוז כו'. נראה דטעות סופר הוא, וצריך לומר לבו, והוא על דרך הכתוב (דברי הימים ב' כו, טז) ובחזקתו גבה לבו: **וצרעת נעמן תדבק בך.** נראה דחסר כאן יפיח כזבים עד שקר מישראל (משלי ו, יט), שעל שהעידו עדות שקר ואמרו (שמות לב, ד) אלה אלהיך, לקו בצרעת כדאיתא בתנחומא (סימן ד) ולקמן פרשה י"ז סימן ג':

באור מהרי"פ

ויאמר גיחזי. (מלכים ב ה, כ) ויאמר גיחזי נער אלישע איש האלהים הנה חשך אדוני את נעמן הארמי הזה מקחת מידו את אשר הביא חי ה' כי אם רצתי אחריו ולקחתי מאתו מאומה:

אמרי יושר

[**מהו ושפח לשפוע דם.** דרשו ושפח, כמו שיפע. גם לשמור יחס משפחתם, זהו ייחד שלשלת זרעם ומשפחתם, בהזלת דם שהביא עליהם, כי אין רע יורד מלמעלה, זהו ושפח, מלשון יחס משפחה: **רמז למעיין.** זהו פתחן, פתחיהן. וכיון שאלו השבעה לקו בצרעת, לזה עשה הכתוב שני חלוקות, אחד משש הנזכר, שנייה לה משבע. וצריך עיון דהמדרש לא פירש יפיח כזבים עד שקר, היכן מצינו שלקה בצרעת, ואולי מעדות נבות ששמו אנשים בני בליעל להעידו (מלכים א כא, י), וכתיב הכא (משלי ו, יב) אדם בליעל, (שם פסוק טו) פתאום יבא אידו [וגו'] ואין מרפא, שפירושו צרעת. או דרש רבי תנחומא ישראל העידו שקר, אלה אלהיך (שמות לב, ד), ולקו בצרעת, כי פרוע הוא (שם כה), פירש [במדרש לקמן (יז, ג) שפרחה בהן צרעת]:

מסורת המדרש

ג. ילקוט נ"ך רמז של"ב:
ד. אדר"נ פ"ט ספרי דברים פיסקא רע"ה:

אם למקרא

סוּרוּ טָמֵא קָרְאוּ לָמוֹ סוּרוּ סוּרוּ אַל תִּגָּעוּ כִּי נָצוּ גַּם נָעוּ אָמְרוּ בַּגּוֹיִם לֹא יוֹסִיפוּ לָגוּר: (איכה ד:טו)

עֵינַיִם רָמוֹת לְשׁוֹן שָׁקֶר וְיָדַיִם שֹׁפְכוֹת דָּם נָקִי: לֵב חֹרֵשׁ מַחְשְׁבוֹת אָוֶן רַגְלַיִם מְמַהֲרוֹת לָרוּץ לָרָעָה: (משלי ו:יז-יח)

וַתְּדַבֵּר מִרְיָם וְאַהֲרֹן בְּמֹשֶׁה עַל אֹדוֹת הָאִשָּׁה הַכֻּשִׁית אֲשֶׁר לָקָח כִּי אִשָּׁה כֻשִׁית לָקָח: (במדבר יב:א)

וְהֶעָנָן סָר מֵעַל הָאֹהֶל וְהִנֵּה מִרְיָם מְצֹרַעַת כַּשָּׁלֶג וַיִּפֶן אַהֲרֹן אֶל מִרְיָם וְהִנֵּה מְצֹרָעַת: (שם שם י)

וְהֵשִׁיב ה' אֶת דָּמוֹ עַל רֹאשׁוֹ אֲשֶׁר פָּגַע בִּשְׁנֵי אֲנָשִׁים צַדִּקִים וְטֹבִים מִמֶּנּוּ וַיַּהַרְגֵם בַּחֶרֶב וְאָבִי דָוִד לֹא יָדָע אֶת אַבְנֵר בֶּן נֵר שַׂר צְבָא יִשְׂרָאֵל וְאֶת עֲמָשָׂא בֶן יֶתֶר שַׂר צְבָא יְהוּדָה: (מלכים א ב:לב)

יָחֻלוּ עַל רֹאשׁ יוֹאָב וְאֶל כָּל בֵּית אָבִיו וְאַל יִכָּרֵת מִבֵּית יוֹאָב זָב וּמְצֹרָע וּמַחֲזִיק בַּפֶּלֶךְ וְנֹפֵל בַּחֶרֶב וַחֲסַר לָחֶם: (שמואל ב ג:כט)

וַיֹּאמֶר גֵּיחֲזִי נַעַר אֱלִישָׁע אִישׁ הָאֱלֹהִים הִנֵּה חָשַׂךְ אֲדֹנִי אֶת נַעֲמָן הָאֲרַמִּי הַזֶּה מִקַּחַת מִיָּדוֹ אֵת אֲשֶׁר הֵבִיא חַי ה' כִּי אִם רַצְתִּי אַחֲרָיו וְלָקַחְתִּי מֵאִתּוֹ מְאוּמָה: (מלכים ב ה:כ)

וְצָרַעַת נַעֲמָן תִּדְבַּק בְּךָ וּבְזַרְעֲךָ לְעוֹלָם וַיֵּצֵא מִלְּפָנָיו מְצֹרָע כַּשָּׁלֶג: (שם שם כז)

וַיְנַגַּע ה' אֶת פַּרְעֹה נְגָעִים גְּדֹלִים וְאֶת בֵּיתוֹ עַל דְּבַר שָׂרַי אֵשֶׁת אַבְרָם: (בראשית יב:יז)

לקוטים

[א] **סירון סירון.** לשון יוני הוא, ופירושו לכו לכו, כלומר אל תגעו (מעריך ערך סירון):

מתנות כהונה

כדי כו'. ודרש ושפח נוטריקון שמר משפחות, וכן עיקר: **אמר הקדוש ברוך הוא כו'.** סיומא דמלתא דלעיל שלא הלקה אותם בצרעת, לדברי ר' יוסי בר חנינא. ולרבי אלעזר צריך לומר שאחר שהלקן בצרעת אמר הקב"ה כן: **סירון סירון.** הוא לשון סרחון. ועיין

אשד הנחלים

שמר משפחותיהם. וזהו שיפח שיבדיל משפחותיהם, לא כמו שדימו שיתערבו עמהם:

שינוי נוסחאות

שביקש לבוז כהונה גדולה. לשון "לבוז" קצת קשה (ע' יפ"ת), ובילקוט איתא "... ללבוש לבוש כהונה גדולה", ורש"ש מגיה "שביקש לבו כהונה גדולה", ומילתא דמסתברא הוא אבל לא נמצא כן בשום נוסח. **וצרעת נעמן תדבק בך, ומשלח מדנים.** הנה יש כאן חסרון הניכר, שלא פירש המדרש כלום ב"יפיח כזבים עד שקר", ובמקצת כ"י נמצא תשלום החסרון: >"יפיח כזבים" אלו ישראל שהעידו עדות שקר ואמרו לעגל "אלה אלהיך ישראל אשר העלוך מארץ מצרים", ומנין שלקו בצרעת שנאמר "וירא משה את העם כי פרוע הוא כי פרעו אהרן", מהו "פרוע" א"ר יוחנן מלמד שפרחה בהם צרעת וזיבה כד"א "וראשו יהיה פרוע"<, והרש"ש גם העיר בזה.

וּמִנַּיִן שֶׁלָּקְתָה בְּצָרַעַת — **And from where** do we know **that she was stricken with *tzaraas*?** שֶׁנֶּאֱמַר "וְהֶעָנָן סָר מֵעַל הָאֹהֶל וְהִנֵּה מִרְיָם מְצֹרַעַת כַּשָּׁלֶג" — **For it is stated,** *The wrath of HASHEM flared up against them and He left.* ***The cloud had departed from atop the Tent, and behold! Miriam was afflicted with tzaraas, like snow!*** (ibid., vv. 9-10).

The third of the evil traits listed in the *Proverbs* passage is *hands spilling innocent blood*:

"וְיָדַיִם שֹׁפְכוֹת דָּם נָקִי" מִיּוֹאָב — That ***hands spilling innocent blood*** is punished with *tzaraas* is derived **from Joab,** שֶׁנֶּאֱמַר "וְהֵשִׁיב ה' אֶת דָּמוֹ עַל רֹאשׁוֹ" — **as it is stated** regarding Joab, ***HASHEM will thus return his blood upon his head*** (*I Kings* 2:32).[42] וּמִנַּיִן שֶׁלָּקָה בְּצָרַעַת — **And from where** do we know **that he was stricken with *tzaraas*?** שֶׁנֶּאֱמַר "יָחֻלוּ עַל רֹאשׁ יוֹאָב וְגוֹ' זָב וּמְצֹרָע" — **For it is stated,** ***The guilt shall rest upon the head of Joab,*** *etc., and may there never cease from Joab's house* ***contaminated men, metzoras, etc.*** (*II Samuel* 3:29).[43]

The fourth evil trait:

"לֵב חֹרֵשׁ מַחְשְׁבוֹת אָוֶן" מֵעוּזִּיָּה, שֶׁבִּיקֵּשׁ לָבוֹז כְּהוּנָּה גְדוֹלָה — That ***a heart plotting iniquitous thoughts*** is deserving of *tzaraas* is derived **from Uzziah,**[44] **who sought to degrade the High Priesthood.**[45] וּמִנַּיִן שֶׁלָּקָה בְּצָרַעַת — **And from where** do we know **that he was stricken with *tzaraas*?** שֶׁנֶּאֱמַר "וַיְנַגַּע ה' אֶת הַמֶּלֶךְ וַיְהִי מְצֹרָע עַד יוֹם מוֹתוֹ" — **For it is stated,** ***HASHEM inflicted disease upon the king; he was a metzora until the day of his death*** (*II Kings* 15:5).[46]

The fifth (and sixth)[47] evil traits:

"וְרַגְלַיִם מְמַהֲרוֹת לָרוּץ לָרָעָה" מִגֵּיחֲזִי — That ***feet hastening to run to evil*** is deserving of *tzaraas* is derived **from Gehazi,** שֶׁנֶּאֱמַר "וַיֹּאמֶר גֵּיחֲזִי נַעַר אֱלִישָׁע" — **for it states,** ***Gehazi, the attendant of Elisha . . . said to himself,*** *"As HASHEM lives, [I swear] that I shall run after him and take something from him."*[48] *So Gehazi chased after Naaman, etc.* (*II Kings* 5:20-21).[49]

NOTES

42. Joab was King David's long-time army commander. Unprovoked, and without David's permission, he killed two people: Abner son of Ner (commander of Saul's army), and Amasa son of Jether (one of David's generals). [See *II Samuel* Chs. 2-3 and particularly 3:27 regarding the murder of Abner, and see ibid. 20:8-10 regarding the murder of Amasa.] *I Kings* 2:5 states that before his death, David commanded his son and successor Solomon to strike down Joab for having killed Abner and Amasa; and in the verse cited by our Midrash, Solomon tells Benaiah to carry out this command. Scripture thus tells us that Joab was guilty of "spilling innocent blood."

[It seems puzzling that the Midrash does not simply cite the verses that tell us that Joab killed Abner and Amasa. *Yefeh To'ar* explains that Joab had justifications for killing them (see *Sanhedrin* 49a). The Midrash cites *I Kings* 2:32 because that verse makes it clear that Joab's justifications were inadequate; he was still deemed a murderer. [This is the view of our Midrash. However, the Gemara in *Sanhedrin* concludes that Joab was indeed justified in killing Abner (and in regard to killing Amasa, see *Tosafos* and *Maharsha* ad loc.).]

43. In this verse, David cursed Joab that the disease of *tzaraas* never depart from him and his descendants. From this we see that *tzaraas* is an appropriate punishment for murder, for otherwise David would not have cursed him in this manner (*Eitz Yosef*).

The Midrash clearly indicates that Joab was not only *deserving* of *tzaraas* but that he was actually *stricken* with *tzaraas* as well (as per David's curse). However, *Yefeh To'ar* points out that this is against the Gemara (*Sanhedrin* 48b), which states that since Joab was *killed* for his acts of murder, he was not liable to a second punishment, namely the *tzaraas* (and other ailments) of David's curse; and that in fact that curse would be fulfilled in one of *David's* descendants! (For why this was justified, see *Maharal,* cited in Schottenstein edition of *Sanhedrin* ibid. note 34.) *Yefeh To'ar* suggests that perhaps Joab himself was stricken with *tzaraas before* he was put to death.

44. Uzziah was a king of Judah.

45. Alternatively: to "misappropriate" the High Priesthood [see below, 17 §3] (see both interpretations in *Yefeh To'ar*). Uzziah was going to degrade/misappropriate the priesthood by offering incense even though he was not a Kohen (see next paragraph). These were *iniquitous thoughts.* [It is unclear why the Midrash mentions the "High" Priesthood, given that (with the exception of Yom Kippur) the incense service could be performed by any Kohen.]

II Chronicles 26:16 states that [although, generally speaking, he was a righteous king (see *II Kings* 15:3 — the reference there is to Uzziah, though he is called "Azariah" in that passage)] as a result of his great strength and accomplishments *[Uzziah's] heart became haughty to the point of destructiveness.* Considering himself worthy for the task, *he entered the Sanctuary of HASHEM to burn incense upon the Incense Altar* (*Eitz Yosef*).

46. When Uzziah was notified that this service was reserved for the Kohanim, *Uzziah became enraged*; in the midst of his rage *a growth of tzaraas appeared on his forehead* (*II Chronicles* ibid., vv. 17-20). As stated in the *II Chronicles* passage (ibid., v. 21) and in the *II Kings* verse cited by our Midrash, he remained a *metzora* until the day he died.

47. See note 50.

48. [These words that Gehazi spoke to himself, while missing from our versions of the Midrash, appear in early manuscripts.]

49. As recounted in *II Kings* Ch. 5, Naaman, the army commander of the king of Aram, developed *tzaraas.* Having been told that Elisha had the

INSIGHTS

does not resemble one of spying, but is similar rather to an act of open warfare, in which the enemy is confronted directly and not in secret. Now, this reasoning is valid where the information was acquired legitimately, and the talebearing is essential to the sin. In that case, the element of "spying" must perforce be represented by transmission of the damaging information. Since a tale told in the presence of the subject is not an act of spying, it does not violate the prohibition of *lashon hara*. It is in *this* case that *Maharal* states his ruling. Where, however, the information was acquired illegitimately, the act *already* resembles one of spying. Therefore, *Maharal* too admits that even if the subsequent talebearing takes place in the presence of the subject, the person still has violated the *lashon hara* prohibition.

According to this interpretation of *Maharal's* ruling, the incident with Miriam no longer poses a difficulty. Rav Hutner explains that the law of one who seeks to unearth derogatory information applies also to one who receives information that is not conclusively unfavorable, but is open to interpretation. One is obligated in such a case to judge his fellow favorably, as per the verse of בְּצֶדֶק תִּשְׁפֹּט עֲמִיתֶךָ, *with righteousness you shall judge your fellow* (*Leviticus* 19:15). If one chooses instead to believe the worst of his fellow, he is considered to have "sought out" derogatory information, and has transgressed the prohibition of *lashon hara* (see *Chafetz Chaim, Hil. Lashon Hara* 6:7). It is for this reason that Miriam's words were classified as *lashon hara*. Her sin stemmed from judging Moses unfavorably [for she presumed that he separated from his wife of his own volition and not on God's command]. In such a case, *Maharal* too agrees that one's words, even if performed in the presence of the subject, are deemed *lashon hara*. Therefore, even if Miriam's statement was made in Moses' presence, it violated the prohibition of *lashon hara* (*Pachad Yitzchak, Shavuos* §3).

[One caution: *Maharal* does not say that it is *permitted* to say derogatory things about a person in front of him, but only that such speech does not fall into the category of *lashon hara*. In fact, depending on what a person says and how it is said, one who speaks derogatorily of his fellow in front of him may have transgressed other sins, such as *shaming one's fellow*. Furthermore, the *Chafetz Chaim* demonstrates that according to *Rambam* (*Hil. Dei'os* 7:5) and other Rishonim, the prohibition of *lashon hara* applies even with regard to statements made in the subject's presence (see *Chafetz Chaim, Hil. Lashon Hara, Be'er Mayim Chayim* 3:1; see also 2:1ff). Therefore, one should adhere in practice to the *Chafetz Chaim's* position that *lashon hara* includes a derogatory comment stated in the presence of the person it references.]

For another approach toward resolving the *Chafetz Chaim's* difficulty with *Maharal's* ruling, see *R' David Cohen's Harchavas Gevul Yaavetz*, pp. 92-93.

רַבִּי חִיָּיא וְחִילְפָא בַּר אִידִי בְּשֵׁם רַבִּי יוֹסֵי אָמַר: מַהוּ "וְשִׂפַּח", שָׁמַר מִשְׁפְּחוֹתֵיהֶם, כְּדֵי שֶׁלֹּא יִתְעָרֵב זֶרַע קֹדֶשׁ בְּעַמֵּי הָאֲרָצוֹת, אָמַר הַקָּדוֹשׁ בָּרוּךְ הוּא: יוֹדֵעַ אֲנִי שֶׁאֵין אוּמּוֹת הָעוֹלָם בְּדֵילִין מִן הַצָּרַעַת, מֶה עָשָׂה (ישעיה שם שם) ג"ה' פָּתְהֵן יְעָרֶה" רָמַז הַקָּדוֹשׁ בָּרוּךְ הוּא לְמַעְיְנֵיהֶם וְהִיא מוֹצִיאָה דָּם, וּמְמַלֵּא הַקָּרוֹן דָּם, וְהָיָה אוֹתוֹ שִׁלְטוֹן נוֹעֲצָהּ בְּרוֹמַח וְנוֹתְנָהּ לִפְנֵי הַקָּרוֹן, וְהָיָה קָרוֹן עוֹבֶרֶת עֲלֵיהֶן וּמְרַמְּסָן, הוּא שֶׁיִּרְמְיָה אוֹמֵר (איכה ד, טו) "סוּרוּ טָמֵא קָרְאוּ לָמוֹ", רַבִּי מֵאִיר אוֹמֵר: לְשׁוֹן יְוָנִי הוּא, סִירוֹן סִירוֹן. (משלי ו, יז) "לְשׁוֹן שָׁקֶר" דמִמִּרְיָם, דִּכְתִיב (במדבר יב, א) "וַתְּדַבֵּר מִרְיָם וְאַהֲרֹן בְּמֹשֶׁה", וּמִנַּיִן שֶׁלָּקְתָה בְּצָרַעַת, שֶׁנֶּאֱמַר (שם שם י) "וְהֶעָנָן סָר מֵעַל הָאֹהֶל וְהִנֵּה מִרְיָם מְצֹרַעַת כַּשָּׁלֶג". (משלי שם שם) "וְיָדַיִם שֹׁפְכוֹת דָּם נָקִי" מִיּוֹאָב, שֶׁנֶּאֱמַר (מלכים-א ב, לב) "וְהֵשִׁיב ה' אֶת דָּמוֹ עַל רֹאשׁוֹ", וּמִנַּיִן שֶׁלָּקָה בְּצָרַעַת, שֶׁנֶּאֱמַר (שמואל-ב ג, כט) "יָחֻלוּ עַל רֹאשׁ יוֹאָב וְגוֹ' זָב וּמְצֹרָע". (משלי שם יח) "לֵב חֹרֵשׁ מַחְשְׁבוֹת אָוֶן" מֵעוּזִּיָּה, שֶׁבִּיקֵּשׁ לָבוּז כְּהוּנָּה גְּדוֹלָה, וּמִנַּיִן שֶׁלָּקָה בְּצָרַעַת, שֶׁנֶּאֱמַר (מלכים-ב טו, ה) "וַיְנַגַּע ה' אֶת הַמֶּלֶךְ וַיְהִי מְצֹרָע עַד יוֹם מֹתוֹ", (משלי שם שם) "וְרַגְלַיִם מְמַהֲרוֹת לָרוּץ לָרָעָה" מִגֵּיחֲזִי, שֶׁנֶּאֱמַר (מלכים-ב ה, כ) "וַיֹּאמֶר גֵּיחֲזִי נַעַר אֱלִישָׁע", וּמִנַּיִן שֶׁלָּקָה בְּצָרַעַת, שֶׁנֶּאֱמַר (שם שם כז) "וְצָרַעַת נַעֲמָן תִּדְבַּק בְּךָ", (משלי שם יט) "וּמְשַׁלֵּחַ מְדָנִים בֵּין אַחִים" מִפַּרְעֹה, שֶׁשִּׁלַּח מְדָנִים בֵּין אַבְרָהָם לְשָׂרָה, וּמִנַּיִן שֶׁלָּקָה בְּצָרַעַת, שֶׁנֶּאֱמַר (בראשית יב, יז) "וַיְנַגַּע ה' אֶת פַּרְעֹה",

פירוש מהרז"ו

אמר הקב"ה. דורש מה שנאמר ושפח ה' קדקוד בנות ציון וה' פתהן יערה, שתיבת וה' מיותר שהיה לו לומר, ופתהן יערה, על כן דורש וה', על פי מדה ט', והקב"ה אמר שאין די בצרעת אלא עוד פתהן יערה, שעל ידי כן ישמור משפחותיהן, ודורש פתהן על מקום התאוה, שמתפתים לזנות, על פי מדת ממעל, וזהו מעייניהם, ודורש יערה, מלשון ותער כדה (בראשית כד, כ), שפירושו ושפיכה: **סירין סירין.** במוסף ערוך מעתיק בערך סורין, רבי מאיר אומר סורין סורין, לשון יוני הוא סחוב והשלך, ופירוש הפסוק סורו טמא (איכה ד, טו), שאמרו שיסורו למי שתחלה קראו למו שהושיבו אותם עמם בקרן, ולמה אמר שיסורו, אמר בסיפיה דקרא, כי נצו גם נעו, מלשון מיאוס וטינוף מדם, כמו שכתב רש"י באיכה, גם מרומז בזה כי נצו, מלשון נטילה, על פי מדת ממעל, שנטלו ברומח, גם נעו שהשליכו אותן החולה, וכמו שכתוב בפסוק הקודם (שם יד) נעו עורים בחוצות נגואלו בדם בלא יוכלו יגעו בלבושיהם סורו טמא וגו', על כן פירש מה שאמר עינים רמות, שלקו בצרעת, שאמר רבי יוחנן בריש הסימן וכולן לקו בצרעת, ועתה מתחיל לדרוש שאר ששה דברים, לשון שקר, ממרים, פירוש שמאחר שאמר להם הקב"ה אם יהיה נביאכם וגו' (במדבר יב, ו), לא כן עבדי משה וגו' (שם ז), הרי שדברה שקר במה שאמרה (שם ב) הרק אך במשה דבר ה' הלא גם בנו דבר, שהשוו עצמן למשה. ובדברים רבה פרשה ו סימן ח עד סוף הפרשה, קורא אותה לשון הרע, וחטא של לשון הרע הוא אפילו שאומר אמת: **ויאמר גחזי נער אלישע.** חי ה' כי אם רצתי אחריו ולקחתי מאתו מאומה וירדוף גחזי אחרי נעמן: **מדנים בין אברהם.** שרצה להפריש ביניהם, וליקח אותה לאשה, וגם כמו שאמרו בבראשית רבה (מא, ב) שכל הלילה היתה שטוחה על פניה והתרעמה כנגד אברהם, וגם גלתה לפרעה שהיא אשת אברם ולא אחותו, וכל אלו דברי מדנים. ולשון התנחומא (סימן ד) לפי שנטל שרה מאברהם, והיינו המדנים שהפרידם:

עץ יוסף

כדי לשמור. השתא נמי דריש ושפח לשון משפחה, וקדקד לשון ראשיות וחשיבות, והכי קאמר כדי להפריש החשובות ומשפחות ויחס בנות ציון פתהן יערה. וכן גרס בילקוט ושפח כתיב שמר משפחותיהם שלא יתערב זרע קדש כו', אבל באיכה רבתי גריס מהו ושפח ושפע, ולפי זה פירושו השפע דמן, ומכל מקום פירוש קדקד בנות ציון שמירת יחסן, ועיין שם מה שכתבתי: **אמר הקדוש ברוך הוא כו'.** סיומא דמילתא דלעיל שלא הלקה אותם בצרעת לדברי רבי יוסי ברבי חנינא, ולרבי אליעזר צריך לומר שאחר שהלקן בצרעת אמר הקדוש ברוך הוא כן: **סירון סירון.** לשון יוני סחוב והשלך (מוסף הערוך). או פירושו לשון סרחון ומיאוס, כמו (בילה ל, א) תבנא סריא, (בבא מציעא לג, ב) גנבא סריא: **ותדבר מרים.** והיינו שפירש מן האשה מעצמו, והיה שקר כי במצות ה' עשה כמו שאמרו ז"ל (שבת פז, א): **יחולו על ראש יואב כו',** ומדקללו בצרעת שמע מינה שכן הוא הדין שילקה בצרעת, דאם לא כן לא היה מקללו בצרעת: **מעוזיה.** שכתוב בו (דברי הימים ב' כו, טז) כי גבה לבו עד להשחית (רד"ל): **לבוז.** פירוש לחטוף ולגזול [והוא מלשון (ישעיה י, ו) לבוז בז], שמחמת גסות הרוח שהיה בו עלה בדעתו שהוא הגון לדבר להקטיר קטורת: **ויאמר גחזי נער אלישע וגו'.** חי ה' כי אם רצתי אחריו ולקחתי מאתו מאומה, וירדוף גחזי אחרי נעמן וגו', ומדהכפל קרא לאשמועינן שאמר חי ה' כי אם רצתי אחריו, ולא סגי ליה באומר וירדוף גחזי וגו', שמע מינה דאתי לאשמועינן דעיקר חטאו בריצתו, כי לולא זה היה מתיישב בדבר וידע כי רע ומר, כי חזקה על כל חכם שיכוף את יצרו כשיתבונן בדעתו, אמנם ההורס מיד לעשות כמחשבתו הראשונה יחטא ואשם, וגם ריצתו גרמה חילול השם ושבועת שוא, כי אילו נשתהה ואחר כך הלך היה מאמין נעמן למה שאמר שבאו שני נערים מבני הנביאים, אבל עכשיו שראוהו הולך מיד היה רחוק בעיניו, כי בתוך רגע נתחדשה ביאת הנערים, לכן חשב נעמן שאין זה אלא שאלישע חמד ממונו ובא בתואנה זו, ונמצא שם שמים מתחלל, וגם כן זו היתה הסבה לשבועת שוא, כי מפני זה לא האמין נעמן לדברי גחזי בלא שבועה כדאיתא בפרק יש בערכין (טז, א) עיין שם: **ומשלח מדנים.** והא דלא מייתי ראיה נמי ליפיח כזבים עד שקר, משום דכיון דמייתי ראיה ללשון שקר דלא חמיר כולי האי כעדות שקר, מכל שכן לעדות שקר. ובתנחומא (סימן ד) איתא יפיח כזבים עד שקר מישראל, שעל שהעידו עדות שקר ואמרו אלה אלהיך לקו בצרעת: **שלשה מדנים.** כלומר שהפריד ביניהם: **וינגע ה' את פרעה וגו'.** על דבר שרי אשת אברם, דרצה לומר על הפרידתה מאברם, אבל לא על גילוי עריות, דאם לא כן אשת אברם למה לי:

מתנות כהונה

כדי כו'. ודרש ושפח נוטריקון שמר משפחות, וכן עיקר: **אמר הקדוש ברוך הוא כו'.** סיומא דמלתא דלעיל שלא הלקה אותם בצרעת, לדברי ר' יוסי בר חנינא. ולרבי אלעזר צריך לומר שאחר שהלקן בצרעת אמר הקב"ה כן: **סירון סירון.** הוא לשון סרחון. ועיין

אשד הנחלים

שמר משפחותיהם. וזהו שיפח שיבדיל משפחותיהם, לא כמו שדימו שיתערבו עמהם:

שינוי נוסחאות

שביקש לבוז כהונה גדולה. לשון "לבוז" קצת קשה (ע' יפ"ת), ובילקוט איתא "... ללבוש לבוש כהונה גדולה", ורש"ש מגיה "שביקש לבו כהונה גדולה", ומילתא דמסתברא הוא אבל לא נמצא כן בשום נוסח. **וצרעת נעמן תדבק בך, ומשלח מדנים.** הנה יש כאן חסרון הניכר, שלא פירש המדרש כלום ב"יפיח כזבים עד שקר", ובמקצת כי"י נמצא תשלום החסרון: >"יפיח כזבים" אלו ישראל שהעידו עדות שקר ואמרו לעגל "אלה אלהיך ישראל אשר העלוך מארץ מצרים", ומנין שלקו בצרעת שנאמר "וירא משה את העם כי פרוע הוא כי פרעו אהרן", מהו "פרוע" א"ר יוחנן מלמד שפרחה בהם צרעת וזיבה כד"א "וראשו יהיה פרוע"<, והרש"ש גם העיר בזה.

חידושי הרד"ל

שמר משפחותיהם. עיין יבמות (יז, א): **שלא יתערב זרע.** תפס לשון המקרא (עזרא ט, ב): **לב חורש כו'.** בעוזיה שכתוב בו (דברי הימים ב' כו, טז) גבה לבו עד להשחית:

חידושי הרש"ש

לב חורש כו' מעוזיה שביקש לבוז כו'. נראה דטעות סופר הוא, וצריך לומר לבו, והוא על דרך הכתוב (דברי הימים ב' כו, טז) ובחזקתו גבה לבו: **וצרעת נעמן תדבק בך.** נראה דחסר כאן, יפיח כזבים עד שקר מישראל (משלי ו, יט), שעל שהעידו עדות שקר ואמרו (שמות לב, ד) אלה אלהיך, לקו בצרעת כדאיתא בתנחומא (סימן ד) ולקמן פרשה י"ז סימן ב':

באור מהרי"פ

ויאמר גיחזי. (מלכים ב ה, כ) ויאמר גיחזי נער אלישע איש האלהים הנה חשך אדוני את נעמן הארמי הזה מקחת מידו את אשר הביא חי ה' כי אם רצתי אחריו ולקחתי מאתו מאומה:

אמרי יושר

[**מהו ושפח**] **לשפוע דם.** דרש ושפח, כמו שיפע. גם לשמור יחס משפחתם, זהו ייחד שלשלת יחסם ומשפחתם, בהולת דם שהביא עליהם, כי אין רע יורד מלמעלה, זהו ושפח, מלשון יחס משפחה: **רמז למעיין.** זהו פתהן, פתחיהן. וכיון שאלו הכבשה לקו בצרעת, לזה עשה הכתוב שני חלוקות, אחד משפט הכזבר, שניה לא משבט. וצריך עיין דהמדרש לא פירש יפיח כזבים עד שקר, היכן מצינו שלקה בצרעת, ואולי מעדות נבות שמתו אנשים בני בליעל להעידו (מלכים א כא, י), וכתיב הכא (משלי ו, יב) אדם בליעל, (שם פסוק טו) פתאום יבא אידו [וגו'] ואין מרפא, שפירושו צרעת. או דרש רבי תנחומא ישראל העידו שקר, אלה אלהיך (שמות לב, ד), ולקו בצרעת, כי פרוע הוא (שם שם כה), פירש [במדרש לקמן (יז, ג)] שפרחה בהן צרעת:

מסורת המדרש

ג. ילקוט נ"ך רמז של"ב:
ד. אדר"נ פ"ט ספרי דברים פיסקא רע"ה:

אם למקרא

סוּרוּ טָמֵא קָרְאוּ לָמוֹ סוּרוּ סוּרוּ אַל תִּגָּעוּ כִּי נָצוּ גַּם נָעוּ אָמְרוּ בַּגּוֹיִם לֹא יוֹסִיפוּ לָגוּר: (איכה ד:טו)

עֵינַיִם רָמוֹת לְשׁוֹן שָׁקֶר וְיָדַיִם שֹׁפְכוֹת דָּם נָקִי: לֵב חֹרֵשׁ מַחְשְׁבוֹת אָוֶן רַגְלַיִם מְמַהֲרוֹת לָרוּץ לָרָעָה: (משלי ו:יז-יח)

וַתְּדַבֵּר מִרְיָם וְאַהֲרֹן בְּמֹשֶׁה עַל אֹדוֹת הָאִשָּׁה הַכֻּשִׁית אֲשֶׁר לָקָח כִּי אִשָּׁה כֻשִׁית לָקָח: (במדבר יב:א)

וְהֶעָנָן סָר מֵעַל הָאֹהֶל וְהִנֵּה מִרְיָם מְצֹרַעַת כַּשָּׁלֶג וַיִּפֶן אַהֲרֹן אֶל מִרְיָם וְהִנֵּה מְצֹרָעַת: (שם שם י)

וְהֵשִׁיב ה' אֶת דָּמוֹ עַל רֹאשׁוֹ אֲשֶׁר פָּגַע בִּשְׁנֵי אֲנָשִׁים צַדִּקִים וְטֹבִים מִמֶּנּוּ וַיַּהַרְגֵם בַּחֶרֶב וְאָבִי דָוִד לֹא יָדָע אֶת אַבְנֵר בֶּן נֵר שַׂר צְבָא יִשְׂרָאֵל וְאֶת עֲמָשָׂא בֶן יֶתֶר שַׂר צְבָא יְהוּדָה: (מלכים א ב:לב)

יָחֻלוּ עַל רֹאשׁ יוֹאָב וְאֶל כָּל בֵּית אָבִיו וְאַל יִכָּרֵת מִבֵּית יוֹאָב זָב וּמְצֹרָע וּמַחֲזִיק בַּפֶּלֶךְ וְנֹפֵל בַּחֶרֶב וַחֲסַר לָחֶם: (שמואל ב ג:כט)

וַיֹּאמֶר גֵּיחֲזִי נַעַר אֱלִישָׁע אִישׁ הָאֱלֹהִים הִנֵּה חָשַׂךְ אֲדֹנִי אֶת נַעֲמָן הָאֲרַמִּי הַזֶּה מִקַּחַת מִיָּדוֹ אֵת אֲשֶׁר הֵבִיא חַי ה' כִּי אִם רַצְתִּי אַחֲרָיו וְלָקַחְתִּי מֵאִתּוֹ מְאוּמָה: (מלכים ב ה:כ)

וְצָרַעַת נַעֲמָן תִּדְבַּק בְּךָ וּבְזַרְעֲךָ לְעוֹלָם וַיֵּצֵא מִלְּפָנָיו מְצֹרָע כַּשָּׁלֶג: (שם שם כז)

וַיְנַגַּע ה' אֶת פַּרְעֹה נְגָעִים גְּדֹלִים וְאֶת בֵּיתוֹ עַל דְּבַר שָׂרַי אֵשֶׁת אַבְרָם: (בראשית יב:יז)

לקוטים

[א] **סירון סירון.** לשון יוני הוא, ופירושו לכו לכו, לכו מאחר אל תגעו (מעריך ערך סירון):

וּמִנַּיִן שֶׁלָּקָה בְּצָרַעַת — And from where do we know **that he was stricken with *tzaraas*** as punishment for his greed? **שֶׁנֶּאֱמַר "וְצָרַעַת נַעֲמָן תִּדְבַּק בְּךָ" — For it is stated,** *[Elisha] then said to [Gehazi],* ***". . . Naaman's tzaraas shall, therefore, cleave to you*** *and to your children forever." When [Gehazi] left his presence, he was [white] as snow with tzaraas* (ibid., vv. 26-27).[50]

The seventh and final evil trait:

"וּמְשַׁלֵּחַ מְדָנִים בֵּין אַחִים" מִפַּרְעֹה, שֶׁשִּׁלַּח מְדָנִים בֵּין אַבְרָהָם לְשָׂרָה — That ***one who stirs up strife among brothers*** is deserving of *tzaraas* is derived **from Pharaoh, who caused strife between Abraham and Sarah.**[51] **וּמִנַּיִן שֶׁלָּקָה בְּצָרַעַת — And from where** do we know **that he was stricken with *tzaraas*? שֶׁנֶּאֱמַר "וַיְנַגַּע ה' אֶת פַּרְעֹה" — For it is stated, *But HASHEM plagued Pharaoh*** [וַיְנַגַּע] *. . . with severe plagues* [נְגָעִים] (*Genesis* 12:17).[52]

NOTES

power to cure him, Naaman made his way to Elisha, who instructed him to bathe seven times in the Jordan River; upon doing so, he was indeed cured, his flesh becoming like that of a young boy. Naaman wished to reward Elisha with a lavish gift, but Elisha refused it, and Naaman went on his way. Gehazi, however, who saw this as an opportunity to line his pockets, pursued Naaman and claimed that Elisha had sent him to ask Naaman for a gift for two young prophets who had recently joined Elisha. Through prophetic vision, Elisha became aware of Gehazi's deed and, as punishment for his greed, Elisha declared that Naaman's *tzaraas* should cleave to Gehazi and his children forever.

By adding Gehazi's proclamation, *"As HASHEM lives, [I swear] that I shall run after him, etc.,"* Scripture intimates that the main cause of his sin was his impetuous running (*"feet hastening to run to evil"*) — for a wise man, thinking matters through carefully, would not commit a sin. [Gehazi's rashness also brought about a great desecration of God's Name. For since Gehazi chased after Naaman right after he had left, Naaman did not believe what Gehazi told him in Elisha's name (that two youths had arrived so soon after Naaman had left Elisha's presence). Since he owed Elisha a debt of gratitude, he gave Gehazi the gift, but he presumed that Elisha had make up a story in order to receive Naaman's largesse. See *Eitz Yosef*, and see below, Ch. 17 note 60.]

50. The Midrash, strangely, omits proof that the sixth of the seven evil traits, *one who spouts lies, a false witness*, is punished with *tzaraas*. The commentators address this issue in two ways: (i) This proof is unnecessary, for it is self-evident: If using *a false tongue* (the second trait) is deserving of this punishment (as proven above, from the incident of Miriam), then certainly one who is *a false witness* — a more serious transgression — is certainly deserving as well (*Yefeh To'ar, Eitz Yosef*). (ii) The omission was in error. The correct text of the Midrash, found in some Midrash manuscripts, includes the following: "יָפִיחַ כְּזָבִים [עֵד שָׁקֶר]" אֵלּוּ יִשְׂרָאֵל שֶׁהֵעִידוּ עֵדוּת שֶׁקֶר וְאָמְרוּ לְעֵגֶל "אֵלֶּה אֱלֹהֶיךָ יִשְׂרָאֵל אֲשֶׁר הֶעֱלוּךָ מֵאֶרֶץ מִצְרַיִם", וּמִנַּיִן שֶׁלָּקוּ בְּצָרַעַת שֶׁנֶּאֱמַר "וַיַּרְא מֹשֶׁה אֶת הָעָם כִּי פָרֻעַ הוּא כִּי פְרָעֹה אַהֲרֹן", מַהוּ "פָּרֻעַ", א"ר יוֹחָנָן מְלַמֵּד שֶׁפָּרְחָה בָהֶם צָרַעַת וְזִיבָה כְּהָא דְאַתְּ אָמַר "וְרֹאשׁוֹ יִהְיֶה פָרוּעַ" — *A false witness spouting lies — these are* the people of *Israel, who gave false testimony when they proclaimed, "This is your God, O Israel, which brought you up from the land of Egypt"* (*Exodus* 32:4). *And from where* do we know *that they were stricken with tzaraas? For it is written, Moses saw the people that it was* פָּרֻעַ (lit., *exposed*), *for Aaron had exposed them [to disgrace among those who rise up against them]* (ibid., v. 25). *What is* the (homiletic) meaning of the word פָּרֻעַ? *R' Yochanan said: This* word *teaches that tzaraas and zivah developed in them, as it is stated* in the context of a *metzora*: *the hair of his head shall be* פָּרֻעַ (lit., *unshorn*). See also *Rashash* here and *Midrash Tanchuma, Metzora* §4.

51. I.e., Pharaoh separated Sarah from Abraham (*Eitz Yosef*), for he detained her and made efforts to marry her — despite the fact that she told him that she was a married woman. In addition, he caused actual *strife* between them, for Sarah complained against Abraham that while he had received God's promise of blessing to leave Haran and go to Canaan (where a famine forced them to Egypt), she had not; and he was free, while she was imprisoned by Pharaoh. See *Bereishis Rabbah* 41 §2 (*Maharzu*).

52. The root נגע, which means *plague*, often denotes *tzaraas*. See further.

רַבִּי חִיָּיא וְחִילְפָא בַּר אִידִי בְּשֵׁם רַבִּי יוֹסֵי אָמַר: מַהוּ "וְשִׂפַּח", שָׁמַר מִשְׁפְּחוֹתֵיהֶם, כְּדֵי שֶׁלֹּא יִתְעָרֵב זֶרַע קֹדֶשׁ בְּעַמֵּי הָאֲרָצוֹת, אָמַר הַקָּדוֹשׁ בָּרוּךְ הוּא: יוֹדֵעַ אֲנִי שֶׁאֵין אוּמּוֹת הָעוֹלָם בְּדֵילִין מִן הַצָּרַעַת, מֶה עָשָׂה (ישעיה שם שם) ג**"ה' פָּתְהֵן יְעָרֶה" רָמַז הַקָּדוֹשׁ בָּרוּךְ הוּא לְמַעְיְנֵיהֶם וְהִיא מוֹצִיאָה דָּם, וּמְמַלֵּא הַקָּרוֹן דָּם, וְהָיָה אוֹתוֹ שִׁלְטוֹן נוֹעֲצָהּ בְּרוֹמַח וְנוֹתְנָהּ לִפְנֵי הַקָּרוֹן, וְהָיָה קָרוֹן עוֹבֶרֶת עֲלֵיהֶן וּמְרַמְּסָן, הוּא שֶׁיִּרְמְיָה אוֹמֵר** (איכה ד, טו) **"סוּרוּ טָמֵא קָרְאוּ לָמוֹ", רַבִּי מֵאִיר אוֹמֵר: לָשׁוֹן יְוָנִי הוּא, סִירוֹן סִירוֹן,** (משלי ו, יז) **"לְשׁוֹן שָׁקֶר"** ד**מִמְּרִיָּם, דִּכְתִיב** (במדבר יב, א) **"וַתְּדַבֵּר מִרְיָם וְאַהֲרֹן בְּמֹשֶׁה", וּמִנַּיִן שֶׁלָּקְתָה בְּצָרַעַת, שֶׁנֶּאֱמַר** (שם שם י) **"וְהֶעָנָן סָר מֵעַל הָאֹהֶל וְהִנֵּה מִרְיָם מְצֹרַעַת כַּשָּׁלֶג",** (משלי שם שם) **"וְיָדַיִם שֹׁפְכוֹת דָּם נָקִי" מִיּוֹאָב, שֶׁנֶּאֱמַר** (מלכים-א ב, לב) **"וְהֵשִׁיב ה' אֶת דָּמוֹ עַל רֹאשׁוֹ", וּמִנַּיִן שֶׁלָּקָה בְּצָרַעַת, שֶׁנֶּאֱמַר** (שמואל-ב ג, כט) **"יָחֻלוּ עַל רֹאשׁ יוֹאָב וְגוֹ' זָב וּמְצֹרָע",** (משלי שם יח) **"לֵב חֹרֵשׁ מַחְשְׁבוֹת אָוֶן" מֵעֻזִּיָּהוּ, שֶׁבִּיקֵּשׁ לָבוּז כְּהֻנָּה גְּדוֹלָה, וּמִנַּיִן שֶׁלָּקָה בְּצָרַעַת, שֶׁנֶּאֱמַר** (מלכים-ב טו, ה) **"וַיְנַגַּע ה' אֶת הַמֶּלֶךְ וַיְהִי מְצֹרָע עַד יוֹם מֹתוֹ",** (משלי שם שם) **"וְרַגְלַיִם מְמַהֲרוֹת לָרוּץ לָרָעָה" מִגֵּיחֲזִי, שֶׁנֶּאֱמַר** (מלכים-ב ה, כ) **"וַיֹּאמֶר גֵּיחֲזִי נַעַר אֱלִישָׁע", וּמִנַּיִן שֶׁלָּקָה בְּצָרַעַת, שֶׁנֶּאֱמַר** (שם שם כז) **"וְצָרַעַת נַעֲמָן תִּדְבַּק בְּךָ",** (משלי שם יט) **"וּמְשַׁלֵּחַ מְדָנִים בֵּין אַחִים" מִפַּרְעֹה, שֶׁשִּׁלַּח מְדָנִים בֵּין אַבְרָהָם לְשָׂרָה, וּמִנַּיִן שֶׁלָּקָה בְּצָרַעַת, שֶׁנֶּאֱמַר** (בראשית יב, יז) **"וַיְנַגַּע ה' אֶת פַּרְעֹה",**

עץ יוסף

כדי לשמור. השתא נמי דריש ושפח לשון משפחה, וקדקד לשון ראשיות וחשיבות, והכי קאמר כדי להפריש חשיבות ומשפחות ויחס בנות ציון פתחן יערה. וכן גרס בילקוט ושפח כתיב שמר משפחותיהם שלא יתערב זרע קדש כו', אבל באיכה רבתי גרים מהו ושפח ושפט, ולפי זה פירושו השפט דמן, ומכל מקום פירוש קדקד בנות ציון שמירת יחסן, ועיין שם מה שכתבתי: **אמר הקדוש ברוך הוא כו'.** סיומא דמילתא דלעיל שלא הלקה אותם בצרעת לדברי רבי יוסי ברבי חנינא, ולרבי אליעזר צריך לומר שאחר שהלקן בצרעת אמר הקדוש ברוך הוא כן: **סירון סירון.** לשון יוני סחוב והשלך (מוסף הערוך). או פירושו לשון סרחון ומיאוס, כמו (בילה ל, א) תבנא סריא, (בבא מציעא לג, ב) גנבא סריא: **ותדבר מרים.** והיינו שפירש מן האשה מעלמו, והיה שקר כי במצות ה' עשה כמו שאמרו ז"ל (שבת פז, א): **יחולו על ראש יואב כו',** ומדקללו בצרעת שמע מינה שכן הוא הדין שילקה בצרעת, דאם לא כן לא היה מקללו בצרעת: **מעוזיה.** שכתוב בו (דברי הימים ב' כו, טז) כי גבה לבו עד להשחית (רד"ל): **לבוז.** פירוש לחטוף ולגזול [והוא מלשון (ישעיה י, ו) לבוז בז], שמחמת גסות הרוח שהיה בו עלה בדעתו שהוא הגון לדבר להקטיר קטורת: **ויאמר גחזי נער אלישע וגו'.** חי ה' כי אם רצתי אחריו ולקחתי מאתו מאומה, וירדוף גחזי אחרי נעמן וגו', ומדאכפל קרא לאשמועינן שאמר חי ה' כי אם רצתי אחריו, ולא סגי ליה באומר וירדוף גחזי וגו', שמע מינה דאתי לאשמועינן דעיקר חטאו ברגליו, כי לולא זה היה מתייאש בדבר וידע כי רע ומר, כי חזקה על כל חכם שיכוף את יצרו כשיתבונן בדעתו, אמנם ההורס מיד לעשות כמחשבתו הראשונה יחטא ואשם, וגם רגליו גרמה חילול השם ושבועת שוא, כי אילו נשתהה ואחר כך הלך היה מאמין נעמן למה שאמר שבאו שני נערים מבני הנביאים, אבל עכשיו שראהו הולך מיד היה רחוק בעיניו, כי בתוך רגע נתחדשה ביאת הנערים, לכן חשב נעמן שאין זה אלא שאלישע חמד ממונו ובא בתואנה זו, ונמצא שם שמים מתחלל, וגם כן זו היתה הסבה לשבועת שוא, כי מפני זה לא האמין נעמן לדברי גחזי בלא שבועה כדאיתא בפרק יש בערכין (טז, א) עיין שם: **ומשלח מדנים.** והא דלא מייתי ראיה נמי ליפיח כזבים עד שקר, משום דכיון דמייתי ראיה ללשון שקר דלא חמיר כולי האי כעדות שקר, מכל שכן לעדות שקר. ובתנחומא (סימן ד) איתא יפיח כזבים עד שקר מישראל, שעל שהעידו עדות שקר ואמרו אלה אלהיך לקו בצרעת: **ששלח מדנים.** כלומר שהפריד ביניהם: **וינגע ה' את פרעה וגו'.** על דבר שרי אשת אברם, דרצה לומר על הפרידתה מאברם, אבל לא על גילוי עריות, דאם לא כן אשת אברם למה לי:

פירוש מהרז"ו

אמר הקב"ה. דורש מה שנאמר ושפח ה' קדקוד בנות ציון וה' פתהן יערה, שתיבת וה' מיותר שהיה לו לומר, ופתהן יערה, על כן דורש וה', על פי מדה ט', והקב"ה אמר שאין די בצרעת אלא עוד פתהן יערה, שעל ידי כן ישמור משפחותיהן, ודורש פתהן על מקום התאוה, שמתפתים לזנות, על פי מדת ממעל, וזהו מעייניהם, ודורש יערה, מלשון ותער כדה (בראשית כד, כ), שפירושו ושפיכה: **סירין סירין.** במוסף ערוך מעתיק בערך סורין, רבי מאיר אומר סורין סורין, לשון יוני הוא סחוב והשלך, ופירוש הפסוק סורו טמא (איכה ד, טו), שאמרו שיסורו למי שתחלה קראו למו שהושיבו אותם עמם בקרן, ולמה אמר שיסורו, אמר בסיפיה דקרא, כי נצו גם נעו, מלשון מיאוס וטינוף מדם, כמו שכתב רש"י באיכה, גם מרומז בזה כי נצו, מלשון נצילה, על פי מדת ממעל, שנטלו ברומח, גם נעו שהשליכו אותן החוצה, וכמו שכתוב בפסוק הקודם (שם יד) נעו עורים בחוצות נגואלו בדם בלא יוכלו יגעו בלבושיהם סורו טמא וגו', על כן פירש מה שאמר עינים רמות, שלקו בצרעת, שאמר רבי יוחנן בריש הסימן וכולן לקו בצרעת, ועתה מתחיל לדרוש שאר ששה דברים, לשון שקר, ממרים, פירוש שמאחר שאמר להם הקב"ה אם יהיה נביאכם וגו' (במדבר יב, ו), לא כן עבדי משה וגו' (שם ז), הרי שדברה שקר במה שאמרה (שם ב) הרק אך במשה דבר ה' הלא גם בנו דבר, שהשוו עצמן למשה. ובדברים רבה פרשה ו סימן ח עד סוף הפרשה, קורא אותה לשון הרע, וחטא של לשון הרע הוא אפילו שאומר אמת: **ויאמר גחזי נער אלישע.** חי ה' כי אם רצתי אחריו ולקחתי מאתו מאומה וירדוף גחזי אחרי נעמן: **מדנים בין אברהם.** שרצה להפריש ביניהם, וליקח אותה לאשה, וגם כמו שאמרו בבראשית רבה (מא, ב) שכל הלילה היתה שטוחה על פניה והתרעמה כנגד אברהם, וגם גלתה לפרעה שהיא אשת אברם ולא אחותו, וכל אלו דברי מדנים. ולשון התנחומא (סימן ד) לפי שנטל שרה מאברהם, והיינו המדנים שהפרידם:

מתנות כהונה

כדי כו'. ודרש ושפח נוטריקון שמר משפחות, וכן עיקר: **אמר הקדוש ברוך הוא כו'.** סיומא דמלתא דלעיל שלא הלקה אותם בצרעת, לדברי ר' יוסי בר חנינא. ולרבי אלעזר צריך לומר שאחר שהלקן בצרעת אמר הקב"ה כן: **סירון סירון.** הוא לשון סרחון. ועיין

אשד הנחלים

שמר משפחותיהם. וזהו שיפח שיבדיל משפחותיהם, לא כמו שדימו שיתערבו עמהם:

שינוי נוסחאות

שביקש לבוז כהונה גדולה. לשון "לבוז" קצת קשה (ע' יפ"ת), ובילקוט איתא "... ללבוש לבוש כהונה גדולה", ורש"ש מגיה "שביקש לבו כהונה גדולה", ומילתא דמסתברא הוא אבל לא נמצא כן בשום נוסח. **וצרעת נעמן תדבק בך, ומשלח מדנים.** הנה יש כאן חסרון הניכר, שלא פירש המדרש כלום ב"יפיח כזבים עד שקר", ובמקצת כי"י נמצא תשלום החסרון: >"יפיח כזבים" אלו ישראל שהעידו עדות שקר ואמרו לעגל "אלה אלהיך ישראל אשר העלוך מארץ מצרים", ומנין שלקו בצרעת שנאמר "וירא משה את העם כי פרוע הוא כי פרעו אהרן", מהו "פרוע" א"ר יוחנן מלמד שפרחה בהם צרעת וזיבה כד"א "וראשו יהיה פרוע"<, והרש"ש גם העיר בזה.

חידושי הרד"ל

שמר משפחותיהם. עיין יבמות (יז, א): **שלא יתערב זרע.** תפס לשון המקרא (עזרא ט, ב): **לב חורש כו'.** בעזיה שכתוב בו (דברי הימים ב' כו, טז) גבה לבו עד להשחית:

חידושי הרש"ש

לב חורש כו' מעוזיה שביקש לבוז כו'. נראה דטעות סופר הוא, וצריך לומר לבו, והוא על דרך הכתוב (דברי הימים ב' כו, טז) ובחזקתו גבה לבו: **וצרעת נעמן תדבק בך.** נראה דחסר כאן, יפיח כזבים עד שקר מישראל (משלי ו, יט), שעל שהעידו עדות שקר ואמרו (שמות לב, ד) אלה אלהיך, לקו בצרעת כדאיתא בתנחומא (סימן ד) ולקמן פרשה י"ז סימן ג':

באור מהרי"פ

ויאמר גיחזי. (מלכים ב ה, כ) ויאמר גיחזי נער אלישע איש האלהים הנה חשך אדוני את נעמן הארמי הזה מקחת מידו את אשר הביא חי ה' כי אם רצתי אחריו ולקחתי מאתו מאומה:

אמרי יושר

[מהו ושפח] לשפוע דם. דרשו ושפח, כמו שיפע. גם לשמור יחס משפחתם, זהו ייחד שלשלת זרעם ומשפחתם, בהזלת דם שהביא עליהם, כי אין רע יורד מלמעלה, זהו ושפח, מלשון יחס משפחה: **רמז למעיין.** זהו פתהן, פתחיהן. וכיון שאלו השבעה לקו בצרעת, לזה עשה הכתוב שני חלוקות, אחד משש הנזכר, שנייה לה משבע. וצריך עיון דהמדרש לא פירש יפיח כזבים עד שקר, היכן מצינו שלקה בצרעת, ואולי מעדות נבות שאמרו אנשים בני בליעל להעידו (מלכים א כא, י), וכתיב הכא (משלי ו, יב) אדם בליעל, (שם פסוק טו) פתאום יבא אידו [וגו'] ואין מרפא, שפירושו צרעת. או דרש רבי תנחומא ישראל העידו שקר, אלה אלהיך (שמות לב, ד), ולקו בצרעת, כי פרוע הוא (שם כה), פירש [במדרש לקמן (יז, ג) שפרחה בהן צרעת]:

מסורת המדרש

ג. ילקוט נ"ך רמז של"ב:

ד. אדר"נ פ"ט ספרי דברים פיסקא רע"ה:

אם למקרא

סוּרוּ טָמֵא קָרְאוּ לָמוֹ סוּרוּ סוּרוּ אַל תִּגָּעוּ כִּי נָצוּ גַּם נָעוּ אָמְרוּ בַּגּוֹיִם לֹא יוֹסִיפוּ לָגוּר:
(איכה ד:טו)

עֵינַיִם רָמוֹת לְשׁוֹן שָׁקֶר וְיָדַיִם שֹׁפְכוֹת דָּם נָקִי: לֵב חֹרֵשׁ מַחְשְׁבוֹת אָוֶן רַגְלַיִם מְמַהֲרוֹת לָרוּץ לָרָעָה:
(משלי ו:יז-יח)

וַתְּדַבֵּר מִרְיָם וְאַהֲרֹן בְּמֹשֶׁה עַל אֹדוֹת הָאִשָּׁה הַכֻּשִׁית אֲשֶׁר לָקָח כִּי אִשָּׁה כֻשִׁית לָקָח:
(במדבר יב:א)

וְהֶעָנָן סָר מֵעַל הָאֹהֶל וְהִנֵּה מִרְיָם מְצֹרַעַת כַּשָּׁלֶג וַיִּפֶן אַהֲרֹן אֶל מִרְיָם וְהִנֵּה מְצֹרָעַת:
(שם שם י)

וְהֵשִׁיב ה' אֶת דָּמוֹ עַל רֹאשׁוֹ אֲשֶׁר פָּגַע בִּשְׁנֵי אֲנָשִׁים צַדִּקִים וְטֹבִים מִמֶּנּוּ וַיַּהַרְגֵם בַּחֶרֶב וְאָבִי דָוִד לֹא יָדָע אֶת אַבְנֵר בֶּן נֵר שַׂר צְבָא יִשְׂרָאֵל וְאֶת עֲמָשָׂא בֶן יֶתֶר שַׂר צְבָא יְהוּדָה:
(מלכים א ב:לב)

יָחֻלוּ עַל רֹאשׁ יוֹאָב וְאֶל כָּל בֵּית אָבִיו וְאַל יִכָּרֵת מִבֵּית יוֹאָב זָב וּמְצֹרָע וּמַחֲזִיק בַּפֶּלֶךְ וְנֹפֵל בַּחֶרֶב וַחֲסַר לָחֶם:
(שמואל ב ג:כט)

וַיֹּאמֶר גֵּיחֲזִי נַעַר אֱלִישָׁע אִישׁ הָאֱלֹהִים הִנֵּה חָשַׂךְ אֲדֹנִי אֶת נַעֲמָן הָאֲרַמִּי הַזֶּה מִקַּחַת מִיָּדוֹ אֵת אֲשֶׁר הֵבִיא חַי ה' כִּי אִם רַצְתִּי אַחֲרָיו וְלָקַחְתִּי מֵאִתּוֹ מְאוּמָה:
(מלכים ב ה:כ)

וְצָרַעַת נַעֲמָן תִּדְבַּק בְּךָ וּבְזַרְעֲךָ לְעוֹלָם וַיֵּצֵא מִלְּפָנָיו מְצֹרָע כַּשָּׁלֶג:
(שם שם כז)

וַיְנַגַּע ה' אֶת פַּרְעֹה נְגָעִים גְּדֹלִים וְאֶת בֵּיתוֹ עַל דְּבַר שָׂרַי אֵשֶׁת אַבְרָם:
(בראשית יב:יז)

לקוטים

[א] סירון סירון. לשון יוני הוא, ופירושו לכו לכו, כלומר אל תגעו (מעריך ערך סירון):

The Midrash cites an incident to explain what form of *tzaraas* is the most severe, and explains that it was this form with which Pharaoh was afflicted:

אָמַר רַבִּי שִׁמְעוֹן בֶּן גַּמְלִיאֵל — **R' Shimon ben Gamliel related:** פַּעַם אַחַת הָיִיתִי מְהַלֵּךְ בַּדֶּרֶךְ מִטְּבֶרְיָא לְצִפּוֹרִי — **"Once, while traveling on the road between Tiberias and Sephorris,** מְצָאַנִי זָקֵן אֶחָד וְאָמַר לִי — **a certain elderly person met me and told me,** כ״ד מִינֵי שְׁחִין הֵן — **'There are twenty-four varieties of *shechin*,**[53] וְאֵין לְךָ קָשֶׁה לְתַשְׁמִישׁ הַמִּטָּה חוּץ מִבַּעֲלֵי רָאתָן בִּלְבַד — **but there is none that is harmful for marital relations except for *raasan*.' "**[54] אָמַר רַבִּי פְּדָת: וּבוֹ לָקָה פַּרְעֹה — **R' Pedas said: And it was with this disease,** the most severe form of *tzaraas*, **that Pharaoh was stricken.** לְפִיכָךְ הָיָה מֹשֶׁה מַזְהִיר אֶת יִשְׂרָאֵל: ״זֹאת תִּהְיֶה תּוֹרַת הַמְּצֹרָע״ — **Therefore Moses cautioned Israel** with the words: ***This shall be the law of the metzora*** [מְצֹרָע], which may be expounded to mean, הַמּוֹצִיא שֵׁם רָע — "This shall be the law of **the defamer** (מוֹצִיא שֵׁם רָע)."[55]

The Midrash quotes a Baraisa that disagrees with the statement of R' Shimon ben Gamliel above:[56]

תַּנְיָא — **We have learned in a Baraisa:** אָמַר רַבִּי יוֹסֵי: שָׂח לִי זָקֵן אֶחָד מֵאַנְשֵׁי יְרוּשָׁלַיִם — **R' Yose said: "One of the elders of Jerusalem told me** כ״ד מִינֵי שְׁחִין הֵן — that **there are twenty-four varieties of *shechin*,** וְכוּלָּן אָמְרוּ חֲכָמִים תַּשְׁמִישׁ הַמִּטָּה קָשֶׁה לָהֶן — **and the Sages said that marital relations are harmful for all of them,** i.e., cohabitation will worsen all of these conditions; וּבַעֲלֵי רָאתָן קָשֶׁה מִכּוּלָּן — **and for those afflicted with *raasan*, [marital relations] are more harmful than for any of the others."**

The Midrash discusses the *raasan* disease:

מִמַּאי הָוֵי — **From what does [this condition] come?** תָּנִינָא: הִקִּיז דָּם וְשִׁמֵּשׁ מִטָּתוֹ הָוְיָן לֵיהּ בָּנִים נִכְפִּין וְכוּ׳ — **We have learned in a Baraisa: If one had blood let** for himself **and then engages in marital relations,**[57] **he will have epileptic children,**[58] **etc.** [If both a man and a woman had blood let and then cohabited, they will have children that are afflicted with *raasan*.][59] אָמַר רַבִּי יוֹחָנָן: הִזָּהֲרוּ מִזְּבוּבֵי בַּעֲלֵי רָאתָן — **R' Yochanan said: Beware of the flies** that rest upon **those afflicted with *raasan*.**[60] רַבִּי זֵירָא לָא הֲוָה יָתִיב בְּזִיקֵיהּ — **R' Zeira would not sit downwind of [someone afflicted with *raasan*];** רַבִּי אֶלְעָזָר לָא עַיֵּיל בְּאָהֳלֵיהּ — **R' Elazar would not enter his tent.** רַבִּי אַמֵּי וְרַבִּי אַסִּי לָא הֲווֹ אָכְלִין בֵּיעַיָּיא דִּמְבוֹאָה דִּילֵיהּ — **R' Ami and R' Assi would not eat of the eggs of his neighborhood.** וְעַל זֶה נֶאֱמַר ״זֹאת תִּהְיֶה וְגוֹ׳״ — **And concerning this it is stated, *This shall be*** *the law of the metzora, etc.*[61]

§2 דָּבָר אַחֵר, ״זֹאת תִּהְיֶה תּוֹרַת הַמְּצֹרָע״ — **Another interpretation of *This shall be the law of the metzora:*** הֲדָא הוּא דִכְתִיב ״מִי הָאִישׁ הֶחָפֵץ חַיִּים״ — **Thus it is written, *Who is the man who desires life,*** *who loves days of seeing good? Guard your tongue from evil and your lips from speaking deceit* (*Psalms* 34:13-14).[62]

The Midrash relates an incident that teaches us the import of the *Psalms* passage:

מַעֲשֶׂה בְּרוֹכֵל אֶחָד — **An incident took place with a peddler,** שֶׁהָיָה מַחֲזִיר בָּעֲיָירוֹת שֶׁהָיוּ סְמוּכוֹת לְצִיפּוֹרִי וְהָיָה מַכְרִיז וְאוֹמֵר — **who would make the rounds in the towns in the vicinity of Sephorris and announce,** מַאן בָּעֵי לְמִזְבַּן סַם חַיִּים — **"Who wishes to acquire a life-giving drug?"** אוֹדְקִין עֲלֵיהּ — When he made this announcement, **[people] clung to him,** to hear what he had to say.

רַבִּי יַנַּאי הֲוָה יָתִיב וּפָשֵׁט בִּתְרַקְלִינֵיהּ — Meanwhile, **R' Yannai was sitting and studying the plain meaning of Scripture in his reception room,** שָׁמְעֵיהּ דִּמַכְרִיז: מַאן בָּעֵי סַם חַיִּים — **and he heard someone announcing, "Who wishes** to acquire **a life-giving drug?"** אָמַר לֵיהּ: תָּא סַק לְהָכָא זַבִּין לִי — **So [R' Yannai] said to [that person], "Come over here and sell it to me."** אָמַר לֵיהּ: לָאו אַנְתְּ צָרִיךְ לֵיהּ וְלָא דִכְוָותָךְ — **[The person] replied [to R' Yannai], "Neither you nor any like you could have any need for that** which I have to sell." אַטְרַח עֲלֵיהּ, סָלֵיק לְגַבֵּיהּ — Nevertheless, **[R' Yannai] persisted, so [the peddler] went over to him,** הוֹצִיא לוֹ סֵפֶר תְּהִלִּים, הֶרְאָה לוֹ פָּסוּק ״מִי הָאִישׁ הֶחָפֵץ חַיִּים״ — **took out a Book of *Psalms* and showed him the verse, *Who is the man who desires life;***

NOTES

53. *Shechin* is generally translated as "boils." However, it appears from the Midrash that boils comprise but one of the diseases in the *shechin* family, and that the term *shechin* includes *tzaraas*. [See Schottenstein edition of *Kesubos*, 77b note 5).]

54. For cohabitation will worsen this condition. As *Yerushalmi Kesubos* 7:9 states, *raasan* is the severest of the *shechin* maladies. [The identity of this disease, a form of *tzaraas* (as evident from the Midrash), is not known. According to the Gemara *Kesubos* ibid. as explained by *Rashi* (cited by *Eitz Yosef*), it is caused by the presence of a parasitic organism that inhabits the space between the inside of the skull and a membrane of the brain. Those afflicted with *raasan* are extremely feeble (*Rashi* to *Gittin* 70a).]

55. The word מְצֹרָע is thus expounded as a contraction of מוֹצִיא [שֵׁם] רָע. See above, notes 1 and 7. As to what leads the Midrash to expound the word this way, *Torah Temimah* ad loc. (§6) explains: Throughout the Torah, the word used for one who has *tzaraas* is not מְצֹרָע but צָרוּעַ; our verse is the only exception. The Sages thus explained that the word מְצֹרָע was used to teach us that it is the מוֹצִיא שֵׁם רָע (defamer) who will be punished with *tzaraas* and regarding whom "this (the laws of *tzaraas*) shall be the law." (*Maharsha* to *Arachin* 16a, too, writes that the exposition is based on the fact that the Torah wrote מְצֹרָע and not צָרוּעַ. See, however, *Eitz Yosef* for a different explanation.)

There is a difficulty with the flow of our Midrash — specifically, with the wording: ״לְפִיכָךְ״ הָיָה מֹשֶׁה מַזְהִיר אֶת יִשְׂרָאֵל, "*Therefore* Moses cautioned Israel, etc." For this sentence does *not* seem to follow that which preceded it; Pharaoh, who was stricken with *raasan* (*tzaraas*), was not guilty of being מוֹצִיא שֵׁם רָע! However, in a number of manuscript versions of the Midrash, there is an additional sentence inserted before the word "Therefore": אָמַר ר׳ פְּדָת: נִימוּס הוּא וְקִילוּסִין הוּא שֶׁכָּל מִי שֶׁאוֹמֵר לָשׁוֹן הָרַע לוֹקֶה בְּצָרַעַת — *R' Pedas said: It is altogether appropriate* (lit., *lawful*) *and* indeed *praiseworthy that whoever engages in lashon hara is stricken with tzaraas.* The Midrash then concludes that *therefore* Moses cautioned Israel against *lashon hara* . . .]

56. *Maharzu*, end of section.

It is clear from all the extant Midrash manuscripts that from here until the end of this section is not part of the original Midrash text but was interpolated later from the Talmud. See *Maharzu's* and *Radal's* comments at the end of the section.

57. Without eating something in between (*Kesubos* 77b, *Gittin* 70a).

58. If pregnancy results from that cohabitation (*Rashi* to *Gittin* ibid.).

59. [Apparently, one who cohabits after bloodletting causes the organism described above (note 54) to flourish.]

60. The flies that swarm around the head of a *raasan* victim can spread his disease to others (*Rashi* to *Kesubos* 77b, cited in *Eitz Yosef*).

61. See notes 55 and 56 above. Even though the Midrash already wrote fundamentally the same thing above (at note 55), it repeated it here in order to conclude the parallel Talmudic addition, the same way it concluded the earlier discussion from the Midrash proper (*Maharzu*).

62. The Midrash (in §1; see note 55) has stated that the word מְצֹרָע can be seen as a contraction of מוֹצִיא [שֵׁם] רָע, *defamer*. But inasmuch as *tzaraas* comes also as a punishment for *other* sins (see beginning of §1 above, and 17 §3 below), why does the Torah allude (by use of the term מְצֹרָע) specifically to the sin of מוֹצִיא שֵׁם רָע? [The Midrash addressed this same question in §1. It does so again here.] To answer this question the Midrash adduces the *Psalms* verse, which teaches that *life itself* is dependent upon the proper use of one's faculty of speech, as the Midrash goes on to explain. [The reason, then, that the Torah alludes specifically to the sin of מוֹצִיא שֵׁם רָע in telling us to whom the laws of *tzaraas* will be applicable is that that sin is the most severe of those that cause one to be stricken with *tzaraas*] (*Eitz Yosef*). Cf. note 7.

אָמַר רַבִּי שִׁמְעוֹן בֶּן גַּמְלִיאֵל: [ה]פַּעַם אַחַת הָיִיתִי מְהַלֵּךְ בַּדֶּרֶךְ מִטְּבֶרְיָא לְצִפּוֹרִי, מְצָאַנִי זָקֵן אֶחָד וְאָמַר לִי: כ"ד מִינֵי שְׁחִין הֵן, וְאֵין לְךָ קָשֶׁה לְתַשְׁמִישׁ הַמִּטָּה חוּץ מִבַּעֲלֵי רָאתָן בִּלְבַד, אָמַר רַבִּי פְּדָת: [ו]וּבוֹ לָקָה פַּרְעֹה, לְפִיכָךְ הָיָה מֹשֶׁה מַזְהִיר אֶת יִשְׂרָאֵל: "זֹאת תִּהְיֶה תּוֹרַת הַמְּצֹרָע", הַמּוֹצִיא שֵׁם רָע. תַּנְיָא: אָמַר רַבִּי יוֹסֵי: שָׂח לִי זָקֵן אֶחָד מֵאַנְשֵׁי יְרוּשָׁלַיִם: כ"ד מִינֵי שְׁחִין הֵן, וְכוּלָּן אָמְרוּ חֲכָמִים תַּשְׁמִישׁ הַמִּטָּה קָשֶׁה לָהֶן, וּבַעֲלֵי רָאתָן קָשֶׁה מִכֻּלָּן, מִמַּאי הָוֵי, תָּנִינָא: [ז]"הִקִּיז דָּם וְשִׁמֵּשׁ מִטָּתוֹ הָוְיָן לֵיהּ בָּנִים נִכְפִּין וְכוּ'", אָמַר רַבִּי יוֹחָנָן: הִזָּהֲרוּ מִזְּבוּבֵי בַּעֲלֵי רָאתָן, רַבִּי זֵירָא לָא הֲוָה יָתֵיב °בְּגַוֵּיהּ, רַבִּי אֶלְעָזָר לָא עָיֵיל *בְּאַהֲלֵיהּ, רַבִּי אַמֵּי וְרַבִּי אַסִּי לָא הֲווּ אָכְלִין בֵּיעֲיָא °דִּילֵיהּ, וְעַל זֶה נֶאֱמַר [יד, ב] "זֹאת תִּהְיֶה וְגוֹ'":

ב דָּבָר אַחֵר, [יד, ב] **"זֹאת תִּהְיֶה תּוֹרַת הַמְּצֹרָע", הֲדָא הוּא דִכְתִיב** (תהלים לד, יג) **"מִי הָאִישׁ הֶחָפֵץ חַיִּים", מַעֲשֶׂה בְּרוֹכֵל אֶחָד שֶׁהָיָה מְחַזֵּר בָּעֲיָירוֹת שֶׁהָיוּ סְמוּכוֹת לְצִיפּוֹרִי, וְהָיָה מַכְרִיז וְאוֹמֵר: מַאן בָּעֵי לְמִזְבַּן סַם חַיִּים, אוֹדְקִין עֲלֵיהּ, רַבִּי יַנַּאי הֲוָה יָתֵיב וּפָשֵׁט בְּתוּרְקְלִינֵיהּ, שְׁמָעֵיהּ דְּמַכְרִיז: מַאן בָּעֵי סַם חַיִּים, אָמַר לֵיהּ: תָּא סַק לְהָכָא זַבִּין לִי, אָמַר לֵיהּ: לָאו אַנְתְּ צָרִיךְ לֵיהּ וְלָא דִכְוָותָךְ, אַטְרַח עֲלֵיהּ, סָלֵיק לְגַבֵּיהּ, הוֹצִיא לוֹ סֵפֶר תְּהִלִּים, הֶרְאָה לוֹ פָּסוּק "מִי הָאִישׁ הֶחָפֵץ חַיִּים", מַה כְּתִיב בָּתְרֵיהּ,** (שם שם יד-טו) **"נְצֹר לְשׁוֹנְךָ מֵרָע ... סוּר מֵרָע וַעֲשֵׂה טוֹב", אָמַר רַבִּי יַנַּאי: אַף שְׁלֹמֹה מַכְרִיז וְאוֹמֵר** (משלי כא, כג) **"שֹׁמֵר פִּיו וּלְשׁוֹנוֹ שֹׁמֵר מִצָּרוֹת נַפְשׁוֹ", אָמַר רַבִּי יַנַּאי: כָּל יָמַי הָיִיתִי קוֹרֵא הַפָּסוּק הַזֶּה וְלֹא הָיִיתִי יוֹדֵעַ הֵיכָן הוּא פָּשׁוּט, עַד שֶׁבָּא רוֹכֵל זֶה *וְהוֹדִיעוֹ, "מִי הָאִישׁ הֶחָפֵץ חַיִּים", לְפִיכָךְ מֹשֶׁה מַזְהִיר אֶת יִשְׂרָאֵל וְאוֹמֵר לָהֶם: "זֹאת תִּהְיֶה תּוֹרַת הַמְּצֹרָע", תּוֹרַת הַמּוֹצִיא שֵׁם רָע:**

עץ יוסף

בעלי ראתן. שרץ יש לו במוחו [רש"י בפרק המדיר (כתובות עז, ב)] ועיין מה שכתבתי בבראשית רבה (מא, ב): **ובו לקה פרעה.** דייק מדכתיב וינגע ה' את פרעה נגעים גדולים (מהרש"א בכתובות שם): **המוציא שם רע.** טעם דרשה זו מדהוי ליה למכתב תורת הצרעת כמו שנאמר [ב]סוף הפרשה שהמכוון אל הצרעת לא אל הנושא אותה, להכי דרשו המוציא שם רע. וקשה הא בריש סימן אמר שעל עשרה דברים נגעים באים, ובגמרא אמרו על שבעה דברים, ואם כן למה פרט התורה דוקא חטא לשון הרע יותר מעל שאר עבירות שצרעת בא עליהם, ותירץ המהרש"א (ערכין טז, א) שעל שאר עבירות שנגעים באים עליהם מהני שיהיה נעשה שיהיה מצורע מוסגר, אבל על עבירה של לשון הרע הוא מצורע מוחלט ובעי טהרתו תגלחת וצפרים עיין שם: **הזהרו מזבובי בעלי ראתן.** זבובים השוכנים עליו קשות להביא אותו חולי על איש אחר (רש"י כתובות עז, ב): **לא הוי יתיב בגויה.** שנשמר מלישב עמהם: **לא עייל באהליה.** של בעלי ראתן: **לא הוי אכלין בעיתא.** לא היו אוכלים ביצים מבית של בעלי ראתן: **(ב) הדא הוא דכתיב מי האיש בו'.** גם טעם אגדה זו משום דבעי לפרש המצורע המוציא שם רע, ויקשה מאי שנא דנקט זו משאר מילי שבאה על ידם הצרעת, לכן מייתי לקרא זה דתלי החיים בלשון, משמע שהוא עיקר וחמור מכולם, ומכיון דמייתי ליה מפרש ליה: **מעשה ברוכל אחד בו'.** עיין ביאורו באריכות בענף, וכאן לא באתי אלא לקצר: **בעי למזבן.** רוצה לקנות: **אודקין.** דוחקין עליו הבריות לקנות ממנו, או פירושו הביטו אחריו, וישקף (בראשית כו, ח) תרגום יונתן ואדיק: **יתיב ופשט.** ישב ועסק בתורה, היינו שעסק בפשוטי המקרא וחוזר עליהן: **בתורקליניה.** בטרקלין שלו: **שמעיה בו'.** שמעו לאותו רוכל שהכריז כו': **תא סק בו'.** בא ועלה אלי לכאן ומכור לי: **אטרח עליה.** היה מטריח עליו והפציר כו': **סלק בו'.** עלה אצלו: **אמר ר' ינאי כל ימי הייתי קורא הפסוק הזה בו'.** קשה מה חידש לו הרוכל שר' ינאי לא ידע, האם נעלם ממנו הפסוק, ועוד כי הרוכל לא חידש לו דבר בפסוק כי אם שהראה לו אותו, ואדרבה אמר לו שהוא אין צריך לזה. ויש לומר שהיה קשה לו כי ראה שפסוק מי האיש החפץ חיים שלא לנוכח, ופסוק נצור לשונך לנוכח, על כן בראות המעשה הזה שהיה מכריז מאן בעי חיי ומדבר אל הבא לשאול, ואומר לו נצור לשונך וגו', הבין כי כן עשה דוד שהיה משמיע ואומר מי האיש החפץ חיים אוהב ימים לראות טוב שלא לנוכח, ובבא האיש לפניו והיה אומר לו שהוא חפץ בחיים, היה מדבר בו לנוכח ואומר לו נצור לשונך מרע (אלשיך תהלים מזמור לה):

פירוש מהרז"ו

אמר רבן שמעון בן גמליאל. עיין כתובות (עז, א), וירושלמי כתובות סוף פרק המדיר (פ"ז ה"ט), ובראשית רבה (מא, ב): **בעלי ראתן.** הוא בערוך ערך ראתן, וכתב שם המוסף הערוך בלשון יוני, כל מין נזילה, וגם זוב דם ושכבת זרע ושלשול, וזהו מה שאמרו בכתובות שם, מאי סימנא דלפן עיני דייבון נחירו רירי מפומיה, שכל נקביו מקולקלים: **תניא אמר רבי יוסי.** הוא העתקה ממדרש אחר, ועל כן חתם עוד הפעם, ועל זה נאמר זאת תהיה וכו', ורבי יוסי חולק, במה שאמר שהתשמיש קשה בכולן: **(ב) ולא הייתי יודע היכן.** שהוקשה לו לשון מי האיש החפץ חיים, בלשון שאלה, היה לו לומר שהנוצר לשונו מרע יחיה, על כן דורש שפירושו נודע לו על ידי הרוכל הזה, שהיה מכריז בשווקים ובעיירות, כי עמד על תוכן כוונת דוד המלך שעל לשון הרע צריך להכריז, על שלשון הרע רבים נכשלים בו, וכמו שאמרו חז"ל (בבא בתרא קסה, ב) כולם בלשון הרע, וזהו מי האיש החפץ חיים, וכן הוא לשון הגמרא (עבודה זרה יט, ב) מכריז רבי אלכסנדרי מאן בעי סם חיי, ועיין לקמן (כז, ב) מי הקדימני וכו', עתידה בת קול להיות מפוצצת, גם כן בלשון הכרזה:

חידושי הרד"ל

רבי זירא לא הוי יתיב בזיקיה, רבי אלעזר לא עייל בו'. כן הוא בכתובות (עז, ב) וכן צריך לומר (ומשם הוסיפו המעתיקים לשון זה בכאן, ובאמת מאמר זה כתוב לאחר בפרשה, ולשון הגדות ירושלמי בעניין אחר: **[ב] מעשה ברוכל בו' מאן בעי למיזבן בו'** אפשר רוכל זה היה אלכסנדראי, דמייתי לה בפרק קמא דעבודת כוכבים (יט, ב) כעין זה עיין שם: **ולא הייתי יודע היכן הוא פשוט.** אפשר משום שיש לפרש שגם מקרא דלהלן סור מרע ועשה טוב וגו', נמשך למי האיש החפץ חיים, ואם כן הוא כולל קיום כל התורה כולה, ובא הרוכל והודיע שעיקר מי האיש נמשך רק לנצור לשונך:

חידושי הרש"ש

רבי זירא לא הוה יתיב בגוויה. טעות סופר, וצריך לומר בזיקיה, כדאיתא בהמדיר (כתובות עז, ב), ועיין שם בפירש"י (ד"ה בזיקיה):

אמרי יושר

[ב] כל ימי הייתי מצטער על פסוק זה. כי מתחיל דרך נסתר ומסיים לנוכח, והנה הורך לו זה, כי דוד עצמו היה רוכל מכריז [מי האיש וכו'], והשומע קולו נגש אליו ומדבר לנוכח. או פירושו שאמר לו זהו תורת המוציא שם רע, דייקו שלא אמר תורת הצרוע, אלא תורת המוציא שם רע, דרשו המוציא שם רע, והוא החטא, ואמר מוציא אף על פי שהוא אסור וקשור הלשון. או המוציא רע על החולי של טיפוס, שהוא מתפשט ומוציאו לאחרים, זהו שומר פיו, שומר מצרעת נפשו. וקיימא לן כל מה שבנביאים ובכתובים (עי' מגלה לא, א, ב"ק לב ב, ע"ז יט ב), רמיזה בקרא, זהו כוונת שנוי ומשולש בכתובים, כי כן אנו צריכים לפספס ולמצוא כן, ולא הייתי יודע היכן רמיזה עד אתה:

מסורת המדרש

ה. תוספתא כתובות פ"ז ילקוט סדר ל"ל:
ו. ב"ר פ' מ"ז:
ז. נדה פ' כל היד:

אם למקרא

מִי הָאִישׁ הֶחָפֵץ חַיִּים אֹהֵב יָמִים לִרְאוֹת טוֹב: נְצֹר לְשׁוֹנְךָ מֵרָע וּשְׂפָתֶיךָ מִדַּבֵּר מִרְמָה: סוּר מֵרָע וַעֲשֵׂה טוֹב בַּקֵּשׁ שָׁלוֹם וְרָדְפֵהוּ: (תהלים לד:יג-טו)

שֹׁמֵר פִּיו וּלְשׁוֹנוֹ שֹׁמֵר מִצָּרוֹת נַפְשׁוֹ: (משלי כא:כג)

ענף יוסף

(ב) מעשה ברוכל אחד בו'. הנה האיש הלזה היה המלמד תיקון ודעת לכל אחד ואחד, ולתקן כפי חטאתו אשר חטא, באופן אשר יחיה ולא ימות, כי ידוע שבכל עבירה ועבירה יש היזק ידוע לאבר מיוחד, ובמעשי כל מצוה יש תוספת כח לאבר מיוחד, ולזה קראו רוכל שהוא הנושא קופת הרוכלים, אשר בה מינים ממינים שונים, לכל אחד לפי צרכו, וכלל דבריו היה, מאן בעי למזבן סם חיים, כי חיים הוא נותן בכל מה שיצטרך לאיש ואיש, והנה ר' ינאי שמע והבין טעם דבריו, ומענותנותו יתירה דהוה ביה, לכן אף דהוה פשיט בטרקלניה, כלומר שעם היותו עוסק בתורתו במקום מושבו, לא בוש מלהקביל פני הרוכל כרוצה ללמוד ממנו, והנה הרוכל נסוג אחור, כי ראה שאין ר' ינאי וחבריו מהצריכים תוכחת תשובה, שאין להם חטא, והם יודעים דרך תיקונם, אמנם ר'

שינוי נוסחאות

אמר רבי פדת: ובו לקה פרעה. במקצת כי"י יש כאן עוד מאמר מר' פדת: "אמר ר' פדת: נימוס הוא וקילוסין הוא שכל מי שאומר לשון הרע לוקה בצרעת", ולפי זה אתי שפיר יותר המשך המדרש "לפיכך היה משה ..." שבא אחרי זה. **לא הוה יתיב בגויה.** הגיהו רד"ל וגם רש"ש שצ"ל "בזיקיה" במקום "בגויה": **רבי אמי ורבי אסי לא הוו אכלין ביעייא דיליה.** בא"א הגיה שצ"ל "לא הוו אכלין ביעייא דמבואה דיליה", וכן הוא בכתובות עז: ולקמן בפיסקא ג':

מתנות כהונה

בבראשית רבה (סג, ח) בפסוק ויצא הראשון אדמוני: **הקיז דם בו'.** (משנה) [ברייתא] היא בפרק כל היד (נדה יז א). ומסיים התם הקיזו שניהם ושימשו הווין להון בנים בעלי ראתן: **מזבובים בו'.** הזבובים שבורחים מעליהם, שכל כך הוא חולי דבוק: **לא עייל באהליה.** לא נכנס באהלו של בעלי ראתן: **לא הוי אבלין בעיי.** לא היו אוכלים ביצים מבית של בעלי ראתן. וכל זה הוא בכתובות פרק המדיר (עז ב): **[ב] בעי למזבן.** רוצה לקנות: **אודקין.** יש לפרש דוחקין עליו הבריות לקנות ממנו, או פירושו הביטו אחריו, וישקף (בראשית יח כט), תרגם יונתן ואדיק: **יתיב ופשיט.** ישב ועוסק בפשוטי המקרא וחוזר עליהם: **בתורקליניה.** בטרקלין שלו: **שומעים בו'.** שמעו לאותו רוכל שהכריז כו': **תא סק בו'.** בא ועלה אלי לכאן ומכור לי: **אטרח עליה.** היה מטריח עליו והפציר בו: **סליק בו'.** עלה אצלו: **עד שבא רוכל זה בו'.** עיין בילקוט משלי פסוק שומר פיו וגו', ושם העניין יותר בבירור:

אשד הנחלים

לא הוו אבלין. כן צריך לומר: **[ב] מאן בעי למזבן** עד **שבא רוכל בו'.** לכאורה לא ידענו מה הסביר לו הרוכל מה שלא הבין קודם, וכבר חקרו בו כל הדרשנים. אבל האמת על דרך פשוטו, שלא עשה רושם בנפשו להתבונן בזה, אף שקרא תמיד המקרא הזה, כי הקריאה בלא התבוננות אינו עושה רושם חזק, והרוכל הזה עשה בזה התחכמות, כי קיבץ אנשים רבים, והקיבוץ מעורר ההתפעלות הגדולה והשמיעה והאזנה היטב, עד שהתפעלו מזה להתבונן, כי איך באמת מה טוב הוא. ועיין בבעה"ק בשעריו:

מַה כְּתִיב בָּתְרֵיהּ, "נְצֹר לְשׁוֹנְךָ מֵרָע . . . סוּר מֵרָע וַעֲשֵׂה טוֹב" — then he showed him **what is written afterward, *Guard your tongue from evil*** *and your lips from speaking deceit.* ***Turn from evil and do good,*** *etc.* (*Psalms* ibid., vv. 14-15), indicating that guarding one's tongue from speaking ill of others is the key to preserving one's life. אָמַר רַבִּי יַנַּאי: אַף שְׁלֹמֹה מַכְרִיז וְאוֹמֵר "שֹׁמֵר פִּיו וּלְשׁוֹנוֹ שֹׁמֵר מִצָּרוֹת נַפְשׁוֹ" — **R' Yannai then said: King Solomon, too, proclaimed** similarly **and said, *One who guards his mouth and his tongue guards his soul from troubles*** (*Proverbs* 21:23). אָמַר רַבִּי יַנַּאי — Subsequently, **R' Yannai said:** כָּל יָמַי הָיִיתִי קוֹרֵא הַפָּסוּק הַזֶּה וְלֹא הָיִיתִי יוֹדֵעַ הֵיכָן הוּא פָּשׁוּט — **"All my life I have read this passage, yet I never knew how it is to be understood according to its plain meaning,** עַד שֶׁבָּא רוֹכֵל זֶה וְהוֹדִיעוֹ "מִי הָאִישׁ הֶחָפֵץ חַיִּים" — **until this peddler came and made known** to me the import of ***Who is the man who desires life,*** *etc.*"[63] לְפִיכָךְ מֹשֶׁה מַזְהִיר אֶת יִשְׂרָאֵל וְאוֹמֵר לָהֶם: "זֹאת תִּהְיֶה תּוֹרַת הַמְּצֹרָע" — **Therefore, Moses cautioned Israel by telling them, "*This shall be the law of the metzora*** [מְצֹרָע]," which may be expounded to mean, תּוֹרַת הַמּוֹצִיא שֵׁם רָע — "This shall be **the law of the defamer** (מוֹצִיא שֵׁם רָע)."[64]

NOTES

63. R' Yannai's declaration seems very difficult to understand: First, R' Yannai was a great Torah scholar — the peddler himself said that he felt that a man of R' Yannai's stature had no need for the information he sought to share! Second, what did the peddler actually teach him that he did not know before? From the Midrash it seems that all he did was quote to him from the Book of *Psalms*! *Alshich* (cited in *Eitz Yosef*) explains that R' Yannai had always been troubled by an anomaly in the passage: the first verse, *Who is the man who desires life, etc.*, is written in third person, whereas the next verse, *Guard your tongue from evil and your lips from speaking deceit*, is written in second person. The resolution of this anomaly became clear to him when he heard the peddler's proclamation and learned what the peddler told the people: he understood that King David himself (author of *Psalms*) would walk around announcing, "Who is the man that desires life?" And when a group would gather around him to hear what he had to say, he would address them directly (i.e., in second person) and tell them, "Guard your tongue from evil, etc." (See *Avodah Zarah* 19b, where the Gemara relates that R' Alexandri did the same thing.) [It is possible, further, that when the peddler said, "Neither you nor any like you could have any need for that which I have to sell," he was referring to his encouragement to observe the laws of *lashon hara*, which he felt most people need to hear but not R' Yannai and others on his level (see *Bava Basra* 165a, which states that almost everyone observes these laws imperfectly). See *Maharzu*.]

Alternatively: Although R' Yannai had read the passage many times, he felt that it had not made a sufficiently strong impression on him and that he had never fully internalized its message. He then observed the peddler's brilliant approach, gathering a crowd by asking, "Who wants life?" — for when a crowd gathers, excitement is generated and people really listen to what the speaker is saying, and thus they absorb his message. R' Yannai credited the peddler with getting him, too, to fully "hear" the message of the *Psalms* passage (*Eshed HaNechalim*). See Insight Ⓐ.

See *Radal* and *Anaf Yosef* for other approaches.

64. See notes 1 and 62. See Insight Ⓑ.

INSIGHTS

Ⓐ **The Way of Life** *R' Reuven Grozovsky* (*Sichos R' Reuven* 5767, p. 62) elaborates this theme. He explains that the *Mussar* imperative is to expand on knowledge that is simple and well known, to the point that the knowledge becomes part of the person's essence.

The great *Mussar* masters devised many ways of making seemingly simple concepts and widely known information part of our psyche. They encouraged deep thinking, looking at old information with novel approaches, attempting to be inspired and provoked both in one's intellect and in one's senses, purifying and distilling the very idea under discussion, learning *Mussar* with passion, and making every attempt to bring the ethical ideas of the Torah closer to our understanding and comprehension.

Rashi (on *Vayikra* 16:1), when discussing the death of the two sons of Aaron and the subsequent command to Aaron as to how to guard the sanctity of the Tabernacle, writes that the Torah's exhortation to Aaron can be compared to a doctor's directive to a patient. One doctor gives simple instructions to avoid what is dangerous; the patient may or may not listen. A second doctor instructs the patient, and warns him that should he fail to obey, he is liable to die like So-and-so did! Similarly, the Torah warned Aaron regarding the sanctity of the Tabernacle with the added statement that transgression would lead to death (as it did with his own sons).

Now, did someone of Aaron's caliber need this additional incentive? Wouldn't God's simple instructions to him have been sufficient? The answer is that this is the reality of the human condition. Man can have an intellectual understanding of something — of an idea, a law – but it can remain barren and inactive in his mind and consciousness unless awakened by some external method that inspires, enlivens and elaborates.

Surely R' Yannai did not forget this verse. But the way the peddler related it to him, the way he discussed it with him, brought it home to his heart and mind in a way that transformed.

R' Reuven also emphasizes (p. 36) that fear of Heaven cannot be acquired simply by excitement of the senses (הִתְפַּעֲלוּת חוּשִׁית). That is something that passes. The excitement must arouse and inspire the intellect if there is to be a lasting effect. This is the sum and substance of the study of *Mussar*: to drive home to a person's mind and soul what he already knows, to activate that knowledge and to make it a part of his essence and his way of life.

Ⓑ **Living Is Giving** *R' Shlomo Freifeld* suggested a novel explanation of why one who guards his tongue from evil is characterized as "one who desires life." One who speaks ill of others usually does so to make himself look good by comparison. If the other person is not so good, then *ipso facto* I am the better person. But that attitude is the antithesis of living. Life is the ability to give of oneself to others. The Torah calls a spring of water that has its own water "מַיִם חַיִּים", *"live" water.* It is "alive" because it does not draw from others, but is rather a source that *gives* to others.

Our Sages speak of four who are considered as if they were dead: the poor man, the *metzora,* the blind, and the one who has no children (*Nedarim* 64b; *Bereishis Rabbah* 71 §9; *Eichah Rabbah* 3 §2). *R' Chaim Shmulevitz* (*Maamar* §63 [*Tazria-Metzora* 5732]) explains that their common denominator is their inability to give of themselves. The poor man is not in the position to give. The *metzora* is sent outside the camp, where he is separate from others and thus cannot be aware of the needs of others and give to them. Similarly, a blind man cannot see what others need; he lives in a dark world of his own. No one in the world is in the position to receive more than a child from his parent, and the one who has no children is denied the opportunity to be the giver. A tree that is no longer able to grow branches to give shade, leaves to provide oxygen, beauty, and pleasant aromas, or fruit for nourishment, is a dead tree. A human being who can only take but not give is on "life support." He is not "alive." Living is giving.

One who speaks ill of others and thus finds his place in life and society only through his purported superiority to those whom he has lowered through his evil talk is the furthest from being a giver. He is one of the walking dead.

To want life is to *give* life — to give recognition and succor to others, not to degrade or defame. To scrupulously avoid *lashon hara* is to imbibe the elixir of life.

אָמַר רַבִּי שִׁמְעוֹן בֶּן גַּמְלִיאֵל: הפַּעַם אַחַת הָיִיתִי מְהַלֵּךְ בַּדֶּרֶךְ מִטְּבֶרְיָא לְצִפּוֹרִי, מְצָאַנִי זָקֵן אֶחָד וְאָמַר לִי: כ"ד מִינֵי שְׁחִין הֵן, וְאֵין לְךָ קָשֶׁה לְתַשְׁמִישׁ הַמִּטָּה חוּץ מִבַּעֲלֵי רָאתָן בִּלְבַד, **אָמַר רַבִּי פְּדָת:** וּבוֹ לָקָה פַּרְעֹה, לְפִיכָךְ הָיָה מֹשֶׁה מַזְהִיר אֶת יִשְׂרָאֵל: "זֹאת תִּהְיֶה תּוֹרַת הַמְּצֹרָע", הַמּוֹצִיא שֵׁם רָע. **תַּנְיָא: אָמַר רַבִּי יוֹסֵי:** שָׂח לִי זָקֵן אֶחָד מֵאַנְשֵׁי יְרוּשָׁלַיִם: כ"ד מִינֵי שְׁחִין הֵן, וְכוּלָּן אָמְרוּ חֲכָמִים תַּשְׁמִישׁ הַמִּטָּה קָשֶׁה לָהֶן, וּבַעֲלֵי רָאתָן קָשֶׁה מִכֻּלָּן, מִמַּאי הָוֵי, תָּנִינָא: זהִקִּיז דָּם וְשִׁמֵּשׁ מִטָּתוֹ הַוְיָן לֵיהּ בָּנִים נִכְפִּין וְכוּ', **אָמַר רַבִּי יוֹחָנָן:** הִזָּהֲרוּ מִזְּבוּבֵי בַּעֲלֵי רָאתָן, רַבִּי זֵירָא לָא הֲוָה יָתֵיב °בְּגַוֵּיהּ, רַבִּי אֶלְעָזָר לָא עָיֵיל *בְּאַהֲלֵיהּ, רַבִּי אַמִּי וְרַבִּי אַסִּי לָא הֲווּ אָכְלִין בֵּיעֲיָא ° דִּילֵיהּ, וְעַל זֶה נֶאֱמַר [יד, ב] "זֹאת תִּהְיֶה וְגוֹ'":

ב דָּבָר אַחֵר, [יד, ב] "זֹאת תִּהְיֶה תּוֹרַת הַמְּצֹרָע", הֲדָא הוּא דִכְתִיב (תהלים לד, יג) "מִי הָאִישׁ הֶחָפֵץ חַיִּים", מַעֲשֶׂה בְּרוֹכֵל אֶחָד שֶׁהָיָה מַחֲזִיר בָּעֲיָירוֹת שֶׁהָיוּ סְמוּכוֹת לְצִיפּוֹרִי, וְהָיָה מַכְרִיז וְאוֹמֵר: מַאן בָּעֵי לְמִזְבַּן סַם חַיִּים, אוֹדְקִין עֲלֵיהּ, רַבִּי יַנַּאי הֲוָה יָתֵיב וּפָשֵׁט בְּתוּרְקְלִינֵיהּ, שְׁמָעֵיהּ דְּמַכְרִיז: מַאן בָּעֵי סַם חַיִּים, אָמַר לֵיהּ: תָּא סַק לְהָכָא זַבֵּין לִי, אָמַר לֵיהּ: לָאו אַנְתְּ צָרִיךְ לֵיהּ וְלָא דִכְוָותָךְ, אַטְרַח עֲלֵיהּ, סָלֵיק לְגַבֵּיהּ, הוֹצִיא לוֹ סֵפֶר תְּהִלִּים, הֶרְאָה לוֹ פָּסוּק "מִי הָאִישׁ הֶחָפֵץ חַיִּים", מַה כְּתִיב בַּתְרֵיהּ, (שם שם יד-טו) "נְצֹר לְשׁוֹנְךָ מֵרָע ... סוּר מֵרָע וַעֲשֵׂה טוֹב", אָמַר רַבִּי יַנַּאי: אַף שְׁלֹמֹה מַכְרִיז וְאוֹמֵר (משלי כא, כג) "שֹׁמֵר פִּיו וּלְשׁוֹנוֹ שֹׁמֵר מִצָּרוֹת נַפְשׁוֹ", אָמַר רַבִּי יַנַּאי: כָּל יָמַי הָיִיתִי קוֹרֵא הַפָּסוּק הַזֶּה וְלֹא הָיִיתִי יוֹדֵעַ הֵיכָן הוּא פָּשׁוּט, עַד שֶׁבָּא רוֹכֵל זֶה *וְהוֹדִיעוֹ, "מִי הָאִישׁ הֶחָפֵץ חַיִּים", לְפִיכָךְ מֹשֶׁה מַזְהִיר אֶת יִשְׂרָאֵל וְאוֹמֵר לָהֶם: "זֹאת תִּהְיֶה תּוֹרַת הַמְּצֹרָע", תּוֹרַת הַמּוֹצִיא שֵׁם רָע:

עץ יוסף

בעלי ראתן. שרץ יש לו במוחו (רש"י בפרק המדיר (כתובות עז, ב)) ועיין מה שכתבתי בבראשית רבה (מא, ב): **ובו לקה פרעה.** דייק מדכתיב ויגנע ה' את פרעה נגעים גדולים (מהרש"א בכתובות שם): **המוציא שם רע.** טעם דרשה זו מדהוי ליה למכתב תורת הנגעות כמו שנאמר [ב]סוף הפרשה שהמכוון אל הנגעות לא אל הנושא אותה, להכי דרשו המוציא שם רע. וקשה הא בריש סימן אמר שעל עשרה דברים נגעים באים, ובגמרא אמרו על שבעה דברים, ואם כן למה פרט התורה דוקא חטא לשון הרע יותר מעל שאר עבירות שצרעת בא עליהם, ותירץ המהרש"א (ערכין טז, א) שעל שאר עבירות שנגעים באים עליהם מהני שיהיה נטנט שיהיה מצורע מוסגר, אבל על עבירה של לשון הרע הוא מצורע מוחלט ובעי טהרתו תגלחת ולפרים עיין שם: **הזהרו מזבובי בעלי ראתן.** זבובים השוכנים עליו קשות להביא אותו חולי על איש אחר (רש"י כתובות עז, ב): **לא הוי יתיב בגויה.** שנאמר מליבא עמהם. של בעלי ראתן: **לא עייל באהליה.** של בעלי ראתן: **לא הוי אכלין בעיתא.** לא היו אוכלים בצים מבית של בעלי ראתן: **(ב) הדא הוא דכתיב מי האיש כו'.** גם טעם אגדה זו משום דבעי לפרש המצורע המוציא שם רע, ויקשה מאי שנא דנקט זו משאר מילי שבאו על ידם הצרעת, לכן מייתי לקרא זה דתלי החיים בלשון, משמע שהוא עיקר וחמור מכולם, ומכיון דמייתי ליה מפרש ליה: **מעשה ברוכל אחד כו'.** עיין ביאורו בארוכות בענף, וכאן לא באתי אלא לקצר: **בעי למזבן.** רוצה לקנות: **אודקין.** דוחקין עליו הבריות לקנות ממנו, או פירושו הביטו אחריו, וישקף (בראשית כו, ח) תרגום יונתן ואודיק: **יתיב ופשט.** ישב ועוסק בתורה, היינו שעסק בפשוטי המקרא וחוזר עליהן: **בתורקליניה.** בטרקלין שלו: **שמעיה כו'.** שמעו לאותו רוכל שהכריז כו': **תא סק כו'.** בא ועלה אלי לכאן ומכור לי: **אטרח עליה.** היה מטריח עליו והפציר כו': **סלק כו'.** עלה אצלו: **אמר ר' ינאי כל ימי הייתי קורא הפסוק הזה כו'.** קשה מה חידש לו הרוכל שר' ינאי לא ידע, האם נעלם ממנו הפסוק, ועוד כי הרוכל לא חידש לו דבר בפסוק כי אם שהראה לו אותו, ואדרבה אמר לו שהוא אין צריך לזה. ויש לומר שהיה קשה לו כי ראה שפסוק מי האיש החפץ חיים שלא לנוכח, ופסוק נצור לשונך לנוכח, על כן בראות המעשה הזה שהיה מכריז מאן בעי חיי ומדבר אל הבא לשאול, ואומר לו נצור לשונך וגו', הבין כי כן עשה דוד שהיה משמיע ואומר מי האיש החפץ חיים אוהב ימים לראות טוב שלא לנוכח, ובבא האיש לפניו והיה אומר לו שהוא חפץ בחיים, היה מדבר בו לנוכח ואומר לו נצור לשונך מרע (אלשיך תהלים מזמור לד):

פירוש מהרז"ו

אמר רבן שמעון בן גמליאל. עיין כתובות (עז, א), וירושלמי כתובות סוף פרק המדיר (פ"ז ה"ט), ובראשית רבה (מא, ב): **בעלי ראתן.** הובא בערוך ערך ראתן, וכתב שם המוסף הערוך בלשון יוני, כל מין נזילה, וגם זוב דם ושכבת זרע ושלשול, וזהו מה שאמרו בכתובות שם, מאי סימנא דלפן עיני דייבן נחירו רירי מפומיה, שכל נקביו מקולקלים: **תניא אמר רבי יוסי.** הוא העתקה ממדרש אחר, ועל כן חתם עוד הפעם, ועל זה נאמר זאת תהיה וכו', ורבי יוסי חולק, כמה שאמר שהתשמיש קשה בכולן: **(ב) ולא הייתי יודע היכן.** שהוקשה לו לשון מי האיש החפץ חיים, בלשון שאלה, היה לו לומר שהנוצר לשונו מרע יחיה, על כן דורש שפירושו נודע לו על ידי הרוכל הזה, שהיה מכריז בשווקים ובעיירות, כי עמד על תוכן כוונת דוד המלך שעל לשון הרע צריך להכריז, על שלשון הרע רבים נכשלים בו, וכמו שאמרו חז"ל (בבא בתרא קסה, ב) כולם בלשון הרע, וזהו מי האיש החפץ חיים, וכן הוא לשון הגמרא (עבודה זרה יט, ב) מכריז רבי אלכסנדרי מאן בעי סם חיי, ועיין לקמן (כז, ב) מי הקדימני וכו', עתידה בת קול להיות מפוצצת, גם כן בלשון הכרזה:

חידושי הרד"ל

רבי זירא לא הוי יתיב בזיקיה, רבי אלעזר לא עייל כו'. כן הוא בכתובות (עז, ב) וכן צריך לומר (ומשם הוסיפו המעתיקים לשון זה בכאן), ובאמת מאמר זה כתוב להלן בפרשה, ולשון הגדות ירושלמי בענין אחר: **[ב] מעשה ברוכל כו' מאן בעי למיזבן כו'** אפשר רוכל זה היה אלכסנדראי, דמייתי לה בפרק קמא דעבודת כוכבים (יט, ב) כענין זה עיין שם: **ולא הייתי יודע היכן הוא פשוט.** אפשר משום שיש לפרש שגם מקרא דלהלן סור מרע ועשה טוב וגו', נמשך למי האיש החפץ חיים, ואם כן הוא כולל קיום כל התורה כולה, ובא הרוכל והודיע שעיקר מי האיש נמשך רק לנצור לשונך:

חידושי הרש"ש

רבי זירא לא הוה יתיב בגוויה. טעות סופר, וצריך לומר בזיקיה, כדאיתא בהמדיר (כתובות עז, ב), ועיין שם בפירש"י (ד"ה בזיקיה):

אמרי יושר

[ב] כל ימי הייתי מצטער על פסוק זה. כי מתחיל דרך נסתר ומסיים לנוכח, והנה תורץ לו זה, כי דוד עצמו היה רוכל מכריז [מי האיש וכו'], והשומע קולו נגש אליו ומדבר לנוכח. או פירושו שאמר לו זהו תורת המוציא שם רע, דייקו שלא אמר הצרוע, אלא המצורע, דרשו המוציא שם רע, והוא החטא, ואמר מוציא אף על פי שהוא אסור וקשור הלשון. או המוציא רע על החולי של טיפוש, שהוא מתפשט ומוציאו לאחרים, זהו שומר פיו, שומר מצרעת נפשו. וקיימא לן כל מה שבנביאים ובכתובים (עי' מגלה לא א, ב"ק לב ב, ע"ז יט ב), רמיזא בקרא, זהו כוונת שנוי ומשולש בכתובים, כי כן אנו צריכין לפשפש ולמצוא כן, ולא הייתי יודע היכא רמיזא עד אתה:

מסורת המדרש

ה. תוספתא כתובות פ"ז ילקוט סדר ל"ל:
ו. ב"ר פ' מ"ז:
ז. נדה פ' כל היד:

אם למקרא

מִי הָאִישׁ הֶחָפֵץ חַיִּים אֹהֵב יָמִים לִרְאוֹת טוֹב: נְצֹר לְשׁוֹנְךָ מֵרָע וּשְׂפָתֶיךָ מִדַּבֵּר מִרְמָה: סוּר מֵרָע וַעֲשֵׂה טוֹב בַּקֵּשׁ שָׁלוֹם וְרָדְפֵהוּ: (תהלים לד:יג-טו)

שֹׁמֵר פִּיו וּלְשׁוֹנוֹ שֹׁמֵר מִצָּרוֹת נַפְשׁוֹ: (משלי כא:כג)

ענף יוסף

(ב) מעשה ברוכל אחד כו'. הנה האיש הלזה היה המלמד תיקון ודעת לכל אחד ואחד, ולתקן כפי חטאתו אשר חטא, באופן אשר יחיה ולא ימות, כי ידוע שבכל עבירה ועבירה יש היזק ידוע לאבר מיוחד, ובמעשי כל מצוה יש תוספת כח לאבר מיוחד, ולזה קראו רוכל שהוא הנושא קופת הרוכלים, אשר בה מינים ממינים שונים, לכל אחד לפי צרכו, וכלל דבריו היה, מאן בעי למזבן סם חיים, כי חיים הוא נותן בכל מה שיצטרך לאיש ואיש, והנה ר' ינאי שמע והבין טעם דבריו, ומטנותנותו יתירה דהוה ביה, לכן אף דהוה פשיט בטרקלוניה, כלומר שעם היותו עוסק בתורתו במקום מושבו, לא בוש מלהקביל פני הרוכל כרוצה ללמוד ממנו, והנה הרוכל נסוג אחור, כי ראה שאין ר' ינאי וחבריו מהצריכים תוכחת תשובה, שאין להם חטא, והם יודעים דרך תיקונם, אמנם ר'

שינוי נוסחאות

אמר רבי פדת: ובו לקה פרעה. במקצת כי"י יש כאן עוד מאמר מר' פדת: "אמר ר' פדת: נימוס הוא וקילוסין הוא שכל מי שאומר לשון הרע לוקה בצרעת", ולפי זה אתי שפיר יותר המשך המדרש "לפיכך היה משה ..." שבא אחרי זה. **לא הוה יתיב בגויה.** הגיהו רד"ל וגם רש"ש שצ"ל "בזיקיה" במקום "בגויה": **רבי אמי ורבי אסי לא הוו אכלין ביעייא דיליה.** בא"א הגיה שצ"ל "לא הוו אכלין ביעייא דמבואה דיליה", וכן הוא בכתובות עז: ולקמן בפיסקא ג':

מתנות כהונה

בבראשית רבה (סג, ח) בפסוק ויצא הראשון אדמוני: **הקיז דם כו'.** (משנה) [ברייתא] היא בפרק כל היד (נדה יז א). ומסיים התם הקיזו שניהם ושימשו הווין להון בנים בעלי ראתן: **מזבובים כו'.** הזבובים שבורחים מעליהם, שכל כך הוא חולי דבוק: **לא עייל באהליה.** לא נכנס באהלו של בעלי ראתן: **לא הוי אכלין בעיי.** לא היו אוכלים ביצים מבית של בעלי ראתן. וכל זה הוא בכתובות פרק המדיר (עז ב): **[ב] בעי למזבן.** רוצה לקנות: **אודקין.** יש לפרש דוחקין עליו הבריות לקנות ממנו, או פירושו הביטו אחריו, וישקף (בראשית יח כט), תרגם יונתן ואדיק: **יתיב ופשיט.** ישב ועוסק בפשוטי המקרא וחוזר עליהם: **בתורקליניה.** בטרקלין שלו: **שומעים כו'.** שמעו לאותו רוכל שהכריז כו': **תא סק כו'.** בא ועלה אלי לכאן ומכור לי: **אטרח עליה.** היה מטריח עליו והפציר בו: **סליק כו'.** עלה אצלו: **עד שבא רוכל זה כו'.** עיין בילקוט משלי פסוק שומר פיו וגו', ושם הענין יותר בבירור:

אשד הנחלים

לא הוו אכלין. כן צריך לומר: **[ב] מאן בעי למזבן עד שבא רוכל כו'.** לכאורה לא ידענו מה הסביר לו הרוכל מה שלא הבין קודם, וכבר חקרו בו כל הדרשנים. אבל האמת על דרך פשוטו, שלא עשה רושם בנפשו להתבונן בזה, אף שקרא תמיד המקרא הזה, כי הקריאה בלא התבוננות אינו עושה רושם חזק, והרוכל הזה עשה בזה התחכמות, כי קיבץ אנשים רבים, והקיבוץ מעורר ההתפעלות הגדולה והשמיעה והאזנה היטב, עד שהתפעלו מזה להתבונן, כי איך באמת מה טוב הוא. ועיין בבעה"ק בשעריו:

§3 דָּבָר אַחֵר, "זֹאת תִּהְיֶה תּוֹרַת הַמְּצֹרָע" — **Another interpretation of** ***This shall be the law of the metzora:*** הֲדָא הוּא דִכְתִיב "אִם יַעֲלֶה לַשָּׁמַיִם שִׂיאוֹ וְרֹאשׁוֹ לָעָב יַגִּיעַ" — **Thus it is written** of the wicked, ***Though his eminence ascends "lashamyim"*** [לַשָּׁמַיִם] ***and his head touches the clouds*** (*Job* 20:6).[65] "שִׂיאוֹ" — לְרוּמָא — The verse is to be understood: ***his eminence*** *ascends* **"to the heights";**[66] "לָעָב" — לַעֲנָנָא — and the term *la'av* [לָעָב] refers to **"the clouds."**[67] "כְּגֶלְלוֹ לָנֶצַח יֹאבֵד" — The *Job* passage continues, ***He will perish forever like his own dung*** (ibid., v. 7). מַה גְּלָלִים הַלָּלוּ מְזוֹהָמִין אַף הוּא מְזוֹהָם — The comparison to dung is meant to convey: **Just as dung is loathsome, so is [the** ***metzora*****] loathsome.**[68] "רֹאָיו יֹאמְרוּ אַיּוֹ" — ***Those who had seen him will ask, "Where is he?"*** (ibid.). חָמוּן לֵיהּ וְלָא מַכִּירִין בֵּיהּ — This means that **they will see him but not recognize him,** because of the change in his appearance caused by his *tzaraas*.[69] שֶׁכֵּן כְּתִיב בְּרֵיעֵי אִיּוֹב "וַיִּשְׂאוּ אֶת עֵינֵיהֶם מֵרָחוֹק וְלֹא הִכִּירֻהוּ" — Indeed, **thus it is written** in regard to the friends of Job, ***They raised their eyes from a distance, but did not recognize him*** (ibid. 2:12).[70]

The Midrash presents differing views on the distance one must keep from a *metzora*:

רַבִּי יוֹחָנָן וְרַבִּי שִׁמְעוֹן בֶּן לָקִישׁ — **R' Yochanan and R' Shimon ben Lakish** discussed this. רַבִּי יוֹחָנָן אָמַר: אָסוּר לֵילֵךְ בְּמִזְרָחוֹ שֶׁל מְצוֹרָע אַרְבַּע אַמּוֹת — **R' Yochanan said: It is prohibited for one to pass within four cubits to the east of a** ***metzora.*** וְרַבִּי שִׁמְעוֹן אָמַר: אֲפִילוּ מֵאָה אַמָּה — **R' Shimon** ben Lakish **said:** It is prohibited for one to pass **even within one hundred cubits** to the east of a *metzora*.

The Midrash qualifies the two views:

וְלָא פְּלִיגֵי — Actually, **[R' Yochanan and R' Shimon ben Lakish] do not disagree** with each other. מַאן דְּאָמַר ד' אַמּוֹת בְּשָׁעָה שֶׁאֵין הָרוּחַ יוֹצֵא — **The one who maintains** that it is prohibited to pass within **four cubits** to the east of a *metzora* is dealing with **a case in which the wind is not blowing.** וּמַאן דְּאָמַר ק' אַמָּה בְּשָׁעָה שֶׁהָרוּחַ יוֹצֵא — **And the one who holds** that it is prohibited for one to pass even within **one hundred cubits** of a *metzora* speaks of **a case in which the wind** ***is*** **blowing.**[71]

The Midrash relates the extent of the precaution taken by various Sages to avoid contact with a *metzora*:

רַבִּי מֵאִיר לָא אָכִיל בֵּיעֵי מִן מְבוֹאָה דִּמְצוֹרָע — **R' Meir would not eat eggs** that came **from a** ***metzora's*** **neighborhood.** רַבִּי אַמִּי וְרַבִּי אַסִּי לָא הֲווֹ עָיְילֵי לִמְבוֹאוֹ שֶׁל מְצוֹרָע — **R' Ami and R' Assi would not enter the neighborhood of a** ***metzora.*** רֵישׁ לָקִישׁ כַּד הֲוָה חָמֵי חַד מִנְּהוֹן בְּמְדִינְתָא מְרַגֵּם לְהוֹן בְּאַבְנַיָּא — **When Reish Lakish would see one of them within the city, he would throw stones at him;** אֲמַר לֵיהּ: פּוּק לְאַתְרָךְ, לָא תְּזַהֵם בִּרְיָיתָא — **he would tell him, "Go back to your town; do not contaminate** other **people!"** דְּתָנֵי רַבִּי חִיָּיא — **For R' Chiya taught:** "בָּדָד יֵשֵׁב", לְבַדּוֹ יֵשֵׁב — Concerning the *metzora* Scripture states, ***He shall dwell "badad"*** [בָּדָד] (above, 13:46), meaning, **he should sit in isolation** (לְבַדּוֹ).[72] רַבִּי אֶלְעָזָר בְּרַבִּי שִׁמְעוֹן כַּד חָמֵי חַד מִנְּהוֹן הֲוָה מִיטַּמַּר מִינֵּיהּ — **When R' Elazar the son of R' Shimon would see one of them, he would hide from him.**

The Midrash concludes that the humiliation and social isolation suffered by the *metzora* is a direct result of his actions:

עַל שׁוּם דִּכְתִיב "זֹאת תִּהְיֶה תּוֹרַת הַמְּצֹרָע", הַמּוֹצִיא שֵׁם רָע — This is all **because of what is written,** ***This shall be the law of the metzora*** [מְצֹרָע], which may be expounded to mean, "This shall be the law of **the defamer** (מוֹצִיא שֵׁם רָע)."[73]

NOTES

65. As in the previous sections, the Midrash here aims at explaining why the Torah alludes (by use of the term מְצֹרָע) specifically to the sin of מוֹצִיא שֵׁם רָע (defamation), when in fact there are also other sins that cause *tzaraas* (*Eitz Yosef*). The Midrash will answer that *tzaraas* is *particularly apt* as punishment for the sin of מוֹצִיא שֵׁם רָע. It develops this answer through its interpretation of the *Job* verse, which forms part of Job's friend Zophar's speech to Job. See further.

66. There is a difficulty in the plain reading of this verse, for once it states that this person has risen up to "heaven," why would it then mention that he has also reached the clouds, which are much lower than the heavens? The Midrash therefore interprets שָׁמַיִם (lit., *heaven*) to mean simply "heights" (*Maharzu, Eitz Yosef*).

67. The Midrash takes the verse as alluding to a *metzora* who was stricken with *tzaraas* as punishment for his arrogance [see 17 §3 below that this is one of the causes of *tzaraas*] (*Eitz Yosef* above, s.v. הדא הוא דכתיב). From the continuation of the Midrash it is evident that the reference is to Job himself.

68. Zophar used this metaphor because Job himself was stricken with *tzaraas* (*Eshed HaNechalim*).

69. And also because they would be looking at him from a distance, being too frightened to come close for fear of contracting the *tzaraas* (*Eitz Yosef*).

70. After the Satan *afflicted Job with severe boils, from the soles of his feet to the top of his head* (2:7), Job's friends came to mourn with him and comfort him. The Midrash takes these *boils* as a reference to *tzaraas* (see above, note 53).

The *Job* verses cited here tell us that people keep far away from a *metzora,* and the Midrash will proceed to speak more on this theme. The social isolation suffered by the *metzora* is a particularly apt punishment for מוֹצִיא שֵׁם רָע (see above, note 65), as will be explained in the conclusion of this section (*Eitz Yosef* above, s.v. הדא הוא דכתיב).

71. If the wind is blowing, the *metzora's* contaminated breath is carried up to 100 cubits; if it is *not* blowing, it affects only those who are within *four* cubits. The Midrash speaks of not walking to the *east* of the *metzora* only because the westerly wind — which will blow his breath toward the east — is most common. When the easterly wind is blowing, one should not walk to the *west* of the *metzora* (*Eitz Yosef*, citing *Ma'arich*).

Alternatively, the Midrash is saying that one should not walk on that side of the *metzora* where the easterly wind strikes him (i.e., on his east side). This is because the easterly wind is the most severe of all the winds (*Matnos Kehunah*, second interpretation; *Eshed HaNechalim*). [See, however, *Yoma* 21b, which states that this is so only in *Eretz Yisrael*. See also *Bava Basra* 25a.]

72. See *Matnos Kehunah.* The Gemara (*Pesachim* 67a, cited in *Eitz Yosef*) derives from this verse that even people who are *tamei* (ritually impure) from other causes — such as those who became *tamei* through contact with a corpse or through *zivah* (discharge) — are not to stay with him.

[A *metzora* is excluded from all three camps (Divine, Levite, and Israelite). By contrast, a *zav* and *zavah* are excluded only from two camps (Divine and Levite), while one who is *tamei* from a corpse is excluded only from the Israelite camp. Regarding the question whether a *metzora* may stay together with another *metzora*, *Malbim* to 13:46 and *Torah Temimah* ibid. (§192) answer in the affirmative; *Be'er Mayim Chaim* disagrees.]

73. See note 1. Since the defamer caused rifts between people (see *Arachin* 16b), he is punished by God measure for measure with *tzaraas*, which leads to his being quarantined and separated from contact with others. The punishment of *tzaraas* is thus especially apt for a defamer [see note 70] (*Matnos Kehunah, Eitz Yosef*; for a different approach to this line see *Yedei Moshe*). See Insight Ⓐ.

INSIGHTS

Ⓐ The Reality of Sin The Midrash highlights the lengths to which the Sages would go to avoid contact with a *metzora*. They literally avoided him "like the plague." Even the breath emitted from his mouth can cause damage, and that contagion can be carried by the wind! All this, explains *R' Chatzkel Levenstein* (*Ohr Yechezkel, Darchei HaAvodah,* pp. 367-368), is a model provided us by God for the very tangible reality of sin. Sin is real and it is destructive. And there is no way to treat the symptoms. One can address only the root cause.

All this is shown to us to be true even in *this* world, a world in which there still exists the possibility of cure and correction. All the more so

ג דָּבָר אַחֵר, [יד, ב] **"זֹאת תִּהְיֶה תּוֹרַת הַמְּצֹרָע", [ח]הֲדָא הוּא דִכְתִיב** (איוב כ, ו) **"אִם יַעֲלֶה לַשָּׁמַיִם שִׂיאוֹ וְרֹאשׁוֹ לָעָב יַגִּיעַ", "שִׂיאוֹ" לְרוּמָא, "לָעָב" לַעֲנָנָא,** (שם שם ז) **"כְּגֶלְלוֹ לָנֶצַח יֹאבֵד", מַה גְּלָלִים הַלָּלוּ מְזוֹהָמִין אַף הוּא מְזוֹהָם,** (שם) **"רֹאָיו יֹאמְרוּ אַיּוֹ", חָמוּן לֵיהּ וְלָא מַכִּירִין בֵּיהּ, שֶׁכֵּן כְּתִיב בְּרֵיעֵי אִיּוֹב** (שם ב, יב) **"וַיִּשְׂאוּ אֶת עֵינֵיהֶם מֵרָחוֹק וְלֹא הִכִּירֻהוּ", רַבִּי יוֹחָנָן וְרַבִּי שִׁמְעוֹן בֶּן לָקִישׁ, רַבִּי יוֹחָנָן אָמַר: אָסוּר לֵילֵךְ בְּמִזְרָחוֹ שֶׁל מְצוֹרָע אַרְבַּע אַמּוֹת, וְרַבִּי שִׁמְעוֹן אָמַר: אֲפִילּוּ מֵאָה אַמָּה, וְלָא פְּלִיגֵי, מַאן דְּאָמַר ד' אַמּוֹת בְּשָׁעָה שֶׁאֵין הָרוּחַ יוֹצֵא, וּמַאן דְּאָמַר ק' אַמָּה בְּשָׁעָה שֶׁהָרוּחַ יוֹצֵא, רַבִּי מֵאִיר לָא אָכִיל בֵּיעֵי מִן מְבוֹאָה דִּמְצוֹרָע, רַבִּי אַמִּי וְרַבִּי אַסִּי לָא הֲווּ עָיְילֵי °לִמְבוֹאוֹת שֶׁל מְצוֹרָע, רֵישׁ לָקִישׁ כַּד הֲוָה חָמֵי חַד מִנְּהוֹן בְּמְדִינְתָּא מְרַגֵּם לְהוֹן בְּאַבְנַיָּא, אָמַר לֵיהּ: פּוּק לְאַתְרָךְ, לָא תִזְהוֹם בְּרִיָּתָא, דְּתָנֵי רַבִּי חִיָּיא:** (ויקרא יג, מו) **"בָּדָד יֵשֵׁב", לְבַדּוֹ יֵשֵׁב, רַבִּי אֶלְעָזָר בְּרַבִּי שִׁמְעוֹן כַּד חָמֵי חַד מִנְּהוֹן הֲוָה מִיטַּמַּר מִינֵּיהּ עַל שׁוּם דִּכְתִיב "זֹאת תִּהְיֶה תּוֹרַת הַמְּצֹרָע", הַמּוֹצִיא שֵׁם רָע:**

ד דָּבָר אַחֵר, [יד, ב] **"זֹאת תִּהְיֶה תּוֹרַת הַמְּצֹרָע", הֲדָא הוּא דִכְתִיב** (תהלים נ, טז) **"וְלָרָשָׁע אָמַר אֱלֹהִים מַה לְּךָ לְסַפֵּר חֻקָּי וַתִּשָּׂא בְרִיתִי עֲלֵי פִיךָ", בֶּן עַזַּאי הָיָה יוֹשֵׁב וְדוֹרֵשׁ וְהָאֵשׁ מְלַהֶטֶת סְבִיבוֹתָיו,**

(ג) הדא הוא דכתיב אם יעלה לשמים שיאו כו'. משום דיקשה על מה שמפרש המצורע המוציא שם רע מאי שנא דרמיז אהאי משאר עבירות שהצרעת באה עליהם, בא לתרוץ הכא דמשום דעונש המצורע צודק יותר במוציא שם רע משארא, דהיינו מה שיושב בדד, כי כשם שהוא הבדיל בין איש לרעהו, כן הבדילו ה' לרעה, להכי רמיז טפי המוציא שם רע, ומשום דענין ישיבתו בדד מתבאר יותר בהאי קרא דקאמר, שאפילו בעת לכתו בשוק יתרחקו ממנו שעל זה נאמר רואיו יאמרו איו, להכי מייתי לה. ומסכים לזה מייתי להא דרבי יוחנן ורבי יהושע בן לוי ושאר אמוראי דמזהרי על ההרחקה ממנו טפי, והיינו דמסיים על שום זאת תהיה תורת המצורע המוציא שם רע, כלומר כל אלה לו מפני שהוציא שם רע ונדון מדה כנגד מדה: **שיאו לרומא כו'.** מפרש ליה להאי קרא במצורע, שמצטרע מפני גסות הרוח, שהוא אחד מהדברים שהצרעת באה עליהם וכדלקמן, שכנגד גאותו, אף שיעלה לשמים, שמעלתו יושפל ויתבזה כגללים. ומשום דקשה ליה בהאי קרא כיון דקאמר לשמים מאי לעב דקאמר בתר הכי שפוחת הרבה ממה שאמר תחלה, לכן קאמר שפירוש לשמים אינו שמים ממש, אלא לשון רום וגובה, כמו שמי קורה, ולעב פירושו לעננא כפשוטו, ובא לאפוקי שלא יפרש לשמים שמים ממש, ועב פירושו המלאכים כדמפרש בשוחר טוב (מזמור יח) ובמכילתא (בשלח פרשה ב) עביו עברו. אבל לעיל בבראשית רבה (כח, ג) מפרש לה להאי קרא באדם הראשון שהיה גבהו עד השמים ממש, ואם כן ליכא לפרש שם לעב עד המלאכים, שהרי לא היה גבהו עד המלאכים, וגם אין לפרש לעב לענן, [כי] גם כן יקשה הא העננים ברקיע האוירי הקרוב לנו הם, והאדם היה מגיע לשמים ממש כפי פשט הדברים, לכן צריכין לדחוק ולתרץ שם דקרא מיירי לפי הגדמה לאנשים שהעננים סמוכים לשמים כמו שכתבתי שם: **אף הוא מזוהם.** פירוש אף המצורע מזוהם מצרעתו: **חמון ליה כו'.** רואין אותו ואין מכירין אותו. ורצה לומר שאפילו בחייו בעודם רואים אותו יאמרו איו, כי לא יכירוהו כמו באיוב, וזה מפני השתנותו קצת בנגעים שבאו עליו, ועוד שלא יראוהו אלא מרחוק שיירחקו מגשת אליו כדלקמן: **אסור לילך במזרחו של מצורע.** זה לשון המעריך (ערך לרע), דע כי רוח מערבי מצויה ביותר, וכשהמצורע מהלך הרוח מוליך הבלו למזרח, לכן אסור לילך למזרחו, ועל דרך זה אמרו במסכת כלה (פרק ראשון) לישן בצד מזרח של גורן הקלה, כי דברו חכמים בהווה, אבל הוא הדין לצד מערב כשרוח מזרחית מנשבת, ועיין במדרש איכה (ד, יב) פסוק טובים היו חללי חרב, עד כאן לשונו: **מבואה.** פירוש רחוב ושכונה: **רבי אמי ורבי אסי כו'.** ולעיל (סימן א) איתא רבי אמי ורבי אסי לא הוו אכלי כו', ואפשר תרווייהו איתנהו: **כד הוה חמי כו'.** כשהיה רואה אחד מבעלי ראתן: **במדינתא.** פירוש בעיר כדאיתא ברות רבה (א, ה) כל מקום שנאמר מדינה הוא עיר: **מרגם להו כו'.** לשון רגום ירגמוהו, פירוש היה זורק בהם אבנים ואמר להם לאו למקומכם חוץ לעיר: **לא תזהם כו'.** תטנף ותטמא הבריות: **לבדו ישב.** דרש בדד לשון בד בבד [שמות ל, לד] (מתנות כהונה), שלא יהיו טמאים אחרים יושבים עמו, כדאיתא בפרק אלו דברים בפסחים (סז, א), ופירושו שלא יהיו טמאים אחרים כגון זבין וטמאי מתים: **מיטמר.** מחבא ומסתתר: **על שום כו'.** כלומר כל אלה לו מפני שהוציא שם רע ונדון מדה כנגד מדה, כמו שאמרו בערכין (טז, ב) הוא הפריד בין איש לאשתו כו', לכן בדד ישב ויתרחקו הבריות ממנו: **(ד) ולרשע אמר אלהים כו'.** גם טעם אגדה זו לתרץ למה נרמז מוציא שם רע טפי משאר עבירות שצרעת באה עליהם, וקאמר משום חומר לשון הרע, ולכן מייתי האי קרא דבסיפיה כתיב פיך שלחת ברעה וקראו רשע כמו גנב ונואף. ואגב קשה ליה דהוי ליה למימר לדבר או ללמוד, לכן פירש לשון ספיר, רצה לומר אף שיודע לחרוז התורה כספיר ומרגליות כמו בן עזאי אין הקדוש ברוך הוא חפץ בתורתו. ולרבי לוי קאי על ספור שבחי ה' דאתא שפיר לשון ספור, ואפשר דגרסינן הא דבן עזאי בתר דרבי לוי, ועל זה מייתי דבן עזאי והבן:

(ג) שיאו לרומא לעב לעננא. שתחלה אמר לשמים שיאו, משמע עד הכוכבים, ואחר כך אמר לעב יגיע, והעבים הם רק עד שלש פרסאות מן הארץ, על כן דורש מה שנאמר לשמים שיאו לרומא, פירושו ברום האויר, דומה למה שאמר לעב יגיע, וכדמיון נבוכדנצר שאמר (ישעיה יד, יד) אעלה על במתי עב אדמה לעליון: **הגללים הללו מזוהמים.** ועיין בראשית רבה (כח, ג): **ולא הכירוהו.** ואיוב נלקה בשחין רע, כמו שכתוב בריש איוב (ב, ז) ויך את איוב בשחין רע:

מתנות כהונה

[ג] **לעננא.** לענן: **חמון ליה כו'.** רואין אותו ואין מכירין אותו: **במזרחו כו'.** צריך לומר שאותו רוח עלול להקביל טומאה יותר משאר רוחות. ואולי רצונו לומר במזרחו באותו צד שהרוח בא עליו ממזרח, שרוח מזרחית קשה, שנאמר (שמות יד כא) רוח קדים עזה, וכמו שפירש רש"י שם. ולא נקט מערבו לאורויי טעמא קאתי שרוח מזרחית קשה. מכל מקום הראשון נראה עיקר ודו"ק: **מבואה.** רחוב ושכונה: **לא הוו עיילי כו'.** ולעיל איתא רבי אמי ורבי אסי לא הוו אכלי כו', ואולי תרווייהו איתנהו: **כד הוי חמי כו'.** כשהיה רואה אחד מבעלי ראתן: **במדינתא.** בעיר: **מרגם להו כו'.** לשון רגם ירגמהו, היה זורק בהם אבנים, ואמר ליה לא לאתרך למקומך חוץ לעיר: **לא תזהם לברייתא.** לא תטנף ותטמא הבריות: **לבדו ישב.** דרש בדד מלשון בד בבד והוא ממלות הכפולות כמו אדמדם (ויקרא יג, מט), ירקרק (שם), הפכפך (משלי כא, ח): **מיטמר.** מחבא ומסתיר: **על שום.** על כל הנזכר דלעיל קאי, שכל כך רחקם הקב"ה, על שהוציאו לשון הרע על הבריות, ורחקו שלום הבריות זה מזה:

אשד הנחלים

[ג] **אף הוא.** כלומר המצורע. ולפי שאיוב נצטרע, אמר צופר עליו כדמות זה: **במזרחו.** מפני שהרוח מזרחי קשה ומדביקו אליו, כפירוש השני של המתנות כהונה: **על שום דכתיב כו'.** פירש הידי משה מפני שהוא רשע ואסור להסתכל בצורתו: [ד] **הדא הוא דכתיב ולרשע גו'.** וכלומר שלכן כתיב זאת תורת, שתורתו אינו עומדת לו להגינו מצרעתו, כי לרשע אמר אלהים מה לך לספר חוקי: **בן עזאי כו'.** הביא המעשה הזאת לכאן להורות כמה גדולה מעלת התורה, עד שהאש היה מלהטת סביבותיו מפני רוב הקדושה, ולכן היא מרוחקת מן הטמאים.

חידושי הרד"ל

[ג] **שיאו לרומא.** עיין בהגהותי לבראשית רבה (פרשה יט) בסייעתא דשמיא: **אף הוא מזוהם.** כלומר להמצורע שלוקה בצרעת על גסות הרוח, שהעלה שמים שיאו: **חמון ליה ולא מכירין ליה.** שכיון שכתוב רואיו, הרי ישנו בעולם, ואיך אומרים איו, אלא שאין מכירין, שנשתנה על ידי צרעתו וכאיוב. על שום דכתיב זאת תהיה כו' מוציא שם רע. כמו שמובא (ערכין טז, ב) הוא הפריד בין איש לאשתו כו', לכן בדד ישב, ויתרחקו הבריות ממנו: [ד] **ולרשע כו' לספר חוקי.** מפרש ואזיל שם, פיך שלחת ברעה כו', תשב באחיך תדבר כו', הרי מספר לשון הרע שלוקה בצרעת, וכתיב ביה (יג, מה) על שפם יעטה, שאסור בדברי תורה כמו שאכתוב לקמן אי"ה: **בן עזאי היה כו'.** שיר השירים רבה פ"א. ומה שמביאו כאן אפשר לומר שאף על פי שכל כך חביב להקב"ה העסק בדברי תורה שיורד האש ומלהט כבסיני, מכל מקום ברשע אין הקב"ה חפץ בקלוסו ובתורתו. (ואיפשר גרסינן הא דבן עזאי בתר דרבי לוי, דמלינו בתנ"ך כו', ועל זה מייתי דבן עזאי שהיה חורז מן התורה לנביאים ולכתובים):

חידושי הרש"ש

[ג] **אסור לילך במזרחו של מצורע כו'.** עיין ברכות (מ, א) הישן למזרח גרנו דמו בראשו, ופירש"י (ד"ה למזרח גורנו), ועיין עוד ב"ב (כה, א) תוס' ד"ה אין [צריך לומר ושם בסוף פרק המוכר את הספינה (צא, ב) כד לא הוו מיתגרין פועלין למדנח קרתא], ובאיכה רבתי (ד, יב) בפסוק טובים כו', וכל זה איסתמיט מהמתנות כהונה, וידי משה:

באור מהרי"פ

[ג] **אם יעלה לשמים שיאו וגו'.** מיירי במצורע, כדדריש לקמן (יז, ב) על מקרא דהאי עניא יגל יבול ביתו וגו', עיין שם: **במזרחו של מצורע.** זה לשון המעריך ערך צרע, בעל מתנות כהונה לא הבין וכתב שבושים. והאמת הוא זה, דע כי רוח מערבי מצויה ביותר וכשהמצורע מהלך הרוח מוליך הבלו למזרח, לכן אסור לילך במזרחו של מצורע, עד כאן:

מסורת המדרש

ח. אסתר רבה פ"ו:

אם למקרא

אִם־יַעֲלֶה לַשָּׁמַיִם שִׂיאוֹ וְרֹאשׁוֹ לָעָב יַגִּיעַ: כְּגֶלְלוֹ לָנֶצַח יֹאבֵד רֹאָיו יֹאמְרוּ אַיּוֹ:
(איוב כ:ו-ז)

וַיִּשְׂאוּ אֶת עֵינֵיהֶם מֵרָחוֹק וְלֹא הִכִּירֻהוּ וַיִּשְׂאוּ קוֹלָם וַיִּבְכּוּ וַיִּקְרְעוּ אִישׁ מְעִלוֹ וַיִּזְרְקוּ עָפָר עַל־רָאשֵׁיהֶם הַשָּׁמָיְמָה:
(שם ב:יב)

וְלָרָשָׁע אָמַר אֱלֹהִים מַה לְּךָ לְסַפֵּר חֻקָּי וַתִּשָּׂא בְרִיתִי עֲלֵי־פִיךָ:
(תהלים נ:טז)

ענף יוסף

ינאי הפציר בו לדעת אם יש לו איזה תרופה מועילה לאיזה חטא, שאפשר שיקרה לו ולכיוצא בו, ולזה נתן הרוכל ומלא שהטעון אשר קרוב שיכשל בו ר' ינאי וחביריו הוא בלשון, יען וביען היותו ר' ינאי רגיל בתורה ובתוכחה, קרוב שיכשל בלשון הרע, במהרה יקטגר לאיזה אדם מבלי דעת, או אם סיפר בשבח איזה אדם אפשר שסיפר בשבחו יותר מדאי ומתוך שבחו בא לידי גנותו, כמאמרם ז"ל (בבא בתרא קסד ב), אך שמא יאמר שמירתה זו יחסום פיו, ולא יוכיח לשום אדם וכדומה, לזה במלות התלויות בלשון, לזה הראה לו הרוכל פסוק מי האיש החפץ חיים וגו' נצור לשונך

ידי משה

[ג] **במזרחו של מצורע.** עיין מתנות כהונה ובתנס דחק, כי פירוש מזרחו היינו מצד פניו שנקרא מזרח, כדלעיל (יד, א) גבי אדם, דו פרצופין היו לאדם הראשון דכתיב אחור וקדם וגו', וקדם הוא מזרח, לכן אסור לילך מצד מזרחו דהיינו מצד פניו מפני הבל שבפיו ומסוכן יותר מצד אחר. וקל להבין: **על שום זאת תהיה תורת המצורע המוציא שם רע.** נמצא שהיה רשע לכן אסור להביט בצורתו והיה מיטמר מיניה. וקל להבין:

אמרי יושר

[ג] **אסור להלך במזרחו של מצורע.** זהו וישאו עיניהם מרחוק, כי צד שאין טמא היה בו באיוב:

§4 דָּבָר אַחֵר, "זֹאת תִּהְיֶה תּוֹרַת הַמְּצֹרָע" — **Another interpretation** of the phrase, ***This shall be the law of the metzora:*** הָדָא הוּא דִכְתִיב "וְלָרָשָׁע אָמַר אֱלֹהִים מַה לְּךָ לְסַפֵּר חֻקָּי וַתִּשָּׂא בְרִיתִי עֲלֵי פִיךָ" — **Thus it is written,** ***But to the wicked God said, "To what purpose do you recount My decrees and bear My covenant upon your lips?"*** (*Psalms* 50:16).[74]

The Midrash cites an incident that bears upon the aforementioned verse:[75]

בֶּן עַזַּאי הָיָה יוֹשֵׁב וְדוֹרֵשׁ וְהָאֵשׁ מְלַהֶטֶת סְבִיבוֹתָיו — **Ben Azzai was sitting and expounding** Scripture **while a flame was blazing all around him.**

NOTES

74. As in the previous sections (see note 62), the Midrash here comes to explain why the Torah alludes (by use of the term מְצֹרָע) specifically to the sin of מוֹצִיא שֵׁם רָע (defamation; see end of note 7, that this includes all types of *lashon hara*), when in fact there are also other sins that cause *tzaraas*. The *Psalms* passage cited here serves to answer this question, for it speaks of one who slanders and defames others, as it states further, *You dispatched your mouth for evil . . . You sit and speak against your brother, you slander your mother's son* (50:19-20). And in the verse quoted by our Midrash (v. 16), such a person is called *wicked* (along with such criminals as thieves and adulterers, mentioned there in v. 18). The passage thus indicates that *lashon hara* is a most severe transgression; and this resolves our question [as above, note 62] (*Yefeh To'ar, Eitz Yosef*).

According to *Yefeh To'ar* and *Eitz Yosef*, it seems that the *Psalms* verse quoted by the Midrash does not itself have any connection with *tzaraas*. *Radal*, however, explains that the verse is indeed referring to a *metzora*, for it speaks of someone who is not allowed to *recount My decrees, etc.*, and this applies to a *metzora* (see below, note 82).

75. See below, note 80.

INSIGHTS

in the World to Come, the world of reward and punishment, where the opportunity for improvement and growth no longer obtains. A sin that one does not rid himself of in this world will attach to him in the next, a sin that is real and destructive, with no hope of cure or correction.

There is also another lesson here: It is instructive to contemplate the great embarrassment that is the lot of the *metzora*. Here, an ostensibly honorable man, respected in his town and community, is afflicted by *tzaraas* and becomes an outcast from society. Whoever sees him moves away, whoever comes near him wants nothing to do with him. This too can serve as a paradigm, from which we can learn about the essence of sin and its dire consequences — and the great humiliation of one who remains with his sin.

It is wrong to think of sin as something external or peripheral, as something that can be cast aside at will. Every sin leaves a mark, and that mark is commensurate with the severity of the sin. Some sins are similar to the *tzaraas* spot that need only be sequestered and then, after the passage of time, can be pronounced pure. Others are like the *tzaraas* affliction that must be healed, and if not it deepens and spreads.

Rambam (*Shemonah Perakim*, Ch. 3; see also *Hil. Dei'os* 2:1) writes that the soul is subject to health and sickness just like the body. Just as physical afflictions can cause what is bitter to taste sweet and vice versa, so it is with afflictions of the soul. The afflicted soul can begin to imagine that evil character is admirable, that despicable behavior is good, and that good deeds are reprehensible.

The lesson of the *metzora* is clear: Sin is reality — a real sickness. But the Healer of all flesh and spirit has provided the antidotes and remedies as well. He has given us the means to restore our souls and spirits to vigorous health, for now and for all eternity.

ג דָּבָר אַחֵר, [יד, ב] **"זֹאת תִּהְיֶה תּוֹרַת הַמְּצֹרָע", [ח]הֲדָא הוּא דִכְתִיב** (איוב כ, ו) **"אִם יַעֲלֶה לַשָּׁמַיִם שִׂיאוֹ וְרֹאשׁוֹ לָעָב יַגִּיעַ", "שִׂיאוֹ" לְרוּמָא, "לָעָב" לַעֲנָנָא,** (שם שם ז) **"כְּגֶלְלוֹ לָנֶצַח יֹאבֵד", מַה גְּלָלִים הַלָּלוּ מְזוֹהָמִין אַף הוּא מְזוֹהָם,** (שם) **"רֹאָיו יֹאמְרוּ אַיּוֹ", חָמוּן לֵיהּ וְלָא מַכִּירִין בֵּיהּ, שֶׁכֵּן כְּתִיב בְּרֵיעֵי אִיּוֹב** (שם ב, יב) **"וַיִּשְׂאוּ אֶת עֵינֵיהֶם מֵרָחוֹק וְלֹא הִכִּירֻהוּ", רַבִּי יוֹחָנָן וְרַבִּי שִׁמְעוֹן בֶּן לָקִישׁ, רַבִּי יוֹחָנָן אָמַר: אָסוּר לֵילֵךְ בְּמִזְרָחוֹ שֶׁל מְצוֹרָע אַרְבַּע אַמּוֹת, וְרַבִּי שִׁמְעוֹן אָמַר: אֲפִילוּ מֵאָה אַמָּה, וְלָא פְלִיגֵי, מַאן דְּאָמַר ד' אַמּוֹת בְּשָׁעָה שֶׁאֵין הָרוּחַ יוֹצֵא, וּמַאן דְּאָמַר ק' אַמָּה בְּשָׁעָה שֶׁהָרוּחַ יוֹצֵא, רַבִּי מֵאִיר לָא אָכִיל בֵּיעֵי מִן מְבוֹאָה דִּמְצוֹרָע, רַבִּי אַמִּי וְרַבִּי אַסִּי לָא הֲווּ עָיְילֵי °לִמְבוֹאוֹת שֶׁל מְצוֹרָע, רֵישׁ לָקִישׁ כַּד הֲוָה חָמֵי חַד מִנְּהוֹן בְּמְדִינְתָּא מְרַגֵּם לְהוֹן בְּאַבְנַיָּא, אָמַר לֵיהּ: פּוּק לְאַתְרָךְ, לָא תִּזְהוֹם בִּרְיָיתָא, דְּתָנֵי רַבִּי חִיָּיא:** (ויקרא יג, מו) **"בָּדָד יֵשֵׁב", לְבַדּוֹ יֵשֵׁב, רַבִּי אֶלְעָזָר בְּרַבִּי שִׁמְעוֹן כַּד חָמֵי חַד מִנְּהוֹן הֲוָה מִיטַּמֵּר מִינֵּיהּ עַל שׁוּם דִּכְתִיב "זֹאת תִּהְיֶה תּוֹרַת הַמְּצֹרָע", הַמּוֹצִיא שֵׁם רָע:**

ד דָּבָר אַחֵר, [יד, ב] **"זֹאת תִּהְיֶה תּוֹרַת הַמְּצֹרָע", הֲדָא הוּא דִכְתִיב** (תהלים נ, טז) **"וְלָרָשָׁע אָמַר אֱלֹהִים מַה לְּךָ לְסַפֵּר חֻקָּי וַתִּשָּׂא בְרִיתִי עֲלֵי פִיךָ", בֶּן עַזַּאי הָיָה יוֹשֵׁב וְדוֹרֵשׁ וְהָאֵשׁ מְלַהֶטֶת סְבִיבוֹתָיו,**

(ג) הדא הוא דכתיב אם יעלה לשמים שיאו כו'. משום דיקשה על מה שמפרש המצורע המוציא שם רע מאי שנא דרמיז להאי מאחר עבירות שהצרעת באה עליהם, בא לתרוצי הכא דמשום דעונש המצורע גודל יותר במוציא שם רע מאחרא, דהיינו מה שיושב בדד, כי כשם שהוא הבדיל בין איש לרעהו, כן הבדילו ה' לרעה, להכי רמיז טפי המוציא שם רע, ומשום דענין ישיבתו בדד מתבאר יותר בהאי קרא דקאמר, שאפילו בעת לכתו בשוק יתרחקו ממנו שעל זה נאמר רואיו יאמרו איו, להכי מייתי לה. ומסכים לזה מייתי להא דרבי יוחנן ורבי יהושע בן לוי ושאר אמוראי דמזהרי על ההרחקה ממנו טפי, והיינו דמסיים על שום זאת תהיה תורת המצורע המוציא שם רע, כלומר כל אלה לו מפני שהוציא שם רע ונדון מדה כנגד מדה: **שיאו לרומא כו'.** מפרש ליה להאי קרא במצורע, שמצטרע מפני גסות הרוח, שהוא אחד מהמדברים שהצרעת באה עליהם וכדלקמן, שכנגד גאותו, אף שיעלה לשמים, שמעלתו יושפל ויתבזה כגללים. ומשום דקשה ליה בהאי קרא כיון דקאמר לשמים מאי לעב דקאמר בתר הכי שפוחת הרבה ממה שאמר תחלה, לכך קאמר שפירוש לשמים אינו שמים ממש, אלא לשון רום וגובה, כמו שמי קורה, ולעב פירושו לעננא כפשוטו, ובא לאפוקי שלא יפרש לשמים שמים ממש, ועב פירושו המלאכים כדמפרש בשוחר טוב (מזמור יח) ובמכילתא (בשלח פרשה ב) עביו עברו. אבל לעיל בבראשית רבה (כח, ג) מפרש לה להאי קרא באדם הראשון שהיה גבהו עד השמים ממש, ואם כן ליכא לפרש שם לעב עד המלאכים, שהרי לא היה גבהו עד המלאכים, וגם אין לפרש לעב לענן, [כי] גם כן יקשה הא העננים ברקיע האוירי הקרוב לנו הם, ואדם היה מגיע לשמים ממש כפי פשט הדברים, לכן צריכין לדחוק ולתרץ שם דקרא מיירי לפי הנדמה לאנשים שהעננים סמוכים לשמים כמו שכתבתי שם: **אף הוא מזוהם.** פירוש אף המצורע מזוהם מצרעתו: **חמין ליה כו'.** רואין אותו ואין מכירין אותו. ורצה לומר שאפילו בחייו בעודם רואים אותו יאמרו איו, כי לא יכירוהו כמו באיוב, וזה מפני השתנותו קצת בנגעים שבאו עליו, ועוד שלא יראוהו אלא מרחוק שייראו מגשת אליו כדלקמן: **אסור לילך במזרחו של מצורע.** וזה לשון המעריך (ערך נרע), דע כי רוח מערבי מצויה ביותר, וכשהמצורע מהלך הרוח מוליך הבלו למזרח, לכן אסור לילך למזרחו, ועל דרך זה אסרו במסכת כלה (פרק ראשון) לישן בצד מזרח של גורן הקנה, כי דברו חכמים בהווה, אבל הוא הדין לצד מערב כשרוח מזרחית מנשבת, ועיין במדרש איכה (ד, יב) פסוק טובים היו חללי חרב, עד כאן לשונו: **מבואה.** פירוש רחוב ושכונה: **רבי אמי ורבי אסי כו'.** ולעיל (סימן א) איתא רבי אמי ורבי אסי לא הוו אכלי כו', ואפשר תרווייהו איתנהו: **כד הוה חמי כו'.** כשהיה רואה אחד מבעלי ראתן: **במדינתא.** פירוש בעיר כדאיתא ברות רבה (א, ה) כל מקום שנאמר מדינה הוא עיר: **מרגם להו כו'.** לשון רגום ירגמוהו, פירוש היה זורק בהם אבנים ואמר להם לאו למקומכם חוץ לעיר: **לא תזהם כו'.** תטנף ותטמא הבריות: **לבדו ישב.** דרש בדד לשון בד בבד [שמות ל, לד] (מתנות כהונה), שלא יהיו טמאים אחרים יושבים עמו, כדאיתא בפרק אלו דברים בפסחים (סז, א), ופירושו שלא יהיו טמאים אחרים כגון זבין וטמאי מתים: **מיטמר.** מחבא ומסתתר: **על שום כו'.** כלומר כל אלה לו מפני שהוציא שם רע ונדון מדה כנגד מדה, כמו שאמרו בעירכין (טז, ב) הוא הפריד בין איש לאשתו כו', לכן בדד ישב ויתרחקו הבריות ממנו: **(ד) ולרשע אמר אלהים כו'.** גם טעם אגדה זו לתרץ למה נרמז מוציא שם רע טפי מאחר עבירות שצרעת בא עליהם, וקאמר משום חומר לשון הרע, ולכן מייתי האי קרא דבסיפיה כתיב פיך שלחת ברעה וקראו רשע כמו גנב ונואף. ואגב קשה ליה דהוי ליה למימר לדבר או ללמוד, לכן פירש לשון ספיר, רצה לומר אף שיודע לחרוז התורה כספיר ומרגליות כמו בן עזאי אין הקדוש ברוך הוא חפץ בתורתו. ולרבי לוי קאי על ספור שבחי ה' דאתא שפיר לשון ספור, ואפשר דגרסינן הא דבן עזאי בתר דרבי לוי, ועל זה מייתי דבן עזאי והבן:

(ג) שיאו לרומא לעב לעננא. שתחלה אמר לשמים שיאו, משמע עד הכוכבים, ואחר כך אמר לעב יגיע, והעבים הם רק עד שלש פרסאות מן הארץ, על כן דורש מה שנאמר לשמים שיאו לרומא, פירושו ברום האויר, דומה למה שאמר לעב יגיע, וכדמיון נבוכדנצר שאמר (ישעיה יד, יד) אעלה על במתי עב אדמה לעליון: **הגללים הללו מזוהמים.** ועיין בראשית רבה (כח, ג): **ולא הכירוהו.** ואיוב נלקה בשחין רע, כמו שכתוב בריש איוב (ב, ז) ויך את איוב בשחין רע:

מתנות כהונה

[ג] **לעננא.** לענן: **חמון ליה כו'.** רואין אותו ואין מכירין אותו: **במזרחו כו'.** צריך לומר שאותו רוח עלול להקביל טומאה יותר משאר רוחות. ואולי רצונו לומר במזרחו באותו צד שהרוח בא עליו ממזרח, שרוח מזרחית קשה, שנאמר (שמות יד כא) רוח קדים עזה, וכמו שפירוש רש"י שם. ולא נקט מערבו לאורויי טעמא קאתי שרוח מזרחית קשה. מכל מקום הראשון נראה עיקר ודו"ק: **מבואה.** רחוב ושכונה: **לא הוו עיילי כו'.** ולעיל איתא רבי אמי ורבי אסי לא הוו אכלי כו', ואולי תרווייהו איתנהו: **כד הוי חמי כו'.** כשהיה רואה אחד מבעלי ראתן: **במדינתא.** בעיר: **מרגם להו כו'.** לשון רגם ירגמהו, היה זורק בהם אבנים, ואמר ליה לא לאתרך למקומך חוץ לעיר: **לא תזהם לברייתא.** לא תטנף ותטמא הבריות: **לבדו ישב.** דרש בדד מלשון בד בבד והוא ממלות הכפולות כמו אדמדם (ויקרא יג, מט), ירקרק (שם), הפכפך (משלי כא, ח): **מיטמר.** מחבא ומסתיר: **על שום.** על כל הנזכר דלעיל קאי, שכל כך רחקם הקב"ה, על שהוציאו לשון הרע על הבריות, ורחקו שלום הבריות זה מזה:

אשד הנחלים

[ג] **אף הוא.** כלומר המצורע. ולפי שאיוב נצטרע, אמר צופר עליו כדמות זה: **במזרחו.** מפני שהרוח מזרחי קשה ומדביקו אליו, כפירוש השני של המתנות כהונה: **על שום דכתיב כו'.** פירש הידי משה מפני שהוא רשע ואסור להסתכל בצורתו: [ד] **הדא הוא דכתיב ולרשע** גו'. וכלומר שלכן כתיב זאת תורת, שתורתו אינו עומדת לו להגינו מצרעתו, כי לרשע אמר אלהים מה לך לספר חוקי: **בן עזאי כו'.** הביא המעשה הזאת לכאן להורות כמה גדולה מעלת התורה, עד שהאש היה מלהטת סביבותיו מפני רוב הקדושה, ולכן היא מרוחקת מן הטמאים.

חידושי הרד"ל

[ג] **שיאו לרומא.** עיין בהגהותי לבראשית רבה (פרשה יט) בסייעתא דשמיא: **אף הוא מזוהם.** כלומר להמצורע שלוקה בצרעת על גסות הרוח, שהעלה שמים שיאו: **חמון ליה ולא מכירין ליה.** שכיון שכתוב רואיו, הרי ישנו בעולם, ואיך אומרים איו, אלא שאין מכירין, שנשתנה על ידי צרעתו וכאיוב. על שום דכתיב זאת תהיה כו' מוציא שם רע. כמו שמובא (ערכין טז, ב) הוא הפריד בין איש לאשתו כו', לכך בדד ישב, ויתרחקו הבריות ממנו: [ד] **ולרשע כו' לספר חוקי.** מפרש ואזיל שם, פיך שלחת ברעה כו', תשב באחיך תדבר כו', הרי מספר לשון הרע שלוקה בצרעת, וכתיב ביה (יג, מה) על שפם יעטה, שאסור בדברי תורה כמו שאכתוב לקמן אי"ה: **בן עזאי היה כו'.** שיר השירים רבה פ"א. ומה שמביאו כאן אפשר לומר שאף על פי שכל כך חביב להקב"ה העוסק בדברי תורה שיורד האש ומלהט כבסיני, מכל מקום ברשע אין הקב"ה חפץ בקלוסו ובתורתו. ואפשר גרסינן הא דבן עזאי בתר דרבי לוי, דמלינו באת"ך כו', ועל זה מייתי דבן עזאי שהיה חורז מן התורה לנביאים ולכתובים:

חידושי הרש"ש

[ג] **אסור לילך במזרחו של מצורע כו'.** עיין ברכות (מ, א) ישן למזרח גרנו דמו בראשו, ופירש"י (ד"ה למזרח גורנו), ועיין עוד ב"ב (כה, א) תוס' ד"ה אין [צריך לומר] שם בסוף פרק המוכר את הספינה (צא, ב) כד לא הוו מיתגרין פוטלא למדנח קרחתא, ובאיכה רבתי (ד, יב) בפסוק טובים כו', וכל זה אישתמיט מהמתנות כהונה, וידי משה:

באור מהרי"פ

[ג] **אם יעלה לשמים שיאו וגו'.** מיירי במצורע, כדדריש לקמן (יז, ג) על מקרא דהאי ענינא יגל יבול ביתו וגו', עיין שם: **במזרחו של מצורע.** זה לשון המעריך ערך נרע, בעל מתנות כהונה לא הבין וכתב שבושים. והאמת הוא זה, דע כי רוח מערבי מצויה ביותר וכשהמצורע מהלך הרוח מוליך הבלו למזרח, לכן אסור לילך במזרחו של מצורע, עד כאן:

מסורת המדרש

ח. אסתר רבה פ"ו:

אם למקרא

אִם־יַעֲלֶה לַשָּׁמַיִם שִׂיאוֹ וְרֹאשׁוֹ לָעָב יַגִּיעַ: כְּגֶלְלוֹ לָנֶצַח יֹאבֵד רֹאָיו יֹאמְרוּ אַיּוֹ: (איוב כ:ו-ז)

וַיִּשְׂאוּ אֶת עֵינֵיהֶם מֵרָחוֹק וְלֹא הִכִּירֻהוּ וַיִּשְׂאוּ קוֹלָם וַיִּבְכּוּ וַיִּקְרְעוּ אִישׁ מְעִלוֹ וַיִּזְרְקוּ עָפָר עַל־רָאשֵׁיהֶם הַשָּׁמָיְמָה: (שם ב:יב)

וְלָרָשָׁע אָמַר אֱלֹהִים מַה לְּךָ לְסַפֵּר חֻקָּי וַתִּשָּׂא בְרִיתִי עֲלֵי־פִיךָ: (תהלים נ:טז)

ענף יוסף

ינאי הפליג בו לדעת אם יש לו איזה תרופה מועילה לאיזה חטא, שאפשר שיקרה לו ולכיוצא בו, ולזה נתן הרוכל ומצא שהטעון אשר קרוב שיכשל בו ר' ינאי וחביריו הוא בלשון, יען וביען היותו ר' ינאי רגיל בתורה ובתוכחה, קרוב שיכשל בלשון הרע, במהרה יקנטר לאיזה אדם מבלי דעת, או אם סיפר בשבח איזה אדם אפשר שסיפר בשבחו יותר מדאי ומתוך שבחו בא לידי גנותו, כמאמרם ז"ל (בא בתרא קסד ב), אך שמא יאמר שמירתה זו יחסום פיו, ולא יוכיח לשום אדם וכדומה, לזה במצות התלויות בלשון, לזה הראה לו הרוכל פסוק מי האיש החפץ חיים וגו' נצור לשונך

ידי משה

[ג] **במזרחו של מצורע.** עיין מתנות כהונה ובאנס דחק, כי פירוש מזרחו הייט מצד פניו שנקרא מזרח, כדלעיל (יד, א) גבי אדם, דו פרצופין היו לאדם הראשון דכתיב אחור וקדם וגו', וקדם הוא מזרח, לכן אסור לילך מצד מזרחו דהייט מצד פניו מפני הבל שבפיו ומסוכן יותר מבצד אחר. וקל להבין: **על שום זאת תהיה תורת המצורע המוציא שם רע.** נמצא שהיה רשע לכן אסור להביט בצורתו והיה מיטמר מיניה. וקל להבין:

אמרי יושר

[ג] **אסור להלך במזרחו של מצורע.** זהו וישאו עיניהם מרחוק, כי צד שאין טמא היה בו באיוב:

אָמְרוּ לֵיהּ: שֶׁמָּא בְּסִדְרֵי מֶרְכָּבָה אַתָּה עוֹסֵק — [The Sages] who were not present at the time but who had heard of the incident,[76] **said to him, "Is it perhaps that you have been delving into the arrangements of the** Divine **Chariot?"**[77] אָמַר לָהֶן: לָאו, אֶלָּא מַחֲרִיז דִּבְרֵי תוֹרָה לִנְבִיאִים וּנְבִיאִים לִכְתוּבִים — **He replied to them: No. Rather, I string together passages from the Pentateuch with passages from the Prophets, and passages from the Prophets with passages from the Writings,**[78] וְדִבְרֵי תוֹרָה שְׂמֵחִין כְּיוֹם נְתִינָתָן בְּסִינַי — **and thus the words of the Torah were as joyous**[79] as they were **on the day they were given at** Mount **Sinai.** עִיקַּר נְתִינָתָן בָּאֵשׁ נִיתְּנוּ, הֲדָא הוּא דִכְתִיב "וְהָהָר בֹּעֵר בָּאֵשׁ" — Indeed, **the actual presentation [of the Torah] was amid fire, as it is written** regarding the Giving of the Torah at Mount Sinai, ***and the mountain was burning in fire*** *up to the heart of Heaven* (*Deuteronomy* 4:20).[80]

A related teaching:[81]

אָמַר רַבִּי לֵוִי: מָצִינוּ בַּתּוֹרָה בַּנְּבִיאִים וּבַכְּתוּבִים שֶׁאֵין הַקָּדוֹשׁ בָּרוּךְ הוּא חָפֵץ בְּקִילוּסוֹ שֶׁל אָדָם רָשָׁע — **R' Levi said: We find in the Torah** (i.e., the Pentateuch) and **in the Prophets and in the Writings that the Holy One, blessed is He, does not desire the praise of a wicked person.** מִן הַתּוֹרָה "וְעַל שָׂפָם יַעְטֶה וְטָמֵא טָמֵא יִקְרָא" — This can be seen **from the Torah** in a verse concerning the *metzora,* ***and he shall cloak himself up to his lips; he is to call out: "Contaminated, contaminated!"*** (above, 13:45).[82] מִן הַנְּבִיאִים "וַיְהִי הוּא מְסַפֵּר לַמֶּלֶךְ אֵת אֲשֶׁר הֶחֱיָה אֶת הַמֵּת וגו׳ זֹאת הָאִשָּׁה וְזֶה בְּנָהּ אֲשֶׁר הֶחֱיָה אֱלִישָׁע" — It can also be seen **from the Prophets,** in the verse, ***Just when [Gehazi] was telling [the king] about how [Elisha] had revived the dead [boy], etc.,*** *Gehazi exclaimed, "My lord, the king!* ***This is the woman and this is her son whom Elisha had revived!"*** (*II Kings* 8:5). וְדִלְמָא לַאֲחוֹרֵי תַּרְעָא הֲוָה קָאֵים — **Now,** is it probable that the woman and her son appeared suddenly just as Gehazi began talking about her? **Was she then standing** and waiting **behind the door,** walking in just when she heard the incident of her son's revivification being discussed? רַבָּנָן אָמְרֵי: אֲפִילּוּ בְּסוֹף הָעוֹלָם — Rather, **the Sages stated: Even if** the Shunamite had been, at that moment, **at the other end of the world,** הֱסִיטָהּ הַקָּדוֹשׁ בָּרוּךְ הוּא וֶהֱבִיאָהּ — **the Holy One, blessed is He, would have caused her to fly**[83] **and brought her** there at that moment, כְּדֵי שֶׁלֹּא יְסַפֵּר אוֹתוֹ רָשָׁע בְּשִׁבְחוֹ שֶׁל הַקָּדוֹשׁ בָּרוּךְ הוּא — **in order that that wicked one** (Gehazi) **should not have an opportunity to relate the praises of the Holy One, blessed is He.**[84] בַּכְּתוּבִים מִנַּיִן, שֶׁנֶּאֱמַר — And **from where in the Writings** do we see that God does not desire the praise of a wicked person? From the verse **that states,**

NOTES

76. *Eitz Yosef.* See *Shir HaShirim Rabbah* to *Song of Songs* 1:10, sec. 2 (§52 in Vagshal edition).

77. By "arrangements of the Divine Chariot" the Midrash is referring to the study of what is usually called מַעֲשֵׂה מֶרְכָּבָה, *Account of the Chariot*. This pertains to a prophetic vision of the glory of God recorded in the first chapter of *Ezekiel*. The vision is called the *Account of the Chariot* because it describes four angelic beings bearing a throne that is in some sense a vehicle for God's glory. [In the parallel passage in *Shir HaShirim Rabbah* loc. cit., the word סִדְרֵי, *arrangements of*, is replaced by the word חַדְרֵי, *inner secrets of* (lit., *rooms of*).]

[The phenomenon of fire surrounding one who was engaged in the study of the secrets of the Divine Chariot is not uncommon in Talmudic literature; see, for example, *Chagigah* 14b and *Yerushalmi Berachos* 5:1. See also *Succah* 28a in reference to the fire that surrounded R' Yonasan ben Uziel when he was learning Torah; see next note.]

78. The fire came about through the extreme holiness generated by the Torah study of Ben Azzai [see *Rashi* to *Succah* loc. cit., who writes that the fire surrounding R' Yonasan ben Uziel was generated by the angels who came to hear his Torah]. By "stringing together" (i.e., associating and finding parallels for) various verses in the Pentateuch with passages from the Prophets and Writings, Ben Azzai was demonstrating that all the ideas contained in the Prophets and the Writings are actually already alluded to in the Pentateuch (see *Taanis* 9a). While the other Sages presumed that the only way to merit this Divine fire was by studying the "Divine Chariot," Ben Azzai informed them that the search for these hidden allusions in the Torah is likewise a most worthy enterprise that can produce similar results (*Eshed HaNechalim*).

79. See *Yefeh Kol* to *Shir HaShirim Rabbah* loc. cit. and *Ruach Chaim* to *Avos* 6:1, who explain that the Torah itself derives joy, as it were, from being studied. See also *Ruth Rabbah* 6 §4.

80. The connection of this incident to the *Psalms* verse cited above would appear to be as follows: Although God cherishes Torah study above all else — as evidenced by the fire that descends and surrounds those who study it (as at Mount Sinai) — nevertheless He is uninterested, as it were, in the Torah study of wicked individuals. The *Psalms* verse thus quotes God as saying to the wicked, *For what purpose do you recount My decrees, etc.?*

The Midrash goes on to cite a teaching of R' Levi that God is similarly uninterested in the *praise* of wicked individuals — and this sentiment, too, is included in God's statement in the *Psalms* verse (*Eshed HaNechalim, Radal*). See, however, next note.

81. See preceding note.

Alternatively, *Yefeh To'ar* and *Eitz Yosef* above (s.v. הדא הוא דכתיב) understand the following teaching of R' Levi as offering a *conflicting approach* as to what the *Psalms* verse is referring to in the words לְסַפֵּר חֻקָּי, translated above as *to recount My decrees.* While the Midrash just above has taken it as referring to the study of Torah — and more specifically, to the *kind* of Torah study practiced by Ben Azzai (see ibid.) — it now cites R' Levi as explaining that לְסַפֵּר חֻקָּי refers to praising God.

An alternative approach to how these two teachings are related may be as follows: Having stated the significance of finding parallels in the Pentateuch for statements in the Prophets and Writings (see note 78), the Midrash now cites a statement made by R' Levi in which a particular idea is shown to appear in all three sections of Scripture. [In line with this general approach, *Radal* suggests that perhaps the teaching of R' Levi belongs *before* the story about Ben Azzai, with the former stating that a certain idea appears in all three sections of *Tanach*, and the latter coming to teach that in fact *everything* that appears in the Prophets or Writings appears already in the Pentateuch. *Eitz Yosef* (loc. cit.) mentions this possibility as well.]

82. The Midrash interprets this verse to mean that the *metzora* is to seal his lips and not praise God, for God does not desire the praise of the wicked (*Eshed HaNechalim, Rashash*). The *metzora* is presumed to be wicked because *tzaraas* comes as a punishment for sin; see below, 17 §3 (*Eitz Yosef*). Furthermore, the remainder of the verse — *he is to call out: "Contaminated, contaminated!"* — is taken to mean that since he is contaminated, his speech may involve only unholy things, but he should not utter God's praises (see *Maharzu*; see also *Matnos Kehunah*).

[A number of commentators understand the Midrash as saying that *he shall cloak himself up to his lips* teaches that the *metzora* is forbidden to speak words of Torah (*Radal, Eitz Yosef*), some even reading this idea into the *Psalms* verse cited above (*Radal* above, s.v. ולרשע כו׳; see above, note 74; see also *Maharzu*). As they themselves note, however, this would put the Midrash at odds with the Gemara *Moed Katan* 15a, which states that a *metzora* is *permitted* to speak words of Torah. Furthermore, it does not seem to fit well with R' Levi's opening comment that "the Holy One, blessed is He, does not desire the *praise* of a wicked person." We have therefore followed the approach of other commentators.]

83. *Matnos Kehunah* and *Beur Maharif* suggest emending the text to read הֵטִיסָהּ, which (more literally than הֱסִיטָהּ) means *caused her to fly.* See similarly *Rus Rabbah* 7 §7.

84. Instead, the king mentioned in the *II Kings* verse (Jehoram) was able to ask the Shunamite woman to personally describe the miraculous events that had occurred (and thus be the one singing the praises of God). Indeed, the next verse states, *The king asked the woman, and she told him [that it was true]* (*Eitz Yosef*; see *Matnos Kehunah* with *Beur Maharif*).

אָמְרוּ לֵיהּ: שֶׁמָּא בְּסִדְרֵי מֶרְכָּבָה אַתָּה עוֹסֵק, אָמַר לָהֶן: לָאו, אֶלָּא מַחֲרִיז דִּבְרֵי תוֹרָה לִנְבִיאִים וּנְבִיאִים לִכְתוּבִים, וְדִבְרֵי תוֹרָה שְׂמֵחִין כְּיוֹם נְתִינָתָן בְּסִינַי, עִיקַּר נְתִינָתָן בָּאֵשׁ נִיתְּנוּ, הָדָא הוּא דִכְתִיב (דברים ד, יא) "וְהָהָר בֹּעֵר בָּאֵשׁ", אָמַר רַבִּי לֵוִי: מָצִינוּ בַּתּוֹרָה בַּנְּבִיאִים וּבַכְּתוּבִים שֶׁאֵין הַקָּדוֹשׁ בָּרוּךְ הוּא חָפֵץ בְּקִילּוּסוֹ שֶׁל אָדָם רָשָׁע, מִן הַתּוֹרָה (ויקרא יג, מה) "וְעַל שָׂפָם יַעְטֶה וְטָמֵא טָמֵא יִקְרָא", מִן הַנְּבִיאִים (מלכים־ב ח, ה) "וַיְהִי הוּא מְסַפֵּר לַמֶּלֶךְ אֵת אֲשֶׁר הֶחֱיָה אֶת הַמֵּת וְגוֹ' זֹאת הָאִשָּׁה וְזֶה בְּנָהּ אֲשֶׁר הֶחֱיָה אֱלִישָׁע", וְדִלְמָא לַאֲחוֹרֵי *תַּרְעָא *הֲוָה קָאִים, רַבָּנָן אָמְרֵי: אֲפִילּוּ בְּסוֹף הָעוֹלָם הֱסִיטָהּ הַקָּדוֹשׁ בָּרוּךְ הוּא וֶהֱבִיאָהּ, כְּדֵי שֶׁלֹּא יְסַפֵּר אוֹתוֹ רָשָׁע בְּשִׁבְחוֹ שֶׁל הַקָּדוֹשׁ בָּרוּךְ הוּא, בַּכְּתוּבִים מִנַּיִן, שֶׁנֶּאֱמַר (תהלים נ, טז) "וְלָרָשָׁע אָמַר אֱלֹהִים מַה לְּךָ לְסַפֵּר חֻקָּי", רַבִּי אֶלְעָזָר בְּשֵׁם רַבִּי יוֹסֵי בֶּן זִמְרָא אָמַר: רמ"ח אֵיבָרִים יֵשׁ בּוֹ בָּאָדָם, מֵהֶם רְבוּצִין מֵהֶן זְקוּפִין, וְלָשׁוֹן זֶה נָתוּן בֵּין שְׁנֵי לְחָיַיִם וְאַמַּת הַמַּיִם עוֹבֶרֶת תַּחְתָּיו וּמְכוּפָּל בְּכַמָּה כְּפוּלוֹת, בֹּא וּרְאֵה כַּמָּה שְׂרֵיפוֹת הוּא שׂוֹרֵף, אִלּוּ הָיָה זָקוּף וְעוֹמֵד עַל אַחַת כַּמָּה וְכַמָּה, לְפִיכָךְ מֹשֶׁה מַזְהִיר אֶת יִשְׂרָאֵל וְאוֹמֵר לָהֶם: [יד, ב] "זֹאת תִּהְיֶה תּוֹרַת הַמְּצֹרָע", הַמּוֹצִיא שֵׁם רָע:

ה דָּבָר אַחֵר, [יד, ב] "זֹאת תִּהְיֶה תּוֹרַת הַמְּצֹרָע", הָדָא הוּא דִכְתִיב (קהלת ה, ה) "אַל תִּתֵּן אֶת פִּיךָ לַחֲטִיא אֶת בְּשָׂרֶךָ", רַבִּי יְהוֹשֻׁעַ בֶּן לֵוִי פָּתַר קְרָיָא בְּאִלּוּ שֶׁפּוֹסְקִים צְדָקָה בָּרַבִּים וְאֵין נוֹתְנִין, רַבִּי חֲנִינָא בַּר פַּפָּא אָמַר: בְּאִלֵּין שֶׁאוֹמְרִים לְשׁוֹן הָרָע, וְרַבִּי בִּנְיָמִין בֶּן לֵוִי פָּתַר קְרָיָא בַּחֲנִיפֵי תוֹרָה, רַבִּי מָנִי פָּתַר קְרָיָא בִּנְדָרִים וְכוּ' כִּדְאִיתָא בְּמִדְרַשׁ קֹהֶלֶת, רַבָּנָן פָּתְרִין קְרָיָא בְּמִרְיָם,

עץ יוסף

אמרו לו כו'. לא אותם ששמעוהו כשהיה דורש, כי הם ודאי שמעו במה היה עוסק, אלא אחרים, ובחזית (שיר השירים רבה א, גג על פסוק י) אמרו בהדיא שכשהוגד הדבר לרבי עקיבא שאל לו שאלה זו: **מחריז.** מקשר ומדבק זה בזה, כחורז מרגליות זו עם זו: **ודברי תורה שמחים כו'.** משום שאפילו האותיות הקדושות הם נמלאים חיים וקיימים כאחד מלבא המרום, לכן קאמר לשון זה ודברי תורה שמחים: **ועל שפם יעטה.** ודרשו בשבת מועד קטן (טו, א) שיהיו שפותיו מדובקים זו בזו, והמצורע רשע הוא שהנגעים באים על עון כדלקמן (יז, ג). ובמועד קטן שם מסקינן דמותר בדברי תורה [רק אפשר אינו שונה לרבים] וכאן משמע שאסור. ועיין בפתיחתא דאיכה (סימן כא) דדרש על שפם יעטה שלא היה אחד מהם יכול להוציא דברי תורה מפיו (רד"ל): **ודילמא לאחורי תרעא בו'.** כלומר, שמא איתרמי מילתא שלאחורי הדלת היתה עומדת האשה עם בנה שמיד שהתחיל גחזי המאורע היו באים שניהם לפניו, שנאמר זאת האשה וזה בנה, זה ודאי אינו, לכן אמרי רבנן שאפילו היה בסוף העולם ה' הסיטה פירוש הפריחה [וכמה דאת אמר אליהו בארבע טיסות (ברכות ד, ב)] והביאה באותה שעה כדי שלא יספר גחזי הרשע בשבחו של מקום, והמלך שאל את פיה בעצמה איך היה המעשה, כמו שנאמר וישאל המלך לאשה: **ואמת המים עוברת.** הוא המאכל והמשתה העובר דרך שם לגוף, וכל המיאוס הזה עובר תחתיו ואינו נכנע: **בכמה כפולות.** הוא מה שאמר בפרק יש בערכין (טו, ב) אמר הקדוש ברוך הוא ללשון כו', ולא עוד אלא שהקפתי לך שתי חומות אחד של עצם ואחד של בשר: **(ה) הדא הוא דכתיב אל תתן כו'.** גם טעם אגדה זו לומר דמאי דרמיז קרא במצורע למוציא שם רע טפי מאשר עבירות המביאים לצרעת משום דהך חמירא טפי, ולהכי מייתי אל תתן את פיך, דמזהיר על לשון הרע מפני הצרעת טפי מאשר עבירות ואין זה אלא לחומרתו, ולהכי מפרש ליה בלשון הרע ובמרים, ואיידי דמייתי ליה דריש ליה נמי בשאר אנפי: **בדאיתא במדרש קהלת.** פרשה ה' סימן ג': **רבנן פתרי קרא במרים.** ודאי קרא אזהרה ללשון הרע הוא

פירוש מהרז"ו

(ד) בקילוסו של אדם רשע. דורש מה שנאמר (תהלים נ, טז) מה לך לספר חוקי, שאין הספור שייך כי אם אצל הגדולות, כמו שכתוב (שם קמה, ו) וגדולתך אספרנה, וכדומה, על כן דורש שכך הוא באמת כוונת הכתוב מה לך לספר גדולתי וקילוסי, וזה על פי מדה ט' וי"ז, ומה לך ללמוד חוקי. וזה מה שאמר רבי לוי שהביא ראיה על הקילוס מפסוק לספר חוקי, וכמו שכתוב אצל גיחזי (מלכים ב, ח, ד) שאמר לו המלך ספר נא לי את כל הגדולות שעשה אלישע וגו' ויהי הוא מספר למלך וגו'. והמעשה הובא בשיר השירים רבה פסוק נואכך בחרוזים (דף י"א) [פרשה א פסוק י], ועיין עוד שם: **וטמא טמא יקרא.** שהטמא יקרא דברים טמאים, ולא דברים קדושים, לספר גדולתי וללמוד תורתי: **הסיטם הקב"ה.** עיין לעיל (יא, א) הסיטן הקב"ה ושם מבואר: **רבי אלעזר בשם רבי יוסי בן זימרא.** לפי מה שכתוב כאן, המאמר בלי ראש וסוף, אך בערכין (יד, ב) דורש פסוק (תהלים קכ, ג) מה יתן לך ומה יוסיף לך לשון רמיה, רמ"ח אברים שבאדם כולם זקופים, והלשון מוטה, ועשיתי לו שני חומות, אחת של בשר ואחת של עצם וכו', עיין שם. והחומות הם השפתים והשניים והמים שתחתיו, לקררו, והשני לחיים לשני צדיו, לשמרו מן הצדדים, והוא רצון להחליקו, ולסימן לו שישכב וינוח, וכשהפה סתום הלשון מקופל בארכו וברחבו, וכשפותח פיו הרי יכול להאריכו ולהוציאו הרבה, וכל זה להראות שצריך שמירה גדולה למעט רעתו, ואינו מועיל, אלו היה זקוף ובלא חומות ובלא כפילות על אחת כמה וכמה: **(ה) הדא הוא דכתיב אל [וכו' ב]מדרש קהלת.** פסוק זה (דף ל"ז) [פרשה ה פסוק ה אות א] כל דעות אלו באריכות ובביאור, וכאן סמך עצמו על המבואר שם, ועיין דברים רבה (ו, י).

מתנות כהונה

[ד] מחריז. מחבר, כמה דאת אמר [מ]חרוזות דגים (בבא מציעא כא, א): **וטמא טמא יקרא.** שהוא עצמו קורא כן, והוא קלון לו: **ודלמא לאחורי תרעא כו'.** וכי לאחורי הדלת היתה עומדת האשה עם בנה, שמיד שהתחיל לספר המאורע, היו באים שניהם לפניו, שנאמר (מלכים ב, ח, ה) זאת האשה וזה בנה: **הסיטה.** גרסינן, והוא לשון שיטה ועפיפה וכמה דאת אמר (זוהר לך לך נג, א) אליהו בארבע טיסות כו', ולשון הסיטה, יש לישבו אך בדרך רחוקה: **כדי שלא יספר וכו'.** דמסתמא המלך שאל את פיה בעצמה: **[ה] באלין.** באלו: **בחניפי תורה.** עיין בקהלת (רבה פרשה ה פסוק ה אות א), ובפסוק שבתי וראה כו' (פרשה ד פסוק א אות א):

אשד הנחלים

ועניין ההחרזה מדברי תורה לנביאים כו', הוא מפני דליכא מידי דכתיבי בנביאים וכתובים דלא רמיזא באורייתא, וזהו החרוז שהוא מלשון קשר וחיבור, (כמו מחרוזות של דגים בדברי חז"ל [בבא מציעא כא, א]) שחיברם יחד. ורבנן היו מדמים שהוא עוסק בעניינים אלקים כמעשי מרכבה, והוא השיב להם שעוסק רק בתורה למצוא הרמזים, וכח התורה גדולה מאוד בזה: **ועל שפם יעטה.** כאלו הכתוב אומר שיעטו שפתם מבלי יקלסו לה', כי אינו חפץ בקלוסן אם הם רשעים: **ודלמא לאחורי.** והיתה זאת במקרה. והשיבו לו רבנן שלא כן, כי היה זאת בהשגחה, ואפילו נס היה עושה בזה להסיטה ולהביאה הנה, בכדי שיחדל לדבר מזה: **מהם זקופים כו'.** ועל ידי זה הם נוחין לעשות פעולתן, גם אין שומר להם, אך הלשון יש שומר עליו: **לפיכך עשה.** וכלומר ראו ולמדו להזהר מזה, ולכן כתיב חורת:

חידושי הרד"ל

מן התורה ועל שפם יעטה. ודרשו (במועד קטן טו, א) שיהיו שפותיו מדובקות. ושם מסקינן שמותר בדברי תורה (רק אי אפשר אינו שונה לרבים), וכאן משמע שאסור (ועיין בפתיחתא דאיכה (סימן כא) דדרש על שפם יעטה, שלא היה אחד מהם יכול להוציא דבר תורה מפיו):

חידושי הרש"ש

[ד] מן התורה ועל שפם יעטה. נראה לי פירושו על דרך שדרשו במועד קטן טו, א, שיהא שפתותיו דביקות זו בזו כו', וסובר המדרש דהיינו שיהא אסור לקלס להקב"ה: **כדי שלא יספר אותו רשע כו'.** עיין מתנות כהונה דמסתמא המלך שאל את פיה בעצמה, מפורש הוא בכתוב (מלכים ב, ח, ו) וישאל המלך לאשה ותספר לו:

באור מהרי"פ

[ד] ויהי הוא מספר וגו'. (מלכים ב' ח, ה־ו) ויהי הוא מספר למלך את אשר החיה את המת והנה האשה אשר החיה את בנה צועקת אל המלך על ביתה ועל שדה, ויאמר גיחזי אדני המלך זאת האשה וזה בנה אשר החיה אלישע. וישאל המלך לאשה ותספר לו, ויתן לה המלך סריס אחד לאמר השיב את כל אשר לה ואת כל תבואות השדה מיום עזבה את הארץ ועד עתה: **מתנות כהונה ד"ה הסיטה גרסינן.** נראה דצריך לומר הטיסה גרסינן, כל צפור כל כנף (בראשית ז, יד), תרגום ירושלמי כל דטייס [עיין תרגום יונתן בראשית א, כ כא]: **מתנות כהונה בד"ה כדי שלא יספר דמסתמא המלך שאל את פיה בעצמה.** תמיה לי הלא מפורש בכתוב, דשאל המלך אותה והיא ספרה לו, דאין המלך דוישאל המלך לאשה קאי על תביעת ביתה ושדה, כמבואר לכל מבין פשטות הכתובים ודו"ק: **מהם רבוצים.** ערכין פרק יש בערכין (יד, ב): **[ה] בחנופי תורה.** פירוש סבורי כל עמא קרי, ולא קרי, תני, ולא תני:

מסורת המדרש

ט. מדרש תהלים מזמור נ':ב.

אם למקרא

וַתִּקְרְבוּן וַתַּעַמְדוּן תַּחַת הָהָר וְהָהָר בֹּעֵר בָּאֵשׁ עַד לֵב הַשָּׁמַיִם חֹשֶׁךְ עָנָן וַעֲרָפֶל: (דברים ד:יא)

וַיְהִי הוּא מְסַפֵּר לַמֶּלֶךְ אֵת אֲשֶׁר הֶחֱיָה אֶת הַמֵּת וְהִנֵּה הָאִשָּׁה אֲשֶׁר הֶחֱיָה אֶת בְּנָהּ צֹעֶקֶת אֶל הַמֶּלֶךְ עַל בֵּיתָהּ וְעַל שָׂדָהּ וַיֹּאמֶר גֵּחֲזִי אֲדֹנִי הַמֶּלֶךְ זֹאת הָאִשָּׁה וְזֶה בְּנָהּ אֲשֶׁר הֶחֱיָה אֱלִישָׁע: (מלכים ב ח:ה)

וְלָרָשָׁע אָמַר אֱלֹהִים מַה לְּךָ לְסַפֵּר חֻקָּי וַתִּשָּׂא בְרִיתִי עֲלֵי פִיךָ: (תהלים נ:טז)

אַל תִּתֵּן אֶת פִּיךָ לַחֲטִיא אֶת בְּשָׂרֶךָ וְאַל תֹּאמַר לִפְנֵי הַמַּלְאָךְ כִּי שְׁגָגָה הִיא לָמָּה יִקְצֹף הָאֱלֹהִים עַל קוֹלֶךָ וְחִבֵּל אֶת מַעֲשֵׂה יָדֶיךָ: (קהלת ה:ה)

ענף יוסף

מרע סור מרע ועשה טוב, שמשמעות הכתוב שהוכרח לעשות הטוב בהלשון, היינו להוכיח למי שצריך תוכחה, וגם לספר בשבח אנשים, רק שיזהר לשונו מרע שלא יקל בכבוד הבריות, שלא ילבין פניהם ברבים בתוכחתו, וכן שלא יספר בשבח של אדם יותר מדאי.

אמרי יושר

[ד] ועל שפם יעטה. כדי שלא ידרוש בדברי תורה, כי טמא הוא ותורתו. זהו רמז וטמא טמא מה שיקרא בדברי תורה, כי עונו גרם לו, זה עודנו בהרחק עד ישוב, אבל קודש מטיל פגם ווזהמא בקדשים, כביכול: **[ה] פיו מחטיא גופו.** על דרך ברוריה (עירובין נג, ב) בטעתה בההוא תלמידא דהוה קרי בלחישה:

שינוי נוסחאות

(ד) ודלמא לאחורי תרעא הוה קאים. באמת צריך להיות "... הות קיימא", לשון נקיבה, וכ"ה בכל הכי", אבל בכל הדפוסים כתוב "הוה קאים" (ובוארשא כתבו "הות קאים", שעשאוה כאנדרוגינוס).

רַע — "This shall be **the law of the defamer** (מוֹצִיא שֵׁם רַע)."[91]

§5 דָּבָר אַחֵר, "זֹאת תִּהְיֶה תּוֹרַת הַמְּצֹרָע" — Yet **another interpretation** of the phrase ***This shall be the law of the metzora:*** הָדָא הוּא דִכְתִיב "אַל תִּתֵּן אֶת פִּיךָ לַחֲטִיא אֶת בְּשָׂרֶךָ" — **Thus it is written, *Let not your mouth bring guilt on your flesh*** (*Ecclesiastes* 5:5).[92] רַבִּי יְהוֹשֻׁעַ בֶּן לֵוִי פָּתַר קְרָיָא בְּאִלּוּ שֶׁפּוֹסְקִים צְדָקָה בָּרַבִּים וְאֵין נוֹתְנִין — **R' Yehoshua ben Levi interpreted the verse** from *Ecclesiastes* to be referring **to those who pledge charity publicly but do not** actually **give it.** רַבִּי חֲנִינָא בַּר פַּפָּא אָמַר: בְּאִלֵּין שֶׁאוֹמְרִים לָשׁוֹן הָרַע — **R' Chanina bar Pappa said: It refers to those who engage in *lashon hara*,** and thus *bring guilt upon their flesh.* וְרַבִּי בִּנְיָמִין בֶּן לֵוִי פָּתַר קְרָיָא בַּחֲנִיפֵי תּוֹרָה — **R' Binyamin ben Levi interprets the verse to be discussing those who are pretenders of scholarship.**[93] רַבִּי מָנִי פָּתַר קְרָיָא בִּנְדָרִים וְכוּ׳ כִּדְאִיתָא בְּמִדְרַשׁ קֹהֶלֶת — **R' Mani interprets the verse to be referring to vows, etc. — as is stated in *Midrash Koheles*** (*Koheles Rabbah* 5 §3).[94]

The *Ecclesiastes* verse states in entirety: *Let not your mouth bring guilt on your flesh, and do not tell the messenger that it was an error. Why should God be angered by your speech and destroy the work of your hands?* The Midrash will now expound the verse

"וְלָרָשָׁע אָמַר אֱלֹהִים מַה לְּךָ לְסַפֵּר חֻקָּי" — ***But to the wicked God said, "To what purpose do you recount My decrees?"*** (*Psalms* 50:16, cited in the beginning of this section).[85]

The Midrash presents another explanation of the phrase *This shall be the law of the metzora:*[86]

רַבִּי אֶלְעָזָר בְּשֵׁם רַבִּי יוֹסֵי בֶּן זִמְרָא אָמַר — **R' Elazar said in the name of R' Yose ben Zimra:** רמ״ח אֵיבָרִים יֵשׁ בּוֹ בָּאָדָם — **There are two hundred and forty-eight organs in a person,** מֵהֶם רְבוּצִין מֵהֶן זְקוּפִין — **some of which lie horizontally and some of which stand upright.** וְלָשׁוֹן זֶה נָתוּן בֵּין שְׁנֵי לְחָיַיִם — **The tongue** lies horizontally[87] and **is positioned between the two cheeks,** וְאַמַּת הַמַּיִם עוֹבֶרֶת תַּחְתָּיו — **a canal of water runs through it,**[88] וּמְכוּפָּל כַּמָּה כְּפוּלוֹת — **and it is doubly [guarded] by several folding [doors],** i.e., the teeth and the lips.[89] בֹּא וּרְאֵה כַּמָּה שְׂרֵיפוֹת הוּא שׂוֹרֵף — And, despite these elements that should theoretically stop the tongue from sinning, **come and see how many things it burns.** אִלּוּ הָיָה זָקוּף וְעוֹמֵד עַל אַחַת כַּמָּה וְכַמָּה — Imagine **how much more so** would the tongue cause damage **if it were standing upright!**[90] לְפִיכָךְ מֹשֶׁה מַזְהִיר אֶת יִשְׂרָאֵל וְאוֹמֵר לָהֶם: "זֹאת תִּהְיֶה תּוֹרַת הַמְּצֹרָע" — **Therefore, Moses cautioned Israel by telling them, *"This shall be the law of the metzora*** [מְצֹרָע]," which may be expounded to mean, הַמּוֹצִיא שֵׁם

NOTES

85. See Insight Ⓐ.

86. That is, it presents another approach to the difficulty with this verse that our Midrash has sought to address; see note 74 (*Yefeh To'ar*, beginning of section).

87. See *Arachin* 15b. Alternatively: The tongue neither lies horizontally nor stands upright (*Midrash Tehillim* to *Psalms* 120:2) [The back of the tongue does not lie horizontally, but bends down into the throat.]

88. [Lit., *beneath it.*] The Midrash is referring to the food and drink that pass by way of the tongue (and mouth) into the body. The point of the Midrash is that the tongue suffers this indignity and still is not subdued. [That is to say: The tongue is a degraded part of the body and should therefore be humble (and not arrogantly attack people). Yet this is often not the case; see further.] See *Yefeh To'ar, Eitz Yosef*; cf. *Maharzu*.

89. Which surround the tongue and "block" it; see *Arachin* 15b, cited by *Eitz Yosef.* (See, however, *Maharzu*, who states that the Midrash is referring in these words to the "folded" position of the tongue within the mouth.)

90. *Midrash Tehillim* to *Psalms* 120:2 states that "the tongue . . . strikes great and small, near and far alike; if it were an external part of the body, moving about like all the other limbs, or capable of self-locomotion, how much more so would it cause damage!"

91. See note 1. According to R' Elazar (as according to previous resolutions of the difficulty the Midrash has been addressing in this chapter), the reason that the Torah alludes specifically to the sin of מוֹצִיא שֵׁם רַע in telling us to whom the laws of *tzaraas* will be applicable is that that sin is most severe. However, R' Elazar is giving a new reason why misuse of the tongue is regarded as exceptionally severe: The tongue was created in such a way as to be the part of the body most "protected" from [being used for] sin. Now the harder it is to commit a sin, the greater the severity of the misdeed (for the sinner has had to overcome greater obstacles in order to commit the wrongdoing, and yet he committed it anyway). One who overcomes the "barriers" to misusing the tongue, and speaks *lashon hara*, is therefore particularly deserving of *tzaraas* (*Yefeh To'ar*, beginning of section).

92. Here, again, the Midrash comes to explain why the Torah alludes (by use of the term מְצֹרָע) specifically to the sin of מוֹצִיא שֵׁם רַע when in fact there are also other sins that cause *tzaraas*. The *Ecclesiastes* verse cited here serves to answer this question because it points [according to R' Chanina bar Pappa, cited momentarily] to the singular gravity of *lashon hara* [see end of note 7] (*Eitz Yosef*). [Once the Midrash cites the verse in order to expound it for this purpose, it expounds it in other ways as well — as typical of Midrashic style (ibid.).]

93. I.e., people who claim proficiency in Scripture and Talmud, yet in reality are lacking in scholarship (*Beur Maharif*; see *Koheles Rabbah* 5 §3).

94. The Midrash there shows how the rest of *Ecclesiastes* 5:5 is to be understood according to each of these interpretations. Our Midrash, however — in keeping with the theme of our chapter — goes on to interpret the rest of the verse as referring to *lashon hara*.

INSIGHTS

Ⓐ **Purification and Torah** Man was created to attest to the greatness of God. To that end God blew into his nostrils the soul of life, and man became לְנֶפֶשׁ חַיָּה, *a living being* (*Genesis* 2:7), which *Onkelos* there renders: לְרוּחַ מְמַלְּלָא, *a speaking soul.* This means that of all the animate creatures, man alone was endowed with the powers of intellect and speech. And of all mankind, Israel was uniquely chosen to sing God's praises: עַם זוּ יָצַרְתִּי לִי תְּהִלָּתִי יְסַפֵּרוּ, *This people that I fashioned for Myself, that they might declare My praise* (*Isaiah* 43:21).

Now, a Jew must prepare himself to discharge this duty and purpose. His mouth must be untainted by evil speech in order to be the proper instrument to utter such exalted words of truth. The wicked person of whom R' Levi speaks is the *baal lashon hara,* whose punishment is the affliction of *tzaraas.* Just as he is quarantined [הֶסְגֵּר], so too is his mouth "closed up" [סָגוּר] — he cannot utter the praises of God. His is the prayer (*Psalms* 142:8): *Release my soul from confinement* [מִמַּסְגֵּר] *to acknowledge Your Name.* Thus our verse states, *This shall be the Torah of the metzora on the day of of his purification*; the very purpose of his purification is that he shall once again be a fitting instrument for the Torah (*Sfas Emes, Metzora* 5646).

Torah is not only the purpose of the *metzora's* purification; it is also the means.

The Gemara in *Arachin* (15b) teaches: What is the remedy for speakers of *lashon hara*? If he is a Torah scholar, he should engage in the study of Torah, as it says: מַרְפֵּא לָשׁוֹן עֵץ חַיִּים, *The cure of a tongue is the Tree of Life* (*Proverbs* 15:4). Now, any understanding person will realize that the Torah is a curative only if the person repents his sin. Perhaps, then, this is the meaning of the cryptic Midrash at the opening of our section: *"This shall be the Torah of the metzora [on the day of his purification]. Thus it is written, But to the wicked God said: To what purpose do you recount My decrees and bear My covenant upon your lips?"* The cure of the *metzora* shall be Torah, but only if it be *on the day of his purification* — only if he purifies himself from his sin through repentance. For in the mouth of the unrepentant the Torah is not effective, as it states, *But to the wicked God said: To what purpose do you recount My decrees and bear My covenant upon your lips?* (*Yismach Moshe, Parashas Metzora*, p. 16a).

אָמְרוּ לֵיהּ: שֶׁמָּא בְּסִדְרֵי מֶרְכָּבָה אַתָּה עוֹסֵק, אָמַר לָהֶן: לָאו, אֶלָּא מַחֲרִיז דִּבְרֵי תוֹרָה לִנְבִיאִים וּנְבִיאִים לִכְתוּבִים, וְדִבְרֵי תוֹרָה שְׂמֵחִין כְּיוֹם נְתִינָתָן בְּסִינַי, עִיקַּר נְתִינָתָן בָּאֵשׁ נִיתְּנוּ, הָדָא הוּא דִכְתִיב (דברים ד, יא) "וְהָהָר בֹּעֵר בָּאֵשׁ", אָמַר רַבִּי לֵוִי: מָצִינוּ בַּתּוֹרָה בַּנְּבִיאִים וּבַכְּתוּבִים שֶׁאֵין הַקָּדוֹשׁ בָּרוּךְ הוּא חָפֵץ בְּקִילוּסוֹ שֶׁל אָדָם רָשָׁע, מִן הַתּוֹרָה (ויקרא יג, מה) "וְעַל שָׂפָם יַעְטֶה וְטָמֵא טָמֵא יִקְרָא", מִן הַנְּבִיאִים (מלכים־ב ח, ה) "וַיְהִי הוּא מְסַפֵּר לַמֶּלֶךְ אֵת אֲשֶׁר הֶחֱיָה אֶת הַמֵּת וְגוֹ' זֹאת הָאִשָּׁה וְזֶה בְּנָהּ אֲשֶׁר הֶחֱיָה אֱלִישָׁע", וְדִלְמָא לַאֲחוֹרֵי *תַּרְעָא *הֲוָה קָאֵים, רַבָּנָן אָמְרֵי: אֲפִילּוּ בְּסוֹף הָעוֹלָם הֱסִיטָהּ הַקָּדוֹשׁ בָּרוּךְ הוּא וֶהֱבִיאָהּ, כְּדֵי שֶׁלֹּא יְסַפֵּר אוֹתוֹ רָשָׁע בְּשִׁבְחוֹ שֶׁל הַקָּדוֹשׁ בָּרוּךְ הוּא, בַּכְּתוּבִים מִנַּיִן, שֶׁנֶּאֱמַר (תהלים נ, טז) "וְלָרָשָׁע אָמַר אֱלֹהִים מַה לְּךָ לְסַפֵּר חֻקָּי", רַבִּי אֶלְעָזָר בְּשֵׁם רַבִּי יוֹסֵי בֶּן זִמְרָא אָמַר: רמ"ח אֵיבָרִים יֵשׁ בּוֹ בָּאָדָם, מֵהֶם רְבוּצִין מֵהֶן זְקוּפִין, וְלָשׁוֹן זֶה נָתוּן בֵּין שְׁנֵי לְחָיַיִם וְאַמַּת הַמַּיִם עוֹבֶרֶת תַּחְתָּיו וּמְכוּפָּל כַּמָּה כְּפוּלוֹת, בֹּא וּרְאֵה כַּמָּה שְׂרֵיפוֹת הוּא שׂוֹרֵף, אִלּוּ הָיָה זָקוּף וְעוֹמֵד עַל אַחַת כַּמָּה וְכַמָּה, לְפִיכָךְ מֹשֶׁה מַזְהִיר אֶת יִשְׂרָאֵל וְאוֹמֵר לָהֶם: [יד, ב] "זֹאת תִּהְיֶה תּוֹרַת הַמְּצֹרָע", הַמּוֹצִיא שֵׁם רָע:

ה דָּבָר אַחֵר, [יד, ב] "זֹאת תִּהְיֶה תּוֹרַת הַמְּצֹרָע", הָדָא הוּא דִכְתִיב (קהלת ה, ה) "אַל תִּתֵּן אֶת פִּיךָ לַחֲטִיא אֶת בְּשָׂרֶךָ", [ט]רַבִּי יְהוֹשֻׁעַ בֶּן לֵוִי פָּתַר קְרָיָא בְּאֵלּוּ שֶׁפּוֹסְקִים צְדָקָה בָּרַבִּים וְאֵין נוֹתְנִין, רַבִּי חֲנִינָא בַּר פַּפָּא אָמַר: בְּאִלֵּין שֶׁאוֹמְרִים לְשׁוֹן הָרָע, וְרַבִּי בִּנְיָמִין בֶּן לֵוִי פָּתַר קְרָיָא בַּחֲנִיפֵי תוֹרָה, רַבִּי מָנִי פָּתַר קְרָיָא בִּנְדָרִים וְכוּ' כִּדְאִיתָא בְּמִדְרַשׁ קֹהֶלֶת, רַבָּנָן פָּתְרִין קְרָיָא בְּמִרְיָם,

עץ יוסף

אמרו לו כו'. לא אותם שמעוהו כשהיה דורש, כי הם ודאי שמעו במה היה עוסק, אלא אחרים, ובחזית (שיר השירים רבה א, גג על פסוק י) אמרו בהדיא שכשהוגד הדבר לרבי עקיבא שאל לו שאלה זו: **מחריז.** מקשר ומדבק זה בזה, כחורז מרגליות זו עם זו: **ודברי תורה שמחים כו'.** משום שאפילו האותיות הקדושות הם נמצאים חיים וקיימים כאחד מגלה המרום, לכן קאמר לשון זה ודברי תורה שמחים: **ועל שפם יעטה.** ודרשו בססת מועד קטן (טו, א) שיהיו שפתותיו מדובקים זו בזו, והמצורע רשע הוא שהנגעים באים על עון כדלקמן (יז, ג). ובמועד קטן שם מסקינן דמותר בדברי תורה [רק אפשר אינו שונה לרבים] וכאן משמע שאסור. ועיין בפתיחתא דאיכה (סימן כא) דדרש על שפם יעטה שלא היה אחד מהם יכול להוציא דברי תורה מפיו (רד"ל): **ודילמא לאחורי תרעא כו'.** כלומר, שמא איתרמי מילתא שלאחורי הדלת היתה עומדת האשה עם בנה שמיד שהתחיל גחזי המאורע היו באים שניהם לפניו, שנאמר זאת האשה וזה בנה, זה ודאי אינו, לכן אמרי רבנן שאפילו היה בסוף העולם ה' הסיטה פירוש הפריחה [וכמה דאת אמר אליהו בארבע טיסות (ברכות ד, ב)] והביאה באותה שעה כדי שלא יספר גחזי הרשע בשבחו של מקום, והמלך שאל את פיה בעצמה איך היה המעשה, כמו שנאמר וישאל המלך לאשה: **ואמת המים עוברת.** הוא המאכל והמשתה העובר דרך שם לגוף, וכל המיאוס הזה עובר תחתיו ואינו נכנע: **כמה כפולות.** הוא מה שאמר בפרק יש בערכין (טו, ב) אמר הקדוש ברוך הוא ללשון כו', ולא עוד אלא שהקפתי לך שתי חומות אחד של עצם ואחד של בשר: **(ה) הדא הוא דכתיב אל תתן כו'.** גם טעם אגדה זו לומר דמאי דרמיז קרא במצורע למוציא שם רע טפי משאר עבירות המביאים לצרעת משום דהך חמירא טפי, ולהכי מייתי אל תתן את פיך, דמזהיר על לשון הרע מפני הצרעת טפי משאר עבירות ואין זה אלא לחומרתו, ולהכי מפרש ליה בלשון הרע ובמרים, ואיידי דמייתי ליה דריש ליה נמי בשאר אנפי: **כדאיתא במדרש קהלת.** פרשה ה' סימן ג': **רבנן פתרי קרא במרים.** ודאי קרא אזהרה ללשון הרע הוא

פירוש מהרז"ו

(ד) בקילוסו של אדם רשע. דורש מה שנאמר (תהלים נ, טז) מה לך לספר חוקי, שאין הספור שייך כי אם אצל הגדולות, כמו שכתוב (שם קמה, ו) וגדולתך אספרנה, וכדומה, על כן דורש שכך הוא באמת כוונת הכתוב מה לך לספר גדולתי וקילוסי, וזה על פי מדה ט' וי"ז, ומה לך ללמוד חוקי. וזה מה שאמר רבי לוי שהביא ראיה על הקילוס מפסוק לספר חוקי, וכמו שכתוב אצל גיחזי (מלכים ב, ח, ד) שאמר לו המלך ספרה נא לי את כל הגדולות שעשה אלישע וגו' ויהי הוא מספר למלך וגו'. והמעשה הובא בשיר השירים רבה פסוק צוארך בחרוזים (דף י"א) [פרשה א פסוק י], ועיין עוד שם: **וטמא טמא יקרא.** שהטמא יקרא דברים טמאים, ולא דברים קדושים, לספר גדולתי וללמוד תורתי: **הסיטם הקב"ה.** עיין לעיל (יא, א) הסיטן הקב"ה ושם מבואר: **רבי אלעזר בשם רבי יוסי בן זימרא.** לפי מה שכתוב כאן, המאמר בלי ראש וסוף, אך בערכין (יד, ב) דורש פסוק (תהלים קכ, ג) מה יתן לך ומה יוסיף לך לשון רמיה, רמ"ח אברים שבאדם כולם זקופים, והלשון מוטה, ועשיתי לו שני חומות, אחת של בשר ואחת של עצם וכו', עיין שם. והחומות הם השפתים והשניים והמים שתחתיו, לקררו, והשני לחיים לשני צדיו, לשמרו מן הצדדים, והוא רצון להחלישו, ולסימן לו שישכב וינוח, וכשהפה סתום הלשון מקופל בארכו וברחבו, וכשפותח פיו הרי יכול להאריכו ולהוציאו הרבה, וכל זה להראות שצריך שמירה גדולה למעט רעתו, ואינו מועיל, אלו היה זקוף ובלא חומות ובלא כפילות על אחת כמה וכמה: **(ה) הדא הוא דכתיב אל [וכו' ב]מדרש קהלת.** פסוק זה (דף ל"ו) [פרשה ה פסוק ה אות א] כל דעות אלו בארוכות ובביאור, וכאן סמך עצמו על המבואר שם, ועיין דברים רבה (ו, י):

מתנות כהונה

[ד] מחריז. מחבר, כמה דאת אמר [מ]חרוזות דגים (בבא מציעא כא, א): **וטמא טמא יקרא.** שהוא עצמו קורא כן, והוא קלון לו: **ודלמא לאחורי תרעא כו'.** וכי לאחורי הדלת היתה עומדת האשה עם בנה, שמיד שהתחיל לספר המאורע, היו באים שניהם לפניו, שנאמר (מלכים ב, ח, ה) זאת האשה וזה בנה: **הסיטה.** גרסינן, והוא לשון שיטה ועפיפה וכמה דאת אמר (זוהר לך לך לג, א) אליהו בארבע טיסות כו', ולשון הסיטה, יש לייסבו אך בדרך רחוקה: **כדי שלא יספר וכו'.** דמסתמא המלך שאל את פיה בעצמה: **[ה] באלין.** באלו: **בחניפי תורה.** עיין בקהלת (רבה פרשה ה פסוק ה אות א), ובפסוק שבתי וראה כו' (פרשה ד פסוק א אות א):

אשד הנחלים

ועניין ההחרזה מדברי תורה לנביאים כו', הוא מפני דליכא מידי דכתיבי בנביאים וכתובים דלא רמיזא באורייתא, וזהו החרוז שהוא מלשון קשר וחיבור, (כמו מחרוזות של דגים בדברי חז"ל [בבא מציעא כא, א]) שחיברם יחד. ורבנן היו מדמים שהוא עוסק בעניינים אלקים כמעשי מרכבה, והוא השיב להם שעוסק רק בתורה למצוא הרמזים, וכח התורה גדולה מאוד בזה: **ועל שפם יעטה.** כאלו הכתוב אומר שיעטו שפתם מבלי יקלסו לה', כי אינו חפץ בקלוסן אם הם רשעים: **ודלמא לאחורי.** והיתה זאת במקרה. והשיבו לו רבנן שלא כן, כי היה זאת בהשגחה, ואפילו נס היה עושה בזה להסיטה ולהביאה הנה, בכדי שיחדל לדבר מזה: **מהם זקופים כו'.** ועל ידי זה הם נוחין לעשות פעולתן, גם אין שומר להם, אך הלשון יש שומר עליו: **לפיכך עשה.** וכלומר ראו ולמדו להזהר מזה, ולכן כתיב חורת:

חידושי הרד"ל

מן התורה ועל שפם יעטה. ודרשו (במועד קטן טו, א) שיהיו שפתותיו מדובקות. ושם מסקינן שמותר בדברי תורה (רק איפשר אינו שונה לרבים), וכאן משמע שאסור (ועיין בפתיחתא דאיכה דהגרע (סימן כא) דדרש על שפם יעטה, שלא היה אחד מהם יכול להוציא דבר תורה מפיו):

חידושי הרש"ש

[ד] מן התורה ועל שפם יעטה. נראה לי פירושו על דרך שדרשו במועד קטן טו, א, שיהא שפתותיו דביקות זו בזו כו', וסובר המדרש דהיינו שיהא אסור לקלס להקב"ה: **בדי שלא יספר אותו רשע כו'.** עיין מתנות כהונה דמסתמא המלך שאל את פיה בעצמה, מפורש הוא בכתוב (מלכים ב, ח, ו) וישאל המלך לאשה ותספר לו:

באור מהרי"פ

[ד] ויהי הוא מספר וגו'. (מלכים ב' ח, ה-ו) ויהי הוא מספר למלך את אשר החיה את המת והנה האשה אשר החיה את בנה צועקת אל המלך על ביתה ועל שדה, ויאמר גיחזי אדוני המלך זאת האשה וזה בנה אשר החיה אלישע. וישאל המלך לאשה ותספר לו, ויתן לה המלך סרים אחד לאמר השיב את כל אשר לה ואת כל תבואות השדה מיום עזבה את הארץ ועד עתה: **מתנות כהונה ד"ה הסיטה גרסינן.** נראה דצריך לומר הטיסה גרסינן, כל צפור כל כנף (בראשית ז, יד), תרגום ירושלמי כל דטיים [עיין תרגום יונתן בראשית א, כ]: **מתנות כהונה בד"ה כדי שלא יספר דמסתמא המלך שאל את פיה בעצמה.** תמיה לי הלא מפורש בכתוב, דשאל המלך אותה והיא ספרה לו, דאין לומר דוישאל המלך לאשה קאי על תביעת ביתם ושדה, כמבואר לכל מבין פשטות הכתובים ודו"ק: **מהם רבוצים.** ערכין פרק יש בערכין (יד, ב): **[ה] בחניפי תורה.** פירוש סבורי כל עמא קרי, ולא קרי, תני, ולא תני:

מסורת המדרש

ט. מדרש תהלים מזמור נ"ב:

אם למקרא

וַתִּקְרְבוּן וַתַּעַמְדוּן תַּחַת הָהָר וְהָהָר בֹּעֵר בָּאֵשׁ עַד לֵב הַשָּׁמַיִם חֹשֶׁךְ עָנָן וַעֲרָפֶל: (דברים ד:יא)

וַיְהִי הוּא מְסַפֵּר לַמֶּלֶךְ אֵת אֲשֶׁר הֶחֱיָה אֶת הַמֵּת וְהִנֵּה הָאִשָּׁה אֲשֶׁר הֶחֱיָה אֶת בְּנָהּ צֹעֶקֶת אֶל הַמֶּלֶךְ עַל בֵּיתָהּ וְעַל־שָׂדָהּ וַיֹּאמֶר גֵּחֲזִי אֲדֹנִי הַמֶּלֶךְ זֹאת הָאִשָּׁה וְזֶה בְּנָהּ אֲשֶׁר הֶחֱיָה אֱלִישָׁע: (מלכים ב ח:ה)

וְלָרָשָׁע אָמַר אֱלֹהִים מַה לְּךָ לְסַפֵּר חֻקָּי וַתִּשָּׂא בְרִיתִי עֲלֵי פִיךָ: (תהלים נ:טז)

אַל תִּתֵּן אֶת פִּיךָ לַחֲטִיא אֶת בְּשָׂרֶךָ וְאַל תֹּאמַר לִפְנֵי הַמַּלְאָךְ כִּי שְׁגָגָה הִיא לָמָּה יִקְצֹף הָאֱלֹהִים עַל קוֹלֶךָ וְחִבֵּל אֶת מַעֲשֵׂה יָדֶיךָ: (קהלת ה:ה)

ענף יוסף

מרע סור מרע ועשה טוב, שמשמעות הכתוב שהוכרח לעשות הטוב בהלשון, היינו להוכיח למי שצריך תוכחה, וגם לספר בשבח אנשים, רק שינצור לשונו מרע שלא יקל בכבוד הבריות, שלא ילבין ברבים בתוכחתו, וכן שלא יספר בשבח של אדם יותר מדאי,

אמרי יושר

[ד] ועל שפם יעטה. כדי שלא ידרוש בדברי תורה, כי טמא הוא ותורתו, זהו רמז וטמא טמא מה שיקרא בדברי תורה, כי עונו גרם לו, זה עודנו בהרחק עד ישוב, אבל קודם מטיל פגם וזוהמא בקדשים, כביכול: **[ה] פיו מחטיא גופו.** על דרך ברוריא (עירובין נד א) בעטה בההוא תלמידא דהוה קרי בלחישה:

שינוי נוסחאות

(ד) ודלמא לאחורי תרעא הוה קאים. באמת צריך להיות "... הות קיימא", לשון נקיבה, וכ"ה בכל הכי"י, אבל בכל הדפוסים כתוב "הוה קאים" (ובוארשא כתבו "הות קאים", עשאוה כאנדרוגינוס):

phrase by phrase with reference to the improper words spoken by Miriam (and Aaron) regarding her brother, Moses:[95] רַבָּנָן פָּתְרִין קְרָיָא בְּמִרְיָם — **The Sages interpreted the** entire **verse as alluding to Miriam.**[96]

NOTES

95. Since Moses had to be ready to hear God's word at any moment, he had to be ritually pure at all times, which necessitated that he refrain from marital relations with his wife Zipporah. This matter remained their private affair until Miriam learned of it from a chance remark by Zipporah and, not realizing that God had instructed Moses to do so, she shared the information with Aaron (see *Numbers* 12:1-10 with *Rashi* to verse 1).

96. The verse thus serves as a warning to all of us not to speak *lashon hara*, lest what happened to Miriam happen to us (*Eitz Yosef*). See next note.

אָמְרוּ לֵיהּ: שֶׁמָּא בְּסִדְרֵי מֶרְכָּבָה אַתָּה עוֹסֵק, אָמַר לָהֶן: לָאו, אֶלָּא מַחֲרִיז דִּבְרֵי תוֹרָה לִנְבִיאִים וּנְבִיאִים לִכְתוּבִים, וְדִבְרֵי תוֹרָה שְׂמֵחִין כְּיוֹם נְתִינָתָן בְּסִינַי, עִיקַּר נְתִינָתָן בָּאֵשׁ נִיתְּנוּ, הָדָא הוּא דִכְתִיב (דברים ד, יא) "וְהָהָר בֹּעֵר בָּאֵשׁ", אָמַר רַבִּי לֵוִי: מָצִינוּ בַּתּוֹרָה בַּנְּבִיאִים וּבַכְּתוּבִים שֶׁאֵין הַקָּדוֹשׁ בָּרוּךְ הוּא חָפֵץ בְּקִילוּסוֹ שֶׁל אָדָם רָשָׁע, מִן הַתּוֹרָה (ויקרא יג, מה) "וְעַל שָׂפָם יַעְטֶה וְטָמֵא טָמֵא יִקְרָא", מִן הַנְּבִיאִים (מלכים-ב ח, ה) "וַיְהִי הוּא מְסַפֵּר לַמֶּלֶךְ אֵת אֲשֶׁר הֶחֱיָה אֶת הַמֵּת וגו' זֹאת הָאִשָּׁה וְזֶה בְּנָהּ אֲשֶׁר הֶחֱיָה אֱלִישָׁע", וְדִלְמָא לַאֲחוֹרֵי *תַּרְעָא הֲוָה קָאִים, רַבָּנָן אָמְרֵי: אֲפִילוּ בְּסוֹף הָעוֹלָם הֱסִיטָהּ הַקָּדוֹשׁ בָּרוּךְ הוּא וֶהֱבִיאָהּ, כְּדֵי שֶׁלֹּא יְסַפֵּר אוֹתוֹ רָשָׁע בְּשִׁבְחוֹ שֶׁל הַקָּדוֹשׁ בָּרוּךְ הוּא, בַּכְּתוּבִים מִנַּיִן, שֶׁנֶּאֱמַר (תהלים נ, טז) "וְלָרָשָׁע אָמַר אֱלֹהִים מַה לְּךָ לְסַפֵּר חֻקָּי", רַבִּי אֶלְעָזָר בְּשֵׁם רַבִּי יוֹסֵי בֶּן זִמְרָא אָמַר: רמ"ח אֵיבָרִים יֵשׁ בּוֹ בָּאָדָם, מֵהֶם רְבוּצִין מֵהֶן זְקוּפִין, וְלָשׁוֹן זֶה נָתוּן בֵּין שְׁנֵי לְחָיַיִם וְאַמַּת הַמַּיִם עוֹבֶרֶת תַּחְתָּיו וּמְכוּפָּל כַּמָּה כְּפוּלוֹת, בֹּא וּרְאֵה כַּמָּה שְׂרֵיפוֹת הוּא שׂוֹרֵף, אִלּוּ הָיָה זָקוּף וְעוֹמֵד עַל אַחַת כַּמָּה וְכַמָּה, לְפִיכָךְ מֹשֶׁה מַזְהִיר אֶת יִשְׂרָאֵל וְאוֹמֵר לָהֶם: [יד, ב] "זֹאת תִּהְיֶה תּוֹרַת הַמְּצֹרָע", הַמּוֹצִיא שֵׁם רָע:

ה דָּבָר אַחֵר, [יד, ב] "זֹאת תִּהְיֶה תּוֹרַת הַמְּצֹרָע", הָדָא הוּא דִכְתִיב (קהלת ה, ה) "אַל תִּתֵּן אֶת פִּיךָ לַחֲטִיא אֶת בְּשָׂרֶךָ", רַבִּי יְהוֹשֻׁעַ בֶּן לֵוִי פָּתַר קְרָיָא בְּאִלּוּ שֶׁפּוֹסְקִים צְדָקָה בָּרַבִּים וְאֵין נוֹתְנִין, רַבִּי חֲנִינָא בַּר פַּפָּא אָמַר: בְּאִלֵּין שֶׁאוֹמְרִים לָשׁוֹן הָרָע, וְרַבִּי בִּנְיָמִין בֶּן לֵוִי פָּתַר קְרָיָא בַּחֲנִיפֵי תוֹרָה, רַבִּי מָנִי פָּתַר קְרָיָא בִּנְדָרִים וְכוּ' כִּדְאִיתָא בְּמִדְרַשׁ קֹהֶלֶת, רַבָּנָן פָּתְרִין קְרָיָא בְּמִרְיָם,

עץ יוסף

אמרו לו כו'. לא אותם ששמעוהו כשהיה דורש, כי הם ודאי שמעו במה היה עוסק, אלא אחרים, ובחזית (שיר השירים רבה א, נג על פסוק י) אמרו בהדיא שכשהוגד הדבר לרבי עקיבא שאל לו שאלה זו: **מחריז.** מקשר ומדבק זה בזה, כחורז מרגליות זו עם זו: **ודברי תורה שמחים כו'.** משום שאפילו האותיות הקדושות הם נמצאים חיים וקיימים כאחד מגבה המרום, לכן קאמר לשון זה ודברי תורה שמחים: **ועל שפם יעטה.** ודרשו במסכת מועד קטן (טו, א) שיהיו שפתותיו מדובקים זו בזו, והמצורע רשע הוא שהנגעים באים על עון כדלקמן (יז, ג). ובמועד קטן שם מסקינן דמותר בדברי תורה [רק אפשר אינו שונה לרבים] וכאן משמע שאסור. ועיין בפתיחתא דאיכה (סימן כא) דדרש על שפם יעטה שלא היה אחד מהם יכול להוציא דברי תורה מפיו (רד"ל): **ודילמא לאחורי תרעא כו'.** כלומר, שמא איתרמי מילתא שלאחורי הדלת היתה עומדת האשה עם בנה שמיד שהתחיל גחזי המאורע היו באים שניהם לפניו, שנאמר זאת האשה וזה בנה, זה ודאי אינו, לכן אמרי רבנן שאפילו היה בסוף העולם ה' הסיטה פירוש הפריחה [וכמה דאת אמר אליהו בארבע טיסות (ברכות ד, ב)] והביאה באותה שעה כדי שלא יספר גחזי הרשע בשבחו של מקום, והמלך שאל את פיה בעצמה איך היה המעשה, כמו שנאמר וישאל המלך לאשה: **ואמת המים עוברת.** הוא המאכל והמשתה העובר דרך שם לגוף, וכל המיאוס הזה עובר תחתיו ואינו נכנע: **כמה כפולות.** הוא מה שאמר בפרק יש בערכין (טו, ב) אמר הקדוש ברוך הוא ללשון כו', ולא עוד אלא שהקפתי לך שתי חומות אחד של עצם ואחד של בשר: **(ה) הדא הוא דכתיב אל תתן כו'.** גם טעם אגדה זו לומר דמאי דרמיז קרא במצורע למוציא שם רע טפי מאשר עבירות המביאים צרעת משום דהך חמירא טפי, ולהכי מייתי אל תתן את פיך, דמזהיר על לשון הרע מפני הצרעת טפי מאשר עבירות ואין זה אלא לחומרתו, ולהכי מפרש ליה בלשון הרע ובמרים, ולידי דמייתי ליה דריש ליה נמי כשאר אנפי: **כדאיתא במדרש קהלת.** פרשה ה' סימן ג': **רבנן פתרי קרא במרים.** ודאי קרא אזהרה ללשון הרע הוא

פירוש מהרז"ו

(ד) בקילוסו של אדם רשע. דורש מה שנאמר (תהלים נ, טז) מה לך לספר חוקי, שאין הספור שייך כי אם אל הגדולות, כמו שכתוב (שם קמה, ו) וגדולתך אספרנה, וכדומה, על כן דורש שכך הוא באמת כוונת הכתוב מה לך לספר גדולתי וקילוסי, וזה על פי מדה ט' וי"ז, ומה לך ללמוד חוקי. וזה מה שאמר רבי לוי שהביא ראיה על הקילוס מפסוק לספר חוקי, וכמו שכתוב אצל גיחזי (מלכים ב, ח, ד) שאמר לו המלך ספר נא לי את כל הגדולות שעשה אלישע וגו' ויהי הוא מספר למלך וגו'. והמעשה הובא בשיר השירים רבה פסוק נואכך בחרוזים (דף י"א) [פרשה א פסוק י], ועיין עוד שם: **וטמא טמא יקרא.** שהטמא יקרא דברים טמאים, ולא דברים קדושים, לספר גדולתי וללמוד תורתי: **הסיטם הקב"ה.** עיין לעיל (יא, א) הסיטן הקב"ה ושם מבואר: **רבי אלעזר בשם רבי יוסי בן זימרא.** לפי מה שכתוב כאן, המאמר בלי ראש וסוף, אך בערכין (יד, ב) דורש פסוק (תהלים קכ, ג) מה יתן לך ומה יוסיף לך לשון רמיה, רמ"ח אברים שבאדם כולם זקופים, והלשון מוטה, ועשיתי לו שני חומות, אחת של בשר ואחת של עצם וכו', עיין שם. והחומות הם השפתים והשניים והמים שתחתיו, לקררו, והשני לחיים לשני לדיו, לשמרו מן הלדדים, והוא רבוץ להחלישו, ולסימן לו שישכב וינוח, וכשהפה סתום הלשון מקופל באורכו וברחבו, וכשפותח פיו הרי יכול להאריכו ולהוציאו הרבה, וכל זה להראות שצריך שמירה גדולה למעט רעתו, ואינו מועיל, אלו היה זקוף ובלא חומות ובלא כפילות על אחת כמה וכמה: **(ה) הדא הוא דכתיב אל [וכו' ב]מדרש קהלת.** פסוק זה (דף ל"ו) [פרשה ה פסוק ה אות א] כל דעות אלו באריכות ובביאור, וכאן סמך עצמו על המבואר שם, ועיין דברים רבה (ו, י):

מתנות כהונה

[ד] מחריז. מחבר, כמה דאת אמר [מ]חרוזות דגים (בבא מציעא כה, א): **וטמא טמא יקרא.** שהוא עצמו קורא כן, והוא קלון לו: **ודלמא לאחורי תרעא כו'.** וכי לאחורי הדלת היתה עומדת האשה עם בנה, שמיד שהתחיל לספר המאורע, היו באים שניהם לפניו, שנאמר (מלכים ב, ח, ה) זאת האשה וזה בנה: **הסיטה.** גרסינן, והוא לשון שיטה ועפיפה וכמה דאת אמר (זוהר לך לך נג, א) אליהו בארבע טיסות כו', ולשון הסיטה, יש לייאבו אך בדרך רחוקה: **כדי שלא יספר וכו'.** דמסתמא המלך שאל את פיה בעצמה: **[ה] באלין.** באלו: **בחניפי תורה.** עיין בקהלת (רבה פרשה ה פסוק א אות א), ובפסוק שבתי וראה כו' (פרשה ד פסוק א אות א):

אשד הנחלים

ועניין ההחרזה מדברי תורה לנביאים כו', הוא מפני דליכא מידי דכתיבי בנביאים וכתובים דלא רמיזא באורייתא, וזהו החרוז שהוא מלשון קשר וחיבור, (כמו מחרוזות של דגים בדברי חז"ל [בבא מציעא כה, א]) שחיברום יחד. ורבנן היו מדמים שהוא עוסק בעניינים אלקים כמעשי מרכבה, והוא השיב להם שעוסק רק בתורה למצוא הרמזים, וכח התורה גדולה מאוד בזה: **ועל שפם יעטה.** כאלו הכתוב אומר שיעטו שפתם מבלי יקלסו לה', כי אינו חפץ בקלוסן אם הם רשעים: **ודלמא לאחורי.** והיתה זאת במקרה. והשיבו לו רבנן שלא כן, כי היה זאת בהשגחה, ואפילו נס היה עושה בזה להסיטה ולהביאה הנה, בכדי שיחדל לדבר מזה: **מהם זקופים כו'.** על ידי זה הם נוחין לעשות פעולתן, גם אין שומר להם, אך הלשון יש שומר עליו: **לפיכך עשה.** וכלומר ראו ולמדו להזהר מזה, ולכן כתיב תורת.

חידושי הרד"ל

מן התורה ועל שפם יעטה. ודרשו (במועד קטן טו, א) שיהיו שפתותיו מדובקות. ושם מסקינן שמותר בדברי תורה (רק אפשר אינו שונה לרבים), וכאן משמע שאסור (ועיין בפתיחתא דאיכה דהגרוע (סימן כא) דדרש על שפם יעטה, שלא היה אחד מהם יכול להוציא דבר תורה מפיו):

חידושי הרש"ש

[ד] מן התורה ועל שפם יעטה. נראה לי פירושו על דרך שדרשו במועד קטן טו, א, שיהא שפתותיו דבוקות זו בזו כו', וסובר המדרש דהיינו שיהא אסור לקלס להקב"ה: **בדי שלא יספר אותו רשע כו'.** עיין מתנות כהונה דמסתמא המלך שאל את פיה בעצמה, מפורש הוא בכתוב (מלכים ב, ח, ו) וישאל המלך לאשה ותספר לו:

באור מהרי"פ

[ד] ויהי הוא מספר וגו'. (מלכים ב' ח, ה-ו) ויהי הוא מספר למלך את אשר החיה את המת והנה האשה אשר החיה את בנה צועקת אל המלך על ביתה ועל שדה, ויאמר גיחזי אדוני המלך זאת האשה וזה בנה אשר החיה אלישע. וישאל המלך לאשה ותספר לו, ויתן לה המלך סרים אחד לאמר השיב את כל אשר לה ואת כל תבואות השדה מיום עזבה את הארץ ועד עתה: **מתנות כהונה ד"ה הסיטה גרסינן.** נראה דצריך לומר הטיסה גרסינן, כל צפור כל כנף (בראשית ז, יד), תרגום ירושלמי כל דטייס [עיין תרגום יונתן בראשית א, כ כא]: **מתנות כהונה בד"ה כדי שלא יספר דמסתמא המלך שאל את פיה בעצמה.** תמיה לי הלא מפורש בכתוב, דשאל המלך אותה והיא ספרה לו, דאין לומר דוישאל המלך לאשה קאי על תביעת ביתם ושדה, כמבואר לכל מבין פשטות הכתובים ודו"ק: **מהם רבוצים.** ערכין פרק יש בערכין (יד, ב): **[ה] בחנופי תורה.** פירוש סבורי כל טמא קרי, ולא קרי, תני, ולא תני:

מסורת המדרש

ט. מדרש תהלים מזמור נ"ב:

אם למקרא

וַתִּקְרְבוּן וַתַּעַמְדוּן תַּחַת הָהָר וְהָהָר בֹּעֵר בָּאֵשׁ עַד לֵב הַשָּׁמַיִם חֹשֶׁךְ עָנָן וַעֲרָפֶל: (דברים ד:יא)

וַיְהִי הוּא מְסַפֵּר לַמֶּלֶךְ אֵת אֲשֶׁר הֶחֱיָה אֶת הַמֵּת וְהִנֵּה הָאִשָּׁה אֲשֶׁר הֶחֱיָה אֶת בְּנָהּ צֹעֶקֶת אֶל הַמֶּלֶךְ עַל בֵּיתָהּ וְעַל שָׂדָהּ וַיֹּאמֶר גֵּחֲזִי אֲדֹנִי הַמֶּלֶךְ זֹאת הָאִשָּׁה וְזֶה בְּנָהּ אֲשֶׁר הֶחֱיָה אֱלִישָׁע: (מלכים ב ח:ה)

וְלָרָשָׁע אָמַר אֱלֹהִים מַה לְּךָ לְסַפֵּר חֻקָּי וַתִּשָּׂא בְרִיתִי עֲלֵי פִיךָ: (תהלים נ:טז)

אַל תִּתֵּן אֶת פִּיךָ לַחֲטִיא אֶת בְּשָׂרֶךָ וְאַל תֹּאמַר לִפְנֵי הַמַּלְאָךְ כִּי שְׁגָגָה הִיא לָמָּה יִקְצֹף הָאֱלֹהִים עַל קוֹלֶךָ וְחִבֵּל אֶת מַעֲשֵׂה יָדֶיךָ: (קהלת ה:ה)

ענף יוסף

מרע סור מרע ועשה טוב, שמשמעות הכתוב שהוכרח לעשות הטוב בהלשון, היינו להוכיח למי שצריך תוכחה, וגם לספר בשבח אנשים, רק שיגמור לשונו מרע שלא יקל בכבוד הבריות, שלא ילבין ברבים בתוכחתו, וכן שלא יספר בשבח של אדם יותר מדאי:

אמרי יושר

[ד] ועל שפם יעטה. כדי שלא ידרוש בדברי תורה, כי טמא הוא ותורתו, זהו רמז וטמא טמא מה שיקרא בדברי תורה, כי עונו גרם לו, זה עודנו בהרחק עד ישוב, אבל קודש מטיל פגם וזוהמא בקדשים, כביכול: **[ה] פיו מחטיא גופו.** על דרך ברוריא (עירובין נג א) בטעה בההוא תלמידא דהוה קרי בלחישה:

שינוי נוסחאות

(ד) ודלמא לאחורי תרעא הוה קאים. באמת צריך להיות "... הוות קיימא", לשון נקיבה, וכ"ה בכל הכי"י, אבל בכל הדפוסים כתוב "הוה קאים" (ובוארשא כתבו "הות קאים", עשאוה כאנדרוגינוס):

"אַל תִּתֵּן אֶת פִּיךָ לַחֲטִיא אֶת בְּשָׂרֶךָ" — ***Let not your mouth bring guilt on your flesh*** — אַל תִּתֵּן רְשׁוּת לְאֶחָד מֵאֵיבָרֶיךָ לַחֲטִיא כָּל אֵיבָרֶיךָ — God was telling Miriam, **"Do not allow one of your organs,** i.e., your tongue, **to bring guilt upon *all* of your organs."** "וְאַל תֹּאמַר לִפְנֵי הַמַּלְאָךְ" — ***And do not tell the messenger*** — זֶה מֹשֶׁה, הָדָא הוּא דִכְתִיב "וַיִּשְׁלַח מַלְאָךְ וַיֹּצִאֵנוּ מִמִּצְרָיִם" — "the messenger" **being** an allusion to **Moses,** who is called "messenger," **as it is written, *He (God) sent a messenger and took us out of Egypt*** (*Numbers* 20:16) — "שְׁגָגָה הִיא" "אֲשֶׁר נוֹאַלְנוּ וַאֲשֶׁר חָטָאנוּ" — ***that it was an error*** — as Aaron said to Moses, *"Do not cast a sin upon us, **for we have been foolish and we have sinned**"* (*Numbers* 12:11).[97]

The Midrash continues expounding the *Ecclesiastes* verse with reference to Miriam's sin:

"לָמָּה יִקְצֹף הָאֱלֹהִים עַל קוֹלֶךָ" — ***Why should God be angered by your speech** and destroy the work of your hands?* — עַל אוֹתוֹ הַקּוֹל שֶׁנֶּאֱמַר "וַיִּחַר אַף ה' בָּם וַיֵּלַךְ" — this **alludes to that speech** that Miriam spoke concerning Moses; and indeed, God was "angered," **for it states, *The wrath of God flared up against them, and He left*** (*Numbers* ibid., v. 9). "וְחִבֵּל אֶת מַעֲשֵׂה יָדֶיךָ" — ***And destroy the work of your hands*** — אָמַר רַבִּי יוֹחָנָן: בְּפִיהָ חָטְאָה וְכָל הָאֵבָרִים לָקוּ — **R' Yochanan said: [Miriam] sinned with her mouth, yet all the parts of her body were stricken** with *tzaraas*;[98] הָדָא הוּא דִכְתִיב "וְהֶעָנָן סָר מֵעַל הָאֹהֶל" — **thus it is written, *The cloud had departed from atop the Tent,*** *and behold! Miriam was afflicted with tzaraas, like snow!* (ibid., v. 10).

The Midrash recounts the virtues of silence:

אָמַר רַבִּי יְהוֹשֻׁעַ בֶּן לֵוִי: מִלָּה בְּסֶלַע וּמִשְׁתּוֹקָא בִּשְׁתַּיִם — **R' Yehoshua ben Levi said:** If **a spoken word is worth a *sela*,** then **remaining silent is worth two *selas*.**[99] דִּתְנַן: שִׁמְעוֹן בְּנוֹ אוֹמֵר — **For we have learned** in a Mishnah: **Shimon his son** (i.e., the son of Rabban Gamliel) **said:** כָּל יָמַי גָּדַלְתִּי בֵּין הַחֲכָמִים וְלֹא מָצָאתִי לַגּוּף טוֹב מִשְּׁתִיקָה — **I have spent all my life among the Sages** of Israel, **and I have found nothing better for oneself** (לַגּוּף) **than silence** (*Avos* 1:17).[100]

§6 The Midrash continues to expand on the gravity of the sin of slanderous speech:

אָמַר רַבִּי יְהוֹשֻׁעַ בֶּן לֵוִי: חָמֵשׁ תּוֹרוֹת כְּתוּבוֹת בַּמְּצוֹרָע — **R' Yehoshua ben Levi said:** The term **"Torah"** (תּוֹרָה) **is written five times in Scripture with reference to the *metzora*:** "זֹאת תּוֹרַת נֶגַע צָרַעַת" — ***This is the law of*** [תּוֹרַת] ***the tzaraas affliction*** (*Leviticus* 13:59); "זֹאת תִּהְיֶה תּוֹרַת הַמְּצֹרָע" — ***This shall be the law of*** [תּוֹרַת] ***the metzora*** (ibid. 14:2); "זֹאת תּוֹרַת אֲשֶׁר בּוֹ נֶגַע צָרַעַת"— ***This is the law of*** [תּוֹרַת] ***the one in whom there is a tzaraas affliction*** (ibid., v. 32); "זֹאת הַתּוֹרָה לְכָל נֶגַע הַצָּרַעַת" — ***This is the law*** [הַתּוֹרָה] ***for every tzaraas affliction*** (ibid., v. 54); "זֹאת תּוֹרַת הַצָּרָעַת" — ***this is the law of*** [תּוֹרַת] ***tzaraas*** (ibid., v. 57).

The Midrash explains the significance of this fact:

"זֹאת תִּהְיֶה תּוֹרַת הַמְּצֹרָע", הַמּוֹצִיא שֵׁם רָע — The phrase ***This shall be the law of the metzora*** [מְצֹרָע] (our verse) may be expounded to mean "This shall be the law of **the defamer** (מוֹצִיא שֵׁם רָע)";[101] לְלַמֶּדְךָ שֶׁכָּל הָאוֹמֵר לָשׁוֹן הָרָע עוֹבֵר עַל חֲמִשָּׁה חוּמְשֵׁי תוֹרָה — the fivefold repetition of the term "Torah" in connection with the *metzora* thus comes **to teach you that whoever engages in *lashon hara***[102] is reckoned as though he **transgressed all five Books of the Torah.**[103] לְפִיכָךְ מֹשֶׁה מַזְהִיר אֶת יִשְׂרָאֵל: "זֹאת תִּהְיֶה תּוֹרַת הַמְּצֹרָע" — **Therefore, Moses cautioned Israel, "*This shall be the law of the metzora,*"** which alludes to the defamer.[104]

> וְצִוָּה הַכֹּהֵן וְלָקַח לַמִּטַּהֵר שְׁתֵּי צִפֳּרִים חַיּוֹת טְהֹרוֹת וְעֵץ אֶרֶז וּשְׁנִי תוֹלַעַת וְאֵזֹב
>
> *The Kohen shall command; and for the person being purified there shall be taken two live, clean birds, cedar wood, crimson thread, and hyssop* (14:4).

§7 וְצִוָּה הַכֹּהֵן וְלָקַח לַמִּטַּהֵר וגו׳ — ***THE KOHEN SHALL COMMAND; AND FOR THE PERSON BEING PURIFIED THERE SHALL BE TAKEN TWO LIVE, CLEAN BIRDS, ETC.***

The Midrash explains why birds (and not other animals) were chosen for the purification rites of a *metzora*:[105]

NOTES

97. I.e., the sin was inadvertent; Aaron apologized to Moses and acknowledged his and Miriam's error.

There were many mitigating factors in Miriam's sin. Moses was her younger brother, and moreover, he was the humblest man on the face of the earth (see *Numbers* ibid., v. 3). He thus harbored no ill feelings toward her, and surely forgave her for anything she might have done wrong. [Indeed, he subsequently prayed to God for her recovery (v. 13).] In addition, her intentions were noble, for she spoke out of a sincere desire to correct what she perceived as Moses' error, and to ensure that Moses and Zipporah would continue to bear children.

Despite all this, she (and Aaron) incurred God's wrath (v. 9), and she (and Aaron — see *Shabbos* 97a and 18 §4 below, note 140) was stricken with *tzaraas.* How much more so, the Midrash is teaching us, must we beware of speaking *lashon hara* under more blameworthy circumstances (*Eitz Yosef*).

98. Thus, the phrase *and destroy the work of your hands* means it is a shame that for the sin committed by a single organ, Miriam would have to (temporarily) lose her ability to function *altogether*. The verse mentions the *hands* because [with respect to accomplishing things] the hands are the most important parts of the body (*Eitz Yosef*).

99. The *sela* was a form of currency used in the times of our Sages. The Midrash is saying that silence is twice as worthy as speech, much the same way as two *selas* are worth twice as much as a single *sela* (*Matnos Kehunah, Eitz Yosef*). However, this principle does not apply to speaking words of Torah, which is certainly superior even to silence (*Eitz Yosef*, citing *Reishis Chochmah*; see further, next note). [The Midrash does not mean to tell us that silence is more meritorious than worthless chatter or slanderous speech, for such speech has no value whatsoever (ibid.).]

100. *Reishis Chochmah* (cited by *Eitz Yosef*) explains that R' Shimon uses the word לַגּוּף (lit., *for the body*) in expressing his teaching in order to convey that silence is better than speaking about *material* (physical) matters. However, when it comes to the study of Torah, which is a spiritual pursuit, silence is no virtue; to the contrary, articulation of the words is essential to proper Torah study (ibid.).

101. See note 1.

102. See end of note 7.

103. The commentators point out that in fact, the sin of *lashon hara* appears in each of the five Books of the Torah: In *Genesis* — the incident of the snake; in *Exodus* — Dathan and Abiram informed Pharaoh that Moses had killed an Egyptian (see ibid. 2:15 with *Rashi*); in *Leviticus* — the passages in *Parashas Tazria* and *Parashas Metzora* dealing with the *metzora*, as well as the verse *You shall not be a gossipmonger among your people* (19:16); in *Numbers* — the incident of the Spies, the affair of Miriam (discussed above in §5), and the story of Korah; and in *Deuteronomy* — verse 1:1, parts of which are interpreted by *Sifrei* (see *Rashi* and *Targum* ad loc.) as veiled criticisms of Israel by Moses for the sin of the Spies, the complaints about the manna, and Korah's rebellion, as well as the verse *Remember what HASHEM your God did to Miriam, etc.* (24:9) [where Israel is commanded to remember how Miriam was afflicted with *tzaraas*] (*Maharzu*, quoting *Akeidah*).

104. Here, too, the Midrash is addressing the question of why the Torah alludes (by use of the term מְצֹרָע) specifically to the sin of מוֹצִיא שֵׁם רָע, when in fact there are many sins that are punished with *tzaraas.* The Midrash is answering, as in the preceding sections, that *lashon hara* is a particularly severe transgression (for one who transgresses this prohibition is considered to have violated all five Books of the Torah, as just explained) (*Eitz Yosef*).

105. *Eitz Yosef*, citing *Mizrachi.*

"אַל תִּתֵּן אֶת פִּיךָ לַחֲטִיא אֶת בְּשָׂרֶךָ", אַל תִּתֵּן רְשׁוּת לְאֶחָד מֵאֵיבָרֶיךָ לַחֲטִיא כָּל אֵיבָרֶיךָ, (שם) "וְאַל תֹּאמַר לִפְנֵי הַמַּלְאָךְ", זֶה מֹשֶׁה, הָדָא הוּא דִכְתִיב (במדבר כ, טז) "וַיִּשְׁלַח מַלְאָךְ וַיֹּצִיאֵנוּ מִמִּצְרָיִם" (קהלת שם שם) "שְׁגָגָה הִיא" (במדבר יב, יא) "אֲשֶׁר נוֹאַלְנוּ וַאֲשֶׁר חָטָאנוּ", (קהלת שם שם) "לָמָּה יִקְצֹף הָאֱלֹהִים עַל קוֹלֶךָ", עַל אוֹתוֹ הַקּוֹל שֶׁנֶּאֱמַר (במדבר שם ט) "וַיִּחַר אַף ה' בָּם וַיֵּלַךְ", (קהלת שם שם) "וְחִבֵּל אֶת מַעֲשֵׂה יָדֶיךָ", אָמַר רַבִּי יוֹחָנָן: בְּפִיהָ חָטְאָה וְכָל הָאֵבָרִים לָקוּ, הָדָא הוּא דִכְתִיב (במדבר שם י) "וְהֶעָנָן סָר מֵעַל הָאֹהֶל", אָמַר רַבִּי יְהוֹשֻׁעַ בֶּן לֵוִי: מִלָּה בְּסֶלַע וּמִשְׁתּוֹקָא בִּשְׁתַּיִם, דִּתְנַן: שִׁמְעוֹן בְּנוֹ אוֹמֵר כָּל יָמַי גָּדַלְתִּי בֵּין הַחֲכָמִים וְלֹא מָצָאתִי לַגּוּף טוֹב מִשְּׁתִיקָה (אבות א, יז):

ו אָמַר רַבִּי יְהוֹשֻׁעַ בֶּן לֵוִי: חָמֵשׁ תּוֹרוֹת כְּתוּבוֹת בִּמְצוֹרָע: [יג, נט] "זֹאת תּוֹרַת נֶגַע צָרַעַת", [יד, ב] "זֹאת תִּהְיֶה תּוֹרַת הַמְּצֹרָע", [יד, לב] "זֹאת תּוֹרַת אֲשֶׁר בּוֹ נֶגַע צָרָעַת", [יד, נד] "זֹאת הַתּוֹרָה לְכָל נֶגַע הַצָּרַעַת", [יד, נז] "זֹאת תּוֹרַת הַצָּרָעַת", [יד, ב] "זֹאת תִּהְיֶה תּוֹרַת הַמְּצֹרָע", הַמּוֹצִיא שֵׁם רָע, לְלַמֶּדְךָ שֶׁכָּל הָאוֹמֵר לָשׁוֹן הָרָע עוֹבֵר עַל חֲמִשָּׁה חוּמְשֵׁי תּוֹרָה, לְפִיכָךְ מֹשֶׁה מַזְהִיר אֶת יִשְׂרָאֵל: "זֹאת תִּהְיֶה תּוֹרַת הַמְּצֹרָע":

ז [יד, ד] "וְצִוָּה הַכֹּהֵן וְלָקַח לַמִּטַּהֵר וְגוֹ'", אָמַר רַבִּי יְהוּדָה בַּר סִימוֹן: אִלֵּין צִפֳּרַיָּא קוֹלָנִין, אָמַר הַקָּדוֹשׁ בָּרוּךְ הוּא: יָבֹא הַקּוֹל וִיכַפֵּר עַל הַקּוֹל,

עץ יוסף

אלא דרמיז בזה ענייני מרים, כמזהיר שלא יקרה כמו שקרה לה, ואתא לאשמועינן שמי שאינו נזהר יכשל שידבר אפילו באחיו כמרים. ועוד אתא לאשמועינן שלא יסמוך בהיות המדבר בו אחיו שלא יקפיד עליו או ימחול לו, וכל שכן אם הוא עניו, וכל שכן אם יוכל להתנצל ולומר לו שוגג הייתי, או לא כוונתי רק לטובה, שעל כל זה יש ליזהר כי ה' יתבע עלבונו ולא יועילו התנצלותו, וכענין מרים שדברה באחיה הקטן ממנה, ולא הקפיד כמו שנאמר והאיש משה עניו מאד, והתנצלו לו לומר אשר נואלנו ואשר חטאנו, ולא היה הדבור לגנות אלא לשבח ולהפרות פריה ורביה, ועם כל זה היה קצף מאת ה' ולקתה בגופו, ולכן כנה כאן את משה בשם מלאך לומר שהיה חסיד ואינו מקפיד, וכל שכן שיש ליזהר מלדבר באחרים: **על אותה הקול.** שהוציאה כשדברה עם אהרן על משה: **וכל האיברים לקו.** פירוש וחבל את מעשה ידיך שיתבטל כל גופה ואינה יכולה לעשות מעשה כלל, ונקט מעשה ידים שהם עיקר, ובשוחר טוב (תהלים מזמור כב) [איתא] וחבל את מעשה ידיך אלו התופים שנאמר ותקח מרים הנביאה את התוף בידה: **מלה בסלע כו'.** פירוש שאף על פי שהדיבור יהיה שוה סלע, השתיקה טוב ממנה ושוה שתים, ולא ישלול בזה השתיקה בדברים בטלים ודברי לשון הרע וכיוצא, שאלו אין הדיבור טוב בהם כלל כדי שנאמר שהשתיקה טובה מהדיבור ואין בהם שווי סלעים, כי אדרבה הם פוגמים, אלא שולל בזה אותו דיבור שאינו לשון הרע ודברים בטלים, שוה סלע, אך כיון שאינו בדברי תורה השתיקה טובה ממנה ושוה שתי סלעים, שהשתיקה היא כאבן טוב[ה] שדמיו יקרים (ראשית חכמה שער הקדושה פרק י"א): **לגוף טוב משתיקה.** פירוש לעניני הגוף הוא טוב השתיקה, אבל לדברי תורה צריך לדבר (שם): **(ו) אמר רבי יהושע בן לוי ה' תורות כו'.** גם טעם אגדה זו לומר דהוצאת שם רע חמיר משאר עבירות המביאות הצרעת, ולהכי רמיז ליה קרא טפי משארא כטעם האגדות הקודמות, ולהכי קאמר דחמשה תורות כתובות בו, ללמד שעובר על חמשה חומשי תורה: **עובר על חמשה חומשי תורה.** כלומר שהוא כעובר על כל התורה: **(ז) אילין צפריא כו'.** כתב הרב ר' אליהו מזרחי שאין זאת האגדה נותנת טעם על אותן הצפרים ממש שהביא המצורע לטהרתו, אלא על הצפרים בכלל, למה קרבנו מן הצפרים ולא מן הבהמות, ואמר לפי שהנגעים באים על לשון הרע שהוא מעשה פטפוטי דברים, לפיכך הוזקק לטהרתו צפרים ולא בהמות, מפני שהפטפוט נמצא במין הצפרים ולא במין הבהמות עד כאן לשונו. ועיין מה שטען עליו היפה תואר: **קולנין.** משמיעין קול ופטפוט: **ויכפר על הקול.** דהיינו לשון הרע שעל ידו בא הצרעת, ואף על גב דעל כמה דברים אחרים גם כן בא, החמור והיותר נמצא שבהם הוא לשון הרע

פירוש מהרז"ו

וישלח מלאך. כמו שאמר לעיל ריש פרשה א' של ספר זה (סימן א'): **על אותו הקול.** שדברו על משה, ותיקון לשון הדרשה, למה יקצוף האלהים, כמו שכתוב (במדבר יב, ט) ויחר אף ה', על קולך, ותדבר מרים (שם א'): **והענן סר.** והנה מרים מצורעת כשלג. **דתנן שמעון בנו.** אבות פרק א' (משנה יז): **(ו) זאת תורת נגע הצרעת.** בסוף תזריע, וארבע בסדר מצורע, אחד בפסוק ב. שני בפסוק לב. שלישי בפסוק נד. רביעי בפסוק נז, הרי חמש תורות: ולא פירש במי מדבר וכנגד מי הם התורות, רק בפסוק השני הנ"ל, זאת תהיה תורת המצורע, שרק במקום זה קראו מצורע, לדרוש בו מוציא רע כנ"ל, ולכוונה זאת חזר המדרש להזכיר פסוק זה עוד הפעם, שהכל למדים הימנו, מה זה על לשון הרע, כך כולם על לשון הרע, כמו שאמר סוף סימן א'. וחמשה פעמים תיבת תורה, על פי מדה י', חמשה תורות כנגד חמשה חומשי תורה. ומבואר בספר הגדול בעל עקדה, שבכל חומש מחמשה חומשי תורה מבואר חטא לשון הרע, בספר בראשית ענין הנחש. בספר שמות ענין דתן ואבירם, שהלשינו לפרעה על משה. בספר ויקרא סדר תזריע ומצורע, ובסדר קדושים לא תלך רכיל. בספר במדבר ענין המרגלים, ומרים, ועדת קרח. בספר דברים בין פארן ובין תופל ולבן וחצרות, ותרגם אונקלוס (דברים א, א) דאתפלו על מנא, ובסוף תצא פרשת זכור דמרים. ודברי פי חכם חן. הרי שהמדבר לשון הרע, כעובר על כל חמשה חומשי תורה: **(ז) ולקח למטהר.** שתי צפרים. וצפור כולל כל מיני עופות, ולא פירש איזה צפור, על כן דורש על פי מדת ממעל, שמדבר בצפור שיהיה שוה להחטא, שיהיה בעל קול כמו המצורע, יבא קול ויכפר על הקול, עיין רמב"ן סדר מצורע. ועיין לעיל (י, ד) אצל זגי הרמונים, וכמו שאמרו בערכין (טז, ב). וזהו מה שכתוב ולקח למטהר שתי צפרים, כנגד מעשה המיטהר יהיה שתי הצפרים, ובאיזה ענין משתוים, היינו בענין הקול. ועל שדרשה זו על פי המדות כנ"ל, על כן אמר המדרש בלשון **אמר הקב"ה וכו':**

באור מהרי"פ

[ו] זאת תורת נגע הצרעת. אף על גב דהאי קרא בצרעת הבגד מיירי, אתחלי לצרעת היא, דמתחלה באים נגעים על בגדיו, והדר על גופו כדלקמן (פרשה יז, ד), עיין שם:

אמרי יושר

יש גירסא וחבל את מעשה ידיך (קהלת ה, ה), **זה הענן, והענן סר מעל האהל.** כי ענני כבוד בזכות אהרן, וזהו מעשה ידיך, שאתה היית סבה לו, עתה יסור הענן: **[ו] לשון הרע בנגד חמשה ספרי תורה.** עיין בעקידה (מצורע שער סב פסוק זאת תורת נגע):

אם למקרא

וַנִּצְעַק אֶל ה' וַיִּשְׁמַע קֹלֵנוּ וַיִּשְׁלַח מַלְאָךְ וַיֹּצִאֵנוּ מִמִּצְרָיִם וְהִנֵּה אֲנַחְנוּ בְקָדֵשׁ עִיר קְצֵה גְבוּלֶךָ: (במדבר כ:טז)

וַיִּחַר אַף ה' בָּם וַיֵּלַךְ: וְהֶעָנָן סָר מֵעַל הָאֹהֶל וְהִנֵּה מִרְיָם מְצֹרַעַת כַּשָּׁלֶג וַיִּפֶן אַהֲרֹן אֶל מִרְיָם וְהִנֵּה מְצֹרָעַת: וַיֹּאמֶר אַהֲרֹן אֶל מֹשֶׁה בִּי אֲדֹנִי אַל נָא תָשֵׁת עָלֵינוּ חַטָּאת אֲשֶׁר נוֹאַלְנוּ וַאֲשֶׁר חָטָאנוּ: (שם יב:ט-יא)

ענף יוסף

ור' ינאי שהבין טעם דבריו, אמר כי גם שלמה מכריז כו', וזה במה שאמר שומר פיו, ולא אמר סותם פיו, וזה שאמר ר' ינאי כל ימי הייתי קורא כו', כלומר כי לעולם היה קשה לי אמאי נקט לשון שמירה, כי טוב שיאמר לשון המורה על הביטול הגמור הצריך ללשון הרע, אמנם עתה מדברי הרוכל הבין כי שני אזהרות אלו קשורות זו בזו, היינו שמחוייב לפתוח פיו לתוכחה, ולשבח האנשים ולשאר עניני מצות שבלשון, רק שישמור את עצמו כנ"ל. והרד"ל כתב וזה לשונו, ולא הייתי יודע היכן פשוט, אפשר משום שיש לפרש שגם מקרא דלהלן, סור מרע ועשה טוב וגו' נמשך למי האיש החפץ חיים, ואם כן הוא כולל קיום כל התורה כולה, ובא הרוכל והודיע שעיקר מי האיש נמשך רק לנצור לשונו:

מתנות כהונה

לאחד מאיבריך. הלשון: **כל אבריך.** שכל הגוף נלקה בצרעת: **מלה בסלע כו'.** משל הוא במקום שקונין דבור בסלע, יש לקנות שתיקה בשני סלעים, כי השתיקה טובה כפלים מן הדיבור וכדמפרש ואזיל: **[ז] קולנין.** משמיעין קול ופטפוט:

אשד הנחלים

[ה] וכל האיברים לקו. וזהו וחיבל את מעשי ידיך, כלומר כל גופך אשר אתה עמל להחיותה תמיד, וכרגע תחבול אותו על ידי קול לשון הרע: **לגוף טוב משתיקה.** כלומר בעניינים הגופנים והעולמים, כי רק הדיבור טוב בהגיון התורה שהיא לנפש: **[ו] עובר על חמשה חומשי תורה.** כלומר כאילו עיבר על כל המצות הכתובות בכל התורה, כי אחר שיש בו התכונה הרעה לדבר לשון הרע, אם כן כל מצוותיו כאין: **[ז] צפריא קולנין.** כלומר קלים בצפצופים ומהירים להוציא קול מהר, ומזה יקח האדם מוסר מבלי להיות מהיר בלשונו כעוף הזה, ולכן על ידי הקרבן יתבונן בזה, ועל ידי זה יכופר לו:

אָמַר רַבִּי יְהוּדָה בַּר סִימוֹן: אִלֵּין צִפֳּרַיָּא קוֹלָנִין — **R' Yehudah bar Simone said: Birds are sound-makers.**[106] אָמַר הַקָּדוֹשׁ בָּרוּךְ הוּא: יָבֹא הַקּוֹל וִיכַפֵּר עַל הַקּוֹל — **The Holy One, blessed is He, said: Let** birds, who produce **sound, come and serve as atonement for the sound,** i.e., for the sound of the voices of those who engaged in *lashon hara.*[107]

NOTES

106. Unlike other animals that are largely silent, birds constantly twitter and chirp (see *Arachin* 16b and *Rashi* to our verse)

107. Since the most common and most severe cause of *tzaraas* is the misuse of speech, chirping birds are most appropriate for the *metzora's* atonement (*Eitz Yosef* above, citing *Mizrachi*). [See *Eitz Yosef* regarding the "atonement" effected by the birds.]

"אַל תִּתֵּן אֶת פִּיךָ לַחֲטִיא אֶת בְּשָׂרֶךָ", אַל תִּתֵּן רְשׁוּת לְאֶחָד מֵאֵיבָרֶיךָ לַחֲטִיא כָּל אֵיבָרֶיךָ, (שם) "וְאַל תֹּאמַר לִפְנֵי הַמַּלְאָךְ", זֶה מֹשֶׁה, הָדָא הוּא דִכְתִיב (במדבר כ, טז) "וַיִּשְׁלַח מַלְאָךְ וַיֹּצִאֵנוּ מִמִּצְרָיִם" (קהלת שם שם) "שְׁגָגָה הִיא" (במדבר יב, יא) "אֲשֶׁר נוֹאַלְנוּ וַאֲשֶׁר חָטָאנוּ", (קהלת שם שם) "לָמָּה יִקְצֹף הָאֱלֹהִים עַל קוֹלֶךָ", עַל אוֹתוֹ הַקּוֹל שֶׁנֶּאֱמַר (במדבר שם ט) "וַיִּחַר אַף ה' בָּם וַיֵּלַךְ", (קהלת שם שם) "וְחִבֵּל אֶת מַעֲשֵׂה יָדֶיךָ", אָמַר רַבִּי יוֹחָנָן: בְּפִיהָ חָטְאָה וְכָל הָאֵבָרִים לָקוּ, הָדָא הוּא דִכְתִיב (במדבר שם י) "וְהֶעָנָן סָר מֵעַל הָאֹהֶל", אָמַר רַבִּי יְהוֹשֻׁעַ בֶּן לֵוִי: מִלָּה בְּסֶלַע וּמִשְׁתּוֹקָא בִּשְׁתַּיִם, דִּתְנַן: שִׁמְעוֹן בְּנוֹ אוֹמֵר כָּל יָמַי גָּדַלְתִּי בֵּין הַחֲכָמִים וְלֹא מָצָאתִי לַגּוּף טוֹב מִשְּׁתִיקָה (אבות א, יז):

ו אָמַר רַבִּי יְהוֹשֻׁעַ בֶּן לֵוִי: חָמֵשׁ תּוֹרוֹת כְּתוּבוֹת בִּמְצֹרָע: [יג, נט] "זֹאת תּוֹרַת נֶגַע צָרַעַת", [יד, ב] "זֹאת תִּהְיֶה תּוֹרַת הַמְּצֹרָע", [יד, לב] "זֹאת תּוֹרַת אֲשֶׁר בּוֹ נֶגַע צָרָעַת", [יד, נד] "זֹאת הַתּוֹרָה לְכָל נֶגַע הַצָּרַעַת", [יד, נז] "זֹאת תּוֹרַת הַצָּרָעַת", [יד, ב] "זֹאת תִּהְיֶה תּוֹרַת הַמְּצֹרָע", הַמּוֹצִיא שֵׁם רָע, לְלַמֶּדְךָ שֶׁכָּל הָאוֹמֵר לָשׁוֹן הָרָע עוֹבֵר עַל חֲמִשָּׁה חוּמְשֵׁי תוֹרָה, לְפִיכָךְ מֹשֶׁה מַזְהִיר אֶת יִשְׂרָאֵל: "זֹאת תִּהְיֶה תּוֹרַת הַמְּצֹרָע":

ז [יד, ד] "וְצִוָּה הַכֹּהֵן וְלָקַח לַמִּטַּהֵר וגו'", אָמַר רַבִּי יְהוּדָה בַּר סִימוֹן: אִלֵּין צִפְּרַיָּא קוֹלָנִין, אָמַר הַקָּדוֹשׁ בָּרוּךְ הוּא: יָבֹא הַקּוֹל וִיכַפֵּר עַל הַקּוֹל,

עץ יוסף

אלא דרמיז בזה ענייני מרים, כמזהיר שלא יקרה כמו שקרה לה, ואתא לאשמועינן שמי שאינו נזהר יכשל שידבר אפילו באחיו כמרים. ועוד אתא לאשמועינן שלא יסמוך בהיות המדבר בו אחיו שלא יקפיד עליו או ימחול לו, וכל שכן אם הוא ענותן, וכל שכן אם יוכל להתנצל ולומר לו שוגג הייתי, או לא כוונתי רק לטובה, שעל כל זה יש ליזהר כי ה' יתבע עלבונו ולא יועילו התנצלותו, וכענין מרים שדברה באחיה הקטן ממנה, ולא הקפיד כמו שנאמר והאיש משה ענו מאד, והתנצלו לו לומר אשר נואלנו ואשר חטאנו, ולא היה הדבור לגנות אלא לשבח ולהפרות פריה ורביה, ועם כל זה היה קצף מאת ה' ולקתה בגופו, ולכן כנה כאן את משה בשם מלאך לומר שהיה חסיד ואינו מקפיד, וכל שכן שיש ליזהר מלדבר באחרים: **על אותה הקול.** שהוציאה כשדברה עם אהרן על משה: **וכל האיברים לקו.** ופירוש וחבל את מעשה ידיך שיתבטל כל גופה ואינה יכולה לעשות מעשה כלל, ונקט מעשה ידים שהם עיקר, ובשוחר טוב (תהלים מזמור נב) [איתא] וחבל את מעשה ידיך אלו התופים שנאמר ותקח מרים הנביאה את התוף בידה: **מלה בסלע כו'.** פירוש שאף על פי שהדיבור יהיה שוה סלע, השתיקה טוב ממנה ושוה שתים, ולא ישלול בזה השתיקה בדברים בטלים ודברי לשון הרע וכיוצא, שאלו אין הדיבור טוב בהם כלל כדי שנאמר שהשתיקה טובה מהדיבור ואין בהם שוי סלעים, כי אדרבה הם פוגמים, אלא שולל בזה אותו דיבור שאינו לשון הרע ודברים בטלים, ששוה סלע, אך כיון שאינו בדברי תורה השתיקה טובה ממנה ושוה שתי סלעים, שהשתיקה היא כאבן טוב[ה] שדמיו יקרים (ראשית חכמה שער הקדושה פרק י"א): **לגוף טוב משתיקה.** פירוש לענייני הגוף הוא טוב השתיקה, אבל לדברי תורה צריך לדבר (שם): **(ו) אמר רבי יהושע בן לוי ה' תורות כו'.** גם טעם אגדה זו לומר דהוצאת שם רע חמיר מאשר עבירות המביאות הצרעת, ולהכי רמיז ליה קרא טפי משארא כטעם האגדות הקודמות, ולהכי קאמר דחמשה תורות כתובות בו, ללמד שעובר על חמשה חומשי תורה: **עובר על חמשה חומשי תורה.** כלומר שהוא כעובר על כל התורה: **(ז) אילין צפריא כו'.** כתב הרב ר' אליהו מזרחי שאין זאת האגדה נותנת טעם על אותן הצפרים ממש שהביא המצורע לטהרתו, אלא על הצפרים בכלל, למה קרבנו מן הצפרים ולא מן הבהמות, ואמר לפי שהנגעים באים על לשון הרע שהוא מעשה פטפוטי דברים, לפיכך הוזקק לטהרתו צפרים ולא בהמות, מפני שהפטפוט נמצא במין הצפרים ולא במין הבהמות עד כאן לשונו. ועיין מה שטען עליו היפה תואר: **קולנין.** משמיעין קול ופלפול: **ויכפר על הקול.** דהיינו לשון הרע שעל ידו בא הצרעת, ואף על גב דעל כמה דברים אחרים גם כן בא, החמור והיותר נמצא שבהם הוא לשון הרע

פירוש מהרז"ו

וישלח מלאך. כמו שאמר לעיל ריש פרשה א' של ספר זה (סימן א'): **על אותו הקול.** שדברו על משה, ותיקון לשון הדרשה, למה יקצוף האלהים, כמו שכתוב (במדבר יב, ט) ויחר אף ה', על קולך, ותדבר מרים (שם א): **והענן סר.** והנה מרים מצורעת כשלג.

דתנן שמעון בנו. אבות פרק א' (משנה יז): **(ו) זאת תורת נגע הצרעת.** בסוף תזריע, וארבע בסדר מצורע, אחד בפסוק ב. שני בפסוק לב. שלישי בפסוק נד. רביעי בפסוק נז, הרי חמש תורות: ולא פירש במי מדבר וכנגד מי הם התורות, רק בפסוק השני הנ"ל, זאת תהיה תורת המצורע, שרק במקום זה קראו מצורע, לדרוש בו מוציא רע כנ"ל, ולכוונה זאת חזר המדרש להזכיר פסוק זה עוד הפעם, שהכל למדים הימנו, מה זה על לשון הרע, כך כולם על לשון הרע, כמו שאמר סוף סימן א'. וחמשה פעמים תיבת תורה, על פי מדה י', חמשה תורות כנגד חמשה חומשי תורה. ומבואר בספר הגדול בעל עקדה, שבכל חומש מחמשה חומשי תורה מבואר חטא לשון הרע, בספר בראשית ענין הנחש. בספר שמות ענין דתן ואבירם, שהלשינו לפרעה על משה. בספר ויקרא סדר תזריע ומצורע, ובסדר קדושים לא תלך רכיל. בספר במדבר ענין המרגלים, ומרים, ועדת קרח. בספר דברים בין פארן ובין תופל ולבן וחצרות, ותרגם אונקלוס (דברים א, א) דאתפלו על מנא, ובסוף תצא פרשת זכור דמרים. ודברי פי חכם חן. הרי שהמדבר לשון הרע, כעובר על כל חמשה חומשי תורה: **(ז) ולקח למטהר.** שתי צפרים. וצפור כולל כל מיני עופות, ולא פירש איזה צפור, על כן דורש על פי מדת ממעל, שמדבר בצפור שיהיה שוה להחטא, שיהיה בעל קול כמו המצורע, יבא קול ויכפר על הקול, עיין רמב"ן סדר מצורע. ועיין לעיל (ו, ד) אצל זגי הרמונים, וכמו שאמרו בערכין (טז, ב). וזהו מה שכתוב ולקח למטהר שתי צפרים, כנגד מעשה המיטהר יהיה שתי הצפרים, ובאיזה ענין משתוים, היינו בענין הקול. ועל שדרשה זו על פי המדות כנ"ל, על כן אמר המדרש בלשון אמר הקב"ה וכו':

מתנות כהונה

לאחד מאיבריך. הלשון: **כל אבריך.** שכל הגוף נלקה בצרעת: **מלה בסלע כו'.** משל הוא במקום שקונין דבור בסלע, יש לקנות שתיקה בשני סלעים, כי השתיקה טובה כפלים מן הדיבור וכדמפרש ואזיל: **[ז] קולנין.** משמיעין קול ופלפול:

אשד הנחלים

[ה] וכל האיברים לקו. וזהו וחיבל את מעשי ידיך, כלומר כל גופך אשר אתה עמל להחיותה תמיד, וכרגע תחבול אותו על ידי קול לשון הרע: **לגוף טוב משתיקה.** כלומר בעניינים הגופנים והעולמים, כי רק הדיבור טוב בהגיון התורה שהיא לנפש: **[ו] עובר על חמשה חומשי תורה.** כלומר כאילו עיבר על כל המצוות הכתובות בכל התורה, כי אחר שיש בו התכונה הרעה לדבר לשון הרע, אם כן כל מצוותיו כאין: **[ז] צפריא קולנין.** כלומר קלים בצפצופים ומהירים להוציא קול מהר, ומזה יקח האדם מוסר מבלי להיות מהיר בלשונו כעוף הזה, ולכן על ידי הקרבן יתבונן בזה, ועל ידי זה יכופר לו:

באור מהרי"פ

[ו] זאת תורת נגע הצרעת. אף על גב דהאי קרא במצורע מיירי, אתחלי לצרעת היא, דמתחלה באים נגעים על בגדיו, והדר על גופו כדלקמן (פרשה יז, ד), עיין שם:

אמרי יושר

יש גירסא וחבל את מעשה ידיך (קהלת ה, ה), **זה הענן, והענן סר מעל האהל.** כי ענני כבוד בזכות אהרן, וזהו מעשה ידיך, שאתה היית סבה לו, עתה יסור הענן: **[ו] לשון הרע כנגד חמשה ספרי תורה.** עיין בעקידה (מצורע שער סב פסוק זאת תורת נגע):

אם למקרא

וַנִּצְעַק אֶל ה' וַיִּשְׁמַע קֹלֵנוּ וַיִּשְׁלַח מַלְאָךְ וַיֹּצִאֵנוּ מִמִּצְרָיִם וְהִנֵּה אֲנַחְנוּ בְקָדֵשׁ עִיר קְצֵה גְבוּלֶךָ: (במדבר כ:טז)

וַיִּחַר אַף ה' בָּם וַיֵּלַךְ: וְהֶעָנָן סָר מֵעַל הָאֹהֶל וְהִנֵּה מִרְיָם מְצֹרַעַת כַּשָּׁלֶג וַיִּפֶן אַהֲרֹן אֶל מִרְיָם וְהִנֵּה מְצֹרָעַת: וַיֹּאמֶר אַהֲרֹן אֶל מֹשֶׁה בִּי אֲדֹנִי אַל נָא תָשֵׁת עָלֵינוּ חַטָּאת אֲשֶׁר נוֹאַלְנוּ וַאֲשֶׁר חָטָאנוּ: (שם יב:ט-יא)

ענף יוסף

ור' ינאי שהבין טעם דבריו, אמר כי גם שלמה מכריז כו', וזה במה שאמר שומר פיו, ולא אמר סותם פיו, וזה שאמר ר' ינאי כל ימי הייתי קורא כו', כלומר כי לעולם היה קשה לי אמאי נקט לשון שמירה, כי טוב שיאמר לשון המורה על הביטול הגמור הצריך ללשון הרע, אמנם עתה מדברי הרוכל הבין כי שני אזהרות אלו קשורות זו בזו, היינו שמחויב לפתוח פיו לתוכחה ולשבח האנשים ולאשר ענייני מצות שבלשון, רק שישמור את עצמו כנ"ל. והרד"ל כתב וזה לשונו, ולא הייתי יודע היכן פשוט, אפשר משום שיש לפרש שגם מקרא דלהלן, סור מרע ועשה טוב וגו' נמשך למי האיש החפץ חיים, ואם כן הוא כולל קיום כל התורה כולה, ובא הרוכל והודיע שעיקר מי האיש נמשך רק לנצור לשונו:

וְצִוָּה הַכֹּהֵן וְלָקַח לַמִּטַּהֵר שְׁתֵּי צִפֳּרִים חַיּוֹת טְהֹרוֹת וְעֵץ אֶרֶז וּשְׁנִי תוֹלַעַת וְאֵזֹב.

The Kohen shall command; and for the person being purified there shall be taken two live, clean birds, cedar wood, crimson thread, and hyssop (14:4).

§8 The Midrash derives a lesson from the word לַמִּטַּהֵר, *the person being purified:*[113]

אָמַר רַבִּי אַחָא — **R' Acha said:** מֵאָדָם יְהֵא שֶׁלֹּא יָבֹאוּ חֳלָיִים עָלָיו — **It is within a person's control**[114] to ensure **that no illnesses come upon him.**[115] מַאי טַעְמָא — **What is the proof** for this? דְּאָמַר רַבִּי אַחָא ״וְהֵסִיר ה׳ מִמְּךָ כָּל חֹלִי״, מִמְּךָ הוּא שֶׁלֹּא יָבוֹאוּ חוֹלָיִים עָלֶיךָ — **For R' Acha said:** Scripture states, ***HASHEM will remove "from you" every illness*** [חֹלִי] (*Deuteronomy* 7:15), implying that it is **in your control** to ensure **that no illnesses come upon you.**[116] רַבִּי אָבִין אָמַר: זֶה יֵצֶר הָרָע — **R' Avin said: This** verse refers to **the evil inclination,** שֶׁתְּחִלָּתוֹ מָתוֹק וְסוֹפוֹ מָר — **whose beginning is sweet and whose end is bitter.**[117] רַבִּי תַּנְחוּמָא בְּשֵׁם רַבִּי אֶלְעָזָר וְרַבִּי מְנַחֲמָא בְּשֵׁם רַב אָמַר — **R' Tanchuma said in the name of R' Elazar, and R' Menachama said in the name of Rav:** ״וְהֵסִיר ה׳ מִמְּךָ כָּל חֹלִי״, זוֹ עַיִן — ***HASHEM will remove from you every illness*** — **this** refers to **an** evil **eye.**[118]

The Midrash discusses the type of bird that must be taken for the *metzora's* purification:

רַבִּי שִׁמְעוֹן בֶּן לֵוִי אָמַר: צִפּוֹר דְּרוֹר שֶׁאוֹכֶלֶת מִפִּתּוֹ וְשׁוֹתָה מֵימָיו — **R' Shimon ben Levi said:** It must be **a *dror* bird,**[108] **which eats of [the *metzora's*] bread and drinks of [the *metzora's*] water.**[109]

Having identified the bird and some of its characteristics, the Midrash derives a lesson therefrom:

וַהֲלֹא דְּבָרִים קַל וָחוֹמֶר — Now, **is the matter not a *kal vachomer*:** וּמָה אִם צִפֳּרִים שֶׁאוֹכְלוֹת מִפִּתּוֹ וְשׁוֹתִין מֵימָיו מְכַפְּרִין עָלָיו — **If these birds, which** merely **partake of [the *metzora's*] bread and drink his water, provide atonement for him,** כֹּהֵן שֶׁנֶּהֱנָה מִיִּשְׂרָאֵל בְּכ״ד מַתְּנוֹת כְּהוּנָּה עַל אַחַת כַּמָּה וְכַמָּה — then **a Kohen, who is the beneficiary of the twenty-four priestly gifts he receives from** the people of **Israel, how much more** does it stand to reason that he should provide atonement for them![110] בְּמַתְלָא אָמְרִי — As **they say in a proverb,** דְּאָכֵל בַּהֲדֵי קוֹרָא יִלְקֶה בַּהֲדֵי קִילָא — **one who eats palm hearts is injured by the** sharp **trunk** of the palm tree.[111] That is, if you enjoy the benefits of an office, you must not shirk its responsibilities, even if you find them difficult or unpleasant.[112]

NOTES

108. That is, the two birds required for the *metzora's* purification (see *Negaim* 14:1) must be "*dror* birds," so called because they live freely wherever they wish — in a private house as in the open, without hindrance — the word דְּרוֹר being related to the word דִּירָה, *lives* (*Matnos Kehunah*, followed by *Eitz Yosef*; see *Beitzah* 24a).

[*Rashi* to our verse writes that it was necessary for the "*dror* birds" to be of a kosher species. While some hold that *dror* refers to a *specific* species (see *Radak, Sefer HaShorashim* s.v. דרור, and *Rashi* to *Proverbs* 26:2, who identify it with the swallow; see also *Yefeh To'ar* and *Maharzu*, and see *Tiferes Yisrael* to *Negaim* 14:1 #4), *Ramban* to our verse asserts that it is a term applied to any species of kosher bird that lives freely anywhere, provided that it is small. For further discussion, see Schottenstein edition of *Beitzah*, 24a note 9.]

109. *Yefeh To'ar* and *Eitz Yosef* write that since the *dror* bird resides in private houses (see preceding note), the homeowners (such as the *metzora*) give it to eat and drink. However, *Maharzu* finds this difficult, for even if the *dror* bird happens to take up residence in someone's home, the homeowner has no responsibility to feed it; the *dror* bird therefore cannot be said to regularly eat of the *metzora's* food. *Maharzu* cites *Ramban's* version of our Midrash, which stated "which *ate* of [the *metzora's*] bread and *drank* of [the *metzora's*] water" — i.e., in past tense — and suggests that it was after the *metzora* acquired these birds to use for his purification that he fed them and gave them to drink for a day or two before bringing them to the Temple for his purification rites.

110. The Midrash is saying that if a bird that merely partook of some bread and water is willing to be slaughtered for the sake of its benefactor's purification (see v. 5), then certainly the Kohen, who benefits greatly from the priestly gifts he receives from the people, should extend himself to provide for their atonement [through his work in the Temple] (*Eitz Yosef*).

111. I.e., by the sharp wood and thorns that surround the fruit (see *Maharzu* and *Eitz Yosef* to 15 §8 above). [See note 119 there.]

112. *Eitz Yosef*; see also *Matnos Kehunah*.

113. *Maharzu*. See note 115.

114. Lit., *it is from a person*.

115. The Midrash is expounding the word לַמִּטַּהֵר, *for the person being purified*, as teaching us that it is in the *metzora's* control to become free of his illness (*Maharzu*). R' Acha teaches that, in a similar vein, *all* people (to a large degree) have control over whether they will get sick or remain healthy.

Alternatively: *Radal* understands our Midrash not as expounding our verse (v. 4) but rather as going back to expound verse 3. Verse 3 states: *. . . and behold! — the tzaraas affliction had been healed "from the metzora."* The Midrash expounds this verse to be teaching that it is in the hands of the *metzora* to become healed from his illness — and indeed to avoid being afflicted in the first place. [*Radal* explains that the *metzora* accomplishes the former by repenting his sins and the latter by observing God's commandments. See, however, *Yefeh To'ar*, beginning of s.v. מאדם.]

For a completely different approach to our Midrash, see Insight Ⓐ.

116. The Midrash will now cite three views as to what is the cause of most illnesses. How an individual has control over these causes, and the role of Hashem in removing these illnesses, will be explained in note 123 below.

117. For sin tastes "sweet," but "bitter" punishment awaits the sinner. The Midrash expounds the word חלִי (lit., *illness*) in the *Deuteronomy* verse as cognate to the Aramaic word חֲלֵי, which means "sweet." Combining this meaning with its literal one yields the allusion to the evil inclination, "whose beginning is sweet and whose end is bitter [punishment]" (*Matnos Kehunah*, followed by *Eitz Yosef*).

R' Avin is saying that the evil inclination is the source of all illness.

118. According to these sages, it is the evil eye that is the source of all illness. [An "evil eye" is a wish, or "prayer," born of envy, that someone should suffer some kind of loss. For a discussion about how and why an "evil eye" causes damage to others, see Schottenstein edition of *Bava Metzia*, 107b note 5.]

INSIGHTS

Ⓐ **The Metzora's Purification** *Yefeh To'ar* (above, end of s.v. מאדם) writes that he knows of no explanation of the connection of this Midrash to our verse except the following: Having explained in the preceding section (§7) why birds form part of the purification rites of a *metzora*, the Midrash is now turning to address (albeit indirectly) the role of the cedar wood and hyssop. The Midrash elsewhere (*Bamidbar Rabbah* 19 §3) cites King Solomon's teaching: "Why is the *metzora* purified through the highest of the high and the lowest of the low, i.e., through cedar wood and hyssop? [The answer is:] Because he uplifted himself (i.e., he was arrogant) like a cedar, he was smitten with *tzaraas*; but since he [then] lowered himself like a hyssop, he was healed through a hyssop." (See *Rashi* to our verse, s.v. ועץ ארז and s.v. ושני תולעת.) Our Midrash accepts this teaching and comes to teach a related one [thus implying the former teaching as well, and thereby explaining — albeit indirectly — why a cedar and hyssop form part of the purification rites of the *metzora*].

Of the three causes of illness discussed in our Midrash, it is the evil eye that is the focus of the Midrash's teaching: Since an evil eye comes upon a person when he acts with ostentation and arrogance, the way to be "healed" from an evil eye is by acting with humility and not publicizing his successes. This lesson is closely related to the one about *tzaraas* that forms the backdrop for our Midrash (*Yefeh To'ar*; see also *Eitz Yosef*).

רַבִּי שִׁמְעוֹן בֶּן לֵוִי אָמַר: צִפּוֹר דְּרוֹר שֶׁאוֹכֶלֶת מִפִּתּוֹ וְשׁוֹתָה מֵימָיו, וַהֲלֹא דְּבָרִים קַל וָחוֹמֶר, וּמָה אִם צִפֳּרִים שֶׁאוֹכְלוֹת מִפִּתּוֹ וְשׁוֹתִין מֵימָיו מְכַפְּרִין עָלָיו, כֹּהֵן שֶׁנֶּהֱנָה מִיִּשְׂרָאֵל בְּכ"ד מַתְּנוֹת כְּהוּנָּה עַל אַחַת כַּמָּה וְכַמָּה, בְּמַתְלָא אָמְרֵי: דְּאָכֵל °בַּהֲדֵי קוֹרָא יִלְקֶה °בַּהֲדֵי קִילָא:

ח אָמַר רַבִּי אַחָא: מֵאָדָם יְהֵא שֶׁלֹּא יָבֹאוּ חֳלָיִים עָלָיו, מַאי טַעְמָא, דְּאָמַר רַבִּי אַחָא (דברים ז, טו) "וְהֵסִיר ה' מִמְּךָ כָּל חֹלִי", מִמְּךָ הוּא שֶׁלֹּא יָבוֹאוּ חוֹלָיִים עָלֶיךָ, רַבִּי אָבִין אָמַר: זֶה יֵצֶר הָרַע שֶׁתְּחִלָּתוֹ מָתוֹק וְסוֹפוֹ מָר, רַבִּי תַּנְחוּמָא בְּשֵׁם רַבִּי אֶלְעָזָר וְרַבִּי מְנַחֵמָא בְּשֵׁם רַב אָמַר: "וְהֵסִיר ה' מִמְּךָ כָּל חֹלִי", זוֹ עַיִן, עַל דַּעְתֵּיהּ דְּרַבִּי אֶלְעָזָר תִּשְׁעִים וְתִשְׁעָה בְּעַיִן וְאֶחָד בִּידֵי שָׁמַיִם, °רַב וְרַבִּי חֲנִינָא°, רַב כְּדַעְתֵּיהּ, דְּאָמַר תִּשְׁעִים וְתִשְׁעָה בְּעַיִן וְאֶחָד בִּידֵי שָׁמַיִם,

עץ יוסף

כדלעיל, ולכן קבע הכפרה עליו, ולאו דוקא כפרה ממש, שהרי כבר נתכפר בנגעים שבאו עליו מאחר שכבר נתרפא, וכאומרו (תהלים קג, ג) הסולח לכל עונכי הרופא וגו', אלא הכוונה גמר כפרה, או אפשר כפרה זו לשון נקיות וטהרה: **צפור דרור.** כלומר הצפור הזה מלותו להיות לצפור דרור כדאיתא בתורת כהנים (מצורע פרק ה), ונקראת דרור על שם שהיא דרה היכן שתרלה ואין מוחה כמו שדרשו חכמינו ז"ל (שבת קו, ב). ואין לומר לפור דרור כמשמעו שהרי היו לריכין להיות עופות טהורות כמו שפירש"י ז"ל בפרשה זו (מתנות כהונה): **שאוכלת מפתו.** על ידי שהיא דרה בבית, שלכך נקראת דרור: **מכפרים עליו.** אף על פי שמתים על ידי כך, כהן שנהנה מישראל על אחת כמה וכמה שראוי ליזקק לכפרתם אף על פי שלער הוא לו: **במתלא אמר.** כבר פרשתיו לעיל פרשה ט"ו (סימן ח), ורלה לומר מי שהוא מקבל הכלות ומתנות יכפר בעדם תמורת זה: **(ח) מאדם יהא שלא כו'.** מעץ ארז ואזוב קאי, ומפרש ליה לענין עין הרע, כי כשיגביה עלמו ילקה לפי שנותנים הכל עין בו, אבל כשמשפיל עלמו ואינו מראה הגלחותיו אין עין שולטת בו, על זה קאמר מאדם יהא שלא כו', ורלה לומר שלפי שכל חולי היינו ילר הרע או עין הרע או לינה כדלקמן, ממלא שביד האדם להנלל מהם, כי ילר הרע בידו לכבשו, ובידו להנלל מן העין בהסתרו מן העין, ומן הלינה על ידי כסות, וזהו שאמר **מאדם יהא** פירוש ממנו הוא ובו תלוי **שלא יבואו חלוים עליו, מאי טעמא דאמר ר' אחא והסיר ה' ממך כל חולי, ממך הוא שלא יבואו חוליים עליך.** והקדוש ברוך הוא יעזור לך לכבוש את ילרך, וכן ילילך מהעין, או מהלינה, אף שלא תשמור עלמך כראוי, והכי מייתי הכא פירוש כל חולי לאמר ולומר. ורד"ל פירש וזה לשונו נראה דבא לדרוש הא דכתיב כאן והנה נרפא נגע הלרעת מן הלרוע, לומר שמן האדם הלרוע תלוי הדבר רפואתו, אם שב ורפא לו, ואם ישמע בקול ה' כל המחלה לא ישים עליו עד כאן לשונו: **שתחלתו מתוק.** דריש כל חולי לשון מתיקות, מלשון מחלייא ליה שפירושו ממתיק, וכמו דדריש לעיל סדר כי תשא ויחל משה (מג, ד), וסוף בא לידי חולי כמשמעו: **רבי תנחומא בשם רבי אלעזר ור' מנחמא בשם רב אמר והסיר ה' ממך כל חולי. זה מיתה על דעתיה דרבי אלעזר תשעים ותשעה מתו במיתה ואחד בידי שמים.** כן הוא הנוסחא הישנה שנדפס במדרש שטס היפה תואר. וכתב היפה תואר שלריך לומר רבי תנחומא בשם רבי אלעזר ור' מנחמא אמרו והסיר ה' ממך כל חולי זו מרה, על דעתיה דר' אלעזר תשעים ותשעה מתים במרה ואחד בידי שמים. והכי פירושו, דכל חולי היינו דבר שכל החלאים תלוין בו, וסבירא ליה שזו היא מרה, והכי איתא בפרק המקבל (בבא מליעא קז, ב), כל חולי רבי אלעזר אמר זו מרה, תניא נמי הכי מחלה זו מרה, ולמה נקרא שמה מחלה שהיא מחלה כל גופו של אדם, דבר אחר מחלה ששמונים ושלשה חלאים תלוים במרה כו'. ופירש רש"י זו מרה שהמרירה שבה גדולה ונובעת ומתפשטת בגידין ובעלמות. עד כאן לשון היפה תואר. אבל המתנות כהונה גרס במקום זה מיתה זו עין, וכתב שכן הוא בבבא מליעא דף ק"ז והכי מוכח לקמן עד כאן לשונו. הנה מה שכתב שכן הוא בבא מליעא אמת הוא שכן אמר רב שם, וכן לקמן נמי איתא רב כדעתיה דאמר תשעים ותשעה בעין, אבל רבי אלעזר אומר שם במרה, לכן נראה דגירסת היפה תואר עיקר: **רב ורבי חנינא.** פליגי בפירוש כל חולי, רב סבירא ליה שהפירוש הוא כל חולי זה העין כדעתיה דאמר וכו', ורבי חנינא סבירא ליה שהפירוש כל חולי זה לינה כדעתיה וכו':

פירוש מהרז"ו

צפור דרור. כך הוא במשנה במסכת נגעים פרק י"ד (מ"א). ובתורת כהנים (פרשה ז) יליף לה ממה שכתוב (יד, ז) ושילח את הלפור החיה על פני השדה, לפור המשתלח וכו', ועיין ברמב"ן שם, ובמשנה משמע שהיו סימנים בלפור דרור במטיה, כמו ששנו (שם מ"ה) שחט הלפור ונמלאת שלא דרור, שחטה ונמלאת טרפה, משמע שדומה לטריפה שנכרת אחר שחיטה, ולריך עיון: **שאוכלת מפיתו ושותה מימיו.** ולריך עיון שהרי איתא בגילה (כב, א), שלפור דרור דרה בבית כבשדה, ואין מזונותה על האדם כלל, ואיך אומר שאוכלת מפתו וכו'. אך ברמב"ן סדר זה מלאתי הגירסא, שאכלה מפתו ושתת מימיו, יתכן לפרש שכן דרך הקונה לפרים כשמכניסין לביתו, קודם שמוסרם לכהן, נותן להם מפתו וממימיו יום או יומים, ועל זה אמר שעל שאכלה מפתו לכן מכפרים עליו. ועיין ביפה תואר, וכן הוא במדרש הגדא (פרק טז): **(ח) מאדם יהא שלא יבואו חליים.** בא לדרוש תיבת מיטהר, משמע שהטהרה תלויה בו בעלמו, שיגרום שיהיה טהור, ושירפא מלרעתו: **כל חולי זה העין.** שכל החלאים באים בעין רעה, על כן נקרא כל חולי:

חידושי הרד"ל

[ח] מאדם יהא שלא יבואו עליו חליים. נראה דבא לדרוש הא דכתיב כאן (יד, ג) והנה נרפא נגע הלרעת מן הלרוע, לומר שמן האדם הלרוע תלוי הדבר, רפואתו, אם שב ורפא לו, ואם ישמע בקול ה', כל המחלה לא ישים עליו: **תשעים ותשעה בעין ואחד בידי שמים. רב כדעתיה דאמר תשעים ותשע בעין ואחד בידי שמים, ורבי חנינא ורבי נתן אמרי כו' תשעים ותשעה בצנה ואחד בידי שמים, רב ורבי חנינא כדעתיה רב על דהוי שרי בבבל כו'.** כן לריך לומר, על פי הירושלמי פרק שמונה שרלים (שבת פי"ד ה"ג).ובמתנות כהונה יש פרק אלו קשרים וטעות סופר הוא:

באור מהרי"פ

[ז] מתנות כהונה ד"ה צפור דרור וכו' כמשמעו. פירוש שהוא מין עוף טמא כמו שפירש הרד"ק בשרשיו (תהלים פד, ד), ודרור קן לה, כדרור לעוף מין עוף טמא שקורין אירונדלא בלע"ז: **[ח] הכי גרסינן תנחומא בשם רבי אלעזר וכו'. כל חולי זו מרה, על דעתיה דרבי אלעזר תשעים ותשעה מתים במרה.** והכי איתא בפרק המקבל (ב"מ קז, ב) כל חולי, רבי אלעזר אמר זו מרה, תניא נמי הכי מחלה זו מרה, ולמה נקרא שמה מחלה שהיא מחלה כל גופו של אדם. דבר אחר מחלה ששמונים ושלשה חלאים תלוים במרה (כמנין מחלה). פרש"י זו מרה שהמרירה שבה גדולה ונובעת ומתפשטות בגידים ובעצמות:

מסורת המדרש

י. ירושלמי שבת פי"ד:

אם למקרא

וְהֵסִיר ה' מִמְּךָ כָּל חֹלִי וְכָל מַדְוֵי מִצְרַיִם הָרָעִים אֲשֶׁר יָדַעְתָּ לֹא יְשִׂימָם בָּךְ וּנְתָנָם בְּכָל שֹׂנְאֶיךָ: (דברים ז:טו)

ידי משה

[ח] אמר ר' אחא מאדם יהא. ולריך עיון להבין. ומלאתי בספר מדות אהרן דהכי פירושו, שקאי על ליפור דרור הדר אלל בני האדם, ומסיים שלא יבואו חוליים עליך דהיינו לרעת, ור' אחא לטעמיה דאמר ממך יהיה הקרבן, דהיינו הטוף הגדל בביתך, והיא ליפור דרור, שלא יבואו חוליים עליך שהיינו לרעת, יסיר ה' ממך. אבל בין ר' אבין והנהו דלקמן לא סבירא ליה שקאי על כל חולי על לרעת, וגם ממך הוא לא סבירא ליה שקאי על ליפור דרור. וקל להבין: **זה עין הרע.** ודרש ממך לפי שהוא בא ממך, מבני אדם, וכן לינה ופחים דבסמוך. וקל להבין:

שינוי נוסחאות

(ח) רבי תנחומא בשם רבי אלעזר ורבי מנחמא בשם רב אמר: והסיר ה' ממך כל חלי זו עין, על דעתיה דרבי אלעזר תשעים ותשעה בעין ואחד בידי שמים, רב ורבי חנינא, רב בדעתיה, דאמר תשעים ותשעה בעין ואחד בידי שמים, ורבי חנינא כדעתיה, דרבי חנינא ורבי נתן אמרי תרווייהו: תשעים ותשעה בצנה ואחד בידי שמים, רב על דהוה שרי בבבל ... הגיה הרד"ל כך: "רבי תנחומא בשם רבי אלעזר ורבי מנחמא בשם רב אמר: והסיר ה' ממך כל חלי זו עין, על דעתיה דרבי אלעזר תשעים ותשעה בעין ואחד בידי שמים, רב כדעתיה, דאמר תשעים ותשעה בעין ואחד בידי שמים, ורבי חנינא ורבי נתן אמרי תרווייהו: תשעים ותשעה בצנה ואחד בידי שמים, רב ורבי חנינא כדעתיה, רב על דהוה שרי בבבל ..."

מתנות כהונה

צפור דרור. כלומר הלפור הזה מלותו להיות לפור דרור, כדאיתא בתורת כהנים (מצורע פרשה ז), ונקראת דרור על שם שהיא דרה היכן שתרלה ואין מוחה, כמו שדרשו חז"ל (שבת קו, ב). ואין לומר לפור דרור כמשמעו שהרי היו לריכין להיות עופות טהורות, כמו שפירש"י ז"ל בפרשה זו. ועיין עוד בהרמב"ן: **במתלא אמר מאן דאכל כו'.** פירשתיו לעיל סוף תזריע, ורלה לומר מי שהוא מקבל הכלות ומתנות יכפר בעדם תמורת זה: **[ח] מאדם יהא כו'.** ממנו הוא ובו תלוי שלא כו': **זה יצר הרע כו'.** כל חלי דריש מלשון מחלייא ליה, שפירושו ממתיק וסוף בא לידי חולי כמשמעו: הכי גרסינן **כל חלי זו עין.** פירוש עין הרע. כן הוא בבבא מליעא (קז, ב) והכי מוכח לקמן: הכי גרסינן **תשעים ותשעה בעין:**

אשד הנחלים

[ח] מאדם יהא. כלומר הדבר תלוי באדם ובמעשיו, אם טובים יהיו, לא יבואו חלאים עליו, וזהו והסיר ה' ממך, ומסבתך, כי אתה הגורם לטב או למוטב: **זה יצר הרע.** שמעתי מפי הרב החסיד המנוח מהו' אפרים בהרב הגאון מוה' איסר, מפני שהתחלואים יש משני מינים, או בדבר שאין האדם סבתו, כאויר המזיק או העיפוש וכדומה, הנקרים לאדם מחוץ, או בדבר שהוא ביד האדם, כאכילה מרובה או אינו ראוי המחליאו, והשנית מכונה בשם יצר הרע, שלא כפה יצרו לעצור בעצמו מטוב וערב המדומה, וזהו שתחלתו מתוק וסופו מר. ודרש כל חולי, על חולי הפנימי מה שביד האדם, וכל מדוה, על החולאים הבאים מחוץ. והוא דבר נכון מאוד: **זו עין.** ממלת כל קדייק, והידי משה פירש שדייק ממלת ממך, שהעין הרע הוא מהאדם, וכן צינים פחים כדאמר להלן. ויש להתבונן בזה הרבה, אף שבאמת יש מקור לעין להזיק לאדם, כנודע בטבעיות, אבל קשה מאוד לומר שרובן יהיה רק מזה, ובאמת המדרש בעצמו אומר מפני שבבבל הוי עינא בישא שכיח, על כן אמר זאת, אבל עם כל זה יש לחקור בזה. ואולי כוונתו רק על החלאים החיצונים הבאים מחוץ כאויר וכדומה, וכחולי המתדבק מגוף זולתו, שדעתו שעיקרו העין העושה רושם גדול בגוף המביט בו:

עַל דַּעְתֵּיהּ דְּרַבִּי אֶלְעָזָר תִּשְׁעִים וְתִשְׁעָה בְּעַיִן וְאֶחָד בִּידֵי שָׁמַיִם — Indeed, **according to the opinion of R' Elazar ninety-nine** out of one hundred people **die from** the result of **an** evil **eye, and one by the hand of Heaven.**[119] רַב כְּדַעְתֵּיהּ, דְּאָמַר תִּשְׁעִים וְתִשְׁעָה בְּעַיִן וְאֶחָד בִּידֵי שָׁמַיִם — Similarly, **Rav is consistent with his own opinion** stated elsewhere[120] that **ninety-nine** out of one hundred **people die from an** evil **eye, and** only **one by the hand of Heaven.**

NOTES

119. In this context, dying "by the hand of Heaven" means dying a natural death, not due to any cause other than man's mortal nature.

120. See *Bava Metzia* 107b.

רַבִּי שִׁמְעוֹן בֶּן לֵוִי אָמַר: צִפּוֹר דְּרוֹר שֶׁאוֹכֶלֶת מִפִּתּוֹ וְשׁוֹתָה מֵימָיו, וַהֲלֹא דְּבָרִים קַל וָחוֹמֶר, וּמָה אִם צִפֳּרִים שֶׁאוֹכְלוֹת מִפִּתּוֹ וְשׁוֹתִין מֵימָיו מְכַפְּרִין עָלָיו, כֹּהֵן שֶׁנֶּהֱנָה מִיִּשְׂרָאֵל בְּכ"ד מַתָּנוֹת כְּהֻנָּה עַל אַחַת כַּמָּה וְכַמָּה, בְּמַתְלָא אָמְרֵי: דְּאָכֵל °בַּהֲדֵי קוֹרָא יִלְקֶה °בַּהֲדֵי קִילָא:

ח אָמַר רַבִּי אַחָא: מֵאָדָם יְהֵא שֶׁלֹּא יָבֹאוּ חֳלָיִים עָלָיו, מַאי טַעְמָא, דְּאָמַר רַבִּי אַחָא (דברים ז, טו) "וְהֵסִיר ה' מִמְּךָ כָּל חֹלִי", מִמְּךָ הוּא שֶׁלֹּא יָבוֹאוּ חוֹלָיִים עָלֶיךָ, רַבִּי אָבִין אָמַר: זֶה יֵצֶר הָרַע שֶׁתְּחִלָּתוֹ מָתוֹק וְסוֹפוֹ מַר, רַבִּי תַּנְחוּמָא בְּשֵׁם רַבִּי אֶלְעָזָר וְרַבִּי מְנַחֲמָא בְּשֵׁם רַב אָמַר: "וְהֵסִיר ה' מִמְּךָ כָּל חֹלִי", זוֹ עַיִן, עַל דַּעְתֵּיהּ דְּרַבִּי אֶלְעָזָר תִּשְׁעִים וְתִשְׁעָה בְּעַיִן וְאֶחָד בִּידֵי שָׁמַיִם, °רַב וְרַבִּי חֲנִינָא°, רַב כְּדַעְתֵּיהּ, דְּאָמַר תִּשְׁעִים וְתִשְׁעָה בְּעַיִן וְאֶחָד בִּידֵי שָׁמַיִם,

עץ יוסף

כדלעיל, ולכן קבע הכפרה עליו, ולאו דוקא כפרה ממש, שהרי כבר נתכפר בנגעים שבאו עליו מאחר שכבר נתרפא, וכאומרו (תהלים קג, ג) הסולח לכל עוניכי הרופא וגו', אלא הכוונה גמר כפרה, או אפשר כפרה זו לשון נקיות וטהרה: **צפור דרור.** כלומר הצפור הזה מצותו להיות צפור דרור כדאיתא בתורת כהנים (מצורע פרק ה), ונקראת דרור על שם שהיא דרה היכן שתרצה ואין מוחה כמו שדרשו חכמינו ז"ל (שבת קו, ב). ואין לומר צפור דרור כמשמעו שהרי היו צריכין להיות עופות טהורות כמו שפירש"י ז"ל בפרשה זו (מתנות כהונה): **שאוכלת מפתו.** על ידי שהיא דרה בבית, שלכן נקראת דרור: **מכפרים עליו.** אף על פי שמתים על ידי כך, כהן שנהנה מישראל על אחת כמה וכמה שראוי ליזקק לכפרתם אף על פי שאינו הוא לו: **במתלא אמר.** כבר פרשתיו לעיל פרשה ט"ו (סימן ח), ורצה לומר מי שהוא מקבל הגאות ומתנות יכפר בעדם תמורת זה: **(ח) מאדם יהא שלא כו'.** אעץ ארז ואזוב קאי, ומפרש ליה לענין עין הרע, כי כשיגביה עצמו ילקה לפי שנותנים הכל עין בו, אבל כשמשפיל עצמו ואינו מראה הגאותיו אין עין שולטת בו, על זה קאמר מאדם יהא שלא כו', ורצה לומר שלפי שכל חולי היינו יצר הרע או עין הרע או ליכה כדלקמן, נמצא שביד האדם להנצל מהם, כי יצר הרע בידו לכבשו, ובידו להנצל מן העין בהסתרו מן העין, ומן הצינה על ידי כסות, וזהו שאמר **מאדם יהא** פירוש ממנו הוא ובו תלוי **שלא יבואו חליים עליו, מאי טעמא דאמר ר' אחא והסיר ה' ממך כל חולי, ממך הוא שלא יבואו חוליים עליך.** והקדוש ברוך הוא יעזור לך לכבוש את יצרך, וכן ילילך מהעין, או מהצינה, אף שלא תשמור עצמך כראוי, ולהכי מייתי הכא פירוש כל חולי למר ולמר. ורד"ל פירש וזה לשונו נראה דבא לדרוש הא דכתיב כאן והנה נרפא נגע הצרעת מן הצרוע, לומר שמן האדם הצרוע תלוי הדבר רפואתו, שאם שב ורפא לו, ואם ישמע בקול ה' כל המחלה לא ישים עליו עד כאן לשונו: **שתחלתו מתוק.** דריש כל חולי לשון מתיקות, מלשון מחלייא ליה שפירושו ממתיק, וכמו דדריש לעיל סדר כי תשא ויחל משה (מג, ד), וסוף בא לידי חולי כמשמעו: **רבי תנחומא בשם רבי אלעזר ור' מנחמא בשם רב אמר והסיר ה' ממך כל חולי. זה מיתה על דעתיה דרבי אלעזר תשעים ותשעה מתו במיתה ואחד בידי שמים.** כן הוא הנוסחא הישנה שנדפס במדרש שעם היפה תואר. וכתב היפה תואר שצריך לומר רבי תנחומא בשם רבי אלעזר ור' מנחמא אמרו והסיר ה' ממך כל חולי זו מרה, על דעתיה דר' אלעזר תשעים ותשעה מתים במרה ואחד בידי שמים. והכי פירושו, דכל חולי היינו דבר שכל החלאים תלוין בו, וסבירא ליה שזו היא מרה, והכי איתא בפרק המקבל (בבא מציעא קז, ב), כל חולי רבי אלעזר אמר זו מרה, תניא נמי הכי מחלה זו מרה ולמה נקרא שמה מחלה שהיא מחלה כל גופו של אדם, דבר אחר מחלה ששמונים ושלשה חלאים תלוים במרה כו'. ופירש רש"י זו מרה שהמרירה שבה גדולה וצובעת ומתפשטת בגידין ובעצמות. עד כאן לשון היפה תואר. אבל המתנות כהונה גרס במקום זה מיתה זו עין, וכתב שכן הוא בבבא מציעא דף ק"ז והכי מוכח לקמן עד כאן לשונו. הנה מה שכתב שכן הוא בבבא מציעא אמת הוא שכן אמר רב שם, וכן לקמן נמי איתא רב כדעתיה דאמר תשעים ותשעה בעין, אבל רבי אלעזר אומר שם במרה, לכן נראה דגירסת היפה תואר עיקר: **רב ורבי חנינא.** פליגי בפירוש כל חולי, רב סבירא ליה שהפירוש הוא כל חולי זה העין כדעתיה דאמר וכו', ורבי חנינא סבירא ליה שהפירוש כל חולי זה צינה כדעתיה וכו':

פירוש מהרז"ו

צפור דרור. כך הוא במשנה במסכת נגעים פרק י"ד (מ"א). ובתורת כהנים (פרשה ז) יליף לה ממה שכתוב (יד, ז) ושילח את הצפור החיה על פני השדה, לצפור המשתלח וכו', ועיין ברמב"ן שם, ובמשנה משמע שהיו סימנים בצפור דרור במטיה, כמו ששנו (שם מ"ה) שחט הצפור ונמצאת שלא דרור, שחטה ונמצאת טרפה, משמע שדומה לטריפה שנכרת אחר שחיטה, וצריך עיון: **שאוכלת מפיתו ושותה מימיו.** וצריך עיון שהרי איתא בבילה (כג, א), שצפור דרור דרה בבית כבשדה, ואין מזונתה על האדם כלל, ואיך אומר שאוכלת מפתו וכו'. אך ברמב"ן סדר זה מצאתי הגירסא, שאכלה מפתו ושתת מימיו, יתכן לפרש שכן דרך הקונה לפרים כשמכניסין לביתו, קודם שמוסרם לכהן, נותן להם מפתו ומימיו יום או יומים, ועל זה אמר שעל שאכלה מפתו לכן מכפרים עליו. ועיין ביפה תואר, וכן הוא במדרש תדשא (פרק טז): **(ח) מאדם יהא שלא יבואו חליים.** בא לדרוש תיבת מיטהר, משמע שהטהרה תלויה בו בעצמו, שיגרום שיהיה טהור, ושירפא מצרעתו: **כל חולי זה העין.** שכל החלאים באים בעין רעה, על כן נקרא כל חולי:

מתנות כהונה

צפור דרור. כלומר הצפור הזה מצותו להיות צפור דרור, כדאיתא בתורת כהנים (מצורע פרשה ז), ונקראת דרור על שם שהיא דרה היכן שתרצה ואין מוחה, כמו שדרשו חז"ל (שבת קו, ב). ואין לומר צפור דרור כמשמעו שהרי היו צריכין להיות עופות טהורות, כמו שפירש"י ז"ל בפרשה זו. ועיין עוד בהרמב"ן: **במתלא אמר מאן דאכל כו'.** פירשתיו לעיל סוף תזריע, ורצה לומר מי שהוא מקבל הגאות ומתנות יכפר בעדם תמורת זה: **[ח] מאדם יהא כו'.** ממנו הוא ובו תלוי שלא כו': **זה יצר הרע כו'.** כל חלי דריש מלשון מחלייא ליה, שפירושו ממתיק וסוף בא לידי חולי כמשמעו: הכי גרסינן **כל חלי זו עין.** פירוש עין הרע. כן הוא בבבא מציעא (קז, ב) והכי מוכח לקמן: הכי גרסינן **תשעים ותשעה בעין:**

אשד הנחלים

[ח] מאדם יהא. כלומר הדבר תלוי באדם ובמעשיו, אם טובים יהיו, לא יבואו חלאים עליו, וזהו והסיר ה' ממך, ומסבתך, כי אתה הגורם לטב או למוטב: **זה יצר הרע.** שמעתי מפי הרב החסיד המנוח מהו' אפרים בהרב הגאון מוה' איסר, מפני שהתחלואים יש משני מינים, או בדבר שאין האדם סבתו, כאויר המזיק או העיפוש וכדומה, הנקרים לאדם מחוץ, או בדבר שהוא ביד האדם, כאכילה מרובה או אינו ראוי המחליאו, והשנית מכונה בשם יצר הרע, שלא כפה יצרו לעצור בעצמו מטוב וערב המדומה, וזהו שתחלתו מתוק וסופו מר. ודרש כל חולי, על חולי הפנימי מה שביד האדם, וכל מדוה, על החולאים הבאים מחוץ. והוא דבר נכון מאוד: **זו עין.** ממלת כל קדייק, והידי משה פירש שדייק ממלת ממך, שהעין הרע הוא מהאדם, וכן צינים פחים כדאמר להלן. ויש להתבונן בזה הרבה, אף שבאמת יש מקור לעין להזיק לאדם, כנודע בטבעיות, אבל קשה מאוד לומר שרובן יהיה רק מזה, ובאמת המדרש בעצמו אומר מפני שבבבל הוי עינא בישא שכיח, על כן אמר זאת, אבל עם כל זה יש לחקור בזה. ואולי כוונתו רק על החלאים החיצונים הבאים מחוץ כאויר וכדומה, וכחולי המתדבק מגוף זולתו, שדעתו שעיקרו העין העושה רושם גדול בגוף המביט בו:

חידושי הרד"ל

[ח] מאדם יהא שלא יבואו עליו חליים. נראה דבא לדרוש הא דכתיב כאן (יד, ג) והנה נרפא נגע הצרעת מן הצרוע, לומר שמן האדם הצרוע תלוי הדבר, רפואתו, שאם שב ורפא לו, ואם ישמע בקול ה', כל המחלה לא ישים עליו: **תשעים ותשעה בעין ואחד בידי שמים. רב בדעתיה דאמר תשעים ותשע בעין ואחד בידי שמים, ורבי חנינא ורבי נתן אמרי כו' תשעים ותשעה בצנה ואחד בידי שמים, רב ורבי חנינא כדעתיה רב על דהוי שרי בבבל כו'.** כן צריך לומר, על פי הירושלמי פרק שמנה שרצים (שבת פי"ד ה"ג). (ובמתנות כהונה ציין פרק אלו קשרים וטעות סופר הוא):

באור מהרי"פ

[ז] מתנות כהונה ד"ה צפור דרור וכו' כמשמעו. פירוש שהוא מין עוף טמא כמו שפירש הרד"ק בשרשיו (תהלים פד, ד), ודרור קן לה, כדרור לעוף מין עוף טמא שקורין אירונדלא בלע"ז: **[ח] הכי גרסינן תנחומא בשם רבי אלעזר וכו'. כל חולי זו מרה, על דעתיה דרבי אלעזר תשעים ותשעה מתים במרה.** והכי איתא בפרק המקבל (ב"מ קז, ב) כל חולי, רבי אלעזר אמר זו מרה, תניא נמי הכי מחלה זו מרה, ולמה נקרא שמה מחלה שהיא מחלה כל גופו של אדם. דבר אחר מחלה ששמונים ושלשה חלאים תלוים במרה (כמנין מחלה). פרש"י זו מרה שהמרירה שבה גדולה וצובעת ומתפשטות בגידים ובעצמות:

מסורת המדרש

י. ירושלמי שבת פי"ד:

אם למקרא

וְהֵסִיר ה' מִמְּךָ כָּל חֹלִי וְכָל מַדְוֵי מִצְרַיִם הָרָעִים אֲשֶׁר יָדַעְתָּ לֹא יְשִׂימָם בָּךְ וּנְתָנָם בְּכָל שֹׂנְאֶיךָ: (דברים ז:טו)

ידי משה

[ח] אמר ר' אחא מאדם יהא. וצריך עיון להבין. ומצאתי בספר מדות אהרן דהכי פירושו, שקאי על ציפור דרור הדר אצל בני האדם, ומסיים שלא יבואו חוליים עליך דהיינו צרעת, ור' אחא לטעמיה דאמר ממך יהיה הקרבן, דהיינו העוף הגדל בביתך, והיא ציפור דרור, שלא יבואו חוליים עליך שהיינו צרעת, יסיר ה' ממך. אבל בין ר' אבין והנהו דלקמן לא סבירא ליה שקאי כל חולי על צרעת, וגם ממך הוא לא סבירא ליה שקאי על ציפור דרור. וקל להבין: **זה עין הרע.** ודרש ממך לפי שהוא בא ממך, מבני אדם, וכן צינה ופחים דבסמוך. וקל להבין:

שינוי נוסחאות

(ח) רבי תנחומא בשם רבי אלעזר ורבי מנחמא בשם רב אמר: והסיר ה' ממך כל חלי זו עין, על דעתיה דרבי אלעזר תשעים ותשעה בעין ואחד בידי שמים, רב ורבי חנינא, רב כדעתיה, דאמר תשעים ותשעה בעין ואחד בידי שמים, ורבי חנינא כדעתיה, דרבי חנינא ורבי נתן אמרי תרווייהו: תשעים ותשעה בצנה ואחד בידי שמים, רב על דהוה שרי בבבל ... הגיה רד"ל כך: "רבי תנחומא בשם רבי אלעזר ורבי מנחמא בשם רב אמר: והסיר ה' ממך כל חלי זו עין, על דעתיה דרבי אלעזר תשעים ותשעה בעין ואחד בידי שמים, רב כדעתיה, דאמר תשעים ותשעה בעין ואחד בידי שמים, ורבי חנינא ורבי נתן אמרי תרווייהו: תשעים ותשעה בצנה ואחד בידי שמים, רב ורבי חנינא כדעתיה, רב על דהוה שרי בבבל ...":

וְרַבִּי חֲנִינָא וְרַבִּי נָתָן אָמְרֵי תַּרְוַיְיהוּ תִּשְׁעִים וְתִשְׁעָה בְּצִנָּה וְאֶחָד בִּידֵי שָׁמַיִם — **However, R' Chanina and R' Nassan both maintain that ninety-nine** out of one hundred people die **from** the effects of the **cold, and** only **one by the hand of Heaven.** רַב וְרַבִּי חֲנִינָא כְּדַעְתֵּיהּ — **Rav and R' Chanina** formulated **their opinions** in consideration of their respective environments. רַב עַל דַּהֲוָה שָׁרֵי בְּבָבֶל דַּהֲוָה עֵינָא בִּישָׁא שְׁכִיחָא — **Since Rav lived in Babylonia, where an evil eye was commonplace,** he stated that most people die from an evil eye.[121] רַבִּי חֲנִינָא עַל דַּהֲוָה שָׁרֵי בְּצִפּוֹרִי וַהֲוָה תַּמָּן צִנְּתָא — **Since R' Chanina dwelled in Sephorris, and it was cold there,**[122] he stated that most people die from the effects of the cold.[123]

The Midrash records an exchange that took place between Rebbi and the Roman emperor Antoninus:[124]

אַנְטוֹנִינוּס אָמַר לְרַבֵּינוּ הַקָּדוֹשׁ — **Antoninus asked of "our holy Rabbi,"** i.e., R' Yehudah HaNasi,[125] צַלֵּי עָלַי — **"Pray for me."** אָמַר לוֹ: תִּשְׁתְּזִיב מִן צִנְּתָא — **[R' Yehudah HaNasi] replied [to Antoninus], "May you be saved from the cold."**[126] אָמַר לֵיהּ: יַתִּיר חֲדָא כְּסוּ וְצִנְּתָא אָזְלָה — **[Antoninus] responded,** "I have no need for such a prayer, since all one needs to do is add **one more covering and the cold goes away."** אָמַר לֵיהּ: תִּשְׁתְּזִיב מִן שָׁרָבָא — So **[R' Yehudah HaNasi]** then **said to him, "May you be saved from the heat."** אָמַר לֵיהּ: הָא כַּדוּ צַלֵּי עָלַי, דִּכְתִיב "וְאֵין נִסְתָּר מֵחַמָּתוֹ" — **[Antoninus] replied to him, "This type** of prayer you should indeed **pray for me, for it is written,** ***nothing is hidden from its heat"*** (*Psalms* 19:7).[127]

A related teaching:

רַבִּי יִשְׁמָעֵאל בְּרַבִּי נַחְמָן בְּשֵׁם רַבִּי נָתָן אָמַר — **R' Yishmael the son of R' Nachman said in the name of R' Nassan:** תִּשְׁעִים וְתִשְׁעָה בְּשָׁרָב וְאֶחָד בִּידֵי שָׁמַיִם — **Ninety-nine** out of one hundred people **die from** the effects of **the heat, and one by the hands of Heaven.** וְרַבָּנָן אָמְרֵי: תִּשְׁעִים וְתִשְׁעָה בִּפְשִׁיעָה וְאֶחָד בִּידֵי שָׁמַיִם — **And the** other **Sages say: Ninety-nine** out of one hundred people **die through their own negligence,**[128] **and one by the hands of Heaven.**

וְצִוָּה הַכֹּהֵן וְשָׁחַט אֶת הַצִּפּוֹר הָאֶחָת אֶל כְּלִי חֶרֶשׂ עַל מַיִם חַיִּים.

The Kohen shall command; and the one bird shall be slaughtered into an earthenware vessel over spring water (14:5).

§9 וְצִוָּה הַכֹּהֵן וְשָׁחַט אֶת הַצִּפּוֹר הָאֶחָת — ***THE KOHEN SHALL COMMAND; AND THE ONE BIRD SHALL BE SLAUGHTERED.***

The Midrash inquires:

לָמָּה שׁוֹחֵט אַחַת וּמַנִּיחַ אַחַת — **Why does [the Kohen] slaughter one** bird **and leave the other** unslaughtered?[129] לוֹמַר לְךָ כְּשֵׁם שֶׁאִי אֶפְשָׁר לַשְּׁחוּטָה לַחֲזוֹר כָּךְ אִי אֶפְשָׁר לַנְּגָעִים לַחֲזוֹר — In order **to teach you that just as the slaughtered bird cannot be restored** to life, **so the** ***tzaraas*** **cannot return.**[130]

NOTES

121. [*Tosafos* (to *Bava Metzia* ibid.) raise an interesting question: Since Joseph and his descendants were immune to the effects of an "evil eye" (see *Bereishis Rabbah* 97 §3 and *Berachos* 20a), it follows from Rav's assertion here that they should live much longer than the descendants of the other tribes. But this is not borne out statistically! *Tosafos* answer that when their time comes, God sends other sicknesses to cause their deaths (to a greater extent than the other tribes). *Yefeh To'ar*, however, notes that the present Midrash obviates this question entirely, since Rav was speaking only of places like Babylonia.]

122. The city of Sephorris was cold, as it was situated on the top of a mountain where there is a lot of wind [see *Megillah* 5b] (*Maharzu*).

123. The Midrash has stated that all illness is a result of one of three things: not restraining one's evil inclination, an evil eye, or overexposure to cold. Now, it is within a person's power to protect himself from all three of these causes of illness: he can control his evil inclination; he can avoid ostentation, thus shielding himself from a possible evil eye; and finally, he can wear an extra layer of clothing to protect himself from the cold (see Midrash further). However, in keeping with its plain sense, the *Deuteronomy* verse, *HASHEM will remove from you every illness*, is also saying that God will assist him in conquering his evil inclination, and will help protect him from the evil eye and from the cold as well, even if he does not take the proper precautions on his own. [In context, the verse forms part of God's blessings to Israel if the nation as a whole keeps the Torah — as the opening verse (v. 12) in the *Deuteronomy* passage states, *This shall be the reward when you hearken to these ordinances, and you observe and perform them, etc.*] (*Yefeh To'ar* s.v. מאדם; *Eitz Yosef*).

124. Identified by *Seder HaDoros* as Marcus Aurelius Antoninus, who ruled from 161-180 C.E. He and Rebbi (R' Yehudah HaNasi, the redactor of the Mishnah) became very close friends (see *Avodah Zarah* 10a-11a).

125. See previous note

126. Rebbi lived in Sephorris (*Bereishis Rabbah* 96 §5, end), which was a cold climate (see note 122), and correspondingly, he gave Antoninus a blessing that he would have appreciated himself (*Maharzu*). Alternatively, Rebbi subscribed to the opinion that most people die because of the cold (see above), and he therefore gave Antoninus a blessing that he regarded as particularly useful (*Yefeh To'ar*).

127. See *Tosafos, Bava Basra* 144b (s.v. חוץ מצנים פחים). See Insight Ⓐ.

128. I.e., by not taking care of their health and/or exposing themselves unnecessarily to danger (see *Matnos Kehunah*, et al.).

129. The second, unslaughtered bird is dipped into the blood of the slaughtered bird and then "set free upon the open field" (vv. 6-7).

130. And the bird that is sent away similarly symbolizes that just as the bird has flown away never to return, so the person's *tzaraas* is gone and shall not return (*Matnos Kehunah*). Alternatively, the role of the bird that is set free is to highlight the fact — via contrast — that the slaughtered bird is indeed gone forever and will never return (for

INSIGHTS

Ⓐ **The Cold and the Heat** Is there perhaps something more to this seemingly prosaic exchange between Rebbi and Antoninus?

The Modzitzer Rebbe, *R' Shaul Yedidyah Elazar Taub* (1886-1947), suggests something deeper, based on the advice that his illustrious forebear, the Rebbe of Kuzmir, once gave a man who frequently visited an enlightened co-religionist whose religious views had been corrupted. The Rebbe of Kuzmir said: When a house is cold, one can always don another layer of clothing — his Sabbath clothes. If it is still too cold, one can put on as well his festival raiment. But if it is too hot in the house, there is no alternative but to leave the house. If the man you visit is simply lacking in warmth and passion for Torah and holiness, you can seek to warm him with the holy fire of the Sabbath. And if that is insufficient, you can inspire him with the flame that erupts from the sanctity of the festival. But if his house is filled with the burning poison of corrupted views and confused opinions, there is no alternative but to leave the house!

This, explains the Modzitzer Rebbe, was at the heart of the exchange between Rebbi and Antoninus. As is well known, Antoninus secretly converted to Judaism and studied Torah with Rebbi (*Yerushalmi Megillah* 1:11). But on the outside Antoninus' life was that of a Roman emperor, and he lived in the company of a Roman society profoundly antithetical to Jewish life and values. He asked his friend and mentor Rebbi to pray for him and for his inner survival as a Jew.

Rebbi first prayed that Antoninus be protected from the numbing cold that life among the Romans was likely to cast upon his service of God. "I have no need for that prayer," Antoninus replied. "One more covering and the cold goes away." I can always counter that chilling effect with the warmth and holiness of the Sabbath and festivals.

So Rebbi then prayed that his friend be spared from the fires of poisoned views and false opinions. That, agreed Antoninus, was an indispensable blessing. Only Divine assistance could save him from the searing heat of such influences on his sacred and searching soul (*Yisa Berachah, Metzora* pp. 165-166).

ורבי חנינא כדעתיה°, דרבי חנינא ורבי נתן אמרי תרווייהו: תשעים ותשעה בצנה ואחד בידי שמים. ° רב על דהוה שרי בבבל דהוה עינא בישא שכיחא, רבי חנינא על דהוה שרי בצפורי והוה תמן צנתא, אנטונינוס אמר לרבינו הקדוש: צלי עלי, יאאמר ליה: תשתזיב מן צנתא, אמר ליה: יתיר חדא כסו וצנתא אזלה, אמר ליה: תשתזיב מן שרבא, אמר ליה: הא כדו צלי עלי, דכתיב (תהלים יט, ז) "ואין נסתר מחמתו", רבי ישמעאל ברבי נחמן בשם רבי נתן אמר: תשעים ותשעה בשרב ואחד בידי שמים, ורבנן אמרי: תשעים ותשעה בפשיעה ואחד בידי שמים:

ט [יד, ה] "וצוה הכהן ושחט את הצפור האחת", למה שוחט אחת ומניח אחת, לומר לך כשם שאי אפשר לשחוטה לחזור כך אי אפשר לנגעים לחזור, באותה שעה קורא הקדוש ברוך הוא לגיונות שלו ואומר: לא על חנם הכיתי אותו, אלא (ישעיה נז, יז) "בעון בצעו קצפתי ואכהו", רבי אבא בר כהנא אמר: חזר תוביה לתוביה,

חידושי הרש"ש

[ט] רב כהנא אמר חזר תוביה לתוביה. עיין מתנות כהונה. ורלה לומר כי תרגום קיאו תיוביה, וכן הוא בערוך:

באור מהרי"פ

צלאי עלי. ירושלמי סנהדרין פרק י' הלכה ו' עיין שם: [ט] מתנות כהונה ד"ה בעון וכו' תוביה פירש הערוך. ז"ל הערוך ערך תב החמישי, ככלב שב על קיאו (משלי כו, יא), תרגומו היך כלבא דהפיך על תוביה:

עץ יוסף

עינא בישא שכיחא. פירוש שהיה עין הרע שכיח להכי אמר זו עין הרע: צינתא. שהיה שם צינה, והכי איתא בירושלמי (שבת פי"ד ה"ג) פרק שמנה שרצים: אמר ליה. רבי לאנטונינוס כו'. יהי רצון שתנצל מן הצנה ומן הקור: אמר ליה אנטונינוס כו'. מה תפלה היא זו אם קר לך עשה לך כסות אחד יותר והצנה הולכת לה, וחזר ואמר יהי רצון שתנצל מן השרב והחום: אמר ליה הא כדו כו'. הרי בזה התפלל עלי דכתיב כו', ועיין בפרק אלו נערות (כתובות ל, א): בפשיעה. שאינם נזהרים מהקור והחום ורבוי המאכלות והמשגל וכיוצא מהדברים הצריכים זהירות בהנהגת הבריאות: (ט) למה שוחט א' ומניח אחת. בתנחומא (סימן ג) איתא למה שוחט אחת ומשלח אחת אלא אם עשה תשובה אין הצרעת חוזר עליו, ולפי זה יש לפרש שהשאלה למה משלח האחת, ומשני לומר שכשם שזו משולחת ואינה חוזרת כן הצרעת אינו חוזר. וטעות סופר יש כאן וצריך לומר כשם שאי אפשר למשולחת לחזור, ואף על פי שאפשר שתחזור, מכל מקום אין בידו להחזירה: באותה שעה כו'. פירוש כשנתרפא קורא הקדוש ברוך הוא חיילותיו פמליא של מעלה, ואומר לא על חנם הכתי אותו אלא בעון בצעו, אלא שעתה עשה תשובה לכן רפאתיו: קורא הקדוש ברוך הוא לגיונות שלו. מדכתיב התם כה אמר רם ונשא שוכן עד וקדוש שמו מרום וקדוש אשכון, דייק שמדבר עם העליונים: לא על חנם הכתי. קשה וכי חסיד קדוש ברוך הוא דעביד דינא בלא דינא. ויש לומר שמא יחשבו שהיו ממקרי הטבע ברבוי הדם וכיוצא מהסבות הטבעיות, ולפי שכל הדברים ה' יתברך להם סבה ראשונה אמר הכתי: בעון בצעו. אף על פי שעל עשרה דברים נגעים באים כדלקמן, נקט עון הגזל טפי מכולהו מפני שזה נפקד יותר מכולם כמו שאמרו ז"ל (להלן לג, ג) גבי ובלעם בראש כלם: חזר תוביה כו'. סיפיה דקרא וילך שובב, ועל זה קאי ואמר חזר תוביה, פירוש המקיא לקיאו, ופירושו אף שנה באולתו. והוא כי אין הקדוש ברוך הוא פוגע בנפשות תחלה ושולח נגעים על ביתו ובגדיו ולא נתן לבו לשוב, אף על פי כן מקבלו בתשובה אחר כך:

פירוש מהרז"ו

בצפורי דהוות תמן צינתא. כמו שאמרו מגילה (ה, ב) לפורי שיושבת על ראש ההר כלפור, ועל כן היה הרוח שולט בה והקור: תשתזיב מן צנתא. כי רבי היה דר בציפורי, כמו שאמרו בבראשית רבה (נו, ה) והיה צריך בעצמו לברכה זו: בשם רבי נתן. ולעיל אמר דרבי חנינא ורבי נתן דאמרי תשעים ותשע בצינה, אך בירושלמי שבת הגירסא בשם רבי יונתן: בפשיעה. שאינם נשמרים מדבר שמזיק אותם, ופושעים בעצמם: (ט) קורא הקדוש ברוך הוא. דורש כאן ממה שאמר ישעיה (נז, טו) כי כה אמר רם ונשא שוכן עד מרום וקדוש אשכון, (היינו) ופירושו שאומר כן במרום בין המלאכים הקדושים, ואת דכא ושפל רוח להחיות רוח שפלים (שם), היינו לרפא את המצורע, שרוחו שפל בקרבו ותשוב כמת, כי לא לעולם אריב עם המצורע, ולאחר רפואתו ונטהר, ואחר כך (פסוק יז) כתוב עוד, בעון בצעו קצפתי ואכהו הסתר ואקצוף, היינו שאחר שנתרפא מצרעתו חטא עוד הפעם, אז חוזר הצרעת למקומו שעל כן כופל תיבת קצפתי ואכהו הסתר, שהסגירו הכהן, ואחר כך עוד הפעם ואקצוף וילך שובב בדרך לבו, שחוטא עוד הפעם אחר שנרפא, וזהו הדר תוביה לתוביה, ודייק תיבת שובב בכופל הבית"ן, שוב שוב, כמו שכתוב בערוך ערך תב החמישי, ככלב שב על קיאו, תרגומו ככלבא דהפיך על תיוביה, בויקרא רבה פרשת רפאנו בזאת תהיה תורת המצורע עכ"ל, וכוונתו על מאמר זה בפרשה זו שחותם הפרשה בפסוק רפאנו ה', שהקיא נקרא תוביא בארמית, וכן תיבת שוב מתורגם תוב, שהקיא הוא דבר שכבר אכלו דרך הפה, וכשמקיא המאכל שב בדרך שבא בו דרך הפה, והכלב חוזר ואוכל הקיא, וכן הרשע על דבר שכבר לקה בנגעים ונרפא, וחוזר וחוטא והנגעים חוזרים עליו, ועם כל זה כשחוזר ועושה תשובה באמת הקב"ה מקבלו, ואומר עליו דרכיו ראיתי וארפאהו מהנגעים:

מסורת המדרש

יא. ירושלמי סנהדרין פי"א:

אם למקרא

בעון בצעו קצפתי ואכהו הסתר ואקצף וילך שובב בדרך לבו: דרכיו ראיתי וארפאהו ואנחהו ואשלם נחמים לו ולאבליו: בורא ניב שפתים שלום שלום לרחוק ולקרוב אמר ה' ורפאתיו:

(ישעיה נז:יז-יט)

מתנות כהונה

הכי גרסינן רבי חנינא ורבי נתן אמרי תרווייהו: רב על כו'. רב אמר תשעים ותשעה בעין, על שהיה שורה ודר בבבל: דהוות כו'. שהיה עין הרע שכיח: ורבי חנינא. אמר תשעים ותשעה בצנה, על שהיה שורה בציפורי שהיה שם צנה, והכי איתא בירושלמי דפרק (אלו קשרים) [שמונה שרצים (רד"ל)] (שבת פי"ד ה"ג): צלי עלי. התפלל עלי: אמר ליה כו'. יהי רצון שתנצל מן הצינה ומן הקור: אמר ליה אנטונינוס יתיר כו'. מה תפלה היא זו, אם קר לך עשה לך כסות אחת יותר והצנה הולכת לה, וחזר ואמר ליה יהי רצון שתנצל מן השרב וחום: אמר ליה הא כדו כו'. הרי בזה תתפלל עלי דכתיב כו'. ובירושלמי דפרק חלק (סנהדרין פי"א) איתא קצת באופן אחר: תשעים ותשעה בשרב. מתים בשרב: בפשיעה. שאינו שומר את עצמו בדרך הבריאות, ופושע בגופו. ועיין שם פרק המקבל (בבא מציעא קז, ב): [ט] כשם שאי אפשר לשחוטה כו'. והוא דלא שחט שניהם, סימן כשם שפרח הוא כן תפרח הצרעת: לגיונותיו. חיילותיו ופמליא של מעלה: בעון בצעו כו'. סיפיה דקרא, וילך שובב בדרך לבו. ועל זה קאי רבי אבא ואמר הדר תוביה לתוביה, פירוש הערוך (ערך תב החמישי), והכי מוכח בילקוט ישעיה (רמז תלו) הקיא והצואה חוזרת למקום קיא וצואה, ושובב קדריש מלשון שב על קיאו, כלומר הצרעת שב ובא על עסקי דבה ולשון רע, ורבי יהושע בן לוי דרשו לענין בפני עצמו ודריש לשון שטות, מלשון ומשובותיך תוכיחוך (ירמיה ב, יט):

אשד הנחלים

צלי עלי כו' צנתא כו' חמתו. אולי מפני שאז נסע בדרך היה מבקש שיתפלל עליו תפלת הדרך, על כן ביקש עליו שישתזב מן חמה וצינה, השולטים על הרוב בדרך: בפשיעה. שאינו שומר נפשו באכילה מזקת ואויר מעופש וכדומה: [ט] לשחוטה לחזור כו'. ובמה שמניח האחת חיה יתבונן על השחוטה, שהיא אי אפשר לחיות כמוה, כי כל דבר ניכר מהפכו. והענין שאי אפשר לחזור, כלומר מצד הטבע היו חלים בו הצרעת לעולם, כי אין רפואה לאלו החלאים, כי אינם טבעיים כנודע מארבעה מראות הללו, רק שכביכול קורא ללגיונותיו שלו הם פמליא של מעלה, לשדד הטבע ולהסיר צרעתו ממנו, כי רק בעון בצעו קצפתי להכותו כו', ואחר כך דרכיו ראיתיו וארפאהו ואשלם ניחומים לו. הבן זה: חזר תוביה לתוביה. הוא פירוש על וילך שובב בדרך לבו, כי מלת שובב בבנין המרובע, להורות על חוזק פעולתו הרע כמה פעמים. והנה כאשר הרע מתגבר באדם, אז הוא עושה מעשיו הרעים, אף שאינו משתוקק כל כך לזה, וזהו כדמות האוכל מה שהוא מקיא, שאין בו טעם מאומה רק מפני רוב זוללותו אוכלו, כן הוא השובב, אף שרואה שנלקה בעוונו ואין לו הנאה, עם כל זה עושה עוד הפעם מפני שהוא

בְּאוֹתָהּ שָׁעָה קוֹרֵא הַקָּדוֹשׁ בָּרוּךְ הוּא לִגְיוֹנוֹת שֶׁלּוֹ וְאוֹמֵר — **At that moment,** i.e., when the *metzora* is healed of his *tzaraas,* **the Holy One, blessed is He, calls together His legions**[131] **and declares,** לֹא עַל חִנָּם הִכֵּיתִי אוֹתוֹ, אֶלָּא "בַּעֲוֹן בִּצְעוֹ קָצַפְתִּי וְאַכֵּהוּ" — **"I did not strike him** with *tzaraas* **for naught;**[132] **rather,** ***I became angry because of his sinful thievery*** [בִּצְעוֹ];[133] ***I struck him, I*** *hid myself and became angry, because he continued waywardly* [שׁוֹבָב] *in the path of his heart"* (*Isaiah* 57:17).[134] רַבִּי אַבָּא בַּר כָּהֲנָא אָמַר: חָזַר תּוֹבְיָה לְתוֹבֵיהּ — **R' Abba bar Kahana said:** This verse in *Isaiah* is to be understood as expressing the idea that **the vomiter returns to his vomit,**[135]

NOTES

every phenomenon becomes more pronounced through contrasting it to its opposite) (*Eshed HaNechalim*). [For an alternative version of the Midrash that focuses on the *live* bird, see *Eitz Yosef.*]

Once the *metzora* has repented, he is assured that his *tzaraas* will not return. For *tzaraas* is not a natural malady (which can return to a body that has proven to be susceptible to it); it is supernatural, brought — and removed — via direct Divine Providence. See note 134 (*Yefeh To'ar*; see also *Eshed HaNechalim*).

See Insight Ⓐ.

131. I.e., the heavenly hosts (*Matnos Kehunah, Eitz Yosef*). The opening words of the forthcoming citation from *Isaiah* read, *For thus said the exalted and uplifted One, Who abides forever and Whose Name is holy: I dwell on high and [amidst] the holy [ones], etc.* (ibid., v. 15). It is this that leads the Midrash to state that God was speaking to His legions of angels (*Eitz Yosef*; see *Maharzu*, beginning of s.v. קורא הקב"ה).

132. The Midrash appears to be saying that God is vindicating His actions to the angels, informing them clearly that He afflicted the *metzora* because he sinned, and He cured the *metzora* because he repented (see Midrash further). [Such vindication might be necessary specifically when the *metzora* is *healed* because it is then that the angels might think that the *metzora* did not deserve his affliction in the first place (*Yefeh To'ar*).] However, it does not seem possible that the angels would suspect God of acting unjustly. *Yefeh To'ar*, followed by *Eitz Yosef*, therefore suggests as follows: The angels might have thought that the *metzora's* condition had come about through natural causes (that is, God did not actively bring *tzaraas* upon the *metzora*; rather, His role was merely that of First Cause [for God is the First Cause of everything that happens in nature). God's statement, "I did not strike him with *tzaraas* for naught," is to be understood: "I was not merely the First Cause of the *tzaraas* (with the *tzaraas* coming like other natural phenomena); it came *directly* from Me."

133. Though stealing is just one of the ten possible reasons that one is stricken with *tzaraas* (see 17 §3 below), punishment is most forthcoming for the sin of stealing, as our Sages taught in 33 §3 below [expounding the phrase "וּבְצָעַם" בְּרֹאשׁ כֻּלָּם in *Amos* 9:1] (*Eitz Yosef*).

134. The Midrash thus makes the point that the affliction of *tzaraas*, and its cure, come directly from God (*Yefeh To'ar,* cited in note 130).

135. *Matnos Kehunah, Eitz Yosef.* The Midrash is expounding the word שׁוֹבָב in the *Isaiah* verse (with its repetition of the letter ב) as: שׁוּב, שׁוּב, *return, return* or *again, again.* The word שׁוּב, in turn, is written תוּב in Aramaic [the letter ת in Aramaic being equivalent to the letter ש in Hebrew], which is also the Aramaic word for *vomiting* (*Maharzu*). Alternatively, the Midrash is taking the word to mean: *returning* (שָׁב) [*to his vomit*] (*Matnos Kehunah*).

INSIGHTS

Ⓐ This Shall Be the Purification of the Metzora Our Midrash indicates that the purification of the *metzora* is done in a way that indicates that the *tzaraas* shall never return. *Shem MiShmuel* (*Metzora* 5676) explains that this is meant to apply to the *metzora's* internal purification as well, and he thereby explains various other aspects of the purification procedure and our Sages' statements regarding it.

Besides the two birds, the Torah commands (v. 4) that we take for the purification of the *metzora* a stick of cedar wood (עֵץ אֶרֶז), a strip of wool dyed crimson (שְׁנִי תוֹלַעַת), and a twig of hyssop (אֵזֹב) to purify the *metzora. Rashi* (on the verse, from *Tanchuma*) comments: "Cedar wood because the afflictions (of *tzaraas*) come on account of haughtiness [the cedar is a tall and beautiful tree]. What is his remedy, that he should be healed? He should lower himself from his arrogance like a worm [תּוֹלַעַת] and like hyssop [which is a low grass]."

This statement gives rise to several questions. At this point in the process, the *tzaraas* has *already* been healed (v. 3). How, then, are we to understand the words, "What is his remedy, that he should be healed"? And if the *tzaraas* — which is at its root a spiritual malaise — has been healed, then the *metzora* has *already* humbled himself. Why should he now take a stick of cedar to symbolize a haughtiness that he has since abandoned?

Shem MiShmuel explains in the name of his father (*R' Avraham of Sochatchov*, author of the *Avnei Nezer*) that there are various types of humbling. One type occurs when a person contemplates the greatness of God relative to his own lowly origins and state. This type of humbling is intrinsic and lasting. Another type comes when one is being crushed by poverty, pain, and humiliation. This humbling is inferior, for once the suffering is alleviated, the arrogance is likely to return. The humility that the Torah demands of the *metzora* is the former, lasting type.

Yes, the *tzaraas* experience has humbled the *metzora*, and the *tzaraas* has been healed. But the purification process must also ensure that the disease *remains* healed and that it never return. What is his remedy that he should be healed *permanently,* that he shall acquire a true and lasting humility? He shall take with the hyssop a stick of cedar [the latter symbolizing the core of arrogance that his suffering might have suppressed but not eliminated].

This is the teaching of our Midrash: "Why does he slaughter one and leave the other? To teach you that just as the slaughtered bird cannot be restored, so the *tzaraas* cannot return." The purification demanded of the *metzora* is a lasting one. Indeed, this accounts for an anomaly in the wording of verse 2 (pointed out by *Alshich*), which states: זֹאת "תִּהְיֶה" תּוֹרַת הַמְּצֹרָע בְּיוֹם טָהֳרָתוֹ, *This "shall be" the law of the metzora on the day of his purification.* Why the addition of the word תִּהְיֶה, *shall be*? The answer is as stated by our Midrash: The purification of the *metzora* is to be one that *shall be* — one that is lasting, so that the affliction not return.

The *metzora* has been humbled and healed. His humbling has elevated him to new heights. His purification procedure is meant to ensure that he never again descend to the depths of haughtiness.

°וְרַבִּי חֲנִינָא כְּדַעְתֵּיהּ°, °דְּרַבִּי חֲנִינָא וְרַבִּי נָתָן אָמְרֵי תַּרְוַוְיְהוּ: תִּשְׁעִים וְתִשְׁעָה בְּצִנָּה וְאֶחָד בִּידֵי שָׁמַיִם, ° רַב עַל דַּהֲוָה שָׁרֵי בְּבָבֶל דַּהֲוָה עֵינָא בִּישָׁא שְׁכִיחָא, רַבִּי חֲנִינָא עַל דַּהֲוָה שָׁרֵי בְּצִפּוֹרִי וַהֲוָה תַּמָּן צִנְּתָא, אַנְטוֹנִינוּס אָמַר לְרַבֵּינוּ הַקָּדוֹשׁ: צַלֵּי עָלַי, [יא]אָמַר לוֹ: תִּשְׁתְּזֵיב מִן צִנְּתָא, אָמַר לֵיהּ: יַתִּיר חֲדָא כְּסוּ וְצִנְּתָא אָזְלָה, אָמַר לֵיהּ: תִּשְׁתְּזֵיב מִן שְׁרָבָא, אָמַר לֵיהּ: הָא כַּדּוּ צַלֵּי עָלַי, דִּכְתִיב (תהלים יט, ז) "וְאֵין נִסְתָּר מֵחַמָּתוֹ", רַבִּי יִשְׁמָעֵאל בְּרַבִּי נַחְמָן בְּשֵׁם רַבִּי נָתָן אָמַר: תִּשְׁעִים וְתִשְׁעָה בַּשָּׁרָב וְאֶחָד בִּידֵי שָׁמַיִם, וְרַבָּנָן אָמְרֵי: תִּשְׁעִים וְתִשְׁעָה בִּפְשִׁיעָה וְאֶחָד בִּידֵי שָׁמַיִם:

ט [יד, ה] "וְצִוָּה הַכֹּהֵן וְשָׁחַט אֶת הַצִּפּוֹר הָאֶחָת", לָמָּה שׁוֹחֵט אַחַת וּמַנִּיחַ אַחַת, לוֹמַר לְךָ כְּשֵׁם שֶׁאִי אֶפְשָׁר לַשְּׁחוּטָה לַחֲזוֹר כָּךְ אִי אֶפְשָׁר לַנְּגָעִים לַחֲזוֹר, בְּאוֹתָהּ שָׁעָה קוֹרֵא הַקָּדוֹשׁ בָּרוּךְ הוּא לִגְיוֹנוֹת שֶׁלּוֹ וְאוֹמֵר: לֹא עַל חִנָּם הִכֵּיתִי אוֹתוֹ, אֶלָּא (ישעיה נז, יז) "בַּעֲוֹן בִּצְעוֹ קָצַפְתִּי וְאַכֵּהוּ", רַבִּי אַבָּא בַּר כָּהֲנָא אָמַר: חָזַר תּוֹבִיָּה לְתוֹבִיָּה,

עץ יוסף

עינא בישא שכיחא. פירוש שהיה עין הרע שכיח להכי אמר זו עין הרע: **צינתא.** שהיה שם צינה, והכי איתא בירושלמי (שבת פי"ד ה"ג) פרק שמנה שרצים: **אמר ליה.** רבי לאנטונינוס כו'. יהי רצון שתנצל מן הצנה ומן הקור: **אמר ליה אנטונינוס כו'.** מה תפלה היא זו אם קר לך עשה לך כסות אחד יותר והצנה הולכת לה, וחזר ואמר יהי רצון שתנצל מן השרב והחום: **אמר ליה הא כדו כו'.** הרי כזה תתפלל עלי דכתיב כו', ועיין בפרק אלו נערות (כתובות ל, א): **בפשיעה.** שאינם נזהרים מהקור והחום ורבוי המאכלות והמשגל וכיוצא מהדברים הגריכים זהירות בהנהגת הבריאות: (ט) **למה שוחט א' ומניח אחת.** בתנחומא (סימן ג) איתא למה שוחט אחת ומשלח אחת אלא אם עשה תשובה אין הצרעת חוזר עליו, ולפי זה יש לפרש שהשאלה למה משלח האחת, ומשני לומר שכשם שזו משולחת ואינה חוזרת כן הצרעת אינו חוזר. וטעות סופר יש כאן וצריך לומר כשם שאי אפשר למשולחת לחזור, ואף על פי שאפשר שתחזור, מכל מקום אין בידו להחזירה: **באותה שעה כו'.** פירוש כשנתרפא קורא הקדוש ברוך הוא חיילותיו פמליא של מעלה, **ואומר לא על חנם הכתי אותו אלא בעון בצעו,** אלא שעתה עשה תשובה לכן רפאתיו: **קורא הקדוש ברוך הוא לגיונות שלו.** מדכתיב התם כה אמר רם ונשא שוכן עד וקדוש שמו מרום וקדוש אשכון, דייק שמדבר עם העליונים: **לא על חנם הכתי.** קשה וכי חשיד קדוש ברוך הוא דעביד דינא בלא דינא. ויש לומר שמא יחשבו שהיו ממקרי הטבע ברבוי הדם וכיוצא מהסבות הטבעיות, ולפי שכל הדברים ה' יתברך להם סבה ראשונה אמר הכתי: **בעון בצעו.** אף על פי שעל עשרה דברים נגעים באים כדלקמן, נקט עון הגזל טפי מכולהו מפני שזה נפקד יותר מכולם כמו שאמרו ז"ל (להלן לג, ג) גבי ובלעם ברעם כלם: **חזר תוביה כו'.** סיפיה דקרא וילך שובב, ועל זה קאי ואמר חזר תוביה, פירוש המקיא לקיאו, ופירושו אף ששנה באולתו. והוא כי אין הקדוש ברוך הוא פוגע בנפשות תחלה ושולח נגעים על ביתו ובגדיו ולא נתן לבו לשוב, אף על פי כן מקבלו בתשובה אחר כך:

פירוש מהרז"ו

בצפורי דהות תמן צינתא. כמו שאמרו מגילה (ו, ב) לפורי שיושבת על ראש ההר כצפור, ועל כן היה הרוח שולט בה והקור: **תשתזיב מן צנתא.** כי רבי היה דר בציפורי, כמו שאמרו בבראשית רבה (צו, ה) והיה צריך בעצמו לברכה זו: **בשם רבי נתן.** ולעיל אמר דרבי חנינא ורבי נתן דאמרי תשעים ותשע בצינה, אך בירושלמי שבת הגירסא בשם רבי יונתן: **בפשיעה.** שאינם נשמרים מדבר שמזיק אותם, ופושעים בעצמם: (ט) **קורא הקדוש ברוך הוא.** דורש כאן ממה שאמר ישעיה (נז, טו) כי כה אמר רם ונשא שוכן עד מרום וקדוש אשכון (היינו) ופירושו שאומר כן במרום בין המלאכים הקדושים, ואת דכא ושפל רוח להחיות רוח שפלים (שם), היינו לרפא את המצורע, שרוחו שפל בקרבו וחשוב כמת, כי לא לעולם אריב עם המצורע, ולאחר רפואתו ונטהר, ואחר כך (פסוק יז) כתוב עוד, בעון בצעו קצפתי ואכהו הסתר ואקצוף, היינו שאחר שנתרפא מצרעתו חטא עוד הפעם, אז חוזר הצרעת למקומו שעל כן כופל תיבת קצפתי ואכהו הסתר, שהסגירו הכהן, ואחר כך עוד הפעם ואקצוף וילך שובב בדרך לבו, שחוטא עוד הפעם אחר שנרפא, וזהו חזר תוביה לתוביה, ודייק תיבת שובב בכופל הבית"ן, שוב שוב, כמו שכתוב בערוך ערך תב החמישי, ככלב שב על קיאו, תרגומו ככלבא דהפיך על תיוביה, בויקרא רבה פרשת רפאהו בזאת תהיה תורת המצורע עכ"ל, וכוונתו על מאמר זה בפרשה זו שחותם הפרשה בפסוק רפאתו ה', שהקיא נקרא תוביה בארמית, וכן תיבת שוב מתורגם תוב, שהקיא הוא דבר שכבר אכלו דרך הפה, וכשמקיא המאכל שב בדרך שבא בו דרך הפה, והכלב חוזר ואוכל הקיא, וכן הרשע על דבר שכבר לקה בנגעים ונרפא, וחוזר וחוטא והנגעים חוזרים עליו, ועם כל זה כשחוזר ועושה תשובה באמת הקב"ה מקבלו, ואומר עליו דרכיו ראיתי וארפאהו מהנגעים:

חידושי הרש"ש

[ט] **רב כהנא אמר חזר תוביה לתוביה.** עיין מתנות כהונה. ונלע"ד כי תרגום קיאו תיוביה, וכן הוא בערוך:

באור מהרי"פ

צלאי עלי. ירושלמי סנהדרין פרק י' הלכה ו' עיין שם: [ט] **מתנות כהונה ד"ה בעון וכו' תוביה פירש הערוך.** ז"ל הערוך ערך תב החמישי, ככלב שב על קיאו (משלי כו, יא), תרגומו היך כלבא דהפיך על תוביה:

מסורת המדרש

יא. ירושלמי סנהדרין פי"א:

אם למקרא

בַּעֲוֹן בִּצְעוֹ קָצַפְתִּי וְאַכֵּהוּ הַסְתֵּר וְאֶקְצֹף וַיֵּלֶךְ שׁוֹבָב בְּדֶרֶךְ לִבּוֹ: דְּרָכָיו רָאִיתִי וְאֶרְפָּאֵהוּ וְאַנְחֵהוּ וַאֲשַׁלֵּם נִחֻמִים לוֹ וְלַאֲבֵלָיו: בּוֹרֵא נִיב שְׂפָתָיִם שָׁלוֹם שָׁלוֹם לָרָחוֹק וְלַקָּרוֹב אָמַר ה' וּרְפָאתִיו: (ישעיה נז:יז-יט)

מתנות כהונה

הכי גרסינן **רבי חנינא ורבי נתן אמרי תרווייהו: רב על כו'. רב אמר** תשעים ותשעה בעין, על שהיה שורה ודר בבבל: **דהוות כו'.** שהיה עין הרע שכיח: **ורבי חנינא.** אמר תשעים ותשעה בצנה, על שהיה שורה בציפורי שהיה שם צנה, והכי איתא בירושלמי דפרק (אלו קשרים [רד"ל]) [שמונה שרצים] (שבת פי"ד ה"ג): **צלי עלי.** התפלל עלי: **אמר ליה כו'.** יהי רצון שתנצל מן הצינה ומן הקור: **אמר ליה אנטונינוס יתיר כו'.** מה תפלה היא זו, אם קר לך עשה לך כסות אחת יותר והצנה הולכת לה, וחזר ואמר ליה יהי רצון שתנצל מן השרב וחום: **אמר ליה הא כדו כו'.** הרי בזה תתפלל עלי דכתיב כו'. ובירושלמי דפרק חלק (סנהדרין פי"א) איתא קצת באופן אחר: **תשעים ותשעה בשרב.** מתים בשרב: **בפשיעה.** שאינו שומר את עצמו בדרך הבריאות, ופושע בגופו. ועיין סוף פרק המקבל (בבא מציעא קז, ב): [ט] **כשם שאי אפשר לשחוטה כו'.** והוא דלא שחט שניהם, סימן כשם שפרח הוא כן תפרח הצרעת: **לגיונותיו.** חיילותיו ופמליא של מעלה: **בעון בצעו כו'.** סיפיה דקרא, וילך שובב בדרך לבו. ועל זה קאי רבי אבא ואמר חזר תוביה לתוביה, פירוש הערוך (ערך תב החמישי), והכי מוכח בילקוט ישעיה (רמז תמ) הקיא והלואה חוזרת למקום קיא ולואה, ושובב קדרים מלבון שב על קיאו, כלומר הצרעת שב ובא על עסקי דבה ולשון רע, ורבי יהושע בן לוי דרשו לענין בפני עצמו ודריש לשון שטות, מלבון ומשובותיך תוכיחך (ירמיה ב, יט):

אשד הנחלים

צלי עלי כו' צנתא כו' חמתו. אולי מפני שאז נסע בדרך היה מבקש שיתפלל עליו תפלת הדרך, על כן ביקש עליו שישתזב מן חמה וצינה, השולטים על הרוב בדרך: **בפשיעה.** שאינו שומר נפשו באכילה מזקת ואויר מעופש וכדומה: [ט] **לשחוטה לחזור כו'.** ובמה שמניח האחת חיה יתבוננו על השחוטה, שהיא אי אפשר לחיות כמוה, כי כל דבר ניכר מהפכו. והענין שאי אפשר לחזור, כלומר מצד הטבע היו חלים בו הצרעת לעולם, כי אין רפואה לאלו החלאים, כי אינם טבעיים כנודע מארבעה מראות הללו, רק שכביכול קורא ללגיונותיו שלו הם פמליא של מעלה, לשדד הטבע ולהסיר צרעתו ממנו, כי רק בעון בצעו קצפתי להכותו כו', ואחר כך דרכיו ראיתיו וארפאהו ואשלם ניחומים לו. הבן זה: **חזר תוביה לתוביה.** הוא פירוש על וילך שובב בדרך לבו, כי מלת שובב בבנין המרובע, להורות על חוזק פעולתו הרע כמה פעמים. והנה כאשר הרע מתגבר באדם, אז הוא עושה מעשיו הרעים, אף שאינו משתוקק כל כך לזה, וזהו כדמות האוכל מה שהוא מקיא, שאין בו טעם מאומה רק מפני רוב זוללותו אוכלו, כן הוא השובב, אף שרואה שנלקה בעוונו ואין לו הנאה, עם כל זה עושה עוד הפעם מפני שהוא

"כְּמָא דְאַתְּ אָמַר "כְּכֶלֶב שָׁב עַל קֵאוֹ — **as in the verse,** ***Like a dog who returns to his vomit,*** *[so is] a fool who repeats his foolishness* (*Proverbs* 26:11).[136] רַבִּי יְהוֹשֻׁעַ בֶּן לֵוִי אָמַר: הָדֵר שַׁטְיָא לְאוֹרַח "שְׁטוּתֵיהּ, כְּמָא דְאַתְּ אָמַר "כְּסִיל שׁוֹנֶה בְאִוַּלְתּוֹ — **R' Yehoshua ben Levi said: The fool returns to the way of his foolishness, as it states,** ***a fool who repeats his foolishness*** (ibid.).[137]

The Midrash expounds the next verses in the *Isaiah* passage, like verse 17 cited above, with reference to the *metzora*:[138]

"דְּרָכָיו רָאִיתִי וְאֶרְפָּאֵהוּ וְאַנְחֵהוּ וַאֲשַׁלֵּם נִחוּמִים לוֹ וְלַאֲבֵלָיו" — ***But when I see his contrite ways, I will heal him; I will guide him and recompense him "and his mourners" with consolations*** (*Isaiah* ibid., v. 18). אֵלּוּ אֵיבָרָיו הַמִּתְאַבְּלִים עָלָיו — **These** are an allusion to **his limbs that mourn over him.**[139]

"בּוֹרֵא נִיב שְׂפָתַיִם" — ***I create the speech of the lips,*** *etc.* (ibid., v. 19) — רַבִּי יְהוֹשֻׁעַ בֶּן לֵוִי אָמַר: אִם הֵנִיבוּ שְׂפָתָיו שֶׁל אָדָם בִּתְפִלָּה יְהֵא מוּבְטָח שֶׁנִּשְׁמְעָה תְּפִלָּתוֹ — **R' Yehoshua ben Levi commented: If a person's prayer is fluent in his mouth, he can be confident that his prayer was heard.** מַאי טַעְמָא — **What is the proof** of this? "בּוֹרֵא נִיב שְׂפָתַיִם שָׁלוֹם שָׁלוֹם וְגוֹ'" — ***I create the speech of the lips: "Peace, peace,*** *for the far and the near," said HASHEM, "and I will heal him."*[140] רַבִּי יְהוֹשֻׁעַ בַּר נַחְמָנִי אוֹמֵר: אִם כִּוֵּן לִבּוֹ בִּתְפִלָּה הוּא מוּבְטָח שֶׁנִּשְׁמְעָה תְּפִלָּתוֹ — A related teaching: **R' Yehoshua bar Nachmani said: If one had** proper **intent in prayer, he can be confident that his prayer was heard,** שֶׁנֶּאֱמַר "תָּכִין לִבָּם תַּקְשִׁיב "אָזְנֶךָ — **for it states,** ***guide their heart; let Your ear be attentive*** (*Psalms* 10:17).[141]

The Midrash resumes its exposition of verse 19 in the *Isaiah* passage:

"שָׁלוֹם שָׁלוֹם", כַּד שְׁלִימִין מִינֵּיהּ זַכְיָה — The next words, ***Peace, peace,*** intimate that **once [the** ***metzora's*****] punishment has been exacted, he is absolved.** "לָרָחוֹק" — The next words are ***for the far*** *and the near.* רַבִּי הוּנָא וְרַבִּי יוּדָן בְּשֵׁם רַבִּי אַחָא — **R' Huna and R' Yudan** taught **in the name of R' Acha:** זֶה מְצוֹרָע, שֶׁהָיָה רָחוֹק וְנִתְקָרֵב — **This is** an allusion to **the** ***metzora,*** **who was far and** then **became near;**[142] "אָמַר ה' וּרְפָאתִיו", וְאַסֵּינֵיהּ לֵיהּ לְגַרְמִי — ***said HASHEM, "and I will heal him"*** (ibid.), meaning that God says, **"I will heal [the** ***metzora*****] by Myself,"** i.e., without the intercession of an angel,[143] שֶׁנֶּאֱמַר "רְפָאֵנִי ה' וְאֵרָפֵא הוֹשִׁיעֵנִי וְאִוָּשֵׁעָה וְגוֹ'" — **for it states** elsewhere (*Jeremiah* 17:14), ***Heal me, HASHEM, and I will be healed; save me, and I will be saved;*** *for You are my praise.*[144]

NOTES

136. The *metzora* is thus described as returning to the ravages of his sins again and again.

The *metzora* is known to be someone who has sinned repeatedly, because according to the Sages (below, 17 §4; *Tanchuma, Tazria* §10, *Metzora* §4) God does not bring *tzaraas* upon an individual the first time he commits the sin that bears this punishment. Rather, He first brings *tzaraas* upon the sinner's house, followed by his clothing, and only if he continues to sin does He bring it upon his person. However, despite his repeated sins, if he repents sincerely God will accept his repentance (*Eitz Yosef*), as stated in the continuation of the *Isaiah* passage, cited shortly by the Midrash (*Maharzu*, end of s.v. קורא הקב"ה).

137. It is unclear what R' Yehoshua ben Levi is adding to what R' Abba bar Kahana already said (*Yefeh To'ar*). Perhaps R' Yehoshua ben Levi is making the point that the sinner's behavior is irrational and *even so* he continues to sin.

138. See *Maharzu* for how verses 15-16 in the *Isaiah* passage are to be understood according to the Midrash.

139. Besides the actual *tzaraas* with which the *metzora* is afflicted, he also suffers from the disfigurement, and sometimes even the loss of various limbs, particularly his ears and nose, and sometimes even his hands (*Yefeh To'ar* and *Eitz Yosef*, from *Kesubos* 20b). The limbs are thus described as mourners who bemoan their loss (*Yefeh To'ar, Eitz Yosef*).

[The phrase "limbs that mourn over him" seems inapt, for to the contrary, it would seem that the **metzora** would be in mourning over his *limbs. Eshed HaNechalim* explains that the limbs are mourning over the *metzora's* evil deeds that led to their being smitten.]

140. The Midrash relates the word בּוֹרֵא, *I create*, to בָּרִיא, *strong* or *sound*, and interprets the verse homiletically to mean that when prayer is sound and sure there will surely be peace and healing (*Rashi* to *Berachos* 34b s.v. בורא, in explanation of a parallel teaching there, cited by *Yefeh To'ar*; see also *Eitz Yosef*). This verse appears in the *Isaiah* passage (which, according to our Midrash, is talking about a *metzora*) because the *metzora's* salvation was presumably brought about through prayer. In passing, the Midrash informs us of R' Yehoshua ben Levi's teaching based on the same verse (*Yefeh To'ar, Eitz Yosef*).

141. Even the greatest of men often found it difficult to pray with proper intent (see e.g., *Yerushalmi Berachos* 2:10, cited by *Eitz Yosef*; see also *Tosafos* to *Bava Basra* 164b s.v. עיון תפלה). Therefore, when one feels his prayers were "guided" properly from Above, he can be confident that since he was deemed worthy of God's assistance, his prayers will be answered (*Eitz Yosef*, quoting *Yefeh Mareh*). The *Psalms* verse is thus to be understood as follows: *Guide their heart* by removing all the distractions that keep them from focusing during prayer; then *Your ear will be attentive* to their requests (ibid., from *Radak* ad loc.).

142. While he was afflicted with *tzaraas* the *metzora* was obligated to sit outside of the city in isolation (13:46) and was thus kept at a distance from other people. Now that his *tzaraas* was healed, and he was again permitted to join the rest of society, he has been "brought near" (*Eitz Yosef*).

143. *Matnos Kehunah, Eitz Yosef*; see, however, *Maharzu*. [The entire verse reads: *I create the speech of the lips: "Peace, peace, for the far and the near," said HASHEM, "and I will heal him."* The Midrash is expounding the words *"said HASHEM"* as part of a separate clause together with the words *"and I will heal him"* (*Eitz Yosef*).]

144. It is the concluding phrase of this verse (*"for You are my praise"*) that proves that sometimes God Himself heals a person, without using intermediaries (see *Eitz Yosef*). Alternatively, it is the phrase *Heal me, HASHEM, "and I will be healed"* that proves this, for as the *Zohar* comments (Vol. III, pp. 304b-305a, in connection with this verse), only God's cures are always reliable and permanent; the cures of His messengers often are not (see *Matnos Kehunah*).

חידושי הרד"ל

[ט] **תקשיב אזנך שלום שלום כד שלימו מיניה זכיא לרחוק כו'.** כן צריך לומר. ופירושו דדרש שלום הראשון לשון תשלומין, (וכיוצא בזה להלן פרק י"ז שלום רשעים), כשנפרעו ממנו נעשה זכאי וקורא לו הקב"ה לשלום: **לרחוק רב הונא כו' מצורע שהיה רחוק ונתקרב אמר ה' כו'.** כן צריך לומר:

חידושי הרש"ש

רב הונא ור' יודן בשם ר' אחא וכו' שהיה רחוק ונתקרב. שמשתלח חוץ לג' מחנות:

עץ יוסף

בכלב שב על קיאו. ומתרגמינן איך כלבא דהפיך על תוביה: **הדר שטיא כו'.** פירוש חזר השוטה לדרך שטות: **אלו אבריו כו'.** שמלבד חולי הנגע אשר בגופו יש רעה בקצת אבריו ביחוד, כאזנים והחוטם שהם נופלים מהמצורע, ופעמים ידיהם, ועל לער זה הוו להו כאבלים המתאבלים בלערן: **אם הניבו כו'.** פירוש שהתפלה שגורה בפיו סימן טוב הוא לו. ומשום דמצורע מסתמא על ידי תפלה מתרפא מזכיר התפלה בכאן, ואגב אורחיה אשמועינן שאם התפלה שגורה בפיו סימן טוב הוא לו: **מאי טעמא בורא ניב כו'.** כשהניב בריא על האדם אז מובטח לו על השלום: **אם כיון לבו כו'.** לפי שרחוק שיכוין אדם מאד בתפלתו שאפילו גדולי החכמים היו אומרים אגב מגילא אפרוחייא כו' כדאיתא בירושלמי פרק היה קורא (ברכות פ"ב ה"ז), הילכך מן השמים הוא שיסייעוהו להיות לו בשורה לקבלת תפלתו (יפה מראה): **תבין לבם כו'.** והכי פירושו תסיר מלבם טרדת העולם, ואז תעורר להכין לבם אליך בכוונה, ואז תקשיב עיניך לתפלתם כפירוש הרד"ק: **כבר שלמייה מיניה זכייה.** כן הוא הנוסחא הישנה, ופירש היפה תואר כבר נפרע ממנו חטאתו וזוכה בדינו מעתה: **אם לרחוק.** תיבת אם מיותר (אות אמת), ומתיבת לרחוק הוא התחלת המאמר: **שהיה רחוק ונתקרב.** פירוש שהיה רחוק מאנשים כדכתיב בדד ישב, ונתקרב: **ואסיניה ליה לגרמיה.** פירוש שה' בעצמו היה מרפאו, ודייק לה מאמר ה': **שנאמר רפאני ה'.** זה לראיה כי פעמים ה' בעצמו המרפא ולא על ידי מלאך, והא ראיה מסיפיה דכתיב כי תהלתי אתה דמשמע ליה תהלתי ברפואתי הוא שאתה בעצמך הוא המרפא:

מדרש רבה

כְּמָא דְאַתְּ אָמַר (משלי כו, יא) **"כְּכֶלֶב שָׁב עַל קֵאוֹ", רַבִּי יְהוֹשֻׁעַ בֶּן לֵוִי אָמַר: הָדַר שָׁטְיָא לְאוֹרַח שְׁטוּתֵיהּ, כְּמָא דְאַתְּ אָמַר** (שם) **"כְּסִיל שׁוֹנֶה בְּאִוַּלְתּוֹ",** (ישעיה שם יח) **"דְּרָכָיו רָאִיתִי וְאֶרְפָּאֵהוּ וְאַנְחֵהוּ וַאֲשַׁלֵּם נִחוּמִים לוֹ וְלַאֲבֵלָיו", אֵלּוּ אֵיבָרָיו הַמִּתְאַבְּלִים עָלָיו,** (שם שם יט) **"בּוֹרֵא נִיב שְׂפָתָיִם", רַבִּי יְהוֹשֻׁעַ בֶּן לֵוִי אָמַר: אִם הֵנִיבוּ שְׂפָתָיו שֶׁל אָדָם בִּתְפִלָּה** [יב] **יְהֵא מוּבְטָח שֶׁנִּשְׁמַעַת תְּפִלָּתוֹ, מַאי טַעְמָא, "בּוֹרֵא נִיב שְׂפָתַיִם שָׁלוֹם שָׁלוֹם וְגוֹ' ", רַבִּי יְהוֹשֻׁעַ בַּר נַחְמָנִי אוֹמֵר: אִם כִּוֵּן לִבּוֹ בַּתְּפִלָּה הוּא מוּבְטָח שֶׁנִּשְׁמַעַת תְּפִלָּתוֹ, שֶׁנֶּאֱמַר** (תהלים י, יז) **"תָּכִין לִבָּם תַּקְשִׁיב אָזְנֶךָ", ° כַּד שְׁלִימִין מִינֵיהּ זַכָּיָה,** (ישעיה שם שם) **"לָרָחוֹק" רַבִּי הוּנָא וְרַבִּי יוּדָן בְּשֵׁם רַבִּי אַחָא: זֶה מְצוֹרָע, שֶׁהָיָה רָחוֹק וְנִתְקָרֵב,** (שם) **"אָמַר ה' וּרְפָאתִיו", וְאַסְּיֵהּ לֵיהּ לְגַרְמֵי, שֶׁנֶּאֱמַר** (ירמיה יז, יד) **"רְפָאֵנִי ה' וְאֵרָפֵא הוֹשִׁיעֵנִי וְאִוָּשֵׁעָה וְגוֹ' ":**

פירוש מהרז"ו

אלו האברים שמתאבלים. מדקאמר לו ולאבליו, ואין ניחומים אלא על האבלות שעל המת, והוא עדיין חי, על כן דורש על גופו ואבריו, שהמצורע הוא אחד מארבעה שחשובים כמתים בחייהם, והם המתאבלים על מתיהם כשנרפא מן הצרעת: **כד שלמין מיניה זכיה.** גירסא זו צריך עיון איך דורש תיבת שלום לרעה, ששלם ותם ממנו הזכות, ויתכן שתיבת מיניה הוא טעות סופר, ופירושו למי שומע תפלתו, למי ששלם בזכיותיו שעושה תשובה שלמה, ומה שכתב לרחוק, אין פירושו שהוא עתה רחוק, אם כן לא היה מקבל תפלתו, אלא פירוש שהיה רחוק בעבור חטאו ונתרחק בנגעים, בדד ישב מחוץ למחנה וטמא טמא יקרא (ויקרא יג, מו): **ואסיני ליה לגרמיה.** ארפא אותו בזכות עצמו, מאחר ששב בתשובה שלימה, וכן הפירוש בפסוק (ירמיה יז, יד) רפאנו ה' וארפא, שיהיה הרפואה בעבור עצמו לבד, וכן הושיעני ואושעה:

מסורת המדרש

יב. ברכות ל"ד ע"ב ובירושלמי סו"פ אין עומדין:

אם למקרא

תַּאֲוַת עֲנָוִים שָׁמַעְתָּ ה' תָּכִין לִבָּם תַּקְשִׁיב אָזְנֶךָ: (תהלים י:יז)

רְפָאֵנִי ה' וְאֵרָפֵא הוֹשִׁיעֵנִי וְאִוָּשֵׁעָה כִּי תְהִלָּתִי אָתָּה: (ירמיה יז:יד)

ידי משה

[ט] **לרחוק רב הונא ורבי יודן וכו'.** ומילת לרחוק קדרים. אבל מתנות כהונה מושך מלת לרחוק אלעיל [כד שלימין מיניה זכיה לרחוק], ופירש מה שפירש:

שינוי נוסחאות

(ט) **כד שלימין מיניה זכיה.** לפני זה צריך לגרוס "שלום שלום", כך הגיה רד"ל. וכן היה כתוב באמת בספרים הישנים (וכן כתוב בכי"י), ובדפוס קראקא השמיטו תיבות אלו (אולי בטעות, כי לא נמצא בשום מפרש שיש למחקו), וכל המדפיסים העתיקו משם: **ואסיניה ליה לגרמי.** בדפוס וילנא כתוב "לגרמיה", וכן היה באמת בד"ר (וכן הוא בכל הכי"י), אבל כבר בד' ונציא כתבו "לגרמי" וכן העתיקו בכל הדפוסים אח"כ (חוץ מוילנא כאמור), ומ"כ כתב פירושו על בסיס גרסא זו:

מתנות כהונה

הכי גרסינן מובטח שנשמעת כו' מאי טעמא בורא ניב שפתים וגו' רבי יהושע בר נחמני אמר אם כוון לבו בתפלה יהא מובטח כו' שנאמר תבין לבם כו'. כן הוא בילקוט תהלים והכי מוכח פרק אין עומדין (ברכות לד, ב) שהביא פסוק זה בורא ניב שפתים על ההוא עובדא דרבי חנינא בר דוסא שאמר אם שגורה תפלתי בפי יודע אני שהיא מקובלת, וכן בירושלמי בפרק אין עומדין, וכן מוכח גם כן כאן. וקל להבין: **כבר שלמין כו'.** הרואה יראה לעיניים שטעות סופר יש כאן, והפכתי בכל הצדדים ולא מצאתי, ונראה דהכי גרסינן כד שלמין מיניה זכיה לרחוק כו'. והכי פירושו אם נתרחק כבר מחמת חטאיו ושלמו לו זכותו, השם יתברך קרוב אליו מצד חסדיו הנאמנים, כמו שדרשו חז"ל (ראש השנה יז ב) אני הוא קודם שיחטא ואני הוא לאחר שחטא אם יחזור בתשובה, וכמו שדרשו חז"ל פ' אין עומדין (ברכות לד ב) על פסוק זה בעצמו: **ואסיניה.** ארפאנו בלשון ארמי: **ואסיניה ליה לגרמיה.** פירוש אני בעצמי ארפאנו שאז יהא נרפא בודאי, ומייתי שפיר ראיה מפסוק רפאני, וכמו שדרשו בספר הזוהר (בלק קנג, ב) על פסוק זה שרפואות בשר ודם אינה אמיתית:

אשד הנחלים

מורגל בדרך לבו. הבן המליצה הזאת: **הדר שטיא לאורח שטותיה.** וזהו הסתר ואקצוף, פעם הסתרתי פני ממנו מבלי להענישו, ופעם ואקצוף עוד הפעם עליו, כי הלך שובב בדרך לבו, להלוך עוד הפעם בשטותו. והענין כי דרך רע הוא שטות גדולה מאוד, ורק מצד ההרגל הרע שב עוד הפעם לשטותו, ולכן נקרא שובב שהולך ושב במרוצתו: **איבריו המתאבלים.** כי האיברים נלקים בחולי על ידי מעשיו הרעים, והרי הוא כאלו מתאבלים על מעשיו שעל ידי זה נלקו: **אם הניבו כו'.** כמו שאמרו בברכות (לד, ב) אם שגורה תפלתי בפי יודע אני שהוא מקובל. והשגירה תלויה על ידי כוונה הראויה, שעל ידי זה נתעורר לבו ומתלבש ברוח טהור, עד שיהיו שפתותיו דובבות מעצמו ואז הוא מושגח ונעלה מכל הטבע: **כד שלימין כו'.** עיין במתנות כהונה. והידי משה פירש כי לרחוק קאי אלמטה על ר' הונא ור' יודן, ולפי דבריו לא ידעתי באורו של כד שלימין כו'. והיפה תואר גרס כבר שלמין, ופירש כבר נפרע ממנו חטאתו וזכה בדינו מעתה. ולי נראה משום דהוקשה לו על מלת תכין לנוכח, והיה לו לומר יכינו לבם, ואם ה' מכין את לבותם לטוב, אם כן מדוע מקשיב לקולם אחר שאין זה מהם, ולכן מפרש שכד שלמין, כלומר כששלם לבם עמו אז מיניה (וביה), **זכיא,** זכותו, כי ה' עוזר לשבים עדיו, אם כן הזכות ממנו יתברך שפותח להם ההכנה הראויה. וגם זה דוחק: **זה מצורע.** מפני שאחר כך כתיב ורפאתיו קדייק, ומפני שאמר לעיל שאין הקב"ה חפץ בקלוסן של רשעים, שנאמר ועל שפם יעטה, ולכן כתיב כאן שבורא ניב שפתים, שאז בעת שיטהרו, אז יברא ניב שפתם תודה לה' ויחפוץ קלוסם, ואז יהיה שלום לרחוק שנתרחק ממושבו, כמו שכתוב בדד ישב, ואז ורפאתיו ועיין לעיל: **ואסיניה כו'.** פירוש אני בעצמי. מתנות כהונה. וזהו כמו שפרשתי לעיל, שאין נמצא רפואה טבעית לזה, זולתי בעזר ה' בהשגחה ניסית ועיין לעיל:

Chapter 17

כִּי תָבֹאוּ אֶל אֶרֶץ כְּנַעַן אֲשֶׁר אֲנִי נֹתֵן לָכֶם לַאֲחֻזָּה וְנָתַתִּי נֶגַע צָרַעַת בְּבֵית אֶרֶץ אֲחֻזַּתְכֶם.

When you arrive in the land of Canaan that I give you as a possession, and I will place a tzaraas affliction upon a house in the land of your possession (14:34).

§1 כִּי תָבֹאוּ אֶל אֶרֶץ כְּנַעַן . . . וְנָתַתִּי נֶגַע צָרַעַת בְּבֵית אֶרֶץ אֲחֻזַּתְכֶם — ***WHEN YOU ARRIVE IN THE LAND OF CANAAN*** *THAT I GIVE YOU AS A POSSESSION,* ***AND I WILL PLACE A TZARAAS AFFLICTION UPON A HOUSE IN THE LAND OF YOUR POSSESSION.***

By beginning with the words *When you arrive in the land of Canaan that I give you as a possession*, an otherwise joyous expression, Scripture implies that *tzaraas* afflictions in the Land of Israel are actually a cause for joy. Perforce, this is because these afflictions serve to awaken Israel to repent their evil ways and to gain thereby atonement for their sins. Accordingly, the Midrash cites a passage in *Psalms* that alludes to *tzaraas* as an affliction unique to Israel for their benefit, as the Midrash will conclude at the end of this section:[1]

הֲדָא הוּא דִכְתִיב ״אַךְ טוֹב לְיִשְׂרָאֵל אֱלֹהִים לְבָרֵי לֵבָב״ — **Thus it is written, *God is truly good to Israel, to the pure of heart*** (*Psalms* 73:1).[2] יָכוֹל לַכֹּל — **You might have thought** based on the expression, *God is truly good to Israel*, that God's actions are exclusively good **toward *all*** of Israel.[3] תַּלְמוּד לוֹמַר ״לְבָרֵי לֵבָב״, אֵלּוּ שֶׁלִּבָּן בָּרִי בַּמִּצְוֹת — Therefore **Scripture teaches** you, by adding the words ***to the pure of heart,*** that God's actions are exclusively good only to **those whose hearts are pure in** their performance of His **commandments.**[4] Those less pure, however, will occasionally be afflicted, in order to cleanse them of their sins so that they may merit the World to Come.[5]

The Midrash proceeds to cite five other examples in which Scripture qualifies God's promise by limiting it to those who serve Him sincerely. The first example:

״אַשְׁרֵי אָדָם עוֹז לוֹ בָךְ״ — Scripture states, ***Fortunate is the man whose strength is in You*** (ibid. 84:6), referring to the man who studies Torah, which is elsewhere called "strength."[6] יָכוֹל לַכֹּל — Now, **you might think** based on these words that such fortune is reserved **for anyone** who studies Torah. תַּלְמוּד לוֹמַר ״מְסִלּוֹת בִּלְבָבָם״, אֵלּוּ דִשְׁבִילִין דְּאוֹרַיְיתָא כְּבִישִׁין בְּלִבְּהוֹן — Therefore **Scripture teaches** you, by adding the words "those who possess ***paths in their hearts,***" that such good fortune is reserved only for **those in whose hearts the paths of the Torah have been well trodden.**[7]

The second example:

״הֵיטִיבָה ה׳ לַטּוֹבִים״ — Scripture states, ***Do good, HASHEM, to good people*** (ibid. 125:4), meaning that God should grant success to those who seek the public good. יָכוֹל לַכֹּל — Now, **you might think** based on these words that God will surely help **all [such individuals]** to succeed, even those whose motives are selfish.[8] תַּלְמוּד לוֹמַר ״וְלִישָׁרִים בְּלִבּוֹתָם״ — Therefore **Scripture teaches** you, by adding the words ***and to the upright in their hearts,*** that God guarantees to help only those individuals whose intentions are for the sake of Heaven, and not those who have ulterior motives.

The third example:

״טוֹב ה׳ לְמָעוֹז בְּיוֹם צָרָה״ — Scripture states, ***HASHEM is beneficent, a stronghold on the day of distress*** (*Nahum* 1:7). יָכוֹל לַכֹּל — Now, **you might think** based on these words that God is beneficent **to all,** and will always perform miracles to save even those who are unworthy of being saved.[9] תַּלְמוּד לוֹמַר ״וְיֹדֵעַ חֹסֵי בוֹ״ — Therefore **Scripture teaches** you, by adding the words ***and mindful of those who take refuge in Him,*** that God guarantees to save only those whose intentions are for the sake of Heaven.[10]

The fourth example:

״טוֹב ה׳ לְקֹוָו״ — Scripture states, ***HASHEM is good to those who trust in Him*** (*Lamentations* 3:25). יָכוֹל לַכֹּל — Now, **you might think** based on these words that God is good **to all** those who trust in Him, even those who place their trust in Him for ulterior motives.[11] תַּלְמוּד לוֹמַר ״לְנֶפֶשׁ תִּדְרְשֶׁנּוּ״ — Therefore **Scripture teaches** you, by adding the words ***to the soul that seeks Him,*** that God guarantees to be good only toward those who place their trust in Him as a means of developing a closeness with Him, and not toward those who place their trust in Him for the purpose of satisfying their own needs.[12]

The fifth and final example:

״קָרוֹב ה׳ לְכָל קֹרְאָיו״ — Scripture states, ***HASHEM is close to all who call upon Him*** (*Psalms* 145:18). יָכוֹל לַכֹּל — Now, **you might think** based on these words that God is close to **all** those who call upon Him in prayer, even those who are unworthy.

NOTES

1. *Yefeh To'ar*, second explanation; *Maharzu* at the end of this section; see also *Eitz Yosef*.

2. As mentioned in our introductory paragraph, the Midrash will understand this passage in *Psalms* as alluding to *tzaraas* as a benefit. Accordingly, our Midrash prefaces its quote from the psalm with the words "thus it is written." The Midrash will expound the opening verses of the psalm.

3. The Midrash understands the expression אַךְ טוֹב to mean *exclusively good*. However, should this be the case regarding all of Israel, it would be contradictory to the object of the Midrash, which is to convey (based on our verse in *Leviticus* and on a verse further in this psalm) the concept of Israel's occasional affliction to atone for their sins (*Yefeh To'ar*, second explanation; see also *Eitz Yosef*).

4. A reference to those who fulfill God's will strictly for His sake and without any ulterior motive, such as, for example, in order to receive reward (*Eitz Yosef*).

5. This refers even to those who are righteous but serve God for ulterior motives; the common folk, who have committed actual sins, must be afflicted sometimes in order to atone for their sins (ibid.).

6. As it states, *HASHEM will give might* (עֹז) *to His nation* (*Psalms* 29:11), a reference to the Torah (see *Zevachim* 116a).

7. I.e., he who has mastered the give-and-take of the Oral Law to the point where he can accurately arrive at the correct ruling for any given query. Alternatively, the "paths" refer to the methods and mnemonics used to memorize and retain that which has been studied (see *Eruvin* 54b), akin to that which is taught elsewhere (*Pesachim* 50a), *Fortunate is he who comes here* (i.e., to the Next World) *and his learning is in his hand* (*Eitz Yosef*).

8. Such as one who becomes involved in serving the interests of the public, so that he may also benefit from these services should the need arise (ibid.).

9. I.e., one might think that God guarantees salvation even to unworthy people, simply for the sake of proving that He is capable of saving whomever He wants (ibid.). See next note.

10. At times, however, God may indeed decide to miraculously save even those who are unworthy, in order to display to the world His ability to perform miracles at will, such as when God saved the wicked king Manasseh [see *Yerushalmi Sanhedrin* 10:2] (ibid.).

11. Such as a thief who places his trust in God that he be successful, as taught elsewhere (*Berachos* 63a, according to version found in *Ein Yaakov*): *As people say — a thief at the entrance to the tunnel calls out to the Merciful One* (ibid.).

12. Ibid.

פרשה יז

א [יד, לד] "**כִּי תָבֹאוּ אֶל אֶרֶץ כְּנַעַן ... וְנָתַתִּי נֶגַע צָרַעַת בְּבֵית אֶרֶץ אֲחֻזַּתְכֶם" הָדָא הוּא דִכְתִיב** (תהלים עג, א) **"אַךְ טוֹב לְיִשְׂרָאֵל אֱלֹהִים לְבָרֵי לֵבָב", יָכוֹל לַכֹּל, [א]תַּלְמוּד לוֹמַר "לְבָרֵי לֵבָב", אֵלּוּ שֶׁלִּבָּן בָּרִי בַּמִּצְוֹת,** (שם פד, ו) **"אַשְׁרֵי אָדָם עוֹז לוֹ בָךְ", יָכוֹל לַכֹּל, תַּלְמוּד לוֹמַר** (שם) **"מְסִלּוֹת בִּלְבָבָם", אֵלּוּ דִּשְׁבִילִין דְּאוֹרַיְתָא כְּבִישִׁין בְּלִבְּהוֹן,** (שם קכה, ד) **"הֵיטִיבָה ה' לַטּוֹבִים", יָכוֹל לַכֹּל, תַּלְמוּד לוֹמַר** (שם) **"וְלַיְשָׁרִים בְּלִבּוֹתָם",** (נחום א, ז) **"טוֹב ה' לְמָעוֹז בְּיוֹם צָרָה", יָכוֹל לַכֹּל, תַּלְמוּד לוֹמַר** (שם) **"וְיֹדֵעַ חֹסֵי בוֹ",** (איכה ג, כה) **"טוֹב ה' לְקוָֹו", יָכוֹל לַכֹּל, תַּלְמוּד לוֹמַר** (שם) **"לְנֶפֶשׁ תִּדְרְשֶׁנּוּ",** (תהלים קמה, יח) **"קָרוֹב ה' לְכָל קֹרְאָיו", יָכוֹל לַכֹּל, תַּלְמוּד לוֹמַר** (שם) **"לְכֹל אֲשֶׁר יִקְרָאֻהוּ בֶאֱמֶת".**

עץ יוסף

(א) **אך טוב לישראל כו'.** משום דקשה ליה דמשמע דבשורה טובה ענין הנגעים שיבא בארצם, מדקאמר הכא כי תבואו אל ארץ כנען אשר אני נותן לכם, לכן בעי לפרש שהנגעים הם באמת לטובתם שעל ידי זה יחזרו בתשובה ולכפר עונותיהם. ולפי שהפסוק אך טוב לישראל כפי פשוטו שמשמע שה' מטיב תמיד לישראל לכאורה הוא סותר זה, [ולא רצה לפרש דאך טוב לעולם הבא כתיב], להכי מפרש דלא קאמר אלא לברי לבב דהיינו הצדיקים הגמורים שלבם ברי במצות, ולא שאין לבם ברי, כי אלו יהיו מתיסרים, וכל שכן סתם ההמון שיש בהם חטא מה, שהם מדוכאים ביסורים לנקותם לעולם הבא, ופירוש שלבן ברי במצות היינו שאין עושים המצות אלא לשם שמים ולא לאיזה פניה או תקות שכר, ומביא דוגמא לזה מחמשה דברים אחרים שאין ה' מבטיח אלא למי שכוונתו שלימה אבל מי שאין כוונתו שלימה פעמים שלא יועיל לו וכדמסיק והולך אחת לאחת: **אשרי אדם עוז לו בך.** רצה לומר שפירושו אשרי לאדם שיש בידו עוז דהיינו התורה דנקראת עוז, וקאמר **יכול לכל**, רצה לומר יכול שכל מי שעוסק בתורה הרבה הוא מאושר, אף על פי שלא יהיה בקי בעיון הלב בה, **תלמוד לומר מסילות בלבבם כו'**, רצה לומר שאינו מאושר לגמרי אלא מי ששבילי התורה גנוזים בלבו והוא היודע דרכי משא ומתן לאמת הדין, ואפשר שהשבילין היינו שיודע דרכים וסימנים להיותם על פיו תמיד, על דרך אשרי מי שבא לכאן ותלמודו בידו: **הטיבה ה' לטובים.** זה מיירי בענין גמילות חסדים והנהגת המדינה, יכול כל מי שדרכו להטיב לרבים ראוי שיהיה ה' מצליח בידו לתועלת הכלל, ואף שהוא לא יכוון לשם שמים רק לתועלתו שישמור סדר המדינות ויעזר גם הוא בעת צרכו, על דרך שלי שלך ושלך שלי, וזהו שאמר **יכול לכל, תלמוד לומר ולישרים בלבותם.** שלא יהיה בטוח העזר האלהי אלא כשכוונתו לשם שמים, וזהו ישרים בלבותם, שישרותם תהיה מכוונת הלב ולא לשמירות סדר המדינות לבד: **טוב ה' למעוז.** זה הקרא מיירי מפרסום כבוד ה', וקאמר **יכול לכל**, פירוש כי כאשר יתפרסם כבוד ה' בעשותו נסים היה ראוי שיעשה מעוז אפילו שלא יהיה מי שיעשה הנס על ידו כראוי, כענין נבוכדנצר וכענין מנשה שענהו ה' כדי שיודע שיכול להציל ולא יאמר כל אפין שוין כדאיתא בפרק חלק (קא, ב גירסת עין יעקב) וזולתם (דברים רבה ב, כ פסיקתא כז, ג), וקאמר **תלמוד לומר ויודע חוסי בו**, רצה לומר שלא תהיה הבטחה אלא לחוסי בו שכוונתו לשם שמים, אבל מי שאין כוונתו לשם שמים אף על פי שעל ידי הצלתו תּוּדַע תגבורת המופת, מכל מקום אינו מובטח מהצלה מהרה: **לקוויו יכול לכל.** פירוש יכול כל אדם מי ששם בטחונו בהקדוש ברוך הוא ה' טוב לו ואפילו גנב דאמרו חכמינו ז"ל (ברכות סג, א גירסת העין יעקב) גנב על פום מחתרתיה רחמנא קריה, תלמוד לומר לנפש תדרשנו פירוש שכוונתו לדרוש את השם, ולא לעבירה למלאות רצונו ותאותו: **קרוב ה' לכל קוראיו יכול לכל.** זה מיירי מתפלה כי מהנראה שראוי שתועיל התפלה אפילו למי שאינו הגון כמו שאמרו ז"ל (ברכות לב, ב עיין שם) גדולה תפלה ממעשים טובים כמה שנאמר וגם אל הנכרי וגו', **תלמוד לומר לכל אשר יקראוהו באמת.** שלא יהיה בטוח בעזר האלהי אלא כשכוונתו לשם שמים:

פירוש מהרז"ו

(א) **ונתתי נגע צרעת.** כל זה באיכה (ג, ט) פסוק טוב ה' לקויו (דף ע"ו): **כבישין בלבהון.** שמה שאמר (תהלים פד, ו) מסלות בלבבם, ואיזה מסלה הוא בלב, ודורש על קיום מצות התורה, ועל לימוד התורה בתמידות, עד שהם כבושים בלב, כמו המסלה הכבושה על ידי הרגלים: **לטובים יכול לכל.** לכל טובי לב בטבעם שנבראו בעלי רכות הלב ורחמנים, אף על פי שאינם מאמינים בתורת השם יתברך, תלמוד לומר ולישרים בלבותם, היא מדריגה גדולה מאד מדרגת האבות, הם שישרו ופשטו עקמימות לבם ונעשו ישרים, וכמו שאמר בלעם (במדבר כג, י) תמות נפשי מות ישרים, כמו שאמרו בבראשית רבה (ו, ט). וכן מעלת דוד כמו שכתוב (דברי הימים א, כט יז) בוחן לבב ומשרים תרצה אני ביושר לבבי התנדבתי וגו': **טוב ה' למעוז.** פירושו על פי מדה ט', שהוא טוב למי שמחזיק למעוז ביום צרה, יכול אפילו לרשעים וכמו שכתוב (ירמיה ב, כז) ובעת רעתם יאמרו קומה והושיענו, תלמוד לומר (נחום א, ז) ויודע חוסי בו, שחוסים בו תמיד ודבקים בו על ידי התורה והמצות, וכן (איכה ג, כה) לנפש תדרשנו, וכן (תהלים קמה, יח) לכל אשר יקראוהו באמת כמבואר, ודרשה זו על פי מדת כלל ופרט, שהרישא דקרא הוא הכלל, וסיפא דקרא הוא הפרט, ואין בכלל אלא מה שבפרט:

חידושי הרד"ל

[א] **אך טוב כו' יכול לכל כו'.** איכה רבה (ג, ט):

אמרי יושר

[א] **לברי לבב.** פירשוהו מלשון בריא וודאות במצות, ואם כן גילה שיש מדרגות בשכר, ובא הכתוב והבדיל התוס שהוא מלב, לאחר שאינו מנפש, אף על פי ששניהם טובים:

ענף יוסף

(א) **כי תבואו אל ארץ כו' הדא הוא דכתיב אך טוב לישראל כו' יכול לכל תלמוד לומר לברי לבב כו'.** לפרש המדרש נקדים מה שכתב הרמב"ם [בפירוש המשניות] פרק י"ב מהלכות נגעים (מ"ה), כילד ראיית הבית, ובא אשר לו הבית והגיד לכהן לאמר כנגע נראה לי בבית, אפילו תלמיד חכם ויודע שהוא נגע ודאי, לא יגזור ויאמר נגע נראה לי בבית, אלא כנגע כו' עד כאן. והקשה התוספות יו"ט למה אסרה התורה מלומר נגע, והלא עד שיאמר הכהן טמא עדיין אין כאן טומאה, גם חקרו המפרשים אם הדין כך בשאר נגעים, שהרמב"ם לא כתב דין זה רק בנגעי בתים, אך יבואר על פי דאיתא לקמן פרשה זו, כי תבואו אל ארץ כנען ונתתי נגע צרעת, תני רבי חייא וכי בשורה היא להם שהנגעים באים עליהם, תני רבי שמעון בר יוחאי כיון ששמעו כנענים שישראל באים עליהם, עמדו והטמינו ממונם בבתים ובשדות, אמר הקדוש ברוך הוא אני הבטחתי לאבותיהם שאני מכניס את בניהם לארץ מלאה כל טוב, שנאמר (דברים ו יא) ובתים מלאים כל טוב, מה הקדוש ברוך הוא עושה, מגרה נגעים בביתו והוא סותרו ומוצא בו סימא עד כאן. והנה לפי זה קשה למה הוצרך התורה לכתוב דין נגעי בתים, אם לא פשה הנגע וטהר את הבית וגו', גם אם פשה בראשון וחלצו אבנים, רק בפעם שניה כתיב אם פשה כו' ונתץ את הבית, ולפי המדרש הנ"ל היה לו לנתוץ מיד בראית הנגע, אך זה אינו דגם אמרו חכמינו ז"ל על שבע דברים נגעים באים, והקדוש ברוך הוא הוא בעל הרחמים, ואינו פוגע בנפשות תחלה, אלא תחלה בבתים, ואם לא חזר בתשובה בא על בגדים, ואחר כך על גופו, כדאיתא כאן במדרש, ולפי זה הוצרך התורה לכתוב דין נגעי בתים כדי לחזור בתשובה, נמצא נגעים באים לטובה אם לא חטא, ולחטאים לרעה, ולזה אמרה תורה שלא יאמר נגע שמכוון שהוא לרעה, אלא כנגע, שלא ידע אם הוא לרעה או לטובה כנ"ל, וכל זה הוא דוקא בנגעי בתים, אבל בשאר נגעים וודאי לאיש חוטא הוא, ויכול לומר נגע, זהו כוונת הרמב"ם. ובזה מבואר כוונת המדרש שהתחלנו בו, כי תבואו אל הארץ וגו', וקשה מה בשורה היא להם, לזה אמר הדא הוא דכתיב אך טוב לישראל כו', פירוש שהיא טובה כתירוץ המדרש הנ"ל, ואמר יכול לכל היא לטובה, ואם כן קשה למה לא צוה התורה לנתוץ מיד כנ"ל, תלמוד לומר לברי לבב, אלו שלבם ברי במצות (מרפא לנפש): **וקרוב ה' לכל כו' אשר יקראוהו באמת.** דייק זה משום דכל הפסוקים שבאשרי חצי פסוק השני מתחיל בוי"ו, ובפסוק זה כתיב לכל אשר יקראוהו בלא וי"ו, שמע מינה שזה חצי פסוק הוא פירוש על חצי פסוק הראשון, קרוב ה' לכל קוראיו לא לכל, אלא לכל אשר יקראוהו באמת:

מתנות כהונה

[א] **כבישין.** טמונים וחקוקים:

אשד הנחלים

[א] **יכול לכל.** כן דרך המדרש כשחפץ לבאר סוף הפסוק מה שכיון בזה, אומר שכוונת הכתוב שלא תדמה כי לכל הוא, לכן מסיים הכתוב לברי לבב: **שלבן ברי כו' אלו דשבילין כו'**, עד **ואני**. הענין הזה הוא רחב ידים לבאר כל דבר בגדרו האמיתי. ואבאר מעט בקצרה, כי הנה האמונה הברה, שלא יפול לבבו באמונה רעה בראותו שלום רשעים והצלחתם וצדיקים ימקו בעניים, אי אפשר לאדם רק כשלבו ברי במצות ה', ואוחז בהם בתמימות ולא יחקור הרבה לדעת סבותם, כי אי אפשר לדעת באמת בשכל האנושי, וזהו אך טוב לישראל, כי ישראל ירגישו שה' טוב להם, ומי המה שירגישו, המה ברי לב במצות ה', ועל כן יתחזקו בבטחונם בתמימות. והנה יש שיתבונן על הרעה שהוא באמת טובה, וכמו שהתנחם אסף בסוף, אך בחלקות תשית למו גו', ואני קרבת אלהים לי טוב וגו', אך מי אשר יחזק בבטחון ה' בעת צרותיו לבלי יפול, אם באמת מרגיש הוא ביסוריו אך עם כל זה הבטחון תעוז להכין אותו, הוא למי אשר אורחות התורה טמונים בלבו, והיא תחזק לאדם הבטחון הגמור. והנה יש אשר באמת יקבלו רק טוב משמים ולא רע, כי אינם צריכים להצרף ולהיזקק על ידי יסורים, כי המה בטבעם ישרים, שלא יבעטו מרוב טובה, ולהם מטיב ה' בטובת העולם הזה גם כן, וזהו הטיבה ה' לטובים אך רק לישרים בלבותם. והנה יש אשר בעת צרתם על ידי בטחונם ומעוזם, ינצלו מצרתם על ידי הבטחון הגדול שהיה להם, וזהו ויודע חוסי בו, שיודע מי הוא הבוטח באמת שעל ידי זה ינצל, ויש שינצל בעת צרה על ידי תפילה ודרישה לה' שיצילנו, וזהו לנפש תדרשנו, ויש אשר יענה על כל בקשתו מה שהוא מבקש, הן טוב הן הצלת הרע, וזהו למי שקורא באמת, כי כל מאוייו הוא מענייני עבודת ה' ואהבתו, שזהו קריאת האמת. ודי בזה למתבונן:

מסורת המדרש

א. שוח"ט מזמור ד':

אם למקרא

מִזְמוֹר לְאָסָף אַךְ טוֹב לְיִשְׂרָאֵל אֱלֹהִים לְבָרֵי לֵבָב: (תהלים עג:א)

אַשְׁרֵי אָדָם עוֹז לוֹ־בָךְ מְסִלּוֹת בִּלְבָבָם: (שם פד:ו)

הֵיטִיבָה ה' לַטּוֹבִים וְלִישָׁרִים בְּלִבּוֹתָם: (שם קכה:ד)

טוֹב ה' לְמָעוֹז בְּיוֹם צָרָה וְיֹדֵעַ חֹסֵי בוֹ: (נחום א:ז)

טוֹב ה' לְקוָֹו לְנֶפֶשׁ תִּדְרְשֶׁנּוּ: (איכה ג:כה)

קָרוֹב ה' לְכָל קֹרְאָיו לְכֹל אֲשֶׁר יִקְרָאֻהוּ בֶאֱמֶת: (תהלים קמה:יח)

תַּלְמוּד לוֹמַר "לְכֹל אֲשֶׁר יִקְרָאֻהוּ בֶאֱמֶת" — Therefore **Scripture teaches** you, by adding the words ***to all who call upon Him sincerely,*** that only those who call upon God with sincere intent are assured that God will hearken to their prayers.[13]

NOTES

13. Others, however — while God may at times answer their prayers — are not guaranteed that He will do so (ibid). See Insight Ⓐ.

INSIGHTS

Ⓐ **My Help Is From the Lord** The promise of *HASHEM is close to all who call upon Him* is not a universal one, but applies only to those *who call upon Him sincerely. Darchei Mussar* cites a Gemara in *Shabbos* (97a) that sheds light on this teaching.

The Gemara discusses Moses' mistaken impression of the Jewish people. He feared they would not believe that God had sent him, and was therefore hesitant to accept the role of Israel's redeemer (*Exodus* 4:1). In exposing his error, the Gemara states that it was revealed before the Holy One, blessed is He, that Israel would believe, and therefore, God responded, הֵן מַאֲמִינִים בְּנֵי מַאֲמִינִים, "They are believers, the children of believers." The first part of the statement, that they are believers, is supported by the verse וַיַּאֲמֵן הָעָם, *and the people believed* (ibid., v. 31), i.e., in Moses. The second part, that they are the children of believers, is supported by a verse written regarding our forefather Abraham (*Genesis* 15:6): וְהֶאֱמִן בַּה׳, *and he believed in HASHEM.*

The purpose of this lengthy exposition is not clear. The Gemara could have exposed Moses' error simply by citing the verse *and the people believed.* Why did the Gemara deem it necessary to emphasize that they possessed the hereditary faith of "believers, the children of believers"? And why does it inform us that God knew they would believe?

Darchei Mussar explains: Moses understood that people who find themselves in great danger and distress will grasp any straw of redemption that offers itself, and will grab onto anyone who holds out even the thinnest hope of salvation. This does not indicate real trust, but only that the sufferers are desperate and feel they lose nothing by trying. [This is why Jews would sometimes attach themselves to false Messiahs. They followed these charlatans not because they believed in them truly, but because they could no longer bear the bleakness of exile, and longed so fiercely for redemption.] When Moses suggested that Israel would not believe him, he did not mean that they would show no faith at all. Rather, he feared that in their suffering they would turn to him as they might toward any faint possibility of succor, but would not extend to him their wholehearted faith. Moses knew that Israel would be redeemed only through full and perfect faith in God, and not through a doubtful hope, motivated more by desperation than by trust. If their faith was of the latter variety, imperfect and incomplete, they would not be redeemed. God therefore reassured him — as only He could, for only He knows the truth of a person's heart — that the Jewish people were "believers, the children of believers." Their faith was no mere whim of the moment, no fickle stream changing course with each new rain, but flowed rather from deep aquifers, from ancient pools of tranquil waters, constant, essential, unchanging, a spiritual legacy reaching back to Abraham himself, whose faith in God ran pure and deep.

With this understanding we gain a deeper insight into the verse discussed by our Midrash, *HASHEM is close to all who call upon Him.* One might think that even one who withholds from God his full trust, who prays to Him as only one of many potential saviors, will be assured of His answer. The conclusion of the verse teaches otherwise: God's promise extends only to those *who call upon Him sincerely* — i.e., to those who place their faith in no one but Him, who believe without reservation that He alone is the only possible source of help.

This idea is illustrated with a parable taught by *R' Nachum Zev Ziv* [son of *R' Simchah Zissel Ziv,* Alter of Kelm]. There was a poor man who survived by collecting door to door. He once visited a wealthy man who gave him a generous donation. The beggar complained, "I have heard that on occasion you supply all of a person's needs. Why do you not do the same for me?" The philanthropist answered, "You collect house to house and consider me just one of your stops. From here you will go on to the next house. Having accustomed yourself to a life of begging, there is no reason you cannot carry on thus, and so I am not compelled to support you in full. By contrast, when a distinguished but impoverished man comes to me and says that he cannot bring himself to go begging from door to door, and if I do not give him all he needs he will die, then I have no choice but to answer his plaintive cry."

So it is with the Almighty. If a person in distress knocks on one door of salvation after another and God is but one of those addresses, then God is not constrained to answer the person's prayers. Let the inconstant fellow seek aid elsewhere! But if the man puts all his faith and trust in God and exclaims, "Master of the Universe! If you do not save me I shall die, for I turn to no source of rescue but You," then God is forced, as it were, to fulfill his request.

This is seen in yet another Gemara in *Shabbos* (89b), which states that in a future time, God will send Israel to the forefathers to be rebuked. Israel will insist instead upon receiving rebuke directly from God, upon Whom we depend entirely, Who loves us more than any other loves us. God will respond: הוֹאִיל וּתְלִיתֶם עַצְמְכֶם בִּי "אִם יִהְיוּ חֲטָאֵיכֶם כַּשָּׁנִים כַּשֶּׁלֶג יַלְבִּינוּ", "Since you have made yourself dependent upon Me, *if your sins will be like scarlet wools, they will whiten like snow*" (*Isaiah* 1:18). We forsake all others, we place our trust only in Him, and He fulfills His promise: *HASHEM is close to all who call upon Him sincerely.*

Darchei Mussar concludes with a message to the Jews of *Eretz Yisrael*: We are surrounded by cruel enemies who ceaselessly scheme and plot our destruction. Shall we place our trust in the nations, even one most friendly, which has stood steadfast with us in the past? Or shall we trust in the protection and succor of God alone, our Savior and King? Surely we must choose the latter course. And in the merit of our undivided faith in God, He will bring us to victory over our enemies, and give us hope for the fulfillment, so long delayed, of the prophecy made to us, שְׂרִידֵי חָרֶב, *survivors of the sword* (*Jeremiah* 31:1,3): עוֹד אֶבְנֵךְ וְנִבְנֵית בְּתוּלַת יִשְׂרָאֵל עוֹד תַּעְדִּי תֻפַּיִךְ וְיָצָאת בִּמְחוֹל מְשַׂחֲקִים..., *I shall yet rebuild you, and you shall be rebuilt, O Maiden of Israel. You shall yet adorn yourself with your timbrels and go forth in the dance of those who make merry . . .* (*Darchei Mussar, Exodus* 4:1).

פרשה יז

א [יד, לד] **"כִּי תָבֹאוּ אֶל אֶרֶץ כְּנַעַן ... וְנָתַתִּי נֶגַע צָרַעַת בְּבֵית אֶרֶץ אֲחֻזַּתְכֶם" הָדָא הוּא דִכְתִיב** (תהלים עג, א) **"אַךְ טוֹב לְיִשְׂרָאֵל אֱלֹהִים לְבָרֵי לֵבָב", יָכוֹל לַכֹּל, אתַּלְמוּד לוֹמַר "לְבָרֵי לֵבָב", אֵלּוּ שֶׁלִּבָּן בָּרִי בַּמִּצְוֹת,** (שם פד, ו) **"אַשְׁרֵי אָדָם עוֹז לוֹ בָךְ", יָכוֹל לַכֹּל, תַּלְמוּד לוֹמַר** (שם) **"מְסִלּוֹת בִּלְבָבָם", אֵלּוּ דִּשְׁבִילִין דְּאוֹרַיְיתָא כְּבִישִׁין בְּלִבְּהוֹן,** (שם קכה, ד) **"הֵטִיבָה ה' לַטּוֹבִים", יָכוֹל לַכֹּל, תַּלְמוּד לוֹמַר** (שם) **"וְלִישָׁרִים בְּלִבּוֹתָם",** (נחום א, ז) **"טוֹב ה' לְמָעוֹז בְּיוֹם צָרָה", יָכוֹל לַכֹּל, תַּלְמוּד לוֹמַר** (שם) **"וְיֹדֵעַ חֹסֵי בוֹ",** (איכה ג, כה) **"טוֹב ה' לְקֹוָו", יָכוֹל לַכֹּל, תַּלְמוּד לוֹמַר** (שם) **"לְנֶפֶשׁ תִּדְרְשֶׁנּוּ",** (תהלים קמה, יח) **"קָרוֹב ה' לְכָל קֹרְאָיו", יָכוֹל לַכֹּל, תַּלְמוּד לוֹמַר** (שם) **"לְכֹל אֲשֶׁר יִקְרָאֻהוּ בֶאֱמֶת".**

עץ יוסף

(א) אך טוב לישראל כו'. משום דקשה ליה דמשמע דבשורה טובה ענין הנגעים שיבא בארצם, מדקאמר הכא כי תבואו אל ארץ כנען אשר אני נותן לכם, לכן בעי לפרש שהנגעים הם באמת לטובתם שעל ידי זה יחזרו בתשובה ולכפר עונותיהם. ולפי שהפסוק אך טוב לישראל כפי פשוטו שמשמע שה' מטיב תמיד לישראל לכאורה הוא סותר זה, [ולא רצה לפרש דאך טוב לעולם הבא כתיב], להכי מפרש דלא קאמר אלא לברי לבב דהיינו הצדיקים הגמורים שלבם ברי במצות, ולא שאין לבם ברי, כי אלו יהיו מתיסרים, וכל שכן סתם ההמון שיש בהם חטא מה, שהם מדוכאים ביסורים לנקותם לעולם הבא, ופירוש שלבן ברי במצות היינו שאין עושים המצות אלא לשם שמים ולא לאיזה פניה או תקות שכר, ומביא דוגמא לזה מחמשה דברים אחרים שאין ה' מבטיח אלא למי שכוונתו שלימה אבל מי שאין כוונתו שלימה פעמים שלא יועיל לו וכדמסיק והולך אחת לאחת: **אשרי אדם עוז לו בך.** רצה לומר שפירושו אשרי לאדם שיש בידו עוז דהיינו התורה דנקראת עוז, וקאמר **יכול לכל,** רצה לומר יכול שכל מי שעוסק בתורה הרבה הוא מאושר, אף על פי שלא יהיה בקי בעיון הלב בה, **תלמוד לומר מסילות בלבבם כו',** רצה לומר שאינו מאושר לגמרי אלא מי ששבילי התורה גנוזים בלבו והוא היודע דרכי משא ומתן לאמת הדין, ואפשר שהשבילין היינו שיודע דרכים וסימנים להיותם על פיו תמיד, על דרך אשרי מי שבא לכאן ותלמודו בידו: **הטיבה ה' לטובים.** זה מיירי בענין גמילות חסדים והנהגת המדינה, יכול כל מי שדרכו להטיב לרבים ראוי שיהיה ה' מצליח בידו לתועלת הכלל, ואף שהוא לא יכוין לשם שמים רק לתועלתו שישמור סדר המדינות ויעזר גם הוא בעת צרכו, על דרך שלי שלך ושלך שלי, וזהו שאמר **יכול לכל, תלמוד לומר ולישרים בלבותם.** שלא יהיה בטוח העזר האלהי אלא כשכוונתו לשם שמים, וזהו ישרים בלבותם שיהיו ישרותם בלבותם, שישרותם תהיה מכוונת הלב ולא לשמירות סדר המדינות לבד: **טוב ה' למעוז.** זה הקרא מיירי מפרסום כבוד ה', וקאמר **יכול לכל,** פירוש כי כאשר יתפרסם כבוד ה' בעשותו נסים היה ראוי שיעשה מעוז אפילו שלא יהיה מי שיעשה הנס על ידו כדאי, כענין נבוכדנצר וכענין מנשה שענהו ה' כדי שיודע שיכול להציל ולא יאמר כל אפס שוין כדאיתא בפרק חלק (קא, ב גירסת עין יעקב) וזולתם (דברים רבה ב, כ פסיקתא כז, ג), וקאמר **תלמוד לומר ויודע חוסי בו,** רצה לומר שלא תהיה הבטחה אלא לחוסי בו שכוונתו לשם שמים, אבל מי שאין כוונתו לשם שמים אף על פי שעל ידי הצלתו תודע תגבורת המופת, מכל מקום אינו מובטח מהצלה מהרה: **לקוויו יכול לכל.** פירוש יכול כל אדם מי ששם בטחונו בהקדוש ברוך הוא ה' טוב לו ואפילו גנב דאמרו חכמינו ז"ל (ברכות סג, א גירסת העין יעקב) גנב על פום מחתרתיה רחמנא קריה, תלמוד לומר לנפש תדרשנו פירוש שכוונתו לדרוש את השם, ולא לעבירה למלאות רצונו ותאותו: **קרוב ה' לכל קוראיו יכול לכל.** זה מיירי מתפלה כי מהנראה שראוי שתועיל התפלה אפילו למי שאינו הגון כמו שאמרו ז"ל (ברכות לב, ב עיין שם) גדולה תפלה ממעשים טובים כמה שנאמר וגם אל הנכרי וגו', **תלמוד לומר לכל אשר יקראוהו באמת.** שלא יהיה בטוח בעזר האלהי אלא כשכוונתו לשם שמים:

פירוש מהרז"ו

(א) ונתתי נגע צרעת. כל זה באיכה (ג, ט) פסוק טוב ה' לקווי (דף ע"ו): **בבישין בלבהון.** כמה שאמר (תהלים פד, ו) מסלות בלבבם, ואיזה מסלה הוא בלב, ודורש על קיום מצות התורה, ועל לימוד התורה בתמידות, עד שהם כבושים בלב, כמו המסלה הכבושה על ידי הרגלים: **לטובים יכול לכל.** לכל טובי לב בטבעם שנבראו בעלי רכות הלב ורחמנים, אף על פי שאינם מאמינים בתורת השם יתברך, תלמוד לומר ולישרים בלבותם, היא מדריגה גדולה מאד מדרגת האבות, הם שישרו ופשטו עקמימות לבם ונעשו ישרים, וכמו שאמר בלעם (במדבר כג, י) תמות נפשי מות ישרים, כמו שאמרו בבראשית רבה (ו, ט). וכן מעלת דוד כמו שכתוב (דברי הימים א, כט יז) בוחן לבב ומשרים תרצה אני ביושר לבב התנדבתי וגו': **טוב ה' למעוז.** פירושו על פי מדה ט', שהוא טוב למי שמחזיקו למעוז ביום צרה, יכול אפילו לרשעים וכמו שכתוב (ירמיה ב, כז) ובעת רעתם יאמרו קומה והושיענו, תלמוד לומר (נחום א, ז) ויודע חוסי בו, שחוסים בו תמיד ודבקים בו על ידי התורה והמצות, וכן (איכה ג, כה) לנפש תדרשנו, וכן (תהלים קמה, יח) לכל אשר יקראוהו באמת כמבואר, ודרשה זו על פי מדת כלל ופרט, שהרישא דקרא הוא הכלל, וסיפא דקרא הוא הפרט, ואין בכלל אלא מה שבפרט:

מתנות כהונה

[א] כבישין. טמונים וחקוקים:

אשד הנחלים

[א] יכול לכל. כן דרך המדרש כשחפץ לבאר סוף הפסוק מה שכיון בזה, אומר שכוונת הכתוב שלא תדמה כי לכל הוא, לכן מסיים הכתוב לברי לבב: **שלבן ברי כו' אלו דשבילין כו',** עד **ואני.** הענין הזה הוא רחב ידים לבאר כל דבר בגדרו האמיתי. ואבאר מעט בקצרה, כי הנה האמונה הברה, שלא יפול לבבו באמונה רעה בראותו שלום רשעים והצלחתם וצדיקים ימקו בעניים, אי אפשר לאדם רק כשלבו ברי במצות ה', ואוחז בהם בתמימות ולא יחקור הרבה לדעת סבותם, כי אי אפשר לדעת באמת בשכל האנושי, וזהו אך טוב לישראל, כי ישראל ירגישו שה' טוב להם, ומי המה שירגישו, המה ברי לב במצות ה', ועל כן יתחזקו בבטחונם בתמימות. והנה יש שיתבונן על הרעה שהוא באמת טובה, וכמו שהתנחם אסף בסוף, אך בחלקות תשית למו גו', ואני קרבת אלהים לי טוב וגו', אך מי אשר יחזק בבטחון ה' בעת צרותיו לבלי יפול, אם באמת מרגיש הוא ביסוריו אך עם כל זה הבטחון תעוז להכין אותו, הוא למי אשר אורחות התורה טמונים בלבו, והיא תחזק לאדם הבטחון הגמור. והנה יש אשר באמת יקבלו רק טוב משמים ולא רע, כי אינם צריכים להצרף ולהיזקק על ידי יסורים, כי המה בטבעם ישרים, שלא יבעטו מרוב טובה, ולהם מטיב ה' בטובת העולם הזה גם כן, וזהו הטיבה ה' לטובים אך רק לישרים בלבותם. והנה יש אשר בעת צרתם על ידי בטחונם ומעוזם, ינצלו מצרתם על ידי הבטחון הגדול שהיה להם, וזהו ויודע חוסי בו, שיודע מי הוא הבוטח באמת שעל ידי זה ינצל, ויש שינצל בעת צרה על ידי תפילה ודרישה לה' שיצילנו, וזהו לנפש תדרשנו, ויש אשר יענה על כל בקשתו מה שהוא מבקש, הן טוב הן הצלת הרע, וזהו למי שקורא באמת, כי כל מאוייו הוא מענייני עבודת ה' ואהבתו, שזהו קריאת האמת. ודי בזה למתבונן:

חידושי הרד"ל

[א] אך טוב כו' יכול לכל כו'. איכה רבה (ג, ט):

אמרי יושר

[א] לברי לבב. פירשוהו מלשון בריא וודאות במצות, ואם כן גילה שיש מדרגות בשכר, ובא הכתוב והבדיל התום שהוא מלב, לאחר שאינו מנפש, אף על פי ששניהם טובים:

ענף יוסף

(א) כי תבואו אל ארץ כו' הדא הוא דכתיב אך טוב לישראל כו' יכול לכל תלמוד לומר לברי לבב כו'. לפרש המדרש נקדים מה שכתב הרמב"ם [בפירוש המשניות] פרק י"ב מהלכות נגעים (מ"ה), כיצד ראיית הבית, ובא אשר לו הבית והגיד לכהן לאמר כנגע נראה לי בבית, אפילו תלמיד חכם ויודע שהוא נגע ודאי, לא יגזור ויאמר נגע נראה לי בבית, אלא כנגע כו' עד כאן. והקשה התוספות יו"ט למה אסרה התורה מלומר נגע, והלא עד שיאמר הכהן טמא עדיין אין כאן טומאה, גם חקרו המפרשים אם הדין כך בשאר נגעים, שהרמב"ם לא כתב דין זה רק בנגעי בתים, אך יבואר על פי דאיתא לקמן פרשה זו, כי תבואו אל ארץ כנען ונתתי נגע צרעת, תני רבי חייא וכי בשורה היא להם שהנגעים באים עליהם, תני רבי שמעון בר יוחאי כיון ששמעו כנענים שישראל באים עליהם, עמדו והטמינו ממונם בבתים ובשדות, אמר הקדוש ברוך הוא אני הבטחתי לאבותיהם שאני מכניס את בניהם לארץ מלאה כל טוב, שנאמר (דברים ו יא) ובתים מלאים כל טוב, מה הקדוש ברוך הוא עושה, מגרה נגעים בביתו והוא סותרו ומוצא בו סימא עד כאן. והנה לפי זה קשה למה הוצרך התורה לכתוב דין נגעי בתים, אם לא פשה הנגע וטהר את הבית וגו', גם אם פשה בראשון וחלצו אבנים, רק בפעם שניה כתיב אם פשה כו' ונתץ את הבית, ולפי המדרש הנ"ל היה לו לנתוץ מיד בראיית הנגע, אך זה אינו דגם אמרו חכמינו ז"ל על שבע דברים נגעים באים, והקדוש ברוך הוא הוא בעל הרחמים, ואינו פוגע בנפשות תחלה, אלא תחלה בבתים, ואם לא חזר בתשובה בא על בגדים, ואחר כך על גופו, כדאיתא כאן במדרש, ולפי זה הוצרך התורה לכתוב דין נגעי בתים כדי לחזור בתשובה, נמצא נגעים באים לטובה אם לא חטא, ולחטאים לרעה, ולזה אמרה תורה שלא יאמר נגע שמכוון שהוא לרעה, אלא כנגע, שלא ידע אם הוא לרעה או לטובה כנ"ל, וכל זה הוא דוקא בנגעי בתים, אבל בשאר נגעים וודאי לאיש חוטא הוא, ויכול לומר נגע, זהו כוונת הרמב"ם. ובזה מבואר כוונת המדרש שהתחלנו בו, כי תבואו אל הארץ וגו', וקשה מה בשורה היא להם, לזה אמר הדא הוא דכתיב אך טוב לישראל כו', פירוש שהיא טובה כתירוץ המדרש הנ"ל, ואמר יכול לכל היא לטובה, ואם כן קשה למה לא צוה התורה לנתוץ מיד כנ"ל, תלמוד לומר לברי לבב, אלו שלבם ברי במצות (מרפא לנפש): **וקרוב ה' לכל כו' אשר יקראוהו באמת.** דייק זה משום דכל הפסוקים שבאשרי החצי פסוק השני מתחיל בוי"ו, ובפסוק זה כתיב לכל אשר יקראוהו בלא וי"ו, שמע מינה שזה החצי פסוק הוא פירוש על החצי פסוק הראשון, קרוב ה' לכל קוראיו לא לכל, אלא לכל אשר יקראוהו באמת:

מסורת המדרש

א. שוח"ט מזמור ד':

אם למקרא

מִזְמוֹר לְאָסָף אַךְ טוֹב לְיִשְׂרָאֵל אֱלֹהִים לְבָרֵי לֵבָב: (תהלים עג:א)

אַשְׁרֵי אָדָם עוֹז לוֹ־בָךְ מְסִלּוֹת בִּלְבָבָם: (שם פד:ו)

הֵיטִיבָה ה' לַטּוֹבִים וְלִישָׁרִים בְּלִבּוֹתָם: (שם קכה:ד)

טוֹב ה' לְמָעוֹז בְּיוֹם צָרָה וְיֹדֵעַ חֹסֵי בוֹ: (נחום א:ז)

טוֹב ה' לְקֹוָו לְנֶפֶשׁ תִּדְרְשֶׁנּוּ: (איכה ג:כה)

קָרוֹב ה' לְכָל קֹרְאָיו לְכֹל אֲשֶׁר יִקְרָאֻהוּ בֶאֱמֶת: (תהלים קמה:יח)

Having cited and expounded *Psalms* 73:1, the Midrash now expounds other parts of that passage, eventually concluding with the reference to *tzaraas* as a means toward atonement:

"וַאֲנִי כִּמְעַט נָטָיוּ רַגְלָי" — *A song of Assaf... **But as for me, my feet almost slipped;** my steps were very nearly washed aside* (*Psalms* 73:1-2). רַב וְלֵוִי — **Rav and Levi** argue as to the identity of *Assaf.* חַד אָמַר: אָסָף בֶּן קֹרַח הָיָה, וְחַד אָמַר אָסָף אַחֵר הָיָה — **One** of them **says it was Assaf son of Korah, and one says it was a different Assaf.** מַאן דְּאָמַר אָסָף בֶּן קֹרַח הָיָה, כְּבָר הָיִיתִי שׁוֹרֶה עִם אַבָּא בְּגֵיהִנֹּם — According to **the one who says it was Assaf son of Korah,** Assaf is saying, "Had I not repented at the last moment,[14] **I would have already been dwelling with my father in Gehinnom."**[15] וְחַד אָמַר אָסָף אַחֵר הָיָה, כְּבָר הָיִיתִי שׁוֹרֶה עִם הָרְשָׁעִים בְּגֵיהִנֹּם — According to the **one** who **says it was a different Assaf,** Assaf is saying, "Had I not realized the truth,[16] **I would have** fallen into heresy and would have **already been dwelling with the wicked in Gehinnom."**[17]

The Midrash continues to explain the next verse in the Psalms passage according to the second opinion:

לָמָּה — **Why** did this near fall into heresy come about? "כִּי קִנֵּאתִי בַּהוֹלְלִים" — ***For I envied the "holelim"*** (ibid., v. 3),[18] and wanted to be like them.[19] בְּמַעֲרְבָא אוֹמְרִים: אֵלּוּ שֶׁלִּבָּם מָלֵא הוֹלֵלוֹת רָעוֹת — **In the West**[20] **they say:** This refers to **those whose hearts are full of evil thoughts** (הוֹלֵלוֹת).[21] רַבִּי לֵוִי קָרֵי לְהוֹן זְהוֹנַיָּא, אֵלּוּ שֶׁמְּבִיאִין אַלְלַי לָעוֹלָם — **R' Levi,** however, **called [the** הוֹלְלִים**] "merrymakers,"**[22] explaining that they are **those who bring wailing** (אַלְלַי) **to the world** on account of their sins.[23]

The Midrash cites Assaf's next words and questions them:

"שְׁלוֹם רְשָׁעִים אֶרְאֶה" — ***When I saw the peace of the wicked*** (ibid.). כְּתִיב "אֵין שָׁלוֹם לָרְשָׁעִים" וְאַתָּה אוֹמֵר "שְׁלוֹם רְשָׁעִים" — Now, **it is written** elsewhere, ***There is no peace... for the wicked*** (*Isaiah* 48:22),[24] **and** yet **[Assaf] says:** *I saw **the peace*** [שְׁלוֹם] ***of the wicked*****!** אֶלָּא בְּשִׁלּוּמִים שֶׁל רְשָׁעִים אֶרְאֶה — **Rather,** the verse should be understood: **The retribution** (בְּשִׁלּוּמִים) **of the wicked I will see.**[25]

The Midrash continues to the next verse in the *Psalms* passage (v. 4):

"כִּי אֵין חַרְצֻבּוֹת לְמוֹתָם וּבָרִיא אוּלָם" — ***Because there are no "chartzubos"*** [חַרְצֻבּוֹת] ***to their death, and "oolam"*** [אוּלָם] ***is robust*** (ibid. 73:4).[26] לֹא הִרְהַרְתִּים בְּחֳלָאִים וְלֹא צְבִיתִים בַּעֲוֹנוֹת — Assaf is saying that God, as it were, says regarding the wicked, **"I did not cause them to reflect** (הִרְהַרְתִּים) on the eventuality of their death[27] by striking them **with illness, nor did I consider** (צְבִיתִים) binding together **[their] sins**[28] in order to exact punishment from them in this world.

NOTES

14. *Matnos Kehunah.*

15. As the Midrash elsewhere (*Shocher Tov, Psalms* 45) teaches, the sons of Korah were initially destined to be swallowed up by the earth and descend into Gehinnom along with their father for collaborating with him, and were saved only because they repented in their hearts at the very moment the earth opened its mouth. Thus the terms *slipped* and *washed aside* used by Assaf are understood as describing his near fall into Gehinnom.

Although Scripture (*Exodus* 6:24) records Korah's son as אֲבִיאָסָף and not אָסָף, this opinion maintains that the verse in *Psalms* is using an abridged version of his name. The basis for the assumption that the speaker in the *Psalms* verse is Korah's son is that the experience of a near [physical] *fall* into Gehinnom is unique to Korah's sons (*Eitz Yosef*).

16. The frustration that Assaf experienced upon witnessing the worldly success of the wicked would have led him to follow in their ways, had he not eventually recognized that the wicked are merely being prepared for total destruction in the World to Come (see continuation of the above psalm, and *Rashi* ad loc.).

17. Accordingly, the terms *slipped* and *washed aside* describe Assaf's near fall into Gehinnom along with all the wicked (*Maharzu*), or his near fall into heresy (*Eitz Yosef*). The basis for the opinion that the verse refers to "a different Assaf" is because, as mentioned in note 15, Korah's son's name was אֲבִיאָסָף, not אָסָף (ibid.).

18. The full verse reads, *For I envied the "holelim," when I saw the peace of the wicked*. The Midrash will momentarily explain the word *holelim.*

19. *Eitz Yosef.*

20. I.e., in *Eretz Yisrael*, which is situated to the west of Babylonia.

21. *Matnos Kehunah, Eitz Yosef.*

22. I.e., those who constantly make merry by feasting and drinking (ibid).

23. R' Levi expounds the word הוֹלְלִים as if it were written אוֹלְלִים, *those who cause wailing.* [The letter *hei* is interchangeable with an *aleph* since both letters (and *ches* and *ayin*, as well) are formed by the throat] (*Maharzu, Rashash, Eitz Yosef*).

24. Even in this world, the wicked have no peace, for they are constantly bickering (*Eshed HaNechalim*). Alternatively, because their hearts are full of evil ambition, they are constantly in a state of anguish over those desires, which they are unable to gratify (*Eitz Yosef*, from *Yefeh Anaf* to *Esther Rabbah* 3 §11).

25. As it states elsewhere (*Psalms* 91:8), *and you will see the retribution* [וְשִׁלֻּמַת] *of the wicked* (ibid., *Radal*; see, however, *Matnos Kehunah*).

26. The plain meaning of the word חַרְצֻבּוֹת is *fetters* (or *knots*); the plain meaning of אוּלָם in this verse is *their vitality.* The Midrash, however, will expound these words differently.

27. Such thoughts would have served to cause them to repent (*Radal*; *Eitz Yosef*, second interpretation).

28. The Midrash is interpreting the expression חַרְצֻבּוֹת as a contraction of the words הִרְהוּר, *reflection* (the *ches* being interchangeable with a *hei*; see above, note 23), and צְבֵיתִי, lit., *I wanted* (in Aramaic) (ibid.; see *Yedei Moshe*). The word לְמוֹתָם, *to their death*, specifies upon *what* they do not have the opportunity to reflect (*Maharzu*).

(שם עג, ב) "וַאֲנִי כִּמְעַט נָטָיוּ רַגְלָי", רַב וְלֵוִי, חַד אָמַר: אָסָף בֶּן קֹרַח הָיָה, וְחַד אָמַר אָסָף אַחֵר הָיָה, מַאן דְּאָמַר אָסָף בֶּן קֹרַח הָיָה, כְּבָר הָיִיתִי שׁוֹרֶה עִם אַבָּא בְּגֵיהִנָּם, וְחַד אָמַר אָסָף אַחֵר הָיָה, כְּבָר הָיִיתִי שׁוֹרֶה עִם הָרְשָׁעִים בְּגֵיהִנָּם, לָמָּה, (שם שם ג) "כִּי קִנֵּאתִי בַּהוֹלְלִים", בְּמַעַרְבָא אוֹמְרִים: אִלּוּ שֶׁלִּבָּם מָלֵא הוֹלְלוֹת רָעוֹת, רַבִּי לֵוִי קָרֵי לְהוֹן [א]זְהוֹנַיָּא, אִלּוּ שֶׁמְּבִיאִין אַלְלַי לָעוֹלָם, (שם) "שְׁלוֹם רְשָׁעִים אֶרְאֶה", כְּתִיב (ישעיה מח, כב) "אֵין שָׁלוֹם... לָרְשָׁעִים" וְאַתָּה אוֹמֵר "שְׁלוֹם רְשָׁעִים", אֶלָּא בִּשְׁלוּמִים שֶׁל רְשָׁעִים אֶרְאֶה, (תהלים שם ד) "כִּי אֵין חַרְצֻבּוֹת לְמוֹתָם וּבָרִיא אוּלָם", לֹא הִרְהַרְתִּים בְּחֳלָאִים וְלֹא צְבִיתִים בַּעֲוֹנוֹת,

עץ יוסף

אסף בן קרח היה. אף על גב שבן קרח אביאסף שמו היה ברוב המקומות, מכל מקום ניחא ליה למימר שהוא בן קרח שיתכן שקילר כאן וקראו אסף, והוכרח לזה משום שאמר ואני כמעט נטיו רגלי וגו' שרצה לומר שכבר הייתי שורה עם אבי בגיהנם כדמסיק בסמוך, כלומר כמעט הייתי נופל לגיהנם אצל אבי, הרי שהיה בן קרח, דאי אחר היה מאי טעמא לו שפיכת אשוריו לגיהנם טפי מטועים אחרים: **אסף אחר היה.** שבן קרח אביאסף שמו, ומה שאמר ואני כמעט נטיו רגלי הוא דרך משל על נפילתו בטעות המינות: **כבר הייתי כו'.** וזהו כמעט, אם לא הרהרתי בתשובה בשעת הבליעה, כמו שדרשו חכמינו ז"ל במדרש שוחר טוב (מזמור מה): **כי קנאתי בהוללים.** קנאתי להיות כמותם: **הוללות רעות.** מחשבות רעות: **קרי להון דהותא.** כן הוא בהרבה מדרשים, והוא לשון שמחה כמו דחותא, מענין (דניאל ו, יט) וְדַחֲוָן לָא הַנְעֵל קָדָמוֹהִי, ורצונו לומר שמשמחים בכל עת במשתה יין ומביאין יללה לעולם. אבל בערוך ובילקוט גרסו רבי לוי קרי להון זהוניא, והוא לשון שמחה, וכן הוא בקהלת מדרשים, ולקמן (כ, ב) גרס ר' לוי ווח להון אלליה, ועיין שם מה שכתבתי: **שמביאין אללי לעולם.** ולהכי קרי להו הוללים כי אל"ף מתחלף בה"א שהם ממוצא הגרון: **כתיב אין שלום כו'.** כי על ידי שלבם מלא מחשבות רעות להכי לא יחסר מהם דאגה ויגון מאיזה דבר, שהם חומים תמיד להרע ולחטוא וכשלא ישיגו תאותם הם בצער ויגון. **ואת אמרת שלום רשעים אראה.** דמשמע שיש להם שלום אמיתי בעולם הזה (יפה ענף החרוך באסתר רבה (ג, יא) פסוק כתוב לב המלך): **בשלומים.** בפרעון ותשלומי מעשיהם, כלשון הכתוב (תהלים לא, ח) ושלמת רשעים תראה: **לא הרהרתים.** כן צריך לומר. ודריש חרצובות בשני מלות ענין הרהור וצבות, והרהור מענין (דברים כח, כב) בחרחור ובחרב, או לחרחר ריב (משלי כו, כא), וצביתים מענין (במדבר ה, כא) בטנך צבה (יפה תואר). ולפי גירסתנו לא הרהרתים יש לפרש לא הכיתים בחלאים שיבואו מפאת זה לידי הרהורי תשובה בלבם: **ולא צביתים בעונות.** הערוך פירש עונות חוטין וכדלקמן, ופירוש לצביתים לא אסרתים יחד. ויש לפרש עונות חטאים, ופירוש לא לביתים לא חשבתי עליהם לכרוך עוונותיהם עליהם (רד"ל) [ובאסיפת אמרים פירש ולא ליביתים לא קלרתי עומרים מהם בעוונותיהם (נבחר מפנינים)]:

פירוש מהרז"ו

אסף בן קרח. כמו שכתוב (שמות ו, כד) ובני קרח אסיר ואלקנה ואביאסף, וכמו שכתוב (דברי הימים א, כו, א) לקרחים משלמיהו בן קורא מן בני אסף, ושם (ט, יט) ושלום בן קורא בן אביאסף בן קרח, ושלום הוא משלמיהו בן קורא הנ"ל, ואביסף הוא אסף הקרחי, וסובר חד אמר שאסף שנזכר בתהלים הוא אסף שנקרא אביאסף בתורה שם, ובדברי הימים (ו כב) ובני קרח היו נביאים משוררים ברוח הקדש, כמו שכתוב כמה פעמים בתהלים לבני קרח מזמור, ולדעת רב פעמים שהיה משורר עם אחיו יחד, ופעמים שהיה משורר בפני עצמו, ולדעת זו היה אסף בן קרח מבני קהת בימי דוד. וחד אמר אסף אחר היה, כמו שכתוב (דברי הימים א ו, כב) בן אביסף בן קרח וגו', ואחר כך (בפסוק כד) ואחיו אסף העומד על ימינו וגו' בן גרשום בן לוי, והיה גם כן משורר ברוח הקדש, כמפורש שם, ואם כן גם אסף שנזכר בתהלים הוא גם כן אסף מבני גרשום. ועיין כל זה בשיר השירים רבה ריש פסוק כמגדל דויד (כ"ג) [פרשה ד פסוק ד, אות א], ובקהלת רבה פסוק החכמה תעוז לחכם (קנ"ג ב') [פרשה ז פסוק יט, אות ד] ומה שכתבתי שם: **כבר הייתי שורה.** וזהו כמעט נטיו רגלי לירד חיים שאולה עם אבי ותבורתו, אך על ידי זכות שהיה לי נגלתי עם אחי, כמו שכתוב (במדבר כו, יא) ובני קרח לא מתו. ומאן דאמר אסף אחר היה אם כן מה שנאמר (תהלים עג, ב) ואני כמעט נטיו רגלי, פירושו עם כל הרשעים בגיהנם: **שלבם מלא הוללות רעות.** כמו שכתוב קהלת ט' פסוק ג' וגם לב בני אדם מלא רע והוללות וגו', ושם (י, יג) ואחרית פיהו הוללות רעה, ועל זה כוון כאן במה שאמר קנאתי בהוללים: **אללי לעולם.** מלשון קינה ונהי ואלי, כמו שכתוב לקמן (כ, ב) רבי לוי קרי להון אלליה שמביאים אללי לעולם, וזה על פי מדת ממטל, הוללים ואללים והה' והא' מתחלפים באותיות אחה"ע. עיין במוסף הערוך ערך אליה בשם מדרש אסתר לשון פרסי לאלייה פירוש לקינה: **ואת אמרת שלום רשעים.** שני כתובים מכחישים, והכריע על פי מדת ממטל, שלום מלשון שילום שכר רשעתם, שמתמהה איך משלם להם שכר טוב כזה: **לא הרהרתים.** דורש תיבת חרצובות, שהיא זרה שאין דוגמתה בתנ"ך, על פי נוטריקון חר צובות, חר בחילוף חי"ת בה"א הר, לדרשו הרהור, כמו שאמרו בבראשית רבה (מד, ה) אחר הדברים האלה, אחר הרהורי דברים, מי הרהר אברהם הרהר, וכן הוא שם (נה, ד). והנה שם כתבתי שדורש תיבת הדברים הרהורי דברים, אך נראה לי עיקר כמו שכתבתי כאן שדורש תיבת אחר על הרהור, ועיין במתנות כהונה, ונראה לי שצריך לומר לא הרהרתים, שאסף אומר כן להשם יתברך, שאינו נותן להם מחשבות של חלאים, שיבואו מזה לזכרון מות(ר), שאין דרך הבא לחשוב על המות רק החולה, וזהו למותם, וכן מה שכתב לצבותים פירושו קשרים שלא נקשרו בחלאים ויסורים בעונותם, ולא עלה על לבם למותם, וכמו שכתוב באיוב (כא, יג) וברגע שאול יחתו:

מתנות כהונה

כבר הייתי כו'. וזהו כמעט אם לא הרהרתי בתשובה בשעת הבליעה, כמו שדרשו חז"ל והביאו רש"י ז"ל פרשת קרח: **הכי גרסינן עם אבא בגיהנם וחד אמר אסף אחר היה כבר הייתי שורה עם הרשעים בגיהנם.** ועיין זה במדרש חזית בפסוק כמגדל דוד (ד, ג) ובמדרש קהלת בפסוק החכמה תעוז לחכם (ז, לח): **קנאתי בהוללים.** קנאתי להיות כמותם: **הוללות רעות.** מחשבות רעות: **הכי גרסינן בערוך** (ערך זהיין) **ובילקוט ר' לוי הוה קרי להו זהוניא.** ופירש בו [הערוך] השמחים בכל עת במשתה יין ומביאין יללה לעולם. ועיין לקמן (כ, ג): **בשלומים בפרעון.** ותשלומי מעשיהם לשון שלם ישלם (שמות כב, ה): **הכי גרסינן לא הרהרתים בחלאים כו'.** וכן מצאתי בילקוט תהלים. ופירושו לא הרהרתים ופקדתים בחלאים רעים ולא לביתים, מלשון ולבתה בטנה (במדבר ה, כז). דרש נוטריקון של חרצובות, וגם הגירסא שלפנינו שגרס חרחרתים, יש ליישבו מלשון חרחור ריב, בחרחור לשון מחבא בהנזקין (גיטין נז, ב), והראשון עיקר: **בעונות.** לשון עינוי ויסורים, ובילקוט גרס לענות. או יש לפרש לא רציתים בעונות ושעות לפרקים, אלא כל ימיהם בטובה בשוה:

אשד הנחלים

הוללות רעות. כי יש הוללות סתם, שהם דברים בטלים ומשחקים, וזהו אינו רשע כל כך לתמוה על הצלחתו, רק הכוונה הוללות רעות לעסוק בדברי הבל ורעה: **זהוניא.** עיין במתנות כהונה. ודרש הוללים, שהם מיללים העולם עליהם מרוב רעתם: **כתיב אין שלום כו' אלא בשלומים.** לכאורה יקשה הלא זאת היתה פליאת אסף בתחילה, שאיך רשעים ישליו בשלום ואין שלום להם. והנראה משום דמלת שלום הונח תמיד על איש טוב, אשר שלום ונחת ושקט בחגורו, כי הרשעים אף שיצליחו עם כל זה אין שלום במגורם, כי אם תמיד ריב ומצה, כדרך הרעים שלא ינוחו לעולם מריב ומדון, ולכן מפרש שלומים, כלומר פורענותם, כלומר אחפוץ לראות תשלום גמולם על עונם, וזה אינני רואה: **לא הרהרתים.** ויש גורסים חרחרתים, ודרש נוטריקין חר צובות. וציביתים, פירש המתנות כהונה לשון צבתה בטנה, והידי משה פירש מלשון צבי וחמיד, שהוא גם כן לשון הרהור, ופירושו לא נתתי הרהור בלבם על ידי חלאים שיבינו כי למיתה הן עומדים:

חידושי הרד"ל

בהוללים אלו שלבם כו'. לקמן (כ, ב): **אלא בשלומים של רשעים כו'.** כלשון המקרא (תהלים לא, ח), ושלומת רשעים תראה: **לא הרהרתים בחלאים.** עיין מתנות כהונה, ויש לפרש לא הכתים בחלאים, שיבואו מפאת זה לידי הרהורי תשובה בלבם, אבל העיקר גירסא חרחרתים, וכן גירסת ערוך (עיין ערך חרחר הג' ובמהרי"פ), ופירושו לשון חום, והוא כפול מן חרה, ומלשון החרחור (דברים כח, כב): **ולא צביתים בעונות.** הערוך (ערך לב ה') פירש עונות, חוטין, וכדלקמן, ופירוש לביתים לא אסרתים יחד. ויש לפרש עונות חטאים. ופירושו, לא לביתים, לא חשבתי עליהם לכרוך עונותיהם יחד עליהם:

באור מהרי"פ

[א] אלא הוללות. בערוך ערך חל ששי שלפני חל אחרון, גורס חלחוליות רעות בחי"ת, ופירשו מחשבות רעות: **זהוניא.** בערוך ערך זהיין, גורס רבי לוי קרא יתהון זהיינא וכו', פירוש שמחים בכל עת, וכן גורס המעריך, וזה לשונו ובנבואות הילד (נבואה ד' אות זיי"ן) זהיין לקטלא, ופירש המפרש שמחים בכל עת להרוג, ומזה הענין נראה לי (פירוש לשון חז"ל) שתזוח דעתו עליו, ובערוך ערך זח פירש כדי שתזוח דעתו עליו (כתובות סז, ב), פירוש מלשון ולא יזח החשן (שמות כח, כח). ולא נהירא לי עכ"ל המעריך. וזה לשון ר' בנימין מוספייא, ערך זח הנזכר, אמר בנימין, תרגום ותגפי לב (איוב לו, יג) זהותי לבא, פירוש גבהי לב, ובעל הערוך גרס זהוהי עיין שם עכ"ל. וזה לשון הערוך ערך זה ג' משרבו זהוהי הלב רבו מחלוקות בישראל (סוטה מז, ב), ואמרי לה אין מזהיהין אותו (חולין ז, א) פירוש ענין גבהות. שפכו לפניו לבבכם (תהלים סב, ט) תרגום ירושלמי שדו קמיה זהוהי לבכון עכ"ל הערוך. אמר הכותב מדבריו יש קצת סעד לדברי המעריך מה שפירש על שתזוח דעתו עליו כמובן מאליו ודו"ק: **מתנות כהונה ד"ה הכי גרסינן לא הרהרתים. לשון תחבא בהנזקין.** אולי כונתו על פסוק (איוב ה, כא) בשוט לשון

מסורת המדרש

ב. עי' שוח"ט מזמור ה':

אם למקרא

וַאֲנִי כִּמְעַט נָטָיוּ רַגְלָי כְּאַיִן שֻׁפְּכוּ אֲשֻׁרָי: כִּי קִנֵּאתִי בַּהוֹלְלִים שְׁלוֹם רְשָׁעִים אֶרְאֶה: כִּי אֵין חַרְצֻבּוֹת לְמוֹתָם וּבָרִיא אוּלָם: בַּעֲמַל אֱנוֹשׁ אֵינֵמוֹ וְעִם אָדָם לֹא יְנֻגָּעוּ: (תהלים עג:ב-ה)

אֵין שָׁלוֹם אָמַר ה' לָרְשָׁעִים: (ישעיה מח:כב)

ידי משה

[א] ולא צביתים. גם כן לשון הרהור, כמו לבי וחמיד ורגיג. ובעל מתנות כהונה דחק עצמו ללא צורך:

אמרי יושר

אסף בן קרח היה. כי בני קרח לא מתו, ועיין מדרש חזית פסוק כמגדל דוד לוואהרך (שיר השירים רבה ד ד, אות א): **אין חרצובות לא הרהרתם** בחליי חום, וגם **לא הצביתם** בחליי קור, **אלא בריאים** ושמנים, ענק על גבי ענק, מבשר כחמשה מלתיראות של פתח אולם (מדות פ"ג מ"ז), וכן מתים בכלא בני ארבע מאות שנה, וכן פתח אולם גובה ארבעים ורוחב עשרים, עולה ששים:

חידושי הרש"ש

[א] חד אמר כו' וחד אמר כו'. עיין בשיר השירים רבה בפסוק כמגדל דוד (ד, ה), דרב הוא דסבירא ליה דאסף אחר הוה: **אלו שמביאין אללי לעולם.** פירוש להכי קרו להו הוללים, כי אל"ף מתחלף בה"א, שהם ממולא הגרון:

שינוי נוסחאות

(א) **לא הרהרתים.** כן הוא בכל הדפוסים, אבל א"א ויפ"ת ורד"ל כתבו שצ"ל "חרחרתים", ועיין מ"כ:

אֶלָּא "וּבָרִיא אוּלָם", עֲשִׂיתִים בְּרִיאִים כְּאוּלָם — **Rather, I made them** as **robust** (בָּרִיא) **as** the portal of **the Antechamber** (**אוּלָם**) of the Temple," כִּדְתְנַן: פִּתְחוֹ שֶׁל אוּלָם אָרְכּוֹ אַרְבָּעִים אַמָּה וְרָחְבּוֹ עֶשְׂרִים אַמָּה — **as we learned in a Mishnah** (*Middos* 3:7): ***[The] entrance of the Antechamber, its height [was] forty amos and its width [was] twenty amos,*** וַחֲמִשָּׁה מַלְתְּרִיּוֹת שֶׁל מֵילָא הָיוּ עַל גַּבָּיו — ***and five decorated oak beams***[29] ***were above [the entrance].***[30]

The Midrash cites additional expositions of this verse:

רַבִּי דוֹסְתָּאי בְּרַבִּי יַנַּאי בְּשֵׁם רַבִּי מֵאִיר וְרַבָּנָן — **R' Dostai bar R' Yannai in the name of R' Meir, and the** other **Rabbis,** expound this verse in different ways. רַבִּי דוֹסְתָּאי אָמַר בְּשֵׁם רַבִּי מֵאִיר — **R' Dostai says in the name of R' Meir:** הָאִשָּׁה הַזֹּאת הִיא טוֹוָה מָעָה אַחַת עָבָה וּמָעָה אַחַת דַּקָּה — **A woman** who spins thread is not always consistent in producing threads of identical thickness; rather, she **spins one** ***maah's*** weight[31] **of thick** thread **and one** ***maah's*** weight of **thin** thread. By contrast, the wicked are granted health and well-being without any inconsistency.[32] אֵלּוּ הַצִּיבּוּם לַעֲוֹנוֹת וְאֵלּוּ לְאִיסְפְּלִיטוֹן — **[The wicked]** are not prevented by God from accumulating **wagonfuls of sins,**[33] **and they** remain robust until they come **to the** King's **palace**[34] to give an accounting for their many sins. רַבָּנָן אָמְרֵי: אֵין לָהֶם צוֹבִים שֶׁל עֲוֹנוֹת שֶׁיְּמוּתוּ בָּהֶם, אֶלָּא אֵלּוּ הַבְּרִיאִים לְיוֹם הַדִּין — The **Rabbis say:** The verse is interpreted as a question and an answer: **Do [the wicked] not have a multitude of sins that warrant their death?**[35] **However, they remain robust for the** eventual **day of judgment.**[36] הָדָא הוּא דִכְתִיב "וְאוּלָם הַכִּסֵּא אֲשֶׁר יִשְׁפָּט שָׁם אֻלָם הַמִּשְׁפָּט" — **Thus it is written,** *[King Solomon] made **a hall for the throne where he would judge, a hall of judgment*** (*I Kings* 7:7).[37]

The Midrash continues to the next verse (v. 5), and comes finally to the main point of this section, viz., that *tzaraas* is a benefit:

"בַּעֲמַל אֱנוֹשׁ אֵינֵמוֹ" — Assaf continues, ***They are excluded from the toil of frail humans.*** לֹא לַחֲרוֹשׁ וְלֹא לִזְרוֹעַ וְלֹא לִקְצוֹר — The wicked are exempt from toiling for their sustenance. Thus, they have **no** need **to plow** the fields, **nor to plant** the fields, **nor to harvest** the fields.[38] "וְעִם אָדָם לֹא יְנֻגָּעוּ" — ***And they are not plagued as are other men.*** That is, they are not subject to the affliction of *tzaraas*.[39] אָמַר רַב הַמְנוּנָא: אֲפִילוּ בְּאוֹתָם שֶׁכָּתוּב בָּהֶם "וְאַתֵּן צֹאנִי צֹאן מַרְעִיתִי אָדָם אַתֶּם" לֹא יְנוּגָּעוּ — **Rav Hamnuna said:** Not only will the sinners of the other nations not be plagued, but **even** the wicked **among [Israel] — of whom it is written,** ***Now, you are My sheep, the sheep of My pasture, you are Man*** [אָדָם][40] (*Ezekiel* 34:31) **— will not be plagued.**[41]

The Midrash connects the preceding to our verse in *Leviticus*:

לְפִיכָךְ מֹשֶׁה מַזְהִיר לְיִשְׂרָאֵל: "כִּי תָבֹאוּ אֶל אֶרֶץ כְּנַעַן" — **Therefore,**[42] **Moses warns Israel** of their potentially being smitten with the plague of *tzaraas* by prefacing it with the joyous expression, ***when you arrive in the land of Canaan,*** for the plague of *tzaraas* is indeed a cause for joy.[43]

NOTES

29. *Matnos Kehunah, Eitz Yosef.*

30. The immense entranceway is testimony to the strength of the walls of the Antechamber (*Eitz Yosef*).

31. A *maah* is a small silver coin. [The Midrash is referring to its weight, not its value.]

32. R' Meir takes the word, חַרְצֻבּוֹת, *knots*, as alluding to the snags and inconsistencies that appear when spinning thread. He contrasts those inconsistencies with the health and well-being of the wicked, which is consistent (*Eitz Yosef*; see also *Maharzu* s.v. אלו הציבום). [According to this interpretation, it seems that the phrase אֵין חַרְצֻבּוֹת לְמוֹתָם, lit., *there are no knots to their death*, is to be understood as conveying: "They (the wicked) do not suffer afflictions; they remain completely healthy until they die" (see *Rashi* and *Metzudos David* ad loc.).] In this explanation, as in the preceding one, the following words of the verse, וּבָרִיא אוּלָם, are to be understood: "as robust [as the portal of] the Antechamber" (see *Midrash Tehillim* ad loc.).

R' Meir has a second interpretation of the words כִּי אֵין חַרְצֻבּוֹת לְמוֹתָם וּבָרִיא אוּלָם, as well, which also relates to the tranquility of the wicked. The Midrash proceeds now to this second interpretation.

33. In this interpretation, the expression חַרְצֻבּוֹת is taken as a contraction of the words חַרְחוּר, *prevention*, and צָבּוֹת, *covered wagons* (see *Rashi* to *Numbers* 7:3), while לְמוֹתָם, *to their "death,"* refers to their *sins* [for sins cause death (*Maharzu* s.v. צובים)]. Accordingly, the expression כִּי אֵין חַרְצֻבּוֹת לְמוֹתָם means that God does not prevent the accumulation of wagonfuls of sins on the part of the wicked (*Eitz Yosef*).

34. A reference to the Heavenly Court in the World to Come. In this interpretation as well, R' Meir takes וּבָרִיא אוּלָם to mean that the wicked remain "as robust as the portal of the Antechamber" (ibid., second interpretation).

35. The word חַרְצֻבּוֹת is interpreted as a form of the word צָבָה, *expand* (see *Numbers* 5:21), alluding to the burgeoning amount of sins [the word לְמוֹתָם referring to their sins (*Maharzu*)] that God allows the wicked to accumulate, unpunished, before their ultimate judgment in the Next World (*Eitz Yosef*, first explanation; cf. *Maharzu*, who takes the Midrash's word צובים to mean "piles").

36. That is, they are not afflicted in this world for their sins, and thus do not gain atonement. Rather, they will be punished for all their sins in the future, on the Day of Judgment (see *Imrei Yosher*).

37. The expression אולם alludes to judgment, as in the verse in *I Kings* (ibid.). Accordingly, וּבָרִיא אוּלָם means that the wicked are allowed to remain robust until they must stand in judgment.

38. The wicked thus are rewarded for their few good deeds in this world — thus maximizing the punishment they will receive in the World to Come.

39. See note 41.

40. A reference to Israel; see *Yevamos* 61a (ibid.).

41. With *tzaraas*. The wicked of Israel will share the fate of the other nations, who do not merit being afflicted in this world (which would lead to repentance and atonement), but will suffer the fate mentioned above (*Yefeh To'ar* at the beginning of the section; see also *Eshed HaNechalim* here).

42. Having demonstrated from the above verse in *Psalms* that *tzaraas* is for the benefit of Israel, the Midrash returns to our verse, using this idea to explain Scripture's use of a joyous expression in referring to *tzaraas* (*Maharzu*).

43. See introductory paragraph at the beginning of this section.

אֶלָּא "וּבָרִיא אוּלָם", עֲשִׂיתִים בְּרִיאִים כְּאוּלָם, כִּדְתְנַן: פִּתְחוֹ שֶׁל אוּלָם אָרְכּוֹ אַרְבָּעִים אַמָּה וְרָחְבּוֹ עֶשְׂרִים אַמָּה וַחֲמִשָּׁה מַלְתְּרָיוֹת שֶׁל מֵילָא הָיוּ עַל גַּבָּיו (מדות ג, ז), רַבִּי דּוֹסְתַּאי *בְּרַבִּי יַנַּאי בְּשֵׁם רַבִּי מֵאִיר וְרַבָּנָן, רַבִּי דּוֹסְתַּאי אָמַר בְּשֵׁם רַבִּי מֵאִיר: הָאִשָּׁה הַזֹּאת הִיא טוֹוָה מָעָה אַחַת עָבָה וּמָעָה אַחַת דַּקָּה, אֵלּוּ הַצִּיבּוּם לַעֲוֹנוֹת וְאֵלּוּ לְאִיסְפְּלִיטוֹן, רַבָּנָן אָמְרִי: אֵין לָהֶם צוֹבִים שֶׁל עֲוֹנוֹת שֶׁיָּמוּתוּ בָּהֶם, אֶלָּא אֵלּוּ הַבְּרִיאִים לְיוֹם הַדִּין, הֲדָא הוּא דִכְתִיב (מלכים-א ז, ז) "וְאוּלָם הַכִּסֵּא אֲשֶׁר יִשְׁפָּט שָׁם אֻלָם הַמִּשְׁפָּט" (תהלים שם ה) "בַּעֲמַל אֱנוֹשׁ אֵינֵמוֹ", לֹא לַחֲרוֹשׁ וְלֹא לִזְרוֹעַ וְלֹא לִקְצוֹר, "וְעִם אָדָם לֹא יְנֻגָּעוּ", אָמַר רַב הַמְנוּנָא: אֲפִילוּ בְּאוֹתָם שֶׁכָּתוּב בָּהֶם (יחזקאל לד, לא) "וְאַתֵּן צֹאנִי צֹאן מַרְעִיתִי אָדָם אַתֶּם" לֹא יְנוּגָּעוּ, לְפִיכָךְ מֹשֶׁה מַזְהִיר לְיִשְׂרָאֵל: [יד, לד] "כִּי תָבֹאוּ אֶל אֶרֶץ כְּנַעַן":

פתחו של אולם כו'. מכאן שהכתלים הם גם כן גבוהות וחזקים: **מלתראות של מילא.** פירוש קורות של עצי מילה: **האשה הזאת כו'.** גרסת הערוך האשה הזאת טווה מעה אחת דקה ומעה אחת עבה, וכתב שלפי הענין פירושו חוט ומטוה, כן הוא בערוך ערך מט. אבל היפה תואר כתב שגירסת הערוך האשה הזאת טוה במטוה מפה אחת עבה ומפה אחת דקה. ובשוחר טוב (מזמור עג) גרס, האשה הזאת טווה במטוה, אחת מקוטפה, ואחת מטובה, ואין כל הטווי כלן שוה, אבל הרשעים אינם כן אלא כי אין חרצובות למותם אין בהם מום אלא בריאים כאולם לכך בריא אולם. ולכל הגירסאות הכוונה בזה למדרש חרצובות כפשוטו כמו (ישעיה נח, ו) חרצובות רשע, וירצה שאינם כאשה שבטווייתה משנה טעמה, שפעמים טווייתה עבה, ופעמים דקה, ואלו שלוותם תמיד באופן אחד בלי שום חרצובות כחרצובות שבמטווה, כלומר שאין בהם מום אלא תמיד בריא אולם: **אלו הציבום לעונות ואלו לאספליטון.** פירוש הציבום לשון עגלות צב (במדבר ז, ג), ורצה לומר שהרבו עונות עגלות מלאות. ודריש חרצובות לשני מילות שאין מתחרר ומונע מהם רבוי עונותיהם, והעונות קרי מותם. וקאמר ואלו לאספליטון, פירוש היכלי מלך כמו אספלידא דפרק קמא דבבא בתרא (ז, א), והטי"ת והדל"ת נתחלפו, וזהו ובריא אולם שהם בריאים, ונשמרים עונותיהם לעת פקודתם בבואם בהיכל מלך לעולם הבא. אי נמי פירושו שאף שהם חוטאים הם חזקים כפלטין, וכדאמר לעיל עשיתים בריאים כאולם: **אין להם צובים של עונות.** בתמיה וכי אין להם הרבה עונות כדי שימותו בהם, אלא שהם שמורים ליום הדין ופירוש צובים מענין בטנך צבה, או עגלות צב כדלעיל, ומפרש אולם לשון דין כדכתיב (מלכים א' ז, ז) ואולם הכסא אשר ישפוט וגו': **אפילו אותם שכתוב כו'.** פירוש דלא מבעיא אומות העולם שהם בריאים, אלא אפילו ישראל לא יגוגעו כדרכם להיות מדוכאים בנגעים: **אדם אתם.** אלו ישראל:

פתחו של אולם. במסכת מדות (פרק ג' מ"ז), ומאחר שהיה חלל גדול כזה, בוודאי היה הבנין חזק של אבנים גדולות וקורות חזקות: **טוה מעה אחת עבה.** במוסף הערוך פירש לפי הענין חוט ומטוה, ועיין ירושלמי (ברכות פ"ח ה"ו) שיאותו לאורו, שיעורו שיהיו הנשים טוות לאורו, כמו שאמרו שם בדברי שמואל, והדברים קרובים שהמטוה היא טוויה וחוט: **אלו הציבום לעונות ואלו לאספליטין.** בערוך (ערך צב) גורס אלו לצובים ולעונות, ואלו לאספריטים. ציבים אמר בנימין פירוש חוטים דקים וכן לעונות, ובערוך (ערך אספרטון) כתב המוסף הערוך אמר בנימין פירושו בלשון רומי חוט ומיתר, הרי שפירש המאמר שהאשה הטווה אינה יכולה לגמרם שיהיו חוטי הטויה שוים תמיד, ודורש צובות מלשון ציבים ברומית, וציבים ולעונות ואספרטון ענינם אחד, והרשעים זמני הצלחתם שוים תמיד: **צובים שלעונות שימותו.** דורש חרצובות מלשון צבתים ועמרים, ואיזה צבתים גורמים המיתה, דורש על פי מדה ט', על צבתים של עונות הגורמים מיתה, כמו שכתוב (במדבר כז, ג) כי בחטאו מת. שאינו פוקד עליהם עונותם: **אלא אלו הבריאים.** כך צריך לומר אלא ובריא אולם אלו הבריאים ליום הדין, וכמו שאמרו ברכות פרק א' (ז, ב) ולא עוד אלא שזוכים בדין, שנאמר (תהלים י, ה) מרום משפטיך מנגדו, וזהו ובריא, אולם פירושו אולם המשפט, על פי מדה ז' וי"ז: **בעמל אנוש.** כמו שכתוב (איוב ה, ז) אדם לעמל יולד, היינו לחרוש ולקצור וכדומה, הרשעים אינם צריכים לזה, שיש להם עבדים רבים: **שכתוב בהם אדם אתם.** שאין היסורים שלהם יסורי מות, אלא לשעה עד שישובו בתשובה, והרשעים אפילו לשעה לא ינוגעו, ובעבור תיבת ינוגעו הובא כל הדרשה לכאן, וכל זה באמת לרעתם של רשעים, שאינם זוכים ליסורים לנקותם מעונותם, לפיכך משה מזהיר לישראל כי תבואו וגו' ונתתי נגע צרעת מתנה לנקותם מעונותם:

מתנות כהונה

הכי גרסינן עשיתים בריאים: מלתריות של מילא. פירוש קורות של עצי מילא, עיין בערוך [ערך] אמלתרא וערך מל: **האשה טווה.** חוט אחד עבה וחוט אחד דקה, ואלו הרשעים נתן להם הקב"ה לביונם ורצונם שוה בכל עונה ועת בלי עכוב וחסרון: **אין להם צובים כו'.** לשון תימה, וכי אין להם לבא וריבוי עונות: **אפילו באותם גרסינן: אדם אתם.** אלו ישראל:

אשד הנחלים

בריאים כאולם. כי פחחי לבם בריאים, וכל אשר ישאלו ינתנו להם: **האשה כו' אלו הציבום כו'.** עיין במתנות כהונה. ועיין בידי משה שפירש הציבום, לשון עגלות כמו עגלות צב, ופירושו עגלות מלאים עונות, ואספליטין הוא היכלי מלך, ופירושו שכל העונות יהיו נשמרים ליום הדין, כפירוש רבנן דבסמוך. ומשל האשה כשטוה לא ידעתי פירושו. ואולי לפי שהקדמונים דימו החיים לתקות חוט האריג ההולך במרוצה, כמו שכתוב (איוב ז, ו) ימי קלו מני ארג, וכשפוסק באמצע מחמת החוטים שאינם שוים, הוא דמיון המיתה, שהכוחות החיונית יתפרדו מחמת שלא יתמזגו יחד היטב, וחרצובות מלשון קשרים, שכשימצא הקשר בחוט, אז נפסק מהר, וזהו המשל על המות בתוך הזמן, וזהו אין להם ציבים של עונות דלהלן, ובריאים אף ליום הדין, המכונה בשם אולם: **לחרוש.** ששם אנוש הונח על פחות המעלה, העוסק בעמל האדמה, ושם אדם הונח על גדול המעלה, כמו שכתוב (יחזקאל לד, לא) אדם אתם, וכמו שאמרו חז"ל (יבמות סא, א). וכולם ינוגעו לפעמים בעולם, והרשעים יבדלו מכל בטובה: **לפיכך משה כו'.** פירוש כי הרשעים לא ינוגעו, למען ילכו אחר כך לאבדון בלי צירוף ובלי תשובה, אבל לטובים הנגעים טובה גדולה, וזהו כי תבואו אל ארץ אחוזתכם, אשר שם תהיו במעלה גדולה, ושם אתן נגע צרעת, כי לטובה היא, להצריף לבו, או שלא יהיה צר עין כדלהלן:

חידושי הרד"ל

אלו הציבין לעונות. כן גירסת ערוך (שם וערך אספרטון) ופירוש חוטין דקין. ועל לאספליטין פירש במוסף הערוך (ערך אספרטון) מיתרים. ובשוחר טוב הלשון בענין אחר עיין שם: **לא ינוגעו לפיכך משה מזהיר לישראל כי תבאו וכו' ונתתי נגע צרעת.** רצה לומר מה שאלו בשורה היא שהנגעים באים, מפרש שהיא טובה, שעל ידי זה יחזרו בתשובה.

חידושי הרש"ש

האשה היא טווה מעה אחת וכו' אלו הציבין לעונות ואלו לאיספלטון. בערוך ערך אספרטון וערך צב הגירסא אלו לציבין לעונות ואלו לאספרטין. ופירושו שהם מיני חוטין דקין ועבין, ואם כן הוא בחור על צורך טוויה ומעה גסה ומעה דקה. ומעה נראה לפי שהשיעורין במטוה היה על ידי משקל כדאיתא בסוף פרק אף על פי (כתובות סד, ב) במשנה משקל חמש סלעים שתי וכו', וכל זה דלא כמתנות כהונה.

ליקוטים

[א] **בעמל אנוש אינימו לא לחרוש וכו' ועם אדם לא ינוגעו וכו'.** פירוש שם אנוש הוא על פחות המעלה העוסק בעמל האדמה, ושם אדם הוא על גדול המעלה כמו שנאמר אדם אתם וכמו שאמרו חכמינו ז"ל (יבמות סא, א), וכולם ינוגעו לפעמים בעולם, והרשעים יבדלו מכל בטובה (נבחר מפנינים):

באור מהרי"פ

תתבא ולא תירא מסוד כי יבוא, תרגומו בנזקא דליטן דבלטס תטמר וכו', ואולי פי זה יבואר אולי כוונת המתנות כהונה ודו"ק. ופירוש הראשון לקוח מערוך, וזה לשון הערוך ערך חרחור ב' ג' ד', (בפ') [בסופו] עוקצים (פ"ג מי"ה (בסופו) בית שמאי אומרים משיחרחר, איכא דאמרי משיהרהר, פירוש משיביא עשן ויעשן להבריח הדבורים כאלו מחרחר ריב עם הדבורים מן לחרחר ריב, ופירוש משיהרהר משיחשוב מחשבה לרדות הדבש. חרחר (שבת סז, א), מי שיש לו עצם בגרונו מביא מאותו המין ומניח לו על קדקדו ולימא הכי חרחר נחית בלע בלע נחית, חרחר פירוש תתבלע ותרד כמו בחור עכ"ל הערוך. ובנוסחאות דידן גרסינן חד חד בדאלעד. חרחר בריש טבול יום (פ"א מ"ג) והחרחור יותר מכאלבע, פירוש מקום שיחר וישרף הלחם שמו חרחור עכ"ל. ואתה המעיין שבעל מתנות כהונה לקח פירושו מערך ג', ומערך ב' וד' יותר משמע לשון קלקול והשחתה השייך לכאן: **מתנות כהונה ד"ה מלתריות וכו' עיין ערוך וכו' וערך מל.** זה לשון הערוך ערך מל שלפני מל אחרון, חמש אמלתראות של מילת היה וכו'. מילה שם האילן ופירותיו נקרא מלין, כדגרסינן אין מי מלין על גבי מלין וכו', סימן להרים מילין (פסחים נג, א), פירוש עפלים גדלים בהרים ודקלים טובים אלא בעמקים, נפקא מיניה דאין דקלים אין גדילתן אלא בעמקים, ומהן ראוי להביא בכורים עד כאן. וזה לשון ר' בנימין מוספייא, אמר בנימין, חמש אמלתרות של מלת, מלה זו איננה מענין מלין, כי פירוש מיליא בלשון יווני מין עץ סרק ארוך מאוד וגזעו ישר ועגול, אשר ממנו נעשה קורות ארוכות וגבוהות עד מאד, ואין זה העץ המגדל העפלים כי אם מינים של ארז הם המגדלים העפלים עכ"ל ר' בנימין מוספייא: **מתנות כהונה ד"ה האשה הזאת וכו' ורצונם שוה בכל עונה ועת וכו'.** וכן פירש מדרש שוחר טוב עיין שם: **מעה אחת וכו'.** ר' בנימין מוספייא ערך מע השלישי פירש לפי הענין חוט ומטוה: **הכי גרסינן אלו לציבים ולעונות.** בערוך ערך צב חמישי, זה לשונו שם ציבים של עונות עכ"ל הערוך. צריך עיון מתחלה הוא גורס אלו לצבים ולעונות, ואחר כך אמר ציבים ציבים של עונות. וזה לשון ר' בנימין מוספייא שם, פירוש (ציבים) חוטים דקים וכן עונות עכ"ל. ובערך אספרטון פירש ר' בנימין מוספייא, ואלו לאספריטון, פירוש חבל ומיתר: **אפילו באותם.** צריך להיות כאותם בכ'. אות אמת:

אם למקרא

וְאוּלָם הַכִּסֵּא אֲשֶׁר יִשְׁפָּט שָׁם אֻלָם הַמִּשְׁפָּט עָשָׂה וְסָפוּן בָּאֶרֶז מֵהַקַּרְקַע עַד הַקַּרְקָע: (מלכים א ז:ז)

וְאַתֵּן צֹאנִי צֹאן מַרְעִיתִי אָדָם אַתֶּם אֲנִי אֱלֹהֵיכֶם נְאֻם אֲדֹנָי ה': (יחזקאל לד:לא)

ידי משה

אלו הציבום לעונות ולאספליטון. ופירוש הציבום הוא לשון (במדבר ז, ג) עגלות צב, ופירושו עגלות מלאים עונות. אספליטון פירוש היכלי המלך, פירוש שכל עונות יהיה נשמרים ליום הדין כפירוש רבנן דבסמוך. וקל להבין. וכן הוא פירוש בירושלמי: **אמר רב המנונא אפילו עם אותם שכתוב בהם כו'.** כן צריך לומר. פירוש אפילו כשינגעו ישראל לא ינגעו אותם הנקראים בריא אולם שמהם, אלא ימתין להם עד יום הדין. ולפיכך משה מזהיר את ישראל כי תבאו אל ארץ כנען בבית ארץ אחוזתכם, פירוש עליכם יהיה הנגעים ולא על אותם בריא אולם. וקל להבין:

אמרי יושר

האשה הזאת טווה נימא אחת עבה ונימא אחת דקה. אבל טוחים עונות, תמיד בריאים וחמורים, **ורבנן אמרי אין להם צבור של עונות,** שמא אין להם ריבוי עונות שיתחייבו מות, וכיון שכן למה לא ימותו, כיון שיש שם: **כדי שיהיו בריאים.** וטווין לחובה מכל וכל, ואם יתייסרו יתמרקו עונם: **אדם לא כו'.** עיין בראשית רבה (פרשה פח א). אף על גב דכתיב אדם דהיינו ישראל (יבמות סא, א), כתב רש"י תהלים ל"ט (פסוק ט) התפלה הזו [דחרפת נבל אל תשימני (תהלים שם)] גרמה להביא יסורי חלאים על העכו"ם:

§2 In stating that a *tzaraas* affliction will be placed upon a house in the land of *your possession*, Scripture alludes to the fact that a *tzaraas* affliction upon a house is the result of the owner's possessiveness and refusal to lend to others that which he has. The Midrash illustrates this by expounding a verse in *Job*:[44]

הֲדָא הוּא דִכְתִיב ״יִגֶל יְבוּל בֵּיתוֹ נִגָּרוֹת בְּיוֹם אַפּוֹ״ — **Thus it is written** regarding a wicked individual, ***The produce of his house will be exiled, swept away*** [נִגָּרוֹת] ***on the day of [God's] anger*** (*Job* 20:28). יְהוּ גוֹרְרִין וּמוֹצִיאִין — This verse is interpreted to mean that **they will drag out** (גּוֹרְרִין) the produce of his house, thus publicly displaying his belongings.[45] אֵימָתַי — **When** will this occur? בְּיוֹם שֶׁיְּגָרֶה הַקָּדוֹשׁ בָּרוּךְ הוּא אַפּוֹ בְּאוֹתוֹ הָאִישׁ — **On the day that the Holy One, blessed is He, will let loose His anger against this individual.**[46]

The Midrash proceeds to specify what sin warrants this sort of punishment:

הָא כֵּיצַד — **How** is this brought about? אָדָם אוֹמֵר לַחֲבֵירוֹ: הַשְׁאִילֵנִי קַב חִטִּים — **An individual says to his friend, "Lend me a *kav* of wheat,"** וְאָמַר לוֹ: אֵין לִי — to which **the friend**, not wishing others to benefit from his possessions, lies and **says, "I don't have** any"; קַב שְׂעוֹרִים, אֵין לִי — or the individual says, "Lend me a ***kav* of barley,"** to which the friend says, **"I don't have** any"; קַב תְּמָרִים, אֵין לִי — or the individual says, "Lend me a ***kav* of dates,"** to which the friend says, **"I don't have** any." אִשָּׁה אוֹמֶרֶת לַחֲבֶרְתָּהּ: הַשְׁאִילֵנִי נָפָה — Similarly, **a woman says to her friend, "Lend me a fine sieve,"** הִיא אוֹמֶרֶת: אֵין לִי — **and [the friend] says, "I don't have** one"; הַשְׁאִילֵנִי כְּבָרָה, וְאוֹמֶרֶת: אֵין לִי — or the woman says, **"Lend me a coarse sieve," and [the friend] says, "I don't have** one." מָה הַקָּדוֹשׁ בָּרוּךְ הוּא עוֹשֶׂה — **What does the Holy One, blessed is He,** then **do?** מְגָרֶה נְגָעִים בְּתוֹךְ בֵּיתוֹ — **He lets loose** *tzaraas* **afflictions in [the friend's] house,**[47] וּמִתּוֹךְ שֶׁהוּא מוֹצִיא אֶת כֵּלָיו — **and by virtue of the fact that [the friend]** must **remove** all **his vessels** from his house,[48] הַבְּרִיּוֹת רוֹאוֹת וְאוֹמְרוֹת: — **people see** that he indeed had the items requested of him, לֹא הָיָה אוֹמֵר: אֵין לִי כְּלוּם — **and they say, "Did [this individual] not say, 'I have nothing** to lend?' רְאוּ כַּמָּה חִטִּים יֵשׁ כָּאן, כַּמָּה שְׂעוֹרִים כַּמָּה תְּמָרִים יֵשׁ כָּאן — Why, **see how much wheat there is here, how much barley there is here, how many dates there are here!** לָווּט בֵּיתָא בְּאִילֵּין לְווּטַיָּא — **The house has been cursed** appropriately **with these curses!"**[49]

רַבִּי יִצְחָק בְּרַבִּי אֱלִיעֶזֶר מַיְיתֵי לָהּ מִן הָדֵין קְרָא — **R' Yitzchak the son of R' Eliezer derives this** — that people will curse the house — **from the following verse,** ״שְׁקַעֲרוּרֹת״ — *The affliction is in the walls of the house,* ***depressed*** (below, v. 37), שְׁקִיעַ בֵּיתָא בְּאִילֵּין לְווּטַיָּא — alluding to the fact that everyone will say, **"The house sank as a result of these curses!"**[50]

The Midrash connects the preceding to our verse in *Leviticus*:

לְפִיכָךְ מֹשֶׁה מַזְהִיר אֶת יִשְׂרָאֵל: ״כִּי תָבֹאוּ אֶל אֶרֶץ כְּנַעַן״ — **Therefore,**[51] **Moses warns Israel** with the words, ***When you arrive in the land of Canaan . . .*** *and I will place a tzaraas affliction upon a house in the land of your possession*, alluding that *tzaraas* of the house is a result of a person's possessiveness.

§3 As stated in the preceding section, the Midrash sees in our verse's expression *the land of your possession* an allusion that the sin of possessiveness is a cause for *tzaraas* of the house. The Midrash now lists ten sins that are each capable of generating *tzaraas* afflictions in general,[52] the last of which is the sin of possessiveness:

עַל עֲשָׂרָה דְבָרִים נְגָעִים בָּאִים — ***Tzaraas*** **afflictions come** upon a person **for** any one of **ten** sinful **things:** עַל עֲבוֹדָה זָרָה — (i) **for idol worship;** וְעַל גִּלּוּי עֲרָיוֹת — (ii) **for illicit relations;** וְעַל שְׁפִיכוּת דָּמִים — (iii) **for murder;** וְעַל חִילּוּל הַשֵּׁם — (iv) **for the desecration of God's Name;** וְעַל בִּרְכַּת הַשֵּׁם — (v) **for "blessing" the [Divine] Name;**[53] וְעַל הַגּוֹזֵל אֶת הָרַבִּים — (vi) for **stealing from that which belongs to the public;**[54] וְעַל גּוֹזֵל אֶת שֶׁאֵינוֹ שֶׁלּוֹ — (vii) **for stealing that which does not belong to him;**[55] וְעַל גַּסֵּי הָרוּחַ — (viii) for **haughtiness;** וְעַל לָשׁוֹן הָרָע — (ix) for ***lashon hara;*** וְעַל עַיִן רָע — (x) and for **stinginess.**[56]

NOTES

44. *Eitz Yosef.*

45. The term יָגֶל (translated according to the verse's plain meaning as *will be exiled*) is translated in this exposition as *will be revealed*, meaning that his property will be publicly exposed (*Eitz Yosef* below, s.v. הבריות רואות כו׳).

46. The word נִגָּרוֹת is being interpreted additionally as *let loose* [from גֵּרוּי, lit., *incitement*] (*Maharzu*). Accordingly, the verse is interpreted as saying: *The produce of his house will be revealed, dragged out on the day [God's] anger is let loose.*

47. That the verse in *Job* is referring to the punishment of *tzaraas* is alluded to in the words *on the day of [God's] anger*, for a similar expression is used by Scripture (*Numbers* 12:9) in reference to Miriam's being smitten with *tzaraas*: *The anger of HASHEM flared up against them* (*Radal*).

48. As it states (*Leviticus* 14:36), *The Kohen shall command; and they shall clear the house before the Kohen comes to look at the affliction* (*Eitz Yosef*).

49. *Matnos Kehunah*, first explanation, followed by *Eitz Yosef.*

50. The word שְׁקַעֲרוּרֹת is interpreted as a contraction of the words שָׁקַע, *has sunk*, and אֲרוּרוֹת, *curses*, alluding to the fact that the curses caused the house to sink (ibid.).

51. Since one who is stingily possessive is liable to be afflicted with *tzaraas* of the house.

52. Most of the sins discussed below have already been cited earlier in the Midrash (16 §1) as being punishable by *tzaraas*.

53. I.e., blasphemy. The word "blessing" here is used as a euphemism for cursing.

54. Stealing that which belongs to the public is an especially grave offense because there is no specific person [to whom the thief can make restitution or] who can waive the claim against him (*Eitz Yosef* below, s.v. גוזל את הרבים).

55. The Midrash below will state that this refers to misappropriating a position of authority (ibid., s.v. שאינו שלו).

56. See Insight Ⓐ.

INSIGHTS

Ⓐ Tzaraas and the Sources of Sin The Midrash here lists ten sins that are punishable with *tzaraas*. Building on the idea that the afflictions of *tzaraas* are rooted in the sins of man, *HaDerash VeHalyun* (*Parashas Ki Seitzei* §160) suggests a correlation between the various forms of *tzaraas* that appear on a person's body and the different causes of sin:

All earthly desire — the root cause of sin — falls into one of three categories: (i) the desire for physical pleasure; (ii) the desire for property and wealth; and (iii) the desire for wisdom and knowledge. It is the lifework of a person to learn to control and channel these desires so that they are fulfilled only in a permissible manner and their fulfillment aids the person in serving God. If one fails in this task, he will have exposed himself to great danger, for untrammeled desire, regardless of category, carries with it a vast potential for all sorts of sin. For example, one who does not properly direct his appetite for physical pleasure will find himself enmeshed in those desires, unwilling and unable to differentiate between permitted pleasures and forbidden ones, feeding a hunger that might grow eventually to include even acts perverted and depraved. Similarly, a person who knows no limits in the pursuit of wealth will take every opportunity for profit, without concern for legality or fairness. Small bendings of rules will grow to become large

ב **הֲדָא הוּא דִכְתִיב** (איוב כ, כח) "**יִגֶל יְבוּל בֵּיתוֹ נִגָּרוֹת בְּיוֹם אַפּוֹ**", גיְהוּ גּוֹרְרִין וּמוֹצִיאִין, אֵימָתַי, בַּיּוֹם שֶׁיִּגָּרֶה הַקָּדוֹשׁ בָּרוּךְ הוּא אַפּוֹ בְּאוֹתוֹ הָאִישׁ, הָא כֵּיצַד, אָדָם אוֹמֵר לַחֲבֵירוֹ: הַשְׁאִילֵנִי קַב חִטִּים, וְאָמַר לוֹ: אֵין לִי, קַב שְׂעוֹרִים, אֵין לִי, קַב תְּמָרִים, אֵין לִי, אִשָּׁה אוֹמֶרֶת לַחֲבֶרְתָּהּ: הַשְׁאִילִנִי נָפָה, הִיא אוֹמֶרֶת: אֵין לִי, הַשְׁאִילִנִי כְּבָרָה, וְאוֹמֶרֶת: אֵין לִי, מָה הַקָּדוֹשׁ בָּרוּךְ הוּא עוֹשֶׂה, מְגָרֶה נְגָעִים בְּתוֹךְ בֵּיתוֹ, וּמִתּוֹךְ שֶׁהוּא מוֹצִיא אֶת כֵּלָיו הַבְּרִיּוֹת רוֹאוֹת וְאוֹמְרוֹת: לֹא הָיָה אוֹמֵר: אֵין לִי כְּלוּם, רְאוּ כַּמָּה חִטִּים יֵשׁ כָּאן, כַּמָּה שְׂעוֹרִים כַּמָּה תְּמָרִים יֵשׁ כָּאן, לְוּוּט בֵּיתָא בְּאִילֵין לְווּטַיָּא, רַבִּי יִצְחָק בְּרַבִּי אֱלִיעֶזֶר מַיְיתֵי לָהּ מִן הָדֵין קְרָא, [יד, לז] "שְׁקַעֲרוּרֹת", שְׁקִיעַ בֵּיתָא בְּאִילֵין לְווּטַיָּא, לְפִיכָךְ מֹשֶׁה מַזְהִיר אֶת יִשְׂרָאֵל: [יד, לד] "כִּי תָבֹאוּ אֶל אֶרֶץ כְּנַעַן":

ג **עַל עֲשָׂרָה דְבָרִים** דנְגָעִים בָּאִים: עַל עֲבוֹדָה זָרָה, וְעַל גִּילּוּי עֲרָיוֹת, וְעַל שְׁפִיכוּת דָּמִים, וְעַל חִילּוּל הַשֵּׁם, וְעַל בִּרְכַּת הַשֵּׁם, וְעַל הַגּוֹזֵל אֶת הָרַבִּים, וְעַל גּוֹזֵל אֶת שֶׁאֵינוֹ שֶׁלּוֹ, וְעַל גַּסֵּי הָרוּחַ, וְעַל לָשׁוֹן הָרַע, וְעַל עַיִן רָע, עַל עֲבוֹדָה זָרָה, מִיִּשְׂרָאֵל שֶׁהֵעִידוּ עֵדוּת שֶׁקֶר בְּהַקָּדוֹשׁ בָּרוּךְ הוּא וְאָמְרוּ לָעֵגֶל (שמות לב, ד) "אֵלֶּה אֱלֹהֶיךָ יִשְׂרָאֵל", וּמִנַּיִן שֶׁלָּקוּ בְּצָרַעַת, שֶׁנֶּאֱמַר (שם שם כה) "וַיַּרְא מֹשֶׁה אֶת הָעָם כִּי פָרֻעַ הוּא", שֶׁפָּרְחָה בָּהֶן צָרַעַת, וְעַל גִּילּוּי עֲרָיוֹת, מִבְּנוֹת צִיּוֹן שֶׁנֶּאֱמַר (ישעיה ג, טז) "יַעַן כִּי גָבְהוּ בְּנוֹת צִיּוֹן", וּמִנַּיִן שֶׁלָּקוּ בְּצָרַעַת, שֶׁנֶּאֱמַר (שם שם יז) "וְשִׂפַּח ה' קָדְקֹד בְּנוֹת צִיּוֹן", וְעַל שְׁפִיכוּת דָּמִים, מִיּוֹאָב, שֶׁנֶּאֱמַר (שמואל-ב ג, כט) "יָחֻלוּ עַל רֹאשׁ יוֹאָב", וְעַל חִילּוּל הַשֵּׁם, מִגֵּיחֲזִי, (מלכים-ב ה, כ) "וַיֹּאמֶר גֵּיחֲזִי נַעַר אֱלִישָׁע אִישׁ הָאֱלֹהִים", מַהוּ "מְאוּמָה", מִן מוּמָא דְּאִית בֵּיהּ, וּמִנַּיִן שֶׁלָּקָה בְּצָרַעַת, שֶׁנֶּאֱמַר (שם שם כז) "וְצָרַעַת נַעֲמָן תִּדְבַּק בְּךָ", וְעַל בִּרְכַּת הַשֵּׁם, מִגָּלְיָת, שֶׁנֶּאֱמַר (שמואל-א יז, מג) "וַיְקַלֵּל הַפְּלִשְׁתִּי אֶת דָּוִד בֵּאלֹהָיו", וּמִנַּיִן שֶׁלָּקָה בְּצָרַעַת, שֶׁנֶּאֱמַר (שם שם מו) "הַיּוֹם הַזֶּה יְסַגֶּרְךָ ה' בְּיָדִי",

עץ יוסף

(ב) יגל יבול ביתו כו'. דבעי למדרש מה שנאמר ונתתי נגע צרעת בבית ארץ אחוזתכם, לפי שהם אוחזים בארץ להם, שאינם רוצים ליהנות לזולתם, ולפי שדרכם להכחיש במה שנשאלין מהם לומר אין לו, לכן מביא נגעים על ביתם גם כדי שיוציאו מה שבתוכו ויראו שקרותם, ולהכי מייתי סמך מהאי קרא יגל יבול ביתו דמידרש בהכי: **יהו גוררים ומוציאין.** יבול ביתו התבואה שהיה לו בביתו וכפר בה לשכניו, כדכתיב וצוה הכהן ופנו את הבית: **הבריות רואות כו'.** והיינו יגל יבול ביתו שגלה מה שבתוכו: **לווט ביתא.** מקולל הבית וראוי לקללות הללו: **שקע ביתא.** שקערורות דרש נוטריקון, מן שקע ומן ארירה בחסרון האל"ף, שקע ארורות, כלומר בקללות: **(ג) על עשרה דברים כו'.** גם פה טעמו למדרש אחוזתכם שאינם רוצים להנות לאחרים וכדפירשתי באגדה הקודמת, ולהכי מייתי הך ברייתא דעל עשרה דברים נגעים באים דקחשיב מינייהו עין הרע, ולהכי מסיים בה שהוא המכוון לענייננו פה: **על עבודה זרה ועל גילוי עריות ושפיכות דמים.** מיירי במזיד ולא אתרו ביה, בשוגג ולא אתידע ליה, ואף על גב דלעיל (י, ו) איתא שיש כפרה לאלו בבגדי כהונה, יש לומר דהתם מיירי שמכפר על הציבור שלא יענשו עליו, והכא מיירי בו בעצמו שנגעים באים עליו לכפר. ועיין ביפה תואר שם בארוכה: **שפרחה בהם צרעת.** כמה דאת אמר (יג, מה) וראשו יהיה פרוע: **כי גבהו בנות ציון.** דכולהו קראי התם בזנותם קמיירי, שגבהות קומתן ונטיית גרונם וכל הדברים הנזכרים שם בכתוב תכליתם לזנות היתה, שהיו מכוונים להתיפות להרגיל לעבירה: **ושפח.** לשון ספחת, כדלעיל בריש הפרשה: **יחולו על ראש יואב.** ובתריה כתיב ואל יכרת מבית יואב זב ומצורע: **מהו מאומה.** קשה ליה שלא מצינו לשון מאומה על מציאות דבר אלא על העדרו, לא תתן לי מאומה (בראשית ל, לא), ולא ידע אתו מאומה (בראשית לט, ו), כי לא מלאתם בידי מאומה (שמואל א' יב, ה), להכי קאמר דהוי ליה כאילו כתיב מומה שרמיז שיקח מומו של נעמן דהיינו הצרעת, ונבא ולא ידע מה ניבא, ועיין מה שכתבתי בתנחומא (סימן א), ועיין במנחת שי:

פירוש מהרז"ו

(ב) יגל יבול ביתו. דריש נגרות מלשון גוררין, כי יהיו ונגררות מן הבית לחוץ, גם דורש נגרות מלשון גירוי, וזהו מה שאמר ביום שיגרה אפו בו, ועיין במדבר רבה (ז, ה), דברים רבה (ו, ח), ותנחומא כאן (סימן ד): **(ג) על עשרה דברים.** עיין ערכין (טו, א), ולעיל (טז, א) על שבעה דברים, ובמדבר רבה (ז, ה) על אחד עשר דברים, וכן הוא בזוהר בלק על אחד עשר דברים, עיין שם השינויים, וכן הוא בתנחומא כאן (סימן יד) על אחד עשר דברים, ומדרשים חלוקים הם: **גוזל את הרבים.** בממון, ומה שכתב הגוזל את שאינו שלו, היינו בכבוד ובגדולה שאינו שלו כדלקמן בסמוך: **שהעידו עדות שקר.** פתח בעבודת גילולים ומסיים בעדות שקר. ועיין לעיל (טז, ח) מה שכתבתי שם על ענין יפיח כזבים, ולזה כוון כאן: **כי פרוע הוא.** שזרחה בהן צרעת, וכמו שכתוב (ויקרא יג, מה) והצרוע אשר בו הנגע וגו' וראשו יהיה פרוע, ודורש גזירה שוה, וכן הוא בתנחומא שם: **ועל חילול ה' מגיחזי.** שאלישע קידש ה' על שלא רצה ליקח כלום מנעמן, וגיחזי שלקח חילל ה', ובבמדבר רבה שם מבואר יותר: **מהו מאומה.** משמע דבר קטן והלא לקח ככרים כסף, על כן דורש על פי מדת ממעל, מומה, שפיו הכשילו ולקח מום, היינו צרעת נעמן. ועיין בראשית רבה (נה, ב): **שנאמר והסגירו הכהן.** דורש גזירה שוה, שתיבת ה' יסגרך מורה צרעת, ואף שלא היה כאן סגירה, כי גלית מת מיד, ודוד לא היה כהן, וגלית אינו מטמא בנגעים, אלא דורש מתיבת יסגרך שהיה לו לומר יתנך או ימסרך שמרמז על נגעים, ועיין לקמן (כא, א):

חידושי הרד"ל

[ב] ביום שיגרה הקב"ה אפו בו' ויענשו בנגעים וכמו שכתוב (במדבר יב, ט) במרים, ויחר אף ה' בם והנה מרים מצורעת, וכן אמר (איוב יט, יא) ויחר עלי אפו וגו' גדודיו: **הא כיצד אדם אומר לחבירו כו'.** דברים רבה (ו, ח): **[ג] על עשרה דברים נגעים כו'.** עיין לעיל (יד, א) ובמדבר רבה (ז, א) וזהר בלק:

חידושי הרש"ש

[ב] ראו כמה חטים יש כאן כמה שעורים כמה תמרים יש כאן. ועיין הגירסא במדרש רות וגם שם נשתבש קצת: **לווט ביתא באלין לווטיא.** נראה לי שהוא על דרך כינוי, והכוונה להיפך שהבית מתברך בכל הברכות האלו, בחטים ושעורים ותמרים. וכן תפרש שקערורות שקע ביתא כו': **[ג] שנאמר וירא משה את העם כי פרוע הוא שפרחה בהן צרעת.** עיין מתנות כהונה, וכן הוא במדרש עצמו לקמן (יח, ד): **יחולו על ראש יואב.** בתריה כתיב (בסוף הפסוק) ואל יכרת מבית יואב זב ומצורע:

באור מהרי"פ

[ג] על ראש יואב וגו'. ואל יכרת מבית יואב זב ומצורע וגו': **מן מומא דאית ביה.** פירוש כן אמר גיחזי, על דרך ניבא ולא ידע מה ניבא, ולזה אמר מנין שנתקיים בו כמו שניבא על עצמו ונלקה בצרעת כמו נעמן:

אמרי יושר

[ג] הגוזל דבר שאינו שלו. מיכוי או שררה: **פרוע הוא.** פרוח, אותיות אחה"ע מתחלפות:

מסורת המדרש

ג. יומא י"א. תד"א פ' ט"ו:
ד. ירושלמי פ' חלק:

אם למקרא

יִגֶל יְבוּל בֵּיתוֹ נִגָּרוֹת בְּיוֹם אַפּוֹ: (איוב כ:כח)

וַיִּקַּח מִיָּדָם וַיָּצַר אֹתוֹ בַּחֶרֶט וַיַּעֲשֵׂהוּ עֵגֶל מַסֵּכָה וַיֹּאמְרוּ אֵלֶּה אֱלֹהֶיךָ יִשְׂרָאֵל אֲשֶׁר הֶעֱלוּךָ מֵאֶרֶץ מִצְרָיִם: (שמות לב:ד)

וַיַּרְא מֹשֶׁה אֶת הָעָם כִּי פָרֻעַ הוּא כִּי פְרָעֹה אַהֲרֹן לְשִׁמְצָה בְּקָמֵיהֶם: (שם שם כה)

וַיֹּאמֶר ה' יַעַן כִּי גָבְהוּ בְּנוֹת צִיּוֹן וַתֵּלַכְנָה נְטוּיוֹת גָּרוֹן וּמְשַׂקְּרוֹת עֵינָיִם הָלוֹךְ וְטָפֹף תֵּלַכְנָה וּבְרַגְלֵיהֶם תְּעַכַּסְנָה: וְשִׂפַּח אֲדֹנָי קָדְקֹד בְּנוֹת צִיּוֹן וַה' פָּתְהֵן יְעָרֶה: (ישעיה ג:טז-יז)

יָחֻלוּ עַל רֹאשׁ יוֹאָב וְאֶל כָּל בֵּית אָבִיו וְאַל יִכָּרֵת מִבֵּית יוֹאָב זָב וּמְצֹרָע וּמַחֲזִיק בַּפֶּלֶךְ וְנֹפֵל בַּחֶרֶב וַחֲסַר לָחֶם: (שמואל ב ג:כט)

וַיֹּאמֶר גֵּיחֲזִי נַעַר אֱלִישָׁע אִישׁ הָאֱלֹהִים הִנֵּה חָשַׂךְ אֲדֹנִי אֶת נַעֲמָן הָאֲרַמִּי הַזֶּה מִקַּחַת מִיָּדוֹ אֵת אֲשֶׁר הֵבִיא חַי ה' כִּי אִם־רַצְתִּי אַחֲרָיו וְלָקַחְתִּי מֵאִתּוֹ מְאוּמָה: (מלכים ב ה:כ)

וְצָרַעַת נַעֲמָן תִּדְבַּק בְּךָ וּבְזַרְעֲךָ לְעוֹלָם וַיֵּצֵא מִלְּפָנָיו מְצֹרָע כַּשָּׁלֶג: (שם שם כז)

וַיֹּאמֶר הַפְּלִשְׁתִּי אֶל דָּוִד הֲכֶלֶב אָנֹכִי כִּי אַתָּה בָא אֵלַי בַּמַּקְלוֹת וַיְקַלֵּל הַפְּלִשְׁתִּי אֶת דָּוִד בֵּאלֹהָיו: (שמואל א יז:מג)

שינוי נוסחאות

(ב) **לווט.** לכאורה כוונתו "ארור", ואם כן ע"פ חוקי לשון ארמית צ"ל "ליט", וכן הוא באמת בכל הכי"י: (ג) **ויאמר גיחזי נער אלישע איש האלהים.** בכל דפוסי המדרש חסרה תיבת "אלישע":

מתנות כהונה

[ב] יהו גוררין יבול ביתו. היינו תבואה שיש לו בביתו וכפר בה לשכניו: **לווט ביתא.** מקולל הבית, וראוי לקללות הללו. או פירושו הוא קלל הבית בקללות אלו, במה שאמר אין לו והיה לו: **שקע ביתא.** שקערורית דריש נוטריקון שקע ארורות כלומר בקללות: **[ג] שפרחה בהם צרעת.** כמה דאת אמר (ויקרא יג, מה) וראשו יהיה פרוע: **ושפח.** לשון ספחת כדלעיל בריש הפרשה (טז, א): **מאומה נוטריקון.** מן מומה, ועיין זה משלם בפרשת נשא (ז, ה): **דאית ביה.** בנעמן: **באלהיו.** כינוי דאלהיו מוסב על דוד, ופירוש עם אלהיו:

אשד הנחלים

[ב] לווט ביתיה. עיין במתנות כהונה. ולדעתי הוא על דרך מליצה, שהבריות אמרו יקולל כל בית באלו הקללות, כלומר שיהיה להם כל טוב בכמו זה הבית: **[ג] על עשרה דברים כו'.** כי הן המה העניינים הכוללים באמונה ובמדות, הן בין אדם למקום והן בין אדם לחבירו, ובמדריגות היותר רעות מאוד: **כי פרוע שפרחה.** כי המה נתנו תחילה עדים עליהם עד שהיה ההשראת השכינה והקדושה עליהם, וירא אותם כי פרוע ונשחתו מזה, וזה על ידי הצרעת שהוא מן טומאה: **יסגרך ה' בידו.** כי חלה עליו צרעת ונחלש ונסגר ביד דוד:

The Midrash cites a Scriptural source for each of these ten sins being punishable by *tzaraas*:

עַל עֲבוֹדָה זָרָה, מִיִּשְׂרָאֵל שֶׁהֵעִידוּ עֵדוּת שֶׁקֶר בְּהַקָּדוֹשׁ בָּרוּךְ הוּא וְאָמְרוּ לָעֵגֶל "אֵלֶּה אֱלֹהֶיךָ יִשְׂרָאֵל" — That *tzaraas* afflictions come upon a person **for idol worship** is derived **from** that which occurred to **Israel, who testified falsely against the Holy One, blessed is He, and said of the Golden Calf,** ***"This is your god, O Israel"*** (*Exodus* 32:4). וּמִנַּיִן שֶׁלָּקוּ בְּצָרַעַת — **And from where do we know that** as a result **they were smitten with** ***tzaraas***? שֶׁנֶּאֱמַר "וַיַּרְא מֹשֶׁה אֶת הָעָם כִּי פָרֻעַ הוּא", שֶׁפָּרְחָה בָּהֶן צָרַעַת — **For it states,** ***Moses saw the people, that it was exposed*** [פָּרֻעַ] (ibid., v. 25), meaning **that** ***tzaraas*** afflictions **broke out over them.**[57]

וְעַל גִּלּוּי עֲרָיוֹת, מִבְּנוֹת צִיּוֹן — That *tzaraas* afflictions come upon a person **for illicit relations** is derived **from the daughters of Zion,** שֶׁנֶּאֱמַר "יַעַן כִּי גָבְהוּ בְּנוֹת צִיּוֹן" — **as it is stated,** *HASHEM said:* ***Because the daughters of Zion are haughty,*** *walking with outstretched necks and winking eyes; walking with dainty steps, jingling with their feet* (*Isaiah* 3:16).[58] וּמִנַּיִן שֶׁלָּקוּ בְּצָרַעַת — **And from where do we know that [the daughters of Zion] were smitten with** ***tzaraas*** afflictions? שֶׁנֶּאֱמַר "וְשִׂפַּח ה' קָדְקֹד בְּנוֹת צִיּוֹן" — **For it is stated** immediately afterward, ***[therefore] the Lord will afflict*** [וְשִׂפַּח] ***the heads of the daughters of Zion with lesions*** (ibid., v. 17).[59]

וְעַל שְׁפִיכוּת דָּמִים, מִיּוֹאָב — That *tzaraas* afflictions come upon a person **for murder** is derived **from Joab,** שֶׁנֶּאֱמַר "יָחֻלוּ עַל רֹאשׁ יוֹאָב" — **as it states** immediately after Joab murdered Abner that *[King David] said, . . .* ***[The guilt] shall rest upon the head of Joab*** *and upon all his father's house, and may there never cease from Joab's house contaminated men, those who suffer from tzaraas, etc.* (*II Samuel* 3:28-29).

וְעַל חִילּוּל הַשֵּׁם, מִגֵּיחֲזִי — That *tzaraas* afflictions come upon a person **for the desecration of God's Name** is derived **from Gehazi,** "וַיֹּאמֶר גֵּיחֲזִי נַעַר אֱלִישָׁע אִישׁ הָאֱלֹהִים" — as it states, ***Gehazi, the attendant of Elisha, the man of God, said*** to himself, *"Behold, my master has spared this Aramean Naaman by not accepting from his hand what he had brought. As HASHEM lives, [I swear] that I shall run after him and take something* [מְאוּמָה] *from him"* (*II Kings* 5:20).[60]

Before concluding its proof from Gehazi, the Midrash pauses to analyze the verse's puzzling use of the term מְאוּמָה, *something*:[61]

מַהוּ "מְאוּמָה" — **What is** meant by the term ***something*** [מְאוּמָה]? מִן מוּמָא דְּאִית בֵּיהּ — Gehazi was unwittingly prophesying that he would take **of the** ***tzaraas*** **blemish that [Naaman] had.**[62]

The Midrash returns to complete its proof:

וּמִנַּיִן שֶׁלָּקָה בְּצָרַעַת — **And from where** do we know **that [Gehazi] was smitten with** ***tzaraas***? שֶׁנֶּאֱמַר "וְצָרַעַת נַעֲמָן תִּדְבַּק בְּךָ" — **For it states** immediately afterward that Elisha told Gehazi, ***"Naaman's tzaraas shall therefore cleave to you"*** *. . . When [Gehazi] left [Elisha's] presence, he was [white] as snow with tzaraas* (ibid. 5:27).

וְעַל בִּרְכַּת הַשֵּׁם, מִגָּלְיָת — That *tzaraas* afflictions come upon a person **for the "blessing" of the [Divine] Name** is derived **from Goliath** the Philistine, שֶׁנֶּאֱמַר "וַיְקַלֵּל הַפְּלִשְׁתִּי אֶת דָּוִד בֵּאלֹהָיו" **— for it states,** ***and the Philistine cursed David by his gods*** [בֵּאלֹהָיו] (*I Samuel* 17:43).[63] וּמִנַּיִן שֶׁלָּקָה בְּצָרַעַת — **And from where** do we know **that [Goliath] was smitten with** ***tzaraas*** afflictions as a result? שֶׁנֶּאֱמַר "הַיּוֹם הַזֶּה יְסַגֶּרְךָ ה' בְּיָדִי" — **For it states** that David said to Goliath, ***On this day HASHEM will deliver you*** [יְסַגֶּרְךָ] ***into my hand*** (ibid., v. 46).

NOTES

57. As it states with regard to one who is afflicted with *tzaraas*, *the hair of his head shall be unshorn* [פָּרוּעַ] (*Midrash Tanchuma* §4, cited by *Maharzu*).

58. These acts were intended to lead to illicit relations, as is evident from the general content of this chapter in *Isaiah* (*Eitz Yosef*).

59. The expression וְשִׂפַּח is interpreted as a form of the word סַפַּחַת, which is one of the many types of *tzaraas* afflictions [see *Leviticus* 13:2] (*Matnos Kehunah*, *Eitz Yosef*).

60. Elisha had sanctified God's Name by refusing to accept a gift from Naaman for curing him of his *tzaraas*. By taking a gift from Naaman, Gehazi undid Elisha's achievement (*Bamidbar Rabbah* 7 §5, referenced by *Maharzu*). See above, Ch. 16 note 49. The Midrash will momentarily tell us how we know that Naaman was smitten with *tzaraas*.

61. The term מְאוּמָה, which implies a small amount, seems inapt in this context, for Gehazi actually accepted a considerable gift from Naaman (*Maharzu*). Alternatively: The Scriptural expression מְאוּמָה, lit., *anything*, is generally associated with the *absence* of something, rather than with the *presence* of something, e.g., *And Jacob said, "Do not give me anything* [מְאוּמָה]*"* (*Genesis* 30:31). But the *Kings* verse cited by our Midrash uses this expression to denote *something*. The Midrash therefore seeks clarification (*Eitz Yosef*).

62. The word מְאוּמָה is interpreted as a contraction of the words מִן, *from*, and מוּמָה, *blemish* (*Matnos Kehunah*). Thus Gehazi unknowingly predicted his own punishment (*Eitz Yosef*).

63. The plain meaning of the expression בֵּאלֹהָיו is *by his gods* — referring to the gods of Goliath. However, the Midrash interprets it to mean *with his God*, referring to David's God whom Goliath cursed along with David himself. Hence, Goliath was guilty of "blessing" the Divine Name (*Matnos Kehunah*).

INSIGHTS

swindles, and excuse will be made even for outright theft. Finally, the pursuit of knowledge too can prove dangerous. There are areas of learning that are not suitable for God-fearing Jews. One overeager for enlightenment might delve into works of heresy, which will lead him astray, or study texts that promote hedonism and vice, and fall into sin. It emerges that all three categories of desire, if not directed and restrained according to the dictates of the Torah, are ripe for abuse, and can set a person onto a path of destruction.

These three categories of desire are paralleled by three types of *tzaraas* of the body: that which appears upon a person's flesh (נִגְעֵי הָעוֹר וְהַבָּשָׂר), that which develops from a previous injury (נִגְעֵי שְׁחִין וּמִכְוָה), and that which grows upon one's head (נִגְעֵי הָרֹאשׁ). The *tzaraas* blemishes that appear on one's flesh correspond to sins of the flesh, which derive from man's unrestrained pursuit of physical pleasure. Those that develop from previous injuries are the product of wounds caused by, among other things, wood, stone, or fire (see Mishnah, *Negaim* 9:1). Wood and stone represent one's goods and assets, the property he accumulates; fire is a medium of manufacture, by which a person produces goods for sale. Thus, blemishes that derive from these items correspond to sins committed in the accumulation of wealth. As for *tzaraas* that appears on the head, it corresponds to sins of the intellect, committed in pursuit of knowledge.

It is fitting that the penalty of *tzaraas*, which is incurred for such a variety of sins, should take these three different forms, each paralleling another of the three underlying sources of sin. The purpose of *tzaraas* is not simply to punish the person, but to spur him to repentance. The form in which one's *tzaraas* appears aids in this process, for it pinpoints one's shortcomings, and points him to the path of correction and return.

ב הָדָא הוּא דִכְתִיב (איוב כ, כח) "יִגֶל יְבוּל בֵּיתוֹ נִגָּרוֹת בְּיוֹם אַפּוֹ", [ג]יְהוּ גוֹרְרִין וּמוֹצִיאִין, אֵימָתַי, בַּיּוֹם שֶׁיְּגָרֶה הַקָּדוֹשׁ בָּרוּךְ הוּא אַפּוֹ בְּאוֹתוֹ הָאִישׁ, הָא כֵּיצַד, אָדָם אוֹמֵר לַחֲבֵירוֹ: הַשְׁאִילֵנִי קַב חִטִּים, וְאָמַר לוֹ: אֵין לִי, קַב שְׂעוֹרִים, אֵין לִי, קַב תְּמָרִים, אֵין לִי, אִשָּׁה אוֹמֶרֶת לַחֲבֶרְתָּהּ: הַשְׁאִילִנִי נָפָה, הִיא אוֹמֶרֶת: אֵין לִי, הַשְׁאִילִנִי כְּבָרָה, וְאוֹמֶרֶת: אֵין לִי, מָה הַקָּדוֹשׁ בָּרוּךְ הוּא עוֹשֶׂה, מְגָרֶה נְגָעִים בְּתוֹךְ בֵּיתוֹ, וּמִתּוֹךְ שֶׁהוּא מוֹצִיא אֶת כֵּלָיו הַבְּרִיּוֹת רוֹאוֹת וְאוֹמְרוֹת: לֹא הָיָה אוֹמֵר: אֵין לִי כְּלוּם, רְאוּ כַּמָּה חִטִּים יֵשׁ כָּאן, כַּמָּה שְׂעוֹרִים כַּמָּה תְּמָרִים יֵשׁ כָּאן, לְוּוּט בֵּיתָא בְּאִילֵּין לְוּוּטַיָּא, רַבִּי יִצְחָק בְּרַבִּי אֱלִיעֶזֶר מַיְיתֵי לָהּ מִן הָדֵין קְרָא, [יד, לז] "שְׁקַעֲרוּרֹת", שְׁקִיעַ בֵּיתָא בְּאִילֵּין לְוּוּטַיָּא, לְפִיכָךְ מֹשֶׁה מַזְהִיר אֶת יִשְׂרָאֵל: [יד, לד] "כִּי תָבֹאוּ אֶל אֶרֶץ כְּנַעַן":

ג עַל עֲשָׂרָה דְבָרִים [ד]נְגָעִים בָּאִים: עַל עֲבוֹדָה זָרָה, וְעַל גִּילּוּי עֲרָיוֹת, וְעַל שְׁפִיכוּת דָּמִים, וְעַל חִילּוּל הַשֵּׁם, וְעַל בִּרְכַּת הַשֵּׁם, וְעַל הַגּוֹזֵל אֶת הָרַבִּים, וְעַל גּוֹזֵל אֶת שֶׁאֵינוֹ שֶׁלּוֹ, וְעַל גַּסֵּי הָרוּחַ, וְעַל לָשׁוֹן הָרָע, וְעַל עַיִן רָע, עַל עֲבוֹדָה זָרָה, מִיִּשְׂרָאֵל שֶׁהֵעִידוּ עֵדוּת שֶׁקֶר בְּהַקָּדוֹשׁ בָּרוּךְ הוּא וְאָמְרוּ לָעֵגֶל (שמות לב, ד) "אֵלֶּה אֱלֹהֶיךָ יִשְׂרָאֵל", וּמִנַּיִן שֶׁלָּקוּ בְּצָרַעַת, שֶׁנֶּאֱמַר (שם שם כה) "וַיַּרְא מֹשֶׁה אֶת הָעָם כִּי פָרֻעַ הוּא", שֶׁפָּרְחָה בָּהֶן צָרַעַת, וְעַל גִּילּוּי עֲרָיוֹת, מִבְּנוֹת צִיּוֹן שֶׁנֶּאֱמַר (ישעיה ג, טז) "יַעַן כִּי גָבְהוּ בְּנוֹת צִיּוֹן", וּמִנַּיִן שֶׁלָּקוּ בְּצָרַעַת, שֶׁנֶּאֱמַר (שם שם יז) "וְשִׂפַּח ה' קָדְקֹד בְּנוֹת צִיּוֹן", וְעַל שְׁפִיכוּת דָּמִים, מִיּוֹאָב, שֶׁנֶּאֱמַר (שמואל-ב ג, כט) "יָחֻלוּ עַל רֹאשׁ יוֹאָב", וְעַל חִילּוּל הַשֵּׁם, מִגֵּיחֲזִי, (מלכים-ב ה, כ) "וַיֹּאמֶר גֵּיחֲזִי נַעַר אֱלִישָׁע אִישׁ הָאֱלֹהִים", מַהוּ "מְאוּמָה", מִן מוּמָא דְּאִית בֵּיהּ, וּמִנַּיִן שֶׁלָּקָה בְּצָרַעַת, שֶׁנֶּאֱמַר (שם שם כז) "וְצָרַעַת נַעֲמָן תִּדְבַּק בְּךָ", וְעַל בִּרְכַּת הַשֵּׁם, מִגָּלְיָת, שֶׁנֶּאֱמַר (שמואל-א יז, מג) "וַיְקַלֵּל הַפְּלִשְׁתִּי אֶת דָּוִד בֵּאלֹהָיו", וּמִנַּיִן שֶׁלָּקָה בְּצָרַעַת, שֶׁנֶּאֱמַר (שם שם מו) "הַיּוֹם הַזֶּה יְסַגֶּרְךָ ה' בְּיָדִי",

עץ יוסף

(ב) יגל יבול ביתו כו'. דבעי למדרש מה שנאמר ונתתי נגע צרעת בבית ארץ אחוזתכם, לפי שהם אוחזים בארץ להם, שאינם רוצים ליהנות לזולתם, ולפי שדרכם להכחיש במה ששאלין מהם לומר אין לו, לכן מביא נגעים על ביתם גם כדי שיוציאו מה שבתוכו ויראו שקרותם, ולהכי מייתי סמך מהאי קרא יגל יבול ביתו דמידרש בהכי: **יהו גוררים ומוציאין.** יבול ביתו התבואה שהיה לו בביתו וכפר בה לשכניו, כדכתיב וצוה הכהן ופנו את הבית: **הבריות רואות כו'.** והיינו יגל יבול ביתו שגלה מה שבתוכו: **לווט ביתא.** מקולל הבית וראוי לקללות הללו: **שקע ביתא.** שקערורות דרש נוטריקון, מן שקע ומן ארירה בחסרון האל"ף, שקע ארורות, כלומר בקללות: **(ג) על עשרה דברים כו'.** גם פה טעמו למדרש אחוזתכם שאינם רוצים להנות לאחרים וכדפירשתי באגדה הקודמת, ולהכי מייתי הך ברייתא דעל עשרה דברים נגעים באים דחדא מינייהו עין הרע, ולהכי מסיים בה שהוא המכוון לענייננו פה: **על עבודה זרה ועל גילוי עריות ושפיכות דמים.** מיירי במזיד ולא אתרי ביה, בשוגג ולא אתידע ליה, ואף על גב דלעיל (י, ו) איתא שיש כפרה לאלו בבגדי כהונה, יש לומר דהתם מיירי שמכפר על הציבור שלא יענשו עליו, והכא מיירי בו בעצמו שנגעים באים עליו לכפר. ועיין ביפה תואר שם בארוכה: **שפרחה בהם צרעת.** כמה דאת אמר (יג, מה) וראשו יהיה פרוע: **כי גבהו בנות ציון.** דכולהו קראי התם בזנותם קמיירי, שגבהות קומתן ונטיית גרונם וכל הדברים הנזכרים שם בכתוב תכליתם לזנות היתה, שהיו מכוונים להתיפות להרגיל לערוה: **ושפח.** לשון ספחת, כדלעיל בריש הפרשה: **יחולו על ראש יואב.** ובתריה כתיב ואל יכרת מבית יואב זב ומצורע: **מהו מאומה.** קשה ליה שלא מצינו לשון מאומה על מציאות דבר אלא על העדרו, לא תתן לי מאומה (בראשית ל, לא), ולא ידע אתו מאומה (בראשית לט, ו), כי לא מצאתם בידי מאומה (שמואל א' יב, ה), להכי קאמר דהוי ליה כאילו כתיב מומה שרמז שיקח מומו של נעמן דהיינו הצרעת, ונבא ולא ידע מה ניבא, ועיין מה שכתבתי בתנחומא (סימן א), ועיין במנחת ש"י:

פירוש מהרז"ו

(ב) יגל יבול ביתו. דריש נגרות מלשון גוררין, כי יהיו וגררות מן הבית לחוץ, גם דורש נגרות מלשון גירוי, וזהו מה שאמר ביום שיגרה אפו בו, ועיין במדבר רבה (ז, ה), דברים רבה (ו, ח), ותנחומא כאן (סימן ד): **(ג) על עשרה דברים.** עיין ערכין (טו, א), ולעיל (טז, א) על שבעה דברים, ובמדבר רבה (ז, ה) על אחד עשר דברים, וכן הוא בזוהר בלק על אחד עשר דברים, עיין שם השינוים, וכן הוא בתנחומא כאן (סימן יד) על אחד עשר דברים, ומדרשים חלוקים הם: **גוזל את הרבים.** בממון, ומה שכתב הגוזל את שאינו שלו, היינו בכבוד וגדולה שאינו שלו כדלקמן בסמוך: **שהעידו עדות שקר.** פתח בעבודת גילולים ומסיים בעדות שקר. ועיין לעיל (טז, ח) מה שכתבתי שם על ענין יפיח כזבים, ולזה כוון כאן: **כי פרוע הוא.** שזרחה בהן צרעת, וכמו שכתוב (ויקרא יג, מה) והצרוע אשר בו הנגע וגו' וראשו יהיה פרוע, ודורש גזירה שוה, וכן הוא בתנחומא שם: **ועל חילול ה' מגיחזי.** שאלישע קידש ה' על שלא רצה ליקח כלום מנעמן, וגיחזי שלקח חילל ה', ובמדבר רבה שם מבואר יותר: **מהו מאומה.** משמע דבר קטן והלא לקח ככרים כסף, על כן דורש על פי מדת ממעל, מומה, שפיו הכשילו ולקח מום, היינו צרעת נעמן. ועיין בראשית רבה (נה, ג): **שנאמר והסגירו הכהן.** דורש גזירה שוה, שתיבת ה' יסגרך מורה צרעת, ואף שלא היה כאן סגירה, כי גלית מת מיד, ודוד לא היה כהן, וגלית אינו מטמא בנגעים, אלא דורש מתיבת יסגרך שהיה לו לומר יתנך או ימסרך שמרמז על נגעים, ועיין לקמן (כא, א):

חידושי הרד"ל

[ב] **ביום שיגרה הקב"ה אפו בו'** ויענשו בנגעים וכמו שכתוב (במדבר יב, ט) במרים, ויחר אף ה' בם והנה מרים מצורעת, וכן אמר (איוב יט, יא) ויחר עלי אפו וגו' גדודיו: **הא כיצד אדם אומר לחבירו כו'.** דברים רבה (ו, ח): [ג] **על עשרה דברים נגעים כו'.** עיין לעיל (יד, א) ובמדבר רבה (ז, א) וזהר בלק:

חידושי הרש"ש

[ב] **ראו כמה חטים יש כאן כמה שעורים כמה תמרים יש כאן.** ועיין הגירסא במדרש רות וגם שם נשתבש קצת: **לווט ביתא באלין לווטיא.** נראה לי שהוא על דרך כינוי, והכוונה להיפך שהבית מתברך בכל הברכות האלו, בחטים ושעורים ותמרים. וכן תפרש שקערורות שקע ביתא כו': [ג] **שנאמר וירא משה את העם כי פרוע הוא שפרחה בהן צרעת.** עיין מתנות כהונה, וכן הוא במדרש עצמו לקמן (יח, ד): **יחולו על ראש יואב.** בתריה כתיב (בסוף הפסוק) ואל יכרת מבית יואב זב ומצורע:

באור מהרי"פ

[ג] **על ראש יואב וגו'.** ואל יכרת מבית יואב זב ומצורע וגו': **מן מומא דאית ביה.** פירוש כן אמר גיחזי, על דרך ניבא ולא ידע מה ניבא, ולזה אמר מנין שנתקיים בו כמו שניבא על עצמו ולקה בצרעת כמו נעמן:

אמרי יושר

[ג] **הגוזל דבר שאינו שלו.** מינוי או שררה: **פרוע הוא.** פרוח, אותיות אחה"ע מתחלפות:

מסורת המדרש

ג. יומא י"א. תד"א פ' ט"ו:
ד. ירושלמי פ' חלק:

אם למקרא

יִגֶל יְבוּל בֵּיתוֹ נִגָּרוֹת בְּיוֹם אַפּוֹ: (איוב כ:כח)

וַיִּקַּח מִיָּדָם וַיָּצַר אֹתוֹ בַּחֶרֶט וַיַּעֲשֵׂהוּ עֵגֶל מַסֵּכָה וַיֹּאמְרוּ אֵלֶּה אֱלֹהֶיךָ יִשְׂרָאֵל אֲשֶׁר הֶעֱלוּךָ מֵאֶרֶץ מִצְרָיִם: (שמות לב:ד)

וַיַּרְא מֹשֶׁה אֶת הָעָם כִּי פָרֻעַ הוּא כִּי פְרָעֹה אַהֲרֹן לְשִׁמְצָה בְּקָמֵיהֶם: (שם שם כה)

וַיֹּאמֶר ה' יַעַן כִּי גָבְהוּ בְּנוֹת צִיּוֹן וַתֵּלַכְנָה נְטוּיוֹת גָּרוֹן וּמְשַׂקְּרוֹת עֵינָיִם הָלוֹךְ וְטָפֹף תֵּלַכְנָה וּבְרַגְלֵיהֶם תְּעַכַּסְנָה: וְשִׂפַּח אֲדֹנָי קָדְקֹד בְּנוֹת צִיּוֹן וַה' פָּתְהֵן יְעָרֶה: (ישעיה ג:טז-יז)

יָחֻלוּ עַל רֹאשׁ יוֹאָב וְאֶל כָּל בֵּית אָבִיו וְאַל יִכָּרֵת מִבֵּית יוֹאָב זָב וּמְצֹרָע וּמַחֲזִיק בַּפֶּלֶךְ וְנֹפֵל בַּחֶרֶב וַחֲסַר לָחֶם: (שמואל ב ג:כט)

וַיֹּאמֶר גֵּיחֲזִי נַעַר אֱלִישָׁע אִישׁ הָאֱלֹהִים הִנֵּה חָשַׂךְ אֲדֹנִי אֶת נַעֲמָן הָאֲרַמִּי הַזֶּה מִקַּחַת מִיָּדוֹ אֵת אֲשֶׁר הֵבִיא חַי ה' כִּי אִם רַצְתִּי אַחֲרָיו וְלָקַחְתִּי מֵאִתּוֹ מְאוּמָה: (מלכים ב ה:כ)

וְצָרַעַת נַעֲמָן תִּדְבַּק בְּךָ וּבְזַרְעֲךָ לְעוֹלָם וַיֵּצֵא מִלְּפָנָיו מְצֹרָע כַּשָּׁלֶג: (שם שם כז)

וַיֹּאמֶר הַפְּלִשְׁתִּי אֶל דָּוִד הֲכֶלֶב אָנֹכִי כִּי אַתָּה בָא אֵלַי בַּמַּקְלוֹת וַיְקַלֵּל הַפְּלִשְׁתִּי אֶת דָּוִד בֵּאלֹהָיו: (שמואל א יז:מג)

שינוי נוסחאות

(ב) **לווט.** לכאורה כוונתו "ארור", ואם כן ע"פ חוקי לשון ארמית צ"ל "ליט", וכן הוא באמת בכל הכי"י: (ג) **ויאמר גיחזי נער אלישע איש האלהים.** בכל דפוסי המדרש חסרה תיבת "אלישע":

מתנות כהונה

[ב] **יהו גוררין יבול ביתו.** היינו תבואה שיש לו בביתו וכפר בה לשכניו: **לווט ביתא.** מקולל הבית, וראוי לקללות הללו. או פירושו הוא קלל הבית בקללות אלו, במה שאמר אין לו והיה לו: **שקע ביתא.** שקערורית דריש נוטריקון שקע ארורות כלומר בקללות: [ג] **שפרחה בהם צרעת.** כמה דאת אמר (ויקרא יג, מה) וראשו יהיה פרוע: **ושפח.** לשון ספחת כדלעיל בריש הפרשה (טז, א): **מאומה נוטריקון.** מן מומה, ועיין זה מצלם בפרשת נשא (ז, ה): **דאית ביה.** בנעמן: **באלהיו.** כינוי דאלהיו מוסב על דוד, ופירוש עם אלהיו:

אשד הנחלים

[ב] **לווט ביתיה.** עיין במתנות כהונה. ולדעתי הוא על דרך מליצה, שהבריות אמרו יקולל כל בית באלו הקללות, כלומר שיהיה להם כל טוב בכמו זה הבית: [ג] **על עשרה דברים כו'.** כי הן המה העניינים הכוללים באמונה ובמדות, הן בין אדם למקום והן בין אדם לחבירו, ובמדריגות היותר רעות מאוד: **כי פרוע שפרחה.** כי המה נתנו תחילה עדים עליהם עד שהיה ההשראת השכינה והקדושה עליהם, וירא אותם כי פרוע ונשחתו מזה, וזה על ידי הצרעת שהוא מן טומאה: **יסגרך ה' בידו.** כי חלה עליו צרעת ונחלש ונסגר ביד דוד:

וְאֵין הַסְגָּרָה הָאָמוּר כָּאן אֶלָּא לְשׁוֹן צָרַעַת — The reference to **"delivery"** (הַסְגָּרָה) **stated [in this verse] is only an expression of** ***tzaraas*** afflictions, שֶׁנֶּאֱמַר "וְהִסְגִּירוֹ הַכֹּהֵן" — **as it states** elsewhere regarding *tzaraas* afflictions, ***the Kohen shall quarantine it*** [וְהִסְגִּירוֹ] *for a seven-day period* (*Leviticus* 13:5).[64]

וְעַל גּוֹזֵל אֶת הָרַבִּים, מִשֶּׁבְנָא שֶׁהָיָה נֶהֱנֶה מִן הַהֶקְדֵּשׁוֹת — That *tzaraas* afflictions come upon a person **for stealing from the public** is derived **from Shebnah** the scribe,[65] **who,** as a treasurer in the Temple,[66] unlawfully **derived benefit from consecrated** public **properties.** וּמִנַּיִן שֶׁלָּקָה בְּצָרַעַת — **And from where** do we know **that [Shebnah] was smitten with** ***tzaraas*** **afflictions** as a result? שֶׁנֶּאֱמַר "הִנֵּה ה׳ מְטַלְטֶלְךָ טַלְטֵלָה גָּבֶר וְעֹטְךָ עָטֹה" — **For it states** with regard to Shebnah, ***Behold, HASHEM is going to make you wander an intense wandering, and He will send you circling afar*** [וְעֹטְךָ עָטֹה] (*Isaiah* 22:17), וְאֵין "וְעֹטְךָ עָטֹה" אֶלָּא צָרַעַת — **and** the terminology ***veot'cha atto*** [וְעֹטְךָ עָטֹה] **refers only to** ***tzaraas*** afflictions, שֶׁנֶּאֱמַר "וְעַל שָׂפָם יַעְטֶה" — **as it states** regarding one who is afflicted with *tzaraas*: ***and he shall wrap himself*** [יַעְטֶה] ***up to his lips*** (above, 13:45).[67]

וְעַל הַגּוֹזֵל אֶת שֶׁאֵינוֹ שֶׁלּוֹ, מֵעוּזִּיָּהוּ — That *tzaraas* afflictions come upon a person **for stealing** a position of prominence **that does not belong to him** is derived **from** King **Uzziah,** who attempted to unlawfully assume the position of a Kohen by entering the Sanctuary of God to burn incense upon the Incense Altar,[68] דִּכְתִיב "וַיְהִי הַמֶּלֶךְ עֻזִּיָּהוּ מְצֹרָע עַד יוֹם מוֹתוֹ" — and was consequently stricken with *tzaraas*, **as it is written,** ***King Uzziah was a metzora until the day of his death.*** *He dwelt in his tzaraas in a place of asylum for he was banished from the Temple of HASHEM. His son Jotham took charge of the royal house and judged the people of the land* (*II Chronicles* 26:21).[69]

וְעַל גַּסּוּת הָרוּחַ — That *tzaraas* afflictions come upon a person **for haughtiness** is derived from Uzziah as well, דִּכְתִיב "וּבְחֶזְקָתוֹ גָּבַהּ לִבּוֹ עַד לְהַשְׁחִית וַיִּמְעַל בַּה׳ אֱלֹהָיו" — **as it is written,** ***But as [Uzziah] became strong, his heart became haughty to the point of destructiveness, and he betrayed HASHEM his God*** — *he entered the Sanctuary of HASHEM to burn incense upon the Incense Altar* (ibid. 26:16), for which he was stricken with *tzaraas*, as mentioned above.[70]

וְעַל לְשׁוֹן הָרַע, מִמִּרְיָם — That *tzaraas* afflictions come upon a person **for** ***lashon hara*** is derived **from Miriam,** דִּכְתִיב "וַתְּדַבֵּר מִרְיָם וְאַהֲרֹן בְּמֹשֶׁה" — **for it is written,** ***Miriam and Aaron spoke against Moses*** (*Numbers* 12:1). וּמִנַּיִן שֶׁלָּקְתָה בְּצָרַעַת — **And from where** do we know **that [Miriam] was smitten with** ***tzaraas*** **afflictions** as a result? שֶׁנֶּאֱמַר "וְהֶעָנָן סָר מֵעַל הָאֹהֶל" — **For it states,** ***The cloud had departed from atop the Tent,*** *and behold! Miriam was afflicted with tzaraas, like snow!* (ibid., v. 10).

וְעַל צָיִן הָרַע, שֶׁנֶּאֱמַר "וּבָא אֲשֶׁר לוֹ הַבַּיִת" — That *tzaraas* afflictions come upon a person **for stinginess** is derived from that **which is stated,** ***The one to whom the house belongs shall come*** *and declare to the Kohen, saying: Something like an affliction has appeared to me in the house* (below, v. 35). מִי שֶׁיִּיחֵד בֵּיתוֹ לוֹ וְאֵינוֹ רוֹצֶה לֵיהָנוֹת לַאֲחֵרִים — The expression *the one to whom the house belongs* alludes to the fact that *tzaraas* afflictions are a punishment for **one who sets aside his house** only **for himself and does not want to benefit others** from that which is his, כִּי הָא דְּאָמַר רַבִּי אֶלְעָזָר: "שְׁקַעֲרוּרֹת" שְׁקִיעַ בֵּיתָא בְּאִלֵּין לְווֹטַיָּא — **as R' Elazar said:** The expression ***depressed*** [שְׁקַעֲרוּרֹת] (below, v. 37), used in describing the appearance of *tzaraas* of the house, alludes to the fact that people will say, **"The house sank as a result of these curses!"**[71]

The Midrash connects the preceding to our verse in *Leviticus*: לְפִיכָךְ מֹשֶׁה מַזְהִיר אֶת יִשְׂרָאֵל: "כִּי תָבֹאוּ אֶל אֶרֶץ כְּנַעַן" — **Therefore,**[72] **Moses warns Israel** of potentially becoming smitten with the plague of *tzaraas* with the expression: ***When you arrive in the land of Canaan . . .*** *and I will place a tzaraas affliction upon a house in the land of your possession*, suggesting that *tzaraas* of the house is a result of a person's possessiveness.

§4 Our verse states, *I will place a tzaraas affliction upon a house in the land of your possession* — but does not mention the other types of *tzaraas* (i.e., the type that affects the body and the type that affects clothing). This indicates that when God afflicts a person with *tzaraas*, He afflicts his house first, and only later smites him more directly, afflicting his clothing and his body.[73] The Midrash observes that this is consistent with the sequence in which God generally afflicts people:

רַב הוּנָא בְּשֵׁם רַבִּי יְהוֹשֻׁעַ בַּר אָבִין וְרַבִּי זְכַרְיָה חַתְנֵיהּ דְּרַבִּי לֵוִי בְּשֵׁם רַבִּי לֵוִי — **Rav Huna in the name of R' Yehoshua bar Avin and R' Zechariah the son-in-law of R' Levi in the name of R' Levi** say the following: אֵין בַּעַל הָרַחֲמִים נוֹגֵעַ בַּנְּפָשׁוֹת תְּחִלָּה — **The Master of mercy,** when afflicting people, **does not touch** their **persons first,** but rather first strikes their property. מִמִּי אַתְּ לָמֵד — **From whom do you learn** this? מֵאִיּוֹב שֶׁנֶּאֱמַר "הַבָּקָר הָיוּ חֹרְשׁוֹת" — **From Job,**[74] **as it is stated,** *A messenger came to Job and said,* ***"The oxen were plowing*** *and the she-donkeys were grazing alongside them"* (*Job* 1:14). מְלַמֵּד שֶׁהֶרְאָה לוֹ הַקָּדוֹשׁ בָּרוּךְ הוּא מֵעֵין עוֹלָם הַבָּא — This **teaches** us **that the Holy One, blessed is He, showed [Job] an intimation of the World to Come,**[75]

NOTES

64. [Nonetheless, the word יַסְגֶּרְךָ retains its literal meaning as well, for the *tzaraas* caused him to be delivered into David's hand by weakening him (*Eshed HaNechalim*).]

65. Shebnah the scribe was an important member of King Hezekiah's court (see *II Kings* 18:18).

66. As expounded by R' Yehudah in the Midrash above, 5 §5.

67. As a sign of mourning, the one afflicted with *tzaraas* must pull his collar or scarf over his lips. Since the same root, עטה, *wrap*, is used in both verses, it indicates that Shebnah was stricken with *tzaraas*.

68. *II Chronicles* 26:16ff. See above, Ch. 16 note 45.

69. Uzziah's being smitten with *tzaraas* thus caused him to lose his own prestigious position as king. Thus the Gemara (*Sotah* 9b) enumerates Uzziah among those who sought to take that which did not belong to them, and ended up losing even that which was rightfully theirs.

70. Uzziah's seeking to take a position of prominence that did not belong to him was *caused by* his haughtiness. (Indeed, the verse cited by the Midrash here, *II Chronicles* 26:16, *precedes* the one cited just above, *II Chronicles* 26:21.) While the former sin was Uzziah's primary wrongdoing, his haughtiness [was sinful as well and] contributed to his being smitten with *tzaraas* (*Yefeh To'ar*; see also *Eitz Yosef*).

71. See note 50. As discussed in the previous section, when the contents of the contaminated house are removed, people will see that the owner indeed possessed those items that he claimed not to own (because he did not want to lend them to others). They will then comment that the house was fit to be afflicted because of the owner's stinginess.

72. Since one who is stingily possessive is liable to be afflicted with *tzaraas* of the house.

73. *Eitz Yosef.* See below (see also *Midrash Tanchuma, Tazria* §10 and *Metzora* §4); see also Insight following note 102.

74. *Yefeh Anaf* to *Rus Rabbah* 2 §10 asks: But were Job's sufferings not a test of his loyalty to God rather than punishment for any sin? Citing *Ramban* in *Shaar HaGemul*, he explains that God never administers afflictions to a person, even for purposes of a test, unless there is *some* shortcoming in that person's background. In Job's case, *his* [seven] *sons would go to revel, each on his special day; and they would . . . invite their three sisters to eat and drink with them* (*Job* 1:4). Because Job did not put a stop to such profligate behavior, he was first punished with the loss of his property, and ultimately, because he did not repent properly, he suffered bodily afflictions. See also *Yefeh To'ar* here.

75. The verse implies that while the oxen were still plowing, the

ואין הסגרה האמור כאן אלא לשון צרעת, שנאמר (לעיל יג, ה) "והסגירו הכהן", ועל גוזל את הרבים, משבנא שהיה נהנה מן ההקדשות, ומנין שלקה בצרעת, שנאמר (ישעיה כב, יז) "הנה ה' מטלטלך טלטלה גבר ועטך עטה", ואין "ועטך עטה" אלא צרעת, שנאמר (לעיל יג, מה) "ועל שפם יעטה", ועל הגוזל את שאינו שלו, מעוזיהו, דכתיב (דברי הימים-ב כו, כא) "ויהי המלך עזיהו מצרע עד יום מותו", ועל גסות הרוח, דכתיב (שם שם טז) "ובחזקתו גבה לבו עד להשחית וימעל בה' אלהיו", ועל לשון הרע, ממרים, דכתיב (במדבר יב, א) "ותדבר מרים ואהרן במשה", ומנין שלקתה בצרעת, שנאמר (שם י) "והענן סר מעל האהל", ועל עין הרע, שנאמר [יד, לה] "ובא אשר לו הבית", מי שייחד ביתו לו ואינו רוצה ליהנות לאחרים, כי הא דאמר רבי אלעזר: "שקערורת" שקיע ביתא באלין לווטייא, לפיכך משה מזהיר את ישראל: [יד, לד] "כי תבאו אל ארץ כנען":

ד רב הונא בשם רבי יהושע בר אבין ורבי זכריה חתניה דרבי לוי בשם רבי לוי: אין בעל הרחמים נוגע [ז]בנפשות תחלה, ממי את למד, מאיוב שנאמר (איוב א, יד) "הבקר היו חרשות", מלמד שהראה לו הקדוש ברוך הוא [ח]מעין עולם הבא, שנאמר (עמוס ט, יג) "ונגש חורש בקצר", (איוב שם טו) "ותפל שבא ותקחם", אמר רבי אבין בר כהנא: יצאו מכפר קריינוס והלכו את כל האבילין ובאו למגדל צבעייא ומתו שם, (שם) "ואמלטה רק אני לבדי להגיד לך", אמר רבי יודן: כל מקום שנאמר "רק" מיעוט, אף הוא מושבר ומולקה, אמר רבי יודן: "לבדי", ועל לבדי "להגיד לך", אף הוא כיון ששמע מיד מת, (שם שם טז) "עוד זה מדבר וזה בא ויאמר כשדים שמו שלשה ראשים", רבי שמואל בר נחמן אמר: כיון ששמע איוב כך מיד התחיל מגייס חיילותיו למלחמה, הדא הוא דכתיב (שם לא, לד) "כי אערוץ המון רבה ובוז משפחות יחתני",

עץ יוסף

ואין הסגרה בו'. ופירוש יסגרך ה' בידי, שעל ידי תפלתי תצטרע: גוזל את הרבים. דלאו בני מחילה נינהו כדאמר במסכת בבא בתרא (ס, א) מאן [יודע ד]מחיל: נהנה מן ההקדשות. דגזבר הוה כדלעיל (ה, ג): שאינו שלו. אין זה גזל ממון, אלא שנוטל שררה שאינה שלו כעוזיהו שרצה להשתמש בכהונה גדולה: עד יום מותו. וסיפא דקרא וישב בבית החפשית וגו', שפירושו שאף מלכותו ניטל ממנו, וכדאיתא בפרק קמא דסוטה (ט, ב) מה שביקש לא ניתן לו ומה שבידו ניטל ממנו, הרי מזה מוכח שהצרעת בא לו בשביל שגזל שאינה שלו, ומדאיכפל קרא לאשמועינן בחזקתו גבה לבו וגו' שמע מינה דגם על גסות הרוח בא הצרעת: (ד) אין בעל הרחמים בו'. משום דכתיב ונתתי נגע צרעת בבית ארץ אחוזתכם ולא קאמר הכא בנגעי הגוף והבגד, לכן משמע ליה דתחילת נתינת הנגעים הוי בבית: מעין עולם הבא. פירוש שהטעימו הקדוש ברוך הוא טעם עולם הבא, שלאחר חרישת הבקר היו האתונות אוכלות חזיז מן התלם מיד: ונגש חורש בקוצר. והוא הבטחה לעתיד: מכפר קריינוס. הכי גמיר לה שמקום זה שבו הוכו הנערים היה כפר קריינוס, ולא מתו שם אלא הלכו מוכים כל האבולין, והם מקומות שבנתים [והוא מלשון (במדבר לג, מט) אבל השיטים] עד מגדל צבעיא, ושם מתו: רק מיעוט. וקממעט בהמלטה שלא היתה שלימה, או ממעט בגופו: לבדי ועל לבדי. דקשה ליה דבתר דכתיב רק אני הוה ליה תיבת לבדי מיותר, לכן דריש ליה לתיבת לבדי מלשון לבדין והוא מין כסות, ורצה לומר שנשאר מושכב על כסותו כדרך המוכים, וזהו שאמר ועל לבדי פירוש שנשארתי על לבדי וכסותי מושכב להגיד לך, ועיין מה שכתבתי ברות רבה (ב, י): ביון ששמע איוב בשורתו מיד מת. כי לא היה לו חיות רק בכדי להגיד בשורתו, וזה שאמרו בתריה עוד זה מדבר, כלומר עודנו חי ומדבר מכלל שמת מיד. ואם תאמר רק אני לבדי דדרשינן אף הוא מושבר ומולקה למה לי הא מלהגיד לך נפקא. ויש לומר דאפשר מחמת בעתותו הוא שמת, אבל רק אני משמע שהיה מוכה בידים:

פירוש מהרז"ו

משבנא. לעיל (ה, ג): ובחזקתו גבה לבו. אלא עוזיהו כתיב, ודורש שהיה אלא עוזיהו שני חטאים, אחד שגזל הכהונה ואחד שגבה לבו, וכל חטא היה כדאי לעונש הנגעים: דאמר רבי אלעזר. לעיל סימן זה רבי יצחק בר אלעזר: (ד) הבקר היו חורשות. עיקר מה שהביא פסוק זה לחשוב סדר פורעניות של איוב, תחלה בממון בקר ואתן וגמלים, ואחר כך בבנים, ואחר כך בגופו, ואגב שהזכיר פסוק זה דורש בו: יצאו מכפר קריינוס. הנה כפר קריינוס הוא במדי, כמו שאמרו במדרש אסתר (י, ז) פסוק מהר קח את הלבוש, שהיה אביו של המן שם, ומגדל צבעיא הוא בארץ ישראל, כמו שאמרו בבראשית רבה (לג, ד), ואם כן מאמר זה פליאה דעת ממני ומה דרשו ואיך דרשו: כי אערוץ המון רבה. וסיפיה דקרא ואדום לא אצא פתח, והם שני כתובים מכחישים, תחלה אמר שיתחזק עם המון רב חיל, ואחר כך אמר ואדום לא אצא פתח, ומי הוא הבוז משפחות, ודורש שכך הוא פירש הפסוק, כי אערוץ המון רבה, שהיה מגייס ומקבץ חיילותיו, על שבוז משפחות הם הכשדים, על פי מדה י"ז, במה שאמר כשדים זה העם לא היה, שלא היה עם חשוב בעולם כשאר האומות, רק אשור יסדה לציים להפחיד הגוים בהם, כמו שמפחדים מציים, הם חיות המדבריות המזיקים, כמו שכתוב ישעיה (לד, יד) ופגשו ציים את איים, וזהו ובוז משפחות יחיתני, שנתן אימתו עלי, שעל זה אמר כאן כשדים שמו שלשה ראשים. וכמו שכתוב (חבקוק א, ו) כי הנני מקים את הכשדים הגוי המר וגו' איום ונורא הוא וגו', וזהו ליתן אימתה:

מתנות כהונה

נהנה מן ההקדשות. עיין לעיל (ה, ה): מעוזיהו. שגזל הכהונה גדולה: ובחזקתו וגו'. על עזיהו קאי בדברי הימים (ב כו, טז): [ד] הכי גרסינן מעין של עולם הבא. וכן הוא בפרק קמא דבבא בתרא (טז א): והלכו את כל האבילין גרסינן. ופירושו הרחוב והדרך, וכן הוא במגילת רות (ב, י עיין שם): ועל לבדי. כלומר וכל עיקר שנשארתי לבדי הוא להגיד לך, ואחר כך ימות גם הוא:

אשד הנחלים

[ד] מעין עולם הבא כו'. רבים יתפלאו היתכן שיהיה נס גדול לאיוב, מה שלא מצאנו לשום אדם בעולם ולא לאבותינו הקדושים. ואולי באמת הוא לפי הדעת שאמרו איוב משל היה, והוא כמו שיקרה אדם שיהיה בשפע הטוב והצלחה, עד שכמעט יהיה הצלחתו דוגמת מעין עולם הבא, ואחר כך יקרה לו צרות רבות ורעות, ואם כן אין זה קושיא כי הוא רק משל:

אמרי יושר

ועל גסי הרוח. מעוזיהו, כי לקח שאינו שלו בסבת שרש גאוה שהיה בו, והשרש שהוא ההגעה, גם התכלית יחשב לשני חטאים, זה שאמר [הכתוב] ובחזקתו גבה לבו, עד שחמד הכהונה: [ד] זו היא תחלת נגעים. בהכרח כי [הקב"ה] בעל נפשות, כיון שהם מעשה ידיו אין נוגע תחלה בנפשות להשחיתם, אלא אין מוקדם ומאוחר, והמאוחר הוא מוקדם לפעמים. ואם תאמר למה שינה, יש לומר להפחיד בשוטים, קשים בתחלה. אי נמי שהוא מצוי יותר באדם, מצד הפסד הליחות, אחר כך חידש בבגד, אף על פי שאינו חי אלא בא מהחי, ואחר כך השמיעונו נגעי בתים, שהוא חידוש יותר זר:

חידושי הרד"ל

ואין הסגרה האמורה כאן כו'. לקמן (כח, ג): שהיה נהנה מן ההקדשות. עיין לעיל (ה, ה ו): [ד] אין בעל הרחמים פוגע כו'. רות רבה פרשה ב (סימן י), פסיקתא דרבי כהנא (פיסקא יז), ועיין תנחומא פרשת בהר (סימן ג): כיון ששמע מיד מת. וזה שנאמר בתריה עוד זה מדבר, כלומר עודנו חי ומדבר, מכלל שמת מיד:

חידושי הרש"ש

ועל גסות הרוח דכתיב ובחזקתו גבה לבו כו'. לקמן בסדר נשא (ז, ה), יליף ליה מנעמן דכתיב (מלכים ב, ה, א), ונעמן כו' היה איש גדול וכו', עיין שם, והוא יותר נכון: [ד] אמר ר' יודן כל מקום שנאמר כו' כיון ששמע מיד. במדרש רות הגירסא שאמר הוא מש"כ זה ולא חלק אדם רשע מאלהים כו': אמר רבי יודן כו' לבדי להגיד לך אף הוא כו'. נראה דדריש דמלת לבדי נמשך גם למטה, והיו"ד מאותיות האמנתי"ו הנוספות:

באור מהרי"פ

וימעל בה' אלהיו. ויבא אל היכל ה' להקטיר על מזבח הקטורת (דברי הימים ב' כו, טז), מזה נאמר על עוזיהו. ואם כן צריך עיון מנין שעל הגוזל את שאינו לוחד בא לרעת, ועל גסות הרוח לוחד גם כן בא לרעת, דילמא דוקא על שניהם שהרי שניהם אלו נלמדים מעוזיהו, ועוזיהו שני התפרשות הללו היו אצלו, ועל שניהם דוקא נתנגע ולא על אחד מהם. וצריך עיון: [ד] היו חורשות והאתונות רועות על ידיהם. דרך העולם הזה בשעת חרישה אין מרעה, אלא שהראה לו מעין עולם הבא: כיון ששמע. פירוש איוב כיון ששמע הבשורה הזאת מיד מת מי שהגיד לו:

ידי משה

[ד] הטעימו טעם עולם הבא. שלאחר חרישת הבקר היה האתונות אוכלים חזיז מיד מן התלם כמו שיגיעת עמים שיהיה לעולם הבא דכתיב ונגש חרש בקציר. וקל להבין:

מסורת המדרש

ה. אדר"נ פ"ט. ספרי דברים פיסקא רע"ה: ו. יומא י"א. עירובין ס"ו. ד"ר פ"ג: ז. פסיקתא רבתי פ' י"ז. ילקוט רות ואיוב: ח. ב"ב ט"ז:

אם למקרא

היום הזה יסגרך ה' בידי והכיתך והסרתי את ראשך מעליך ונתתי פגר מחנה פלשתים היום הזה לעוף השמים ולחית הארץ וידעו כל הארץ כי יש אלהים לישראל: (שם שם מו)

וראהו הכהן ביום השביעי והנה הנגע עמד בעיניו לא פשה הנגע בעור והסגירו הכהן שבעת ימים שנית: (ויקרא יג:ה)

הנה ה' מטלטלך טלטלה גבר ועטך עטה: (ישעיה כב:יז)

והצרוע אשר בו הנגע בגדיו יהיו פרמים וראשו יהיה פרוע ועל שפם יעטה וטמא טמא יקרא: (ויקרא יג:מה)

ויהי עזיהו המלך מצרע עד יום מותו וישב בית החפשית מצרע כי נגזר מבית ה' ויותם בנו על בית המלך שופט את עם הארץ: (דברי הימים ב כו:כא)

וכחזקתו גבה לבו עד להשחית וימעל בה' אלהיו ויבא אל היכל ה' להקטיר על מזבח הקטרת: (שם שם טז)

ותדבר מרים ואהרן במשה על אדות האשה הכשית אשר לקח כי אשה כשית לקח: (במדבר יב:א)

והענן סר מעל האהל והנה מרים מצרעת כשלג ויפן אהרן אל מרים והנה מצרעת: (שם שם י)

ומלאך בא אל איוב ויאמר הבקר היו חרשות והאתנות רעות על ידיהם: ותפל שבא ותקחם ואת הנערים הכו לפי חרב ואמלטה רק אני לבדי להגיד לך: עוד זה מדבר וזה בא ויאמר אש אלהים נפלה מן השמים ותבער בצאן ובנערים ותאכלם ואמלטה רק אני לבדי להגיד לך: (איוב א:יד-טז)

כי אערוץ המון רבה ובוז משפחות יחתני ואדם לא אצא פתח: (שם לא:לד)

״שֶׁנֶּאֱמַר ״וְנִגַּשׁ חוֹרֵשׁ בַּקֹּצֵר — **as it states** regarding the World to Come, *Behold, days are coming — the word of* HASHEM *— when* ***the plowman will meet the reaper*** (*Amos* 9:13).[76] ״וַתִּפֹּל שְׁבָא וַתִּקָּחֵם״ — The messenger now reports the first loss of Job's property. He said, *"The oxen were plowing and the she-donkeys were grazing alongside them,* ***when Sabeans fell upon and seized them;*** *and they struck* [הִכּוּ] *the servants by the edge of the sword"* (*Job* 1:14-15). אָמַר רַבִּי אָבִין בַּר כָּהֲנָא: יָצְאוּ מִכְּפַר קְרַיְינוּס וְהָלְכוּ אֶת כָּל הָאֲבִילִין — **R' Avin bar Kahana said: [The stricken servants]**[77] **left from** the place they were struck in **the village of Krainos**[78] **and traveled through all the intervening towns,**[79] וּבָאוּ לְמִגְדַּל צַבְּעַיָּיא וּמֵתוּ שָׁם — until they **arrived in the Tower of Tzaba'aya,**[80] **where they died** from their wounds. ״וָאִמָּלְטָה רַק אֲנִי לְבַדִּי לְהַגִּיד לָךְ״ — The servant completes his report: **"... *and only*** [רַק] ***I, alone*** [לְבַדִּי], ***escaped to tell you!"*** אָמַר רַבִּי יוּדָן: כָּל מָקוֹם שֶׁנֶּאֱמַר ״רַק״ מִיעוּט — **R' Yudan said: Wherever** the expression ***only*** (רַק) is found in Scripture, it denotes a **limitation.** אַף הוּא מוּשְׁבָּר וּמוּלְקֶה — Thus this clause implies that although the speaker managed to escape, **he too was crushed and smitten.**[81] אָמַר רַבִּי יוּדָן: ״לְבַדִּי״ — **R' Yudan said** further: Since the verse says *"only I,"* the word ***alone*** [לְבַדִּי] is superfluous.[82] It thus attaches to the conclusion of the verse, to say, וְעַל לְבַדִּי ״לְהַגִּיד לָךְ״ — **"And as for I alone** remaining alive, it enables me only ***to tell you*** about the attack."[83] אַף הוּא כֵּיוָן שֶׁשָּׁמַע מִיַּד מֵת — Indeed, **[the messenger] as well, once [Job] heard** his message, **died immediately** as a result of his wounds.[84]

Another messenger comes to Job, with tidings of other losses of property:

״עוֹד זֶה מְדַבֵּר וְזֶה בָּא וַיֹּאמַר כַּשְׂדִּים שָׂמוּ שְׁלֹשָׁה רָאשִׁים״ — ***This one was still speaking, when this [other] one came and said, "The Chaldeans formed three divisions*** *and deployed around the camels and seized them. They struck down the servants by the edge of the sword. Only I, by myself, escaped to tell you!"* (ibid. 1:17). רַבִּי שְׁמוּאֵל בַּר נַחְמָן אָמַר: כֵּיוָן שֶׁשָּׁמַע אִיּוֹב כָּךְ מִיַּד הִתְחִיל מְגַיֵּיס חֲיָילוֹתָיו לְמִלְחָמָה — **R' Shmuel bar Nachman says: When Job heard this, he immediately began to mobilize his troops for war.** הָדָא הוּא דִכְתִיב ״כִּי אֶעֱרוֹץ הָמוֹן רַבָּה וּבוּז מִשְׁפָּחוֹת יְחִתֵּנִי״ — **Thus it is written, *For I used to strike a great multitude with awe, but [now] the most despised of families frightens me*** (ibid. 31:34).[85]

NOTES

she-asses were already eating from the new growths in the furrows (*Eitz Yosef*). [The plowing referred to here is the one performed right after, or simultaneous with, the sowing. The point is that Job merited instant growth of his crops. See further.]

76. The plain meaning of this verse is that the crop will be so plentiful that the harvest will continue until it is time to plow the field again (see *Radak* ad loc.). However, according to the Midrash, this verse contains a prophecy of the miraculous state of affairs in the World to Come, when the field will produce fully grown, ripe produce (which will be harvested by *the reaper*) on the same day it is plowed (by *the plower*).

77. Who were not killed immediately. Had they died there, Scripture would have used the expression הָרְגוּ, *they killed*, instead of הִכּוּ, *they struck*.

78. The Midrash knows this from tradition (*Eitz Yosef*).

79. Ibid.

80. A city near Tiberias (*Tevuos HaAretz*, Ch. 3).

81. The term רַק indicates a limitation regarding the messenger's escape; he too did not emerge unscathed from the attack (see *Eitz Yosef*).

82. Ibid.

83. I.e., after barely surviving the attack, I have enough life-force in me only to report to you (*Matnos Kehunah* and *Eitz Yosef* to *Ruth Rabbah* 2 §10). Alternatively: The phrase וְעַל לְבַדִּי is to be translated "on my felt [garment]." The messenger is saying that he remained prone on his garments, as a man who has been smitten and severely injured (*Yefeh Anaf* ibid; *Eitz Yosef* here). [The sense of the messenger's comment is the same according to both interpretations.]

84. The expression *to tell you* implies that the messenger's escape lasted only long enough for him to relay the news to Job, after which he died (ibid.).

85. This is the plain meaning of the verse. The Midrash, however, expounds it to refer to Job's efforts to fight the Chaldeans.

ואין הסגרה האמור כאן אלא לשון צרעת, שנאמר (לעיל יג, ה) "והסגירו הכהן", ועל גוזל את הרבים, משבנא שהיה נהנה מן ההקדשות, ומנין שלקה בצרעת, שנאמר (ישעיה כב, יז) "הנה ה' מטלטלך טלטלה גבר ועטך עטה", ואין "ועטך עטה" אלא צרעת, שנאמר (לעיל יג, מה) "ועל שפם יעטה", ועל הגוזל את שאינו שלו, מעוזיהו, דכתיב (דברי הימים־ב כו, כא) "ויהי המלך עזיהו מצרע עד יום מותו", ועל גסות הרוח, דכתיב (שם שם טז) "ובחזקתו גבה לבו עד להשחית וימעל בה' אלהיו", ועל לשון הרע, ממרים, דכתיב (במדבר יב, א) "ותדבר מרים ואהרן במשה", ומנין שלקתה בצרעת, שנאמר (שם שם י) "והענן סר מעל האהל", ועל עין הרע, שנאמר (יד, לה) "ובא אשר לו הבית", ימי שייחד ביתו לו ואינו רוצה ליהנות לאחרים, כי הא דאמר רבי אלעזר: "שקערורת" שקיע ביתא באלין לווטייא, לפיכך משה מזהיר את ישראל: (יד, לד) "כי תבאו אל ארץ כנען":

ד רב הונא בשם רבי יהושע בר אבין ורבי זכריה חתניה דרבי לוי בשם רבי לוי: אין בעל הרחמים נוגע [ז]בנפשות תחלה, ממי את למד, מאיוב שנאמר (איוב א, יד) "הבקר היו חרשות", מלמד שהראה לו הקדוש ברוך הוא [ח]מעין עולם הבא, שנאמר (עמוס ט, יג) "ונגש חורש בקצר", (איוב שם טו) "ותפל שבא ותקחם", אמר רבי אבין בר כהנא: יצאו מכפר קריינוס והלכו את כל האבילין ובאו למגדל צבעייא ומתו שם, (שם) "ואמלטה רק אני לבדי להגיד לך", אמר רבי יודן: כל מקום שנאמר "רק" מיעוט, אף הוא מושבר ומולקה, אמר רבי יודן: "לבדי", ועל לבדי "להגיד לך", אף הוא כיון ששמע מיד מת, (שם שם טז) "עוד זה מדבר וזה בא ויאמר כשדים שמו שלשה ראשים", רבי שמואל בר נחמן אמר: כיון ששמע איוב כך מיד התחיל מגייס חיילותיו למלחמה, הדא הוא דכתיב (שם לא, לד) "כי אערוץ המון רבה ובוז משפחות יחתני",

עץ יוסף

ואין הסגרה כו'. ופירוש יסגרך ה' בידי, שעל ידי תפלתי תצטרע: **גוזל את הרבים.** דלאו בני מחילה נינהו כדאמר במסכת בבא בתרא (ס, א) מאן [יודע ד]מחיל: **נהנה מן ההקדשות.** דגזבר הוה כדלעיל (ה, ג): **שאינו שלו.** אין זה גזל ממון, אלא שנוטל שררה שאינה שלו כעוזיהו שרצה להשתמש בכהונה גדולה: **עד יום מותו.** וסיפא דקרא ויושב בבית החפשית וגו', שפירושו שאף מלכותו ניטל ממנו, וכדאיתא בפרק קמא דסוטה (ט, ב) מה שביקש לא ניתן לו ומה שבידו ניטל ממנו, הרי מזה מוכח שהצרעת באה לו בשביל שגזל שאינה שלו, ומדאיכפל קרא לאשמועינן בחזקתו גבה לבו וגו' שמע מינה דגם על גסות הרוח באה הצרעת: **(ד) אין בעל הרחמים כו'.** משום דכתיב ונתתי נגע צרעת בבית ארץ אחוזתכם ולא קאמר הכא בנגעי הגוף והבגד, לכן משמע ליה דתחילת נתינת הנגעים הוי בבית: **מעין עולם הבא.** פירוש שהטעימו הקדוש ברוך הוא טעם עולם הבא, שלאחר חרישת הבקר היו האתונות אוכלות חזיז מן התלם מיד: **ונגש חורש בקוצר.** והוא הבטחה לעתיד: **מכפר קריינוס.** הכי גמיר לה שמקום זה שבו הוכו הנערים היה כפר קריינוס, ולא מתו שם אלא הלכו מוכים כל האבולין, והם מקומות שבנתים [והוא מלשון (במדבר לג, מט) אבל השיטים] עד מגדל צבעיא, ושם מתו: **רק מיעוט.** וקממעט בהמלטה שלא היתה שלימה, או ממעט בגופו: **לבדי ועל לבדי.** דקשה ליה דבתר דכתיב רק אני הוה ליה תיבת לבדי מיותר, לכן דריש ליה לתיבת לבדי מלשון לבדין והוא מין כסות, ורצה לומר שנשאר מושכב על כסותו כדרך המוכים, וזהו שאמר ועל לבדי פירוש שנשארתי על לבדי וכסותי מושכב להגיד לך, ועיין מה שכתבתי ברות רבה (ג, י): **כיון ששמע איוב בשורתו מיד מת.** כי לא היה לו חיות רק בכדי להגיד בשורתו, וזה שאמרו בתריה עוד זה מדבר, כלומר עודנו חי ומדבר מכלל שמת מיד. ואם תאמר רק אני לבדי דדרשינן אף הוא מושבר ומולקה למה לי הא מלהגיד לך נפקא. ויש לומר דאפשר מחמת בעתותו הוא שמת, אבל רק אני משמע שהיה מוכה בידם:

פירוש מהרז"ו

משבנא. לעיל (ה, ג): **ובחזקתו גבה לבו.** אלא עוזיהו כתיב, ודורש שהיה אלא עוזיהו שני חטאים, אחד שגזל הכהונה ואחד שגבה לבו, וכל חטא היה כדאי לטעום הנגעים: **דאמר רבי אלעזר.** לעיל סימן זה רבי יצחק בר אלעזר: **(ד) הבקר היו חורשות.** עיקר מה שהביא פסוק זה לחשוב סדר פורענויות של איוב, תחלה בממון בקר ואתן וגמלים, ואחר כך בבנים, ואחר כך בגופו, ולגבי שהזכיר פסוק זה דורש בו: **יצאו מכפר קריינוס.** הנה כפר קריינוס הוא במדי, כמו שאמרו במדרש אסתר (י, ד) פסוק מהר קח את הלבוש, שהיה אביו של המן שם, ומגדל צבעיא הוא בארץ ישראל, כמו שאמרו בבראשית רבה (לד, ד), ואם כן מאמר זה פליאה דעת ממני ומה דרשו ואיך דרשו: **כי אערוץ המון רבה.** וסיפיה דקרא ואדום לא אצא פתח, והם שני כתובים מכחישים, תחלה אמר שיתחזק עם המון רב חיל, ואחר כך אמר ואדום לא אצא פתח, ומי הוא הבוז משפחות, ודורש שכך הוא פירש הפסוק, כי אערוץ המון רבה, שהיה מגייס ומקבץ חיילותיו, על שבוז משפחות הם הכשדים, על פי מדה י"ז, במה שאמר כשדים זה העם לא היה, שלא היה עם חשוב בעולם כשאר האומות, רק אשור יסדה לציים להפחיד הגוים בהם, כמו שמפחדים מציים, הם חיות המדבריות המזיקים, כמו שכתוב ישעיה (לד, יד) ופגשו ציים את איים, וזהו ובוז משפחות יחיתני, שנתן אימתו עלי, שעל זה אמר כאן כשדים שמו שלשה ראשים. וכמו שכתוב (חבקוק א, ו) כי הנני מקים את הכשדים הגוי המר וגו' איום ונורא הוא וגו', וזהו ליתן אימתה:

חידושי הרד"ל

ואין הסגרה האמורה כאן כו'. לקמן (כא, ג): **שהיה נהנה מן ההקדשות.** עיין לעיל (ה, ה ו): **[ד] אין בעל הרחמים פוגע כו'.** רות רבה פרשה ב [סימן י], פסיקתא דבתאי הלילה (פיסקא יז), ועיין תנחומא פרשת בהר [סימן ג]: **כיון ששמע מיד מת.** וזה שנאמר בתריה עוד זה מדבר, כלומר עודנו חי ומדבר, מכלל שמת מיד:

חידושי הרש"ש

ועל גסות הרוח דכתיב ובחזקתו גבה לבו כו'. לקמן בסדר נשא (ז, ה), יליף ליה מנעמן דכתיב (מלכים ב, ה, א), ונעמן כו' היה איש גדול וכו', עיין שם, והוא יותר נכון: **[ד] אמר ר' יודן כל מקום שנאמר כו' כיון ששמע מיד.** במדרש רות הגירסא שאמר הוא מש"כ זה חלק אדם רשע מאלהים כו': **אמר רבי יודן כו' לבדי להגיד לך אף הוא כו'.** נראה דדריש דמלת לבדי נמשך גם למטה, והיו"ד מאותיות האמנתי"ו הנוספות:

באור מהרי"פ

וימעל בה' אלהיו. ויבא אל היכל ה' להקטיר על מזבח הקטורת (דברי הימים ב' כו, טז), מזה נאמר על עוזיהו. ואם כן צריך עיון מנין שעל הגוזל את שאינו שלו לחוד בא צרעת, ועל גסות הרוח לחוד גם כן בא צרעת, דילמא דוקא על שניהם שהרי שנים אלו נלמדים מעוזיהו, ועוזיהו שני החסרונות הללו היו אצלו, ועל שניהם דוקא נתנגע ולא על אחד מהם. וצריך עיון: **[ד] היו חורשות והאתונות רועות על ידיהם.** דרך העולם הזה בשעת חרישה אין מרעה, אלא שהראה לו מעין עולם הבא: **כיון ששמע.** פירוש איוב כיון ששמע הבשורה הזאת מיד מת מי שהגיד לו:

ידי משה

[ד] הטעימו טעם עולם הבא. שלאחר חרישת הבקר היה האתונות אוכלים חזיז מיד מן התלם כמו שניבא עמוס שיהיה לעולם הבא דכתיב וניגש חריש בקציר. וקל להבין:

מסורת המדרש

ה. אדר"נ פ"ט. ספרי דברים פיסקא רע"ד:
ו. יומא י"א. עירובין ט"ו. ד"ר פ"ו:
ז. פסיקתא רבתי פ' י"ז. ילקוט רות ואיוב:
ח. ב"ב ט"ו:

אם למקרא

הַיּוֹם הַזֶּה יְסַגֶּרְךָ ה' בְּיָדִי וְהִכִּיתִךָ וַהֲסִרֹתִי אֶת רֹאשְׁךָ מֵעָלֶיךָ וְנָתַתִּי פֶּגֶר מַחֲנֵה פְלִשְׁתִּים הַיּוֹם הַזֶּה לְעוֹף הַשָּׁמַיִם וּלְחַיַּת הָאָרֶץ וְיֵדְעוּ כָּל הָאָרֶץ כִּי יֵשׁ אֱלֹהִים לְיִשְׂרָאֵל: (שם שם מו)

וְרָאָהוּ הַכֹּהֵן בַּיּוֹם הַשְּׁבִיעִי וְהִנֵּה הַנֶּגַע עָמַד בְּעֵינָיו לֹא פָשָׂה הַנֶּגַע בָּעוֹר וְהִסְגִּירוֹ הַכֹּהֵן שִׁבְעַת יָמִים שֵׁנִית: (ויקרא יג:ה)

הִנֵּה ה' מְטַלְטֶלְךָ טַלְטֵלָה גָּבֶר וְעֹטְךָ עָטֹה: (ישעיה כב: יז)

וְהַצָּרוּעַ אֲשֶׁר בּוֹ הַנֶּגַע בְּגָדָיו יִהְיוּ פְרֻמִים וְרֹאשׁוֹ יִהְיֶה פָרוּעַ וְעַל שָׂפָם יַעְטֶה וְטָמֵא טָמֵא יִקְרָא: (ויקרא יג:מה)

וַיְהִי עֻזִּיָּהוּ הַמֶּלֶךְ מְצֹרָע עַד יוֹם מוֹתוֹ וַיֵּשֶׁב בֵּית הַחָפְשִׁית מְצֹרָע כִּי נִגְזַר מִבֵּית ה' וְיוֹתָם בְּנוֹ עַל בֵּית הַמֶּלֶךְ שׁוֹפֵט אֶת עַם הָאָרֶץ: (דברי הימים ב כו:כא)

וּכְחֶזְקָתוֹ גָּבַהּ לִבּוֹ עַד לְהַשְׁחִית וַיִּמְעַל בַּה' אֱלֹהָיו וַיָּבֹא אֶל הֵיכַל ה' לְהַקְטִיר עַל מִזְבַּח הַקְּטֹרֶת: (שם שם טז)

וַתְּדַבֵּר מִרְיָם וְאַהֲרֹן בְּמֹשֶׁה עַל אֹדוֹת הָאִשָּׁה הַכֻּשִׁית אֲשֶׁר לָקָח כִּי אִשָּׁה כֻשִׁית לָקָח: (במדבר יב:א)

וְהֶעָנָן סָר מֵעַל הָאֹהֶל וְהִנֵּה מִרְיָם מְצֹרַעַת כַּשָּׁלֶג וַיִּפֶן אַהֲרֹן אֶל מִרְיָם וְהִנֵּה מְצֹרָעַת: (שם שם י)

וּמַלְאָךְ בָּא אֶל אִיּוֹב וַיֹּאמַר הַבָּקָר הָיוּ חֹרְשׁוֹת וְהָאֲתֹנוֹת רֹעוֹת עַל יְדֵיהֶם: וַתִּפֹּל שְׁבָא וַתִּקָּחֵם וְאֶת הַנְּעָרִים הִכּוּ לְפִי חָרֶב וָאִמָּלְטָה רַק אֲנִי לְבַדִּי לְהַגִּיד לָךְ: עוֹד זֶה מְדַבֵּר וְזֶה בָּא וַיֹּאמַר אֵשׁ אֱלֹהִים נָפְלָה מִן הַשָּׁמַיִם וַתִּבְעַר בַּצֹּאן וּבַנְּעָרִים וַתֹּאכְלֵם וָאִמָּלְטָה רַק אֲנִי לְבַדִּי לְהַגִּיד לָךְ: (איוב א:יד-טז)

כִּי אֶעֱרוֹץ הָמוֹן רַבָּה וּבוּז מִשְׁפָּחוֹת יְחִתֵּנִי וָאֶדֹּם לֹא אֵצֵא פָתַח: (שם לא:לד)

מתנות כהונה

נהנה מן ההקדשות. עיין לעיל (ה, ה): **מעוזיהו.** שגזל הכהונה גדולה: **ובחזקתו וגו'.** על עזיהו קאי בדברי הימים (ב כו, טז): **[ד] הכי גרסינן מעין של עולם הבא.** וכן הוא בפרק קמא דבבא בתרא (טז א): **והלכו את כל האבילין גרסינן.** ופירושו הרחוב והדרך, וכן הוא במגילת רות (ג, י עיין שם): **ועל לבדי.** כלומר וכל עיקר שנשארתי לבדי הוא להגיד לך, ואחר כך ימות גם הוא:

אשד הנחלים

[ד] מעין עולם הבא כו'. רבים יתפלאו היתכן שיהיה נס גדול לאיוב, מה שלא מצאנו לשום אדם בעולם ולא לאבותינו הקדושים. ואולי באמת הוא לפי הדעת שאמרו איוב משל היה, והוא כמו שיקרה אדם שיהיה בשפע הטוב והצלחה, עד שכמעט יהיה הצלחתו דוגמת מעין עולם הבא, ואחר כך יקרה לו צרות רבות ורעות, ואם כן אין זה קושיא כי הוא רק משל:

אמרי יושר

ועל גסי הרוח. מעוזיהו, כי לקח שאינו שלו בסבת שרש גאוה שהיה בו, והשרש שהוא ההלעטה, גם התכלית יחשב לשני חטאים, זה שאמר [הכתוב] ובחזקתו גבה לבו, עד שחמד הכהונה: **[ד] זו היא תחלת נגעים.** בהכרח כי [הקב"ה] בעל נפשות, כיון שהם מעשה ידיו אין נוגע תחלה בנפשות להשחיתם, אלא אין מוקדם ומאוחר, והמאוחר הוא מוקדם לפעמים. ואם תאמר למה שינה, יש לומר להפחיד בשוטים, קשים בתחלה. או כמי שהוא מצוי יותר באדם, מצד הפסד הליחות, אחר כך חידש בבגד, אף על פי שאינו חי אלא בא מהחי, ואחר כך השמיעונו נגעי בתים, שהוא חידוש יותר זר:

אָמַר: אוּמָּה זוֹ בְּזוּיָה — **[Job] said, "This nation** (i.e., the Chaldean nation) **is** most **despised,** שֶׁנֶּאֱמַר ״הֵן אֶרֶץ כַּשְׂדִּים זֶה הָעָם לֹא הָיָה״ — as it states, ***Behold, the land of the Chaldeans, this people that was not*** (*Isaiah* 23:13), meaning: Would that this people never have existed![86] לֹא הָיְתָה בָּאָה אֶלָּא לִיתֵּן אֵימָתָהּ — Rather, **[the Chaldean nation] came into existence only in order to generate its fear** among the nations."[87] כֵּיוָן שֶׁאָמַר ״אֵשׁ אֱלֹהִים נָפְלָה מִן הַשָּׁמַיִם״ — And **when [a third messenger] told** Job, ***"A fire of God fell from the heavens.*** *It burned among the sheep and the servants and consumed them. Only I, by myself, escaped to tell you!"* (*Job* 1:16), אָמַר: מָה אֲנִי יָכוֹל לַעֲשׂוֹת — **[Job] exclaimed, "What can I do** to the Chaldeans now? קוֹל מִן שְׁמַיָּא נְפַל — Why, it is as though **a voice fell from heaven** decreeing this misfortune;[88] מַאן יְכוֹלָה לַעֲשׂוֹת — therefore, **what can anyone do?** ״וָאֶדֹּם לֹא אֵצֵא פָתַח״ — ***I am silenced, unable to go out the door"*** (ibid. 31:34).[89]

It was only after these three losses of property that Job's physical afflictions began. First came the death of his children (ibid., vv. 18-19), and then:

לָקַח לוֹ חֶרֶס לְהִתְגָּרֵד בּוֹ — *The Satan ... afflicted Job with severe boils* (ibid. 2:7), whereupon **he took a piece of pottery with which to scratch himself** (as stated ibid. 2:8). The case of Job thus serves as a source for the rule that God does not mete out physical afflictions to a person without first afflicting him through his property.[90]

The Midrash cites a second source for this rule, this one involving not an individual but a community:[91]

אַף בְּמִצְרַיִם כֵּן — **In Egypt, too, it was like this.** ״וַיַּסְגֵּר לַבָּרָד בְּעִירָם וּמִקְנֵיהֶם לָרְשָׁפִים״ — First ***He delivered their cattle to the hail, and their flocks to the fiery bolts*** (*Psalms* 78:48), וְאַחַר כָּךְ ״וַיַּךְ גַּפְנָם וּתְאֵנָתָם וַיְשַׁבֵּר עֵץ גְּבוּלָם״ — **and afterward,** ***it*** (the hail) ***struck their vine and fig tree, and it broke the tree of their territory*** (ibid. 105:33), וְאַחַר כָּךְ ״וַיַּךְ כָּל בְּכוֹר בְּאַרְצָם רֵאשִׁית לְכָל אוֹנָם״ — **and** only **after that** did He strike their firstborn, as it states, ***Then He smote every firstborn in their land, the first of all their strength*** (ibid. 105:36).[92]

The Midrash presents a third source for its rule, this one involving Israelites:[93]

אַף מַחְלוֹן וְכִלְיוֹן כֵּן — Regarding **Mahlon and Chilion, too, it was like this.**[94] בַּתְּחִלָּה נָגְעָה בָּהֶם מִדַּת הַדִּין בְּמָמוֹנָם — **In the beginning, the Attribute of Judgment smote their wealth,** וְאַחַר כָּךְ ״וַיָּמוּתוּ גַם שְׁנֵיהֶם״ — **and** only **afterward** they themselves were smitten, as it states, ***The two of them,*** *Mahlon and Chilion,* ***also died*** (*Ruth* 1:5).[95]

NOTES

86. *Radal* and *Eitz Yosef*, from *Ruth Rabbah* 2 §10; see *Rashi* to verse. As the Sages stated elsewhere (*Succah* 52b), God "regrets" having created the Chaldean nation. [*Maharal* (*Gevuros Hashem* Ch. 54) explains this to mean that the Chaldeans have no *independent* claim to existence. Rather, their existence is subordinate to some purpose external to themselves. Were He to consider them by themselves, God would "regret" their creation.]

87. See *Maharzu*.

88. *Eitz Yosef.*

89. Since it is impossible to stop the decree of Heaven, I cannot attempt going to battle (*Maharzu*).

It is somewhat puzzling that the Midrash records the report about the destruction of the sheep by fire (v. 16) *after* the report about the seizing of the animals by the Chaldeans (v. 17), when the former occurred first. *Maharzu* suggests that the verses are written out of chronological order; in fact, the messenger informing Job of the attack by the Chaldeans arrived first.

Yefeh To'ar (followed by *Anaf Yosef*), however, considers this approach difficult, and explains our Midrash as follows: Job indeed heard first about the fire, and Job understood right away that the fire had come from heaven; indeed, the messenger said so (*"A fire of God fell from the heavens"*). However, when he learned that a lowly people like the Chaldeans had dared to confront him, he initially did not see this as coming from heaven; his first reaction was to became enraged and plan for war. But upon a moment's reflection, he recalled the fire and realized that the Chaldean disaster as well must have come through Divine Providence. He then proclaimed — not about the fire but about the Chaldeans — "It is a bitter decree from heaven, and I must silently submit to it." [In other words, the Midrash is not *recording* the report about the fire; it is merely telling us that Job properly understood the report about the camels *when he remembered* the preceding report about the fire.]

Yefeh Anaf to *Rus Rabbah* loc. cit. adds that this interpretation is borne out by the Midrash's choice of words: ״כֵּיוָן שֶׁאָמַר: אֵשׁ אֱלֹהִים נָפְלָה מִן הַשָּׁמַיִם״, i.e., *"since* the messenger had told him, *'A fire of God fell from heaven'* — for the Midrash does *not* say: ״בְּשָׁעָה״ שֶׁאָמַר לוֹ וְכוּ׳, which would mean *'at the time* that the messenger told him.' " [That is, while the word כֵּיוָן can also be understood in the sense of "when" or "once," its most literal meaning is "since," and this fits particularly well with this interpretation.]

90. Two questions may be asked in regard to this Midrash: First, why does the Midrash cite Job's taking a potsherd to scratch himself rather than the more relevant part of the verse that Job was afflicted with boils? Second, the whole point of our Midrash is that God begins with lighter punishments before progressing to more severe ones. But the loss of Job's property and children was presumably a more severe punishment than merely being afflicted with an illness!

Yefeh To'ar explains that the first question answers the second: The fact that Job needed to take a potsherd to scratch himself indicates that he no longer had fingernails; his affliction was no mere "illness" but true torture (thus Job's wife advises him in *Job* 2:9 to curse God and be swiftly killed). Such affliction was indeed more severe than the loss of his property and children.

91. *Imrei Yosher.*

92. The Midrash's proof is not from the sequence of these verses, for the first verse cited by the Midrash is in a different psalm than the other two. Furthermore, it is clear from the Pentateuch itself that the Plague of the Firstborn came last. Rather, in citing the Ten Plagues as an example of God striking property first and only afterward people, the Midrash cites the *Psalms* verses in order to resolve a difficulty: the hail killed people too, and did not only destroy property! (see *Exodus* 9:25). The answer is that it is evident from the lack of mention of human deaths in the *Psalms* verses that there were few such deaths, and even those were incidental rather than the hail's main purpose (*Yefeh To'ar*).

93. One might have thought that the rule applies only to non-Jews, while Jews, who have been forewarned in the Torah of the consequences of their actions, are immediately punished with the harsher punishment affecting their person (*Imrei Yosher*). Conversely, the Midrash does not suffice with citing an example involving an Israelite because one might have thought that only in regard to Israel is God so merciful as to afflict the sinner's property first and only afterward afflict the sinner himself. It therefore cites examples with respect to both Jews and non-Jews (ibid.).

94. As related in the beginning of the Book of *Ruth*, Elimelech, the father of Mahlon and Chilion, left the Land of Israel along with his family and settled in Moab because of a famine that had gripped the Land of Israel. Although Elimelech was a wealthy man, he chose to leave the Land of Israel so as not to have to distribute his wealth among the poor, a selfish act for which he was promptly smitten by God with death (see *Rus Rabbah* 1 §4). His sons, Mahlon and Chilion, were also smitten for failing to return to *Eretz Yisrael,* and instead marrying Moabite women and settling in Moab. However, in their case their property was smitten first, as the Midrash proceeds to relate (see following note).

95. The superfluous expression גַּם, *also*, alludes to the fact that the two died in *addition* to having previously lost their wealth, which, as the Gemara states (*Avodah Zarah* 5a), is itself a form of death (*Eitz Yosef*). Elimelech, however, was punished with death immediately, for God first smites a person's wealth only as a means of awakening him to the fact that he has sinned and needs to repent. Elimelech, however, was the great Torah sage of his generation and surely was aware that he had sinned; consequently there was no need for God to delay punishment

אָמַר: אוּמָּה זוֹ בְּזוּיָה, שֶׁנֶּאֱמַר (ישעיה כג, יג) "הֵן אֶרֶץ כַּשְׂדִּים זֶה הָעָם לֹא הָיָה", לֹא הָיְתָה בָּאָה אֶלָּא לִיתֵּן אֵימָתָהּ, כֵּיוָן שֶׁאָמַר (איוב א, טז) "אֵשׁ אֱלֹהִים נָפְלָה מִן הַשָּׁמַיִם", אָמַר: מָה אֲנִי יָכוֹל לַעֲשׂוֹת, קָל מִן שְׁמַיָּא נְפַל °מַאן יְכוּלָה° לַעֲשׂוֹת, (שם לא לד) "וָאֶדֹּם לֹא אֵצֵא פָתַח", לָקַח לוֹ חֶרֶס לְהִתְגָּרֵד בּוֹ, אַף בְּמִצְרַיִם כֵּן (תהלים עח, מח) "וַיַּסְגֵּר לַבָּרָד בְּעִירָם וּמִקְנֵיהֶם לָרְשָׁפִים", וְאַחַר כָּךְ (שם קה, לג) "וַיַּךְ גַּפְנָם וּתְאֵנָתָם וַיְשַׁבֵּר עֵץ גְּבוּלָם", וְאַחַר כָּךְ (שם שם לו) "וַיַּךְ כָּל בְּכוֹר בְּאַרְצָם רֵאשִׁית לְכָל אוֹנָם", אַף מַחְלוֹן וְכִלְיוֹן כֵּן, בַּתְּחִלָּה נָגְעָה בָּהֶם מִדַּת הַדִּין בְּמָמוֹנָם, וְאַחַר כָּךְ (רות א, ה) "וַיָּמוּתוּ גַּם שְׁנֵיהֶם", וְאַף נְגָעִים הַבָּאִים עַל הָאָדָם תְּחִלָּה הֵן בָּאִים בְּבֵיתוֹ, חָזַר בּוֹ טָעוּן חֲלִיצָה, וְאִם לָאו טָעוּן נְתִיצָה, הֲרֵי הֵן בָּאִים עַל בְּגָדָיו, חָזַר בּוֹ טָעוּן כְּבִיסָה, וְאִם לָאו טָעוּן שְׂרֵיפָה, הֲרֵי הֵם בָּאִים עַל גּוּפוֹ, חָזַר בּוֹ יִטְהַר, וְאִם לָאו (לעיל יג, מו) "בָּדָד יֵשֵׁב":

ה דָּבָר אַחֵר [יד, לד] "כִּי תָבֹאוּ אֶל אֶרֶץ כְּנַעַן", ז' עֲמָמִים הֵן, וְאַתָּה אוֹמֵר "אֶרֶץ כְּנַעַן", רַבָּנָן אָמְרֵי: רְמָזוֹ, מַה חָם סֵרְסוֹ וּכְנַעַן לָקָה אַף כָּאן יִשְׂרָאֵל חוֹטְאִין וְהָאָרֶץ הִיא מִתְקַלֶּלֶת,

עץ יוסף

זה העם לא היה. וכדמסיק ברות רבה הלואי לא היה, ופירש רש"י בישעיה אשר לא כדאי הוא להקרא עם כו', עד שהקדוש ברוך הוא מתחרט עליהם על שבראם כדאיתא במסכת סוכה (נב, ב): **קל מן שמיא נפל מאן יכולה לעשות.** זה איתו ברות רבה. ואפשר שתפס לשון המקרא דכתיב בנבוכדנצר, ורצונו לומר כיון שהיא גזירה מן שמים מה אני יכול לעשות (יפה תואר): **לקח לו חרס כו'.** כלומר ולבסוף נגע בנפשות עד שלקח לו חרס להתגרד בו: **אף מחלון וכליון כן כו'.** דוקא מחלון וכליון ולא אלימלך, כי הוא מת תחלה, שפגעה בו מדת הדין תיכף ומיד יען כי הוא העיקר בחטא שהיה גדול הדור ויצא חוץ לארץ, שכמה שצדקה תציל ממות כך מי שמעלים עיניו מן הצדקה מיתה מזומנת לו, ולפיכך מת אלימלך תחלה קודם שלקה בממונו, מה שאין כן מחלון וכליון שהיו תלוים באביהם ולא היו ברשות עצמם, שבצאת אביהם הוכרחו גם הם לצאת, אך כשראו שמת אביהם היה להם לחזור לארץ ישראל, ולפיכך לקו בממונם תחלה כדי שירגישו בחטאם, וכשלא הרגישו כתיב וימותו גם שניהם, וזהו גם לרבות את ממונם שתחלה כשאבדו בלי ממון שגם זה נקרא מיתה כמו שנאמר כי מתו כל האנשים כו' ופירשו חכמינו ז"ל (בראשית רבה עא, ו נדרים ז, ב) שירדו מנכסיהן, ואחר כך מתו גם הם (גבול בנימין). גם יש לומר דלפיכך מת אלימלך קודם שלקה בממונו לפי שהיה גדול הדור ולא הוצרך להתרות בו תחלה דלתלמידי חכמים אינן צריכין התראה (יפה תואר): **ואם לאו טעון שריפה.** במדרש רות גרס מקמי הכי חזר בו טעונין קריעה, ומדרשינו קיצר בזה:

פירוש מהרז"ו

אש אלהים נפל מן השמים ואדום. ויתכן שעל שדורש המדרש שמשפט איוב היה מן הקל אל החמור, ומהפך סדר הפרשיות כמו שאמר בסוף הסימן, גם בענין הממון עצמו הולך מן הקל אל החמור, ואש אלהים מן השמים שלא כדרך הטבע היה, אחר מה שאמר כשדים שמו שלשה ראשים, ועל פי מדה ל"ב: **קל מן שמיא נפל.** דניאל (ד, יח). ובא לדרוש שאין הכרח לומר שהיה האש בשמים ונפל לארץ, אלא הכוונה שעל פי גזירה מן השמים התלהט האש הטבעי שהוא מלא האויר, שעל כן ואדום לא אצא פתח כנגד גזירת שמים: **ויסגר לברד בעירם.** ואחר כך ויך גפנם, גירסא זו צריך עיון שפסוק ויסגר הוא בתהלים עח, (פסוק מח), ופסוק ויך גפנם, הוא בתהלים קה (פסוק לג) גם כן אצל ברד, כמו שכתוב (שם לב) נתן גשמיהם ברד אש להבות בארצם ויך גפנם ותאנתם, ומהו ואחר כך, ובמדרש רות (ב, י) הגירסא היפך תחלה ויך גפנם ואחר כך ויסגר לברד בעירם, ונראה לומר שגירסא זו עיקר, ובא ללמדנו דבר נפלא שהנה בתורה כתוב אצל ברד (שמות ט, כה) ויך הברד וכו' מאדם ועד בהמה ואת כל עשב ואת כל עץ וגו', ואין זה כסדר הפורעניות, שאינו נוגע בנפשות תחלה, והסדר הנכון כמו שכתוב (תהלים עח, מז) יהרוג בברד גפנם ושקמותם בחנמל ויסגר לברד בעירם ומקניהם לרשפים, שהוא סותר למה שנאמר בתורה תחלה על האדם ובהמה ואחר כך על העשב והעץ, והכריח מאיוב וכדומה שאינו פוגע בנפשות תחלה. ועיין בראשית רבה (א, ו) ושמות רבה (טו, כב) שנביאים וכתובים באים לפרש את התורה. אך בילקוט איוב (רמז תתקג) וילקוט רות (רמז תרא) הגירסא כמו כאן, ואני בחרתי הגירסא שאפשר לפרשה על פי המקראות והמדות: **ואחר כך ויך כל בכור בארצם.** הוא פסוק של תהלים קה (פסוק לו), ואגב שהביא פסוק ויך גפנם מתהלים ק"ה הביא פסוק הסמוך לו: **ואף נגעים הבא על האדם.** מדרש תדשא (פרק יז) הנה בתורה כתיב תחלה נגעי אדם, ואחר כך נגעי בגדים בסדר תזריע, ואחר כך נגעי בתים בסדר מצורע, והמדרש מהפך הכל, ודורש כן שמאחר שלמדו מכל הנ"ל שסדר פורענות הוא מן הקל אל החמור, אם כן מה שנאמר בתורה בהיפוך מסידור זה, בהכרח לדרוש על פי מדה ל"ב, מוקדם שמאוחר בפרשיות, שתחלה נאמר פרשת נגעי בתים, ואחר כך נגעי בגדים, ואחר כך נגעי אדם, וכל הענין בתנחומא תזריע (סימן י) בקיצור, ובסדר מצורע (סימן ד) באריכות. ולכך לא התחיל בנגעי בתים, על שלא היה להם עדיין בתים במדבר, ולא בבגדים שבגדיהם היו על פי מעשה נסים, והתחיל בנגעי הבתים כדי לירשם, כן הוא במדרש תדשא: **(ה) מה חם סרסו.** כמו שאמרו (סנהדרין ע, א) פרקי דרבי אליעזר (פרק כג) ועיין בראשית רבה פרשה לו סימן ז מה שכתבתי שם בפירושו. מדרש תדשא ריש [פרק] יז: **והארץ היא מתקללת.** ענין הדמיון שכנען הוא בן רביעי של חם, וכמו שאמרו בבראשית רבה שם סימן הנ"ל, כך הארץ היא רביעית לברכה, כמו שכתוב (ויקרא כו, מב) וזכרתי את בריתי יעקב ואף את בריתי יצחק ואף את בריתי אברהם אזכור והארץ אזכור, (ועל פי הזוהר היא מדת דוד רגל הרביעי), וכן בענין הקללה שלקה כמו כנען, והדבר למוד מעניינו

מתנות כהונה

הכי גרסינן מן השמים אמר מה כו'. ואף על פי דהאי קרא כתיב קודם כשדים שמו שלשה ראשים, יש לומר בראשונה היה סבור שמא לא בשבילו דוקא ירדה, רק כמו שרגיל לפעמים שתרד ברד ואש מתלקחת ויאכל באשר ימצא, אבל כשהגידו לו והנה רוח גדולה כו' ויגע בארבע פנות הבית, כנגד הטבע, כמו שאמרו במדרש קהלת (פרשה א ז), ולעיל בפרשה ט"ו (סי' א) איתא שלא היה אלא בשביל אותו בית, אז ידע כי מאלהים הוא לפחות, אז שפט על נפילת האש שגם הוא בהשגחה מיוחדת, כי הרוח והאש רוח אחד להם מן השמים ממעל, ושניהם על אופן אחד באו: **מאן יכולה.** כמו מה אני: [ה] **הכי גרסינן רבנן אמרי רמזו מה חם סרסו וכנען לקה: רמזו.** רמז להם: **סרסו.** לנח: **והארץ מתקללת.** שנותן צרעת בבתים:

אשד הנחלים

ליתן אימתה. אבל לא להשאר בעולם, כי אם להטיל אימה מעט, ועוד מעט ואינם: **לקח לו חרס כו'.** כלומר כיון שראה נגעיו אחר כך אז התחיל עוסק בעניניו, ועזב כל דמיונותיו שדימה להלחם להציל: **בעירם.** כי אינם הכרחיים לחיי האדם כצמחים ועצים, ואחר כך פגע בנפשות שהם העיקר: **חליצה.** והבית קיימת, ואם לאו נתיצה, וכן בבגדים כביסה ואם לאו שריפה:

חידושי הרד"ל

לא היו ולואי לא היתה בא ליתן אימתה עליו. כן הוא ברות ובפסיקתא שם, (ולשון לואי איפשר רומז למה שאמרו בסוכה (נב, ב), ובירושלמי (פ"א דתענית ה"ד), שהקב"ה מתחרט עליהם שבראם): **מה אני כו' לעשות קל מן שמיא נפל.** מקרא הוא דניאל ד' (יח). ואמרו שהוא שרו של נבוכדנצר ואינו ענין כל כך לכאן, וברות רבה ובפסיקתא שם לא גרס ליה:

חידושי הרש"ש

לקח לו חרס להתגרד בו כו'. אף במצרים כן ויסגר לברד בעירם ומקניהם לרשפים ואחר כך ויך גפנם ותאנתם וישבר עץ גבולם ואחר כך ויך כל בכור בארצם ראשית לכל אונם. מקראות אלו הם תהלים ק"ה, וקרא דויסגר כו' הוא תהלים ע"ח. ונראה לי דכך צריך לומר אף במצרים כן יהרוג בברד גפנם וגו', ואחר כך ויסגר לברד בעירם כו', ואחר כך ויך כל בכור בארצם וכו', והם קראי דקאפיטל ע"ח כסידורן שם, ונאותים מאד להענין, שבתחלה לקו בצומח, ואחר כך בחי, ואחר כך במדבר, וכן הוא לעיל ט"ו:

באור מהרי"פ

מתנות כהונה ד"ה הכי גרסינן מן השמים וכו' כשהגידו לו והנה רוח גדולה וכו'. הנה סדר הבשורות מתחלה אש אלהים נפלה מן השמים, ואחרי כן כשדים שמו שלשה ראשים וגו', ואחר כך והנה רוח גדולה באה מעבר המדבר וגו', עד כאן הסדר השייך לדברי המתנות כהונה, ופירושו דחוק, ודבריו אינם מובנים לי, דמשמעות דבריו דהנה רוח גדולה מרומז בבשורה הקודמת של אש נפלה כי רוח ואש אחד הם. ועיין יפה תואר שגם הוא פירושו דחוק ועיין שם:

אמרי יושר

זה העם לא היה. שלא נברא רק להפחידני: **אף במצרים כן.** הביא ראיה מיחיד ורבים. גם אף במחלון, שמא תאמר היינו באומות העולם לא בישראל, כי כיון שהם מוזהרים כבר יענשו מיד. ואלו הביא ראיה זו, נימא היינו ישראל שמרחם עליהם: **וימותו גם שניהם.** אלמא מתחלה נענשו בממונם, ואחר כך גם שניהם, אם כן זה יוכיח אף על נגעים שהוא כך, שהוא דרך התראה, ואף בכל חלוקה יש הדרגה, כמו שמצאנו, כי הקדוש ברוך הוא מתרה וחוזר ומתרה, וכן בעֵלִי שלח לו הקדוש ברוך הוא אלקנה (אחר כך), ויבא איש אלהים אל עלי (שמואל א ב, כז) [ותניא בסדר עולם זה עלי], אחר כך לשמואל, גם מפני הכבוד לא גילה הכל לשמואל, שלא יהא הוכח[ת] הרב על ידי התלמיד:

אם למקרא

הֵן אֶרֶץ כַּשְׂדִּים זֶה הָעָם לֹא הָיָה אַשּׁוּר יְסָדָהּ לְצִיִּים הֵקִימוּ בַחוּנָיו עֹרְרוּ אַרְמְנוֹתֶיהָ שָׂמָהּ לְמַפֵּלָה: (ישעיה כג:יג)

וַיַּסְגֵּר לַבָּרָד בְּעִירָם וּמִקְנֵיהֶם לָרְשָׁפִים: (תהלים עח:מח)

וַיַּךְ גַּפְנָם וּתְאֵנָתָם וַיְשַׁבֵּר עֵץ גְּבוּלָם: (תהלים קה:לג)

וַיַּךְ כָּל־בְּכוֹר בְּאַרְצָם רֵאשִׁית לְכָל־אוֹנָם: (שם שם לו)

וַיָּמוּתוּ גַם שְׁנֵיהֶם מַחְלוֹן וְכִלְיוֹן וַתִּשָּׁאֵר הָאִשָּׁה מִשְּׁנֵי יְלָדֶיהָ וּמֵאִישָׁהּ: (רות א:ה)

ענף יוסף

(ד) כיון שאמר אש אלהים כו'. משמע דבריא הוגד לו ענין כשדים, והדר ענין האש, וקשה, דבקרא כתיב אש אלהים בריש, ונראה שמתחלה לא שת לבו כל כך למה שאמר אש אלהים, שגם זה אפשר במקרה כענין הרעמים, אבל כשאמר כשדים שמו שלשה ראשים תמה, איך אפשר שעם פחות כזה יתקוממו כנגדו, ובהיותו חושב בזה הבין גם כן בענין אש אלהים, וראה שרחוק ששני דברים זרים באים יחד במקרה, אלא שמה' הוא, וכן ענין כשדים: **תחלה הם באים בביתו כו'.** כי אף על פי שבתורה הקדים נגעי אדם ואחר כך נגעי בתים, הטעם הוא כי שם במדבר לא היו נגעי בתים, כי היו מכוסים בענני כבוד והיו שוכנים באהלים, וכתיב כי תבואו אל ארץ כנען ונתתי נגע צרעת בבית ארץ אחוזתכם, וכן כתב בתורת כהנים סדר מצורע, כי תבואו וגו', יכול משבאו לעבר הירדן תלמוד לומר אל ארץ המיוחדת לאחוזה עד שיכבשו כו', וגם נגעי בגדים לא היו במדבר, לפי שכתיב שמלתך לא בלתה מעליך, שהיו בגדיהם גדלים עמהם.

שינוי נוסחאות

(ד) מאן יכולה לעשות. הגיה א"א "מה אני יכול לעשות", וכן הוא בכל הכי"י כולם:

The Midrash returns to *tzaraas* and states that the same pattern of punishment applies to *tzaraas* afflictions:[96] וְאַף נְגָעִים הַבָּאִים עַל הָאָדָם — **And** this is the case **as well** regarding *tzaraas* **afflictions that come upon a person.** תְּחִלָּה הֵן בָּאִים בְּבֵיתוֹ — **At the outset they come upon** the sinner's **house.** חָזַר בּוֹ טָעוּן חֲלִיצָה — If **he repents** of his sin, **[the affected stones]** of the house alone will **require removal;**[97] וְאִם לָאו טָעוּן נְתִיצָה — **but if not,** the *tzaraas* will return after the stones are replaced, upon which **[the entire house]** will **require demolition.**[98] הֲרֵי הֵן בָּאִים עַל בְּגָדָיו — If the sinner still does not repent, **[the *tzaraas* afflictions] come onto his clothing,** requiring a seven-day quarantine of the affected garment.[99] חָזַר בּוֹ טָעוּן כְּבִיסָה — If **[the sinner]** then **repents** of his sin the afflictions will not spread, and **[the area containing the affliction]** merely **requires washing,**[100] וְאִם לָאו טָעוּן שְׂרֵיפָה — **but if not,** the affliction will progress until **[the entire garment] requires burning.**[101] הֲרֵי הֵם בָּאִים עַל גופו — If even then he does not repent, then **[the *tzaraas* afflictions] come upon his body.** חָזַר בּוֹ יִטְהַר — If **he** then **repents** of his sin, **he becomes** healed, thereby becoming ***tahor***, וְאִם לָאו "בָּדָד יֵשֵׁב" — **but if not,** the affliction will progress until he must leave the city, as it states, *All the days that the affliction is upon him . . . he is contaminated.* ***He shall dwell in isolation;*** *his dwelling shall be outside the camp* (*Leviticus* 13:46).[102]

NOTES

to his body (*Yefeh To'ar*, second explanation, cited by *Eitz Yosef*; see *Eitz Yosef* citing *Gevul Binyamin* for an alternative explanation). See Insight Ⓐ.

96. As the Midrash discussed earlier (§3), *tzaraas* is inflicted as a punishment for specific sins. Consequently, the Midrash discusses the order in which God punishes a person with *tzaraas*.

97. This is required if the *tzaraas* spreads after the initial week of quarantine (below, vv. 39-40), or if it does not diminish after two weeks of quarantine (see *Rashi* on v. 44). After the affected stones are removed, they scrape away the mortar around where the stones had been and plaster in new stones (vv. 41-42).

98. Ibid., vv. 43-45; see *Rashi* ad loc.

99. Above, 13:50.

100. And the garment is then quarantined for another seven days (ibid., vv. 53-54). If the affliction then disappears entirely, the garment is immersed in a *mikveh* and becomes pure (ibid., v. 58 with *Rashi*). If the affliction remains unchanged, the garment must be burned (ibid., v. 55). If the affliction grows dimmer, the affliction must be ripped out (ibid., v. 56); if it returns afterward, the garment must be burned (ibid., v. 57).

101. See preceding note. [The garment likewise requires burning if the affliction spreads after the *first* quarantine (ibid., v. 52).]

102. Thus, in the case of *tzaraas*, as well, God first punishes the sinner in his property [through his house, and then more intimately, through his clothing] and only afterward in his very person. See Insight Ⓑ.

INSIGHTS

Ⓐ **Exceptions to the Rule** In a moving exposition, *Iggeres Shmuel* (to *Ruth* 1:5) explains that the Midrash's emphasis is on how the *Merciful* One conducts Himself. It is only when God acts *with mercy* that He at first spares the person himself punishment. A person, however, who acts in an unkind way so that he in turn becomes undeserving of mercy — such as Elimelech had by abandoning the people whom his wealth could have sustained — does not merit this special treatment of "the Merciful One." Mahlon and Chilion, however, were not in the same position as their father to sustain the needy, and thus did not forfeit their own merciful treatment (see at length Insight on Kleinman edition of *Rus Rabbah* 2 §10, "The Way of the Merciful One").

Another question is raised by *Melo HaOmer* (cited in *Maayanah shel Torah* on *Genesis* 6:13) from the Generation of the Flood, regarding whom God said (ibid., v. 6): *I will blot out Man . . .*, seemingly bringing punishment immediately on the sinners themselves rather than on their possessions. *Melo HaOmer* suggests that since that generation was most degenerate in the matter of robbery, their "possessions" could not be destroyed first, for whatever they had was not *theirs.* There was no choice but to mete out punishment initially to the people themselves.

This, then, might also be the explanation of that which God states, *The end of all flesh has come before Me, for the earth is filled with robbery . . .* (ibid. 6:13), on which the Sages comment (*Sanhedrin* 108a, cited in *Rashi* there) that "their fate was sealed only on account of robbery." Why was it not sealed on account of the more heinous crimes of moral corruption? (see earlier in *Rashi* there, and see v. 11 there, with *Rashi*). The answer would be that *their* fate — the destruction of their very *selves* — was sealed on account of robbery, which precluded punishment being meted out first to their possessions. Had they not robbed, the Merciful One would not have exacted punishment immediately from their very selves (*Melo HaOmer* ibid.).

Ⓑ **The Order of Punishment** From the Midrash we learn that in delivering *tzaraas* and other punishments, God first smites one's wealth and property, and only then the person himself. This raises an obvious difficulty: It would seem logical for the Torah to teach the laws of *tzaraas* in the order in which the different blemishes occur. Yet, in teaching these laws, the Torah opens with the laws of *tzaraas* of the body, continues with those of *tzaraas* of clothing, and concludes with *tzaraas* of the house. This is exactly the opposite of the sequence in which the *tzaraas* occurs!

The commentators offer a number of answers to this question. We present several below:

Some say that the Torah is following not the chronological order but rather that of cause and effect. The cause of *tzaraas* is indisputably the person, whose sins are the source of all *tzaraas* affliction. Therefore, the Torah begins by discussing the person, and the *tzaraas* he brings upon himself with his deeds, and only then the *tzaraas* that afflicts his possessions (*Yad Yosef, Metzora, Derush* §1, cited in *Beis Yitzchak* to our verse).

Others completely reject the idea that the order of the verses runs counter to the teaching of this Midrash. To the contrary! The very same attribute of Divine mercy that delivers milder penalties before severe ones, they argue, is responsible as well for teaching the law of *tzaraas* of the body before all others. They explain: God at first withholds severe penalties in the hope that the sinner will repent before these serious measures need be taken. It is for this reason too that when *warning* people about the penalties of sin, the most severe penalty is mentioned first, so that the person will know what tribulations lie in store, and will be dissuaded entirely from sinning. This practice was followed not only with regard to *tzaraas*, but also in Egypt, where Moses' first warning to Pharaoh concerned the Plague of the Firstborn, the final and most deadly of the Ten Plagues (see *Exodus* 4:23). Had Pharaoh heeded the warning and not hardened his heart, he and his people would have been spared much sorrow and pain, as was indeed God's intention (*Kli Yakar*, end of 13:47; *Minchas Ani, Metzora*, pp. 200-201).

Another approach attributes the order in the verse to the simple fact that the laws of *tzaraas* came into effect while Israel was in the Wilderness. During that period, the only kinds of *tzaraas* that were possible were those of clothing and the body, but not that of the house, which, since there were no houses in the Wilderness encampments, came into effect only upon Israel's arrival in *Eretz Yisrael* [as implied in the preface to the law, כִּי תָבֹאוּ אֶל אֶרֶץ כְּנַעַן, *When you arrive in the land of Canaan*]. Since there was no *tzaraas* of the house at the time, the Torah begins with the law of *tzaraas* of the body (*Ohr HaChaim* to our verse; see also *Oznaim LaTorah* there). [As for why the Torah does not begin with *tzaraas* of clothing, which, as the lesser penalty, would be first to afflict the person, it is because *tzaraas* of clothing resembles that of the body in some ways and that of the house in others. Since it stands midway between the two, the Torah places its law between theirs (*Ohr HaChaim* ibid.; see *Oznaim LaTorah* for another approach). Cf. *Anaf Yosef* and *Maharzu*, who write that *tzaraas* of clothing did not exist in the Wilderness, for the Israelites' clothing was miraculously kept in perfect condition by the Clouds of Glory; see *Shir HaShirim Rabbah* 4:11 (4 §23 in Vagshal edition).]

Finally, *Oznaim LaTorah* suggests the following novel explanation: One of the wrongful practices that calls down *tzaraas* of the house is

אָמַר: אוּמָּה זוֹ בְּזוּיָה, שֶׁנֶּאֱמַר (ישעיה כג, יג) "הֵן אֶרֶץ כַּשְׂדִּים זֶה הָעָם לֹא הָיָה", לֹא הָיְתָה בָּאָה אֶלָּא לִיתֵּן אֵימָתָהּ, כֵּיוָן שֶׁאָמַר (איוב א, טז) "אֵשׁ אֱלֹהִים נָפְלָה מִן הַשָּׁמַיִם", אָמַר: מָה אֲנִי יָכוֹל לַעֲשׂוֹת, קָל מִן שְׁמַיָּא נְפַל °מַאן יְכוֹלָה° לַעֲשׂוֹת, (שם לא לד) "וָאֶדֹּם לֹא אֵצֵא פָתַח", לָקַח לוֹ חֶרֶס לְהִתְגָּרֵד בּוֹ, אַף בְּמִצְרַיִם כֵּן (תהלים עח, מח) "וַיַּסְגֵּר לַבָּרָד בְּעִירָם וּמִקְנֵיהֶם לָרְשָׁפִים", וְאַחַר כָּךְ (שם קה, לג) "וַיַּךְ גַּפְנָם וּתְאֵנָתָם וַיְשַׁבֵּר עֵץ גְּבוּלָם", וְאַחַר כָּךְ (שם שם לו) "וַיַּךְ כָּל בְּכוֹר בְּאַרְצָם רֵאשִׁית לְכָל אוֹנָם", אַף מַחְלוֹן וְכִלְיוֹן כֵּן, בַּתְּחִלָּה נָגְעָה בָּהֶם מִדַּת הַדִּין בְּמָמוֹנָם, וְאַחַר כָּךְ (רות א, ה) "וַיָּמוּתוּ גַּם שְׁנֵיהֶם", וְאַף נְגָעִים הַבָּאִים עַל הָאָדָם תְּחִלָּה הֵן בָּאִים בְּבֵיתוֹ, חָזַר בּוֹ טָעוּן חֲלִיצָה, וְאִם לָאו טָעוּן נְתִיצָה, הֲרֵי הֵן בָּאִים עַל בְּגָדָיו, חָזַר בּוֹ טָעוּן כְּבִיסָה, וְאִם לָאו טָעוּן שְׂרֵיפָה, הֲרֵי הֵם בָּאִים עַל גּוּפוֹ, חָזַר בּוֹ יִטְהַר, וְאִם לָאו (לעיל יג, מו) "בָּדָד יֵשֵׁב":

ה דָּבָר אַחֵר [יד, לד] "כִּי תָבֹאוּ אֶל אֶרֶץ כְּנַעַן", ז' עֲמָמִים הֵן, וְאַתָּה אוֹמֵר "אֶרֶץ כְּנַעַן", רַבָּנָן אָמְרֵי: רְמָזוֹ, מַה חָם סֵרְסוֹ וּכְנַעַן לָקָה אַף כָּאן יִשְׂרָאֵל חוֹטְאִין וְהָאָרֶץ הִיא מִתְקַלֶּלֶת,

עץ יוסף

זה העם לא היה. וכדמסיק ברות רבה הלואי לא היה, ופירש רש"י בישעיה אשר לא כדאי הוא להקרא עם כו', עד שהקדוש ברוך הוא מתחרט עליהם על שבראם כדאיתא במסכת סוכה (נב, ב): **קל מן שמיא נפל מאן יכולה לעשות.** זה אינו ברות רבה. ואפשר שתפס לשון המקרא דכתיב בנבוכדנצר, ורצונו לומר כיון שהיא גזירה מן שמים מה אני יכול לעשות (יפה תואר): **לקח לו חרס כו'.** כלומר ולבסוף נגע בנפשות עד שלקח לו חרס להתגרד בו: **אף מחלון וכליון כן כו'.** דוקא מחלון וכליון ולא אלימלך, כי הוא מת תחלה, שפגעה בו מדת הדין תיכף ומיד יען כי הוא העיקר בחטא שהיה גדול הדור ויצא חוץ לארץ, שכשם שצדקה תציל ממות כך מי שמעלים עיניו מן הצדקה מיתה מזומנת לו, ולפיכך מת אלימלך תחילה קודם שלקה בממונו, מה שאין כן מחלון וכליון שהיו תלוים באביהם ולא היו ברשות עצמם, שבצאת אביהם הוכרחו גם הם לצאת, אך כשראו שמת אביהם היה להם לחזור לארץ ישראל, ולפיכך לקו בממונם תחלה כדי שירגישו בחטאם, וכשלא הרגישו כתיב וימותו גם שניהם, וזהו גם לרבות את ממונם שתחלה נשארו בלי ממון שגם זה נקרא מיתה כמו שנאמר כי מתו כל האנשים כו' ופירשו חכמינו ז"ל (בראשית רבה עא, ו נדרים ז, ב) שירדו מנכסיהן, ואחר כך מתו גם הם (גבול בנימין). גם יש לומר דלפיכך מת אלימלך קודם שלקה בממונו לפי שהיה גדול הדור ולא הוצרך להתרות בו תחלה דתלמידי חכמים אינן צריכין התראה (יפה תואר): **ואם לאו טעון שריפה.** במדרש רות גרס מקמי הכי חזר בו טעונין קריעה, ומדרשינו קיצר בזה:

פירוש מהרז"ו

אש אלהים נפל מן השמים ואדום. ויתכן שעל שדורש המדרש שמשפט איוב היה מן הקל אל החמור, ומהפך סדר הפרשיות כמו שאמר בסוף הסימן, גם בענין הממון עצמו הולך מן הקל אל החמור, ואש אלהים מן השמים שלא כדרך הטבע היה, אחר מה שאמר כשדים שמו שלשה ראשים, ועל פי מדה ל"א: **קל מן שמיא נפל.** דניאל (ד, י). ובא לדרוש שאין הכרח לומר שהיה האש בשמים ונפל לארץ, אלא הכוונה שעל פי גזירה מן השמים התלהט האש הטבעי שהוא מלא האויר, שעל כן ואדום לא אצא פתח כנגד גזירת שמים: **ויסגר לברד בעירם.** ואחר כך ויך גפנם, גירסא זו צריך עיון שפסוק ויסגר הוא בתהלים עח, (פסוק מח), ופסוק ויך גפנם, הוא בתהלים קה (פסוק לג) גם כן אצל ברד, כמו שכתוב (שם לב) נתן גשמיהם ברד אש להבות בארצם ויך גפנם ותאנתם, ומהו ואחר כך, ובמדרש רות (ב, י) הגירסא בהיפך תחלה ויך גפנם ואחר כך ויסגר לברד בעירם, ונראה לומר שגירסא זו עיקר, ובא ללמדנו דבר נפלא שהנה בתורה כתוב אצל ברד (שמות ט, כה) ויך הברד וכו' מאדם ועד בהמה ואת כל עשב ואת כל עץ וגו', ואין זה כסדר הפורעניות, שאינו נוגע בנפשות תחלה, והסדר הנכון כמו שכתוב (תהלים עח, מז) יהרוג בברד גפנם ושקמותם בחנמל ויסגר לברד בעירם ומקניהם לרשפים, שהוא סותר למה שנאמר בתורה תחלה על האדם ובהמה ואחר כך על העשב והעץ, והכריע מאיוב וכדומה שאינו פוגע בנפשות תחלה. ועיין בראשית רבה (א, ו) ושמות רבה (טו, כב) שנביאים וכתובים באים לפרש את התורה. אך בילקוט איוב (רמז תתנב) ובילקוט רות (רמז תרא) הגירסא כמו כאן, ואני בחרתי הגירסא שאפשר לפרשה על פי המקראות והמדות: **ואחר כך ויך כל בכור בארצם.** הוא פסוק של תהלים קה (פסוק לו), ואגב שהביא פסוק ויך גפנם מתהלים ק"ה הביא פסוק הסמוך לו: **ואף נגעים הבא על האדם.** מדרש תדשא (פרק יז) הנה בתורה כתיב תחלה נגעי אדם, ואחר כך נגעי בגדים בסדר תזריע, ואחר כך נגעי בתים בסדר מצורע, והמדרש מהפך הכל, ודורש כן שמאחר שלמדו מכל הנ"ל שסדר פורענות הוא מן הקל אל החמור, אם כן מה שנאמר בתורה בהיפוך מסידור זה, בהכרח לדרוש על פי מדה ל"ב, מוקדם שמאוחר בפרשיות, שתחלה נאמר פרשת נגעי בתים, ואחר כך נגעי בגדים, ואחר כך נגעי אדם, וכל הענין בתנחומא תזריע (סימן י) בקיצור, ובסדר מצורע (סימן ד) באריכות. ולכך לא התחיל בנגעי בתים, על שלא היה להם עדיין בתים במדבר, ולא בבגדים שבגדיהם היו על פי מעשה נסים, והתחיל בנגעי הבתים כדי ליראם, כן הוא במדרש תדשא: **(ה) מה חם סרסו.** כמו שאמרו (סנהדרין ע, א) פרקי דרבי אליעזר (פרק כג) ועיין בראשית רבה פרשה לו סימן ז מה שכתבתי שם בפירושו. מדרש תדשא ריש [פרק] יז: **והארץ היא מתקללת.** ענין הדמיון שכנען הוא בן רביעי של חם, וכמו שאמרו בבראשית רבה שם סימן הנ"ל, כך הארץ היא רביעית לברכה, כמו שכתוב (ויקרא כו, מב) וזכרתי את בריתי יעקב ואף את בריתי יצחק ואף את בריתי אברהם אזכור והארץ אזכור, (ועל פי הזוהר היא מדת דוד רגל הרביעי), וכן בענין הקללה שתלקה כמו כנען, והדבר למוד מעניינו

מתנות כהונה

הכי גרסינן מן השמים אמר מה כו'. ואף על פי דהאי קרא כתיב קודם כשדים שמו שלשה ראשים, יש לומר בראשונה היה סבור שמא לא בשבילו דוקא ירדה, רק כמו שרגיל לפעמים שתרד ברד ואש מתלקחת ויאכל באשר ימצא, אבל כשהגידו לו והנה רוח גדולה כו' ויגע בארבע פנות הבית, כנגד הטבע, כמו שאמרו במדרש קהלת (פרשה א ז), ולעיל בפרשה ט"ו (סי' א) איתא שלא היה אלא בשביל אותו בית, אז ידע כי מאלהים הוא לפחות, אז שפט על נפילת האש שגם הוא בהשגחה מיוחדת, כי הרוח והאש רוח אחד להם מן השמים ממעל, ושניהם על אופן אחד באו: **מאן יכולה.** כמו מה אני: **[ה] הכי גרסינן רבנן אמרי רמזו מה חם סרסו וכנען לקה: רמזו.** רמז להם: **סרסו.** לנח: **והארץ מתקללת.** שנותן צרעת בבתים:

אשד הנחלים

ליתן אימתה. אבל לא להשאר בעולם, כי אם להטיל אימה מעט, ועוד מעט ואינם: **לקח לו חרס כו'.** כלומר כיון שראה נגעיו אחר כך אז התחיל עוסק בעינייניו, ועזב כל דמיונותיו שדימה להלחם להציל: **בעירם.** כי אינם הכרחיים לחיי האדם כצמחים ועצים, ואחר כך פגע בנפשות שהם העיקר: **חליצה.** והבית קיימת, ואם לאו נתיצה, וכן בבגדים כביסה ואם לאו שריפה:

חידושי הרד"ל

לא היו ולואי לא היתה בא ליתן אימתה עליו. כן הוא ברות ובפסיקתא שם, (ולשון לוי איפשר רומז למה שאמרו בסוכה (נב, ב), ובירושלמי פ"א דתענית ה"ד, שהקב"ה מתחרט עליהם שבראם): **מה אני כו' לעשות קל מן שמיא נפל.** מקרא הוא דניאל ד' (יח). ואמרו שהוא שרו של נבוכדנצר ואינו ענין כל כך לכאן, וברות רבה ובפסיקתא שם לא גרס ליה:

חידושי הרש"ש

לקח לו חרס להתגרד בו כו'. אף במצרים כן ויסגר לברד בעירם ומקניהם לרשפים ואחר כך ויך גפנם ותאנתם וישבר עץ גבולם ואחר כך ויך כל בכור בארצם ראשית לכל אונם. מקראות אלו הם תהלים ק"ה, וקרא דויסגר כו' הוא תהלים ע"ח. ונראה לי דכך צריך לומר אף במצרים כן יהרוג בברד גפנם וגו', ואחר כך ויסגר לברד בעירם כו', ואחר כך ויך כל בכור בארצם וכו', והם קראי דקאפיטל ע"ח כסידורן שם, ונאותים מאד להענין, שבתחלה לקו בצומח, ואחר כך בחי, ואחר כך במדבר, וכן הוא לעיל ט"ז:

באור מהרי"פ

מתנות כהונה ד"ה הכי גרסינן מן השמים וכו' כשהגידו לו והנה רוח גדולה וכו'. הנה סדר הבשורות מתחלה אש אלהים נפלה מן השמים, ואחרי כן כשדים שמו שלשה ראשים וגו', ואחר כך והנה רוח גדולה באה מעבר המדבר וגו', עד כאן הסדר השייך לדברי המתנות כהונה, ופירושו דחוק, ודבריו אינם מובנים לי, דמשמעות דבריו דוהנה רוח גדולה מרומז הבשורה הקודמת של אש נפלה כי רוח ואש אחד הם. ועיין יפה תואר שגם הוא פירושו דחוק ועיין שם:

אמרי יושר

זה העם לא היה. שלא נברא רק להפחידו: **אף במצרים כן.** הביא ראיה מיחיד ורבים. גם אף במחלון, שמא תאמר היינו באומות העולם לא בישראל, כי כיון שהם מוזהרים כבר יענשו מיד. ואלו הביא ראיה זו, נימא היינו ישראל שמרחם עליהם: **וימותו גם שניהם.** אלמא מתחלה נענשו בממונם, ואחר כך גם שניהם, אם כן זה יוכיח אף על נגעים שהוא כך, שהוא דרך התראה, ואף בכל חלוקה יש הדרגה, כמו שמבאר, כי הקדוש ברוך הוא מתרה וחוזר ומתרה, וכן בְּעֵלִי שלא לו הקדוש ברוך הוא אלקנה (אחר כך), ויבא איש אלהים אל עלי (שמואל א ב, כז) [ותניא בסדר עולם זה עלין], אחר כך לשמואל, גם מפני הכבוד לא גילה הכל לשמואל, שלא יהא הוכחתו] הרב על ידי התלמיד:

אם למקרא

הֵן אֶרֶץ כַּשְׂדִּים זֶה הָעָם לֹא הָיָה אַשּׁוּר יְסָדָהּ לְצִיִּים הֵקִימוּ בַחוּנָיו עֹרְרוּ אַרְמְנוֹתֶיהָ שָׂמָהּ לְמַפֵּלָה: (ישעיה כג:יג)

וַיַּסְגֵּר לַבָּרָד בְּעִירָם וּמִקְנֵיהֶם לָרְשָׁפִים: (תהלים עח:מח)

וַיַּךְ גַּפְנָם וּתְאֵנָתָם וַיְשַׁבֵּר עֵץ גְּבוּלָם: (תהלים קה:לג)

וַיַּךְ כָּל־בְּכוֹר בְּאַרְצָם רֵאשִׁית לְכָל־אוֹנָם: (שם שם לו)

וַיָּמוּתוּ גַם שְׁנֵיהֶם מַחְלוֹן וְכִלְיוֹן וַתִּשָּׁאֵר הָאִשָּׁה מִשְּׁנֵי יְלָדֶיהָ וּמֵאִישָׁהּ: (רות א:ה)

ענף יוסף

(ד) כיון שאמר אש אלהים כו'. משמע דבריאה הוגד לו ענין כשדים, והדר ענין האש, וקשה, דבקרא כתיב אש אלהים בריאה, ונראה שמתחלה לא שת לבו כל כך למה שאמר אש אלהים, שגם זה אפשר במקרה כענין הרעמים, אבל כשאמר כשדים שמו שלשה ראשים תמה, איך אפשר שעם פחות כזה יתקוממו כנגדו, ובהיותו חושב בזה הבין גם כן בענין אש אלהים, ורצה שרחוק ששני דברים זרים באים יחד במקרה, אלא שמה' הוא, וכן ענין כשדים: **תחלה הם באים בביתו כו'.** כי אף על פי שבתורה הקדים נגעי אדם ואחר כך נגעי בתים, הטעם הוא כי שם במדבר לא היו נגעי בתים, כי היו מכוסים בענני כבוד והיו שוכנים באהלים, וכתיב כי תבואו אל ארץ כנען ונתתי נגע צרעת בבית ארץ אחוזתכם, וכן כתב בתורת כהנים סדר מצורע, כי תבואו וגו', יכול משבאו לעבר הירדן תלמוד לומר אל ארץ המיוחדת לאחוזה עד שיכבשו כו', וגם נגעי בגדים לא היו במדבר, לפי שכתיב שמלתך לא בלתה מעליך, שהיו בגדיהם גדלים עמהם,

שינוי נוסחאות

(ד) מאן יכולה לעשות. הגיה א"א "מה אני יכול לעשות", וכן הוא בכל הכי"י כולם:

§5 The Midrash questions why our verse refers to the land as the land of Canaan:

דָּבָר אַחֵר "כִּי תָבֹאוּ אֶל אֶרֶץ כְּנַעַן" — **Another exposition** of ***When you arrive in the land of Canaan.*** ז' עֲמָמִים הֵן, וְאַתָּה אוֹמֵר "אֶרֶץ כְּנַעַן" — There is a difficulty with this verse: **There are seven nations** whose land God gave to Israel as a possession,[103] **but [the verse] states *the land of Canaan*** alone![104] רַבָּנָן אָמְרֵי: רְמָזוֹ, מַה חָם סֵרְסוֹ וּכְנַעַן לָקָה — The **Rabbis say: [Scripture] is hinting** that **just as Ham emasculated [Noah],**[105] **and** in his stead his son **Canaan was smitten,**[106] אַף כָּאן יִשְׂרָאֵל חוֹטְאִין וְהָאָרֶץ הִיא מִתְקַלֶּלֶת — **so too here, Israel sins and** in their stead **the land is cursed.**[107]

NOTES

103. See *Deuteronomy* 7:1.

104. [The expression *the land of Canaan* is in fact used frequently throughout Scripture to refer to the land of the seven nations. See *Yefeh To'ar* for why the Midrash specifically discusses this difficulty *here*.]

105. See *Genesis* 9:22 with *Rashi*.

106. For it was Ham's son Canaan whom Noah cursed and not Ham himself (see ibid., v. 25).

107. That is, by referring to the land as the land of "Canaan," Scripture is drawing a comparison between what will happen to the Land of Israel and what happened to Canaan, son of Ham: Just as Canaan was cursed for Ham's sinful behavior, so too, the land (i.e., the houses) will be smitten for Israel's sinful behavior. *Yefeh To'ar* explains that our Midrash follows the opinion of R' Yehudah in *Bereishis Rabbah* 36 §7 that Canaan was cursed in Ham's place because Ham was blessed together with his father and brothers (*Genesis* 9:1) and therefore he could not be cursed. Similarly, Israel's houses will be smitten for Israel's sinful behavior because Israel is blessed and is not liable to a curse. [For a different comparison between the land of Israel and Ham, see *Maharzu*.]

INSIGHTS

stinginess. As the Midrash states above (§2), one who refuses to lend his belongings to others is punished by having them spread out before the public when the house is emptied on account of the blemish. Those who are stingy often place greater value on their possessions than on their lives (see *Sanhedrin* 74a). For such people, the most severe punishment is not *tzaraas* of the body but *tzaraas* of the house; accordingly, when *they* sin, the body is the first afflicted. It is on account of these people that the Torah begins with *tzaraas* of the body.

אָמַר: אוּמָּה זוֹ בְּזוּיָה, שֶׁנֶּאֱמַר (ישעיה כג, יג) "הֵן אֶרֶץ כַּשְׂדִּים זֶה הָעָם לֹא הָיָה", לֹא הָיְתָה בָּאָה אֶלָּא לִיתֵּן אֵימָתָהּ, כֵּיוָן שֶׁאָמַר (איוב א, טז) "אֵשׁ אֱלֹהִים נָפְלָה מִן הַשָּׁמַיִם", אָמַר: מָה אֲנִי יָכוֹל לַעֲשׂוֹת, קָל מִן שְׁמַיָּא נְפַל °מַאן יְכוּלָה° לַעֲשׂוֹת, (שם לא לד) "וָאֶדֹּם לֹא אֵצֵא פָתַח", לָקַח לוֹ חֶרֶס לְהִתְגָּרֵד בּוֹ, אַף בְּמִצְרַיִם כֵּן (תהלים עח, מח) "וַיַּסְגֵּר לַבָּרָד בְּעִירָם וּמִקְנֵיהֶם לָרְשָׁפִים", וְאַחַר כָּךְ (שם קה, לג) "וַיַּךְ גַּפְנָם וּתְאֵנָתָם וַיְשַׁבֵּר עֵץ גְּבוּלָם", וְאַחַר כָּךְ (שם שם לו) "וַיַּךְ כָּל בְּכוֹר בְּאַרְצָם רֵאשִׁית לְכָל אוֹנָם", אַף מַחְלוֹן וְכִלְיוֹן כֵּן, בַּתְּחִלָּה נָגְעָה בָּהֶם מִדַּת הַדִּין בְּמָמוֹנָם, וְאַחַר כָּךְ (רות א, ה) "וַיָּמוּתוּ גַּם שְׁנֵיהֶם", וְאַף נְגָעִים הַבָּאִים עַל הָאָדָם תְּחִלָּה הֵן בָּאִים בְּבֵיתוֹ, חָזַר בּוֹ טָעוּן חֲלִיצָה, וְאִם לָאו טָעוּן נְתִיצָה, הֲרֵי הֵן בָּאִים עַל בְּגָדָיו, חָזַר בּוֹ טָעוּן כְּבִיסָה, וְאִם לָאו טָעוּן שְׂרֵיפָה, הֲרֵי הֵם בָּאִים עַל גּוּפוֹ, חָזַר בּוֹ יִטְהַר, וְאִם לָאו (לעיל יג, מו) "בָּדָד יֵשֵׁב":

ה דָּבָר אַחֵר [יד, לד] "כִּי תָבֹאוּ אֶל אֶרֶץ כְּנַעַן", ז' עֲמָמִים הֵן, וְאַתָּה אוֹמֵר "אֶרֶץ כְּנַעַן", רַבָּנָן אָמְרֵי: רָמְזוּ, מַה חָם סֵרְסוֹ וּכְנַעַן לָקָה אַף כָּאן יִשְׂרָאֵל חוֹטְאִין וְהָאָרֶץ הִיא מִתְקַלֶּלֶת,

עץ יוסף

זה העם לא היה. וכדמסיק ברות רבה הלואי לא היה, ופירש רש"י בישעיה אשר לא כדאי הוא להקרא עם כו', עד שהקדוש ברוך הוא מתחרט עליהם על שבראם כדאיתא במסכת סוכה (נב, ב): **קל מן שמיא נפל מאן יכולה לעשות.** זה אינו ברות רבה. ואפשר שתפס לשון המקרא דכתיב בנבוכדנצר, ורצונו לומר כיון שהיא גזירה מן שמים מה אני יכול לעשות (יפה תואר): **לקח לו חרס בו'.** כלומר ולבסוף נגע בנפשות עד שלקח לו חרס להתגרד בו: **אף מחלון וכליון כן בו'.** דוקא מחלון וכליון ולא אלימלך, כי הוא מת תחלה, שפגעה בו מדת הדין תיכף ומיד יען כי הוא העיקר בחטא שהיה גדול הדור ויצא חוץ לארץ, שכשם שצדקה תציל ממות כך מי שמעלים עיניו מן הצדקה מיתה מזומנת לו, ולפיכך מת אלימלך תחילה קודם שלקה בממונו, מה שאין כן מחלון וכליון שהיו תלוים באביהם ולא היו ברשות עצמם, שבצאת אביהם הוכרחו גם הם לצאת, אך כשראו שמת אביהם היה להם לחזור לארץ ישראל, ולפיכך לקו בממונם תחלה כדי שירגישו בחטאם, וכשלא הרגישו כתיב וימותו גם שניהם, וזהו גם לרבות את ממונם שתחלה כשארו בלי ממון שגם זה נקרא מיתה כמו שנאמר כי מתו כל האנשים כו' ופירשו חכמינו ז"ל (בראשית רבה עא, ו נדרים ז, ב) שירדו מנכסיהן, ואחר כך מתו גם הם (גבול בנימין). גם יש לומר דלפיכך מת אלימלך קודם שלקה בממונו לפי שהיה גדול הדור ולא הוצרך להתרות בו תחלה דתלמידי חכמים אינן צריכין התראה (יפה תואר): **ואם לאו טעון שריפה.** במדרש רות גרס מקמי הכי חזר בו טעונין קריעה, ומדרשינו קיצר בזה:

פירוש מהרז"ו

אש אלהים נפל מן השמים ואדום. ויתכן שעל שדורש המדרש שמשפט איוב היה מן הקל אל החמור, ומהפך סדר הפרשיות כמו שאמר בסוף הסימן, גם בענין הממון עצמו הולך מן הקל אל החמור, ואש אלהים מן השמים שלא כדרך הטבע היה, אחר מה שאמר כשדים שמו שלשה ראשים, ועל פי מדה ל"ז: **קל מן שמיא נפל.** דניאל (ד, י). ובא לדרוש שאין הכרח לומר שהיה האש בשמים ונפל לארץ, אלא הכוונה שעל פי גזירה מן השמים התלהט האש הטבעי שהוא מלא האויר, שעל כן ואדום לא אלא פתח כנגד גזירת שמים: **ויסגר לברד בעירם.** ואחר כך ויך גפנם, גירסא זו צריך עיון שפסוק ויסגר הוא בתהלים עח, (פסוק מב), ופסוק ויך גפנם, הוא בתהלים קה (פסוק לג) גם כן אצל ברד, כמו שכתוב (שם לב) נתן גשמיהם ברד אש להבות בארצם ויך גפנם ותאנתם, ומהו ואחר כך, ובמדרש רות (ב, י) הגירסא בהיפך תחלה ויך גפנם ואחר כך ויסגר לברד בעירם, ונראה לומר שגירסא זו עיקר, ובא ללמדנו דבר נפלא שהנה בתורה כתוב אצל ברד (שמות ט, כה) ויך הברד וכו' מאדם ועד בהמה ואת כל עשב ואת כל עץ וגו', ואין זה כסדר הפורעניות, שאינו נוגע בנפשות תחלה, והסדר הנכון כמו שכתוב (תהלים עח, מז) יהרוג בברד גפנם ושקמותם בחנמל ויסגר לברד בעירם ומקניהם לרשפים, שהוא סותר למה שנאמר בתורה תחלה על האדם ובהמה ואחר כך על העשב והעץ, והכריע מאיוב וכדומה שאינו פוגע בנפשות תחלה. ועיין בראשית רבה (א, ו) ושמות רבה (טו, כב) שנביאים וכתובים באים לפרש את התורה. אך בילקוט איוב (רמז תתלב) ובילקוט רות (רמז תרא) הגירסא כמו כאן, ואני בחרתי הגירסא שאפשר לפרשה על פי המקראות והמדות: **ואחר כך ויך כל בכור בארצם.** הוא פסוק של תהלים קה (פסוק לו), ואגב שהביא פסוק ויך גפנם מתהלים ק"ה הביא פסוק הסמוך לו: **ואף נגעים הבא על האדם.** מדרש תדשא (פרק יז) הנה בתורה כתיב תחלה נגעי אדם, ואחר כך נגעי בגדים בסדר תזריע, ואחר כך נגעי בתים בסדר מצורע, והמדרש מהפך הכל, ודורש כן שמאחר שלמדו מכל הנ"ל שסדר פורענות הוא מן הקל אל החמור, אם כן מה שנאמר בתורה בהיפוך מסידור זה, בהכרח לדרוש על פי מדה ל"ב, מוקדם שמאוחר בפרשיות, שתחלה נאמר פרשת נגעי בתים, ואחר כך נגעי בגדים, ואחר כך נגעי אדם, וכל הענין בתנחומא תזריע (סימן י) בקיצור, ובסדר מצורע (סימן ד) באריכות. ולכך לא התחיל בנגעי בתים, על שלא היה להם עדיין בתים במדבר, ולא בבגדים שבגדיהם היו על פי מעשה נסים, והתחיל בנגעי הבתים כדי ליראם, כן הוא במדרש תדשא: **(ה) מה חם סרסו.** כמו שאמרו (סנהדרין ע, א) פרקי דרבי אליעזר (פרק כג) ועיין בראשית רבה פרשה לו סימן ז מה שכתבתי שם בפירושו. מדרש תדשא ריש [פרק] יז: **והארץ היא מתקללת.** ענין הדמיון שכנען הוא בן רביעי של חם, וכמו שאמרו בבראשית רבה שם סימן הנ"ל, כך הארץ היא רביעית לברכה, כמו שכתוב (ויקרא כו, מב) וזכרתי את בריתי יעקב ואף את בריתי יצחק ואף את בריתי אברהם אזכור והארץ אזכור, (ועל פי הזוהר היא מדת דוד רגל הרביעי), וכן בענין הקללה שתלקה כמו כנען, והדבר למוד מענינו

מתנות כהונה

הכי גרסינן מן השמים אמר מה בו'. ואף על פי דהאי קרא כתיב קודם כשדים שמו שלשה ראשים, יש לומר בראשונה היה סבור שמא לא בשבילו דוקא ירדה, רק כמו שרגיל לפעמים שתרד ברד ואש מתלקחת ויאכל באשר ימצא, אבל כשהגידו לו והנה רוח גדולה כו' ויגע בארבע פנות הבית, כנגד הטבע, כמו שאמרו במדרש קהלת (פרשה א ז), ולעיל בפרשה ט"ו (סי' א) איתא שלא היה אלא בשביל אותו בית, אז ידע כי מאלהים הוא לפחות, אז שפט על נפילת האש שגם הוא בהשגחה מיוחדת, כי הרוח והאש רוח אחד להם מן השמים ממעל, ושניהם על אופן אחד באו: **מאן יכולה.** כמו מה אני: [ה] **הכי גרסינן רבנן אמרי רמזו מה חם סרסו וכנען לקה: רמזו.** רמז להם: **סרסו.** לנח: **והארץ מתקללת.** שנותן צרעת בבתים:

אשד הנחלים

ליתן אימתה. אבל לא להשאר בעולם, כי אם להטיל אימה מעט, ועוד מעט ואינם: **לקח לו חרס בו'.** כלומר כיון שראה נגעיו אחר כך אז התחיל עוסק בעניניו, ועזב כל דמיונותיו שדימה להלחם להציל: **בעירם.** כי אינם הכרחיים לחיי האדם כצמחים ועצים, ואחר כך פגע בנפשות שהם העיקר: **חליצה.** והבית קיימת, ואם לאו נתיצה, וכן בבגדים כביסה ואם לאו שריפה:

חידושי הרד"ל

לא היו ולואי לא היתה בא ליתן אימתה עליו. כן הוא ברות ובפסיקתא שם, (ולשון לואי איפשר רומז למה שאמרו בסוכה (נב, ב), ובירושלמי (פ"א דתענית ה"ד), שהקב"ה מתחרט עליהם שבראם): **מה אני כו' לעשות קל מן שמיא נפל.** מקרא הוא דניאל ד' (יח). ואמרו שהוא שרו של נבוכדנצר ואינו ענין כל כך לכאן, וברות רבה ובפסיקתא שם לא גרס ליה:

חידושי הרש"ש

לקח לו חרס להתגרד בו בו'. אף במצרים כן ויסגר לברד בעירם ומקניהם לרשפים ואחר כך ויך גפנם ותאנתם וישבר עץ גבולם ואחר כך ויך כל בכור בארצם ראשית לכל אונם. מקראות אלו הם תהלים ק"ה, וקרא דויסגר כו' הוא תהלים ע"ח. ונראה לי דכך צריך לומר אף במצרים כן יהרוג בברד גפנם וגו', ואחר כך ויסגר לברד בעירם כו', ואחר כך ויך כל בכור בארצם וכו', והם קראי דקאפיטל ע"ח כסידורן שם, ונאותים מאד להענין, שבתחלה לקו בצומח, ואחר כך בחי, ואחר כך במדבר, וכן הוא לעיל ט"ז:

באור מהרי"פ

מתנות כהונה ד"ה הכי גרסינן מן השמים וכו' כשהגידו לו והנה רוח גדולה וכו'. הנה סדר הבשורות מתחלה אש אלהים נפלה מן השמים, ואחרי כן כשדים שמו שלשה ראשים וגו', ואחר כך והנה רוח גדולה באה מעבר המדבר וגו', עד כאן הסדר השייך לדברי המתנות כהונה, ופירושו דחוק, ודבריו אינם מובנים לי, דמשמעות דבריו דהנה רוח גדולה מרומז הבשורה הקודמת של אש נפלה כי רוח ואש אחד הם. ועיין יפה תואר שגם הוא פירושו דחוק ועיין שם:

אמרי יושר

זה העם לא היה. שלא נברא רק להפחידו: **אף במצרים כן.** הביא ראיה מיחיד ורבים. גם אף במחלון, שמא תאמר היינו באומות העולם לא בישראל, כי כיון שהם מוזהרים כבר יענשו מיד. ואלו הביא ראיה זו, נימא היינו ישראל שמרחם עליהם: **וימותו גם שניהם.** אלמא מתחלה נענשו בממונם, ואחר כך גם שניהם, אם כן זה יוכיח אף על נגעים שהוא כך, שהוא דרך התראה, ואף בכל חלוקה יש הדרגה, כמו שמצאר, כי הקדוש ברוך הוא מתרה וחוזר ומתרה, וכן בְּעֵלִי שלא לו הקדוש ברוך הוא אלקנה (אחר כך), ויבא איש אלהים אל עלי (שמואל א ב, כז) [ותניא בסדר עולם זה עלי], אחר כך לשמואל, גם מפני הכבוד לא גילה הכל לשמואל, שלא יהא הוכחת] הרב על ידי התלמיד:

אם למקרא

הֵן אֶרֶץ כַּשְׂדִּים זֶה הָעָם לֹא הָיָה אַשּׁוּר יְסָדָהּ לְצִיִּים הֵקִימוּ בַחוּנָיו עֹרְרוּ אַרְמְנוֹתֶיהָ שָׂמָהּ לְמַפֵּלָה: (ישעיה כג:יג)

וַיַּסְגֵּר לַבָּרָד בְּעִירָם וּמִקְנֵיהֶם לָרְשָׁפִים: (תהלים עח:מח)

וַיַּךְ גַּפְנָם וּתְאֵנָתָם וַיְשַׁבֵּר עֵץ גְּבוּלָם: (תהלים קה:לג)

וַיַּךְ כָּל־בְּכוֹר בְּאַרְצָם רֵאשִׁית לְכָל־אוֹנָם: (שם שם לו)

וַיָּמוּתוּ גַם שְׁנֵיהֶם מַחְלוֹן וְכִלְיוֹן וַתִּשָּׁאֵר הָאִשָּׁה מִשְּׁנֵי יְלָדֶיהָ וּמֵאִישָׁהּ: (רות א:ה)

ענף יוסף

(ד) כיון שאמר אש אלהים בו'. משמע דברישא הוגד לו ענין כשדים, והדר ענין האש, וקשה, דבקרא כתיב אש אלהים ברישא, ונראה שמתחלה לא שת לבו כל כך למה שאמר אש אלהים, שגם זה אפשר במקרה כענין הרעמים, אבל כשאמר כשדים שמו שלשה ראשים תמה, איך אפשר שעם פחות כזה יתקוממו כנגדו, ובהיותו חושב בזה הבין גם כן בענין אש אלהים, ונראה שרחוק ששני דברים זרים באים יחד במקרה, אלא שמה' הוא, וכן ענין כשדים: **תחלה הם באים בביתו בו'.** כי אף על פי שבתורה הקדים נגעי אדם ואחר כך נגעי בתים, הטעם הוא כי שם במדבר לא היו נגעי בתים, כי היו מכוסים בענני כבוד והיו שוכנים באהלים, וכתיב כי תבואו אל ארץ כנען ונתתי נגע צרעת בבית ארץ אחוזתכם, וכן כתב בתורת כהנים סדר מצורע, כי תבואו וגו', יכול משבאו לעבר הירדן תלמוד לומר אל ארץ המיוחדת לאחוזה עד שיכבשו כו', וגם נגעי בגדים לא היו במדבר, לפי שכתיב שמלתך לא בלתה מעליך, שהיו בגדיהם גדלים עמהם,

שינוי נוסחאות

(ד) **מאן יכולה לעשות.** הגיה א"א "מה אני יכול לעשות", וכן הוא בכל הכי"י כולם:

The Midrash cites three other explanations of the expression *the land of Canaan*:

רַבִּי אֱלִיעֶזֶר בֶּן יַעֲקֹב וְרַבָּנָן — R' Eliezer ben Yaakov and the Rabbis offer differing explanations: **רַבִּי אֱלִיעֶזֶר אוֹמֵר: עַל יְדֵי שֶׁהָיָה כְּנַעַן אֲבִיהֶם שֶׁל כּוּלָּם — R' Eliezer** ben Yaakov **says:** It is **because Canaan was the father of all [seven nations]** that Scripture refers to it as the land of Canaan. **הֲדָא הוּא דִכְתִיב "וּכְנַעַן יָלַד אֶת צִידֹן בְּכֹרוֹ וְאֶת חֵת" — Thus it is written, *Canaan begot Zidon his firstborn, and Heth;*** *and the Jebusite, the Amorite, the Girgashite, the Hivite, the Arkite, the Sinite, the Arvadite, the Zemarite, and the Hamathite* (*Genesis* 10:15-18).[108] **וְרַבָּנָן אָמְרֵי: עַל יְדֵי שֶׁהָיוּ כּוּלָּם תַּגָּרִין — And the Rabbis say:** It is **because all [of the seven nations] were merchants/traders, כְּמָא דְאַתְּ אָמַר "אֲשֶׁר סֹחֲרֶיהָ שָׂרִים כִּנְעָנֶיהָ נִכְבַּדֵּי אָרֶץ" — as [the verse] states: *whose merchants were princes and whose traders* [כִּנְעָנֶיהָ] *were the elite of the land*** (*Isaiah* 23:8).[109] **אָמַר רַבִּי יוֹסֵי בֶּן דוֹסָא: אֱלִיעֶזֶר הוּא כְּנַעַן —** Another explanation: **R' Yose ben Dosa says: Eliezer,** Abraham's servant, **is Canaan,**[110] **וְעַל יְדֵי שֶׁשִּׁימֵּשׁ אוֹתוֹ צַדִּיק יָצָא מִכְּלַל אָרוּר וּבָא לִכְלַל בָּרוּךְ — and through having served that righteous man** (i.e., Abraham), **he left the category of *cursed* and entered the category of *blessed.*** **הֲדָא הוּא דִכְתִיב "וַיֹּאמֶר אָרוּר כְּנָעַן", וּכְתִיב "וַיֹּאמֶר בּוֹא בְּרוּךְ ה'" — Thus** at first **it is written, *And [Noah] said, "Cursed is Canaan"*** (*Genesis* 9:25), **and** later **it is written** that Laban said to Eliezer, ***He said, "Come, O blessed of HASHEM!"*** (ibid. 24:31).[111]

A related remark:

רַבִּי יַעֲקֹב בְּשֵׁם רַבִּי יְהוּדָה בְּשֵׁם רַבִּי נָתָן דְּבֵית גוּבְרִין עֲבִיד לְהוֹ נְטִילַת רְשׁוּת — R' Yaakov in the name of R' Yehudah in the name of R' Nassan of Beis Guvrin made [of the latter two verses] the following **parting remark:**[112]

NOTES

108. As *Ramban* (commentary to v. 16) states, included in this verse are all of the nations whose lands God promised Abraham to give to his descendants [see *Genesis* 15:18-21 with *Rashi*] (*Eitz Yosef*).

109. That is: Our verse refers to the land of all seven nations as "Canaan" because the word כְּנַעַן means merchant or trader, and the people of the seven nations were merchants and traders. The verse refers to them by their profession because, as the Midrash will say below (§6), one of the reasons God placed *tzaraas* afflictions on the houses of Israel is that the Canaanites had hidden their riches in the walls of their houses, and upon demolishing the houses the treasures would be discovered. The term כְּנַעַן thus alludes to the wealth accumulated and concealed by these merchants of the land (*Yefeh To'ar*, end of s.v. ואתה אומר; *Imrei Yosher*; for a different approach see *Haamek Davar* to our verse).

110. See *Bereishis Rabbah* 59 §9, which states that the word כְּנַעַן in *Hosea* 12:8 refers to Eliezer. *Maharzu* there suggests that this means that Eliezer is to be identified with Canaan son of Ham. This seems to be the import of our Midrash as well.

111. Accordingly, our present verse describes the land specifically as *the land of "Canaan"* as a means of alluding to a parallel between Canaan's (i.e., Eliezer's) transformation from cursed to blessed, and *tzaraas* afflictions that God would bring upon Israel's houses, which generate a similar transformation. The *Zohar* (*Parashas Tazria*) states that one reason God placed *tzaraas* afflictions on the houses of Israel after they acquired the land of the seven nations is because these houses were originally built by idol worshipers in the name of idols. In order to transform these houses into houses built in the Name of God, God placed *tzaraas* afflictions upon them; this led to their demolition, and then to their rebuilding by Israel in the Name of God (*Yefeh To'ar* loc. cit.; see also *Eitz Yosef*). Alternatively, the curse of *tzaraas* will turn into a blessing, for it will cause the owner to find the treasures hidden there by the Canaanites (see note 109), just as the curse that hung over Eliezer was changed to a blessing (*Eshed HaNechalim* below, s.v. לפיכך, citing מוהר"ז מהוראדנא). See Insight Ⓐ.

112. Lit., *a taking of permission.* When the Sages would depart from homes where they had stayed as guests, they would take leave of their hosts by presenting a Torah thought that included a blessing (*Matnos Kehunah*, followed by *Eitz Yosef*).

INSIGHTS

Ⓐ **The Transformative Power of Selflessness** In *Toras Kohen* (*Parashas Metzora*), *R' Alexander Ziskind Kahana*, a disciple of R' Simchah Bunim of Peshischa, explains the connection between *tzaraas* and Eliezer's transformation from "cursed" to "blessed" differently. He notes that Eliezer's transformation occurred only at a particular juncture in his career of service to Abraham. Even after many years of faithful service had passed, when Abraham entrusted him with the momentous task of seeking out a fitting wife for Isaac to be the mother of the Jewish nation, Eliezer was still deemed "cursed." For we find that Abraham admonished him not to consider his own daughter for Isaac, declaring, "You are accursed and I am blessed, and the accursed cannot adhere to the blessed" (*Bereishis Rabbah* 59 §9, cited by *Rashi* to *Genesis* 24:39). What, then, was there in Eliezer's subsequent service that had the special power to transform him from "cursed" to "blessed"?

What indeed defines "blessed" and "cursed"? Human nature does not tend to purely selfless acts. Even acts of great kindness are generally performed only when motivated by some personal gain. One who is motivated by personal gain is termed רַע עַיִן, *miserly*, and is called "cursed." A person who rises above this limitation of human nature and dedicates himself completely to a higher cause without any thought of recompense, is termed טוֹב עַיִן, *generous*, and is called "blessed."

You shall love HASHEM, your God, with all your heart, with all your soul, and with all your resources (*Deuteronomy* 6:5). This was God's charge to the entire Jewish nation, which has shown itself equal to this charge, capable of loving God completely and selflessly — to the point of complete self-sacrifice. Because of this national character, the Jewish people are considered a "blessed" nation. Conversely, Eliezer's ancestor, Ham (father of Canaan), epitomized the human quality of selfishness. According to one opinion in the Talmud (*Sanhedrin* 70a), when Noah was lying drunk in a disgraced state in his tent (see *Genesis* 9:20-24), Ham did what he did to prevent his father from ever siring other children, thereby preserving Ham's one-third share of Noah's inheritance. This supreme act of selfishness earned Ham and his descendants the fitting censure of Noah: *Cursed is Canaan* (ibid., v. 25).

Eliezer, though a devoted servant to Abraham, still carried a trace of his ancestor's nature. Even while serving Abraham, he harbored the secret hope that his service would earn him some personal advantage, namely, the privilege of having his daughter marry Isaac (*Bereishis Rabbah* ibid.). When Abraham sent Eliezer to find a wife for his son, he dismissed this prospect, explaining to Eliezer (as cited above) that their respective natures were so fundamentally at odds that it would be impossible for their families to ever join together.

It was at this crucial point that Eliezer finally transcended the egocentric nature of his ancestors. Stripped of his one personal motive for serving Abraham, he nonetheless dedicated himself wholeheartedly to Abraham's service. It was then, at that late stage in his service to Abraham, that he finally shed his inherited label of "cursed" and assumed the exalted status of "blessed."

One of the causes of *tzaraas* is being רַע עַיִן, *miserly* (above, §3). Speaking of an individual whose house has developed a *tzaraas* affliction, the verse states, *The one to whom the house belongs shall come...* (v. 35). The Midrash (ibid.) interprets this phrase as a hint that the afflicted individual had behaved as if his house and all it contained (*the one to whom the house belongs*) should be enjoyed by him alone, not to be shared with anyone.

It is therefore specifically here, in the opening of the *tzaraas* passage concerning houses, that the Torah recalls the example of Eliezer, as an admonition to one afflicted with *tzaraas.* He is to keep in mind that Eliezer, of the accursed Canaanite nation, conquered his natural inclination toward selfishness, eventually embracing a complete altruism in his service to Abraham. Surely then it is within the reach of this fallen Jew to forsake the selfish behavior that prevented him from sharing his earthly blessings with others, and reconnect with the "blessed" character of his own nation. He can thus transform himself from being רַע עַיִן to being a person about whom the verse declares, טוֹב עַיִן הוּא יְבֹרָךְ, *one of generous spirit, he will be blessed* (*Proverbs* 22:9).

חידושי הרד"ל

[ו] **שלש פרוזגמאות.** ירושלמי (פ"ו דשביעית ה"א), דברים רבה (ה, יד). ועיין תוספות (גיטין מו, א ד"ה כיון): **זו אפריקי.** אפשר הוא קרטגינא שבאפריקא, שהסכימו החכמים שנבנית מבני כנען, נראה שלכן באו בני אפריקא לדון עם ישראל על ארץ ישראל כדאיתא בסנהדרין (צא, א), מפני שהם מזרע הגרגשי והכנעני:

חידושי הרש"ש

[ה-ו] **לפיכך משה מזהיר כו' (וכתיב) נגע צרעת.** טעות סופר, וצריך לומר ונתתי:

באור מהרי"פ

[ו] **שלשה פרוזדגמאות.** ערוך ערך פרזדגמא פירש אגרת, ובערך פרסטקמא זה לשונו, שלשה פרסטקמאות שלח יהושע ופרסטקמא היינו פרוזדגמא שפירושה במקומה, עד כאן, וזה לשון ר' בנימין מוספייא, אמר בנימין פרסטקמא פירושו בלשון יווני דת וגזירה חדשה: **עד בואי וגו'.** (ישעיה לו, יז) דברי רבשקה אל חלקיהו וחביריו עיין שם, אל תשמעו אל חזקיהו כי כה אמר המלך אשור, עשו אתי ברכה וצאו אלי ואכלו איש גפנו ואיש תאנתו ושתו איש מי בורו עד בואי ולקחתי אתכם אל ארץ כארצכם ארץ דגן ותירוש ארץ לחם וכרמים. ואם כן תימה גדולה היא מאי ענין גרגשי למקרא זה, הלא זה המקרא מדבר בהבטחת רבשקה לישראל, וצריך עיון מאד:

אמרי יושר

[ה] **שהיו תגרים.** כדמפרש אחר כך, שהטמינו נכסיהם, וכיון שנוטלים הבית נראה הסימא: **הוא כנען.** על ידי ששימש אברהם יצא מכלל ארור, אף אתם ישראל תבורכו אם תעבדו אל:

עץ יוסף

(ה) **וכנען ילד את צידון כו'.** ומהם הם השבעה עממים אלא שנתחלפו שמות קצתם כמו שכתב הרמב"ן (בראשית י, טו): **אליעזר הוא כנען כו'.** כוונתו כמו שאמר בזוהר (ח"ג כ, א) טעם הנגעים לפי שהם בנו בשם עבודה זרה, לכן ינתצו ויבנו בשם ה', ולזה הזכיר כנען שהוא אליעזר שמארור בא לכלל ברוך, וגם כן הבתים יבואו מכלל קללות עבודה זרה לברכת ה': **נטילת רשות.** כשנפטר מאכסנאי והיה רוצה ליטול רשות ממנו והיה המנהג לפטור בדברי תורה שבו נכלל ברכה לאכסנאי, כהאי עובדא דאמרו חכמינו ז"ל באושא בחזית (שיר השירים רבה ב, טז) פסוק [ד] הביאני וגו': **על אחת כמה וכמה.** שיהיה להם עוד ברכה יתירה: **לפיכך משה מזהיר כו'.** אדלעיל קאי, שהקשה והלא שבעה עממים הם, ותירצו רבי אליעזר ורבנן ורבי יוסי: (ו) **וכי בשורה היא.** דאם לא כן מאי ונתתי נגע לרעה, נגע צרעת כי תהיה מבעי ליה, כמו שכתוב בנגעי אדם נגע צרעת כי תהיה באדם: **תני רבי שמעון בר יוחאי כו'.** ופליגא אהא דאמר לעיל לאין בעל הרחמים נוגע בנפשות תחלה שלפי זה הם לטובה: **מלאים כל טוב.** והרי היא חסרה, שטמנו כל ממונם: **סימא.** אוצר: **פרוזדוגמאות.** פירוש איגרות: **שלח יהושע.** הנה מלשון דברים רבה פרשה ה' (סימן יד) משמע ודאי שלאחר שנכנסו לארץ כשהיה הולך לכבוש לשום אחת מערי ישראל היה שולח שם האיגרות, אבל בירושלמי פרק ו' דשביעית (הלכה א) איתא שלשה פרוזדגמאות שלח יהושע עד שלא יכנסו לארץ, וצריך לומר דתרי אמוראי אליבא דרבי שמואל (כך הוא בשביעית ובדברים רבה) [ישמעאל] בר נחמן: **לפיכך נתנו לו ארץ יפה בארצו זו אפריקי.** כן צריך לומר, וכן הוא בדברים רבה פרשה ה', ולפי זה שפיר מסיים המדרש הדא הוא דכתיב ולקחתי כו' זו אפריקי, רצה לומר שהיא טובה כארץ ישראל, אבל בסדר שלח לך פרשה י"ז [סימן ג] איתא שהכנעני פנה והלך לו עיין שם: **זו אפריקי.** אפשר היא קרטגינא שבאפריקא, שהסכימו החכמים שניבנית מבני כנען. ונראה שלכן באו בני אפריקא לדון עם ישראל על ארץ ישראל כדאיתא בסנהדרין (צא, א), מפני שהם מזרע הגרגשי והכנעני (רד"ל):

מדרש

רַבִּי אֱלִיעֶזֶר בֶּן יַעֲקֹב וְרַבָּנָן, רַבִּי אֱלִיעֶזֶר אוֹמֵר: עַל יְדֵי שֶׁהָיָה כְּנַעַן אֲבִיהֶם שֶׁל כּוּלָּם, הֲדָא הוּא דִכְתִיב (בראשית י, טו) "וּכְנַעַן יָלַד אֶת צִידֹן בְּכֹרוֹ וְאֶת חֵת", וְרַבָּנָן אָמְרֵי: עַל יְדֵי שֶׁהָיוּ כּוּלָּם תַּגָּרִין, כְּמָא דְאַתְּ אָמַר (ישעיה כג, ח) "אֲשֶׁר סֹחֲרֶיהָ שָׂרִים כִּנְעָנֶיהָ נִכְבַּדֵּי אָרֶץ", אָמַר רַבִּי יוֹסֵי בֶּן דּוֹסָא: אֱלִיעֶזֶר הוּא כְּנַעַן, וְעַל יְדֵי שֶׁשִּׁימֵּשׁ אוֹתוֹ צַדִּיק יָצָא מִכְּלַל אָרוּר וּבָא לִכְלַל בָּרוּךְ, הֲדָא הוּא דִכְתִיב (בראשית ט, כה) "וַיֹּאמֶר אָרוּר כְּנָעַן", וּכְתִיב (שם כד, לא) "וַיֹּאמֶר בּוֹא בְּרוּךְ ה'", רַבִּי יַעֲקֹב בְּשֵׁם רַבִּי יְהוּדָה בְּשֵׁם רַבִּי נָתָן דְּבֵית גּוּבְרִין עֲבִיד לְהוֹ נְטִילַת רְשׁוּת, וּמָה אֱלִיעֶזֶר יָצָא מִכְּלַל אָרוּר לִכְלַל בָּרוּךְ עַל יְדֵי שֶׁשִּׁימֵּשׁ אוֹתוֹ צַדִּיק, אַחֵינוּ יִשְׂרָאֵל שֶׁנּוֹהֲגִין כָּבוֹד עִם גְּדוֹלֵיהֶם עַל אַחַת כַּמָּה וְכַמָּה, לְפִיכָךְ מֹשֶׁה מַזְהִיר אֶת יִשְׂרָאֵל: [יד, לד] "כִּי תָבֹאוּ אֶל אֶרֶץ כְּנַעַן":

ו [יד, לד] "וְנָתַתִּי נֶגַע צָרַעַת", תָּנֵי רַבִּי חִיָּיא: וְכִי בְּשׂוֹרָה הִיא לָהֶם [ט]שֶׁנְּגָעִים בָּאִים עֲלֵיהֶם, תָּנֵי רַבִּי שִׁמְעוֹן בֶּן יוֹחָאי: כֵּיוָן שֶׁשָּׁמְעוּ כְּנַעֲנִים שֶׁיִּשְׂרָאֵל בָּאִים עֲלֵיהֶם עָמְדוּ וְהִטְמִינוּ מָמוֹנָם בַּבָּתִּים וּבַשָּׂדוֹת, אָמַר הַקָּדוֹשׁ בָּרוּךְ הוּא: אֲנִי הִבְטַחְתִּי לַאֲבוֹתֵיהֶם שֶׁאֲנִי מַכְנִיס אֶת בְּנֵיהֶם לְאֶרֶץ מְלֵאָה כָּל טוּב, שֶׁנֶּאֱמַר (דברים ו, יא) "וּבָתִּים מְלֵאִים כָּל טוּב", מָה הַקָּדוֹשׁ בָּרוּךְ הוּא עוֹשֶׂה, מְגָרֶה נְגָעִים בְּבֵיתוֹ וְהוּא סוֹתְרוֹ וּמוֹצֵא בוֹ סִימָא, וְכִי מִי בָּא וְאָמַר לַכְּנַעֲנִים שֶׁיִּשְׂרָאֵל נִכְנָסִין לָאָרֶץ, אָמַר רַבִּי יִשְׁמָעֵאל בַּר נַחְמָן: ג' פְּרוֹזְדוּגְמָאוֹת שָׁלַח יְהוֹשֻׁעַ אֶצְלָם: הָרוֹצֶה לִפְנוֹת יִפְנֶה, לְהַשְׁלִים יַשְׁלִים, לַעֲשׂוֹת מִלְחָמָה יַעֲשֶׂה, גִּרְגָּשִׁי עָמַד מֵאֵלָיו, לְפִיכָךְ נִתְּנָה לוֹ אֶרֶץ יָפָה כְּאַרְצוֹ, הֲדָא הוּא דִכְתִיב (ישעיה לו, יז) "עַד בֹּאִי וְלָקַחְתִּי אֶתְכֶם אֶל אֶרֶץ כְּאַרְצְכֶם", זוֹ אַפְרִיקִי, גִּבְעוֹנִים הִשְׁלִימוּ, שֶׁנֶּאֱמַר (יהושע י, א) "וְכִי הִשְׁלִימוּ יֹשְׁבֵי גִבְעוֹן", ל"א מְלָכִים עָשׂוּ מִלְחָמָה וְנָפְלוּ:

פירוש מהרז"ו

שמדבר בנגעי בתים, ולענין זה הזכיר כנען כאן, על פי מדה ט"ז, מיוחד במקומו, וענין כנען מפורש במקומו על פי מדה י"ז: **כולם תגרים.** עיין בבא בתרא עד א: **אליעזר הוא כנען.** בראשית רבה פרשה נט סימן ט) ושם נסמן ומבואר: **בא ברוך ה'.** כאומר אתה שנאמר עליך (שם ט, כה) ארור כנען, מעתה אתה ברוך ה', וכאמרם במדרש (בראשית רבה נב, א) שאמר אחד לחבירו הסומא, שלום לך בר חריא, פירוש בן חורין, והשיב לו מנין אותו [אדם] יודע שהוא בן עבדים, וכן כאן. (ויתכן שהוא מרומז במה שנאמר (בראשית כו, כט) אתה עתה ברוך ה', אמר כן לכנען שעמד עם יצחק, וכמו שכתוב (שם כא, כו) וגם אתה לא הגדת לי, שהפך פניו כלפי פיכול, וכן כאן כלפי כנען, הוא אליעזר שנקרא ברוך ה'), ועל זה רמז כאן שהצרעת היא לברכה, כמו שאמרו (בראשית רבה ס, ז) שכנען הוא אליעזר, נהפך מארור לברכה: (ו) **תני רבי חייא וכו' תני רבי שמעון בן יוחאי.** אין הפירוש שרבי שמעון בן יוחאי השיב על דברי רבי חייא, שרבי שמעון בן יוחאי היה קודם רבי חייא, אלא שרבי חייא הקדים הדקדוק לדברי רבי שמעון בן יוחאי, שמתרץ הדקדוק: **פרוזדוגמאות.** במוסף הערוך פרסטגמא פירוש דת וגזירה, והמאמר בירושלמי שביעית (פ"ו ה"א), דברים רבה (ה, יד) ושם הגירסא דאטגמא: **גרגשי עמד מאליו.** ולשון הירושלמי (שם) גרגשי האמין בהקב"ה: **ארץ יפה בארצו.** שמאחר שמפורש שיש ארץ כארצנו, ועל פי מדת מנגד, בהכרח לדרוש שניתן הארץ הזאת לגרגשי מדה כנגד מדה, וחז"ל ידעו שאפריקא היא ארץ כארצנו, ושם נתישבו הגרגשים, וזהו מה שאמרו בריש חלק (סנהדרין צא, א) שאמרו בני אפריקא לאלכסנדר מוקדון, כנען אבוהון דהנך אנשי הוה, כמו שכתבנו בסימן הקודם:

מסורת המדרש

ט. הוריות דף י':

אם למקרא

וּכְנַעַן יָלַד אֶת צִידֹן בְּכֹרוֹ וְאֶת חֵת: (בראשית י:טו)

מִי יָעַץ זֹאת עַל צֹר הַמַּעֲטִירָה אֲשֶׁר סֹחֲרֶיהָ שָׂרִים כִּנְעָנֶיהָ נִכְבַּדֵּי אָרֶץ: (ישעיה כג:ח)

וַיֹּאמֶר אָרוּר כְּנָעַן עֶבֶד עֲבָדִים יִהְיֶה לְאֶחָיו: (בראשית ט:כה)

וַיֹּאמֶר בּוֹא בְּרוּךְ ה' לָמָּה תַעֲמֹד בַּחוּץ וְאָנֹכִי פִּנִּיתִי הַבַּיִת וּמָקוֹם לַגְּמַלִּים: (שם כד:לא)

וּבָתִּים מְלֵאִים כָּל טוּב אֲשֶׁר לֹא מִלֵּאתָ וּבֹרֹת חֲצוּבִים אֲשֶׁר לֹא חָצַבְתָּ כְּרָמִים וְזֵיתִים אֲשֶׁר לֹא נָטָעְתָּ וְאָכַלְתָּ וְשָׂבָעְתָּ: (דברים ו:יא)

עַד בֹּאִי וְלָקַחְתִּי אֶתְכֶם אֶל אֶרֶץ כְּאַרְצְכֶם אֶרֶץ דָּגָן וְתִירוֹשׁ אֶרֶץ לֶחֶם וּכְרָמִים אֶרֶץ זֵית יִצְהָר וּדְבַשׁ וִחְיוּ וְלֹא תָמֻתוּ וְאַל תִּשְׁמְעוּ אֶל חִזְקִיָּהוּ כִּי יַסִּית אֶתְכֶם לֵאמֹר ה' יַצִּילֵנוּ: (ישעיה לו:יז)

ענף יוסף

והיו נוהגי כבוד מגהלין אותם, וכן כתב בספר הליוני וזה לשונו, והנה גם לפי דעתי נגעי בגדים לא ינהגו כי אם בארץ ישראל, ולכן הקדימה תורה נגע צרעת כי תהיה באדם (גבול בנימין):

ידי משה

[ה] **ישראל שנוהגין כבוד וכו'.** פירוש מה אליעזר שהיה ארור ויצא מארור לברוך, מכל שכן ישראל שברוכין הם כל שכן בכלל שיהיה להם עוד ברכה יתירה: **לפיכך משה מזהיר.** אדלעיל קאי, שהקשה והלא שבע עממים הן, ותרצו ר' אליעזר ורבנן ור' יוסי:

שינוי נוסחאות

(ו) (בתחילתו) **ונתתי נגע צרעת.** בכל הדפוסים היה כתוב "כתיב נגע צרעת", אבל רש"ש הגיה ש"כתיב" הוא ט"ס וצ"ל "ונתתי", וכן הוא באמת בכל הכי"י, וכן הדפיסו בדפוס וארשא:

מתנות כהונה

נטילת רשות. כשנפטר מאכסנאי והיה רוצה ליטול רשות ממנו, והיה המנהג לפטור בדברי תורה שבו נכלל ברכה לאכסנאי, כהאי עובדא דאמרו חכמינו ז"ל באושא במדרש חזית פסוק הביאני וגו' (שיר השירים רבה ב, טז): [ו] **וכי בשורה וכו'.** דכתיב ונתתי בלא תנאי כאילו הוא ברכה ובשורה, ומשני אין בשורה היא וכדתניא כו': **מלאים כל טוב.** והרי היא חסירה שטמנו כל ממונם: **סימא.** אוצר, ונקרא על שם שהוא נסתר וסמוי מן העין: **פרוזדוגמא.** בערוך (ערך פרזדגמא) פירוש אגרת:

אשד הנחלים

[ה] **וכנען כו' והארץ כו'.** כלומר כמו שמצאנו שהבנים ילקו בעון אבותם אף שלא חטאו, כן הארץ הקדושה מפני חטא ישראל, אתן עליה נגעים, לכן כינה לארץ בשם כנען, לזכור מזה על זה: **אביהם של כולם.** ולכן יחס הארץ רק לכנען: **תגרים.** ואין זה שם פרטי שם אומה, כי אם תואר האנשים: **אליעזר הוא כנען.** הביא זאת לפה באגב: **אחינו ישראל.** שהם ברוכים מצד עצמם, ונוהגין כבוד, על אחת כמה וכמה (ידי משה): **לפיכך משה.** כדלעיל שיזכרו שלא תלקה הארץ הקדושה בעוונם, וזהו כי תבואו גו' ונתתי גו' ולכן הזהרו מאוד. וראיתי בהגהת הרב מוהר"ז מהוראדנא שפירש, שכשם שכנען הוא אליעזר יצא מארור לברוך, כך הנגע צרעת יבואו לכלל ברכה כדלהלן, ואינו רחוק: [ו] **וכי בשורה.** כי כן מורה מלת ונתתי בלא תנאי: **עד בואי ולקחתי.** שמלך אשור שלח להם שיתן להם ארץ טוב כארץ ישראל,

וּמָה אֱלִיעֶזֶר יָצָא מִכְּלַל אָרוּר לִכְלַל בָּרוּךְ עַל יְדֵי שֶׁשִּׁמֵּשׁ אוֹתוֹ צַדִּיק — Now, **if Eliezer,** through having served **that righteous man, went from inclusion in *cursed* to inclusion in *blessed*,** אַחֵינוּ יִשְׂרָאֵל שֶׁנּוֹהֲגִין כָּבוֹד עִם גְּדוֹלֵיהֶם עַל אַחַת כַּמָּה וְכַמָּה — **our Jewish brethren, who act respectfully with their great** sages, **how much more so** will they merit additional blessing![113]

לְפִיכָךְ מֹשֶׁה מַזְהִיר אֶת יִשְׂרָאֵל: "כִּי תָבֹאוּ אֶל אֶרֶץ כְּנַעַן" — **Therefore,** i.e., based on the above explanations, **Moses warns the Children of Israel** with the expression, ***When you arrive in the land of "Canaan."***[114]

§6 וְנָתַתִּי נֶגַע צָרַעַת — ***AND I WILL PLACE A TZARAAS AFFLICTION UPON A HOUSE IN THE LAND OF YOUR POSSESSION.***

The Midrash derives from our verse that the *tzaraas* afflictions brought upon a house are not a punishment for sin but rather something positive:[115]

תָּנֵי רַבִּי חִיָּיא: וְכִי בְּשׂוֹרָה הִיא לָהֶם שֶׁנְּגָעִים בָּאִים עֲלֵיהֶם — **R' Chiya taught in a Baraisa:** One may ask: **Is it** then **a good tiding for them that *tzaraas* afflictions will come upon [their houses]?**[116]

תָּנֵי רַבִּי שִׁמְעוֹן בֶּן יוֹחַאי — We may answer based on what **R' Shimon ben Yochai taught:**[117] כֵּיוָן שֶׁשָּׁמְעוּ כְּנַעֲנִים שֶׁיִּשְׂרָאֵל בָּאִים עֲלֵיהֶם — **When the Canaanites heard that Israel was coming upon them** to conquer the land, עָמְדוּ וְהִטְמִינוּ מָמוֹנָם בַּבָּתִּים וּבַשָּׂדוֹת — **they stood up and concealed their wealth in the** walls of the **houses and in the fields.** אָמַר הַקָּדוֹשׁ בָּרוּךְ הוּא: אֲנִי הִבְטַחְתִּי לַאֲבוֹתֵיהֶם שֶׁאֲנִי מַכְנִיס אֶת בְּנֵיהֶם לְאֶרֶץ מְלֵאָה כָּל טוּב — Whereupon **the Holy One, blessed is He, said: I promised [Israel's] forefathers that I will bring their children into a land filled with every good thing,** שֶׁנֶּאֱמַר "וּבָתִּים מְלֵאִים כָּל טוּב" — **as it states,** *It shall be that when HASHEM, your God, brings you to the Land that HASHEM swore to your forefathers, to Abraham, to Isaac, and to Jacob, to give you . . .* ***houses filled with every good thing*** *that you did not fill* (*Deuteronomy* 6:10-11). מָה הַקָּדוֹשׁ בָּרוּךְ הוּא עוֹשֶׂה — So now that the Canaanites concealed their wealth, attempting to prevent Israel from acquiring it,[118] **what does the Holy One, blessed is He, do** to fulfill His promise? מְגָרֶה נְגָעִים בְּבֵיתוֹ — **He lets loose *tzaraas* afflictions upon [the Jewish owner's] house,** וְהוּא סוֹתְרוֹ וּמוֹצֵא בּוֹ סִימָא — **and [the owner] demolishes it and finds in it a treasure.**[119]

NOTES

113. *Eitz Yosef.* I.e., if Eliezer, who had previously been *cursed*, could achieve the status of *blessed* through attending to Abraham, then certainly Jews [like those who host the Sages], who are already members of a blessed nation, can merit God's blessing by acting respectfully toward Torah scholars (*Yedei Moshe*; see also *Eitz Yosef* to *Bereishis Rabbah* 60 §7 s.v. עבד ליה אפטרה).

114. Mentioning only Canaan and not all seven nations (*Yedei Moshe, Eitz Yosef*).

115. This is in contradistinction to the earlier sections of our chapter, which took such *tzaraas* afflictions to be a punishment (*Eitz Yosef*).

116. By stating the expression, *"I will place a tzaraas affliction" upon a house*, Scripture implies that there will definitely and unconditionally be *tzaraas* afflictions upon houses. This indicates that the existence of *tzaraas* of the house is not a punishment for a sin (which would by definition be conditional on a person sinning) but rather a good tiding for Israel (*Matnos Kehunah*, followed by *Eshed HaNechalim*; for a different explanation of the Midrash's exposition, see *Eitz Yosef*).

117. R' Shimon ben Yochai himself lived before R' Chiya and could not have been replying to R' Chiya's question (*Maharzu*).

118. *Matnos Kehunah, Eitz Yosef.*

119. Thus, *tzaraas* afflictions upon a house are actually a blessing (a "good tiding") for Israel. [See *Matnos Kehunah* for the etymology of the word סִימָא.] See Insight Ⓐ.

INSIGHTS

Ⓐ **Pure Faith** The Midrash informs us that *tzaraas* in a house is not an affliction for the owner but a boon, for it enriches him. This Midrash is expounded by *R' Klonymous Kalman Shapiro, Piazeczna Rebbe* הי"ד, whose teachings, disseminated in the Warsaw Ghetto under German occupation, were recorded in his work *Eish Kodesh,* retrieved miraculously from the ashes of the ruins. (The comments we present below are taken from the portion of that work on our verse.) We preface his remarks with a brief introduction regarding the laws of *tzaraas* of a house:

Upon appearance of a blemish in the walls of one's house, one summons a Kohen, who, if the blemish exhibits certain characteristics, restricts entry to the house and declares it *tamei* for seven days. When the Kohen returns, he decides, based on the behavior of the blemish, whether to begin the procedure that culminates in destruction of the house and discovery of the hidden valuables.

Eish Kodesh asked: If the objective is to enrich the person, why may the house not be demolished immediately? Why must it first be declared *tamei* for seven days?

His answer made reference to the cruel persecution that he and all Jews then suffered at Nazi hands. He said: It is an axiom of Jewish faith that suffering visited upon Jews is not merely punitive, but is intended for our benefit, to purify us or spur us to repent. Where the suffering is merely physical, this premise is accepted without question. In the ghetto, however, the oppression is both physical *and* spiritual. We are allowed no *cheder* for the children, no *yeshivah* for the youth, no *beis medrash* in which to pray, no *mikveh* in which to immerse ourselves. These privations, which do not bring us closer to God but distance us from Him, might cause one to believe that God has — Heaven forbid — separated Himself from us entirely, that He has forsaken us, that we are no longer His nation!

The law of *tzaraas* of the house shows otherwise. The Torah states that when one discovers an apparent *tzaraas* blemish on the walls of his house, he says to the Kohen: כְּנֶגַע נִרְאָה לִי בַּבָּיִת, *something like an affliction has appeared to me in the house* (v. 35). The Rabbis expound the words "something like an affliction" to teach that even if one is a Torah scholar and knows for certain that the blemish has the signs of *tzaraas*, he may not state definitively that it is an affliction, but only that it is *like* an affliction. The actual determination must be made by the Kohen (*Rashi* ad loc., from *Toras Kohanim*).

Says the *Eish Kodesh*: This statement of "like an affliction" is the *reason* the Torah decrees seven days of *tumah* before beginning the process that will lead to demolishing the house. Throughout the seven days, the owner is forced to express doubt regarding whether the blemish is truly an affliction. He knows for certain it is *tzaraas;* still, he is allowed to identify it only as being *like* an affliction. This drives deep into his heart, as it must drive deep into ours, the conviction that the same is true of *all* our tribulations. The pain may be excruciating, it might appear that God has abandoned us, but this constant truth remains: Even when we know that it *is* an affliction, it is never *truly* an affliction; it is always only *like* an affliction. We must believe with all our hearts that the suffering God visits upon us, whether physical or spiritual, is always intended only for our eternal benefit. [And indeed, when the Kohen pronounces the blemish a "true" affliction, the house is demolished and the treasure is revealed.]

Let us reflect on the circumstances surrounding this remarkable statement. These words were stated in that place of torment, that abyss of cruelty, the Warsaw Ghetto under the Nazis, of accursed memory. From the darkness of that awful place this unadorned declaration of pure faith shines forth, revealing for us, through the mists of seventy years gone by, the bright and exalted spirit of the Piazeczna Rebbe, his great strength of character, and the comfort he brought his wretched and persecuted brethren.

This took place not so very long ago. People yet live who experienced the events of the Warsaw Ghetto. The self-sacrifice and devotion to which this teaching attests belonged not to a figure of distant legend, but to a man of the recent past. Thus, this teaching, a lesson in the deep-rooted faith native to the Jewish heart, sets a new and higher standard for our own aspirations in that regard. We are not tested as

רַבִּי אֱלִיעֶזֶר בֶּן יַעֲקֹב וְרַבָּנָן, רַבִּי אֱלִיעֶזֶר אוֹמֵר: עַל יְדֵי שֶׁהָיָה כְּנַעַן אֲבִיהֶם שֶׁל כּוּלָּם, הָדָא הוּא דִכְתִיב (בראשית י, טו) "וּכְנַעַן יָלַד אֶת צִידֹן בְּכֹרוֹ וְאֶת חֵת", וְרַבָּנָן אָמְרֵי: עַל יְדֵי שֶׁהָיוּ כּוּלָּם תַּגָּרִין, כְּמָא דְאַתְּ אָמַר (ישעיה כג, ח) "אֲשֶׁר סֹחֲרֶיהָ שָׂרִים כִּנְעָנֶיהָ נִכְבַּדֵּי אָרֶץ", אָמַר רַבִּי יוֹסֵי בֶּן דּוֹסָא: אֱלִיעֶזֶר הוּא כְּנַעַן, וְעַל יְדֵי שֶׁשִּׁמֵּשׁ אוֹתוֹ צַדִּיק יָצָא מִכְּלַל אָרוּר וּבָא לִכְלַל בָּרוּךְ, הָדָא הוּא דִכְתִיב (בראשית ט, כה) "וַיֹּאמֶר אָרוּר כְּנָעַן", וּכְתִיב (שם כד, לא) "וַיֹּאמֶר בּוֹא בְּרוּךְ ה'", רַבִּי יַעֲקֹב בְּשֵׁם רַבִּי יְהוּדָה בְּשֵׁם רַבִּי נָתָן דְּבֵית גּוּבְרִין עָבֵיד לְהוֹ נְטִילַת רְשׁוּת, וּמָה אֱלִיעֶזֶר יָצָא מִכְּלַל אָרוּר לִכְלַל בָּרוּךְ עַל יְדֵי שֶׁשִּׁמֵּשׁ אוֹתוֹ צַדִּיק, אַחֵינוּ יִשְׂרָאֵל שֶׁנּוֹהֲגִין כָּבוֹד עִם גְּדוֹלֵיהֶם עַל אַחַת כַּמָּה וְכַמָּה, לְפִיכָךְ מֹשֶׁה מַזְהִיר אֶת יִשְׂרָאֵל: [יד, לד] "כִּי תָבֹאוּ אֶל אֶרֶץ כְּנָעַן":

ו [יד, לד] "וְנָתַתִּי נֶגַע צָרַעַת", תָּנֵי רַבִּי חִיָּיא: וְכִי בְּשׂוֹרָה הִיא לָהֶם (ו)שֶׁנְּגָעִים בָּאִים עֲלֵיהֶם, תָּנֵי רַבִּי שִׁמְעוֹן בֶּן יוֹחָאי: כֵּיוָן שֶׁשָּׁמְעוּ כְּנַעֲנִים שֶׁיִּשְׂרָאֵל בָּאִים עֲלֵיהֶם עָמְדוּ וְהִטְמִינוּ מָמוֹנָם בַּבָּתִּים וּבַשָּׂדוֹת, אָמַר הַקָּדוֹשׁ בָּרוּךְ הוּא: אֲנִי הִבְטַחְתִּי לַאֲבוֹתֵיהֶם שֶׁאֲנִי מַכְנִיס אֶת בְּנֵיהֶם לְאֶרֶץ מְלֵאָה כָּל טוּב, שֶׁנֶּאֱמַר (דברים ו, יא) "וּבָתִּים מְלֵאִים כָּל טוּב", מָה הַקָּדוֹשׁ בָּרוּךְ הוּא עוֹשֶׂה, מְגָרֶה נְגָעִים בְּבֵיתוֹ וְהוּא סוֹתְרוֹ וּמוֹצֵא בּוֹ סִימָא, וְכִי מִי בָּא וְאָמַר לַכְּנַעֲנִים שֶׁיִּשְׂרָאֵל נִכְנָסִין לָאָרֶץ, אָמַר רַבִּי יִשְׁמָעֵאל בַּר נַחְמָן: ג' פְּרוֹזְדוֹגְמָאוֹת שָׁלַח יְהוֹשֻׁעַ אֶצְלָם: הָרוֹצֶה לִפְנוֹת יִפְנֶה, לְהַשְׁלִים יַשְׁלִים, לַעֲשׂוֹת מִלְחָמָה יַעֲשֶׂה, גִּרְגָּשִׁי עָמַד מֵאֵלָיו, לְפִיכָךְ נִתְּנָה לוֹ אֶרֶץ יָפָה כְּאַרְצוֹ, הָדָא הוּא דִכְתִיב (ישעיה לו, יז) "עַד בֹּאִי וְלָקַחְתִּי אֶתְכֶם אֶל אֶרֶץ כְּאַרְצְכֶם", זוֹ אַפְרִיקִי, גִּבְעוֹנִים הִשְׁלִימוּ, שֶׁנֶּאֱמַר (יהושע י, א) "וְכִי הִשְׁלִימוּ יֹשְׁבֵי גִבְעוֹן", ל"א מְלָכִים עָשׂוּ מִלְחָמָה וְנָפְלוּ:

עץ יוסף

(ה) **וכנען ילד את צידון כו'.** ומהם הם השבעה עממים אלא שנתחלפו שמות קצתם כמו שכתב הרמב"ן (בראשית י, טו): **אליעזר הוא כנען כו'.** כוונתו כמו שאמר בזוהר (ח"ג נ, א) טעם הנגעים לפי שהם בנו בשם עבודה זרה, לכן ינתצו ויבנו בשם ה', ולזה הזכיר כנען שהוא אליעזר שמארור בא לכלל ברוך, וגם כן הבתים יבואו מכלל קללות עבודה זרה לברכת ה': **נטילת רשות.** כשנפטר מאכסנאי והיה רוצה ליטול רשות ממנו והיה המנהג לפטור בדברי תורה שבו נכלל ברכה לאכסנאי, כהאי עובדא דאמרו חכמינו ז"ל באושא בחזית (שיר השירים רבה ב, טז) פסוק [ד] הביאני וגו': **על אחת כמה וכמה.** שיהיה להם עוד ברכה יתירה: **לפיכך משה מזהיר כו'.** אדלעיל קאי, שהקשה והלא שבעה עממים הם, ותירצו רבי אליעזר ורבנן ורבי יוסי: (ו) **וכי בשורה היא.** דאם לא כן מאי ונתתי נגע צרעת, נגע צרעת כי תהיה מבעי ליה, כמו שכתוב בנגעי אדם נגע צרעת כי תהיה באדם: **תני רבי שמעון בר יוחאי כו'.** ופליגא אהא דאמר לעיל אין בעל הרחמים נוגע בנפשות תחלה שלפי זה הם לטובה: **מלאים כל טוב.** והרי היא חסרה, שטמנו כל ממונם: **סימא.** אוצר: **פרוזדוגמאות.** פירוש איגרות: **שלח יהושע.** הנה מלשון דברים רבה פרשה ה' (סימן יד) משמע ודאי שלאחר שנכנסו לארץ כשהיה הולך לכבוש לשום אחת מערי ישראל היה שולח שם האיגרות, אבל בירושלמי פרק ו' דשביעית (הלכה א) איתא שלשה פרוזדוגמאות שלח יהושע עד שלא יכנסו לארץ, וצריך לומר דתרי אמוראי אליבא דרבי שמואל (כך הוא בשביעית ובדברים רבה) [ישמעאל] בר נחמן: **לפיכך נתנו לו ארץ יפה כארצו זו אפריקי.** כן צריך לומר, וכן הוא בדברים רבה פרשה ה', ולפי זה שפיר מסיים המדרש הדא הוא דכתיב ולקחתי כו' זו אפריקי, רצה לומר שהיא טובה כארץ ישראל, אבל בסדר שלח לך פרשה י"ז [סימן ג] איתא שהכנעני פנה והלך לו עיין שם: **זו אפריקי.** אפשר היא קרטיגינא שבאפריקא, שהסכימו החכמים שניבנית מבני כנען. ונראה שלכן באו בני אפריקא לדון עם ישראל על ארץ ישראל כדאיתא בסנהדרין (צא, א), מפני שהם מזרע הגרגשי והכנעני (רד"ל):

פירוש מהרז"ו

שמדבר בנגעי בתים, ולענין זה הזכיר כנען כאן, על פי מדה ט"ז, מיוחד במקומו, וענין כנען מפורש במקומו על פי מדה י"ז: **כולם תגרים.** עיין בבא בתרא עד א: **אליעזר הוא כנען.** בראשית רבה פרשה נט סימן ט) ושם נסמן ומבואר: **בא ברוך ה'.** כאומר אתה שנאמר עליך (שם ט, כה) ארור כנען, מעתה אתה ברוך ה', וכאמרם במדרש (בראשית רבה לג, א) שאמר אחד לחבירו הסומא, שלום לך בר חריא, פירוש בן חורין, והשיב לו מנין אותו [אדם] יודע שהוא בן עבדים, וכן כאן. (ויתכן שהוא מרומז במה שנאמר (בראשית כו, כט) אתה עתה ברוך ה', אמר כן לכנען שעמד עם יצחק, וכמו שכתוב (שם כא, כו) וגם אתה לא הגדת לי, שהפך פניו כלפי פיכול, וכן כאן כלפי כנען, הוא אליעזר שנקרא ברוך ה'), ועל זה רמז כאן שהצרעת היא לברכה, כמו שאמרו (בראשית רבה ס, ז) שכנען הוא אליעזר, נהפך מארור לברכה: (ו) **תני רבי חייא וכו' תני רבי שמעון בן יוחאי.** אין הפירוש שרבי שמעון בן יוחאי השיב על דברי רבי חייא, שרבי שמעון בן יוחאי היה קודם רבי חייא, אלא שרבי חייא הקדים הדקדוק לדברי רבי שמעון בן יוחאי, שמתרץ הדקדוק: **פרוזדוגמאות.** במוסף הערוך פרסטגמא פירוש דת וגזירה, והמאמר בירושלמי שביעית (פ"ו ה"א), דברים רבה (ה, יד) ושם הגירסא דאטגמא: **גרגשי עמד מאליו.** ולשון הירושלמי (שם) גרגשי האמין בהקב"ה: **ארץ יפה בארצו.** שמאחר שמפורש שיש ארץ כארצכם, ועל פי מדת מנגד, בהכרח לדרוש שניתן הארץ הזאת לגרגשי מדה כנגד מדה, וחז"ל ידעו שאפריקא היא ארץ כארצנו, ושם נתישבו הגרגשים, וזהו מה שאמרו בריש חלק (סנהדרין צא, א) שאמרו בני אפריקא לאלכסנדר מוקדון, כנען אבוהון דהנך אנשי הוה, כמו שכתבנו בסימן הקודם:

חידושי הרד"ל

[ו] **שלש פרוזדוגמאות.** ירושלמי (פ"ו דשביעית ה"א), דברים רבה (ה, יד). ועיין תוספות (גיטין מו, א ד"ה כיון): **זו אפריקי.** אפשר הוא קרטגינא שבאפריקא, שהסכימו החכמים שנבנית מבני כנען, נראה שלכן באו בני אפריקא לדון עם ישראל על ארץ ישראל כדאיתא בסנהדרין (צא, א), מפני שהם מזרע הגרגשי והכנעני:

חידושי הרש"ש

[ה-ו] **לפיכך משה מזהיר כו' (וכתיב) נגע צרעת.** טעות סופר, וצריך לומר ונתתי:

באור מהרי"פ

[ו] **שלשה פרוזדגמאות.** ערוך ערך פרזדגמא פירש אגרת, ובערך פרסטקמא זה לשונו, שלשה פרסטקמאות שלח יהושע ופרסטקמא היינו פרוזדגמא שפירושה במקומה, עד כאן, וזה לשון ר' בנימין מוספיא, אמר בנימין פרסטקמא פירושו בלשון יווני דת וגזירה חדשה: **עד בואי וגו'.** (ישעיה לו, יז) דברי רבשקה אל חלקיהו וחביריו עיין שם, אל תשמעו אל חזקיהו כי כה אמר המלך אשור, עשו אתי ברכה וצאו אלי ואכלו איש גפנו ואיש תאנתו ושתו איש מי בורו עד בואי ולקחתי אתכם אל ארץ כארצכם ארץ דגן ותירוש ארץ לחם וכרמים. ואם כן תימה גדולה היא מאי ענין גרגשי למקרא זה, הלא זה המקרא מדבר בהבטחת רבשקה לישראל, וצריך עיון מאד:

אמרי יושר

[ה] **שהיו תגרים.** כדמפרש אחר כך, שהטמינו נכסיהם, וכיון שנותצים הבית נראה הסימא: **הוא כנען.** על ידי ששימש אברהם יצא מכלל ארור, אף אתם ישראל תבורכו אם תעבדו אל:

מסורת המדרש

ט. הוריות דף י':

אם למקרא

וּכְנַעַן יָלַד אֶת צִידֹן בְּכֹרוֹ וְאֶת חֵת: (בראשית י:טו)

מִי יָעַץ זֹאת עַל צֹר הַמַּעֲטִירָה אֲשֶׁר סֹחֲרֶיהָ שָׂרִים כִּנְעָנֶיהָ נִכְבַּדֵּי אָרֶץ: (ישעיה כג:ח)

וַיֹּאמֶר אָרוּר כְּנָעַן עֶבֶד עֲבָדִים יִהְיֶה לְאֶחָיו: (בראשית ט:כה)

וַיֹּאמֶר בּוֹא בְּרוּךְ ה' לָמָּה תַעֲמֹד בַּחוּץ וְאָנֹכִי פִּנִּיתִי הַבַּיִת וּמָקוֹם לַגְּמַלִּים: (שם כד:לא)

וּבָתִּים מְלֵאִים כָּל טוּב אֲשֶׁר לֹא מִלֵּאתָ וּבֹרֹת חֲצוּבִים אֲשֶׁר לֹא חָצַבְתָּ כְּרָמִים וְזֵיתִים אֲשֶׁר לֹא נָטָעְתָּ וְאָכַלְתָּ וְשָׂבָעְתָּ: (דברים ו:יא)

עַד בֹּאִי וְלָקַחְתִּי אֶתְכֶם אֶל אֶרֶץ כְּאַרְצְכֶם אֶרֶץ דָּגָן וְתִירוֹשׁ אֶרֶץ לֶחֶם וּכְרָמִים אֶרֶץ זֵית יִצְהָר וּדְבַשׁ וִחְיוּ וְלֹא תָמֻתוּ וְאַל תִּשְׁמְעוּ אֶל חִזְקִיָּהוּ כִּי יַסִּית אֶתְכֶם לֵאמֹר ה' יַצִּילֵנוּ: (ישעיה לו:יז)

ענף יוסף

והיו נוהגין כבוד מגהלין אותם, וכן כתב בספר הליוני וזה לשונו, והנה גם לפי דעתי נגעי בגדים לא יהגו כי אם בארץ ישראל, ולכן הקדימה תורה נגע צרעת כי תהיה באדם (גבול בנימין):

ידי משה

[ה] **ישראל שנוהגין כבוד וכו'.** פירוש מה אליעזר שהיה ארור ויצא מארור לברוך, מכל שכן ישראל שברוכין הם כל שכן בכלל שיהיה להם עוד ברכה יתירה: **לפיכך משה מזהיר.** אדלעיל קאי, שהקשה והלא שבעה עממים הן, ותרצו ר' אליעזר ורבנן ור' יוסי:

שינוי נוסחאות

(ו) (בתחילתו) **ונתתי נגע צרעת.** בכל הדפוסים היה כתוב "כתיב נגע צרעת", אבל רש"ש הגיה ש"כתיב" הוא ט"ס וצ"ל "ונתתי", וכן הוא באמת בכל הכי"י, וכן הדפיסו בדפוס ווארשא:

מתנות כהונה

נטילת רשות. כשנפטר מאכסנאי והיה רוצה ליטול רשות ממנו, והיה המנהג לפטור בדברי תורה שבו נכלל ברכה לאכסנאי, כהאי עובדא דאמרו חכמינו ז"ל באושא במדרש חזית פסוק הביאני וגו' (שיר השירים רבה ב, טז): [ו] **וכי בשורה וכו'.** דכתיב ונתתי בלא תנאי כאילו הוא ברכה ובשורה, ומשני אין בשורה היא וכדתניא כו': **מלאים כל טוב.** והרי היא חסירה שטמנו כל ממונם: **סימא.** אוצר, ונקרא על שם שהוא נסתר וסמוי מן העין: **פרוזדוגמא.** בערוך (ערך פרזדגמא) פירוש אגרת:

אשד הנחלים

[ה] **וכנען כו' והארץ כו'.** כלומר כמו שמצאנו שהבנים ילקו בעון אבותם אף שלא חטאו, כן הארץ הקדושה מפני חטא ישראל, אתן עליה נגעים, לכן כינה לארץ בשם כנען, לזכור מזה על זה: **אביהם של כולם.** ולכן יחס הארץ רק לכנען: **תגרים.** ואין זה שם פרטי שם אומה, כי אם תואר האנשים: **אליעזר הוא כנען.** הביא זאת לפה באגב: **אחינו ישראל.** שהם ברוכים מצד עצמם, ונוהגין כבוד, על אחת כמה וכמה (ידי משה): **לפיכך משה.** כדלעיל שיזכרו שלא תלקה הארץ הקדושה בעוונם, וזהו כי תבואו גו' ונתתי גו' ולכן הזהרו מאוד. וראיתי בהגהת הרב מוהר"ז מהוראדנא שפירש, שכשם שכנען הוא אליעזר יצא מארור לברוך, כך הנגע צרעת יבואו לכלל ברכה כדלהלן, ואינו רחוק: [ו] **וכי בשורה.** כי כן מורה מלת ונתתי בלא תנאי: **עד בואי ולקחתי.** שמלך אשור שלח להם שיתן להם ארץ טוב כארץ ישראל,

The Midrash questions this statement:

וְכִי מִי בָּא וְאָמַר לִכְנַעֲנִים שֶׁיִּשְׂרָאֵל נִכְנָסִין לָאָרֶץ — **But who came and informed the Canaanites that Israel was** on the verge of **entering the land?** אָמַר רַבִּי יִשְׁמָעֵאל בַּר נַחְמָן: ג׳ פְּרוֹזְדוּגְמָאוֹת שָׁלַח יְהוֹשֻׁעַ אֶצְלָם — **R' Yishmael bar Nachman said: Joshua sent three letters to [the Canaanites].** הָרוֹצֶה לִפְנוֹת יִפְנֶה — One letter stated: **Whoever wishes to leave** the land **should leave.** לְהַשְׁלִים יַשְׁלִים — The second letter stated: Whoever wishes **to make peace** with Israel **should make peace.** לַעֲשׂוֹת מִלְחָמָה יַעֲשֶׂה — The third letter stated: Whoever wishes **to make war** with Israel **should make** war.

The Midrash describes the reaction of the nations to Joshua's offer:

גִּרְגָּשִׁי עָמַד מֵאֵלָיו, לְפִיכָךְ נִתְּנָה לוֹ אֶרֶץ יָפָה כְּאַרְצוֹ — The *Girgashite* nation **stood up** and left the land **on its own,** and **therefore they were given** instead **a land that was as nice as their** former **land.** הֲדָא הוּא דִכְתִיב ״עַד בֹּאִי וְלָקַחְתִּי אֶתְכֶם אֶל אֶרֶץ כְּאַרְצְכֶם״, זוֹ אַפְרִיקִי — **Thus it is written,** ***until I come and I bring you to a land like your land*** (*Isaiah* 36:17), **referring to** the land of **Africa.**[120] גִּבְעוֹנִים הִשְׁלִימוּ שֶׁנֶּאֱמַר ״וְכִי הִשְׁלִימוּ יֹשְׁבֵי גִבְעוֹן״ — The **Gibeonites made peace** with Israel, **as it states,** ***that the inhabitants of Gibeon had made peace*** *with Israel* (*Joshua* 10:1). ל״א מְלָכִים עָשׂוּ מִלְחָמָה וְנָפְלוּ — **Thirty-one kings,** however, **made war** with Israel **and fell** in battle.[121]

NOTES

120. This verse speaks of the promise of King Sennacherib (king of Assyria) to give the Jews of Judea a land as good as Judea if they would surrender to him. The Sages knew via tradition that the "land that is as nice as Judea" is Africa, and that it was that land that was given to the Girgashites (*Maharzu*).

121. See *Joshua* 12:9-24. [For further discussion of the three letters see *Yerushalmi Sheviis* 6:1; *Tosafos* to *Gittin* 46a s.v. כיון; and *Rambam* and *Raavad, Hil. Melachim* 6:5.]

INSIGHTS

the Piazeczna Rebbe was, but every person must face adversity, and we are uplifted in the knowledge that even such Jews as we, when called upon to trust utterly in God — without exception, without reservation — can draw from deep reservoirs of faith and devotion, following a path trodden by the *Eish Kodesh*, who, in a place of abject and utmost suffering, set an example of pure faith that will inspire us forever.

רַבִּי אֱלִיעֶזֶר בֶּן יַעֲקֹב וְרַבָּנָן, רַבִּי אֱלִיעֶזֶר אוֹמֵר: עַל יְדֵי שֶׁהָיָה כְּנַעַן אֲבִיהֶם שֶׁל כּוּלָּם, הָדָא הוּא דִכְתִיב (בראשית י, טו) "וּכְנַעַן יָלַד אֶת צִידֹן בְּכֹרוֹ וְאֶת חֵת", וְרַבָּנָן אָמְרֵי: עַל יְדֵי שֶׁהָיוּ כּוּלָּם תַּגָּרִין, כְּמָא דְאַתְּ אָמַר (ישעיה כג, ח) "אֲשֶׁר סֹחֲרֶיהָ שָׂרִים כִּנְעָנֶיהָ נִכְבַּדֵּי אָרֶץ", אָמַר רַבִּי יוֹסֵי בֶּן דּוֹסָא: אֱלִיעֶזֶר הוּא כְּנַעַן, וְעַל יְדֵי שֶׁשִּׁמֵּשׁ אוֹתוֹ צַדִּיק יָצָא מִכְּלַל אָרוּר וּבָא לִכְלַל בָּרוּךְ, הָדָא הוּא דִכְתִיב (בראשית ט, כה) "וַיֹּאמֶר אָרוּר כְּנָעַן", וּכְתִיב (שם כד, לא) "וַיֹּאמֶר בּוֹא בְּרוּךְ ה'", רַבִּי יַעֲקֹב בְּשֵׁם רַבִּי יְהוּדָה בְּשֵׁם רַבִּי נָתָן דְּבֵית גּוּבְרִין עָבֵיד לְהוּ נְטִילַת רְשׁוּת, וּמָה אֱלִיעֶזֶר יָצָא מִכְּלַל אָרוּר לִכְלַל בָּרוּךְ עַל יְדֵי שֶׁשִּׁמֵּשׁ אוֹתוֹ צַדִּיק, אַחֵינוּ יִשְׂרָאֵל שֶׁנּוֹהֲגִין כָּבוֹד עִם גְּדוֹלֵיהֶם עַל אַחַת כַּמָּה וְכַמָּה, לְפִיכָךְ מֹשֶׁה מַזְהִיר אֶת יִשְׂרָאֵל: [יד, לד] "כִּי תָבֹאוּ אֶל אֶרֶץ כְּנָעַן":

ו [יד, לד] "וְנָתַתִּי נֶגַע צָרַעַת", תָּנֵי רַבִּי חִיָּיא: וְכִי בְּשׂוֹרָה הִיא לָהֶם [ט] שֶׁנְּגָעִים בָּאִים עֲלֵיהֶם, תָּנֵי רַבִּי שִׁמְעוֹן בֶּן יוֹחָאי: כֵּיוָן שֶׁשָּׁמְעוּ כְּנַעֲנִים שֶׁיִּשְׂרָאֵל בָּאִים עֲלֵיהֶם עָמְדוּ וְהִטְמִינוּ מָמוֹנָם בַּבָּתִּים וּבַשָּׂדוֹת, אָמַר הַקָּדוֹשׁ בָּרוּךְ הוּא: אֲנִי הִבְטַחְתִּי לַאֲבוֹתֵיהֶם שֶׁאֲנִי מַכְנִיס אֶת בְּנֵיהֶם לְאֶרֶץ מְלֵאָה כָּל טוּב, שֶׁנֶּאֱמַר (דברים ו, יא) "וּבָתִּים מְלֵאִים כָּל טוּב", מָה הַקָּדוֹשׁ בָּרוּךְ הוּא עוֹשֶׂה, מְגָרֶה נְגָעִים בְּבֵיתוֹ וְהוּא סוֹתְרוֹ וּמוֹצֵא בּוֹ סִימָא, וְכִי מִי בָּא וְאָמַר לַכְּנַעֲנִים שֶׁיִּשְׂרָאֵל נִכְנָסִין לָאָרֶץ, אָמַר רַבִּי יִשְׁמָעֵאל בַּר נַחְמָן: ג' פְּרוֹזְדוּגְמָאוֹת שָׁלַח יְהוֹשֻׁעַ אֶצְלָם: הָרוֹצֶה לִפְנוֹת יִפְנֶה, לְהַשְׁלִים יַשְׁלִים, לַעֲשׂוֹת מִלְחָמָה יַעֲשֶׂה, גִּרְגָּשִׁי עָמַד מֵאֵלָיו, לְפִיכָךְ נִתְּנָה לוֹ אֶרֶץ יָפָה כְּאַרְצוֹ, הָדָא הוּא דִכְתִיב (ישעיה לו, יז) "עַד בֹּאִי וְלָקַחְתִּי אֶתְכֶם אֶל אֶרֶץ כְּאַרְצְכֶם", זוֹ אַפְרִיקִי, גִּבְעוֹנִים הִשְׁלִימוּ, שֶׁנֶּאֱמַר (יהושע י, א) "וְכִי הִשְׁלִימוּ יֹשְׁבֵי גִבְעוֹן", ל"א מְלָכִים עָשׂוּ מִלְחָמָה וְנָפְלוּ:

עץ יוסף

(ה) וכנען ילד את צידון כו'. ומהם הם השבעה עממים אלא שנתחלפו שמות קצתם כמו שכתב הרמב"ן (בראשית י, טו): **אליעזר הוא כנען כו'.** כוונתו כמו שאמר בזוהר (ח"ג נ, א) טעם הנגעים לפי שהם בנו בתים בשם עבודה זרה, לכן ינתצו ויבנו בשם ה', ולזה הזכיר כנען שהוא אליעזר שמארור בא לכלל ברוך, וגם כן הבתים יבואו מכלל קללות עבודה זרה לברכת ה': **נטילת רשות.** כשנפטר מאכסנאי והיה רוצה ליטול רשות ממנו והיה המנהג לפטור בדברי תורה שבו נכלל ברכה לאכסנאי, כהאי עובדא דאמרו חכמינו ז"ל באושא בחזית (שיר השירים רבה ב, טז) פסוק [ד] הביאני וגו': **על אחת כמה וכמה.** שיהיה להם עוד ברכה יתירה: **לפיכך משה מזהיר כו'.** אדלעיל קאי, שהקשה והלא שבעה עממים הם, ותירצו רבי אליעזר ורבנן ורבי יוסי: **(ו) וכי בשורה היא.** דאם לא כן מאי ונתתי נגע צרעת, נגע צרעת כי תהיה מבעי ליה, כמו שכתוב בנגעי אדם נגע צרעת כי תהיה באדם: **תני רבי שמעון בר יוחאי כו'.** ופליגא אהא דאמר לעיל אין בעל הרחמים נוגע בנפשות תחלה שלפי זה הם לטובה: **מלאים כל טוב.** והרי היא חסרה, שטמנו כל ממונם: **סימא.** אוצר: **פרוזדוגמאות.** פירוש איגרות: **שלח יהושע.** הנה מלשון דברים רבה פרשה ה' (סימן יד) משמע ודאי שלאחר שנכנסו לארץ כשהיה הולך לכבוש לשום אחת מערי ישראל היה שולח שם האיגרות, אבל בירושלמי פרק ו' דשביעית (הלכה א) איתא שלשה פרוזדגמאות שלח יהושע עד שלא יכנסו לארץ, וצריך לומר דתרי אמוראי אליבא דרבי שמואל (כך הוא בשביעית ובדברים רבה) [ישמעאל] בר נחמן: **לפיכך נתנו לו ארץ יפה כארצו זו אפריקי.** כן צריך לומר, וכן הוא בדברים רבה פרשה ה', ולפי זה שפיר מסיים המדרש הדא הוא דכתיב ולקחתי כו' זו אפריקי, רצה לומר שהיה טובה כארץ ישראל, אבל בסדר שלח לך פרשה י"ז (סימן ג) איתא שהכנעני פנה והלך לו עיין שם: **זו אפריקי.** אפשר היא קרטגינא שבאפריקא, שהסכימו החכמים שניבנית מבני כנען. ונראה שלכן באו בני אפריקא לדון עם ישראל על ארץ ישראל כדאיתא בסנהדרין (צא, א), מפני שהם מזרע הגרגשי והכנעני (רד"ל):

פירוש מהרז"ו

שמדבר בנגעי בתים, ולענין זה הזכיר כנען כאן, על פי מדה ט"ז, מיוחד במקומו, וענין כנען מפורש במקומו על פי מדה י"ז: **כולם תגרים.** עיין בבא בתרא עה א: **אליעזר הוא כנען.** בראשית רבה פרשה נט סימן ט) ושם נסמן ומבואר: **בא ברוך ה'.** כאומר אתה שנאמר עליך (שם ט, כה) ארור כנען, מעתה אתה ברוך ה', וכאמרם במדרש (בראשית רבה לג, א) שאמר אחד לחבירו הסומא, שלום לך בר חריא, פירוש בן חורין, והשיב לו מנין אותו [אדם] יודע שהוא בן עבדים, וכן כאן. (ויתכן שהוא מרומז במה שנאמר (בראשית כו, כט) אתה עתה ברוך ה', אמר כן לכנען שעמד עם יצחק, וכמו שכתוב (שם כא, כו) וגם אתה לא הגדת לי, שהפך פניו כלפי פיכול, וכן כאן כלפי כנען, הוא אליעזר שנקרא ברוך ה'), ועל זה רמז כאן שהצרעת היא לברכה, כמו שאמרו (בראשית רבה ס, ז) שכנען הוא אליעזר, נהפך מארור לברכה: **(ו) תני רבי חייא וכו' תני רבי שמעון בן יוחאי.** אין הפירוש שרבי שמעון בן יוחאי השיב על דברי רבי חייא, שרבי שמעון בן יוחאי היה קודם רבי חייא, אלא שרבי חייא הקדים הדקדוק לדברי רבי שמעון בן יוחאי, שמתרץ הדקדוק: **פרוזדוגמאות.** במוסף הערוך פרסטגמא פירוש דת וגזירה, והמאמר בירושלמי שביעית (פ"ו ה"א), דברים רבה (ה, יד) ושם הגירסא דאטגמא: **גרגשי עמד מאליו.** ולשון הירושלמי (שם) גרגשי האמין בהקב"ה: **ארץ יפה כארצו.** שמאמר שמפורש שיש ארץ כארצנו, ועל פי מדת מנגד, בהכרח לדרוש שניתן הארץ הזאת לגרגשי מדה כנגד מדה, וחז"ל ידעו שאפריקא היא ארץ כארצנו, ושם נתישבו הגרגשים, וזהו מה שאמרו בריש חלק (סנהדרין צא, א) שאמרו בני אפריקא לאלכסנדר מוקדון, כנען אבוהון דהנך אנשי הוה, כמו שכתבנו בסימן הקודם:

מתנות כהונה

נטילת רשות. כשנפטר מאכסנאי והיה רוצה ליטול רשות ממנו, והיה המנהג לפטור בדברי תורה שבו נכלל ברכה לאכסנאי, כהאי עובדא דאמרו חכמינו ז"ל באושא במדרש חזית פסוק הביאני וגו' (שיר השירים רבה ב, טז): [ו] **וכי בשורה וכו'.** דכתיב ונתתי בלא תנאי כאילו הוא ברכה ובשורה, ומשני אין בשורה היא וכדתניא כו': **מלאים כל טוב.** והרי היא חסירה שטמנו כל ממונם: **סימא.** אוצר, ונקרא על שם שהוא נסתר וסמוי מן העין: **פרוזדוגמא.** בערוך (ערך פרזדגמא) פירוש אגרת:

אשד הנחלים

[ה] **וכנען כו' והארץ כו'.** כלומר כמו שמצאנו שהבנים ילקו בעון אבותם אף שלא חטאו, כן הארץ הקדושה מפני חטא ישראל, אתן עליה נגעים, לכן כינה לארץ בשם כנען, לזכור מזה על זה: **אביהם של כולם.** ולכן יחס הארץ רק לכנען: **תגרים.** ואין זה שם פרטי שם אומה, כי אם תואר האנשים: **אליעזר הוא כנען.** הביא זאת לפה באגב: **אחינו ישראל.** שהם ברוכים מצד עצמם, ונוהגין כבוד, על אחת כמה וכמה (ידי משה): **לפיכך משה.** כדלעיל שיזכרו שלא תלקה הארץ הקדושה בעוונם, וזהו כי תבואו גו' ונתתי גו' ולכן הזהרו מאוד. וראיתי בהגהת הרב מוהר"ז מהוראדנא שפירש, שכשם שכנען הוא אליעזר יצא מארור לברוך, כך הנגע צרעת יבואו לכלל ברכה כדלהלן, ואינו רחוק: [ו] **וכי בשורה.** כי כן מורה מלת ונתתי בלא תנאי: **עד בואי ולקחתי.** שמלך אשור שלח להם שיתן להם ארץ טוב כארץ ישראל,

מסורת המדרש

ט. הוריות דף י':

אם למקרא

וכנען ילד את צידן בכרו ואת חת: (בראשית י:טו)

מי יעץ זאת על צר המעטירה אשר סחריה שרים כנעניה נכבדי ארץ: (ישעיה כג:ח)

ויאמר ארור כנען עבד עבדים יהיה לאחיו: (בראשית ט:כה)

ויאמר בוא ברוך ה' למה תעמד בחוץ ואנכי פניתי הבית ומקום לגמלים: (שם כד:לא)

ובתים מלאים כל טוב אשר לא מלאת וברת חצובים אשר לא חצבת כרמים וזיתים אשר לא נטעת ואכלת ושבעת: (דברים ו:יא)

עד באי ולקחתי אתכם אל ארץ כארצכם ארץ דגן ותירוש ארץ לחם וכרמים ארץ זית יצהר ודבש וחיו ולא תמתו ואל תשמעו אל חזקיהו כי יסית אתכם לאמר ה' יצילנו: (ישעיה לו:יז)

ענף יוסף

והיו נוהגי כבוד מגלגלין אותם, וכן כתב בספר הלויה וזה לשונו, והנה גם לפי דעתי נגעי בגדים לא ינהגו כי אם בארץ ישראל, ולכן הקדימה תורה נגע צרעת כי תהיה באדם (גבול בנימין):

ידי משה

[ה] **ישראל שנוהגין כבוד וכו'.** פירוש מה אליעזר שהיה ארור ויצא מארור לברוך, מכל שכן ישראל שברוכין הם שכן בכלל שיהיה להם עוד ברכה יתירה: **לפיכך משה מזהיר.** אדלעיל קאי, שהקשה והלא שבע עממים הן, ותירצו ר' אליעזר ורבנן ור' יוסי:

שינוי נוסחאות

(ו) (בתחילתו) **ונתתי נגע צרעת.** בכל הדפוסים היה כתוב "כתיב נגע צרעת", אבל רש"ש הגיה ש"כתיב" הוא ט"ס וצ"ל "ונתתי", וכן הוא באמת בכל הכי"י, וכן הדפיסו בדפוס וארשא:

חידושי הרד"ל

[ו] **שלש פרוזדוגמאות.** ירושלמי (פ"ו דשביעית ה"א), דברים רבה (ה, יד), ועיין תוספות (גיטין מו, א ד"ה כיון): **זו אפריקי.** איפשר הוא קרטגינא שבאפריקא, שהסכימו החכמים שנבנית מבני כנען, נראה שלכן באו בני אפריקא לדון עם ישראל על ארץ ישראל כדאיתא בסנהדרין (צא, א), מפני שהם מזרע הגרגשי והכנעני:

חידושי הרש"ש

[ה-ו] **לפיכך משה מזהיר כו' (וכתיב) נגע צרעת.** טעות סופר, וצריך לומר ונתתי:

באור מהרי"פ

[ו] **שלשה פרוזדוגמאות.** ערוך ערך פרזדגמא פירש אגרת, ובערך פרסטקמא זה לשונו, שלשה פרסטקמאות שלח יהושע ופרסטקמא היינו פרוזגמא שפירושה במקומה, עד כאן, וזה לשון ר' בנימין מוספיא, אמר בנימין פרסטקמא פירוש בלשון יווני דת וגזירה חדשה: **עד בואי וגו'.** (ישעיה לו, טז-יז) דברי רבשקה אל חזקיהו וחבירו עיין שם, אל תשמעו אל חזקיהו כי כה אמר המלך אשור, עשו אתי ברכה וצאו אלי ואכלו איש גפנו ואיש תאנתו ושתו איש מי בורו עד בואי ולקחתי אתכם אל ארץ כארצכם ארץ דגן ותירוש ארץ לחם וכרמים. ואם כן תימה גדולה היא מאי ענין גרגשי למקרא זה, הלא זה המקרא מדבר בהבטחת רבשקה לישראל, וצריך עיון מאד:

אמרי יושר

[ה] **שהיו תגרים.** כלמפרע אחר כך, שהטמינו נכסיהם, וכיון שנותלים הבית נראה הסימה: **הוא כנען.** על ידי ששימש אברהם יצא מכלל ארור, אף אתם ישראל תבורכו אם תעבדו אל:

כִּי תָבֹאוּ אֶל אֶרֶץ כְּנַעַן אֲשֶׁר אֲנִי נֹתֵן לָכֶם לַאֲחֻזָּה וְנָתַתִּי נֶגַע צָרַעַת בְּבֵית אֶרֶץ אֲחֻזַּתְכֶם. וּבָא אֲשֶׁר לוֹ הַבַּיִת וְהִגִּיד לַכֹּהֵן לֵאמֹר כְּנֶגַע נִרְאָה לִי בַּבָּיִת. וְצִוָּה הַכֹּהֵן וּפִנּוּ אֶת הַבַּיִת בְּטֶרֶם יָבֹא הַכֹּהֵן לִרְאוֹת אֶת־הַנֶּגַע וְלֹא יִטְמָא כָּל אֲשֶׁר בַּבָּיִת וְאַחַר כֵּן יָבֹא הַכֹּהֵן לִרְאוֹת אֶת הַבָּיִת.

When you arrive in the land of Canaan that I give you as a possession, and I will place a tzaraas affliction upon a house in the land of your possession; the one to whom the house belongs shall come and declare to the Kohen, saying: Something like an affliction has appeared to me in the house. The Kohen shall command; and they shall clear the house before the Kohen comes to look at the affliction, so that everything in the house should not become contaminated; and afterward shall the Kohen come to look at the house (14:34-36).

§7 **בְּבֵית אֶרֶץ אֲחֻזַּתְכֶם** — *AND I WILL PLACE A TZARAAS AFFLICTION* ***UPON A HOUSE IN THE LAND OF YOUR POSSESSION;*** *THE ONE TO WHOM THE HOUSE BELONGS SHALL COME AND DECLARE TO THE KOHEN, SAYING: SOMETHING LIKE AN AFFLICTION HAS APPEARED TO ME IN THE HOUSE. THE KOHEN SHALL COMMAND; AND THEY SHALL CLEAR THE HOUSE, ETC.*

The Midrash expounds our passage as alluding to the Temple and to the spiritual maladies that led to its destruction:[122]

זֶה בֵּית הַמִּקְדָּשׁ — *A house in the land of your possession* — **this** alludes to **the Temple,**[123] which was destroyed on account of Israel's sins,[124] **שֶׁנֶּאֱמַר ״הִנְנִי מְחַלֵּל אֶת מִקְדָּשִׁי גְּאוֹן עֻזְּכֶם״** — **as it states,** *Thus said the Lord HASHEM/ELOHIM,* ***"Behold, I am profaning My Sanctuary, the pride of your strength,*** *the darling of your eyes and the yearning of your soul"* (*Ezekiel* 24:21).[125] **״וּבָא אֲשֶׁר לוֹ הַבַּיִת״, זֶה הַקָּדוֹשׁ בָּרוּךְ הוּא** — ***The one to whom the house belongs shall come*** — **this** alludes to **the Holy One, blessed is He,** **שֶׁנֶּאֱמַר ״יַעַן בֵּיתִי אֲשֶׁר הוּא חָרֵב״** — for the Temple belongs to Him,[126] **as it states,** ***because of My Temple that is ruined*** (*Haggai* 1:9); **״וְהִגִּיד לַכֹּהֵן״ זֶה יִרְמְיָה** — ***and [he will] declare to the Kohen*** — **this** alludes to **Jeremiah,** who was a Kohen, **שֶׁנֶּאֱמַר ״מִן הַכֹּהֲנִים אֲשֶׁר בַּעֲנָתוֹת״** — **as it states,** *The words of Jeremiah son of Hilkiah,* ***of the Kohanim who were in Anathoth*** (*Jeremiah* 1:1).[127] **״כְּנֶגַע נִרְאָה לִי בַּבָּיִת״, זוֹ טִנּוֹפֶת עֲבוֹדָה זָרָה** — ***Something like an affliction has appeared to me in the house*** — **this** alludes to **the filth of idol worship;**[128] **וְיֵשׁ אוֹמְרִים: זֶה צַלְמוֹ שֶׁל מְנַשֶּׁה** — **and some say** that **this** alludes to **the idol of Manasseh** king of Judah, which he placed inside the Sanctuary.[129] **הָדָא הוּא דִכְתִיב ״וְהִנֵּה מִצָּפוֹן לְשַׁעַר הַמִּזְבֵּחַ סֶמֶל הַקִּנְאָה הַזֶּה בַּבִּאָה״** — **Thus it is written** in Ezekiel's vision of the events leading up to the Temple's destruction, *So I lifted up my eyes to the way northward,* ***and behold, north of the altar gate, this image of provocation [was] in the entranceway*** [בַּבִּאָה] (*Ezekiel* 8:5).[130]

The Midrash pauses to analyze the verse in *Ezekiel*:

מַהוּ ״בַּבִּאָה״ — **What is** meant by the word ***babi'ah*** [בַּבִּאָה]?[131] **אָמַר רַבִּי אַחָא: בִּיָּא בִּיָּא, תּוֹתָבָה מְפַנֵּי לְמָרֵי דְבֵיתָא** — **R' Acha said:** It is to be interpreted to mean *woe* (בִּיָּא). Ezekiel is saying, **"Woe, woe, that the sojourner dislodges the master of the house!"**[132]

The Midrash now proves from elsewhere that the First Temple was destroyed because an idol was placed inside it:[133]

אָמַר רַבִּי בֶּרֶכְיָה: כְּתִיב ״כִּי קָצַר הַמַּצָּע מֵהִשְׂתָּרֵעַ״ — **R' Berechyah said: It is written,** ***For the couch is too short for stretching out*** (*Isaiah* 28:20), **אֵין הַמִּטָּה יְכוֹלָה לְקַבֵּל אִשָּׁה וּבַעְלָהּ וְרֵיעָהּ כְּאֶחָד** — meaning **the bed is not wide enough to fit a woman, her husband, and her paramour together.**[134] **אֶלָּא** — And not only this,[135] **but** furthermore, the *Isaiah* verse continues,

NOTES

122. *Eitz Yosef* writes that our Midrash is in agreement with the previous section that sees *tzaraas* afflictions brought upon a house as something positive (see note 115). As the Midrash explains elsewhere (*Eichah Rabbah* 4 §14), the destruction of the Temple was a positive thing, for God vented His fury on mere wood and stones, and this atoned for Israel's sins; the unthinkable alternative would have been to wipe out the Jewish people entirely.

123. The phrase בְּבֵית אֶרֶץ אֲחֻזַּתְכֶם (*"a" house in the land of your possession*) is thus interpreted as *"the" house of the land of your possession,* i.e., the most important house in the land of your possession — the Temple (*Maharzu*).

124. The Midrash takes the *tzaraas* afflictions that come upon an *individual's* house as serving as a metaphor for the signs of spiritual illness that preceded the destruction of the *nation's* houses, the two Temples (see *Eshed HaNechalim*). For example, during the forty years prior to the destruction of the Second Temple, when the Kohen Gadol drew lots to see which he-goat would go "to Hashem" and which would go "to Azazel" (see below, 16:8), the lot inscribed "for Hashem" did not come up in the Kohen Gadol's right hand on Yom Kippur (see *Yoma* 39b); and, in the period of the First Temple, the trees of gold that Solomon planted on the Temple grounds dried up after King Manasseh installed an image in the Sanctuary (see *Yerushalmi Yoma* 4:4) (*Eitz Yosef*).

125. This verse in *Ezekiel*, which portrays the pride and affection with which the Jewish people regarded the Temple, is cited to support the use of the phrase *"the" house of the land of your possession* with regard to the Temple [see note 123] (*Maharzu*).

126. Ibid.

127. It is specifically Jeremiah to whom the verse alludes, for it was he who prophesied regarding the destruction of the Temple more than all the other prophets, and it was in his time that the actual destruction took place (ibid.).

128. At the time of the destruction there were no idols in the Temple, for the righteous Zedekiah was then king (see *Sanhedrin* 103a). This statement, then, is a reference to those Jews who, when prostrating themselves in the Temple, would do so with intent to worship idols rather than to worship God (*Yefeh To'ar*, first interpretation).

129. See *Sanhedrin* 103b. [The phrase, *Something like an affliction has appeared to me in the house*, cannot be interpreted like the earlier phrase, *and I will place a tzaraas affliction upon a house*, as an allusion to the impending signs of the Temple's imminent destruction, for God would not be saying *has appeared to Me* regarding an affliction that He Himself brought upon the Temple. Rather, it must be referring to an affliction brought upon the Temple by others, such as the people of Israel, or Manasseh (*Eitz Yosef*).]

130. During the days of Jeremiah and Ezekiel, the idol of Manasseh had already been removed by King Josiah, who removed all traces of idol worship from the Temple (*II Kings* 23:4). Nevertheless, the sin of Manasseh had not been forgiven, and the decree of destruction, which had been sealed because of his sins, was not revoked (see ibid., vv. 26-27). Therefore, it was as though the image placed by Manasseh were still in place (*Yefeh To'ar*).

131. The Midrash is asking: According to the above opinion that the affliction that God saw in the Temple refers to the image placed by Manasseh *inside* the Sanctuary, how are we to understand the word בַּבִּאָה, which if translated literally (*in the entranceway*) implies that the image was not actually *inside* the Temple? (*Eitz Yosef*).

132. I.e., the idol (which is powerless) has "dislodged" the Presence of God (Who is all-powerful), for God will not rest His Presence in a place of impurity. The Midrash compares this to a guest ("sojourner") who, despite his relative powerlessness, dislodges the master of the house (see *Eshed HaNechalim*).

133. *Yefeh To'ar*.

134. This is an allusion to the Temple, which cannot tolerate a third party (i.e., an idol) joining together with the Divine Presence and Israel, who are likened to a husband and wife. The Midrash is expounding the word מֵהִשְׂתָּרֵעַ as a contraction of מֵהִשְׂתָּרֵר, *dominion*, and רֵעַ, *friend*, such that the verse may be understood: *The couch* (i.e., the Temple) *is too short for the dominion of an [additional] friend* (i.e., an idol in addition to God); see *Yoma* 9b with *Rashi* (*Eitz Yosef*).

135. I.e., not only did you, the Jewish people, commit the infidelity of

ז [יד, לד] **"בְּבֵית אֶרֶץ אֲחֻזַּתְכֶם", זֶה בֵּית הַמִּקְדָּשׁ שֶׁנֶּאֱמַר** (יחזקאל כד, כא) **"הִנְנִי מְחַלֵּל אֶת מִקְדָּשִׁי גְּאוֹן עֻזְּכֶם",** [יד, לה] **"וּבָא אֲשֶׁר לוֹ הַבַּיִת", זֶה הַקָּדוֹשׁ בָּרוּךְ הוּא שֶׁנֶּאֱמַר** (חגי א, ט) **"יַעַן בֵּיתִי אֲשֶׁר הוּא חָרֵב",** [יד, לה] **"וְהִגִּיד לַכֹּהֵן" זֶה יִרְמְיָה, שֶׁנֶּאֱמַר** (ירמיה א, א) **"מִן הַכֹּהֲנִים אֲשֶׁר בַּעֲנָתוֹת",** [יד, לה] **"כְּנֶגַע נִרְאָה לִי בַּבָּיִת", זוֹ טִנּוֹפֶת עֲבוֹדָה זָרָה, וְיֵשׁ אוֹמְרִים: זֶה צַלְמוֹ שֶׁל מְנַשֶּׁה, הָדָא הוּא דִכְתִיב** (יחזקאל ח, ה) **"וְהִנֵּה מִצָּפוֹן לְשַׁעַר הַמִּזְבֵּחַ סֵמֶל הַקִּנְאָה הַזֶּה בַּבִּאָה", מַהוּ "בַּבִּאָה", אָמַר רַבִּי אַחָא: בִּיָּא בִּיָּא, *תּוּתְבָה מִפְּנֵי לְמָרֵי דְבֵיתָא, אָמַר רַבִּי בֶּרֶכְיָה: כְּתִיב** (ישעיה כח, כ) **"כִּי קָצַר הַמַּצָּע מֵהִשְׂתָּרֵעַ", [יא]אֵין הַמִּטָּה יְכוֹלָה לְקַבֵּל אִשָּׁה וּבַעְלָהּ וְרֵיעָהּ כְּאֶחָד, אֶלָּא** (שם) **"וְהַמַּסֵּכָה צָרָה כְּהִתְכַּנֵּס", עֲשִׂיתֶם צָרָה גְדוֹלָה לְאוֹתוֹ שֶׁכָּתוּב בּוֹ** (תהלים לג, ז) **"כֹּנֵס כַּנֵּד מֵי הַיָּם",** [יד, לו] **"וְצִוָּה הַכֹּהֵן וּפִנּוּ אֶת הַבַּיִת",** (מלכים-א יד, כו) **°"וַיִּקַּח אֶת אֹצְרוֹת בֵּית ה'"°,** [יד, מה] **"וְנָתַץ אֶת הַבַּיִת",** (עזרא ה, יב) **"וּבַיְתָה דְנָה סַתְרֵהּ",** [יד, מ] **"וְהוֹצִיא אֶל מִחוּץ לָעִיר",** (עזרא שם שם) **"וְעַמָּה הַגְלִי לְבָבֶל", יָכוֹל לְעוֹלָם, תַּלְמוּד לוֹמַר** [יד, מב] **"וְלָקְחוּ אֲבָנִים אֲחֵרוֹת", שֶׁנֶּאֱמַר** (ישעיה כח, טז) **"לָכֵן כֹּה אָמַר ה' אֱלֹהִים הִנְנִי יִסַּד בְּצִיּוֹן אָבֶן, אֶבֶן בֹּחַן פִּנַּת יִקְרַת מוּסָד מוּסָּד הַמַּאֲמִין לֹא יָחִישׁ":**

עץ יוסף

(ז) זה בית המקדש. דריש גם כן ונתתי לשון בשורה שכלה חמתו על עצים ואבנים, ולכן אמר כי תבואו אל ארץ כנען, וידעתי שסופכם לחטוא, ונתתי נגע לרעת בבית ארץ אחוזתכם שהיא בית המקדש שהיא עיקר האחוזה, ובא לו הבית המיוחד לה' ששמה משכן השכינה, והגיד לנביא הכהן סבת מפני מה מחריבו מפני שכנגע נראה לי בבית כי טמאו אותו בעבודה זרה ואיך ישרה שמה שכינה, והנגע היינו סימני חורבן כדאיתא בפרק ד' דיומא (לט, ב עיין שם) ארבעים שנה קודם החורבן עלה הגורל בשמאל, וכן כשהכהנים מנסה נלס בהיכל יבשו פרחי זהב. ואמנם גבי כנגע נראה לי הולרך לדורשו על טנופת עבודה זרה, כי על הנגע הנתון מה' לא ילדק לומר כנגע נראה לי, דמשמע דמתוך מאחרים: **מהו בביאה.** מסוס דלמאי דמפרש ליה בצלם מנשה קשה אומרו בביאה, שהרי מנשה בהיכל העמידו, כמו שאמרו ז"ל (תענית כו, ב) ואם כן אינו במבוא הפתח, לכך הולרך לפרש בביאה לשון בייא. ופירושו עול ועוות הדין שהגר תושב מפנה ומשליך לבעל הבית מביתו: **אין המטה יכולה כו'.** דרך משל שכמו שאין המטה סובלת שיהיה עם האשה בעלה וחשוקה, כן בית המקדש לא יוכל לסבול צלם עבודה זרה עם השכינה, ודריש מהשתרע כמו שאמרו בפרק קמא דיומא (ט, ב) מהשתרר עליו שני רעים כאחד, ופירש רש"י דרש נוטריקון בב' תיבות, שני רעים, שהעמיד מנשה צלם בהיכל: **אלא והמסכה כו'.** פירוש לא די שאין המטה יכולה לקבל שני רעים, אלא דהכא איכא עוד קשה מזאת שעשיתם צרה למי שכונס כנד מי הים, והזכיר את ה' בכאן בהיותו כנד מי הים, ולא הזכיר שבח אחר של הקדוש ברוך הוא, הוא להגדיל התימה, כי איך ישוו המסכה שאין בה ממש לכונס כנד מי הים שהוא נס גדול מפורסם. עוד יש לומר לפי שהכל מודים שהקדוש ברוך הוא יחיד על נסים שבימים, כדאיתא במסכת עבודה זרה [עיין גיטין נו, ב] לכן הזכיר כאן כונס כנד מי הים: **וצוח הכהן ופנו.** אף על פי שבגזירת ה' היתה זאת, תלה הדבר בירמיה, שעל ידי נבואתו סמך נבוכדנצר על ישראל, כדאיתא באיכה רבתי פתיחתא ל"ד: **ויקח את אוצרות בית ה'.** לא גרסינן, דמקרא זה בימי רחבעם כתיב, אלא הכי גרסינן (מלכים ב' כד, יג) ויוצא משם את כל אוצרות בית ה' (יפה תואר): **וביתה דנה סתרי וגו'. ועמא הגלי לבבל.** הא' קרא בעזרא (ה, יב): **מוסד מוסד.** שיהיה יסוד עולם לא ימוט:

פירוש מהרז"ו

(ז) זה בית המקדש. דורש תיבת בית לשון יחוד, שהיה לו לומר בבתי, על כן דורש על הבית הגדול המיוחד שבארץ אחוזתכם, ואמר כן לחבבה בעיניהם, וכמו שכתוב (יחזקאל כד, כא) הנני מחלל את מקדשי גאון עוזכם מחמד עיניכם ומחמל נפשכם. וזהו בבית ארץ אחוזתכם, ועיין מדרש תדשא (פרק כ) באריכות, וכאן בקיצור: **יען ביתי.** הרי שבית המקדש הוא ביתו, וזהו אשר לו הבית: **זה ירמיה.** שהוא ניבא על חורבן בית המקדש יותר מכל הנביאים, ובימיו חרב: **תותבא מפנה למרא ביתא.** דברים רבה (ג, כ) באריכות, ובמדבר רבה (ז, י) כל הענין. ועיין שם איך דורש: **שכתוב בו כונס.** כמו שכתב לעיל (י, ו) ושם נתבאר, כל העולם כלו מים במים, ואת אמרת יקוו המים, מכאן שהחזיק מועט את המרובה, שם לא היה צר לו כשהכניסם, וכאן כביכול לו צרה:

מתנות כהונה

[ז] בייא בייא. לשון אוי ואבוי, והרבה בספר הזה, ועיין לעיל בבראשית רבה (יב, ט), וריש ויגש (פרשה לד) דרש בביאה, נוטריקון בייא בייא: **תותבא כו'.** ופירוש אוי למנהג הזה שהתושב והוא גר שנתיישב, מפנה ומגרש למריה דביתא, לאדון הבית, וכן הוא בילקוט יחזקאל תותבייא מפנין למרי דביתא, וכן הוא בהדיא לקמן בפרשה ואתחנן (ב, כ) התושב מפנה לבעל הבית: **וריעה.** אוהבה שמנאפת עמו תחת בעלה, ודריש מהשתרע בלשון נוטריקון, ובפרק קמא דיומא (ט, ב) דרשו נמי מהשתרר עליו שני רעים, וכן הוא באיכה רבה (פתיחתא כב): **צרה.** כאשה זו שהיא צרה לחברתה:

אשר הנחלים

אם יצאו אליו, וזהו ארץ אפריקי: **[ז] זו בית המקדש.** זהו הרמז בכתוב מהנגעים הפרטים, על הנגעים שינגעו האומה באחרית, ולכן אמר כי תבואו אל ארץ כנען, וידעתי שסופכם שלא תשבו שמה לעולם מפני חטאתכם, כי אם ונתתי נגע צרעת, שהיא שם לטומאה, בארץ אחוזתכם, שהיא בית המקדש שהיא עיקר האחוזה. ובא אשר לו הבית, המיוחד לה' ששמה משכן השכינה, והגיד לנביא הכהן סבתו מפני מה יחריבו, מפני שכנגע נראה לי בבית, כי טמאו אותי בעבודת כוכבים, ואיך ישרה שמה השכינה: **תותבה מפני למרא דביתיה.** כי ה' ברוך הוא, הוא הבורא, והוא המשגיח ומקיים העולם, והעבודת כוכבים אין כחם מאומה, והם פונים לעבודת כוכבים, ועל ידי זה מוכרחת השכינה להסתלק, כי אינה שורה במקום טומאה: **צרה בו' כונס.** מה שאחז בכתוב הזה, לפי שבא להורות שבאמת הארץ עומדת על המים נגד הטבע, כי בטבע המים שיהיו למעלה, רק ה' בחסדו כונס כנד מי הים, שיוגבהו למעלה ותהי הארץ משכן לבני אדם, בכדי שיכירו כבוד ה', והם פונים לאלילים ועוזבים ה': **הנה יסד בציון אבן.** כלומר שלכן הנביא כשמבשרו מבנין בית המקדש אחז במליצה הזאת, ודוגמת הרמז בכתוב הנאמר על החורבן, ועל הבנין האחרון במהרה בימינו:

חידושי הרד"ל

[ז] וביתא דנא סתריה ועמא הגלי לבבל. מקרא הוא (עזרא ה, יב): **מוסד מוסד.** שיהיה יסוד עולה לא ימוט:

חידושי הרש"ש

[ז] והמסכה צרה בהתכנס. כן לריך לומר: **וביתא דנא סתריה כו' ועמא הגלי לבבל.** הוא בעזרא ה' י"ב:

אמרי יושר

[ז] בבית ארץ אחוזתכם זה בית המקדש. המאמר הזה הולך לשיטת אחרים שבסוף פרשה ט"ו (אות ט), שפירשו ארבע מראות על ארבע מלכיות, שאת זו בבל:

שינוי נוסחאות

(ז) ויקח את אצרות בית ה'. יפ"ת מחק פסוק זה וגרס במקומו "ויוצא משם את כל אוצרות בית ה'" (מ"ב כד, יג), וכן גרס עצ"י. **(ז) והוציא אל מחוץ לעיר.** בכל הדפוסים כתוב "והוציא אל מחוץ למחנה", אבל זה טעות, כי הוא מקרא אחר, להלן לגבי פר יום הכפורים. ובכל הכי"י באמת איתא "לעיר":

מסורת המדרש

י. יומא דף ט' סנהדרין ק"ג איכה רבתי פתיחתא כ"ג: **יא.** ירושלמי יומא פ"א:

אם למקרא

וַיְהִי כִשְׁמֹעַ אֲדֹנִי צֶדֶק מֶלֶךְ יְרוּשָׁלַםִ כִּי לָכַד יְהוֹשֻׁעַ אֶת הָעַי וַיַּחֲרִימָהּ כַּאֲשֶׁר עָשָׂה לִירִיחוֹ וּלְמַלְכָּהּ כֵּן עָשָׂה לָעַי וּלְמַלְכָּהּ וְכִי הִשְׁלִימוּ יֹשְׁבֵי גִבְעוֹן אֶת יִשְׂרָאֵל וַיִּהְיוּ בְּקִרְבָּם:
(יהושע י:א)

אֱמֹר לְבֵית יִשְׂרָאֵל כֹּה אָמַר אֲדֹנָי ה' הִנְנִי מְחַלֵּל אֶת מִקְדָּשִׁי גְּאוֹן עֻזְּכֶם מַחְמַד עֵינֵיכֶם וּמַחְמַל נַפְשְׁכֶם וּבְנֵיכֶם וּבְנוֹתֵיכֶם אֲשֶׁר עֲזַבְתֶּם בַּחֶרֶב יִפֹּלוּ:
(יחזקאל כד:כא)

פָּנֹה אֶל הַרְבֵּה וְהִנֵּה לִמְעָט וַהֲבֵאתֶם הַבַּיִת וְנָפַחְתִּי בוֹ יַעַן מֶה נְאֻם ה' צְבָאוֹת יַעַן בֵּיתִי אֲשֶׁר הוּא חָרֵב וְאַתֶּם רָצִים אִישׁ לְבֵיתוֹ:
(חגי א:ט)

דִּבְרֵי יִרְמְיָהוּ בֶּן חִלְקִיָּהוּ מִן הַכֹּהֲנִים אֲשֶׁר בַּעֲנָתוֹת בְּאֶרֶץ בִּנְיָמִן:
(ירמיה א:א)

וַיֹּאמֶר אֵלַי בֶּן אָדָם שָׂא נָא עֵינֶיךָ דֶּרֶךְ צָפוֹנָה וָאֶשָּׂא עֵינַי דֶּרֶךְ צָפוֹנָה וְהִנֵּה מִצָּפוֹן לְשַׁעַר הַמִּזְבֵּחַ סֵמֶל הַקִּנְאָה הַזֶּה בַּבִּאָה:
(יחזקאל ח:ה)

כִּי קָצַר הַמַּצָּע מֵהִשְׂתָּרֵעַ וְהַמַּסֵּכָה צָרָה כְּהִתְכַּנֵּס:
(ישעיה כח:כ)

כֹּנֵס כַּנֵּד מֵי הַיָּם נֹתֵן בְּאֹצָרוֹת תְּהוֹמוֹת:
(תהלים לג:ז)

וַיַּעַל שִׁישַׁק מֶלֶךְ מִצְרַיִם עַל יְרוּשָׁלָםִ וַיִּקַּח אֶת אֹצְרוֹת בֵּית ה' וְאֶת אוֹצְרוֹת בֵּית הַמֶּלֶךְ אֶת הַכֹּל לָקָח וַיִּקַּח אֶת מָגִנֵּי הַזָּהָב אֲשֶׁר עָשָׂה שְׁלֹמֹה:
(מלכים א יד:כו)

לָהֵן מִן דִּי הַרְגִּזוּ אֲבָהֳתַנָא לֶאֱלָהּ שְׁמַיָּא יְהַב הִמּוֹ בְּיַד נְבוּכַדְנֶצַּר מֶלֶךְ בָּבֶל כַּסְדָּאָה וּבַיְתָה דְנָה סַתְרֵהּ וְעַמָּה הַגְלִי לְבָבֶל:
(עזרא ה:יב)

לָכֵן כֹּה אָמַר אֲדֹנָי ה' הִנְנִי יִסַּד בְּצִיּוֹן אָבֶן אֶבֶן בֹּחַן פִּנַּת יִקְרַת מוּסָד מוּסָּד הַמַּאֲמִין לֹא יָחִישׁ:
(ישעיה כח:טז)

״וְהַמַּסֵּכָה צָרָה כְּהִתְכַּנֵּס״ — ***and the cover*** [מַסֵּכָה] ***[is] too small*** [צָרָה] ***for getting into*** [כְּהִתְכַּנֵּס],[136] עֲשִׂיתֶם צָרָה גְּדוֹלָה לְאוֹתוֹ שֶׁכָּתוּב בּוֹ ״כֹּנֵס כַּנֵּד מֵי הַיָּם״ — meaning **you have made** an idol (מַסֵּכָה)[137] into **a great rival** (צָרָה)[138] **to the One of Whom it is written,** ***He assembles*** [כֹּנֵס] ***the waters of the sea like a mound*** (*Psalms* 33:7).[139]

The Midrash returns to expound our passage in *Leviticus*, continuing with the next verse:

״וְצִוָּה הַכֹּהֵן וּפִנּוּ אֶת הַבַּיִת״ — ***The Kohen shall command; and they shall clear the house*** — ״וַיּוֹצֵא מִשָּׁם אֶת כָּל אוֹצְרוֹת בֵּית ה׳ ״ — this alludes to that which it states, ***He also removed from there all the treasures of the Temple of HASHEM*** (*II Kings* 24:13).[140]

The Midrash expounds a verse further in our passage (v. 45):

״וְנָתַץ אֶת הַבַּיִת״ — ***He shall demolish the house,*** *its stones, its timber, etc.* — ״וּבַיְתָה דְנָה סַתְרֵהּ״ — this alludes to that which is stated, *However, because our ancestors had angered the God of heaven, He delivered them into the hand of Nebuchadnezzar king of Babylonia, the Chaldean,* ***who demolished this Temple*** (*Ezra* 5:12).[141] ״וְהוֹצִיא אֶל מִחוּץ לָעִיר״ — Verse 45 continues, ***They shall take [the debris] to the outside of the city*** — ״וְעַמָּה הַגְלִי לְבָבֶל״ — this alludes to that which is stated in the continuation of the verse in *Ezra*, ***and [Nebuchadnezzar] exiled the people to Babylonia.*** יָכוֹל לְעוֹלָם — **You might think** the exile will be **forever,** תַּלְמוּד לוֹמַר ״וְלָקְחוּ אֲבָנִים אֲחֵרוֹת״ — therefore **Scripture states,** ***They shall take other stones*** *and bring them in place of the stones* (v. 42), to teach you that the destruction is *not* permanent, שֶׁנֶּאֱמַר ״לָכֵן כֹּה אָמַר ה׳ אֱלֹהִים הִנְנִי יִסַּד בְּצִיּוֹן אָבֶן, אֶבֶן בֹּחַן פִּנַּת יִקְרַת מוּסָד מוּסָּד הַמַּאֲמִין לֹא יָחִישׁ״ — **as it is stated,** ***Therefore, thus said the Lord HASHEM/ELOHIM, "Behold, I am laying a stone for a foundation in Zion: a sturdy stone, a precious cornerstone, a secure foundation.***[142] ***Let the believer not expect it soon"*** (*Isaiah* 28:16).[143]

NOTES

taking a paramour in addition to your spouse (God), you sinned by actually introducing an idol into the Temple (see *Eitz Yosef*).

136. This is the plain meaning of the verse. The Midrash will momentarily expound it as referring to an idol.

137. *Eichah Rabbah, Pesichta* §22. The word מַסֵּכָה also means *a molten image* or *idol* (*Yefeh To'ar*).

138. The term צָרָה, *rival*, is normally used to refer to a co-wife. In our context it is used to refer to the idol that Israel has taken as a rival to God (*Matnos Kehunah, Yefeh To'ar*; see *Rashi* to *Yoma* 9b,).

139. Isaiah alludes (by use of the word כְּהִתְכַּנֵּס) to this particular feat of God (rather than to some other praise of Him) because of its openly miraculous nature. He is thus making the point: How can one possibly choose idolatry, which has no substance, over service of God, Whose great might is obvious to all?! (*Eitz Yosef*, first explanation).

140. Although the removal of the Temple treasures was decreed by God, Scripture attributes the decree to Jeremiah (*The Kohen* [Jeremiah] *shall command; and they shall clear the house*) because it was his prophecy about Babylonia's conquering of Jerusalem that encouraged Nebuchadnezzar to proceed with his attack, which led to removing the treasures (*Eitz Yosef*).

141. The choice of this verse in preference to the verses that tell specifically of the burning of the Temple (*II Kings* 25:9, *II Chronicles* 36:19) is because of the use of the term *demolished*, which corresponds to the verse being discussed (*Yefeh To'ar*).

142. This verse refers to the building of the Third Temple in the future, whose foundations will forever be secure (*Radal, Eitz Yosef*).

143. This verse refers to the building of the Third Temple as a "laying of stones," thus corroborating the Midrash's exposition according to which similar terminology ("demolishing stones," "taking other stones") is used by the Torah to allude both to the destruction and to the rebuilding of the Temple (*Eshed HaNechalim*).

ז [יד, לד] "בְּבֵית אֶרֶץ אֲחֻזַּתְכֶם", זֶה בֵּית הַמִּקְדָּשׁ שֶׁנֶּאֱמַר (יחזקאל כד, כא) "הִנְנִי מְחַלֵּל אֶת מִקְדָּשִׁי גְּאוֹן עֻזְּכֶם", [יד, לה] "וּבָא אֲשֶׁר לוֹ הַבַּיִת", זֶה הַקָּדוֹשׁ בָּרוּךְ הוּא שֶׁנֶּאֱמַר (חגי א, ט) "יַעַן בֵּיתִי אֲשֶׁר הוּא חָרֵב", [יד, לה] "וְהִגִּיד לַכֹּהֵן" זֶה יִרְמְיָה, שֶׁנֶּאֱמַר (ירמיה א, א) "מִן הַכֹּהֲנִים אֲשֶׁר בַּעֲנָתוֹת", [יד, לה] "כְּנֶגַע נִרְאָה לִי בַּבָּיִת", זוֹ טִנּוֹפֶת עֲבוֹדָה זָרָה, וְיֵשׁ אוֹמְרִים: זֶה צַלְמוֹ שֶׁל מְנַשֶּׁה, יְהָדָא הוּא דִּכְתִיב (יחזקאל ח, ה) "וְהִנֵּה מִצָּפוֹן לְשַׁעַר הַמִּזְבֵּחַ סֵמֶל הַקִּנְאָה הַזֶּה בַּבִּאָה", מַהוּ "בַּבִּאָה", אָמַר רַבִּי אַחָא: בִּיָּיא בִּיָּיא, *תּוֹתָבָה מִפַּנֵּי לְמָרֵי דְבֵיתָא, אָמַר רַבִּי בֶּרֶכְיָה: כְּתִיב (ישעיה כח, כ) "כִּי קָצַר הַמַּצָּע מֵהִשְׂתָּרֵעַ", יאאֵין הַמִּטָּה יְכוֹלָה לְקַבֵּל אִשָּׁה וּבַעְלָהּ וְרֵיעָהּ כְּאֶחָד, אֶלָּא (שם) "וְהַמַּסֵּכָה צָרָה כְּהִתְכַּנֵּס", עֲשִׂיתֶם צָרָה גְּדוֹלָה לְאוֹתוֹ שֶׁכָּתוּב בּוֹ (תהלים לג, ז) "כֹּנֵס כַּנֵּד מֵי הַיָּם", [יד, לו] "וְצִוָּה הַכֹּהֵן וּפִנּוּ אֶת הַבַּיִת", (מלכים-א יד, כו) °"וַיִּקַּח אֶת אֹצְרוֹת בֵּית ה' "°, [יד, מה] "וְנָתַץ אֶת הַבַּיִת", (עזרא ה, יב) "וּבַיְתָה דְנָה סַתְרֵהּ", [יד, מ] "וְהוֹצִיא אֶל מִחוּץ לָעִיר", (עזרא שם שם) "וְעַמָּה הַגְלִי לְבָבֶל", יָכוֹל לְעוֹלָם, תַּלְמוּד לוֹמַר [יד, מב] "וְלָקְחוּ אֲבָנִים אֲחֵרוֹת", שֶׁנֶּאֱמַר (ישעיה כח, טז) "לָכֵן כֹּה אָמַר ה' אֱלֹהִים הִנְנִי יִסַּד בְּצִיּוֹן אָבֶן, אֶבֶן בֹּחַן פִּנַּת יִקְרַת מוּסָד מוּסָּד הַמַּאֲמִין לֹא יָחִישׁ":

(ז) זה בית המקדש. דריש גם כן ונתתי לשון בשורה שכלה חמתו על עלים ואבנים, ולכן אמר כי תבואו אל ארץ כנען, וידעתי שסופכם לחטוא, ונתתי נגע לרעת בבית ארץ אחוזתכם שהיא בית המקדש שהיא עיקר האחוזה, ובא לו הבית המיוחד לה' ששמה משכן השכינה, והגיד לנביא הכהן סבת מפני מה מחריבו מפני שכנגע נראה לי בבית כי טמאו אותו בעבודה זרה ואיך ישרה שמה שכינה, והנגע היינו סימני חורבן כדאיתא בפרק ד' דיומא (לט, ב עיין שם) ארבעים שנה קודם החורבן עלה הגורל בשמאל, וכן כשהכהנים מנסה צלם בהיכל יבשו פרחי זהב. ואמנם גבי כנגע נראה לי הוצרך לדורשו על טנופת עבודה זרה, כי על הנגע הנתון מה' לא ידק לומר כנגע נראה לי, דמשמע דמחודש מאחרים: **מהו בביאה.** משום דלמאי דמפרש ליה בצלם מנשה קשה אומרו בביאה, שהרי מנשה בהיכל העמידו, כמו שאמרו ז"ל (תענית כו, ב) ואם כן אינו במבוא הפתח, לכך הוצרך לפרש בביאה לשון בייא. ופירושו עול ועוות הדין שהגר תושב מפנה ומשליך לבעל הבית מביתו: **אין המטה יכולה כו'.** דרך משל שכמו שאין המטה סובלת שיהיה עם האשה בעלה וחשוקה, כן בית המקדש לא יוכל לסבול צלם עבודה זרה עם השכינה, ודריש מהשתרע כמו שאמרו בפרק קמא דיומא (ט, ב) מהשתרר עליו שני רעים כאחד, ופירש רש"י דרש נוטריקון בב' תיבות, שני רעים, שהעמיד מנשה צלם בהיכל: **אלא והמסכה כו'.** פירוש לא די שאין המטה יכולה לקבל שני רעים, אלא דהכא איכא עוד קשה מזאת שעשיתם צרה למי שכונס כנד מי הים, והזכיר את ה' בכאן בהיותו כנד מי הים, ולא הזכיר שבח אחר של הקדוש ברוך הוא, הוא להגדיל התימה, כי איך ישוו המסכה שאין בה ממש לכונס כנד מי הים שהוא נס גדול מפורסם. עוד יש לומר לפי שהכל מודים שהקדוש ברוך הוא יחיד על נסים שבימים, כדאיתא במסכת עבודה זרה [עיין גיטין נו, ב] לכן הזכיר כאן כונס כנד מי הים: **וצוה הכהן ופנו.** אף על פי שבגזירת ה' היתה זאת, תלה הדבר בירמיה, שעל ידי נבואתו סמך נבוכדנצר על ישראל, כדאיתא באיכה רבתי פתיחתא ל"ד: **ויקח את אוצרות בית ה'.** לא גרסינן, דמקרא זה בימי רחבעם כתיב, אלא הכי גרסינן (מלכים ב' כד, יג) ויוצא משם את כל אוצרות בית ה' (יפה תואר): **וביתה דנה סתרי וגו'. ועמא הגלי לבבל.** הוא קרא בעזרא (ה, יב): **מוסד מוסד.** שיהיה יסוד עולם לא ימוטו:

(ז) זה בית המקדש. דורש תיבת בית לשון יחוד, שהיה לו לומר בבתי, על כן דורש על הבית הגדול המיוחד שלארץ אחוזתכם, ואמר כן לחבבה בעיניהם, וכמו שכתוב (יחזקאל כד, כא) הנני מחלל את מקדשי גאון עוזכם מחמד עיניכם ומחמל נפשכם. וזהו בבית ארץ אחוזתכם, ועיין מדרש תדשא (פרק כ) באריכות, וכאן בקיצור: **יען ביתי.** הרי שבית המקדש הוא ביתי, וזהו אשר לו הבית: **זה ירמיה.** שהוא ניבא על חורבן בית המקדש יותר מכל הנביאים, ובימיו חרב: **תותבא מפנה למרא ביתא.** דברים רבה (ג, כ) באריכות, ובמדבר רבה (ז, י) כל הענין. ועיין שם איך דורש: **שכתוב בו כונס.** כמו שכתב לעיל (י, ו) ושם נתבאר, כל העולם כלו מים במים, ואת אמרת יקוו המים, מכאן שהחזיק מועט את המרובה, שם לא היה צר לו כשהכניסם, וכאן כינוסם לו צרה:

מתנות כהונה

[ז] בייא בייא. לשון אוי ואבוי, והרבה בספר הזה, ועיין לעיל בבראשית רבה (יב, ט), וריש ויגש (פרשה לד) דרש בביאה, נוטריקון בייא בייא: **תותבא כו'.** ופירוש אוי למנהג הזה שהתושב והוא גר שנתיישב, מפנה ומגרש למריה דביתא, לאדון הבית, וכן הוא בילקוט יחזקאל תותבייא מפנין למרי דביתא, וכן הוא בהדיא לקמן בפרשה ואתחנן (ג, כ) התושב מפנה לבעל הבית: **וריעה.** אוהבה שמנאפת עמו תחת בעלה, ודריש מהשתרע בלשון נוטריקון, ובפרק קמא דיומא (ט, ב) דרשו נמי מהשתרר עליו שני רעים, וכן הוא באיכה רבה (פתיחתא כב): **צרה.** כאשה זו שהיא צרה לחברתה:

אשד הנחלים

אם יצאו אליו, וזהו ארץ אפריקי: **[ז] זו בית המקדש.** זהו הרמז בכתוב מהנגעים הפרטים, על הנגעים שינגעו האומה באחרית, ולכן אמר כי תבואו אל ארץ כנען, וידעתי שסופכם שלא תשבו שמה לעולם מפני חטאתכם, כי אם ונתתי נגע צרעת, שהיא שם לטומאה, בארץ אחוזתכם, שהיא בית המקדש שהיא עיקר האחוזה. ובא אשר לו הבית, המיוחד לה' ששמה משכן השכינה, והגיד לנביא הכהן סבתו מפני מה יחריבו, מפני שכנגע נראה לי בבית, כי טמאו אותי בעבודת כוכבים, ואיך ישרה שמה השכינה: **תותבה מפני למרא דביתיה.** כי ה' ברוך הוא, הוא הבורא, והוא המשגיח ומקיים העולם, והעבודת כוכבים אין כחם מאומה, והם פונים לעבודת כוכבים, ועל ידי זה מוכרחת השכינה להסתלק, כי אינה שורה במקום טומאה: **צרה בו' כונס.** מה שאחז בכתוב הזה, לפי שבא להורות שבאמת הארץ עומדת על המים נגד הטבע, כי בטבע המים שיהיו למעלה, רק ה' בחסדו כונס כנד מי הים, שיגבהו למעלה ותהי הארץ משכן לבני אדם, בכדי שיכירו כבוד ה', והם פונים לאלילים ועוזבים ה': **הנה יסד בציון אבן.** כלומר שלכן הנביא כשמבשרו מבנין בית המקדש אחז במליצה הזאת, ודוגמת הרמז בכתוב הנאמר על החורבן, ועל הבנין האחרון במהרה בימינו:

חידושי הרד"ל

[ז] וביתא דנא סתריה ועמא הגלי לבבל. מקרא הוא (עזרא ה, יב): **מוסד מוסד.** שיהיה יסוד עולם לא ימוט:

חידושי הרש"ש

[ז] והמסכה צרה בהתכנס. כן צריך לומר: **וביתא דנא סתריה כו' ועמא הגלי לבבל.** הוא בעזרא ה' י"ב:

אמרי יושר

[ז] בבית ארץ אחוזתכם זה בית המקדש. המאמר הזה הולך לשיטת אחרים שבסוף פרשה ט"ו (אות ט), שפירשו ארבע מראות על ארבע מלכיות, שאת זו בבל:

שינוי נוסחאות

(ז) ויקח את אצרות בית ה'. יפ"ת מחק פסוק זה וגרס במקומו "ויוצא משם את כל אוצרות בית ה'" (מ"ב כד, יג), וכן גרס עצ"י. **(ז) והוציא אל מחוץ לעיר.** בכל הדפוסים כתוב "והוציא אל מחוץ למחנה", להלן זה טעות, כי הוא מקרא אחר, אבל לגבי פר יום הכפורים. ובכל הכי"י באמת איתא "לעיר":

מסורת המדרש

י. יומא דף ט'. סנהדרין ק"ג. איכה רבתי פתיחתא כ"ג: יא. ירושלמי יומא פ"א:

אם למקרא

וַיְהִי כִשְׁמֹעַ אֲדֹנִי צֶדֶק מֶלֶךְ יְרוּשָׁלִַם כִּי לָכַד יְהוֹשֻׁעַ אֶת הָעַי וַיַּחֲרִימָהּ כַּאֲשֶׁר עָשָׂה לִירִיחוֹ וּלְמַלְכָּהּ כֵּן עָשָׂה לָעַי וּלְמַלְכָּהּ וְכִי הִשְׁלִימוּ יֹשְׁבֵי גִבְעוֹן אֶת יִשְׂרָאֵל וַיִּהְיוּ בְּקִרְבָּם: (יהושע י:א)

אֱמֹר לְבֵית יִשְׂרָאֵל כֹּה אָמַר אֲדֹנָי ה' הִנְנִי מְחַלֵּל אֶת מִקְדָּשִׁי גְּאוֹן עֻזְּכֶם מַחְמַד עֵינֵיכֶם וּמַחְמַל נַפְשְׁכֶם וּבְנֵיכֶם וּבְנוֹתֵיכֶם אֲשֶׁר עֲזַבְתֶּם בַּחֶרֶב יִפֹּלוּ: (יחזקאל כד:כא)

פָּנֹה אֶל הַרְבֵּה וְהִנֵּה לִמְעָט וַהֲבֵאתֶם הַבַּיִת וְנָפַחְתִּי בוֹ יַעַן מֶה נְאֻם ה' צְבָאוֹת יַעַן בֵּיתִי אֲשֶׁר הוּא חָרֵב וְאַתֶּם רָצִים אִישׁ לְבֵיתוֹ: (חגי א:ט)

דִּבְרֵי יִרְמְיָהוּ בֶּן חִלְקִיָּהוּ מִן הַכֹּהֲנִים אֲשֶׁר בַּעֲנָתוֹת בְּאֶרֶץ בִּנְיָמִן: (ירמיה א:א)

וַיֹּאמֶר אֵלַי בֶּן אָדָם שָׂא נָא עֵינֶיךָ דֶּרֶךְ צָפוֹנָה וָאֶשָּׂא עֵינַי דֶּרֶךְ צָפוֹנָה וְהִנֵּה מִצָּפוֹן לְשַׁעַר הַמִּזְבֵּחַ סֵמֶל הַקִּנְאָה הַזֶּה בַּבִּאָה: (יחזקאל ח:ה)

כִּי קָצַר הַמַּצָּע מֵהִשְׂתָּרֵעַ וְהַמַּסֵּכָה צָרָה כְּהִתְכַּנֵּס: (ישעיה כח:כ)

כֹּנֵס כַּנֵּד מֵי הַיָּם נֹתֵן בְּאֹצָרוֹת תְּהוֹמוֹת: (תהלים לג:ז)

וַיַּעַל שִׁישַׁק מֶלֶךְ מִצְרַיִם עַל יְרוּשָׁלִָם וַיִּקַּח אֶת אֹצְרוֹת בֵּית ה' וְאֶת אוֹצְרוֹת בֵּית הַמֶּלֶךְ אֶת הַכֹּל לָקָח וַיִּקַּח אֶת כָּל מָגִנֵּי הַזָּהָב אֲשֶׁר עָשָׂה שְׁלֹמֹה: (מלכים א יד:כו)

לָהֵן מִן דִּי הַרְגִּזוּ אֲבָהֳתַנָא לֶאֱלָהּ שְׁמַיָּא יְהַב הִמּוֹ בְּיַד נְבוּכַדְנֶצַּר מֶלֶךְ בָּבֶל כַּסְדָּאָה וּבַיְתָה דְנָה סַתְרֵהּ וְעַמָּה הַגְלִי לְבָבֶל: (עזרא ה:יב)

לָכֵן כֹּה אָמַר אֲדֹנָי ה' הִנְנִי יִסַּד בְּצִיּוֹן אָבֶן אֶבֶן בֹּחַן פִּנַּת יִקְרַת מוּסָד מוּסָּד הַמַּאֲמִין לֹא יָחִישׁ: (ישעיה כח:טז)

Chapter 18

דַּבְּרוּ אֶל בְּנֵי יִשְׂרָאֵל וַאֲמַרְתֶּם אֲלֵהֶם אִישׁ אִישׁ כִּי יִהְיֶה זָב מִבְּשָׂרוֹ זוֹבוֹ טָמֵא הוּא.

Speak to the Children of Israel and say to them: Any man who will have a discharge from his flesh, his discharge is contaminated (15:2).

§1 **דַּבְּרוּ אֶל בְּנֵי יִשְׂרָאֵל וַאֲמַרְתֶּם אֲלֵהֶם אִישׁ אִישׁ כִּי יִהְיֶה זָב מִבְּשָׂרוֹ וְגוֹ׳** — ***SPEAK TO THE CHILDREN OF ISRAEL AND SAY TO THEM: ANY MAN WHO WILL HAVE A DISCHARGE FROM HIS FLESH, ETC.***[1]

The Midrash cites a passage from *Ecclesiastes* (12:1-7) and expounds it at length,[2] eventually concluding with a reference to *zivah* as a form of punishment.[3] The Midrash begins by relating our verse to the opening verse of that passage:

הֲדָא הוּא דִכְתִיב "וּזְכֹר אֶת בּוֹרְאֶיךָ בִּימֵי בְּחוּרֹתֶיךָ" — **Thus it is written, *So remember your Creator in the days of your youth*** (*Ecclesiastes* 12:1).[4]

The Midrash identifies this opening verse as the basis for the teaching of a Mishnah that speaks about remembering God and the Day of Judgment:

תְּנַן — **We learned** in a Mishnah: **עֲקַבְיָא בֶּן מַהֲלַלְאֵל אוֹמֵר** — **Akavya ben Mahalalel says: הִסְתַּכֵּל בִּשְׁלֹשָׁה דְבָרִים וְאֵין אַתָּה בָא לִידֵי עֲבֵירָה** — **Consider three things and you will not come into the grip of sin: דַּע מֵאַיִן בָּאתָ, מִטִּפָּה סְרוּחָה** — **Know whence you came — from a putrid drop; וּלְאָן אַתָּה הוֹלֵךְ, לְעָפָר רִמָּה וְתוֹלֵעָה** — **whither you go — to** a place of **dust, worms, and maggots;**[5] **וְלִפְנֵי מִי אַתָּה עָתִיד לִיתֵּן דִּין וְחֶשְׁבּוֹן** — **and before Whom will you give justification and reckoning** for all your deeds — **לִפְנֵי מֶלֶךְ מַלְכֵי הַמְּלָכִים הַקָּדוֹשׁ בָּרוּךְ הוּא וְכוּ׳** — **before the King Who reigns over kings, the Holy One, blessed is He** (*Avos* 3:1).[6]

רַבִּי אַבָּא בַּר כָּהֲנָא אָמַר בְּשֵׁם רַב פַּפֵּי — **R' Abba bar Kahana says in the name of Rav Pappi, וְרַבִּי יְהוֹשֻׁעַ דְּסִכְנִין בְּשֵׁם רַבִּי לֵוִי** — **and R' Yehoshua of Sichnin says in the name of R' Levi: שְׁלָשְׁתָּן דָּרַשׁ רַבִּי עֲקִיבָא מִתּוֹךְ פָּסוּק אֶחָד**[7] — **Akavya derived all three of [these teachings] from one verse** in *Ecclesiastes*. **"וּזְכֹר אֶת בּוֹרְאֶיךָ"** — Namely, they are derived from the word *bor'echa* [בּוֹרְאֶיךָ], *your Creator*, in the expression ***so remember your Creator,*** which may be read in three ways:[8] **בְּאֵרְךָ זוֹ לֵיחָה סְרוּחָה** — It can be read *be'ercha* [בְּאֵרְךָ], which means ***your well*** — **this** alludes to **the putrid fluid** from whence you came.[9] **בּוֹרְךָ זוֹ רִמָּה וְתוֹלֵעָה** — It can also be read *borcha* [בּוֹרְךָ], which means ***your pit*** — **this** alludes to the pit of **worms and maggots** to which one eventually descends, i.e., the grave. **"בּוֹרְאֶיךָ" זֶה מֶלֶךְ מַלְכֵי הַמְּלָכִים הַקָּדוֹשׁ בָּרוּךְ הוּא** — It can also be read literally, ***your Creator.* This is the King Who reigns over kings, the Holy One, blessed is He, שֶׁעָתִיד לִיתֵּן לְפָנָיו דִּין וְחֶשְׁבּוֹן** — **before Whom one is destined to give justification and reckoning.**[10]

The Midrash continues its exposition of the above verse in *Ecclesiastes*:

"בִּימֵי בְּחוּרֹתֶיךָ" — *So remember your Creator* ***in the days of your youth*** — **בְּיוֹמֵי טַלְיוּתָךְ עַד דְּחֵילָךְ עֲלָךְ** — this means **in the days of your youthfulness, while your strength is yet upon you.**[11] **"עַד אֲשֶׁר לֹא יָבֹאוּ יְמֵי הָרָעָה"** — ***Before the evil days come*** — **אֵלּוּ יְמֵי זִקְנָה** — **these are the days of old age.**[12] **"וְהִגִּיעוּ שָׁנִים אֲשֶׁר תֹּאמַר אֵין לִי בָהֶם חֵפֶץ"** — ***And those years arrive of which you will say, "I have no desire in them"*** — **אֵלּוּ יְמֵי הַמָּשִׁיחַ** — **these are the days of the Messiah, שֶׁאֵין בָּהֶם לֹא זְכוּת וְלֹא חוֹבָה** — **when there will be neither** opportunity to acquire **merit, nor** the risk of accruing **liability.**[13]

NOTES

1. The discharge discussed here is a specific urethral discharge that renders one *tamei* (ritually impure). As is evident from the Midrash throughout this chapter, this discharge is not a regular occurrence, but is a symptom of an affliction. This condition is referred to as *zivah,* and one who is *tamei* from this discharge is called a *zav*.

2. For the reader's convenience, the entire passage (*Ecclesiastes* 12:1-7) is presented here: *So remember your Creator in the days of your youth, before the evil days come, and those years arrive of which you will say, "I have no desire in them"; before the sun, the light, the moon, and the stars grow dark, and the clouds return after the rain; in the day when the guards of the house will tremble, and the powerful men will stoop, and the grinders are idle because they are few, and the gazers through windows are dimmed; when the doors in the street are shut; when the sound of the grinding is low; when one rises up at the voice of the bird, and all the daughters of song grow dim; when they even fear a height and terrors in the road; and the almond tree blossoms and the grasshopper becomes burdened and the desire fails — so man goes to his eternal home, while the mourners go about the street. Before the silver cord snaps, and the bowl of gold is shattered, and the pitcher is broken at the fountain, and the wheel is smashed at the pit. Thus the dust returns to the ground, as it was, and the spirit returns to God Who gave it. Futility of futilities — said Koheles — all is futile!*

3. More specifically, as a form of punishment visited upon a man in his *youth* — the purpose being to arouse him to repentance, so that when he dies in his old age his soul will not be kept out of heaven; see below (at note 66), expounding ibid. 12:7, and the end of this section, expounding ibid. 12:1 (see note 79). And since our Midrash wishes to expound *part* of this passage, it expounds the passage in its *entirety*, in typical Midrashic style (*Yefeh To'ar, Eitz Yosef*). [According to these commentators, what leads the Midrash to its exposition of our verse is the seeming superfluity of the expression מִבְּשָׂרוֹ, *from his flesh*. See below, note 79.]

4. The connection of this verse to ours will be explained more fully at the end of the section. At this point, the Midrash is just hinting that the purpose of *zivah* (the subject of our verse) is to bring a man *in the days of his youth* to remember his Creator (see *Yefeh To'ar*). The paragraph that follows is directly related to this theme.

5. The expression הוֹלֵךְ, *are going*, implies that from the day of birth one is continuously approaching his final destination (*Eitz Yosef*).

6. The tendency to forget oneself and thereby fall into sin is caused both by arrogance, which originates from an inflated sense of self-worth and a delusion that one will retain his present position permanently, and by the erroneous self-assurance that one will not have to account for one's deeds. Thus, meditating on the first two points, i.e., one's origins and destination, will remove a person's arrogance, and meditating on the third point will remind him that he will have to account for his deeds, thereby keeping him from sin (*Eshed HaNechalim*).

7. *Eitz Yosef* (Vagshal ed.), citing *Yefeh To'ar*, emends our text to read תֵּיבָה אַחַת, *one word*, in place of פָּסוּק אֶחָד, *one verse* (see further). Indeed, this is the text that appears in *Koheles Rabbah* 12 §1.

8. The word בּוֹרְאֶיךָ, which is written with an extra *yud*, connotes a plural form of בּוֹרַאֲךָ, as if to imply that the word contains multiple allusions (*Eitz Yosef*).

9. A well usually contains water and therefore alludes to a source of fluid (*Eitz Yosef*).

10. The reference to God as Creator alludes to God's intention at the time of Creation, which was that the world be run with judgment. See *Bereishis Rabbah* 14 §1 (*Eitz Yosef*).

11. See end of section and note 79.

12. When a person becomes old, he is already set in his ways and it is difficult for him to change (*Eshed HaNechalim*). Additionally, he will no longer have the strength to overpower his nature and to engage in Torah study and mitzvos (ibid., *Eitz Yosef*).

13. In addition to its plain meaning (according to which the phrase *the days of youthfulness* refers to one's youth, when one has the strength and ability to perform mitzvos), *the days of youthfulness* refers also to our existence in this current world, when we are fully able to perform mitzvos — in contrast to our existence in the Messianic era, when we will not be able to do so. *Eitz Yosef* explains that the Midrash is referring

פרשה יח

א [טו, ב] **"דַּבְּרוּ אֶל בְּנֵי יִשְׂרָאֵל וַאֲמַרְתֶּם אֲלֵהֶם אִישׁ אִישׁ כִּי יִהְיֶה זָב מִבְּשָׂרוֹ וְגוֹ'", הֲדָא הוּא דִכְתִיב** (קהלת יב, א) **"וּזְכֹר אֶת בּוֹרְאֶיךָ בִּימֵי בְּחוּרֹתֶיךָ", תְּנַן: עֲקַבְיָא בֶּן מַהֲלַלְאֵל אוֹמֵר: הִסְתַּכֵּל בִּשְׁלֹשָׁה דְבָרִים וְאֵין אַתָּה בָא לִידֵי עֲבֵירָה: [א]דַּע מֵאַיִן בָּאתָ, מִטִּפָּה סְרוּחָה, וּלְאָן אַתָּה הוֹלֵךְ, לְעָפָר רִמָּה וְתוֹלֵעָה, וְלִפְנֵי מִי אַתָּה עָתִיד לִיתֵּן דִּין וְחֶשְׁבּוֹן, לִפְנֵי מֶלֶךְ מַלְכֵי הַמְּלָכִים הַקָּדוֹשׁ בָּרוּךְ הוּא וְכוּ'** (אבות ג, א), **רַבִּי אַבָּא בַּר כַּהֲנָא אָמַר בְּשֵׁם רַב פַּפֵּי וְרַבִּי יְהוֹשֻׁעַ דְּסִכְנִין בְּשֵׁם רַבִּי לֵוִי: שְׁלָשְׁתָּן דָּרַשׁ °רַבִּי עֲקִיבָא מִתּוֹךְ פָּסוּק אֶחָד, "וּזְכֹר אֶת בּוֹרְאֶיךָ", בְּאֵרְךָ, זוֹ לֵיחָה סְרוּחָה, בּוֹרְךָ, זוֹ רִמָּה וְתוֹלֵעָה, "בּוֹרְאֶיךָ" זֶה מֶלֶךְ מַלְכֵי הַמְּלָכִים הַקָּדוֹשׁ בָּרוּךְ הוּא שֶׁעָתִיד לִיתֵּן לְפָנָיו דִּין וְחֶשְׁבּוֹן, "בִּימֵי בְּחוּרֹתֶיךָ", בְּיוֹמֵי טַלְיוּתָךְ עַד דְּחֵילָךְ עֲלָךְ,** (שם) **"עַד אֲשֶׁר לֹא יָבֹאוּ יְמֵי הָרָעָה", אֵלּוּ יְמֵי זִקְנָה,** (שם) **"וְהִגִּיעוּ שָׁנִים אֲשֶׁר תֹּאמַר אֵין לִי בָהֶם חֵפֶץ", אֵלּוּ יְמֵי הַמָּשִׁיחַ שֶׁאֵין בָּהֶם לֹא זְכוּת וְלֹא חוֹבָה,** (שם שם ב) **"עַד אֲשֶׁר לֹא תֶחְשַׁךְ הַשֶּׁמֶשׁ וְהָאוֹר וְגוֹ'", "הַשֶּׁמֶשׁ" זֶה קְלַסְתֵּר פָּנִים, "וְהָאוֹר" זֶה הַמֵּצַח,** (שם) **"וְהַיָּרֵחַ" זֶה הַחוֹטֶם,** (שם) **"וְהַכּוֹכָבִים" אֵלּוּ רָאשֵׁי לְסָתוֹת,**

עץ יוסף

(א) **וזכור את בוראך כו'.** משום דבעי לאתויי וישוב העפר אל הארץ כשהיה, דדרשינן ביה אימתי הרוח תשוב אל האלהים כשישוב העפר אל הארץ כשהיה, ואם לאו ואת נפש אויביך יקלענה, וכל זה בימי זקנותו, אבל בימי בחרותו אם חטא לוקה בזיבות ובצרעת, ומסיים על זה שפיר, לפיכך משה מזהיר את ישראל ואומר להם איש כי יהיה זב מבשרו, ורצה לומר דלכאורה מבשרו יתירה הוא, דהוה סגי ליה לכתוב כי יהיה זב, בעי למדרש שבחטאו מלקהו ה' בדבר שיוצא מגופו, שלא יצטרך להביא עליו מכה מבחוץ כדרך בשר ודם, ודרך אגב מייתי המדרש כל הני קראי דסמיכי לקרא וזכור את בוראך ומפרש להו כדרך המדרש: **הסתכל בשלשה דברים.** כי כל התגלגלותו של אדם שאינו יכול להכניע יצר הרע להנצל ממנו, לכך אמר הסתכל באלו שלשה דברים ותכניע את יצרך ותנצל ממנו: **מטפה סרוחה.** ואף אם הטפה מתחלתה אינה סרוחה, בהיות כי היא מעותדת להסריח אם תעמוד שעה אחת חוץ לרחם, כי כן טבעה להסריח מיד כשהאויר מקיף בה, כמו שזכרו זה חכמי התולדה: **ולאן אתה הולך.** לא אמר ולאנה תלך, להודיעו שבכל שעה ובכל רגע אדם הולך לבית עולמו ומתקרב אל המיתה, כי יום המות מיום הולדו, שמיום שנולד הוא מתקרב והולך אל המיתה, ועל כן נקט לשון הווה ולא נקט לשון עתיד: **רמה ותולעה.** רמה רומזת לשקצים שיבואו מבחוץ, ותולעה רומזת לתולעים שיצא מגוף האדם כמו וירום תולעים, ועל כן זכר רמה ותולעה, שהם שני ענינים: **ליתן דין וחשבון.** הקדים דין לחשבון, לפי שהאדם כשהולך לבית עולמו קודם שיתן חשבון, מודיעים לו כל דיני התורה, ואחר כך שואלין אותו הבא על אשת חבירו מה דינו, העושה מלאכה בשבת מה דינו, והוא משיב על הן הן, ועל לאו לאו, וכן שואלין אותו על כל עבירות שעשה אחת לאחת והוא משיב כדינו, ואחר כך מזכירין אותו כי הוא אשר עשה כן העבירות אשר שאלו ממנו ואומרים לו אתה האיש, באופן כי מתחלה הוא נותן דין ואחר כך חשבון והוא נותן את שתיקן: **דרש רבי עקיבא מתוך תיבה אחד.** כן צריך לומר וכן הוא בקהלת רבה [יב, א] (יפה תואר). ואפשר שצריך לומר עקביא במקום עקיבא: **וזכור את בוראך.** רצה לומר מדכתיב בוראיך ביו"ד יתירה, דריש לרבויי אתא דדרשינן ביה כל דאפשר: **בארך זו ליחה סרוחה.** דבאר בכל מקום יש בו מים ולא ירמוז אל מקור הטיפה סרוחה: **בורך זה רמה ותולעה.** דבור יולדק על חפירה בלי מים כמו כי יכרה איש בור, כי שמו אותי בבור, ולכן ירמוז על הקבר אשר בו רמה ותולעה: **בוראך זה מלך כו'.** שברא העולם בדין כדלעיל בבראשית רבה ריש פרשה יד: **ביומי טליותך.** נערותיך דהיינו ימי הבחרות, וכוונת הכתוב שבעודו יכול לעסוק בתורה ובמצות יעסוק בהם קודם שיבואו ימי הרעה אלו ימי הזקנה שיהיו עליו לטורח, ולכן אמר עד דחילך עלך פירוש שכחך עליך, וזהו כשהוא עדיין בחור בשנים: **אלו ימי המשיח.** רצה לומר שקרא תרתי קאמר, חדא ימי הבחרות כפשוטו ואידך העולם הזה דהוה כימי הבחרות שיש בהם כח לעשות לגבי עולם הבא, והכי קאמר קרא תן צדקה בימי בחורותיך דהיינו בעולם הזה שמצוי לך עניים לעשות בהם צדקה, שמא למחר יבא משיחנו ולא תמצא עניים לזכות בהם כי כולם יהיו עשירים, וזהו שאמר המדרש שאין בה לא זכות פירוש לא דבר לזכות בו שכולם יהיו עשירים, ולא חובה לאמן ולקפוץ יד: **קלסתר פנים.** דזולת המצח והחוטם איכא קלסתר פנים בפנים לחודייהו: **זו המצח.** שהוא חלק ומצהיב: **זה החוטם.** שהוא תואר בני אדם: **לסתות.** לחיים. ובפרש"י דקהלת פירש אלו הלסתות רומני דאפי שקורין פומי"ש [והוא פאה, ובל"א דער אבערטהייל דער באקע] של לחיים שמצהיבים, הרי המצח הוא העיקר המיפה, והחוטם גם כן מיפה אבל בערך הירח נגד השמש, וכן הראשי לסתות גם כן מייפים אבל בערך הכוכבים שהם קטנים:

פירוש מהרז"ו

(א) **איש כי יהיה זב.** ותיבת איש מיותר, וכמו שאמר בסוף הסימן: **עקביא בן מהללאל.** אבות פ"ג (מ"א) וכל זה בקהלת רבה פסוק והסר כעס וכו' וזכור את בוראך (קי"ד ב') [ריש פרשה יב], ובפתיחתא כ"ג דאיכה [רבתי] דורש כל הענין דרך רמז על ישראל, וכאן כפשוטו: **שלשתן דרש רבי עקיבא.** בקהלת רבה שם גורס דרש עקיבא: **אלו ימות המשיח.** בקהלת רבה שם הגירסא, אלו היסורים שלעת זקנה תאמר שאין אתה חפץ בהם, והגירסא אלו ימות המשיח, אין לו שייכות כאן כלל, כי אם למה שכתב בפתיחתא דאיכה שם, שדורש כל הענין על כלל ישראל, עיין שם בהדיא: **זה קלסתר פנים.** כשהאדם שלם בבריאותו ובמעמדו: **והירח זה החוטם.** שהחוטם מיוחד לחוש הריח, וזה על פי מדת ממעל, ובקהלת רבה שם הגירסא האור זה החוטם, והירח זה המצח, שעל ידי החוטם ניכר פני האדם, כמו שאמרו במשנה יבמות פרק טז משנה ג אין מעידין אלא על פרצוף פנים עם החוטם, כמו שאמר לקמן בסמוך, והמצח חצי עגול כמו הירח: **אלו ראשי לסתות.** בולטין מן הפנים ככוכבים, וכל זה על פי מדת ממעל:

מתנות כהונה

[א] **בוראך.** דרש נוטריקון בורך, בוראך, בארך: **בארך.** באר ומקור שיצאת משם. ושוב עיין כל זה במסכת שבת בפרק שואל (קנא, ב), ובמדרש קהלת (יב א), ובפתיחה דאיכה רבה (כג): **טליותך.** נערותך: **עד דחילך עלך.** בעוד שכחך עליך, וזהו כשהוא עדיין בחור בשנים: **קלסתר פנים.** חילוף גירסות יש פה בגמרא דשבת, ומדרש קהלת:

אשד הנחלים

[א] **הסתכל בשלשה.** לפי שעיקר השכחה לאדם באה מגאון הלב, שהוא מחשיב עצמו לדבר נכבד, או שחושב כי יהיה תמיד לעולם על מעמדו וכנו, וגם חושב שכל מעשיו מופקרים ולא יפקד עליהם, אבל כשיתבונן ממה הוא, מטפה סרוחה, אז יכנע, ולא תמיד יהיה על מעמדו, כי הולך למקום עפר, ישפל מפני זה, וכשיזכור שעתיד ליתן דין על מעשיו, יתחיל לשמור נפשו ופעולותיו שיהיו מישרים: **וזכור את בוראך בורך כו'.** דרש זה מדכתיב בוראיך, ביו"ד הרבים: **עד דחילך עלך.** כי בימי הזקנה אחר שהשתרש ברע, קשה לפרוש מזה, גם אין בו כח להתגבר מפני חולשתו, ודרש עוד פן תאמר אחר שבימי המשיח יוסר לב האבן, ואז יצרפו כולם אם כן יהא בכללם, לזה אמר שזהו השנים שאין בו חפץ, שאז לא יהיה בחירה, ולא יהיה נחשב הזכיות והחובות לאדם מצדו, אחר שאז כולם יכספו לדבק בה', ואם כן אם לא הכין מתחילה בעוד שהיה בבחירתו, לא יקובל לעתיד: **זו המצח.** שהוא עיקר הקלסתר, והחוטם גם כן מייפה, אבל כערך הירח מול השמש, וכן הראשי לסתות גם כן מייפים אבל בערך הכוכבים, שהם קטנים:

חידושי הרד"ל

[א] **ושלשתן דרש עקביא מתוך כו'.** כן צריך לומר:

חידושי הרש"ש

[א] **שלשתן דרש עקביא כו'.** צריך לגרוס: **והירח זה החוטם.** אולי דריש מלשון ריח:

ליקוטים

[א] **דע מאין באת.** כמו שנאמר (תהלים נא, ז) הן בעוון חוללתי וגו', וכתיב (איוב יד, ד) מי יתן טהור מטמא. **למקום רימה ותולעה** כמו שנאמר (בראשית ג, יט) כי עפר אתה וגו', וכתיב (קהלת יב, ז) וישוב העפר על הארץ כשהיה וכתיב (איוב כה, ו) אנוש רמה ובן אדם תולעה וגו'. **ולפני מי אתה וכו'.** כמו שנאמר (קהלת יא, ט) כי על כל וגו', וכתיב (שם יב, יד) כי את כל מעשה האלקים יביא במשפט. (נבחר מפנינים):

אמרי יושר

[א] **בורך זה הקבר.** ובירושלמי (סוטה פ"ב ה"ב) דרשו, ולקח הכהן מים קדושים (במדבר ה, יז), ראי שבאת מטפה סרוחה, ומן העפר אשר יהיה בקרקע המשכן (שם), ראי כי את עתידה להיות עפר רמה, והעמידה לפני ה' (שם יח), שאת עתידה ליתן התוכחות וחשבון לפני הקדוש ברוך הוא: **עד אשר לא יבואו כו' אלו ימי זקנה.** שהעונש הוא אחר: **לא זכות ולא חובה.** [לא זכות] שכולם עשירים ולא חובה לקפוץ יד. ויש מפרשים והסירותי את לב האבן מבשרכם (יחזקאל לו, כו), ובזה אין זכות וחובה:

מסורת המדרש

א. ירושלמי סוטה פ"ב:

אם למקרא

וּזְכֹר אֶת בּוֹרְאֶיךָ בִּימֵי בְּחוּרֹתֶיךָ עַד אֲשֶׁר לֹא יָבֹאוּ יְמֵי הָרָעָה וְהִגִּיעוּ שָׁנִים אֲשֶׁר תֹּאמַר אֵין לִי בָהֶם חֵפֶץ: עַד אֲשֶׁר לֹא תֶחְשַׁךְ הַשֶּׁמֶשׁ וְהָאוֹר וְהַיָּרֵחַ וְהַכּוֹכָבִים וְשָׁבוּ הֶעָבִים אַחַר הַגָּשֶׁם: בַּיּוֹם שֶׁיָּזֻעוּ שֹׁמְרֵי הַבַּיִת וְהִתְעַוְּתוּ אַנְשֵׁי הֶחָיִל וּבָטְלוּ הַטֹּחֲנוֹת כִּי מִעֵטוּ וְחָשְׁכוּ הָרֹאוֹת בָּאֲרֻבּוֹת: וְסֻגְּרוּ דְלָתַיִם בַּשּׁוּק בִּשְׁפַל קוֹל הַטַּחֲנָה וְיָקוּם לְקוֹל הַצִּפּוֹר וְיִשַּׁחוּ כָּל בְּנוֹת הַשִּׁיר: גַּם מִגָּבֹהַּ יִרָאוּ וְחַתְחַתִּים בַּדֶּרֶךְ וְיָנֵאץ הַשָּׁקֵד וְיִסְתַּבֵּל הֶחָגָב וְתָפֵר הָאֲבִיּוֹנָה כִּי הֹלֵךְ הָאָדָם אֶל בֵּית עוֹלָמוֹ וְסָבְבוּ בַשּׁוּק הַסֹּפְדִים: עַד אֲשֶׁר לֹא יֵרָתֵק חֶבֶל הַכֶּסֶף וְתָרֻץ גֻּלַּת הַזָּהָב וְתִשָּׁבֶר כַּד עַל הַמַּבּוּעַ וְנָרֹץ הַגַּלְגַּל אֶל הַבּוֹר: וְיָשֹׁב הֶעָפָר עַל־הָאָרֶץ כְּשֶׁהָיָה וְהָרוּחַ תָּשׁוּב אֶל־הָאֱלֹהִים אֲשֶׁר נְתָנָהּ:

(קהלת יב:א-ז)

שינוי נוסחאות

(א) **"דברו אל בני ישראל ואמרתם אלהם איש איש כי יהיה זב מבשרו וגו'.** הפסוק מובא שלא בדיוק בכל הדפוסים: **שלשתן דרש רבי עקיבא.** צ"ל " ... דרש עקביא", כן הגיהו גם רש"ש וגם רד"ל, וכן היה באמת בכי"י:

The Midrash continues with a sustained exposition of the rest of the passage in *Ecclesiastes* as it describes the deterioration of the body due to old age:

"עַד אֲשֶׁר לֹא תֶחְשַׁךְ הַשֶּׁמֶשׁ וְהָאוֹר וְגוֹ'" — *So remember your Creator . . .* ***before the sun, the light,*** *the moon, and the stars* ***grow dark,*** *and the clouds return after the rain* (ibid., vv. 1-2). "הַשֶּׁמֶשׁ" זֶה קְלַסְתֵּר פָּנִים — ***The sun*** **— this is** a reference to **the features of the face;**[14] "וְהָאוֹר" זֶה הַמֵּצַח — ***the light*** **— this is** a reference to **the forehead;**[15] "וְהַיָּרֵחַ" זֶה הַחוֹטֶם — ***the moon*** **— this is** a reference to **the nose;**[16] "וְהַכּוֹכָבִים" אֵלּוּ רָאשֵׁי לְסָתוֹת — ***and the stars*** **— these are** a reference to **the tops of the cheeks,** i.e., the cheekbones;[17]

NOTES

specifically to the mitzvah of charity. The verse admonishes us to give charity before the Messiah arrives, for the Messianic era will be a time of universal prosperity and no one will need charity; therefore, there will be no opportunity to acquire merit through the giving of charity, nor will there exist the temptation to be hard-hearted and refuse to give (see similarly *Shabbos* 151b, as explained by *Rashi* ad loc.).

Alternatively: In the Messianic era the concept of free choice will become obsolete and there will be no drive to sin at all, thereby removing any opportunity to earn reward (*Yefeh To'ar*, based on *Ramban* to *Deuteronomy* 30:6).

14. This refers to the form of the face as a whole, as distinct from the specific *parts* of the face discussed below (*Eitz Yosef*).

15. The forehead is metaphorically described as "the light" because it is smooth and it shines (ibid.).

16. The nose is a defining feature of the human face (as is evident from the Mishnah in *Yevamos* 120a, cited further in this section in a different context — *Maharzu*), but adds less beauty to the face than the forehead, just as the moon gives less light than the sun (*Eitz Yosef* s.v. לסתות). Alternatively, יָרֵחַ is from רֵיחַ, *smell*, thus alluding to the nose (*Maharzu*, *Rashash*).

17. The cheekbones, too, add to the form and shine of the face (*Rashi* to *Ecclesiastes*), but not as much as the forehead and nose — they are thus similar to the stars that do not shine as much light upon the earth as the moon does (*Eitz Yosef*). All these facial features deteriorate with age.

פרשה יח

א [טו, ב] "**דַּבְּרוּ אֶל בְּנֵי יִשְׂרָאֵל וַאֲמַרְתֶּם אֲלֵהֶם אִישׁ אִישׁ כִּי יִהְיֶה זָב מִבְּשָׂרוֹ וגו'**", **הֲדָא הוּא דִכְתִיב** (קהלת יב, א) "**וּזְכֹר אֶת בּוֹרְאֶיךָ בִּימֵי בְּחוּרֹתֶיךָ**", **תְּנַן: עֲקַבְיָא בֶּן מַהֲלַלְאֵל אוֹמֵר: הִסְתַּכֵּל בִּשְׁלֹשָׁה דְבָרִים וְאֵין אַתָּה בָא לִידֵי עֲבֵירָה: אדַּע מֵאַיִן בָּאתָ, מִטִּפָּה סְרוּחָה, וּלְאָן אַתָּה הוֹלֵךְ, לְעָפָר רִמָּה וְתוֹלֵעָה, וְלִפְנֵי מִי אַתָּה עָתִיד לִיתֵּן דִּין וְחֶשְׁבּוֹן, לִפְנֵי מֶלֶךְ מַלְכֵי הַמְּלָכִים הַקָּדוֹשׁ בָּרוּךְ הוּא וְכוּ'** (אבות ג, א), **רַבִּי אַבָּא בַּר כָּהֲנָא אָמַר בְּשֵׁם רַב פַּפֵּי וְרַבִּי יְהוֹשֻׁעַ דְּסִכְנִין בְּשֵׁם רַבִּי לֵוִי: שְׁלָשְׁתָּן דָּרַשׁ °רַבִּי עֲקִיבָא מִתּוֹךְ פָּסוּק אֶחָד, "וּזְכֹר אֶת בּוֹרְאֶיךָ", בְּאֵרְךָ, זוֹ לֵיחָה סְרוּחָה, בּוֹרְךָ, זוֹ רִמָּה וְתוֹלֵעָה, "בּוֹרְאֶיךָ" זֶה מֶלֶךְ מַלְכֵי הַמְּלָכִים הַקָּדוֹשׁ בָּרוּךְ הוּא שֶׁעָתִיד לִיתֵּן לְפָנָיו דִּין וְחֶשְׁבּוֹן, "בִּימֵי בְּחוּרֹתֶיךָ", בְּיוֹמֵי טַלְיוּתָךְ עַד דְּחֵילָךְ עֲלָךְ,** (שם) **"עַד אֲשֶׁר לֹא יָבֹאוּ יְמֵי הָרָעָה", אֵלּוּ יְמֵי זִקְנָה,** (שם) **"וְהִגִּיעוּ שָׁנִים אֲשֶׁר תֹּאמַר אֵין לִי בָהֶם חֵפֶץ", אֵלּוּ יְמֵי הַמָּשִׁיחַ שֶׁאֵין בָּהֶם לֹא זְכוּת וְלֹא חוֹבָה,** (שם שם ב) **"עַד אֲשֶׁר לֹא תֶחְשַׁךְ הַשֶּׁמֶשׁ וְהָאוֹר וגו'", "הַשֶּׁמֶשׁ" זֶה קְלַסְתֵּר פָּנִים, "וְהָאוֹר" זֶה הַמֵּצַח,** (שם) **"וְהַיָּרֵחַ" זֶה הַחוֹטֶם,** (שם) **"וְהַכּוֹכָבִים" אֵלּוּ רָאשֵׁי לְסָתוֹת,**

עץ יוסף

(א) **וזכור את בוראך כו'.** משום דבעי לאתויי וישוב העפר אל הארץ כשהיה, דדרשינן ביה אימתי הרוח תשוב אל האלהים כשישוב העפר אל הארץ כשהיה, ואם לאו ואת נפש אויביך יקלענה, וכל זה בימי זקנותו, אבל בימי בחרותו אם חטא לוקה בזיבות ובצרעת, ומסיים על זה שפיר, לפיכך משה מזהיר את ישראל ואומר להם איש כי יהיה זב מבשרו, ורצה לומר דלכאורה מבשרו יתירה הוא, דהוה סגי ליה לכתוב כי יהיה זב, בעי למדרש שבחטאו מלקהו ה' בדבר שיוצא מגופו, שלא יצטרך להביא עליו מכה מבחוץ כדרך בשר ודם, ודרך אגב מייתי המדרש כל הני קראי דסמיכי לקרא וזכור את בוראך ומפרש להו כדרך המדרש: **הסתכל בשלשה דברים.** כי כל התגללותו של אדם שאינו יכול להכניע ליצר הרע להנצל ממנו, לכך אמר הסתכל באלו שלשה דברים ותכניע את יצרך ותנצל ממנו: **מטפה סרוחה.** ואף אם הטפה מתחלתה אינה סרוחה, בהיות כי היא מעותדת להסריח אם תעמוד שעה אחת חוץ לרחם, כי כן טבעה להסריח מיד כשהאויר מקיף בה, כמו שזכרו זה חכמי התולדה: **ולאן אתה הולך.** לא אמר ולאנה תלך, להודיענו שבכל שעה ובכל רגע אדם הולך לבית עולמו ומתקרב אל המיתה, כי יום המות מיום הולדו, שמיום שנולד הוא מתקרב והולך אל המיתה, ועל כן נקט לשון הווה ולא נקט לשון עתיד: **רמה ותולעה.** רמה רומזת לשקצים שיבואו מבחוץ, ותולעה רומזת לתולעים שיצא מגוף האדם כמו וירום תולעים, ועל כן זכר רמה ותולעה, שהם שני ענינים: **ליתן דין וחשבון.** הקדים דין לחשבון, לפי שהאדם כשהולך לבית עולמו קודם שיתן חשבון, מודיעים לו כל דיני התורה, ואחר כך שואלין אותו הבא על אשת חבירו מה דינו, העושה מלאכה בשבת מה דינו, והוא משיב על הן הן, ועל לאו לאו, וכן שואלין אותו על כל עבירות שעשה אחת לאחת והוא משיב כדינו, ואחר כך מזכירין אותו כי הוא אשר עשה כן העבירות אשר שאלו ממנו ואומרים לו אתה האיש, נמצא שמתחלה הוא נותן דין ואחר כך חשבון והוא נותן את שתיהן: **דרש רבי עקיבא מתוך תיבה אחד.** כן צריך לומר וכן הוא בקהלת רבה [יב, א] (יפה תואר). ואפשר שצריך לומר עקביא במקום עקיבא: **וזכור את בוראך.** רצה לומר מדכתיב בוראיך ביו"ד יתירה, דריש לרבויי אתא דדרשינן ביה כל דאפשר: **בארך זו ליחה סרוחה.** דבאר בכל מקום יש בו מים ולא ירמוז אל מקור הטיפה סרוחה: **בורך זה רמה ותולעה.** דבור יולדך על חפירה בלי מים כמו כי יכרה איש בור, כי שמו אותי בבור, ולכן ירמוז על הקבר אשר בו רמה ותולעה: **בוראך זה מלך כו'.** סברא הטעם כדלעיל בבראשית רבה ריש פרשה יד: **ביומי טליותך.** בחורותיך דהיינו ימי הבחרות, וכוונת הכתוב שבעודו יכול לעסוק בתורה ובמצות יעסוק בהם קודם שיבואו ימי הרעה אלו ימי הזקנה שיהיו עליו לטורח, ולכן אמר עד דחילך עלך פירוש שכחך עליך, וזהו כשהוא עדיין בחור בשנים: **אלו ימי המשיח.** רצה לומר שקרא תרתי קאמר, חדא ימי הבחרות כפשוטו ואידך העולם הזה דהוה כימי הבחרות שיש בהם כח לעשות לגבי עולם הבא, והכי קאמר קרא תן לדקה בימי בחורותיך דהיינו בעולם הזה שמצוי לך עניים לעשות בהם לדקה, שמא למחר יבא משיחו ולא תמצא עניים לזכות בהם כי כולם יהיו עשירים, וזהו שאמר המדרש שאין בה לא זכות פירוש לא דבר לזכות בו שכולם יהיו עשירים, ולא חובה לאמן ולקפוץ יד: **קלסתר פנים.** דזולת המצח והחוטם איכא קלסתר פנים בפנים לחודייהו: **זו המצח.** שהוא חלק ומלהיב: **זה החוטם.** שהוא תואר בני אדם: **לסתות.** לחיים. ובפרש"י דקהלת פירש אלו הלסתות רומני דאפי שקורין פומי"ש [והוא פאה, ובל"א דער אבערטעהייל דער באקען] של לחיים שמאדימים, הרי המצח הוא העיקר המיפה, והחוטם גם כן מיפה אבל בערך הירח נגד השמש, וכן הראשי לסתות גם כן מייפים אבל בערך הכוכבים שהם קטנים:

פירוש מהרז"ו

(א) **איש כי יהיה זב.** ותיבת איש מיותר, וכמו שאמר בסוף הסימן: **עקביא בן מהללאל.** אבות פ"ג (מ"א) וכל זה בקהלת רבה פסוק והסר כעס וכו' וזכור את בוראך (קי"ד ב') [ריש פרשה יב], ובפתיחתא כ"ג דאיכה [רבתי] דורש כל הענין דרך רמז על ישראל, וכאן כפשוטו: **שלשתן דרש רבי עקיבא.** בקהלת רבה שם גורס דרש עקביא: **אלו ימות המשיח.** בקהלת רבה שם הגירסא, אלו היסורים שלעת זקנה תאמר שאין אתה חפץ בהם, והגירסא אלו ימות המשיח, אין לו שייכות כאן כלל, כי אם למה שכתב בפתיחתא דאיכה שם, שדורש כל הענין על כלל ישראל, עיין שם בהדיא: **זה קלסתר פנים.** כשהאדם שלם בבריאותו ובמעמדו: **והירח זה החוטם.** שהחוטם מיוחד לחוש הריח, וזה על פי מדת ממטל, ובקהלת רבה שם הגירסא האור זה החוטם, והירח זה המצח, שעל ידי החוטם ניכר פני האדם, כמו שאמרו במשנה יבמות פרק טז משנה ג אין מעידין אלא על פרצוף פנים עם החוטם, כמו שאמר לקמן בסמוך, והמצח חצי עגול כמו הירח: **אלו ראשי לסתות.** בולטין מן הפנים ככוכבים, וכל זה על פי מדת ממטל:

חידושי הרד"ל

[א] **ושלשתן דרש עקביא מתוך כו'.** כן צריך לומר:

חידושי הרש"ש

[א] **שלשתן דרש עקביא כו'.** צריך לגרוס: **והירח זה החוטם.** אולי דריש מלשון ריח:

ליקוטים

[א] **דע מאין באת.** כמו שנאמר (תהלים נא, ז) הן בעוון חוללתי וגו', וכתיב (איוב יד, ד) מי יתן טהור מטמא. **למקום רימה ותולעה** כמו שנאמר (בראשית ג, יט) כי עפר אתה וגו', וכתיב (קהלת יב, ז) וישוב העפר על הארץ כשהיה וכתיב (איוב כה, ו) אנוש רמה ובן אדם תולעה וגו'. **ולפני מי אתה וכו'.** כמו שנאמר (קהלת יא, ט) כי על כל וגו', וכתיב (שם יב, יד) כי את כל מעשה האלקים יביא במשפט. (נבחר מפנינים):

אמרי יושר

[א] **בורך זה הקבר.** ובירושלמי (סוטה פ"ב ה"ב) דרשו, ולקח הכהן מים קדושים (במדבר ה, יז), ראי שבאת מטפה סרוחה, ומן העפר אשר יהיה בקרקע המשכן (שם), ראי כי את עתידה להיות עפר רמה, והעמידה לפני ה' (שם יח), שאת עתידה ליתן התוכחות וחשבון לפני הקדוש ברוך הוא: **עד אשר לא יבואו כו' אלו ימי זקנה.** שהטעם הוא אחר: **לא זכות ולא חובה.** [לא זכות] שכולם עשירים ולא חובה לקפוץ יד. ויש מפרשים והסירותי את לב האבן מבשרכם (יחזקאל לו, כו), ובזה אין זכות וחובה.

מסורת המדרש

א. ירושלמי סוטה פ"ב:

אם למקרא

וּזְכֹר אֶת בּוֹרְאֶיךָ בִּימֵי בְּחוּרֹתֶיךָ עַד אֲשֶׁר לֹא יָבֹאוּ יְמֵי הָרָעָה וְהִגִּיעוּ שָׁנִים אֲשֶׁר תֹּאמַר אֵין לִי בָהֶם חֵפֶץ: עַד אֲשֶׁר לֹא תֶחְשַׁךְ הַשֶּׁמֶשׁ וְהָאוֹר וְהַיָּרֵחַ וְהַכּוֹכָבִים וְשָׁבוּ הֶעָבִים אַחַר הַגָּשֶׁם: בַּיּוֹם שֶׁיָּזֻעוּ שֹׁמְרֵי הַבַּיִת וְהִתְעַוְּתוּ אַנְשֵׁי הֶחָיִל וּבָטְלוּ הַטֹּחֲנוֹת כִּי מִעֵטוּ וְחָשְׁכוּ הָרֹאוֹת בָּאֲרֻבּוֹת: וְסֻגְּרוּ דְלָתַיִם בַּשּׁוּק בִּשְׁפַל קוֹל הַטַּחֲנָה וְיָקוּם לְקוֹל הַצִּפּוֹר וְיִשַּׁחוּ כָּל בְּנוֹת הַשִּׁיר: גַּם מִגָּבֹהַּ יִרָאוּ וְחַתְחַתִּים בַּדֶּרֶךְ וְיָנֵאץ הַשָּׁקֵד וְיִסְתַּבֵּל הֶחָגָב וְתָפֵר הָאֲבִיּוֹנָה כִּי הֹלֵךְ הָאָדָם אֶל בֵּית עוֹלָמוֹ וְסָבְבוּ בַשּׁוּק הַסֹּפְדִים: עַד אֲשֶׁר לֹא יֵרָתֵק חֶבֶל הַכֶּסֶף וְתָרֻץ גֻּלַּת הַזָּהָב וְתִשָּׁבֶר כַּד עַל הַמַּבּוּעַ וְנָרֹץ הַגַּלְגַּל אֶל־הַבּוֹר: וְיָשֹׁב הֶעָפָר עַל־הָאָרֶץ כְּשֶׁהָיָה וְהָרוּחַ תָּשׁוּב אֶל־הָאֱלֹהִים אֲשֶׁר נְתָנָהּ: (קהלת יב:א-ז)

שינוי נוסחאות

(א) "**דברו אל בני ישראל ואמרתם אלהם איש איש כי יהיה זב מבשרו וגו'.**" הפסוק מובא שלא בדיוק בכל הדפוסים: **שלשתן דרש רבי עקיבא.** צ"ל "... דרש עקביא", כן הגיהו גם רש"ש וגם רד"ל, וכן היה באמת בכי"י:

מתנות כהונה

[א] **בוראך.** דרש נוטריקון בורך, בוראך, באר: **בארך.** באר ומקור שיוצא משם. ושוב עיין כל זה במסכת שבת בפרק שואל (קנא, ב), ובמדרש קהלת (יב א), ובפתיחה דאיכה רבה (כג): **טליותך.** נערותך: **עד דחילך עלך.** בעוד שכחך עליך, וזהו כשהוא עדיין בחור בשנים: **קלסתר פנים.** חילוף גירסות יש פה בגמרא דשבת, ומדרש קהלת:

אשד הנחלים

[א] **הסתכל בשלשה.** לפי שעיקר השכחה לאדם באה מגאון הלב, שהוא מחשיב עצמו לדבר נכבד, או שחושב כי יהיה תמיד לעולם על מעמדו וכנו, וגם חושב שכל מעשיו מופקרים ולא יפקד עליהם, אבל כשיתבונן ממה הוא, מטפה סרוחה, אז יכנע, ולא תמיד יהיה על מעמדו, כי הולך למקום עפר, ישפל מפני זה, וכשיזכור שעתיד ליתן דין על מעשיו, יתחיל לשמור נפשו ופעולותיו שיהיו מישרים: **וזכור את בוראך בורך כו'.** דרש זה מדכתיב בוראיך, ביו"ד הרבים: **עד דחילך עלך.** כי בימי הזקנה אחר שהשתרש ברע, קשה לפרוש מזה, גם אין בו כח להתגבר מפני חולשתו, ודרש עוד פן תאמר אחר שבימי המשיח יוסר לב האבן, ואז יצרפו כולם אם כן יהא בכללם, לזה אמר שזהו השנים שאין בהם חפץ, שאז לא יהיה בחירה, ולא יהיה נחשב הזכיות והחובות לאדם מצדו, אחר שאז כולם יכספו לדבק בה', ואם כן אם לא הכין מתחילה בעוד שהיה בבחירתו, לא יקובל לעתיד: **זו המצח.** שהוא עיקר הקלסתר, והחוטם גם כן מייפה, אבל כערך הירח מול השמש, וכן הראשי לסתות גם כן מייפים אבל בערך הכוכבים, שהם קטנים:

"וְשָׁבוּ הֶעָבִים אַחַר הַגָּשֶׁם" — ***and the clouds return after the rain*** — רַבִּי לֵוִי אָמַר תַּרְתֵּי — **R' Levi states two** interpretations, חַדָא לְחַבְרַיָּא וְחַדָא לְבוּרַיָּא — **one** addressed **to the scholars and one** addressed **to the ignorant.** לְחַבְרַיָּא, בָּא לִבְכּוֹת זָלְגוּ עֵינָיו דְּמָעוֹת — The interpretation addressed **to the scholars: When [a person of advanced age] wishes to weep, his eyes flow with tears.**[18] חַדָא לְבוּרַיָּא, בָּא לְהַטִּיל מַיִם הַגְּלָלִין מַקְדִּימִין אוֹתוֹ — The **one** addressed **to the ignorant: When [a person of advanced age] wishes to urinate** ("rain"), **the feces**[19] **precede him.**[20]

The Midrash proceeds to expound the next verse of the passage (v. 3):

"בַּיּוֹם שֶׁיָּזֻעוּ שֹׁמְרֵי הַבַּיִת וְגוֹ׳" — ***In the day when the guards of the house will tremble*** *and the powerful men will stoop and the grinders are idle because they are few and the gazers through windows are dimmed.* "בַּיּוֹם שֶׁיָּזֻעוּ שֹׁמְרֵי הַבַּיִת", אֵלּוּ אַרְכֻּבּוֹתָיו — ***In the day when the guards of the house will tremble*** — **these are** a reference to **his knees;**[21] "וְהִתְעַוְּתוּ אַנְשֵׁי הֶחָיִל", אֵלּוּ צַלְעוֹתָיו — ***and the powerful men will stoop*** — **these are** a reference to **his ribs.**[22] רַבִּי חִיָּיא בַּר נַחְמָן אָמַר: אֵלּוּ זְרוֹעָיו — **R' Chiya bar Nachman says: These are** a reference to **his arms.**[23] "וּבָטְלוּ הַטּוֹחֲנוֹת", זֶה הַמְּסֵס — ***And the grinders are idle*** — **this is** a reference to **the stomach;**[24] "כִּי מִעֵטוּ", אֵלּוּ הַשִּׁינַּיִם — ***because they are few*** — **these are** a reference to **the teeth;**[25] "וְחָשְׁכוּ הָרֹאוֹת בָּאֲרֻבּוֹת", אֵלּוּ הָעֵינַיִם — ***and the gazers through the windows are dimmed*** — **these are** a reference to **the eyes.**[26] רַבִּי חִיָּיא בַּר נַחְמָן אָמַר: אֵלּוּ כַּנְפֵי הָרֵיאָה שֶׁמִּשָּׁם יוֹצֵא הַקּוֹל — **R' Chiya bar Nachman said: These are** a reference to **the wings** (i.e., lobes) **of the lungs from whence the voice comes forth.**[27]

The next verse (v. 4):[28]

"וְסֻגְּרוּ דְלָתַיִם בַּשּׁוּק" — ***When the doors in the street are shut*** — אֵלּוּ נְקָבָיו שֶׁל אָדָם שֶׁהֵן כְּמוֹ דֶּלֶת הַפּוֹתֵחַ וְהַסּוֹגֵר — **these are** a reference to **the orifices of a person that open and close like a door.** "בִּשְׁפַל קוֹל הַטַּחֲנָה" — ***When the sound of the grinding is low*** — בִּשְׁבִיל שֶׁאֵין הַמְּסֵס טוֹחֵן — the orifices close **because the stomach is not grinding** (i.e., digesting) the food.[29] "וְיָקוּם לְקוֹל הַצִּפּוֹר" — ***When one rises at the voice of the bird*** — הָדֵין סָבָא כַּד שָׁמַע קוֹל צִפְּרִין מְצַיְּצִין — meaning that **an elderly person, upon hearing the voice of the birds chirping,** אָמַר בְּלִיבֵּיהּ לִיסְטִין אָתְאָן לְמִקְפְּחָא יָתִי — **says in his heart, "Burglars are coming to rob me!"**[30] "וְיִשַּׁחוּ כָּל בְּנוֹת הַשִּׁיר", אֵלּוּ שִׂפְתוֹתָיו — ***And all the daughters of song grow dim*** — **these are** a reference to **his lips.**[31] רַבִּי חִיָּיא בַּר נְחֶמְיָה אָמַר: אֵלּוּ הַכְּלָיוֹת — **R' Chiya bar Nechemyah says: These are** a reference to **the kidneys,** שֶׁהֵן חוֹשְׁבוֹת וְהַלֵּב גּוֹמֵר — **for they plan and the heart decides.**[32]

The next verse (v. 5):

"גַּם מִגָּבֹהַּ יִרָאוּ וְגוֹ׳" — ***When they even fear a height*** *and terrors*

NOTES

18. When a person ages, he weeps easily because he finds it difficult to restrain his emotions. This weeping further weakens him and causes his eyesight to weaken as well. The weakened ("clouded") eyesight that follows the weeping is described metaphorically as clouds following rain. This interpretation is addressed to the scholars because this symptom of aging, which is quite subtle, can be discerned only by the wise (ibid.).

19. The word עָבִים is being translated as *those that are thick*, referring to the feces (ibid.).

20. I.e., the weakness of his body resulting from age causes his muscles to loosen easily, and although he wishes only to urinate, the excretion of feces will occur as well. This symptom, which is more obvious and painful, is discernible even to the ignorant (ibid.).

21. With old age, the knees shake and separate from their joints (*Radal*).

22. Which become twisted and bent with age (ibid.). The knees are called *the guards of the house* because they support the body as guards support (i.e., protect) the house, and the ribs are called *the powerful men* because they are the strong part of the body (*Maharzu*).

[A different version of this exposition appears in the Gemara (*Shabbos* 152a), which interprets *the guards of the house* as a reference to the ribs (for they protect the vital internal organs — *Rashi* ad loc.) and *the powerful men* as a reference to the knees (because the knees support the weight of the body — ibid.). *Yefeh To'ar* (cited by *Eitz Yosef*) maintains that this version is more correct and that our Midrash should be emended accordingly; and this is *Radal's* conclusion as well. *Yefeh To'ar* acknowledges, however, that our version is consistent with *Targum* to *Ecclesiastes*.]

23. For they perform acts that require strength (*Eitz Yosef*).

24. The stomach grinds the food (ibid.). See next note.

25. The phrase *the grinders are idle because they are few* is difficult to understand if it refers to one organ, for how does the *grinders* being *few* explain why they are *idle*? The Midrash therefore explains that *the grinders* refer to two different parts of the body that grind food, one of which becomes *idle* as a result of the other becoming *fewer*. Accordingly, the verse is to be understood as saying that when the teeth begin to fall out and become fewer in number, and the process of digestion normally begun by the teeth is not being performed properly, the stomach, which completes the digestion, will cease to function at its full capacity (ibid.).

26. The eyes gaze through the "windows" of the skull (ibid. from *Targum*).

27. R' Chiya bar Nachman interprets the word הָרֹאוֹת as cognate to the word רֵיאָה, *lungs*, whose bronchial passages are open like *windows*. In old age, the passages become filled with fluid, causing the quality of the voice (which emanates from the lungs) to become *dimmed*.

28. The verse in its entirety states, *When the doors in the street are shut; when the sound of the grinding is low; when one rises up at the voice of the bird, and all the daughters of song grow dim.*

29. In old age the excretory orifices open with difficulty because the stomach is not digesting the food properly (ibid.).

30. Upon awakening to the sound of the birds he will rise in fright to hide, for his interpretive faculties have weakened and he interprets any startling noise as burglars who are trying to rob him (*Maharzu*).

31. Expounding the word בְּנוֹת as cognate to בּוֹנֵי, *those which build*, i.e., the lips that create speech and song (ibid.). See further, *Eshed HaNechalim*.

32. R' Chiya thus translates בְּנוֹת הַשִּׁיר as *those who provide understanding* (from בִּינָה, *understanding*) *and foresight* (as in אֲשׁוּרֶנּוּ, *I foresee it — Numbers* 24:17) (*Eitz Yosef*). See Insight Ⓐ.

INSIGHTS

Ⓐ **The Kidneys Plan** Our Midrash's characterization of the kidneys as entities that "plan" echoes the statement of the Gemara in *Berachos* (end of 61a) that the kidneys "provide counsel" [יוֹעֲצוֹת].

R' Mordechai Gifter explained that this idea might be rooted in the physical function of kidneys as the blood's filter. The kidneys remove that which is dangerous and alien, and allow all that is beneficial to the body to pass through. So it is with "counsel." The human mind conceives and receives a host of various ideas. True counsel is the ability to filter that vast input, eliminating the false and misleading and passing along what is true and right.

R' Eliyahu Eliezer Dessler notes that the kidneys operate silently within the body, hidden and unobserved. Most of the time one is unaware that they are even there. And so it is with the "hidden" sources of our plans and deeds — our desires and vested interests. These too are hidden and below the level of conscious awareness, but they feature prominently in what we plan and think.

Another Midrash (*Yalkut Shimoni, Jeremiah* §296) states that "the kidneys counsel after the heart, and the heart decides." This means, Rav Dessler explains, that the counsel of the kidneys follows the desires of the heart. The judgments that a person makes are — often unbeknown to him on a conscious level — very much a product of what he *wants* to be true rather than what objectively is true (*Michtav MeEliyahu* Vol. 2, pp. 36-37).

(שם) "וְשָׁבוּ הֶעָבִים אַחַר הַגָּשֶׁם", רַבִּי לֵוִי אָמַר תַּרְתֵּי, חֲדָא לְחַבְרַיָּא וַחֲדָא לְבוּרַיָּא: חֲדָא לְחַבְרַיָּא, בָּא לִבְכּוֹת וְזָלְגוּ עֵינָיו דְּמָעוֹת, חֲדָא לְבוּרַיָּא, בָּא לְהָטִיל מַיִם הַגְּלָלִין מַקְדִּימִין אוֹתוֹ, (שם שם ג) "בַּיּוֹם שֶׁיָּזֻעוּ שֹׁמְרֵי הַבַּיִת וְגוֹ'", "בַּיּוֹם שֶׁיָּזֻעוּ שֹׁמְרֵי הַבַּיִת", אֵלּוּ אַרְכֻּבוֹתָיו, (שם) "וְהִתְעַוְּתוּ אַנְשֵׁי הֶחָיִל", אֵלּוּ צַלְעוֹתָיו, רַבִּי חִיָּיא בַּר נַחְמָן אָמַר: אֵלּוּ זְרוֹעָיו, (שם) "וּבָטְלוּ הַטֹּחֲנוֹת" זֶה הַמְּסֵס, (שם) "כִּי מִעֵטוּ" אֵלּוּ הַשִּׁינַּיִם, (שם) "וְחָשְׁכוּ הָרֹאוֹת בָּאֲרֻבּוֹת", אֵלּוּ הָעֵינַיִם, רַבִּי חִיָּיא בַּר נַחְמָן אָמַר: אֵלּוּ כַּנְפֵי הָרֵיאָה שֶׁמִּשָּׁם יוֹצֵא הַקּוֹל, (שם שם ד) "וְסֻגְּרוּ דְלָתַיִם בַּשּׁוּק", אֵלּוּ נְקָבָיו שֶׁל אָדָם שֶׁהֵן כְּמוֹ דֶּלֶת הַפּוֹתֵחַ וְהַסּוֹגֵר, (שם) "בִּשְׁפַל קוֹל הַטַּחֲנָה", בִּשְׁבִיל שֶׁאֵין הַמְּסֵס טוֹחֵן, (שם) "וְיָקוּם לְקוֹל הַצִּפּוֹר", הָדֵין סָבָא כַּד שָׁמַע קוֹל צִפְּרִין מְצַיְצִין אֲמַר בְּלִבֵּיהּ לִיסְטִין אָתָאן לְמִקְפְּחָא יָתִי, (שם) "וְיִשַּׁחוּ כָּל בְּנוֹת הַשִּׁיר", אֵלּוּ שִׂפְתוֹתָיו, רַבִּי חִיָּיא בַּר נְחֶמְיָה אָמַר: אֵלּוּ הַכְּלָיוֹת, שֶׁהֵן חוֹשְׁבוֹת וְהַלֵּב גּוֹמֵר, (שם שם ה) "גַּם מִגָּבֹהַּ יִרָאוּ וְגוֹ'", "גַּם מִגָּבֹהַּ יִרָאוּ", הָדֵין סָבָא דִּצְווֹחִין לֵיהּ: זִיל לַאֲתַר פְּלָן וְהוּא שָׁאֵיל וְאָמַר: אִית תַּמָּן מַסְקִין, אִית תַּמָּן מַחֲתִין,

עץ יוסף

חדא לחבריא כו'. פי' אחד לחכמים ואחד לטפשין. ומפרש **חדא לחבריא בא לבכות כו'.** כי הם ידעו ויחושו לענין זה, אבל הטפשין לא יבינו זאת ולכן פירש להם בהטלת הגללים שהוא דבר מפורסם ומלעגר יותר בזקנים ולכן יחושו לו: **בא לבכות כו'.** כלומר לעת הזקנה ירך לבבו ובוכה במהרה שאינו יכול להתאפק ועל ידי הבכי בא לתשות כח וצרות רבות באות עליו ובא לחשכות עינים: **הגללים מקדימין.** על ידי חולשתו והתר קשריו כשיבא להטיל מים יותר לוחה להפתח ויהיה נתרז בגללים, וקמפרש העבים על הגללים שהם עבים, והגשם על מי רגלים, אבל לפי פירוש על חבריא קמפרש העבים על חשכת העינים שבא לו אחר הגשם היינו אחר הבכי: **שומרי הבית אלו ארכובותיו כו'.** לכאורה נראה שצריך להיות להיפך שומרי הבית אלו צלעותיו, והתעותו אנשי החיל אלו ארכובותיו, שהצלעות שומרים לבני המעים, והאנשי החיל הם ארכובותיו שכחו של אדם נסמך עליהם, מיהו המתרגם תרגם ביומא די יזועון ארכבתך ויתעקמון אדרעך (יפה תואר), ולפי גירסא דכאן מפרש שיזועו שומרי הבית אלו ארכובותיו שזעין ומתפרקין ממקומן ואינו יכול להלוך כראוי: **אלו זרועותיו.** שהם עושי חיל: **זה המסס.** שהוא טוחן המאכל: **אלו השינים.** שלעת זקנה נושרות רוב שיניו, ואף על גב דכי מעטו לטוחנות קאי, שינים נמי טוחנות מיקרו, ובשני מיני טוחנות מיירי קרא, והוזקק לומר כן דאם לא כן בתר דקאמר בטלו מאי כי מעטו, לכן דרשו כי מעטו אלו השינים, והכי קאמר קרא ובטלו הטוחנות זה המסס משום כי מעטו אלו השינים מקודם, דתחלת טכול הוא בשיניו כדאיתא במסכת עירובין, הילכך על ידי שנתמעטה לטיסת השינים סבה לבטל טחינת המסס. והרד"ל כתב יש לומר כמו שאמרו בנדה (סה, א) כיון שנתקו שיניו של אדם נתמעטו מזונותיו, לכן כי מעטו השינים בטל המסס לטחון המזונות: **אלו העינים.** ופירש בארובות כמדתרגמינן דמסתכלין בחרכי רישך: **אלו כנפי הריאה.** דריש הרואות לשון ריאה, וענין חשכתם הוא טמות הקול היוצא מהם, ופירש בארובות הן חלל הסמפונות שבתוכן שהם פתוחים כארובות, ועל ידי הזקנה מתמלאים ליחות ונוחר קולו, והוזקק לפרש כן ולא פירש הרואות עינים כפשוטו, משום דכבר נאמר ושבו העבים דהיינו כהות עינים כדלעיל: **בשביל שאין המסס טוחן.** פירוש סוגרו דלתים, דהיינו שעור נקביו מפני שאין מאכלו נטחן כהוגן בהמסס, וזהו בשפל קול הטחנה, קול רחים הטוחנין מאכל שבמעים והוא ההמסס: **כד שמע קל צפרין כו'.** פירוש כששומע לפרין לועקים אומר לסטים באים עליו לגוזלו: **אלו שפתותיו.** פירוש שימנעו מהשירות וכדמתרגמינן ויתרפסון שפוותך מלמימר שירתא: **הכליות שהן חושבות כו'.** מפרש בנות לשון בינה, ומפרש השיר לשון אשורנו ולא קרוב, ומפרש ליה על המחשבה שמעיינת מרחוק בדברים. והרד"ל כתב וזה לשונו הרואות בארובות כו' אלו כנפי הריאה כו' בנות השיר כו' אלו הכליות שהן חושבות והלב גומר, נראה דהני ב' מימרות צריך לומר בהיפך, הרואות בארובות דריש אלו הכליות שמחשבות, וזהו רואות לשון ראיתי אני בלבי, וזהו שמסיים והלב גומר ראיית המחשבה, ובארובות דרך משל על השקפת החכמה, אולי מפני שהם טמונים בכים קרא בארובות, ועל בנות השיר דרש אלו כנפי הריאה שמשם הקול יוצא עד כאן לשונו: **הדין סבא כו'.** הזקן הזה כשקוראין אותו לך למקום פלוני הוא שואל ואומר יש שם מעלות יש שם מורדות,

פירוש מהרז"ו

ושבו העבים אחר הגשם. משל על הצער והדמעות, כמו שאחר העבים המתחשכין האור יורד גשם, כך אחר הצער בא הדמעות: **בא להטיל מים.** דומה לגשם מקדימים אותו הנקבים גדולים המוציאים עבים: **ארכובותיו.** שכל בית הגוף נכון עליהם, עיין קהלת רבה (שם) גירסא אחרת: **צלעותיו.** עצמות הצלעות שמן השדרה הם חוזק הגוף, וכן הזרועות משמשי הגוף: **ובטלו הטוחנות כי מעטו.** שני כתובים מכחישים, בטלו משמע שבטלו לגמרי, ואחר כך אמר כי מעטו, ולא בטלו, על כן דורש ובטלו הטוחנות, על המסס, שנתבטלו כחו מלבשל. ומעטו, על השיניים שמתמעטים בזקנים: **בארובות.** שהעינים נתונים בחלל שלהם, כמו חלון בארובה: **שאין המסס טוחנן.** שאינו מעכל המאכל, ונסגרים נקבי היציאה ונעצרים: **ליסטים אתאן.** ויקום ממקומו להחבא, שיחלש המוח וכח המדמה וטועה בהרגשיו: **שפתותיו.** בוני הדבור והשיר, וזהו בנות השיר (קהלת יב, ד): **הכליות.** דורש בנות מלשון בינה, כי הכליות יועצות:

חידושי הרד"ל

שיזועו שומרי הבית אלו ארכבותיו. שזעין ומתפרקין ממקומן, ואינו יכול להלוך כראוי: **והתעוותו אנשי החיל כו'.** צלעות שהם מתעוותין ומתעקמין. וכמדומני שעיקר הגירסא צריך להיות להיפך, שומרי הבית הן הצלעות, ואנשי החיל הם ארכובותיו, כדאיתא בשבת (קנב, א), וכן הוא בקהלת רבה בקצת שבוש עיין שם: **ובטלו כו' כי מעטו אלו השינים.** יש לומר כמו שאמרו (נדה סה, א) כיון שנתקו שיניו של אדם נתמעטו מזונותיו, לכן כי מעטו השנים, בטל המסס לטחון המזונות: **הרואות בארובות אלו כנפי הריאה שמשם כו' בנות השיר כו' אלו הכליות שמחשבות והלב גומר.** נראה נכון דהני שתי מימרות דרבי חייא בר נחמן צריך לומר בהיפך, וחשכו הרואות בארובות, דריש אלו הכליות שמחשבות, וזהו רואות, לשון ראיתי אני בלבי (עיין קהלת ג, יז), וזהו שמסיים והלב גומר ראיית המחשבה, ובארובות דרך משל על השקפת החכמה, אולי מפני שהם טמונים בכים קראן בארובות, ועל בנות השיר, דרש אלו כנפי הריאה, שמשם הקול יוצא:

חידושי הרש"ש

רבי חייא בר נחמיה אמר אלו הכליות שהן חושבות והלב גומר. דריש בנות מלשון בינה:

באור מהרי"פ

[א] **בא לבכות וכו'.** פירוש על ידי הבכי ידמע עיניו ועל ידי כן יכהה מאור עיניו, וכן פרש"י (קהלת יב, ב) ושבו העבים, היינו חשכת עינים שהוא כסוי על המאור, כמו העבים שיכסו השמש, ואימתי הם שבים אחר הגשם אחר שירבה בבכיה לעת זקנתו מחמת תשות כח וצרות רבות עליו: **הגללים וכו'.** פירוש כשיבא להטיל מים מהר נוטה להפתח, וכדפירש המתנות כהונה. ומדמה הגללים לעבים ומי רגלים לגשם: **אלו העינים.** זה לשון התרגום ויתעממן עיניך דמסתכלין בחרכי רישך: **אלו כנפי הריאה.** וענין חשכתם הוא פעיית הקול היוצא מהם, ופירוש בארובות הם חללי הסמפונות שבתוכם, שהם פתוחים כארובות, ועל ידי הזקנה נתמלאים ליחות ונוחר קולו. והוזקק לפירוש זה רבי חייא בר נחמיה ולא פירש כפשוטו, משום דכבר נאמר ושבו העבים הנדרש על העינים כמבואר למעלה: **למפקח.** צריך לומר למקפח: **הכליות וכו'.** ודרש בנות השיר, לשון (במדבר כד, יז) אשורנו ולא קרוב, ופירושו על המחשבה שמעיינת בדבר מרחוק:

אמרי יושר

חדא לבוריא. רצה לומר חולשת המחזיק, ולבוריא היה אומר זה בלשון גנות, ולחבריא בלשון נקי, על הדמעות שהיו ניגרות: **כי מעטו אלו השינים.** כי לטיסת השיניים הוא עיכול ראשון, ובהעדרו גם העיכול השני יחלש באצטומכא, זהו ובטל הטוחנות, איברי העיכול, בסבת שמעטו לטיסת השיניים: **כנפי ריאה.** זהו וחשכו הרואות, הריאות ימנעו, שהם ארובות ושבילי הדיבור וההגה: **ע"י דלית המסס טחין.** כי בסבת חולשת כלי העיכול, יחלשו כלי התנועה: **הכליות שהן חושבות.** לסדר דבר דבור, זהו בנות השיר, שצריך ישוב שכל ומחשבה, [וכשיש לו] שמחה לו:

מתנות כהונה

חדא לחבריא כו'. פירוש אחד כנגד החברים תלמידי חכמים, ואחד כנגד עמי הארץ: **לבוריא.** לשון אין בו ירא חטא: **בא לבכות גרסינן.** פירוש לעת הזקנה ירך לבבו ובוכה במהרה, שאינו יכול להתאפק: **הגללים מקדמים אותו.** שאפס כח המעצר והאכס עיניו בראשו, ואינו משהה נקביו הגדולים כל כך: **כנפי הריאה.** הרואות דריש לשון ריאה: **הכי גרסינן לקמן בקהלת** (יב, ז) **וסגרו דלתים בשוק אלו נקביו של אדם שהן כמו דלת הפותח וסוגר: כד שמע קול צפרים כו'.** כששומע קול צפרים מצפצפים, סבר שגזלנין באים לקפח אותו לגזלו ולהורגו: **יתי.** אותי: **הכי גרסינן ר' חייא בר נחמיא אמר אלו הכליות: הדין סבא דצווחין כו'.** הזקן הזה שקוראין אותו לך למקום פלוני, הוא שואל ואומר יש שם מעלות יש שם מורדות:

אשד הנחלים

לחבריא. לחברים תלמידי חכמים. **ולבוריא.** זהו עמי הארץ. וכלומר אף התלמידי חכמים שהם נקיים. ודרש העבים, שיעכר העין, וכשבא לבכות ימלא עיניו דמעות, כעב המלא מים. ולעמי הארץ אמר שיתבונן על מאוסת הזקנה בדבר יותר מבהיל ויותר נמאס, ומכנה העבים שהם עב ועכור, בערך הטלת מים, כגללים מול הטלת מים: **ארכובותיו.** שהם עיקר מעמיד לגוף האדם, ועיקר החיל והכח הוא בצלעות או בזרועות: **כי מעטו אלו השנים.** מפני שהשינים המה הטוחנים הראשונים, ואחר כך ההמסס טוחן עוד יותר, ואחר שאין בכח השינים לטחון הרבה, אז טחינת ההמסס בטל מכל וכל: **כנפי הריאה.** דריש הרואות, מלשון ריאה (מתנות כהונה). אך לפי זה לא ידעתי מהו שמשם הקול יוצא, וגם מדוע אינו דורש כפשוטו על העין. ואולי משום דהוקשה לו מהו בארובות, ולכן מוכרח לפרש על הריאה, מפני שהקול יוצא דרך ארובות הריאה, שהיא קלה צלולה ועל כן משמיע קול. ודוחק: **בשביל שאין המסס.** דרש בשפל, הב' כמו ב' הסיבה, על ידי שקול הטחנה שפל, על כן הנקבים סגורים, כי מניעת הטחינה מביא העצירות הגדולה: **אלו שפתותיו.** שהם יכולים לסדר המאמרים בדרך שירי, ולעת הזקנה בטל הכח מנעימת המאמרים, ומכח המתפעלי שממנו כח השיר: **אלו הכליות כו'.** מפני שהשיר בטבע לעורר הרעיון

in the road; and the almond tree blossoms, and the grasshopper becomes burdened and the desire fails — so man goes to his eternal home, while the mourners go about the street. ״גַּם מִגָּבֹהַּ יִרָאוּ״ — ***When they even fear a height —*** הָדֵין סָבָא — this means that **an elderly person** דְּצָוְוחִין לֵיהּ: זִיל לַאֲתַר פְּלָן — **to whom they call, "Go to a certain place,"** וְהוּא שָׁאֵיל וְאָמַר: אִית תַּמָּן מַסְקִין, אִית תַּמָּן מַחֲתִין — **asks and says, "Are there inclines** en route; **are there downgrades?"**[33]

NOTES

33. I.e., he is afraid of the strain of the climb (ibid.).

(שם) "וְשָׁבוּ הֶעָבִים אַחַר הַגָּשֶׁם", רַבִּי לֵוִי אָמַר תַּרְתֵּי, חֲדָא לְחַבְרַיָּיא וַחֲדָא לְבוּרַיָּא: חֲדָא לְחַבְרַיָּא, בָּא לִבְכּוֹת זָלְגוּ עֵינָיו דְּמָעוֹת, חֲדָא לְבוּרַיָּא, בָּא לְהַטִּיל מַיִם הַגְּלָלִין מְקַדְּמִין אוֹתוֹ, (שם שם ג) "בַּיּוֹם שֶׁיָּזֻעוּ שֹׁמְרֵי הַבַּיִת וְגוֹ' ", "בַּיּוֹם שֶׁיָּזֻעוּ שֹׁמְרֵי הַבַּיִת", אֵלּוּ אַרְכֻּבּוֹתָיו, (שם) "וְהִתְעַוְּתוּ אַנְשֵׁי הֶחָיִל", אֵלּוּ צַלְעוֹתָיו, רַבִּי חִיָּיא בַּר נַחְמָן אָמַר: אֵלּוּ זְרוֹעָיו, (שם) "וּבָטְלוּ הַטֹּחֲנוֹת" זֶה הֶמְסֵס, (שם) "כִּי מִעֵטוּ" אֵלּוּ הַשִּׁינַּיִם, (שם) "וְחָשְׁכוּ הָרֹאוֹת בָּאֲרֻבּוֹת", אֵלּוּ הָעֵינַיִם, רַבִּי חִיָּיא בַּר נַחְמָן אָמַר: אֵלּוּ כַּנְפֵי הָרֵיאָה שֶׁמִּשָּׁם יוֹצֵא הַקּוֹל, (שם שם ד) "וְסֻגְּרוּ דְלָתַיִם בַּשּׁוּק", אֵלּוּ נְקָבָיו שֶׁל אָדָם שֶׁהֵן כְּמוֹ דֶּלֶת הַפּוֹתֵחַ וְהַסּוֹגֵר, (שם) "בִּשְׁפַל קוֹל הַטַּחֲנָה", בִּשְׁבִיל שֶׁאֵין הֶמְסֵס טוֹחֵן, (שם) "וְיָקוּם לְקוֹל הַצִּפּוֹר", הָדֵין סָבָא כַּד שָׁמַע קוֹל צִפֳּרִין מְצַיְּצִין אֲמַר בְּלִיבֵּיהּ לִיסְטִין אָתָאן לְמִקְפְּחָא יָתִי, (שם) "וְיִשַּׁחוּ כָּל בְּנוֹת הַשִּׁיר", אֵלּוּ שִׂפְתוֹתָיו, רַבִּי חִיָּיא בַּר נְחֶמְיָה אָמַר: אֵלּוּ הַכְּלָיוֹת, שֶׁהֵן חוֹשְׁבוֹת וְהַלֵּב גּוֹמֵר, (שם שם ה) "גַּם מִגָּבֹהַּ יִרָאוּ וְגוֹ' ", "גַּם מִגָּבֹהַּ יִרָאוּ", הָדֵין סָבָא דְּצָוְוחִין לֵיהּ: זִיל לַאֲתַר פְּלָן וְהוּא שָׁאֵיל וְאָמַר: אִית תַּמָּן מַסְקִין, אִית תַּמָּן מַחֲתִין,

עץ יוסף

חדא לחבריא כו'. פי' אחד לחכמים ואחד לטפשין. ומפרש **חדא לחבריא בא לבכות כו'.** כי הם ידעו ויחושו לענין זה, אבל הטפשין לא יבינו זאת ולכן פירש להם בהטלת הגללים שהוא דבר מפורסם ומצער יותר בזקנים ולכן יחושו לו: **בא לבכות כו'.** כלומר לעת הזקנה ירך לבבו ובוכה במהרה שאינו יכול להתאפק ועל ידי הבכי בא לתשות כח וצרות רבות באות עליו ובא לחשכות עינים: **הגללים מקדימין.** על ידי חולשתו והתר קשריו כשיבא להטיל מים ימהר צואה להפתח ויהיה נתרז בגללים, וקמפרש העבים על הגללים שהם עבים, והגשם על מי רגלים, אבל לפי פירוש על חבריא קמפרש העבים על חשכת העינים שבא לו אחר הגשם היינו אחר הבכי: **שומרי הבית אלו ארכובותיו כו'.** לכאורה נראה שצריך להיות להיפך שומרי הבית אלו צלעותיו, והתעותו אנשי החיל אלו ארכובותיו, שהצלעות שומרים לבני המעים, והאנשי החיל הם ארכובותיו שכחו של אדם נסמך עליהם, מיהו המתרגם תרגם ביומא די יזועון ארכבתך ויתנקשון אדרעך (יפה תואר), ולפי גירסא דכאן מפרש שיזועו שומרי הבית אלו ארכובותיו שזעין ומתפרקין ממקומן ואינו יכול להלוך כראוי: **אלו זרועותיו.** שהם עושי חיל: **זה המסס.** שהוא טוחן המאכל: **אלו השינים.** שלעת זקנה נושרות רוב שיניו, ואף על גב דכי מעטו אטוחנות קאי, שינים נמי טוחנות מיקרו, ובשני מיני טוחנות מיירי קרא, והוזקק לומר כן דאם לא כן בתר שקאמר בטלו מאי כי מעטו, לכן דרשו כי מעטו אלו השינים, והכי קאמר קרא ובטלו הטוחנות זה המסס משום כי מעטו אלו השינים מקודם, דתחלת עכול הוא בשיניו כדאיתא במסכת עירובין, הילכך על ידי שנתמעטה לעיסת השינים סבה לבטל טחינת המסס. והרד"ל כתב יש לומר כמו שאמרו בנדה (סה, א) כיון שנתקו שיניו של אדם נתמעטו מזונותיו, לכן כי מעטו השינים בטל המסס לטחון המזונות: **אלו העינים.** ופירש בארובות כמדתרגמינן דמסתכלין בחרכי ריסך: **אלו כנפי הריאה.** דריש הרואות לשון ריאה, וענין חשכתם הוא עמיות הקול היוצא מהם, ופירוש בארובות הן חלל הסמפונות שבתוכן שהם פתוחים כארובות, ועל ידי הזקנה מתמלאים ליחות ונוחר קולו, והוזקק לפרש כן ולא פירש הרואות עינים כפשוטו, משום דכבר נאמר ושבו העבים דהיינו כהות עינים כדלעיל: **בשביל שאין המסס טוחן.** פירוש סוגרו דלתים, דהיינו עצור נקביו מפני שאין מאכלו נטחן כהוגן בהמסס, וזהו בשפל קול הטחנה, קול רחים הטוחנין מאכל שבמעים והוא ההמסס: **כד שמע קל צפרין כו'.** פירוש כששומע צפרין נועקים אומר לסטים באים עליו לגוזלו: **אלו שפתותיו.** פירוש שימנעו מהשירות וכדמתרגמינן ויתרפסון שפוותך מלמימר שירתא: **הכליות שהן חושבות כו'.** מפרש בנות לשון בינה, ומפרש השיר לשון אשורנו ולא קרוב, ומפרש ליה על המחשבה שמעיינת מרחוק בדברים. והרד"ל כתב וזה לשונו הרואות בארובות כו' אלו כנפי הריאה כו' בנות השיר כו' אלו הכליות שהן חושבות והלב גומר, נראה דהני ב' מימרות צריך לומר בהיפך, הרואות בארובות דריש אלו הכליות שמחשבות, וזהו רואות לשון ראיתי אני בלבי, וזהו שמסיים והלב גומר ראיית המחשבה, ובארובות דרך משל על השקפת החכמה, אולי מפני שהם טמונים בכים קרא בארובות, ועל בנות השיר דרש אלו כנפי הריאה שמשם הקול יוצא עד כאן לשונו: **הדין סבא כו'.** הזקן הזה כשקוראין אותו לך למקום פלוני הוא שואל ואומר יש שם מעלות יש שם מורדות,

פירוש מהרז"ו

ושבו העבים אחר הגשם. משל על הצער והדמעות, כמו שאחר העבים המחשיכין האור יורד גשם, כך אחר הצער בא הדמעות: **בא להטיל מים.** דומה לגשם מקדימים אותו הנקבים גדולים המוציאים עבים: **ארכובותיו.** שכל בית הגוף נכון עליהם, עיין קהלת רבה (שם) גירסא אחרת: **צלעותיו.** עלמות הצלעות שמן השדרה הם חוזק הגוף, וכן הזרועות משמשי הגוף: **ובטלו הטוחנות כי מעטו.** שני כתובים מכחישים, בטלו משמע שבטלו לגמרי, ואחר כך אמר כי מעטו, ולא בטלו, על כן דורש ובטלו הטוחנות, על ההמסס, שנתבטלו כחו מלבשל. ומעטו, על השיניים שמתמעטים בזקנים: **בארובות.** שהעינים נתונים בחלל שלהם, כמו חלון בארובה: **שאין ההמסס טוחנן.** שאינו מעכל המאכל, ונסגרים נקבי היציאה ונעצרים: **ליסטים אתאן.** ויקום ממקומו להחבא, שיחלש המוח וכח המדמה וטועה בהרגשיו: **שפתותיו.** בוני הדבור והשיר, וזהו בנות השיר (קהלת יב, ד): **הכליות.** דורש בנות מלשון בינה, כי הכליות יועצות:

חידושי הרד"ל

שיזועו שומרי הבית אלו ארכבותיו. שזעין ומתפרקין ממקומן, ואינו יכול להלוך כראוי: **והתעוותו אנשי החיל כו'.** לצלעות שהם מתעוותין ומתעקמין. וכמדומני שעיקר הגירסא צריך להיות להיפך, שומרי הבית הן הצלעות, ואנשי החיל הם ארכובותיו, כדאיתא בשבת (קנב, א), וכן הוא בקהלת רבה בקלא שבוש עיין שם: **ובטלו כו' כי מעטו אלו השינים.** יש לומר כמו שאמרו (נדה סה, א) כיון שנתקו שיניו של אדם נתמעטו מזונותיו, לכן כי מעטו השינים, בטל המסס לטחון המזונות: **הרואות בארובות אלו כנפי הריאה שמשם כו' בנות השיר כו' אלו הכליות שמחשבות והלב גומר.** נראה נכון דהני שתי מימרות דרבי חייא בר נחמן צריך לומר בהיפך, וחשכו הרואות בארובות, דריש אלו הכליות שמחשבות, וזהו רואות, לשון ראיתי אני בלבי (עיין קהלת ג, יז), וזהו שמסיים והלב גומר ראיית המחשבה, ובארובות דרך משל על השקפת החכמה, אולי מפני שהם טמונים בכים קראן בארובות, ועל בנות השיר, דרש אלו כנפי הריאה, שמשם הקול יוצא:

חידושי הרש"ש

רבי חייא בר נחמיה אמר אלו הכליות שהן חושבות והלב גומר. דריש בנות מלשון בינה:

באור מהרי"פ

[א] **בא לבכות וכו'.** פירוש על ידי הבכי ידמע עיניו ועל ידי כן יכהה מאור עיניו, וכן פרש"י (קהלת יב, ב) ושבו העבים, היינו חשכת עינים שהוא כסוי על המאור, כמו העבים שיכסו השמש, ואימתי הם שבים אחר הגשם אחר שירבה בבכיה לעת זקנתו מחמת תשות כח וצרות רבות עליו: **הגללים וכו'.** פירוש כשיבא להטיל מים מהר צואה להפתח, וכדפירש המתנות כהונה. ומדמה הגללים לעבים ומי רגלים לגשם: **אלו העינים.** זה לשון התרגום ויתעממין עייניך דמסתכלין בחרכי ריסך: **אלו כנפי הריאה.** וענין חשכתם הוא פעיית הקול היוצא מהם, ופירוש בארובות הם חללי הסמפונות שבתוכם, שהם פתוחים כארובות, ועל ידי הזקנה נתמלאים ליחות ונוחר קולו. והוזקק לפירוש זה רבי חייא בר נחמיה ולא פירש כפשוטו, משום דכבר נאמר ושבו העבים הנדרש על העינים כמבואר למעלה: **למפקח.** צריך לומר למקפח: **הכליות וכו'.** ודרש בנות השיר, לשון (במדבר כד, יז) אשורנו ולא קרוב, ופירושו על המחשבה שמעיינת בדבר מרחוק:

אמרי יושר

חדא לבוריא. רצה לומר חולשת המחזיק, ולבוריא היה אומר זה בלשון גנות, ולחבריא בלשון נקי, על הדמעות שהיו ניגרות: **כי מעטו אלו השינים.** כי לעיסת השינים הוא עיכול ראשון, ובהעדרו גם העיכול השני יחלש באצטומכא, זהו ובטל הטוחנות, איברי העיכול, בסבת שמעטו לעיסת השינים: **כנפי ריאה.** זהו וחשכו הרואות, הריאות ימנעו, שהם ארובות ושבילי הדיבור וההגה: **ע"י דלית המסס טחין.** כי בסבת חולשת כלי העיכול, יחלשו כלי התנועה: **הכליות שהן חושבות.** לסדר דבר דבור, זהו בנות השיר, שצריך יישוב שכל ומחשבה, [וכשיש לו] שמחה לו:

מתנות כהונה

חדא לחבריא כו'. פירוש אחד כנגד החברים תלמידי חכמים, ואחד כנגד עמי הארץ: **לבוריא.** לשון אין בור ירא חטא: **בא לבבות גרסינן.** פירוש לעת הזקנה ירך לבבו ובוכה במהרה, שאינו יכול להתאפק: **הגללים מקדמים אותו.** שאפס כח המעצר והאכס עיניו בראשו, ואינו משהה נקביו הגדולים כל כך: **כנפי הריאה.** הרואות דריש לשון ריאה: **הכי גרסינן לקמן בקהלת** (יב, ד) **וסגרו דלתים בשוק אלו נקביו של אדם שהן כמו דלת הפותח וסוגר: כד שמע קול צפרים כו'.** כששומע קול צפרים מצפצפים, סבר שגזלנין באים לקפח אותו לגזלו ולהורגו: **יתי.** אותי: **הכי גרסינן ר' חייא בר נחמיא אמר אלו הכליות: הדין סבא דצווחין כו'.** הזקן הזה שקוראין אותו לך למקום פלוני, הוא שואל ואומר יש שם מעלות יש שם מורדות:

אשד הנחלים

לחבריא. לחברים תלמידי חכמים. **ולבוריא.** זהו עמי הארץ. וכלומר אף התלמידי חכמים שהם נקיים. ודרש העבים, שיעכר העין, וכשבא לבכות ימלא עיניו דמעות, כעב המלא מים. ולעמי הארץ אמר שיתבונן על מאוסת הזקנה בדבר יותר מבהיל ויותר נמאס, ומכנה העבים שהם עב ועכור, בערך הטלת מים, כגללים מול הטלת מים: **ארכובותיו.** שהם עיקר מעמיד לגוף האדם, ועיקר החיל והכח הוא בצלעות או בזרועות: **כי מעטו אלו השנים.** מפני שהשינים המה הטוחנים הראשונים, ואחר כך ההמסס טוחן עוד יותר, ואחר שאין בכח השינים לטחון הרבה, אז טחינת ההמסס בטל מכל וכל: **כנפי הריאה.** דריש הרואות, מלשון ריאה (מתנות כהונה). אך לפי זה לא ידעתי מהו שמשם הקול יוצא, וגם מדוע אינו דורש כפשוטו על העין. ואולי משום דהוקשה לו מהו בארובות, ולכן מוכרח לפרש על הריאה, מפני שהקול יוצא דרך ארובות הריאה, שהיא קלה צלולה ועל כן משמיע קול. ודוחק: **בשביל שאין המסס.** דרש בשפל, הב' כמו ב' הסיבה, על ידי שקול הטחנה שפל, על כן הנקבים סגורים, כי מניעת הטחינה מביא העצירות הגדולה: **אלו שפתותיו.** שהם יכולים לסדר המאמרים בדרך שירי, ולעת הזקנה בטל הכח מנעימת המאמרים, ומכח המתפעלי שממנו כח השיר: **אלו הכליות כו'.** מפני שהשיר בטבע לעורר הרעיון

"וְחַתְחַתִּים בַּדֶּרֶךְ" — ***And terror in the road*** — רַבִּי אַבָּא בַּר כָּהֲנָא וְרַבִּי לֵוִי — **R' Abba bar Kahana and R' Levi** give different interpretations: רַבִּי אַבָּא בַּר כָּהֲנָא: חִיתִיתָא שֶׁל דֶּרֶךְ נוֹפֵל עָלָיו — **R' Abba bar Kahana** says: **The terror of** traveling on **the road falls upon him,** וְחָרְנָא אָמַר — **and the other one** (R' Levi) **says:** הִתְחִיל מַתְוֶה תְּוָואִים — **He begins to mark off boundaries,** אָמַר: עַד אֲתַר פְּלָן אִית לִי מַהֲלָךְ — **saying, "Until this place I can travel,** בַּאֲתַר פְּלָן לֵית לִי מַהֲלָךְ — but until **that place I cannot travel."**[34] "וְיָנֵאץ הַשָּׁקֵד", זֶה לוּז שֶׁל שִׁדְרָה — ***And the almond tree blossoms*** — **this is** a reference to the protrusion of **the** ***luz*** bone **of the spine.**[35]

The Midrash interrupts its exposition of this verse to record an incident that demonstrates the strength of the *luz* bone:

אַדְרִיָּנוּס שְׁחִיק עֲצָמוֹת שָׁאַל אֶת רַבִּי יְהוֹשֻׁעַ בַּר חֲנַנְיָא — **Hadrian, may his bones be crushed,**[36] **asked R' Yehoshua bar Chananya** the following question. אָמַר לוֹ: מֵהֵיכָן הַקָּדוֹשׁ בָּרוּךְ הוּא מֵצִיץ אֶת הָאָדָם לֶעָתִיד לָבֹא — **He said to him, "From where will the Holy One, blessed is He, cause man to 'sprout forth' in the future?"**[37] אָמַר לוֹ: מִלּוּז שֶׁל שִׁדְרָה — **[R' Yehoshua] said to him, "From the** ***luz*** bone **of the spine."** אָמַר לוֹ: מִן הָן אַתְּ מוֹדַע לִי — **[Hadrian]** then **said to [R' Yehoshua], "From where can you demonstrate to me** that this is so?"[38] אַיְיתֵי יָתֵיהּ קוֹמוֹי — **[R' Yehoshua] brought [a** ***luz*** **bone] before him.**[39] נְתָנוֹ בַּמַּיִם וְלֹא נִמּוֹחָה — **He** then **put it in water but it did not dissolve.** טְחָנוֹ בָּרֵיחַיִם וְלֹא נִטְחַן — **He ground it in a mill but it would not grind.** נְתָנוֹ בָּאֵשׁ וְלֹא נִשְׂרַף — **He put it in fire but it would not burn.** נְתָנוֹ עַל הַסַּדָּן — **He** then **put it on an anvil.** הִתְחִיל מַקִּישׁ עָלָיו בַּפַּטִּישׁ — **He started to beat on it with a hammer.** נֶחֱלַק הַסַּדָּן וְנִבְקַע הַפַּטִּישׁ וְלֹא הוֹעִיל מִמֶּנּוּ כְּלוּם — The result was that **the anvil split apart and the hammer shattered, but nothing** that he did **affected** the *luz* bone.

The Midrash resumes its exposition of the verse:

"וְיִסְתַּבֵּל הֶחָגָב" — ***And the grasshopper becomes burdened*** — אִילֵּין קַרְסוּלוֹת — **these are** a reference to **the ankles.**[40] "וְתָפֵר הָאֲבִיּוֹנָה" — ***And the "aviyonah" fails*** — זוֹ הַתַּאֲוָה — **this is** the **desire** for marital relations,[41] שֶׁהִיא מַטִּילָה שָׁלוֹם בֵּין אִישׁ לְאִשְׁתּוֹ — **which promotes tranquility between a man and his wife.**[42]

NOTES

34. Accordingly, חַתְחַתִּים is read as though it were written הִתְהִתִּים, cognate to תְּתָאוּ, *you shall draw a line* (*Numbers* 34:7), alluding to the boundary lines demarcated by the aged to indicate the distances they are capable of traveling (*Imrei Yosher*, first explanation).

35. In old age, most of the vertebrae shrink and become sunken. The *luz* bone, which is an extremely strong bone (as is evident from the story below), does not shrink along with the other vertebrae, and it therefore protrudes ("blossoms") like an almond [as compared to the other vertebrae] (*Beur Maharif,* followed by *Eitz Yosef*).

36. That is: May Hadrian, the evil emperor of Rome, be cursed (ibid).

37. The question is: When the Revivification of the Dead occurs, from which part of the body will it begin, i.e., which part of the body will remain intact from the time of death until the time of Revivification and will develop into a complete human being? For only during Creation did God create something out of nothingness (יֵשׁ מֵאַיִן); ever since then, even when God creates something new, the new entity must be formed out of existing matter (*Eshed HaNechalim*; see also *Imrei Yosher*).

The Midrash is now expounding וְיָנֵאץ הַשָּׁקֵד as a reference to the "blossoming" of the luz bone at the time of the Revivification (*Imrei Yosher*; see also *Eitz Yosef*). See Insight Ⓐ.

38. I.e., prove to me that this bone is different than other bones and does not disintegrate with time (*Matnos Kehunah*, followed by *Eitz Yosef*).

39. Ibid.

40. I.e., the weight of the body becomes a burden upon the ankles. The ankle is referred to as a grasshopper because the grasshopper has additional joints ("ankles") in addition to its knees (*Eitz Yosef*).

41. The word אֲבִיּוֹנָה means "desire," as in וְלֹא אֲבִיתֶם, *You did not desire* [*Deuteronomy* 1:26] (*Rashi* to *Ecclesiastes* ad loc.; see, however, *Eitz Yosef*, who writes that the Midrash is taking the word אֲבִיּוֹנָה as related to the word תַּאֲוָה, *desire*).

42. The *Ecclesiastes* verse is noting that this desire wanes with old age.

[*Eitz Yosef* writes that when the Midrash uses the word הַתַּאֲוָה, *desire*,

INSIGHTS

Ⓐ **The Source of Immortality** Our Midrash tells us of the extraordinary properties of the *luz* bone, whose indestructible nature makes it serve as the "seed" from which the rest of the body will regenerate at the time of the Revivification of the Dead. Tradition identifies another unique feature of this small bone: *There is one limb in the body, called "Niskoi"* [a synonym for the *luz* bone], *that remains intact until the time of the Revivification ... This limb is nourished only from the Melaveh Malkah meal* (*Mishnah Berurah* 300:2, based on *Shibbolei HaLeket*). *Melaveh Malkah* [literally, *escorting the queen*] is the meal eaten after the conclusion of the Sabbath to "escort" the holy day that departs.

What is the connection between the special role of the *luz* bone and its very particular source of nourishment? And why indeed is it necessary for there to be a part of the body that remains for the great Revivification? Could God not fashion a new body even when there is nothing left of the old? (See note 37 for one answer to this last question.)

R' Yaakov Emden in his *Siddur* (*Chelek Beis David, Seudas Levayas HaMalkah*) explains that it is an essential element of the miracle of the Revivification that the same body that died be revitalized. If the entire body would be subject to destruction after death, it could not be said that God revivified the dead, but only that He created a new person. For this reason it is important that there be some part of the body that endures, and from which the new body will be built. The *luz* bone serves the function of connecting the identity of the newly revitalized body to the person who had died.

Now, were the *luz* bone to be nourished in the same way as the other parts of the body, it would perforce be subject to the same natural deterioration as the rest of the body. Instead, the *luz* bone was created as a physical structure that has a spiritual source of nourishment. This special source of nourishment accords with the *luz* bone's special properties. For just as the spirit is not subject to the ravages of time and physical disintegration, so too is this bone impervious to all forces of decay. The question only remains: Where can we find a source of nourishment in this world that can be considered purely spiritual? For this special source we turn to the *Melaveh Malkah* meal.

Although all the meals of the Sabbath are a mitzvah, they also serve the more mundane purpose of satisfying one's natural need for daily sustenance. After the Sabbath, however, when every Jew has already eaten two meals (the morning meal and the *Shalosh Seudos* meal), the physical appetite has already been sated. When one sits down to eat the *Melaveh Malkah*, in honor of the Sabbath and in accordance with the halachah, there is no physical hunger left to satisfy. The meal is therefore spiritually — not physically — fulfilling. Thus, it is fitting that the *luz* bone, whose nature is of a higher spiritual order, be nourished only from the *Melaveh Malkah* — the one meal that nourishes primarily the spiritual rather than the physical.

According to this approach, the *luz* is immortal and must *therefore* be nourished by the *Melaveh Malkah* meal.

Another approach has the cause and effect reversed: The unique property of the *luz*, that it gains nourishment only from the *Melaveh Malkah* meal, is the very *cause* of its immortality. Death, and the subsequent return of the body to the elements, came to the world as a result of Adam's sin of eating from the fruit of the Tree of Knowledge. On that day God declared, *For you are dust, and to dust shall you return* (*Genesis* 3:19). Our Sages teach that the day that Adam sinned, the first day of his life, was a Friday (*Sanhedrin* 38b). Therefore, when Adam ate from the forbidden fruit, the sin nourished his entire body and made it mortal — except for the one bone that derived no sustenance from that sinful food. For the *luz* bone is nourished *only* by the food of the post-Sabbath meal and thus was spared the poisonous nourishment of the sin that brought death to the rest of the body. And so, even with Adam's children, when the rest of the body must suffer the curse of mortality of that first day, the *luz* remains impervious, retaining its original state of immortality. Thus it remains through the ages, ready to serve as the source of life once more when, at the end of days, God will remove the curse of death from this world, and revitalize the body from that which had never lost its immortality (*Elyah Rabbah, Orach Chaim* 300:3, and others).

(שם) "וְחַתְחַתִּים בַּדֶּרֶךְ", רַבִּי אַבָּא בַּר כָּהֲנָא וְרַבִּי לֵוִי, רַבִּי אַבָּא בַּר כָּהֲנָא: חִיתִּיתָא שֶׁל דֶּרֶךְ נוֹפֵל עָלָיו, וְחָרְנָא אָמַר: הִתְחִיל מִתְוֶה *תְּוָאִים, אָמַר: עַד אֲתַר פְּלָן אִית לִי מְהַלֵּךְ, בַּאֲתַר פְּלָן לֵית לִי מְהַלֵּךְ, (שם) "וְיִנָאֵץ הַשָּׁקֵד", °אִילֵין קַרְסוּלוֹת, (שם) "וְיִסְתַּבֵּל הֶחָגָב"°, זֶה לוּז שֶׁל שִׁדְרָה, אַדְרִיָּנוּס שְׁחִיק עֲצָמוֹת שָׁאַל אֶת רַבִּי יְהוֹשֻׁעַ בַּר חֲנַנְיָא, אָמַר לוֹ: מֵהֵיכָן הַקָּדוֹשׁ בָּרוּךְ הוּא מֵצִיץ אֶת הָאָדָם לֶעָתִיד לָבֹא, אָמַר לוֹ: מִלּוּז שֶׁל שִׁדְרָה, אָמַר לוֹ: מִן הָן אַתְּ מוֹדַע לִי, אַיְתֵי יָתֵיהּ קוֹמוֹי, נְתָנוֹ בַּמַּיִם וְלֹא נִמּוֹחָה, טְחָנוֹ בָּרֵיחַיִם וְלֹא נִטְחַן, נְתָנוֹ בָּאֵשׁ וְלֹא נִשְׂרַף, נְתָנוֹ עַל הַסַּדָּן הִתְחִיל מַקִּישׁ עָלָיו בַּפַּטִּישׁ, נֶחֱלַק הַסַּדָּן וְנִבְקַע הַפַּטִּישׁ וְלֹא הוֹעִיל מִמֶּנּוּ כְּלוּם. ° (שם) "וְתָפֵר הָאֲבִיּוֹנָה", זוֹ הַתַּאֲוָה שֶׁהִיא מְטִילָה שָׁלוֹם בֵּין אִישׁ לְאִשְׁתּוֹ, רַבִּי שִׁמְעוֹן בֶּן חֲלַפְתָּא הֲוָה סָלֵיק שָׁאֵיל בִּשְׁלָמֵיהּ דְּרַבִּי בְּכָל יֶרַח וְיֶרַח, כֵּיוָן דְּסָב יָתֵיב לֵיהּ וְלָא יָכוֹל לְמִיסַק, יוֹם חַד סָלֵיק, אֲמַר לֵיהּ: מָה עִיסְקָךְ דְּלֵית אַתְּ סָלֵיק לְגַבֵּי הֵיךְ דַּהֲוֵית יְלִיף, אֲמַר לֵיהּ: רְחוֹקוֹת נַעֲשׂוּ קְרוֹבוֹת קְרוֹבוֹת נַעֲשׂוּ רְחוֹקוֹת, שְׁתַּיִם נַעֲשׂוּ שָׁלֹשׁ, וּמַטִּיל שָׁלוֹם בַּבַּיִת בָּטֵל, וּפֵירוּשָׁא, רְחוֹקוֹת נַעֲשׂוּ קְרוֹבוֹת, אִילֵין עַיְנַיָּא דַּהֲווּ חָמְיָין מֵרָחוֹק, כַּדּוּ אֲפִילּוּ מִקָּרוֹב לֵית אִינּוּן חָמְיָין,

עץ יוסף

שהוא מפחד מהם שהוא נלאה לעלות ולירד: **חיתותא.** מורא ופחד: **מתווה תוואים.** פירוש משים סמנים [כמו תתאו לכם] ואומר עד מקום פלוני יכולני לילך ועד מקום פלוני יותר מעט לא יכולני לילך: **וינאץ השקד זה לוז של שדרה.** כן צריך לומר, וכן הוא בקהלת רבה. והיא חוליא קטנה שבסוף החוליות, וכל החוליות מתכחשות ומושפלות על ידי הזקנה, וזו בולטות כשקד לפי שהיא יותר חזקה מכולן ואינה מתכחשת בזקנה, ומייתי לראיה עובדא דאדריינוס לומר שלוז זה קשה מכל האיברים. ויתכן דסבירא ליה דוינאץ השקד רמיז אגב אורחיה שממנו מציץ האדם לעתיד לבא ולהכי מייתי הכא מילתא דאדריינוס: **ויסתבל החגב אלו קרסולות** כן צריך לומר. ואף לפי גירסתינו לא שייכא כאן, אלא בתר עובדא דאדריינוס גרסינן ויסתבל החגב אלו קרסולות, וכן הוא בקהלת רבה. ופירושו שמפני שהן סובלות הגוף קאמר ויסתבל שיהיו נלאות מלסובלו, [ופירוש המלה הפך הענין כמו (במדבר ד, יג) ודשנו את המזבח]. וטעם קריאת הקרסול חגב נראה, מפני שיש לו קרסולים מלבד הכרעים, כדאיתא בפרק אלו טריפות (חולין נט, א): **שחיק עצמות.** ישחקו ויטחנו עצמותיו, והוא לשון קללה: **מציץ.** לשון (במדבר יז, כג) ויצץ ציץ, מגיצו מן העפר לעתיד דכתיב (תהלים עב, טז) ויציצו מעיר: **מן הן.** מהיכן אתה מודיעני שאותו עצם לוז קיים עד אותו זמן ואינו נרקב כשאר עצמות: **אייתי כו'.** ר' יהושע הביא עצם לוז לפני אדריאנוס: **זו התאוה.** תאות נשים, שאינו נזקק לתשמיש. ודרש אביונה לשון תאוה, ולפי שהתאוה מכמה פנים אפשר, תאות המאכל או תאות שררה וכיוצא, לכן הוסיף ואומר שהיא מטילה שלום בין איש לאשתו, לומר דאביונה נדרש לשון חבה ואהבה נמי, ולזה על כרחך נדרש בתאות נשים שהיא סבת אהבה ושלום בבית, מה שאין כן שאר התאות: **בכל ירח וירח.** בכל חדש וחדש, כמו שאמרו חכמינו ז"ל (ראש השנה טז, ב) שחייב אדם להקביל פני רבו בראש חודש שנאמר לא חדש היום (מתנות כהונה). ואפשר הוה מהדר תלמודא כל תלתין יומין (רד"ל): **כיון דסב.** כיון שהזקין: **יתב ביה כו'.** ישב לו בביתו ולא היה יכול לעלות אליו: **יומא חד סליק כו'.** יום אחד עלה רבי שמעון לרבי: **אמר ליה מה עסקך.** כלומר ענינך, ומה טעם יש בו שאין אתה בא אלי כמקדם: **ומטיל שלום בבית בטל.** אף על פי שאין זה מעלה ומוריד להמנע מקבלת פני רבו, הזכיר זה לומר שקפלה עליו הזקנה מאד ולכן לא יוכל לצאת ולבא: **אילין עיניא כו'.** אלו הן העינים שהיו רואות מרחוק: **כדו כו'.** פירוש עתה אפילו מקרוב אינם רואות:

פירוש מהרז"ו

חיתיתו של דרך. בקהלת רבה הגירסא איזיל לא איזיל, אמר לה איזיל: **וינאץ השקד וכו'.** בקהלת רבה שם הגירסא בהיפך, וינץ השקד זה לוז השדרה, ויסתבל החגב אלו הקרסולים, וינאץ השקד שיהיה פורח בלוז והשקד, ויהיה בולט מן הגוף מחמת כחשות הזקנה, זה העצם הקטן של השדרה שדומה ללוז ולאגוז קטן ושקד, ויסתבל החגב שהקרסולים סובלים הגוף שעומד עליהם, והקרסולים הם מסימני טהרה של החגב, שיש לו קרסולים כמו שאמרו חולין (נט, א): **מציץ.** שם הגירסא מניץ, כמו שכתוב (קהלת יב, ה) וינץ, והכוונה אחת על הפריחה והבליטה: **זה התאוה.** כמו שכתוב לקמן פרשה לד (סימן טו) האביון שתאב לכל, ומה שכתוב ותופר היינו שתופר הברית והשלום שבין האיש והאשה, כמו שאמרו שבת (קנב, א) ומטיל שלום בבית בטל: **רחוקות.** העין שהיה רואה מרחוק, עתה צריך לקרב העין אל הדבר, או הדבר אל העין:

מתנות כהונה

חיתותא. מורא ופחד מלשון חתת ה': **מתאוה תוואים כו'.** מסמן סימנים וגבולים לאמר עד מקום פלוני יכולני לילך ועד מקום פלוני יותר מעט לא יכולני לילך: **ויסתבל.** מגזרת סבל, כמו וישתמר מגזרת שמר: **זה לוז כו'.** והוא עליו למשא שהולך כפוף בשדרתו: **שחיק עצמות.** ישחקו ויטחנו עצמותיו, ותפס לשון קללה תחשב לו: **מציץ.** לשון ויצץ ציץ (במדבר יז, כג), מגיצו מן העפר לעתיד, דכתיב (תהלים עב, טז) ויציצו מעיר: **מן הן.** מהיכן אתה מודיעני שאותו עצם לוז קיים עד אותו זמן, ואינו נרקב כשאר עצמות: **אייתי כו'.** רבי יהושע הביא עצם לוז לפני אדרייאנוס: **זה התאוה.** דרש אביונה לשון תאב ויאהב: **בבל ירח וירח.** כל חדש וחדש, כמו שאמרו חכמינו ז"ל (ראש השנה טז, ב) חייב אדם להקביל פני רבו בראש חודש שנאמר (מלכים ב, ד, כג) לא חדש היום: **ביון דסב.** כיון שהזקין: **יתיב כו'.** ישב לו בביתו ולא היה יכול לעלות אליו: **יומא חד סליק.** יום אחד עלה ר' שמעון לרבי: **אמר ליה מה עסקך.** כלומר מה ענייך ומה טעם יש בו: **היך דהוית.** יליף כמו שהיית למוד ורגיל, ובקהלת (יב, ה) יש גירסא אחרת, ויש לה סמך במסכת שבת פרק השואל (קנא, ב): **ומטיל שלום בטל.** ושוב מפרש והולך אחת ואחת: הכי גרסינן במדרש קהלת **בטל פירושא רחוקות כו'**: **אילין עיינין כו'.** אלו הן העינים שהיו רואות מרחוק: **בדו.** כלומר עתה אפילו מקרוב אינם רואות:

אשד הנחלים

והמחשבה, לכן קרא להכליות בשם בנות השיר: **חיתיתא של דרך.** כלומר אף שאין פחד מאומה בדרך, עם כל זה הדרך בעצמו מביא חרדה בלבו: **השקד אלו קרסולות.** יתכן שזה שם לעכברים, שקורים מוסקלין, שעל ידיהם יתחברו האיברים יחד, והמה עצבים לבנים, ולפעמים נקראים בשם שקדים, יען תארם כתאר השקדים בתמונתם. והנה הקרסולים והרגלים המה מעמידי הגוף, ועיקר החוזק הוא בהשקדים, אך לעת הזקנה ינאץ ויתבטל כחו: **לוז של שדרה.** דרש יסתבל, ויסבול החגב את עצמו, שרק הוא ישאר קיים: **מהיכן מציץ.** כי כן דעת חז"ל גם כן, שלא יברא ה' בריאה חדשה יש מאין, שהיתה רק בפעם אחת בעת הבריאה, ואחר כך לא יהיה כי אם יש מיש, וגם כל הניסים בכלל זה, וכמו שאמרו בשבת (ל, ב) עתידה אשה שתלד כו', התחיל ללגלג אותו תלמיד. והראה לו רבן גמליאל דוגמא זו, וכדומה הרבה: **התאוה כו' שלום.** דרש האביונה מלשון תאוה (מתנות כהונה). ואף שאין זה רעה בעצם, כי חוש המשוש חרפה הוא, עם כל זה ימצא בו בחינה טובה, שהיא מטלת שלום: **עיניו כו' אזניו.** גם על האזנים היה יכול לומר רחוקות נעשו קרובות כעל העינים, רק שמצא מליצה הפוכה על האזנים ואמר כדמות מליצה:

חידושי הרד"ל

וינאץ השקד זה לוז של שדרה. פירש בערוך ערך לוז, שדומה לשקד: **אנדרינוס כו' ממנו כלום ויסתבל החגב אלו קרסולין** (שחגב יש לו כרעים וקרסולים) **ותפר האביונה כו'.** כן הוא בקהלת רבה, וכן צריך לומר: **בבל ירח וירח.** שחייב להקביל פני רבו בראש חדש, כדאיתא (בראש השנה טז, ב). ואיפשר הוי מהדר תלמודא כל תלתין יומין:

באור מהרי"פ

לוז של שדרה. היא חוליא קטנה שבסוף החוליות, וכל החוליות מתכחשות ומושפלות על ידי הזקנה, וזו בולטת כשקד לפי שהיא יותר חזקה מכולם ואינה מתכחשת בזקנה, ומסכים לזה מייתי עובדא דאדריאנוס: **זו התאוה וכו'.** שהיא תאות המשגל, ונקט ודריש על תאוה זו דוקא מפני שהטביע הבורא תאוה זו בילורים במעט יותר מכל התאוות, מפני שהיא סבה לקיום העולם, לכן אמר לרבותא שגם תאוה זו בטלה בימי הזקנה: **רחוקות וכו' קרובות וכו'.** פירוש אלא העינים כוונת המדרש קרובות ורחוקות במקום, ואלו האזנים קרובות ורחוקות בזמן:

אמרי יושר

התחיל מתווה. ומרשם ומגביל גבולים, כמו תתאו לכם, קרי ביה התתחסים. או מלשון תימה וקושי, איך אוכל להלוך כל זה המהלך: **לוז [של] השדרה.** שבראש חוליות השדרה, שהוא קשה, שממנו נברא אדם, כי לא יברא מאין, רק יש מיש, כי זה גמולו, שהגוף בעצמו ילמח, זהו ויצץ, כשהגוף חלש, השקד נראה גבוה, גם דרשו ויצץ, רמז על תחייתו לעתיד:

ידי משה

[א] ויסתבל החגב זה לוז. לפי שהוא מציץ, כמו דברי אדריינוס שאמר מהיכן הקב"ה מציץ:

שינוי נוסחאות

וינאץ השקד אילין קרסולות, ויסתבל החגב זה לוז של שדרה. א"א מוחק "אילין קרסולות ויסתבל החגב", דשקד הוא הלוז, וכן כתב רד"ל. **ותפר האביונה, זו התאוה.** כאן גרסו א"א ורד"ל: "ויסתבל החגב אילין קרסולות" (שמחקוהו לעיל): **ופירושא, רחוקות נעשו קרובות ...** תיבת "ופירושא" ליתא בשום כ"י ואף לא בדפוסים הישנים, והוסיפו אותו לד' קראקא ע"פ מה שכתב מ"כ, ובדפוסים המאוחרים הכניסו את כל מאמר ה"פירושא" הזה לתוך סוגריים, להראות שאינו מעיקר המדרש, אבל אינו כן, שהוא באמת מעיקר המדרש (דלא כבכמה מקומות אחרים במדרש שכתוב "פירוש") כניכר מלשונו, והוא גם נמצא בכל הכי"י:

The Midrash records a story to emphasize this last point: רַבִּי שִׁמְעוֹן בֶּן חֲלַפְתָּא הֲוָה סָלֵיק שָׁאֵיל בִּשְׁלָמֵיהּ דְּרַבִּי בְּכָל יָרֵחַ וְיָרֵחַ — R' Shimon ben Chalafta would go up to greet Rebbi every month, i.e., every Rosh Chodesh.[43] כֵּיוָן דְּסָב יָתֵיב לֵיהּ וְלָא יָכוֹל לְמֵיסַק — When he grew old he remained at home, for he was unable to go up to visit him. יוֹם חַד סָלֵיק — One day he did go up to visit him. אֲמַר לֵיהּ: מָה עִיסְקָךְ דְּלֵית אַתְּ סָלֵיק לְגַבֵּי הֵיךְ דַּהֲוֵית יְלִיף — [Rebbi] said to him, "On what account[44] have you not been coming up to visit me as you had been accustomed in the past?" אֲמַר לֵיהּ: רְחוֹקוֹת נַעֲשׂוּ קְרוֹבוֹת קְרוֹבוֹת נַעֲשׂוּ רְחוֹקוֹת — [R' Shimon] said to [Rebbi], "What was distant has become near and what was near has become distant; שְׁתַּיִם נַעֲשׂוּ שָׁלֹשׁ — what was two has become three, וּמֵטִיל שָׁלוֹם בַּבַּיִת בָּטֵל — and that which promotes domestic tranquility has ceased." וּפֵירוּשָׁא — [The following is] the explanation of R' Shimon's reply: רְחוֹקוֹת נַעֲשׂוּ קְרוֹבוֹת, אִילֵּין עֵינַיָּא — "What was distant has become near" — these are a reference to the eyes דַּהֲווֹ חָמְיָין מֵרָחוֹק — that were able to see at a distance when I was young, כַּדּוּ אֲפִילוּ מִקָּרוֹב לֵית אִינוּן חָמְיָין — but now that I am old they cannot see even that which is near.[45]

NOTES

we still do not know what kind of desire it is referring to, since there are different kinds (e.g., desire for food, desire for power). The Midrash therefore adds the phrase "which promotes tranquility, etc.," in order to clarify that we are discussing desire for marital relations, for it is specifically that kind of desire that promotes domestic tranquility. The Midrash is thus taking אֲבִיּוֹנָה as related not only to תַּאֲוָה, *desire* (see preceding note), but also to חִבָּה, *affection*, and אַהֲבָה, *love*.]

43. He did so in keeping with the teaching of the Sages (*Succah* 27b) that one is obligated to visit one's teacher on Rosh Chodesh [as well as on the Sabbath and festivals] (*Matnos Kehunah*, cited also by *Eitz Yosef*).

44. Lit., *what is your business* (ibid.).

45. *Yefeh To'ar* and *Eitz Yosef* take this statement literally. *Maharzu*, however, appears to interpret this statement to mean: What in the past I could see even from afar I can see now only from up close.

(שם) "וַחְתַחְתִּים בַּדֶּרֶךְ", רַבִּי אַבָּא בַּר כָּהֲנָא וְרַבִּי לֵוִי, רַבִּי אַבָּא בַּר כָּהֲנָא: חִיתִיתָא שֶׁל דֶּרֶךְ נוֹפֵל עָלָיו, וְחָרְנָא אָמַר: הִתְחִיל מִתְוֶה *תְּוָאִים, אָמַר: עַד אֲתַר פְּלָן אִית לִי מְהַלָּךְ, בְּאַתַר פְּלָן לֵית לִי מְהַלָּךְ". (שם) "וְיִנָּאֵץ הַשָּׁקֵד", °אִילֵּין קַרְסוּלוֹת, (שם) "וְיִסְתַּבֵּל הֶחָגָב"°, זֶה לוּז שֶׁל שִׁדְרָה, אַדְרִיָנוּס שְׁחִיק עַצְמוֹת שָׁאַל אֶת רַבִּי יְהוֹשֻׁעַ בַּר חֲנַנְיָא, אָמַר לוֹ: מֵהֵיכָן הַקָּדוֹשׁ בָּרוּךְ הוּא מֵצִיץ אֶת הָאָדָם לֶעָתִיד לָבֹא, אָמַר לוֹ: מִלּוּז שֶׁל שִׁדְרָה, אָמַר לוֹ: מִן הֵן אַתְּ מוֹדַע לִי, אַיְיתֵי יָתֵיהּ קוֹמוֹי, נְתָנוֹ בַּמַּיִם וְלֹא נִמּוֹחַ, טְחָנוֹ בָּרֵיחַיִם וְלֹא נִטְחַן, נְתָנוֹ בָּאֵשׁ וְלֹא נִשְׂרַף, נְתָנוֹ עַל הַסַּדָּן הִתְחִיל מַקִּישׁ עָלָיו בְּפַטִּישׁ, נֶחְלַק הַסַּדָּן וְנִבְקַע הַפַּטִּישׁ וְלֹא הוֹעִיל מִמֶּנּוּ כְּלוּם, ° (שם) "וְתָפֵר הָאֲבִיּוֹנָה", זוֹ הַתַּאֲוָה שֶׁהִיא מַטִּילָה שָׁלוֹם בֵּין אִישׁ לְאִשְׁתּוֹ, רַבִּי שִׁמְעוֹן בֶּן חֲלַפְתָּא הֲוָה סָלֵיק שָׁאֵיל בִּשְׁלָמֵיהּ דְּרַבִּי בְּכָל יֶרַח וְיֶרַח, כֵּיוָן דְּסָב יָתֵיב לֵיהּ וְלָא יָכוֹל לְמֵיסַק, יוֹם חַד סָלֵיק, אֲמַר לֵיהּ: מָה עִיסְקָךְ דְּלֵית אַתְּ סָלֵיק לְגַבִּי הֵיךְ דַּהֲוֵית יְלִיף, אֲמַר לֵיהּ: רְחוֹקוֹת נַעֲשׂוּ קְרוֹבוֹת קְרוֹבוֹת נַעֲשׂוּ רְחוֹקוֹת, שְׁתַּיִם נַעֲשׂוּ שָׁלֹשׁ, וּמַטִּיל שָׁלוֹם בַּבַּיִת בָּטֵל, וּפֵירוּשָׁא, רְחוֹקוֹת נַעֲשׂוּ קְרוֹבוֹת, אִילֵּין עֵינַיָּא דַהֲווֹ חָמְיָין מֵרָחוֹק, כַּדּוּ אֲפִילּוּ מִקָּרוֹב לֵית אִינוּן חָמְיָין,

עץ יוסף

שהוא מפחד מהם שהוא נלאה לעלות ולירד: **חיתותא.** מורא ופחד: **מתווה תוואים.** פירוש משים סמנים [כמו תתאו לכם] ואומר עד מקום פלוני יכולני לילך ועד מקום פלוני יותר מעט לא יכולני לילך: **וינאץ השקד זה לוז של שדרה.** כן צריך לומר, וכן הוא בקהלת רבה. והיא חוליא קטנה שבסוף החוליות, וכל החוליות מתכתשות ומושפלות על ידי הזקנה, וזו בולטות כשקד לפי שהיא יותר חזקה מכולן ואינה מתכתשת בזקנה, ומייתי לראיה עובדא דאדריינוס לומר שלוז זה קשה מכל האיברים. ויתכן דסבירא ליה דוינאץ השקד רמיז אגב אורחיה שממנו מציץ האדם לעתיד לבא ולהכי מייתי הכא מילתא דאדריינוס: **ויסתבל החגב אלו קרסולות** כן צריך לומר. ואף לפי גירסתינו לא שייכא כאן, אלא בתר עובדא דאדריינוס גרסינן ויסתבל החגב אלו קרסולות, וכן הוא בקהלת רבה. ופירושו שמפני שהן סובלות הגוף קאמר ויסתבל שיהיו נלאות מלסובלו, [ופירוש המלה הפך הענין כמו (במדבר ד, יג) ודשנו את המזבח]. וטעם קריאת הקרסול חגב נראה, מפני שיש לו קרסולים מלבד הכרעים, כדאיתא בפרק אלו טריפות (חולין נט, א): **שחיק עצמות.** ישחקו ויטחנו עצמותיו, והוא לשון קללה: **מציץ.** לשון (במדבר יז, כג) ויצץ ציץ, מגילו מן העפר לעתיד דכתיב (תהלים עב, טז) ויציצו מעיר: **מן הן.** מהיכן אתה מודיעני שאותו עצם לוז קיים עד אותו זמן ואינו נרקב כשאר עצמות: **אייתי כו'.** ר' יהושע הביא עצם לוז לפני אדריאנוס: **זו התאוה.** תאות נשים, שאינו נזקק לתשמיש. ודרש אביונה לשון תאוה, ולפי שהתאוה מכמה פנים שאפשר, תאות המאכל או תאות שררה וכיוצא, לכן הוסיף ואומר שהיא מטילה שלום בין איש לאשתו, לומר דאביונה נדרש לשון חבה ואהבה נמי, ולזה על כרחך נדרש בתאות נשים שהיא סבת אהבה ושלום בבית, מה שאין כן שאר התאות: **בבל ירח וירח.** בכל חדש וחדש, כמו שאמרו חכמינו ז"ל (ראש השנה טז, ב) שחייב אדם להקביל פני רבו בראש חודש שנאמר לא חדש היום (מתנות כהונה). ואפשר הוא מהדר תלמודא כל תלתין יומין (רד"ל): **ביון דסב.** כיון שהזקין: **יתב ביה כו'.** ישב לו בביתו ולא היה יכול לעלות אליו: **יומא חד סליק כו'.** יום אחד עלה רבי שמעון לרבי: **אמר ליה מה עסקך.** כלומר ענינך, ומה טעם יש בו שאין אתה בא אלי כמקדם: **ומטיל שלום בבית בטל.** אף על פי שאין זה מעלה ומוריד להמנע מקבלת פני רבו, הזכיר זה לומר שקפצה עליו הזקנה מאד ולכן לא יוכל לצאת ולבא: **אילין עיניא בו'.** אלו הן העינים שהיו רואות מרחוק: **בדו בו'.** פירוש עתה אפילו מקרוב אינם רואות:

פירוש מהרז"ו

חיתיתו של דרך. בקהלת רבה הגירסא איזיל לא איזיל, אמר לא איזיל: **וינאץ השקד וכו'.** בקהלת רבה שם הגירסא בהיפך, וינאץ השקד זה לוז השדרה, ויסתבל החגב אלו הקרסולים, וינאץ השקד שיהיה פורח בלוז והשקד, ויהיה בולט מן הגוף מחמת כחשות הזקנה, זה העצם הקטן של השדרה שדומה ללוז ואגוז קטן ושקד, ויסתבל החגב שהקרסולים סובלים הגוף שעומד עליהם, והקרסולים הם מסימני טהרה של החגב, שיש לו קרסולים כמו שאמרו חולין (נט, א): **מציץ.** שם הגירסא מניץ, כמו שכתוב (קהלת יב, ה) וינץ, והכוונה אחת על הפריחה והצליחה: **זה התאוה.** כמו שכתב לקמן פרשה לד (סימן יד) האביון שתאב לכל, ומה שכתוב ותופר היינו שתופר הברית והשלום שבין האיש והאשה, כמו שאמרו שבת (קנב, א) ומטיל שלום בבית בטל: **רחוקות.** העין שהיה רואה מרחוק, עתה צריך לקרב העין אל הדבר, או הדבר אל העין:

מתנות כהונה

חיתותא. מורא ופחד מלשון חתת ה': **מתאוה תוואים כו'.** מסמן סימנים וגבולים לאמר עד מקום פלוני יכולני לילך ועד מקום פלוני יותר מעט לא יכולני לילך: **ויסתבל.** מגזרת סבל, כמו ויסתמר מגזרת שמר: **זה לוז כו'.** והוא עליו למשא שהולך כפוף בשדרתו: **שחיק עצמות.** ישחקו ויטחנו עצמותיו, ותפס לשון קללה תחשב לו: **מציץ.** לשון ויצץ ציץ (במדבר יז, כג), מגילו מן העפר לעתיד, דכתיב (תהלים עב, טז) ויציצו מעיר: **מן הן.** מהיכן אתה מודיעני שאותו עצם לוז קיים עד אותו זמן, ואינו נרקב כשאר עצמות: **אייתי כו'.** רבי יהושע הביא עצם לוז לפני אדרייאנוס: **זה התאוה.** דרש אביונה לשון תאב ויאהב: **בבל ירח וירח.** כל חדש וחדש, כמו שאמרו חכמינו ז"ל (ראש השנה טז, ב) חייב אדם להקביל פני רבו בראש חודש שנאמר (מלכים ב, ד, כג) לא חדש היום: **ביון דסב.** כיון שהזקין: **יתיב בו'.** ישב לו בביתו ולא היה יכול לעלות אליו: **יומא חד סליק.** יום אחד עלה ר' שמעון לרבי: **אמר ליה מה עסקך.** כלומר מה ענייך ומה טעם יש בו: **היך דהוית.** יליף כמו שהיית למוד ורגיל, ובקהלת (יב, ה) יש גירסא אחרת, ויש לה סמך במסכת שבת פרק השואל (קנא, ב): **ומטיל שלום בטל.** ושוב מפרש והולך אחת ואחת: הכי גרסינן במדרש קהלת **בטל פירושא רחוקות כו': אילין עיינין כו'.** אלו הן העינים שהיו רואות מרחוק: **בדו.** כלומר עתה אפילו מקרוב אינם רואות:

אשד הנחלים

והמחשבה, לכן קרא להכליות בשם בנות השיר: **חיתיתא של דרך.** כלומר אף שאין פחד מאומה בדרך, עם כל זה הדרך בעצמו מביא חרדה בלבו: **השקד אלו קרסולות.** יתכן שזה שם לעכברים, שקורים מוסקלין, שעל ידיהם יתחברו האיברים יחד, והמה עצבים לבנים, ולפעמים נקראים בשם שקדים, יען תארם כתאר השקדים בתמונתם. והנה הקרסולים והרגלים המה מעמידי הגוף, ועיקר החוזק הוא בהשקדים, אך לעת הזקנה ינאץ ויתבטל כחו: **לוז של שדרה.** דרש יסתבל, ויסבול החגב את עצמו, שרק הוא ישאר קיים: **מהיכן מציץ.** כי כן דעת חז"ל גם כן, שלא יברא ה' בריאה חדשה יש מאין, שהיתה רק בפעם אחת בעת הבריאה, ואחר כך לא יהיה כי אם יש מיש, וגם כל הניסים בכלל זה, וכמו שאמרו בשבת (ל, ב) עתידה אשה שתלד כו', התחיל ללגלג אותו תלמיד. והראה לו רבן גמליאל דוגמא זו, וכדומה הרבה: **התאוה כו' שלום.** דרש האביונה מלשון תאוה (מתנות כהונה). ואף שאין זה רעה בעצם, כי חוש המשוש חרפה הוא, עם כל זה ימצא בו בחינה טובה, שהיא מטלת שלום: **עיניו כו' אזניו.** גם על האזנים היה יכול לומר רחוקות נעשו קרובות כעל העינים, רק שמצא מליצה הפוכה על האזנים ואמר כדמות מליצה:

חידושי הרד"ל

וינאץ השקד זה לוז של שדרה. פירש בערוך ערך לוז, שדומה לשקד: **אנדריינוס כו' ממנו כלום ויסתבל החגב אלו קרסולין** (שחגב יש לו כרעים וקרסולים) **ותפר האביונה כו'.** כן הוא בקהלת רבה, וכן צריך לומר: **בכל ירח וירח.** שחייב להקביל פני רבו בראש חדש, כדאיתא (בראש השנה טז, ב). ואפשר הוי מהדר תלמודא כל תלתין יומין:

באור מהרי"פ

לוז של שדרה. היא חוליא קטנה שבסוף החוליות, וכל החוליות מתכתשות ומושפלות על ידי הזקנה, וזו בולטת כשקד לפי שהיא יותר חזקה מכולם ואינה מתכתשת בזקנה, ומסכים לזה מייתי עובדא דאדריאנוס: **זו התאוה וכו'.** שהיא תאות המשגל, ונקט ודריש על תאוה זו דוקא מפני שהטביע הבורא תאוה זו ביצורים במעט יותר מכל התאוות, מפני שהיא סבה לקיום העולם, לכן אמר לרבותא שגם תאוה זו בטלה בימי הזקנה: **רחוקות וכו' קרובות וכו'.** פירוש אלה העינים כוונת המדרש קרובות ורחוקות במקום, ואלה האזנים קרובות ורחוקות בזמן:

אמרי יושר

התחיל מתווה. ומרשם ומגביל גבולים, כמו תתאו לכם, קרי ביה התהתים. או מלשון תימה וקושי, איך אוכל להלוך כל זה המהלך: **לוז [של] השדרה.** שבראש חוליות השדרה, שהוא קשה, שממנו נברא אדם, כי לא יברא מאין, רק יש מיש, כי זהו גמולו, שהגוף בעצמו יצמח, זהו וינץ, כשהגוף חלש, השקד נראה גבוה, גם דרשו וינץ, רמז על צמיחתו לעתיד:

ידי משה

[א] ויסתבל החגב זה לוז. לפי שהוא מציץ, כמו דברי אדריינוס שאמר מהיכן הקב"ה מציץ:

שינוי נוסחאות

וינאץ השקד אילין קרסולות, ויסתבל החגב זה לוז של שדרה. א"א מוחק "אילין קרסולות ויסתבל החגב", דשקד הוא הלוז, וכן כתב רד"ל. **ותפר האביונה, זו התאוה.** כאן גרסו א"א ורד"ל: "ויסתבל החגב אילין קרסולות" (שמחקוהו לעיל): **ופירושא, רחוקות נעשו קרובות ...** תיבת "ופירושא" ליתא בשום כי"י ואף לא בדפוסים הישנים, והוסיפו אותו לד' קראקא ע"פ מה שכתב מ"כ, ובדפוסים המאוחרים הכניסו את כל מאמר ה"פירושא" הזה לתוך סוגריים, להראות שאינו מעיקר המדרש, אבל אינו כן, שהוא באמת מעיקר המדרש (דלא כבכמה מקומות אחרים במדרש שכתוב "פירוש") כניכר מלשונו, והוא גם נמצא בכל הכי"י:

קְרוֹבוֹת נַעֲשׂוּ רְחוֹקוֹת — "What was **near has become distant**" — אִילֵין אוּדְנַיָּא דַּהֲווּ שָׁמְעִין בְּחַד זְמַן בִּתְרֵי זִמְנֵי — **these are** a reference to **the ears that were able to hear** after **one or two times** when I was young, כַּדוּ אֲפִילוּ בְּמֵאָה זִימְנִין לֵית אִינוּן שָׁמְעִין — but **now** that I am old **they cannot hear even** after **one hundred times.**[46] שְׁתַּיִם נַעֲשׂוּ שָׁלֹשׁ — "What was **two has become three**" — חוּטְרָא וְתַרְתֵּין רִיגְלַי — this is a reference to **the walking stick** that I must use in addition to **my two feet** now that I am old. וּמְטִיל שָׁלוֹם בַּבַּיִת בָּטֵל — **"That which promotes domestic tranquility has ceased"** — זוֹ הַתַּאֲוָה, שֶׁמַּטִּיל שָׁלוֹם בֵּין אִישׁ לְאִשְׁתּוֹ — **this is** a reference to **the desire** for marital relations, **which promotes tranquility between man and his wife** and has ceased with old age.[47]

The Midrash returns to its exposition of the *Ecclesiastes* passage:

"כִּי הֹלֵךְ הָאָדָם אֶל בֵּית עוֹלָמוֹ" — Verse 5 continues: ***So man goes to his eternal home.*** "בֵּית הָעוֹלָם" לֹא נֶאֱמַר אֶלָּא "בֵּית עוֹלָמוֹ" — ***"The*** **eternal home" is not** stated; **rather** it states ***"his" eternal home.*** מְלַמֵּד שֶׁכָּל צַדִּיק וְצַדִּיק יֵשׁ לוֹ עוֹלָם בִּפְנֵי עַצְמוֹ — This **teaches that every righteous person has his own individual place in eternity.**[48] מָשָׁל לְמֶלֶךְ שֶׁנִּכְנַס לַמְּדִינָה — This can be illustrated by means of **a parable.** It is comparable **to a king who entered a city,** וְעִמּוֹ דּוּכְסִין וְאִיפַּרְכִין וְאִיסְטְרַטִיוֹטִין — **along with commanders, governors, and generals.** אַף עַל פִּי שֶׁהַכֹּל נִכְנָסִין בְּפִילוֹן אֶחָד — **Although** they **all enter** the city **through one gate,** כָּל אֶחָד וְאֶחָד שָׁרוּי לְפִי כְבוֹדוֹ — **each one lodges in accordance with his eminence.** כָּךְ אַף עַל פִּי שֶׁהַכֹּל טוֹעֲמִין טַעַם מִיתָה — **So** too, **although everyone experiences the taste of death,** כָּל צַדִּיק וְצַדִּיק יֵשׁ לוֹ עוֹלָם בִּפְנֵי עַצְמוֹ — **every righteous person has his own individual place in eternity.** "וְסָבְבוּ בַשּׁוּק הַסּוֹפְדִים" — ***While the mourners go about the streets*** — אֵלּוּ הַתּוֹלָעִים — **these are** a reference to **the worms.**[49]

The Midrash expounds the next verse in the *Ecclesiastes* passage as referring to the decomposition of the body after death:[50]

"עַד אֲשֶׁר לֹא יֵרָתֵק חֶבֶל הַכֶּסֶף", זוֹ חוּט הַשִּׁדְרָה — ***Before the silver chain snaps*** (ibid., v. 6) — **this is** a reference to **the spinal cord;**[51] "וְתָרֻץ גֻּלַּת הַזָּהָב", זוֹ גּוּלְגּוֹלֶת — ***and the "gulas"*** [גֻּלַּת] (lit., *bowl of*) ***gold is shattered*** — **this is** a reference to **the skull** (גּוּלְגּוֹלֶת).[52] רַבִּי חִיָּיא בַּר נְחֶמְיָא אָמַר: זוֹ גַּרְגֶּרֶת — However, **R' Chiya bar Nechemya says this is** a reference to **the throat,** שֶׁמַּגְלָה אֶת הַזָּהָב וּמְרִיקָה אֶת הַכֶּסֶף — **which drives away the gold and empties out the silver.**[53] "וְתִשָּׁבֶר כַּד עַל הַמַּבּוּעַ", זוֹ כְּרֵס — ***And the pitcher is broken at the fountain*** — **this is** a reference to **the stomach.**[54] רַבִּי חִיָּיא בְּרֵיהּ דְּרַבִּי פַּפִּי וְרַבִּי יְהוֹשֻׁעַ דְּסִכְנִין בְּשֵׁם רַבִּי לֵוִי — **R' Chiya the son of R' Pappi and R' Yehoshua of Sichnin** say **in the name of R' Levi:** לְאַחַר ג' יָמִים — **After three days** pass from one's death, כְּרֵיסוֹ שֶׁל אָדָם נִבְקַעַת — **a person's stomach bursts** וּמוֹסֶרֶת לַפֶּה — **and passes** its content **to the mouth,**[55] וְאוֹמֶרֶת לוֹ: הֵילָךְ מַה שֶּׁגָּזַלְתָּ וְחָמַסְתָּ וְנָתַתָּ לִי — **and says to it, "Here is what you stole and extorted and gave to me."**[56] רַבִּי חַגַּי בְּשֵׁם רַבִּי יִצְחָק מַיְיתֵי לָהּ מִן הָדֵין קְרָיָא — **R' Chaggai in the name of R' Yitzchak brings [that exposition] from this verse,** "וְזֵרִיתִי פֶרֶשׁ עַל פְּנֵיכֶם פֶּרֶשׁ חַגֵּיכֶם" — ***I will scatter filth on your faces — the filth of your festivals*** (*Malachi* 2:3).[57]

Having mentioned something that occurs three days after death, the Midrash pauses in its exposition of the *Ecclesiastes* passage to discuss *other* things that change three days after death:[58]

NOTES

46. *Eitz Yosef* takes this statement literally. However, *Yefeh To'ar* explains it to mean: Things now have to be repeated many, many times before I can hear. With respect to the ears, the terms "near" and "distant" thus refer to shortness and length of *time* [until something will be heard] (*Yefeh To'ar*).

47. Although the cessation of the desire for marital relations had no bearing on whether R' Shimon visited Rebbi or not, R' Shimon mentioned it so that Rebbi would realize that he was too old and weak to travel to visit him regularly (ibid.).

48. He has his own eternal home in the World to Come befitting his spiritual level. This part of the verse is thus a continuation of verse 1, which states, *So remember your Creator in the days of your youth.* Scripture is advising that a person remember the Creator and perform the commandments in his youth, for he will thereby earn an eternal home befitting his spiritual eminence; he should not wait to do so until old age when it is more difficult to accomplish things (*Eitz Yosef*). See Insight to Kleinman edition of *Rus Rabbah,* 3 §4, "A World of One's Own."

49. That circulate around a dead body the way people circulate in the streets, with no one stopping them; those who see this will mourn for the person who died (*Maharzu*).

This explanation does not account, however, for why the verse uses *mourners* as a metaphor for worms. Indeed, *Yefeh To'ar* (followed by *Eitz Yosef*) writes that he did not find *any* explanation of our Midrash that would account for this. He therefore suggests that perhaps the Midrash should be understood as follows: The phrase אֵלּוּ הַתּוֹלָעִים does not mean "these (*mourners*) are a reference to the worms" but rather "these (*mourners*) are mourning *about* the worms." Even though the deceased has gone on to his eternal rest [and therefore there would seem to be no cause for mourning], the mourners cry about the worms that attach themselves to the body, for the Sages teach that worms are very painful to the dead (see *Shabbos* 152a). [This is not to be taken literally in the sense that the dead body feels pain. Rather, it means that the soul of the dead person suffers anguish when it contemplates how the body, its former abode, is now ingloriously consumed like a piece of meat (*Sefer Chasidim* §1163).]

50. The verse in its entirety states, *Before the silver cord snaps, and the bowl of gold is shattered, and the pitcher is broken at the fountain, and the wheel is smashed at the pit.*

51. The spinal cord is as white as silver. When a person dies, its marrow empties and the cord dries, becoming crooked like a chain (*Eitz Yosef*, from *Rashi* to *Ecclesiastes*).

52. This is derived from the similarity between גֻּלַּת and גּוּלְגּוֹלֶת. The word *gold* is used to refer to the skull because the skull is the most important part of the body [just as gold is the most precious of the metals] (*Eitz Yosef*).

53. This refers to the tendency to spend one's wealth on food and drink to put into one's throat. And R' Chiya reads the beginning of the verse (עַד אֲשֶׁר לֹא יֵרָתֵק חֶבֶל הַכֶּסֶף), as well, as referring to the throat. The verse is thus interpreted as follows: Before that which destroys (חֶבֶל, related to מְחַבֵּל, *destroys*) the silver and drives away (גֻּלַּת, related to מַגְלָה, lit., *exiles*) the gold by causing one to spend it (וְתָרֻץ, related to מַרְצָה, *hands out* [lit., *causes to be accepted*]) — i.e., the throat — snaps (יֵרָתֵק) (see *Maharzu*, *Eitz Yosef*).

54. The stomach is likened to a pitcher in that it is round and protrudes (*Maharzu*). The expression וְתִשָּׁבֵר, *will shatter*, implies that after one's death, the stomach bursts (*Eitz Yosef*, from *Rashi* to *Ecclesiastes*).

55. I.e., the filth from inside the stomach will continuously pour out through the mouth (*Maharzu*). Alternatively, when the stomach begins to decompose, the odor reaches the mouth, and it is as though the stomach is pouring its contents into the mouth (*Eitz Yosef*). Accordingly, *the fountain* in the verse in *Ecclesiastes* refers to the mouth, from which the stomach draws food during a person's lifetime as a *pitcher* draws water from a *fountain* (*Maharzu*).

56. It is as though the stomach were saying to the mouth, "Why did you not consider what your end will be when you fed me forbidden food?" (*Eitz Yosef*).

57. The verse refers to people who act as if all their days were festivals, indulging themselves in food and drink (*Matnos Kehunah*, from *Shabbos* 151b). [When they die, the food they ate in such an unholy fashion will come out onto their faces. *Maharsha* to *Shabbos* (ibid.) writes that the word פֶּרֶשׁ is repeated in the verse and is therefore available for homiletic interpretation. Because of its resemblance to the verb פָּרַשׁ, *separate*, it is interpreted as alluding to those who separate themselves from the Torah.]

58. *Eitz Yosef.*

חידושי הרד"ל

גרגרת שמגלה את הזהב. כן הוא בקהלת רבה, וכן צריך לומר: **לאחר שלשה ימים כריסו כו'.** בראשית רבה (ק, ז) וירושלמי (מועד קטן פ"ג ה"ה):

באור מהרי"פ

זו כרס. פרש"י שהיא עבה ונבקעת במותו:

אמרי יושר

גולת הזהב. קרי ביה כולת, בחילוף אותיות גיכ"ק, כי מכלה הממון:

קְרוֹבוֹת נַעֲשׂוּ רְחוֹקוֹת, אִילֵּין אוּדְנַיָּיא דַּהֲווּ שָׁמְעִין בְּחַד זְמָן בִּתְרֵי זִמְנֵי, כַּדּוּ אֲפִילּוּ בְּמֵאָה זִימְנִין לֵית אִינּוּן שָׁמְעִין, שְׁתַּיִם נַעֲשׂוּ שָׁלֹשׁ, חוּטְרָא וְתַרְתֵּין רִיגְלֵי, וּמֵטִיל שָׁלוֹם בַּבַּיִת בָּטֵל, זוֹ הַתַּאֲוָה, שֶׁמֵּטִיל שָׁלוֹם בֵּין אִישׁ לְאִשְׁתּוֹ, (שם) "כִּי הֹלֵךְ הָאָדָם אֶל בֵּית עוֹלָמוֹ", "בֵּית הָעוֹלָם" לֹא נֶאֱמַר אֶלָּא "בֵּית עוֹלָמוֹ", מְלַמֵּד שֶׁכָּל צַדִּיק וְצַדִּיק יֵשׁ לוֹ עוֹלָם בִּפְנֵי עַצְמוֹ, מָשָׁל לְמֶלֶךְ שֶׁנִּכְנַס לַמְּדִינָה וְעִמּוֹ דוּכָּסִין וְאִיפַּרְכִין וְאִיסְטְרַטְיוֹטִין, אַף עַל פִּי שֶׁהַכֹּל נִכְנָסִין בְּפִילוֹן אֶחָד, כָּל אֶחָד וְאֶחָד שָׁרוּי לְפִי כְבוֹדוֹ, כָּךְ אַף עַל פִּי שֶׁהַכֹּל טוֹעֲמִין טַעַם מִיתָה כָּל צַדִּיק וְצַדִּיק יֵשׁ לוֹ עוֹלָם בִּפְנֵי עַצְמוֹ. (שם) "וְסָבְבוּ בַשּׁוּק הַסּוֹפְדִים", אֵלּוּ הַתּוֹלָעִים. (שם שם ו) "עַד אֲשֶׁר לֹא יֵרָתֵק חֶבֶל הַכֶּסֶף", זוֹ חוּט הַשִּׁדְרָה, (שם) "וְתָרֻץ גֻּלַּת הַזָּהָב" זוֹ גּוּלְגּוֹלֶת, רַבִּי חִיָּיא בַּר נְחֶמְיָא אָמַר: זוֹ גַּרְגֶּרֶת שֶׁמְּכַלָּה אֶת הַזָּהָב וּמְרִיקָה אֶת הַכֶּסֶף. (שם) "וְתִשָּׁבֶר כַּד עַל הַמַּבּוּעַ" זוֹ כֶּרֶס, רַבִּי חִיָּיא בְּרֵיהּ דְּרַבִּי פַּפֵּי וְרַבִּי יְהוֹשֻׁעַ דְּסִכְנִין בְּשֵׁם רַבִּי לֵוִי: לְאַחַר ג' יָמִים כְּרֵיסוֹ שֶׁל אָדָם נִבְקַעַת וּמוֹסֶרֶת לַפֶּה וְאוֹמֶרֶת לוֹ: הֵילָךְ מַה שֶּׁגָּזַלְתָּ וְחָמַסְתָּ וְנָתַתָּ לִי, רַבִּי חַגַּי בְּשֵׁם רַבִּי יִצְחָק מַיְיתֵי לָהּ מִן הָדֵין קְרָיָא, (מלאכי ב, ג) "וְזֵרִיתִי פֶרֶשׁ עַל פְּנֵיכֶם פֶּרֶשׁ חַגֵּיכֶם", רַבִּי אַבָּא בְּרֵיהּ דְּרַבִּי פַּפֵּי וְרַבִּי יְהוֹשֻׁעַ דְּסִכְנִין בְּשֵׁם רַבִּי לֵוִי: כָּל תְּלָתָא יוֹמִין נַפְשָׁא טָיְיסָא עַל גּוּפָהּ, סָבְרָה דְּהִיא חָזְרָה לֵיהּ, וְכֵיוָן דְּהִיא *חָמְיָא לֵיהּ דְּאִישְׁתַּנֵּי זִיוְהוֹן דְּאַפּוֹי הִיא אָזְלָא לָהּ, דִּכְתִיב (איוב יד, כב) "אַךְ בְּשָׂרוֹ וְגוֹ'", בַּר קַפָּרָא אָמַר: עַד שְׁלֹשָׁה יָמִים תּוֹקְפוֹ שֶׁל אֵבֶל קַיָּים,

עץ יוסף

אלין אודניא כו'. אלו האזנים שהיו שומעין בפעם אחד או בשני פעמים, ועתה אפילו במאה פעמים אינן שומעות: **חוטרא.** מטה שהוא נשען עליו: **עולם בפני עצמו.** מדלא כתיב אל בית העולם שמע מינה כל אחד יש לו עולם בפני עצמו, ולפי זה כי הולך האדם אל בית עולמו דבוק למה שאמר וזכור את בוראיך, שאחר שהזהירו שלא ימתין לזמן הזקנה שאין יכולת בידו לעשות, הזכיר התועלת שיגיעהו בזכירת בוראו וקיום מצותיו דהיינו שיזכה למדרגה כפי לקחתו: **דוכסין ואפרכין כו'.** שמות מיני שררה הם: **בפילון.** בשער: **שרוי.** נח ולן בבית אושפיזא לפי כבודו: **אלו התולעים.** לא מצאתי טעם להמשיל התולעים לסופדים. ושמא הכי פירושו שסבוב הסופדים הוא על התולעים, שאף על פי שהולך האדם למנוחתו יסבבו הסופדים אותו מפני כליון הגוף שנעשה רמה ותולעה והוא צער למת, כי קשה רמה למת כמחט בבשר החי: **זה חוט השדרה.** בפירוש קהלת פרש"י שהוא לבן ככסף ובמותו חסר מוחו ומתרוקן ויבש ומתפקק בתוך החליות ונעשה כשלשלת: **גולגולת.** דרש גולת כמו גלגלת, ולפי שהיא הדבר היותר חשוב שבאדם קראה זהב: **שמגלה את הזהב.** כן צריך לומר, וכן הוא בקהלת רבה. ודרש גולת לשון גלות, ודרש ותרוץ הרצאת מעות. והכוונה שהגרגרת סבת הוצאת המעות ואבדתם על ידי שאוכל ושותה תמיד: **זו כרס.** פרש"י שהיא עבה ונבקעת במותו: **לאחר שלשה ימים כריסו כו'.** הוא על דרך המליצה דרך מוסר, לפי שאחר שלשה ימים מתחיל עיכול הבשר ומגיע סרחונה לפה הוי ליה כאילו אומרת איך לא התבוננת מה שיהיה אחריתך כי מה ישאר לך ממה שהשבעתני בגזל ובחמס: **ואפילו פרש חגיכם.** כן הוא הנוסחא במדרש שעם פירוש היפה תואר. וכתב היפה תואר ביאורו וזה לשונו, משום דקרא ודאי במבזי הקרבנות איירי, שיענשו בכמה מילי כדכתיב התם, ואם כן קשה מאי טעמא אל בקיעת הכרס אחר המות הנוהג בכל אדם, ולכן אמר ואפילו פרש חגיכם, ולפי זה קרא הכי קאמר כשם שזריתי פרש על פניכם לאחר מיתה לומר הילך מה שגזלת, כן אזרה על פניכם אפילו פרש חגיכם עכשיו, שאלו הקרבנות שאתם מביאין בבזיון אזרה פרשם על פניכם לומר הילך מה שאתם מבזים אותי בהם בהביאכם לי הפסח והחולה, ומדכתיב פרש תרי זימני, דריש דתרתי קאמר עד כאן לשונו. אבל המתנות כהונה לא גרס תיבת ואפילו, וכן בקהלת רבה ליתא, וכתב ביאורו כמו שדרשו חכמינו ז"ל פרק שואל (שבת קנא, ב) אלו בני אדם שעושים כל ימיהם חגים במאכל ובמשתה: **רבי אבא כו'.** איידי דקאמר הכא לאחר שלשה ימים כריסו של אדם נבקעת, מייתי נמי הא **דכל תלתא יומין נפשא טייסא וכו'**, והא דעד שלשה ימים תקפו של אבל כו': **טייסה.** פורחת: **דאשתני כו' היא אזלת לה**, מה שאמר אזלת לה לא לגמרי, דהא איתא בפרק שואל (שם קנב, ב) כל י"ב חדש נשמה עולה ויורדת, אלא שבשלשה ימים הראשונים עדיין היא משתוקקת בחשק עצום לגוף, ולכן אינה נפרדת ממנו אלא מתעפרת עמו ובאהבתו תשגה תמיד, אבל אחר שלשה ימים שנשתנה הפרצוף מתייאשת מהאבידה, ולכן עולה ויורדת עד י"ב חדש, ועולה ואינה יורדת (נשמת חיים ועיין שם עוד):

פירוש מהרז"ו

שכל צדיק וצדיק. עיין שמות רבה (נב, ג), ועיין לקמן (כז, א) עדן בפני עצמו: **התולעים.** הסובבים בקבר על האדם, כמו הבריות על השוק ואין מוחה, ומי שרואה סופד על האדם: **חוט השדרה.** ארוך כמו חבל ולבן ככסף: **זו גולגולת.** גולה הוא הראש, כמו שכתוב (זכריה ד,ג) וגולה על ראשה, וכמו שכתוב (דניאל ב, לח) רישא דדהבא: **גרגרת.** חבל הכסף שמחבלת הכסף, גולת הזהב בחילוף ג' בכ"ף, כולת, שמכלת את הזהב והוצאת המאכל, עיין בקהלת רבה שם: **זו ברס.** שדומה לכד עגול ובולט. על המבוע זה בפה, שנובע תמיד לבלוכית מהכרס, והדמיון שבכד שואבים מים מן המעין והמבוע, כך הכרס שואב המאכל מן הפה: **דכתיב אך בשרו.** עליו יכאב ונפשו עליו תאבל, בזמן שמכרת אותו, וזהו עליו:

אם למקרא

הִנְנִי גֹעֵר לָכֶם אֶת הַזֶּרַע וְזֵרִיתִי פֶרֶשׁ עַל פְּנֵיכֶם פֶּרֶשׁ חַגֵּיכֶם וְנָשָׂא אֶתְכֶם אֵלָיו: (מלאכי ב:ג)

אַךְ־בְּשָׂרוֹ עָלָיו יִכְאָב וְנַפְשׁוֹ עָלָיו תֶּאֱבָל: (איוב יד:כב)

מתנות כהונה

אלין אודנייא כו'. אלו האזנים שהיו שומעים בפעם אחת או בשתי פעמים, וכדו, כלומר עתה אפילו במאה פעמים אינן שומעות: **חוטרא.** מטה שהוא נשען עליו: הכי גרסינן **כי הולך אדם אל בית העולם לא אמר אלא בית עולמו מלמד כו':** **איפרכין.** שרים על איפרכין חלק ממלכותו: **איסטרטיוטין.** יועצי המלך: **בפילון.** כמו בפילאטין דלקמן ופירושו שער: **שרוי.** נח ולן בבית אושפיזא לפי כבודו: **שמכלה את הזהב ומריקה וכו'.** שאכל ושתה ופיזר כל זהב וכסף הכל דרך גרונו, ודריש גולת, כמו כולת, בחילוף כ' בג' אותיות גיכ"ק: הכי גרסינן **ומריקה את הכסף:** הכי גרסינן **נבקעת ומוסרת לפה: פרש על פניכם פרש חגיכם.** פירוש כמו שדרשו חז"ל פרק שואל (שבת שם), אלו בני אדם שעושים כל ימיהם חגים במאכל ובמשתה: **טייסא.** פורחת: **חמי ליה כו'.** רואה את הגוף שנשתנה זיו והדר פניו הולכת לה: **אך בשרו.** סיפא דקרא ונפשו עליו תאבל:

אשד הנחלים

עולם בפני עצמו. כי כל אחד מקבל כפי הכנתו והשגתו בעולם הזה, ואין אדם דומה לחבירו במעשיו והשגותיו: **שהכל טועמין כו' עולם בפני עצמו.** רצה לומר אף על פי שמיתתן שוות, והיא פרידת הנפש מהגוף, לא תדמה על ידי זה כי נפשותיהם שוות זו כזו, לא כן, כי אם נבדלים בעצם אחד מרעהו: **התולעים.** וקראם בשם סופדים, כאלו סופדים תמיד למצוא אכלם לפיהם, ועל המת יתקבצו להיות לאכלה בפיהם: **זו גולגולת.** שהיא עגולה ולכן נקראת גולת, ומפני חשיבותה, שהיא ראש לכל האיברים, נחשב בערך כולם כזהב, שהוא החשוב שבכולם: **גרגרת.** שגם היא עגולה, והיא המכלה לזהב וכסף על ידי אכילתה: **הילך מה שגזלת.** לפי שאחר שלשה ימים יתחיל עיכול הבשר, ומגיע סרחונה לפה, ואז כאילו יבין מה עשה בעולם הזה, ולמי היה עמל בגזילות וחמסים על חינם: **נפשה טייסא.** הדבר הזה פרשוהו גם חכמי המחקר, שיש גוף ספירי אשר הנפש שוכנת בקרבו, והיא תקבל העונש בעולם הבא, והנפש מקושרת קצת בו, עד שרואה שבא לידי כליון, ואז ממילא מניחו:

רַבִּי אַבָּא בְּרֵיהּ דְּרַבִּי פַּפֵּי וְרַבִּי יְהוֹשֻׁעַ דְּסִכְנִין בְּשֵׁם רַבִּי לֵוִי — **R' Abba the son of R' Pappi and R' Yehoshua of Sichnin** say **in the name of R' Levi:** כָּל תְּלָתָא יוֹמִין נַפְשָׁא טָיְיסָא עַל גּוּפָהּ — **Throughout the three days** following death **the soul hovers over the body** סָבְרָה דְּהִיא חָזְרָה לֵיהּ — **thinking that she will return to it,** וְכֵיוָן דְּהִיא חָמְיָא לֵיהּ דְּאִישְׁתַּנֵּי זִיוְהוֹן דְּאַפּוֹי — **but once she sees that its facial countenance has changed** due to decomposition, הִיא אָזְלָא לָהּ — **she departs,** דִּכְתִיב "אַךְ בְּשָׂרוֹ וגו'" — **as it is written,** *He feels **only** the pain of **his flesh,** and his soul will mourn over him* (*Job* 14:22).[59] בַּר קַפָּרָא אָמַר: עַד שְׁלֹשָׁה יָמִים תּוֹקְפּוֹ שֶׁל אֵבֶל קַיָּים — **Bar Kappara says: The full force of mourning** lasts **for three days.**

NOTES

59. This refers to the time after three days have passed, when the soul despairs of returning to the body and mourns its loss (see *Yerushalmi Moed Katan* 3:5 with *Korban HaEidah* ad loc.). See, however, *Maharzu*, who applies the verse to the *first* three days and writes that the soul mourns the body during those days because she still recognizes her "relative" (see Midrash further that the face is recognizable for three days after death).

When the Midrash states that the soul departs after the first three days, this does not mean that it departs permanently, for the Gemara tells us (*Shabbos* 152b-153a) that for a full twelve months (the time it takes the body to decompose fully), the soul frequently comes down from heaven to gaze upon it. Rather, the Midrash means that for the first three days, the soul does not leave the body at all, for it yearns deeply for it and maintains hope that somehow the body is not really dead. After three days it gives up that hope, and for the next twelve months it departs but frequently comes back. After twelve months it departs permanently (*Eitz Yosef*, citing *Nishmas Chaim*).

קְרוֹבוֹת נַעֲשׂוּ רְחוֹקוֹת, אִילֵין אוּדְנַיָּיא דַּהֲווֹ שָׁמְעִין בְּחַד זְמָן בְּתְרֵי זִמְנֵי, כַּדּוּ אֲפִילּוּ בְּמֵאָה זִימְנִין לֵית אִינּוּן שָׁמְעִין, שְׁתַּיִם נַעֲשׂוּ שָׁלֹשׁ, חוּטְרָא וְתַרְתֵּין רִיגְלֵי, וּמַטִּיל שָׁלוֹם בַּבַּיִת בָּטֵל, זוֹ הַתַּאֲוָה, שֶׁמַּטִּיל שָׁלוֹם בֵּין אִישׁ לְאִשְׁתּוֹ, (שם) "כִּי הֹלֵךְ הָאָדָם אֶל בֵּית עוֹלָמוֹ", "בֵּית הָעוֹלָם" לֹא נֶאֱמַר אֶלָּא "בֵּית עוֹלָמוֹ", מְלַמֵּד שֶׁכָּל צַדִּיק וְצַדִּיק יֵשׁ לוֹ עוֹלָם בִּפְנֵי עַצְמוֹ, מָשָׁל לְמֶלֶךְ שֶׁנִּכְנַס לַמְּדִינָה וְעִמּוֹ דּוּכָּסִין וְאִיפַּרְכִין וְאִיסְטְרַטְיוֹטִין, אַף עַל פִּי שֶׁהַכֹּל נִכְנָסִין בְּפִילוֹן אֶחָד, כָּל אֶחָד וְאֶחָד שָׁרוּי לְפִי כְבוֹדוֹ, כָּךְ אַף עַל פִּי שֶׁהַכֹּל טוֹעֲמִין טַעַם מִיתָה כָּל צַדִּיק וְצַדִּיק יֵשׁ לוֹ עוֹלָם בִּפְנֵי עַצְמוֹ, (שם) "וְסָבְבוּ בַשּׁוּק הַסּוֹפְדִים", אֵלּוּ הַתּוֹלָעִים, (שם שם ו) "עַד אֲשֶׁר לֹא יֵרָתֵק חֶבֶל הַכֶּסֶף", זוֹ חוּט הַשִּׁדְרָה, (שם) "וְתָרֻץ גֻּלַּת הַזָּהָב" זוֹ גּוּלְגּוֹלֶת, רַבִּי חִיָּיא בַּר נְחֶמְיָא אָמַר: זוֹ גַּרְגֶּרֶת שֶׁמְּכַלָּה אֶת הַזָּהָב וּמְרִיקָה אֶת הַכֶּסֶף, (שם) "וְתִשָּׁבֶר כַּד עַל הַמַּבּוּעַ" זוֹ כֶּרֶס, רַבִּי חִיָּיא בְּרֵיהּ דְּרַבִּי פַּפִּי וְרַבִּי יְהוֹשֻׁעַ דְּסִכְנִין בְּשֵׁם רַבִּי לֵוִי: לְאַחַר ג' יָמִים כְּרֵיסוֹ שֶׁל אָדָם נִבְקַעַת וּמוֹסֶרֶת לַפֶּה וְאוֹמֶרֶת לוֹ: הֵילָךְ מַה שֶּׁגָּזַלְתָּ וְחָמַסְתָּ וְנָתַתָּ לִי, רַבִּי חַגַּי בְּשֵׁם רַבִּי יִצְחָק מַיְיתֵי לָהּ מִן הָדֵין קְרָיָא, (מלאכי ב, ג) "וְזֵרִיתִי פֶרֶשׁ עַל פְּנֵיכֶם פֶּרֶשׁ חַגֵּיכֶם", רַבִּי אַבָּא בְּרֵיהּ דְּרַבִּי פַּפִּי וְרַבִּי יְהוֹשֻׁעַ דְּסִכְנִין בְּשֵׁם רַבִּי לֵוִי: כָּל תְּלָתָא יוֹמִין נַפְשָׁא טָיְיסָא עַל גּוּפָהּ, סְבָרָה דְּהִיא חָזְרָה לֵיהּ, וְכֵיוָן דְּהִיא *חָמְיָא לֵיהּ דְּאִישְׁתַּנֵּי זִיוְהוֹן דְּאַפּוֹי הִיא אָזְלָא לָהּ, דִּכְתִיב (איוב יד, כב) "אַךְ בְּשָׂרוֹ וְגוֹ'", בַּר קַפָּרָא אָמַר: עַד שְׁלֹשָׁה יָמִים תּוֹקְפּוֹ שֶׁל אֵבֶל קַיָּים,

עץ יוסף

אלין אודניא כו'. אלו האזנים שהיו שומעין בפעם אחד או בשני פעמים, ועתה אפילו במאה פעמים אינן שומעות: **חוטרא.** מטה שהוא נשען עליו: **עולם בפני עצמו.** מדלא כתיב אל בית העולם שמע מינה כל אחד יש לו עולם בפני עצמו, ולפי זה כי הולך האדם אל בית עולמו דוק למה שאמר וזכור את בוראיך, שאחר שהזהירו שלא ימתין לזמן הזקנה שאין יכולת בידו לעשות, הזכיר התועלת שיגיענו בזכירת בוראו וקיום מצותיו דהיינו שיזכה למדרגה כפי צדקתו: **דוכסין ואפרכין כו'.** שמות מיני שררה הם: **בפילון.** בשער: **שרוי.** נח ולן בבית אושפיזא לפי כבודו: **אלו התולעים.** לא מצאתי טעם להמשיל התולעים לסופדים. ושמא הכי פירושו שסבוב הסופדים הוא על התולעים, שאף על פי שהולך האדם למנוחתו יסבבו הסופדים אותו מפני כליון הגוף שנעשה רמה ותולעה והוא לצער למת, כי קשה רמה למת כמחט בבשר החי: **זה חוט השדרה.** בפירוש קהלת פרש"י שהוא לבן ככסף ובמותו חסר מוחו ומתרוקן ויבש ומתפקס בתוך החליות ונעשה כשלשלת: **גולגולת.** דרש גולת כמו גלגלת, ולפי שהיא הדבר היותר חשוב שבאדם קראה זהב: **שמגלה את הזהב.** כן צריך לומר, וכן הוא בקהלת רבה. ודרש גולת לשון גלות, ודרש ותרוץ הרצאת מעות. והכוונה שהגרגרת סבת הוצאת המעות ואבדתם על ידי שאוכל ושותה תמיד: **זו כרס.** פרש"י שהיא עבה ונבקעת במותו: **לאחר שלשה ימים כריסו כו'.** הוא על דרך המליצה דרך מוסר, לפי שאחר שלשה ימים מתחיל עיכול הבשר ומגיע סרחונה לפה הוי ליה כאילו אומרת איך לא התבוננת מה שיהיה אחריתך כי מה ישאר לך ממה שהשבעתני בגזל ובחמס: **ואפילו פרש חגיכם.** כן הוא הנוסחא במדרש שעם פירוש יפה תואר. וכתב היפה תואר ביאורו וזה לשונו, משום דקרא ודאי במבזי הקרבנות מיירי, שיענשו בכמה מילי כדכתיב התם, ואם כן קשה מאי טעמא אל בקיעת הכרס אחר המות הנוהג בכל אדם, ולכן אמר ואפילו פרש חגיכם, ולפי זה קרא הכי קאמר כשם שזריתי פרש על פניכם לאחר מיתה לומר הילך מה שגזלת, כן אזרה על פניכם אפילו פרש חגיכם עכשיו, שאלו הקרבנות שאתם מביאין בבזיון אזרה פרשם על פניכם לומר הילך מה שאתם מבזים אותי בהם בהביאכם לי הפסח והחולה, ומדכתיב פרש תרי זימני, דריש דתרתי קאמר עד כאן לשונו. אבל המתנות כהונה לא גרס תיבת ואפילו, וכן בקהלת רבה ליתא, וכתב ביאורו כמו שדרשו חכמינו ז"ל פרק שואל (שבת קנא, ב) אלו בני אדם שעושים כל ימיהם חגים במאכל ובמשתה: **רבי אבא כו'.** איידי דקאמר הכא לאחר שלשה ימים כריסו של אדם נבקעת, מייתי נמי הא דכל **תלתא יומין נפשא טייסא וכו'**, והא דעד שלשה ימים תקפו של אבל כו': **טייסה.** פורחת: **דאשתני כו' היא אזלת לה**, מה שאמר אזלת לה לא לגמרי, דהא איתא בפרק שואל (שם קנב, ב) כל י"ב חדש נשמה עולה ויורדת, אלא שבשלשה ימים הראשונים עדיין היא משתוקקת בחשק עצום לגוף, ולכן אינה נפרדת ממנו אלא מתעפרת עמו ובאהבתו תשגה תמיד, אבל אחר שלשה ימים שנשתנה הפרצוף מתייאשת מהאבידה, ולכן עולה ויורדת עד י"ב חדש, ועולה ואינה יורדת (נשמת חיים ועיין שם עוד):

חידושי הרד"ל

גרגרת שמגלה את הזהב. כן הוא בקהלת רבה, וכן צריך לומר: **לאחר שלשה ימים כריסו כו'.** בראשית רבה (ק, ז) וירושלמי (מועד קטן פ"ג ה"ה):

באור מהרי"פ

זו כרס. פרש"י שהיא עבה ונבקעת במותו:

אמרי יושר

גולת הזהב. קרי ביה כולת, בחילוף אותיות גיכ"ק, כי מכלה הממון:

פירוש מהרז"ו

שכל צדיק וצדיק. עיין שמות רבה (נב, ג), ועיין לקמן (כז, א) עדן בפני עצמו: **התולעים.** הסובבים בקבר על האדם, כמו הבריות על השוק ואין מוחה, ומי שרואה סופד על האדם: **חוט השדרה.** ארוך כמו חבל ולבן ככסף: **זו גולגולת.** גולה הוא הראש, כמו שכתוב (זכריה ד,ג) וגולה על ראשה, וכמו שכתוב (דניאל ב, לח) רישא דדהבא: **גרגרת.** חבל הכסף שמחבלת הכסף, גולת הזהב בחילוף ג' בכ"ף, כולת, שמכלת את הזהב והוצאת המאכל, עיין בקהלת רבה שם: **זו כרס.** שדומה לכד עגול ובולט. על המבוע זה בפה, שנובע תמיד לכלוכית מהכרס, והדמיון שבכד שואבים מים מן המעין והמבוע, כך הכרס שואב המאכל מן הפה: **דכתיב אך בשרו.** עליו יכאב ונפשו עליו תאבל, בזמן שמכרת אותו, וזהו עליו:

אם למקרא

הִנְנִי גֹעֵר לָכֶם אֶת הַזֶּרַע וְזֵרִיתִי פֶרֶשׁ עַל פְּנֵיכֶם פֶּרֶשׁ חַגֵּיכֶם וְנָשָׂא אֶתְכֶם אֵלָיו: (מלאכי ב:ג)

אַךְ בְּשָׂרוֹ עָלָיו יִכְאָב וְנַפְשׁוֹ עָלָיו תֶּאֱבָל: (איוב יד:כב)

מתנות כהונה

אלין אודנייא כו'. אלו האזנים שהיו שומעים בפעם אחת או בשתי פעמים, וכדו, כלומר עתה אפילו במאה פעמים אינן שומעות: **חוטרא.** מטה שהוא נשען עליו: הכי גרסינן **כי הולך אדם אל בית עולמו בית העולם לא אמר אלא בית עולמו מלמד כו':** **איפרכין.** שרים על איפרכין חלק ממלכותו: **איסטרטיוטין.** יועצי המלך: **בפילון.** כמו בפילאכין דלקמן ופירושו שער: **שרוי.** נח ולן בבית אושפיזא לפי כבודו: **שמכלה את הזהב ומריקה וכו'.** שאכל ושתה ופיזר כל זהב וכסף הכל דרך גרונו, ודריש גולת, כמו כולת, בחילוף כ' בג' אותיות גיכ"ק: הכי גרסינן **ומריקה את הכסף:** הכי גרסינן **נבקעת ומוסרת לפה: פרש על פניכם פרש חגיכם.** פירוש כמו שדרשו חז"ל פרק שואל (שבת שם), אלו בני אדם שעושים כל ימיהם חגים במאכל ובמשתה: **טייסא.** פורחת: **חמי ליה כו'.** רואה את הגוף שנשתנה זיו והדר פניו הולכת לה: **אך בשרו.** סיפא דקרא ונפשו עליו תאבל:

אשד הנחלים

עולם בפני עצמו. כי כל אחד מקבל כפי הכנתו והשגתו בעולם הזה, ואין אדם דומה לחבירו במעשיו והשגותיו: **שהכל טועמין כו' עולם בפני עצמו.** רצה לומר אף על פי שמיתתן שוות, והיא פרידת הנפש מהגוף, לא תדמה על ידי זה כי נפשותיהם שוות זו כזו, לא כן, כי אם נבדלים בעצם אחד מרעהו: **התולעים.** וקראם בשם סופדים, כאלו סופדים תמיד למצוא אכלם לפיהם, ועל המת יתקבצו להיות לאכלה בפיהם: **זו גולגולת.** שהיא עגולה ולכן נקראת גולת, ומפני חשיבותה, שהיא ראש לכל האיברים, נחשב בערך כולם כזהב, שהוא החשוב שבכולם: **גרגרת.** שגם היא עגולה, והיא המכלה לזהב וכסף על ידי אכילתה: **הילך מה שגזלת.** לפי שאחר שלשה ימים יתחיל עיכול הבשר, ומגיע סרחונה לפה, ואז כאילו יבין מה עשה בעולם הזה, ולמי היה עמל בגזילות וחמסים על חינם: **נפשה טייסא.** הדבר הזה פרשוהו גם חכמי המחקר, שיש גוף ספירי אשר הנפש שוכנת בקרבו, והיא תקבל העונש בעולם הבא, והנפש מקושרת קצת בו, עד שרואה שבא לידי כליון, ואז ממילא מניחו:

לָמָּה — **Why** is this so? שֶׁצּוּרַת הַפָּנִים נִיכֶּרֶת — **For the form of the face is recognizable** for three days,[60] דִּתְנַן: אֵין מְעִידִין אֶלָּא עַל פַּרְצוּף פָּנִים עִם הַחוֹטֶם — **for we learned** in a Mishnah: **They may testify** to the identity of a dead man, so as to permit his wife to remarry, **only upon** seeing **the form of the face with the nose,** וְאֵין מְעִידִין לְאַחַר ג׳ יָמִים — **and they may not testify** to a dead man's identity on the basis of such recognition **after three days** from his death (*Yevamos* 120a).[61]

The Midrash continues to expound the above verse in *Ecclesiastes*:

"וְנָרֹץ הַגַּלְגַּל אֶל הַבּוֹר" — The verse continues, ***And the wheel is rushed***[62] ***to the pit.*** תְּרֵין אֲמוֹרָאִין — **Two Amoraim** offer interpretations for this verse. חַד אָמַר: כְּאִילֵּין גַּלְגַּלַיָּא דְצִפּוֹרִי — **One says it is like those wheels** with which water is drawn from the wells **of Sepphoris,**[63] וְחוֹרָנָא אָמַר: כְּאִילֵּין רִגְבַיָּא דִטְבֶרְיָא — **and the other [Amora] says it is like those clumps of earth of Tiberias,**[64] כְּמָה דְתֵימָא "מָתְקוּ לוֹ רִגְבֵי נָחַל" — **as it is stated, *The clumps of dirt in the valley become sweet to him*** (*Job* 21:33).[65]

The Midrash proceeds to the next verse in the *Ecclesiastes* passage (v. 7):

"וְיָשֹׁב הֶעָפָר עַל הָאָרֶץ כְּשֶׁהָיָה וְגוֹ׳" — The verse states further, ***Thus the dust returns to the ground, as it was,*** *and the spirit returns to God Who gave it.* רַבִּי פִּנְחָס וְרַבִּי חִלְקִיָּה בְּשֵׁם רַבִּי סִימוֹן — **R' Pinchas and R' Chilkiyah** say **in the name of R' Simone:** אֵימָתַי "הָרוּחַ תָּשׁוּב אֶל הָאֱלֹהִים אֲשֶׁר נְתָנָהּ" — **When is it that *the spirit returns to God Who gave it?***[66] כְּשֶׁשָּׁב הֶעָפָר אֶל הָאָרֶץ כְּשֶׁהָיָה — **When the** body, which was formed from **dust,**[67] **is returned to the ground *as it was.***[68] וְאִם לָאו — **But if** it is **not** returned in purity, "וְאֵת נֶפֶשׁ אוֹיְבֶיךָ יְקַלְּעֶנָּה וְגוֹ׳" — then his punishment is as stated in the following verse, ***And may He hurl the soul of your enemies*** *as one shoots a stone from a slingshot* (*I Samuel* 25:29).[69]

The Midrash brings a parable to illustrate this last teaching:

רַבִּי יִשְׁמָעֵאל בַּר רַבִּי נַחְמָן מַתְנֵי לָהּ בְּשֵׁם רַבִּי אַבְדִּימִי דְּמִן חֵיפָא — **R' Yishmael bar Nachman taught [the following parable] in the name of R' Avdimi of Haifa:** לְכֹהֵן חָבֵר — It is comparable **to a Kohen who is a Torah scholar**[70] שֶׁמָּסַר לְכֹהֵן עַם הָאָרֶץ כִּכָּר שֶׁל תְּרוּמָה — **who entrusted a loaf** of bread **of *terumah* to a Kohen who is an ignoramus,**[71] אָמַר לוֹ: רְאֵה שֶׁאֲנִי טָהוֹר וּבֵיתִי טָהוֹר וְכִכָּר שֶׁנָּתַתִּי לְךָ טָהוֹר — and **said to him, "Notice that I am pure, my house is pure, and the loaf that I gave you is pure.** אִם אַתָּה נוֹתְנָהּ לִי כְּדֶרֶךְ שֶׁאֲנִי נָתַתִּי לְךָ מוּטָב — **If you give it back to me in the** same **way that I gave it to you,**[72] **it is well;** וְאִם לָאו הֲרֵינִי זוֹרְקָהּ לְפָנֶיךָ — **but if not,** then **behold, I will throw it** down **before you."**[73] כָּךְ אָמַר הַקָּדוֹשׁ בָּרוּךְ הוּא לְאָדָם זֶה — **So did the Holy One, blessed is He, say to a man** upon giving him his soul: רְאֵה שֶׁאֲנִי טָהוֹר וּמְעוֹנִי טָהוֹר וּמְשָׁרְתַי טְהוֹרִים — **"Notice that I am pure, My abode is pure, My** Heavenly **servants are pure,** וּנְשָׁמָה שֶׁנָּתַתִּי לְךָ טְהוֹרָה — **and the soul that I have given you is pure.** אִם אַתָּה מַחֲזִירָהּ לִי כְּדֶרֶךְ שֶׁאֲנִי נוֹתְנָהּ לְךָ מוּטָב — **If you return it to Me in the** same **way that I am giving it to you, it is well;** וְאִם לָאו הֲרֵינִי טוֹרְפָהּ לְפָנֶיךָ — **but if not,** then **behold, I will cast it forcefully before you."**[74]

The Midrash contrasts the afflictions meted out in one's old age to those meted out in one's youth, and returns to the beginning of the *Ecclesiastes* passage (12:1), *Remember your Creator in the days of your youth,* connecting it to our verse in *Leviticus*:[75]

NOTES

60. This prevents the family from being comforted, because it is to some degree as though he were still alive, and we are taught elsewhere (*Bereishis Rabbah* 84 §21) that "people are comforted over the dead, but people are not comforted over the living" (*Yedei Moshe, Eitz Yosef*). This holds true whether or not the family actually *sees* the face of their relative (see *Eitz Yosef*).

61. For the face may have decomposed to the extent that it might be wrongly identified.

62. In our previous citations of this verse (notes 2 and 50) we translated וְנָרֹץ as *smashed*. The current translation follows *Targum* ad loc., cited by *Eitz Yosef* (see next note).

63. Because Sepphoris is situated on a mountain, a pulley system is required to lower the buckets into its wells, which are very deep. The verse is describing how after a person dies the corpse is lowered into the grave, just as the buckets are lowered into the wells in Sepphoris (*Matnos Kehunah, Eitz Yosef*; see also *Beur Maharif*). Alternatively, the dropping of the body into the grave is likened to a pulley system (as described above) whose rope breaks, causing everything to fall into the well (*Maharzu*). For a different interpretation see *Radal*.

64. This Amora does not translate גַּלְגַּל as *wheel*. Rather, he relates it to גָּלָל, *marble* [common to Tiberias] (*Beur Maharif, Eitz Yosef*). See, however, *Radal*, who writes that the clumps of earth are appropriately referred to as *wheels* because they are round. See also *Maharzu*.

The Midrash is saying that when a person dies, "clumps of earth" (like those of Tiberias) are thrown into his grave [*the pit*] (*Eitz Yosef*; see also *Radal*). Alternatively: Sepphoris lies in a valley, and its water sources lie at its shores. The Midrash is saying that just as "clumps of earth" fall into the waters near Tiberias, similarly earth falls into the mouth of the deceased (*Maharzu*).

65. I.e., when a person dies he will lie uncomplaining among the clumps, as if they were sweet to him (*Eitz Yosef*). Alternatively, although they get into his mouth, he will not spit them out, as if they were sweet to him (*Maharzu*; see preceding note).

66. I.e., what condition must be met for a soul to return to heaven?

The verse cannot simply be describing the departure of the soul and the burial of the body, for the previous verse already discussed the burial, as expounded above (*Yefeh To'ar, Eitz Yosef*). Moreover, the departure of the soul should have been mentioned *before* the burial, for the former *causes* the latter (*Yefeh To'ar*; see also *Eitz Yosef*).

67. See *Genesis* 2:7.

68. I.e., as it was created, unaffected by worldly desires and impulses (*Eshed HaNechalim*; see following note); or, pure and unsullied by sin (*Matnos Kehunah, Eitz Yosef*).

69. I.e., the soul of the wicked (in that verse referring to the enemies of King David) finds no rest and is described as being hurled from one end of the universe to the other (see *Shabbos* 152b). *Eshed HaNechalim* explains further that those who spent their lives indulging in worldly pleasures will be unable to return to God even after death, for although their soul will aspire to cling to God, the part of them that has become attached to the physicality of this world will continue to latch on to their soul and will pull them down [into Gehinnom], just as a stone hurled from a slingshot into the air will be pulled down by the force of gravity.

70. Lit., *colleague*. The title *chaver* is reserved for one who commits himself to an extra measure of scrupulousness with respect to the laws of *tumah* and *taharah* (Mishnah, *Demai* 2:3). He must also commit to a high degree of trustworthiness with respect to *terumos* and *maasros* (see *Rashi* to *Bechoros* 30b s.v. דברי חבירות).

71. In this context, referring to one who is not meticulous in the laws of *tumah* and *taharah*.

72. I.e., in its original state of purity.

73. As if to say, "Here, take it, it is useless to me" (see *Eitz Yosef* below, s.v. הריני טורפה).

74. See notes 72-73. After a lifetime of immersion in sin and the pursuit of earthly pleasures, and having never accustomed itself to the rigors of the pursuit of wisdom and fear of heaven, the soul has become confused and befuddled. As the Sages (*Kinnim* 3:6) teach: זִקְנֵי עַם הָאָרֶץ, כָּל זְמַן שֶׁמַּזְקִינִין דַּעְתָּן "מִטָּרֶפֶת" עֲלֵיהֶן, "Unlearned elderly men, as they continue to age their minds get more confused (מִטָּרֶפֶת)." [This idea is alluded to by our Midrash's use of the word טוֹרְפָהּ, which has multiple meanings.] Their ability to learn a lesson and change their ways is thus greatly diminished (see *Eshed HaNechalim*, followed by *Eitz Yosef*). See further.

75. *Radal*, *Eitz Yosef*.

לָמָה, שֶׁצּוּרַת הַפָּנִים נִיכֶּרֶת, דִּתְנַן: אֵין מְעִידִין אֶלָּא עַל פַּרְצוּף פָּנִים עִם הַחוֹטֶם ... וְאֵין מְעִידִין לְאַחַר ג׳ יָמִים (יבמות טז, ג), (קהלת שם שם) "וְנָרֹץ הַגַּלְגַּל אֶל הַבּוֹר", תְּרֵין אֲמוֹרָאִין, חַד אָמַר: כְּאִילֵין *גַּלְגַּלַיָּא דְצִפּוֹרִי, וְחוֹרָנָא אָמַר: כְּאִילֵין רִגְבַיָּיא דִטְבֶרְיָא, כְּמָה דְתֵימָא (איוב כא, לג) "מָתְקוּ לוֹ רִגְבֵי נָחַל", (קהלת שם ז) "וְיָשֹׁב הֶעָפָר עַל הָאָרֶץ כְּשֶׁהָיָה וְגוֹ׳ ", רַבִּי פִּנְחָס וְרַבִּי חֶלְקִיָּה בְּשֵׁם רַבִּי סִימוֹן: אֵימָתַי (שם) "הָרוּחַ תָּשׁוּב אֶל הָאֱלֹהִים אֲשֶׁר נְתָנָהּ", כְּשֶׁשָּׁב הֶעָפָר אֶל הָאָרֶץ כְּשֶׁהָיָה, וְאִם לָאו, (שמואל-א כה, כט) "וְאֵת נֶפֶשׁ אוֹיְבֶיךָ יְקַלְּעֶנָּה וְגוֹ׳ ", רַבִּי יִשְׁמָעֵאל בַּר רַבִּי נַחְמָן מַתְנֵי לָהּ בְּשֵׁם רַבִּי אַבְדִּימֵי דְמִן חֵיפָה: לְכֹהֵן חָבֵר שֶׁמָּסַר לְכֹהֵן עַם הָאָרֶץ כִּכַּר שֶׁל תְּרוּמָה, אָמַר לוֹ: רְאֵה שֶׁאֲנִי טָהוֹר וּבֵיתִי טָהוֹר וְכִכָּר שֶׁנָּתַתִּי לְךָ טָהוֹר, אִם אַתָּה נוֹתְנָהּ לִי כְּדֶרֶךְ שֶׁאֲנִי נָתַתִּי לְךָ מוּטָב וְאִם לָאו הֲרֵינִי זוֹרְקָהּ לְפָנֶיךָ, כָּךְ אָמַר הַקָּדוֹשׁ בָּרוּךְ הוּא לְאָדָם זֶה: רְאֵה שֶׁאֲנִי טָהוֹר וּמְעוֹנִי טָהוֹר וּמְשָׁרְתַי טְהוֹרִים וּנְשָׁמָה שֶׁנָּתַתִּי לְךָ טְהוֹרָה, אִם אַתָּה מַחֲזִירָהּ לִי כְּדֶרֶךְ שֶׁאֲנִי נוֹתְנָהּ לְךָ מוּטָב וְאִם לָאו הֲרֵינִי טוֹרְפָהּ לְפָנֶיךָ, כָּל אֵלּוּ בִּימֵי זִקְנוּתוֹ, אֲבָל בִּימֵי בַּחֲרוּתוֹ אִם חָטָא לוֹקֶה בְּזִיבוּת וּבְצָרַעַת, לְפִיכָךְ מֹשֶׁה מַזְהִיר אֶת יִשְׂרָאֵל וְאוֹמֵר לָהֶם: [טו, ב] "אִישׁ כִּי יִהְיֶה זָב מִבְּשָׂרוֹ":

שצורת הפנים קיימת. והדבר שהוא במציאות בטבעו לעורר הנפש אף שאינו לעומת פניו, והוה כחי ואין מקבלין תנחומים על החי: **באילין גלגלים דצפורי.** פירוש גלגלים העשויים על פי הבארות ובהם חבל ארוך שמגלגלין ומושכין בו מים מהבאר, ציפורי יושבת בהר ובארותיהם עמוקות, והיו צריכין לאותן גלגלים, ומאן דאמר זה מפרש הגלגל אל הבור כפשוטו, גלגל הדולים בו מים מן הבור, והכוונה בזה ירידת הגוף לקבר כגלגל אל הבור וכדמתרגם וירהט גופך גו קברך. והרד"ל כתב וזה לשונו נראה שבצפורי היו גוללין אבנים לכסות בור הקבר, [ומשמע לפי זה קצת כפירש רש"י (שם) שגולל הוא כסוי הארון (עיין תוספות ברכות יט, ב ד"ה מדלגין)] ובטבריא היו מכסין ברגבי עפר שהיו עגולים גם כן לכן נקרא גלגל עד כאן לשונו: **באילין רגביא דטבריא.** מפרש הגלגל לשון (עזרא ה, ח) אבן גלל, שהיא האבן הקשה הנקרא מרמיר ורגבי טבריא היו כן, וכוונת הכתוב השלכת האבנים לקבר המת: **מתקו לו רגבי נחל.** שהוא משל אל עמדו במותו בין רגבים כאילו מתוקים אללו: **אימתי והרוח תשוב.** משום דקשה ליה דבתר דכתיב ותשבר כד על המבוע ונרוץ הגלגל אל הבור דמיירי בבקיעת הכרס וירידת הקבר כדלעיל מה צריך לומר תו וישוב העפר אל הארץ, שהרי יציאת הרוח מהגוף סיבת לכשישוב העפר על הארץ, להכי קאמר דהכא מלתא אחריתי אתא לאשמועינן דחזרת הרוח אל האלהים תלוי בהחזרת העפר אל הארץ כשהיה, פירוש מנוקה מכל עון ואשמה ופשע כמו שהיה הגוף נקי בעת לידה, ואם לאו שלא ישוב העפר היינו הגוף כשהיה נקי בשעת לידתו אז תקולע הנפש, ואין לנשמה התגללות לומר הגוף עבר על כל המצות והא ראיה שמיציאתי ממנו שמא חטאתי, וכדאיתא כל זה בתנחומא (סימן ו) וברבה פרשת ויקרא (ד, ה): **ר׳ ישמעאל בר נחמן.** נראה דצריך לומר ר׳ שמואל בר נחמן, וכן איתא בקהלת רבה, אבל בפרק המפלת (נדה ל, ב) איתא תנא דבי רבי ישמעאל אומר משל לכהן כו׳ עיין שם: **הריני טורפה לפניך.** זהו כדמות מאמרם (שבת קנב, א) זקני עמי הארץ כל זמן שמזקינים דעתם מטורפת, כי הנפש אף שחזקה בשכלה על כל זה מרוב הרגל וההשתקעות ברעה ובתאוות, בבואה ברוב ימים אשר אין לו עוד חפץ התאוה, ובחכמה וביראה לא הרגיל נפשו, אז הוא כמטורף בדעתו תמיד, וזהו הריני טורפה לפניך, כאילו משליך אני אותה לפניך וראי מה תעשו בה, כי אין לה מה לעשות, ולכן מסיים שכל זה בימי הזקנה, אבל בימי ילדותו אם יחטא ילקה בצרעת כדי שיזכור עונו וישוב לה׳, והרי זה טובה לו לזכור מזה וישוב לה׳: **אבל בימי בחרותו כו׳ לוקה בזיבות.** וזה שנאמר זכור את בוראך בימי בחורותיך, כשמלקה אותך בנגעי הבחרות זיבה או צרעת וכיוצא בהן [רמז לדבר **ז״ב** ר״ת **זכור בוראיך**], עד אשר לא יבואו ימי הזקנה, שאז עונשין אחרים יורד והולך כדלעיל (רד"ל): **לפיכך משה מזהיר את ישראל כו׳.** עיין מה שכתבתי בריש הסימן (ד"ה וזכור). וגם מרומז בלשון איש כי יהיה כו׳ שלשון איש מורה על שהוא בכחו וגבורתו ובילדותו כמאמרם (עבודה זרה יט, א) אשרי האיש, אשרי כשהוא עושה תשובה כשהוא איש:

פירוש מהרז"ו

דתנן אין מעידין. כרשם לעיל סימן זה: **גלגליא דצפורי.** כמו שכתוב לעיל (ח, ו) שציפורי יושבת בהר, והבארות עמוקות, וצריכים גלגלים עם חבל ארוך, וכשמשתבר נופל הכל אל הבור, ואבדה כל פעולתו. רגביא דטבריא שיושבת בעמק, והמים קרובים לשפתו ונופלים שם רגבי אדמה, ומה שאמר גלגל, פירושו כמו גלגל, וגרגיר מלח, ופירושו שמתמלא פיו צרורות אדמה. וזהו מליצת מתקו לו רגבי נחל שממלא פיו ואינו פולטס:

חידושי הרד"ל

באלין גלגליא דצפורי. נראה שבצפורי היו גוללין אבנים לכסות בור הקבר, (ומשמע לפי זה קצת כפירוש רש"י (סוכה כג, א ד"ה ולא גולל. ועיין שבת קנב,ב תוד"ה עד שיסתום) שגולל הוא כיסוי הארון), ובטבריא היו מכסין ברגבי עפר שהיו עגולים גם כן, לכן נקרא גלגל: **אבל בימי בחרותו כו׳ לוקה בזיבות.** וזה שאמר (קהלת יב, א) זכור את בוראך בימי בחורותיך, כשמלקה אותך בנגעי הבחרות זיבה או צרעת, וכיוצא בזה, (רמז לדבר ז"ב, ר"ת זכור בוראיך), עד אשר לא יבואו ימי הזבה, שאז עונשין אחרים יורד והולך כדלעיל:

באור מהרי"פ

בגלגליא דצפורי. פירוש שהאדם יורד אל הקבר כמו הגלגל אל הבור: **גרביא דטבריא.** מפרש מלת הגלגל כמו (עזרא ה, ח) אבן גלל שהוא האבן הקשה הנקרא מרמר והוא מצוי בטבריא, ורמז על השלכת האבנים לקבר המת:

אמרי יושר

בימי בחרותו כו׳ לוקה בצרעת. זהו איש איש בחור, וזהו וזכור בוראך בימי בחורותיך, ואם לאו תלקה בזיבה:

אם למקרא

מָתְקוּ לוֹ רִגְבֵי נָחַל וְאַחֲרָיו כָּל אָדָם יִמְשׁוֹךְ וּלְפָנָיו אֵין מִסְפָּר: (שם כא:לג)

וַיָּקָם אָדָם לִרְדָפְךָ וּלְבַקֵּשׁ אֶת נַפְשֶׁךָ וְהָיְתָה נֶפֶשׁ אֲדֹנִי צְרוּרָה בִּצְרוֹר הַחַיִּים אֵת ה׳ אֱלֹהֶיךָ וְאֵת נֶפֶשׁ אֹיְבֶיךָ יְקַלְּעֶנָּה בְּתוֹךְ כַּף הַקָּלַע: (שמואל א כה:כט)

ידי משה

למה לפי שצורת הפנים קיים. והוא כמו שהוא חי, ואין מקבלין תנחומים על החי: **כל אלו בימי זקנותו וכו׳.** פירוש בימי הזקנה יהיה העונש על הנשמה, אבל בימי בחרותו יש עונש על הגוף, בצרעת ובזיבות ונדות, מה שאין כן בזקנה כדכתיב (בראשית יח, יא) חדל להיות לשרה אורח כנשים, מתוך הזקנה:

מתנות כהונה

ואין מעידין אחר שלשה ימים. על איש שמת להשיא את אשתו, כי שמא אין זה בעלה ואחר הוא, שאחר שלשה ימים נשתנה מראהו, ונדמה לו כי זה הוא. ומשנה היא בפרק בתרא דיבמות (פט"ז מ"ג): **כאילין גלגלייא.** פירוש גלגלים העשויים על פי הבארות ובהם חבל ארוך שמגלגלין ומושכים בו מים מבאר. לפורי יושבת בהר ובארותיה עמוקות והיו צריכין לאותן גלגלים: **וחרנא.** והאחר משני אותן אמוראים: הכי גרסינן **באילין רגבייא.** פירוש כאלו רגבים וצרורות של מקום טבריה שיושבת בעמק, ושם שכיחין צרורות: **אל הארץ כשהיה.** נקי מעבירות כיום הולדו: הכי גרסינן **אלו בימי זקנותו:**

אשד הנחלים

למה שצורת הפנים. והדבר שהוא במציאות בטבעו לעורר הנפש, אף שאינו לעומת פניו: **באילין כו׳.** עיין מתנות כהונה שפירש כי שם מצוי צרורות. ולא ידעתי מה שייך הצרורות לכאן. ואולי מפני הצרורות ישבר לפעמים הכד על המבוע בעת שאבו, וזהו המשל למיתת האדם ושברו: **אימת הרוח כו׳ נפש כו׳.** הבאור בזה אם לא השתקע בעולם הזה בעניינים הגופנים המטמאים לנפש, רק ששב העפר על הארץ כשהיה, כלומר כעת בואה בעולם שלא התענגה מעולם הזה וחמודותיו, אז הרוח תשוב לאלהים טהורה כאשר נתנה, ואם לאו חס ושלום תקולע בכף הקלע. ופירושו כי נשאר ציורי הגופניות בנפש, ושמה מלפפתה ומוליכתה לגיהנם, אף שהנפש בעצמה כוספת לדבק בה׳ שמה, כי אין יצר הרע ותאוה שמה, עם כל זה הרגל הציורים מעולם הזה תטיה למטה, כמו כף הקלע הנזרק למעלה בכח המכריח, ועם כל זה יורדת למטה בטבעה. והבן זה: **הריני טורפה לפניך.** זהו כדמות מאמרם (קינים פ"ג מ"ו) זקני עמי הארץ כל זמן שמזקינים דעתם מטורפת, כי הנפש אף שחזקה בשכלה, עם כל זה מרוב ההרגל וההשתקעות ברעה ובתאוות, ובבואה ברוב ימים אשר אין לו עוד חפץ התאוה, ובחכמה וביראה לא הרגיל נפשו, אז הוא כמטורף בדעתו תמיד, וזהו הריני טורפה לפניך, כאילו משליך אני אותה לפניך, וראי מה תעשי בה, כי אין לה מה לעשות, ולכן מסיים שכל זה בימי הזקנה, אבל בימי ילדותו, אם יחטא ילקה בצרעת כדי שיזכור עונו וישוב לה׳, והרי זה טובה לו לזכור מזה וישוב לה׳, ולכן כתיב כאן איש, שמורה על שהוא בכחו וגבורתו ובילדותו, כמאמרם (עבודה זרה יט, א) אשרי איש, אשרי כשהוא עושה תשובה כשהוא איש: **זה שאמר הכתוב איש כו׳.** להלן מסיים הדרוש השייך לזה:

כָּל אֵלּוּ בִּימֵי זִקְנוּתוֹ — **All these** events discussed throughout the *Ecclesiastes* passage will befall a man who is punished **in the days of his old age,** אֲבָל בִּימֵי בַּחֲרוּתוֹ אִם חָטָא לוֹקֶה בְּזִיבוּת וּבְצָרַעַת — **but in the days of his youth, if he sins he is afflicted with *zivah* and with *tzaraas*,**[76] so that he be aroused to repentance when he is young. The verse in *Ecclesiastes* is thus interpreted: Remember your Creator when he inflicts punishment upon you (*zivah* and *tzaraas*) in the days of your youth, before the days of old age arrive, bringing with them other afflictions[77] and ultimately punishment of the soul in the World to Come.[78] לְפִיכָךְ מֹשֶׁה מַזְהִיר אֶת יִשְׂרָאֵל וְאוֹמֵר לָהֶם: "אִישׁ כִּי יִהְיֶה זָב מִבְּשָׂרוֹ" — **Therefore, Moses warned Israel and said to them, *Any man who will have a discharge from his flesh,*** *his discharge is contaminated.*[79]

NOTES

76. *Tzaraas* being the topic of the chapters of the Torah immediately preceding ours.

77. Ibid.

78. As verse 7 in the *Ecclesiastes* passage was expounded by the Midrash in the immediately preceding paragraphs (*Yedei Moshe* here; *Eitz Yosef* at the beginning of the chapter).

The afflictions suffered in old age are not so likely to bring a person to repentance (see note 74); the consequence of the lack of repentance will be punishment in the World to Come.

79. The Midrash here refers to *zivah* as a punishment visited upon a sinner during his *youth* (see above, note 3), for as *Eitz Yosef* explains, the words אִישׁ אִישׁ, *any man*, refer to a man still in possession of his manly strength. [Indeed, the Sages praised a man who repents while still an אִישׁ — see *Avodah Zarah* 19a and *Yalkut Shimoni, Tehillim* §871.] The purpose of *zivah* is to help bring the sinning person to repentance when he is still young, less set in his evil ways (see note 74) and thus more capable of repentance — with the positive result that he will merit the World to Come.

[As stated above in note 3, *Yefeh To'ar* and *Eitz Yosef* (in the beginning of our chapter) write that our Midrash is troubled by the seeming superfluity of the expression מִבְּשָׂרוֹ, *from his flesh*, in our verse. They write (ibid.) that the Midrash resolves the difficulty as follows: The expression comes to imply that when God inflicts punishment, He is not compelled to bring the punishment from an outside source, as would a mortal. Rather, he causes it to originate מִבְּשָׂרוֹ, from the sinner's own flesh — and *zivah* serves as an example. This idea will be elaborated in the following section.]

לָמָּה, שֶׁצּוּרַת הַפָּנִים נִיכֶּרֶת, דִּתְנַן: אֵין מְעִידִין אֶלָּא עַל פַּרְצוּף פָּנִים עִם הַחוֹטֶם ... וְאֵין מְעִידִין לְאַחַר ג' יָמִים (יבמות טז, ג), (קהלת שם שם) "וְנָרֹץ הַגַּלְגַּל אֶל הַבּוֹר", תְּרֵין אָמוֹרָאִין, חַד אָמַר: כְּאִילֵין *גַּלְגְּלַיָּא דְּצִפּוֹרִי, וְחוֹרָנָא אָמַר: כְּאִילֵין רִגְבַיָּא דִּטְבֶרְיָא, כְּמָה דְּתֵימָא (איוב כא, לג) "מָתְקוּ לוֹ רִגְבֵי נָחַל", (קהלת שם ז) "וְיָשֹׁב הֶעָפָר עַל הָאָרֶץ כְּשֶׁהָיָה וגו'", רַבִּי פִּנְחָס וְרַבִּי חִלְקִיָּה בְּשֵׁם רַבִּי סִימוֹן: אֵימָתַי (שם) "הָרוּחַ תָּשׁוּב אֶל הָאֱלֹהִים אֲשֶׁר נְתָנָהּ", כְּשֶׁשָּׁב הֶעָפָר אֶל הָאָרֶץ כְּשֶׁהָיָה, וְאִם לָאו, (שמואל-א כה, כט) "וְאֵת נֶפֶשׁ אוֹיְבֶיךָ יְקַלְּעֶנָּה וגו'", רַבִּי יִשְׁמָעֵאל בַּר רַבִּי נַחְמָן מַתְנֵי לָהּ בְּשֵׁם רַבִּי אַבְדִּימִי דְּמִן חֵיפָא: לְכֹהֵן חָבֵר שֶׁמָּסַר לְכֹהֵן עַם הָאָרֶץ כִּכָּר שֶׁל תְּרוּמָה, אָמַר לוֹ: רְאֵה שֶׁאֲנִי טָהוֹר וּבֵיתִי טָהוֹר וְכִכָּר שֶׁנָּתַתִּי לְךָ טָהוֹר, אִם אַתָּה נוֹתְנָהּ לִי כְּדֶרֶךְ שֶׁאֲנִי נָתַתִּי לְךָ מוּטָב וְאִם לָאו הֲרֵינִי זוֹרְקָהּ לְפָנֶיךָ, כָּךְ אָמַר הַקָּדוֹשׁ בָּרוּךְ הוּא לְאָדָם זֶה: רְאֵה שֶׁאֲנִי טָהוֹר וּמְעוֹנִי טָהוֹר וּמְשָׁרְתַי טְהוֹרִים וּנְשָׁמָה שֶׁנָּתַתִּי לְךָ טְהוֹרָה, אִם אַתָּה מַחֲזִירָהּ לִי כְּדֶרֶךְ שֶׁאֲנִי נוֹתְנָהּ לְךָ מוּטָב וְאִם לָאו הֲרֵינִי טוֹרְפָהּ לְפָנֶיךָ, כָּל אֵלּוּ בִּימֵי זִקְנוּתוֹ, אֲבָל בִּימֵי בַּחֲרוּתוֹ אִם חָטָא לוֹקֶה בְּזִיבוּת וּבְצָרַעַת, לְפִיכָךְ מֹשֶׁה מַזְהִיר אֶת יִשְׂרָאֵל וְאוֹמֵר לָהֶם: [טו, ב] "אִישׁ כִּי יִהְיֶה זָב מִבְּשָׂרוֹ":

עץ יוסף

שצורת הפנים קיימת. והדבר שהוא במציאות בטבעו לעורר הנפש אף שאינו לעומת פניו, והוה כחי ואין מקבלין תנחומים על החי: **באילין גלגלים דצפורי.** פירוש גלגלים העשוים על פי הבארות ובהם חבל ארוך שמגלגלין ומושכין בו מים מהבאר, ליפורי יושבת בהר ובארותיהם עמוקות, והיו צריכין לאותן גלגלים, ומאן דאמר זה מפרש הגלגל אל הבור כפשוטו, גלגל הדולים בו מים מן הבור, והכוונה בזה ירידת הגוף לקבר כגלגל אל הבור וכדמתרגם ויריהט גופך גו קברך. והרד"ל כתב וזה לשונו נראה שבצפורי היו גוללין אבנים לכסות בור הקבר, [ומשמע לפי זה קצת כפירוש רש"י (שם) שגולל הוא כסוי הארון (עיין תוספות ברכות יט, ב ד"ה מדלגין)] ובטבריא היו מכסין ברגבי עפר שהיו עגולים גם כן לכן נקרא גלגל עד כאן לשונו: **כאילין רגביא דטבריא.** מפרש הגלגל לשון (עזרא ה, ח) אבן גלל, שהיא האבן הקשה הנקרא מרמיר ורגבי טבריא היו כן, וכוונת הכתוב השלכת האבנים לקבר המת: **מתקו לו רגבי נחל.** שהוא משל אל עמדו במותו בין רגבים כאילו מתוקים אצלו: **אימתי והרוח תשוב.** משום דקשה ליה דבתר דכתיב ותשבר כד על המבוע ונרוץ הגלגל אל הבור דמיירי בבקיעת הכרס וירידת הקבר כדלעיל מה צריך לומר תו וישוב העפר אל הארץ, שהרי יציאת הרוח מהגוף סיבת לכשישוב העפר על הארץ, להכי קאמר דהכא מלתא אחריתי אתא לאשמועינן דחזרת הרוח אל האלהים תלוי בהחזרת העפר אל הארץ כשהיה, פירוש מנוקה מכל עון ואשמה ופשע כמו שהיה הגוף נקי בעת לידה, ואם לאו שלא ישוב העפר היינו הגוף כשהיה נקי בשעת לידתו אז תקולע הנפש, ואין לנשמה התגלגלות לומר הגוף עבר על כל המצות והא ראיה שמיציאתי ממנו שמא חטאתי, וכדאיתא כל זה בתנחומא (סימן ו) וברבה פרשת ויקרא (ד, ה): **ר' ישמעאל בר נחמן.** נראה דצריך לומר ר' שמואל בר נחמן, וכן איתא בקהלת רבה, אבל בפרק המפלת (נדה ל, ב) איתא תנא דבי רבי ישמעאל אומר משל לכהן כו' עיין שם: **הריני טורפה לפניך.** זהו כדמות מאמרם (שבת קנב, א) זקני עמי הארץ כל זמן שמזקינים דעתם מטורפת, כי הנפש אף שחזקה בשכלה על כל זה מרוב ההרגל וההשתקעות ברעה ובתאוות, בבואה ברוב ימים אשר אין לו עוד חפץ התאוה, ובחכמה וביראה לא הרגיל נפשו, אז הוא כמטורף בדעתו תמיד, וזהו הריני טורפה לפניך, כאילו משליך אני אותה לפניך וראי מה תעשו בה, כי אין לה מה לעשות, ולכן מסיים שכל זה בימי הזקנה, אבל בימי ילדותו אם יחטא ילקה בצרעת כדי שיזכור עונו וישוב לה', והרי זה טובה לו לזכור מזה וישוב לה': **אבל בימי בחרותו כו' לוקה בזיבות.** וזה שנאמר זכור את בוראך בימי בחורותיך, כשמלקה אותך בנגעי הבחרות זיבה או צרעת וכיוצא בהן [רמז לדבר **ז"ב** ר"ת **זכור בוראיך**], עד אשר לא יבואו ימי הזקנה, שאז עונשין אחרים יורד והולך כדלעיל (רד"ל): **לפיכך משה מזהיר את ישראל כו'.** עיין מה שכתבתי בריש הסימן (ד"ה וזכור). וגם מרומז בלשון איש כי יהיה כו' שלשון איש מורה על שהוא בכחו וגבורתו ובילדותו כמאמרם (עבודה זרה יט, א) אשרי האיש, אשרי כשהוא עושה תשובה כשהוא איש:

פירוש מהרז"ו

דתנן אין מעידין. נדרש לעיל סימן זה: **גלגליא דצפורי.** כמו שכתוב לעיל (ה, ו) שציפורי יושבת בהר, והבארות עמוקות, וצריכים גלגלים עם חבל ארוך, וכשמתשבר נופל הכל אל הבור, ואבדה כל פעולתו. רגביא דטבריא שיושבת בעמק, והמים קרובים לשפתו ונופלים שם רגבי אדמה, ומה שאמר גלגל, פירושו כמו גלגל, וכרגיר מלח, ופירושו שמתמלא פיו לרורות אדמה. וזהו מלילת מתקו לו רגבי נחל שממלא פיו ואינו פולטם:

חידושי הרד"ל

באלין גלגליא דצפורי. נראה שבצפורי היו גוללין אבנים לכסות בור הקבר, (ומשמע לפי זה קצת כפירוש רש"י (סוכה כג, א ד"ה ולא גולל. ועיין שבת קנב, ב תוד"ה עד שיסתום) שגולל הוא כיסוי הארון), ובטבריא היו מכסין ברגבי עפר שהיו עגולים גם כן, לכן נקרא גלגל: **אבל בימי בחרותו כו' לוקה בזיבות.** וזה שאמר (קהלת יב, א) זכור את בוראך בימי בחורותיך, כשמלקה אותך בנגעי הבחרות זיבה או צרעת, וכיוצא בזה, (רמז לדבר ז"ב, ר"ת זכור בוראיך), עד אשר לא יבואו ימי הזבה, שאז עונשין אחרים יורד והולך כדלעיל:

באור מהרי"פ

בגלגליא דצפורי. פירוש שהאדם יורד אל הקבר כמו הגלגל אל הבור: **גרביא דטבריא.** מפרש מלת הגלגל כמו (עזרא ה, ח) אבן גלל שהוא האבן הקשה הנקרא מרמר והוא מצוי בטבריא, ורמז על השלכת האבנים לקבר המת:

אמרי יושר

בימי בחרותו כו' לוקה בצרעת. זהו איש איש בחור, וזהו זכור בוראך בימי בחורותיך, ואם לאו תלקה בזיבה:

אם למקרא

מָתְקוּ לוֹ רִגְבֵי נָחַל וְאַחֲרָיו כָּל אָדָם יִמְשׁוֹךְ וּלְפָנָיו אֵין מִסְפָּר: (שם כא:לג)

וַיָּקָם אָדָם לִרְדָפְךָ וּלְבַקֵּשׁ אֶת נַפְשֶׁךָ וְהָיְתָה נֶפֶשׁ אֲדֹנִי צְרוּרָה בִּצְרוֹר הַחַיִּים אֵת ה' אֱלֹהֶיךָ וְאֵת נֶפֶשׁ אֹיְבֶיךָ יְקַלְּעֶנָּה בְּתוֹךְ כַּף הַקָּלַע: (שמואל א כה:כט)

ידי משה

למה לפי שצורת הפנים קיים. והוא כמו שהוא חי, ואין מקבלין תנחומים על החי: **כל אלו בימי זקנותו וכו'.** פירוש בימי הזקנה יהיה העונש על הנשמה, אבל בימי בחרותו יש עונש על הגוף, בצרעת ובזיבות ונדות, מה שאין כן בזקנה כדכתיב (בראשית יח, יא) חדל להיות לשרה אורח כנשים, מתוך הזקנה:

מתנות כהונה

ואין מעידין אחר שלשה ימים. על איש שמת להשיא את אשתו, כי שמא אין זה בעלה ואחר הוא, שאחר שלשה ימים נשתנה מראהו, ונדמה לו כי זה הוא. ומשנה היא בפרק בתרא דיבמות (פט"ז מ"ג): **באילין גלגלייא.** פירוש גלגלים העשויים על פי הבארות ובהם חבל ארוך שמגלגלין ומושכים בו מים מבאר. לפורי יושבת בהר ובארותיה עמוקות והיו צריכין לאותן גלגלים: **וחרנא.** והאחר משני אותן אמוראים: הכי גרסינן **באילין רגבייא.** פירוש כאלו רגבים וצרורות של מקום טבריה שיושבת בעמק, ושם שכיחין צרורות: **אל הארץ כשהיה.** נקי מעבירות כיום הולדו: הכי גרסינן **אלו בימי זקנותו:**

אשד הנחלים

למה שצורת הפנים. והדבר שהוא במציאות בטבעו לעורר הנפש, אף שאינו לעומת פניו: **כאילין כו'.** עיין מתנות כהונה שפירש כי שם מצוי צרורות. ולא ידעתי מה שייך הצרורות לכאן. ואולי מפני הצרורות ישבר לפעמים הכד על המבוע בעת שאבו, וזהו המשל למיתת האדם ושברו: **אימת הרוח כו' נפש כו'.** הבאור בזה אם לא השתקע בעולם הזה בעניינים הגופנים המטמאים לנפש, רק ששב העפר על הארץ כשהיה, כלומר כעת בואה בעולם שלא התענגה מעולם הזה וחמודותיו, אז הרוח תשוב לאלהים טהורה כאשר נתנה, ואם לאו חס ושלום תקולע בכף הקלע. ופירושו כי נשאר ציורי הגופניות בנפש, ושמה מלפפתה ומוליכתה לגיהנם, אף שהנפש בעצמה כוספת לדבק בה' שמה, כי אין יצר הרע ותאוה שמה, עם כל זה הרגל הציורים מעולם הזה תטיה למטה, כמו כף הקלע הנזרק למעלה בכח המכריח, ועם כל זה יורדת למטה בטבעה. והבן זה: **הריני טורפה לפניך.** זהו כדמות מאמרם (קינים פ"ג מ"ו) זקני עמי הארץ כל זמן שמזקינים דעתם מטורפת, כי הנפש אף שחזקה בשכלה, עם כל זה מרוב ההרגל וההשתקעות ברעה ובתאוות, ובבואה ברוב ימים אשר אין לו עוד חפץ התאוה, ובחכמה וביראה לא הרגיל נפשו, אז הוא כמטורף בדעתו תמיד, וזהו הריני טורפה לפניך, כאילו משליך אני אותה לפניך, וראי מה תעשי בה, כי אין לה מה לעשות, ולכן מסיים שכל זה בימי הזקנה, אבל בימי ילדותו, אם יחטא ילקה בצרעת כדי שיזכור עונו וישוב לה', והרי זה טובה לו לזכור מזה וישוב לה', ולכן כתיב כאן איש, שמורה על שהוא בכחו וגבורתו ובילדותו, כמאמרם (עבודה זרה יט, א) אשרי איש, אשרי כשהוא עושה תשובה כשהוא איש: **זה שאמר הכתוב איש כו'.** להלן מסיים הדרוש השייך לזה:

§2 דָּבָר אַחֵר — **Another exposition** relating to our verse: "אִישׁ כִּי יִהְיֶה זָב מִבְּשָׂרוֹ" — ***Any man who will have a discharge from his flesh,*** *etc.*

The Midrash cites and expounds a verse from *Habakkuk*, concluding with the principle that God will often inflict a punishment that emanates from the sinner's own body, such as *zivah*:[80]

זֶה שֶׁאָמַר הַכָּתוּב — **This is what Scripture stated,** "אָיֹם וְנוֹרָא הוּא מִמֶּנּוּ מִשְׁפָּטוֹ וּשְׂאֵתוֹ יֵצֵא" — ***He is awesome and terrifying, his*** *[own]* ***judgment and his*** *[own]* ***destruction go forth from him*** (*Habakkuk* 1:7).[81]

The Midrash understands this verse as referring to various people who were awesome and terrifying, and whose judgment (i.e., punishment) and destruction came from within themselves. The Midrash proceeds to give six examples of people to whom this verse refers.[82] The first example:

The first example:

"אָיֹם וְנוֹרָא הוּא" — ***He is awesome and terrifying*** — זֶה אָדָם הָרִאשׁוֹן — **this is** a reference to **Adam, the first** man. רַבִּי יְהוּדָה בַּר סִימוֹן בְּשֵׁם רַבִּי יְהוֹשֻׁעַ בֶּן לֵוִי — **R' Yehudah bar Simone said in the name of R' Yehoshua ben Levi:** בְּשָׁעָה שֶׁבָּרָא הַקָּדוֹשׁ בָּרוּךְ הוּא אֶת אָדָם הָרִאשׁוֹן — **At the time that the Holy One, blessed is He, created Adam, the first** man, מְלֹא כָל הָעוֹלָם כּוּלּוֹ בְּרָאוֹ — **He created him** so that **he filled the entire world.**[83] שֶׁנֶּאֱמַר "אָחוֹר וָקֶדֶם צַרְתָּנִי" מִמִּזְרָח לַמַּעֲרָב — That he reached **from east to west** is derived from that **which is stated,** ***Back*** *(west)* ***and front*** *(east)*[84] ***You have fashioned me*** (*Psalms* 139:5). מִן הַצָּפוֹן לַדָּרוֹם שֶׁנֶּאֱמַר "וּלְמִקְצֵה הַשָּׁמַיִם וְעַד קְצֵה הַשָּׁמָיִם" — That he reached **from the north to the south** is derived from that **which is stated,** *From the day God created man on the earth* ***and from one end of heaven to the other end of heaven*** (*Deuteronomy* 4:32).[85] וּמִנַּיִין אַף כַּחֲלָלוֹ שֶׁל עוֹלָם — **And from where** do we know that his height, **as well,** filled **the space of the** entire **world?** תַּלְמוּד לוֹמַר "וַתָּשֶׁת עָלַי כַּפֶּכָה" — **[Scripture] teaches** you, ***And You have laid Your arch*** [כַּפֶּכָה] ***upon me*** (*Psalms* ibid.).[86]

The Midrash continues its exposition of the *Habakkuk* verse and concludes its first example:

"מִמֶּנּוּ מִשְׁפָּטוֹ וּשְׂאֵתוֹ יֵצֵא" — ***His judgment and his destruction go forth from him*** — זוֹ חַוָּה — **this is** a reference to **Eve,** who was created ("came forth") from Adam's body,[87] and caused his destruction by inducing him to eat from the forbidden fruit. הֲדָא הוּא דִכְתִיב — **Thus it is written,** "וַיֹּאמֶר הָאָדָם הָאִשָּׁה אֲשֶׁר נָתַתָּה עִמָּדִי הִיא נָתְנָה לִּי וְגוֹ'" — ***The man said, "The woman whom You gave to be with me — she gave me*** *of the tree and I ate"* (*Genesis* 3:12).[88]

The second example:

דָּבָר אַחֵר "אָיֹם וְנוֹרָא הוּא" זֶה עֵשָׂו — **Another interpretation** of the verse in *Habakkuk*: ***He is awesome and terrifying*** — **this is** a reference to **Esau.**

NOTES

80. Or *tzaraas* (see end of section). [According to *Yefeh To'ar* and *Eitz Yosef* cited in the preceding note, the Midrash will thus support the idea implied already in the preceding section.] In typical Midrashic style, the Midrash will first expound the *Habakkuk* verse in other ways (*Eitz Yosef*).

81. The standard translation of the verse is: *"It" is awesome and terrifying; its judgment and its burden* [שְׂאֵתוֹ] *go forth from it*, with "it" referring to the Chaldean nation. [This is evident from the preceding verse (*Habakkuk* 1:6), which states, *I am establishing the Chaldeans, that bitter and impetuous nations that will go across the breadth of the earth to possess dwelling places that are not its own*]. The verse is saying that evil *judgments* and frightful *burdens* would *go forth* and be placed upon other nations by the judges and kings (respectively) of Chaldea (*Rashi* ad loc.). According to the exposition of the Midrash, however, the verse is speaking of the fact that God often causes the punishment and destruction of people who are "awesome and terrifying" to "come forth" from themselves or from their own offspring. [The word שְׂאֵתוֹ it thus to be understood homiletically as if written שְׁאֵתוֹ (with a *shin*), meaning *his destruction* (*Maharzu* below, s.v. ממנו משפטו ושאתו). We have translated the verse accordingly. Alternatively, the word שְׂאֵתוֹ comes from the word שְׂאֵת, which is a type of *tzaraas* affliction (see *Leviticus* Ch. 13). Accordingly, it means *his punishment* or *his affliction* (*Eitz Yosef* below, s.v. זו חוה; see also *Radal* below, s.v. ממנו משפטו).]

The connection of the *Habakkuk* verse to our verse will be explained further at the end of this section.

82. The Midrash is able to expound this verse as referring to people *besides* the Chaldeans (who are the subject of the immediately preceding verse — see previous note) because this verse does not state explicitly to whom it is referring (*Maharzu*). Alternatively: The preceding verse (*Habakkuk* 1:6) states that the Chaldeans shall conquer Israel. That event is itself an example of a group of people whose punishment and destruction will come from within: The Chaldeans were closely related to the Jewish people, for Chesed, the progenitor of the Chaldeans, was a son of Nahor the brother of Abraham (see *Genesis* 22:22). Israel would thus be punished, as it were, from *within*. Our verse (*Habakkuk* 1:7) then adds that indeed, there are *others* who are *"awesome and terrifying"* whose punishment and destruction will *similarly* come from within (from their own self) (*Anaf Yosef*; see *Yefeh To'ar*). See note 101.

83. His body took up the space of the entire world from east to west and from north to south. His height filled the space of the world from the earth until the firmament (*Eitz Yosef*). See above, Ch. 14 note 11 and Insight there ("Adam, Giant of a Man").

84. The word *front* [קֶדֶם] refers to the east, as in the Torah's expression קֵדְמָה מִזְרָחָה, lit., *to the front, to the east* (*Exodus* 27:13, et al.); hence the word *back* refers to the west (ibid.).

85. Astronomers refer to north and south as the "ends" of the world (ibid.).

86. The word כַּפֶּכָה is a reference to the heavens, like the related word כַּפָּיִם in *Lamentations* 3:41 (ibid., Vagshal edition).

87. *Genesis* 2:21.

88. By giving Adam of the forbidden fruit, Eve caused his death (see ibid. 2:17). Thus the example from Adam: *He is awesome and terrifying* — for he filled the entire world; *his judgment and his destruction go forth from him* — for his wife, who was created from his own body, induced him to sin. This sin caused death to be decreed upon Adam (see ibid. 3:19).

Yefeh To'ar finds our Midrash puzzling: First, it seems that the Midrash has proven only that *sin* came from Adam's own self (Eve). But we are trying to prove that *punishment* comes from a person's own self — and Adam's punishment came from God, not from Eve! (There is no novelty in the fact that Adam's *sin* was caused by his own self [Eve], for it is obvious that *every* sin is caused by the evil inclination that is a part of a person's own self.) Second, why does the Midrash quote *Genesis* 3:12, which recounts Adam's self-justification before God, instead of quoting the earlier verse (3:6) which recounts the actual event of Eve giving Adam the forbidden fruit?

Yefeh To'ar (see also *Eitz Yosef*) resolves these difficulties: Although of course it was God Who actually *executed* Adam's punishment, Eve is regarded as the *source* of that punishment. For as the Midrash teaches elsewhere (*Bereishis Rabbah* 19 §5), Eve knew that she would die because she ate the forbidden fruit, and she did not want Adam to marry another woman upon her death; she therefore used deliberate tactics to get Adam to eat from the fruit. It emerges, then, that Eve did not simply cause Adam to sin while being oblivious to the sin's consequences; she *planned* for him to be punished with death, and it is therefore regarded as if she had actively killed him. And [although the Midrash in *Bereishis Rabbah* does not state so,] it is v. 3:12 that underlies the Midrash's teaching (for it is in that statement that Adam is attempting to excuse his actions, and it is that statement, then — not the Torah's statement (v. 3:6) recounting simply that Adam ate of what Eve gave him — that must allude to Eve's using deliberate tactics to get him to eat). The Midrash therefore cites this verse as proving that Adam's punishment came out of his own self (Eve).

Imrei Yosher writes that [*Genesis* 3:12 was chosen instead of 3:6 because] the word עִמָּדִי, *with me*, that appears in 3:12 is a reference to Eve's creation from Adam's own body (see *Imrei Yosher*).

ב דָּבָר אַחֵר "אִישׁ כִּי יִהְיֶה זָב מִבְּשָׂרוֹ", זֶה שֶׁאָמַר הַכָּתוּב (חבקוק א, ז) "אָיֹם וְנוֹרָא הוּא מִמֶּנּוּ מִשְׁפָּטוֹ וּשְׂאֵתוֹ יֵצֵא", "אָיֹם וְנוֹרָא הוּא" זֶה אָדָם הָרִאשׁוֹן, רַבִּי יְהוּדָה בַּר סִימוֹן בְּשֵׁם רַבִּי יְהוֹשֻׁעַ בֶּן לֵוִי: בְּשָׁעָה שֶׁבָּרָא הַקָּדוֹשׁ בָּרוּךְ הוּא אֶת אָדָם הָרִאשׁוֹן מְלֹא כָל הָעוֹלָם כּוּלּוֹ בְּרָאוֹ, מִמִּזְרָח לַמַּעֲרָב שֶׁנֶּאֱמַר (תהלים קלט, ה) "אָחוֹר וָקֶדֶם צַרְתָּנִי", מִן הַצָּפוֹן לַדָּרוֹם שֶׁנֶּאֱמַר (דברים ד, לב) "וּלְמִקְצֵה הַשָּׁמַיִם וְעַד קְצֵה הַשָּׁמָיִם", וּמִנַּיִן אַף כַּחֲלָלוֹ שֶׁל עוֹלָם, תַּלְמוּד לוֹמַר (תהלים שם שם) "וַתָּשֶׁת עָלַי כַּפֶּכָה", "מִמֶּנּוּ מִשְׁפָּטוֹ וּשְׂאֵתוֹ יֵצֵא", זוֹ חַוָּה, הָדָא הוּא דִכְתִיב (בראשית ג, יב) "וַיֹּאמֶר הָאָדָם הָאִשָּׁה אֲשֶׁר נָתַתָּה עִמָּדִי הִיא נָתְנָה לִי וְגוֹ'", דָּבָר אַחֵר "אָיֹם וְנוֹרָא הוּא" זֶה עֵשָׂו, הָדָא הוּא דִכְתִיב (שם כז, טו) "וַתִּקַּח רִבְקָה אֶת בִּגְדֵי עֵשָׂו בְּנָהּ הַגָּדֹל", "מִמֶּנּוּ מִשְׁפָּטוֹ וּשְׂאֵתוֹ יֵצֵא" זֶה עוֹבַדְיָה, אָמַר רַבִּי יִצְחָק: עוֹבַדְיָה [ב]גֵּר אֲדוֹמִי הָיָה וְהָיָה מִתְנַבֵּא עַל אֱדוֹם, (עובדיה א יח) "וְלֹא יִהְיֶה שָׂרִיד לְבֵית עֵשָׂו", דָּבָר אַחֵר, "אָיֹם וְנוֹרָא הוּא" זֶה סַנְחֵרִיב, דִּכְתִיב (ישעיה לו, כ) "מִי בְּכָל אֱלֹהֵי הָאֲרָצוֹת הָאֵלֶּה אֲשֶׁר הִצִּילוּ אֶת אַרְצָם מִיָּדִי", "מִמֶּנּוּ מִשְׁפָּטוֹ וּשְׂאֵתוֹ יֵצֵא" אֵלּוּ בָּנָיו, (מלכים-ב יט, לז) "וַיְהִי הוּא מִשְׁתַּחֲוֶה בֵּית נִסְרֹךְ אֱלֹהָיו וְאַדְרַמֶּלֶךְ וְשַׂרְאֶצֶר בָּנָיו הִכֻּהוּ בַחֶרֶב", דָּבָר אַחֵר, "אָיֹם וְנוֹרָא הוּא" זֶה חִירָם מֶלֶךְ צוֹר, דִּכְתִיב (יחזקאל כח, ב) "בֶּן אָדָם אֱמֹר לִנְגִיד צֹר כֹּה אָמַר ה' אֱלֹהִים יַעַן גָּבַהּ לִבְּךָ", "מִמֶּנּוּ מִשְׁפָּטוֹ וּשְׂאֵתוֹ יֵצֵא" זֶה נְבוּכַדְנֶצַּר, אָמַר רַבִּי סִימוֹן: מְסוֹרֶת אַגָּדָה הִיא, חִירָם בַּעַל אִמּוֹ שֶׁל נְבוּכַדְנֶצַּר הָיָה, עָמַד עָלָיו וַהֲרָגוֹ, הָדָא הוּא דִכְתִיב (שם שם יח) "וָאוֹצִא אֵשׁ מִתּוֹכְךָ הִיא אֲכָלַתְךָ",

עץ יוסף

(ב) זה שאמר הכתוב איום ונורא הוא. משום דלדרך מבשרו שמלקהו בדבר היוצא מגופו כדלעיל (ריש) סימן א', מייתי סמך לזה ממנו משפטו ושאתו יצא וכדמסיים בסוף סימן זה שלקו בזיבות ובצרעת, ואיידי דמייתי קרא דריש ליה ברישא בכמה אנפי כדרך המדרש: **אחור וקדם צרתני.** דקדם הוא רוח מזרחית כדכתיב (שמות כז, יג ועוד) קדמה מזרחה, ומדמזרח קרוי קדם מכלל דמערב קרוי אחור, ומן הצפון לדרום שנאמר ולמקצה השמים כו' דדרום וצפון נקראו קצוות בפי התוכנים, שגופו של אדם ממלא העולם מכל הצדדים ממזרח למערב מצפון לדרום, וכן קומתו ממלא החלל מהארץ עד לרקיע, ועיין בבראשית רבה פרשה ח' (סימן א) מה שכתבתי שם: **ותשת עלי כפך.** וזהו עד השמים כמה דאת אמר (ישעיה מח, יג) וימיני טפחה שמים: **זו חוה שהיתה מצלעותיו.** שחוה נתכוונה שימות אדם, שכשהיא אכלה מיד הרגישה שתמות ורצתה שימות גם הוא והכריחתו לאכול כדאמרינן בבראשית רבה פרשה י"ט (סימן ה) התחילה מיללת עליו בקולה, והוי ליה כאילו המיתה אותו בידים, וזהו שאמר ממנו משפטו ושאתו יצא, פירוש ממנו יצא ענשו ומכתו, ושאתו לשון (ויקרא יג, ב) שאת או ספחת או לשון כויה מגזירת (שמואל ב' ה, כא) וישאם דוד, וכן בכל הני דבסמוך: **הדא הוא דכתיב כו' החמודות.** ודרשינן לעיל בבראשית רבה (סה, טז) שחמדן מנמרוד והרגו, הרי שהיה גבור איום ונורא, ומיהו בתנחומא (תזריע סימן ח) מייתי ראיה מדכתיב ביה (דניאל ז, ז) דחילה ואימתני ותקיפא: **גר אדומי היה.** אין זה נודע אלא בקבלה כמו שאמר רבי יצחק אברבנאל (ריש עובדיה). והא דאמרו חכמינו ז"ל אין השכינה שורה אלא על משפחות מיוחסות בישראל, היינו בקבע, אבל הכא אקראי בעלמא הוא שלא נתנבא אלא נבואה קטנה זו לצורך השעה שלא נמצא כמוהו מוכן לנבואה, וכדי שיבא פורעניות עשו, יואלי יריכו: **חירם בעל אמו של נבוכדנצר היה.** פירוש נבוכדנצר היה בן אשתו של חירם:

פירוש מהרז"ו

(ב) איום ונורא הוא. תנחומא (תזריע סימן ח) כן הובא בילקוט חבקוק (רמז תקסב) פשטות הכתובים על כשדים שכתוב בפסוק הקודם (חבקוק א, ו) הנני מקים את הכשדים הגוי המר וגו' איום ונורא הוא, וכמו שאמר לקמן סימן זה נבוכדנצר, ועל שבפסוק זה אינו מפורש במי מדבר, דורשו על פי מדה י"ג בכמה אופנים: **בשעה שברא הקב"ה.** עיין לעיל (יד, א) ושם נתבאר, והביאור על זה בראשית רבה (י, ח): **ממנו משפטו ושאתו.** שנשפט על ידה, ושאתו מלשון השאת והשבר, גם פירושו מלשון הסתה, כמו שכתוב (בראשית ג, יג) הנחש השיאני, והיא השיאה לאדם: **את בגדי עשו בנה הגדול.** כמו שאמר פרקי דרבי אליעזר (פרק כד) הכתונת שעשה הקב"ה לאדם ולאשתו היתה עמהם בתיבה, וכשיצאו מן התיבה, לקחה חם בן נח והוציאה עמו, והנחילה לנמרוד, ובשעה שהיה לובש אותה, היו כל בהמה חיה ועוף באים ונופלים לפניו, כסבורין שהוא מכח גבורתו, לפיכך המליכוהו עליהם וכו', ועל כן היה נמרוד גבור ציד (בראשית י, ט), וכן עשו כמו שאמרו בבראשית רבה (סה, טז) בגדי בנה הגדול החמודות, מה שחמד מנמרוד ונטלן, שנאמר (משלי יב, יב) חמד רשע מצוד רעים, וכן הוא בספר הישר וז"ל, ויקח עשו את בגדי נמרוד החמודות וכו' אשר בהם גבר על כל הארץ וכו' ונעשה גם עשו גבור ציד. ולזה כוון המדרש בסדר תולדות (סה, טז) כמו שכתוב (חבקוק א, ז) איום ונורא וכו', את בגדי עשו, ובתנחומא (תזריע סימן י) הגירסא זו אדום, שנאמר (דניאל ז, ז) אימתני ותקיפא: **זה עובדיה.** שנתנבא על חורבנו: **גר אדומי היה.** ואינו יודע מנין לו. וכן הוא בסנהדרין (לט, ב) מאמר אפריס מקשאה תלמידו של רבי מאיר: **יען גבה לבך.** וסיפיה דקרא מושב אלהים ישבתי בלב ימים: **זה נבוכדנצר.** עיין שמות רבה (כא, ז), וזה כפי פשוטו שמדבר בכשדים: **ואוציא אש מתוכך.** בנבואת נבוכדנצר, צור הוא חירם, כתיב:

מסורת המדרש

ב. תנחומא סדר תזריע. סנהדרין דף ל"ט. ילקוט ריש עובדיה. אגדת בראשית פ' ט"ו:

אם למקרא

אָיֹם וְנוֹרָא הוּא מִמֶּנּוּ מִשְׁפָּטוֹ וּשְׂאֵתוֹ יֵצֵא: (חבקוק א:ז)

אָחוֹר וָקֶדֶם צַרְתָּנִי וַתָּשֶׁת עָלַי כַּפֶּכָה: (תהלים קלט:ה)

כִּי שְׁאַל נָא לְיָמִים רִאשֹׁנִים אֲשֶׁר הָיוּ לְפָנֶיךָ לְמִן הַיּוֹם אֲשֶׁר בָּרָא אֱלֹהִים אָדָם עַל הָאָרֶץ וּלְמִקְצֵה הַשָּׁמַיִם וְעַד קְצֵה הַשָּׁמָיִם הֲנִהְיָה כַּדָּבָר הַגָּדוֹל הַזֶּה אוֹ הֲנִשְׁמַע כָּמֹהוּ: (דברים ד:לב)

וַיֹּאמֶר הָאָדָם הָאִשָּׁה אֲשֶׁר נָתַתָּה עִמָּדִי הִוא נָתְנָה לִּי מִן הָעֵץ וָאֹכֵל: (בראשית ג:יב)

וַתִּקַּח רִבְקָה אֶת בִּגְדֵי עֵשָׂו בְּנָהּ הַגָּדֹל הַחֲמֻדֹת אֲשֶׁר אִתָּהּ בַּבָּיִת וַתַּלְבֵּשׁ אֶת יַעֲקֹב בְּנָהּ הַקָּטָן: (שם כז:טו)

וְהָיָה בֵית יַעֲקֹב אֵשׁ וּבֵית יוֹסֵף לֶהָבָה וּבֵית עֵשָׂו לְקַשׁ וְדָלְקוּ בָהֶם וַאֲכָלוּם וְלֹא יִהְיֶה שָׂרִיד לְבֵית עֵשָׂו כִּי ה' דִּבֵּר: (עובדיה א:יח)

מִי בְּכָל אֱלֹהֵי הָאֲרָצוֹת הָאֵלֶּה אֲשֶׁר הִצִּילוּ אֶת אַרְצָם מִיָּדִי כִּי יַצִּיל ה' אֶת יְרוּשָׁלַםִ מִיָּדִי: (ישעיה לו:כ)

וַיְהִי הוּא מִשְׁתַּחֲוֶה בֵּית נִסְרֹךְ אֱלֹהָיו וְאַדְרַמֶּלֶךְ וְשַׂרְאֶצֶר בָּנָיו הִכֻּהוּ בַחֶרֶב וְהֵמָּה נִמְלְטוּ אֶרֶץ אֲרָרָט וַיִּמְלֹךְ אֵסַר חַדֹּן בְּנוֹ תַּחְתָּיו: (מלכים ב יט:לז)

בֶּן אָדָם אֱמֹר לִנְגִיד צֹר כֹּה אָמַר אֲדֹנָי ה' יַעַן גָּבַהּ לִבְּךָ וַתֹּאמֶר אֵל אָנִי מוֹשַׁב אֱלֹהִים יָשַׁבְתִּי בְּלֵב יַמִּים וְאַתָּה אָדָם וְלֹא אֵל וַתִּתֵּן לִבְּךָ כְּלֵב אֱלֹהִים: (יחזקאל כח:ב)

מֵרֹב עֲוֹנֶיךָ בְּעֶוֶל רְכֻלָּתְךָ חִלַּלְתָּ מִקְדָּשֶׁיךָ וָאוֹצִא אֵשׁ מִתּוֹכְךָ הִיא אֲכָלַתְךָ וָאֶתֶּנְךָ לְאֵפֶר עַל הָאָרֶץ לְעֵינֵי כָּל רֹאֶיךָ: (שם שם יח)

חידושי הרד"ל

[ב] דבר אחר זה עובדיה כו'. כן צריך לומר (סנהדרין לט, ב):

חידושי הרש"ש

[ב] דבר אחר איום ונורא כו' זה ראמולוס הדא הוא דכתיב (בראשית כז, טו) **ותקח רבקה כו'.** עיין ידי משה, ולפירושו יותר היה להמדרש להביא פסוק (דניאל ז, ז) דחילה ואימתני, כמו שהביא לעיל (יג, ה) ובבראשית רבה (מד, יז), אלא נראה דהמדרש בכאן מפרש תוארי איום ונורא על הגדולה והגבהות, וכן בכל הדרשות:

באור מהרי"פ

[ב] זה עשו הדא הוא דכתיב וגו'. אולי דורש מלשון (בראשית כז, טו) בנה הגדול החמודות, ודרשו חז"ל (בראשית רבה סה, ז) שחמדו מנמרוד והרגו, מוכח מזה שעשו היה איום ונורא, ובתנחומא (תזריע סימן ח) מייתי ראיה מדכתיב באדום (דניאל ז, ז) דחילא ואימתני ותקיפא:

אמרי יושר

[ב] האשה אשר נתת עמדי. זהו שנבראת מצלעו:

ידי משה

[ב] איום ונורא זה עשו דכתיב ותקח רבקה את בגדי [בנה הגדול] החמודות. ודרשו חכמינו ז"ל (בראשית רבה סה, טז) שחמדן וגזלן מן נמרוד והרגו, לפיכך היה נקרא איום ונורא: **ושאתו יצא עובדיה שהיה גר.** וגרים נקראים שאת וספחת כידוע (קידושין ע, ב):

מתנות כהונה

[ב] מן צפון לדרום כו'. פירשתי לעיל ריש תזריע (יד, א): הכי גרסינן בכל מקום שמצאתי מדרש זה בפרשת בראשית (ח, א) ופרשת תזריע (שם) ובילקוט פעמים ושלשה (תהלים פרק קלט רמז תתפז), **מן המזרח למערב שנאמר אחור וקדם וגו' מן הצפון לדרום שנאמר ולמקצה וגו':**

אשד הנחלים

[ב] זה אדם הראשון. באורו שחבקוק הנביא התבונן על מפלת העולם בשעה וביום אחת תיכף בעת הבריאה, כי מי לנו גדול ואיום כאדם הראשון, שהוא מלא כל העולם בקומתו ובהשגתו ובמדריגתו, ותיכף שמע לקול אשתו ונפל מזאת המדריגה, וזהו ממנו משפטו, הוא דינו לחייבו יצא, כי היא שבאת ממנו, כמו שנאמר האשה אשר נתתי עמדי, גרמה לו. וכל זה התבונן הנביא בעת שראה החורבן והגליות לפניו הנובע בסבת החטא, והחטא הוא מסבת העץ הדעת הראשון: **זה סנחריב כו'.** דרש ממנו יצא, שיעשה משפט ודין עמו, להרגו ולהפיל אימתו:

ענף יוסף

(ב) איום ונורא הוא זה אדם הראשון. תימא דקרא בתר כי הנני מקים את הכשדים כתיב, ואם כן אדם הראשון מאן דכר שמיה התם, וכן בכל הני דמפרש ואזיל בהו קרא, היינו אדום, סנחריב, חירם, מאן דכר שמייהו הם, ויש לומר דהכי מפרש קרא, מי שאיום ונורא הוא, היינו אדם הראשון, או אדום, או סנחריב, או חירם, ממנו משפטו ושאתו יצא, ואמר זה לפי שיעד נפילת ישראל ביד הכשדים שהיו קרובים לישראל, שהם מבני נחור אחי אברהם, כאומר ואת כשד ואת חזו, על כן אמר שיקרה להם כמו כל מי שהיה איום ונורא, שמחריביו יצא ממנו, אמנם לפי מה שפירש המדרש אותו על נבוכדנצר, ודאי כוונת הכתוב להפליג במוראו, כי איום ונורא, כדי שיפחדו ישראל ממנו, ואיידי דספר בגדולתו, הזכיר שממנו יצא מי שינקם ממנו, לומר שאין גדולתו חשובה לפני ה', שהוא נפרע ממנו אפילו על ידי יוצאי יריכו:

הָדָא הוּא דִכְתִיב "וַתִּקַּח רִבְקָה אֶת בִּגְדֵי עֵשָׂו בְּנָהּ הַגָּדֹל" — **Thus it is written,** ***Rebecca then took her older son Esau's*** *coveted* ***garments*** (ibid. 27:15).[89] "מִמֶּנּוּ מִשְׁפָּטוֹ וּשְׂאֵתוֹ יֵצֵא" — ***His judgment and his destruction go forth from him*** — זֶה עוֹבַדְיָה — **this is** a reference to the Prophet **Obadiah.** אָמַר רַבִּי יִצְחָק: עוֹבַדְיָה גֵּר אֲדוֹמִי הָיָה וְהָיָה מִתְנַבֵּא עַל אֱדוֹם — **R' Yitzchak says: Obadiah was an Edomite convert,**[90] **and** it was **he** who **prophesied regarding** the downfall of **Edom,** saying, "וְלֹא יִהְיֶה שָׂרִיד לְבֵית עֵשָׂו" — ***There will be no survivor to the House of Esau*** (*Obadiah* 1:18).[91]

The third example:

דָּבָר אַחֵר, "אָיֹם וְנוֹרָא הוּא" זֶה סַנְחֵרִיב — **Another interpretation:** ***He is awesome and terrifying*** — **this is** a reference to **Sennacherib,** king of Assyria, דִּכְתִיב "מִי בְּכָל אֱלֹהֵי הָאֲרָצוֹת הָאֵלֶּה אֲשֶׁר הִצִּילוּ אֶת אַרְצָם מִיָּדִי" — whose *awesome and terrifying* nature is evident from that **which is written,** ***Which among all the gods of the lands saved their land from my hand?*** (*Isaiah* 36:20).[92] "מִמֶּנּוּ מִשְׁפָּטוֹ וּשְׂאֵתוֹ יֵצֵא" — ***His judgment and his destruction go forth from him*** — אֵלּוּ בָּנָיו — **these are** a reference to **his sons,** regarding whom Scripture states, "וַיְהִי הוּא מִשְׁתַּחֲוֶה בֵּית נִסְרֹךְ אֱלֹהָיו וְאַדְרַמֶּלֶךְ וְשַׂרְאֶצֶר בָּנָיו הִכֻּהוּ בַחֶרֶב" — ***It happened that [Sennacherib] was worshiping in the temple of his god Nisroch: His sons Adrammelech and Sarezer struck him by the sword*** (*II Kings* 19:37).[93]

The fourth example:

דָּבָר אַחֵר, "אָיֹם וְנוֹרָא הוּא" זֶה חִירָם מֶלֶךְ צוֹר — **Another interpretation:** ***He is awesome and terrifying*** — **this is** a reference to **Hiram, king of Tyre,** דִּכְתִיב "בֶּן אָדָם אֱמֹר לִנְגִיד צֹר כֹּה אָמַר ה' אֱלֹהִים יַעַן גָּבַהּ לִבְּךָ" — who was awesome and terrifying, **as it is written,** ***Son of man, say to the Prince of Tyre: Thus said the Lord*** ***HASHEM/ELOHIM: Because your heart has grown proud*** *and you have said, "I am a god; I have occupied the seat of God in the heart of the seas"* (*Ezekiel* 28:2).[94] "מִמֶּנּוּ מִשְׁפָּטוֹ וּשְׂאֵתוֹ יֵצֵא" — ***His judgment and his destruction go forth from him*** — זֶה נְבוּכַדְנֶצַּר — **this is** a reference to **Nebuchadnezzar,** king of Babylonia. אָמַר רַבִּי סִימוֹן: מָסוֹרֶת אַגָּדָה הִיא חִירָם בַּעַל אִמּוֹ שֶׁל נְבוּכַדְנֶצַּר הָיָה — **R' Simone said: There is an Aggadic tradition** that **Hiram was the husband of the mother of Nebuchadnezzar,** עָמַד עָלָיו וַהֲרָגוֹ — and that **[Nebuchadnezzar] rose up against [Hiram] and murdered him.** הָדָא הוּא דִכְתִיב "וָאוֹצִא אֵשׁ מִתּוֹכְךָ הִיא אֲכָלַתְךָ" — **Thus it is written** regarding Hiram, ***So I drew out a fire from within you; it consumed you*** (ibid., v. 18).[95]

NOTES

89. The word *coveted* alludes to the fact that Esau had coveted these clothes from Nimrod; he had therefore killed the mighty Nimrod and taken these garments for himself (see *Bereishis Rabbah* 65 §16), thus earning the appellation *awesome and terrifying* (*Beur Maharif, Eitz Yosef*). Alternatively, the clothing that Esau took from Nimrod would make the wearer *awesome and terrifying* to all the animals, causing them to fall before him in fright, as described in *Pirkei DeRabbi Eliezer* §24 (*Maharzu*).

Many commentators note that in a parallel Midrash (*Tanchuma, Tazria* §8) the text states: *this is* a reference to *the Kingdom of Edom* (Esau; i.e., Rome), *as it is written* in connection with Rome in Daniel's vision of the Four Kingdoms, *exceedingly terrifying, awesome, and strong, etc.* (*Daniel* 7:7).

90. This is known to us only via tradition (*Eitz Yosef*; see there regarding the Sages' implication (*Kiddushin* 70b) that only people with pure genealogy could be prophets).

91. Thus *his* (Esau's) *destruction and his judgment*, i.e., the prophecy of Esau's doom, *comes forth from him*, i.e., from a prophet who descended from him.

92. These haughty words were part of a message from Sennacherib relayed by his emissary to the residents of Jerusalem, and demonstrate his power and the awesome terror that he generated.

93. Thus *his* (Sennacherib's) *destruction and his judgment*, i.e., his death, *comes forth from him*, i.e., from his own sons.

94. After prophesying about the upcoming destruction of Tyre, which would fall into the hands of Nebuchadnezzar, king of Babylonia (see *Ezekiel* 26:7ff), the prophet Ezekiel predicts the downfall of the king of Tyre and his violent death as punishment for proclaiming himself to be divine (ibid. 28:1-19). The Talmud (*Chullin* 89a) and the Midrash in numerous places identify the king of Tyre of this passage as Hiram.

95. Thus *his* (Hiram's) *destruction and his judgment*, i.e., his death, *comes forth from him*, i.e., from Nebuchadnezzar who, as Hiram's stepson, is considered as Hiram's son.

ב דָּבָר אַחֵר "אִישׁ כִּי יִהְיֶה זָב מִבְּשָׂרוֹ", זֶה שֶׁאָמַר הַכָּתוּב (חבקוק א, ז) "אָיֹם וְנוֹרָא הוּא מִמֶּנּוּ מִשְׁפָּטוֹ וּשְׂאֵתוֹ יֵצֵא", "אָיֹם וְנוֹרָא הוּא" זֶה אָדָם הָרִאשׁוֹן, רַבִּי יְהוּדָה בַּר סִימוֹן בְּשֵׁם רַבִּי יְהוֹשֻׁעַ בֶּן לֵוִי: בְּשָׁעָה שֶׁבָּרָא הַקָּדוֹשׁ בָּרוּךְ הוּא אֶת אָדָם הָרִאשׁוֹן מְלֹא כָל הָעוֹלָם כּוּלּוֹ בְּרָאוֹ, מִמִּזְרָח לַמַּעֲרָב שֶׁנֶּאֱמַר (תהלים קלט, ה) "אָחוֹר וָקֶדֶם צַרְתָּנִי", מִן הַצָּפוֹן לַדָּרוֹם שֶׁנֶּאֱמַר (דברים ד, לב) "וּלְמִקְצֵה הַשָּׁמַיִם וְעַד קְצֵה הַשָּׁמָיִם", וּמִנַּיִן אַף כַּחֲלָלוֹ שֶׁל עוֹלָם, תַּלְמוּד לוֹמַר (תהלים שם שם) "וַתָּשֶׁת עָלַי כַּפֶּכָה", "מִמֶּנּוּ מִשְׁפָּטוֹ וּשְׂאֵתוֹ יֵצֵא", זוֹ חַוָּה, הָדָא הוּא דִכְתִיב (בראשית ג, יב) "וַיֹּאמֶר הָאָדָם הָאִשָּׁה אֲשֶׁר נָתַתָּה עִמָּדִי הִוא נָתְנָה לִּי וְגוֹ'", דָּבָר אַחֵר "אָיֹם וְנוֹרָא הוּא" זֶה עֵשָׂו, הָדָא הוּא דִכְתִיב (שם כז, טו) "וַתִּקַּח רִבְקָה אֶת בִּגְדֵי עֵשָׂו בְּנָהּ הַגָּדֹל", "מִמֶּנּוּ מִשְׁפָּטוֹ וּשְׂאֵתוֹ יֵצֵא" זֶה עוֹבַדְיָה, אָמַר רַבִּי יִצְחָק: עוֹבַדְיָה [ב]גֵּר אֲדוֹמִי הָיָה וְהָיָה מִתְנַבֵּא עַל אֱדוֹם, (עובדיה א יח) "וְלֹא יִהְיֶה שָׂרִיד לְבֵית עֵשָׂו", דָּבָר אַחֵר, "אָיֹם וְנוֹרָא הוּא" זֶה סַנְחֵרִיב, דִּכְתִיב (ישעיה לו, כ) "מִי בְּכָל אֱלֹהֵי הָאֲרָצוֹת הָאֵלֶּה אֲשֶׁר הִצִּילוּ אֶת אַרְצָם מִיָּדִי", "מִמֶּנּוּ מִשְׁפָּטוֹ וּשְׂאֵתוֹ יֵצֵא" אֵלּוּ בָּנָיו, (מלכים-ב יט, לז) "וַיְהִי הוּא מִשְׁתַּחֲוֶה בֵּית נִסְרֹךְ אֱלֹהָיו וְאַדְרַמֶּלֶךְ וְשַׂרְאֶצֶר בָּנָיו הִכֻּהוּ בַחֶרֶב", דָּבָר אַחֵר, "אָיֹם וְנוֹרָא הוּא" זֶה חִירָם מֶלֶךְ צוֹר, דִּכְתִיב (יחזקאל כח, ב) "בֶּן אָדָם אֱמֹר לִנְגִיד צֹר כֹּה אָמַר ה' אֱלֹהִים יַעַן גָּבַהּ לִבְּךָ", "מִמֶּנּוּ מִשְׁפָּטוֹ וּשְׂאֵתוֹ יֵצֵא" זֶה נְבוּכַדְנֶצַּר, אָמַר רַבִּי סִימוֹן: מָסוֹרֶת אַגָּדָה הִיא, חִירָם בַּעַל אִמּוֹ שֶׁל נְבוּכַדְנֶצַּר הָיָה, עָמַד עָלָיו וַהֲרָגוֹ, הָדָא הוּא דִכְתִיב (שם שם יח) "וָאוֹצִא אֵשׁ מִתּוֹכְךָ הִיא אֲכָלַתְךָ".

עץ יוסף

(ב) זה שאמר הכתוב איום ונורא הוא. משום דדרך מבשרו שמלקהו בדבר היוצא מגופו כדלעיל (ריש) סימן א', מייתי סמך לזה ממנו משפטו ושאתו יצא וכדמסיים בסוף סימן זה שלקו בזיבות ובצרעת, ואיידי דמייתי קרא דריש ליה ברישא בכמה אנפי כדרך המדרש: **אחור וקדם צרתני.** דקדם הוא רוח מזרחית כדכתיב (שמות כז, יג ועוד) קדמה מזרחה, ומדמזרח קרוי קדם מכלל דמערב קרוי אחור, ומן הצפון לדרום שנאמר ולמקצה השמים כו' דדרום וצפון נקראו קצוות בפי התוכנים, שגופו של אדם ממלא העולם מכל הצדדים ממזרח למערב מצפון לדרום, וכן קומתו ממלא החלל מהארץ עד לרקיע, ועיין בבראשית רבה פרשה ח' (סימן א) מה שכתבתי שם: **ותשת עלי כפך.** וזהו עד השמים כמה דאת אמר (ישעיה מח, יג) וימיני טפחה שמים: **זו חוה שהיתה מצלעותיו.** שחוה נתכוונה שימות אדם, שכשהיא אכלה מיד הרגישה שתמות ורצתה שימות גם הוא והכריחתו לאכול כדאמרינן בבראשית רבה פרשה י"ט (סימן ח) התחילה מיללת עליו בקולה, והוי ליה כאילו המיתה אותו בידים, וזהו שאמר ממנו משפטו ושאתו יצא, פירוש ממנו יצא ענשו ומכתו, ושאתו לשון (ויקרא יג, ב) שאת או ספחת או לשון כויה מגזירת (שמואל ב' ה, כא) וישאם דוד, וכן בכל הני דבסמוך: **הדא הוא דכתיב בו' החמודות.** ודרשינן לעיל בבראשית רבה (סה, טז) שחמדן מנמרוד והרגו, הרי שהיה גבור איום ונורא, ומיהו בתנחומא (תזריע סימן ח) מייתי ראיה מדכתיב ביה (דניאל ז, ז) דחילא ואימתני ותקיפא: **גר אדומי היה.** אין זה נודע אלא בקבלה כמו שאמר רבי יצחק אברבנאל (ריש עובדיה). והא דאמרו חכמינו ז"ל אין השכינה שורה אלא על משפחות מיוחסות בישראל, היינו בקבע, אבל הכא אקראי בעלמא הוא שלא נתנבא אלא נבואה קטנה זו לצורך השעה שלא נמצא כמוהו מוכן לנבואה, וכדי שיכלה פורעניות עשו, יולאי ירוכו: **חירם בעל אמו של נבוכדנצר היה.** פירוש נבוכדנצר היה בן אשתו של חירם:

פירוש מהרז"ו

(ב) איום ונורא הוא. תנחומא (תזריע סימן ח) כן הובא בילקוט חבקוק (רמז תקסב) פשטות הכתובים על כשדים שכתוב בפסוק הקודם (חבקוק א, ו) הנני מקים את הכשדים הגוי המר וגו' איום ונורא הוא, וכמו שאמר לקמן סימן זה נבוכדנצר, ועל שבפסוק זה אינו מפורש במי מדבר, דורשו על פי מדה י"ג בכמה אופנים: **בשעה שברא הקב"ה.** עיין לעיל (יד, א) ושם נתבאר, והביאור על זה בראשית רבה (י, ח): **ממנו משפטו ושאתו.** שנשפט על ידה, ושאתו מלשון השאת והשבר, גם פירושו מלשון הספחה, כמו שכתוב (בראשית ג, יג) הנחש השיאני, והיא השיאה לאדם: **את בגדי עשו בנה הגדול.** כמו שאמר פרקי דרבי אליעזר (פרק כד) הכתונת שעשה הקב"ה לאדם ולאשתו היתה עמהם בתיבה, וכשיצאו מן התיבה, לקחה חם בן נח והוציאה עמו, והנחילה לנמרוד, ובשעה שהיה לובש אותה, היו כל בהמה חיה ועוף באים ונופלים לפניו, כסבורין שהוא מכח גבורתו, לפיכך המליכוהו עליהם וכו', ועל כן היה נמרוד גבור ציד (בראשית י, ט), וכן עשו כמו שאמרו בבראשית רבה (סה, טז) בגדי בנה הגדול החמודות, מה שחמד מנמרוד וגטלן, שנאמר (משלי יב, יב) חמד רשע מצוד רעים, וכן הוא בספר הישר וז"ל, ויקח עשו את בגדי נמרוד החמודות וכו' אשר בהם גבר על כל הארץ וכו' ונעשה גם עשו גבור ציד. ולזה כוון המדרש בסדר תולדות (סה, טז) כמו שכתוב (חבקוק א, ז) איום ונורא וכו', את בגדי עשו, ובתנחומא (תזריע סימן י) הגירסא זו אדום, שנאמר (דניאל ז, ז) אימתני ותקיפא: **זה עובדיה.** שנתנבא על חורבנו: **גר אדומי היה.** ואינו יודע מנין לו. וכן הוא בסנהדרין (לט, ב) מאמר אפרים מקשאה תלמידו של רבי מאיר: **יען גבה לבך.** וסיפיה דקרא מושב אלהים ישבתי בחול ימים: **זה נבוכדנצר.** עיין שמות רבה (כא, ז), וזה כפי פשוטו שמדבר בכשדים: **ואוציא אש מתוכך.** בנבואת נבוכדנצר, צור הוא חירם, כתיב:

חידושי הרד"ל

[ב] דבר אחר זה עובדיה כו'. כן צריך לומר (סנהדרין לט, ב):

חידושי הרש"ש

[ב] דבר אחר איום ונורא כו' זה ראמולוס הדא הוא דכתיב (בראשית כז, טו) **ותקח רבקה כו'.** עיין ידי משה, ולפירושו יותר היה להמדרש להביא פסוק (דניאל ז, ז) דחילא ואימתני, כמו שהביא לעיל (יג, ה) ובבראשית רבה (מד, יז), אלא נראה דהמדרש בכאן מפרש תוארי איום ונורא על הגדולה והגבהות, וכן בכל הדרשות:

באור מהרי"פ

[ב] זה עשו הדא הוא דכתיב וגו'. אולי דורש מלשון (בראשית כז, טו) בנה הגדול החמודות, ודרשו חז"ל (בראשית רבה סה, טז) שחמדן מנמרוד והרגו, מוכח מזה שעשו היה איום ונורא, ובתנחומא (תזריע סימן ח) מייתי ראיה מדכתיב באדום (דניאל ז, ז) דחילא ואימתני ותקיפא:

אמרי יושר

[ב] האשה אשר נתת עמדי. זהו שנבראת מצלעו:

ידי משה

[ב] איום ונורא זה עשו דכתיב ותקח רבקה את בגדי [בנה הגדול] החמודות. ודרשו חכמינו ז"ל (בראשית רבה סה, טז) שחמדן וגזלן מן נמרוד והרגו, לפיכך היה נקרא איום ונורא: **ושאתו יצא עובדיה שהיה גר.** וגרים נקראים שאת וספחת כידוע (קידושין ע, ב):

מסורת המדרש

ב. תנחומא סדר תזריע. סנהדרין דף ל"ט. ילקוט ריש עובדיה. אגדת בראשית פ' ט"ו:

אם למקרא

אָיֹם וְנוֹרָא הוּא מִמֶּנּוּ מִשְׁפָּטוֹ וּשְׂאֵתוֹ יֵצֵא: (חבקוק א:ז)

אָחוֹר וָקֶדֶם צַרְתָּנִי וַתָּשֶׁת עָלַי כַּפֶּכָה: (תהלים קלט:ה)

כִּי שְׁאַל נָא לְיָמִים רִאשֹׁנִים אֲשֶׁר הָיוּ לְפָנֶיךָ לְמִן הַיּוֹם אֲשֶׁר בָּרָא אֱלֹהִים אָדָם עַל הָאָרֶץ וּלְמִקְצֵה הַשָּׁמַיִם וְעַד קְצֵה הַשָּׁמָיִם הֲנִהְיָה כַּדָּבָר הַגָּדוֹל הַזֶּה אוֹ הֲנִשְׁמַע כָּמֹהוּ: (דברים ד:לב)

וַיֹּאמֶר הָאָדָם הָאִשָּׁה אֲשֶׁר נָתַתָּה עִמָּדִי הִוא נָתְנָה לִּי מִן הָעֵץ וָאֹכֵל: (בראשית ג:יב)

וַתִּקַּח רִבְקָה אֶת בִּגְדֵי עֵשָׂו בְּנָהּ הַגָּדֹל הַחֲמֻדֹת אֲשֶׁר אִתָּהּ בַּבָּיִת וַתַּלְבֵּשׁ אֶת יַעֲקֹב בְּנָהּ הַקָּטָן: (שם כז:טו)

וְהָיָה בֵית יַעֲקֹב אֵשׁ וּבֵית יוֹסֵף לֶהָבָה וּבֵית עֵשָׂו לְקַשׁ וְדָלְקוּ בָהֶם וַאֲכָלוּם וְלֹא יִהְיֶה שָׂרִיד לְבֵית עֵשָׂו כִּי ה' דִּבֵּר: (עובדיה א:יח)

מִי בְּכָל אֱלֹהֵי הָאֲרָצוֹת הָאֵלֶּה אֲשֶׁר הִצִּילוּ אֶת אַרְצָם מִיָּדִי כִּי יַצִּיל ה' אֶת יְרוּשָׁלִַם מִיָּדִי: (ישעיה לו:כ)

וַיְהִי הוּא מִשְׁתַּחֲוֶה בֵּית נִסְרֹךְ אֱלֹהָיו וְאַדְרַמֶּלֶךְ וְשַׂרְאֶצֶר בָּנָיו הִכֻּהוּ בַחֶרֶב וְהֵמָּה נִמְלְטוּ אֶרֶץ אֲרָרָט וַיִּמְלֹךְ אֵסַר חַדֹּן בְּנוֹ תַּחְתָּיו: (מלכים ב יט:לז)

בֶּן אָדָם אֱמֹר לִנְגִיד צֹר כֹּה אָמַר אֲדֹנָי ה' יַעַן גָּבַהּ לִבְּךָ וַתֹּאמֶר אֵל אָנִי מוֹשַׁב אֱלֹהִים יָשַׁבְתִּי בְּלֵב יַמִּים וְאַתָּה אָדָם וְלֹא אֵל וַתִּתֵּן לִבְּךָ כְּלֵב אֱלֹהִים: (יחזקאל כח:ב)

מֵרֹב עֲוֺנֶיךָ בְּעֶוֶל רְכֻלָּתְךָ חִלַּלְתָּ מִקְדָּשֶׁיךָ וָאוֹצִא אֵשׁ מִתּוֹכְךָ הִיא אֲכָלַתְךָ וָאֶתֶּנְךָ לְאֵפֶר עַל הָאָרֶץ לְעֵינֵי כָּל רֹאֶיךָ: (שם שם יח)

מתנות כהונה

[ב] מן צפון לדרום כו'. פירשתי לעיל ריש תזריע (יד, א): הכי גרסינן בכל מקום שמצאתי מדרש זה בפרשת בראשית (ח, א) ופרשת תזריע (שם) ובילקוט פעמים ושלשה (תהלים פרק קלט רמז תתפז), **מן המזרח למערב שנאמר אחור וקדם וגו' מן הצפון לדרום שנאמר ולמקצה וגו':**

אשד הנחלים

[ב] זה אדם הראשון. באורו שחבקוק הנביא התבונן על מפלת העולם בשעה וביום אחת תיכף בעת הבריאה, כי מי לנו גדול ואיום כאדם הראשון, שהוא מלא כל העולם בקומתו ובהשגתו ובמדריגתו, ותיכף שמע לקול אשתו ונפל מזאת המדריגה, וזהו ממנו משפטו, הוא דינו לחייבו יצא, כי היא שבאת ממנו, כמו שנאמר האשה אשר נתתי עמדי, גרמה לו. וכל זה התבונן הנביא בעת שראה החורבן והגליות לפניו הנובע בסבת החטא, והחטא הוא מסבת העץ הדעת הראשון: **זה סנחריב כו'.** דרש ממנו יצא, שיעשה משפט ודין עמו, להרגו ולהפיל אימתו:

ענף יוסף

(ב) איום ונורא הוא זה אדם הראשון. תימא דקרא בתר כי הנני מקים את הכשדים כתיב, ואם כן לא אדם הראשון מאן דכר שמיה התם, וכן בכל הני דמפרש ואזיל בהו קרא, היינו אדום, סנחריב, חירם, מאן דכר שמייהו התם, ויש לומר דהכי מפרש קרא, מי שאיום ונורא הוא, היינו אדם הראשון, או אדום, או סנחריב, או חירם, ממנו משפטו ושאתו יצא, ואמר זה לפי שיצוד נפילת ישראל ביד הכשדים שהיו קרובים לישראל, שהם מבני נחור אחי אברהם, כאומר ואת כשד ואת חזו, על כן אמר שיקרה להם כמו כל מי שהיה איום ונורא, שמחריביו יצאו ממנו, ומגמם לפי מה שפירש המדרש אותו על נבוכדנצר, ודאי כוונת הכתוב להפליג במורגו, כי איום ונורא, כדי שיפחדו ישראל ממנו, ואיידי דספר בגדולתו, הזכיר שממנו יצא מי שינקם ממנו, לומר שאין גדולתו חשובה לפני ה', שהוא נפרע ממנו אפילו על ידי יולאי יריכו:

The fifth example:

דָּבָר אַחֵר, "אָיֹם וְנוֹרָא הוּא" זֶה נְבוּכַדְנֶצַּר — **Another interpretation:** ***He is awesome and terrifying*** **— this is** a reference to **Nebuchadnezzar,** "וְאַתָּה אָמַרְתָּ בִלְבָבְךָ הַשָּׁמַיִם אֶעֱלֶה וגו'" — of whom it is written, ***You had said in your heart, "I will ascend to the heavens;*** *higher than the stars of God I shall raise my throne"* (*Isaiah* 14:13).[96] "מִמֶּנּוּ מִשְׁפָּטוֹ וּשְׂאֵתוֹ יֵצֵא" — ***His judgment and his destruction go forth from him*** **—** זֶה אֱוִיל מְרוֹדַךְ — **this is** a reference to Nebuchadnezzar's son **Evil-Merodach.** אָמְרוּ: כָּל אוֹתָן שֶׁבַע שָׁנִים שֶׁעָבְרוּ עַל נְבוּכַדְנֶצַּר — **[The Sages] have said:** During **all those seven years** of madness **that came to pass for Nebuchadnezzar,**[97] נָטְלוּ אֶת אֱוִיל מְרוֹדַךְ וְהִמְלִיכוּהוּ תַּחְתָּיו — **[the people] took Evil-Merodach and made him king in his place.** וְכֵיוָן שֶׁחָזַר נְטָלוֹ וַחֲבָשׁוֹ בְּבֵית הָאֲסוּרִים — However, once **[Nebuchadnezzar] returned, he took [Evil-Merodach] and confined him to prison,** וְכָל מִי שֶׁהָיָה נִכְנָס בְּבֵית הָאֲסוּרִים בְּיָמָיו לֹא הָיָה יוֹצֵא מִשָּׁם לְעוֹלָם — **and anyone who entered prison in [Nebuchadnezzar's] days never went out,** שֶׁנֶּאֱמַר "אֲסִירָיו לֹא פָתַח בָּיְתָה" — **as it is stated** regarding Nebuchadnezzar, ***who never released his captives to go home*** (ibid., v. 17). וְכֵיוָן שֶׁמֵּת חָזְרוּ עַל אֱוִיל מְרוֹדַךְ לְהַמְלִיכוֹ — **Once [Nebuchadnezzar] died, they again approached Evil-Merodach to make him king.** אָמַר לָהֶם: אֵינִי שׁוֹמֵעַ לָכֶם — **He said to them, "I will not listen to you.** בָּרִאשׁוֹנָה שָׁמַעְתִּי לָכֶם, נְטָלַנִי וַחֲבָשַׁנִי בְּבֵית הָאֲסוּרִים — **The first time I listened to you,** and **[Nebuchadnezzar] took me and confined me to prison.** וְעַכְשָׁיו הֲרֵי הוּא הוֹרְגֵנִי — **Now,** should he return once more and discover me on his throne, **he will kill me."**[98] וְלֹא הֶאֱמִין לָהֶם עַד שֶׁגֵּירְרוּהוּ וְהִשְׁלִיכוּהוּ לְפָנָיו — **He did not believe them** that Nebuchadnezzar had died **until they dragged [Nebuchadnezzar's corpse]** from the grave **and threw it before him.**[99] הֲדָא הוּא דִכְתִיב "וְאַתָּה הָשְׁלַכְתָּ מִקִּבְרְךָ וגו'" — **Thus it is written, *But you have been flung from your grave*** *like a detested tree shoot, like the garment of corpses pierced by the sword* (ibid., v. 19). אָמַר רַבִּי אָבִינָא: וְלֹא עוֹד אֶלָּא כָּל שׂוֹנֵא וְשׂוֹנֵא שֶׁהָיָה לוֹ הָיָה בָא וְדוֹקְרוֹ בַּחֶרֶב — **R' Avina stated** in explanation of the second half of this citation: **Not only** was Nebuchadnezzar disgraced by his body's being *flung from [his] grave*, **but each and every enemy** that **he had** in his lifetime **came and pierced [his corpse] with a sword,**[100] לְקַיֵּים מַה שֶּׁנֶּאֱמַר "לְבֻשׁ הֲרֻגִים מְטֹעֲנֵי חָרֶב" — **to fulfill that which is stated, *like the garment of corpses pierced by the sword.***[101]

The sixth and final example, that will connect the *Habakkuk* verse to ours:

דָּבָר אַחֵר, "אָיֹם וְנוֹרָא הוּא" אֵלּוּ יִשְׂרָאֵל — **Another interpretation: *He is awesome and terrifying* — this is** a reference to **Israel,** דִּכְתִיב "אֲנִי אָמַרְתִּי אֱלֹהִים אַתֶּם" — of whom **it is written, *I said, "You are godlike,*** *sons of the Most High are you all"* (*Psalms* 82:6).[102] "מִמֶּנּוּ מִשְׁפָּטוֹ וּשְׂאֵתוֹ יֵצֵא" — ***His judgment and his punishment go forth from him*** **—** שֶׁלָּקוּ בְּזִיבוֹת וּבְצָרַעַת — this refers to their punishment for the sin of the Golden Calf, for which **they were afflicted with *zivah* and *tzaraas*,**[103] which emanate from one's own body.[104]

NOTES

96. Although Nebuchadnezzar's aspirations were (obviously) not fulfilled, his arrogant thoughts testify to his "awesomeness" that led him to harbor such thoughts (*Eitz Yosef*).

97. Because of his arrogance and brazen defiance of God, Nebuchadnezzar was punished with seven years of madness, during which he lived in the wild like a beast. See *Daniel* Ch. 4. The term used by Scripture (ibid., v. 13), שִׁבְעָה עִדָּנִין, *seven periods*, is understood by the Midrash to mean seven years (*Maharzu*).

98. Because Evil-Merodach had been in prison at the time of his father's death, he had not actually *seen* him dead [and therefore harbored doubts] (*Rashash*). As for Nebuchadnezzar's disappearance, Evil-Merodach thought that he had merely lost his mind and become like a beast once more (*Yedei Moshe*).

99. According to *Seder Olam* Ch. 28, Evil-Merodach himself flung his father's corpse out of the grave and dragged it on the ground.

100. It is possible that this, too, was done on Evil-Merodach's orders. With the pretext of ascertaining that the king had actually died, he had his father's corpse pierced over and over again (*Eitz Yosef*).

Thus *his* (Nebuchadnezzar's) *judgment and his destruction*, i.e., the humiliation of having his body dragged from its grave and pierced with swords, *comes forth from him*, i.e., through his own offspring.

101. In this fifth example the *Habakkuk* verse can be understood, in keeping with its plain sense, as referring to the Chaldeans (see note 82). The prophet is telling Israel that the Chaldean king is indeed *awesome and terrifying*, and that they should therefore be afraid of him [and of what he could, and would, do to them if they do not repent]. At the same time, the prophet takes the opportunity to point out that despite Nebuchadnezzar's might, he too is powerless in the face of God, Who will cause *his judgment and his destruction* to *go forth from him*, exacting punishment from him at the hands of his own son (*Anaf Yosef*, cited in note 82).

102. As the Midrash elsewhere states (*Shemos Rabbah* 32 §1), this refers to the status that the Jewish people would have retained had they not worshiped the Golden Calf (*Eitz Yosef*) — a most "awesome" state. [See also Midrash above, 11 §3.]

103. See further, end of §3 and beginning of §4. See also 17 §3 above, where the Midrash derived from Scripture that they were stricken with *tzaraas* as a punishment for worshiping the Golden Calf.

104. *Maharzu* here; *Eitz Yosef* at the beginning of the section. See *Midrash Tanchuma, Tazria* §8 (end); see also Insight Ⓐ.

INSIGHTS

Ⓐ **The Afflictions of an Exalted Nation** The Midrash traces a connection between Israel's spiritual elevation at Mount Sinai and the *tumos* of *zivah* and *tzaraas* with which they were afflicted after the sin of the Golden Calf. Their travails, the Midrash states, are fulfillments of the verse, *His judgment and his punishment go forth from him*, which attributes the afflictions of the people to their own actions.

Sfas Emes explains the progression from sanctification to affliction. The Revelation at Sinai signified the birth of the nation of Israel. When God chose us as His people, and endowed us with His Name, we underwent not merely a temporary uplifting, but a complete transformation of our inner selves. At that seminal gathering, the genesis of a holy nation, God infused each Jew with a new and lofty soul, and the nation was exalted, raised far above its former station.

This transformation of the Jewish spirit was fraught with consequence. Just as the human body is subject to ailments unknown in the animal world, and requires nourishment different from that of other creatures, so too must the sublime and delicate Jewish soul be nourished with its own special food, and guarded against afflictions not found in other nations. This, *Sfas Emes* explains, is the reason for the dietary laws of Israel, which protect the soul from contamination by the base elements of forbidden foods. It is also the reason that Jews in particular are subject to such tribulations as the *tumah* of *zivah* or *tzaraas*. Other nations of coarser spirit are impervious to these ailments of the soul; they are maladies reserved for the refined and elevated souls that the Jews received at Sinai.

To illustrate his contention that *tumah* contamination derives from the unique sensitivity of the Jewish soul, *Sfas Emes* singles out three major classes of *tumah* and shows how each attaches itself to a particular aspect of the soul. Of the three primary levels of the soul, the most elevated is the *neshamah*, the seat of the intellect. It is followed by the *ruach*; and then by the *nefesh*, which is the least elevated of the three and the one most closely aligned with the workings of the physical body. These levels of the individual soul are paralleled in the communal soul of the nation, whose elements are represented by Israel's three Wilderness encampments. The *neshamah* corresponds to the camp of the Divine Presence, the most exalted of the three; the

דָּבָר אַחֵר, "אָיֹם וְנוֹרָא הוּא" זֶה נְבוּכַדְנֶצַּר, (ישעיה יד, יג) "וְאַתָּה אָמַרְתָּ בִלְבָבְךָ הַשָּׁמַיִם אֶעֱלֶה וְגוֹ'", "מִמֶּנּוּ מִשְׁפָּטוֹ וּשְׂאֵתוֹ יֵצֵא" זֶה אֱוִיל מְרוֹדַךְ, אָמְרוּ: כָּל אוֹתָן שֶׁבַע שָׁנִים שֶׁעָבְרוּ עַל נְבוּכַדְנֶצַּר נָטְלוּ אֶת אֱוִיל מְרוֹדַךְ וְהִמְלִיכוּהוּ תַּחְתָּיו, וְכֵיוָן שֶׁחָזַר נְטָלוּ וַחֲבָשׁוּ בְּבֵית הָאֲסוּרִים, וְכָל מִי °שֶׁהָיָה נִכְנָס בְּבֵית הָאֲסוּרִים בְּיָמָיו לֹא הָיָה יוֹצֵא מִשָּׁם לְעוֹלָם, שֶׁנֶּאֱמַר (שם שם יז) "אֲסִירָיו לֹא פָתַח בָּיְתָה", וְכֵיוָן שֶׁמֵּת חָזְרוּ עַל אֱוִיל מְרוֹדַךְ לְהַמְלִיכוֹ, אָמַר לָהֶם: אֵינִי שׁוֹמֵעַ לָכֶם, בָּרִאשׁוֹנָה שָׁמַעְתִּי לָכֶם, נְטָלַנִי וַחֲבָשַׁנִי בְּבֵית הָאֲסוּרִים, וְעַכְשָׁיו הֲרֵי הוּא הוֹרְגֵנִי, וְלֹא הֶאֱמִין לָהֶם עַד שֶׁגֵּירְרוּהוּ וְהִשְׁלִיכוּהוּ לְפָנָיו, הֲדָא הוּא דִכְתִיב (שם שם יט) "וְאַתָּה הָשְׁלַכְתָּ מִקִּבְרְךָ וְגוֹ'", אָמַר רַבִּי אָבִינָא: וְלֹא עוֹד אֶלָּא כָּל שׂוֹנֵא וְשׂוֹנֵא שֶׁהָיָה לוֹ הָיָה בָא וְדוֹקְרוֹ בַּחֶרֶב, לְקַיֵּם מַה שֶׁנֶּאֱמַר (שם) "לְבֻשׁ הֲרֻגִים מְטֹעֲנֵי חֶרֶב", דָּבָר אַחֵר, "אָיֹם וְנוֹרָא הוּא" אֵלּוּ יִשְׂרָאֵל, דִּכְתִיב (תהלים פב, ו) "אֲנִי אָמַרְתִּי אֱלֹהִים אַתֶּם", "מִמֶּנּוּ מִשְׁפָּטוֹ וּשְׂאֵתוֹ יֵצֵא", שֶׁלָּקוּ בְּזִיבוּת וּבְצָרַעַת, לְפִיכָךְ מֹשֶׁה מַזְהִיר אֶת יִשְׂרָאֵל וְאוֹמֵר לָהֶן: [טו, ב] "אִישׁ כִּי יִהְיֶה זָב מִבְּשָׂרוֹ":

ג דָּבָר אַחֵר [טו, ב] "אִישׁ כִּי יִהְיֶה זָב מִבְּשָׂרוֹ", זֶה שֶׁאָמַר הַכָּתוּב (ישעיה יז, יא) "בְּיוֹם נִטְעֵךְ תְּשַׂגְשֵׂגִי וּבַבֹּקֶר זַרְעֵךְ תַּפְרִיחִי", "בְּיוֹם נִטְעֵךְ" בְּיוֹם שֶׁנְּטַעְתִּי אֶתְכֶם לִי לְעַם, עֲשִׂיתֶם פְּסוֹלֶת כְּמָא דְאַתְּ אָמַר (יחזקאל כב, יח) "סִגִּים כֶּסֶף הָיוּ", "תְּשַׂגְשֵׂגִי" שַׂגִּישְׁתּוּן אוֹרְחָא, הֲדָא הוּא דִכְתִיב (משלי כו, כג) "כֶּסֶף סִיגִים מְצֻפֶּה עַל חָרֶשׂ", דָּבָר אַחֵר, "תְּשַׂגְשֵׂגִי", שַׂגִּישְׁתּוּן בִּי, הֲדָא הוּא דִכְתִיב (תהלים עח, לו-לז) "וַיְפַתּוּהוּ בְּפִיהֶם וּבִלְשׁוֹנָם יְכַזְּבוּ לוֹ, וְלִבָּם לֹא נָכוֹן עִמּוֹ וְלֹא נֶאֶמְנוּ בִּבְרִיתוֹ":

עץ יוסף

היא אבלתך דבר אחר איום כו' זה נבוכדנצר. כן לריך לומר: **ואתה אמרת בלבבך.** אף על פי שלא נתקיימה מחשבתו, מכל מקום ילפינן מיניה שהיה איום ונורא שעל כן גבה לבו לחשוב כזאת: **כל אותן שבע שנים כו'.** בסדר עולם רבה (פרק כח) יליף לה מדכתיב ויהי בשלשים ושבע שנה לגלות המלך יהויכין בשנים עשר חדש בעשרים וחמשה לחדש (ירמיה נב, לא) וכתוב אחד אומר (מלכים ב' כה, כז) בעשרים ושבעה מה תלמוד לומר בעשרים וחמשה ומה תלמוד לומר בעשרים ושבעה, אלא בעשרים וחמשה מת שטנו נבוכדנצר ונקבר, ועם כל זה הוליאו אויל מרודך מקברו וגררו כו': **והיה בא ודוקרו.** אפשר שאויל מרודך היה שדקרוהו כדי לראות אם מת באמת, ובטענה זו היו דוקרים אותו כל אויביו: **דכתיב אני אמרתי.** ודרשינן ליה בישראל כדלעיל שמות רבה פרשה ל"ב (סימן א): **שלקו בזיבות ובצרעת.** כשעשו את העגל כדלקמן, ודרש ממנו, שהן עלמן גרמו להן בחטאן וכמו שכתבתי לעיל סוף פרשה ט"ז מאדם יהא שלא יבואו עליו. ודרש שאת על לרעת כמה דאת אמר (ויקרא יד, נו) ולשאת ולספחת (רד"ל): (ג) **זה שאמר הכתוב ביום נטעך כו'.** גם טעם אגדה זו לפרש זב מבשרו שהזיבה לטונף לישראל כטעם האגדות, ולהכי מייתי מהאי קרא דמשמע שבעון העגל נתחדש להם מכה זו כדמפרש ואזיל: **ביום שנטעתי אתכם.** היינו ביום נתינת הלוחות למשה כי אז עשו פסולת דהיינו העגל, כדכתיב (שמות לא, יח) ויתן אל משה ככלותו וגו' (שמות לב, א) וירא העם וגו', וקרי ליה יום נטעך מפני שעל ידי הלוחות היו קיימים בעולם כנטיעה בל יסע לעולם, שאילו לא חטאו בעגל, אז היה מדריגתם גדולה לעולם: **סיגים כסף היו.** ופירוש תשגשגי לשון סיג בחלוף השי"ן בסמ"ך: **שגישתון אורחא.** גם לפי פירוש זה מפרש יום נטעך היינו יום נתינת הלוחות, אלא שמקודם פירש תשגשגי לשון סיג, והשתא מפרש תשגשגי מלשון נסיגה כלומר שמעוות הדרך, וכן כסף סיגים מצופה על חרש דמייתי משמע ליה לשון נסיגה ועוות, ועניינו שהראיתו מצופה על חרש הוא שלא כדרכו. ומשום שלפי השני פירושים ליכא חילוק בפירוש יום נטעך, להכי לא קאמר דבר אחר תשגשגי שגישתון אורחא: **דבר אחר תשגשגי שגישתון בי.** כן הוא הנוסחא בהמדרש שנדפס עם היפה תואר, והוא לשון הטעאה ואונאה. ולפי פירוש זה יום הנטיעה הוא יום מעמד הר סיני כי אז פתוהו בפיהם כדרכי מזיר לעיל שמות רבה פרשה מ"ב (סימן ה), ולפי שאז סלק ה' יתברך מלאך המות מעליהם כדלקמן קרי ליה יום נטיעה, ועיין בטנף. והרד"ל גרס שגישתון אורחא (ועל זה אין לריך ראיה שהוא פשט המקרא). דבר אחר תשגשגי שגשתון בי כמה דאת אמר כסף סיגים מצופה על חרש שפתים דולקים ולב רע הדא הוא דכתיב ויפתוהו כו' עד כאן:

פירוש מהרז"ו

כל אותן שבע שנים. כמו שכתב ושבע יחלפין עלוהי, וסובר שהם שבע שנים: **ואתה השלכת מקברך.** ובריש הענין נשאת המשל הזה על מלך בבל, וסיפיה דקרא לבוש הרוגים מטועני חרב: **אני אמרתי אלהים אתם.** עיין שמות רבה (לב, א), ומה שכתבתי שם: **שלקו בזיבות ובצרעת.** וכמו שכתב תנחומא (תזריע סימן י) כשאדם חוטא מביא עליו יסורים מגופו וכו' עיין שם באריכות, וזהו ממנו משפטו ושאתו יצא (חבקוק א, ז): (ג) **עשיתם פסולת.** כאן דורש על מתן תורה, ובמדבר רבה (טו, כ) על ענין מרגלים, וכל זה על פי מדה י"ז: **הדא הוא דכתיב כסף סיגים.** לפי פירוש הראשון עשיתם פסולת, וזהו כסף סיגים מצופה על חרש שפתים דולקים ולב רע, וזהו ששגישתון בי, כמו שכתב שמות רבה (מג, ז) עומדים בסיני ואומרים בפיהם נעשה ונשמע, ולבם מכוון לעבודת גילולים, שנאמר ויפתוהו בפיהם (תהלים עח, ו), והדרשה במכילתא (משפטים פרשה יב), וכמו שאמרו במדבר רבה (ז, ד) בהדיא:

מתנות כהונה

[ג] **שגישתון.** לשון מהומה ובלבול, כמה דאת אמר (דברים כח, כ) המהומה, תרגום אונקלוס שגשתא: **שגישתון אורחא.** בלבלתם וקלקלתם הדרך:

אשד הנחלים

אלו ישראל כו' שלקו בזיבות. כי לולא חטא העגל, אז היה נפסק זוהמתם, ולא היו החטאים והטומאות החומריות שולט עליהם מאומה, והיו כדמות מלאכי מעלה במדריגתם, נקיים וקדושים, וכשחטאו לקו בזיבות, שזהו מקור הטומאה החומריות, וזה ההפוך מן הקצה אל הקצה. וזהו כמו שאמרו לעיל בפרשה הקודמת, כי פרוע הוא שלקו בצרעת, וזהו איש שהונח על גדולה מעלה מאוד, ועם כל זה יהיה זב בבשרו, שלפי הדין לא היה לו טומאת בשר, כי היה צריך להיות מעט מאלהים: [ג] **ביום שנטעתי אתכם.** כלומר שחפצתי לנטוע, שיהיה כנטיעה בלי יסע לעולם, שאילו לא חטאו בעגל אז היו במדריגתם הגדולה לעולם, אך מפני שלא היה לבבם שלם כי אם מסוגסג בסיגים, על כן לא עמדו במדריגתם ונפלו מהר: **שגשתן כו'.** דרש כמו בשין ימני. ועיין רש"י בבבא בתרא (ט, ב) על עולא משגש אורחתיה דאמיה:

אם למקרא

וְאַתָּה אָמַרְתָּ בִלְבָבְךָ הַשָּׁמַיִם אֶעֱלֶה מִמַּעַל לְכוֹכְבֵי אֵל אָרִים כִּסְאִי וְאֵשֵׁב בְּהַר מוֹעֵד בְּיַרְכְּתֵי צָפוֹן: (ישעיה יד:יג)

שָׂם תֵּבֵל כַּמִּדְבָּר וְעָרָיו הָרָס אֲסִירָיו לֹא פָתַח בָּיְתָה: (שם שם יז)

וְאַתָּה הָשְׁלַכְתָּ מִקִּבְרְךָ כְּנֵצֶר נִתְעָב לְבוּשׁ הֲרֻגִים מְטֹעֲנֵי חָרֶב יוֹרְדֵי אֶל אַבְנֵי בוֹר כְּפֶגֶר מוּבָס: (שם שם יט)

אֲנִי אָמַרְתִּי אֱלֹהִים אַתֶּם וּבְנֵי עֶלְיוֹן כֻּלְּכֶם: (תהלים פב:ו)

בְּיוֹם נִטְעֵךְ תְּשַׂגְשֵׂגִי וּבַבֹּקֶר זַרְעֵךְ תַּפְרִיחִי נֵד קָצִיר בְּיוֹם נַחֲלָה וּכְאֵב אָנוּשׁ: (ישעיה יז:יא)

בֶּן־אָדָם הָיוּ־לִי בֵית־יִשְׂרָאֵל לְסִיג כֻּלָּם נְחֹשֶׁת וּבְדִיל וּבַרְזֶל וְעוֹפֶרֶת בְּתוֹךְ כּוּר סִגִים כֶּסֶף הָיוּ: (יחזקאל כב:יח)

וְהַצָּרוּעַ אֲשֶׁר בּוֹ הַנֶּגַע בְּגָדָיו יִהְיוּ פְרֻמִים וְרֹאשׁוֹ יִהְיֶה פָרוּעַ וְעַל שָׂפָם יַעְטֶה וְטָמֵא טָמֵא יִקְרָא: (משלי כו:כג)

וַיְפַתּוּהוּ בְּפִיהֶם וּבִלְשׁוֹנָם יְכַזְּבוּ־לוֹ: וְלִבָּם לֹא נָכוֹן עִמּוֹ וְלֹא נֶאֶמְנוּ בִּבְרִיתוֹ: (תהלים עח:לו-לז)

ענף יוסף

(ג) **תשגשגי כו' עשיתם פסולת תשגשגי שגישתון אורחא תשגשגי שגישתון בי.** ההפרש בין שלשה הפירושים בלשון תשגשגי, יתכן שלהיות הרשעים משלשה מינים, יש פועלי און בהדיא, ועל זה אמר עשיתם פסולת, ויש שפעולתם טובה ומשתמשים בה לתכלית רעה, כמו הנותן מעות לאשה עניה וכוונתו להסתכל בה, ועל זה אמר שגישתון אורחא, ויש שאין כוונתם גם כן לרעה, ומכל מקום אין תכליתם לשם שמים, אלא על צד ההכרח, או מפני הבושה, ועל זה אמר ויפתוהו בפיהם:

שינוי נוסחאות

(ב) **דבר אחר, איום ונורא הוא זה נבוכדנצר.** החל מדפוס אמשטרדם תקפ"ה הושמטו תיבות "דבר אחר" בטעות, אבל היה בכל הספרים לפני זה, וגם הרש"ש העיר על זה, ובדפוס ווילנא תרמ"ז החזירו את התבות למקומן:

חידושי הרד"ל

ממנו משפטו ושאתו יצא שלקו בזיבות וצרעת. ודרש ממנו שהן עלמן גרמו להן בחטאן, וכמו שאכתוב לקמן סוף פרשה טז (סימן ח) מאדם יהא שלא יבואו עליו. ודרש שאת על לרעת, כמה דאת אמר (ויקרא יד, נו) לשאת ולספחת: [ג] **שגישתון אורחא** (ועל זה אין לריך ראיה שהוא פשט המקרא), **דבר אחר תשגשגי שגישתון בי כמה דאת אמר** (משלי כו, כג) **כסף סיגים מצופה של חרש שפתים דולקים ולב רע הדא הוא דכתיב** (תהלים עח, לו) **ויפתוהו כו'.** כן לריך לומר:

חידושי הרש"ש

היא אבלתך דבר אחר איום כו' זה נבוכדנצר כו'. כן לריך לומר: **ולא האמין להם עד שגיררוהו והשליכוהו לפניו.** משום דלא ראה מיתתו שהיה אז בבית האסורים:

אמרי יושר

זה אויל מרודך. זהו משפטו ילא בסבת שאתו ומעלתו וכבודו של אויל. עוד דרשוהו בלשון שאת ובהרת:

ידי משה

איני שומע לכם. לפי שלא היה מאמין שמת, אלא היה סובר שנעשה חיה כמו מתחילה:

באור מהרי"פ

אני אמרתי אלהים אתם. מיירי בישראל כדדרשינן לעיל (שמות רבה לב, א): **בשלקו בזיבות וכו'.** פירוש בשעה שעשו העגל כדלקמן: [ג] **סיגים כסף.** (יחזקאל כב, יח) בן אדם היו לי בית ישראל לסיג כולם נחשת ובדיל וברזל ועופרת בתוך כור סיגים כסף היו. וזה לשון הרד"ק בשרשים, הוא הדבר הרע הנשאר אחר שהותך הכסף או שאר המתכות, ונבחר הטוב שבו וזוקק ונשאר הרע הוא יקרא סיג, עד כאן: **ששישגתם בי כו'.** אולי הכוונה על פי מה שכתב רד"ק בשרשים, (שהם) [שרש] רגן, ותרגמו באהליכם (דברים א, כז), הם האנשים שדעתם ומחשבתם להרע, ועסקם בענין התלונה והסכסוך, ומראים בפיהם מה שאין בלבם, וזהו ותרגנו באהליכם עד כאן. וזה לשון הערוך ערך שגש ב', ובאין נרגן ישתוק מדון (משלי כו, כ), תרגום והיכא דלית שגושא אישתק תיגרא עד כאן, ועל פי זה יכולין אנו לומר ששיגשתם הוא לשון שריגנתם, והוא שמדברים בפיהם ולבם בל עמם. ואתה המעיין הישר ראה איך שהדברים מכוונים, במדרש אלא עשיתם פסולת מביא המקרא סיגים כסף היו, שהיא הפסולת אחר שהותך וזוקק הכסף, ואלא שגישתון אורחא, שפירושו לשון בלבול וערבוב, מביא המקרא כסף סיגים, היינו כסף שלא זוקק ומעורב ומבולבל בפסולת, ואלא תשגשגי ששיגשגתם בי, פירושו לשון נרגן כמבואר בערוך שגש ב', ופירש שהיו מדברים בפיהם מה שאין בלבם, כמבואר בשרשי רד"ק מביא המקרא (תהלים עח, לו) ויפתוהו בפיהם וגו', והדברים מאירים ושמחים:

לְפִיכָךְ מֹשֶׁה מַזְהִיר אֶת יִשְׂרָאֵל וְאוֹמֵר לָהֶן: "אִישׁ כִּי יִהְיֶה זָב מִבְּשָׂרוֹ" — **Therefore, Moses warns Israel and says to them,** ***If a man will have a discharge from his flesh, etc.***[105]

§3 דָּבָר אַחֵר, "אִישׁ כִּי יִהְיֶה זָב מִבְּשָׂרוֹ" — **Another exposition** relating to our verse, ***Any man who will have a discharge from his flesh, etc.***

As stated at the end of the preceding section, this verse implies that *zivah* is a form of punishment. In this vein, the Midrash cites a verse from *Isaiah* and expounds it as referring to the sin of the Golden Calf, concluding with an inference that the Jewish people were punished with *zivah* and *tzaraas* for that sin:[106]

זֶה שֶׁאָמַר הַכָּתוּב "בְּיוֹם נִטְעֵךְ תְּשַׂגְשֵׂגִי וּבַבֹּקֶר זַרְעֵךְ תַּפְרִיחִי" — **This is what Scripture stated,** ***On the day you were planted you flourished and at dawn your seed flowered,*** *but your branch is removed on a day of affliction and acute pain* (*Isaiah* 17:11).[107]

"בְּיוֹם נִטְעֵךְ" בְּיוֹם שֶׁנְּטַעְתִּי אֶתְכֶם לִי לְעַם עֲשִׂיתֶם פְּסוֹלֶת — ***On the day you were planted,*** ***"tesagseigi"*** [תְּשַׂגְשֵׂגִי] — this means **on the day that I** (God) **established you**[108] to be **for Me as a people,**[109] **you made dross** metal,[110] כְּמָא דְאַתְּ אָמַר "סִגִים כֶּסֶף הָיוּ" — **as it states,** ***They are dross*** [סִגִים] ***of silver*** (*Ezekiel* 22:18).[111] "תְּשַׂגְשֵׂגִי" שַׂגִישְׁתּוּן אוֹרְחָא — Another interpretation of ***tesagseigi*** [תְּשַׂגְשֵׂגִי] is **"you distorted the way."** הָדָא הוּא דִכְתִיב "כֶּסֶף סִיגִים מְצֻפֶּה עַל חָרֶשׂ" — **Thus it is written,** ***Distorted*** [סִיגִים] ***silver coating earthenware*** (*Proverbs* 26:23).[112]

דָּבָר אַחֵר — **Another interpretation:** "תְּשַׂגְשֵׂגִי", שַׂגִישְׁתּוּן בִּי — The term ***tesagseigi*** [תְּשַׂגְשֵׂגִי] means **"you deceived Me."**[113] הָדָא הוּא דִכְתִיב — **Thus it is written,** "וַיְפַתּוּהוּ בְּפִיהֶם וּבִלְשׁוֹנָם יְכַזְּבוּ לוֹ, וְלִבָּם לֹא נָכוֹן עִמּוֹ וְלֹא נֶאֶמְנוּ בִּבְרִיתוֹ" — ***But they sought to beguile Him with their mouth and they deceived Him with their tongues; but their heart was not constant with Him and they were not steadfast in His covenant*** (*Psalms* 78:36-37).[114]

NOTES

105. The expression *from his flesh* alludes to God's ability to inflict punishment upon a sinner from within his own body (see introduction to this section and notes 79-80).

106. *Yefeh To'ar, Eitz Yosef.* See further, end of section and note 133.

107. We have translated the verse here in accord with its plain meaning. The Midrash will now expound it homiletically, and our translation will follow suit.

108. Lit., *planted you.*

109. I.e., on the day that Moses was given the Tablets on which the Ten Commandments were engraved [i.e., the last day of the first set of forty days Moses spent on Mount Sinai] (*Yefeh To'ar, Eitz Yosef*).

110. I.e., you constructed the Golden Calf. See *Exodus* 31:18ff (ibid.). [Because of that sin Moses smashed the Tablets (ibid. 32:18), and only later did God present the nation with new Tablets (ibid., Ch. 34).] That day is called *the day you were planted* (i.e., "the day I established you") because, as the Midrash states below (at notes 125-127), Israel's receiving the Tablets would have brought her freedom from various worldly misfortunes (such as physical suffering and death) and would thus have made her securely "established," like a tree that is firmly entrenched in the ground (see *Yefeh To'ar*; see, however, *Eshed HaNechalim* and *Eitz Yosef*).

111. The Midrash expounds the word תְּשַׂגְשֵׂגִי as related to the word סִגִים, *dross*, for the letters ס and שׂ are interchangeable (*Eitz Yosef*).

112. According to this explanation, the term תְּשַׂגְשֵׂגִי is again related to סִגִים, this time meaning *distorted* (lit., *turned away*, as in the word נְסִיגָה). The verse is referring to the fact that the Israelites strayed from the correct path, and "distorted" their way by worshiping the Golden Calf. This interpretation of the word סִגִים/תְּשַׂגְשֵׂגִי is supported by the *Isaiah* verse cited here, for it refers to silver used to coat earthenware as סִגִים (because using silver for such a purpose is highly irregular [and hence, "distorted"]).

Because this opinion agrees with the first in that *the day you were planted* is referring to the day that Moses was given the Tablets at Mount Sinai, the Midrash did not introduce this explanation with the phrase, "Another interpretation (דָּבָר אַחֵר)" (*Eitz Yosef*).

113. According to this explanation, תְּשַׂגְשֵׂגִי is read as תְּשַׁגְשֵׁגִי (with two *shins*; lit., *you confused*) (*Eshed HaNechalim*). As to how Israel "deceived" God, see further.

114. According to this explanation, *the day you were planted* (i.e., the day God "established" Israel) refers to the day of the Receiving of the Torah [i.e., the *first* day of the forty days that Moses was to spend on Mount Sinai], for, as the Midrash states below (following note 121), on that day it was decreed that the Angel of Death would have no jurisdiction over the Jewish people [and they were thus permanently "established"]. On that very day they "deceived" God, for as R' Meir stated elsewhere (*Shemos Rabbah* 42 §8; see 6 §1 above, note 5), even when the nation declared, "We will do and we will obey" (*Exodus* 24:7), they did not abandon the idolatrous beliefs that led to the sin of the Golden Calf (*Yefeh To'ar* above, s.v. ביום שנטעתי אתכם; *Eitz Yosef*).

INSIGHTS

ruach corresponds to the camp of the Levites; and the *nefesh* corresponds to the camp of the Israelites. There are three types of *tumah* that impose various degrees of banishment upon those they afflict. They are: *tzaraas, zivah,* and corpse *tumah*. One contaminated with *tzaraas* is banished from all three encampments, even that of the Israelites. This is because the *tumah* of *tzaraas*, most malignant of the three *tumos*, affects not only the more exalted levels of soul, but even the less-elevated *nefesh*. It is for this reason that *tzaraas*, alone among sources of *tumah* contamination, manifests as a physical blemish on the skin, and it is for this reason as well that a *metzora* must exit even the Israelite encampment, the communal counterpart to the *nefesh*. The *tumah* of *zivah*, by contrast, adheres to the *neshamah* and the *ruach*, but is not sufficiently virulent to affect the *nefesh*. Therefore, one contaminated with *zivah* is banished from the camps of the Levites and the Divine Presence, but not from the camp of the Israelites. Finally, the *tumah* of a corpse affects only the highest level of the soul, the *neshamah*, and therefore results in banishment only from the camp of the Divine Presence, but not from the other encampments.

The above discussion elucidates the connection between the spiritual elevation of Israel and her consequent vulnerability to *tumah* affliction. It does not, however, address the Midrash's conclusion, which is that such affliction constitutes a harm done by Israel to her own self, as in the case of the sin of the Golden Calf. *Sfas Emes* explains further:

The soul to the body is like a Divine Name written on the parchment of a Torah scroll. However, unlike the writing on a scroll, the permutations of the Divine Name represented by the soul, the arrangement of its letters, are constantly in flux, contingent upon one's actions. The Mishnah states in *Avos* (2:1): וְכָל מַעֲשֶׂיךָ בַּסֵּפֶר נִכְתָּבִין, *and all your deeds are written down in a book.* The "writing" is done by the soul upon the "scroll" of the body. The words written are determined by the person's actions (see also *Chasid Yaavetz* there). If one is righteous, his good deeds are as if engraved upon his bones; if unrighteous, the engraving is one of wicked deeds (see *Yalkut Shimoni* to *Ezekiel* §372).

The appearance of *tzaraas* or *zivah* represents a significant rewriting of the body's "scroll," an indication that something is seriously amiss. A person thus afflicted is expected to "read" this message of the soul, and to take appropriate steps to repair the damage, through self-improvement and repentance.

It emerges that the state of one's soul rests entirely in a person's own hands. One is afflicted with *tzaraas* or *zivah* in accordance with his deeds. With the sin of the Golden Calf, Israel sullied the pristine souls with which they alone had just been entrusted. With the quill of their deeds they inscribed a new message — one of ingratitude and rebellion — on the walls of their hearts, thereby afflicting their souls and bringing upon themselves *tzaraas* and *zivah* — the twin disorders of *tumah* contamination. As the Midrash teaches, the "judgment" and "punishment" for this sin came forth from the people themselves (*Sfas Emes, Metzora* 5653; see also ibid. 5650 and *Shemos* 5657).

דָּבָר אַחֵר, "אָיֹם וְנוֹרָא הוּא" זֶה נְבוּכַדְנֶצַּר, (ישעיה יד, יג) "וְאַתָּה אָמַרְתָּ בִלְבָבְךָ הַשָּׁמַיִם אֶעֱלֶה וְגוֹ'", "מִמֶּנּוּ מִשְׁפָּטוֹ וּשְׂאֵתוֹ יֵצֵא" זֶה אֱוִיל מְרוֹדַךְ, אָמְרוּ: כָּל אוֹתָן שֶׁבַע שָׁנִים שֶׁעָבְרוּ עַל נְבוּכַדְנֶצַּר נָטְלוּ אֶת אֱוִיל מְרוֹדַךְ וְהִמְלִיכוּהוּ תַּחְתָּיו, וְכֵיוָן שֶׁחָזַר נְטָלוֹ וַחֲבָשׁוֹ בְּבֵית הָאֲסוּרִים, וְכָל מִי °שֶׁהָיָה נִכְנָס בְּבֵית הָאֲסוּרִים בְּיָמָיו לֹא הָיָה יוֹצֵא מִשָּׁם לְעוֹלָם, שֶׁנֶּאֱמַר (שם שם יז) "אֲסִירָיו לֹא פָתַח בָּיְתָה", וְכֵיוָן שֶׁמֵּת חָזְרוּ עַל אֱוִיל מְרוֹדַךְ לְהַמְלִיכוֹ, אָמַר לָהֶם: אֵינִי שׁוֹמֵעַ לָכֶם, בָּרִאשׁוֹנָה שָׁמַעְתִּי לָכֶם, נְטָלַנִי וַחֲבָשַׁנִי בְּבֵית הָאֲסוּרִים, וְעַכְשָׁיו הֲרֵי הוּא הוֹרְגֵנִי, וְלֹא הֶאֱמִין לָהֶם עַד שֶׁגֵּירְרוּהוּ וְהִשְׁלִיכוּהוּ לְפָנָיו, הָדָא הוּא דִכְתִיב (שם שם יט) "וְאַתָּה הָשְׁלַכְתָּ מִקִּבְרְךָ וְגוֹ'", אָמַר רַבִּי אָבִינָא: וְלֹא עוֹד אֶלָּא כָּל שׂוֹנֵא וְשׂוֹנֵא שֶׁהָיָה לוֹ הָיָה בָא וְדוֹקְרוֹ בַּחֶרֶב, לְקַיֵּם מַה שֶּׁנֶּאֱמַר (שם) "לְבֻשׁ הֲרֻגִים מְטֹעֲנֵי חָרֶב", דָּבָר אַחֵר, "אָיֹם וְנוֹרָא הוּא" אֵלּוּ יִשְׂרָאֵל, דִּכְתִיב (תהלים פב, ו) "אֲנִי אָמַרְתִּי אֱלֹהִים אַתֶּם", "מִמֶּנּוּ מִשְׁפָּטוֹ וּשְׂאֵתוֹ יֵצֵא", שֶׁלָּקוּ בְזִיבוּת וּבְצָרַעַת, לְפִיכָךְ מֹשֶׁה מַזְהִיר אֶת יִשְׂרָאֵל וְאוֹמֵר לָהֶן: [טו, ב] "אִישׁ כִּי יִהְיֶה זָב מִבְּשָׂרוֹ":

ג דָּבָר אַחֵר [טו, ב] "אִישׁ כִּי יִהְיֶה זָב מִבְּשָׂרוֹ", זֶה שֶׁאָמַר הַכָּתוּב (ישעיה יז, יא) "בְּיוֹם נִטְעֵךְ תְּשַׂגְשֵׂגִי וּבַבֹּקֶר זַרְעֵךְ תַּפְרִיחִי", "בְּיוֹם נִטְעֵךְ" בַּיּוֹם שֶׁנְּטַעְתִּי אֶתְכֶם לִי לְעָם, עֲשִׂיתֶם פְּסוֹלֶת כְּמָא דְאַתְּ אָמַר (יחזקאל כב, יח) "סִגִים כֶּסֶף הָיוּ", "תְּשַׂגְשֵׂגִי" שַׂגִּישְׁתּוּן אוֹרְחָא, הָדָא הוּא דִכְתִיב (משלי כו, כג) "כֶּסֶף סִיגִים מְצֻפֶּה עַל חָרֶשׂ", דָּבָר אַחֵר, "תְּשַׂגְשֵׂגִי", שַׂגִּישְׁתּוּן בִּי, הָדָא הוּא דִכְתִיב (תהלים עח, לו-לז) "וַיְפַתּוּהוּ בְּפִיהֶם וּבִלְשׁוֹנָם יְכַזְּבוּ לוֹ, וְלִבָּם לֹא נָכוֹן עִמּוֹ וְלֹא נֶאֶמְנוּ בִּבְרִיתוֹ",

עץ יוסף

היא אבלתך דבר אחר איום כו' זה נבוכדנצר. כן לריך לומר: **ואתה אמרת בלבבך.** אף על פי שלא נתקיימה מחשבתו, מכל מקום ילפינן מיניה שהיה איום ונורא שעל כן גבה לבו לחשוב כזאת: **כל אותן שבע שנים כו'.** בסדר עולם רבה (פרק כח) יליף לה מדכתיב ויהי בשלושים ושבע שנה לגלות המלך יהויכין בשנים עשר חדש בעשרים וחמשה לחדש (ירמיה נב, לא) וכתוב אחד אומר (מלכים ב' כה, כז) בעשרים ושבעה מה תלמוד לומר בעשרים וחמשה ומה תלמוד לומר בעשרים ושבעה, אלא בעשרים וחמשה מת שטנו נבוכדנצר ונקבר, ועם כל זה הוציאו אויל מרודך מקברו וגררו כו': **והיה בא ודוקרו.** אפשר שאויל מרודך היה שדקרוהו כדי לראות אם מת באמת, ובשטנה זו היו דוקרים אותו כל אויביו: **דכתיב אני אמרתי.** ודרשינן ליה בישראל כדלעיל שמות רבה פרשה ל"ב (סימן א): **שלקו בזיבות ובצרעת.** כשעשו את העגל כדלקמן, ונדרש ממנו, שהן עצמן גרמו להן בחטאן וכמו שכתבתי לעיל סוף פרשה ט"ז מאדם יהא שלא יבואו עליו. ודרש שאת על צרעת כמה דאת אמר (ויקרא יד, נו) ולשאת ולספחת (רד"ל): (ג) **זה שאמר הכתוב ביום נטעך כו'.** גם טעם אגדה זו לפרש זב מבשרו שהזיבה לעונש לישראל כטעם האגדות, ולהכי מייתי מהאי קרא דמשמע שבעון העגל נתחדש להם מכה זו כדמפרש ואזיל: **ביום שנטעתי אתכם.** היינו ביום נתינת הלוחות למשה כי אז עשו פסולת דהיינו העגל, כדכתיב (שמות לא, יח) ויתן אל משה ככלותו וגו' (שמות לב, א) וירא העם וגו', וקרי ליה יום נטעך מפני שעל ידי הלוחות היו קיומם בעולם כנטיעה בל יסע לעולם, שאילו לא חטאו בעגל, אז היה מדריגתם גדולה לעולם: **סיגים כסף היו.** ופירוש תשגשגי לשון סיג בחלוף השי"ן בסמ"ך: **שגישתון אורחא.** גם לפי פירוש זה מפרש יום נטעך היינו יום נתינת הלוחות, אלא שמקודם פירש תשגשגי לשון סיג, והשתא מפרש תשגשגי מלשון נסיגה כלומר שמעוות הדרך, וכן כסף סיגים מצופה על חרש דמייתי משמע ליה לשון נסיגה ועוות, ועניינו שבהיותו מצופה על חרש הוא שלא כדרכו. ומשום שלפי השני פירושים ליכא חילוק בפירוש יום נטעך, להכי לא קאמר דבר אחר תשגשגי שגישתון אורחא: **דבר אחר תשגשגי שגישתון בי.** כן הוא הנוסחא בהמדרש שנדפס עם היפה תואר, והוא לשון הטעאה והונאה. ולפי פירוש זה יום הנטיעה הוא יום מעמד הר סיני כי אז פתוהו בפיהם כדרבי מאיר לעיל שמות רבה פרשה מ"ב (סימן ה), ולפי שאז סלק ה' יתברך מלאך המות מעליהם כדלקמן קרי ליה יום נטיעה, ועיין בענף. והרד"ל גרס שגישתון אורחא [ועל זה אין לריך ראיה שהוא פשט המקרא]. דבר אחר תשגשגי שגשתון בי כמה דאת אמר כסף סיגים מצופה על חרש שפתים דולקים ולב רע הדא הוא דכתיב ויפתוהו כו' עד כאן:

פירוש מהרז"ו

כל אותן שבע שנים. כמו שכתב ושבע יחלפון עלוהי, וסובר שהם שבע שנים: **ואתה השלכת מקברך.** ובריש הענין ונשאת המשל הזה על מלך בבל, וסיפיה דקרא לבוש הרוגים מטועני חרב: **אני אמרתי אלהים אתם.** עיין שמות רבה (לב, א), ומה שכתבתי שם: **שלקו בזיבות ובצרעת.** וכמו שכתב תנחומא (תזריע סימן י) כשאדם חוטא מביא עליו יסורים מגופו וכו' עיין שם באריכות, וזהו ממנו משפטו ושאתו יצא (חבקוק א, ז): (ג) **עשיתם פסולת.** כאן דורש על מתן תורה, ובמדבר רבה (טו, ה) על ענין מרגלים, וכל זה על פי מדה י"ז: **הדא הוא דכתיב כסף סיגים.** לפי פירוש הראשון עשיתם פסולת, וזהו כסף סיגים מצופה על חרש שפתים דולקים ולב רע, וזהו שגישתון בי, כמו שכתב שמות רבה (מג, ז) עומדים בסיני ואומרים בפיהם נעשה ונשמע, ולבם מכוון לעבודת גילולים, שנאמר ויפתוהו בפיהם (תהלים עח, ו), והדרשה במכילתא (משפטים פרשה יב), וכמו שאמרו במדבר רבה (ז, ד) בהדיא:

מתנות כהונה

[ג] **שגישתון.** לשון מהומה ובלבול, כמה דאת אמר (דברים כח, כ) המהומה, תרגום אונקלוס שגשתא:
שגישתון אורחא. בלבלתם וקלקלתם הדרך:

אשד הנחלים

אלו ישראל כו' שלקו בזיבות. כי לולא חטא העגל, אז היה נפסק זוהמתם, ולא היו החטאים והטומאות החומריות שולט עליהם מאומה, והיו כדמות מלאכי מעלה במדריגתם, נקיים וקדושים, וכשחטאו לקו בזיבות, שזהו מקור הטומאה החומריות, וזה ההפוך מן הקצה אל הקצה. וזהו כמו שאמרו לעיל בפרשה הקודמת, כי פרוע הוא שלקו בצרעת, וזהו איש שהונח על גדולה מעלה מאוד, ועם כל זה יהיה זב בבשרו, שלפי הדין לא היה לו טומאת בשר, כי היה צריך להיות מעט מאלהים: [ג] **ביום שנטעתי אתכם.** כלומר שחפצתי לנטוע, שיהיה כנטיעה בלי יסע לעולם, שאילו לא חטאו בעגל אז היו במדריגתם הגדולה לעולם, אך מפני שלא היה לבבם שלם כי אם מסוגסג בסיגים, על כן לא עמדו במדריגתם ונפלו מהר: **שגשתן כו'.** דרש כמו בשין ימני. ועיין רש"י בבבא בתרא (ט, ב) על עולא משגש אורחתיה דאמיה:

חידושי הרד"ל

ממנו משפטו ושאתו יצא שלקו בזיבות וצרעת. ונדרש ממנו שהן עצמן גרמו להן בחטאן, וכמו שאכתוב לקמן סוף פרשה טז (סימן ח) מאדם יהא שלא יבואו עליו. ודרש שאת על צרעת, כמה דאת אמר (ויקרא יד, נו) לשאת ולספחת: [ג] **שגישתון אורחא** (ועל זה אין לריך ראיה שהוא פשט המקרא), **דבר אחר תשגשגי שגישתון בי כמה דאת אמר** (משלי כו, כג) **כסף סיגים מצופה של חרש שפתים דולקים ולב רע הדא הוא דכתיב** (תהלים עח, לו) **ויפתוהו כו'.** כן לריך לומר:

חידושי הרש"ש

היא אבלתך דבר אחר איום כו' זה נבוכדנצר כו'. כן לריך לומר: **ולא האמין להם עד שגיררוהו והשליכוהו לפניו.** משום דלא ראה מיתתו שהיה אז בבית האסורים:

אמרי יושר

זה אויל מרודך. זהו משפטו יצא בסבת שאתו ומעלתו וכבודו של אויל. עוד דרשוהו בלשון שאת ובהרת:

ידי משה

איני שומע לכם. לפי שלא היה מאמין שמת, אלא היה סובר שנעשה חיה כמו מתחילה:

באור מהרי"פ

אני אמרתי אלהים אתם. מיירי בישראל כדדרשינן לעיל (שמות רבה לב, א): **בשלקו בזיבות וכו'.** פירוש בשעה שעשו העגל כדלקמן: [ג] **סיגים כסף.** (יחזקאל כב, יח) בן אדם היו לי בית ישראל לסיג כולם נחשת ובדיל וברזל ועופרת בתוך כור סיגים כסף היו. וזה לשון הרד"ק בשרשים, הוא הדבר הרע הנשאר אחר שהותך הכסף או שאר המתכות, ונבחר הטוב שבו וזוקק וישאר הרע הוא יקרא סיג, עד כאן: **ששישגתם בי כו'.** אולי הכוונה על פי מה שכתב רד"ק בשרשים, (שהס) [שרש] רגן, ותרגנו באהליכם (דברים א, כז), הם אנשים שדעתם ומחשבתם להרע, ועסקם בענין התלונה והסכסוך, ומראים בפיהם מה שאין בלבם, וזהו ותרגנו באהליכם עד כאן. וזה לשון הערוך ערך שגש ב', ובאין נרגן ישתוק מדון (משלי כו, כ), תרגום והיכא דלית שגושא אישתק תיגרא עד כאן, ועל פי זה יכולין אנו לומר שסיגשגתם הוא לשון שריגנתם, והוא שמדברים בפיהם ולבם בל עמם. ואתה המעיין הישר ראה איך שהדברים מכוונים, במדרש אלא עשיתם פסולת מביא המקרא סיגים כסף היו, שהיא הפסולת אחר שהותך וזוקק הכסף, ואלא שגישתון אורחא, שפירושו לשון בלבול וערבוב, מביא המקרא כסף סיגים, היינו כסף שלא זוקק ומעורב ומבולבל בפסולת, ואלא תשגשגי שסיגשגתם בי, פירושו לשון נרגן כמבואר בערוך שגש ב', ופירש שהיו מדברים בפיהם מה שאין בלבם, כמבואר בשרשי רד"ק מביא המקרא (תהלים עח, לו) ויפתוהו בפיהם וגו', והדברים מאירים ושמחים:

אם למקרא

וְאַתָּה אָמַרְתָּ בִלְבָבְךָ הַשָּׁמַיִם אֶעֱלֶה מִמַּעַל לְכוֹכְבֵי אֵל אָרִים כִּסְאִי וְאֵשֵׁב בְּהַר מוֹעֵד בְּיַרְכְּתֵי צָפוֹן: (ישעיה יד:יג)

שָׂם תֵּבֵל כַּמִּדְבָּר וְעָרָיו הָרָס אֲסִירָיו לֹא פָתַח בָּיְתָה: (שם שם יז)

וְאַתָּה הָשְׁלַכְתָּ מִקִּבְרְךָ כְּנֵצֶר נִתְעָב לְבוּשׁ הֲרֻגִים מְטֹעֲנֵי חָרֶב יוֹרְדֵי אֶל אַבְנֵי בוֹר כְּפֶגֶר מוּבָס: (שם שם יט)

אֲנִי אָמַרְתִּי אֱלֹהִים אַתֶּם וּבְנֵי עֶלְיוֹן כֻּלְּכֶם: (תהלים פב:ו)

בְּיוֹם נִטְעֵךְ תְּשַׂגְשֵׂגִי וּבַבֹּקֶר זַרְעֵךְ תַּפְרִיחִי נֵד קָצִיר בְּיוֹם נַחֲלָה וּכְאֵב אָנוּשׁ: (ישעיה יז:יא)

בֶּן־אָדָם הָיוּ־לִי בֵית־יִשְׂרָאֵל לְסִיג כֻּלָּם נְחֹשֶׁת וּבְדִיל וּבַרְזֶל וְעוֹפֶרֶת בְּתוֹךְ כּוּר סִגִים כֶּסֶף הָיוּ: (יחזקאל כב:יח)

וְהַצָּרוּעַ אֲשֶׁר בּוֹ הַנֶּגַע בְּגָדָיו יִהְיוּ פְרֻמִים וְרֹאשׁוֹ יִהְיֶה פָרוּעַ וְעַל שָׂפָם יַעְטֶה וְטָמֵא טָמֵא יִקְרָא: (משלי כו:כג)

וַיְפַתּוּהוּ בְּפִיהֶם וּבִלְשׁוֹנָם יְכַזְּבוּ־לוֹ: וְלִבָּם לֹא נָכוֹן עִמּוֹ וְלֹא נֶאֶמְנוּ בִּבְרִיתוֹ: (תהלים עח:לו-לז)

ענף יוסף

(ג) **תשגשגי כו' עשיתם פסולת תשגשגי שגישתון אורחא תשגשגי שגישתון בי.** ההפרש בין שלשה הפירושים בלשון תשגשגי, יתכן שלהיות הרשעים משלשה מינים, יש פועלי און בהדיא, ועל זה אמר עשיתם פסולת, ויש שפעולתם טובה ומשתמשים בה לתכלית רעה, כמו הנותן מעות לאשה עניה וכוונתו להסתכל בה, ועל זה אמר שגישתון אורחא, ויש שאין כוונתם גם כן לרעה, ומכל מקום אין תכליתם לשם שמים, אלא על צד ההכרח, או מפני הבושה, ועל זה אמר ויפתוהו בפיהם:

שינוי נוסחאות

(ב) **דבר אחר, אים ונורא הוא זה נבוכדנצר.** החל מדפוס אמשטרדם תקפ"ה הושמטו תיבות "דבר אחר" בטעות, אבל היה בכל הספרים לפני זה, וגם הרש"ש העיר על זה, ובדפוס וילנא תרמ"ז החזירו את התבות למקומן:

The Midrash continues its exposition of the verse in *Isaiah*: "וּבַבֹּקֶר זַרְעֵךְ תַּפְרִיחִי" — ***And at dawn your seed flowered*** — **רַבִּי חָמָא בַּר חֲנִינָא וְרַבִּי יִשְׁמָעֵאל בַּר רַבִּי נַחְמָן — R' Chama bar Chanina and R' Yishmael bar R' Nachman** explain this phrase using different parables: **רַבִּי חָמָא בַּר חֲנִינָא אָמַר: מָשָׁל לְאֶחָד שֶׁהָיְתָה לוֹ עֲרוּגַת יָרָק מְלֵאָה — R' Chama bar Chanina says:** This is **analogous to one who had a fully ripened**[115] **bed of vegetables, הִשְׁכִּים בַּבֹּקֶר וּמְצָאָהּ שֶׁהוֹרִיקָה — and arose early on the** following **morning and found that it had withered.**[116] **רַבִּי יִשְׁמָעֵאל בַּר רַבִּי נַחְמָן אָמַר: לְאֶחָד שֶׁהָיְתָה לוֹ עֲרוּגָה מְלֵאָה פִּשְׁתָּן — R' Yishmael bar R' Nachman says:** It is analogous **to one who had a ripened row of flax, הִשְׁכִּים בַּבֹּקֶר וּמְצָאָהּ גִּבְעוֹלִין — and arose early in the morning and found** that **it** had hardened into **stalks.**[117]

The Midrash proceeds to expound the latter part of the verse: "נֵד קָצִיר" — The verse continues, ***The branch moves.*** **נִדְנַדְתֶּם עֲלֵיכֶם קְצִירָן שֶׁל מַלְכוּת** — The allusion is: When you sinned with the Golden Calf, **you brought upon yourselves the branch**[118] **of the** subjugation of foreign **kingdoms, קְצִירָן שֶׁל יִסּוּרִים — and the branch of** physical **suffering,**[119] **קְצִירוֹ שֶׁל מַלְאַךְ הַמָּוֶת — and the branch of the Angel of Death.**[120]

The Midrash proceeds to cite an exposition proving that had

NOTES

115. [Lit., *full*.] Translation follows *Eitz Yosef.*

116. [Lit., *became pale*.] Since the vegetables were not harvested immediately upon completing their ripening (*flowering*), they became ruined. Similarly, almost immediately after receiving the Ten Commandments the Israelites constructed the Golden Calf and were "ruined." *Eshed HaNechalim* explains that what this means is that Israel was no longer on the lofty spiritual level she was on when she received the Torah.

[It may be suggested that after receiving the Torah, Israel (as in the analogy) was "fully ripe," i.e., fully ready for its new, post-Commandments service of God. However, when Moses did not come down from the mountain when they expected him (see *Exodus* 32:1 with *Rashi*) to lead them in this next stage of their spiritual journey, they immediately constructed the Calf and were "ruined."]

117. I.e., the nature of flax is such that the stalks are completed and hardened soon after the flax ripens. So too, the hearts of the Jewish people hardened soon after receiving the Torah (*Yefeh To'ar*). [*Yefeh To'ar* notes that in the current analogy (unlike the preceding one), the passage of time causes no financial loss; it is merely part of flax's natural development that the stalks harden. Nevertheless, the analogy serves its purpose. *Yefeh To'ar* goes on to suggest that it is possible that the different analogies reflect different views as to the nature of Israel's sin with the Golden Calf; see also *Anaf Yosef.* See Insight Ⓐ.]

118. The types of misfortune mentioned here are referred to as "branches" because they branch out all over the world, i.e., the whole world is affected by them (*Yefeh To'ar* and *Eitz Yosef*, second interpretation). Alternatively, קָצִיר is to be translated as "harvest," for the three misfortunes mentioned here "cut short" (מְקַצְּרִים) a person's life (ibid., first interpretation).

119. This includes all illnesses and disabilities. See beginning of next section (§4).

120. *Yefeh To'ar, Eitz Yosef. Eshed HaNechalim* explains: If the Israelites had not sinned, they would not have needed exile [and the subjugation of foreign kingdoms] to purify them (i.e., to atone for them); nor physical sufferings, which come as a result of sins; nor would there have been a need for the Angel of Death. For Israel would have returned to the level of Adam before the sin in the Garden of Eden, and would have been mostly-spiritual entities.

[*Maharzu* writes that the Midrash below cites three opinions regarding from which *one* of these forms of misfortune the Israelites would have been freed. Accordingly, the Midrash here is expounding the *Isaiah* verse according to each of the three (mutually exclusive) opinions. See note 127.]

INSIGHTS

Ⓐ **The Untried Faith of a Fledgling Nation** Immediately after accepting the Torah, Israel committed the sin of the Golden Calf. The Midrash illustrates their seeming change of heart with three parables — impure silver or silver-plated earthenware, vegetables that withered, and flax stalks that hardened. *Divrei Shalom* understands these parables to be addressing the lack of faith that brought them to this transgression. Each parable suggests a different cause for Israel's failure.

The first parable compares the Jewish nation to impure silver or to earthenware plated with silver. According to this explanation, the faith of the Israelites was rife with impurities from the start. Although it seemed from the outside to be of fine silver, on the inside it was not silver at all but clay. *Divrei Shalom* attributes the unsoundness of Israel's faith to the nation's long sojourn in Egypt, a land of idolatrous fervor and astrological beliefs, whose culture greatly influenced the Jews who dwelt there. True, the Jews witnessed great miracles in Egypt and at the Reed Sea, and the Torah attests that וַיַּאֲמִינוּ בַּה' וּבְמֹשֶׁה עַבְדּוֹ, *they had faith in* HASHEM *and in Moses, His servant* (*Exodus* 14:31). Still, the malign effects of centuries of exposure to Egyptian culture were not so easily erased. Their faith in God, based on the miracles they saw, appeared to be strong, but in fact, it was shot through with doubts and contradictions, all of which came to the fore when they were tested with the Golden Calf. [Indeed, Moses himself offered this as a defense on behalf of Israel. He said (*Exodus* 32:11): לָמָה ה' יֶחֱרֶה אַפְּךָ בְּעַמֶּךָ אֲשֶׁר הוֹצֵאתָ מֵאֶרֶץ מִצְרַיִם, *Why,* HASHEM, *should Your anger flare up against Your people, whom You have taken out of the land of Egypt?* Moses mentioned the Exodus from Egypt as a mitigating factor, to imply that the sin was caused by Israel's exposure to Egyptian ideology. A comparison is drawn to the experience of a young man, innocent in the ways of the world, whose father sets him up in a perfumery on a street frequented by women of ill repute. Just as the young man can scarcely be blamed when he falls into evil ways, so too with regard to Israel, who for many years were exposed, by Divine decree, to the poisonous beliefs of the ancient Egyptians (*Shemos Rabbah* 43 §7).]

The second parable portrays Israel as a row of vegetables, newly ripened, that withered overnight. According to this approach, the faith of the redeemed Israel was indeed pure, uncorrupted by Egyptian influence. However, it was tender and new, like a row of just-ripened produce, not yet toughened by adversity and time. Tested too soon after ripening, it could not be sustained, and so failed them at the crucial moment. This theme is continued in the second half of the verse: וּבַבֹּקֶר זַרְעֵךְ תַּפְרִיחִי, where the word תַּפְרִיחִי can be construed as from the root פרח, *to fly away*; thus, the verse states: *and at dawn your seed flew away.* The untried faith of the fledgling nation withered in the heat of the sinful moment, and the seeds of God's planting scattered in the wind. Israel, bereft of faith, fell into sin.

The third, and final, parable compares Israel to a row of flax that hardened. *Divrei Shalom* explains that this alludes to the presence of the second of two groups that took part in the sin of the Golden Calf. The first group were the lesser sinners. Their faith was weak, they harbored doubts, but they were not fully committed to idolatrous worship. This is the group alluded to in the first part of the verse in *Isaiah:* בְּיוֹם נִטְעֵךְ תְּשַׂגְשֵׂגִי, whose faith was portrayed in the first parable as impure silver, a faith riven with doubt, an admixture of true belief and the false ideology of Egypt. The second group, however, was composed of the hardened sinners, the 3,000 who were killed by the tribe of Levi (see *Exodus* 32:28). It was this core group that truly worshiped the Golden Calf, that prostrated themselves before the idol, offered up sacrifices before it, and proclaimed (ibid., v. 4), אֵלֶּה אֱלֹהֶיךָ יִשְׂרָאֵל אֲשֶׁר הֶעֱלוּךָ מֵאֶרֶץ מִצְרָיִם, *This is your god, O Israel, which brought you up from the land of Egypt!* And it is this group that is alluded to in the second part of the verse in *Isaiah*: וּבַבֹּקֶר זַרְעֵךְ תַּפְרִיחִי, *and at dawn your seed flowered.* "The seed" is that which was sown in Egypt, that den of iniquity, whose influences came to full flower on that fateful morning, and produced a bitter harvest of idolatry and rebellion. The nation had become like hardened flax, which must be beaten in order to separate and extract the useful fibers. These sinners internalized the pagan faith of Egypt, and hardened their hearts against God. They could not remain a part of Israel, but could only be beaten out and discarded, as the hard fibers of wood are separated from the strands of flax (*Divrei Shalom, Ki Sisa*, pp. 98-99).

"ובבקר זרעך תפריחי", רבי חמא בר חנינא ורבי ישמעאל בר רבי נחמן, רבי חמא בר חנינא אמר: משל לאחד שהיתה לו ערוגת ירק מלאה, השכים בבקר ומצאה שהוריקה, רבי ישמעאל בר רבי נחמן אמר: לאחד שהיתה לו ערוגה מלאה פשתן, השכים בבקר ומצאה גבעולין, (ישעיה שם שם) "נד קציר", נדנדתם עליכם קצירן של מלכות, קצירן של יסורים, קצירו של מלאך המות, דאמר רבי יוחנן בשם רבי *אליעזר בנו של רבי יוסי הגלילי: בשעה שעמדו ישראל על הר סיני ואמרו (שמות כד, ז) "כל אשר דבר ה' נעשה ונשמע", באותה שעה קרא הקדוש ברוך הוא למלאך המות ואמר לו: אף על פי שעשיתי אותך °קוזמוקטר על הבריות אין לך עסק באומה זו, למה, שהן בני, הדא הוא דכתיב (דברים יד, א) "בנים אתם לה' אלהיכם", ואומר (שם ה, כ) "ויהי כשמעכם את הקול מתוך החשך", וכי יש חשך למעלה, והכתיב (דניאל ב, כב) "ונהורא עמה שרא", אלא זה מלאך המות שקרוי חשך, הדא הוא דכתיב (שמות לב, טז) "והלוחות מעשה אלהים המה וגו'", אל תקרי "חרות" אלא "חירות", [ג]רבי יהודה ורבי נחמן ורבנן, רבי יהודה אמר: חירות ממלאך המות, רבי נחמן אמר: חירות מן המלכיות, ורבנן אמרי: חירות מן היסורין, (ישעיה שם שם) "ביום נחלה" ביום שהנחלתי לכם את התורה, (שם) "וכאב אנוש", רבי יוחנן ורבנן, רבי יוחנן אמר: הבאתם עליכם מכה מגרת ומתשת, °רבי יוחנן אמר: הבאתם עליכם מכה גברתנית ומתשת, ואי זו, זו זיבות וצרעת, לפיכך משה מזהיר את ישראל ואומר להן: [טו, ב] "איש איש כי יהיה זב מבשרו":

ערוגת ירק מלאה. כלומר שכבר נגמר בשולה, ולכן כשהניחה לבקר מיד הוריקה ונפסדה, ופירוש תפריחי שנגמר למיחתה, שאף על פי שזה טוב, היה לרעה מאד שנפסדת מהר כשלא נלקטה: **נדנדתם עליכם כו'.** רלה לומר שמכל אלו השלשה היינו מלכות ויסורין ומלאך המות הייתם בני חורין מהם וניצולים מהם כדמפרש מחרות על הלוחות, אבל במעשה העגל כדנדתם עליכם פירוש הבאתם עליכם אלו השלשה. ומכנה לשלשה דברים אלו בלשון קציר על שם ששלש אלו מקצרים ימיו של אדם, ויתכן שהוא לשון ענף כמו תשלח קציריה, על שם שהם מתפשטים בעולם כו' או על שם לשון ממשלה כמו שדרשו בערכין (לג, א) מפסוק (הושע ו, יא) גם יהודה שת קציר, עיין שם: **קוזמוקטר.** פירוש הערוך שליט ומושל תופס העולם: **ונהורא עמיה שרא.** סבירא ליה כדאיתא במכילתא (יתרו בחודש פרשה ד) שהרכין הקדוש ברוך הוא שמים העליונים על ראש ההר ודבר עמהם מן השמים, ומכיון שנגלה להם כבוד ה' על ההר הסכרת כי לילה כיום יאיר ולא יראה הענן והחשך כיון דנהורא עמיה שריה: **שקרוי חשך.** בתנחומא סדר וישב (סימן ד) וחשך על פני תהום זה מלאך המות שמחשיך פניהם של בריות. וכשמעכם את הקול מתוך החשך לומר שגם החשך לא יחשיך מהם קול הדבור, שהיו חיים לעולם (רד"ל): **אל תקרי חרות.** משום שקשה מאי חרות על הלוחות, כי מהראוי יאמר חרות בלוחות, כי על הלוחות אויר עולם ומי נתן חריתה באויר, לכך אמר אל תקרי חרות אלא חירות, וכמו שמפרש ליה ר' יהודה ור' נחמן ורבנן כל אחד לפי שיטתו, שהוא על הלוחות כלומר על דבר הלוחות על דרך על דבר שרי (בראשית יב, יז) על תלמודיו ועל דבריו (שם לז, ח) שבזכות תורת הלוחות אם היו בלא מכשול העגל היה חירות (אלשיך): **חירות מן היסורים.** הבאים לגוף מחלאים ועניות וכיולא: **ביום שהנחלתי כו'.** רלה לומר שביום ההוא נתעוררו האויבים לבוא עליהם כי סר פחדם מהם: **מכה מגרת.** פירוש מפלת מגזרת (תהלים פט, מה) וכסאו לארץ מגרת, ומתשת פירוש הורסת מגזירת (יחזקאל יט, יב) ותותש בחימה, ודריש אנוש מענין נטישה, ואף על פי שנשרש מתחלף אין דרכם לדקדק כן בדרשות: **גברתנית.** הם דרשו אנוש לשון אנושות, ולכן אמרו גברתנית מענין גבר: **זו זיבה וצרעת.** שכיון שחטאו באו עליהם כדאמר בסמוך, ולהכי מייתי הא דרבי שמעון בר יוחאי ומהיכן נתחייבו ישראל בזיבות וכו' משום דרבנן דאמרי מן העגל, ואגדה זו סבירא ליה כוותיה:

ומצאה שהוריקה. בילקוט ישעיה (רמז תיט) הגירסא, ומצאה ריקה, ועיין שם במדבר רבה: **קצירין של מלכיות.** כרבי נחמיה לקמן בסמוך, והערוך הביא מאמר זה בערך קצור א', מלשון קצירה ממש, מה שהרשעים קוצרים אתכם. ומה שכתב קצירן של יסורים כרבנן, ומה שכתב קצירן של מלאך המות כרבי יהודה: **מתוך החושך.** שעל ידי הקול נצלתם מן מלאך המות: **והלוחות מעשה אלהים.** והמכתב מכתב אלהים הוא, חרות על הלוחות, והיה לו לומר כתוב, כמו שאמר מכתב, על כן דורש מלשון חירות, על פי מדת ממעל, מלשון חוריו חורים וסגנים, ועיין שמות רבה (מא, ז) ושם נתבאר, ושם איתא רבי נחמיה: **מגרת ומתשת.** לפי מה שכתוב כאן צריך עיון מה דורש, אך במדבר רבה שם איתא שני דעות בתיבת אנוש. ראשון מלשון גבר ודורש גברתנות, והשני מלשון אנושה מכתו, וזהו מנתשת, ומה שכתוב כאן עוד הפעם רבי יוחנן אמר, טעות סופר, וצריך לומר רבנן אמרי, ושם דורש על צרעת, וכאן דורש על הזיבות, ויתכן דמאן דאמר גברתנות, היא הצרעת, כדמיון בהרת עזה, ומה שאמר מנתשת היא הזיבות עיין שם, ולזיבות שייך לאמר מגרת:

מתנות כהונה

קצירן. לשון קצירה וכריתה כמשמעו, או יש לפרש מלשון חולי כדאמר קצירי ומריעי, כד קציר ורמי בערסיה (ב"ב קנג, א): הכי גרסינן **קצירין של יסורים: קוזמוקטור.** פירש הערוך (ערך קזמקרטור) שליט ומושל, ועיין מזה במדרש חזית בפסוק שימני כחותם (שיר השירים רבה ח, ג): **מגרת.** לקמן גרס מתגברת, וכן בפרשת נשא (ז, ד):

אשד הנחלים

ומצאה שהוריקה. ואין בה כח הצמיחה עוד, כן לא היה בהם כח לעמוד במדריגה הגדולה כל כך: **מלאה פשתן.** הוא הוא, רק שזה אחז בזה וזה בזה. ודרש תפריחי מלשון היפך, שנפל הפרח והצמיחה: **קצירן של גליות כו'.** הקציר שם המושאל על הגמר והכליון הגמור, שנעשה מהדבר היש דבר אין, וממעלה הרמה שפלות גדולה מאוד, ואלולי חטאם לא היה גליות לצרפם, ולא יסורים הבא מחטאות החומר, ולא מלאך המות, כי היו במדריגת אדם הראשון קודם החטא, עד שהיה נעשה גופם ספירי בלי שליטת הכליון וההפסד: **שהם בני.** כלומר מדובקים בי כבן לאב: **וכי יש חושך כו' זה מלאך המות.** כבר ידעת הכינוי מלאך המות על כל העניינים החומריים, כמו שאמרו (בבא בתרא טז, א) הוא השטן הוא היצר הרע הוא המלאך המות, והוא העיקר החושך השולט על העולם, וזהו הפלא ששמעו דברי אלהים חיים מתוך החושך, וזהו כינוי להחומר וחטאיו, המסתיר ההשגה בטבע, ואף שחטאו אחר כך בעגל והיה החושך עליהם, עם כל זה שמעו הקול, ואלולי החטא אז היו כאלהים נעדר מכל חשך: **מכה מתגברת ומתשת.** כן צריך לומר. מתנות כהונה. כי היא חולי המתגברת תמיד עת אחר עת, ומתשת הכח תמיד, כי הליחה הזאת היא עיקר חיות האדם, והיא הטומאה העקרית כנודע, וזהו כאב אנוש ומכאיב תמיד:

חידושי הרד"ל

דאמר רבי יוחנן בשם רבי יוסי הגלילי בשעה כו'. עיין שמות רבה (מא, ג) עיין שם: **מנא הני מילי שקרוי חשך.** שמחשיך פניהם של בריות, ושמעו את הקול מתוך החשך, לומר שגם החשך לא יחשיך מהם קול הדבור, שהיו חיים לעולם: **אלא חירות רבי יהודה ורב נחמן ורבנן כו'.** שמות רבה (לב, א) ושם נסמן: **רבי יוחנן אומר כו' מכה מתשת ורבנן אמרי כו' מכה גברתנית ואיזו זו כו'.** כן הוא במדבר רבה (ז, ד) וכן צריך לומר. דרבי יהודה מפרש אנוש לשון חלוש, שמתשת הגוף, ורבנן מפרשי אנושה חזקה, שהמכה גברתנית. (ולגירסת הספר אולי יש לומר מכה מגרת נמשכת, וכדדרש לעיל פרשה י"ז (סימן ב) נגרות ביום שהוא על הצרעת, או אפשר צריך לומר מגרעת, רצה לומר פותחת בבשר):

חידושי הרש"ש

[ג] השכים בבקר ומצאה שהוריקה. בסדר נשא רבה (ז, ד) הגירסא שהפריגה, ועיין שם במתנות כהונה: **נד קציר קצירן של גליות קצירן כו'.** נראה לי דפירוש קציר, הוא לשון ממשלה, כמו שדרשו בערכין לג, א מפסוק (הושע ו, יא) גם יהודה שת קציר, דירמיה החזיר לעשרת השבטים ויאשיה מלך עליהם, ועיין בסדר נשא (שם) ובמה שכתבתי שם: **וכאב אנוש כו' רבי יוחנן אומר כו' ורבנן אמרי כו' מכה גברתנית כו'.** כן צריך לומר:

ליקוטים

[ג] ומצאה שהוריקה. פירוש ירוק כזהב, וקלקול הוא לירק (מעריך ערך ירק). ובבמדבר רבה (ז, ד) הגירסא שהפריגה, ופירש המתנות כהונה שהחליפה עצמה מטובה לרעה (יד יוסף). לא ימיר תרגומו לא יפרג (ערוך ערך פרג):

ידי משה

[ג] וכאב אנוש רבי יוחנן ורבנן וכו' עד לפיכך. עיין לקמן (במדבר רבה פרשה ז סוף סימן ד) ושם תמצא מבוקש בהדיא:

מסורת המדרש

ג. תד"א זוטא פ"ד. אבות פ"ו:

אם למקרא

וַיִּקַּח סֵפֶר הַבְּרִית וַיִּקְרָא בְּאָזְנֵי הָעָם וַיֹּאמְרוּ כֹּל אֲשֶׁר דִּבֶּר ה' נַעֲשֶׂה וְנִשְׁמָע: (שמות כד:ז)

בָּנִים אַתֶּם לַה' אֱלֹהֵיכֶם לֹא תִתְגֹּדְדוּ וְלֹא תָשִׂימוּ קָרְחָה בֵּין עֵינֵיכֶם לָמֵת: (דברים יד:א)

וַיְהִי כְּשָׁמְעֲכֶם אֶת הַקּוֹל מִתּוֹךְ הַחֹשֶׁךְ וְהָהָר בֹּעֵר בָּאֵשׁ וַתִּקְרְבוּן אֵלַי כָּל־רָאשֵׁי שִׁבְטֵיכֶם וְזִקְנֵיכֶם: (שם ה:כ)

הוּא גָּלֵא עַמִּיקָתָא וּמְסַתְּרָתָא יָדַע מָה בַחֲשׁוֹכָא וּנְהוֹרָא עִמֵּהּ שְׁרֵא: (דניאל ב:כב)

וְהַלֻּחֹת מַעֲשֵׂה אֱלֹהִים הֵמָּה וְהַמִּכְתָּב מִכְתַּב אֱלֹהִים הוּא חָרוּת עַל הַלֻּחֹת: (שמות לב:טז)

ענף יוסף

רבי חמא בר חנינא אמר משל כו' רבי ישמעאל בר נחמן אמר לאחד כו'. יתכן שמחלוקתם במעשה העגל, אם היה ממש לעבודה זרה, או אם כוונתם רק לקבלת השפע, רבי חמא המשילם לירק שהוריקה הנפסדת לגמרי, ורבי ישמעאל המשילם לפשתן שנתקשה שוכר שלא היה בהם רק קושי הלב לבלתי בטחם בישועתו ובהשגחתו תמיד:

אמרי יושר

[ג] זה מלאך מות שקרוי חשך. זהו כשמעכם הקול. פירוש שהוא סבה להבדילכם ולהרחיקכם מתוך החשך: **חירות מן היסורין.** דייקו שלא אמר חרות בלוחות, או חתור כמו חתור לך בקיר (יחזקאל יב, ה), דרשוהו מלשון חירות בסבת הלוחות, והיינו דלא קאמר חתור, וזהו הפסדתם עצמכם, כי קודם ביום נחלה זכיתם מקליר מלכיות, ועתה שתשגגי תתיסרו בחולי וכאב אנוש:

שינוי נוסחאות

(ג) רבי יוחנן אמר: הבאתם עליכם מכה גברתנית. צ"ל "ורבנן אמרי הבאתם...", כן הגיה א"א, וכן כתבו ג"כ ברש"ש ורד"ל:

the Jewish people not worshiped the Golden Calf, the Angel of Death would have had no jurisdiction over them whatsoever:[121] דְּאָמַר רַבִּי יוֹחָנָן בְּשֵׁם רַבִּי אֱלִיעֶזֶר בְּנוֹ שֶׁל רַבִּי יוֹסֵי הַגְּלִילִי — **For R' Yochanan said in the name of R' Eliezer, the son of R' Yose HaGelili:** בְּשָׁעָה שֶׁעָמְדוּ יִשְׂרָאֵל עַל הַר סִינַי — **At the time that Israel stood at Mount Sinai** "וְאָמְרוּ כֹּל אֲשֶׁר דִּבֶּר ה׳ נַעֲשֶׂה וְנִשְׁמָע" **— and said, *"Everything that HASHEM has spoken we will do and we will obey"*** (*Exodus* 24:7), בְּאוֹתָהּ שָׁעָה קָרָא הַקָּדוֹשׁ בָּרוּךְ הוּא לְמַלְאַךְ הַמָּוֶת וְאָמַר לוֹ— **the Holy One, blessed is He, called the Angel of Death, and said to him,** אַף עַל פִּי שֶׁעֲשִׂיתִי אוֹתְךָ קוֹזְמוֹקְטֹר עַל הַבְּרִיּוֹת אֵין לְךָ עֵסֶק בְּאוּמָּה זוֹ — **"Although I have made you world-ruler**[122] **over** all **the** earthly **creatures, you have no dealings with this nation.** לָמָּה, שֶׁהֵן בָּנַי — **Why? For they are My children."** הָדָא הוּא דִכְתִיב "בָּנִים אַתֶּם לַה׳ אֱלֹהֵיכֶם" — **Thus it is written, *You are children to HASHEM, your God*** (*Deuteronomy* 14:1). וְאוֹמֵר "וַיְהִי כְּשָׁמְעֲכֶם אֶת הַקּוֹל מִתּוֹךְ הַחֹשֶׁךְ" — **And it states** in regard to the Giving of the Torah, ***It happened that when you heard the Voice from the midst of the darkness, etc.*** (ibid. 5:20). וְכִי יֵשׁ חֹשֶׁךְ לְמַעְלָה, וְהַכְתִיב "וּנְהוֹרָא עִמֵּהּ שְׁרֵא" — **But is there darkness above? Why, it is written, *And light dwells with Him*** (*Daniel* 2:22)![123] אֶלָּא זֶה מַלְאַךְ הַמָּוֶת שֶׁקָּרוּי חֹשֶׁךְ — **Rather, this is** a reference to **the Angel of Death, who is called Darkness.**[124]

The Midrash derives from Scripture that the Tablets would have brought freedom from misfortune:[125]

הָדָא הוּא דִכְתִיב "וְהַלֻּחֹת מַעֲשֵׂה אֱלֹהִים הֵמָּה וגו׳" — **Thus it is written, *The Tablets were God's handiwork,*** *and the script was the script of God, engraved* [חָרוּת] *on the Tablets* (*Exodus* 32:16). אַל תִּקְרֵי "חָרוּת" אֶלָּא "חֵרוּת" — **Do not read** the word as it is vowelized, ***charus*** [חָרוּת], meaning "engraved," **rather** read it as if it were vowelized ***cheirus*** [חֵרוּת], meaning "freedom."[126]

The Midrash records three applications of the preceding exposition:[127]

רַבִּי יְהוּדָה וְרַבִּי נַחְמָן וְרַבָּנָן — **R' Yehudah, R' Nachman, and the Rabbis** differ as to the application of this exposition. רַבִּי יְהוּדָה אָמַר: חֵירוּת מִמַּלְאַךְ הַמָּוֶת — **R' Yehudah says:** Had the nation not sinned, the Tablets would have merited them **freedom from the Angel of Death.** רַבִּי נַחְמָן אָמַר: חֵירוּת מִן הַמַּלְכֻיּוֹת — **R' Nachman says** they would have merited them **freedom from the** subjugation of foreign **kingdoms.** וְרַבָּנָן אָמְרֵי: חֵירוּת מִן הַיִּסּוּרִין — **The Rabbis say** they would have merited them **freedom from physical suffering.**

NOTES

121. Although the Midrash below will cite a different verse to show that the Tablets would have brought freedom from the three "branches" just mentioned, the Midrash cites this additional exposition in connection with the Angel of Death in order to prove that not only would they have been free from the risk of an *untimely* death, but the Angel of Death would have had no jurisdiction over them *whatsoever* (*Yefeh To'ar*).

122. *Eitz Yosef.*

123. *Yefeh To'ar* finds the Midrash's question puzzling, for besides *Deuteronomy* 5:20, which the Midrash addresses (and will momentarily reinterpret) here, Scripture states many times that atop Mount Sinai there was smoke (*Exodus* 19:18, 20:15) and darkness (*Deuteronomy* 4:11) and a heavy cloud (*Exodus* 19:16; see also *Deuteronomy* ibid.) — and these verses cannot be likewise reinterpreted! *Yefeh To'ar* explains: Those verses are all referring to the moments in time *before* God's Presence descended upon Mount Sinai. But our Midrash holds, in accord with R' Akiva's teaching in *Mechilta* (to *Exodus* 20:19), that when God actually *spoke* to the Children of Israel — i.e., during the moments in time discussed in the *Deuteronomy* verse cited by our Midrash — He lowered the heavens onto Mount Sinai. As such, the Voice of God could not have come from darkness, for the Voice came out of His Abode in Heaven, and in His Abode there is only light.

124. "For he darkens the eyes of the people" [*Midrash Tanchuma, Vayeishev* §4 and *Shemos* §17, expounding *Genesis* 1:2] (*Eitz Yosef*). The *Deuteronomy* verse is thus to be understood as stating that the Israelites heard the Voice of God [decreeing that they would be removed] from [the jurisdiction of] the Angel of Death (*Peirush Kadum*). This means that the Angel of Death would have no power to prevent them from hearing God's Voice, for they would live for eternity [and would thus continue to hear the ongoing Voice of God; see *Rashi* to *Deuteronomy* 5:19] (*Radal*, followed by *Eitz Yosef*).

Alternatively, when the Midrash speaks here of the "Angel of Death," it is referring to all the materialistic and anti-spiritual forces in the world. (This is understandable in light of the teaching of the Sages [*Bava Basra* 16a] that the Satan, the evil inclination, and the Angel of Death are one and the same.) The *Deuteronomy* verse is thus to be understood as saying that the Israelites — strikingly — heard God's Voice from amidst (i.e., despite being surrounded by) the materialism and physicality that cause sin and thus block man's ability to perceive God (*Eshed HaNechalim*).

125. I.e., from the "branches" mentioned above; see note 120.

126. Because the verse concludes חָרוּת עַל הַלֻּחֹת, lit., *engraved "on" the Tablets*, instead of חָרוּת בַּלֻּחֹת, *engraved "into" the Tablets*, the Midrash interprets עַל הַלֻּחֹת as *"on account of" the Tablets*, so that the word חָרוּת now refers to something that the Jewish people would be granted on account of the Tablets — namely, freedom (*Imrei Yosher*; *Eitz Yosef*, citing *Alshich* ad loc.). Had the Israelites received the first Tablets (see note 110), they would have been forever liberated from the specific misfortunes mentioned above (see further). See Insight Ⓐ.

127. See also *Shemos Rabbah* 32 §1. [According to *Maharzu* cited in note 120, these three applications are mutually exclusive. However, according to *Yefeh To'ar* and *Eitz Yosef* cited there, it seems that the Midrash takes all three applications to be true.]

INSIGHTS

Ⓐ **Freedom From Coercion** *R' Chaim Volozhin* (*Nefesh HaChaim, Shaar* IV, Ch. 32, in a note) explains this freedom described by the Midrash according to the statement of our Sages (*Kiddushin* 30b), which quotes God as declaring, "I created the evil inclination, and I created Torah as an antidote for it."

Mesillas Yesharim (Chapter 5) explains this statement of our Sages with the model of physical illness: If the doctor prescribes a medicine composed of many different ingredients, each one measured precisely as to strength and amount, only a fool would attempt to take other unproven remedies that he fancies would heal him. The patient is not a doctor, and the doctor, who has experience with this illness and with the medications to which it responds, is the only one who can prescribe what the patient needs, how much of it, and the balance between the various ingredients.

God gives us the same message regarding the evil inclination: Do not imagine for a moment that you can avoid the power of its lure by choosing what you presume to be effective ways of defeating it. Do not think that you can concoct your own antidote for the evil inclination. "I created it," God says. "I know what it is, and I created Torah as the elixir of life. Torah study — and only Torah study — can heal the sickness engendered by one's evil inclination."

This too, says R' Chaim Volozhin, is the meaning of our Midrash. The Tablets are a reference to the two tablets of man's desirous heart (see *Proverbs* 3:3). Those tablets are God's handiwork. He created them and He alone knows the inclination and drives that are native to one's heart. And the writing is God's writing — He gives you the Torah and the ability to study it. He tells you to engrave that Torah on the tablets of your heart, and thereby dominate the drives and enticements of the evil inclination rather than be dominated by them.

As we learn in *Avos* (6:2) regarding the exposition of our Midrash: אַל תִּקְרָא "חָרוּת" אֶלָּא "חֵרוּת", שֶׁאֵין לְךָ בֶּן חוֹרִין אֶלָּא מִי שֶׁעוֹסֵק בְּתַלְמוּד תּוֹרָה, *Do not read "charus" [engraved], rather "cheirus" [freedom] — for none is free except one who occupies himself with the study of Torah.* Without serious, sustained Torah study, man can never truly be free from the evil inclination. There is no other way.

"וּבַבֹּקֶר זַרְעֵךְ תַּפְרִיחִי", רַבִּי חָמָא בַּר חֲנִינָא וְרַבִּי יִשְׁמָעֵאל בַּר רַבִּי נַחְמָן, רַבִּי חָמָא בַּר חֲנִינָא אָמַר: מָשָׁל לְאֶחָד שֶׁהָיְתָה לוֹ עֲרוּגַת יָרָק מְלֵאָה, הִשְׁכִּים בַּבֹּקֶר וּמְצָאָהּ שֶׁהוֹרִיקָה, רַבִּי יִשְׁמָעֵאל בַּר רַבִּי נַחְמָן אָמַר: לְאֶחָד שֶׁהָיְתָה לוֹ עֲרוּגָה מְלֵאָה פִּשְׁתָּן, הִשְׁכִּים בַּבֹּקֶר וּמְצָאָהּ גִּבְעוֹלִין, (ישעיה שם שם) "נֵד קָצִיר", נִדְנַדְתֶּם עֲלֵיכֶם קְצִירָן שֶׁל מַלְכוּת, קְצִירָן שֶׁל יִסּוּרִים, קְצִירוֹ שֶׁל מַלְאַךְ הַמָּוֶת, דְּאָמַר רַבִּי יוֹחָנָן בְּשֵׁם רַבִּי *אֱלִיעֶזֶר בְּנוֹ שֶׁל רַבִּי יוֹסֵי הַגְּלִילִי: בְּשָׁעָה שֶׁעָמְדוּ יִשְׂרָאֵל עַל הַר סִינַי וְאָמְרוּ (שמות כד, ז) "כֹּל אֲשֶׁר דִּבֶּר ה' נַעֲשֶׂה וְנִשְׁמָע", בְּאוֹתָהּ שָׁעָה קָרָא הַקָּדוֹשׁ בָּרוּךְ הוּא לְמַלְאַךְ הַמָּוֶת וְאָמַר לוֹ: אַף עַל פִּי שֶׁעֲשִׂיתִי אוֹתְךָ °קוֹזְמוֹקְטָר עַל הַבְּרִיּוֹת אֵין לְךָ עֵסֶק בְּאוּמָּה זוֹ, לָמָּה, שֶׁהֵן בָּנַי, הֲדָא הוּא דִּכְתִיב (דברים יד, א) "בָּנִים אַתֶּם לַה' אֱלֹהֵיכֶם", וְאוֹמֵר (שם ה, כ) "וַיְהִי כְּשָׁמְעֲכֶם אֶת הַקּוֹל מִתּוֹךְ הַחֹשֶׁךְ", וְכִי יֵשׁ חֹשֶׁךְ לְמַעְלָה, וְהָכְתִיב (דניאל ב, כב) "וּנְהוֹרָא עִמֵּהּ שְׁרֵא", אֶלָּא זֶה מַלְאַךְ הַמָּוֶת שֶׁקְּרוּי חֹשֶׁךְ, הֲדָא הוּא דִכְתִיב (שמות לב, טז) "וְהַלֻּחֹת מַעֲשֵׂה אֱלֹהִים הֵמָּה וְגוֹ'", אַל תִּקְרֵי "חָרוּת" אֶלָּא "חֵירוּת", רַבִּי יְהוּדָה וְרַבִּי נַחְמָן וְרַבָּנָן, רַבִּי יְהוּדָה אָמַר: חֵירוּת מִמַּלְאַךְ הַמָּוֶת, רַבִּי נַחְמָן אָמַר: חֵירוּת מִן הַמַּלְכֻיּוֹת, וְרַבָּנָן אָמְרֵי: חֵירוּת מִן הַיִּסּוּרִין, (ישעיה שם שם) "בְּיוֹם נַחֲלָה" בַּיּוֹם שֶׁהִנְחַלְתִּי לָכֶם אֶת הַתּוֹרָה, (שם) "וּכְאֵב אָנוּשׁ", רַבִּי יוֹחָנָן וְרַבָּנָן, רַבִּי יוֹחָנָן אָמַר: הֲבֵאתֶם עֲלֵיכֶם מַכָּה מַגֶּרֶת וּמַתֶּשֶׁת, °רַבִּי יוֹחָנָן אָמַר: הֲבֵאתֶם עֲלֵיכֶם מַכָּה גְּבַרְתָּנִית וּמַתֶּשֶׁת, וְאֵי זוֹ, זוֹ זִיבוּת וְצָרַעַת, לְפִיכָךְ מֹשֶׁה מַזְהִיר אֶת יִשְׂרָאֵל וְאוֹמֵר לָהֶן: [טו, ב] "אִישׁ אִישׁ כִּי יִהְיֶה זָב מִבְּשָׂרוֹ":

ערוגת ירק מלאה. כלומר שכבר נגמר בשולה, ולכן כשהגיחה לבקר מיד הוריקה ונפסדה, ופירוש תפריחי שנגמר למיתתה, שאף על פי שזה טוב, היה לרעה מצד שנפסדת מהר כשלא נלקטה: **נדנדתם עליכם כו'.** רצה לומר שמכל אלו השלשה היינו מלכות ויסורין ומלאך המות הייתם בני חורין מהם וניצולים מהם כדמפרש מחרות על הלוחות, אבל במעשה העגל נדנדתם עליכם פירוש הבאתם עליכם אלו השלשה. ומכנה לשלשה דברים אלו בלשון קציר על שם שבשלש אלו מקצרים ימיו של אדם, ויתכן שהוא לשון ענף כמו תשלח קציריה, על שם שהם מתפשטים בעולם כו' או על שם לשון ממשלה כמו שדרשו בערכין (לג, א) מפסוק (הושע ו, יא) גם יהודה שת קציר, עיין שם: **קוזמוקטר.** פירוש הערוך שליט ומושל תופס העולם: **ונהורא עמיה שרא.** סבירא ליה כדאיתא במכילתא (יתרו בחודש פרשה ד) שהרכין הקדוש ברוך הוא שמים העליונים על ראש ההר ודבר עמהם מן השמים, ומכיון שנגלה להם כבוד ה' על ההר הכרכה כי לילה כיום יאיר ולא יראה הענן והחשך כיון דנהורא עמיה שריה: **שקרוי חשך.** בתנחומא סדר וישב (סימן ד) וחשך על פני תהום זה מלאך המות שמחשיך פניהם של בריות. וכשמעכם את הקול מתוך החשך לומר שגם החשך לא יחשיך מהם קול הדבור, שהיו חיים לעולם (רד"ל): **אל תקרי חרות.** משום שקשה מאי חרות על הלוחות, כי מהכראוי יאמר חרות בלוחות, כי על הלוחות אויר עולם ומי נתן חריתה באויר, לכך אמר אל תקרי חרות אלא חירות, וכמו שמפרש ליה ר' יהודה ור' נחמן ורבנן כל אחד לפי שיטתו, שהוא על הלוחות כלומר על דבר הלוחות על דרך על דבר שרי (בראשית יב, יז) על חלומותיו ועל דבריו (שם לז, ח) שבזכות תורת הלוחות אם היו בלא מכשול העגל היה חירות (אלשיך): **חירות מן היסורים.** הבאים לגוף מחלאים ועניות וכיוצא: **ביום שהנחלתי כו'.** רצה לומר שביום ההוא נתעוררו האויבים לבוא עליהם כי סר פחדם מהם: **מכה מגרת.** פירוש מפלת מגזרת (תהלים פט, מה) וכסאו לארץ מגרת, ומתשת פירוש הורסת מגזירת (יחזקאל יט, יב) ותותש בחימה, ודריש אנוש מענין נטישה, ואף על פי שהשרשים מתחלף אין דרכם לדקדק כן בדרשות: **גברתנית.** הם דרשו אנוש לשון אנושות, ולכן אמרו גברתנית מענין גבר: **זו זיבה וצרעת.** שכיון שחטאו באו עליהם כדאמר בסמוך, ולהכי מייתי הא דרבי שמעון בר יוחאי ומהיכן נתחייבו ישראל בזיבות וכו' משום דרבנן דאמרי מן העגל, ואגדה זו סבירא ליה כוותיה:

ומצאה שהוריקה. בילקוט ישעיה (רמז תיט) הגירסא, ומלאה ריקה, ועיין שם במדבר רבה: **קצירין של מלכיות.** כרבי נחמיה לקמן בסמוך, והערוך הביא מאמר זה בערך קצור א', מלשון קצירה ממש, מה שהרשעים קוצרים אתכם. ומה שכתב קצירן של יסורים כרבנן, ומה שכתב קצירן של מלאך המות כרבי יהודה: **מתוך החושך.** שעל ידי הקול נגאלתם מן מלאך המות: **והלוחות מעשה אלהים.** והמכתב מכתב אלהים הוא, חרות על הלוחות, והיה לו לומר כתוב, כמו שאמר מכתב, על כן דורש מלשון חירות, על פי מדת ממעל, מלשון חוריו חורים וסגנים, ועיין שמות רבה (מא, ז) ושם נתבאר, ושם איתא רבי נחמיה: **מגרת ומתשת.** לפי מה שכתוב כאן צריך עיון מה דורש, אך במדבר רבה שם איתא שני דעות בתיבת אנוש. ראשון מלשון גבר ודורש גברתנות, והשני מלשון אנושה מכתו, וזהו מתשת, ומה שכתוב כאן עוד הפעם רבי יוחנן אמר, טעות סופר, וצריך לומר רבנן אמרי, ושם דורש על צרעת, וכאן דורש על הזיבות, ויתכן דמאן דאמר גברתנות, היא הצרעת, כדמיון בהרת עזה, ומה שאמר מנתשת היא הזיבות עיין שם, ולזיבות שייך לאמר מגרת:

מתנות כהונה

קצירן. לשון קצירה וכריתה כמשמעו, או יש לפרש מלשון חולי כדאמר קצירי ומריעי, כד קציר ורמי בערסיה (ב"ב קנג, א): הכי גרסינן **קצירין של יסורים: קוזמוקטור.** פירש הערוך (ערך קזמקרטור) שליט ומושל, ועיין מזה במדרש חזית בפסוק שימני כחותם (שיר השירים רבה ח, ג): **מגרת.** לקמן גרס מתגברת, וכן בפרשת נשא (ז, ד):

אשד הנחלים

ומצאה שהוריקה. ואין בה כח הצמיחה עוד, כן לא היה בהם כח לעמוד במדריגה הגדולה כל כך: **מלאה פשתן.** הוא הוא, רק שזה אחז בזה וזה בזה. ודרש תפריחי מלשון היפך, שנפל הפרח והצמיחה: **קצירן של גליות כו'.** הקציר שם המושאל על הגמר והכליון הגמור, שנעשה מהדבר היש דבר אין, וממעלה הרמה שפלות גדולה מאוד, ואלולי חטאם לא היה גליות לצרפם, ולא יסורים הבא מחטאות החומר, ולא מלאך המות, כי היו במדריגת אדם הראשון קודם החטא, עד שהיה נעשה גופם ספירי בלי שליטת הכליון וההפסד: **שהם בני.** כלומר מדובקים בי כבן לאב: **וכי יש חושך כו' זה מלאך המות.** כבר ידעת הכינוי מלאך המות על כל העניינים החומריים, כמו שאמרו (בבא בתרא טז, א) הוא השטן הוא היצר הרע הוא המלאך המות, והוא העיקר החושך השולט על העולם, וזהו הפלא ששמעו דברי אלהים חיים מתוך החושך, וזהו כינוי להחומר וחטאיו, המסתיר ההשגה בטבע, ואף שחטאו אחר כך בעגל והיה החושך עליהם, עם כל זה שמעו הקול, ואלולי החטא אז היו כאלהים נעדר מכל חשך: **מכה מתגברת ומתשת.** כן צריך לומר. מתנות כהונה. כי היא חולי המתגברת תמיד עת אחר עת, ומתשת הכח תמיד, כי הליחה הזאת היא עיקר חיות האדם, והיא הטומאה העקרית כנודע, וזהו כאב אנוש ומכאיב תמיד:

חידושי הרד"ל

דאמר רבי יוחנן בשם רבי יוסי הגלילי בשעה כו'. שמות רבה (מא, ג) עיין שם: **מנא הני מילי שקרוי חשך.** שמחשיך פניהם של בריות, ושמעו את הקול מתוך החשך, לומר שגם החשך לא יחשיך מהם קול הדבור, שהיו חיים לעולם: **אלא חירות רבי יהודה ורב נחמן ורבנן כו'.** שמות רבה (לב, א) ושם נסמן: **רבי יוחנן אומר כו' מכה מתשת ורבנן אמרי כו' מכה גברתנית ואיזו זו כו'.** כן הוא בבמדבר רבה (ז, ד) וכן צריך לומר. דרבי יהודה מפרש אנוש לשון חלוש, שמתשת הגוף, ורבנן מפרשי אנושה חזקה, שהמכה גברתנית. (ולגירסת הספר אולי יש לומר מכה מגרת נמשכת, וכדדרש לעיל פרשה י"ז [סימן ב] נגרות ביום אפו על הצרעת, או אפשר צריך לומר מגרעת, רצה לומר פותחת בבשר):

חידושי הרש"ש

[ג] השכים בבקר ומצאה שהוריקה. בסדר נשא רבה (ז, ד) הגירסא שהפריגה, ועיין שם במתנות כהונה: **נד קציר כו' קצירן של גליות קצירן כו'.** נראה לי דפירוש קציר, הוא לשון ממשלה, כמו שדרשו בערכין לג, א מפסוק (הושע ו, יא) גם יהודה שת קציר, דירמיה החזיר לעשרת השבטים ויאשיה מלך עליהם, ועיין בסדר נשא (שם) ובמה שכתבתי שם: **וכאב אנוש כו' רבי יוחנן אומר כו' ורבנן אמרי כו' מכה גברתנית כו'.** כן צריך לומר:

ליקוטים

[ג] **ומצאה שהוריקה.** פירוש ירוק כזהב, וקלקול הוא לירק (מעריך ערך ירק). ובבמדבר רבה (ז, ד) הגירסא שהפריגה, ופירש המתנות כהונה שהחליפה עצמה מטובה לרעה (יד יוסף). לא ימיר תרגומו לא יפרג (ערוך ערך פרג):

ידי משה

[ג] **וכאב אנוש רבי יוחנן ורבנן וכו' עד לפיכך.** עיין לקמן (במדבר רבה פרשה ז סוף סימן ד) ושם תמצא מבוקשך בהדיא:

מסורת המדרש

ג. תד"א זוטא פ"ד. אבות פ"ו:

אם למקרא

וַיִּקַּח סֵפֶר הַבְּרִית וַיִּקְרָא בְּאָזְנֵי הָעָם וַיֹּאמְרוּ כֹּל אֲשֶׁר דִּבֶּר ה' נַעֲשֶׂה וְנִשְׁמָע: (שמות כד:ז)

בָּנִים אַתֶּם לַה' אֱלֹהֵיכֶם לֹא תִתְגֹּדְדוּ וְלֹא תָשִׂימוּ קָרְחָה בֵּין עֵינֵיכֶם לָמֵת: (דברים יד:א)

וַיְהִי כְּשָׁמְעֲכֶם אֶת הַקּוֹל מִתּוֹךְ הַחֹשֶׁךְ וְהָהָר בֹּעֵר בָּאֵשׁ וַתִּקְרְבוּן אֵלַי כָּל רָאשֵׁי שִׁבְטֵיכֶם וְזִקְנֵיכֶם: (שם ה:כ)

הוּא גָּלֵא עַמִּיקָתָא וּמְסַתְּרָתָא יָדַע מָה בַחֲשׁוֹכָא וּנְהוֹרָא עִמֵּהּ שְׁרֵא: (דניאל ב:כב)

וְהַלֻּחֹת מַעֲשֵׂה אֱלֹהִים הֵמָּה וְהַמִּכְתָּב מִכְתַּב אֱלֹהִים הוּא חָרוּת עַל הַלֻּחֹת: (שמות לב:טז)

ענף יוסף

רבי חמא בר חנינא אמר משל כו' רבי ישמעאל בר נחמן אמר לאחד כו'. יתכן שמחלוקתם במעשה העגל, אם היה ממש לעבודה זרה, או אם כוונתם רק לקבלת השפע, רבי חמא המשילם לירק שהוריקה הנפסדת לגמרי, ורבי ישמעאל המשילו לפשתן שנתקשה שסובר שלא היה בהם רק קושי הלב לבלתי בטוחם בישועתו ובהשגחתו תמיד:

אמרי יושר

[ג] זה מלאך מות שקרוי חשך. זהו כשמעכם הקול. שהוא סבה להבדילכם ולהרחיקכם מתוך החשך: **חירות מן היסורין.** דייק שלא אמר חרות בלוחות, או חתור כמו חתור לך בקיר (יחזקאל יב, ה) דרשוהו מלשון חירות בסבת הלוחות, והיינו דלא קאמר חתור, וזהו הפסדתם עצמכם, כי קודם ביום נחלה זכיתם מקציר מלכיות, ועתה שתשבגגו תתיסרו בחולי וכאב אנוש:

שינויי נוסחאות

(ג) **רבי יוחנן אמר: הבאתם עליכם מכה גברתנית.** צ"ל "ורבנן אמרי הבאתם...", כן הגיה א"א, וכן כתבו ג"כ ברש"ש ורד"ל:

The Midrash continues to expound the verse in *Isaiah*: "בְּיוֹם נַחֲלָה" — The verse states, *The branch moves* ***on a day of inheritance.*** בַּיּוֹם שֶׁהִנְחַלְתִּי לָכֶם אֶת הַתּוֹרָה — This means that **on the day that I gave you the Torah as an inheritance** you brought upon yourselves the "branches" of misfortune.[128]

The Midrash expounds the final words of the verse: "וּכְאֵב אָנוּשׁ" — ***And "anush" pain*** — רַבִּי יוֹחָנָן וְרַבָּנָן — **R' Yochanan and the Rabbis** give different interpretations of this phrase. רַבִּי יוֹחָנָן אָמַר: הֲבֵאתֶם עֲלֵיכֶם מַכָּה מַגֶּרֶת וּמַתֶּשֶׁת — **R' Yochanan says: You brought upon yourselves an affliction that casts down and destroys**[129] its victim.[130] וְרַבָּנָן אָמְרֵי: הֲבֵאתֶם עֲלֵיכֶם מַכָּה גַּבְרְתָּנִית וּמַתֶּשֶׁת — **And the Rabbis say: You brought upon yourselves an affliction that is strong and destroys** its victim.[131] וְאֵי זוֹ, זוֹ זִיבוּת וְצָרַעַת — According to both interpretations,[132] **which** affliction **is this? It is both *zivah* and *tzaraas.*** לְפִיכָךְ מֹשֶׁה מַזְהִיר אֶת יִשְׂרָאֵל וְאוֹמֵר לָהֶן: "אִישׁ אִישׁ כִּי יִהְיֶה זָב מִבְּשָׂרוֹ" — **Therefore, Moses warned Israel saying to them,** ***Any man who will have a discharge from his flesh, etc.***[133]

NOTES

128. That is, it was on the day that Moses received the Tablets that the Jewish people sinned with the Golden Calf and brought misfortune upon themselves (see above, with notes 109-110).

129. Lit., *uproots* (see *Ezekiel* 19:12).

130. This opinion understands אָנוּשׁ as related to נוֹתֵשׁ, *uproots* (*Yefeh To'ar*, *Eitz Yosef*; see also *Maharzu*, who understands the Midrash's word מַתֶּשֶׁת as a shortened form of מְנַתֶּשֶׁת).

131. This opinion understands אָנוּשׁ [additionally] as *manly*, meaning strong (ibid., *Maharzu*).

132. See, however, *Maharzu*.

133. That is, it was when Israel sinned with the Golden Calf that they contracted these diseases. See introduction to this section, and see notes 137, 139, and 143 below.

"וּבַבֹּקֶר זַרְעֵךְ תַּפְרִיחִי", רַבִּי חָמָא בַּר חֲנִינָא וְרַבִּי יִשְׁמָעֵאל בַּר רַבִּי נַחְמָן, רַבִּי חָמָא בַּר חֲנִינָא אָמַר: מָשָׁל לְאֶחָד שֶׁהָיְתָה לוֹ עֲרוּגַת יָרָק מְלֵאָה, הִשְׁכִּים בַּבֹּקֶר וּמְצָאָהּ שֶׁהוֹרִיקָה, רַבִּי יִשְׁמָעֵאל בַּר רַבִּי נַחְמָן אָמַר: לְאֶחָד שֶׁהָיְתָה לוֹ עֲרוּגָה מְלֵאָה פִּשְׁתָּן, הִשְׁכִּים בַּבֹּקֶר וּמְצָאָהּ גִּבְעוֹלִין, (ישעיה שם שם) "נֵד קָצִיר", נִדְנַדְתֶּם עֲלֵיכֶם קְצִירָן שֶׁל מַלְכֻיּוֹת, קְצִירָן שֶׁל יִסּוּרִים, קְצִירוֹ שֶׁל מַלְאַךְ הַמָּוֶת, דְּאָמַר רַבִּי יוֹחָנָן בְּשֵׁם רַבִּי *אֱלִיעֶזֶר בְּנוֹ שֶׁל רַבִּי יוֹסֵי הַגְּלִילִי: בְּשָׁעָה שֶׁעָמְדוּ יִשְׂרָאֵל עַל הַר סִינַי וְאָמְרוּ (שמות כד, ז) "כֹּל אֲשֶׁר דִּבֶּר ה' נַעֲשֶׂה וְנִשְׁמָע", בְּאוֹתָהּ שָׁעָה קָרָא הַקָּדוֹשׁ בָּרוּךְ הוּא לְמַלְאַךְ הַמָּוֶת וְאָמַר לוֹ: אַף עַל פִּי שֶׁעֲשִׂיתִי אוֹתְךָ °קוֹזְמוֹקְטוֹר עַל הַבְּרִיּוֹת אֵין לְךָ עֵסֶק בְּאוּמָּה זוֹ, לָמָּה, שֶׁהֵן בָּנַי, הֲדָא הוּא דִכְתִיב (דברים יד, א) "בָּנִים אַתֶּם לַה' אֱלֹהֵיכֶם", וְאוֹמֵר (שם ה, כ) "וַיְהִי כְּשָׁמְעֲכֶם אֶת הַקּוֹל מִתּוֹךְ הַחֹשֶׁךְ", וְכִי יֵשׁ חֹשֶׁךְ לְמַעְלָה, וְהָכְתִיב (דניאל ב, כב) "וּנְהוֹרָא עִמֵּהּ שְׁרֵא", אֶלָּא זֶה מַלְאַךְ הַמָּוֶת שֶׁקְּרוּי חֹשֶׁךְ, הֲדָא הוּא דִכְתִיב (שמות לב, טז) "וְהַלֻּחֹת מַעֲשֵׂה אֱלֹהִים הֵמָּה וְגוֹ'", אַל תִּקְרֵי "חָרוּת" אֶלָּא "חֵרוּת", רַבִּי יְהוּדָה וְרַבִּי נַחְמָן וְרַבָּנָן, רַבִּי יְהוּדָה אָמַר: חֵרוּת מִמַּלְאַךְ הַמָּוֶת, רַבִּי נַחְמָן אָמַר: חֵרוּת מִן הַמַּלְכֻיּוֹת, וְרַבָּנָן אָמְרֵי: חֵרוּת מִן הַיִּסּוּרִין, (ישעיה שם שם) "בְּיוֹם נַחֲלָה" בַּיּוֹם שֶׁהִנְחַלְתִּי לָכֶם אֶת הַתּוֹרָה, (שם) "וּכְאֵב אָנוּשׁ", רַבִּי יוֹחָנָן וְרַבָּנָן, רַבִּי יוֹחָנָן אָמַר: הֲבֵאתֶם עֲלֵיכֶם מַכָּה מְגֶרֶת וּמְתֶשֶׁת, °רַבִּי יוֹחָנָן אָמַר: הֲבֵאתֶם עֲלֵיכֶם מַכָּה גַּבְרְתָנִית וּמְתֶשֶׁת, וְאֵי זוֹ, זוֹ זִיבוּת וְצָרַעַת, לְפִיכָךְ מֹשֶׁה מַזְהִיר אֶת יִשְׂרָאֵל וְאוֹמֵר לָהֶן: [טו, ב] "אִישׁ אִישׁ כִּי יִהְיֶה זָב מִבְּשָׂרוֹ":

עץ יוסף

ערוגת ירק מלאה. כלומר שכבר נגמר בשולה, ולכן כשהשכימה לבקר מיד הוריקה ונפסדה, ופירוש תפריחי שנגמר למיתתה, אשף על פי שזה טוב, היה לרעה מצד שנפסדת מהר כשלא נלקטה: **נדנדתם עליכם כו'.** רצה לומר שמכל אלו השלשה היינו מלכות ויסורין ומלאך המות הייתם בני חורין מהם וניצולים מהם כדמפרש מחרות על הלוחות, אבל במעשה העגל נדנדתם עליכם פירוש הבאתם עליכם אלו השלשה. ומכנה לשלשה דברים אלו בלשון קציר על שם שבשלשה אלו מקצרים ימיו של אדם, ויתכן שהוא לשון ענף כמו תשלח קציריה, על שם שהם מתפשטים בעולם כו' או על שם לשון ממשלה כמו שדרשו בערכין (לג, א) מפסוק (הושע ו, יא) גם יהודה שת קציר, עיין שם: **קוזמוקטר.** פירוש הערוך שליט ומושל תופס העולם: **ונהורא עמיה שרא.** סבירא ליה כדאיתא במכילתא (יתרו בחודש פרשה ד) שהרכין הקדוש ברוך הוא שמים העליונים על ראש ההר ודבר עמהם מן השמים, ומכיון שנגלה להם כבוד ה' על ההר ההכרח כי לילה כיום יאיר ולא יראה הענן והחשך כיון דנהורא עמיה שריה: **שקרוי חשך.** בתנחומא סדר וישב (סימן ד) וחשך על פני תהום זה מלאך המות שמחשיך פניהם של בריות. וכשמעכם את הקול מתוך החשך לומר שגם החשך לא יחשיך מהם קול הדבור, שהיו חיים לעולם (רד"ל): **אל תקרי חרות.** משום שקשה מאי חרות על הלוחות, כי מהראוי יאמר חרות בלוחות, כי על הלוחות אויר עולם ומי נתן חריתה באויר, לכך אמר אל תקרי חרות אלא חירות, וכמו שמפרש ליה ר' יהודה ור' נחמן ורבנן כל אחד לפי שיטתו, שהוא על הלוחות כלומר על דבר הלוחות על דרך על דבר שרי (בראשית יב, יז) על חלומותיו ועל דבריו (שם לז, ח) שבזכות תורת הלוחות אם היו בלא מכשול העגל היה חירות (אלשיך): **חירות מן היסורים.** הבאים לגוף מחלאים ועניות וכיוצא: **ביום שהנחלתי כו'.** רצה לומר שביום ההוא נתעוררו האויבים לבוא עליהם כי סר פחדם מהם: **מכה מגרת.** פירוש מפלת מגזרת (תהלים פט, מה) וכסאו לארץ מגרת, ומתשת פירוש הורסת מגזירת (יחזקאל יט, יב) ותותש בחימה, ודריש אנוש מענין נטישה, ואף על פי שהרסה מתחלף אין דרכם לדקדק כן בדרשות: **גברתנית.** הם דרשו אנוש לשון אנושה, ולכן אמרו גברתנית מענין גבר: **זו זיבה וצרעת.** שכיון שחטאו באו עליהם כדאמר בסמוך, ולהכי מייתי הא דרבי שמעון בר יוחאי ומהיכן נתחייבו ישראל בזיבות וכו' משום דרבנן דאמרי מן העגל, ואגדה זו סבירא ליה כוותיה:

פירוש מהרז"ו

ומצאה שהוריקה. בילקוט ישעיה (רמז תיט) הגירסא, ומלאה ריקה, ועיין שם במדבר רבה: **קצירין של מלכיות.** כרבי נחמיה לקמן בסמוך, והערוך הביא מאמר זה בערך קצר א', מלשון קצירה ממש, מה שהרשעים קוצרים אותם. ומה שכתב קצירן של יסורים כרבנן, ומה שכתב קצירן של מלאך המות כרבי יהודה: **מתוך החושך.** שעל ידי הקול נגאלתם מן מלאך המות: **והלוחות מעשה אלהים.** והמכתב מכתב אלהים הוא, חרות על הלוחות, והיה לו לומר כתוב, כמו שאמר מכתב, על כן דורש מלשון חירות, על פי מדת ממטל, מלשון חורין חורים וסגנים, ועיין שמות רבה (מא, ז) ושם נתבאר, ושם איתא רבי נחמיה: **מגרת ומתשת.** לפי מה שכתוב כאן צריך עיון מה דורש, אך במדבר רבה שם איתא שני דעות בתיבת אנוש. ראשון מלשון גבר ודורש גברתנות, והשני מלשון אנושה מכתו, וזהו מתשת, ומה שכתוב כאן עוד הפעם רבי יוחנן אמר, טעות סופר, וצריך לומר רבנן אמרי, ושם דורש על צרעת, וכאן דורש על זיבות, ויתכן דמאן דאמר גברתנות, היא הצרעת, כדמיון בהרת עזה, ומה שאמר מתשת היא הזיבות עיין שם, ולזיבות שייך לאמר מגרת:

מתנות כהונה

קצירן. לשון קצירה וכריתה כמשמעו, או יש לפרש מלשון חולי כדאמר קצירי ומריעי, כד קציר ורמי בערסיה (ב"ב קנג, א): הכי גרסינן **קצירין של יסורים: קוזמוקטור.** פירש הערוך (ערך קזמקרטור) שליט ומושל, ועיין מזה במדרש חזית בפסוק שימני כחותם (שיר השירים רבה ח, ג): **מגרת.** לקמן גרס מתגברת, וכן בפרשת נשא (ז, ד):

אשד הנחלים

ומצאה שהוריקה. ואין בה כח הצמיחה עוד, כן לא היה בהם כח לעמוד במדריגה הגדולה כל כך: **מלאה פשתן.** הוא הוא, רק שזה אחז בזה וזה בזה. ודרש תפריחי מלשון היפך, שנפל הפרח והצמיחה: **קצירן של גליות כו'.** הקציר שם המושאל על הגמר והכליון הגמור, שנעשה מהדבר היש דבר אין, וממעלה הרמה שפלות גדולה מאוד, ואלולי חטאם לא היה גליות לצרפם, ולא יסורים הבא מחטאות החומר, ולא מלאך המות, כי היו במדריגת אדם הראשון קודם החטא, עד שהיה נעשה גופם ספירי בלי שליטת הכליון וההפסד: **שהם בני.** כלומר מדובקים בי כבן לאב: **וכי יש חושך כו' זה מלאך המות.** כבר ידעת הכינוי מלאך המות על כל העניינים החומריים, כמו שאמרו (בבא בתרא טז, א) הוא השטן הוא היצר הרע הוא המלאך המות, והוא העיקר החושך השולט על העולם, וזהו הפלא ששמעו דברי אלהים חיים מתוך החושך, וזהו כינוי להחומר וחטאיו, המסתיר ההשגה בטבע, ואף שחטאו אחר כך בעגל והיה החושך עליהם, עם כל זה שמעו הקול, ואלולי החטא אז היו כאלהים נעדר מכל חשך: **מכה מתגברת ומתשת.** כן צריך לומר. מתנות כהונה. כי היא חולי המתגברת תמיד עת אחר עת, ומתשת הכח תמיד, כי הליחה הזאת היא עיקר חיות האדם, והיא הטומאה העקרית כנודע, וזהו כאב אנוש ומכאיב תמיד:

חידושי הרד"ל

דאמר רבי יוחנן בשם רבי יוסי הגלילי בשעה כו'. שמות רבה (מא, ג) עיין שם: **מנא הני מילי שקרוי חשך.** שמחשיך פניהם של בריות, ושמעו את הקול מתוך החשך, לומר שגם החשך לא יחשיך מהם קול הדבור, שהיו חיים לעולם: **אלא חירות רבי יהודה ורב נחמן ורבנן כו'.** שמות רבה (לב, א) ושם נסמן: **רבי יוחנן אומר כו' מכה מתשת ורבנן אמרי כו' מכה גברתנית ואיזו זו כו'.** כן הוא במדבר רבה (ז, ד) וכן צריך לומר. דרבי יהודה מפרש אנוש לשון חלוש, שמתשת הגוף, ורבנן מפרשי אנושה חזקה, שהמכה גברתנית. (ולגירסת הספר אולי יש לומר מכה מגרת נמשכת, וכדדרש לעיל פרשה י"ז [סימן ג] נגרות ביום אפו על הצרעת, או אפשר צריך לומר מגרעת, רצה לומר פותחת בבשר):

חידושי הרש"ש

[ג] השכים בבקר ומצאה שהוריקה. בסדר נשא רבה (ז, ד) הגירסא שהפריגה, ועיין שם במתנות כהונה: **נד קציר כו' קצירן של גליות קצירן כו'.** נראה לי דפירוש קציר, הוא לשון ממשלה, כמו שדרשו בערכין לג, א מפסוק (הושע ו, יא) גם יהודה שת קציר, דירמיה החזיר לעשרת השבטים ויאשיה מלך עליהם, ועיין בסדר נשא (שם) ובמה שכתבתי שם: **וכאב אנוש כו' רבי יוחנן אומר כו' ורבנן אמרי כו' מכה גברתנית כו'.** כן צריך לומר:

ליקוטים

[ג] **ומצאה שהוריקה.** פירוש ירוק כזהב, וקלקול הוא לירק (מעריך ערך ירק). ובבמדבר רבה (ז, ד) הגירסא שהפריגה, ופירש המתנות כהונה שהחליפה עצמה מטובה לרעה (יד יוסף). לא ימיר תרגומו לא יפרג (ערוך ערך פרג):

ידי משה

[ג] וכאב אנוש רבי יוחנן ורבנן וכו' עד לפיכך. עיין לקמן (במדבר רבה פרשה ז סוף סימן ד) ושם תמצא מבוקשך בהדיא:

מסורת המדרש

ג. תד"א זוטא פ"ד. אבות פ"ו:

אם למקרא

וַיִּקַּח סֵפֶר הַבְּרִית וַיִּקְרָא בְּאָזְנֵי הָעָם וַיֹּאמְרוּ כֹּל אֲשֶׁר דִּבֶּר ה' נַעֲשֶׂה וְנִשְׁמָע: (שמות כד:ז)

בָּנִים אַתֶּם לַה' אֱלֹהֵיכֶם לֹא תִתְגֹּדְדוּ וְלֹא תָשִׂימוּ קָרְחָה בֵּין עֵינֵיכֶם לָמֵת: (דברים יד:א)

וַיְהִי כְּשָׁמְעֲכֶם אֶת הַקּוֹל מִתּוֹךְ הַחֹשֶׁךְ וְהָהָר בֹּעֵר בָּאֵשׁ וַתִּקְרְבוּן אֵלַי כָּל רָאשֵׁי שִׁבְטֵיכֶם וְזִקְנֵיכֶם: (שם ה:כ)

הוּא גָּלֵא עַמִּיקָתָא וּמְסַתְּרָתָא יָדַע מָה בַחֲשׁוֹכָא וּנְהוֹרָא עִמֵּהּ שְׁרֵא: (דניאל ב:כב)

וְהַלֻּחֹת מַעֲשֵׂה אֱלֹהִים הֵמָּה וְהַמִּכְתָּב מִכְתַּב אֱלֹהִים הוּא חָרוּת עַל הַלֻּחֹת: (שמות לב:טז)

ענף יוסף

רבי חמא בר חנינא אמר משל כו' רבי ישמעאל בר נחמן אמר לאחד כו'. יתכן שמחלקותם במעשה העגל, אם היה ממש לעבודה זרה, או אם כוונתם רק לקבלת השפע, רבי חמא המשילם לירק שהוריקה הנפסדת לגמרי, ורבי ישמעאל המשילם לפשתן שנתקשה סובר שלא היה בהם רק קושי הלב לבלתי בטחם בישועתו ובהשגחתו תמיד:

אמרי יושר

[ג] זה מלאך מות שקרוי חשך. זהו כשמעכם הקול. שהוא סבה להבדילכם ולהרחיקכם מתוך החשך: **חירות מן היסורין.** דייקו שלא אמר חרות בלוחות, או חתור כמו חתור לך בקיר (יחזקאל יב, ה), דרשוהו מלשון חירות בסבת הלוחות, והיינו דלא קאמר חתור, וזהו הפסדתם עצמכם, כי קודם ביום נחלה זכיתם מקציר מלכיות, ועתה שתשגגי תתייסרו בחולי וכאב אנוש:

שינוי נוסחאות

(ג) **רבי יוחנן אמר: הבאתם עליכם מכה גברתנית.** צ"ל "ורבנן אמרי הבאתם...", כן הגיה א"א, וכן כתבו ג"כ ברש"ש ורד"ל:

§4 The Midrash wishes to further corroborate the view elaborated in the preceding section that the Israelites were stricken with *tzaraas* and *zivah* as a punishment for the sin of the Golden Calf. It therefore quotes a teaching of R' Shimon bar Yochai that serves as the backdrop for that corroboration:[134]

תָּנֵי רַבִּי שִׁמְעוֹן בֶּן יוֹחָאי — R' Shimon ben Yochai taught: **בְּשָׁעָה שֶׁעָמְדוּ יִשְׂרָאֵל עַל הַר סִינַי וְאָמְרוּ "כֹּל אֲשֶׁר דִּבֶּר ה' נַעֲשֶׂה וְנִשְׁמָע" — At the time that Israel stood at Mount Sinai and said, *"Everything that HASHEM has spoken we will do and we will obey"*** (*Exodus* 24:7), **בְּאוֹתָהּ שָׁעָה לֹא הָיָה בָּהֶן זָב וּמְצוֹרָע וְלֹא חִיגְּרִין וְלֹא סוּמִים וְלֹא אִילְּמִים וְלֹא חֵרְשִׁים וְלֹא שׁוֹטִים — at that time there was among them no *zav* or *metzora*, nor people** who were **lame, blind, dumb, or deaf, nor deranged** persons.[135] **עַל אוֹתָהּ שָׁעָה הוּא אוֹמֵר "כֻּלָּךְ יָפָה רַעְיָתִי וּמוּם אֵין בָּךְ" — Regarding that time Scripture states, *You are entirely fair, My beloved, and there is no blemish in you*** (*Song of Songs* 4:7). **וְכֵיוָן שֶׁחָטְאוּ** — However, **once they sinned** by worshiping the Golden Calf,[136] **לֹא עָבְרוּ יָמִים קַלִּים עַד שֶׁנִּמְצְאוּ בָּהֶן זָבִין וּמְצוֹרָעִים — not** more than **a short time passed before there were found among them *zavin* and *metzoras*.**[137] **עַל אוֹתָהּ שָׁעָה הוּא אוֹמֵר** — For **regarding that time [Scripture] states,** **"וִישַׁלְּחוּ מִן הַמַּחֲנֶה כָּל צָרוּעַ וְכָל זָב וְגוֹ'" — *They shall expel from the camp every metzora, every zav, etc.*** (*Numbers* 5:2).[138]

The Midrash inquires as to which sin caused them to be afflicted with *zivah* and *tzaraas*:[139]

מֵהֵיכָן נִתְחַיְּבוּ יִשְׂרָאֵל בְּזִיבוּת וְצָרַעַת — From where did Israel become condemned to suffer **with *zivah* and *tzaraas*?** **רַב הוּנָא בְּשֵׁם רַבִּי הוֹשַׁעְיָא אָמַר: עַל יְדֵי שֶׁהָיוּ מַלִּיזִין אַחַר גְּדוֹלֵיהֶן וְאוֹמְרִים — R' Huna says in the name of R' Hoshaya: Because they cast suspicion against their great people, saying,** **מִשְׁפָּחָה זוּ שֶׁל פְּלוֹנִי לָאו שֶׁל מְצוֹרָעִים הִיא — "Is So-and-so's family not one of *metzoras*?"**[140] **לְלַמֶּדְךָ שֶׁאֵין הַנְּגָעִים בָּאִים אֶלָּא עַל לָשׁוֹן הָרָע** — This **is to teach you that** *tzaraas* **afflictions come only** as a punishment **for slander.**[141]

A second opinion:

רַבִּי תַּנְחוּמָא אוֹמֵר: עַל יְדֵי שֶׁהָיוּ מַלִּיזִין אַחֲרֵי הָאָרוֹן וְאוֹמְרִים — R' Tanchuma says: Because they had cast suspicion against the Ark, saying: **אָרוֹן זֶה הוֹרֵג אֶת נוֹשְׂאָיו — "This Ark kills its bearers,"**[142] **וְאֵין נְגָעִים בָּאִים אֶלָּא עַל לָשׁוֹן הָרָע — and** *tzaraas* **afflictions come only** as a punishment **for slander.** **לְכָךְ נִתְחַיְּבוּ יִשְׂרָאֵל בְּזִיבוּת וְצָרַעַת — Israel was, therefore, condemned** to suffer **with *zivah* and *tzaraas*.**

A third opinion:

וְרַבָּנָן אָמְרֵי: מִן הָעֵגֶל — The Rabbis say: It is **from** the time that they sinned with **the Golden Calf,**[143] **דִּכְתִיב "וַיַּרְא מֹשֶׁה אֶת הָעָם כִּי פָרֻעַ הוּא" — as it is written** in the context of that sin, ***Moses saw the people, that it was exposed*** [פָּרֻעַ] (*Exodus* 32:25), **שֶׁפָּרְחָה בָּהֶן צָרַעַת** — meaning **that *tzaraas* broke out among them,**[144] **כְּמָא דְּאַתְּ אָמַר "וְרֹאשׁוֹ יִהְיֶה פָרוּעַ" — as it states** regarding one who is afflicted with *tzaraas, **The hair of his head shall be unshorn*** [פָּרוּעַ] (above, 13:45).[145]

NOTES

134. *Yefeh To'ar* and *Eitz Yosef*, end of preceding section.

135. I.e., all those who had those defects were healed before the Torah was given, as it would have been a dishonor to the Torah to be given to a nation whose people had physical or mental defects (*Eitz Yosef*, from *Bamidbar Rabbah* 7 §1; the Midrash there states that as a result of their slave labor in Egypt, *many* Israelites in fact had some form of disability; and it proves from Scriptural verses that at the time the Torah was given all of the disabled were fully healed).

136. *Bamidbar Rabbah* ibid.

137. *Yefeh To'ar*, followed by *Eitz Yosef*, writes that the Midrash does not mean that the Israelites were stricken *only* with *zivah* and *tzaraas*, for it just quoted R' Shimon bar Yochai's teaching that after they sinned with the Golden Calf they became susceptible to *all* illnesses and disabilities (see also *Bamidbar Rabbah* loc. cit.). See note 139.

138. This commandment was given on the first day of Nissan (see *Gittin* 60a) — less than ten months after the 6th of Sivan when the Torah was given. And this commandment was not just given because of its *future* relevance, for verse 4 in the *Numbers* passage states that *the Children of Israel did so: They expelled them to the outside of the camp, etc.* — indicating that there were Israelites who were already *zavin* and *metzoras* at that time. We see, then, that it was a relatively "short time" after the Israelites sinned with the Golden Calf that the law of *zavs* and *metzoras* became practically relevant (*Yefeh To'ar*).

139. The Midrash's inquiry is somewhat puzzling, for the Midrash has already explained that it was because of the sin of the Golden Calf that the Israelites again contracted *all* the illnesses to which they had been susceptible before their sin — including *zivah* and *tzaraas* (see note 137)! *Yefeh To'ar* (first explanation, followed by *Eitz Yosef*) explains as follows: While the Israelites indeed became susceptible to, and indeed contracted, all their previous illnesses, *zivah* and *tzaraas* should have been *exceptions*. These particular afflictions impart *tumah* (impurity) to anyone who comes into contact with the people affected; they thus cause harm not only to those afflicted but to the entire nation [i.e., even to those who were *not* deserving of affliction]. They are thus more severe than other conditions, and the Midrash therefore presumes that the people as a whole must have committed some sin — besides that of the Golden Calf — to warrant that they be thus stricken.

140. The people spoke against Moses, Aaron, and Miriam, as all three had suffered from *tzaraas*. Moses' hand was stricken with *tzaraas* at the burning bush (*Exodus* 4:6); Miriam was stricken when she spoke against Moses (*Numbers* 12:1-16); and Aaron, too, was stricken at that time, for the same sin (see *Shabbos* 97a) [although he was immediately healed — unlike Miriam, who was stricken for a week] (*Eitz Yosef*, from *Matnos Kehunah*; see also *Imrei Yosher*). Alternatively, the people spoke against their tribal leaders [one or some of whom apparently had had *tzaraas* in their families before the Giving of the Torah]. The Midrash derives this from the fact that the first four chapters of *Numbers* (that precede v. 5:2 being expounded here) list the families of the Israelites and their leaders (*Maharzu*).

141. And apparently, *zivah* afflictions as well.

The language of the Midrash is somewhat difficult, for the Midrash teaches elsewhere (above, 16 §1, 17 §3, et al.) that *tzaraas* afflictions come as punishment for other sins as well, not only slander. *Yefeh To'ar* suggests that the Midrash merely means to say that *tzaraas* does not come without cause. It specifies slander only because that is the sin described here.

142. When the Ark was being carried during the travels in the Wilderness, it would emit sparks of fire that would endanger the lives of those bearing it (see *Bamidbar Rabbah* 5 §1).

R' Tanchuma derives his teaching from the fact that immediately prior to v. 5:2 (in v. 4:49), Scripture refers to the parts of the Tabernacle that were carried by the Levites, which included the Ark (*Maharzu*).

143. I.e., this opinion maintains that the sin of the Golden Calf not only caused the Israelites to lose their immunity to illnesses in general, but was also sufficient to warrant their being stricken with these specific conditions (see note 139). The Rabbis who maintain this view are thus adding to what R' Shimon bar Yochai said above: He said that the sin of the Golden Calf *brought back* the illnesses and disabilities that had existed before the Giving of the Torah. But this applies only to those conditions that existed in Israel before the sin, for only *such* conditions could "come back." The Rabbis are now adding that even if *no* Israelites had been afflicted with *zivah* or *tzaraas* before the Giving of the Torah, the sin of the Golden Calf warranted their being stricken with these conditions *now* (*Yefeh To'ar, Eitz Yosef*).

It is this statement of the Rabbis that corroborates the view that the Israelites were stricken with *tzaraas* and *zivah* as a punishment for the sin of the Golden Calf [see introduction to this section, and see next note] (*Yefeh To'ar* and *Eitz Yosef,* cited in note 134).

144. That is, some of those who deserved to die for worshiping the Golden Calf were afflicted with *tzaraas* instead, for as the Gemara explains (*Avodah Zarah* 5a), a *metzora* is considered no better than dead (*Eitz Yosef*).

145. This verse shows us that the word פָּרֻעַ in *Exodus* 32:25 is likewise to be understood as referring to *tzaraas*.

ד **תָּנֵי רַבִּי שִׁמְעוֹן בֶּן יוֹחָאי: בְּשָׁעָה שֶׁעָמְדוּ יִשְׂרָאֵל עַל הַר סִינַי וְאָמְרוּ** (שמות כד, ז) **"כֹּל אֲשֶׁר דִּבֶּר ה' נַעֲשֶׂה וְנִשְׁמָע", בְּאוֹתָהּ שָׁעָה לֹא הָיָה בָּהֶן זָב וּמְצוֹרָע וְלֹא חִיגְּרִין וְלֹא סוּמִים וְלֹא אִילְּמִים וְלֹא חֵרְשִׁים וְלֹא שׁוֹטִים, עַל אוֹתָהּ שָׁעָה הוּא אוֹמֵר** (שיר ד, ז) **"כֻּלָּךְ יָפָה רַעְיָתִי וּמוּם אֵין בָּךְ", וְכֵיוָן שֶׁחָטְאוּ לֹא עָבְרוּ יָמִים קַלִּים עַד שֶׁנִּמְצְאוּ בָּהֶן זָבִין וּמְצוֹרָעִים, עַל אוֹתָהּ שָׁעָה הוּא אוֹמֵר** (במדבר ה, ב) **"וִישַׁלְּחוּ מִן הַמַּחֲנֶה כָּל צָרוּעַ וְכָל זָב וְגוֹ'", מֵהֵיכָן נִתְחַיְּבוּ יִשְׂרָאֵל בְּזִיבוּת וְצָרַעַת, רַב הוּנָא בְּשֵׁם רַבִּי הוֹשַׁעְיָא אָמַר: עַל יְדֵי שֶׁהָיוּ מַלִּיזִין אַחַר גְּדוֹלֵיהֶן וְאוֹמְרִים: מִשְׁפָּחָה זוֹ *שֶׁל פְּלוֹנִי לָאו שֶׁל מְצוֹרָעִים הִיא, לְלַמֶּדְךָ שֶׁאֵין הַנְּגָעִים בָּאִים אֶלָּא עַל לָשׁוֹן הָרָע, רַבִּי תַּנְחוּמָא אוֹמֵר: עַל יְדֵי שֶׁהָיוּ מַלִּיזִין אַחֲרֵי הָאָרוֹן וְאוֹמְרִים: אָרוֹן זֶה הוֹרֵג אֶת נוֹשְׂאָיו, וְאֵין נְגָעִים בָּאִים אֶלָּא עַל לָשׁוֹן הָרָע, לְכָךְ נִתְחַיְּבוּ יִשְׂרָאֵל בְּזִיבוּת וְצָרַעַת, וְרַבָּנָן אָמְרֵי: מִן הָעֵגֶל, דִּכְתִיב** (שמות לב, כה) **"וַיַּרְא מֹשֶׁה אֶת הָעָם כִּי פָרֻעַ הוּא", שֶׁפָּרְחָה בָּהֶן צָרַעַת, כְּמָא דְּאַתְּ אָמַר** (ויקרא יג, מה) **"וְרֹאשׁוֹ יִהְיֶה פָרוּעַ", רַבִּי יְהוּדָה בַּר רַבִּי סִימוֹן אָמַר: מִמִּתְאוֹנְנִים, שֶׁנֶּאֱמַר** (במדבר יא, כ) **"עַד אֲשֶׁר יֵצֵא מֵאַפְּכֶם וְהָיָה לָכֶם לְזָרָא", מַהוּ "לְזָרָא", רַבִּי הוּנָא אָמַר: לְזַרְנָא וּלְבוּטְנָא, וְרֵישׁ לָקִישׁ אָמַר: לַאֲסְבָּרָא, רַבִּי אַבָּא אָמַר: לַאֲזְהָרָה, רַבִּי אֶבְיָתָר אָמַר: *לְקַרְדָא, רַבִּי שִׁמְעוֹן בֶּן יוֹחָאי אָמַר: וּבִלְבַד שֶׁתִּהְיוּ מְרַחֲקִין בְּיוֹתֵר מִמַּה שֶׁאַתֶּם *מְקָרְבִין בּוֹ, אָמַר רַבִּי יְהוּדָה בַּר רַבִּי סִימוֹן: מִכָּאן נַעֲשׂוּ זָרִים לְאֹהֶל מוֹעֵד:**

עץ יוסף

(ד) **לא היה בהם זב כו'.** מפני שאין כבודה של תורה להנתן לדור בעלי מומין כדמפרש לקמן בבמדבר רבה (ז, א) והתם יליף כולהו מקראי, והרמ"ע כתב שהטעם לפי שמי שיפקד ממנו חוש מחושיו תפקד ממנו ידיעה מידיעותיו, לכן היו שלמי החושים להיות שלמי הידיעה: **עד שנמצאו בהם כו'.** והוא הדין חגרין וסומין וכל הנזכר, דכיון משום קבלת התורה נסתלקו כשחטאו ראוי שיחזרו למומן, כי בסור הסבה יסור המסובב, וכמו שנסתלק מהם מיד חזרו: **מהיכן נתחייבו כו'.** רצה לומר כיון דזיבה וצרעת היזק לכולם שהטהורים מטמאים בהם, מסתבר שאין לחזור מום זה מכיון דנתרפאו אלא אם כן יתחדש להם חטא מחייב עונש זה: **גדוליהם משה ומרים.** ואהרן גם כן לקה שנאמר (במדבר יב, ט) ויחר אף ה' בם, אלא שנתרפא מיד (מתנות כהונה), שהיו מגנין אותם שהיו מצורעים תחלה: **ללמדך.** כלומר מכאן אתה למד: **מן העגל.** שאפילו לא היו מצורעים מתחלה ראוים לכך בעון העגל: **שפרחה בהם צרעת.** שמאותם שהיו ראוים למות בעגל לקו בצרעת ולא מתו דמצורע חשוב כמת: **ממתאוננים.** שקלקלתם היה להם השליו סבת צרעת והיה במקום מיתה: **לזרנא ולבוטנא.** לזרנא ענין הרחקה כדמתרגם (שופטים ד, יח) סורה אלי זר לותי (ערוך ערך זר), בוטנא מין שחין נפוח. והמעריך (ערך זרנא) פירש לזרנא ובוטנא קיא ושלשול: **לאסברה.** ונקרא זרא לפי שהיא חולי זר ומשונה כמו שאמר בפרק קמא דברכות (ח, א) קשה מכל אסכרה: **לאזהרה.** הוא לשון זיהרא, פירוש ארס (מתנות כהונה). ובבמדבר רבה (ז, ד) מפרש שמכאן ואילך יזהרו להם: **לקדרא.** מין תולעים הנושכים בבשר וקשה להפרידן (אות אמת). או עניינו רעי ומיאוס, כמו נפישי קטילי קדר דפרק במה מדליקין (שבת לג, א), ועניינו שישוב הבשר הזה להם למיאוס ורעי, ופירוש לזרא ענין זרות וסרחון. אבל הערוך גרס לדריא, וכתב המוסף הערוך פירוש בלשון יוני ורומי חולי המשלשל: **מרחקין ביותר.** מפרש לזרא לשון רחוק שיהיה ההרחקה יותר ממה שהיה הקירוב קודם החטא, ומדלא כתב לזר משמע ליה שיהיה הריחוק גדול (ידי משה): **מכאן.** פירוש מן אותו זמן שנאמר להם והיה לכם לזרא, ודרש גם כן לשון הרחקה (ידי משה): **לאוהל מועד.** והא דנקט אוהל מועד הא זבים וזבות משולחים אפילו ממחנה לויה ומצורעים משולחים אפילו ממחנה ישראל. יש לומר משום דתליא מלתא בנטיית אוהל מועד כדאמר בפרק סדר תעניות (תענית כא, ב) שכל זמן שאהל מועד נטוי אמרה תורה וישלחו מן המחנה כל צרוע וכל זב, הוגללו הפרוכת הותרו זבים ומצורעים ליכנס לשם, להכי קאמר זרים לאהל מועד:

פירוש מהרז"ו

(ד) **תני רבי שמעון בן יוחאי.** במדבר רבה (ז, א), שיר רבה ריש פסוק כולך יפה רעיתי (ד ב) [פרשה ד פסוק ז, אות א], מכילתא יתרו, ושם דורש הכל מפסוקים: **מליזים אחר גדוליהם.** דורש סמוכים, שמתחלת במדבר עד כאן מפורש מנין משפחות ישראל ונשיאיהם, ואחר כך פרשת וישלחו מן המחנה, ועל פי מדות מנגד: **מליזין אחר הארון.** גם כן על פי מדת סמוכים, איש איש על עבודתו ועל משאו, ובכלל זה גם הארון, ועיין במדבר רבה (ד, א) כל הענין: **רבנן אמרי מן העגל.** במדבר רבה (ז, ד). ובערוך (ערך בטן) הגירסא בהיפך, רבנן אמרי ממתאוננים, רבי יהודה בר רבי סימון אמר מן העגל: **כי פרוע הוא.** וכי היה דקרא והצרוע אשר בו הנגע וגו' וראשו יהיה פרוע: **ממתאוננים.** עיין מה שכתב בזה (במדבר רבה שם, ד), ועיין דברים רבה פרשה א, סוף סימן י, בעת מתאוננים: **לקדרא.** עיין מה שכתבנו בזה בבמדבר רבה (שם) בשם הערוך: **ובלבד שתהיו מרחקין.** דורש לזרא לשון ריחוק, כמו שכתוב (במדבר יז, ב) זרה הלאה, וזרם מעבר לנהר, וכמו שכתוב (שם ה, ב) וישלחו מן המחנה, וזהו הריחוק, אך בספר בהעלותך הגירסא שתהיו מרחקין אותו יותר ממה שהייתם מקרבין אותו, והיינו על השליו שבקשוה בתאוה וחטאו ורחקוהו בעונש: **זרים לאוהל מועד.** שנתרחק ישראל והבכורים, ונתקרבו הלוים, וכמו שכתוב (במדבר יח, ד) וזר לא יקרב עליכם וזהו לזרא:

מתנות כהונה

[ד] **גדוליהון.** משה ומרים ואהרן גם כן לוקה בו שנאמר (במדבר יב, ט) ויחר אף ה' בם, אלא שנתרפא מיד כמו שכתב רבינו בחיי בפרשה זו: **לזרנא ובוטנא.** פירוש הערוך (ערך בטן השני) מיני שחין נפוח: **לאזהרה.** יש לומר שהוא לשון זיהרא, פירוש ארס: **לקדרא.** פירוש בערוך (ערך קרד) תולעים:

אשד הנחלים

[ד] **זב כו' שוטים.** כלומר לא חולי הגוף וטומאתה, ולא חולי הנפש, שזהו השטות והעדר הידיעה, כי אלולי החטא היה נפשם גדולה בהשגה, וחומרם היה ניזדכך מאוד: **לאזהרה.** כאדם שנגוע במכה גדולה, עד שכולם מזהירים לומר הזהר פן יקרך כמו פלוני שלקה מאוד, או פירושו על הזיבה והצרעת שהיא מחלה דובקת מאוד, שנזהר כל אדם מליגע בו. והמתנות כהונה גרס לזהרה בלי אל"ף: **לקדרא.** תולעים. וזהו העיפוש הגמור המוזר לעין רואו: **שתהיו מרחקין כו'.** פירש הידי משה שממלת לזרה ולא כתיב לזר, קדייק שיהיה ההרחקה יותר ממה שהיה הקירוב קודם החטא. ולי נראה שפירושו כי האדם החוטא בעת שיהיה השפע והקירוב מלמעלה, אז הוא נלקה בחטאיו יותר, כי אין השכינה שורה במקום טומאה, וכל אשר יחפוצו להתקרב אז יהיה ההרחקה יותר גדולה, וזהו כמו שאמר להלן שנעשו זרים לאוהל מועד. ובסיפרי איתא לזרא שתהיו מרחקין אותו ממה שהייתם מקריבין אותן. ונכון הוא:

חידושי הרד"ל

[ד] **רבי שמעון בן יוחאי אומר ובלבד שתהיו מרחיקין כו'.** ספרי בהעלותך שם:

באור מהרי"פ

[ד] **מתנות כהונה בד"ה לזרנא ובוטנא. פירש הערוך וכו'.** וכתב הערוך ערך בטן ב' זה לשונו, לזירנא ובוטני, פירוש נפיחה, כדגרסינן (אמר הכותב לא ידעתי מקומו) אידי דלרעת מגופיה מתיילדא נפיחא ליה לרעת ומשוייה ליה כך עכ"ל. ובערוך זר ג', כתב וזה לשונו לזרנא ובוטנא, וכבר פירשנו אותו בערך בטן, (פירוש שם פירש מלת בטן), סורה אדוני סורה אלי (שופטים ד, יח), תרגום זור רבוני זור לוותי, ופירושו ענין הרחקה עד כאן. (פירוש, כאן פירושו לשון הרחקה). נמצא הערוך מפרש מלת זרנא לשון הרחקה, ומלת בוטנא לשון נפיחה. והמעריך ערך זרנא כתב וזה לשונו, זרנא ובטנא בויקרא רבא פרשה י"ח, פירוש קיא ושלשול, ולא זכר כלל פירוש הערוך: **מתנות כהונה ד"ה לאזהרה וכו'. פירוש ארס.** זה לשון הערוך ערך זהר אחרון, (נדה נה, ב) ורב ניהי דזיהרא נפיק דמעתא גופא לא נפיק, פירוש זיהרא ארס עד כאן, אבל אינו מביא שם מלת לאזהרה: **רבי שמעון בן יוחאי אמר ובלבד וכו'.** צריך עיון הכוונה, ובמדרש הנזכר למטה בסמוך, לא נזכר דברי רבי שמעון בן יוחאי: **מכאן נעשו זרים וכו'.** זה לשון המדרש סדר נשא (ז, ד), רבי יהודה בר סימון אמר והיה להם לזרא, שנעשו כולם זרים וכו', כל מי שניאץ לאלהים נעשה זר שבאת עליהם הצרעת, אמר לו האלהים וכו', הרי הם זרים מן הקהל, וישלחו מן המחנה כל צרוע וכל זב עד כאן:

מסורת המדרש

ד. במד"ר פ' י"ג. פסיקתא רבתי פ"ז. תנחומא סדר יתרו סי' ח':

אם למקרא

וַיַּעַן כָּל הָעָם קוֹל אֶחָד וַיֹּאמְרוּ כָּל הַדְּבָרִים אֲשֶׁר דִּבֶּר ה' נַעֲשֶׂה: (שמות כד:ג)

כֻּלָּךְ יָפָה רַעְיָתִי וּמוּם אֵין בָּךְ: (שיר השירים ד:ז)

צַו אֶת בְּנֵי יִשְׂרָאֵל וִישַׁלְּחוּ מִן הַמַּחֲנֶה כָּל צָרוּעַ וְכָל זָב וְכֹל טָמֵא לָנָפֶשׁ: (במדבר ה:ב)

וַיַּרְא מֹשֶׁה אֶת הָעָם כִּי פָרֻעַ הוּא כִּי פְרָעֹה אַהֲרֹן לְשִׁמְצָה בְּקָמֵיהֶם: (שמות לב:כה)

וְהַצָּרוּעַ אֲשֶׁר בּוֹ הַנֶּגַע בְּגָדָיו יִהְיוּ פְרֻמִים וְרֹאשׁוֹ יִהְיֶה פָרוּעַ וְעַל שָׂפָם יַעְטֶה וְטָמֵא טָמֵא יִקְרָא: (ויקרא יג:מה)

עַד חֹדֶשׁ יָמִים עַד אֲשֶׁר יֵצֵא מֵאַפְּכֶם וְהָיָה לָכֶם לְזָרָא יַעַן כִּי מְאַסְתֶּם אֶת ה' אֲשֶׁר בְּקִרְבְּכֶם וַתִּבְכּוּ לְפָנָיו לֵאמֹר לָמָּה זֶּה יָצָאנוּ מִמִּצְרָיִם: (במדבר יא:כ)

ידי משה

[ד] **ובלבד שתהיו מרחקין יותר וכו'.** גם כן מלת לזרה מפרש, ופירוש לזרה כמו רחוק, שיהיה ההרחקה יותר ממה שהיה הקירוב קודם החטא, ודייק מדלא כתיב לזר משמע שיהיה ריחוק גדול: **מכאן נעשו זרים לאוהל מועד.** פירוש מן אותו זמן שנאמר להם והיה לכם לזרה, נעשו זרים לאוהל מועד, ורבי יהודה גם כן דרש לזרה לשון הרחקה:

אמרי יושר

[ד] **מליזין אחר גדוליהם.** רמז לאהרן ומרים, ויחר אף ה' בם וילך (במדבר יב, ט), והנה מרים מצורעת (שם י): **רבי אבא אמר לאזהרה.** שיהא תוכחת בזה שיוסרו האנשים, בראות עונש זה, ולא יוסיפו לעשות כזה: **נעשו זרים.** דאלמלא כן ואתם תהיו לי ממלכת כהנים כל ישראל ראוים לכהונה:

A fourth opinion:
רַבִּי יְהוּדָה בַּר רַבִּי סִימוֹן אָמַר: מִמִּתְאוֹנְנִים — R' Yehudah bar R' Simone says: They were stricken with these afflictions **because** of the sin of **the complainers**,[146] שֶׁנֶּאֱמַר ״עַד אֲשֶׁר יֵצֵא מֵאַפְּכֶם וְהָיָה לָכֶם לְזָרָא״ — **as it is stated, *Until it comes out of your nose and becomes nauseating*** [לְזָרָא] ***to you*** (*Numbers* 11:20).[147] מַהוּ ״לְזָרָא״ — **What does *l'zara*** [לְזָרָא] **mean?** רַבִּי הוּנָא אָמַר: לְזָרְנָא וּלְבוּטְנָא — **R' Huna says:** The meat will become **rejected**[148] by you **and** will cause **the stomach** to be **bloated.**[149] וְרֵישׁ לָקִישׁ אָמַר: לְאַסְכָּרָא — **Reish Lakish says:** The meat will cause you to be stricken with **diphtheria.**[150] רַבִּי אַבָּא אָמַר: לְאַזְהָרָה — **R' Abba said:** The consequences of your complaints will serve **as a warning** not to repeat this sin.[151] רַבִּי אֶבְיָתָר אָמַר: לְקַרְדָּא — **R' Evyasar said:** The meat will be disgusting to you **as excrement.**[152] רַבִּי שִׁמְעוֹן בֶּן יוֹחָאי אָמַר: וּבִלְבַד שֶׁתִּהְיוּ מְרַחֲקִין בְּיוֹתֵר מִמַּה שֶּׁאַתֶּם מְקָרְבִין בּוֹ — **R' Shimon ben Yochai said:** You shall have meat, **but you will distance it**[153] even **more than you** now **draw it near.** אָמַר רַבִּי יְהוּדָה בַּר רַבִּי סִימוֹן: מִכָּאן נַעֲשׂוּ זָרִים לְאֹהֶל מוֹעֵד — **R' Yehudah bar R' Simone says: From here,** i.e., from this time,[154] **they became alien to the Tent of Meeting,** for they were afflicted with *zivah* and *tzaraas* and were prohibited from entering.[155]

NOTES

146. In *Numbers* Ch. 11, Scripture relates that the Jews complained about the manna and desired meat. In reply to their complaint, God told Moses that they would receive meat for a month until they would become disgusted with it. He then sent them an abundance of quail to eat, but when they began to eat they were punished, and many died. [Although the term מִתְאוֹנְנִים, *complaining*, seems to be used by Scripture (ibid. 11:1) in regard to an *earlier* incident (viz., that of the end of Ch. 10 — see *Rashi* to 11:1 s.v. רע באזני ה'), our Midrash understands the two incidents to be related; those who complained the second time are thus also called מִתְאוֹנְנִים (*Tos. Yom Tov* to *Avos* 5:4, referenced by *Eitz Yosef*, Vagshal ed.).] Although Scripture states that the punishment for the complainers was death, there were some who were punished by being stricken with *tzaraas* in place of death, as mentioned earlier (see note 144 regarding the sin of the Golden Calf) (*Eitz Yosef*).

[Regarding the fact that the passage of the complainers is written in the Torah *after* the verse, *They shall expel from the camp every metzora, every zav, etc.* (*Numbers* 5:2), that the Midrash is seeking to explain, see *Yefeh To'ar* to *Bamidbar Rabbah* 7 §4.]

147. The passage there reads, *So HASHEM will give you meat and you will eat. Not for one day shall you eat, nor two days, nor five days, nor ten days, nor twenty days. Until an entire month of days, until it comes out of your nose and becomes nauseating* [לְזָרָא] *to you* (vv. 18-20). We have translated לְזָרָא according to its plain meaning (see *Ramban* ad loc.). The Midrash, however, will cite various interpretations for this word, concluding with one that explains it as referring to *tzaraas* and *zivah* (*Yefeh To'ar*; see, however, note 156).

148. Lit., *turned away, distanced* — from the Aramaic word זור, *turn away*; see *Targum* to *Judges* 4:18 (*Aruch*, cited by *Eitz Yosef*, et al.). Alternatively, the word is to taken as cognate to זָר, *alien*, for the meat would be alien and [thus] difficult on the stomach (see *Yefeh To'ar*). For a third interpretation, see next note.

149. *Matnos Kehunah* to *Bamidbar Rabbah* loc. cit.; see also *Yefeh To'ar* here.

Alternatively, the words זָרְנָא and בוּטְנָא are forms of boils [i.e., *tzaraas*— see above, Ch. 16 note 53] (*Matnos Kehunah*; see also *Eitz Yosef*). See note 157.

150. This disease causes one's throat to swell, preventing food from going down the esophagus. The victim chokes and the food exits from his nose, as the verse states; *until it comes out of your nose* (*Maharzu* to *Bamidbar Rabbah* 7 §4). According to this view, זָרָא is from זָר, *alien*, for this disease is "alien" and uncommon [the Gemara, *Berachos* 8a, calls it the most "difficult" form of death] (*Eitz Yosef*).

151. Of requesting meat again in such a fashion (ibid., second explanation, based on *Bamidbar Rabbah* loc. cit.).

152. Ibid., second explanation. According to this view, as well, זָרָא is from זָר, *alien*, for they would find the meat to be "alien" and loathsome (see ibid.).

153. R' Shimon ben Yochai translates זָרָא as rejection, like R' Huna. However, R' Huna attributed the rejection to the harmful effects of the meat, while R' Shimon ben Yochai attributes it to revulsion (*Yefeh To'ar*, end of s.v. לזרנא).

154. *Yedei Moshe*, cited also by *Eitz Yosef*.

155. *Yefeh To'ar, Eitz Yosef*. See *Bamidbar Rabbah* loc. cit. [Even though *zavs* and *metzoras* are restricted not only from the Tent of Meeting itself (the Divine Encampment) but also from the areas surrounding it (the Levite Encampment [*zavs*] and even the Israelite Encampment [*metzoras*]), the Midrash speaks of the Tent of Meeting (i.e., the Tabernacle) because it was the source of sanctity for the surrounding areas as well. As the Gemara tells us (*Taanis* 21b), when the Tabernacle was taken down (e.g., when the Israelites had to travel), the entire area was no longer sanctified (ibid.). It may be noted that the words "to the Tent of Meeting" do not appear in the parallel passage in *Bamidbar Rabbah*.]

We have explained the Midrash to be saying that it is R' Yehudah bar R' Simone's interpretation of the word לְזָרָא that takes it as a reference to *zivah* and *tzaraas* (see note 147). However, some commentators explain R' Yehudah bar R' Simone's interpretation completely differently (see *Maharzu* and *Imrei Yosher*). According to those commentators, it seems that it is R' Huna, cited above, who interprets לְזָרָא that way. See note 149.

ד תָּנֵי רַבִּי שִׁמְעוֹן בֶּן יוֹחָאי: *בְּשָׁעָה שֶׁעָמְדוּ יִשְׂרָאֵל עַל הַר סִינַי וְאָמְרוּ (שמות כד, ז) "כֹּל אֲשֶׁר דִּבֶּר ה' נַעֲשֶׂה וְנִשְׁמָע", בְּאוֹתָהּ שָׁעָה לֹא הָיָה בָּהֶן זָב וּמְצוֹרָע וְלֹא חִיגְּרִין וְלֹא סוּמִים וְלֹא אִילְּמִים וְלֹא חֵרְשִׁים וְלֹא שׁוֹטִים, עַל אוֹתָהּ שָׁעָה הוּא אוֹמֵר (שיר ד, ז) "כֻּלָּךְ יָפָה רַעְיָתִי וּמוּם אֵין בָּךְ", וְכֵיוָן שֶׁחָטְאוּ לֹא עָבְרוּ יָמִים קַלִּים עַד שֶׁנִּמְצְאוּ בָּהֶן זָבִין וּמְצוֹרָעִים, עַל אוֹתָהּ שָׁעָה הוּא אוֹמֵר (במדבר ה, ב) "וִישַׁלְּחוּ מִן הַמַּחֲנֶה כָּל צָרוּעַ וְכָל זָב וְגוֹ'", מֵהֵיכָן נִתְחַיְּבוּ יִשְׂרָאֵל בְּזִיבוּת וְצָרַעַת, רַב הוּנָא בְּשֵׁם רַבִּי הוֹשַׁעְיָא אָמַר: עַל יְדֵי שֶׁהָיוּ מַלִּיזִין אַחַר גְּדוֹלֵיהֶן וְאוֹמְרִים: מִשְׁפָּחָה זוֹ *שֶׁל פְּלוֹנִי לָאו שֶׁל מְצוֹרָעִים הִיא, לְלַמֶּדְךָ שֶׁאֵין הַנְּגָעִים בָּאִים אֶלָּא עַל לָשׁוֹן הָרַע, רַבִּי תַּנְחוּמָא אוֹמֵר: עַל יְדֵי שֶׁהָיוּ מַלִּיזִין אַחֲרֵי הָאָרוֹן וְאוֹמְרִים: אָרוֹן זֶה הוֹרֵג אֶת נוֹשְׂאָיו, וְאֵין נְגָעִים בָּאִים אֶלָּא עַל לָשׁוֹן הָרַע, לְכָךְ נִתְחַיְּבוּ יִשְׂרָאֵל בְּזִיבוּת וְצָרַעַת, וְרַבָּנָן אָמְרֵי: מִן הָעֵגֶל, דִּכְתִיב (שמות לב, כה) "וַיַּרְא מֹשֶׁה אֶת הָעָם כִּי פָרֻעַ הוּא", שֶׁפָּרְחָה בָּהֶן צָרַעַת, כְּמָא דְאַתְּ אָמַר (ויקרא יג, מה) "וְרֹאשׁוֹ יִהְיֶה פָרוּעַ", רַבִּי יְהוּדָה בַּר רַבִּי סִימוֹן אָמַר: מִמִּתְאוֹנְנִים, שֶׁנֶּאֱמַר (במדבר יא, כ) "עַד אֲשֶׁר יֵצֵא מֵאַפְּכֶם וְהָיָה לָכֶם לְזָרָא", מַהוּ "לְזָרָא", רַבִּי הוּנָא אָמַר: לְזַרְנָא וּלְבוּטְנָא, וְרֵישׁ לָקִישׁ אָמַר: לְאַסְכָּרָא, רַבִּי אַבָּא אָמַר: לְאַזְהָרָה, רַבִּי אֶבְיָתָר אָמַר: *לְקַרְדָּא, רַבִּי שִׁמְעוֹן בֶּן יוֹחָאי אָמַר: וּבִלְבַד שֶׁתִּהְיוּ מַרְחִקִין בְּיוֹתֵר מִמַּה שֶּׁאַתֶּם *מְקָרְבִין בּוֹ, אָמַר רַבִּי יְהוּדָה בַּר רַבִּי סִימוֹן: מִכָּאן נַעֲשׂוּ זָרִים לְאֹהֶל מוֹעֵד:

(ד) לא היה בהם זב כו'. מפני שאין כבודה של תורה להנתן לדור בעלי מומין כדמפרש לקמן בבמדבר רבה (ז, א) והתם יליף כולהו מקראי, והרמ"ע כתב שהטעם לפי שמי שיפקד ממנו חוש מחושיו תפקד ממנו ידיעה מידיעותיו, לכן היו שלמי החושים להיות שלמי הידיעה: **עד שנמצאו בהם כו'.** והוא הדין חגרין וסומין וכל הנזכר, דכיון משום קבלת התורה נסתלקו כשחטאו ראוי שיחזרו למומן, כי בסור הסבה יסור המסובב, וכמו שנסתלק מהם מיד חזרו: **מהיכן נתחייבו כו'.** רצה לומר כיון דזיבה וצרעת היזק לגופם שהטהורים מטמאים בהם, מסתבר שאין לחזור מום זה מכיון דנתרפאו אלא אם כן יתחדש להם חטא מחייב עונש זה: **גדוליהם משה ומרים.** ואהרן גם כן לקה שנאמר (במדבר יב, ט) ויחר אף ה' בם, אלא שנתרפא מיד (מתנות כהונה), שהיו מגנין אותם שהיו מצורעים תחלה: **ללמדך.** כלומר מכאן אתה למד: **מן העגל.** שאפילו לא היו מצורעים מתחלה ראוים עתה לכך בעון העגל: **שפרחה בהם צרעת.** שמאותם שהיו ראוים למות בעגל לקו בצרעת ולא מתו דמצורע חשוב כמת: **ממתאוננים.** שקלאם היה להם השליו סבת לצרעת והיה במקום מיתה: **לזרנא ולבוטנא.** לזרנא ענין הרחקה כדמתרגם (שופטים ד, יח) סורה אלי זר לותי (ערוך ערך זר), בוטנא מין שחין נפוח. והמעריך (ערך זרנא) פירש לזרנא ובוטנא קיא ושלשול: **לאסכרה.** ונקרא זרא לפי שהיא חולי זר ומשונה כמו שאמר בפרק קמא דברכות (ח, א) קשה מכל אסכרה: **לאזהרה.** הוא לשון זיהרא, פירוש ארס (מתנות כהונה). ובבמדבר רבה (ז, ד) מפרש שמכאן ואילך יזהרו להם: **לקדרא.** מין תולעים הנושכים בבשר וקשה להפרידן (אות אמת). או ענינו רעי ומיאוס, כמו נפישי קטילי קדר דפרק במה מדליקין (שבת לג, א), וענינו שישוב הבשר הזה להם למיאוס ורעי, ופירוש לזרא ענין זרות וסרחון. אבל הערוך גרס לדרדיא, וכתב המוסף הערוך פירוש בלשון יוני ורומי חולי המשלשל: **מרחקין ביותר.** מפרש לזרא לשון רחוק שיהיה ההרחקה יותר ממה שהיה הקירוב קודם החטא, ומדלא כתב לזר משמע ליה שיהיה הריחוק גדול (ידי משה): **מכאן.** פירוש מן אותו זמן שנאמר להם והיה לכם לזרא, ודרש גם כן לשון הרחקה (ידי משה): **לאוהל מועד.** והא דנקט אוהל מועד הא זבים וזבות משולחים אפילו ממחנה לויה ומצורעים משולחים אפילו ממחנה ישראל. יש לומר משום דתליא מלתא בנטיית אוהל מועד כדאמר בפרק סדר תעניות (תענית כא, ב) שכל זמן שאהל מועד נטוי אמרה תורה וישלחו מן המחנה כל צרוע וכל זב, הוגללו הפרוכת הותרו זבים ומצורעים ליכנס לשם, להכי קאמר זרים לאהל מועד:

(ד) תני רבי שמעון בן יוחאי. במדבר רבה (ז, א), שיר רבה ריש פסוק כולך יפה רעיתי (כ"ה ב') [פרשה ד פסוק ז, אות א], מכילתא יתרו, ושם דורש הכל מפסוקים: **מליזים אחר גדוליהם.** דורש סמוכים, שמתחלת במדבר עד כאן מפורש מנין משפחות ישראל ונשיאיהם, ואחר כך פרשת וישלחו מן המחנה, ועל פי מדות מנגד: **מליזין אחר הארון.** גם כן על פי מדת סמוכים, איש איש על עבודתו ועל משאו, ובכלל זה גם הארון, ועיין במדבר רבה (ד, א) כל הענין: **רבנן אמרי מן העגל.** במדבר רבה (ז, ד). ובערוך (ערך בטן) הגירסא בהיפך, רבנן אמרי ממתאוננים, רבי יהודה בר רבי סימון אמר מן העגל: **כי פרוע הוא.** וריש"י דקרא והצרוע אשר בו הנגע וגו' וראשו יהיה פרוע: **ממתאוננים.** עיין מה שכתב בזה (במדבר רבה שם, ד), ועיין דברים רבה פרשה א, סוף סימן י, בעת מתאוננים: **לקרדא.** עיין מה שכתבנו בזה בבמדבר רבה (שם) בשם הערוך: **ובלבד שתהיו מרחקין.** דורש לזרא לשון ריחוק, כמו שכתוב (במדבר יז, ב) זרה הלאה, וזרם מעבר לנהר, וכמו שכתוב (שם ה, ב) וישלחו מן המחנה, וזהו הריחוק, אך בספר בהעלותך הגירסא שתהיו מרחקין אותו יותר ממה שהייתם מקרבין אותו, והיינו על השליו שבקשוה בתאוה וחטאו ורקוהו בעונש: **זרים לאוהל מועד.** שנתרחק ישראל והבכורים, ונתקרבו הלוים, וכמו שכתוב (במדבר יח, ד) וזר לא יקרב עליכם, וזהו לזרא:

חידושי הרד"ל

[ד] רבי שמעון בן יוחאי אומר ובלבד שתהיו מרחיקין כו'. ספרי בהעלותך שם:

באור מהרי"פ

[ד] מתנות כהונה בד"ה לזרנא ובוטנא. פירש הערוך וכו'. וכתב הערוך ערך בטן ב' זה לשונו, לזרנא ובוטנא, פירוש נפיחה, כדגרסינן (אמר הכותב לא ידעתי מקומו) אידי דלצרעת מגופיה מתיילדא נפיחה ליה לצרעת ומשווייה ליה כך עכ"ל. ובערוך זר ג', כתב וזה לשונו לזרנא ובוטנא, וכבר פירשנו אותו בערך בטן, (פירוש שם פירש מלת בטן), סורה אדוני סורה אלי (שופטים ד, יח), תרגום וזר רבוני זור לותי, ופירושו ענין הרחקה עד כאן. פירוש, כאן פירוש לשון הרחקה. נמצא הערוך מפרש מלת זרנא לשון הרחקה, ומלת בוטנא לשון נפיחה. והמעריך ערך זרנא כתב וזה לשונו, זרנא ובוטנא בויקרא רבה פרשה י"ח, פירוש קיא ושלשול, ולא זכר כלל פירוש הערוך: **מתנות כהונה ד"ה לאזהרה וכו'. פירוש ארס.** זה לשון הערוך ערך זהר אחרון, (נדה כה, ב) ורב ניחי דזיהרא נפיק דמעתא גופה לא נפיק, פירוש זיהרא ארס עד כאן, אבל אינו מביא שם מלת לאזהרה: **רבי שמעון בן יוחאי אמר ובלבד וכו'.** צריך עיון הכוונה, ובמדרש הנזכר למטה בסמוך, לא נזכר דברי רבי שמעון בן יוחאי: **מכאן נעשו זרים וכו'.** זה לשון המדרש סדר נשא (ז, ד), רבי יהודה בר סימון אמר והיה להם לזרא, שנעשו כולם זרים וכו', כל מי שאינן לאלהים נעשה זר שבאת עליהם הצרעת, אמר לו האלהים וכו', הרי הם זרים מן הקהל, וישלחו מן המחנה כל צרוע וכל זב עד כאן:

מסורת המדרש

ד. במד"ר פ' י"ג. פסיקתא רבתי פ"ז. תנחומא סדר יתרו סי' ח':

אם למקרא

וַיַּעֲנוּ כָל הָעָם יַחְדָּו וַיֹּאמְרוּ כֹּל אֲשֶׁר דִּבֶּר ה' נַעֲשֶׂה וַיָּשֶׁב מֹשֶׁה אֶת דִּבְרֵי הָעָם אֶל ה': (שמות כד:ח)

כֻּלָּךְ יָפָה רַעְיָתִי וּמוּם אֵין בָּךְ: (שיר השירים ד:ז)

צַו אֶת בְּנֵי יִשְׂרָאֵל וִישַׁלְּחוּ מִן הַמַּחֲנֶה כָּל צָרוּעַ וְכָל זָב וְכֹל טָמֵא לָנָפֶשׁ: (במדבר ה:ב)

וַיַּרְא מֹשֶׁה אֶת הָעָם כִּי פָרֻעַ הוּא כִּי פְרָעֹה אַהֲרֹן לְשִׁמְצָה בְּקָמֵיהֶם: (שמות לב:כה)

וְהַצָּרוּעַ אֲשֶׁר בּוֹ הַנֶּגַע בְּגָדָיו יִהְיוּ פְרֻמִים וְרֹאשׁוֹ יִהְיֶה פָרוּעַ וְעַל שָׂפָם יַעְטֶה וְטָמֵא טָמֵא יִקְרָא: (ויקרא יג:מה)

עַד חֹדֶשׁ יָמִים עַד אֲשֶׁר יֵצֵא מֵאַפְּכֶם וְהָיָה לָכֶם לְזָרָא יַעַן כִּי מְאַסְתֶּם אֶת ה' אֲשֶׁר בְּקִרְבְּכֶם וַתִּבְכּוּ לְפָנָיו לֵאמֹר לָמָּה זֶּה יָצָאנוּ מִמִּצְרָיִם: (במדבר יא:כ)

ידי משה

[ד] ובלבד שתהיו מרחקין יותר וכו'. גם כן מלת לזרא מפרש, ופירוש לזרא כמו רחוק, שיהיה ההרחקה יותר ממה שהיה הקירוב קודם החטא, ודייק מדלא כתיב לזר משמע שיהיה ריחוק גדול: **מכאן נעשו זרים לאוהל מועד.** פירוש מן אותו זמן שנאמר להם והיה לכם לזרא, נעשו זרים לאוהל מועד, ורבי יהודה גם כן דרש לזרא לשון הרחקה:

אמרי יושר

[ד] מליזין אחר גדוליהם. רמז לאהרן ומרים, ויחר אף ה' בם וילך (במדבר יב, ט), והנה מרים מצורעת (שם י): **רבי אבא אמר לאזהרה.** שיהיה תוכחת בזה שיוסרו האנשים, בראות עונש זה, ולא יוסיפו לעשות כזה: **נעשו זרים.** דלמעלה כן ואתם תהיה לי ממלכת כהנים כל ישראל ראוים לכהונה:

מתנות כהונה

[ד] גדוליהון. משה ומרים ואהרן גם כן לוקה בו שנאמר (במדבר יב, ט) ויחר אף ה' בם, אלא שנתרפא מיד כמו שכתב רבינו בחיי בפרשה זו: **לזרנא ובוטנא.** פירש הערוך (ערך בטן השני) מיני שחין נפוח: **לאזהרה.** יש לומר שהוא לשון זיהרא, פירוש ארס. **לקרדא.** פירוש בערוך (ערך קרד) תולעים:

אשד הנחלים

[ד] זב כו' שוטים. כלומר לא חולי הגוף וטומאתה, ולא חולי הנפש, שזהו השטות והעדר הידיעה, כי אלולי החטא היה נפשם גדולה בהשגה, וחומרם היה ניזדכך מאוד: **לאזהרה.** כאדם שנוגע במכה גדולה, עד שכולם מזהירים לומר הזהר פן יקרך כמו פלוני שלקה מאוד, או פירושו על הזיבה והצרעת שהיא מחלה דובקת מאוד, שנזהר כל אדם מליגע בו. והמתנות כהונה גרס לזהרה בלי אל"ף: **לקדרא.** תולעים. וזהו העיפוש הגמור המוזר לעין רואו: **שתהיו מרחקין כו'.** פירש הידי משה שממלת לזרה ולא כתיב לזר, קדייק שיהיה ההרחקה יותר ממה שהיה הקירוב קודם החטא. ולי נראה שפירושו כי האדם החוטא בעת שיהיה השפע והקירוב מלמעלה, אז הוא נלקה בחטאיו יותר, כי אין השכינה שורה במקום טומאה, וכל אשר יחפוצו להתקרב אז יהיה ההרחקה יותר גדולה, וזהו כמו שאמר להלן שנעשו זרים לאוהל מועד. ובספרי איתא לזרא שתהיו מרחקין אותו ממה שהייתם מקריבין אותן. ונכון הוא:

§5 The Midrash cites several examples describing how God's conduct with His subjects — both for the bad and for the good — is similar to that of a human king. It begins with a reference to *zivah* and *tzaraas*:[156]

רַבִּי יְהוֹשֻׁעַ דְּסִכְנִין בְּשֵׁם רַבִּי לֵוִי — R' Yehoshua of Sichnin says **in the name of R' Levi:** בָּשָׂר וָדָם נוֹתֵן אַכְסִירְיָה וְהַקָּדוֹשׁ בָּרוּךְ הוּא נוֹתֵן אַכְסִירְיָה — Just as a king[157] of **flesh and blood imposes expulsion** on his disloyal subjects, so does **the Holy One, blessed is He, impose expulsion** on sinful individuals, "שֶׁנֶּאֱמַר "צַו אֶת בְּנֵי יִשְׂרָאֵל וִישַׁלְּחוּ מִן הַמַּחֲנֶה — **as it is stated,** ***Command the Children of Israel that they should expel from the camp*** *every metzora, every zav, and everyone contaminated with a human corpse* (*Numbers* 5:2).[158]

Another similarity:

בָּשָׂר וָדָם חוֹבֵשׁ בְּבֵית הָאֲסוּרִים וְהַקָּדוֹשׁ בָּרוּךְ הוּא חוֹבֵשׁ בְּבֵית הָאֲסוּרִין — Just as a king of **flesh and blood confines** his disloyal subjects **to prison,** so does **the Holy One, blessed is He, confine** sinful individuals **to prison,** "שֶׁנֶּאֱמַר "וְהִסְגִּיר הַכֹּהֵן אֶת הַנֶּגַע — **as it is stated,** ***The Kohen shall quarantine the affliction*** *for seven days* (*Leviticus* 13:4).[159]

Another similarity:

בָּשָׂר וָדָם גּוֹזֵר טִירוּדָא וְהַקָּדוֹשׁ בָּרוּךְ הוּא גּוֹזֵר טִירוּדָא — Just as a king of **flesh and blood decrees banishment** on his disloyal subjects so does **the Holy One, blessed is He, decree banishment** on sinful individuals, "בָּדָד יֵשֵׁב מִחוּץ לַמַּחֲנֶה מוֹשָׁבוֹ" — as it is stated, ***He shall dwell in isolation; his dwelling should be outside the camp*** (ibid., v. 46).[160]

Another similarity:

בָּשָׂר וָדָם נוֹתֵן קֻטְפּרַס וְהַקָּדוֹשׁ בָּרוּךְ הוּא נוֹתֵן קֻטְפּרַס — Just as a king of **flesh and blood imposes** a penalty of **lashes** on his disloyal subjects, so does **the Holy One, blessed is He, impose** a penalty of **lashes** on sinful individuals, "אַרְבָּעִים יַכֶּנּוּ לֹא יֹסִיף" — as it is stated, ***Forty shall he strike him, he shall not add*** (*Deuteronomy* 25:3).[161]

Another similarity:

בָּשָׂר וָדָם גּוֹבֶה קֻטִירְקִי וְהַקָּדוֹשׁ בָּרוּךְ הוּא גּוֹבֶה קֻטִירְקִי — Just as a king of **flesh and blood exacts a fine** from his disloyal subjects, so does **the Holy One, blessed is He, exact a fine** from sinful individuals, "וְעָנְשׁוּ אֹתוֹ מֵאָה כֶסֶף" — as it is stated, ***And they should fine him one hundred silver [shekels]*** (ibid. 22:19).[162]

Another similarity:

בָּשָׂר וָדָם נוֹתֵן דּוֹנָטִיבָה וְהַקָּדוֹשׁ בָּרוּךְ הוּא נוֹתֵן דּוֹנָטִיבָה — Just as a king of **flesh and blood supplies** his soldiers[163] with **food,** so does **the Holy One, blessed is He, supply** His nation with **food,** "הִנְנִי מַמְטִיר לָכֶם לֶחֶם מִן הַשָּׁמָיִם" — as it is stated, ***Behold I shall rain down for you food from Heaven*** (*Exodus* 16:4).[164]

Another similarity:

בָּשָׂר וָדָם נוֹתֵן פְּרוֹקִיפִי וְהַקָּדוֹשׁ בָּרוּךְ הוּא נוֹתֵן פְּרוֹקִיפִי — Just as a king of **flesh and blood bestows honor** upon his officers, so does **the Holy One, blessed is He, bestow honor** upon His nation, "שְׂאוּ אֶת רֹאשׁ וְגוֹ'" — as it is stated, ***Lift up*** [שְׂאוּ] ***the head*** *of the entire assembly of the Children of Israel* (*Numbers* 1:2).[165]

Another similarity:

בָּשָׂר וָדָם נוֹתֵן אֲנוֹנָס וְהַקָּדוֹשׁ בָּרוּךְ הוּא נוֹתֵן אֲנוֹנָס — Just as a king of **flesh and blood grants** his subjects **a stipend,**[166] so does **the Holy One, blessed is He, grant** His nation **a stipend,** "עֹמֶר לַגֻּלְגֹּלֶת מִסְפַּר נַפְשֹׁתֵיכֶם" — as it is stated, *Gather from it, for every man according to what he eats* ***— an omer per person — according to the number of your people*** (*Exodus* 16:16).[167]

The Midrash now cites two examples that demonstrate how God's conduct with His subjects differs from that of a human king:

בָּשָׂר וָדָם מַכֶּה אָדָם עַל יְדֵי עֲבָדִים וְהַקָּדוֹשׁ בָּרוּךְ הוּא מַכֶּה אוֹתוֹ עַל יְדֵי עַצְמוֹ — Whereas a king of **flesh and blood,** when inflicting punishment, **strikes a person through his servants, the Holy One, blessed is He, strikes him Himself,**[168] "מָחַצְתִּי וַאֲנִי אֶרְפָּא" — as it is stated, ***I struck down and I will heal*** (*Deuteronomy* 32:39).[169]

NOTES

156. The purpose of this discussion is to identify the expulsion of the *zav* and *metzora* from the camp (*Numbers* 5:2, cited in the previous section and cited again momentarily) as a punishment, in the same vein as the earlier discussions in this chapter that described the infliction of these conditions as a punishment (*Yefeh To'ar*).

157. Although the Midrash does not state that it is referring to a *king*, a parallel Midrash (*Bamidbar Rabbah* 7 §3) says so explicitly.

158. It would seem that the punishment of the *zav* and *metzora* lies in their having been so afflicted, and that their expulsion from the encampment is merely a result of their being rendered *tamei* (contaminated) through their afflictions — just as a person who touched a corpse is expelled simply because he is *tamei* and not as punishment for sin. On what basis does the Midrash consider their being expelled from the encampment a punishment? *Yefeh To'ar* answers: The person who touched a corpse is expelled only from the Divine Encampment (the Tabernacle and the Courtyard). But the *zav* is expelled even from the camp of the Levites, and the *metzora* is expelled from the entire encampment of Israel [see *Pesachim* 67a]! Evidently, their expulsions are punishments as well.

159. In the case of a *tzaraas* affliction that was examined by the Kohen and whose status was found to be inconclusive, the *metzora* must remain quarantined in a house for an entire week, after which time the Kohen will again inspect the affliction (*Rashi* ad loc.).

160. I.e., not only is the *metzora* obligated to leave the camp, but he is assigned an area apart even from those who were expelled because of other forms of impurity [see *Pesachim* 67a, where this is derived from the verse cited here] (*Eitz Yosef*). [Regarding whether different *metzoras* may stay with *each other*, see above, Ch. 16 note 72.]

161. This verse refers to the lashes inflicted by *beis din* upon a person who has committed those sins that are thus punishable (see *Makkos* 13b).

162. This is the fine imposed upon a bridegroom who defamed his new wife and falsely accused her of not being a virgin.

163. *Bamidbar Rabbah* 7 §3.

164. This verse refers to the manna, the heavenly food that God provided for His nation in the Wilderness.

165. Although in context the verse means: *Take a census of the entire assembly of the Children of Israel*, the Torah uses the word שְׂאוּ, which in its most literal sense means *carry* or *lift*, in order to teach that the people would be *uplifted* to an exalted level through this census (see *Bamidbar Rabbah* 1 §9, referenced by *Maharzu*).

166. I.e., a steady allotment for their basic needs (*Matnos Kehunah*, from *Aruch*).

167. This, too, is referring to the manna, of which each family received an *omer's* volume per family member. [As to why the Midrash does not cite *Exodus* 16:4 as it did just above (the verse reads in full: *Behold I shall rain down for you food from Heaven; let the people go out and pick each day's portion on its day*, and it would seem that that verse would serve the Midrash's purpose here just as well), *Yefeh To'ar* explains that the Midrash wishes to cite a verse that spells out the *amount* of each individual's stipend (*Yefeh To'ar*).

168. A human king must summon his servants for assistance when punishing his subjects, for he is not able to do so by himself. The Holy One, blessed is He, however, is independent and does not need assistance from anyone. If He does punish through an agent, it is only because He chooses to do so (*Eitz Yosef*).

169. This refers to a blow issuing directly from God, and not through an agent, for the verse begins, *See now, that I, I am He — and no god is with Me*, which makes it clear that the verse is referring to God's *own* actions (*Eitz Yosef*).

ה רַבִּי יְהוֹשֻׁעַ דְּסִכְנִין בְּשֵׁם רַבִּי לֵוִי: בָּשָׂר וָדָם נוֹתֵן אַבְסִירְיָה וְהַקָּדוֹשׁ בָּרוּךְ הוּא נוֹתֵן אַבְסִירְיָה, שֶׁנֶּאֱמַר (במדבר ה, ב) "צַו אֶת בְּנֵי יִשְׂרָאֵל וִישַׁלְּחוּ מִן הַמַּחֲנֶה", בָּשָׂר וָדָם חוֹבֵשׁ בְּבֵית הָאֲסוּרִים וְהַקָּדוֹשׁ בָּרוּךְ הוּא חוֹבֵשׁ בְּבֵית הָאֲסוּרִין, שֶׁנֶּאֱמַר (לעיל יג, ד) "וְהִסְגִּיר הַכֹּהֵן אֶת הַנֶּגַע", בָּשָׂר וָדָם גּוֹזֵר טִירוּדָא וְהַקָּדוֹשׁ בָּרוּךְ הוּא גּוֹזֵר טִירוּדָא, (לעיל שם מו) "בָּדָד יֵשֵׁב מִחוּץ לַמַּחֲנֶה מוֹשָׁבוֹ", בָּשָׂר וָדָם נוֹתֵן קַטַפָּרֵס וְהַקָּדוֹשׁ בָּרוּךְ הוּא נוֹתֵן קַטַפָּרֵס, (דברים כה, ג) "אַרְבָּעִים יַכֶּנּוּ לֹא יֹסִיף", בָּשָׂר וָדָם גּוֹבֶה קְטִירְקִי וְהַקָּדוֹשׁ בָּרוּךְ הוּא גּוֹבֶה קְטִירְקִי, (שם כב, יט) "וְעָנְשׁוּ אֹתוֹ מֵאָה כֶסֶף", בָּשָׂר וָדָם נוֹתֵן דּוֹנָטִיבָה וְהַקָּדוֹשׁ בָּרוּךְ הוּא נוֹתֵן דּוֹנָטִיבָה, (שמות טז, ד) "הִנְנִי מַמְטִיר לָכֶם לֶחֶם מִן הַשָּׁמָיִם", בָּשָׂר וָדָם נוֹתֵן פְּרוֹקוּפִּי וְהַקָּדוֹשׁ בָּרוּךְ הוּא נוֹתֵן פְּרוֹקוּפִּי, (במדבר א, ב) "שְׂאוּ אֶת רֹאשׁ וְגוֹ'", בָּשָׂר וָדָם נוֹתֵן אֲנוֹנָס וְהַקָּדוֹשׁ בָּרוּךְ הוּא נוֹתֵן אֲנוֹנָס, (שמות טז, טז) "עֹמֶר לַגֻּלְגֹּלֶת מִסְפַּר נַפְשֹׁתֵיכֶם", בָּשָׂר וָדָם מַכֶּה אָדָם עַל יְדֵי עֵדִים וְהַקָּדוֹשׁ בָּרוּךְ הוּא מַכֶּה אוֹתוֹ עַל יְדֵי עַצְמוֹ, (דברים לב, לט) "מָחַצְתִּי וַאֲנִי אֶרְפָּא", רַבִּי בֶּרֶכְיָה בְּשֵׁם רַבִּי לֵוִי אָמַר: בָּשָׂר וָדָם מַכֶּה בְּאִיזְמֵל וּמְרַפֵּא בִּרְטִיָּה, אֲבָל הַקָּדוֹשׁ בָּרוּךְ הוּא בַּמֶּה שֶׁהוּא מַכֶּה הוּא מְרַפֵּא, שֶׁנֶּאֱמַר (ירמיה ל, יז) "כִּי אַעֲלֶה אֲרֻכָה לָךְ וּמִמַּכּוֹתַיִךְ אֶרְפָּאֵךְ":

עץ יוסף

(ה) **אבסיריה.** פירוש נדוי ונזיפה ושילוח [וגירוש] (מעריך ערך אכסיריא): **טירודא.** נטרד מבני אדם לישב בדד, אפילו לא עם שארי טמאים: **קטפרס.** עונש ותוכחה של מכות: **קטירקי.** עונש ממון: **דונטיבא.** מנות פרס מזון מבית המלך: **פרוקופי.** כבוד: **אנונס.** חק פרנסה: **בשר ודם מכה על ידי עדים.** צריך לומר על ידי עבדיו, היינו על ידי סרדיוט שהוא שר הטבחים. ועניינו כי מלך בשר ודם לא יוכל לנקום נקמתו בעצמו אלא על ידי עבדיו שישיטוהו, אבל הקדוש ברוך הוא אינו כן כי אינו צריך לבריה שהוא בעצמו ינקם כשירצה, ואם יהיה על ידי אחרים לפעמים הוא בשליחותו שאינו רוצה ליטפל בעצמו, ומייתי ראיה ממחצתי ואני ארפא שענייני אני בעצמי מחצתי דהאני אני הוא ואין אלהים עמדי קאי. והרד"ל כתב וזה לשונו וכמדומה שיש כאן חסרון וכך צריך לומר, מכה על ידי סרדיוט ומרפא על ידי רופא, והקדוש ברוך הוא מכה על ידי עצמו ומרפא על ידי עצמו שנאמר מחצתי ואני ארפא עד כאן לשונו:

פירוש מהרז"ו

(ה) **אבסיריה.** במוסף הערוך (ערך אכסוריא) פירש בלשון יוני גירוש ושילוח, ובעבור זה הובא כל דברי סימן זה לכאן: **קטפרס.** במוסף הערוך בלשון יוני מכות גדולות ועצומות: **קטריקי.** בערוך גורס קטדיקי פירושו בלשון יוני עונש, ועיין שמות רבה (ל, יח): **דונטיבא.** פירש בערוך שצרכו במזונות, והמוסף הערוך פירש בלשון רומי מתנות שמחלק שר צבא וחילו בעת לאחס נגד אויביהם: **פרוקופי.** פירש בערוך ובמוסף הערוך כבוד וגדולה: **שאו את ראש בני ישראל.** ועיין (במדבר רבה א, א) גודל הכבוד בזה: **אנונס.** במוסף הערוך בלשון רומי מזון וסיפוק: **על ידי עצמו.** הוא העד הוא הבעל דין: **רבי ברכיה בשם רבי לוי.** בא לחתום בנחמה. ועיין שמות רבה (כו, ב):

חידושי הרד"ל

[ה] **בשר ודם מכה על ידי עדים.** אפשר היינו כמו שכתוב (דברים יז, ז) יד העדים תהיה בו בראשונה, אבל קרוב יותר שצריך לומר על ידי סרדיוט, (שהוא שר הטבחים דהם ממשיל כל משלים דהכא). וכמדומה עוד שיש כאן חסרון, וכן צריך לומר, מכה על ידי סרדיוט ומרפא על ידי רופא, והקדוש ברוך הוא מכה על ידי עצמו ומרפא על ידי עצמו, שנאמר (שם לב, לט) מחצתי ואני ארפא:

אמרי יושר

[ה] **וממכותיך ארפאך.** כי המכה עצמה היא רפואה, כי אין רע יורד מלמעלה ותכליתו טוב:

מסורת המדרש

ה. במד"ר פ' ז':

אם למקרא

צַו אֶת בְּנֵי יִשְׂרָאֵל וִישַׁלְּחוּ מִן הַמַּחֲנֶה כָּל צָרוּעַ וְכָל זָב וְכֹל טָמֵא לָנָפֶשׁ: (במדבר ה:ב)

וְאִם בַּהֶרֶת לְבָנָה הִוא בְּעוֹר בְּשָׂרוֹ וְעָמֹק אֵין מַרְאֶהָ מִן הָעוֹר וּשְׂעָרָה לֹא־הָפַךְ לָבָן וְהִסְגִּיר הַכֹּהֵן אֶת־הַנֶּגַע שִׁבְעַת יָמִים: (לעיל יג:ד)

כָּל־יְמֵי אֲשֶׁר הַנֶּגַע בּוֹ יִטְמָא טָמֵא הוּא בָּדָד יֵשֵׁב מִחוּץ לַמַּחֲנֶה מוֹשָׁבוֹ: (לעיל שם מו)

אַרְבָּעִים יַכֶּנּוּ לֹא יֹסִיף פֶּן יֹסִיף לְהַכֹּתוֹ עַל אֵלֶּה מַכָּה רַבָּה וְנִקְלָה אָחִיךָ לְעֵינֶיךָ: (דברים כה:ג)

וְעָנְשׁוּ אֹתוֹ מֵאָה כֶסֶף וְנָתְנוּ לַאֲבִי הַנַּעֲרָה כִּי הוֹצִיא שֵׁם רָע עַל בְּתוּלַת יִשְׂרָאֵל וְלוֹ תִהְיֶה לְאִשָּׁה לֹא יוּכַל לְשַׁלְּחָהּ כָּל יָמָיו: (שם כב:יט)

וַיֹּאמֶר ה' אֶל מֹשֶׁה הִנְנִי מַמְטִיר לָכֶם לֶחֶם מִן הַשָּׁמָיִם וְיָצָא הָעָם וְלָקְטוּ דְּבַר יוֹם בְּיוֹמוֹ לְמַעַן אֲנַסֶּנּוּ הֲיֵלֵךְ בְּתוֹרָתִי אִם לֹא: (שמות טז:ד)

שְׂאוּ אֶת רֹאשׁ כָּל עֲדַת בְּנֵי יִשְׂרָאֵל לְמִשְׁפְּחֹתָם לְבֵית אֲבֹתָם בְּמִסְפַּר שֵׁמוֹת כָּל זָכָר לְגֻלְגְּלֹתָם: (במדבר א:ב)

זֶה הַדָּבָר אֲשֶׁר צִוָּה ה' לִקְטוּ מִמֶּנּוּ אִישׁ לְפִי אָכְלוֹ עֹמֶר לַגֻּלְגֹּלֶת מִסְפַּר נַפְשֹׁתֵיכֶם אִישׁ לַאֲשֶׁר בְּאָהֳלוֹ תִּקָּחוּ: (שמות טז:טז)

רְאוּ עַתָּה כִּי אֲנִי אֲנִי הוּא וְאֵין אֱלֹהִים עִמָּדִי אֲנִי אָמִית וַאֲחַיֶּה מָחַצְתִּי וַאֲנִי אֶרְפָּא וְאֵין מִיָּדִי מַצִּיל: (דברים לב:לט) כִּי אַעֲלֶה אֲרֻכָה לָךְ וּמִמַּכּוֹתַיִךְ אֶרְפָּאֵךְ נְאֻם ה' כִּי נִדָּחָה קָרְאוּ לָךְ צִיּוֹן הִיא דֹּרֵשׁ אֵין לָהּ: (ירמיה ל:יז)

מתנות כהונה

אבסירא. פירש הערוך [עיין מהרי"פ] בית הסוהר, ולפי הענין היה נראה לי לפרשו ענין טירוד וגירושין: [ה] **טירודא.** נטרד מבני אדם לישב בדד. ועוד יש לפרשו לשון הסגר, וכן פירש הערוך (ערך טרד) כי עצור עצר (בראשית כ, יח), תרגום יונתן [בערוך איתא תרגום ירושלמי] [מ]יטרד טריד: **קטפרס.** עונש ותוכחה: **קטירקי.** לפי הענין הוא קנס, וכן פירשו הערוך (ערך קטדיק): **דונטיבא.** פירש הערוך (ערך דנטיב) מנות פרס מזון מבית המלך: **פרוקופא.** פירש הערוך (ערך פרקופי) ענין כבוד: **אנונם.** פרנסה בקצבה כך פירש הערוך (ערך אנונה), וכל זה לקמן פרשת נשא:

אשד הנחלים

[ה] **בשר ודם נותן כו'.** כלומר התחלואים הנשלחים מלמעלה, המה כדמות עונשי העולם הזה הנעשה על ידי בן אדם דומה בדומה, וכן השכר כמוהו. אך זהו ההפרש שבשר ודם אי אפשר שממכה עצמה יהיה הרטיה, ולא כן אצלו יתברך, כי המכה עצמה היא הרפואה, הן להחזירו למוטב, שזהו הרפואה הנפשית, או שהמכה עצמה מרפא גופו נעלה מדרך הטבע:

באור מהרי"פ

[ה] **אבסיריה.** פירש הערוך בית הסוהר. אמר הכותב יגעתי לחפש ולא מצאתי בערוך, ובערך כסוריא מביא הערוך מדרש הלזה, ולא פירש כלום, ור' בנימין מוספייא, פירש כסוריא, פירוש בלשון יוני גירוש ושלוח חוץ לגבול עד כאן. אחר כך מצאתי במעריך שהביא מה שאמר מתנות כהונה בשם הערוך, וכותב גם כן לא ידעתי אנה פירש הערוך כן, ופירש גם כן בלשון יוני גירוש ושלוח, אך הוא מביא בערך אכסיריא: **קטפרס.** בלשון יוני מכות גדולות ועצומות, כך פירש ר' בנימין מוספייא: **מתנות כהונה ד"ה קטירקי וכו'. כך פירש הערוך.** לא מצאתי בערוך, ואחר כן מצאתי בערוך ערך קטדיקי ברביעית, ופירש, בלשון יוני עונש קטדיקי:

The second difference:
רַבִּי בֶּרֶכְיָה בְּשֵׁם רַבִּי לֵוִי אָמַר — **R' Berechyah says in the name of R' Levi:** בָּשָׂר וָדָם מַכֶּה בְּאִיזְמֵל וּמְרַפֵּא בִּרְטִיָּיה — A **person of flesh and blood wounds with a knife and heals with a** bandaged **dressing.** אֲבָל הַקָּדוֹשׁ בָּרוּךְ הוּא בַּמֶּה שֶׁהוּא מַכֶּה הוּא מְרַפֵּא — **The Holy One, blessed is He, however, heals with that with which He wounds,**[170] שֶׁנֶּאֱמַר ״כִּי אַעֲלֶה אֲרֻכָה לָךְ וּמִמַּכּוֹתַיִךְ אֶרְפָּאֵךְ״ — **as it is stated,** ***For I will make a cure for you and I will heal you from your wounds*** (*Jeremiah* 30:17).[171]

NOTES

170. The punishment that God inflicts is *itself* a cure: Either the affliction will be a cause for a *spiritual* cure, as it will bring the sinner to repentance; or it will (miraculously) actually cure him *physically* (*Eshed HaNechalim*; see also *Imrei Yosher*).

171. I.e., your healing will not come from another source but *from the very wounds* that I have inflicted. See Insight Ⓐ.

INSIGHTS

Ⓐ **Warning Signs** *R' Eliyahu Eliezer Dessler* (*Michtav MeEliyahu* Vol. 4, p. 258) calls our attention to one particular aspect of our Midrash's principle that God heals with that which He wounds.

He "wounds us" with the evil inclination, which is so powerful and persuasive that it often succeeds in making us think that its will is really ours, that its desires are not external to us but are what we ourselves want.

However, in His infinite mercy, God has also endowed the evil inclination with the warning signs that alert us to its presence and machinations. The source of the illness itself alerts us to the cure. It is like a poisonous snake whose hiss announces its impending attack, allowing its victim to take the necessary countermeasures. So too, the evil inclination transmits warning signals that, if we are sensitive to them, help us avoid its powerful lure.

Our Sages tell us one does not sin unless he is possessed of a foolish spirit (*Sotah* 3a). This means that if we are sensitive to our thoughts and become aware of being possessed by a foolish spirit, we will be able to discern the guile of the evil inclination at work.

One of these "possessions" is the frame of mind that ignores the inevitability of the day of death. How possessed by foolishness is the man who, in the words of the *Zohar*, walks around in this world thinking that it is his for generations!

When the evil inclination induces us to sin, we know on some level that this will create pain for us at some point. We have the *knowledge* to resist it — but often cannot muster the *will*. The spirit of foolishness that possesses us at that time broadcasts its incessant message: "Enjoy life now! Do not think about any of the painful consequences!" We know that it is nothing more than a spirit of foolishness that is blinding us to what we know to be true. But we continue unseeing along the dangerous path in front of us, because blindness — even foolish blindness — robs us of our vision.

So, the alarm has sounded. How do we escape the danger?

Take a person who is seized with periods of temporary insanity during which he has an uncontrollable urge to squander his money. What shall he do? The reasonable response is to set in place effective mechanisms during his times of sanity that will protect him from ruin when he himself will be unable to do so. While still sane, he puts his money in the hands of trustees, who will protect his fortune when the urge to squander is upon him.

It is the same with the depredations of the evil inclination. Our Sages tell us that when one's evil inclination holds sway, there is none who remembers his good inclination (*Nedarim* 32b). One cannot rely on his resolve and his willpower to protect his most treasured soul at the times when his evil inclination will hold sway. He must rather attach himself while still sane to a group of people who are upright and noble. The power of the group, and his desire to retain his good standing in their eyes, will help protect him from sin when that ominous hiss of the serpent sounds the alarm that his own defenses are down, and that he must seek immediate refuge in the fortress of his trusted friends.

חידושי הרד"ל

[ה] בשר ודם מכה על ידי עדים. אפשר היינו כמו שכתוב (דברים יז, ז) יד העדים תהיה בו בראשונה, אבל קרוב יותר שצריך לומר על ידי סרדיוט, (שהוא שר הטבחים דבהם ממשיל כל משלים דהכא). וכמדומה עוד שיש כאן חסרון, וכן צריך לומר, מכה על ידי סרדיוט ומרפא על ידי רופא, והקדוש ברוך הוא מכה על ידי עצמו ומרפא על ידי עצמו, שנאמר (שם לב, לט) מחצתי ואני ארפא:

אמרי יושר

[ה] וממכותיך ארפאך. כי המכה עצמה היא רפואה, כי אין רע יורד מלמעלה ותכליתו טוב:

עץ יוסף

(ה) אבסיריה. פירוש נדוי ונזיפה ושילוח [וגירוש] (מעריך ערך אכסיריה): **טירודא.** נטרד מבני אדם לישב בדד, אפילו לא עם שארי טמאים: **קטפרס.** עונש ותוכחה של מכות: **קטירקי.** עונש ממון: **דונטיבא.** מנות פרס מזון מבית המלך: **פרוקופי.** כבוד: **אנונס.** חק פרנסה: **בשר ודם מכה על ידי עדים.** צריך לומר על ידי עבדיו, היינו על ידי סרדיוט שהוא שר הטבחים. ועניינו כי מלך בשר ודם לא יוכל לנקום נקמתו בעצמו אלא על ידי עבדיו שיסייעוהו, אבל הקדוש ברוך הוא אינו כן כי אינו צריך לבריה שהוא בעצמו ינקם כשירצה, ואם יהיה על ידי אחרים לפעמים הוא בשליחותו שאינו רוצה ליטפל בעצמו, ומייתי ראיה ממחצתי ואני ארפא שעניינו אני בעצמי מחצתי דאאני אני הוא ואין אלהים עמדי קאי. והרד"ל כתב וזה לשונו וכמדומה שיש כאן חסרון וכך צריך לומר, מכה על ידי סרדיוט ומרפא על ידי רופא, והקדוש ברוך הוא מכה על ידי עצמו ומרפא על ידי עצמו שנאמר מחצתי ואני ארפא עד כאן לשונו:

ה רַבִּי יְהוֹשֻׁעַ דְּסִכְנִין בְּשֵׁם רַבִּי לֵוִי: [ה]בָּשָׂר וָדָם נוֹתֵן אַכְסִירְיָה וְהַקָּדוֹשׁ בָּרוּךְ הוּא נוֹתֵן אַכְסִירְיָה, שֶׁנֶּאֱמַר (במדבר ה, ב) "צַו אֶת בְּנֵי יִשְׂרָאֵל וִישַׁלְּחוּ מִן הַמַּחֲנֶה", בָּשָׂר וָדָם חוֹבֵשׁ בְּבֵית הָאֲסוּרִים וְהַקָּדוֹשׁ בָּרוּךְ הוּא חוֹבֵשׁ בְּבֵית הָאֲסוּרִין, שֶׁנֶּאֱמַר (לעיל יג, ד) "וְהִסְגִּיר הַכֹּהֵן אֶת הַנֶּגַע", בָּשָׂר וָדָם גּוֹזֵר טִירוֹדָא וְהַקָּדוֹשׁ בָּרוּךְ הוּא גּוֹזֵר טִירוֹדָא, (לעיל שם מו) "בָּדָד יֵשֵׁב מִחוּץ לַמַּחֲנֶה מוֹשָׁבוֹ", בָּשָׂר וָדָם נוֹתֵן קְטָפָּרֵס וְהַקָּדוֹשׁ בָּרוּךְ הוּא נוֹתֵן קְטָפָּרֵס, (דברים כה, ג) "אַרְבָּעִים יַכֶּנּוּ לֹא יֹסִיף", בָּשָׂר וָדָם גּוֹבֶה קְטִירְקִי וְהַקָּדוֹשׁ בָּרוּךְ הוּא גּוֹבֶה קְטִירְקִי, (שם כב, יט) "וְעָנְשׁוּ אֹתוֹ מֵאָה כֶסֶף", בָּשָׂר וָדָם נוֹתֵן דּוֹנָטִיבָה וְהַקָּדוֹשׁ בָּרוּךְ הוּא נוֹתֵן דּוֹנָטִיבָה, (שמות טז, ד) "הִנְנִי מַמְטִיר לָכֶם לֶחֶם מִן הַשָּׁמָיִם", בָּשָׂר וָדָם נוֹתֵן פְּרוֹקִיפִּי וְהַקָּדוֹשׁ בָּרוּךְ הוּא נוֹתֵן פְּרוֹקִיפִּי, (במדבר א, ב) "שְׂאוּ אֶת רֹאשׁ וְגוֹ'", בָּשָׂר וָדָם נוֹתֵן אֲנוֹנָס וְהַקָּדוֹשׁ בָּרוּךְ הוּא נוֹתֵן אֲנוֹנָס, (שמות טז, טז) "עֹמֶר לַגֻּלְגֹּלֶת מִסְפַּר נַפְשֹׁתֵיכֶם", בָּשָׂר וָדָם מַכֶּה אָדָם עַל יְדֵי עֵדִים וְהַקָּדוֹשׁ בָּרוּךְ הוּא מַכֶּה אוֹתוֹ עַל יְדֵי עַצְמוֹ, (דברים לב, לט) "מָחַצְתִּי וַאֲנִי אֶרְפָּא", רַבִּי בֶּרֶכְיָה בְּשֵׁם רַבִּי לֵוִי אָמַר: בָּשָׂר וָדָם מַכֶּה בְּאִיזְמֵל וּמְרַפֵּא בִּרְטִיָּה, אֲבָל הַקָּדוֹשׁ בָּרוּךְ הוּא בַּמֶּה שֶׁהוּא מַכֶּה הוּא מְרַפֵּא, שֶׁנֶּאֱמַר (ירמיה ל, יז) "כִּי אַעֲלֶה אֲרֻכָה לָךְ וּמִמַּכּוֹתַיִךְ אֶרְפָּאֵךְ":

פירוש מהרז"ו

(ה) אבסיריה. במוסף הערוך (ערך אכסוריא) פירש בלשון יוני גירוש ושילוח, ובעבור זה הובא כל דברי סימן זה לכאן: **קטפרס.** במוסף הערוך בלשון יוני מכות גדולות ועצומות: **קטריקי.** בערוך גורס קטדיגי פירושו בלשון יוני עונש, ועיין שמות רבה (ל, יא): **דונטיבא.** פירש בערוך שברכו במזונות, והמוסף הערוך פירש בלשון רומי מתנות שמחלק שר צבא וחילו בעת לאסף נגד אויביהם: **פרוקופי.** פירש בערוך ובמוסף הערוך כבוד וגדולה: **שאו את ראש בני ישראל.** ועיין (במדבר רבה א, א) גודל הכבוד בזה: **אנונס.** במוסף הערוך בלשון רומי מזון וסיפוק: **על ידי עצמו.** הוא העד הוא הבעל דין: **רבי ברכיה בשם רבי לוי.** בא לחתום בנחמה. ועיין שמות רבה (כו, ב):

מסורת המדרש

ה. במד"ר פ' ז':

אם למקרא

צַו אֶת בְּנֵי יִשְׂרָאֵל וִישַׁלְּחוּ מִן הַמַּחֲנֶה כָּל צָרוּעַ וְכָל זָב וְכֹל טָמֵא לָנָפֶשׁ: (במדבר ה:ב)

וְאִם בַּהֶרֶת לְבָנָה הִוא בְּעוֹר בְּשָׂרוֹ וְעָמֹק אֵין מַרְאֶהָ מִן הָעוֹר וּשְׂעָרָה לֹא־הָפַךְ לָבָן וְהִסְגִּיר הַכֹּהֵן אֶת־הַנֶּגַע שִׁבְעַת יָמִים: (לעיל יג:ד)

כָּל־יְמֵי אֲשֶׁר הַנֶּגַע בּוֹ יִטְמָא טָמֵא הוּא בָּדָד יֵשֵׁב מִחוּץ לַמַּחֲנֶה מוֹשָׁבוֹ: (לעיל שם מו)

אַרְבָּעִים יַכֶּנּוּ לֹא יֹסִיף פֶּן יֹסִיף לְהַכֹּתוֹ עַל אֵלֶּה מַכָּה רַבָּה וְנִקְלָה אָחִיךָ לְעֵינֶיךָ: (דברים כה:ג)

וְעָנְשׁוּ אֹתוֹ מֵאָה כֶסֶף וְנָתְנוּ לַאֲבִי הַנַּעֲרָה כִּי הוֹצִיא שֵׁם רָע עַל בְּתוּלַת יִשְׂרָאֵל וְלוֹ תִהְיֶה לְאִשָּׁה לֹא יוּכַל לְשַׁלְּחָהּ כָּל יָמָיו: (שם כב:יט)

וַיֹּאמֶר ה' אֶל מֹשֶׁה הִנְנִי מַמְטִיר לָכֶם לֶחֶם מִן הַשָּׁמָיִם וְיָצָא הָעָם וְלָקְטוּ דְּבַר יוֹם בְּיוֹמוֹ לְמַעַן אֲנַסֶּנּוּ הֲיֵלֵךְ בְּתוֹרָתִי אִם לֹא: (שמות טז:ד)

שְׂאוּ אֶת רֹאשׁ כָּל עֲדַת בְּנֵי יִשְׂרָאֵל לְמִשְׁפְּחֹתָם לְבֵית אֲבֹתָם בְּמִסְפַּר שֵׁמוֹת כָּל זָכָר לְגֻלְגְּלֹתָם: (במדבר א:ב)

זֶה הַדָּבָר אֲשֶׁר צִוָּה ה' לִקְטוּ מִמֶּנּוּ אִישׁ לְפִי אָכְלוֹ עֹמֶר לַגֻּלְגֹּלֶת מִסְפַּר נַפְשֹׁתֵיכֶם אִישׁ לַאֲשֶׁר בְּאָהֳלוֹ תִּקָּחוּ: (שמות טז:טז)

רְאוּ עַתָּה כִּי אֲנִי אֲנִי הוּא וְאֵין אֱלֹהִים עִמָּדִי אֲנִי אָמִית וַאֲחַיֶּה מָחַצְתִּי וַאֲנִי אֶרְפָּא וְאֵין מִיָּדִי מַצִּיל: (דברים לב:לט) כִּי אַעֲלֶה אֲרֻכָה לָךְ וּמִמַּכּוֹתַיִךְ אֶרְפָּאֵךְ נְאֻם ה' כִּי נִדָּחָה קָרְאוּ לָךְ צִיּוֹן הִיא דֹּרֵשׁ אֵין לָהּ: (ירמיה ל:יז)

מתנות כהונה

אבסירא. פירש הערוך [עיין מהרי"פ] בית הסוהר, ולפי הענין היה נראה לי לפרשו ענין טירוד וגירושין: **[ה] טירודא.** נטרד מבני אדם לישב בדד. ועוד יש לפרשו לשון הסגר, וכן פירש הערוך (ערך טרד) כי עלור עלר (בראשית כ, יח), תרגום יונתן [בערוך איתא תרגום ירושלמי] [מ]יטרד טריד: **קטפרס.** עונש ותוכחה: **קטירקי.** לפי הענין הוא קנס, וכן פירשו הערוך (ערך קטדיק): **דונטיבא.** פירש הערוך (ערך דנטיב) מנות פרס מזון מבית המלך: **פרוקופא.** פירש הערוך (ערך פרקופי) ענין כבוד: **אנונם.** פרנסה בקצבה כך פירש הערוך (ערך אנונה), וכל זה לקמן פרשת נשא:

אשד הנחלים

[ה] בשר ודם נותן כו'. כלומר תחלואים הנשלחים מלמעלה, המה כדמות עונשי העולם הזה הנעשה על ידי בן אדם דומה בדומה, וכן השכר כמוהו. אך זהו ההפרש שבשר ודם אי אפשר שממכה עצמה יהיה הרטיה, ולא כן אצלו יתברך, כי המכה עצמה היא הרפואה, הן להחזירו למוטב, שזהו הרפואה הנפשית, או שהמכה עצמה מרפא גופו נעלה מדרך הטבע:

באור מהרי"פ

[ה] אבסיריה. פירש הערוך בית הסוהר. אמר הכותב יגעתי לחפש ולא מצאתי בערוך, ובערך כסוריא מביא הערוך מדרש הלזה, ולא פירש כלום, ור' בנימין מוספייא, פירש כסוריא, פירוש בלשון יוני גירוש ושלוח חוץ לגבול עד כאן. אחר כך מצאתי במעריך שהביא מה שאמר מתנות כהונה בשם הערוך, וכותב גם כן לא ידעתי אנה פירש הערוך כן, ופירש גם כן בלשון יוני גירוש ושלוח, אך הוא מביא בערך אכסיריא: **קטפרס.** בלשון יוני מכות גדולות ועצומות, כך פירש ר' בנימין מוספייא: **מתנות כהונה ד"ה קטירקי וכו'. כך פירש הערוך.** לא מצאתי בערוך, ואחר כן מצאתי בערוך ערך קטדיקי ברביעית, ופירש, בלשון יוני עונש קטדיקי:

Chapter 19

וְאִשָּׁה כִּי יָזוּב זוֹב דָּמָהּ יָמִים רַבִּים בְּלֹא עֶת נִדָּתָהּ אוֹ כִי תָזוּב עַל נִדָּתָהּ כָּל יְמֵי זוֹב טֻמְאָתָהּ כִּימֵי נִדָּתָהּ תִּהְיֶה טְמֵאָה הִוא.
If a woman's blood flows for many days outside of her period of separation, or if she has a flow after her separation, all the days of her contaminated flow shall be like the days of her separation; she is tamei (15:25).

§1 וְאִשָּׁה כִּי יָזוּב זוֹב דָּמָהּ יָמִים רַבִּים וגו׳ — ***IF A WOMAN'S BLOOD FLOWS FOR MANY DAYS, ETC.***

The Midrash offers several expositions of a verse in *Song of Songs,* the last of which is relevant to the passage at hand:[1]

״זֶה שֶׁאָמַר הַכָּתוּב ״רֹאשׁוֹ כֶּתֶם פָּז וגו׳ — In regard to **that which the verse states, *His head is finest gold,*** *his locks are curly, black as the raven* (*Song of Songs* 5:11): ״רֹאשׁוֹ״ זוֹ תּוֹרָה — ***His head*** — **this is** an allusion to the **Torah,**[2] דִּכְתִיב ״ה׳ קָנָנִי רֵאשִׁית דַּרְכּוֹ״ — **for** concerning the Torah **it is written, *HASHEM made me as the beginning*** [רֵאשִׁית] ***of His way*** (*Proverbs* 8:22).[3] דְּאָמַר רַבִּי הוּנָא בְּשֵׁם רֵישׁ לָקִישׁ — Furthermore, **for Rav Huna said in the name of Reish Lakish:** שְׁנֵי אֲלָפִים שָׁנָה קָדְמָה תוֹרָה לִבְרִיאַת עוֹלָם — **The Torah preceded the creation of the world by two thousand years,**[4] שֶׁנֶּאֱמַר ״וָאֶהְיֶה אֶצְלוֹ אָמוֹן וגו׳ ״ — **as [Scripture] states,** ***I was then His nursling,*** *I was then His delight day after day* (ibid., v. 30),[5] וְיוֹמוֹ שֶׁל הַקָּדוֹשׁ בָּרוּךְ הוּא אֶלֶף שָׁנִים — **and a day of the Holy One, blessed is He, is** equal to **one thousand years,** שֶׁנֶּאֱמַר ״כִּי אֶלֶף שָׁנִים בְּעֵינֶיךָ וגו׳ ״ — **as [Scripture] states, *For a thousand years in Your eyes*** *are but a bygone yesterday* (*Psalms* 90:4).[6] ״כֶּתֶם פָּז״ אֵלּוּ דִּבְרֵי תוֹרָה — ***Is finest gold*** **— these are words of Torah,**[7] which are comparable to gold, שֶׁנֶּאֱמַר ״הַנֶּחֱמָדִים מִזָּהָב וּמִפַּז רָב״ — **as [Scripture] states, *They are more desirable than gold, even much fine gold*** (*Psalms* 19:11).[8]

A slightly different rendition of the phrase, רֹאשׁוֹ כֶּתֶם פָּז, *His head is finest gold*:

דְּבָרִים שֶׁנִּבְרְאוּ מִבְּרֵאשִׁית — **The words that were created at the beginning**[9] חֲרוּתִים בְּכֶתֶם פָּז — **are engraved into the finest gold.**[10]

The Midrash expounds the continuation of the verse from *Song of Songs*:

״קְוֻצּוֹתָיו תַּלְתַּלִּים״ — ***His locks are curly*** — זֶה הַסִּירְגּוּל — **this** alludes to **the scoring** of the Torah scroll;[11] ״שְׁחֹרוֹת כָּעוֹרֵב״ — ***black as the raven*** — אֵלּוּ — **this** refers to

NOTES

1. See *Yefeh To'ar.*

2. [The Book of *Song of Songs* is written in the form of an impassioned dialogue between a man and his beloved, allegorically representing God and Israel respectively. Since God is incorporeal, the references to His handsome head and hair cannot be understood in any literal sense; see *Imrei Yosher*.]

3. The Midrash understands רֹאשׁוֹ in the sense of רֵאשִׁית, *beginning* (*Eitz Yosef*). [The speaker in the verse is the Torah; see *Ibn Ezra* ad loc.]

4. Thus, even though there were other things that predated Creation (see *Pesachim* 54a), רֹאשׁוֹ refers to the Torah, since it is the most ancient (see *Yefeh To'ar*).

5. [Referring to the era before the existence of the world, see vv. 23-29 there. This verse too is expounded as if it is the Torah speaking.]

6. Since a "day of God" equals a millennium, the previously cited verse, which speaks of God delighting in the Torah "*day after day,*" i.e., two days, refers to a period of 2,000 years.

[R' Yitzchak Arama, in *Akeidas Yitzchak* (*Genesis,* Section 5), maintains that the Midrash does not mean that the Torah preceded the very beginning of creation by two millennia. Rather, by בְּרִיאַת עוֹלָם, "the creation of the world," the Midrash means the giving of the Torah at Sinai, for it was then that creation began to fulfill its true purpose. In similar fashion the Gemara in *Sanhedrin* 97a describes the first 2,000 years of the world's existence, before the giving of the Torah, as years of תֹּהוּ, *void,* for without the Torah the world remained the same formless void it had been at its very inception (see *Genesis* 1:2). Accordingly, the intent of the Midrash here is that although the Torah was not revealed in the world until approximately two millennia after the start of creation, in reality it had been in existence all along. For from the very beginning God had been laying the foundations and setting up the conditions for its future revelation and dissemination.]

7. That is, the study of the Torah. The previous allusion to the Torah contained in the word רֹאשׁוֹ, *His head,* could refer to the actual commandments of the Torah rather than its study (*Yefeh To'ar*). See below.

8. The pronoun *they* refers to words of Torah (see commentators ad loc.). It is the study of Torah that is described as *desirable,* since people generally enjoy the intellectual stimulation of Torah study, while the observance of the commandments may at times seem difficult and burdensome (*Yefeh To'ar*). See Insight Ⓐ.

9. I.e., the words of the Torah, which, as explained above, were created at the very beginning of existence (*Eitz Yosef*).

10. The Midrash is referring to the Ten Commandments, which were engraved into the Two Tablets. The Two Tablets are called כֶּתֶם פָּז, *finest gold,* because they were hewn from *sanphirinon,* a very precious stone; see 32 §2 below (*Eitz Yosef*).

11. Translation follows *Matnos Kehunah* and *Eitz Yosef.* I.e., the ruled lines that are scored into the parchment, which guide the writing of the lines of text, ensuring that they are straight, neat, and easy to read. "Curly locks" is an apt metaphor for this scoring and the effect it produces, for just as each curl must be arranged separately, so too, by means of the scoring the writing in a Torah scroll is neatly arranged into clearly defined and distinguished lines (*Eitz Yosef*).

[The extent to which a Torah scroll requires scoring is a subject of dispute. Many authorities require that the scoring be done for each line of the text and this appears to be the position of *Rashi*; see *Megillah* 16b s.v. כאמיתה. But according to *Rabbeinu Tam*, cited by *Tosafos, Gittin* 6b s.v. א״ר יצחק, and *Menachos* 32b s.v. הא, scoring is required only for the top line

INSIGHTS

Ⓐ The Joy of Torah Study The distinction between Torah study and the observance of the other commandments may be deeper than the simple fact that people tend to enjoy Torah study more. According to *Rabbeinu Avraham Min HaHar* (*Nedarim* 48a ד״ה ספרים), the intellectual pleasure that is derived from Torah study is an intrinsic part of the mitzvah. Regarding other commandments, if one took a vow forbidding upon himself the enjoyment of an object one would still be allowed to use that object to fulfill a commandment. For example, if one forbade upon himself the enjoyment of a *succah,* he would still be permitted to sit in the *succah* during Succos (*Nedarim* 16b). The reason for this, explains *Rabbeinu Avraham Min HaHar,* is that while he may enjoy sitting in the *succah,* that enjoyment is incidental; his primary reason for sitting in the *succah* is to fulfill God's decree. But the study of the Torah is different. If one made a vow not to derive pleasure from a Torah book, it is forbidden for him to read and study that book. The enjoyment derived from the study and knowledge of Torah is not distinct from the study itself, but is rather an essential part of the commandment. His vow forbidding pleasure derived from the book thus forbids him from fulfilling God's commandment through that book.

In a similar vein, *R' Avraham Borenstein,* the *Sochatchover Rebbe,* writes in the introduction to his work on the laws of the Sabbath, *Eglei Tal,* that the enjoyment of Torah study in no way detracts from its spiritual value. While for other commandments, to the extent that one enjoys what he is doing, the purity of his motive is sullied, for the study of Torah the opposite is true. When one truly enjoys his Torah study, he elevates it to highest level of לִשְׁמָהּ, something done for the sake of Heaven, for it is specifically through his enjoyment that his soul will cleave to the holy Torah.

פרשה יט

א [טו, כה] "וְאִשָּׁה כִּי יָזוּב זוֹב דָּמָהּ יָמִים רַבִּים וגו'", זֶה שֶׁאָמַר הַכָּתוּב (שיר השירים ה, יא) "רֹאשׁוֹ כֶּתֶם פָּז וגו'", "רֹאשׁוֹ" זוֹ תּוֹרָה, דִּכְתִיב (משלי ח, כב) "ה' קָנָנִי רֵאשִׁית דַּרְכּוֹ", דְּאָמַר רַבִּי הוּנָא בְּשֵׁם רֵישׁ לָקִישׁ: אשְׁנֵי אֲלָפִים שָׁנָה קָדְמָה תּוֹרָה לִבְרִיאַת עוֹלָם, שֶׁנֶּאֱמַר (שם שם ל) "וָאֶהְיֶה אֶצְלוֹ אָמוֹן וגו'", וְיוֹמוֹ שֶׁל הַקָּדוֹשׁ בָּרוּךְ הוּא אֶלֶף שָׁנִים, שֶׁנֶּאֱמַר (תהלים צ, ד) "כִּי אֶלֶף שָׁנִים בְּעֵינֶיךָ וגו'", "כֶּתֶם פָּז" אֵלּוּ דִּבְרֵי תוֹרָה, שֶׁנֶּאֱמַר (שם יט, יא) "הַנֶּחֱמָדִים מִזָּהָב וּמִפַּז רָב", דְּבָרִים שֶׁנִּבְרְאוּ מִבְּרֵאשִׁית חֲרוּתִים °מִכֶּתֶם פָּז, (שיר השירים שם שם) "קְוֻצּוֹתָיו תַּלְתַּלִּים" זֶה הַסִּירְגּוּל, (שם) "שְׁחֹרוֹת כָּעוֹרֵב" אֵלּוּ קוֹצֵי הָאוֹתִיּוֹת, דִּבְרֵי רַבִּי אֱלִיעֶזֶר, רַבִּי יְהוֹשֻׁעַ אוֹמֵר: תַּלְתַּלִּים בְּמִי הֵן מִתְקַיְּימוֹת, בְּמִי שֶׁמַּשְׁחִיר וּמַעֲרִיב בָּהֶן, אָמַר רַבִּי שְׁמוּאֵל בַּר אַמִּי: דִּבְרֵי תוֹרָה צְרִיכִין הַשְׁחָרָה וְהַעֲרָבָה, °שֶׁנֶּאֱמַר (איוב לח, מא) "מִי יָכִין לָעֹרֵב צֵידוֹ", לְמוֹד מֵאֵלִיָּהוּ, עַל יְדֵי שֶׁהִשְׁחִיר וְהֶעֱרִיב בַּתּוֹרָה, לֹא כְּבָר זִימַּנְתִּי לוֹ עוֹרְבִים, שֶׁנֶּאֱמַר (מלכים-א יז, ו) "וְהָעֹרְבִים מְבִאִים לוֹ לֶחֶם וּבָשָׂר וגו'",

פירוש מהרז"ו

(א) ראשו כתם פז. שיר פסוק זה (כ"ט ב') [פרשה ה פסוק יא], אות א], מדרש שמואל (פרק ה) כל הענין: **חרותים.** מלשון כתיבה, כמו שכתוב (שמות לב, טז) חרות על הלוחות, שהכתיבה עושה כתם שחור על הלבן: **זה הסרגול.** שורות שורות, כמו השטר המסולסל בשורות: **אמר רבי שמואל בר אמי.** כאן דברי רבי שמואל בר אמי כפולים ואינם מובנים, אך במדרש שמואל הגירסא מבוררת, והגירסא שם אמר רבי שמואל בר אמי דברי תורה צריכים השחרה והערבה, פרנסה מנין, מי יכין לעורב צידו, אמר רבי שמואל בר אמי תדע לך שהוא כן שהרי אליהו זכור לטוב וכו', כמו שכתוב כאן, אמר רבי אמי דברי תורה צריכין השחרה והערבה, פרנסה מנין מי יכין לעורב צידו, אם אין אדם נעשה אכזרי כעורב וכו' ומה שאמר פרנסה מנין, פירושו שמאחר שצריך להשכים ולהעריב בדברי תורה בלא הפסק, ומנין יתפרנס עם אשתו ובניו, ושניהם הביאו לדרוש הפסוק מי יכין לעורב צידו. והענין בזה על פי מדה י"ז, שכאן כתוב שחורות כעורב, ובאיוב (לח, מ) כתוב כי ישוחו במעונות ישבו בסוכה למו ארב מי יכין לעורב צידו כי ילדיו אל אל ישועו, ודורשים מה שנאמר כי ישוחו במעונות, על אותם שיושבים בבתי מדרשות ובאהלי תורה, וזהו ישבו בסוכה למו ארב, בחילוף הא' בע' ערב, ואם כן יקשה איך יתפרנסו, על זה אמר מי יכין לעורב צידו, ולמה דוקא לעורב, ודורש לעורב נוטריקון למוד מעורב, למוד ממי שנתפרנס על ידי עורב, היינו אליהו שנתפרנס על ידי עורב. ורבי אמי דורש לעורב כל"ל למוד מעורב עצמו שהוא אכזרי על בניו, וכמו שכתוב (שם לח, מא) כי ילדיו אל אל ישועו:

עץ יוסף

(א) זה שאמר הכתוב ראשו כתם פז כו'. משום דקשיא ליה אמאי לא נאמר פרשה זב וזבה כאחד, ובעי לאתויי דר' שמואל דקאמר שזה להורות שהן ערבות לפני ה' כדלקמן אהאי קרא, מייתי לה הכא, ולגב אורחיה דריש ביה תחלה כמה אנפי כדרך המדרש: **זו תורה.** ופירוש ראשו מה שהיה ראשית לו, והכינוי מורה על הפועל: **אצלו אמון וגו'.** שעשועים יום יום: **הנחמדים מזהב ומפז.** ואפילו הכי לא קשה דאמר הכא רק כתם פז, משום דבעי רמיז נמי למה שאמר שחרותים בכתם פז, ואי להכי, הוי ליה למימר בכתם פז, להכי כתיב כתם פז לפרש בו מכתם פז ובכתם פז, שפעמים תחסר הבי"ת כמו (בראשית מג, יח) אשר הובאו בית יוסף, ופעמים תחסר המ"ם כמו (שמות יט, יב) עלות בהר: **שנבראו מבראשית חרותים.** היינו הלוחות שהיו חרותים בו הדברות ונבראו מבראשית כדלעיל, ומכתם פז היו כמו שאמרו חכמינו ז"ל (שיר השירים רבה ה, יט) שהיו של סנפירינון: **קווצותיו תלתלים זה הסירגול.** פירוש הסירטוט. ורצה לומר שעל ידי הסירטוט אין השורות מבולבלות, כמו הקווצות שהן תלתלים פירוש עשויות קשורים כל אחת לעצמה ואין השערות מבולבלות: **שחורות בעורב אלו האותיות.** כן צריך לומר (יפה תואר). ופירושו אלו גוף האותיות שצריכות להיות כתובים בדיו שחור. ואתא לאשמועינן שהתורה צריכה להיות משורטט ושתהיה כתובה בדיו שחור. ויש גורסין שחורות כעורב זה הכתב, והר"ן בפרק שני דמגילה (ה, ב בדפי הרי"ף) סוף ד"ה והלכתא) גרס אלו השיטות, ועל כל פנים כוונה אחת לכל (אלו) ג' גירסות אלו. ודע שדעת רבינו תם שאינו צריך שירטוט רק בשיטה ראשונה, אבל הר"ן בפרק שני דמגילה הוכיח מכאן שכל השיטות צריכין שירטוט מדקאמר קווצותיו תלתלים זה הסירגול כל שיטה ושיטה שהן עשויות תלתלים: **במי הן מתקיימות.** לפי גירסא זו נראה דדרש תלתלים לשון קיום, מגזרת (יהושע יא, יג) עומדת על תילם, ומפרש קווצותיו על סתם דברי תורה. אמנם בחזית (שיר השירים רבה ה פסוק יא) גרסינן רבי עזריה אומר אפילו דברים שאתה רואה אותם קוצים בתורה תילים תילים הם, במי הן מתקיימות, שחורות כעורב, במי שהוא משכים ומעריב כו'. וקרוב שכן צריך לומר כאן והלשון קצרה. ודרש קווצותיו לשון קוצים, ותלתלים לשון תילי תילים, וכן אמרו בפרק שני דעירובין (כא, ב) קווצותיו תלתלים מלמד שיש לדרוש על כל קוץ וקוץ תילי תילים של הלכות. ופירוש הדבר שאפילו דברים שנראה לכאורה שהן שלא לצורך והן במדרגת הקוצים והברקנים שאין בהם צורך, והיינו קוצי האותיות וכדומה, יש בהם תילי תילים של חכמה והלכות. ומה שאמר במי הן מתקיימות, מלתא אחריתי הוא דדריש משחורות כעורב לחוד, ואשתא דברי תורה קאי: **שנאמר מי יכין לעורב כו'.** נראה דלריך לומר כדאיתא באגדת שמואל (פרק ה) אמר ר' שמואל בר אימי דברי תורה צריכין השחרה והערבה, פרנסה מנין, מי הכין לעורב צידו, תדע לך שהוא כן שהרי אליהו על ידי שהשחיר כו', וכן גרס כאן המעריך. ופירושו שהתורה אין מתקיימת אלא במי שעוסק בה יום ולילה ומשכים קודם אור היום ויושב גם בערב ועוסק בתורה, וכי תימא אם כן מנין יהיה לו פרנסה, על זה משנה מי יכין לעורב צידו הא גם העורב כשהוא קטן אין לו פרנסה שאביו ואמו מתאכזרים עליו, והקדוש ברוך הוא מזמין לו פרנסה כדלקמן בסימן זה, כך הקדוש ברוך הוא יזמין לך פרנסה. ומביא ראיה מאליהו שהזמין לו הקדוש ברוך הוא פרנסתו:

מתנות כהונה

[א] הסירגול. פירוש הסירטוט: **תלתלים.** תלי תלים של הלכות:

אשד הנחלים

[א] ראשו זו תורה. וכבר ידוע מהו מכונה בשם ראש, שהיא המדריגה העליונה שכולם נמשכים ונובעים ממנו, והיא התורה העליונה שהיא למעלה למעלה מן הכל, כמו שאמרו (בראשית רבה א, א) כי נסתכל הקב"ה וברא העולם: **שני אלפים.** הדבר הזה בארתי בבאורי על התנא דבי אליהו [עיין אליהו רבה פ"ב במאורי אש אות מו]: **דברים שנבראו.** אולי הכוונה על הלוחות שזהו מעשרה דברים שנבראו בין השמשות, הכתב והלוחות, והמה חרותים מכתם פז, כמו שאמרו (שיר השירים רבה ה, יד) שהלוחות של סנפרינון: **זה הסרגול כו' קוצי האותיות.** הדבר הזה ידוע בספרי חכמי האמת במדריגת הטנת"א, טעמים נגינות תיבות אותיות, וקוצי האותיות מרמזים לסוד יותר נשגב, כמו שכתבתי לעיל בסדר בראשית ועיין בהקדמתי פרק ח': **במי שמשחיר.** שקם תיכף בעלות השחר, ויושב בערב בעמל התורה, וזהו שחורות מלשון שחר, כעורב מלשון ערבית, והוא דרך אסמכתא וצחות: **עורבים.** וזהו שחורות, מי ששוחר אחרי דברי תורה הוא כעורב, כלומר גם עורב יכין צידו למענו:

מסורת המדרש

א. תנחומא סדר וישב סי' ד'. ספר הבהיר. תד"א ח"א פ' ב'. במדבר רבה פ"ה ופ' י"ד:

אם למקרא

רֹאשׁוֹ כֶּתֶם פָּז קְוֻצּוֹתָיו תַּלְתַּלִּים שְׁחֹרוֹת כָּעוֹרֵב: (שיר השירים ה:יא)

ה' קָנָנִי רֵאשִׁית דַּרְכּוֹ קֶדֶם מִפְעָלָיו מֵאָז: (משלי ח:כב)

וָאֶהְיֶה אֶצְלוֹ אָמוֹן וָאֶהְיֶה שַׁעֲשֻׁעִים יוֹם יוֹם מְשַׂחֶקֶת לְפָנָיו בְּכָל־עֵת: (שם שם ל)

אָחוֹר וָקֶדֶם צַרְתָּנִי וַתָּשֶׁת עָלַי כַּפֶּכָה: (תהלים קלט:ה)

כִּי אֶלֶף שָׁנִים בְּעֵינֶיךָ כְּיוֹם אֶתְמוֹל כִּי יַעֲבֹר וְאַשְׁמוּרָה בַלָּיְלָה: (שם צ:ד)

מִי יָכִין לָעֹרֵב צֵידוֹ כִּי יְלָדָיו אֶל־אֵל יְשַׁוֵּעוּ יִתְעוּ לִבְלִי־אֹכֶל: (איוב לח:מא)

וְהָעֹרְבִים מְבִאִים לוֹ לֶחֶם וּבָשָׂר בַּבֹּקֶר וְלֶחֶם וּבָשָׂר בָּעָרֶב וּמִן־הַנַּחַל יִשְׁתֶּה: (מלכים א יז:ו)

שינוי נוסחאות

(א) חרותים מכתם פז. בכל הספרים היה כתוב "בכתם פז" עד אמש"ד תפ"ה, וכן נכון. אמר רבי שמואל בר אמי: דברי תורה צריכין השחרה והערבה, שנאמר. עצ"י גורס במקום "שנאמר": "פרנסה מנין", והוא ממדרש שמואל, וכעין זה ביפ"ת, וכן הוא בכל הכי"י, וכן נ"ל כוונת מ"כ בהגהתו (ולא כמו שהבינו המדפיסים שהגהתו קאי להלן):

חידושי הרד"ל

[א] ב' אלפים שנה כו'. בראשית רבה (ח, ב): **אמון וגו' שעשועים יום יום ויומו של כו'.** כן צריך לומר: **שנבראו מבראשית חמודים מכתם פז.** כן הוא בילקוט שיר השירים שם: **קוצי האותיות רבי אליעזר ורבי יהושע במי הן מתקיימות כו'.** כן הוא הגירסא במדרש שמואל (פרשה ה), וכן הוא בערוך ערך קץ ג', ופירש שהיו דורשין כתרי אותיות, ולא לומר רבי אליעזר ורבי יהושע היו דורשין, לכן נקראו בשם קוצי אותיות של רבי אליעזר ורבי יהושע. ולגירסת הספרים פירוש, דרבי יהושע פליג על רבי אליעזר, ודרש קווצותיו תלתלים, במי הן מתקיימות (להיותן תלויין תמיד ומסודרים כתלתלים), במי שמשחיר ומעריב כו', (אבל אחר כל אדם הן כמו קוצין, נראין מעורבין וסבוכים יחד):

חידושי הרש"ש

[א] אמר ר' שמואל בר אמי דברי תורה כו' שנאמר מי יכין לעורב צידו. רצה לומר יכין על ידי עורבים צידו של אדם:

באור מהרי"פ

[א] חרותים בכתם פז. פירוש שהלוחות היו של אבן טוב: **שחורות בעורב אלו קוצי האותיות.** נראה דצריך לגרוס, קווצותיו תלתלים אלו קוצי האותיות שהם מלאים תילי תילים של הלכות, וקוצי האותיות נסמך על קווצותיו תלתלים, אבל (בשיר השירים רבה ה, ז) דורש שחורות כעורב אלו האותיות, ועיין שם כל הענין: **במי הן מתקיימות.** נראה שהוא דורש על מלת תלתלים שהן עומדות על תלם, לשון התקיימות:

אמרי יושר

[א] ראשו כתם פז. הרגישו כי זה מורה גשמיות, לכן פירשוהו על התורה:

קוֹצֵי הָאוֹתִיּוֹת — **the prongs of the** Torah's **letters;**[12] דִּבְרֵי רַבִּי אֱלִיעֶזֶר — these are **the words of R' Eliezer.** רַבִּי יְהוֹשֻׁעַ אוֹמֵר — **R' Yehoshua says:** תַּלְתַּלִּים — **Heaps upon heaps** of Torah laws,[13] בְּמִי הֵן מִתְקַיְּימוֹת — **with whom are they** properly **established?**[14] בְּמִי שֶׁמַּשְׁחִיר וּמַעֲרִיב בָּהֶן — **With one who begins at dawn** [שַׁחַר] **and stays through the** late **evening** [עֶרֶב], continuously involved **with them.**[15]

The Midrash elaborates on the above idea:

אָמַר רַבִּי שְׁמוּאֵל בַּר אַמִּי — **R' Shmuel bar Ami said:** דִּבְרֵי תוֹרָה צְרִיכִין הַשְׁחָרָה וְהַעֲרָבָה — **The words of Torah require** dedicated study, **beginning at dawn and staying** through **the late evening.**[16] פַּרְנָסָה מִנַּיִן — If so, **from where** will the scholar derive **a livelihood?** שֶׁנֶּאֱמַר "מִי יָכִין לָעֹרֵב צֵידוֹ" — **As [Scripture] states,** ***Who prepares nourishment for the raven?*** (*Job* 38:41), לְמוֹד מֵאֵלִיָּהוּ — meaning, one should **learn from** the ravens of **Elijah.**[17] עַל יְדֵי שֶׁהִשְׁחִיר וְהֶעֱרִיב בַּתּוֹרָה — **Because [Elijah]** was engaged **in** the study of **Torah, beginning at dawn and staying through the** late **evening,** לֹא כְּבָר זִימַּנְתִּי לוֹ עוֹרְבִים — **did I,** God, **not then designate ravens** to provide **for him?** שֶׁנֶּאֱמַר "וְהָעֹרְבִים מְבִאִים לוֹ לֶחֶם וּבָשָׂר וְגוֹ׳" — **As [Scripture] states,** ***And the ravens would bring him bread and meat*** *in the morning and bread and meat in the evening* (*I Kings* 17:6).[18]

NOTES

of each column. *Ran* (*Megillah* 5b s.v. והלכתא מזוזה) and other *Rishonim* argue that this Midrash supports the first opinion, for the implication of the Midrash is that each line is maintained as a separate, neat "lock" on account of the scoring. See *Eitz Yosef;* however, see *Tiferes Tzion.*]

12. That is, the *tagin*, the decorative "crowns" drawn on top of certain letters of the Torah; see *Radal. Eitz Yosef,* following *Yefeh To'ar,* emends the text (in accordance with the parallel passage in *Shir HaShirim Rabbah* to the verse from *Song of Songs* §1) to read אֵלּוּ הָאוֹתִיּוֹת, and in fact the body of the letters in a Torah scroll must themselves be black, not only the "crowns" (see *Megillah* 8b and *Rambam, Hil. Tefillin* 1:5). [It should be noted that the Gemara in *Niddah* 20a considers the black of the raven to be a lighter black than the black of ink. See *Beur Halachah* 32:3 s.v. יכתבם.]

13. Understanding תַּלְתַּלִּים as a contraction of תִּילֵי תִּילִים (*Matnos Kehunah;* see also *Eitz Yosef*); see *Eruvin* 21b.

14. I.e., who is it that becomes proficient in vast amounts of Torah law?

15. Interpreting שְׁחוֹרוֹת (*black*) in the sense of שַׁחַר, *dawn;* and עוֹרֵב (*raven*) in the sense of עֶרֶב, *evening.*

16. Precluding the possibility of any involvement in worldly pursuits.

17. In its context in *Job,* the verse is part of God's response to Job's accusation that He is indifferent to the suffering in the world. The Midrash, though, is expounding the verse as a response to the question posed above concerning the source of a livelihood for the dedicated scholar. See *Maharzu.*

18. When Elijah was in hiding from the idolatrous King Ahab. I.e., just as God arranged for ravens to provide nourishment for Elijah when he lacked any means of providing for himself, so too will God provide for the scholar who, due to his preoccupation with Torah study, is unable to provide for himself.

R' Shmuel bar Ami sees a double meaning in the reference to the עוֹרֵב in the verse from *Song of Songs.* On the one hand, he accepts R' Yehoshua's interpretation that one should continue with the study of Torah through late evening. But he also interprets עוֹרֵב literally as "raven," alluding to the ravens of Elijah. The verse is thus indicating that one who studies Torah with dedication will be provided for as Elijah had been (*Yefeh To'ar*).

פרשה יט

א [טו, כה] **"וְאִשָּׁה כִּי יָזוּב זוֹב דָּמָהּ יָמִים רַבִּים וְגוֹ'", זֶה שֶׁאָמַר הַכָּתוּב** (שיר השירים ה, יא) **"רֹאשׁוֹ כֶּתֶם פָּז וְגוֹ'", "רֹאשׁוֹ" זוֹ תּוֹרָה, דִּכְתִיב** (משלי ח, כב) **"ה' קָנָנִי רֵאשִׁית דַּרְכּוֹ", דְּאָמַר רַבִּי הוּנָא בְּשֵׁם רֵישׁ לָקִישׁ: אשְׁנֵי אֲלָפִים שָׁנָה קָדְמָה תוֹרָה לִבְרִיאַת עוֹלָם, שֶׁנֶּאֱמַר** (שם שם ל) **"וָאֶהְיֶה אֶצְלוֹ אָמוֹן וְגוֹ'", וְיוֹמוֹ שֶׁל הַקָּדוֹשׁ בָּרוּךְ הוּא אֶלֶף שָׁנִים, שֶׁנֶּאֱמַר** (תהלים צ, ד) **"כִּי אֶלֶף שָׁנִים בְּעֵינֶיךָ וְגוֹ'", "כֶּתֶם פָּז" אֵלּוּ דִּבְרֵי תוֹרָה, שֶׁנֶּאֱמַר** (שם יט, יא) **"הַנֶּחֱמָדִים מִזָּהָב וּמִפַּז רָב", דְּבָרִים שֶׁנִּבְרְאוּ מִבְּרֵאשִׁית חֲרוּתִים °מִכֶּתֶם פָּז,** (שיר השירים שם שם) **"קְוֻצּוֹתָיו תַּלְתַּלִּים" זֶה הַסִּירְגּוֹל,** (שם) **"שְׁחֹרוֹת כָּעוֹרֵב" אֵלּוּ קוֹצֵי הָאוֹתִיּוֹת, דִּבְרֵי רַבִּי אֱלִיעֶזֶר, רַבִּי יְהוֹשֻׁעַ אוֹמֵר: תַּלְתַּלִּים בְּמִי הֵן מִתְקַיְּמוֹת, בְּמִי שֶׁמַּשְׁחִיר וּמַעֲרִיב בָּהֶן, אָמַר רַבִּי שְׁמוּאֵל בַּר אַמִּי: דִּבְרֵי תוֹרָה צְרִיכִין הַשְׁחָרָה וְהַעֲרָבָה, °שֶׁנֶּאֱמַר** (איוב לח, מא) **"מִי יָכִין לָעֹרֵב צֵידוֹ", לָמוּד מֵאֵלִיָּהוּ, עַל יְדֵי שֶׁהִשְׁחִיר וְהֶעֱרִיב בַּתּוֹרָה, לֹא כְּבָר זִמַּנְתִּי לוֹ עוֹרְבִים, שֶׁנֶּאֱמַר** (מלכים-א יז, ו) **"וְהָעֹרְבִים מְבִאִים לוֹ לֶחֶם וּבָשָׂר וְגוֹ'",**

עץ יוסף

(א) זה שאמר הכתוב ראשו כתם פז כו'. משום דקשיא ליה אמאי לא נאמר פרשה זב וזבה כאחד, ובעי לאתויי הך דר' שמואל דקאמר שזה להורות שהן ערבות לפני ה' כדלקמן אהאי קרא, מייתי לה הכא, ואגב אורחיה דריש ביה תחלה כמה אנפי כדרך המדרש: **זו תורה.** ופירוש ראשו מה שהיה ראשית לו, והכינוי מורה על הפועל: **אצלו אמון וגו'.** שעשועים יום יום: **הנחמדים מזהב ומפז.** ואפילו הכי לא קשה דאמר הכא רק כתם פז, משום דבעי רמיז נמי למה שאמר שחרותים בכתם פז, ואי להכי, הוי ליה למימר בכתם פז, להכי כתיב כתם פז לפרש בו מכתם פז ובכתם פז, שפעמים תחסר הבי"ת כמו (בראשית מג, יח) אשר הובאו בית יוסף, ופעמים תחסר המ"ם כמו (שמות יט, יג) עלות בהר: **שנבראו מבראשית חרותים.** היינו הלוחות שהיו חרותים בו הדברות ונבראו מבראשית כדלעיל, ומכתם פז היו כמו שאמרו חכמינו ז"ל (שיר השירים רבה ה, יט) שהיו של סנפרינון: **קווצותיו תלתלים זה הסירגול.** פירוש השירטוט. ורצה לומר שעל ידי השירטוט אין השורות מבולבלות, כמו הקווצות שהן תלתלים פירוש עשויות קשורים כל אחת לעצמה ואין השערות מבולבלות: **שחורות כעורב אלו האותיות.** כן צריך לומר (יפה תואר). ופירושו אלו גוף האותיות שצריכות להיות כתובים בדיו שחור. ואתא לאשמועינן שהתורה צריכה להיות משורטט ושתהיה כתובה בדיו שחור. ויש גורסין שחורות כעורב זה הכתב, והר"ן בפרק שני דמגילה (ה, ב בדפי הרי"ף סוף ד"ה והלכתא) גרס אלו השיטות, ועל כל פנים כוונה אחת לכל (אלו) ג' גירסות אלו. ודע שדעת רבינו תם שאינו צריך שירטוט רק בשיטה ראשונה, אבל הר"ן בפרק שני דמגילה הוכיח מכאן שכל השיטות צריכין שירטוט מדקאמר קווצותיו תלתלים זה הסירגול, דהיינו סירגול כל שיטה ושיטה שהן עשויות תלתלים: **במי הן מתקיימות.** לפי גירסא זו נראה דדרש תלתלים לשון קיום, מגזרת (יהושע יא, יג) העומדת על תילם, ומפרש קווצותיו על סתם דברי תורה. אמנם בחזית (שיר השירים רבה ה על פסוק יא) גרסינן רבי עזריה אומר אפילו דברים שאתה רואה אותם קוצים בתורה תילים תילים הם, במי הן מתקיימות, שחורות כעורב, במי שהוא משכים ומעריב כו'. וקרוב שכן צריך לומר כאן והלשון קצרה. ודרש קווצותיו לשון קוצים, ותלתלים לשון תילי תילים, וכן אמרו בפרק שני דעירובין (כא, ב) קווצותיו תלתלים מלמד שיש לדרוש על כל קוץ וקוץ תילי תילים של הלכות. ופירוש הדבר שאפילו דברים שנראה לכאורה שהן שלא לצורך והן במדרגת הקוצים והדרקנים שאין בהם צורך, והיינו קוצי האותיות וכדומה, יש בהם תילי תילים של חכמה והלכות. ומה שאמר במי הן מתקיימות, מלתא אחריתי הוא דדריש משחורות כעורב לחוד, ואהסתם דברי תורה קאי: **שנאמר מי יכין לעורב כו'.** נראה דצריך לומר כדאיתא באגדת שמואל (פרק ה) אמר ר' שמואל בר אימי דברי תורה צריכין השחרה והערבה, פרנסה מנין, מי הכין לעורב צידו, תדע לך שהוא כן שהרי אליהו על ידי שהשחיר כו', וכן גרס כאן המעריך, ופירושו שהתורה אין מתקיימת אלא במי שעוסק בה יום ולילה ומשכים קודם אור היום ויושב גם בערב ועוסק בתורה, וכי תימא אם כן מנין יהיה לו פרנסה, על זה משנה מי יכין לעורב צידו הא גם העורב כשהוא קטן אין לו פרנסה שאביו ואמו מתאכזרים עליו, והקדוש ברוך הוא מזמין לו פרנסה כדלקמן בסימן זה, כך הקדוש ברוך הוא יזמין לך פרנסה. ומביא ראיה מאליהו שהזמין לו הקדוש ברוך הוא פרנסתו:

פירוש מהרז"ו

(א) ראשו כתם פז. שיר פסוק זה (כ"ט ב') [פרשה ה פסוק יא, אות א], מדרש שמואל (פרק ה) כל הענין: **חרותים.** מלשון כתיבה, כמו שכתוב (שמות לב, טז) חרות על הלוחות, שהכתיבה עושה כתם שחור על הלבן: **זה הסרגול.** שורות שורות, כמו השער המסולסל בשורות: **אמר רבי שמואל בר אמי.** כאן דברי רבי שמואל בר אמי כפולים ואינם מובנים, אך במדרש שמואל הגירסא מבוררת, והגירסא שם אמר רבי שמואל בר אמי דברי תורה צריכים השחרה והערבה, פרנסה מנין, מי יכין לעורב צידו, אמר רבי שמואל בר אמי תדע לך שהוא כן שהרי אליהו זכור לטוב וכו', כמו שכתוב כאן, אמר רבי אמי דברי תורה צריכין השחרה והערבה, פרנסה מנין מי יכין לעורב צידו, אם אין אדם נעשה אכזרי כעורב וכו' ומה שאמר פרנסה מנין, פירושו שמאחר שצריך להשכים ולהעריב בדברי תורה בלא הפסק, ומנין יתפרנס עם אשתו ובניו, ושניהם הביאו לדרוש הפסוק מי יכין לעורב צידו. והענין בזה על פי מדה י"ג, שכאן כתוב שחורות כעורב, ובאיוב (לח, מ) כתוב כי ישוחו במעונות ישבו בסוכה למו ארב מי יכין לעורב צידו כי ילדיו אל אל ישועו, ודורשים מה שנאמר כי ישוחו במעונות, על אותם שיושבים בבתי מדרשות ובאהלי תורה, וזהו ישבו בסוכה למו ארב, בחילוף הא' בע' ערב, ואם כן יקשה איך יתפרנסו, על זה אמר מי יכין לעורב צידו, ולמה דווקא לעורב, ודורש לעורב נוטריקון למוד מעורב, למוד ממי שנתפרנס על ידי עורב, היינו אליהו שנתפרנס על ידי עורב. ורבי אמי דורש לעורב כנ"ל למוד מעורב עצמו שהוא אכזרי על בניו, וכמו שכתוב (שם לח, מא) כי ילדיו אל אל ישועו:

חידושי הרד"ל

[א] ב' אלפים שנה כו'. בראשית רבה (ח, ב): **אמון וגו' שעשועים יום יום ויומו של כו'.** כן צריך לומר: **שנבראו מבראשית חמודים מכתם פז.** כן הוא בילקוט שיר השירים שם: **קוצי האותיות רבי אליעזר ורבי יהושע במי הן מתקיימות כו'.** כן הוא הגירסא במדרש שמואל (פרשה ה), וכן הוא בערוך ערך קץ ג', ופירש שהיו דורשין כתרי אותיות, רצה לומר רבי אליעזר ורבי יהושע היו דורשין, לכן נקראו בשם קוצי אותיות של רבי אליעזר ורבי יהושע. ולגירסת הספרים פירושו, דרבי יהושע פליג על רבי אליעזר, ודרש קווצותיו תלתלים, במי הן מתקיימות (היינו תלוין תמיד ומסודרים כתלתלים), במי שמשחיר ומעריב כו', (אבל אחר כל אדם הן כמו קוצין, נראין מעורבין ומסובכים יחד):

חידושי הרש"ש

[א] אמר ר' שמואל בר אמי דברי תורה כו' שנאמר מי יכין לעורב צידו. רצה לומר יכין על ידי עורבים לידו של אדם:

באור מהרי"פ

[א] חרותים בכתם פז. פירוש שהלוחות היו של אבן טוב: **שחורות כעורב אלו קוצי האותיות.** נראה דצריך לגרוס, קווצותיו תלתלים אלו קוצי האותיות שהם מלאים תילי תילים של הלכות, וקוצי האותיות נסמך על קווצותיו תלתלים, אבל (בשיר השירים רבה ה, ז) דורש שחורות כעורב אלו האותיות, ועיין שם כל הענין: **במי הן מתקיימות.** נראה שהוא דורש על מלת תלתלים שהן עומדות על תלם, לשון התקיימות:

אמרי יושר

[א] ראשו כתם פז. הרגישו כי זה מורה גשמית, לכן פירשוהו על התורה:

מסורת המדרש

א. תנחומא סדר וישב סי' ד'. ספר הבהיר. תד"א ח"א פ' ב'. במדבר רבה פ"ה ופ' י"ד:

אם למקרא

רֹאשׁוֹ כֶּתֶם פָּז קְוֻצּוֹתָיו תַּלְתַּלִּים שְׁחֹרוֹת כָּעוֹרֵב: (שיר השירים ה:יא)

ה' קָנָנִי רֵאשִׁית דַּרְכּוֹ קֶדֶם מִפְעָלָיו מֵאָז: (משלי ח:כב)

וָאֶהְיֶה אֶצְלוֹ אָמוֹן וָאֶהְיֶה שַׁעֲשֻׁעִים יוֹם יוֹם מְשַׂחֶקֶת לְפָנָיו בְּכָל־עֵת: (שם שם ל)

אָחוֹר וָקֶדֶם צַרְתָּנִי וַתָּשֶׁת עָלַי כַּפֶּכָה: (תהלים צ:ד)

כִּי אֶלֶף שָׁנִים בְּעֵינֶיךָ כְּיוֹם אֶתְמוֹל כִּי יַעֲבֹר וְאַשְׁמוּרָה בַלָּיְלָה: (שם יט:יא)

מִי יָכִין לָעֹרֵב צֵידוֹ כִּי יְלָדָו אֶל־אֵל יְשַׁוֵּעוּ יִתְעוּ לִבְלִי־אֹכֶל: (איוב לח:מא)

וְהָעֹרְבִים מְבִאִים לוֹ לֶחֶם וּבָשָׂר בַּבֹּקֶר וְלֶחֶם וּבָשָׂר בָּעָרֶב וּמִן־הַנַּחַל יִשְׁתֶּה: (מלכים א יז:ו)

שינוי נוסחאות

(א) חרותים מכתם פז. בכל הספרים היה כתוב "בכתם פז" עד אמש"ד תפ"ה, וכן נכון. **אמר רבי שמואל בר אמי: דברי תורה צריכין השחרה והערבה, שנאמר.** עצ"י גורס במקום "שנאמר": "פרנסה מנין", והוא ממדרש שמואל, וכעין זה ביפ"ת, וכן הוא בכל הכי"י, וכן נ"ל כוונת מ"כ בהגהתו (ולא כמו שהבינו המדפיסים שהגהתו קאי להלן).

מתנות כהונה

[א] הסירגול. פירוש השירטוט: **תלתלים.** תלי תלים של הלכות:

אשד הנחלים

[א] ראשו זו תורה. וכבר ידוע מהו מכונה בשם ראש, שהיא המדריגה העליונה שכולם נמשכים ונובעים ממנו, והיא התורה העליונה שהיא למעלה למעלה מן הכל, כמו שאמרו (בראשית רבה א, א) בי נסתכל הקב"ה וברא העולם: **שני אלפים.** הדבר הזה בארתי בבאורי על התנא דבי אליהו [עיין אליהו רבה פ"ב במאורי אש אות מן]: **דברים שנבראו.** אולי הכוונה על הלוחות שזהו מעשרה דברים שנבראו בין השמשות, הכתב והלוחות, והמה חרותים מכתם פז, כמו שאמרו (שיר השירים רבה ה, יד) שהלוחות של סנפרינון: **זה הסרגול כו' קוצי האותיות.** הדבר הזה ידוע בספרי חכמי האמת במדריגת הטנת"א, טעמים נגינות תיבות אותיות, וקוצי האותיות מרמזים לסוד יותר נשגב, כמו שכתבתי לעיל בסדר בראשית ועיין בהקדמתי פרק ח': **במי שמשחיר.** שקם תיכף בעלות השחר, ויושב בערב בעמל התורה, וזהו שחורות מלשון שחר, כעורב מלשון ערבית, והוא דרך אסמכתא וצחות: **עורבים.** וזהו שחורות, מי ששוחר אחרי דברי תורה הוא כעורב, כלומר גם עורב יכין צידו למענו:

מֵהֵיכָן הָיוּ מְבִיאִין לוֹ — **From where did [the ravens] bring** the food **to [Elijah]?** מִשּׁוּלְחָנוֹ שֶׁל יְהוֹשָׁפָט — **From the table of Jehoshaphat.**[19]

Another sage offers a somewhat different interpretation of these verses:

אָמַר רַבִּי אַמִּי — **R' Ami said:** דִּבְרֵי תוֹרָה צְרִיכִין הַשְׁחָרָה וְהַעֲרָבָה — The **words of Torah require** dedicated study, **beginning at dawn and staying** through **the late evening.** פַּרְנָסָה מִנַּיִן — If so, **from where** will the scholar derive **a livelihood?** "מִי יָכִין לָעֹרֵב צֵידוֹ" — The answer lies in the following verse, ***Who prepares nourishment for the raven,*** *when its young ones call out to God, helpless without food?* (*Job* 38:41).[20] כָּךְ אִם אֵין אָדָם נַעֲשָׂה אַכְזָרִי עַל גּוּפוֹ וְעַל בָּנָיו וְעַל בֵּיתוֹ כָּעוֹרֵב הַזֶּה — **So too, if a person does not become as cruel as a raven to his** own **person, his children, and his household,** אֵינוֹ זוֹכֶה לְדִבְרֵי תוֹרָה — **he will not merit to** attain the **words of Torah.**[21]

The Midrash presents an incident illustrating the means by which God provides for the young ravens:

רַבִּי אַסִּי הֲוָה עַסְקָן — **R' Assi was an experimenter.**[22] חֲמָא חַד עוֹרֵב עָבִיד קֵן — **He once saw a raven make a nest,** עָבִיד בֵּיעִין נַסְבִינוּן עָבִיד אֶפְרוֹחִין — **lay eggs, and produce hatchlings.** נַסְבִינוּן וְיַהֲבִינוּן בְּקִידְרָא חֲדַתָּא — **[R' Assi] took [the hatchlings], placed them in a new pot,** וְאַשַּׁע בְּאַפֵּיהוֹן ג׳ יוֹמִין — and **plastered** the pot closed **upon them for three days.**[23] בָּתַר תְּלָתָא יוֹמִין פָּתַח בְּאַפֵּיהוֹן — **After three days** had passed, **he undid the seal** that was **upon them,** לְמֵידַע מָה אִינוּן עָבְדִין — **to determine how they were faring.** אַשְׁכַּח יַתְהוֹן דְּעָבְדִין צוֹאָה — **He found that they had produced excrement,** וְצוֹאָה עָבְדָה יַתּוּשִׁין — **and the excrement** in turn **produced gnats,** וַהֲווּ פָּרְחִין לְעֵיל מִנְּהוֹן — **which were flying above [the hatchlings],** וְאָכְלִין לְהוֹן — **and [the hatchlings] were eating them.** קָרָא עֲלֵיהוֹן הָדֵין פְּסוּקָא — **He applied the following verse to [these ravens],** "מִי יָכִין לָעֹרֵב צֵידוֹ" — ***Who prepares nourishment for the raven,*** *when its young ones call out to God, helpless without food?*

The Midrash records a dispute regarding the time that is proper to devote to Torah study:

רַבִּי יוֹחָנָן וְרֵישׁ לָקִישׁ — **R' Yochanan and Reish Lakish** disagree. רַבִּי יוֹחָנָן אוֹמֵר — **R' Yochanan says:** אֵין רִנָּה שֶׁל תּוֹרָה אֶלָּא בַּלַּיְלָה — **The song of Torah is only at night,**[24] שֶׁנֶּאֱמַר "קוּמִי רֹנִּי בַלַּיְלָה" — **as [Scripture] states,** ***Arise, sing out at night*** (*Lamentations* 2:19).[25] רֵישׁ לָקִישׁ אָמַר: — **Reish Lakish says:**

NOTES

19. The righteous king of Judah, whose food was unquestionably kosher and fit for the prophet Elijah. It should be noted that, in contradistinction to this Midrash, the Gemara (*Chullin* 5a) states that the ravens brought meat to Elijah from the slaughterhouse of Ahab, but God gave Elijah a special dispensation, allowing him to eat whatever the ravens would bring him. Our Midrash disagrees, *Eitz Yosef* suggests, for if so the story of Elijah and the ravens would not provide reassurance to the righteous scholar who wishes to dedicate himself fully to Torah study.

20. As indicated by this verse, the raven does not provide for its young but rather leaves them *helpless without food* (*Maharzu;* see also *Eitz Yosef*).

21. That is, the would-be Torah scholar must be prepared to suffice with the bare minimum, for himself and for his family, as do the offspring of the raven (*Eitz Yosef;* see also *Maharzu*). For despite the cruelty of the raven father, the young clearly do find sustenance, as is implicit in the verse and as the Midrash will proceed to explain (see *Yefeh To'ar*).

Yefeh To'ar (based partially on *Shabbos* 151b) suggests that these two expositions correspond to the two ways in which God tends to the needs of those who study Torah exclusively. God may provide for the Torah scholar expansively and generously, in the same dignified manner with which He sent ravens to Elijah, who delivered bread and meat to him from the royal table. Or, He may provide him with only the barest minimum, by less than pleasant means, as He provides food for the raven young.

[The question of whether one should study Torah exclusively, relying upon Divine Providence for sustenance, or whether Torah study should be combined with the earning of a livelihood is in fact the subject of a dispute, recorded in *Berachos* 35b, between R' Yishmael and R' Shimon ben Yochai. R' Yishmael supports the latter position while R' Shimon ben Yochai advocates the former. The Gemara there concludes that R' Yishmael's method is correct for most people, while R' Shimon ben Yochai's approach is fit only for certain exalted individuals (see *Yefeh To'ar*).]

22. Translation follows *Matnos Kehunah, Eitz Yosef.* I.e., he performed experiments that tested the veracity of Scriptural statements concerning the natural world (*Yefeh To'ar, Maharzu*). *Tiferes Tzion* (based on his understanding of *Tosafos* to *Chullin* 57b s.v. איזיל) explains that R' Assi obviously did not doubt the truth of Scriptural statements, and certainly did not need personal experimentation to corroborate them! Rather, he wanted to strengthen the faith of others, by demonstrating to them the veracity of Scripture.

23. To ascertain that it is God Who provides for the hatchling ravens. So as not to compromise the integrity of the experiment, R' Assi did not place the hatchlings in a used pot, which might contain some form of a food residue upon which the birds could subsist (*Eitz Yosef,* from *Matnos Kehunah* and *Yefeh To'ar*). Likewise, he closed the pot to preclude the possibility of any insects, which could be eaten by the hatchlings, entering from the outside (*Maharzu*). [Our translation of קִידְרָא as "pot" follows *Matnos Kehunah* and *Eitz Yosef;* see *Yedei Moshe* for an alternative understanding.]

24. One's main involvement in Torah study should occur at night, when one is free from other distractions and can engage in intense study. However, R' Yochanan agrees that one should also designate some time for Torah study during the day, as is in fact indicated by the verse Reish Lakish cites below (*Yefeh To'ar;* see also *Eitz Yosef*).

25. The study of the Torah is described as singing, as in the verse, חָכְמוֹת בַּחוּץ תָּרֹנָּה, *Wisdom sings out in the street* (*Proverbs* 1:20) [*Eitz Yosef, Maharzu*]; see also the Aramaic *Targum* of *Lamentations* on this verse. [See Insight Ⓐ for a discussion as to why "song" is a particularly apt description for nocturnal Torah study.]

INSIGHTS

Ⓐ The Joyous Song of Nighttime Study Our Midrash explains that the verse, קוּמִי רֹנִּי בַלַּיְלָה, *Arise, sing out at night* (*Lamentations* 2:19), refers to the joyous song of Torah study, a description that applies most aptly to Torah studied at night. What is this special quality of Torah study that is referred to as a "joyous song," and why does it specifically describe nighttime Torah study?

Meshech Chochmah (on *Leviticus* 3:2) explains that nocturnal study in this case does not refer merely to a specific *time,* but to a special *quality* of Torah study. A person can be engaged in Torah learning for various reasons. Some may hope to become a rabbi; others to gain the commendations of their peers. There is no sin in learning Torah for personal reasons, and such study is often a stepping stone to a purer level of learning (see *Pesachim* 50b). However, this learning certainly does not exemplify total devotion to the pursuit of Torah study. In the imagery of our Midrash, this can be described as "daytime" Torah study. One "studies by day" because then conditions are easiest, and because others can see his scholarship. One who is concerned with his reputation is not likely to learn in the solitude of night; one motivated by a far-off, external goal can find it difficult to sustain his study when the light is low and the day is done.

This is in contrast to Torah study that is done solely for the purpose of being thoroughly engaged for the present moment in the study of God's wisdom. The motivation for this learning is found only in the strong connection to the Divine that Torah study provides, and the satisfaction is in the sweetness of the words of Torah themselves. This is best illustrated by one who studies at night. One who is drawn to the Torah for these elevated purposes will be undaunted by the difficult conditions of the dark and the cold, and will do so even in the loneliness of night, when no one is there to take note.

That is why the quality of רִנָּה, *joyous song,* attaches most to those

מֵהֵיכָן הָיוּ מְבִיאִין לוֹ, מִשּׁוּלְחָנוֹ שֶׁל יְהוֹשָׁפָט, אָמַר רַבִּי °שְׁמוּאֵל בַּר° אַמִּי: דִּבְרֵי תוֹרָה צְרִיכִין הַשְׁחָרָה וְהַעֲרָבָה, °בְּפַרְנָסָה מִנַּיִן, "מִי יָכִין לָעֹרֵב צֵידוֹ", כָּךְ אִם אֵין אָדָם נַעֲשָׂה אַכְזָרִי עַל גּוּפוֹ וְעַל בָּנָיו וְעַל בֵּיתוֹ כָּעוֹרֵב הַזֶּה, אֵינוֹ זוֹכֶה לְדִבְרֵי תוֹרָה, רַבִּי אַסִּי הֲוָה עַסְקָן, חֲמָא חַד עוֹרֵב עָבֵיד קֵן עָבֵיד בֵּיעִין עָבֵיד אֶפְרוֹחִין, נַסְבִינוּן וִיַהֲבִינוּן בְּקִידְרָא חֲדַתָּא וַאֲשַׁע בְּאַפֵּיהוֹן ג' יוֹמִין, בָּתַר תְּלָתָא יוֹמִין פָּתַח בְּאַפֵּיהוֹן לְמֵידַע מָה אִינוּן עָבְדִין, אַשְׁכַּח יַתְהוֹן דְּעָבְדִין צוֹאָה וְצוֹאָה עָבְדָה יַתּוּשִׁין, וַהֲווּ פָּרְחִין לְעֵיל מִנְּהוֹן וְאָכְלִין לְהוֹן, קָרָא עֲלֵיהוֹן הָדֵין פְּסוּקָא: "מִי יָכִין לָעֹרֵב צֵידוֹ", רַבִּי יוֹחָנָן וְרֵישׁ לָקִישׁ, רַבִּי יוֹחָנָן אוֹמֵר: אֵין רִנָּה שֶׁל תּוֹרָה אֶלָּא בַּלַּיְלָה, שֶׁנֶּאֱמַר (איכה ב, יט) "קוּמִי רֹנִּי בַלַּיְלָה", [ב]רֵישׁ לָקִישׁ אָמַר: בַּיּוֹם וּבַלַּיְלָה, שֶׁנֶּאֱמַר (יהושע א, ח) "וְהָגִיתָ בּוֹ יוֹמָם וָלַיְלָה", רֵישׁ לָקִישׁ הֲוָה פָּשִׁיט קְרָאֵי, וְכַד הֲוָה מָטֵי בְּאִילֵּין קְרָאֵי, (משלי לא, טו) "וַתָּקָם בְּעוֹד לַיְלָה", (איכה שם שם) "קוּמִי רֹנִּי בַלַּיְלָה", הָיָה אוֹמֵר: יָפֶה לִמְּדָנִי רַבִּי יוֹחָנָן, חָזַר וְאָמַר: לֵית אַתּוּן חָמְיָן אוּלְפָּנִי מַה נְּהִיר בְּאַפִּי, וְלָמָּה, דַּהֲוָה דְּלֵילֵי וְדִימָמָא:

משולחנו של יהושפט. שהיה בשר טהור, ולא כדאמר בפרק קמא דחולין (ה, א) שהיו מביאין לו מבי טבחא דאחאב שהיה מומר לעבודה זרה, וגם תירצו על פי הדבור שאני, ומדרשינו לא סבירא ליה הכי דאם כן יקשה מה הבטחון הזה אשר בטח שיזדמן לו פרנסתו כאליהו מאחר שהוצרך לאכול דבר טמא על ידי דחקו, לכן אמר דמיהושפט הוה: **אמר ר' שמואל בר אמי.** לפי גירסא זו צריך לומר שרבי שמואל בר אמי אמר שתי דברים, אבל באגדת שמואל איתא אמר ר' אמי דברי תורה כו' שלפי דרש זה הכי קאמר פרנסה מנין, ואמר מי יכין לעורב צידו, רצה לומר שיתאכזר על גופו ועל בניו ובנותיו ויסתפק במועט כמו העורב שהוא אכזר על בניו והם מתפרנסים כדאמרינן בפרק קמא דבבא בתרא (ח, א) פרנסני כעורב וככלב, ועיין שם ברש"י, ועיין בעירובין פרק שני (כב, א): **בעורב הזה.** מפרש בתנחומא (עקב סימן ב) שעורב מוליד לבניו לבנים, ואומר הזכר לנקבה עוף אחר בא עליך, ומואסים אותם ומניחים אותם, מה הקדוש ברוך הוא עושה מביא מלוחה שלהם יתושים ופורחים עליהם ואוכלים, והיינו דרב אסי בסמוך: **ר' אסי הוה עסקן.** בעל עסק לדרוש ולחקור ולנסות כל מה שהיה יכול לנסותו, ורצה לנסות זה שאמר הכתוב מי יכין לעורב צידו שהקדוש ברוך הוא מפרנס ילדיו בזולת אבותיהם שלא כשאר בעלי חיים: **חמא כו'.** ראה עורב אחד שעשה ביצים וישב עליהם עד שנעשו אפרוחים: **נסבינן כו'.** לקח את האפרוחים ונתן אותם בקדרה חדשה שלא נדבק בו מאומה מן האוכל (מתנות כהונה), שאילו היתה ישנה אפשר שיזונו קצת מריח המאכל הנבלע בתוכה, או שיהיה פולט ממנה קצת (יפה תואר): **ואשע.** הטיח בפניהם פני קדרה בטיט: **פתח באפיהון כו'.** פירוש פתח בפניהם לידע מה הם עושים, ומצא אותם שעשו צואה ומתוכו צואה נעשו יתושים והיו היתושים פורחים למעלה מהם והיו אוכלים אותם: **רבי יוחנן וריש לקיש.** משום שזה שדרש לעיל שמשכים ומעריב אתיא כריש לקיש דיום ולילה שוים לעיון התורה מייתי הכא פלוגתייהו: **אין רינה של תורה.** פירוש שעיקר למודה בלילה שבני אדם פנוים, ומפרש והגית בו יומם ולילה מצות קביעות הלימוד, אבל עיקרו בלילה שפנוי לעיין בה, ועיקר הלימוד קרי רינה על דרך חכמות בחוץ תרונה (משלי א, כ) שהוא ענין הפרסום הנשמה מידיעתה. ובחזית (שיר השירים רבה ה, על פסוק יא) גרסינן גרנה של תורה, והכי איתא בסמ"ג (עשין יב): **הוה פשיט קראי.** היה עוסק בפשוטי המקרא וחוזר עליהם [ועיין סוף פרשת כי תשא] וכשהיה מגיע לאותן פסוקים כו' **היה אומר יפה למדני רבי יוחנן** דעיקר העיון הוא בלילה שבזה גם אני מודה לו, אלא שבזה שהוא סבירא ליה דאין מקום עיון כלל ביום אני חולק עליו וסבירא לי דאפילו ביום הוא זמן עיון קצת כדכתיב והגית בו יומם ולילה דמשמע לי לשון עיון ודקדוק כמו והגיון לבי, ולכן בעי לאזדהורי נמי בעיון היום. ומביא ראיה לדבריו **ואמר לית אתון חמין כו'** אין אתם רואים לימודי כמה היא מאיר בפני, מפני שהוא מן הלילה ומן היום רצה לומר שעסקתי בתורה ביום גם כן, משום דלא סגי בלילות לבד, אלא גם עיון היום מסייע: **נהיר באפי.** על דרך (קהלת ח, א) חכמת אדם תאיר פניו, ועיין בשיר השירים רבה (שם):

רבי אסי הוה עוסקן. עוסק לידע מה שנכתב בתורה על פי בחינת עצמו בדברים, שהיה מנסה, ועיין לקמן (כב, א) רבי שמעון הוה עסקן בדברים, ושייך כאן למה שכתוב (איוב לח, מא) מי יכין לעורב צידו כי ילדיו אל אל ישועו, שמזמין להם צידה שלא כדרך שיעור הברואים, שמלקטים בארץ: **בקדרה חדתא.** שאין שם שיורי אוכלים, וסתם פה הקדרה שלא יפלו שם זבובים ויתושים ונמלים: **רבי יוחנן וריש לקיש.** עיין שמות רבה (מז, ה) בשינוי גדול, וכמו שכתוב כאן כן הוא במדרש שמואל שם, וגם בשיר השירים רבה שם בשינוי, עיין שם: **ותקם בעוד לילה.** בפרשת אשת חיל, שנדרש על נשמת החכם והצדיק, שהוא קם בלילה לעסוק בתורה, ופסוק (איכה ב, יט) קומי רוני בלילה, על פי הדרש ומדה י"ז, במשלי (ח, א) הלא חכמה תקרא וגו', מבא פתחים תרונה (שם ג), וכן חכמות בחוץ תרונה (שם כ), ועל זה אמר קומי רוני בלילה:

מתנות כהונה

הכי גרסינן השחרה והערבה בפרנסה מניין. פירוש מניין שצריך להרעיב ולסגף עצמו בחיי צער כדי שיתעסק בתורה. ועיין ענין זה במס' עירובין (כב, א) וגם נתיישב יותר. ועיין בילקוט (תתקכ"ו), ובמדרש חזית, וכל הענין במדרש שמואל (פרשה ה): **עסקן.** בעל עסק לדרוש ולחקור ולנסות כל מה שהיה יכול לנסותו: **חמא כו'.** ראה עורב אחד שעשה ביצים, וישב עליהם עד שעשאם אפרוחים: **נסבינן.** לקח את האפרוחים ונתן אותם בקדרה חדשה, שלא נדבק בו מאומה מן האוכל: **ואשע.** הטיח בפניהם פני קדרה בטיט: **פתח באפיהן כו'.** פירוש פתח בפניהם לידע מה הם עושים, ומצא אותם שעשו צואה ומתוכו צואה נעשו יתושים והיו היתושים פורחים למעלה מהם והיו אוכלים אותם: **הוה פשיט כו'.** היה עוסק בפשוטי המקרא וחוזר עליהם. ועיין סוף פרשת כי תשא (מז, ה), וכשהיה מגיע לאותן פסוקים כו': **ותקם בעוד לילה.** המשל על האדם להיות זריז וזהיר לעשות לעולם הבא: **הכי גרסינן למדני רבי יוחנן חזר ואמר כו'.** וכן הוא בילקוט משלי ובמדרש שמואל (פרשה ה): **לית אתון חמין כו'.** אין אתם רואים לימודי כמה הוא מאיר בפני, למה שהוא מן הלילה ויום, שעסק בתורה ביום ולילה כדאמרינן לעיל:

אשד הנחלים

נעשה אכזרי. שכל כך אוהב התורה עד שאינו מביט על צרכי גופו ובניו: **בפרנסה.** פירש המתנות כהונה לסגף עצמו בחיי צער. ואולי הגירסא הנכונה כפרנסה, וכלומר כמו שאנו רואים שהפרנסה אי אפשר להשיג כי אם בעמל, ובודאי כמו כן בתורה: **עבדין יתושין כו' צידו.** כי הצייד הוא מעצמו, וזהו צידו של עצמו: **אלא בלילה כו' ביום ובלילה.** יש להבין באיזה דיעה קמפלגי. ואולי דעת ר' יוחנן שיפה תלמוד תורה עם דרך ארץ, וכמו שאמרו בקדושין (פב, א) לעולם ילמד אדם את בנו אומנות. ודעת ריש לקיש כדעת ר' ינאי [נהוראי] שם, שאמר מניח אני את כל אומניות ואיני מלמד את בני אלא תורה, והעיקר להגות בה תמיד, כי אז תאיר לו פנים בהשגה ברורה. והביא המאמר לכאן מפני שאמר לעיל במי שמשחיר ומעריב כו': **יפה למדני.** רצה לומר שמצד היושר המדיני הוא ככה, כי אי אפשר לכל בני אדם שיהגו תמיד בתורה, ולא יעסקו בעסק הזמן, אבל חזר ואמר על עצמו שבאמת אי אפשר לידיעה אמיתית בתורה, כי אם אחר ההגיון בה תמיד:

חידושי הרד"ל

השחרה והערבה בפרנסה מנין מי הכין לעורב צידו אמר רבי שמואל בר אמי תדע לך שהוא כן שהרי אליהו כו' של יהושפט אמר רבי אמי דברי תורה צריכין כו' פרנסה מניין כו'. כן הוא במדרש שמואל (שם), וכן צריך לומר: **רבי יוחנן (קי"ל) [וריש לקיש] כו' בלילה.** שמות רבה (מז, ה), עיין שם:

באור מהרי"פ

מתנות כהונה ד"ה בפרנסה מנין. שצריך להרעיב ולסגף עצמו וכו'. והוא פירוש זר, אלא פירושו פרנסה מנין, פירוש אם תאמר אם אעסוק בתורה יומם ולילה, פרנסתי מאין תבוא, על זה אמר למוד מאליהו:

ליקוטים

[א] **השחרה והערבה פרנסה מנין וכו'.** המתנות כהונה פירש מנין שצריך להרעיב ולסגף עצמו. ופירושו שבוש, כי לדבריו הספר שואל ואינו משיב. אלא פירושו, לפי שאמר שכל היום או רובו צריך לתורה, לכן שואל א"כ פרנסתו מאין תבוא לו, ומשני יבטח בה' וישען באלוהיו (מעריך ערך תורה):

אמרי יושר

פרנסה מניין מי יכין לעורב צידו. זהו שחורות, צריך להשחיר ולהעריב עליהן, והפרנסה שלך היה כעורב שהכינו לאליהו הפרנסה, כך יזמין לך הקדוש ברוך הוא:

מסורת המדרש

ב. עירובין דף ס"ה ע"א ע"ש:

אם למקרא

קוּמִי רֹנִּי בַלַּיְלָה לְרֹאשׁ אַשְׁמֻרוֹת שִׁפְכִי כַמַּיִם לִבֵּךְ נֹכַח פְּנֵי אֲדֹנָי שְׂאִי אֵלָיו כַּפַּיִךְ עַל־נֶפֶשׁ עוֹלָלַיִךְ הָעֲטוּפִים בְּרָעָב בְּרֹאשׁ כָּל־חוּצוֹת: (איכה ב:יט)

לֹא־יָמוּשׁ סֵפֶר הַתּוֹרָה הַזֶּה מִפִּיךָ וְהָגִיתָ בּוֹ יוֹמָם וָלַיְלָה לְמַעַן תִּשְׁמֹר לַעֲשׂוֹת כְּכָל־הַכָּתוּב בּוֹ כִּי־אָז תַּצְלִיחַ אֶת־דְּרָכֶךָ וְאָז תַּשְׂכִּיל: (יהושע א:ח)

וַתָּקָם בְּעוֹד לַיְלָה וַתִּתֵּן טֶרֶף לְבֵיתָהּ וְחֹק לְנַעֲרֹתֶיהָ: (משלי לא:טו)

ידי משה

[א] **צריכין השחרה והערבה פרנסה מנין.** כן הוא הגירסא בירושלמי, פירוש אם ילמוד תמיד מהיכן יהי לו פרנסה לזה אמר למוד מאליהו. ואחר כך גרסינן מי יכין לעורב צידו אם אין אדם נעשה אכזרי וכו': **בקידרא חדתא.** עיין פירוש מתנות כהונה. ולי נראה בקידרא פירושו בחור, שמקום קן העופות הוא בנקבת הסלעים. וקידרא הוא פירושו נקב, כמו שאמרו חכמינו ז"ל (עירובין נה, ב) מקדרין בהרים, ומה שלא שם אותן בקן חדשה, כדי שלא תדע אמם מקומן. וקל להבין:

שינוי נוסחאות

משולחנו של יהושפט, אמר רבי שמואל בר אמי. מהרז"ו ועצ"י מחקו "שמואל בר" ע"פ מדרש שמואל. בפרנסה מנין. צ"ל "פרנסה מנין", כ"כ מהרז"ו ועצ"י, וכן היה כבר בספרים הישנים, אלא שהגיהו (בקראקא ומשם העתיקו כולם) ע"פ מ"כ, ונ"ל שטעו בכוונת מ"כ, ע' לעיל.

בַּיּוֹם וּבַלַּיְלָה — It is both **by day and by night,** שֶׁנֶּאֱמַר "וְהָגִיתָ בּוֹ יוֹמָם וָלַיְלָה" — **as [Scripture] states,** *This Book of the Torah shall not depart from your mouth;* ***rather, you should contemplate it day and night*** (*Joshua* 1:8).[26] רֵישׁ לָקִישׁ הֲוָה פָּשֵׁיט קְרָאֵי — **Reish Lakish would explain Scriptural verses,** וְכַד הֲוָה מָטֵי בְּאִילֵּין קְרָאֵי — **and when he would come to the following verses,** "וַתָּקָם בְּעוֹד לַיְלָה" — ***She arises while it is still night*** (*Proverbs* 31:15),[27] "קוּמִי רֹנִּי בַלַּיְלָה" — and, ***Arise, sing out at night,*** הֲוָה אוֹמֵר: יָפֶה לִמְּדַנִי רַבִּי יוֹחָנָן — **he would say, "R' Yochanan has taught me properly!"**[28] חָזַר וְאָמַר — **He** considered the matter and **then said:** לֵית אַתּוּן חָמְיִן אוּלְפָּנִי מַה נְּהִיר בְּאַפִּי — **"Do you not see how my** Torah **learning shines on my face?**[29] וְלָמָּה — **And why** is my face so radiant? דַּהֲוָה דְלֵילֵי וְדִימָמָא — **Because [my Torah study] was** both **of the night and the day."**[30]

NOTES

26. Implying, according to Reish Lakish, that the obligation to study Torah applies equally by day and by night. However, see note 24 above. *Eitz Yosef* notes that the previous expositions that advocate the study of Torah from early morning till late evening accord with the position of Reish Lakish that the obligation of Torah study applies equally by day and by night. He suggests that this is in fact the reason that the Midrash quotes this dispute here.

27. The Sages interpret this verse as referring to the righteous Torah scholar (*Maharzu*).

28. I.e., Reish Lakish conceded to R' Yochanan that the primary time for intense Torah study is the night, as indicated by these verses (*Eitz Yosef*). Nevertheless, as the Midrash proceeds to explain, Reish Lakish did not abandon his previously stated position.

29. As per the verse, חָכְמַת אָדָם תָּאִיר פָּנָיו, *a man's wisdom lights up his face* (*Ecclesiastes* 8:1) [*Eitz Yosef*].

30. For while he accepted the primacy of nocturnal Torah study, Reish Lakish still maintained that the verse, וְהָגִיתָ בּוֹ יוֹמָם וָלַיְלָה, *rather you should contemplate it day and night,* indicates that to some extent one is also required to engage in intense Torah study by day (*Eitz Yosef*).

INSIGHTS

who engage in this elevated, "nighttime" Torah study. In the metaphor of *Psalms* (126:5), *Those who sow with tears, in joyous song shall they reap*. In tilling the ground and sowing the seeds for next season's crop there are only the tears of toil. It is only after the long wait, when the crop finally grows, that one experiences joyous song, with the arrival of his bountiful harvest. So it is with all endeavors that take time to yield results: the "joyous song" arrives only later when the goal is realized; until that point there are only the "tears" of exertion and anxiety.

Studying Torah to achieve a coveted position or a level of prestige, "daytime study," is akin to "sowing with tears": the exertion of study is as removed from the desired goal as the sowing of seeds is from the harvest. Not so one who studies Torah "at night," who studies for no other reason but to be engaged in the holy endeavor of learning Torah. For him, the goal is realized at the same time that he invests his energies to accomplish it. In effect, he sows and reaps simultaneously, basking in the light of the Torah that he is studying at that moment. One who studies Torah "at night" passes over the "tears" of sowing, directly to the "joyous song" of harvest.

מֵהֵיכָן הָיוּ מְבִיאִין לוֹ, מִשּׁוּלְחָנוֹ שֶׁל יְהוֹשָׁפָט, אָמַר רַבִּי °שְׁמוּאֵל בַּר° אַמִּי: דִּבְרֵי תוֹרָה צְרִיכִין הַשְׁחָרָה וְהַעֲרָבָה, °בְּפַרְנָסָה מִנַּיִן, "מִי יָכִין לָעֹרֵב צֵידוֹ", כָּךְ אִם אֵין אָדָם נַעֲשָׂה אַכְזָרִי עַל גּוּפוֹ וְעַל בָּנָיו וְעַל בֵּיתוֹ כָּעוֹרֵב הַזֶּה, אֵינוֹ זוֹכֶה לְדִבְרֵי תוֹרָה, רַבִּי אַסִּי הֲוָה עַסְקָן, חֲמָא חַד עוֹרֵב עָבֵיד קֵן עָבֵיד בֵּיעִין עָבֵיד אֶפְרוֹחִין, נַסְבִינוּן וְיַהֲבִינוּן בְּקִידְרָא חֲדַתָּא וַאֲשַׁע בְּאַפֵּיהוֹן ג' יוֹמִין, בָּתַר תְּלָתָא יוֹמִין פָּתַח בְּאַפֵּיהוֹן לְמֵידַע מָה אִינּוּן עָבְדִין, אַשְׁכַּח יַתְהוֹן דְּעָבְדִין צוֹאָה וְצוֹאָה עָבְדָה יַתּוּשִׁין, וַהֲווֹ פָּרְחִין לְעֵיל מִנְּהוֹן וְאָכְלִין לְהוֹן, קָרָא עֲלֵיהוֹן הָדֵין פְּסוּקָא: "מִי יָכִין לָעֹרֵב צֵידוֹ", רַבִּי יוֹחָנָן וְרֵישׁ לָקִישׁ, רַבִּי יוֹחָנָן אוֹמֵר: אֵין רִנָּה שֶׁל תּוֹרָה אֶלָּא בַּלַּיְלָה, שֶׁנֶּאֱמַר (איכה ב, יט) "קוּמִי רֹנִּי בַלַּיְלָה", [ב]רֵישׁ לָקִישׁ אָמַר: בַּיּוֹם וּבַלַּיְלָה, שֶׁנֶּאֱמַר (יהושע א, ח) "וְהָגִיתָ בּוֹ יוֹמָם וָלַיְלָה", רֵישׁ לָקִישׁ הֲוָה פָּשִׁיט קְרָאֵי, וְכַד הֲוָה מָטֵי בְּאִילֵּין קְרָאֵי, (משלי לא, טו) "וַתָּקָם בְּעוֹד לַיְלָה", (איכה שם שם) "קוּמִי רֹנִּי בַלַּיְלָה", הֲוָה אוֹמֵר: יָפֶה לִמְּדַנִי רַבִּי יוֹחָנָן, חָזַר וְאָמַר: לֵית אַתּוּן חָמִין אוּלְפָּנִי מַה נְּהִיר בְּאַפִּי, וְלָמָּה, דַּהֲוָה דְּלֵילֵי וְדִימָמָא:

משולחנו של יהושפט. שהיה בשר טהור, ולא כדאמר בפרק קמא דחולין (ה, א) שהיו מביאין לו מבי טבחא דאחאב שהיה מומר לעבודה זרה, וגם תירצו על פי הדבור שאני, ומדרשינו לא סבירא ליה הכי דאם כן יקשה מה הבטחון הזה אשר בטח שיזדמן לו פרנסתו כאליהו מאחר שהוצרך לאכול דבר טמא על ידי דחק, לכן אמר דמיהושפט הוה: **אמר ר' שמואל בר אמי.** לפי גירסא זו צריך לומר שרבי שמואל בר אמי אמר שתי דברים, אבל באגדת שמואל איתא אמר ר' אמי דברי תורה כו' שלפי דרש זה הכי קאמר פרנסה מנין, ואמר מי יכין לעורב צידו, רצה לומר שיתאכזר על גופו ועל בניו ובנותיו ויסתפק במועט כמו העורב שהוא אכזר על בניו והם מתפרנסים כדאמרינן בפרק קמא דבבא בתרא (ח, א) פרנסני כעורב וככלב, ועיין שם ברש"י, ועיין בעירובין פרק שני (כב, א): **בעורב הזה.** מפרש בתנחומא (עקב סימן ב) שעורב מוליד לבניו לבנים, ואומר הזכר לנקבה שוף אחר בא עליך, ומואסים אותם ומניחים אותם, מה הקדוש ברוך הוא עושה מביא מאוהה שלהם יתושים ופורחים עליהם ואוכלים, והיינו דרב אסי בסמוך: **ר' אסי הוה עסקן.** בעל עסק לדרוש ולחקור ולנסות כל מה שהיה יכול לנסותו, ורצה לנסות זה שאמר הכתוב מי יכין לעורב צידו שהקדוש ברוך הוא מפרנס ילדיו בזולת אבותיהם שלא כשאר בעלי חיים: **חמא כו'.** ראה עורב אחד שעשה בצים וישב עליהם עד שנעשו אפרוחים: **נסבינן כו'.** לקח את האפרוחים ונתן אותם בקדרה חדשה שלא נדבק בו מאומה מן האוכל (מתנות כהונה), שאילו היתה ישנה אפשר שיזונו קצת מריח המאכל הנבלע בתוכה, או שיהיה פולט ממנה קצת (יפה תואר): **ואשע.** הטיח בפניהם פני קדרה בטיט: **פתח באפיהון כו'.** פירוש פתח בפניהם לידע מה הם עושים, ומצא אותם שעשו צואה ומאותו צואה נעשו היתושים והיו היתושים פורחים למעלה מהם והיו אוכלים אותם: **רבי יוחנן וריש לקיש.** משום שזה שדרש לעיל שמשכים ומעריב אתיא כריש לקיש דיום ולילה שוים לעיון התורה מייתי הכא פלוגתייהו: **אין רינה של תורה.** פירוש שעיקר למודה בלילה שבני אדם פנוים, ומפרש והגית בו יומם ולילה מצות קביעות הלימוד, אבל עיקרו בלילה שפנוי לעיין בה, ועיקר הלימוד קרי רינה על דרך חכמות בחוץ תרונה (משלי א, כ) שהוא ענין הפרסום הנגמה מידיעתה. ובחזית (שיר השירים רבה ה, על פסוק יא) גרסינן גרנה של תורה, והכי איתא בסמ"ג (עשין יב): **הוה פשיט קראי.** היה עוסק בפשוטי המקרא וחזר עליהם [ועיין סוף פרשת כי תשא] וכשהיה מגיע לאותן פסוקים כו' **היה אומר יפה למדני רבי יוחנן** דעיקר העיון הוא בלילה שבזה גם אני מודה לו, אלא שבזה שהוא סבירא ליה דאין מקום עיון כלל ביום אני חולק עליו וסבירא לי דאפילו ביום הוא זמן עיון קצת כדכתיב והגית בו יומם ולילה דמשמע לי לשון עיון ודקדוק כמו והגיון לבי, ולכן בעי לאזדהורי נמי בעיון היום. ומביא ראיה לדבריו **ואמר לית אתון חמין כו'** אין אתם רואים לימודי כמה היא מאיר בפני, מפני שהוא מן הלילה ומן היום רצה לומר שעסקתי בתורה ביום גם כן, משום דלא סגי בלילות לבד, אלא גם עיון היום מסייע: **נהיר באפי.** על דרך (קהלת ח, א) חכמת אדם תאיר פניו, ועיין בשיר השירים רבה (שם):

רבי אסי הוה עוסקן. עוסק לידע מה שנכתב בתורה על פי בחינת עצמו בדברים, שהיה מנסה, ועיין לקמן (כב, א) רבי שמעון הוה עסקן בדברים, ושייך כאן למה שכתוב (איוב לח, מא) מי יכין לעורב צידו כי ילדיו אל אל ישועו, שמזמין להם צידה שלא כדרך שיעור הברואים, שמלקטים באחרן: **בקדרה חדתא.** שאין שם שיורי אוכלים, וסתם פה הקדרה שלא יפלו שם זבובים ויתושים ונמלים: **רבי יוחנן וריש לקיש.** עיין שמות רבה (מז, ה) בשינוי גדול, וכמו שכתוב כאן כן הוא במדרש שמואל שם, וגם בשיר השירים רבה שם בשינוי, עיין שם: **ותקם בעוד לילה.** בפרשת אשת חיל, שנדרש על נשמת החכם והצדיק, שהוא קם בלילה לעסוק בתורה, ופסוק (איכה ב, יט) קומי רוני בלילה, על פי הדרש ומדה י"ז, במשלי (ח, א) הלא חכמה תקרא וגו', מבא פתחים תרונה (שם ג), וכן חכמות בחוץ תרונה (שם כ), ועל זה אמר קומי רוני בלילה:

מתנות כהונה

הכי גרסינן השחרה והערבה בפרנסה מניין. פירוש מניין שצריך להרעיב ולסגף עצמו בחיי צער כדי שיעסוק בתורה. ועיין ענין זה במס' עירובין (כב, א) ושם נתיישב יותר. ועיין בילקוט (תתקכ"ו), ובמדרש חזית, וכל הענין במדרש שמואל (פרשה ה): **עסקן.** בעל עסק לדרוש ולחקור ולנסות כל מה שהיה יכול לנסותו: **חמא כו'.** ראה עורב אחד שעשה בילים, וישב עליהם עד שעשאם אפרוחים: **נסבינן.** לקח את האפרוחים ונתן אותם בקדרה חדשה, שלא נדבק בו מאומה מן האוכל: **ואשע.** הטיח בפניהם פני קדרה בטיט: **פתח באפיהן כו'.** פירוש פתח בפניהם לידע מה הם עושים, ומצא אותם שעשו צואה ומאותו צואה נעשו יתושים והיו היתושים פורחים למעלה מהם והיו אוכלים אותם: **הוה פשיט כו'.** היה עוסק בפשוטי המקרא וחוזר עליהם. ועיין סוף פרשת כי תשא (מז, ה), וכשהיה מגיע לאותן פסוקים כו': **ותקם בעוד לילה.** הגמשל על האדם להיות זריז וזהיר לעשות לעולם הבא: **הכי גרסינן למדני רבי יוחנן חזר ואמר כו'.** וכן הוא בילקוט משלי ובמדרש שמואל (פרשה ה): **לית אתון חמין כו'.** אין אתם רואים לימודי כמה הוא מאיר בפני, למה שהוא מן הלילה ויום, שעסק בתורה ביום ולילה כדאמרינן לעיל:

אשד הנחלים

נעשה אכזרי. שכל מי שהוא אוהב התורה עד שאינו מביט על צרכי גופו ובניו: **בפרנסה.** פירש המתנות כהונה לסגף עצמו בחיי צער. ואולי הגירסא הנכונה כפרנסה, וכלומר כמו שאנו רואים שהפרנסה אי אפשר להשיג כי אם בעמל, ובודאי כמו כן בתורה: **עבדין יתושין כו' צידו.** כי הצייד הוא מעצמו, וזהו צידו של עצמו: **אלא בלילה כו' ביום ובלילה.** יש להבין באיזה דיעה קמפלגי. ואולי דעת ר' יוחנן שיפה תלמוד תורה עם דרך ארץ, וכמו שאמרו בקדושין (פב, א) לעולם ילמד אדם את בנו אומנות. ודעת ריש לקיש כדעת ר' ינאי [נהוראי] שם, שאמר מניח אני את כל אומניות ואיני מלמד את בני אלא תורה, והעיקר להגות בה תמיד, כי אז תאיר לו פנים בהשגה ברורה. והביא המאמר לכאן מפני שאמר לעיל במי שמשחיר ומעריב כו': **יפה למדני.** רצה לומר שמצד היושר המדיני הוא ככה, כי אי אפשר לכל בני אדם שיהגו תמיד בתורה, ולא יעסקו בעסק הזמן, אבל חזר ואמר על עצמו שבאמת אי אפשר לידיעה אמיתית בתורה, כי אם אחר ההגיון בה תמיד:

חידושי הרד"ל

השחרה והערבה בפרנסה מנין מי הכין לעורב צידו אמר רבי שמואל בר אמי תדע לך שהוא כן שהרי אליהו כו' של יהושפט אמר רבי אמי דברי תורה צריכין כו' פרנסה מניין כו'. כן הוא במדרש שמואל (שם), וכן צריך לומר: **רבי יוחנן** (קי"ל) **[וריש לקיש] כו' בלילה.** שמות רבה (מז, ה), עיין שם:

באור מהרי"פ

מתנות כהונה ד"ה בפרנסה מנין. שצריך להרעיב ולסגף עצמו וכו'. והוא פירוש זר, אלא פירושו פרנסה מנין, פירוש אם תאמר אם אעסוק בתורה יומם ולילה, פרנסתי מאין תבוא, על זה אמר למוד מאליהו:

ליקוטים

[א] **השחרה והערבה פרנסה מנין וכו'.** המתנות כהונה פירש מנין שצריך להרעיב ולסגף עצמו. ופירושו שבוש, כי לדבריו הספר שואל ואינו משיב. אלא פירושו, לפי שאמר שכל היום או רובו צריך לתורה, לכן שואל א"כ פרנסתו מאין תבוא לו, ומשני יבטח בה' וישען באלוהיו (מעריך ערך תורה):

אמרי יושר

פרנסה מניין מי יכין לעורב צידו. זהו שחורות, צריך להשחיר ולהעריב עליהן, והפרנסה שלך היה כעורב שהכינו לאליהו הפרנסה, כך יזמין לך הקדוש ברוך הוא:

מסורת המדרש

ב. עירובין דף ס"ה ע"א ע"ש:

אם למקרא

קוּמִי רֹנִּי בַלַּיְלָה לְרֹאשׁ אַשְׁמֻרוֹת שִׁפְכִי כַמַּיִם לִבֵּךְ נֹכַח פְּנֵי אֲדֹנָי שְׂאִי אֵלָיו כַּפַּיִךְ עַל־נֶפֶשׁ עוֹלָלַיִךְ הָעֲטוּפִים בְּרָעָב בְּרֹאשׁ כָּל־חוּצוֹת: (איכה ב:יט)

לֹא־יָמוּשׁ סֵפֶר הַתּוֹרָה הַזֶּה מִפִּיךָ וְהָגִיתָ בּוֹ יוֹמָם וָלַיְלָה לְמַעַן תִּשְׁמֹר לַעֲשׂוֹת כְּכָל־הַכָּתוּב בּוֹ כִּי־אָז תַּצְלִיחַ אֶת־דְּרָכֶךָ וְאָז תַּשְׂכִּיל: (יהושע א:ח)

וַתָּקָם בְּעוֹד לַיְלָה וַתִּתֵּן טֶרֶף לְבֵיתָהּ וְחֹק לְנַעֲרֹתֶיהָ: (משלי לא:טו)

ידי משה

[א] **צריכין השחרה והערבה פרנסה מנין.** כן הוא הגירסא בירושלמי, פירוש אם ילמוד תמיד מהיכן יהי לו פרנסה לזה אמר למוד מאליהו. ואחר כך גרסינן מי יכין לעורב צידו אם אין אדם נעשה אכזרי וכו': **בקידרא חדתא.** עיין פירוש מתנות כהונה. ולי נראה בקידרא פירושו בחור, שמקום קן העופות הוא בנקבת הסלעים. וקידרא הוא פירושו נקב, כמו שאמרו חכמינו ז"ל (עירובין לה, ב) מקדרין בהרים, ומה שלא שם אותן בקן חדשה, כדי שלא תדע אמם מקומן. וקל להבין:

שינוי נוסחאות

משולחנו של יהושפט, אמר רבי שמואל בר אמי. מהרז"ו ועצ"י מחקו "שמואל בר" ע"פ מדרש שמואל. בפרנסה מנין. צ"ל "פרנסה מנין", כ"כ מהרז"ו ועצ"י, וכן היה כבר בספרים הישנים, אלא שהגיהו (בקראקא ומשם העתיקו כולם) ע"פ מ"כ, ונ"ל שטעו בכוונת מ"כ, ע' לעיל.

§2 The Midrash presents another exposition based on the verse from *Song of Songs*:

רַבִּי חָנִין דְּצִיפּוֹרִין פָּתַר קְרָא בִּתְלוּלִית זוֹ שֶׁל עָפָר — **R' Chanin of Tziporin interpreted the verse** in terms of a large **mound** [תְּלוּלִית] **of earth.**[31] מִי שֶׁטִּפֵּשׁ מַהוּ אוֹמֵר — **One who is a fool, what does he say?** מִי יָכוֹל לְקַצּוֹת אֶת זוֹ — **"Who can possibly cut down** [קַצּוֹת] **this** mound?" מִי שֶׁפִּקֵּחַ מַהוּ אוֹמֵר — **One who is wise, what does he say?** הֲרֵינִי קוֹצֵץ שְׁתֵּי מִשְׁפָּלוֹת הַיּוֹם — **"Behold, I will cut away two boxfuls** of earth **today,** שְׁתֵּי מִשְׁפָּלוֹת לְמָחָר — and **two boxfuls tomorrow,** עַד שֶׁאֲנִי קוֹצֵץ אֶת כּוּלָּהּ — and so on, **until I will** thereby **cut away the whole of it."**[32] כָּךְ מִי שֶׁטִּפֵּשׁ אוֹמֵר — **Similarly, one who is a fool says,** מִי יָכוֹל לִלְמוֹד אֶת הַתּוֹרָה — **"Who can possibly learn the** entire **Torah?** נְזִיקִין ל׳ פְּרָקִים — Tractate ***Nezikin*** consists of **thirty chapters!**[33] כֵּלִים ל׳ פְּרָקִים — Tractate ***Keilim*** consists of **thirty chapters!"** מִי שֶׁפִּקֵּחַ מַהוּ אוֹמֵר — **One who is wise, what does he say?** הֲרֵינִי שׁוֹנֶה שְׁתֵּי הֲלָכוֹת הַיּוֹם — **"Behold, I will learn two laws today,** שְׁתֵּי הֲלָכוֹת לְמָחָר — and **two laws tomorrow,** עַד שֶׁאֲנִי שׁוֹנֶה אֶת כָּל הַתּוֹרָה כּוּלָּהּ — and so on, **until I will** thereby **learn all of the Torah in its entirety."**[34]

The Midrash expounds another verse in a similar fashion:

אָמַר רַבִּי אַמִּי — **R' Ami recounted** the following exposition: "רָאמוֹת לֶאֱוִיל חָכְמוֹת" — ***To a foolish one, wisdom is an unattainable gem*** [רָאמוֹת] (*Proverbs* 24:7). אָמַר רַבִּי יוֹחָנָן — **R' Yochanan said:** לְכִכַּר תָּלוּי בָּאֲוִירוֹ שֶׁל בַּיִת — It is comparable **to a loaf** of bread that is **suspended** high up **in the air within a house.**[35] מִי שֶׁטִּיפֵּשׁ אוֹמֵר: מִי יָכוֹל לְהוֹרִיד אֶת זֶה — **One who is foolish says, "Who can possibly bring this** loaf **down?"** מִי שֶׁפִּיקֵּחַ אוֹמֵר: וְלֹא אֶחָד תְּלָאוֹ — **One who is wise says, "Did not someone hang it up?"**[36] אֶלָּא מֵבִיא שְׁנֵי קָנִים וּמְסַפְּקָן זֶה לָזֶה וּמוֹרִידוֹ — **Rather** than despairing of ever obtaining it, **[the wise one] brings two sticks, attaches one to another,** forming one long stick, **and** with it he **brings [the loaf] down.** כָּךְ מִי שֶׁטִּיפֵּשׁ אוֹמֵר — **So it is** with Torah study: **One who is foolish says,** מִי יָכוֹל לִלְמוֹד תּוֹרָה שֶׁבְּלִבּוֹ שֶׁל חָכָם — **"Who can possibly learn** all **the Torah that is** found **in the heart of the sage?"**[37] מִי שֶׁפִּיקֵּחַ אוֹמֵר — **One who is wise says,** וְהוּא לֹא מֵאַחֵר לְמָדָהּ — **"Did he not learn [the Torah] from someone else?**[38] אֶלָּא הֲרֵינִי לָמֵד שְׁתֵּי הֲלָכוֹת הַיּוֹם וּשְׁתַּיִם לְמָחָר — **Rather** than allowing myself to despair, **behold I will study two laws today, two laws tomorrow,** עַד שֶׁאֲנִי לָמֵד אֶת כָּל הַתּוֹרָה כּוּלָּהּ — **until** in time **I will learn all of the Torah in its entirety."**[39]

The Midrash presents a third parable illustrating the different approaches that the intelligent man and the fool take to Torah study:

אָמַר רַבִּי לֵוִי — **R' Levi said:** מָשָׁל לְטִרְסְקָל נָקוּב — **It is comparable to a perforated basket,** שֶׁשָּׂכַר בְּעָלָיו פּוֹעֲלִים לְמַלְּאתוֹ — **whose owner hired laborers to pour [a liquid] into it.** מִי שֶׁטִּיפֵּשׁ מַהוּ אוֹמֵר — **One who is a fool, what does he say?** מָה אֲנִי מוֹעִיל — **"What can I accomplish?** מַכְנִיס בָּזוֹ וּמוֹצִיא בָּזוֹ — Whatever liquid **[the basket] takes in through this** opening, **it lets out through that** hole." מִי שֶׁפִּיקֵּחַ מַהוּ אוֹמֵר — **One who is wise, what does he say?** וְלֹא שָׂכָר כָּל חָבִית וְחָבִית אֲנִי נוֹטֵל — **"Do I not receive wages for each and every barrel** that I empty into the basket?"[40] כָּךְ מִי שֶׁהוּא טִיפֵּשׁ מַהוּ אוֹמֵר — **So it is** with Torah study: **One who is a fool, what does he say?** מָה אֲנִי מוֹעִיל לִלְמוֹד תּוֹרָה וּמְשַׁכְּחָהּ — **"What do I accomplish by learning Torah and** then **forgetting it?"** מִי שֶׁהוּא פִּיקֵּחַ מַהוּ אוֹמֵר — **One who is wise, what does he say?** וְלֹא שְׂכַר יְגִיעָה הַקָּדוֹשׁ בָּרוּךְ הוּא נוֹתֵן — **"Does the Holy One, blessed is He, not give a reward for** my **effort?"**[41]

NOTES

31. Interpreting the word תַּלְתַּלִּים (translated above as *curly*) as derived from the word תֵּל, *mound* (*Radal, Eitz Yosef*).

32. When pursued steadily, in small increments, the seemingly daunting task becomes doable. R. Chanin understands the word קְוֻצּוֹתָיו (translated above as *his locks*) as derived from the word קָצַץ, *cut* (*Radal, Eitz Yosef*).

33. The Midrash here identifies the three tractates of *Bava Kamma, Bava Metzia,* and *Bava Basra* (each containing ten chapters) as constituting a single voluminous Tractate *Nezikin,* containing thirty chapters (*Radal; Eitz Yosef*). See *Avodah Zarah* 7a.

34. For as explained in the previous section, the subject of the verse from *Song of Songs* is the Torah. Accordingly, the verse is saying that the study of Torah is like the leveling of the mound. Just as the mound could be leveled by steady work, bit by bit, so with perseverance can the Torah be mastered incrementally.

35. Where it is not within the grasp of one standing on the floor. The Midrash is interpreting רָאמוֹת (lit., *unattainable jewel*) in the sense of רָם, *elevated* (see *Maharzu*).

36. Indicating that its location is in fact reachable.

37. The novice student could find the master sage's vast storehouse of knowledge overwhelming and intimidating.

38. [I.e., the sage was not born with all the knowledge and wisdom that he now has. Rather, through diligent study he obtained mastery of the Torah knowledge that older scholars had taught him.]

39. *Maharzu* understands this parable as illustrating the exalted nature of Torah wisdom, which is inherently above the grasp of human intellect. Nevertheless, by studying the Torah with due diligence, one will merit Divine assistance and acquire Torah knowledge. See *Proverbs* 2:4: *If you seek it as [if it were] silver . . . then you will understand the fear of HASHEM and discover the knowledge of God.*

40. [The fool focuses narrowly on the task and sees it as an exercise in futility. The intelligent person, however, looks at the larger purpose, which (for him) is to fulfill the instructions of the employer and thereby earn his wage.]

41. I.e., God has commanded me to study the Torah and He will reward me for that, even if I subsequently forget what I have learned. [*Mateh Moshe,* cited by *Anaf Yosef,* suggests that in reward for his perseverance, God will grant the diligent student the ability to retain what he has learned. For an alternative approach, see Insight Ⓐ.]

INSIGHTS

Ⓐ **Like Water Through a Sieve** In the Midrash's final parable, Torah study by one likely to forget what he has learned is compared to pouring water from a barrel into what is in effect a sieve. The fool laments the act as futile; the wise man deems it worthwhile, since one's reward is calculated not according to results, but according to the effort expended.

This poses an obvious difficulty. The wise man's argument is true, to a point. If God commanded him to study the Torah despite his inability to remember what he has learned, then God will surely reward him for his efforts. But ultimately it would seem that the fool's argument is correct. It is in fact useless to pour water into a sieve, for the sieve cannot contain it, and so the water runs away onto the ground. Since he is unable to retain his learning, it appears that his Torah study accomplishes nothing. Even if he were to receive reward, it seems cruel to condemn a person to the endless performance of senseless toil. Surely God would not compel a person to spend his life engaged in what for him is a meaningless task!

R' Michel Shurkin (*Harerei Kedem,* Vol. 1, p. 343) writes that this difficulty was raised by his teacher, *Rav Yosef Dov Soloveitchik,* possibly in the name of *Gra,* who answered in accordance with a teaching of *Rambam* (*Hil. Mikvaos* 11:12). *Rambam* applies this following verse to one who abandons sinful thoughts and immerses himself in Torah: וְזָרַקְתִּי עֲלֵיכֶם מַיִם טְהוֹרִים וּטְהַרְתֶּם, *I will sprinkle pure water upon you and you will be cleansed* (*Ezekiel* 36:25). From *Rambam* we see that not only does the study of Torah bestow wisdom, it purifies one as well.

This, Rav Soloveitchik concluded, is the Midrash's response to the fool: Much is accomplished by the steady flow of water through the sieve. True, no water will remain, but its passage has a significant effect

ב **רַבִּי חָנִין דְּצִיפּוֹרִין פָּתַר קְרָא** *בְּתְלוּלִית [ג]זוֹ שֶׁל עָפָר, מִי שֶׁטִּפֵּשׁ מַהוּ אוֹמֵר: מִי יָכוֹל לְקַצּוֹת אֶת זוֹ, מִי שֶׁפִּקֵּחַ מַהוּ אוֹמֵר: הֲרֵינִי קוֹצֵץ שְׁתֵּי מִשְׁפָּלוֹת הַיּוֹם שְׁתֵּי מִשְׁפָּלוֹת לְמָחָר עַד שֶׁאֲנִי קוֹצֵץ אֶת כּוּלָּהּ, כָּךְ מִי שֶׁטִּיפֵּשׁ אוֹמֵר: מִי יָכוֹל לִלְמוֹד אֶת הַתּוֹרָה, נְזִיקִין ל' פְּרָקִים כֵּלִים ל' פְּרָקִים, מִי שֶׁפִּיקֵּחַ מַהוּ אוֹמֵר: הֲרֵינִי שׁוֹנֶה °שְׁתֵּי הֲלָכוֹת הַיּוֹם שְׁתֵּי הֲלָכוֹת לְמָחָר עַד שֶׁאֲנִי שׁוֹנֶה אֶת כָּל הַתּוֹרָה כּוּלָּהּ, אָמַר רַבִּי אַמֵּי: (משלי כד, ז) "רָאמוֹת לֶאֱוִיל חָכְמוֹת", אָמַר רַבִּי יוֹחָנָן: [ד]לְכִכַּר תָּלוּי בַּאֲוִירוֹ שֶׁל בַּיִת, מִי שֶׁטִּיפֵּשׁ אוֹמֵר: מִי יָכוֹל לְהוֹרִיד אֶת זֶה, מִי שֶׁפִּיקֵּחַ אוֹמֵר: וְלֹא אֶחָד תְּלָאוֹ, אֶלָּא מֵבִיא שְׁנֵי קָנִים וּמְסַפְּקָן זֶה לָזֶה וּמוֹרִידוֹ, כָּךְ מִי שֶׁטִּיפֵּשׁ אוֹמֵר: מִי יָכוֹל לִלְמוֹד תּוֹרָה שֶׁבְּלִבּוֹ שֶׁל חָכָם, מִי שֶׁפִּיקֵּחַ אוֹמֵר: וְהוּא לֹא מֵאַחֵר °לְמָדָהּ, אֶלָּא הֲרֵינִי לָמֵד שְׁתֵּי הֲלָכוֹת הַיּוֹם וּשְׁתַּיִם לְמָחָר עַד שֶׁאֲנִי לָמֵד אֶת כָּל הַתּוֹרָה כּוּלָּהּ, אָמַר רַבִּי לֵוִי: מָשָׁל לִטְרַסְקָל נָקוּב שֶׁשָּׂכַר בְּעָלָיו פּוֹעֲלִים לְמַלְּאתוֹ, מִי שֶׁטִּיפֵּשׁ מַהוּ אוֹמֵר: מָה אֲנִי מוֹעִיל, מַכְנִיס בָּזוֹ וּמוֹצִיא בָּזוֹ, מִי שֶׁפִּיקֵּחַ מַהוּ אוֹמֵר: וְלֹא שְׂכַר כָּל חָבִית וְחָבִית אֲנִי נוֹטֵל, כָּךְ מִי שֶׁהוּא טִיפֵּשׁ מַהוּ אוֹמֵר: מָה אֲנִי מוֹעִיל לִלְמוֹד תּוֹרָה וּמְשַׁכְּחָהּ, מִי שֶׁהוּא פִּיקֵּחַ מַהוּ אוֹמֵר: וְלֹא שְׂכַר יְגִיעָה הַקָּדוֹשׁ בָּרוּךְ הוּא נוֹתֵן, אָמַר רַבִּי זְעִירָא: אֲפִילוּ דְּבָרִים שֶׁאַתָּה רוֹאֶה אוֹתָן קוֹצִין בַּתּוֹרָה, תַּלְתַּלֵּי תַּלְתַּלִּים, הֵן יְכוֹלִין לְהַחֲרִיב אֶת הָעוֹלָם כּוּלּוֹ וְלַעֲשׂוֹת אוֹתוֹ תֵּל, כָּעִנְיָן שֶׁנֶּאֱמַר (דברים יג, יז) "וְהָיְתָה תֵּל עוֹלָם לֹא תִבָּנֶה עוֹד", °אָמַר רַבִּי אֲלֶכְּסַנְדְּרִי בַּר חַגַּאי רַבִּי אֲלֶכְּסַנְדְּרִי קְרוֹבָה:

עץ יוסף

(ב) **רבי חנין דציפורין פתר קריא.** דקווצותיו תלתלים. **בתלולית** [פירוש תל גדול] **של עפר.** לומר שדברי תורה דומים לה שיוכלו לקצץ מעט מעט אף על פי שהן רבות, ודרש קווצותיו לשון קציצה: **לקצות.** פירוש לחתכו לפנות מקומו: **משפלות.** פירש בערוך קופות שמוליכין בהם זבלים, ובלשון ישמעאל נקראת אלמשפט: **נזיקין שלושים פרקים.** היינו תלתא בבא שהן חדא מסכתא ונחלקים לשלשה בבות של שלושים שלושים פרקים, וכן כלים שלושים פרקים חלוקה בתוספתא דכלים לשלשה בבי, [וכן סדר עולם רבה שלושים פרקים חלוק לשלשה בבי]. רד"ל: **א"ר אמי כו'.** איידי דמייתי הכא דר' חנין מייתי נמי דר' אמי ודר' לוי דשייכין אהדדי: **ומספקן.** קושרן זה בזה עד שזה יספיק ומשלים לזה עד שמי הקורה: **לטרסקל.** פירוש סל: **למלאותו.** מים: **קוצין.** כגון קוצו של יו"ד ותגי האותיות שנראים בעיניך שאין בהם צורך אלא כקוצין בעלמא, יש בהם סודות גדולות שהם יכולים להחריב את העולם, שבשנויים נפיק חורבא בהשגות ענין הסודות הרמוזין בהם. ודוגמא לזה מייתי שמע ישראל וכל הני דבסמוך שבהשנות הרי"ש לדל"ת והכ"ף לבי"ת מחריב העולם, אף על פי שאין הפרש רק בנקודה אחת והוא קוץ הדל"ת שבהסרתו נעשה רי"ש, וכן בכל הקוצין שבתורה יש לדעת שבהשתנות הדבר מהמקובל וניתן בסיני יש שינוי גדול בסודות הרמוזים בהם. והא דמייתי בסמוך שמע ישראל כו' עד אין לבלותך גרסינן לה הכא מקמי מילתא דר' אלכסנדרי, והכי גרסינן לה בחזית (שיר השירים רבה שם): **בשם ר' אלכסנדרי קריביה.** כן צריך לומר וכן הוא בשיר השירים רבה, ורצה לומר שכך הוא שמו אלכסנדרי קריביה (מתנות כהונה). או פירוש קריביה קרובו, שהיה קרובו של ר' אלכסנדרי הראשון (יפה תואר). והאות אמת כתב שהיה שליח ציבור האומר פיוטים וקרובות:

פירוש מהרז"ו

(ב) **ראמות לאויל חכמות.** שכמו אם תלוי דבר ברום הבית, ובעל הבית כשאומר לשלוחו תן לי דבר זה התלוי, השליח משיב רם וגבוה הוא ולא אוכל להשיגו, כך משיב האויל על למוד התורה וכמו שכתוב בסיפיה דקרא (משלי כד, ז) בשער לא יפתח פיהו, בשער התורה הוא בבית המדרש, ומה שאמר באוירו של בית, פירושו ברום וגבוהה של בית, וזה משל על רום השגת חכמת התורה שלמעלה משכלו, אך באמת שכאשר עוסק בה תמיד בשקידה, כתיב (משלי ב, י) כי תבוא חכמה בלבך וגו', וכמו שכתוב (שם ו) אם תבקשנה וגו' ודעת אלהים תמצא, וכמו שאמרו במדרש הנ"ל, עד שאני למד כמוהו, פירוש כמו הרב: **רואה אותן קוצים.** דורש קווצותיו מלשון קוצים הם קוצי אותיות, ותלתלים מלשון תל תלים, הוא בית שנפל ונעשה תל. ולכן צריך להיות המאמר דלקמן של שמע ישראל עד אין לבלותך, שמדבר בקוצי אותיות, ואחר כך מאמר של רבי אלכסנדרי שמדבר בעקירת אות, וכל הענין של שלמה, וכן הוא במדרש שמואל שם, ובשיר השירים רבה שם, ולכן נתחלפו המאמרים: **אמר רבי אלכסנדרי בר חגאי.** בשם רבי אלכסנדרי קרובה, כך כוונת המדרש, ודרך הירושלמי כשמביא אמוראים שאומרים זה בשם זה, שדולג תיבת בשם: **קרובה.** עיין מתנות כהונה, ובמוסף ערוך פירש איש בקי בהלכות ודינים נקרא בלשון יוני קרוב:

מתנות כהונה

[ב] **בתלולית.** תל גדול: **לקצות.** לחתכו לפנות מקומו: **משפלות.** מרה שבו מפנין האשפה ועפר: **ומספקן.** קושרן זה בזה, עד שזה יספיק ומשלים לזה עד שמי קורה: **טרסקל.** פירוש סל: **הכי גרסינן ששכר בעליו פועלים למלאתו.** והכי איתא במדרש חזית (שיר השירים רבה ה, פסוק יא): **למלאתו.** פירוש למלאות מים: **מה אני מועיל ללמוד** גרסינן: **קוצים.** בלי צורך כקוצים הללו: **להחריב העולם.** כולו. כגון דלי"ת של ה' אחד, וכדומה, כדמפרש לקמן: **הכי גרסינן אלכסנדרי קרובה.** ועיין במדרש חזית (שיר השירים רבה פרשה ה), ופירש באות אמת שהיה שליח ציבור שאומר פיוטים וקרובץ:

אשד הנחלים

[ב] **לקצות את זו כו' לככר תלוי באוירו כו' לטרסקל נקוב כו'.** אלו השלשה משלים מרמזים על עניינים שונים, הראשון מרמז על רבוי הכמות, שהטפש בשעה שמצייר רבוי ההלכות, מדמה בדעתו שאין בכחו להשיגם מצד כמותם, ושוכח כי מעט מעט יוכל לקנותם בלב, ודרש קווצותיו תלתלים, כלומר תלי תלים בעיני ההמון, אך באמת נמצאת במי שמשחיר ומעריב עליהם. המשל השני מצד האיכות מרוב עומקה, וזהו הכינוי לדבר הניתן בגובה עד שאי אפשר להורידה, וזהו נוגע לחכמה האלהית העמוקה והרחבה והגבוה, אך מי שהוא פיקח מתבונן, הלא על כל פנים אדם אחר השיגה, כלומר אחר שראינו שרבים השיגו זאת, בודאי יש בכח אדם להשיגה, רק שחסר ההקדמות להוציא מהם התולדה הנכונה, וזהו הכנוי שמביא שני קנים ומספקן זו בזו, וזהו השני ההקדמות שממנו תצא התולדה כנודע בהגיון. המשל השלישי שבאמת יש בני אדם שכל למודם לריק, כי שוכחים מהר, אבל האמת שהשכחה באה רק מצד החומר, אבל אחר פרידת הנפש, אז תשוב להיות זוכרת מה שלמדה מאז, כי נשאר טמונה בה בכח, ישוב להיות אחר כך בפועל, וזה הוא השכר יגיע שהקב"ה נותן: **קוצין בתורה.** עיין במתנות כהונה, וקווצותיו תלתלים קדריש:

חידושי הרד"ל

[ב] **בתלולית זו של עפר.** דרש קווצותיו תלתלים, כמו לקוץ תלי עפר גבוהים, שנפלאת היא מעיני הטפש ונקל בדעת הנבון: **נזיקין שלושים פרקים.** היינו תלתא בבי שהן חדא מסכת, ונחלקים לשלשה בבות של עשרה עשרה פרקים, (וכן כלים שלושים פרקים, חלוקה בתוספתא דכלים לשלשה בבי. וכן סדר עולם רבא שלושים פרקים חלוק לשלשה בבי): **אמר רבי יוחנן לככר תלוי כו'.** דברים רבה (ח, ג): **יבנה עוד שחורות בעורב אמר רבי אלכסנדראי כו'.** כן צריך לומר:

חידושי הרש"ש

[ב] **שתי משפלות היום.** פירוש קופות, עיין שביעית פ"ג מ"ב. וכן פירש המתנות כהונה בעצמו בשיר רבה, בשם הערוך:

באור מהרי"פ

[ב] **לקצות את זו.** אולי פירש ודורש קווצותיו תלתלים: **מתנות כהונה ד"ה משפלות מרא וכו'.** כתב המעריך (ערך משפל) ושבוש הוא אלא הן קופות גדולות עד כאן. וכן פירש הערוך קופות שמוליכין בהם זבלים, ובלשון ישמעאל קורין אלמשפל, עד כאן:

ענף יוסף

(ב) **בתלולית זו של עפר כו' לככר כו' לטרסקל כו'.** הראשון שאמר לתלולית של עפר רמז בזה כי דברי תורה עמוק מאד, ולכאורה נראה שאין בה צורה וריח וטעם, אלא תלולית של עפר חומר בלי צורה, הטפש אמר מי יוכל להסירם מכאן, לפי שלא יבין כלום, והפקח אומר מעט מעט אגרסנו מן הארץ, אגרום אף אם לא אבין על דרך דאיתא בפרק קמא דעבודה זרה (יט, א) ליגרוס איניש אף על גב דלא ידע מאי קאמר, שנאמר (תהלים קיט, כ) גרסה נפשי לתאבה אל משפטיך בכל עת, ובתוך כך יבין מעט מעט, עד אשר יצליח למודו וישכיל ויבין, זהו נגד תאות הלימוד. והשני אמר לככר שתלה בשמי קורה, רצה לומר שיבין טעמי התורה שיש בהם ריח וטעם, על דרך לכו לחמו בלחמי, וזה שאמר לככר שתלה בשמי קורה, רק שאמר מי יוכל להשיג הדברים העליונים, והוא כטפש הרוצה ללמוד כל התורה ברגל אחד, ולעשות התורה חבילות חבילות, אבל הפקח אומר וכי לא אדם אחר תלאה, ואחר שאדם אחר תלאה, גם לי לבב כמוהו בענין שאשתדל להשיג הדבר ואלמוד כסדר, תחלה מקרא ואחר כך משנה וכן כל חלקי התורה, וזה שאמר אני אקשור קנה על קנה ואשיגנו, כי כן עניני תורה צו לצו קו לקו, אבל בבת אחת בודאי אי אפשר להשיגם, ובא אחד ואמר מה תועלת יש לי בכל זה כי אף על פי שאלמוד ואשתדל הרבה, אני כטרסקל נקוב שמכניס בזו ומוציא בזו, וכל מה שאלמוד בשנה זו אני אשכח בשנה האחרת, והפקח אומר מאחר שאני אשתדל בכל כחי ואתמיד יום ולילה בתורת ה', לא שכר יגיעי אני נוטל, כי בוודאי ברית כרותה, המתמיד בלימודו יום ולילה שיצליח למודו, ומן השמים יסייעו אותו שיזכור ולא ישכח עוד, וזה נגד תמידות הלימוד (ספר מטה משה דף י"ד):

מסורת המדרש

ג. שה"ש רבה פ"ה: ד. אגדת שמואל פרשה ה':

אם למקרא

רָאמוֹת לֶאֱוִיל חָכְמוֹת בַּשַּׁעַר לֹא יִפְתַּח פִּיהוּ: (משלי כד:ז)

וְאֶת כָּל שְׁלָלָהּ תִּקְבֹּץ אֶל תּוֹךְ רְחֹבָהּ וְשָׂרַפְתָּ בָאֵשׁ אֶת הָעִיר וְאֶת כָּל שְׁלָלָהּ כָּלִיל לַה' אֱלֹהֶיךָ וְהָיְתָה תֵּל עוֹלָם לֹא תִבָּנֶה עוֹד: (דברים יג:יז)

אמרי יושר

[ב] **הריני קוצץ שתי משפלות.** זהו צריך לקנות בה כתל, שמפנה מעט מעט ומפנהו כולו, כן בהתמדה יקראהו כולה, וזה בבחינת הכמות. ונלוקת ראמות לאויל חכמות, בבחינת איכות, רום המושג. ומשל טרסקל נקוב, בבחינת מונע אחר, שהוא השכחה: **אפילו דברים שאתה רואה אותם קוצים בתורה.** שקשה לך, כגון ותמנע היתה פלגש (בראשית לו, יב), דע שהוא קיום העולם. או פירוש אפילו בקוץ ורושם אחד של תורה, בו כדי להחריב העולם, כמו קוץ ריבוע [אות] ד' של אחד, או לא (תהללו) [יהללו]:

שינוי נוסחאות

(ב) **אמר רבי אלכסנדרי.** רד"ל הוסיף תבות "שחרות כעורב" לפני "אמר רבי אלכסנדרי". **אמר רבי אלכסנדרי בר חגאי רבי אלכסנדרי קרובה.** יש כאן שני שמות חכמים ברצף, ואינו מובן מה ענינם זה לזה, ומשום זה הוסיפו (בסוגריים) בוילנא "בשם" בין השמות, אבל לא נמצא כן בשום ספר אחר, ובד"ר היה כתוב "ורבי אלכסנדרי קרובה", עם וי"ו החיבור, ר"ל שהוא חכם שני, וכן איתא בכמעט כל הכי"י, ובכ"י אחד איתא "דהוא ר' אלכסנדרי קרובה", ר"ל שאלו שני השמות הם של אדם אחד. **קרובה.** בד"ר היה כתוב "קריביה"; ובד' ונציא כתוב "קרי ביה", ועל זה הגיה א"א: "קרוביא" (ופירשו שליח ציבור, והביא דבריו במ"כ, אמנם בערוך ק'ר'ב' פירש "דרשן"); ובמ"כ הגיה "קרובה" וכן הוא בכל הדפוסים אח"כ.

The Midrash returns to the verse from *Song of Songs* and presents a third homiletical interpretation:

אָמַר רַבִּי זְעִירָא — R' Z'eira said: אֲפִילוּ דְּבָרִים שֶׁאַתָּה רוֹאֶה אוֹתָן קוֹצִין בַּתּוֹרָה — **Even** such **things in the Torah that you perceive** as insignificant **thorns**[42] תַּלְתַּלֵּי תַּלְתַּלִּים הֵן — **are** in reality **heaps upon heaps,** יְכוֹלִין לְהַחֲרִיב אֶת הָעוֹלָם כּוּלּוֹ — meaning that they **are able to lay waste to the world in its entirety,** וְלַעֲשׂוֹת אוֹתוֹ תֵּל — **and reduce it to a** ruined **heap.**[43] כְּעִנְיָן שֶׁנֶּאֱמַר "וְהָיְתָה תֵּל עוֹלָם לֹא תִבָּנֶה עוֹד" — **As is the matter that [Scripture] states,** ***And it shall be an eternal heap, it shall not be rebuilt*** (*Deuteronomy* 13:17).[44]

The Midrash expounds the conclusion of the verse:

שְׁחוֹרוֹת כָּעוֹרֵב — ***Black as the raven.*** **אָמַר רַבִּי אֲלֶכְּסַנְדְּרִי בַּר חַגַּאי וְרַבִּי אֲלֶכְּסַנְדְּרִי קְרוֹבָה — R' Alexandri bar Chaggai and R' Alexandri the Cantor**[45] **said:**

NOTES

For a discussion of the significance of these three parables, see Insight Ⓐ.

42. Interpreting קְוֻצּוֹתָיו (translated above as *his locks*) in the sense of קוֹץ, *thorn.* I.e., even the minute strokes and jutting points of the lettering of the Torah, which appear to be mere "thorns" devoid of any importance, are critical and significant (*Eitz Yosef*).

43. Interpreting תַּלְתַּלִּים (translated above as *curly*) in the sense of תֵּל, *mound, heap;* see note 31 above. I.e., the "thorns" mentioned above represent matters of great significance and therefore failure to form them properly can be extremely destructive, reducing the world to a heap. The Midrash below will provide several examples substantiating this idea, showing that erroneous formation of the letters can transform Scriptural verses into statements of blasphemy. See also note 58 below.

Alternatively, "thorns" does not refer to the minute points of the letters but rather to whole phrases in the Torah that seem to be of a trivial or irrelevant nature. When properly studied and understood, however, these phrases yield lessons of great and profound significance. See *Chullin* 60b and *Sanhedrin* 99b (*Peirush Kadum*).

44. Referring to "the wayward city," all or most of whose citizens worshiped idols. The Midrash cites this verse to show that תֵּל, *heap,* signifies ruin and destruction.

45. The prayer leader who recited [or perhaps composed] the liturgical hymns, the *krovos.* Our translation follows *Os Emes,* cited by *Matnos Kehunah*. For alternative understandings, see *Maharzu* and *Eitz Yosef.*

INSIGHTS

on the sieve itself! To quote, in the flavorful Yiddish: ריין וועט עס זיין, *Clean it will be!*

No matter the scope of one's abilities, Torah study can never be deemed a pointless exercise, for, at the very least, it purifies a person and cleanses his soul.

Bikkurei Aviv [by *R' Yaakov Aryeh* of *Radzimin*] does not address the above difficulty directly, but it is resolved through his interpretation of the Midrash, as follows. The fool imagines that one receives reward according to the amount of material one covers. He sees that as he struggles to comprehend two pages of Gemara, his more gifted fellow studies thirty! The fool becomes discouraged, for he assumes that he will receive far less reward than one who is gifted. The wise man informs him that in fact, reward is apportioned according to effort. [This refers to the Divine revelations that are the reward of the righteous in the World to Come. One's ability to comprehend the teachings of the Next World will depend entirely upon one's toil in this life, and not at all upon his intellect — see Insight to 11 §9, "To the Swift the Race."] Since the struggling student and the gifted one invest identical effort, they receive equal reward, notwithstanding the disparity in the number of pages studied by each. When the Midrash states: שְׂכַר יְגִיעָה הַקָּדוֹשׁ בָּרוּךְ הוּא נוֹתֵן, *The Holy One, blessed is He, gives reward for effort,* it does not refer specifically to the reward of the struggling student, but is rather teaching that *all* Divine reward, whether granted to the obtuse or to the gifted, is measured by effort and not by results (*Bikkurei Aviv, Metzora,* p. 74).

According to *Bikkurei Aviv's* approach, the earlier question is resolved. The Midrash does not mean that the foolish struggling student accomplishes nothing with his work, but only that he accomplishes less than the gifted one and therefore fears unequal reward. The wise man sets his fears to rest.

Ⓐ The Three Objectives of Torah Study The Midrash presents three parables of the fool who fears to study Torah. *R' Yehoshua Heller* (*Chossen Yehoshua* 1:3) understands each of the parables as corresponding to another of the three primary objectives of Torah study. They are:

(a) To fulfill the obligation of constant Torah study — to devote as much time as possible to Torah study (see *Yoma* 19b; *Menachos* 99b). This obligation does not require that one become proficient in all of Torah, or even that one remember the Torah he learns. As long as one engages in Torah study, even if he limits his study to a single area, and even if he learns and forgets, he discharges this obligation.

(b) To accumulate stores of Torah knowledge. This is the obligation of וְשִׁנַּנְתָּם, *and you shall teach them thoroughly* (*Deuteronomy* 6:7), which requires that one become thoroughly knowledgeable in the entire Torah (see *Kiddushin* 30a with *Rashi* ד"ה יהו מחודדין בפיך; see *Dibros Moshe* there 11:43).

(c) To master the evil inclination. The Gemara states (*Kiddushin* 30b): *I have created the evil inclination, and I have created Torah as its antidote. If you involve yourself in Torah, you will not be delivered into the hand of [the evil inclination].*

The first obligation is illustrated in the parable of water poured into a sieve. The fool holds back, for he will retain none of his learning in any case. The wise man makes the effort, for he knows that even if he remembers none of his learning, he has still discharged the obligation of constant study, whose reward is earned through effort, not results.

The second obligation is alluded to in the parable of a loaf of bread. One who retrieves the loaf satisfies his hunger. So too, one who becomes a proficient scholar and remembers what he has learned satisfies his hunger for Torah, which Scripture compares to bread (see *Proverbs* 9:5). The fool fears to begin; the wise man recognizes that with steady effort, bit by bit, one might become knowledgeable in all of Torah.

Mastery over the evil inclination is addressed in the parable of a mound of earth that must be cut down. *Pesikta DeRav Kahana* (24 §17) describes the evil inclination: *It is like a large rock that lies in the crossroads and travelers stumble over it. The king commands: Chisel it bit by bit until the moment comes that I remove it from the world. So too does the Holy One, blessed is He, say to Israel, "The evil inclination is a great obstacle to the world. Chisel it bit by bit until the moment comes that I remove it from the world."* The means by which Israel removes the obstacle is through the study of Torah, antidote to the evil inclination. The fool despairs of shifting the vast mound of earth, and so does not study. The wise man does as God commanded. Bit by bit, he cuts away at the mound, reducing it through Torah study until the arrival of the great day of redemption, when the rock of the evil inclination will finally be cleared from the path of God's nation (see *Isaiah* 57:14).

ב רַבִּי חָנִין דְּצִיפּוֹרִין פָּתַר קְרָא *בִּתְלוּלִית גזוֹ שֶׁל עָפָר, מִי שֶׁטִּפֵּשׁ מַהוּ אוֹמֵר: מִי יָכוֹל לִקְצוֹת אֶת זוֹ, מִי שֶׁפִּקֵּחַ מַהוּ אוֹמֵר: הֲרֵינִי קוֹצֵץ שְׁתֵּי מַשְׁפֵּלוֹת הַיּוֹם שְׁתֵּי מַשְׁפֵּלוֹת לְמָחָר עַד שֶׁאֲנִי קוֹצֵץ אֶת כּוּלָּהּ, כָּךְ מִי שֶׁטִּיפֵּשׁ אוֹמֵר: מִי יָכוֹל לִלְמוֹד אֶת הַתּוֹרָה, נְזִיקִין ל' פְּרָקִים כֵּלִים ל' פְּרָקִים, מִי שֶׁפִּיקֵּחַ מַהוּ אוֹמֵר: הֲרֵינִי שׁוֹנֶה °שְׁתֵּי הֲלָכוֹת הַיּוֹם שְׁתֵּי הֲלָכוֹת לְמָחָר עַד שֶׁאֲנִי שׁוֹנֶה אֶת כָּל הַתּוֹרָה כּוּלָּהּ, אָמַר רַבִּי אַמִּי: (משלי כד, ז) "רָאמוֹת לֶאֱוִיל חָכְמוֹת", אָמַר רַבִּי יוֹחָנָן: דלְכִכָּר תָּלוּי בַּאֲוִירוֹ שֶׁל בַּיִת, מִי שֶׁטִּיפֵּשׁ אוֹמֵר: מִי יָכוֹל לְהוֹרִיד אֶת זֶה, מִי שֶׁפִּיקֵּחַ אוֹמֵר: וְלֹא אֶחָד תְּלָאוֹ, אֶלָּא מֵבִיא שְׁנֵי קָנִים וּמְסַפְּקָן זֶה לָזֶה וּמוֹרִידוֹ, כָּךְ מִי שֶׁטִּיפֵּשׁ אוֹמֵר: מִי יָכוֹל לִלְמוֹד תּוֹרָה שֶׁבְּלִבּוֹ שֶׁל חָכָם, מִי שֶׁפִּיקֵּחַ אוֹמֵר: וְהוּא לֹא מֵאַחֵר °לְמָדָהּ, אֶלָּא הֲרֵינִי לָמֵד שְׁתֵּי הֲלָכוֹת הַיּוֹם וּשְׁתַּיִם לְמָחָר עַד שֶׁאֲנִי לָמֵד אֶת כָּל הַתּוֹרָה כּוּלָּהּ, אָמַר רַבִּי לֵוִי: מָשָׁל לִטְרַסְקָל נָקוּב שֶׁשָּׂכַר בְּעָלָיו פּוֹעֲלִים לְמַלְּאתוֹ, מִי שֶׁטִּיפֵּשׁ מַהוּ אוֹמֵר: מָה אֲנִי מוֹעִיל, מַכְנִיס בָּזוֹ וּמוֹצִיא בָּזוֹ, מִי שֶׁפִּיקֵּחַ מַהוּ אוֹמֵר: וְלֹא שְׂכַר כָּל חָבִית וְחָבִית אֲנִי נוֹטֵל, כָּךְ מִי שֶׁהוּא טִיפֵּשׁ מַהוּ אוֹמֵר: מָה אֲנִי מוֹעִיל לִלְמוֹד תּוֹרָה וּמְשַׁכְּחָהּ, מִי שֶׁהוּא פִּיקֵּחַ מַהוּ אוֹמֵר: וְלֹא שְׂכַר יְגִיעָה הַקָּדוֹשׁ בָּרוּךְ הוּא נוֹתֵן, אָמַר רַבִּי זְעֵירָא: אֲפִילוּ דְּבָרִים שֶׁאַתָּה רוֹאֶה אוֹתָן קוֹצִין בַּתּוֹרָה, תַּלְתַּלֵּי תַלְתַּלִּים, הֵן יְכוֹלִין לְהַחֲרִיב אֶת הָעוֹלָם כּוּלּוֹ וְלַעֲשׂוֹת אוֹתוֹ תֵּל, כְּעִנְיָן שֶׁנֶּאֱמַר (דברים יג, יז) "וְהָיְתָה תֵּל עוֹלָם לֹא תִבָּנֶה עוֹד", °אָמַר רַבִּי אֲלֶכְּסַנְדְּרִי בַּר חַגַּאי רַבִּי אֲלֶכְּסַנְדְּרִי קְרוֹבָה:

עץ יוסף

(ב) רבי חנין דציפורין פתר קריא. דקווצותיו תלתלים. **בתלולית** [פירוש תל גדול] **של עפר.** לומר שדברי תורה דומים לה שיוכלו לקצץ מעט מעט אף על פי שהן רבות, ודרש קווצותיו לשון קציה: **לקצות.** פירוש לחתכו לפנות מקומו: **משפלות.** פירש בערוך קופות שמוציאין בהם זבלים, ובלשון ישמעאל נקראת אלמשפט: **נזיקין שלשים פרקים.** היינו תלתא בבא שהן חדא מסכתא ונחלקים לשלשה בבות של שלשים שלשים פרקים, וכן כלים שלשים פרקים חלוקה בתוספתא דכלים לשלשה בבי, [וכן סדר עולם רבה שלשים פרקים חלוק לשלשה בבי]. רד"ל: **א"ר אמי כו'.** אידי דמייתי הכא דר' חנין מייתי נמי דר' אמי ודר' לוי דשייכין אהדדי: **ומספקן.** קושרן זה בזה עד שזה יספיק ומשלים לזה עד שמי הקורה: **לטרסקל.** פירוש סל: **למלאותו.** מים: **קוצין.** כגון קוצו של יו"ד ותגי האותיות שנראים בעיניך שאין בהם צורך אלא כקוצין בעלמא, יש בהם סודות גדולות שהם יכולים להחריב את העולם, שבשנויים נפיק חורבא בהשגות ענין הסודות הרמוזין בהם. ודוגמא לזה מייתי שמע ישראל וכל הני דבסמוך שבהשתנות הרי"ש לדל"ת והכ"ף לבי"ת מחריב העולם, אף על פי שאין הפרש רק בנקודה אחת והוא קוץ הדל"ת שבהסרתו נעשה רי"ש, וכן בכל הקוצין שבתורה יש לדעת שבהשתנות הדבר מהמקובל וניתן בסיני יש שינוי גדול בסודות הרמוזים בהם. והא דמייתי בסמוך שמע ישראל כו' עד אין לבלותך גרסינן לה הכא מקמי מילתא דר' אלכסנדרי, והכי גרסינן לה בחזית (שיר השירים רבה שם): **בשם ר' אלכסנדרי קריביה.** כן צריך לומר וכן הוא בשיר השירים רבה, ורלה לומר שכך הוא שמו אלכסנדרי קריביה (מתנות כהונה). או פירוש קריביה קרובו, שהיה קרובו של ר' אלכסנדרי הראשון (יפה תואר). והאות אמת כתב שהיה שליח ציבור האומר פיוטים וקרובות:

פירוש מהרז"ו

(ב) ראמות לאויל חכמות. שכמו אם תלוי דבר ברום הבית, ובעל הבית כשאומר לשלוחו תן לי דבר זה התלוי, השליח משיב רם וגבוה הוא ולא אוכל להשיגו, כך משיב האויל על למוד התורה וכמו שכתוב בסיפיה דקרא (משלי כד, ז) בשער לא יפתח פיהו, בשער התורה הוא בבית המדרש, ומה שאמר באוירו של בית, פירושו ברום ובגובה של בית, וזה משל על רום השגת חכמת התורה שלמעלה משכלו, אך באמת שכאשר עוסק בה תמיד בשקידה, כתיב (משלי ב, י) כי תבוא חכמה בלבך וגו', וכמו שכתוב (שם ו) אם תבקשנה וגו' ודעת אלהים תמצא, וכמו שאמרו במדרש הנ"ל, עד שאני למד כמוהו, פירוש כמו הרב: **רואה אותן קוצים.** דורש קווצותיו מלשון קוצים הם קוצי אותיות, ותלתלים מלשון תל תלים, הוא בית שנפל ונעשה תל. וכאן צריך להיות המאמר דלקמן של שמע ישראל עד אין לבלותך, שמדבר בקוצי אותיות, ואחר כך מאמר של רבי אלכסנדרי שמדבר בעקירת אות, וכל הענין של שלמה, וכן הוא במדרש שמואל שם, ובשיר השירים רבה שם, וכאן נתחלפו המאמרים: **אמר רבי אלכסנדרי בר חגאי.** בשם רבי אלכסנדרי קרובה, כך כוונת המדרש, ודרך הירושלמי כשמביא אמוראים שאומרים זה בשם זה, שדולג תיבת בשם: **קרובה.** עיין מתנות כהונה, ובמוסף ערוך פירש איש בקי בהלכות ודינים נקרא בלשון יוני קרוב:

חידושי הרד"ל

[ב] בתלולית זו של עפר. דרש קווצותיו תלתלים, כמו לקוץ תלי עפר גבוהים, שנפלאת היא מעיני הטפש ונקל בדעת הנבון: **נזיקין שלשים פרקים.** היינו תלתא בבי שהן חדא מסכת, ונחלקים לשלשה בבות של עשרה עשרה פרקים, וכן כלים שלשים פרקים, חלוקה בתוספתא דכלים לשלשה בבי. וכן סדר עולם רבא שלשים פרקים חלוק לשלשה בבי: **אמר רבי יוחנן לכבר תלוי כו'.** דברים רבה (ח, ג): **יבנה עוד שחורות כעורב אמר רבי אלכסנדראי כו'.** כן צריך לומר:

חידושי הרש"ש

[ב] שתי משפלות היום. פירוש קופות, עיין שביעית פ"ג מ"ג. וכן פירש המתנות כהונה בעלמו בשיר רבה, בשם הערוך:

באור מהרי"ף

[ב] לקצות את זו. אולי פירש ודורש קווצותיו תלתלים: **מתנות כהונה ד"ה משפלות מרא וכו'.** כתב המעריך (ערך משפל) ושבוש הוא אלא הן קופות גדולות עד כאן. וכן פירש הערוך קופות שמוציאין בהם זבלים, ובלשון ישמעאל קורין אלמשפל, עד כאן:

מסורת המדרש

ג. שה"ש רבה פ"ה:
ד. אגדת שמואל פרשה ה':

אם למקרא

רָאמוֹת לֶאֱוִיל חָכְמוֹת בַּשַּׁעַר לֹא יִפְתַּח פִּיהוּ: (משלי כד:ז)

וְאֶת כָּל שְׁלָלָהּ תִּקְבֹּץ אֶל תּוֹךְ רְחֹבָהּ וְשָׂרַפְתָּ בָאֵשׁ אֶת הָעִיר וְאֶת כָּל שְׁלָלָהּ כָּלִיל לַה' אֱלֹהֶיךָ וְהָיְתָה תֵּל עוֹלָם לֹא תִבָּנֶה עוֹד: (דברים יג:יז)

אמרי יושר

[ב] הריני קוצץ שתי משפלות. זהו צריך לקנות בה כתל, שמפנה מעט מעט ומפנהו כולו, כן בהתמדה יקראהו כולה, וזה בבחינת הכמות. ותלוקת ראמות לאויל חכמות, בבחינת איכות, רום המושג. ומשל טרסקל נקוב, בבחינת מונע אחר, שהוא השכחה: **אפילו דברים שאתה רואה אותם קוצים בתורה.** שקשה לך, כגון ותמנע היתה פלגש (בראשית לו, יב), דע שהוא קיום העולם. או פירוש אפילו בקוץ ורושם אחד של תורה, בו כדי להחריב העולם, כמו קוץ ריבוע [אות] ד' של אחד, או לא (תחללו) [יחללו]:

שינוי נוסחאות

(ב) **אמר רבי אלכסנדרי.** רד"ל הוסיף תבות "שחרות כעורב" לפני "אמר רבי אלכסנדרי". **אמר רבי אלכסנדרי בר חגאי רבי אלכסנדרי קרובה.** יש כאן שני שמות חכמים ברצף, ואינו מובן מה ענינם זה לזה, ומשום זה הוסיפו (בסוגריים) בוילנא "בשם" בין השמות, אבל לא נמצא כן בשום ספר אחר, ובד"ר היה כתוב "ורבי אלכסנדרי קרובה", עם וי"ו החיבור, ר"ל שהוא חכם שני, וכן איתא בכמעט כל הכי"י, ובכ"י אחד איתא "דהוא ר' אלכסנדרי קרובה", ר"ל שאלו שני השמות הם של אדם אחד. **קרובה.** בד"ר היה כתוב "קריביה"; ובד' ונציא כתוב "קרי ביה", ועל זה הגיה א"א: "קרוביא" (ופירשו שליח ציבור, והביא דבריו במ"כ, אמנם בערוך ק'ר'ב' פירש "דרשן"); ובמ"כ הגיה "קרובה" וכן הוא בכל הדפוסים אח"כ.

מתנות כהונה

[ב] בתלולית. תל גדול: **לקצות.** לחתכו לפנות מקומו: **משפלות.** מרא שבו מפנין האשפה ועפר: **ומספקן.** קושרן זה בזה, עד שזה יספיק ומשלים לזה עד שמי קורה: **טרסקל.** פירוש סל: **הכי גרסינן ששכר בעליו פועלים למלאתו.** והכי איתא במדרש חזית (שיר השירים רבה ה, פסוק יא): **למלאתו.** פירוש למלאות מים: **מה אני מועיל ללמוד** גרסינן: **קוצים.** בלי צורך כקוצים הללו: **להחריב העולם.** כולו. כגון דלי"ת של ה' אחד, וכדומה, כדמפרש לקמן: **הכי גרסינן אלכסנדרי קרובה.** ועיין במדרש חזית (שיר השירים רבה פרשה ה), ופירש באות אמת שהיה שליח ציבור שאומר פיוטים וקרובץ:

אשד הנחלים

[ב] לקצות את זו כו' לככר תלוי באוירו כו' לטרסקל נקוב כו'. אלו השלשה משלים מרמזים על עניינים שונים, הראשון מרמז על רבוי הכמות, שהטפש בשעה שמצייר רבוי ההלכות, מדמה בדעתו שאין בכחו להשיגם מצד כמותם, ושוכח כי מעט מעט יוכל לקנותם בלב, ודרש קווצותיו תלתלים, כלומר תלי תלים בעיני ההמון, אך באמת נמצאת במי שמשחיר ומעריב עליהם. המשל השני מצד האיכות מרוב עומקה, וזהו הכינוי לדבר הניתן בגובה עד שאי אפשר להורידה, וזהו נוגע לחכמה האלהית העמוקה והרחבה והגבוה, אך מי שהוא פיקח מתבונן, הלא על כל פנים אדם אחר השיגה, כלומר אחר שראינו שרבים השיגו זאת, בודאי יש בכח אדם להשיגה, רק שחסר ההקדמות להוציא מהם התולדה הנכונה, וזהו הכנוי שמביא שני קנים ומספקן זו בזו, וזהו השני ההקדמות שממנו תצא התולדה כנודע בהגיון. המשל השלישי שבאמת יש בני אדם שכל למודם לריק, כי שוכחים מהר, אבל האמת שהשכחה באה רק מצד החומר, אבל אחר פרידת הנפש, אז תשוב להיות זוכרת מה שלמדה מאז, כי נשאר טמונה בה בכח, ישוב להיות אחר כך בפועל, וזה הוא השכר יגיע שהקב"ה נותן: **קוצין בתורה.** עיין במתנות כהונה, וקווצותיו תלתלים קדריש:

ענף יוסף

(ב) בתלולית זו של עפר כו' לככר כו' לטרסקל כו'. הראשון שאמר לתלולית של עפר רמז בזה כי דברי תורה עמוק מאד, ולכאורה נראה שאין בה צורה וריח וטעם, אלא תלולית של עפר חומר בלי צורה, הטפש אמר מי יוכל להסירם מכאן, לפי שלא יבין כלום, והפקח אומר מעט מעט אגרשנו מן הארץ, אגרום אף אם לא אבין על דרך דאיתא בפרק קמא דעבודה זרה (יט, א) ליגרום איניש אף על גב דלא ידע מאי קאמר, שנאמר (תהלים קיט, כ) גרסה נפשי לתאבה אל משפטיך בכל עת, ובתוך כך יבין מעט מעט, עד אשר יגליה למודו וישכיל ויבין, זהו נגד תאות הלימוד. והשני אמר לככר שתלה בשמי קורה, רלה לומר שיבין טעמי התורה שיש בהם ריח וטעם, על דרך לכו לחמו בלחמי, וזה שאמר לככר שתלה בשמי קורה, רק שאמר מי יוכל להשיג הדברים העליונים, והוא כטפש הרולה ללמוד כל התורה ברגל אחד, ולעשות התורה חבילות חבילות, אבל הפקח אומר וכי לא אדם אחר תלאה, ואחר שאדם אחר תלאה, גם לי לבב כמוהו בענין שאשתדל להשיג הדבר ואלמוד כסדר, תחלה מקרא ואחר כך משנה וכן כל חלקי התורה, וזה שאמר אני אקשור קנה על קנה ואשיגנו, כי כן ענייני תורה צו לצו קו לקו, אבל בבת אחת בודאי אי אפשר להשיגם, ובא אחד ואמר מה תועלת יש לי בכל זה כי אף על פי שאלמוד ואשתדל הרבה, אני כטרסקל נקוב שמכניס בזו ומוליא בזו, וכל מה שאלמוד בשנה זו אני אשכח בשנה האחרת, והפקח אומר מאחר שאני אשתדל בכל כחי ואתמיד יום ולילה בתורת ה', לא שכר יגיעי אני נוטל, כי בוודאי ברית כרותה, המתמיד בלימודו יום ולילה שיגליה למודו, ומן השמים יסייעו אותו שיזכור ולא ישכח עוד, וזה נגד תמידות הלימוד (ספר מטה משה דף י"ד):

אִם מִתְכַּנְּסִים כָּל בָּאֵי עוֹלָם לְהַלְבִּין כָּנָף אֶחָד שֶׁל עוֹרֵב — If all the inhabitants of the world gathered together to whiten one wing of a raven, אֵינָן יְכוֹלִין — they would not be able to. כָּךְ אִם מִתְכַּנְּסִים כָּל בָּאֵי עוֹלָם לַעֲקוֹר דָּבָר אֶחָד מֵהַתּוֹרָה — So too, if all the nations of the world gather together to **uproot one word from the Torah, אֵינָן יְכוֹלִין — they would not be able to.**[46]

The Midrash cites a historical example illustrating the immutability of the Torah:

מִמִּי אַתְּ לָמֵד — From whom can one learn this lesson? **מִשְּׁלֹמֹה — From Solomon. עַל יְדֵי שֶׁבִּיקֵּשׁ לַעֲקוֹר אוֹת אַחַת מִן הַתּוֹרָה — Because [Solomon] attempted to uproot one letter from the Torah, עָלָה קַטֵּיגוֹרְיָא — an accusation arose** against him in heaven. **וּמִי קִטְרְגוֹ — And who** was the one who **accused him? רַבִּי יְהוֹשֻׁעַ בֶּן לֵוִי אָמַר — R' Yehoshua ben Levi said: י' שֶׁל יַרְבֶּה קִטְרְגוֹ — The** letter ***yud*** **of** the word ***yarbeh*** [יַרְבֶּה], *he shall (not) have too many,* **accused him.**[47] **תָּנֵי רַבִּי שִׁמְעוֹן — R' Shimon** taught in a Baraisa: **סֵפֶר מִשְׁנֵה תּוֹרָה עָלָה וְנִשְׁתַּטַּח לִפְנֵי הַקָּדוֹשׁ בָּרוּךְ הוּא — The Book of *Deuteronomy* ascended and prostrated itself before the Holy One, blessed is He, אָמַר לְפָנָיו —** and **exclaimed before Him, רִבּוֹנוֹ שֶׁל עוֹלָם — "Master of the Universe! עֲקָרַנִי שְׁלֹמֹה וַעֲשָׂאַנִי פַּלַּסְתֵּר — Solomon has uprooted me, and rendered me fraudulent** (i.e., an invalid document), **שֶׁכָּל דְּיָיתֵיקֵי שֶׁשְּׁנַיִם וְג' דְּבָרִים בְּטֵלִין הֵימֶנָּה — for any will in which two or three things are null and void כּוּלָּהּ בְּטֵילָה — is** deemed to be **null and void in its entirety,**[48] **וַהֲרֵי שְׁלֹמֹה הַמֶּלֶךְ בִּיקֵּשׁ לַעֲקוֹר יו"ד מִמֶּנִּי — and now King Solomon has attempted to uproot** the letter ***yud*** **from me** three times. **כְּתִיב "וְלֹא יַרְבֶּה לוֹ נָשִׁים" — It is written** regarding a king, ***And he shall not have too many wives*** (*Deuteronomy* 17:17), **וְהִרְבָּה לוֹ — and** yet **[Solomon] has many;**[49] **"לֹא יַרְבֶּה לוֹ סוּסִים" — *he shall not have too many horses for himself*** (ibid., v. 16), **וְהִרְבָּה לוֹ סוּסִים — and** yet **he has many** horses **for himself;**[50] **"לֹא יַרְבֶּה לוֹ . . . כֶּסֶף וְזָהָב" — *He shall not* greatly *increase silver and gold for himself*** (ibid., v. 17),[51]

NOTES

46. Just as the blackness of the raven's wing is an immutable law of nature, so too are the laws of the Torah immutable. They are not subject to revision due to changing times or circumstances, even were there to be a universal consensus that such revisions were justified (*Yefeh To'ar*). For further elaboration of the symbolism of the black raven's wing, see Insight Ⓐ.

47. There are three Biblical prohibitions specifically addressed to the king, each of which contains the word יַרְבֶּה: (i) לֹא יַרְבֶּה לוֹ סוּסִים, *he shall not have too many horses for himself* (*Deuteronomy* 17:16); (ii) לֹא יַרְבֶּה לוֹ נָשִׁים, *he shall not have too many wives* (ibid., v. 17); and, (iii) כֶּסֶף וְזָהָב לֹא יַרְבֶּה לוֹ מְאֹד, *he shall not greatly increase silver and gold for himself* (ibid.). As the Midrash explains below, Solomon transgressed all three of these commandments. Solomon's violations were considered an attempt to uproot the prohibitions, for he argued that his superior wisdom would protect him from the pitfalls that Scripture specifies for a king who indulges in these excesses and that therefore these commandments do not apply to him (see *Sanhedrin* 21b). Accordingly, the Midrash marshals proof from this incident that no individual or group can ever abrogate any commandment of the Torah (see *Yefeh To'ar*). The Midrash sees Solomon as having sought to uproot the *yud* of יַרְבֶּה for it is due to the prefix *yud* that the word is an imperative; without the *yud* the word would be רָבָה (*he increased*), in the past tense. In committing these offenses, Solomon was, in effect, disregarding the letter *yud* (*Maharzu* and *Imrei Yosher*).

[The idea of the letter *yud* accusing King Solomon is a poetic description and should not be understood literally (*Eitz Yosef*; however, see the alternative Kabbalistic approach there).]

48. That is, if the author of the document revoked part of the bequest, the entire bequest is null and void; see *Bava Basra* 148b (*Eitz Yosef*).

49. *He had seven hundred wives who were noblewomen and three hundred concubines* (*I Kings* 11:3).

50. *Solomon had forty thousand stables of horses for his chariots* (ibid. 5:6).

51. This is not a true Scriptural citation; the words of the verse are rearranged.

INSIGHTS

Ⓐ **Like the Raven's Wing** *Kehillas Yitzchak* (on *Parashas Metzora*) cites *R' Tzvi Hirsch Levin* of Vilna's elaboration of our Midrash's comparison of the unchanging blackness of the raven's wing to the immutability of the Torah.

It was the night of their exodus from Egypt, and the Israelites were bidden to smear the blood of the *pesach* offering on the doorposts of their homes (*Exodus* 12:7). *Mechilta* there explains that the blood was to be smeared on the *insides* of the doorposts, citing two derivations based on the later verse, *The blood shall be for you a sign upon the houses where you are; and I shall see the blood and I shall pass over you . . .* (ibid., v. 13). R' Nassan notes the command's emphasis of *The blood shall be for "you" a sign . . .* It is to be a sign for *you* who are *in* the houses, not for those on the outside. R' Shimon, however, notes the emphasis on *and "I" shall see the blood . . .* It shall be where only I, God, can see it from the outside — i.e., it shall be on the inside, where it is invisible to all others without.

What is the significance of these two different derivations if both yield the same conclusion?

As we know the Exodus was far more than physical liberation from our Egyptian overlords. God Himself declared: *When you take the people out of Egypt, you will serve God on this mountain* (ibid. 3:12) — the ultimate purpose of the physical liberation was that we serve God and accept His eternal Torah, and the *pesach* liberation offering held a message for this as well.

God, Who sees to the very end of time, knew that the immutability of the Torah would someday be challenged. Some of the challenges would arise from scholars who would seek to make their own minds the arbiters of God's commandments, accepting those they judged to be eternal and disregarding those that their intellects perceived as no longer relevant. It was to counter such notions, R' Shimon holds, that God commanded that the blood of the *pesach* offering be placed where only *He* could see it. Only He knows the true meaning of His Torah's profound truths and how they are relevant for all time. The passerby on the outside has no more hope of *truly* understanding the laws of the Torah than he does of discerning the blood of the *pesach* offering through the door!

But threats to the eternity of Torah observance arise from different quarters as well — from the siren call of the nations of the world that beckons us to come and conform. At times it cajoles, at times it demands, at times it promises — but its basic message is always the same: throw off the outmoded customs of your ancient past, stand shoulder to shoulder as equals with the rest of humanity, and march together with us into a better, brighter more tolerant future! And indeed, such offers find receptive ears, inducing many of our people to embrace only what the nations find appealing, and to neglect that which they do not. It is to counter these insidious forces, R' Nassan holds, that God commanded that the blood of the *pesach* offering be placed where it will be a sign only for *you* who are *inside* the house. Those passing on the outside cannot see the sign on the inside and have no inkling of the profound light and sanctity that pervades the Torah home. The glistening red reminder that rims our doorposts on the inside frustrates the efforts of those who gather at our doorstep on the outside

This is the meaning of our Midrash as well. If all the nations of the world or their allies among us will converge to "whiten" the raven's wing, to render it more beautiful according to *their* tastes and fancies, they will not succeed. The beauty of *our* plumage — our lifestyles and values — is no less natural, and no more subject to change, than that of the raven. The flashy feathers of the peacock do not make the raven ashamed of its ebony feathers and their unchanging color. A white-winged raven is not a thing of beauty. Even the wisest and best-intentioned among us could not alter the smallest letter of the Torah. The eternal Torah, like the raven's wing, is forever.

אם מתכנסים כל °אומות העולם להלבין כנף אחד של עורב אינן יכולין, כך אם מתכנסים כל אומות העולם לעקור דבר אחד מהתורה אינן יכולין, ממי את למד, משלמה, על ידי שביקש לעקור אות אחת מן התורה עלה קטיגוריא, ומי קטרגו, רבי יהושע *בן לוי אמר: יו"ד של ירבה קטרגו, תני רבי שמעון: ספר משנה תורה עלה ונשתטח לפני הקדוש ברוך הוא, אמר לפניו: רבונו של עולם, עקרני שלמה ועשאני פלסתר, שכל דייתיקי ששנים וג' דברים *בטלין הימנה כולה בטילה, והרי שלמה המלך ביקש לעקור יו"ד ממני, כתיב (שם יז, יז) **"ולא ירבה לו נשים" והרבה לו,** (שם שם טז) **"לא ירבה לו סוסים" והרבה לו סוסים,** (שם יז, יז) **"לא ירבה לו ... כסף וזהב" והרבה לו כסף וזהב, אמר לו הקדוש ברוך הוא: צא לך, הרי שלמה בטל ומאה כיוצא בו, ויו"ד ממך אינה בטילה לעולם, רבי הונא בשם רבי אחא אמר: יו"ד שנטל הקדוש ברוך הוא משמה של שרה חלקו לשנים, חציו לאברהם וחציו לשרה, אמר רבי יהושע בן קרחה: יו"ד של שרה עלתה ונשתטחה לפני הקדוש ברוך הוא, אמרה לפניו: רבונו של עולם, עקרתני משמה של אותה צדקת, אמר לו הקדוש ברוך הוא: צא, לשעבר היית בשמה של נקבה בסופה של תיבה, אבל עכשיו הריני נותנך בשמו של זכר בראשה של תיבה, הדא *הוא דכתיב** (במדבר יג, טז) **"ויקרא משה להושע בן נון יהושע",** (דברים ו, ד) **"שמע ישראל ה' אלהינו ה' אחד", אם את עושה דל"ת רי"ש אתה מחריב את כל העולם כולו,** (שמות לד, יד) **"כי לא תשתחוה לאל אחר", אם אתה עושה רי"ש דל"ת נמצא אתה מחריב את כל העולם כולו,** (ויקרא כב, ב) **"ולא יחללו את שם קדשי", אם אתה עושה חי"ת ה"א נמצא מחריב את העולם כולו.**

עץ יוסף

יו"ד של ירבה קטרגו. זהו דרך משל כאילו האות צועקת על עשקה. וחכמי האמת כתבו שהאותיות שבתורה הם מלאכים חיים ועומדים בעצמם: **יו"ד של ירבה.** קשה מאי טעמא התלונה ליו"ד שבירבה מהשאר, יותר יאות התרעומות בלמ"ד אל"ף דלא ירבה כי על הלאו עבר. ויש לומר דרבותא נקט אות יו"ד שהיא הקטנה, לומר שאפילו היא אי אפשר להתבטל וכל שכן הגדולות, ועיין מה שכתבתי עוד בשמות רבה (ו, א) ובשיר השירים רבה (שם): **פלסתר.** זיוף וכזב ושקר (רש"י פרק הישן סוכה כט, א): **דייתיקי.** שטר צוואה: **ששנים ושלשה דברים.** לאו דוקא דאפילו בחדא, כדאיתא בפרק מי שמת (בבא בתרא קמח, ב) בשכיב מרע שנתן כל נכסיו וחזר במקצתו דמסקינן חזרה במקצת הויא חזרה בכולהו, והכי אמר בחזית, דייתיקי שבטלה מקצתה בטלה כולה: **ויו"ד ממך אינה בטילה.** והיינו שה' יגלה נבלות דעתו בזה במה שיראו הכל שיכשול בדעתו, כמו שהיה באמת שנשיו הטו את לבבו וידעו הטעם כולו שכל המשנה תורה הוא דברי ה' ותמידית בכל זמן בלי הרהור וחילוק: **יו"ד שנטל כו'.** מפני דבעי למימר יו"ד של שרי עלתה כו' דדמי למה שאמר יו"ד של ירבה כו' מייתי הא דרב הונא, דלפי דבריו לא היה לה צורך להתרעם מאחר שנחלקה ואינה בטילה: **חלקו לשנים.** עיין מה שכתבתי בבראשית רבה ריש פרשה מז: **עכשיו אני נותנך כו'.** טעמו עיין בזהר לך לך (נו, א):

פירוש מהרז"ו

כל אומות העולם. בשיר השירים רבה שם הגירסא, כל באי עולם: **לעקור דבר אחד.** בשיר השירים רבה שם הגירסא, לעקור יו"ד קטן שבאותיות: **ומי קטרגו.** בא לדרוש מה שנאמר (מלכים א, יא) שלשה פעמים שטן אחד בפסוק (יד) ויקם ה' שטן לשלמה. שני בפסוק (כג) ויקם אלהים לו שטן. שלישי בפסוק (כה) ויהיה שטן לישראל כל ימי שלמה, היינו כנגד שלש לא ירבה שעבר, וזהו מי קטרגו, כנגד מי הם השלושה שטנים. וכמו שכתב ריש שיר השירים רבה, שלש עבירות עבר שלושה שטנים נזדווגו לו, ולא נמצא בפסוק רק שנים הדד ורזון, אלא על פי מדה י', חושב גם פסוק (כה) ויהי שטן ודו"ק: **יו"ד של ירבה.** שהיו"ד הוא עיקר משמעות של הציווי, שבלא יו"ד מורה עבר לא רבה, והיו"ד מורה צווי, ואזהרת לא תעשה: **ספר משנה תורה.** שהמלך מצווה לכתוב לו את משנה התורה, שבו כתובים שלושה מצוות אלו, ועל שלא קיים שלמה מה שכתוב בו, על כן קטרג עליו: **צא לך.** כך דרך העולם, כשאחד אומר דבר שאינו מתקבלו, אומר לו חבירו לך ובלע"ז (גיי"א), וכן בסמוך לא לשעבר, ולדעת רבי שמעון בן יוחאי שאמר ספר משנה תורה, מרומז במה שנאמר (מלכים א, יא, יא) יען אשר היתה זאת עמך ולא שמרת, פירוש שהיה ספר משנה תורה עמך תמיד שקראת בו בכל יום המצות, שכתוב שם (דברים יז, יט) והיתה עמו וקרא בו כל ימי חייו וגו' לשמור, שכתוב שם השלש מצות, ולא שמרת, וזהו הקטרוג של משנה תורה עליו, ומה שאמרו שהשיב שאינה בטלה לעולם, שהרי באמת מפורש שסר לבבו, ונתקיים מה שנאמר בתורה ולא נתבטל, הרי שהשיב לה כן. ודברי רבי הונא בשם רבי אחא ודברי רבי יהושע בן קרחה הובאו לקיים דברי רבי אלכסנדרי שאפילו יו"ד של ירבה ושל שרה לא נתבטל: **שמע ישראל.** כל מאמר זה שייך לעיל בדברי רבי זעירא, שאפילו על קוץ אחד יכול לעשות העולם תילים והורבן, וכל המאמר הוא דבר והפכו ד' ר', ר' ד', ח' ה', ה' ח', ב' כ', כ' ב':

מתנות כהונה

יו"ד של ירבה. דכתיב לא ירבה לו נשים, וכן סוסים וכן כסף וזהב, ושלמה עשה שלשתן, ואי לאו יו"ד לא הוה ביה משמעות אזהרה: **פלסתר.** זיוף וכזב ושקר כן פירש רש"י פרק הישן (סוכה כט, א): **דייתיקי.** שטר צואה:

אשד הנחלים

להלבין כנף. כלומר שיהיה לבן מעצמו ובטבעו אינם יכולים, כי מי הוא אשר יוכל להפך הטבע, כן התורה האלהית היא קבועה תמיד כדבר טבעי המחוייב, ואי אפשר לעקרה לעולם, כי אי אפשר בלתה. והראיה משלמה שחפץ לעקור, כי דימה כי הוא בשכלו יוכל לעמוד מבלעדי הגדר, ועלה קטגוריא עליו: **יוד שבירבה.** לכאורה מדוע רק היוד קיטרג, ואם היה כתוב בלא יוד איכה היתה המשמעות. והנראה דאם היה כתיב ולא רבה עליו, היה במשמע שיראה שלא יתגדלו עליו הנשים, שלא יכניע את עצמו למולם ולתאוותם, אבל עם כל זה יקח כמה שירצה, אבל לא ירבה משמע רבוי הכמות. וענין הקטרוג מהאותיות, ידוע אצל חכמי אמת בספריהם, שהאותיות של תורה המה אורות עליונות כנודע בספרים: **שלמה בטל.** כי לא יתקיים דעתו, שבודאי יטו לבבו אם לא יתנהג כתורה וכמצוה: **יוד של שרה כו' בשמו של זכר.** גם זה הוא לפי דעת בעלי אמת, והשם מורה על המהות, כי שמות אבותינו אינם שמות ההסכמיים כי אם שמות הגדרים, כמו אברהם אב המון גוים, ושמא גרים כמאמרם (בראשית רבה מד, י) אברם אינו מוליד אברהם מוליד, ואם כן אין מן הפלא על אלה העניינים, ויש בם ציור, ושייך לדרכי הדרוש: **דלת ריש כו'.** והוא שייך לדעיל אתה רואה קוצים כו' יכולים להחריב כו':

חידושי הרד"ל

משלמה על ידי שביקש כו'. שמות רבה (ו, א) עיין שם: **שמע ישראל כו' אם אתה עושה כו'.** תנחומא ריש פרשת בראשית:

באור מהרי"פ

חציו לאברהם וכו'. צריך להיות הא"י לאברם ונעשה אברהם: **מתנות כהונה ד"ה הכי גרסינן וכו'.** צריך לומר הכי גרסינן שהם גרסים כטורים:

אמרי יושר

אין יכולין לעקור דבר אחד מן התורה. זהו דברי תורה הם קיימות ושמורות, כי השחור קיים, ואין צבע אחר עליו לקלקלו, כעורב שאין אחד יכול להלבין מראהו, אבל הוא מקרה קיים: **עיקרני שלמה.** כי הוא המשיך לו שכתוב לא ירבה לו נשים בן יסור, אמר, אני ארבה ולא אסור, והכתוב אמר והעיד כי כל המרבה מסיר, ונקט יו"ד לרבותא, דאף היא שהיא קטנה. או לומר שמ"ירבה" הסיר היו"ד, וירבה נשים. או הקפידא היה על יו"ד האיתן, כי היא מאותיות ההויה, ואין נכון לעקרה כי הוא קיום הכל וחי כל:

ענף יוסף

לעקור דבר אחד מן התורה. קשה מאי תימה שיוכלו לעקור דבר מהתורה, וכי בידם התורה מסורה לעקור ממנה, ואם שיוכלו לעבור עליה, פשיטא שיוכלו לעבור על כולה, שהרשות ביד האדם, ויש לומר שלפי שקצת מן המתפקרים אומרים שדיני התורה ישתנו כפי שינוי הזמנים, כענין הרפואות שמשתנות בהשתנות הזמנים, אבל טענתם הבל, כי התורה נימוס ישר שלא כולל כל הזמנים, לכן אמר שאם מתכנסים כל אומות העולם לא יוכלו לעקור דבר אחד עם היות שינוי בדורות, והביא דוגמא ממקרי דברים הטבעיים בשחרות העורב, שעם שהגוון דבר מקרי, הנה נשמר טבע זה ולא נשתנה בחילוף הזמנים, ואיך תקצר יד ההשגחה, מתת ההנהגה תוריית כוללות כל הזמנים, מבלי שיצטרך להשגיח זמנין ודת, ומענין זה היה ענין שלמה, שחשב שלפי חכמתו לא היה צריך ליזהר מריבוי הנשים והסוסים, בחשבו כי הוא ירבה ולא יסור, ולא עלתה לו, נראה מזה שמשפטי התורה צדקו יחדיו בכל זמן (יפה תואר):

מסורת המדרש

ה. ב"ר פרשה ו'. ירושלמי פרק ב' דסנהדרין: ו. ב"ר פרשה מ"ז. במד"ר פ' י"ח. ש"ר פ' ו' פסוק ראשו. תנחומא סוף סדר קרח. ז. אגדת שמואל פ"ה:

אם למקרא

רק לא ירבה לו סוסים ולא ישיב את העם מצרימה למען הרבות סוס וה' אמר לכם לא תספון לשוב בדרך הזה עוד: ולא ירבה לו נשים ולא יסור לבבו וכסף וזהב לא ירבה לו מאד: (שם יז:טז-יז)

אלה שמות האנשים אשר שלח משה לתור את הארץ ויקרא משה להושע בן נון יהושע: (במדבר יג:טז)

שמע ישראל ה' אלהינו ה' אחד: (דברים ו:ד)

כי לא תשתחוה לאל אחר כי ה' קנא שמו אל קנא הוא: (שמות לד:יד)

דבר אל אהרן ואל בניו וינזרו מקדשי בני ישראל ולא יחללו את שם קדשי אשר הם מקדשים לי אני ה': (ויקרא כב:ב)

ידי משה

[ב] הריני נותנך בשמו של זכר. וזה פירוש (סוטה לד, א) דין ריש קטיעא ימלל, לפי דאיתא (עיין פי' צדיק דרוש מ) בשם הזוהר לפי שיו"ד שנטלה משם נקבה ונתנה בראש שמו של יהושע לכן לא זכה לבנים, וזה שאמרו לו המרגלים דין ריש קטיעא, פירוש בשביל שאות שלך קטועה, פירוש אות קטן היו"ד שבראש שמך מורה שלא תלד בנים, ולכך לא איכפת לך בטובת ארץ ישראל. ודוק [ועיין מהרש"א סנהדרין קז, א ד"ה ומה יו"ד]: **נמצא אתה מחריב את העולם כולה.** כל זה הוא סיום דברי ר' זעירא דלעיל שאמר אפילו קוץ אחד מחריב את העולם, וזה הוא סיום דבריו:

שינוי נוסחאות

אם מתכנסים כל אומות העולם להלבין. הגיה א"א "באי עולם" במקום אומות העולם, וכן הוא בהרבה כי"י.

וְהִרְבָּה לוֹ כֶּסֶף וְזָהָב — **and** yet **he greatly increased silver and gold for himself."**[52] אָמַר לוֹ הַקָּדוֹשׁ בָּרוּךְ הוּא: צֵא לָךְ — **The Holy One, blessed is He, responded** reassuringly, **"You may go.**[53] הֲרֵי שְׁלֹמֹה בָּטֵל וּמֵאָה כַּיּוֹצֵא בוֹ — **Let Solomon and a hundred like him be abolished,** וְיוּ״ד מִמְּךָ אֵינָהּ בְּטֵלָה לְעוֹלָם — **and the** *yud* **from you will never be abolished!"**[54]

The Midrash discusses another incident in which the letter *yud* was aggrieved and was appeased by God:

רַבִּי הוּנָא בְּשֵׁם רַבִּי אַחָא אָמַר — **R' Huna in the name of R' Acha said:** יוּ״ד שֶׁנָּטַל הַקָּדוֹשׁ בָּרוּךְ הוּא מִשְּׂמָהּ שֶׁל שָׂרָה — **The letter** *yud* **that the Holy One, blessed is He, had removed from the name of Sarah,**[55] חֲלָקוֹ לִשְׁנַיִם — **[God] divided it into two;** חֶצְיוֹ לְאַבְרָהָם וְחֶצְיוֹ לְשָׂרָה — **half of it** was given **to Abraham, and half** of it **to Sarah.**[56] אָמַר רַבִּי יְהוֹשֻׁעַ בֶּן קָרְחָה — **R' Yehoshua ben Korchah said:** יוּ״ד שֶׁל שָׂרָה עָלְתָה וְנִשְׁתַּטְחָה לִפְנֵי הַקָּדוֹשׁ בָּרוּךְ הוּא — The letter *yud* **from** the original name of **Sarah,** Sarai [שָׂרַי], **ascended and prostrated itself before the Holy One, blessed is He.** אָמְרָה לְפָנָיו — **It said before Him,** רִבּוֹנוֹ שֶׁל עוֹלָם, עֲקַרְתַּנִי מִשְּׁמָהּ שֶׁל אוֹתָהּ צַדֶּקֶת — **"Master of the Universe! You have uprooted me from the name of that righteous woman!"** אָמַר לוֹ הַקָּדוֹשׁ בָּרוּךְ הוּא: צֵא — **The Holy One, blessed is He, responded** placatingly, **"Go!** לְשֶׁעָבַר הָיִית בִּשְׁמָהּ שֶׁל נְקֵבָה — Do not feel aggrieved, **for in the past you were in a female's name,** בְּסוֹפָהּ שֶׁל תֵּיבָה — **at the end of the word.** אֲבָל עַכְשָׁיו הֲרֵינִי נוֹתֶנְךָ בִּשְׁמוֹ שֶׁל זָכָר — **But now, I am placing you in a male's name,** בְּרֹאשָׁהּ שֶׁל תֵּיבָה — **at the beginning of the word."** הָדָא הוּא דִכְתִיב — **Thus it is written,** "וַיִּקְרָא מֹשֶׁה לְהוֹשֵׁעַ בִּן נוּן יְהוֹשֻׁעַ" — ***Moses called Hoshea*** [הוֹשֵׁעַ] ***son of Nun, "Joshua"*** [יְהוֹשֻׁעַ] (*Numbers* 13:16).[57]

The Midrash returns to R' Z'eira's exposition above, that the "thorns" of the Torah contain the power to reduce the world to a heap, and provides several examples:[58]

"שְׁמַע יִשְׂרָאֵל ה׳ אֱלֹהֵינוּ ה׳ אֶחָד" — With regard to the verse, ***Hear, O Israel: HASHEM is our God, HASHEM is the One and Only*** [אֶחָד] (*Deuteronomy* 6:4), אִם אַתְּ עוֹשֶׂה דָלֶ״ת רֵי״שׁ — **if you were to make of** the letter ***dalet*** [ד], **a *reish*** [ר],[59] אַתָּה מַחֲרִיב אֶת כָּל הָעוֹלָם כּוּלוֹ — **you would destroy the world in its entirety.**[60] "כִּי לֹא תִשְׁתַּחֲוֶה לְאֵל אַחֵר" — Conversely, regarding the verse, ***For you shall not prostrate yourself before an alien*** [אַחֵר] ***god*** (*Exodus* 34:14), אִם אַתָּה עוֹשֶׂה רֵי״שׁ דָלֶ״ת — **if you were to make of** the letter ***reish*** [ר], **a *dalet*** [ד],[61] נִמְצָא — **it would emerge that**

NOTES

52. *The amount of gold that came to Solomon in one year was six hundred sixty-six talents of gold* (ibid. 10:14). *King Solomon made silver in Jerusalem [as common] as stones* (ibid., v. 27).

It was specifically *Deuteronomy* that raised this complaint, for these three verses are all from *Deuteronomy*. *Yefeh To'ar* suggests that Solomon's attempted abrogation of these verses was a particular threat to the validity of *Deuteronomy*. The Book of *Deuteronomy* consists of the words of Moses, from his final addresses to the Children of Israel (see *Megillah* 31b). Hence, if one were to disregard the commandments in *Deuteronomy* it appears that he denies the Divine origin of the Book and its contents. (For an alternative understanding of the term מִשְׁנֵה תּוֹרָה, see *Maharzu*.)

53. [I.e., your complaint will be dealt with to your satisfaction. (See *Maharzu* for an alternative understanding.)]

54. See note 47 above. Since despite his great wisdom Solomon was ultimately led astray by his many wives (see *I Kings* 11:3-4), his example in fact proved the universal applicability of the Torah's laws rather than the reverse (*Eitz Yosef, Maharzu*). For further discussion regarding King Solomon's error, see Insight Ⓐ.

55. Abraham's wife originally bore the name שָׂרַי, Sarai, which subsequently God changed to שָׂרָה, Sarah (see *Genesis* 17:15), removing the final *yud*.

56. The letter *yud* has the numerical value (*gematria*) of ten. God replaced it with two letters *hei* (ה), each of which has the numerical value of five; one was placed at the end of the name שָׂרָה (Sarah) and the other was added to Abraham's original name אַבְרָם (Abram) to form his new name אַבְרָהָם (Abraham) [see ibid., v. 5].

57. Placing a *yud* in front of the name הוֹשֵׁעַ, *Hoshea,* to form the name יְהוֹשֻׁעַ, *Yehoshua* (Joshua).

58. See notes 42 and 43 above. In the parallel text in *Shir HaShirim Rabbah* (on verse 5:11 §2) this passage follows immediately after R' Z'eira's exposition, before the exposition of the phrase שְׁחֹרוֹת כָּעוֹרֵב, *black as a raven. Maharzu* and *Eitz Yosef* emend the text in our Midrash to conform with the text there.

59. The letters *dalet* [ד] and *reish* [ר] are basically identical, except in their upper right-hand corner, where the roof of the *dalet* [ד] protrudes slightly behind its leg while the roof of the *reish* [ר] does not. If one were to omit this minute stroke he would thereby transform the *dalet* [ד] into a *reish* [ר], replacing the word אֶחָד, *One and Only,* with אַחֵר, "alien."

60. That is, one would produce a blasphemous statement, contradicting the most fundamental principle of the Torah. Rather than describing God as the One and Only, the corrupted version terms Him an alien god, the equivalent of a pagan idol.

61. Extending the roof of the letter back behind its leg. One thereby replaces the word אַחֵר, *alien,* with the word אֶחָד, "One and Only."

INSIGHTS

Ⓐ **The Wisest Man's Mistake** *R' Yosef Yehudah Leib Bloch,* Rosh Yeshivah of Telshe, suggests that King Solomon did not miscalculate when he assumed that his superior wisdom would make him immune to the detrimental effects of having a multitude of wives. Although Scripture testifies that Solomon's wives ultimately did sway his heart and lead him astray, inherently, his intelligence should indeed have equipped him with the ability to resist their pernicious influence. King Solomon's error lay elsewhere.

The Telshe Rosh Yeshivah cites a longstanding question concerning the nature of the Torah's commandments and prohibitions. Are they essentially Divine decrees, for which God promises reward to those who fulfill them and punishes those who transgress them? Or perhaps they are to be viewed as Divine guidelines for the soul, God's prescription for avoiding spiritual danger and damage; and the terrible consequences — in this world and in the next — that the Torah promises for those who fail to heed its word are simply the natural result of the inherently damaging deed that God had warned against, not a Divinely imposed punishment. The Rosh Yeshivah argues that both approaches are essentially correct. The Torah is indeed God's prescription for the soul: that which it prescribes is by nature beneficial and that which it proscribes is inherently damaging. But nevertheless the commandments were given to us as Divine decrees that we must obey as His servants, regardless of whatever benefit or detriment they might entail.

This, then, was Solomon's mistake. True, for someone with his wisdom and intelligence, marrying many wives should not have posed a spiritual threat. But once the Torah enjoins the king not to marry many wives it is absolutely forbidden for him to do so, even if the stated reason, וְלֹא יָסוּר לְבָבוֹ, *so that his heart may not turn astray,* does not apply to him. Moreover, not only is the commandment itself absolute, but so too is all that goes with it. Thus, once the Torah commands, לֹא יַרְבֶּה לוֹ נָשִׁים וְלֹא יָסוּר לְבָבוֹ, *he shall not have too many wives so that his heart may not turn astray,* then a king who violates this commandment and marries many wives will find that his heart turns astray, no matter how wise or intelligent he may be, no matter how resistant he should have been to the influences of his wives.

That is why specifically the *yud* of לֹא יַרְבֶּה, *he shall not have too many,* was Solomon's accuser, for it was the *yud* that made לֹא יַרְבֶּה into an imperative (see note 47) and that was precisely what Solomon was denying. In his view it was advice, it was a guideline, it was a prescription for a healthy soul, but it was not an absolute commandment applicable to any and every king. But as God told to Book of *Deuteronomy,* "Let Solomon and a hundred like him be abolished; and the *yud* from you will never be abolished!" For Solomon's downfall proved that the Torah is absolute, that even one who logically should be beyond the spiritual dangers of which it warns is in fact subject to that danger *precisely because* that warning is included in the Torah (*Shiurei Daas* Vol. 2, pp. 118-120).

אם מתכנסים כל °אומות העולם להלבין כנף אחד של עורב אינן יכולין, כך אם מתכנסים כל אומות העולם לעקור דבר אחד מהתורה אינן יכולין, ממי את למד, משלמה, על ידי שביקש לעקור אות אחת מן התורה עלה קטיגוריא, ומי קטרגו, רבי יהושע *בן לוי אמר: ה יו"ד של ירבה קטרגו, תני רבי שמעון: ספר משנה תורה עלה ונשתטח לפני הקדוש ברוך הוא, אמר לפניו: רבונו של עולם, עקרני שלמה ועשאני פלסתר, שכל דייתיקי ששנים וג' דברים *בטלין הימנה כולה בטילה, והרי שלמה המלך ביקש לעקור יו"ד ממני, כתיב (שם יז, יז) "ולא ירבה לו נשים" והרבה לו, (שם שם טז) "לא ירבה לו סוסים" והרבה לו סוסים, (שם יז, יז) "לא ירבה לו ... כסף וזהב" והרבה לו כסף וזהב, אמר לו הקדוש ברוך הוא: צא לך, הרי שלמה בטל ומאה כיוצא בו, ויו"ד ממך אינה בטילה לעולם, רבי הונא בשם רבי אחא אמר: ו יו"ד שנטל הקדוש ברוך הוא משמה של שרה חלקו לשנים, חציו לאברהם וחציו לשרה, אמר רבי יהושע בן קרחה: יו"ד של שרה עלתה ונשתטחה לפני הקדוש ברוך הוא, אמרה לפניו: רבונו של עולם, עקרתני משמה של אותה צדקת, אמר לו הקדוש ברוך הוא: צא, לשעבר היית בשמה של נקבה בסופה של תיבה, אבל עכשיו הריני נותנך בשמו של זכר בראשה של תיבה, הדא הוא דכתיב (במדבר יג, טז) *"ויקרא משה להושע בן נון יהושע", (דברים ו, ד) ז "שמע ישראל ה' אלהינו ה' אחד", אם אתה עושה דל"ת רי"ש אתה מחריב את כל העולם כולו, (שמות לד, יד) "כי לא תשתחוה לאל אחר", אם אתה עושה רי"ש דל"ת נמצא אתה מחריב את כל העולם כולו, (ויקרא כב, ב) "ולא יחללו את שם קדשי", אם אתה עושה חי"ת ה"א נמצא מחריב את העולם כולו,

עץ יוסף

יו"ד של ירבה קטרגו. זהו דרך משל כאילו האות צועקת על עשקה. וחכמי האמת כתבו שהאותיות שבתורה הם כמלאכים חיים ועומדים בעצמם: **יו"ד של ירבה.** קשה מאי טעמא התלונה ליו"ד שבירבה מהשאר, יותר יאות התרעומות בלמ"ד אל"ף דלא ירבה כי על הלאו עבר. ויש לומר דרבותא נקט אות יו"ד שהיא הקטנה, לומר שאפילו היא אי אפשר להתבטל וכל שכן הגדולות, ועיין מה שכתבתי עוד בשמות רבה (ו, א) ובשיר השירים רבה (שם): **פלסתר.** זיוף וכזב ושקר (רש"י פרק הישן סוכה כט, א): **דייתיקי.** שטר צוואה: **ששנים ושלשה דברים.** לאו דוקא דאפילו בחדא, כדאיתא בפרק מי שמת (בבא בתרא קמח, ב) בשכיב מרע שנתן כל נכסיו וחזר במקצתו דמסקינן חזרה במקצת הויא חזרה בכולהו, והכי אמר בחזית, דייתיקי שבטלה מקצתה בטלה כולה: **ויו"ד ממך אינה בטילה.** והיינו שה' יגלה נבלות דעתו בזה במה שיראו הכל שיכשול בדעתו, כמו שהיה באמת שנשיו הטו את לבבו וידעו העם כולו שכל המשנה תורה הוא דברי ה' ותמידית בכל זמן בלי הרהור וחילוק: **יו"ד שנטל כו'.** משום דבעי למימר יו"ד של שרי עלתה כו' דדמי למה שאמר יו"ד של ירבה כו' מייתי הא דרב הונא, דלפי דבריו לא היה לה צורך להתרעם מאחר שנחלקה ואינה בטילה: **חלקו לשנים.** עיין מה שכתבתי בבראשית רבה ריש פרשה מז: **עכשיו אני נותנך כו'.** טעמו עיין בזוהר לך לך (נו, א):

פירוש מהרז"ו

כל אומות העולם. בשיר השירים רבה שם הגירסא, כל באי עולם: **לעקור דבר אחד.** בשיר השירים רבה שם הגירסא, לעקור יו"ד קטן שבאותיות: **ומי קטרגו.** בא לדרוש מה שנאמר (מלכים א, יא) שלשה פעמים שטן בפסוק אחד בפסוק (יד) ויקם ה' שטן לשלמה. שני בפסוק (כג) ויקם אלהים לו שטן. שלישי בפסוק (כה) ויהיה שטן לישראל כל ימי שלמה, היינו כנגד שלש לא ירבה שעבר, וזהו מי קטרגו, כנגד מי הם השלשה שטנים. וכמו שכתב ריש שיר השירים רבה, שלש עבירות עבר שלשה שטנים נזדווגו לו, ולא נמצא בפסוק רק שנים הדד ורזון, אלא על פי מדה י', חושב גם פסוק (כה) ויהי שטן ודו"ק: **יו"ד של ירבה.** שהיו"ד הוא עיקר משמעות של הציווי, שבלא יו"ד מורה עבר לא רבה, והיו"ד מורה צווי, ואזהרת לא תעשה: **ספר משנה תורה.** שהמלך מצווה לכתוב לו את משנה התורה, שבו כתובים שלשה מצות אלו, ועל שלא קיים שלמה מה שכתוב בו, על כן קטרג עליו: **צא לך.** כך דרך העולם, כשאחד אומר דבר שאינו מתקבלו, אומר לו חבירו לך ובלע"ז (גייא), וכן בסמוך לא לשעבר, ולדעת רבי שמעון בן יוחאי שאמר ספר משנה תורה, מרומז במה שנאמר (מלכים א, יא, יא) יען אשר היתה זאת עמך ולא שמרת, פירוש שהיה ספר משנה תורה עמך תמיד שקראת בו בכל יום המצות, שכתוב שם (דברים יז, יט) והיתה עמו וקרא בו כל ימי חייו וגו' לשמור, שכתוב שם השלש מצות, ולא שמרת, וזהו הקטרוג של משנה תורה עליו, ומה שאמרו שהשיב שאינה בטלה לעולם, שהרי באמת מפורש סטר לבבו, ונתקיים מה שנאמר בתורה ולא נתבטל, הרי שהשיב לה כן. ודברי רבי הונא בשם רבי אחא ודברי רבי יהושע בן קרחה הובאו לקיים דברי רבי אלכסנדרי שאפילו יו"ד של ירבה ושל שרה לא נתבטל: **שמע ישראל.** כל מאמר זה שייך לעיל בדברי רבי זעירא, שאפילו על קוץ אחד יכול לעשות העולם תילים וחורבן, וכל המאמר הוא דבר והפכו ד' ר', ר' ד', א' ה', ה' א', ב' כ', כ' ב':

חידושי הרד"ל

משלמה על ידי שביקש כו'. שמות רבה (ו, א) עיין שם: **שמע ישראל כו' אם אתה עושה כו'.** תנחומא ריש פרשת בראשית:

באור מהרי"פ

חציו לאברהם וכו'. צריך להיות חציה לאברם ונעשה אברהם: **מתנות כהונה ד"ה הכי גרסינן וכו'.** צריך לומר הכי גרסינן שהם נראים כטורים:

אמרי יושר

אין יכולין לעקור דבר אחד מן התורה. זהו דברי תורה הם קיימות ושחורות, כי השחור קיים, ואין לצבע אחר עליו לקלקלו, כעורב שאין אחד יכול להלבין מראהו, אבל הוא מקרה קיים: **עיקרני שלמה.** כי הוא המשיך לו הכתוב לא ירבה לו נשים פן יסור, אמר, אני ארבה ולא אסור, והכתוב אמר והעיד כי כל המרבה מסיר, ונקט יו"ד לרבותא, דאף היא שהיא קטנה. או לומר שמ"ירבה" הסיר היו"ד, וריבה נשים. או הקפידא היה על יו"ד האיתן, כי היא מאותיות ההויה, ואין נכון לעקרה כי הוא קיום הכל וחי כל:

ענף יוסף

לעקור דבר אחד מן התורה. קשה מהי תיתי שיוכלו לעקור דבר מהתורה, וכי בידם התורה מסורה לעקור ממנה, ואם לעבור עליה, פשיטא שיכולים לעבור על כולה, שהרשות ביד האדם, ויש לומר שלפי שקצת מן המתפקרים אומרים שדיני התורה ישתנו כפי שינוי הזמנים, כענין הרפואות שמשתנות בהשתנות הזמנים, אבל טענתם הבל, כי התורה נימוס ישר שלם כולל כל הזמנים, לכן אמר שאם מתכנסים כל אומות העולם לא יוכלו לעקור דבר אחד עם היות שינוי בדורות, והביא דוגמא ממקרי דברים הטבעיים בשחרות העורב, שעם שהגוון דבר מקרי, הנה נשמר טבע זה ולא נשתנה בחילוף הזמנים, ואיך תקצר יד ההשגחה, מתת ההנהגה תוריית כוללות כל הזמנים, מבלי שיצטרך להשגיא זמנין ודת, ומענין זה היה ענין שלמה, שחשב שלפי חכמתו לא היה צריך ליזהר מריבוי הנשים והסוסים, בחשבו כי הוא ירבה ולא יסור, ולא עלתה לו, נראה מזה שמשפטי התורה לדקו יחדיו בכל זמן (יפה תואר):

מסורת המדרש

ה. ש"ר פרשה ו'. ירושלמי פרק ב' דסנהדרין:
ו. ב"ר פרשה מ"ז. במד"ר פ' י"ח. ש"ר פ' ו' פסוק ראשו. תנחומא סוף סדר קרח:
ז. אגדת שמואל פ"ה:

אם למקרא

רַק לֹא יַרְבֶּה לּוֹ סוּסִים וְלֹא יָשִׁיב אֶת הָעָם מִצְרַיְמָה לְמַעַן הַרְבּוֹת סוּס וַה' אָמַר לָכֶם לֹא תֹסִפוּן לָשׁוּב בַּדֶּרֶךְ הַזֶּה עוֹד: וְלֹא יַרְבֶּה לּוֹ נָשִׁים וְלֹא יָסוּר לְבָבוֹ וְכֶסֶף וְזָהָב לֹא יַרְבֶּה לּוֹ מְאֹד: (שם יז:טז-יז)

אֵלֶּה שְׁמוֹת הָאֲנָשִׁים אֲשֶׁר שָׁלַח מֹשֶׁה לָתוּר אֶת הָאָרֶץ וַיִּקְרָא מֹשֶׁה לְהוֹשֵׁעַ בִּן נוּן יְהוֹשֻׁעַ: (במדבר יג:טז)

שְׁמַע יִשְׂרָאֵל ה' אֱלֹהֵינוּ ה' אֶחָד: (דברים ו:ד)

כִּי לֹא תִשְׁתַּחֲוֶה לְאֵל אַחֵר כִּי ה' קַנָּא שְׁמוֹ אֵל קַנָּא הוּא: (שמות לד:יד)

דַּבֵּר אֶל אַהֲרֹן וְאֶל בָּנָיו וְיִנָּזְרוּ מִקָּדְשֵׁי בְנֵי יִשְׂרָאֵל וְלֹא יְחַלְּלוּ אֶת שֵׁם קָדְשִׁי אֲשֶׁר הֵם מַקְדִּשִׁים לִי אֲנִי ה': (ויקרא כב:ב)

ידי משה

[ב] **הריני נותנך בשמו של זכר.** וזה פירוש (סוטה לה, א) דין ריש קטיעא ימלל, לפי דאיתא (עיין פי לדיק דרוש מ) בשם הזוהר לפי שיו"ד שנטלה מן נקבה ונתנה בראש שמו של יהושע לכן לא זכה לבנים, וזה שאמרו לו המרגלים דין ריש קטיעא, פירוש בשביל שאות שלך קטועה, פירוש אות קטן היו"ד שבראש שמך מורה שלא תלד בנים, ולכך לא איכפת לך בטובת ארץ ישראל. ודוק (ועיין מהרש"א סנהדרין קז, א ד"ה ומה יו"ד): **נמצא אתה מחריב את העולם כולה.** כל זה הוא סיום דברי ר' זעירא דלעיל שאמר אפילו קוץ אחד מחריב את העולם, וזה הוא סיום דבריו:

שינוי נוסחאות

אם מתכנסים כל אומות העולם להלבין. הגיה א"א "באי עולם" במקום אומות העולם, וכן הוא בהרבה כי"י.

מתנות כהונה

יו"ד של ירבה. דכתיב לא ירבה לו נשים, וכן סוסים וכן כסף וזהב, ושלמה עשה שלשתן, ואי לאו יו"ד לא הוה ביה משמעות אזהרה: **פלסתר.** זיוף וכזב ושקר כן פירש רש"י פרק הישן (סוכה כט, א): **דייתיקי.** שטר צואה:

אשד הנחלים

להלבין כנף. כלומר שיהיה לבן מעצמו ובטבעו אינם יכולים, כי מי הוא אשר יוכל להפך הטבע, כן התורה האלהית היא קבועה תמיד כדבר טבעי המחוייב, ואי אפשר לעקרה לעולם, כי אי אפשר בלתה, והראיה משלמה שחפץ לעקור, כי דימה כי הוא בשכלו יוכל לעמוד מבלעדי הגדר, ועלה קטגוריא עליו: **יוד שבירבה.** לכאורה מדוע רק היוד קיטרג, ואם היה כתוב בלא יוד איכה היתה המשמעות. והנראה דאם היה כתיב ולא רבה עליו, היה במשמע שיראה שלא יתגדלו עליו הנשים, שלא יכניע את עצמו למולם ולתאוותם, אבל עם כל זה יקח כמה שירצה, אבל לא ירבה משמע רבוי הכמות. וענין הקטרוג מהאותיות, ידוע אצל חכמי אמת בספריהם, שהאותיות של תורה המה אורות עליונות כנודע בספרים: **שלמה בטל.** כי לא יתקיים דעתו, שבודאי יטו לבבו אם לא יתנהג כתורה וכמצוה: **יוד של שרה כו' בשמו של זכר.** גם זה הוא לפי דעת בעלי אמת, והשם מורה על המהות, כי שמות אבותינו אינם שמות ההסכמיים כי אם שמות הגדרים, כמו אברהם אב המון גוים, ושמא גרים כמאמרם (בראשית רבה מד, י) אברם אינו מוליד אברהם מוליד, ואם כן אין מן הפלא על אלה העניינים, ויש בם ציור, ושייך לדרכי הדרוש: **דלת ריש כו'.** והוא שייך לדעיל אתה רואה קוצים כו' יכולים להחריב כו':

אַתָּה מַחֲרִיב אֶת כָּל הָעוֹלָם כּוּלוֹ — you will destroy the whole world in its entirety.[62] "וְלֹא יְחַלְּלוּ אֶת שֵׁם קָדְשִׁי" — Similarly, in the verse, ***so as not to desecrate*** [יְחַלְּלוּ] ***My holy Name*** (*Leviticus* 22:2), **אִם אַתָּה עוֹשֶׂה חֵי"ת הֵ"א — if you were to make of** the letter ***ches*** [ח], a ***hei*** [ה],[63] **נִמְצָא מַחֲרִיב אֶת הָעוֹלָם כּוּלוֹ — it would emerge that you will destroy the world in its entirety.**[64]

NOTES

62. For it would produce the blasphemous statement that it is forbidden to prostrate oneself before the One and Only God.

[It is noteworthy that in the Torah scroll, the *dalet* of אֶחָד and the *reish* of אַחֵר in these two verses are enlarged. *Baal HaTurim* (*Deuteronomy* 6:4) writes that this is to avoid any confusions of this nature.]

63. The letters *ches* [ח] and *hei* [ה] are essentially similar, except that the left leg of the *hei* [ה] is not connected to its roof, whereas the left leg of the *ches* [ח] is (see, however, *Tosafos, Menachos* 29b s.v. דחטריה). If one were to fail to connect the leg he would thereby transform the *ches* [ח] into a *hei* [ה], replacing the word יְחַלְּלוּ, *desecrate,* with the word with יְהַלְלוּ, "praise."

64. For the corrupted version blasphemously implies that it is improper to praise God's holy Name.

אִם מִתְכַּנְּסִים כָּל °אוּמּוֹת הָעוֹלָם לְהַלְבִּין כְּנַף אֶחָד שֶׁל עוֹרֵב אֵינָן יְכוֹלִין, כָּךְ אִם מִתְכַּנְּסִים כָּל אוּמּוֹת הָעוֹלָם לַעֲקוֹר דָּבָר אֶחָד מֵהַתּוֹרָה אֵינָן יְכוֹלִין, מִמִּי אַתְּ לָמֵד, מִשְּׁלֹמֹה, עַל יְדֵי שֶׁבִּיקֵּשׁ לַעֲקוֹר אוֹת אַחַת מִן הַתּוֹרָה עָלָה קַטֵּיגוֹרְיָא, וּמִי קִטְרְגוֹ, רַבִּי יְהוֹשֻׁעַ *בֶּן לֵוִי אָמַר: יו"ד שֶׁל יַרְבֶּה קִטְרְגוֹ, תָּנֵי רַבִּי שִׁמְעוֹן: סֵפֶר מִשְׁנֵה תּוֹרָה עָלָה וְנִשְׁתַּטַּח לִפְנֵי הַקָּדוֹשׁ בָּרוּךְ הוּא, אָמַר לְפָנָיו: רִבּוֹנוֹ שֶׁל עוֹלָם, עֲקָרַנִי שְׁלֹמֹה וַעֲשָׂאַנִי פַּלַּסְטֵר, שֶׁכָּל דְּיָיתִיקֵי שֶׁשְּׁנַיִם וּג' דְּבָרִים *בְּטֵלִין הֵימֶנָּה כּוּלָּהּ בְּטֵילָה, וַהֲרֵי שְׁלֹמֹה הַמֶּלֶךְ בִּיקֵּשׁ לַעֲקוֹר יו"ד מִמֶּנִּי, כְּתִיב (שם יז, יז) "וְלֹא יַרְבֶּה לּוֹ נָשִׁים" וְהִרְבָּה לוֹ, (שם שם טז) "לֹא יַרְבֶּה לּוֹ סוּסִים" וְהִרְבָּה לוֹ סוּסִים, (שם יז, יז) "לֹא יַרְבֶּה לּוֹ ... כֶּסֶף וְזָהָב" וְהִרְבָּה לוֹ כֶּסֶף וְזָהָב, אָמַר לוֹ הַקָּדוֹשׁ בָּרוּךְ הוּא: צֵא לָךְ, הֲרֵי שְׁלֹמֹה בָּטֵל וּמֵאָה כַּיּוֹצֵא בוֹ, וְיו"ד מִמֵּךְ אֵינָהּ בְּטֵילָה לְעוֹלָם, רַבִּי הוּנָא בְּשֵׁם רַבִּי אַחָא אָמַר: יו"ד שֶׁנָּטַל הַקָּדוֹשׁ בָּרוּךְ הוּא מִשָּׂרַי שֶׁל שָׂרָה חִלְּקוֹ לִשְׁנַיִם, חֶצְיוֹ לְאַבְרָהָם וְחֶצְיוֹ לְשָׂרָה, אָמַר רַבִּי יְהוֹשֻׁעַ בֶּן קָרְחָה: יו"ד שֶׁל שָׂרַי עָלְתָה וְנִשְׁתַּטְּחָה לִפְנֵי הַקָּדוֹשׁ בָּרוּךְ הוּא, אָמְרָה לְפָנָיו: רִבּוֹנוֹ שֶׁל עוֹלָם, עֲקַרְתַּנִי מִשְּׁמָהּ שֶׁל אוֹתָהּ צַדֶּקֶת, אָמַר לוֹ הַקָּדוֹשׁ בָּרוּךְ הוּא: צֵא, לְשֶׁעָבַר הָיִית בִּשְׁמָהּ שֶׁל נְקֵבָה בְּסוֹפָהּ שֶׁל תֵּיבָה, אֲבָל עַכְשָׁיו הֲרֵינִי נוֹתְנָךְ בִּשְׁמוֹ שֶׁל זָכָר בְּרֹאשָׁהּ שֶׁל תֵּיבָה, הֲדָא *הוּא דִכְתִיב (במדבר יג, טז) "וַיִּקְרָא מֹשֶׁה לְהוֹשֵׁעַ בִּן נוּן יְהוֹשֻׁעַ", (דברים ו, ד) "שְׁמַע יִשְׂרָאֵל ה' אֱלֹהֵינוּ ה' אֶחָד", אִם אַתְּ עוֹשֶׂה דָּלֶ"ת רֵי"שׁ אַתָּה מַחֲרִיב אֶת כָּל הָעוֹלָם כּוּלּוֹ, (שמות לד, יד) "כִּי לֹא תִשְׁתַּחֲוֶה לְאֵל אַחֵר", אִם אַתָּה עוֹשֶׂה רֵי"שׁ דָּלֶ"ת נִמְצָא אַתָּה מַחֲרִיב אֶת כָּל הָעוֹלָם כּוּלּוֹ, (ויקרא כב, ב) "וְלֹא יְחַלְּלוּ אֶת שֵׁם קָדְשִׁי", אִם אַתָּה עוֹשֶׂה חֵי"ת ה"א נִמְצָא מַחֲרִיב אֶת הָעוֹלָם כּוּלּוֹ,

עץ יוסף

יו"ד של ירבה קטרגו. זהו דרך משל כאילו האות צועקת על עשקה. וחכמי האמת כתבו שהאותיות שבתורה הם נמלאים חיים ועומדים בעצמם: **יו"ד של ירבה.** קשה מאי טעמא התלונה ליו"ד שבירבה מהשאר, יותר יאות התרעומות בלמ"ד אל"ף דלא ירבה כי על הלאו עבר. ויש לומר דרבותא נקט אות יו"ד שהיא הקטנה, לומר שאפילו היא אי אפשר להתבטל וכל שכן הגדולות, ועיין מה שכתבתי עוד בשמות רבה (ו, א) ובשיר השירים רבה (שם): **פלסתר.** זיוף וכזב ושקר (רש"י פרק הישן סוכה כט, א): **דייתיקי.** שטר צוואה: **ששנים ושלשה דברים.** לאו דוקא דאפילו בחדא, כדאיתא בפרק מי שמת (בבא בתרא קמח, ב) בשכיב מרע שנתן כל נכסיו וחזר במקצתו דמסקינן חזרה במקצת הויא חזרה בכולהו, והכי אמר בחזית, דייתיקי שבטלה מקצתה בטלה כולה: **ויו"ד ממך אינה בטילה.** והיינו שה' יגלה נבלות דעתו בזה במה שיראו הכל שיכשל בדעתו, כמו שהיה באמת שנשיו הטו את לבבו וידעו הטעם כולו שכל המשנה תורה הוא דברי ה' ותמידית בכל זמן בלי הרהור וחילוק: **יו"ד שנטל כו'.** משום דבעי למימר יו"ד של שרי עלתה כו' דדמי למה שאמר יו"ד של ירבה כו' מייתי הא דרב הונא, דלפי דבריו לא היה לה צורך להתרעם מאחר שנתחלקה ואינה בטילה: **חלקו לשנים.** עיין מה שכתבתי בבראשית רבה ריש פרשה מז: **עכשיו אני נותנך כו'.** טעמו עיין בזוהר לך לך (נו, א):

פירוש מהרז"ו

כל אומות העולם. בשיר השירים רבה שם הגירסא, כל באי עולם: **לעקור דבר אחד.** בשיר השירים רבה שם הגירסא, לעקור יו"ד קטן שבאותיות: **ומי קטרגו.** בא לדרוש מה שנאמר (מלכים א, יא) שלשה פעמים שטן אחד בפסוק (יד) ויקם ה' שטן לשלמה. שני בפסוק (כג) ויקם אלהים לו שטן. שלישי בפסוק (כה) ויהיה שטן לישראל כל ימי שלמה, היינו כנגד שלש לא ירבה שעבר, וזהו מי קטרגו, כנגד מי הם השלשה שטנים. וכמו שכתב ריש שיר השירים רבה, שלש עבירות עבר שלשה שטנים נזדווגו לו, ולא נמצא בפסוק רק שניס הדד ורזון, אלא על פי מדה י', הושב גם פסוק (כה) ויהי שטן ודו"ק: **יו"ד של ירבה.** שהיו"ד הוא עיקר משמעות של הלאוין, שבלא יו"ד מורה עבר לא רבה, והיו"ד מורה לווי, ואזהרת לא תעשה: **ספר משנה תורה.** שהמלך מצווה לכתוב לו את משנה התורה, שבו כתובים שלשה מצות אלו, ועל שלא קיים שלמה מה שכתוב בו, על כן קטרג עליו: **צא לך.** כך דרך העולם, כשאחד אומר דבר שאינו מתקבלו, אומר לו חבירו לך ובלע"ז (גייא), וכן בסמוך לא לשעבר, ולדעת רבי שמעון בן יוחאי שאמר ספר משנה תורה, מרומז במה שנאמר (מלכים א, יא, יא) יען אשר היתה זאת עמך ולא שמרת, פירוש שהיה ספר משנה תורה עמך תמיד שקראת בו בכל יום המצות, שכתוב שם (דברים יז, יט) והיתה עמו וקרא בו כל ימי חייו וגו' לשמור, שכתוב שם השלש מצות, ולא שמרת, וזהו הקטרוג של משנה תורה עליו, ומה שאמרו שהשיב שאינה בטלה לעולם, שהרי באמת מפורש שסר לבבו, ונתקיים מה שנאמר בתורה ולא נתבטל, הרי שהשיב לה כן. ודברי רבי הונא בשם רבי אחא ודברי רבי יהושע בן קרחה הובאו לקיים דברי רבי אלכסנדרי שאפילו יו"ד של ירבה ושל שרה לא נתבטל: **שמע ישראל.** כל מאמר זה שייך לעיל בדברי רבי זעירא, שאפילו על קוץ אחד יכול לעשות העולם תילים וחורבן, וכל המאמר הוא דבר והפכו ד' ר', ר' ד', ח' ה', ה' ח', ב' כ', כ' ב':

מתנות כהונה

יו"ד של ירבה. דכתיב לא ירבה לו נשים, וכן סוסים וכן כסף וזהב, ושלמה עשה שלשתן, ואי לאו יו"ד לא הוה ביה משמעות אזהרה: **פלסתר.** זיוף וכזב ושקר כן פירש רש"י פרק הישן (סוכה כט, א): **דייתיקי.** שטר צואה:

אשד הנחלים

להלבין כנף. כלומר שיהיה לבן מעצמו ובטבעו אינם יכולים, כי מי הוא אשר יוכל להפך הטבע, כן התורה האלהית היא קבועה תמיד כדבר טבעי המחוייב, ואי אפשר לעקרה לעולם, כי אי אפשר בלתה, והראיה משלמה שחפץ לעקור, כי דימה כי הוא בשכלו יוכל לעמוד מבלעדי הגדר, ועלה קטגוריא עליו: **יוד שבירבה.** לכאורה מדוע רק היוד קיטרג, ואם היה כתוב בלא יוד איכה היתה המשמעות. והנראה דאם היה כתיב ולא רבה עליו, היה במשמע שיראה שלא יתגדלו עליו הנשים, שלא יכניע את עצמו למולם ולתאוותם, אבל עם כל זה יקח כמה שירצה, אבל לא ירבה משמע רבוי הכמות. וענין הקטרוג מהאותיות, ידוע אצל חכמי אמת בספריהם, שהאותיות של תורה המה אורות עליונות כנודע בספרים: **שלמה בטל.** כי לא יתקיים דעתו, שבודאי יטו לבבו אם לא יתנהג כתורה וכמצוה: **יוד של שרה כו' בשמו של זכר.** גם זה הוא לפי דעת בעלי אמת, והשם מורה על המהות, כי שמות אבותינו אינם שמות ההסכמיים כי אם שמות הגדרים, כמו אברהם אב המון גוים, וּשְׁמָא גָּרִים כמאמרם (בראשית רבה מד, י) אברם אינו מוליד אברהם מוליד, ואם כן אין מן הפלא על אלה העניינים, ויש בם ציור, ושייך לדרכי הדרוש: **דלת ריש כו'.** והוא שייך לדעיל אתה רואה קוצים כו' יכולים להחריב כו':

חידושי הרד"ל

משלמה על ידי שביקש כו'. שמות רבה (ו, א) עיין שם: **שמע ישראל כו' אם אתה עושה כו'.** תנחומא ריש פרשת בראשית:

באור מהרי"פ

חציו לאברהם וכו'. צריך להיות חציה לאברם ונעשה אברהם: **מתנות כהונה ד"ה הכי גרסינן וכו'.** צריך לומר הכי גרסינן שהם נראים כטורים:

אמרי יושר

אין יכולין לעקור דבר אחד מן התורה. זהו דברי תורה הם קיימות ושחורות, כי השחור קיים, ואין צבע אחר עליו לקלקלו, כעורב שאין אחד יכול להלבין מראהו, אבל הוא מקרה קיים: **עיקרני שלמה.** כי הוא המשיך לו הכתוב לא ירבה לו נשים פן יסור, אמר, אני ארבה ולא אסור, והכתוב אמר והעיד כי כל המרבה מסיר, ונקט יו"ד לרבותא, דאף היא שהיא קטנה. או לומר שמ"ירבה" הסיר היו"ד, וריבה נשים. או הקפידא היה על יו"ד האיתן, כי היא מאותיות ההויה, ואין נכון לעקרה כי הוא קיום הכל וחי כל:

ענף יוסף

לעקור דבר אחד מן התורה. קשה מהי תיתי שיוכלו לעקור דבר מהתורה, וכי בידם התורה מסורה לעקור ממנה, ואם לעבור עליה, פשיטא שיכולים לעבור על כולה, שהרשות ביד האדם, ויש לומר שלפי שקלת מן המתפקרים אומרים שדיני התורה ישתנו כפי שינוי הזמנים, כענין הרפואות שמשתנות בהשתנות הזמנים, אבל טענתם הבל, כי התורה נימוס ישר שלם כולל כל הזמנים, לכן אמר שאם מתכנסים כל אומות העולם לא יוכלו לעקור דבר אחד עם היות שינוי בדורות, והביא דוגמא ממקרי דברים הטבעיים בשחרות העורב, שעם שהגוון דבר מקרי, הנה נשמר טבע זה ולא נשתנה בחילוף הזמנים, ואיך תקלר יד ההשגחה, מתת ההנהגה תוריית כוללות כל הזמנים, מבלי שילטרך להשניא זמנין ודת, ומענין זה היה ענין שלמה, שחשב שלפי חכמתו לא היה צריך ליזהר מריבוי הנשים והסוסים, בחשבו כי הוא ירבה ולא יסור, ולא עלתה לו, נראה מזה שמשפטי התורה לדקו יחדיו בכל זמן (יפה תואר):

מסורת המדרש

ה. ש"ר פרשה ו'. ירושלמי פרק ב' דסנהדרין: ו. ב"ר פרשה מ"ז. במד"ר פ' י"ח. ש"ר פ' ו' פסוק ראשו. תנחומא סוף סדר קרח: ז. אגדת שמואל פ"ה:

אם למקרא

רַק לֹא יַרְבֶּה לּוֹ סוּסִים וְלֹא יָשִׁיב אֶת הָעָם מִצְרַיְמָה לְמַעַן הַרְבּוֹת סוּס וַה' אָמַר לָכֶם לֹא תֹסִפוּן לָשׁוּב בַּדֶּרֶךְ הַזֶּה עוֹד: וְלֹא יַרְבֶּה לּוֹ נָשִׁים וְלֹא יָסוּר לְבָבוֹ וְכֶסֶף וְזָהָב לֹא יַרְבֶּה לּוֹ מְאֹד: (שם יז:טז-יז)

אֵלֶּה שְׁמוֹת הָאֲנָשִׁים אֲשֶׁר שָׁלַח מֹשֶׁה לָתוּר אֶת הָאָרֶץ וַיִּקְרָא מֹשֶׁה לְהוֹשֵׁעַ בִּן נוּן יְהוֹשֻׁעַ: (במדבר יג:טז)

שְׁמַע יִשְׂרָאֵל ה' אֱלֹהֵינוּ ה' אֶחָד: (דברים ו:ד)

כִּי לֹא תִשְׁתַּחֲוֶה לְאֵל אַחֵר כִּי ה' קַנָּא שְׁמוֹ אֵל קַנָּא הוּא: (שמות לד:יד)

דַּבֵּר אֶל אַהֲרֹן וְאֶל בָּנָיו וְיִנָּזְרוּ מִקָּדְשֵׁי בְנֵי יִשְׂרָאֵל וְלֹא יְחַלְּלוּ אֶת שֵׁם קָדְשִׁי אֲשֶׁר הֵם מַקְדִּשִׁים לִי אֲנִי ה': (ויקרא כב:ב)

ידי משה

[ב] **הריני נותנך בשמו של זכר.** וזה פירוש (סוטה לה, א) דין ריש קטיעא ימלל, לפי דאיתא (עיין פי לדיק דרוש מ) בשם הזוהר לפי שיו"ד שנטלה מן נקבה ונתנה בראש שמו של יהושע לכן לא זכה לבנים, וזה שאמרו לו המרגלים דין ריש קטיעא, פירוש בשביל שאות שלך קטועה, פירוש אות קטן היו"ד שבראש שמך מורה שלא תלד בנים, ולכך לא איכפת לך בטובת ארץ ישראל. ודוק (ועיין מהרש"א סנהדרין קז, א ד"ה ומה יו"ד): **נמצא אתה מחריב את העולם כולה.** כל זה הוא סיום דברי ר' זעירא דלעיל שאמר אפילו קוץ אחד מחריב את העולם, וזה הוא סיום דבריו:

שינוי נוסחאות

אם מתכנסים כל אומות העולם להלבין. הגיה א"א "באי עולם" במקום אומות העולם, וכן הוא בהרבה כי"י.

"כֹּל הַנְּשָׁמָה תְּהַלֵּל יָהּ הַלְלוּיָהּ" — A converse example: In the verse, ***Let all souls praise*** [תְּהַלֵּל] ***God, Halleluyah!*** (*Psalms* 150:6), אִם אַתָּה עוֹשֶׂה הֵ״א חֵי״ת — **if you were to make of** the letter ***hei*** [ה], **a *ches*** [ח],[65] אַתָּה מַחֲרִיב אֶת הָעוֹלָם — **you would** thereby **destroy the world.**[66] "כִּחֲשׁוּ בַּה׳" — Regarding the verse, ***They have lied regarding HASHEM, they have said, "It is not Him"*** (*Jeremiah* 5:12), אִם אַתָּה עוֹשֶׂה בֵּי״ת כָּ״ף — **if you were to make of** the letter ***beis*** [ב], **a *kaf*** [כ],[67] מַחֲרִיב הָעוֹלָם — **it would destroy the world.** "בַּה׳ בָּגָדוּ" — Likewise, in the verse, ***They were treacherous with HASHEM*** (*Hosea* 5:7), אִם אַתָּה עוֹשֶׂה בֵּי״ת כָּ״ף — **if you were to make of** the letter ***beis*** [ב], **a *kaf*** [כ], אַתָּה מַחֲרִיב אֶת כָּל הָעוֹלָם — **you would** thereby **destroy the entire world.**[68] "אֵין קָדוֹשׁ כַּה׳" — Conversely, regarding the verse, ***There is none as holy as HASHEM*** (*I Samuel* 2:2), אִם אַתָּה עוֹשֶׂה כָּ״ף בֵּי״ת — **if you were to make of** the letter ***kaf*** [כ], **a *beis*** [ב], אַתָּה מַחֲרִיב אֶת הָעוֹלָם — **you would** thereby **destroy the world.**[69]

The Midrash proceeds to cite and expound the continuation of the verse from *I Samuel*:

"כִּי אֵין בִּלְתֶּךָ" — ***For there is none besides You*** (ibid.).[70] אָמַר רַבִּי אַבָּא בַּר כָּהֲנָא — **R' Abba bar Kahana said:** כּוּלָּה בָּלָה וְאַתְּ לֵית בָּלֶה — The connotation of the verse is, **all of creation wears out but You** God **do not wear out;**[71] "כִּי אֵין בִּלְתֶּךָ" — ***for there is none "biltecha"*** [בִּלְתֶּךָ] אֵין לְבַלּוֹתֶךָ — means, ***for there is none to outwear You*** [בַלּוֹתֶךָ].[72]

§3 The Midrash offers another understanding of the verse from *Song of Songs,* and addresses a difficulty it presents: רַבִּי יְהוּדָה בַּר רַבִּי סִימוֹן פָּתַר קְרָא בְּתַלְמִידֵי חֲכָמִים — **R' Yehudah bar R' Simone interpreted the verse in reference to Torah scholars.**[73] כָּתוּב אֶחָד אוֹמֵר "שְׁחֹרוֹת כָּעוֹרֵב" — This raises the following question: **One verse states** regarding the scholar, ***black as the raven*** (*Song of Songs* 5:11), וְכָתוּב אֶחָד אוֹמֵר "מַרְאֵהוּ כַּלְּבָנוֹן בָּחוּר כָּאֲרָזִים" — **while another verse states, *his appearance is like pure white, prime like the cedars*** (ibid., v. 15);[74] וּכְתִיב "מַרְאֵיהֶן כַּלַּפִּידִים כַּבְּרָקִים יְרוֹצֵצוּ" — **and** furthermore, in a third verse **it is written, *their appearance is like flames; they dash like lightning*** (*Nachum* 2:5).[75] אֶלָּא אֵלּוּ בְּנֵי תוֹרָה — **However,** the resolution of this difficulty is that **these,** described here, **are the students of Torah,** שֶׁהֵן נִרְאִין כְּעוּרִים וּשְׁחוֹרִים בָּעוֹלָם הַזֶּה — **who appear unsightly and blackened in this world,** אֲבָל לֶעָתִיד לָבֹא מַרְאֵיהֶן כַּלַּפִּידִים — **but in the** Messianic **future time** yet **to come, their appearance will be like** that of brilliant **flames.**[76]

The Midrash presents its final exposition of the verse from *Song of Songs,* the one that relates to our verse:

רַבִּי שְׁמוּאֵל בַּר יִצְחָק פָּתַר קְרָיָא בְּפָרְשִׁיּוֹתֶיהָ שֶׁל תּוֹרָה — **R' Shmuel bar Yitzchak interpreted the verse in regard to** some **passages of the Torah.** אַף עַל פִּי שֶׁנִּרְאוֹת כְּאִלּוּ הֵן כְּעוּרוֹת וּשְׁחוֹרוֹת לְאוֹמְרָן בָּרַבִּים — **Although they appear as if they are** too **unsightly and black to speak of them in public,** כְּגוֹן הִלְכוֹת זִיבָה וּנְגָעִים נִדָּה וְיוֹלֶדֶת — **e.g., the laws of** bodily **discharge, *tzaraas* afflictions, the menstruant, and the woman who gives birth,**[77] אָמַר הַקָּדוֹשׁ בָּרוּךְ הוּא: הֲרֵי הֵן עֲרֵיבוֹת עָלַי — nevertheless, **says the Holy One, blessed is He, "Behold they are pleasing** [עֲרֵיבוֹת] **to Me."**[78] שֶׁנֶּאֱמַר "וְעָרְבָה לַה׳ מִנְחַת יְהוּדָה וִירוּשָׁלָיִם וגו׳" — **As** [Scripture] **states, *Then the offering of Judah and Jerusalem will be pleasing*** [עָרְבָה] ***to HASHEM*** *as in the days of old* (*Malachi* 3:4).[79] תֵּדַע לְךָ שֶׁהוּא כֵּן — **You may know that this is so,** שֶׁהֲרֵי פָּרָשַׁת זָב וְזָבָה לֹא נֶאֶמְרוּ כְּאַחַת — **for the passage of the *zav,*** the male with a discharge, **and the *zavah,*** the female with a discharge, **are not stated together** as one passage.[80]

NOTES

65. Connecting the leg to the roof, transforming the word תְּהַלֵּל, *praise,* into תְּחַלֵּל, "desecrate."

66. For the corrupted version blasphemously calls on everyone to desecrate God.

67. Here too, the letters *beis* [ב] and *kaf* [כ] are similar in appearance, except that the ב is squared at the bottom, with an appendage protruding on its lower right, whereas the כ is rounded and has no such protrusion. Hence, if one left the bottom rounded he would transform the *beis* [ב] into a *kaf* [כ], replacing כִּחֲשׁוּ בַּה׳, *they have lied regarding HASHEM,* with the sacrilegious, כִּחֲשׁוּ כַּה׳, "they have lied like HASHEM."

68. For it would produce the blasphemous statement, כַּה׳ בָּגָדוּ, "they were treacherous like HASHEM."

69. For it would produce the sacrilegious statement, אֵין קָדוֹשׁ בַּה׳, "there is [nothing] holy regarding HASHEM."

70. The verse's literal meaning, that there is no one but God, is untrue for the world is in fact filled with all sorts of things and beings whom God has created (*Yefeh To'ar,* first explanation; *Maharzu*). Even if the verse is understood as, *there is none* holy *besides You* God, the verse still suffers from an internal contradiction, for the first phrase, אֵין קָדוֹשׁ כַּה׳, *there is none as holy as HASHEM,* implies that there are others who are holy but that their holiness falls short of God's (*Yefeh To'ar,* third explanation; see, similarly, *Maharsha* to *Berachos* 10a). Accordingly, the Midrash will offer an alternative understanding of the verse.

71. That is, everything in existence, except for God, decays and deteriorates through the course of time, eventually losing its form and identity.

72. I.e., there is nothing that outlasts God, for God is eternal while all that He has created is finite and limited; see *Berachos* 10a. Accordingly, the sense of the verse is that God is the most holy, since He alone is eternal, while all else is transient.

73. In contradistinction to the other interpretations given above, which interpret the verse in terms of various aspects of the Torah and its study (*Maharzu*). The verse refers to the Torah scholars as קְוֻצּוֹתָיו תַּלְתַּלִּים, *his locks are curly,* for the Torah scholars adorn God as a mortal would be adorned by curly locks (*Eitz Yosef*).

74. The beginning of this verse, שׁוֹקָיו עַמּוּדֵי שֵׁשׁ, *his legs are pillars of marble,* refers to the righteous who act as pillars upholding the world; see the Aramaic *Targum* ad loc. Hence, the Midrash understands that the phrase מַרְאֵהוּ כַּלְּבָנוֹן, *his appearance is like pure white,* likewise describes the righteous scholar (*Eitz Yosef*).

75. The Midrash interprets this phrase as describing the Torah scholars, *the pride of Israel,* mentioned earlier in verse 3 there; see also below, 30 §2 (*Maharzu;* however, see *Eitz Yosef*). Thus, the verse indicates that the Torah scholars have a bright flame-like appearance, rather than being *black as the raven.*

76. Torah scholars exert themselves to the utmost in their studies (see *Berachos* 63b) and their laborious efforts exact a toll on their physical appearance. Furthermore, success in Torah scholarship often entails foregoing material comfort and making due with minimal diet and subsistence; see *Avos* 6:4 (see also section 1 above). Taken together, these factors often give the scholars a darkened and haggard look (*Eitz Yosef*). However, in the future, when the Torah scholars will enjoy the fruits of their deeds, their countenances will be white and radiant due to the Torah that they have studied.

77. All these concern matters that people find repulsive or distasteful (*Maharzu*). Even the laws regarding childbirth deal with issues concerning the afterbirth and various forms of fetal miscarriages (see *Radal*).

78. Interpreting the word עוֹרֵב (*raven*) in the sense of עָרֵב, *pleasing, pleasant.* Accordingly, the phrase שְׁחֹרוֹת כָּעוֹרֵב means that those passages of the Torah that appear שְׁחֹרוֹת, *black* or *repulsive,* are pleasing to God (*Matnos Kehunah*). Hence, it is proper for these passages to be recited in public so that people will be familiar with them and not err with regard to these important commandments (*Eitz Yosef*). [*Imrei Yosher* explains that the prepositional כ, *as,* in the word כָּעוֹרֵב indicates that to the same degree that people find these passages repulsive, God finds them desirable. See *Yefeh To'ar* for an alternative understanding.]

79. The Midrash cites this verse as a proof-text that ערב can have the meaning of "pleasing" (however, see *Yefeh To'ar*).

80. Since many of the laws pertaining to the male discharge and to the female discharge are identical, the two passages could easily have been merged into one (*Eitz Yosef*).

(תהלים קנ, ו) "כֹּל הַנְּשָׁמָה תְּהַלֵּל יָהּ הַלְלוּיָהּ", אִם אַתָּה עוֹשֶׂה הֵ"א חֵי"ת אַתָּה מַחֲרִיב אֶת הָעוֹלָם, (ירמיה ה, יב) "כִּחֲשׁוּ בַּה'", אִם אַתָּה עוֹשֶׂה בֵּי"ת כָּ"ף מַחֲרִיב הָעוֹלָם, (הושע ה, ז) "בַּה' בָּגָדוּ", אִם אַתָּה עוֹשֶׂה בֵּי"ת כָּ"ף אַתָּה מַחֲרִיב אֶת כָּל הָעוֹלָם, (שמואל-א ב, ב) "אֵין קָדוֹשׁ כַּה'", אִם אַתָּה עוֹשֶׂה כָּ"ף בֵּי"ת אַתָּה מַחֲרִיב אֶת הָעוֹלָם, (שם) "כִּי אֵין בִּלְתֶּךָ", אָמַר רַבִּי אַבָּא בַּר כָּהֲנָא: כּוּלָּה בָּלָה וְאַתְּ לֵית בָּלֶה, "כִּי אֵין בִּלְתֶּךָ", אֵין לְבַלּוֹתֶךָ:

ג רַבִּי יְהוּדָה בַּר רַבִּי סִימוֹן פָּתַר קְרָא [ח] בְּתַלְמִידֵי חֲכָמִים: כָּתוּב אֶחָד אוֹמֵר (שיר השירים ה, יא) "שְׁחוֹרוֹת כָּעוֹרֵב" וְכָתוּב אֶחָד אוֹמֵר (שם שם טו) "מַרְאֵהוּ כַּלְּבָנוֹן בָּחוּר כָּאֲרָזִים", וּכְתִיב (נחום ב, ה) "מַרְאֵיהֶן כַּלַּפִּידִים כַּבְּרָקִים יְרוֹצֵצוּ", אֶלָּא אֵלּוּ בְּנֵי תוֹרָה שֶׁהֵן נִרְאִין [ט] כְּעוּרִים וּשְׁחוֹרִים בָּעוֹלָם הַזֶּה אֲבָל לֶעָתִיד לָבֹא מַרְאֵיהֶן כַּלַּפִּידִים, רַבִּי שְׁמוּאֵל בַּר יִצְחָק פָּתַר קְרָיָא בְּפָרָשִׁיּוֹתֶיהָ שֶׁל תּוֹרָה: אַף עַל פִּי שֶׁנִּרְאוֹת כְּאִלּוּ הֵן כְּעוּרוֹת וּשְׁחוֹרוֹת לְאוֹמְרָן בָּרַבִּים, כְּגוֹן הִלְכוֹת זִיבָה וּנְגָעִים נִדָּה וְיוֹלֶדֶת, אָמַר הַקָּדוֹשׁ בָּרוּךְ הוּא: הֲרֵי הֵן עֲרֵיבוֹת עָלַי, שֶׁנֶּאֱמַר (מלאכי ג, ד) "וְעָרְבָה לַה' מִנְחַת יְהוּדָה וִירוּשָׁלָיִם וְגוֹ'", תֵּדַע לְךָ שֶׁהוּא כֵּן, שֶׁהֲרֵי פָּרָשַׁת זָב וְזָבָה לֹא נֶאֶמְרוּ *כְּאַחַת אֶלָּא זוֹ בִּפְנֵי עַצְמָהּ וְזוֹ בִּפְנֵי עַצְמָהּ, [טו, ב] "אִישׁ אִישׁ כִּי יִהְיֶה זָב מִבְּשָׂרוֹ", [טו, כה] "וְאִשָּׁה כִּי יָזוּב זוֹב דָּמָהּ וְגוֹ'":

עץ יוסף

בולה בלה. כל הנבראים עשוים ועומדים לבלות, ואת הקדוש ברוך הוא אין אתה בלה, ואגב דמייתי קרא דאין קדוש כה' מייתי נמי סיפיה (מתנות כהונה): **אין לבלותך.** כדגרסינן בפרק קמא דברכות (י, א) אל תקרי כי אין בלתך אלא כי אין לבלותך שלא כמדת הקדוש ברוך הוא מדת בשר ודם, מדת בשר ודם מעשה ידיו מבלין אותו והקדוש ברוך הוא מבלה מעשה ידיו: **(ג) פתר קרא בתלמידי חכמים.** דקרי להו קווצותיו תלתלים שה' מתפאר בהם כהמסלסל בקווצותיו הסדורות לו תלתלים: **מראהו כלבנון.** שמפרש שוקיו עמודי שש על הצדיקים שהם יסוד העולם כשוקים כתרגומו, ועליהו קאמר מראהו כלבנון, כלומר מראה כל אחד ואחד מהצדיקים הנזכר: **וכתיב מראיהן כלפידים.** לא גרסינן ליה, דהאי בגבורי אומות העולם הבאים על נגה מיירי, ונמשך הטעות מדמסיים אבל לעתיד לבא מראיהן כלפידים סבור מיניה דדריש קרא בהכי וכתבוהו גם כן ברומיא דקראי, וליתא דלישנא דקרא נקט בסיפיה משום דקושטא דמלתא היא שכן יאירו פני הצדיקים לעתיד לבא כדלקמן פרשה ל (סימן ב). והא דלא מסיים במראהו כלבנון כדפתח, משום דמראהו כלבנון אפשר דלאו על גוון הלובן והיופי מיירי אלא על גובה הקומה כארזי לבנון, להכי מייתי מדידעינן שלעתיד מראיהן כלפידים וברקים בענין היופי והוא הדין מראהו כלבנון יתפרש בלובן ויופי הפנים (יפה תואר): **נראין בעורים.** על ידי טרחם בתורה, וכל שכן על ידי הסיגופים, כאמרם ז"ל (אבות ו, ד) כך היא דרכה של תורה פת במלח תאכל וכו'. והא דכתיב חכמת אדם תאיר פניו, ההוא לאו ביופי הפנים מיירי אלא בשמחת האדם לשעה שהוא מבין שום דבר מחודש שישמח ויגל כאילו פניו מאירים: **בפרשיותיה של תורה.** ואומר קווצותיו תלתלים שכמו שהקווצות סדורות שורות שורות כן דברי תורה סדורות פרשיות פרשיות: **עריבות.** כעורב דרש לשון עריבות כמה דאת אמר וערבה לה' וגו' (מתנות כהונה). ורצה לומר דניחא ליה להקדוש ברוך הוא שיהיו נאמרות ברבים כדי ללמד דיניהם שיזהרו בהם, ואדרבה אלו צריכים להתפרש יותר מדינים אחרים שמפני שאין מקריהם נמצאים תמיד לא בקיאי בהו אינשי כולי האי, ועוד צריכים דקדוק רב בחלופי הדמים והזמנים וכיוצא, והסכנה בטעותם מרובה דשייכי לאיסור עריות ולאיסור טומאת מקדש וקדשיו: **לא נאמרו באחת.** רצה לומר שדין זב וזבה דינם שוה בטומאת מגען מרכבן ומושבן וקרבנן, ולכן הוי ליה

פירוש מהרז"ו

אין קדוש כה'. וסיפיה דקרא כי אין בלתך, ואיך אין בלתו, והרי העולם עם מלא הברואים, על כן דורש על פי מדה ט', אין בלתך אין לבלותך, כמו שאמרו ריש ברכות (י, א) והובא דרך אגב: **(ג) פתר קריה בתלמיד חכם.** שכל הדורשים דלעיל דרשו על התורה ועל זמן הגלות, ורבי יהודה בר סימון דורש על גוף התלמיד חכם שחורות כעורב (שיר השירים ה, יא), וכתוב אחד אומר (שם ה, טו) מראהו כלבנון והם שני כתובים מכחישים, והכריע כאן בעולם הזה מקום המעשה והנסיון והמבחן, וכאן בעולם הבא מקום השכר והתענוג הטעולם, ופסוק מראהו כלבנון פירוש על הקב"ה ואיך דורש על התלמיד חכם, אך באמת שהגם שכל הפרשה מדבר בהקב"ה, כמו שכתוב (שם ט) מה דודך מדוד וגו' דודי צח ואדום, עם כל זה אין הכוונה בשבחו של עצמותו יתעלה כו', כי אם בשבחים המשכים ונאצלים ממנו אל התורה ואל הנביאים והחכמים, שכל הוד משה וחזיון הנביאים, ואור פני התלמידי חכמים הכל ממנו, על פי זכות התורה ובהם מדבר שזהו שבחו ותהלתו: **מראיהן כלפידים כברקים ירוצצו.** הנה בפסוק זה הוא בנחום (ב, ה) שמדבר בניגוי, וצריך עיון איך דורש על תלמידי חכמים וכן הוא לקמן (ל, ב) שהצדיקים ידמו לעתיד לשבעה דברים, ואחד מהם מראיהם כלפידים כברקים ירוצצו, וכן הוא בשיר השירים רבה שם, אך כוונת המדרש לדרוש כמו שכתוב (יחזקאל א, יג) ודמות החיות מראיהם כגחלי אש בוערות כמראה הלפידים וגו' ומן האש יוצא ברק, אשר על פסוק זה סמכו חז"ל מה שדרשו לעיל (א, א) ולקמן (כא, יב) שהיו פניהם בוערות כלפידים, שבזה היו דומים הנביאים למלאכים וחיות הקודש, ואם כן מקשה איך מדמה הפסוק את הרשעים לחיות הקודש, על כן דורשים מה שנאמר כאן מראיהם כלפידים, גם כן על הצדיקים וכל הנ"ל, ושייכות הענין שם בנחום ב', כי שם בפסוק ג' כתיב, כי שב ה' את גאון יעקב כגאון ישראל, ובפסוק ה' שם, מראיהם כלפידים, ודורש ומחבר פסוק זה לפסוק ג', על פי מדה ל"א, את גאון יעקב כגאון ישראל מראיהם כלפידים, היינו לעתיד, ועל פי מדה ז' וי"ז, כמו שכתוב אצל החיות, ומה שכתב כאן במדרש מראיהם כלפידים, מראהו כלבנון לאו דווקא, אלא הכוונה על כל שבע המעלות, שמבואר לקמן (ל, ב) הנ"ל שיהיה לצדיקים לעתיד, וצריך עיון למה איתו חושב שם מה שנאמר כאן מראהו כלבנון: **בפרשיות של תורה.** פסוק שחורות כעורב, ואגב דרשה זו הובא דרשת כל פסוק

חידושי הרד"ל

[ג] **כגון כו' ויולדת.** דינן האמורים בה בשפיר ושליא ופתיחת הקבר, וכיוצא בה:

אמרי יושר

[ג] **הרי הן עריבות עלי.** זהו שחורות כעורב, הוא כ"ף ההשואה, והוא מלשון עריבות, והוא כאלו אמר שחרות שלהן הוא שוה לערבות שלהן להקדוש ברוך הוא, והערבות לו כל כך כשחרות הנראה לפי הראות שיש בהם:

מסורת המדרש

ח. שה"ר פ"ה:
ט. ילקוט שה"ש:

אם למקרא

כֹּל הַנְּשָׁמָה תְּהַלֵּל יָהּ הַלְלוּיָהּ:
(תהלים קנ:ו)

כִּחֲשׁוּ בַּה' וַיֹּאמְרוּ לֹא הוּא וְלֹא תָבוֹא עָלֵינוּ רָעָה וְחֶרֶב וְרָעָב לוֹא נִרְאֶה:
(ירמיה ה:יב)

בַּה' בָּגָדוּ כִּי בָנִים זָרִים יָלָדוּ עַתָּה יֹאכְלֵם חֹדֶשׁ אֶת חֶלְקֵיהֶם:
(הושע ה:ז)

אֵין קָדוֹשׁ כַּה' כִּי אֵין בִּלְתֶּךָ וְאֵין צוּר כֵּאלֹהֵינוּ:
(שמואל א ב:ב)

מתנות כהונה

בולה בלה. כל הנבראים עשוים ועומדים לבלות: **ואת לית בו'.** הקב"ה, וכהאי גונא דרשו חז"ל פרק קמא דמגילה (יד, א), ואגב דמייתי קרא דאין קדוש כה', מייתי נמי סיפיה: [ג] הכי גרסינן **שהן נראין בעורים ושחורים.** וכן הוא בילקוט שיר השירים: **עריבות.** כעורב,

אשד הנחלים

כולה בלה. כל הברואים המה בלים ונפסדים, כי אין כחם מעצמותם, כי אם נמשכים מסבתו יתברך, והוא המחוייב המציאות מעצמו ולכן הוא תמידי ונצחי, וזהו אין לבלותך, ולכן אין קדוש ונבדל במעלה כה', כי רק הוא האחד הפשוט הנקדש במעלתו על כל. אבל לא דרש כפשוטו מלשון בלתי, דאם כן אין שייך זאת לקדוש: [ג] **כתוב אחד אומר שחורות כו' מראהו כו' מראיהן.** פירש פעם ראינו שהכתוב משבח בשחרות העורב, ופעם משבח במראה כמין לבנון, ופעם כלפידים, ובודאי יש בו ענין דמוי בכל אחד מה שאין בחבירו. ודרש על בני תורה, שבענייני עולם הזה הם שחורים, כי אינם מביטים על ענייני הגופנית והתעדנות בעולם הזה, אבל נפשם מזהרת בהשגה כלפידים, ולכן יתענגו בעולם הבא עת יפרדו מגופם, וגם אז יהיו מראיהם כלבנון, חזק מכל חזק כי הנפש נצחית: **בעורות כו' עריבות עלי.** כי אין להקב"ה בעולמו אלא ארבע אמות של הלכה, וכמו שאמרו (עבודה זרה ג, ב) שלש שעות הקב"ה עוסק בתורה, וכמו שבארנו בהקדמה הציור בזה. ומביא ראיה מהכתוב שמצינו שם ערבות במה שישראל עושים, כי יערב לו קרבניהם: **זו בפני עצמה.** אף שדיניהם שוות,

אֶלָּא זוֹ בִּפְנֵי עַצְמָהּ וְזוֹ בִּפְנֵי עַצְמָהּ — **Rather, this one is** presented **by itself, and that one is** presented **by itself:** "אִישׁ אִישׁ כִּי יִהְיֶה זָב מִבְּשָׂרוֹ" — ***Any man who will have a discharge from his flesh*** *etc.* (*Leviticus* 15:2), "וְאִשָּׁה כִּי יָזוּב זוֹב דָּמָהּ וגו׳" — *and,* ***If a woman's blood flows etc.*** (ibid., v. 25).[81]

NOTES

81. The fact that the Torah presents these laws in two separate sections attests to the fact that God finds them pleasing and worthy of elaboration *Eitz Yosef.* See Insight Ⓐ.

INSIGHTS

Ⓐ **The Greatest Glory** Some might recoil at the idea of teaching some of the Torah's laws publicly, considering them too "indelicate" for such open discussion. Our Midrash teaches that there is no part of Torah that is unseemly. God Himself declares the laws in these Torah passages concerning the various bodily discharges and afflictions to be pleasant. *Every* aspect of Torah study has the power to raise one's existence from the mundane to a higher spiritual plane and these laws are no exception.

R' Yechezkel Abramsky would amplify this teaching by pointing to the Gemara in *Berachos* (4a), which tells us that King David proclaimed that while all other kings sit in their glory with their entourages, his own hands are soiled with the blood, embryos, and afterbirths that women bring before him, to examine to determine whether or not they are permitted to their husbands. Thus did David declare (*Psalms* 119:46): וַאֲדַבְּרָה בְעֵדֹתֶיךָ נֶגֶד מְלָכִים וְלֹא אֵבוֹשׁ, *I will speak of Your testimonies before kings, and not be ashamed!*

Surely David, mighty king of Israel, had other experts in Torah law available to answer these women's questions. Moreover, the Gemara there relates that before rendering a final ruling, David would consult his own teacher, Mephiboshes, to ascertain that his ruling was indeed correct. So why did David not simply refer the matter directly to Mephiboshes initially?

The answer is that King David wished to impress indelibly on the minds of his nation that the glory of our Torah does not reside only in those laws that coincide with our preconceived notions of dignity and honor. That glory extends to *all* of Torah. All of it is sacred and ennobling and all of it most fitting for the most majestic courtyards of kings! Yes, Israel's glorious monarch was preoccupied with such matters. And he thereby taught his people for all time the sweet and glorious nature of all aspects of Torah, which are to be pleasing to us as they are pleasing to God Himself (*Peninei Rabbeinu Yechezkel,* Vol 2, pp. 13-14).

חידושי הרד"ל

[ג] כגון כו' ויולדת. דיינין האמורים בה בשפיר ושליא ופתיחת הקבר, וכיוצא בה:

אמרי יושר

[ג] הרי הן עריבות עלי. זהו שחורות כעורב, הוא כ"ף הדמיון, והוא מלשון עריבות, והוא כאלו אמר שחרות שלהן הוא שוה לערבות שלהן להקדוש ברוך הוא, והערבות לו כל כך כשחרות הנראה לפי הראות שיש בהם:

בולה בלה. כל הנבראים עשוים ועומדים לבלות, ואת הקדוש ברוך הוא אין אתה בלה, ואגב דמייתי קרא דאין קדוש כה' מייתי נמי סיפיה (מתנות כהונה): **אין לבלותך.** כדגרסינן בפרק קמא דברכות (י, א) אל תקרי כי אין בלתך אלא כי אין לבלותך שלא כמדת הקדוש ברוך הוא מדת בשר ודם, מדת בשר ודם מעשה ידיו מבלין אותו והקדוש ברוך הוא מבלה מעשה ידיו: **(ג) פתר קרא בתלמידי חכמים.** דקרי להו קווצותיו תלתלים שה' מתפאר בהם כהמסלסל בקווצותיו הסדורות לו תלתלים: **מראהו כלבנון.** שמפרש שוקיו עמודי שש על הצדיקים שהם יסוד העולם כשוקים כתרגומו, ועליהו קאמר מראהו כלבנון, כלומר מראה כל אחד ואחד מהצדיקים הנזכר: **וכתיב מראיהן כלפידים.** לא גרסינן ליה, דהאי בגבורי אומות העולם הבאים על נוה מיירי, ונמשך הטעות מדמסיים אבל לעתיד לבא מראיהן כלפידים סבור מיניה דדריש קרא בהכי וכתבוהו גם כן ברומיא דקראי, וליתא דלישנא דקרא נקט בסיפיה משום דקושטא דמלתא היא שכן יאירו פני הצדיקים לעתיד לבא כדלקמן פרשה ל (סימן ב). והא דלא מסיים במראהו כלבנון כדפתח, משום דמראהו כלבנון אפשר דלאו על גוון הלובן והיופי מיירי אלא על גובה הקומה כארזי לבנון, להכי מייתי מדידעינן שלעתיד מראיהן כלפידים וברקים בענין היופי והוא הדין מראהו כלבנון יתפרש בלובן ויופי הפנים (יפה תואר): **נראין בעורים.** על ידי טרחם בתורה, וכל שכן על ידי הסיגופים, כאמרם ז"ל (אבות ו, ד) כך היא דרכה של תורה פת במלח תאכל וכו'. והא דכתיב חכמת אדם תאיר פניו, ההוא לאו ביופי הפנים מיירי אלא בשמחת האדם לשעה שהוא מבין שום דבר מחודש שישמח ויגל כאילו פניו מאירים: **בפרשיותיה של תורה.** ואומר קווצותיו תלתלים שבהם שהקצוות סדורות שורות שורות כן דברי תורה סדורות פרשיות פרשיות: **עריבות.** כעורב דרש לשון עריבות כמה דאת אמר וערבה לה' וגו' (מתנות כהונה). ורצה לומר דניחא ליה להקדוש ברוך הוא שיהיו נאמרות ברבים כדי ללמד דיניהם שיזהרו בהם, ואדרבה אלו צריכים להתפרש יותר מדינים אחרים שמפני שאין מקריהם נמצאים תמיד לא בקיאי בהו אינשי כולי האי, ועוד צריכים דקדוק רב בחלופי הדמים והזמנים וכיוצא, והסכנה בטעותם מרובה דשייכי לאיסור עריות ואיסור טומאת מקדש וקדשיו: **לא נאמרו באחת.** רצה לומר שדין זב וזבה דינם שוה בטומאת מגען מרכבן ומושבן וקרבנן, ולכן הוי ליה

(תהלים קנ, ו) **"כֹּל הַנְּשָׁמָה תְּהַלֵּל יָהּ הַלְלוּיָהּ", אִם אַתָּה עוֹשֶׂה הֵ"א חֵי"ת אַתָּה מַחֲרִיב אֶת הָעוֹלָם,** (ירמיה ה, יב) **"כִּחֲשׁוּ בַּה'", אִם אַתָּה עוֹשֶׂה בֵּי"ת כָּ"ף מַחֲרִיב הָעוֹלָם,** (הושע ה, ז) **"בַּה' בָּגָדוּ", אִם אַתָּה עוֹשֶׂה בֵּי"ת כָּ"ף אַתָּה מַחֲרִיב אֶת כָּל הָעוֹלָם,** (שמואל-א ב, ב) **"אֵין קָדוֹשׁ כַּה'", אִם אַתָּה עוֹשֶׂה כָּ"ף בֵּי"ת אַתָּה מַחֲרִיב אֶת הָעוֹלָם,** (שם) **"כִּי אֵין בִּלְתֶּךָ", אָמַר רַבִּי אַבָּא בַּר כָּהֲנָא: כּוּלָּה בָּלֶה וְאַתְּ לֵית בָּלֶה, "כִּי אֵין בִּלְתֶּךָ", אֵין לְבַלּוֹתֶךָ:**

ג רַבִּי יְהוּדָה בַּר רַבִּי סִימוֹן פָּתַר קְרָא [ח] **בְּתַלְמִידֵי חֲכָמִים: כָּתוּב אֶחָד אוֹמֵר** (שיר השירים ה, יא) **"שְׁחֹרוֹת כָּעוֹרֵב" וְכָתוּב אֶחָד אוֹמֵר** (שם שם טו) **"מַרְאֵהוּ כַּלְּבָנוֹן בָּחוּר כָּאֲרָזִים", וּכְתִיב** (נחום ב, ה) **"מַרְאֵיהֶן כַּלַּפִּידִים כַּבְּרָקִים יְרוֹצֵצוּ", אֶלָּא אֵלּוּ בְּנֵי תוֹרָה שֶׁהֵן נִרְאִין** [ט] **כְּעוּרִים וּשְׁחוֹרִים בָּעוֹלָם הַזֶּה אֲבָל לֶעָתִיד לָבֹא מַרְאֵיהֶן כַּלַּפִּידִים, רַבִּי שְׁמוּאֵל בַּר יִצְחָק פָּתַר קְרָיָא בְּפָרָשִׁיּוֹתֶיהָ שֶׁל תּוֹרָה: אַף עַל פִּי שֶׁנִּרְאוֹת כְּאִלּוּ הֵן כְּעוּרוֹת וּשְׁחוֹרוֹת לְאוֹמְרָן בָּרַבִּים, כְּגוֹן הִלְכוֹת זִיבָה וּנְגָעִים נִדָּה וְיוֹלֶדֶת, אָמַר הַקָּדוֹשׁ בָּרוּךְ הוּא: הֲרֵי הֵן עֲרֵיבוֹת עָלַי, שֶׁנֶּאֱמַר** (מלאכי ג, ד) **"וְעָרְבָה לַה' מִנְחַת יְהוּדָה וִירוּשָׁלִָם וְגוֹ'", תֵּדַע לְךָ שֶׁהוּא כֵּן, שֶׁהֲרֵי פָּרָשַׁת זָב וְזָבָה לֹא נֶאֶמְרוּ *כְּאַחַת אֶלָּא זוֹ בִּפְנֵי עַצְמָהּ וְזוֹ בִּפְנֵי עַצְמָהּ,** [טו, ב] **"אִישׁ אִישׁ כִּי יִהְיֶה זָב מִבְּשָׂרוֹ",** [טו, כה] **"וְאִשָּׁה כִּי יָזוּב זוֹב דָּמָהּ וְגוֹ'":**

אין קדוש כה'. וסיפיה דקרא כי אין בלתך, ואיך אין בלתו, והרי העולם עם מלא הברואים, על כן דורש על פי מדה ט', אין בלתך אין לבלותך, כמו שאמרו ריש ברכות (י, א) והובא דרך אגב: **(ג) פתר קריה בתלמיד חכם.** שכל הדורשים דלעיל דרשו על התורה ועל זמן הלמוד, ורבי יהודה בר סימון דורש על גוף התלמיד חכם שחורות כעורב (שיר השירים ה, יא), וכתוב אחד אומר (שם ה, טו) מראהו כלבנון והם שני כתובים מכחישים, והכריע כאן בעולם הזה מקום המעשה והנסיון והמבחן, וכאן בעולם הבא מקום השכר והתענוג הטולם, ופסוק מראהו כלבנון פירוש על הקב"ה ואיך דורש על התלמיד חכם, אך באמת שהגם שכל הפרשה מדבר בהקב"ה, כמו שכתוב (שם ט) מה דודך מדוד וגו' דודי צח ואדום, עם כל זה אין הכוונה בשבחו של עצמותו יתעלה כו', כי אם בשבחים המשכים ונאצלים ממנו אל התורה ואל הנביאים והחכמים, שכל הוד משה וחזיון הנביאים, ואור פני התלמידי חכמים הכל ממנו, על פי זכות התורה והם מדבר שזהו שבחו ותהלתו: **מראיהן כלפידים בברקים ירוצצו.** הנה בפסוק זה הוא בנחום (ב, ה) שמדבר בניגוד, וצריך עיון איך דורש על תלמידי חכמים וכן הוא לקמן (ל, ב) שהצדיקים ידמו לעתיד לשבעה דברים, ואחד מהם מראיהם כלפידים כברקים ירוצצו, וכן הוא בשיר השירים רבה שם, אך כוונת המדרש לדרוש כמו שכתוב (יחזקאל א, יג) ודמות החיות מראיהם כגחלי אש בוערות כמראה הלפידים וגו' ומן האש יוצא ברק, אשר על פסוק זה סמכו חז"ל מה שדרשו לעיל (א, א) ולקמן (כא, יב) שהיו פניהם בוערות כלפידים, שבזה היו דומים הנביאים למלאכים וחיות הקודש, ואם כן מקשה איך מדמה הפסוק את הרשעים לחיות הקודש, על כן דורשים מה שנאמר כאן מראיהם כלפידים, גם כן על הצדיקים וכל הנ"ל, ושייכות הענין שם בנחום ב', כי שם בפסוק ג' כתיב, כי שב ה' את גאון יעקב כגאון ישראל, ובפסוק ה' שם, מראיהם כלפידים, ודורש ומחבר פסוק זה לפסוק ג', על פי מדה ל"א, את גאון יעקב כגאון ישראל מראיהם כלפידים, היינו לעתיד, ועל פי מדה ז' וי"ז, כמו שכתוב אצל החיות, ומה שכתב כאן במדרש מראיהם כלפידים, מראהו כלבנון לאו דווקא, אלא הכוונה על כל שבע המעלות, שמבואר לקמן (ל, ב) הנ"ל שיהיה לצדיקים לעתיד, וצריך עיון למה אינו חושב שם מה שנאמר כאן מראהו כלבנון: **בפרשיות של תורה.** פסוק שחורות כעורב, ואגב דרשה זו הובא דרשת כל פסוק

מסורת המדרש

ח. שה"ר פ"ה:
ט. ילקוט שה"ש:

אם למקרא

כֹּל הַנְּשָׁמָה תְּהַלֵּל יָהּ הַלְלוּיָהּ:
(תהלים קנ:ו)

כִּחֲשׁוּ בַּה' וַיֹּאמְרוּ לֹא הוּא וְלֹא תָבוֹא עָלֵינוּ רָעָה וְחֶרֶב וְרָעָב לוֹא נִרְאֶה:
(ירמיה ה:יב)

בַּה' בָּגָדוּ כִּי בָנִים זָרִים יָלָדוּ עַתָּה יֹאכְלֵם חֹדֶשׁ אֶת חֶלְקֵיהֶם:
(הושע ה:ז)

אֵין קָדוֹשׁ כַּה' כִּי אֵין בִּלְתֶּךָ וְאֵין צוּר כֵּאלֹהֵינוּ:
(שמואל א ב:ב)

מתנות כהונה

בולה בלה. כל הנבראים עשוים ועומדים לבלות: **ואת לית כו'.** הקב"ה, וכהאי גונא דרשו חז"ל פרק קמא דמגילה (יד, א), ואגב דמייתי קרא דאין קדוש כה', מייתי נמי סיפיה: **[ג] הכי גרסינן שהן נראין בעורים ושחורים.** וכן הוא בילקוט שיר השירים: **עריבות.** כעורב,

אשד הנחלים

בולה בלה. כל הברואים המה בלים ונפסדים, כי אין כחם מעצמותם, כי אם נמשכים מסבתו יתברך, והוא המחוייב המציאות מעצמו ולכן הוא תמידי ונצחי, וזהו אין לבלותך, ולכן אין קדוש ונבדל במעלה כה', כי רק הוא האחד הפשוט הנקדש במעלתו על כל. אבל לא דרש כפשוטו מלשון בלתי, דאם כן אין שייך זאת לקדוש: **[ג] כתוב אחד אומר שחורות כו' מראהו כו' מראיהן.** פירש פעם ראינו שהכתוב משבח בשחרות העורב, ופעם משבח במראה כמין לבנון, ופעם כלפידים, ובודאי יש בו ענין דמוי בכל אחד מה שאין בחבירו. ודרש על בני תורה, שבענייני עולם הזה הם שחורים, כי אינם מביטים על ענייני הגופנית והתעדנות בעולם הזה, אבל נפשם מזהרת בהשגה כלפידים, ולכן יתענגו בעולם הבא עת יפרדו מגופם, וגם אז יהיו מראיהם כלבנון, חזק מכל חזק כי הנפש נצחית: **בעורות כו' עריבות עלי.** כי אין להקב"ה בעולמו אלא ארבע אמות של הלכה, וכמו שאמרו (עבודה זרה ג, ב) שלש שעות הקב"ה עוסק בתורה, וכמו שבארנו בהקדמה הציור בזה. ומביא ראיה מהכתוב שמצינו שם ערבות במה שישראל עושים, כי יערב לו קרבניהם: **זו בפני עצמה.** אף שדיניהם שוות,

§4 רַבִּי כֹּהֵן פָּתַח — **R' Kohen opened** his discourse on our verse as follows:[82] "בַּעֲצַלְתַּיִם יִמַּךְ הַמְּקָרֶה וגו׳" — Scripture states, ***Through slothfulness the ceiling sags** and through indolence of the hands the house leaks* (*Ecclesiastes* 10:18).[83] This verse may be interpreted as follows: **עַל יְדֵי שֶׁנִּתְעַצְּלוּ יִשְׂרָאֵל מִלַּחֲנוֹת בְּמַחֲלוֹקֶת לִפְנֵי הַר סִינַי — Because** the people of **Israel were "slothful" to encamp in disunity before Mount Sinai,**[84] "יִמַּךְ הַמְּקָרֶה" — ***"yimach hamekareh,"*** i.e., "God descended"[85] to give the Torah; as is stated, "וַיֵּרֶד ה׳ עַל הַר סִינַי" "וַיֵּט שָׁמַיִם וַיֵּרַד" — ***HASHEM descended upon Mount Sinai*** (*Exodus* 19:20); ***[God] bent down the heavens and descended*** (*Psalms* 18:10).[86] The Midrash proceeds to expound the rest of the verse from *Ecclesiastes* in the same vein: "וּבְשִׁפְלוּת יָדַיִם" — ***And through "shiflus"*** [שִׁפְלוּת] ***of the hands*** — **עַל יְדֵי שֶׁנִּשְׁתַּפְּלוּ יִשְׂרָאֵל מִלַּחֲנוֹת בְּמַחֲלוֹקֶת — because** the people of **Israel were too humble** [שֶׁנִּשְׁתַּפְּלוּ] **to encamp in disunity before Mount Sinai,**[87] "יִדְלֹף הַבָּיִת" — ***the house leaks,*** i.e., precipitation descended at the giving of the Torah;[88] as is stated, "גַּם עָבִים נָטְפוּ מָיִם" — ***even the clouds dripped water*** (*Judges* 5:4).[89]

The Midrash presents another interpretation of the cited verse from *Ecclesiastes*:

דָּבָר אַחֵר, "בַּעֲצַלְתַּיִם יִמַּךְ הַמְּקָרֶה" — **An alternative interpretation:** ***Through slothfulness the ceiling "yimach"*** — **עַל יְדֵי שֶׁנִּתְעַצְּלוּ יִשְׂרָאֵל מִלַּעֲשׂוֹת תְּשׁוּבָה בִּימֵי יִרְמְיָה — because** the people of **Israel were too slothful to repent in the days of Jeremiah,**[90] "יִמַּךְ הַמְּקָרֶה" — ***the ceiling "yimach,"*** i.e., the "ceiling" was destroyed,[91] as is stated, "וַיְגַל אֵת מָסַךְ יְהוּדָה" — ***He uncovered the shelter of Judah*** (*Isaiah* 22:8), which may be interpreted to mean, **גָּלֵי דוּכְסֵיהָ — He exiled [Judah's] prominent citizens.**[92] "וּבְשִׁפְלוּת יָדַיִם" — ***And through indolence of the hands*** — **עַל יְדֵי שֶׁנִּשְׁתַּפְּלוּ מִלַּעֲשׂוֹת תְּשׁוּבָה בִּימֵי יִרְמְיָה — because [the people of Israel] were too indolent to repent in the days of Jeremiah,** "יִדְלֹף הַבָּיִת" — ***the house leaks,*** i.e., the entire nation went into exile. The Midrash will demonstrate that this metaphor is apropos:[93] "כִּי הִנֵּה ה׳ מְצַוֶּה וְהִכָּה אֶת הַבַּיִת הַגָּדוֹל רְסִיסִים וְהַבַּיִת הַקָּטֹן בְּקִעִים" — Scripture states, ***For behold, HASHEM commands, and He will shatter the large house into fragments and the small house into chips*** (*Amos* 6:11).[94] The Midrash elaborates on the symbolism in this verse: **מַה הָדֵין רְסִיסָה אִית מִינָהּ אֲלִיסִים וְהָדֵין בְּקִיעָה לֵית מִינָהּ אֲלִיסִין — From a *fragment* there are ground-up pieces, but from a *chip* there are not ground-up pieces,** but rather larger ones;[95] **לָא דָמוּ לַהֲדָדֵי** — thus, **[a *fragment* and a *chip*] are not similar to each other.**[96]

NOTES

82. As in the preceding sections, this discussion will conclude with material relevant to the passage at hand.

83. Our translation reflects the verse's plain meaning, according to which it describes the disastrous results of indolence (see commentators to verse). Our Midrash will offer several homiletical interpretations.

84. Above, in 9 §9, the Midrash inferred that the encampment at Mount Sinai was the only one during the forty-year sojourn in the Wilderness at which the Jews did not camp in disunity.

One reason for the discord that was typical of the encampment sites was that many people vied for the ability to camp first and the like. The Midrash thus describes the unity that existed before Mount Sinai by noting that there the people acted with *slothfulness*, not caring to camp quickly and before others (*Eitz Yosef*).

85. הַמְּקָרֶה is interpreted as a reference to God, based on *Psalms* 104:3, where He is described as, "הַמְקָרֶה" בַמַּיִם עֲלִיּוֹתָיו, *He Who roofs his upper chambers with water*. יִמַּךְ, literally, *it sags* or *it descends*, is understood to mean *He descended to a low place* [i.e., to earth] (*Eitz Yosef*, referencing *Megillah* 11a; also see *Radal*).

86. Both of these verses prove that God descended upon Mount Sinai at the time of the giving of the Torah. Were it only for the first verse, though, one might argue that that passage is contradicted by *Exodus* 20:19, which states that God spoke to the Jews מִן הַשָּׁמַיִם, *from the heavens*. The second verse cited, on the other hand, is interpreted in *Mechilta* (to *Exodus* 19:20) to suggest that at the time of the giving of the Torah, God lowered the heavens to the earth and from there addressed the Jewish people. Thus, the apparent contradiction is resolved and it is clear that God did indeed descend (*Yefeh To'ar*; see *Radal*, followed by *Eitz Yosef*, for another approach; also see *Matnos Kehunah*).

Our Midrash's interpretation of the verse from *Ecclesiastes* is consistent with above, 9 §9 (quoted in *Yedei Moshe*), and with *Pesikta DeRav Kahana* (Ch. 12, quoted at length in *Eitz Yosef* and above, ibid., in note 138), where it is taught that the Jewish people could not receive the Torah until they achieved a state of unity.

87. In addition to what was mentioned above (in note 84), another cause for strife at the Jewish encampments was that each individual sought to secure for himself a choice place to camp. Because they acted *humbly* before Mount Sinai, each person was satisfied with the place he received there (*Eitz Yosef*).

88. [Although the nation was not contained within a *house* at that time,] the word בַּיִת is occasionally used non-literally to mean *a place* (*Eitz Yosef*, referencing *Job* 38:20).

89. Our Midrash accords with *Bamidbar Rabbah* 1 [§7], where this verse is associated with the giving of the Torah. Apparently, our Midrash understands that the *water* referred to by the verse is the "dew" with which God will revivify the dead in the future era; according to *Shabbos* 88b, it was used at the giving of the Torah to revivify the Jews, whose souls had left their bodies upon hearing God speak. Thus, our Midrash expounds the *Ecclesiastes* verse to teach that because they humbly avoided disunity, the Jews merited to be brought back to life (*Eitz Yosef*).

90. Jeremiah is the best known of the prophets who were active immediately before and during the First Temple's destruction.

91. יִמַּךְ is understood to mean *it was destroyed* (*Maharzu*, referencing below, 27:8; see *Eitz Yosef*).

92. *Maharzu* and *Eitz Yosef*, from *Aruch* (s.v. דכוס).

The Midrash refers to Nebuchadnezzar's exile of a select group of Jews that took place eleven years before the Temple's destruction and the general exile. This exile was discussed above, in 11 §7, after note 119.

According to our Midrash, in the verse from *Isaiah*, prominent citizens are referred to as *the shelter of Judah* because of the role they played in protecting the people. The *Ecclesiastes* verse is similarly interpreted as referring to their exile, because that event was akin to *the destruction* of the *ceiling* that covered the house [of Israel] (*Yedei Moshe*, *Eitz Yosef*; see the various commentators for a number of different versions of this line of Midrash, as well as their accompanying explanations).

93. See *Eitz Yosef*.

94. [With these words Amos predicted the downfalls of the dual kingdoms of Israel.] The *large house* represents the kingdom of Ephraim, which comprised ten tribes, and the *small house* stands for the two tribes that formed the kingdom of Judah (*Eitz Yosef*).

Because the exile is described with the metaphor of a *shattered house*, and rainwater would penetrate a house in that state, the words יִדְלֹף הַבָּיִת, *the house leaks*, of the *Ecclesiastes* verse, may be interpreted as referring to a consequence of a failure to repent in Jeremiah's time (see *Eitz Yosef*).

95. Based on *Matnos Kehunah* (first approach), *Eitz Yosef*. [*Matnos Kehunah* to *Koheles Rabbah*, 10:18, explains that מַה הָדֵין is equivalent to מֵהָדֵין, and means *from this*. Also see *Os Emes* (to *Midrash Koheles* ibid.), cited in *Eitz Yosef* (to *Midrash Koheles* ibid.), who states that the word מה is superfluous.]

96. The Midrash is pointing out that whereas the "*house*" of the ten tribes is said to be broken into רְסִיסִים, which indicates minuscule *fragments* that cannot be put to use, the "*house*" of the two tribes is said to be reduced to בְּקִעִים, a word that connotes larger, still usable, *chips*. This is representative of the fact that the former was *shattered* to the point that its reconstruction would be very difficult and drawn-out — the ten tribes will not return from exile until the advent of the Messiah — while the damage to the latter was less severe and more easily repairable, as that exile ended after 70 years (*Eitz Yosef*; see *Matnos Kehunah*, *Radal*, and *Beur Maharif*, for additional discussion of this obscure passage).

ד רַבִּי כֹּהֵן פָּתַח: (קהלת י, יח) "בַּעֲצַלְתַּיִם יִמַּךְ הַמְּקָרֶה וגו'", עַל יְדֵי שֶׁנִּתְעַצְּלוּ יִשְׂרָאֵל מִלַּחֲנוֹת בְּמַחֲלוֹקֶת לִפְנֵי הַר סִינַי "יִמַּךְ הַמְּקָרֶה", (שמות יט, כ) "וַיֵּרֶד ה' עַל הַר סִינַי", (תהלים יח, י) "וַיֵּט שָׁמַיִם וַיֵּרַד", (קהלת שם שם) "וּבְשִׁפְלוּת יָדַיִם", עַל יְדֵי שֶׁנִּשְׁתַּפְּלוּ יִשְׂרָאֵל מִלַּחֲנוֹת בְּמַחֲלוֹקֶת, "יִדְלֹף הַבָּיִת", (שופטים ה, ד) "גַּם עָבִים נָטְפוּ מָיִם", דָּבָר אַחֵר, "בַּעֲצַלְתַּיִם יִמַּךְ הַמְּקָרֶה", עַל יְדֵי שֶׁנִּתְעַצְּלוּ יִשְׂרָאֵל מִלַּעֲשׂוֹת תְּשׁוּבָה בִּימֵי יִרְמְיָה "יִמַּךְ הַמְּקָרֶה", (ישעיה כב, ח) "וַיְגַל אֶת מָסַךְ יְהוּדָה", °גַּלֵּי דְּכַסֵּי, "וּבְשִׁפְלוּת יָדַיִם", עַל יְדֵי שֶׁנִּשְׁתַּפְּלוּ מִלַּעֲשׂוֹת תְּשׁוּבָה בִּימֵי יִרְמְיָה, "יִדְלֹף הַבָּיִת", (עמוס ו, יא) "כִּי הִנֵּה ה' מְצַוֶּה וְהִכָּה אֶת הַבַּיִת הַגָּדוֹל רְסִיסִים וְהַבַּיִת הַקָּטֹן בְּקִעִים", מָה הָדֵין רְסִיסָה אִית מִינָּהּ אֲלִיסִין וְהָדֵין בְּקִיעָה לֵית מִינָּהּ אֲלִיסִין, לָא דָמוּ לַהֲדָדֵי,

להזכיר דין הזב והזבה ביחד והיה מקלר מאד, ולא היה לריך לומר רק מליאות זיבת הזב וזיבת הזבה ויפרש דין אחד לשניהם, אלא שמחמתם לפני ה' פלגינהו בתרתי להאריך בהן: **(ד) על ידי שנתעצלו כו'.** וטעם הכתוב משום דקאמר אשריך ארץ וגו' בגבורה ולא בשתי קאמר שהעצלות ושפלות ידים טובים דהיינו בענין המחלוקת: **על ידי שנתעצלו כו'.** משום שסבת המחלוקת היא בחנייתם בבקשת מקום התנועותם כדרך הרבים (כה) הולכי דרכים שכל אחד יבקש לחנות במקום היותר נאות ולהיות ראשון בחניה ובמעבר הגשרים וכיולא, לפיכך תלה בעל [המדרש] העדר המחלוקת בעצלה שלא בקשו למהר חנייתם כדרכם אלא כל אחד נתעצל ולא הקפיד בקדימת חבירו, וגם כן תלה בשפלות, והוא שלא בקשו המקום הנאות, אלא כל אחד השפיל עצמו ונתפייס במקום שנזדמן לו: **מלחנות במחלוקת לפני הר סיני.** וכמו שאמרו בפסיקתא (בחודש השלישי סימן יד) דרכיה דרכי נועם וכל נתיבותיה שלום, בקש הקדוש ברוך הוא ליתן תורה לישראל בשעה שילאו ממצרים והיו חלוקים אלו על אלו והיו אומרים בכל שעה [על ידי] כעסם שהיו מריבים זה עם זה על המקומות כנזכר [לעיל] נתנה ראש ונשובה מצרימה, מה כתיב ויסעו מסוכות ויחנו באיתם היו נוסעים במריבה וחונים במריבה, כשבאו לסיני הושוו כולם אגודה אחת, ויחנו שם ישראל אין כתיב כאן אלא ויחן שם ישראל נעשו הומניא אחת, אמר הקדוש ברוך הוא התורה כולה שלום ולמי אני נותנה לאומה שהיא אוהבת שלום הוי וכל נתיבותיה שלום: **ימך המקרה וירד כו'.** והמקרה היינו הקדוש ברוך הוא כדאמרינן במגילה (יא, א) המקרה במים עליותיו כו', ופירוש ימך שירד למקום נמוך: **ויט שמים וירד.** וכמו שדרשו חכמינו ז"ל (מכילתא יתרו בחודש פרשה ד) שהרכין השמים על ההר וירד, והמקרה היינו שמים שהן קרוי על העולם: **ידלף הבית גם עבים נטפו מים.** דבמתן תורה מיירי כדלקמן בבמדבר פרשה א' (סימן ז), ופירוש הבית המקום, שפעמים נאמר בית על מקום כמו (משלי ח, ב) בית נתיבות. ונראה דמפרש דהכף מים היינו על שהוריד ה' להחיותם כדאיתא בפרק רבי עקיבא (שבת פח, ב), וזה היה לפי שנמנעו מהמחלוקת: **גלי דבסי.** הערוך גורס גלי דוכסיא, ומפרש כלומר גלו השרים והעשירים [והוא מלשון דוכוס]. ולפי זה מפרש ויגל את מסך יהודה על גלות השרים שהיו מסך ומגן לעם, וכמו כן ימך המקרה מפרש על גלות השרים שזה כסתירת התקרה המכסה הבית, ועיין בענף: **הבית הגדול.** זו מלכות אפרים שהיא גדולה ממלכות יהודה כי בהם יש עשרת שבטים: **רסיסים.** ענין רצילה וכתיתה, ומעוך וכתות (ויקרא כב, כד) תרגום אונקלוס ודמריס ודרסיס, ובדברי רבותינו ז"ל ואם היה עב או מרוסס (שבת פ, ב), ורצה לומר שישברנה לבקעיות מרובות ותכופות שאין לתקנם כי אם לאחר זמן רב, שהם לא ישובו לארצם עד הגאולה העתידה: **והבית הקטן.** זו מלכות יהודה שהיא קטנה ממלכות אפרים: **בקיעים.** לבקעים יחידים שאפשר לתקנם מהר, רצה לומר שהם ישובו לארצם בזמן בית שני, וכדמפרש והולך **מה הדין רסיסה כו'**, פירוש דבר המרוסס ורצוץ לגמרי, **אית מיניה אליסין**, פירוש יש ממנו עלים דקים מאד שכל כך הוא נשבר עד שלא נשאר ממנו דבר ראוי, לכן קשה להעמידה עד זמן רב, מה שאין כן זה הכלי הבקוע שאין ממנה חתיכות דקות וקטנות רק גדולות בקל הוא להעמידה, לא דמי להדדי דבר הנבקע לדבר המרוסס, ולכן ידלוף הבית שכל בית שהיא משוברת דלף טורד בתוכה. עיין במתנות כהונה דפירש רסיסים על רסיסי לילה עיין שם, ולפירושו שנעשו בקיעין שמהם נוטפים רסיסי לילה וזהו ידלף הבית:

ראשו כתם פז לכאן, ומה שאמר שחורות פירושו כעורות, שמדברת מדברים מאוסים, זיבות דם וצרעת ושחין, עם כל זה כעורב, מלשון וערבה לה' מנחת יהודה (מלאכי ג, ד), מלשון מתיקות ונעימות, כמנחה לריח ניחוח, ומה שאמר זיבה ונגעים נדה ויולדת, לא חשב כסדר, שהם כתובים נדה ויולדת בריש תזריע, נגעים כל סדר תזריע ומלורע, זיבה בסוף מלורע, ועל זה רמז התנא באבות (פ"ג מי"ח) קינין ופתחי נדה, הן הן גופי הלכות, כשבת כלילית כתפילין וכו', אף על פי שהן שחורים וכעורים, אך תקופות וגימטריאות, אף על פי שהם חכמות רמות ונשגבות, ונלטוינו לעסוק בהם אינם אלא כמו פרפראות לחכמה, שעיקר החכמה היא חכמת התורה ומלותיה שבהם נברא העולם ובהם העולם מתקיים: **(ד) בעצלתים ימך המקרה.** קהלת רבה פסוק זה (קי"ב) [פרשה י' פסוק יח, אות א] כל הענין: **בימי ירמיה.** שחרב בית המקדש בימיו, ודורש ימך מלשון, ואם מך הוא (ויקרא כז, ח), והמקרה על תקרת הבית, דבר שהיה לנו לתקרה ולסך, נעשה מך וחרב, והסיר ממנו המסך המסכה. ומלאתי בערוך ערך דכום לדגרים, גלי דוכסיא, ובספרים אחרים גלי בולאות, שגלו השרים והעשירים, עיין שם, שדורש מסך על נסיכים ודוכסים, על גלות יכניה עם החרש והמסגר, כמו שאמר בסוף הפרשה וכדלעיל (פרק יא סימן ב), וכמו שכתוב (יהושע יג, כא) נסיכי סיחון, וכמו שכתוב (ישעיה ל, א) לנסוך מסכה ולא רוחי. ועיין פתיחתא כ"ג באיכה רבתי פסוק והלרוע, ודרשה זו שייך לפסוק הקודם אי לך ארץ שמלכך נער, ואז בעצלתים ימך כנ"ל, והבן: **אית מינה אליסים.** עיין שיר השירים רבה פסוק נרד.

מתנות כהונה

דרש לשון עריבות, כמה דאת אמר (מלאכי ג, ד) וערבה וגו': **[ד] ימך המקרה.** נעשה נמוך ושפל הרקיע, כמה דאת אמר (תהלים קד, ג) המקרה במים עליותיו: **ויגל מסך יהודה:** הכי גרסינן **גלי דכסייה.** גילה כל דבר מכוסה שלהם, וכן הוא במדרש חזית פסוק נרד וכרכום, ובקהלת פסוק בעצלתים (י, טז), ועיין עוד בפתיחה דאיכה (סימן כא): **רסיסה.** דבר המרוסס ורצוץ: **אית מיניה אליסים.** יש ממנו עלים דקים מאד, שכל כך הוא נשבר עד שלא נשאר ממנו דבר ראוי, מה שאין כן העץ הבקוע שיש ממנו עלים גדולים וחתיכות ראויות. ואלוסות הוא דבר הנשבר ונרצץ עד אשר דק כדבר הנלעס בשינים. ועיין בערוך (ערך אלס). ופשוטו של רסיסי לילה, יוכיח שהוא המטר הדק שנקרא רביב. וכן פירשו רש"י והרד"ק את הבית הגדול רסיסים (עמוס ו, יא). ובערוך ערך בז, וערך רס, גרס וזה לשונו, לא דמי הדין ריסא להדין ביזע, הדין ריסא לית מיניה אלא רסים, הדין ביזע כו' עכ"ל, ופירוש אלא רסים הדין, רעוע של גג לית מיניה אלא רסיסי לילה: **לא דמי להדדי.** דבר הנבקע לדבר המרוסס, לכך כתיב רסיסים דוקא:

אשד הנחלים

כי חביבה היא על כן נישנה עוד הפעם, ודרש שחורות עם כל זה כעורב מלשון ערבות, וכלומר כמו ששחרות העורב נחמד למראה כן ערבים הם: **[ד] מלחנות במחלוקת.** כלומר שעמדו כולם בלב שלם ובאהבה איש את רעהו, ובלי מריבה בלבם, שלא היה מבטם כי אם לזה הדביקות, על כן מך (מלשון נמוך) המקרה, זהו השמים, כלומר השכינה שהיא למעלה ירדה שפעה למטה להתדבק בהם. וכן דרש להיפך לרעה על ידי עצלות מלשוב, ימך המקרה שהוא עיקר המקרה שהוא בהמ"ק: **גלי דכסי.** פירוש שגלו השרים שהיו לכיסוי ולמגן, וכן ימך המקרה לשון קורה שמחזיק את הבית: **והדין בקיעה כו'.** עיין במתנות כהונה:

חידושי הרד"ל

[ד] שנתעצלו ישראל מלחנות במחלוקת. וכדדרש לעיל פ"ט ויחן ישראל. ושלום זה בשב ואל תעשה היה, לכן דרש ליה בלשון עצלות. כיולא בזה בתנא דבי אליהו רבה (פרשה י) דרש אילי בני ישראל, שנתעצלו מן העבירה, (ועיין פרקי דרבי אליעזר פרק מה), וכן להלן שנשתפלו מלחנות כו': **ימך המקרה וירד ה' על הר סיני.** דרש על הקב"ה כדאמרינן (במגלה יא, א). המקרה במים כו': **ויט שמים וירד.** דרש המקרה על השמים, שהן קרוי על העולם: **הדין רסיסא כו'.** עיין מתנות כהונה גירסת ערוך, ופירושו שנעשו בקיעין שמהם נוטפים רסיסי לילה, וזהו ידלף הבית:

ידי משה

[ד] על ידי שנתעצלו מלחנות במחלוקת. פירוש כדאיתא לעיל (ט, ט) ויחן שם ישראל ויחנו אין כתיב אלא ויחן נעשו כאיש אחד, אמר הקב"ה באותה שעה אני נותן התורה לישראל שנקראת שלום: **גלי דבסי.** פירוש השרים שהיו למסך ולמגן, וכן ימך המקרה לשון קורה שמחזיק את הבית:

באור מהרי"פ

[ד] גלי דבסי. פירוש המתנות כהונה גילה כל דבר המכוסה שלהם. ולא ראה מה שפירש הערוך ערך דכוס, ויגל את מסך יהודה (ישעיה כב, ח) גלי דוכסיה, ספרים אחרים גלי בולאות. כלומר גלו השרים והעשירים עכ"ל. וגלי דוכסי פירש הדכוסים שלהם, וכן מבואר רבים בערוך הנ"ל, ופירוש מתנות כהונה דחוק ורחוק: **רסיסה אית מיניה אליסים.** עיין מתנות כהונה ודבריו אינם מובנים בהשקפה

שינוי נוסחאות

(ד) גלי דכסי. הגיה א"א "גלי דוכסים" ופירש גלו, שרים וביפ"ת הביא מהערוך "דוכסיה", שרים שלה; ומ"כ הגיה "דכסיי", אבל המדפיסים לא השגיחו לשניהם והמשיכו לכתוב "דכסי" כמו שהיה.

אם למקרא

בַּעֲצַלְתַּיִם יִמַּךְ הַמְּקָרֶה וּבְשִׁפְלוּת יָדַיִם יִדְלֹף הַבָּיִת: (קהלת י:יח)

וַיֵּרֶד ה' עַל הַר סִינַי אֶל רֹאשׁ הָהָר וַיִּקְרָא ה' לְמֹשֶׁה אֶל רֹאשׁ הָהָר וַיַּעַל מֹשֶׁה: (שמות יט:כ)

וַיֵּט שָׁמַיִם וַיֵּרַד וַעֲרָפֶל תַּחַת רַגְלָיו: (תהלים יח:י)

ה' בְּצֵאתְךָ מִשֵּׂעִיר בְּצַעְדְּךָ מִשְּׂדֵה אֱדוֹם אֶרֶץ רָעָשָׁה גַּם שָׁמַיִם נָטָפוּ גַּם עָבִים נָטְפוּ מָיִם: (שופטים ה:ד)

וַיְגַל אֵת מָסַךְ יְהוּדָה וַתַּבֵּט בַּיּוֹם הַהוּא אֶל נֶשֶׁק בֵּית הַיָּעַר: (ישעיה כב:ח)

כִּי הִנֵּה ה' מְצַוֶּה וְהִכָּה הַבַּיִת הַגָּדוֹל רְסִיסִים וְהַבַּיִת הַקָּטֹן בְּקִעִים: (עמוס ו:יא)

ענף יוסף

(ד) גלי דבסי. עיין מה שכתבתי בעץ בשם הערוך. ולי נראה שהגירסא הנכונה גלי דכסיא, או גלי דכסייה, כדאיתא בקהלת רבה פרשה י' (פסוק יח, א) ובפתיחתא דאיכה רבתי סימן כ"א. וכוונת המדרש על דרך דאיתא בירושלמי פרק א' דיומא (ה"א) שאלו את רבי אלעזר, דורות האחרונים כשרים מן הראשונים, אמר להם עדיכם בית הבחירה יוכיח, אבותינו העבירו את התקרה, שנאמר (ישעיה כב, ח) ויגל את מסך יהודה, אבל אנו פעפענו את הכותלים, שנאמר (תהלים קלז, ז) ערו ערו עד היסוד בה עד כאן לשונו, ופירשו הפני משה וקרבן העדה, אבותיהם העבירו את התקרה, שלא החריב נבוכדנצר אלא התקרה של בית המקדש, והשאיר היסודות שנאמר ויגל את מסך יהודה, פעפענו את הכתלים, שבחורבן בית שני החריבו גם היסודות, כדכתיב ערו ערו וגו' עד כאן לשונם. וזהו שקאמר המדרש כאן גלי דכסיא, פירוש נבוכדנצר גלי והעביר דכסיא, היינו תקרת בית המקדש, וזהו ימך המקרה היינו התקרה של בית המקדש: **על ידי שנשתפלו מלעשות תשובה.** יבואר על דרך דרש על פי מה שכתבתי בקול נהי שנדפס אצל מגילת קהלת מהדורה קמא, שמידותיו של הקדוש ברוך הוא מדה כנגד מדה, ולאדם שהוא סבלן ועניו ויזדמן לו עבירה

A third approach:

"דָּבָר אַחֵר, "בַּעֲצַלְתַּיִם יִמַּךְ הַמְּקָרֶה — **Another interpretation:** ***Through slothfulness the ceiling sags —*** עַל יְדֵי שֶׁהָאָדָם הַזֶּה מִתְעַצֵּל לְכַסּוֹת אֶת רֹאשׁוֹ כָּרָאוּי — **because a man is too slothful to cover his head properly,** "יִמַּךְ הַמְּקָרֶה" — ***the ceiling sags —*** הֲרֵי הוּא נַעֲשָׂה דְּאוֹמָטִיקוֹס — **he will become** ***domaticus.***[97] "וּבְשִׁפְלוּת יָדַיִם" — ***And through indolence of the hands —*** עַל יְדֵי שֶׁהָאָדָם הַזֶּה מִשְׁתַּפֵּל לְקַנֵּחַ גּוּפוֹ כָּרָאוּי — **because a man is too indolent to wipe his body properly,** *the house leaks —* יַעֲלֶה גּוּפוֹ חֲטָטִין — **his body will develop sores.**[98]

The Midrash will present its fourth and final interpretation of the *Ecclesiastes* verse, which it will then link to the *Leviticus* verse at hand:

רַבִּי אַבָּהוּ פָּתַר קְרָיָא בְּאִשָּׁה — **R' Abahu interpreted the verse as relating to a woman,** as follows: *Through slothfulness —* עַל יְדֵי שֶׁהָאִשָּׁה הַזּוּ מִתְעַצֶּלֶת מִלְּכַסּוֹת אֶת עַצְמָהּ כָּרָאוּי — **because a woman is too slothful to cover herself properly,** "יִמַּךְ הַמְּקָרֶה" — ***the "mekareh"*** [הַמְּקָרֶה] ***sags,*** i.e., she will suffer from a condition that causes her uterus to collapse;[99] הָדָא הוּא דִכְתִיב "וְגִלָּה אֶת עֶרְוָתָהּ אֶת מְקֹרָהּ הֶעֱרָה וְהִיא גִּלְּתָה אֶת מְקוֹר דָּמֶיהָ" — **thus it is written,** *A man who shall lie with a woman in her affliction* (i.e., a *niddah*) ***and has uncovered her nakedness, he will have bared her source*** [מְקֹרָהּ] ***and she has bared the source of her blood;*** *the two of them will be cut off from the midst of their people* (*Leviticus* 20:18).[100] "וּבְשִׁפְלוּת יָדַיִם" — ***And through indolence of the hands —*** עַל יְדֵי שֶׁהָאִשָּׁה הַזּוּ מִשְׁתַּפֶּלֶת מִלִּבְדּוֹק עַצְמָהּ בְּעוֹנָתָהּ — **because a woman is too indolent to examine herself in her due time,**[101] "יִדְלֹף הַבָּיִת" — ***the house leaks —*** הֲרֵי הִיא מִתְרַבָּה בְּדָמִים — **she will have much** menstrual **blood;**[102] הָדָא הוּא דִכְתִיב "וְאִשָּׁה כִּי יָזוּב זוֹב דָּמָהּ יָמִים רַבִּים" — **thus it is written,** ***If a woman's blood flows for many days.***[103]

The Midrash recounts a related incident:

טָבִיתָא אַמְּתָא דְּרַבָּן גַּמְלִיאֵל הָיְתָה בּוֹדֶקֶת בְּחָבִיּוֹת — **Tavisa,** the **maidservant of Rabban Gamliel,**[104] **was examining barrels** of wine.[105] כֵּיוָן שֶׁהִרְגִּישָׁה יָשְׁבָה לָהּ — **When she felt** a menstrual discharge, **she sat down.**[106] אָמַר לָהּ: הָא קְהֵיתִין — Noticing that she had stopped, **[Rabban Gamliel] said to her, "It is spoiled!"**[107] אָמְרָה לֵיהּ לָא — **[Tavisa] responded to him, "No,** that is not why I sat down."[108] כֵּיוָן דְּאִיתְבּוֹנַן אָמַר: וַוי דְּהָא אָזִיל חַמְרָא — **When [Rabban Gamliel] understood**[109] why she had stopped, **he exclaimed, "Woe! For the wine is gone!"**[110] אָמְרָה לֵיהּ — **[Tavisa] said to him,** "This wine is not all lost,

NOTES

97. This term describes one whose head [the high point or *ceiling* of the human body] becomes bent over due to not having been protected from the cold (cited in *Matnos Kehunah*; see *Eitz Yosef* for the alternative approach of *Maarich HaMaarachos* and the alternative version of *Aruch* [s.v. רמתיקוס], also cited and explained in *Radal* and *Beur Maharif*).

98. Our Midrash accords with *Shabbos* 133b (with *Rashi* ad loc.; see, however, *Aruch*, cited in *Mesoras HaShas* ad loc.), where it is taught that neglecting to properly dry the face after washing it leads to the development of boils (*Maharzu*; also see *Peirush Kadum*). The body is referred to as a *house* because it houses the soul, and it is said to *leak* when it develops sores that ooze pus (*Eitz Yosef*; also see *Maharzu*).

[Note that a version of this Midrash that replaces "לְקַנֵּחַ" גּוּפוֹ כָּרָאוּי, *to "wipe" his body properly*, with "לְכַסּוֹת" גּוּפוֹ כָּרָאוּי, *to "cover" his body properly*, is cited by *Ohr Zarua* (quoted by *Rama* in *Darchei Moshe*, *Orach Chaim* 2:2; see also *Rama*, *Orach Chaim* 2:6) as proof that one should cover his entire body, including his feet.]

99. *Radal*.

Alternatively, the Midrash means that as a consequence of a woman's failure to cover herself as she should, men may gaze at her and eventually come to sin with her (*Eitz Yosef*).

100. Because this verse uses the word מְקֹרָהּ, *her source*, to refer to the uterus (the *source* of menstrual blood) the Midrash understands the similar word הַמְּקָרֶה to be a reference to that organ (see *Matnos Kehunah*).

101. The Midrash refers to the examinations that a married woman must conduct at prescribed times in order to determine if she is a *niddah* (see *Eitz Yosef*).

102. I.e., because the woman fails to determine that she is not a *niddah*, she will be compelled to treat herself as one for the entire time in which she may have had that status, and she will thereby *have much* time of the prohibition related to her *menstrual blood*. The episode that the Midrash will presently cite is illustrative of this concept (*Eitz Yosef*, see there and *Yefeh To'ar* for a fuller discussion; compare *Daas Zekeinim* to our verse in *Leviticus*). Alternatively, the Midrash means that the woman will discharge blood at a time that she does not usually do so, as a fitting punishment for having lazily neglected to determine that her body was free of blood (*Torah Temimah*, *Koheles* 10:70; see also *Radal*).

[As in the previous interpretation,] this approach sees the word *house* as referring to the human body. It is said to *leak* when fluid trickles into the uterus before being discharged (*Radal*). Alternatively, according to this approach, *house* may be a euphemism for the specific area of the body from which the blood *leaks* (compare *Mikvaos* 8:4 with *Rav Hai Gaon* and *Aruch* s.v. (כבד (ב).

103. The Midrash is expounding the seemingly unnecessary word זוֹב, *a flow*, to teach that [through failing to examine herself] a woman can bring upon herself the status of one who experienced a flow of blood (*Eitz Yosef*; see *Radal* for another approach).

104. This word derives from טוֹבָה, meaning *good*. [Rabban Gamliel gave his maidservant this name] as a positive omen. He similarly called his male slave "Tavi" (see *Berachos* 16b, *Succah* 20b), from טוֹב, *good* [in the masculine form] (*Matnos Kehunah*, also cited by *Eitz Yosef*; compare *Yerushalmi Niddah* 1:4).

105. She was checking to see if the wine was still good or if it had spoiled (*Matanos Kehunah*).

106. [Since she had become a *niddah*] she desisted from handling the wine barrels lest they become *tamei* (*Eitz Yosef*, see *Matnos Kehunah*).

107. *Matnos Kehunah*, also cited by *Eitz Yosef*; see *Aruch* s.v. (קה (א, cited by *Beur Maharif*. [Apparently, according to this approach, Rabban Gamliel saw no reason for Tavisa to stop in the middle of her examinations other than she had already seen enough spoiled wine to determine that that the entire batch was spoiled.]

Alternatively, Rabban Gamliel attributed Tavisa's sitting down to her being worn out, and he therefore said to her, "*You are worn out*" (*Eitz Yosef*, from *Yefeh To'ar*; see there for further discussion).

108. See *Matnos Kehunah*, *Eitz Yosef*.

109. *Radal*.

110. When Rabban Gamliel realized that Tavisa must have sat down because she had become a *niddah*, he assumed that she had rendered all of the wine *tamei* and it had therefore *gone* to waste (*Matnos Kehunah*, followed by *Eitz Yosef*). And although the maidservant had only then discharged blood, all of the wine may have been *tamei* because she in fact became a *niddah* at an earlier, unknown point, as soon as the blood left the uterus, even before it exited the body (see *Eitz Yosef* above, s.v. בעונתה, referencing *Niddah* 2a).

Now, wine becoming *tamei* would generally not cause it to go to waste, as it is halachically permissible to eat *tamei* foods. Nevertheless, this represented a loss to Rabban Gamliel because [as evident from *Tosefta*, *Chagigah* (3:3), and *Tanna DeVei Eliyahu Rabbah*, Ch. 15 (*Radal*)] he adhered to the pious practice (discussed in *Chagigah* 18b and elsewhere) of eating even non-sanctified foods under the conditions of purity with which sanctified foods must be eaten (*Matnos Kehunah*, followed by *Eitz Yosef*). According to *Niddah* 6b, however, the story related here actually involved wine of *terumah* [which may not be imbibed when it is *tamei*] (*Radal*, also cited by *Eitz Yosef*). And according to *Yerushalmi* (*Niddah* 2:1, cited in *Matnos Kehunah*), the wine in this story was to be used for libation offerings, and as such it would have been unusable if *tamei*.

[*Tosafos* to *Niddah* 6b (s.v. בשפחתו) discuss whether the sage of the episode that is told there is Rabban Gamliel the Elder or his grandson, Rabban Gamliel of Yavne. *Mareh HaPanim* (to *Yerushalmi* ibid.) makes the point that since our Midrash and the *Yerushalmi* identify the maidservant in what appears to be the same incident as Tavisa, her master must have been Rabban Gamliel from Yavne, as it was he whose servant was named Tavi.]

דאומטיקוס. הוא מי שהוא חולה וחושש בעינו (מעריך המערכות). וגירסת הערוך ריומתקוס והוא בעל חולי הנזילה בלשון יוני (מוסף הערוך), והבאה מקרירות. ופירוש ימך המקרה היינו הראש או המוח שהוא על הגוף כתקרה שימך ויתקרה ויזול: **יעלה גופו חטטין.** ופירוש ידלוף הבית היינו הגוף, שהוא משכן הנפש ונוזל ליחה מהחטטים שבו: **על ידי שהאשה כו׳.** מסתכלין בה בני אדם ונכשלים בה, והיינו ימך המקרה דהיינו כינוי לערוה מלשון מקורה הערה, ואפשר רומז לחולי נפילת המקור כלשון ימך המקרה (רד"ל): **משתפלת.** ידיה. והיינו ענין עצלה: **בעונתה.** פירוש בעת שראויה לה לבדוק. **הרי היא מתרבה בדמים.** פירוש שמתרבים ימי איסור דמיה, וקמפרש ידלוף הבית דחשיב כאילו שופעת דם, כגון נדה שסופרת שבעה וטובלת בליל שמונה צריך שתבדוק עצמה ביום שבעה שפסקה בטהרה, וכן זבה סופרת שבעה נקיים צריך שתבדוק עצמה ותמנה טהורה ואז תתחיל למנות שבעה נקיים מיום המחרת, אבל לא בדקה עצמה ביום שפסקה מלראות ובדקה לאחר שלשה או ארבעה ימים ומצאה טהורה הרי זו בחזקת טומאה עד שפסקה בטהרה, וכן זבה שפעמים שאינה רואה שלשה ימים רצופים בתוך אחד עשר יום שבין נדה לנדה שהם ימי הזיבה אלא יום אחד או שנים ואילו בדקה עצמה לא היה לה דין זבה אלא שומרת יום כנגד יום, והשתא דלא בדקה עצמה חיישינן שמא ראתה שלשה ימים ומוקמינן לה בחזקת זבה להצריכה שבעה נקיים, וענין זה גם כן למפרע שאשה שאין לה וסת ונתעסקה בטהרות ולא בדקה עצמה ושוב בדקה עצמה ומצאה טמאה חיישינן שמא היתה טמאה מיום שבדקה עצמה והיתה טהורה, וכל הטהרות שנתעסקה בהם בינתים טמאות, ואפילו היו ימים רבים לדעת הלל, ולרבנן דהלכתא כוותייהו מעת לעת או מפקידה לפקידה שבתוך מעת לעת כדאיתא ברים נדה, ומענין זה מייתי עובדא משפחת רבן גמליאל כי לולי שבדקה עצמה בכל חבית וחבית היינו מטמאין כולן מספק אף על פי שלא הרגישה אלא אחר כך: **הדא הוא דכתיב ואשה כי יזוב זוב דמה.** יתורא דזוב קדריש דהוה סגי ליה כי יזוב דמה, אלא דאתא למימר שפעמים שהיא מרבה בזובה כדפירשתי: **טובית״א.** כך היה שם שפחתו, לשון טובה לסימן טוב וכן היה קורא שם עבדו טבי לשון טוב (מתנות כהונה): **היתה בודקת בחבית.** אם היין טוב (מעריך ערך טביתא), כיון שהרגישה שפירסה נדה ישבה לה ולא נגעה בחביות שלא יטמאו: **אמר לה הא קהיתין.** פירוש רבן גמליאל אמר לה ודאי החמיץ היין שעמדת מלבדוק עוד (מתנות כהונה). או פירושו שאמר לה כלאית, שחשב שנלאית ביגיעתה ולזה ישבה, והחולשות מכונה בקהוי מענין (קהלת י, י) אם קהה הברזל, שהוא הסרת כח חדודו (יפה תואר) [ובמעריך (ערך כהיתין) גרס כהיתין והוא מלשון יד כהה]: **אמר ליה לא.** לא מפני שהחמיצו ישבתי לי, או לא מפני שנלאיתי ישבתי, ואז הבין שמשום טומאה ישבה לה, ואמר אוי שנטמאו כל החביות והלך לו היין לאבדון כי הוא היה אוכל חולין בטהרה [עיין נדה (ו, ב) שהיו יין של תרומה עיין שם (רד"ל)]: **תתיהב ליך כו׳.** תתן לך נפשך כמו שנתת לי נפשי, שנפשי נבהלה מאד ועכשיו חזרה עלי, והוא על דרך (שבת קנב, ב ועוד) תנוח דעתך כמו שהנחת את דעתי:

וכרכוס (כ"ח א׳) [פרשה ד פסוק יד, א]: **חטטין.** כמו שאמרו חז"ל (שבת קלד, א, עי׳ רש"י שם) רחץ פניו ולא נגבם יפה פניו מתחטטות, או עולה בהם שחין והלחה נוזלת. זהו ידלוף הבית על בית הגוף:

דָּבָר אַחֵר, "בַּעֲצַלְתַּיִם יִמַּךְ הַמְּקָרֶה", עַל יְדֵי שֶׁהָאָדָם הַזֶּה מִתְעַצֵּל לְכַסּוֹת אֶת רֹאשׁוֹ כָּרָאוּי, "יִמַּךְ הַמְּקָרֶה", הֲרֵי הוּא נַעֲשָׂה דְּאוּמָטִיקוּס, "וּבְשִׁפְלוּת יָדַיִם", עַל יְדֵי שֶׁהָאָדָם הַזֶּה מִשְׁתַּפֵּל לְקַנֵּחַ גּוּפוֹ כָּרָאוּי יַעֲלֶה גּוּפוֹ חֲטָטִין, רַבִּי אַבָּהוּ פָּתַר קְרָיָא בְּאִשָּׁה: עַל יְדֵי שֶׁהָאִשָּׁה הַזּוֹ מִתְעַצֶּלֶת מִלְּכַסּוֹת אֶת עַצְמָהּ כָּרָאוּי, "יִמַּךְ הַמְּקָרֶה", הָדָא הוּא דִכְתִיב (לקמן כ, כח) "וְגִלָּה אֶת עֶרְוָתָהּ אֶת מְקֹרָהּ הֶעֱרָה וְהִיא גִּלְּתָה אֶת מְקוֹר דָּמֶיהָ", "וּבְשִׁפְלוּת יָדַיִם", עַל יְדֵי שֶׁהָאִשָּׁה הַזּוֹ מִשְׁתַּפֶּלֶת מִלִּבְדּוֹק עַצְמָהּ בְּעוֹנָתָהּ, "יִדְלֹף הַבָּיִת", הֲרֵי הִיא מִתְרַבָּה בְּדָמִים, הָדָא הוּא דִכְתִיב [טו, כה] "וְאִשָּׁה כִּי יָזוּב זוֹב דָּמָהּ יָמִים רַבִּים", טָבִיתָא אַמְתָּא דְרַבָּן גַּמְלִיאֵל הָיְתָה בּוֹדֶקֶת בַּחֲבִיּוֹת, כֵּיוָן שֶׁהִרְגִּישָׁה יָשְׁבָה לָהּ, אֲמַר לָהּ: הָא קְהִיתִין, אָמְרָה לֵיהּ: לָא, כֵּיוָן דְּאִיתְבּוֹנַן אֲמַר: וַוי דְּהָא אֲזִיל חַמְרָא, אָמְרָה לֵיהּ: עַל כָּל חָבִית וְחָבִית הָיִיתִי בּוֹדֶקֶת וְלֹא הִרְגַּשְׁתִּי אֶלָּא בְּזוֹ, אֲמַר לָהּ: תִּתְיְהַב לִיךְ נַפְשֵׁךְ הֵיךְ כְּמָה דִיהַבְתְּ לְנַפְשִׁי:

חידושי הרד"ל

הרי הוא נעשה ראומאטיקוס. כן צריך לומר ברי"ש, וכן הוא גירסת הערוך. (עיין דרכי משה אורח חיים סימן ב׳ בשם אור זרוע נוסח אחר בזה). ופירושו חולי הנזילה של ליחות הראש. וכבר הבאתי לעיל (פרשה טו ב), גירסת הערוך, יום שנתנה בו רוח קטרטין הרי הוא נעשה ריאומטיקוס, ורצה לומר אם אין מכסה ראשו ביום שנושבת בו רוח, המביא חולי קטרטין, שהוא הנזילה, והראש בא לידי ראומטיקוס: **שהאשה מתעצלת מלכסות עצמה בראוי.** אפשר רצונו לומר שאינה צנועה. ימך המקרה כו׳, את מקורה כו׳, עיין מתנות כהונה. ואפשר רומז לחולי נפילת המקור, כלשון ימך המקרה: **הרי היא מתרבה בדמים.** שמן הבית שהוא הגוף, ידלף ויתמלא פסולת שם הרבה למקור, ותבא לזיבת ימים רבים האמור בפרשה: **טביתא כו׳.** בתוספות על התורה משמע שמפרש שזה גם כן בא לדרוש בעצלתים ימך המקרה, שעל ידי עצלותה לבדוק, מפסדת טהרות ונעשית מכה ועניה: **כיון דאיתבונן.** כן צריך לומר. פירושו שהבין: **וי דאזל חמרא כו׳.** עיין מתנות כהונה שהיה אוכל חוליו בטהרה. והנה אמת שרבן גמליאל אכל חולין בטהרה כדאיתא בתוספתא דחגיגה (פ"ג ה"ג), ותנא דבי אליהו רבה (פרשה טו). אבל במעשה זו דשפחתו מבואר (בנדה ו, ב) שהיה יין של תרומה עיין שם:

ענף יוסף

יכול להתנצל ולומר לפני הקדוש ברוך הוא עפר אני כדרכן של בני אדם לחטוא, והקדוש ברוך הוא יסלח לו, אבל מי שהוא מתיהר בכל דרכיו ועניניו וכשמזדמן לו עבירה, יאמר זכור כי עפר אני, לא ישגיח עליו הקדוש ברוך הוא, כיון שהוא עצמו אינו מחזיק עצמו לעפר לשתוק לכל אדם, ולהיות שפל ונכנע, למה זה יכפר לו הקדוש ברוך הוא בזה הטענה, ובזה מבואר על ידי שכל אחד החזיק את עצמו לשפל ועניו, לא עשו תשובה נכונה, אלא סברו שיפטרו עצמם בטענת כי עפר אנחנו, ובאמת היו גאים:

אמרי יושר

[ד] **ימך המקרה.** נעשה ראומאטיקו, בעל נזילה: **ידלוף הבית.** מתרבה בדמים, פירוש בטומאה, כי מסתפקת שמא מזמן רב קודם ראתה, אבל בבדיקה תסתלק מספק: **הא קהיתין.** רצה לומר שמא יגעת **אמרה ליה לא** הרגיש רבן [גמליאל] בדבר, שהטעם היה שראתה ווסת, אמר ווי דאזיל חמרא שנטמא או יחמיץ, אמרה, רבי, על כל חבית הייתי בודקת, ואם כן כל היין טהור, שמח רבן גמליאל בדבר שהיה יינו יפה וטהור:

מתנות כהונה

דאומטיקוס. מצאתי פירושו ראשו כפוף על ידי שלא שמר ראשו מן הקור: **מקורה הערה.** דרש המקרה, מלשון מקורה הערה (ויקרא כ, יח): **טביתה.** כך היה שם שפחתו, לשון טובה לסימן טוב, וכן היה קורא שם עבדו טבי לשון טוב: **בודקת בחביות.** לראות היין אם הוא טוב או חמוץ. בירושלמי דפרק כל היד (נדה פ"ב ה"א) איתא שהיתה מכתפת יין לנסכים: **שהרגישה דם נדות.** ישבה לה מלבדוק: **אמר לה הא קהיתין.** רבן גמליאל אמר לה ודאי החמיץ היין שעמדת מלבדוק עוד: **אמרה ליה לא.** לא מפני שהחמיצו ישבתי לי, ואז הבין שמשום טומאה ישבה לה. ואמר אוי שנטמאו כל החביות והלך לו היין לאבדון, כי הוא היה אוכל חוליו בטהרה: **הכי גרסינן תתיהב ליך נפשך.** תנתן לך נפשך כמו שנתת לי נפשי לפי שנפשי נבהלה מאד ועכשיו חזרה עלי, כמו תנוח דעתך שהנחת את דעתי (שבת קנב, ב):

אשד הנחלים

דיאומטיקוס. שאלתי פי חכם ואמר לי שבלשון ליאטאיין לשון קרירות אונטקות, ומקרה לשון קרירות שנעשה גופו קר, והוא חולי שקורים אירמאטיזנע, שאיבריו קרים: **מלכסות עצמה.** ועל ידי זה תבוא לידי פתוי מאחרים, ועל ידי זה ימך המקרה, לשון מקורה: **הרי היא מתרבה.** כי על ידי שאינה בודקת, ומזדקקת לבעלה ומחמדה, מתרבה הדמים יותר ויותר:

באור מהרי"פ

ראשונה. ולהביך אעתיק לך דברי הערוך מה שכתב בשני ערכים, וזה לשונו ערך בז האחרון, ובויקרא רבה וכו׳ אמר רב הונא [לא] דמו הדין ריסא להדין בזא הדין ריסא לית מיניה אלא רסים מן הדין בזא וכו׳. וזה לשון ר׳ בנימין מוספייא, אמר בנימין בזא כמו בזעא, ובנוסחאות דידן כתוב הדא ריסא אית מינה אלתוס, והדין בזעא לית מינה אלתוס עד כאן. וזה לשון הערוך ערך רס א׳, הדין ריסא לית מיניה אלא רסים, פירוש הדין רטוש של גוג לית מיניה אלא רסיסי לילה, ועיין ערך בז עכ"ל. וכתב היפה תואר, ולפי זה גרסינן תו, והדין בקיעא אית מיניה אליסין, ונראה דפירושו של אליסין כתיתות ושבירות, מלשון ההוא תורא דאלס ידא דיוקא (בבא קמא פד, א), ועניית שהרסיסה היא בקיעה קטנה שאין ממנה רק שידלוף הבית, אבל בקיעה היא גדולה ונופל ממנה חתיכות אבנים וצרורות, וטעם זה לכאן לומר דמאי דנקט חורבן בית המקדש בלשון ידלוף הבית משום דהכי קרי התם להכאת הבית הגדול רסיסים, עד כאן לשון היפה תואר. ומה שמביא היפה תואר ההוא תורא דאלס וכו׳, בערוך ערך אלים, ההוא תורא דאלס וכו׳, פירוש דאלס דלעס, שכססה, כגון כשב כבש עכ"ל. ומלשונו הערוך יבין המעיין שדברי מתנות כהונה מורכבים משני הערכים של הערוך, וזה לשון המעריך ערך רסס, בויקרא רבה פרשה י"ט (ובמדרש קהלת ד"ה בעצלתים), הדין רסיסא וכו׳ ופירש מתנות כהונה לשון רצוץ, ושבוש הוא, שהרי מדרש זה קאי על ידלוף הבית, ולכן פירושו טיפין כמו (שיר השירים ה, ב) רסיסי לילה, והכי קאמר מהבית הדולף יש סכנת מפולת, אבל מהבית הבקוע אין סכנת מפולת, כיון שנתישב הבנין כך, ובמדרש שיר רבה (ה, ג) הגירסא להיפך עכ"ל המעריך. אמר הכותב דברי המעריך שבכאן מובנים על פי מה שכתוב ערך אליסוס, (במדרש קהלת ג, פסוק ט ד"ה מה יתרון העושה) רבי שמעון בן לקיש הוי לעי באורייתא כל צרכיה בהדא אליסם דטבריא עכ"ל המדרש, ופירושו חורבה, כי כדי שלא יטרידוהו היה מתבודד שם עכ"ל המעריך, היוצא מזה שהמעריך פירש מלת אליסים לשון חורבן, ובזה יובן כאן פירושו הדין רסיסה, הגשמים שהם דולפין ויורדים דרך גג הבית, אית מינה אליסים, פירוש חורבן, והדין בקע בקיעה וכו׳. אך מה שכתב המעריך, בערך רסים הנ"ל ובמדרש שיר פסוק נרד וכרכום (שם) הגירסא להפך, הנה לפי גירסת המדרש נראה שבשלשה מקומות האלה מכוונים הגירסאות. הנה הצעתו לפני המעיין פירושים שונים ועל המעיין לבחור הישר בעיניו: **ראומטיקוס.** וזה לשון הערוך ערך קטרטון בויקרא רבה פרשה (טז, ג) זאת תהיה, יום שנתנה בו רוח קטרטון נעשה רומאטיקין עד כאן. וזה לשון ר׳ בנימין מוספייא שם, אמר בנימין, קטריטון פירוש בלשון יוני ורומי שם פרטי לחולי הנזילה הנוטפת מן הראש אל הפה, ורומטיקן שם כללי לחולי הנזילה הנוטפת מן הראש אל האברים, ופירוש רוח בלשון יוני הוא חולי, והגירסא משונה בגירסאות ומשגה הוא, עד כאן לשון ר׳ בנימין מוספייא: **הא קהיתן.** הערוך ערך קה א׳ (פסחים קטז, א) רבי אליעזר בר צדוק [וכו׳] צריך לקהויי ולסמוכיה, בבא בתרא פרק המוכר פירות (צז, א) מי סברת חמרא הוא, קיוהא בעלמא הוא, בויקרא רבה וכו׳ אמר לה הא קהיתא, אזל ליה חמרא עכ"ל הערוך. וזה לשון ר׳ בנימין מוספייא, אמר בנימין, אולי מלשון (ירמיה לא, כח) ושני בנים תקהינה, פירוש שיש בהם טעם חומץ, עד כאן:

עַל כָּל חָבִית וְחָבִית הָיִיתִי בוֹדֶקֶת — for **upon each barrel** that I handled, **I would examine** myself, וְלֹא הִרְגַּשְׁתִּי אֶלָּא בְּזוֹ — **and I did not feel** a discharge when working with any barrel **other than with this one."**[111] אָמַר לָהּ: תִּתְיְהַב לִיךְ נַפְשָׁךְ הֵיךְ כְּמָה דִיהַבְתְּ לְנַפְשִׁי — **[Rabban Gamliel] said to her, "May your soul be given to you just as you gave me my soul!"**[112]

NOTES

111. After handling each barrel other than the final one, the maidservant had determined that no blood had left her uterus. Thus, she was clearly not a *niddah* when she handled any barrel but that one (see *Eitz Yosef* above, s.v. בעונתה, referencing *Niddah* 2a).

112. *Matnos Kehunah*, followed by *Eitz Yosef*. Rabban Gamliel had felt such panic at the thought that all of the wine had gone to waste that he credited Tavisa with *giving him* back *his soul* through her prudent behavior that had salvaged the wine. He therefore wished upon her that she enjoy similar peace of mind (ibid., comparing a blessing found in *Shabbos* 152b and elsewhere).

חידושי הרד"ל

הרי הוא נעשה ראומאטיקוס. כן צריך לומר ברי"ש, וכן הוא גירסת הערוך. (עיין דרכי משה אורח חיים סימן ב' בשם אור זרוע נוסח אחר בזה). ופירושו חולי הנזילה של ליחות הראש. וכבר הבאתי לעיל (פרשה טו ב), גירסת הערוך, יום שנתנה בו רוח קטרטין הרי הוא נעשה ריאומטיקוס, ורצה לומר אם אין מכסה ראשו ביום שנושבת בו רוח, המביא חולי קטרטין, שהוא הנזילה, והראש בא לידי ראומטיקוס: **שהאשה מתעצלת מלכסות עצמה כראוי.** אפשר רצונו לומר שאינה צנועה. ימך המקרה כו', את מקורה כו', עיין מתנות כהונה. ואפשר רומז לחולי נפילת המקור, כלשון ימך המקרה: **הרי היא מתרבה בדמים.** שמן הבית שהוא הגוף, ידלף ויתמלא פסולת שם הרבה למקור, ותבא לזיבת ימים רבים האמור בפרשה: **טביתא כו'.** בתוספות על התורה משמע שמפרש שזה גם כן בא לדרוש בעצלתים ימך המקרה, שעל ידי עצלותה לבדוק, מפסדת טהרות ונעשית מכה ועניה: **כיון דאיתבונן.** כן צריך לומר. פירושו שהבין: **וי דאזל חמרא כו'.** עיין מתנות כהונה שהיה אוכל חוליו בטהרה. והנה אמת שרבן גמליאל אכל חולין בטהרה כדאיתא בתוספתא דחגיגה (פ"ג ה"ג), ותנא דבי אליהו רבה (פרשה טו). אבל במעשה זו דשפחתו מבואר (בנדה ו, ב) שהיה יין של תרומה עיין שם:

דאומטיקוס. הוא מי שהוא חולה ותושש בטיעו (מעריך המערכות). וגירסת הערוך ריומטקוס והוא בעל חולי הנזילה בלשון יוני (מוסף הערוך), והבאה מקרירות. ופירוש ימך המקרה היינו הראש או המוח שהוא על הגוף כתקרה שימך ויתקרה ויזול: **יעלה גופו חטטין.** ופירוש ידלוף הבית היינו הגוף, שהוא משכן הנפש ונוזל ליחה מהחטטים שבו: **על ידי שהאשה כו'.** מסתכלין בה בני אדם ונכשלים בה, והיינו ימך המקרה דהיינו כיסוי לערוה מלשון מקורה הערה, ואפשר רומז לחולי נפילת המקור כלשון ימך המקרה (רד"ל): **משתפלת.** ידיה. והיינו ענין עצלה: **בעונתה.** פירוש בעת שראויה לה לבדוק. **הרי היא מתרבה בדמים.** פירוש שמתרבים ימי איסור דמיה, וקמפרש ידלוף הבית דחשיב כאילו שופעת דם, כגון נדה שסופרת שבעה וטובלת בליל שמונה צריך שתבדוק עצמה ביום שבעה שפסקה בטהרה, וכן זבה סופרת שבעה נקיים צריך שתבדוק עצמה ותמצא טהורה ואז תתחיל למנות שבעה נקיים מיום המחרת, אבל לא בדקה עצמה ביום שפסקה

וכרכוס (כ"ח א') [פרשה ד פסוק יד, א]: **חטטין.** כמו שאמרו חז"ל (שבת קלד, א, עי' רש"ש) רחץ פניו ולא נגבם יפה פניו מתבקעות, או עולה בהם שחין והלחה נוזלת. זהו ידלוף הבית על בית הגוף:

דָּבָר אַחֵר, "בַּעֲצַלְתַּיִם יִמַּךְ הַמְּקָרֶה", עַל יְדֵי שֶׁהָאָדָם הַזֶּה מִתְעַצֵּל לְכַסּוֹת אֶת רֹאשׁוֹ כָּרָאוּי, "יִמַּךְ הַמְּקָרֶה", הֲרֵי הוּא נַעֲשֶׂה דְּאוּמָטִיקוֹס, "וּבְשִׁפְלוּת יָדַיִם", עַל יְדֵי שֶׁהָאָדָם הַזֶּה מִשְׁתַּפֵּל לְקַנֵּחַ גּוּפוֹ כָּרָאוּי יַעֲלֶה גּוּפוֹ חֲטָטִין, רַבִּי אַבָּהוּ פָּתַר קְרָיָא בְּאִשָּׁה: עַל יְדֵי שֶׁהָאִשָּׁה הַזּוֹ מִתְעַצֶּלֶת מִלְּכַסּוֹת אֶת עַצְמָהּ כָּרָאוּי, "יִמַּךְ הַמְּקָרֶה", הָדָא הוּא דִכְתִיב (לקמן כ, כח) "וְגִלָּה אֶת עֶרְוָתָהּ אֶת מְקֹרָהּ הֶעֱרָה וְהִיא גִּלְּתָה אֶת מְקוֹר דָּמֶיהָ", "וּבְשִׁפְלוּת יָדַיִם", עַל יְדֵי שֶׁהָאִשָּׁה הַזּוֹ מִשְׁתַּפֶּלֶת מִלִּבְדּוֹק עַצְמָהּ בְּעוֹנָתָהּ, "יִדְלֹף הַבָּיִת", הֲרֵי הִיא מִתְרַבָּה °בְדָמִים, הָדָא הוּא דִכְתִיב [טו, כה] "וְאִשָּׁה כִּי יָזוּב זוֹב דָּמָהּ יָמִים רַבִּים", טָבִיתָא אַמְתָּא דְרַבָּן גַּמְלִיאֵל הָיְתָה בּוֹדֶקֶת בַּחֲבִיּוֹת, כֵּיוָן שֶׁהִרְגִּישָׁה יָשְׁבָה לָהּ, אֲמַר לָהּ: הָא °קְהִיתִין, אָמְרָה לֵיהּ: לָא, כֵּיוָן דְּאִיתְבּוֹנַן אֲמַר: וַוי דְּהָא אָזִיל חַמְרָא, אָמְרָה לֵיהּ: עַל כָּל חָבִית וְחָבִית הָיִיתִי בּוֹדֶקֶת וְלֹא הִרְגַּשְׁתִּי אֶלָּא בָּזוֹ, אֲמַר לָהּ: תִּתְיְהַב לִיךְ נַפְשֵׁךְ הֵיךְ כְּמָה דִּיהַבְתְּ לְנַפְשִׁי:

מלראות ובדקה לאחר שלשה או ארבעה ימים ומצאה טהורה הרי זו בחזקת טמאה עד שפסקה בטהרה, וכן זבה שפעמים שאינה רואה שלשה ימים רצופים בתוך אחד עשר יום שבין נדה לנדה שהם ימי הזיבה אלא יום אחד או שנים ואילו בדקה עצמה לא היה לה דין זבה אלא שומרת יום כנגד יום, והשתא דלא בדקה עצמה חיישינן שמא ראתה שלשה ימים ומוקמינן לה בחזקת זבה להצריכה שבעה נקיים, וענין זה גם כן למפרע שאשה שאין לה וסת ונתעסקה בטהרות ולא בדקה עצמה ושוב בדקה עצמה ומצאה טמאה חיישינן שמא היתה טמאה מיום שבדקה עצמה והיתה טהורה, וכל הטהרות שנתעסקה בהם בינתים טמאות, ואפילו היו ימים רבים לדעת הלל, ולרבנן דהלכתא כוותייהו מעת לעת או מפקידה לפקידה שבתוך מעת לעת כדאיתא בריש נדה, ומענין זה מייתי עובדא משפחת רבן גמליאל כי לולי שבדקה עצמה בכל חבית וחבית היינו מטמאין כולן מספק אף על פי שלא הרגישה אלא אחר כך: **הדא הוא דכתיב ואשה כי יזוב זוב דמה.** יתורא דזוב קדריש דהוה סגי ליה כי יזוב דמה, אלא דאתא למימר שפעמים היא מרבה בזובה כדפירשתי: **טוביתא.** כך היה שם שפחתו, לשון טובה לסימן טוב וכן היה קורא שם עבדו טבי לשון טוב (מתנות כהונה): **היתה בודקת בחבית.** אם היין טוב (מעריך ערך טביתא), כיון שהרגישה שפירסה נדה ישבה לה ולא נגעה בחביות שלא יטמאו: **אמר לה הא קהיתין.** פירוש רבן גמליאל אמר לה ודאי החמיץ היין שעמדת מלבדוק עוד (מתנות כהונה). או פירושו שאמר לה נלאית, שחשב שנלאית ביגיעתה ולזה ישבה, והחולשת מכונה בקהוי מענין (קהלת י, י) אם קהה הברזל, שהוא הסרת כח חדודו (יפה תואר) (ובמעריך (ערך כהיתין) גרס כהיתין והוא מלשון יד כהה): **אמר ליה לא.** לא מפני שהחמיצו ישבתי לי, או לא מפני שנלאיתי ישבתי, ואז הבין שמשום טומאה ישבה לה, ואמר אוי שנטמאו כל החביות והלך לו היין לאבדון כי הוא היה אוכל חולין בטהרה [עיין נדה (ו, ב) שהיו יין של תרומה עיין שם (רד"ל)]: **תתיהב ליך כו'.** תתן לך נפשך כמו שנתת לי נפשי, שנפשי נבהלה מאד ועכשיו חזרה עלי, והוא על דרך (שבת קנב, ב ועוד) תנוח דעתך כמו שהנחת את דעתי:

ענף יוסף

יכול להתגלגל ולומר לפני הקדוש ברוך הוא עפר אני כדרכן של בני אדם לחטא, והקדוש ברוך הוא יסלח לו, אבל מי שהוא מתיהר בכל דרכיו וענייניו וכשמזדמן לו עבירה, יאמר זכור כי עפר אני, לא ישגיח עליו הקדוש ברוך הוא, כיון שהוא עצמו אינו מחזיק עצמו לעפר לשתוק לכל אדם, ולהיות שפל ונכנע, למה זה יכפר לו הקדוש ברוך הוא בזה הטענה, ובזה מבואר על ידי שכל אחד החזיק את עצמו לשפל ועניו, לא עשו תשובה נכונה, אלא סברו שיפטרו עצמם בטענת כי עפר אנחנו, ובאמת היו גאים:

אמרי יושר

[ד] **ימך המקרה.** נעשה ראומאטיקו, בעל נזילה: **ידלוף הבית.** מתרבה בדמים, פירוש בטומאה, כי מסתפקת שמא מזמן רב קודם ראת, אבל בבדיקה תסתלק מספק: **הא קהיתין.** רצה לומר שמא יגעת **אמרה ליה לא** הרגיש רבן [גמליאל] בדבר, שהטעם היה שראת ווסת, אמר ווי דאזיל חמרא שנטמא או יחמיץ, אמרה, רבי, על כל חבית הייתי בודקת, ואם כן כל היין טהור, שמא רבן גמליאל בדבר שהיה יינו יפה וטהור:

מתנות כהונה

דאומטיקוס. מצאתי פירושו ראשו כפוף על ידי שלא שמר ראשו מן הקור: **מקורה הערה.** דרש המקרה, מלשון מקורה הערה (ויקרא כ, יח): **טביתה.** כך היה שם שפחתו, לשון טובה לסימן טוב, וכן היה קורא שם עבדו טבי לשון טוב: **בודקת בחביות.** לראות היין אם הוא טוב או חמוץ. בירושלמי דפרק כל היד (נדה פ"ב ה"א) איתא שהיתה מכתפת יין לכנסיס: **שהרגישה דם נדות.** ישבה לה מלבדוק: **אמר לה הא קהיתין.** רבן גמליאל אמר לה ודאי החמיץ היין שעמדת מלבדוק עוד: **אמרה ליה לא.** לא מפני שהחמיצו ישבתי לי, ואז הבין שמשום טומאה ישבה לה. ואמר אוי שנטמאו כל החביות והלך לו היין לאבדון, כי הוא היה אוכל חוליו בטהרה: **הכי גרסינן תתיהב ליך נפשך.** תתן לך נפשך כמו שנתת לי נפשי לפי שנפשי נבהלה מאד ועכשיו חזרה עלי, כמו תנוח דעתך שהנחת את דעתי (שבת קנב, ב):

אשד הנחלים

דיאומטיקוס. שאלתי פי חכם ואמר לי שבלשון ליאטאיין לשון קרירות אונטקות, ומקרה לשון קרירות שנעשה גופו קר, והוא חולי שקורים אירמאטיזנע, שאיבריו קרים: **מלכסות עצמה.** ועל ידי זה תבוא לידי פתוי מאחרים, ועל ידי זה ימך המקרה, לשון מקורה: **הרי היא מתרבה.** כי על ידי שאינה בודקת, ומזדקקת לבעלה ומחמדה, מתרבה הדמים יותר ויותר:

באור מהרי"פ

ראשונה. ולהבינך אעתיק לך דברי הערוך מה שכתב בשני ערכים, וזה לשונו ערך בז האחרון, ובויקרא רבה וכו' אמר רב הונא [לא] דמו הדין ריסא להדין ביזא הדין ריסא לית מיניה אלא רסיס מן הדין ביזא וכו'. וזה לשון ר' בנימין מוספייא, אמר בנימין ביזא כמו בזעא, ובנוסחאות דידן כתוב הדא ריסא אית מינה אלתוס, והדין בזעא לית מינה אלתוס עד כאן. וזה לשון הערוך ערך רס א', הדין ריסא לית מיניה אלא רסיס, פירוש הדין רעוע של גוג לית מיניה אלא רסיסי לילה, ועיין ערך בז עכ"ל. וכתב היפה תואר, ולפי זה גרסינן תו, והדין בקיעא אית מיניה אליסין, ונראה דפירושו של אליסין כתיתות ושבירות, מלשון ההוא תורא דאלים ידא דיוקא (בבא קמא פד, א), ועניינא שהרסיסה היא בקיעה קטנה שאין ממנה רק שידלוף הבית, אבל בקיעה היא גדולה ונופל ממנה חתיכות אבנים וצרורות, וטעם זה לכאן לומר דמאי דנקט חורבן בית המקדש בלשון ידלוף הבית משום דהכי קרי התם להכאת הבית הגדול רסיסים, עד כאן לשון היפה תואר. ומה שמביא היפה תואר ההוא תורא דאלים וכו', בערוך ערך אלים, ההוא תורא דאלים וכו', פירוש דאלים דלעס, שכססה, כגון כשב כבש עכ"ל. ומלשונו הערוך יבין המעיין שדברי מתנות כהונה מורכבים משני הערכים של הערוך, וזה לשון המעריך ערך רסס, בויקרא רבה פרשה י"ט (ובמדרש קהלת ד"ה בעצלתים), הדין רסיסא וכו' ופירש מתנות כהונה לשון רצון, ושבוש הוא, שהרי מדרש זה קאי על ידלוף הבית, ולכן פירושו טיפין כמו (שיר השירים ה, ב) רסיסי לילה, והכי קאמר מהבית הדולף יש סכנת מפולת, אבל מהבית הבקוע אין סכנת מפולת, כיון שנתישב הבנין כך, ובמדרש שיר רבה (ה, ג) הגירסא להיפך עכ"ל המעריך. אמר הכותב דברי המעריך שבכאן מובנים על פי מה שכתוב ערך איליסוס, (במדרש קהלת ג, פסוק ט ד"ה מה יתרון העושה) רבי שמעון בן לקיש הוי לעי באורייתא כל צרכיה בהדא אליסם דטבריא עכ"ל המדרש, ופירושו חורבה, כי כדי שלא יטרידוהו היה מתבודד שם עכ"ל המעריך, היוצא מזה שהמעריך פירש מלת איליסים לשון חורבן, ובזה יובן כאן פירושו הדין רסיסה, הגשמים שהם דולפין וטורדים דרך גג הבית, אית מינה אליסים, פירוש חורבן, והדין בקע בקיעה וכו'. אך מה שכתב המעריך, בערך רסים הנ"ל ובמדרש שיר פסוק נרד וכרכום (שם) הגירסא להפך, הנה לפי גירסת המדרש נראה שבשלשה מקומות האלה מכוונים הגירסאות. הנה הצגנו לפני המעיין פירושים שונים ועל המעיין לבחור הישר בעיניו: **ראומטיקוס.** וזה לשון הערוך ערך קטרטון בויקרא רבה פרשה (טז, ג) זאת תהיה, יום שנתנה בו רוח קטרטון נעשה רומאטיקין עד כאן. וזה לשון ר' בנימין מוספייא שם, אמר בנימין, קטריטון פירוש בלשון יוני ורומי שם פרטי לחולי הנזילה הנוטפת מן הראש אל הפה, ורומטיקן שם כללי לחולי הנזילה הנוטפת מן הראש אל האברים, ופירוש רוח בלשון יוני הוא חולי, והגירסא משונה בגירסאות ומשגה הוא, עד כאן לשון ר' בנימין מוספייא: **הא קהיתן.** הערוך ערך קה א' (פסחים קטז, א) רבי אליעזר בר צדוק [וכו'] צריך לקהוי ולסמוכיה, בבא בתרא פרק המוכר פירות (לז, א) מי סברת חמרא הוא, קיוהא בעלמא הוא, בויקרא רבה וכו' אמר לה הא קהיתא, אזל ליה חמרא עכ"ל הערוך. וזה לשון ר' בנימין מוספייא, אמר בנימין, אולי מלשון (ירמיה לא, כח) ושני בנים תקהינה, פירוש שיש בהם טעם חומץ, עד כאן:

§5 The Midrash will cite a verse from *Chronicles* that it will relate to our verse's use of the phrase יָמִים רַבִּים, *many days*. As it often does, the Midrash will expound the cited verse before associating it with ours:[113]

דָּבָר אַחֵר, "וְאִשָּׁה כִּי יָזוּב זוֹב דָּמָהּ יָמִים רַבִּים" — **An additional insight** into this verse, ***If a woman's blood flows for many days;*** זֶה שֶׁאָמַר הַכָּתוּב "וְיָמִים רַבִּים לְיִשְׂרָאֵל לְלֹא אֱלֹהֵי אֱמֶת וּלְלֹא כֹּהֵן מוֹרֶה וּלְלֹא תוֹרָה" — **this is** related to that **which the verse states, *Many days passed by for Israel without a true God and without a Kohen to teach and without Torah*** (*II Chronicles* 15:3). וּמִי נִתְנַבֵּא הַפָּסוּק הַזֶּה עֲזַרְיָה בֶּן עוֹדֵד הַנָּבִיא — **And who prophesied this verse? Azariah,** the **son of Oded, the prophet.**[114] אָמַר: עֲתִידִין יָמִים לָבֹא לְיִשְׂרָאֵל "לְלֹא אֱלֹהֵי אֱמֶת" — **He said, "Days are fated to come upon** the nation of **Israel** ***without 'elohei emes,'*** " meaning, שֶׁאֵין מִדַּת הַדִּין נַעֲשָׂה בָּעוֹלָם — **in which the Attribute of Justice will not be operative in the world;**[115] "וּלְלֹא כֹּהֵן מוֹרֶה" שֶׁהַכְּהוּנָּה גְּדוֹלָה עֲתִידָה לִיבָּטֵל — ***"and without a Kohen to teach,"*** meaning **that the High Priesthood is fated to be eliminated;** "וּלְלֹא תוֹרָה" שֶׁעֲתִידִין סַנְהֶדְרִין לִיבָּטֵל — ***"and without Torah,"*** meaning **that the Sanhedrin is fated to be eliminated.**[116] כֵּיוָן שֶׁשָּׁמְעוּ אוֹתוֹ הַדּוֹר כֵּן רָפוּ יְדֵיהֶן — **When** the people of **that generation heard thus, their hands were weakened.**[117] יָצְתָה בַּת קוֹל וְאָמְרָה: "חַזְּקוּ יָדַיִם רָפוֹת" — Thereupon, **a Heavenly voice went forth and stated, *"Strengthen weak hands,*** *and give support to failing knees*" (*Isaiah* 35:3).[118]

The Midrash digresses to interpret this verse from *Isaiah*:

רַבִּי יוּדָן וְרַבִּי פִּנְחָס — **R' Yudan and R' Pinchas** offered different interpretations of this verse:[119] רַבִּי יוּדָן אָמַר: "חַזְּקוּ יָדַיִם רָפוֹת" יָדַיִם שֶׁהֵן נִרְאִין כְּאִלּוּ רָפוֹת — **R' Yudan said: *Strengthen weak hands*** — this suggests, strengthen **hands that appear as if they are weak;** "וּבִרְכַּיִם כֹּשְׁלוֹת אַמֵּצוּ", שֶׁהֵן נִרְאוֹת כְּאִלּוּ כּוֹשְׁלוֹת — ***and give support to failing knees*** — this suggests, give support to knees **that appear as if they are failing.**[120] רַבִּי פִּנְחָס אָמַר: "חַזְּקוּ יָדַיִם רָפוֹת" שֶׁרְפִיתֶם עַצְמְכֶם בְּמַעֲשֵׂיכֶם הָרָעִים — And **R' Pinchas said: *Strengthen weak hands*** — this suggests, remedy that **which you weakened yourselves through your evil deeds;** "וּבִרְכַּיִם כֹּשְׁלוֹת אַמֵּצוּ" שֶׁכְּשַׁלְתֶּם בְּמַעֲשֵׂיכֶם הָרָעִים — ***and give support to failing knees*** — this suggests, remedy that **which you failed through your evil deeds.**

The Midrash proceeds to expound the next verse in the passage from *Isaiah*, phrase by phrase:

"אִמְרוּ לְנִמְהֲרֵי לֵב" — ***Say to "nimharei" heart,*** *"Be strong; do not fear, etc."* (ibid., v. 4); רַבִּי הוֹשַׁעְיָא רַבָּה אָמַר: לִמְפַגְּרֵי לִבָּא — **R' Hoshaya the Great said:** *To "nimharei"* [לְנִמְהֲרֵי] *heart* means **to those broken of heart,**[121] שֶׁנֶּאֱמַר "יְמַהֲרוּ חוֹמָתָהּ" — **as is stated, *They will demolish*** [יְמַהֲרוּ] ***its wall*** (*Nahum* 2:6).[122] רַבִּי יְהוֹשֻׁעַ בֶּן לֵוִי אָמַר כְּגוֹן אִלּוּ שֶׁהֵן דּוֹחֲקִין אֶת הַקֵּץ — And **R' Yehoshua ben Levi said:** *To "nimharei"* [לְנִמְהֲרֵי] *heart* means to people **such as those who forcibly advance the End** —[123] שֶׁנֶּאֱמַר "וַתְּמַהֵר וַתֹּרֶד כַּדָּהּ" — **as is stated, *and [Rebecca] advanced*** [וַתְּמַהֵר] ***and she lowered her jug*** (*Genesis* 24:18).[124] "חִזְקוּ אַל תִּירָאוּ" — ***Be strong; do not fear.*** *Behold, your God will come*

NOTES

113. *Eitz Yosef.*

114. In truth, two verses earlier, Scripture states explicitly that *Azariahu, the son of Oded,* experienced a prophecy that appears to include this verse. However, because the verse cited here is in past tense as opposed to future tense, one may have been led to believe that it is not part of Azariah's prophetic vision, but was rather inserted here by the author of *Chronicles*. The Midrash therefore clarifies that since these words appear in the context of *Azariah*'s prophecy, they must indeed speak of a future time (*Maharzu*; see *Eitz Yosef* for an alternative version of the text and its explanation, as well as additional proof that the verse regards the future). It is not uncommon for a prophet to articulate a prediction in the past tense (see *Eitz Yosef*).

115. This Midrash interprets the words אֱלֹהֵי אֱמֶת of this verse to refer not to God but to *true (human) judges* (*Beur Maharif* and *Eitz Yosef*, both comparing *Exodus* 22:27 [with *Sanhedrin* 66a]; see *Matnos Kehunah*, first approach; also see *Maharzu*). Thus, the verse foretells of a lawless time in which evildoers will go unpunished and each man will do as he pleases (*Matnos Kehunah*, first approach; see there for another).

Alternatively, the verse does speak of God, and means that because He will not activate *Divine* justice it will appear as if the world is *without a true God* watching over it (see *Radal*).

116. The members of the Sanhedrin were [the premier] teachers of Torah (*Eitz Yosef*). That body's elimination would cause the explanations of laws to be forgotten and uncertainties to abound (*Maharzu*).

117. The prophet's dismal prediction of their future left the people weak from despair.

The Midrash infers that this was the general reaction to Azariah's prophecy from the fact that Azariah concluded his address by saying, וְאַתֶּם חִזְקוּ "וְאַל יִרְפּוּ יְדֵיכֶם" כִּי יֵשׁ שָׂכָר לִפְעֻלַּתְכֶם, *But you be strong, and "let not your hands be weak," for there is reward for your actions!* (*Radal*).

118. Although this verse appears in *Isaiah* and regards a pronouncement that God will make in the future, our Midrash assumes that God also made this statement in relation to Azariah's prophecy of *Chronicles* because of the similarity between this verse and the one from *Chronicles* that was cited in the preceding note (*Yefeh To'ar*, followed slightly imperfectly in the printed versions of *Eitz Yosef*; see *Beur Maharif* for a similar approach; also see *Rashash*).

119. Our Midrash is unwilling to understand the verse literally because it was just suggested that this verse was spoken by Azariah at a time when the Jewish nation had not yet been exiled, so that there were not yet *weak hands* to be strengthened or *failing knees* to be supported. And although the Midrash also said previously that Azariah's prophecy was met with the people's *hands* become *weakened*, R' Yudan and R' Pinchas insist that the people were not actually *weakened*, but rather momentarily panicked as a result of that prophecy (*Yefeh To'ar*, followed in part by *Eitz Yosef*).

120. Thus, the verse was a call to the people of Azariah's time to overcome the powerful — but not devastating — emotions with which his prophecy had left them (see ibid.).

Alternatively, according to R' Yudan the verse is an anthropomorphic reference to the "hands" and "knees" of God that *appear as if they are weakened* and *failing* when the Jewish people defy His will and thereby cause God to not make His Providence evident (compare *Deuteronomy* 32:18 with below, 23 §12). Thus, the prophet exhorted the nation to *strengthen* those "hands" and *give support* to those "knees" through their performance of good deeds (*Radal*, followed by *Eitz Yosef*).

121. *Matnos Kehunah*, followed by *Eitz Yosef.*

122. R' Hoshaya the Great's understanding of the verse [which he uses to support his interpretation of the phrase נִמְהֲרֵי לֵב, as *those "broken" of heart*] reflects that of *Targum Yonasan ben Uziel* ad loc. (ibid.).

123. I.e., those who attempt to use prayer to cause the Final Redeption to arrive earlier than it otherwise would (see *Eitz Yosef*, from *Yefeh To'ar*). [*Yefeh To'ar* explains that although it emerges from the Gemara (*Kesubos* 111a, according to a version cited in *Rashi* ad loc. s.v. שלא ירחקו; also see *Shir HaShirim Rabbah* 2 §7) that it is prohibited to "forcibly advance the End," there the Sages refer only to the undertaking of military action to achieve that goal; here, according to our Midrash, Scripture offers comfort to those who do so through prayer. And while *Yefeh To'ar* acknowledges that this is unlike *Rashi* (ibid.), who states clearly that the Gemara concerns prayer, he takes strong issue with *Rashi*'s approach, noting that our prayers contain many requests for the coming of the Redemption. See, however, *Chasam Sofer, Likkutei Teshuvos* §86, *Pri Tzaddik* at the beginning of *Va'eschanan*, and *Vayoel Moshe* 1:24 and 1:79, who explain the specific type of prayers to which *Rashi* refers.]

These people are referred to as "נִמְהֲרֵי "לֵב [according to our Midrash: *advanced of "heart"*] because they take these actions out of the great desire that their *hearts* feel for the Messiah (*Beur Maharif*).

124. Translation follows *Maharzu*, who explains the verse to mean that although Rebecca was to keep her jug of water until later, when she returned to her house, she *advanced* the lowering of her jug in order to give Eliezer to drink.

ה דָּבָר אַחֵר, [טו, כה] "וְאִשָּׁה כִּי יָזוּב זוֹב דָּמָהּ יָמִים רַבִּים", זֶה שֶׁאָמַר הַכָּתוּב (דברי הימים-ב טו, ג) "וְיָמִים רַבִּים לְיִשְׂרָאֵל לְלֹא אֱלֹהֵי אֱמֶת וּלְלֹא כֹּהֵן מוֹרֶה וּלְלֹא תוֹרָה", וּמִי נִתְנַבֵּא הַפָּסוּק הַזֶּה, עֲזַרְיָה בֶּן עוֹדֵד הַנָּבִיא, אָמַר: עֲתִידִין יָמִים לָבֹא לְיִשְׂרָאֵל "לְלֹא אֱלֹהֵי אֱמֶת", שֶׁאֵין מִדַּת הַדִּין נַעֲשָׂה בָּעוֹלָם, "וּלְלֹא כֹּהֵן מוֹרֶה", שֶׁהַכְּהוּנָּה גְּדוֹלָה עֲתִידָה לִיבָּטֵל, "וּלְלֹא תוֹרָה", שֶׁעֲתִידִין סַנְהֶדְרִין לִיבָּטֵל, כֵּיוָן שֶׁשָּׁמְעוּ אוֹתוֹ הַדּוֹר כֵּן רָפוּ יְדֵיהֶן, יָצְתָה בַּת קוֹל וְאָמְרָה: (ישעיה לה, ג) "חַזְּקוּ יָדַיִם רָפוֹת", רַבִּי יוּדָן וְרַבִּי פִּנְחָס, רַבִּי יוּדָן אָמַר: "חַזְּקוּ יָדַיִם רָפוֹת", יָדַיִם שֶׁהֵן נִרְאִין כְּאִלּוּ רָפוֹת, (שם) "וּבִרְכַּיִם כֹּשְׁלוֹת אַמֵּצוּ", שֶׁהֵן נִרְאוֹת כְּאִלּוּ כּוֹשְׁלוֹת, רַבִּי פִּנְחָס אָמַר: "חַזְּקוּ יָדַיִם רָפוֹת", שֶׁרִפִּיתֶם עַצְמְכֶם בְּמַעֲשֵׂיכֶם הָרָעִים, "וּבִרְכַּיִם כֹּשְׁלוֹת אַמֵּצוּ", שֶׁכְּשַׁלְתֶּם בְּמַעֲשֵׂיכֶם הָרָעִים, (שם שם ד) "אִמְרוּ לְנִמְהֲרֵי לֵב", רַבִּי הוֹשַׁעְיָא רַבָּה אָמַר: לִמְפַגְּרֵי לְבָּא, שֶׁנֶּאֱמַר (נחום ב, ו) "יְמַהֲרוּ חוֹמָתָהּ", רַבִּי יְהוֹשֻׁעַ בֶּן לֵוִי אָמַר: כְּגוֹן אֵלּוּ שֶׁהֵן דּוֹחֲקִין אֶת הַקֵּץ, שֶׁנֶּאֱמַר (בראשית כד, יח) "וַתְּמַהֵר וַתֹּרֶד כַּדָּהּ", (ישעיה שם שם) "חִזְקוּ אַל תִּירָאוּ", לְפִי שֶׁהָיוּ יִשְׂרָאֵל אוֹמְרִים: (תהלים מב, ד) "הָיְתָה לִּי דִמְעָתִי לֶחֶם יוֹמָם וָלָיְלָה בֶּאֱמֹר אֵלַי כָּל הַיּוֹם אַיֵּה אֱלֹהֶיךָ", יָצְתָה בַּת קוֹל וְאָמְרָה לָהֶן: (ישעיה שם שם) "הִנֵּה אֱלֹהֵיכֶם נָקָם יָבוֹא°", מִי שֶׁהוּא עָתִיד לְשַׁלֵּם גְּמוּלָן שֶׁל אוּמּוֹת הָעוֹלָם, (שם) "°גְּמוּל אֱלֹהִים°, הוּא יָבוֹא וְיֹשַׁעֲכֶם",

עץ יוסף

(ה) זה שאמר הכתוב ימים רבים לישראל כו'. משום דזוב דמה ימים רבים היינו שלשה כדלקמן וקשה אמאי קרי להו רבים ובעי למימר משום דהוו ימים של צער, מייתי האי קרא דדומים רבים דהיינו משום דהן של צער כדמפרש בסמוך ומכוון דמייתי קרא מפרש כוליה כדרך המדרש: **עזריה בן עודד הנביא.** אף על גב דכתיב התם ועזריהו בן עודד היתה עליו רוח ה', קים להו שעודד היינו עידו הנביא שנתנבא בימי ירבעם ונתן אות שנקרע המזבח וכן היה, וכדאיתא בסדר עולם פרק כ' שעידו הנביא נתנבא על המזבח שבבית אל, ועיין ביפה תואר: **עתידים ימים.** אף על גב דהאי קרא לשעבר מיירי אין תימא שדברי הנביא ידברו בעבר וירמזו בעתיד, ודייק זה מדכתיב התם ואתם חזקו ואל ירפו ידיכם משמע ליה דלעתיד נמי מיירי מכיון דאשכחן חזקו ידים רפות דמיירי לעתיד: **שאין מדת הדין נעשית.** ופירוש אלהי אמת דין אמת, מגזרת (שמות כב, כז) אלהים לא תקלל: **שעתידין סנהדרין.** שהן מלמדי התורה: **חזקו ידים רפות.** אף על גב דלא כתיב הכא, מכיון דכתיב הכא חזקו אל ירפו ידיכם דרמיז ליה, קאמר כי כאן משמע האי ענינא, ואף על גב דלעתיד מיירי בישעיה, מכל מקום סבירא ליה שנאמר גם כן הכא: **נראין כאילו רפות.** משום דקאמר שנאמר זה גבי אסא והתם לא ילדק רפות וכושלות שהרי לא היו בגולה, להכי מפרש נראין כאילו רפות נראין כאלו כושלות. והרד"ל כתב וזה לשונו, נראה שדורש כלפי הקדוש ברוך הוא לרבי יודן וכמו שנאמר (דברים לב, יח) צור ילדך תשי, ואמר לישראל, חזקו במעשים טובים שלכם כח ידים וברכים שלמעלה כביכול, שנראין כאילו רפין, שאין כח הנהגתם מתגלה בעולם בזמן שאין ישראל עושין רצונו, עד כאן לשונו: **למפגרי לבא.** פירוש למשברי לב: **ימהרו חומתה.** תרגום יונתן יכבשון שורא, פירוש שישברו החומה: **שהן דוחקין את הקץ.** בתפלה ובתחנונים. ועיין ביפה תואר: **נקם יבוא גמול אלהים מי שהוא עתיד כו' הוא יבא ויושיעכם.** כן צריך לומר (רד"ל):

פירוש מהרז"ו

(ה) מי מתנבא פסוק זה. הנה בפסוק מפורש מריש פרשה ט"ו עד סוף פסוק ז' נבואת עזריה בן עודד, ומהו זה ששואל המדרש, ומי מתנבא פסוק זה, איזה ספק יש בזה, ויתכן על שפסוק א' מבואר שהיא נבואה והבטחה עתידה, אך פסוק ב' ג' ד' ה' ו', נראה דרך ספור מעבר והוה, ואם כן יתכן שכותב הספר כתב אותם, אך מאחר שפסוק א' ופסוק ז' הוא נבואת עזריה בן עודד, אם כן גם הפסוקים אשר ביניהם גם כן נבואת עזריה בן עודד: **שאין מדת הדין.** שלא יתכן שיתנבא הנביא שלא יהיה לישראל אלהי אמת, והיה די שיאמר ללא אלהים ותיבת אמת מיותר, והלא אסא ודורו היו צדיקים, ועבדו לאלהי אמת, על כן דורש שפירושו שלא עשו כפי הדין באמת, או שלא נעשה בהם מדת הדין, וכן מה שאמר וללא תורה שהרי מפורש (דברים לא, כא) כי לא תשכח מפי זרעו, וכמו שאמרו לעיל (יא, ג), על כן דורש שעתידין סנהדרין לבטל ותשתכח ביאור ההלכות וירבו הספקות: **שדוחקים את הקץ.** שיבא קודם זמנו, ומביא ראיה מפסוק (בראשית כד, מו) ותמהר ותורד כדה, שזמן הורדת הכד היה כשתבא לביתה, ולמטן אליעזר הקדימה להוריד, ואין זה מלשון מהירות וזריזות, כי אם מלשון הקדמה, וכן אמרו (ישעיה לה, ד) לנמהרי לב, ובא לפרש מהו דחיקת הקץ, היינו מה שנאמר (תהלים מב, ג) למתה נפשי לאלהים לאל חי מתי אבא ואראה וגו' דמעתי לחם יומם ולילה, זהו דחיקת הקץ, וכן כל מזמור מ"ב זה עד מתי תשתוחחי נפשי ותהמי עלי, על מה שנאמר (שם פסוק יב) איה אלהיך, ועל אמר הנה אלהיכם וגו' גמול אלהים הוא, ולא פירש למי ינקום ויגמול, ועל פי מדה י"ג, שמפורש בכמה מקומות שינקום מאויבי השם יתברך שהחריבו בית המקדש, והגלו אותנו והשמידונו, דורש כאן על פי מדה ט':

חידושי הרד"ל

[ה] שאין מדת הדין נעשה בעולם. ואין אמיתת אלקותו והשגחתו יתברך בעולמו נודעת ונגלית: **כיון ששמעו כו' רפו ידיהן יצתה בת קול כו'.** משום דבסיפא דהאי קרא בדברי הימים (ב' טו, ז) כתיב ואתם חזקו ואל ירפו ידיכם, מכלל שרפו ידיהם. ומביא על זה מקרא דישעיה שענינו גם כן: **שהן נראין כאלו כו' כאלו כושלות.** נראה שדורשו כלפי הקב"ה, לרבי יודן וכמו שכתוב (דברים לב, יח) צור ילדך תשי, ואמר לישראל חזקו במעשים טובים שלכם, כח ידים וברכים שלמעלה כביכול, שנראין כאלו רפין, שאין כח הנהגתם מתגלה בעולם, בזמן שאין ישראל עושין רצונו: **נקם יבא גמול אלהים מי שהוא עתיד כו' הוא יבא ויושיעכם.** כן צריך לומר:

חידושי הרש"ש

[ה] דבר אחר ואשה כי יזוב זוב דמה וכו' ומי נתנבא הפסוק הזה. עיין מה שכתב בקונטרס אחרון של הטורי אבן ברא"ש הלכה ה' עמוד א' בדף הספר, ד"ה ומי הרגו: **יצתה בת קול ואמרה חזקו ידים רפות.** הוא מדכתיב בסוף נבואתו (דברי הימים ב' טו, ז) ואתם חזקו ואל ירפו ידיכם:

אמרי יושר

[ה] אלו שדוחקין הקץ. זהו נמהרי לב, שימהרו ביאת המשיח מרוב תשוקה שיש להם, אל תעוררו עד שתחפץ:

אם למקרא

וְיָמִים רַבִּים לְיִשְׂרָאֵל לְלֹא אֱלֹהֵי אֱמֶת וּלְלֹא כֹּהֵן מוֹרֶה וּלְלֹא תוֹרָה: (דברי הימים ב טו:ג)

חַזְּקוּ יָדַיִם רָפוֹת וּבִרְכַּיִם כֹּשְׁלוֹת אַמֵּצוּ: אִמְרוּ לְנִמְהֲרֵי לֵב חִזְקוּ אַל תִּירָאוּ הִנֵּה אֱלֹהֵיכֶם נָקָם יָבוֹא גְּמוּל אֱלֹהִים הוּא יָבוֹא וְיֹשַׁעֲכֶם: (ישעיה לה:ג-ד)

יִזְכֹּר אַדִּירָיו יִכָּשְׁלוּ בַּהֲלִיכָתָם יְמַהֲרוּ חוֹמָתָהּ וְהֻכַן הַסֹּכֵךְ: (נחום ב:ו)

וַתֹּאמֶר שְׁתֵה אֲדֹנִי וַתְּמַהֵר וַתֹּרֶד כַּדָּהּ עַל יָדָהּ וַתַּשְׁקֵהוּ: (בראשית כד:יח)

הָיְתָה לִּי דִמְעָתִי לֶחֶם יוֹמָם וָלָיְלָה בֶּאֱמֹר אֵלַי כָּל הַיּוֹם אַיֵּה אֱלֹהֶיךָ: (תהלים מב:ד)

באור מהרי"פ

[ה] ללא אלהי וגו'. פירוש אלהי אמת הוא דיין, כמו שנאמר (שמות כב, ח) עד האלהים יבא דבר שניהם, ורבים כיוצא בו, לכן דריש על זה שאין מדת הדין נעשית בעולם: **חזקו ידים רפות וגו'.** זה המקרא לא נאמר כאן אלא (ישעיה לה, ג ד), אלא משום דכתיב הכא (דברי הימים ב' טו, ז) בהאי ענינא, ואתם חזקו ואל ירפו ידיכם כי יש שכר לפעולתכם, לקח המדרש תמורתו המקרא של ישעיה, ואין משיבין על הדרש: **ימהרו חומתה וכו'.** עיין מתנות כהונה. ונתן את הבית (ויקרא יד, מה), תרגום ירושלמי ופגר ית ביתא:

שינוי נוסחאות

(ה) **הנה אלהיכם נקם יבוא.** צריך להוסיף כאן תיבות "גמול אלהים" ולמחקן ממקום שכתוב כן בשורה אחר כך, כן הגיהו יפ"ת ורד"ל:

מתנות כהונה

[ה] עזריה בן עודד גרסינן: **שאין מדת הדין נעשה בעולם.** שלא ישפטו עושי רשעה ואיש הישר בעיניו יעשה. או יש לפרש שאין מדת הדין נכבשה אלא הולכת וגוברת, ודוגמתו עין שעשתה מדת הדין בקשו לסמותה, לעיל ריש שמיני (פרשה יא, ז), וריש רות (פתיחה ז), ומגלת אסתר (פתיחתא יא), ובבראשית רבה פרשה (מ"א) [מב ג, ז]: **למפגרי לב.** למשברי לב: **ימהרו חומתה.** תרגום יונתן וכבשון שורא: הכי גרסינן **שהן דוחקין כו'.** ועיין במדרש חזית בפסוק השבעתי [שיר השירים רבה ב, פסוק ז]:

אשד הנחלים

[ה] שאין מדת הדין. שמדת הדין מכונה בשם אמת, וכלומר מדת הדין לרשעים המצירים, ועיקר התכלית בטל, הוא הכהונה והתורה, וחס ושלום כאלו נבטל התכלית העליון מהם, ועל זה העת התנבא ישעיה חזקו ידים רפות, שהם נראים כאילו הם רפות חס ושלום באין תקומה, שלא כן, כי אם יהיה אם ירצה השם תקומה למפלתם, וזה אמרו לנמהרי לב הנה אלהיכם בא, לא כמו שדמיתם שרק נסתלק מעמכם. ומהמתנות כהונה נראה שהיתה גירסתו שעין מדת הדין בעי"ן, כמו (בראשית רבה מב, ג) עין שעשתה מדת הדין: **שרפיתם עצמיכם.** כלומר שזה היה הסבה לימי הצרות עד כה: **למפגרי לבא.** כי אין מהירת הלב היפך החיזוק שצריכים לחזקה, ולכן מפרש למפגרי (לדין) [לשון] חלישות, שמהירות הרעיונות באים מחולשת הלב: **דוחקין.** שנמהרים לדעת מתי יגאלו, כי המהירות הונח על מי שמרוב תשוקתו לזה עושה במהירות, כמו שכתוב ותמהר ותורד כדה. והראשון הביא מן ימהרו חומתה, כי על ידי החלישות יפול בפחד, ולכן ימהרו להסתיר חומתה, וזהו היפך החיזוק: **מי שהוא עתיד כו'.** ודעתם מי שעתיד לשלם להם, מי שיבוא לקחת נקם, וכלומר כאלו חס ושלום נוגע לכבודו, ובודאי יבוא ויושיעכם:

with revenge, "gemul Elohim" will come and save you.[125] לְפִי שֶׁהָיוּ יִשְׂרָאֵל אוֹמְרִים — **Because** the people of **Israel would say,** "הָיְתָה לִי דִמְעָתִי לֶחֶם יוֹמָם וָלָיְלָה בֶּאֱמֹר אֵלַי כָּל הַיּוֹם אַיֵּה אֱלֹהֶיךָ" — ***"For me my tears were sustenance day and night, when [they] say to me all day long, 'Where is your God [אֱלֹהֶיךָ]?'"*** (*Psalms* 42:4), יָצְתָה בַּת קוֹל וְאָמְרָה לָהֶן — therefore, **a Heavenly voice went forth and said to them,** "הִנֵּה אֱלֹהֵיכֶם נָקָם יָבוֹא" — ***"Behold your God*** [אֱלֹהֵיכֶם] ***will come with revenge."***[126] "גְּמוּל אֱלֹהִים", מִי שֶׁהוּא עָתִיד לְשַׁלֵּם גְּמוּלָן שֶׁל אוּמּוֹת הָעוֹלָם "הוּא יָבֹא וְיֹשַׁעֲכֶם" — **"*Gemul Elohim*" — He Who will eventually mete out the retribution of the nations of the world, *He will come and save you.***[127]

NOTES

125. The Midrash will address why this section of the verse states, נָקָם "יָבוֹא" גְּמוּל אֱלֹהִים הוּא "יָבֹא" וְיֹשַׁעֲכֶם, lit., *revenge will come, Divine retribution, it will come and save you*, as opposed to נָקָם "יָבִיא" גְּמוּל אֱלֹהִים הוּא "יָבִיא" וְיֹשַׁעֲכֶם, *revenge "He will bring," Divine retribution "He will bring" and He will save you* (*Yefeh To'ar*; see *Maharzu* for another approach).

126. In other words, because the nations would taunt the Jews with the words אַיֵּה אֱלֹהֶיךָ, *Where is your God?,* the verse promises, *Behold your God will come* in order to evidence that He stands with His nation; and He *will come with revenge* against those who taunted the Jews this way (ibid.).

127. The Midrash interprets the words גְּמוּל אֱלֹהִים הוּא יָבֹא וְיֹשַׁעֲכֶם as if they read, אֱלֹהֵי גְּמוּל הוּא יָבֹא וְיֹשַׁעֲכֶם or אֱלֹהִים גְּמוּל הוּא יָבֹא וְיֹשַׁעֲכֶם, meaning *the God of retribution, He will come and save you* (*Yefeh To'ar*, see there for further discussion).

ה דָּבָר אַחֵר, [טו, כה] "וְאִשָּׁה כִּי יָזוּב זוֹב דָּמָהּ יָמִים רַבִּים", זֶה שֶׁאָמַר הַכָּתוּב (דברי הימים-ב טו, ג) "וְיָמִים רַבִּים לְיִשְׂרָאֵל לְלֹא אֱלֹהֵי אֱמֶת וּלְלֹא כֹּהֵן מוֹרֶה וּלְלֹא תוֹרָה", וּמִי נִתְנַבֵּא הַפָּסוּק הַזֶּה, עֲזַרְיָה בֶּן עוֹדֵד הַנָּבִיא, אָמַר: עֲתִידִין יָמִים לָבֹא לְיִשְׂרָאֵל "לְלֹא אֱלֹהֵי אֱמֶת", שֶׁאֵין מִדַּת הַדִּין נַעֲשָׂה בָּעוֹלָם, "וּלְלֹא כֹּהֵן מוֹרֶה", שֶׁהַכְּהֻנָּה גְּדוֹלָה עֲתִידָה לִיבָּטֵל, "וּלְלֹא תוֹרָה", שֶׁעֲתִידִין סַנְהֶדְרִין לִיבָּטֵל, כֵּיוָן שֶׁשָּׁמְעוּ אוֹתוֹ הַדּוֹר כֵּן רָפוּ יְדֵיהֶן, יָצְתָה בַּת קוֹל וְאָמְרָה: (ישעיה לה, ג) "חִזְקוּ יָדַיִם רָפוֹת", רַבִּי יוּדָן וְרַבִּי פִּנְחָס, רַבִּי יוּדָן אָמַר: "חִזְקוּ יָדַיִם רָפוֹת", יָדַיִם שֶׁהֵן נִרְאִין כְּאִלּוּ רָפוֹת, (שם) "וּבִרְכַּיִם כֹּשְׁלוֹת אַמֵּצוּ", שֶׁהֵן נִרְאוֹת כְּאִלּוּ כּוֹשְׁלוֹת, רַבִּי פִּנְחָס אָמַר: "חִזְקוּ יָדַיִם רָפוֹת", שֶׁרִפִּיתֶם עַצְמְכֶם בְּמַעֲשֵׂיכֶם הָרָעִים, "וּבִרְכַּיִם כֹּשְׁלוֹת אַמֵּצוּ", שֶׁכִּשַּׁלְתֶּם בְּמַעֲשֵׂיכֶם הָרָעִים, (שם שם ד) "אִמְרוּ לְנִמְהֲרֵי לֵב", רַבִּי הוֹשַׁעְיָא רַבָּה אָמַר: לִמְפַגְּרֵי לְבָא, שֶׁנֶּאֱמַר (נחום ב, ו) "יְמַהֲרוּ חוֹמָתָהּ", רַבִּי יְהוֹשֻׁעַ בֶּן לֵוִי אָמַר: כְּגוֹן אִלּוּ שֶׁהֵן דּוֹחֲקִין אֶת הַקֵּץ, שֶׁנֶּאֱמַר (בראשית כד, יח) "וַתְּמַהֵר וַתֹּרֶד כַּדָּהּ", (ישעיה שם שם) "חִזְקוּ אַל תִּירָאוּ", לְפִי שֶׁהָיוּ יִשְׂרָאֵל אוֹמְרִים: (תהלים מב, ד) "הָיְתָה לִּי דִמְעָתִי לֶחֶם יוֹמָם וָלָיְלָה בֶּאֱמֹר אֵלַי כָּל הַיּוֹם אַיֵּה אֱלֹהֶיךָ", יָצְתָה בַּת קוֹל וְאָמְרָה לָהֶן: (ישעיה שם שם) "הִנֵּה אֱלֹהֵיכֶם נָקָם יָבוֹא°", מִי שֶׁהוּא עָתִיד לְשַׁלֵּם גְּמוּלָן שֶׁל אוּמוֹת הָעוֹלָם, (שם) "°גְּמוּל אֱלֹהִים°, הוּא יָבֹא וְיֹשַׁעֲכֶם",

עץ יוסף

(ה) **זה שאמר הכתוב ימים רבים לישראל כו'.** משום דזוב דמה ימים רבים היינו שלשה כדלקמן וקשה אמאי קרי להו רבים ובעי למימר משום דהוו ימים של צער, מייתי האי קרא דוימים רבים דהיינו משום דהכן של צער כדמפרש בסמוך ומכוון דמייתי קרא מפרש כוליה כדרך המדרש: **עזריה בן עידו הנביא.** אף על גב דכתיב התם ועזריהו בן עודד היתה עליו רוח ה', קים להו שעודד היינו עידו הנביא שנתנבא בימי ירבעם ונתן אות שנקרע המזבח וכן היה, וכדאיתא בסדר עולם פרק כ' שעידו הנביא נתנבא על המזבח שבבית אל, ועיין ביפה תואר: **עתידים ימים.** אף על גב דהאי קרא לשעבר מיירי אין תימא שדברי הנביא ידברו בעבר וירמזו בעתיד, ודייק זה מדכתיב התם ואתם חזקו ואל ירפו ידיכם משמע ליה דלעתיד נמי מיירי מכיון דאשכחן חזקו ידים רפות דמיירי לעתיד: **שאין מדת הדין נעשית.** ופירוש אלהי אמת דין אמת, מגזרת (שמות כב, כז) אלהים לא תקלל: **שעתידין סנהדרין.** שהן מלמדי התורה: **חזקו ידים רפות.** אף על גב דלא כתיב הכא, מכיון דכתיב הכא חזקו אל ירפו ידיכם דרמיז ליה, קאמר כי כאן משמע האי ענינא, ואף על גב דלעתיד מיירי בישעיה, מכל מקום סבירא ליה שנאמר גם כן הכא: **נראין כאילו רפות.** משום דקאמר שנאמר זה גבי אסא והתם לא שייך רפות וכושלות שהרי לא היו בגולה, להכי מפרש נראין כאילו רפות נראין כאילו כושלות. והרד"ל כתב וזה לשונו, נראה שדורש כלפי הקדוש ברוך הוא לרבי יודן וכמו שנאמר (דברים לב, יח) צור ילדך תשי, ואמר לישראל, חזקו במעשים טובים שלכם כח ידים וברכים שלמעלה כביכול, שנראין כאילו רפין, שאין כח הנהגתם מתגלה בעולם בזמן שאין ישראל עושין רצונו, עד כאן לשונו: **למפגרי לבא.** פירוש למשברי לב: **ימהרו חומתה.** תרגום יונתן יכבשון שורא, פירוש שישברו החומה: **שהן דוחקין את הקץ.** בתפלה ובתחנונים. ועיין ביפה תואר: **נקם יבוא גמול אלהים מי שהוא עתיד כו' הוא יבא ויושיעכם.** כן צריך לומר (רד"ל):

פירוש מהרז״ו

(ה) **מי מתנבא פסוק זה.** הנה בפסוק מפורש מריש פרשה ט"ו עד סוף פסוק ז' נבואת עזריה בן עודד, ומהו זה ששואל המדרש, ומי מתנבא פסוק זה, איזה ספק יש בזה, ויתכן על שפסוק א' מבואר שהיא נבואה והבטחה עתידה, אך פסוק ב' ג' ד' ה' ו', נראה דרך ספור מעבר והוה, ואם כן יתכן שכותב הספר כתב אותם, אך מאחר שפסוק א' ופסוק ז' הוא נבואת עזריה בן עודד, אם כן גם הפסוקים אשר ביניהם גם כן נבואת עזריה בן עודד: **שאין מדת הדין.** שלא יתכן שיתנבא הנביא שלא יהיה לישראל אלהי אמת, והיה די שיאמר ללא אלהים ותיבת אמת מיותר, והלא אסא ודורו היו צדיקים, ועבדו לאלהי אמת, על כן דורש שפירושו שלא עשו כפי הדין באמת, או שלא נעשה בהם מדת הדין, וכן מה שאמר וללא תורה שהרי מפורש (דברים לא, כא) כי לא תשכח מפי זרעו, וכמו שאמרנו לעיל (יא, ג), על כן דורש שעתידין סנהדרין לבטל ותשתכח ביאור ההלכות וירבו הספקות: **שדוחקים את הקץ.** שיבא קודם זמנו, ומביא ראיה מפסוק (בראשית כד, מו) ותמהר ותורד כדה, שזמן הורדת הכד היה כשתבא לביתה, ולמען אליעזר הקדימה להוריד, ואין זה מלשון מהירות וזריזות, כי אם מלשון הקדמה, וכן אמרו (ישעיה לה, ד) לנמהרי לב, ובא לפרש מהו דחיקת הקץ, היינו מה שנאמר (תהלים מב, ג) צמאה נפשי לאלהים לאל חי מתי אבא ואראה וגו' דמעתי לחם יומם ולילה, זהו דחיקת הקץ, וכן כל מזמור מ"ב זה עד מתי תשתוחחי נפשי ותהמי עלי, על מה שנאמר (שם פסוק יב) איה אלהיך, ועל אמר הנה אלהיכם וגו' גמול אלהים הוא, ולא פירש למי ינקום ויגמול, ועל פי מדה י"ז, שמפורש בכמה מקומות שינקום מאויבי השם יתברך שהחריבו בית המקדש, והגלו אותנו והשמדונו, דורש כאן על פי מדה ט':

חידושי הרד״ל

[ה] **שאין מדת הדין נעשה בעולם.** ואין אמיתת אלקותו והשגחתו יתברך בעולמו נודעת ונגלית: **כיון ששמעו כו' רפו ידיהן יצתה בת קול כו'.** משום דבסיפא דהאי קרא בדברי הימים (ב' טו, ז) כתיב ואתם חזקו ואל ירפו ידיכם, מכלל שרפו ידיהם. ומביא על זה מקרא דישעיה שענינו גם כן: **שהן נראין כאלו כו' כאלו כושלות.** נראה שדורשו כלפי הקב"ה, כרבי יודן וכמו שכתוב (דברים לב, יח) צור ילדך תשי, ואמר לישראל חזקו במעשים טובים שלכם, כח ידים וברכים שלמעלה כביכול, שנראין כאלו רפין, שאין כח הנהגתם מתגלה בעולם, בזמן שאין ישראל עושין רצונו: **נקם יבא גמול אלהים מי שהוא עתיד כו' הוא יבא ויושיעכם.** כן צריך לומר:

חידושי הרש״ש

[ה] **דבר אחר ואשה כי יזוב זוב דמה וכו' ומי נתנבא הפסוק הזה.** עיין מה שכתב בקונטרס אחרון של הטורי אבן בראש השנה ה' עמוד א' בדף הספר, ד"ה ומי הרגנו: **יצתה בת קול ואמרה חזקו ידים רפות.** הוא מדכתיב בסוף נבואתו (דברי הימים ב' טו, ז) ואתם חזקו ואל ירפו ידיכם:

אמרי יושר

[ה] **אלו שדוחקין הקץ.** זהו נמהרי לב, שימהרו ביאת המשיח מרוב תשוקה שיש להם, אל תעוררו עד שתחפץ:

אם למקרא

וְיָמִים רַבִּים לְיִשְׂרָאֵל לְלֹא אֱלֹהֵי אֱמֶת וּלְלֹא כֹּהֵן מוֹרֶה וּלְלֹא תוֹרָה: (דברי הימים ב טו:ג)

חִזְקוּ יָדַיִם רָפוֹת וּבִרְכַּיִם כֹּשְׁלוֹת אַמֵּצוּ: אִמְרוּ לְנִמְהֲרֵי לֵב חִזְקוּ אַל תִּירָאוּ הִנֵּה אֱלֹהֵיכֶם נָקָם יָבוֹא גְּמוּל אֱלֹהִים הוּא יָבוֹא וְיֹשַׁעֲכֶם: (ישעיה לה:ג-ד)

יִזְכֹּר אַדִּירָיו יִכָּשְׁלוּ בַּהֲלִיכָתָם יְמַהֲרוּ חוֹמָתָהּ וְהֻכַן הַסֹּכֵךְ: (נחום ב:ו)

וַתֹּאמֶר שְׁתֵה אֲדֹנִי וַתְּמַהֵר וַתֹּרֶד כַּדָּהּ עַל־יָדָהּ וַתַּשְׁקֵהוּ: (בראשית כד:יח)

הָיְתָה לִּי דִמְעָתִי לֶחֶם יוֹמָם וָלָיְלָה בֶּאֱמֹר אֵלַי כָּל־הַיּוֹם אַיֵּה אֱלֹהֶיךָ: (תהלים מב:ד)

באור מהרי״פ

[ה] **ללא אלהי וגו'.** פירוש אלהי אמת הוא דיין, כמו שנאמר (שמות כב, ח) עד האלהים יבא דבר שניהם, ורבים כיוצא בו, לכן דריש על זה שאין מדת הדין נעשית בעולם: **חזקו ידים רפות וגו'.** זה המקרא לא נאמר כאן אלא (ישעיה לה, ג ד), אלא משום דכתיב הכא (דברי הימים ב' טו, ז) בהאי ענינא, ואתם חזקו ואל ירפו ידיכם כי יש שכר לפעולתכם, לקח המדרש תמורתו המקרא של ישעיה, ואין משיבין על הדרש: **ימהרו חומתה וכו'.** עיין מתנות כהונה. ונתן את הבית (ויקרא יד, מה), תרגום ירושלמי ופגר ית ביתא:

שינוי נוסחאות

(ה) **הנה אלהיכם נקם יבוא.** צריך להוסיף כאן תיבות "גמול אלהים" ולמחקן ממקום שכתוב כן בשורה אחר כך, כן הגיהו יפ"ת ורד"ל:

מתנות כהונה

[ה] **עזריה בן עודד גרסינן: שאין מדת הדין נעשה בעולם.** שלא ישפטו עושי רשעה ואיש הישר בעיניו יעשה. או יש לפרש שאין מדת הדין נכבשה אלא הולכת וגוברת, ודוגמתו עין שעשתה מדת הדין בקשו לסמותה, לעיל ריש שמיני (פרשה יא, ז), וריש רות (פתיחה ז), ומגלת אסתר (פתיחתא יא), ובבראשית רבה פרשה (מ"א) [מב ג, ז]: **למפגרי לב.** למשברי לב: **ימהרו חומתה.** תרגום יונתן וכבשון שורא: הכי גרסינן **שהן דוחקין כו'.** ועיין במדרש חזית בפסוק השבעתי [שיר השירים רבה ב, פסוק ז]:

אשד הנחלים

[ה] **שאין מדת הדין.** שמדת הדין מכונה בשם אמת, וכלומר מדת הדין לרשעים המצירים, ועיקר התכלית בטל, הוא הכהונה והתורה, וחס ושלום כאלו נבטל התכלית העליון מהם, ועל זה העת התנבא ישעיה חזקו ידים רפות, שהם ניראים כאילו הם רפות חס ושלום באין תקומה, שלא כן, כי אם יהיה אם ירצה השם תקומה למפלתם, וזה אמרו לנמהרי לב הנה אלהיכם בא, לא כמו שדמיתם שרק נסתלק מעמכם. ומהמתנות כהונה נראה שהיתה גירסתו שעין מדת הדין בעי"ן, כמו (בראשית רבה מב, ג) עין שעשתה מדת הדין: **שרפיתם עצמיכם.** כלומר שזה היה הסבה לימי הצרות עד כה: **למפגרי לבא.** כי אין מהירת הלב היפך החיזוק שצריכים לחזקה, ולכן מפרש למפגרי (לדין) [לשון] חלישות, שמהירות הרעיונות באים מחולשת הלב: **דוחקין.** שנמהרים לדעת מתי יגאלו, כי המהירות הונח על מי שמרוב תשוקתו לזה עושה במהירות, כמו שכתוב ותמהר ותורד כדה. והראשון הביא מן ימהרו חומתה, כי על ידי החלישות יפול בפחד, ולכן ימהרו להסתיר חומתה, וזהו היפך החיזוק: **מי שהוא עתיד כו'.** ודעתם מי שעתיד לשלם להם, מי שיבוא לקחת נקם, וכלומר כאלו חס ושלום נוגע לכבודו, ובודאי יבוא ויושיעכם:

The Midrash will examine the phrase יָמִים רַבִּים, *many days*, that appears both in the verse from *Chronicles* that was cited above and in our verse from *Leviticus*:

"וְיָמִים רַבִּים לְיִשְׂרָאֵל" — ***Many days passed by for Israel*** *without a true God and without a Kohen to teach and without Torah* (*II Chronicles* ibid.). וְכִי "יָמִים רַבִּים" הָיוּ — **Now, were they** actually ***many days?***[128] אֶלָּא עַל יְדֵי שֶׁהָיוּ יָמִים שֶׁל צַעַר הָיָה קוֹרֵא אוֹתָן "רַבִּים" — **Rather, since they were days of pain,**[129] **[Scripture] refers to them as *many.***[130] The Midrash cites other instances where this phrase is used in this context: דִּכְוָותָהּ "וַיְהִי יָמִים רַבִּים וּדְבַר ה׳ הָיָה אֶל אֵלִיָּהוּ בַּשָּׁנָה הַשְּׁלִישִׁית לֵאמֹר" — **Similar to [the above],** Scripture states, ***It happened [after] "many days": The word of HASHEM came to Elijah in the third year, saying*** (*I Kings* 18:1);[131] רַבִּי בֶּרֶכְיָה וְרַבִּי חֶלְבּוֹ בְּשֵׁם רַבִּי יוֹחָנָן — and **R' Berechyah and R' Chelbo** said **in the name of R' Yochanan:** שְׁלֹשָׁה חֳדָשִׁים בָּרִאשׁוֹנָה וּשְׁלֹשָׁה חֳדָשִׁים בָּאַחֲרוֹנָה וּשְׁנֵים עָשָׂר בָּאֶמְצַע — This "three-year" period was comprised of **three months in the first** year, **three months in the last** year, **and twelve** months **in the middle;** הֲרֵי שְׁמוֹנָה עָשָׂר חֳדָשִׁים — **here are eighteen months.**[132] וְכִי "יָמִים רַבִּים" הָיוּ — **Now, were they** actually ***many days?*** אֶלָּא יָמִים שֶׁל צַעַר, לְפִיכָךְ הוּא קוֹרֵא אוֹתָן "רַבִּים" — **Rather,** since they were **days of pain, therefore [Scripture] refers to them as *many.*** וְדִכְוָותָהּ "וַיְהִי בַיָּמִים הָרַבִּים הָהֵם" — **And similar to [the above],** Scripture states, ***During those "many days,"*** *it happened that the king of Egypt died, and the Children of Israel groaned because of their work and they cried out* (*Exodus* 2:23). וְכִי "רַבִּים" הָיוּ — **Now, were they** actually ***many days?***[133] אֶלָּא עַל יְדֵי שֶׁהָיוּ יָמִים שֶׁל צַעַר — **Rather, since they were days of pain** they are described as *many.* וְדִכְוָותָהּ "יָמִים רַבִּים שְׁמוֹנִים וּמְאַת יוֹם" — **And similar to [the above],** Scripture states, *In the third year of his reign, [Ahasuerus] made a feast for all his officials and his servants; the army of Persia and Media; the nobles and officials of the provinces being present; when he displayed the riches of his glorious kingdom and the honor of his splendrous majesty* ***for many days, one hundred and eighty days*** (*Esther* 1:3-4). וְכִי "רַבִּים" הָיוּ — **Now, were they** actually ***many days?***[134] אֶלָּא עַל יְדֵי שֶׁהָיוּ וְכוּ׳ — **Rather, since they were, etc.**[135]

At last the Midrash relates its discussion to our verse from *Leviticus*:

וְהָדֵין פְּסוּקָא "וְאִשָּׁה כִּי יָזוּב זוֹב דָּמָהּ יָמִים רַבִּים" — **And this verse** also demonstrates the above connotation of *many days*: ***If a woman's blood flows for many days.***[136]

The Midrash expounds our verse:

תָּנֵי רַבִּי חִיָּיא: "יָמִים" שְׁנַיִם, "רַבִּים" שְׁלֹשָׁה — **R' Chiya taught** regarding this verse: ***Days*** indicates **two** days; ***many*** *days* indicates **three** days;[137] מִכָּאן וָאֵילָךְ אֵין זוֹ נִדָּה אֶלָּא דָּוָה — **from here and onward, she is not** regarded as **a *niddah*, but rather** as ***a woman who suffers.***[138] "וְהַנִּדָּה בְּנִדָּתָהּ" אֵין כְּתִיב כָּאן אֶלָּא "וְהַדָּוָה בְּנִדָּתָהּ" — And in the last verse of this passage, ***and the "niddah" through her separation*** **is not written here, but rather, *And the "woman who suffers" through her separation*** (v. 33).[139]

NOTES

128. According to its plain meaning, this verse describes the sorry state of the Jewish people during the reigns of Kings Jeroboam and Abijah. Since those reigns lasted for only 20 years, and the Jewish people experienced much longer periods of sinfulness, the Midrash asks why this era is referred to with the words *many days* (*Eitz Yosef*; see *Maharzu* for another approach).

129. This is evident from the description of those times that appears two verses after the cited verse (see *Beur Maharif*, *Eitz Yosef*).

130. In other words, since it is natural for people who are in pain to feel that time is passing very slowly, the period *felt* like *many days* although in reality it was not as long (ibid.).

131. This verse introduces a prophecy Elijah received in *the third year* of the bitter drought that was mentioned earlier (in *I Kings* 17:1).

132. Although the cited verse states that the prophecy took place *in the third year* of the drought, R' Yochanan insists that two of the three "years" were incomplete. R' Yochanan makes this assertion either on the basis of tradition, or because the people would have been unable to survive for a longer period (*Yefeh To'ar*, see there for additional discussion; see *Matnos Kehunah* for another approach and *Rashash* for an analysis of it).

[Note that in the parallel to our Midrash that appears in *Esther Rabbah* 2 §2, cited by *Maharzu*, R' Yochanan is quoted as having said that the drought lasted for *"one" month in the first year, "one" month in the third year, and twelve months in the middle*. And in the version of our Midrash that is quoted in *Ramban* to *Bava Basra* 36b (on the subject of a similar Tannaic dispute that *Yerushalmi Bava Basra* 3:2 relates to this one), cited by *Radal*, both of these views appear.]

133. As this verse is understood by our Midrash, the *days* it refers to do not represent the extended period of time during which the Jews were enslaved in Egypt. Rather, according to the verse's plain meaning that the king actually *died*, the verse refers to the brief length of time that elapsed between his death and the appointment of his successor, and according to the Sages, who teach (in *Shemos Rabbah* 1 §34) that the king did not actually die, but rather contracted *tzaraas*, these *days* are the limited ones during which he was sick (see *Maharzu*; for another approach see *Eitz Yosef*, from *Gevul Binyamin*, also cited in note 14 to 2 §2 of our edition of *Esther Rabbah*).

134. Although 180 days is indeed *many days* of feasting, it was a relatively short time for Ahasuerus to *display the riches of his glorious kingdom*, which (as evident from *Esther Rabbah* 2 §1) amounted to a phenomenal treasure (*Eitz Yosef*; for another approach see note 13 to 2 §2 in Kleinman edition of *Esther Rabbah*).

135. In displaying his wealth, Ahasuerus exhibited the utensils of the Temple and the vestments of the High Priest; for this reason, to Ahasuerus' Jewish guests the display was a pain-filled one that seemed to last *many days* (*Eitz Yosef*).

136. Presently, the Midrash will explain that this verse refers to a woman who discharged uterine blood for three consecutive days. The reason it describes so few days as *many days* is that the days are painful ones for the woman (*Eitz Yosef* above, s.v. זה שאמר הכתוב וימים; *Eshed HaNechalim* below, s.v. ע״י שפירשה).

137. R' Chiya assumes that יָמִים, *days*, is suggestive of the smallest possible plural number of days, and that רַבִּים, *many*, increases that number only slightly (see discussion in *Toras Kohanim* to verse, cited and considered in *Yefeh To'ar*; also see *Eitz Yosef*).

Our verse opens the passage that deals with the laws of a *zavah*. Based on our verse, the Sages determine that a *major zavah* is a woman who experienced a flow of uterine blood for "many days" within the eleven days that followed the seven days for which she had the status of a *niddah* (see *Niddah* 73a). R' Chiya asserts that the *many days* of our verse are *three days*, so that a woman becomes a *major zavah* if she discharged blood for *three* consecutive days within the time frame described above.

138. [Translation of this line and the corresponding verse that appears just below follows *Imrei Yosher* and *Radal*; see also *Ibn Ezra*, *Ramban*, and *Rashbam* to *Leviticus* 12:2. Alternatively, דָּוָה is the Aramaic equivalent of זָבָה, lit., *a woman who experiences a flow* (*Matnos Kehunah*; see also *Rashi* to *Leviticus* ibid. who cites both explanations of this root).]

That is, after the third consecutive day of flow [during the eleven potential "days of *zivah*"], the woman is no longer simply like a *niddah* (who does not Biblically require seven "clean" days before she can immerse herself in a *mikveh* and become pure), but rather a [major] *zavah,* who requires seven, consecutive *clean* days Biblically (*Rashash*).

[*Yefeh To'ar,* followed by *Eitz Yosef* and also, essentially, by *Yedei Moshe,* suggest that R' Chiya means that this woman — while counting her seven "clean" days — is "not a *niddah*" in that her capacity to convey *tumah* is somewhat less than that of a *niddah. Radal* and *Rashash,* however, emphatically reject this explanation as erroneous.]

139. I.e., the verse speaks of a *zavah* suffering through "her *niddah* separation" to teach that even while counting her seven clean days, the *zavah* has the same law of *tumah* as a *niddah* (*Rashash*).

(דברי הימים שם שם) "וְיָמִים רַבִּים לְיִשְׂרָאֵל", וְכִי "יָמִים רַבִּים" הָיוּ, אֶלָּא עַל יְדֵי שֶׁהָיוּ יָמִים שֶׁל צַעַר הָיָה קוֹרֵא אוֹתָן "רַבִּים", דִּכְווֹתָהּ (מלכים-א יח, א) "וַיְהִי יָמִים רַבִּים וּדְבַר ה' הָיָה אֶל אֵלִיָּהוּ בַּשָּׁנָה הַשְּׁלִישִׁית לֵאמֹר", רַבִּי בֶּרֶכְיָה וְרַבִּי חֶלְבּוֹ בְּשֵׁם רַבִּי יוֹחָנָן: שְׁלֹשָׁה חֳדָשִׁים בָּרִאשׁוֹנָה וּשְׁלֹשָׁה חֳדָשִׁים בָּאַחֲרוֹנָה וּשְׁנֵים עָשָׂר בָּאֶמְצַע, הֲרֵי שְׁמוֹנָה עָשָׂר חֳדָשִׁים, וְכִי "יָמִים רַבִּים" הָיוּ, אֶלָּא יָמִים שֶׁל צַעַר, לְפִיכָךְ הוּא קוֹרֵא אוֹתָן "רַבִּים", וְדִכְווֹתָהּ (שמות ב, כג) "וַיְהִי בַיָּמִים הָרַבִּים הָהֵם", וְכִי "רַבִּים" הָיוּ, אֶלָּא עַל יְדֵי שֶׁהָיוּ יָמִים שֶׁל צַעַר, וְדִכְווֹתָהּ (אסתר א, ד) "°שְׁמוֹנִים וּמְאַת יוֹם", וְכִי "רַבִּים" הָיוּ, אֶלָּא עַל יְדֵי שֶׁהָיוּ וְכוּ', וְהָדֵין פְּסוּקָא, [טו, כה] "וְאִשָּׁה כִּי יָזוּב זוֹב דָּמָהּ יָמִים רַבִּים". תָּנֵי רַבִּי חִיָּיא: "יָמִים" שְׁנַיִם, "רַבִּים" שְׁלֹשָׁה, מִכָּאן וְאֵילָךְ אֵין זוֹ נִדָּה אֶלָּא דָּוָה. "וְהַנִּדָּה בְּנִדָּתָהּ" אֵין כְּתִיב כָּאן אֶלָּא [טו, לג] "וְהַדָּוָה בְּנִדָּתָהּ", אָמַר רַבִּי שְׂמְלָאי: צַעַר גָּדוֹל נָתַן הַקָּדוֹשׁ בָּרוּךְ הוּא לְאִשָּׁה זוֹ, שֶׁמֵּאַחַר שֶׁמְּשַׁמֶּרֶת יְמֵי זִיבָה יוֹשֶׁבֶת וּמְשַׁמֶּרֶת *ז' יְמֵי נִדָּה, וְהַתּוֹרָה קוֹרֵא אוֹתָהּ נִדָּה, "וְהַדָּוָה בְּזִיבָתָהּ" אֵין כְּתִיב כָּאן אֶלָּא "וְהַדָּוָה בְּנִדָּתָהּ", רַבִּי יוֹחָנָן בְּשֵׁם רַבִּי אֱלִיעֶזֶר בְּנוֹ שֶׁל רַבִּי יוֹסֵי הַגְּלִילִי אוֹמֵר: וּמָה אִם הָאִשָּׁה הַזּוֹ עַל יְדֵי שֶׁפֵּירְשָׁה שְׁנַיִם שְׁלֹשָׁה יָמִים הַתּוֹרָה קוֹרֵא אוֹתָהּ נִדָּה,

וכי ימים רבים היו. משום דפשטיה דקרא במה שעבר איירי [כדכתבתי לעיל]. דהיינו מה שחטאו בימי ירבעם ואביה ולהכי פריך וכי ימים רבים היו כי לא היה כל ימי מלכותם רק עשרים שנה, ומכיון דאשכחן שישראל חטאו ימים רבים טפי מהכך כגון בימי השופטים לא היה ראוי לקרותם ימים רבים: **ימים של צער.** כדכתיב והעתים ההם אין שלום ליוצא ולבא וגו': **של צער.** והמצטערים מרגישים הרבה בהמשך הזמן, וזה שאנו מבקשים (תהלים צ, טו) שמחנו כימות עניתנו שנות ראינו רעה: **שלשה חדשים בראשונה כו'.** ובתנחומא סדר זו (סימן ו) איתא חדש מן הראשונה וכל אותה השנייה וחדש מן השלישית, [וכדפליגו רבי ישמעאל ורבי עקיבא במתניתין דבבא בתרא (כח, א) גבי חזקה עיין שם. רד"ל]. וכן הוא באסתר רבה (ב, ב). וכיון שלא עברו אפילו אחוי אחוי לגירסת התנחומא ואסתר רבתי, ולפי גירסתנו לא עבר על כל פנים יותר מהחצי איך קורא אותה ימים רבים, אלא על ידי שהיו של צער דבשני אליהו לא היה תבואה כלל כדאיתא בפרק המקבל (בבא מציעא קו, א) להכי קורא אותה ימים רבים: **וכי ימים רבים היו.** קשה הא באמת ימים רבים היו לישראל. ויש לומר שהוקשה להם כיון שכבר נגזרה גזירה ועבדום וענו אותם ארבע מאות שנה, ולא עבדו כי אם רד"ו שנה, ובתוך אותו הזמן אמר ויהי בימים רבים ההם, וכי רבים הם, ולכן קאמרו על ידי שהיו ימים של צער שגם בלילה לא שכב לבם מעוני ומרוב עבודה והיו מעמידים אותם בקרות הגבר למלאכתן כנודע, לכן קראם ימים רבים שהקדוש ברוך הוא חשב להם לילות וימים (גבול בנימין): **שמונים ומאת יום וכי רבים היו.** שאם לענין הסעודה היה רבים, לענין להראות כבוד עשרו הגדול מועטים הם, עד שנצטרכו במדרש אסתר (ב, א ילקוט תתרמו) לומר ששה תסבריות [פירוש אוצרות] היה מראה להם בכל יום, או שמיני יציאות הראה להם, אך מפני שהיו ימים של צער לישראל בהראות עשרו שהיה שם כלי בית המקדש ובגדי כהונה גדולה נחשב להם לימים רבים גם לגבי הראות עשרו: **ימים שנים רבים שלשה.** ומסיים בתורת כהנים יכול שנים ושלשה והרי חמשה, וכי נאמר ימים ורבים, והלא לא נאמר אלא ימים רבים הא כיצד ימים האלו יהיו מרובים על השנים וכמה הן הוי אומר שלשה. ועיין שם (ירושלמי יומא פ"ב ה"ד) בקרבן העדה: **מכאן ואילך.** משעברו שלשה ימי הזיבה הרצופים ויכנסו שבעה נקיים אף על פי שהיא טמאה לבעלה אין דינה כנדה כאשר היתה בשלשה ימי הזיבה שמטמאה משכב ומושב וכלים כטומאת הנדה כדכתיב (ויקרא יב, ב) כימי נדתה תהיה, אלא דוה שמה ואינה מטמאה כנדה, וכדי שלא יקשה אם כן למאי הילכתא מקיש לה לנדה כדכתיב שם והדוה בנדתה, מייתי דר' שמלאי דקאמר והתורה קוראה אותה נדה כו'. והרד"ל גריס והתורה קורא אותה דוה ועיין שלהי איכה רבה: **ומשמרת ז' ימי נדה.** שבעה נקיים שהיא טמאה לבעלה כשבעת ימי הנדה, וזהו צער גדול שאין ימי הזוב עולים לה כלל למנין השבעה כמו בשבעת ימי הנדה שימי שפע הנדות מצטרפים למנין השבעה:

וכי ימים רבים. שמאחר שלא פירש כמה הם, בהכרח ילמוד מאלו, מימים שאצל אליהו, או שאצל אחשורוש, וילמוד סתום מן המפורש, ועל כלם יקשה למה קורא אותם רבים, שלא היו רבים כל כך באמת, ובשביל דרשה זו הובא כל הענין לכאן, ועיין דרשה זו בשמות רבה (א, לד), ועיין מדרש אסתר פסוק בהראותו (ב, א): **שלשה חדשים בראשונה.** ובמדרש אסתר (ב, ב) הגירסא חודש בראשונה, וחודש באחרונה, ושנים עשר חודש באמצע: **ויהי בימים הרבים.** וימת מלך מצרים שנאמר על זמן מיתתו עד שהועד מלך אחר, לפי פשוטו, ולפי הדרש על ימי צרעתו, שהיו ימי מספר: **אמר רבי שמלאי.** בסוף הפרשה (ויקרא טו, לג) והדוה בנדתה, שאחר אחד עשר יום של ימי זיבה, מתחיל שבעה של נדה, שלכך קורא אותו התורה בנדתה ולא בזיבתה, הרי שמדבר בדוה שהיא הזבה כנ"ל, וגם בנדה שהיא אחר הזיבה, שהתורה שוקלת צערה, שגרמה חוה שתתקלל עם כל דורותיה: **שנים ושלשה ימים.** היא הזבה, שרואה דם שנים ושלשה ימים, נקראת בשם מיוחד נדה על שם שנדה ומתרחקת מבעלה, ומכל בני אדם טהורים, כמו שכתוב (שם) והדוה בנדתה, כפשוטו שקורא לדוה וזבה נדה, וכן לנדה בימי נדה, וקראה אותה התורה בשם נדה, על שוקלת התורה בצער האשה כנ"ל, אנו כנסת ישראל שפירשנו וכו', על אחת כמה וכמה שהקב"ה מרחם עלינו, וקורא אותנו נדה, כמו שכתוב (יחזקאל לו, יז) כטומאת הנדה היתה דרכם לפני, וכמו שכתוב (איכה א, יז) היתה ירושלים לנדה ביניהם, וכשם שנדה חוזרת לטהרתה, כך אנו יחזירנו הקב"ה ויטהרנו במהרה בימינו:

מתנות כהונה

בשנה השלישית. של רעב: **שלשה חדשים.** קדריש ימים שנים, רבים שלשה, ושלשה ימים לא סבירא ליה למקרי מקצת השנה, ושלשה שבועות נמי לא, דלא בא לסתום אלא לפרש, ומשהיה בשנה ראשונה שלשה חדשים הוי דכתיב בשנה השלישית דרשו נמי שלשה חדשים: **אלא דוה.** דוה הוא זבה בלשון ארמי: **נדה.** לשון ריחוק ונידוי:

אשד הנחלים

ימים של צער. כי הצער מגדיל העת מאוד, ולכן בזיבה שהיא חולי מאוסה מאוד עד שכל רגע נחשב בעיניה לרב, כתיב ימים רבים: **שמשמרת ימי זיבה.** הם האחד עשר שבין נדה לנדה: **ע"י שפירשה כו' אנו כו'.** היא התבוננת הגדולה הנמצא בלב יקירי רוח והמבינים, כי עיקר הדיבוק הוא רק בה' ובבית מקדשו, ובלתו כנדודים ממקומינו האמיתי. כאשר יתבונן האדם מענין גופני, כי האשה האוהבת לריעה, אחר שהיא מוכרחת לפרוד ממנו עת מעט, נחשבת בעיניה לימים רבים, ולכן כתיב ימים רבים, כי רבה היא בעיניה, אף הריחוק מפניו יתברך אשר רק באורו נראה אור, כמה נחשב לנו עת מעט לרב, ומכל שכן שבאמת רבה היא: **כמה קיצים.** אלו היינו זכאים כמה קיצים היו לנו:

חידושי הרד"ל

שלושה חדשים בראשונה. הרמב"ן בחדושיו דבבא בתרא (כח, א) היה לפניו הגירסא בכאן עוד מאן דאמר, חדש בראשונה וחדש באחרונה, (ועיין רבינו בחיי כאן), וכדפליגו רבי ישמעאל ורבי עקיבא במתניתין דבבא בתרא שם גבי חזקה, עיין שם: **אין זו נדה אלא דוה.** פירוש אין זו נדה כדרך הטבע דרך נשים, אלא הרי זו דוה ואולי הוא בה, לשון מדוה. (ודברי הידי משה בזה שגגה במחילת כבוד תורתו): **והתורה קראה אותה דוה והדוה בו'.** כן צריך לומר, ועיין שלהי איכה רבה (כ"א) [פרשה ה סימן יז]:

חידושי הרש"ש

שלשה חדשים בראשונה כו'. עיין מתנות כהונה, ופירושו תמוה למידרש ימים שנים, היינו שני חדשים [שוב מצאתי בספרי פרשת תצא הביאו גם כן הילקוט שם דבר אחר ירח אחד, ימים שנים, הרי שלשה, אך בגמרא (יבמות מח, ב) בענין אחר למאן דאמר שלשה חדשים, ירח שלשים, ימים שלשים, ואחר כך שלשים, עיין שם], דהיכא אשכחן שנקרא חדש יום, ועל כרחין לא פריך הגמרא כתובות נז, ב ואימא חדש כדכתיב (במדבר יא, כ) עד חדש ימים, היינו דנפרש ימים חדש אחד, דחד דלפי האמת דימים פירושו שנה, היינו שנה אחת, דלהכי נקראו שנה או חדש ימים, מפני שהמה מקובצים מימים רבים. [צריך להבין מה שכתב רש"י בראש השנה (ט, א ד"ה אלא) אף על גב דרישא דקרא בשבת קאי דכתיב ששת ימים תעבוד, לכאורה תמוה דמדוע לא נוכל לפרש ימים היינו שנים. ואולי כוונתו דוביום השביעי ליכא לפרש דלכולו לומר ובשנה השביעי דיום בלשון יחיד לא מצינו שיהא משמע לשנה רק ימים בלשון רבים וכנ"ל, וכן שם בד"ה רבי ישמעאל כו' ולא דבר הכתוב אלא לענין שבת כדכתיב ביה וביום השביעי תשבות]: **תני ר' חייא כו' אין זו נדה אלא דוה כו'.** רצה לומר תורת זבה שם עליה להצריכה שבעה נקיים, וכימי ספירתה היא כנדה משום דכתיב (ויקרא טו, לג) והדוה בנדתה, כדמסיים והולך, וכדדרשינן בשבת (סד. ב) בנדתה תהא עד שתבא במים, (ודברי הידי משה בכאן תמוהים), וזהו גם כן כוונת ר' שמלאי שמאחר כו' יושבת ומשמרת שבעה ימי נדה, היינו שבעה ימי הספירה שכן לה כימי נדה:

מסורת המדרש

י. תנחומא סדר מצורע. ילקוט סדר זה וילקוט נ"ך רמז ר"י. אסתר רבה פ"ב:

אם למקרא

וַיְהִי יָמִים רַבִּים וּדְבַר ה' הָיָה אֶל אֵלִיָּהוּ בַּשָּׁנָה הַשְּׁלִישִׁית לֵאמֹר לֵךְ הֵרָאֵה אֶל אַחְאָב וְאֶתְּנָה מָטָר עַל פְּנֵי הָאֲדָמָה: (מלכים א יח:א)

וַיְהִי בַיָּמִים הָרַבִּים הָהֵם וַיָּמָת מֶלֶךְ מִצְרַיִם וַיֵּאָנְחוּ בְנֵי יִשְׂרָאֵל מִן הָעֲבֹדָה וַיִּזְעָקוּ וַתַּעַל שַׁוְעָתָם אֶל הָאֱלֹהִים מִן הָעֲבֹדָה: (שמות ב:כג)

בְּהַרְאֹתוֹ אֶת עֹשֶׁר כְּבוֹד מַלְכוּתוֹ וְאֶת יְקָר תִּפְאֶרֶת גְּדוּלָּתוֹ יָמִים רַבִּים שְׁמוֹנִים וּמְאַת יוֹם: (אסתר א:ד)

ידי משה

[ה] **מכאן ואילך אינו אלא דוה.** ואינה מטמאה אדם וכלים:

אמרי יושר

לפי שהם ימי צער. כי המרגיש בזמן, ירגיש בתנועה: **והדוה.** דרשוהו מלשון חולי ומדוה:

שינויי נוסחאות

ודכוותה "שמונים ומאת יום". בכמעט כל הכי"י כתוב <ודכוותה "ימים רבים שמונים ומאת יום">, ובאמת בלי זה אין דברי המדרש מובנים, אבל אין הגרסה כן בשום דפוס וגם לא העירו בזה המפרשים:

באור מהרי"פ

וכי ימים רבים היו וכו'. זה לשון התנחומא (מצורע סימן ו) וכי ימים רבים היו, והא כתיב (שופטים ב, ז) ויעבדו העם את ה' כל ימי יהושע וכל ימי הזקנים אשר האריכו ימים אחרי יהושע עד כאן. ותימה דהא מבתר ימי הזקנים עד אסא, היו ימים רבים ממש היו: **ימים של צער.** דכתיב (דברי הימים ב' טו, ה) ובעתים ההם אין שלום ליוצא ולבא כי מהומות רבות על כל יושבי הארצות: **של צער.** פירוש כי המצטער מרגיש מאד בהמשך הזמן, ויום לשנה תחשב אצלו: **ודכוותה ויהי בימים הרבים ההם וגו'.** זה לשון הרמב"ן לא יאמר בימים ההם, או ביום ההוא העומד אשר יזכור בו המאורע אבל לאחר העת יאמר ויהי אחרי כן, והראוי בכאן שיאמר (שמות ב, כג) ויהי אחרי ימים רבים וימת מלך מצרים, על כן אמרו רבותינו (שמות רבה א, לד) כי לפי שהיו ימים של צער קורא אותם רבים, וירמוז לזמן ההוא עכ"ל הרמב"ן: **והדוה וגו'.** (ויקרא טו, לג סוף הסדר) והדוה בנדתה והזב את זובו לזכר ולנקבה ולאיש אשר ישכב עם טמאה:

The Midrash cites the similar exposition of R' Simlai:[140]

אָמַר רַבִּי שִׂמְלַאי — **R' Simlai said:** צַעַר גָּדוֹל נָתַן הַקָּדוֹשׁ בָּרוּךְ הוּא לְאִשָּׁה זוֹ — **Great pain did the Holy One, blessed is He, give the woman,** שֶׁמֵּאַחַר שֶׁמְּשַׁמֶּרֶת יְמֵי זִיבָה יוֹשֶׁבֶת וּמְשַׁמֶּרֶת ז׳ יְמֵי נִדָּה — **for after she observes days of** ***zivah*****, she sits and observes seven days of** ***niddah*****.**[141] וְהַתּוֹרָה קוֹרֵא אוֹתָהּ נִדָּה — **And** thus, **the Torah refers to her as** ***"niddah"*** [נִדָּה] — ״וְהַדָּוָה בְּזִיבָתָהּ״ אֵין כְּתִיב כָּאן אֶלָּא ״וְהַדָּוָה בְּנִדָּתָהּ״ — ***and the woman who suffers through her flow*** **is not written here, but rather,** ***and the woman who suffers through her separation*** [בְּנִדָּתָהּ].[142]

A second insight into this phrase:

רַבִּי יוֹחָנָן בְּשֵׁם רַבִּי אֱלִיעֶזֶר בְּנוֹ שֶׁל רַבִּי יוֹסֵי הַגְּלִילִי אוֹמֵר — **R' Yochanan said in the name of R' Eliezer the son of R' Yose HaGelili:** וּמָה אִם הָאִשָּׁה הַזּוֹ עַל יְדֵי שֶׁפֵּירְשָׁה שְׁנַיִם שְׁלֹשָׁה יָמִים הַתּוֹרָה קוֹרֵא אוֹתָהּ נִדָּה — **Now, if** with regard to **a woman — because she separated** from her husband for **two** or **three days — the Torah refers to her as** ***"niddah,"***[143]

NOTES

140. [This follows *Rashash*. *Yefeh To'ar* and *Eitz Yosef* explain that R' Simlai comes to add something new, but that is in keeping with their explanation of R' Chiya's teaching — see note 121.]

141. [According to Biblical law,] a woman who discharges uterine blood becomes a *niddah* for *seven* days, regardless of how many discharges she experiences during that time. She may then immerse herself in the *mikveh* the night following the seventh day and become *tahor*, as long as she ceases to discharge blood before the end of the seventh day. [As noted above,] following the seven-day *niddah* period, she enters an eleven-day period of potential *zivah* (time of unusual *flow*) and if she experiences a discharge on three consecutive days within this time, she becomes a זָבָה גְּדוֹלָה, *a major zavah*, and she must count seven clean days before she can become *tahor*. R' Simlai takes note of the difficulty a woman must undergo in that after the cessation of the bleeding that rendered her a *zavah*, she must begin to observe seven days of cleanliness before she may live with her husband. The Midrash refers to these days as *the seven days of "niddah,"* because during those days she has the same restrictions as a *niddah*. In regard to this difficulty, a *zavah* contrasts with a *niddah*, who may purify herself after seven days even though they did not pass in cleanliness (see *Yefeh To'ar* and *Rashash*).

142. [As was explained above,] since this verse regards a *zavah*, one would have expected it to describe her with that term. R' Simlai explains (as did R' Chiya) that this verse's use of the root נִדָּה serves to indicate that until she sheds her status by immersion in a *mikveh*, the *zavah* has the same *tumah* status as a *niddah* (*Rashash*).

[See *Radal*, also cited by *Eitz Yosef*, for a slightly different version of this Midrash.]

143. This term connotes distance and separation (*Matnos Kehunah*; *Eitz Yosef*, referencing *Targum Onkelos* [to verse and elsewhere]).

Because we have seen that both a *niddah* and a *major zavah* are separated from their husbands for greater lengths of time than *two or three days*, we must say that the Midrash refers here to the actual days during which the *zavah*'s flow takes place. Thus, according to this Midrash, Scripture's comparison of a *zavah* to a *niddah* regards these days and no more (*Yefeh To'ar*, followed in part by *Eitz Yosef*; also see *Maharzu*). Now, because [as we have noted above] an earlier verse teaches explicitly that a *zavah* is like a *niddah* during the days of her flow, this Midrash teaches that this reference to a *zavah* as a *niddah* does not have halachic significance, but rather serves to teach the lesson that will now be related (*Yefeh To'ar*, followed by *Eitz Yosef*; see *Maharzu* for another approach).

(דברי הימים שם שם) "וְיָמִים רַבִּים לְיִשְׂרָאֵל", וְכִי "יָמִים רַבִּים" הָיוּ, אֶלָּא עַל יְדֵי שֶׁהָיוּ יָמִים שֶׁל צַעַר הָיָה קוֹרֵא אוֹתָן "רַבִּים", דִּכְווֹתָהּ (מלכים-א יח, א) "וַיְהִי יָמִים רַבִּים וּדְבַר ה' הָיָה אֶל אֵלִיָּהוּ בַּשָּׁנָה הַשְּׁלִישִׁית לֵאמֹר", רַבִּי בֶּרֶכְיָה וְרַבִּי חֶלְבּוֹ בְּשֵׁם רַבִּי יוֹחָנָן: 'שְׁלֹשָׁה חֳדָשִׁים בָּרִאשׁוֹנָה וּשְׁלֹשָׁה חֳדָשִׁים בָּאַחֲרוֹנָה וּשְׁנֵים עָשָׂר בָּאֶמְצַע, הֲרֵי שְׁמוֹנָה עָשָׂר חֳדָשִׁים, וְכִי "יָמִים רַבִּים" הָיוּ, אֶלָּא יָמִים שֶׁל צַעַר, לְפִיכָךְ הוּא קוֹרֵא אוֹתָן "רַבִּים", וְדִכְווֹתָהּ (שמות ב, כג) "וַיְהִי בַיָּמִים הָרַבִּים הָהֵם", וְכִי "רַבִּים" הָיוּ, אֶלָּא עַל יְדֵי שֶׁהָיוּ יָמִים שֶׁל צַעַר, וְדִכְווֹתָהּ (אסתר א, ד) "°שְׁמוֹנִים וּמְאַת יוֹם", וְכִי "רַבִּים" הָיוּ, אֶלָּא עַל יְדֵי שֶׁהָיוּ וְכוּ', וְהָדֵין פְּסוּקָא, (טו, כה) "וְאִשָּׁה כִּי יָזוּב זוֹב דָּמָהּ יָמִים רַבִּים". תָּנֵי רַבִּי חִיָּיא: "יָמִים" שְׁנַיִם, "רַבִּים" שְׁלֹשָׁה, מִכָּאן וָאֵילָךְ אֵין זוֹ נִדָּה אֶלָּא דָוָה. "וְהַנִּדָּה בְּנִדָּתָהּ" אֵין כְּתִיב כָּאן אֶלָּא (טו, לג) "וְהַדָּוָה בְּנִדָּתָהּ", אָמַר רַבִּי שְׁמְלַאי: צַעַר גָּדוֹל נָתַן הַקָּדוֹשׁ בָּרוּךְ הוּא לְאִשָּׁה זוֹ, שֶׁמֵּאַחַר שֶׁמִּשְׁמֶּרֶת יְמֵי זִיבָה יוֹשֶׁבֶת וּמְשַׁמֶּרֶת *ז' יְמֵי נִדָּה, וְהַתּוֹרָה קוֹרֵא אוֹתָהּ נִדָּה, "וְהַדָּוָה בְּזִיבָתָהּ" אֵין כְּתִיב כָּאן אֶלָּא "וְהַדָּוָה בְּנִדָּתָהּ", רַבִּי יוֹחָנָן בְּשֵׁם רַבִּי אֱלִיעֶזֶר בְּנוֹ שֶׁל רַבִּי יוֹסֵי הַגְּלִילִי אוֹמֵר: וּמָה אִם הָאִשָּׁה הַזּוֹ עַל יְדֵי שֶׁפֵּירְשָׁה שְׁנַיִם שְׁלֹשָׁה יָמִים הַתּוֹרָה קוֹרֵא אוֹתָהּ נִדָּה,

עץ יוסף

וכי ימים רבים היו. משום דפשטיה דקרא במה שעבר איירי [כדכתבתי לעיל], דהיינו מה שחטאו בימי ירבעם ואביה ולהכי פריך וכי ימים רבים היו כי לא היה כל ימי מלכותם רק עשרים שנה, ומכיון דאשכחן שישראל חטאו ימים רבים טפי מהנך כגון בימי השופטים לא היה ראוי לקרותם ימים רבים: **ימים של צער.** כדכתיב והעתים ההם אין שלום ליוצא ולבא וגו': **של צער.** והמלמטרים מרגישים הרבה בהמשך הזמן, וזה שאמר מבקשים (תהלים צ, טו) שמחנו כימות עניתנו שנות ראינו רעה: **שלשה חדשים בראשונה כו'.** ובתנחומא סדר זו (סימן ו) איתא חדש מן הראשונה וכל אותה השנייה וחדש מן השלישית, [וכדפליגו רבי ישמעאל ורבי עקיבא במתניתין דבבא בתרא (קכ, א) גבי חזקה עיין שם. רד"ל]. וכן הוא באסתר רבה (ב, ג). וכיון שלא עברו אפילו אחאי לגירסת התנחומא ואסתר רבתי, ולפי גירסתנו לא עבר על כל פנים יותר מהחאי איך קורא אותה ימים רבים, אלא על ידי שהיו של צער דבשני אליהו לא היה תבואה כלל כדאיתא בפרק המקבל (בבא מציעא קו, א) להכי קורא אותה ימים רבים: **וכי ימים רבים היו.** קשה הא באמת ימים רבים היו לישראל. ויש לומר שהוקשה להם כיון שכבר נגזרה גזירה ועבדום וענו אותם ארבע מאות שנה, ולא עבדו כי אם רד"ו שנה, ובתוך אותו הזמן אמר ויהי בימים רבים ההם, וכי רבים הם, ולכן קאמרו על ידי שהיו ימים של צער שגם בלילה לא שכב לבם מטורי ומרוב עבודה והיו מעמידים אותם בקרות הגבר למלאכתן כנודע, לכן קראם ימים רבים שהקדוש ברוך הוא חשב להם לילות וימים (גבול בנימין): **שמונים ומאת יום וכי רבים היו.** שאם לענין הסעודה היה רבים, לענין להראות כבוד עשרו הגדול מועטים הם, עד שנצטרכו במדרש אסתר (ב, א ילקוט התרמו) לומר ששה תסבריות [פירוש אוצרות] היה מראה להם בכל יום, או שמיני גליות הראה להם, אך מפני שהיו ימים של צער לישראל בהראות עשרו שהיה שם כלי בית המקדש ובגדי כהונה גדולה נחשב להם לימים רבים גם לגבי הראות עשרו: **ימים שנים רבים שלשה.** ומסיים בתורת כהנים יכול שנים ושלשה והרי חמשה, וכי נאמר ימים ורבים, והלא לא נאמר אלא ימים רבים הא כיצד ימים הללו יהיו מרובים על השנים וכמה הן הוי אומר שלשה. ועיין שם (ירושלמי יומא פ"ב ה"ד) בקרבן העדה: **מכאן ואילך.** משעברו שלשה ימי הזיבה רצופים ויכנסו שבעה נקיים אף על פי שהיא טמאה לבעלה אין דינה כנדה כאשר היתה בשלשה ימי הזיבה שמטמאה משכב ומושב וכלים כטומאת הנדה כדכתיב (ויקרא יב, ב) כימי נדתה תהיה, אלא דוה שמה ואינה מטמאה כנדה, וכדי שלא יקשה אם כן למאי הילכתא מקיש לה לנדה כדכתיב שם והדוה בנדתה, מייתי דר' שמלאי דקאמר והתורה קוראה אותה נדה כו'. והרד"ל גרים והתורה קורא אותה דוה ועיין שלפני איכה רבה: **ומשמרת ז' ימי נדה.** שבעה נקיים שהיא טמאה לבעלה כשבעת ימי הנדה, וזהו צער גדול שאין ימי הזוב עולים לה כלל למנין השבעה כמו בשבעת ימי הנדה שימי שפע הנדות מצטרפים למנין השבעה:

פירוש מהרז"ו

וכי ימים רבים. שמאחר שלא פירש כמה הם, בהכרח ילמוד מאלו, מימים שאלו אליהו, או שאלו אחשורוש, וילמוד סתום מן המפורש, ועל כלם יקשה למה קורא אותם רבים, שלא היו רבים כל כך באמת, ובשביל דרשה זו הובא כל הענין לכאן, ועיין דרשה זו בשמות רבה (א, לד), ועיין מדרש אסתר פסוק בהראותו (ב, א): **שלשה חדשים בראשונה.** ובמדרש אסתר (ב, ב) הגירסא חודש בראשונה, וחודש באחרונה, ושנים עשר חודש באמצע: **ויהי בימים הרבים.** וימת מלך מצרים שנאמר על זמן מיתתו עד שהועד מלך אחר, לפי פשוטו, ולפי הדרש על ימי לרעתו, שהיו ימי מספר: **אמר רבי שמלאי.** בסוף הפרשה (ויקרא טו, לג) והדוה בנדתה, שאחר אחד עשר יום של ימי זיבה, מתחיל שבעה של נדה, שלכך קורא אותו התורה בנדתה ולא בזיבתה, הרי שמדבר בדוה שהיא הזבה כנ"ל, וגם בנדה שהיא אחר הזיבה, שהתורה שוקלת אותה לצרה, שגרמא חוה שתתקלל עם כל דורותיה: **שנים ושלשה ימים.** היא הזבה, שרואה דם שנים ושלשה ימים, נקראת בשם מיוחד נדה על שם שנדה ומתרחקת מבעלה, ומכל בני אדם טהורים, כמו שכתוב (שם) והדוה בנדתה, כפשוטו שקורא לדוה וזבה נדה, וכן לנדה בימי נדה, וקראה אותה התורה בשם נדה, על שנשקלת התורה בלצער האשה כנ"ל, אנו כנסת ישראל שפירשנו וכו', על אחת כמה וכמה שהקב"ה מרחם עלינו, וקורא אותנו נדה, כמו שכתוב (יחזקאל לו, יז) כטומאת הנדה היתה דרכם לפני, וכמו שכתוב (איכה א, יז) היתה ירושלים לנדה ביניהם, וכשם שנדה חוזרת לטהרתה, כך אנו יחזירנו הקב"ה ויטהרנו במהרה בימינו:

חידושי הרד"ל

שלשה חדשים בראשונה. הרמב"ן בחדושיו דבבא בתרא (קכ, א) היה לפנינו הגירסא בכאן עוד מאן דאמר, חדש בראשונה וחדש באחרונה, (ועיין רבינו בחיי כאן, וכדפליגו רבי ישמעאל ורבי עקיבא במתניתין דבבא בתרא שם גבי חזקה, עיין שם): **אין זו נדה אלא דוה.** פירוש אין זו נדה כדרך הטבע דרך גשים, אלא הרי זו דוה ותולי הוא בה, לשון מדוה. (ודברי ידי משה בזה שגגה ממילא כבוד תורתו): **והתורה קראה אותה דוה והדוה בו'.** כן לריך לומר, ועיין שלפני איכה רבה (ב"א) [פרשה ה סימן יז]:

חידושי הרש"ש

שלשה חדשים בראשונה כו'. עיין מתנות כהונה, ופירושו תמוה למידרש ימים שנים, היינו שני חדשים [שגם מלאתי בספרי פרשת תלא הביאו גם כן הילקוט שם דבר אחר ירח אחד, ימים שנים, הרי שלשה, אך בגמרא (יבמות מח, ב) בענין אחר למאן דאמר שלשה חדשים, ירח שלשים, ימים שלשים, ואחר כך שלשים, עיין שם, דהיכא אשכחן שנקראת חדש יום, ועל כרחין לא פריך הגמרא כתובות נז, ב ואיתא חדש כדכתיב (במדבר יא, כ) עד חדש ימים, היינו דנפרש ימים חדש אחד, חדש דלפי האמת דימים פירושו שנה, היינו שנה אחת, דלהכי נקראו שנה או חדש ימים, מפני שהמה מקומות מימים רבים. [לריך להבין מה שכתב רש"י ברלאש השנה (ט, א ד"ה הלל) אף על גב דרישא דקרא בשבת קאי דכתיב ששת ימים תעבוד, לכאורה תמוה דמדוע לא נוכל לפרש ימים היינו שנים. ואולי כוונתו דוביום השביעי ליכא לפרש דלנו לומר ובשנה השביעית דיום בלשון יחיד לא מלינו שיהא משמש לשנה רק ימים בלשון רבים וכו"ל, וכן שם בד"ה רבי ישמעאל כו' ולא דבר הכתוב אלא לענין שבת כדכתיב ביה וביום השביעי תשבות]: **תני ר' חייא כו' אין זו נדה אלא דוה כו'.** רלה לומר תורת זבה עליה להלריכה שבעה נקיים, וכימי ספירתה היא כנדה משום דכתיב (ויקרא טו, לג) והדוה בנדתה, כדמסיים והולך, וכדדרשינן בשבת (סד, ב) בנדתה תהא עד שתבא במים, (ודברי ידי משה בכאן תמוהים, וזהו גם כן כוונת ר' שמלאי שמאחר כו' שבעה ימי נדה, היינו שבעה ימי הספירה שהן לה כימי נדה:

מסורת המדרש

י. תנחומא סדר מלורע. ילקוט סדר זה וילקוט נ"ך רמז ר"י. אסתר רבה פ"ב:

אם למקרא

וַיְהִי יָמִים רַבִּים וּדְבַר ה' הָיָה אֶל אֵלִיָּהוּ בַּשָּׁנָה הַשְּׁלִישִׁית לֵאמֹר לֵךְ הֵרָאֵה אֶל אַחְאָב וְאֶתְּנָה מָטָר עַל פְּנֵי הָאֲדָמָה: (מלכים א יח:א)

וַיְהִי בַיָּמִים הָרַבִּים הָהֵם וַיָּמָת מֶלֶךְ מִצְרַיִם וַיֵּאָנְחוּ בְנֵי יִשְׂרָאֵל מִן הָעֲבֹדָה וַיִּזְעָקוּ וַתַּעַל שַׁוְעָתָם אֶל הָאֱלֹהִים מִן הָעֲבֹדָה: (שמות ב:כג)

בְּהַרְאֹתוֹ אֶת עֹשֶׁר כְּבוֹד מַלְכוּתוֹ וְאֶת יְקָר תִּפְאֶרֶת גְּדוּלָּתוֹ יָמִים רַבִּים שְׁמוֹנִים וּמְאַת יוֹם: (אסתר א:ד)

ידי משה

[ה] **מכאן ואילך אינו אלא דוה.** ולינה מטמאה אדם וכלים:

אמרי יושר

לפי שהם ימי צער. כי המרגיש בזמן, ירגיש בתנועה: **והדוה.** דרשוהו מלשון חולי ומדוה:

שינוי נוסחאות

ודכוותה "שמונים ומאת יום". בכמעט כל הכי"י כתוב <ודכוותה "ימים רבים שמונים ומאת יום">, ובאמת בלי זה אין דברי המדרש מובנים, אבל אין הגרסה כן בשום דפוס וגם לא העירו בזה המפרשים:

באור מהרי"פ

וכי ימים רבים היו וכו'. זה לשון התנחומא (מלורע סימן ו) וכי ימים רבים היו, והא כתיב (שופטים ב, ז) ויעבדו העם את ה' כל ימי יהושע וכל ימי הזקנים אשר האריכו ימים אחרי יהושע עד כאן. ותימה דהא מבאר ימי הזקנים עד אסא, הא ימים רבים ממש היו: **ימים של צער.** דכתיב (דברי הימים ב' טו, ה) ובעתים ההם אין שלום ליוצא ולבא כי מהומות רבות על כל יושבי הארצות: **של צער.** פירוש כי המלטער מרגיש מאד בהמשך הזמן, ויום לשנה תחשב אללו: **ודכוותה ויהי בימים הרבים ההם וגו'.** זה לשון הרמב"ן לא יאמר בימים ההם, כי ביום ההוא רק על הזמן העומד אשר יזכור בו המאורע אבל לאחר הסעת יאמר ויהי אחרי כן, והראוי בכאן שיאמר (שמות ב, כג) ויהי אחרי ימים רבים וימת מלך מלרים (שמות רבה א, לד) כי לפי שהיו ימי של לער קורא אותם רבים.

מתנות כהונה

בשנה השלישית. של רעב: **שלשה חדשים.** קדריש ימים שנים, רבים שלשה, ושלשה ימים לא סבירא ליה למקרי מקלת השנה, ושלשה שבועות נמי לא, דלא בא לסתום אלא לפרש, ומשסיה בשנה ראשונה שלשה חדשים הלי דכתיב בשנה השלישית דרשו נמי שלשה חדשים: **אלא דוה.** דוה הוא זבה בלשון ארמי: **נדה.** לשון ריחוק ונידוי:

אשד הנחלים

ימים של צער. כי הצער מגדיל העת מאוד, ולכן בזיבה שהיא חולי מאוסה מאוד עד שכל רגע נחשב בעיניה לרב, כתיב ימים רבים: **שמשמרת ימי זיבה.** הם האחד עשר שבין נדה לנדה: **ע"י שפירשה כו' אנו כו'.** היא התבוננות הגדולה הנמצא בלב יקירי רוח והמבינים, כי עיקר הדיבוק הוא רק בה' ובבית מקדשו, ובלתו כנדודים ממקומינו האמיתי. כאשר יתבונן האדם מענין גופני, כי האשה האוהבת לריעה, אחר שהיא מוכרחת לפרוד ממנו עת מעט, נחשבת בעיניה לימים רבים, ולכן כתיב ימים רבים, כי רבה היא בעיניה, אף הריחוק מפניו יתברך אשר רק בעורו נראה אור, כמה נחשב לנו עת מעט לרב, ומכל שכן שבאמת רבה היא: **כמה קוצים.** אלו היינו זכאים כמה קיצים היו לנו:

וירמוז לזמן הגלות עכ"ל הרמב"ן: **והדוה וגו'.** (ויקרא טו, לג, סוף הסדר) והדוה בנדתה והזב את זובו לזכר ולנקבה ולאיש אשר ישכב עם טמאה:

אָנוּ שֶׁפֵּירַשְׁנוּ מִבֵּית חַיֵּינוּ וּמִבֵּית קָדְשֵׁנוּ וְתִפְאַרְתֵּנוּ — then **we, who have separated from the Temple of our life**[144] **and the Temple of our holiness and our splendor,**[145] כַּמָּה יָמִים וְכַמָּה שָׁנִים כַּמָּה קִיצִּים וְכַמָּה עִיבּוּרִים — **many days and many years, many terms and many eras,** עַל אַחַת כַּמָּה וְכַמָּה — **how much more so** is this term appropriate for us![146]

§6 [וְאִשָּׁה כִּי יָזוּב זוֹב דָּמָהּ יָמִים רַבִּים בְּלֹא עֶת נִדָּתָהּ וְגוֹ׳] — *IF A WOMAN'S BLOOD FLOWS FOR MANY DAYS OUTSIDE OF HER PERIOD OF SEPARATION, ETC.*]

The Midrash relates an incident illustrating the scrupulousness with which the laws of *zivah* were treated:

דָּבָר אַחֵר, "וְאִשָּׁה כִּי יָזוּב זוֹב דָּמָהּ" — **Another comment** on our verse, ***If a woman's blood flows***, *etc.*: מִי קִיֵּים מִצְוַת זִיבָה — **Who observed the commandment associated with *zivah*?** יְכָנְיָהוּ בֶּן יְהוֹיָקִים — **Jeconiah son of Jehoiakim,** king of Judah, did.[147] אָמְרוּ — **[The Sages] said:** כֵּיוָן שֶׁעָלָה נְבוּכַדְנֶצַּר לְהַחֲרִיב אֶת יְרוּשָׁלַיִם — **When Nebuchadnezzar came up** to *Eretz Yisrael*[148] with the intent **to destroy Jerusalem,**[149] עָלָה וְיָשַׁב לוֹ בְּדַפְנִי שֶׁל אַנְטוֹכְיָא — **he went up and stayed at Daphne,** a suburb **of Antioch.**[150] יָרְדָה סַנְהֶדְרֵי גְדוֹלָה לִקְרָאתוֹ — **The** members of the **Great Sanhedrin went down to greet him.** אָמְרוּ לוֹ: הִגִּיעַ זְמַנּוֹ שֶׁל בַּיִת זֶה לֵיחָרֵב — **They said to him, "Has the time arrived for this Temple to be destroyed?"**[151] אָמַר לָהֶם: לָאו — **"No," he said to them.** אֶלָּא יְהוֹיָקִים מָרַד בִּי — **"Rather, Jehoiakim has rebelled against me.** תְּנוּהוּ לִי וְאֵלֵךְ — **Hand him** over **to me, and I will go."** בָּאוּ אֶצְלוֹ וְאָמְרוּ לוֹ לִיהוֹיָקִים נְבוּכַדְנֶצַּר בָּעֵי לָךְ — **[The Sanhedrin] came and said to Jehoiakim, "Nebuchadnezzar wants you** to be handed over." אָמַר לָהֶן — **He said to them,** כָּךְ עוֹשִׂין דּוֹחִין נֶפֶשׁ מִפְּנֵי נֶפֶשׁ, דּוֹחִין נַפְשִׁי וּמְקַיְּימִים נַפְשֵׁיכוֹן — **"Is this what is** proper **to be done? Is one life pushed aside for** another **life; should my life be pushed aside** in order **to preserve your lives?** כְּתִיב "לֹא תַסְגִּיר עֶבֶד אֶל אֲדֹנָיו" — **Is it** not **written,** ***You shall not turn over a slave to his master,*** *who is rescued from his master to you?*" (*Deuteronomy* 23:16).[152] אָמְרוּ לוֹ — **They said to him,** לֹא כָךְ עָשׂוּ אֲבוֹתֶיךָ לְשֶׁבַע בֶּן בִּכְרִי — **"Did your ancestors not do the same to Sheba son of Bichri?"**[153] כֵּיוָן שֶׁלֹּא שָׁמַע לָהֶם — **Since he would not listen to them** to surrender himself willingly, עָמְדוּ וּנְטָלוּהוּ וְשִׁלְשְׁלוּהוּ לוֹ — **they arose, took him** forcibly, **and lowered him** down the walls of Jerusalem[154] **to [Nebuchadnezzar].**

The Midrash discusses the circumstances of Jehoiakim's deliverance into the hands of Nebuchadnezzar:

וְכֵיצַד שִׁלְשְׁלוּהוּ — **In what state did they lower him?** רַבִּי אֱלִיעֶזֶר וְרַבִּי שִׁמְעוֹן — **R' Eliezer and R' Shimon** differ about this matter. רַבִּי אֱלִיעֶזֶר בַּר רַבִּי נָתָן אוֹמֵר — **R' Eliezer son of R' Nathan says:** חַי שִׁלְשְׁלוּ אוֹתוֹ — **They lowered him alive,** כְּמָא דְאַתְּ אָמַר — **as it states** with regard to the capture of Jehoiakim, "וַיִּתְּנֻהוּ בַסּוּגַר בַּחַחִים" — ***They put him in a collar with hooks*** [בַּחַחִים] (*Ezekiel* 19:9);[155] "בַּחַיִּים" כְּתִיב — **[the word]** for "hooks," read בַּחַחִים, **is written** as בַּחַיִּים (meaning *alive*),[156] intimating that he was taken captive in a living state.

NOTES

144. This term is used in several prayers as a reference to the Holy Temple.

145. *Isaiah* 64:10 uses this expression to refer to the Holy Temple.

146. Thus, the comparison of a *zavah* to a *niddah* serves to highlight the tragedy of our extended separation from the Temple and to encourage us to pray that this separation finally come to its conclusion (*Eitz Yosef*).

[*Eshed HaNechalim* writes that just as a woman who truly loves her husband will experience the brief separation from him that she must endure as though it lasted *many days*, so should we, who are lost without the closeness to God that His Temple afforded us, feel with respect to our exile, even were it not so terribly lengthy. After noting that Scripture itself compares the exiled Jewish nation to a *niddah* (in *Ezekiel* 36:17 and *Lamentations* 1:17), *Maharzu* points out that implicit in this analogy is an indication of God's mercy; for like a *niddah* who is eventually purified, the Jewish people is destined to be taken back and purified by God.]

147. See note 200 below as to the significance of Jeconiah's observance of this law.

148. At this time Jehoiakim, a scion of the royal House of David, was king of Judah. During his reign, Nebuchadnezzar, king of Babylonia, conquered Judea, which then became a vassal state of the Babylonian Empire until the destruction of the Temple and of Judea some eighteen years later. Three years after Nebuchadnezzar conquered Judea, King Jehoiakim rebelled against his rule, and three years later, Nebuchadnezzar besieged Jerusalem with the intention of subduing Jehoiakim (see *II Kings* 24:1, *Daniel* 1:1-2, *II Chronicles* 36:6-7, and *Seder Olam Rabbah* Ch. 25). The Midrash is relating the events surrounding this siege.

149. This phrase is puzzling, for the Midrash below states that Nebuchadnezzar told the members of the Sanhedrin that his motive was *not* to destroy Jerusalem, but only to capture the rebellious King Jehoiakim. Indeed, in a parallel passage (*Bereishis Rabbah* 94 §9), the text reads: "When Nebuchadnezzar came up to subdue Jehoiakim." Apparently our Midrash maintains that Nebuchadnezzar did at first intend to destroy Jerusalem on account of Jehoiakim's rebellion, but desisted as a result of the efforts of the Sanhedrin in appeasing him (*Eitz Yosef*).

150. Antioch was the capital of ancient Syria, located in present-day southern Turkey. Daphne was a city just to the south of Antioch, and Nebuchadnezzar had a summer palace in a forest there (*Tevuos HaAretz*, Chapter 1). From there he conducted his campaign to subdue Jehoiakim.

151. The Great Sanhedrin had a tradition that Nebuchadnezzar would destroy the Holy Temple, and they inquired of him if he was currently planning to do so, i.e., if this was the time that God would place in Nebuchadnezzar's heart the desire to destroy the Temple (*Eitz Yosef*).

152. I.e., even if you were to argue that Nebuchadnezzar does not seek to kill me, nonetheless it is obvious that Nebuchadnezzar will keep me in subjugation. As such, it should be prohibited to turn me over to him, and thus deprive me of my freedom, by the same token that an escaped Jewish slave may not be returned to his owner (*Eitz Yosef*).

153. Sheba son of Bichri, who had rebelled against King David, was pursued by a force loyal to King David led by the general Joab, whereupon Sheba sought refuge in the city of Abel of Beth-maacah. Joab and his troops besieged the city, and began to attack it. A wise woman from the city met with Joab and ascertained that he would not annihilate the city if Sheba would be handed over to him. She promised that Sheba's head would soon be thrown over the wall, and indeed, soon thereafter Sheba was decapitated, his head was thrown to Joab, and the city was spared (see *II Samuel* 20:1, 11-22). Based on this incident, the Sanhedrin responded to Jehoiakim that his ancestors (the House of David) had provided them a precedent to surrender a single individual for the sake of saving the lives of many.

Regarding the permissibility of sacrificing Sheba's life to save the entire city, *Bereishis Rabbah* (ibid.) cites the *Tosefta* in *Terumos* (7:23), which rules that normally one may *not* hand over an individual to be killed even to save the lives of many people. In the case of Sheba, however, there are three opinions given there as to why is was permissible: (i) because Sheba had been specifically designated by Joab to be handed over; (ii) because if Joab were to capture the city Sheba's life would be forfeit anyway, along with everyone else's; (iii) because Sheba had legally incurred the death penalty by rebelling against the royal House of David. According to all three opinions, this incident was a valid precedent for delivering Jehoiakim into Nebuchadnezzar's hands, for he too had been designated, he was also in danger, and he had incurred the death penalty by rebelling against Nebuchadnezzar (see *Eitz Yosef*).

154. *Radal* and *Eitz Yosef*, based on *Jeremiah* 22:19.

155. Although that passage does not mention Jehoiakim by name, and may refer to other Judean kings taken into captivity, it is the opinion of this Midrash that it refers to Jehoiakim. See *Yefeh To'ar,* who proves from the context that this verse indeed refers specifically to Jehoiakim.

156. I.e., it is one of the words in Scripture that are written (כְּתִיב) one way, but pronounced (קְרִי) another way. The commentators point out, however, that in our texts of Scripture the word is both written and pronounced בַּחַחִים. It would appear, then, that our Midrash had a different

אָנוּ שֶׁפֵּירַשְׁנוּ מִבֵּית חַיֵּינוּ וּמִבֵּית קָדְשֵׁנוּ וְתִפְאַרְתֵּנוּ כַּמָּה יָמִים וְכַמָּה שָׁנִים כַּמָּה קִיצִּים וְכַמָּה עִיבּוּרִים, עַל אַחַת כַּמָּה וְכַמָּה:

ו דָּבָר אַחֵר, [טו, כה] "וְאִשָּׁה כִּי יָזוּב זוֹב דָּמָהּ", מִי קִיֵּם מִצְוַת זִיבָה, יְכָנְיָהוּ בֶּן יְהוֹיָקִים, אָמְרוּ: [יא] כֵּיוָן שֶׁעָלָה נְבוּכַדְנֶצַּר לְהַחֲרִיב אֶת יְרוּשָׁלַיִם עָלָה וְיָשַׁב לוֹ בְּדַפְנֵי שֶׁל אַנְטוֹכְיָא, יָרְדָה סַנְהֶדְרֵי גְדוֹלָה לִקְרָאתוֹ, אָמְרוּ לוֹ: הִגִּיעַ זְמַנּוֹ שֶׁל בַּיִת זֶה לֵיחָרֵב, אָמַר לָהֶם: לָאו, אֶלָּא יְהוֹיָקִים מָרַד בִּי, תְּנוּהוּ לִי וְאֵלֵךְ, בָּאוּ אֶצְלוֹ וְאָמְרוּ לוֹ *לִיהוֹיָקִים: נְבוּכַדְנֶצַּר בָּעֵי לָךְ, אָמַר לָהֶן: כָּךְ עוֹשִׂין, דּוֹחִין נֶפֶשׁ מִפְּנֵי נֶפֶשׁ, דּוֹחִין נַפְשִׁי וּמְקַיְּימִים נַפְשֵׁיכוֹן, כְּתִיב (דברים כג, טז) "לֹא תַסְגִּיר עֶבֶד אֶל אֲדֹנָיו", אָמְרוּ לוֹ: לֹא כָךְ °עָשְׂתָה זְקֶנְתְּךָ° לְשֶׁבַע בֶּן בִּכְרִי, כֵּיוָן שֶׁלֹּא שָׁמַע לָהֶם עָמְדוּ וּנְטָלוּהוּ וְשִׁלְשְׁלוּהוּ לוֹ, וְכֵיצַד שִׁלְשְׁלוּהוּ, רַבִּי אֱלִיעֶזֶר וְרַבִּי שִׁמְעוֹן, רַבִּי *אֱלִיעֶזֶר בַּר רַבִּי נָתָן אוֹמֵר: חַי שִׁלְשְׁלוּ אוֹתוֹ, כְּמָא דְאַתְּ אָמַר (יחזקאל יט, ט) "וַיִּתְּנֻהוּ בַסּוּגַר בַּחַחִים", "בַּחַיִּים" כְּתִיב, רַבִּי שִׁמְעוֹן אוֹמֵר: מֵת שִׁלְשְׁלוּ אוֹתוֹ לוֹ, כְּמָא דְאַתְּ אָמַר (שם) "לְמַעַן לֹא יִשָּׁמַע קוֹלוֹ עוֹד", אָמַר רַבִּי יְהוֹשֻׁעַ בֶּן לֵוִי: אֲנִי מְקַיֵּים דִּבְרֵי שְׁנֵיהֶם, חַי שִׁלְשְׁלוּ אוֹתוֹ, אֶלָּא שֶׁהָיָה מְפוּנָּק וּמֵת בְּיָדָם, מֶה עָשָׂה לוֹ נְבוּכַדְנֶצַּר,

עץ יוסף

על ידי שפירשה מבעלה קורא אותה נדה. שהוא לשון נדוי וריחוק שתרגום נדה רחיקה: **ומה אם האשה כו'.** משום דקשה ליה לרבי אלעזר בנו של רבי יוסי הגלילי גם כן מה שקשה ליה לר' שמלאי היכי מקיש לה לנדה. ומתרץ לה רבי אלעזר דלא מקיש רק ימי הזוב ממש לא כל האחד עשר ימים. ולמאי דקשה לן אם כן מאי קא משמע לן הא כבר כתב לה, להכי קאמר דקרא אשמועינן לשום לב לפרישתינו מבית המקדש כל כך שנים כי רע הדבר ובעי למבעי רחמי, מכיון דדוה בשלשה ימי הזוב מיקריא נדה מפני שפירשה שלשה ימים אנו שפירשנו מבית חיינו כו': (ו) **יכניה בן יהויקים,** וכדמפרש לקמן: **להחריב את ירושלים.** אף על פי שלא החריבה בפעם ההוא ולא בקש רק נפש יהויקים, היינו על ידי שהסנהדרין שחרו פניו והודו לבקשתו נתפייס אז, אבל לעיל בבראשית רבה (פרשה לד סוף סימן ט) גרסינן שעלה לכבוש את יהויקים: **בדפני של אנטוכיא.** משפם הרבלה (במדבר לד, יא) תרגם יונתן דפני אנטוכי. והמוסף הערוך (ערך דפני) כתב שם מגרש עיר אנטוכיא, וגם מקומות אחרים נקראים על שם אילנות דפני הנטועות שם: **הגיע זמנו כו'.** דרך שאלה וקובלנא ברוח נשברה אמרו לו אם דעתו להחריב את בית המקדש, ולפי שכבר ידעו מהנביאים שהיה עתיד ליחרב ולכן אמרו לנבוכדנצר האם הגיע זמנו כלומר אם ה' שם בלבו להחריבה: **דוחין נפש מפני נפש.** שאתם מוסרין נפשי להציל נפשיכם: **לא תסגיר עבד.** שאף על פי שלא יהרגני נבוכדנצר רק שיחבשני בבבל מכל מקום אין לכם למסרני משום לא תסגיר, דלא גרע אני מעבד של נכרי שברח שאין מוסרים אותו להיות עוד עבד, וכן אני שמרדתי במלך בבל אין להסגירני שיכבש אותי לעבודתו ולהוציאני חוץ לארץ: **זקנתך.** צריך לומר עשו אבותיך, או צריך לומר עשה זקנך, והוא דוד שביקש שיתנו(הו) לו שבע בן בכרי, וכן עשו מפני שהדין כך למסור מי שייחדוהו בשם. ואף על גב דההוא בדין הוה שמרד במלכות, הא גם יהויקים מרד בנבוכדנצר, ועיין מה שכתבתי בבראשית רבה פרשה לד (סימן ט): **שלשלוהו.** פירוש מעל גב החומה כמו שנאמר בירמיה (כב, יט) סחוב והשלך להלאה משערי ירושלים (רד"ל): **ויתנוהו בסוגר בחחים.** דביהויקים מיירי כמו שאמרו המפרשים, ולא כפירוש ר' יצחק אברבנאל: **בחיים כתיב.** אין תימה מה שאין כן בספרים שלנו, שכמה פעמים התלמוד חולק על המסורת שלנו כמו שכתבו התוספות בפרק במה בהמה (נה, ב ד"ה מעבירים) גבי מעבירם כתיב. והרד"ל כתב וזה לשונו בחחיים כתיב, כן צריך לומר בשני יודי"ן, לכן דרש בחיים. ועיין מנחת שי שם עד כאן לשונו: **למען לא ישמע קולו עוד.** דמשמע דתיכף כשנתן בסוגר לא היה קולו עוד נשמע. ורבי שמעון לא חייש למאי דכתיב בחחיים כיון דקרינן בחחים. ור' אליעזר מתרץ למען לא ישמע קולו דהיינו פחדו ומוראו שהיה מתהלך בארץ כמו שנאמר (יחזקאל יט, ז) וַתֵּשַׁם ארץ ומלואה מקול שאגתו: **ומת בידם.** מצערתו. וקשה להאי דסבירא ליה דמת שלשלוהו, סוגר וחחים ומצודות למה. ועוד דבדברי הימים (ב' לו, ו) כתיב ויאסרהו בַּנְחֻשְׁתַּיִם להוליכו בבלה. ויש לומר דבעודו חי אסרוהו סנהדרין על פיו של נבוכדנצר, ופירוש ויאסרהו, בצוויו, ולא היתה כוונתו להוליכו בבלה ולא עלתה לו שמת קודם שבא לידו. ולרבי שמעון מת בידם של סנהדרין, ומכל מקום שלשלוהו אותו בהיותו אסור בהם להראות לנבוכדנצר שעשו צווי שבחייו אסרוהו. ולרבי יהושע בן לוי בשעת מסירתו היה חי ומיד היה מת: **מה עשה לו נבוכדנצר.** אליביה דרבי אליעזר דאמר חי שלשלוהו קאמר, ואין זה לשון שאלה דאפשר שהרגו מיד, אלא קמפרש דלרבי יהודה ורבי נחמיה לא הרגו מיד אלא תחלה החזירו בכל ערי ישראל, והכי גמירי לה. או דסבירא ליה שפירוש סחוב והשלך היינו בהיותו חי שהיו מחזירים אותו ממקום למקום:

פירוש מהרז"ו

(ו) **אמרו כיון שעלה.** בראשית רבה (לד, ט): **בדפני של אנטוכיא.** כתב הערוך דפני היא רבלה, ובמוסף הערוך כתב שהוא שם מגרש של עיר אנטוכי, וגם מקומות אחרים נקראים כן על שם אילנות דפני הנטועות שם: **באו אצלו.** הסנהדרין באו אל יהויקים: **זקנתך לשבע בן בכרי.** אולי צריך לומר זקנך, היינו דוד, כי מה שעשה יואב נקרא על שם דוד, גם יתכן שמה שאמר זקנתך, היינו האשה חכמה שקראה את יואב מן העיר, שעשתה כן למען דוד: **ויתנוהו בסוגר בחחים.** בריש הענין כתוב (יט, א) שא קינה אל נשיאי ישראל, עד ויביאוהו בחחים אל ארץ מצרים, זהו יהואחז כמפורש במלכים (ב, כג, לד), ואחר כך כתוב (יחזקאל יט, ה) ותקח אחד מגוריה וגו' עד ויתנוהו בסוגר בחחים ויביאוהו אל מלך בבל, וכמו שכתוב בסוף דברי הימים (ב, לו, ו) עליו עלה נבוכדנצר מלך בבל ויאסרהו בנחשתים להוליכו בבלה, ובהכרח לפרש שלמטעו עלה נבוכדנצר לדפני של אנטוכי והביאו את יהויקים אליו, ואסרו בנחשתים להוליכו לבבל, אך לא הוליכו, שמת בידם, וזהו למען לא ישמע קולו עוד אל הרי ישראל, שהחזירו אותו מת אל ארץ ישראל, וכמו שכתוב (מלכים ב, כה, ו) על צדקיה, שהוליכו (אותם) [אותו] אל מלך בבל רבלתה, וכן אחר כך (שם פסוק כ) על שרי צדקיהו גם כן אל מלך בבל רבלתה, היא אצל יהויקים: **בחיים כתיב.** הנה אין כאן קרי וכתיב, אלא שדורש בחחים, שאין פירוש התיבה ידוע, שמה שנאמר (ישעיה לז, כט) אצל סנחריב, ושמתי חחי באפיך ומתגי בשפתיך, הוא דרך משל, על כן דורש אל תקרי בחחים אלא בחיים, וכן אצל יהואחז כתוב בפרשה הנ"ל בחחים, והיה בחיים כמו שכתוב (מלכים ב, כג, לד) ויביאוהו אל ארץ מצרים וימת שם:

חידושי הרד"ל

[ו] **בדפנא של אנטוכיא.** עיין מתנות כהונה שהוא רבלה. והוא שישב שם נבוכדנצר כשהחריב את בית המקדש: **לא כך עשה זקנך לשבע בן בכרי.** כן צריך לומר והוא דוד. ועיין בראשית רבה (לד, ט): **שלשלוהו.** פירוש מעל גבי החומה שלשלוהו. כמו שכתוב בירמיה (כב, יט) סחוב והשלך להלאה משערי ירושלים: **בחחים כתיב.** כן צריך לומר. פירוש בשני יודי"ן, לכן דרש בחיים, ועיין מנחת שי שם: **מת שלשלוהו.** בסדר עולם רבה פרק כ"ה, רמי אהדדי קראי דמלכים (ב' כד, ו) דכתיב וישכב יהויקים עם אבותיו, אקרא דדברי הימים (ב' לו, ו) דכתיב ויאסרהו (נבוכדנצר) בנחשתים להוליך בבלה, ומשני מלמד כיון דאסרו מיד מת באסורו, והוליכו וגררו לקיים מה שנאמר סחוב והשלך, (והביאו ערוך ערך (קל"ה) חח ב', ופרש"י במלכים, ודברי הימים שם, ורבינו אברהם בן עזרא ריש דניאל (א, א). והוא כעין דברי רבי יהושע בן לוי דהכא:

חידושי הרש"ש

[ו] **וכיצד שלשלוהו רבי אליעזר ורבי שמעון ורבי אליעזר ב"ר נתן אמרי חי וכו'.** נראה דצריך לומר רבי אליעזר ב"ר נתן ורבי שמעון (דלא לומר פליגי בזה), רבי אליעזר בר נתן אומר חי כו' ועיין גירסת הילקוט סוף מלכים:

אמרי יושר

[ו] **לא כן עשתה זקנתך.** כי דין הוא [שימסרוהו] כיון שייחד ליהויקים:

מסורת המדרש

יא. ירושלמי שקלים פ"ו הלכה ד':

אם למקרא

לֹא תַסְגִּיר עֶבֶד אֶל אֲדֹנָיו אֲשֶׁר יִנָּצֵל אֵלֶיךָ מֵעִם אֲדֹנָיו: (דברים כג:טז)

וַיִּתְּנֻהוּ בַסּוּגַר בַּחַחִים וַיְבִאֻהוּ אֶל מֶלֶךְ בָּבֶל יְבִאֻהוּ בַּמְּצֹדוֹת לְמַעַן לֹא יִשָּׁמַע קוֹלוֹ עוֹד אֶל הָרֵי יִשְׂרָאֵל: (יחזקאל יט:ט)

באור מהרי"פ

[ו] **להחריב את ירושלים.** צריך עיון שהרי לא החריב בפעם ההוא את ירושלים, ולא בקש מסנהדרין רק את יהויקים, והנה לעיל ספר ראשון (בראשית רבה לד, ט) גרסינן שעלה לכבוש את יהויקים וכן הוא הגירסא נכון: **מתנות כהונה ד"ה בדפני. פירש הערוך.** ז"ל הערוך ערך דפני, רבלה תרגום דפני, וירדו הגבול משפם הרבלה (במדבר לד, יא), ותרגום ירושלמי ויחות תחומא לאפמיים לדפני: **זקנתך.** צריך עיון הלא סרח בת אשר היתה הסרסור לכרות ראש שבע בן בכרי, כמבואר (בבראשית רבה לד, ט) ומנא ליה שהיא היתה זקנתה של יהויקים, ושם גרסינן לא כך עשה זקנך, אתי שפיר דקאי על דוד, וכן הגירסא ברד"ק:

ידי משה

[ו] **מי קיים מצות זיבה יכניהו.** כדמסיים שאחר שהיה בבית האסורים נתנו לו אשה וראתה דם כשושנה ופירש ממנה. וקל להבין:

שינוי נוסחאות

(ו) **לא כך עשתה זקנתך.** הביא א"א גרסת רד"ק: "לא כך עשו אבותיך", ונ"ל שהגהה נכונה היא דהא אמרינן דהאשה שהרגה שבע היא סרח בת אשר, ומנין שהיתה זקנת יהויקים, וברד"ל הגיה "זקנך" ר"ל דוד, וגם זה אתי שפיר: **רבי אליעזר בר רבי נתן אומר.** בא"א מחק "בר נתן", וכן בכי"י ליתיה, וכן מסתבר דהא שמו כתוב לעיל "רבי אליעזר" סתם:

מתנות כהונה

[ו] **יכניה.** בן יהויקים וכדמפרש לקמן: **להחריב את ירושלים.** כלומר לכבוש את יהויקים, ואלו לא נתנוהו היה מחריב ירושלים, ובפרשת ויגש פרשה ל"ד (סי' ט) גרס לכבוש את יהויקים כו': **בדפני.** פירוש הערוך (ערך דפני) רבלה, הרבלה (במדבר לד, יא) תרגם יונתן דפני: הכי גרסינן **ביצד שלשלוהו כו'.** רבי יהודה ורבי נחמיה לא סבירא להו שמת תחת ידיהם:

אשד הנחלים

[ו] **מי קיים כו' יכניה.** כמו שמספר בסוף, כשושנה אדומה ופירש, וכלומר אף שהיה ימים רבים עצור בלא אשה, עם כל זה תיכף פירש:

רַבִּי שִׁמְעוֹן אוֹמֵר — **R' Shimon says:** מֵת שִׁלְשְׁלוּ אוֹתוֹ לוֹ — **They lowered him dead to [Nebuchadnezzar],**[157] כְּמָא דְאַתְּ אָמַר "לְמַעַן לֹא יִשָּׁמַע קוֹלוֹ עוֹד" — **as it states** in the continuation of the previously cited verse, ***in order that his voice be no longer heard*** (*Ezekiel* ibid.).[158] אָמַר רַבִּי יְהוֹשֻׁעַ בֶּן לֵוִי — **R' Yehoshua ben Levi said:** אֲנִי מְקַיֵּים דִּבְרֵי שְׁנֵיהֶם — I shall **uphold the words of both [R' Eliezer and R' Shimon].** חַי שִׁלְשְׁלוּ אוֹתוֹ — **They lowered him** while he was still **alive,** אֶלָּא שֶׁהָיָה מְפוּנָּק — **but he had a delicate constitution,** וּמֵת בְּיָדָם — **and** hence **he died** of distress **in their hands,** i.e., upon being lowered down the wall.[159]

Further discussion of the ignominious end of Jehoiakim:

מָה עָשָׂה לוֹ נְבוּכַדְנֶצַּר — **What did Nebuchadnezzar do to [Jehoiakim]?**[160]

NOTES

textual version (*Eitz Yosef*). Alternatively, the Midrash is not referring to the way the word is actually written, but rather means that because the word חַחִים normally refers to hooks placed in the mouth of an animal, and is used in reference to humans only in a figurative sense, this leads us to expound the term as though it were written as חַיִּים (*Maharzu*). See *Tiferes Tzion* for an entirely different interpretation.

157. This should not be interpreted as saying that the Sanhedrin actually killed him. Even though he had rebelled against Nebuchadnezzar and placed the entire nation in danger, it is inconceivable that the Sanhedrin would actively slay him. Rather, he died himself before they delivered him to Nebuchadnezzar (*Yefeh To'ar*).

158. R' Shimon is of the opinion that the verse implies that immediately upon being taken captive, Jehoiakim's voice was stilled, indicating that it was his corpse that was handed over to Nebuchadnezzar. R' Eliezer would say, however, that *his voice* refers to the fear that Jehoiakim generated, as is stated in an earlier verse (v. 7): *The land and all that fills it then became desolate through the noise of his roar*. This influence ceased immediately when he was apprehended by the Sanhedrin (*Eitz Yosef*).

159. Ibid.

160. This question and the ensuing discussion pertain only according to the opinion of R' Eliezer that Jehoiakim was turned over to the Babylonians alive, and not according to R' Shimon and R' Yehoshua ben Levi who say that the Babylonians received his corpse (*Matnos Kehunah*, *Eitz Yosef*).

אָנוּ שֶׁפֵּירַשְׁנוּ מִבֵּית חַיֵּינוּ וּמִבֵּית קָדְשֵׁנוּ וְתִפְאַרְתֵּנוּ כַּמָּה יָמִים וְכַמָּה שָׁנִים כַּמָּה קִיצִּים וְכַמָּה עִיבּוּרִים, עַל אַחַת כַּמָּה וְכַמָּה:

ו דָּבָר אַחֵר, (טו, כה) "וְאִשָּׁה כִּי יָזוּב זוֹב דָּמָהּ", מִי קִיֵּים מִצְוַת זִיבָה, יְכָנְיָהוּ בֶּן יְהוֹיָקִים, אָמְרוּ: [יא]כֵּיוָן שֶׁעָלָה נְבוּכַדְנֶצַּר לְהַחֲרִיב אֶת יְרוּשָׁלַיִם עָלָה וְיָשַׁב לוֹ בְּדַפְנֵי שֶׁל אַנְטוֹכְיָא, יָרְדָה סַנְהֶדְרֵי גְּדוֹלָה לִקְרָאתוֹ, אָמְרוּ לוֹ: הִגִּיעַ זְמַנּוֹ שֶׁל בַּיִת זֶה לֵיחָרֵב, אָמַר לָהֶם: לָאו, אֶלָּא יְהוֹיָקִים מָרַד בִּי, תְּנוּהוּ לִי וְאֵלֵךְ, בָּאוּ אֶצְלוֹ וְאָמְרוּ לוֹ *לִיהוֹיָקִים: נְבוּכַדְנֶצַּר בָּעֵי לָךְ, אָמַר לָהֶן: כָּךְ עוֹשִׂין, דּוֹחִין נֶפֶשׁ מִפְּנֵי נֶפֶשׁ, דּוֹחִין נַפְשִׁי וּמְקַיְּימִין נַפְשֵׁיכוֹן, כְּתִיב (דברים כג, טז) "לֹא תַסְגִּיר עֶבֶד אֶל אֲדֹנָיו", אָמְרוּ לוֹ: לֹא כָּךְ °עָשְׂתָה זְקֶנְתְּךָ° לְשֶׁבַע בֶּן בִּכְרִי, כֵּיוָן שֶׁלֹּא שָׁמַע לָהֶם עָמְדוּ וּנְטָלוּהוּ וְשִׁלְשְׁלוּהוּ לוֹ, וְכֵיצַד שִׁלְשְׁלוּהוּ, רַבִּי אֱלִיעֶזֶר וְרַבִּי שִׁמְעוֹן, רַבִּי *אֱלִיעֶזֶר בַּר רַבִּי נָתָן אוֹמֵר: חַי שִׁלְשְׁלוּ אוֹתוֹ, כְּמָא דְּאַתְּ אָמַר (יחזקאל יט, ט) "וַיִּתְּנֻהוּ בַסּוּגַר בַּחַחִים", "בַּחַיִּים" כְּתִיב, רַבִּי שִׁמְעוֹן אוֹמֵר: מֵת שִׁלְשְׁלוּ אוֹתוֹ לוֹ, כְּמָא דְּאַתְּ אָמַר (שם) "לְמַעַן לֹא יִשָּׁמַע קוֹלוֹ עוֹד", אָמַר רַבִּי יְהוֹשֻׁעַ בֶּן לֵוִי: אֲנִי מְקַיֵּים דִּבְרֵי שְׁנֵיהֶם, חַי שִׁלְשְׁלוּ אוֹתוֹ, אֶלָּא שֶׁהָיָה מְפוּנָּק וּמֵת בְּיָדָם, מֶה עָשָׂה לוֹ נְבוּכַדְנֶצַּר,

עץ יוסף

על ידי שפירשה מבעלה קורא אותה נדה. שהוא לשון נדוי וריחוק שתרגום נדה רחיקה: ומה אם האשה בו׳. משום דקשה ליה לרבי אלעזר בנו של רבי יוסי הגלילי גם כן מה שקשה ליה לר׳ שמלאי היכי מקיש לה לנדה. ומתרץ לה רבי אלעזר דלא מקיש רק ימי הזוב ממש לא לכל האחד עשר ימים. ולמאי דקשה לן אם כן מאי קא משמע לן הא כבר כתב לה, להכי קאמר דקרא אשמועינן לשום לב לפרישתינו מבית המקדש כל כך שנים כי רע הדבר ובעי למבעי רחמי, מכיון דדוה בשלשה ימי הזוב מיקריא נדה מפני שפירשה שלשה ימים אנו שפירשנו מבית חיינו כו׳: (ו) יכניה בן יהויקים, וכדמפרש לקמן: להחריב את ירושלים. אף על פי שלא החריבה בפעם ההוא ולא בקש רק נפש יהויקים, היינו על ידי שהסנהדרין שחרו פניו והודו לבקשתו נתפייס אז, אבל לעיל בבראשית רבה (פרשה לד סוף סימן ט) גרסינן שעלה לכבוש את יהויקים: בדפני של אנטוביא. משפס הרבלה (במדבר לד, יא) תרגם יונתן דפני אנטוכי. והמוסף הערוך (ערך דפני) כתב שם מגרש עיר אנטוכיא, וגם מקומות אחרים נקראים על שם אילנות דפני הנטועות שם: הגיע זמנו בו׳. דרך שאלה וקובלנא ברוח נשברה אמרו לו אם דעתו להחריב את בית המקדש, ולפי שכבר ידעו מהנביאים שהיה עתיד ליחרב ולכן אמרו לנבוכדנצר האם הגיע זמנו כלומר אם ה׳ שם בלבו להחריבה: דוחין נפש מפני נפש. שאתם מוסרין נפשי להציל נפשיכם: לא תסגיר עבד. שאף על פי שלא יהרגני נבוכדנצר רק שיחבשני בבבל מכל מקום אין לכם למסרני משום לא תסגיר, דלא גרע אני מעבד של נכרי שברח שאין מוסרים אותו להיות עוד עבד, וכן אני שמרדתי במלך בבל אין להסגירני שיכבש אותי לעבודתו ולהוציאני חוץ לארץ: זקנתך. צריך לומר עשו אבותיך, או צריך לומר עשה זקנך, והוא דוד שביקש שיתנו(הו) לו שבע בן בכרי, וכן עשו מפני שהדין כך למסור מי שייחדוהו בשם. ואף על גב דההוא בדין הוה שמרד במלכות, הא גם יהויקים מרד בנבוכדנצר, ועיין מה שכתבתי בבראשית רבה פרשה לד (סימן ט): שלשלוהו. פירוש מטל גב החומה כמו שנאמר בירמיה (כב, יט) סחוב והשלך להלאה משערי ירושלים (רד"ל): ויתנוהו בסוגר בחחים. דיהויקים מיירי כמו שאמרו המפרשים, ולא כפירוש ר׳ יצחק אברבנאל: בחיים כתיב. אין תימה מה שאין כן בספרים שלנו, שכמה פעמים התלמוד חולק על המסורת שלנו כמו שכתבו התוספות בפרק במה בהמה (נה, ב ד"ה מעבירים) גבי מעבירים כתיב. והרד"ל כתב וזה לשונו בחחיים כתיב, כן צריך לומר בשני יודי"ן, לכן דרש בחיים. ועיין מנחת שי שם עד כאן לשונו: למען לא ישמע קולו עוד. דמשמע דתיכף כשנתן בסוגר לא היה קולו עוד נשמע. ורבי שמעון לא חייש למאי דכתיב בחיים כיון דקרינן בחחים. ור׳ אליעזר מתרץ למען לא ישמע קולו דהיינו פחדו ומוראו שהיה מתחלה בארץ כמו שנאמר (יחזקאל יט, ז) וַתֵּשַׁם ארץ ומלואה מקול שאגתו: ומת בידם. מצרתו. וקשה להני דסבירא ליה דמת שלשלוהו, סוגר וחחים ומצודות למה. ועוד דבדברי הימים (ב׳ לג, יא) כתיב ויאסרוהו בַּנְחֻשְׁתַּיִם להוליכו בבלה. ויש לומר דבעודו חי אסרוהו סנהדרין על פיו של נבוכדנצר, ופירוש ויאסרוהו, בצווי, ואז היתה כוונתו להוליכו בבלה ולא עלתה לו שמת קודם שבא לידו. ולרבי שמעון מת בידם של סנהדרין, ומכל מקום שלשלוהו אותו בהיותו אסור בהם להראות לנבוכדנצר שעשו צווי שבחייו אסרוהו. ולרבי יהושע בן לוי בשעת מסירתו היה חי ומיד היה מת: מה עשה לו נבוכדנצר. אליביה דרבי אליעזר דאמר חי שלשלוהו קאמר, ואין זה לשון שאלה דאפשר שהרגו מיד, אלא קמפרש דלרבי יהודה ורבי נחמיה לא הרגו מיד אלא תחלה החזירו בכל ערי ישראל, והכי גמירי לה. או דסבירא ליה שפירוש סחוב והשלך היינו בהיותו חי שהיו מחזירים אותו ממקום למקום:

פירוש מהרז"ו

(ו) אמרו כיון שעלה. בראשית רבה (לד, ט): בדפני של אנטוביא. כתב הערוך דפני היא רבלה, ובמוסף הערוך כתב שהוא שם מגרש של עיר אנטוכי, וגם מקומות אחרים נקראים כן על שם אילנות דפני הנטועות שם: באו אצלו. הסנהדרין באו אל יהויקים: זקנתך לשבע בן בכרי. אולי צריך לומר זקנך, היינו דוד, כי מה שעשה יואב נקרא על שם דוד, גם יתכן שמה שאמר זקנתך, היינו האשה חכמה שקראה את יואב מן העיר, שעשתה כן למען דוד: ויתנוהו בסוגר בחחים. בריש הענין כתוב (יט, א) שא קינה אל נשיאי ישראל, עד ויביאוהו בחחים אל ארץ מצרים, זהו יהואחז כמפורש במלכים (ב, כג, לד), ואחר כך כתוב (יחזקאל יט, ה) ותקח אחד מגוריה וגו׳ עד ויתנוהו בסוגר בחחים ויביאוהו אל מלך בבל, וכמו שכתוב בסוף דברי הימים (ב, לו, ו) עליו עלה נבוכדנצר מלך בבל ויאסרהו בנחשתים להוליכו בבלה, ובהכרח לפרש שלמעט עלה נבוכדנצר לדפני של אנטוכי והביאו את יהויקים אליו, ואסרו בנחשתים להוליכו לבבל, אך לא הוליכו, שמת בידם, וזהו למען לא ישמע קולו עוד אל הרי ישראל, שהחזירו אותו מת אל ארץ ישראל, וכמו שכתוב (מלכים ב, כה, ו) על צדקיה, שהוליכו (אותם) [אותו] אל מלך בבל רבלתה, וכן אחר כך (שם פסוק כ) על שרי צדקיהו גם כן אל מלך בבל רבלתה, היה אצל יהויקים: בחיים כתיב. הנה אין כאן קרי וכתיב, אלא שדורש בחחים, שאין פירוש התיבה ידוע, שמה שנאמר (ישעיה לז, כט) אצל סנחריב, ושמתי חחי באפיך ומתגי בשפתיך, הוא דרך משל, על כן דורש אל תקרי בחחים אלא בחיים, וכן אצל יהואחז כתוב בפרשה הנ"ל בחחים, והיה בחיים כמו שכתוב (מלכים ב, כג, לד) ויביאהו אל ארץ מצרים וימת שם:

מתנות כהונה

[ו] יכניה. בן יהויקים וכדמפרש לקמן: להחריב את ירושלים. כלומר לכבוש את יהויקים, ואלו לא נתנוהו היה מחריב ירושלים, ובפרשת ויגש פרשה צ"ד (סי׳ ט) גרס לכבוש את יהויקים כו׳: בדפני. פירוש הערוך (ערך דפני) רבלה, הרבלה (במדבר לד, יא) תרגם יונתן דפני: הכי גרסינן ביצד שלשלוהו בו׳. רבי יהודה ורבי נחמיה לא סבירא להו שמת תחת ידיהם:

אשד הנחלים

[ו] מי קיים בו׳ יכניה. כמו שמספר בסוף, כשושנה אדומה ופירש, וכלומר אף שהיה ימים רבים עצור בלא אשה, עם כל זה תיכף פירש:

חידושי הרד"ל

[ו] בדפנא של אנטוביא. עיין מתנות כהונה שהוא רבלה. והוא שישב שם נבוכדנצר כשהחריב נבוזראדן את בית המקדש: לא כך עשה זקנך לשבע בן בכרי. כן צריך לומר והוא דוד. ועיין בראשית רבה (לד, ט): שלשלוהו. פירוש מטל גבי החומה שלשלוהו. כמו שכתוב בירמיה (כב, יט) סחוב והשלך להלאה משערי ירושלים: בחחים בחיים כתיב. כן צריך לומר. פירוש בשני יודי"ן, לכן דרש בחיים, ועיין מנחת שי שם: מת שלשלוהו. בסדר עולם רבה פרק כ"ה, רמי אהדדי קראי דמלכים (ב׳ כד, ו) דכתיב וישכב יהויקים עם אבותיו, אקרא דדברי הימים (ב׳ לו, ו) דכתיב ויאסרוהו (נבוכדנצר) בנחשתים להוליך בבלה, ומשני מלמד כיון דאסרו מיד מת באיסורו, והוציאו וגררו לקיים מה שנאמר סחוב והשלך, (והביאו ערוך ערך (קל"ז) אח ב׳, ופרש"י במלכים, ודברי הימים שם, ורבינו אברהם בן עזרא ריש דניאל [א, א]). והוא כעין דברי רבי יהושע בן לוי דהכא:

חידושי הרש"ש

[ו] וביצד שלשלוהו רבי אליעזר ורבי שמעון ורבי אליעזר ב"ר נתן אמרי חי וכו׳. נראה דצריך לומר רבי אליעזר ב"ר נתן ורבי שמעון (דלא לומר פליגי בזה), רבי אליעזר בר נתן אומר חי כו׳ ועיין גירסת הילקוט סוף מלכים:

אמרי יושר

[ו] לא בן עשתה זקנתך. כי דין הוא [שימסרוהו] כיון שייחד ליהויקים:

מסורת המדרש

יא. ירושלמי שקלים פ"ו הלכה ד׳:

אם למקרא

לֹא תַסְגִּיר עֶבֶד אֶל אֲדֹנָיו אֲשֶׁר יִנָּצֵל אֵלֶיךָ מֵעִם אֲדֹנָיו: (דברים כג:טז)

וַיִּתְּנֻהוּ בַסּוּגַר בַּחַחִים וַיְבִאֻהוּ אֶל מֶלֶךְ בָּבֶל יְבִאֻהוּ בַּמְּצֹדוֹת לְמַעַן לֹא יִשָּׁמַע קוֹלוֹ עוֹד אֶל הָרֵי יִשְׂרָאֵל: (יחזקאל יט:ט)

באור מהרי"פ

[ו] להחריב את ירושלים. צריך עיון שהרי לא החריב בפעם ההוא את ירושלים, ולא בקש מסנהדרין רק את יהויקים, והנה לעיל ספר ראשון (בראשית רבה לד, ט) גרסינן שבא לכבוש את יהויקים וכן הוא הנכון: מתנות כהונה ד"ה בדפני. פירש הערוך. ז"ל הערוך ערך דפני, רבלה תרגום דפני, וירדו הגבול משפס הרבלה (במדבר לד, יא), ותרגום ירושלמי ויחות תחומא לאפמיים לדפני: זקנתך. צריך עיון הלא סרח בת אשר היתה הסרסור לכרות ראש שבע בן בכרי, כמבואר (בבראשית רבה לד, ט) ומנא ליה שהיא היתה זקנתה של יהויקים, ושם גרסינן לא כך עשה זקנך, אתי שפיר דקאי על דוד, וכן הגירסא ברד"ק:

ידי משה

[ו] מי קיים מצות זיבה יכניהו. כדמסיים שאחר שהיה בבית האסורים נתנו לו אשה וראתה דם כשושנה ופירש ממנה. וקל להבין:

שינוי נוסחאות

(ו) לא בך עשתה זקנתך. הביא א"א גרסת רד"ק: "לא כך עשו אבותיך", ונ"ל שהגהה נכונה היא דהא אמרינן דהאשה שהרגה שבע היא סרח בת אשר, ומניין שהיתה זקנת יהויקים, וברד"ל הגיה "זקנך" ר"ל דוד, וגם זה אתי שפיר: רבי אליעזר בר רבי נתן אומר. בא"א מחק "בר נתן", וכן בכי"ל ליתיה, וכן מסתבר דהא שמו כתוב לעיל "רבי אליעזר" סתם:

רַבִּי יְהוּדָה וְרַבִּי נְחֶמְיָה — **R' Yehudah and R' Nechemyah** disagreed as to his fate. רַבִּי יְהוּדָה אוֹמֵר: נְטָלוֹ וְהֶחֱזִירוֹ בְּכָל עָרֵי יְהוּדָה — **R' Yehudah said: He took him and brought him around all the cities of Judah,** וְיָשַׁב עָלָיו בְּפָרְדִימוֹס וַהֲרָגוֹ — **and** then **he sat in judgment over him**[161] **and executed him.** וְקָרַע אֶת הַחֲמוֹר וְהִכְנִיסוּהוּ לְתוֹכוֹ — **He** then **ripped a donkey** open, **and they put [Jehoiakim's corpse] inside [the donkey's carcass].**[162] הֲדָא הוּא דִכְתִיב ״קְבוּרַת חֲמוֹר יִקָּבֵר״ — **Thus it is written,** concerning the disposition of Jehoiakim's corpse, ***with the burial of a donkey will he be buried*** (*Jeremiah* 22:19).[163] רַבִּי נְחֶמְיָה אוֹמֵר: נְטָלוֹ וְהֶחֱזִירוֹ בְּכָל עָרֵי יִשְׂרָאֵל — **R' Nechemyah said: He took him and brought him around all the cities of Israel** וַהֲרָגוֹ — **and** then **executed him.** וְהָיָה מְחַתֵּךְ מִמֶּנּוּ כְּזֵיתִים וּמַשְׁלִיךְ לַכְּלָבִים — **He** then **cut olive-size pieces from him, and threw** them **to the dogs.** הֲדָא הוּא דִכְתִיב ״קְבוּרַת חֲמוֹר יִקָּבֵר״ — **Thus it is written, *with the burial of a donkey will he be buried*** (ibid.). הֵיכָן הִיא קְבוּרַת חֲמוֹר — **Where is the burial** place **of a donkey?** לֹא בִּמְעֵי הַכֶּלֶב — **Is it not in the innards of a dog?**

The Midrash discusses why Jehoiakim deserved the fate that befell him:

הוּא שֶׁהַנָּבִיא מְקַנְתֵּר עָלָיו וְאוֹמֵר — This all occurred because **[Jehoiakim] is the one whom the prophet excoriates, saying,** ״וְיֶתֶר דִּבְרֵי יְהוֹיָקִים וְתֹעֲבֹתָיו אֲשֶׁר עָשָׂה״ — ***The rest of the deeds of Jehoiakim and the abominations that he committed** and [the charges] that were discovered against him* [וְהַנִּמְצָא עָלָיו] — *behold, they are written in the Book of Chronicles of the kings of Israel and Judah* (*II Chronicles* 36:8). רַבִּי יוֹחָנָן אָמַר: ג׳ אֲמוֹרָאִין — **R' Yochanan said: Three Amoraim** differed in their understanding of the expression *that were discovered against him*.[164] חַד אָמַר שֶׁהָיָה לָבוּשׁ כִּלְאַיִם — **One** Amora **said:** The verse means **that he was clad** in garments of ***shaatnez;*** וְחַד אָמַר שֶׁמָּשַׁךְ לוֹ עָרְלָה — another **one said** it means **that he extended his foreskin** to make himself appear uncircumcised; וְחַד אָמַר שֶׁנִּמְצֵאת כְּתוֹבֶת קַעֲקַע חֲקוּקָה עַל בְּשָׂרוֹ — **and** the third **one said that a tattoo was found engraved on his flesh.**[165] רַבִּי יוֹחָנָן אָמַר — **R' Yochanan** himself **said:** עַל יְדֵי שֶׁבָּא עַל אִמּוֹ וְעַל כַּלָּתוֹ וְעַל אֵשֶׁת אָבִיו — Jehoiakim suffered the punishment discussed earlier **because he had relations with his mother, his daughter-in-law, and his stepmother.**[166] אָמַר רַבִּי יוֹחָנָן — **R' Yochanan said** further: כְּלָלוֹ שֶׁל דָּבָר — **The principle of the matter is** בַּפֶּתַח שֶׁיָּצָא בּוֹ נִכְנַס — that **he entered the** bodily **orifice through which he had emerged.**[167] רַבִּי יְהוֹשֻׁעַ בֶּן לֵוִי אָמַר — **R' Yehoshua ben Levi said:** עַל שֶׁהוֹשִׁיב בִּירָנִיּוֹת בִּירוּשָׁלַיִם — He was punished **because he settled *biraniyos* in Jerusalem.** מַהוּ בִּירָנִיּוֹת — **What is** the meaning of ***biraniyos*?** בְּיִירָן צְיִירָן — Women who were left **vacant and bound up** in their widowhood,[168] שֶׁהָיָה הוֹרֵג אֶת בַּעֲלֵיהֶם וּמְעַנֶּה אֶת נְשֵׁיהֶם — **for he would slay their husbands, violate [the victims'] wives,** וּמַכְנִיס מָמוֹנָם לְטַמְיוֹן — **and place their** confiscated **money in the royal treasury.**[169] הֲדָא הוּא דִכְתִיב ״וַיֵּדַע אַלְמְנוֹתָיו״ — **Thus it is written** regarding Jehoiakim, ***He ravaged their widows*** (*Ezekiel* 19:7).[170]

The Midrash resumes its narrative of Nebuchadnezzar's actions against Jehoiakim:

כֵּיוָן שֶׁהֲרָגוֹ נְבוּכַדְנֶצַּר הִמְלִיךְ אֶת יְכָנְיָה בְּנוֹ תַּחְתָּיו — **After Nebuchadnezzar executed [Jehoiakim], he appointed [Jehoiakim's] son Jeconiah**[171] **to reign in [Jehoiakim's] stead,** וְיָרַד לוֹ לְבָבֶל — **and** then **went** back **down to Babylonia.**

NOTES

161. Our translation follows *Matnos Kehunah* (see also *Eitz Yosef*). See *Mussaf HeAruch* cited in *Radal* and *Maharzu* for an alternative explanation.

162. This was done deliberately to disgrace Jehoiakim's corpse (*Eitz Yosef*).

163. According to this explanation, the verse means that Jehoiakim's place of burial would be the inside of a donkey (ibid.).

164. The expression וְהַנִּמְצָא עָלָיו, which we have rendered *and that which was discovered against him*, can also mean *that which was discovered upon him,* implying that a sin that he committed was found literally upon his body (*Radal*, *Eitz Yosef*). Alternatively, it implies that the sin "was discovered" only upon his death, and had not been known previously (*Rashash*). The Amoraim disagree as to the identity of that sin.

165. None of these sins were discovered during his lifetime (see previous note); the garment because the *shaatnez* threads were few and were not discernable upon sight, or because it was an undergarment worn under his street clothes, and the other two, because it is improper for people to look at a king when he is undressed (see Mishnah, *Sanhedrin* 22a) (*Rashash*).

166. R' Yochanan is not offering a fourth explanation for *that which was discovered upon him*, but rather is interpreting the phrase, *and all the abominations that he committed* (*II Chronicles* ibid.), as referring to forbidden unions, which are labeled by the Torah as *abominations* (see *Leviticus* 18:26 et al.). Regarding *that which was discovered upon him*, however, R' Yochanan actually does maintain a fourth opinion, for the Talmud (*Sanhedrin* 103b) cites a disagreement between R' Yochanan and R' Elazar regarding that expression, with one maintaining that Jehoiakim tattooed the name of a pagan deity upon his male organ, and one maintaining that he tattooed the Name of God there (as an obscene gesture of ridicule and contempt — *Rashi* ad loc.) (*Eitz Yosef*).

167. I.e., he had relations with his mother, meaning that this sin was the main cause for his punishment discussed earlier, for, as the Talmud (*Sanhedrin* ibid.) states, there is no natural inclination for this sin, and therefore his purpose could only have been to anger God (*Eitz Yosef*; see also *Radal*).

168. *Matnos Kehunah*, *Maharzu,* and *Eitz Yosef*, first explanation, from *Mussaf HeAruch*. See *Eitz Yosef,* from *Maarich,* for an alternative explanation.

169. R' Yehoshua ben Levi's intention is to explain *and all the abominations that he committed* as a reference to bloodshed, which Scripture also classifies as an abomination (see *Ezekiel* 22:2 with *Radak* ad loc.) (*Eitz Yosef*).

170. By murdering their husbands and taking their money for himself. Alternatively, וַיֵּדַע is translated as *he knew* (carnally), as in *Genesis* 4:1 et al. This verse is written with regard to the same one of whom it states further (v. 9) *he put him in a collar with hooks*, which the Midrash earlier interpreted as referring to Jehoiakim. However, this verse does not provide a source that Jehoiakim would kill the husbands and take their money. *Radal* explains that the proof is not strictly from the words וַיֵּדַע אַלְמְנוֹתָיו, but from the entire passage there (vv. 6-7) which states, *he devoured men* (indicating that he had men killed), *he ravaged their widows* (as explained above), *and their cities he laid waste* (by appropriating their possessions for his treasury) (*Eitz Yosef*; see *Rashash* who concurs with the second explanation of וַיֵּדַע).

171. Also known (see below) as Jehoiachin and as Coniah (see below, note 183).

רַבִּי יְהוּדָה וְרַבִּי נְחֶמְיָה, רַבִּי יְהוּדָה אוֹמֵר: נְטָלוּ וְהֶחֱזִירוּ בְּכָל עָרֵי יְהוּדָה וְיָשַׁב עָלָיו בְּפַרְדִּימוֹס וְהָרְגוּ, וְקָרַע אֶת הַחֲמוֹר וְהִכְנִיסוּהוּ לְתוֹכוֹ, הָדָא הוּא דִכְתִיב (ירמיה כב, יט) "קְבוּרַת חֲמוֹר יִקָּבֵר", רַבִּי נְחֶמְיָה אוֹמֵר: נְטָלוּ וְהֶחֱזִירוּ בְּכָל עָרֵי יִשְׂרָאֵל וַהֲרָגוּ, וְהָיָה מְחַתֵּךְ מִמֶּנּוּ כְּזֵיתִים וּמַשְׁלִיךְ לַכְּלָבִים, הָדָא הוּא דִכְתִיב "קְבוּרַת חֲמוֹר יִקָּבֵר", הֵיכָן הִיא קְבוּרַת חֲמוֹר, לֹא בִּמְעֵי הַכֶּלֶב, הוּא שֶׁהַנָּבִיא מְקַנְתֵּר עָלָיו וְאוֹמֵר (מלכים-ב כד, ה) "וְיֶתֶר דִּבְרֵי יְהוֹיָקִים °וְכָל אֲשֶׁר עָשָׂה", רַבִּי יוֹחָנָן אָמַר: ג' אֲמוֹרָאִין, חַד אָמַר שֶׁהָיָה לָבוּשׁ כִּלְאַיִם, וְחַד אָמַר [יב] שֶׁמָּשַׁךְ לוֹ עָרְלָה, וְחַד אָמַר שֶׁנִּמְצֵאת כְּתוֹבֶת קַעֲקַע חֲקוּקָה עַל בְּשָׂרוֹ, רַבִּי יוֹחָנָן אָמַר: עַל יְדֵי שֶׁבָּא עַל אִמּוֹ וְעַל כַּלָּתוֹ וְעַל אֵשֶׁת אָבִיו, °דְּאָמַר רַבִּי יוֹחָנָן: כְּלָלוֹ שֶׁל דָּבָר, בַּפֶּתַח שֶׁיָּצָא בּוֹ נִכְנָס, רַבִּי יְהוֹשֻׁעַ בֶּן לֵוִי: אָמַר עַל שֶׁהוֹשִׁיב בִּירָנִיּוֹת בִּירוּשָׁלַיִם, מַהוּ בִּירָנִיּוֹת, בָּיְירָן צַיְירָן, שֶׁהָיָה הוֹרֵג אֶת בַּעֲלֵיהֶם וּמְעַנֶּה אֶת נְשֵׁיהֶם, וּמַכְנִיס מָמוֹנָם לַטַּמְיוֹן, הָדָא הוּא דִכְתִיב (יחזקאל יט, ז) "וַיֵּדַע אַלְמְנוֹתָיו", כֵּיוָן שֶׁהֲרָגוֹ נְבוּכַדְנֶצַּר הִמְלִיךְ אֶת יְכָנְיָה בְּנוֹ תַּחְתָּיו וְיָרַד לוֹ לְבָבֶל,

חידושי הרד"ל

בפרדימוס. פירש מוסף הערוך (ערך פרודומוס) חצר שלפני הבית: **שהיה לבוש כלאים.** נראה דדרש מדכתיב (בשלהי דברי הימים ב' לו, ח) והנמצא עליו, דהיינו שהיה לבוש עליו כלאים, כמה דאת אמר (ויקרא יט, יט) ובגד כלאים שעטנז לא יעלה עליך. [ודרך רמז יש לומר מה שכתוב ריש לפניה (א, ח) ופקדתי וגו' ועל בני המלך ועל כל הלובשים מלבוש וגו'. דהיינו לבוש כלאים. ובני המלך היינו בני יאשיהו המלך, שנתנבא לפניה בימיו. וזהו יהויקים בנו של יאשיהו, שהיה לובש מלבוש כלאים, והיינו להכעיס כדאיתא (בהוריות יא, ב):] **שנמצאת כתובת קעקע חקוקה על בשרו.** גם זה נדרש מן והנמצא עליו, שנמצא על גופו חקוק. (ובסנהדרין קג, ב) דרש מזה שחקק עבודת כוכבים על בשרו: **כללו של דבר בפתח שיצא בו נכנס.** רצה לומר שזה להכעיס, כמו שכתוב (בסנהדרין שם) באמנון שאמרה לו אמו כלום יש לך הנאה כו', ואמר לה איני מכוין אלא להכעיס: **הדא הוא דכתיב וידע אלמנותיו.** לעיל מיניה (יחזקאל יט, ו) כתיב אדם אכל, ובתריה (שם ז) כתוב ועריהם החריב ותשם ארץ וגו'. ודרש אדם אכל שהרג בעליהם, וידע אלמנותיו שהיה מענה נשיהם, ותשם ארץ שהיה מכניס ממונן לטמיון:

חידושי הרש"ש

הוא שהנביא מקנטר כו' ויתר דברי יהויקים ותועבותיו אשר עשה וגו'. כן צריך לומר (דברי הימים ב' לו, ח). ונראה לי דהני אמוראין פליגי בפירוש והנמצא עליו, הכתוב שם, דמשמע דלא היה נודע ונגלה מקודם, לכן חד אמר שהיה לבוש כלאים, ואם הוא חוט אחד מלמר מעורב בבגד של פשתן, או איפכא אינו ניכר, והוא כלאים מדאורייתא, כדמשמע מדברי הרא"ש בהלכות כלאי בגדים סימן י'. או שהיה לבוש בו מתחת למדיו, ומכל שכן למאן דאמר שמשך לו ערלה, או שנמצאת כתובת קעקע על בשרו, דתנן (סנהדרין [illegible]) אין רואין אותו כו' ולא כשהוא ערום, ועיין בחלק (סנהדרין קג, ב) מבואר כמו שכתבתי כאן: **הדא הוא דכתיב וידע אלמנותיו כיון כו'.** דריש כמו וידע אדם עוד את אשתו:

עץ יוסף

בפרדימוס. פירוש דין קשה ויותר מדאי, ולשון יוני הוא (מעריך ערך פרדימס). או הוא שם כלי זיין שהרגו בו נבוכדנצר בידו (יפה תואר). ובילקוט ירמיהו (מלכים ב' כד רמז רמט) גרס החזירו בכל ערי ישראל בפרדימוס, ומצאתי פירושו חמור של עץ (מתנות כהונה). ומוסף ערוך (ערך פרודומוס) פירש חצר שלפני הבית: **והכניסו לתוכו** לבזותו. ופירוש קבורת חמור שהחמור יהיה לו לקבורה: **הוא שהנביא כו'.** כלומר כל הרעה הזאת היתה ראויה לו כי הוא מי שנאמר בו ויתר דברי יהויקים וכל אשר עשה דהיינו התועבות דמפרש ואזל: **ויתר דברי יהויקים ותועבותיו והנמצא עליו.** כן צריך לומר והוא המקרא שבדברי הימים (ב' לו, ח), והכי גרסינן גם כן בילקוט: **שלשה אמוראים.** מחולקים בפירוש והנמצא עליו, חד אמר שהיה לבוש כלאים, וזהו והנמצא עליו משום דלבוש עליו [ודרך רמז יש לומר מה שנאמר ריש לפניה (א, ח) ופקדתי וגו' ועל בני המלך ועל כל הלובשים מלבוש וגו', דהיינו לבוש כלאים], וחד אמר שהנמצא עליו היינו שמשך לו ערלה, וחד אמר דהיינו שנמצא כתובת קעקע על בשרו דהיא עבירה שעל בשרו, והא לא גילה רבי יוחנן סברתו, שבוודאי דעתו כמו שאמר בפרק חלק (סנהדרין קג, ב) שחקק דמות עבודה זרה על אמתו או שחקק שם שמים על אמתו: **רבי יוחנן אמר על ידי שבא כו' רבי יהושע בן לוי אמר כו'.** רצה לומר רבי יוחנן ורבי יהושע בן לוי מפרשים מאי תועבותיו, וקאמרו עריות ושפיכות דמים דאיקרו תועבות. ומה שהזכיר תחלה פירוש והנמצא עליו והדר פירש תועבותיו שלא כסדר הכתוב, מפני שרצה רבי יוחנן להזכיר תחלה דברי האמוראין שקדמוהו בפירוש חטאת יהויקים: **אמר רבי יוחנן כללו.** כן צריך לומר וכן הוא בילקוט, ומלתא אחריתי הוא דקאמר שעיקר תועבותיו שבעבור זה נענש כשם שנזכר לעיל הוא מפני שנכנס בפתח שיצא בה דהיינו שבא על אמו, כי אין בזה שום הנאת יצרו ולא עשה אלא להכעיס וכדאמרו בפרק חלק (שם) על אמון, וכן בכל הדברים הנזכרים לעיל לא עשה אלא להכעיס כמו לבישת כלאים וכתובת קעקע: **שהושיב בירניות כו'.** גירסת הערוך באות בי"ת (ערך ברן) על ידי שהושיב יהויקים נשים בירניות בירושלים, מהו בירניות ברין צריין שהיה הורג בעליהן כו'. וכתב המוסיף הערוך בירן פירוש כמו שדה בור שאינו נזרע, צריין פירוש צרורות ומעוגנות עד כאן לשונו. וכן פירש המתנות כהונה. והמעריך מפרש בירניות גבורים ורוצחים שהורגין אף בעליהן, ולפי זה אין צריכין להגיה במדרש, וזהו שמפרש המדרש מהו ברניות ביירן פירוש אנשים רקים כמו שדה בור, ציירן שמצירים אנשים בכעסן, וגירסת הילקוט מלכים (שם) ליידין יותר נכונה, שפירושו שלדין אנשים והורגים אותם: **לטמיון.** לאוצר המלך: **וידע אלמנותיו.** גבי ויתנהו בסוגר כתיב וביהויקים איירי, ופירוש וידע לשון שבירה ואלמנותיו פירוש אלמנות ממש, ורצה לומר שהיה מצער כנזכר והוא מגזרת (שופטים ח, טז) ויודע בהם את אנשי סכות, או שהוא מגזרת (בראשית ד, א) והאדם ידע והוא מה שהיה מענה אותם. והרד"ל כתב וזה לשונו הדא הוא דכתיב וידע אלמנותיו, לעיל מיניה כתיב אדם אכל ובתריה כתיב ועריהם החריב ותשם ארץ וגו', ודרש אדם אכל שהרג בעליהם, וידע אלמנותיו שהיה מענה נשיהם, ותשם ארץ שהיה מכניס ממונן לטמיון עד כאן לשונו:

פירוש מהרז"ו

והחזירו בכל ערי יהודה. נרמז במה שנאמר (יחזקאל יט, ט) לא ישמע קולו אל הרי ישראל, ואם לא הביאוהו שם איך ישמע קולו, אלא שהביאו אותו שם מת, על כן לא נשמע שם קולו: **בפרדימוס.** פירש במוסף הערוך חצר לפני הבית, היינו מה שנאמר (שם) ויביאוהו במצודות חצר מוקף מחיצות: **קבורת חמור יקבר.** וריסיה דקרא כה אמר ה' אל יהויקים בן יאשיהו מלך יהודה, ותחלה כתיב (ירמיה כב, יט) קבורת חמור יקבר וקבורה בארץ, ואחר כך אמר סחוב והשלך להלאה משערי ירושלים, והכריע שקברוהו בחמור, והשליכו החמור מחוץ לשערי ירושלים. ועיין בסדר עולם (פרק כה) כל ענין זה. ורבי נחמיה סובר שמה שנאמר קבורת חמור יקבר, שהיו כמה מיני קבורות, כי חתכו ממנו חתיכות, והאכיל לכלבים, והיה לו הרבה קבורות, ובדברי רבי יהודה נזכר והחזירו בערי יהודה, כי מלך יהודה היה, ומן הסתם החזירו אותו ליהודה, וכמו שכתוב סחוב והשלך הלאה לשערי ירושלים, ובדברי רבי נחמיה נזכר בערי ישראל, כי אז כבר גלו עשרת השבטים, ונשארו מעט מאיזה שבטים באיזה ערים, ומלכו עליהם מלכי יהודה, כנזכר אצל חזקיהו בדברי הימים ב', וחז"ל (מגלה יד, ב) דרשו שירמיה החזיר מעשרת השבטים, ויאשיהו מלך עליהם, וכן בניו: **שהושיב בירניות.** כמו שכתב בערוך ערך ברן ג', שהושיב יהויקים נשים בורניות וכו', כל המאמר כמו כאן, וכתב מוסף ערוך בירן פירושו כמו שדה בור שאינו נזרע, וצירן פירושו צרורות ועגונות, ודורש מה שכתוב ביחזקאל (שם יט) וילמד לטרף טרף אדם אכל וידע אלמנותיו ועריהם החריב וגו': **המליך את יכניה.** כמו שכתוב סוף מלכים (ב, כה, כז) ומה שאמר וישב בדפני של אנטוכיה אצל יכניה, נלמד ממה שנאמר אצל יכניה (מלכים ב, כד,) בעת ההיא עלו עבדי נבוכדנצר מלך בבל ירושלים ותבוא העיר במצור, שהוא בעצמו היה ירא לבוא לירושלים, פן יעשה לו השם יתברך כאשר עשה לסנחריב, כמו שאמרו פסיקתא (פרשה כו סימן ו) לכך כל פעם שבא היה יושב ברבלה, והיה שולח עבדיו, וגלות יכניה ושריו מפורש שם, ומה שכתוב ויבוא וגו' על העיר, היינו לרבלה כך הוא דעת חז"ל, ומשם היה מצוה על עבדיו איך יצורו על ירושלים, ושאר פרטי המעשה צריך עיון מנין לו. ועיין ירושלמי שקלים (פרק ו הלכה ד):

מסורת המדרש

יב. תנחומא סוף סדר לך. אגדת בראשית פ' מ"ח.

אם למקרא

קְבוּרַת חֲמוֹר יִקָּבֵר סָחוֹב וְהַשְׁלֵךְ מֵהָלְאָה לְשַׁעֲרֵי יְרוּשָׁלָ‍ִם: (ירמיה כב:יט)

וְיֶתֶר דִּבְרֵי יְהוֹיָקִים וְכָל אֲשֶׁר עָשָׂה הֲלֹא הֵם כְּתוּבִים עַל סֵפֶר דִּבְרֵי הַיָּמִים לְמַלְכֵי יְהוּדָה: (מלכים ב כד:ה)

וַיֵּדַע אַלְמְנוֹתָיו וְעָרֵיהֶם הֶחֱרִיב וַתֵּשַׁם אֶרֶץ וּמְלֹאָהּ מִקּוֹל שַׁאֲגָתוֹ: (יחזקאל יט:ז)

באור מהרי"פ

בפרדימוס. המעריך פירש דין קשה יותר מדאי, ולשון יווני הוא, ור' בנימין מוספיא פירש בלשון יווני חצר שלפני הבית: **שהנביא מקנתר עליו.** כלומר ראוי הוא לאותו עונש: **ואומר ויתר וגו'.** המליץ מראה מקום הפסוקים מלכים (מלכים ב' כד, ה) ויתר דברי יהויקים וכל אשר עשה הלא הם כתובים על ספר דברי הימים למלכי יהודה, אבל באמת לא זה הוא מקומו, אולם מקומו (דברי הימים ב' לו, ח) ויתר דברי יהויקים ותועבותיו אשר עשה והנמצא עליו הנם כתובים על ספר מלכי ישראל ויהודה וימלוך יהויכין בנו תחתיו, זהו מראה מקומו האמיתי:

שינוי נוסחאות

הוא שהנביא מקנתר עליו ואומר "ויתר דברי יהויקים וכל אשר עשה". רש"ש גרס כאן פסוק אחר מד"ה ב' לו, ח: "ויתר דברי יהויקים ותעבתיו אשר עשה", וכן הוא בכי"י, וכן מסתבר, דאם לא כן אין כאן שום קנתור: **דאמר רבי יוחנן: כללו של דבר.** עצ"י הגיה "אמר" במקום "דאמר", וכ"ה באמת בכי"י:

מתנות כהונה

בפרדימס. משמעותו ישב עליו בדין מלשון דימוס. בילקוט ירמיה (מלכים ב רמז רמט) גרסינן החזירו בכל ערי ישראל בפרדימס, ומצאתי פירושו חמור של עץ: **שלשה אמוראים.** פליגי מה תועבותיו אשר עשה: **כתובת קעקע.** בפרק חלק (סנהדרין קג, ב) איתא שחקק השם על אמתו: **דאמר רבי יוחנן** גרסינן: **בפתח שיצא בו'.** שבא על אמו: **ביירן ציירן שהיה הורג וכו': ביירון.** פירוש בור פנויות ורקות: **ציירן.** מקושרות ומעוגנות מלשון הלהן תעגנה (רות א, יג). ובילקוט מלכים (שם) גרס ליידין, לשון לדו ושממון: **לטמיון.** לאוצר המלך:

אשד הנחלים

לבוש כלאים. מקובל היו בידם שעל אלו העבירות עבר: **שבא על אמו.** שכל כך גברה עליו התאוה, אף לדבר שאין הטבע מתאוה לזה:

יָצְאוּ כָּל בְּנֵי בָבֶל לְקַלְּסוֹ — **All the people of Babylonia came out to** greet him and **sing his praises.** אָמְרוּ לוֹ: מֶה עָשִׂיתָ — **They said to him, "What did you do** in Judea?" אָמַר לָהֶם: יְהוֹיָקִים מָרַד בִּי וַהֲרַגְתִּיו — **He said to them, "Jehoiakim rebelled against me, so I executed him,** וְהִמְלַכְתִּי יְכָנְיָה בְּנוֹ תַּחְתָּיו — **and I appointed his son Jeconiah to reign in his place."** אָמְרוּ לוֹ — **They said to him,** מַתְלָא אָמַר — **"The proverb states,** גּוּר טוֹב מִכֶּלֶב בִּישׁ לָא תְּרַבֵּי — **'You cannot raise a good puppy** that came **from a bad** parent **dog.'**[172] גּוּר בִּישׁ מִכֶּלֶב בִּישׁ עַל אַחַת כַּמָּה וְכַמָּה — **How much more so** it is impossible to expect anything good from a ***bad*** **puppy** that came **from a bad** parent **dog!"**[173] מִיַּד שָׁמַע לָהֶם — **Thereupon he heeded their words,** וְעָלָה וְיָשַׁב בְּדַפְנֵי שֶׁל אַנְטוֹכְיָא — **and** again **went up and stayed at Daphne,** the suburb **of Antioch.** יָרְדָה סַנְהֶדְרֵי גְּדוֹלָה לִקְרָאתוֹ — **The** members of the **Great Sanhedrin** once again **went down to greet him** וְאָמְרוּ לוֹ — **and said to him,** הִגִּיעַ זְמַנּוֹ שֶׁל בַּיִת זֶה לֵיחָרֵב — **"Has the time** now **arrived for this Temple to be destroyed?"** אָמַר לָהֶם: לֹא, — **"No," he said to them.** אֶלָּא אוֹתוֹ שֶׁהִמְלַכְתִּי תְּנוּהוּ לִי וַאֲנִי הוֹלֵךְ לִי — **"Rather, hand over to me the one whom I appointed to reign** over you, **and I will go."**[174] אָזְלִין אָמְרִין לִיכָנְיָה: נְבוּכַדְנֶצַּר בָּעֵי לָךְ — **[The Sanhedrin] went** and **said to Jeconiah, "Nebuchadnezzar wants you** to be handed over." מֶה עָשָׂה — **What did [Jeconiah] do?** עָמַד וְכִנֵּס כָּל מַפְתְּחוֹת בֵּית הַמִּקְדָּשׁ וְעָלָה לְרֹאשׁ הַגַּג — **He arose and gathered together all the keys of the Holy Temple, went up to the rooftop,** וְאָמַר: רִבּוֹנוֹ שֶׁל עוֹלָם, הוֹאִיל וְלֹא זָכִינוּ לִהְיוֹת גִּזְבָּרִין לְפָנֶיךָ — **and said, "Master of the Universe! Since we were not found worthy to be caretakers** of the Temple **before You,** we are returning the keys to You. עַד עַכְשָׁיו הָיִינוּ בַּעֲלֵי בָתִּים נֶאֱמָנִים לְפָנֶיךָ — **Until now, we were trusted householders before You,** מִכָּאן וְאֵילָךְ הֲרֵי מַפְתְּחוֹתֶיךָ לְפָנֶיךָ — but **from now onward, Your keys are hereby before You!"**[175] תְּרֵין אֲמוֹרָאִין — **Two Amoraim** disagreed as to what happened subsequently: חַד אָמַר: כְּמִין יָד שֶׁל אֵשׁ יָרְדָה וּנְטָלָתַן מִמֶּנּוּ — **One said: A fiery semblance of a hand descended** from Heaven **and took [the keys] from [Jeconiah].**[176] וְחַד אָמַר: מִשָּׁעָה שֶׁזְּרָקָן עוֹד לֹא יָרְדוּ — **And** the other **one said: From the time [Jeconiah] threw [the keys], they never descended.**[177] מֶה הָיוּ בַּחוּרֵיהֶן שֶׁל יִשְׂרָאֵל עוֹשִׂין — **What did the youths of Israel do** at this time? הָיוּ עוֹלִין לְרֹאשׁ גַּגּוֹתֵיהֶן וְנוֹפְלִים מֵתִים — **They went up to their rooftops and fell to their deaths.**[178] הָדָא הוּא דִכְתִיב "מַשָּׂא גֵּיא חִזָּיוֹן מַה לָּךְ אֵפוֹא כִּי עָלִית כֻּלָּךְ לַגַּגּוֹת" — **Thus it is written,** ***A prophecy concerning the Valley of Vision;***[179] ***What has happened to you now, that you have all gone up to the roofs?*** (*Isaiah* 22:1).[180]

The Midrash relates the events following Jeconiah's surrender:

מֶה עָשָׂה נְבוּכַדְנֶצַּר — **What did Nebuchadnezzar do** to Jeconiah? נְטָלוֹ וַחֲבָשׁוֹ בְּבֵית הָאֲסוּרִים — **He took him** to Babylonia **and imprisoned him in jail.** וְכָל מִי שֶׁהָיָה נֶחְבָּשׁ בְּיָמָיו לֹא הָיָה יוֹצֵא מִשָּׁם לְעוֹלָם — **Now, anyone who was imprisoned in [Nebuchadnezzar's] days would never leave [prison],** עַל שׁוּם "אֲסִירָיו לֹא פָתַח בָּיְתָה" — **in fulfillment of** the verse, ***who never releases his captives to go home*** (*Isaiah* 14:17). גָּלָה יְהוֹיָכִין וְגָלְתָה סַנְהֶדְרֵי גְּדוֹלָה עִמּוֹ — **Jehoiachin was** thus **exiled, and the Great Sanhedrin was exiled with him.**[181]

The Midrash interrupts its narrative to present an abbreviated version of a passage in the Midrash earlier (10 §5) that is relevant to this narrative:

הָדָא הוּא דִכְתִיב "הַעֶצֶב נִבְזֶה נָפוּץ" — **Thus it is written,**[182] ***Is this man Coniah***[183] ***a despised, shattered statue*** [עֶצֶב]? (*Jeremiah* 22:28).[184] רַבִּי אַבָּא בַּר כָּהֲנָא אָמַר: כָּעֶצֶם הַזֶּה שֶׁל מוֹחַ שֶׁבְּשָׁעָה שֶׁאַתָּה מְנַפְּצוֹ אֵינוֹ יָפֶה לִמְאוּמָה — **R' Abba bar Kahana said** in explanation of this description of Jeconiah: Jeconiah's fate was to be **like a bone** [עֶצֶם][185] filled with **marrow, which, upon being emptied** [נָפוּץ] of its marrow, **serves absolutely no purpose.**[186] So too, nothing will remain of Jeconiah's descendants. כו', — **And so on . . .**[187]

NOTES

172. For as docile and well behaved as the puppy may seem, it will eventually develop some of the characteristics of its parent (*Yefeh To'ar*).

173. For Jeconiah acted villainously toward God and toward others as had his father, as it states (*II Kings* 24:9), *He did what was evil in the eyes of HASHEM, like everything that his father had done* (*Eitz Yosef*).

174. Scripture relates (ibid. vv. 8-16) that Jeconiah ruled for only three months, after which Nebuchadnezzar once more mounted a siege against Jerusalem, whereupon Jeconiah went out of the city to surrender to him, together with his family and officers. Nebuchadnezzar then took him to Babylonia, along with the treasuries of the Temple and the royal palace and the elite of Jerusalem, leaving only the inferior element of the land behind. Our Midrash relates the events leading to and surrounding this event.

175. Jeconiah, unaware that Nebuchadnezzar had no immediate plans to sack the Temple, undertook this drastic action in an attempt to arouse Heavenly compassion. Alternatively, Jeconiah spoke out of insolence, effectively saying to God, "Are we such poor stewards that You choose the destruction of the Temple over our continued custodianship?!" (*Yefeh To'ar*; see also *Eitz Yosef*).

176. By extending a hand, Heaven indicated to them that God had no desire for their Temple service, and was therefore reclaiming the keys (*Eitz Yosef*). Alternatively, the fact that the keys were taken back on High symbolizes that although the Babylonians eventually ransacked the Temple, the Temple retained its sanctity. The keys, so to speak, to the Temple's sanctity are held by God Alone, and not even the forces that overran the Temple are privy to them (*Eshed HaNechalim*).

177. This, too, was to demonstrate that God did not desire their service (*Eitz Yosef*).

178. For even after capturing Jeconiah, Nebuchadnezzar was not appeased and took the elite of Jerusalem, as well as many vessels from the Temple, as was discussed earlier (see note 174 above) (ibid.).

179. A reference to Jerusalem, for it is a city of which all prophets saw visions of prophecy, and which produced many prophets (*Eichah Rabbah, Pesichta* 24).

180. In this passage, Isaiah bemoans the impending calamities that will overtake the vibrant city of Jerusalem, when it will be besieged by enemies. According to the plain meaning of the verse (see commentators ad loc.), the rooftops will provide the besieged citizens a vantage point from which to behold the enemy, and a strategic high ground from which to repel the attackers. The Midrash, however, takes it to refer to the young men who went to the rooftops in order to throw themselves to their deaths. This interpretation is consistent with the following verse there (v. 2), which states: *Your slain are not slain by the sword, nor did they die in war*, alluding to the fact that they took their own lives by throwing themselves from the rooftops (*Maharzu*).

181. This is based on *II Kings* 24:14: *[Nebuchadnezzar] exiled all of Jerusalem — all the officers and all the men of war . . . as well as all the artisans and the gatekeepers,* interpreted by the Sages as a metaphoric allusion to the Torah scholars and leaders (see *Gittin* 88a).

182. Regarding a decree that God initially issued concerning the fate that would befall Jeconiah.

183. Coniah is a derisive nickname used in Scripture for Jeconiah (*Radak* ad loc.).

184. The full verse reads: *Is this man Coniah a despised, shattered statue or an unwanted vessel? Why have he and his descendants been displaced and thrown into a land they did not know?* Thus the verse implies that Jeconiah's fate upon being exiled would indeed be comparable to that of the useless items mentioned at the beginning of the verse.

185. The letters מ and ב are at times interchangeable as they are both bilabial sounds. Hence עֶצֶב is interpreted as though it reads עֶצֶם, *bone* (*Rashash* and *Eitz Yosef* to above, 10 §5).

186. *Eitz Yosef* ibid.

187. I.e., the exposition in the cited Midrash (10 §5) continues, expounding at length the above passage in *Jeremiah*, where the dismal fate destined for Jeconiah is elaborated. As the Midrash there explains, the decree issued then by God, that Jeconiah would remain childless and would lose the throne forever, effectively putting an end to the

יָצְאוּ כָּל בְּנֵי בָבֶל לְקַלְּסוֹ, *אָמְרוּ לוֹ: מָה עָשִׂיתָ, אָמַר לָהֶם: יְהוֹיָקִים מָרַד בִּי וַהֲרַגְתִּיו וְהִמְלַכְתִּי יְכָנְיָה בְּנוֹ תַּחְתָּיו, יגאָמְרוּ לוֹ: מַתְלָא אָמַר: גּוּר טוֹב מִכֶּלֶב בִּישׁ לָא תְרַבֵּי, גּוּר בִּישׁ מִכֶּלֶב בִּישׁ עַל אַחַת כַּמָּה וְכַמָּה, מִיָּד שָׁמַע לָהֶם וְעָלָה וְיָשַׁב בְּדַפְנֵי שֶׁל אַנְטוֹכְיָא, יָרְדָה סַנְהֶדְרֵי גְדוֹלָה לִקְרָאתוֹ, וְאָמְרוּ לוֹ: הִגִּיעַ זְמַנּוֹ שֶׁל בַּיִת זֶה לֵיחָרֵב, אָמַר לָהֶם: לֹא, אֶלָּא אוֹתוֹ שֶׁהִמְלַכְתִּי תְּנוּהוּ לִי וַאֲנִי הוֹלֵךְ לִי, אָזְלִין אָמְרִין לִיכָנְיָה: נְבוּכַדְנֶצַּר בָּעֵי לָךְ, ידמֶה עָשָׂה עָמַד וְכִנֵּס כָּל מַפְתְּחוֹת בֵּית הַמִּקְדָּשׁ וְעָלָה *לְרֹאשׁ הַגַּג, וְאָמַר: רִבּוֹנוֹ שֶׁל עוֹלָם, הוֹאִיל וְלֹא זָכִינוּ לִהְיוֹת גִּזְבָּרִין לְפָנֶיךָ, עַד עַכְשָׁיו הָיִינוּ בַּעֲלֵי בָתִּים נֶאֱמָנִים לְפָנֶיךָ, מִכָּאן וְאֵילָךְ הֲרֵי מַפְתְּחוֹתֶיךָ לְפָנֶיךָ, תְּרֵין אָמוֹרָאִין, חַד אָמַר: כְּמִין יָד שֶׁל אֵשׁ יָרְדָה וּנְטָלָתַן מִמֶּנּוּ, וְחַד אָמַר: מִשָּׁעָה שֶׁזְּרָקָן עוֹד לֹא יָרְדוּ, מֶה הָיוּ בַּחוּרֵיהֶן שֶׁל יִשְׂרָאֵל עוֹשִׂין, הָיוּ עוֹלִין לְרָאשֵׁי גַּגּוֹתֵיהֶן וְנוֹפְלִים מֵתִים, הֲדָא הוּא דִכְתִיב (ישעיה כב, א) "מַשָּׂא גֵּיא חִזָּיוֹן מַה לָּךְ אֵפוֹא כִּי עָלִית כֻּלָּךְ לַגַּגּוֹת", מֶה עָשָׂה נְבוּכַדְנֶצַּר, נְטָלוֹ וַחֲבָשׁוֹ בְּבֵית הָאֲסוּרִים, וְכָל מִי שֶׁהָיָה נֶחְבַּשׁ בְּיָמָיו לֹא הָיָה יוֹצֵא מִשָּׁם לְעוֹלָם, עַל שׁוּם (שם יד, יז) "אֲסִירָיו לֹא פָתַח בָּיְתָה", גָּלָה יְהוֹיָכִין וְגָלְתָה סַנְהֶדְרֵי גְדוֹלָה עִמּוֹ, הֲדָא הוּא דִכְתִיב (ירמיה כב, כח) "הַעֶצֶב נִבְזֶה נָפוּץ", רַבִּי אַבָּא בַּר כַּהֲנָא אָמַר: בְּעֶצֶם הַזֶּה שֶׁל מוֹחַ, שֶׁבְּשָׁעָה שֶׁאַתָּה מְנַפְּצוֹ אֵינוֹ יָפֶה לִמְאוּמָה כו', עַד שֶׁאַלְתִּיאֵל, שָׁאַל הַקָּדוֹשׁ בָּרוּךְ הוּא לְבֵית דִּין שֶׁל מַעְלָה, וְהִתִּירוּ לוֹ אֶת נִדְרוֹ, בְּאוֹתָהּ שָׁעָה יָשְׁבָה סַנְהֶדְרֵי גְדוֹלָה עַל דַּעְתָּהּ, וְאָמְרוּ: בְּיָמֵינוּ מַלְכוּת בֵּית דָּוִד פּוֹסֶקֶת, אוֹתוֹ שֶׁכָּתוּב בּוֹ (תהלים פט, לז) "וְכִסְאוֹ כַשֶּׁמֶשׁ נֶגְדִּי", מַה נַּעֲשֶׂה, נֵלֵךְ וּנְפַיֵּס לַגַּדֶּלֶת, וְגַדֶּלֶת לַמַּלְכָּה, וּמַלְכָּה לַמֶּלֶךְ, הָלְכוּ וּפִיְּסוּ לַגַּדֶּלֶת וְגַדֶּלֶת לַמַּלְכָּה וּמַלְכָּה לַמֶּלֶךְ, מֶה הָיָה שֵׁם אִשְׁתּוֹ שֶׁל נְבוּכַדְנֶצַּר, רַב הוּנָא אָמַר: *שְׁמִירָם שְׁמָהּ, רַבִּי אָבִין אָמַר: שְׁמִירָמוֹת שְׁמָהּ, וְרַבָּנָן אָמְרִין: שְׁמִירַעַם שְׁמָהּ, עַל יְדֵי שֶׁנּוֹלְדָה בְּרַעַם,

עץ יוסף

גור. כלב קטן. ומשל הוא בפי הבריות אפילו כלב קטן שהוא טוב לא תגדלנו בביתך אם הוא בא מכלב רע, מכל שכן כלב שהוא רע ובא מכלב רע שלא תגדלנו (מתנות כהונה). ויכניה רע היה כדכתיב ביה (מלכים ב' כד, ט) ויעש הרע בעיני ה' ככל אשר עשו אביו ואמו, רע לשמים ולבריות הוה כדלעיל: **הואיל ולא זכינו.** אמר זה דרך עגמת נפש אולי ירחמו מן השמים, או כמטיח דברים הטוב לו להחריב ביתו מלהאמינו בידם: **עוד לא ירדו.** שנעשו נס שנשארו שם באויר ושם היו גנוזים, ולמאן דאמר יד נטלם פירושו שניטלו למעלה (כבוד חכמים), וזה היה לרמוז להם כי אין לה' חפץ בעבודתם: **ונופלים מתים.** שלא היה מתפייס ביכניה לבדו אלא באה העיר במצור והגלה כל ירושלים וכל השרים וכלי חמדת ה': **וגלתה סנהדרי גדולה.** היינו החרש והמסגר שהוליך בגלות זה כדאמר לעיל פרשה י"ח (סימן ז) אלו תלמידי חכמים: **העצב נבזה כו' עד שאלתיאל ששאל הקדוש ברוך הוא כו' את נדרו.** הנה עיקר דרש זה אף לעיל פרשה י' סימן ה' ולא שייך זה כאן, אלא מה שנזכר שם אסיר שהיה בבית האסורים שמזה ראיה שחבשו נבוכדנצר ליכניה בבית האסורים ושם הוליד בן למלוכה כדלקמן, וגם איתא דרשה שם אסיר שאסר הקדוש ברוך הוא עצמו בשבועה וכדכתיב העצב נבזה נפוץ, וגם כתיב בתריה כתבו את האיש הזה ערירי, לכן הביא זה לכאן בקיצור וסמך על המעיין שם: **בעצם הזה כו'.** מפרש עצב כמו עצם, ומפרש נפוץ על מה שמנפצין העצם להוציא המוח ממנו, ורצה לומר שהקדוש ברוך הוא גזר עליו שלא יהיה לו תקנה עוד כעצם הזה של מוח שבשעה שאתה מנפצו אין יפה למאומה: **לגדלת.** יש מפרשים אומנת, ויש מפרשים גודלת שער, כמו גדלת דפרק האיש מקדש (קידושין מט, א): **שם אשתו.** מפני שהטיבה לעשות מזכיר שמה לטובה:

פירוש מהרז"ו

משא גיא חזיון וגו'. וכתיב (ישעיה כב, ג) כל קציניך נדדו יחד, היינו מה שנאמר שגלו עם יכניה כל השרים והחרש והמסגר וכל העשירים, לא נשאר זולת דלת עם הארץ, ואז עלו כלם לגגות, ושם כתיב (שם ח) ותבט ביום ההוא אל נשק בית היער, היינו על אוצרות בית המקדש. ודרשו שלכך עלו לגגות, למסור מפתחות האוצרות שלא יפלו בידי השונאים. ועיין תענית (כט, א) באופן אחר, ופתיחה כ"ד דאיכה באופן אחר, ומה שאמר שהיו עולים לראשי גגותיהם ונופלים ומתים, דורש ממה שנאמר (שם ב) חלליך לא חללי חרב ולא מתי מלחמה, ולא פירש איך מתו, הרי בהכרח למוד מענינו והוא מפורש. שכבר פירש שעלו כולם לגגות, ולא כתב שירדו כי זה היה מיתתם שנפלו ומתו: **וגלתה סנהדרי גדולה.** הם בכלל מה שנאמר שריו ועבדיו והחרש והמסגר, וכמו שכתוב אצל מרדכי ואסתר (אסתר ב, ו), אשר הגלה עם הגלה אשר הגלתה עם יכניה מלך יהודה, ומרדכי הוא מרדכי בלשן מראשי סנהדרין (מגילה טז, ב): **העצב נפוץ נבזה.** וסיפיה דקרא האיש הזה כניהו, ומה שאמר לעיל (י, ג) כל הענין וכאן בקצרה: **באותה שעה.** כשעשה תשובה: **באותה שעה ישבה.** כשעשה תשובה והתיר הקב"ה שבועתו, התיישבו הסנהדרין בדעתם שעתה בגלות בבל שהיה בימיהם, לא נשאר זרע למלכי בית דוד, כי צדקיהו היה יושב בבית האסורים ובניו כבר נשחטו לעיניו, ויכניה כשגלה לא היה לו עדיין בנים, שהרי היה בן שמונה שנה כשמלך, ושלשה חדשים מלך, לפי מה שנאמר בדברי הימים ב, בסופו, ואף לפי מה שמובא במלכים ב' כד, שהיה בן שמונה עשרה שנה, עם כל זה כשחשב הכתוב מי אשר גלו עמו, ובפרט לא חשב לו בנים, שלא היו לו, ואיך יתקיימו כל הנבואות של משיח צדקנו שיהיה מזרע דוד, ובדברי הימים (א, ג,) מפורש אשר שלשלת היוחסין של דוד יצאה מיכניה, והיינו על פי מעשה סנהדרין אלו: **שמירם שמירמות שמירעם.** שעל שעשתה מצוה גדולה מאד לקיים דבר ה' של כל הנביאים, שכלם התנבאו על משיח צדקנו מזרע דוד, על כן קראו חז"ל על שמה, ושיהיה שמה הטוב לזכר עולם, אך איך דורשים כן ואיזה סמך יש להם על הפסוק, ואיך דורשים שם שמירעם אם אינו בפסוק, כל זה נעלם ממני:

חידושי הרד"ל

בעצם הזה של מוח כו'. לעיל (י, ה) **ונפייס לגדלת כו'.** בראשית רבה (ה, ח):

חידושי הרש"ש

בעצם הזה של מוח. עיין מה שכתבתי לעיל (י, ה):

באור מהרי"פ

ונופלים מתים. פירוש מפני שלא היה מתפייס ביכניה לבדו אלא באה העיר במצור והגלה כו', ירושלים וכל השרים וכלי חמדת ה': **מה היה שם אשתו.** פירוש מפני שהטיבה לעשות לכך מזכירין שמה לטובה:

אמרי יושר

עלה לראש הגג. של בית המקדש, ודרשו זה מהכתוב מה לך איפוא כי עלית כולך לגגות:

מסורת המדרש

יג. סדר עולם רבה פ"ה: יד. אבות דרבי נתן פ"ד. תרגום שני פסוק בימים ההם:

אם למקרא

מַשָּׂא גֵּיא חִזָּיוֹן מַה לָּךְ אֵפוֹא כִּי עָלִית כֻּלָּךְ לַגַּגּוֹת: (ישעיה כב:א)

שָׂם תֵּבֵל כַּמִּדְבָּר וְעָרָיו הָרָס אֲסִירָיו לֹא פָתַח בָּיְתָה: (שם יד:יז)

הַעֶצֶב נִבְזֶה נָפוּץ הָאִישׁ הַזֶּה כָּנְיָהוּ אִם כְּלִי אֵין חֵפֶץ בּוֹ מַדּוּעַ הוּטְלוּ הוּא וְזַרְעוֹ וְהֻשְׁלְכוּ עַל הָאָרֶץ אֲשֶׁר לֹא יָדָעוּ: (ירמיה כב:כח)

זַרְעוֹ לְעוֹלָם יִהְיֶה וְכִסְאוֹ כַשֶּׁמֶשׁ נֶגְדִּי: (תהלים פט:לז)

ידי משה

באותה שעה ישבה סנהדרין גדולה על דעתה. כתב אדוני אבי ז"ל שלא ידע פירושו. ואני בן המחבר אומר דהכי פירושו, [ישבה] בשלותה, פירוש שעדיין ישבה במקומה שלא גלו סנהדרין עדיין ממקומן, לפי שמצינו כמה פעמים בגמרא (סנהדרין מא, א, עבודה זרה ח, ב) גלתה סנהדרין וישבה בחנות, וזה היה ארבעים שנה קודם שנחרב הבית, ואמר זה שהיתה דעתם מיושבת עדיין לפי שלא גלו, לפי שמצינו (מגילה יב, ב) שאמרו סנהדרין לאחשורוש מיום שגלינו נטלה עצה מאתנו ואין דעתנו צלולה, ולהכי אמר כאן שישבה על דעתיה בשלותה והיתה דעתם צלולה. וקל להבין:

שינוי נוסחאות

שמירם שמה. ברוב הספרים כתוב בקיצור "שמיר", ויש ספרים שפתחו את הקיצור "שמירה", אבל אינו נכון, דבדפוס ראשון וכן בכל הכי"י איתא "שמירם".

מתנות כהונה

גור. כלב קטן כדאמרינן בפרק אף על פי (כתובות סא, ב) דמטללא בגורייתא קוטייתא, פירש"י ז"ל בכלבים קטנים: **גור טב.** בירושלמי דשקלים, ומשל הוא בפי הבריות אפילו כלב קטן שהוא טוב, לא תגדלנו בביתך אם הוא בא מכלב רע, מכל שכן כלב שהוא רע ובא מכלב רע, שלא תגדלנו: **מנפצו.** מריק המוח ממנו: **אינו יפה למאומה.** כן לא נשארו כאן כלום הידור תורה: הכי גרסינן **למאומה כו' עד שאלתיאל.** ורצה לומר המדרש עד גמירא, כמו שכתוב לעיל (י, ה) ובמדרש חזית (שיר השירים ח, ג): **ישבה סנהדרין כו'.** היו מתיישבין ונתנו על לבם: **לגדלת.** אומנת ומגדלת המלכה:

אשד הנחלים

ירדה ונטלתן. אף שהבית חרב עם כל זה בקדושתו קיים, וזהו הרמז שהמפתחות למעלה, שסגור הוא באמת בקדושתו הקיימת, ואין לזר שליטה עליו:

עַד שְׁאַלְתִּיאֵל — **until** the statement: It is written, *The sons of Jeconiah: Assir, She'altiel his son* (*I Chronicles* 3:17). The name **She'altiel** [שְׁאַלְתִּיאֵל] alludes to the fact that שָׁאַל הַקָּדוֹשׁ בָּרוּךְ הוּא לְבֵית דִּין שֶׁל מַעְלָה — **the Holy One, blessed is He, sought annulment** [שָׁאַל אֵל] **from the Heavenly Court** for His vow,[188] וְהִתִּירוּ לוֹ אֶת נִדְרוֹ — **and they annulled His vow for Him.**

The Midrash resumes its narrative:[189]

בְּאוֹתָהּ שָׁעָה יָשְׁבָה סַנְהֶדְרֵי גְּדוֹלָה עַל דַּעְתָּהּ, וְאָמְרוּ — **At that time**[190] **the Great Sanhedrin deliberated, and said,** בְּיָמֵינוּ מַלְכוּת בֵּית דָּוִד פּוֹסֶקֶת — **"In our days the kingdom of the House of David will cease?!**[191] אוֹתוֹ שֶׁכָּתוּב בּוֹ "וְכִסְאוֹ כַשֶּׁמֶשׁ נֶגְדִּי" — Dare we permit this to happen to **him** (i.e., David) **of whom it is written,** *His seed will endure forever* **and** *his throne shall be like the sun before Me* (*Psalms* 89:37)? מַה נַּעֲשֶׂה — **What shall we do?** נֵלֵךְ וּנְפַיֵּיס לַגְּדֶלֶת, וְגַדֶּלֶת לַמַּלְכָּה, וּמַלְכָּה לַמֶּלֶךְ — **Let us go and appease** (i.e., intercede with) **the governess;**[192] **the governess** will then appease **the queen; and the queen** will in turn appease **the king** Nebuchadnezzar to allow Jeconiah the opportunity to father children." הָלְכוּ וּפִיְּיסוּ לַגְּדֶלֶת וְגַדֶּלֶת לַמַּלְכָּה וּמַלְכָּה לַמֶּלֶךְ — **They went and appeased the governess; the governess** then appeased **the queen; and the queen** in turn appeased **the king.**[193]

Since Nebuchadnezzar's wife, to her credit, played a supporting role in this incident, which perpetuated the kingdom of the House of David, the Midrash interrupts its narrative to identify her: מָה הָיָה שֵׁם אִשְׁתּוֹ שֶׁל נְבוּכַדְנֶצַּר — **What was the name of the wife of Nebuchadnezzar?** רַב הוּנָא אָמַר: שְׁמִירָם שְׁמָהּ — **Rav Huna said: Her name was Shemiram.** רַבִּי אָבִין אָמַר: שְׁמִירָמוֹת שְׁמָהּ — **R' Avin said: Her name was Shemiramoth** (Semiramis). וְרַבָּנָן אָמְרִין: שְׁמִירַעַם שְׁמָהּ — **And the Rabbis said: Her name was Shemiraam,** עַל יְדֵי שֶׁנּוֹלְדָה בְּרַעַם — **because she was born in thunder** (*ra'am*).

NOTES

royal House of David. However, when Jeconiah repented, the decree was annulled, and Jeconiah was able to father a child while in prison, as our Midrash will relate below.

188. For the above decree had been made with a vow, as it states earlier (*Jeremiah* 22:24), *As I live — the word of* HASHEM *— even if you, Coniah son of Jehoiakim, king of Judah, would be a signet ring on My right hand, I would pull you off it.*

189. Our Midrash now proceeds to discuss the events leading to Jeconiah's fathering a son in prison. However, it first referenced briefly a section of the above Midrash because of its relevance to our discussion in that it cites Scriptural inferences (i) that Jeconiah fathered a child while in prison, for the Midrash there cites one view that the name *Assir* (from אָסוּר, *bound*) in the above verse in *Chronicles* alludes to the fact that Jeconiah was then in prison, and (ii) how this came to be despite the fact that God had originally taken a vow that Jeconiah would die childless, as indicated by that part of the passage in *Jeremiah* beginning with the words, *Is this man Coniah a despised, shattered statue, etc.* (*Eitz Yosef*).

190. I.e., when Jeconiah repented (as is discussed in the above Midrash, 10 §5, which our Midrash has just referenced) (*Maharzu*).

191. For Jeconiah was childless. Since Scripture, as cited by the Midrash, assures that the dynasty of Davidic kings will endure forever, the Great Sanhedrin felt duty-bound to do their part in promoting the fulfillment of that prophetic assurance, and doing their share in bringing it to its fruition (ibid.). See Insight below on note 193.

192. I.e., the one who raised the royal children. Alternatively: גַּדֶּלֶת refers to the royal hairdresser (*Eitz Yosef*).

193. And indeed, through these efforts, the successor to the Davidic dynasty was conceived (see Midrash further). See Insight Ⓐ.

INSIGHTS

Ⓐ **Prudence and Providence** *R' Henoch Leibowitz* (*Chidushei HaLev*, pp. 64-65) points out the difficulty in our Midrash. Why was the Sanhedrin so perturbed by the possibility that "in our days the kingdom of the House of David will cease"? The verse in *Psalms* declares (as the Midrash has just cited) that the throne of David will endure forever, like the sun. And our father Jacob had already foretold, *The scepter shall not depart from Judah ... until Shiloh arrives* (*Genesis* 49:10), which means that the Davidic dynasty will continue until the days of the Messiah. Indeed, *Rambam* writes (*Commentary to the Mishnah, Sanhedrin*, Chapter 10, Twelfth Fundamental) that the coming of the Messiah is one of the thirteen fundamentals of Judaism, that included in this fundamental is that there will be no authentic monarch in Israel who is not of the Davidic dynasty, and that one who contests the royal station of this family has repudiated God and the words of His prophets. There was thus a Divine assurance that the House of David would *not* cease! How, then, could the Sanhedrin be concerned that it would?

R' Henoch expounds an important principle: There is no question that the Sanhedrin was firmly convinced that the Davidic dynasty would survive. Nevertheless, it was their obligation to conduct themselves as if the continued existence of that dynasty was dependent on *their* action, as if there was no promise at all. They were required to *act*, and act they did.

But there are exceptions to this principle. *Ramban* (on *Genesis* 49:10) writes that the Hasmoneans were extremely righteous, and were responsible for the fact that Torah and mtizvos were not forgotten among the Jewish people, yet they were punished severely in that the family was eventually entirely obliterated (see *Bava Basra* 3b). Why? Because their four righteous sons ruled the Jewish people one after the other. These non-Judahites had thereby usurped the Davidic monarchy, and they were punished for violating the directive of our forefather Jacob, *The scepter shall not depart from Judah ... until Shiloh arrives.*

Now, we must understand why the Hasmoneans acted as they did. After all, the *Ramban* there characterizes them as חֲסִידֵי עֶלְיוֹן, *surpassingly pious people*. Why *did* they usurp the throne?

The Hasmoneans were sincerely convinced that they were obligated to do everything in their power to insure that Torah and mitzvos would not be forgotten among the Jewish people. *Everything* — even usurping the throne. They could not stand idly by and simply rely on the Divine assurance that Torah and mitzvos would endure.

What, then, was their error?

Their error was that they were bidden to do everything in their power to ensure that the Divine will was carried out — everything except *violate* that will. That was *not* their mandate. When they reached the point at which perpetuating Torah and mitzvos seemed to require that they violate the Divine directive of *The scepter shall not depart from Judah . . .*, they should have stepped back and said: *This* we cannot do. We have done whatever we were entitled to. We can do no more. Now we must leave fulfilling the Divine promise that Torah will endure (*Deuteronomy* 31:21) up to the One Who made that promise.

The same thing holds true for us in our days. As long as we do not have to violate the Torah, we are obligated to spread it with the greatest self-sacrifice, with the conviction that everything is dependent on us, and that without us, God forbid, Torah would be forgotten from Israel. But the moment we are confronted with the "need" to do something that is contrary to the Torah, we are equally required to refrain. We must understand that the Torah will endure among Jewish people, because of our best efforts and despite our inability to do more. The Giver of the Torah has Himself told us so.

יָצְאוּ כָּל בְּנֵי בָבֶל לְקַלְּסוֹ, *אָמְרוּ לוֹ: מָה עָשִׂיתָ, אָמַר לָהֶם: יְהוֹיָקִים מָרַד בִּי וַהֲרַגְתִּיו וְהִמְלַכְתִּי יְכָנְיָה בְּנוֹ תַּחְתָּיו, יגאָמְרוּ לוֹ: מַתְלָא אָמַר: גּוּר טוֹב מִכֶּלֶב בִּישׁ לָא תְרַבֵּי, גּוּר בִּישׁ מִכֶּלֶב בִּישׁ עַל אַחַת כַּמָּה וְכַמָּה, מִיָּד שָׁמַע לָהֶם וְעָלָה וְיָשַׁב בְּדַפְנִי שֶׁל אַנְטוֹכְיָא, יָרְדָה סַנְהֶדְרֵי גְדוֹלָה לִקְרָאתוֹ, וְאָמְרוּ לוֹ: הִגִּיעַ זְמַנּוֹ שֶׁל בַּיִת זֶה לֵיחָרֵב, אָמַר לָהֶם: לֹא, אֶלָּא אוֹתוֹ שֶׁהִמְלַכְתִּי תְּנוּהוּ לִי וַאֲנִי הוֹלֵךְ לִי, אָזְלִין אָמְרִין לִיכָנְיָה: נְבוּכַדְנֶצַּר בָּעֵי לָךְ, ידמֶה עָשָׂה עָמַד וְכִנֵּס כָּל מַפְתְּחוֹת בֵּית הַמִּקְדָּשׁ וְעָלָה *לְרֹאשׁ הַגַּג, וְאָמַר: רִבּוֹנוֹ שֶׁל עוֹלָם, הוֹאִיל וְלֹא זָכִינוּ לִהְיוֹת גִּזְבָּרִין לְפָנֶיךָ, עַד עַכְשָׁיו הָיִינוּ בַּעֲלֵי בָתִּים נֶאֱמָנִים לְפָנֶיךָ, מִכָּאן וְאֵילָךְ הֲרֵי מַפְתְּחוֹתֶיךָ לְפָנֶיךָ, תְּרֵין אֲמוֹרָאִין, חַד אָמַר: כְּמִין יָד שֶׁל אֵשׁ יָרְדָה וּנְטָלָתַן מִמֶּנּוּ, וְחַד אָמַר: מִשָּׁעָה שֶׁזְּרָקָן עוֹד לֹא יָרְדוּ, מֶה הָיוּ בַּחוּרֵיהֶן שֶׁל יִשְׂרָאֵל עוֹשִׂין, הָיוּ עוֹלִין לְרֹאשׁ גַּגּוֹתֵיהֶן וְנוֹפְלִים מֵתִים, הֲדָא הוּא דִכְתִיב (ישעיה כב, א) "מַשָּׂא גֵּיא חִזָּיוֹן מַה לָּךְ אֵפוֹא כִּי עָלִית כֻּלָּךְ לַגַּגּוֹת", מֶה עָשָׂה נְבוּכַדְנֶצַּר, נְטָלוֹ וַחֲבָשׁוֹ בְּבֵית הָאֲסוּרִים, וְכָל מִי שֶׁהָיָה נֶחְבָּשׁ בְּיָמָיו לֹא הָיָה יוֹצֵא מִשָּׁם לְעוֹלָם, עַל שׁוּם (שם יד, יז) "אֲסִירָיו לֹא פָתַח בָּיְתָה", גָּלָה יְהוֹיָכִין וְגָלְתָה סַנְהֶדְרֵי גְדוֹלָה עִמּוֹ, הֲדָא הוּא דִכְתִיב (ירמיה כב, כח) "הַעֶצֶב נִבְזֶה נָפוּץ", רַבִּי אַבָּא בַּר כַּהֲנָא אָמַר: בְּעֶצֶם הַזֶּה שֶׁל מוֹחַ, שֶׁבְּשָׁעָה שֶׁאַתָּה מְנַפְּצוֹ אֵינוֹ יָפֶה לִמְאוּמָה כו', עַד שֶׁאַלְתִּיאֵל, שָׁאַל הַקָּדוֹשׁ בָּרוּךְ הוּא לְבֵית דִּין שֶׁל מַעְלָה, וְהִתִּירוּ לוֹ אֶת נִדְרוֹ, בְּאוֹתָהּ שָׁעָה יָשְׁבָה סַנְהֶדְרֵי גְדוֹלָה עַל דַּעְתָּהּ, וְאָמְרוּ: בְּיָמֵינוּ מַלְכוּת בֵּית דָּוִד פּוֹסֶקֶת, אוֹתוֹ שֶׁכָּתוּב בּוֹ (תהלים פט, לז) "וְכִסְאוֹ כַשֶּׁמֶשׁ נֶגְדִּי", מַה נַּעֲשֶׂה, נֵלֵךְ וּנְפַיֵּס לַגַּדֶּלֶת, וְגַדֶּלֶת לַמַּלְכָּה, וּמַלְכָּה לַמֶּלֶךְ, הָלְכוּ וּפִיְּסוּ לַגַּדֶּלֶת וְגַדֶּלֶת לַמַּלְכָּה וּמַלְכָּה לַמֶּלֶךְ, מֶה הָיָה שֵׁם אִשְׁתּוֹ שֶׁל נְבוּכַדְנֶצַּר, רַב הוּנָא אָמַר: *שְׁמִירָם שְׁמָהּ, רַבִּי אָבִין אָמַר: שְׁמִירָמוֹת שְׁמָהּ, וְרַבָּנָן אָמְרִין: שְׁמִירַעַם שְׁמָהּ, עַל יְדֵי שֶׁנּוֹלְדָה בְּרַעַם.

עץ יוסף

גור. כלב קטן. ומשל הוא בפי הבריות אפילו כלב קטן שהוא טוב לא תגדלנו בביתך אם הוא בא מכלב רע, מכל שכן כלב שהוא רע ובא מכלב רע שלא תגדלנו (מתנות כהונה). ויכניה רע היה כדכתיב ביה (מלכים ב' כד, ט) ויעש הרע בעיני ה' ככל אשר עשו אביו ואמו, רע לשמים ולבריות הוה כדלעיל: **הואיל ולא זכינו.** אמר זה דרך עגמת נפש אולי ירחמו מן השמים, או כמטיח דברים הטוב לו להחריב ביתו מלהאמינו בידם: **עוד לא ירדו.** שנעשו נס שנשארו שם באויר ושם היו גנוזים, ולמאן דאמר יד נטלם פירושו שניטלו למעלה (כבוד חכמים), וזה היה לרמוז להם כי אין לה' חפץ בעבודתם: **ונופלים מתים.** שלא היה מתפייס ביכניה לבדו אלא בא העיר במצור והגלה כל ירושלים וכל השרים וכלי חמדת ה': **וגלתה סנהדרי גדולה.** היינו החרש והמסגר שהוליך בגלות זה כדאמר לעיל פרשה י"ח (סימן ז) אלו תלמידי חכמים: **העצב נבזה כו' עד שאלתיאל ששאל הקדוש ברוך הוא כו' את נדרו.** הנה עיקר דרש זה אי' לעיל פרשה י' סימן ה' ולא שייך זה כאן, אלא מה שנזכר שם אסיר שהיה בבית האסורים שמזה ראיה שחבשו נבוכדנצר ליכניה בבית האסורים ושם הוליד בן למלוכה כדלקמן, וגם איתא דרשה שם אסיר שאסר הקדוש ברוך הוא עצמו בשבועה וכדכתיב העצב נבזה נפוץ, וגם כתיב בתריה כתבו את האיש הזה ערירי, לכן הביא זה לכאן בקיצור וסמך על המעיין שם: **בעצם הזה כו'.** מפרש עצב כמו עצם, ומפרש נפוץ על מה שמנפצין העצם להוציא המוח ממנו, ורצה לומר שהקדוש ברוך הוא גזר עליו שלא יהיה לו תקנה עוד כעצם הזה של מוח שבשעה שאתה מנפצו אין יפה למאומה: **לגדלת.** יש מפרשים אומנת, ויש מפרשים גודלת שער, כמו גדלת דפרק האיש מקדש (קידושין מט, א): **שם אשתו.** מפני שהטיבה לעשות מזכיר שמה לטובה:

פירוש מהרז"ו

משא גיא חזיון וגו'. וכתיב (ישעיה כב, ג) כל קציניך נדדו יחד, היינו מה שנאמר שגלו עם יכניה כל השרים והחרש והמסגר וכל הטפסרים, לא נשאר זולת דלת עם הארץ, ואז עלו כלם לגגות, ושם כתיב (שם ח) ותבט ביום ההוא אל נשק בית היער, היינו על אוצרות בית המקדש. ודרשו שלכך עלו לגגות, למסור מפתחות האוצרות שלא יפלו בידי השונאים. ועיין תענית (כט, א) באופן אחר, ופתיחה כ"ד דאיכה באופן אחר, ומה שאמר שהיו עולים לראשי גגותיהם ונופלים ומתים, דורש ממה שנאמר (שם ב) חלליך לא חללי חרב ולא מתי מלחמה, ולא פירש איך מתו, הרי בהכרח למוד מטעניו והוא מפורש. שכבר פירש שעלו כולם לגגות, ולא כתב שירדו כי זה היה מיתתם שנפלו ומתו: **וגלתה סנהדרי גדולה.** הם בכלל מה שנאמר שריו ועבדיו והחרש והמסגר, וכמו שכתוב אצל מרדכי ואסתר (אסתר ב, ו), אשר הגלה עם הגלה אשר הגלתה עם יכניה מלך יהודה, ומרדכי הוא מרדכי בלשן מראשי סנהדרין (מגילה טז, ב): **העצב נבזה נפוץ.** וסיפיה דקרא האיש הזה כניהו, ומה שאמר לעיל (י, ג) כל הענין וכאן בקצרה: **באותה שעה.** כשעשה תשובה: **באותה שעה ישבה.** כשעשה תשובה והתיר הקב"ה שבועתו, התישבו הסנהדרין בדעתם שעתה בגלות בבל שהיה בימיהם, לא נשאר זרע למלכי בית דוד, כי לצדקיהו היו יושב בבית האסורים ובניו כבר נשחטו לעיניו, ויכניה כשגלה לא היה לו עדיין בנים, שהרי היה בן שמונה שנה כשמלך ושלשה חדשים מלך, לפי מה שנאמר בדברי הימים ב, בסופו, ואף לפי מה שמובא במלכים ב' כד, שהיה בן שמונה עשרה שנה, עם כל זה כשחשב הכתוב מי אשר גלו עמו, ובפרט לא חשב לו בנים, שלא היו לו, ואיך יתקיימו כל הנבואות של משיח צדקנו שיהיה מזרע דוד, ובדברי הימים (א, ג) מפורש אשר שלשלת היוחסין של דוד יצאה מיכניה, והיינו על פי מעשה סנהדרין אלו: **שמירה שמירמית שמירעם.** שעל שעשתה מצוה גדולה מאד לקיים דבר ה' של הנביאים, שכלם התנבאו על משיח צדקנו מזרע דוד, על כן קראו חז"ל על שמה, ושיהיה שמה הטוב לזכר עולם, אך איך דורשים כן ואיזה סמך יש להם על הפסוק, ואיך דורשים שם שמירעם אם אינו בפסוק, כל זה נעלם ממני:

חידושי הרד"ל

בעצם הזה של מוח כו'. לעיל (י, ה) **ונפייס לגדלת כו'.** בראשית רבה (ה, א):

חידושי הרש"ש

בעצם הזה של מוח. עיין מה שכתבתי לעיל (י, ה):

באור מהרי"פ

ונופלים מתים. פירוש מפני שלא היה מתפייס ביכניה לבדו אלא באה העיר במצור והגלה כו' ירושלים וכל השרים וכלי חמדת ה': **מה היה שם אשתו.** פירוש מפני שהטיבה לעשות לכך מזכירין שמה לטובה:

אמרי יושר

עלה לראש הגג. של בית המקדש, ודרשו זה מהכתוב מה לך איפוא כי עלית כולך לגגות:

מסורת המדרש

יג. סדר עולם רבה פ"ה: יד. אבות דרבי נתן פ"ד. תרגום שני פסוק בימים ההם:

אם למקרא

מַשָּׂא גֵּיא חִזָּיוֹן מַה לָּךְ אֵפוֹא כִּי עָלִית כֻּלָּךְ לַגַּגּוֹת: (ישעיה כב:א)

שָׂם תֵּבֵל כַּמִּדְבָּר וְעָרָיו הָרָס אֲסִירָיו לֹא פָתַח בָּיְתָה: (שם יד:יז)

הַעֶצֶב נִבְזֶה נָפוּץ הָאִישׁ הַזֶּה כָּנְיָהוּ אִם כְּלִי אֵין חֵפֶץ בּוֹ מַדּוּעַ הוּטְלוּ הוּא וְזַרְעוֹ וְהֻשְׁלְכוּ עַל הָאָרֶץ אֲשֶׁר לֹא יָדָעוּ: (ירמיה כב:כח)

זַרְעוֹ לְעוֹלָם יִהְיֶה וְכִסְאוֹ כַשֶּׁמֶשׁ נֶגְדִּי: (תהלים פט:לז)

ידי משה

באותה שעה ישבה סנהדרין גדולה על דעתה. כתב אדוני אבי ז"ל שלא ידע פירושו. ואני בן המחבר אומר דהכי פירושו, [ישבה] בשלותה, פירוש שעדיין ישבה במקומה שלא גלו סנהדרין עדיין ממקומן, לפי שאמרינו כמה פעמים בגמרא (סנהדרין מא, א עבודה זרה ח, ב) גלתה סנהדרין וישבה בחנות, וזה היה ארבעים שנה קודם שנחרב הבית, ואמר זה שהיתה דעתם מיושבת עדיין לפי שלא גלו, לפי שאמרו (מגילה יב, ב) שאמרו סנהדרין לאחשורוש מיום שגלינו מארצנו נטלה עצה מאתנו ואין דעתנו צלולה, ולהכי אמר כאן שישבה על דעתיה בשלותה והיתה דעתם צלולה. וקל להבין:

שינוי נוסחאות

שמירם שמה. ברוב הספרים כתוב בקיצור "שמיר'", ויש ספרים שפתחו את הקיצור "שמירה", אבל אינו נכון, דבדפוס ראשון וכן בכל הכי"י איתא "שמירם":

מתנות כהונה

גור. כלב קטן כדאמרינן בפרק אף על פי (כתובות סא, ב) דמטללא בגוריתא קוטניתא, פירש"י ז"ל בכלבים קטנים: **גור טב.** בירושלמי דשקלים, ומשל הוא בפי הבריות אפילו כלב קטן שהוא טוב, לא תגדלנו בביתך אם הוא בא מכלב רע, מכל שכן כלב שהוא רע ובא מכלב רע, שלא תגדלנו: **מנפצו.** מריק המוח ממנו: **אינו יפה למאומה.** כן לא נשארו כאן כלום הידור תורה: הכי גרסינן **למאומה כו' עד שאלתיאל.** ורצה לומר המדרש עד גמירא, כמו שכתוב לעיל (י, ה) ובמדרש חזית (שיר השירים ח, ג): **ישבה סנהדרין כו'.** היו מתיישבין ונתנו על לבם: **לגדלת.** אומנת ומגדלת המלכה:

אשד הנחלים

ירדה ונטלתן. אף שהבית חרב עם כל זה בקדושתו קיים, וזהו הרמז שהמפתחות למעלה, שסגור הוא באמת בקדושתו הקיימת, ואין לזר שליטה עליו:

The Midrash relates how the queen appeased the king: כֵּיוָן שֶׁבָּא נְבוּכַדְנֶצַּר לְהִזָּקֵק לָהּ — Once, **when Nebuchadnezzar was about to have relations with [the queen],** אָמְרָה לֵיהּ — **she said to him,** אַתְּ מֶלֶךְ וִיכָנְיָה אֵינוֹ מֶלֶךְ — **"You are a king; is Jeconiah not** also **a king?** אַתָּה מְבַקֵּשׁ תַּפְקִידְךָ וִיכָנְיָה אֵינוֹ מְבַקֵּשׁ תַּפְקִידוֹ — **You seek to fulfill your** manly **function; does Jeconiah not seek to fulfill his** manly **function?"**[194] מִיָּד גָּזַר וְנָתְנוּ לוֹ אִשְׁתּוֹ — **Thereupon he decreed** that Jeconiah be given his wife, **and they gave his wife to him.** וְכֵיצַד שִׁלְשְׁלוּהָ לוֹ — **How did they lower her to him** in his dungeon?[195] רַבִּי שַׁבְּתַי אָמַר: דֶּרֶךְ קַנְקַלִּין שִׁלְשְׁלוּהָ לוֹ — **R' Shabsai said: They lowered her down to him through** the **windows.**[196] וְרַבָּנָן אָמְרֵי: פָּתְחוּ הַמַּעֲזִיבָה וְשִׁלְשְׁלוּהָ לוֹ — **But the Rabbis said: They opened up the roof** of the cell **and lowered her down to him.** כֵּיוָן שֶׁבָּא לְהִזָּקֵק לָהּ — **When he was about to have relations with her,** אָמְרָה: כְּשׁוֹשַׁנָּה אֲדוּמָּה רָאִיתִי, פֵּרַשׁ מִמֶּנָּה — **she said, "I saw the semblance of a red rose,"**[197] whereupon **he separated from her.** מִיָּד הָלְכָה וְסָפְרָה וְטָהֲרָה וְטָבְלָה — **She thereupon went and counted** the required number of clean days[198] **and** thus **became purified** of her *zivah* **and immersed herself** in a *mikveh.* אָמַר לוֹ הַקָּדוֹשׁ בָּרוּךְ הוּא — Thereupon **the Holy One, blessed is He, said to [Jeconiah],** בִּירוּשָׁלַיִם לֹא קִיַּמְתֶּם מִצְוַת זִיבָה — **"In Jerusalem you did not observe the commandment associated with *zivah,***[199] וְעַתָּה אַתֶּם מְקַיְּימִין — **but now** in Babylonia **you observe it!"**[200] שֶׁנֶּאֱמַר "גַּם אַתְּ בְּדַם בְּרִיתֵךְ שִׁלַּחְתִּי אֲסִירַיִךְ מִבּוֹר" — This is **as it is stated,** ***Also you, through the blood of your covenant I have released your prisoners from the pit*** (*Zechariah* 9:11). נִזְכַּרְתֶּם אוֹתוֹ הַדָּם שֶׁבְּסִינַי — The expression *through the blood of your covenant* means: **You have recalled that blood that was at Sinai,**[201] בִּשְׁבִיל כֵּן "שִׁלַּחְתִּי אֲסִירַיִךְ" — **and in that sake, *I have released your prisoners.***[202] אָמַר רַבִּי שַׁבְּתַי: לֹא זָז מִשָּׁם עַד שֶׁמָּחַל לוֹ הַקָּדוֹשׁ בָּרוּךְ הוּא עַל כָּל עֲוֹנוֹתָיו — **R' Shabsai said: [Jeconiah] did not** even **stir from there until the Holy One, blessed is He, forgave him for all his sins.**[203] עַל אוֹתָהּ שָׁעָה אָמַר — **Regarding this** incident and this **time [Scripture] states,** "כֻּלָּךְ יָפָה רַעְיָתִי וּמוּם אֵין בָּךְ" — ***You are entirely fair, My beloved, and there is no blemish in you*** (*Song of Songs* 4:7).[204] יָצְתָה בַּת קוֹל וְאָמְרָה לָהֶם "שׁוּבוּ בָּנִים שׁוֹבָבִים אֶרְפָּה מְשׁוּבוֹתֵיכֶם" — **A heavenly voice went forth and said to [the Jewish people], *"Return, O wayward sons, and I will heal your waywardness"*** (*Jeremiah* 3:22).[205]

NOTES

194. I.e., royal protocol mandates that a sitting king provide his incarcerated counterpart with his basic needs (*Yefeh To'ar, Eitz Yosef*).

195. It is clear that she didn't simply enter through the door to the cell, for as previously adduced from Scripture, the prison doors were never opened. How then, wonders the Midrash, did she enter? (*Maharzu, Eitz Yosef*). Although there was certainly an aperture through which food was passed, the Midrash assumes now that it was not big enough to allow a human being through (*Eitz Yosef*).

196. Although this opening was large enough to fit a person, it was located sufficiently high that there was no concern that Jeconiah would escape through it (ibid.).

197. A euphemism for a uterine discharge of blood.

198. The fact that she had to "count [seven clean days]" indicates that she was a *zavah,* not a *niddah,* who [by Biblical law] does not have to count clean days (see above, note 141), which is why the Midrash above (at note 147) represents this incident as an instance of Jeconiah keeping the laws of *"zivah"* (ibid.).

199. As indicated by *Ezekiel* 22:10, *They coerced women among you during the menstrual impurity* (*Yefeh To'ar*).

200. It should be noted that the fealty of Jeconiah to this stricture of the Torah, manifest in this incident, came in the face of what would seem to be overwhelming temptation. Until this point in time, he had been denied access to his wife, and there was no guarantee that she would be readmitted to him upon her purification. Moreover, since he had not yet been blessed with a child, he was risking forfeiting the opportunity to ever father a child. Despite the overwhelming temptation and emotional pressure, Jeconiah exercised heroic self-control by separating as the Torah commands. It is for this reason that he is mentioned here as the quintessential example of one who observed the laws of *zivah.* It is also for this reason that the Midrash elaborates regarding the details of the circumstances leading to this incident, for they emphasize the desperation of Jeconiah's situation, as well as Nebuchadnezzar's feelings toward him and, consequently, the likelihood that he would withdraw his permission. All this serves to magnify Jeconiah's devotion in observing the laws of *zivah* (*Yefeh To'ar* at the beginning of this section).

201. I.e., you have remembered the blood that Moses sprinkled upon the altar and the people, through which God and Israel entered into a covenant concerning the Torah (see *Exodus* 24:6-8), and therefore you have accepted upon yourselves to observe its laws once more (*Eitz Yosef*; see *Matnos Kehunah*). Alternatively, נִזְכַּרְתֶּם is translated as *you have been remembered,* i.e., by observing the laws of the blood of *zivah,* the blood of the covenant at Sinai has been remembered before Me (*Maharzu*).

202. Although in a general sense this verse refers to the Nation of Israel in the aggregate, and assures them that in the merit of that covenant, God will redeem them from their exile, the Midrash sees this verse as alluding specifically to Jeconiah, whose fidelity to the Torah, manifested in the above incident, made him deserving of being granted his liberty. In this merit, he was eventually set free by Evil-merodach, Nebuchadnezzar's son and successor, thirty-seven years after he was taken captive; see *II Kings* 25:27 (*Eitz Yosef*; see *Radal*).

203. Although the Midrash brings no source for this statement, this is assumed based on the fact that Jeconiah's wife conceived miraculously, for we are taught (see *Sanhedrin* 37b-38a with *Rashi* ad loc.) that she conceived while standing, which under normal circumstances is impossible. This was necessary because the dungeon was too narrow to allow for conception in the normal manner. The fact that Jeconiah was the beneficiary of such a miracle attests to the forgiveness of his sins (*Eitz Yosef*).

204. According to the allegorical interpretation of *Song of Songs* (see note 2 in §1 above), this verse is to be understood as a Divine praise of Israel, in which God proclaims to the nation of Israel that she is spiritually beautiful in her entirety; there is not one among her people who is blemished by sin. The verse, then, aptly describes this situation, for if even the king repented, surely the remainder of the nation would do so. Alternatively, the expression *you are entirely fair* implies that even the sinners of Israel are fair, because for the most part, they will eventually repent. Thus, this verse applies to Jeconiah's current situation, for he had previously acted sinfully, but now was considered "fair" on account of his complete and true repentance (*Yefeh To'ar*).

205. The Heavenly voice urged the Children of Israel to repent, for were they to do so, God would forgive them for their sins in the same manner that he had forgiven Jeconiah (ibid.).

כֵּיוָן שֶׁבָּא נְבוּכַדְנֶצַּר לְהִזָּקֵק לָהּ אָמְרָה לֵיהּ: אַתְּ מֶלֶךְ וִיכָנְיָה אֵינוֹ מֶלֶךְ, אַתָּה מְבַקֵּשׁ תַּפְקִידְךָ וִיכָנְיָה אֵינוֹ מְבַקֵּשׁ תַּפְקִידוֹ, מִיָּד גָּזַר וְנָתְנוּ לוֹ אִשְׁתּוֹ, וְכֵיצַד שִׁלְשְׁלוּהָ לוֹ, רַבִּי שַׁבְּתַי אָמַר: דֶּרֶךְ קִנְקְלִין שִׁלְשְׁלוּהָ לוֹ, וְרַבָּנָן *אָמְרֵי: פָּתְחוּ הַמַּעֲזִיבָה וְשִׁלְשְׁלוּהָ לוֹ, כֵּיוָן שֶׁבָּא לְהִזָּקֵק לָהּ אָמְרָה: כְּשׁוֹשַׁנָּה אֲדוּמָּה רָאִיתִי, פֵּרַשׁ מִמֶּנָּה, מִיָּד הָלְכָה וְסָפְרָה וְטָהֲרָה וְטָבְלָה, אָמַר לוֹ הַקָּדוֹשׁ בָּרוּךְ הוּא: בִּירוּשָׁלַיִם לֹא קִיַּמְתֶּם מִצְוַת זִיבָה וְעַתָּה אַתֶּם מְקַיְּמִין, שֶׁנֶּאֱמַר (זכריה ט, יא) "גַּם אַתְּ בְּדַם בְּרִיתֵךְ שִׁלַּחְתִּי אֲסִירַיִךְ מִבּוֹר", נִזְכַּרְתֶּם אוֹתוֹ הַדָּם שֶׁבְּסִינַי, בִּשְׁבִיל כֵּן "שִׁלַּחְתִּי אֲסִירַיִךְ", אָמַר רַבִּי שַׁבְּתַי: לֹא זָז מִשָּׁם עַד שֶׁמָּחַל לוֹ הַקָּדוֹשׁ בָּרוּךְ הוּא עַל כָּל עֲוֹנוֹתָיו, עַל אוֹתָהּ שָׁעָה אָמַר (שיר ד, ז) "כֻּלָּךְ יָפָה רַעְיָתִי וּמוּם אֵין בָּךְ", יָצְתָה בַּת קוֹל וְאָמְרָה לָהֶם: (ירמיה ג, כב) "שׁוּבוּ בָּנִים שׁוֹבָבִים אֶרְפָּה מְשׁוּבוֹתֵיכֶם":

עץ יוסף

ויכניה אינה מלך. בתמיה, ודרך המלכים שלא לחסר די מחסורם של מלכים החבושים בידם: **תפקידך.** עונת תשמיש: **וביצד שלשלוה.** דמכיון דאסיריו לא פתח ביתה לא הכניסוה דרך הפתח, אבל מאכל ומשתה האסורים לא קשה ליה דפשיטא שאפשר דרך חורין וחלונות: **דרך קנקלים.** פירוש דרך החלונות (מעריך המערכות). שהחלונות היו רחבים שתכנס האשה בהם, ומכל מקום לא היו פחד שהאסורים יצאו משם שהיו בגובה הכותל ולא יכלו לעלות שם בלי סולמות: **המעזיבה.** פָּאלא"פ בלע"ז: **הלכה וספרה.** שבעה נקיים אחר שלשה ימי הזיבה. ובאחד עשר ימי זיבה הוה קאי, וזהו שקאמר לעיל ומי קיים מצות זיבה ולא קאמר ומי קיים מצות נדה: **אותו הדם שנזכר בסיני.** שמפרש בדם בריתך על דם הברית שעל ידם כרת ה' עמם ברית כדכתיב (שמות כד, ח) הנה דם הברית אשר כרת ה' עמכם. וקאמר שנזכרתם אותו הדם שנכרת בו ברית על כל התורה ותבקשו עכשיו לקיימה: **בשביל בן.** שלחתי אסיריך. דהיינו גאולת ישראל דהכי משתעי קרא, ונקט לה הכא לפי שנתקיים הדבר ביכניה שנזכר דם שבסיני ובזכות זה זכה לצאת ממאסרו שאויל מרודך הוציאו כשמת נבוכדנצר: **שמחל לו הקדוש ברוך הוא.** משום דאיתא בילקוט (שם) שנעשה לו נס ונתעברה אשתו מעומד, ולכן אלולי שנמחל עונו לא זכה לנס. וצורך הנס הזה נראה שבית האסורים היה מקום צר ולא יכולו ליזקק אלא מעומד, ועניין הנס דגמירי אין אשה מתעברת מעומד כדאיתא בגמרא (סנהדרין לז, ב) בעניין חלקיהו אבי ירמיהו: **על אותה שעה כו'.** תחת אשר תחלה נאמר עליו ככלי אין חפץ בו, חזר ואמר עליו שאחר כך מצא חן בעיני ה' כלך יפה ומום אין בך, [או יש לומר מפני שלעיל פרשה י"ח (סימן ד) אמר ממקרא זה דכלך יפה כו' שלא היה בהם זבים ומצורעים וכשחטאו נמצאו בהן זבין וכו', לכך כאן שאמרו שיכניה קיים מצות זיבה לכן אומר שעל אותה שעה נאמר כלך יפה כו' (רד"ל): **יצאת בת קול.** ואמרה להם לישראל שובו בנים שובבים, שימחול להם כמו שמחל ליכניה:

פירוש מהרז"ו

דרך קנקלין. כי מפורש כתוב (ישעיה יד, יז) אסיריו לא פתח ביתה, ואם כן לא נכנסה לו דרך פתח, אלא דרך שלשול מן המעזיבה כדעת רבנו, או כדרך קנקלים שפירש הערוך, שכן נקרא אבן שיש בו חלונות רבים. ועיין בראשית רבה (עח, ח) ושם פירש חדרים: **בשושנה אדומה.** שם כינוי לנדות, עיין לעיל ריש (פרשה יב), וכמו שכתוב שיר השירים רבה ריש פסוק שררך (דף ל"ד ב') [פרשה ז פסוק ג, אות ב] סוגה בשושנים, כשושנה אדומה: **גם את בדם בריתך.** עיין לעיל (ו, ה) דרשה אחרת, וכאן דורש על יכניה, כמו שכתוב (זכריה ט, יא) ושלחת אסיריך מבור, היינו יכניה, שהיה אסור בבית כלא שלשים ושבע שנה, כמו שכתוב סוף מלכים ב': **הדם שבסיני.** שעל ידי שמירת מדם נדה נזכרתי לכם דם בריתכם. שבסיני כרת עמנו ברית בדם, כמפורש בסוף משפטים כמו שאמר לעיל (ו, ה) באריכות: **ארפא משובותיכם.** ירמיה (ג, כב):

חידושי הרד"ל

נזכרתם אותו הדם שבסיני. עיין מתנות כהונה, וכן הוא לעיל (ו, ה): **בשביל כן שלחתי אסיריך מבור.** זה יהויכין שהוציאוהו מבית כלאו מן הבור, (והאי אין מים בו דרשינן ליה לעיל עיין שם): **על אותה שעה כו' ומום אין בך.** תחת אשר תחלה נאמר עליו ככלי אין חפץ בו, חזר ואמר עליו שאחר כך מצא חן בעיני ה', כלך יפה ומום אין בך. (או יש לומר מפני שלעיל פרשה י"ח אמר ממקרא זה דכלך יפה כו', שלא היה בהן זבים ומצורעים, וכשחטאו נמצאו בהן זבין כו', לכך כאן שאמרו שיכניה קיים מצות זיבה, לכן אומר שעל אותה שעה נאמר כלך יפה כו'):

באור מהרי"פ

וביצד שלשלוה לו. פירוש כיון דאסיריו לא פתח ביתה בלתי אפשר היה להכניסה דרך הפתח: **לא קיימתם מצות זיבה.** כדכתיב ביחזקאל (כב, י) טמאת הנדה ענו בך: **הדם שבסיני.** פירוש דאין לפרש דקאי על דם נדה וזיבה שקיימו, שלא יתכן לקרות אותם דם ברית, לכך אמר שדמים אלו הזכירו דם ברית שבסיני שכרתו על כלל התורה, ודמים אלו בכלל: **על כל עונותיו.** ונעשה לו נס ונתעברה אשתו מעומד. הכי גרס בעל אות אמת, וכן מבואר בילקוט (ירמיה רמז שב), והנס הוא דגמירי דאין אשה מתעברת מעומד, כדאיתא בגמרא (סנהדרין לז, ב) בעניין חלקיהו אבי ירמיה, ומסתמא הבית האסורים היה צר מאד עד שלא היו יכולים להזקק כי אם מעומד, ועל פי נס נתעברה: **כלך יפה.** פירוש כיון שהמלך חזר בתשובה, כל שכן שאר העם:

מתנות כהונה

יכניהו אינו מלך. בתמיה: **ונתנו לו אשתו** גרסינן: **קנקלין.** פירוש הערוך חלונות: **דם שבסיני.** שנאמר סוף פרשת משפטים (שמות כד, ו) ויקח משה חצי הדם וגו': **חסלת פרשת זאת תהיה:**

אשד הנחלים

אותו הדם שבסיני. שאז היתה כריתת ברית לקיים המצוה כתורה וכהלכתא: **שובו.** הוא סיום המאמר בתקוה טובה, שאף שחטאו הרבה, עם כל זה ישתקוה שישובו וירפאו מעוונם, ויטהרו באחרית:

אם למקרא

גַּם־אַתְּ בְּדַם בְּרִיתֵךְ שִׁלַּחְתִּי אֲסִירַיִךְ מִבּוֹר אֵין מַיִם בּוֹ: (זכריה ט:יא)

כֻּלָּךְ יָפָה רַעְיָתִי וּמוּם אֵין בָּךְ: (שיר השירים ד:ז)

שׁוּבוּ בָּנִים שׁוֹבָבִים אֶרְפָּה מְשׁוּבֹתֵיכֶם הִנְנוּ אָתָנוּ לָךְ כִּי אַתָּה ה' אֱלֹהֵינוּ: (ירמיה ג:כב)

BIBLIOGRAPHY

Abarbanel — (1437-1508) Philosopher, statesman, leader of Spanish Jewry at the time of the Expulsion in 1492. Wrote massive commentary on nearly the entire *Tanach.*

Aderes Eliyahu — Commentary on the Pentateuch by the ***Vilna Gaon,*** R' Eliyahu ben Shlomo Zalman (1720-1797).

Akeidas Yitzchak (also known simply as *Akeidah*) — Profound philosophical-homiletical commentary on the Pentateuch by R' Yitzchak Arama (1420-1494), one of the leading rabbis of 15th-century Spain.

Alshich — R' Moshe Alshich, *dayan* and preacher in Safed during its golden age. Wrote popular commentary on the *Tanach* called ***Toras Moshe.***

Anaf Yosef — Commentary on the Midrash by R' Chanoch Zundel ben Yosef (first printed 5627).

Aperion — Comments on the Pentateuch by R' Shlomo Ganzfried, author of *Kitzur Shulchan Aruch* (Uzhgorod, 5624).

Arizal — R' Yitzchak Luria (1534-1572), regarded as the greatest Kabbalist of recent generations.

Aruch — Talmudic dictionary, by R' Nassan ben Yechiel (10th century).

Aruch LaNer — Commentary on several Talmudic tractates by R' Yaakov Ettlinger. See also ***Minchas Ani.***

Asarah Ma'amaros — essays by R' Menachem Azaryah of Fano (died 1620) (first printed Venice, 5357).

Ateres Mordechai — Comments on the Pentateuch by R' Mordechai Rogov (Chicago, 5725; New York, 5755).

Avnei Nezer — Title of the responsa collection of R' Avraham Borenstein of Sochachov (1839-1910), a foremost Chassidic Rebbe and Torah scholar of the 19th century; frequently cited in ***Shem MiShmuel,*** the discourses of his son.

R' Avraham ben HaRambam — (1186-1237) Successor to his illustrious father as Naggid, or official leader, and Chief Rabbi of Egyptian Jewry. Wrote commentary on the Pentateuch in Arabic of which only the sections on *Genesis* and *Exodus* have survived.

Baal Halachos Gedolos — One of the earliest codes of Jewish law, composed by R' Shimon Kayyara, who is believed to have lived in Babylonia in the 9th century and to have studied under the *Geonim* of Sura.

Baal HaTurim — Commentary on the Pentateuch by R' Yaakov the son of the ***Rosh*** (c.1275-c.1340). The commentary is composed of two parts: (a) a brief one based on *gematria* and Masoretic interpretations (known as *Baal HaTurim*); (b) an extensive exegetical commentary, known as *Peirush HaTur HaAroch.*

Bach — Acronym for *Bayis Chadash*, the name of the works of R' Yoel Sirkis (1561-1640), including a commentary on the law code *Arba'ah Turim,* responsa, and emendations on the Talmud (called *Hagahos HaBach*).

Baruch She'amar — Commentary on the prayers, *Haggadah* and *Pirkei Avos* by R' Baruch HaLevi Epstein, author of ***Torah Temimah.***

Bechor Shor — Commentary on the Pentateuch by the Tosafist R' Yosef Bechor Shor (1140-1190), disciple of ***Rabbeinu Tam.***

Be'er BaSadeh — A supercommentary on ***Rashi's*** Pentateuch commentary and the supercommentary of ***Mizrachi,*** by R' Meir Binyamin Menachem Danon, Chief Rabbi of Sarejevo, Bosnia in the early 19th century.

Be'er BaSadeh — by R' Alexander Sender Freidenberg (Warsaw, 5636).

Be'er HaGolah — a work composed by the ***Maharal*** of Prague (1526-1609) to explain certain Aggados.

Be'er Mayim Chaim — Supercommentary on ***Rashi's*** commentary on the Pentateuch by R' Chaim ben Betzalel (1515-1588), Chief Rabbi of Worms, older brother of ***Maharal.***

Be'er Mayim Chaim — Commentary on the Torah by the Chassidic master R' Chaim of Czernowitz (1760-1818).

Be'er Moshe — Chassidic commentary on the Pentateuch by R' Moshe Yechiel HaLevi Epstein of Ozharov (1890-1971).

Be'er Yitzchak — Supercommentary on ***Rashi's*** commentary on the Pentateuch by R' Yitzchak Yaakov Horowitz of Yaroslav (Lemberg, 5633; reprinted Jerusalem, 5727).

Be'er Yosef — by R' Yosef Tzvi Salant (Jerusalem, 5741; reprinted 5769).

Beis Avos — by R' Shlomo Zalman Hirschman (Berlin, 5649; reprinted Jerusalem, 5746).

Beis HaLevi — Title of many of the works of R' Yosef Dov HaLevi Soloveitchik (1820-1892), Rosh Yeshivah in Volozhin and afterward Rabbi of Slutzk and Brisk, including a commentary on the Pentateuch.

Beis HaOtzar — by R' Yosef Engel (Piotrkow, 5663).

Beis Yisrael — Discourses on the Pentateuch by R' Yisrael Alter (died 1977), Gerrer Rebbe (published Jerusalem, 5738-5740).

Beis Yitzchak — by R' Yitzchak Reitbord (Jerusalem, 5670).

Beis Yosef — Commentary by R' Yosef Caro (1488-1575) on the law code *Arba'ah Turim.* He was also the author of the ***Shulchan Aruch*** and *Kesef Mishneh*, a classic commentary on ***Rambam's*** code.

Ben Yehoyada — Commentary on the Aggadic portions of the Talmud by the author of *Ben Ish Chai*, R' Yosef Chaim of Baghdad.

Bertinoro, R' Ovadiah of — (c.1440-1516) Leading rabbi in Italy and Jerusalem; author of the most popular commentary on the Mishnah, commonly referred to as "the Rav" or "the Bartinura"; author of *Amar Nekeh*, a supercommentary on ***Rashi's*** Pentateuch commentary.

Beur HaGra — Commentary of the ***Vilna Gaon*** on ***Shulchan Aruch.***

Beurei HaGra — Talmudic commentary of the ***Vilna Gaon.***

Beur Maharif — Commentary on the Midrash by R' Yechezkel Feivel of Vilna.

Bikkurei Aviv — Comments on the Pentateuch by R' Yaakov Aryeh Guterman, the *Admor* of Radzymin (Piotrkow, 5696).

Bircas Yitzchak — by R' Baruch Yitzchak Lewinthal, pre-war Rav of Poltosk, Poland (Jerusalem, 5706).

Bircas Yaakov — by R' Yaakov Koppel Kraus (Bnei Brak, 5764).

Bishvilei Oraisa, Bishvilei HaMelech — by R' Simchah Bunim Lieberman (Tzefas, 5768).

Bnei Yisas'char — Collection of Chassidic essays on the Sabbath and holidays by R' Zvi Elimelech Shapiro of Dinov (1784-1840) (Piotrkow, 5644).

Chafetz Chaim — Title of one of the works of R' Yisrael Meir HaKohen of Radin (1838-1933), author of basic works in halachah, *hashkafah,* and *mussar,* famous for his saintly qualities, acknowledged as a foremost leader of Jewry.

Chafetz Chaim HeChadash al HaTorah — collected and arranged by R' Shalom Meir Wallach (Bnei Brak, 5767).

Chamudei Tzvi — by R' Tzvi Hirsch Yair, Rav and Rosh Yeshivah in pre-war Poland (Lublin, 5637; expanded edition, New York, 5717).

R' Chananel — (died c.1055) Rosh Yeshivah and Rabbi of the Jewish community of Kairouan, North Africa; author of famous Talmud commentary and commentary on the Pentateuch, which is quoted by ***Ramban, R' Bachya,*** and others.

***Chasam Sofer* —** Title of many of the works of R' Moshe Sofer (1762-1839), Rabbi of Pressburg and acknowledged leader of Hungarian Jewry, who led the battle against Reform.

***Chavos Yair* —** Comments on the Pentateuch by R' Yosef Eliezer Rosenfeld (Paks, 5669).

***Chayei HaMussar* —** published by Yeshivas Beis Yosef (Ostrovtza, 5696).

***Chazon Ish* —** Title of the works of R' Avraham Yeshaya Karelitz (1878-1953), Lithuanian scholar who spent his last twenty years in Bnei Brak. He held no official position, but was acknowledged as a foremost leader of Jewry. His works cover all aspects of Talmud and Halachah.

***Chidushei HaRim* —** Title of the works of R' Yitzchak Meir Alter of Ger [or Gur] (1799-1866), founder of Ger Chassidus.

***Chidushei HaGriz* —** Novellae on the Pentateuch and on the Talmud of R' Yitzchak Zev HaLevi Soloveitchik.

***Chidushei HaLev* —** by R' Henoch Leibowitz (5756).

***Chidushei R' Aryeh Leib* —** Novellae on the Talmud by R' Aryeh Leib Malin (Bnei Brak, 5742).

Chinuch* —** see ***Sefer HaChinuch.

***Chizkuni* —** Commentary on the Pentateuch by R' Chizkiyah Chizkuni, who lived in the 13th century, probably in France.

***Chochmah U'Mussar* —** by R' Simchah Zissel Ziv, Alter of Kelm (New York, 5717).

***Chochmah VaDaas* —** by R' Moshe Shternbuch (Jerusalem, 5766).

***Chochmas HaMatzpun* —** teachings of R' Yisrael Salanter (Moshe Avgi, editor) (Bnei Brak, 5759).

***Chossen Yehoshua* —** by R' Yehoshua Heller (first printed in Vilna, 5622).

***Chovos HaLevavos* —** by Rabbeinu Bachya ibn Paquda (11th century).

***Daas Chochmah U'Mussar* —** by R' Yerucham Levovitz (New York, 5727-5732).

***Daas Sofer* —** by R' Akiva Sofer (reprinted Jerusalem, 5723).

Daas Tevunos* —** Work of religious philosophy in the form of a dialogue between the soul and the intellect, by R' Moshe Chaim Luzzatto (1707-1746), Kabbalist, poet, and author of, among other works, ***Mesillas Yesharim.

***Daas Torah* —** *Mussar* work by R' Yerucham Levovitz (Jerusalem, 5761).

***Daas Zekeinim* —** Collection of comments on the Pentateuch by the Tosafists of the 12th and 13th centuries.

Dagul MeRevavah* —** Comments of the ***Noda BiYehudah on ***Shulchan Aruch.***

***Darash Moshe* —** Work on the Pentateuch by R' Moshe Feinstein.

Darchei Moshe* —** by R' Moshe Isserles (Rama***), on the *Tur Shulchan Aruch.*

***Darchei Mussar* —** by R' Yaakov Naiman, pre-war Rosh Yeshivah in Vilna, and subsequently Rosh Yeshivah in Petach Tikvah (Petach Tikvah, 5748).

***Derashos HaRan* —** A collection of discourses by R' Nissim of Gerona, Spain (c.1290-c.1375). A classic exposition of the fundamentals of Judaism.

Derashos Maharal MiPrague* —** Discourses by the ***Maharal of Prague (Jerusalem, 5719).

Derech Chaim* —** Commentary on *Avos* by the ***Maharal of Prague.

Derech Hashem* —** basic text of Jewish philosophy by R' Moshe Chaim Luzzatto. See ***Daas Tevunos.

Derech LeChaim* —** Commentary on R' Moshe Chaim Luzzatto's ***Derech Hashem, by R' Chaim Friedlander (Jerusalem, 5768).

***Dibros Moshe* —** Multi-volume work of Talmudic commentary by R' Moshe Feinstein.

***Divrei Chaim* —** by R' Chaim Shorin (Vilna 5629-5633).

Divrei David* —** Supercommentary on ***Rashi's commentary on the Pentateuch by R' David ben Samuel HaLevi (1586-1667), known as the ***Taz*** after his classic commentary on the ***Shulchan Aruch, Turei Zahav.***

***Divrei Shaarei Chaim* —** by R' Chaim Sofer (Munkacz, 5647).

***Divrei Shalom* —** Comments on the Pentateuch by R' Yitzchak Aderabi of Salonika (Warsaw, 5653).

***Divrei Shaul* —** Comments on the Pentateuch by R' Yosef Shaul Natanson (Lemberg, 5635-5638; republished, Jerusalem 5767).

***Divrei Yatziv* —** by R' Yekusiel Yehudah Halberstam, the Klausenberger Rebbe.

***Divrei Yoel* —** by R' Yoel Teitelbaum, the Satmar Rebbe (Brooklyn, 5742-3).

Dubno Maggid* —** R' Yaakov Krantz (1741-1804), the most famous of the Eastern European *maggidim,* or preachers. Best known for his parables, his discourses were collected and published in ***Ohel Yaakov, Mishlei Yaakov, and other works.

Eglei Tal* —** Work on the first eleven forbidden labors of the Sabbath by R' Avraham Borenstein, the Sochotchover Rebbe, author of Responsa ***Avnei Nezer.

Ein Eliyahu* —** by R' Eliyahu Schick, on the Aggados of the Talmud (originally printed on ***Ein Yaakov, Vilna, 5629-34; reprinted as a separate book, Bnei Brak, 5763).

***Ein Yaakov* —** A compilation of all the Aggadic material in the Talmud together with commentaries (Vilna, 5617-5624).

***Eish Kodesh* —** by R' Klonymos Kalman Shapira, Piaseczno Rebbe (5703).

***Eitz Chaim* —** Central work on Kabbalah by R' Chaim Vital, based on the teachings of R' Yitzchak Luria (Koritz, 5542).

***Eitz Yosef* —** Commentary on the Midrash by R' Chanoch Zundel ben Yosef.

Elyah Rabbah* —** Commentary on ***Shulchan Aruch, *Orach Chaim* by R' Elyah Shapiro.

***Emes LeYaakov* —** by R' Yaakov Kamenetsky (Cleveland, 5751; reprinted, 5761, 5767).

***Eshed HaNechalim* —** Commentary on the Midrash by R' Avraham Shik (first printed 5603).

***Gevuras Ari* —** Commentary on a number of Talmudic tractates by R' Aryeh Leib Gunzberg (died 1785), author of *Shaagas Aryeh.*

Gevuros Hashem* —** A work on the Exodus by the ***Maharal of Prague.

HaGra* —** acronym for *HaGaon R' Eliyahu*, the ***Vilna Gaon.

Gur Aryeh* —** Supercommentary on ***Rashi's Pentateuch commentary by the ***Maharal*** of Prague.

Haamek Davar* —** Commentary on the Pentateuch by R' Naftali Zvi Yehudah Berlin (1817-1893), Rosh Yeshivah of the famous yeshivah of Volozhin in Russia; popularly known as the ***Netziv.

Haamek She'eilah* —** Commentary on the *Sheiltos* of R' Achai Gaon by R' Naftali Zvi Yehudah Berlin (Netziv***).

***HaBayis HaYehudi* —** by R' Aharon Zakkai (Jerusalem, 5746-5755).

Hadar Zekeinim* —** A work on the Pentateuch containing commentaries by the 11th and 12th century Tosafists and the ***Rosh, R' Asher ben Yechiel (c.1250-1327).

***HaDei'ah VeHaDibbur* —** by R' Zalman Sorotzkin (Warsaw, 5697).

HaDerash VeHalyun — by R' Aharon Levin, known as "the Reisher Rav" (Bilgoraj, 5688).

HaKesav VeHaKabbalah — Comprehensive commentary on the Pentateuch by R' Yaakov Tzvi Mecklenburg (1785-1865), Chief Rabbi of Koenigsberg in Germany. It demonstrates how the Oral Tradition derives from the written text of the Pentateuch.

HaMaor ShebaTorah — by R' Shalom Tzvi Shapiro (Bnei Brak, 5756).

HaMesillos — by R' Simchah Reuven Edelman (Vilna, 5635).

Harchavas Gevul Yaavetz — by R' David Cohen (Brooklyn, 5762-5763).

Harerei Kedem — by R' Michel Shurkin (Jerusalem, 5760).

HaTirosh — Commentary on the Midrash by R' Simchah Reuven Edelman (Warsaw, 5651).

Hirsch, R' Samson Raphael — (1808-1888) Rabbi in Frankfurt-am-Main; great leader of modern German-Jewish Orthodoxy and battler against Reform; author of many works, including an extensive commentary on the Pentateuch.

Ibn Ezra, R' Avraham — (1089-c.1164) Bible commentator; *paytan*. Composed classic commentary on entire *Tanach*, famous for its grammatical and linguistic analysis.

Iggeres Shmuel — Commentary to the Book of *Ruth* by R' Shmuel ben Yitzchak Uzida (16th century).

Igros Moshe — Responsa of R' Moshe Feinstein.

Imrei Emes — Chassidic discourses on the Pentateuch by R' Avraham Mordechai Alter, the third Gerrer Rebbe (1865-1948).

Imrei Shefer — by R' Shlomo Kluger (Lemberg, 5695).

Iyun Yaakov — Commentary on Aggadic portions of the Talmud by R' Yaakov Reischer, author of Responsa ***Shevus Yaakov.*** Printed in ***Ein Yaakov***.

Iyunim BaParashah — by R' Avraham Schorr (Brooklyn, 5771).

Kaftor VaFerach — Famous work on the history, geography, and halachos of *Eretz Yisrael,* by R' Eshtori HaFarchi (c.1282-c.1357), a disciple of the ***Rosh***.

Karyana D'Igresa — by Rabbi Yisrael Yaakov Kanievsky, the Steipler (Bnei Brak, 5746-5790).

Kehillas Yitzchak — Comments on the Pentateuch by R' Yitzchak Reitbord (Vilna, 5657 and 5660; Warsaw, 5690).

Kisvei HaMaggid MeDubno — by R' Eliezer Steinman (Tel Aviv, 5712).

Kli Chemdah — by R' Meir Dan Plotzki (Piotrkow, 5673).

Kli Yakar — Popular commentary on the Pentateuch by R' Shlomo Ephraim Lunshitz (c.1550-1619), Rosh Yeshivah in Lemberg and Rabbi of Prague, one of the leading Polish rabbis of the early 17th century.

Kluger, R' Shlomo — (1785-1869) Rabbi of Brody in Galicia.

Kol Bo — Anonymous halachic compendium (late-13th—early-14th cent.).

Kol Eliyahu — by the ***Vilna Gaon*** (Chanoch Henoch Erzohn, editor) (Piotrkow, 5665).

Kol Simchah — by R' Simchah Bunim of Peshischa.

Kotzker Rebbe, R' Menachem Mendel Kotzk — (1787-1859) One of the leading Chassidic Rebbes in the mid-19th century; his pithy comments are published in *Emes V'Emunah,* in *Ohel Torah,* and in the numerous works of his disciples.

Kovetz Shiurim — by R' Elchanan Wasserman, Rosh Yeshivah of Baranovitch.

Kovetz Maamarim — by R' Elchanan Wasserman, Rosh Yeshivah of Baranovitch.

Ksav Sofer — Title of the responsa collection and Pentateuch commentary of R' Avraham Shmuel Binyamin Sofer of Pressburg (1815-1879), son and successor of the ***Chasam Sofer.***

Kuzari — Basic work of Jewish religious philosophy in the form of a dialogue; by R' Yehudah Halevi (c.1080-c.1145), the most famous of the medieval Jewish liturgical poets in Spain.

Lekach Tov — Contemporary anthology of *mussar* and *hashkafah* writings arranged according to the Pentateuchal weekly readings, by R' Yaakov Yisrael Beifus.

Lev Eliyahu — by R' Elyah Lopian (Jerusalem, 5731; reprinted 5765).

Lev Shalom — by R' Shalom Schwadron (Jerusalem, 5759).

Likkutei Torah VeHaShas — by R' Yitzchak Isaac of Zidichov (Munkacz, 5646).

Likkutei Yehudah — by R' Yehudah Aryeh Leib Heine (Jerusalem, 5721).

Limudei Nissan — by R' Nissan Alpert (5750).

Maayan Beis Hasho'evah — by R' Shimon Schwab (Brooklyn, 5754).

Machsheves Mussar — *Mussar* discourses of R' Elazar Shach (new edition, Bnei Brak 5767).

Magen Avraham — Basic commentary on ***Shulchan Aruch*** *Orach Chaim,* by R' Avraham Gombiner (1634-1682) of Kalisch, Poland.

Maharal — Acronym for *Moreinu HaRav Yehudah Loewe* ben Bezalel (1526-1609), one of the seminal figures in Jewish thought in the last five centuries. Chief Rabbi in Moravia, Posen, and Prague. Author of numerous works in all fields of Torah.

Maharam — Acronym for *Moreinu HaRav Meir* ben Gedaliah of Lublin, Poland (1558-1616), Rabbi and Rosh Yeshivah in a number of leading communities in Poland; author of a commentary on the Talmud; responsa; and *Torah Ohr,* sermons based on the Torah.

Maharam Schik — Acronym for *Moreinu HaRav Moshe Schik* (d. 1879), student of the ***Chasam Sofer*** and author of Responsa.

Mahari MiBelz — Collection of Torah thoughts of R' Yehoshua of Belz, collected and arranged by R' Yisrael Yaakov Klapholtz (Bnei Brak, 5750 [second edition]).

Maharik — Responsa of R' Yosef Colon (died 1480).

Maharil Diskin — Acronym of *Moreinu HaRav Yehoshua Leib Diskin* (1818-1898), one of the leading Torah scholars of the 19th century, Rabbi in several Lithuanian communities, especially Brisk; subsequently settled in Jerusalem. Among his works is a commentary on the Pentateuch.

Maharit — Acronym for *Moreinu HaRav Yosef Trani* (1568-1639), Rosh Yeshivah and Chief Rabbi of Constantinople; the leading Sephardic Halachist of the early 17th century. His responsa collection, *She'elos U'Teshuvos Maharit*, is considered a classic.

Maharsha — Acronym for *Moreinu HaRav Shlomo Eidel's* of Ostroh, Poland (1555-1632), Rosh Yeshivah and Rabbi in a number of the leading communities of Poland. Author of monumental commentaries on the halachic and Aggadic sections of the Babylonian Talmud.

Maharshal — Acronym for *Moreinu HaRav Shlomo Luria* (1510-1573), one of the leading Rabbis of Poland in the 16th century; author of numerous works on Talmud and Halachah, as well as a supercommentary on ***Rashi's*** Pentateuch commentary.

Maharzu — Acronym for *Moreinu HaRav Ze'ev Wolf* Einhorn of Vilna (died 1862). Wrote a major commentary on the Midrash.

Malbim —Acronym for *Meir Leibush ben Yechiel Michel* (1809-1879), Rabbi in Germany, Romania, and Russia, leading Torah scholar and one of the preeminent Bible commentators of modern times. Demonstrated how the Oral Tradition is implicit in the Biblical text.

Maskil LeDavid — Supercommentary on ***Rashi's*** Pentateuch commentary by R' David Pardo (1710-1792), Rabbi in Sarajevo and Jerusalem, author of many important works; one of the leading Sephardic Torah scholars of the 18th century.

Matnos Kehunah — Commentary on the Midrash by R' Yissachar Ber HaKohen (c.1520-1590), a student of the ***Rama.***

Mechilta — Tannaitic halachic Midrash to the Book of *Exodus*.

Melo HaOmer — by R' Aryeh Leib Tzintz (Piotrkow, 5688).

Meromei Sadeh — Commentary on a number of Talmudic tractates by R' Naftali Tzvi Yehudah Berlin (***Netziv***).

Meshech Chochmah — Commentary on the Pentateuch by R' Meir Simcha HaKohen of Dvinsk (1843-1926), a foremost Torah scholar of his time and author of the classic *Ohr Same'ach* on ***Rambam's*** *Mishneh Torah.*

Mesillas Yesharim — Basic *mussar* text, by R' Moshe Chaim Luzzatto (died 1746).

Mesillos Chaim B'Chinuch — by R' Chaim Friedlander (Bnei Brak, 5752).

Michtav MeEliyahu — Collected writings and discourses of R' Eliyahu Eliezer Dessler (1891-1954) of London and Bnei Brak, one of the outstanding personalities and thinkers of the Mussar movement.

Midrash HaNe'elam — Kabbalistic Midrash, part of the ***Zohar.***

Midrash Lekach Tov — Midrashic work on the Pentateuch and the Five ***Megillos*** compiled by R' Toviah (ben Eliezer) HaGadol (1036-1108) of Greece and Bulgaria. This work is also known as ***Pesikta Zutrasa.***

Midrash Shimoni — by R' Shimon Moshe Diskin (Tel Aviv, 1939).

Midrash Tanchuma — See below, ***Tanchuma***.

Midrash Tehillim — Ancient Midrash on the Psalms, also known as *Midrash Shocher Tov.*

Minchas Ani — Comments on the Pentateuch by R' Yaakov Ettlinger, author of ***Aruch LaNer*** and Responsa *Binyan Tzion* (Altona, 5633).

Minchas Yitzchak — Responsa of R' Yitzchak Yaakov Weiss.

Minchas Yitzchak al HaTorah — by R' Yitzchak Yaakov Weiss (Jerusalem, 5762).

Mishchas Shemen — by R' Chaim Shaul Kaufman (Jerusalem, 5767).

Mishnah Berurah — Commentary on ***Shulchan Aruch,*** *Orach Chaim* by the author of ***Chafetz Chaim***.

Mishnas DeRabbi Eliezer — by R' Eliezer from Pinitchov (first printed 5465).

Mishlei Yaakov — See ***Dubno Maggid***.

Mishnas R' Aharon — by R' Aharon Kotler.

Mizrachi — Basic supercommentary on ***Rashi's*** Pentateuch commentary by R' Eliyahu Mizrachi (1450-1525) of Constantinople, Chief Rabbi of the Turkish Empire.

Moreh Nevuchim ("Guide for the Perplexed") — Major work of Jewish philosophy by ***Rambam***.

Moshav Zekeinim — Collection of comments on the Pentateuch by the Tosafists of the 12th and 13th centuries.

R' Moshe HaDarshan — Eleventh-century compiler of Midrashic anthology known as *Yesod R' Moshe HaDarshan,* cited by ***Rashi*** and other Rishonim.

Mussaf Aruch (or: *Mussaf HeAruch*) — Addenda of R' Benjamin Mussafia to ***Aruch*** (first printed in the Amsterdam 1655 edition of *Aruch*).

Nechmad LeMareh — Commentary on the Midrash by R' Shlomo Shalem (first printed 5537).

Nefesh HaChaim — Basic work of religious philosophy by R' Chaim of Volozhin (1749-1821), primary disciple of the ***Vilna Gaon***; founder of the famous yeshivah of Volozhin.

Ner Mitzvah — Treatise on Chanukah by the ***Maharal*** of Prague.

Nesivos Olam — Essays on fundamental topics in Jewish thought by the ***Maharal*** of Prague.

Nesivos Shalom — by R' Shalom Noah Berezovsky (Slonimer Rebbe).

Netzach Yisrael — Essays on exile and redemption by the ***Maharal*** of Prague.

Netziv — Acronym for *R' Naftali Tzvi Yehudah Berlin.* Author of ***Haamek Davar, Haamek She'eilah,*** and ***Meromei Sadeh.***

Nezer HaKodesh — by R' Yechiel Michel ben Uzziel (Jessnitz, 1719). Major commentary on *Bereishis Rabbah.*

Noam Elimelech — Collection of Chassidic discourses on the Pentateuch by R' Elimelech of Lizhensk (1717-1787), a founder of the Chassidic movement (Lemberg, 1788).

Noam Siach — by R' Shneur Kotler (Lakewood, 5772).

Noda BiYehudah — Responsa of R' Yechezkel Landau of Prague (1713-1793).

Ohel Moshe — by R' Moshe Yosef Scheinerman (Brooklyn, 5767-5770).

Ohel Yaakov — See ***Dubno Maggid.***

Oheiv Yisrael — by R' Avraham Yehoshua Yisrael of Apt (Zhitomir, 5623).

Ohr Avraham (al HaTorah) — by R' Avraham Gurwicz (Jerusalem, 5752).

Ohr Gedalyahu — by R' Gedalyah Schorr.

Ohr HaChaim — Commentary on the Pentateuch by the famous Kabbalist and Talmudic scholar R' Chaim ben Attar (1696-1743), Rabbi and Rosh Yeshivah in Livorno, Italy, and subsequently in Jerusalem.

Ohr HaSeichel — Commentary on *Bereishis Rabbah* by R' Avraham ben Asher, often quoted as אבא (first printed in 5327).

Ohr HaTzafun — by R' Nosson Tzvi Finkel (1849-1927), spiritual head of the Slabodka Yeshivah; one of the giants of the Lithuanian Mussar movement (Jerusalem, 5719).

Ohr Yahel — by R' Leib Chasman, Rav in pre-war Stuchin, and Mashgiach of Yeshivas Chevron (Jerusalem, 2001).

Ohr Yechezkel — *Mussar* work by R' Yechezkel Levenstein (Bnei Brak, 5736).

Ohr Yisrael — Collection of letters and essays of R' Yisrael Lipkin (R' Yisrael Salanter), compiled by his student R' Yitzchak Blazer (Vilna, 5660; reprinted Jerusalem, 5731).

Olelos Ephraim — by R' Ephraim Lunshitz, author of ***Kli Yakar.*** Disciple of ***Maharshal*** and Rav of Prague.

Os Emes — by R' Meir ben Shmuel Benvenisti (first printed in 5325). References and emendation on Midrash.

Oznaim LaTorah — Commentary on the Pentateuch by R' Zalman Sorotzkin (1881-1966), one of the leading Rabbis in Lithuania (popularly known as "the Lutzker Rav") and subsequently in Israel. Has been published in English as *Insights in the Torah.*

Pachad Yitzchak — The collected discourses of R' Yitzchak Hutner (1907-1980), Rosh Yeshivah of Mesivta R' Chaim Berlin in New York, and a foremost thinker and leader of Jewry. His works are based in great measure on those of the ***Maharal.***

Panim Yafos — Commentary on the Pentateuch by R' Pinchas Horowitz (1730-1805), one of the leading Torah scholars of the 18th century, Rabbi in Frankfurt-am-Main, author of the classic works *Haflaah* and *Hamakneh* on the Talmud.

Parashas Derachim — by R' Yehudah Rosanes, author of *Mishneh LaMelech* (Venice, 5502; Jerusalem, 5752).

Pardes Yosef — by R' Yosef Potzonovsky (Piotrkow, 5691).

Peninei Rabbeinu Yechezkel — a collection of the teachings of R' Yechezkel Abramsky, by R' Moshe Mordechai Shulsinger (Bnei Brak, 5752).

Peninim MiShulchan Gavoah — collection on the Pentateuch, by R' Dov Eliach (Jerusalem, 5752).

Pesikta D'Rav Kahana — Ancient Midrashic collection on certain portions of the Pentateuch as well as on the *Haftaros* of the festivals and special Sabbaths, by R' Kahana, probably the Amora R' Kahana, the disciple of Rav (second century).

Pesikta Rabbasi — Midrashic collection of homilies compiled in the Geonic era on parts of the weekly Torah reading, certain *Haftaros,* and certain special Sabbaths.

Pesikta Zutrasa — Midrashic work on the Pentateuch and the Five *Megillos* compiled by R' Toviah (ben Eliezer) HaGadol (1036-1108) of Greece and Bulgaria. This work is also known as ***Midrash Lekach Tov.***

Pirkei DeRabbi Eliezer — Midrash composed by the school of the Tanna R' Eliezer ben Hyrcanus (c. 100). An important commentary on this Midrash was composed by R' David Luria (1798-1855), one of the leading Torah scholars in Russia in the early 19th century.

Pischei Teshuvah — Digest of responsa arranged according to the order of the ***Shulchan Aruch*** (excluding *Orach Chaim*), forming a kind of commentary to that law-code, by R' Avraham Tzvi Hirsch Eisenstadt (1813-1868), Rabbi of Utian, Lithuania.

Pnei Yehoshua — Talmudic commentary by R' Yaakov Yehoshua Falk (1680-1756).

Pri Megadim — Monumental supercommentary on the ***Shulchan Aruch*** commentaries ***Magen Avraham, Turei Zahav,*** and ***Sifsei Cohen,*** by R' Yoseph Teomim (1727-1792), *dayan* in Lemberg and Rabbi in Frankurt an der Oder.

Pri Tzaddik — Collection of discourses on the Pentateuch by ***R' Tzadok HaKohen.***

Raavad — Acronym for *R' Avraham ben David* of Posquieres, Provence (c.1120-c.1197), one of the leading Torah scholars of the 12th century, famous for his critical notes on the *Mishneh Torah* of the ***Rambam,*** as well as many other works on Talmud and Halachah.

Rabbeinu Avraham Min HaHar — One of the Rishonim, who wrote a commentary to several tractates of the Talmud.

Rabbeinu Bachya — (1263-1340) Student of the ***Rashba,*** author of a commentary on the Pentateuch containing four modes of interpretation: plain meaning of the text, and Midrashic, philosophical, and Kabbalistic exegeses.

Rabbeinu Tam — (1100-1171) Grandson of ***Rashi,*** and one of the foremost Tosafists.

Rabbeinu Yonah of Gerona — (d. 1263), author of ***Shaarei Teshuvah*** and Talmudic commentator. He also authored a commentary on *Pirkei Avos* and on the Book of *Proverbs.*

Radak — Acronym for *R' David Kimchi* (1160-1235) of Provence, leading Bible commentator and grammarian. Of his famous commentary on *Tanach,* only the sections to *Genesis,* the Prophets, *Psalms, Proverbs,* and *Chronicles* have survived.

Radal — Acronym for *R' David Luria.* His commentary on the Midrash is called *Chidushei HaRadal.*

Radvaz — Acronym for ***R' David ben Zimra*** (c.1480-1573), Chief Rabbi of Egypt, one of the leading rabbis of the 16th century; his responsa collection is considered a classic.

Ralbag — Acronym for *R' Levi ben Gershon* [Gersonides] (1288-1344) of Provence. According to some, he was a grandson of ***Ramban.*** Composed rationalistic commentary on the Scriptures which explains the text, and then sums up the philosophical ideas and moral lessons contained in each section.

Rama — Acronym for *R' Moshe Isserles,* author of *Darchei Moshe* on the *Tur Shulchan Aruch* and glosses on ***Shulchan Aruch.*** Reflects Ashkenazic practice. He also authored ***Toras HaOlah.***

Rambam — Acronym for *R' Moshe ben Maimon* ["Maimonides"] (1135-1204), one of the leading Torah scholars of the Middle Ages. His three major works are: *Commentary to the Mishnah* in Arabic; *Mishneh Torah,* a comprehensive code of Jewish law; and ***Moreh Nevuchim.***

Ramban — Acronym for *R' Moshe ben Nachman* ["Nachmanides"] (1194-1270) of Gerona, Spain, one of the leading Torah scholars of the Middle Ages; successfully defended Judaism at the dramatic debate in Barcelona in 1263; author of numerous basic works in all aspects of Torah, including a classic commentary on the Pentateuch.

Ran — Acronym for *R' Nissim* of Gerona, Spain (c.1290-c.1375), famous for his Talmudic commentary.

Rashash — Acronym for *R' Shmuel Strashun* of Vilna (1794-1872). His annotations and glosses on nearly every tractate of the Mishnah, Talmud, and *Midrash Rabbah* are printed in the Romm (Vilna) editions of the Talmud and the *Midrash Rabbah.*

Rashba — Acronym for *R' Shlomo Ibn Aderes* (1235-1310), the leading rabbi in Spain in the late13th century. Famous for his many classic works in all branches of Torah learning, including thousands of responsa dealing with all aspects of Bible, Aggadah, Talmud, and Halachah.

Rashbam — Acronym for *R' Shmuel ben Meir* (c.1085-1174), grandson of ***Rashi*** and brother of ***Rabbeinu Tam,*** leading Tosafist and Talmud commentator, author of a literalist commentary on the Pentateuch.

Rashi — Acronym for *R' Shlomo Yitzchaki* (1040-1105), considered the commentator par excellence. *Rashi's* commentary on the Pentateuch as well as his commentary on the Talmud are considered absolutely basic to the understanding of the text to this very day.

Rash MiShantz — Acronym for *R' Shimshon MiShantz* (Sens), one of the Tosafists and author of a commentary on *Toras Kohanim* and on Mishnayos *Zeraim* and *Tohoros.*

R' Menachem Recanati — (late-13th—early-14th cent.) Italian Kabbalist who composed a mystical commentary on the Pentateuch.

Resisei Laylah — Collection of essays by ***R' Tzadok HaKohen*** (1823-1900).

Ritva — Acronym for *R' Yom Tov Ben Avraham* al-Asevilli (1248-1330), Rabbi in Saragossa, Spain, one of the leading Rabbis in Spain in his day; famous for his classic novellae on the Talmud.

Roke'ach — Guide to ethics and halachah, by R' Elazar Rokeach of Worms (c.1160-c.1238), a leading scholar and mystic of the medieval *Chachmei Ashkenaz* (German Pietists); author of many works, including a commentary on the Pentateuch.

Rosh — Acronym for *R' Asher ben Yechiel* (c.1250-1327), disciple of *Maharam* of Rottenberg. He fled to Spain from Germany and became Rabbi of Toledo and one of the leading authorities of his era; author of a classic halachic commentary on the Talmud and *Responsa Teshuvos HaRosh,* as well as other works including a commentary on the Pentateuch.

R' Saadiah Gaon — (882-942) Head of the famous yeshivah of Pumbedisa, zealous opponent of Karaism; author of many works in all areas of Torah learning, including the philosophical work, *Emunos VeDei'os,* as well as an Arabic translation of the Pentateuch.

Sdeh Tzofim — by R' Shmuel David Friedman (Brooklyn, 5760-5769).

Sechel Tov — Compilation of Midrashim, arranged on each verse of the Pentateuch and the Five *Megillos,* interspersed with halachic notes and original comments, by R' Menachem ben Shlomo of Italy (12th century).

Seder Olam — Ancient chronological work quoted by the Gemara, attributed to the Tanna R' Yose ben Chalafta.

Sefer Chassidim — Classic miscellaneous work of Mussar, Halachah, customs, Bible commentary, and Kabbalah, by R' Yehudah HaChassid of Germany (c. 1150-1217).

Sefer HaChinuch — The classic work on the 613 commandments, their rationale and their regulations, by an anonymous author in 13th-century Spain.

Sefer HaIkkarim — Classic work on the principles of faith by R' Yosef Albo (died c. 1444).

Sefer HaMitzvos — Listing and explanation of the 613 commandments, with a seminal preface explaining the principles of how to classify which Biblical precepts are to be included in the list, by ***Rambam.***

Sefer HaPardes — Halachic compendium, from the school of ***Rashi;*** includes certain of his legal decisions.

Sefer HaZikaron — Supercommentary on ***Rashi's*** Pentateuch commentary by R' Avraham Bakrat, who lived at the time of the Expulsion from Spain in 1492.

Sfas Emes — Discourses on the Pentateuch and other subjects, by R' Yehudah Leib Alter (1847-1905), the second Gerrer Rebbe and leader of Polish Jewry.

Sforno — Classic commentary on the Pentateuch by R' Ovadiah Sforno of Rome and Bologna, Italy (1470-1550).

Shaarei Aharon — A contemporary encyclopedic commentary on the Pentateuch by R' Aharon Yeshaya Rotter of Bnei Brak.

Shaarei Simchah — by R' Simchah Bunim Sofer (Vienna, 1923).

Shaarei Teshuvah — Classic work on repentance by ***Rabbeinu Yonah*** of Gerona.

Shach — See ***Sifsei Kohen.***

Shelah — Acronym for *Shnei Luchos HaBris,* by R' Yeshayah Hurwitz (1560-1630), Rabbi in Poland, Frankfurt, Prague, and Jerusalem, one of the leading Torah scholars of the early 17th century. It includes fundamental tenets of Judaism, basic instruction in Kabbalah, and a commentary on the Pentateuch.

Shem MiShmuel — Chassidic discourses on the Pentateuch and other subjects, by R' Shmuel Borenstein of Sochachov (1856-1920), son of the ***Eglei Tal*** (Jerusalem, 5752).

Shev Shmatesa — by R' Aharon Leib HaKohen Heller, author of *Ketzos HaChoshen* and *Avnei Miluim.*

Shevus Yaakov — Responsa of R' Yaakov Reischer (Offenbach, 5479).

Shibbolei HaLeket — Halachic compendium, by R' Tzidkiyah HaRofei of Rome (c.1230-c.1300).

Shiltei Gibborim — Talmudic commentary by R' Yehoshua Boaz (died 1557); printed on the side of the *Rif* in our editions of the Talmud.

Shiras David — by R' Aharon David Goldberg (Wickliffe, 5751).

Shiurei Daas — by R' Yosef Yehudah Leib Bloch (New York, 5709 [vol. 1]; Tel Aviv, 5713 [vol. 2], 5716 [vol. 3]).

Shorashim — Alphabetical encyclopedia of the roots of all words found in the Bible. A seminal work by the famous grammarian R' Yonah Ibn Janach (c.990-c.1055) of Cordoba and Saragossa. Written in Arabic, it became available in Hebrew only in the last century.

Shoshanim LeDavid — Commentary to Mishnah by R' David Pardo (Venice, 5512). Other authored works include *Chasdei David* to Tosefta, *Sifrei Dvei Rav* to ***Sifrei,*** and ***Maskil LeDavid*** on *Rashi's* Pentateuch commentary.

Shulchan Aruch — Code of Jewish Law. Written by ***R' Yosef Caro*** (Venice, 1565). Reflects Sephardic practice (see ***Rama***).

Sichos Mussar — by R' Chaim Shmulevitz (Jerusalem, 5740; reprinted 5762 and 5770).

Sichos R' Reuven — by R' Reuven Grozovsky (New Jersey, 5767).

Sifra — Tannaitic halachic Midrash to the Book of *Leviticus*; also known as ***Toras Kohanim.***

Sifrei (or, ***Sifri***)— Tannaitic halachic Midrash to the Books of *Numbers* and *Deuteronomy.*

Sifsei Chachamim — Popular supercommentary on ***Rashi's*** Pentateuch commentary, by R' Shabsai Bass (1641-1718).

Sifsei Chaim — by R' Chaim Friedlander (Bnei Brak, 5757).

Sifsei Kohen — Title of many of the works of R' Shabbtai Cohen (died 1663), most famously the ***Shach*** (*Sifsei Kohen*) on ***Shulchan Aruch,*** *Yoreh Deah* and *Choshen Mishpat.*

Sifsei Tzaddik — by R' Pinchas Menachem Elazar Justman of Piltz, grandson of the ***Chidushei HaRim.*** Commentary on the Pentateuch and holidays (Jerusalem, 5716).

R' Simchah Zissel Ziv of Kelm — "The Alter of Kelm" (1824-1898). One of the foremost disciples of R' Yisrael Salanter; founder and head of the famous Mussar yeshivah, the Talmud Torah of Kelm, Lithuania. His discourses were published as ***Daas Chochmah U'Mussar*** (2 volumes).

Soloveitchik, R' Chaim — (1853-1918) "Reb Chaim Brisker"; Rosh Yeshivah in Volozhin and subsequently Rabbi of Brisk. Equally renowned for his genius in Torah learning and his saintly qualities, he was one of the most seminal Torah scholars of his day.

Soloveitchik, R' Yitzchak Zev — (1886-1959). Successor of his father as Rabbi of Brisk, he was also a teacher of the foremost Lithuanian Torah scholars, a practice he continued when he settled in Jerusalem in 1940; major leader of world Jewry. See above, ***Chidushei HaGriz.***

Talelei Oros — by R' Yissachar Dov Rubin (Bnei Brak, 5753).

Tanchuma — Aggadic Midrash on the Pentateuch, attributed to the school of the Amora R' Tanchuma bar Abba of *Eretz Yisrael* (late-4th century).

Tanna DeVei Eliyahu — A Midrashic work comprised of two parts: the larger, earlier *Tanna DeVei Eliyahu Rabbah* and the smaller, later *Tanna DeVei Eliyahu Zuta.*

Taz — Acronym for *Turei Zahav,* a basic commentary on the ***Shulchan Aruch*** by R' David ben Shmuel HaLevi (1586-1667), one of the foremost Rabbinical authorities in 17th-century Poland.

Terumas HaDeshen — Collection of responsa by R' Yisrael Isserlein (d. 1460).

Tiferes Shimshon — by R' Shimshon Pincus.

***Tiferes Tzion* — by R' Yitzchak Zev Yadler. Comprehensive commentary on *Midrash Rabbah.*

***Tiferes Yisrael* — Comprehensive commentary on the Mishnah, by R' Yisrael Lipschutz (1782-1860).

***Tiferes Yonasan* — by R' Yonasan Eybeschutz.

***Torah Sheleimah* — Monumental multi-volume encyclopedia of all Talmudic and Midrashic sources on the Pentateuch, with explanations, scholarly notes and essays by R' Menachem Kasher (1895-1983), noted Israeli Torah scholar. He published thirty-eight volumes, up to *Parashas Beha'aloscha* before his death. *Torah Sheleimah* is currently being completed by his disciples.

***Torah Temimah* — by R' Baruch HaLevi Epstein (died 1941) (reprinted Tel Aviv, 5729).

***Toras Emes* — Comments on the Pentateuch by R' Yehudah Leib Eiger (Lublin, 5649-5690).

***Toras Kohen* — by R' Alexander Ziskind Kahana, a disciple of R' Simchah Bunim of Peshischa (Warsaw, 5699).

***Toras Kohanim* — See *Sifra.*

Toras HaOlah* — A work on the symbolic meaning of the sacrifices by ***Rama.

***Toras Maharitz* — by R' Yosef Tzvi Dushinsky (Jerusalem, 5716-5738).

Toras Moshe* — Commentary on the *Tanach* by R' Moshe ***Alshich.

Toras Moshe* — Commentary on the Pentateuch by R' Moshe Sofer, known as the ***Chasam Sofer.

***Toras Neviim* — A work on the tradition, organic structure, and methodology of the Talmud by R' Tzvi Hirsch Chayes (*Maharatz Chayes*).

Tur* — Code of Jewish law composed by R' Yaakov, the son of the ***Rosh (c.1275-c.1340). The *Arba'ah Turim* (which is its full title) is composed of four parts: *Tur Orach Chaim, Tur Yoreh Deah, Tur Even HaEzer,* and *Tur Choshen Mishpat.* The same author also wrote *Peirush HaTur* on the Pentateuch.

***Turei Aven* — Commentary on a number of Talmudic tractates by R' Aryeh Leib Gunzberg (died 1785), author of *Shaagas Aryeh.*

R' Tzadok HaKohen* — (1823-1900) Chassidic sage and thinker; prolific author in many aspects of Torah; one of the leading Torah scholars of the 19th century. Largest of his many works is ***Pri Tzaddik.

***Tzeror HaMor* — Homiletic commentary on the Pentateuch by R' Avraham Saba (c.1440-c.1508). Fear of the Inquisition forced him to bury the book in Portugal; he subsequently rewrote it from memory when he escaped to Morocco.

***Tzitz Eliezer* — Responsa of R' Eliezer Waldenberg.

***Vayoel Moshe* — by R' Yoel Teitelbaum, the Satmar Rebbe (Brooklyn, 5721).

***Vilna Gaon* — R' Eliyahu ben Shlomo Zalman (1720-1797), also known as R' Eliyahu HaChassid (R' Eliyahu the Saintly). Considered the greatest Torah scholar in many centuries; acknowledged leader of non-Chassidic Jewry of Eastern Europe.

Volozhin, R' Chaim of* — (1749-1821) Leading disciple of the ***Vilna Gaon and founder of the famous yeshivah of Volozhin. Acknowledged leader of non-Chassidic Jewry of Russia and Lithuania. See above, ***Nefesh HaChaim.***

***Yaaros Devash* — by R' Yonasan Eybeschutz (first printed Lvov, 5558-59).

Yalkut* — See below, ***Yalkut Shimoni.

Yalkut Shimoni* — The best-known and most comprehensive Midrashic anthology, covering the entire ***Tanach; attributed to R' Shimon HaDarshan of Frankfurt (13th century).

***Yalkut Sofer* — by R' Yosef Leib Sofer (Paks, 5655-5663).

***Yechahen Pe'er* — by R' Chanoch Tzvi Levin of Bandin (Jerusalem, 5724).

***Yedei Moshe* — by R' Yaakov Moshe ben Avraham Helin (first printed 5452).

***Yefeh To'ar* — Classic massive commentary on the *Midrash Rabbah* of *Chumash,* by R' Shmuel Yafeh Ashkenazi (1525-1595) of Constantinople. The sections on *Bamidbar Rabbah* and *Devarim Rabbah* remain unpublished.

R' Yehudah HaLevi* — See above, ***Kuzari.

***Yemalei Pi Tehilasecha* — by R' Aharon Leib Shteinman (Bnei Brak, 5771).

***Yisa Berachah* — by R' Shaul Yedidyah Elazar Taub, the Modzitzer Rebbe (Brooklyn, 5792).

***Yismach Moshe* — by R' Moshe Teitelbaum (1759-1841), Rav of Ujhely, Hungary.

***Ze'ev Yitraf* — by R' Zev Hoberman (Brooklyn, 5748-5772).

***Zohar* — The basic work of Kabbalah, compiled by R' Shimon ben Yochai and his disciples in the form of a commentary on the Pentateuch and the *Megillos.* Hidden for centuries, it was first published in the late-13th century by R' Moshe de Leon (c.1250-1305), in Spain.

Zohar Chadash* — Kabbalistic Midrash, part of the ***Zohar.

SCRIPTURAL INDEX

Scriptural Index

This volume is part of
THE ARTSCROLL® SERIES
an ongoing project of
translations, commentaries and expositions on
Scripture, Mishnah, Talmud, Midrash, Halachah,
liturgy, history, the classic Rabbinic writings,
biographies and thought.

For a brochure of current publications visit your local
Hebrew bookseller or contact the publisher:

Mesorah Publications, ltd

313 Regina Avenue / Rahway, New Jersey 07065
(718) 921-9000 / www.artscroll.com

MW00678719

NUESTRO TIEMPO

Gran Enciclopedia Ilustrada del Siglo XX

NUESTRO TIEMPO

Gran Enciclopedia Ilustrada del Siglo XX

BLUME

Título original:
Our Times

Traducción y documentación para la edición en lengua española:
Teresa Florit Selma

Revisión y adaptación de la edición en lengua española y autor de los textos correspondientes a 1995 y 1996:
Josep Florit Capella
Catedrático de Historia Contemporánea
Universidad de Barcelona

Coordinación de la edición en lengua española:
Cristina Rodríguez Fischer

Historiadores:
John A. Garraty, *Universidad de Columbia*; Philip D. Curtin, *Universidad Johns Hopkins;* Robert Gildea, *Universidad de Oxford*; David A. Hollinger, *Universidad de California, Berkeley*; Barbara G. Rosenkrantz, *Universidad de Harvard*

Dirección editorial:
Lorraine Glennon, Susan Roediger

Dirección artística:
Linda Root

Autores del texto:
Kenneth Miller, Kevin Markey, Harold Itzkowitz, Stacey Bernstein, Jonathan Danziger, Rana Dogar, David Fischer, Edward Glennon, Rebecca Hughes, Sydney Johnson, Toni L. Kamins, Brad Kessler, Daniel Lazare, Nancy Ramsay, Gregory Root, Elizabeth Royte, Stephen Williams, Christopher Zurawsky

Colaboradores:
Mark Baker, Alice Gordon, Killian Jordan, Robert Nylen, Helen Rogan

Documentación:
Josephine Ballenger, Peter Balogh, Kathleen Berry, Staci Bonner, Toby Chiu, Liza Featherstone, Deborah Flood, Kate Gordy, Liza Hamm, Arlene Hellerman, Denis Herbstein, Anthony Kaye, Nathaniel Knight, Jeff Kunken, Michelle Maryk, Joe McGowan, Jill McManus, Andrew Milner, Susan Murray, Laurie Ouellette, Lisa Reed, Marc Romano, Andrea Rosenthal, Annys Shin, Susan Skipper, Sara Solberg, Robin Sparkman, Cynthia Stewart, Carol Volk

Ilustraciones y diseño:
Laurie Platt Winfrey, Marla Kittler; Carousel Research: Fay Torres-yap, Van Bucher, Beth Krumholz (Nueva York), Denise Dorrance (Londres), Barbara Nagelsmith (París); Mirko Ilić, Nigel Holmes, Laurie Grace, Joshua Simons, Jim Sullivan Design, Frank Baseman, Chalkley Calderwood, Christopher Lione, Sharon Okamoto, Nancy Stamatopoulos

Primera edición en lengua española 1997

Av. Mare de Déu de Lorda, 20
08034 Barcelona
Tel. 205 40 00 Fax 205 14 41
E-mail: Blume@globalcom.es

I.S.B.N.: 84-89396-10-8
Depósito legal: B. 6.507-1997
Impreso en Grafos, S.A., Arte sobre papel, Barcelona

Consulte el catálogo de publicaciones *on-line*
Internet: http://www.globalcom.es/blume

Contenido

Nota para los lectores

Los editores de *Nuestro Tiempo* consideraron que el mejor modo de enfrentarse a un tema tan monumental y extenso como el del siglo XX era hacerlo desde diversos ángulos a la vez.

La línea maestra del libro es la «Cronología» (*véase* diagrama en la página siguiente). Este análisis año por año pretende no sólo concretar los acontecimientos más destacados de cada año desde 1900 hasta 1996 y ofrecer un sucinto relato de lo que pasó, sino también dar el motivo de la importancia de esos acontecimientos en particular. La ventaja de este formato es que da a los lectores al menos tres opciones: pueden acceder cronológicamente desde el principio del libro hasta el final; pueden echar un vistazo, moviéndose a lo largo de sus páginas, sin un orden concreto, guiados tan sólo por la atracción visual; o pueden organizar una lectura temática enriquecida por el sistema de referencias que les permite completar con otros temas complementarios los asuntos que han guiado su interés inicial. Los lectores pueden de este modo seguir el desarrollo de un amplio acontecimiento —como la gestación, nacimiento y lenta muerte de la Unión Soviética, por ejemplo— desde principios de 1900 hasta el presente.

Los relatos cronológicos individuales permiten a los lectores examinar de cerca la trama y la urdimbre del extraordinario tapiz que es el siglo XX. El material que abre cada década —cada «capítulo»— anima al lector a retroceder y considerar el conjunto. Cada década empieza con un resumen gráfico de dos páginas, una especie de índice visual, de la situación del mundo en el año en cuestión. Sintetizando los grandes cambios que han tenido lugar durante la década anterior (e incluyendo un selectivo sumario sobre «lo que se sabía», o mejor dicho, lo que se creía saber, en aquel momento), esta crónica proporciona el contexto para la comprensión de las tendencias de mayor alcance del siglo. A continuación sigue un artículo —uno por cada década— en el que un escritor de prestigio indaga en profundidad una de las más importantes «ideas que configuran el siglo».

Sobre todo, esta «Gran enciclopedia ilustrada del siglo XX» es precisamente historia. Ningún período histórico anterior ha proporcionado a sus estudiosos tal abundancia de documentación visual como éste —y los editores han intentado aprovechar al máximo esta circunstancia. En sus múltiples ilustraciones, así como en sus textos, *Nuestro Tiempo* tiene una única intención: revivir el drama de este tumultuoso siglo.

Cómo utilizar este libro

HISTORIA DEL AÑO:
El acontecimiento puntual o seriado que destaca como el más importante del año.

CITAS:
Citas directas relacionadas con una de las crónicas de la página.

NOTAS AL MARGEN:
Incluye tres elementos:
1) En la segunda página de cada año, una relación de los nacimientos y muertes importantes que sucedieron durante ese año.
2) En la tercera página, una lista de las «Novedades» del año.

3) En la tercera, cuarta y quinta páginas, una columna que contiene noticias resumidas de interés mundial bajo el título «En el mundo».

12

«Con La interpretación de los sueños *he completado mi obra* [...] *no tengo nada más que hacer* [...]. *Sólo me queda acostarme y morir.»*—**Sigmund Freud en una carta a Carl Jung**

1900

HISTORIA DEL AÑO

Freud revela el subconsciente

1 Un libro contemporáneo e iconoclasta, llegó con los albores del siglo y determinó su curso intelectual, desechando las ya deterioradas suposiciones que la humanidad tenía sobre sí misma, y erigiendo en su lugar una nueva teoría de la naturaleza humana, a menudo aterradora y siempre penetrante. El libro era *La interpretación de los sueños*; su autor, el Dr. Sigmund Freud.

Publicado en 1899 (pero fechado en 1900 por un editor astuto y consciente de la importancia del libro), *La interpretación de los sueños* fue el estudio psicoanalítico más importante de Freud. En él elaboró sus arrasadoras ideas sobre los sueños, el «camino real hacia el conocimiento del subconsciente» —de dónde provienen, por qué ocurren, cómo actúan. Distinguiendo los recuerdos reales de los sueños, que él denominó «de contenido manifiesto» y «de contenido latente u oculto», Freud sostenía que, decodificados de forma apropiada, los sueños abrían una ventana al pensamiento inconsciente de las personas. El panorama se vislumbraba confuso: deseos prohibidos, sexualidad infantil, temor a la castración, complejo de Edipo.

Sigmund Freud, padre espiritual de una nueva época de la neurosis.

Únicamente unos pocos centenares de copias de *La interpretación de los sueños* se vendieron en sus primeros seis años de edición. Su limitado público lo rechazó con casi unánime disgusto. El mismo Freud reconoció que sus ideas eran «odiosas» y «conducían al desánimo». Pero, a pesar de eso, él revisó y clarificó constantemente el libro durante el resto de su larga carrera, defendiendo la actuación de los sueños como «la base más segura del psicoanálisis y el campo en el que cada trabajador debía adquirir sus convicciones y buscar su orientación». Freud argumentó que, ya que todo el mundo sueña, la interpretación se debía dar tanto en mentes sanas como enfermas. Los psiquiatras, antes limitados al estudio de las enfermedades mentales, fueron así capaces de empezar la investigación psicológica general. Pero la posesión de un método modelo y su aplicabilidad universal también fueron fuente de una resistencia popular. En 1900, la mayoría de europeos y americanos —victorianos, optimistas, autosuficientes— no estaban preparados para escuchar que la agresividad, las obsesiones sexuales del *id* eran normales. La Primera Guerra Mundial contribuyó a aumentar sus dudas y a minar su optimismo acerca de la naturaleza de la humanidad. **►1909.3**

CULTURA POPULAR

Los periódicos alcanzan el millón de ejemplares

2 Los acontecimientos que sucedían en 1900 generaban un aumento en los lectores de noticias. La alfabetización se había extendido enormemente en el siglo XIX, trayendo consigo un enorme apetito de periodismo popular. El diario de París, el *Petit Journal*, se jactaba de contar con cientos de miles de lectores. Nueva York tenía su «prensa amarilla» (denominada así por el personaje de una tira cómica, *The Yellow Kid*, «el niño de amarillo», que aparecía en versiones antagónicas en el *World*, de Joseph Pulitzer, y en el *Journal*, de William Randolph Hearst, que acarreaba una espectacular batalla por los lectores). En Londres, el hambre de noticias adquirió una gran importancia cuando el *Daily Mail* se convirtió en el primer diario británico que logró editar un millón de ejemplares. Inmediatamente C. Arthur Pearson lanzó el *Daily Express*, su principal competidor. Los dos periódicos fueron rivales hasta 1990.

Fundado cuatro años antes, cuando los periódicos de la nación eran diarios intelectuales normalmente asociados a los conservadores o a los liberales, el *Daily Mail* ofrecía algo diferente: noticias y cotilleos en notas breves de fácil lectura, ilustrados con fotografías en lugar de grabados: todo por medio penique. Los titulares eran grandes y llamativos y las historias iban dirigidas a lectores tanto femeninos como masculinos. La primera edición vendió 250.000 ejemplares. (El respetado *Times* de Londres y el *Manchester Guardian* sólo vendieron 50.000.) Su fundador, Alfred Harmsworth, «no está muy interesado en la formación de una opinión pública», dijo una revista, «sino que pretende dar a sus lectores más noticias de una sola ojeada que algunos de sus contemporáneos». **►1913.12**

Daily Express
WHEN SHALL THEIR GLORY FADE?
THE BOERS' LAST GRIP LOOSENED.

El lanzamiento del *Daily Express* en 1900 estableció una rivalidad con el *Daily Mail* que duraría todo el siglo.

TECNOLOGÍA

Una cámara para la gente corriente

3 «Apriete el botón, nosotros hacemos el resto», ostentaba el anuncio de la singular y novedosa cámara de la compañía Eastman

«Les "Brownie" Kodaks» —la cámara y el duende— aparecían en un anuncio francés.

Kodak, la Brownie. Presentada en 1900, era el último paso para la democratización de la fotografía. El proceso en sí existía desde hacía más de medio siglo, pero sólo era practicado por unos pocos elegidos hasta 1880, cuando Eastman desarrolló la cámara Kodak de objetivo fijo. La Brownie (la popular imagen del duende fue utilizada por la Kodak para destacar el pequeño tamaño de la cámara y dirigir su encanto a la gente joven) condujo la revolución de Eastman a un nuevo nivel, haciendo posible que cualquier niño hiciera una fotografía.

Una cámara de «apuntar y disparar», la Brownie de mano, costaba sólo un dólar y hacía fotografías buenas y fidedignas, sin preocuparse de enfocar el objetivo o medir la exposición. Aún mejor, la Kodak se ocupaba del revelado de la película, librando a los aficionados de la obligación de conocer los misterios del cuarto oscuro. La era de la fotografía instantánea había nacido. Las fiestas de cumpleaños nunca serían lo mismo.

Se vendieron un cuarto de millón de cámaras en el primer año, lo que batió todas las marcas. La Brownie perduró en el mercado bajo diversas formas cerca de ochenta años, una temprana muestra de la importante tendencia del siglo XX a realizar innovaciones tecnológicas, simplificándolas y reduciendo su coste, para ponerlas directamente en manos de la clase media.

ARTE Y CULTURA: Libros: *Lord Jim* (Joseph Conrad); *Hermana Carrie* (Theodore Dreiser); *El mago de Oz* (Frank Baum); *La risa* (Henry Bergson) [...] Música: *Tosca* (Giacomo Puccini); «El vuelo del moscardón», de *El cuento del zar Saltan* (Nicolai Rimsky-Korsakov); *Nocturnos* (Claude Debussy) [...] Pintura y escultura: *La modista* (Henri Toulouse-Lautrec); *Le Moulin de la Galette* (Pablo Picasso) [...]

13

«Es cierto e innegable que, desde sus majestades hasta las clases más bajas de nuestro pueblo, todos han sufrido la continua agresión de los extranjeros y sus constantes insultos.»—**Jung Lu, consejero de la emperatriz de China**

MÚSICA

El regalo de Sibelius a Finlandia

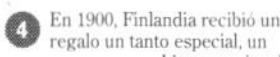

4 En 1900, Finlandia recibió un regalo un tanto especial, un himno nacional —aunque no oficial— escrito por uno de los mayores compositores del mundo. El poema sinfónico de Jean Sibelius *Finlandia*, como muchas de sus anteriores obras, conjugaba temas populares con influencias de los románticos alemanes y de Tchaikovsky.

Hacia 1890, cuando Finlandia luchaba contra el Imperio Ruso, Sibelius se convirtió en un héroe nacional. En la primera década del nuevo siglo, su fama sobrepasó los límites de las fronteras de su país. Las siete sinfonías de Sibelius se habían equiparado a las de Beethoven por su grandeza sentimental, su elegancia arquitectónica y su sentido de unidad orgánica. Sin embargo, sus mejores obras —las tres últimas sinfonías y el poema sinfónico *Tapiola*— fueron escritas después de la Primera Guerra Mundial, cuando ya había abandonado su patriótico modo de expresión. Aunque su música se volvió cada vez más austera y abstracta, nunca dejó de evocar las antiguas sagas nórdicas y los melancólicos paisajes escandinavos. Más tarde, en 1925, en la cumbre del éxito, Sibelius dejó de componer. Murió a los 92 años, después de tres décadas de retiro.

CHINA

Los bóxers tirotean al enemigo

5 En 1900, la sublevación contra los extranjeros de una secta china llamada Yi He Tuan —«Puños de Justicia y Concordia», o «bóxers», como les denominaron los ingleses— culminó en un absoluto desastre para China, lo que perjudicó su precaria soberanía y representó el principio del fin para la dinastía Qing.

China estaba sumergida en una xenofobia profundamente arraigada, resultado comprensible de una larga historia de intervenciones extranjeras y, más recientemente, de unas condiciones sociales y económicas en decadencia. La sociedad secreta de los bóxers reforzaba sus campañas jurando que mataría a todos los extranjeros («hombres peludos primarios») y a sus simpatizantes chinos («hombres peludos secundarios»). La cruzada fue instigada por Ci Xi, la emperatriz viuda, que ostentaba el poder desde 1898. Siguiendo la iniciativa de la emperatriz, varios gobernadores provinciales apoyaron la violenta resistencia de los bóxers en sus jurisdicciones.

Fortalecidos de esta manera, los bóxers saquearon el campo, destruyeron las estaciones de ferrocarril y las líneas de telégrafos y, finalmente, mataron a 231 extranjeros y a millares de chinos cristianos. El 21 de junio de 1900, la emperatriz, impulsada por su patriotismo, declaró la guerra a todas las potencias extranjeras que interferían en la vida política china por intereses egoístas. Los bóxers iniciaron un asedio de dos meses a las embajadas de Pekín. Las naciones que sufrieron el ataque, incluyendo Japón, Rusia, Alemania, Gran Bretaña, Estados Unidos, Austria-Hungría e Italia, rápidamente se agruparon en una fuerza internacional con la que llegaron a Pekín el 14 de agosto y vencieron fácilmente a los bóxers.

Los términos del protocolo bóxer, el tratado de paz que finalizó con la rebelión, fueron extremadamente duros: China fue condenada a pagar una indemnización de 333 millones de dólares; las tropas extranjeras dejaron guarniciones desde Pekín hasta el mar; los exámenes del servicio civil fueron suspendidos durante cinco años; tres oficiales simpatizantes de los bóxers fueron ejecutados, y un cuarto fue empujado al suicidio. El kaiser Guillermo II, uno de cuyos ministros había sido asesinado por los bóxers, proclamó triunfante: «Nunca más, ningún chino se atreverá a mirar con desdén a un alemán».

Internacionalmente el prestigio de China llegó a su punto más bajo. La indemnización consumía la mitad del producto nacional, debilitando a la dinastía Qing. Además, la ocupación de Manchuria por Rusia había trasladado a miles de soldados a la región durante la rebelión. Tras la firma del protocolo bóxer en 1901, las tropas permanecieron allí a modo de «guarda-vías». En tres años, su presencia provocó la guerra ruso-japonesa. **►1904.1**

Esta propaganda impresa representa el asedio de los bóxers a los núcleo extranjeros en Tianjin.

NACIMIENTOS

George Antheil, compositor estadounidense.

Germán Arciniegas, escritor colombiano.

Louis Armstrong, músico estadounidense.

Fred Astaire, bailarín y actor estadounidense.

Humphrey Bogart, actor estadounidense.

Luis Buñuel, director de cine español.

Erich Fromm, psicoanalista alemán-estadounidense.

Eduardo González Lanuza, poeta argentino.

Heinrich Himmler, oficial nazi alemán.

Ruhollah Jomeini, líder religioso y político iraní.

Ernst Krenek, compositor estadounidense.

John Willard Marriott, hotelero estadounidense.

Margaret Mitchell, novelista estadounidense.

Louis Mountbatten, hombre de Estado británico.

Sean O'Faolain, escritor irlandés.

Wolfgang Pauli, físico suizo.

Gustavo Rosas Pinilla, militar y político colombiano.

Antoine de Saint-Exupéry, escritor y aviador francés.

Guillermo de Torre, escritor y crítico literario argentino.

Spencer Tracy, actor estadounidense.

Kurt Weill, compositor germano-estadounidense.

Thomas Wolfe, novelista estadounidense.

MUERTES

Gottlieb Daimler, fabricante de coches alemán.

Humberto I, rey de Italia.

John «Casey» Jones, ingeniero de ferrocarriles estadounidense.

Wilhelm Liebknecht, líder socialista alemán.

Friedrich Nietzsche, filósofo alemán.

John Ruskin, crítico de arte británico.

Arthur Sullivan, compositor británico.

Oscar Wilde, escritor irlandés.

Cine: *La cenicienta* (Georges Méliès); *The Down-ward Path* (Marvin y McCutcheon) [...] Teatro: *Cuando despertemos de la muerte* (Henrik Ibsen).

EFEMÉRIDES:
La enumeración de los logros más importantes en las categorías de arte y cultura (libros, música, pintura y escultura, películas, teatro, radio y televisión); deportes; política y economía; y los premios Nobel.

CRONOLOGÍA:
Crónicas detalladas de acontecimientos históricos internacionalmente significativos.

ÍNDICE INTERACTIVO:
Cada entrada cronológica acaba con al menos una referencia anterior o posterior a un año específico y su entrada sobre el tema expuesto.

ECOS:
El último elemento de cada año es un texto testimonial, la reproducción de un original, que ilustra algún acontecimiento o aspecto de la vida cultural del año.

Predicciones de un nuevo siglo

El nacimiento del nuevo siglo descubre una humanidad todavía acomodada en el siglo XIX. Las verdades de Dios y Patria aún no han sido puestas a prueba por una guerra mundial, una revolución comunista, por la reducción de las largas distancias, llevadas a cabo por el transporte aéreo y las comunicaciones de masas.

1900 1909

Los Campos Elíseos de París seguían tan verdes en 1900 como cuando Napoleón, tras sus victorias, encargó el Arco del Triunfo a principios del siglo anterior. Sin embargo, en toda la ciudad, y con motivo de la Exposición Universal, se expusieron los artilugios de alta tecnología que transformarían rápidamente la ciudad y el mundo. Los automóviles sustituyeron a los caballos en las avenidas de todo el planeta; los rascacielos reemplazaron a los árboles, y el clamor de una sociedad cada vez más industrializada y comercial transformó la calma urbana en una continua incomodidad.

EL MUNDO EN 1900

Población mundial

El Imperio Británico

En 1900 la reina Victoria regía el Imperio más extenso de la historia. Los «dominios de su Majestad, donde el sol nunca se pone» (como escribió Christopher North en *Noctes Ambrosianae*, 1829), abarcaban posesiones en todos los continentes —17,6 millones de km² (cerca de una quinta parte de la superficie de la Tierra) y una población de cuatrocientos millones (una cuarta parte de la población del mundo) en total. El poder del Imperio —tanto económico como militar— ya había empezado a decaer. Estados Unidos aventajaba a Gran Bretaña en la producción de carbón, acero y hierro; Alemania (atenta a su propio «lugar bajo el sol»), la sobrepasó en armamento; y en sus colonias aumentaba el malestar. Unos noventa años más tarde, las posesiones británicas habían quedado reducidas a 15 «dominios».

■ Imperio Británico 1900
■ Imperio Británico 1990

Moda imprescindible

Una dama no salía de su casa sin dar el último toque a su persona —un sombrero como este sofisticado modelo de principios de siglo adornado con plumas.

El **gramófono** era, hacia 1900, el entretenimiento doméstico más novedoso. Los cilindros de cera, de un minuto de duración aproximadamente, pronto fueron sustituidos por discos planos de 78 rpm. Éstos, a su vez, quedaron obsoletos con la tecnología posterior.

	Año introducido	Ventas en 1993 en Estados Unidos
Discos LP	1948	1.200.000
Casete	1964	339.500.000
Disco compacto	1983	495.400.000

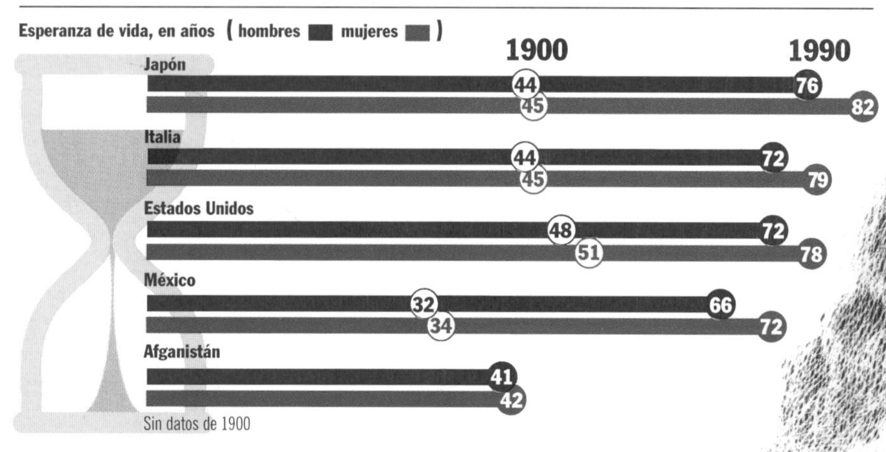

Horas de trabajo

A la semana en trabajo industrial

1900		1990
51,7	Dinamarca	35,3
51,7	Francia	40,3
51,6	Alemania	39,9
51,7	Japón	46,8
52.0	Holanda	34,3
52.4	Gran Bretaña	37,2
52.0	Estados Unidos	38,9

Porcentaje de trabajo agrícola

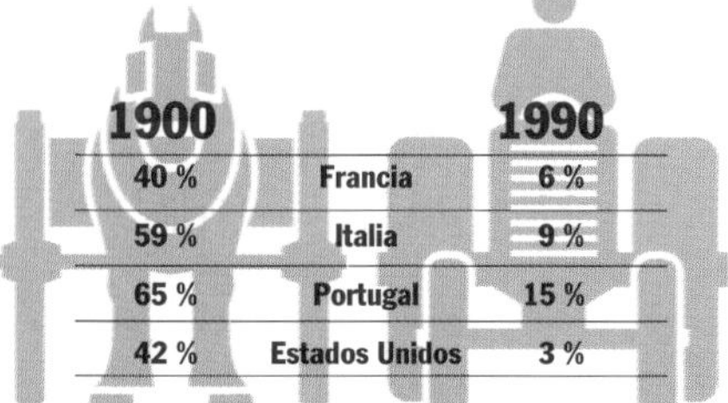

1900		1990
40 %	Francia	6 %
59 %	Italia	9 %
65 %	Portugal	15 %
42 %	Estados Unidos	3 %

El triunfo del ferrocarril A principios de siglo el ferrocarril vivía su edad de oro; dominó el transporte terrestre hasta la Primera Guerra Mundial. En la era del automóvil y la construcción de carreteras, tras la Segunda Guerra Mundial, sólo unos pocos países (Rusia y la India, por ejemplo) continuaron la expansión de su capacidad ferroviaria. La llegada de las líneas interurbanas de alta velocidad en Japón y en Europa a finales de los setenta permitió la recuperación del transporte ferroviario.

Kilómetros operativos de vía férrea:

	1900	1990
India	41.600	60.640
Rusia	67.200	146.614
Gran Bretaña/ Irlanda	24.200	16.400
Estados Unidos	309.360	230.400

1900 velocidad media del tren expreso francés **86 km/h**

1990 velocidad media del tren de alta velocidad **256 km/h**

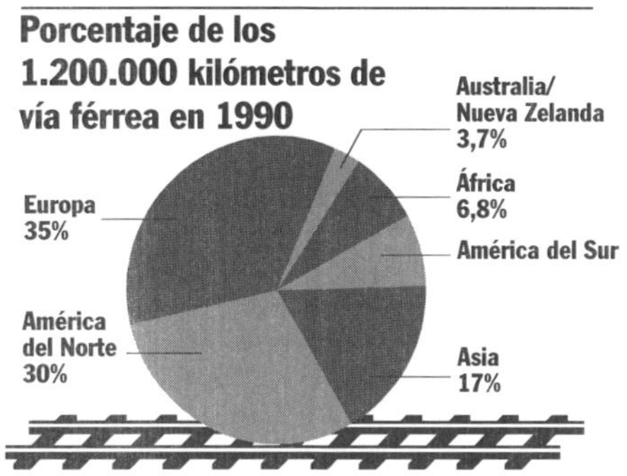

Porcentaje de los 1.200.000 kilómetros de vía férrea en 1990

Europa 35%

América del Norte 30%

Australia/ Nueva Zelanda 3,7%

África 6,8%

América del Sur

Asia 17%

Se creía que los viajes por el aire tardarían décadas en hacerse realidad. Dos años antes de su primer vuelo con éxito en un aeroplano, Wilbur Wright afirmó que «el hombre no volaría antes de 50 años».

Los automóviles se consideraban generalmente poco prácticos, peligrosos y un capricho. «El caballo está aquí para permanecer, pero el automóvil es sólo una novedad», dijo un director de banco al abogado de Henry Ford, aconsejándole que no invirtiera en la Ford Motor Company.

Sintetizada en Alemania en 1898 y disponible en medicinas sin receta, la heroína (término acuñado por la compañía Bayer, fabricante de la aspirina) se ofreció como una cura para la adicción a la morfina y como un excelente jarabe para la tos. «No es hipnótico», declaró *The Boston Medical and Surgical Journal* de Boston, y «no provoca adicción»

La mayoría de científicos todavía no se habían formado un concepto del mundo subatómico y pensaban que los átomos eran cuerpos de materia sólida. El físico británico J. J. Thomson había descubierto el electrón, pero la teoría de que un átomo consta en su mayor parte de espacio, con su masa concentrada en un minúsculo núcleo, no fue propuesta hasta 1913.

Nicaragua había sido elegida por la comisión del congreso de Estados Unidos como lugar para la construcción de un canal a través de Centroamérica. El ingeniero francés (y activista a favor de la independencia de Panamá respecto a Colombia) Philippe Bunau-Varilla defendió ardientemente una ruta a través de Panamá, apoyándose en que la frecuente actividad volcánica de Nicaragua la hacía inapropiada.

Durante más de trescientos años una plaga tropical, la fiebre amarilla, fue considerada como el resultado de condiciones de vida insanas. Los médicos pensaban que la bacteria estaba en el aire, penetraba en el cuerpo por vía respiratoria y así se alojaba en el pulmón. Las teorías del médico cubano Carlos Finlay de que la enfermedad era transmitida por los mosquitos fueron profusamente rechazadas por el colectivo médico.

D. M. Thomas

Los misterios del subconsciente

Los triunfos freudianos

1900
1909

EN 1900 SALIÓ a la luz un libro cuyo epígrafe era una cita de *La Eneida* de Virgilio: «*Flectere si nequeo superos, Acheronta movebo*» («Si no puedo doblegar a los dioses del cielo, conmoveré a los poderes del infierno»). El libro llevaba por título *La interpretación de los sueños;* su autor, Sigmund Freud.

Tanto el libro como la brillante elección del epígrafe constituyen un punto crucial entre los dos siglos. El siglo XIX había intentado emular a los dioses del cielo con su aparentemente imparable camino hacia el progreso (en ciencia, industria, medicina, ideología); el siglo XX, a pesar de perseguir las mismas metas de eterna felicidad, ha observado el futuro y ha comprendido que, en muchos aspectos, no funciona. Marx mostró la miseria; la industrialización produjo alienación y polución; la ciencia consiguió milagros, pero también médicos nazis en los campos de exterminio. Algunas de las razones por las que Freud ha resistido el paso del tiempo infinitamente mejor que Marx son su realismo, su escepticismo y su humanidad. «No intentes hacer feliz a la gente», le recomendó a un joven paciente socialista. «La gente no quiere eso.»

Ahondando en la mente humana tal y como Eneas lo hizo en el Infierno, Freud prepararía a la humanidad para las angustias y las pesadillas (incluidas las más reales, como el holocausto) de este siglo XX. Descubrió las fuerzas del inconsciente, sobre las cuales ejercemos un control mínimo a menos que tengamos el valor de enfrentarnos a ellas. Durante un siglo o más se había hecho alusión al inconsciente, y Freud —brillante escritor y hombre de excelente gusto literario— reconoció que los grandes artistas le habían precedido. Éstos se habían acercado al inconsciente de forma accidental, como Leif o Brendan se acercaron a la costa americana; pero Freud fue el Colón que demostró que el inconsciente existía realmente, quien sacó a la luz sus riquezas y sus terrores.

Le gustaba considerarse a sí mismo un conquistador, un explorador. No le preocupó el encontrar enemigos contra los que combatir y, en ocasiones, sus amigos se convirtieron en enemigos. Cuando discípulos como Adler, Rank y Jung, por ejemplo, abandonaron sus enseñanzas, los confinó a la oscuridad. Sólo uno debía ser tomado en cuenta: el infatigablemente especulativo Sigmund Freud.

Comenzó su carrera como investigador científico, pero acabó dirigiendo sus pasos hacia la medicina con el único propósito de ganar el dinero suficiente para casarse con su prometida, Martha Bernays. Paradójicamente, el amor y el deseo le iniciaron en una carrera cuyo núcleo más importante era precisamente el amor y el deseo (así como el odio y la agresividad), desde el inconsciente, que definió como profundamente ambivalente. Y, a pesar de su notable frialdad y reserva, describió la terapia del psicoanálisis como una «cura a través del amor».

Descubrió el psicoanálisis a través de su colega y mentor Josef Breuer, un destacado médico vienés. Mientras trataba a una joven, Bertha Pappenheim, a causa de diversos síntomas de histeria, Breuer se dio cuenta de que si la hacía hablar bajo los efectos de la hipnosis del primer momento en que había aparecido el síntoma y de las emociones que había sentido, éste desaparecería. «Los histéricos», concluyeron Breuer y Freud, «sufren sobre todo a causa de los recuerdos». Breuer, temeroso del material de acusado contenido sexual que descubrió, lo abandonó todo cuando una de sus pacientes («Anna O.» en el conjunto de escritos *Estudios sobre la Histeria*, 1893) tuvo un embarazo imaginario y proclamó que él era el padre.

Pese a sus puritanas costumbres personales, Freud no estaba dispuesto a asustarse de la sexualidad que desprendía Bertha o sus propios pacientes. La hipnosis dio paso a la técnica de

El pionero del psicoanálisis, Sigmund Freud, en su estudio del número 19 de la Berggasse, Viena, 1905. Junto a él, una escultura de *La muerte del esclavo* de Miguel Ángel. Superior, cerámica griega de Eros (150-100 a. C.) —una de las seis piezas menores de la extensa colección de antigüedades de Freud. Para él, Eros representaba el instinto de la vida, que, según escribió, se halla en constante lucha con Tánatos, el instinto de la destrucción.

presionar con la mano la frente del paciente y más tarde, de modo definitivo, al método de asociación libre de ideas. Freud, más que nada, escuchaba el divagar del paciente para, a través de la memoria o del sueño, crear su propia «cura de palabras». La relación de la paciente con el analista (la «transferencia») también cobró una importancia primordial, que ayudó a Freud a entender las primeras relaciones infantiles de ella con su madre y su padre. Freud no pretendía lograr milagros. Si ayudó a transformar la «miseria histérica en una infelicidad humana corriente» fue quizás a través del mayor conocimiento de uno mismo y de la consciencia que concierne a cada uno, escuchando a sus pacientes día tras días, mes tras mes. Su famoso paciente, el «hombre-lobo», declaró ya a edad avanzada: «Si lo miras todo de manera crítica, no hay mucho en el psicoanálisis que se sostenga en pie. Aun así me ayudó. Él era un genio».

1900
1909

UN ELEMENTO RECURRENTE entre los recuerdos de sus pacientes eran los abusos sexuales que padecieron en la infancia. Al principio creyó sus historias, e incluso pensó que su propio padre había actuado del mismo modo con sus hermanos; posteriormente, por medio de un exhaustivo, atormentado y valiente autoanálisis que dio como fruto *La interpretación de los sueños*, llegó a la conclusión trascendental de que la mayoría de sus pacientes fantaseaban —que los hijos deseaban a sus madres y estaban celosos de sus padres; de modo parecido, las hijas tenían fantasías sexuales con sus padres. No era un caso aislado, un gran escritor ya había presentado previamente y de forma intuitiva esta idea: Sófocles, en su *Edipo Rey*. El complejo de Edipo se convirtió en el eje del pensamiento freudiano.

Entre los años 1980 y 1990, Freud fue acusado de ocultar deliberadamente la realidad de los abusos infantiles por miedo a ofender a sus contemporáneos. Ciertamente, los abusos sexuales debían darse en las elegantes familias de Viena mucho más a menudo de lo que Freud pensaba, pero hubiera sido totalmente contrario a su carácter, que apreciaba la verdad por encima de todo, el haber disimulado lo que sabía —además de que los caballeros burgueses no eran los más idóneos para encontrar que la idea de haber querido dormir con sus madres era algo menos ofensiva que el estar haciéndolo de verdad.

La propia historia de Freud era campo abonado para tal descubrimiento. Su padre, Jakob, un comerciante de lanas, era un judío de Galitzia que se trasladó a Moravia con sus dos hijos ya mayores y una misteriosa segunda esposa llamada Rebecca, que en seguida desapareció de la historia. Jakob Freud contrajo terceras nupcias con Amalie, una muchacha de 19 años. Sigmund, nacido en 1856, fue su primer hijo. Sus compañeros de juegos eran su sobrino menor y su sobrina, los hijos de su hermanastro Emanuel. La atractiva y alegre madre de Sigmund mantuvo relaciones durante un tiempo con su hijastro soltero Philipp; a Freud le debía parecer que éste era un compañero de cama mucho más apropiado para su madre que su anciano y libresco padre. Era como si Dios —en quien Freud nunca creyó— le hubiera ofrecido la familia ideal para enamorarse de su propia madre.

Cuando Freud tenía tres años, la familia se separó: los hermanastros se trasladaron a Inglaterra, y el resto del clan, a Viena. Freud vivió allí los siguientes 79 años, recordando siempre su infancia en Moravia como un paraíso perdido. Tras su matrimonio con Martha Bernays, se mudó a la todavía famosa casa sita en el número 19 de la Berggasse. Su esposa decoró el piso y dio a luz seis hijos, pero a pesar de ello procuró que su marido no tuviera siquiera que ponerse la pasta de dientes en el cepillo. La pasión juvenil se fue convirtiendo de forma gradual en «una solución no del todo inapropiada al problema del matrimonio»; Freud experimentó una creciente proximidad intelectual y emocional hacia su hija pequeña, Anna. También mantuvo una íntima relación intelectual con la hermana de Martha, Minna, que fue a vivir con ellos.

Atraído por la mujeres de profunda inteligencia y fuertes sentimientos, consolidó los lazos de amistad durante toda la vida con Lou Andreas-Salomé y la princesa Marie Bonaparte. El psicoanálisis fue la primera profesión en la que una mujer de talento podía relacionarse en términos de igualdad con los hombres. Anna, analizada por su padre, se convirtió en una importante analista, especializada en niños. (No se casó nunca: quizás el complejo de Edipo era demasiado fuerte para permitirlo.)

Freud creía que los deseos infantiles reprimidos se transformaban en síntomas neuróticos, como un hervidero oculto que no halla un lugar para derramar su veneno. Los adultos pueden quedar «atrapados» en varios estadios infantiles: oral (el pecho), anal o fálico. Normalmente, los niños reprimen el fuerte deseo que experimentan hacia su madre por el temor a la castración. Existe una lucha constante entre los tres componentes de la personalidad: el *id* (el inconsciente, los

El símbolo más típico del psicoanálisis: el diván. Los pacientes que se recostaron en éste, ubicado en la última casa de Freud en Londres (a donde llegó, en 1938, huyendo de Austria, ocupada por los nazis), pudieron contemplar la enorme colección de antigüedades orientales, romanas, etruscas y egipcias de su terapeuta. Se había dicho que Freud decoraba la habitación del «renacimiento» como la tumba de un faraón.

instintos), el *ego* (el pensamiento consciente) y el *superego* (las lecciones y prohibiciones aprendidas). Pocos analistas modernos creen que la psique pueda ser esquematizada tan rígidamente, o que los problemas en las relaciones sean necesariamente por motivos sexuales. Al igual que un hombre de su tiempo, Freud no presta la suficiente atención a la importancia vital de la madre hasta casi el final de su vida; él mismo confesó que las mujeres siempre fueron para él «como un oscuro continente».

Actualmente, en parte a causa de su propia naturaleza bastante femenina y de su convicción de que todos somos bisexuales, ya no se puede leer lo que Freud escribió sobre las mujeres sin una sensación de superioridad y simpatía. Su idea de que las mujeres sufren por «carecer de pene» es altamente dudosa; igual que ocurriría si él sufriera por carecer de útero. Sin embargo, en palabras de una eminente analista británica, Hanna Segal, «Freud fue el primero en tratar a las mujeres como seres humanos en el sentido de que otorgaba un lugar propio a la sexualidad femenina. No las consideraba como seres asexuales». En sus estudios de casos femeninos, como «Dora» y «Elisabeth von R.», presenta a las mujeres como poseedoras de la fuerza y la sexualidad de Hedda Gabler o Tess d'Urbervilles. Freud es terreno abonado para que de él crezca el feminismo —y no en pleno antagonismo.

INCLUSO CUANDO ESTÁ equivocado, hay algo intuitivo en él que induce al pensamiento y a la argumentación. Sus historiales de casos son bonitas semificciones, que explican la verdad «oblicuamente», para usar un adverbio de Emily Dickinson, y escribió, en *Ilusiones y sueños de la «Gradiva» de Jensen*, una «historia» mucho más atractiva que la novela original (galardonada con el Premio Nobel). Freud ganó el Premio Goethe de Literatura en 1930. Fue, a lo largo de toda su obra, un artista que pensaba, equivocadamente, que era un científico puro.

Su influencia en nuestro siglo apenas puede ser exagerada. Abrió el camino para el estudio de la personalidad humana. Aunque pueda parecer que forme parte de una tendencia reduccionista —Darwin nos demostró que somos parte de la especie animal; Freud, que estamos determinados por los instintos animales— el efecto de su exploración de los «poderes infernales» supone una ampliación de nuestra consciencia de la vida de la psique. Antes de Freud, los sueños eran una evasión de los acontecimientos del día; actualmente, muchos científicos considerarían los sueños como poco más que un «programa». No todos los sueños poseen un contenido sexual, como Freud tendía a pensar; no todos desean la satisfacción, como él creía. Sus interpretaciones a menudo parecen sobreelaboradas. Pero toda persona mínimamente inteligente después de haber leído *La interpretación de los sueños* queda deslumbrada por el poder creativo del pensamiento inconsciente. Freud mostró que todos nosotros somos poetas en nuestros sueños: creadores de significativos e imaginativos mitos sobre nosotros mismos. Seguramente también es conquista de nuestro espíritu humano transformar la rutina de la vida cotidiana en míticas batallas dignas de las tragedias griegas.

Tras la Primera Guerra Mundial, el teatro de Freud se apagó. *Más allá del placer* (1920) presenta a Tánatos, el deseo de muerte, frente a Eros. El hombre está obligado a repetirse, argumentaba Freud, y esta obligación le lleva finalmente al deseo del estado primario, anterior a la vida. Nuestra propia autodestrucción se convierte en agresividad hacia los demás. *El malestar en la cultura*, publicado en 1930, nos ofrece una imagen pesimista de la destructividad humana; a través de su original forma acaba con la esperanza de que el cauteloso Eros pueda prevalecer sobre «su inmortal e igual adversario». Luego, Hitler accedió al poder en Alemania y Freud añadió: «¿Quién podía prever con qué éxito y con qué resultado?».

El resultado, en vida de Freud, fue la anexión de Austria, la persecución de los judíos y el exilio forzoso. Pasó el último año y medio de su vida en Hampstead, Londres. Murió el 23 de septiembre de 1929. «¿Ésta es la última guerra?», le preguntó su médico. «Para mí, seguro», contestó secamente Freud. Cuatro de sus hermanas murieron en campos de concentración nazis.

Es indicativo del alcance de la visión de Freud que un afamado estudio sobre él, de Frank J. Sulloway, se titule *Freud: Biólogo de la mente*, y otro, de Diana Hume George, *Blake y Freud*. Según Sulloway, es un científico determinista; según George, está íntimamente relacionado con el poeta místico romántico. Hoy en día pocos freudianos aceptan sus teorías a ciegas o están del todo de acuerdo. Sus opiniones han sido grotescamente trivializadas. No obstante, pocos autores de nuestro tiempo han escrito de forma tan juiciosa, sana y revolucionaria; nadie ha iluminado mejor nuestra condición humana. Muchos han intentado matarlo, pero él pervive en las postrimerías del siglo. □

La teoría y los temas freudianos han aflorado en los medios a nivel popular a lo largo del siglo. En *Recuerda* (1945), de Alfred Hitchcock, el psicoanálisis proporciona el telón de fondo cuando la psiquiatra, Ingrid Bergman, trata de resolver el espinoso dilema de si Gregory Peck es en realidad un colega neurótico o un asesino amnésico. La secuencia más memorable de la película era un elaborado sueño mortal adaptado con pinturas encargadas especialmente a Salvador Dalí. El surrealista estaba fuertemente influenciado por Freud, y durante los años treinta produjo lo que él llamaba «fotografías coloreadas del subconsciente».

«Con La interpretación de los sueños *he completado mi obra* [...] *no tengo nada más que hacer* [...]. *Sólo me queda acostarme y morir.»*—**Sigmund Freud en una carta a Carl Jung**

HISTORIA DEL AÑO

Freud revela el subconsciente

1 Un libro contemporáneo e iconoclasta, llegó con los albores del siglo y determinó su curso intelectual, desechando las ya deterioradas suposiciones que la humanidad tenía sobre sí misma, y erigiendo en su lugar una nueva teoría de la naturaleza humana, a menudo aterradora y siempre penetrante. El libro era *La interpretación de los sueños*; su autor, el Dr. Sigmund Freud.

Publicado en 1899 (pero fechado en 1900 por un editor astuto y consciente de la importancia del libro), *La interpretación de los sueños* fue el estudio psicoanalítico más importante de Freud. En él elaboró sus arrasadoras ideas sobre los sueños, el «camino real hacia el conocimiento del subconsciente» —de dónde provienen, por qué ocurren, cómo actúan. Distinguiendo los recuerdos reales de los sueños, que él denominó «de contenido manifiesto» y «de contenido latente u oculto», Freud sostenía que, decodificados de forma apropiada, los sueños abrían una ventana al pensamiento inconsciente de las personas. El panorama se vislumbraba confuso: deseos prohibidos, sexualidad infantil, temor a la castración, complejo de Edipo.

Sigmund Freud, padre espiritual de una nueva época de la neurosis.

Únicamente unos pocos centenares de copias de *La interpretación de los sueños* se vendieron en sus primeros seis años de edición. Su limitado público lo rechazó con casi unánime disgusto. El mismo Freud reconoció que sus ideas eran «odiosas» y «conducían al desánimo». Pero, a pesar de eso, él revisó y clarificó constantemente el libro durante el resto de su larga carrera, defendiendo la actuación de los sueños como «la base más segura del psicoanálisis y el campo en el que cada trabajador debía adquirir sus convicciones y buscar su orientación». Freud argumentó que, ya que todo el mundo sueña, la interpretación se debía dar tanto en mentes sanas como enfermas. Los psiquiatras, antes limitados al estudio de las enfermedades mentales, fueron así capaces de empezar la investigación psicológica general. Pero la posesión de un método modelo y su aplicabilidad universal también fueron fuente de una resistencia popular. En 1900, la mayoría de europeos y americanos —victorianos, optimistas, autosuficientes— no estaban preparados para escuchar que la agresividad, las obsesiones sexuales del *id* eran normales. La Primera Guerra Mundial contribuyó a aumentar sus dudas y a minar su optimismo acerca de la naturaleza de la humanidad. ▸**1909.3**

CULTURA POPULAR

Los periódicos alcanzan el millón de ejemplares

2 Los acontecimientos que sucedían en 1900 generaban un aumento en los lectores de noticias. La alfabetización se había extendido enormemente en el siglo XIX, trayendo consigo un enorme apetito de periodismo popular. El diario de París, el *Petit Journal*, se jactaba de contar con cientos de miles de lectores. Nueva York tenía su «prensa amarilla» (denominada así por el personaje de una tira cómica, *The Yellow Kid*, «el niño de amarillo», que aparecía en versiones antagónicas en el *World*, de Joseph Pulitzer, y en el *Journal*, de William Randolph Hearst, que acarreaba una espectacular batalla por los lectores). En Londres, el hambre de noticias adquirió una gran importancia cuando el *Daily Mail* se convirtió en el primer diario británico que logró editar un millón de ejemplares. Inmediatamente C. Arthur Pearson lanzó el *Daily Express*, su principal competidor. Los dos periódicos fueron rivales hasta 1990.

Fundado cuatro años antes, cuando los periódicos de la nación eran diarios intelectuales normalmente asociados a los conservadores o a los liberales, el *Daily Mail* ofrecía algo diferente: noticias y cotilleos en notas breves de fácil lectura, ilustrados con fotografías en lugar de grabados: todo por medio penique. Los titulares eran grandes y llamativos y las historias iban dirigidas a lectores tanto femeninos como masculinos. La primera edición vendió 250.000 ejemplares. (El respetado *Times* de Londres y el *Manchester Guardian* sólo vendieron 50.000.) Su fundador, Alfred Harmsworth, «no está muy interesado en la formación de una opinión pública», dijo una revista, «sino que pretende dar a sus lectores más noticias de una sola ojeada que algunos de sus contemporáneos». ▸**1913.12**

Daily Express

WHEN SHALL THEIR GLORY FADE?

HISTORY'S MOST HEROIC DEFENCE ENDS IN TRIUMPH

THE BOERS' LAST GRIP LOOSENED.

MAFEKING AND BADEN-POWELL'S GALLANT BAND SET FREE

El lanzamiento del *Daily Express* en 1900 estableció una rivalidad con el *Daily Mail* que duraría todo el siglo.

TECNOLOGÍA

Una cámara para la gente corriente

3 «Apriete el botón, nosotros hacemos el resto», ostentaba el anuncio de la singular y novedosa cámara de la compañía Eastman

«Les "Brownie" Kodaks» —la cámara y el duende— aparecían en un anuncio francés.

Kodak, la Brownie. Presentada en 1900, era el último paso para la democratización de la fotografía. El proceso en sí existía desde hacía más de medio siglo, pero sólo era practicado por unos pocos elegidos hasta 1880, cuando Eastman desarrolló la cámara Kodak de objetivo fijo. La Brownie (la popular imagen del duende fue utilizada por la Kodak para destacar el pequeño tamaño de la cámara y dirigir su encanto a la gente joven) condujo la revolución de Eastman a un nuevo nivel, haciendo posible que cualquier niño hiciera una fotografía.

Una cámara de «apuntar y disparar», la Brownie de mano, costaba sólo un dólar y hacía fotografías buenas y fidedignas, sin preocuparse de enfocar el objetivo o medir la exposición. Aún mejor, la Kodak se ocupaba del revelado de la película, librando a los aficionados de la obligación de conocer los misterios del cuarto oscuro. La era de la fotografía instantánea había nacido. Las fiestas de cumpleaños nunca serían lo mismo.

Se vendieron un cuarto de millón de cámaras en el primer año, lo que batió todas las marcas. La Brownie perduró en el mercado bajo diversas formas cerca de ochenta años, una temprana muestra de la importante tendencia del siglo XX a realizar innovaciones tecnológicas, simplificándolas y reduciendo su coste, para ponerlas directamente en manos de la clase media.

ARTE Y CULTURA: Libros: *Lord Jim* (Joseph Conrad); *Hermana Carrie* (Theodore Dreiser); *El mago de Oz* (Frank Baum); *La risa* (Henry Bergson) [...] Música: *Tosca* (Giacomo Puccini); «El vuelo del moscardón», de *El cuento del zar Saltan* (Nicolai Rimsky-Korsakov); *Nocturnos* (Claude Debussy) [...] Pintura y escultura: *La modista* (Henri Toulouse-Lautrec); *Le Moulin de la Galette* (Pablo Picasso) [...]

«Es cierto e innegable que, desde sus majestades hasta las clases más bajas de nuestro pueblo, todos han sufrido la continua agresión de los extranjeros y sus constantes insultos.»—**Jung Lu, consejero de la emperatriz de China**

MÚSICA

El regalo de Sibelius a Finlandia

4 En 1900, Finlandia recibió un regalo un tanto especial, un himno nacional —aunque no oficial— escrito por uno de los mayores compositores del mundo. El poema sinfónico de Jean Sibelius *Finlandia*, como muchas de sus anteriores obras, conjugaba temas populares con influencias de los románticos alemanes y de Tchaikovsky.

Hacia 1890, cuando Finlandia luchaba contra el Imperio Ruso, Sibelius se convirtió en un héroe nacional. En la primera década del nuevo siglo, su fama sobrepasó los límites de las fronteras de su país. Las siete sinfonías de Sibelius se habían equiparado a las de Beethoven por su grandeza sentimental, su elegancia arquitectónica y su sentido de unidad orgánica. Sin embargo, sus mejores obras —las tres últimas sinfonías y el poema sinfónico *Tapiola*— fueron escritas después de la Primera Guerra Mundial, cuando ya había abandonado su patriótico modo de expresión. Aunque su música se volvió cada vez más austera y abstracta, nunca dejó de evocar las antiguas sagas nórdicas y los melancólicos paisajes escandinavos. Más tarde, en 1925, en la cumbre del éxito, Sibelius dejó de componer. Murió a los 92 años, después de tres décadas de retiro.

CHINA

Los bóxers tirotean al enemigo

5 En 1900, la sublevación contra los extranjeros de una secta china llamada Yi He Tuan —«Puños de Justicia y Concordia», o «bóxers», como los denominaron los ingleses— culminó en un absoluto desastre para China, lo que perjudicó su precaria soberanía y representó el principio del fin para la dinastía Qing.

China estaba sumergida en una xenofobia profundamente arraigada, resultado comprensible de una larga historia de intervenciones extranjeras y, más recientemente, de unas condiciones sociales y económicas en decadencia. La sociedad secreta de los bóxers reforzaba sus campañas jurando que mataría a todos los extranjeros («hombres peludos primarios») y a sus simpatizantes chinos («hombres peludos secundarios»). La cruzada fue instigada por Ci Xi, la emperatriz viuda, que ostentaba el poder desde 1898. Siguiendo la iniciativa de la emperatriz, varios gobernadores provinciales apoyaron la violenta resistencia de los bóxers en sus jurisdicciones.

Fortalecidos de esta manera, los bóxers saquearon el campo, destruyeron las estaciones de ferrocarril y las líneas de telégrafos y, finalmente, mataron a 231 extranjeros y a millares de chinos cristianos. El 21 de junio de 1900, la emperatriz, impulsada por su patriotismo, declaró la guerra a todas las potencias extranjeras que interferían en la vida política china por intereses egoístas. Los bóxers iniciaron un asedio de dos meses a las embajadas de Pekín. Las naciones que sufrieron el ataque, incluyendo Japón, Rusia, Alemania, Gran Bretaña, Estados Unidos, Austria-Hungría e Italia, rápidamente se agruparon en una fuerza internacional con la que llegaron a Pekín el 14 de agosto y vencieron fácilmente a los bóxers.

Los términos del protocolo bóxer, el tratado de paz que finalizó con la rebelión, fueron extremadamente duros: China fue condenada a pagar una indemnización de 333 millones de dólares; las tropas extranjeras dejaron guarniciones desde Pekín hasta el mar; los exámenes del servicio civil fueron suspendidos durante cinco años; tres oficiales simpatizantes de los bóxers fueron ejecutados, y un cuarto fue empujado al suicidio. El kaiser Guillermo II, uno de cuyos ministros había sido asesinado por los bóxers, proclamó triunfante: «Nunca más, ningún chino se atreverá a mirar con desdén a un alemán».

Internacionalmente el prestigio de China llegó a su punto más bajo. La indemnización consumía la mitad del producto nacional, debilitando a la dinastía Qing. Además, la ocupación de Manchuria por Rusia había trasladado a miles de soldados a la región durante la rebelión. Tras la firma del protocolo bóxer en 1901, las tropas permanecieron allí a modo de «guarda-vías». En tres años, su presencia provocó la guerra ruso-japonesa. ▶**1904.1**

Esta propaganda impresa representa el asedio de los bóxers a los núcleo extranjeros en Tianjin.

NACIMIENTOS

George Antheil, compositor estadounidense.

Germán Arciniegas, escritor colombiano.

Louis Armstrong, músico estadounidense.

Fred Astaire, bailarín y actor estadounidense.

Humphrey Bogart, actor estadounidense.

Luis Buñuel, director de cine español.

Erich Fromm, psicoanalista alemán-estadounidense.

Eduardo González Lanuza, poeta argentino.

Heinrich Himmler, oficial nazi alemán.

Ruhollah Jomeini, líder religioso y político iraní.

Ernst Krenek, compositor estadounidense.

John Willard Marriott, hotelero estadounidense.

Margaret Mitchell, novelista estadounidense.

Louis Mountbatten, hombre de Estado británico.

Sean O'Faolain, escritor irlandés.

Wolfgang Pauli, físico suizo.

Gustavo Rosas Pinilla, militar y político colombiano.

Antoine de Saint-Exupéry, escritor y aviador francés.

Guillermo de Torre, escritor y crítico literario argentino.

Spencer Tracy, actor estadounidense.

Kurt Weill, compositor germano-estadounidense.

Thomas Wolfe, novelista estadounidense.

MUERTES

Gottlieb Daimler, fabricante de coches alemán.

Humberto I, rey de Italia.

John «Casey» Jones, ingeniero de ferrocarriles estadounidense.

Wilhelm Liebknecht, líder socialista alemán.

Friedrich Nietzsche, filósofo alemán.

John Ruskin, crítico de arte británico.

Arthur Sullivan, compositor británico.

Oscar Wilde, escritor irlandés.

Cine: ***La cenicienta*** **(Georges Méliès);** ***The Down-ward Path*** **(Marvin y McCutcheon) [...] Teatro:** ***Cuando despertemos de la muerte*** **(Henrik Ibsen).**

«Una novela larga será siempre una sucesión de novelas cortas.»—**Pío Baroja**

NOVEDADES DE 1900

La *Guía Michelin* (el primer conjunto sistemático de restaurantes europeos.)

El metro de París.

Copa Davis (oficialmente Trofeo Internacional de Tenis sobre Hierba).

En Alemania se patenta la tracción delantera para los automóviles.

EN EL MUNDO

▶MONARCA ASESINADO—En julio, el rey de Italia Humberto I fue asesinado por un anarquista que buscaba venganza por la sangrienta represión de una sublevación de trabajadores. El reinado de 22 años de Humberto I se caracterizó por una política exterior prepotente y a menudo infructuosa. ▶1911.12

▶LA GRAN CARRERA—Cinco participantes de cuatro países compitieron en el primer

campeonato internacional de automovilismo que tuvo lugar el 14 de junio, de París a Lyon. Todos los coches llegaron. El ganador fue un Panhard francés que mantuvo una media de 62 km/h. ▶1910.2

▶EL DESCUBRIMIENTO DEL RADÓN—El químico alemán Friedrich Dorn observó, mientras estudiaba el radio en 1900, que, además de radiación, este elemento desprendía un gas incoloro e inodoro, que también era radiactivo. Más tarde, la investigación mostró que esta «emanación de radio» (llamada «radón» en 1923) era un elemento distinto derivado del deterioro

ARQUEOLOGÍA

El reino de Cnosos

6 En Cnosos, en la isla mediterránea de Creta, el arqueólogo británico sir Arthur Evans desenterró las ruinas de una civilización de la edad de bronce increíblemente evolucionada. Como alusión a la leyenda del rey Minos, histórico legislador cretense y guardián del terrible minotauro, la mítica criatura mitad hombre mitad toro, Evans denominó a esta cultura «minoica». El descubrimiento conmocionó al mundo.

Descrito por un colega como un «hombre pequeño, terriblemente corto de vista, que siempre llevaba un pequeño bastón para tantear su camino», Evans fue un tenaz arqueólogo. Independiente y acaudalado, compró el lugar de la excavación y dedicó 25 años de su vida a descubrir y restaurar las extensas ruinas, que incluían una especie de laberinto y un palacio de cinco acres y medio que parecían los legendarios dominios del rey Minos. El palacio presentaba murales de colores, cerámica ornamentada, joyería y miles de tablillas escritas en los famosos sistemas Lineal A y Lineal B (que Evans no fue capaz de descifrar). Quedó claro que la civilización minoica, cuyo cénit transcurrió entre los años 2.200 y 1.500 a. C., había sido el centro cultural de Europa un millar de años antes de la ascensión de la antigua Grecia. Obsesionado con sus sofisticados minoicos, que construían casas de tres plantas, vestían elegantemente, elaboraban un arte soberbio, practicaban deportes y comerciaban con los egipcios, Evans empleó a un centenar de trabajadores a la vez y desarrolló técnicas de excavación paradigmáticas desde entonces. Evans quizá retrasó a la ciencia reteniendo sus hallazgos (el lingüista Michael Ventris no descifraría el Lineal B hasta 1952, diez años después de la muerte de Evans), pero su descubrimiento fue uno de los mayores logros arqueológicos de la historia. **▶1904.NM**

LITERATURA

Pío Baroja publica sus primeros relatos

7 Pío Baroja nació en San Sebastián en 1872. En Madrid estudió medicina y se doctoró con

Pío Baroja (por Ramón Casas)

una tesis sobre *El dolor* (preocupación significativa); sin embargo, ejerció poco tiempo como médico, en Cestona. Regresó a Madrid para regentar la panadería de una tía suya, pero sus contactos con otros escritores (Azorín, Maeztu...) le llevaron a entregarse de lleno a su vocación literaria. Publicó su primer libro de relatos en 1900, *Vidas sombrías*, tras una serie de colaboraciones en diarios y revistas. A partir de entonces y hasta los años cuarenta se consagró a escribir sin descanso. En 1935 ingresó en la Real Academia.

Fue un hombre de talante solitario y amargado pero dispensador de una gran ternura hacia los desvalidos o marginados. Para él, el mundo carecía de sentido. La vida le resultaba absurda y no albergaba confianza en el hombre. Lo que le otorgó mayor popularidad como novelista fue el «existencialismo de la acción», según el cual la reflexión sobre la falta de sentido de la vida humana conduciría al suicidio, y la única forma de vencer esta tendencia sería la acción constante. Otro tema recurrente en sus novelas fue la crítica social, centrada casi siempre en Madrid y en ambientes marginales. Su idea fundamental era que el lector reaccionara y adoptara una postura crítica. Pretendía denunciar la pasividad de la lucha por la vida que él llamó «problema de la voluntad». Sus conclusiones fueron de talante pesimista. Se ha dicho que Baroja «escribe mal»: por una parte, son evidentes sus incorrecciones gramaticales, que él mismo atribuía a su origen: su español —como él reconocía— es «el de un vasco y no el de un castellano casticista». Pero su estilo es perfectamente coherente con un ideal de espontaneidad narrativa. Lleva al extremo la tendencia antirretórica de los noventayochistas. Su obra cumbre, la mejor técnicamente, es *El árbol de la ciencia*. Algunas de sus novelas se agrupan en trilogías: *Tierra vasca* (1900-1903), *La vida fantástica* (1901-1906), etc. Escribió también libros de viajes, biografías y unas memorias que llevan por título *Desde la última vuelta del camino*.

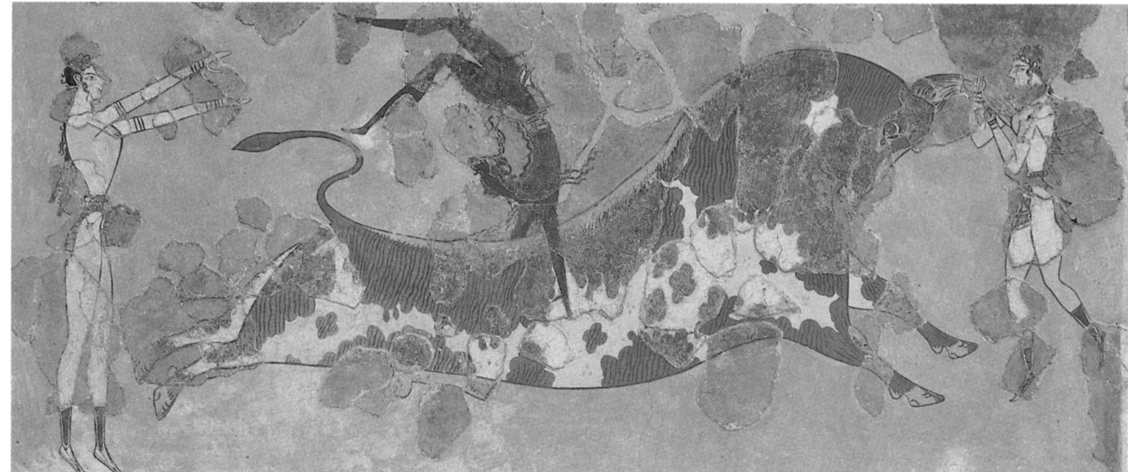

Esta reproducción de unos atletas saltando sobre un toro fue uno de los frescos de la edad de bronce desenterrados por Evans en Cnosos.

DEPORTES: Béisbol: se forma la Liga Americana en Chicago [...] Inauguración de los Juegos Olímpicos en París (las competiciones incluían pesca, croquet, ajedrez y lucha) [...] Boxeo: James J. Jeffries bate a Jack Finnegan en 15 segundos (la pelea más corta del campeonato mundial de pesos pesados) [...] Golf: «Par» se convierte en un criterio para el cálculo de hándicaps.

«Los dos momentos más decisivos de mi vida fueron cuando mi padre me envió a Oxford y cuando la sociedad me envió a la cárcel.»—**Oscar Wilde**

LITERATURA

La vergonzosa marcha de Wilde

8 Arruinado y desacreditado por su conocida condición homosexual y sus dos años en prisión, Oscar Wilde, esteta a ultranza y dramaturgo de consumado ingenio, vivió sus últimos años en París, sostenido por lo que George Bernard Shaw llamó «una invencible alegría anímica». El 30 de noviembre de 1900, Wilde, con sólo 46 años, murió de una encefalitis, complicada con una infección de oído. La prensa, a menudo hostil con el «extravagante» escritor, se regocijó con su fallecimiento, recreándose en su miseria e insinuando un suicidio.

Wilde a menudo decía que el arte no es la imitación de la vida sino a la inversa. En su caso, el epigrama resultó ser dolorosamente profético. Sus tramas frecuentemente giran en torno a la revelación de los secretos de un personaje; en 1895 el marqués de Queensberry (que elaboró las reglas del boxeo),

Wilde, un excéntrico que a menudo llevaba un girasol, fue inmortalizado en la portada de esta partitura.

alterado por la relación de Wilde con su hijo de 20 años, lord Alfred Douglas, acusó al escritor de ser homosexual, condición totalmente ilegal en Gran Bretaña. Wilde, en la cumbre de su fama, acababa de estrenar sus piezas maestras *El abanico de lady Windermere, La importancia de llamarse Ernesto* y la novela *El retrato de Dorian Gray.* Imprudentemente, lo demandó por calumnias. El asunto fue expuesto en la audiencia. Wilde fue procesado, condenado y sentenciado a dos años de trabajos forzados (experiencia que le inspiró su poema «La balada de Reading Gaol» y el brillante *De Profundis*). La dura condena popular, tan mordaz como interesada, que acompañó su reclusión, se convirtió en el pasatiempo internacional. Tras su salida de la prisión, el arruinado dramaturgo huyó a París, donde vivió en un aislamiento forzoso de hotel en hotel, sin escribir más obras de teatro.

Confundidos a causa de su dandismo, de su mofa a la moral victoriana y de su agudeza, la mayoría de los críticos del cambio de siglo no fueron capaces de otorgar a la obra de Wilde la consideración que merecía. El arte, como el autor, se adelantó a su tiempo. A pesar de que Wilde tenía afinidades con los dos grandes dramaturgos del siglo XX (ambos, como él, nacidos en Irlanda), su idea de que el ingenio verbal proporciona la única posibilidad de salvación en un mundo caótico, se aproxima más en esencia a Samuel Beckett, el magnífico absurdo, que a George Bernard Shaw, el gran victoriano. ▸**1904.7**

CULTURA POPULAR

La Exposición Universal

9 **Aldeas de los indígenas, exóticas intérpretes de la danza del vientre y artilugios mágicos, como la grabadora magnética de Valdemar Poulsen, fascinaron a cuarenta millones de visitantes en la Exposición Universal de 1900. Edificios tan característicos del París de hoy en día como el Grand Palais, el Petit Palais y la estación de Orsay (actualmente el Museo de Orsay), se hallaban entre los pabellones de Bellas Artes, construidos para la ocasión, convirtiendo las orillas del Sena en una maravilla arquitectónica. El sincopado ritmo del *ragtime* americano, presentado en la Exposición por John Philip Sousa, impregnó el ambiente y enseguida causó furor en toda Europa. El público se agolpaba para ver la escandalosa estatua de Balzac, esculpida por Auguste Rodin. Proclamado como el escultor más importante desde Miguel Ángel, Rodin fue el único artista que contó con su propio pabellón en la Exposición.**

CIENCIA

La teoría de Mendel

10 Una de las deducciones más perspicaces de la historia de la ciencia fue tardíamente reconocida en 1900: el descubrimiento llevado a cabo por Gregor Mendel de cómo los rasgos heredados son transmitidos de una generación a la siguiente. Los hallazgos de Mendel —avanzado a su tiempo de forma clara y radical— se publicaron en un desconocido diario en 1866, donde languidecieron durante cerca de 34 años. Posteriormente, en 1900, tres botánicos publicaron por separado sus experimentos sobre el crecimiento de las plantas en los que citaban y confirmaban el trabajo de Mendel.

Granjero austríaco convertido en monje agustino, Mendel realizó sus experimentos en un pequeño huerto del monasterio, en Moravia (más tarde parte de Checoslovaquia), donde cultivaba guisantes. En sus conclusiones, describió matemáticos patrones hereditarios, pero los genetistas han identificado algunas excepciones; no obstante, su descubrimiento inicial de la herencia a través de unidades concretas (los genes) permanece como principio básico de la biología. ▸**1902.NM**

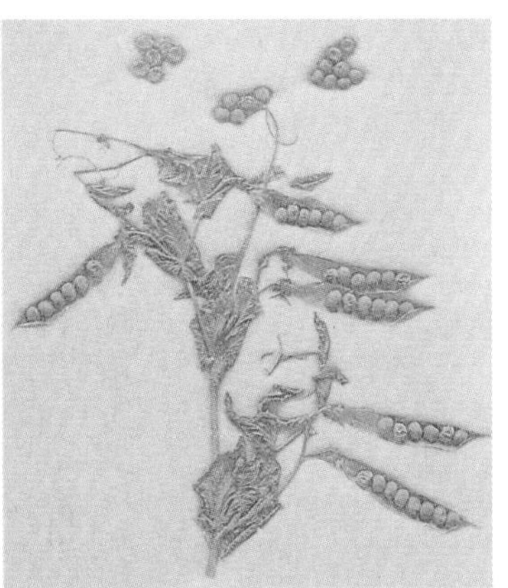

Lámina botánica que ilustra «el resultado del cruce de un guisante amarillo arrugado y uno verde liso».

radiactivo del radio, igual que el radio deriva del deterioro del uranio. En 1980 se descubrió que el radón puede, de modo natural, filtrarse a través de las estructuras, constituyendo una seria amenaza de desarrollar cáncer de pulmón. **▸1903.6**

▸UNA TRAGEDIA POLÍTICA —A pesar del despliegue de las fuerzas británicas en el territorio del sur de África, las maniobras de la guerrilla bóer amenazaron las posiciones británicas. Tras su llegada a finales de noviembre, el comandante en jefe británico Lord Horatio Kitchener decidió debilitar las plazas fuertes de la guerrilla asolando las zonas de población y ganado, estrategia que incluía la reclusión de mujeres y niños en campos de «refugiados». Al final de la guerra, 20.000 de los 120.000 bóers internados en los campos de concentración de Kitchener habían muerto por enfermedad y negligencia. **▸1902.1**

▸ZEPPELIN—En las orillas del lago Constanza, el dirigible LZ1 del conde Von Zeppelin realizó su primer vuelo el 20 de julio. El

aeróstato, que culminaba un proyecto iniciado en 1874, tenía 128 m de largo y 11 m de diámetro. Construido en torno a un armazón de aluminio, se servía del hidrógeno como gas de sustentación. Alcanzó una altura de 400 m y recorrió más de 6 km.

▸FERROCARRIL URBANO —En París, se inauguró la primera línea de un sistema de transporte público que intercomunicaba los distintos barrios de la ciudad. El primer tramo partía desde Porte Maillot hasta la Porte de Vincennes. Una distancia de 10 km que recorría en 33 minutos. A estos trenes se les denominó «metro», abreviatura de «metropolitano».

POLÍTICA Y ECONOMÍA: el republicano William McKinley reelegido presidente, William Jennings Bryan derrotado [...] Población de Estados Unidos: 76.094.000 (el estado de Nueva York era el más poblado con 7.268.894; el último, Nevada, con 42.335) [...] Población de España: 18.616.630 [...] Población de Alemania: 56.345.014 [...] Londres: creación del «Labour Representation Committee».

«El hombre es como una cuerda tensada entre el animal y el superhombre —una cuerda sobre un abismo.»—**Friedrich Nietzsche, *Así hablaba Zaratustra***

▶«ELS QUATRE GATS» ACOGE DIBUJOS DE PICASSO —Veinticinco retratos a lápiz de los clientes de la cervecería «Els Quatre Gats» constituyeron la primera exposición individual de Pablo Ruiz Picasso cuando éste contaba 19 años. La mayoría de ellos pertenecían a la vanguardia artística y literaria de Barcelona. ▶1901.E

▶SONIDO SINCRONIZADO PARA EL CINE—En la Exposición Universal de París se presentó un sistema de sincronización de sonido e imagen cinematográfica, que reunía el soporte visual de una película y la grabación sonora de un fonógrafo. La voz de Sarah Bernhardt, que interpretaba un fragmento de *Hamlet*, fue la elegida para realizar esta experiencia, además de las de otros artistas de menor relevancia. ▶1900.9

▶HÉROE DEL FERROCARRIL—John Luther «Casey» Jones alcanzó la fama al morir en el *Cannonball Express*, el 29 de abril. El maquinista cruzaba a gran velocidad el Mississippi a las

03.52 h, cuando vislumbró un tren parado. Jones gritó al fogonero que saltara y redujo la velocidad del tren lo suficiente para salvar las vidas de sus pasajeros antes de la colisión que acabó con la suya.

Un melancólico Nietzsche, pintado por el melancólico pintor noruego Edvard Munch.

IDEAS

El maestro moralista

11 Friedrich Wilhelm Nietzsche ha muerto. También Dios, aunque transcurrirían años antes de que el resto del mundo apreciara la importancia de esta intuición. Trastornado por lo que probablemente era una sífilis en estado avanzado, el filósofo alemán murió incomprendido e infravalorado en agosto de 1900, tras dos décadas de solitario vagar, sintiéndose cada vez más enfermo.

Escribió una vez que algunos hombres nacen tras su muerte, éste, según Sigmund Freud, hubiera sido un epitafio apropiado para aquel pensador, que tenía un conocimiento más profundo de sí mismo que cualquier otro hombre. Aunque Nietzsche escribió en el siglo XIX, sus ideas acerca de la naturaleza del hombre y la moralidad en un mundo cambiante son indiscutiblemente modernas. En su obra de 1886, *Más allá del bien y del mal*, el filósofo rechazó no sólo el cristianismo sino cualquier moral absoluta determinada artificial y culturalmente; propuso en su lugar una «transvaloración de los valores». *Así hablaba Zaratustra*, una parábola literaria en la que un anciano filósofo persa actúa como doble del autor, desarrolla la teoría de Nietzsche del superhombre —una figura heroica y positiva que, incorporando lo mejor de las virtudes femeninas y las masculinas, aspira más a la grandeza que a la convencional bondad cristiana. La «muerte de Dios», reconoce Nietzsche, creó un vacío, una ausencia de finalidad y de sentido en el mundo; él vio el creciente nacionalismo reinante a su alrededor como un vano y peligroso intento de colmar ese vacío.

Complejo y a veces prácticamente impenetrable, no resultaba extraño encontrar sus libros entre los pertrechos bélicos alemanes durante la Primera Guerra Mundial; los nazis no dudaron en distorsionar sus teorías para fundamentar con ellas sus propias ideas sobre una raza superior aria. **▶1927.4**

MEDICINA

El descubrimiento de los grupos sanguíneos

12 Cerca de tres siglos después de que William Harvey explicara la circulación de la sangre, el inmunólogo austríaco Karl Landsteiner se dio cuenta de que no toda la sangre era igual. Landsteiner, que aprendió patología realizando más de cuatro mil autopsias durante los diez años que estuvo en el Instituto Patológico de Viena, descubrió en 1900 que la sangre extraída de una persona a menudo se aglutinaba o coagulaba cuando se mezclaba con las células sanguíneas de otra. Al año siguiente, demostró que la coagulación era causada por los distintos anticuerpos contenidos en la sangre. Éstos eran característicos de los diferentes grupos sanguíneos, que Landsteiner denominó A, B y O (más tarde añadió el AB). Su hallazgo rescató a la cirugía de la barbarie de las extracciones de sangre al azar, seguida a veces de letales transfusiones. Los cirujanos utilizaban sangre de todo tipo (de animales, e incluso leche) para las transfusiones, sin saber si las intervenciones salvarían o matarían al paciente.

Unos cuarenta años después, Landsteiner identificó el factor Rhesus en la sangre humana (antes hallado en el mono Rhesus), un avance que permitió a la medicina moderna buscar nuevos caminos para evitar la muerte de los embriones afectados por la falta del factor RH de sus madres.

El descubrimiento de Landsteiner tuvo poco eco hasta la Primera Guerra Mundial, cuando la carnicería general que se cernía sobre Europa creó una desesperada necesidad de sangre. Los masivos manejos de sangre de los años de la guerra se realizaron siguiendo el esquema que él confeccionó de grupos sanguíneos, abriendo así el camino a los modernos bancos de sangre. **▶1994.NM**

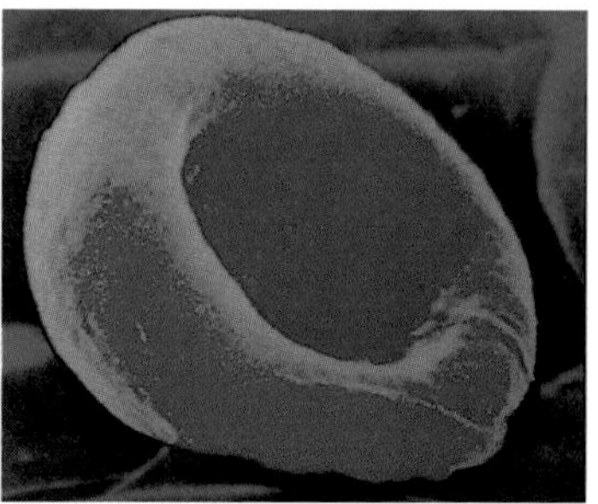

Fotografía en color ampliada de un glóbulo rojo.

CIENCIA

El nacimiento de la física cuántica

13 En una de esas raras coincidencias cronológicas de la historia, el comienzo del nuevo siglo marcó la definitiva línea divisoria entre la física clásica y la moderna. Antes de que en 1900 el físico alemán Max Planck descubriera que, en su nivel básico, el átomo absorbía y desprendía energía en pequeñas partículas, o cuantos, se creía que el átomo radiaba energía de forma continua y uniforme. La teoría cuántica de Planck revolucionó la disciplina, proporcionando las bases para,

El desarrollo de la física cuántica hizo a Planck merecedor del Premio Nobel en 1918 —se hizo un sello en su honor en Costa de Marfil..

además de otros avances, la publicación en 1905 por parte de Einstein del efecto fotoeléctrico, y en 1913, por parte de Bohr, de la teoría de la estructura atómica.

En base a los ensayos infructuosos de físicos anteriores, Planck consiguió divisar el camino para medir la distribución de la radiación térmica proponiendo el uso de unidades mínimas «cuantos», cuyo valor era 6,55/10 elevado a 27 ergios por segundo. Cualquier cantidad de energía que reciba o emita un cuerpo ha de ser forzosamente un número completo de cuanta. Esta fórmula es una de las más conocidas en física: la constante de Planck. Así, la energía fue definida en los términos de su relación con el átomo, en otras palabras, de la energía con la materia.

Planck recibió el Premio Nobel en 1918. Pasó casi toda su vida en Berlín, que, gracias a su colaboración con Einstein, se convirtió en el centro mundial de la física teórica durante los años anteriores y posteriores a la Primera Guerra Mundial. **▶1905.1**

Predicciones de un nuevo siglo

John Elfreth Watkins, Jr., del *Ladies' Home Journal*, diciembre de 1900

Fundado en 1883 por Cyrus H. K. Curtis, el Ladies' Home Journal *se convirtió, bajo los treinta años de administración de Edward W. Bok (director desde 1889 hasta 1919), en un importante agente del reformismo —campaña en favor del sufragio femenino, la limpieza de las ciudades y pueblos, la conservación de la fauna, la mejora de los cuidados maternales sanitarios y la veracidad en la publicidad. Plagado de información internacional y consejos de sensatos, el diario fue el prototipo de responsabilidad, la revista de mujeres más famosa en el siglo XX.*

Estas predicciones, realizadas en 1900 para los siguientes cien años, son curiosas, pero muchas veces acertadas a pesar de que su autor sólo conoció la era del vapor y del hierro fundido.

Quinientos millones de personas. Habrá probablemente de 350 millones a 500 millones de personas en América y sus posesiones al acabar el siglo. Nicaragua solicitará ser admitida en nuestra unión tras la construcción del gran canal. México será el siguiente. Europa, buscando más territorio a nuestro sur, provocará que muchas de las repúblicas sudamericanas y centroamericanas quieran entrar en la Unión.

No habrá C, X o Q en nuestro alfabeto cotidiano. Se abandonarán por no ser necesarias. La ortografía fonética será adoptada, en primer lugar, por los periódicos. El inglés será una lengua de palabras condensadas que expresarán conceptos condensados y se hablará más que ninguna otra. El ruso será la segunda.

Grifos de aire caliente y frío. El aire caliente y el frío provendrá de grifos que regularán la temperatura de las casas, igual que hoy utilizamos grifos para el agua caliente y la fría con el fin de regular la temperatura del baño.

Los automóviles serán más baratos de lo que ahora son los caballos. Los granjeros tendrán sus carros de heno, arados, gradas y rastrillos automóviles. Un motor de explosión en cada uno de esos vehículos hará el trabajo de dos caballos o más. Los niños montarán trineos automóviles en invierno. Estas máquinas sustituirán a cualquier vehículo que hoy conozcamos. Habrá igual que hoy en día coches funerarios, de policía, ambulancias, barrenderos. Los caballos con arneses serán escasísimos, del mismo modo que lo es hoy el uso de los bueyes como fuerza de tracción.

Todo el mundo caminará 16 km. La gimnasia empezará en la guardería, donde los juguetes y los juegos estarán diseñados para ejercitar los músculos. En las escuelas, el deporte será obligatorio. Un hombre o una mujer incapaz de caminar 16 km será considerado como si estuviera enfermo.

Naves de guerra aéreas y fuertes sobre ruedas. Cañones gigantes dispararán a 40 km de distancia o más y lanzarán proyectiles por todas partes que explotarán y destruirán ciudades enteras. Escuadras de naves aéreas, ocultas en sus propias densas y nebulosas brumas, despistarán con su movimiento y flotarán sobre ciudades, fortificaciones, campos y flotas. Sorprenderán a los enemigos lanzando rayos mortíferos sobre ellos. Enormes fuertes sobre ruedas se precipitarán a través de espacios abiertos y a la velocidad de los trenes actuales. Realizarán lo que ahora son las cargas de caballería. Grandes arados automóviles cavarán profundas trincheras a la misma velocidad que los soldados las ocupen. Los rifles usarán proyectiles silenciosos. Los submarinos sumergidos durante días serán capaces de destruir por completo un navío en frente suyo desde el fondo. Los globos y máquinas voladoras llevarán telescopios de 160 km de visibilidad con complementos para fotografiar al enemigo en este radio. Estas fotografías, tan claras y amplias como si estuvieran tomadas desde el otro lado de la calle, serán entregadas al oficial comandante encargado de las tropas de tierra.

Los hombres verán todo el mundo. Personas y cosas de todo tipo serán presentadas con objetivos de cámaras conectadas eléctricamente a pantallas a miles de kilómetros de distancia. El público americano en sus teatros podrá ver sobre enormes telones las coronaciones de los reyes de Europa o el avance de las batallas en Oriente. El instrumento que enviará estas escenas tan distantes a tanta gente estará conectado a un teléfono gigante que transmitirá cualquier sonido que se produzca. Así, las armas de una batalla distante se oirán al tiempo que se vean disparar, y los labios de un lejano actor o cantante se oirán cuando los mueva.

Fresas tan grandes como manzanas estarán disponibles para nuestros tataranietos en las cenas de Navidad dentro de cien años. Las frambuesas y las moras serán igual de grandes. Una por persona será suficiente.

En este ejemplar navideño del *Ladies' Home Journal* se ofrecieron una serie de predicciones, algunas acertadas, otras verdaderamente curiosas, para el siglo que empezaba, tocando temas tan diversos como los hábitos alimenticios o los automóviles.

"La radio no tiene futuro."—**Lord Kelvin, matemático y físico británico**

HISTORIA DEL AÑO

La primera radiotransmisión a larga distancia

1 Localizado en una central eléctrica en la costa de Cornualles, Inglaterra, el ingeniero eléctrico John Ambrose Fleming, utilizando un transmisor de diseño propio, envió la letra «s» en código Morse. Era mediodía, en el meridiano de Greenwich, el 12 de diciembre de 1901. Casi al mismo tiempo, 2.880 km más allá, en una estación receptora de St. John, en Terranova, el físico e inventor Guglielmo Marconi oyó tres cortos pitidos a través del tosco altavoz de la radio que tenía colocado en su oreja. La señal que Marconi recibió fue la primera transmisión a través del océano Atlántico. La era de la radiotelegrafía («radio» para abreviar) había empezado. En pocos años Marconi inauguró el primer servicio de telégrafos radiofónico, comercial y transatlántico, con estaciones en Irlanda y Nueva Escocia.

En 1901, las ondas radiadas no constituían una novedad. No obstante, hasta que Marconi empezó a dirigir los experimentos en 1894, nadie había conseguido transmitir con éxito una señal a una distancia mayor de unos pocos metros.

Inmediatamente después de finalizar sus estudios, Marconi empezó a perfeccionar la telegrafía radiofónica. Trabajando en la finca familiar de Pontecchio, Italia, se le ocurrió su gran innovación: la antena conectada al suelo. Dotó al aparato transmisor de cables que extendió verticalmente del suelo hacia el aire. Así descubrió que podía incrementar el alcance de los instrumentos. Añadió a su sistema un aparato telegráfico e inició una transmisión inalámbrica enviando señales a un receptor situado 2 km más lejos. Posteriormente, se trasladó a Inglaterra, donde continuó sus experimentos incrementando de forma gradual las distancias hasta que fue capaz, en aquel histórico día, de completar su primera transmisión transatlántica junto a Fleming.

Marconi en su estación receptora de Terranova, 12 de diciembre de 1901.

La central eléctrica de Cornualles y la estación receptora en Terranova eran esencialmente ampliaciones del equipo doméstico de Marconi. Su antena en St. John consistió en largos alambres suspendidos de una cometa que volaba sobre su cabeza. Marconi descubrió que la distancia recorrida por las ondas radiofónicas correspondía a su longitud: ondas más largas podían recorrer una distancia mayor. Para la señal transatlántica empleó un equipo capaz de dirigir ondas largas. Por ello, Marconi no precisó una tecnología sofisticada para radiar las ondas a largas distancias, sólo tuvo que aumentarlas. ►**1904.8**

Una heroica figura: Giuseppe Verdi, pintado por Boldini.

MÚSICA

La muerte de un querido maestro

2 Durante cinco días, toda Italia permaneció en vilo a la espera de noticias. Multitud de gente se reunía en silencio frente al Gran Hotel de Milán, donde las calles estaban cubiertas de paja para que el ruido de los carruajes no perturbara a Giuseppe Verdi. En el hotel, Verdi yacía inconsciente, víctima de una apoplejía. La terrible noticia llegó el 27 de enero de 1901: el maestro había fallecido.

Héroe nacional, Verdi fue la última figura destacada del Risorgimento, el movimiento que en 1861 logró la unificación de Italia. Los patriotas habían usado su nombre como un acróstico de Vittorio Emanuele, *Re D'I*talia. «*Viva VERDI*» («Viva Víctor Manuel, rey de Italia»).

Durante su larga vida, Verdi absorbió el espíritu del movimiento y lo destiló en su música, escribiendo óperas —*Rigoletto, Il Trovatore, La Traviata, Aida, Otello*, y *Falstaff*— que inspiraron a sus compatriotas y aseguraron su fama, junto a la de Mozart y Wagner, como uno de los tres grandes maestros del género operístico. En su música, los italianos escuchaban el sonido de su nación: sus aspiraciones, sus penas, y, especialmente, su gloria. Por esto Verdi fue venerado más allá de su merecido genio musical. Cuando murió, su amigo el poeta Arrigo Boito, que estuvo en su lecho de muerte, escribió: «se llevó consigo una gran cantidad de luz y calor vital». ►**1904.4**

ECONOMÍA E INDUSTRIA

La compañía más rica del mundo

3 «Mr. Carnegie», dijo J. P. Morgan, «quiero felicitarle por ser el hombre más rico del mundo». El motivo: la venta en 1901 de la sólida Carnegie Steel Corporation a un grupo de industrias liderado por Morgan. El precio: 492 millones de dólares. Tras la venta, Andrew Carnegie, que llevaba 66 años alejado de sus humildes orígenes escoceses, se retiró de los negocios y pasó los años que le quedaban de vida creando fundaciones para repartir su dinero. Morgan quería hacer de la compañía Carnegie la pieza principal de un nuevo *trust*: United States Steel Corporation, la primera corporación con un capital de un billón de dólares en el mundo.

Para completar la formación de la U.S. Steel, Morgan y sus accionistas adquirieron diversas empresas metalúrgicas. Al capitalizar cerca de 1,4 billones de dólares, la United States Steel Corporation controló minas, fábricas, maquinaria, y consiguió producir ocho millones de toneladas de acero al año, más de la mitad de la producción total de Estados Unidos y más de lo que producían la mayoría de los países. Dirigida por el juez Elbert Gary, la United States Steel Corporation obtuvo unos beneficios de 90 millones de dólares el primer año. (Gary supervisó la expansión de la industria americana del acero, eludiendo con éxito la persecución *antitrust* del gobierno, negociando abiertamente con magnates menores para eliminar la competencia «irrazonable».)

«Hubiera tenido que pedirle cien millones más», le dijo Carnegie a Morgan cuando se encontraron en un transatlántico años después.

«Si lo hubiera hecho, se los hubiera dado», respondió Morgan. ►**1913.8**

Notoriamente violento, J. P. Morgan blande su bastón contra un fotógrafo.

ARTE Y CULTURA: **Libros:** ***La vida de las abejas*** **(Maurice Maeterlinck);** ***Retorno a Erewhon*** **(Samuel Butler);** ***El pulpo*** **(Frank Norris);** ***Francesca de Rímini*** **(Gabriele D'Annunzio [...] Música: «Alta Sociedad» (Porter Steele);** ***Concierto para piano en C menor*** **(Sergei Rachmaninov); la ópera** ***Rusalka*** **(Anton Dvořák) [...] Pintura y escultura:** ***Muchachas en el puente*** **(Edward Munch);** ***Cuerpos de oro*** **(Paul Gauguin);**

"Las palabras parecen expresar menos que los hechos [...] luto por Londres; luto por Inglaterra; luto por el Imperio. La sensación de cambio universal me obsesiona."—**Lady Battersea en la muerte de la reina Victoria**

El féretro de la reina Victoria, seguido por el cortejo fúnebre real, transportado por las calles de Windsor.

GRAN BRETAÑA

El entierro de la reina Victoria

4 Cuando murió el 22 de enero de 1901, Victoria había reinado durante casi 64 años, permaneciendo en el trono más tiempo que ningún otro monarca de la historia. Su vida ejemplar se erigió como un paradigma para su tiempo y su patria. Fue un arquetipo de un determinado sentido de la moral y de un ardiente imperialismo. Bajo su reinado, Gran Bretaña expandió los límites de su imperio y acentuó cada vez más su propia personalidad. Cuando murió la reina, el poeta Robert Bridges escribió: «Parece como si se hubiera caído la clave del arco del cielo». El dolor alcanzó a casi todos los súbditos británicos, incluso las prostitutas vestían de luto por las calles de Londres.

Con la ascensión de Eduardo VII, acabó oficialmente la rancia época victoriana. Su lugar lo ocupó un nuevo espíritu liberal, el espíritu del siglo XX. El gordo, calvo y envejecido Eduardo tenía 59 años y una reputación de libertino cuando ocupó el trono. «No podemos pretender que no haya nada en su larga vida», concedió *The Times*, «que los que le respetamos y admiramos deseemos que hubiera sido de otro modo». Con ello se aludía a su larga e intensa vida sentimental, que le había colocado en el punto de mira de la atención pública.

Eduardo quizá fuera un libertino, pero profundamente moderno. Quizá por esto el pueblo británico lo aceptó y lo quiso. Alejado 64 años de la estricta moral victoriana, aportó a la corona vitalidad y una refrescante alegría. Vestía con elegancia y hablaba de forma espontánea. Cuando su caballo ganó el Derby, la multitud aplaudió con entusiasmo. «El monarca despliega gran actividad», decía la gente. Al contrario de su madre, que intervenía activamente en la política, Eduardo optó por un papel plenamente ceremonial. Esta, más que su frivolidad, fue su perdurable contribución a la vida política inglesa. La época eduardiana duró unos nueve años, finalizando con la muerte del monarca en 1910, pero durante este tiempo —que sólo pocos años más tarde el inglés cansado de la guerra recordaría como una edad de oro y de prosperidad y animación— abonó el terreno para las monarquías constitucionales modernas.

►**1910.NM**

FILANTROPÍA

La primera entrega de los Premios Nobel

5 Alfred Nobel fue un industrial de éxito, aunque también un novelista y dramaturgo frustrado; el inventor de la dinamita, pero un combatiente pacifista. Tras la publicación en un periódico por equivocación de la esquela del magnate sueco, llamándole «traficante de muerte», Nobel, que estaba vivo, empezó a obsesionarse con el hecho de dejar un legado para la paz. Cuando realmente murió, en 1896, sus familiares se quedaron pasmados ante sus disposiciones testamentarias: el 94 % de su vasta fortuna debía utilizarse para abastecer un premio mundial anual que se otorgara a quienes con sus actividades en los campos de la física, la química, la medicina, la literatura y la paz (la categoría económica se añadió en 1969) hubieran proporcionado «un mayor beneficio a la humanidad». Su testamento era tan indefinido que sus albaceas emplearon cinco años en regateos acerca de normas y finanzas. La primera entrega de los Premios Nobel fue finalmente oficiada por el rey de Suecia el 10 de diciembre de 1901, en el quinto aniversario de la muerte de Nobel.

Cada ganador, conocido como «laureado» (por las coronas de laurel que ganaban los atletas en la antigüedad), recibió unos 42.000 dólares, una suma docenas de veces mayor que cualquier otro premio (o que el mejor salario de un profesor). Aunque el premio económico (ahora de un millón de dólares) puede ser menor que algunas loterías, el Premio Nobel todavía está considerado como el mayor honor profesional .

La medalla Nobel de la paz, anverso y reverso. El premio de la Paz es el único que se otorga tanto a instituciones como a individuos.

NACIMIENTOS

Fulgencio Batista, presidente cubano.

Gary Cooper, actor estadounidense.

Marlene Dietrich, actriz alemana-estadounidense.

Walt Disney, animador de películas estadounidense.

Jean Dubuffet, artista francés.

Enrico Fermi, físico italo-americano.

Clark Gable, actor estadounidense.

Alberto Giacometti, escultor suizo.

Werner Heisenberg, físico alemán.

Hirohito, emperador japonés.

Enrique Jardiel Poncela, literato español.

Leopoldo III, rey de Bélgica.

André Malraux, escritor francés.

Mariano Picon-Salas, escritor venezolano.

Salvatore Quasimodo, poeta italiano.

Enrique Santos Discepolo, músico y libretista argentino.

Sukarno, presidente de Indonesia.

Stefan Wyszynski, prelado católico polaco.

Ricardo Zamora, futbolista español.

MUERTES

Víctor Balaguer, escritor y político español.

William McKinley, presidente estadounidense.

Francisco Pi Margall, político español.

Henri Toulouse-Lautrec, pintor francés.

Giuseppe Verdi, compositor italiano.

Desnudo sentado **(Arístides Maillol) [...] Cine:** ***Barba Azul*** **(George Méliès);** ***¡Fuego!*** **(James Williamson);** ***Escenas callejeras, Tokio, Japón*** **(Robert K. Bonine);** ***La ejecución de Czolgosz con vistas a la prisión de Auburn*** **(Edwin S. Porter) [...] Teatro:** ***Las tres hermanas*** **(Anton Chejov);** ***La danza de la muerte*** **(August Strindberg).**

«Establézcase en Kenia, la colonia británica más joven y atractiva. Precios bajos por zonas muy fértiles [...]. Ventajas seguras: el trabajo de los nativos sustituirá su propio esfuerzo.»—**Anuncio de un periódico, hacia 1900**

NOVEDADES DE 1901

Café instantáneo.

Primer viaje fantástico (aventura de un viaje a la Luna, en la exposición Panamericana de Buffalo).

Primer audífono eléctrico (Acousticon).

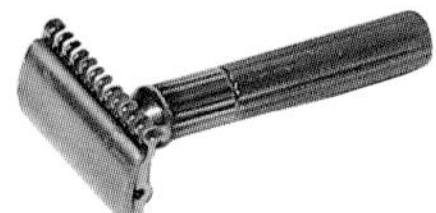

Primera maquinilla de afeitar (Gillette).

Máquina de escribir eléctrica.

Autoescuela (parque de coches Liver Motor y Escuela de Automovilismo, Birkenhead, Inglaterra).

EN EL MUNDO

▶PROTECTORADO CUBANO—Con la enmienda Platt, el congreso norteamericano hizo de Cuba una colonia de facto en 1901. Según sus términos, las tropas americanas (que ocupaban la isla desde que ayudaron a la expulsión de los españoles en 1898), la abandonarían sólo si La Habana garantizaba a Washington el derecho de intervención en sus asuntos y el establecimiento de una base militar en la bahía de Guantánamo. Los cubanos, muy presionados, aceptaron, registrando sus concesiones en la nueva constitución. Las tropas volvieron a casa —temporalmente— en 1902. **▸1903.2**

▶DINASTÍA TEATRAL—Los críticos proclamaron a la joven Ethel Barrymore como

la actriz más destacada de América por su trabajo de 1901 en la obra *Captain Jinks of the Horse Marines*. Era el primer papel protagonista de Barrymore en Broadway, cuyo estilo divertido y dominante, atrajo al público durante las

***Humo* de Ricardo Baroja. Su visión de la realidad es afín a la mirada crítica de los escritores noventayochistas.**

LA GENERACIÓN DEL 98

El manifiesto del grupo de «Los Tres»

6 Baroja, Azorín y Maeztu, grandes amigos, firmaban artículos con el pseudónimo de «Los Tres». En 1901 publicaron un manifiesto con el deseo de cooperar a la generación de un nuevo estado social en España. Diagnosticaron la «descomposición» del ambiente espiritual, el hundimiento de las certezas filosóficas, «la bancarrota de los dogmas» [...] «un viento de intranquilidad —dijeron— reina en el mundo». Frente a ello vieron en los jóvenes «un ideal vago», pero disperso; «la cuestión es encontrar algo que canalice esa fuerza». Para ello, según los tres, de nada sirve «ni el dogma religioso, que unos sienten y otros no, ni el doctrinarismo republicano o socialista, ni siquiera el ideal democrático...». Sólo «la ciencia social» —afirmaban— puede dar un cauce al «deseo altruista, común, de mejorar la vida de los miserables». Su posición era la de un «reformismo de tipo regeneracionista», alejados ya de sus compromisos políticos iniciales.

La campaña de «Los Tres» fue un fracaso que les condujo a un hondo desengaño. Se inició un giro hacia posturas netamente idealistas. Hacia 1905, los noventayochistas «habían abandonado el camino de la acción y sentían en el alma el fracaso de sus proyectos juveniles». Seguirían sintiendo la preocupación por España, pero «desde la actitud contemplativa del soñador» o desde un escepticismo desconsolado. **▸1900.7**

ÁFRICA CENTRAL

El «Lunatic Express»

7 El 20 de diciembre de 1901, la esposa de un ingeniero colocó el último clavo del ferrocarril de Uganda en la ciudad de Port Florence, Uganda (ahora Kisumu, Kenia). Su acción marcó la realización de un sueño largamente acariciado entre los oficiales de la Compañía Imperial Británica de África Oriental.

Los oficiales habían solicitado la construcción de un ferrocarril desde 1880. Las vías férreas, decían, propagarían el comercio y el cristianismo; además, los otros imperios ya las habían construido. El parlamento se resistió hasta 1895, cuando los dirigentes conservadores evocaron un terrible fantasma: ¿qué pasaría si un enemigo decidiera apropiarse de Uganda (entonces un remoto rincón del territorio británico) y construir una presa en la cabeza del Nilo? Egipto quizá se secara, y Gran Bretaña debería retirarse del desértico país, perdiendo el control del canal de Suez y, en último término, de la India. Aunque tal presa no era técnicamente viable —aunque era mejor no tentar al diablo—, una vía férrea podría ser imprescindible para trasladar a las tropas desde Mombasa, Kenia (en el océano Índico), hacia el oeste, al lago Victoria, la fuente del Nilo.

Así nació la Compañía Ferroviaria de Uganda, apodada «Lunatic Express» por aquellos que cuestionaban su tremendo coste. Los ingleses pagaron más de cinco millones de libras por los 930 km, más del doble de la inversión proyectada. De los treinta y dos mil obreros indios, agotados por el trabajo, dos mil quinientos murieron y seis mil más quedaron incapacitados para siempre. Los leones devoraron a 28 indios, además de a cien africanos y a un supervisor europeo. Los microorganismos causaron aún más desgracias: la disentería amébica y la malaria se prodigaron; a menudo fue necesario amputar miembros de los trabajadores. El trabajo se retrasó a causa de las inundaciones y las sequías y por los problemas de abastecimiento de comida, agua y material de construcción a través de desiertos y montañas de más de 2.700 m.

En 1899, las vías llegaron a la ciudad de Nairobi, a la mitad del camino aproximadamente. Hicieron falta cuatro años más para que rindieran plenamente. Los contratos permitieron a los indios establecerse en una zona a la que los periodistas calificaban de futura «Punjab africana». Pero, en realidad, las autoridades coloniales les dificultaron enormemente la tarea de conseguir tierras, y todos, a excepción de siete mil, se marcharon. La vía férrea abrió las tierras altas de Kenia —muy despobladas debido a la desaparición de la población kikuyu a causa de los desastres naturales y una plaga de viruela europea— a los blancos de Gran Bretaña y Sudáfrica. Estos colonos llegaron a dominar la política y la economía de la colonia; en 1912, con la exportación de café y de pita (cultivados con la barata mano de obra local), habían recuperado el dinero invertido en las vías.

Respecto a la presa de Uganda, fue finalmente construida en 1954 por los propios ingleses. Egipto no se vio seriamente afectado.
▸1904.12

El ferrocarril de Uganda: un enorme dispendio para una causa problemática.

DEPORTES: Ciclismo: victoria de W. Arend, en Berlín, sobre Marshall L. W. «Mayor» Taylor, llamado «el ciclista maravilloso»; Teddy Rhol establece en Leipzig un nuevo récord mundial [...] Tenis: Max Decugis gana el primer campeonato de tenis disputado en París.

«El gran perturbador de nuestra quietud descansa en su ataúd.»—***Le Galois*, un periódico francés de la oposición, sobre el asesinato del presidente de Estados Unidos McKinley**

LITERATURA

Los comienzos literarios de Thomas Mann

8 «La última novedad es que estoy realizando algunos borradores para una novela, una gran novela», escribió Thomas Mann a un amigo en 1897. «¿Qué te parece?» Cuatro años más tarde, en 1901, a sus 26 años, Thomas Mann publicó *Los Buddenbrooks*. Con esta novela, la primera, fijó el carácter descriptivo de su prosa, que hizo de él el escritor alemán más importante del siglo.

Esta novela es la crónica de cuatro generaciones de una familia burguesa alemana, cuya decadencia social y económica acaba en la mediocridad y el olvido. Mann utilizó a la familia Buddenbrook, inspirada en gran medida en la suya propia, para simbolizar el choque entre la vida y el arte, un tema que continuaría explorando a lo largo de su larga carrera.

El libro fue inmediatamente aplaudido en Alemania, aunque fuera del país recibió una acogida más fría. La principal objeción crítica a *Los Buddenbrooks* era su convencional estilo realista, que muchos escritores vanguardistas y críticos veían como pasado de moda e incompatible con el cambiante paisaje social y político del nuevo siglo.

Mann, de todas formas, era cualquier cosa menos reaccionario. Imbuyó su prosa de un distintivo y moderno tono de distanciamiento irónico, que, combinado con sus temas de decadencia y alienación, hizo de la obra una especie de puente literario entre las tradiciones del siglo XIX y los experimentos del siglo XX.

Los méritos de Mann fueron reconocidos poco tiempo después. En 1929 el comité del Nobel le otorgó el premio de literatura por el conjunto de su obra, que incluía entonces: *Muerte en Venecia* (1912), y *La montaña mágica* (1924), considerada su obra maestra.
►**1902.3**

ESTADOS UNIDOS

McKinley asesinado

9 El presidente de Estados Unidos, William McKinley acababa de acariciar la cabeza de una niña en la Exposición Panamericana de 1901, en Buffalo, Nueva York, cuando de repente un hombre se lanzó sobre él. McKinley extendió su mano hacia la mano derecha del hombre, que llevaba envuelta en un pañuelo. Se oyeron dos disparos, y McKinley cayó. Entre los guardias y los espectadores atraparon al pistolero, Leon Czolgosz, de 28 años, anarquista y trabajador en paro de la industria del acero de Cleveland.

El presidente fue trasladado a casa de un amigo, donde estuvo ocho días aferrándose a la vida. El tiroteo provocó una reacción desmesurada. Se arrestaron a docenas de anarquistas de toda la nación, aunque la mayoría rechazaban la acción de Czolgosz (incluso Emma Goldman, la conocida líder revolucionaria, declaró que Czolgosz había actuado por su cuenta). Otros que se atrevían a criticar al presidente herido —desde ministros hasta policías— fueron despedidos de sus puestos de trabajo, golpeados, e incluso alquitranados y emplumados.

Las multitudes se reunían en las esquinas de las calles de las ciudades para leer los titulares de los periódicos: se decía que el presidente, herido, recobraba las fuerzas a base de una dieta de whisky, agua y huevos crudos («administrada por inyecciones»). El viernes 13 de septiembre, los médicos intentaron darle comida sólida, pero el resultado fue fatal. Hacia las dos de la madrugada del día siguiente, seis meses después de empezar su segundo mandato, murió el tercer presidente norteamericano asesinado en menos de 50 años.

El vicepresidente Theodore Roosevelt, localizado en las montañas de Adirondack, donde estaba cazando, volvió rápidamente a Buffalo. En su toma de posesión unas horas más tarde, Roosevelt prometió «continuar sin ninguna ruptura» la política exterior de su predecesor que tanto partidarios como detractores llamaban «imperialista». Bajo McKinley, la guerra hispano-americana había convertido a Estados Unidos en una potencia mundial. Cuba, Guam, Hawai, Filipinas, Puerto Rico, y dos islas que más tarde formarían la Samoa americana, estaban bajo el control de Estados Unidos. En este campo, Roosevelt mantuvo su palabra. Pero la política económica de McKinley, que había favorecido una prosperidad sin precedentes y una feroz expansión de los monopolios (o *trusts*), fue contraatacada por la nueva administración, ganándose Roosevelt el sobrenombre de «Caza-Trust».

En cuanto a Czolgosz, recibió su derecho constitucional de un juicio «rápido y público» —con creces. Fue condenado dos semanas después del atentado, y un mes después fue electrocutado ante 26 espectadores (elegidos entre un total de mil solicitudes) en la cárcel Auburn de Nueva York. ►**1903.2**

El asesino de McKinley, visto de este modo en una reproducción artística de los hechos, era católico; sin embargo, el Papa León XIII aprovechó la ocasión para advertir sobre «los peligros de la masonería y el judaísmo».

siguientes cinco décadas. Cuando sus hermanos John y Lionel ocuparon la escena en años sucesivos, los Barrymore —cuyos padres también habían sido actores— se convirtieron en la «familia real» del teatro.

►ASPIRADOR DE SUCIEDAD—Un ingeniero de puentes inglés llamado Hubert Booth patentó el primer aspirador eléctrico en 1901. Su servicio de aspiración puerta a puerta, que consistía en unas mangueras que pasaba a través de las ventanas y que estaban conectadas a una furgoneta equipada con una bomba de succión, consiguió como cliente al Palacio de Buckingham (hecho que ayudó a que su invento ganara aceptación entre la alta sociedad). Una versión portátil del invento de Booth fue comercializada en 1908 por un fabricante americano, W. H. Hoover.

►UNA MARCHA FAMOSA —Edward Elgar es considerado el mayor compositor inglés del siglo por obras como *Las variaciones enigmáticas* (pieza basada en la contramelodía de una canción popular, cuyo origen nunca ha sido aclarado). Pero en 1901 escribió la tan tarareada

***Pomp and Circumstance* (n.º 1). La marcha —la primera de las cinco con el mismo título— se utilizó para dar un sentido de dignidad a acontecimientos que iban desde coronaciones reales hasta graduaciones académicas.**

►LOS REBELDES RUSOS—«Acabar con el zarismo» era la meta establecida por el nuevo Partido Social-Revolucionario, cuyas tácticas incluían las bombas y el asesinato. Formado en 1901 por varios

POLÍTICA Y ECONOMÍA: al presidente McKinley le sucede el vicepresidente Roosevelt [...] La familia Guggenheim toma posesión del *trust* de cobre ASARCO, ampliando sus intereses en Chile, Alaska y el Congo Belga [...] España: Constitución de un nuevo gobierno presidido por Mateo Sagasta [...] Firma de un tratado comercial entre España y Japón [...] Chile: Riesco es proclamado presidente de la república.

«Veneré a Kipling a los 13 años, lo aborrecí a los 17, lo disfruté a los 20, lo desprecié a los 25, y ahora de nuevo lo admiro bastante. Lo único que nunca pude hacer [...] fue olvidarlo.»—**George Orwell, 1936**

grupos de izquierdas, el objetivo primordial del PSR fue la unión de los campesinos no sólo contra la monarquía sino también contra los burócratas y los terratenientes. Aunque se supo en 1909 que el cabecilla de su ala terrorista era un agente de la policía, en 1917 el partido era la organización radical no marxista más amplia de Rusia. ▸1903.11

▶PROCLAMACIÓN DE LA REPÚBLICA EN CUBA—El 21 de febrero se dio a conocer el texto elaborado por la Asamblea Constituyente que había convocado el general Leonard Wood, gobernador norteamericano en Cuba. La nueva constitución establecía la forma republicana de gobierno del país.

▶ANARQUISTA DEPORTADO—El gobierno suizo decidió entregar a Italia al anarquista Bresci, supuesto autor material del atentado que costó la vida al rey Humberto I. Anarquistas y socialdemócratas se manifestaron por lo que consideraban una violación del derecho de asilo.

AUSTRALIA

La proclamación de la Commonwealth

10 Aunque la reina Victoria había concedido la independencia a Australia en julio de 1900, la transformación oficial de seis colonias en una nación de estados federados tuvo lugar el día de Año Nuevo de 1901, en una ceremonia celebrada en el Centennial Park de Sídney. «La nación más nueva del mundo», decía un periódico de Sídney, «está imbuida de un aliento de vida constitucional».

La constitución del país, arisco y de población dispersa, tomó como modelo la de la unión de otro grupo de colonias británicas, Estados Unidos. Sin embargo, existía una diferencia capital: en lugar de un presidente electo, Australia decidió regirse por un primer ministro, apoyado por un gobernador general, representante de la corona inglesa. El hecho de que el hombre elegido para esta función fuera Edmund Barton (*superior*), un antiguo dirigente del movimiento independentista, fue una muestra de la falta de animosidad entre Gran Bretaña y sus antiguos dominios. Realmente, hubo pocos cambios con la independencia —o federación, como se la denominó estratégicamente. Mientras los 3,8 millones de australianos ejercían un mayor control sobre sus asuntos internos, los lazos con Gran Bretaña se consolidaron en comercio y política militar (Australia proporcionó 16.000 voluntarios para la guerra de los bóers). La participación australiana en los asuntos del Imperio Británico pasó a ser de obligatoria a voluntaria, y Gran Bretaña —atrapada militarmente en China y en Sudáfrica— tuvo seis administraciones menos a su cargo. **▸1902.1**

LITERATURA

La oda a la India de Kipling

11 La publicación en 1901 de *Kim*, la historia de un huérfano irlandés en la India que recibe lecciones de supervivencia de un anciano lama tibetano, confirmó la buena posición de Rudyard Kipling en las letras inglesas como poeta y novelista del Imperio. A la vez un entretenido cuento para niños y una brillante evocación de los recuerdos de la gloria imperial, *Kim* —al igual que las mejores obras de Kipling— se centra en sus años en la India colonial y su amor por esta tierra y su gente.

Nacido en Bombay de padres ingleses, Kipling fue enviado a Inglaterra a la edad de seis años y permaneció allí once tristes años, viviendo casi como un huérfano, primero en un hogar de adopción y más tarde en un internado de segunda clase. Regresó a la India cuando contaba 17 años y allí se estableció como periodista. Sus historias sobre la vida en la India bajo el Imperio Británico se popularizaron en Inglaterra hasta tal punto que, cuando regresó allí siete años después, en 1899, se le otorgó inmediatamente una especie de estatus de poeta oficial.

En 1907, Kipling, con 41 años, se convirtió en el primer inglés que ganó el Premio Nobel de Literatura. No obstante, poco más tarde su fama empezó a decaer —más que nada a causa de los prejuicios personales y políticos fundamentales que le llevaron a enemistarse con los escritores y críticos más destacados del momento. En todos sus escritos —incluso en *Kim*, con su atractivo retrato del misticismo indio—, Kipling mantuvo la inquebrantable idea de «La responsabilidad del hombre blanco», título de un poema que escribió en 1899. (Esta justificación del colonialismo se basa en que el hombre inglés tenía la obligación moral de extender su cultura europea superior al mundo incivilizado y bárbaro.)

El caricaturista británico Max Beerbohm dibujó a Kipling del brazo de «su novia Britania».

Todavía en 1936, cuando murió, algunos cuestionaron su inhumación en el rincón de los poetas de la abadía de Westminster. **▸1902.5**

ECONOMÍA E INDUSTRIA

El nacimiento del boom

12 **A principios de 1901, justo después de haber sido rechazado por la Standard Oil como campo de perforaciones, Spindletop, una colina a las afueras de la ciudad de Beaumont, al este de las llanuras de Texas, se convirtió en el bien más deseado del mundo. En Spindletop había petróleo enterrado, petróleo que subía hasta 60 m de altura cuando los perforadores lo encontraron. Produjo 100.000 barriles de crudo al día durante nueve jornadas hasta que los trabajadores lo contuvieron.**

Delincuentes, matones, trabajadores del sector petrolífero y cazadores de fortunas se trasladaron a Beaumont, incrementando su población de 10.000 a 50.000 habitantes. Se encontró más petróleo a las afueras de Tulsa, Oklahoma, al norte, y aún más en Louisiana. Sin embargo, en verano, el reducido mercado (el uso de petróleo se limitaba a las lámparas en 1901), estaba saturado, y el precio del barril bajó hasta los tres centavos. Mientras que los especuladores se arruinaron, unos pocos capitalistas proféticos empezaron a investigar el uso del petróleo para calefacciones, barcos y locomotoras. Sus compañías —Gulf, Sunoco, Texaco— se hicieron millonarias. ▸1909.5

PRODUCCIÓN MUNDIAL DE PETRÓLEO POR AÑOS

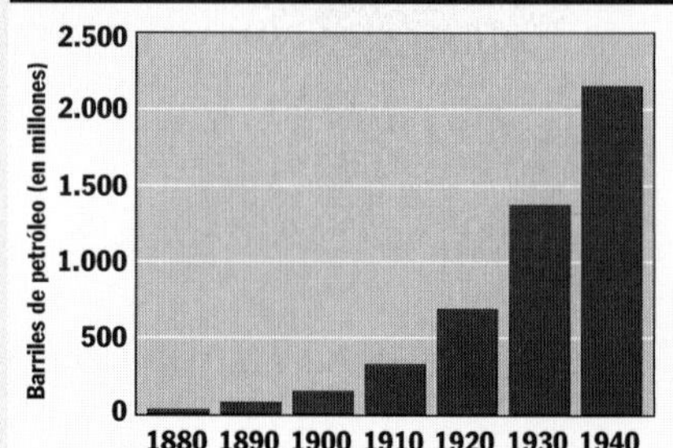

Durante un período de 60 años, la producción se septuplicó.

PREMIOS NOBEL: Paz: Jean Henri Dunant (suizo; convención de Ginebra y Cruz Roja Internacional) y Frédéric Passy (francés; pacificación de la sociedad francesa) [...] Literatura: Sully Prudhomme (poeta francés) [...] Química: Jacobus van't Hoff (alemán; dinámica química y presión osmótica) [...] Medicina: Emil von Behring (alemán; vacuna de difteria y tétanos) [...] Física: Wilhelm Röntgen (alemán; rayos X).

Los azules de Picasso

Aunque muchas teorías han intentado clarificar la «época azul» de Picasso, que empezó en 1901, ninguna es satisfactoria. El artista, de 20 años, había realizado su primer viaje a París desde su España natal el año anterior. Ya era un pintor experto y disfrutaba de un modesto éxito comercial en París con sus escenas de la vida urbana. Inspirado por Toulouse-Lautrec, Picasso se sintió fascinado por la colorista vida nocturna de París, y pintó cabarets, cafés, prostitutas, músicos y mendigos ciegos. Lo que nadie ha podido aclarar del todo es por qué Picasso, desde finales de 1901 hasta la primavera de 1904, usó sistemáticamente el color azul. Los historiadores del arte han dado razones como la incapacidad del joven pintor para reflejar en algún otro color su fascinación por la melancolía finisecular, pero no es suficiente.

Más significativo que esta cuestión es el hecho de que durante la «época azul» Picasso inició un camino que le llevaría a transformar el arte del siglo XX. *Sumido en la miseria (hasta el punto de haber intentado sin éxito vender todo lo que contenía su estudio por el precio de un billete hacia España), Picasso abandonó los estilos, los temas y los colores que habían empezado a darle cierto prestigio. En su lugar, concertó con la violencia una trayectoria artística única, un modelo que caracterizó su larga carrera artística. Por esta razón, un amigo de Picasso, el poeta Jaime Sabartés, llamó a este período la «época azul» —aparte de que produjo obras tan importantes como* El bebedor de absenta *y* La vie— *«un testimonio de conciencia».* **◄1900.NM ►1907.1**

En la «época azul», Picasso pinta con insistencia figuras desvalidas y dolorosas. El azul adquiere en estas pinturas un matiz melancólico de una intensidad extraordinaria.

«Hombres famélicos, harapientos, vestidos con pieles y sacos, sus cuerpos cubiertos de llagas por la falta de sal y comida»
–Marthinus Theunis Steyn, presidente del Estado Libre de Orange, al describir los campos de concentración de Lord Kitchener

HISTORIA DEL AÑO

El final de la guerra de los bóers

1 Los ingleses ganaron la guerra de los bóers, aunque el tratado que la finalizó —firmado en la ciudad sudafricana de Vereeniging en 1902— ofrecía términos tan favorables al enemigo que Gran Bretaña hubiera podido decir: «Con una victoria así, ¿quién necesita una derrota?».

Cuando empezó la guerra, en 1899, Gran Bretaña había sido el indiscutible líder mundial durante ochenta años. Cuando terminó, pasados tres años y decenas de miles de muertes, Gran Bretaña estaba espiritual y económicamente exhausta. Además, el resto de Europa, sobre todo Alemania, había tenido la ocasión de sacar sus propias conclusiones acerca de la tan alardeada fuerza militar británica. De hecho, la guerra de los bóers –comparable a la de Vietnam– marcó el principio del fin del Imperio.

La movilización británica para esta guerra fue la más amplia hasta la Primera Guerra Mundial.

El conflicto estalló después de que los estados bóers de la República Sudafricana (actualmente Transvaal), intentando proteger sus ricos yacimientos de oro de la explotación británica, rechazaron garantizar derechos políticos a los *uitlanders*, o residentes extranjeros. (Los *uitlanders* británicos actualmente superan en número a los afrikáners, descendientes de los colonizadores holandeses del siglo XVII.) Las tensiones aumentaron en exceso, y cuando Gran Bretaña incrementó sus efectivos militares en la colonia de El Cabo (su territorio más meridional), los bóers atacaron.

Sobre el papel, la República Sudafricana y su aliado, el Estado Libre de Orange, eran un débil enemigo, sin armada, ni un ejército auténtico, sin infraestructura industrial ni un imperio extenso. Contra la movilización británica de 450.000 soldados (la fuerza militar más importante hasta la Primera Guerra Mundial), los bóers contaban con unos 87.000 hombres. Pero, a pesar de la presumible superioridad de Gran Bretaña, la guerra duró casi tres años. Tras unas pocas victorias iniciales, el ejército bóer se desintegró en grupos guerrilleros que atacaron a las guarniciones británicas y las vías férreas. El potente ejército británico era como Gulliver entre los liliputienses, aguijoneado por todos lados. Finalmente, consiguió vencer después de que el comandante en jefe Horatio Kitchener aplicara una política de tierra quemada que acabó por expulsar de sus tierras a los bóers.

El tratado de Vereeniging estipuló que a cambio de deponer sus armas y reconocer al rey Eduardo VII como soberano, los afrikáners podrían conservar sus propiedades, no pagar indemnizaciones de guerra, y enseñar en las escuelas tanto el inglés como el holandés. Gran Bretaña contribuiría con tres millones de libras a la reconstrucción. **◂1900.NM ▸1908.9**

Trotski en la prisión escribió que suspiraba por «el olor de la tinta impresa de los periódicos frescos».

RUSIA

Trotski escapa a Londres

2 En otoño de 1902, un joven de 23 años exiliado en el territorio siberiano de Verkholensk le dijo a la policía que se encontraba mal. Controlado diariamente, el exiliado, cuyo nombre era Lev Davidovich Bronstein, permanecía siempre en la misma posición: acostado en su sitio, con la cara girada hacia la pared. Un día le encontraron más arrimado que de costumbre y descubrieron que quien estaba postrado en la cama era un muñeco. En aquel momento Bronstein se encontraba perfectamente, viajando hacia Irkutsk, oculto bajo el heno del carro de un campesino.

Sus amigos en Irkutsk le proporcionaron una serie de disfraces para viajar y un pasaporte en blanco. En la línea donde debía figurar su nombre escribió *Trotski*, probablemente por la palabra alemana que significa desafío. Desde entonces sería conocido como Leon Trotski, apodado «el lápiz», por su facilidad con la palabra escrita.

Durante sus cuatro años en prisión y en el exilio siberiano, Trotski había participado en el movimiento revolucionario, redactando una importante serie de ensayos para varios periódicos clandestinos. Se mantenía al corriente de los acontecimientos a través de la literatura extremista que le enviaban de contrabando a Verkholensk desde Londres y Ginebra. Un panfleto en particular «¿Qué hacer?», despertó su curiosidad y le condujo a la decisión de escapar de Siberia. El autor del panfleto, un ideólogo relativamente desconocido llamado V. I. Lenin, defendía que una élite de profesionales debía asumir el control de la revolución proletaria, relegando a los trabajadores a una posición subalterna. Trotski no estaba seguro de sumarse a esta idea, pero reconoció en Lenin al cabecilla pragmático que necesitaba la revolución.

Cruzando las fronteras con su nueva identidad, Trotski llegó a Londres, donde, siguiendo las instrucciones que le habían proporcionado sus compañeros extremistas, se presentó ante el umbral de Lenin. La mujer de éste, Nadezhda, abrió la puerta, vio a un joven con aspecto de extranjero y exclamó: «Ha llegado "el lápiz"». Durante dos años Trotski había atacado a Lenin en la prensa, pero esa mañana de octubre de 1902 fue bien recibido por el futuro presidente, como protegido. **▸1903.11**

LITERATURA

El oscuro relato de Conrad

3 En el apogeo de la lucha de poder en occidente por el territorio colonial, las historias de aventuras exóticas eran a menudo superventas. Sin embargo, fue necesario el sentimiento íntimo de un apátrida originario de una tierra conquistada para recuperar en una novela el análisis profundo del mal y del desencanto. Nacido en Polonia, Joseph Conrad fue uno de los escritores más destacados del siglo. *El corazón de las tinieblas*, publicada en 1902, fue una de sus novelas más logradas: una absorbente historia, un gran esfuerzo estilístico y un penetrante trabajo de filosofía y psicología.

La obra se centra en el arriesgado viaje en barco por un río, capitaneado por un inglés llamado Marlow, en el interior del Congo Belga, donde un misterioso comerciante blanco llamado Mr. Kurtz vive en un poblado de la selva. Cuando Marlow y sus

ARTE Y CULTURA: **Libros:** ***El inmoralista*** **(André Gide);** ***Precisamente así*** **(Rudyard Kipling);** ***El virginiano*** **(Owen Wister);** ***Las alas de la paloma*** **(Henry James);** ***The Path to Rome*** **(Hilaire Belloc);** ***Cañas y barro*** **(Blasco Ibáñez) [...] Música: «En el antiguo y buen verano» (Evans y Shields);** ***El juglar de Notre Dame*** **(Jules Massenet); estreno de la ópera** ***Pelléas et Mélisande*** **(Claude Debussy) [...]**

compañeros contactan con Kurtz –en teoría un idealista brillante que está «educando» a los nativos mientras envía cargamentos de marfil–, descubren que se ha convertido en el tiránico jefe de la tribu y que decora su cabaña con las calaveras de sus víctimas. Enfermo y trastornado, pero en desacuerdo con su propia corrupción, Kurtz muere en la travesía río abajo.

En una época en que los europeos se jactaban de civilizados ante los salvajes, Conrad mostró cómo el poder y la soledad extremos –aspectos comunes en la experiencia colonial– pueden hacer salir la barbarie que existe en todo corazón humano.

El propio autor había sufrido los efectos de la tiranía. Nacido en 1857, Jozef Konrad Korzeniowski pasó parte de su infancia en una fría ciudad rusa, a la que su padre, un respetado poeta del movimiento independentista polaco, había sido desterrado. La madre de Conrad murió en el exilio cuando él tenía ocho años. A los 17 años se hizo marino mercante, y durante las siguientes dos décadas vivió, en barcos franceses e ingleses, las historias que luego novelaría en obras maestras como *Lord Jim* (1900) y *Nostromo* (1904).

Escribiendo en inglés, un idioma que aprendió de forma autodidacta y más tarde en el mar, desarrolló un estilo denso y poético, admirado por escritores que van desde Thomas Mann hasta William Faulkner. No obstante, Conrad se lamentó en ocasiones de que los críticos –muchos de los cuales no estaban preparados para enfrentarse a su originalidad– le trataran como «una especie de fenómeno, un maldito y sorprendente escritor extranjero en lengua inglesa». **◄1901.8 ►1929.3**

Retrato de Conrad, por el artista inglés Walter Tittle.

Una escena de la ópera de Debussy (con libreto de Maeterlinck): Mélisande, con su amante, Pelléas, pierde su anillo de bodas en el momento en que su marido, Goland, sufre un accidente.

MÚSICA

El sonido impresionista

4 «Esta música te arrolla, se ahonda en el corazón con un poder de inspiración que admiro pero que no comprendo del todo», escribió un afamado crítico parisino tras el estreno de la ópera de Debussy, en 1902, *Pelléas et Mélisande*. Otros se impresionaron menos con las radicales innovaciones de Debussy, que incluían la eliminación de las tradicionales arias y diálogos cantados en favor de bloques de sonido. El director del Conservatorio de París, donde Debussy había estudiado, prohibió a los estudiantes acercarse a la ópera. Allí sólo podían recibir, insistió, una influencia nefasta. Los aficionados a la música que esperaban las puestas en escena con interrupciones le abuchearon silbando: «¿Por qué no nos dan algo de música?».

Debussy, un perfecto esnob intelectual, restó importancia a la hostilidad del público, atribuyéndola al filisteísmo de masas. «El estado actual de las cosas», acotó en una ocasión, «se debe a los motivos inscritos en todos los monumentos públicos, "Libertad, Igualdad, Fraternidad" –palabras que, en el mejor de los casos, son apropiadas sólo para un cochero.» Totalmente confiado en su inhabitual gusto, Debussy compuso para su propio deleite, intentando ensanchar el vocabulario musical de Occidente y liberarlo de las viejas tradiciones. Con *Pelléas et Mélisande* (su única ópera completa), así como con sus obras para orquesta como *La Mer* (1905) y su alabado «poema melódico» de 1894, *Prelude à l'après-midi d'un faune* (*Preludio a la siesta de un fauno*), Debussy inventó un estilo de música fluido y ensoñador, que es el equivalente musical del impresionismo pictórico. El gran compositor ruso Igor Stravinsky lo calificó como el «primer músico del siglo», y para muchos críticos sigue siendo el más original. **►1909.6**

NACIMIENTOS

Ansel Adams, fotógrafo estadounidense.

Rafael Alberti, poeta español.

Luis César Amadori, cineasta y dramaturgo argentino.

Luis Cernuda, poeta español.

Paul A. M. Dirac, físico británico.

Edward Evans-Pritchard, antropólogo británico.

Nicolás Guillén, poeta cubano.

Langston Hughes, escritor estadounidense.

Juscelino Kubitschek, presidente de Brasil.

Carlo Levi, novelista italiano.

Charles Lindbergh, aviador estadounidense.

Georgi Malenkov, líder político soviético.

Max Ophüls, director de cine alemán.

Karl Popper, filósofo austro-británico.

José Antonio Primo de Rivera, político español.

Leni Riefenstahl, cineasta alemán.

Richard Rodgers, compositor estadounidense.

Ibn Saud, monarca de Arabia Saudí.

Ramón J. Sénder, novelista español.

Josep Lluis Sert, arquitecto español.

Vittorio de Sica, actor y director de cine italiano.

John Steinbeck, novelista estadounidense.

William Wyler, cineasta alemán-estadounidense.

MUERTES

Samuel Butler, escritor británico.

Frank Norris, novelista estadounidense.

Cecil Rhodes, colonialista británico.

Jacinto Verdaguer, escritor español.

Emile Zola, novelista francés.

Cine: ***Un viaje a la luna*** **(Georges Méliès) [...] Teatro:** ***Los bajos fondos*** **(Maxim Gorky);** ***Malas herencias*** **(José Echegaray);** ***El «puñao» de rosas*** **(Arniches y Mas).**

«La religión, en resumen, es un monumental capítulo de la historia del egoísmo humano.»—**William James, *Las variedades de la experiencia religiosa***

NOVEDADES DE 1902

Patente en Alemania del DRP 146 496 (barbitúricos).

Tractor Ivel (el «caballo mecánico»).

Huellas digitales para casos criminales (Bertillon).

Compañía Pepsi-Cola.

Hotel Ritz en Londres.

Cortacésped a gasolina.

EN EL MUNDO

▸*ART NOUVEAU*—El estilo decorativo denominado *Art Nouveau* estaba en su apogeo en 1902 cuando fue objeto de una gran exposición en la Sociedad de Bellas Artes de

París. La sinuosidad del estilo, sus líneas onduladas, que evocaban jardines y bosques, aparecieron en los edificios de Louis Sullivan, Víctor Horta y Antonio Gaudí; en las estaciones de metro parisinas de Héctor Guimard; en las lámparas de Louis Comfort Tiffany (*superior*); en la joyería de René Lalique, y en los carteles de Alphonse Mucha. ▸1925.NM

▸EL DESCUBRIMIENTO DE LAS HORMONAS—Mientras estudiaban el funcionamiento del estómago, William Bayliss y Ernest Starling descubrieron un tipo de elementos químicos que actuaban como mensajeros en el cuerpo. Desacreditando la teoría ampliamente aceptada de Ivan Pavlov de que el sistema nervioso únicamente activaba la digestión, los investigadores ingleses

SUDÁFRICA

Un agente del Imperio

5 En 1980, una multitud de ciudadanos que celebraban la recién estrenada independencia de la república de Zimbabwe se reunieron en la capital de Harare (antes Salisbury) para vengarse de un hombre que había muerto en 1902. Con una grúa, las autoridades derribaron la enorme estatua de bronce de Cecil Rhodes que se erigía en el centro de la ciudad, luego la gente la rompió con barras de hierro y piedras.

Rhodes fue una encarnación inverosímil del imperialismo. Un niño enfermizo y no demasiado inteligente que dejó África por primera vez a los 17 años por problemas de salud, acabó convirtiéndose en una especie de autoproclamado agente del Imperio en el continente. En 1870 en uno de sus repetidos viajes de vuelta a Inglaterra, Rhodes empezó a obtener concesiones mineras, consolidando sus empresas con la creación de la De Beers Mining Company. En 1891, Rhodes controlaba el 90 % de la producción mundial de diamantes.

Empleó su fortuna y su poder personal para hacer realidad su gran proyecto: fundar una sociedad secreta, «cuya verdadera intención y objetivo era asegurar que el gobierno británico se extendiera a todo el mundo». (Su visión incluía «la reconquista final de Estados Unidos»; la sociedad se desarrolló en el prestigioso Colegio Rhodes de la Universidad de Oxford.) Consecuentemente, expulsó a los africanos de su tierra, sobornó a la oposición, maquinó la guerra contra los bóers en Sudáfrica y favoreció las expediciones de pioneros hacia el norte. En 1895 el territorio que había conseguido –tres veces el de Inglaterra y Gales juntos– se llamó Rhodesia, consolidando el legado que, 85 años después, el pueblo de Zimbabwe rechazaría destruyendo los símbolos de su memoria. **◂1901.11 ▸1908.2**

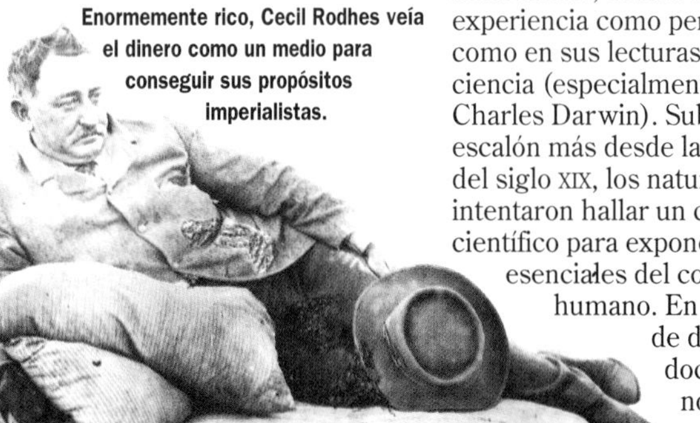

Enormemente rico, Cecil Rodhes veía el dinero como un medio para conseguir sus propósitos imperialistas.

Un político defensor de Dreyfus cumple con el encargo de encerrar las cenizas de Zola en el Panteón.

LITERATURA

La muerte de un antihéroe nacional

6 Emile Zola inspiró tanto odio que era fácil imaginarlo muriendo de forma violenta. Sin embargo, el novelista francés murió a los 62 años, en septiembre de 1902, asfixiado a causa del humo de una chimenea embozada.

Considerado el máximo defensor de Alfred Dreyfus (un capitán judío del ejército francés condenado por traición en 1894), Zola fue atacado por los grupos de derechas, condenado por difamación contra las autoridades militares francesas y obligado a exiliarse en Inglaterra. La mayoría de los críticos calificaron sus novelas –obras tan impactantemente directas como *Nana* y *La tierra*– de «basura» y «pornografía» y fueron censuradas tanto en su país como en el extranjero. Los caricaturistas de los periódicos lo mostraban mojando su pluma en un orinal. A pesar de todo era el escritor más popular de Francia, y sus libros eran los más exportados.

El liderazgo de Zola en el nuevo movimiento literario, denominado naturalismo, estaba basado en su experiencia como periodista, así como en sus lecturas de filosofía y ciencia (especialmente la obra de Charles Darwin). Subiendo un escalón más desde la novela realista del siglo XIX, los naturalistas intentaron hallar un camino más científico para exponer las leyes esenciales del comportamiento humano. En las dos docenas de densas y documentadas novelas de Zola –que están ambientadas tanto en las minas de carbón como en los palacios, tanto en destilerías y granjas como en las sedes del parlamento– describió la avaricia, la envidia, la pereza e incluso la lujuria en términos clínicos y gráficos que encolerizaron a los guardianes públicos del buen gusto.

Sin embargo, el público en general no aceptó esta condena. Su funeral reunió a 50.000 seguidores, con la caballería preparada por si había disturbios. El escritor Anatole France, que había escrito una vez que Zola no debería haber nacido, en aquel momento lo elogió como «la conciencia de la humanidad». Poco después, la fotografía de Zola empezó a aparecer en los anuncios de mecanismos de seguridad para chimeneas. **▸1906.12**

IDEAS

El pragmatismo de William James

7 Inmediatamente después de que se publicara en 1902 su tratado sobre la fe, *Las variedades de la experiencia religiosa*, William James se encontró con su colega filósofo George Santayana. «Ha hecho dormir a la religión para siempre», dijo Santayana.

El libro de James presentaba un amplio campo de experiencias religiosas, entresacadas de relatos de primera mano. Santayana se oponía a la significación que James otorgaba a las creencias que se hallaban fuera de la esfera convencional de la fe. Pensaba que su extremismo desacreditaba sus opiniones. James

DEPORTES: Automovilismo: Edge gana la Copa Gordon Bennett entre París y Viena [...] Ciclismo: Michael estableció un nuevo récord mundial de velocidad.

«No era don Alfonso un desalmado, sino un frívolo [...] si bien pasaba por una honda crisis de ánimo en cuanto surgían dificultades imprevistas.»—**Melchor Fernández Almagro, sobre la crisis de 1923**

defendía que las experiencias de creencias particulares resultaban más reveladoras que las antiguas abstracciones de los teólogos.

Hijo del teólogo Henry James (y hermano del novelista del mismo nombre), James era médico pero amplió sus miras hacia otras disciplinas, incluyendo la zoología (acompañó al naturalista Louis Agassiz a Brasil), la psicología experimental y la fisiología.

Su contribución más importante a la filosofía fue la teoría del pragmatismo, que mantenía que en un universo plural, un pensamiento es verdadero si es útil y está apoyado en la experiencia. A partir de muy distintas experiencias de persona a persona, alguna situación dada puede contener más de una verdad. Aplicando esto a la religión, James concluyó que la creencia de un individuo en Dios, insensible a sus orígenes, es en algún sentido verdadera si contiene algo útil, como consuelo emocional. James mantenía que no existen verdades absolutas; más bien, «sucesos verdaderos de una idea. Ésta se convierte en verdadera, se hace verdadera, a través de los acontecimientos». ▸**1903.12**

DIPLOMACIA

Gran Bretaña y Japón se alían

8 Con la firma de la alianza anglo-japonesa en 1902, Gran Bretaña y Japón forjaron una unión diplomática que se convirtió en la brújula de la política exterior japonesa durante veinte años. El objetivo primordial del tratado era la protección estratégica de los intereses de ambos países en China y Corea, que eran amenazados por Rusia. Japón pensaba que el control sobre Corea resultaba vital para su seguridad nacional; Gran Bretaña tenía inversiones importantes en China. Al poner la armada japonesa al servicio de Gran Bretaña en el Lejano Oriente, el tratado dejaba a la flota británica libre para concentrarse ante la amenaza de la armada alemana en sus aguas.

En 1902 Japón todavía era una nación moderna, joven. Hacía sólo 33 años que había roto con su pasado feudal de 700 años de antigüedad. La alianza mostraba que Japón había entrado de lleno en la escena mundial. (El *Japan Times* comparó a la nación con un joven que había despertado para encontrarse a sí mismo como «una persona adulta de alta posición, gran reputación, y con la consecuente carga de pesadas responsabilidades».) Japón había aprendido por propia experiencia la importancia de las alianzas: en 1895 había ganado la guerra sino-japonesa pero, a causa de su aislamiento diplomático, pronto se vio obligado por Rusia, Alemania y Francia a renunciar a su objetivo de anexionarse Corea y a devolver la

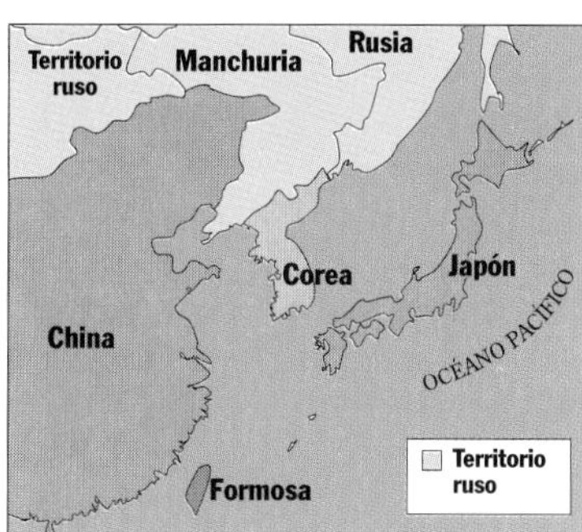

La amenaza de una invasión rusa en China y Corea motivó la alianza anglo-japonesa.

península de Liaotung a la derrotada China.

Cuando estalló la guerra ruso-japonesa en 1904, la alianza anglo-japonesa aseguró que Rusia no recibiera ayuda de su aliada Francia, porque ésta no se arriesgaría a un enfrentamiento con Inglaterra. Japón ganó la guerra, y esta vez las otras potencias europeas no intervinieron en las negociaciones de paz. ▸**1904.1**

EGIPTO

Terminada la presa de Asuán

9 La joya del plan británico para el desarrollo de Egipto era la construcción de una presa en el Nilo, en la ciudad de Asuán, Alto Egipto. Cuando ésta estuvo acabada en 1902, se erigió como la mayor obra de ingeniería de su tiempo. Medía más de 1,6 km de longitud y sobrepasaba los 50 m de altura. Por primera vez en la historia, la mayor parte del agua de la crecida del Nilo pudo ser almacenada. La totalidad del Bajo Egipto y la mayor parte del Medio se convirtieron en una zona de irrigación perenne, un sistema que toleraba dos o tres cultivos anuales en lugar de uno solo. En poco tiempo, la tierra cultivada se incrementó en más de un millón de acres y la producción egipcia de algodón ascendió en un 40 %.

La presa de Asuán introdujo a Egipto en la era moderna, recuperando de este modo algo de su anterior gloria pasada y colocándolo en una posición de supremacía regional en el siglo XX. La presa permaneció como sistema de irrigación básico hasta 1970, cuando la gran presa de Asuán incrementó treinta veces su capacidad de almacenamiento. ▸**1910.11**

En diez años, la presa de Asuán incrementó las exportaciones anuales de Egipto en un 33 %.

ESPAÑA

Mayoría de edad de Alfonso XIII

10 El acceso al trono de Alfonso XIII el 17 de mayo de 1902, el día en que celebraba su decimosexto aniversario, marcó el inicio de un período en el que se producirían profundas transformaciones en la vida española, hasta el punto de que terminarían por derrumbar el orden político organizado por Cánovas desde 1876.

La persona del joven monarca ha sido objeto de numerosas contradicciones entre los historiadores. Muchos lo han presentado como uno de los elementos más determinantes en la inestabilidad política y en el proceso que condujo a la sustitución, en 1931,

Alfonso XIII, rey de España.

de la monarquía constitucional por la república democrática. Su actuación rebasó la de simple moderador del juego político para convertirse en un protagonista destacado.

Participó decididamente en los sentimientos regeneracionistas de la época. Su estilo europeizante abrió unas esperanzas que la ambigüedad de su comportamiento deterioró, hundiendo el régimen.

descubrieron que, aunque los nervios del estómago estén alterados, las órdenes del intestino llegan al páncreas a través de la corriente sanguínea. Llamaron a la molécula mensajera secretina, y acuñaron el término «hormona» (del griego «excitar») para distinguir tales sustancias. ▸**1904.9**

▸EL BLOQUEO DE VENEZUELA—El dictador venezolano general Cipriano Castro se enfrentó a Gran Bretaña, Alemania e Italia al negarse a pagar las propiedades de los súbditos extranjeros durante el golpe de Estado que lo ascendió al poder en 1899. Los tres países actuaron enérgicamente en el hemisferio occidental y neutralizaron la marina venezolana, bloquearon la costa y sitiaron el fuerte de San Carlos durante dos meses. Castro capituló aceptando las reclamaciones de los aliados. ▸**1903.2**

▸REVALORIZACIÓN DE «EL GRECO»—Doménikos Theotokópoulos, llamado «El Greco», nació en Candía, Creta, en 1541. Alumno de Tiziano, recibió una fuerte influencia de Tintoretto. Sus ideas resultaron tan originales como sus obras. Sostenía que el colorido es superior al dibujo y decía de Miguel Ángel que era un buen hombre que no sabía pintar. Pintó por encargo de diferentes instituciones eclesiásticas de Toledo una serie de cuadros que culminan

en 1588 con *El entierro del conde de Orgaz* para la iglesia de Santo Tomé. (En la ilustración aparece *El expolio*, en la sacristía de la catedral de Toledo.) Muy apreciado por sus contemporáneos fue poco considerado durante más de trescientos años a pesar de que buena parte de sus obras se guardaron en el Museo del Prado. Federico Madrazo, director del museo,

POLÍTICA Y ECONOMÍA: comienza la publicación del índice de cotizaciones diarias Dow Jones [...] Fundación de la compañía Pepsi-Cola [...] Cuba: Estrada Palma elegido presidente de la república [...] España: mayoría de edad del rey Alfonso XIII que juró la Constitución y comenzó a reinar [...] Gran Bretaña: coronación de Eduardo VII.

«Verdadero acero / hoja afilada / Arthur Conan Doyle / Caballero patriota, médico y hombre de letras.»—**Inscripción en la lápida de sir Arthur Conan Doyle**

consideraba «absurdas caricaturas» las obras del pintor. Al comenzar 1902, una exposición monográfica sirvió para revalorizar la pintura de «El Greco», considerado hoy en día como una de las principales figuras del arte universal.

►CATÁSTROFE EN EL CARIBE—En el mes de mayo de 1902, el volcán del monte Pelado, situado en la Martinica, hizo erupción. La capital de la isla, St. Pierre, quedó sepultada bajo la lava.

Varias ciudades más quedaron destruidas. El único superviviente de la capital fue un borracho que estaba solo en la cárcel.

►MUERTE DE JACINTO VERDAGUER—Víctima de la tuberculosis, murió en Vallvidrera, Barcelona, mossén Jacint Verdaguer. Sus poemas *La Atlàntida*, *Montserrat*, *Canigó* y *Oda a Barcelona*, hicieron de él el poeta más famoso en lengua catalana de finales del siglo XIX. Su entierro, al que asistió una inmensa multitud, constituyó una muestra innegable de su enorme popularidad.

MÚSICA

Caruso en disco

11 En 1902 ya hacía cuatro años que Enrico Caruso había alcanzado la fama en su Italia natal, pero en el último triunfo del año en Monte Carlo, el tenor se encaró por primera vez con la perspectiva de una carrera internacional. Ahora tenía contratos para actuar en Londres y Nueva York –y estaba inquieto.

Acudió en su rescate Fred Gaisberg, un cazatalentos británico de la pionera industria del disco y del fonógrafo. «Se me ha roto el tímpano», escribió Gaisberg tras oír a Caruso en el estreno de *Germania*, de Alberto Franchetti, en La Scala de Milán. Entre bastidores, después de la representación, instó a Caruso a grabar unas cuantas arias en discos de gramófono. Los asesores del cantante le aconsejaron que no derrochara su talento en un juguete mecánico, sin embargo a Caruso le gustaba el semblante del inglés. Al día siguiente, quedó fascinado cuando Gaisberg le aseguró que los discos podrían venderse en Londres antes de su presentación, un golpe publicitario sin precedentes que daba al inquieto virtuoso la oportunidad de ganarse a sus oyentes antes de enfrentarse a ellos desde la escena. Gaisberg telegrafió a sus superiores comentándoles que había contratado a Caruso por 100 libras; ellos respondieron: PRECIO EXORBITANTE. PROHIBIDO GRABAR. Ignorando el mensaje, montó un improvisado estudio en una habitación de hotel. Caruso cantó diez arias en dos horas acompañado de un pianista mal colocado en un armatoste de embalaje. El riesgo de Gaisberg resultó todo un éxito: los discos triunfaron en Londres, dando un beneficio de 15.000 libras. Los primeros discos de alta calidad, con éxito comercial, ayudaron a la rápida desaparición de las grabaciones en cilindros de cera (basados en el invento de Thomas Edison). Además lanzaron la carrera de Caruso, que fue una estrella de la grabación y el cantante más adulado y mejor pagado de su tiempo. **►1904.4**

Los temores de Caruso le proporcionaron su primer contrato de grabación y dieron un gran impulso a la industria discográfica.

LITERATURA

La maniobra de Doyle

12 *El perro de los Baskerville*, publicado en 1902, era la respuesta de Arthur Conan Doyle a un problema que el propio autor había provocado nueve años antes. Como cualquier seguidor de Sherlock Holmes sabe, el inimitable detective desapareció en una zambullida en las cataratas suizas de Reichenbach en 1893, «La aventura del problema final». Sin embargo, a finales de la década, Doyle empezó a pensar que se había precipitado al despachar a su héroe. *El perro de los Baskerville* fue el modo de resucitarle.

Resultó menos una decisión que una astuta maniobra. Doyle situó la acción en un período precedente a la muerte de Holmes. El cuento, que obtuvo un éxito espectacular (cuando apareció por entregas en la revista *The Strand*, los admiradores hacían largas colas para conseguir el último fascículo), trata del fantasma de un perro que, según la leyenda, rondaba los páramos de Baskerville. Al final, Doyle ofrece una explicación racional: la criatura es un perro normal cuyo morro ha sido pintado con fósforo para darle un brillo sobrenatural. (Más tarde, tras la muerte de su hijo en la Primera Guerra Mundial, Doyle, el buen victoriano racionalista, se convirtió en un devoto espiritualista, forjando una extraña amistad con Harry Houdini.)

En la siguiente historia, el autor encara más directamente el dilema de la muerte del detective. «La aventura de la casa vacía» explica que Holmes, tras lanzar a su eterno enemigo Moriarty, al abismo, *aparentemente* se había precipitado en las cataratas. Por no enfrentarse a los hombres de Moriarty, dejó que todo el mundo creyera que había muerto. Inverosímil, sí, pero sus seguidores estaban tan entusiasmados con el retorno de su héroe que no les importó. **►1926.11**

FOTOGRAFÍA

Revolución en el mundo del arte

13 «La fotografía es una moda a punto de terminar, gracias en parte a la de la bicicleta», escribió Alfred Stieglitz en 1897. Su declaración era una celebración, no un elogio. Pensaba que cuando dejara de ser una moda, la fotografía se convertiría por fin en arte. En aquellos años, muchos pintores despreciaban la fotografía por considerarla mecánica; muchos pensaban que sólo se trataba de enfocar la cámara y tirar. Cinco años después, en 1902, Stieglitz, ya un fotógrafo reconocido internacionalmente, pudo comprobar su teoría montando una exposición llamada «Exposición de fotografía americana de Foto-Secesión».

Bajo el estandarte de la Foto-Secesión —un término poco claro que sugería alternativas a la fotografía convencional— entró en escena un nuevo tipo de fotógrafos para revolucionar el mundo artístico de Estados Unidos. Alineados con la vanguardia pictórica europea, defendían la novedad en cualquier medio. Para poder exhibir fotografías y cuadros a la vez –en aquella época una verdadera herejía– los secesionistas inauguraron su propia galería en Nueva York, en el número 291 de la Quinta Avenida.

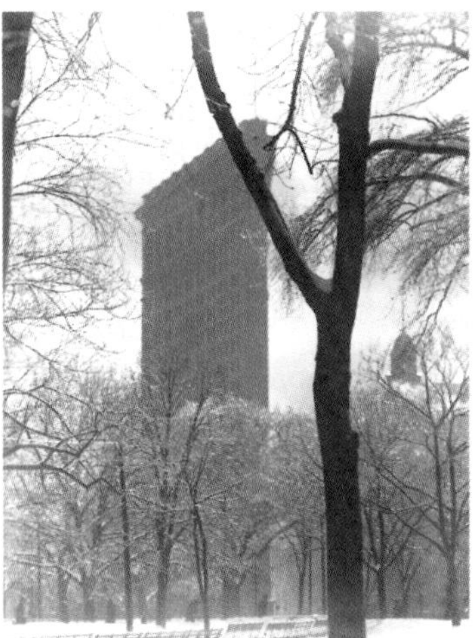

Alfred Stieglitz fotografió el edificio Flatiron en 1902, el año en que se terminó su construcción.

Con los años, la «291» presentó al público americano a los mejores pintores europeos. Entre los artistas jóvenes que acudieron a la galería y fueron influenciados se encuentran Georgia O'Keeffe (que se casó con Stieglitz en 1924) y Paul Strand, cuya obra contribuyó a la consideración de la fotografía como forma artística. **◄1900.3 ►1913.2**

PREMIOS NOBEL: Paz: Elie Ducommun (suizo; Oficina Internacional de la Paz) y Charles A. Gobat (suizo; Unión Interparlamentaria) [...] Literatura: Theodor Mommsen (historiador alemán) [...] Química: Emil Fischer (alemán; síntesis del azúcar y la purina) [...] Medicina: Ronald Ross (británico; transmisión de la malaria) [...] Física: Hendrik Lorentz y Pieter Zeeman (holandeses; influencia del magnetismo en la radiación).

Sonata de Otoño

De las *Sonatas*, Ramón María del Valle Inclán (1902-1905)

Retrato de Ramón María del Valle-Inclán por Juan Echevarría. La singular personalidad del autor se refleja en su aspecto físico y su indumentaria.

En 1902 salió a la luz la primera de las Sonatas *de Valle Inclán (1866-1936), uno de los primeros y más notables representantes del modernismo en España. Destacó en todas sus actividades como espíritu original y escritor exigente. Las* Sonatas *son novelas líricas, cuyo mayor atractivo reside en el entrelazamiento de los tres temas centrales (el erotismo, la religión y la muerte), en la estilización de los paisajes gallegos, en el exotismo de las páginas localizadas en México y en una prosa refinada, exquisita y rica en tonalidades musicales y efectos sensoriales. En estas obras se manifiesta lo mejor y lo más trivial del primer modernismo. La publicación de las* Sonatas *hizo de Valle el autor más original de su tiempo.* ►**1903.E**

«¡Mi amor adorado, estoy muriéndome y sólo deseo verte!» ¡Ay! Aquella carta de la pobre Concha se me extravió hace mucho tiempo. Era llena de afán y de tristeza, perfumada de violetas y de un antiguo amor. Sin concluir de leerla, la besé. Hacía cerca de dos años que no me escribía, y ahora me llamaba a su lado con súplicas dolorosas y ardientes. Los tres pliegos blasonados traían la huella de sus lágrimas, y la conservaron largo tiempo. La pobre Concha se moría retirada en el viejo Palacio de Brandeso, y me llamaba suspirando. Aquellas manos pálidas, olorosas, ideales, las manos que yo había amado tanto, volvían a escribirme como otras veces. Sentí que los ojos se me llenaban de lágrimas. Yo siempre había esperado en la resurrección de nuestros amores. Era una esperanza indecisa y nostálgica que llenaba mi vida con un aroma de fe: Era la quimera del porvenir, la dulce quimera dormida en el fondo de los lagos azules, donde se reflejan las estrellas del destino. ¡Triste destino el de los dos! El viejo rosal de nuestros amores volvía a florecer para deshojarse piadoso sobre una sepultura.

¡La pobre Concha se moría!

Yo recibí su carta en Viana del Prior, donde cazaba todos los otoños. El Palacio de Brandeso está a pocas leguas de jornada. Antes de ponerme en camino, quise oír a María Isabel y a María Fernanda, las hermanas de Concha, y fui a verlas. Las dos son monjas en las Comendadoras. Salieron al locutorio, y a través de las rejas me alargaron sus manos nobles y abaciales, de esposas vírgenes. Las dos me dijeron, suspirando, que la pobre Concha se moría, y las dos, como en otro tiempo, me tutearon. ¡Habíamos jugado tantas veces en las grandes salas del viejo Palacio señorial!

Salí del locutorio con el alma llena de tristeza. Tocaba el esquilón de las monjas: Penetré en la iglesia, y a la sombra de un pilar me arrodillé. La iglesia aún estaba oscura y desierta. Se oían las pisadas de dos señoras enlutadas y austeras que visitaban los altares: Parecían dos hermanas llorando la misma pena e implorando una misma gracia. De tiempo en tiempo se decían alguna palabra en voz queda, y volvían a enmudecer suspirando. Así recorrieron los siete altares, la una al lado de la otra, rígidas y desconsoladas. La luz incierta y moribunda de alguna lámpara, tan pronto arrojaba sobre las dos señoras un lívido reflejo, como las envolvía en sombra. Yo las oía rezar medrosamente. En las manos pálidas de la que guiaba, distinguía el rosario: Era de coral, y la cruz y las medallas de oro. Recordé que Concha rezaba con un rosario igual y que tenía escrúpulos de permitirme jugar con él. Era muy piadosa la pobre Concha, y sufría porque nuestros amores se le figuraban un pecado mortal. ¡Cuántas noches al entrar en su tocador, donde me daba cita, la hallé de rodillas! Sin hablar, levantaba los ojos hacia mí indicándome silencio. Yo me sentaba en un sillón y la veía rezar: Las cuentas del rosario pasaban con lentitud devota entre sus dedos pálidos. Algunas veces, sin esperar a que concluyese, me acercaba y la sorprendía. Ella tornábase más blanca y se tapaba los ojos con las manos. ¡Yo amaba locamente aquella boca dolorosa, aquellos labios trémulos y contraídos, helados como los de una muerta! Concha desasíase nerviosamente, se levantaba y ponía el rosario en un joyero. Después, sus brazos rodeaban mi cuello, su cabeza desmayaba en mi hombro, y lloraba, lloraba de amor, y de miedo a las penas eternas.

Cuando volví a mi casa había cerrado la noche: Pasé la velada solo y triste, sentado en un sillón cerca del fuego. Estaba adormecido y llamaron a la puerta con grandes aldabadas, que en el silencio de las altas horas parecieron sepulcrales y medrosas. Me incorporé sobresaltado, y abrí la ventana. Era el mayordomo que había traído la carta de Concha, y que venía a buscarme para ponernos en camino.

«Éxito. Cuatro vuelos jueves mañana [...]. *Informa prensa. En casa Navidad.»*—**Telegrama de los hermanos Wright a su padre tras el primer vuelo en Kitty Hawk**

HISTORIA DEL AÑO

Los hermanos Wright emprenden el vuelo

1 En la mañana del 17 de diciembre de 1903, en las dunas cercanas al pueblo de Kitty Hawk, en Carolina del Norte, Orville y Wilbur Wright se dieron la mano, según relata un testigo presencial, «como dos parientes que se separan sin estar seguros de volver a verse más». Soplaban frías ráfagas de viento cuando Orville se ató cabizbajo a un entramado de palos de madera, alambre y tela de algodón. Frente a él un pequeño artilugio de fabricación casera se esforzaba por ponerse en funcionamiento. Esperaba que la frágil nave haría de él un hombre que cambiaría el mundo en un día: el primero que controlaría el vuelo de una nave más pesada que el aire.

La Kitty Hawk, con un motor casero, fue el tercer modelo de los Wright.

Sin embargo, el intento de Orville fue breve y torpe, un rebote contra la playa. Cada hermano realizó un ensayo fallido más. Por fin, a mediodía, Wilbur se elevó a una altura de 5 m, volando sobre la playa a lo largo de 160 m antes de estrellarse. El viaje duró 59 segundos.

Los hermanos Wright habían aceptado el desafío en 1896 tras leer la noticia de la muerte del científico alemán Otto Lilienthal en un planeador de diseño propio. Los hermanos, que se ganaban la vida haciendo bicicletas artesanales en Dayton, Ohio, creyeron que si eran capaces de sacar partido a sus habilidades mecánicas en tierra, podían hacer lo mismo en el ámbito de los vuelos tripulados. Después de que Lilienthal se estrellara, el interés se convirtió en obsesión. Los Wright leían con avidez todos los estudios aeronáuticos, elaboraban maquetas experimentales, mantenían correspondencia con los mejores científicos, observaban a los pájaros. En 1900, preguntaron al Instituto de Climatología de Estados Unidos dónde podrían encontrar un lugar con vientos moderados y suficiente espacio para probar cómodamente los planeadores. A partir de ese momento, cada año viajaban a Kitty Hawk. Durante tres otoños arriesgaron su vida en naves aéreas inestables y sin motor; de regreso a Dayton perfeccionaron sus diseños con la ayuda de túneles de viento y fórmulas físicas.

Cuando los hermanos Wright lograron volar, sólo unos pocos periódicos se interesaron por el acontecimiento. Cuando repitieron el milagro, se convirtieron en celebridades. Firmaron convenios con gobiernos de todo el mundo. En 1915 se desarrollaron las batallas aéreas de la Primera Guerra Mundial; en 1939, las líneas aéreas atravesaron el Atlántico. Orville aún vivía cuando un avión dejó caer la bomba atómica. ▸**1909.E**

ESTADOS UNIDOS

Roosevelt consigue la zona del canal

2 En un discurso de 1903, el presidente Theodore Roosevelt describió el canal que quería construir en el istmo de Panamá como «la mayor proeza de ingeniería que se haya conseguido en la historia de la humanidad». Junto a la grandilocuencia de Roosevelt, el canal iba a ser más que un monumento a la genialidad americana: prometía enormes beneficios comerciales y, sobre todo, militares. El gobierno estaba convencido de la necesidad de un canal desde la guerra hispano-americana de 1898, cuando un barco norteamericano salió de Cuba hacia Filipinas y tardó 69 días en doblar el cabo de Hornos para alcanzar su destino.

El canal de Panamá era la pieza central de la política exterior de Roosevelt. De acuerdo con esto, en 1904 propuso una ampliación de la Doctrina de Monroe sobre el destino de Estados Unidos. El Corolario de Roosevelt no sólo reiteraba la Doctrina de Monroe en cuanto a la prohibición de la intervención europea en Latinoamérica, sino que también proclamó que Estados Unidos tenía «poder policial» sobre sus vecinos latinoamericanos y, por esta razón, garantizaba el cumplimiento de sus obligaciones internacionales. La estrategia de Roosevelt —simbolizada por la frase «habla suavemente y lleva un gran garrote», que mencionó en un discurso sobre política exterior en 1901 en el estado de Minnesota— convirtió a Estados Unidos en la mayor potencia naval.

En 1903, el istmo de Panamá era una provincia de Colombia descontenta con su suerte. Los intentos secesionistas se habían desarrollado durante 70 años. Pero los dependentistas panameños habían fracasado reiteradamente. Estados Unidos había apoyado siempre a Colombia hasta 1903. Ese año fracasaron los intentos norteamericanos de obtener la autorización de Colombia para construir un canal a través de Panamá. «Sería más fácil que la gelatina de grosella se aguantara en una pared que llegar a un acuerdo con los políticos de Colombia», afirmó Roosevelt. En lugar de renegociar, envió barcos de guerra a Panamá, donde fomentó una rebelión de los secesionistas. El alzamiento tuvo lugar el 2 de noviembre; al día siguiente, los marinos norteamericanos desembarcaron e impidieron que el ejército colombiano sofocara la revuelta. Panamá había conseguido la autonomía y Estados Unidos había ganado una república «de bolsillo» en la que construir su canal.

Roosevelt apeló a una «obligación moral, y por tanto legal» para justificar esta acción militar sin precedente. Era una empresa no sólo para Estados Unidos o los panameños, dijo, sino «para el bien de todo el mundo civilizado». El procurador general del Estado Philander C. Knox replicó ásperamente: «Oh, señor presidente, no deje que una sospecha de ilegalidad impida tan gran logro».

La independencia de la nueva república de Panamá se proclamó con el apoyo norteamericano: los panameños pensaban que si Estados Unidos se retiraba, Colombia recuperaría inmediatamente su dominio. Como resultado, el tratado del canal de Panamá (llamado Tratado de Hay Bunau-Varilla), firmado el 18 de noviembre de 1903, concedía a Estados Unidos los poderes de una nación soberana en la zona del canal. ▸**1904.6**

Roosevelt con barcos de guerra a sus pies, dibujado como un gigante que echa paladas de tierra panameña sobre la capital de Colombia.

ARTE Y CULTURA: **Libros:** ***El misterio de la playa*** **(Robert Erskine Childers);** ***Soledades*** **(Antonio Machado);** ***Arias Tristes*** **(Juan Ramón Jiménez) [...] Música: «Dulce Adeline» (Armstrong y Gerard); «Oro y plata» (Franz Lehár);** ***Kindertotenlieder*** **(Gustav Mahler);** ***Kossuth Symphony*** **(Béla Bartók) [...] Pintura y escultura:** ***Judit y Holofernes*** **(Gustav Klimt) [...]**

«Las sufragistas piensan que los horribles problemas que conlleva nuestra civilización no acabarán hasta que las mujeres obtengan el derecho a votar.»—**Emmeline Pankhurst**

Emmeline Pankhurst, arrestada por la policía en 1914 durante una manifestación.

REFORMA SOCIAL

La batalla por el sufragio

3 En 1890, trece años antes de que Emmeline Pankhurst formara la organización, a veces violenta, que la hizo mundialmente famosa, su marido, Richard, le hizo una pregunta que recordaría el resto de su vida: «¿Por qué no nos *obligáis* a daros el voto? ¿Por qué no *nos sacáis los ojos?*». Aunque Pankhurst, madre dedicada exclusivamente a sus cuatro hijos, ya era conocida en los círculos feministas de Londres como fundadora (junto a su marido) de la liga a favor del sufragio de las mujeres y como anfitriona de un salón radical, no fue hasta 1903, 111 años después de la publicación de la *Reivindicación de los derechos de la mujer* de Mary Wollstonecraft, cuando formó la Unión Social y Política de Mujeres —si no la organización sufragista más importante de Gran Bretaña, sí la más conocida.

La USPM nació del desacuerdo de Pankhurst con el control, exclusivamente masculino, del movimiento laborista. Se presentó como candidata de izquierdas y fue elegida tutora de asistencia pública en su Manchester natal en 1894. Tras la muerte de Richard en 1898, trabajó en el registro civil de nacimientos y defunciones. Estas experiencias aumentaron su simpatía por las mujeres de clase trabajadora y la convencieron a ella y a su hija mayor, Christabel (como Emmeline, una elocuente oradora a favor del socialismo y del feminismo), de que «los hombres de clase trabajadora eran tan injustos con las mujeres como los de las demás clases». Con Christabel, Emmeline fundó el USPM para presionar a las asociaciones comerciales y al Partido Laborista en favor del derecho a voto de las mujeres.

Emmeline y Christabel cambiaron pronto de estrategia. Decidieron que mientras en Gran Bretaña el derecho al voto estuviera vinculado a la posesión de propiedades —el 40 % de los hombres tampoco podían ejercer ese derecho—, el sufragio de las mujeres sólo sería posible en las clases adineradas. Así el USPM renunció a sus intereses proletarios y empezó a reclutar matronas de la buena sociedad para interrumpir a los oradores liberales que no apoyaban los derechos de las mujeres, dando así lugar a espectaculares situaciones en las que señoras de la alta sociedad fueron expulsadas y abucheadas en los salones públicos. Una vez que los liberales llegaron al poder, las Pankhurst (otra hija, Sylvia, se había unido a ellas) pasaron a la acción violenta: sus acaudaladas seguidoras empezaron a quemar los cables del telégrafo y algunas pinturas valiosas, casas vacías y las gradas de campos de críquet. «Todo hombre con voto está considerado como un enemigo», escribió Christabel, «a menos que decida aliarse con nosotras». ►**1920.11**

CINE

La gran película del oeste americano

4 Con su película de 1903, *El gran robo al tren*, Edwin S. Porter, un cámara de la compañía de producción de Thomas Edison, inició una nueva era del cinematógrafo. En una simple película de doce minutos, Porter creó tres tradiciones cinematográficas: la dirección, el montaje y la película del oeste americano (*western*). Antes, la mayoría de películas eran contemporáneas en el tiempo, con una larga secuencia que relataba un único acontecimiento. La gran innovación de Porter consistió en cortar y empalmar metraje, lo que intensificaba la historia con la adición de dramatismo y suspense.

El tratamiento del tiempo en *El gran robo al tren* no tenía precedentes. Un reparto de 40 actores representó un único suceso descompuesto en fragmentos: en una serie de catorce escenas unos bandidos irrumpen en un puesto ferroviario, atracan al infeliz operador, roban el tren y se esconden en los bosques. Mientras, la hija del operador sale del puesto y libera a su padre. Éste organiza una batida para hacer salir del bosque a los villanos. Sobreviene un tiroteo y la justicia triunfa cuando acaban con todos los ladrones. El tiro más famoso de la película —y más inconexo— lo protagoniza un bandido que lleva una pistola y mira fijamente a la cámara mientras dispara aparentemente contra la audiencia.

Lo revolucionario de la técnica de Porter fue que mezclaba escenas del telegrafista con las de los bandidos, de modo que las dos historias paralelas se desarrollaban de forma simultánea. Otros directores, el más notable el francés Georges Méliès, habían presentado con anterioridad escenas en serie; sin embargo, sus películas eran como versiones condensadas de representaciones teatrales. *El gran robo al tren* era por primera vez una película. ►**1915.1**

Esta escena de *El gran robo al tren* provocó gritos de terror en los espectadores, que llenaron las salas de cine.

NACIMIENTOS

Theodor Adorno, filósofo alemán.

Max Aub, escritor español.

Bruno Bettelheim, psicólogo austríaco-estadounidense.

Erskine Caldwell, novelista estadounidense.

Alejandro Casona, dramaturgo español.

Ramón Díaz Sánchez, escritor venezolano.

John Dillinger, ladrón de bancos estadounidense.

Bob Hope, actor estadounidense.

Bertrand de Juvenal, ensayista francés.

Konrad Lorenz, naturalista austríaco.

Antonio Machín, cantante cubano.

Vicente Minnelli, director de cine estadounidense.

Anaïs Nin, escritora franco-estadounidense.

Olaf V, rey de Noruega.

George Orwell, escritor estadounidense.

Raymond Radiguet, escritor francés.

Mark Rothko, pintor estadounidense.

Georges Simenon, novelista franco-belga.

John von Neumann, matemático húngaro-estadounidense.

Evelyn Waugh, novelista británico.

MUERTES

Paul Gauguin, pintor francés.

León XIII, Papa católico.

Práxedes Mateo Sagasta, político español.

Theodor Mommsen, historiador alemán.

Gaspar Núñez de Arce, escritor español.

Camille Pissarro, pintor francés.

Herbert Spencer, filósofo británico.

Cine: *La vida de un bombero americano*, *La cabaña del tío Tom* y *El alegre oficinista* (Edwin S. Porter) [...] Teatro: *Hombre y superhombre* (G. B. Shaw); *Rose Bernd* (Gerhart Hauptmann); *La noche del sábado* (Jacinto Benavente).

«El polvo, el aire de la habitación y la ropa de uno, todo se vuelve radiactivo [...]. En el laboratorio donde trabajamos el mal ha alcanzado un grado altísimo.»—**Marie Curie sobre los efectos del radio en su laboratorio**

NOVEDADES DE 1903

Contador de franqueo postal.

Café descafeinado Sanka.

Grabación de una ópera completa (*Pagliacci*, de Leoncavallo).

Tour de Francia (ciclismo).

Compañía Ford de automóviles.

Fábrica de cristal Steuben.

Premio Goncourt (premio literario francés).

EN EL MUNDO

►**LA ÚLTIMA CARCAJADA DE BUTLER**—Publicada póstumamente en 1903, la novela satírica de Samuel Butler *El camino de la carne* anunció la aparición de un sentimiento antivictoriano en las artes y la literatura. El libro contiene una despiadada disección de la vida de una familia de la clase media británica, cristiana y en general remilgada de espíritu; la obra suscitó ardientes controversias. Sólo después de muerto se le reconoció a Butler su valor testimonial. ►1918.4

►**EL HOMBRE ESPACIAL**—Inspirado en la ciencia ficción de Julio Verne, el teórico aeronáutico ruso Konstantin Tsiolkovsky aplicó su polifacética mente a los

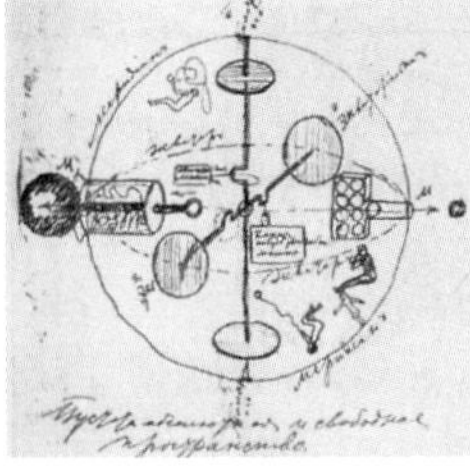

viajes espaciales, publicando en 1903 *La exploración del espacio cósmico con métodos de aparatos a reacción*. Pasmosamente penetrante, el trabajo proponía el gasóleo como el único combustible para impulsar a los cohetes

ARTE

Un maestro postimpresionista muere en la Polinesia

5 Doce años antes de su muerte en 1903 —decrépito a los 55 años, medio loco y solo— Paul Gauguin había abandonado la «podrida y corrupta Europa» para dirigirse a la Polinesia, en busca de la «barbarie, que es para mí fuente de juventud». Aunque la sensualidad y la imaginación de sus pinturas ayudaron, en Francia, a una generación de artistas a liberarse, Gauguin descubrió tanto la miseria como la libertad en el paraíso. Pero incluso cuando la sífilis lo redujo a ser un tullido, un paranoico rabioso, continuó pintando, y algunos de sus últimos trabajos, como el magnífico *¿De dónde venimos? ¿Qué somos? ¿A dónde vamos?* (*superior*), datan de este último y doloroso período. ►1906.6

CIENCIA

Un Nobel para los Curie

6 El Premio Nobel de Física de 1903 se otorgó al matrimonio Curie, Marie y Pierre, y a Antoine-Henri Becquerel. La investigación que habían iniciado seis años antes dejó el campo abonado para la era nuclear.

Cuando se descubrieron los rayos X en 1895, éstos provenían de un tubo eléctrico vacío; no se había observado nada parecido en la naturaleza. Más tarde, Becquerel descubrió que los componentes del uranio producían el mismo tipo de radiación, aunque el cómo y el porqué continuaban siendo un misterio. A Marie Curie, una estudiante de la Sorbona de París, estas cuestiones le plantearon un reto irresistible. En diciembre de 1897

Los Curie en su laboratorio; Pierre abandonó sus estudios de cristalografía para ayudar a Marie en sus investigaciones.

decidió escribir su tesis doctoral sobre los «rayos uránicos». Su marido, Pierre (un científico joven, experto pero mal pagado), le proporcionó una plaza en su laboratorio: un frío almacén de la Escuela de Física y Química Industrial, donde él enseñaba. Dejando a su hija pequeña al cuidado de una niñera, se incorporó al trabajo.

Marie empezó calibrando la radiación del uranio, empleando para ello artilugios diseñados por Pierre y su hermano. No obstante, su enfoque pronto le pareció demasiado limitado: sospechó que otras sustancias podían emitir rayos similares. Tras probar cada elemento conocido, descubrió que el torio actuaba como el uranio. Acuñó el término de «radiactividad» para las propiedades que ambos elementos compartían. Luego empezó a analizar minerales radiactivos por su contenido de uranio y de torio. Para su sorpresa, algunos especímenes desprendían mucho más «calor» de lo que sus descubrimientos podían explicar. La diferencia podía provenir de una pequeña cantidad de algún elemento desconocido, fabulosamente radiactivo.

A partir de entonces Pierre se unió a las investigaciones de su mujer. Juntos trataron toneladas de pecblenda (óxido de uranio), hasta que aislaron una pequeña cantidad de dos poderosos elementos nuevos: el polonio (llamado así en honor de la Polonia natal de Marie, entonces ocupada militarmente) y el radio. Entre 1899 y 1904, el matrimonio Curie publicó 32 artículos acerca de los efectos físicos y fisiológicos de la radiactividad. En el futuro las quemaduras y radiaciones nocivas los perjudicaron gravemente, pero su autoobservación clínica formó la base de la medicina nuclear. «Amo a este radio», dijo una vez Becquerel a la pareja tras sufrir una quemadura radiactiva, «pero también lo odio». ◄1900.NM ►1908.M

ESPAÑA

La revista Helios

7 En 1903 apareció el primer número de *Helios*, la revista de presentación más cuidada de la época a pesar de la escasez de recursos; su idea se gestó entre el grupo de amigos que visitaba a Juan Ramón Jiménez en el Sanatorio del Rosario: el manifiesto inaugural, «Génesis», declaraba el interés literario de la revista, que se desarrolló después tanto en su dimensión crítico-reflexiva como en la creativa. No estaba del todo ausente la preocupación por el porvenir de España, aunque diluida y con propuestas de solución más idealistas: la regeneración personal era prioritaria. Los «Glosarios» de *Helios*, en los que los redactores anotaban impresiones variadas, constituyen un magnífico muestrario de temas y motivos modernistas. Contó con colaboradores destacados como Azorín, Manuel Machado, Benavente *(superior)* y Navarro Ledesma, entre otros. ◄1900.7

DEPORTES: Boxeo: Bob Fitzsimmons derrota a George Gardner en el título de los pesos pesados y ligeros (primer luchador en ganar el campeonato en tres categorías) [...] Carreras de caballos: se inaugura la Jamaica Race Track en Long Island, Nueva York [...] Automovilismo: carrera París-Madrid [...] Ciclismo: triunfo de Maurice Garin en la primera edición del Tour de Francia.

«Las generaciones futuras de todos los países civilizados se reirán de los enormes e ilógicos esfuerzos que sus antepasados hicieron para restringir el uso del automóvil.»—**El honorable John Scott Montagu**

CULTURA POPULAR

La era del automóvil

8 Aunque el automóvil contaba con sus entusiastas, para la mayor parte de la población en 1903 era un juguete para los ricos, y además un juguete nocivo, vulgar y peligroso. Los periódicos se quejaban de «la máquina del terror» que atropellaba a los niños y desbocaba a los caballos. Las limitaciones de velocidad fijadas para los vehículos de tracción animal sirvieron también para limitar la velocidad de los automóviles en ciudades como Amberes, Bélgica. Estas máquinas estaban prohibidas en todos los cantones de Suiza. En Austria, no estaba permitido que las mujeres condujeran. No obstante, en todas partes, ciertos acontecimientos discretos preparaban el camino para la era del automóvil.

En 1903, en Gran Bretaña, el Parlamento aumentó el límite de velocidad de 19 a 32 km/h, intentando mediar entre las demandas de los entusiastas del motor (que no querían límite de velocidad) y las de los granjeros (que solicitaban la ilegalidad de los automóviles). En el mismo año, la Express Motor Service Company de Londres puso en circulación el primer taxi del mundo que funcionaba con gasolina: uno entre 11.400 coches de caballos. En 1914, sin embargo, el número de carruajes en las calles de Londres había descendido a 1.400, y los automóviles quintuplicaban esta cifra.

En América, 1903 fue el año en que el Dr. H. Nelson y su chófer, Sewall K. Crocker, realizaron el primer viaje transcontinental en coche. La pareja condujo desde San Francisco hasta la ciudad de Nueva York durante 63 días en su turismo Winton, impávidos ante la suciedad de los caminos y los desiertos sin pistas. El mismo verano, en Michigan, el hijo de un granjero llamado Henry Ford fundó una compañía que revolucionaría no sólo la incipiente industria del automóvil sino *toda* la industria.

Ford, de 40 años, había abandonado dos aventuras anteriores en el mundo de la fabricación de automóviles. Esta vez, sin embargo, el ingeniero autodidacta tenía un ejemplo a seguir. La Fellow Detroiter Ransom P. Olds alcanzó la producción mundial récord de tres mil coches en 1903. Se trataba de un coche pequeño, de bajo coste, el Oldsmobile, que los trabajadores montaban por partes con piezas adquiridas en los talleres mecánicos de la región. Con un capital de 28.000 dólares de un comerciante local de carbón, Ford quiso emular a Olds; en 1907 sus coches había superado en ventas a todos los del mundo. Al año siguiente Ford presentó el Modelo T, sencillo, duradero y barato, el primer coche de tamaño medio pensado para las masas. En 1913, para satisfacer la demanda que subía vertiginosamente, implantó la primera cadena de montaje, lo que creó unas capacidades de producción que durante siglos parecieron cosa de sueño. ▸**1904.10**

Incluso los automóviles tecnológicamente más avanzados eran impotentes ante las calles sin pavimentar tras una fuerte lluvia.

LITERATURA

El encanto de lo primitivo

9 *La llamada de la selva*, de Jack London, ambientada en Klondike durante la fiebre del oro de 1897, narra las aventuras de un perro de trineo llamado *Buck*, que, tras la muerte de su querido amo, vuelve a los bosques y acaba liderando una manada de lobos. En resumen, el libro era como una novela de aventuras para niños. Sin embargo, cuando se publicó por primera vez en 1903, se la consideró como una obra maestra de la literatura. Aunque la obra de London ha oscilado desde entonces entre estar o no de moda según la crítica, el libro siempre ha sido un número uno leído por adultos en más de cincuenta lenguas.

Una de las ilustraciones de *La llamada* mostraba a *Buck*, el perro protagonista, desencadenando «sus 70 kg de furia».

Cuando la obra apareció, London, de 27 años, ya había publicado dos novelas y docenas de cuentos. Basándose en su propia vida pintoresca —desde los 14 años había ejercido todo tipo de trabajos, como pirata en la costa, minero de oro en Alaska, orador socialista—, London escribió de manera concisa y vigorosa historias que un público lector harto de romances sentimentales encontró irresistibles. No obstante, en *La llamada*, London pretendía algo más profundo.

Con una intensidad y un lirismo casi místicos, *La llamada de la selva* expresaba la a menudo terrorífica vuelta a lo «primitivo» en un mundo supuestamente civilizado. Los lectores quedaron emocionados, y London alcanzó rápidamente una fama poco común. Murió trece años después de una sobredosis de morfina prescrita para contrarrestar sus dolores de riñón causados por el alcoholismo, pero para entonces este infatigable escritor (escribía 15 horas al día) había compuesto 200 cuentos, 400 artículos y 50 libros de ficción y no ficción. ▸**1926.2**

en el espacio y preveía la necesidad de un diseño multicapsular de los cohetes. Las avanzadas teorías de Tsiolkovsky fueron confirmadas por el moderno desarrollo espacial. ▸1914.3

▸MEDICIÓN DE LOS LATIDOS—Inventado en 1903 por el fisiólogo holandés Willem Einthoven, el electrocardiograma desveló los secretos del corazón humano. Midiendo y grabando el pulso natural de los latidos del corazón, el instrumento clínico de Einthoven permitió a los médicos registrar las irregularidades cardíacas y diagnosticar las enfermedades de corazón. Actualmente es un instrumento básico de la medicina cardiovascular; el ECG hizo ganar el Premio Nobel de Fisiología y Medicina a Einthoven en 1924.

▸GUERRA CIVIL EN VENEZUELA—Durante la presidencia del general Castro (1899-1908), además de los conflictos internacionales, Venezuela vivió disensiones internas que culminaron en una guerra civil que no terminaría hasta 1903. La llamada «Revolución Libertadora», liderada por los generales Matos y Mendoza entre otros, causó 40.000 víctimas hasta la última batalla librada en Ciudad Bolívar, con un balance de 1.500 muertos y heridos. ◂1902.NM

▸MUERTE DE LEÓN XIII —Elegido Papa en el cónclave de 1878, León XIII murió en julio de 1903. Ejerció una política conciliadora en Europa y favoreció la expansión del catolicismo en Estados Unidos. Se propuso crear un orden cristiano basado en la justicia social y su preocupación por los problemas surgidos de la transformación de la sociedad moderna culminó en la encíclica de 1891 *Rerum Novarum*, sobre las condiciones de los trabajadores. ▸1931.NM

▸ASESINATO DE LOS REYES DE SERBIA EN BELGRADO—El 11 de junio fueron asesinados el rey Alejandro I Obrenovich y su esposa por un grupo de oficiales conjurados. También resultaron muertos otros miembros de la familia real, el presidente del Consejo de

POLÍTICA Y ECONOMÍA: La isla Pelican de Florida, primera reserva natural federal americana [...] Manuel Candama, nuevo presidente del Perú [...] Constitución del gobierno español presidido por Maura.

«La persecución religiosa es más pecaminosa y más fatua incluso que la guerra. La guerra a veces es necesaria, honorable y justa; la persecución religiosa nunca es defendible.»—**El secretario de Estado de Estados Unidos, John Hay, en una carta al zar Nicolás II**

Ministros, el Ministro de la Guerra y algunos oficiales de la guardia personal de los reyes. El asesinato supuso el final de la dinastía Obrenov, que fue sucedida por la casa real de los Karageorgievic, ligada a Rusia.

▶MUERTE DE CAMILLE PISSARRO—El pintor francés Camille Pissarro empleó durante algún tiempo la técnica puntillista, aunque estaba íntimamente ligado al impresionismo y participó en el Salón de los Rechazados de 1863. Sus pinturas más logradas son paisajes y cuadros campestres, como *A orillas del Marne.* A partir de 1895, se vio obligado a pintar escenas urbanas a causa de su salud, que no le permitía salir de París. Murió el 12 de noviembre de 1903.

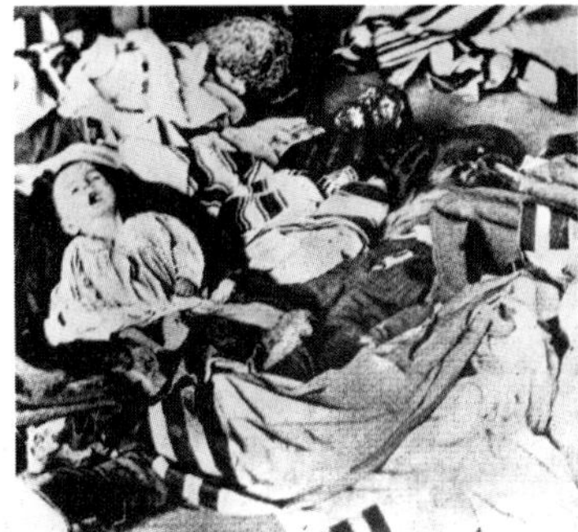

El cuerpo de un niño yace entre los cráneos aplastados de víctimas adultas de la persecución antisemita de Kishinev en 1903.

RUSIA

Persecución antisemita en Kishinev

10 Al llegar el Domingo de Resurrección de 1903, una bárbara multitud enloqueció en la ciudad moldava de Kishinev durante dos días, asesinando a residentes judíos y saqueando sus casas y negocios. La persecución antisemita fue incitada por *Bessarabetz,* un diario progubernamental que, en una clásica campaña de «difamaciones sangrientas», había publicado recientemente una serie de artículos que acusaban a los judíos de practicar muertes rituales. La policía y el ejército permanecieron impasibles cuando los amotinados asesinaron a 45 judíos, hirieron a 600 más y saquearon 1.500 hogares.

El antisemitismo había alcanzado su cénit en Rusia mucho antes de la matanza. Por medio de descaradas políticas discriminatorias (entre otras, la prohibición de que los judíos tuvieran tierras), el gobierno intentó desviar de forma brutal la frustración de los trabajadores insinuando que los judíos eran prácticamente los responsables de los problemas sociales. En efecto, muchos judíos de Kishinev estaban convencidos de que la violencia estaba organizada por el Estado; una idea que confirmó la inactividad gubernamental durante los ataques.

Cuando las noticias de las atrocidades de Kishinev llegaron al resto del mundo, la comunidad internacional condenó unánimemente a Rusia. Sin embargo, las persecuciones antisemitas en Rusia se repitieron desde 1903 hasta 1906, provocando una gran emigración judía hacia Estados Unidos y Palestina a principios del siglo XX.

RUSIA

La división de los socialistas rusos

11 El segundo congreso del Partido Socialdemocrático ruso, celebrado en Bruselas y Londres en 1903, ofreció a Lenin la oportunidad de reiterar la posición que había mantenido recientemente en *Iskra* (*La chispa*), el diario en el que los activistas del partido formularon la ideología que culminaría en la Revolución Rusa. Pretendiendo silenciar a los moderados dentro del partido, Lenin quiso utilizar la conferencia para consolidar su poder.

Las meras reformas de salarios y horarios no serían suficientes, anunció. Cualquier cosa que no fuera una revolución sería considerada complicidad con el zarismo. Por lo tanto, los socialistas debían trabajar solos, separados de los otros partidos políticos. La organización del partido debía ser centralizada y restringida a los que estuvieran versados en la doctrina marxista. Lenin, además, propuso asumir personalmente el control editorial de *Iskra*.

Inesperadamente, L. Martov, su aliado, amigo y coeditor, se opuso en las tres propuestas de Lenin. Martov quería un partido que no estuviera tan rígidamente centralizado, abierto a la colaboración. Pensaba que los socialistas podían cooperar con los liberales para mejorar las condiciones de Rusia y desaprobaba enérgicamente las ideas de Lenin respecto a *Iskra*.

Las opiniones de Lenin prevalecieron por un pequeño margen. Su sector se autodenominó bolchevique, «la mayoría», reservando el término peyorativo de menchevique, «la minoría», para Martov y sus adeptos.
El partido quedó dividido, como antecedente de todo lo que ocurriría después. También quedó destruida la amistad entre Lenin y Martov, que permanecieron ideológicamente irreconciliables para siempre. Aun así Lenin mantuvo un cierto afecto personal por su antiguo colaborador, que siguió trabajando contra él tras la toma del poder por parte de los bolcheviques. En 1924, cuando Lenin sufrió una apoplejía mortal, una de sus últimas frases fue: «Ellos dicen que Martov también está muriendo». **◂1902.2 ▸1905.2**

Lenin y Martov juntos en San Petersburgo antes de su separación ideológica.

LITERATURA

La joya de Henry James

12 Henry James definió a *Los embajadores* como «franca, discreta, redonda, la mejor de mis producciones». Cuando la novela apareció en 1903, James se encontraba en la cima de sus habilidades narrativas, su dominio de la prosa inglesa era reconocido internacionalmente. A pesar de las críticas de sus detractores centradas en la falta de acción y exceso de premiosidad, James había rozado la perfección de la estructura formal de sus novelas. Esto, además de su inigualable destreza en los retratos psicológicos, le convirtió en uno de los novelistas modernos más imitados.

Retrato de un caballero: Henry James, por John Singer Sargent.

Los embajadores representó la apoteosis del conflictivo tema jamesiano; el contraste de los valores del Viejo y el Nuevo Mundo, de la libertad y la moralidad, de la decadencia y la industria. James dramatizó estos temas a través de la historia de Lambert Strether, de Nueva Inglaterra, un hombre de mediana edad, pragmático, que viaja a París y sucumbe a la sensualidad y alegría de la ciudad. Obligado a reconsiderar completamente sus cómodas convicciones morales, Strether aconseja al hijo de su prometida: «vive todo lo que puedas; es un error no hacerlo».

James provocó un escándalo. Nacido en una de las familias más importantes de América, pasó la mayor parte de su vida adulta en el extranjero. La cultura americana le parecía ridícula, pero el continente europeo le resultaba inasimilable. «Me he dado cuenta de que podría ser un eterno extranjero», afirmó tras un intento fallido de vivir en Francia. En Inglaterra, James consiguió un feliz compromiso, y residió allí de forma más o menos permanente tras 1876, y finalmente se hizo ciudadano británico en 1915. **◂1902.7**

PREMIOS NOBEL: Paz: William Cremer (británico; Liga de Arbitraje Internacional) [...] Literatura: Björnstjerne Björnson (poeta noruego) [...] Química: Svante Arrhenius (sueco; disociación electrolítica) [...] Medicina: Niels Finsen (danés; terapias suaves para enfermedades cutáneas) [...] Física: Henri Becquerel y Pierre y Marie Curie (franceses; radiactividad).

Soledades

Antonio Machado

En los años en que triunfaba el modernismo apareció el libro Soledades *(1903) y luego, suprimidas algunas composiciones y añadidas muchas más,* Soledades, Galerías y otros poemas *(1907). A pesar de una tendencia a la sobriedad expresiva, es mucho lo que hay de modernismo en estos comienzos machadianos. Se trata de un modernismo intimista, con una veta romántica. El mismo Machado diría años más tarde: «Pensaba yo que el elemento poético no era la palabra por su valor fónico, ni el color, ni la línea, ni un complejo de sensaciones, sino una honda palpitación del espíritu; lo que pone el alma, si es que pone algo, o lo que dice, si es que algo dice, con voz propia, en respuesta animada al contacto del mundo». Hay quien considera que esta primera poesía de Machado ya contiene todo lo que desarrollará la posterior.*

Poemas V, XXII y XXXIV

V
(Recuerdo infantil)

Una tarde parda y fría
de invierno. Los colegiales
estudian. Monotonía
de lluvia tras los cristales.
Es la clase. En un cartel
se representa a Caín
fugitivo, y muerto Abel,
junto a una mancha carmín.
Con timbre sonoro y hueco
truena el maestro, un anciano
mal vestido, enjuto y seco,
que lleva un libro en la mano.
Y todo un coro infantil
va cantando la lección;
mil veces ciento, cien mil,
mil veces mil, un millón.
Una tarde parda y fría
de invierno. Los colegiales
estudian. Monotonía
de la lluvia en los cristales.

XXII

Sobre la tierra amarga,
caminos tiene el sueño
laberínticos, sendas tortuosas,
parques en flor y en sombra y en silencio;
criptas hondas, escalas sobre estrellas;
retablos de esperanzas y recuerdos.
Figurillas que pasan y sonríen
—juguetes melancólicos de viejo—;
imágenes amigas,
a la vuelta florida del sendero,
y quimeras rosadas
que hacen camino... lejos...

XXXIV

Me dijo un alba de la primavera:
Yo florecí en tu corazón sombrío
ha muchos años, caminante viejo
que no cortas las flores del camino.
Tu corazón de sombra, ¿acaso guarda
el viejo aroma de mis viejos lirios?
¿Perfuman aún mis rosas la alba frente
del hada de tu sueño adamantino?
Respondí a la mañana:
Sólo tienen cristal los sueños míos.
Yo no conozco el hada de mis sueños;
ni sé si está mi corazón florido.
Pero si aguardas la mañana pura
que ha de romper el vaso cristalino,
quizás el hada te dará tus rosas,
mi corazón tus lirios.

Antonio Machado **de Cristóbal Ruiz. El óleo recoge el carácter hondo y entrañable del gran poeta sevillano.**

«La victoria o la derrota dependen de esta batalla. Haced todo lo posible.»—**Mensaje transmitido con banderas a la flota japonesa antes de su ataque a Port Arthur**

HISTORIA DEL AÑO

El comienzo de la guerra ruso-japonesa

1 Como el zar Nicolás II «no deseaba esto», siendo «esto» la guerra entre Rusia y Japón, «esto» no debería haber ocurrido. El zar se aferró a sus convicciones a pesar de la hostil respuesta japonesa a la ocupación militar rusa de la provincia de Manchuria, situada al este de China, y a pesar del temor de Japón a que Rusia estuviera dispuesta a invadir Corea, un país que éste consideraba vital para su seguridad nacional. En febrero de 1904, Nicolás sufrió una desagradable sorpresa. Las fuerzas japonesas atacaron la estratégica ciudad de Port Arthur, que se hallaba bajo control ruso en el cabo de la península de Liaotung, al oeste de Corea, en el sur de Manchuria; de este modo se inició la guerra ruso-japonesa. Por primera vez se emplearon armas automáticas a gran escala, y la guerra fue uno de los mayores conflictos armados que el mundo había presenciado.

La captura de Port Arthur, representada en un grabado japonés.

Rusia se había expandido hacia el este durante el siglo XIX, abriendo una ventana hacia el Pacífico. Esta expansión amenazó a Japón, una nación emergente que sentía que sus proyectos imperiales habían sido pisoteados por el zar y su ejército. El resto del mundo observaba el aumento de las hostilidades y especulaba sobre qué bando fanfarroneaba. Japón era un país pequeño, relativamente desconocido en Occidente. Rusia, en cambio, era una gran potencia europea. Cuando estalló la guerra, todo el mundo menos el zar predijo lo que ocurriría: la victoria de Rusia sobre la isla imperial. «Japón no es un país que esté en condiciones de lanzar un ultimátum a Rusia», escribió un oficial militar ruso, expresando un sentimiento generalizado.

Sin embargo, durante el desarrollo del conflicto, Japón se mostró como el combatiente más eficaz. Neutralizó mediante un ataque sorpresa la flota rusa del Pacífico y luego sitió Port Arthur. (El zar enseguida envió a la flota del Báltico para sustituirla, con consecuencias desastrosas.) El ejército japonés invadió Corea y cruzó el río Yalu para dirigirse hacia Manchuria. Sus soldados, mientras avanzaban, cantaban: «Éste es el momento que nosotros deseábamos. ¡Abajo Rusia!, ¡Arriba Japón!». A pesar de haber sido superado y derrotado en todos los frentes, el zar Nicolás se negó a retirarse. Estaba en juego la gloria y el honor de Rusia, que según pensaba éste, estaban protegidos por Dios. Se habían perdido batallas pero Rusia ganaría la guerra. A final de año, cuando Nicolás finalmente despertó a la realidad de la guerra, Japón ya había ganado completamente la partida. **◄1902.8 ►1905.3**

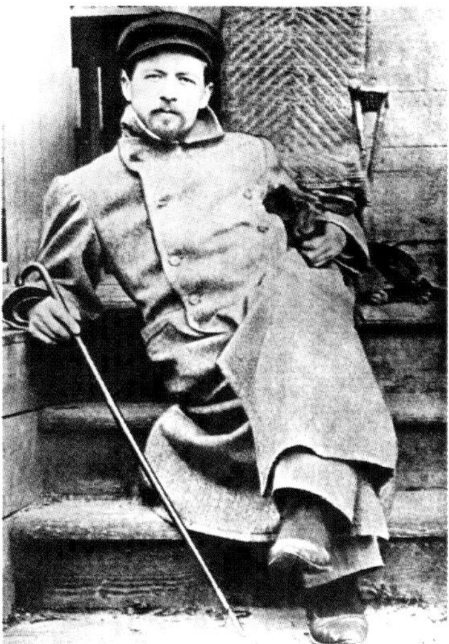

Anton Chejov, dramaturgo y humanista.

LITERATURA

El segundo Shakespeare

2 Un poco después de medianoche, el 2 de julio de 1904, Anton Chejov despertó a su mujer, la actriz Olga Knipper, y le pidió que llamara al médico. El escritor ruso de obras de teatro y cuentos se hallaba en un balneario de la Selva Negra alemana, donde trataba de buscar alivio para su grave tuberculosis. Cuando Chejov ya no reaccionaba a las inyecciones de alcanfor, el médico dispuso que fueran a buscar oxígeno. «Todo es inútil», dijo el dramaturgo con toda tranquilidad, «estaré muerto antes de que llegue». En su lugar, el médico encargó champán. Aceptando un vaso, Chejov sonrió a Olga y dijo: «hace mucho tiempo que no bebo champán». Éstas fueron unas de sus últimas palabras. Tenía 44 años y estaba en la cumbre de su carrera como dramaturgo, considerado el segundo tras Shakespeare en el panteón de la literatura mundial.

Médico de profesión, Chejov empezó a escribir piezas satíricas en una revista mientras estudiaba en la Facultad de Medicina de Moscú. Aprovechó sus ganancias para ayudar a su arruinada familia a volver a Taganrog, un pueblo de la provincia de Crimea. Tras conseguir su licenciatura, Chejov continuó escribiendo, aunque consideraba la medicina como su principal vocación. Su primera obra, *La Gaviota* (1876), fue un fracaso. Dos años más tarde, el director Konstantin Stanislavski la repuso en el Teatro del Arte de Moscú, esta vez con gran aceptación por parte de la crítica y del público. La compañía empezó a representar las obras maestras de Chejov, *Tío Vania*, *Las tres hermanas*, *El huerto rojo*, sustituyendo los artificios convencionales escénicos del siglo XIX por un simple, lírico pero resuelto realismo.

En sus escritos, Chejov valoraba la honestidad por encima de todo. «Lo bueno del arte», apuntaba, «es que no te permite mentir». Enfáticos y profundamente humanos, sus dramas y sus cuentos sobre el sufrimiento y el aburrimiento presentan personajes que, atrapados en una telaraña de fracaso, sueñan con un futuro más brillante. Por lo demás, la equilibrada prosa de Chejov, que trata los temas de la frustración y la dignidad maltrecha, ejerció una gran influencia en escritores posteriores, desde Ernest Hemingway hasta Luigi Pirandello. El profundamente humilde Chejov se hubiera sorprendido de su impacto. «Mis obras las leerán durante siete años, quizás siete y medio», le comentó una vez a su amigo, «luego se olvidarán de mí». **►1926.10**

REFORMA SOCIAL

Una destacada graduación

3 «Tengo la feliz certeza de que la sordera y la ceguera no son una parte esencial de mi existencia, ya que de ningún modo forman parte de mi espíritu inmortal», escribió Helen Keller tras su graduación en el Colegio Mayor de Radcliffe, en 1904. Este acontecimiento constituyó un momento decisivo en la vida de una mujer que, a través de sus escritos a favor del sufragio femenino, del socialismo y de los derechos de los minusválidos, se convirtió en el símbolo internacional de lo que la anarquista Emma Goldman denominó cariñosamente «el poder casi ilimitado de la voluntad humana».

Aun así, las exigencias del colegio fueron una dificultad casi insalvable

Sullivan (*derecha*) y Keller, antes de la graduación.

para Keller, que había perdido el oído y la vista tras un brote infantil de escarlatina. Annie Sullivan, la profesora que había roto el aislamiento de Keller en su infancia mostrándole que el agua que sentía en la mano tenía un nombre, acompañaba a Keller a todas las

ARTE Y CULTURA: Libros: *Cabbages and Kings* (O. Henry); *La urna dorada* (Henry James); *Psicopatología de la vida cotidiana* (S. Freud); *Nostromo* (Joseph Conrad); *El difunto Matías Pascal* (Luigi Pirandello); *La Busca* (Pío Baroja) [...] Música: «Meet Me in St. Louis, Louis» (Mills y Sterling); *Sinfonía doméstica* (Richard Strauss) [...]

clases. Traducía las lecciones en la mano de Keller y la ayudaba a leer. Si un texto no se encontraba en Braille, como ocurría a menudo, Sullivan se lo leía a Keller a través del tacto. En su laborioso camino, Keller no sólo aprendió literatura inglesa, historia y matemáticas, sino también latín, griego y francés, lenguas desconocidas para Sullivan.

El proceso fue agotador, pero a la edad de 24 años, diecisiete después de haber aprendido su primera palabra —de hecho, después de saber que para cada cosa había una palabra—, Helen Keller se graduó *cum laude*. Su única decepción fue que el importante papel de Annie Sullivan fuera infravalorado. Error que William Gibson rectificó, al menos en parte, en 1960, con su novela *El milagro de Helen Keller*.

MÚSICA

El fracaso de *Madame Butterfly*

4 En 1904, sus compatriotas ya consideraban a Giacomo Puccini como el sucesor del venerado Giuseppe Verdi. *Manon Lescaut*, *La Bohème* y *Tosca* le habían granjeado la adulación popular y le habían convertido en un hombre rico. No obstante, el éxito puede tambalearse en el sorprendente mundo de la ópera italiana, como descubrió Puccini la noche del estreno de *Madame Butterfly* en la famosa Scala de Milán.

Las interrupciones empezaron cuando se levantó el telón. Cada vez que un pasaje recordaba a la obra anterior del compositor, los ocupantes de las localidades baratas gritaban: «¡*La Bohème*! ¡Otra vez *La Bohème*!». El primer acto quedó ahogado entre el creciente coro de abucheos, y cuando Puccini, que se recuperaba de un accidente automovilístico, cojeó hasta el escenario en el intermedio, los silbidos crecieron en intensidad. La furiosa embestida ascendió hasta el trágico clímax de la ópera cuando las risas apuntalaron el suicidio que ponía fin al drama de una japonesa loca de amor y de su infiel amante americano. Al día siguiente, las críticas fueron despiadadas: «Una ópera diabética», acotaba una mofándose a la vez de la dulzura de la música y de la empalagosa lucha del maestro con la enfermedad. «Aburre», declaraba otra.

Algunos partidarios de Puccini declararon que las interrupciones habían sido organizadas por tres compositores rivales y, en efecto, Milán era un hervidero de antagonismos profesionales. Aun así la obra *era* imperfecta: el segundo acto, por ejemplo, duraba 80 interminables minutos. El compositor (normalmente muy aprensivo) había ignorado las advertencias, convencido de que

En esta escena de *Madame Butterfly*, el oficial de la armada Pinkerton, el amante de Butterfly, trae a su mujer americana a Japón.

aquella era «la mejor ópera que había escrito nunca». Sin embargo, tras finalizar la representación en La Scala, empezó a reescribirla furiosamente, con buenos resultados. *Madame Butterfly*, revisada y muy mejorada, es actualmente una de las óperas más apreciadas en el mundo, una habitual en el repertorio de las mejores compañías desde Omaha hasta Osaka. **◄1901.2 ►1913.5**

DIPLOMACIA

La Entente Cordiale

5 Meses de arduas negociaciones entre las antiguas rivales Francia y Gran Bretaña dieron finalmente su fruto en 1904 con la firma de la Entente Cordiale, no una alianza total pero sí un pacto suficiente para equilibrar de forma significativa la balanza del poder. Los dos países tenían razones para aliarse. Gran Bretaña, el máximo poder del mundo, perdía terreno. La agobiante guerra de los bóers había dañado la confianza y los recursos del Imperio; además, Rusia, Japón, Estados Unidos, Francia y sobre todo Alemania estaban construyendo flotas que cuestionarían la supremacía británica sobre las olas. Los franceses, en cambio, esperaban acabar con el bloqueo británico a sus ambiciones coloniales en África, además de querer evitar verse involucrados en las hostilidades entre sus aliados rusos y Japón, apoyado por Gran Bretaña.

La Entente se hacía cargo de problemas tan prosaicos como los derechos de pesca en Terranova, aunque sus cláusulas más importantes hacían referencia a las largas disputas por dos países nordafricanos. La política francesa de «penetración pacífica» en Marruecos disgustaba a Gran Bretaña, cuyos barcos debían pasar por el estrecho de Gibraltar para alcanzar el Mediterráneo. La ocupación británica de Egipto (que había formado parte del imperio napoleónico) mortificaba a los franceses. La Entente declaró cerrados estos problemas: a partir de ese momento, ninguna de las dos naciones obstruiría la acción de la otra en ambos países.

Además de suprimir ciertos problemas políticos, el pacto tenía otra virtud más sutil: demostraba que las dos naciones podían trabajar juntas a pesar de todo. Egipto y Marruecos no tuvieron ninguna autoridad para decidir su destino. Tampoco se tuvieron en cuenta los deseos expansionistas de Alemania, que vio en el nuevo pacto entre Francia e Inglaterra un motivo de alarma.

El káiser Guillermo II pronto intentó poner a prueba la Entente presentándose a sí mismo como protector de la independencia de Marruecos. El resultado, irónicamente, fue un mayor aislamiento de Alemania y las relaciones anglo-francesas se vieron fortalecidas. Se perfilaban los bandos que se enfrentarían en la Primera Guerra Mundial. **◄1902.8 ►1906.9**

Francia y Gran Bretaña decidieron repartirse el continente africano entre los dos.

NACIMIENTOS

Luis Acuña, pintor, escultor y escritor colombiano.

George Balanchine, coreógrafo ruso-estadounidense.

William «Count» Basie, músico estadounidense.

Alejo Carpentier, escritor cubano.

Bing Crosby, cantante estadounidense.

Salvador Dalí, artista español.

Deng Xiaoping, revolucionario y político chino.

Jean Gabin, actor francés.

Cary Grant, actor británico-estadounidense.

Graham Greene, escritor británico.

Vladimir Horowitz, pianista ruso-estadounidense.

Christopher Isherwood, escritor británico.

Alexei N. Kosygin, hombre de Estado soviético.

Peter Lorre, actor húngaro-estadounidense.

Glenn Miller, director de orquesta estadounidense.

Pablo Neruda, poeta chileno.

R. Julius Oppenheimer, físico estadounidense.

Lal Bahadur Shastri, primer ministro de la India.

B. F. Skinner, psicólogo estadounidense.

Johnny Weissmuller, nadador y actor estadounidense.

MUERTES

Anton Chejov, escritor ruso.

Antonín Dvořák, compositor checo.

Henri Fantin-Latour, pintor francés.

Theodor Herzl, fundador del sionismo austríaco.

Isabel II, reina de España.

Paul Kruger, hombre de Estado sudafricano.

Henry Morton Stanley, explorador británico-estadounidense.

Pintura y escultura: ***Mont-Ste.-Victoire*** **(Paul Cézanne);** ***En memoria del general Sherman*** **(Augustus Saint-Gaudens [...] Cine:** ***La fuga del lunático*** **(Wallace McCutcheon y Frank Marion);** ***Personal*** **(Wallace McCutcheon);** ***El ex-convicto*** **(Edwin S. Porter) [...] Teatro:** ***El jardín de los cerezos*** **(Anton Chejov);** ***La hija de Jorio*** **(Gabriele D'Annunzio).**

«Sentí que su traje no podía contenerlo [...]. Estaba tan cargado de fuerza, tan dispuesto a saltar, a atacar a cualquiera en cualquier sitio.»—**La periodista Ida Tarbell sobre Theodore Roosevelt**

NOVEDADES DE 1904

Times Square (había sido Long Acre Square hasta que *The New York Times* se trasladó a la esquina de Broadway con la calle Cuarenta y Dos).

Discos a doble cara para el gramófono.

Novocaína (procaína).

Bolsitas de té.

Termos metálicos.

EN EL MUNDO

►SECRETOS DE LO SAGRADO—Abandonados en la selva, las fuentes, las pirámides y los campos de juego de pelota de la antigua ciudad maya de Chichén Itzá descansaron en paz durante

medio milenio. Aunque las excavaciones se habían iniciado a finales del siglo XIX, una expedición dirigida por el joven aficionado a la arqueología y cónsul de Estados Unidos en México Edward Thompson, en 1904, descubrió los yacimientos más importantes hasta la fecha. Su investigación, centrada en la Fuente Sagrada, un destacado lugar de culto religioso, sacó a la luz las herramientas, joyas y adornos de oro (muchos trasladados ilegalmente a Estados Unidos) de una avanzada civilización. ◄1900.6 ►1911.4

►ESTUDIO PARA UNA REFORMA—El Comité Interdepartamental Británico sobre el Deterioro Físico publicó en 1904 un informe detallado de las terribles condiciones de vida de los barrios bajos del país. Además de los niveles de mortalidad infantil y del declive de la

ESTADOS UNIDOS

El ascenso de Roosevelt

6 El radical agrario William Jennings Bryan había fracasado dos veces al intentar conducir a los demócratas al poder. En 1904 el partido escogió a un centrista moderado, al juez Alton Parker, como candidato presidencial. La estrategia fracasó: el oponente de Parker venció por el mayor margen en tres décadas. Elegido finalmente como candidato con tres años de antelación, Theodore Roosevelt le diría a su mujer: «No seré durante más tiempo un accidente político».

El ascenso de Roosevelt al liderazgo fue debido un poco a un accidente y casi todo a la astucia, voluntad y nervio, las mismas cualidades que había impulsado a este enfermizo heredero de un millonario de Manhattan a convertirse en un notorio aficionado a las actividades al aire libre y un bizarro soldado. Su decisión de entrar en la política, una profesión despreciada por la mayoría de los miembros de su clase, mostró esta misma audacia de carácter. Con sólo 23 años, se convirtió en un legislador progresista del estado de Nueva York, muy hábil para manejar a la prensa. En 1884 falleció su primera esposa, y él se retiró durante un breve período de tiempo a su rancho de Dakota, pero pronto volvió a la carga, irrumpiendo en la escena de Washington como un impetuoso administrador del servicio civil con mentalidad reformista. Tras un interludio como jefe de policía de la ciudad de Nueva York, durante el cual visitó oficialmente los barrios bajos para sacar a la luz el crimen, la corrupción, y su propia política, regresó a Washington en calidad de subsecretario de McKinley en la Armada. Partidario convencido de la guerra hispano-americana, Roosevelt abandonó su puesto para mandar una unidad de caballería llamada los Domadores de Caballos. «No quiero estar en un despacho durante la guerra», explicó. Sus osadas hazañas en Cuba le convirtieron en un héroe nacional y propiciaron su elección como gobernador de Nueva York en 1898.

La ambición y el carisma de Roosevelt irritaron a los dirigentes del partido republicano, que lo consideraban un vaquero indomable. En 1900 lo nombraron candidato a la vicepresidencia siguiendo una estrategia que esperaban lo relegara al olvido. Sin embargo, la bala de un asesino pronto liberó a Roosevelt del olvido político. Tomó las riendas de la presidencia con su característico entusiasmo, pero la sombra de su predecesor le perseguía. Sólo cuando fue elegido presidente de pleno derecho Roosevelt, «más vital que la vida misma», pudo finalmente desempeñar su cargo a su manera. **◄1903.2 ►1905.3**

Roosevelt en 1904: un confiado peso pesado dispuesto a ganar a cualquiera.

TEATRO

Shaw triunfa en Londres

7 George Bernard Shaw no consiguió estrenar una obra hasta que alcanzó la edad de 35 años, y trabajó durante otros doce años antes de conseguir el éxito en 1904, con la puesta en escena de *La otra isla de John Bull*. Durante ese tiempo, el irlandés autodidacta ya era conocido como incansable orador socialista y respetado, relativamente, como prolífico escritor. Siguió alternando obras de teatro, crítica y ensayo sobre temas que van desde el feminismo y el vegetarianismo, que él defendía, hasta la guerra y la vivisección, que rechazaba hasta que murió con 94 años de edad. Pero sus últimas obras de teatro se representaban escasamente. Los iconoclastas e ingeniosos escritos de Shaw asustaban a los productores e irritaban a los censores.

John Bull nació de la propuesta de Yeats para que Bernard Shaw, inspirado en Londres, escribiera algo para el Teatro Abbey de Dublín. Pero cuando los directores del Abbey la rechazaron, a causa de la irrespetuosa opinión sobre Irlanda de la obra, el prestigioso Royal Court Theatre de Londres —influenciado por dos protegidos de Shaw— acudió a su rescate, y para sorpresa de sus detractores que habían calificado la obra de Shaw de demasiado cerebral, *John Bull* fue un éxito de taquilla. Incluso el rey Eduardo asistió a una representación. Durante los tres años siguientes, el Royal Court escenificó once obras de Shaw incluyendo varias piezas olvidadas de 1890. Todas obtuvieron el aplauso del público.

Lo revolucionario de los dramas de Shaw, sobre todo las obras maestras *Hombre y superhombre* (1903) y *Mayor Bárbara* (1905), era su mezcla de rigor intelectual, alta seriedad moral, relevancia social, experimentación formal y humor mordaz.

Como crítico, Shaw ridiculizó las farsas superficiales y los melodramas sentimentales de la época, elogiando el «teatro de ideas» de Henrik Ibsen. Pero Ibsen era oscuro, duro, y cada vez más anticuado. Shaw, con su efectivo sentido del drama y sus dotes de orador, creó un teatro de ideas para el nuevo siglo y lo hizo además de forma divertida. **◄1900.8 ►1905.6**

DEPORTES: Juegos Olímpicos de St. Louis (el baloncesto era deporte de exhibición [...] Hockey: se establece la Liga Pro Hockey; introducción de equipos de seis jugadores [...] Fútbol: fundación de la Federación Internacional de Asociaciones de Fútbol (establecimiento de reglas universales) [...] Tenis: empieza el primer campeonato de tenis sobre hierba de Barcelona.

«Cuando diseciono y destrozo a un animal vivo, oigo en mi interior el amargo reproche de que con una mano brutal y torpe estoy estropeando un mecanismo artístico incomparable.»—Ivan Pavlov

TECNOLOGÍA

Lámparas triunfantes

8 Cuando John Ambrose Fleming fabricó el diodo en 1904, el código Morse se transmitía regularmente a través del Atlántico, pero la radiotransmisión del sonido todavía no era posible. El invento del británico —la primera lámpara de radio al vacío— consiguió superar esta barrera. Este trascendental invento provenía del descubrimiento de Thomas Edison, según el cual la corriente en una bombilla podía saltar un vacío entre un filamento caliente de carga negativa y uno frío, un electrodo positivo llamado «lámina». Fleming pensó que si esta «lámina» tomaba la forma de un cilindro metálico rodeado de filamento, la corriente alterna podía ser «rectificada» (convertida en corriente continua) y captada por un receptor telefónico.

El diodo permitió al físico americano Reginald A. Fessenden llevar a cabo la primera emisión de sonido el 24 de diciembre de 1906, transmitiendo música desde la costa de Massachusetts. En lugar de las cortas emisiones de sonido requeridas para la transmisión en Morse, generó una señal continua cuya amplitud (la longitud de las ondas de la radio) variaba con las irregularidades de las ondas de sonido. Este tipo de señal, caracterizado por la amplitud de la modulación, se conoció como AM.

El diodo rompió «la barrera del sonido» de la radio.

También en 1906, otro americano, Lee De Forest, inventó el triodo —una lámpara más evolucionada— que contenía un tercer electrodo que podía aumentar o disminuir la intensidad de la señal, un efecto conocido como «amplificación». Además de sus muchos usos (incluyendo la televisión y los amplificadores de sonido), las lámparas vacías con triodo hicieron realidad las transmisiones de sonido a gran alcance, haciendo de la radio la fuente mundial de noticias y de entretenimiento durante dos décadas. **◂1901.1**

Pavlov nunca faltaba a su cita con los perros de su laboratorio (fotografía de 1934).

CIENCIA

Pavlov gana el Premio Nobel

9 Cuando ganó el Premio Nobel en 1904, Ivan Pavlov acababa de iniciar los experimentos conductistas que hicieron famoso su apellido. (Los perros que habían aprendido a asociar la comida con el sonido de una campana, salivaban cuando la oían. Una respuesta aprendida que el fisiólogo ruso denominó «reflejo condicionado».) Más bien, el comité del Nobel reconocía sus años de investigación sobre las glándulas digestivas, que había comenzado en 1890.

Otros, investigando en este campo, habían experimentado con perros vivos, fabricando un bozal quirúrgico para observar el estómago, una operación que requería la separación de los nervios. Cuando Pavlov pensó que el sistema nervioso regulaba la digestión, un corte tan cruento (y finalmente mortal) comprometió estos experimentos. Equipó el primer quirófano para animales e ideó el «bozal Pavlov», que permitía la observación pero dejaba los nervios y la salud de los perros intactos. También descubrió métodos para recoger saliva y sacarla a través de la quijada, y de hacerla caer a través de un agujero en la garganta. Estos métodos, todavía en uso, permitieron a Pavlov controlar «la fábrica química» desde la boca hasta el estómago. Descubrió que el *gusto* de la comida excitaba la producción de los jugos gástricos y pancreáticos, y que la composición de la saliva variaba de acuerdo con la sustancia ingerida. Sus descubrimientos demostraron que el sistema nervioso ejercía un amplio control sobre la digestión, contra la creencia de su funcionamiento autónomo mantenida hasta 1902. Entonces William Bayliss y Ernest Starling se percataron de que las hormonas realizaban algunas funciones digestivas sin la colaboración de los nervios. La adhesión de Pavlov a su doctrina era tan férrea que se enemistó con Bayliss y Starling durante años. Finalmente, acercaron sus posiciones modificando parcialmente su propia opinión. Mientras tanto, Pavlov descubrió otro uso para su artilugio de medir saliva: el estudio del comportamiento animal y, por extensión, el humano. **◂1902.NM ▸1948.7**

ECONOMÍA E INDUSTRIA

El lujo sobre ruedas

10 Mientras la mayoría de las fábricas de coches del mundo en 1904 estaban concentradas en la producción de automóviles asequibles para las masas, hubo un pequeño contramovimiento para crear un vehículo de lujo definitivo. Ese año, el animoso motorista y aviador británico Charles S. Rolls, el primer piloto que llevó a cabo un viaje sin escalas de ida y vuelta a través del Canal de la Mancha, conoció a Henry Royce, un ingeniero eléctrico y fabricante de coches experimental, y ambos empezaron a colaborar en un coche de alta calidad. Al cabo de dos años habían fundado la Rolls-Royce Ltd. y presentaron el modelo Silver Ghost, que rápidamente adquirió la fama de ser «el mejor coche del mundo». Los fabricantes de coches americanos se sintieron asimismo atraídos por este nuevo mercado, presentando en 1904 el elegante Pierce Arrow. **◂1903.8 ▸1908.1**

«Espíritu del éxtasis», el ornamento del capó de los Rolls-Royce, diseñado por Charles Sykes.

alimentación con leche materna (no sólo porque las madres indigentes tenían que trabajar, sino porque muchas no podían dar el pecho a causa de su malnutrición o enfermedades crónicas), el informe revelaba que un tercio de los niños observados estaban hambrientos —una estadística que indujo dos años después al gobierno liberal a aprobar un proyecto para proporcionar alimentos a los niños pobres. ▸1905.E

▸PIONERO SIONISTA —Theodor Herzl murió en 1904 a los 44 años, siete años después de haber fundado la Organización Sionista Mundial. Cubriendo la información del caso Dreyfus en 1890, el periodista austríaco había perdido la fe en que sus compañeros judíos pudieran eliminar el antisemitismo a través de la asimilación cultural. Herzl pasó luego a convertir a millones de personas a su idea de resucitar una nación judía y a negociar con Turquía y Gran Bretaña un lugar apropiado. Sus escritos incitaron la emigración a Palestina, pero, como la mayoría de sus seguidores, él quería aceptar la oferta británica de una parte de Uganda. ▸1917.10

▸L'HUMANITÉ—El 18 de abril se publicó el primer número del periódico francés *L'Humanité*. Fundado por Jean Jaurès, fue un órgano del partido socialista hasta 1920, año en el que pasó a ser de signo comunista. Marcel Cahin lo dirigió a partir de 1918 y a su muerte, en 1968, tomó la dirección Étienne Fajon. Desde 1958 se introdujeron novedades formales incluyendo informaciones de carácter lúdico (deportes y espectáculos).

▸PROTECTORADO BRITÁNICO EN EL TÍBET —Gran Bretaña y el Tíbet firmaron un tratado según el cual la nación británica obtenía derechos exclusivos para la construcción de ferrocarriles y líneas telegráficas, además del pleno control sobre transacciones de territorio. La deuda del Tíbet ascendía a cinco millones de dólares. China reclamaba la soberanía sobre el país y se opuso al tratado.

«He creado a Peter con vosotros cinco, fundiéndoos violentamente, como los salvajes producen fuego con dos ramas. Eso es todo lo que es, la chispa que obtuve de vosotros.»—**J. M. Barrie, autor de *Peter Pan*, a la familia Davis**

▶TRATADO FRANCO-ESPAÑOL—Se firmó un acuerdo entre España y Francia sobre el protectorado de Marruecos sin ninguna cláusula militar. De acuerdo con él, Tánger quedaba bajo influencia española, y ambos países reconocían la soberanía del sultán.

▶LA VOZ DEL KÁISER —Guillermo II grabó un cilindro con un texto que resumía los ideales de los ciudadanos alemanes: «Ser duro en el dolor, no desear lo inalcanzable, estar satisfecho del día tal como viene; buscar el lado bueno de las cosas y disfrutar de la naturaleza y del hombre tal como son; consolarse de mil horas amargas con una sola hermosa y dar lo mejor de uno a pesar de la ingratitud».

TEATRO

La fantasía de la eterna juventud

11 «He escrito una obra para niños», escribió J. M. Barrie a la actriz americana Maude Adams en 1904. «Me hubiera gustado que fueras el chico y la chica, y la mayoría de los niños y el capitán pirata.» La obra era *Peter Pan*, la última fantasía de la eterna juventud. Un año después, Adams la estrenó en el papel del protagonista en Nueva York e hizo del personaje su segunda personalidad. Durante los siguientes 20 años, la enérgica y vivaz actriz dedicó su carrera a *Peter Pan*, protagonizándola en incontables ocasiones ante un público de más de dos millones de espectadores.

Adams encarnó a Peter Pan en la escena, pero la inspiración de Barrie para la historia provino de cinco muchachos de Londres: George, Jack, Peter, Nicholas y Michael Davies. *Peter Pan* nació de las historias que Barrie inventó para divertir a los niños. Convirtió los sueños privados del grupo en una obra de teatro, la escribió para los hermanos adultos, sólo cuando sintió que estaba perdiendo su autoridad sobre ellos al final de su infancia. Contra sus deseos, los muchachos fueron creciendo aunque de algún modo *Peter Pan* impedía su desarrollo. Ellos se convirtieron en celebridades; la evolución de sus vidas quedó registrada en los periódicos británicos: «PETER PAN SE CASA», «PETER PAN SE ALISTA EN EL EJÉRCITO». Peter Davies, que se convirtió en un conocido editor, llamó a la obra «esa terrible obra de arte».

Esta historia acaba con una trágica nota a pie de página. En 1960, a la edad de 63 años, Davies se suicidó en el metro de Londres. «EL CHICO QUE NUNCA CRECIÓ HA MUERTO», publicaron los titulares.

«Parecen hechos el uno para el otro», afirmó un crítico sobre el papel de Adams en *Peter Pan*.

El trabajo en el ferrocarril. La construcción del Transiberiano duró trece años.

RUSIA

Acabado el Transiberiano

12 Costó trece años y 250 millones de dólares, pero el extenso Imperio Ruso finalmente estaba cruzado por raíles en 1904. Sergei Witte, el ministro de finanzas ruso que había dirigido la construcción de los 8.800 km de vía del Transiberiano, lo calificó como «una de las mayores empresas del siglo en el mundo entero». La línea se extendía desde los montes Urales, en la Rusia europea, a través de la desolada Siberia y de Manchuria hasta Vladivostock, en el mar de Japón. «He dedicado mi cuerpo y mi alma a esta empresa», comentó un orgulloso Witte. Los críticos dijeron que había hecho un trabajo de primera clase construyendo un tren de tercera.

El trazado poseía un diseño muy pobre, había sido construido a bajo coste con materiales baratos, y era propenso al colapso. «Tras una primavera de lluvias», explicó un viajero, «el tren circulaba fuera de las vías como las ardillas». De hecho, en septiembre, cuando el tramo final del Transiberiano, en el peligroso sur del lago Baikal, estuvo finalmente colocado, el tren descarriló diez veces durante las pruebas.

Aun así, el ministro de finanzas declaró la línea todo un éxito. Rusia no tendría que esperar mucho: necesitó desesperadamente el tren para trasladar soldados y provisiones a través del continente, hacia Manchuria, donde la guerra ruso-japonesa se hallaba en todo su apogeo.

Irónicamente, la propia vía férrea fue una de las causas mayores de la guerra. A causa de las dificultades del terreno al este de Siberia, los constructores del Transiberiano, con el permiso del gobierno chino, habían tomado un atajo hacia la costa a través de Manchuria. Cuando la rebelión bóxer estalló, Rusia desplegó miles de soldados en Manchuria para proteger su propiedad. Japón, que tenía sus propios planes para la región, se opuso frontalmente. Siete meses antes de que la última traviesa fuera colocada, empezó la guerra. **◂1904.1 ▸1905.3**

IDEAS

Ética y capitalismo

13 Con la publicación en 1904 de «La ética protestante y el espíritu del capitalismo», Max Weber lanzó un debate que continuó dividiendo a algunos de los grandes pensadores del siglo. El eje central del ensayo de Weber lo constituía la relación entre los valores religiosos y otros comportamientos sociales, sobre todo el económico.

Opuesto al marxismo imperante en la época, Weber rechazó la idea de que la economía o cualquier otro factor en solitario podía determinar la conducta social. En su lugar, defendía que las ideas, especialmente la religión, a menudo determinan las instituciones económicas. Comparando Europa, China y la India, intentó identificar el «grado de afinidad» al capitalismo en cada país. Obtuvo como conclusión que el calvinismo, al conferir al trabajo un valor moral y dignidad, era una fuerza favorable al desarrollo del capitalismo.

Weber, abogado y economista, refinó muchas de sus ideas de «La ética protestante» en sus posteriores estudios sobre la burocracia moderna. Reconocido como uno de los pensadores sociales de mayor influencia del siglo y como el fundador de la Sociología (junto a Emile Durkheim), se esforzó por desarrollar una metodología libre de valores, de modelos abstractos o «modelos ideales» para analizar las instituciones sociales. **◂1902.7 ▸1928.12**

PREMIOS NOBEL: Paz: Instituto de Leyes Internacionales (Francia) [...] Literatura: Frédéric Mistral (poeta francés) y José Echegaray (dramaturgo español) [...] Química: William Ramsay (británico; gases inertes [...] Medicina: Ivan Pavlov (ruso; fisiología de la digestión) [...] Física: John Strutt y Lord Rayleigh (británicos; densidad de los gases y argón).

El libro de los deseos

Del catálogo Montgomery Ward, 1904

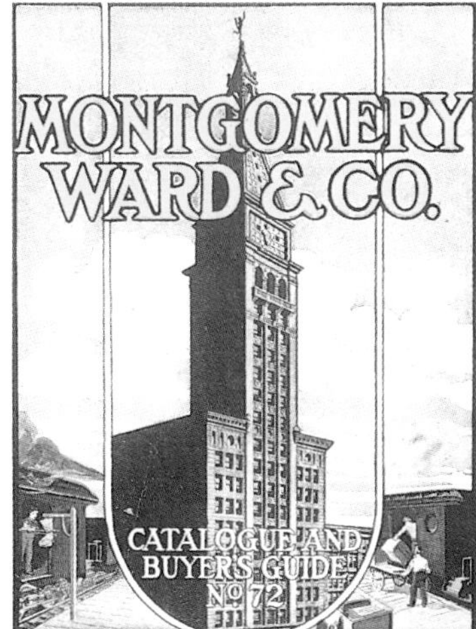

El lema del Montgomery Ward, «Proveedores de todos los negocios y profesiones del mundo», no era tan exagerado como parece, considerando que en 1904, la primera casa de ventas por correo del mundo distribuía de forma gratuita cerca de tres mil millones de catálogos (de 2 kg de peso cada uno). Antes se habían vendido por 15 centavos cada ejemplar. Fundada en 1872 por Aaron Montgomery Ward, la compañía con sede en Chicago liberó a los habitantes de las zonas rurales americanas de su dependencia de las tiendas locales y les proporcionó un entretenimiento con que llenar las noches del sábado. El catálogo presentaba muebles y moda, material para granjas y armas, juguetes y animales de compañía, todo vendido con la garantía de devolución del dinero. Pocos años después, el catálogo de Sears, Roebuck & Co. (fundado en 1893) sobrepasó al de Montgomery Ward como «libro de los deseos» líder de Estados Unidos.

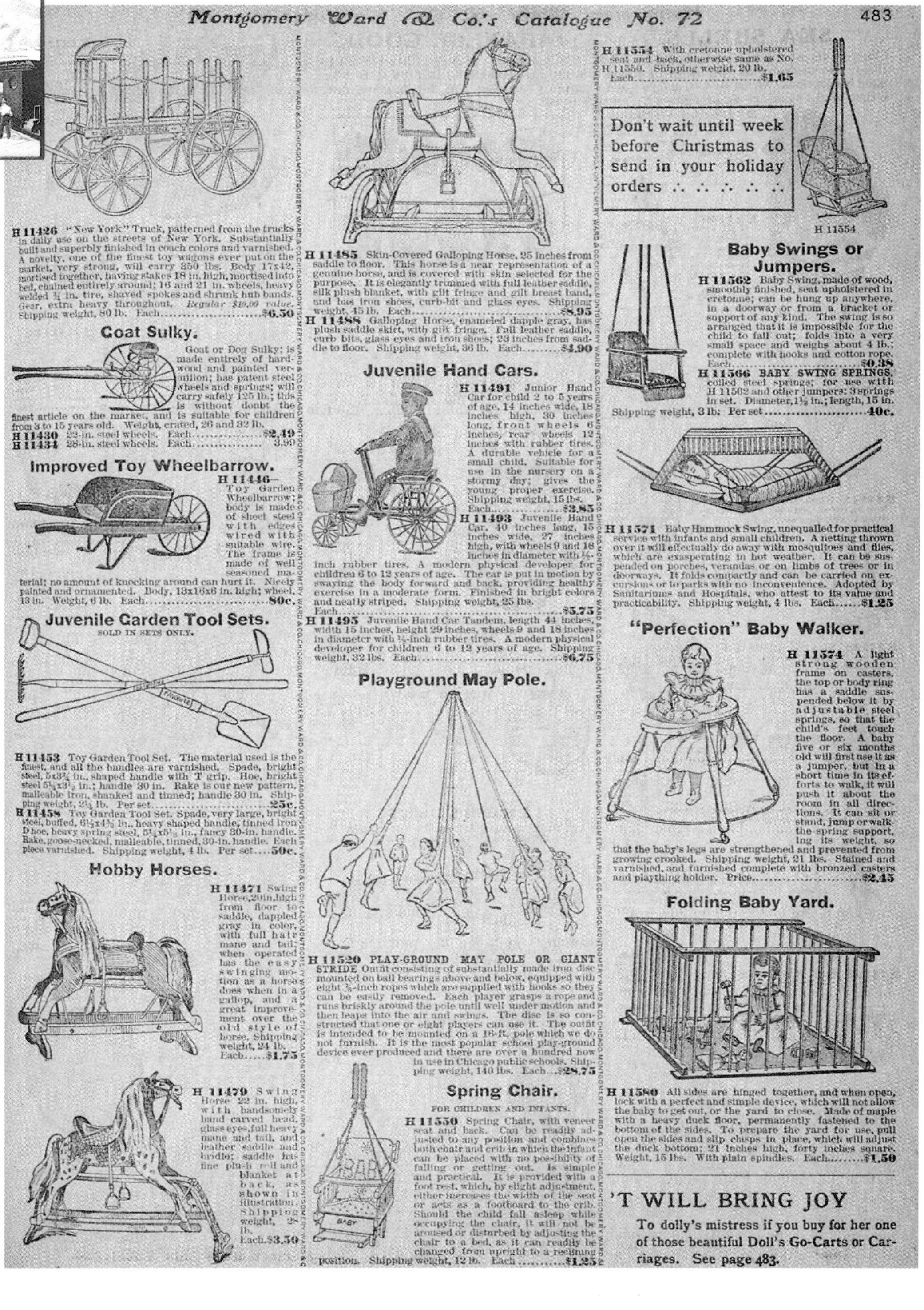

Montgomery Ward & Co.'s Catalogue No. 72 — 483

H 11426 "New York" Truck, patterned from the trucks in daily use on the streets of New York. Substantially built and superbly finished in coach colors and varnished. A novelty, one of the finest toy wagons ever put on the market, very strong, will carry 350 lbs. Body 17x42, mortised together, having stakes 18 in. high, mortised into bed, chained entirely around; 16 and 21 in. wheels, heavy welded ¾ in. tire, shaved spokes and shrunk hub bands. Gear, extra heavy throughout. *Regular $10.00 value.* Shipping weight, 80 lb. Each....**$6.50**

Coat Sulky.

Goat or Dog Sulky; is made entirely of hardwood and painted vermilion; has patent steel wheels and springs; will carry safely 125 lb.; this is without doubt the finest article on the market, and is suitable for children from 3 to 15 years old. Weight, crated, 26 and 32 lb.
H 11430 22-in. steel wheels. Each....$2.49
H 11434 28-in. steel wheels. Each....3.99

Improved Toy Wheelbarrow.

H 11446—Toy Garden Wheelbarrow; body is made of sheet steel with edges wired with suitable wire. The frame is made of well seasoned material; no amount of knocking around can hurt it. Nicely painted and ornamented. Body, 13x16x6 in. high; wheel, 13 in. Weight, 6 lb. Each....**80c.**

Juvenile Garden Tool Sets.

SOLD IN SETS ONLY.

H 11453 Toy Garden Tool Set. The material used is the finest, and all the handles are varnished. Spade, bright steel, 5x3¾ in., shaped handle with T grip. Hoe, bright steel 5¼x3½ in.; handle 30 in. Rake is our new pattern, malleable iron, shanked and tinned; handle 30 in. Shipping weight, 2¼ lb. Per set....**25c.**
H 11458 Toy Garden Tool Set. Spade, very large, bright steel, buffed, 6½x4⅜ in., heavy shaped handle, tinned iron D hoe, heavy spring steel, 5¼x5⅛ in., fancy 30-in. handle. Rake, goose-necked, malleable, tinned, 30-in. handle. Each piece varnished. Shipping weight, 4 lb. Per set....**50c.**

Hobby Horses.

H 11471 Swing Horse, 20 in. high from floor to saddle, dappled gray in color, with full hair mane and tail; when operated has the easy swinging motion as a horse does when in a gallop, and a great improvement over the old style of horse. Shipping weight, 24 lb. Each....**$1.75**

H 11479 Swing Horse 22 in. high, with handsomely hand carved head, glass eyes, full heavy mane and tail, and leather saddle and bridle; saddle has fine plush roll and blanket at back, as shown in illustration. Shipping weight, 28 lb. Each.**$3.50**

H 11485 Skin-Covered Galloping Horse, 25 inches from saddle to floor. This horse is a near representation of a genuine horse, and is covered with skin selected for the purpose. It is elegantly trimmed with full leather saddle, silk plush blanket, with gilt fringe and gilt breast band, and has iron shoes, curb-bit and glass eyes. Shipping weight, 45 lb. Each....**$8.95**
H 11488 Galloping Horse, enameled dapple gray, has plush saddle skirt, with gilt fringe. Full leather saddle, curb bits, glass eyes and iron shoes; 23 inches from saddle to floor. Shipping weight, 36 lb. Each....**$4.90**

Juvenile Hand Cars.

H 11491 Junior Hand Car for child 2 to 5 years of age, 14 inches wide, 18 inches high, 30 inches long, front wheels 6 inches, rear wheels 12 inches with rubber tires. A durable vehicle for a small child. Suitable for use in the nursery on a stormy day; gives the young proper exercise. Shipping weight, 15 lbs. Each....**$3.85**
H 11493 Juvenile Hand Car. 40 inches long, 15 inches wide, 27 inches high, with wheels 9 and 18 inches in diameter with ¼-inch rubber tires. A modern physical developer for children 6 to 12 years of age. The car is put in motion by swaying the body forward and back, providing healthy exercise in a moderate form. Finished in bright colors and neatly striped. Shipping weight, 25 lbs. Each....**$5.75**
H 11495 Juvenile Hand Car Tandem, length 44 inches, width 15 inches, height 29 inches, wheels 9 and 18 inches in diameter with ¼-inch rubber tires. A modern physical developer for children 6 to 12 years of age. Shipping weight, 32 lbs. Each....**$6.75**

Playground May Pole.

H 11520 PLAY-GROUND MAY POLE OR GIANT STRIDE Outfit consisting of substantially made iron disc mounted on ball bearings above and below, equipped with eight ⅜-inch ropes which are supplied with hooks so they can be easily removed. Each player grasps a rope and runs briskly around the pole until well under motion and then leaps into the air and swings. The disc is so constructed that one or eight players can use it. The outfit is intended to be mounted on a 16-ft. pole which we do not furnish. It is the most popular school play-ground device ever produced and there are over a hundred now in use in Chicago public schools. Shipping weight, 140 lbs. Each....**$28.75**

Spring Chair.

FOR CHILDREN AND INFANTS.

H 11550 Spring Chair, with veneer seat and back. Can be readily adjusted to any position and combines both chair and crib in which the infant can be placed with no possibility of falling or getting out. Is simple and practical. It is provided with a foot rest, which, by slight adjustment, either increases the width of the seat or acts as a footboard to the crib. Should the child fall asleep while occupying the chair, it will not be aroused or disturbed by adjusting the chair to a bed, as it can readily be changed from upright to a reclining position. Shipping weight, 12 lb. Each....**$1.25**

H 11554 With cretonne upholstered seat and back, otherwise same as No. H 11550. Shipping weight, 20 lb. Each....**$1.65**

Don't wait until week before Christmas to send in your holiday orders ∴ ∴ ∴ ∴ ∴

H 11554

Baby Swings or Jumpers.

H 11562 Baby Swing, made of wood, smoothly finished, seat upholstered in cretonne; can be hung up anywhere, in a doorway or from a bracket or support of any kind. The swing is so arranged that it is impossible for the child to fall out; folds into a very small space and weighs about 4 lb.; complete with hooks and cotton rope. Each....**$0.38**
H 11566 BABY SWING SPRINGS, coiled steel springs; for use with H 11562 and other jumpers; 3 springs in set. Diameter, 1½ in.; length, 15 in. Shipping weight, 3 lb. Per set....**40c.**

H 11571 Baby Hammock Swing, unequalled for practical service with infants and small children. A netting thrown over it will effectually do away with mosquitoes and flies, which are exasperating in hot weather. It can be suspended on porches, verandas or on limbs of trees or in doorways. It folds compactly and can be carried on excursions or to parks with no inconvenience. Adopted by Sanitariums and Hospitals, who attest to its value and practicability. Shipping weight, 4 lbs. Each....**$1.25**

"Perfection" Baby Walker.

H 11574 A light strong wooden frame on casters, the top or body ring has a saddle suspended below it by adjustable steel springs, so that the child's feet touch the floor. A baby five or six months old will first use it as a jumper, but in a short time in its efforts to walk, it will push it about the room in all directions. It can sit or stand, jump or walk—the spring support, ing its weight, so that the baby's legs are strengthened and prevented from growing crooked. Shipping weight, 21 lbs. Stained and varnished, and furnished complete with bronzed casters and plaything holder. Price....**$2.45**

Folding Baby Yard.

H 11580 All sides are hinged together, and when open, lock with a perfect and simple device, which will not allow the baby to get out, or the yard to close. Made of maple with a heavy duck floor, permanently fastened to the bottom of the sides. To prepare the yard for use, pull open the sides and slip clasps in place, which will adjust the duck bottom; 21 inches high, forty inches square. Weight, 15 lbs. With plain spindles. Each....**$1.50**

'T WILL BRING JOY

To dolly's mistress if you buy for her one of those beautiful Doll's Go-Carts or Carriages. See page 483.

La fotografía de la sede de la compañía en Chicago se imprimió en las cubiertas del Montgomery Ward de 1904. Al lado, las mercancías para niños, desde herramientas de jardín (25 centavos) y carretas hasta columpios para el patio.

«Lo más incomprensible acerca del mundo es que es comprensible»—**Albert Einstein**

HISTORIA DEL AÑO

La especial teoría de la relatividad de Einstein

1 En un frenesí de actividad como nunca se ha visto antes o después en la historia de la ciencia, un desconocido de 26 años, nacido en Alemania, examinador de patentes en la oficina nacional de Berna, Suiza, publicó tres artículos en la revista científica alemana *Annalen der Physik (Anales de Física)* que constituyeron uno de los logros más importantes del mundo sobre física teórica —más que suficientes para asegurar la grandeza de su autor aunque no hubiera escrito nunca otra palabra. Al cabo de pocos años, los científicos teóricos más brillantes le aclamarían como a un nuevo Copérnico. Durante su vida fue universalmente reconocido como el principal pensador de este siglo; de hecho su nombre, Albert Einstein, es hoy sinónimo de genio.

La especial teoría de la relatividad de Einstein contiene la ecuación más famosa de la historia: $E = mc^2$.

Los artículos de 1905 estaban escritos con un inusual estilo altamente literario y contenían un mínimo de matemáticas y pocas referencias a precedentes científicos. La lógica era natural y completa. Parecía como si al autor se le hubieran aparecido los mecanismos intrínsecos del universo y él recordara lo que había visto.

En un trabajo, Einstein explicaba el movimiento browniano, el movimiento desordenado de partículas suspendidas en un fluido. Atribuía estos movimientos a colisiones entre los componentes moleculares de las partículas y del fluido. Si muchos científicos dudaban de la estructura atómica del universo, ahora ya ninguno.

Un segundo artículo, por el que le otorgaron el Premio Nobel de Física en 1921, trataba del efecto fotoeléctrico, de cómo se radiaba la luz. Confirmando una hipótesis ya planteada cinco años antes por Max Planck, Einstein demostró que la luz es emitida y absorbida en «cuantos», pequeñas partículas, y no en ondas continuas. Esta obra fue la base de la moderna teoría cuántica.

El tercer trabajo introducía la especial teoría de la relatividad. Einstein demostró que el espacio y el tiempo, formalmente considerados absolutos, eran relativos; sólo la velocidad de la luz es constante, independientemente del observador. Einstein postuló que cuanto más se aproxima la velocidad de un objeto a la de la luz, su volumen disminuye, su masa aumenta y el tiempo es más lento. A la velocidad de la luz un objeto tendría un volumen cero, una masa infinita y el tiempo no existiría. Esta imposibilidad llevó a Einstein a la conclusión de que nada puede moverse a la velocidad de la luz o más rápidamente. Esta teoría derribó los presupuestos de dos siglos de física newtoniana. Con ella, Einstein integró el espacio y el tiempo y creó una nueva geometría del universo en cuatro dimensiones. **◂1900.13 ▸1911.3**

RUSIA

La primera revolución

2 El sangriento domingo 9 de enero de 1905 marcó el principio del fin de un hombre que nunca quiso cargar con las responsabilidades del gobierno de Rusia. Bajo el liderazgo de Georgy Gapon, un sacerdote radical, 300.000 trabajadores se dirigieron al Palacio de Invierno de San Petersburgo para comunicar una petición al zar Nicolás II. Pedían un aumento de salario, la jornada de ocho horas, el sufragio universal y una asamblea constitucional. «Si no ordenas ni respondes a nuestras peticiones», concluía la demanda, «moriremos en esta plaza ante tu palacio.»

Para Nicolás, la confrontación era una pesadilla hecha realidad. «¿Qué voy a hacer?», había escrito en su diario con ocasión de la muerte de su padre en 1894. «No estoy preparado para ser zar.» Una vez en el trono, sin embargo, quiso «mantener el principio de autocracia con la misma firmeza que lo hizo mi inolvidable padre». Al rechazar la petición, Nicolás desplegó a sus soldados para interceptar a los manifestantes, que llevaban retratos del zar y pancartas que decían: «¡Soldados! No disparéis al pueblo». Los soldados les dieron orden de dispersarse. Ninguna de las partes cedió terreno, y los soldados abrieron fuego. Al final del día, más de cien manifestantes habían muerto y centenares resultaron heridos. Con esta acción, el zar Nicolás II perdió la lealtad de su pueblo.

El motín del acorazado *Potemkin* fue inmortalizado en este cuadro y más tarde en el cine.

Los acontecimientos del Domingo Sangriento conmovieron a Rusia y al mundo. Lenin y otros revolucionarios se valieron de las circunstancias para enardecer a los trabajadores. Ciudades de toda Rusia quedaron paralizadas por huelgas masivas. Las universidades estallaron en disidencias. Los campesinos saquearon y quemaron fincas, acciones que llamaban irónicamente «iluminaciones». En junio, los marinos del acorazado *Potemkin*, en un motín inmortalizado veinte años después por el gran cineasta ruso Sergei Eisenstein, asesinaron a su capitán e izaron la bandera roja de la revolución. Los ciudadanos de la ciudad portuaria de Odessa mostraron su solidaridad con una huelga general. El 8 de octubre, cuando Rusia se tambaleaba por su desastrosa derrota en la guerra ruso-japonesa, la organización de los trabajadores del ferrocarril paralizó el país con una huelga que pronto se convirtió en general. Nicolás se vio forzado a hacer concesiones.

El 17 de octubre aceptó la formación de un cuerpo parlamentario, la Duma, con poderes legislativos y consultivos. Además, garantizó la libertad de expresión, la de reunión, la de asociación y el sufragio para todas las clases. Con el «Manifiesto de octubre», el zar Nicolás II, a pesar suyo, sellaba el destino de la dinastía Romanov. **◂1903.11 ▸1906.4**

DIPLOMACIA

Rusia pierde ante Japón

3 «Todos son héroes y han hecho más de lo que podría esperarse de ellos», anotó el zar Nicolás II en su diario en enero de 1905, tras la caída en manos japonesas de la ciudad de Port Arthur. «Debe ser la voluntad de Dios.» La derrota significaba el fin para Rusia, pero Nicolás permanecía ciegamente optimista. Al igual que en el agosto anterior, cuando los ministros de los dos países en guerra se reunieron en Portsmouth, para negociar la paz, el zar no aceptaba en absoluto el hecho de que Japón hubiera suplantado a Rusia como primera potencia del Lejano Oriente.

Contrariamente a la idea de Nicolás, la caída de Port Arthur no fue una muestra ni del heroísmo ruso ni de la intervención divina. Cuando la ciudad se rindió, tras once meses de sitio, todavía quedaban dentro de la guarnición 30.000 soldados rusos armados. *The Times* de Londres acotó que «no se recordaba una rendición tan vergonzosa en toda la historia».

ARTE Y CULTURA: Libros: *Donde los ángeles no se aventuran* (E. M. Forster); *Cantos de vida y esperanza* (Rubén Darío); *El libro de las horas* (Rainer María Rilke); *Vida de Don Quijote y Sancho* (Miguel de Unamuno); *Los pueblos* (Azorín) [...] Música: *Cherubbin* (Jules Massenet); *Salomé* (Richard Strauss) [...]

«El presenciar el espectáculo era recibir la impresión de que uno estaba asistiendo a la metamorfosis de una serpiente que tomaba forma de mujer.» **—Un espectador comentando una exhibición de Mata Hari**

Mediador de la paz, Teddy Roosevelt esperaba equilibrar la balanza de poder en el Este entre Rusia y Japón. La diplomacia de Roosevelt le valió el Premio Nobel de la Paz en 1906.

Todavía más humillante resultó la derrota de la flota báltica, la escuadra más importante de la armada rusa. Había arribado al Lejano Oriente a principios de 1905 y constituía las esperanzas del Imperio, pero los japoneses, dirigidos por el vicealmirante Togo, la aniquilaron en el mes de mayo. Logró una sola victoria: contra una flota pesquera inglesa que confundió con lanzatorpedos japoneses.

El hundimiento de la flota báltica tan lejos de casa provocó en Rusia finalmente un sentimiento general contra la guerra. Una derrota crucial que se produjo cuando Rusia ya había perdido su flota del Pacífico, la ciudad vital de Port Arthur y el mayor combate terrestre de la guerra en la batalla de Mukden sólo dos meses antes. Allí, al sur de Manchuria, unos 300.000 soldados rusos se enfrentaron a una tropa japonesa de las mismas características en un frente de 114 km de longitud. Tras dos semanas de intensa lucha, los japoneses tomaron Mukden en marzo. La victoria agotó al ejército japonés pero Rusia, excesivamente desplegada en tierra y pronto privada de su armada, estaba demasiado debilitada para aprovechar la oportunidad. La paz ya era posible.

El tratado de Portsmouth, con el que finalizó la guerra ruso-japonesa, lo cerró Teddy Roosevelt. Firmado en septiembre de 1905, garantizaba a Japón sus tres principales demandas: el arrendamiento de la ciudad manchú de Porth Arthur en los mismos términos en los que la disfrutaba Rusia antes de la guerra; el retorno a China del territorio de Manchuria no cubierto por el arrendamiento, con beneficios de las concesiones ferroviarias para Japón; y el dominio total, en forma de protectorado, sobre Corea. La expansión de Rusia se vio frustrada; Japón estaba ascendiendo. «En palacio se organizó un festival de oraciones con ocasión de la conclusión de paz», confió Nicolás a su diario. «Debo confesar que yo no estaba de buen humor.» ◄**1904.1** ►**1910.1**

ESPIONAJE

Mata Hari debuta en París

4 En 1905 la biblioteca del museo Guimet, una reputada institución de arte asiático, fue decorada como un templo indio para la aparición de Mata Hari. Vestida con una túnica translúcida, un sujetador de lentejuelas y algunos velos transparentes, la «bailarina hindú» (como fue presentada) se cimbreaba entre las sombras y empezó a contonearse frente a la estatua de Siva, dios hindú de la destrucción. A medida que su pasión sagrada aumentaba, sus velos iban cayendo uno tras otro. Entonces alguien encendió las velas un instante. El tiempo suficiente para que los espectadores, damas y caballeros, industriales y celebridades del arte y la literatura, se percataran de que estaba desnuda. Cuando se hizo de nuevo la luz, estaba envuelta en un sari y recibió un entusiasta aplauso. Los cansinos parisinos no habían visto nunca a alguien como ella; incluso los eruditos que se encontraban entre el público quedaron demasiado deslumbrados para gritar que era una impostora.

Era una impostora, pero extremadamente famosa, que aprovechó la moda «oriental» que se había extendido por todo el continente. Mata Hari pronto actuó en los cabarets más famosos de las capitales europeas. Acababa su espectáculo individual con la historia de su propia vida: explicaba que había nacido en la costa de Malabar, de una bailarina del templo que murió de parto. Dedicaba oraciones a Siva para seguir los pasos de su madre. Su nombre significaba «el ojo del día» —en malayo, amanecer.

Esto último era verdad, pero poco más. Su verdadero nombre era Margaretha Zelle MacLeod. Era hija de un millonario de Amsterdam que se arruinó. Pasó cinco años en Java, donde disfrutaba imitando a las bailarinas. Después de que su marido escocés la abandonara (llevándose a su hija), se trasladó a París y trabajó como modelo de artistas. Con la ayuda de su amante aristócrata, pronto descubrió un modo más lucrativo de ganarse la vida.

Pocos conocieron su verdadera identidad, ni siquiera su lista de amantes de gran importancia social, hasta doce años después, cuando fue ejecutada por espía alemana. Las autoridades francesas declararon que Mata Hari había sido responsable de 50.000 muertes. ►**1917.M**

Mata Hari (nacida Margaretha Zelle), bailarina exótica y espía alemana.

NACIMIENTOS

Raymond Aron, sociólogo y publicista francés.

Elias Canetti, escritor austro-búlgaro.

Christian Dior, diseñador de moda francés.

Henry Fonda, actor estadounidense.

Greta Garbo, actriz sueca-estadounidense.

Wladyslaw Gomulka, líder comunista polaco.

Dag Hammarskjöld, diplomático sueco.

Lillian Hellman, dramaturgo estadounidense.

Earl «Fatha» Hines, músico estadounidense.

Howard Hughes, aviador e industrial estadounidense.

Arthur Koestler, escritor austro-húngaro.

René Lacoste, judor de tenis francés.

Raúl Leoni, político venezolano.

Serge Lifar, coreógrafo franco-ruso.

Severo Ochoa, bioquímico español.

John O'Hara, escritor estadounidense.

Jean-Paul Sartre, filósofo y escritor francés.

Dolores del Río, actriz mexicana.

Max Schmeling, boxeador alemán.

Mikhail A. Sholokhov, novelista ruso.

Albert Speer, arquitecto y oficial nazi alemán.

Robert Penn Warren, escritor estadounidense.

Jorge Zalamer, escritor colombiano.

MUERTES

Meyer Guggenheim, industrial estadounidense.

John Hay, hombre de Estado estadounidense.

Henry Irving, actor británico.

Constantin Meunier, escultor belga.

Eliseo Reclus, geógrafo francés.

Julio Verne, escritor francés.

Pintura y escultura: ***Saltimbanquis*** **(Pablo Picasso);** ***Los bañistas*** **(Paul Cézanne);** ***La familia Marlborough*** **(John Singer Sargent) [...] Cine:** ***El cleptómano*** **(Edwin S. Porter);** ***A policeman's love affair*** **(Sigmund Lubin) [...] Teatro:** ***La profesión de la Sra. Warren*** **(G. B. Shaw);** ***Mlle. Modiste*** **(Victor Herbert).**

«Dejadnos [...] salvar [...] a este noble animal, que hasta la fecha ha recibido sobre todo crueldad y persecución casi hasta su exterminio.»—**Ernest Harold Baynes, primer secretario de la Sociedad Americana del Bisonte**

NOVEDADES DE 1905

Noruega se independiza de Suecia tras 91 años de unión.

Club Rotary.

Sismógrafo electromagnético.

Extintor químico de fuego.

Vicks VapoRub.

Jabón Palmolive.

Variety.

***Spiegel* (catálogo por correo).**

Sociedad Nacional Audubon.

EN EL MUNDO

▶CHINA SUPRIME EL EXAMEN DEL SERVICIO CIVIL—Durante dos mil años el examen del servicio civil fue la principal fuente de movilidad social y estabilidad imperial en China. En 1905, alegando la necesidad de modernización, los reformadores de la dinastía Qing lo suprimieron. Las pruebas, una reliquia de culto al formalismo, durante mucho tiempo habían supeditado cualquier capacidad de pensamiento o gobierno al dominio de la etiqueta tradicional. ◂1900.5 ▸1906.13

▶EL ESTADO SE SEPARA DE LA IGLESIA—Guiados por la indignación general causada por el papel de la Iglesia durante el caso Dreyfus, los legisladores franceses anularon el concordato centenario de Napoleón que hacía del catolicismo la religión oficial de Francia. El Papa no aceptó la nueva situación, y la Iglesia perdió muchos de sus bienes. ▸1906.12

▶LA PRUEBA DE C.I. DE BINET—Buscando un método para distinguir a los niños retrasados de los de inteligencia normal, el psicólogo francés Alfred Binet, con Théodore Simon, elaboró una serie de pruebas. Divulgado y publicado en el diario de Binet *L'Année Psychologique* en 1905, la prueba de C.I. de Binet ofreció al mundo el primer método

MEDIO AMBIENTE

La protección de un noble animal

5 Con la proliferación de leñadores, mineros y granjeros en un salvaje oeste cada vez menos salvaje, los americanos empezaron a darse cuenta de que sus recursos naturales no eran inagotables. El comienzo del siglo XX vio el aumento de «conservacionismo», la protección del medio ambiente, cuyos promotores —el más notable, Theodore Roosevelt— eran cazadores que pensaban en conservar intacta la belleza de sus cotos más que en los derechos de los animales. En 1905, un grupo de prominentes conservacionistas fundaron la Sociedad Americana del Bisonte, dedicada a «la conservación e incremento permanentes» del noble bisonte americano o búfalo.

A finales de 1868, decenas de millones de bisontes erraban por las llanuras. Los viajeros tropezaban con manadas que se extendían hasta el horizonte; cuando esos animales peludos, de 900 kg, partían en estampida, los trenes descarrilaban. Luego empezó la matanza —para alimentar a los viajeros, para hacer carbón con los huesos, para obtener pieles o por deporte. Hacia 1889, cuando el naturalista William Hornaday elaboró un censo de bisontes en libertad en Estados Unidos, sólo contó 85. «No hay razón para esperar», escribió, «que un solo y desprotegido animal permanezca vivo de aquí a diez años». Cuando se formó la mencionada sociedad, sólo restaban 20 bisontes salvajes, y el destino de los más de mil que se hallaban en cautividad peligraba.

La sociedad fue uno de los primeros grupos mundiales en presionar para la protección de especies en peligro de extinción. Propuso colaborar con una manada si el gobierno de Estados Unidos separaba una parte del coto de caza federal y mantenía allí a los animales. El congreso accedió, y en 1907 el parque zoológico de Nueva York envió a quince de sus últimos especímenes al Refugio de Vida Salvaje de la montaña de Wichita, en Oklahoma. Al presentar al bisonte como fuente potencial de carne, lana, y trabajo en las granjas (sin probarlo en absoluto), la sociedad se ganó las simpatías del público y sus aportaciones económicas. Diez años después, el bisonte se reproducía en cuatro reservas federales más, y su número se había triplicado. En 1970 había treinta mil búfalos en Norteamérica, y la moda de la caza estaba en retroceso. La Sociedad Americana del Bisonte, sin embargo, había desaparecido; se disolvió en 1930 con su misión cumplida. **▸1907.10**

En la reciente frontera americana, la gente mataba a cientos de bisontes desde las ventanillas del tren; los animales muertos se abandonaban a la putrefacción.

IRLANDA

Despierta el espíritu gaélico

6 En 1905, Inglaterra llevaba gobernando Irlanda durante más de setecientos años, pero nunca había conquistado a los irlandeses. Un renacimiento cultural se extendió por el país cautivo. La Liga Gaélica abogaba por el uso de la lengua irlandesa (suprimida oficialmente por los británicos) en el habla, las canciones y la escritura; la Asociación Atlética Gaélica fomentó los deportes nativos como el *hurling* (un juego irlandés parecido al hockey), y expulsaba a cualquier miembro que fuera sorprendido jugando al fútbol. En torno al teatro Abbey se produjo un renacimiento literario en Dublín. Este local, inaugurado en 1904, alcanzó fama mundial por sus obras —las más notables de John Millington Synge y W. B. Yeats—, que eran genuinamente irlandesas aunque de significado universal.

Menos conspicuo entre este tumulto fue el nacimiento en 1905 de una asociación política que finalmente desembocaría en el Estado Irlandés Libre. Bautizada Sinn Féin (en gaélico, «nosotros solos»), la asociación se estableció para unir sociedades dispersas que discutían sobre el nacionalismo. Fue idea de Arthur Griffith, director del periódico independentista *The United Irishman*. El objetivo principal del grupo consistía en restaurar la monarquía irlandesa vacante del poder desde el siglo XVIII. Aconsejaba una resistencia pacífica a la regencia británica por una razón práctica. «Los cerca de cuatro millones y medio de personas desarmadas de Irlanda no podrían ganar la partida al Imperio Británico», apuntó Griffith. «Si no pensamos así [...] nuestra próxima residencia puede ser una celda acolchada.»

La legendaria reina Maeve, símbolo del teatro Abbey.

Sinn Féin pasó cerca de doce años sumida en una relativa oscuridad. Cuando de repente emergió tras la sublevación de 1916 como punta de lanza en pro de una república irlandesa moderna, sin monarquía, las armas formaban parte de su estrategia. **◂1904.7 ▸1907.4**

REFORMA SOCIAL

Los *Wobblies* dejan huella

7 Antes de que la revolución bolchevique diera a la América capitalista un motivo más que temer, su principal bestia negra fue una organización apodada *Wobblies* —los Trabajadores Industriales del Mundo (T.I.M.). Fundada en Chicago en 1905 en una reunión de 200 activistas laboristas radicales, la organización pretendía reunir a los trabajadores más pobres y explotados del país en «una Gran Unión», que finalmente superaría al capitalismo. En una época en que los salarios ínfimos y las condiciones de trabajo brutales eran cosa habitual, las asociaciones izquierdistas se extendieron por todo el mundo. No obstante, pocas se

DEPORTES: Tenis: May Sutton gana por primera vez el título individual en Wimbledon.

«No puede existir una paz tan larga como ansiada mientras la escasez se encuentre entre millones de trabajadores, y sólo los pocos que forman la clase patronal tengan todas las cosas buenas de la vida."—**Constitución de los Trabajadores Industriales del Mundo**

En carteles y pegatinas, la T.I.M. exhortaba a los trabajadores de todas partes a «unirse a la Gran Unión».

habían ocupado de una fuerza de trabajo tan multicultural, políglota y racial como la de América. Los *Wobblies* nunca contaron con más de cien mil miembros cotizando, y sus fallos superaron a sus aciertos; sin embargo, dejaron una importante huella en el movimiento laboral.

En Estados Unidos, este movimiento había sido dominado durante mucho tiempo por la Federación Americana del Trabajo (F.A.T.). Dirigida por un fabricante de cigarros londinense, Samuel Gompers, la F.A.T. representaba sólo a los trabajadores blancos varones, la mayoría descendientes de nordeuropeos. Para evitar la política, se servía de huelgas y negociaciones para conseguir sus limitados objetivos de mejores salarios y menos horas de trabajo. Sin embargo, estos presupuestos eran irrelevantes tanto para los millones excluidos de su organización sindical como para los que optaban por tácticas más radicales.

Los componentes de la T.I.M. mezclaron las ideologías europeas socialistas, el anarquismo y el anarcosindicalismo con el singular espíritu americano. Sus fundadores incluían a William «Big Bill» Haywood, cabecilla de la Federación de Mineros del Oeste (y vaquero), cuya militancia más tarde lo catapultó al comité ejecutivo del Partido Socialista; la septuagenaria Mary «Mother» Jones, una organizadora de las minas de carbón y declarada «promotora del infierno»; y Eugene Debs, el carismático dirigente del Partido Socialista y eterno candidato presidencial. (Debs consiguió 900.000 votos en 1912, la cota máxima del socialismo en Estados Unidos.)

En 1907, después de que Haywood fuera exculpado del asesinato de un exgobernador de Idaho, la facción sindicalista de la T.I.M., que veía a las uniones como las unidades fundamentales de una sociedad internacional nueva, tomó las riendas. Los defensores del sindicalismo, sobre todo anarquistas que luego lucharon en la guerra civil española, consideraron las huelgas como ensayos de una masiva huelga *general*, a través de la cual los trabajadores obtendrían el poder. Pero la T.I.M., a pesar de organizar huelgas importantes (a menudo sangrientas), nunca llegó a ver realizada su utópica visión. Lo que le otorgó importancia fue su actitud combativa. Viajando en furgonetas, los organizadores se desplazaron desde los madereros de Oregón hasta las acerías de Pensilvania, uniendo blancos y negros, inmigrantes y oriundos, como jamás se había hecho antes. Los *Wobblies* cantautores, como Joe Hill, difundieron su evangelio con divertidas canciones populares. Al practicar la desobediencia civil, los *Wobblies* eran arrestados por «sus combativos discursos libres» en favor del derecho a organizarse.

Siguiendo el liderazgo de la T.I.M., la F.A.T. se volvió menos restrictiva y más política. Y el concepto de la T.I.M. de una sola unión de toda la industria en vez de que cada oficio tuviera su propia asociación se erigió como la tesis central del último Congreso de Organizaciones Industriales, que en 1955 se unió con la F.A.T. para formar la F.A.T.-C.O.I. —la primera fuerza del sindicalismo americano durante la segunda mitad del siglo.

ARQUITECTURA

Una obra maestra en Glasgow

8 En 1905, cuando los directores de la Escuela de Arte de Glasgow decidieron ampliar el edificio, pensaron en Charles Rennie Mackintosh, el arquitecto y diseñador que unos ocho años antes había proyectado la estructura principal. Fue una acertada elección: el ala oeste de la Escuela de Arte de Glasgow es una obra de arte. Mackintosh se desprendió de la lánguida sensibilidad finisecular de su obra anterior. Con sus formas simples y la plena integración del espacio interior y exterior, anticipó el futuro de la arquitectura. El edificio ha sido comparado con el Partenón y con la catedral de Chartres, no formalmente sino espiritualmente: es tan emblemáticamente moderno como aquéllos son antiguo y gótico, respectivamente. ►**1909.4**

Un símbolo de modernidad: el ala oeste de la Escuela de Arte de Glasgow de Mackintosh.

MEDICINA

La tisis dominada

9 Al físico alemán Robert Koch se le otorgó el Premio Nobel por su investigación sobre la enfermedad

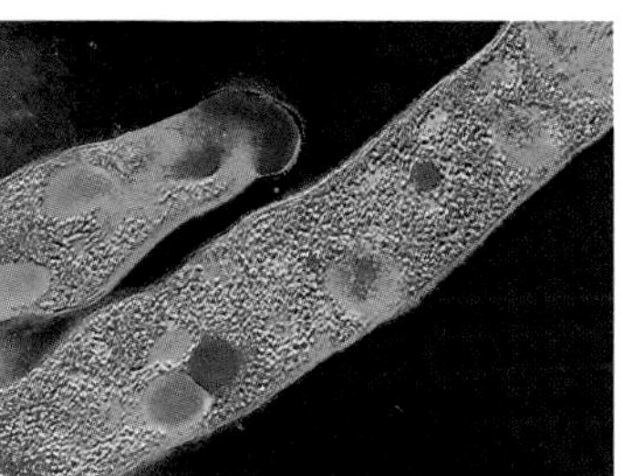

***Mycobacterium tuberculosis*, el causante de la tisis en los humanos.**

que había sido la primera causa de mortandad en el mundo durante mucho tiempo, al matar, según la estimación de Koch, a más de un tercio de la población adulta. La tuberculosis, que principalmente afecta a los pulmones, recibía otros nombres escalofriantemente evocadores: consumición, plaga blanca, tisis (del griego «desvanecerse»). Algunos científicos pensaron que un tumor causaba los terribles síntomas; otros la consideraban hereditaria. Sin embargo, Koch sospechaba que eran gérmenes.

Cuando empezó su investigación sobre la tuberculosis, Koch ya había aislado el bacilo ántrax, en 1876, y probado que los microbios podían causar enfermedades. Koch consiguió aislar el bacilo de la tuberculosis. Pero tras 272 intentos. Hizo el cultivo y lo administró a animales.

A partir de aquí, Koch desarrolló un suero llamado tuberculina, que creyó que curaría la enfermedad. Para su desilusión, pruebas sucesivas demostraron que no funcionaba. No obstante, más tarde el suero sirvió para diagnosticar los síntomas y fue un eslabón fundamental para controlar la propagación de la enfermedad. ►**1909.2**

estandarizado para medir la inteligencia humana.

►*RESCATADO POR ROVER* —En esta película de seis minutos, el director británico Cecil Hepworth no sólo trascendió un argumento tradicional (una familia de perros rescata a un bebé secuestrado por unos gitanos), sino que también demostró que un montaje desenfadado (saltando de un fotograma a otro cuando el perro corría) aceleraba el ritmo de la película, creando suspense y fluidez. Esta novedosa película fue una de las más famosas de su tiempo. ◄1903.4

►MUERTE DE JULIO VERNE— En Amiens, a los 77 años de edad, murió Julio Verne. El escritor francés alcanzó una enorme popularidad cimentada en sus numerosas novelas de anticipación en las que contraponía su optimismo científico a su pesimismo social. La fe en la capacidad del hombre para dominar el mundo mediante la técnica no era para Julio Verne una garantía de que el progreso moral limitaría los avances científicos a usos solamente benéficos. Su capacidad profética debe más a esta previsión que a la visión, muchas veces acertada, de adelantos técnicos y científicos del futuro.

►TRESCIENTOS AÑOS DE *DON QUIJOTE*—Se celebró el tricentenario de la publicación de la primera parte de *El Quijote*, con diversos actos entre los que destacaron una conferencia de Ramón y Cajal en el Colegio de Médicos y la inauguración de una biblioteca dedicada a Cervantes.

►UN DIAMANTE DE 3.106 QUILATES—La corona británica vio incrementados sus bienes con el mayor diamante encontrado hasta ahora. La piedra original se dividió en varias piezas que

POLÍTICA Y ECONOMÍA: El tratado de Portsmouth pone fin a la guerra ruso-japonesa [...] La densidad de población en los barrios bajos de Nueva York alcanza las mil personas por acre (superando la densidad de Bombay) [...] El ferrocarril de Long Island es el primero en abandonar por completo la locomotora de vapor [...] Elegido presidente del Ecuador Lisardo García [...] Gobierno Liberal en España.

«Fue la prueba de que la danza puede y debe satisfacer no sólo a la vista sino que a través de la pupila debe penetrar en el alma.»—**El coreógrafo Michael Fokine sobre la actuación de Anna Pavlova en *La muerte del cisne***

se tallaron de forma diferente. Las dos piezas mayores pesan 516 y 309 quilates, respectivamente. La pieza original se denominó *Cullinam* y fue ofrecida por la colonia de Transvaal al rey Eduardo VII.

***Vista de Collioure,* Henri Matisse, 1905.**

ARTE

Fauves en París

10 Los críticos de arte contemporáneos descalificaron a los artistas que expusieron en 1905 en el Salón de Otoño de París por considerarlos «incoherentes» o «invertebrados»; sin embargo, Louis Vauxcelles vio en ellos a «una exuberante generación de jóvenes pintores, atrevidos en exceso». Vauxcelles, en su resumen de los principales artistas, los elogió calificándolos como *«les fauves»* —las fieras.

El fauvismo no se regía por un credo único; lo que realmente definía al movimiento era su figura central, Henri Matisse, que, además de ser uno de los mayores maestros del siglo, fue un catalizador para los experimentos de otros artistas. El fauvismo pasó de moda al cabo de dos años, pero constituyó un punto de inflexión que capacitó a otros artistas para superar el impresionismo y el postimpresionismo, y pasar directamente a la abstracción, el primer movimiento artístico perteneciente por completo al siglo XX.
►1907.1

MÚSICA

La alegría recorre el mundo

11 El breve período que precede directamente a la Primera Guerra Mundial —recordado nostálgicamente como la época eduardiana en Inglaterra y *La Belle Époque* en Francia— fue una época embriagadora, llena de alegría y prosperidad no sólo para la alta sociedad sino también para la clase media de ambos países. Los cabarets se llenaban cada noche, y las comedias musicales como *Una muchacha de campo* o *Los Arcadios* abarrotaban los teatros en Inglaterra. Por toda Europa, el *ragtime* hacía furor. Sin embargo, nada en esta nueva época de diversión masiva alcanzó la popularidad de *La viuda alegre* de Franz Lehár, que se estrenó en Viena en 1905.

***La viuda alegre* es famosa por el inolvidable vals del segundo acto.**

La opereta de Lehár, comentó un crítico, «pone a toda Europa a tararear y rasguear sus melodías». En Nueva York, tras su estreno inicial con 422 representaciones, varios teatros de Broadway la repusieron reiteradamente. En una noche espectacular, en Buenos Aires, *La viuda alegre* se representó en cinco teatros y en cinco idiomas.

La clave del éxito fue la mezcla vivaz de diversas músicas y bailes, que iban desde el vals vienés hasta el parisino can-can. Los aficionados al teatro la encontraron irresistible, aunque la mayoría de los críticos la descalificaron, sobre todo por su trama superficial, centrada en los esfuerzos de un embajador de Marsovia (localizada, como dijo un escritor, en «el país de la opereta, al este del sol y al oeste de la luna») para obligar a un noble de su país a cortejar a una rica y joven viuda, y asegurar de ese modo las finanzas de su empobrecido reino. Aun así, un cascarrabias admitió que «la música tiene algo en su favor, lo que nos hace querer escucharla otra vez».
►1911.11

DANZA

La popularización del ballet

12 Justo antes de la Navidad de 1905, la bailarina Anna Pavlova pidió al coreógrafo Michel Fokine, compañero suyo de clase en la Escuela Imperial de Ballet de San Petersburgo, que creara un baile para ella. Fokine había estudiado *El carnaval de los animales*, del compositor francés Camille Saint-Saëns, y decidió que la danza del cisne se adaptaría a la delicada Pavlova. En menos de media hora, las futuras estrellas de ballet del siglo XX dieron a luz *La muerte del cisne*, destinada a convertirse en la firma de Pavlova.

Durante los siguientes 25 años, hasta su muerte en 1931, Pavlova popularizó casi con carácter exclusivo el arte del ballet. Interpretó un repertorio muy amplio, pero fue *La muerte del cisne*, una danza técnicamente simple pero extremadamente dramática y expresiva, la que entusiasmó al público. En el solo, Pavlova interpretaba los movimientos de un débil y anciano cisne deslizándose sobre el agua. Empleaba los brazos para simular el batir de alas, como si el cisne necesitara ayuda para volar, mientras que los temblorosos movimientos de su cuerpo y cabeza sugerían la agónica muerte del animal. Al final, los movimientos de Pavlova cesaban y ella caía sobre el escenario.
►1909.6

Creado para la gran Pavlova, *La muerte del cisne* se convirtió en el solo de ballet más famoso del siglo.

PREMIOS NOBEL: Paz: Bertha von Suttner (austríaca; Sociedad Austríaca de los Amigos de la Paz) [...] Literatura: Henryk Sienkiewicz (novelista polaco) [...] Química: Adolf von Baeyer (alemán; tintes orgánicos y componentes aromáticos) [...] Medicina: Robert Koch (alemán; tuberculosis) [...] Física: Philipp Lenard (alemán; rayos catódicos).

Brutalidad en Birmingham

Los niños esclavos de Gran Bretaña, de Robert Harborough Sherard, 1905

En 1905, cerca de un millón de niños en edad escolar trabajaban fuera de horario escolar en Gran Bretaña, y el número iba a la par al otro lado del Atlántico, en Estados Unidos. El libro-denuncia de Robert Sherard, Los niños esclavos de Gran Bretaña *—«un justo e imparcial relato de las deplorables condiciones en las que viven y trabajan un gran número de niños ingleses y escoceses», escribió en el prólogo—, suscitó el interés de muchos reformadores pese a que las cosas tardaron bastante en cambiar.*

Sherard pasó seis meses viviendo entre los niños cuyas vidas narró. Realizó también numerosas entrevistas. En esta selección del capítulo titulado «Sobre la esclavitud infantil en Birmingham», Sherard describe a los niños que trabajan haciendo corchetes. ◂**1904.M** ▸**1906.1**

Detrás de la calle Richard encontré a una mujer y a una niña, cuyas caras eran tan blancas como el papel sobre el que trazo su penoso recuerdo. Morían de hambre trabajando en la confección de corchetes. «Las dos madrugamos de lunes a sábado», me dijo, «y trabajando duramente todo el día ganamos 1 chelín y 60 centavos. Pagas 100 centavos por un paquete y el algodón y las agujas corren de tu cuenta. Yo y mi hija pequeña —es la única de mis cinco hijos que puede ayudarme— trabajamos ayer desde las 16.30 hasta pasadas las 23.00 horas, y ganamos 40 centavos entre las dos». Ninguna de estas personas había comido nada en todo el día. Solamente un poco de té y azúcar en casa. Los niños lloraban.

Una miserable mujer que vive en una habitación «amueblada» en la calle Hospital, por la que paga 5 chelines y 30 centavos a la semana, puede ganar, con la ayuda de los niños, 80 centavos al día en este mismo negocio.

Me hablaron de una mujer —una mujer manca sin duda— en la calle Coleshill que, trabajando con dos chicas, obtenía 2 chelines a la semana para ella y otros dos para el *fogger*. Su marido ganaba 18 chelines a la semana, pero necesitaba la mayoría para él.

Había un profundo sufrimiento en todas esas escenas, pero el espectáculo que, cuando recuerdo esas duras horas, me perseguirá siempre con gran pesar es uno que presencié en la cocina de una casa de Jennens Row, en un patio al abrigo de las dependencias comunes. Allí, al final de una tarde, descubrí a tres niños pequeños ocupados en su trabajo en una mesa en la que estaban apilados montones de cartones y una gran masa de corchetes enredados. La niña mayor tenía once años, la siguiente nueve y el pequeño, cinco. Trabajan tan rápido como se lo permitían sus dedos. Las niñas cosían y el pequeño enganchaba. Estaban demasiado ocupados para apartar los ojos de su tarea —¡los claros ojos de la juventud sobre la llama de la lámpara! Allí estaba la energía, el interés que en nuestra juventud habíamos dedicado a nuestras distintas tareas en la feliz ignorancia de la carga y del estrés de años y años de trabajo penoso.

Observé esos brillantes ojos, esos rápidos y flexibles dedos, y pensé en la anciana de noventa años que había visto por la mañana en la calle Unit. Recordé sus ojos vidriosos, amenazados por la cercana ceguera; recordé sus manos, nudosas, ajadas por el trabajo. Sus ojos habían brillado alguna vez. También ella había perdido el interés y la energía en miserables tareas con las que empezó su vida. A los años habían seguido años, una década se añadió a la otra. No había habido ningún cambio de suerte o de época.

El trabajo penoso es eterno. No hay esperanza o alivio. Uno intenta, con firmeza al principio y luego con pasos vacilantes, cambiar de tarea, pero ésta les es asignada hasta el final, que es una tumba anónima. Y esto ocurrió porque leí en los claros ojos de aquellos niños la ignorancia de las crueles pero indiscutibles condiciones de una vida paupérrima. Por eso su luminosidad y su alegría me llenaban de una tristeza más aguda que cualquier cosa que había sentido hasta entonces. *¿Quous tandem?* ¿Hasta cuándo? ¿Hasta cuándo? Toda vuestra vida y hasta la tumba.

Sherard caracterizó a «los pequeños vasallos del rey Eduardo VII» como «generalmente valientes; estos chicos y chicas, dispuestos a trabajar y, en la mayoría de casos, felices de traer unos peniques a casa para sus madres». Su libro (ilustraciones originales, *superior* e *izquierda*) se distingue sobre todo por la denuncia de la insuficiente nutrición de los niños.

«El socialismo marca el crecimiento de la sociedad, no la opresión de una clase»—**El futuro primer ministro laborista James Ramsay MacDonald en 1905**

HISTORIA DEL AÑO

Una formación política híbrida en Gran Bretaña

1 El Partido Laborista Británico, fundado en 1906, formaba parte de un movimiento mundial a favor de la transformación política y social que se venía desarrollando durante dos décadas. Cuando la industrialización incrementó la clase media y acabó con el monopolio del poder y la riqueza en manos de unos pocos, también se desarrollaron nuevas formas de miseria: viviendas abarrotadas, fábricas terribles, trabajo inacabable. Con creciente insistencia, los que no tenían reivindicaban su parte. El feminismo, el sindicalismo, el anticlericalismo y el socialismo (parlamentario o revolucionario) atrajeron a miles de adeptos.

En la mayoría de las naciones europeas, los principales vehículos de oposición política fueron los partidos socialistas (como el de los social-demócratas alemanes). Sin embargo, en Gran Bretaña este papel recayó en un único híbrido político que colocaba a los trabajadores en primer lugar y a la ideología en segundo: el Partido Laborista Británico.

«Del taller a St. Stephen's». Una ilustración de la importancia del desarrollo del Partido Laborista.

Durante décadas, el Parlamento británico había estado dominado por los conservadores y los liberales. Estos últimos constituían el partido de la reforma, pero sólo aceptaban gente acomodada en su lista de candidatos. Después de que los liberales rechazaran su candidatura, un minero de carbón escocés, Keir Hardie, fundó el Partido Laborista Escocés. Su idea se propagó a otras zonas. Después de que Hardie y otros dos candidatos de partidos regionales laboristas fueran elegidos para el Parlamento, formaron un partido de coalición llamado Partido Laborista Independiente (P.L.I.).

Para las elecciones de 1900, los dirigentes del P.L.I. unieron sus fuerzas con las de los sindicatos, la Federación Social Democrática (un partido marxista) y la prestigiosa Sociedad Fabiana (un grupo liberal socialista dirigido por George Bernard Shaw y Beatrice y Sidney Webb). Así nació el Comité de Representación Laborista (C.R.L.), que se fijó un objetivo: aliarse con los candidatos laboristas, sin tener en cuenta su ideología. Sólo dos laboristas ganaron las elecciones de 1900, pero para las de 1906, el C.R.L. realizó un pacto secreto con los liberales: éstos debían dejar que los candidatos del C.R.L. consiguieran 23 escaños sin oposición, a cambio del apoyo de los laboristas en otros distritos.

Los liberales derrotaron a los conservadores y el C.R.L. se declaró a sí mismo Partido Laborista. **►1924.4**

Pintura de Edvard Munch de una escena de la obra de Ibsen *Fantasmas* de 1906.

TEATRO

Dramaturgo noruego con ideología

2 «Creo que tiene razón el hombre», dijo Henrik Ibsen, «que está más fielmente comprometido con el futuro». Durante la mayor parte de su vida, el dramaturgo noruego, que murió con 78 años en 1906, siguió su máxima, resistiendo la pobreza, el rechazo y autoimponiéndose el exilio en Alemania e Italia para mantener su «teatro de ideas» —un consciente rechazo del modelo del siglo XIX de «la obra bien hecha» (una creación argumental y sentimental en la que los asuntos sociales se defendían o se apoyaban en el melodrama y funcionaba la moral tradicional).

La obra de Ibsen resultaba sorprendentemente franca y sutilmente simbólica; su tema central fue siempre el conflicto del protagonista para ser sincero con él mismo, o con ella misma, a pesar de las consecuencias. Obras como *La casa de muñecas*, cuya heroína abandona con audacia a su respetable marido, y *Fantasmas*, en la que la lealtad de una mujer engañada la lleva a tener un bebé sifilítico, estaban demasiado íntimamente «comprometidas con el futuro» para el público victoriano. Los críticos conservadores calificaron sus obras de «repugnantemente sugestivas y blasfemas». Pero para sus sucesores fue el padre del teatro moderno.
◄1904.7 ►1926.10

INDIA

Una minoría se organiza

3 El movimiento nacionalista de la India consideró la unidad local un prerrequisito para independizarse del dominio británico. Pero para la minoría musulmana de la India, la unidad significaba la sumisión a la mayoría hindú. En 1906, Aga Khan III, actuando en nombre de unos 36 dirigentes musulmanes, fundó la Liga Musulmana de la India para defender los intereses musulmanes contra el Congreso Nacional de la India, el órgano supremo del nacionalismo indio, controlado por los hindúes.

Fundado en 1895, el Congreso Nacional de la India en un principio pretendía incrementar su participación en el gobierno colonial británico; la independencia fue un objetivo añadido tras la Primera Guerra Mundial. Desde la perspectiva de Aga Khan, la participación nativa, como era definida por el Congreso, afectaba sólo a la participación hindú, reduciendo a los musulmanes a una permanente impotencia. Creó la Liga Musulmana para presionar a favor de una «representación común», un sistema según el cual cada grupo religioso o étnico de la India recibiera cierto número de ministerios políticos.

El cisma hindú-musulmán había sido fomentado por los ingleses cuando dividieron Bengala en dos unidades administrativas en 1905, creando una mayoría musulmana

Su alteza Aga Khan III con todas sus insignias.

ARTE Y CULTURA: Libros: *La ciudad del diablo amarillo* (Maxim Gorki); *Colmillo blanco* (Jack London); *El diccionario del diablo* (Ambrose Bierce); *Psicología de la demencia precoz* (Carl Jung); *El propietario* (John Galsworthy); *La fiesta nacional* (Manuel Machado) [...]

«Los frágiles edificios de ladrillo construidos en los días de los pioneros tenían las fachadas prácticamente derribadas y sus interiores aparecían seccionados como las casas de muñecas.»—**James Hopper, periodista de San Francisco, en *Everybody's Magazine***

en la nueva Bengala oriental. Los hindúes protestaron vehementemente, incitando a los fundadores de la Liga Musulmana a apoyar la presencia británica como un antídoto contra el estridente nacionalismo hindú. Durante la larga lucha de la India por su independencia, las relaciones entre la Liga Musulmana y el Congreso Nacional de la India cambiaron constantemente, a veces logrando un acercamiento, otras desembocando en una hostilidad abierta, pero siempre marcadas por una profunda suspicacia mutua. Hasta hoy, la India permanece asediada por la a menudo sangrienta enemistad de sus ciudadanos hindúes y musulmanes. **►1911.7**

RUSIA

Un experimento legislativo

4 Cuando el primer cuerpo legislativo realmente representativo de Rusia se convocó en 1906, la mayoría de sus 513 diputados —que representaban una amplia gama de partidos— se oponían al zar Nicolás II. Entre los que contaban con escaños en la Duma Imperial («consejo» en ruso), se hallaba el Partido Social Democrático Obrero con sus facciones menchevique y bolchevique y el más moderado Partido Popular Liberal. Los partidos políticos de cualquier ideología habían sido ilegales en Rusia hasta entonces.

La Duma, que anunció un período de monarquía constitucional, se creó como consecuencia del Manifiesto de octubre de 1905 dictado por el zar (que se reservó el derecho de abolirla). Nicolás había actuado sólo por necesidad, para acabar con el caos que ahogaba a su país. No esperaba que ocurriera nada más; sin embargo, los miembros de la Duma tenían otros planes. Enseguida presentaron una serie de demandas, incluyendo la división y el reparto de amplias propiedades agrícolas. Cuando Nicolás lo rechazó, un diputado de la Duma proclamó: «el poder ejecutivo debe someterse al legislativo».

Profundamente ofendidos, el zar y sus ministros manifestaron que la expropiación de la tierra privada estaba fuera de toda consideración. La Duma contestó que «rechazaría cualquier sugerencia que no estuviera de acuerdo con este principio». Nicolás, entonces, decidió ejercer su derecho: la Duma fue disuelta justo dos meses después de haber sido convocada. El primer experimento ruso de un gobierno representativo había terminado de

Miembros de la Duma en una reunión clandestina en un bosque de Finlandia.

forma brusca, pero como Nicolás empezaba a aprender, la oposición organizada no estaba dispuesta a ceder. **◄1905.2 ►1912.12**

DESASTRES

San Francisco se estremece

5 En la escala de Richter del uno al diez, el terremoto de San Francisco alcanzó el número nueve. Un superviviente lo comparó con un dogo y a la ciudad con «una rata con los dientes rechinando». El temblor empezó a las 05:16 horas del 18 de abril de 1906 y acabó 47 segundos más tarde. La mayor parte de los edificios todavía se mantenían en pie en aquel momento; en una zona que sufría más o menos 15 temblores menores al año, la madera era el material de construcción más utilizado por su flexibilidad. Sin embargo; el nuevo ayuntamiento, de seis millones de dólares, construido de piedra y tejas, se derrumbó como un castillo de naipes gigante. Los hoteles ubicados en promontorios resbalaron por las laderas. La cúpula del hotel California destrozó por completo el tejado del parque de bomberos donde dormía el jefe de bomberos de San Francisco, enterrándolo entre los escombros.

Pero cuando se iniciaron los incendios, pasando desde los conductos de gas rotos a través de los cables eléctricos, la madera se convirtió en el principal enemigo. Los bomberos corrían de incendio en incendio, encontrando todas las cañerías de agua rotas. Las llamas se extendieron sin impedimento alguno, a lo largo de 1.360 hectáreas, y ardieron durante tres días enteros. Al final, más de veintiocho mil edificios quedaron destruidos. La mitad de los 450.000 habitantes de San Francisco perdieron sus hogares; unos 670 fueron dados por muertos y otros 350 por desaparecidos.

San Francisco era una conocida ciudad obscena y fronteriza, llena de burdeles, bares y cabarets, y hubo quienes celebraron este espectacular desastre. En Michigan, un grupo de fundamentalistas incluso realizó un desfile. Un habitante de San Francisco, al darse cuenta de que una infecta destilería se había salvado, respondió con esta poética composición:

«Si, como algunos dicen, Dios azotó a la ciudad
por ser demasiado descarada
¿por qué quemó las iglesias
pero salvó el whisky de Hotaling?».

Los ciudadanos empezaron la reconstrucción en 1909. En 1915, no quedaba rastro de la catástrofe. **►1914.9**

El incendio de San Francisco, más espectacular incluso que el de Chicago de 1871.

NACIMIENTOS

Hannah Arendt, filósofo germano-estadounidense.

Josephine Baker, actriz franco-estadounidense.

Samuel Beckett, escritor irlandés.

Dietrich Bonhoeffer, teólogo alemán.

Leonid Brezhnev, líder político soviético.

Ernst Chain, bioquímico británico.

John Huston, director cinematográfico estadounidense.

Jorge de Icaza, novelista ecuatoriano.

Clifford Odets, dramaturgo estadounidense.

Aristóteles Onassis, armador griego.

Otto Preminger, director cinematográfico austríaco-estadounidense.

Roberto Rossellini, director cinematográfico italiano.

Léopold Senghor, poeta y hombre de Estado senegalés.

Dimitri Shostakovich, compositor ruso.

David Smith, escultor estadounidense.

A.J.P. Taylor, historiador británico.

Luchino Visconti, director cinematográfico italiano.

Billy Wilder, director cinematográfico austríaco-estadounidense

MUERTES

General Castro, político venezolano.

Paul Cézanne, pintor francés.

Christian IX, rey de Dinamarca.

Pierre Curie, químico francés.

Henrik Ibsen, dramaturgo noruego.

Bartolomé Mitre, militar y político argentino.

José María de Pereda, novelista español.

Música: «Levando anclas» (Zimmerman y Miles) [...] Pintura y escultura: *La alegría de la vida* (Henri Matisse); *Retrato de Gertrude Stein* (Pablo Picasso) [...] Cine: *La historia de la familia Kelly* (Charles Tait); *El sueño de un diablo* (Edwin S. Porter) [...] Teatro: *César y Cleopatra* (G. B. Shaw); *El genio alegre* (hermanos Álvarez Quintero).

«Puedo hacer una de estas dos cosas. Puedo ser presidente de Estados Unidos o puedo controlar a Alice. No puedo hacer ambas.»—**Theodore Roosevelt, cuando le preguntaron por qué no era más estricto con su hija**

NOVEDADES DE 1906

Salvavidas (Sídney, Australia).

Lavadora eléctrica.

Envases de cartón para la leche (introducidos por G. W. Maxwell en San Francisco).

El nombre «perrito caliente» (*hot dog*) (por un dibujo que mostraba un perro de raza dachshund junto a un bocadillo alargado con una salchicha).

La permanente (introducida en Inglaterra).

La prueba para la sífilis de Wassermann.

S.O.S., la señal de socorro (sustituyó a C.Q.D. adoptada dos años antes).

Grand Prix de Le Mans, carrera automovilística.

EN EL MUNDO

►**GORKI VISITA ESTADOS UNIDOS**—Aclamado internacionalmente, el

escritor ruso Maxim Gorki recorrió Estados Unidos en 1906, pero no logró su propósito de conseguir el apoyo para la revolución rusa de 1905. Orgulloso defensor de la clase trajadora rusa, durante su viaje a Estados Unidos Gorki redactó *La madre*, la novela que luego se consideró la primera obra

ARTE

El padre del arte moderno

6 **Paul Cézanne, a quien Pablo Picasso llamaba «el padre de todos nosotros», murió en 1906 en el hogar de su juventud de Aix-en-Provence. Hacía once años que se había retirado allí, tras abandonar París y romper sus relaciones con los impresionistas, con los que fue invariablemente identificado. En una soledad voluntaria, el artista (que pasó la mayor parte de su carrera despreciado por los críticos e ignorado por el público) desplegó sus plenos poderes creativos. Los paisajes de este período (que incluyen *El castillo negro, superior*) tratan el color y la forma de un modo completamente original que trasciende las convenciones decimonónicas de la pintura figurativa e indica el camino hacia el arte abstracto moderno. «El paisaje», expuso una vez Cézanne explicando su inspiración, «se vuelve humano, se convierte en un ser pensante y vivo dentro de mí. Yo soy uno con mi pintura».** **◄1905.10 ►1907.1**

CINE

Los dibujos se animan

7 Hacía mucho que se sabía que las imágenes mostradas en rápida sucesión daban la impresión de estar en constante movimiento. Cuando un caricaturista de variedades llamado J. Stuart Blackton aplicó esta técnica a una serie de fotografías en 1906, presentó el primer ejemplo de lo que algunos mantienen que es la única forma de cine «puro» –los dibujos animados.

Tras dejar el vodevil y convertirse en el fundador de la compañía Vitagraph, uno de los enormes estudios de la época del cine mudo, Blackton, de origen inglés, se interesó por la animación de figuras estáticas, una especie de truco fotográfico en el cual unas pocas figuras de la película se exponían a la vez. Entre las exposiciones, los objetos en escena pueden ser añadidos, movidos o cambiados. Cuando se muestra la tira entera, los objetos aparecen, desaparecen o cambian de forma y posición como por arte de magia. Blackton se percató de que así podría realizar dibujos animados.

Su experimento, *Fases humorísticas de rostros divertidos*, constituye una tosca reelaboración de su habitual pizarra de vodevil. El rostro caricaturizado de un hombre que sopla el humo de un cigarro a la cara de una mujer haciéndola desaparecer; un hombre con sombrero parece que va a quitárselo, luego se lo ladea; las palabras «coon» (palabra despectiva para referirse a los negros) y «Cohen» se transforman en los antipáticos retratos de un negro y de un judío. El mismo Blackton aparece, a veces, añadiendo o suprimiendo detalles.

Hoy en día, las *Fases humorísticas* no asombran, ni siquiera divierten, pero es indudable que Blackton indicó el camino a animadores tan finos y sutiles como el francés Emile Cohl o el americano Winsor McCay. **►1908.V**

El primer dibujo animado: tosco en cuanto a la técnica y al contenido.

ESTADOS UNIDOS

La princesa Alice se casa

8 «Una fiera envuelta en buenas ropas», así es como la definió una amiga de la madrastra de Alice. Su propio padre calificó a su prometido de «loco» cuando escuchó los planes de matrimonio de la pareja. Pero Alice Roosevelt, primera hija y, a los ojos del mundo, la encarnación del ideal femenino de perfección, se casó con el hombre de sus sueños, el congresista Nicholas Longworth, en la Casa Blanca en febrero de 1906.

La fama de la hija mayor de Theodore Roosevelt se había extendido desde Japón, donde una postal con su retrato y la inscripción «una princesa americana» fue publicada en honor a su visita en 1905, hasta Europa, donde trató de forma habitual con los duques y princesas más destacados del continente. La «princesa Alice» fue favorita del káiser Guillermo II hasta el punto de que el yate personal del monarca, incautado para el servicio de la armada alemana durante la Primera Guerra Mundial, había sido rebautizado con el nombre de *Alice Roosevelt.* De vuelta a casa, fumaba en público, bebía whisky, apostaba a los caballos y jugaba a póquer. Las mujeres americanas vestían de «azul Alice» y canturreaban la popular canción «Alice, ¿dónde estás?».

La boda de Alice Roosevelt no afectó al carisma de la «princesa» en la capital.

Pero la vida privada de Alice no fue nunca tan afortunada como la social. Ensombrecido por su encantadora mujer y su famoso suegro, Longworth se dio a la bebida y a las mujeres hasta su muerte en 1931. Alice nunca volvió a casarse pero, de lengua mordaz e ingeniosa como nunca, continuó reinando como la gran dama de Washington durante otros 50 años. **◄1904.6**

DEPORTES: Juegos Olímpicos extraordinarios en Atenas [...] Automovilismo: la primera carrera de Grand Prix en Le Mans.

«Han dicho que he extendido una enfermedad que nunca he tenido. Nunca, en toda mi vida, he pasado un día entero en la cama.»—**Mary «Tifus» Mallon**

DIPLOMACIA

Una bofetada para Alemania

9 Alemania fue la potencia económica y militar que creció más rápidamente en Europa; no obstante, en 1906 era una relativa recién llegada a la lucha por las colonias. El canciller Bernhard von Bülow intentó conseguir para su país «un lugar en el sol», pero los poderes establecidos hicieron que los alemanes se sintieran maltratados. Bülow y el káiser Guillermo II se mostraban escépticos ante el idilio (concretado en la Entente Cordiale de 1904) entre Francia e Inglaterra, acérrimas rivales hasta aquel momento. Decidieron observar qué resultados tendría una pequeña presión en Marruecos, que la Entente Cordiale había puesto bajo la jurisdicción francesa. El resultado fue la Conferencia de Algeciras de 1906, una bofetada para Alemania y un capítulo importante para forjar las alianzas de la Primera Guerra Mundial.

El año anterior, el káiser había navegado hasta Tánger, donde, adoptando la antigua postura británica, proclamó su apoyo a la independencia de Marruecos. El káiser pidió que la soberanía marroquí recayera en el joven sultán de Marruecos, Abdal-Aziz. Éste convocó una conferencia internacional que se celebraría en Algeciras, justo al otro lado del estrecho de Gibraltar. La agenda del káiser incluía la promoción del mercado libre y la eliminación de los privilegios franceses en Marruecos. Además, esperaba reavivar la rivalidad entre Francia e Inglaterra. Las delegaciones invitadas reforzaron la confianza alemana: Italia y Austria-Hungría seguramente apoyarían a su compañera de la Triple Alianza; América y los pequeños estados europeos estarían tentados por la retórica del libre mercado; España se decantaría por la mayoría, y Gran Bretaña no se jugaría el cuello por Francia.

Pero los delegados alemanes, alternando argumentos inconscientes con amenazas de guerra, perdieron el apoyo de la mayoría de los países, mientras Francia se congratulaba con ellos. Además, Francia ya había sobornado a los españoles prometiéndoles una zona de influencia en Marruecos, y a los italianos con la secreta promesa de no intervenir en Libia. Los americanos, en principio neutrales, estaban atados por las órdenes del presidente Roosevelt de no hacer nada que pusiera en peligro el idilio anglo-francés. Y Gran Bretaña, desafiante, se jugó el cuello.

Al final, los alemanes no obtuvieron más que tarifas aduaneras paritarias. Los franceses y los españoles iban a *cobrar* estos impuestos y controlarían los puertos. Tras la conferencia, la Entente Cordiale fue todavía más cordial, y Alemania se encontró aún más aislada. **◄1904.5 ►1911.1**

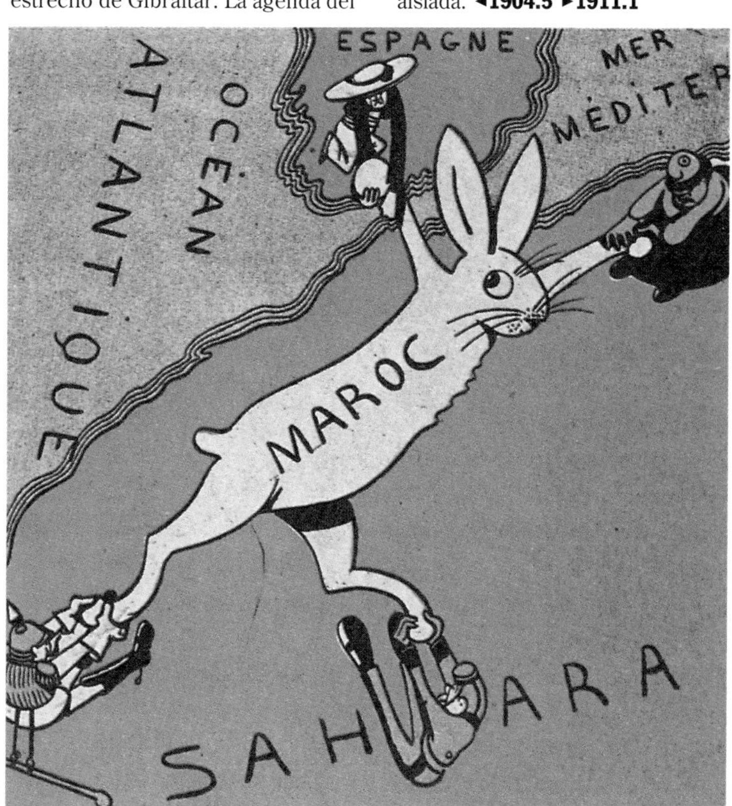

Marruecos en una caricatura francesa: un conejo asustado estirado por las potencias europeas.

MEDICINA

Mary «Tifus»

10 Nada ha causado más expectación pública que el que una persona sana pudiera contagiar una enfermedad mortal,

Mary Mallon ataca a un funcionario de sanidad con un tenedor al ser arrestada.

como fue el caso de Mary «Tifus», la primera portadora identificada del bacilo tifoideo y vilipendiada por la prensa. Sin conocer el microbio, pensando sólo que una especie de maldición había caído sobre ella, Mary Mallon, de apariencia robusta, trabajaba como cocinera en la zona nordeste de Estados Unidos. Adonde iba ella, la fiebre tifoidea la seguía. Sólo Mallon se había dado cuenta de esta estela de enfermedad, hasta que en 1906 un funcionario de sanidad neoyorquino, Georges Soper, fue a investigar un brote de tifus en una suntuosa mansión.

Soper interrogó a la cocinera, que pronto desapareció. Familiarizado con la reciente investigación del alemán laureado con el Nobel, Robert Koch, sobre el contagio de la enfermedad, Soper hizo algunas averigüaciones y descubrió que el tifus había aparecido en las ocho casas donde Mary Mallon había trabajado anteriormente. En marzo de 1907 fue detenida; Soper la había relacionado con 25 casos y una muerte.

Mary «Tifus», como la llamaron los periódicos, fue aislada en un hospital de la isla de Manhattan. Quedó en libertad en 1910, tras prometer que se mantendría alejada de la comida de los demás. Pero cuatro años más tarde, el tifus se había cobrado dos vidas más en la institución de salud donde había cocinado. Detenida en 1915, la incorregible portadora volvió a su isla de cuarentena, donde se hizo ayudante de laboratorio y se movió en su propio campo. Murió en 1938, a la edad de 68 años. **◄1905.9 1928.11**

del social-realismo. ◄1905.2 ►1932.8

►EL GRAN FRÍO—En 1906, en la acalorada carrera para llegar al cero absoluto, la temperatura en la cual la materia queda desprovista de capacidad térmica, se habían alcanzado temperaturas bajísimas. El científico alemán Walther Hermann Nernst acabó con los «helados» esfuerzos con su tercera ley de la termodinámica, estableciendo que, a pesar de que era posible aproximarse al cero absoluto, no podría alcanzarse nunca a través de un método científico. ►1911.2

►EL DOMINIO DE ALTA MAR—Cuando las tensiones militares se intensificaron en Europa, Gran Bretaña fue la primera en atacar, lanzando el temible y rápido acorazado *Dreadnought*, un barco de guerra cuyos diez cañones de 51 cm dejaron inmediatamente obsoletos a los otros barcos. Para no ser menos, el káiser encargó una nueva flota alemana y ordenó el ensanchamiento del canal de Kiel, entre el mar Báltico y el mar del Norte, para hacer posible el paso de naves más grandes. ◄1906.9 ►1907.2

►UN PUENTE HACIA EL FUTURO—Llamando a su movimiento *Die Brücke* («el

puente»), cuatro estudiantes de arquitectura alemanes hicieron una exposición en una fábrica de lámparas en Dresde presentando una nueva y audaz forma de pintura expresionista. Inspirándose en la fuerza visceral del arte africano y del oceánico, los artistas (Ernst Ludwig Kirchner, Karl Schmidt-Rottluff, Fritz Bleyl y Erich Heckel) proclamaron su obra como un puente hacia el futuro. ►1910.6

►BODA DE ALFONSO XIII—El 31 de mayo, el rey de España

POLÍTICA Y ECONOMÍA: el presidente Roosevelt viaja a Panamá, primera salida oficial del territorio norteamericano [...] A. P. Giannini hace fortuna proporcionando préstamos para la reconstrucción de San Francisco tras el terremoto [...] William Randolph Hearst funda el Servicio Internacional de Noticias [...] Se firma un tratado de comercio entre España y Estados Unidos.

«No iba mucho mejor vestido que los trabajadores y me di cuenta de que con la simple estratagema de llevar una fiambrera, podía ir a cualquier parte.»—**Upton Sinclair, sobre su infiltración en los almacenes de Chicago**

sufrió un atentado. Acababa de casarse con la princesa Victoria Eugenia de

Battemberg. A la salida de la iglesia, la carroza real se dirigía al Palacio Real seguida de un largo cortejo cuando el autor del atentado lanzó una bomba escondida en un ramo de flores. Algunas personas que seguían el acontecimiento murieron, pero los reyes se salvaron gracias al vestido de novia de la reina. La cola de más de tres metros amortiguó los efectos de la metralla.

►CONGRESO DE CULTURA CATALANA—El 13 de octubre se inauguró el Primer Congreso Internacional de la Lengua Catalana en el teatro Principal de Barcelona.

El objetivo primordial del congreso era el estudio exhaustivo de la situación de la lengua catalana en aquel momento y la continuidad de la *Renaixença* de la cultura autóctona. Expertos de todas las áreas catalanoparlantes analizaron la situación lingüística en sus respectivos campos. Antonio M.ª Alcover dirigió las jornadas.

►RAMÓN Y CAJAL GANA EL PREMIO NOBEL—El 11 de diciembre de 1906 le fue concedido el Premio Nobel de medicina a Santiago Ramón y Cajal por sus investigaciones sobre el tejido nervioso y algunos tipos celulares (células cianófilas de Cajal). En el año 1889 había enunciado en la Sociedad Anatómica alemana de Berlín su doctrina de la neurona, según la cual cada neurona es una célula independiente. Entre su obra escrita destaca la *Histiología del sistema nervioso del hombre y los vertebrados*.

Sinclair denunció a los mayoristas de productos cárnicos perjudiciales para los consumidores y los animales mismos.

ESTADOS UNIDOS

La jungla provoca la reforma

11 «Aspiro al corazón del público», comentó Upton Sinclair algunos años después de la publicación de *La jungla*, «y accidentalmente lo he conseguido a través del estómago». Para su novela, Sinclair había intentado documentarse sobre los trabajadores de los mataderos de Chicago. Sin embargo, la exposición de los terribles delitos sanitarios en la industria cárnica causó sensación y desembocó directamente en la aprobación del Decreto de Comida Sana de 1906, la primera ley gubernamental americana que regulaba la producción y la manipulación de comida y un poderoso obstáculo al *laissez faire* propio del capitalismo de la industria americana.

Sinclair, contratado por un semanario socialista, pasó dos meses trabajando en los mataderos. Vio vacas tuberculosas y cerdos con cólera picados para fabricar embutidos. La carne podrida se trataba con peligrosos productos químicos; las ratas y la inmundicia estaban en su elemento. Estos productos corrompidos podían matar a los consumidores. Sinclair tejió su relato en torno a la historia ficticia de un emigrante eslavo, Jurgis Rudkus. Por entregas, la historia fue todo un éxito, Jack London la denominó «*La cabaña del tío Tom* de los esclavos asalariados», aunque cinco editores la rechazaron antes de que Doubleday, Page and Co. la publicaran. Rápidamente se convirtió en un superventas, y sublevó a los lectores, que inundaron al presidente Roosevelt con cartas de protesta.

El Decreto de Comida Sana fue aprobado seis meses después de la publicación de *La jungla*. Regulaba la manipulación de comida de todo tipo, así como la fabricación de medicamentos. Ésta fue la última victoria de los compañeros de Sinclair que habían denunciado las «medicinas» a base de alcohol y opio que abarrotaban las farmacias.

FRANCIA

El final del *Affaire*

12 El mayor escándalo de la historia de Francia acabó en 1906, cuando los tribunales civiles, anulando el fallo de los militares, dieron el veredicto final: Alfred Dreyfus no era culpable de traición.

El proceso de doce años conocido como el «*Affaire* Dreyfus» empezó en 1894 cuando una mujer de la limpieza de la embajada alemana de París encontró documentos militares franceses en una papelera. Los investigadores del ejército concluyeron que el espía debía ser un oficial artillero, y el joven capitán Dreyfus se erigía como el perfecto inculpado: un judío, además de alsaciano. (Alsacia era un país franco-germano y sus habitantes eran a menudo sospechosos de simpatizar con Alemania.) El antisemitismo estaba extendido por toda Francia; acusando a un «extranjero», el ejército alejaba cualquier sospecha de sí mismo.

Con la prensa, el gobierno y el Vaticano reclamando su sangre, Dreyfus fue procesado y condenado a cadena perpetua. Dos años después, un nuevo jefe del departamento de inteligencia francés descubrió una evidencia que implicaba a otro oficial, que luego fue despedido. El oficial implicado fue procesado, pero su absolución había sido pactada con anterioridad.

Tras el juicio militar, el novelista Emile Zola, que se encontraba entre el pequeño grupo de defensores de Dreyfus, escribió uno de los artículos más famosos de la historia del periodismo, «J'accuse» («Yo acuso»), una carta abierta al presidente de Francia detallando todo lo que era falso en el caso Dreyfus. Zola fue condenado por difamación y desterrado a Inglaterra.

Cuando uno de los acusadores originales de Dreyfus se suicidó (tras confesar que había falsificado pruebas), el gobierno reabrió el caso. Increíblemente, Dreyfus fue hallado nuevamente culpable. El gobierno lo indultó, pero él continuó luchando por su absolución, que consiguió siete años después en un tribunal civil.

El caso provocó un cambio perdurable en Francia. El rechazo popular por la persecución de Dreyfus desembocó en la separación de la Iglesia y el Estado en 1905 y facilitó el camino del gobierno a los partidos de izquierda franceses. **◄1902.6 ►1921.1**

«Una complicada limpieza»: Dreyfus es lavado con leche materna.

CHINA

Una guerra de drogas

13 Ante las demandas públicas de 1906 para que actuara, el gobierno chino aprobó una serie de leyes que regulaban un plan a largo plazo para desintoxicar a los cien millones de chinos adictos al opio.

La devastadora plaga era relativamente reciente. El opio era escaso en China hasta 1700, cuando Gran Bretaña descubrió un amplio mercado para un producto de sus colonias indias. La oposición del emperador chino al creciente comercio de la droga precipitó la Guerra del Opio, de 1839 a 1842. Los británicos la ganaron fácilmente, y la gota colmó el vaso.

Según un cálculo aproximado, cien millones de chinos eran adictos al opio.

Las regulaciones de 1906 dieron a los consumidores, vendedores y cultivadores un plazo de diez años para acabar con sus negocios. Se repartieron medicamentos antiadictivos de forma gratuita. El que todavía consumiera opio al cabo de diez años, caería en pública desgracia, un castigo severo en China. Mientras tanto, empezaron las negociaciones entre Gran Bretaña y otros países tratantes de opio para sustituir el provechoso comercio chino.

The New York Times predijo que una nueva China «habiéndose reencontrado, reorganizaría su propio gobierno», desafiando a las potencias extranjeras. De hecho, aunque hubo otros factores en juego, la revolución china empezó al cabo de cinco años. **◄1905.NM ►1911.9**

PREMIOS NOBEL: Paz: Theodore Roosevelt (estadounidense; mediación de la paz en la guerra ruso-japonesa) [...] Literatura: Giosuè Carducci (poeta italiano) [...] Química: Henri Moissan (francés; flúor y horno de arco voltaico) [...] Medicina: Camillo Golgi y Santiago Ramón y Cajal (italiano y español; sistema nervioso) [...] Física: Joseph Thomson (británico; conductividad eléctrica por gases).

Un banquete para la elite

Menú especial del restaurante Delmonico's, 1906

Abraham Lincoln, cliente habitual del restaurante Delmonico's de Nueva York, le confesó una vez a su propietario, Lorenzo Delmonico: «En Washington hay muchos hoteles pero, ¡ay!, no tenemos cocineros como los tuyos». No era el único que pensaba así; a partir de una pequeña tienda de vinos, Delmonico's se convirtió en el restaurante más importante de la nación, sirviendo a personajes tan notables como Charles Dickens, Jenny Lind y Ulysses S. Grant. Con el cambio de siglo, los miembros de una nueva aristocracia americana –industriales y magnates como los Vanderbilt, los Rockefeller y los Morgan– empezaron a reunirse en los restaurantes para tomar sopa de tortuga o admirarse unos a otros. En el apogeo del restaurante, que acabó con la Prohibición, cenar en Delmonico's, además de veranear en New Port, pasar el invierno en Palm Beach y navegar a Londres, se convirtió en imprescindible para cualquiera con aspiraciones sociales.

►**1908.10**

MENU

HUÎTRES

POTAGE

TORTUE VERTE, AMONTILLADO

HORS D'OEUVRE

JAMBON DE VIRGINIE

HARICOTS VERTS, NOUVEAUX

POISSON

ALOSE SUR PLANCHE À LA MANHATTAN

CONCOMBRES POMMES PERSILLADE

RELÉVE

SELLE D'AGNEAU, COLBERT

CÉLERI BRAISE

ENTRÉE

TERRAPÈNE, MARYLAND

—

SORBET CALIFORNIENNE

RÔTI

CANARD À TÊTE-ROUGE

TOMATES FARCIES AU CÉLERI MAYONNAISE

ENTREMETS DE DOUCEUR

GLACES DE FANTAISIE

PETITS FOURS FROMAGE

CAFÉ

GRAVES
SHERRY
MONOPOLE, ENGLISH IMPORTATION
APOLLINARIS

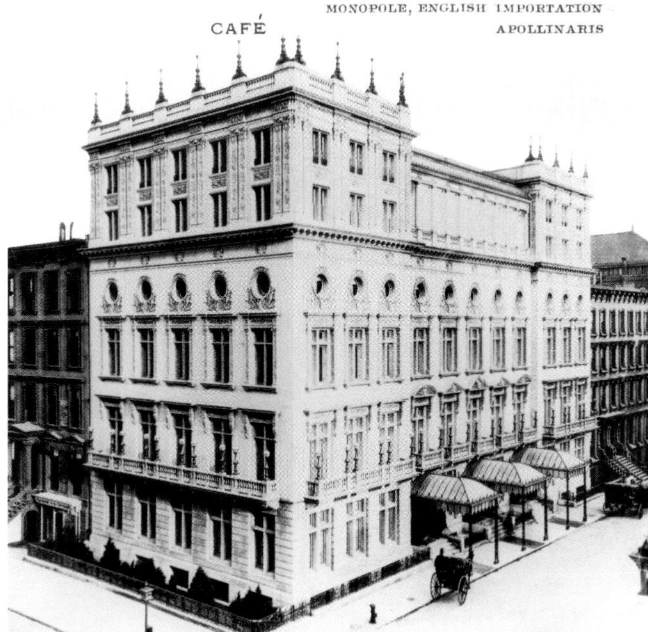

Después de trasladarse de un local más alejado del centro a la Quinta Avenida y la calle Cuarenta y Cuatro, Delmonico's tuvo que competir con otro restaurante, el Sherry's, como el lugar favorito para comer de los millonarios. En una cena honorífica ofrecida al Sr. Patrick Francis Murphy, con un diseño de Tiffany, el menú, plenamente francés, incluía: ostras, sopa de tortuga, jamón de Virginia, cordero y pato.

«Un hombre como Picasso estudia un objeto como un cirujano disecciona un cadáver».—**Guillaume Apollinaire**

HISTORIA DEL AÑO

Picasso y Braque inventan el cubismo

1 En 1907, un grupo de prostitutas de un burdel del *carrer d'Avinyó* (calle de Aviñón) de Barcelona se convirtió en el tema de un cuadro que anunció una revolución artística tan profunda que, en palabras del historiador del arte Herschel Chipp, «la manera como las imágenes podían tomar forma en una pintura cambiaron más entre los años 1907 y 1914 de lo que lo habían hecho desde el Renacimiento». Con su obra maestra *Les Demoiselles d'Avignon*, quizás el cuadro más importante del siglo, Pablo Picasso inició el cubismo, aunque este término no se utilizaría hasta cuatro años más tarde.

Inspirándose a partes iguales en las últimas obras de Cézanne y en la escultura africana (de moda entre los artistas e intelectuales franceses de la época), Picasso empleó formas fragmentadas de forma violenta para crear una imagen de fuerza inusual. Para un público acostumbrado a ver la figura femenina tratada con un respeto que rayaba la adoración, el cuadro constituía una pócima difícil de asimilar.

Les Demoiselles d'Avignon **cambió el curso del arte del siglo XX**

Al año siguiente, el pintor Georges Braque se sumó al movimiento, incluso con más fuerza, contribuyendo a destruir la pintura convencional siguiendo los pasos de su amigo Picasso, exponiendo una serie de cuadros que, según Henri Matisse, parecían «pequeños cubos». Picasso y Braque intentaban descubrir la «verdad» de un objeto a través de su reconstrucción. En lugar de utilizar técnicas tan tradicionales como el claroscuro, la perspectiva y la representación bidimensional, analizaban sus modelos desmontándolos, representando cada ángulo y cada detalle con figuras geométricas. Hacia 1912, invertirían el proceso, construyendo imágenes a partir de figuras geométricas.

El movimiento conmocionó al mundo artístico de París, su estética liberadora fue abrazada por artistas tan diversos como Juan Gris, Marie Laurencin, Fernand Léger, Robert y Sonia Delaunay y Marcel Duchamp. El cubismo no sólo desempeñó un importante papel en el desarrollo de los movimientos artísticos en todo el mundo pictórico, sino que su espíritu impregnó todas las artes del siglo: escultura, arquitectura, decorados teatrales e incluso música y literatura. En el Salon des Indépendents de 1911, el árbitro de la cultura, Guillaume Apollinaire, abrazó con entusiasmo el controvertido estilo nuevo —en contraste con la irónica calificación, cubismo, que anteriormente había empleado. Su bendición significó que innovaciones pictóricas tan chocantes como dos ojos en el mismo perfil de un rostro y un trozo de periódico encolado a un lienzo pintado quedarían legitimadas para siempre. ◄**1906.6** ►**1913.2**

El *Lusitania* duplicaba el tamaño del edificio del Capitolio de Estados Unidos.

ECONOMÍA E INDUSTRIA

Grandes barcos en alta mar

2 En el mes de septiembre de 1907, en los muelles de Liverpool, Inglaterra, 200.000 personas vitoreaban al *Lusitania*, a punto de hacer su primera travesía atlántica. Con la botadura de este gran transatlántico y la de su hermano, el barco *Mauretania*, dos meses más tarde, la Cunard Steam Ship de Gran Bretaña esperaba iniciar una nueva era de viajes transatlánticos. Eran los buques más grandes, más rápidos y más lujosos construidos hasta entonces. Con 68.000 caballos de potencia, se diseñaron para mantener una velocidad media de 24,5 nudos con buena mar. El *Lusitania*, empleando sólo el 75 % de su potencia, realizó la travesía Irlanda-Nueva York en cinco días y 54 minutos, superando en seis horas la hasta entonces más rápida. El *Mauretania* alcanzó una velocidad media de un nudo más en la misma travesía.

Cunard construyó los barcos espoleada por la competencia alemana. El gobierno financió con un crédito a bajo interés de 13 millones de dólares la construcción de estos barcos, los más veloces del país, capaces de neutralizar a los mercantes alemanes, que podían convertirse fácilmente en cruceros acorazados. Construidos bajo la supervisión del Almirantazgo, el *Lusitania* y el *Mauretania* podían armarse con doce cañones de 15 cm; con el objeto de facilitar su conversión en barcos de guerra, estaban tripulados en parte por miembros de la reserva naval. El Almirantazgo también se reservó el derecho a nombrar a los comandantes de los buques.

Sin embargo, Alemania finalmente derrotó al *Lusitania*. Ocho años después, el gran barco, que oficialmente seguía siendo un navío comercial, se fue a pique a los 20 minutos de haber sido torpedeado por un submarino alemán, hundiéndose con 1.200 pasajeros, incluidos 128 americanos. Este incidente conmocionó a la opinión pública norteamericana favoreciendo la entrada de Estados Unidos en la Primera Guerra Mundial. ◄**1906.NM** ►**1915.3**

INDIA

Una plaga asola el país

MUERTES EN LA INDIA

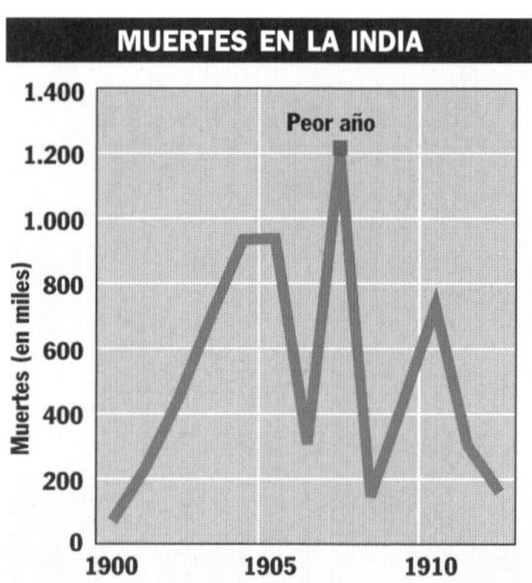

La epidemia causó más de 6,5 millones de muertes entre 1894 y 1916.

3 La peste bubónica, que se originó en China en 1894, alcanzando su apogeo en 1907, se extendió por todos los continentes y afectó a 52 países. La mayor mortandad se produjo en la India. Más de 1,2 millones de indios

ARTE Y CULTURA: Libros: ***El agente secreto*** **(Joseph Conrad);** ***La madre*** **(Maxim Gorky);** ***Cuentos ejemplares*** **(Hilaire Belloc);** ***El maravilloso viaje de Nils Holgersson a través de Suecia*** **(Selma Lagerlöf);** ***Pragmatismo*** **(William James);** ***Baladas de primavera*** **(Juan Ramón Jiménez) [...] Música:** ***Rapsodia española*** **(Maurice Ravel) [...]**

«En una buena obra cada palabra debe ser tan aromática como una nuez o una manzana, y no deben ser escritas por nadie que trabaje entre la gente que ha cerrado sus labios a la poesía». **—John Millington Synge, en el prólogo a *The Playboy of the Western World***

sucumbieron a la enfermedad durante este año. Como las plagas de la Edad Media, la de 1894-1912 arrasó pueblos enteros, dejando un rastro de devastación fatal a su paso: «Los únicos sonidos que ocasionalmente rompen el silencio son los ruidos de las procesiones funerarias y las lamentaciones y gritos de las plañideras frente a las casas donde ha acaecido recientemente una muerte», explicó un periodista británico de Poona, en la India. (La mayoría de británicos consiguieron evitar la epidemia, gracias a su aislamiento y a un mayor control sobre las ratas. Una mujer inglesa escribió en una carta a su casa: «Nosotros, los blancos, no estamos preocupados por la plaga y bailamos en el club cada noche tan felices como siempre».)

Las altas tasas de mortandad en la India se vieron favorecidas por la resistencia de muchos musulmanes a evacuar los pueblos contaminados. Se creía firmemente que huir de la plaga era huir de la cólera de Alá, cosa que el Corán prohibía de manera expresa. Finalmente el gobierno aprobó una resolución estableciendo que Alá deseaba que sus fieles se protegieran de la epidemia. ►**1918.7**

TEATRO

Playboy en el Abbey

4 Los espectadores que asistieron al estreno mundial de *The Playboy of the Western World*, de John Millington Synge, en enero de 1907 quizá no conocían el término «antihéroe», pero eso fue exactamente lo que vieron cuando un personaje llamado Christy Mahon salió a escena y anunció que había matado a su padre. El argumento de la obra, y muchas de las disputas que suscitó, se centraba en la mitificación de Christy, que queda rápidamente desmitificado cuando su padre resucita, por parte de los otros personajes. Sin embargo, su valor real reside en el ritmo puro y poético del lenguaje de los campesinos irlandeses. (Synge siempre intentó que los diálogos de sus obras fueran una pura transcripción de la enérgica lengua vernácula de sus compatriotas anglo-irlandeses.)

Tanto en la forma como en el contenido, *The Playboy* suponía un enfrentamiento total e irreverente a las convenciones dramáticas de su tiempo. No se puede encasillar como comedia o tragedia, y su tratamiento de la violencia, el amor, la comunidad y la naturaleza del heroísmo es singularmente moderno. Los críticos la calificaron de decadente y obscena (uno la llamó «libelo difamatorio

***The Playboy* rompió tabúes en el tratamiento de la clase trabajadora y el uso de la lengua vernácula.**

sobre los campesinos irlandeses y, aún peor, sobre la juventud campesina de Irlanda»), pero la obra superó las críticas negativas. Al poner de manifiesto, como hizo Synge, que «la imaginación popular es orgullosa, magnífica y tierna», *The Playboy* se convirtió en una obra capital del renacimiento literario irlandés.

◄**1905.6** ►**1923.3**

DIPLOMACIA

Se ralentiza la carrera de armamento

5 Las grandes potencias aceleraron en 1907 la carrera armamentística internacional, invirtiendo el 6 % del presupuesto nacional en gastos militares, nivel jamás alcanzado con anterioridad en tiempo de paz. Cada país culpaba a sus competidores; todos pretendían buscar sólo la paz. El 15 de junio de 1907, representantes de 44 naciones, prometiendo detener lo que un periodista americano definió como «insensata rivalidad», convocaron una conferencia en La Haya que duró cuatro meses para iniciar un proceso de desarme mundial.

La Segunda Conferencia de La Haya siguió los mismos principios de la convención convocada por el zar Nicolás II en 1899, que había establecido el primer tribunal internacional, con códigos legales para arbitrar conflictos entre naciones y establecer un modelo de conducta en tiempo de guerra. La conferencia de 1907 fue más allá, aunque no consiguió establecer la paz mundial. Aumentó los poderes del Tribunal de La Haya (que todavía existe, aunque su papel ha quedado disminuido frente al de la Organización de las Naciones Unidas), estableció acuerdos sobre los derechos y deberes de las potencias neutrales, la colocación de minas submarinas, la categoría de barco mercante enemigo y las condiciones de los bombardeos navales. Se mantuvo la prohibición de los aerostatos militares de la primera conferencia de La Haya, aunque los aviones de combate pronto la vaciaron de contenido. Las anteriores prohibiciones de las balas dum-dum y los gases asfixiantes estaban destinadas a desaparecer.

El proyecto de desarme apenas se aplicó, pero en la conferencia se fijaron las reglas con las que se lucharía siete años después. ►**1914.1**

La segunda conferencia de La Haya. Una tercera, proyectada para 1915, no se celebró debido al inicio, el año anterior, de la Primera Guerra Mundial.

NACIMIENTOS

Daphne du Maurier, escritora británica.

François «Papa Doc» Duvalier, presidente de Haití.

Mircea Eliade, antropólogo y escritor rumano.

Katharine Hepburn, actriz estadounidense.

Alfred Jarry, escritor francés.

William J. Levitt, constructor estadounidense.

Pierre Mendès-France, escritor y político francés.

Alberto Moravia, escritor italiano.

Laurence Olivier, actor británico.

Barbara Stanwyck, actriz estadounidense.

John Wayne, actor estadounidense.

MUERTES

Giosuè Carducci, poeta y crítico literario italiano.

Edvard Grieg, compositor noruego.

J.K. Huysmans, novelista francés.

Dimitri Mendeleyev, químico ruso.

Sully Prudhomme, poeta francés.

William Thomson, Lord Kelvin, físico británico.

Pintura y escultura: ***El encantador de serpientes*** **(Henri Rousseau);** ***Carga de caballería en las llanuras del sur*** **(Frederic Remington) [...] Cine:** ***Ben Hur*** **(Sidney Olcott);** ***Rescate de un nido de águilas*** **(Edwin S. Porter) [...] Teatro:** ***Follies de 1907*** **(Florenz Ziegfeld);** ***La plática de la ciudad*** **(George M. Cohan);** ***Una pulga en la oreja*** **(George Feydeau);** ***Los intereses creados*** **(Benavente).**

Esta gente espera ser tratada con crema, jabón y abrazos. Pero lo que necesita –y lo que tendrá– es un buen puñetazo.»
—Papa Pío X

NOVEDADES DE 1907

Títulos en el cine en lugar de comentaristas.

Latas de atún (San Pedro, California).

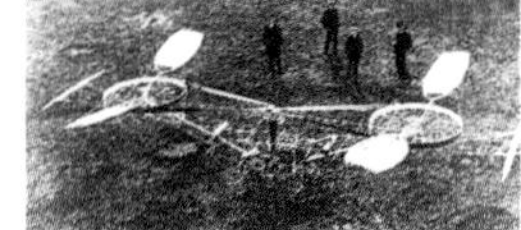

Helicóptero (diseñado por el francés Paul Cornu).

Detergente de uso doméstico (Persil).

Escuela de esquí (St. Anton en los Alpes austríacos).

Linóleo Armstrong.

Perfume y productos de belleza de L'Oréal (Francia).

Iglesia metodista.

EN EL MUNDO

▶SE ACLARAN LAS ALIANZAS—El a veces inescrutable tejido de la geopolítica europea adquirió un nuevo diseño en 1907, cuando Inglaterra y Rusia formaron una alianza conocida como la Triple Entente, con Francia como tercer elemento. Como una lógica ampliación de las recientes aproximaciones entre Francia y Rusia, e Inglaterra y Francia, la Triple Entente pervivió como el núcleo de las potencias aliadas durante la Primera Guerra Mundial. Mientras tanto, Alemania, Austria-Hungría e Italia mantendrían la Triple Alianza, un pacto militar secreto, varias veces renovado antes de la Primera Guerra Mundial. ◀1906.9 ▶1911.1

▶FUSIÓN PETROLÍFERA—La gigantesca compañía holandesa Royal Dutch Oil y su equivalente británica, la Shell, se fusionaron en 1907.

El presidente de la Royal Dutch, Hendrik W. A. Deterding se convirtió en director y el presidente de la Shell; Marcus Samuel, en presidente de la nueva y gran corporación internacional, presente en cualquier lugar del mundo donde se encontrara petróleo. ◀1901.12 ▶1909.5

Inmigrantes a bordo del *Lafayette*. Una vez llegados a puerto, debían esperar durante varios días antes de ser transportados a la isla de Ellis.

ESTADOS UNIDOS

El apogeo de la inmigración

6 Venían de toda Europa, de las villas rurales y de los suburbios de las ciudades. Subsistían gracias a su esperanza en un futuro mejor en las calles «pavimentadas de oro» de América más que por los arenques salados y el pan duro que les servían de alimento durante los nauseabundos diez días de navegación a través del Atlántico. Más de trece millones de inmigrantes llegaron a Estados Unidos entre 1900 y 1914, cuando la Primera Guerra Mundial interrumpió el flujo. En 1907, la inmigración alcanzó su cota más alta: llegaron 1,2 millones.

Los «nuevos» inmigrantes (denominados así para distinguirlos de sus predecesores decimonónicos) venían mayoritariamente del este y el centro de Europa, un origen que sacó a la luz lo peor de las inclinaciones nacionalistas de la sociedad, que incluían una alta dosis de antisemitismo y anticatolicismo. Los reaccionarios tomaron como referencia el censo de 1890, que se había hecho eco del final de la ampliación de las fronteras y proclamaban que la república ya no podía aceptar más ciudadanos nuevos. La mayoría de los argumentos contra la inmigración estaban motivados por prejuicios racistas. Un historiador llegó tan lejos como para defender que sólo la sangre anglo-sajona era adecuada para la democracia. El crecimiento paralelo de las ciudades y de la clase trabajadora, alimentado por buena parte de la inmigración, atemorizó a muchos americanos conservadores.

En 1907, la Comisión de Inmigración de Estados Unidos intentó hallar una solución. Su informe, publicado cuatro años después, recomendaba la restricción de la inmigración, sembrando la semilla de la futura legislación contra este movimiento migratorio, incluyendo cupos y poniendo condiciones como la exclusión de los analfabetos. La guerra y el temor a la anarquía abonaron los recelos frente a los inmigrantes. Las puertas de América se estrecharon de forma inexorable, y el flujo de inmigrantes no volvió a alcanzar tales cotas. ▶1917.2

RELIGIÓN

La Iglesia purga a los modernistas

7 «Esta gente», proclamó el Papa Pío X, que espera ser tratada con [...] abrazos. Pero lo que necesita —y lo que tendrá— es un buen puñetazo». En julio de 1907, el Papa entró en combate con una purga que sacudió a la Iglesia y a los gobiernos europeos. «Esta gente» eran los modernistas, católicos que formaban parte de un movimiento para adaptar su fe (como dijo uno de sus dirigentes) «a las necesidades intelectuales, morales y sociales del momento». Aludiendo a los nuevos descubrimientos científicos e históricos, los modernistas, entre los que se encontraban algunos respetados teólogos, empezaron a desafiar los dogmas de la Iglesia: un profesor austríaco de Derecho canónico cuestionó la inmaculada concepción; prelados franceses interpretaron los seis días de la historia de la creación como «seis períodos de años»; un religioso que escribía novelas intentó reconciliar el catolicismo con el darwinismo; otros exhortaron a Roma a tomar partido por los trabajadores contra sus opresores.

El Pontífice contraatacó autorizando la supresión de todo el personal disidente de universidades y seminarios, el nombramiento de un censor para las publicaciones católicas y la instalación de un comité de vigilancia en cada diócesis. Ordenó a los obispos que redactaran informes sobre sus subordinados y que «arrancaran de las manos de los fieles todos los libros y escritos nocivos». Los sacerdotes tuvieron que firmar un juramento contra los modernistas. Los espías atraían a los clérigos a conversaciones incriminatorias e incluso fotografiaban en secreto la correspondencia de algunos teólogos. Una denuncia anónima podía ser motivo suficiente de excomunión contra un autor modernista.

La persecución sólo consiguió fortalecer a los enemigos externos de la Iglesia, sobre todo en Alemania y Holanda. Allí, la mayoría protestante reaccionó de forma colérica contra la encíclica papal que llamaba a los fundadores «anticristianos» y «materialistas». Ambos países estaban gobernados por coaliciones que dependían de un partido católico para mantener a raya a los socialistas. Por toda Europa, la prensa liberal y los gobiernos laicos lamentaron la actuación del Vaticano. Sin embargo,

DEPORTES: Automovilismo: primer rally Pekín-París (gana el príncipe Scipione Borghese) [...]

«Por el ansia de oro los magnates del trust han puesto en peligro la vida de la gente.»—**La revista *Arena*, julio de 1907, poco antes de la crisis de 1907**

la purga persistió hasta 1914, cuando el nuevo Papa, Benedicto XV, empezó a anular estos edictos y a restaurar a algunos sacerdotes modernistas en sus parroquias. **▸1929.10**

IDEAS

La fuerza de la vida

8 La doctrina del *élan vital* sacudió al mundo como un maremoto en 1907. Presentada por el filósofo francés Henri Bergson en su obra, *La evolución creadora*, el *élan vital*, o fuerza de la vida, era el principio a través del cual se sintetizaban lo espiritual y lo físico. Bergson postulaba que la vida no se desarrolla de forma mecánica, sino que está dirigida por esta fuerza, que impregna toda la materia, permitiendo la generación de una variedad infinita de formas. En otras palabras, la evolución es creadora.

La teoría de Bergson no sólo influyó en otros grandes pensadores del siglo XX, incluyendo a George Santayana y Alfred North Whitehead, sino que también caló en la imaginación de la gente. Admiradoras emocionadas, muchas de las cuales pensaban erróneamente que el *élan vital* era algún tipo de esencia sexual que corría por las venas, asediaron a Bergson con cartas e invitaciones para citarse con él. Bergson intentaba eludirlas con constantes cambios de dirección en París, una táctica por la cual llegó a ser conocido como el «judío errante».

Publicó un ensayo sobre la fe religiosa, *Las dos fuentes de la moral y de la religión*, en 1932. Pocos años más tarde confesó: «Mis reflexiones me han acercado cada vez más al catolicismo en el que veo la realización completa del judaísmo». Tenía intención de convertirse al catolicismo pero prefirió «permanecer entre los que mañana serán perseguidos». Cuando el gobierno de Vichy impuso las leyes raciales durante la Segunda Guerra Mundial, Bergson, viejo y cercano ya a la muerte, rechazó la exención que se le había ofrecido y se registró como judío. **▸1923.NM**

Con su libro, Bergson consiguió tantas *groupies* como una estrella de rock de hoy en día.

Multitud de inversores preocupados hacen cola en Wall Street durante la crisis de 1907.

ECONOMÍA E INDUSTRIA

La crisis de 1907

9 Empezó con una precipitada caída de los precios, que perjudicó al mercado de los remanentes de cobre, arruinando uno tras otro a los bancos que estaban vinculados con esta industria. Corrió el rumor de que algunos bancos quebrarían. El más afectado fue el Knickerbocker Trust Company de Manhattan, cuyos inversores empezaron a retirar la mayor parte de su dinero el 22 de octubre de 1907. En un día, la liquidez del banco se agotó, y los directores hicieron suspensión de pagos. El pánico de 1907 había empezado. A partir de entonces, el asedio a los bancos se extendió a otras instituciones de Nueva York; en unos días el país quedó sumergido en la crisis.

Durante las semanas siguientes, el espectáculo de una multitud desesperada sitiando un banco era habitual. Mientras, un grupo de financieros neoyorquinos, liderados por el respetado J. P. Morgan, ofrecieron garantías para importar de Europa cien millones de dólares en oro para financiar a los bancos afectados. En Washington, Teddy Roosevelt aseguró a la nación que sus instituciones financieras estaban a salvo. Para asegurarse, autorizó al Secretario del Tesoro, George Cortelyou, una transferencia masiva a los bancos de Nueva York, y aprobó un préstamo gubernamental de bajo interés de 150 millones de dólares. La inyección calmó a los nerviosos inversores, que interrumpieron la retirada de capital.

El pánico forzó al país a poner en tela de juicio la eficacia de su sistema bancario y monetario. El congreso celebró sesiones que culminaron, en 1913, en la creación del Sistema de Reserva Federal. **◂1901.3**

CULTURA POPULAR

El primer zoológico moderno

10 Décadas antes de que los derechos de los animales y del medio ambiente ocuparan un lugar en la conciencia popular, Carl Hagenbeck, domador alemán, inauguró, en 1907, un ambicioso y radicalmente nuevo tipo de zoológico que redefinió la relación entre los animales en cautividad y el *Homo sapiens* que iba a verlos. En aquel tiempo, la mayoría de los zoológicos mostraban a los animales en pequeñas jaulas de barrotes. Hagenbeck, que había realizado una campaña contra el uso innecesario de técnicas crueles en la doma de animales salvajes, descubrió la manera de mostrar a los animales en un entorno parecido a su hábitat natural.

Hagenbeck había comprado un terreno de 27 hectáreas en las afueras de Hamburgo en 1902 y pasó cinco años desarrollando su idea. Mediante un cuidadoso estudio y constante experimentación, encontró el equilibrio óptimo entre la seguridad de los espectadores y la aparente libertad de los animales. Grandes fosos invisibles separaban a los animales de sus observadores, manteniendo la seguridad de forma fácil, pero dando la ilusión de una continuidad natural.

Los osos polares todavía estaban en jaulas, pero el zoo de Hagenbeck era menos artificial que los anteriores.

No obstante, la recreación del entorno natural de los animales resultaba enormemente cara. Por esta razón, las técnicas de Hagenbeck, a pesar de resultar altamente innovadoras, no fueron adoptadas inmediatamente por otros zoológicos. Con el tiempo, su superioridad resultó evidente: el zoológico de Londres (en 1913) y el de St. Louis (en 1919) fueron dos de los primeros en incorporar las ideas de Hagenbeck. Hoy en día, la arquitectura de casi todos los zoológicos del mundo tiene una deuda con los esfuerzos de Hagenbeck para salvaguardar el entorno natural. **◂1905.5**

▶GOBIERNO PROPIO—Nueva Zelanda alcanzó el estatus de dominion en 1907. Sin embargo, Gran Bretaña continuó dirigiendo su política exterior durante los siguientes cuarenta años. ▸1926.9

▶ACUERDO SORPRESA—En un cambio de situación que sorprendió al mundo, Francia y Japón firmaron un tratado para reconocer y respetar los intereses de ambos en China, y para continuar allí la política «de puertas abiertas» de igualdad de oportunidades para el comercio internacional. El sorprendente pacto franco-japonés, formalizado el 10 de junio de 1907, establecía un acercamiento entre dos países muy distintos y en ocasiones enemigos, cuyas relaciones habían alcanzado su nadir recientemente a causa de la victoria de Japón sobre Rusia, la eterna aliada de Francia. ◂1905.3 ▸1914.2

▶NO AL TÚNEL DE LA MANCHA—El gobierno británico una vez más se opuso al proyecto de construir un túnel bajo el Canal de la Mancha, que uniera Francia e Inglaterra. El temor a una invasión que ni los españoles de la Armada Invencible ni los franceses de la época napoleónica habían conseguido llevar a cabo con éxito, el mar que separa las islas británicas del continente, el mayor bastión que garantizaba la independencia inglesa, constituían las razones principales de la oposición británica a esta vía de comunicación.

▶MUJERES EN EL PARLAMENTO—Finlandia. Por primera vez, las mujeres forman parte del Parlamento. Tras las elecciones parlamentarias de marzo, numerosas mujeres, pertenecientes a todas las clases sociales, resultaron elegidas diputadas. Las parlamentarias pertenecían en su mayoría al partido socialdemócrata.

▶MEDIACIÓN DE ESTADOS UNIDOS EN LA GUERRA CENTROAMERICANA—La guerra entre Honduras y Nicaragua finalizó con la victoria de esta última tras los éxitos militares de las tropas nicaragüenses. La

POLÍTICA Y ECONOMÍA: Fundación de la United Press (después U.P.I.) por E. W. Scripps [...] Gobierno conservador de Maura en España [...] Gustavo V sucede a su padre Óscar II en el trono de Suecia.

diplomacia estadounidense hizo de intermediaria entre los dos países después de dar asilo al comandante en jefe hondureño en un buque de la armada.

▶LA ESCUELA TAURINA CORDOBESA
—«Recientemente se ha inaugurado en Córdoba una escuela de tauromaquia, y si se juzga por el entusiasmo que su creación ha producido entre los aficionados cordobeses, pronto quedará ocupada la vacante que dejaron los célebres califas del toreo Lagartijo y Guerrita. Todos los matadores en ciernes y futuros profesionales de Córdoba, entre los que figuran muchos jóvenes de familias distinguidas que "hacen novillos" siempre que pueden dejando la austeridad del

colegio para ir al "aula" taurina, forman parte de la sociedad que ha fundado y sostiene la cornúfila escuela. Los novilleros y banderilleros cordobeses son socios de mérito a cambio de explicar las suertes de la lidia».

Mucha gente pensaba que era imposible sostener la mirada abrasadora de Rasputín durante más de unos pocos segundos.

RUSIA

Un monje loco en la corte del zar

11 En 1907, el heredero del trono ruso, un niño hemofílico de dos años de edad, quedó postrado en la cama con una hemorragia, y los médicos imperiales carecían de conocimientos para ayudarle. La zarina Alexandra se sentía angustiada y culpable. Cuatro de sus parientes cercanos habían muerto de hemofilia, y su único hijo, Alexis, había heredado esta enfermedad. Desesperada por salvarlo, la zarina mandó buscar a Grigory Yefimovich Rasputín, un disoluto campesino siberiano autoproclamado hombre santo y famoso en San Petersburgo desde hacía poco tiempo, que se había convertido en un favorito de la aristocracia. Rasputín llegó a la habitación del enfermo, rezó unas oraciones y la hemorragia cesó.

Alexandra y el zar Nicolás II, que respetaban a Rasputín desde el momento en que lo conocieron, lo aceptaron desde ese instante en su círculo íntimo. Alexandra adoraba a Rasputín como a un santo, y gracias a ella obtuvo una enorme influencia política. En 1915, tras haber salvado aparentemente a Alexis de múltiples hemorragias, el «monje loco» se convirtió en el hombre más poderoso de Rusia y llenó la corte con sus protegidos carentes de escrúpulos.

Sin embargo, su libertinaje desencadenó su ruina. El círculo de sus admiradoras femeninas hablaba con temor de su mirada abrasadora. Animaba sus emociones, diciendo que el contacto físico con él limpiaría a los pecadores de sus pecados. Las historias de sus corrupciones circulaban por todas partes. El clero se pronunció contra él; los dirigentes políticos, preocupados por su influencia, imploraron al zar que lo echara. Cuando los periódicos atacaron a Rasputín, Alexandra convenció a su marido de que los censurara. Sin embargo, la animosidad pública contra el «hombre santo» continuó creciendo. En 1916, cuando un grupo de líderes políticos conservadores empezaron a temer que él y la zarina conspiraban para lograr la paz con Alemania, decidieron asesinarle. Según la leyenda, atrajeron a Rasputín a una casa particular y le sirvieron vino y pasteles envenenados. Como el «monje» no sucumbió, el príncipe Felix Yusupov le disparó con una pistola. Tocado varias veces, Rasputín no acababa de morir. Finalmente, los conspiradores acabaron con él empujándolo al río Neva, donde se ahogó. **▸1917.1**

CHINA

El programa revolucionario de Sun Yat-Sen

12 En 1907, cuatro años antes de la revolución china, el Dr. Sun Yat-Sen, a menudo llamado el padre de la china moderna, presentó su programa para la democracia en una reunión de cinco mil estudiantes prorrevolucionarios en Tokio. Los Tres Principios del Pueblo de Sun incluían: el *min-zu*, la doctrina del nacionalismo, según la cual todos los ciudadanos chinos debían vivir en libertad e igualdad; el *min-quan*, la doctrina de la soberanía popular, por la que el pueblo chino obtendría el derecho del autogobierno; y el *min-sheng*, la doctrina del sustento, según la cual la tierra y el capital serían equitativamente distribuidos entre la población.

El programa de Sun obtuvo el apoyo de la elite revolucionaria de China. Miles de estudiantes incrementaron rápidamente la Tung Meng Hui, o Alianza Revolucionaria. Un histórico manifiesto fijó el rumbo del alzamiento que se estaba gestando. «Las revoluciones históricas recientes eran revoluciones de héroes», declaró, «la actual revolución es de todo el mundo. Esto significa que todos deben poseer el espíritu de la libertad, de la igualdad y de la fraternidad, y que todos debemos asumir la responsabilidad de la revolución». **◂1905.NM ▸1911.9**

CULTURA POPULAR

Los cómics triunfan en los periódicos

13 La crítica fue mordaz. «No está suficientemente claro qué son estos cómics. No pueden llamarse caricaturas, una caricatura está basada en algo que existe», redactó un lector disgustado, «pero esos rostros [...] no tienen ninguna relación con nada que se haya visto nunca». Sus detractores eran innumerables; sin embargo, en 1907, la tira cómica *Mr. A. Mutt*, que narraba las desventuras de un adicto a las carreras, infeliz y larguirucho, era publicada en el *Chronicle* de San Francisco seis días por semana en las páginas dedicadas a los deportes hípicos. El dibujante Bud Fisher introdujo más tarde un personaje bajo, con chistera y barba llamado Jeffries. Él y Mutt se conocieron en un manicomio. Así nació el perdurable tándem de Mutt y Jeff. Su gran popularidad aseguró la permanencia de las tiras cómicas y añadió un nuevo lenguaje al inglés americano.

Antes de *Mutt y Jeff*, las tiras cómicas sólo aparecían en los suplementos dominicales de los periódicos. Una de las últimas tiras dominicales, publicada en 1896, explicaba la vida de Yellow Kid, un golfillo callejero con una camiseta amarilla que aparecía en la publicación de Joseph Pulitzer, *The New York World*. El Yellow Kid originó el término «prensa amarilla» para describir el tipo de periodismo sensacionalista que Pulitzer y su rival William Randolph Hearst practicaban. Para competir con el Yellow Kid, Hearst lanzó su tira cómica dominical en colores, calificándola de «ocho páginas de iridiscente y policromática refulgencia que convierte el arco iris en una vulgar cañería». Los dibujos se convirtieron en una institución dominical, y era una cuestión de tiempo que saltaran a las ediciones diarias. **▸1908.E**

Con la introducción de Jeff *(izquierda)*, Mutt consiguió un compinche a su medida.

PREMIOS NOBEL: Paz: Ernesto Moneta (Italiano; Liga Lombarda de la Paz) y Louis Renault (francés; jurista en conferencias de paz de La Haya) [...] Literatura: Rudyard Kipling (novelista británico) [...] Química: Eduard Buchner (alemán; fermentación) [...] Medicina: Charles Laveran (francés; protozoos como agentes de enfermedad) [...] Fisica: Albert Michelson (estadounidense; espectroscopia y metrología).

El turismo en los Alpes del Tirol

De la revista *Nuevo Mundo*, Madrid, 1907

En este artículo aparecen tres temas que a lo largo del siglo XX tendrán una importancia creciente: el desarrollo del turismo, la participación de la mujer en el deporte y los conflictos territoriales entre los países europeos. El Alto Adiggio para los italianos, el Süd Tyrol para los austríacos, es un territorio disputado durante toda la primera mitad del siglo XX, una frontera entre el mundo latino y el mundo germánico. Las condiciones orográficas hacen de esta zona un escenario excelente para los deportes alpinos, en los que, como recogen las fotografías, la participación femenina tuvo una aparición temprana.

Entre los placeres que el hombre se ha ideado figura el del peligro. Cuando este elemento psicológico se une a la contemplación de las bellezas naturales en su aspecto más imponente, se tiene el alpinismo, uno de los deportes más viriles, a pesar de lo cual cuenta entre sus adeptos con muchas personas del bello sexo.

Entre los países predilectos de los alpinistas figura el Tyrol. Esta comarca, de unos veintisiete mil kilómetros cuadrados escasos, pertenece políticamente a Austria; pero etnográficamente es heterogénea. Su parte meridional está poblada por gentes de idioma italiano y forma parte de la llamada «Italia irredenta»; mientras que en el resto del país se habla alemán.

Todo el Tyrol se halla atravesado, de Oeste a Este, por los Alpes Orientales, que presentan en muchos puntos el imponente aspecto que se revela en nuestros fotograbados. En el centro se levanta el macizo del Oetzthal, que culmina en el Wildspitze, a 3.780 metros sobre el nivel del mar; y a una y otra parte de él se extienden cadenas secundarias. Dos pasos importantes marcan la división entre el macizo del Oetzthal y el resto de la cadena: el de Reschen, a 1.490 metros, y el de Brenner, a 1.362. Por este último pasa el camino de Verona (Italia) a Innsbruck, capital del Tyrol. La cadena secundaria del Norte recibe el nombre de Alpes Calcáreos, por estar constituida principalmente de calizas, rocas en que los aspectos imponentes y fantásticos llegan a su grado máximo, a causa de las formas caprichosas en que las talla, con la ayuda de los siglos, la acción de las lluvias, las nieves, los cambios de temperatura y demás fenómenos atmosféricos. En esta cadena el pico de Wetterstein culmina a 2.952 metros sobre el nivel del mar.

«El automóvil ha alcanzado el límite de su desarrollo. Esta afirmación está avalada por el hecho de que durante el año pasado no se han producido novedades significativas.»—**Scientific American, enero de 1908**

HISTORIA DEL AÑO

Ford presenta el Modelo T

1 «Construiré un coche para las masas», prometió Henry Ford en 1908, cuando presentó el modelo T, el coche que abarrotó el mundo de automóviles y propició la producción en cadena, característica de la segunda revolución industrial. A finales de la centuria, la premonición de un joven granjero que soñaba con un coche particular al alcance de las masas no sólo se había realizado más allá de sus más desmesurados sueños sino que había transformado todos los ámbitos de la vida: desde el aspecto de las ciudades hasta el papel del petróleo en la política internacional, pasando por el aire que respiramos.

Duradero, ligero, extraordinariamente polivalente, el Modelo T resistía los toscos caminos rurales, convirtiendo así a los trabajadores del campo, un gran sector de la población americana en 1908, en unos clientes rentables. Aún más importante, por 850 dólares el coche de Ford era asequible y no un juguete de ricos. Al cabo de los años, cuando la producción se perfeccionó, los precios descendieron, permitiendo a Ford construir un coche «que ningún hombre con un salario decente dejaría de comprar». En un año de producción, 10.000 Modelos T circulaban por América. Cuando cesó su fabricación, en 1927, se habían vendido más de quince millones en todo el mundo.

Con sus cuatro cilindros, la transmisión «planetaria» semiautomática (pedales de marcha adelante y marcha atrás que facilitaban rápidos cambios), la suspensión flexible y un magneto eléctrico que sustituyó a las pesadas pilas secas, el innovador Modelo T fue el coche más moderno y sólido de su época. Podía ir a cualquier sitio que llegara un coche de caballos y lo hacía a más velocidad. «El coche nos libra del barro», escribió una granjera americana al magnate en 1918, dulce alabanza dirigida al popular profeta de la tecnología y de su uso habitual.

El Modelo T (modelo de 1910) *(superior)* obtuvo mil pedidos tras su primer anuncio publicitario.

Lo que hizo del Modelo T algo realmente radical y una mina de oro para Ford, fue la intercambiabilidad de sus componentes. Desde 1913, cada pieza, desde los ejes hasta la caja de cambios, se fabricaba con tolerancias muy estrictas, por esto cada modelo era igual a cualquier otro, permitiendo que el coche fuera producido en grandes cantidades en un tiempo en que los otros automóviles eran laboriosamente manufacturados. En 1909, frente a la aparente demanda insaciable, Ford inauguró su gigantesca fábrica en Highland Park, Michigan. Pocos años después, intentando reducir todavía más el tiempo de producción, introdujo la cadena de montaje, creando de una vez la moderna industria del automóvil —todo al servicio del humilde Modelo T. **◂1903.8 ▸1913.6**

El rey Leopoldo II en una viñeta británica, recibiendo lo mismo que había dado.

ÁFRICA CENTRAL

Leopoldo pierde el Congo

2 En tan sólo dos décadas, el rey Leopoldo II de Bélgica había convertido una parte de África central, ochenta veces mayor que su país natal, en su propiedad privada. Los beneficios de las lucrativas industrias del caucho y del marfil iban a parar directamente a su bolsillo. En 1908, sus abusos de poder y los malos tratos a los africanos provocaron tal escándalo que el Parlamento belga, en un esfuerzo por mantener la constitución monárquica y el poder real, votó la anexión del Estado Libre del Congo y la convirtió formalmente en una colonia.

Leopoldo había empezado a apropiarse de estas tierras a finales de 1870, cuando el explorador Henry Morton Stanley navegó por el río Congo y ofreció los tratados que había negociado con los jefes africanos, en primer lugar, a una desinteresada Gran Bretaña y luego a un ansioso Leopoldo. Hacia 1884, 450 jefes habían cedido sus derechos de soberanía al rey Leopoldo (que por entonces usaba a Stanley para negociar en su nombre). Después de que el rey construyera una carretera a través del interior, la «carrera por África» se aceleró. El Tratado de Berlín de 1885 estableció fronteras y normas de libre comercio para el África colonial y clamó en defensa de los derechos de los nativos africanos. Leopoldo ignoró todas las estipulaciones del tratado, gobernando el Congo con cruel intransigencia.

Para él, el Congo era «el gran pastel africano». El rey impuso tasas altísimas, que prácticamente acabaron con el comercio internacional y las inversiones extranjeras. Los habitantes fueron desposeídos de todos sus derechos y obligados a recolectar caucho sin cobrar. «Aquí hay una cesta», decían los capataces a sus subordinados, «ve al bosque y si en una semana no has vuelto con 5 kg de caucho, ordenaré que incendien tu cabaña y tú morirás en ella». Unos quince millones de personas fueron esclavizadas de este modo, decenas de miles fueron asesinadas. Grupos como la Asociación Inglesa para la Reforma del Congo estallaron en protestas.

Tras haber adquirido yates, villas en el Mediterráneo y queridas, Leopoldo invirtió dinero en Bélgica. Construyó lujosas obras públicas (avenidas, parques, museos), todo para congratularse con el pueblo belga mientras el resto del mundo lo condenaba. Cuando Leopoldo se percató de que la opinión pública estaba en contra suya de manera irrevocable y que el movimiento en favor de la anexión era imparable, de forma silenciosa y cautelosa, transfirió los bienes del Estado Libre y concesiones mineras a compañías secretas fuera del control del gobierno belga. El Congo que cedió a Bélgica, a pesar de ser rico en reservas naturales, estaba arruinado. **◂1902.5**

GRAN BRETAÑA

Muchachos disfrazados de soldados

3 Si Gran Bretaña hubiera ganado la guerra de los bóers con más facilidad, los Boy Scouts, fundados en 1908, quizás no hubieran existido nunca. Pero, el Imperio necesitó 450.000 soldados y tres años para someter a 40.000 granjeros holandeses. En Gran Bretaña muchos estaban preocupados por la calidad de los combatientes británicos —sobre todo desde que tres de cada

ARTE Y CULTURA: **Libros:** ***Una habitación con vistas*** **(E. M. Forster);** ***La isla de los pingüinos*** **(Anatole France);** ***El hombre que fue jueves*** **(G. K. Chesterton);** ***Oriente*** **(Blasco Ibáñez) [...]** **Música: «El largo camino a Tipperary» (Williams y Judge);** ***Cuarteto de cuerda n.° 1*** **(Béla Bartók) [...]** **Pintura y escultura:** ***Montaña azul*** **(Wassily Kandinsky);** ***El beso*** **(Constantin Brancusi) [...]**

«Probablemente los muertos y heridos ascienden a unos quinientos. Los hechos no se sabrán nunca con exactitud, muchos han sido lanzados a los fosos más cercanos o han sido devorados por los perros.»—**Observador británico de la batalla en Teherán**

cinco reclutas habían sido rechazados por deficiencias físicas. De vuelta a casa, la industrialización había incrementado las cotas de criminalidad y pobreza y la inquietud laboral iba en aumento. En términos del darwinismo social más vulgar, Britania parecía haber perdido su capacidad de supervivencia, había perdido la fuerza.

Robert Baden-Powell acudió al rescate. Inspector general de caballería y héroe de la guerra de los bóers, Baden-Powell, miembro de la alta sociedad, tuvo un sueño: una organización que infundiera en los niños varones de todas las clases sociales (pero especialmente de las más bajas) virtudes tan marciales como: el patriotismo, la salud física, el respeto por el rango y la confianza en sí mismos. Su manual de 1908, *Scouting for Boys*, inauguró oficialmente el movimiento de los Boy Scouts.

A cambio de la satisfacción atlética, las aventuras en el bosque, el simulacro de la gloria militar, las técnicas de supervivencia y la satisfacción tribal de pertenecer a un grupo (coronada con cantos rituales), los scouts debían comprometerse a «cumplir con su deber con Dios y con el rey». El noveno precepto de la ley de los scouts ordenaba alegría, ayuda, lealtad y una obediencia incondicional; su lema era «estar preparados» *(«Be prepared»)*, cuyas iniciales se tomaron de su fundador.

En 1910 había 100.000 boy scouts en Inglaterra, con filiales que se repartían por todo el mundo. A finales de los ochenta, había unos dieciséis millones de scouts en 110 naciones del mundo. **◂1902.1**

ARTE

Los *Ashcanners*

4 Cuando sus colegas de Europa ya habían descubierto el territorio *fauve* y cubista, los artistas americanos se autolimitaron a los temas bellos y sugestivos. Pero este panorama empezó a cambiar en 1908, cuando un grupo de pintores que se autodenominaron «Los Ocho» (Arthur B. Davies, Maurice Prendergast, Ernest Lawson, John Sloan, William Glackens, Everett Shinn, George Luks y Robert Henri, el dirigente del grupo) exhibieron sus lienzos, que representaban la cara americana que la buena sociedad ignoraba. **◂1907.1 ▸1913.2**

Arte *ashcan*: *Fregona*, de John Sloan.

ORIENTE MEDIO

La batalla por Persia

5 Tras siglos de gobierno autocrítico, a principios del siglo XX los persas habían iniciado el camino hacia un gobierno constitucional. En 1908, se había aprobado un decreto de derechos civiles y la asamblea nacional (el Majlis) contaba ya dos años. Sin embargo, el sha Muhammad Ali estaba resuelto a gobernar como lo habían hecho sus predecesores, sin el estorbo de una constitución o un parlamento. En junio de 1908 mandó a sus soldados clausurar el Majlis. Luego decretó la ley marcial y procedió a la ejecución de los muchos líderes de la oposición que consiguió detener: dos fueron envenenados; uno estrangulado, y otros simplemente no soportaron las sesiones de tortura.

El sha consiguió dominar la capital, Teherán, pero la lucha estalló inesperadamente en las provincias. «Alá maldijo a los tiranos» rezaba una proclama de líderes insurgentes. «Puede que estés ganando por el momento, pero no será así por mucho tiempo.» En julio de 1909, las fuerzas constitucionales habían derrotado a los monárquicos en varias ciudades y se dirigieron a Teherán. Cuando llegaron a la capital, asaltaron el palacio real y obligaron a Muhammad Ali a pedir asilo político en la embajada rusa, dejando el control del Estado a los rebeldes.

Los constitucionalistas nombraron al príncipe Ahmad Mirza, de doce años de edad, nuevo sha, limitando severamente sus poderes ejecutivos. El chico hubiera preferido seguir a sus padres y hermanos cuando huyeron a Rusia. Durante los primeros días de su reinado, mientras llegaban telegramas de felicitación de todo el mundo, él lloraba desconsolado e incluso una vez intentó escapar de su palacio. Un mes después, la convocatoria de una segunda asamblea nacional marcó el comienzo real de un gobierno constitucional en Persia. **▸1925.10**

Monarca infeliz: el príncipe de Persia, de 12 años, Ahmad Mirza *(derecha)*, fue ascendido al trono después de que los rebeldes forzaran el destierro de su padre.

NACIMIENTOS

Salvador Allende, presidente de Chile.

Simone de Beauvoir, escritora francesa.

Henri Cartier-Bresson, fotógrafo francés.

Arturo de Córdova, actor mexicano.

Joan Crawford, actriz estadounidense.

Bette Davis, actriz estadounidense.

Ian Fleming, novelista británico.

Enver Hodja, político albanés.

Herbert von Karajan, director de orquesta austríaco.

Claude Lévi-Strauss, antropólogo francés.

Willard Frank Libby, químico estadounidense.

Anna Magnani, actriz italiana.

Thurgood Marshall, juez del tribunal supremo estadounidense.

Joseph McCarthy, senador estadounidense.

Olivier Messiaen, compositor francés.

Jorge de Oteiza, escultor español.

William Saroyan, escritor estadounidense.

James Stewart, actor estadounidense.

Simon Wiesenthal, investigador de crímenes de guerra austríaco.

MUERTES

Edmondo d'Amicis, escritor italiano.

Antoine-Henri Becquerel, físico sueco.

Grover Cleveland, presidente de Estados Unidos.

Nicolai Rimsky-Korsakov, compositor ruso.

Pablo Sarasate, violinista español.

Cine: ***Las aventuras de Dollie*** **(D. W. Griffith);** ***El asesinato del duque de Guisa*** **(LeBurgy y Calmettes) [...] Teatro:** ***Lo que toda mujer sabe*** **(J. M. Barrie);** ***El crisol*** **(Israel Zangwill);** ***Las hijas del Cid*** **(Eduardo Marquina).**

«Te transporta a los bosques silvestres y al dios Pan [...] y las ninfas entusiasmadas con el sol, el viento y el amor.»
—Reportero de Nueva York, sobre Isadora Duncan

NOVEDADES DE 1908

Película de terror (una versión de *Dr. Jekyll y Mr. Hyde*).

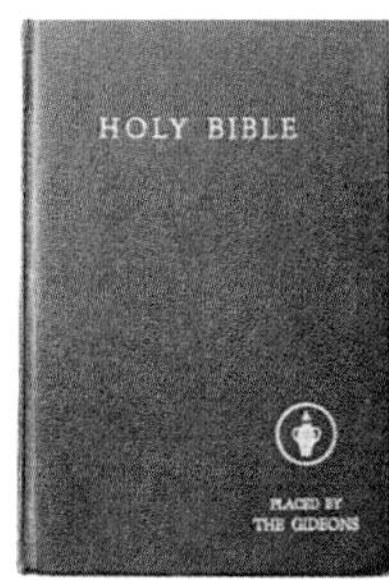

La Sagrada Biblia distribuida gratuitamente en los hoteles.

Vasos de papel (introducidos por la compañía Public Cup Vendor de Nueva York).

Silenciadores para armas de fuego.

Glutamato de monosodio (GMS).

EN EL MUNDO

▶ENVOLTORIO MILAGROSO —Intentando crear un tejido resistente a las manchas, el químico suizo Jacques Brandenberger en 1908 aplicó una capa de celulosa líquida a un mantel. Cuando se secó, la capa se convirtió en una lámina transparente. Brandenberger bautizó a su invento con el nombre de celofán; se convirtió en el envoltorio más moderno para empaquetar comida. ▶1909.7

▶DETECTOR DE RADIACIÓN —En 1908, en Inglaterra, el físico alemán Hans Geiger construyó la primera versión de su famoso detector de radiaciones. Como una versión mecánica del canario de las minas de carbón, el contador Geiger medía y grababa las emisiones de energía radiactiva. ◀1903.6 ▶1911.3

▶CATÁSTROFE EN MESSINA —El terremoto más devastador recordado en Europa hizo temblar a Italia en diciembre de 1908. Sacudiendo ambos lados del estrecho de Messina, mató a unas 85.000 personas en Sicilia y en el continente, y destruyó una rica colección de arquitectura antigua. ◀1906.5

▶EL ÚLTIMO EMPERADOR DE CHINA—Con la muerte en 1908 de la emperatriz viuda Ci Xi, el niño de dos años Pu Yi *(en la ilustración,* adulto y con su esposa) se convirtió en el nuevo y último

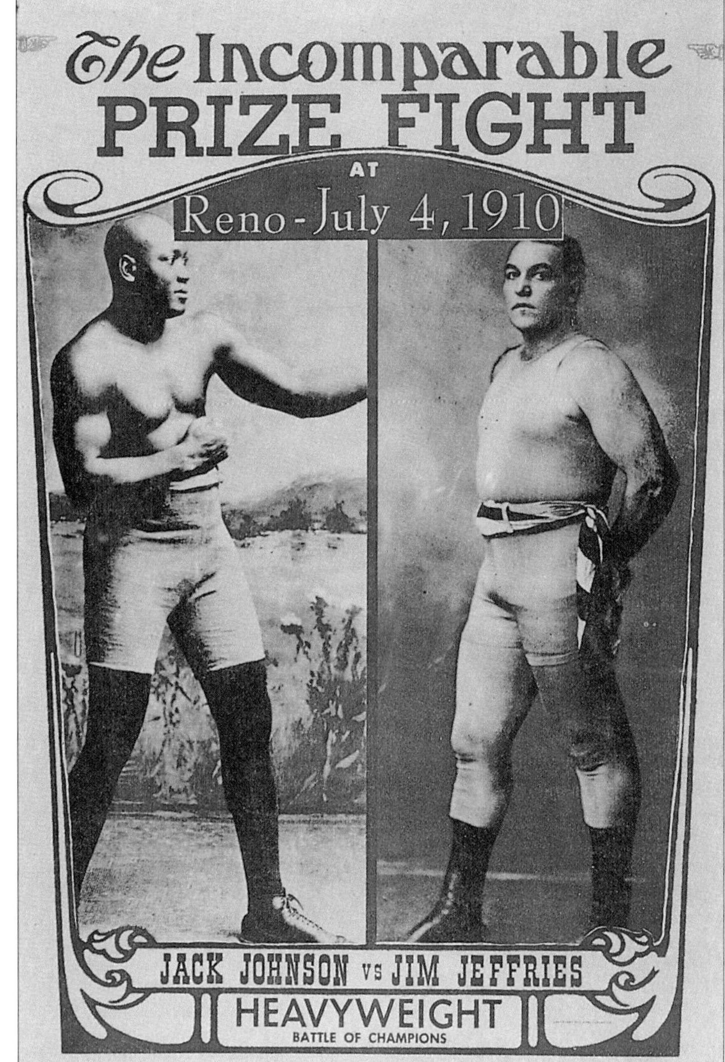

La «gran esperanza blanca», Jim Jeffries, no consiguió arrebatarle la corona a Johnson.

DEPORTES

Johnson gana la corona

6 Si hubiera sido blanco, Jack Johnson se hubiera convertido en un ídolo nacional. Además de poseer un legendario gancho izquierdo y una fenomenal habilidad para evitar los golpes, era un aficionado a la música clásica, coleccionista de coches exóticos y un ávido lector de Shakespeare y Víctor Hugo. Pero en una época en la cual la supremacía blanca era un dogma, el gran boxeador afroamericano fue uno de los hombres más detestados en vida. En 1908, Johnson se convirtió en el primero de su raza que ganó el campeonato mundial de pesos pesados, triunfando sobre el defensor del título Tommy Burns en 14 asaltos. Su victoria fue minimizada como si hubiera sido un golpe de suerte. Nació así el mito de «la gran esperanza blanca» capaz de reconquistar la corona.

Dos años más tarde, unos promotores persuadieron a Jim Jeffries, un ex-campeón de California retirado, para que desafiara a Johnson. Jeffries captó la atención pública al tener que vencer a un «negrata». Durante el combate, la banda tocó una popular tonada racista; el público vitoreaba a Jeffries y abucheaba a Johnson. Johnson machacó a Jeffries, se burló de él («creo que este tipo pega») y lo noqueó en el décimoquinto asalto. Las consecuencias fueron disturbios en todo el país, con 19 muertos y cientos de heridos; la mayoría, negros atacados por bandas de blancos.

Johnson mantuvo su título hasta 1915, cuando perdió un combate contra Jess Willard en La Habana —probablemente a propósito, con la vana esperanza de que concediendo el título a un blanco serían retirados los cargos criminales contra él (había sido procesado en 1912 en Estados Unidos por supuesta inmoralidad y fue sentenciado a un año de prisión). Johnson huyó a Europa mientras esperaba el resultado de la apelación, pero regresó a Estados Unidos en 1920 para cumplir su condena. Una vez libre, sólo pudo boxear en combates de tercera categoría, trabajar como entrenador e incluso aparecer en algunos vodeviles y espectáculos de carnaval (incluyendo un número de doma de moscas). Murió en un accidente de coche en 1946. ▶**1937.9**

DANZA

Amor libre, danza libre

7 Isadora Duncan irrumpió en la escena de la danza con una combinación de coreografía, música, personalidad y escenografía como nunca se había visto antes. Duncan denominaba lo que hacía: «la divina expresión del espíritu humano a través del movimiento del cuerpo.» En 1908, una vez conquistada Europa, regresó, triunfal, a su América natal.

En agudo contraste con el formalismo del ballet clásico, Duncan desarrolló e improvisó un lenguaje «natural» del movimiento. Dos ingredientes fueron cruciales para su éxito: la evocación de las artes de la antigua Grecia y la utilización de una música seria (sus favoritos eran Beethoven, Schubert y Chopin), en lugar de las ligeras composiciones para ballet que estaban de moda. Duncan también innovó los elaborados trajes de baile —actuaba descalza y vestida con una anticuada túnica griega—, dejando que su danza hablara por sí misma. Citando a Platón en sus discursos tras las actuaciones, Duncan convencía al público (y a la crítica) de que su estilo totalmente personal de bailar era realmente histórico; sobre todo sus miembros desnudos, que de otro modo hubieran sido escandalosos.

El aroma del escándalo envolvía su vida privada. Destacada defensora del amor libre, se negó a proclamar el nombre de los padres de sus dos hijos pequeños (que se ahogaron pocos años después cuando el coche en el que viajaban cayó al Sena). La extravagancia de Duncan se extendió incluso a su intempestiva y extraña muerte en 1927: se partió el cuello cuando su bufanda se enganchó en la rueda trasera del coche en el que iba.

Muchos padres, en varios países, confiaban sus hijas a la Duncan; las compañías de «Isadorables» llegaron a ser tan populares como su maestra.

Duncan se inspiró en las artes de la antigua Grecia.

DEPORTES: Juegos Olímpicos en Londres (el rey Eduardo VII fijó la distancia exacta de las maratones (unos 45 km) [...] En Madrid se constituye la Federación Española de Navegación Aérea.

«Cualquier control o interferencia del extranjero [...] va en detrimento de los intereses de los propios nativos.»—**Herbert Henry Asquith, primer ministro británico (1908-1916), en el acuerdo británico para constituir la Unión de Sudáfrica**

Aunque no poseía una técnica coherente para enseñar, y los coreógrafos posteriores redujeron su fuerza a puro sentimiento, Duncan liberó a los bailarines, incluyendo a pioneros como Ruth St. Denis y Fokine, de las convenciones y restricciones del siglo anterior. **◂1905.12 ▸1909.6**

CINE

Edison excluye a sus competidores

8 La compañía de Thomas Alva Edison no sólo construyó el primer estudio cinematográfico del mundo en 1893, sino que también desarrolló, patentó y adquirió los derechos de la tecnología primitiva. Con el cambio de siglo, se levantaron nuevas compañías cinematográficas de la noche a la mañana, generalmente con sus propias versiones de cámaras y equipos de proyección. Algunas de éstas eran modelos originales y patentables; otras resultaban ser copias piratas de los productos de Edison. Éste no hacía distinciones, demandaba a todos sus competidores por igual, ahogando a las pequeñas compañías con monstruosos costes legales.

El genio de Menlo Park, Nueva Jersey: Edison *(en primer plano)*, con miembros de su *trust*.

Cuando no podía acabar con sus competidores a la primera, el astuto Edison les ofrecía un trato: unir sus patentes en una sola compañía —un *trust*— y renunciar a todos los pleitos. En diciembre de 1908, se formó la Compañía de Patentes Motions Pictures, con la mayoría de acciones repartidas entre Edison y un antiguo rival, la Compañía Biograph. Cualquiera que quisiera producir, distribuir o exhibir películas en Estados Unidos, tenía que comprar una licencia a esta sociedad.

Sirviéndose de tácticas coactivas propias del populacho, el *trust* atacó a las firmas rebeldes con presiones legales —y físicas. El productor Carl Laemmle, que pronto fundó la Universal Pictures, protestó públicamente, y filmó películas en localizaciones secretas para escapar a los ladrones y a los espías del *trust*. El distribuidor William Fox, de la 20th Century Fox, demandó al *trust* en 1912, alegando la restricción del mercado, pero no se aceptó su demanda. Finalmente, en 1915, el gobierno de Estados Unidos, de acuerdo con la ley *antitrust* de Sherman, disolvió el *trust* aunque sin resultados prácticos —en parte porque no era posible hacerle cumplir los edictos y cobrar derechos, y en parte porque se ocupaba de cortometrajes mientras que los independientes, más innovadores, presentaban las películas de largometraje, cada vez más populares.

Aunque quizás el mayor legado del *trust* fue Hollywood mismo. Atraídos por el clima soleado y el variado paisaje, los productores de la costa este habían hecho frecuentes visitas allí desde 1907. Pero el *trust* ofreció a muchos independientes una razón que les impulsó a cambiar de residencia: Hollywood estaba lejos de los abogados neoyorquinos de Edison y cerca de la seguridad de México. Gracias en parte al inventor egoísta y codicioso, este territorio infestado de mofetas y rico en naranjales y limoneros se convirtió en el centro mundial del espectáculo. **◂1903.4 ▸1913.10**

SUDÁFRICA

Nace la Unión

9 Los imperialistas británicos habían soñado siempre hacer un solo estado del fragmentado sur de África. En 1908, seis años después de que los británicos ganaran la guerra de los bóers, representantes de las cuatro colonias británicas del sur de África (Natal, la colonia de El Cabo, así como los anteriores estados bóer de Transvaal y la colonia del río Orange —nombre británico del Estado Libre de Orange—) convocaron una asamblea constituyente y decidieron hacer justamente esto. Pero la unión creada por los delegados afrikáner minimizaba, más que reforzaba, la autoridad imperial británica.

Dirigidos por el afrikáner Jan Smuts, un héroe de la guerra de los bóers y dirigente político de Transvaal, los delegados de la asamblea redactaron enseguida una constitución que contenía cuatro puntos clave que desempeñarían un papel capital en la futura dirección de Sudáfrica: las cuatro colonias se convertirían en provincias de la Unión de Sudáfrica, cuyo gobierno central tendría poder sobre las jurisdicciones locales; el holandés y el inglés fueron reconocidos idiomas oficiales de la Unión; la legislación electoral, distinta para las cuatro provincias (claramente anti-negras), se mantuvo, y la composición del parlamento central estaría limitada a los blancos. Se crearon distritos electorales que favorecían a la población dispersa para las áreas rurales dominadas por los afrikáner. El último punto ha tenido el impacto más fuerte en la historia sudafricana ya que ayudó al reaccionario político afrikáner Daniel Malan a obtener el control sobre el gobierno en 1948 y a instaurar su política del apartheid.

Cada uno de los cuatro gobiernos coloniales ratificó la constitución propuesta. El parlamento británico aprobó el documento y creó el Acta de Sudáfrica en 1909. En 1910, la Unión de Sudáfrica se convirtió en un dominio autogobernado del Imperio Británico. **◂1902.1 ▸1910.8**

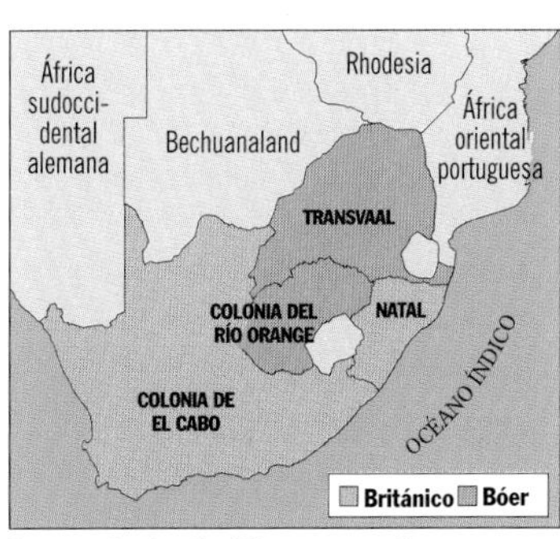

Estas colonias decidieron convertirse en provincias de la Unión de Sudáfrica.

emperador de China. «Gobernaba» siguiendo las directrices de su padre, un

príncipe manchú, pero tres años más tarde, cuando China inició la reforma democrática, se vio obligado a abdicar, poniendo fin a la dinastía Qing de tres siglos de antigüedad. ▸1911.9

▶NACIONALIZACIÓN DE UN PUERTO—A instancias de Winston Churchill, líder del partido liberal y Ministro de Comercio (y futuro primer ministro conservador), Gran Bretaña nacionalizó en 1908 el puerto de Londres, que se desmoronaba. La nueva autoridad arrebató el mayor puerto del mundo —1.200 hectáreas de agua y atarazanas— a las compañías privadas y empezó una masiva campaña de reconstrucción, incluyendo la recuperación de 46 barcos hundidos. ◂1907.2

▶INAUGURACIÓN DEL «PALAU»—El 26 de febrero se inauguró el Palau de la Música Catalana, obra maestra del

arquitecto modernista catalán Lluís Domenech i Montaner, con la obra *Catalanesques* de Félix Millet y la cantata *Glosa* de Felip Pedrell, con letra de Joan Maragall.

▶FUNDACIÓN DE LA FINA —El 11 de julio de 1908 se fundó la Federación

«Realmente me preocupo poco por la riqueza.»—**Inscripción sobre la chimenea de la biblioteca de Cornelius Vanderbilt en The Breakers, su finca de Newport, Rhode Island, de cinco millones de dólares**

Internacional de Natación Amateur (FINA), que basó sus normas en el código inglés. Se le encomendaron tres misiones:
1. Establecer las reglas para las pruebas de natación, saltos y waterpolo aplicables no sólo a los Juegos Olímpicos, sino también a todas las competiciones internacionales.
2. Establecer una tabla de récords mundiales, fijando las reglas para ellos, controlando, antes de ser homologadas como tales, si las marcas propuestas como récords habían sido alcanzadas de conformidad con las reglas.
3. Organizar las competiciones de natación de los Juegos Olímpicos.

▶LO IMPORTANTE ES PARTICIPAR—Durante los Juegos Olímpicos celebrados en Londres en 1908 el barón de Coubertin pronunció una frase que se haría famosa en todo el mundo: «lo importante no es vencer sino participar». En la maratón, el italiano Pietro Dorando, al borde de la extenuación, había protagonizado una dramática llegada a la meta en primera posición. Finalmente fue descalificado por haber recibido ayuda de jueces y cronometradores. El triunfo

fue para el norteamericano J. J. Hayes. En estos juegos, que inicialmente debían celebrarse en Italia, participaron dos mil ciento ochenta y cuatro atletas de 19 países y fueron doblemente pioneros: por primera vez los deportistas desfilaron tras sus respectivas banderas en las ceremonias de inauguración y clausura y el fútbol se incluyó como deporte olímpico.

ESTADOS UNIDOS

Marriage à la Mode

10 Los 400 amigos íntimos y familiares de los señores Vanderbilt se reunieron en su mansión de Nueva York el 28 de enero de 1908 para asistir a la boda —relativamente modesta, tal y como eran estas cosas— de la hija de los Vanderbilt, Gladys, con el conde húngaro Laszlo Széchenyi. Aunque la novia y el novio eran lo más

El matrimonio de Gladys Vanderbilt con un conde sin cuenta la convirtió en condesa.

irrelevante del matrimonio que se celebraba: el de la nobleza y la «cultura» del Viejo Mundo con la riqueza del Nuevo.

Los magnates americanos del ferrocarril, los barcos y la industria minera a finales del siglo XIX y principios del XX, «la edad dorada» de los precios bajos y los impuestos ligeros, no habían tenido oportunidad de derrochar sus grandes fortunas. Con una extravagancia exagerada que parecía calculada para suscribir el término del economista Thorstein Veblen de «exhibicionismo consumista», los miembros de «los cuatrocientos» —lo mejor de la sociedad americana, llamada así porque éste era el número de personas que cabían en el salón de baile de la Sra. de John Jacob Astor— rivalizaban entre ellos para construir mansiones cada vez más grandes y multimillonarias residencias de verano, que abarrotaban de pinturas de los maestros del Viejo Mundo y de muebles franceses de gran valor que adquirían en sus numerosos viajes a Europa.

Pero, a pesar del intento, por grande que fuera, de recrear la tradición europea al otro lado del Atlántico, la neoaristocracia americana sabía que no podía sustituir a la realidad (que consistía en la frustración de vivir en una sociedad fundada en la supresión de las distinciones de clase). Felizmente para ellos, existía una gran cantidad de nobles europeos venidos a menos, dispuestos a intercambiar sus títulos por dólares americanos capaces de llenar el vacío de sus arcas.

Gladys Vanderbilt y su conde, que recibieron cinco millones de dólares al contraer matrimonio, fueron simplemente los últimos en una larga lista de alianzas incómodas. Pero al final la mayoría de matrimonios no dieron resultado. No sólo las herederas no fueron tratadas como princesas en Europa, sino que generaciones sucesivas fracasaron en sus esfuerzos para construir una sociedad clasista socavada por la característica paradoja del sueño americano: mantener los valores de distinción y exquisitez en clubes cuyo único requisito de admisión era el dinero. **◂1906.E ▸1913.8**

IMPERIO OTOMANO

Los Jóvenes Turcos se rebelan

11 Seis siglos después de su nacimiento, el Imperio Turco-Otomano se tambaleaba. En 1908 todavía contaba con: Macedonia, Albania, Chipre, Palestina, Libia, Siria, Mesopotamia, las semiautónomas Creta y Bulgaria, y territorios en la costa del mar Rojo y el golfo Pérsico. Sin embargo, el Imperio, que en otro tiempo había llegado a cubrir la mayor parte del centro y el este de Europa, el oeste de Asia y el norte de África, había ido perdiendo territorios durante más de tres siglos. Considerado durante mucho tiempo como «el enfermo de Europa», el Imperio Turco se había arruinado a causa de las guerras constantes y la corrupción de sus gobernantes. El sultán Abd al-Hamid II había suspendido la constitución y, para horror de los intelectuales, había desplegado una policía secreta corrupta. La masacre de 1890 de decenas de miles de armenios había suscitado el rechazo internacional. Amenazado por el creciente nacionalismo de los pueblos sometidos a Turquía y de sus vecinos balcánicos y por las ambiciones estratégicas de las grandes potencias, el Imperio Otomano parecía condenado a desaparecer. Los Jóvenes Turcos protagonizaron una revuelta en 1908 para salvar y modernizar el decrépito Imperio —y durante un tiempo pareció que iban realmente a alcanzar el éxito.

El movimiento de los Jóvenes Turcos se había iniciado en 1860 entre los escritores inspirados en la cultura y la filosofía europeas; los activistas alzaron su bandera, declarando que Turquía sólo podía escapar al dominio de Occidente si adoptaba un gobierno constitucional. Cuando los oficiales del ejército, frustrados por las pagas irregulares y un equipamiento obsoleto, empezaron a conspirar con intelectuales exiliados, el escenario estaba preparado. Tras varios motines, la sublevación empezó el 7 de julio en la ciudad macedonia de Salónica, entre los soldados. Las demandas de los rebeldes no incluían la abdicación de Abd al-Hamid sino la restauración de la constitución. El 23 de julio, ante la expansión de la revuelta, Abd al-Hamid sorprendió a sus súbditos cediendo el rango de monarca constitucional.

«A partir de ahora todos somos hermanos. Ya no hay búlgaros, griegos, rumanos, judíos o musulmanes», proclamó un Joven guerrero Turco, «todos somos iguales; estamos orgullosos de ser otomanos». Su declaración era prematura. Aprovechando la ventaja del caos, Bulgaria proclamó inmediatamente su independencia. Luego, Austria se anexionó Bosnia y Hercegovina, que hasta entonces cogobernaba con Turquía. Creta, nominalmente una posesión de Turquía, declaró su unión con Grecia. Las amenazas turcas disuadieron a Grecia de aceptar la unión inmediatamente, pero el equilibrio de fuerzas estaba modificándose. Durante los dos años siguientes, Abd al-Hamid llevó a cabo una contrarrevolución desestabilizadora; un cretense fue primer ministro de Grecia e Italia invadió Libia. Sin experiencia gubernamental y asediados por varios frentes, los nuevos dirigentes turcos se desesperaron. Convocaron elecciones para asegurarse la

Los Jóvenes Turcos a caballo celebrando el éxito de la revuelta de 1908.

mayoría absoluta y confiaron cada vez más en la fuerza y en la intimidación. Sus esfuerzos ya no podían detener la erosión del dominio otomano. El Imperio se desmembró en las guerras balcánicas de 1912-1913 y fue abolido tras la Primera Guerra Mundial. **▸1909.10**

PREMIOS NOBEL: Paz: Klas Arnoldson (sueco; Liga para el Arbitraje y la Paz) y Fredrik Bajer (danés; Sociedad Danesa de la Paz) [...] Literatura: Rudolf Ucken (filósofo alemán) [...] Química: Ernest Rutherford (británico; radiactividad) [...] Medicina: Paul Ehrlich y Elie Metchnikoff (alemán y ruso; inmunología) [...] Física: Gabriel Lippmann (francés; reproducción fotográfica a color).

ECOS DE 1908

La cama que anda

De *El pequeño Nemo en el país de los sueños,* por Winsor McCay, para *The New York Herald*, julio 1908

El pequeño Nemo en el país de los sueños *del dibujante americano Winson McCay, que aparecía en el diario de James Gordon Bennett,* The New York Herald, *fue una de las tiras cómicas más famosas de su época. Traducida a siete idiomas,* El pequeño Nemo *inspiró un musical de Broadway, varias películas de dibujos animados, muñecos y juegos. En el famoso episodio de «La cama que anda», McCay mostraba su ingenio rompiendo el formato tradicional de la tira cómica, de casillas uniformes, para captar el sueño surrealista desde la tranquilidad hasta la ansiedad desbocada del pequeño Nemo («nadie» en latín) y de su travieso compañero de sueños, Flip, eterno fumador de puros.* **◂1907.13 ▸1950.6**

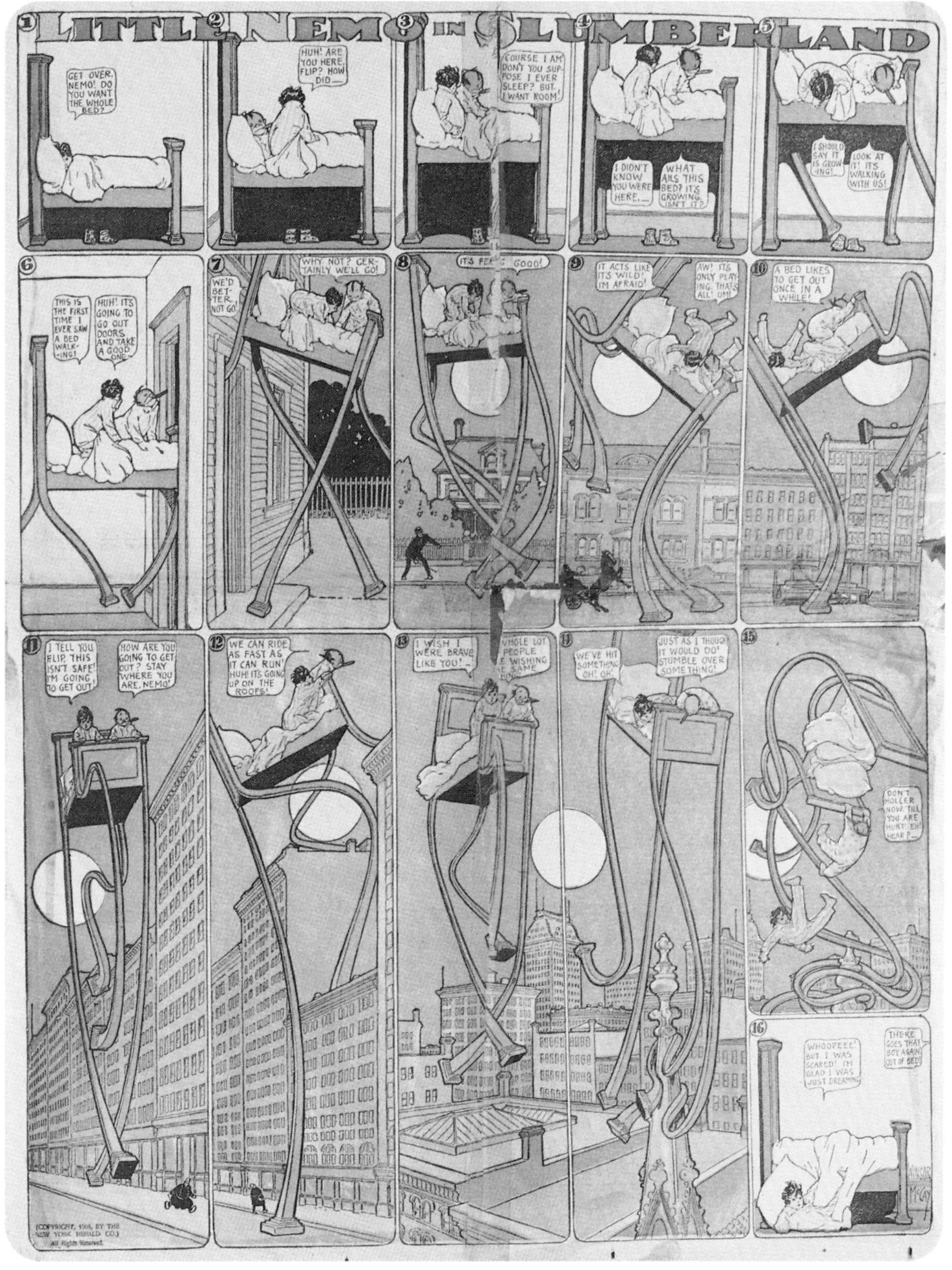

«Lo conseguí. He llegado al dichoso Polo.»—**Robert Peary, en un telegrama a su mujer**

HISTORIA DEL AÑO

Peary reclama el Polo Norte

1 Después de que Henry Hudson intentara encontrar el paso noroeste a través del norte de América, los exploradores habían intentado alcanzar la cima del mundo. Tres siglos más tarde, el reto parecía repentinamente urgente. El número de regiones inexploradas de la Tierra iba disminuyendo, y nada había más remoto que las zonas polares. Era una cuestión de gloria, tanto nacional como personal: aunque plantar una bandera en el hielo no reportara beneficio material a un país, el valor del prestigio era incalculable. La primera conquista de tales características tuvo lugar en 1909, cuando el comandante de la armada estadounidense Robert E. Peary arribó al Polo Norte —o llegó lo suficientemente cerca como para satisfacer a la mayoría de expertos.

En el Polo (o muy cerca): Henson *(centro)* y el equipo de cuatro esquimales, fotografiados por Peary.

Peary, de 52 años se había sentido obsesionado por el Polo durante dos décadas. En 1880, como ingeniero civil, había explorado Groenlandia dejando establecido que se trataba de una isla. Sin embargo, Peary deseaba el tipo de reconocimiento que le permitiera ser admitido en los «círculos de cultura y refinamiento de todas partes», como escribió una vez a su madre. Sus dos primeras expediciones polares (1898-1902 y 1905-1906) fracasaron y le costaron ocho dedos de los pies aunque le proporcionaron valiosos conocimientos sobre los trineos, los perros, la ropa y el racionamiento de los alimentos.

A mediados de 1908, Peary se dirigió al norte de nuevo, y el 6 de abril del año siguiente, tras un difícil viaje de 36 días andando, aparentemente alcanzó su meta. Le acompañaban cuatro esquimales y su ayudante afroamericano, Matthew Henson. Algunos estudiosos opinan lo contrario: no había alcanzado el Polo y lo sabía.

El debate empezó a encenderse antes de su vuelta, cuando un antiguo socio reclamó haber alcanzado el Polo en el abril anterior. Pronto fue desacreditado, pero el mismo Peary quedó bajo sospecha: la documentación crucial de su viaje había desaparecido, no se habían realizado importantes mediciones y el viaje parecía tremendamente corto. La National Geographic Society y un comité del congreso aceptaron su demanda, y Peary se convirtió en un héroe. No obstante, la controversia aún seguía viva, y cada parte presentaba periódicamente nuevas «pruebas».

Sin duda, Peary llegó a una distancia de unos 100 km del Polo Norte. Dos años después, Roald Amundsen plantó la bandera noruega en el otro extremo del mundo.
►1911.10

MEDICINA

La enfermedad vergonzosa

2 Antes de que el bacteriólogo Paul Ehrlich descubriera el compuesto 606 en 1909, la sífilis constituía una amenaza mortal que no conocía fronteras. Sólo en París, la «enfermedad vergonzosa» causaba más de tres mil muertes anuales. Transmitida únicamente por contacto sexual, la sífilis se consideraba incurable. (Se habían probado curas a base de mercurio y potasio pero habían resultado ineficaces.) Sus víctimas estaban condenadas a un proceso de infección largo y horrible que producía desde llagas en la piel a la degeneración del sistema óseo y de la destrucción del sistema cardiovascular hasta la muerte. Ehrlich, cuyo trabajo en inmunología le había valido el Premio Nobel del año anterior, cambió todo esto.

Experimentando en su laboratorio, Ehrlich inyectó a conejos afectados de sífilis varias dosis de un producto químico de base arsénica que había inventado. Tras repetidos intentos, los conejos se recuperaban. Un par de semanas más tarde, Ehrlich repitió el experimento con más conejos infectados. Al cabo de tres semanas, también quedaron libres de síntomas. Ehrlich no sólo había descubierto la primera cura efectiva para la sífilis, también había legitimado la quimioterapia como práctica médica moderna.

En 1910, la «píldora mágica» de Ehrlich había tratado diez mil casos. Se comercializó bajo el nombre de Salvarsan. La demanda era asombrosa. A finales de año, la empresa farmacéutica alemana que fabricaba el medicamento producía catorce mil frascos diarios. Ehrlich fue distinguido con honores y galardones y celebrado en la prensa popular como el «príncipe de la ciencia». Algunos escépticos declararon que el Salvarsan era tóxico, pero Ehrlich explicó que era un riesgo calculado, como la cirugía. «El cirujano trabaja con un cuchillo de acero», escribió, «el quimioterapeuta, con uno químico, que utiliza para separar lo infectado de lo sano». El Salvarsan permaneció como la primera cura para la sífilis hasta mediados de 1940, cuando fue sustituido por la penicilina.
◄1905.9 ►1928.11

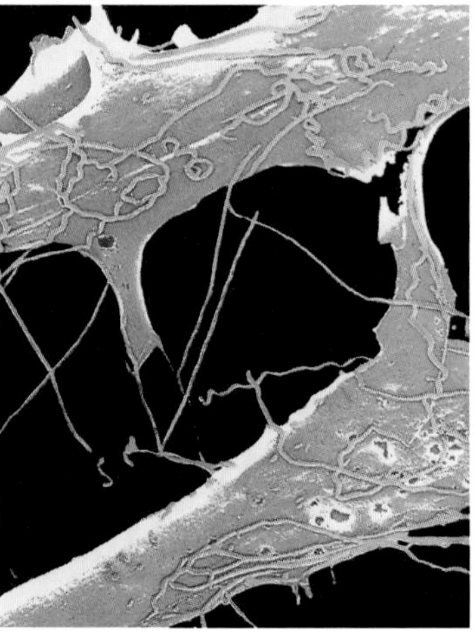

La bacteria causante de la sífilis en una célula testicular cuatro horas después de la infección.

IDEAS

Freud llega a América

3 «En Europa me siento como un proscrito», dijo Sigmund Freud durante su visita en 1909 a los Estados Unidos. «Aquí me siento recibido por los mejores como un igual. Ha sido como la realización de un sueño fantástico». El motivo del primer y último viaje de Freud a Estados Unidos fue el vigésimo aniversario de la Clark University, una institución progresista de Worcester, Massachusetts. La facultad invitó a Freud a pronunciar una serie de conferencias sobre sus controvertidas teorías del psicoanálisis. A cambio, le invistieron doctor *honoris causa*, el único honor que Freud recibió.

Una representación de finales del siglo XX de la visita de Freud.

Las recientes obras maestras de Freud *(La interpretación de los sueños, Tres contribuciones a la teoría sexual, Psicopatología de la vida cotidiana* y *Estudios sobre la histeria)* habían ganado cierto reconocimiento entre los profesionales europeos y americanos, pero antes de las cinco conferencias en Clark, su influencia y fama eran limitadas. En Clark, en una América sorprendentemente acogedora, presentó por primera vez una síntesis de sus varias teorías. Sus conferencias atrajeron a periodistas, artistas, intelectuales de la costa este (incluyendo a William James, mortalmente enfermo, que asistió sólo «para ver cómo era Freud») y a muchos curiosos. El estimulante gancho freudiano de las teorías sexuales, sueños y dramáticos casos

ARTE Y CULTURA: Libros: ***Júbilo*** **(Ezra Pound);** ***Garibaldi y la expedición de los mil*** **(G. M. Trevelyan);** ***El rehén*** **(Paul Claudel);** ***La puerta estrecha*** **(André Gide);** ***Zalacaín, el aventurero*** **(Pío Baroja) [...]**
Música: ***Cinco piezas orquestales*** **(Arnold Schoenberg) [...] Pintura y escultura:** ***El beso*** **(Gustav Klimt);** ***Los dos miembros de este club*** **(George Bellows) [...]**

«Los edificios, como las personas, deben ser en primer lugar sinceros, deben ser auténticos, y además tan atractivos y bonitos como sea posible.»—**Frank Lloyd Wright**

captaron la imaginación del público. Inevitablemente el psicoanálisis hizo furor en América —lo que a la vez satisfizo y afligió a Freud, que despreciaba muchos elementos de la vida americana. Aun así, admitió que «en la remilgada América era posible, en los círculos académicos al menos, discutir libre y científicamente todo lo que en la vida ordinaria se consideraba objetable». **◂1900.1 ▸1912.2**

ARQUITECTURA

La era del acero

4 «El acero es la epopeya de esta época», dijo Frank Lloyd Wright en 1909, «y nuestra "cultura" lo ha acogido como la antigua cultura románica acogió el arco de medio punto». Este material, que empezó a sustituir al hierro por su punto de fusión más bajo y su mayor flexibilidad, como material de construcción a finales del siglo XIX, liberó a los arquitectos de las convenciones de la vieja época del dintel, la columna y la bóveda y les permitió construir estructuras que ya no estaban limitadas por la altura o la anchura. Los edificios se convirtieron en estructuras a las que Wright llamó «carne permanente», cubiertas por paredes que las envolvían como una piel. La casa de Frederick Robie, construida en Chicago en 1909, sintetizó la revolución mundial de la arquitectura. A través del uso de vigas flotantes, la Casa Robie parece erigirse como una serie de planos suspendidos sin el soporte de las paredes. La casa destaca por su suave despliegue y por el uso de materiales naturales (como tejas y madera sin barnizar); sin la estructura de acero, Wright no hubiera podido lograr esta sensación de suspensión.

Dankmar Adler y Louis Sullivan, de Chicago (con los que Wright estudió), se fijaron en las nuevas posibilidades liberadoras del acero ya en 1890. Los rascacielos de Adler y Sullivan, como el Wainwright Building de diez pisos en St. Louis (1890) y el Guaranty Building de dieciséis en Buffalo (1894-1895), anticiparon la demanda en una cultura cada vez más industrializada, con necesidad de espacio, luz y capacidad de almacenaje a gran escala. Como arquitectos adaptados a estos cambios, empezaron a buscar los medios para humanizar la arquitectura e integrarla en la naturaleza. Sus logros se manifestaron en algunos de los edificios más innovadores del siglo. La Casa Milá, un edificio de viviendas de Barcelona construido por Antonio Gaudí, contrasta totalmente por su aspecto exterior con la obra de Peter Behren, la maciza fábrica de turbinas construida la Allgemeine Elektrizitäts Gesellschaft (A.E.G.) de Berlín, inaugurada en 1909. El edificio de Gaudí es una fantástica estructura cuyo aspecto de piedra contrasta con su intrincado sistema de vigas flotantes de acero en pisos y balcones. La «Catedral del Trabajo», como se bautizó a la obra de Behren, de 120 m de longitud de acero y cristal, puede parecer actualmente el prototipo para los talleres de producción en cadena que aparecieron más tarde. (En el mismo sentido que los rascacielos de Sullivan, son a menudo criticados erróneamente por la proliferación de torres de cristal que coronan las ciudades de hoy en día.) Sin embargo, su intención, de acuerdo con el arquitecto Walter Gropius, un miembro de la firma de Behren, era «proporcionar luz, aire y limpieza al trabajador de la fábrica [...] que tenía derecho, sin importar su educación, a mantener despierto su sentido innato de la belleza». **◂1905.8 ▸1919.9**

La Casa Milá *(extremo superior)* fue llamada «La Pedrera» por el uso sin límite de piedra como material de construcción. Pero, en realidad, como la Casa Robie, de Frank Lloyd Wright *(superior)*, su impacto visual depende del acero.

NACIMIENTOS

Francis Bacon, pintor británico.

Isaiah Berlin, filósofo anglo-letón.

Héctor José Campora, político argentino.

Barry Goldwater, senador estadounidense.

Benny Goodman, músico estadounidense.

Andrei Gromyko, diplomático soviético.

Elia Kazan, director de escena, cineasta y novelista estadounidense.

Gene Krupa, músico estadounidense.

Malcolm Lowry, novelista británico.

Golo Mann, historiador alemán.

James Mason, actor británico.

Kwame Nkrumah, presidente de Ghana.

Juan Carlos Onetti, escritor argentino.

Guillermo León Valencia, político colombiano.

Simone Weil, escritora francesa.

Eudora Welty, escritora estadounidense.

Lester Young, músico estadounidense.

MUERTES

Isaac Albéniz, compositor español.

Ruperto Chapi, compositor español.

Peter Collier, editor estadounidense.

Cesare Lombruso, médico italiano.

Charles McKim, arquitecto estadounidense.

George Meredith, escritor británico.

Caran d'Ache, dibujante francés.

Frederic Remington, artista estadounidense.

Cine: *Pippa Passes* (D. W. Griffith); *Gertie, el dinosaurio* (Winsor McCay); *Le Cauchemar du Fantouche* (Emile Cohl); *Hiawatha* (William Ranous) [...] Teatro: *El conde de Luxemburgo* (Franz Lehár); *Anatema* (Leonid Andreyev).

«Me di cuenta inmediatamente de que algo milagroso estaba sucediendo, de que estaba asistiendo a algo absolutamente único.»—**Un espectador de la primera actuación de Nijinsky en *L'après-midi d'un faune***

NOVEDADES DE 1909

Dispositivo intrauterino (DIU), inventado por el Dr. R. Richter, fabricado a partir de gusanos de seda.

Té Lipton.

Autobuses de dos pisos.

Kibbutz (en Palestina).

Tostador eléctrico.

EN EL MUNDO

►EL BOMBONERO REFORMISTA—Tras visitar las plantaciones de cacao en Santo Tomé y Príncipe, el fabricante de chocolate y reformista británico William Cadbury, en 1909, publicó *El trabajo en el África occidental portuguesa*, un ataque contra las brutales condiciones de trabajo en las colonias africanas de Portugal. Cadbury instó a otros fabricantes a unirse a él para boicotear el cacao portugués hasta que desapareciera la esclavitud en las colonias. ◄ 1908.2

►EL PÁJARO AZUL DE LA FELICIDAD—Aupado por los simbolistas franceses, un grupo de poetas dedicado a la expresión de las, a menudo inexpresables, realidades subjetivas, Maurice Maeterlinck alcanzó una altísima consideración en el

mundo literario como autor de fantásticas y necrofílicas obras de teatro como *Pelléas et Mélisande* (1892). En 1909, Maeterlinck cambió inesperadamente de rumbo, publicando su obra más perdurable: *L'Oiseau Bleu (El pájaro azul)*, en la que dos niños pequeños sueñan que

Después de que D'Arcy encontrara petróleo se construyó un oleoducto a través del desierto persa.

ECONOMÍA E INDUSTRIA

La sed de petróleo

5 La transformación de Oriente Medio a causa de la sed occidental de petróleo empezó con la fundación de la Anglo-Persian Oil Company en 1909. Conocida actualmente como la British Petroleum (o BP), la compañía fue obra de William Knox D'Arcy, un aventurero inglés que había hecho su fortuna en la carrera del oro de Australia durante el cambio de siglo.

En 1901 D'Arcy se había fiado de un informe francés que defendía la posibilidad de encontrar yacimientos de petróleo en Persia (actualmente Irán). Envió a dos emisarios para negociar con el gran visir de Teherán; pactaron la concesión de 7.680 km² —cerca del doble de la extensión de Texas— a cambio de 40.000 libras al contado y el 16 % de los beneficios. Una legión de canadienses, polacos y persas pasaron los tres años siguientes perforando en el desierto sin encontrar nada. Su capital se agotó tan rápidamente que D'Arcy se dirigió a la compañía escocesa Burmah Oil en busca de ayuda. Finalmente, en 1908, el equipo de exploración dio con el oro negro, un surtidor de 15 m. La Anglo-Persian Oil Company, controlada conjuntamente por D'Arcy y la Burmah Oil, se registró al año siguiente. Desde el principio, las autoridades británicas se habían interesado por esta nueva fuente de riqueza imperial. (Persia estaba controlada económicamente por Gran Bretaña y Rusia, con las que mantenía una relación semicolonial.) Se enviaron soldados desde la India para proteger las perforaciones, y trabajadores indios participaron en la construcción del primer gran oleoducto de Oriente Medio en 1910. El cónsul británico en funciones de la región se convirtió en consejero informal de la Anglo-Persian «mediando», todo lo que pudo, «entre los ingleses que no podían decir siempre lo que pensaban y los persas que no pensaban siempre lo que decían». En 1914, el gobierno británico compró la mayoría de acciones de la corporación, asegurando de este modo un abastecimiento de petróleo barato y amplio para la Armada Real durante la Primera Guerra Mundial. El primer Lord del Almirantazgo, Winston Churchill, inició una nacionalización parcial. Cuarenta años después, siendo Churchill primer ministro, intentó fervientemente bloquear la nacionalización total de la compañía por parte de Irán que era ya un estado independiente y hostil. **◄1901.12 ►1922.M**

DANZA

Diaghilev y Nijinsky

El virtuosismo sorprendente de Nijinsky le valió el sobrenombre de «*le Dieu de la Danse*».

6 El Ballet ruso hizo su estreno mundial en el teatro Châtelet de París el 17 de mayo de 1909. Más revolucionaria incluso que el conjunto de excepcional talento (Anna Pavlova, Vaslav Nijinsky, Michel Fokine), era la visión artística integral del fundador de la compañía, Sergei Diaghilev. El Ballet ruso redefinió el ballet con la aportación de una manera diferente de utilizar la pintura, la música y el drama en sus producciones.

La compañía de Diaghilev se convirtió en una sensación internacional, y actuó durante 21 temporadas de forma ininterrumpida, dejando de hacerlo únicamente en 1929, cuando murió Diaghilev. El gran talento del empresario residió en su capacidad para reconocer y favorecer el genio de otros. Durante años, muchos de los artistas de vanguardia del siglo (Pablo Picasso, Igor Stravinski, Jean Cocteau, entre ellos) colaboraron con él mientras el Ballet ruso producía obra maestra tras obra maestra.

Quizá la idea más inspirada de Diaghilev fue tener a su estrella de la danza, Nijinsky, «*le Dieu de la Danse*», como coreógrafo de su propio ballet. Con música de Claude Debussy, *Prelude à l'après-midi d'un faune (Preludio a la siesta de un fauno)* se estrenó en 1912. Nijinsky representó el papel principal, un fauno mitad hombre, mitad animal, que, al observar a siete niñas bañándose, estallaba de pasión. Famoso por sus larguísimos saltos —«Es muy fácil», respondió una vez, «saltas y te paras en el aire un momento»— Nijinsky destacó en *L'après-midi* por una manera completamente diferente de moverse. En la escena cumbre del ballet, se revolcaba con un velo que pertenecía a una ninfa y fingía un orgasmo. Tras la inicial controversia que siguió, los críticos declararon que el ballet era un hito sin precedentes en la historia de la danza. **◄1908.7 ►1913.5**

CIENCIA

La era del plástico

7 El tejido esencial de la vida moderna resultó alterado para siempre en 1909, cuando Leo Baekeland presentó su invento, la baquelita, el primer polímero sintético. Cuatro años antes, Baekeland, un químico americano de origen belga, había empezado a desarrollar una alternativa sintética a la laca, un polímero orgánico empleado en la fabricación del barniz. Lo que finalmente produjo fue una

Los bolsos de baquelita de los años veinte son muy valorados hoy en día por los coleccionistas.

DEPORTES: Aviación: convocada por primera vez la Copa de Aviación Internacional Gordon-Bennett [...] Primera Semana Aérea Internacional en Reims (Blériot, Latham, Farman y Curtis logran plusmarcas de velocidad).

«Destruiremos los museos, las bibliotecas, las academias de todo tipo, lucharemos contra el moralismo, el feminismo, contra cualquier cobardía oportunista o utilitaria.»—**El manifiesto futurista**

sustancia fuerte e indisoluble que podía ser moldeada de distintas formas. Parecía prometedora. «He solicitado la patente de una sustancia que llamaré baquelita», escribió en su diario. Había tropezado con la edad del plástico.

La producción comercial de la baquelita empezó al cabo de un año, y pronto todo, desde las bolas de billar hasta los aislantes eléctricos, se fabricó con la barata y nueva sustancia. Alentados por el éxito de la baquelita («el material de los mil usos»), científicos de todo el mundo continuaron sus experimentos, esperando hacerse ricos con el invento de la próxima sustancia maravillosa. ▸**1920.10**

CIENCIA

Síntesis del amoníaco

8 En vista de que las reservas naturales mundiales de fertilizantes ricos en nitrógeno estaban disminuyendo tan rápido como crecía la población, los químicos habían intentado durante años sintetizar una sustancia química que pudiera usarse para manufacturar nitrato de calcio como abono. Pero hasta 1909, cuando Fritz Haber combinó hidrógeno y nitrógeno para conseguir amoníaco —una reacción tan fácil de producir en una gran planta química industrial como en un laboratorio—, nadie había conseguido resultados a gran escala lo suficientemente significativos.

El hallazgo de Haber le valió el Premio Nobel de Química en 1918 aunque la ceremonia de entega fue aplazada hasta 1920, tras el final de la Primera Guerra Mundial. En el discurso caracterizó su descubrimiento como «la conversión de piedras en pan», provocando que la comunidad científica internacional estallara en cólera. Haber quizás había aumentado las posibilidades de la Tierra para alimentar a sus habitantes pero, durante la guerra, había dirigido el desarrollo de las armas químicas alemanas. Un crítico francés denunció al comité por conceder el premio a «el alemán que inventó y desarrolló los gases asfixiantes para el ejército alemán». Un químico americano, destacando que el amoníaco sintético posibilitó que Alemania fabricara explosivos (que, como los fertilizantes, requieren nitratos), redactó: «Sin el proceso de Haber, es dudoso que Alemania hubiera empezado la guerra».

Haber mantenía que su descubrimiento beneficiaba a la humanidad. En cuanto a su trabajo durante la guerra, declaró que simplemente había servido a su país al que amaba. Fue director del Instituto de Física y Química en Berlín hasta el año 1933, cuando se vio obligado a abandonar Alemania a causa del antisemitismo de los nazis (que se referían a él como «el judío Haber»). Murió como un apátrida en la ciudad suiza de Basilea en 1934. ▸**1915.4**

ITALIA

Manifiesto de una nueva estética

9 «Glorificaremos la guerra —la única verdadera higiene para el mundo— el militarismo, el patriotismo [...] las hermosas ideas que matan y el desprecio a las mujeres.» Así lo proclamó, con una prosa ferviente, el poeta Filippo Tommaso Marinetti en el manifiesto inaugural del movimiento con sede en Milán conocido como futurismo, publicado en *Le Figaro* de París en 1909. Primeros artistas modernos en inventar una ideología referente a cuestiones más allá del arte y dispuestos a convertir a las masas, los futuristas propusieron una nueva estética basada en «la belleza de la velocidad», la violencia de la carrera armamentística y el dinamismo de la industria. Al año siguiente, un grupo de pintores amigos de Marinetti proclamaron un nuevo manifiesto, en nombre de un arte de movimiento caótico que «destruiría el culto al pasado». Casi todos los movimientos artísticos que siguieron —incluyendo el dadaísmo, el constructivismo, el surrealismo e incluso los «*happenings*» de los años sesenta— reflejaron su absorción de las ideas y técnicas futuristas. Pero los futuristas también dejaron su huella en la política italiana, un papel importante en el ascenso del expansionismo italiano —y, finalmente, en el fascismo.

Marinetti, un ardiente nacionalista y defensor tanto de la invasión de Libia por Italia en 1911 como de la incautación de las tierras austríacas del Trentino y de Istria durante la guerra, reunió a nuevos futuristas tras 1918. Uno de los más destacados partidarios de Mussolini le ayudó a fundar los Fasci di Combattimento. ▸**1911.12**

Danzatrici in blù (Bailarinas azules), **del pintor futurista Gino Severini.**

reciben la visita de un hada y, de ese modo, descubren la felicidad. **◂ 1902.4**

▸RECONOCIMIENTO A TAGORE—*Gitanjali*, la colección germinal de poesía bengalí del poeta y místico indio Rabindranath Tagore, fue publicada en 1909; tres años más tarde, William Butler Yeats propició la fama mundial de Tagore con su celebrada traducción al inglés, *Song Offerings (Ofrenda lírica)*. Ganador del Premio Nobel en 1913, Tagore siguió siendo una figura indiscutible de la cultura india. **▸1923.3**

▸PIOJOSO PIOJO—El tifus estaba asociado a la suciedad y al hacinamiento, pero su forma de transmisión realmente fue un misterio hasta 1909, cuando el bacteriólogo francés Charles-Jules-Henri Nicolle identificó al agente responsable: el piojo del cuerpo humano, un parásito que vivía en la piel, pelo y ropa de las personas. Con su descubrimiento, Nicolle demostró que una buena higiene era vital para la prevención de la enfermedad **▸1905.9**

▸MUERTE DE UN ACTOR—El mejor intérprete de las obras de Molière y Rostand de la segunda mitad del siglo XIX, Constant Coquelin, murió en enero de 1909, a la edad de 68 años. Pese a su edad, estaba todavía en activo y su desaparición supuso un duro golpe para el teatro francés.

▸MUSEO DEDICADO A DARWIN—En el centenario del nacimiento de Darwin, la ciudad universitaria de Cambridge inauguró un museo que lleva su nombre. La figura de este naturalista británico marcó al siglo pasado cuando la transcripción de sus principios, no siempre afortunada, pasó de las ciencias de la naturaleza a las ciencias sociales.

▸LA SEMANA TRÁGICA DE BARCELONA—Durante siete días, Barcelona y su cinturón industrial fueron afectados por una amplia serie de conflictos sociales cuya violencia fue tan grande como complejos y dispares fueron los factores que motivaron la revuelta. La indignación que produjo la

POLÍTICA Y ECONOMÍA: Coca-Cola exporta a Gran Bretaña por primera vez [...] Acuerdo entre Francia y España sobre la pesca en el río Bidasoa [...] Fin de la guerra en el Rif [...] Semana Trágica en Barcelona.

«El valor genético de un individuo como antepasado está determinado esencialmente por el tipo al cual pertenece y no por su simple condición individual.»—**Wilhelm Ludwig Johannsen**

incorporación de las tropas de la reserva a los contingentes militares que combatían en la guerra de África, los enfrentamientos sociales entre patronos y obreros y entre las mismas fuerzas sindicales, la oposición a la monarquía y el anticlericalismo exasperado constituyeron un conglomerado explosivo que

estalló durante el mes de julio. De los disturbios callejeros se pasó a la huelga general, y de ésta, a la quema de conventos y a la ocupación parcial de la ciudad por parte de los sublevados. Sólo la intervención del ejército, que utilizó artillería de campaña contra los sublevados, pudo acabar con la revuelta. El balance de estos disturbios se acercó al centenar de muertos y se incendiaron 112 edificios de la ciudad.

Facciones multinacionales dividen el Imperio Otomano en una caricatura política francesa.

IMPERIO OTOMANO

Sofocada la contrarrevolución

10 En abril de 1909, el sultán Abd al-Hamid II acabó con el régimen de los Jóvenes Turcos, que lo había reducido a monarca constitucional. Sin embargo, había conservado su categoría como líder musulmán y las tropas albanesas de Constantinopla, fieles a la religión, atendieron su llamada para derribar al gobierno. Una nueva ola de motines se extendió por el oeste de Turquía. Después de que el alzamiento fuera sofocado por el ejército macedonio (dirigido por Mustafa Kemal, que después fundaría la República turca), el máximo dirigente espiritual del Imperio Otomano declaró que Abd al-Hamid había abusado de su poder y el Parlamento lo depuso. Desterrado a Salónica, el poder auténtico, el Comité de Unión y Progreso, colocó a su hermano Muhammad V (otra figura decorativa) en el trono.

Al prestar juramento, Muhammad prometió: «No me desviaré ni un punto de la voluntad y las aspiraciones de la nación». Por «nación» se entendía el Imperio, las aspiraciones individuales de cada uno de los países que lo componían no contaban en absoluto. Tras la expulsión de Abd al-Hamid, los Jóvenes Turcos, deseando un gobierno imperial enérgico, apartaron a los defensores de la descentralización. Se aprobaron leyes que prohibían los partidos políticos nacionalistas o étnicos; el turco fue declarado lengua nacional y obligatoria para los no turcos; por primera vez, los no musulmanes fueron llamados a filas.

Pero estas medidas se volvieron contra ellos mismos: en lugar de unificar el Imperio, condujeron a los súbditos no turcos a tomar las armas contra sus rivales turcos. En Macedonia, una campaña implacable contra las guerrillas griega y búlgara no consiguió liquidar a la resistencia antiotomana. Incluso una invasión otomana no pudo sofocar el alzamiento de Albania, apoyada por Montenegro y Austria. La situación empeoraba hasta que, en 1912, los vecinos de los turcos los habían colocado en una situación de inferioridad manifiesta, tensaban las cuerdas para sujetar a las naciones sometidas y suprimían a sus oponentes internos con la ley marcial y las ejecuciones. **◄1908.11 ►1911.12**

CINE

Pathé filma las noticias

11 En marzo de 1909, Leon Franconi, un corresponsal de la compañía cinematográfica francesa Pathé Frères, se encontraba entre los miles de personas que se habían echado a la calle como un vendaval con motivo de la investidura del presidente William Howard Taft. La manifestación le dio la idea de una «revista» cinematográfica que recogiera las noticias. Al cabo de

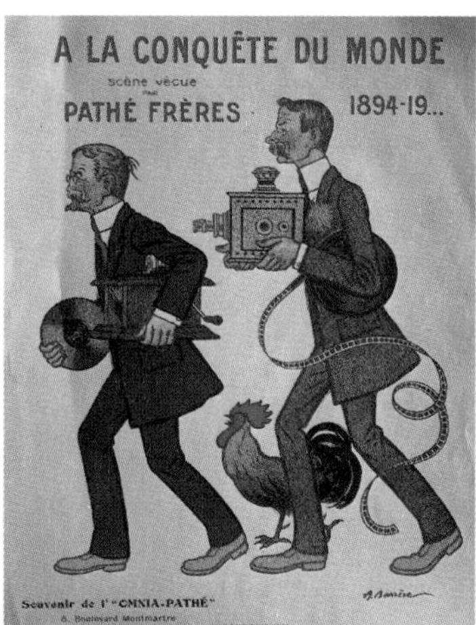

Charles Pathé lleva una cámara para filmar noticias en una postal conmemorativa.

unos meses, Pathé introdujo en su teatro de París el *Pathé-Journal (Diario-Pathé)*, un programa semanal de historias inéditas que duraba unos minutos.

A principios de la Primera Guerra Mundial, los noticiarios compartían con las películas de ficción los programas cinematográficos en todos los países industrializados. A Pathé le surgió la competencia. Los cámaras arriesgaban sus vidas para dar al público su primera dosis de reportajes de guerra en vivo. Precursores de las noticias televisivas, los noticieros convirtieron lo que antes era lejano en inmediato, un temprano ejemplo de la reducción del mundo a través de la industria de la información.

CIENCIA

Aclaraciones genéticas

12 La genética experimentó un gran avance en 1909 cuando el

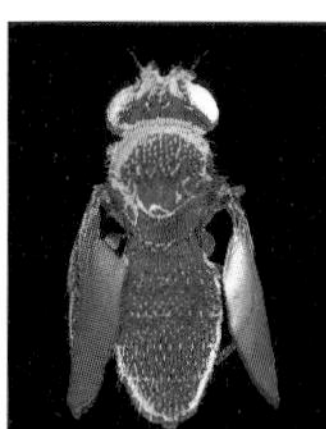

botánico danés Wilhelm Johannsen acuñó el término «gen» para describir la unidad elemental de la herencia. En la misma época, el embriólogo americano Thomas Hunt Morgan, investigando con moscas, verificó la teoría cromosómica de la herencia.

A través de la observación de las variaciones en las distintas generaciones de plantas de judía autopolinizadas, Johannsen pudo distinguir entre las características que permanecían en la planta de naturaleza hereditaria (que llamó genotipo) y las externas, fluctuantes (el fenotipo). Esta última es la expresión de los efectos del entorno en el genotipo. Las teorías de Johannsen, publicadas en *Los elementos de la herencia*, atrajeron a una generación entera de científicos.

Morgan, antes crítico con la teoría del cromosoma, revisó su opinión tras observar los modelos hereditarios en moscas. Después de encontrar una sola mosca de ojos blancos entre la serie de las de ojos rojos, Morgan cruzó al macho de ojos blancos con hembras de ojos rojos. El resultado fue que todas las crías tenían ojos rojos. Cruzándolo de nuevo con cada una de éstas, produjeron una generación con algunas moscas de ojos blancos, todas macho. Adoptando el término de Johannsen «gen», Morgan propuso correctamente que el gen de una cría de mosca de ojos blancos está vinculado a la determinación sexual cromosomática. **◄1902.NM ►1937.6**

PREMIOS NOBEL: Paz: Auguste Beernaert y Paul d'Estournelles de Constant (belga y francés; Tribunal de Arbitraje de La Haya y Conferencia Internacional de la Paz de La Haya) [...] Literatura: Selma Lagerlöf (novelista sueca) [...] Química: Wilhelm Oswald (alemán; equilibrio químico) [...] Medicina: Emil Kocher (suizo; glándula tiroidea) [...] Física: Guglielmo marconi y Karl Braun (italiano, alemán; telegrafía).

Monsieur Blériot vuela a través del Canal

Louis Blériot, del *Daily Mail* de Londres, 26 de julio de 1909

Louis Blériot realizó el primer vuelo a través del Canal de la Mancha, en una nave aérea más pesada que el aire, cuando pilotó un aeroplano de diseño propio desde la ciudad francesa de Calais con lo que ganó hasta Dover, fama internacional y el premio de mil libras ofrecido por el Daily Mail *de Londres, que publicó este relato de su vuelo. La nave aérea, que parecía un elegante insecto, era un monoplano construido con tubos de acero, fresno y bambú, cubierto de tela y con un tren de aterrizaje biciclo. Tenía un motor de 25 caballos de tres cilindros y alcanzaba una velocidad máxima de unos 64 km/h. El aeroplano carecía de alerones y maniobraba inclinando el ala entera. El vuelo de Blériot sólo duró 37 minutos, pero captó la atención del mundo.* ◄**1903.1** ►**1927.1**

A las 4:30 se había aclarado el horizonte. Ya había amanecido. M. Le Blanc intentaba ver la costa de Inglaterra, pero no lo consiguió. Soplaba una ligera brisa del sudoeste. El aire era claro. Todo estaba preparado. Yo iba vestido como ahora, con una chaqueta caqui forrada de lana para darme calor sobre mi traje de tweed y debajo de todo mi mono de mecánico de algodón. La gorra ceñía mi cabeza hasta las orejas. No había comido ni bebido nada desde que me había levantado. Mis pensamientos estaban sólo ocupados en el vuelo y mi determinación de cumplirlo en aquella mañana. ¡04:35! ¡Todo está listo! Le Blanc da la señal y en un instante estoy en el aire, mi motor gira a 1.200 revoluciones —casi su velocidad máxima— para que pueda pasar rápidamente sobre los cables de telégrafo que jalonan el borde del acantilado. Tan pronto como estoy sobre el acantilado, reduzco mi velocidad. Ahora no hay necesidad de forzar el motor.

Empiezo mi vuelo, estable y seguro, hacia la costa de Inglaterra. No tengo miedo, ni sensaciones, *pas du tout. La Escopette* me ha visto. Está navegando delante a plena velocidad. Quizá vaya a 42 km/h. ¿Qué pasa? Yo voy al menos a 68 km [...]. Rápidamente la adelanto, a una altura de 80 m [...]. El momento es supremo, todavía me sorprendo de no sentir júbilo. Debajo de mí está el mar, la superficie turbada por el viento, que ahora está refrescando. El movimiento de las olas no es agradable. Sigo conduciendo. Han pasado diez minutos. He adelantado al destructor y giro mi cabeza para ver si me dirijo en dirección correcta. Estoy pasmado. No hay nada que ver, ni el destructor, ni Francia, ni Inglaterra. Estoy solo. No puedo ver nada —*rien du tout!* Durante diez minutos estoy perdido. Es una situación extraña estar solo, sin guía, sin brújula, en el aire, en medio del Canal. No toco nada. Mis manos y mis pies apenas rozan los mandos. Dejo que el aeroplano siga su propio rumbo. No me importa adónde se dirige. Durante diez minutos continúo, sin ascender, sin descender, sin girar. Y entonces, veinte minutos después de haber dejado la costa francesa, veo los verdes acantilados de Dover, el castillo y más al oeste, el lugar donde había decidido aterrizar [...]. El vuelo puede repetirse fácilmente. ¿Lo haré? Creo que no. He prometido a mi esposa que tras una carrera para la que estoy inscrito no volaré más.

Extremo superior, **Blériot justo antes de despegar. *Izquierda,* el aeroplano de Blériot cuando se acerca a Dover, según la ilustración de un suplemento de *Le Petit Journal* de París. En tierra, el equipo binacional de «controladores de tráfico» le reciben y le guían para el aterrizaje.**

Fue una década marcada por la guerra más horrible que el mundo había sufrido. Cuando finalizó la lucha, la inocencia victoriana había desaparecido y comenzaba el mundo moderno.

1910 1919

La Primera Guerra Mundial supuso una modificación diabólica del antiguo arte del asesinato de masas. Las armas químicas alcanzaron un lugar destacado junto al antiguo armamento mecánico. En 1914 los franceses utilizaron granadas de gas (primero se trataba de cloro lacrimógeno; luego gases letales como el mostaza y el fosgeno), pero los alemanes fueron los primeros en emplearlo de forma masiva en la batalla de Ypres en 1915. A partir de entonces, los aliados también lo usaron. Estos soldados británicos, cegados por el gas de un ataque alemán durante la ofensiva de Lys, cerca de Béthune, en abril de 1918, forman una cadena humana mientras arrastran los pies a la espera de tratamiento médico.

EL MUNDO EN 1910

Población mundial

1900: 1,6 MILLARDOS 1910: 1,7 MILLARDOS

1900-1910: + 6,2 %

Inmigración europea hacia Estados Unidos

Total de inmigración hacia Estados Unidos

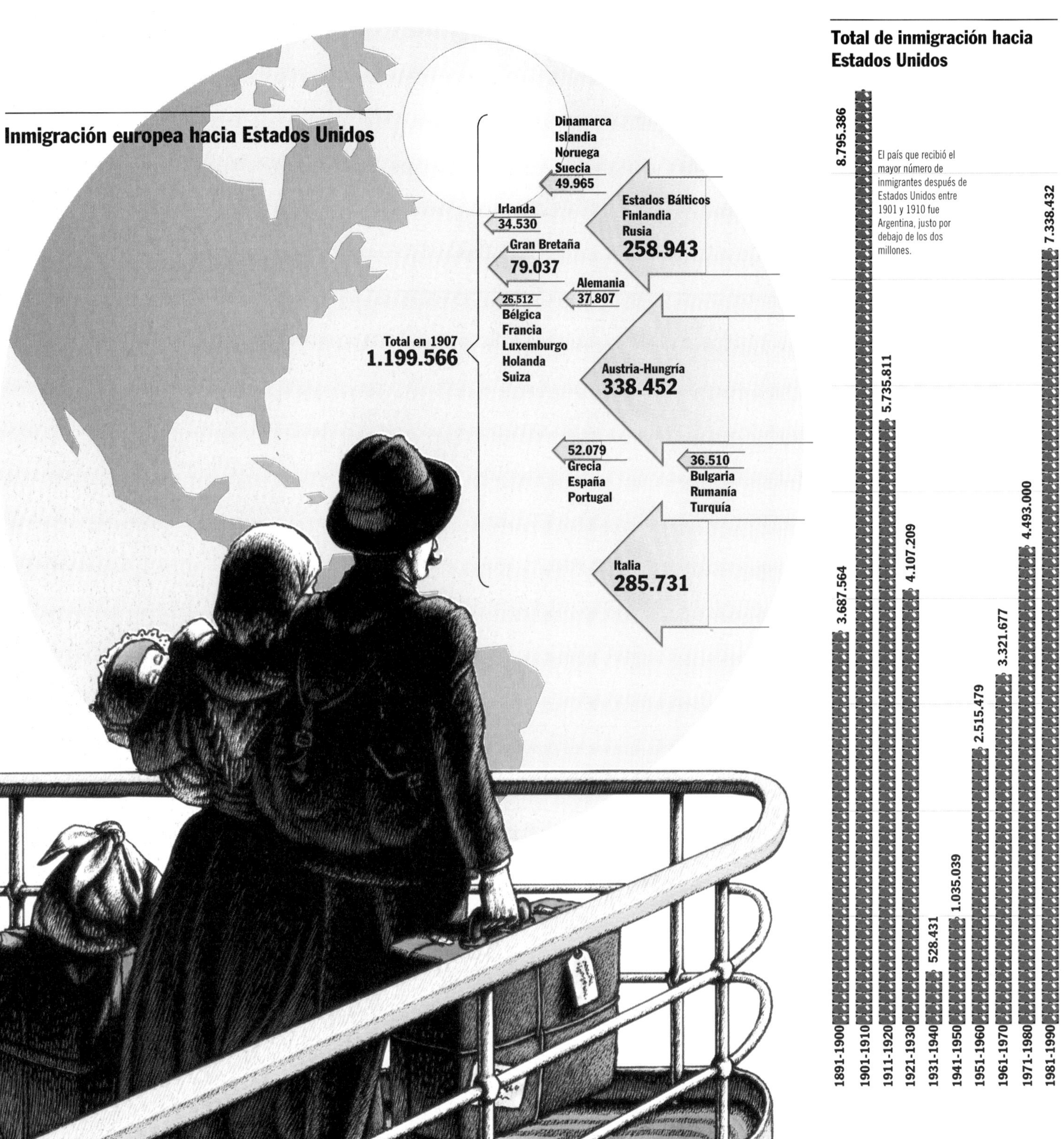

El poder de América

Durante su primer siglo de existencia, las tendencias expansionistas de Estados Unidos se dirigieron a la ampliación de la frontera oeste. Hacia 1910, la nación se extendía de costa a costa y se ampliaba hacia el sur, hacia América central, el Caribe y el Pacífico. En 1916, la adquisición de las Indias Danesas occidentales supuso el fin de la expansión territorial, pero no de la influencia política y económica.

Periódicos diarios

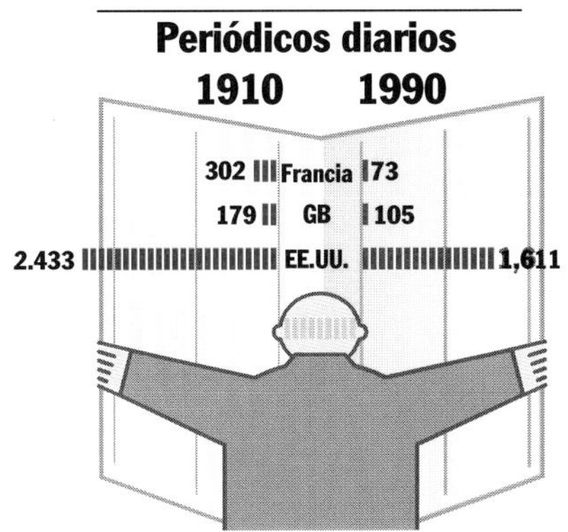

Juegos Olímpicos de verano

Londres **1908** — Barcelona **1992**

1908		1992
22	Naciones	171
2.035	Atletas	10.563
323	Medallas	815

La competición deportiva se ha ido sofisticando gradualmente. Los Juegos Olímpicos de verano de 1908, con la participación de 22 países, aunque modestos comparados con los Juegos de hoy en día, fueron los primeros en ser organizados y controlados por un comité deportivo internacional y no por promotores particulares.

Hacia 1910, diez años después de la aparición de la **Brownie** de Eastman Kodak, la primera cámara no profesional, la difusión de la fotografía entre los aficionados alcanzó una enorme popularidad. Entre los años 1889 y 1909, las ventas de artículos fotográficos crecieron una media anual de un 11 %.

Moda imprescindible

El **reloj de muñeca** fue convirtiéndose en un accesorio corriente tanto para hombres como para mujeres. Había sido inventado seis años antes cuando un aviador brasileño se quejó al fabricante de relojes francés Louis-François Cartier de la dificultad que suponía sacar un reloj de bolsillo en pleno vuelo. Cartier le regaló un reloj diseñado para ceñirse a la muñeca con una tira de cuero. En 1910 Cartier diseñó este modelo de pulsera de platino.

La gran avalancha Durante la primera década del siglo, se produjo un traslado espectacular de europeos a otros continentes. Aunque muchos países recibieron un amplio flujo de extranjeros en busca de una vida mejor (en 1910 un tercio de la población de Argentina, por ejemplo, estaba compuesta por europeos), Estados Unidos ha estado determinada política, económica y culturalmente más que ninguna otra nación por la presencia de población inmigrante.

Los estrategas militares pensaban que el uso del aeroplano en la guerra sería limitado. El mariscal francés Ferdinand Foch declaró que los aeroplanos eran «juguetes interesantes pero sin valor militar».

■

El general Alfred von Schlieffen, comandante en jefe del estado mayor alemán, ideó un plan que permitiría a Alemania ganar una guerra en dos frentes. En una primera fase, el grueso del ejército alemán desencadenaría una ofensiva a través de Bélgica que derrotaría rápidamente a las fuerzas francesas. Mientras, en el este, con recursos limitados, los alemanes debían resistir la presión rusa. Una vez derrotada Francia, los alemanes reforzarían con sus ejércitos occidentales a las tropas que combatían a los rusos pasando a la ofensiva hasta la victoria final.

■

En todos los países menos en tres (Nueva Zelanda, Australia y Finlandia) la mujer no podía votar. «Las mujeres sensibles y reponsables no quieren votar», había dicho el estadounidense Grover Cleveland, expresando un sentimiento generalizado. «Una inteligencia superior a la nuestra asignó sus papeles respectivos a los hombres y a las mujeres en nuestra civilización hace mucho tiempo».

■

El inventor Thomas Edison predijo que el motor de gasolina pronto quedaría obsoleto y sería sustituido por los motores eléctricos.

■

Aunque unos veintiséis millones de americanos acudían al cine cada semana, *The Independent*, una revista semanal, afirmó que «la novedad pasaría en unos pocos años».

■

Aunque se sabía que las frutas cítricas prevenían el escorbuto (y aliviaban sus peores síntomas), no se descubrió la presencia de las vitaminas en los alimentos hasta 1912.

■

En Francia, el invento del modisto Paul Poiret, la ropa interior sin refuerzo, animó a muchas mujeres a abandonar el corsé, pero en otros lugares los sujetadores reforzados con acero formaban una parte esencial de la ropa interior. (Cuando Estados Unidos entró en la Primera Guerra Mundial en 1917, las donaciones de corsés proporcionaron suficiente acero para construir dos barcos de guerra.)

WITOLD RYBCZYNSKI

El incesante trabajo mecánico

La aparición de la fabricación en serie

1910
1919

EL AÑO 1913 fue un momento decisivo en la historia del siglo XX: por aquel entonces Henry Ford organizó la primera cadena de montaje. Esto sucedió en Highland Park, Michigan, donde Ford había empezado a manufacturar el automóvil Modelo T. La primera cadena no afectaba a la totalidad del coche, sólo al magneto y, a pesar de ser una mejora bastante limitada, constituyó un hito. Fue uno de aquellos pocos ejemplos que definen una era, como la primera impresión de un libro con tipos móviles realizada por Johann Gutenberg en el siglo XV, o la máquina de vapor de James Watt, construida con un condensador de alta presión y patentada en 1769. Del mismo modo que estos acontecimientos fueron el punto de referencia para que la gente llegara a hablar de la era de la imprenta o de la era del vapor, a partir de 1913 se puede hablar de la era de la fabricación en serie.

En realidad, Henry Ford no fue el primer fabricante que utilizó la cadena de montaje. Ciento treinta años antes, Oliver Evans, un mecánico de Delaware, construyó en Filadelfia un molino de harina que transportaba el grano de un proceso de la molienda a otro por medio de una serie de mecanismos impulsados por ruedas hidráulicas. En 1804, la Armada británica edificó una fábrica para producir galletas para los barcos en la que cinco panaderos trabajaban en cadena, cada uno ocupado en una parte de la operación. En los años treinta del siglo XIX, el inventor suizo Johann Georg Bodmer erigió varias fábricas textiles en Inglaterra, en las que los puestos de trabajo fijos estaban conectados unos con otros por sistemas de transmisión mecánica. Ni siquiera los raíles elevados que transportaban las carrocerías de un puesto de montaje a otro de la fábrica de Ford eran originales, ya que estaban basados en un mecanismo empleado para acarrear a los animales en los talleres de embalaje de Cincinnati. Ford (que carecía de estudios de ciencia o ingeniería) no aportó avances tecnológicos cruciales al automóvil en sí. En este sentido, se apartó de Gottlieb Daimler, por ejemplo, o de Karl Benz, que sí fueron pioneros de la tecnología automovilística con adelantos decisivos. A diferencia del motor diesel, llamado así por su inventor, Rudolf Diesel, ninguna pieza de coche lleva el nombre de Ford.

Incluso después de que Henry Ford (*superior*) presentara la cadena de montaje, en muchas industrias los trabajadores continuaban fabricando un artículo de forma individual en todas las fases del proceso de producción. En el departamento de ruedas de la Nash Motor Company de Kenosha, Wisconsin (*derecha*), se asignaba a cada trabajador un complicado juego de herramientas mecánicas. El propio Ford era un visionario que, sin embargo, despreció muchos de los cambios que su Modelo T, fabricado en serie, ayudó a efectuar, incluyendo la transformación de la sociedad americana rural en una cada vez más urbana. Al final de su vida, Ford se dedicó a preservar el «*plain-folk*», los valores de la tierra de su Michigan juvenil.

Aunque él no inventó la cadena de montaje ni el automóvil, sí fue un visionario. Se puede decir que imaginó el coche como un medio de transporte popular. «Tendrá un precio tan económico que ningún hombre con un buen sueldo dejará de comprar y de disfrutar con su familia, en las benditas horas de ocio, en los magníficos espacios abiertos de Dios», proclamó Ford de forma grandiosa. Anteriormente, tanto en Europa como en América, los automóviles se consideraban productos de lujo, utilizados sólo por los ricos y principalmente por placer. Ford los introdujo en un mercado más amplio. No obstante, no empezó a vender coches más baratos simplemente para que la gente pudiera ir de paseo los domingos. Casi de la noche a la mañana, el Modelo T, que Ford llamó «el coche universal», se convirtió en un medio de transporte barato, individual y rápido para miles, luego millones, de personas corrientes que vivían en un país de largas distancias.

Para comprender el logro de Ford es necesario saber que el siglo XIX americano estuvo repleto de ejemplos de artículos para uso individual producidos en masa y estandarizados: las excavadoras fabricadas por la compañía Ames de Massachusetts; los famosos botes de conservas de John Landis Mason; los relojes para las casas hechos con enormes números por Eli Terry de Plymouth, Connecticut, a principios de 1800; las máquinas de coser de Isaac Singer. Sin embargo, el Modelo T era distinto a todos estos productos. Después de todo, las excavadoras más baratas no eran mejores que las antiguas hechas a mano; los botes de Jason no cambiaron la práctica tradicional de las conservas caseras; los relojes baratos seguían siendo relojes, y aunque la máquina de coser facilitó

y agilizó la laboriosa costura, todavía resultaba más económico coser con aguja e hilo. Pero un coche barato no tenía precedentes.

Es evidente que el automóvil era más rápido que un coche de caballos. Lo que no era tan evidente es que un coche como el Modelo T fuera mucho *más barato* que uno de caballos. Un automóvil sólo consume combustible cuando circula, en cambio, los caballos tienen que comer todos los días del año. Además, como viajar a caballo o en coche de caballos requiere continuos cambios de animales frescos proporcionados en puestos convenidos, el incansable automóvil también representa la oportunidad de viajes imprevistos y espontáneos. Movilidad y libertad a bajo precio: era un producto que se vendía solo.

Un breve resumen de la producción del Modelo T nos da la clave de su espectacular éxito. Aunque el primer coche salió de la fábrica de Highland Park en 1908, el efecto de la fabricación en serie sobre el descenso del coste se manifestó cinco años más tarde, después de que Ford empezara a utilizar las cadenas de montaje. Con los años, el tiempo necesario para montar un coche se redujo sorprendentemente de doce horas y media a una hora y media. El precio se rebajó de acuerdo con este descenso: del precio original de 850 dólares, se pasó al de 310, mucho más bajo, que logró que el modelo T fuera un 40 % más barato que el de su competidor más cercano.

La reducción del precio no fue simplemente el resultado de la gran cantidad de coches fabricados. A diferencia de ejemplos anteriores de fabricación en serie, que consistía sólo en fabricar productos convencionales en grandes cantidades, el Modelo T se diseñó específicamente para ser montado en serie. La clave era la simplicidad: no tenía puertas ni ventanas a los lados, carecía de velocímetro y de limpiaparabrisas y no se podía elegir el color (durante los primeros doce años todos fueron negros). Esta simplificación general resultó inmejorable comercialmente hablando; sin embargo, el coche de Ford se diseñó pensando en las necesidades de sus propietarios. Los primeros compradores fueron principalmente granjeros y habitantes de ciudades pequeñas. El motor de veinte caballos y la mecánica sólida prometían hacer frente a las malas carreteras del campo, y el propio conductor, sin recurrir a la ayuda de expertos, podía reparar su sencillo sistema mecánico. Las ventas de este automóvil revolucionario subieron como la espuma: en 1914, sólo seis años después de su presentación, se vendieron 250.000; cuando la producción se detuvo en 1927, habían salido quince millones de la cadena de montaje.

PERO LA GENIALIDAD de Ford no consistió en el mero hecho de encontrar el sistema de ofrecer más coches a un mayor número de gente. Su esfuerzo industrial se basaba por entero en una intuición simple pero crucial: la fabricación en serie es sólo una cara de la moneda de la oferta y la demanda; la otra es el consumo en serie. Los anteriores fabricantes de productos en serie, como las excavadoras o las máquinas de coser, pensaban que para sacar partido de la fabricación en serie tenía que existir una demanda en serie (masiva). Ford dio un paso adelante, y fue un paso gigante, al darse cuenta de que la fabricación en serie podía ser el «combustible» de la demanda. La cadena de montaje podía utilizarse a la vez para incrementar la producción y para abaratar costes, todo el mundo lo sabía; sin embargo, fue Ford el primero en percatarse de que unos beneficios más altos permitirían salarios más elevados. Aumenta los salarios e incrementará el consumo, razonó; aumenta el consumo y crecerá la producción.

Ford pasó a poner en práctica su teoría del huevo y la gallina. En 1914, cuando el trabajo industrial se pagaba a 2,40 dólares al día, Ford pagaba 5; hacia 1929, la media salarial en la Ford había aumentado a 7 dólares diarios. El incremento del consumo no sólo significó el aumento salarial, sino también una mayor cantidad de tiempo libre. En 1914, Ford redujo la jornada laboral en sus plantas de nueve horas a ocho. Ahora los trabajadores no sólo tenían más dinero, sino también más tiempo libre para gastarlo. Ford no se detuvo aquí: en 1926, mientras la mayor parte de la industria americana trabajaba seis días a la semana, anunció que sus fábricas cerrarían tanto el sábado como el domingo. Esto hizo de la Ford Motor Company una de las primeras grandes industrias del mundo en propiciar el fin de semana de dos días.

Con el tiempo se produjo una consecuencia importante que el clarividente industrial no hubiera anticipado nunca: la fabricación en serie no sólo cambió el proceso de manufacturación de los bienes de consumo, también transformó a los propios consumidores. Los compradores de coches fueron aburriéndose del limitado surtido que ofrecía la primera fabricación en serie y reclamaron más variedad. Ford se resistió por todos los medios a esta tendencia, pero el éxito de sus competidores

A mediados de los años treinta, la cadena de montaje había sido glorificada en la imaginación popular. En Detroit, Edsel Ford, que sucedió a su padre como presidente de la Ford Motor Company, encargó al pintor mexicano Diego Rivera una serie de frescos para el patio del Instituto de las Artes de Detroit. Los 27 murales resultantes lograban al mismo tiempo celebrar la eficiencia y subrayar la brutalidad de una fábrica moderna. En respuesta a los críticos de la religiosa derecha que lo acusaron de haber creado un «manifiesto comunista» y de ser «frío y duro», Rivera respondió: «Pinto lo que veo [...] el tema (de los murales) es el acero, y el acero es frío y duro».

1910
1919

finalmente le obligó a ceder. El sucesor del Modelo T, el Modelo A, apareció con 17 tipos de carrocería y en cuatro colores distintos. Ford se había encontrado cara a cara con una paradoja fundamental de la fabricación en serie: había empezado produciendo artículos de consumo estandarizados para las masas y había acabado ofreciendo una amplia variedad de productos según la demanda del consumidor. Esta capacidad de ofrecer surtido, de coches o de zapatillas de deporte, constituye la clave de la sociedad consumista y la razón principal del atractivo del consumismo cada vez más extendido por el mundo.

No obstante, no sólo los consumidores requerían variedad. Los trabajadores, aunque apreciaban el aumento de sueldo, se aburrían debido al carácter repetitivo del trabajo en la cadena de montaje. Quizás fueran ingratos (el trabajo preindustrial era más duro), pero tal es la naturaleza del progreso humano. En 1949, dos años después de la muerte de Ford, la Universidad de Yale publicó un estudio importante sobre la industria del automóvil, *El hombre en la cadena de montaje*. El 90 % de los trabajadores observados hicieron constar que la única cosa que les gustaba de su trabajo en la cadena de montaje era su elevado salario; la gran mayoría odiaban el ritmo mecánico y el carácter repetitivo de su trabajo, y muchos estaban frustrados porque las simples operaciones no requerían ningún tipo de habilidad. La dirección industrial ha estado plagada de estos problemas desde entonces. El disgusto con el trabajo de la cadena de montaje ha sido la razón principal de muchos trastornos laborales, y hoy en día se está rectificando con la introducción de grupos de trabajo, la democracia industrial y una dirección de calidad. La última solución a la monotonía de la cadena de montaje probablemente es la robótica, que sustituye con máquinas a las personas que realizan las tareas más insípidas y repetitivas.

FORD, EN UNA famosa observación, acotó: «La historia es más o menos un absurdo». Sin embargo, es la historia la que revela los efectos reales de la fabricación en serie del automóvil. Una ojeada al siglo XX muestra que estos efectos resultaron asombrosamente amplios. Los coches cambiaron el trazado de las ciudades al acelerar el desarrollo suburbano (aunque los primeros suburbios fueron el resultado de los tranvías y de los ferrocarriles, no de los coches), por ejemplo. El automóvil alteró los hábitos de las compras al posibilitar la introducción de centros comerciales regionales que contribuyeron a la decadencia del centro de las ciudades. El ocio, que había formado parte de la visión de Ford, fue fomentado por la feliz unión entre los coches y los fines de semana y dio lugar a las segundas residencias, a los cámpings y a una variedad de actividades relacionadas con las carreteras. Además, el coche proporcionó una nueva configuración a la vida familiar trayendo consigo muchas diversiones fuera de casa y proporcionando una movilidad sin precedentes a dos grupos: las mujeres y los adolescentes. La relación inesperada entre el coche y el feminismo se manifiesta en las restricciones impuestas a la mujer, en lo que a conducción se refiere, por algunos países islámicos fundamentalistas.

Ford, adoptando el tono visionario que le acompañó al final de su vida, mantuvo que «el automóvil era un producto de paz». Por el contrario, el motor de gasolina contribuyó al poder destructivo de los militares, haciendo posible la guerra relámpago durante la Segunda Guerra Mundial. Puede decirse que la dependencia americana del coche, y por lo tanto del petróleo, ha sido la causa de la última guerra: la guerra del golfo Pérsico, en 1991. Quizás la consecuencia menos prevista, aunque indiscutiblemente la más perjudicial, del extendido uso del automóvil sea su efecto sobre el medio ambiente, ya que su motor desprende dióxido de carbono que contamina la atmósfera y deteriora la capa de ozono.

Naturalmente, el desarrollo tecnológico siempre ha tenido consecuencias involuntarias: sólo hay que pensar en cómo la invención de la imprenta alteró las creencias religiosas en el norte de Europa, en cómo la artillería cambió la configuración de las ciudades medievales o cómo la máquina de vapor posibilitó el acceso al oeste americano. No obstante, la fabricación en serie aceleró y amplió estas consecuencias; es la *escala* del impacto tecnológico sobre la vida humana lo que coloca aparte a la era de la fabricación en serie. El efecto del ordenador personal sobre el trabajo individual, el de la televisión sobre el poder político o el del vídeo sobre los entretenimientos públicos, son ejemplos de cómo la fabricación en serie ha transformado la vida de las personas. El legado más importante de Henry Ford y de la era que él inauguró no consiste en los productos materiales que salen de las cadenas de montaje, sino en la transformación que esos productos traen a nuestras vidas. □

Con la llegada de los ordenadores, la cadena de montaje tradicional, conducida por personas, ha sido suplantada por formas superiores de automoción como los robots. En muchas fábricas automovilísticas muy sofisticadas, las máquinas programadas de forma electrónica han sustituido por completo a los obreros. Aquí, en la fábrica alemana de la General Motors en 1989, los robots soldan las carrocerías de los coches que descienden automáticamente por la cadena de montaje de robot a robot. Las máquinas están tan autorreguladas que, a excepción de los técnicos que están a su servicio, no es necesaria la presencia humana.

«Éste es el deseo y la orden del emperador japonés: que se hagan todos los esfuerzos necesarios para que los coreanos entiendan que con la anexión no se los quiere humillar sino ayudar.»—**Declaración oficial del general de su Majestad Imperial japonesa en Corea tras la anexión**

HISTORIA DEL AÑO

Japón aplasta a Corea

1 Japón, animado por su victoria militar definitiva sobre los rusos en Manchuria, dirigió su ávida mirada hacia Corea, un subdesarrollado reino del oeste, a causa de su situación estratégica. El 22 de agosto de 1910 la realidad implícita de las relaciones entre Japón y Corea se hizo explícita: Japón se anexionó oficialmente el protectorado.

Las intenciones de Japón se habían ido vislumbrando desde 1905, cuando obligó a los ministros de Corea a firmar el tratado que convirtió al país en un protectorado japonés: el objeto era la dominación total.

Bajo los términos del protectorado, Japón asumió el control de la administración interna y de la política exterior de Corea. Dos años más tarde, el emperador coreano Kojong se vio obligado a abdicar en favor de su hijo Sunjong, mucho más manipulable. En 1909 la judicatura cayó bajo el control japonés, y a continuación las fuerzas policiales. El tratado coreano-japonés de 1910, con el que Corea cedía a Japón sus derechos de soberanía, se negoció en estricto secreto. Cuando se hizo público, la anexión era ya un hecho consumado.

Japón instauró un reino de terror para asegurarse que no se repitieran las protestas violentas y los alzamientos suicidas de 1905 y 1907: los soldados patrullaron Seúl, los censores eliminaron las crónicas negativas de los diarios y la policía suprimió las organizaciones nacionalistas.

La justicia coreana representada en una propaganda japonesa: «el viejo estilo» de los interrogatorios policiales en una oficina «anticuada», anterior a la anexión (*extremo superior*) en contraste con la rectitud del orden en una oficina moderna e «higiénica», posterior a la anexión (*superior*).

Los demás países estaban alerta. Estados Unidos ya había aprobado de forma tácita la anexión en el tratado de Portsmouth de 1905, según el cual reconoció formalmente la supremacía de Japón sobre Corea. A las otras potencias extranjeras, particularmente a Gran Bretaña, sólo les preocupaba que la anexión pudiera poner en peligro sus intereses financieros y sus derechos.

Japón se había convertido en la potencia más poderosa de Asia y este acontecimiento marcó el comportamiento del gobierno de los ultranacionalistas japoneses. Mientras, el pueblo de Corea, armado de forma primitiva y comprometido políticamente, leía las declaraciones oficiales, veía a los guardias japoneses por todas partes y sufría su impotencia con furiosa resignación. **◄1905.3 ►1921.5**

Oldfield alcanzó la velocidad más alta, pero pasó el final de su vida aconsejando prudencia.

DEPORTES

Tres kilómetros por minuto

2 Después de pasarse la década estableciendo récords, en 1910 el corredor automovilístico Barney Oldfield alcanzó su máxima velocidad pilotando un «Blitzen» Benz a 210,8 km/h, en Daytona Beach, Florida. En tan sólo siete años, Oldfield había sobrepasado en más del doble el récord mundial que él mismo había establecido en 1903 pilotando un Ford-Cooper 999 a 1,6 km/min durante una prueba automovilística en Indianápolis. (Los fabricantes de coches, como Henry Ford, normalmente probaban sus coches en circuitos el año anterior a su presentación.)

Las Quinientas Millas de Indianápolis se instituyeron un año después de que Oldfield estableciera su récord de 1910; sin embargo, su velocidad no se sobrepasó hasta 1937 en este mismo circuito. Las Quinientas Millas de Indianápolis figura como una de las carreras automovilísticas más importantes del mundo junto a la de Le Mans (1906) y la de Montecarlo (1911).

Oldfield acabó en quinta posición las dos veces que corrió en Indianápolis, en 1914 y 1916. No obstante, su descontento con el deporte fue creciendo en favor de la seguridad. Llegó a calificarlo de «circo romano». Se retiró en 1918 y pasó el resto de su vida promocionando la seguridad vial. **◄1908.1 ►1957.11**

PORTUGAL

Una revolución conservadora

3 La monarquía constitucional de Portugal fue un fracaso y finalizó en 1910, cuando un grupo de republicanos revolucionarios derrocaron al rey Manuel II, de veinte años de edad, el último de la casa real de Braganza, de 270 años de antigüedad. El desventurado rey, que había accedido al trono dos años antes tras el asesinato de su padre y su hermano, huyó a Inglaterra donde se dedicó a coleccionar libros hasta que murió en 1932.

Curiosamente, la nueva república portuguesa se erigió como el gobierno revolucionario más conservador. Establecida por reacción a una monarquía cada vez más decadente a lo largo de un siglo, el nuevo régimen se inspiró más en el pasado que en el futuro. El himno patriótico de la república lo explicaba:

Héroes del mar, pueblo noble,
nación valiente e inmortal,
realza hoy una vez más
el esplendor de Portugal.

Le Petit Journal

5 CENT. SUPPLEMENT ILLUSTRE 5 CENT.

DIMANCHE 23 OCTOBRE 1910

" ADEUS PAR NUNCA MAIS ! "
L'adieu du roi de Portugal à son pays

Manuel II, el monarca portugués de veinte años, se despide de su país al escapar a Inglaterra.

El único punto de contacto entre los republicanos había sido su oposición a la monarquía. Una vez depuesto el rey, su unidad se disolvió rápidamente. Más allá del deseo de devolver a Portugal su antigua gloria (que significaba la restauración del imperio colonial, erosionado bajo la

ARTE Y CULTURA: **Libros:** ***Regreso a Howards End*** **(E. M. Forster);** ***La vagabunda*** **(Colette) [...] Música:** ***La Fanciulla del West*** **(Giacomo Puccini);** ***Cuarteto de cuerda, Op. 3*** **(Alban Berg); estreno en Madrid de** ***La corte del faraón*** **[...] Pintura y escultura:** ***Enigma de una tarde de otoño*** **(Giorgio de Chirico);** ***Musa durmiendo*** **(Constantin Brancusi) [...]**

«Me gustan las matemáticas porque no *son humanas y no tienen relación concreta con este planeta o con el universo accidental. Me gustan porque, como el Dios de Spinoza, no nos amarán.»*—**Bertrand Russell**

monarquía constitucional), los republicanos contaban con pocos objetivos concretos. Así, la Primera República estuvo marcada por las disputas políticas y la creciente confusión económica. En 1926 se estableció un nuevo estado dictatorial que significó el fin de la república. Portugal, bajo el largo mandato de Antonio de Oliveira Salazar, quedó definitivamente al margen de los asuntos mundiales. ►**1933.9**

IDEAS

Matemáticas y lógica

4 En 1910 se publicó el primero de los tres volúmenes que forman *Principia Mathematica* (1910-1913), un intento de reducir las matemáticas a lógica pura. Con esta obra, Bertrand Russell (*superior*) y Alfred North Whitehead (*inferior*) establecieron una base para futuras investigaciones sobre matemática teórica, filosofía analítica y lógica simbólica. Pocas obras han ejercido una influencia tan profunda y duradera en el pensamiento moderno.

Russell, brillante, iconoclasta y profundamente humano, era el vástago huérfano de una familia aristocrática. Se matriculó en el Trinity College de la Universidad de Cambridge en 1890, diez años después de que lo hiciera Whitehead, el hijo de un clérigo episcopal, que ya ocupaba el puesto de catedrático de Matemáticas. Bajo la influencia de su profesor G. E. Moore, cuya obra *Principia Ethica* (1903) constituía una piedra angular de la filosofía analítica moderna, Russell empezó a considerar a las matemáticas como un modelo filosófico de exactitud y conocimiento absoluto. El trabajo conjunto con Whitehead dio como resultado su primer libro, *Los principios de las matemáticas* (1903). Russell se hizo célebre entre el gran público por su pacifismo y sus ideas sociales progresistas, aunque las matemáticas eran las que le mantenían, literalmente. Al final de su larga vida (murió en 1970 a los 98 años de edad), Russell recordaba sus años anteriores como una lucha diaria contra el suicidio, del que fue «disuadido por el deseo de saber más matemáticas».

Entre los teóricos inspirados en los *Principia* se encuentra Ludwig Wittgenstein, que tras leer el tratado se trasladó a Cambridge para estudiar con Russell. Wittgenstein escribió el *Tractatus Logico-Philosophicus*, una obra concisa y elegante que resolvía todos los problemas filosóficos (según afirmó su autor) y se desarrolló aparte de las investigaciones sobre la naturaleza de la lógica que los dos eruditos llevaron a cabo en Cambridge. ►**1918.4**

CIENCIA

El regreso del cometa Halley

5 En el crepúsculo del 18 de mayo de 1910, cuando cayó la tarde sobre Constantinopla, unas cien mil personas huyeron en busca de refugio. Algunas buscaban consuelo abrazándose entre sí, otras rezaban por su salvación. La escena se repitió en todo el mundo. Mucha gente pensó que había llegado el fin del planeta. El motivo de este terror generalizado era el cometa Halley, que volvía de su periplo de 75 años por el espacio.

Durante años, los científicos, emocionados por la oportunidad de incrementar sus conocimientos astronómicos, se habían preparado para la reaparición del cometa. A finales de 1909 muchos de los observatorios más famosos del mundo se dedicaban a una búsqueda activa del cometa. El profesor Max Wolf, de Heidelberg, Alemania, lo detectó en septiembre de 1909. El entusiasmo se contagió, y la gente esperaba impaciente el momento en que podrían ver al cometa con sus propios ojos. Los científicos elaboraron muchos cálculos, uno predecía que la cola del Halley podría pasar muy cerca de la Tierra, quizás la barrería directamente, entre el 18 y el 19 de mayo. Los periódicos trataban el tema exponiendo terribles detalles de los efectos perjudiciales que el cometa gaseoso podía

La llegada del cometa Halley generó una gran parafernalia en todo el mundo.

ocasionar en la atmósfera de la Tierra, y cundió el pánico. En Estados Unidos algunos trabajadores de las minas de carbón se negaron a entrar en las vagonetas porque preferían morir en la superficie con sus familias. Unas pocas almas de Norteamérica intentaron suicidarse por miedo al Armagedón. Un ganadero de California se crucificó a sí mismo, clavándose los dos pies y una mano a una cruz mal tallada.

De hecho, la cola del cometa Halley nunca se acercó a más de 400.000 km de la Tierra, y a esa distancia resultaba totalmente inofensivo. El *Seattle Post-Intelligencer* anunció: «El cometa va y viene, y esta vieja Tierra no es mejor ni peor y por tanto no mucho más sabia». ►**1929.9**

El cometa Halley fotografiado el 12 de mayo de 1910 en Honolulú por una cámara provista de lentes telescópicas.

NACIMIENTOS

Jean Anouilh, dramaturgo francés.

Jacques Cousteau, submarinista y oceanógrafo francés.

Jean Genet, dramaturgo francés.

Miguel Hernández, poeta español.

Akira Kurosawa, director cinematográfico.

Luis Rosales, poeta español.

Pablo Serrano, escultor español.

Art Tatum, músico estadounidense.

Madre Teresa, monja católico-romana, albanesa.

Wilfred Thesiger, explorador y escritor británico.

MUERTES

Björnstjerne Björnson, escritor noruego.

Samuel Clemens (Mark Twain), escritor estadounidense.

Henry Dunant, filántropo y escritor suizo, fundador de la Cruz Roja.

Holman Hunt, pintor británico.

William James, filósofo estadounidense.

Robert Koch, bacteriólogo alemán.

Pedro Montt, presidente de Chile.

Nadar, fotógrafo francés.

Florence Nightingale, enfermera británica.

William S. Porter (O. Henry), escritor estadounidense.

Henri Rousseau, pintor francés.

Leon Tolstoi, novelista ruso.

Cine: ***El mar sin cambios, Ramona, La casa de los postigos cerrados*** **(D. W. Griffith);** ***La cabaña del tío Tom*** **(Urban Gad) [...] Teatro:** ***Misalliance*** **(G. B. Shaw);** ***El guardia*** **(Ferenč Molnár).**

«El crítico de arte es el peor enemigo del arte.»—**Wassily Kandinsky**

NOVEDADES DE 1910

El día del padre.

Mujeres policía (Los Ángeles).

Batidora (Hamilton Beach).

Girl Guides (fundada en Inglaterra por Robert y Agnes Baden-Powell).

Trinchera (abrigo con cintas como cierres de Burberry).

EN EL MUNDO

►SE ABRE LA PUERTA ROJA—Una secretaria de Nueva York llamada Florence Nightingale Graham, conmovida por el poema de Tennyson *Enoch Arden*, cambió su nombre por el de Elizabeth Arden y en 1910 abrió un salón de belleza en la Quinta Avenida. La tienda alcanzó tal éxito que abrió otras sucursales y lanzó una línea de cosméticos que pronto contó con más de trescientos artículos. Arden siempre resaltó el carácter elegante de sus cosméticos. Cuando murió en 1966, la puerta roja de su marca comercial se abrió en más de cien salones.

►FUNDAMENTOS DEL FUNDAMENTALISMO—Un libro titulado *Lo fundamental: un testimonio de verdad*, publicado en 1910, afirmó la verdad literal de cinco dogmas básicos del cristianismo, incluyendo la virginidad de María y la resurrección física de Cristo. El opúsculo inspiró el movimiento fundamentalista moderno en Estados Unidos. ►1950.12

►LA SEMIAUTOMÁTICA DE BROWNING—El diseñador de armas de fuego John Moses Browning patentó su pistola semiautomática del calibre 45 como modelo Browning 1910. Comercializada como Colt 45, fue adoptada por el ejército de Estados Unidos y continuó

ARTE

La música visual de la abstracción

6 En 1910 Wassily Kandinsky, un artista que mantuvo una relación casi mística con el color, terminó el cuadro considerado como la primera obra puramente abstracta del arte moderno: *Improvisación XIV* (*superior*). Kandinsky, que empezó a pintar a los treinta años, tras haber obtenido los títulos de Derecho y Economía en su Rusia natal, utilizó los colores y las formas para inventar un equivalente pictórico de la música. Describió sus *Improvisaciones* como «expresiones espontáneas ampliamente inconscientes de carácter íntimo, inmateriales en su esencia».

No obstante, la obra de Kandinsky no era «la abstracción por la abstracción»: deseaba pintar libremente a partir de la representación de los objetos de modo que pudiera expresar mejor las ideas y evocar emociones profundas. Él mismo advirtió que la abstracción pura corría el riesgo de degenerar en simple decoración. (Su *Improvisación XIV*, por ejemplo, contiene tendencias claramente figurativas.) Kandinsky encabezó la vanguardia rusa después de la revolución de 1917; sin embargo, este descendiente de la realeza de Mongolia perdió aceptación y partió hacia Berlín en 1921. ◄1907.1 ►1913.2

REFORMA SOCIAL

La NAACP lidera la lucha

7 Después de que los disturbios racistas contra la población negra se extendieran por todo el territorio de Estados Unidos, un grupo de sesenta intelectuales negros y algunos simpatizantes blancos se reunieron en Nueva York con motivo del centenario del nacimiento de Lincoln y formaron un comité que en 1910 se convirtió en la National Association for the Advancement of Colored People, NAACP (Asociación Nacional para el Progreso de la Gente de Color). La cofundadora, Mary White Ovington, dedicó la organización a derrumbar «los muros de la intolerancia, el prejuicio, la injusticia y la arrogancia» que dividía a la mayor democracia del mundo. La NAACP engendró un nuevo movimiento de masas que finalmente inspiró a los defensores de los derechos humanos de todo el mundo.

La guerra civil liberó a los afroamericanos de la esclavitud, pero apenas les hizo ganar la plena ciudadanía. Los estados del sur promulgaron las leyes de Jim Crow (llamadas así por el estereotipo de un cantante negro y torpe), que privaron de derechos a los negros y los relegaron a escuelas (casi siempre peores), edificios, hospitales, hoteles, restaurantes, transportes, teatros e incluso cementerios, separados. Durante este año muchos negros fueron linchados. En el norte, la situación no era mucho mejor.

La NAACP interracial nació del Movimiento Niágara, una asociación negra fundada en 1905 para oponerse al convenio de Booker T. Washington, el director del Instituto Tuskegee de Alabama, que instó a los negros a deponer sus demandas a cambio de empleo y oportunidades económicas. Los activistas de Niágara, liderados por W. E. B. Du Bois (*izquierda*), sostenían que los negros no podrían competir económicamente hasta que obtuvieran derechos políticos. Aunque los antiguos dignatarios de la NAACP eran blancos, excepto Du Bois, que dirigía la propaganda y el departamento de investigación, su política, gracias a los esfuerzos de sus cofundadores negros, mantuvo vivo el espíritu del Movimiento Niágara.

La NAACP combatió los prejuicios raciales en dos frentes: la educación y la legislación. Bombardeó a la América blanca con panfletos, comunicados de prensa y discursos sobre los sufrimientos y los logros de los negros. Du Bois publicó impactantes estudios sociológicos en la revista de la NAACP, *Crisis*, junto a la obra de autores y artistas negros.

La NAACP acosó a Jim Crow con litigios. En 1915 el Tribunal Supremo de Estados Unidos invalidó la «cláusula de los abuelos», que otorgaba el derecho a voto a los hombres cuyos abuelos habían votado, con la exclusión de facto de los negros, ya que la mayoría de sus abuelos habían sido esclavos. Siguieron otros éxitos que culminaron en 1954 con la resolución de la Junta de Educación de Topeka contra Brown, que declaró inconstitucional la segregación en las escuelas públicas. Por entonces, la

---

DEPORTES: Ciclismo: C. Galetti gana el Giro de Italia, y Octave Lepize el Tour de Francia [...] Tenis: A. F. Wilding y Lambert-Chambers ganan el trofeo de Wimbledon.

NAACP, con medio millón de miembros fervorosos, era la organización de derechos civiles más importante del mundo. **▸1915.1**

SUDÁFRICA

La frágil federación de Botha

8 En 1910, la Unión de Sudáfrica, una federación de cuatro colonias británicas del sur de África, emergió de las ruinas de la guerra de los bóers como un dominion del Imperio Británico con autogobierno. Louis Botha, como primer ministro de la nueva colonia con hegemonía afrikáner, debía llevar a cabo el difícil y finalmente imposible cometido de forjar una alianza entre las facciones políticas afrikáners divididas y entre éstas y las correspondientes británicas. Los unionistas británicos, entre los que se contaba Botha, pensaban que podía alcanzarse una expresión plena del nacionalismo afrikáner dentro de la unión. Los separatistas afrikáner, liderados por J. B. M. Hertzog, sólo querían la independencia. Los sudafricanos británicos encontraban sospechoso todo lo afrikáner. Los sudafricanos más antiguos, los negros desposeídos de derechos y relegados a la base de la pirámide colonial, quedaron totalmente excluidos de este debate.

El gobernador general británico Lord Gladstone le pidió que formara un consejo de ministros, y Botha nombró una coalición administrativa. Había representantes del partido sudafricano de El Cabo, del Het Volk de Transvaal y de la Orangia-Unie del Estado Libre. Hertzog fue nombrado Ministro de Justicia. En su intento de apaciguar tanto a los angloparlantes como a los separatistas afrikáners, Botha sólo consiguió indisponerse con todos. Los ingleses se sintieron traicionados por la inclusión de separatistas en el gobierno, y los separatistas censuraron las propuestas de los unionistas. En las elecciones parlamentarias posteriores, los tres partidos afrikáners vencieron por mayoría a los dos partidos ingleses más votados. Al año siguiente, los partidos afrikáners se fusionaron en el partido sudafricano.

La coalición de Botha, mal embastada desde el principio, pronto empezó a rasgarse. Hertzog con su defensa creó dificultades al gobierno y alarmó a los distintos ingleses con su defensa constante del separatismo. En 1912, durante un discurso en la estación de ferrocarril de De Wildt, Hertzog declaró que

El primer ministro Louis Botha (*superior*) fue atacado por J. B. M. Hertzog como «protagonista del imperialismo».

«había llegado el momento en que Sudáfrica no sería gobernada por los no-afrikáners» (la frase está considerada como el nacimiento espiritual del estridente Partido Nacional, que se fundó oficialmente al cabo de dos años). Botha, ofendido, primero dimitió y disolvió el parlamento, luego regresó y lo rehizo sin Hertzog. Sin embargo, las líneas estaban trazadas y, aunque la Unión sobrevivió otros 20 años, estaba condenada desde aquel momento. **◂1908.9 ▸1912.10**

TEATRO

El talento superior de Ziegfeld

9 Su anuncio proclamaba: «Una institución nacional que glorifica a la joven americana». En realidad, era una revista musical de Broadway, en la que se unían el gusto europeo y la chispa americana: decorados y vestuario magníficos, cómicos y cantantes que pronto se convirtieron en legendarios y un grupo de coristas semidesnudas que escandalizaron y hechizaron al público. El Ziegfeld Follies, dirigido por Florenz Ziegfeld Jr., había ofrecido opulencia y sofisticación al teatro musical americano durante tres años, cuando, en 1910, Ziegfeld presentó en Broadway a tres de las estrellas más queridas del Follies: Fanny Brice, Irving Berlin y Bert Williams.

Fanny Brice distaba mucho de ser el ideal de chica Ziegfeld. Tenía dieciocho años, era judía, con una nariz larga, ojos grandes y una sonrisa burlona, ancha y hermética. Cantaba en números cómicos con acento judío; más tarde interpretó a gritos canciones desgarradoras. En su debú en el Follies cantó la novedad de Irving Berlin «Adiós Becky Cohen». Berlin, todavía a un año de su primera canción de éxito: «Alexander's Ragtime Band», trabajó dentro y fuera del Follies durante años y en 1919 escribió su canción más recordada: «Una chica guapa es como una melodía».

Ziegfeld desafió a las convenciones con Bert Williams, ya que se atrevió a colocar a un artista negro en la escena «blanca» de Broadway. Pero el empresario amaba a los payasos y contrataba sólo a los mejores: W. C. Fields, Will Rogers, Eddie Cantor, Ed Wynn. Williams era el mejor; por eso Ziegfeld lo contrató. Williams no sólo era un maestro de la actuación cómica sino también un actor dramático conmovedor. W. C. Fields dijo de él que era «el hombre más divertido que jamás había visto nunca y también el más triste que había conocido».

Ziegfeld mantuvo su extravagante fantasía durante 24 años. Aunque produjo otros musicales, como el inmortal *Show Boat*, en la memoria del negocio del espectáculo americano no existe nada parecido a la grandiosidad ostentosa y al talento puro de Ziegfeld Follies. **◂1905.11 ▸1911.6**

Fanny Brice dijo: «Ziegfeld considera que soy divertida, pero no guapa».

siendo un arma de cinto durante la Segunda Guerra Mundial. En 1935 se habían fabricado un millón.

▸MUERE EDUARDO VII—Tras nueve años de esfuerzos para eliminar las remilgadas tradiciones de la Inglaterra victoriana, el popular rey Eduardo VII de Inglaterra murió el 6 de mayo de 1910, a la edad de 68 años. Su segundo hijo (el mayor en vida), Jorge V, subió al trono y guió al imperio a través de la Primera Guerra Mundial. ◂1901.4 ▸1936.V

▸POSTIMPRESIONISMO —Obras de Cézanne, Van Gogh, Gauguin, Picasso, Matisse y otros artistas pioneros se expusieron juntas por primera vez fuera de Francia en 1910. La exposición, denominada «Manet y los postimpresionistas», en la galería Grafton de Londres, encolerizó a Inglaterra y

motivó lo que el organizador de la exposición, Roger Fry, llamó «un brote de filisteísmo militante». No obstante, el nuevo arte se hizo popular y el término de Fry, «postimpresionismo», entró en el vocabulario de la historia del arte. ▸1916.4

▸UN CRETENSE A LA CABEZA DE GRECIA —En enero, tras un golpe de estado, los militares griegos convirtieron al político Eleuthérios Venizélos en su consejero para crear un gobierno reformado. A finales de año fue elegido primer ministro. Venizélos, un cretense con doble nacionalidad, fue el líder del movimiento cretense en favor de la unión con Grecia. Su nuevo cargo indignó a Turquía (el dirigente nominal de Creta), cuyos gobernantes temían que forjara fuertes alianzas contra su inestable imperio. ▸1924.12

POLÍTICA Y ECONOMÍA: Población de EE.UU.: 91.972.266 [...] Arthur J. Morris de Fidelity Loan & Trust, en Norfolk, empieza a hacer préstamos bancarios personales a los ciudadanos locales [...] La «Taylorización» anuncia el principio del trabajo científico y la dirección de maquinaria en la industria [...] Las ventas de cigarrillos en Estados Unidos alcanzan los 8.600 millones.

«Toda la literatura americana moderna parte de un libro de Mark Twain titulado Huckleberry Finn. *Antes no había nada. No ha habido nada bueno desde entonces.»*—**Ernest Hemingway, 1935**

▶FIN DEL LITIGIO ENTRE ESTADOS UNIDOS Y VENEZUELA—El Tribunal Internacional de La Haya cerró un conflicto entre Estados Unidos y Venezuela que había durado diez años. Estados Unidos reclamaba al gobierno venezolano una indemnización por los daños causados en las propiedades norteamericanas en Venezuela durante la revolución de 1899, que llevó al poder al general Cipriano Castro. El 10 de septiembre, el Tribunal Internacional de La Haya fijó la cuantía de estas reparaciones en 54.000 dólares.

▶UNIÓN FERROVIARIA ENTRE CHILE Y ARGENTINA —Un proyecto de ferrocarril transandino llegó a su fin 36 años después de su inicio. Buenos Aires y Valparaíso eran los dos extremos de la línea que unía el Atlántico con el Pacífico a través de la cordillera de los Andes.

***La revolución contra la dictadura de Porfirio Díaz*, de uno de los mejores muralistas mexicanos, David Alfaro Siqueiros.**

MÉXICO

Madero lidera la revolución

10 El dictador mexicano Porfirio Díaz había gobernado su país con puño de hierro durante 33 años cuando el líder revolucionario Francisco Madero, aristócrata de ideas reformistas y perspicaz en la política, le desafió abiertamente en la campaña presidencial de 1910. Durante su largo gobierno, Díaz se había ganado la admiración del mundo por sus esfuerzos para transformar México en una nación moderna e industrializada. Desafortunadamente, el progreso económico se llevó a cabo a expensas de los trabajadores del campo, que habían llegado a una condición que rayaba el servilismo: trabajaban por sueldos que apenas les daban para comer para enriquecer a una minúscula elite de terratenientes. Díaz anuló de forma implacable cualquier tipo de resistencia contra su programa económico, encarcelando o ejecutando a los disidentes.

El dictador amañó las elecciones presidenciales e hizo arrestar a Madero. Éste quedó en libertad bajo fianza y escapó a Texas, desde donde hizo un llamamiento a las armas. Ayudado en el sur por el revolucionario Emiliano Zapata y en el norte por el bandido rebelde Francisco «Pancho» Villa, Madero orquestó una revuelta popular contra Díaz. Los rebeldes incendiaron campos y dinamitaron minas y vías de tren, lo que hundió al país en el caos. Díaz prometió reformas pero ya era demasiado tarde. Los sublevados no se calmarían hasta que dimitiera. Lo hizo en mayo de 1911 y declaró: «Madero ha desatado a un tigre. Veamos si puede controlarlo».

Díaz se exilió en París y, tras un breve gobierno provisional, Madero se convirtió en presidente. Su precaria coalición de radicales confirmó su inestabilidad. A los dos años fue asesinado, y el país se hundió de nuevo en la traición y la masacre. **▶1913.M**

EGIPTO

Muerte en el Nilo

11 Boutros Pasha Ghali fue el primer egipcio nombrado primer ministro por los británicos en los 27 años de ocupación de Egipto. En 1910, un egipcio nacionalista radical lo acusó de colaboracionista y le disparó. Su principal crimen fue haber apoyado la convención del canal de Suez, una propuesta británica que ampliaba la concesión británica del canal hasta el año 2008. Para muchos egipcios, esto representaba lo peor de la ocupación británica.

Con el nombramiento de Boutros Pasha en 1908, el orgullo nacional se había visto ofendido porque era copto, un egipcio cristiano que además tenía tratos amistosos con los ocupantes extranjeros. El Partido Nacionalista con predominio musulmán vio este nombramiento como un intento más de privar de sus derechos a los musulmanes. Cuando el debate sobre el canal de Suez se enardeció, la rabia nacionalista se centró en Boutros Pasha.

Tras el asesinato, Gran Bretaña se refrenó para calmar a los nacionalistas de Egipto. En 1914, esta nación declaró la guerra al Imperio Otomano, aliado de Alemania, y convirtió Egipto en un protectorado, condición que se mantuvo hasta que el país obtuvo la independencia. **◀1902.9 ▶1922.5**

LITERATURA

La novela pierde a dos maestros

12 Puede parecer que Leon Tolstoi (*superior*) y Mark Twain (*inferior*) pertenezcan a épocas distintas, pero estas dos figuras cumbre de la literatura vivieron aproximadamente durante los mismos años. Ambos murieron en 1910, dejando ejemplos sublimes y muy diferentes de una forma de arte que ayudaron a definir.

Con sus dos obras maestras *Guerra y paz* y *Ana Karenina*, el gran cronista de la vida rusa decimonónica contribuyó a elevar la novela realista a la categoría de gran arte, probando que, en cuanto a investigación social y metafísica, la novela podía estar al mismo nivel que las tragedias de Sófocles y la poesía de Shakespeare.

En cuanto a Mark Twain (pseudónimo de Samuel Langhorne Clemens), resulta paradójico que se le haya considerado como el escritor americano vivo más destacado del siglo XX y viviera y escribiera en el siglo XIX. Sus *Aventuras de Huckleberry Finn* (1884) liberaron a los escritores americanos de las represiones de la tradición europea y ofrecieron a los lectores una creación completamente original: una epopeya burlesca, profundamente satírica y cómica, sobre la infancia en el río Mississippi narrada en inglés americano coloquial (un acto revolucionario en sí mismo para un escritor de novela «seria») por un muchacho huérfano, irreverente y bala-perdida llamado Huck Finn. **▶1926.2**

PREMIOS NOBEL: Paz: Oficina Permanente Internacional de la Paz (Suiza) [...] Literatura: Paul Heyse (alemán; novelista) [...] Química: Otto Wallach (alemán, alcanfor y perfumes) [...] Medicina: Albrecht Kossel (alemán; estructura de las proteínas y los ácidos nucleicos) [...] Física: Johannes van der Waals (holandés; modificación de la ley de los gases de Joule-Thomson).

Humorismo + Metáfora = Greguería

Ramón Gómez de la Serna

Ramón Gómez de la Serna encarna, tanto en su vida como en su obra, el espíritu de las vanguardias artísticas que levantaron acta, en las primeras décadas del siglo XX, de la crisis de los valores del mundo tradicional. En 1910 creó las «greguerías», género que desarrolló en muchas de sus obras posteriores. Aforismos, metáforas máximas que, de forma impresionista, surrealista o expresionista, constituyen un paralelo literario de las vanguardias de las artes plásticas. Ramón Gómez de la Serna, que en 1923 afirmó: «mi obra está, desde luego, al margen del honor y la moral burguesa», adoptó conscientemente una postura vital rupturista y escandalosa. Pronunció conferencias disfrazado de torero, cambió las cátedras de ateneos y universidades por las pistas de circo para impartir lecciones; usando un elefante como cátedra, dio un banquete en un quirófano. En sus textos, que revisten géneros diversos —teatro, novela, ensayo, además de las recopilaciones de greguerías—, contrapuso siempre al «cansancio de las formas antiguas» la insurrección. La iconoclastia y el triunfo del irracionalismo y la originalidad frente a lo convencional. Precursor del surrealismo, publicó en 1909 un ensayo-manifiesto, «El concepto de la nueva literatura», donde aparecen ya las características que se desarrollaron en más de un centenar de publicaciones durante los años siguientes. Sus greguerías son quizás la mejor manifestación en lengua castellana del espíritu nuevo que caracteriza al arte del siglo XX.

«Hay beatas que rezan como los conejos comen hierba.»
«Un tumulto es un bulto que les suele salir a las multitudes.»
«Hay suspiros que comunican la vida con la muerte.»
«Después de comer alcachofas, el agua tiene un sabor azul.»
«Nos desconocemos a nosotros mismos porque nosotros mismos estamos detrás de nosotros mismos.»
«De la nieve caída en el lago nacen los cisnes.»
«Durante la noche el gobierno está en crisis total.»
«El rayo es una especie de sacacorchos encolerizado.»
«El día del perdón y del juicio final las estrellas de mar subirán a los cielos.»
«El hambre del hambriento no tiene hache. ¡Con filigranas al *ambre* verdadera! El *ambre* si es verdadera *ambre* se ha comido la hache.»
«Los niños, al tocar las armónicas, chupan un caramelo de acordeón.»
«La castañera asa los corazones de invierno.»
«El otro lado del río siempre estará triste de no estar de este lado... Esa pena es de lo más insubsanable del mundo y no se arregla ni con un puente.»

Retrato de Ramón Gómez de la Serna en «La tertulia del Pombo», de J. Gutiérrez Solana.

«El gobierno imperial ha decidido enviar un barco de guerra al puerto de Agadir [...] para proteger los importantes intereses alemanes en el territorio en cuestión.»—**Comunicado de Alemania sobre la llegada del *Panther* a Agadir**

HISTORIA DEL AÑO

Crisis en Agadir

1 El *Panther* era un barco de guerra poco convincente, con sólo «dos o tres cañones de popa a bordo», como ordenó el káiser Guillermo. Sin embargo, cuando atracó en el puerto poco profundo de Agadir, al sur de Marruecos, en 1911, provocó una crisis que encabezó los titulares de los periódicos de todo el mundo. Las fuerzas armadas de tres países pronto se pusieron alerta, y los rumores de guerra se esparcieron rápidamente. La llamada «segunda crisis de Marruecos» duró 151 angustiosos días.

La primera crisis de Marruecos había tenido lugar en 1905, cuando el káiser en persona arribó en una cañonera para impugnar las demandas francesas sobre el país. El resultado fue la conferencia de Algeciras de 1906, que sólo consolidó la influencia de Francia. Los estrategas alemanes, que se esforzaban por acumular territorio de un mundo ya dividido entre potencias imperiales más antiguas, todavía esperaban utilizar Marruecos como palanca. Cuando los disturbios tribales se propagaron por Marruecos en 1911 y los franceses respondieron con la ocupación de Fez, los alemanes iniciaron su juego. Afirmando (falsamente) que los intereses alemanes cercanos a Agadir estaban amenazados, enviaron al *Panther* para «proteger vidas y propiedades». El verdadero motivo era poner a Francia fuera de juego e intentar debilitar su insegura alianza con los británicos, como en 1905. Calculando que Gran Bretaña se retiraría si Francia era amenzada, los alemanes dejaron que el mundo pensara que estaban planeando una nueva acción naval. Los historiadores no saben exactamente lo que quería Alemania: un día era una parte de Marruecos; el siguiente, otras propiedades.

Las murallas de Agadir: cuando los alemanes atracaron en el puerto casi provocaron una guerra.

Con los acuerdos entre Gran Bretaña y Francia se empezó a quemar la larga mecha que acabaría en la Primera Guerra Mundial. Alemania seguía en la línea de una política desestabilizadora mientras se enrolaba en una carrera de armamento naval con Gran Bretaña. El ministro de asuntos exteriores, David Lloyd George, se alarmó y pronunció un discurso belicista (sin mencionar a Alemania de forma directa), y la armada británica se preparó para la batalla. Los valores del mercado alemán cayeron y a las pocas semanas la crisis había finalizado. Alemania aceptó 160 km² del Congo interior y renunció a sus ambiciones en Marruecos.

Gran Bretaña y Francia empezaron a formalizar acuerdos para su mutua defensa mientras los oficiales alemanes se quejaron más amargamente que nunca del «aislamiento» de su nación por parte de las potencias hostiles. La larga mecha que acabaría en la Primera Guerra Mundial. **◄1906.9 ►1912.8**

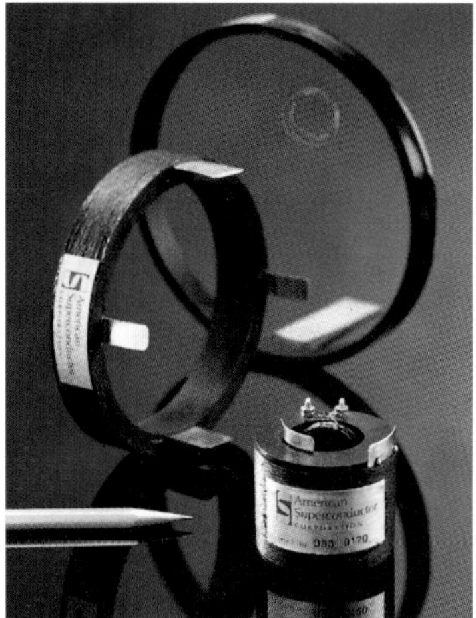

Hoy los superconductores operan a temperaturas más elevadas que la que consiguió Kamerlingh Onnes, cercana al cero absoluto.

CIENCIA

El camino hacia la conductividad

2 En 1911 el físico holandés Heike Kamerlingh Onnes contribuyó de forma dramática al conocimiento científico al descubrir que a temperaturas extremadamente bajas ciertos metales y aleaciones adquieren una nueva propiedad física que denominó superconductividad. En estado de «superconductividad», que se alcanza a temperaturas cercanas al cero absoluto (–273,15° C), una sustancia no manifiesta ninguna resistencia a la conducción eléctrica. Para demostrarlo, Kamerlingh Onnes construyó el primer circuito de superconductividad. Aplicó una carga eléctrica al circuito y luego eliminó la batería. La corriente eléctrica seguía fluyendo y seguiría corriendo mientras se mantuviera baja la temperatura del superconductor.

Kamerlingh Onnes, cuyo lema era «el conocimiento a través de la medida», dirigió sus experimentos en el laboratorio criogénico fundado en la Universidad de Leiden, Holanda. En 1908 llevó a cabo su experimento decisivo cuando licuó helio, alcanzando una temperatura interior a cinco grados del cero absoluto. (Los gases se licuan a temperaturas muy bajas y la mayoría habían sido licuados a finales del siglo XIX. Sin embargo, antes de Kamerlingh Onnes, nadie había sido capaz de enfriar helio lo suficiente.) Este logro, que le permitió enfriar sustancias a temperaturas mucho más bajas que antes, le condujo directamente al descubrimiento de la superconductividad y proporcionó las bases para el desarrollo posterior de magnetos superconductivos y de aceleradores de partículas. **◄1906.NM ►1986.NM**

CIENCIA

El átomo como un sistema solar

3 El físico británico Ernest Rutherford ha sido considerado «el padre de la energía nuclear», título que consiguió en 1911 cuando teorizó que un átomo está compuesto de un núcleo central rodeado de electrones que se mueven en órbitas. Rutherford también se dio cuenta de la enorme cantidad de energía almacenada en el núcleo del átomo, justificando así la radiactividad.

Tres años antes, este físico, nacido en Nueva Zelanda, había ganado el Premio Nobel de Química por descubrir y denominar las partículas emitidas por el radio y por identificar la partícula alfa como átomo del helio. Rutherford empleó esta partícula en sus nuevas investigaciones sobre la estructura atómica. Probó que los átomos no eran sólidos, como muchos físicos pensaban, cuando lanzó una corriente de partículas alfa (átomos del helio con carga positiva) contra una lámina de oro (una barrera de dos mil átomos de espesor) y se percató de que la mayoría de las partículas penetraban fácilmente. Eso demostró que la mayoría del espacio ocupado por un átomo está vacío. Algunas partículas *se desviaron*, indicando así que una pequeña parte del átomo era sólida.

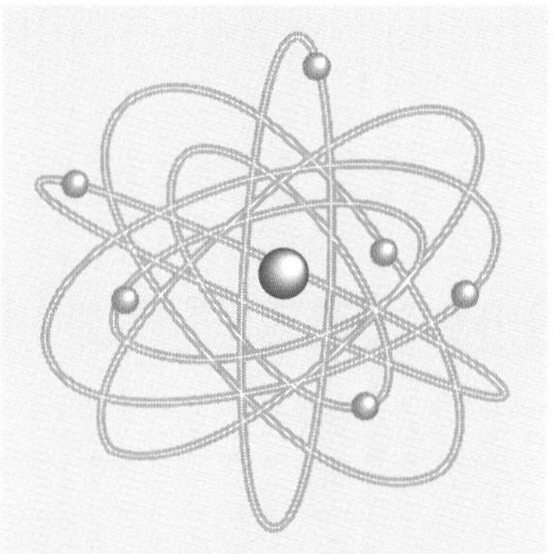

Rutherford fue el primero en visualizar el átomo como un núcleo denso de carga positiva rodeado de electrones de carga negativa en órbita.

Rutherford lanzó la hipótesis de que las cargas positivas atómicas estaban concentradas en un núcleo unas diez mil veces más pequeño que la totalidad del átomo. Es decir, si el tamaño del núcleo fuera el de una pelota de baloncesto, las órbitas de los electrones serían de 2,5 km, un buen espacio libre para lo que había considerado como un sólido. Para justificar que un átomo completo posee una carga neutra, Rutherford propagó la teoría de que la carga positiva del núcleo tiene que estar equilibrada por una carga correspondiente negativa proveniente

ARTE Y CULTURA: Libros: ***El pavo blanco*** **(D. H. Lawrence);** ***En un pensionado alemán*** **(Katherine Mansfield);** ***Mr. Perrin y Mr. Traill*** **(Hugh Walpole);** ***El nuevo Maquiavelo*** **(H. G. Wells);** ***El jardín secreto*** **(Frances Hodgson Burnett) [...] Música: estreno de** ***Petrushka*** **(Stravinski) [...]**

«Soy apátrida por triplicado: nativo de Bohemia en Austria, austríaco entre los alemanes y judío en todo el mundo. Siempre un intruso, nunca bienvenido.»—**Gustav Mahler**

de los electrones. Si no existiera tal carga para dominarlos, los electrones volarían en todas direcciones y no mantendrían una órbita.

En experimentos posteriores con otros elementos, Rutherford descubrió que el envío de una corriente de partículas alfa a través de un átomo de nitrógeno transformaba el nitrógeno en oxígeno. Este experimento, la primera reacción nuclear artificial, facilitó el camino hacia el desarrollo de la energía nuclear. **◂1905.1 ▸1913.1**

EXPLORACIÓN

La antigua ciudad de los incas

4 Hiram Bingham buscaba la última capital de la antigua civilización inca peruana cuando dio con las ruinas del Machu Picchu, uno de los centros urbanos mejor conservados de la civilización precolombina. Bingham, profesor de historia latinoamericana en la Universidad de Yale, también era un experto escalador. Los miembros menos diestros de su expedición se quedaron en el campamento mientras él, acompañado de una escolta armada y de un guía indio, escaló las pendientes selváticas y las laderas escarpadas para encontrar una ciudad fantasma colgada entre dos cumbres puntiagudas. Sus casas, sus terraplenes ajardinados (entrelazados por unos tres mil escalones) y sus templos constituían una maravilla de albañilería y estaban construidos sin mortero.

La época y la identidad del Machu Picchu todavía son un misterio, aunque su esplendor reverencial es inequívoco. Birgham acabó siendo senador de Estados Unidos; en los años cincuenta, presidió la Junta de Lealtad de la Administración Pública, fallando la causa de supuesta infiltración comunista en el gobierno. **◂1904.NM ▸1927.NM**

MÚSICA

Mahler, el modernista

5 Durante su breve vida, Mahler fue más célebre como director de orquesta que como compositor. La apreciación plena de sus sinfonías extensas y heterodoxas (y la deuda que tienen con ellas compositores posteriores) llegó años después de su muerte a la edad de 50 años, el 18 de mayo de 1911.

Toda Europa solicitó los servicios de este austríaco como director, pero fuera donde fuera, Praga, Budapest o Hamburgo, la controversia le acompañaba. Los músicos temían sus peticiones despiadadas de perfección; los productores que pensaban en los beneficios detestaban su intransigencia artística. Contra todo pronóstico, Mahler pasó por los mejores teatros de ópera europeos y finalmente alcanzó su cumbre profesional cuando le nombraron director de la Ópera de Viena. Allí alcanzó el éxito; sin embargo, diez años después fue acosado y finalmente destituido por la presión antisemítica.

A pesar de su enorme éxito en la tarima, Mahler consideró la dirección como algo secundario, una forma de ganarse la vida mientras perseguía su verdadera vocación: componer. Su música era extremadamente original, una expresión plena y difícil de la experiencia humana. Mahler, compositor muy prolífico, intentó condensarlo todo en sus nueve sinfonías (murió cuando estaba trabajando en la décima), presentando la vulgaridad y la futilidad de la vida junto a sus momentos contados de trascendencia. Introdujo en su obra sonidos de la vida cotidiana como trozos de tonadas populares, llamadas de corneta, marchas militares y reclamos de caza. Aunque sus creaciones no están orquestadas de forma convencional, la música siempre resultaba apasionada y expresiva. Para los críticos del siglo XIX, que se apartaban de forma gradual del romanticismo, la obra de Mahler sonaba disparatada. No obstante, el compositor mantuvo: «Mi momento está por venir». En palabras de su biógrafo Kurt Blaukopf, Mahler fue el «coetáneo del futuro». **◂1900.4 ▸1911.11**

El tesoro de los Andes: Hiram Bingham reclamó el Machu Picchu, conocido desde hacía mucho por los peruanos, como un «descubrimiento».

NACIMIENTOS

Lucille Ball, actriz estadounidense.

Konstantin Chernenko, líder político de la U.R.S.S.

Juan Manuel Fangio, piloto automovilístico argentino.

Max Frisch, escritor suizo.

Klaus Fuchs, físico y espía germano-británico.

Bruno Kreisky, líder socialista austríaco.

Erwin Mueller, físico germano-estadounidense.

Georges Pompidou, presidente francés.

M. Schumann, político francés.

Ernesto Sábato, escritor argentino.

Ronald Reagan, presidente estadounidense.

Tennessee Williams, dramaturgo estadounidense.

MUERTES

Joaquín Costa, político español.

William S. Gilbert, libretista británico.

Gustav Mahler, compositor austríaco.

Isidro Nonell, pintor español.

Joseph Pulitzer, editor estadounidense.

Pyotr Stolypin, primer ministro ruso.

Pintura y escultura: ***Hombre con guitarra*** **(Georges Braque);** ***Estudio rojo*** **(Henri Matisse); Tumba de Oscar Wilde (Jacob Epstein); [...] Cine:** ***Historia de dos ciudades, Enoch Arden*** **y** ***El operador del valle solitario*** **(D. W. Griffith);** ***El pequeño Nemo*** **(Winsor McCay) [...] Teatro:** ***Primera obra de Fanny*** **(G. B. Shaw);** ***Kismet*** **(Edward Knoblock);** ***Voces de gesta*** **(R. M.ª del Valle Inclán).**

«Irving Berlin no tiene un lugar en la música americana. Él es la música americana.»—**Jerome Kern, autor de canciones**

NOVEDADES DE 1911

Aeroplano con cabina de pasajeros cerrada (el *Berlina*, construido por Louis Blériot).

Vuelo transcontinental en aeroplano (realizado por Calbraith P. Rodgers desde Sheepshead Bay, Nueva York, a Long Beach, California).

Las Quinientas Millas de Indianápolis (carrera automovilística).

Salario para los miembros de la Cámara de los Comunes británica (400 libras al año).

Hidroavión.

EN EL MUNDO

►LA PRIMERA MUJER PILOTO DE AMÉRICA—Antes de Amelia Earhart, en 1911 Harriet Quimby, una escritora de revistas, fue la primera mujer que consiguió la licencia de piloto en América, la segunda en el mundo. (La primera fue la baronesa Raymonde de la Roche,

en Francia.) Al año siguiente, Quimby fue la primera mujer que voló a través del canal de la Mancha, en un monoplano que le prestó Louis Blériot. La encantadora Quimby murió ese mismo año en un accidente de aviación en Boston. ◄1909.E ►1927.1

►LA STANDARD OIL SE DISUELVE —Todo lo que fuera petróleo procedía de John D. Rockefeller, hasta que en 1911 el Tribunal Supremo decidió que la gigantesca compañía Standard Oil de Rockefeller, con el monopolio casi absoluto sobre la extracción, el transporte, las refinerías y la venta de

MÚSICA

La tonada americana de Berlin

6 Cuando era niño, Israel Baline cantaba en la calle por unos peniques en el Lower East Side de Nueva York. A los 22 años su nombre era Irving Berlin y había escrito una canción que redefinió la música popular. «Alexander's Ragtime Band» no era un verdadero *rag* y su autor no fue el inventor del ritmo sincopado en períodos largos, sin embargo, esta canción le valió a Berlin el reconocimiento internacional como el «rey del *ragtime*». La gente no podía dejar de tararear la tonada atrevida, moderna y sincopada. La partitura vendió un millón de copias en los siete meses que siguieron a su publicación en la primavera de 1911 y, a finales de año, Berlin era rico. Siempre mantuvo que siguió escribiendo canciones para ganar dinero.

Durante una carrera que duró siete décadas, Berlin publicó más de mil canciones, incluyendo las famosas «There's no business like show business» y «Blanca Navidad». Pero «Alexander's Ragtime Band» sigue siendo la piedra angular de su legado, la responsable de la popularización de una música americana propia. Berlin le dijo a un crítico: «Los compositores americanos no han hecho nada muy significativo porque no quieren escribir música americana. Están tan avergonzados de ella como si fuera un pariente del campo. Escriben imitaciones de la música europea que no significan nada. Ignorante como soy, desde su punto de vista, hago algo que ellos se niegan a hacer: escribo música americana». **◄1910.9 ►1917.5**

Irving Berlin llamó a la música sincopada «el alma de todos los americanos».

INDIA

Jorge V coronado emperador

7 Con una reluciente corona de 60.000 libras diseñada para la ocasión y pagada por el pueblo indio, el rey Jorge V de Inglaterra se presentó ante miles de sus súbditos indios y asumió de forma oficial el gobierno imperial de la India. La coronación supuso la primera vez que un monarca británico visitaba la inmensa colonia subcontinental, «la joya más valiosa de la corona británica». La exhibición majestuosa de Jorge estaba destinada a imponer el respeto a la población nativa y a

Vestido para impresionar: Jorge V y la reina María en la coronación de Delhi.

reforzar su inseguro apoyo a la Corona. (En 1911 el movimiento independentista de la India estaba en camino.)

Jorge V, que había visitado la India siendo príncipe de Gales, había soñado con su regreso triunfante como rey. Atento a la misión política del viaje escribió sobre la esperanza de que su visita «sirviera para calmar la inquietud y, siento decirlo, el espíritu de sedición que desafortunadamente existe en algunos lugares de la India». Efectivamente, el espectáculo, rematado con 101 salvas de cañón y un desfile de cincuenta mil soldados, provocó algo de entusiasmo local por la Corona. Sin embargo, un solo espectáculo no pudo contener los anhelos nacionalistas y la marcha hacia la independencia continuó.

El rey Jorge protegió sus negocios oficiales con el anuncio de dos decisiones soberanas que, en general, fueron bien recibidas por la mayoría hindú: el final de la división de Bengala y el traslado de la capital de Calcuta a Nueva Delhi. Después se dedicó a lo que algunos cínicos afirman era su verdadero objetivo: un viaje de caza mayor de dos semanas en el Nepal. Cazó 21 tigres, ocho rinocerontes y un oso. «Un récord que será muy difícil de superar», explicó orgullosamente el rey. **◄1906.3 ►1914.4**

DEPORTES: Automovilismo: primera carrera de las Quinientas Millas de Indianápolis ganada por Ray Harroun (119 km/h) [...] Ciclismo: C. Galetti gana por segunda vez el Giro de Italia [...] Boxeo: el boxeador francés Carpentier derrota al inglés Meekis [...] Natación: el nadador inglés Burgess nuevo récord de la travesía del canal de la Mancha (22 h. 35 min.)

«Todos debemos preocuparnos por el futuro porque tenemos que pasar el resto de nuestra vida aquí.»—**Charles Kettering**

TECNOLOGÍA

Electricidad en el automóvil

8 Éste es un invento importante en la historia del automóvil. El motor eléctrico de arranque automático, desarrollado por Charles Franklin Kettering en 1911, revolucionó la conducción haciéndola más segura y más práctica. El excelente invento de Kettering sustituyó a la incómoda manivela manual, una herramienta poco fiable y peligrosa.

El interés industrial por el encendido eléctrico llegó después de que un amigo de Henry Martyn Leland, presidente de Cadillac, muriera al aplastarle la cara la manivela de un coche que intentaba poner en marcha. En ese momento, Kettering, en un establo de Dayton, Ohio, ya trabajaba en un diseño. Los escépticos mantenían que era imposible construir un motor de arranque eléctrico. El problema residía en el tamaño del motor que debía arrancar el automóvil: todo el mundo creía que un motor así y sus baterías pesarían tanto que el coche no podría transportar pasajeros. Sin embargo, Kettering se dio cuenta de que el motor que arrancaba el coche no tenía que hacerlo rodar.

Inventó una pequeña unidad de motor y generador. El motor de arranque, alimentado por una batería, tenía la fuerza suficiente para arrancar el motor del coche. Cuando éste estaba funcionando, movía un generador que a su vez cargaba la batería. «Este hombre ha profanado todas las leyes fundamentales de la ingeniería eléctrica», se vio obligado a constatar un miembro del Instituto Americano de Ingeniería Eléctrica poco después de que Kettering presentara su invento. El sistema funcionó. Al cabo de un año, Cadillac fabricaba los primeros coches del mundo con motor de arranque. **◂1908.1 ▸1913.6**

Kettering, aquí con un Buick nuevo, acabó con el miedo a poner en marcha un coche.

Fuera lo antiguo: soldados revolucionarios chinos le cortan la trenza a un campesino, símbolo del régimen imperial.

CHINA

El final de una dinastía

9 La revolución china introdujo el gobierno republicano en este país y acabó con dos mil años de gobierno imperial. Esto ocurrió el 10 de octubre de 1911, cuando unos soldados disidentes sitiaron el arsenal de Wuhan, en el centro de China, y persuadieron al comandante de la brigada, Li Yuanhong, para que se uniese a la rebelión. Hábilmente, el general Li dejó de ser leal al emperador Qing y tomó partido por los rebeldes, un cambio que contribuyó de modo decisivo a la propagación de la revuelta.

La corrupta dinastía Qing había conseguido salvarse varias veces estableciendo reformas constitucionales. No obstante, los chinos radicales (sobre todo Sun Yat-sen, líder revolucionario entonces en el exilio) estaban dispuestos a acabar con ella. Numerosos chinos consideraban que la dinastía Qing era una imposición extranjera, con lo cual se fortalecieron aún más los sentimientos en contra de ella.

De hecho, se fundó en 1644 por guerreros procedentes de Manchuria que conquistaron China. Al cabo de 250 años, los manchúes aún no se habían integrado en la sociedad china. Esto colocó a la corte real en desventaja cuando intentó crear un ejército para controlar a los rebeldes.

La dinastía reclutó el apoyo del general retirado Yuan Shikai, que conservaba la lealtad de muchos oficiales del ejército en el norte del país. Mientras, Sun Yat-sen había regresado a China tras 16 años de exilio y tomó el mando de la revolución. En diciembre se convocó una reunión republicana en Nanking y los delegados eligieron a Sun Yat-sen presidente de la república, declarada recientemente en el sur de China. Sun, consciente de la fuerza de Yuan en el norte y de la fragilidad de una nación dividida, le ofreció la presidencia al general a cambio de la disolución de la dinastía. Yuan asintió enseguida y blandiendo su sable aconsejó a Pu Yi, el emperador indefenso, que abdicara.

El 12 de febrero de 1912 Pu Yi abdicó oficialmente. Al día siguiente Sun Yat-sen se retiró, y Yuan Shikai se convirtió en presidente de China. **◂1908.NM ▸1916.8**

petróleo, constituía una restricción para el mercado y ordenó la disolución de la misma. (Dos semanas después el Tribunal ordenó de modo similar la disolución del *trust* American Tobacco Co.) Rockefeller dedicó su enorme fortuna a la filantropía. Su monopolio se dividió en unas treinta compañías independientes. **▸1914.5**

▸EL REY DE LA VENTA AL POR MENOR—En 1911, F. W. Woolworth cerró el trato que le convertiría en el hombre más famoso de la venta al por menor americana: por 65 millones de dólares compró la parte de sus cuatro competidores más importantes. El mismo año encargó al

arquitecto Cass Gilbert que erigiera un monumento a su éxito en la ciudad de Nueva York. El edificio Woolworth de 60 pisos (*superior*), completado con una ornamentación gótica holandesa, un techo de cobre verde y acabados dorados, abrió en 1913 y durante los siguientes 17 años fue el edificio más alto del mundo. **▸1930.7**

▸REFORMADOR Y TIRANO —En septiembre de 1911 Pyotr Arkadyevich Stolypin, primer ministro conservador, mientras estaba en la ópera con Nicolás II, fue asesinado por un revolucionario que utilizó sus contactos políticos para entrar en el teatro. Stolypin se había apartado de la derecha rusa con la institución de reformas agrarias que incluían el derecho de los antiguos siervos a formar comunas y adquirir tierras. También se había ganado la enemistad de la izquierda al disolver las dos dumas y enviar a la horca sin juicio previo (la temida «corbata de Stolypin») a miles de sospechosos «rebeldes y terroristas». **◂1906.4 ▸1917.1**

POLÍTICA Y ECONOMÍA: **tropas españolas desembarcan en Marruecos ocupando Larashe y Alcazarquivir [...] La población francesa disminuye y este fenómeno preocupa al gobierno francés por las consecuencias demográficas (envejecimiento de la población) y militares que conlleva.**

«Todo socialista honesto debe desaprobar la aventura libia. Sólo significa un derramamiento de sangre inútil y estúpido.» **—Benito Mussolini, antes de convertirse en fascista**

▶LA CÁMARA DE NUBES DE WILSON—El físico escocés Charles Thomson Rees Wilson

intentaba reproducir nubes en el laboratorio y observó que, en una atmósfera libre de polvo, las nubes se formaban por condensación de partículas atómicas con carga. Wilson utilizó esta información para perfeccionar un artilugio, la cámara de nubes, en el que el rastro de la condensación que dejaban los iones podía utilizarse para trazar su trayectoria. La cámara de nubes, herramienta indispensable para la investigación nuclear, le valió el Premio Nobel a Wilson en 1927. ◂1911.3 ▸1913.1

▶REFORMAS INGLESAS —Ninguna nación había adoptado una legislación social tan amplia. En 1911 el gobierno liberal de Gran Bretaña aprobó la ley nacional de seguros que proporcionó un seguro de enfermedad e incapacidad laboral y un subsidio de paro limitado a catorce millones de personas, prácticamente toda la clase trabajadora. Diseñada por el futuro primer ministro David Lloyd George (con la ayuda del joven Winston Churchill), la legislación abrió el camino para el estado del bienestar británico. ◂1906.1 ▸1948.13

▶OLA DE CALOR EN EUROPA—Durante el verano, las condiciones meteorológicas fueron extremas. Una ola de calor azotó Europa desde Estambul hasta Londres. Las epidemias y los incendios, favorecidos por esta situación, agravaron la catástrofe. Nápoles y Roma fueron alcanzadas por una epidemia de cólera. Estambul fue parcialmente destruida por un incendio que causó más de cien muertes, afectó a veinte distritos y abrasó siete mil viviendas.

EXPLORACIÓN

Amundsen en el Polo Sur

10 La expedición de Roald Amundsen al Polo Sur fue todo un éxito y el resultado de la previsión y de la preparación del noruego más que de su extraordinaria pericia en supervivencia y navegación. Además de recorrer 2.976 km a pie con su equipo de cinco hombres desde la bahía de Gales, su punto de arranque en el Antártico, hasta el Polo Sur sin ningún incidente, realizó el viaje de vuelta sin retrasarse en absoluto. Los hombres estaban tan bien equipados que incluso ganaron peso durante el viaje de cuatro meses por los glaciares y montañas traicioneros a temperaturas tan bajas como –24 °C.

Alcanzar el Polo Sur supuso una ironía personal para Amundsen. Se había sentido obsesionado con el Polo Norte desde su infancia y había navegado el Estrecho del Noroeste en 1906. Sin embargo, Robert Peary se le adelantó, de modo que en agosto de 1910 Amundsen cargó su barco con 19 hombres, 97 robustos perros de trineo, cuatro cerdos y seis palomas y puso rumbo hacia la otra punta de la Tierra.

La salida de Amundsen provocó una competición feroz con el explorador británico Robert Falcon Scott, que ya estaba en camino hacia el Polo Sur. La expedición de Scott acabó de forma trágica: su equipo llegó al Polo Sur 36 días después de Amundsen (que le había dejado un mensaje) y en el viaje de regreso murió de frío y hambre.

Amundsen y sus cuatro compañeros llegaron al Polo Sur el 14 de diciembre de 1911. Establecieron la localización del Polo y luego colocaron sus puños alrededor de un asta con la bandera noruega y la plantaron en señal de triunfo. **◂1909.1 ▸1912.E**

Primera fotografía del Polo Sur: instantánea hecha por Amundsen a su lugarteniente, la bandera noruega y «algunos de los perros que ayudaron a plantarla».

Strauss *(superior, con su hijo)* se consideraba «un compositor de primera clase de segunda categoría».

MÚSICA

El mayor éxito de Strauss

11 Desde los 25 años, Strauss había sido considerado el compositor alemán más importante desde Brahms, y sus primeras obras, al estilo de Wagner, destilaban ampulosidad romántica. Pero en 1911, a los 47 años, el compositor sorprendió al mundo de la música con una ópera vienesa exquisita, *Der Rosenkavalier* (El caballero de la rosa), que fue acogida de forma triunfal en Dresde.

Strauss había empezado la obra dos años antes cuando, en busca de un modo de expresión nuevo, escribió a su libretista, el poeta y dramaturgo austríaco Hugo von Hofmannsthal, y le pidió algo parecido a «una ópera de Mozart». Von Hofmannsthal le complació con la trama alegre y dulce de *Der Rosenkavalier*. Strauss, emocionado, compuso la ópera con valses tiernos y aéreos, y con duetos de amor delicados. El resultado fue enormemente popular entre el público y, tras unos meses del estreno en Dresde, *Der Rosenkavalier* se representó en los teatros de ópera más importantes de Europa: Munich, Hamburgo, Viena, Milán, Berlín.

Las óperas posteriores de Strauss no alcanzaron el nivel de *Der Rosenkavalier* y Strauss no fue capaz de adaptarse a las innovaciones de la música que se produjeron tras la Primera Guerra Mundial. Justo antes de la Segunda Guerra Mundial, el anciano compositor, sin saber nada de política y aislado en su música, fue una presa fácil para los nazis, que le nombraron director del Departamento de Música del Estado. Tras la guerra fue absuelto por el tribunal que juzgaba a los nazis y se exilió en Suiza. **◂1905.11**

ITALIA

La apropiación de Libia

12 Italia había codiciado Libia desde 1881, cuando Francia arrebató Túnez al Imperio Otomano. Ahora, en 1911, con Francia controlando Marruecos y con los turcos-otomanos ocupados en sofocar una revuelta en Yemen, los italianos decidieron apropiarse de la última tajada del norte de África no perteneciente a ninguna potencia europea. En primer lugar, reiteraron sus quejas continuas sobre el «desorden y negligencia» en Trípoli (que supuestamente ponía en peligro a los italianos que vivían allí). El sultán otomano, sospechando conflictos, envió armas a los jefes libios. Italia declaró el hecho «claramente hostil» y en septiembre invadió Libia.

Durante las primeras semanas de guerra, Italia se hizo con varias ciudades clave de la costa. (Por primera vez se llevaron a cabo bombardeos aéreos, táctica que conmocionó al mundo: los pilotos italianos lanzaban granadas desde las carlingas abiertas.) No obstante, los invasores subestimaron la lealtad de los libios a sus compañeros musulmanes. En el interior del país los luchadores del desierto bloquearon los avances de los italianos con fusiles anticuados. En octubre de 1912 un acuerdo rompió el estancamiento: los turcos, absortos en la guerra de los Balcanes, cedieron el control político de Libia a los italianos. Ésta prometió respetar la autoridad espiritual del Sultán (equivalente a la del Papa). Pero la guerrilla libia continuó luchando con el suministro de armas de Turquía, Austria y Alemania, y hacia 1915 los italianos retrocedieron hasta la costa.

Después del tratado, la guerrilla libia continuó su resistencia a la presencia italiana hasta los años treinta.

En Italia, la guerra libia enardeció al militarismo derechista, dividió a los socialistas (favoreció a Benito Mussolini, que estaba en contra de la guerra) y derrocó al gobierno liberal. En el Imperio Otomano la pérdida de Libia aceleró un declive que contribuiría al estallido de la Primera Guerra Mundial. **◂1909.10 ▸1912.8**

PREMIOS NOBEL: Paz: Tobias Asser (holandés; Instituto Internacional de Derecho) y Alfred H. Fried (austríaco; publicaciones pacifistas) [...] Literatura: Maurice Maeterlinck (belga; poeta y dramaturgo) [...] Química: Marie Curie (francesa; radio y polonio) [...] Medicina: Allvar Gullstrand (sueco; dioptrías) [...] Física: Wilhelm Wien (alemán; calor y radiación).

El rapto de la Gioconda

Papitu, n.º 145, 6 de septiembre de 1911

La Gioconda *desapareció del Museo del Louvre el 21 de agosto de 1911. El periódico satírico* Papitu *dedicó su portada a este suceso. En el dibujo del humorista Jacob, la* Gioconda, *que no pierde su sonrisa, es raptada por un oficial alemán. Quedan así reflejadas las tensiones franco-alemanas de la época. En realidad, las primeras investigaciones apuntaban hacia otras direcciones. Guillaume Apollinaire, poeta francés, fue acusado de ser el inductor del robo y llegó a ser detenido. Dos años más tarde, en diciembre de 1913, la* Gioconda *fue recuperada en Florencia y el autor del secuestro, el pintor Vincenzo Pemgie, manifestó que sólo había devuelto la obra de Leonardo da Vinci a la ciudad que la vio nacer [...] se trataba, según su versión, de una restitución patriótica y no de un robo con ánimo de lucro.*

EL RAPTO DE LA GIOCONDA

«Ni siquiera Dios podría hundir este barco.»—**Respuesta de un marinero de cubierta del *Titanic* a la pregunta de un pasajero sobre la seguridad del barco**

HISTORIA DEL AÑO

El *Titanic* se hunde en su primer viaje

1 El *Titanic* fue una de las maravillas de su época. En posición vertical, el barco hubiera sobrepasado al edificio más alto que se había construido. El navío más grande era también el más lujoso: un «palacio flotante», como lo calificaron los periodistas, cuyas salas, restaurantes, salones, piscinas y jardines interiores rivalizaban con los mejores hoteles. También se pensaba que el *Titanic* no podía hundirse gracias a su casco de doble fondo dividido en 16 compartimentos estancos. Sin embargo, el primer viaje del transatlántico (desde Southampton, Inglaterra, con destino a Nueva York) resultó ser el último. Poco antes de la medianoche del 14 de abril de 1912, en su quinto día en el mar, el *Titanic* iba a una velocidad excesiva sobre el mar helado de Terranova. El gran barco colisionó contra un iceberg por estribor. La mayoría de pasajeros estaban en la cama y sólo notaron un ligero temblor. El *Titanic* se fue a pique en tres horas.

«Se inclinó lentamente hasta quedar recto», decía el subtítulo de esta ilustración del naufragio en un periódico.

Murieron 1.513 de las 2.224 personas que iban a bordo. Los supervivientes, rescatados hacia las cuatro de la madrugada por el transatlántico *Carpathia*, describieron escenas de valor y confusión. Como el *Titanic* sólo contaba con botes salvavidas para la mitad de sus ocupantes, los oficiales del barco ordenaron que las mujeres y los niños fueran evacuados en primer lugar. Muchos pasajeros y miembros de la tripulación sacrificaron sus puestos de forma voluntaria. Pero la evacuación fue tan desorganizada que muchos botes fueron soltados antes de estar llenos; los pasajeros pobres, inmigrantes amontonados en los entrepuentes de la parte inferior, no pudieron hablar nunca del accidente: la mayoría lo averiguaron demasiado tarde, cuando el barco se deslizaba bajo el agua. Murieron junto a aristócratas y magnates, con la orquesta del salón de primera clase tocando estoicamente hasta el final.

El desastre, uno de los peores de toda la historia naval, provocó reformas importantes.Se estableció la patrulla Internacional del Hielo para prevenir a los barcos del peligro de los icebergs del Atlántico Norte, y en 1913 se estipuló que los barcos debían transportar botes suficientes para todos los pasajeros. ◂**1907.2** ▸**1915.3**

IDEAS

Jung en su propio derecho

2 El psiquiatra suizo Carl Gustav Jung era conocido como protegido de Sigmund Freud hasta que en 1912 publicó sus teorías revolucionarias del inconsciente en *Wandlungen und Symbole der Libido* (traducido como *La psicología del inconsciente*). El libro marcó el distanciamiento de los conceptos freudianos y estableció la propia escuela de psicología analítica de Jung. Para Freud significó la rebelión de su discípulo escogido, una ofensa inolvidable y descarada. Las dos figuras más brillantes de la psicología, amigos y colaboradores anteriormente, no volvieron a dirigirse la palabra.

Jung estableció que la definición de la líbido abarcara a la energía no sexual además de la sexual y amplió el concepto freudiano del inconsciente individual (una recopilación personal de experiencias y recuerdos reprimidos) con una segunda dimensión, compartida universalmente: el inconsciente colectivo, la reserva innata de imágenes y símbolos a partir de los cuales todas las personas construyen sus mitos, fantasías y sueños. El inconsciente posee una importancia crucial en el psicoanálisis. Se manifiesta en los sueños y en las fantasías y su interpretación es la clave del tratamiento. Jung afirmó que algunas imágenes son arquetípicas, dibujadas por el inconsciente colectivo y más allá de la experiencia individual. De ahí la repulsa de Freud: las ideas de Jung traicionaban la obra de su vida.

Jung, erudito, metódico y curioso incansable, continuó con el desarrollo de las teorías de la introversión y de la extroversión y las del *animus* y de la *anima* (los componentes masculinos y femeninos del inconsciente). Con el tiempo, redefinió la misión de la terapia como un intento de proporcionar plenitud y armonía a los elementos conscientes e inconscientes del comportamiento humano, más que como un tratamiento médico. ◂**1909.3** ▸**1913.3**

ARQUEOLOGÍA

El eslabón perdido de Darwin

3 Por fin Gran Bretaña tenía su propio ancestro. En 1912 Charles Dawson, abogado y aficionado a la arqueología, anunció que había descubierto unos restos de cráneo humano y una mandíbula antropoide en una cantera de grava cercana a la ciudad de Piltdown, Inglaterra. Antes de este hallazgo parecía que el hombre primitivo había vivido en todas partes: Java, Croacia, Gibraltar, Alemania, etc., en todas partes menos en Inglaterra. Impulsada por la cuestión darwiniana del «eslabón perdido» en *El origen de las especies* (1859), la fiebre de los fósiles se había apoderado del mundo y la ausencia de una historia arqueológica en Gran Bretaña provocaba el desdén del resto del mundo, sobre todo de los franceses, que llamaban a los paleontólogos británicos «*Chesseurs de caillous*» («cazadores de guijarros»). El anuncio de Dawson detuvo el frío desprecio. Los expertos declararon inmediatamente al *Eoanthropus dawsoni*, el hombre de Piltdown (de entre 300.000 y un millón de años de antigüedad), como el hallazgo evolucionista del siglo. El eslabón perdido de Darwin había sido identificado.

Al menos eso pareció durante los cuarenta años siguientes más o menos. A principios de los años cincuenta, los científicos, a salvo de la fiebre de los fósiles y con la ventaja de disponer de nuevos métodos de comprobación, empezaron a sospechar que la atribución era errónea. (Se había comprobado que las canteras de grava donde se habían encontrado los huesos eran mucho menos antiguas de lo que se pensó al principio.)

En 1953 esta sospecha dio lugar a un escándalo: el hombre de Piltdown

THE ILLUSTRATED LONDON NEWS

SATURDAY, DECEMBER 28, 1912. SIXPENCE

«Reconstrucción» del hombre de Piltdown en un periódico británico.

era una broma. La prueba del radiocarbono demostró que el cráneo pertenecía a una mujer de unos seiscientos años y la mandíbula, a un orangután de 500 años procedente de las Antillas. La identidad del culpable constituye un misterio, pero la broma consiguió confundir a los investigadores de la evolución durante cerca de medio siglo. ▸**1925.3**

ARTE Y CULTURA: Libros: ***Formas elementales de la vida religiosa*** **(Emile Durkheim);** ***El financiero*** **(Theodore Dreiser);** ***Los jinetes de la pradera roja*** **(Zane Grey);** ***Los dioses tienen sed*** **(Anatole France);** ***Campos de Castilla*** **(Antonio Machado) [...] Música: «When the Midnight Choo-Choo Leaves for Alabam» (Irving Berlin) [...] Pintura y escultura:** ***Ma jolie*** **(Pablo Picasso);** ***Frutero y vaso*** **(Georges Braque) [...]**

«La idea de los pasteles en la cara es magnífica, satisfactoria y universal, sobre todo en la cara de la autoridad, de un policía o de la suegra.»—**Mack Sennett, director y productor de cine**

Hace unos 200 millones de años había un «supercontinente», Pangea.

Cuando éste se quebró, las masas de tierra se parecían a los continentes actuales.

Las posiciones de éstos todavía cambian lentamente.

CIENCIA

Un continente a la deriva

4 Sobre un mapamundi, las líneas costeras atlánticas de cada hemisferio parecen coincidir como las piezas de un rompecabezas. Nadie había podido explicar este fenómeno hasta que en 1912 el meteorólogo y explorador alemán Alfred Wegener presentó su teoría del movimiento continental. Wegener lanzó la hipótesis de que en un pasado remoto los siete continentes del planeta formaban un único continente gigante, que llamó Pangea (que en griego significa «todas las tierras»), y que éstos fueron separándose de forma gradual. Como evidencia empírica aludió a los fósiles y rocas antiguas que aparecían exclusivamente en Brasil y en Sudáfrica e hizo corresponder las cordilleras truncadas en la reconstrucción esquemática de las posiciones originales de los continentes.

Desgraciadamente para Wegener, en el primer cuarto del siglo XX muchos científicos pensaban de modo definitivo que la geofísica estaba basada en principios sólidos y era una época poco propicia para introducir un modelo nuevo y radical. «Las divagaciones delirantes de gente que padece la enfermedad de la corteza terrestre móvil y las plagas del polo», así se burlaba un estudioso contemporáneo de Wegener. Los críticos de Wegener se adhirieron a la idea de la existencia de masas de tierra fijas y de un misterioso continente hundido, como la Atlántida.

Con pocos ánimos, Wegener clarificó su teoría en la década siguiente. Desafortunadamente le faltaba una explicación plausible de porqué los continentes estaban a la deriva. Sugirió que las fuerzas relacionadas con la rotación de la tierra los impulsaban de alguna manera, pero murió (en 1930) antes de poder confirmarlo.

Wegener fue reivindicado en los años sesenta, cuando los descubrimientos científicos demostraron que su teoría era fundamentalmente sólida. Sus ideas abrieron la puerta de nuevos estudios sobre las placas tectónicas, el principio unificador de la geología moderna. **►1963.4**

CINE

Sennet funda el Keystone

5 La época muda fue la edad de oro de la comedia cinematográfica para algunas películas. La comedia nunca sería cinéticamente más rápida, visualmente más rica ni vertiginosamente más divertida que en las dos primeras décadas de este siglo. Los Pericles de este período fueron el productor y director Mack Sennett (1880-1960), que había sido payaso, y su protegido D. W. Griffith, que en 1912 unió dos antiguas fábricas de libros para establecer el estudio Keystone, la mayor fábrica de comedias de Hollywood.

Sennett dio a la comedia cinematográfica americana su desparpajo característico y su energía. En las historias cortas que parodiaban, desde la vida cotidiana (las esposas tiránicas constituían muchas veces su blanco) hasta los melodramas populares, la sátira era amplia y vulgar, el ritmo frenético. Al público le gustaba la vitalidad barriobajera y reía ante las caricaturas. La obra de Sennett penetró incluso en la lengua: la gente aludía a su grupo poco organizado de policías incompetentes, los Keystone Kops, que acudían a los desastres y los empeoraban, para referirse a cualquier tipo de desgracia.

Sennett fue el mentor de una serie de talentos sorprendentes. El más notable fue un cómico inglés de una serie de variedades llamado Charles Spencer Chaplin, que hizo 35 comedias en el Keystone.

Los mejores intérpretes de Sennett, hartos de su tiranía artística y de su resistencia a subir los salarios, le abandonaron por otros estudios. De forma gradual, para acomodarse a un público cada vez más sofisticado, el Keystone desenfatizó el *slam-bang* y produjo películas *«cheesecake»* (con las sirenas de Mack Sennett), algunas comedias románticas con Gloria Swanson y una serie de comedias que prefiguraron los cortos *Our Gang*.

Pasados los años veinte, la era del sonido entró con fuerza; el público empezó a preferir la obra sutil de antiguos discípulos de Sennett como Chaplin y las películas centradas en historias y personajes como Laurel y Hardy (producidas por el rival de Sennett, Hal Roach). La carrera de Sennett declinó, y él pasó los últimos años de su vida sumido en la pobreza, en un asilo. Pero su legado vive dondequiera que haya una carcajada en la oscuridad. **◄1908.8 ►1913.10**

Los Keystone Kops, en una toma de la película *Hotel Keystone*.

NACIMIENTOS

Michelangelo Antonioni, director cinematográfico italiano.

John Cage, compositor estadounidense.

Álvaro Cunqueiro, escritor español.

Lawrence Durrell, escritor británico.

Milton Friedman, economista estadounidense.

Eugène Ionesco, escritor rumano en lengua francesa.

Gene Kelly, bailarín y actor estadounidense.

Kim Il-Sung, líder político nordcoreano.

Kim Philby, agente doble británico.

Jackson Pollock, pintor estadounidense.

Víctor Ruiz Iriarte, dramaturgo español.

Alan Turing, matemático británico.

Wernher von Braun, ingeniero espacial germano-estadounidense.

Raoul Wallenberg, diplomático sueco.

MUERTES

E. Blanco, escritor y político venezolano.

Mutso Hito, emperador de Japón.

Karl May, novelista alemán.

M. Menéndez Pelayo, escritor español.

Jules Henri Poincaré, matemático francés.

Robert F. Scott, explorador británico.

Bram Stoker, escritor británico.

Wilbur Wright, aviador estadounidense.

Cine: ***La reina Isabel*** **(Louis Mercanton, con Sarah Bernhardt);** ***Quo Vadis?*** **(Enrico Guazzoni) [...] Teatro:** ***La luciérnaga*** **(Rudolf Friml);** ***Muerte y destrucción*** **(Frank Wedekind).**

«Las reglas son como una apisonadora. Harían cualquier cosa por aplastar a quien se ponga en su camino.» **—Jim Thorpe, sobre la decisión del Comité Olímpico Internacional de despojarle de sus medallas**

NOVEDADES DE 1912

Universal Pictures.

Tiendas de comestibles de autoservicio (Alpha Beta Food Market y Groceteria de Ward en California).

Paracaidismo desde un aeroplano.

Mayonesa Hellmann's.

Nuevo sistema de alumbrado eléctrico que utiliza el gas neón (patente alemana).

EN EL MUNDO

▶**STOKOWSKI TOMA FILADELFIA**—En 1912, Leopold Stokowski se convirtió a los 30 años de edad en el director de la mediocre orquesta de Filadelfia y la transformó en una institución de categoría mundial. Con su melena rubia, sus largos y expresivos dedos

(no utilizaba batuta), sus gustos vanguardistas y su escandalosa vida privada, el director londinense adaptó su imagen pública a la de un artista brillante. Por su personalidad popularizó la música. ◀1911.5 ▶1937.NM

▶**LOS MARINES EN CENTROAMÉRICA**—El Tío Sam ejercitó su músculo militar en Centroamérica enviando a los marines a Honduras, Nicaragua y Cuba en 1912. En febrero, las tropas de asalto desembarcaron en Honduras para proteger las inversiones bananeras norteamericanas durante una sublevación popular. Asimismo, desembarcaron en Cuba después de que miles de cubanos negros, alimentados por la discriminación racial, tomaran las calles en mayo. En agosto llegó un destacamento a Nicaragua para sofocar la

La estructura cristalina de la vitamina B_1 vista bajo la luz polarizada de un microscopio moderno.

MEDICINA

Funk identifica las vitaminas

6 El escorbuto plagaba alta mar. El beriberi era una epidemia en todo el sudeste asiático. La pelagra era una amenaza en todo el mundo. Excepto el famoso antídoto contra el escorbuto de la armada inglesa, grandes cantidades de limas (de ahí el mote de «limey» de los marinos británicos), no se conocía protección alguna contra estas temidas enfermedades hasta que en 1912 Casimir Funk publicó su importante artículo «La etiología de las enfermedades deficitarias». En el artículo, Funk, un joven y brillante bioquímico polaco (se doctoró a los 20 años y sólo contaba 28 en la época de su avance decisivo), mostró que las enfermedades estaban causadas por deficiencias alimentarias. «Las sustancias deficitarias que se llamarán vitaminas», escribió. En el transcurso de su investigación, Funk postuló que cuatro sustancias de éstas (más tarde identificadas como vitaminas B_1, B_2, C y D) eran imprescindibles para una buena salud.

Como otros habían hecho anteriormente, Funk observó que las enfermedades deficitarias se producían en zonas con dietas de subsistencia monocromáticas. Trabajando en el instituto Lister de Londres, Funk realizó sus experimentos. Alimentó pájaros con una dieta consistente exclusivamente en arroz refinado y enfermaron de algo muy parecido al beriberi, enfermedad habitual entre la población que consumía una dieta restringida similar. Funk restituyó la parte del meollo del arroz que había refinado y los pájaros se recuperaron. Sin embargo, mientras otros habían atribuido la enfermedad a las toxinas introducidas en el arroz al refinarlo (para la que el arroz restituido era un antídoto), Funk estableció correctamente que el problema no era lo que había en el arroz sino lo que había perdido.

Tras un nuevo estudio, Funk fue capaz de relacionar ciertas sustancias orgánicas, sus «vitaminas», con la prevención de enfermedades específicas. Habló de una vitamina beriberi y de otra escorbútica. «Todas las enfermedades deficitarias se pueden prevenir con una dieta completa», concluyó. Sus palabras cambiaron las formas de alimentación en el mundo. **◀1906.11 ▶1928.9**

DEPORTES

Triunfo olímpico de Thorpe

7 Cuando el rey Gustavo V de Suecia felicitó a Jim Thorpe diciéndole: «Señor, usted es el mejor atleta del mundo», Thorpe buscó a tientas las palabras correctas: «Gracias, majestad». Fue el momento cumbre de Thorpe, un americano nacido en 1888 en el territorio de Oklahoma. Pocos momentos antes, había ganado el decatlón olímpico de 1912 en Estocolmo (una dura competición de tres días y diez deportes), estableciendo el récord mundial con 8.412,955 puntos, una actuación tan destacada que una generación después todavía hubiera merecido la medalla de bronce en los Juegos Olímpicos de Londres de 1948.

Tras su regreso a Estados Unidos, el ganador de la medalla de oro fue aclamado como el primer gran héroe olímpico del país, pero la adulación duró poco. Seis meses más tarde, un periódico reveló que Thorpe había ganado 25 dólares a la semana jugando en una liga menor de béisbol en Carolina durante sus vacaciones académicas en 1909 y 1910. Su categoría de aficionado fue suprimida y su petición a la Unión Atlética de Aficionados (UAA) de que «no fuera demasiado dura al juzgarlo», desoída. La UAA desposeyó a Thorpe de sus récords y el Comité Olímpico Internacional (COI) le pidió que devolviera sus medallas y trofeos (Thorpe también había ganado el pentatlón). No obstante, los colegas de Thorpe le apoyaron; los segundos mejores corredores de ambas categorías rechazaron las medallas.

En 1950 una asociación de prensa de periodistas deportivos votó a Thorpe como mejor atleta de la primera mitad del siglo. Thorpe murió tres años más tarde, a la edad de 64 años, y fue enterrado en una ciudad de Pensilvania que cambió inmediatamente su nombre por el de

Thorpe destacó en todos los deportes; formó parte del equipo de fútbol All-America en sus años de facultad.

DEPORTES: Automovilismo: Beutner gana el segundo rally de Montecarlo [...] Fútbol: primer campeonato de fútbol en España, gana el Barcelona F. C.

«Se ven muchos soldados heridos con la nariz rota por haber cogido sus armas incorrectamente mientras disparaban.»
—El embajador alemán Wangenheim, sobre el inexperto ejército turco

Thorpe. Su reivindicación total no llegó hasta 1982, cuando el COI restauró su nombre en el libro de récords de forma definitiva, y en el mes de julio siguiente ofreció las medallas olímpicas de Thorpe a sus hijos. **◂1908.6 ▸1920.6**

IMPERIO OTOMANO

La unidad balcánica

8 Hacia 1912 la Turquía otomana resultaba tan claramente vulnerable, cercana a la quiebra, aguijoneada por la revolución de 1908 y ocupada en echar a los italianos de Libia, que los estados balcánicos decidieron arrinconar, aunque fuera temporalmente, sus propias enemistades y unirse contra el Imperio Otomano. Era una jugada que Rusia, utilizando la estratagema de la solidaridad eslava (y esperando ganar hegemonía en la región), había instigado durante años sin éxito. Pero ahora había llegado el momento de atacar.

En primer lugar, Serbia y Bulgaria firmaron un pacto secreto en marzo, seguido por otro entre Bulgaria y Grecia en mayo. En otoño se adhirió Montenegro. Los países de la nueva Liga Balcánica tenían objetivos completamente diferentes pero motivos de queja comunes. Todos querían detener la «otomanización» política y cultural que los turcos ejercían en los enclaves serbios, griegos, búlgaros y montenegrinos en parte de Macedonia y Albania. Ignorando la advertencia de las potencias europeas (incluyendo la de una Rusia hipócrita) de que no tolerarían ningún cambio de fronteras, Montenegro atacó a los turcos en Macedonia el 8 de octubre. El resto de la Liga Balcánica entró en la guerra diez días después.

Los turcos se desmembraron de forma casi inmediata. Sus cuatrocientos mil soldados eran sobrepasados en razón de tres a uno, e incluso peor, la mayoría eran reclutas inexpertos, ya que el nuevo gobierno liberal había eliminado del ejército a los soldados derechistas. En un mes, la Liga había invadido casi todas las posesiones europeas del Imperio. Las conversaciones de paz se iniciaron en diciembre y se declaró una tregua. No obstante, la lucha se reanudó cuando los nacionalistas violentos de la Turquía interior atacaron en enero.

Cuando finalizó, en mayo, el Imperio Otomano era una fracción de su antiguo tamaño. La mayoría de los deseos de la Liga Balcánica se habían hecho realidad, como el que tenía Creta, cuya unión con Grecia se consumó finalmente, y el de Albania, que obtuvo su independencia ante la insistencia de Austria e Italia.

Sin embargo, Bulgaria estaba disgustada: la parte de Macedonia que quería había sido reclamada por Grecia y Serbia. En junio, esto provocó la segunda guerra balcánica contra sus antiguas aliadas. Cuando el humo se disipó, el mapa

Macedonia y Albania, las causas de la primera guerra balcánica.

geopolítico era radicalmente distinto. Los rescoldos que chispeaban en el infierno de los Balcanes ardían sin llama y estaban preparados para encenderse. **◂1911.12 ▸1913.11**

MEDICINA

El síndrome de Cushing

9 Harvey Cushing, un pionero de la neurocirugía moderna, supervisó el tratamiento de más de dos mil pacientes y desarrolló técnicas para salvar vidas. La más importante consistió en un método para reducir la presión del fluido espinal y detener la hemorragia del cerebro durante las operaciones, hecho que redujo el índice de mortalidad del 40 % a menos del 5 %. Pero su estudio de 1912 sobre el funcionamiento de la glándula pituitaria fue el que afianzó la reputación internacional del cirujano nacido en Cleveland. Cushing relacionó las funciones pituitarias con el crecimiento y con una forma de obesidad de la cara y el tronco, que todavía hoy se conoce como el síndrome de Cushing. Examinando las células de la glándula pituitaria con un microscopio, Cushing descubrió que éstas segregaban hormonas de crecimiento y que la supersecreción provocaba el gigantismo y la infrasecreción el enanismo.

Un verano, cuando intentaba saber más acerca del sistema pituitario, Cushing entabló amistad con gigantes y enanos, visitándolos en circos y casetas y recopilando sus historiales médicos. Un grupo de enanos continuaron con él, a la espera de que algún día Cushing pudiera resolver su condición. Pero la hormona de crecimiento que había aislado un colega de Cushing no tuvo efecto en los distintos enanos que recibieron inyecciones, y hasta hoy en día sólo pueden controlarse algunas disfunciones del crecimiento (y si se tratan en la niñez temprana) y no pueden ser revocadas tras la madurez. **◂1902.NM ▸1922.2**

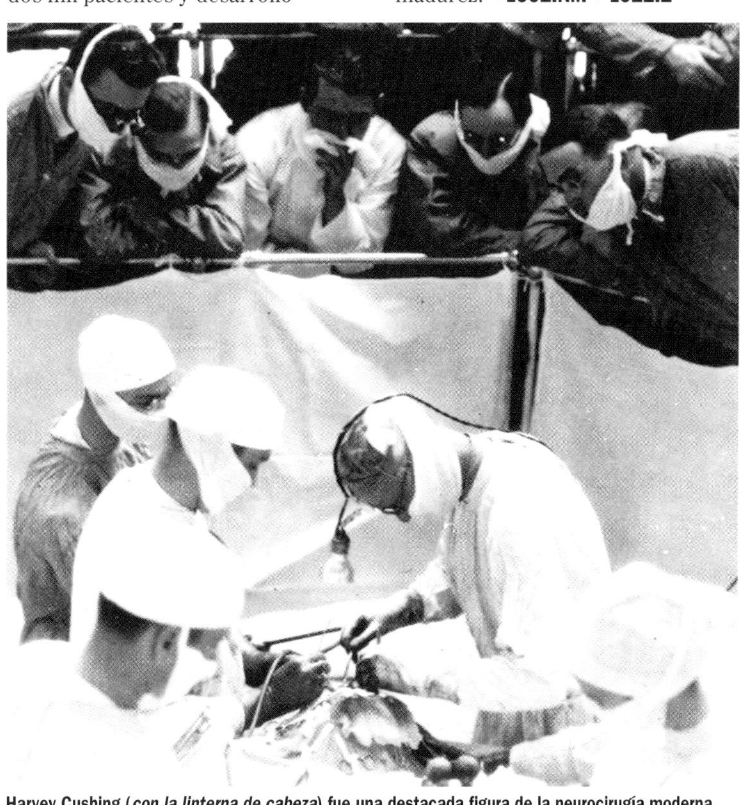
Harvey Cushing (*con la linterna de cabeza*) fue una destacada figura de la neurocirugía moderna.

revuelta contra el presidente Adolfo Díaz, impuesto por Estados Unidos. Washington mantuvo su presidencia militar casi continuada en Nicaragua hasta 1933. ▸1913.4

▸DESCUBRIMIENTO ARQUEOLÓGICO EN EGIPTO—En las excavaciones de Tell al-Amarna, la misión alemana dirigida por Ludwig Borchard encontró la pieza más famosa —junto con la tumba de Tutankamon— de la arqueología egipcia. Se

trataba de una escultura que representaba el busto de Nefertiti, la esposa del faraón Amenofis IV. La hermosura de Nefertiti, perfectamente captada en la escultura, ha hecho de ella un arquetipo de belleza femenina.

▸FERROCARRIL PARA EL CAUCHO—El ferrocarril de Madeira-Mamoro de 408 km de longitud se terminó en 1912 (unos seis años y seis mil vidas después de su inicio). El objetivo de su construcción era salvar la industria del caucho brasileña, pero resultó demasiado caro. Financiado por los magnates brasileños del caucho, el ferrocarril unía 19 cataratas y se internaba en la cuenca del Amazonas donde los trabajadores recogían cantidades muy pequeñas de caucho y lo vendían a los comerciantes. En el sudeste asiático, este sistema desorganizado se estaba abandonando con las plantaciones de caucho. El ferrocarril no consiguió modificar esta situación y al cabo de seis años Brasil dejó de ser un miembro importante del mercado del caucho. ◂1904.12 ▸1920.10

▸GANAN LOS SOCIALDEMÓCRATAS—En enero de 1912 las elecciones al parlamento en Alemania dieron un triunfo sin precedentes a los socialdemócratas: se convirtieron en el partido más amplio del parlamento. Pero

POLÍTICA Y ECONOMÍA: Woodrow Wilson se convierte en presidente, derrotando a William H. Taft [...] El Congreso extiende la jornada de ocho horas a todos los contratos federales [...] Estalla la guerra entre Italia y Turquía. Las tropas italianas han conquistado Trípoli.

«Hemos descubierto que en su tierra natal, los africanos son tratados como leñadores o como aguadores.»—**Pixley ka Izaka Seme, uno de los fundadores del Congreso Nacional Africano**

su postura antimilitarista no pudo evitar la tendencia de su país hacia la guerra. ▶1914.1

▶ESCUELA NO TRADICIONAL—*El método Montessori*, relato de María Montessori sobre sus esfuerzos por enseñar a leer a niños de los barrios bajos, contribuyó a fomentar a largo plazo el rechazo a las escuelas tradicionales (donde «los niños, igual que mariposas clavadas en agujas, deben estar cada uno en su sitio», decía Montessori). El libro se

convirtió en un superventas internacional y pavimentó el camino para el sistema Montessori que alentaba la autoenseñanza y la iniciativa individual. ▶1916.3

▶CORREO AÉREO ENTRE FRANCIA Y GRAN BRETAÑA —Con un vuelo a la semana se inauguró el servicio postal aéreo entre Londres y París.

▶REPARTO DE MARRUECOS ENTRE FRANCIA Y ESPAÑA —Los gobiernos de Francia y España acordaron establecer un protectorado sobre el país nordafricano. La zona norte de Marruecos constituyó el protectorado español, mientras que el resto del país fue protectorado francés. De esta manera se conciliaron los intereses imperialistas de las dos naciones europeas, a costa de la independencia de Marruecos y de la frustración de las aspiraciones coloniales de Alemania. ◀1906.9

Pixley ka Izaka Seme en su graduación en la Universidad de Columbia, promoción de 1906.

SUDÁFRICA

Un Congreso para el cambio

10 Después de graduarse en la Universidad de Columbia, en la ciudad de Nueva York, y de licenciarse en Derecho en Oxford, Pixley ka Izaka Seme, un zulú, regresó a su Sudáfrica natal para ejercer la práctica legal y ayudar a reconstruir la nación zulú. Cuando llegó a Johannesburgo, descubrió que no le estaba permitido usar las aceras, salir de su casa sin llevar los doce salvoconductos oficiales, arriesgarse a salir después de las nueve de la noche ni votar.

Horrorizado y ofendido, Seme organizó una conferencia para unir a todas las facciones étnicas negras sudafricanas en una fuerza política única. Bajo la guía de Seme, los distintos líderes políticos se reunieron en la ciudad de Bloemfontein el 8 de enero de 1912 y fundaron el Congreso Nacional Nativo Sudafricano, más tarde el Congreso Nacional Africano, el primer grupo político unificado compuesto por africanos negros.

Los siglos de rivalidades y hostilidades étnicas se interponían en el sueño de Seme que declaró: «Somos un pueblo, estas divisiones y envidias son la causa de todas nuestras desgracias». Reconociendo su situación común, los delegados aprobaron una moción para formar un Congreso, cuyo objetivo sería obligar al gobierno sudafricano a finalizar la discriminación racial. Sus herramientas fueron los sindicatos, la «propaganda pacífica» y la resistencia pasiva gandhiana. En Bloemfontein los ánimos estaban eufóricos. Un delegado sentenció; «Nos sentimos plenamente optimistas, nuestra libertad está a la vuelta de la esquina». **◀1910.8 ▶1926.7**

MÚSICA

Un lenguaje nuevo y extraño

11 «Si esto es música, ruego a mi Creador que no me deje escucharla otra vez», escribió un crítico acerca del estreno mundial del *Pierrot lunaire*, de Arnold Schoenberg, en 1912. El crítico tenía su parte de razón: no era música en el sentido convencional. Cuando el compositor austríaco introdujo la atonalidad, la firma de la música moderna, aspiraba a la reinvención total del arte. El *Pierrot lunaire*, un ciclo de 21 poemas musicales orquestados para ocho instrumentos, fue uno de los primeros experimentos formales de Schoenberg con los que se apartó de forma atrevida de la tradición clásica en busca de un lenguaje musical extraño y completamente nuevo.

La reacción del público y de la crítica fue violenta, a veces literalmente. Los disturbios eran habituales en los conciertos de Schoenberg. Tras el estreno tumultuoso de *Pierrot lunaire*, un miembro del público herido en la riña demandó a su atacante por asalto. En el juicio, un médico testificó que la culpa era de la música obsesiva de Schoenberg, que provocaba ataques neuróticos a los que la escuchaban.

Sin embargo, el compositor continuó tenazmente devoto de la atonalidad (o como prefería llamarla, de la pantonalidad), perfeccionando su invento durante algunos años e introduciendo finalmente en 1923 su riguroso sistema dodecatonal. La desviación principal del sistema respecto a tres siglos de música occidental consistía en que no estaba organizado en torno a un centro tonal: doce tonos de la escala cromática creaban una línea melódica en la que ningún tono era más importante que otro, y no se repetía ninguno hasta que habían sonado los otros once.

La figura más influyente en la composición del siglo XX prescindió de la simetría melódica, colocando la disonancia al mismo nivel que la consonancia. **◀1902.4 ▶1913.5**

Un compositor más respetado que amado: Schoenberg, pintado por Richard Gerstl.

RUSIA

Los bolcheviques lanzan el *Pravda*

12 En 1912, V. I. Lenin dirigía a los bolcheviques desde su exilio en Austria. Deseaba un medio para propagar sus opiniones, un periódico barato, publicado en Rusia (donde la censura de prensa zarista había disminuido) y escrito en un estilo comprensible para los trabajadores. *Pravda* (*La verdad*) fue su respuesta. Lenin quería convertir el diario de los trabajadores en «el principal medio de propaganda marxista entre las masas».

V. I. Lenin *(izquierda)* nombró director a Joseph Stalin, pero no pudo controlar lo que escribía.

Sin embargo, había demasiadas divisiones internas en el partido para dirigirlo a distancia. Cuando el primer número de *Pravda*, publicado el 22 de abril de 1912, llegó a Austria, Lenin se encolerizó al encontrarse con un diario que descubría abiertamente las diferencias del partido en vez de la ideología bolchevique pura que esperaba.

Tras tres años de lucha, Lenin finalmente consiguió estampar su sello en *Pravda* y, al cabo de seis años, había asumido el control total sobre el periódico. Durante la Primera Guerra Mundial estaba impregnado de las ideas bolcheviques. *Pravda* no sólo fue el órgano oficial del Comité Central del Partido Comunista, sino uno de los periódicos de mayor distribución en el mundo, hasta 1991, cuando se derrumbó la Unión Soviética. **◀1911.NM ▶1917.1**

PREMIOS NOBEL: Paz: Elihu Root (estadounidense; arbitraje de tratados) [...] Literatura: Gerhart Hauptmann (alemán; dramaturgo) [...] Química: Victor Grignard (francés; reactivo Grignard) y Paul Sabatier (francés; compuestos orgánicos hidrogenados) [...] Medicina: Alexis Carrel (francés; vasos sanguíneos y transplantes de órganos) [...] Física: Nils Dalén (sueco; regulación del alumbrado de gas).

Los últimos días de un caballero explorador

Robert Falcon Scott, de su diario, marzo 1912

Ochenta y un días después de salir del campamento base hacia la tierra desolada de la Antártida, el capitán de la Armada Real Británica Robert Falcon Scott y los cuatro compañeros de equipo que quedaban llegaron al Polo Sur el 18 de enero de 1912. Sin embargo, sus sueños de llegar los primeros al Polo y de ganar la gloria para Gran Bretaña se desvanecieron al descubrir que Roald Amundsen se les había adelantado 36 días. (El noruego les había dejado una carta.) Los 1.280 km de camino a pie de vuelta al campamento se convirtieron en una marcha lenta hacia la muerte con falta de provisiones y a temperaturas bajísimas. En noviembre, una partida de rescate encontró sus cuerpos congelados en una tienda a 17,5 km de su destino. Scott tenía un diario que mantuvo al día casi hasta el último momento en que garabateó su «último apunte». ◄**1911.10** ►**1928.NM**

El capitán Robert Scott escribiendo su diario dentro de la cabaña de cabo Evans, Ross Island, la Antártida, antes de salir hacia el Polo. Inferior, el exterior de la cabaña fotografiada en 1992.

Viernes 16 de marzo o sábado 17
He perdido la noción del tiempo pero creo que la última fecha es correcta. Tragedia a lo largo del camino. En el almuerzo, anteayer, el pobre Titus Oates dijo que no podía continuar; propuso que le dejásemos en su saco de dormir. No podíamos hacerlo y le convencimos de que viniera por la tarde. A pesar de su pésimo estado, avanzó con dificultad e hicimos unos pocos kilómetros. Por la noche estaba peor y vimos que el final se acercaba.
Por si alguien encuentra este diario, quiero que estos hechos queden registrados. Los últimos pensamientos de Oates fueron para su madre, pero justo antes se enorgulleció pensando que su regimiento estaría satisfecho del modo audaz en que había encontrado la muerte. Nosotros somos testigos de su valentía. Había soportado dolores intensos sin una queja durante semanas y hasta el final fue capaz de hablar de otras cosas. No perdió la esperanza hasta el final. Era un alma valerosa. El final fue así: anteanoche se durmió, esperando no despertarse; pero ayer por la mañana se despertó. Soplaba ventisca. Dijo: «voy a salir fuera y quizás tarde». Se adentró en la ventisca y no volvimos a verle.

Aprovecho la oportunidad para decir que hemos estado junto a nuestros compañeros enfermos hasta el final. En el caso de Edgar Evans, cuando no quedaba comida y él estaba inconsciente, era aconsejable para la seguridad del resto abandonarlo, pero afortunadamente la Providencia se lo llevó en ese momento. Murió de forma natural y no le dejamos hasta dos horas después de su muerte. Pensamos que el pobre Oates caminaba hacia su muerte, pero aunque intentamos disuadirle creímos que aquella era la acción de un hombre valiente y de un caballero inglés. Todos esperamos encontrar el final con un espíritu similar y seguramente el fin no está lejos.

Domingo 18 de marzo
He perdido el pie derecho, casi todos los dedos. Hace dos días era el que mejor tenía los pies. Éstas son las fases de mi caída: fui tan tonto que mezclé curry en polvo con mi comida y esto me provocó una fuerte indigestión. Estuve tendido, despierto y con dolores toda la noche; me levanté y en el camino estaba agotado; se me rompió el pie y no me enteré. A la que te descuidas lo que consigues es un pie con un aspecto muy desagradable. Bowers ocupa el primer puesto en estado físico, pero no hay mucho donde elegir después de todo. Los otros todavía confían en que conseguiremos llegar o lo simulan. ¡Yo no lo sé!

Lunes 19 de marzo
Almuerzo. La noche pasada acampamos con dificultad y teníamos un frío terrible hasta después de nuestra cena de pemmican frío, una galleta y media taza de cacao calentado con la llama del hornillo. Luego, contra lo que esperábamos, entramos en calor y dormimos bien. Hoy nos hemos despertado con la misma dificultad de siempre. El trineo pesa terriblemente. Estamos a unos 25 km del depósito y debemos llegar en tres días. ¡Qué adelanto! Tenemos comida para dos días pero apenas combustible para uno.

Jueves 22 y 23 de marzo
La ventisca es peor que nunca. Wilson y Bowers son incapaces de despertarse. Mañana será nuestra última oportunidad, no queda combustible y sólo una o dos comidas para cada uno, el final debe estar cerca. Está decidido que será natural, debemos caminar hacia el depósito con o sin nuestras cosas y morir en el camino.

Jueves 29 de marzo
Desde el día 21 hemos tenido tempestad de OSO y del SO constantemente. El día 20 teníamos combustible para dos tazas de té para cada uno y comida para tres jornadas. Cada día estábamos listos para salir hacia el depósito 17,5 km más allá, pero en el exterior de la tienda reinaba un panorama que te hacía volver a entrar. No creo que podamos esperar a que las cosas mejoren ahora. No debemos pensar en el final pero estamos cada vez más débiles y el final no puede estar lejos. Es una pena pero no creo que pueda escribir más.
—R. Scott

Último apunte
Dios mío, cuida de los nuestros.

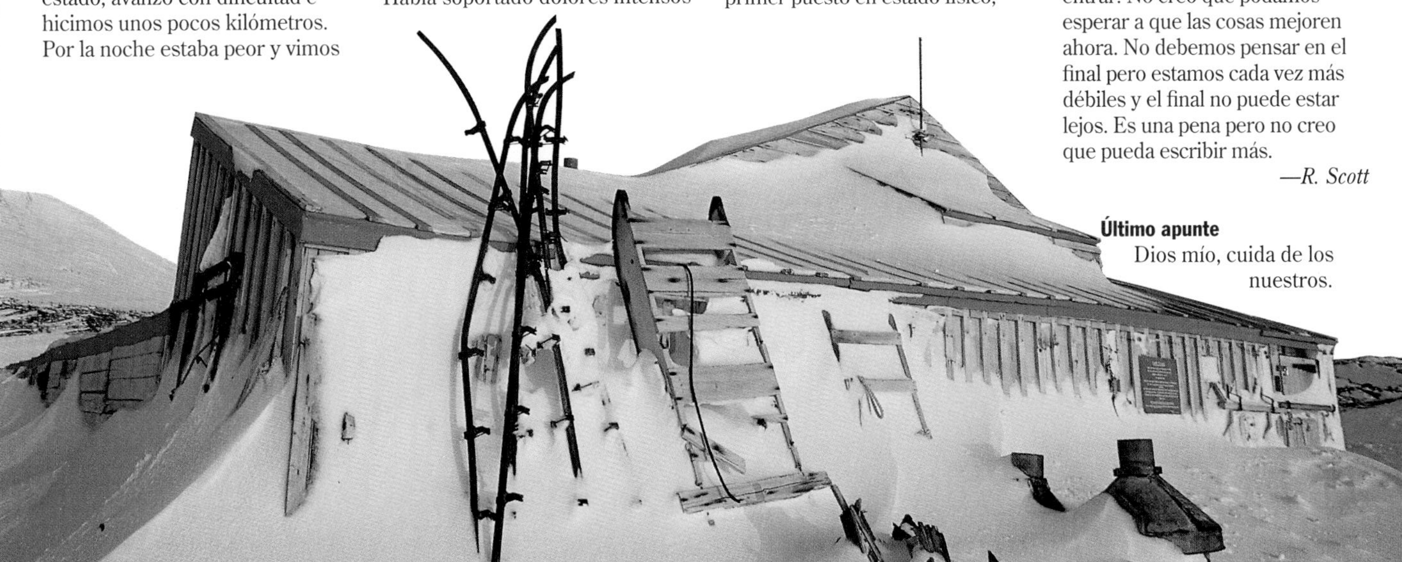

«Es posible que quizás haya resuelto un poco algo [...] que quizás sea [...] una pequeña parte de la realidad.»—**Niels Bohr en una carta a su esposa, 14 días antes de empezar su ensayo sobre la estructura atómica.**

HISTORIA DEL AÑO

Clarificación del átomo

1 La teoría cuántica sobre la estructura de los átomos publicada en 1913 por Niels Bohr cambió la concepción científica del mundo invisible de las partículas atómicas. Antes de la impactante propuesta de Bohr, su mentor, Ernest Rutherford, había teorizado que la estructura del átomo consistía en un núcleo con carga positiva rodeado de una nube de electrones más pequeños con carga negativa, que describían órbitas en torno al núcleo como los planetas rodean a una estrella. Sin embargo, si se aplicaran las leyes de la física a este modelo, el átomo se desestabilizaría y se descompondría. Basándose en las ideas de Max Plank y de Albert Einstein, Bohr afirmó que un átomo en su estado estable no emite energía (en forma de fotones, unidades minúsculas de luz); sólo emite energía (o la absorbe) en pequeños grupos llamados «cuantos» cuando un electrón salta bruscamente de una órbita a otra. Además, un átomo cuenta con un número limitado de órbitas de electrones; precisamente este número determina el potencial del átomo para combinarse con otros átomos. Empleando la constante de Planck (el número invariable que Planck descubrió para cuantificar la relación entre la energía y la materia), Bohr hizo una descripción puramente matemática del comportamiento de los electrones. Definió la naturaleza del átomo.

Niels Bohr *(superior)* fue el científico de los científicos. Ernest Rutherford, cuando topaba con una cuestión teórica de difícil resolución, solía decir: «Pregúntale a Bohr».

Cuando otros científicos, entre ellos Einstein, confirmaron la teoría de Bohr con mediciones espectroscópicas, se reconoció como un gran avance. Bohr recibió el Premio Nobel en 1922 por su descubrimiento y, durante los años veinte, su Instituto de Física Teórica en Copenhague se convirtió en el centro internacional de investigación. J. Robert Oppenheimer, famoso en los años cuarenta como director del equipo que fabricó la primera bomba atómica, recordó: «Fue una época heroica. Supuso la colaboración de multitud de científicos de países muy distintos. El espíritu crítico, sutil y profundamente creativo de Niels Bohr guió, moderó, profundizó y transformó definitivamente la iniciativa de todos ellos». Bohr, un hombre notablemente modesto, filósofo y científico, continuó con el desarrollo de su principio de correspondencia, que relaciona sin ruptura los conceptos de la física clásica (que aplicó al mundo visible) con los del mundo abstracto de la teoría cuántica. ◄**1911.3** ►**1917.NM**

ARTE

La vanguardia llega a América

2 «Un vagabundo francés y harapiento, un recluso flamenco medio loco y un trotamundos de mala reputación.» Así describió a Paul Cézanne, a Vincent van Gogh y a Paul Gauguin un visitante de la primera Exposición Internacional de Arte Moderno después de ver sus obras. La exposición se inauguró en febrero de 1913 en el arsenal del 69 regimiento de Nueva York. No obstante, la obra de estos pintores destacaba entre los cuadros insípidos de esta muestra, que ofreció a los americanos el primer trago de vanguardia europea.

El Armory Show (la Exposición del Arsenal) fue idea de Arthur B. Davies, presidente de la Asociación Americana de Pintores y Escultores, formada por los 25 artistas más progresistas del país (los de la escuela Ashcan y los de la Galería «291» de Stieglitz entre ellos). Arthur B. Davies y su amigo, el artista Walter Kuhn, habían visitado el Salon d'Automne el año anterior y quedaron tan sorprendidos por la evolución artística que se estaba produciendo que decidieron organizar una exposición que incluso los europeos reconocerían como «la mayor que se hubiera celebrado nunca».

Más de trescientas mil personas pagaron para ver las 1.300 telas y esculturas de la exposición, realizadas por artistas como Picasso, Braque, Duchamp, Matisse y Brancusi. El público americano no estaba preparado para esas obras artísticas no figurativas que representaban una falta de respeto impactante por las lecciones de Raphael, Rembrandt o Tiziano.

El *Desnudo bajando una escalera* de Duchamp (comparado con «una explosión en una fábrica») se convirtió en el emblema del Armory Show.

Pero para los artistas, el Armory Show representó un punto de inflexión que destruyó su suficiencia y les indujo a pensar en el arte de una forma nueva. Aunque la exposición de la vanguardia europea provocó un éxodo hacia París, que se convirtió en el centro de la modernidad en las décadas siguientes, América no permaneció aislada culturalmente durante mucho tiempo. Las ventas de las obras europeas de la exposición cuadruplicaron las de las americanas. ◄**1908.4** ►**1920.4**

LITERATURA

La novela imita a Freud

3 Cuando las teorías de Sigmund Freud empezaban a circular por el mundo de habla inglesa, se publicó un novela que ilustraba con fuerza una de las principales doctrinas freudianas: el complejo de Edipo. El novelista D. H. Lawrence trató el tema de forma intuitiva. *Hijos y amantes (Sons and lovers)*, publicada en 1913, es el relato autobiográfico de un amor obsesivo entre madre e hijo y la tercera novela de Lawrence, aunque la primera que le identifica como uno de los escritores más importantes del siglo.

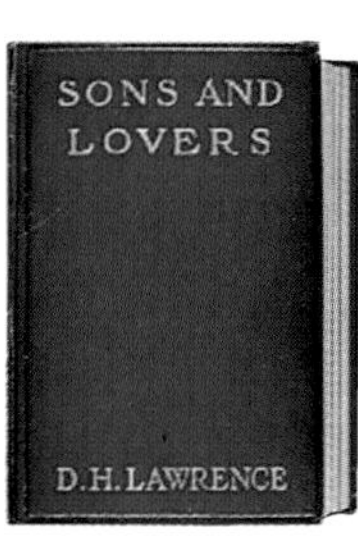

Hijos y amantes narra la historia de Paul Morel, cuya madre refinada y educada, casada con un minero alcohólico y violento, está totalmente dedicada a su hijo. Cuando Paul se enamora de dos mujeres que quieren casarse con él, el vínculo que tiene con su madre le impide adquirir un compromiso formal con ellas. Paul se da cuenta de que debe romper ese lazo para liberarse, aunque esto pueda matar a su madre.

La crítica se entusiasmó con la evocación poética de los paisajes y con los personajes de Lawrence. Aunque la sexualidad de la novela era menos mística y la crítica de la civilización industrial menos polémica que en novelas posteriores como *El arco iris* y *El amante de lady Chatterley* (ambas fueron prohibidas por obscenas), *Hijos y amantes* también revelaba su deseo de huida. En 1912 Lawrence se fugó con Frieda von Richthofen, hermana de un as de la aviación de la Primera Guerra Mundial, vivió en Europa, Ceilán, Australia, Tahití, México y Nuevo México.

ARTE Y CULTURA: Libros: *Totem y tabú* (Sigmund Freud); *Pollyanna* (Eleanor H. Porter); *Muerte en Venecia* (Thomas Mann); *La costumbre del país* (Edith Wharton); *Alcoholes, poemas 1898-1913* (G. Apollinaire); *Le grand Meulnes* (Alain Fournier) [...] Música: *Segundo cuarteto de cuerda* (Charles Ives) [...] Pintura y escultura: *La sirenita* (Edvard Eriksen); *Mujer en camisa, en un sillón* (Pablo Picasso)

No sólo buscaba un clima que aliviara su tuberculosis sino también una cultura genuinamente vitalista. Junto a Carl Jung y otros, Lawrence precisaba que la sociedad occidental debía explotar sus instintos, mitos y símbolos «primitivos» para renovar su energía. Estas ideas le llevaron a acariciar el fascismo pero murió en 1930, a la edad de 44 años, antes de que las experiencias fascistas dieran a luz su funesto fruto. **◄1912.2 ►1922.1**

AMÉRICA CENTRAL

La república de la United Fruit

4 Los guatemaltecos apodaban a la United Fruit Company americana «el pulpo», y en 1913 ésta demostró una vez más que el mote le iba bien: estableció la radio Tropical y la compañía de telégrafos. Con el monopolio de la industria de las comunicaciones, la United Fruit controló completamente la infraestructura del país (y a sus políticos). Guatemala se convirtió en una «república bananera» (aunque el café fuera su producto más exportado).

Esta compañía se convirtió en la principal embajadora norteamericana de la «diplomacia del dólar»: el imperialismo antiguo con un ritmo nuevo. En nombre del mercado libre y del capitalismo, Estados Unidos promocionaría sus intereses en Centroamérica y el Caribe con gigantescas compañías de exportación y se ahorraría la tarea de establecer un gobierno colonial.

A cambio de la ayuda para la construcción del ferrocarril, la United Fruit (fundada en 1899 con la fusión de la Boston Fruit Company y la Tropical Trading and Transport Company) obtuvo la exención de impuestos, una gran superficie cultivable y posesiones en el puerto más importante de Guatemala. La elite que gobernaba Guatemala, seducida por la posibilidad de nuevas inversiones norteamericanas, traspasó el control total del ferrocarril a la United Fruit, y la marina mercante de la compañía obtuvo el control sobre los barcos.

Como sucedía en otros países centroamericanos, la United Fruit funcionó como un gobierno camuflado (como la Standard Fruit and Steamship en Honduras). En estos países, los representantes de las compañías hicieron que los campesinos contrajeran deudas insaldables. La compañía importó trabajadores negros de Jamaica y de las Antillas Occidentales e impuso una segregación racial de tipo norteamericano. Construyó hospitales pero pocas escuelas. Los índices de alfabetización eran muy bajos. Los campesinos poseían parcelas diminutas, mientras que la United Fruit contaba con cientos de miles de hectáreas sin cultivar. En 1930 la United Fruit absorbió a 20 rivales y se convirtió en el mayor patrón de Centroamérica. Como la primacía de agricultura no permitía la industrialización, Guatemala siguió siendo rehén de la demanda mundial fluctuante de sus dos cultivos, el café y los plátanos. Una situación cuyas repercusiones todavía sufre Centroamérica. **◄1912.NM ►1954.9**

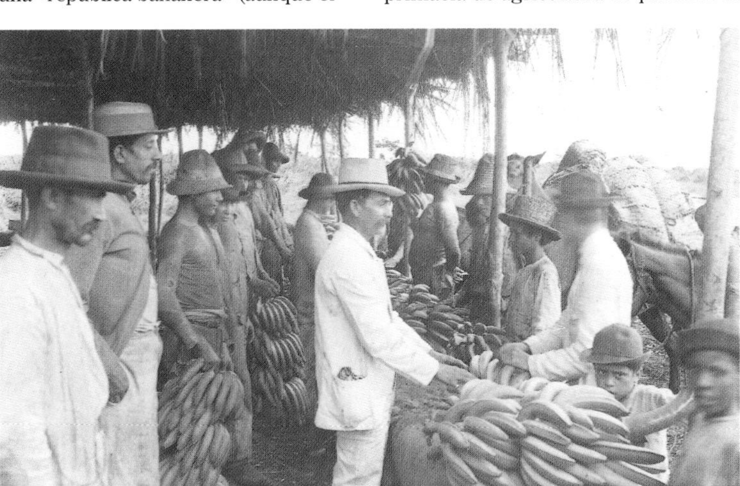

La explotación de los trabajadores del campo proliferó en Centroamérica y en el Caribe (*superior*, en Cuba).

MÚSICA

El escándalo de Stravinski

5 El 29 de mayo de 1913 se estrenó en el Teatro de los Campos Elíseos de París una de las composiciones más importantes del siglo: *La consagración de la primavera*, de Igor Stravinski. La descripción que hizo la crítica sobre la partitura extensa y polirrítmica también correspondía con la reacción del público: brutal, agresiva y salvaje. La música, interpretada *fortissimo*, se ahogó muchas veces entre pataleos y silbidos. El mismo Stravinski, sentado cerca del auditorio, se vio obligado a retirarse entre bastidores.

El público parisino había recibido con entusiasmo las composiciones anteriores del ruso, colaboraciones más convencionales y románticas con el empresario de ballet Sergei Diaghilev como *El pájaro de fuego* (1910) o *Petrushka* (1911). Pero los asistentes a *La consagración de la primavera* no estaban preparados para las imágenes bárbaras y paganas evocadas por la enérgica coreografía de Vaslav Nijinsky ni para la partitura de Stravinski, que traspasaba los límites de la tonalidad tradicional. La música europea (igual que el arte y la literatura) siempre había representado en tonos suaves y húmedos el nacimiento de la primavera. Stravinski quería hacer sentir el emerger fecundo de la primavera a la audiencia. Más tarde, el compositor acotó: «lo que he intentado transmitir es el resurgir magnífico del renacimiento de la naturaleza».

La crítica y el público se adaptaron sorprendentemente: al cabo de un año, bajo la dirección de Monteux otra vez, *La consagración de la primavera* fue interpretada como pieza sinfónica en el Casino de París. Esta vez, el compositor salió del salón a hombros de sus admiradores. **◄1909.6 ►1918.9**

Stravinski (*superior*) y Nijinsky (*inferior, esbozos suyos*) perturbaron al público con *La consagración de la primavera*.

NACIMIENTOS

Bao Dai, emperador vietnamita.

Menachem Begin, primer ministro israelita.

Willy Brandt, político alemán.

Benjamin Britten, compositor británico.

Albert Camus, escritor francés.

J. A. Coderch, arquitecto español.

P. Daninos, escritor francés.

Salvador Espriu, poeta español en lengua catalana.

M. Fisac, arquitecto español.

Gerald R. Ford, presidente estadounidense.

Edward Gierek, líder comunista polaco.

Lionel Hampton, músico estadounidense.

Danny Kaye, actor estadounidense.

Burt Lancaster, actor estadounidense.

Lon Nol, primer ministro camboyano.

Makarios III, obispo y político chipriota.

Richard M. Nixon, presidente estadounidense.

Jesse Owens, velocista estadounidense.

Rosa Parks, activista estadounidense de los derechos civiles.

Tyrone Power, actor estadounidense.

Loretta Young, actriz estadounidense.

MUERTES

A. Bebel, político alemán.

Rudolf Diesel, ingeniero mecánico alemán.

Francisco Madero, presidente mexicano.

S. Moret, político español.

John Pierpont Morgan, financiero estadounidense.

Alfred von Schlieffen, estratega militar alemán.

[...] Cine: *El estudiante de Praga* (Stellan Rye); *Traffic in Souls* (George Lone); *La batalla de Elderbrush Gulch, Judith de Betulia* (D. W. Griffith) [...] Teatro: *Androcles y el león* (G. B. Shaw); *La malquerida* (Jacinto Benavente).

«En líneas generales, la idea provino de las carretas elevadas que los empaquetadores de Chicago utilizan para envolver carne.»—**Henry Ford, sobre su fuente de inspiración para la cadena de montaje**

NOVEDADES DE 1913

Automóvil Duesenberg.

Índice de precios al consumo (recopilado por el Departamento de Estadística de Estados Unidos).

EN EL MUNDO

▶UNA GRAN ESTACIÓN—En febrero de 1913 se abrió en Nueva York la estación de tren más grande del mundo. La Grand Central Terminal,

una estructura neoclásica gigantesca, hacía parecer pequeña a la Penn Station. Contaba con 48 vías.

▶EL AGUA LLEGA A LOS ÁNGELES—Con las palabras «Ya está aquí; ¡tómala!», el ingeniero de Los Ángeles William Mulholland abrió el acueducto del río Owens. La obra, construida en cinco años, de 375 km, llevaba 984 millones de litros de agua a la pequeña ciudad de Los Ángeles. Al cabo de pocas décadas, el agua llegó a las ciudades más grandes. El acueducto permitió a los socios de Mulholland hacerse ricos con la especulación y el desarrollo del sistema.

▶EL SUJETADOR MODERNO—Cansada de los corpiños de ballena y de los corsés largos, la joven Mary Phelps Jacob cosió un tipo de ropa interior nueva: un prototipo de sostén. Con la ayuda de su criada francesa, Jacob (después famosa como Caresse Crosby) hizo la prenda con dos pañuelos y un trozo de cinta rosa. Blando, sostenedor y separado, el sujetador fue un gran adelanto para la mujer de clase media moderna y activa.

▶NOTRE DAME Y EL PASE ADELANTE—Los jugadores de fútbol americano Knute Rockne *(página siguiente)* y Gus Dorais estudiaban en la pequeña facultad de South Bend, Indiana, cuando perfeccionaron una técnica nueva para compensar la falta de talla de su equipo.

Después de la introducción de la cadena de montaje, la planta de Highland Park de Ford podía fabricar mil coches al día.

ECONOMÍA E INDUSTRIA

La cadena de montaje se mueve

6 En 1913 la producción de automóviles de la inmensa planta de Highland Park, Michigan, de Henry Ford se mantenía estable. La Ford Motor Company empleaba los métodos convencionales: los trabajadores ensamblaban las piezas del coche y las colocaban en una carrocería estática. Podía producir unos 160.000 coches al año, una media de once coches por trabajador.

Entonces Henry Ford introdujo la cadena de montaje. Su modelo era la llamada «cadena de proceso» utilizada primero por Singer (máquinas de coser) y por Colt (armas de fuego), pero la cadena de Ford contaba con una innovación importante: mientras que la cadena de trabajo transportaba el artículo que debía ser manufacturado a puestos de trabajo específicos donde debía detenerse para que el proceso fuera finalizado, la cadena de montaje no paraba *nunca*. Su cinta transportadora se movía continuamente mientras los trabajadores repetían las tareas concretas cientos de veces al día, a la velocidad de la cinta.

Primero Ford probó la cadena de montaje en el departamento de magnetos. Un trabajador cualificado tardaba 20 minutos en fabricar un solo magneto. Con la cadena de montaje 29 trabajadores inexpertos producían un magneto cada trece minutos. Mejoras sucesivas redujeron el tiempo a cinco minutos. El departamento de motores fue el siguiente en mecanizarse. Al final, incluso la carrocería se fabricó en cadena. El tiempo necesario para fabricar y equipar cada coche descendió de doce horas y media a 93 minutos. En términos de mano de obra, un trabajador hacía lo que antes hacían cuatro. Con los ajustes sucesivos, el tiempo necesario para construir un Modelo T en Highland Park se fue reduciendo hasta el punto de que cada 24 segundos se fabricaba un coche. Así Ford fue capaz de incrementar enormemente la producción y de rebajar los precios simultáneamente. El precio de un Modelo T bajó de 850 dólares en 1908 a 440 seis años más tarde. Hacia 1915, Ford se había convertido en el rey de la carretera: producía casi la mitad de todos los vehículos del mundo.

Los trabajadores de Ford tuvieron que soportar el aburrimiento de sus trabajos repetitivos y la aceleración ocasional de las cadenas decretada por los directores de la fábrica, pero la cadena de montaje también contribuyó a establecer la jornada de ocho horas y al sueldo de cinco dólares al día, el doble del salario medio que ganaba un trabajador antes de la cadena. ◂**1908.1** ▸**1915.M**

ÁFRICA OCCIDENTAL

Schweitzer se va a Lambaréné

7 Aunque la fórmula particular de «nobleza obliga» adoptada por Albert Schweitzer no sincroniza con los valores modernos, el médico alemán fue un símbolo de bondad humanitaria durante su vida. En 1913 Schweitzer prometió que a partir de los 30 años dedicaría su vida a ayudar a los hombres, navegó desde Europa hasta el África ecuatorial francesa (actualmente Gabón) y fundó un hospital en el poblado de Lambaréné. Allí, en un claro de la selva, pasó el resto de su vida luchando contra la lepra, la malaria y la sífilis. Su trabajo le valió el Premio Nobel de la paz en 1952.

«Me siento como su hermano, pero como su hermano mayor», dijo Schweitzer de los africanos que trató.

Cuando estableció su hospital en Lambaréné, Schweitzer ya era un erudito y un músico muy conocido. Se había doctorado en Filosofía en la Universidad de Estrasburgo (donde también había estudiado Teología) y se encontraba entre los mejores concertistas de órgano de su tiempo. En 1905 publicó su influyente obra teológica *La búsqueda del Jesús histórico*. Su tesis de que Jesús fue un «hombre inconmensurablemente grande» proporcionó el marco para el humanismo laico. Cuando se cumplió el plazo que él mismo se había impuesto, se matriculó en la facultad de medicina y empleó los derechos de autor de sus libros y sus ganancias como concertista para pagarse los estudios.

«Todos debemos cargar con nuestra parte de la miseria que hay en el mundo», escribió más tarde para explicar por qué había abandonado su música y sus investigaciones académicas. Sin embargo, al final de su vida sus tendencias paternalistas le hicieron parecer completamente anticuado. También le criticaron el que se negara a modernizar su primitivo hospital incluso después de haber alcanzado la fama y de contar con posibilidades de fondos. Schweitzer dijo que «la gente sencilla necesitaba métodos curativos sencillos». Murió en Lambaréné en 1965. ▸**1979.11**

FILANTROPÍA

Fundaciones para donaciones

8 Andrew Carnegie escribió una vez: «Piedad para los pobres millonarios. El camino de la filantropía es duro». Su colega, el magnate John D. Rockefeller, aprendió la lección en su propia piel en su lucha para fundar la mayor organización benéfica del mundo. La Fundación Rockefeller, con un capital de cincuenta millones de dólares, nació en 1913, después de tres años de disputas con un congreso receloso.

Rockefeller quería crear una institución modernísima como la que Carnegie había fundado en 1911. (Los dos hombres habían estado relacionados con la filantropía más tradicional durante mucho tiempo.) En vez de dedicarse a una causa única (como construir bibliotecas o asilos para leprosos) o simplemente ayudar a los necesitados, su fundación formaría a una serie de expertos que trabajarían para mejorar la condición humana.

DEPORTES: Atletismo: el atleta francés J. Bouin, nuevo récord de la hora (19,021 km) [...] Boxeo: el francés Carpentier revalida el título europeo de los pesos pesados frente al británico Wells.

«El hombre que muere rico, muere desgraciado.»—**Andrew Carnegie**

Convencido de que una fundación de estas características debía estar supervisada por funcionarios públicos, Rockefeller solicitó un fuero federal. Sin embargo, poco después su Standard Oil Company fue declarada monopolio ilegal por el tribunal supremo. Los progresistas denunciaron su corporación no lucrativa como una estratagema para comprar una buena reputación y la influencia sobre el gobierno. Insistieron en que el dinero del magnate era «sucio». Finalmente, Rockefeller renunció al congreso y erigió su fundación con el estado de Nueva York. En 1990 su capital había alcanzado casi los dos mil millones de dólares. Aunque no fue por mucho tiempo la fundación filantrópica más rica, todavía está entre las diez primeras del mundo.

Tras otra controversia (su fundación patrocinaba un estudio sobre las relaciones laborales en 1914 mientras una de sus compañías acababa violentamente con una huelga de mineros), Rockefeller dirigió la institución principalmente hacia temas médicos. Los dólares de Rockefeller pagaron programas para el control de anquilostomas y de malaria y renovaron o construyeron facultades de medicina en 62 países. Fuera de los asuntos de sanidad pública, evitó la política.

La fundación creada por el magnate del acero de origen escocés fue la que ejerció mayor influencia en Washington. La Carnegie Corporation se concentró en el desarrollo educativo y en la investigación social de todo el mundo de habla inglesa. Durante décadas aportó datos sobre las escuelas norteamericanas y las relaciones raciales que dieron lugar a reformas importantes. Pero aunque Carnegie había concebido su marca de «filantropía científica» como un modelo para los magnates de todo el mundo, fue un fenómeno mayoritariamente americano. Hoy en día, bien a causa de la legislación norteamericana de impuestos o a sus valores cívicos, el 95 % de todas las fundaciones con capitales mayores de diez millones de dólares tienen su sede en Estados Unidos. **◂1911.NM**

El americano de origen escocés Carnegie muestra la abundancia de sus inversiones en bibliotecas y centros educativos por todo el país.

LITERATURA

La importancia de Proust

9 Cerca de un año antes de su publicación en 1913, Marcel Proust terminó *Por el camino de Swann*, en la tranquila habitación forrada de corcho de su piso de París. Era el primer volumen de su inmenso himno a la memoria, *En busca del tiempo perdido*. Proust, de 41 años de edad, con una sintaxis compleja transformó su pasado burgués en el tema de una investigación filosófica sobre el significado del tiempo, de la personalidad y de la clase social. Buscaba las claves esenciales de la existencia humana. Acabó financiando él mismo la publicación del libro porque todos los editores lo rechazaron. Uno preguntó maravillado por qué «alguien utilizaba treinta páginas para describir cómo se revuelve en la cama porque no puede dormirse».

Libretas de notas de Proust, con pasajes originales de *En busca del tiempo perdido*

Precisamente en esta intensidad reside la fuerza de la obra de 520 páginas de Proust. El autor, de carácter sociable, se transformó en un solitario a causa de una enfermedad crónica. Su convalescencia le brindó la oportunidad de reflexionar sobre todo lo que le había pasado en la vida. El narrador de *Por el camino de Swan* (llamado Marcel, como el autor), cuyos recuerdos son estimulados por el gusto de una magdalena, explica la historia de amor del vecino de sus padres, Charles Swann, y la cortesana Odette de Crécy. Mientras la explica va reconstruyendo su infancia casi momento a momento. En los albores de la era del psicoanálisis, fue la novela más introspectiva que se escribió. Cuando el Viejo Mundo se hallaba en la antesala de una guerra que acabaría con su existencia, Proust redactó el testimonio acertado y nostálgico de muchos de sus aspectos más entrañables.

Jean Cocteau y otros vanguardistas aclamaron el libro como la obra de un genio. Los críticos conservadores se resistieron a la sintaxis de Proust («condenadamente difícil») y a sus descripciones obsesivamente detalladas. En 1927, cinco años después de la muerte del escritor, se publicó el último de los siete volúmenes de *En busca del tiempo perdido* (3.000 páginas en total). Por entonces, y apoyada por la magnífica traducción al inglés de C. K. Scott-Moncrieff, ya se había convertido en una de las obras literarias más influyentes. **▸1922.1**

Utilizado por primera vez en un partido contra el ejército,

el pase adelante consiguió que el equipo ganara 35 a 13, colocó al Notre Dame en el mapa del fútbol americano y revolucionó el juego. ◂1912.7 ▸1920.6

▶VON STÜRGKH TOMA EL CONTROL—El primer ministro austríaco Von Stürgkh se acogió a la constitución de su país para tomar el control del gobierno en 1913. La razón: el nacionalismo entre los estados miembros de Austria-Hungría (Hungría, Bohemia, Eslovaquia, Moravia y Austria) estaba a punto de desgarrar al Imperio. Sin embargo, ni siquiera el absolutismo salvaría la federación cuando el archiduque Francisco Fernando fue asesinado un año después. El mismo destino aguardaba a von Stürgkh en 1916. ▸1914.1

▶MADERO ASESINADO —En febrero de 1913, el oficial derechista Victoriano Huerta tomó el poder en México durante la Decena Trágica, aprovechando la confusión de la guerra civil. Huerta ejecutó al presidente Francisco Madero que había sido elegido por el pueblo, disolvió el congreso y

extendió una ola de violencia por todo el país. Al cabo de un año, Huerta cayó antes de la doble oposición de los mexicanos revolucionarios Pancho Villa y Emiliano Zapata y la de Estados Unidos. ◂1910.10 ▸1916.6

▶EL DIAGRAMA HERTZSPRUNG-RUSSELL —Trabajando cada uno por su lado, el astrónomo holandés Ejnar Hertzsprung y el americano Henry Norris Russell idearon un método para relacionar el tamaño

POLÍTICA Y ECONOMÍA: asesinato del rey Jorge I de Grecia en Salónica [...] Aprobada en España la ley de las mancomunidades provinciales que satisface parcialmente las aspiraciones del catalanismo político [...] Creación del Departamento de Trabajo en Estados Unidos [...] Alice Paul lidera una marcha en Washington por el sufragio femenino y funda el Partido Nacional de las mujeres.

«Traslado a California. Pido permiso para alquilar un establo en un lugar llamado Hollywood por 75 dólares al mes. Recuerdos a Sam.»—**Telegrama enviado por Cecil B. DeMille a Jesse Lasky**

de las estrellas con sus temperaturas. El diagrama Hertzsprung-Russell, como se lo denominó en 1913, fue uno de los fundamentos de la astronomía contemporánea. ▸1914.10

▶SACRIFICIOS SUFRAGISTAS—El 4 de junio de 1913, en el Derby, la sufragista inglesa Emily Davison se sacrificó por la causa del sufragio femenino: se lanzó delante del caballo del rey Jorge y murió pisoteada. En otro lugar, Emmeline Pankhurst fue sentenciada a tres años de cárcel por atentar con una bomba contra la casa del ministro de hacienda David Lloyd George. ◂1903.3 ▸1920.11

▶DEROGACIÓN DE LA LEY DE JURISDICCIONES EN ESPAÑA—Tras siete años de vigencia, se derrogó esta ley que rompía la unidad jurídica de los españoles. A partir de entonces serían los jueces civiles y no los militares los que juzgarían los delitos cometidos contra «la nación, su bandera, himno nacional u otro emblema de su representación».

CINE

Los largometrajes viajan al genuino oeste

10 Aunque las películas de diez minutos todavía se prodigaban, en 1913, los asistentes al cine (cinco millones diarios en Estados Unidos) pedían a gritos películas de largo metraje. Un vendedor de guantes cinéfilo, su cuñado y un escritor cargado de deudas se asociaron para rodar una película del oeste americano picante que hizo de Hollywood la capital mundial de las películas de largo metraje.

Después de ver su primera película, un ambicioso comerciante de guantes de Nueva York, Sam Goldfish, pensó que el cine tenía posibilidades y convenció a su reticente cuñado, el empresario de variedades Jesse L. Lasky, para formar una compañía de producción de largometrajes. Lasky contrató a un dramaturgo mediocre llamado Cecil B. DeMille para que aportara una visión artística.

El primer proyecto de la Jesse L. Lasky Feature Play Company fue *El piel roja*, un melodrama de 1905 sobre un aristócrata británico que se casa con la india que le ha salvado la vida en el salvaje oeste americano. La mayoría de las películas del oeste americano se rodaban en Nueva Jersey, pero DeMille quería el «auténtico oeste», de modo que se dirigió hacia Flagstaff, Arizona. Tras echar un vistazo al insípido paisaje, ordenó a su equipo que tomara de nuevo el tres hasta el final de la línea: Los Ángeles.

En Los Ángeles se rodaban cortos desde 1907 pero *El piel roja* sería el primer largo. El rodaje, realizado ante un establo en la calle Vine, transcurrió con muchos problemas. Muy poco después de empezar a rodar, un saboteador (seguramente de la compañía Motion Pictures Patents) irrumpió en el establo y destruyó todo lo que había rodado DeMille (afortunadamente tenía un duplicado de los negativos). En dos ocasiones zumbaron las balas de un francotirador. Sin embargo, se solucionaron todos los problemas cuando *El piel roja* se convirtió en un éxito, precursor de la fortuna de los largometrajes en general y de la de la Lasky Company en particular. DeMille se movió entre comedias sexuales y leyendas bíblicas y se convirtió en un titán y en un tirano. Hollywood se convirtió en Hollywood. ¿Qué se hizo del comerciante de guantes Sam Goldfish? Cambió su nombre por el de Goldwyn y dejó los guantes para siempre. **◂1908.8 ▸1919.3**

El piel roja, con seis rollos de metraje, fue el primer largo de Hollywood.

IMPERIO OTOMANO

El prólogo de la Gran Guerra

Estos guerrilleros fueron reclutados y armados por los turcos-otomanos para enfrentarse a las fuerzas búlgaras.

11 Cuando finalizó la primera guerra balcánica en mayo de 1913, los miembros de la Liga Balcánica habían conseguido casi todo lo que habían querido del Imperio Otomano. Los búlgaros reclamaron una parte de Macedonia, pero las necesidades estratégicas habían confinado sus batallas a Tracia. Macedonia estaba dividida entre Grecia y Serbia y ninguna de las dos quería ceder territorio, Rusia, que había contribuido a forjar la alianza balcánica, no consiguió arbitrar la situación. Así, el 29 de junio, Bulgaria, instigada por Austria (rival de Rusia), atacó a sus dos antiguas aliadas.

La segunda guerra balcánica fue breve, sangrienta e inútil. Rumanía, que se había librado de la primera guerra, se unió a los enemigos de Bulgaria. Los turcos movilizaron sus fuerzas para echar a los búlgaros de Adrianópolis. Cuando las batallas se transformaron en masacres, los búlgaros, que se encontraban totalmente desarmados, escaparon. En agosto finalizó todo.

Las guerras balcánicas recompusieron el mapa del sudeste de Europa. El Imperio Otomano perdió dos tercios de su población europea. Grecia, Serbia y Montenegro doblaron su tamaño de forma violenta; incluso Bulgaria obtuvo un 20 % más de territorio. El nacionalismo aumentó más que nunca. Con el desmembramiento del Imperio, el equilibrio de poder se volvía peligrosamente frágil. Bulgaria había caído en el bando austríaco; Rumanía no. Serbia, amenazada por el control austríaco sobre Bosnia, Herzegovina y Croacia, se alineó al lado de Rusia, igual que Grecia y Montenegro. Un solo incidente empujaría a Rusia y a Austria a un enfrentamiento directo y arrastraría a todas las potencias aliadas a una gran guerra. El desliz se produciría en menos de un año. **◂1912.8 ▸1914.1**

CULTURA POPULAR

El primer crucigrama

12 El crucigrama que apareció en el suplemento dominical del *World* de Nueva York el 21 de diciembre de 1913 era romboidal y no cuadrado. Algunas de sus indicaciones estaban repetidas y los trabajadores que realizaron la composición tipográfica se exasperaron por su complejidad. El crucigrama se hizo tan popular que, cuando fue sustituido por poco tiempo por mapas militares al estallar la Primera Guerra Mundial, los lectores protestaron enérgicamente.

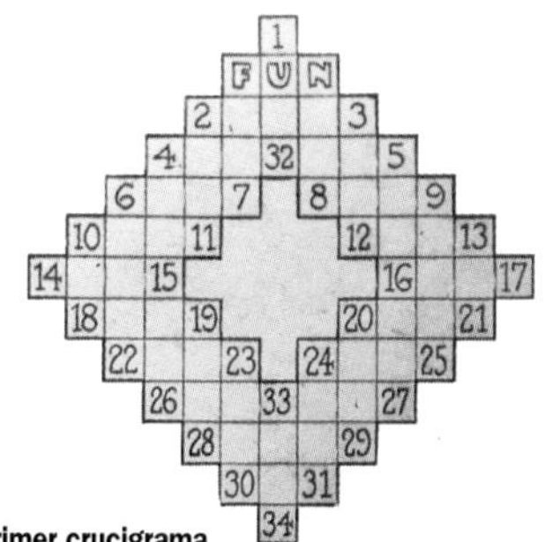

El primer crucigrama del _World_. Fue una pesadilla tipográfica.

Al cabo de diez años, los crucigramas aparecían en la mayoría de periódicos norteamericanos y en 1924 se habían trasladado del dominical a las páginas diarias.

El crucigrama llegó a Londres en 1930, en *The Times*, y en 1942 se había introducido definitivamente en la edición del domingo de *The New York Times.* A finales de siglo, los crucigramas aparecen en el 99 % de los diarios. **◂1900.2**

PREMIOS NOBEL: Paz: Henri Lafontaine (belga; presidente de la Oficina Internacional de la Paz) [...] Literatura: Rabindranath Tagore (indio; poeta) [...] Química: Alfred Werner (suizo; estructura de los elementos inorgánicos) [...] Medicina: Charles Richet (francés; shock anafiláctico) [...] Física: Heike Kamerlingh Onnes (holandés; superconductividad).

La ciudad del siglo XX

El optimismo progresista, característico de la centuria anterior, se quiebra con la crisis finisecular. Sin embargo, los presagios del desastre coexisten con la perduración de la utopía. El paisaje urbano, que es ya el escenario característico de la civilización moderna, se nos presenta, a la vez, como la realización de la gran promesa y como escenario de la última catástrofe. Entre la utopía de Hendrik C. Andersen y la visión apocalíptica de Meidner, realizadas el año anterior al estallido de la Primera Guerra Mundial, se refleja en toda su amplitud la premonición de este conflicto.

«Las señales de alarma se encienden en toda Europa; ojalá no volvamos a verlas en toda nuestra vida.»
—Sir Edward Grey, ministro británico de asuntos exteriores

HISTORIA DEL AÑO

Asesinato en Sarajevo

El archiduque y su esposa. Sus asesinatos fueron el catalizador de la guerra, no su causa.

1 El archiduque Francisco Fernando sabía que su primera visita oficial a Sarajevo podía ser peligrosa. La capital de Bosnia y Herzegovina (anteriormente provincias de Serbia, más tarde conquistadas por Turquía y luego ocupadas y anexionadas definitivamente por Austria-Hungría) se había convertido en un nido de nacionalistas panserbios. Aunque apoyaba en gran medida la autonomía de la región, el archiduque era el heredero al trono austro-húngaro y odiado por esta causa. El 28 de junio de 1914, mientras circulaba en un coche descubierto por la ciudad, un asesino frustrado le lanzó una bomba que no le alcanzó. No obstante, su suerte no duraría mucho. Después de asistir a una recepción en el ayuntamiento, el archiduque se dirigía a visitar a quienes habían resultado heridos en el atentado. Un estudiante bosnio llamado Gavrilo Princip se abalanzó contra su coche, disparó tres tiros y mató al archiduque y a su esposa Sofía.

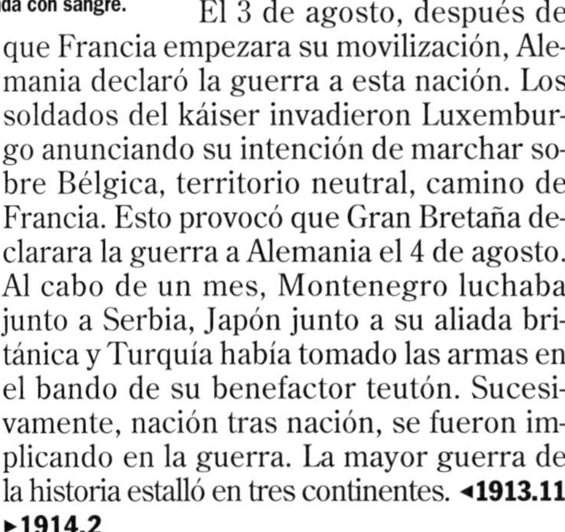

La túnica del archiduque asesinado manchada con sangre.

Los acontecimientos se sucedieron a gran velocidad. A mediados de julio, un investigador austríaco relacionó los atentados con el grupo terrorista Mano Negra que tenía su cuartel general en Serbia. El 23 de julio, el gobierno imperial lanzó un ultimátum, insistiendo en que Serbia detuviera en 48 horas «las intrigas que constituían una amenaza perpetua para la tranquilidad de la monarquía». Entre las demandas de Viena estaba que Belgrado censurara las publicaciones antiaustríacas y arrestara a los activistas antiaustríacos. Serbia rechazó estas estipulaciones, aceptó otras y sugirió un arbitrio internacional. Las autoridades austríacas, decididas a acabar con los serbios rebeldes, rechazaron cualquier intervención extranjera.

Serbia fue apoyada por Rusia y por las aliadas de ésta de la Triple Entente, Gran Bretaña y Francia. Alemania (con reservas) apoyó a su aliada austríaca. Los esfuerzos diplomáticos fueron infructuosos y el 28 de julio Austria-Hungría declaró la guerra a Serbia. Rusia, al día siguiente, movilizó sus tropas para defender a Serbia y a sí misma de Austria-Hungría. El 1 de agosto, Alemania, temiendo una amenaza por su frontera oriental, declaró la guerra a Rusia.

El 3 de agosto, después de que Francia empezara su movilización, Alemania declaró la guerra a esta nación. Los soldados del káiser invadieron Luxemburgo anunciando su intención de marchar sobre Bélgica, territorio neutral, camino de Francia. Esto provocó que Gran Bretaña declarara la guerra a Alemania el 4 de agosto. Al cabo de un mes, Montenegro luchaba junto a Serbia, Japón junto a su aliada británica y Turquía había tomado las armas en el bando de su benefactor teutón. Sucesivamente, nación tras nación, se fueron implicando en la guerra. La mayor guerra de la historia estalló en tres continentes. **◂1913.11 ▸1914.2**

PRIMERA GUERRA MUNDIAL

Las grandes potencias se movilizan

2 A los dos meses del incidente de Sarajevo, 17 millones de soldados de ocho naciones y sus extensas colonias habían sido movilizados. Al principio, los estrategas de ambos bandos, los aliados (las naciones agrupadas en torno a Francia, Gran Bretaña y Rusia) y las potencias centrales (los alineados con Alemania y Austria-Hungría) pronosticaron una guerra corta. Los reclutas franceses gritaban al salir de París: «¡A Berlín!». El káiser prometió a sus tropas: «Estaréis de regreso antes del otoño». Sin embargo, en Navidad de 1914 cerca de un millón y medio de soldados de cada bando habían muerto, estaban heridos o habían sido capturados, y el final de la guerra no se vislumbraba por ningún lado.

Las esperanzas de los alemanes de una victoria rápida se centraron en el plan Schlieffen. Mientras las divisiones del este se ocupaban de contener a Rusia, las otras atacarían Francia a la velocidad de un relámpago por su frontera más débil, a través del territorio neutral de los Países Bajos. Una vez que Francia hubiera caído, los soldados alemanes, mejor armados y entrenados, vencerían a las tropas rusas formadas por campesinos. Casi funcionó. Los alemanes marcharon sobre Bélgica a pesar de la resistencia de su ejército y de la ayuda británica y llegaron rápidamente al río Marne, cercano a París. Pero en una batalla llamada «el Milagro del Marne», los franceses les hicieron retroceder hasta el río Aisne, donde los dos ejércitos se atrincheraron.

Cientos de miles de hombres murieron en cuestión de semanas a causa de la eficacia del nuevo armamento. Los generales se dieron cuenta de que luchar en campo abierto era suicida, de modo que cada ejército construyó líneas de trincheras que pronto ocuparon centenares de kilómetros desde el canal de la

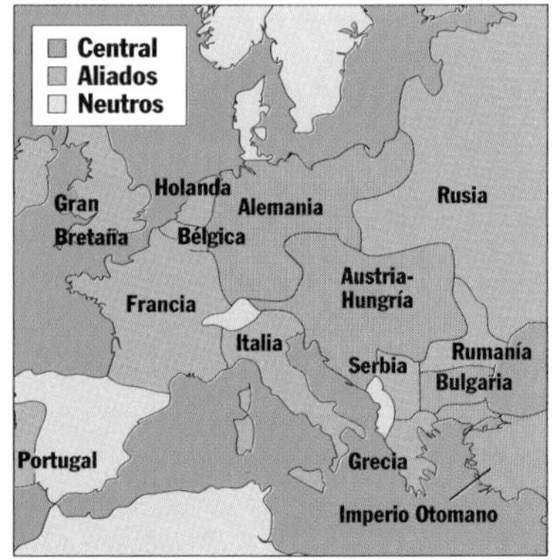

Alianzas europeas en la Primera Guerra Mundial.

ARTE Y CULTURA: Libros: *Dublineses* (James Joyce); *Al norte de Boston* (Robert Frost); *El titán* (Theodore Dreiser); *Niebla* (Miguel de Unamuno) [...] Música: «St. Louis Blues» (W. C. Handy); *Sinfonía de Londres* (Ralph Vaughan Williams) [...]

«Heridos; heridos por todas partes, hombres con lesiones en todas las articulaciones; los hospitales llenos de hombres ciegos, moribundos y agonizantes.»—**Philip Gibbs, corresponsal de guerra británico, sobre los primeros seis meses de la Primera Guerra Mundial**

Mancha hasta Suiza. El frente se mantuvo allí durante cuatro años, sin apenas moverse, sufriendo bombardeos constantes que arrasaron toda la zona y convirtieron el terreno en un paisaje lunar desolado.

En el frente del este, los rusos atacaron mucho antes de lo esperado. Las tropas alemanas, bajo el mando del general Paul von Hindenburg (héroe de la guerra franco-prusiana de 1870), detuvieron la ofensiva contra el este de Prusia pero fueron alejados de la ciudad clave de Lodz, Polonia. Los austríacos arrebataron Belgrado a los serbios, luego la perdieron. En los Balcanes el estancamiento empezó en invierno.

La guerra estalló en todos los lugares donde las potencias europeas tenían intereses. Los soldados indios tomaron Basora, Mesopotamia (actualmente Iraq), para su gobierno británico. Los bóers de la Sudáfrica progermánica se sublevaron. En el territorio alemán de Kiao-cheu (actualmente Jiaoxian, China), las fuerzas japonesas (que se habían unido a los aliados el 23 de agosto) invadieron la ciudad portuaria de Qingdao. Un crucero alemán bombardeó Penang, en la Malasia británica.

En el mar, los navíos de guerra construidos con grandes dispendios durante la fervorosa carrera armamentística se hundían unos a otros en escaramuzas dispersas, pero la superioridad naval británica pronto atrapó a Alemania en un bloqueo sofocante. La respuesta de Alemania, la guerra submarina contra la marina mercante británica, estaba a punto de empezar. **◂1914.1 ▸1915.3**

CIENCIA

La primera fase de los cohetes

3 Robert H. Goddard se consumía por un deseo desde los 17 años (como escribió en su diario): «fabricar algún artilugio que tuviera la *posibilidad* de ascender a Marte». En 1914 realizó importantes progresos para la realización de su fantasía. Recién graduado de la facultad, Goddard registró dos patentes que contenían los conceptos fundamentales de la cohetería moderna, incluyendo la propulsión con combustible líquido y el cohete con varias fases. Al cabo de doce años, Goddard probaría su invento y entraría en la era espacial.

Goddard esquivó la publicidad en sus años de experimentación. Si concedía alguna declaración sólo hablaba sobre un método para recoger datos atmosféricos. Cuando

Genio incomprendido: Goddard en su granja de Massachusetts con su cohete a propulsión líquida, en 1926.

un periódico local se enteró de su sueño, apodó al profesor solitario de la Clark University «Moony». Las explosiones periódicas que iluminaban la granja de Massachusetts donde dirigía sus pruebas parecían confirmar la ridiculez de éstas. Fue reivindicado (si no pública sí personalmente) en 1926, cerca de un cuarto de siglo después del primer vuelo de los hermanos Wright. El cohete definitivo de Goddard medía 3 m de altura, pesaba 2,5 kg y estaba propulsado por oxígeno líquido y gasolina. Alcanzó una altura de 13 m y se desplazó 55 m. El vuelo duró dos segundos y medio. Goddard, al día siguiente, anotó en su diario: «Cuando se eleva parece cosa de magia, sin el mayor ruido o llama, como si dijera: 'Llevo demasiado rato aquí; creo que me voy a otro sitio si no te importa'». **◂1903.NM ▸1944.2**

INDIA

Gandhi vuelve a casa

4 El líder político sudafricano Jan Smuts escribió en 1914: «El santo ha dejado nuestras tierras. Espero que para siempre». El santo era Mohandas K. Gandhi, que había llegado a Natal en 1893 para ejercer la abogacía con intenciones de quedarse sólo un año, pero se quedó veinte. Enfrentado al racismo y a las injusticias políticas, organizó la resistencia de la comunidad inmigrante india contra la persecución. Fue en Sudáfrica donde el padre de la independencia de la India desarrolló el *satyāgraha*, «firmeza en la verdad», su programa de resistencia pasiva.

El momento de la verdad le llegó durante un viaje en tren que realizó desde Durban hasta Pretoria poco después de llegar a África. Fue expulsado de un compartimento de primera clase por un revisor blanco; un poco más adelante, un maquinista le golpeó por no querer ceder su asiento a un viajero europeo. Más tarde Gandhi escribió: «No puedo concebir mayor pérdida para un hombre que la pérdida de su autoestima». Cuando en 1907 el gobierno del Transvaal aprobó una resolución racista que ordenaba que todos los indios se registraran, Gandhi lideró la resistencia prometiendo desafiar a la ley y aceptar de forma pacífica las consecuencias. Centenares y luego miles de indios siguieron su ejemplo. En 1913 el movimiento entró en un estadio nuevo y más amplio tras el fallo del tribunal supremo de la colonia de El Cabo que declaró inválidos los matrimonios no cristianos. El tribunal sentenció que las esposas indias eran concubinas y sus hijos ilegítimos. Entonces las mujeres se unieron a la «guerra no violenta» de Gandhi.

Gandhi fue detenido y encarcelado repetidas veces (durante un

Tras estudiar derecho en Londres, Mohandas Gandhi (*centro*) trabajó como abogado en Sudáfrica.

encarcelamiento confeccionó un par de sandalias para su rival Smuts) pero consiguió atraer la atención del mundo en favor de su causa. Obligado por el gobierno británico a negociar con Gandhi, el parlamento sudafricano decretó el Proyecto de la Satisfacción India que abolió entre otras la legislación del matrimonio. Un comentador británico observó: «Es un enemigo incómodo y peligroso porque, aunque se puede obtener su cuerpo, su alma es muy difícil de conquistar». Los años que pasó en Sudáfrica fortalecieron la resolución de Gandhi y le impartieron las lecciones que emplearía en su patria. **◂1911.7 ▸1916.12**

NACIMIENTOS

Yuri Andropov, líder político soviético.

Pierre Balmain, diseñador de moda francés.

Adolfo Bioy Casares, escritor argentino.

William S. Burroughs, novelista estadounidense.

J. Caro Baroja, antropólogo español.

Julio Cortázar, escritor argentino.

Joe DiMaggio, jugador de béisbol estadounidense.

Alec Guinness, actor británico.

Thor Heyerdahl, antropólogo y explorador noruego.

Joe Louis, boxeador estadounidense.

Bernard Malamud, escritor estadounidense.

J. C. Onganía, militar y político argentino.

Octavio Paz, escritor mexicano.

Sviatoslav Richter, músico ruso.

William C. Westmoreland, general estadounidense.

MUERTES

Delmira Augustini, poetisa uruguaya.

Henri Alain-Fournier, escritor francés.

Ambrose Bierce, escritor estadounidense.

R. Delgado, escritor mexicano.

Francisco Fernando, archiduque de Austria.

Jean Jaurès, político francés.

August Macke, pintor alemán.

Frédéric Mistral, poeta francés.

John Muir, naturalista estadounidense.

Charles Péguy, escritor francés.

Pío X, Papa católico.

Richard W. Sears, comerciante estadounidense.

George Westinghouse, industrial estadounidense.

Pintura y escultura: ***La esposa del viento*** **(Oskar Kokoschka);** ***Caballo*** **(Raymond Duchamp-Villon);** ***Proyecto de una ciudad nueva*** **(Antonio Sant 'Elia) [...] Cine:** ***Tillie's Punctured Romance*** **(Mack Sennett);** ***The Avenging Conscience*** **(D. W. Griffith); [...] Teatro:** ***Pigmalión*** **(G. B. Shaw);** ***Watch Your Step!*** **(Irving Berlin);** ***Twin Beds*** **(Fields y Mayo).**

«El grado de civilización de una sociedad puede medirse por la situación alcanzada por las mujeres en su lucha por la igualdad de derechos.»—**Ch. Fourier**

NOVEDADES DE 1914

Mapas de carreteras de la Gulf Oil.

Chicle Doublemint de Wrigley.

Máquina de teletipos.

Comedia de largo metraje (*Tillie's Punctured Romance*, de Mack Sennett).

EN EL MUNDO

►PROMOTOR DE CACAHUETES—La agricultura sureña americana, devastada por los gorgojos y la superproducción de algodón, encontró su salvador en George Washington Carver, un botánico cuya madre había sido esclava. En 1914, Carver trabajaba en el Instituto Tuskegee de Alabama y presentó los resultados de sus experimentos con dos cultivos alternativos: los cacahuetes y los boniatos. Además de regenerar el suelo, a partir de ellos podían elaborarse productos como harina, jabón, queso y caucho sintético.

►EL DÍA DE LA MADRE —La campaña de seis años de antigüedad de Anna May Jarvis para crear un día de fiesta nacional en honor a las madres consiguió su propósito en 1914, cuando el presidente Wilson designó oficialmente el segundo domingo de mayo como día de la madre. Convencida de que había descuidado a su madre mientras vivía, Jarvis, una sufragista de Filadelfia, trabajadora tenaz y maestra de escuela, había empezado su campaña con un funeral en memoria de su madre en el que regaló un clavel a todas las madres presentes. Su idea se difundió por todo el país.

►EL BLUES—Con su canción, ahora clásica, «St. Louis Blues», el compositor negro W. C. Handy transformó el *blues*, música popular sureña poco conocida, en un género que captó la atención internacional. La canción, una mezcla de *ragtime* y un género nuevo embrionario

REFORMA SOCIAL

La otra guerra: la lucha por el sufragio femenino

5 1914 fue un año importante para quienes reclamaban la igualdad entre hombres y mujeres. Dos factores contribuyeron a este proceso. La guerra europea fomentó la incorporación de las mujeres al mundo del trabajo y les otorgó nuevas responsabilidades sociales como sustitutas de los hombres que se hallaban en los frentes de batalla. Sin embargo, antes del estallido de la guerra en Gran Bretaña, las sufragistas, las que reclamaban el derecho del voto para las mujeres, abandonaron el carácter pacifista de sus campañas y realizaron una serie de actos que transgredían las leyes. A mediados de febrero las activistas apedrearon el edificio del Ministerio del Interior y quemaron un pabellón del Lawn Tennis Club. En marzo, una de las mejores obras de Velázquez, *La Venus del espejo*, que formaba parte de las colecciones de la National Gallery, resultó gravemente dañada por el ataque de una exaltada feminista. La detención de las sufragistas no interrumpió su lucha. En prisión, líderes feministas como Emmetine Pankhurst y Mary Richardson realizaron una huelga de hambre para reclamar los derechos de la mujer así como también su libertad personal. Aunque la Gran Guerra colocó este conflicto en un segundo plano, cuando acabaron las hostilidades los países de Europa occidental tuvieron que reconocer la igualdad política de hombres y mujeres y establecer el derecho al voto femenino.

ÁFRICA OCCIDENTAL

La colonia británica de retales

6 En un acto de vanidad imperialista suprema, en 1914 el gobierno británico unió sus dos colonias del África occidental, el norte y el sur de Nigeria, en un sólo territorio para simplificar la administración colonial. La nueva colonia se formó con varios reinos africanos, ciudades-estado, grupos étnicos y bloques comerciales, sin tener en cuenta sus divergencias lingüísticas, religiosas y sociales. La Nigeria unificada permaneció bajo control británico hasta 1960, año en

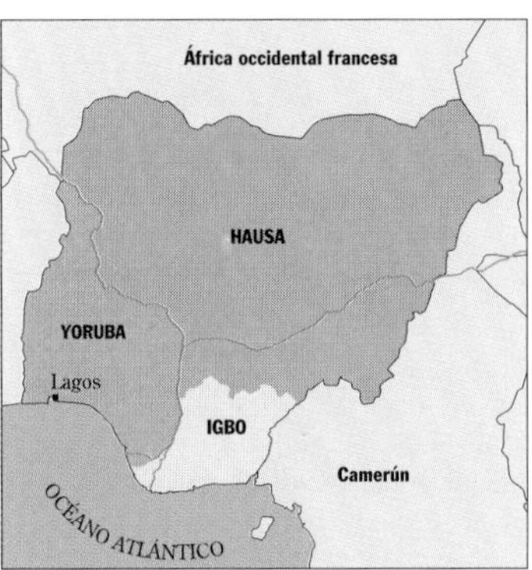

La nueva Nigeria tenía una población políglota de unos diecisiete millones de habitantes.

que consiguió la independencia y estalló una guerra civil.

La amalgama de 1914 unió dos territorios extensos que estaban construidos a su vez por amalgamas coloniales. El territorio del norte estaba controlado por los emiratos islámicos Fulani; en el oeste se encontraban los reinos urbanos de Yoruba y de Benin; el este estaba dominado por los pueblos de habla igbo. Se hablaban más de cien idiomas y dialectos en todo el territorio. Gran Bretaña confió en las estructuras sociales preexistentes para mantener unida su colonia de retales. Los jefes tradicionales controlaban sus territorios, pero respondían de ellos directamente ante la Corona. El rey Jorge V, por una vez, se sintió satisfecho con el arreglo y escribió a su gobernador general: «En ocasión de la amalgama de las dos Nigerias deseo que transmitas a los emires, a los jefes y a todos los habitantes del nuevo protectorado y de la colonia mis mejores deseos para su felicidad futura.» ►**1967.6**

CULTURA POPULAR

La danza-manía

7 La segunda década del siglo fue un período próspero en Estados Unidos, y la gente se divertía bailando. La estética de los bailes de salón, glorificada por la popular *Viuda alegre*, engendró una «danza-manía» que alcanzó su punto álgido en 1914, con la moda del *fox-trot*. Al combinar con inteligencia la animación del *ragtime* con la calma de la alta sociedad, el *fox-trot* reflejó a la perfección la imagen de la modernidad americana. En Europa su llamada a la despreocupación también convirtió el *fox-trot* en el baile favorito de una población en guerra.

Aumenta la frecuencia de los enfrentamientos entre las sufragistas y la policía.

DEPORTES: Boxeo: Jack Dempsey debuta como «Kid Blackie» [...] Ajedrez: Emanuel Lesker, matemático alemán, derrota al campeón cubano José Capablanca [...] Fútbol: 50 aniversario de la Asociación Británica de Fútbol.

«Se han puesto reparos al baile en el sentido de que es malo, inmoral y vulgar. No es así en absoluto cuando los bailarines guardan la compostura.»—**Irene y Vernon Castle, en *Modern Dancing***

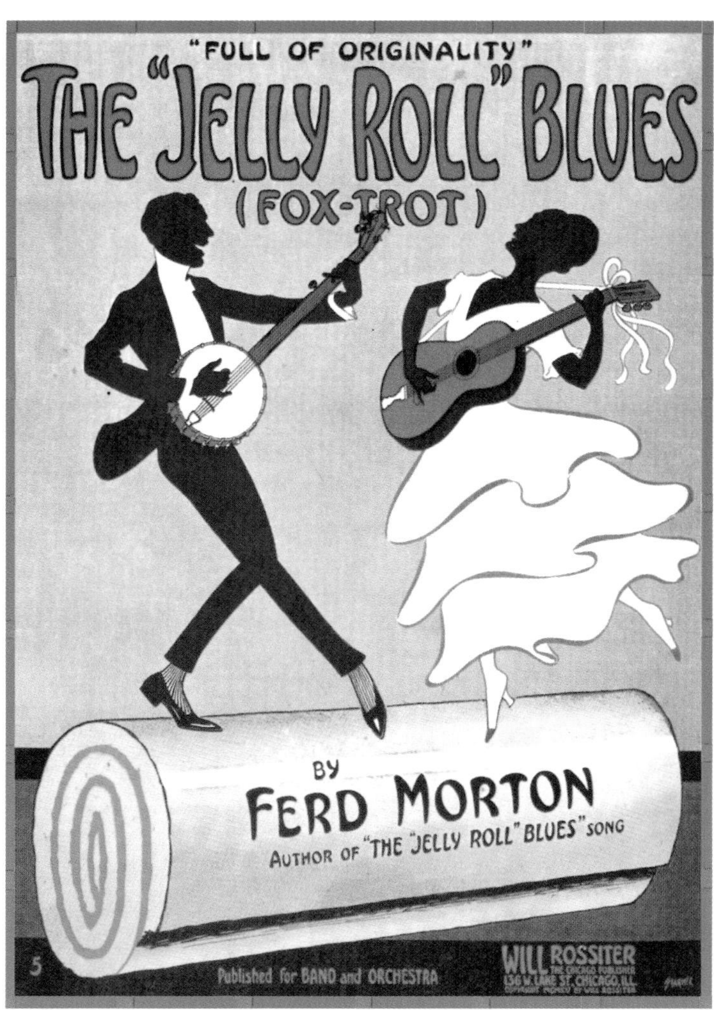

Juego de pies fantástico: el *fox-trot* (pasos en el diagrama, *inferior*) tomó a América por asalto.

El baile tomó su nombre de un actor de variedades llamado Harry Fox, que incorporó un paso de trote a su número habitual en el Ziegfeld Follies. El paradigma de este baile de salón normalmente incluye dos pasos andados, un paso al lado y un cuarto de vuelta, ejecutado por un hombre y una mujer cogidos a la manera tradicional de los bailes de salón, que se mueven al son de una melodía sincopada con ritmo de cuatro por cuatro.

El paso uno es una de las variaciones de este baile y fue popularizado por Irene y Vernon Castle. Según la leyenda, los dos actores en paro de Broadway estaban de luna de miel en París y empezaron a bailar en un café de postín. Como el vestido de Irene limitaba sus movimientos, crearon de forma accidental una versión del *fox-trot* un poco más rápida. Al volver a Nueva York, los recién casados presentaron su «paso Castle» (así como otros pasos de baile moderno) en una gira triunfal por los musicales de Broadway y en demostraciones de baile. La pareja, gracias a su increíble popularidad, también ejerció una influencia cultural importante. Eran muy aficionados al *jazz* y contribuyeron a que la música negra y el baile formaran parte integral de la cultura blanca. Irene rompió una lanza a favor de la emancipación de las mujeres: imitando su estilo, millones de mujeres se cortaron el pelo y dejaron de llevar los rígidos corsés. **◂1905.11 ▸1915.8**

mujer

hombre

REFORMA SOCIAL

Garvey funda la UNIA

8 La Universal Negro Improvement Association, UNIA (Asociación Universal para la mejora del Negro), fundada en Jamaica por Marcus Garvey en 1914 fue el primer movimiento internacional de la población negra. La organización empezó como una combinación de cámara de comercio, liga misionera (la UNIA esperaba cristianizar a los africanos «atrasados»), sociedad de ayuda y fundación educativa. Garvey la creó pensando en lo que los negros podrían realizar si dejaban de ser víctimas del imperialismo y establecían corporaciones, naciones, incluso imperios de su propiedad. La independencia económica era su prioridad máxima. Garvey, un editor de periódicos que había concebido la UNIA después de estudiar historia africana en Inglaterra, dijo: «El negro vive de prestado. Si Edison apaga su luz eléctrica, nos quedaremos a oscuras». En 1916, Garvey trasladó su cruzada de Jamaica a Estados Unidos, donde su feroz oratoria atrajo a miles de personas. Pronto puso en funcionamiento algunos negocios, entre los que destaca una compañía de barcos de vapor llamada Black Star Line.

Cuando la UNIA se expandió (en 1925 tenía unos seis millones de miembros), se dedicó a enviar negros «de vuelta a África» para construir un estado utópico. La Black Star Line se convirtió en una pieza central de esta idea y fue la ruina de Garvey porque las autoridades norteamericanas acusaron a la compañía de fraude postal. El jamaicano, autodidacta y corpulento, muchas veces se presentaba vestido con un uniforme napoleónico y se convertía en blanco fácil para las burlas. Según los intelectuales negros, como W. E. B. Du Bois, era un demagogo. Según el gobierno de Estados Unidos era un estafador. No obstante, para millones de personas de descendencia africana era un profeta, y sus ideas influenciaron a visionarios posteriores como Malcolm X y el jamaicano cantante de *reggae* Bob Marley. **◂1910.7 ▸1928.13**

El movimiento de Marcus Garvey, «vuelta a África», se apoderó de la imaginación de las generaciones negras posteriores.

llamado *blues*, introducía arreglos orquestales tradicionales en la melodía rica y nostálgica del folklore negro. (Aunque estaba ciego, Handy dirigía su propia orquesta.) Su técnica se basaba en el uso de notas melancólicas («*blue*»), tonos poco correctos o desconcertantes que se desgranaban entre las escalas mayor y menor. La música de Handy fue la base de la improvisación en la transición del *ragtime* al *jazz*. ▸1917.5

▸POLÍTICA, AMOR Y MUERTE—El enfrentamiento político entre el ministro de hacienda francés, Joseph Caillaux y el diario *Le Figaro*, portavoz de la derecha, desembocó en un episodio sangriento. *Le Figaro* había desarrollado durante meses una durísima campaña contra las medidas fiscales del ministro radical. En la defensa de los intereses económicos del «gran dinero», amenazados por las reformas de Caillaux, *Le Figaro* había llegado a las alusiones personales. El último peldaño de esta escalada consistió en el anuncio de la publicación de las cartas de amor que habían intercambiado los esposos Caillaux durante su noviazgo. Madame Caillaux, en un intento frustrado de recuperar esta correspondencia, asesinó al jefe de redacción del periódico, Gaston Colmette, el 16 de marzo de 1914.

PRIMERA GUERRA MUNDIAL

▸EL INICIO DE LA GUERRA —La batalla de las fronteras (entre el 14 y el 25 de agosto), que abrió el frente occidental de la Primera Guerra Mundial, costó 250.000 vidas francesas. (Estas cifras fueron censuradas hasta después de

POLÍTICA Y ECONOMÍA: Henry Ford paga a sus trabajadores el sueldo sin precedentes de 5 dólares por una jornada de ocho horas [...] Gran Bretaña considera a Egipto su protectorado y se anexiona Chipre [...] España opta por la neutralidad en la guerra europea.

«El espacio no es un montón de puntos muy cercanos; es un montón de distancias entrelazadas.»—**Sir Arthur Stanley Eddington**

la guerra.) Los alemanes recuperaron Lorena y derrotaron a los franceses en Charleroi; a los británicos en Mons, Bélgica, y, dirigidos por el general Alexander von Kluck, avanzaron hacia París.

►LA BATALLA DE FLANDES —Las tropas aliadas se retiraron más allá del río Marne y se atrincheraron. La batalla del Marne, entre el 5 y

el 12 de septiembre, detuvo el avance de los alemanes hacia París. Los franceses contraatacaron en el río Aisne, en el Somme y en la primera batalla de Arras, pero no pudieron desalojar a los alemanes. Esta serie de combates, llamados la batalla de Flandes, fueron las últimas batallas en campo abierto en el frente occidental.

►EL AVANCE RUSO SE DETIENE—La batalla de Tannenberg, entre el 26 y el 30 de agosto, acabó con la serie de victorias rusas a través del este de Prusia y Galitzia. El ejército alemán, bajo el mando del general Paul von Hindenburg, rodeó a los rusos y capturó a cien mil hombres.

►LA GUERRA DE TRINCHERAS—La primera batalla de Ypres, entre el 30 de octubre y el 24 de noviembre, marcó la llegada de la guerra de trincheras. Un número mayor de franceses, ingleses y belgas resistió el ataque alemán a Calais y Dunkerque durante 34 días.

►LA BATALLA DE LAS MALVINAS—El 8 de diciembre, el almirante Graf Maximillian von Spee volvió al Atlántico y hundió varios barcos de una escuadra británica dirigida por el contraalmirante sir Frederick Charles Doveton Sturdee.

ESTADOS UNIDOS

Apertura del canal de Panamá

9 Teddy Roosevelt dijo con grandiosidad que su proyecto de la selva malaria de Panamá sería «la obra de ingeniería más importante y formidable de la historia». Completamente terminado en 1914, el nuevo canal de Panamá comunicaba los océanos Atlántico y Pacífico. Con el canal, los barcos mercantes de Occidente accedían por un atajo hacia los mercados asiáticos, y Estados Unidos conseguía una comunicación naval sin precedentes entre sus dos costas. Un político británico calificó al canal de 81,5 km de longitud como «la mayor libertad que el hombre se había tomado con la naturaleza».

Aunque Roosevelt fue el promotor del canal, Woodrow Wilson era el presidente en el momento de la apertura, un capricho del destino que molestó en exceso al expresidente rebelde. Cuando Wilson propuso que Estados Unidos compensara a Colombia con una indemnización de 25 millones de dólares por haber ocupado la zona del canal, Roosevelt consideró que la propuesta era como «un crimen contra Estados Unidos». Intimidado por sus vociferaciones, el Senado rechazó la propuesta de Wilson. (En 1921, tras la muerte de Roosevelt, Estados Unidos concedió a Colombia los 25 millones de dólares.) Wilson y Roosevelt representaron las dos actitudes emocionales que definirían la relación entre Estados Unidos y el valioso canal durante el siglo: uno, propietario y soberbio hasta el final; el otro, un poco incómodo y culpable. **◄1903.2 ►1921.NM**

Las compuertas de una cámara de la exclusa más baja del canal de Panamá, en construcción en 1913.

CIENCIA

La carrera estelar de Eddington

10 Sir Arthur Stanley Eddington fue nombrado director del observatorio de Cambridge en 1914. En aquel momento, el fundador de la astrofísica teórica moderna inició una carrera de 30 años que cambiaría el modo de ver las estrellas. Tras la publicación de su primer libro, *Los movimientos estelares y la estructura del Universo*, un compendio de los conocimientos que se tenían hasta entonces sobre el movimiento de las estrellas, Eddington siguió investigando y desentrañó algunos de los misterios más recónditos del Universo: cómo radian la energía las estrellas, de qué están formadas y la relación entre su luminosidad y su masa.

Fascinado desde siempre por los números de muchas cifras, Eddington había intentado de niño contabilizar todas las palabras de la Biblia; con su seguridad característica predijo el número de protones del Universo. La fórmula conocida como «número de Eddington» es: 136×2^{256}.

En 1919 dirigió el equipo que probó la teoría general de la relatividad de Einstein. Aunque la lluvia y las nubes estorbaron la visión de Eddington de un eclipse solar en isla Príncipe, en la costa oeste de África, su equipo observó que los rayos de luz emitidos por las estrellas se desvían a medida que se acercan al sol, tal y como había predicho Einstein. Unos meses después, las mediciones realizadas por sus colaboradores en Brasil confirmaron estas observaciones. Un colega le dijo más tarde: «Debes ser una de las tres personas del mundo que comprende la teoría general de la relatividad». Eddington declinó el cumplido. «No seas modesto», le respondió otro científico. «Al contrario, intento pensar quién es la tercera», replicó Eddington. **◄1913.1 ►1916.9**

MEDICINA

A corazón abierto

11 Los colegas americanos del Dr. Alexis Carrel que asistieron a la convención de 1914 de la Asociación Americana de Cirugía recibieron como una revelación la noticia de que éste había realizado

Una caricatura muestra el escepticismo ante los experimentos del Dr. Carrel.

con éxito cirugía cardíaca experimental en un perro. Mientras trabajaba en el Instituto Rockefeller para la Investigación Médica en Nueva York, Carrel, nacido en Francia, había colapsado los vasos sanguíneos que entran y salen del corazón del animal y había conseguido detener la circulación de la sangre durante dos minutos y medio, el tiempo suficiente para realizar algunas operaciones menores en la válvula cardíaca.

El cirujano explicó que el experimento demostraba que la cirugía cardíaca era médicamente posible en seres humanos. Carrel, que recibió el Premio Nobel de 1912 por su método pionero de sutura de los vasos sanguíneos y por sus tempranos intentos de transplantes de órganos, dijo: «Espero que esta técnica pueda ser aplicada gradualmente a la cirugía humana». **◄1912.9 ►1952.12**

PREMIOS NOBEL: Paz: Sin galardón [...] Literatura: Sin galardón [...] Química: Theodore Richards (estadounidense; el peso atómico de los elementos) [...] Medicina: Robert Bárány (austríaco; aparato que equilibra el oído interno) [...] Física: Max von Laue (alemán; difracción de los rayos X).

Un héroe célebre en todo el mundo

De *Tarzan de los monos,* por Edgar Rice Burroughs, 1914

THEN HE LOWERED A FOOT, RAISED DICK DARTLY FROM THE CHURNING STREAM, AND BORE HIM ASHORE.

Hijo de un acaudalado hombre de negocios norteamericano, el novelista Edgar Rice Burroughs se dedicó a escribir tras catorce años de aventuras fallidas en los negocios. Con la publicación en 1914 de Tarzán de los monos, *Burroughs no sólo inventó una historia de aventuras exóticas, también creó un héroe que se hizo popular en todo el mundo: Tarzán, hijo de un noble inglés, que queda huérfano en mitad de la jungla africana y que es criado por una tribu de monos. La novela y muchas de sus secuelas fueron traducidas a 56 lenguas y vendieron 25 millones de copias en todo el mundo. La siguiente escena explica el primer encuentro entre Tarzan y Jane, la inteligente e impetuosa hija de un científico americano que había sido raptada y arrastrada a la selva frondosa por Terkoz, un mono pícaro y enorme, y el archienemigo de Tarzán.*

Jane apoyaba su cuerpo ágil y joven contra el tronco de un gran árbol, apretaba las manos contra el pecho y con una mezcla de horror, fascinación, temor y admiración en la mirada, observaba la lucha entre el mono primordial y el hombre primitivo por la posesión de una mujer: ella.

Cuando la espalda musculada y los hombros del hombre se contrajeron por la tensión de sus esfuerzos, y el enorme bíceps y el antebrazo mantuvieron acorralados aquellos colmillos, el velo de siglos de civilización y cultura cayó ante la mirada borrosa de la muchacha de Baltimore.

En el momento en que apuñaló una docena de veces el corazón sangriento de Terkoz y el gran cuerpo rodó sin vida sobre el suelo, fue una mujer primitiva la que corrió hacia los brazos extendidos del hombre primitivo que había luchado por ella y la había ganado.

¿Y Tarzán?

Hizo lo que un hombre con sangre en las venas no necesita aprender. Tomó a la mujer en sus brazos y cubrió de besos sus labios jadeantes.

Por un momento, Jane permaneció allí con los ojos entornados. Por un momento, el primero en su joven vida, conoció el significado del amor.

Sin embargo, tan repentinamente como el velo había caído, volvió a cubrirlo todo, la conciencia violentada sofocó su rostro con el manto del rubor y como una mujer mortificada apartó a Tarzán de los monos de ella y enterró la cara entre las manos.

Tarzán se había sorprendido cuando encontró a la muchacha que había aprendido a amar de manera vaga y abstracta como una prisionera complaciente entre sus brazos. Ahora estaba sorprendido de que lo rechazara.

Se acercó a ella una vez más y tocó su brazo. Ella se volvió hacia él como una tigresa, golpeando su ancho pecho con sus pequeñas manos.

Tarzán no podía entenderlo.

Un momento antes había tenido la intención de devolver a Jane a su gente, pero ahora ese corto instante se había perdido en el pasado turbio y distante de cosas que habían pasado pero que no podían volver a suceder, y con él las buenas intenciones se habían convertido en imposibles.

Tarzán de los monos había sentido un cuerpo cálido y menudo abrazado al suyo, un aliento caliente y dulce contra su mejilla, su boca había encendido una nueva llama que vivía en su pecho y unos labios perfectos se habían unido a los suyos en besos abrasadores que habían dejado su marca al rojo vivo en el alma, un hierro candente que marcaba a un Tarzán nuevo.

Puso su mano sobre el brazo de ella de nuevo, y de nuevo ella lo rechazó. Entonces Tarzán de los Monos hizo precisamente lo que su primer ancestro hubiera hecho.

Tomó en brazos a su mujer y la llevó a la selva.

El héroe hombre-mono de Burroughs ha sido encarnado docenas de veces, en películas, en la radio, en la televisión y en cómics *(extremo superior izquierda)*. El primer Tarzán de celuloide fue Elmo Lincoln *(extremo superior derecha)* en 1918. El más famoso fue el excampeón olímpico Johnny Weissmuller (*superior*, en *Tarzán y su compañera*, con Maureen O'Sullivan como Jane). Miles O'Keeffe representó el papel titular en la olvidable película *Tarzán, el hombre mono* (1981).

«Recuerda lo pequeño que era el mundo antes de que yo llegara. He dado la vida a todo esto: he trasladado el mundo entero a una pantalla de 6 m»—**D.W. Griffith, director de *El nacimiento de una nación***

HISTORIA DEL AÑO

El nacimiento del cine

1 *El nacimiento de una nación* de David Mark Griffith fue una película polémica desde el día de su estreno en Nueva York, el 3 de marzo de 1915. Por un lado, se presentó como la primera obra de «arte» que el reciente sistema cinematográfico había producido. Con su epopeya majestuosa y ambiciosa, Griffith perfeccionó muchas de las técnicas más importantes del cine: el primer plano (que exigía un estilo de actuar nuevo y más sutil creado especialmente para la pantalla y no para la escena teatral); cl plano largo panorámico; la aparición o desaparición gradual; el cruce y corte de planos para sugerir acciones simultáneas en distintas localizaciones. Lillian Gish, una de las estrellas de la película, explicó más tarde que Griffith había redactado «la gramática de la filmación». Por otro lado, la película relataba la historia defendiendo la supremacía de los blancos sobre los negros. La NAACP montó la protesta más significativa desde su formación cinco años y medio antes e intentó que la película no se proyectara en muchas ciudades.

Entre 1908 y 1913, Griffith, el hijo de un coronel confederado, había rodado más de cuatrocientas películas para la Biograph Company, once de ellas sobre la guerra civil. Sin embargo, con *El nacimiento,* Griffith trabajó a gran escala. La película costó la cantidad exorbitante de 110.000 dólares de rodaje (y verla costaba 2 dólares), duraba tres horas. La historia se centraba en dos familias: los Stoneman del norte y los Cameron del sur. Con las historias de las familias se intercalaban acontecimientos como la liberación de los esclavos por parte de Lincoln, la marcha de Sherman sobre Atlanta, batallas de la guerra civil (escenificadas con una precisión sorprendente) y, lo más infame, un relato afable sobre la formación del Ku Klux Klan.

La propaganda de *El nacimiento de una nación* presentaba a un miembro del Ku Klux Klan como un héroe.

Así nació el legado doble de la película: era a la vez un logro cinematográfico arrollador y una apología de los aspectos más lamentables del carácter americano. La película y su autor se vieron desfavorecidos tanto por el clima político de la nación como por la tecnología cinematográfica que los sobrepasó. Treinta años después, el crítico James Agee alabó esta película como «la mejor película legendaria y trágica [...] al nivel de las fotografías de Brady, los discursos de Lincoln y los poemas de guerra de Whitman». ◂1910.7 ▸1919.3

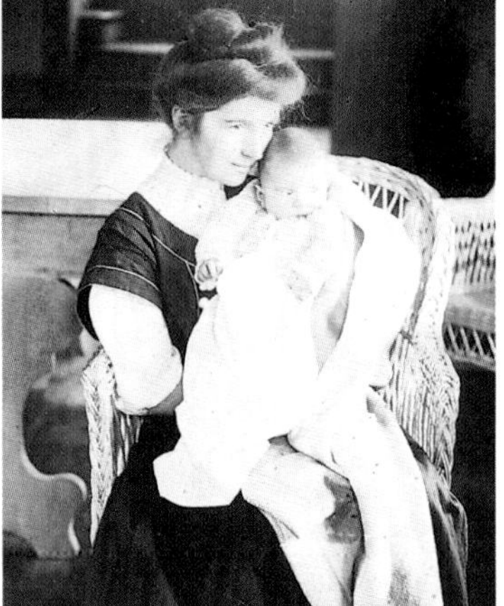

Margaret Sanger, pionera del control de natalidad, con Grant, uno de sus tres hijos.

REFORMA SOCIAL

Sanger y el control de natalidad

2 Margaret Sanger regresó a Nueva York dispuesta a afrontar un proceso en septiembre de 1915, tras un año de permanecer fuera de la ley. Sanger fue acusada de difundir obscenidades a través del correo, violando la ley Comstock de 1873. Enfermera y extremista había empezado a publicar el año anterior una revista política de título *Mujer rebelde.* Entre los artículos sobre el sufragio de las mujeres y sobre los derechos de los trabajadores se encontraba una llamada a la contracepción como medio de atemorizar a la «clase capitalista». Las referencias a la contracepción (Sanger fue la primera en llamarla control de natalidad) causaron conmoción a pesar de que el artículo no contenía ningún consejo específico. El administrador de correos de Nueva York decidió que la revista no se debía enviar por correo, pero Sanger la divulgó por todas partes. En agosto fue acusada. Mientras esperaba el juicio publicó el panfleto «Limitación de la familia».

Novata en las causas políticas, Sanger no había preparado su defensa. Cuando fue citada le entró pánico y huyó a Londres. Allí conoció al investigador sexual Havelock Ellis, que se convirtió en su amante y mentor. Durante el año siguiente y bajo la tutela de Ellis, Sanger redujo su amplia agenda izquierdista y se concentró exclusivamente en el tema del control de natalidad. Estudió todo lo que encontró sobre la cuestión y se centró en la advertencia de Ellis de que el cambio de las leyes «requería más *habilidad* que fuerza».

Regresó a Nueva York con la esperanza de obligar a los tribunales a que dictaminaran si los consejos contraconceptivos eran o no obscenos. Vio defraudadas sus esperanzas cuando el fiscal retiró su caso, tras meses de lucha legal. En octubre de 1916, unos meses más tarde, Sanger abrió la primera clínica americana de control de natalidad en Brooklyn.

La clínica tuvo 464 pacientes durante sus primeros nueve días, al décimo Sanger fue arrestada de nuevo. El juez le ofreció clemencia a cambio de la promesa de no difundir información sobre la anticoncepción. Sanger se negó y fue sentenciada a treinta días en un asilo. Continuó dando conferencias durante la década siguiente en 1921 fundó la Liga Americana para el Control de la Natalidad y colaboró en la organización de la Primera Conferencia Mundial de Población de 1927. ▸1960.1

PRIMERA GUERRA MUNDIAL

Avance de las potencias centrales

3 En 1915, la Primera Guerra Mundial creció terriblemente en intensidad y extensión. La incomparable organización militar de Alemania permitió el avance de las potencias centrales en casi todos los frentes. A pesar de su mayor número de efectivos y de su superioridad

Los franceses y los británicos querían dar una buena patada a las potencias centrales, pero tropezaron con el desastre en Dardanelos.

naval, los aliados sufrieron incontables reveses.

El año comenzó bien para los aliados pero enseguida empeoró. En enero, los cruceros británicos hundieron un barco de guerra alemán e inutilizaron dos más en una batalla en la costa este de Inglaterra. Poco después una escuadra británica y francesa salió para arrebatar a Turquía el control sobre el estrecho de Dardanelos, que une el Mediterráneo con el mar Negro. Los atacantes bombardearon los fortines que vigilaban el estrecho

ARTE Y CULTURA: Libros: ***Antología de Spoon River*** (Edgar Lee Masters); ***El arco iris*** (D. H. Lawrence); ***El genio*** (Theodore Dreiser); ***Cathay*** (Ezra Pound); ***La metamorfosis*** (Kafka, escrita en 1912); ***La servidumbre humana*** (W. S. Maugham) [...]

«Luchaban aterrorizados, corriendo a ciegas en la nube de gas [...]. Cientos de ellos cayeron y murieron; otros yacían desvalidos, echaban espuma por la boca [...]»—**Un oficial británico en una descripción de los soldados atacados con gas de cloro**

y se acercaron para encontrarse bajo un fuego arrollador. Se perdieron varios barcos y dos mil hombres antes de la retirada. En agosto, una incursión por tierra sobre Gallipoli (la península que domina el estrecho) todavía resultó más desastrosa, con setenta mil bajas aliadas. Otros cuarenta mil murieron, fueron heridos o capturados en diciembre, cuando se abandonó la ofensiva.

Los rusos también sufrieron contrariedades humillantes. Entre enero y abril avanzaron a través de Galitzia, una propiedad de la corona austríaca, más tarde gobernada por Polonia. Sin embargo, en otoño, las fuerzas alemanas y austro-húngaras habían conseguido la mayor parte de la región, incluyendo la ciudad de Varsovia, y habían asolado provincias rusas del oeste. Las bajas rusas ascendían a un millón y medio. En septiembre el zar Nicolás II asumió personalmente el mando del ejército ruso. Aunque carecía de experiencia en combate, esperaba que su real presencia estimulara la moral de sus soldados, un tercio de los cuales carecían de armas.

En el frente occidental, los aliados emprendieron una ofensiva en Bélgica y Francia. Los soldados salieron de sus trincheras y murieron a millares; la línea aliada avanzó 1,5 km como máximo. Los soldados anglo-indios avanzaron 800 km en el interior de la Mesopotamia turca. Sin embargo antes de llegar a Bagdad, los diecinueve mil hombres de la expedición tropezaron con una resistencia enérgica. Retirada a la ciudad de Kūt-al-Amaras, las fuerzas británicas fueron cercadas y sitiadas.

Nuevos combatientes se unieron a la lucha. En mayo, Italia, resucitando su antigua rivalidad con Austria-Hungría, abandonó la neutralidad y emprendió una serie de ataques a lo largo del río Isonzo. Los italianos ganaron poco terreno y perdieron cerca de doscientos mil hombres. Bulgaria tomó las armas contra los aliados en octubre y consiguió subyugar a Serbia con la ayuda de soldados alemanes y austro-húngaros.

En febrero, Alemania incrementó sus ataques a los barcos británicos y declaró que cualquier barco que estuviera en aguas inglesas o irlandesas podía ser objeto de ataques submarinos. Docenas de barcos mercantes de muchas naciones fueron hundidos. El más famoso fue el transatlántico de pasajeros *Lusitania*, el 7 de mayo. Entre los 1.198 muertos había 128 americanos, hecho que influyó en que la opinión pública americana estuviera a favor de la intervención. **◂1914.2 ▸1916.1**

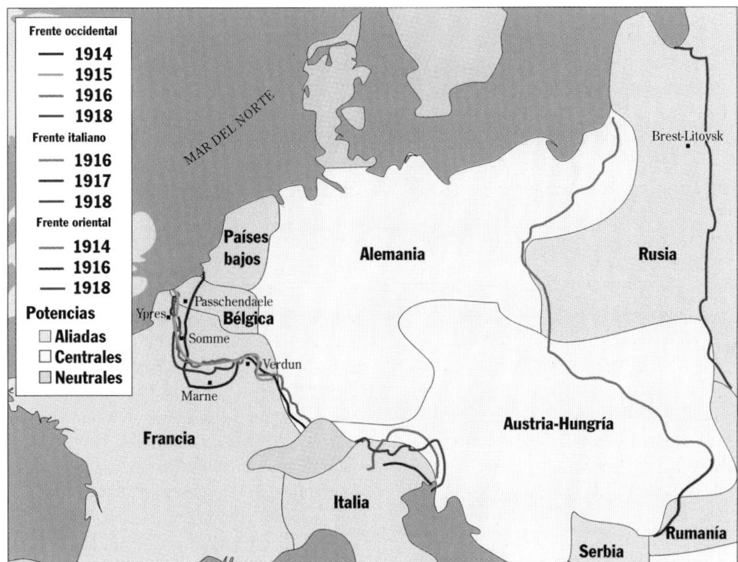

Los frentes de la Primera Guerra Mundial: excepto en el este, apenas se movieron en el curso de la guerra.

PRIMERA GUERRA MUNDIAL

Nuevos métodos para matar

4 La nueva tecnología armamentística se añadió a los horrores de la guerra. Cada innovación engendraba su contrapartida que, a su vez, creaba otra innovación en una espiral de violencia interminable. Los submarinos se utilizaban para defender las costas desde 1880, pero los alemanes los utilizaron por primera vez para el bloqueo británico. En 1915 se desarrolló el hidrofono, un micrófono submarino diseñado para prevenir la proximidad de los submarinos. (Así éstos se podían hundir con una carga de profundidad recién inventada.) La mayor capacidad de los aliados para interceptar submarinos obligó a los alemanes a atacar más deprisa, incrementando el riesgo de hundimiento de barcos sin armas.

Las bombas aéreas, lanzadas esporádicamente por los italianos en su campaña de 1911 contra los turcos-otomanos en el norte de África, se emplearon en grandes cantidades por primera vez en febrero, cuando los zepelines alemanes empezaron a bombardear Inglaterra. Aunque el káiser había ordenado que sólo se disparara contra objetivos militares, la precisión no era técnicamente posible. A finales de año, setecientas personas, la mayoría ciudadanos londinenses, habían muerto y habían sido heridas en 55 ataques. En marzo, los escuadrones de aeroplanos británicos empezaron a bombardear trenes que transportaban soldados alemanes. Las bombas, acopladas en el fuselaje, caían cuando el piloto tiraba de una cuerda. En 1918, ambos bandos utilizaban aeroplanos cuatrimotores enormes cargados con toneladas de explosivos. Los bombarderos estaban escoltados por aviones de combate ágiles y pequeños pilotados por ases como el barón alemán Manfred von Richthofen, el francés René Fonck, el británico Edward Mannok y el americano Eddie Rickenbacker. Los combates aéreos proporcionaron un campo de acción al valor individual en una guerra impersonal.

El comerciante de armas Gustav Krupp y su hijo en una caricatura. Los Krupp fueron los cabecillas del desarrollo del nuevo armamento.

Otra arma nueva, el gas venenoso, no pudo haber sido menos individual. Los alemanes lo emplearon por primera vez en el frente ruso, en enero de 1915. En abril empezaron los ataques regulares con gas en Ypres, Bélgica. Los aliados pronto respondieron del mismo modo. Ambos bandos empezaron a usar máscaras protectoras, pero se inventaron variedades nuevas de gas que penetraban en la piel. Atrapados en las trincheras, hombres y ratas murieron del mismo modo, agonizando lentamente. **◂1911.12 ▸1916.10**

NACIMIENTOS

Roland Barthes, crítico francés.

Saul Bellow, novelista canadiense-estadounidense.

Ingrid Bergman, actriz sueca-estadounidense.

Moshe Dayan, militar y líder político israelita.

Chaban Delmas, político francés.

Fred Hoyle, astrónomo británico.

Billie Holiday, cantante estadounidense.

Arthur Miller, dramaturgo estadounidense.

Les Paul, inventor y músico estadounidense.

Edith Piaf, cantante francesa.

Augusto Pinochet, presidente chileno.

David Rockefeller, banquero estadounidense.

Frank Sinatra, cantante y actor estadounidense.

Muddy Waters, músico estadounidense.

Orson Wells, actor y director cinematográfico estadounidense.

MUERTES

Rupert Brooke, poeta británico.

Luis Colome, escritor español.

Porfirio Díaz, político mexicano.

Paul Ehrlich, bacteriólogo alemán.

Giner de los Ríos, intelectual español.

Sergei Wite, político ruso.

Música: ***El amor brujo*** **(Manuel de Falla);** ***Variaciones de Mozart, Op. 32*** **(Max Reger);** ***Sinfonía alpina*** **(Richard Strauss);** ***Sinfonía n.º 5 en mi bemol mayor*** **(Jean Sibelius) [...] Pintura y escultura:** ***El tablero de ajedrez*** **(Juan Gris);** ***Los cuarteles de Compiègne*** **(Maurice Utrillo) [...] Cine: La marca del fuego (Cecil B. DeMille);** ***La trampa*** **(Charles Chaplin) [...] Teatro:** ***He Who Gets Slapped*** **(Leonid Andreyev).**

«¿Quién recuerda a un millón de armenios?»—**Adolf Hitler, antes de la invasión de Polonia de 1939**

NOVEDADES DE 1915

Primer avión metálico (fabricado por Junkers).

Aspirina en pastillas (Bayer).

Gas de cloro.

Máscaras de gas.

Pyrex (cristal borosilicato resistente a los golpes).

Kraft elabora queso.

EN EL MUNDO

▶FESTIVAL PAN PACÍFICO—Cerca de diecinueve millones de turistas se congregaron en la recién reconstruida San Francisco, «la ciudad amada en todo el mundo», para la Exposición Internacional Panamá-Pacífico

de 1915. La feria, una celebración ostentosa de la conclusión del canal de Panamá, era una excusa para que San Francisco mostrara su modernidad tras el terremoto. Las atracciones incluían la orquesta de John Philip Sousa y el primer espectáculo aéreo del país (oscurecido por el accidente fatal del piloto director de las acrobacias aéreas).

▶DIMISIÓN DE BRYAN—Tras el hundimiento del *Lusitania* el 7 de mayo, el secretario de estado pacifista William Jennings Bryan vio que el presidente Wilson estaba dispuesto a comprometerse con la guerra y dimitió. Sin embargo, una vez que Estados Unidos entró en la guerra la apoyó lealmente ▶1917.9.

▶LA NAVE DE LA PAZ—En 1915 Henry Ford, magnate automovilístico y apartado de la política, botó «La nave de la Paz» y navegó a Europa. Con el lema «Fuera de las trincheras y de regreso a casa

PRIMERA GUERRA MUNDIAL

Estados Unidos se prepara

5 Cuando estalló la Primera Guerra Mundial, el ejército estadounidense estaba constituido por tan sólo 92.710 hombres. Cerca de la mitad de éstos estaban destacados en Filipinas, en la zona del canal de Panamá y en otras posesiones norteamericanas. Unos veinticinco mil (apoyados por ciento veinte mil milicianos mal entrenados) tenían como misión la defensa de Estados Unidos. Esto dejaba un «ejército móvil» de 24.602 efectivos, el menos numeroso desde antes de la guerra civil. El presidente Wilson, que había declarado la neutralidad y había descartado el peligro de ataques extranjeros, estaba de acuerdo con estas cifras a diferencia de muchos ciudadanos influyentes que consideraban que la participación de Estados Unidos en la Gran Guerra era inevitable, deseable o ambas cosas. Dirigidos por el expresidente Theodore Roosevelt, dirigieron una campaña en favor de la «preparación» militar que, a finales de 1915, se había convertido en un movimiento nacional.

Roosevelt, un héroe de la guerra hispano-americana ansioso por resucitar su carrera política, injurió a Wilson llamándole amigo de «pacifistas profesionales y maricas». El general Leonard Wood lo secundó y prestó su prestigio a grupos de entrenamiento como la Liga de la Seguridad Nacional, la Asociación de la Defensa Americana y la Legión Americana. Un grupo de escritores y dibujantes muy conocidos que se autodenominaban los «Vigilantes» crearon la propaganda para la causa de forma sistemática. Un libro de 700 páginas titulado *La falta de preparación militar de Estados Unidos* causó sensación. Películas como *El grito de guerra de la paz* aterrorizaron al público con escenas de Alemania invadiendo Estados Unidos.

Los defensores de la no intervención hicieron constar que el desarrollo del entrenamiento militar estaba dirigido por industriales, oficiales del ejército, políticos de derechas y otros que esperaban sacar beneficios de la militarización. Sin embargo, la campaña, que mezclaba ondear de banderas, tráfico de miedo y hombría, se mostró efectiva. Los campos privados de entrenamiento militar se extendieron por todo el país atrayendo a miles de personas, y los desfiles llenaron las calles de las principales ciudades.

Wilson presidió pronto estos desfiles. Seguía oponiéndose a la intervención pero dijo: «Me avergonzaría de no haber aprendido nada en catorce meses». En diciembre incrementó en un 50 % el ejército regular y en un 300 % la reserva. Cuando Estados Unidos entró en la guerra en 1917, el número de soldados era de 208.000, todavía no lo suficientemente efectivo. Con la ayuda de un llamamiento a filas finalmente el país envió a la lucha a unos cuatro millones de soldados. **◀1915.3 ▶1916.1**

Las mujeres de Boston recogían huesos de melocotón para fabricar filtros de máscaras antigás.

IMPERIO OTOMANO

Matanza turca de armenios

6 Desde abril de 1915 y durante los años que duró la guerra, los súbditos armenios del Imperio Otomano fueron víctimas de una matanza sistemática que no tuvo igual hasta el exterminio nazi de judíos. Los armenios, que habían sufrido la violencia turca a finales del siglo XIX cuando el sultán sospechó que una conspiración rusa estaba tras los movimientos separatistas, se habían alegrado de que los Jóvenes Turcos tomaran el poder en 1908, prometiendo igualdad y libertad para todos. Pero el nuevo régimen rompió cruelmente sus promesas, obligando a los grupos étnicos no turcos a asimilarse. Los armenios cristianos fueron el blanco de los gobernantes musulmanes con un tratamiento especialmente severo. Después de que los turcos-otomanos tomaran partido por el bando alemán en la Primera Guerra Mundial (los armenios que estaban fuera del país

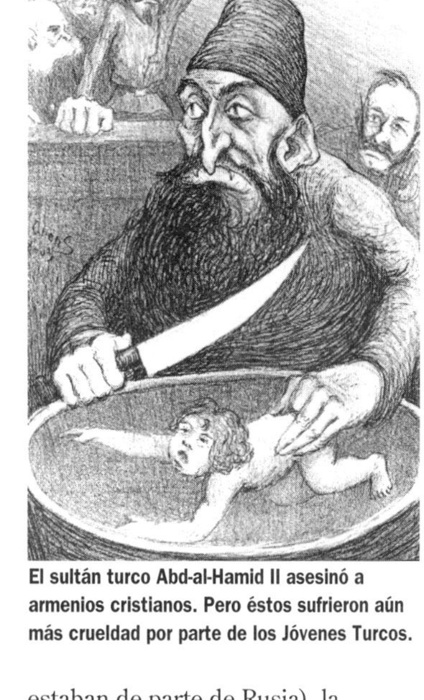

El sultán turco Abd-al-Hamid II asesinó a armenios cristianos. Pero éstos sufrieron aún más crueldad por parte de los Jóvenes Turcos.

estaban de parte de Rusia), la represión se convirtió en genocidio.

La matanza empezó de forma discreta. Los armenios que estaban en el ejército fueron desarmados y se les asignaron labores de tropa. Se les negó la comida, el abrigo y el reposo. Trabajaban para morir o incluso los mataban directamente. Les ordenaban que formaran y tomaran las armas y que marcharan por el campo, luego les disparaban o les clavaban la bayoneta. Los intelectuales y los sospechosos de subversión eran torturados antes de ser ejecutados. Mujeres, niños y viejos fueron obligados a andar cientos de kilómetros a través de montañas, pantanos y desiertos hacia los campos de concentración de Siria y Mesopotamia. Violentados y asaltados por sus escoltas militares y por civiles a lo largo del camino murieron de hambre, sed y frío o fueron asesinados por deporte. Un pastor armenio escribió: «Habíamos visto asesinatos, pero no habíamos visto esto nunca. Un asesinato acaba rápidamente, pero esta prolongación de la angustia es casi insoportable». Unos cuantos

DEPORTES: Tenis: Wimbledon se suspende por la duración de la guerra; el Campeonato de Tenis masculino sobre hierba de Estados Unidos se traslada a Forest Hills, Nueva York.

«Adoraba el sexo, servía al arte con pasión, veneraba a Dios y no dejaba de pedir perdón por su deslealtad a una cosa o a otra.»—**El crítico de danza Walter Terry sobre Ruth St. Denis**

Funcionarios de la Compañía de Teléfonos de Chicago prueban la línea transcontinental que llegó a su ciudad en junio.

enclaves armenios ofrecieron una resistencia feroz aunque inútil. Al final murieron entre seiscientos mil y un millón y medio de una población de dos millones y medio de armenios. **◂1909.10 ▸1915.NM**

TECNOLOGÍA

El teléfono a larga distancia

7 El 25 de enero de 1915 funcionarios, ejecutivos importantes y los directores de la American Telephone and Telegraph Company (AT&T) rodeaban a Alexander Graham Bell, sentado junto a su invento, el teléfono, en el piso decimoquinto del Telephone Building de Nueva York. Al otro lado del continente, en San Francisco, Thomas A. Watson también se hallaba a la espera, flanqueado de modo similar por políticos y ejecutivos. A las 16.30, hora del este, el Dr. Bell levantó el teléfono receptor que tenía delante y dijo: «Mr. Watson, ¿está usted ahí?». Watson presionó el receptor contra su oreja y aseguró a su antiguo jefe que sí, que había oído su pregunta con claridad. Luego Bell repitió las palabras que había dicho en 1876, cuando Watson y él habían tenido la primera conversación telefónica, entre dos pisos de una pensión de Boston. Repitió: «Mr. Watson, venga aquí. Quiero verle». La respuesta de Watson llegó desde 4.115 km de distancia: «Tardaría una semana en poder verle». De este modo se estableció la primera comunicación telefónica transcontinental.

La línea telefónica que permitió a Watson y Bell hablar a través del continente pesaba cerca de tres mil toneladas y se aguantaba por unos ciento treinta mil postes de teléfono. La línea principal tenía ramales en Jekyll Island, Georgia y Washington, y operaba como una amplia *«party line»*, ya que permitía que centenares de personas escucharan una conversación que mantuvieran otras dos en alguna de las cuatro ciudades. Mientras Bell y Watson conversaban, Theodore Vail, presidente de la AT&T, les interrumpió desde Jekyll Island para felicitarles. Más tarde, el presidente Woodrow Wilson habló desde Washington y declaró: «Parece cosa de fantasía hablar a través del continente».

En marzo, la operación comercial de la línea transcontinental había empezado. Una llamada desde Nueva York a San Francisco costaba 20 dólares con 70 centavos los tres minutos y casi siete dólares cada minuto adicional. **◂1901.1 ▸1927.NM**

DANZA

Apertura de la escuela Denishawn

8 Ruth St. Denis y Ted Shawn ya habían dejado huella en la danza del siglo XX cuando abrieron su primera escuela de baile en 1915. Como su coetánea Isadora Duncan, St. Denis había inventado un estilo de danza disciplinado y muy personal inspirado en tradiciones antiguas pero que escapaba a las convenciones del ballet. A diferencia de Duncan, más clásica, St. Denis fue influenciada por la cultura popular: había empezado como corista y la «diosa egipcia» de un cartel de cigarrillos la inspiró para aprender danza asiática. St. Denis también había triunfado en Europa antes de ser aceptada en su país y, otra vez como la Duncan, no estableció un sistema que pasara a la siguiente generación. Fue Shawn quien basó su método en la divina locura de St. Denis y fundó con ella la primera escuela de baile realmente dedicada a la danza moderna.

Shawn, un atleta que se introdujo en el ballet a través de una terapia médica, idolatró a St. Denis desde que vio su actuación en 1911. Otras bailarinas, como Little Egypt en América y Mata Hari en Europa, explotaban la moda del orientalismo, pero la mayoría eran artistas de *striptease* famosas. St. Denis era una verdadera estudiosa de la danza no occidental y la combinó con movimientos de cosecha propia, puestas en escena espectaculares y una iluminación sugerente. Shawn se emocionó al verla bailar.

Siguió a su ídolo a Nueva York con la esperanza de convertirse en su alumno. Ella, con el deseo de encontrar un Vernon Castle para su Irene, le contrató como pareja. A su vez, como escribió ella más tarde, su «idilio empezó a florecer» y se casaron, aunque él era catorce años más joven.

Shawn desarrolló el proyecto de un instituto de danza mientras viajaban. La escuela Denishawn nació en Los Ángeles en 1915 y más tarde se abrieron filiales por todo el país. En los años veinte las compañías de interpretación de la Denishawn aportaron una gran popularidad a la danza sin precedentes en América. **◂1914.7**

Ted Shawn con un traje oriental ecléctico. Tras su separación de St. Denis, fundó una compañía de danza exclusivamente masculina en Jacob's Pillow, Massachusetts.

en Navidad», Ford esperaba persuadir a los dirigentes mundiales para que pusieran fin a la guerra. La expedición, muy promocionada aunque inútil, se convirtió en un punto de reunión para los pacifistas. ◂1913.6

▶LA VAMPIRESA ORIGINAL —Theda Bara sorprendió y estimuló al público del cine con su regreso estelar como mujer fatal en la película *A fool there was.* «Bésame, tonto», pedía. Durante los cinco años siguientes, mientras los moralistas se

quejaban sobre el efecto de Bara en los valores del público, los aficionados acudían en tropel a ver su docena de películas ▸1921.10.

▶COMPAÑÍAS DE TEATRO —La Neighborhood Playhouse, la Washington Square Players de Nueva York y la Provincetown Players de Massachusetts se fundaron en 1915 como escaparates del teatro experimental y contribuyeron a legitimar el teatro americano. En 1916, la Provincetown Players representó la primera obra de Eugene O'Neill. ▸1926.10.

PRIMERA GUERRA MUNDIAL

▶EL ATAQUE DE GORLICE —El 2 de mayo las fuerzas

POLÍTICA Y ECONOMÍA: Ford fabrica su Modelo T un millón [...] El desembarco anglo-francés en Gallipoli fracasa tras numerosas pérdidas humanas y materiales [...] Italia se incorpora a los aliados al declarar la guerra a Austria [...] Se firma un tratado de paz, amistad y arbitraje en Buenos Aires entre Argentina y Brasil.

«La muerte de Rupert Brooke me hace sentir cada vez más la necedad de todo esto. Le mató un dardo del brillante Febo, estaba en armonía con su luminosidad solar, fue el verdadero cenit de su actitud.»—**D. H. Lawrence en una carta a Lady Ottoline Morrell**

austro-germanas atacaron el frente este cerca de la ciudad polaca de Gorlice y destruyeron de forma

inesperada el centro de la defensa rusa. El 14 de mayo las potencias centrales habían avanzado 128 km. Aunque habían hecho 750.000 prisioneros en cuatro meses, no consiguieron ejecutar un movimiento de pinza que destruyera la capacidad del ejército ruso para continuar la guerra. Los rusos consiguieron escapar de la trampa.

▶LOS TURCOS DERROTADOS EN ARMENIA—La campaña turca contra las posiciones rusas de Kars-Ardahan en el Cáucaso terminó con una derrota en enero. Las bajas temperaturas y la falta de suministros mataron a más turcos de frío y de hambre que el combate (más de doce mil hombres sobrevivieron de los ciento noventa mil del tercer regimiento; treinta mil murieron en la lucha). Los armenios cercanos a Turquía habían interrumpido los suministros y las comunicaciones, y el 11 de junio el gobierno turco decidió deportar a los armenios y con la excusa de la guerra realizaron atrocidades a gran escala.

▶EJECUCIÓN ESCANDALOSA—El 12 de octubre de 1915 los alemanes fusilaron a Edith Cavell, una enfermera inglesa que vivía en la Bélgica ocupada por los alemanes, por ayudar en el traslado clandestino de soldados aliados a la Holanda ocupada. Cavell proporcionaba dinero y refugio en el hospital donde trabajaba y se ocupaba de que los soldados fueran guiados a los Países Bajos. Cuando fue arrestada en agosto, doscientos franceses, británicos y belgas habían desaparecido de modo seguro. Fue ejecutada y su muerte se convirtió en un motivo de unión para los soldados durante el resto de la guerra.

ESTADOS UNIDOS

El punto flaco de un idealista

9 El noviazgo entre el presidente Wilson y Edith Bolling Galt fue el mayor escándalo de 1915 en América. Wilson, uno de los idealistas más importantes del siglo, se convirtió en un hombre frustrado de manera absurda por una debilidad de carácter. La historia había empezado el año anterior, cuando Wilson sufrió una depresión a causa de la muerte de su mujer. Unos amigos le presentaron a Galt, una guapa viuda, con la esperanza de animarlo. El dolor de Wilson había despertado las simpatías incluso de sus oponentes, pero la opinión pública se volvió contra él cuando empezó a cortejar a Mrs. Galt tan sólo seis meses después de haber enviudado.

La imagen puritana de Wilson se volvió contra él como lo había hecho muchas veces durante su presidencia. Ansiosos por tildarlo de hipócrita, los críticos le hicieron objeto de chistes verdes; extendieron rumores de que el romance había empezado durante la enfermedad de su mujer e incluso de que esto la había matado. Otro supuesto lío amoroso también salió a la luz. Wilson, hijo de un sacerdote presbiteriano, reaccionó contra el chismorreo de manera altiva. Se negó a defenderse e ignoró las advertencias de sus consejeros para posponer la boda hasta después de las elecciones de 1916. Los ciudadanos confiaron en su reputación y no en sus supuestos pecados: Wilson ganó las elecciones con el eslogan «Nos sacará de la guerra».

Tuvo menos suerte con los congresistas estadounidenses. En el apogeo del nacionalismo, su internacionalismo hizo que muchos de ellos tomaran posturas derechistas. (No le fue mejor con los dirigentes europeos que vieron en él a un ingenuo del Nuevo Mundo.) Su proyecto principal, la Liga de Naciones, fue ridiculizado en 1919 como la invención de un idealista demasiado noble para el «mundo real». En lugar de atraer a los inseguros, Wilson sufrió un ataque de apoplejía del que nunca se recuperó. Durante tres meses, su mujer asumió el papel de presidente en funciones. En ese momento la popularidad de ésta había sobrepasado a la de Wilson. ▶**1920.1**

Wilson y su mujer, Edith Galt Wilson, en las Series Mundiales de 1916.

LITERATURA

Poetas de guerra

10 La muerte del poeta-soldado británico Rupert Brooke en 1915 se convirtió en el símbolo del desencanto que se extendió por las naciones combatientes poco después del comienzo de la Primera Guerra Mundial. Joven, agraciado y distinguido, Brooke consiguió una fama instantánea por su ciclo de sonetos *1914*, que retrataba la guerra en términos idealistas y brillantes; sus compatriotas idealizaron a Brooke como la personificación de las virtudes por las que luchaban los aliados. No obstante, murió sin heroísmo a causa de un envenenamiento de la sangre cuando se dirigía con un destacamento a la desastrosa batalla de los Dardanelos.

Brooke había escrito: «Si muriera, pensad esto de mí: / hay algún rincón de tierra extranjero / que es para siempre Inglaterra». Tales versos quedaron anticuados cuando la realidad agobiante y anónima de las trincheras mermó cualquier esperanza de gloria. El gran poeta-soldado de esta fase de la guerra, que Brooke no pudo ver, fue Wilfred Owen, que escribía elegías amargas entre los que morían como ganado».

La obra de Owen, experimental en la técnica y con predominio de la asonancia aliterativa, ejercería una influencia importante en los poetas de la posguerra. Owen no alcanzó la fama en vida, pero fue alentado por Siegfried Sassoon, cuyos retratos en verso de los «reclutas vencidos y condenados» habían sido recibidos de modo caluroso por un público todavía sediento de rapsodias patrióticas. Los dos hombres se conocieron en 1917 en el hospital donde se estaban tratando por neurosis de guerra. (Sassoon, condecorado por valentía, sufría entonces de un pacifismo agudo.) Tras la muerte de Owen, una semana antes del armisticio, Sassoon llevó su obra a la imprenta. Por aquel entonces, el mundo inocente que representó Brooke había desaparecido para siempre. ▶**1916.E**

LITERATURA

El relato del tormento de Maugham

11 La publicación en 1915 de *La servidumbre humana* convirtió a William Somerset Maugham, un dramaturgo británico de segunda fila, en una figura de talla internacional. La novela era un género nuevo para Maugham, pero su exploración de la moral individual y del desarrollo psicológico lo colocó plenamente en la tradición de autores contemporáneos como Forster, Lawrence y Joyce.

Para Maugham, el libro supuso un modo de ponerse en paz con su pasado, la muerte de su madre, la ruptura de su hogar y su juventud solitaria y alienada. En parte autobiográfica, la novela explica la historia de Philip Carey, un huérfano atormentado por su sexualidad y su aislamiento que se rebela contra los valores de la familia y de la Iglesia.

En *La servidumbre humana*, Maugham escribió sobre sus sentimientos de servidumbre hacia una amante manipuladora.

El estilo naturalista decimonónico de *La servidumbre humana* tenía poco en común con la prosa británica de su época, y su protagonista fue demasiado heroico para una nación dedicada a la guerra. En América, Theodore Dreiser dijo que era «la perfección que podemos amar y no comprender, pero de la que estamos obligados a decir que es una obra de arte». ◀**1913.3** ▶**1922.1**

PREMIOS NOBEL: Paz: Sin galardón [...] Literatura: Romain Rolland (francés; novelista) [...] Química: Richard Willstätter (alemán; pigmentos vegetales, incluyendo la clorofila) [...] Medicina: Sin galardón [...] Física: William Henry Bragg y William Lawrence Bragg (británicos; análisis de la estructura cristalina).

El poder y el peligro de la propaganda

Del informe sobre el Comité de Ofensas Alemanas Declaradas, nombrado por el Gobierno de su majestad británica y presidido por el honorable vizconde Bryce, 1915

SOUVENEZ-VOUS DE LA BELGIQUE
ET DU NORD DE LA FRANCE
N'ACHETEZ RIEN AUX BOCHES

Sin ser desconocida como medio para atraer a la gente a una causa, la propaganda, favorecida por la llegada de la comunicación de masas, alcanzó niveles de sofisticación durante la Primera Guerra Mundial. Los británicos fueron los primeros en utilizar esta nueva forma de poder y la explotaron de forma implacable. Los relatos de atrocidades abundaban en los periódicos pero la pieza más impactante de propaganda de la época fue el informe oficial Bryce sobre las atrocidades alemanas en Bélgica. Encargado por el rey y publicado en 1915, cinco días después del hundimiento del Lusitania, *el informe de 300 páginas destacaba por los relatos de testigos presenciales (de los refugiados belgas que vivían en Inglaterra) sobre violaciones, asesinatos y mutilaciones presentados con detalles gráficos. La mayoría de este material era completamente insustancial y no fue verificado porque a una población ansiosa por creer lo peor de sus enemigos le importaba poco hacerlo.*

El informe Bryce proyectó una larga sombra: algunos historiadores citan sus distorsiones como una de las razones por las que mucha gente ignoró o despreció (como simple propaganda) los primeros relatos de las atrocidades en la Alemania nazi. Pero Hitler, habiendo absorbido perfectamente los métodos británicos, produjo una propaganda que hace parecer a Bryce como un simple aficionado. ►1935.14

THE HUN AND THE HOME
A BIT OF ENGLAND
A BIT OF BELGIUM
OUR Homes are secure,
OUR Mothers & Wives safe,
OUR Children still play and fear no harm.
THEIR Homes are destroyed.
THEIR Women are murdered & worse.
THEIR Children are dead or slaves.
BACK UP THE MEN WHO HAVE SAVED YOU

Testigo. Enseguida que llegó mi maestra, uno de los oficiales que estaban sentados en el suelo se levantó y, poniéndole una pistola en la sien, disparó y la mató. El oficial estaba visiblemente borracho. Los otros oficiales siguieron bebiendo y cantando y no prestaron mucha atención al asesinato. Luego el oficial que la mató le dijo a mi maestro que cavara una tumba y enterrara a mi maestra. Mi maestro y el oficial fueron al jardín, el oficial amenazó a mi maestro con una pistola. Mi maestro fue obligado a cavar la tumba y a enterrar el cuerpo de mi maestra. No puedo decir por qué razón mataron a mi maestra.

Belgique

La propaganda escrita y los grabados proliferaron en ambos bandos. Sin embargo, el informe Bryce y la propaganda antialemana, como los dibujos políticos del artista holandés Louis Raemaekers *(superior)*, finalmente aumentaron el escepticismo de los ciudadanos.

Testigo. Un día en que los alemanes no bombardeaban la ciudad, salí de mi casa para ir a casa de mi madre en High Street. Mi marido iba conmigo. Vi a ocho soldados alemanes, estaban borrachos. Cantaban, hacían mucho ruido y bailaban. Mientras los soldados alemanes iban por la calle, vi que un niño pequeño salía de una casa, no distinguí si era niño o niña. La criatura debía tener unos dos años. Llegó al centro de la calle poniéndose en el camino de los soldados. Éstos iban andando de dos en dos. La primera fila le adelantó; uno de la segunda, el hombre de la izquierda, dio un paso al lado, empuñó la bayoneta con las dos manos y la clavó en el estómago del niño. Lo levantó en el aire, en su bayoneta y se lo llevó. Él y sus camaradas todavía cantaban. El niño chilló cuando el soldado le clavó la bayoneta, después ya no.

Testigo. El 20 de septiembre nuestro regimiento tomó parte en una escaramuza con los alemanes. Tras habernos retirado de las trincheras, unos minutos después de habernos metido en ellas, los alemanes se retiraron a las suyas. La distancia entre las trincheras debía ser de unos 300 m. Diría que cincuenta o sesenta de nuestros hombres se habían quedado tendidos en el campo. Después de volver a las trincheras, vi claramente a soldados alemanes que salían de las suyas, iban a los sitios donde estaban nuestros hombres tendidos y les clavaban la bayoneta. Algunos de nuestros hombres estaban tendidos a mitad de camino entre las trincheras.

«La humanidad [...] debe estar loca para hacer lo que está haciendo.»—**Un lugarteniente francés, de su diario, el 23 de mayo de 1916, sobre la batalla de Verdún**

HISTORIA DEL AÑO

Las batallas más sangrientas de la guerra

1 En el tercer año de guerra tuvieron lugar dos batallas de tal horror, devastación y completa inutilidad que sus nombres se han convertido en sinónimo del descenso a los infiernos de la guerra del siglo XX, un descenso que fue casi literal porque los soldados permanecieron durante meses en las trincheras. De la primera, en la ciudad estratégica de Verdún junto al río Meuse, un soldado alemán escribió: «Quienquiera que se haya revolcado en este cenagal lleno de gritos y de muerte [...] ha traspasado la última frontera de la vida». La segunda, a lo largo del río Somme, resultó todavía más sangrienta.

La batalla de Verdún se produjo en febrero de 1916, tras un año y medio de inmovilización. Los aliados, contando con nuevos regimientos británicos (aumentados con la llamada a filas de enero) y una producción masiva de munición, habían planeado una ofensiva general en los frentes occidental y oriental. Sin embargo, los alemanes, tras descartar cualquier amenaza por parte de Rusia o Italia, atacaron primero. Su ofensiva de Verdún pretendía hundir a Francia en el barro con una batalla imposible de ganar y dejar a Inglaterra irremisiblemente aislada.

El Somme sangriento: en cuatro meses, tres millones de hombres lucharon en un frente de más de 36 km, que se movió 8 km.

La batalla por la ciudad y sus colinas cercanas duró seis meses sin interrupción. No obstante, el general Henri Philippe Pétain montó una defensa implacable y antes de que los alemanes pudieran tomar las fortalezas de Verdún, los aliados lanzaron una ofensiva a lo largo del río Somme. La primera batalla del Somme, la de mayor mortandad de la guerra, desvió a las fuerzas alemanas y permitió a los soldados aliados de Verdún recuperar algo de terreno. Sin embargo, las fuerzas francesas quedaron tan mermadas que la ofensiva del Somme acabó sin resultados satisfactorios cuando las lluvias de noviembre convirtieron el campo de batalla en un pantano.

Fuera de Francia incluso las batallas más importantes consiguieron muy poco. La mayor ofensiva de Rusia, su asalto en verano sobre la Bucovina y Galitzia, empezó bien pero se colapsó en los Cárpatos; en septiembre las bajas rusas ascendían a un millón, muchos habían sido capturados o habían desertado y la moral de la nación se vio seriamente erosionada.

Un año que había empezado con la esperanza de una inminente victoria por ambos bandos, terminó en la misma situación de estancamiento. **◂1915.3 ▸1916.NM**

Tras el desembarco del Tío Sam en Haití, el país se convirtió en un protectorado.

EL CARIBE

Diplomacia con cañones

2 Tras varias décadas de intervencionismo en los asuntos de la República Dominicana e impacientes a causa de un gobierno inestable colapsado por revoluciones sucesivas, Estados Unidos recurrió a la fuerza en mayo de 1916 y envió a los marines para que restauraran el orden y protegieran sus intereses económicos en ese país. (Estados Unidos constituía el único acreedor extranjero de la República y desde 1905 había administrado sus operaciones aduaneras.) Después de que los soldados tomaran tierra en el sur para asegurar Santo Domingo, el presidente Juan Isidro Jiménez, el beneficiario nominal de la intervención de Norteamérica, dimitió a modo de protesta. Esto colocó a Estados Unidos en la situación difícil de haber invadido un estado amigo y haber depuesto a su dirigente. La invasión se transformó en ocupación; ésta, establecida en un estado de semipermanencia, se mantuvo a flote durante la Primera Guerra Mundial, que desvió la atención norteamericana hacia Europa.

Aunque era evidente que Estados Unidos no contaba con un plan coherente para gobernar el país, el gobierno constitucional no se restauró hasta 1924.

Al oeste de la República Dominicana, en la isla de La Española, se halla Haití, donde la situación era todavía peor. (Haití fue calificada de «molestia pública» por un funcionario del Ministerio de Asuntos Exteriores de Estados Unidos.) Este país temía que la inestabilidad de Haití irritara a los acreedores europeos y decidió intervenir. Esperaba obtener los derechos de aduana como garantía, como había ocurrido en la República Dominicana, y establecer un orden político y financiero. El *Washington* de Estados Unidos había entrado en Puerto Príncipe el 27 de julio de 1915, a tiempo para ser testigo de la expulsión del presidente Vilbrun Guillaume Sam, que fue destituido durante un alzamiento sangriento. Los marines desembarcaron y el sucesor de Sam, Phillippe Sudre Dartiguenave, se vio obligado a aceptar las condiciones de un tratado que relegaba a Haití a la categoría de protectorado. La ocupación duró dos décadas aunque no consiguió establecer una infraestructura política.

En la isla de La Española quedaron plasmados los desastrosos intentos de Estados Unidos por poner orden en Latinoamérica. Las ventajas que se obtuvieron con la intervención en la República Dominicana «han sido de una importancia infinitesimal comparadas con los recelos, temores y odios que la ocupación ha despertado en todo el continente americano», escribió Sumner Welles, funcionario del Ministerio de Asuntos Exteriores. **◂1913.4 ▸1926.8**

IDEAS

Las enseñanzas de Dewey

3 La obra del filósofo John Dewey *Democracia y educación,* sobre la teoría de la educación, sorprendió al mundo de la enseñanza cuando se publicó en 1916. El rechazo del autor a los métodos de enseñanza anticuados y autoritarios en favor de un plan de estudios que fomentara el pensamiento individual y ayudara a resolver problemas cambió la dirección de la enseñanza en América.

Dewey, uno de los pensadores más influyentes y controvertidos de su generación, desarrolló una teoría filosófica llamada «instrumentalismo», que está estrechamente relacionada con el pragmatismo de William James. De acuerdo con los preceptos del instrumentalismo, la filosofía es

ARTE Y CULTURA: Libros: ***Retrato del artista adolescente*** **(James Joyce);** ***Los cuatro jinetes del Apocalipsis*** **(Vicente Blasco Ibáñez);** ***You Know Me Al*** **(Ring Lardner);** ***Los recursos de la astucia*** **(tomo V de las** ***Memorias de un hombre de acción*** **de Pío Baroja) [...] Música:** ***Las fuentes de Roma*** **(Ottorino Respighi);** ***Noches en los jardines de España*** **(Manuel de Falla) [...]**

«MacDonagh, MacBride / y Connolly y Pearse / ahora y cuando estaban vivos, / dondequiera que lo nuevo envejece / han provocado un cambio / un cambio completo: / Una belleza terrible ha nacido.»—**William Butler Yeats, «Pascua de 1916»**

simplemente una herramienta que la gente utiliza para resolver problemas prácticos. Así, la verdad no es absoluta, es más bien la medida de la utilidad de una idea. Aplicando el instrumentalismo a la teoría de la educación, Dewey concluyó que lo que se enseña en el colegio debe ser relevante para la experiencia del alumno. En lugar de memorizar hechos concretos, un niño tendría que «pararse y pensar» y utilizar las lecciones para comprender la vida y la cultura. Según Dewey, tal aprendizaje es de vital importancia para la participación plena en una sociedad democrática y flexible.

Dewey, que creía fervientemente en la democracia, escribió prolíficamente sobre la necesidad del uso del pensamiento racional para mejorar la sociedad. Defendía que la política pública debía progresar a través de la observación y la experimentación del mismo modo que las ciencias naturales. Dewey, activista de las causas de derechos civiles durante toda su vida, contribuyó a la formación de la Unión Americana de Libertades Civiles.

ARTE

La obra maestra de Monet

4 En 1916 Claude Monet empezó a trabajar en los murales que el artista André Masson alabaría como «la Capilla Sixtina del impresionismo». Los *Nenúfares* son una serie de monumentales pinturas al óleo cuyo tema es el estanque de nenúfares que Monet tenía en Giverny. Los lienzos de Monet, con su luz y color y las primeras impresiones de la naturaleza, representan el esfuerzo de toda su vida artística. (Su cuadro de 1873 *Impresión, amanecer* dio nombre al movimiento impresionista.) Al recordar la primera vez que salió a pintar al aire libre, explicaba: «Mis ojos se abrieron definitivamente y comprendí la naturaleza; al mismo tiempo aprendí a amarla».

Pintando el mismo tema una y otra vez a diferentes horas del día, Monet fue más allá de la exploración científica e impregnó sus estudios de poesía y emoción. Siguió pintando nenúfares, a pesar de su mala salud y de estar casi ciego, hasta su muerte en 1926. **◂1906.6**

IRLANDA

La sublevación de Pascua

5 En el tranquilo día festivo del Lunes de Pascua de 1916, mientras la mayoría de dublineses disfrutaban de las carreras, un grupo de nacionalistas irlandeses tomó por asalto la desierta oficina general de correos y proclamó la independencia irlandesa de Gran Bretaña. Unos cuantos paseantes vieron con sorpresa al poeta y líder rebelde Patrick Pearse de pie en las escaleras centrales leyendo una declaración: «Irlandeses e irlandesas: a través de nosotros, Irlanda pide a sus hijos que defiendan su bandera y que luchen por su libertad en nombre de Dios y de las generaciones pasadas que han transmitido su antigua tradición y su carácter de nación al país».

La sublevación de Pascua duró apenas una semana. Ese mismo jueves el ejército británico había tomado posiciones en Dublín y había disparado contra la oficina de correos; el sábado, Pearse se rendía. Hubo más de 450 muertos y 2.614 heridos. Al principio esta sublevación contó con escaso apoyo popular (los dublineses se mofaron de los rebeldes cuando salieron encadenados). Pero una vez sofocada la revuelta, el general sir John Maxwell, el comandante en jefe británico, actuó erróneamente. Ordenó la ejecución de quince insurrectos y encarceló a miembros del Sinn Féin, la organización nacionalista que supuestamente estaba tras el alzamiento. (En realidad, los responsables eran elementos de la Fraternidad Republicana Irlandesa y de los Voluntarios Irlandeses). La dureza de Maxwell inspiró un patriotismo nuevo en el pueblo. Los ciudadanos irlandeses se unieron masivamente al Sinn Féin y lo convirtieron en la organización política más poderosa de Irlanda.

La revista *Irish Life* publicó una edición especial con motivo de la rebelión irlandesa de 1916.

George Bernard Shaw, que apoyaba la independencia, escribió: «Es imposible matar a un hombre (Pearse) en sus circunstancias sin convertirlo en un héroe o en un mártir, aunque el día anterior a la rebelión no fuera más que un poeta menor. Los irlandeses ejecutados han ocupado su lugar junto a Emmet y a los mártires de Manchester en Irlanda [...] y nada en el cielo o en la tierra puede cambiar esto». **◂1905.6 ▸1920.7**

Un detalle de *Nenúfares: la mañana*. Monet pintó sus nenúfares durante diez años antes de empezar sus enormes murales.

NACIMIENTOS

Pieter Willem Botha, presidente sudafricano.

Antonio Buero Vallejo, dramaturgo español.

Camilo José Cela, escritor español.

Francis Crick, biólogo británico.

Walter Cronkite, locutor estadounidense.

Edward Heath, primer ministro británico.

Yehudi Menuhin, músico estadounidense.

François Mitterrand, presidente francés.

Irving Wallace, escritor estadounidense.

Peter Weiss, escritor alemán.

Harold Wilson, primer ministro británico.

MUERTES

William Merritt Chase, pintor estadounidense.

Rubén Darío, poeta nicaragüense.

Francisco José, emperador de Austria.

Enrique Granados, compositor español.

Victoriano Huerta, presidente mexicano.

Henry James, novelista estadounidense.

H. H. Kitchener, líder militar británico.

Jack London, escritor estadounidense.

Grigory Rasputín, místico ruso.

Odile Redon, pintor francés.

Antonio Sant'Elia, arquitecto italiano.

Yuan Shikai, jefe militar chino.

Henryk Sienkiewicz, novelista polaco.

Pintura y escultura: *Naturaleza muerta evangélica* (Giorgio de Chirico); *Demon above the ships* (Paul Klee) [...] Cine: *Intolerancia* (D. W. Griffith) [...] Teatro: *Nuestra Mrs. McChesney* (Edna Ferber); *La ciudad mágica* (Zoë Akins); *See America First* (Cole Porter); *Marianela* (adaptación de los hermanos Quintero de la novela de Benito Pérez Galdós).

«Señora, ojalá muera en escena; ¡es mi campo de batalla!»—**Sarah Bernhardt, cuando la reina María de Inglaterra le preguntó por qué continuaba actuando**

NOVEDADES DE 1916

Perros guía para ciegos (Alemania).

Limpiaparabrisas.

Asociación profesional de Golfistas.

Cigarrillos Lucky Strike.

EN EL MUNDO

▶LA LEY OWEN-KEATING REGULA EL TRABAJO INFANTIL—El 13 % de la mano de obra del sector textil era menor de dieciséis años. En 1916, el congreso de Estados Unidos ilegalizó el mercado interestatal de artículos producidos por fábricas donde trabajasen niños menores de catorce años o donde los niños de entre catorce y

dieciséis años trabajasen más de ocho horas diarias. La ley fue derogada en 1918 por el tribunal supremo, que declaró que el congreso se había excedido en sus poderes al regular el comercio interestatal. ◀1905.E

▶JORNADA DE OCHO HORAS—Unas horas antes de que el sindicato del ferrocarril, que representaba a cuatrocientos mil empleados, se declarase en huelga, Woodrow Wilson estableció con carácter de ley la jornada de ocho horas para sus trabajadores. De este modo, Wilson obligó a los propietarios de los trenes a aceptar la demanda laboral e impidió una catástrofe nacional: en 1916 el transporte interestatal de comida y combustible dependía completamente del ferrocarril. La jornada de ocho horas se convirtió en una media habitual de la industria. ◀1913.6 ▶1917.7

MÉXICO

Villa cruza la frontera

6 El 9 de marzo de 1916, al caer la tarde, el revolucionario mexicano Francisco «Pancho» Villa dirigió su banda de guerrilleros a la frontera para atacar la guarnición norteamericana de la ciudad de Columbus, Nuevo México. Militarmente, la incursión acabó en derrota para los villistas, que perdieron más de cien hombres, pero consolidó la leyenda heroica de Pancho Villa y le aseguró el suficiente apoyo popular para continuar su campaña contra el dirigente mexicano Venustiano Carranza. Los objetivos concretos de la incursión no estaban claros pero podían ser dos: una venganza personal contra un traficante de armas americano que estaba acuartelado en la ciudad y había cobrado dinero de Villa sin entregarle a cambio las armas; o involucrar a Estados Unidos en la guerra civil mexicana, lo que demostraría la debilidad del régimen de Carranza.

El general John J. «Black Jack» Pershing, con 12.000 soldados bajo su mando, persiguió a Villa. Cuando la expedición de castigo de Pershing se internó sin darse cuenta en territorio mexicano, Carranza se vio obligado a ofrecer resistencia a los norteamericanos a causa del resentimiento de su país. El esquivo Villa ganó prestigio político como defensor de la soberanía nacional. Los habitantes de los pueblos se unieron a él y le ayudaron a escapar confundiendo a la expedición sobre su paradero. Tras un año de búsqueda infructuosa, el secretario de guerra del presidente Wilson admitió que «era una tontería perseguir a un solo bandido por todo México». Wilson retiró a sus soldados, una concesión tanto para Carranza, que fue presidente en 1917, como para Villa, a quien se consideró como el pícaro que había puesto en ridículo al ejército americano. **◀1913.NM ▶1917.11**

El grito de guerra «¡Viva Villa!» resonó por Columbus, Nuevo México, cuando unos cien villistas irrumpieron en la ciudad.

Este cartel para la «última visita» adelantaba seis años la gira final.

TEATRO

La gira final por Estados Unidos de la divina Sarah

7 En 1916 y a los 71 años de edad, la famosa actriz francesa Sarah Bernhardt comenzó su octava y última gira por Estados Unidos, agotada y con la salud destrozada. Había soportado bien el paso del tiempo considerando sus experiencias: primera actriz en la Comédie Française de París; amante de Henri, príncipe de Ligne; víctima del antisemitismo de la aristocracia francesa que la despreció por considerarla una intrusa. Por si fuera poco, en 1915 perdió su pierna derecha a causa de una gangrena, lo que no le impidió visitar a los soldados en el frente durante la Primera Guerra Mundial. Después de todo, fue la primera mujer que interpretó a Hamlet a los 54 años.

La divina Sarah no estaba lo bastante bien como para interpretar una obra completa y sus interpretaciones en América consistieron en escenas famosas, ecos de triunfos pasados: el papel protagonista de la *Fedra* de Racine, la escena de la muerte de *Camille* y piezas escritas para ella a finales del siglo XIX por el melodramático francés Victorien Sardou. En una obra nueva, *Los campos del honor*, escrita por un joven soldado francés, Bernhardt interpretaba a un joven abanderado que no quería entregar la bandera de su batallón al enemigo ni aun a riesgo de morir. Esta obra contribuyó a que el público americano simpatizara con la causa de la guerra europea y se ganó a la mayoría de críticos que alabaron a la actriz como «la mejor emisaria que Francia u otro país ha enviado al extranjero».

La misma Bernhardt era escéptica y escribió a su hijo Maurice: «Me he puesto la máscara, la gorra y las campanillas de bufón y he viajado por América en otras ocasiones. Cuántas ciudades peligrosas y desconocidas hay. Algunas elegantes otras horribles».Unos pocos críticos sugirieron que su gira no era teatral, era más bien una curiosidad. Un detractor escribió: «Sostener que madame Sarah Bernhardt es todavía una gran actriz es esconder la crítica tras la galantería. El público va más al teatro para ver a Sarah Bernhardt el fenómeno que para venerar a la actriz».

La tensión de la gira fue demasiado para Bernhardt. Sufría de uremia desde hacía años y en Nueva York tuvo que ser operada de urgencias del riñón. Llevando su enfermedad con dignidad dijo: «Pueden sacarme lo que sea mientras me dejen la cabeza». Tras una larga convalescencia, reanudó la gira hasta otoño de 1918, momento en que volvió a Francia. Murió en París en 1923 sin haber vuelto a América.

CHINA

El gobierno en manos de los jefes militares

8 Yuan Shikai, el primer presidente de la república de China, murió en 1916 tras cuatro turbulentos años en el gobierno. Su pérdida dejó a China sin ningún líder político claro y sumergió a la nueva república en el caos del gobierno en manos de los jefes militares. Yuan había mandado el ejército más poderoso de China antes de la revolución y en 1912 se convirtió en presidente a cambio de su apoyo militar al líder revolucionario Sun Yat-sen, que acabó con la dinastía Qing. Sin embargo, una vez en funciones, Yuan fue en contra de sus patrocinadores republicanos por partida doble. Cuando el Partido Nacionalista de Sun (Guomindang) ganó por mayoría las elecciones parlamentarias de China, Yuan lo rechazó e intentó tomar el control gubernamental de

DEPORTES: Béisbol: campeonatos del mundo, Boston Red Sox derrota a Brooklyn Dodgers (Zack Wheat, Jake Daubert), 4-1 [...] Fútbol americano: el Rose Bowl se convierte en un acontecimiento anual (suspendido después de hacer su presentación en 1902), Washington State derrota a Brown, 14-0 [...] Golf: Primer U.S. PGA. Torneo celebrado en el Siwanoy Country Club en Bronxville, N.Y.

«Este último mes he vivido la época más emocionante y más exacta de mi vida: y sería verdad si dijera que también ha sido la más fructífera.»—**Albert Einstein, noviembre de 1915**

forma unilateral. Al cabo de un año, declaró ilegal al Partido Nacionalista, obligó a Sun a que se exiliara en Japón y disolvió el parlamento.

A principios de 1916, con la ayuda del gobierno japonés, Sun organizó una revuelta contra el dictador y animó a los jefes militares que quedaban a declarar la independencia en las provincias que estaban bajo su control. En marzo de 1916 le llegó el golpe final a Yuan cuando dos de sus generales le negaron apoyo. Dos meses más tarde, el dictador sucumbía a una enfermedad. La revolución china había ganado, pero seguía siendo difícil establecer una república. En ausencia de un gobierno constitucional estable, las fuerzas militares decidirían la sucesión. **◂1911.9 ▸1921.6**

CIENCIA
Tiempo, espacio y materia

9 Con la publicación de la teoría general de la relatividad (1916), Albert Einstein completó la modificación de la física newtoniana, que había empezado once años antes. Einstein añadió la materia a la continuidad de espacio y tiempo que había descrito en la teoría especial de la relatividad y la explicó a través de la curvatura del espacio y el tiempo, dicho de otro modo, por la gravitación y la aceleración. Einstein postuló que la materia era también una propiedad del espacio, inseparable del tiempo. Con esta declaración incomprensible creó una nueva geometría del universo. Con o sin razón, esta teoría física abstracta se convirtió en una metáfora de la condición humana del siglo XX, un estado marcado por la incertidumbre, el aislamiento y la búsqueda de sentido.

Durante la guerra, la teoría general pasó desapercibida en Berlín, donde Einstein era profesor de física y se oponía abiertamente al militarismo alemán. Sir Arthur Eddington, astrónomo británico, la difundió y creó un gran revuelo en la comunidad científica mundial. Lo asombroso del caso es que Einstein operaba en el campo de la teoría pura, apoyado solamente en su inmensa categoría intelectual. Sus postulados no derivaban de la observación sino que la predijeron. Einstein estableció que si su teoría era correcta, un rayo de luz que traspasara la superficie solar se curvaría dos veces más de lo que sostenía el sistema newtoniano. En 1919, durante un eclipse de sol, se confirmó esta predicción y se probó la relatividad. **◂1905.1 ▸1924.2**

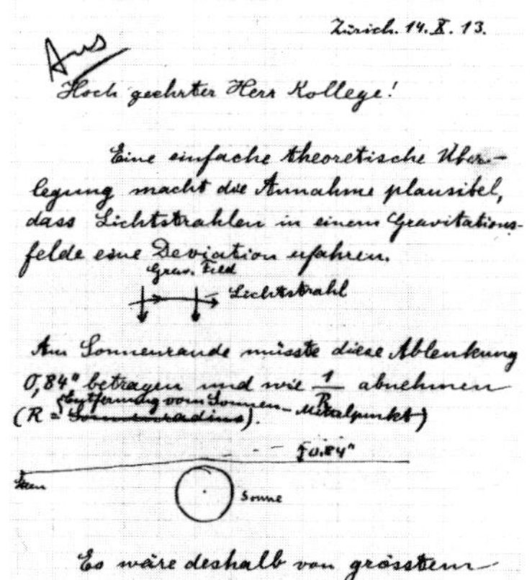
Zürich 14. X. 13.

Hoch geehrter Herr Kollege!

Eine einfache theoretische Überlegung macht die Annahme plausibel, dass Lichtstrahlen in einem Gravitationsfelde eine Deviation erfahren.

Lichtstrahl

Am Sonnenrande müsste diese Ablenkung 0,84" betragen und wie 1/R abnehmen

Sonne

Es wäre deshalb von grösstem

En una carta al astrónomo americano George Ellery Hale, Einstein describió cómo se curva un rayo de luz en un campo de gravitación y cómo el sol desvía la luz de una estrella.

PRIMERA GUERRA MUNDIAL
El peaje emocional

10 En algunos aspectos, la Primera Guerra Mundial fue la última guerra del siglo XIX: los oficiales todavía llevaban espadas; la caballería iba a caballo, y los reyes y los nobles desempeñaban un papel principal en los asuntos militares. Sin embargo, tecnológicamente, fue un conflicto que pertenece definitivamente al siglo XX. Los fuertes amurallados no proporcionaban demasiada seguridad contra los enormes obuses; las cargas de infantería eran suicidas contra las ametralladoras. El combate consistía en colocarse en un agujero estrecho y fangoso mientras los explosivos llovían del cielo. La guerra de trincheras combinaba el terror con la desesperación y provocó que el trastorno mental conocido como «neurosis de guerra» fuera más frecuente que nunca. Los síntomas iban desde el terror paralizante hasta las alucinaciones. Al principio se pensó que era una forma de lesión cerebral causada por la fuerza de las explosiones. A finales de 1916, los médicos convinieron que se trataba de un problema emocional.

Los franceses mantenían a las bajas por neurosis de guerra cerca del frente bajo el mando de oficiales que se recuperaban de heridas físicas. Los británicos generalmente enviaban a las víctimas de vuelta a Inglaterra y la mayoría sorprendentemente empeoraba, algunas incluso quedaban incapacitadas para siempre. Los soldados franceses se recuperaban en poco tiempo y volvían a la lucha. Una comisión norteamericana enviada a Europa para estudiar la neurosis por si América entraba en la guerra apoyó la técnica francesa y pronto la adoptaron todos los aliados.

Fue la primera guerra en la que los psiquiatras sirvieron como miembros integrales de los equipos médicos militares. En los años cuarenta, los psiquiatras aliados intentaron prevenir un estallido del síndrome declarando inútiles para el servicio a los soldados con falta de «fibra moral». Aunque los rechazos por problemas psiquiátricos fueron mucho más habituales que durante la Primera Guerra Mundial, la neurosis de guerra fue más frecuente en razón de tres a dos, agravada por las tensiones de un conflicto más violento. La práctica de tener a soldados recuperándose junto al frente fue utilizada de nuevo. **◂1916.1 ▸1918.1**

Amontonados en las trincheras y agobiados por las máscaras de gas, los soldados fueron presa de la neurosis de guerra.

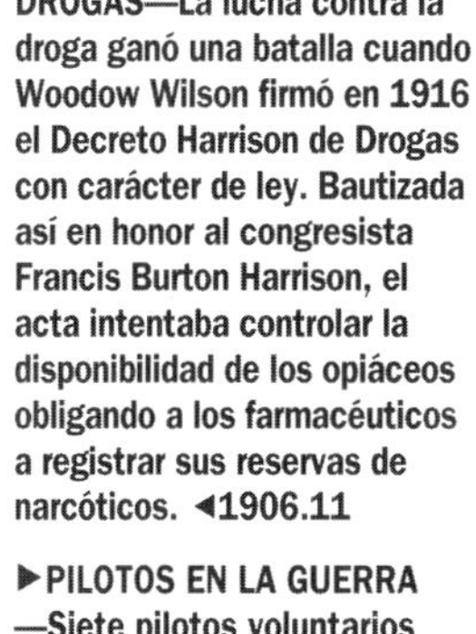

▸EL DECRETO HARRISON DE DROGAS—La lucha contra la droga ganó una batalla cuando Woodow Wilson firmó en 1916 el Decreto Harrison de Drogas con carácter de ley. Bautizada así en honor al congresista Francis Burton Harrison, el acta intentaba controlar la disponibilidad de los opiáceos obligando a los farmacéuticos a registrar sus reservas de narcóticos. ◂1906.11

▸PILOTOS EN LA GUERRA —Siete pilotos voluntarios americanos formaron la Escadrille Américaine y realizaron combares aéreos junto a los franceses. El 18 de mayo, Kiffin Rockwell consiguió la primera victoria de la unidad. El embajador

alemán en Washington se quejó de que los pilotos habían violado la neutralidad norteamericana. ◂1916.1 ▸1917.9

▸MUERTE DE ENRIQUE GRANADOS—El compositor y pianista junto a su esposa fueron dos de las ochenta víctimas resultantes del

hundimiento del barco inglés *Sussex*, torpedeado por un submarino alemán en el canal de la Mancha. El músico español regresaba de Nueva York tras el estreno de su ópera *Goyescas*. Su obra se incluye entre la de los «compositores nacionales» españoles que cultivaban la música romántica de inspiración popular con la incorporación de temas folklóricos.

PRIMERA GUERRA MUNDIAL

▸LA BATALLA DE JUTLANDIA —Durante años los alemanes se habían preparado para una confrontación naval contra los británicos. Finalmente su

POLÍTICA Y ECONOMÍA: Woodrow Wilson reelegido presidente, derrotando por poco a Charles Evans Hughes [...] Jeanette Ranking de Montana es la primera mujer congresista en Estados Unidos [...] Unas dos mil huelgas de trabajadores norteamericanos entre enero y julio [...] Alemania declara la guerra a Portugal.

«Como Shelley y Baudelaire, podría decirse de él que ha sufrido en su propia persona la neurosis de toda una generación.»—**Christopher Isherwood, sobre T. E. Lawrence**

deseo se hizo realidad el 31 de mayo, cuando la flota alemana de alta mar, intentando romper el bloqueo aliado, atacó a la flota británica. Los acorazados y los cruceros tuvieron varios encuentros durante el final de la tarde y al amanecer, en que se retiraron ambas partes. Los dos bandos reclamaron la victoria, sin embargo los británicos sufrieron más pérdidas. Los alemanes destruyeron 117.025 toneladas de barcos de guerra de Gran Bretaña. (Alemania perdió la mitad de esta cifra.) No obstante, cuando acabó la batalla, el bloqueo continuó igual que antes.

►MUERTE DE UN MILITAR —Como ministro de la guerra, Lord Horatio Herbert Kitchener, la encarnación del poder militar británico, declaró públicamente que las sociedades democráticas debían y podían organizar ejércitos de voluntarios. Su cara apareció con este mensaje en carteles de reclutamiento británicos

(*superior*), pero en privado Kitchener, que fue perdiendo poder gradualmente, dudaba que la victoria pudiera alcanzarse sin reclutamiento obligatorio. Murió el 5 de junio de 1916 en un viaje para visitar al zar Nicolás de Rusia, cuando su barco tropezó con una mina alemana cerca de las islas Orcadas. (Se hundió en quince minutos.) Su sucesor, David Lloyd George, aprobó el reclutamiento obligatorio al convertirse en primer ministro en diciembre.

►BAJAS HASTA LA FECHA —Una estadística de la época estimaba el número de bajas a finales de año en 4,75 millones de muertos y 19 millones de heridos o internados.

ORIENTE MEDIO

El caballero árabe

11 El soldado y escritor Thomas Edward (T. E.) Lawrence utilizó varios nombres, pero la historia le recuerda como Lawrence de Arabia. Su legendaria carrera empezó en

T. E. Lawrence vestido a la manera árabe, como él prefería.

1916 cuando Husayn ibn Ali, emir de la Meca, proclamó una revuelta árabe contra el Imperio Otomano a cambio de garantías británicas para expandir el reino. Lawrence, oficial de informaciones británico de 28 años, se convirtió en el enlace entre el ejército británico, entonces involucrado en su propia lucha contra el Imperio Otomano, y Faisal, el hijo de Husayn, que encabezaba una fuerza rebelde.

Lawrence había aprendido árabe durante las expediciones arqueológicas que había realizado mientras estudiaba en Oxford y sentía una admiración romántica por los árabes. Frágil y de apariencia juvenil, fue un héroe sin comparación. Después de vestir con ropas beduinas, los rebeldes le aceptaron como uno de ellos y pronto, según explica él en su libro *Los siete pilares de la sabiduría* (1926), transformó una cuadrilla de hombres pertenecientes a tribus diversas en una fuerza guerrillera eficaz. Se convirtió en el estratega principal de todo el ejército rebelde. Durante un tiempo consiguió que los jefes árabes, pendientes de sus propios intereses, compartieran su visión de una nación árabe unificada y persuadió a los comandantes británicos de que le apoyaran. Las buenas intenciones de Lawrence inspiraron a sus hombres para compartir sus problemas, y él mismo luchó incluso después de ser forzado por soldados turcos.

O eso dijo él. La veracidad de sus memorias, una mezcla extraña y poética de glorificación y degradación personal, sigue siendo dudosa. Lo que es incuestionable es su papel crucial en la expulsión de los turcos de Siria y del oeste de Arabia. Rechazó una medalla del rey Jorge V, pero durante un breve período prestó sus servicios a Winston Churchill como consejero de asuntos árabes (entonces Churchill era ministro de las colonias). En los años veinte, tras ejercer presiones en favor de la independencia árabe sin éxito, se alistó como soldado raso, bajo un pseudónimo, en la RAF y en el cuerpo de tanques. Murió en un accidente de motocicleta en 1935.

Husayn también murió sin gloria. Reinó sobre el Hejaz hasta 1924, cuando Saud conquistó la región y le obligó a exiliarse en Chipre. Sin embargo, sus hijos, Faisal y Abdullah, se convirtieron en reyes, Faisal en Iraq y Abdullah en lo que ahora es Jordania, donde la dinastía Husayn todavía gobierna 80 años más tarde. **►1920.2**

INDIA

El nacionalista Nehru

12 Mohandas Gandhi y Jawaharlal Nehru, los dos grandes promotores de la independencia india, se encontraron por primera vez en 1916 en una reunión del Congreso Nacional Indio liderado por Gandhi. Nehru era un joven brahmán que había estudiado derecho y había sido educado en Harrow y Cambridge. La política le interesaba desde hacía tiempo y estaba de acuerdo con la filosofía de la independencia. Sin embargo, fue Gandhi, 20 años mayor que él, quien le hizo darse cuenta de la condición de sus compatriotas menos privilegiados y quien le inspiró para actuar. Tras la masacre de Amritsar en 1919, en que los soldados ingleses abrieron fuego en una manifestación política, Nehru se hizo miembro del Congreso Nacional Indio y se dedicó por completo a la causa nacionalista. Su papel de dirigente culminó en 1947 con su elección como primer ministro de la India independiente.

Nehru, de actitud profundamente moderna, finalmente rechazó la visión gandhiana de la restitución de la antigua gloria de la India y desdeñó por poco práctica y pintoresca la «simple vida rural». Defendió que el desarrollo industrial era la salvación de la India. Más tarde, los dos hombres también difirieron en cuanto a las condiciones de la independencia. Mientras Gandhi estaba dispuesto a aceptar la categoría de dominion, Nehru redactó una resolución en 1930 pidiendo la independencia absoluta (una postura que más tarde modificó por cuestiones prácticas cuando fue primer ministro). El Congreso Nacional Indio aceptó por mayoría la moción de Nehru y le confirmó de forma tácita como el máximo dirigente político de la India. No obstante, Gandhi continuó siendo el líder espiritual del movimiento. **◄1914.4 ►1919.10**

ESTADOS UNIDOS

El Gibraltar del Caribe

13 *Current Opinion,* un diario político, llamó a las islas de Santo Tomás, San Juan y Santa Cruz «tres cagaditas de mosca», pero en 1916 el Departamento de Estado estadounidense las consideraba como el Gibraltar del Caribe. Estados Unidos en su adquisición territorial más cara aceptó pagar a Dinamarca veinticinco millones de dólares por las Indias Occidentales danesas. (Zonas muy amplias de Nuevo México y Arizona habían costado diez millones de dólares; Alaska sólo 7,2 millones.)

Las islas Vírgenes americanas, como fueron denominadas después de la compra, ofrecían algo más que playas y ron. La adquisición se hizo para evitar que las islas cayeran en poder de Alemania durante la Primera Guerra Mundial. Si Alemania ocupaba Dinamarca, los germanos podían adquirir una base naval muy peligrosa por su proximidad al canal de Panamá. El secretario de Estado Robert Lansing advirtió a Dinamarca que Estados Unidos podía verse obligado a anexionarlas a pesar de la mayor de las reticencias. Las dos partes optaron por una transacción económica. **◄1914.9 ►1921.M**

El Tío Sam (con la cara de Woodrow Wilson) lleva de la mano a Santo Tomás, San Juan y Santa Cruz en una caricatura danesa.

PREMIOS NOBEL: Paz: Sin galardón [...] Literatura: Verner von Heidenstam (sueco; poeta) [...] Química: Sin galardón [...] Medicina: Sin galardón [...] Física: Sin galardón.

Comunicados de un poeta desde el abismo

John Masefield, de las cartas a su mujer, 1916

John Masefield tenía 38 años cuando fue a Francia en una misión de investigación para el ejército británico, acompañando a un servicio de ambulancias voluntario norteamericano. Poeta inglés reconocido más tarde (desde 1930 hasta su muerte en 1967), Masefield ya era popular por obras como Las baladas de Salt-Water, *basada en el entrenamiento naval de su juventud. Su largo poema narrativo* La misericordia sin fin *había escandalizado a la crítica por su lenguaje grosero. Pero nada de lo que Masefield había escrito o visto en sus días de navegación fue tan impactante como las escenas de las que fue testigo en el frente occidental. Sus agudas observaciones de la guerra fueron publicadas en libros como* La vieja línea del frente *(1917). Los estractos que siguen pertenecen a cartas a su mujer y recogen algunos de los terribles resultados de la primera batalla del Somme.* ◂**1916.1** ▸**1929.11**

(En una clínica militar de ortodoncia de Neuilly) «El principio de la reconstrucción de la cara», 4 de septiembre de 1916

Cogieron al hombre y primero limpiaron la infección de la herida, luego extendieron la especie de base de su futura cara moldeando una mandíbula nueva para él; ésta la confeccionaban con costillas que sobraban o con huesos de su pierna y, cuando tuvieron el armazón, dejaron que los cirujanos hicieran su trabajo de recubrirla con carne que cortaban de las mejillas de los pacientes o de donde fuera. [...]. Tenían muchos casos que atender, algunos de ellos de un aspecto realmente terrible. Algunos habían sido alcanzados por balas a 15 m, balas dum-dum naturalmente, y esas heridas resultan muy problemáticas en las primeras fases [...].

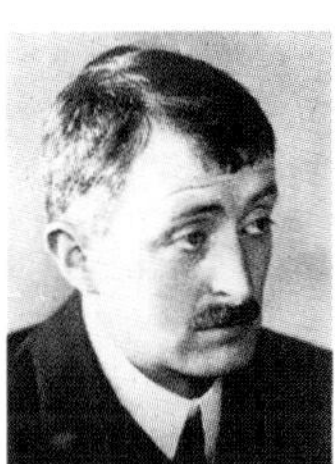

Vi hombres con narices nuevas, acabadas de poner, con bocas suficientes para hablar pero no en condiciones de recibir un golpe. Luego había hombres sin boca, hombres con la boca entre la oreja y algún lugar de la garganta, hombres con un orificio pequeño en lugar de boca, otros con un labio todavía en su sitio y el otro que empezaba a aumentar, y todos tan alegres como podían. Había un hombre que había sido «acabado» por unos cirujanos de un modo tan tremendamente feo que hubiera destrozado la vida a cualquiera; se hicieron cargo de él e iban a hacerle una nariz, a enderezar sus ojos y a darle una boca, y pensaban que acabaría siendo guapo.

Masefield (*recuadro*) presentó escenas de hombres heridos y ciudades bombardeadas en imágenes poéticas y horribles. *Extremo superior*: dos soldados abatidos transportan a un camarada herido desde las trincheras a lo largo de la carretera entre La Boisselle y Amiens. *Centro*: combatientes magullados de la armada británica vuelven del frente de Bélgica. *Superior*: una iglesia bombardeada transformada en hospital.

(En un pueblo bombardeado) 21 de septiembre de 1916

Las ruinas que me rodeaban presentaban el color blancuzco de la luna; todos los crucifijos de las tumbas producían sombras. Alguien dijo algo que me hizo mirar hacia abajo y allí, justo a mis pies, había dos soldados franceses muertos, cuyos cuerpos aún desprendían calor. Uno se hallaba boca arriba y el otro de lado, como si durmieran, y la dignidad de su muerte rompió mi corazón. Uno había recibido un disparo en el pecho, el otro en la cabeza, y ambos parecían haber muerto en el acto. Creo que uno de ellos vivía en la ciudad, pero el otro ofrecía un aspecto rural, grande y fuerte, de mayor edad que el primero y de un carácter más afable [...]. Es probable que pocas horas antes me hubieran visto pasar.

(En el campo de batalla) 4 de octubre de 1916

Si te imaginas un terreno de unos 21 × 14 km que conozcas, por ejemplo desde Goring hasta Abingdon [...] tendrás una referencia de la extensión. Luego imagina que en esta extensión no hay ni un árbol intacto sino que están todos destrozados o cortados y casi negros por el fuego. Luego imagina que en todo el terreno no hay una sola casa en pie, ni siquiera una parte de casa, excepto una puerta de hierro y la mitad de un capilla pequeña y roja. Imagina que todos los otros edificios están rotos en pedacitos, de modo que nadie puede decir dónde estaban los pueblos ni cómo eran [...]. Decir que el suelo estaba «roturado» con proyectiles es hablar como un niño. Estaba excavado, destruido y contaminado con la sífilis de la guerra y a cada paso topabas con sus ruinas. En la parte más alta de la colina no había campo, no había más que hoyos desordenados de 3 m de profundidad y 3 m de ancho, llenos de cadáveres, manos, pies, viejos uniformes quemados y jirones de piel. No se había visto nada parecido por estos mundos de Dios.

«No puedo protestar con suficiente energía contra las afirmaciones difamatorias que han extendido los capitalistas [...] de que estamos a favor de pactar una paz separada con Alemania.»—**Vladimir Ilyich Lenin, cuatro meses antes del tratado de Brest-Litovsk**

HISTORIA DEL AÑO

Lenin lidera la revolución

1 En abril de 1917, Vladimir Ilyich Ulyanov, más conocido por su nombre revolucionario V. I. Lenin, llegó a Rusia de incógnito en un furgón desde Finlandia. (Los alemanes le habían facilitado su paso por Europa porque estaban interesados en aumentar el malestar interno en Rusia.) El líder bolchevique llevaba con él tres demandas: «¡El final de la guerra!; ¡toda la tierra para los campesinos!, ¡todo el poder para los soviets!». El zar había abandonado el trono, víctima de su propio mal juicio. La nave del Estado se inclinaba de modo peligroso bajo el liderazgo de Aleksandr Kerensky, antiguo revolucionario, y su gobierno provisional se tambaleaba. Lenin, cuyas esperanzas de revolución habían ido disminuyendo durante la interminable guerra mundial, vio que aquél era el momento de tomar el poder.

Las décadas de incompetencia zarista ya habían hecho estragos en Rusia; la Primera Guerra Mundial la destrozó completamente. En 1917, la escasez de comida y la inflación de la época de guerra devoraba los ingresos de los trabajadores de la ciudad (200.000 de ellos salieron a las calles de Petrogrado en febrero para protestar). Una milicia hambrienta y helada ofrecía una resistencia dudosa. Cuando las huelgas y los disturbios llenaron la ciudad, Nicolás abdicó y finalizó así la dinastía Romanov de tres siglos de antigüedad.

El gobierno provisional de Kerensky, que instituyó el sufragio universal, la igualdad de derechos para las mujeres y las libertades civiles básicas, apenas consiguió satisfacer a la población, y la noche del 25 de octubre Lenin dio su golpe de gracia. Trabajadores bolcheviques armados, soldados y marinos tomaron por asalto San Petersburgo y se hicieron con el Palacio de Invierno y todas las funciones de gobierno. A la mañana siguiente, Lenin proclamó un nuevo modo de gobierno, la dictadura del proletariado; sus líderes fueron Lenin y su segundo, Leon Trotski. El nuevo gobierno confiscó rápidamente las propiedades y nacionalizó la tierra, la banca, el transporte y la industria. En marzo de 1918 se retiró de la Primera Guerra Mundial con la firma de la paz de Brest-Litovsk, que Trotski negoció con los alemanes.

Lenin tardó treinta años en construir un partido que pudiera efectuar la revolución; ahora, a sus 47 años, lo había conseguido.

No obstante, esto no significó la paz para el pueblo. La guerra civil se extendió por todo el país. El ejército blanco antibolchevique, dirigido por antiguos generales y almirantes zaristas (suministrado por los aliados, que se negaron a reconocer el gobierno soviet), luchó desesperadamente para derrocar el régimen rojo. La carnicería duró los dos años siguientes y le costó a Rusia millones de vidas y daños incalculables, que se sumaron a la destrucción causada por las desgracias zaristas y por la guerra mundial. **◄1916.1 ►1918.5**

ESTADOS UNIDOS

Reducción de la inmigración

2 En 1917, tras veinte años de debate y tres vetos presidenciales, el congreso de Estados Unidos aprobó una ley que obligaba a los inmigrantes mayores de 16 años a pasar una prueba de alfabetización para demostrar que sabían leer y escribir en alguna lengua o dialecto antes de entrar en el país. Quienes propusieron el proyecto de ley estaban interesados en excluir a aquellos que podían amenazar las instituciones norteamericanas con el anarquismo o con ataques públicos.

El requisito de alfabetización, como se demostró en el debate, también pretendía restringir de modo selectivo la inmigración del sur y del este de Europa, de Asia, de África y de Latinoamérica, pero no del norte y del oeste de Europa. Durante años, el congreso discutió la conexión entre la alfabetización y el anarquismo. Un congresista preguntó en 1902: «¿Ha habido alguna vez una amenaza que perjudique al gobierno de Estados Unidos [...] que no proviniera de conspiradores con educación?». Otro le contestó: «El extranjero más analfabeto, una vez aquí, asimila rápidamente las enseñanzas (de sabotaje industrial)».

Los que se oponían a la prueba, impasibles ante las hostilidades racistas, decían que supondría una pérdida importante de mano de obra barata (una presión importante en la época de la expansión industrial). Una ley como ésta, hizo notar un legislador, excluiría a aquellos que realizan «el trabajo pesado que necesita esta nación». Así la Comisión de Inmigración tenía que idear una política que filtrara selectivamente a los «indeseables» (que ya incluían a los enfermos, a los incapacitados físicos y a los «degenerados») sin reducir la cantera de nuevos trabajadores.

El último veto del presidente Wilson fue invalidado en febrero. El talante xenófobo del congreso se hizo evidente. El proyecto también contenía estipulaciones para excluir a la gente de la «zona asiática prohibida», para ampliar la definición de «indeseable» y para aumentar la tasa de entrada de los inmigrantes de 4 a 8 dólares. De acuerdo con sus intenciones básicas, la nueva ley

Class No. 5 Serial Number 2674 Armeno-Turkish

His substance also was seven thousand sheep, and three thousand camels, and five hundred yoke of oxen, and five hundred she asses, and a very great household; so that this man was the greatest of all the men of the east.

(Job 1:3)

Con la nueva ley, cualquier inmigrante que no supiera leer y escribir en alguna lengua era deportado.

redujo de modo efectivo el número de inmigrantes. Los que pudieron entrar en el país eran blancos y culturalmente afines a la mayoría de americanos. **◄1908.M ►1921.8**

MÚSICA

Tango argentino

3 El producto de exportación argentino más famoso, el tango, consiguió un ritmo nuevo y una nueva ola de popularidad cuando Carlos Gardel editó su primera grabación de *Mi noche triste* (1917).

Una gran estatua de bronce de Gardel se erige en el cementerio donde está enterrado.

El tango, con su letra apasionada y su música de acordeón y violín, estaba en camino de hacerse célebre en todo el mundo.

ARTE Y CULTURA: **Libros:** ***Platero y yo*** **(J. R. Jiménez, edición completa);** ***Prufrock y otras observaciones*** **(T. S. Eliot);** ***El rey Carbón*** **(Upton Sinclair);** ***Abel Sánchez*** **(Miguel de Unamuno) [...] Música:** ***El príncipe de madera*** **(Béla Bartok);** ***Parade*** **(Erik Satie);** ***Sinfonía clásica*** **(Sergei Prokofiev);** ***La tumba de Couperin*** **(Maurice Ravel) [...]**

«Les he tirado a la cara el estante de las botellas y el orinal y ahora los admiran por su belleza estética». **—Marcel Duchamp en 1962, cuando se elevaron a categoría de arte sus obras**

En los tangos de la *vieja guardia*, las letras siempre habían estado supeditadas al movimiento. El tango como forma de baile había nacido en los barrios bajos de Buenos Aires. Incorporó los movimientos de las peleas de navajas y de los actos sexuales en un drama de machismo y feminidad arrolladora. Una versión diluida se convirtió en el baile preferido de la burguesía de Nueva York, Londres, París y finalmente de Argentina en la primera y la segunda décadas.

Los tangos argentinos eran interpretados habitualmente por orquestas de baile de estilo cubano tradicional. No tenían letra o estaban acompañados por poemas líricos sobre traiciones femeninas, alcohol, burdeles y la crueldad de la sociedad. (El género tenía mucho en común con algunas canciones populares mexicanas y con el *blues* americano.) Pero durante la Primera Guerra Mundial surgió una forma de tango nueva más lírica y refinada. *Mi noche triste* fue el primer ejemplo, y la interpretación de Gardel tuvo un éxito sin precedentes.

Gardel se convirtió en una estrella en el extranjero (Bing Crosby dijo que «nunca había escuchado una voz tan bella») pero en su país fue un mito. Para los argentinos, Gardel, como el tango, era la expresión del alma de una nación inmigrante. Sus letras todavía se citan y para referirse a una gran persona se dice que es un «Gardel». Se transformó a sí mismo de inmigrante ilegal y pobre en un hombre rico, elegante y sofisticado. El cantante encarnó las aspiraciones de millones de argentinos. Cuando murió en 1935, su funeral atrajo a una multitud. **►1935.7**

El primer disco de *jazz*: la música de este grupo era mediocre pero popular.

MÚSICA

El *jazz* en disco

5 El primer disco de *jazz*, «The Darktown Strutters' Ball» de la Original Dixieland Jazz Band, se grabó en Nueva York en 1917. Acertadamente, la banda era de Nueva Orleans, donde el *jazz* (una música recién nacida, mezcla de composiciones americanas, europeas y africanas como el *ragtime*, el *blues*, las marchas y la ópera) se había gestado durante las dos décadas anteriores. Lo que resultaba menos apropiado era la elección de esa banda en particular: un grupo de segunda fila compuesto por músicos blancos y dirigido por un canadiense que tocaba la corneta, Nick LaRocca.

El *jazz* había sido concebido y alimentado por músicos negros como Buddy Bolden y Jelly Roll Morton. Sin embargo, según la leyenda, algunos de estos artistas declinaron las ofertas de grabar por miedo a que les robaran sus improvisaciones. La ODJB se apresuró a aprovechar la oportunidad y LaRocca siempre intentó pasar por un intérprete clave en la invención del *jazz*. La verdad es que su música adolecía de afectación rítmica y él improvisaba de forma mediocre. Pero tenía una energía contagiosa y los bailarines amaban su música. A finales de año, en parte gracias al disco de la ODJB, el *jazz* se convirtió en un fenómeno nacional. **►1925.6**

ARTE

Las obras de Duchamp

4 **Marcel Duchamp dejó de pintar a los 25 años y dedicó el resto de su vida a estudiar ajedrez, no obstante, sigue siendo el artista más revolucionario del siglo XX. (Su *Desnudo bajando una escalera*, la sensación del Armory Show de 1913, definió el término «vanguardia».) En 1917 firmó un urinario corriente «R. Mutt», lo tituló *Fuente* y lo incluyó en una exposición en Nueva York. Con este gesto, Duchamp declaró que el arte ya no era una cuestión de técnica o de aprendizaje; era lo que el artista decidiera.**

Duchamp había producido sus «obras» desde 1913, pero cuando convirtió su *Fuente* en una pieza de museo, borró la distinción entre alta y baja cultura. Los movimientos artísticos (dadaísmo y surrealismo en los años veinte, *pop art* en los sesenta y *performance art* en los ochenta), los cuales vinieron después de Duchamp, causaron una ruptura menor. **◄1913.2 ►1920.4**

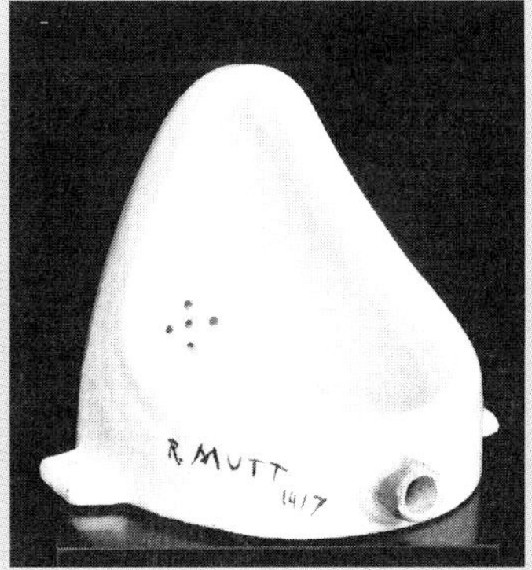

NACIMIENTOS

Anthony Burgess, novelista británico.

Arthur C. Clarke, escritor británico.

José Antonio Escalona, escritor venezolano.

Indira Gandhi, primera ministra india.

Dizzy Gillespie, músico estadounidense.

Andrew Huxley, médico británico.

John F. Kennedy, presidente estadounidense.

Robert Lowell, poeta estadounidense.

Carson McCullers, escritor estadounidense.

Ferdinand Marcos, presidente filipino.

Robert Mitchum, actor estadounidense.

Conor Cruise O'Brien, escritor y diplomático estadounidense.

Irving Penn, fotógrafo estadounidense.

Augusto Roa Bastos, escritor paraguayo.

Arthur Schlesinger, Jr., historiador estadounidense.

Byron R. White, jurista estadounidense.

Andrew Wyeth, pintor estadounidense.

MUERTES

Alma Fuerte (José Bonifacio Palacios), poeta argentino.

«Diamond Jim» Brady, financiero estadounidense.

«Buffalo Bill« Cody, artista estadounidense.

Edgar Degás, pintor francés.

Emile Durkheim, sociólogo francés.

Scott Joplin, músico y compositor estadounidense.

Enric Prat de la Riba, político catalanista español.

Auguste Rodin, escultor francés.

José Enrique Rodó, escritor uruguayo.

Ferdinand von Zeppelin, diseñador aeronáutico alemán.

Pintura y escultura: *Retrato de una muchacha* (Amadeo Modigliani); *Parade amoureuse* (Francis Picabia) [...] Cine: *Judex* (Feuillade); *El inmigrante* (Charles Chaplin); *Pobre niña rica* (con Mary Pickford); *Terje Vigen* (Victor Sjöström) [...] Teatro: *Así es (si así parece)* (Luigi Pirandello); *Querido Bruto* (J. M. Barrie); *Nuestros modelos* (W. Somerset Maugham).

«Esta guerra es una guerra de negocios y no vemos por qué debemos salir del país y liarnos a tiros para salvar el buen estado de los asuntos que disfrutamos ahora». **—Un demandado en el proceso IWW**

NOVEDADES DE 1917

Nace el sistema de homologación industrial, el DIN (Deutsche Industrie Norm).

Bayerische Motoren Werke (BMW).

Corte de pelo a lo *garçon.*

Premios Pulitzer (de biografía, historia y periodismo).

La enciclopedia *World Book.*

EN EL MUNDO

▶MILLIKAN Y EL ELECTRÓN—En 1917, Robert Andrews Millikan, físico de la Universidad de Chicago y alumno de Planck, publicó *El electrón*, donde describía sus experimentos con partículas atómicas. En 1912 determinó la carga precisa de un electrón y cuatro años después confirmó la ecuación de Einstein del efecto fotoeléctrico. ◀1916.9 ▶1919.5

▶LA RADIO EN UNA CAJA —En 1917 David Sarnoff (conocido por los lectores de prensa americanos por ser el operador de radio que transmitió el mensaje del hundimiento del *Titanic*) sugirió a la American Marconi Company que vendiera una sencilla «radio-caja de música» y predijo que se convertiría en un mueble fijo en todas las casas. ◀1912.1 ▶1920.3

▶FÁTIMA: ¿APARICIONES DE LA VIRGEN?—Durante el verano de 1917 una pequeña aldea portuguesa se convirtió en el centro de peregrinación de los católicos del país. Tres pastores, Lucía, Francisco y Jacinta, de 10, 9 y 7 años de edad, declararon que la Virgen se les aparecía con regularidad periódica. Además de proclamar la necesidad de recristianizar el mundo moderno, los pastores dijeron que la Virgen había profetizado que a la guerra en marcha seguirían, durante el

Composición en blanco y negro **(1917) de Piet Mondrian. De Stijl, el movimiento artístico que él lideró, fue el precursor de la Bauhaus y del estilo internacional de arquitectura.**

ARTE

Mondrian y De Stijl

6 Con el humilde propósito de «hacer que el hombre moderno sea receptivo ante la novedad de las artes visuales», unos artistas vanguardistas holandeses se unieron en el verano de 1917 para publicar *De Stijl (El estilo)*. Esta pequeña revista de arte, que nunca vendió más de trescientas copias, fue el germen de uno de los movimientos de arquitectura y de arte moderno más influyentes. Theo van Doesburg, artista provocador, editó el diario, y los pintores Bart van der Leck y Vilmos Huszár le ayudaron. Sin embargo, el promotor fue el pintor radicalmente abstracto Piet Mondrian. Sus teorías artísticas, expuestas en la revista, se convirtieron en las bases del movimiento De Stijl.

Mondrian, terco y dogmático, se erigió como un santo del arte moderno. Sus peculiares pinturas, las famosas rejas geométricas en las que unas líneas negras de fuerte trazo delinean rectángulos de color rojo, azul y amarillo, expresaron su creencia casi religiosa en la armonía: los elementos individuales y los esenciales se integran perfectamente en un todo colectivo. Mondrian predijo que en el futuro la armonía universal evolucionaría en una utopía social. (Una idea atractiva para el mundo de 1917, desgarrado por la guerra.) Hasta entonces, el trabajo del artista residía en interpretar y revelar un orden natural. Los principios centrales de De Stijl eran la creencia en la armonía creada por el artista, la fe en el poder de redención de la tecnología y el compromiso del arte con la sociedad.

Caracterizado por la abstracción total, el uso exclusivo de colores primarios sobre un fondo neutro y la angularidad rígida de líneas verticales y horizontales, las pinturas «neoplásticas» de Mondrian llamaron mucho la atención tras la guerra y contribuyeron a difundir la doctrina de De Stijl y a desarrollar movimientos artísticos modernos tan esenciales como la Bauhaus y el estilo internacional de arquitectura. **◀1910.6 ▶1919.9**

REFORMA SOCIAL

Los *Wobblies* son mutilados

7 La guerra intensificó la represión política en casi todos los países. En 1917 en Estados Unidos se aprobaron leyes draconianas contra la sedición y las actividades antibelicistas. Miles de personas fueron procesadas por pedir la paz y una importante organización fue prácticamente abolida: los Industrial Workers of the World (Trabajadores Industriales del Mundo).

El sindicato laboral extremista había aumentado sus filas con el incremento de la producción de la época de guerra, llegando a alcanzar la cifra máxima de cien mil miembros. A pesar de haber sufrido linchamientos, palizas, muertes y arrestos, los *Wobblies* (como se apodaban) habían continuado convocando huelgas y defendiendo la revolución. Aunque el sindicato no tomó una posición oficial ante la guerra (sus miembros, muy bien pagados, de la industria armamentística llevaban a cabo su trabajo tranquilamente), los periódicos difundieron rumores de que el sindicato estaba financiado por Alemania y que se planeaba un sabotaje. Incluso el presidente Wilson comentó al procurador general que los *Wobblies* «merecían ser suprimidos».

El 5 de septiembre, funcionarios del Departamento de Justicia asaltaron la 48 asamblea del IWW y confiscaron cinco toneladas de material escrito (la mayoría del cual era antibelicista). Al cabo de un mes, 165 líderes del sindicato fueron arrestados por obstruir el alistamiento, por animar a la deserción y por intimidación en disputas laborales. En abril del año siguiente, 101 de ellos fueron procesados, una experiencia de cinco meses que constituyó el juicio más largo de América hasta la fecha.

El jurado los declaró a todos culpables, incluyendo al fundador del sindicato William «Big Bill» Haywood, que fue sentenciado a 20 años de prisión con catorce compañeros más. Haywood se fugó estando bajo fianza y huyó a la Unión Soviética, donde murió diez años más tarde.

El IWW había sido decapitado. Continuó con actividades débiles y esporádicas pero ya estaba acabado. Irónicamente, algunos miembros resentidos se adhirieron al reciente Partido Comunista de América (fundado en 1919), una organización

Se dijo que las iniciales IWW significaban «Imperial Wilhelm's Warriors».

DEPORTES: Fútbol: El Real Madrid gana el campeonato de España venciendo en la final al Arenas F.C.

mucho menos democrática y con vínculos más profundos en el extranjero que la de los *Woobblies*, anárquica y autóctona. ▸**1919.6**

LITERATURA

El regreso de Valéry

8 Hacía 25 años que Paul Valéry había abandonado la poesía a causa de una frustración artística agravada por un asunto amoroso

Cuando le preguntaron una vez por qué era escritor, Valéry respondió: «Por debilidad».

desgraciado, y en 1917 resurgió como el mejor poeta «nuevo» del año con un monólogo introspectivo de 512 versos titulado «La Jeune Parque» («La joven parca»). El poema, que Valéry había empezado instigado por su amigo André Gide, carecía de un argumento convencional; en su lugar, el poeta evocaba una serie de estadios psicológicos en la mente de una mujer joven, la más joven de las tres parcas clásicas, que sentada junto al mar al amanecer examina los dolores y los placeres de la vida humana. Valéry declaró que tenía poco interés en la poesía, que utilizaba la creación literaria del mismo modo que los científicos usan las matemáticas, como una taquigrafía de las tareas de su mente. Valéry dijo que la poesía era su modo de expresar «aquello que [...] se intenta expresar con gritos, lágrimas, caricias, besos y suspiros».

«La Jeune Parque» consolidó la posición de Valéry en la literatura francesa. Su última obra relacionaba a los simbolistas del siglo XIX con los modernistas del XX. ▸**1918.9**

PRIMERA GUERRA MUNDIAL

América declara la guerra

9 Woodrow Wilson había intentado mantener a Estados Unidos fuera de la Primera Guerra Mundial. No sólo era reacio a enviar a sus compatriotas a una guerra cuya base moral no estaba clara, sino que la paz era mejor negocio. Mientras las potencias europeas se destruían unas a otras, Estados Unidos se enriquecía con las exportaciones y la banca internacional. Pero a principios de 1917, tras repetidos esfuerzos por sentar a los países en guerra en la mesa de negociaciones, Wilson se dio cuenta de que no tenía elección.

Dos factores forzaron su decisión. El primero fue la guerra de Alemania contra sus barcos comerciales. Durante dos años, en respuesta al bloqueo aliado de las aguas germanas, los alemanes habían atacado barcos desarmados en aguas británicas. En enero declararon que hundirían cualquier barco que estuviera cerca de un país aliado. A mediados de marzo, los submarinos alemanes habían torpedeado tres navíos norteamericanos no beligerantes así como 1,3 millones de toneladas de barcos aliados. Entre las bajas se encontraban docenas de americanos. Agentes norteamericanos interceptaron el llamado «telegrama Zimmermann», un mensaje secreto del ministro de asuntos exteriores alemán que ordenaba a su embajador de México que ofreciera ayuda para recuperar Nuevo México, Texas y Arizona de Estados Unidos. En abril, Wilson declaró que «el mundo debía asegurar la democracia» y pidió al congreso que declarara la guerra.

Las tropas norteamericanas llegaron a Francia en junio y entraron en combate en octubre, justo a tiempo para llenar el vacío creado por la revolución rusa. El ejército ruso era un caos y había perdido más terreno del que había ganado el año anterior. Los motines se extendían y los bolcheviques pronto pedirían la paz. Esto dejaba libres a las potencias centrales para concentrarse en Italia, su enemigo más débil. Una ofensiva austro-germana expulsó a las fuerzas italianas de la región del río Isonzo hasta casi Venecia. Francia y Gran Bretaña habían destacado dos ejércitos del frente occidental para proteger el interior de Italia.

Estos reveses fueron más importantes que los éxitos de los aliados, entre los que figuraban el haber hecho retroceder a las potencias centrales algunos kilómetros en el Somme, el Aisne y en Verdún, Cambrai y Flandes. (Aun así, las bajas aliadas fueron enormes y los soldados alemanes que se retiraban asolaron campos y ciudades.) Los británicos se rehicieron en Mesopotamia y en diciembre tomaron Jerusalén. Con la ayuda de T. E. Lawrence, provocaron una sublevación en Arabia. Sin embargo, la mayoría de estas ganancias eran más simbólicas que estratégicas. China, Siam y algunos países latinoamericanos, emulando a Estados Unidos, declararon la guerra a Alemania. Grecia fue la siguiente a finales de junio. Pero ninguno de estos países podía proporcionar un avance decisivo. Fue cosa de los americanos determinar el destino de los aliados al año siguiente. ◂**1916.1** ▸**1918.1**

Soldados de infantería americanos, los *poilus* (los «peludos») en París. Una escena de bienvenida.

siglo XX, dos conflictos de alcance mundial.

▶HUELGA GENERAL REVOLUCIONARIA EN ESPAÑA—Durante una semana —entre el 13 y el 20 de agosto— el régimen político español se tambaleó

a causa de una revolucionaria huelga general. Dirigido por los sindicatos socialista (U.G.T.) y anarquista (C.N.T.), el movimiento revolucionario tuvo especial importancia en las zonas industriales y mineras del país. En Cataluña, el País Vasco, Asturias, Madrid y Andalucía, la huelga sólo pudo ser sofocada con la intervención del ejército.

Aunque la revolución obrera no triunfó, la continuidad de la monarquía parlamentaria quedó seriamente amenazada y el recurso de la dictadura militar se presentó como una posible solución para el futuro. ▸1923.NM

PRIMERA GUERRA MUNDIAL

▸OFENSIVA ALIADA—El 16 de marzo, las tropas austro-germanas, anticipándose a una nueva ofensiva aliada en el frente occidental, desconcertaron a los aliados replegándose en las defensas previamente preparadas (la línea Hindenburg, *página siguiente*) a lo largo del río Aisne. La ofensiva incluyó la batalla de Arras (9 de abril-4 de mayo), en la que los soldados canadienses invadieron la colina de Vimy, fuertemente fortificada. Los británicos ganaron 6,5 km de territorio ocupado por los alemanes pero no pudieron mantenerlo. La cantidad de bajas francesas en el Aisne y en la Champaña francesa unidas a una revuelta de los

«Algunos de nosotros hemos venido aquí sin ilusiones. No las tenemos porque sabemos que el gobierno, la Iglesia y los capitalistas son los enemigos natos del trabajador».—**Nicolás Cano, delegado de la convención constitucional mexicana de 1917**

soldados rusos en mayo, desembocaron en un motín que paralizó al ejército francés.

▶TERCERA BATALLA DE YPRES—Los británicos empezaron la tercera gran ofensiva en torno al pequeño pueblo de Ypres (31 de julio-10 de noviembre) y obtuvieron las tierras altas de Messines. Pero finalmente el avance fue detenido después de que cayera una fuerte lluvia y un bombardeo aliado convirtiera el campo de batalla en una ciénaga.

▶MUJER FATAL—La bailarina exótica y espía convicta Mata Hari se enfrentó al pelotón de fusilamiento el 15 de octubre. Aunque los oficiales franceses hacía tiempo que conocían sus contactos alemanes, carecían de pruebas concluyentes hasta que interceptaron un telegrama condenatorio. Al final se le atribuyeron cincuenta mil pérdidas aliadas. ◂1905.4

▶LA BATALLA DE CAMBRAI —Los británicos empezaron su ataque el 20 de noviembre con 324 tanques. Por primera vez se utilizó este medio, que estableció una nueva forma de guerra.

ORIENTE MEDIO

Esperanzas de una patria

10 La declaración Balfour del 2 de noviembre de 1917 aparentemente sólo era una carta de Lord Arthur Balfour, el ministro británico de asuntos exteriores, al barón Lionel Walter Rothschild, un dirigente judío británico. La carta prestaba el apoyo británico al establecimiento de una patria judía en Palestina. Sin embargo, la simplicidad extraordinaria del documento contradecía las maquinaciones políticas internacionales. La carta representaría la esperanza para el pueblo judío eternamente perseguido, la ruina para un nacionalismo árabe embrionario y un vínculo de sangre que obligaría a Gran Bretaña a reducir su poder de un modo que no había previsto.

En 1917, los aliados hacían planes sobre Oriente Medio para cuando acabara la guerra, y los británicos y los franceses maniobraban para conseguir la hegemonía. Al mismo tiempo, la joven Organización Sionista Mundial y los líderes sionistas Chaim Weizmann y Nahum Sokolow se esforzaban más que nunca en buscar apoyo para las peticiones judías.

Los británicos tenían un interés político en contentar tanto a los árabes como a los judíos: pensaban que una comunidad judía en Palestina, constituida por judíos polacos y rusos revolucionarios ligados sentimentalmente a Gran Bretaña, salvaguardaría el comercio británico en Oriente Medio, el canal de Suez y la ruta de la India. La cooperación de los líderes árabes tenía la misma importancia.

En consecuencia, la declaración Balfour consideraba «favorable el establecimiento de una patria judía en Palestina» pero no ofrecía garantías para otorgarle la categoría de Estado. Establecía que Gran Bretaña apoyaba las aspiraciones judías pero no aboliría los derechos de otros grupos indígenas.

La Organización Sionista Mundial estaba entusiasmada, pero los árabes nacionalistas, que habían vivido en relativa paz con los colonos judíos desde finales de siglo, empezaron a inquietarse ante la perspectiva de una inmigración masiva de judíos a Palestina.

En julio de 1922, la declaración Balfour formó parte del mandato británico sobre Palestina aprobado por la Liga de Naciones. **◂1904.NM ▸1920.2**

Lord Arthur Balfour intentó calmar a todas las partes.

MÉXICO

Una sorpresa para Carranza

11 El 1 de mayo de 1917, Venustiano Carranza fue elegido presidente de México en los primeros comicios celebrados tras la revolución. A diferencia de Pancho Villa y Emiliano Zapata, que defendían a los campesinos en la revolución, Carranza era un moderado de clase media. El año anterior había convocado una asamblea constituyente y había escogido cuidadosamente a los delegados en un esfuerzo por consolidar su gobierno. Los campesinos y sus cabecillas continuaron en armas.

Emiliano Zapata en un mural de Diego Rivera. Carranza mantuvo al líder revolucionario a distancia.

Los delegados (abogados, médicos, dependientes, generales, periodistas, ingenieros, profesores y hombres de negocios) sorprendieron a Carranza al redactar una constitución inesperadamente radical. El artículo 27 desmantelaba el sistema de haciendas, que había llevado a los campesinos a un estado de servilismo. Idearon un mecanismo legal para la redistribución de la tierra. El artículo 123, llamado la «carta magna del trabajo mexicano», estableció las regulaciones laborales más liberales del mundo: jornada de ocho horas, salario mínimo, legalización de los sindicatos y restricciones del trabajo infantil. Los artículos anticlericales despojaron a la Iglesia católica de sus extensas propiedades y restringieron su participación en la educación y en la política.

Carranza aceptó la nueva constitución bajo presión. Durante su presidencia, rechazó de pleno cumplir las disposiciones referentes a la reforma agraria y a la regulación laboral. Los seguidores de Villa y Zapata continuaron con la agitación y la frágil estabilidad de México pronto se derrumbó. En 1920, Carranza había muerto, y la batalla interna por el control del país estaba una vez más en plena efervescencia. **◂1916.6 ▸1919.NM**

TECNOLOGÍA

Frescura congelada

12 En 1917, Clarence Birdseye regresó a su Nueva York natal tras unos años como comerciante de salmuera en Labrador, dispuesto a perfeccionar los métodos de congelación de alimentos frescos que había aprendido de los esquimales. Descubrió que la congelación rápida que éstos practicaban en sus entornos de temperaturas bajo cero garantizaba la frescura de los alimentos de forma más efectiva que la congelación lenta, que tardaba 18 horas. Con este último método se formaban cristales de hielo que rompían los tejidos y las fibras de la comida y les restaban frescura. Birdseye descubrió que congelando la comida en una bruma de salmuera a —57 °C se podía preservar el gusto y la textura durante meses. Se gastó 7 dólares en un ventilador, hielo y sal para probar su método. Más tarde, un amigo le prestó un rincón de su nevera para continuar sus experimentos.

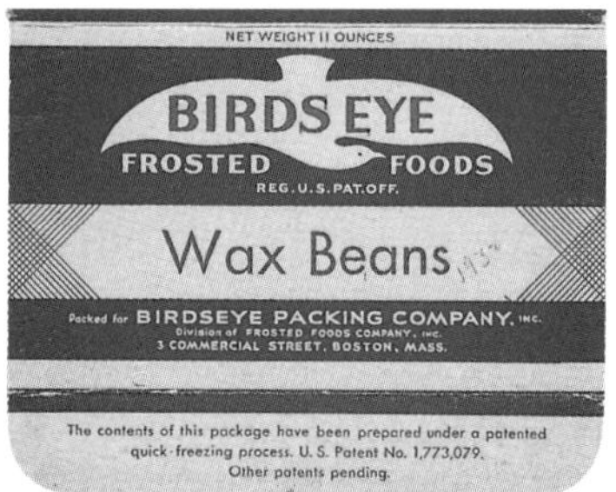

Clarence Birdseye vendió su compañía en 1929, pero su nombre se convirtió en sinónimo de comida congelada.

En 1924 fundó, con tres socios, la compañía General Seafoods, en Gloucester, Massachusetts, de congelación y venta de filetes de pescado. Así nació una industria multimillonaria que revolucionó la comercialización y los hábitos alimenticios del mundo. En 1929, la compañía Postum, más tarde la General Foods, pagó 22 millones de dólares a Birdseye por su compañía y por los derechos de patente de su proceso. **▸1923.11**

PREMIOS NOBEL: Paz: Cruz Roja Internacional (1863) [...] Literatura: Karl Gjellerup (danés; poeta) y Henrik Pontopiddan (danés; novelista) [...] Química: Sin galardón [...] Medicina: Sin galardón [...] Física: Charles Barkla (británico; análisis de los elementos de los rayos X).

ECOS DE 1917

Una canción para los soldados yanquis

«Over there» («Allá»), de George M. Cohan, 1917

George M. Cohan *(izquierda)*, cantante y bailarín, fue el original Yankee Doodle Boy en Broadway en *Little Johnny Jones* (1904). «Over there» incide en el mismo espíritu patriótico.

En la mañana del 6 de abril de 1917, unos titulares sensacionales proclamaron la declaración de guerra americana a Alemania. George M. Cohan, actor, productor musical y autor de canciones estaba en su casa de Great Neck, Nueva York, preparándose para ir a trabajar. Más tarde recordaría: «Leí aquellos titulares de guerra y empecé a tararear interiormente un himno. Por un momento pensé que tenía que ir a bailar. Acabé con el coro y la letra en el tiempo que empleé para llegar a la ciudad y también decidí el título». La canción, «Over there», fue un éxito importantísimo y llegó a estar unida inseparablemente al recuerdo de la Primera Guerra Mundial.

Al cabo de tres meses de su publicación se habían vendido cuatrocientas mil copias de la partitura; las ventas alcanzaron el máximo de dos millones al final de la guerra. Fue grabada por muchos cantantes del momento, incluso por la estrella de la ópera Enrico Caruso. El presidente Woodrow Wilson describió la canción como «una auténtica inspiración de la hombría americana» y su mensaje de esperanza y desafío pronto estuvo en boca de los tommies, *los* poilus *y los soldados de infantería en las trincheras de todo el frente occidental. Cohan obtuvo una tardía Medalla de Honor del congreso estadounidense en 1940.* ►**1918.1**

Johnnie get your gun, get your gun, get your gun
Take it on the run, on the run, on the run
Hear them calling you and me
Ev'ry son of liberty

Hurry right away, no delay, go today
Make your daddy glad to have had such a lad
Tell your sweetheart not to pine
To be proud her boy's in line.

Over there, over there
Send the word, send the word over there
That the Yanks are coming, the Yanks are coming
The drums rum-tumming ev'rywhere

So prepare, say a pray'r
Send the word, send the word to beware
We'll be over, we're coming over
And we won't come back till it's over over there.
Over there.

Johnnie get your gun, get your gun, get your gun
Johnnie show the Hun you're a son of a gun
Hoist the flag let her fly
Yankee Doodle do or die

Pack your little kit, show your grit, do your bit
Yankees to the ranks from the towns and the tanks
Make your mother proud of you
And the old Red White and Blue.

Over there, over there
Send the word, send the word over there
That the Yanks are coming, the Yanks are coming
The drums rum-tumming ev'rywhere

So prepare, say a pray'r
Send the word, send the word to beware
We'll be over, we're coming over
And we won't come back till it's over over there.
Over there.

Johnnie coge tu fusil, coge tu fusil, coge tu fusil
llévalo a la carrera, a la carrera, a la carrera
escucha a todos los hijos de la libertad
llamándonos a ti y a mí.

Marcha de frente deprisa, no te demores, ve hoy mismo,
haz que tu padre se enorgullezca de haber tenido un muchacho como tú
Dile a tu novia que no esté triste,
que esté orgullosa de tener a su chico en el frente.

Allá, allá
manda el recado, manda el recado allá
de que los yanquis van a llegar, los yanquis van a llegar
con las petacas llenas de alcohol a todas partes.

Prepárate, reza una oración.
Manda el recado, manda el recado de que tengan cuidado.
Acabaremos con esto, los visitaremos
y no regresaremos hasta haber acabado.

Johnnie coge tu fusil, coge tu fusil, coge tu fusil
Johnnie demuestra a los hunos que eres hijo de un fusil
iza la bandera y déjala ondear.
Ser Yankee Doodle o morir.

Haz tu petate, demuestra tu valor, pon tu parte yanqui
en las filas de las ciudades y de los tanques,
haz que tu madre y la antigua bandera roja, blanca y azul
se enorgullezcan de ti.

Allá, allá
manda el recado, manda el recado allá
de que los yanquis van a llegar, los yanquis van a llegar
con las petacas llenas de alcohol a todas partes.

Prepárate, reza una oración.
Manda el recado, manda el recado de que tengan cuidado.
Acabaremos con esto, los visitaremos
y no regresaremos hasta haber acabado.

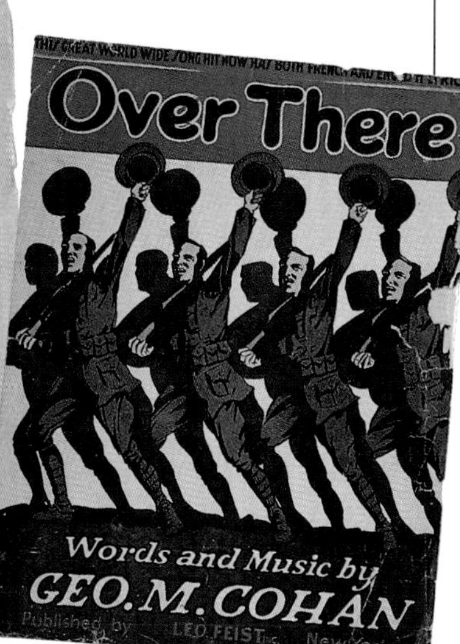

«Es mejor un final horrible que un horror sin final.»—**Philipp Scheidemann, socialista alemán, comentando la rendición de Alemania en la Primera Guerra Mundial**

HISTORIA DEL AÑO

Victoria de los aliados

1 «La guerra final y culminante por la libertad humana», como Woodrow Wilson definió a la Primera Guerra Mundial, acabó oficialmente el 11 de noviembre de 1918 cuando los alemanes firmaron un armisticio cerca de Compiègne, Francia. La victoria aliada llegó tras algunos de los combates más sangrientos de la guerra, pero fue el resultado de la estrategia política más que de la militar.

Entre marzo y julio los aliados sufrieron reveses muy importantes cuando Alemania lanzó cinco ofensivas masivas en el frente occidental con la esperanza de aplastar a sus oponentes antes de que los americanos se unieran a la lucha con todas sus fuerzas. Los ataques rompieron los frentes de batalla que habían estado paralizados durante casi cuatro años y costaron centenares de miles de hombres a los dos bandos. La defensa resistió tenazmente. Luego, cuando ya llegaban diez mil americanos al día, los aliados contraatacaron. Los invasores pronto se retiraron a lo largo de todo el frente.

Soldados americanos (de Nueva York) en Cambrai, Francia, celebran el armisticio con una improvisada Campana de la Libertad.

Mientras, los búlgaros habían sido expulsados de Serbia, y los austríacos de Italia. Bulgaria se rindió el 30 de septiembre ante la amenaza de una invasión aliada. Esto dejó a indefensos los turcos, mientras sus territorios en el Próximo Oriente eran invadidos por los soldados árabes y británicos. Los turcos capitularon el 30 de octubre y Austria-Hungría pidió la paz el 3 de noviembre. Alemania no podría aguantar mucho tiempo sola.

La llegada de cuatro millones de soldados americanos no fue el único factor que derrumbó a las potencias centrales. En verano, los dos bandos que estaban en guerra se enfrentaron al agotamiento y a la escasez. Entre las naciones aliadas (excepto Rusia que había firmado la paz separada en marzo) los apuros engendraron unidad. Sus ejércitos finalmente acordaron seguir a un comandante supremo, el mariscal francés Ferdinand Foch y las divergencias políticas internas quedaron reducidas a un rumor. Sin embargo, entre los enemigos de los aliados proliferaron las disidencias. En Alemania y Austria-Hungría florecieron los movimientos pacifistas. Los oficiales alemanes discutían públicamente sobre la dirección de la guerra. Los soldados de Alemania y Austria-Hungría se amotinaban. Las potencias se peleaban por cómo dividirían el botín de guerra. En octubre estalló una revolución en Alemania y en el Imperio Austro-húngaro. La población no podía soportar más sacrificios. **◂1917.9 ▸1918.6**

El Fordson cambió la agricultura, pero una compañía rival, la International Harvester, expulsó a la Ford del negocio de los tractores.

TECNOLOGÍA

El tractor revoluciona la agricultura

2 Una máquina contribuyó a ganar la Primera Guerra Mundial sin haber entrado nunca en combate. En marzo de 1918, un año después de su invención, se fabricaban 80 unidades al día del primer tractor producido en serie en el mundo. El Fordson de Henry Ford, ligero y barato, permitió a los agricultores americanos responder a la demanda que se había incrementado mucho durante la guerra. Los caballos de tiro y la mano de obra se habían enviado al frente. Sólo tres años antes, los tractores eran tan incómodos y caros que menos del 1 % de los agricultores de Estados Unidos los utilizaban.

La revolución del tractor llegó a Europa (excepto a la Unión Soviética) después de la Segunda Guerra Mundial. Pero en América empezó con el primer Fordson y se aceleró durante los años veinte. Al principio, todos los cambios parecían buenos. La tierra antes reservada a los paseos se podía cultivar. Por primera vez en la historia los excedentes fueron habituales.

Sin embargo, los excedentes rebajaron los precios de los cultivos, y los agricultores no podían detener la producción: necesitaban producir cuanto fuera posible para pagar los préstamos por los equipos. Cuanto más se expandían y especializaban, más dependían de los fertilizantes químicos y pesticidas, que eran caros. Cada vez más familias agrícolas se arruinaron; cuando los bancos no les ampliaron las hipotecas, perdieron sus tierras. Durante la depresión, el gobierno federal empezó a garantizar subsidios para los agricultores pero los mayores beneficiados fueron los latifundistas. Mientras, las ciudades seguían creciendo con los campesinos que abandonaban el campo, y la mecanización hacía innecesarios a los labriegos. En 1910, el 32,8 % de los trabajadores americanos eran agrícolas; en 1920, lo eran el 25,6 %, y en 1990 se habían convertido en un minúsculo 2,4 %. **◂1913.6 ▸1944.M**

LITERATURA

La autobiografía de Adams

3 Henry Brooks Adams, profesor, biógrafo e historiador, murió en marzo de 1918. Su autobiografía, *La educación de Henry Adams,* es la cumbre de su oscuro y profundo pesimismo intelectual.

Adams contó con todas las ventajas que podía ofrecer la América del siglo XX. Su abuelo (John Quincy Adams) y su bisabuelo (John Adams) fueron presidentes de Estados Unidos. Su padre, Charles Francis Adams, fue diplomático y miembro del congreso; su madre, Abigail Brown Brooks, pertenecía a una de las familias más antiguas de Boston. El mismo Adams estudió en la prestigiosa Universidad de Harvard, a la que volvió como profesor de historia medieval.

Pero donde sus contemporáneos vieron grandeza y privilegios, Adams sólo encontró desagrado y torpeza intelectual. Sus compatriotas, escribió, «no tenían tiempo para pensar y no podían ver nada más allá de su jornada laboral, su actitud frente al universo era la misma que la de los peces abisales».

La educación de Henry Adams, publicada en una edición privada 20 años antes, repudiaba el clasismo y la educación elitista del escritor. Usando el símbolo de la dinamo como una metáfora del nuevo mundo de la tecnología, Adams describía su búsqueda de la luz como un fracaso notable y su educación como una

ARTE Y CULTURA: Libros: *Plenitud* (Amado Nervo); *Los heraldos negros* (César Vallejo) [...] Música: *El castillo de Barba Azul* (Béla Bartók); *Historia de un soldado* (Igor Stravinski) [...] Pintura y escultura: *Blanco sobre blanco* (Kasimir Malevich); *La crucifixión* (Georges Rouault) [...]

«El mundo no sabrá nunca lo que hemos hecho.»—**Alarde atribuido a un comisario bolchevique en tiempos de la ejecución de los Romanov.**

derrota sin esperanza. Este ejercicio de autoexamen (de carácter intelectual, nunca emotivo: jamás mencionó el suicidio de su mujer en 1885, por ejemplo) no tenía precedente en las letras americanas. *La educación de Henry Adams* supuso un nuevo hito en el panorama literario, un nuevo género de autobiografía. ◄**1902.7**

LITERATURA

Strachey en Bloomsbury

4 La reina Victoria había muerto hacía tiempo, pero la época victoriana duró hasta que la Primera Guerra Mundial descargó su golpe fatal. En 1918, la publicación de *Victorianos ilustres*, de Lytton Strachey, una colección de esbozos biográficos irreverentes de ídolos como Florence Nightingale y el general Charles «Chinese» Gordon, enterró el cadáver. Otros habían satirizado la pompa victoriana, el orgullo y las pretensiones imperiales, pero nadie lo había hecho con las palabras, la erudición y el talento malicioso de Strachey. El libro gustó a la juventud de la posguerra y transformó el género biográfico. Los volúmenes tradicionales de biografías tendían a ser tediosos y aduladores. *Victorianos ilustres* era una obra maestra de concisión que investigaba a los personajes y sus relaciones personales sin ser un catálogo de cumplidos.

La iconoclastia refinada de Strachey era característica del grupo de Bloomsbury, un círculo de intelectuales de inclinaciones izquierdistas que entre 1907 y 1930 se reunían en las casas de la pintora Vanessa Bell y de su hermana, la escritora Virginia Woolf, en el barrio londinense de Bloomsbury. Fieles a la filosofía analítica del catedrático de Cambridge, los del grupo de Bloomsbury estaban entre los pensadores de lengua inglesa más influyentes de la época. Además de Woolf, Bell y Strachey militaban en sus filas: el economista John Maynard Keynes, el novelista E. M. Forster, los críticos Roger Fry y Clive Bell (marido de Vanessa) y el ensayista Leonard Woolf (casado con Virginia). ►**1929.E**

UNIÓN SOVIÉTICA

La ejecución de los Romanov

5 El nuevo gobierno de Rusia había planeado un juicio público grandioso para procesar al zar. Leon Trotski, el preferido de la intelectualidad revolucionaria, debía llevarlo a cabo. Pero en el verano de 1918, la guerra civil obligó a los nuevos dirigentes a tomar una decisión drástica. Cuando el ejército blanco antibolchevique se acercó a Ekaterinburg (actualmente Sverdlarsk), la ciudad de los montes Urales donde estaban detenidos el zar y su familia, el soviet gubernamental ordenó su ejecución inmediata.

La tarde del 16 de julio, Nicolás, su mujer Alexandra y sus cinco hijos (cuatro hijas y Alexis, el heredero, de catorce años) fueron mandados al sótano de la casa donde estaban detenidos. Los guardias les explicaron que los pisos superiores eran inseguros a causa de la proximidad del combate. La familia obedeció sin sospechar nada. En el sótano, un pelotón de fusilamiento reunido de forma precipitada disparó una lluvia de balas contra los Romanov. Cuatro sirvientes murieron con la familia. Los disparos continuaron hasta que la habitación se llenó de humo. El zar y la zarina murieron al instante. Algunos de los niños tuvieron menos suerte. Una memoria oficial del asesinato destacaba la «extraña vitalidad» de Alexis. Las joyas que llevaban en los corsés habían protegido en parte a sus hermanas. Los ejecutores acabaron su espantoso trabajo con las bayonetas.

Para impedir que los enemigos del nuevo estado soviético utilizaran los cuerpos de los Romanov como reliquias de mártires, lanzaron al pozo de una mina los cuerpos destrozados. Más tarde, los trasladaron a una tumba poco profunda del bosque y los rociaron con ácido para que no fueran reconocidos. El gobierno no dijo nada y el paradero de los cuerpos se convirtió en el misterio más intrigante de la revolución. Circularon rumores de que Alexis o su hermana Anastasia habían escapado de algún modo. A través del siglo, docenas de mujeres declararon ser Anastasia; la más conocida fue Anna Anderson, que apareció en Berlín en 1920 hablando ruso y mostrando cicatrices de un asalto brutal. Murió en 1984 sin que nadie creyera sus afirmaciones. En 1991 se identificó oficialmente en Ekaterinburg una sepultura anónima como la de los Romanov. Las autoridades recuperaron los restos de nueve cuerpos, dos menos de los que se esperaba. En 1944 se hizo la prueba del ADN en una muestra de tejido del intestino de Anderson y se comparó con una muestra de sangre del príncipe Philip de Gran Bretaña (emparentado a través de su madre con Alexandra). La comprobación demostró que Anderson no era Anastasia, pero la historia que rodea a las muertes de los Romanov sigue siendo confusa. ◄**1917.1** ►**1919.8**

Representación artística de la ejecución improvisada y demencial de Nicolás II y su familia.

1918

NACIMIENTOS

Ingmar Bergman, director sueco.

Leonard Bernstein, compositor y director de orquesta estadounidense.

Manuel J. Castilla, poeta argentino.

Nicolae Ceaușescu, presidente rumano.

Richard Feynman, físico estadounidense.

Ella Fitzgerald, cantante estadounidense.

Nelson Mandela, presidente sudafricano.

Gamal Abdal Nasser, presidente egipcio.

Anwar al-Sadat, presidente egipcio

Aleksandr Solzhenitsyn, novelista ruso.

Mickey Spillane, novelista estadounidense.

Jacqueline Susann, escritora estadounidense.

Kurt Waldheim, presidente austríaco.

Mike Wallace, periodista radiofónico estadounidense.

MUERTES

Henry Adams, historiador estadounidense.

Guillaume Apollinaire, poeta francés.

Claude Debussy, compositor francés.

Raymond Duchamp-Villon, escultor francés.

Manuel González Prada, escritor peruano.

Carlos Guido y Spano, poeta argentino.

Gustav Klimt, pintor austríaco.

Nicolás II, zar ruso.

Georgi Plekhanov, teórico socialista ruso.

Edmond Rostand, dramaturgo francés.

Egon Schiele, pintor austríaco

Cine: ***Armas al hombro*** **(Charlie Chaplin);** ***Corazones del mundo*** **(D. W. Griffith);** ***El coro de susurros*** **(Cecil B. DeMille) [...] Teatro:** ***Mystery-Bouffe*** **(Vladimir Mayakovsky).**

«Ensuciáos solos.»—**Mensaje de despedida del rey Federico de Sajonia a Alemania tras la caída del Imperio de Austria-Hungría**

NOVEDADES DE 1918

Servicio de correo aéreo.

Semáforo tricolor.

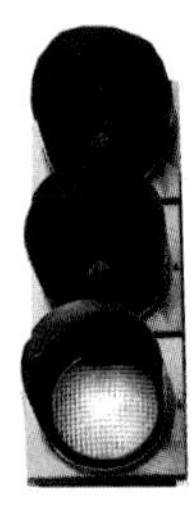

Jabón en polvo para lavar (Rinso, de Lever Brothers).

Tostador automático (patentado por el inventor estadounidense Charles Strite).

Compresas Kotex.

Sufragio para las mujeres mayores de 30 años y para los hombres mayores de 21 en Gran Bretaña.

EN EL MUNDO

▶UN COPÉRNICO MODERNO—En 1918, el astrónomo Harlow Shapely, mientras trabajaba en el observatorio del monte Wilson, en California, realizó el descubrimiento que le valió el sobrenombre de «Copérnico moderno». Midiendo las distancias entre las agrupaciones estelares (agregaciones muy cercanas de más de un millón de estrellas), Shapely se percató de que la mayoría de los grupos conocidos rodeaban de forma circular la constelación de Sagitario. Estudiando este modelo concreto dedujo que el sol no es el centro de nuestra galaxia, la Vía Láctea, sino que está a unos cincuenta mil años luz (tras una revisión quedó en treinta mil) del centro. Sus investigaciones sobre el tamaño y la forma de la Vía Láctea proporcionaron la primera medición realista de nuestra galaxia. ◂1914.10 ▸1929.9

▶HÉROE DE INFANTERÍA—El departamento de reclutamiento de Tennessee había denegado a Alvin Cullum York su petición de exención de servicio como objetor de conciencia. En la ofensiva del Meuse-Argonne, el soldado raso York con una ametralladora encabezó con

Durante los disturbios de Berlín, los soldados alemanes utilizaron un tanque británico capturado hacía poco para patrullar las calles y proteger los cuarteles de policía.

PRIMERA GUERRA MUNDIAL

Los imperios se desmoronan

6 Los Imperios de Austria-Hungría y Alemania cayeron en 1918 con una diferencia de días entre uno y otro, pero por caminos muy distintos. Austria-Hungría había sido desde siempre una complicada amalgama de pueblos y simplemente se disolvió en sus partes componentes. El emperador Carlos empezó el proceso a mediados de octubre: entre huelgas y manifestaciones proclamó su reino como una federación de estados semiindependientes. Al cabo de un mes, sus súbditos tenían nuevos problemas. Los eslavos del sur se unieron a Serbia para formar el reino de los serbios, los croatas y los eslovenos (más tarde Yugoslavia); los checos, los eslovacos y los rutenios proclamaron la república de Checoslovaquia; y Austria, Hungría y Polonia se separaron en repúblicas independientes. Carlos se exilió.

Por el contrario, el Imperio Germánico ya se había reducido a Alemania. Los territorios de África, China y el sur del Pacífico le habían sido arrebatados durante la guerra. (Los únicos soldados coloniales que siguieron luchando hasta el final fueron los del este de África.) A finales de octubre, la mayoría de los alemanes sabían que la derrota era inminente. Una serie de reformas precipitadas, aplicadas con la esperanza de que los aliados ofrecieran unas condiciones de rendición más suaves, demostraron la debilidad del gobierno.

Cuando se ordenó a la armada alemana que lanzara un último ataque contra la flota británica, sus marinos se rebelaron. El 3 de noviembre tomaron Kiel, la base naval más importante, y soldados y ciudadanos de toda la nación se sublevaron. Se organizaron en consejos según el modelo de los soviets rusos y encontraron poca resistencia. Los rebeldes tomaron el Palacio Imperial de Berlín. El 9 de noviembre, el canciller del káiser Guillermo, el príncipe Max de Baden, convocó al presidente del Partido Social Demócrata, Friedrich Ebert, líder de la mayor facción del parlamento, y le dijo: «Dejo a tu cuidado el Imperio Alemán». A la mañana siguiente, el káiser Guillermo huía a Holanda.

Los socialdemócratas se unieron a los independientes, más extremistas, para formar un gobierno: la Junta de Comisarios del Pueblo. Su retórica y su liturgia se parecían a las de los bolcheviques del este. No obstante, estos socialistas no estaban preparados para intentar rehacer una sociedad. Su actuación en los meses siguientes salvó a Alemania de los estragos de una revolución como la rusa pero fue la base de desgracias de otro tipo. **◂1917.1 ▸1919.2**

MEDICINA

Epidemia de gripe

7 Un tipo de gripe misteriosa y extremadamente virulenta apareció sin previo aviso en la primavera de 1918 y se extendió por el mundo en tres oleadas terribles durante el año siguiente. Luego, de repente, desapareció. La guerra fue un instrumento eficaz para la propagación de la epidemia, que fue conocida como «la gripe española» por la ferocidad de su ataque en ese país. Desde tres puertos militares distantes (Freetown, en Sierra Leona; Brest, en Francia, y Boston, en Massachusetts), la gripe se propagó en todas direcciones transmitida por los marinos y soldados a la población civil. Al cabo de poco tiempo, seis continentes estaban infectados y el número de soldados enfermos entorpeció el desarrollo de la guerra.

San Francisco aprobó ordenanzas que obligaban a utilizar mascarillas quirúrgicas. Los teatros y cines de Chicago, en cooperación con el Ministerio de Sanidad, se negaron a admitir a los clientes que tosían. A pesar de los esfuerzos se estimó que la mitad de la población mundial estuvo afectada por la epidemia en 1918. **◂1907.3 ▸1955.1**

ÍNDICE ESTIMATIVO DE MORTANDAD

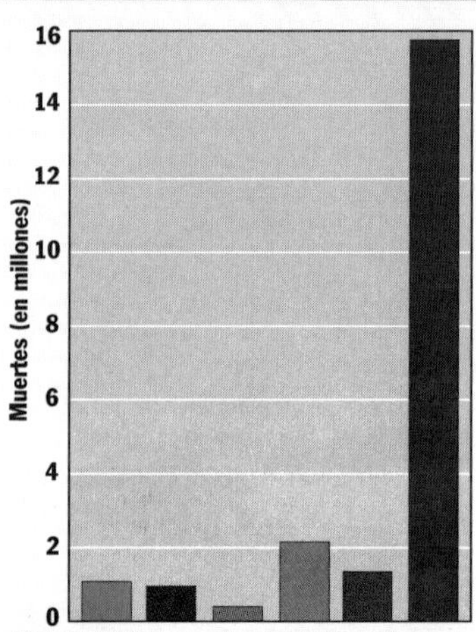

La epidemia de gripe se cobró más víctimas en un año (21.642.274) que heridos la Primera Guerra Mundial en cuatro.

CHECOSLOVAQUIA

Masaryk proclama la república

8 Hijo de padre eslovaco y madre checa, Tomáš Masaryk fue profesor de filosofía y miembro del parlamento de Austria-Hungría antes de escapar a Londres al principio de la guerra. Allí, el hombre que llegó a ser conocido por sus admiradores como *Taticek* («padrecito»), fundó el Consejo Nacional Checo, que presionó a los gobiernos aliados y reunió un ejército de exiliados para combatir a las potencias centrales. En 1918, Masaryk estaba en América cuando el emperador Carlos convirtió el Imperio de Austria-Hungría en una federación de estados semiautónomos. El 14 de octubre en el Salón de la Independencia de Filadelfia, Masaryk declaró la república de Checoslovaquia. El Consejo Nacional se convirtió en gobierno provisional y le eligió presidente. Dos semanas más tarde una revolución pacífica se extendió por Praga, y una multitud jubilosa derribó la columna que los Habsburgo habían erigido tres siglos antes para conmemorar su victoria sobre los checos.

En diciembre, Masaryk regresó para encararse a una nación de 13,5 millones de personas. Bohemia, Moravia, Eslovaquia y algunos territorios más pequeños formaron una familia de miembros muy distintos: checos urbanos, campesinos eslovacos y rutenios y una multitud de minorías muy diversas. Además, el país estaba rodeado de vecinos ambiciosos. Sin embargo, con la ayuda de su ministro de asuntos exteriores Eduard

DEPORTES: Boxeo: Jack Dempsey, ahora «Manassa Mauler», noquea a Carl Morris en 14 segundos.

«El siglo XIX fue el siglo de las ciencias naturales; el XX pertenece a la psicología.»—**Oswald Spengler**

Beneš, Masaryk se propuso crear «una fortaleza de libertad en el corazón de Europa y la vanguardia de la democracia en el este».

Durante dos décadas, Checoslovaquia prosperó. Pero

Tomáš Masaryk, filósofo, político y humanista.

después de que Masaryk se retirara en 1935, la nación empezó a desmoronarse bajo la presión de Alemania. Su caída formó parte de la reacción en cadena que desembocó en la Segunda Guerra Mundial. **◂1918.6 ▸1936.8**

LITERATURA

El nuevo espíritu de la poesía

9 Guillaume Apollinaire pasó su corta vida sacudiendo al estamento literario con sus ideas radicales sobre el papel del arte y la supremacía de la verdad sobre la belleza. Cuando murió en 1918 a los 38 años de edad, Apollinaire era el maestro reconocido de la estética moderna, un «espíritu nuevo» que le pedía a la poesía escudriñar todos los aspectos de la vida y representarlos en un lenguaje contemporáneo y sin trabas. Pensaba que la poesía debía explotar ideas nuevas para hacer prevalecer la paz al mundo moderno.

La primera obra de Apollinaire estuvo influida por los simbolistas franceses (Verlaine, Rimbaud y Mallarmé), pero hacia 1903 se unió a artistas que constituían la vanguardia parisina, como Picasso, Braque y Alfred Jarry, el primer dramaturgo del absurdo. La personalidad arrebatadora de Apollinaire y sus excéntricas costumbres atrajeron a muchos seguidores que formaron una generación de preguerra atenta a un mundo rebosante de innovaciones como el automóvil, el aeroplano, las películas y la radio. Apollinaire creía en estas nuevas experiencias y buscó una forma de expresión nueva. Construyó un sistema que llamó «simultaneidad», una especie de contrapartida literaria de la pintura cubista que yuxtaponía percepciones e ideas que el lector debía sintetizar con la ayuda del poeta.

Apollinaire es más conocido por sus relatos, su poesía y su teatro (su obra *Las tetas de Tiresias* está considerada como la primera obra literaria surrealista), aunque también escribió artículos, traducciones, prólogos, columnas de periódico y crítica. Escribió incluso en las trincheras donde fue herido en la cabeza. Se hallaba en proceso de recuperación cuando contrajo la gripe española, que acabó con su vida. **◂1907.1 ▸1924.3**

Cuadro de 1908 de Marie Laurencin donde aparece ella misma, junto a su compañero Apollinaire *(centro)* y sus amigos Picasso y su mujer, Fernande Olivier, así como el perro Fricka.

IDEAS

La esquela de una civilización

10 En el verano de 1918 apareció en las librerías de Alemania el primer volumen de la obra de un profesor convertido en filósofo iconoclasta. El libro encendió una polémica literaria que continuó en la década siguiente. *La decadencia de Occidente*, de Oswald Spengler, un éxito comercial pero no crítico, proponía que las civilizaciones se caracterizaban por ser como un organismo vivo: la civilización crecía, maduraba y decaía de acuerdo con un ciclo histórico predeterminado. Spengler pensaba que Occidente había pasado de su primer estadio de creación a uno de crítica y comodidad material. Lo que restaba era el declive irreversible, marcado por el imperialismo y la guerra. Spengler, un hombre egocéntrico, estaba convencido de que su filosofía era la conclusión de todo el pensamiento del siglo XIX. Los críticos le acusaron de errores de hecho, superficialidad e incompetencia. Él contestó que sólo habían visto su pesimismo y habían ignorado sus ideas «éticas».

Sin embargo, el público alemán se entusiasmó con el libro. Las predicciones pesimistas de Spengler proporcionaron una especie de consuelo a un país desesperado que se preguntaba las causas de su desgracia durante la posguerra: el consuelo de que todos los países del mundo, incluso los antiguos enemigos de Alemania, estaban condenados por igual. (Más tarde y a pesar de la aversión personal de Spengler al nazismo, el ministro de propaganda Joseph Goebbels quiso utilizarlo como a una especie de profeta.) Spengler murió aislado en 1936, pero su opinión de que la civilización es un proceso cíclico y no lineal fue aceptada más tarde por eruditos como Arnold Toynbee, Pitirim Sorokin y Alfred Kroeber. **◂1900.11 ▸1934.NM**

éxito un ataque a un puesto alemán y mató a 25 alemanes. Luego, casi con una sola mano, York capturó 132 prisioneros y

35 ametralladoras. Ganó la Medalla del Honor del congreso estadounidense y la Cruz de Guerra francesa; fue ascendido a sargento el 1 de noviembre. El héroe de guerra se presentó más tarde como vicepresidente por el Partido de la Prohibición en 1936.

▶COMBATIENTES AÉREOS —Afianzando su título de número uno de América, Eddie Rickenbacker *(inferior)* abatió el 25 de septiembre siete aviones alemanes en un combate aéreo. Frank Luke tuvo menos suerte. Sólo combatió durante 16 días (derribó a 16 aviones enemigos), desobedeció las órdenes y voló para encontrarse con diez aviones Fokker alemanes que buscaban a su Spad. Destruyó a dos antes de que la metralla

antiaérea lo derribara tras las líneas enemigas. Antes de morir, Luke vació su pistola contra los soldados enemigos que se acercaban. ▶1927.V

PRIMERA GUERRA MUNDIAL

▶LAS TROPAS AMERICANAS ENTRAN EN LA GUERRA —Entre el 21 de marzo y el 15 de julio los alemanes lanzaron una gran ofensiva en el frente occidental contra las fuerzas francesas y británicas en un intento de derrotarlas antes de que llegaran los refuerzos americanos. El ataque alemán arrebató a los británicos la cordillera de Messines. Un ataque sorpresa contra los franceses en el Aisne condujo de nuevo a los alemanes a 64 km de

POLÍTICA Y ECONOMÍA: el presidente Wilson publica los catorce puntos que fijarían las condiciones de paz tras el triunfo de los aliados [...] Derecho de voto para las mujeres mayores de 30 años en Gran Bretaña [...] Formación de un gobierno de concentración nacional en España, presidido por Antonio Maura [...] Rusia adopta el calendario gregoriano.

«A los que eran incapaces de comprender, les rogaba que mantuvieran una actitud de sumisión total y de inferioridad.»
—De las notas del programa de Erik Satie en su primera representación pública de *Sócrates*

París. Las tropas americanas ayudaron a detener el avance alemán en Château-Thierry, y los marines norteamericanos tomaron el bosque de Belleau el 6 de junio, y resistieron diecinueve días de constantes ataques alemanes.

▶MUERE EL BARÓN ROJO —El barón Manfred von Richthofen, que capitaneaba el «circo aéreo» de las fuerzas

aéreas alemanas, fue derribado el 21 de abril. Acreditado con 80 muertes, fue enterrado con todos los honores militares por los aliados.

▶LA GRAN INCURSIÓN DE PERSHING—La batalla de Amiens había obligado a los alemanes a retirarse tras la línea Hindenburg en agosto. El general americano John J. «Black Jack» Pershing comandó las fuerzas americanas en su primera acción independiente del 12 al 13 de septiembre en Saint-Mihiel. Hizo quince mil prisioneros y obligó a los alemanes a devolver todo el territorio que habían conseguido desde 1914. En la batalla de Meuse-Argonne, los americanos expulsaron a los alemanes del bosque de Argonne pero sufrieron pérdidas enormes. La lucha duró más de seis semanas.

Los grupos comunistas florecieron entre las ruinas de la posguerra. En esta fotografía, una unidad de la guardia roja alemana entra en Berlín por la puerta de Brandemburgo.

PRIMERA GUERRA MUNDIAL

El resultado de la guerra

11 Las consecuencias de la guerra fueron más allá de los muertos, los heridos, los inválidos, las viudas, los huérfanos o los que se quedaron sin hogar y más allá de la transformación del mapa de Europa y del equilibrio de poder. La guerra alteró la idea que la gente tenía de sí misma y de su lugar en el mundo.

Los soldados que regresaban estaban profundamente cambiados: millones de jóvenes inexpertos habían sido expuestos a una brutalidad entumecedora, a los desesperados requerimientos de la vida militar y a los rincones del mundo que no deberían haber visitado jamás. Una canción americana de la época preguntaba: «¿Cómo vas a quedarte en la granja después de haber visto París?».

Sin embargo, el cambio de actitud no se limitó sólo a los que vestían uniforme. La civilización que ambos bandos de la guerra pretendían defender se había sumergido en una orgía de mortandad. Durante la siguiente década, los poetas, los novelistas y los pintores producirían un arte de desorientación y desencanto. Otros expresarían una actitud similar a través de estilos de vida radicales. El hedonismo salvaje de los años veinte reflejó una pérdida de inocencia colectiva, como lo hizo la violencia de la época, con los desfiles de tropas de asalto, las *squadri* fascistas y las reyertas de los izquierdistas en las calles de Europa así como los gángsters en Estados Unidos.

La movilización de toda la población para la guerra había requerido el uso sistemático de la propaganda a una escala sin precedentes. Carteles, panfletos, reportajes y estudios «científicos» describieron al enemigo como a un salvaje inhumano que cometería crueles atrocidades. Para los aliados, los alemanes eran los hunos, los herederos raciales y espirituales de los antiguos bárbaros. Los alemanes cantaban un «Himno al odio» a Inglaterra. Los efectos de la adoctrinación en masa persistieron, preparando el terreno emocional para la Segunda Guerra Mundial.

La burocracia y la industria se habían expandido enormemente en todas las naciones combatientes. La escasez de trabajadores había proporcionado papeles nuevos a las mujeres y miles de americanos negros dejaron los campos del sur por las fábricas del norte. Sin embargo, el ascenso de los oprimidos fue a la par con el aumento de las divisiones sociales. La guerra había envuelto a los americanos en un delirio xenófobo que más tarde se expresaría en persecuciones políticas y en el renacimiento del Ku Klux Klan. Los soldados negros que se habían marchado para luchar en Europa descubrieron al volver a casa que la democracia que habían salvaguardado no existía para ellos. En Europa, la polarización de la derecha y la izquierda aumentó más que nunca, agudizada por la confusión económica y la sombra de la revolución rusa. Unos cuantos países pedían el retorno al antiguo orden. Pero en la época de la posguerra, los conflictos entre los que apoyaban un nuevo orden radical fueron los realmente fatales. ◀**1918.1** ▶**1919.1**

MÚSICA

El compositor del surrealismo

12 Erik Satie obtuvo su fama de compositor caprichoso y sin esencia cuando concluyó *Sócrates*, una interpretación vanguardista de los *Diálogos* de Platón para orquesta de cámara y voz. *Sócrates* era una obra intensamente moderna, concentrada y despojada de los rasgos persistentes del Romanticismo. Satie consiguió salir de la sombra que su amigo y rival, Claude Debussy, brillante y dominante, había proyectado sobre él hasta entonces, pero con *Sócrates* el compositor consolidó el «redescubrimiento» de su música que Jean Cocteau había empezado a promocionar tres años antes. (Satie, Cocteau, Picasso y Diaghilev colaboraron en el ballet *Parade* de 1917, que fue instrumentado por máquinas de escribir, telégrafos, motores de aeroplano y sirenas; Guillaume Apollinaire utilizó la palabra «surrealismo» por primera vez en las anotaciones del programa.)

Satie enfermó después de *Sócrates* pero sus ideas musicales le sobrevivieron e influyeron en compositores como Maurice Ravel y John Cage. Pasó sus últimos meses de vida en la habitación de un hotel en París, mirando su imagen en el espejo y tocando un dispositivo de cuerdas que había improvisado para controlar las luces y la puerta. Murió en 1925. ◀**1918.9** ▶**1924.3**

Dibujo de Picasso de su amigo y colega Erik Satie.

PREMIOS NOBEL: Paz: Sin galardón [...] Literatura: Sin galardón [...] Química: Fritz Haber (alemán; síntesis del amoníaco) [...] Medicina: Sin galardón [...] Física: Max Planck (alemán; teoría cuántica).

La decadencia de Occidente de O. Spengler

Del prólogo de la edición española de Ortega y Gasset

El libro de Oswald Spengler LA DECADENCIA DE OCCIDENTE *es, sin disputa, la peripecia intelectual más estruendosa de los últimos años. El primer tomo se publicó en julio de 1918: en abril de 1922 se habían vendido en Alemania 53.000 ejemplares, y en la misma fecha se imprimían 50.000 del segundo tomo. No hay duda de que influyeron en tal fortuna la ocasión y el título. Alemania derrotada sentía una transitoria depresión que el título del libro venía a acariciar, dándole una especie de consagración ideológica.*

Sin embargo, conforme el tiempo avanzaba, se ha ido viendo que la obra de Spengler no necesitaba apoyarse en la anecdótica coincidencia con un estado fugaz de la opinión pública alemana. Es un libro que nace de profundas necesidades intelectuales y formula pensamientos que latían en el seno de nuestra época. Hasta tal punto es así, que una de las graves faltas del estilo de Spengler es presentar como exclusivas y propias suyas ideas que, con más o menos mesura, habían sido expresadas antes por otros. Puede decirse que casi todos los temas fundamentales de Spengler le son ajenos, si bien es preciso reconocer que ha adquirido sobre ellos el derecho de cuño. Spengler es un poderoso acuñador de ideas y quienquiera que penetre en las tupidas páginas de este libro se sentirá sacudido una y otra vez por el eléctrico dramatismo de que las ideas se cargan cuando son fuertemente pensadas.

En este libro se acomete por vez primera el intento de predecir la historia. Trátase de vislumbrar el destino de una cultura, la única de la tierra que se halla hoy camino de la plenitud: la cultura de América y de Europa occidental. Trátase, digo, de perseguirla en aquellos estadios de su desarrollo que todavía no han transcurrido.

Nadie hasta ahora ha parado mientes en la posibilidad de resolver problema de tan enorme trascendencia, y si alguna vez fue intentado, no se conocieron bien los medios propios para tratarlo o se usó de ellos en forma deficiente.

¿Hay una lógica de la historia? ¿Hay más allá de los hechos singulares, que son contingentes e imprevisibles, una estructura de la humanidad histórica, por decirlo así, metafísica, que sea en lo esencial independiente de las manifestaciones políticoespirituales tan patentes y de todos conocidas? ¿Una estructura que es, en rigor, la generadora de esa otra menos profunda? ¿No ocurre que los grandes monumentos de la historia universal se presentan siempre ante la pupila inteligente con una configuración que permite deducir ciertas conclusiones? Y si esto es así, ¿cuáles son los límites de tales deducciones? ¿Es posible descubrir en la vida misma —porque historia humana no es sino el conjunto de enormes ciclos vitales, cada cual con un yo y una personalidad, que el mismo lenguaje usual concibe indeliberadamente como individuos de orden superior, activos y pensantes, y llama «la antigüedad», «la cultura china» o «la civilización moderna»—, es posible, digo, descubrir en la vida misma, los estadios porque ha de pasar y un orden en ellos que no admite excepción?

Los conceptos fundamentales de todo lo orgánico: nacimiento, muerte, juventud, vejez, duración de la vida, ¿no tendrán también en esta esfera un sentido riguroso que nadie aún ha desentrañado?

¿No habrá, en suma, a la base de todo lo histórico, ciertas protoformas biográficas universales?

La decadencia de Occidente, que, por lo pronto, no es sino un fenómeno limitado en lugar y tiempo, como lo es su correspondiente la decadencia de la «antigüedad», resulta, pues, un tema filosófico que, considerado en todo su peso, implica todos los grandes problemas de la realidad.

Si queremos saber en qué forma se está verificando la extinción de la cultura occidental, habrá que averiguar primero qué sea cultura; en qué relación se halle la cultura con la historia visible, con la vida, con el alma, con la naturaleza, con el espíritu; en qué formas se manifieste, y hasta qué punto sean esas formas —pueblos, idiomas y épocas, batallas e ideas, Estados y dioses, artes y obras, ciencias, derechos, organizaciones económicas y concepciones del universo, grandes hombres y grandes acontecimientos— símbolos y, por lo tanto, cuál deba ser su interpretación legítima.

O. Spengler, 1918

«Este momento solemne de triunfo, el más importante de la historia del mundo [...] elevará a la humanidad al plano más alto de la existencia de todas las épocas.»—**El primer ministro británico David Lloyd George en su discurso por el armisticio, 11 de noviembre de 1918**

HISTORIA DEL AÑO

El tratado de Versalles finaliza la guerra

1 El 28 de junio de 1919, exactamente cinco años después de que un asesinato en Sarajevo provocara la Primera Guerra Mundial, los países beligerantes firmaron un acuerdo para acabar con las hostilidades. El tratado de Versalles, llamado así por el palacio francés donde fue firmado, fue el colofón de la Conferencia de Paz de París. Significó la entrada en lo que el presidente de Estados Unidos, Woodrow Wilson, llamó «un orden internacional nuevo», basado en sus «catorce puntos», una lista de demandas que representaría «una paz sin victoria» no punitiva afianzada por una votación popular y un debate abierto. Sin embargo, los «cuatro grandes» vencedores, Francia, Italia, Gran Bretaña y Estados Unidos, llevaron las conversaciones en secreto durante seis meses. Los tres países europeos querían neutralizar a Alemania, y Wilson se vio obligado a acceder.

El tratado estableció una Liga de Naciones a nivel mundial (el punto decimocuarto de Wilson, de gran importancia), pero Alemania fue excluida. Además, Alemania debía perder más de 40.000 km^2, seis millones de habitantes y la mitad de sus recursos de carbón y hierro. El este de Prusia quedaría aislado del resto de Alemania con el «pasillo polaco». Los aliados ocuparían el valle del Rin y las antiguas colonias alemanas bajo el mandato de la Liga. El ejército alemán se limitó a cien mil hombres, la armada a un puñado de barcos pequeños y las fuerzas aéreas desaparecieron. Los criminales de guerra, incluido Guillermo II, debían ser juzgados por un tribunal internacional.

***La firma de la paz en el salón de los espejos, Versalles, 28 de junio de 1919,* de Sir William Orpen.**

Las reparaciones más perjudiciales fueron las que Alemania debía pagar a los aliados. No se precisó una suma, aunque John Maynard Keynes tasó las demandas de los aliados en 40.000 millones de dólares. Keynes advirtió que el pago de más de 10.000 millones significaría «la destrucción de la vida económica de Alemania», algo que el pueblo alemán no perdonaría nunca.

El canciller alemán Philipp Scheidemann y su gabinete dimitieron antes que firmar el tratado, pero la Asamblea Nacional lo aceptó. Los franceses consideraron los términos demasiado benévolos y depusieron a su primer ministro Georges Clemenceau como protesta. Wilson defendió el documento a pesar de la divergencia con sus ideales pero no consiguió que el congreso lo aceptara. El escenario quedó preparado para otra guerra mundial. **◄1918.1 ►1920.1**

ALEMANIA

La revuelta de los espartaquistas

2 A principios de 1919, Alemania parecía un estado leninista. El káiser Guillermo había abdicado, el país estaba gobernado por los seis diputados de la Junta del Pueblo y *Räte* («soviets») de trabajadores ocupaban las fábricas. Pero no era Rusia. El 19 de febrero se celebraron elecciones para la Asamblea Nacional. No había habido expropiaciones ni purgas de los burócratas del régimen anterior, ni de los oficiales militares (que deberían haber sido desacreditados a causa de la reciente derrota del ejército en la Primera Guerra Mundial). Estos oficiales le parecían a Friedrich Ebert, el socialdemócrata moderado que dirigía la junta de gobierno, la mejor defensa contra un golpe de estado de tipo bolchevique. Unos días antes de las elecciones, Ebert les pidió ayuda ante la posibilidad de un golpe de estas características. La alianza facilitó el camino para el ascenso de los nazis.

La conmoción empezó en diciembre de 1918 cuando la División de la Marina del Pueblo (un millar de marinos y un número similar de partidarios) fueron a Berlín para «proteger» al gobierno y apoyar a los tres miembros socialistas independientes radicales de la junta contra sus colegas, más modernos. Ebert pidió a los marinos que se marcharan; cuando se amotinaron, llamó a las tropas leales. Pero los miles de manifestantes obligaron a los soldados a retirarse y los independientes de la junta dimitieron como protesta. El jefe de la policía de Berlín fue fusilado. El 5 de enero los extremistas llenaron las calles y se apropiaron de los periódicos. El Partido Comunista, con una semana de antigüedad (oficialmente era la Liga Espartaco, de extrema izquierda) depuso al Consejo. El alzamiento se conoció como la «revuelta de los espartaquistas».

Los comunistas se hallaban menos unidos de lo que parecía; muchos se oponían a las tácticas bolcheviques, como Rosa Luxemburg, una de los líderes izquierdistas más elocuentes y fundadora del grupo Espartaco. Sin embargo, la facción de Luxemburg fue anulada por la facción favorable al golpe, liderada por Karl Liebknecht (cuyo pseudónimo «Espartaco» había dado nombre a la liga). Presa del pánico, Ebert autorizó al ministro de defensa Gustav Noske para que llamara al Freikorps, un grupo recién formado de mercenarios dirigidos por oficiales del káiser. Noske asumió la responsabilidad y dijo: «Supongo que alguien tiene que ser el cerdo». Entre los ejecutados se hallaban Rosa Luxemburg *(extremo superior)* y Liebknecht *(superior)*. El Freikorps mató a otros 1.200 berlineses en los dos meses siguientes, luego aplastó una revuelta en Bavaria.

Las elecciones se celebraron y Ebert se convirtió en presidente. La capital de la nueva república fue Weimar, la ciudad del escritor Goethe. Su constitución era una de las más liberales del mundo, pero la milicia estaba en manos de hombres que despreciaban el liberalismo, el socialismo, el comunismo y la democracia, los mismos hombres que contribuirían al ascenso de Hitler al poder. **►1921.7**

CINE

El talento toma el control

3 Tres de las mayores estrellas de Hollywood, Charlie Chaplin, Douglas Fairbanks y Mary Pickford, y su director más prestigioso, D. W. Griffith, unieron sus fuerzas en 1919 para crear la United Artists, el primer estudio que pertenecía a talentos creativos y estaba dirigido por ellos.

En aquella época, los cuatro eran los reyes indiscutibles del negocio. Si anunciaban que Chaplin actuaba, inmediatamente se formaban colas en las taquillas de los teatros. Griffith era venerado por haber creado *El nacimiento de una nación*. Fairbanks, el ídolo de las funciones de tarde, protagonizaba sátiras ligeras de éxito espectacular. Su futura mujer Mary Pickford (se casaron al año siguiente) era «la novia de América», el mayor éxito de taquilla de la industria, así como una mujer de negocios sagaz. En contraste con su imagen de mujer-niña dulce y empalagosa, Pickford se enfrentó a los hombres más fuertes de Hollywood dirigiendo las batallas de los actores para conseguir más dinero y más control artístico.

La United Artists tuvo un inicio inestable y perdió dinero durante los años veinte. Griffith pronto abandonaría. Pero las bravuconadas de Fairbanks y las comedias de Chaplin tuvieron éxito y gracias a una administración apropiada la compañía se mantuvo a flote. En los años cincuenta, la pareja

---

ARTE Y CULTURA: Libros: *Las consecuencias económicas de la paz* (John Maynard Keynes); *Winesburgo, Ohio* (Sherwood Anderson); *La sinfonía pastoral* (André Gide); *Conductismo* (J. D. Watson) [...] Música: *El sombrero de tres picos* (Manuel de Falla); *La mujer sin sombra* (R. Strauss); *Goyescas* (Enrique Granados, estreno en París) [...] Pintura y escultura: *La ciudad* (Paul Klee) [...]

«Los lunáticos se han hecho cargo del manicomio.»—**Richard Rowland, magnate del cine, al enterarse de la formación de la United Artists**

Los cuatro grandes de Hollywood: Fairbanks, Pickford, Chaplin y Griffith.

superviviente, Chaplin y Pickford, vendió la UA a un grupo de hombres de negocios. **◄1915.1 ►1924.NM**

AFGANISTÁN

Independencia e identidad

4 Afganistán, bajo el poder del kan Habibullah, mantuvo una neutralidad estricta durante la Primera Guerra Mundial, para no enfrentarse con Gran Bretaña y Rusia, que, junto con Persia, eran rivales históricas por el control de Afganistán. (Entre estos países habían estallado ya dos guerras importantes por la hegemonía del estratégico estado que no tenía una identidad política coherente y estaba desgarrado por rivalidades étnicas continuas.) Al final de la Primera Guerra Mundial, el kan Habibullah envió una carta al virrey británico de la India pidiéndole que la Conferencia de Paz de París reconociera la independencia de su país. Pero el kan Habibullah fue asesinado en febrero de 1919 por miembros extremistas de un movimiento antibritánico.

El kan Amanullah, tercer hijo de Habibullah, tomó el poder, se autoproclamó rey y declaró la independencia de Afganistán. La India británica se negó a reconocerla y, el 3 de mayo estalló la tercera guerra afgana. Acabó antes de un mes sin una victoria militar clara para ningún bando, pero los afganos obtuvieron la dirección de sus asuntos exteriores. Dos años más tarde, el tratado que finalizó la guerra fue enmendado, y Gran Bretaña reconoció a Afganistán como una nación independiente.

Antes del último tratado, Afganistán firmó un pacto de amistad con el régimen bolchevique de Rusia y se convirtió en una de las primeras naciones del mundo que reconocía a la Unión Soviética. La relación especial entre las dos naciones duró hasta 1979, en que volvieron a enfrentarse en otra guerra afgana. **◄1917.1 ►1978.7**

CIENCIA

Isótopos: confirmada la teoría

5 En 1919, tras la Primera Guerra Mundial, Francis Aston, químico de una fábrica de cerveza convertido en físico, regresó a Cambridge e inventó el espectógrafo, un instrumento que le permitió resolver un problema fundamental de física nuclear.

Hasta 1905 se pensaba que los átomos con pesos distintos diferían químicamente y, por lo tanto, eran elementos distintos. Luego los químicos descubrieron el radiotorio, resultado del deterioro radiactivo del elemento torio. Los átomos de radiotorio pesaban menos que los del torio normal aunque poseían la misma composición química. Experimentos sucesivos demostraron que se daba un fenómeno similar en otros elementos. En 1913, el físico Frederick Soddy introdujo el término «isótopo» (del griego «mismo lugar») para describir a los elementos químicos cuyos átomos contenían aparentemente el mismo número de electrones a pesar de poseer un peso atómico distinto (o «masa»). Sin embargo, todavía quedaba por desvelar una incógnita capital: ¿los elementos estables (es decir, no radiactivos) también tenían isótopos?

El físico de la Universidad de Cambridge J. J. Thomson (que había descubierto los electrones en 1897 y cuyo modelo del «pudín de ciruelas» fue la primera descripción teórica de la estructura atómica) casi resolvió el misterio en 1912. Haciendo pasar átomos de neón, un elemento estable, a través de un campo magnético, descubrió que el 90 % de éstos se desviaban con un ángulo que indicaba un peso atómico de 20. Pero parecía que el resto poseía un peso atómico de 22. Thomson no se decidió a concluir que había descubierto variaciones del mismo elemento y especuló que la segunda sustancia debía ser un componente desconocido.

Siete años después, Aston, discípulo de Thomson, perfeccionó un artilugio que separaba las partículas con mucha más precisión que el de su maestro y las desviaba hacia una placa fotográfica. El espectógrafo confirmó que el neón estaba constituido principalmente por «especies isotópicas», y que la teoría isotópica estaba bien fundamentada. Después

El espectógrafo de Aston separó los isótopos; así se mantuvo la tabla periódica.

Aston demostró que muchos elementos eran mezclas de isótopos: de los 287 isótopos naturales descubrió 212. Al descubrir el isótopo 235 de uranio se hizo posible el control sobre la fisión nuclear. **◄1913.1 ►1930.14**

La tercera guerra afgana: los británicos contrarrestaron la rebelión afgana con una fuerza de más de 250.000 hombres.

NACIMIENTOS

Nat "King" Cole, músico estadounidense.

Fausto Coppi, ciclista italiano.

Eva Duarte de Perón, política argentina.

María Félix, actriz mexicana.

Margot Fonteyn, bailarina de ballet británica.

Edmund Hillary, escalador neozelandés.

Mikhail Kalashnikov, diseñador de armas soviético.

Doris Lessing, escritora británica.

Primo Levi, escritor italiano.

Iris Murdoch, novelista y filósofo anglo-irlandés.

Muhammad Reza Shah Pahlevi, gobernante iraní.

J. D. Salinger, escritor estadounidense.

Pete Seeger, cantante popular estadounidense.

Ian Smith, primer ministro de Rodesia.

Pierre Trudeau, primer ministro canadiense.

George C. Wallace, gobernador estadounidense.

MUERTES

William Waldorf Astor, editor anglo-estadounidense.

Daniel Bayona Rosada, escritor colombiano.

Andrew Carnegie, industrial y filántropo escocés-estadounidense.

Ernst Haeckel, zoólogo alemán.

Alexander Kolchak, almirante ruso.

Ruggiero Leoncavallo, compositor italiano.

Amado Nervo, escritor mexicano.

Ricardo Palma, escritor peruano.

Pierre Auguste Renoir, pintor francés.

Theodore Roosevelt, presidente estadounidense.

Emiliano Zapata, revolucionario mexicano.

Cine: ***Masculino y femenino*** **(Cecil B. DeMille);** ***El libro roto, True Heart Susie*** **(D. W. Griffith);** ***Maridos ciegos*** **(Erich von Stroheim);** ***Su majestad el americano*** **(con Douglas Fairbanks);** ***Madame du Barry*** **(Ernst Lubitsch) [...] Teatro:** ***Clarence*** **(Booth Tarkington);** ***Venida a menos*** **(Zoë Akins);** ***Irene*** **(Tierney y McCarthy).**

«Realmente, siendo tan pobres en democracia, ¿cómo podemos dársela al mundo?»—**Emma Goldman, anarquista americana**

NOVEDADES DE 1919

Impuesto de gasolina (impuesto en Oregón).

Travesía aérea sin escalas a través del Atlántico (Terranova-Irlanda, por Alcock y Brown).

Carrera de galgos con liebres mecánicas.

Servicio comercial por vía aérea (Deutsche Luftreederie).

Teléfonos con dial.

Coches Citroën y Bentley.

EN EL MUNDO

►EL EJÉRCITO ARGENTINO SOFOCA LA HUELGA GENERAL DE BUENOS AIRES—Argentina padeció en enero de este año una semana trágica. Entre el 3 y el 9 de enero, el presidente de Argentina, Yrigoyen, utilizó con extrema dureza al ejército para reprimir una huelga general que habían convocado los sindicatos obreros. El balance de la represión alcanzó más de setecientas muertes, cuatro mil heridos y cincuenta y cinco mil obreros encarcelados. La creación de una milicia civil, el «Comité Nacional de la Juventud», tutelado por la armada y destinado a desarrollar la «guerra sucia», sentó un precedente nefasto en la vida política argentina.

►REED EL ROJO—Tras cubrir la Primera Guerra Mundial, el periodista John Reed viajó a Rusia, se enamoró de los bolcheviques y en 1919 publicó un relato testimonial de la revolución de octubre, *Diez días que cambiaron el mundo.* De regreso a Estados Unidos, Reed, un licenciado de Harvard nacido en una familia rica, se convirtió en un líder del Partido Comunista. Procesado por sedición, se escapó a Rusia donde murió en 1920. Es el único americano que está enterrado en el recinto del Kremlin. **▲1919.6**

ESTADOS UNIDOS

El Año Rojo

6 En Estados Unidos, el año 1919 se denominó Año Rojo a causa de la cantidad de disturbios sangrientos y del «peligro rojo» que provocó la deportación de miles de supuestos elementos subversivos.

A pesar de la discriminación arraigada en las fuerzas armadas, los soldados negros habían luchado heroicamente en la Primera Guerra Mundial, y el esfuerzo negro había sido esencial en el desarrollo de la guerra. Sin embargo, en la recesión de la posguerra, la competencia por el trabajo y la vivencia reforzó la tensión racial. La prensa sensacionalista imprimió historias espeluznantes que describían a los negros como violadores y bandidos. Se quemaron viviendas de negros en barrios blancos y los linchamientos aumentaron de 38 en 1917 a 83 en 1919.

Los disturbios empezaron en abril en 25 ciudades. En Chicago, unos blancos atacaron a unos jóvenes negros que nadaban en la zona equivocada de una playa segregada y uno se ahogó. Grupos de blancos asaltaron enseguida a los negros por toda la ciudad. En Washington, tras la supuesta violación de una mujer blanca, la policía declaró que perseguiría a todos los negros que encontrara en la calle por la noche. Los soldados blancos se lo tomaron como una licencia para matar a los negros, y la policía irrumpía en las casas sin orden judicial. Pero sucedió algo nuevo en estos disturbios: los negros también lucharon y mataron. Antes de que los soldados establecieran el orden, docenas de personas de ambas razas murieron por todo el país. Los dirigentes negros advirtieron de la posibilidad de una posible guerra racial. Los políticos blancos gritaban «¡Bolchevismo!».

El bolchevismo también fue la acusación imputada a los movimientos laborales. Una ola de huelgas en los sectores del acero, del carbón y del textil se extendió por todo el país. En febrero la mayoría de los habitantes de Seattle se unieron en una huelga general de cinco días. Durante el verano, los intelectuales de izquierdas y activistas sindicales fundaron el Partido Comunista en Chicago. En Washington, una bomba terrorista dañó los hogares de algunos altos funcionarios. En diciembre, el fiscal general A. Mitchell Palmer tomó represalias y expulsó del país a 249 inmigrantes rusos deportándolos a la Unión Soviética. La famosa anarquista Emma Goldman *(izquierda)* se encontraba entre ellos. Como destacó un juez federal, también había «mucha gente trabajadora tranquila e inofensiva». En enero de 1920, miles de «extranjeros rojos» fueron expulsados y algunos juzgados por sedición en vistas cerradas. Atrapados en esta xenofobia dominante de posguerra, la mayoría de los americanos apoyaron las llamadas «redadas Palmer». Irónicamente, la izquierda estaba dividida respecto a la revolución bolchevique; el laboralismo estaba dividido respecto a la cuestión de la raza, y los negros estaban divididos respecto al asunto de la integración contra el separatismo. La revolución se diluyó de manera confusa en América. **◄1917.7 ►1920.1**

Las «redadas Palmer» hicieron que los bolcheviques americanos buscaran refugio.

ITALIA

Las bases del fascismo

7 El 23 de marzo de 1919 Benito Mussolini fundó en Milán el movimiento fascista en una reunión de 120 nacionalistas, futuristas, veteranos de guerra sedientos de acción, sindicalistas y antiguos socialistas. Este grupo multicolor de extremistas y aventureros se autoproclamó el primer *fascio di combattimento.* (El nombre proviene del símbolo de autoridad de la antigua Roma llamado *fasces*, un manojo de ramas atadas a un hacha.) Pronto hubo *fasci* por toda Italia, relacionados con una serie de incendios, palizas y propaganda contra los socialistas y los comunistas.

El joven socialista Mussolini se convirtió en fascista. Los *fasci* pensaban que sólo ellos, «la minoría dinámica», eran revolucionarios.

Mussolini, socialista destacado y periodista hasta el estallido de la Primera Guerra Mundial, al principio se opuso a la guerra, pero siempre había visto la violencia como el camino más seguro para un cambio radical y contaba con una vanguardia de elite para provocar la revolución. Rápidamente se percató de que la guerra era fundamental para formar líderes revolucionarios y empezó a defender con estridencia la

DEPORTES: Tenis: el australiano G. L. Patterson gana el trofeo de Wimbledon [...] Ciclismo: Lambot gana el Tour de Francia [...] Boxeo: Jack Dempsey derrota a Jess Willard en los pesos pesados.

«La historia no me perdonará nunca si me rindo donde venció Pedro el Grande.»—**A. V. Kolchak, líder de las fuerzas blancas rusas, rechazando aceptar la independencia de Finlandia, que había sido reconocida por los bolcheviques**

intervención italiana. Expulsado del Partido Socialista, Mussolini cambió de política.

El primer programa fascista se proclamó en agosto de 1919 y tenía mucho en común con el socialismo: defendía el sufragio universal, la abolición de la monarquía y la centralización parcial de la economía. No obstante, esta política se vio desplazada por un nacionalismo romántico, una exaltación de la guerra, un culto al líder fuerte y a las «elites activas». (Inspirado por Mussolini, el poeta y piloto de combate Gabriele D'Annunzio lideró a trescientos «camisas negras» para tomar el puerto dálmata de Fiume. La «república» dictatorial de D'Annunzio duró más de un año.)

Mientras los ataques fascistas a los izquierdistas conseguían el apoyo de industriales, terratenientes, policías y oficiales del ejército, el movimiento era cada vez menos claro en cuanto a sus objetivos, excepto el de tomar el poder. Los fascistas formaron un partido político en 1921 y algunos de sus miembros ganaron las elecciones al parlamento. **◂1911.12 ▸1922.4**

RUSIA

La guerra civil se apodera del país

8 Durante todo el invierno de 1919, Alexander Kolchak, autoproclamado «dirigente máximo» de «todo el gobierno antibolchevique», empujó a su ejército blanco a través de los montes Urales. Ayudado por los aliados, que contribuyeron entrenando y pertrechando a sus soldados, Kolchak asedió ciudad tras ciudad. Mientras, Leon Trotski, ministro de guerra soviético, permaneció estático, esperando a que la nieve se fundiera y ganando tiempo para reunir al ejército rojo. En abril, las fuerzas blancas avanzaron por Kazán y Samara, ciudades del río Volga, y Trotski contraatacó. El ejército blanco se vio forzado a retirarse. La contrarrevolución se había transformado en una guerra civil rusa, y los aliados retiraron su apoyo a Kolchak. En noviembre perdió Omsk, la capital de su gobierno, y escapó hacia el este, a Irkutsk. Allí, con su ejército diezmado por la deserción y la derrota, se entregó a la guardia roja y fue encarcelado. En febrero lo ejecutaron.

Mientras Kolchak luchaba en el este, Anton Denikin dirigió los avances blancos en el frente sur. En octubre de 1919, tras tomar las ciudades de Jharkov, Poltava, Odessa, Kiev y Kursk, las tropas de Denikin llegaron a la ciudad de Orel, a tan sólo 400 km de Moscú. Pero, para entonces, sus soldados ya estaban abatidos, sin suministros y excesivamente desplegados. El campo estaba asolado. En Orel se habían atrincherado los rojos. Una, combate muy duro hizo que los blancos se retiraran. Denikin dimitió en primavera y transfirió el control de su ejército mermado a Pyotr Wrangel, un antiguo oficial del Imperio como él. El frente se había mantenido en la península de Crimea donde la escasez de comida y las revueltas de los campesinos impedían la evolución militar. La guerra civil acabó en abril, pero los ejércitos rojo y blanco continuaron luchando en batallas esporádicas a lo largo del verano y en otoño. Después Wrangel abandonó Crimea y huyó a Constantinopla.

La población rural fue expulsada de los campos asolados; las ciudades estaban reducidas a escombros. Los refugiados colapsaron las carreteras, el hambre y la enfermedad hicieron estragos. En los años inmediatamente posteriores a la guerra, mientras los bolcheviques consolidaban su gobierno, uno de los enemigos más poderosos del estado mató a millones de rusos: el hambre. **◂1918.5 ▸1919.11**

Mientras el ejército rojo y el blanco se enfrentaban, los campesinos rusos sufrieron un hambre terrible.

***Escalera Bauhaus* (1932), de Oskar Schlemmer, profesor de la escuela.**

ARQUITECTURA

Apertura de la Bauhaus

9 El movimiento de arquitectura y diseño más importante del siglo XX empezó en 1919 cuando el arquitecto Walter Gropius abrió la escuela Bauhaus (literalmente «casa de construcción») en Weimar, Alemania.

El «nuevo» método de Gropius para la enseñanza del diseño se parecía al de un gremio medieval. Los profesores se llamaban «maestros» y los estudiantes «aprendices». Paul Klee tenía un taller de vidriería de colores, Wassily Kandinsky enseñaba pintura mural, Marcel Breuer interiorismo. Se les exigía a los alumnos adquirir habilidad técnica en oficios prácticos para informarse sobre los materiales y procesos. Gropius buscaba la unión de la manufactura cuidadosa con la producción en serie y defendía que la belleza estética debía formar parte de la vida cotidiana, y no estar restringida a bienes caros y elitistas.

Sin embargo, la idea de malgastar la sensibilidad artística en «simples» oficios provocó la ira de los tradicionalistas, y el caos interno y la inflación de la posguerra alemana dificultaron que los estudiantes encontraran alojamiento y pensión. Tras su traslado a Berlín, la Bauhaus fue clausurada por los nazis en 1933. El diseñador László Moholy-Nagy fundó la Nueva Bauhaus en Chicago; Ludwig Mies van der Rohe fundó un departamento de arquitectura en el Instituto de Tecnología de Illinois. Gropius fue decano de la Facultad de Arquitectura de Harvard. El legado estilístico de la Bauhaus: el diseño funcional y sin ornamentación, las superficies lisas y el uso de colores primarios y materiales modernos impregna la vida del siglo XX. **◂1909.4 ▸1923.8**

▸TALENTO EN LA TABLA REDONDA—Todo empezó en 1919, cuando un grupo de escritores que incluía a George S. Kaufman, Robert Benchley, Alexander Woollcott, Dorothy Parker, Franklin P. Adams y Robert Sherwood empezaron a

reunirse diariamente para comer en torno a una mesa del hotel Algonquin de Nueva York. Se convirtió en uno de los círculos literarios y teatrales más famosos del siglo. Caracterizada por su talento chispeante y su sarcasmo cáustico, la Tabla Redonda del Algoquin sobrevivió hasta 1943 (aunque sin la mayoría de sus principales miembros).

▸LÍMITES A LA PRIMERA ENMIENDA—En 1919, el juez estadounidense Oliver Wendell Holmes del tribunal supremo anunció un fallo sin precedentes que limitaba la protección de la primera enmienda sobre la libertad de palabra: cuando representara «un peligro claro e inminente que pudiera ocasionar daños». El ejemplo de Holmes fue: «Gritar falsamente que hay fuego en un teatro». La decisión, instigada por el incremento de las medidas de seguridad en tiempo de guerra, sentó un precedente.

▸MUERTE DE ZAPATA —La cruzada sangrienta y quijotesca de Emiliano Zapata a favor de la reforma agraria terminó el 10 de abril con una lluvia de balas en la hacienda Chinameca de Morelos, donde el líder revolucionario cayó en una emboscada de los agentes del presidente Venustiano Carranza. En el apogeo de su fuerza, Zapata, que con su gran sombrero, su espeso bigote y sus cinchas cruzadas creó el estereotipo popular del revolucionario mexicano, controlaba gran parte del sur de México. Zapata expropió zonas de tierra de su zona de influencia, las distribuyó entre los campesinos y estableció la primera organización agraria de créditos en México. ◂1910.10

POLÍTICA Y ECONOMÍA: la Primera Guerra Mundial le cuesta a Estados Unidos unos veinte mil millones de dólares [...] Asa G. Candler vende la Coca- Cola a Robert W. Woodruff por 25 millones de dólares [...] Se funda la cadena de hoteles Hilton.

«Para mí, el campo de batalla es el mismo en Francia que en Amritsar [...]. Obedeced mis órdenes y abrid los comercios, y decid si queréis guerra.»—**El general de brigada Reginald Dyer, defendiendo su orden de abrir fuego en Amritsar**

▸EXPRESIONISMO CINEMATOGRÁFICO —*El gabinete del Dr. Caligari*, una descripción intensa y visualmente sorprendente de la vida imaginaria de un

trastornado, se estrenó en 1919 y se convirtió en un clásico del expresionismo alemán. Sin embargo, a pesar de su grandiosidad, la película fue considerada como un callejón sin salida y no ejerció una influencia perdurable en el desarrollo del séptimo arte. ▸1926.5

▸EL GOLPE DE KUN —El comunista húngaro Béla Kun salió de la cárcel el 20 de marzo de 1919 y no tardó mucho en reunir un ejército, derrocar al gobierno, recuperar el territorio húngaro anexionado por Rumania y Checoslovaquia y establecer un régimen comunista ortodoxo. Pero su extremismo le enfrentó a los campesinos y al ejército. El 1 de agosto fue expulsado y huyó a Viena dejando atrás su utopía fallida. ▸1944.11

INDIA

Masacre en Amritsar

10 Pocos de los quince mil manifestantes reunidos en la ciudad india de Amritsar el 13 de abril de 1919 parecieron sorprenderse cuando los soldados aparecieron para dispersar la manifestación en protesta por los decretos Rowlatt. Hacía semanas que los indios protestaban por estas nuevas leyes, que autorizaban a los británicos a encarcelar sin juicio previo a cualquier sospechoso de actividades revolucionarias, y en algunas ciudades las manifestaciones se habían transformado en disturbios. En cambio, la protesta del 13 de abril en Amritsar, en un parque amurallado, era pacífica. Era domingo y algunos de los reunidos

Las flagelaciones públicas siguieron a la masacre, que Gran Bretaña condenó, aunque la cámara de los lores alabó a su dirigente.

eran campesinos de pueblos vecinos que celebraban un festival hindú.

Cuando los soldados llegaron, muchos empezaron a cantar: «*Agaye, agaye*» («Han llegado, han llegado»). Sin previo aviso, el comandante regional británico, Reginald Dyer, dio orden de disparar. Los manifestantes intentaron escalar los muros para escapar o abrirse paso a través de las puertas bloqueadas por los soldados y montones de cuerpos. Al cabo de diez minutos de haber abierto fuego, las tropas se retiraron dejando cerca de quinientos muertos y mil quinientos heridos.

Para los indios, que estaban cansados de la guerra y habían realizado un tremendo sacrificio en beneficio de los británicos y los aliados, la masacre de Amritsar añadió un insulto intolerable a la injuria de los decretos de Rowlatt. En los violentos días siguientes, el general Dyer aplicó la ley marcial y ordenó flagelaciones públicas. Los indios fueron obligados a arrastrarse a gatas por la calle donde una «señora doctora» británica había sido golpeada durante los disturbios.

El Acta de Gobierno de la India, que suponía una representación india mayor en el gobierno, fue aprobada a finales de 1919. Sin embargo, por entonces tales concesiones fueron insuficientes para calmar a los nacionalistas indios. Pensaban que el autogobierno les pertenecía por derecho y no querían los favores de un despotismo ilustrado. **◂1916.12 ▸1921.12**

UNIÓN SOVIÉTICA

Se reúne el primer Komintern

11 En 1919, los líderes del Partido Bolchevique de Moscú, Lenin, Nikolai Bukharin y Grigori Zinoviev, convocaron la Tercera Internacional Socialista en Moscú para consolidar su control sobre todos los partidos comunistas del mundo. La organización, llamada el Komintern, atrajo a 60 delegados de 19 naciones y sucedió a la Segunda Internacional, que se disolvió durante la Primera Guerra Mundial cuando varios partidos miembros estuvieron en desacuerdo sobre apoyar la guerra en sus países.

Desde el principio, el Komintern estuvo dominado por los bolcheviques. Su política era militante, sus objetivos grandiosos. Los líderes de Moscú dieron al Komintern la forma de un cuerpo diseñado para fomentar la revolución proletaria en el mundo, que parecía, además de razonable, inminente por el malestar de los trabajadores en una Europa desgarrada por la guerra. Los partidos miembros fueron presionados para que se ajustaran al modelo ruso y se llamaran comunistas. Aquellos que se opusieron a una revolución violenta fueron excluidos. Los miembros también debían comprometerse con el estado soviético y prometer que actuarían en sus respectivos países en favor de éste. El Komintern duró hasta 1943. **◂1919.8 ▸1921.2**

LITERATURA

La ruptura de Hesse

12 Hermann Hesse ya había escrito algunos libros convencionales de gran éxito cuando, en 1919, *Demian*, el producto de una crisis nerviosa y su consiguiente «renacimiento», lo confirmó como uno de los autores más destacados del siglo. Hacía unos años que Hermann Hesse, nacido en Alemania, estaba cada vez más insatisfecho de su vida burguesa en Suiza, y los viajes (incluyendo uno a Asia que inspiraría su *Siddharta* más tarde) no le ayudaron. Luego, con la Primera Guerra Mundial, sufrió una serie de crisis: sus ensayos pacifistas adoptaron una hostilidad feroz, murió su padre y su mujer sufrió trastornos mentales. Deprimido, consultó a un psicoanalista jungiano. El resultado fue la primera novela de Hesse que exploró su tema característico: el intento de un héroe alienado de resolver en sí mismo dualidades arquetípicas como espíritu y carne, sentimiento y razón, acción y contemplación.

Demian fue acogido por la generación rota por la guerra que él describía. Su protagonista, incapaz de aceptar el racionalismo y el orden distintivos de sus mayores, busca «un dios que contenga dentro de sí mismo al diablo», un dios de lujuria y razón. La propia búsqueda de Hesse le hizo ganar el Premio Nobel en 1946. La juventud descontenta de los años sesenta se convirtió en una fiel lectora de sus novelas. **◂1901.8**

El Komintern instó a los trabajadores de todo el mundo a que se sublevaran contra sus opresores.

PREMIOS NOBEL: Paz: Woodrow Wilson (estadounidense; Liga de Naciones) [...] Literatura: Carl Spitteler (suizo; poeta y novelista) [...] Química: Sin galardón [...] Medicina: Jules Bordet (belga; inmunología y serología) [...] Física: Johannes Stark (alemán; desintegración de las líneas del espectro del campo magnético).

Reservas para la sequía

Anuncio de *The New York Times,* 4 de mayo de 1919

En 1919 el congreso ratificó la enmienda n.º 18, que prohibía la «manufactura, venta y transporte de licores tóxicos». La nueva ley obtuvo el apoyo popular: durante la Primera Guerra Mundial se pregonó que la sobriedad era esencial para la victoria; además se consideraba que la embriaguez era la causa básica de la violencia, la pobreza y la ruptura de la familia. En aquel tiempo, la prohibición ya estaba vigente: 33 estados que gobernaban el 63 % de la población americana habían prohibido el alcohol. La prohibición funcionaba [...] más o menos. Mientras el país estaba muy «seco» (abundaban el contrabando de licor y las tabernas clandestinas), descendió el consumo de alcohol. (Los niveles de consumo de alcohol de antes de la enmienda no se alcanzaron otra vez hasta 1975.) No obstante, la prohibición también fue culpable de una serie de enfermedades sociales: el ascenso del crimen organizado, la corrupción en el gobierno y la propagación del desprecio por la ley. Antes de que la prohibición entrara en vigor en enero de 1920, los anuncios de las tiendas de licores, como el que sigue de The New York Times, *instaban a que la gente hiciera su reserva mientras quedasen suministros.*

La Gran Guerra acarreó desencanto, luego prosperidad y más tarde un exceso de permisividad. Mientras los artistas y los escritores proclamaban la muerte de una cultura desprestigiada, las jóvenes y sus guapos acompañantes bailaban frenéticamente al compás de la era del *jazz*... hasta que en 1929 estalló la crisis económica en todo el mundo.

1920 1929

El desarrollo artístico de los años veinte se concentró en las ciudades norteamericanas, donde el *jazz* transformó la cultura popular, y en la capital francesa, donde una excepcional serie de expatriados revolucionó el arte y la literatura. El café París, donde se citaban figuras de talento como Hemingway, Joyce, Stein y Fitzgerald para beber, pensar, escribir y relacionarse, se convirtió en un lugar emblemático de la época. El Café du Dôme, en el bulevar Montparnasse (*derecha*), aparece fotografiado por André Kertész, emigrado húngaro cuyas fotografías contribuyeron a difundir los decorados parisinos.

GLACES

El mundo en 1920

Población mundial

1910: 1,7 MILLARDOS 1920: 1,9 MILLARDOS

1910-1920: + 11,8 %

El nuevo mapa de Europa

La Primera Guerra Mundial cambió las fronteras de Europa. El Imperio Austro-húngaro, de 636 años de antigüedad y compuesto por alemanes, húngaros, polacos, checos, serbios, croatas, italianos y rumanos, se derrumbó a los cuatro años de haber provocado la guerra. (El emperador Francisco José ignoró fatalmente el lema secular de los Habsburgo de «Dejad que otros hagan la guerra; tú, Austria feliz, cásate»). Los artífices de la paz de Versalles recompusieron la Europa central y los Balcanes. Establecieron fronteras nuevas para Alemania, Austria, Hungría y Rumanía, dejando fuera de ellas a Polonia, Checoslovaquia y los reinos de los serbios, los croatas y los eslovenos (que luego formaron Yugoslavia). La artificialidad de estas fronteras abonó el terreno para que se renovara el nacionalismo y el independentismo violento, que emergería setenta años después.

Divorcios (por cada 100 matrimonios)

1920		1990
0,6	Austria	34
0*	Italia	7
9,8	Japón	22
2,1	GB	43
13,6	EE.UU.	48

(* Divorcio legalizado en 1970.)

Moda imprescindible

En la posguerra la mujer se fue liberando cada vez más y los complicados trajes de baño con pantalones dieron lugar al **bañador moderno.** Los primeros modelos consistían en una prenda de punto escotada con pantalones cortos y cinturón.

La difusión de la técnica

En 1920, el **teléfono** había cumplido casi medio siglo y la gente estaba cada vez más cerca. (En 1915 se estableció la primera comunicación transcontinental.) En Estados Unidos doce de cada cien personas tenían teléfono. Hoy en día casi todo el mundo tiene teléfono y cualquiera puede llamar a todas partes...incluso mientras anda por la calle.

Números de teléfonos por 100 personas

	Alemania	España	GB	EE.UU.
1910	1,7	0,1	0,3	8,2
1920	2,9 (1925)	0,3	2,2	12,3
1990	67,1/11,5 (Alemania unificada)	32,3	43,4	50,9

Ciudades más pobladas (en millones de habitantes)

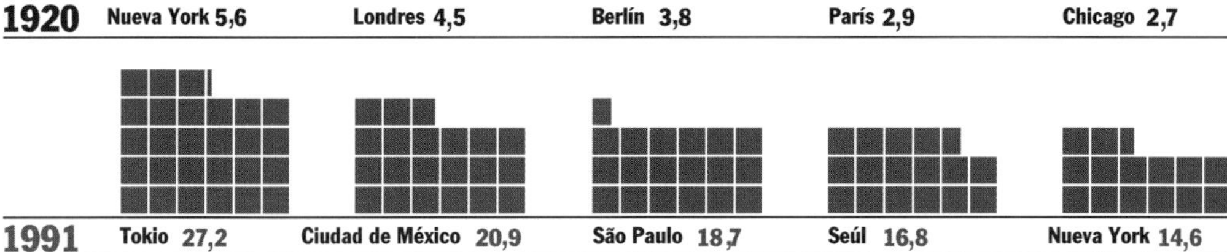

La firma del Tratado de Versalles en 1919 y el establecimiento de la Liga de Naciones (sin Estados Unidos) convenció a los dirigentes europeos de que se había creado un orden internacional nuevo y perdurable que «elevaría a la humanidad al plano más alto de la existencia de todas las épocas», en palabras de David Lloyd George, primer ministro británico.

■

A los tres años de la revolución rusa, los estudiosos predecían su caída inminente. Elihu Root, antiguo secretario de estado de Estados Unidos, aludía a «la abundacia de elementos evidentes de que el terror bolchevique desaparecía en poco tiempo.»

■

Sólo se conocían ocho planetas del sistema solar. El noveno, Plutón, se descubriría en 1930.

■

La tuberculosis, una de las enfermedades que causaba más muertes (tras las enfermedades de corazón) mataba en Estados Unidos a 150.000 personas al año. Los únicos tratamientos que se conocían consistían en largos períodos de reposo y la extirpación del tejido pulmonar destruido. Ninguno de los dos eran efectivos. La única prevención era la cuarentena.

■

«Esta radio o telefonía radiada o como se quiera llamar ni siquiera es digna de discusión», escribió un periodista. Se refería a la primera transmisión de la emisora de radio de Pittsburgh K.D.K.A. A pesar de las predicciones, como la de un periódico económico que decía que «cualquier intento de emitir por radio un anuncio...ofendería a gran parte de la población», la emisora W.E.A.F de Nueva York transmitió su primer anuncio publicitario pagado (50$ por 10 minutos) en 1922.

■

En Estados Unidos se ilegaliza la fabricación y venta de bebidas alcohólicas; la Liga anti-bares de Nueva York se apresuró a proclamar el inicio de «una época de mentes claras y vida limpia».

Las mujeres y el voto En 1893 se estableció el sufragio femenino en Nueva Zelanda, pero las mujeres americanas y europeas no empezaron a obtener el derecho de votar hasta después de la Primera Guerra Mundial. Durante la guerra, muchas mujeres (que iban a trabajar mientras los hombres iban a luchar) supieron por primera vez lo que era la independencia económica. Además, la brutalidad insensata de la guerra socavó muchos de los antiguos prejuicios sobre la superioridad innata de los hombres para los asuntos políticos. En la actualidad, las mujeres tienen derecho a voto en todos los países del mundo excepto en Kuwait.

WE [DE]MAND [VO]TES [FO]R [WOM]EN

Sufragio femenino

Extensión del sufragio, por años.

1901 Australia
1906 Finlandia
1913 Noruega
1915 Dinamarca, Islandia
1917 Rusia
1918 G.B., Austria, Canadá, Irlanda
1919 Holanda, Luxemburgo, Alemania
1920 E.E.U.U.

Analfabetos. Porcentaje

	1920	1990
Cuba	28%	3,8%
Hungría	13%	1,1%
India	92%	52%
Somalia	(1920 sin datos disponibles)	88%
EE.UU.	6%	2,7%

En el siglo XX los sofisticados medios de comunicación y el interés por la enseñanza pública han dado lugar a los índices más bajos de analfabetismo de la historia. Aunque el significado del término no es el mismo en todos los países (algunos definen el analfabetismo como la incapacidad para leer y escribir una frase, otros como la ausencia de escolarización durante al menos cinco años), su eliminación es una cuestión de orgullo nacional en todas partes y un indicador importante del desarrollo.

GERALD EARLY

Mensajes mixtos

El nacimiento de la cultura de masas

1920
1929

Los llamativos y grandiosos cines de los años veinte, con capacidad para instalar a cientos de espectadores, encarnaron no sólo la fascinación por las películas sino también el espíritu heterogéneo, característico de la reciente cultura de masas. El teatro de la Quinta Avenida de Seattle *(derecha)*, construido en 1926, resultaba emblemático: presentaba espectáculos deslumbrantes (producidos por compañías muy importantes) y exotismo «auténtico» (el techo era una réplica el doble de grande del original de uno de los del salón imperial del trono de Pekín). Magnates y vagos por igual podían sentarse aquí para disfrutar de su magia y sentirse como emperadores.

CUANDO PENSAMOS en los años veinte, inevitablemente evocamos imágenes de la caída de las barreras culturales victorianas. No estoy hablando de la «alta» cultura (pintura, literatura, música y teatro clásicos), aunque las capitales europeas eran un hervidero de escritores y artistas que luchaban por disolver las distinciones entre lo elevado y lo inferior, entre lo sagrado y lo profano. Es verdad que en una sola tarde se podía encontrar a Joyce, Hemingway, Pound y Picasso discutiendo sobre el significado del modernismo en el salón de Gertrude Stein, en París. Sin embargo, es más importante el hecho de que millones de personas corrientes tuvieran acceso a las experiencias culturales cruzando las viejas fronteras del color y de la clase social. (La permanencia de los límites *materiales* entre blancos y negros, trabajadores y patrones, no afectó a esta tendencia.)

En esta década, las películas empezaron a alcanzar el éxito que verdaderamente merecían (incluso empezaron a hablar), y ricos y pobres hacían cola en los cines para tener la oportunidad de ver a antiguos obreros haciendo de millonarios y a millonarios haciendo de obreros. Fue la época de las chicas liberadas (*flapper*) con la falda por encima de la rodilla, un cigarrillo en una mano y una petaca de whisky de contrabando en la otra. Y sobre todo fue la época del *jazz*. Millonarios blancos, obreros, gángsters, intelectuales y jovencitas atestaban los bares nocturnos de Nueva York, Chicago y Kansas City para escuchar a intérpretes geniales como Duke Ellington y Louis Armstrong. Desde San Francisco hasta Berlín, la gente bailaba el charlestón y la música de raíces negras.

Lo que diferenció a los años veinte de cualquier década anterior fue la llegada de la cultura de masas. La cultura popular se vio afectada por la producción en cadena, el consumo y los medios de comunicación. La cultura de masas, en su afán de novedad, tiende hacia la inclusión y aporta la materia bruta de las minorías de la sociedad a las corrientes principales; además, busca un público más amplio (o mercado) para sus productos. Cuenta con el poder para cambiar no sólo la cultura popular sino también la marginal y la alta cultura. Algo tan revolucionario pudo establecerse firmemente sin un cataclismo social importante. En realidad, el acontecimiento que configuró los años veinte fue la Primera Guerra Mundial.

En muchos aspectos, el primer ejemplo perfecto de héroe de la cultura de masas fue una figura de la guerra. T. E. Lawrence, conocido como Lawrence de Arabia. Lawrence, hijo ilegítimo de un lord irlandés adúltero, surgió de la oscuridad para encabezar una fuerza de guerrilleros beduinos en la guerra contra los turcos. Se convirtió en un nombre familiar en Gran Bretaña y en Estados Unidos a través de los escritos y conferencias de Lowell Thomas, periodista sensacionalista americano que se percató del irresistible encanto romántico que poseía la idea de un hombre blanco vestido como un príncipe árabe liderando a un grupo de hombres «salvajes» y oscuros contra un enemigo mucho más fuerte. Pero lo que realmente convirtió a Lawrence en una estrella fueron las imágenes del cámara de Thomas, Henry Chasse. La historia de Lawrence era visual y no hubiera tenido tanto éxito entre el gran público si no le hubieran podido ver montando camellos a través de las arenas del desierto y haciendo estallar trenes turcos. Lawrence de Arabia se convirtió en el primer héroe de los medios de comunicación en un mundo que iba haciéndose cada vez más pequeño. Se erigió como la celebridad de los años veinte. Un héroe ambivalente en una época ambivalente. Fue un hombre de acción que se sintió deshonrado por sus acciones; un soldado dolorosamente consciente de ser tanto un agente del imperialismo británico como de la liberación árabe; un escritor que ambicionaba la fama (sus

5TH AVE
THEATRE

memorias de 1926 *Los siete pilares de la sabiduría* contribuyeron a asentar su leyenda), pero lo suficientemente repelido por ella como para buscar el anonimato alistándose como soldado raso bajo un nombre falso. Como el Jake Barnes de Hemingway en *Fiesta* (*The Sun also Rises*) la novela que encarna el desencanto de la Generación Perdida, Lawrence quedó físicamente destrozado por los horrores de la guerra y por la traición de sus ideales. Sobre todo personificó la disolución de las jerarquías sociales victorianas en el crisol de la guerra.

El poder de las películas para transformar un hecho histórico en un mito popular ya se había demostrado con *El nacimiento de una nación* (1915) de D. W. Griffith. Con él, el cine dejó de ser un mero entretenimiento para convertirse en un arte sofisticado aunque su película glorificaba al Ku Klux Klan del siglo XIX y seguía siendo fiel a la idea victoriana de la pureza racial. Por el contrario, Lawrence, con sus orígenes sociales ambiguos, su amistad íntima con los árabes y su alistamiento como soldado raso después de la guerra, simbolizó la igualdad de la sangre. Fue un héroe que se hizo a sí mismo y era descaradamente *impuro*: una nueva clase de hombre para la época de la cultura de masas.

1920
1929

EL DIFÍCIL ASCENSO de Lawrence refleja la función de gran nivelador que tuvo la Primera Guerra Mundial, que permitió a los hombres de los bajos fondos alcanzar la fama. La guerra también ejerció su influencia igualitaria de otros modos: muchos jóvenes abandonaron sus hogares provincianos por primera vez para ver otros lugares del mundo (y ser vistos en ellos). La nación más afectada por este proceso fue Estados Unidos y, a su vez, fue el país que ejerció una influencia más profunda en el resto del mundo.

Aunque los estudiosos a menudo hablan del desencanto y de la falta de esperanza que desembocaron paradójicamente en el hedonismo y el reaccionismo general (las tabernas clandestinas de Chicago; los cabarets de Berlín; el resurgimiento del Ku Klux Klan y el ascenso de Mussolini), en Estados Unidos los años veinte también marcaron el punto álgido de la tendencia niveladora que había empezado en la década anterior. Entre 1913 y 1920, de esta tendencia democratizante resultaron cuatro enmiendas mayores a la constitución: el impuesto sobre la renta y la elección directa de los senadores en 1913; la prohibición (las clases bajas se liberaron del demonio del alcohol) en 1919; y el derecho a voto para las mujeres en 1920.

Sin embargo, estas medidas (aparte de la prohibición) no significaron nada para los afroamericanos, sólo indicaron su exclusión de las ventajas de la sociedad civil. Lo que infundió ánimos a los negros fue la guerra. La mayoría de soldados americanos negros nunca habían salido del sur o de los barrios urbanos. Segregados incluso en las trincheras, luchando por un país que les negaba los derechos más fundamentales, muchos volvieron dispuestos a cambiar su situación y la de los suyos. Por primera vez, la comunidad negra empezó a interesarse por cuestiones internacionales y obtuvo un punto de vista más amplio de su condición. Cientos se afiliaron al nacionalismo negro del ardiente Marcus Garvey, oriundo de Jamaica, o al panafricanismo de Du Bois. De forma inesperada, el hombre medio negro ya no era una cifra de una clase degradada, sin historia ni futuro: era miembro de una nación gloriosa extendida por todo el mundo. Mientras los hombres blancos que tenían algo de dinero jugaban a la bolsa, un número creciente de afroamericanos invertía en su raza.

Mientras tanto, los americanos blancos, que habían perdido su sentido de las barreras culturales en la guerra y se hallaban ávidos de novedades, alimentados por los medios de comunicación de la radio y el fonógrafo, se movían al compás de la música negra (con mucho más abandono que durante la moda del *ragtime* de la primera década del siglo). Los negros se convirtieron en objeto de fascinación y romanticización para los intelectuales blancos. (Algunos, como Gertrude Stein y Carl van Vechten, los convirtieron en protagonistas de sus novelas.) Los afroamericanos de talento del Renacimiento de Harlem (los poetas Langston Hughes y Countee Cullen, los novelistas Zora Neale Hurston y Jean Toomer, entre muchos otros) ayudaron a que la literatura y el arte negros maduraran en América por primera vez.

Los afroamericanos impactaron enormemente al mundo, sobre todo a través de su música, que había sido uno de los principales configuradores de la cultura de masas. Antes de la guerra, los vanguardistas de la alta cultura, al darse cuenta de que las antiguas verdades morales y estéticas del mundo occidental estaban cercanas a su muerte, ya se habían nutrido en nuevas fuentes de inspiración. Marcel Duchamp expuso objetos industriales y los denominó «esculturas»; Picasso

Casi todos los vanguardistas de los años veinte experimentaron con la mezcla de formas y temas (lo elevado y lo inferior, lo sagrado y lo profano), pero la forma de arte «mixto» que obtuvo más alcance y más influencia perdurable fue el *jazz*. Aquí, en un collage de 1974 titulado *Wrapping it up at the Lafayette* (de su serie *Of the blues*), el artista afroamericano Romare Bearden recobra la emoción de principios de los años treinta, cuando Nueva York vivía con los sonidos de las bandas de *jazz* dirigidas por Count Basie y Chick Webb y con los solistas como el saxofonista Lester Young y la cantante Ella Fitzgerald.

1920
1929

utilizó la escultura africana. Esta mezcla artística de lo elevado y lo inferior (en Occidente las producciones de los negros eran baja cultura por definición) se intensificó tras la locura de la Primera Guerra Mundial e hizo dudar seriamente de la santidad de los valores «civilizados». Los dadaístas celebraron el caos; los futuristas glorificaron la velocidad de las máquinas; T. S. Eliot y James Joyce rompieron la sintaxis y la semántica y mezclaron el lenguaje esotérico de lo sagrado con la lengua vulgar de las calles. No obstante, sólo el *jazz*, una forma artística enormemente impura inventada por un sector de la población totalmente marginal, acabó ejerciendo una influencia importante en la sociedad a largo plazo.

Esto ocurrió así en parte porque se consideró que los afroamericanos eran seres carismáticos, poseedores de una poesía «natural», de sentido del ritmo y de una sensualidad espontánea de la que carecía la cultura donde se había librado la guerra más destructiva de la historia. Pero la popularidad del *jazz* también se debió al hecho de que no fue creada para expresar ninguna teoría sobre el arte, sino para entretener al público y para apelar de forma directa a sus emociones. El *jazz* se erigió sobre el placer y el dolor, común a todo el mundo. Sus principios estéticos eran simples: ritmo sincopado y «sentimiento» melancólico; libertad dentro de la estructura de un grupo; improvisación dentro de unos límites y en torno a las líneas del *blues*, la marcha, el himno o la canción popular. En resumen, el *jazz* se construyó sobre la igualdad y los preceptos democráticos. Influyó en todo tipo de arte de alta cultura, empezando por la música de Stravinski y Gershwin, siguiendo por la pintura surrealista, la danza de Martha Graham y sus seguidores y acabando por la poesía de los Beats, e incluso más allá.

Algunos intelectuales se horrorizaron ante la locura del *jazz*; lo consideraban *anti*intelectual, nihilista y una degradación de la cultura. Pero sus intentos de contrarrevolución fueron aplastados, no por la tendencia de la alta cultura y de la popular, sino por el nacimiento de un compromiso entre el gusto intelectual y el plebeyo. En los años veinte, este compromiso estuvo representado por el curioso fenómeno del *jazz* sinfónico, un híbrido de *jazz* y música clásica. Su principal exponente, el director de orquestas de *jazz* Paul Whiteman, quería que el *jazz* fuera respetado por los adultos blancos de clase media que no sabían qué pensar de lo que sus hijos bailaban ni del modo silencioso y «africanizado» en que lo hacían. La cultura de masas fue mostrando cada vez más su tendencia al mestizaje. (El significado original de la palabra *jazz* es «copulación» y muchos conservadores temían que la música llevara a la unión sexual entre blancos y negros además de a la cultural.) El cambio se llevó a cabo de forma pacíficamente desordenada. Incluso los críticos, los guardianes oficiales del gusto elevado, tuvieron que subir a bordo o quedarse en tierra.

IRÓNICAMENTE, EL HOMBRE QUE CREÓ la denominación de era del *jazz*, el novelista F. Scott Fitzgerald, no sabía mucho de *jazz* ni le gustaba demasiado. Cuando la hizo, tenía en mente el talante igualitario, inmediato, libre y veloz de la época y la búsqueda de sensaciones vacías para evitar el aburrimiento, el castigo de una época próspera y desilusionada.

El *jazz*, desarrollado en burdeles (donde se daba una buena dosis de mestizaje), fue desde el principio una música comercial y a la vez una reacción contra la música tradicional burguesa. La crearon unos jóvenes, blancos y negros, que querían enriquecerse, hombres que en este aspecto se parecían a T. E. Lawrence, a Fitzgerald (para su disgusto) y al protagonista de la obra maestra de éste, *El gran Gatsby*. Jay Gatsby también era un héroe que se había forjado a sí mismo, un magnate de orígenes misteriosos y turbios que seduce a un grupo de gente de la alta sociedad con su encanto, sus fiestas y sus coches lujosos (otro símbolo de la cultura de masas de los años veinte).

Por muy ambiguos que fueran los sentimientos de Fitzgerald sobre los cambios que Gatsby representaba, incluso él reconocío que se acelerarían en las décadas venideras. La cultura de masas se fue convirtiendo cada vez más en una cultura *global*, que abarcó culturas locales desde Buenos Aires hasta Pekín. Así, no debería sorprender que el aparato cultural más omnipresente e influyente de nuestra época sea el vídeo musical. Con su dirección atrevida, su alta tecnología y su mezcla de géneros musicales (rock, *rap, soul, jazz*), el vídeo musical es una consecuencia lógica de la revolución cultural que empezó en los años veinte. Ni Fitzgerald ni Lawrence imaginaron un fenómeno así, pero cada uno a su modo lo predijo. □

La cultura de masas del siglo XX no sólo ha producido manifestaciones artísticas híbridas esencialmente modernas como el vídeo musical, también ha creado superestrellas de una magnitud inimaginable en los siglos anteriores. En 1982, Michael Jackson, probablemente la celebridad mundialmente más reconocida (su personalidad ha derribado las fronteras tradicionales, especialmente las de la raza y el sexo), encumbró el vídeo musical con *Thriller (derecha)*, de 14 minutos de duración, y constituyó un homenaje a las películas de terror de Hollywood.

«A veces la gente me llama idealista. Bien, de esta manera sé que soy americano. América es la única nación idealista del mundo.»—**Woodrow Wilson, presidente de Estados Unidos**

HISTORIA DEL AÑO

La Liga de Naciones se reúne en Ginebra

1 El 19 de noviembre de 1920 se celebró la primera reunión general de la Liga de Naciones en Ginebra. Estados Unidos no envió a ningún representante a pesar de que su presidente había sido el promotor de la organización y su defensor más ferviente.

La Liga (precedente de las Naciones Unidas) era el sueño más preciado de Woodrow Wilson: una organización internacional que trabajase para el desarme mundial y la mejora de las relaciones entre trabajadores y capitalistas. Sus miembros se comprometerían a respetar la independencia de sus territorios y a someterse a un período de negociaciones, arbitrio y enfriamiento en caso de que la guerra con otro miembro pareciera inminente. A diferencia de las antiguas alianzas y ententes, admitiría a cualquier país del mundo. Sin embargo, el senado de Estados Unidos por tres veces no ratificó el tratado de Versalles, que contenía el convenio de la Liga.

Una caricatura del *New York Herald* satirizó la Liga de Naciones.

Irónicamente, el propio Wilson había instigado los votos en contra a causa de las enmiendas al tratado que había propuesto su rival, el conservador Henry Cabot Lodge. Durante el verano de 1919, Lodge había propuesto una serie de «salvedades» para que fueran añadidas a la sección del tratado que tenía que ver con la Liga; subrayaban el hecho de que el convenio no tenía vinculación legal y que el presidente no podía declarar la guerra sin consultar al congreso. Wilson se embarcó en un duro viaje por los estados del oeste en busca del apoyo público para la ratificación incondicional. Exhausto a causa de los meses que dirigió al equipo de negociaciones en Francia, sufrió una crisis en septiembre seguida de una apoplejía.

Wilson no pudo ser candidato en las elecciones de 1920. (Murió en 1924 sin haberse recuperado plenamente.) El candidato demócrata James Cox defendía la pertenencia a la Liga pero los votantes eligieron a su oponente republicano, Warren Harding, que eludía la cuestión. Al año siguiente, en su discurso de apertura, Harding anunció que Estados Unidos no se inmiscuiría en los asuntos europeos. Después pactó una paz separada con Alemania. América quedó aislada mientras el mundo empezaba a dirigirse de nuevo hacia la guerra. **◄1919.1 ►1921.7**

ORIENTE MEDIO

La Liga crea los mandatos

2 La derrota de Alemania y del Imperio Otomano en la Primera Guerra Mundial dio como resultado el reparto de sus colonias. En 1920, la reciente Liga de Naciones dio los últimos coletazos imperialistas y llevó a cabo una de sus pocas acciones con consecuencias perdurables en el mundo moderno. Dividió las propiedades de Oriente Medio y se las concedió a Francia y a Gran Bretaña en calidad de mandatos. El sistema de mandatos, que otorgaba el control administrativo de estos territorios a las potencias aliadas (incluidos los de África), fue ideado por la Liga como un compromiso que permitía que los vencedores ganasen «botín de guerra», a pesar de que las declaraciones realizadas en tiempo de guerra se opusieran a la anexión territorial.

Los supuestos premios para Gran Bretaña fueron Iraq y Palestina. Los británicos dividieron la segunda en Transjordania (actualmente Jordania) y Palestina (hoy en día Israel, con la orilla oeste del río Jordán y la franja de Gaza). El dominio presentó más complicaciones de las previstas porque Gran Bretaña había adquirido compromisos tanto con los árabes como con los judíos para obtener un apoyo seguro a sus necesidades de guerra. En 1932, Gran Bretaña concedió la independencia a Iraq y esperó a que Palestina la solicitara. El conflictivo nacionalismo de árabes y judíos, junto al inminente holocausto europeo, hizo que la espera no se alargara.

Francia obtuvo el control de Siria y del Líbano, una adjudicación igual de difícil teniendo en cuenta la inestabilidad de la región. Francia permaneció en estos dos países hasta la Segunda Guerra Mundial y los abandonó cuando los alemanes ocuparon la propia Francia. Siria y el Líbano consiguieron su independencia a mediados de los años cuarenta con el apoyo de Estados Unidos y de la Unión Soviética. Cuando empezó la Segunda Guerra Mundial, el colonialismo estaba tan desgastado por la política de entreguerras que ya no se recuperó. **◄1920.1 ►1921.NM**

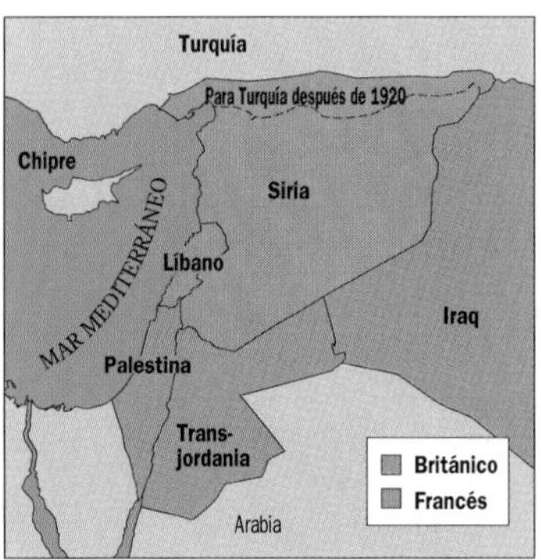

En 1920, la Liga de Naciones recompuso de esta manera el mapa de Oriente Medio.

CULTURA POPULAR

Ecos de la radio

3 La tarde del 2 de noviembre de 1920, cientos de aficionados radiofónicos sintonizaron sus receptores con la emisora KDKA de Pittsburgh y escucharon la primera retransmisión en directo de los resultados de las elecciones americanas. A medianoche esta reducida audiencia sabía lo que la mayoría de americanos leería en los periódicos de la mañana siguiente: que Warren G. Harding había derrotado a James M. Cox. La Westinghouse, que hacía funcionar la emisora KDKA desde el tejado de su planta de Pittsburgh, se convirtió en la compañía más conocida de Estados Unidos. De repente aumentó la demanda de receptores de radio.

El uso de auriculares era imprescindible para escuchar las primeras emisiones de radio.

La radio, que había empezado a reclutar aficionados antes de la guerra, alcanzó una gran popularidad cuando se levantaron las restricciones militares tras la paz de Versalles. Los aficionados europeos y americanos transmitían con sus aparatos caseros mientras otros entusiastas que poseían un equipo rudimentario recibían sus señales. En febrero de 1920, en Inglaterra, la compañía Marconi realizaba dos retransmisiones diarias de media hora desde su emisora de 15.000 vatios de Chelmsford. Las retransmisiones alcanzaron su punto álgido el 15 de junio con un concierto en directo de la diva Dame Nellie Melba y finalizaron en noviembre porque el gobierno suspendió las pruebas de emisión. Sin embargo, los aficionados no caerían en el olvido, y en 1922, el gobierno aprobó la creación de la British Broadcasting Company. Reorganizada cinco años después como un ente público controlado por el gobierno, la

ARTE Y CULTURA: Libros: ***El esquema de la historia*** **(H. G. Wells);** ***Querido*** **(Colette);** ***A este lado del Paraíso*** **(F. Scott Fitzgerald);** ***Mujeres enamoradas*** **(D. H. Lawrence);** ***Felicidad*** **(Katherine Mansfield) [...] Música: «Avalon» (DeSylva, Rose y Jolson); «La Valse» (Ravel);** ***IV Sinfonía (Heitor Villa-Lobos)*** **[...] Pintura y escultura:** ***Desnudo recostado*** **(Amadeo Modigliani) [...]**

«El arte ha muerto. Éste es el nuevo arte de las máquinas.»—**Pancarta que llevaba George Grosz en la primera Feria Internacional dadaísta**

BBC monopolizó la radio británica hasta 1973, año en que se introdujo la radio privada.

En Estados Unidos, la radio se desarrolló a través de emisoras privadas. Estimulada por el éxito de la retransmisión de las elecciones de 1920, la Westinghouse estableció enseguida emisoras en sus otras plantas y generó un mercado de receptores que pronto fabricó. Un año después, cientos de miles de aficionados al béisbol escucharon la retransmisión de la Westinghouse de todos los partidos de las series mundiales. La radio era un gran negocio. **◂1917.NM ▸1928.3**

ARTE

La conmoción dadaísta

4 El público entraba en la galería a través de unos lavabos públicos y se encontraban con una chica vestida de primera comunión recitando poesías obscenas. Una figura de cerdo vestida con un uniforme militar alemán colgaba del techo. En otro lugar, un bando proclamaba: EL DADAÍSMO LUCHA AL LADO DEL PROLETARIADO REVOLUCIONARIO. Se trataba de la primera Feria Internacional dadaísta, celebrada en Berlín en 1920, y era la exposición de antiarte más amplia que se había montado nunca. Nadie se sorprendió cuando las autoridades berlinesas arrestaron a varios visitantes y clausuraron temporalmente la exposición.

El movimiento dadaísta había sido fundado cuatro años antes por un grupo de artistas y escritores rebeldes de toda Europa: el dramaturgo Hugo Ball, el poeta Tristan Tzara y los artistas George Grosz y Jean Arp entre otros, que se hallaban en Zúrich (Suiza era neutral) durante la Primera Guerra Mundial. (Tzara eligió al azar el nombre de «dadá», que en francés coloquial significa «caballito».) Los dadaístas representaron espectáculos anárquicos, mezcla de canción, danza, recitación, escultura y un alboroto completo, y animaban al público a que participase. Componían sus obras de arte con trastos viejos y sus poesías con palabras recortadas de los periódicos unidas de cualquier manera. El objetivo era «organizar el uso de la demencia, para expresar el desprecio por un mundo arruinado».

Después de llegar a Berlín, donde la guerra y sus consecuencias hicieron que el arte pareciera demasiado frívolo si no era de protesta explícita, el movimiento se politizó. Grosz pintó desagradables retratos de la burguesía ambiciosa; John Heartfield desarrolló la técnica del fotometraje utilizándola con un satírico devastador. En otros lugares de Alemania, los artistas del collage Max Ernst y Kurt Schwitters se sintieron atraídos por el movimiento. En París, sus máximos exponentes fueron André Breton y Paul Eluard; en Nueva York, los artistas Francis Picabia y Man Ray.

Después de 1920 la mayoría de estos pioneros abandonaron las técnicas impactantes del dadaísmo en favor de las investigaciones psicológicas del surrealismo. El dadaísmo murió, pero su espíritu resurge una y otra vez: en los *«happenings» hippies*, en las cubiertas de los discos de *punk-rock*, en las representaciones artísticas de los años ochenta y allí donde los artistas quieren causar conmoción. **◂1924.3**

John Heartfield y George Grosz fueron los creadores del catálogo de la Feria Internacional dadaísta.

LITERATURA

Agatha Christie presenta a Poirot

5 La hermana de Agatha Christie aseguró que había desentrañado inmediatamente el misterio de todas las novelas policíacas que había leído. Agatha se lo tomó como un reto y escribió su primera novela, *El misterioso caso de Styles*, mientras trabajaba como enfermera durante la Primera Guerra Mundial. El manuscrito pasó de editorial en editorial hasta que The Bodley Head lo aceptó (más tarde, esta firma le estafó a la autora buena parte de sus derechos).

Finalmente, el libro se publicó en 1920, y los lectores descubrieron a uno de los detectives de ficción más famosos: Hercule Poirot, un belga bajito, exigente y egocéntrico, con un nombre grandioso. Christie lo definió así: «Su cabeza tiene la forma exacta de un huevo y siempre la ladea un poco. La pulcritud de su ropa es casi increíble; creo que una mota de polvo podría causarle más dolor que una herida de bala».

Diez años y muchos libros de éxito después, Christie creó a otro detective importante, Jane Marple, una anciana soltera con una gran perspicacia para resolver homicidios. Juntos, en unas ochenta novelas durante los cincuenta años siguientes, estos dos personajes simbolizaron el relato criminal típico de Christie: un rompecabezas complicado en el contexto de las clases acomodadas de Inglaterra. Christie se especializó en crímenes domésticos, y el crimen nunca estuvo tan domesticado como en sus novelas, que contenían muy poca violencia o detalles desagradables.

El crítico Edmund Crispin explica por qué siguen gustando las novelas de Christie: «Con una novela de Agatha Christie sabes que durante una o dos horas puedes olvidar lo auténticamente malo de la vida y sumergirte en un mundo donde, por muchos asesinatos que haya, tu estás esencialmente en un país de ensueños». **▸1930.11**

NACIMIENTOS

Isaac Asimov, científico y escritor ruso-estadounidense.

Ray Bradbury, escritor estadounidense.

Miguel Delibes, escritor español.

Federico Fellini, director cinematográfico italiano.

Rosalind Franklin, bioquímica británica.

Juan Pablo II, Papa católico.

José López Portillo, político mexicano.

Sun Myung Moon, dirigente religioso coreano.

Charlie «Bird» Parker, músico estadounidense.

Peggy Lee, cantante estadounidense.

Sugar Ray Robinson, boxeador estadounidense.

Ravi Shankar, músico indio.

Boris Vian, escritor francés.

MUERTES

Alejandro, rey de Grecia.

Venustiano Carranza, político mexicano.

Amadeo Modigliani, artista italiano.

Eugenia de Montijo, ex-emperatriz de Francia.

Robert Peary, explorador estadounidense.

John Reed, periodista estadounidense.

Arturo Soria, matemático, político y urbanista español.

Max Weber, sociólogo alemán.

Cine: *Las dos tormentas* (D. W. Griffith); *The Toll Gate* (con William S. Hart); *¿Por qué cambiar de esposa?* (Cecil B. DeMille); *El Golem* (Paul Wegener) [...] Teatro: *Luces de Bohemia* y *Divinas palabras* (Valle-Inclán); *La casa de la angustia* (G. B. Shaw); *El emperador Jones* y *Detrás del horizonte* (Eugene O'Neill).

«He tenido un buen año.»—**Babe Ruth, cuando le preguntaron si ganaba más que el presidente de Estados Unidos (1930)**

NOVEDADES DE 1920

Preservativos Trojan.

Metralleta Tommy (patentada por John T. Thompson).

Legalización del aborto (U.R.S.S.).

Compañía Internacional de Teléfonos y Telégrafos (I.T.T.).

Qantas Airways Ltd. (Queensland and Northern Territory Aerial Services Ltd.)

Emisoras públicas de radio en Gran Bretaña y Estados Unidos.

EN EL MUNDO

▶HUELGA EN EL SECTOR DE LA CONFECCIÓN—En diciembre, la Unión de Trabajadores de la Confección estadounidense, que contaba con cien mil miembros, inició una huelga contra la explotación a que los sometían sus patrones de Nueva York, Boston y Baltimore. La huelga duró seis meses: las empresas perdieron diez millones de dólares y los trabajadores aceptaron un recorte salarial del 15 % y prometieron incrementar la producción en este mismo porcentaje. Sin embargo, la clase obrera obtuvo algunos beneficios: los obreros estuvieron de acuerdo en formar una cooperativa y rechazaron las peticiones para volver al sistema de sueldos por trabajo a destajo. ◀1919.6 ▶1936.NM

▶FUNDACIÓN DE LA A.C.L.U.—El abogado estadounidense Roger Baldwin, horrorizado al ver que la ley de derechos fundamentales era pisoteada en el intento de suprimir a los «rojos», reclutó a ciudadanos importantes (entre ellos a Helen Keller, Clarence Darrow, Upton Sinclair y Felix Frankfurter, futuro juez del tribunal supremo), para formar la American Civil Liberties Union (Unión Americana para las Libertades Civiles). Ésta defendería los derechos constitucionales de cualquier persona, de derechas o de izquierdas, en un montón de casos, desde el «Juicio del mono» de Scopes (1925) hasta la marcha nazi en Skokie (1978). ◀1919.6 ▶1925.3

DEPORTES

El inicio de una edad de oro

6 Su nombre forma parte del idioma americano y su fama se extiende más allá de las fronteras nacionales: en Japón, por ejemplo, una vez se declaró un «día Babu Rusu» en su honor. George Herman «Babe» Ruth es probablemente el deportista más famoso de su tiempo y, cuando los Yankees de Nueva York pagaron 125.000 dólares por su contrato en 1920, empezó una edad dorada para los deportes sin precedentes.

Durante los años veinte hubo héroes y heroínas en todos los campos de juego, Red Grange y Knute Rockne y los cuatro jinetes de Notre Dame, que fueron los primeros hitos del fútbol americano; el nadador Johnny Weissmuller (más tarde el Tarzán de Hollywood), y el corredor Paavo Nurmi, que hizo historia en los Juegos Olímpicos; Bill Tilden, Suzanne Lenglen y Helen Wills, que colocaron al tenis en el punto de mira internacional; Bobby Jones, que se retiró del golf en 1930 con trece campeonatos importantes en su haber; y Jack Dempsey y Gene Tunney, cuyo combate de 1927 tuvo una «cuenta larga» que sigue siendo la más discutible de este deporte.

Pero, por encima de todos ellos, destacó Ruth. En 1921 consiguió 59 carreras y su popularidad, ya inmensa, aumentó tanto que en 1923 se inauguró el estadio neoyorquino de los Yankees y se apodó «la casa que construyó Ruth». Los Yankees fueron la maravilla de los años veinte, ganaron el campeonato mundial en 1923, 1927 y 1928. Todavía se dice que el equipo de 1927 fue el mejor de todos los tiempos. En este año, Ruth logró 60 carreras, récord durante 154 temporadas. En 1935 obtuvo la puntuación más alta de 714, que se mantuvo hasta que Hank Aaron consiguió 715 en 1974. Las crónicas de su vida desordenada, sus mujeres, sus juergas y su sueldo, altísimo para la época, aumentaron el apetito insaciable de noticias entre sus seguidores.

Babe dio un impulso sin precedentes a los deportes.

La edad dorada empezó a declinar con la llegada de los años treinta, pero la pasión por los deportes que se apoderó de los años veinte no ha disminuido. **▶1920.NM**

IRLANDA

Domingo, sangriento domingo

7 En un intento fallido de solucionar la cuestión irlandesa, el parlamento británico aprobó el decreto del gobierno de Irlanda por el que la isla quedaba dividida en dos regiones administrativas con una autonomía limitada. Esta medida de 1920 abonó el terreno para la futura violencia.

La decisión de Gran Bretaña pretendía apaciguar la comunidad internacional, cada vez más crítica, pero no satisfizo a ninguna circunscripción irlandesa. El resultado fue desorden y derramamiento de sangre. El IRA se violentó porque la división había creado una mayoría protestante en el norte y entró en campaña contra las fuerzas armadas británicas; Gran Bretaña tomó represalias imponiendo la ley marcial y creando un cuerpo especial de policía, los *Black and Tans* (Negros y Tostados), apodados así por sus uniformes, de color negro y caqui. La situación degeneró enseguida en una competición terrorista; el IRA y los *Black and Tans* llevaban a cabo ataques brutales.

El 21 de noviembre de 1920, el «domingo sangriento», la violencia alcanzó una cota altísima. Por la mañana, efectivos del IRA asesinaron a once supuestos agentes de la inteligencia británica en Dublín; por la tarde, los *Black and Tans* se desquitaron abriendo fuego contra los espectadores de un partido de fútbol en un parque de Dublín. La carga duró unos minutos; cuando acabó, doce espectadores habían muerto y 60 estaban heridos. En toda Irlanda se intensificó la hostilidad hacia el gobierno británico. El primer

Soldados británicos vigilan Dublín.

ministro Lloyd George se vio obligado a reconsiderar la cuestión irlandesa en vista de que los enfrentamientos no cesaban. En 1922 otorgó el estatus de dominion dentro de la Commonwealth a los 26 condados del sur. Sin embargo, mantuvo firmemente la división entre estos condados y los seis protestantes del norte. **◀1916.5 ▶1922.12**

LITERATURA

Exilio en *Main Street*

8 En los años anteriores a la publicación de *Calle mayor* (*Main Street*, 1920), la controvertida novela de Sinclair Lewis, los pueblos de la América rural representaban todo lo que las grandes ciudades no tenían: limpieza, virtud y unos habitantes que se interesaban por los demás. La novela de Lewis hizo añicos esta imagen, probablemente para siempre. Carol Milford, la joven novia que llega a Gopher Prairie, Minnesota (que se parece mucho a la ciudad natal de Lewis, Sauk Centre, Minnesota), con su marido, un médico bondadoso pero insípido, descubre rápidamente que la ciudad de apariencia idílica es superficial, autocomplaciente, intolerante con la diferencia y sin ningún tipo de interés por el enriquecimiento cultural. *Calle mayor* fue una obra descaradamente realista y una dura crítica a la clase media y sus valores, a pesar de sus toques de optimismo e incluso de humor.

Calle mayor afianzó a Lewis como escritor de importancia y crítico social incansable. Lewis había sido periodista y tenía una visión aguda para el detalle físico. Se sumergía en investigaciones exhaustivas pasando semanas entre la gente que inspiraría sus personajes, anotando su modo de hablar, sus gestos y las peculiaridades de sus ropas

DEPORTES: celebración de los Juegos Olímpicos en Amberes [...] Fútbol americano: fundación de la Asociación Profesional Americana de Fútbol (más tarde N.F.L.) [...] Fútbol: Bélgica campeona olímpica tras derrotar a España.

y costumbres. En novelas posteriores, como *Babbitt* (1922), *El doctor Arrowsmith* (1925) y *Elmer Gantry* (1927), criticó amargamente al hombre de negocios americano medio, condenado al materialismo de los científicos y expuesto al prejuicio racial y a la hipocresía religiosa. Algunos lectores llamaron a Lewis traidor aunque muchos más disfrutaban con sus libros. Fue el más popular de los autores de entreguerras llamados «demoledores».

En 1926, Lewis rechazó el premio Pulitzer por *El doctor Arrowsmith*, pero aceptó el Nobel en 1930 y se convirtió en el primer escritor americano que ganó el premio. Muchos de sus coetáneos abandonaron América por Europa, pero Lewis nunca estuvo mucho tiempo alejado del medio oeste. Murió en 1951 en un viaje a Roma.

Lewis derrumbó el mito de las sanas virtudes de las pequeñas ciudades americanas.

LITERATURA

El año de Valle-Inclán

9 Cuatro de las principales obras dramáticas del literato español Ramón Valle de la Peña, conocido en el mundo de las letras como don Ramón María del Valle-Inclán, se publicaron en 1920. Son: *Farsa italiana de la enamorada del rey, Farsa y licencia de la reina castiza, Divinas palabras* y *Luces de Bohemia*. Con esta última obra, Valle-Inclán inició de forma explícita una forma de creación literaria: el *esperpento*, que, como tendencia, se encontraba ya en obras anteriores. La palabra significa «persona o cosa extravagante desatinada o absurda». En *Luces de Bohemia,* el protagonista precisa esta definición: «Nuestra tragedia no es una tragedia [...] España es una deformación grotesca de la civilización europea».

Ramón del Valle-Inclán.

Años más tarde, en una entrevista, Valle-Inclán explicó su opción por este modo literario: «hay tres modos de ver el mundo artística o estéticamente: de rodillas, en pie o levantado en el aire». La visión «de rodillas», desde abajo, magnifica la realidad y los personajes se transforman en héroes como sucede en la tragedia clásica. Si el plano es paralelo, «en pie», los personajes son nuestros iguales, «nuestros hermanos», como sucede en el teatro de Shakespeare. Cuando la visión desciende de arriba hacia abajo con el narrador «levantado en el aire», los dioses se convierten en personajes de sainete, en marionetas o peleles. Esta última visión —en la tradición española de Quevedo— es la que eligió Valle: «Esta consideración es la que me movió a dar un cambio a mi literatura y a escribir esperpentos». La cita es ilustrativa de la doble referencia que suscita el esperpento: su entronque con la tradición artística española, con la literatura de Quevedo, con la estética de Goya y con las vanguardias de la cultura y el arte de su tiempo. La visión «de rodillas, en pie o levantado en el aire» evoca la movilidad de una cámara cinematográfica. La ruptura de la realidad, su deformación con el propósito de resaltar aspectos significativos, su intención crítica y su audacia formal lo aproximan al expresionismo contemporáneo de Valle.

Luces de Bohemia se publicó por primera vez en la revista *España* en 1920. Cuatro años más tarde apareció, ampliada, en forma de libro. Considerada por la crítica como teatro para leer, su consagración en los escenarios fue muy tardía. En 1963, el T.N.P. de París estrenó una versión dirigida por Sean Vilar que constituyó un éxito de público y crítica. En España hubo que esperar hasta 1969 para que, en un montaje de José Tamayo, *Luces de Bohemia* fuera representada de forma profesional en un escenario. **◂1902.E**

▶LA VICTORIA DE TILDEN —«Big Bill» Tilden fue el primer americano que ganó el campeonato de Wimbledon. Siguió dominando el mundo del tenis durante una década.

El carismático deportista, de casi 2 m de altura, convirtió un pasatiempo elitista en un espectáculo popular; sin embargo, murió en 1953 en el ostracismo a causa de su homosexualidad. ◂1920.6 ▸1926.NM

▶UNA BOMBA EN WALL STREET—El 16 de septiembre, el distrito financiero de Manhattan sufrió una lluvia de sangre y cristales rotos: una bomba colocada cerca de la sede de J. P. Morgan and Co. mató a treinta personas e hirió a doscientas. Las autoridades sospecharon que había sido obra de los anarquistas (varios se atribuyeron el acto para darse publicidad), pero no se encontró ninguna prueba concluyente.

▶EL ASESINATO DE CARRANZA—El presidente mexicano Venustiano Carranza nunca fue un

revolucionario auténtico. Cuando intentó forzar la elección de un sucesor designado por él, incluso sus aliados se rebelaron. En mayo, Carranza fue asesinado por uno de sus propios oficiales mientras intentaba escapar del alzamiento dirigido por el general Álvaro Obregón, que se convirtió en el segundo presidente de México. ◂1917.11 ▸1926.NM

▶EL GOLPE DE ESTADO—El gobierno alemán no consiguió su objetivo de disolver los Freikorps. En marzo, los

«No hay ámbito que se considere tan peculiarmente femenino como el del amor. Pero hasta ahora no hay ámbito de la civilización que las mujeres hayan regulado tan poco.»—**Havelock Ellis, *Sobre la vida y el sexo***

mercenarios de derechas, con esvásticas pintadas en sus cascos, se rebelaron en Berlín: tomaron los edificios clave y pusieron a la cabeza del Estado a Wolfgang Kapp, monárquico nacido en Estados Unidos, con el apoyo de Erich Ludendorff, Jefe del Estado Mayor durante la Primera Guerra Mundial. El gobierno huyó a Stuttgart y convocó una huelga general ante la negativa del ejército a oponerse al alzamiento. La huelga paralizó la capital, el golpe de estado fracasó, y Kapp huyó a Suecia. Sin embargo, un alzamiento similar en Baviera tuvo éxito, y los derechistas derrocaron al gobierno estatal. ◂1919.2 ▸1921.7

▶EL TRATADO DE TRIANÓN—El almirante Miklós Nagybányai Horthy, que había arrebatado el poder a los comunistas húngaros, firmó un acuerdo en el Palacio Trianón de Versalles por el que cedía tres cuartas partes de Hungría a sus vecinos. El tratado, que cumplía las condiciones de las potencias aliadas para acabar oficialmente la Primera Guerra Mundial, amplió las fronteras de Austria, Checoslovaquia y Yugoslavia. ◂1919.NM

▶INAUGURACIÓN DE LOS FESTIVALES DE SALZBURGO—Un proyecto de 1887 se llevó por fin a cabo en el verano de 1920. Un magno festival de música, con periodicidad anual, en honor de Mozart, tuvo por escenario la ciudad natal del compositor austríaco. En la primera de estas manifestaciones, la interpretación de Sedermann constituyó el evento más importante del festival. Se trataba de la adaptación musical de un texto de Hugo von Hoffmannsthal, dirigida por Max Reinhardt.

CIENCIA

El rompecabezas del polímero

10 Los químicos habían fabricado alternativas sintéticas al caucho, un polímero natural, desde 1860; sin embargo, los resultados eran insatisfactorios, sobre todo porque trabajaban a partir de una percepción errónea de la estructura molecular del polímero. En 1920, el químico alemán Hermann Staudinger presentó una teoría nueva que resultó ser un avance decisivo para el desarrollo de los plásticos. En un artículo titulado *«Über Polymerisation»*, Staudinger expuso que los polímeros naturales estaban compuestos por cadenas de «macromoléculas» gigantes, que procedían de reacciones químicas entre miles de sustancias simples, y no por moléculas individuales unidas entre sí, como se pensaba hasta entonces. Los científicos, acostumbrados a imaginarse las moléculas como diminutas partículas de materia, al principio pensaron que Staudinger estaba chiflado. La balanza empezó a decantarse a su favor durante una serie de simposios científicos celebrados entre 1925 y 1930. Tras una reunión, un químico, convencido de mala gana de la teoría de Staudinger, confesó: «Estas enormes moléculas orgánicas no son de mi agrado, pero parece que todos tendremos que conocerlas».

El descubrimiento capital de Staudinger estableció unas bases teóricas sólidas de la composición química de los polímeros y capacitó a los científicos para fabricar macromoléculas artificiales en el laboratorio. En Estados Unidos, Wallace Carothers, un temprano adepto a la teoría de Staudinger (y más tarde conocido como el inventor del nailon), trabajó sobre la obra de Staudinger estudiando la formación del poliéster, de polianhídridos, poliamidas y otros polímeros. En 1953, por fin, fue reconocida la obra de Staudinger con un Premio Nobel. **◂1909.7 ▸1934.9**

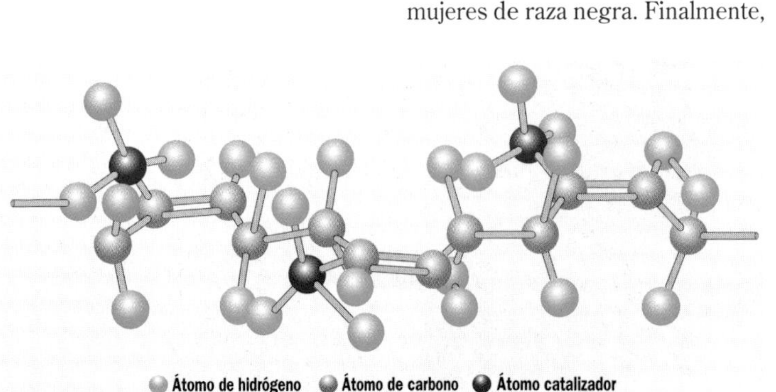

Miles de moléculas se unen para formar una sola «macromolécula» de caucho.

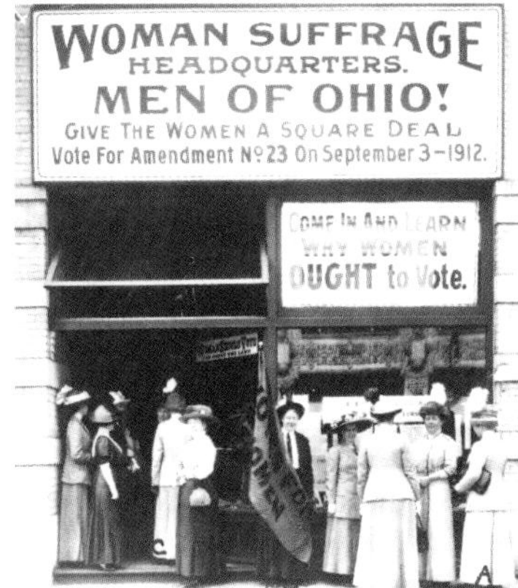

Tras ocho décadas, los hombres perdieron el monopolio del voto.

REFORMA SOCIAL

Las mujeres obtienen el voto

11 Aunque a principios de siglo las mujeres ya podían votar en algunos países (Nueva Zelanda, Finlandia, Noruega), la Primera Guerra Mundial aceleró la llegada del sufragio femenino (en distintos grados) a la Unión Soviética en 1917, a Canadá y Reino Unido en 1918, y a Austria, Polonia, Alemania y Checoslovaquia en 1919. Estados Unidos formó parte de esta tendencia de posguerra y en agosto de 1920 concedía a sus ciudadanas mayores de 21 años los mismos derechos de voto que tenían los hombres. La enmienda n.º 19 de la constitución de Estados Unidos estableció el sufragio universal femenino y fue la culminación de una lucha de ochenta años llevada a cabo por las sufragistas norteamericanas.

El camino para la ratificación de la enmienda estuvo lleno de altibajos y pasó por un debate en el Congreso. Los que se oponían decían que el voto trastocaría el orden social, embruteciendo a las mujeres y perjudicando su feminidad. La cámara aprobó una resolución de enmienda al sufragio a principios de 1918, pero la medida fue rechazada en el senado, sobre todo porque los senadores sureños temían que los blancos perdieran su poder si votaban tanto hombres como mujeres de raza negra. Finalmente, en junio de 1919, fue aprobada, tras dos rechazos. En 1920, la enmienda fue ratificada por los dos tercios de estados necesarios, en época de elecciones presidenciales.

Muchos otros países siguieron los pasos de Estados Unidos, especialmente justo antes de la Segunda Guerra Mundial. No obstante, en los años setenta las mujeres de algunos países, como Siria y Suiza, acababan de obtener lo que la importante sufragista del siglo XIX Susan B. Anthony calificó como «el derecho más importante, el que es la base de todos los demás». **◂1903.3 ▸1959.NM**

IDEAS

Havelock Ellis, sexólogo

12 Si Sigmund Freud proporcionó la base teórica para la revolución de las actitudes sexuales que tuvo lugar tras la Primera Guerra Mundial, muchos de los datos fundamentales los aportó un libresco médico británico llamado Havelock Ellis. Éste se anticipó a Freud en la investigación de la sexualidad preadolescente y acuñó los términos «narcisista» y «autoerótico», que más tarde utilizaron Freud y otros. Pero quizás sea más importante el apoyo de Ellis a la educación sexual y al feminismo, incluyendo lo que llamó «los derechos de amor de la mujer», frase que acuñó en su libro *Sobre la vida y el sexo* (1920).

La obra era uno de los siete volúmenes que forman la obra principal de Ellis, *Estudios de la psicología del sexo* (1897-1928), investigación sobre tópicos como la homosexualidad, la masturbación y la fisiología sexual. Aunque de carácter erudito, los libros se consideraban subidos de tono para la época: un juez británico prohibió el primero por «publicación obscena».

A diferencia de los anteriores sexólogos, que catalogaban las «perversiones» para condenarlas, Ellis consideró todas las prácticas sexuales sanas mientras no hicieran daño a nadie. Las opiniones de Ellis participaban de sus propias peculiaridades. Fue virgen hasta que se casó, a la edad de 32 años. Su mujer prefería a las mujeres y la pareja, que se amaba mucho, fue una de las primeras en mantener una «relación abierta». **◂1915.2 ▸1948.10**

PREMIOS NOBEL: Paz: León Victor Bourgeois (francés; Alianza de la Sociedad de Naciones) [...] Literatura: Knut Hamsun (noruego; novelista) [...] Química: Walther Nernst (alemán; tercera ley de termodinámica) [...] Medicina: August Krogh (danés; funcionamiento de los capilares) [...] Fisica: Charles E. Guillaume (suizo; mediciones de precisión).

Versos y oraciones del caminante

León Felipe

León Felipe (1884-1968), poeta al margen de los movimientos pero de espíritu modernista, inició su andadura poética en 1920 con Versos y oraciones del caminante. *Farmacéutico, viajero y republicano se exilió a América después de la guerra. Su obra fue mucho más conocida allí que en España hasta 1977, cuando Gerardo Diego publicó un volumen de* Obra poética escogida. *Su primer libro contiene una gran carga religiosa y humana y destaca por el lenguaje directo y las fórmulas bíblicas. A continuación, extracto de unas palabras pronunciadas en el Ateneo de Madrid al leer por primera vez estos versos.*

...Mi ánimo al venir aquí no ha sido dar una sensación de fatiga, sino una emoción de belleza. De una belleza ganada desde mi sitio, vista con mis pupilas y acordada con el ritmo de mi corazón; lejos de toda escuela y tan distante de los antiguos ortodoxos retóricos como de los modernos herejes —herejes, la mayoría, por un afán incoercible de snobismo—. Con estos hombres —preceptistas o ultraístas— que se juntan en partida para ganar la belleza, no tiene nada que ver el arte. La belleza es como una mujer pudorosa. Se entrega a un hombre nada más, al hombre solitario, y nunca se presenta desnuda ante una colectividad.

La divisa de escuela, además, no dice nunca del gesto nuevo y único que traemos todos los hombres al nacer y al cual hemos de estar siempre atentos y fieles, porque tal vez esto sea el mayor mérito que podamos tener para con Dios, que castiga duramente al hombre necio y falso que pretende engañarle vistiéndose con la misma túnica que su hermano. Y no vale menos este gesto específico de la unidad que aquel carácter genérico del grupo. Y más peca el hombre que mata en sí lo que le diferencia de todas las cosas del universo que el que reniega de su casta.

Dentro de mi raza, nada más que de mi raza, he procurado siempre estar atento a este gesto, a este ritmo mío espiritual, al latido de mi corazón, porque este ritmo del poeta es la única originalidad y el único valor eterno de que podemos estar seguros en la poesía lírica. Este ritmo mío, además, ha sido siempre el generador de mi verso, el que ha ido tejiendo la forma al abrirse camino por entre las palabras. Por esto, a priori, no admito ninguna forma métrica. Sé que siendo fiel al mismo, cumplo con la única ley eterna e inmutable de la belleza.

Ir a buscar este valor personal, este signo específico generador de nuestro verso fuera de nosotros mismos, es una torpeza; e ir a buscarle fuera de nuestra tradición y de nuestro pueblo, es una gran locura. En el verso de un poeta nuevo, por mucha personalidad que tenga, ha de haber siempre ritmos de su raza, lo específico de su pueblo, que es lo genérico del poeta, y por encima de esto el signo particular de él.

Y si esto es así, después del brillante resurgimiento de nuestra lírica moderna, vuelta hacia el corazón de la raza, es doloroso que maneras extrañas pretendan nuevamente desviarla de su cauce. Y hablando de este modo no puedo ser sospechoso de patrioterías, ni grandes ni chicas. Ya lo veréis en mis versos. Jamás he cantado las rancias tradiciones de la raza, ni he puesto mi verso al servicio de esos violentos entusiasmos regionales que andan ahora tan en boga. Cuando en mis horas de gracia me alzo sobre las cosas de la tierra, me da igual Francia que España; pero me duele que en este momento, después de la guerra, luego que hemos justipreciado nuestros valores espirituales y estéticos, se forme una escuela de arte en derredor de un poeta francés.

Desde aquí, desde donde estamos ahora, con las amplias libertades de la métrica moderna, ya del todo desencadenada, podemos los poetas castellanos decir lo subjetivo y lo universal, lo pasajero y lo eterno. Podemos decirlo todo, pero cada uno con su voz, cada uno con su verso; con un verso que sea hijo de una gran sensación y cuyo ritmo se acorde al compás de nuestra vida y con el latido de nuestra sangre.

He dicho todo esto sin altivez, porque pienso que lo menos que se le puede pedir a un poeta es que nos diga lo suyo con su verso, y porque solo distingo mejor mi voz que en el canto de los orfeones y no tengo que esforzarla para ponerla acorde con la tiranía de un pensamiento colectivo. Mi voz, además, es opaca y sin brillo y vale poca cosa para reforzar un coro. Sin embargo, me sirve muy bien para rezar y solo bajo el cielo azul...

LEÓN FELIPE

León Felipe
Versos y oraciones
del caminante
Colección Visor de Poesía

«Todos los que conocen estos dos brazos saben perfectamente que no tenía necesidad de matar a un hombre por dinero. Puedo vivir de mis dos brazos y vivir bien.»—**Bartolomeo Vanzetti en 1927, antes de ser sentenciado a muerte**

HISTORIA DEL AÑO

Sacco y Vanzetti

1 Fue un delito común, aunque sangriento: en abril de 1920 unos ladrones robaron 16.000 dólares de una fábrica de zapatos de South Braintree, Massachusetts, matando al pagador y a un guardia. No obstante, los presuntos delincuentes no eran comunes: un par de anarquistas comprometidos, Nicola Sacco y Bartolomeo Vanzetti. Su proceso en 1921 creó una expectación internacional que no se veía desde el caso Dreyfus.

En Estados Unidos corrían malos tiempos para los extremistas. Las revoluciones estallaban en el extranjero y muchos americanos no distinguían entre anarquistas, socialistas y comunistas, todos eran una «amenaza roja» que debía ser eliminada a cualquier precio. Los inmigrantes de izquierdas resultaban especialmente sospechosos (miles fueron deportados tras la Primera Guerra Mundial). En este contexto, sólo un juez extremadamente imparcial podía garantizar un juicio justo a dos revolucionarios italianos, y Webster Thayer evidentemente no era ese juez. Fuera de la sala hablaba de «esos anarquistas bastardos»; en el interior no hizo concesiones al mal inglés de los acusados y permitió que el fiscal, cuya poco convincente alegación estaba basada en pruebas circunstanciales (algunos testigos declararon que habían visto a dos hombres parecidos a los acusados entre los ladrones), hablara constantemente de su ideología subversiva.

Sacco (*derecha*) y Vanzetti: ¿asesinos o cabezas de turco?

Ninguno de los acusados contaba con una coartada sólida, los dos iban armados en el momento de la detención y habían mentido a la policía durante el interrogatorio. Sin embargo, nunca se supo el paradero del dinero robado ni pudo relacionarse con ellos y ninguno tenía antecedentes criminales. Ambos estaban empleados: Sacco como oficial especializado en la fabricación de zapatos y Vanzetti como pescadero. Aun así, un jurado compuesto exclusivamente por norteamericanos los condenó por robo y asesinato, un crimen capital. «*Siamo innocente!*», gritó Sacco.

Durante los seis años siguientes, los dos lucharon para que se reabriera el caso. Pero incluso después de que un asesino convicto confesara el crimen, las autoridades mantuvieron su decisión. En abril de 1927 el juez Thayer los condenó a la silla eléctrica.

A pesar de las protestas y de un informe oficial reprendiendo al juez Thayer por sus observaciones perjudiciales durante el juicio, el gobernador mantuvo la sentencia. El tribunal supremo de Estados Unidos se negó a aceptar una apelación de última hora.

El 23 de agosto de 1927, Sacco y Vanzetti fueron ejecutados en la prisión estatal de Charlestown, en Boston. Tras dar las gracias al alcaide por su amabilidad, Vanzetti dijo: «Deseo perdonar a algunas personas por lo que me están haciendo ahora». **◂1919.6**

UNIÓN SOVIÉTICA

La NEP

2 La nueva política económica para la recuperación soviética que Vladimir Lenin presentó en 1921 significó una modificación de las doctrinas revolucionarias del líder comunista. Sin embargo, desde el punto de vista de Lenin, era un correctivo necesario contra el hambre, la infraestructura arruinada y el atraso persistente que sufría su país. Lenin, declaró: «Cuando vivís con lobos, debéis aullar como ellos».

La nueva política no era más que un capitalismo modificado; puso en vigor una economía mixta de comunismo y producción, agricultura privada y comercio privado limitado. La política retardó la total nacionalización de la industria que había empezado tras la revolución y concedió ventajas a pequeñas empresas privadas. Algunos negocios expropiados fueron devueltos a sus antiguos dueños. Lo más significativo fue que esta política sustituyó la *prodrazverstka*, la política de estado que confiscaba los excedentes agrícolas del campesinado, por la *prodnalog*, un impuesto agrícola fijo. El cambio reconocía tácitamente la propiedad privada: los campesinos, y no el Estado, poseían lo que cultivaban.

Las reformas fueron necesarias a causa del hambre que, entre el rudimentario sistema de transporte y la desorganización del sistema de distribución, se extendió por todo el país. Los más radicales atacaron a Lenin y él les contestó abiertamente: «Ocurre que Rusia, una de las naciones capitalistas más atrasadas económicamente, no ha tenido éxito en su "asalto" y se ha visto obligada a recurrir a operaciones de "asedio" lento y gradual». El estado comunista perfecto debería esperar. **◂1919.11 ▸1924.1**

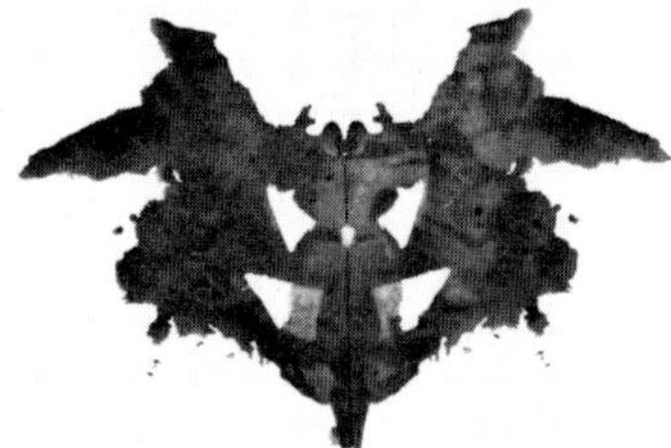

La forma de un borrón de tinta revela la forma de la mente.

IDEAS

Imágenes en borrones de tinta

3 «La cuestión aparece una lámina tras otra: "¿qué debe ser esto?"», escribió el psiquiatra suizo Hermann Rorschach del nuevo test diagnóstico, presentado en su libro de 1921 *Psicodiagnóstico.*

«Esto» era un borrón simétrico de tinta, con sombras negras y grises y algún toque de color. La clave del test reside en la ambigüedad de cada forma, que puede ser interpretada como una mariposa o un murciélago, un payaso o un rostro humano. El paciente decide el contenido: lo que ve y cómo presenta su visión es sintomático de su estado psicológico, sostenía Rorschach (alumno de Carl Jung). «El experimento consiste en la interpretación de formas accidentales», explicó.

Aunque se ha convertido en un cliché de la cultura popular, el test Rorschach todavía es una herramienta diagnóstica muy utilizada. Quizá su aplicación más memorable tuvo lugar en 1946, cuando se utilizó con criminales de guerra nazis en Nuremberg. Los resultados fueron reveladores: donde otros podían ver animales de peluche y flores exóticas, Hermann Goering, el hombre artífice de la Gestapo y de los primeros campos de concentración, veía mirillas y duendes violentos. **◂1912.2 ▸1946.E**

Con millones de personas que esperaban pan, Lenin decidió que el comunismo también debía esperar.

ARTE Y CULTURA: Libros: *La tía Tula* (Miguel de Unamuno); *Tres soldados* (John Dos Passos); *Eloísa y Abelardo* (George Moore); *Poemas 1918-1921* (Ezra Pound); *La reina Victoria* (Lytton Strachey) [...]
Pintura y escultura: *Composición en rojo, amarillo y azul* (Piet Mondrian); *Círculos en el círculo* (Wassily Kandinsky); *Tres músicos* (Pablo Picasso); *La masía* (Joan Miró) [...]

«El buen gusto estropea ciertos valores espirituales auténticos: como el propio gusto.»—**Coco Chanel**

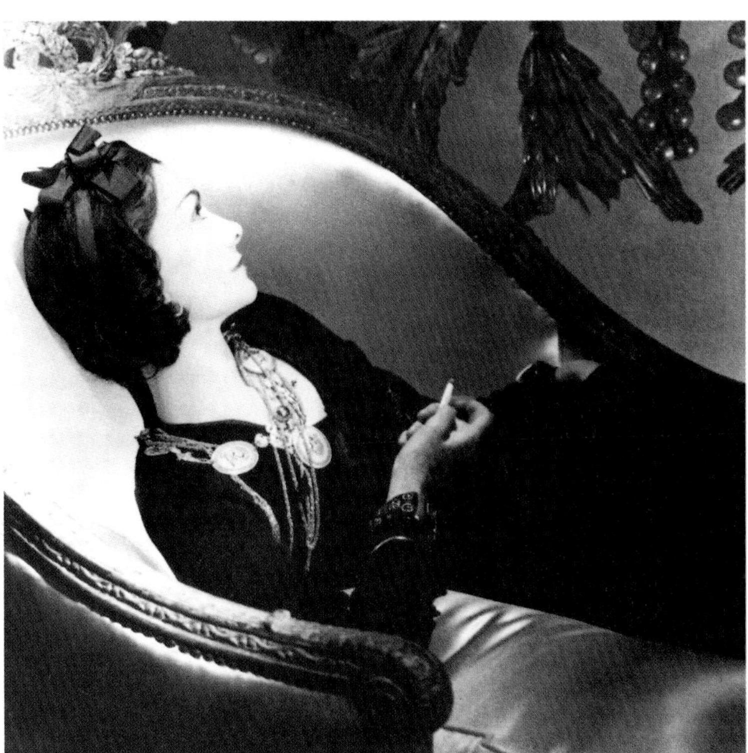

La elegancia aparentemente natural de Coco Chanel captada por el fotógrafo Horst.

MODA

Aparición de Chanel n.º 5

4 La diseñadora Gabrielle «Coco» Chanel ya era una leyenda en el mundo de la alta costura cuando en 1921 presentó el perfume que llegaría a obtener el mayor éxito comercial de todos los tiempos.

En colaboración con el químico Ernest Beaux, Chanel elaboró un perfume que contenía 80 ingredientes, incluído el jazmín. (Cuando se enteró del alto precio del jazmín dijo: «En ese caso pon más».) Cuando el perfume apareció en el mercado, sorprendió por su frasco sencillo y su audaz nombre, Chanel n.º 5. La simplicidad y la audacia eran las características de la mujer que había introducido la alta costura en el siglo XX.

Descartando los «adornos y complementos recargados» que complicaban la mayoría de ropa del momento, Chanel presentó una elegancia simple, unida a una comodidad sin precedentes para los armarios de las mujeres adineradas: conjuntos de *tweed*, blusas de color beige, trincheras, jerséis de cuello vuelto y «vestidos cortos de color negro». Con su aprobación se consagró la bisutería, sobre todo las perlas falsas. El conjunto Chanel, la falda rematada con una chaqueta sin cuello adornada con galones, probablemente es el diseño de moda más copiado. En sus mejores tiempos, las industrias Chanel empleaban a 3.500 personas pero el éxito financiero de la firma se basó sobre todo en el Chanel n.º 5. El ejemplo de Chanel fue seguido por muchos diseñadores posteriores que se percataron de que dando sus nombres a una línea de perfume con éxito podían ganar más que con sus colecciones de ropa en varias temporadas.

Chanel, que creció huérfana y pobre en el campo francés, era tan elegante y distinguida en su vida social como lo era en su negocio. Se introdujo en círculos que incluían a Picasso, Churchill, Cocteau y Stravinski. En su época de adolescente, se fugó con un oficial de caballería en la primera de sus abundantes aventuras amorosas. Su relación más famosa fue la que mantuvo con Hugh Richard Arthur Grosvenor, duque de Westminster y uno de los hombres más ricos de Europa. No obstante, Chanel, que nunca se casó, no estaba interesada en ser su mujer. «Hay un montón de duquesas pero sólo una Coco Chanel», declaró. **►1947.12**

JAPÓN

Muerte y demencia

5 En un solo y dramático mes de 1921, Japón perdió a su reformador liberal, a causa de su muerte, y a su emperador conservador a causa de su locura. El 4 de noviembre, Takashi Hara, primer ministro plebeyo y símbolo del Japón moderno, fue herido de muerte por un asesino derechista. Días después, una enfermedad mental obligó a abdicar al emperador Taisho, símbolo de la tradición; su hijo, el príncipe Hirohito, de aspecto occidental, se convirtió en el regente imperial.

Tras convertirse en primer ministro en 1918, Hara, el político más destacado de su tiempo, afianzó su apoyo popular dispensando protección a través del Seiyukai (partido político que él había creado al estilo americano), rebajando los requisitos necesarios para votar y oponiéndose al poder total de los militares. Su asesinato conmocionó al mundo y difundió el temor de que Japón pudiera regresar de forma sigilosa al shogunismo. El partido Seiyukai permaneció en el poder durante diez años, y el ejército, sin las restricciones de Hara, fue incrementando su influencia.

Hirohito, de 20 años de edad, sentó un precedente y sorprendió a todos cuando se convirtió en el primer príncipe japonés coronado que salía de su país. Al regresar de un viaje de seis meses por Europa (pasó tres semanas con Eduardo VIII, príncipe de Gales), demostró su gusto recién descubierto por el golf y los desayunos de huevos con tocino y tomó el control del gobierno imperial de manos de su padre, mentalmente inestable. Cinco años después, fue coronado emperador, empezó un reinado de 63 años y asistió a la transformación de su país, que de un reino insular aislado se convirtió en una moderna potencia mundial. **◄1910.1 ►1928.5**

El príncipe Hirohito, vástago de la familia imperial más antigua del mundo, descendiente n.º 124 del primer emperador japonés.

NACIMIENTOS

Karel Appel, pintor holandés.

Alfredo Armas Alfonso, escritor venezolano.

Joseph Beuys, artista alemán.

Alexander Dubček, dirigente político checoslovaco.

Friedrich Dürrenmatt, dramaturgo suizo.

Betty Friedan, escritora y dirigente feminista estadounidense.

John Glenn, astronauta y senador estadounidense.

Sergio Leone, director cinematográfico.

Yves Montand, actor y cantante francés.

Philip Mountbatten, duque de Edimburgo, príncipe consorte británico.

Satyajit Ray, director cinematográfico indio.

Andrei Sakharov, físico y disidente soviético.

MUERTES

Enrico Caruso, cantante italiano.

José Miguel Gómez, presidente cubano.

Pyotr Kropotkin, geógrafo y revolucionario ruso.

Ramón López Velarde, escritor mexicano.

Luis III, rey de Baviera.

Nicolás I, rey de Montenegro.

Emilia Pardo Bazán, escritora española.

Camille Saint-Saëns, compositor francés.

Cine: *El chico* (Charles Chaplin); *Los cuatro jinetes del Apocalipsis* (Rex Ingram, con Rodolfo Valentino); *Esposas frívolas* (Erich von Stroheim). DEPORTES: Fútbol: Argentina gana a Brasil en el campeonato sudamericano [...] Boxeo: Jack Dempsey defiende el título de los pesos pesados contra Georges Carpentier [...] Ajedrez: el cubano José Capablanca gana el campeonato del mundo.

«Os emancipáis de la mano del proletariado, en cooperación con él, bajo su guía, o estaréis condenados a seguir siendo los esclavos de ingleses, americanos y japoneses.»—**Grigory Zinoviev, dirigiéndose a los delegados del Partido Comunista de China**

NOVEDADES DE 1921

Polígrafo (detector de mentiras).

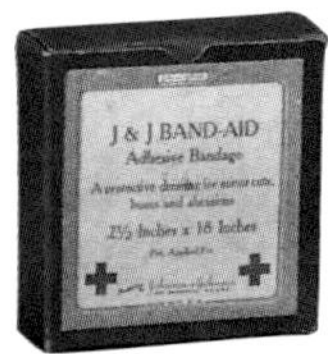

Tiritas (Johnson & Johnson).

1921

EN EL MUNDO

▶EL SOLDADO DESCONOCIDO—Como muchos otros muertos de la Primera Guerra Mundial, cayó en el barro de un campo de batalla francés. Pero tres años después del armisticio, uno de los muertos americanos anónimos volvió a su país para recibir el homenaje de la nación, en nombre de todos los demás fallecidos. El Soldado Desconocido fue enterrado en un ataúd negro sencillo, primero en la rotonda del Capitolio, donde hasta entonces sólo habían recibido honras fúnebres los presidentes. Después de que la gente le presentara sus respetos, el 11 de noviembre fue sepultado en el cementerio nacional de Arlington. Su tumba se convirtió en un monumento conmemorativo a los muertos de todas las guerras de Estados Unidos.

▶MISS AMÉRICA —La primera elección de Miss América, celebrada en septiembre, fue una maniobra publicitaria para alargar la

temporada turística de Atlantic City. Sólo participaron ocho aspirantes, representantes de ciudades, no de estados. El maestro de ceremonias fue Hudson

Un joven Mao *(derecha)* y su futuro lugarteniente Lin Biao.

CHINA

Fundación del Partido Comunista

6 En China, el largo viaje hacia el estado comunista se inició de forma humilde con una serie de reuniones clandestinas en Shanghai y sus alrededores durante el verano de 1921. El Primer Congreso del Partido, como luego se llamó a esta sesión, se convocó en un barco amarrado en un lago fuera de la ciudad, el único lugar donde los delegados se sentían a salvo de la vigilancia policial. De este principio inestable evolucionó el que sería el partido comunista más poderoso del mundo.

La caída del poder de manos de los jefes militares en 1916 y el retorno al feudalismo provocó una pasión por la revolución en China. Los estudiantes habían disfrutado de un poco de ilustración y se negaban a perder los pequeños avances del estado. El vacío dejado por los jefes militares fue ocupado por radicales, y muchos jóvenes activistas, inspirados por el éxito de los bolcheviques, querían seguir el ejemplo soviético. El Komintern, vehículo bolchevique para la revolución mundial, reconoció la oportunidad y envió delegados a China para prestar su ayuda a los grupos socialistas del país en la organización de un partido comunista coherente. El enlace del Komintern en China fue Chen Duxiu, cofundador del Partido Comunista chino, que se esforzó en reclutar miembros nuevos y los envió a la Unión Soviética para que se entrenaran como organizadores revolucionarios. (Los comunistas chinos devolvieron el favor en 1921 con su ejército rojo, contribuyendo a la derrota de los rusos blancos que ocupaban Mongolia desde el año anterior.)

La nueva generación de radicales chinos emergió rápidamente. Mao Zedong, un profesor de 27 años, puso en marcha una célula comunista en su provincia de Hunan; Deng Xiaoping, de 16 años, y Zhou Enlai, de 23, estudiaban en París y se afiliaron al Partido Comunista francés. Los jugadores estaban en sus puestos. Llegaron juntos a Shanghai y unieron sus objetivos. **◂1916.8 ▸1924.NM**

ALEMANIA

Se fijan las reparaciones de guerra

7 En 1921 las finanzas y el territorio de Alemania cayeron bajo la creciente presión de los aliados victoriosos, y su orden social ya trastocado empezó a desintegrarse bajo la tensión.

En enero, la nación recibió la factura de la Primera Guerra Mundial. Tras una discusión larga y acérrima entre los británicos y los franceses sobre la suma exacta (las estimaciones francesas eran más elevadas), los aliados europeos pidieron a su enemigo vencido 63.000 millones de dólares (dólares en oro) al contado y en bienes, pagaderos en un plazo de 42 años. Alemania contestó con una oferta de 7.000 millones de dólares. Mientras continuaban las conversaciones, los soldados aliados ocuparon partes del país para demostrar que sus acreedores hablaban en serio. En marzo, Alemania se avino de mala gana a la cifra de 32.000 millones. Aunque la suma ya era abrumadora (ninguna nación había cargado con una deuda así), el gobierno optó por una política de «satisfacción»: efectuaría los pagos hasta que los aliados se dieran cuenta de que la carga era insoportable, luego renegociaría.

Pero esta política dependía de la cooperación del pueblo alemán, una ayuda que escaseaba. Por otro lado, los ataques de la izquierda continuaban, en marzo se sofocó de forma violenta un alzamiento comunista en Prusia, y además el gobierno se enfrentaba a la creciente oposición de los nacionalistas de derechas, que consideraban inaceptable *cualquier* reparación de guerra.

Mientras tanto, Alemania seguía perdiendo territorio. Después de que un referéndum popular en la provincia de Alta Silesia (exigido por el tratado de Versalles) aprobara la unificación con Alemania, la amplia minoría polaca de la región se rebeló. El Freikorps de mercenarios actuó con éxito, pero en octubre los aliados decidieron que los alemanes debían ceder la parte de la región más industrializada a los polacos. De este modo ofendían de nuevo a los nacionalistas y privaban a la nación de recursos para el pago de su asombrosa deuda. La inflación se aceleraba a medida que las arcas del gobierno menguaban.

La extrema derecha empezó una campaña de asesinatos contra políticos y periodistas. Los S.A., un grupo paramilitar relacionado con el naciente Partido Nacional Socialista de trabajadores (los nazis), empezó su reinado de terror en Múnich. Los miembros de este grupo paramilitar eran antiguos soldados y hombres del Freikorps que protegían a los nazis y hostigaban a sus oponentes. Irrumpían en las reuniones políticas,

Los oficiales de Hitler (aquí en una concentración nazi de 1923) eran poco más que provocadores callejeros... por el momento.

«Hemos de ligar un gran pasado con lo que queremos que sea el gran futuro de México y de América.»—**Diego Rivera**

vapuleaban a los oradores e intimidaban a la gente mientras el líder nazi Adolf Hitler subía a la tarima. Hitler despotricaba contra los judíos y otros enemigos de la «raza» germánica hasta que llegaba la policía y enviaba a todo el mundo a casa.

La mayoría de los alemanes todavía desconocía el nombre de Hitler. Al cabo de dos años intentó por primera vez hacerse con el país por la fuerza. **◄1920.NM ►1922.7**

ESTADOS UNIDOS

Las puertas de América se cierran

8 El congreso de Estados Unidos, incitado por una fobia al anarquismo y al comunismo e inducido por los sindicatos, promulgó la primera ley aprobada en Estados Unidos que limitaba el número de inmigrantes. Abiertamente racista, pretendía detener la creciente inmigración del sur y el este de Europa porque la población de estos lugares se consideraba una doble amenaza: para el sistema político americano y para la seguridad de empleo de los trabajadores americanos.

La nueva política restringía la inmigración anual de asiáticos y europeos a ciento cincuenta mil personas; además, el número de extranjeros de una nacionalidad que podía emigrar a Estados Unidos cada año se limitó al 3 % del número de los ya residentes de esa nacionalidad. Por entonces, más del 70 % de residentes nacidos fuera de Estados Unidos provenía de Alemania, Gran Bretaña e Irlanda. De modo que los cupos se establecieron en beneficio de estos inmigrantes y a expensas de los llamados «nuevos inmigrantes», la mayoría italianos, judíos y eslavos. El congreso consideraba que los dirigentes de estos países esperaban deshacerse de estos «indeseables» peligrosamente extremistas enviándolos a Estados Unidos.

En 1924 una nueva ley hizo que los cupos europeos fueran permanentes (se abolieron con el Decreto de Nacionalidad e Inmigración en 1965), prohibió la inmigración del este de Asia y estableció que Latinoamérica era una zona «sin cupo». **◄1917.2 ►1946.12**

INMIGRACIÓN A ESTADOS UNIDOS, ANTES Y DESPUÉS DE LA LEGISLACIÓN

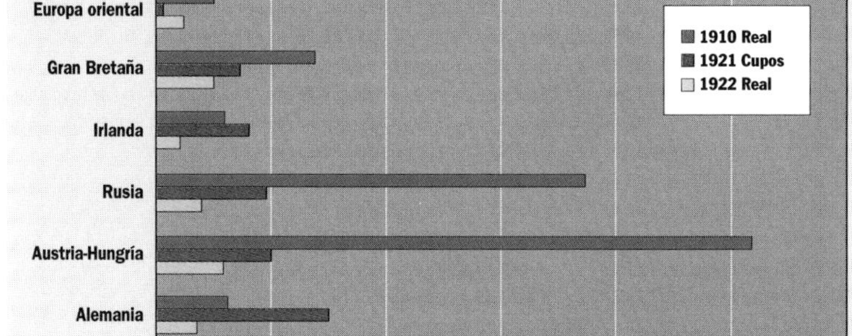

La nueva ley de cupos disminuyó drásticamente el flujo de la inmigración.

ARTE

Los muralistas mexicanos

9 El muralismo alcanzó la categoría «artística» de la mano de tres pintores mexicanos: Diego Rivera, José Clemente Orozco y David Alfaro Siqueiros. El inicio del muralismo se sitúa en 1921 con la obra *La Creación,* que pintó Diego Rivera en los muros de la Escuela Nacional Preparatoria de Ciudad de México. A partir de entonces esta escuela se convirtió en el taller de la pintura mural. Diego Rivera explicó su obra como el intento de «ligar un gran pasado con lo que queremos que sea el gran futuro de México y de América». Las obras de los muralistas fueron fruto de los cambios sociales y políticos que sufrió México a causa de su revolución (1910) y en ellas se representaron los orígenes y la historia completa del pueblo mexicano; los muralistas, que establecieron un nuevo orden artístico en contra del «afrancesamiento», son el equivalente cultural de los dirigentes armados, que acabaron con el régimen del dictador Porfirio Díaz.

Diego Rivera, considerado el teórico del muralismo y seguramente su mejor representante, cultivó otros estilos pictóricos antes de su época muralista y se relacionó con artistas europeos como Picasso y Kandinsky. Pasó del naturalismo al cubismo y más tarde al expresionismo, además de dedicarse a otras artes plásticas aparte de la pintura. Rivera también se solidarizó con la pobreza que existía en su país, como lo muestran sus retratos de la gente del pueblo. Uno de sus murales más característicos es *Visión poética del pueblo mexicano* (1923-1928), que se encuentra en las paredes de la Secretaría de Educación Pública.

David Alfaro Siqueiros, comprometido políticamente, se sintió atraído por el anarquismo radical. Se interesó sobre todo por

Emiliano Zapata, mural de Diego Rivera

los movimientos sociales y fundó *Vida americana* en Barcelona, haciendo un llamamiento a los artistas proletarios. En sus obras reivindica la vuelta a los orígenes incas y aztecas y fue revolucionario en cuanto a los métodos pictóricos, uniendo pintura y escultura o usando la fotografía y el cinematógrafo. *El eco de una queja*, que se encuentra en Nueva York, es uno de sus cuadros más combativos. Por su lado, las obras de Orozco utilizan el dibujo, las litografías y el color y se inscriben en un realismo con rasgos expresionistas. Orozco defendió una nueva etapa artística en la que era posible pintar en las paredes y en los edificios de todo tipo.

Maxim, heredero de una fábrica de armas, y el concurso se componía de una «revista de baño» (incluso la orquesta, exclusivamente masculina, tocaba en bañador) pero no incluía pruebas de exhibición de talento. La ganadora fue Margaret Gorman, flaca y de dieciséis años de edad. *The New York Times* condenó el acontecimiento pero éste se correspondía con los gustos de la edad del *jazz*. Al año siguiente, 57 ciudades enviaron a sus jóvenes bellezas al concurso.

►LA MAYOR CAUSA DE MUERTE—Tras diez años ocupando el segundo lugar de las causas de muerte (después de la tuberculosis), las enfermedades coronarias se convirtieron en la primera causa de mortandad en 1921. Los ataques de corazón causaban el 14 % de las muertes en Estados Unidos; en cinco décadas, la proporción alcanzaría el 39 %. ◄1914.11

►ESTADOS UNIDOS PAGA POR PANAMÁ—En 1921, 18 años después de que Estados Unidos arrebatara a Colombia la zona de Panamá, Washington pagó la totalidad de la deuda por el país que había adquirido. Por veinticinco millones de dólares, Colombia reconoció la independencia de su antigua provincia, que se había rebelado en 1903 cuando el senado de Colombia se había negado a que Estados Unidos construyera el canal de Panamá. Panamá había cobrado el arrendamiento a Estados Unidos desde entonces y ahora Colombia también sería remunerada. ◄1914.9 ►1926.8

►REY POR DOS VECES —En 1920 los franceses echaron de Siria al rey Faisal I cuando la invadieron, pero él encontró enseguida otro trono: en 1921 los británicos lo eligieron para gobernar el nuevo reino de Iraq, y el 96 % de los votantes estuvieron de acuerdo. Las hazañas antiotomanas de Faisal durante la Primera Guerra Mundial lo convirtieron en un héroe nacional y le hicieron grato a los británicos, que habían obtenido Iraq como mandato en la posguerra. Faisal guió al país a la

independencia en 1932. ◂1920.2 ▸1922.5

▶LA MUERTE DE CARUSO —Enrico Caruso, el cantante de ópera más famoso de la historia, murió en agosto a los 48 años de edad. Estimado tanto por su entusiasmo y por su carácter como por su lirismo, fuerza y

calidez, el carismático tenor había interpretado a más de cincuenta personajes desde su debú en La Scala de Milán en 1900. Durante mucho tiempo fue el mayor aliciente de la Ópera Metropolitana de Nueva York; sus discos y sus giras difundieron su fama a nivel mundial. Hijo de los barrios bajos de Nápoles, murió de una infección pulmonar. Su funeral se celebró en la Basílica Real de Nápoles, un honor generalmente reservado a los monarcas. ◂1902.11

▶LOS PERSONAJES DE PIRANDELLO —El estreno de la obra teatral de Pirandello *Seis personajes en busca de autor* lo confirmó como uno de los innovadores teatrales más imaginativos. En la obra, investiga los muchos niveles y facetas de lo que parece que es «real». Las obras de Pirandello han ejercido una poderosa influencia en el teatro del absurdo. ▸1950.7

Las mujeres se desmayaban cuando Valentino aparecía en la pantalla.

CINE

Valentino en el papel de *El caíd*

10 Hoy en día su sensualidad pasada de moda —la mirada brillante y las aleteantes ventanas de la nariz— parece grosera y ridícula. Sin embargo, para millones de mujeres de principios de los años veinte Rodolfo Valentino fue la encarnación de la dulce carnalidad. Una reportera exageró: «El diccionario nombra como amantes a Lotario, Casanova, Romeo, Don Juan; he descubierto que la mayoría de la gente nombra a Valentino». En 1921 rodó la película que afianzó su fama y creó una nueva clase de héroe de la pantalla: zalamero, gallardo y cálido. Fue *El caíd*.

Los anteriores héroes de la pantalla se caracterizaban por ser chicos guapos que cortejaban a las chicas de forma respetuosa. Pero el caíd quería más que una cita, y las mujeres aceptaban.

La película narraba la historia de una decente mujer inglesa en Arabia que es raptada por un caíd ardiente del que finalmente se enamora. El papel principal lo representaba un inmigrante italiano de 26 años que había sido taxista y había recortado su nombre de Rodolfo Alfonzo Raffaele Philibert Guglielmi y se había bautizado con el de Rodolfo Valentino. Ya se paseaba por Hollywood desde 1918 y en 1920 colaboró con éxito en *Los cuatro jinetes del Apocalipsis*, en la que bailó un inolvidable tango.

Sin embargo, no sedujo a todo el mundo. El diario *Variety* acotó que Valentino era «un actor sin recursos», y *El caíd*, un «inepto». Pocos años después, cuando Valentino aparecía maquillado, con los labios pintados y vestido de forma extraña, un columnista del *Chicago Tribune* le culpó del declive de la masculinidad americana: este amante ideal es «un maricón pintarrajeado». (La estrella se ofendió y lo retó a duelo.)

En 1926, Valentino murió por la perforación de una úlcera y unas treinta mil mujeres asaltaron la funeraria. Durante décadas una misteriosa dama vestida de negro visitó fielmente su tumba, en Hollywood, cada aniversario de su muerte. Hoy en día los clubes de admiradores de Valentino todavía existen y siempre hay flores frescas en su cripta. **◂1919.3 ▸1922.11**

MEDICINA

La vacuna de la tuberculosis

11 En 1921 los niños europeos en edad escolar tuvieron a su disposición por primera vez una vacuna que aumentaba sus defensas contra la tuberculosis, una de las enfermedades más mortíferas del mundo (y hasta mediados de siglo, prácticamente incurable). La vacuna del bacilo Calmette-Guérin (BCG) fue el resultado de quince años de experimentación efectuada por los científicos franceses Albert Léon Calmette y Camille Guérin. Consistía en la introducción de una bacteria tuberculosa viva en el cuerpo a través de una inyección.

En Europa, la vacuna BCG tuvo enseguida una buena acogida, pero hasta 1940 no se administró en Estados Unidos y Gran Bretaña. En 1930 ocurrió algo desastroso en Lübeck, Alemania: 73 de 249 niños vacunados murieron en un año. (Posteriormente se descubrió que el lote de BCG se había contaminado accidentalmente.) Este episodio obstaculizó la utilización de la vacuna.

Calmette (*superior*) y Guérin: su vacuna fabricaba defensas pero no inmunizaba.

En 1961, el año de la muerte de Guérin, se habían vacunado más de doscientos millones de personas en todo el mundo. Hoy en día su uso es poco común en Europa occidental y en Estados Unidos, donde se pensaba que la tuberculosis estaba completamente extinguida, antes de su reaparición relacionada con el SIDA a finales de los ochenta. **◂1905.9 ▸1944.17**

INDIA

Resistencia pasiva

12 Para los guardianes del imperio, el cambio político de la India representó una gran concesión. Sin embargo, la mayoría de indios que pensaban en la independencia sentían que la nueva estructuración del gobierno colonial (1921), autorizada por las Reformas Montagu-Chelmsford de 1919, significaba muy poca cosa y llegaba demasiado tarde: un cuerpo legislativo nacional con dos cámaras en el que sólo eran elegidos algunos miembros y que tenía un poder limitado, y gobiernos provinciales subyugados a la autoridad británica.

Anatema para los gobernantes coloniales; más tarde Gandhi compartió un sello con la reina.

El Congreso Nacional de la India (la organización política que se ocupaba del gobierno en el país), presidido por Mohandas K. Gandhi, se negó a participar en las elecciones legislativas y optó por una política de resistencia pasiva al régimen británico. Gandhi también instó a sus compatriotas a boicotear los bienes británicos, salir de las escuelas oficiales, renunciar a los títulos británicos y finalmente no pagar impuestos. Gandhi advirtió que las instituciones británicas eran «como la serpiente de la fábula, con una joya brillante en la cabeza pero con los colmillos llenos de veneno». Con su programa de resistencia pasiva, Gandhi se convirtió en el líder indiscutible del movimiento independentista. **◂1919.10 ▸1924.5**

PREMIOS NOBEL: Paz: Karl H. Branting (sueco; activista pacifista) y Christian L. Lange (noruego; Unión Interparlamentaria [...] Literatura: Anatole France (francés; novelista) [...] Química: Frederick Soddy (británico; sustancias radiactivas e isótopos) [...] Medicina: Sin galardón [...] Física: Albert Einstein (alemán; efecto fotoeléctrico).

Éxito

Durante la década de 1920 en Estados Unidos se vivió la primera generación de la sociedad de consumo. El ejemplo americano propició la importación a Europa de las técnicas y las ciencias que sustentaban el éxito económico del otro lado del Atlántico: la organización de empresas, la publicidad y el marketing.

ÉXITO

REVISTA TÉCNICA DE NEGOCIOS

EXITO es una revista mensual, que aparece en volúmenes de 80 a 100 páginas, dedicada por completo al estudio práctico de la técnica de los negocios.

Es un órgano técnico del hombre de negocios, que reune, a la vez, la parte técnica y práctica de las ciencias mercantiles.

Es un paladín que trabaja en contra de la rutina y en pro de los nuevos métodos de organización. He aquí resumido el programa de la revista EXITO.

Nuestra nueva publicación estudia la organización de los negocios, los métodos de venta, los modernos procedimientos contables, los problemas de los transportes, banca y seguros, así como los demás problemas de las ciencias de los negocios.

La suscripción da derecho a utilizar el servicio gratuito de consultas técnicas comerciales.

Algunos de los artículos publicados en el primer número de EXITO

CUESTIONES DE CONTABILIDAD

Métodos de contabilidad.—Varios procedimientos para llevar la cuenta de almacén.—La contabilidad interior del almacén.—Subdivisión de la cuenta de mercaderías.—Los balances de las sociedades.

MÉTODOS DE VENTA

Venta por correspondencia: Cartas que venden. La formación del personal vendedor.—Campaña para la venta en grandes cantidades de un mismo artículo. Nuevos métodos para la venta.

ORGANIZACIÓN DE EMPRESAS

Las tarjetas de clientes y las cuentas corrientes.—Organización de una empresa editorial.—Principios de organización de la producción y de la venta.—Organización científica del trabajo.

PUBLICIDAD CIENTÍFICA

Al margen de la publicidad.—La psicología del público.—Campaña de propaganda de una fábrica de hielo.—Vistas de abajo arriba o de arriba abajo. La publicidad práctica.—Publicidad y venta por correo.

ÉXITO
REVISTA TÉCNICA DE NEGOCIOS
Organización comercial
Los balances de las sociedades
La publicidad práctica
El crédito en la exportación
Desde Nueva York: El Taylorismo
La vida de un gran negociante: Rockefeller
ABRIL, 1921

EXITO se vende a 2 pesetas número :: La suscripcion anual vale 20 pesetas para España y 25 pesetas para el extranjero.—Solicite número de muestra a la

Sociedad General de Publicaciones, Diputación, 211.—Barcelona

«Bien, Sr. Joyce, reconozco que es usted un escritor condenadamente magnífico. Y reconozco que su obra tiene algo que ver con la literatura. Puede creerme, soy un buen juez.»—**Ezra Pound, en una carta a James Joyce**

HISTORIA DEL AÑO

La obra maestra de Joyce

1 «Solemnemente, el rollizo Buck Mulligan apareció en lo alto de la escalera llevando una jofaina llena de espuma con un espejo y una navaja puestos encima.» Así empieza *Ulises* de James Joyce, la obra de ficción en lengua inglesa que está considerada casi universalmente como la creación más importante del siglo. En 1922 se publicó en París en una edición limitada, e inmediatamente fue aclamada como la obra de un genio por su virtuosidad lingüística, su riqueza humana y su franqueza conmovedora. Sin embargo, en América y en Gran Bretaña fue considerada obscena y su autor tachado de pervertido.

El relato del libro, si puede decirse que tiene alguno, se centra en un único día ordinario, el 16 de junio de 1904, de la vida de un héroe judío-irlandés, Leopold Bloom, un agente de publicidad de un periódico; de su mujer, Molly; y de Stephen Dedalus, el protagonista de la novela de Joyce *Retrato del artista adolescente* (1916). La estructura de la novela pretende ser paralela a la de la *La Odisea* (con los 19 años de viajes de Odiseo comprimidos en un solo día de callejeo de Bloom por Dublín), pero Joyce también recurre a otras alusiones más oscuras que van desde la teología católica a la jerga de los gitanos. El viaje mental de Bloom, lleno de meditaciones sobre el sexo, la defecación, la flatulencia y otras cuestiones groseras, se realiza en un lenguaje rico, detallado, bien tejido y directo que se convierte en un elogio de la propia lengua. Este estilo de «conciencia fluyente» alcanza su apoteosis en el famoso último capítulo, un monólogo largo y sin puntuación de Molly Bloom, que acaba con las palabras: «Si digo sí es que sí».

James Joyce y su amiga Sylvia Beach en la librería Shakespeare de París.

Ulises ha suscitado polémicas desde 1918, en que se editó por entregas en el periódico vanguardista americano *The Little Review*. Al año siguiente, el Servicio de Correos de Estados Unidos confiscó una edición, la primera de cuatro, y en 1921 los tribunales lo declararon como materia obscena, aunque tres jueces admitieron que no eran capaces de comprender el complicado estilo de Joyce. *The Little Review* fue multado por imprimir pornografía; Joyce estaba en París y perdió toda esperanza de publicar en América (y seguramente en Gran Bretaña).

La americana Sylvia Beach, propietaria de la librería Shakespeare, centro del escenario artístico de los expatriados en París, lo rescató. Beach le ofreció publicar su libro en la imprenta de la librería; Joyce aceptó agradecido. Las primeras copias llegaron a sus manos el 2 de febrero de 1922, día en que cumplía 40 años. En Estados Unidos no se publicó el libro hasta 1934 y en Gran Bretaña hasta 1936. ►**1922.9**

MEDICINA

Insulina para los diabéticos

2 Los enfermos de diabetes, un trastorno caracterizado por los altos niveles de glucosa en la sangre, estaban condenados a una muerte lenta pero segura hasta que el médico canadiense Frederick Banting y su ayudante Charles H. Best aislaron la insulina. Esta sustancia, administrada a las personas por primera vez en 1922, alargó la vida a los diabéticos y les proporcionó una existencia relativamente normal.

Hacía tiempo que la investigación diabética se había centrado en el páncreas porque, al tratar la glándula en el laboratorio, los animales desarrollaban una enfermedad parecida a la diabetes. Se creía que algunas células del páncreas, conocidas como «islotes de Langerhans» por su descubridor, segregaban una hormona llamada «insulina» (de la palabra latina que significa «isla»). Esta controlaba el metabolismo de las moléculas de glucosa en el cuerpo. Los intentos de aislar la hormona a través del método tradicional de reventar el páncreas habían fallado porque la glándula también contenía enzimas digestivas que destruían las moléculas de insulina de base proteínica.

A Banting se le ocurrió una alternativa tras leer un artículo sobre un experimento con perros, según el cual si se bloqueaba el conducto que transportaba las enzimas digestivas a los intestinos, el páncreas se degeneraba. Como los islotes de Langerhans no tenían nada que ver con la digestión, Banting pensó que este proceso podía dejarlos intactos dentro del páncreas, arrugado y sin enzimas. John J. R. MacLeod, profesor de medicina de la Universidad de Toronto, le proporcionó espacio en un laboratorio y un ayudante (Best, que aún era estudiante). Banting repitió el experimento canino y esperó seis semanas para ver si su hipótesis era correcta. Lo era: los islotes de Langerhans seguían sanos y la solución que extrajo de ellos mitigó los síntomas de los perros diabéticos.

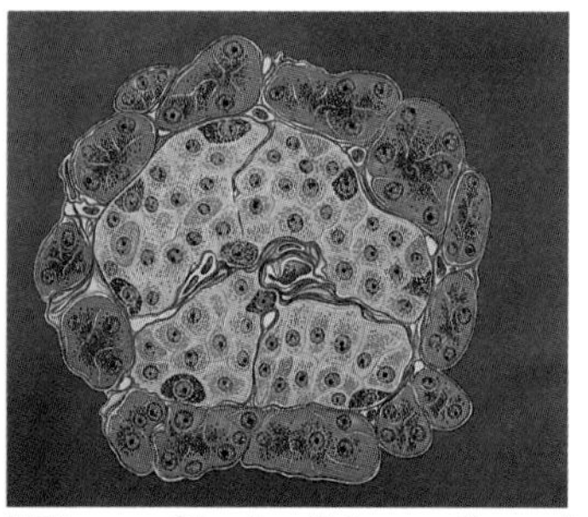
Tejido pancreático: las células amarillas son los islotes de Langerhans, que segregan insulina.

La insulina había sido aislada. Al cabo de un año se administró a las personas. (Cuarenta y tres años después pudo ser sintetizada en el laboratorio.)

Banting y MacLeod ganaron el Precio Nobel en 1923. Banting pensó en rechazarlo, no le parecía bien compartir el premio con alguien que en realidad sólo había contribuido con el espacio del laboratorio. Luego insistió en repartir el dinero de su premio con Best. ◄**1912.9** ►**1982.NM**

ARQUEOLOGÍA

Apertura del sepulcro del faraón Tutankamon

3 Con una vela en la mano y respirando un aire de tres mil años de antigüedad, el egiptólogo británico Howard Carter entornó los ojos para mirar a través de un agujero al pie de una antigua escalera subterránea. «¿Puedes ver algo?», le preguntó su compañero y promotor financiero, el conde de Carnarvon. «Sí, cosas maravillosas», consiguió contestar el sorprendido Carter.

Howard Carter *(de rodillas)*, justo antes de acceder a la cámara mortuoria.

El 26 de noviembre de 1922, tras más de dos años de callejones sin salida, por fin Carter veía de cerca la antecámara de la tumba del faraón Tutankamon, el rey adolescente que gobernó el antiguo Egipto desde 1333 a. C. hasta su muerte, nueve años después. La antecámara rebosaba riquezas increíbles: amuletos de oro, estatuas, armas, lechos ceremoniales; todo colocado en montones desordenados. (Carter dedujo que había sido saqueada en los años posteriores a la muerte del rey.) No obstante, el tesoro más importante de la tumba se descubrió varios meses después: la cámara mortuoria, que no se había abierto

ARTE Y CULTURA: Libros: ***Los bellos y los condenados*** **(F. Scott Fitzgerald);** ***La casa de Claudine*** **(Colette);** ***Siddharta*** **(Hermann Hesse);** ***Babbitt*** **(Sinclair Lewis);** ***Fiesta en el jardín y otros relatos (Katherine Mansfield); Trilce*** **(César Vallejo) [...] Pintura y escultura:** ***¡Baila monstruo mi dulce canción!*** **(Paul Klee) [...]**

«Roma, antigua señora del mundo, en nombre de nuestros muertos gloriosos que dieron su vida para hacer posible este día maravilloso, te saludamos.»—**Benito Mussolini, después de marchar sobre Roma**

nunca y que contenía el sarcófago de piedra de Tutankamon. Cuando abrieron la tapa con una palanca, encontraron al faraón, intacto durante tres mil años, en un nido de tres ataúdes antropomórficos, el último de los cuales era de oro macizo. Por primera vez en la historia moderna, los egiptólogos pudieron observar exactamente cómo enterraban a los antiguos faraones.

La tumba de Tutankamon no había sido descubierta en las anteriores expediciones arqueológicas porque sus sucesores habían borrado su nombre de las listas reales. Además, la tumba quedó enterrada bajo los escombros ya que la de Ramsés VI, que reinó desde 1156 hasta 1148 a. C., fue construida justo encima por obreros que ignoraban la existencia de un nicho anterior. En 1903 la leyenda del faraón Tutankamon fascinó a Carnarvon mientras descansaba en el valle de los Reyes. Más tarde conoció a Carter allí mismo, y los dos se obsesionaron con el descubrimiento de esa tumba; sin embargo, la Primera Guerra Mundial pospuso la empresa hasta 1917.

En 1922 el equipo de Carter sólo había encontrado frustración. Carter estaba cada vez más desesperado, y Carnarvon estaba harto de perder dinero. Finalmente, el 2 de noviembre, mientras exploraba la única zona del valle de los Reyes que quedaba por examinar, Carter descubrió una escalera bajo los cobertizos de unos labriegos. Reprimiendo sus ganas de empezar a excavar, ordenó que se detuviera el trabajo hasta que Carnarvon llegara de Londres.

Los arqueólogos no sólo desenterraron oro. Algunos pensaron que la apertura de la tumba liberaría una antigua maldición que condenaba a muerte a cualquiera que perturbara al faraón. Sólo un año después, Carnarvon murió de una picadura de mosquito infectada, y otras personas relacionadas con la excavación murieron prematuramente. Sin embargo, los dioses debieron perdonar a Carter, que vivió 17 años más, hasta los 65. **◂1912.3 ▸1922.NM**

Este ataúd de oro batido, con valiosas incrustaciones, era el segundo de los tres que se encontraron en el sarcófago del rey Tutankamon.

Reproducción de Alfredo Ambrosi en la que la cara de Benito Mussolini se superpone a Roma.

ITALIA

Los «camisas negras» marchan sobre Roma

4 A diferencia de los otros aliados, Italia, que había recibido casi nada en el reparto del botín de guerra establecido por el tratado de Versalles, se empobreció y quedó sumergida en el caos a causa de la Primera Guerra Mundial. Su parlamento estaba corrompido y paralizado y sus obras públicas se derrumbaban. La violencia izquierdista proyectó la sombra del bolchevismo. Muchos italianos, ansiosos de un cambio drástico aunque temerosos de una revolución de tipo bolchevique, se interesaron por el fascismo, un movimiento nacionalista casi místico que pedía un estado unido por un hombre «superior». Incluso después de tener 35 representantes en el parlamento, los fascistas continuaron con sus tácticas de terror contra los izquierdistas.

Benito Mussolini fue el líder carismático del movimiento. En 1922 decidió que ya era hora de que el fascismo entrara en funciones. El 28 de octubre, cuarenta mil de sus «camisas negras» marcharon sobre Roma, ocupando prefecturas, oficinas de correos y estaciones de tren. Encontraron poca resistencia por parte de un ejército muy benévolo.

Los «camisas negras» acamparon fuera de la ciudad bajo una lluvia torrencial. Estaban mal equipados, mal alimentados y desorganizados, de modo que la guarnición militar de Roma hubiera podido atraparlos fácilmente, pero el rey Víctor Manuel III tuvo miedo y se negó a imponer la ley marcial. Llamó a Mussolini a Milán y le ofreció el control parcial de un nuevo consejo de ministros. Al día siguiente, se le pidió que formara un gobierno nuevo. Mussolini tomó el tren para Roma pero las vías del exterior de la ciudad habían sido cortadas por algunos soldados. El rey envió un coche para el líder fascista que entró en la ciudad a la cabeza de sus legiones.

El primer comunicado del nuevo régimen decía: «Desde este momento Mussolini es el gobierno de Italia». Aunque el gobierno estaba realizando cambios, colocando bajo el control fascista a la policía, la burocracia, la banca y los sindicatos, casi todo continuó como antes. Los planes de Mussolini para Italia se aplazarían durante más de dos años. **◂1919.7 ▸1924.8**

NACIMIENTOS

Kingsley Amis, escritor británico.

Christiaan Barnard, cirujano cardíaco sudafricano.

Enrico Berlinguer, político italiano.

Pierre Cardin, diseñador de moda francés.

María Casares, actriz española.

Judy Garland, actriz y cantante estadounidense.

Jack Kerouac, novelista estadounidense.

Yitzhak Rabin, primer ministro israelita.

Charles Schulz, caricaturista estadounidense.

Norodom Sihanouk, rey de Camboya.

Kurt Vonnegut, escritor estadounidense.

MUERTES

Alexander Graham Bell, inventor escocés-estadounidense.

Arthur Griffith, nacionalista irlandés.

Wolfgang Kapp, líder político alemán.

Marcel Proust, novelista francés.

Walther Rathenau, diplomático alemán.

Hermann Rorschach, psiquiatra suizo.

Ernest Shackleton, explorador británico.

Georges Sorel, socialista francés.

Cine: *El homicida* (Cecil B. DeMille); *Nosferatu, el vampiro* (F. W. Murnau); *Robin Hood* (Douglas Fairbanks) [...] Teatro: *Vuelta a Matusalén* (G. B. Shaw); *Anna Christie* (Eugene O'Neill); *Antígona* (Jean Cocteau); *Abie's Irish Rose* (Anne Nichols).

«¿Por qué preocuparnos por la cáscara, si podemos conseguir el fruto?»—**Lord Curzon, ministro de asuntos exteriores, sobre la decisión de Gran Bretaña de conceder la independencia a Egipto**

NOVEDADES DE 1922

Películas en tres dimensiones (*The power of love*, de Perfect Pictures).

Vitamina D.

Unión de Repúblicas Socialistas Soviéticas (anteriormente Rusia).

Publicidad aérea.

EN EL MUNDO

►LA REINA DE LOS BARES CLANDESTINOS—La cabaretera estadounidense más importante de la época de la prohibición, apodada Texas Guinan, empezó su carrera en el Café des Beaux Arts de Nueva York.

Anteriormente había actuado en el cine como vaquera. A los 38 años de edad, fue contratada como cantante aunque su verdadero talento consistía en incitar a la gente a consumir frenéticamente. Sin dejarse desanimar por las redadas, presidió toda una serie de bares clandestinos donde famosos y desconocidos pagaban precios prohibitivos por licor de contrabando y por el privilegio de oír el silbato de policía de Guinan y su famoso grito de bienvenida: «¡Hola, bombón!». ◄1919.E ►1923.5

►PUBLICACIÓN DEL *READER'S DIGEST*—La primera edición del *Reader's Digest* alcanzó los 1.500 suscriptores en febrero. Fundada por los jóvenes esposos De Witt y Lila Acheson Wallace (un antiguo vendedor de libros de Mineápolis y una joven adinerada), la revista mensual empezó como una colección de artículos resumidos de

EGIPTO

La independencia modificada

5 En 1922 Egipto consiguió su independencia tras siglos de gobierno extranjero. A excepción del un breve período de ocupación del ejército napoleónico, la tierra de los faraones, poderosa en otro tiempo, había sido una provincia autogobernada del Imperio Otomano hasta que en 1882 los británicos la invadieron y empezaron a ocupar el país. En 1914, Gran Bretaña depuso al *khedive* (virrey) nombrado por los otomanos y declaró a Egipto un protectorado. Los británicos otorgaron el título de sultán al tío del *khedive*, Husayn Kamil e impusieron la ley marcial en el territorio, estratégicamente importante durante la Primera Guerra Mundial.

Husayn Kamil murió en 1917. Le sucedió su hermano Ahmad Fuad, más ambicioso. Por entonces, la represión provocada por la guerra y las privaciones habían dado un fuerte impulso al nacionalismo egipcio. Casi inmediatamente después del final de la guerra (y de la disolución del Imperio Otomano), los políticos egipcios solicitaron la autonomía a los británicos. Gran Bretaña no sólo se negó a recibir a la delegación egipcia enviada a Londres sino que arrestó a su carismático líder, el bajá Zaghlul, hecho que provocó huelgas y ataques contra los británicos.

Lord Allenby, que estaba al mando cuando los británicos vencieron a los otomanos en Palestina, negoció con los nacionalistas. En febrero de 1922 los británicos declararon la independencia egipcia «con salvedades» (que incluían la protección de los intereses extranjeros y la supervisión británica de la defensa). El sultán Fuad fue coronado rey y Egipto se convirtió en una monarquía constitucional. Pero la constitucionalidad y la independencia existían más que nada sobre el papel porque los soldados británicos seguían en el país, y el rey absolutista y los nacionalistas oportunistas competían por el favor británico. **◄1910.11 ►1936.NM**

NÚMERO DE BARCOS DE GUERRA DE MÁS DE 10.000 T SEGÚN EL TRATADO DE LIMITACIÓN NAVAL

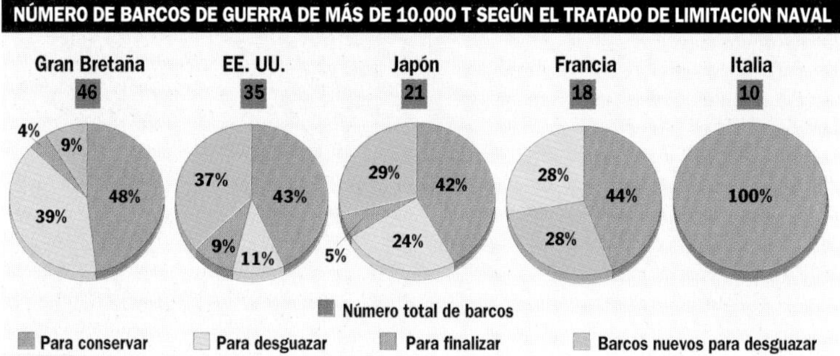

Se limitó la construcción de los barcos más grandes en un intento de equilibrar el poder naval.

DIPLOMACIA

Desmilitarización de los mares

6 La guerra acabó con el equilibrio de poder del Viejo Mundo y puso en marcha una carrera de armamento entre las naciones que controlaban el globo terráqueo. Todas ansiaban la superioridad naval sobre las otras: Gran Bretaña, gobernante tradicional de los mares; Japón, nuevo amo del Pacífico; y Estados Unidos, dinamo económica con negocios por doquier. Las tensiones aumentaban y éstas y otras potencias más débiles se reunieron en la Conferencia de Washington, que terminó en 1922 con cuatro acuerdos principales que pretendían estabilizar las relaciones y aminorar la marcha de la costosa competición naval.

El más importante fue el tratado de Limitación Naval, que se refería a los barcos de guerra de más de diez mil toneladas de peso. (*Véase diagrama, superior.*) Gran Bretaña, Estados Unidos, Japón y Francia también firmaron el pacto de las Cuatro Potencias, prometiendo respetar las posesiones de cada uno en el Pacífico y resolver sus diferencias por vía diplomática.

Sin embargo, al cabo de pocos años las potencias principales construían barcos que no entraban en el tratado de Limitación Naval. De modo que en 1930 se convocó la Conferencia Naval de Londres. Gran Bretaña, Japón y Estados Unidos elaboraron un acuerdo precario, pero Francia e Italia se negaron a firmar algo que no permitiría que una superara a la otra. Pronto se abandonaron las intenciones de controlar las armas y en poco tiempo empezó la frenética carrera hacia la Segunda Guerra Mundial. **◄1906.NM ►1936.11**

ALEMANIA

Alemania va más allá

7 Para sus admiradores, el industrial y teórico socialista Walther Rathenau (*inferior*) fue un patriota alemán de pensamiento independiente.

Durante la Primera Guerra Mundial había supervisado la distribución de materias primas; en la posguerra, como ministro de la reconstrucción, era responsable del pago de las reparaciones a los vencedores (y se resistió firmemente a muchas demandas severas de los aliados. En enero de 1922 fue nombrado ministro de asuntos exteriores y firmó un tratado con la Unión Soviética desafiando a los aliados (ninguno de ellos reconocía al gobierno comunista) y obteniendo la cancelación de las reclamaciones de guerra con Rusia. Rathenau, miembro de una familia distinguida (su padre había fundado la enorme compañía eléctrica AEG), declaró abiertamente su amor por el pueblo germánico, rubio y de ojos azules. Pero para el creciente movimiento nacionalista de derechas era un «extranjero» tramposo (un judío) y por lo tanto su posición de portavoz de Alemania era una parodia.

Apertura real del parlamento en El Cairo. Su gobierno todavía tenía que dar cuentas a los británicos.

DEPORTES: Automovilismo: inauguración del circuito automovilístico de Monza [...] Atletismo: récord del mundo de los 5.000 m establecido por Paavo Nurmi en 14 minutos y 35,4 segundos.

«Escribió una poesía nueva, verdaderamente nueva, que estaba relacionada con la antigua, la verdaderamente antigua.»—**Stephen Spender, sobre T. S. Eliot**

El 20 de junio, Rathenau fue asesinado con una ametralladora y una granada cuando iba a trabajar. Su muerte, una más en la serie de asesinatos de los derechistas, provocó huelgas y manifestaciones en todo el país. El parlamento aprobó enseguida una ley para la «defensa de la república» que imponía duras condenas por intento de asesinato y resultaba ser una manera de ilegalizar a los grupos extremistas. El canciller centrista Joseph Wirth, hablando a favor de esta medida, declaró: «¡El enemigo está a la derecha!». (Porque muchos jueces procedían del régimen del káiser; sin embargo, la ley sería utilizada contra la izquierda más a menudo.) Unos meses después, el gobierno de Wirth cayó, víctima del continuo cambio de coaliciones en el parlamento, y fue sustituido por un gobierno moderado de derechas encabezado por el armador Wilhelm Cuno.

Inmediatamente después del asesinato, la moneda alemana que ya estaba a la baja empezó a descender en picado. El gobierno canceló la «política de satisfacción» de Rathenau declarando la moratoria de las reparaciones. La confrontación con Francia, el país acreedor más despiadado, era inminente. **◄1921.7 ►1923.1**

***La llamada del mar*: el tecnicolor todavía resultaba demasiado caro para utilizarlo con asiduidad.**

CINE

Presentación del tecnicolor

8 En 1922, la pantalla de cine brilló con nuevos colores cuando Hollywood produjo su primera película en tecnicolor, una versión de *Madame Butterfly* titulada *La llamada del mar*. Pero a pesar de los abundantes elogios que recibió la película, el tecnicolor resultaba tan caro que tuvieron que pasar muchos años antes de que se convirtiera en la materia prima de la filmación de películas.

El color, que se conseguía pintando a mano la película, formaba parte del cine desde sus comienzos. En la primera década, las compañías británicas y francesas habían intentado producir una serie completa de colores combinando dos o tres de los primarios, pero el proceso requería una maquinaria compleja y las películas cansaban la vista. Dos científicos del Instituto de Tecnología de Massachusetts, Herbert T. Kalmus y Daniel F. Comstock, se propusieron acabar con el problema y en 1915 fundaron la Technicolor Motion Picture Company. En 1917 estrenaron una película que mejoraba los primeros intentos de color aunque todavía resultaba insatisfactoria. Luego, en busca de métodos para combinar dos colores primarios, rojo y verde, con resultados agradables y naturales, pensaron en una cámara que contuviera dos cintas de película, una para el rojo y otra para el verde, y un prisma que separara la luz en los dos colores primarios. Las dos cintas se combinarían al imprimir la película, lo que significaba que no harían falta proyectores especiales. En 1922 el proceso estaba prácticamente perfeccionado y Hollywood empezó a utilizarlo. **►1927.5**

LITERATURA

El poeta de la desolación

9 Durante el año 1922, año importante para la literatura moderna, se publicaron: *Siddharta*, de Hermann Hesse; *Anna Christie* y *El mono velludo* de Eugene O'Neill; *Saga de los Forsyte*, de John Galsworthy, y la novela más importante, *Ulises*, de James Joyce.

En poesía, T. S. Eliot (*izquierda*), americano de 34 años que trabajaba en un banco de Londres, escribió una epopeya de 433 versos que desafiaba a las convenciones y era el equivalente poético a la obra maestra de Joyce. *La tierra baldía* afianzó la fama de Eliot como primer poeta contemporáneo, forjada con su obra anterior *La canción de amor de J. Alfred Prufrock* (1917).

La tierra baldía enlaza símbolos personales y referencias culturales a través de un vocabulario erudito. Reflejo de la fragmentación de la época, presenta un collage de imágenes y voces, que van desde la jerga proletaria a la cortesía burguesa, desde la oratoria eclesiástica a la declamación homérica. La métrica va desde el pentámetro yámbico hasta los ritmos sincopados; su tono, del humor al apocalipsis. Lo que es una cuestión difícil es saber «de qué trata». Eliot introdujo la complejidad en la poesía moderna, que requería un compromiso serio de los lectores. En sus comentarios cita las fuentes de sus versos crípticos: las leyendas del Grial, los Vedas hindúes, *La Divina Comedia* de Dante, y canciones populares. Pero a pesar de su oscuridad, *La tierra baldía* (que según Ezra Pound es la mitad de larga que el original) evoca de forma brillante la fealdad y la impersonalidad de la vida urbana y la desesperación de Eliot, que pensaba que la civilización había pasado de la gloria a la mediocridad.

Los comentaristas conservadores afirmaron que el poema era incomprensible; la vanguardia se entusiasmó con él. No obstante, Eliot se creó enemigos a causa de su propio conservadurismo (el poeta William Carlos Williams decía que era «un conformista sutil»), sobre todo después de convertirse en un cristiano devoto en 1927. En 1948 recibió el Premio Nobel y la generación más joven lo consideró erróneamente anticuado. **◄1922.1 ►1925.8**

libros y periódicos. En los años cincuenta era la revista más vendida del mundo.

►MONUMENTO CONMEMORATIVO A LINCOLN—Tras siete años de obras, el Lincoln Memorial (de 2,94 millones de dólares) fue inaugurado en Washington en 1922. El arquitecto Henry Bacon se inspiró en la estructura del Partenón de Atenas pero incorporó simbología americana: las 36 columnas representan los 36 estados de la Unión en la época de la guerra civil. La estatua de Lincoln fue diseñada por Daniel Chester French y construida en mármol del antiguo estado confederado de Georgia.

►UN EJEMPLAR PERFECTO—En 1922 la revista *Physical Culture* declaró que Charles Atlas (su nombre real era Angelo Siciliano), de 28 años de edad, era el «hombre evolucionado más perfecto del mundo». Atlas había sido una persona débil, de 45 kg de peso, y consiguió su impresionante físico a través de la «tensión dinámica», o ejercicios isométricos, una técnica basada en tensar un grupo de músculos en oposición a otro grupo o a un objeto inmóvil. Su cuerpo resultó un excelente negocio en 1927; una campaña de ventas por correo consiguió 1.000 dólares al día. **►1978.13**

►PETRÓLEO VENEZOLANO—En 1922 las prospecciones petrolíferas internacionales encontraron un buen terreno cerca del lago Maracaibo, al este de Venezuela. La apertura de un pozo holandés que manó durante nueve días fue seguida de hallazgos americanos y británicos. A finales de la década, Venezuela se convirtió en el mayor exportador de petróleo del mundo, posición que mantuvo hasta los años setenta. **◄1909.5 ►1935.NM**

►PELÍCULA ESQUIMAL—El género cinematográfico del documental se redefinió en 1922 con la película *Nanuk el esquimal* de Robert J. Flaherty. Los documentales anteriores presentaban escenas inconexas: *Nanuk*

POLÍTICA Y ECONOMÍA: Firma del tratado de Rapallo entre Alemania y la Rusia soviética [...] Stalin elegido secretario del Partido Comunista ruso [...] Rebecca Latimer Felton, primera mujer nombrada senadora en Estados Unidos (sucedida por el senador electo Walter F. George, tras dos días en el cargo) [...] Establecimiento del Departamento para el Control de Narcóticos en Estados Unidos.

«Fatty Arbuckle, el cómico, ya no está [...]. Es el Sr. Roscoe Arbuckle, la figura con el semblante más serio que existe. Su aspecto y su conducta [...] hacen que Hamlet, Macbeth y Jean Valjean parezcan payasos de circo.»—**Los Angeles Times**

tenía un tema central, la lucha por la supervivencia de una familia esquimal en el riguroso Ártico. Además, Flaherty fue el primer director cinematográfico que utilizó las técnicas de las películas de ficción para realizar un documental: las escenas de caza estaban llenas de suspense, las domésticas, de calidez. Aunque los antropólogos deploraron la práctica de representar argumentos, el público aplaudió con entusiasmo cuando Nanuk clava el arpón al enorme oso polar.

►EXCAVACIÓN EN UR—La civilización más antigua del mundo era poco más que una leyenda hasta que el arqueólogo inglés Charles Leonard Woolley empezó su excavación en 1922. Woolley pasó doce años desenterrando la capital sumeria, de seis mil años de antigüedad (descubierta por su colega H. R. Hall después de la Primera Guerra Mundial) en el desierto iraquí. (*Izquierda, estatua desenterrada en la excavación.*) La patria bíblica de Abraham también resultó ser una ciudad-estado, con leyes codificadas, escritura y transporte sobre ruedas. ◄1922.3

►PROTECCIÓN PARA LOS KOALAS—En 1922, Australia, enfrentada a la posibilidad de la extinción del koala, aprobó leyes para proteger a estos indígenas marsupiales. Desde 1918 se habían cazado ocho millones de koalas para vender su piel, tupida y suave, a Estados Unidos. ◄1905.5 ►1987.9

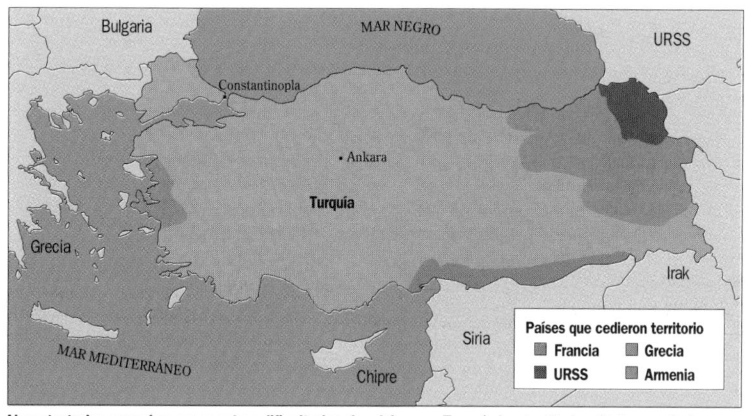

Unos tratados ganados con muchas dificultades devolvieron a Turquía los territorios étnicamente turcos.

TURQUÍA

La lucha por la autodeterminación

10 Mustafá Kemal (más tarde conocido como Atatürk) se había convertido en un héroe otomano durante la Primera Guerra Mundial derrotando dos veces a los británicos en Gallipoli. Pero cuando el Imperio, de seiscientos años de antigüedad, empezó a derrumbarse (junto al alemán), el antiguo Joven Turco encabezó la lucha para anularlo completamente. En 1922 dio origen a la Turquía moderna.

Mientras otros querían hacer de Turquía un protectorado británico o norteamericano después de la guerra, Kemal estaba decidido a hacer de ella un país soberano. El ejército le siguió en la revuelta. Después de viajar por el país para conseguir el apoyo popular, estableció un gobierno provisional en Ankara para rivalizar con el del sultán, establecido en Estambul.

En 1920, la cámara de los diputados apoyó el plan de independencia de Kemal y los británicos ocuparon la ciudad y disolvieron el gobierno. Kemal, sin inmutarse, convocó elecciones para formar una nueva asamblea nacional, que dio el nombre de Turquía al estado que Kemal quería gobernar. El ejército sofocó las revueltas de las zonas leales al sultán.

Kemal cedió parte de las tierras que no eran étnicamente turcas pero muchos de los territorios que reclamaba estaban ocupados por otras naciones. Sus fuerzas recuperaron gran parte del territorio oriental de manos de los armenios y georgianos y expulsaron del sur a los franceses. Sin embargo, los británicos se negaron a moverse. El resultado fue la guerra de un año de duración entre los nacionalistas y los griegos, que codiciaban gran parte del país y fueron abastecidos por los británicos.

Finalmente, tras sufrir una derrota sangrienta en Anatolia, Grecia también se retiró. Los aliados concedieron a los turcos prácticamente todo lo que querían en una serie de acuerdos que culminaron en el tratado de Lausana de 1923. Kemal abolió el sultanato, y el último gobernante supremo otomano huyó a Malta. **◄1920.2 ►1923.12**

CINE

Hollywood se censura a sí mismo

11 El cine estaba infestado de sexo y escándalos fuera y dentro de la pantalla. Primero, en agosto de 1922, el popular cómico Roscoe «Fatty» Arbuckle fue absuelto de la violación y homicidio sin premeditación de una joven estrella durante una fiesta salvaje del año anterior. Más tarde, fue imposible resolver el crimen del director William Desmond Taylor, al que dispararon en su apartamento de Los Ángeles en extrañas circunstancias y con drogas y dos mujeres, dos estrellas de cine muy conocidas, involucradas. Las películas estaban al mismo nivel. Los moralistas se movilizaron por toda América pero Hollywood actuó antes: entre las demandas de establecer la censura federal y la investigación senatorial sobre la industria del cine, los productores formaron la Motion Picture Producters and Distributors of America, un cuerpo autorregulado dirigido por el general Will Hays, antiguo administrador de correos.

El juicio de Arbuckle hizo que Hollywood empezara a endurecer sus normas.

Hays introdujo cláusulas morales en los contratos cinematográficos y estableció grados de permisividad del contenido de las películas. Sin embargo, los productores los ignoraron y las películas siguieron teniendo contenido sexual. En 1934, Hays se puso duro con la ayuda de la Iglesia católica, la bolsa y otros grupos conservadores de presión y empezó a hacer respetar las nuevas restricciones. En lo sucesivo, el contenido de las películas debía ser conforme al «código Hays»; las películas no aprobadas no se proyectarían. Los productores se sometieron y durante las tres décadas siguientes las películas de Hollywood prohibieron el sexo fuera del matrimonio (y lo ignoraron dentro), fueron respetuosas con la Iglesia y el Estado e insistieron en que no había crimen sin castigo. **►1947.5**

IRLANDA

Fundación de un Estado Libre

12 En 1922, la fundación del Estado Libre de Irlanda hizo estragos en una nación que luchaba por su identidad.

El tratado que finalizó la guerra anglo-irlandesa concedía el rango de dominion a los 26 condados de Irlanda del Sur (la República actual). Los políticos del Estado Libre aceptaron el dominion como un paso hacia la independencia total, pero los republicanos radicales lo tomaron como un insulto. Cuando la antigua figura principal del IRA, Michael Collins (*superior*) firmó el tratado y contribuyó al nombramiento de un gobierno provisional, quedó atrapado entre dos fuegos.

Collins, que inspiraría más tarde insurrectos como Mao Zedong y Yitzhak Shamir, era un personaje sorprendente que iba tranquilamente en bicicleta por Dublín, mientras su brigada de hombres tendía emboscadas a los militares británicos. Una vez dijo: «No van a dispararme en mi propio país».

Pero sus antiguos aliados sí lo hicieron. En 1922 Collins, de 31 años, cayó en una emboscada y fue asesinado en su Cork natal. El IRA se negó a aceptar la separación de Irlanda del Norte, dejó el gobierno provisional y juró no abandonar la lucha hasta que toda la isla fuera libre. **◄1920.7 ►1949.9**

PREMIOS NOBEL: Paz: Fridtjof Nansen (noruego; ayuda a refugiados) [...] Literatura: Jacinto Benavente (español; dramaturgo) [...] Química: Francis Aston (británico; isótopos de elementos no radiactivos) [...] Medicina: Archibald Hill (británico; producción de calor en los músculos) y Otto Meyerhof (alemán; producción de ácido láctico en los músculos) [...] Física: Niels Bohr (danés; estructura atómica y radiación).

Un sistema presidido por el amor

Dámaso Alonso refiriéndose a la obra de Rosa Chacel

Rosa Chacel nació en Valladolid en el año 1898, estudió escultura en Madrid, en la Escuela Superior de Bellas Artes de San Fernando, y pronto empezó a desarrollar su vocación literaria. Generacionalmente pertenece al grupo del 27 y, aparte de alguna incursión en la poesía, es una de las mejores representantes de la prosa de la época, de la renovación de la prosa española. Entre sus obras destacan: Estación ida y vuelta, A la orilla de un pozo, Desde el amanecer, La sinrazón, Novelas antes de tiempo, Acrópolis... *A continuación, un artículo primerizo publicado en 1922 en* La Esfera, *en el que ya se vislumbra el estilo narrativo que caracterizará a la escritora.*

EL AMIGO DE VOZ OPORTUNA

El amigo discreto por excelencia va siempre con nosotros y nunca calla; pero su voz se oye sólo en los momentos que es necesaria.

Todos llevamos el retrato de nuestro amigo en el bolsillo; un retrato parlador, que tiene su mismo gesto, su modo de andar y su voz persuasiva. Si se pudiese hacer un retrato de los seres, que fuese como éste, una reducción del ser mismo, no existiría la ausencia; pero esto es un absurdo; sólo de éste se puede conseguir, por lo simple de su carota redonda, de su tic-tac unísono y de su dar vueltas; así que todos creen que le llevan a él en «persona», y cuando se les rompe uno, se compran otro, y dicen siempre: «éste es "mi reloj"; pero no es "su" reloj»; es un retrato del amigo de voz oportuna, que es de todos; y cada uno por lo regular, le personificamos en aquél que tuvo para nosotros un momento de gran elocuencia.

Mi amigo era un canónigo; a pesar de esto tenía con él mucha confianza. Yo le veía a todas horas asomar por la tapia de mi patio su cara de luna y su cuello recto y octogonal, cuadrangular; poniéndome de puntillas, veía también que el principio de sus aldas de granito y mis juegos fueron siempre bajo su mirada. Él no decía tic-tac, pero decía gravemente tan-tan-tan, las siete o las ocho, y yo entendía. Es la hora de mirar la mañana, lo veía en la sombra, fresco, rejuvenecido por la ducha del amanecer, enjugándose aún en la toalla añilada del cielo. Después, cuando decía la una o las dos, su voz era pesada como un bostezo, le daba el sol de plano y veía cabecear a las acacias y a los chopos, y él no podía; entonces daba un cuarto, quejumbroso, que era como decir: «Es horrible, en estas horas, tener los mastoideos de sillería».

Mi amigo de ahora va conmigo, le llevo en la muñeca, porque indudablemente es el sitio en que se le debe llevar. Hay una postura habitual del hombre, que piensa, que es el codo en la mesa y la frente en la mano; así nuestro amigo queda más cerca del oído, donde puede musitarnos sus consejos; y no piensen que llegue a distraer su charla; él calla infaliblemente siempre que la máquina cerebral trabaja, y mientras no le oigamos podemos dejar correr la pluma; pero hay que aprender a detenerla cuando el ratoncillo de su tictic empieza a horadar el tabique de nuestra oreja. Entonces es el saber entenderle. Él dice: «No sigas. ¿No comprendes que cuando oyes mi voz tan próxima, tan para no oírla, es que se ha hecho el silencio en tu cabeza? No sigas. Escúchame a mí hasta que no me oigas, hasta que otra voz más potente te oculte la mía». Y siempre se le debe hacer caso.

Hay momentos en que llega a la osadía, y entonces es capaz de imponerse a la voz más fuerte; porque no penséis que nos habla sólo en la soledad; también en ese momento en que en la compañía más querida enmudecemos no por falta de palabras, sino porque hay una rebelde que se nos atraviesa, que se agarra al quicio de la puerta como un chico que no quiere ir a la escuela, y ésa es precisamente la que debe salir, la que obstruye el paso a todas las otras de detrás que se desbordarán en cuanto ella salga; la voz del amigo nos apremia, suena aceleradamente y nos martillea en la cabeza.

De noche, en las horas malas, en que, sin la tibieza del sueño que nos hace sentir el mimo infantil de la cama nos asustamos de nuestra horizontalidad y nuestra inercia, como enterrados vivos, el amigo está en nuestra cabecera, y acaso sólo en esa ocasión se ensaña un poco en demostrarnos lo inútil del momento. Él derrama un monosílabo incesantemente, y nos angustia lo impotentes que somos para posar la mano y contener el chorro. Sabemos que es un caudal nuestro, que son nuestros segundos los que está derramando, y nosotros, quietos en una catalepsia estúpida, dejándoles perderse. Pero lo que llega a molestar hasta la indignación es que metan baza en este sermón de nuestro amigo los relojes de la vecindad; relojes amigos de otros, de entonaciones ajenas a nuestra vida. ¿Qué saben ellos de nosotros, ni qué derecho tienen a reconvenirnos? A veces su voz es chillona cuando estamos en un momento grave, o es ridículamente grave cuando estamos anhelando algo risueño. Los únicos que siempre suenan bien, que aunque ajenos nos hablan con voz sedante y comprensiva, son los de torre. Éstos saben mandar sus campanadas a los insomnes, como pájaros nocturnos, de vuelo lento y alas obscuras, pero blandamente abanicadoras.

El amigo calla, y es que el tiempo, derrama sus gotas en nuestro vaso; pero si el vaso se desvía, todo ese tiempo que tarda en encontrar la boca del grifo para llenarse hasta su colmo, las gotas caen y suenan en la piedra.

Ésta es la voz del amigo: «¿Ves esas gotas perdidas? Su cristal pudo ser dulcísimo; perlas de vida que no supiste engarzar y rodaron».

Aquél que oiga siempre la voz de su amigo y esté harto de su sermonear; aquél que no corra cuando él le avise a llenar el vaso, y no sienta una sed infinita por todas las gotas, que rompa el vaso y se aparte de la fuente; que no ponga el estorbo de su cuerpo —porque somos muchos los sedientos.

«Hitler gritó: "Nadie saldrá vivo de la habitación sin mi permiso".»—**Del informe policial bávaro sobre el golpe de Estado**

HISTORIA DEL AÑO

El alzamiento de la cervecería de Múnich

1 La primera tentativa de Adolf Hitler para conquistar Alemania sólo pudo haber sido realizada desde Baviera. Los monárquicos que dirigían el *Land* simpatizaban con su causa y él tenía buenos contactos con el ejército bávaro, gracias a su papel de coordinador de las organizaciones paramilitares derechistas de Baviera. (Estos grupos estaban prohibidos en la mayoría de *Länder* igual que el partido nazi de Hitler, con 55.000 miembros y sede en Múnich.) En septiembre de 1923, el gobierno bávaro declaró el estado de emergencia ante la presión de Hitler y concedió poderes dictatoriales a Ritter von Kahr, comisario de Estado. La jugada debía ser el primer paso hacia una soñada «marcha sobre Berlín», inspirada en la marcha sobre Roma de Mussolini, para establecer el gobierno nazi. Kahr y el comandante del ejército bávaro, Otto von Lossow, querían unirse a tal marcha pero desconfiaban de Hitler y consideraban que no era el momento adecuado.

El 8 de noviembre les obligó a actuar. Kahr estaba celebrando una reunión «patriótica» en la Bürgerbräu, una cervecería de Múnich. Hitler la rodeó con seiscientos S.A., luego entró violentamente con escoltas armados declarando la deposición de los gobiernos bávaro y nacional. Obligó a Kahr, Lossow y Hans von Seisser, jefe de la policía estatal, a entrar en una habitación contigua, donde los convenció de que se unieran a él para llevar a cabo un golpe de Estado. De vuelta a la sala, Hitler se subió en una silla, disparó un tiro al aire y conquistó a la multitud con un discurso conmovedor: Berlín debía ser tomado inmediatamente. Él mismo presidiría el nuevo gobierno. Llegó el general Erich Ludendorff, coautor del plan de Hitler y héroe de la Primera Guerra Mundial, y los tres rehenes le prometieron su apoyo. Luego los golpistas se retiraron a pasar la noche en los cuarteles locales del ejército.

Hitler (*izquierda*) dijo que «había tenido mucha suerte en la prisión». Rudolf Hess es el segundo de la derecha.

Por la mañana, Kahr, Lossow y Seisser dijeron que habían cambiado de opinión. Aun así los presuntos líderes golpistas marcharon a través de la ciudad con tres mil seguidores armados. Siguió un breve tiroteo con la policía y los rebeldes huyeron. Hitler fue arrestado al día siguiente. El llamado *putsch* de la cervecería de Múnich había fallado, pero el alarde de elocuencia que Hitler desplegó en su juicio le convirtió en una celebridad. Los jueces eran derechistas y absolvieron a los conspiradores o les impusieron penas muy leves. A Hitler sólo le cayeron ocho meses. En la fortaleza-prisión de Landsberg recibió el trato de un visitante importante. Allí escribió el primer libro de la biblia nazi, *Mein Kampf*. **◂1922.7 ▸1923.2**

ALEMANIA

Francia invade el valle del Ruhr

2 El *putsch* de la cervecería de Múnich tuvo lugar cuando Alemania empezaba a recuperarse de meses de caos. Los disturbios habían empezado el otoño anterior, cuando Berlín suspendió los pagos de las reparaciones de guerra. En enero de 1923, Francia tomó represalias enviando a cien mil soldados al valle industrial del Ruhr. Las autoridades alemanas aconsejaron a los habitantes del valle que resistieran la invasión de forma pacífica. En respuesta a las huelgas, los sabotajes y la disminución de la producción, los franceses arrestaron a industriales y líderes sindicales. Fueron expulsados ciento cincuenta mil habitantes y algunos resistentes murieron.

Niños alemanes construyen una pirámide con billetes sin valor.

El resultado de la ocupación del Ruhr supuso una inflación todavía peor: el marco alemán cayó en picado; 4,2 trillones de marcos tenían el valor de un dólar (en 1914, un marco equivalía a un cuarto de dólar). El precio del pan aumentó de veinte mil marcos a cinco millones en un día. La gente transportaba el dinero en carretillas. Cuando la nación quedó sumergida en la pobreza, algunos grupos separatistas apoyados por los franceses de las regiones de Renania y el Palatinado provocaron revueltas violentas. Aunque la oposición popular les impidió tener éxito, aumentaron los infortunios de Berlín. Estalló otro alzamiento en Sajonia y Turingia, donde los gobiernos estatales de izquierdas permitieron la formación de milicias «rojas». El régimen derechista de Baviera daba quebraderos de cabeza constantemente.

El canciller Wilhelm Cuno dimitió desesperado en septiembre. Su sucesor, Gustav Stresemann, de centro-derecha, acabó con la resistencia en el Ruhr, reasumió los pagos de las reparaciones y pidió a la comisión de reparaciones de los aliados que investigaran la difícil situación de Alemania. Estableció una moneda nueva más sólida y declaró la ley marcial. Los gobiernos de Sajonia y Turingia fueron depuestos, un golpe de Estado en Küstrin fue dominado y se aplastó una revuelta comunista menor con gran firmeza. Los diputados socialistas, indignados, obligaron a Stresemann a dimitir en favor de un centrista, Wilhelm Marx. Parecía que la crisis más importante había acabado, hasta que los conspiradores utilizaron como pretexto la «rendición» ante Francia para justificar su asalto al Estado. **◂1923.1 ▸1924.11**

LITERATURA

Un Nobel para Yeats

3 En 1923, el Premio Nobel de Literatura fue otorgado por primera vez a un irlandés. La academia sueca elogió al poeta y dramaturgo William Butler Yeats por «su poesía consistente y emotiva, que expresa el espíritu de un pueblo en el género artístico más estricto». Esta alabanza es sólo una alusión a la aportación global que hizo este gigante de la literatura del siglo XX. Los poemas de Yeats, (el apocalíptico «La segunda venida», 1919, y el elegíaco «Sailing to Byzantium», 1927), rebosantes de imágenes poderosas de profunda melancolía, ilustran su clarividencia abrumadora, su inclinación mística y la musicalidad dominante de la lengua. Los poemas de vejez de Yeats contienen la sensibilidad hastiada de un verdadero sabio.

Yeats, nacionalista que sentía una pasión no correspondida por Maud Gonne, pensaba que su vida creativa y su vida política se entrelazaban. Desempeñó un papel muy importante en la fundación del teatro Abbey de Dublín con J. M. Synge y Lady Gregory. Su lucha por forjar una «unidad cultural» diferencial irlandesa fue el tema del discurso del Nobel, concedido

W. B. Yeats, poeta melancólico irlandés.

ARTE Y CULTURA: **Libros:** ***Aventuras del valiente soldado Švejk en tiempos de la Gran Guerra*** **(Jaroslav Jásek);** ***El tema de nuestro tiempo*** **(José Ortega y Gasset);** ***El yo y el ello*** **(Sigmund Freud) [...] Música: «Yes, We Have No Bananas» (Cohn y Silver); «Charleston» (Johnson y Mack); «Mexicali Rose» (Tenny y Stone) [...] Pintura y escultura:** ***La mujer del granjero*** **(Joan Miró);** ***Mujer y perro*** **(Pierre Bonnard) [...]**

«Una generación nueva, que se dedica más que la última a temer a la pobreza y a adorar el éxito; crece para encontrar muertos a todos los dioses, hechas todas las guerras y debilitadas todas las creencias del hombre.»—**F. Scott Fitzgerald**

un año después de convertirse en senador del Estado Libre de Irlanda.

Yeats también se sentía fascinado por el ocultismo y se adhirió a muchas doctrinas de teosofía. Dijo que gran parte de su obra en prosa *Una visión* (1925) era fruto de la «escritura automática»: los espíritus se la habían dictado a su mujer, Georgie Hyde Lees, una médium. **◄1905.6 ►1930.9**

IDEAS

El aprendizaje de los niños

4 En 1923, Jean Piaget, psicólogo suizo, presentó una visión revolucionaria del aprendizaje de los niños en su primer libro *El lenguaje y el pensamiento en el niño*. La obra, que Piaget describió modestamente como una «simple colección de estudios preliminares», se convirtió en la piedra angular de la teoría más influyente del siglo sobre el desarrollo humano.

Piaget, de 27 años de edad, se había doctorado en zoología antes de estudiar psicología con Carl Jung, pero su obsesión más profunda era la epistemología, la filosofía del conocimiento. Para hallar los principios universales que rigen el pensamiento infantil observó y entrevistó a sus hijos y a otros niños. Piaget teorizó que el aprendizaje se produce en cuatro fases, desde las habilidades sensomotrices hasta el razonamiento abstracto. La duración de estas fases (la última empieza hacia los doce años de edad) está programada genéticamente. Las ideas de Piaget repercutieron profundamente en la enseñanza. El psicólogo pensaba que los niños sólo estaban preparados para aprender una serie de cosas concretas y que los profesores debían intentar acelerar el proceso de descubrimiento de sus alumnos en vez de cebarlos a la fuerza con conocimientos. **◄1912.NM ►1943.12**

CULTURA POPULAR

Los años veinte: empieza la prosperidad

5 Los «felices años veinte» americanos se convirtieron en un símbolo mundial de prosperidad y buenos tiempos. En 1923 había finalizado la recesión de la posguerra y el nuevo presidente, Calvin Coolidge (que había sucedido en el cargo a Warren Harding tras su muerte), declaró: «el negocio de América es negocio». Los valores bursátiles se pusieron por las nubes, el producto nacional bruto superó en un 14 % al del año anterior, y el paro descendió a un 2,4 %. Las nuevas tecnologías aumentaron la productividad industrial mientras la semana laboral se acortaba y la relajación de los créditos acompañó a la expansión.

Las antiguas nociones victorianas del decoro, ya atenuadas por la brutalidad de la guerra, quedaron completamente destruidas por un clima económico que animó a los consumidores a perseguir la felicidad a través de los coches, la ropa, los cigarrillos y los cosméticos, producidos en serie. La nueva moral hizo obsoleta la prohibición casi tan pronto como fue ratificada. Las americanas, resueltas a disfrutar tras la tristeza de la época de la guerra, buscaron fervientemente la liberación. La hallaron en los bares clandestinos, el *jazz*, las minifaldas y el pelo corto. Las «*flappers*» organizaban maratones de charlestón en la Quinta Avenida de Nueva York. Los héroes del deporte, como Babe Ruth, Bill Tilden y Jack Dempsey, colmados de alabanzas, se convirtieron en semidioses.

Sin embargo, la revolución significó algo más profundo que los abrigos de piel y el uso corriente de petacas. Las mujeres obtuvieron victorias significativas en la batalla por la igualdad, reflejadas superficialmente en el pelo corto, el pecho plano y el uso de palabrotas, alcohol y tabaco de las «*flappers*». Con la escasez de hombres durante la guerra, las mujeres ganaron una buena posición en el ámbito laboral; con la enmienda n.º 19, obtuvieron el derecho a voto.

Pero la era del *jazz* no fue sólo emancipación y encanto. El país se encerró en sí mismo después de la guerra, se aisló y se volvió suspicaz ante cualquier aspecto exterior. El congreso aprobó leyes para la restricción de la inmigración. La política de *laissez-faire* del presidente Coolidge facilitó la explotación laboral y la supresión de sindicatos por parte de las grandes empresas. Dos quintas partes de la población (campesinos y sus familias) fueron apartados del bienestar general cuando los precios de los productos agrícolas cayeron vertiginosamente. Mientras, el crimen organizado, estimulado por la prohibición, crecía cada vez más. **◄1919.E ►1923.9**

La imagen de una «*flapper*», del principal ilustrador de la época del *jazz* John Held.

NACIMIENTOS

Belisario Betancur, político colombiano.

Maria Callas, cantante estadounidense.

Italo Calvino, escritor italiano.

Charlton Heston, actor estadounidense.

Wojciech Jaruzelski, presidente polaco.

Henri Kissinger, político alemán-estadounidense.

Roy Lichtenstein, artista estadounidense.

Norman Mailer, escritor estadounidense.

Marcel Marceau, mimo francés.

Rocky Marciano, boxeador estadounidense.

Marcello Mastroianni, actor italiano.

Robert Maxwell, editor anglo-checo.

Shimon Peres, primer ministro israelita.

Alan Shepard, astronauta estadounidense.

Franco Zeffirelli, director de cine y de teatro italiano.

MUERTES

Sarah Bernhardt, actriz francesa.

Alexandre Gustave Eiffel, ingeniero francés.

Warren G. Harding, presidente estadounidense.

Katherine Mansfield, escritora británica.

L. Martov, revolucionario ruso.

Manuel Mejía Vallejo, escritor colombiano.

Raimond Radiguet, escritor francés.

Wilhelm Röntgen, físico alemán.

Pancho Villa, revolucionario mexicano.

Cine: *Los diez mandamientos* (Cecil B. DeMille); *El jorobado de Notre Dame* (con Lon Chaney); *The street* (Karl Grune) [...] Teatro: *The young idea* (Noël Coward); *Santa Juana* (G. B. Shaw).

«¡La arquitectura es el juego de formas más genial, correcto y magnífico que existe!»—**Le Corbusier**

NOVEDADES DE 1923

Radio Zenith (Chicago).

Pan American (líneas aéreas).

Diafragma de goma (método anticonceptivo).

Empresa de alquiler de coches Hertz.

Sujetadores Maidenform.

Compañía cinematográfica Warner Bros. Pictures, Inc.

Autogiro (inventado por el ingeniero español Juan de la Cierva).

EN EL MUNDO

▶MAH-JONGG MANÍA—El *mah-jongg*, quizás la primera moda californiana que conquistó al resto de Norteamérica, llegó a este estado después de la Primera Guerra Mundial a través de un misionero americano que adaptó (y registró) el antiguo juego de los mandarines. El pasatiempo proporcionaba una vía de escape a la rutina doméstica, y las ventas de accesorios como kimonos de seda y abanicos de papel aumentaron.

▶CHARLESTÓN—El charlestón, un baile popular afroamericano adaptado para Broadway en 1923, hizo estallar una fiebre por el baile. Se convirtió en el favorito de la edad del *jazz* y se ganó la censura de los moralistas.

Presentado en el musical *Runnin' Wild*, el baile, que consiste en darse palmadas en las rodillas y en mover las

Miembros enmascarados del Ku Klux Klan en Nueva Jersey: un «problema del sur» que llegó al norte.

ESTADOS UNIDOS

El Ku Klux Klan en alza

6 El 4 de julio de 1923, mientras los americanos celebraban el 147 aniversario de su nación, una pequeña ciudad de Indiana ofrecía un espectáculo siniestro: la mayor manifestación del Ku Klux Klan que se había celebrado en un estado del norte. Entre diez mil y doscientos mil hombres, mujeres y niños (las estimaciones varían mucho), muchos disfrazados con túnicas blancas y capuchones, disfrutaron del pícnic, de los discursos y de un desfile con carrozas en las que había imágenes de negros y «papistas» amenazantes y una enorme cruz en llamas.

El Ku Klux Klan, fundado después de la guerra civil para salvaguardar la supremacía blanca en el sur aterrorizando a los negros, había permanecido dormido durante casi cincuenta años, pero tras la Primera Guerra Mundial se reorganizó por toda la nación. En 1925 alcanzó su número máximo de miembros: cuatro millones. Los objetivos principales seguían siendo los afroamericanos aunque la lista de la organización se amplió con judíos, católicos, inmigrantes, contrabandistas de alcohol y con los que eran permisivos con las prácticas sexuales ilícitas.

El KKK se veía reflejado en los movimientos nacionalistas europeos de derechas a causa de la xenofobia. Sus líderes admiraban a Mussolini y comprendían el poder del mito y de la ceremonia... y de un poco de sangre. Como Mussolini, sólo presentaban un programa político vago pero consiguieron ganar influencia política. El Klan «poseía» funcionarios de todos los niveles de gobierno en los estados donde el número de adeptos era elevado.

Sin embargo, tras varios escándalos (como la condena por asesinato en segundo grado impuesta al jefe del Ku Klux Klan de Indiana en 1925), los americanos se hartaron del Klan. En 1930 había unos cien mil miembros, la mayoría del sur, como antes. **◂1919.6 ▸1931.9**

LITERATURA

El elegíaco Rilke

7 Los diez poemas de las *Elegías de Duino*, finalizadas en 1923, constituyen la obra trascendental del escritor alemán Rainer Maria Rilke, el poeta errante por excelencia. El escritor y humanista austríaco Stefan Zweig dijo de Rilke que «una mera palabra suya ya es una música perfecta». Rilke creó sus poemas a lo largo de varios años en los que realizó numerosos viajes por toda Europa y por el norte de África en busca de inspiración.

En 1912 Rilke escribió los dos primeros poemas de las *Elegías de Duino* durante una estancia en el castillo Duino, cerca de Trieste, Italia. Al año siguiente, acabó la tercera elegía en París; en 1915, escribió la cuarta en Múnich. En febrero de 1922, en un arrebato final de creatividad, Rilke escribió su otra obra maestra, *Sonetos a Orfeo*, y finalizó las *Elegías*. El lenguaje luminoso de estas dos obras, que el autor creó en el apogeo de sus facultades creativas, arrojó luz sobre temas fundamentales como el tiempo, la muerte, la vida y la identidad. **▸1925.8**

ARQUITECTURA

Las construcciones de Le Corbusier

8 El arquitecto franco-suizo Le Corbusier en su libro de 1923 *Hacia una (nueva) arquitectura* declaró que «una casa es una máquina en la que se vive». Profeta del estilo internacional, Le Corbusier (nacido Charles Edouard Jeanneret) defendió una estética austera y rigurosamente moderna. Algunos críticos pensaban que sus primeros edificios, austeros, angulosos, clínicos, parecían enormes cajas de cartón con agujeros recortados por ventanas. Otros encontraron una belleza distintivamente moderna en su geometría ascética.

En 1924 Le Corbusier pudo poner en práctica sus ideas a gran escala cuando se le encargó la construcción de una serie de viviendas para trabajadores en la ciudad francesa de Pessac, cerca de Burdeos. Le Corbusier erigió una serie de casas individuales cúbicas con bandas de ventanas y jardines en los tejados, todas iguales, sin tener en cuenta el estilo local. Pintó las fachadas de los diversos edificios cada uno de un color llamativo. Los trabajadores para quien había construido las casas las odiaban, y las autoridades locales, ofendidas, se negaron a dar el agua durante años, pero al final Pessac fue considerada como un importante experimento arquitectónico.

Le Corbusier, urbanista, arquitecto y pintor, defendía la organización vertical de las ciudades. Afirmaba que cada época produce sus propias formas y la forma moderna era el rascacielos. Diseñó ciudades utópicas futuristas con torres agrupadas y rodeadas de parques, con el tránsito restringido a vías que unirían los edificios.

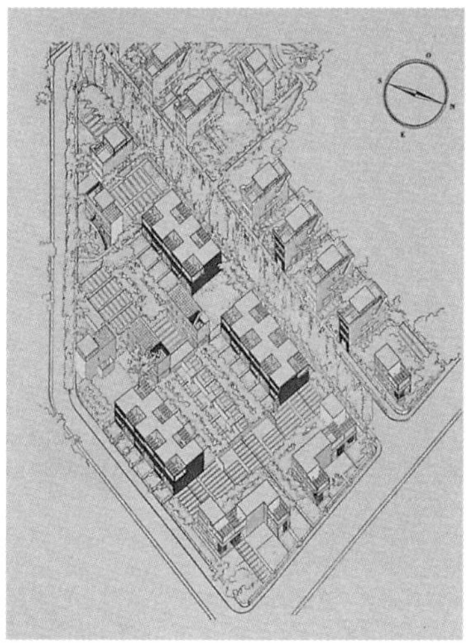

Dibujo de Le Corbusier de Pessac. Su diseño gustó más a los estetas que a sus ocupantes.

DEPORTES: Automovilismo: inauguración del circuito de Sitges [...] Fútbol: Uruguay gana el campeonato sudamericano de fútbol tras derrotar a Argentina [...] Boxeo: el campeón de los pesos pesados Jack Dempsey derrota al argentino Luis Firpo «El toro salvaje de la pampa» [...] Natación: Johnny Weissmuller establece su récord mundial número 50 en los 100 metros libres (58,6 segundos).

«¿Qué puede hacer una persona cuando sus propios amigos le traicionan?»—**El presidente Warren Harding**

Aunque nunca realizó plenamente sus planes urbanísticos (irónicamente nunca construyó un rascacielos), sus diseños, sobre todo los últimos, fueron imitados en todo el mundo y predijeron agudamente las ciudades modernas con parques, plazas y accesos a las carreteras. **◂1919.9 ▸1930.7**

ESTADOS UNIDOS

Escándalo en Washington

9 Hasta que fue sustituido por el Watergate a principios de los años setenta, el Teapot Dome fue el escándalo más espectacular de la historia política americana. (Se relacionó con la misteriosa muerte del presidente y el suicidio de dos de sus consejeros.) Estalló en 1923 cuando una investigación del senado reveló que Albert B. Fall, secretario del interior del presidente Warren Harding, había arrendado ilegalmente las reservas de petróleo de la armada de Teapot Dome, Wyoming, y las de Elk Hills y Buena Vista, California, a empresas de carácter privado y en su propio provecho.

El sucio negocio ya se había preparado a principios del mandato de Harding, después de que Hall persuadiera al presidente y al secretario de la Armada Edwin Denby de que transfirieran el control de las valiosas reservas de petróleo a su departamento. Habiendo asegurado la transferencia, Fall vendió enseguida los derechos de perforación sobre las tierras protegidas a dos magnates del petróleo por 400.000 dólares, al contado y bonos del Estado. El senado empezó a sospechar que pasaba algo cuando Fall, que había llegado al departamento cargado de deudas, amplió de repente la extensión y el ganado de su rancho de Nuevo México.

Fall dimitió en medio de la investigación, pero las indagaciones continuaron durante años. «Teapot Dome» se convirtió en el término abreviado para referirse a la inmesa corrupción de la administración de Harding. El mismo presidente, considerado como un hombre decente que no sabía nada del tema, ignoró durante mucho tiempo las actividades deshonrosas de su gabinete. Cuando los detalles sórdidos del escándalo salieron a la luz, dos de sus consejeros, Jess Smith del departamento de justicia, y Charles Cramer, de asuntos de los excombatientes, se suicidaron. Harding, profundamente turbado, contrajo una enfermedad misteriosa en un viaje entre Alaska y San Francisco (se habló de comida envenenada y agotamiento, pero algunos sospecharon juego sucio) y murió en San Francisco el 2 de agosto de 1923.

Finalmente, Fall, Charles Forbes, director del departamento de asuntos de excombatientes y Thomas Miller, guardia de seguridad, cumplieron penas en prisión por sus intrigas para estafar al gobierno. Durante casi una década se sucedieron los juicios en vistas abiertas. Pero por extraño que parezca, el escándalo no perjudicó al Partido Republicano; la candidatura del partido, encabezada por Calvin Coolidge, que se convirtió en presidente a la muerte de Harding, ganó las elecciones de 1924. **◂1923.5 ▸1972.10**

«Día de negocios en Washington.» Los miembros del consejo venden el gobierno... barato.

CULTURA POPULAR

Sale la revista *Time*

10 El prospecto de una nueva revista semanal decía: «La mayor parte de la población se ha adaptado a la época en que los hombres que trabajan se pueden permitir el lujo de pagar para seguir estando informados».

La primera portada de la revista *Time* trataba del retiro del congresista de Illinois, Joseph Cannon.

Dos jóvenes graduados de Yale, Henry Luce y Briton Hadden, se dedicaron a llenar este vacío. En 1923 su revista, *Time*, apareció por primera vez en los quioscos con fecha de 3 de marzo y al precio de 15 centavos. Hadden, nacido en Brooklyn, murió en 1929 de tuberculosis; Luce, hijo de un misionero presbiteriano en China, fundó un imperio editorial que incluyó *Life*, *Fortune* y *Sports Illustrated*.

Al principio la revista resumía las noticias de los grandes titulares de los periódicos, insistiendo en las noticias internacionales y los acontecimientos culturales. Sin embargo, al cabo de diez años, la Time Inc. había establecido un grupo de empresas de información de su propiedad. El éxito de *Time* provocó la aparición de muchas revistas competidoras: en América, *Business Week* (1929), *United Stated News* y *Newsweek* (ambas de 1933); en Francia, *L'Express* (1953); en Alemania, *Der Spiegel* (1947); en Italia, *Panorama* (1962).

Time poseía un estilo conciso, un tono omnisciente y un carácter peculiar. «Releer las frases hasta marearse» escribió Wolcott Gibbs en una famosa parodia. Las tendencias políticas de Luce se reflejaron siempre en la revista, muchas veces en sus portadas. Luce, ferviente anticomunista que murió en 1967, apoyó a Chiang Kai-shek y a Ngo Dinh Diem, así como a Mussolini y a Franco. El gran periodista americano Theodore H. White perdió su empleo en *Time* cuando tuvo diferencias con Luce sobre China. Aun así, White dijo que «fue emocionante trabajar para un hombre que podía discutir a la vez sobre la Biblia, Confucio y los chismorreos que cautivaban a los lectores de una revista». **◂1900.2**

caderas y las piernas, se difundió por todo el país. Los sacerdotes lo condenaron. **◂1914.7 ▸1960.13**

▶EL «CUATRO OJOS» MÁS DIVERTIDO—Chaplin era «el pequeño vagabundo» y Keaton, el «cara de palo», pero el cómico mejor pagado de Hollywood, y el más popular en los años veinte, fue Harold Lloyd, un hombre de muchos recursos con gafas de concha negra. *El hombre mosca* (1923) fue una de sus

mejores películas. La escena en la que está colgado del reloj de una torre fue un alarde de habilidad (nunca fue doblado) que provocó carcajadas y temor en el público. **◂1912.5 ▸1936.9**

▶GOLPE DE ESTADO EN ESPAÑA—El general Miguel Primo de Rivera estableció un régimen autoritario en España, dirigido por un directorio militar que sustituyó al sistema parlamentario que hasta ese

momento gobernaba en España. A pesar de que el nuevo régimen se consideraba como provisional, se mantuvo en el poder durante más de siete años, hasta 1931.

▶LA REINA DEL *BLUES*—Bessie Smith, generalmente considerada como la mejor cantante de *blues* de todos los tiempos, alcanzó gran

POLÍTICA Y ECONOMÍA: muere el presidente estadounidense W. G. Harding y es sucedido por el vicepresidente Calvin Coolidge [...] La industria del acero norteamericana reduce la jornada laboral de doce a ocho horas [...] Lenin presidente de la URSS, federación de estados soviéticos creada en torno a Rusia en diciembre del año anterior.

«No nos vanagloriemos de las victorias militares. Mejor preparémonos para nuevas victorias científicas y económicas.»
—Mustafá Kemal, sobre sus planes de modernizar Turquía

éxito con sus canciones de 1923 «Down Hearted Blues» y «Gulf Coast Blues». Durante cerca de una década Smith, con su voz imponente y profunda, fue la intérprete negra más famosa de Estados Unidos. Pero cuando murió (1937) en un accidente de coche, su alcoholismo y el cambio de gustos del público la habían reducido a una gira sin importancia por el sur del país. ◂1914.NM ▸1925.6

▶AUTOAYUDA—Emile Coué precedió a Dale Carnegie y a Norman Vincent Peale. El farmacéutico francés publicó *Afirmaciones y autosugestión* donde declaraba: «Cada día, en todos los sentidos, soy cada vez mejor». Coué mantenía que los pacientes se ayudaban a sí mismos a través de la hipnosis y de la repetición de una frase optimista. ◂1907.8 ▸1936.NM

▶*BAMBI*, EL LIBRO—El escritor austríaco Felix Salten se hizo mundialmente famoso con *Bambi* (1923), el relato de la vida de un ciervo en el bosque y de su digna lucha contra su perseguidor: el hombre. La novela se convirtió en un clásico de la literatura

infantil y, en 1942, en una emblemática película de Walt Disney. ▸1928.10

▶GOLPE DE ESTADO EN BULGARIA—Los derechistas búlgaros asesinaron al primer ministro Alexander Stamboliyski y establecieron un régimen totalitario. Stamboliyski había sido considerado un héroe por la mayoría agraria de su país por establecer la redistribución de la tierra, el sufragio universal y reformas similares. En 1932 sus aliados establecieron la democracia pero en 1934 un nuevo golpe de Estado provocó la vuelta a una dictadura monárquico-militar. ◂1911.12 ▸1944.11

▶TERREMOTO EN JAPÓN—El 1 de septiembre un terremoto en la bahía de Sagami devastó la región de Honsju. Murieron 1.143.000 personas y seiscientos mil hogares fueron destruidos en Tokio y Yokohama. ◂1906.5 ▸1985.4

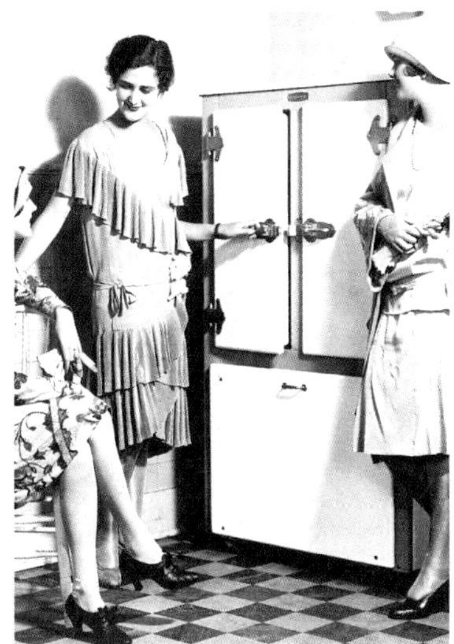

La Frigidaire: fría, limpia y admirablemente independiente.

TECNOLOGÍA

El hombre del hielo

11 Antes de que la Frigidaire, una escisión de la General Motors, presentara su unidad mecánica de refrigeración en 1923, el hombre del hielo era una institución nacional en América y tema de chistes. Tenía tendencia a ser un tipo grande y grosero que dejaba huellas en el suelo cuando repartía los grandes bloques de hielo. No sólo había quejas a causa de la impureza del producto, procedente de los lagos del norte y almacenado en depósitos aislantes, también las había porque la carga disminuía.

Entonces llegó la revolución: en 1902, un ingeniero llamado Willis H. Carrier había diseñado un sistema para controlar la humedad y la temperatura en una planta litográfica de Brooklyn. Las unidades domésticas de refrigeración hicieron una tentativa de aparición hacia la Primera Guerra Mundial. Eran pequeñas, ruidosas, hacían agua y funcionaban con motores eléctricos colocados con correas en viejas neveras. Pero el Frigidaire de 1923 fue diseñado con un armario especial para contener tanto la «nevera» para el almacenaje de productos perecederos como la maquinaria que la mantenía fría. El invento era pulcro, cómodo y compacto. Había nacido un estilo y un nombre omnipresente.

Más adelante, los precios cayeron y las ventas proliferaron. En 1944 casi el 85 % de los hogares americanos estaban equipados con refrigeradores mecánicos. La nevera quedó atrás como un giro lingüístico. **◂1917.12**

TURQUÍA

Las reformas de Kemal

12 En julio de 1923 Turquía se convirtió en un estado soberano a los ojos del mundo a través del tratado de Lausana. (Entre las cláusulas del tratado estaba la de expulsar a un millón de griegos de Turquía y a 350.000 turcos de Grecia.) La Asamblea Nacional turca proclamó la república, la primera en el mundo islámico. Pero su presidente Mustafá Kemal tenía por delante mucho trabajo. Con la idea de una democracia liberal, Kemal empleó poderes dictatoriales para introducir a Turquía en el mundo moderno.

Primero separó la política de la religión. Desde 1517, el sultán turco también había sido califa o líder espiritual de la mayoría de musulmanes de todo el mundo. Kemal tomó medidas para abolir el califato y los tribunales religiosos y para introducir un sistema legal de tipo europeo. El estado se ocuparía de la enseñanza.

Kemal concedió el voto a las mujeres, prohibió la poligamia y se opuso al uso del velo. Luchó para hacer caer el muro que separaba a Turquía de Occidente. El turco se empezó a escribir con caracteres romanos en vez de con alfabeto árabe. (Kemal realizó visitas improvisadas a las capitales de provincia para dar ánimos, instruir e insistir en los beneficios de un alfabeto simplificado.) Se adoptó el calendario gregoriano y los sombreros de ala. El fez fue declarado ilegal, bajo pena de muerte.

En 1933 se aprobó una ley que obligaba al uso de los apellidos; la asamblea dio a Kemal el sobrenombre de Atatürk, que significaba «el padre de los turcos».

Un admirador compuso este fotomontaje de Kemal entre sus obras. Pero sus métodos se ganaron las críticas mundiales.

Cuando murió en 1938 ya había llegado la democracia plena. Sus reformas inspiraron a los dirigentes de muchas naciones en desarrollo como a Jawaharlal Nerhu, de la India, o Anwar al-Sadat, de Egipto. **◂1922.10 ▸1925.10**

RELIGIÓN

I and Thou de Buber

13 *I and Thou* de Martin Buber se publicó en 1923 y se convirtió en uno de los tratados filosóficos más leídos en todo el mundo. La obra, arraigada en el judaísmo, postulaba que existían dos modos de relación entre los hombres y el universo. El «yo-eso» es funcional, unilateral e impersonal: las relaciones cotidianas de la gente con organismos (incluida la demás gente) y objetos como *cosas*. El «yo-tú» es espontáneo y recíproco, una comunión profundamente íntima con la creación: el estado en el que la gente siente la presencia de Dios. La vida es imposible sin el yo-eso, pero sólo el yo-tú hace posible una vida y una sociedad óptimas. Buber escribió: «En nuestra época, la relación yo-eso, gigantescamente extendida, ha usurpado la autoridad y el dominio».

Después de que Hitler llegara al poder, Buber se convirtió en director del centro nacional judío de enseñanza para adultos de Alemania. Sin embargo, las autoridades, irritadas por su crítica al nazismo como la apoteosis del yo-eso, finalmente le silenciaron. En 1938, a los 60 años de edad, Buber obtuvo permiso para viajar a Palestina. El agente de la Gestapo enviado para supervisar su equipaje leyó uno de sus libros y quedó tan impresionado que le pidió que se lo firmara. Los escritos de Buber eran tan atractivos que influyeron a filósofos y teólogos de todos los credos.

La filosofía de Buber le llevó a abogar por un estado socialista binacional árabe-judío en Palestina. También le permitió volver a Alemania para recibir un premio de paz en 1953, una acción conciliadora condenada por muchos judíos. Buber se negó a condenar al pueblo alemán por apoyar el genocidio. En vez de eso, dejó la cuestión de la culpabilidad a la conciencia de cada uno (la facultad que Hitler había ridiculizado como una «invención judía»). **▸1932.7**

PREMIOS NOBEL: Paz: Sin galardón [...] Literatura: William Butler Yeats (irlandés; poeta) [...] Química: Fritz Pregl (austríaco; microanálisis de compuestos orgánicos) [...] Medicina: Frederick Banting y John MacLeod (canadienses; insulina) [...] Física: Robert A. Millikan (estadounidense; carga eléctrica del electrón y efecto fotoeléctrico).

PANEUROPA

La unidad europea apareció durante los años veinte como una garantía frente al pasado —así se evitaría una nueva guerra europea— y como una promesa para el futuro: sólo Europa unida sería capaz de responder al desafío de las grandes potencias mundiales del porvenir.

230 RN. COUDENHOVE-KALERGI

I. TERRITORIOS COMPLEJOS INTERNACIONALES

1.° PANEUROPA	millones habit.	millones kms.²	2.° PANAMÉRICA	millones habit.	millones kms.²
País madre	311	4,9	EE. UU. de América y colonias	118	9,7
Colonias	129	19,7	América latina	91	22,8
Total	429	24,6	Total	209	32,5

3.° ASIA ORIENTAL	millones habit.	millones kms.²
China y países próximos	440	11,1
Japón y colonias	80	0,68
Total	520	11,78

4.° CONFEDERACION RUSA	millones habit.	millones kms.²	5.° CONFEDERACION BRITANICA	millones habit.	millones kms.²
Rusia soviética	90	16,4	País madre y dominios	70	20
Estados y regiones fed.	60	7	Col. y estados dominados	394	19,3
Total	150	23,4	Total	464	39,3

II. NUMERO DE HABITANTES

1.° Paneuropa 2.° Panamérica 3.° Asia orient. 4.° Conf. rusa 5.° Conf. brit.
País madre
Colonias
Estad. Unidos de América
Amér. latina
China
Japón
Rusia soviética
Estados feder.
País madre y dom.
Colonias y estados dominados

III. SUPERFICIE

1.° Paneuropa 2.° Panamérica 3.° Asia orient. 4.° Conf. rusa 5.° Conf. brit.
País madre
Colonias
Estad. Unidos de América
América latina
China.
Japón
Rusia soviética
Estados feder.
País madre y dominios
Colonias y estados dominad.

CUADRO II

PANEUROPA fue publicada en Viena el año 1923; Coudenhove había esperado que alguno de los gobernantes europeos reclamara el honor, apenas peligroso, de ser la cabeza del movimiento que se anunciaba; pero tropezó a cada momento con el escepticismo, bajo el cual se enmascaraban la incertidumbre, la pusilanimidad o la habilidad vulgar.

Le pareció entonces más sencillo y más rápido dirigirse directamente a las masas y se fundó la revista *Paneuropa*, que se publicaba en Viena en alemán y francés, y pronto aparecería en París.

La unión paneuropea, agrupación central que debe unir y coordinar los esfuerzos de las ligas paneuropeas nacionales, fue creada poco después. Coudenhove asumió su dirección.

En 1926, el primer congreso paneuropeo se reunió en Viena, con éxito considerable.

La mayoría de los Estados europeos se habían hecho representar por algunos de sus hombres políticos o más eminentes escritores.

A la apertura de este congreso, Coudenhove abrió un concurso referente a la solución del problema paneuropeo, según las más prestigiosas personalidades de Europa. Sus respuestas han sido publicadas en la revista *Paneuropa*.

En el momento actual, la unión paneuropea es, en mucho, la más importante de las agrupaciones constituidas en bien de la paz y de la unión de Europa.

Las ideas que Coudenhove exponía en 1923 han sido tomadas por numerosos escritores políticos y expuestas a cada instante en los periódicos.

El sistema de Locarno, del cual Paneuropa es el fin obligado, es un comienzo de la ejecución del programa paneuropeo.

***

«Esperemos que el tiempo trabaje con nosotros para la Paneuropa», nos decía Coudenhove. Añadía: «Ni las riquezas ni el poder me tientan; yo no deseo otra cosa que más razón entre los hombres y la paz entre ellos. Para mí, no pido más que silencio, y si puede ser, olvido.»

PHILIPPE SIMON.

París, 28 de septiembre de 1927.

«No podéis hacer una revolución con guantes de seda.»—**Joseph Stalin**

HISTORIA DEL AÑO

Stalin sucede a Lenin

1 Igual que niños caprichosos, los líderes de la recién formada Unión Soviética de Repúblicas Socialistas se peleaban por heredar el cetro del moribundo padre de su partido. En 1924, cuando Vladimir Lenin sucumbió a su última apoplejía, se habían formado dos bandos. Por un lado estaba el triunvirato de altos cargos del partido: Joseph Stalin, Lev Kamenev y Grigory Zinoviev. Contra ellos, Leon Trotski, comisario de guerra, considerado en general como el heredero filosófico de Lenin. En la balanza se hallaban el futuro del partido, el estado soviético y 145 millones de rusos.

Trotski, paralizado por su idealismo intelectual, no tenía ninguna oportunidad frente a sus rivales del triunvirato. Los contrincantes, sobre todo Stalin, se colocaron hábilmente a la cabeza del culto a Lenin que se extendió tras la muerte del líder. (Nada hacía pensar que sus últimos escritos, suprimidos por Stalin, advertían contra las ambiciones dictatoriales.) En el funeral, Stalin estaba en todo, prodigando elogios y prometiendo lealtad. Mientas, Trotski estaba muy lejos, recibiendo tratamiento médico. (Después acusó a Stalin de haberle engañado con las fechas.) En cualquier caso, la cuestión estaba clara: Trotski estaba fuera de circulación. Sus primeros escritos antibolcheviques, que databan de la época en que estuvo del lado de los mencheviques, se utilizaron para presentarle como un hereje antileninista.

En 1925 Trotski fue depuesto de su cargo de comisario de guerra. Al cabo de poco, Kamenev y Zinoviev se dieron cuenta de que no estaban incluidos en los planes secretos de Stalin. Fue un trago amargo ya que lo consideraban inferior a ellos, intelectual y doctrinalmente. Habiendo prescindido de Trotski, el único rival viable de Stalin, no tenían nada que hacer ante las intrigas del dictador. Los dos fueron expulsados del comité central del partido. Reticentes y algo desesperados, se unieron a Trotski; maniobrando desde dentro del partido, Stalin no encontró impedimentos para desacreditar la alianza haciéndola parecer una unión de descontentos, desilusionados y nada patriotas. Trotski, que todavía soñaba con una revolución mundial, fue desterrado para siempre en 1929. A Kamenev y a Zinoviev se les permitió languidecer dentro del país pero fuera del círculo de poder de Stalin hasta que en 1936 fueron juzgados por traición y ejecutados. El partido pertenecía a Stalin. Su culto empezó a sustituir al de Lenin. ◂**1921.2** ▸**1929.4**

La muerte de Lenin *(centro)* dividió a Stalin *(izquierda)* y a Trotski *(derecha).*

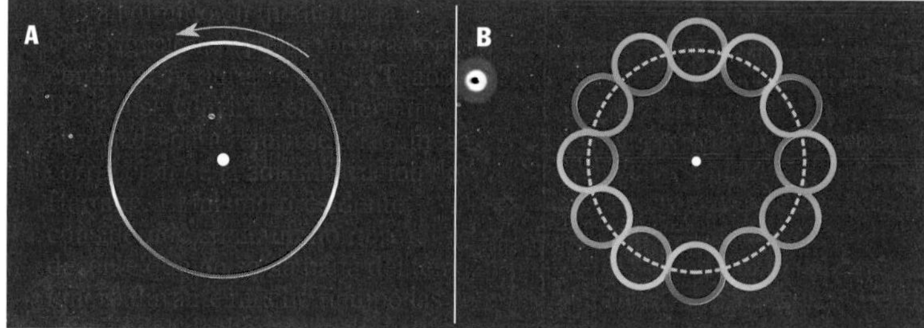

Modelo antiguo de una órbita de electrón (A) y de la nueva onda de De Broglie (B).

CIENCIA

La mecánica de las ondas de De Broglie

2 Un principio fundamental de la física clásica, articulado por Isaac Newton en el siglo XVII, es que la materia y la energía están separadas y son distintas. Sin embargo, a principios del siglo XX Einstein llegó a la conclusión de que la materia y la energía eran intercambiables ($E = mc^2$) y de que la luz está compuesta de partículas subatómicas llamadas fotones. Más tarde, en 1924, un joven aristócrata francés, Louis-Victor de Broglie, teorizó que igual que las ondas se pueden convertir en partículas, las partículas como los protones y los electrones pueden actuar como ondas. Sus fórmulas constituyeron la base para el nuevo campo de la mecánica de las ondas que llevó a la conclusión de que la materia y la energía simplemente son diferentes estados de las partículas subatómicas.

De Broglie fue uno de los teóricos importantes de este campo revolucionario. En los años cuarenta se cambió de bando acotando que, aunque el electrón mostrara características propias de las ondas, no era necesariamente energía. Se unió a Einstein para atacar a la nueva ciencia, que ponía un énfasis indebido en las matemáticas como si fueran un fin en sí mismas. Las fórmulas algebraicas habían sido imprescindibles para predecir el comportamiento de las partículas subatómicas pero habían arrojado muy poca luz sobre su naturaleza esencial. En respuesta a los físicos que decían que las fórmulas eran todo lo que los científicos tenían o necesitaban para saber, De Broglie y Einstein arguyeron que lo importante era penetrar la realidad que había tras las fórmulas. ◂**1916.9** ▸**1925.7**

ARTE

El primer manifiesto surrealista

3 «La imaginación se halla en el momento de reclamar sus derechos», escribió André Breton en su *Manifiesto del surrealismo*, publicado en octubre de 1924. Inspirados por las teorías freudianas, los artistas y escritores surrealistas de París esperaban establecer una revolución estética equivalente a las revoluciones políticas que tenían lugar en Moscú y en Roma, una revolución que curaría las enfermedades de la cultura occidental al liberar el inconsciente. Yuxtaponiendo imágenes o palabras de acuerdo con un criterio más psicológico que lógico, querían destruir las fronteras entre el sueño y la realidad. El resultado, tanto para el creador como para el público, sería la

***Dos niños son amenazados por un ruiseñor* (1924) del artista surrealista Max Ernst.**

inmersión en una «superrealidad», un reino mental de libertad y autoconocimiento.

El surrealismo, en mayor grado en las artes visuales que en la literatura, se convirtió en el movimiento artístico predominante en los años de entreguerras, y deleitó a millones de personas con obras de extravagancia anárquica y misterio obsesivo. Sin embargo, como la mayoría de revoluciones, el surrealismo dejó de ser revolucionario. Aunque Breton, apodado el «papa del surrealismo», censuró a los colegas que eran indulgentes con el academicismo, el arte surrealista se introdujo en las corrientes mayoritarias: los museos se llenaron de obras surrealistas; René Magritte dibujó catálogos de tiendas; Salvador Dalí diseñó «sombreros-zapato» y «vestidos-langosta» para la modista Elsa Schiaparelli.

ARTE Y CULTURA: **Libros:** ***With Lawrence in Arabia*** **(Lowell Thomas);** ***La montaña mágica*** **(Thomas Mann);** ***The Green Hat*** **(Michael Arlen) [...] Música: «Indian Love Call» (Friml, Harbach y Hammerstein); «Té para dos» (Youmans y Caesar) [...] Pintura y escultura:** ***Odalisca con magnolias*** **(Henri Matisse) [...]**

«Parece que Dios ha sido destronado. Dejadnos reponerlo en nuestros corazones.»—**Gandhi, comunicando su vigesimoprimer día de ayuno**

Los surrealistas constituyeron la vanguardia más creativa del siglo y la última: simplemente, la cultura de masas fue más poderosa, más capaz de transformar tales revoluciones en modas. Mientras las tendencias surrealistas reaparecen periódicamente en el mundo artístico, actualmente la influencia del movimiento es más clara en los anuncios publicitarios y en los vídeos musicales. **◂1920.4 ▸1928.6**

GRAN BRETAÑA

Primer gobierno laborista

4 En 1924 el Partido Laborista británico, 18 años después de su fundación, estaba más que preparado para intentar gobernar la nación y, con ella, el imperio más extenso del mundo. Sin embargo, la nación no estaba preparada para los laboristas y la primera experiencia de Gran Bretaña con el socialismo democrático acabó en menos de diez meses.

El partido subió al poder en octubre de 1923, cuando el primer ministro conservador Stanley Baldwin, a pesar de las objeciones de sus colegas, convocó elecciones parlamentarias después de introducir una política comercial proteccionista. (Baldwin mantuvo su promesa de pedir permiso a sus votantes para implantar estos cambios fiscales.) Los conservadores perdieron 90 escaños y los laboristas afianzaron su posición de segundo partido más amplio en el parlamento. Por primera vez, laboristas y liberales juntos sobrepasaban en número a los conservadores. Los liberales consintieron en dar su apoyo a Ramsay MacDonald, fundador del Partido Laborista, para que fuera primer ministro.

MacDonald, escocés autodidacta e hijo de una criada soltera, empezó con cautela. Se abstuvo de nacionalizar la industria y hábilmente evitó un alzamiento en el Estado Libre de Irlanda, cancelando su deuda a cambio de la renuncia a las demandas sobre los seis condados del norte. Pero en agosto de 1924 empezó su declive cuando decidió reconocer al gobierno soviético, concederle un préstamo y otorgarle el rango económico de nación favorecida.

Los acuerdos con los «rojos» provocaron un escándalo. Tanto los liberales como los conservadores se negaron a ratificarlos. Además, los conservadores acusaron al primer ministro de interceder en secreto para detener el procesamiento de un periodista comunista acusado de incitación al motín. MacDonald negó

Ramsay MacDonald, primer laborista que llegó a ser primer ministro, antes de su caída.

la acusación aunque bloqueó la investigación. Convocó una votación parlamentaria secreta que perdió el partido liberal. Baldwin volvió a ser primer ministro con Winston Churchill, favorable al mercado libre, como ministro de economía.

MacDonald gobernó durante otro período (1929-1935), pero en esa época la depresión económica estaba en pleno auge. Obligado a recortar salarios y servicios sociales, el laborista se enfrentó a disturbios provocados por trabajadores indignados. **◂1906.1 ▸1926.4**

INDIA

Gandhi ayuna por la unidad

5 En 1924 Gandhi ayunó durante 21 días por la paz, como lo haría en otras ocasiones a lo largo de su vida para enfrentarse a la violencia. Hacía poco que había salido de la cárcel, después de haber cumplido dos años de una sentencia de seis por sedición.

Las condiciones de la India habían empeorado considerablemente durante su encarcelamiento. Los dirigentes del movimiento independentista habían abandonado la política de resistencia pasiva al gobierno británico; el Congreso Nacional indio estaba dividido y su eficacia disminuía; su influencia política era la menor de todos los tiempos. Lo peor de todo era que el resurgir de la intolerancia religiosa entre los musulmanes y los hindúes había enfrentado a la India contra sí misma.

En marzo de 1922, Gandhi había implantado su programa nacional de desobediencia civil después de que unos fanáticos del recóndito pueblo de Chauri Chaura se rebelaran y asesinaran a unos funcionarios británicos. La jugada le costó su prestigio político: su adhesión estricta a la no violencia (el primer artículo de su fe, como él mismo dijo, y el último de su credo) frustró a muchos colegas que pedían acción y resultados inmediatos. Las autoridades británicas, reconociendo el declive político de Gandhi, le llevaron a juicio, algo que no se hubieran atrevido a hacer cuando estaba en su apogeo. Acusado de sedición por escribir artículos contra el Imperio Británico, Gandhi se declaró culpable: «En mi opinión, la no cooperación con el mal es una obligación como lo es la cooperación con el bien».

El juicio fue sintomático. Tras cumplir condena durante dos años, Gandhi sufrió una apendicitis aguda y el gobierno, temiendo la mala publicidad que se originaría si Gandhi moría en la cárcel, le proporcionaron asistencia médica y libertad incondicional.

Pero si el Imperio había valorado correctamente el oscurecimiento político de Gandhi, falló en no reconocer su constante popularidad. Al salir de prisión recuperó rápidamente su poder y volvió a trabajar en favor de la independencia. **◂1921.12 ▸1930.4**

Gandhi, llamado Mahatma (que en sánscrito significa «gran alma») por sus seguidores, se fortaleció con el ayuno.

NACIMIENTOS

Lauren Bacall, actriz estadounidense.

James Baldwin, escritor estadounidense.

Marlon Brando, actor estadounidense.

George Bush, presidente estadounidense.

Truman Capote, escritor estadounidense.

Jimmy Carter, presidente estadounidense.

Shirley Chisholm, congresista estadounidense.

José Donoso, escritor chileno.

Kenneth Kaunda, presidente zambiano.

Marcelo Mastroianni, actor italiano.

Robert Mugabe, presidente de Zimbabwe.

Milton Obote, presidente de Uganda.

George Segal, artista estadounidense.

Leopoldo Torre Nilsson, director cinematográfico argentino.

MUERTES

Ferruccio Busoni, músico y compositor italiano.

Joseph Conrad, novelista anglo-polaco.

Eleonora Duse, actriz italiana.

Gabriel Fauré, compositor francés.

Anatole France, escritor francés.

Àngel Guimerà, dramaturgo español en lengua catalana.

Victor Herbert, compositor estadounidense.

Giacomo Puccini, compositor italiano.

Louis Sullivan, arquitecto estadounidense.

Woodrow Wilson, presidente estadounidense.

Cine: ***El caballo de hierro*** **(John Ford);** ***Sherlock Jr.*** **(Buster Keaton);** ***El ladrón de Bagdad*** **(con Douglas Fairbanks [...] Teatro:** ***El deseo bajo los olmos*** **(Eugene O'Neill).**

«Puedes hacer un agujero en una cartulina [...] y no tendrás que apuntarlo otra vez. Las máquinas pueden hacer el trabajo rutinario.»—**Thomas Watson, fundador de IBM**

NOVEDADES DE 1924

Autopista italiana entre Milán y Varese (primera autopista).

Pañuelos Kleenex (Kimberly-Clark).

Reloj de pulsera de cuerda automática.

Primera emisora de radio española, EAJ1 Radio Barcelona.

EN EL MUNDO

▶FBI—En 1924, J. Edgar Hoover se convirtió en director de la Oficina de Investigación estadounidense y arremetió contra la ineficacia y los escándalos de la agencia. Entre sus innovaciones destacaban: una academia de entrenamiento, un archivo de huellas dactilares (que acabó siendo el mayor del mundo) y un laboratorio científico criminal. En 1935 se añadió la palabra «Federal» al nombre de la agencia; Hoover y sus agentes ya eran héroes nacionales. Hoover, uno de los hombres más poderosos de Estados Unidos, persiguió a criminales, extremistas y a enemigos personales hasta su muerte en 1972.

▶MGM Y *AVARICIA* —En 1924 se fundó el mayor estudio de Hollywood, Metro-Goldwyn-Mayer, cuando las

compañías cinematográficas Goldwyn y Mayer se fusionaron con la cadena teatral de Loew, propietaria de la Metro Pictures. La compañía produjo una película importantísima para el realismo cinematográfico: *Avaricia (superior)*, de Erich

Compositor frente al teclado: autorretrato de un rapsoda musical.

MÚSICA

La *Rapsodia* de Gershwin

6 El compositor americano George Gershwin alcanzó su objetivo de trascender el mundo de la música «popular» y entrar en el reino etéreo de la música «seria» con su *Rapsodia en azul*, interpretada por primera vez en el Aeolian Hall de Nueva York en 1924. Anunciada como un «experimento de música moderna», fue interpretada por la orquesta de Paul Whiteman. Aunque a algunos críticos les molestó que se tocara música «popular» en una sala de conciertos, la composición proporcionó a Gershwin fama, dinero y, lo más importante, respeto.

El nombre real del compositor era Jacob Gershwin. Nació en Brooklyn, Nueva York, en 1898; demostró sus dotes musicales con el piano desde los doce años y perfeccionó su técnica interpretando las canciones de otros autores en Tin Pan Alley. Sin embargo, pronto empezó a escribir su propia música. En 1919 se estrenó su primer espectáculo en Broadway, *La La Lucille*. Un año más tarde, Gershwin compuso su primera canción de éxito: «Swanee». La interpretaba Al Jolson y vendió la cifra récord de dos millones de discos y un millón de partituras.

Gershwin fue uno de los primeros aficionados al *jazz* (le enganchó desde que lo oyó a través de la puerta de un club de Harlem, donde su familia vivió durante un breve período) y su *Rapsodia* mezclaba de forma única armonías, ritmos y tonalidades de *jazz* con los de la música sinfónica romántica del siglo XIX. Aunque Jelly Roll Morton, King Oliver y otros músicos disfrutaban de un éxito considerable, el *jazz* estaba considerado como un género aparte. Gershwin le dio otra dimensión al integrar el *jazz* en el amplio mundo de la música.

Durante los años siguientes a la *Rapsodia*, Gershwin colaboró con su hermano Ira en muchos espectáculos inolvidables, entre ellos la ópera *Porgy and Bess* (1935), que obtuvo un éxito moderado en su tiempo pero que se ha convertido en un clásico de la música americana. **◂1917.5 ▸1926.NM**

ECONOMÍA E INDUSTRIA

El nombre de IBM

7 En 1924 Thomas Watson tomó posesión de la Computing-Tabulating-Recording Company. Una de sus primeras decisiones como nuevo presidente del consejo ejecutivo fue cambiarle el nombre a la compañía. El nuevo, International Business Machines, reflejaba el optimismo agresivo de su nuevo presidente. Su optimismo estaba justificado: la IBM se convirtió en una sociedad anónima, la mayor fábrica mundial de equipamiento de contabilidad y, más tarde, de ordenadores.

Watson y su consigna. Su hijo especializó IBM en máquinas inteligentes.

La CTR se había formado a partir de dos fabricantes de maquinaria para oficinas que se fusionaron en 1910. Watson había adquirido renombre como comercial de la National Cash Register, un gigante industrial, y en 1914 se unió a la compañía en calidad de director general. Cuando entró en la CTR, la empresa tenía un volumen anual de ventas de cuatro millones de dólares. Concentrándose en el mejor producto de la empresa, un tabulador que codificaba información estadística en tarjetas perforadas (inventado por Herman Hollerith para la oficina del censo de Estados Unidos), duplicó los ingresos en tres años.

La tecnología no fue obra de Watson, aunque sí los métodos comerciales. Con la promesa de empleo indefinido y la introducción de la práctica revolucionaria de conceder primas por el rendimiento, formó un ejército de comerciales, los uniformó con trajes azules y camisas blancas, los adiestró con canciones combativas («No podemos fracasar, servir a la humanidad debe ser nuestro propósito»), y los envió a convencer a los ejecutivos escépticos para que mecanizaran sus registros. A mediados de los años veinte, la IBM controlaba el 85 % del mercado de las tarjetas perforadas.

Watson murió en 1956 y le sucedió su hijo, Thomas Watson Jr. Prestando atención al famoso lema de su padre, «Piensa», el joven Watson se trasladó al mercado informático. Consiguió un éxito asombroso y se apoderó de este mercado hasta que en los años ochenta quedó eclipsado por las nuevas compañías de microcomputadores **▸1930.1**

ITALIA

Mussolini en el poder

8 En abril de 1924 Italia celebró sus primeras elecciones desde que los fascistas ascendieron al poder dos años antes. De momento, parecía que las ambiciones totalitarias de Mussolini podían ser de alguna manera compatibles con la democracia. No obstante, un asesinato reveló el verdadero carácter del fascista del modo más cruel.

DEPORTES: Tenis: apertura del estadio de tenis Forest Hills en Nueva York [...] Fútbol: en los Juegos Olímpicos de París, Uruguay ganó la medalla de oro.

«Dentro de 550 años nos desharemos de vosotros, sí, tiraremos al mar a todos los condenados ingleses y entonces... tú y yo seremos amigos.»—**E. M. Forster, *Pasaje a la India***

El resultado de las votaciones fue sorprendente. El Duce se había mofado a menudo del proceso electoral diciendo que no había convertido el edificio del parlamento en un «vivaque para sus pelotones» por puro capricho. En general se aceptó el resultado de las elecciones, que otorgó a los fascistas el 65 % de los votos, a pesar de una cierta oposición.

Mussolini, más protegido que nunca, declaró que esperaba un acercamiento con sus antiguos camaradas, los socialistas. Pero cuando un diputado de izquierdas, Giacomo Matteotti, dijo que las elecciones habían sido un fraude e intentó denunciar la corrupción que existía en el gobierno fascista; el voluble dictador sentenció en el parlamento que los traidores como aquél deberían morir. Poco después, Matteotti fue asesinado. Los asesinos fueron detenidos rápidamente y dijeron que habían seguido las órdenes de Mussolini.

La mayoría de los diputados de la oposición abandonaron el parlamento en señal de protesta. Aunque Mussolini denunció el asesinato y juró su inocencia, fue asediado por la prensa, nacional y extranjera. Los manifestantes pidieron su dimisión. Mussolini osciló entre la represión, imponiendo la censura por primera vez, y los intentos de conciliación. Su popularidad cayó en picado pero nadie movió un dedo para derrocarlo. En enero del siguiente año, una delegación de oficiales militares le advirtió que su vacilación ponía en peligro el apoyo del ejército y Mussolini respondió con un discurso que marcó un cambio en su gobierno. Declaró que desde aquel momento no se toleraría la subversión. En los meses siguientes disolvió el parlamento y estableció un estado policial. Los disidentes fueron desterrados o enviados a la cárcel. Los asesinos de Matteotti corrieron mejor suerte: dos de ellos fueron absueltos y tres liberados en una amnistía. **◂1922.4 ▸1926.1**

GIOVENTÚ FASCISTA
A.IX
ERA FASCISTA
ANNO 1°-N° 28
27 SETTEMBRE
IL FASCISMO NON VI PROMETTE NÈ ONORI NÈ CARICHE NÈ GUADAGNI MA IL DOVERE E IL COMBATTIMENTO
MUSSOLINI

Las promesas fascistas de «deber y batalla» enorgullecieron a Mussolini.

LITERATURA

La obra humanista de Forster

9 En 1924, tras un lapso de catorce años, el novelista británico Edward Morgan Forster publicó su última y mejor novela, *Pasaje a la India.* La novela, basada en los viajes que realizó a este país en 1912 y 1921, retrata las culturas musulmana, hindú y cristiana de la India gobernada por los británicos y sus diferencias irreconciliables. De toda la obra de Forster, *Pasaje a la India* constituye la expresión más plena de su humanismo liberal, una doctrina que valora, además de la tolerancia, la amplitud de miras y la simpatía por los pueblos distintos al propio.

Cuando apareció *Pasaje a la India,* Forster ya era un escritor conocido y popular que había publicado cuatro novelas, cuentos y ensayos. (Una sexta novela, *Maurice*, escrita en 1913, no fue publicada hasta 1971. Forster insistió en que fuera así a causa del tema de la homosexualidad.) Cuando se publicó *Pasaje a la India*, Forster fue acusado de tener sentimientos antibritánicos, pero finalmente la novela triunfó. El tema de la esterilidad y la represión entre las clases altas inglesas se repite en toda la obra de Forster, aunque no tan abiertamente como en *Pasaje a la India.* Dos de sus novelas transcurren en Italia, *Donde los ángeles no se aventuran* y *Una habitación con vistas*, que para él representaba toda la pasión y calidez que no poseían sus compatriotas. Forster no tenía nada en contra del pragmatismo británico pero le inspiraban mucho más respeto la espontaneidad, la creatividad, la compasión y una sensibilidad hacia la naturaleza, cualidades que posee la Sra. Moore, la inglesa de edad avanzada que es la verdadera heroína de *Pasaje a la India*.

Forster, que despreciaba la cristiandad convencional y tradicional, fue un romántico que creía en la santidad de las relaciones personales. En sus dos novelas italianas la salvación se halla sólo a través del amor. Quizá lo que mejor sintetice la opinión de Forster sea el epígrafe, a menudo mencionado, de su novela *Regreso a Howards End*: «Tan sólo relaciónate». **◂1901.11 ▸1929.E**

von Stroheim, un drama sobre la degradación humana (versión reducida de las diez horas iniciales de metraje). La lista de actores de la MGM incluiría a Garbo, Gable, Astaire, Crawford, Garland, Tracy, Hepburn, Taylor, los Hermanos Marx e incluso a Lassie. ◂1919.3 ▸1929.2

▸LA PRESENTACIÓN DE LA CÁMARA DE GAS—El primer convicto que fue ejecutado en una cámara de gas fue un inmigrante chino, Gee Jon, acusado de asesinar a un miembro de una banda rival. La sentencia de muerte de Gee fue ejecutada el 8 de febrero en la prisión estatal de Carson City, Nevada, Estados Unidos. Este estado había adoptado la cámara de gas como una alternativa más humana a la electrocución, la horca u otros métodos.

▸MAESTRO DE OBRAS —Robert Moses, nombrado comisario de parques públicos estadounidense en 1924, empezó a transformar el paisaje neoyorquino y a influir en los urbanistas de todo el país. Inauguró docenas de obras públicas en los 44 años siguientes y ejerció más poder que los funcionarios electos para los que trabajaba. Moses ideó muchos proyectos monumentales, que incluían: 75 parques, once puentes, 770 km de carreteras, varios complejos de viviendas públicas, el estadio de Shea y los jardines de la Exposición Internacional de 1964. ▸1956.NM

▸REBELDES PERUANOS–El gobierno peruano estaba en manos de los bancos norteamericanos y de las compañías petrolíferas y no cumplía su promesa de proteger a los indígenas nativos. En 1924, disidentes exiliados formaron la Alianza Popular Revolucionaria Americana (APRA) en Ciudad de México. Los «apristas», liderados por Víctor Raúl Haya, defendían la unidad indígena y una rama marxista no soviética. Durante décadas, mientras Perú oscilaba entre la democracia y la dictadura, la APRA llegó a ser en ocasiones el partido más fuerte del país, la mayoría de veces ilegal. ▸1968.7

▸CONTIENDA EN ALBANIA —Las luchas por el poder que

«Era tan severo como un invierno en Finlandia, tan frío como un carámbano y tan pesimista como el segundo acto de una obra de Ibsen.»—**Jim Murray de *Los Angeles Times*, sobre Paavo Nurmi**

habían afectado a Albania desde que recuperó su independencia en 1920 alcanzaron su cenit de violencia en 1924. Un alzamiento popular obligó al dirigente conservador musulmán Ahmed Zogu *(superior)* a huir a Yugoslavia. El obispo griego ortodoxo liberal Fan S. Noli se convirtió en primer ministro. Pero seis meses después, Zogu (apoyado por Belgrado) lo derrocó. El dictador Zogu, hijo de un cacique tribal, gobernó durante catorce años, cuatro como presidente y el resto como rey Zog I.

▸REPÚBLICA DE MONGOLIA—Cuatro siglos de dominación china no habían apagado el deseo independentista de Mongolia. En 1924, tras haber sobrevivido a la dinastía Manchú, a la invasión de la Rusia blanca, y tras haber expulsado al último chino (con la ayuda del ejército rojo ruso), Mongolia declaró su independencia. La nueva República de Pueblos Mongoles dio la espalda a China y estableció vínculos políticos y culturales con la Unión Soviética. ◂1921.6 ▸1927.2

1924

DEPORTES

Éxito escandinavo

10 Los finlandeses y los noruegos, liderados por la gran patinadora Sonja Henie, dominaron los primeros Juegos Olímpicos de invierno, celebrados en 1924 en la ciudad de Chamonix, en los Alpes franceses. En los de verano, en París, Finlandia volvió a ser el centro de atención gracias a Paavo Nuri, el mejor corredor que había existido hasta entonces. Nurmi *(izquierda)*, apodado «el finlandés volador», había deslumbrado al público cuatro años antes, pero en los Juegos de París hizo una actuación aún más brillante: estableció el récord olímpico de los 5.000 m (14 minutos, 31,2 segundos); ganó la carrera de 10.000 m campo a través por dos minutos en un día tan caluroso que 24 de los 39 que tomaron la salida no consiguieron llegar a la línea de meta; fue esencial dentro del equipo finlandés en los 3.000 m de relevos y en los 10.000 m de relevos campo a través. Nurmi, mecánico de oficio, austero y solitario, tenía fama de deber su buena forma a una dieta de pan negro y pescado seco, pero cuando un reportero le preguntó sobre esto el atleta dijo: «¿Por qué debería comer cosas como ésas?».

La única actuación en París que se acercó a la de Nurmi fue la del nadador americano Johnny Weissmuller, que estableció un récord olímpico en los 100 m libres y un récord mundial en los 400 m. (Continuó siendo famoso interpretando a Tarzán en el cine.) Los brotes de nacionalismo militante aportaron el toque dramático. Primero una victoria americana sobre Francia en rugby provocó peleas en las gradas. Luego, un italiano esgrimista no aceptó la decisión de los jueces y sus compañeros de equipo abandonaron la competición cantando el himno fascista. **◂1920.6 ▸1936.1**

DIPLOMACIA

Un cambio para Alemania

11 En agosto de 1924, Alemania pudo superar la crisis económica de posguerra, que había sido agravada por la parcial ocupación francesa y la obligación de pagar reparaciones a los vencedores. En una conferencia en Londres, las potencias aliadas escucharon un informe sobre la mala situación del país elaborado por una junta investigadora de la comisión de reparaciones y acordaron el pacto propuesto por el presidente de la junta, el ministro de finanzas de Estados Unidos (y futuro vicepresidente) Charles G. Dawes.

El Plan Dawes debió su aceptación a la derrota electoral del austero gobierno del primer ministro francés Raymond Poincaré y su sustitución por una coalición de izquierdas liderada por Edouard Herriot. Éste, presionado por Estados Unidos y Gran Bretaña, se avino a finalizar la ocupación francesa en el Ruhr en el plazo de un año, a levantar las sanciones de Renania y a no imponer nuevas sanciones a Alemania sin la aprobación de la comisión de reparaciones. Francia tendría que financiar su propia reconstrucción en vez de depender del dinero de Alemania.

La deuda de Alemania fue la misma, pero los pagos anuales oscilarían entre un millón y 2,5 millones de marcos, hasta que en 1929 se renegociaron los términos. Estados Unidos (que no era acreedor de guerra de Alemania) le prestaría doscientos millones de dólares para «cebar la bomba». Parecía un buen negocio: la mayor parte de los pagos de Alemania a Francia y a Gran Bretaña acabaría en las arcas norteamericanas cuando sus aliados les devolvieran los préstamos de guerra.

Finalmente, Alemania cobró más dinero del que pagó en reparaciones. Pero el Plan Dawes ayudó a estabilizar las monedas europeas y americana. Siguió un breve período de expansión internacional financiado por los créditos americanos. La democracia alemana de Weimar prosperó hasta que la Gran Depresión hundió al mundo en un caos económico. **◂1923.2 ▸1929.12**

Un dibujante británico representa las concesiones del Plan Dawes a Alemania proyectando sombras sobre Gran Bretaña y luz en Alemania.

GRECIA

Una república complicada

12 El país donde se inventó la república dos mil años atrás se unificó en 1924, y se mantuvo así durante la mayor parte de los ajetreados once años siguientes. En marzo, el parlamento abolió una vez más la monarquía, que había sido restaurada y depuesta algunas veces desde 1917. Las elecciones habían colocado de nuevo en el gobierno al ex-primer ministro Eleuthérios Venizélos *(superior)*. Por extraño que parezca, y a diferencia de sus seguidores, Venizélos estaba a favor del regreso del rey porque temía que el país no estaba preparado para estar sin él. Venizélos dimitió de su cargo a los dos meses. Un año más tarde, el golpe de Estado del general Theodore Pangalos sustituyó la república por una dictadura brutal.

En 1926, Pangalos fue depuesto por otro general, George Kondylis. Éste restauró la república y en 1928 Venizélos volvió a ser primer ministro.

Venizélos había personificado durante mucho tiempo la oposición a los turcos, pero en ese momento efectuó un acercamiento al nuevo dirigente de Turquía, Atatürk, que proporcionó a Grecia la ayuda extranjera que tanto necesitaba. Las reformas económicas de Venizélos fracasaron por la Gran Depresión y en 1932 perdió sus últimas elecciones. Dos años más tarde, la república cayó una vez más y Jorge II volvió a gobernar. **◂1923.12 ▸1935.2**

PREMIOS NOBEL: Paz: Sin galardón [...] Literatura: Wladyslaw Reymont (polaco; novelista) [...] Química: Sin galardón [...] Medicina: Willem Einthoven (holandés; electrocardiograma) [...] Física: Karl Siegbahn (sueco; espectroscopia de rayos X).

Thomas Mann

Premio Nobel de literatura de 1929, Thomas Mann es uno de los grandes escritores de las letras universales. La montaña mágica *(de 1924) es quizá su obra más conocida, y es también piedra de toque para comprender la sociedad de su tiempo y las tendencias literarias de este siglo. Obra de aliento épico y totalizador, narra la historia de Hans Castorp, protagonista a través del cual Thomas Mann cataliza los problemas espirituales y sociales de su época. En el relato concurren armoniosamente los sentimientos más profundos, las pasiones más vibrantes y las facetas intelectuales más elevadas, para constituir un impresionante fresco humano y social.*

Intento introducir un poco de lógica en nuestra conversación y usted me contesta por medio de frases generosas. No ignoraba que el Renacimiento parió todo lo que se llama liberalismo, individualismo y humanismo burgués. Pero todo eso me deja indiferente, pues la conquista, la edad heroica de vuestro ideal ha pasado hace ya tiempo; ese ideal está muerto o a lo más agoniza, y los que le dan el golpe de gracia están ya ante nosotros. Usted se titula, si no me equivoco, un revolucionario. Pero si usted cree que el resultado de las revoluciones futuras será la libertad, se equivoca usted. El principio de la libertad ha sido ya realizado y se ha usado de él durante quinientos años. Una pedagogía que hoy todavía se presenta como nacida del siglo de las luces y que ve sus medios de educación en la crítica, en la liberación y en el culto del yo, en la destrucción de formas de vida que tienen un carácter absoluto, puede obtener hoy éxitos momentáneos, pero su carácter frágil no es dudoso ante los ojos de los espíritus avisados. Todas las asociaciones verdaderamente educadoras han sabido, desde siempre, lo que era realmente importante en la pedagogía: la autoridad absoluta, una disciplina de hierro, el sacrificio, la renuncia de sí mismo y la violación de la personalidad. Es desconocer profundamente a la juventud el creer que siente placer con la libertad. El placer más profundo de la juventud está en la obediencia.

Joachim se puso tieso, Hans Castorp se ruborizó y Setembrini, inquieto, se atormentaba su bigote.

—No —continuó diciendo Naphta—, no es la liberación y la expansión del yo lo que constituye el secreto y la exigencia de este tiempo. Lo que necesita, lo que pide, lo que tendrá, es el terror.

Había pronunciado esta última palabra más bajo que las anteriores, sin un movimiento del cuerpo; únicamente los cristales de sus lentes habían lanzado un relámpago. Sus tres oyentes se estremecieron, hasta Settembrini, que inmediatamente volvió a quedarse tranquilo y sonriente.

—¿Me es permitido informarme —preguntó— quién o qué (como usted ve, no hago más que interrogar, y no sé incluso lo que debo preguntarle), quién o qué debe, según usted, recurrir a ese... y repito la palabra contra mi voluntad... a ese terror?

Naphta permanecía sentado, tranquilo, con los ojos brillantes. Dijo:

—Estoy a su disposición. No creo engañarme al suponer que nos hallamos de acuerdo en admitir un estado original e ideal de la humanidad, un estado sin organización social ni recurso a la fuerza, una vida en Dios en la que ya no haya ni dominación, ni servicio, ni ley, ni pena, ni injusticia, ni unión carnal, ni diferencia de clases, ni trabajo ni propiedad; únicamente igualdad, fraternidad y perfección moral.

—Muy bien. Estoy de acuerdo —declaró Settembrini—. Estoy de acuerdo bajo reserva de la unión carnal que, con toda evidencia, ha existido siempre, puesto que el hombre es un vertebrado superior y no es diferente de los demás seres...

—Como usted quiera. Comprendo nuestro acuerdo de principio en lo que se refiere al estado primitivo, paradisíaco, indemne de justicia, próximo a Dios, estado que el pecado original comprometió. Creo que podemos todavía ir juntos un trecho más de camino, refiriendo el Estado a un contrato social que, teniendo en cuenta el pecado, fue establecido para proteger al hombre contra la injusticia y colocando en él el origen del poder soberano.

—*Buenissimo* —declaró Settembrini—. Contrato social. Es el siglo de las luces, es Rousseau. No hubiera creído...

—Permítame. Nuestros caminos se separan aquí. Del hecho de que todo poder y toda potencia pertenezcan primitivamente al pueblo y de que éste transmite su derecho de legislar y todo poder del Estado al príncipe, vuestra escuela deduce, ante todo, que el pueblo tiene derecho a sublevarse contra la realeza.

«Por Dios, baja a la recepción y deshazte de un lunático que hay ahí abajo. ¡Dice que tiene una máquina para ver por radio! Ve con cuidado, quizá tenga una navaja.»—**El editor del *Daily Express* de Londres, sobre John Logie Baird**

HISTORIA DEL AÑO

Baird televisa un rostro humano

1 En 1925, el año en que el inventor escocés John Logie Baird se convirtió en la primera persona que transmitió imágenes en movimiento a un receptor lejano, sólo un puñado de ingenieros y hombres de negocios de amplias miras habían oído hablar de la nueva tecnología que iba a dar lugar a la cultura moderna.

No obstante, entre estos primeros visionarios el desarrollo de la televisión todavía estaba en estado embrionario. Trabajando en el laboratorio casero de su ático londinense, Baird, desconocido y pobre, construyó una cámara que registraba los objetos con un haz concentrado de luz. Utilizó una célula fotoeléctrica para convertir la luz y la sombra del objeto registrado en electricidad y fabricó un receptor que realizaba el proceso inverso. El 2 de octubre registró la cabeza de un muñeco y observó con alegría que su cara se reproducía temblorosa en la pantalla que había colocado en la habitación contigua. Corriendo hacia un edificio del otro lado de la calle, le pidió a un botones que se sentara frente a su cámara. El joven William Taynton fue la primera persona televisada.

El sistema de Baird consistía en un aparato mecánico rudimentario que se servía de discos con agujeros para registrar el objeto, deshacer la luz en rayos y convertir los rayos en una imagen proyectable del objeto original. Funcionaba, pero las temblorosas imágenes provocaban dolor de cabeza al espectador.

Mientras Baird trataba de mejorar su modelo mecánico, otros pioneros trabajaban en sistemas electrónicos. La televisión electrónica ya había sido teorizada por el físico británico A. A. Campbell Swinton en 1908. Swinton escribió: «Debe descubrirse algo apropiado. Creo que la visión eléctrica a distancia entra en el reino de lo posible». Los descubrimientos a los que aludía fueron realizados por Vladimir Kosma Zworykin y Philo T. Farnsworth. El físico americano nacido en Rusia y el estudiante de Utah desarrollaron las primeras lámparas de imágenes. En 1927, Farnsworth presentó un sistema sin los discos de Nipkow en los que había confiado Baird. Con la invención de Farnsworth, el reino de lo posible se había transformado en el de lo probable. **◂1904.8 ▸1941.14**

Baird, con dos cabezas de muñeco, muestra su invento.

ÁFRICA DEL NORTE

La feroz resistencia de Marruecos

2 Fue bastante notorio que un grupo de guerreros «primitivos» pudiera combatir a un moderno ejército europeo. Pero el logro de

Rebeldes del Rif representados por un dibujante alemán.

Muhammad Abd el-Krim fue más allá. No sólo comandó las tribus de la región montañosa del Rif en su alzamiento contra el dominio español en 1921, también consiguió reunir a estas tribus fraccionadas en una sola nación, la república del Rif, que tenía un sistema legislativo basado en las costumbres bereber y la ley islámica. Para otros revolucionarios de la época colonial, Abd el-Krim era un héroe. Sin embargo, los franceses, que dominaban todo Marruecos excepto la pequeña zona española, temieron que se convirtiera en un ejemplo y en la primavera de 1925 Abd el-Krim se encontró luchando contra un nuevo enemigo.

Para provocar la lucha, los soldados franceses construyeron fuertes en la frontera sur de la república rebelde, negándose a todas las peticiones de conversaciones. Pero cuando los rifeños atacaron, Francia quedó sorprendida: la ferocidad y destreza de los soldados de Abd el-Krim eran auténticas y no sólo una consecuencia de la ineptitud española (como creían los franceses). Sus avanzadillas cayeron rápidamente; en unos días las guerrillas del Rif estaban acampadas a 32 km de Fez. Los franceses, humillados, acordaron establecer una defensa conjunta con España y ofrecer una paz también conjunta ofreciendo a los rifeños una autonomía limitada. Sin embargo, Abd el-Krim quería la independencia y la guerra continuó.

En agosto empezó a cambiar el curso de la guerra gracias a otro comandante, el mariscal Henri Pétain, y a cien mil soldados nuevos. En septiembre los españoles entraron en la bahía de Alhucemas con 99 barcos, escoltados por 100 aeroplanos. Los rifeños resistieron durante meses; fue su última batalla. Abd el-Krim se rindió en mayo de 1926 y se exilió en la isla La Reunión. En 1947 se trasladó a El Cairo, donde permaneció hasta su muerte en 1963. Se negó a volver a su país mientras hubiera soldados franceses en el norte de África, incluso después de que Marruecos consiguiera su independencia en 1958. **◂1911.1 ▸1931.13**

ESTADOS UNIDOS

Darwin acusado

3 A mediados de los años veinte, los valores protestantes rurales que habían caracterizado a Estados Unidos estaban en crisis. La inmigración, la urbanización (por primera vez había más americanos en las ciudades que en el campo) y el hedonismo de la posguerra inquietaban profundamente a muchos americanos criados en el campo y gran parte de ellos se refugió en el fundamentalismo cristiano. Para los que creían en la verdad literal de la historia bíblica de la creación, la teoría

El creacionista William Jennings Bryan fue satirizado en una portada de revista.

de la evolución, propuesta por Darwin en 1859, resultaba blasfema, y su aceptación general sólo confirmaba la decadencia de la sociedad. Algunos estados sureños, donde el fundamentalismo estaba más arraigado, aprobaron leyes que prohibían la enseñanza de esta teoría del darwinismo. Un profesor de Tennessee, John T. Scopes, infringió la ley en 1925 y su juicio se convirtió

ARTE Y CULTURA: Libros: ***La señora Dalloway*** **(Virginia Woolf);** ***Una tragedia americana*** **(Theodore Dreiser);** ***Marinero en tierra*** **(Rafael Alberti);** ***Manhattan Transfer*** **(John Dos Passos);** ***El doctor Arrowsmith*** **(Sinclair Lewis) [...] Música: «Yes, Sir, That's My Baby» (Donaldson y Kahn) [...] Pintura y escultura:** ***Los tres músicos*** **(Pablo Picasso) [...]**

«París es maravillosa. Y sus modistas son divinas.»—**Josephine Baker tras su traslado a París**

en un símbolo internacional de la batalla entre lo antiguo y lo moderno.

El décimo día del «Juicio del mono», como lo apodaron los periodistas, enfrentó a Clarence Darrow, cuya sorprendente defensa de Leopold y Loeb había establecido su reputación de mejor abogado defensor del país, contra el fundamentalista William Jennings Bryan, candidato presidencial por tres veces y anterior secretario de Estado que había ofrecido sus servicios para la acusación. El juez prohibió a Darrow discutir la validez de la teoría de la evolución, de modo que Darrow llamó a declarar a Bryan. Obligado a defender su creencia en la verdad literal de la Biblia, Bryan fue evasivo e incoherente. Su testimonio, en medio de un calor sofocante, hizo parecer ridículos a los creacionistas aunque algunos periodistas (como el comentarista político Walter Lippmann) reprendieron al acalorado Darrow por sus «despiadadas» interrupciones a Bryan, que murió de un ataque cardíaco cinco días después de la conclusión del juicio.

Scopes fue declarado culpable y multado con 100 dólares (luego se redujo a un dólar) porque admitió con orgullo que había impartido enseñanzas sobre la evolución pero sin lugar a dudas los evolucionistas habían ganado. La ley de Tennessee sobrevivió, pero sin ser aplicada, hasta 1967.

CULTURA POPULAR

La pasión de París

4 Josephine Baker, tímida pero alegre, llegó a Francia en 1925 a los 19 años de edad. Al cabo de tres meses se convirtió en la mujer más amada de París.

La bailarina negra americana formaba parte de un grupo contratado en Broadway para interpretar la primera revista negra en París. La actuación erótica y exuberante de Baker en *La Revue Nègre* hechizó a la ciudad. Los parisinos la deseaban, sus mujeres y amantes la imitaban alisándose el pelo y untándose con aceite de nueces para oscurecerse la piel. Para ella lo más gratificante de su estancia en París era que podía hacer lo que en su país hubiera sido imposible: sentarse donde quisiera en un restaurante, un teatro o un tren.

Baker era hija de una lavandera y creció en los barrios bajos del este de St. Louis, Illinois. A los 13 años ya era una bailarina consumada y dejó su hogar para viajar con un grupo de variedades. Acabó en Nueva York interpretando papeles cómicos en los espectáculos negros de Broadway de Eubie Blake y Noble Sissle. Su siguiente parada fue París.

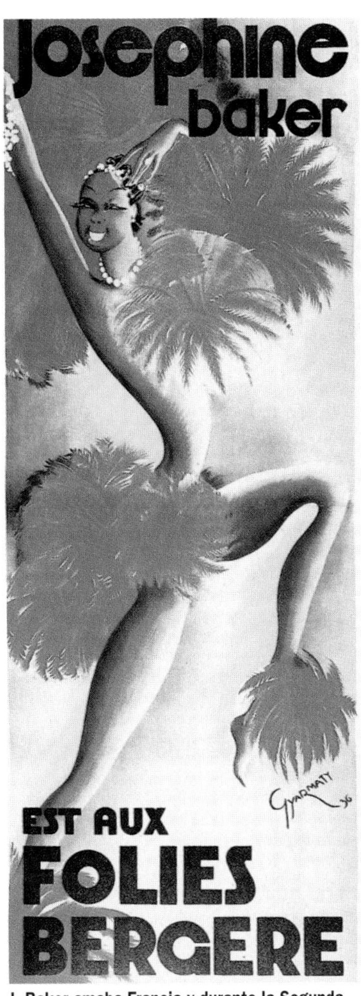

J. Baker amaba Francia y durante la Segunda Guerra Mundial colaboró con la resistencia.

La Revue Nègre, una mezcla de fantasía colonial y de *jazz* americano, causó sensación. Su figura central era Baker que bailaba semidesnuda y llena de energía. «Parece que emana un torrente de ritmo de su cuerpo, con sus dislocaciones atrevidas y sus movimientos elásticos», acotó un crítico extasiado. Era la «Venus negra».

Al cabo de tres meses, *La Revue Nègre* finalizó sus actuaciones y Baker empezó a trabajar en el Folies-Bergère, donde estrenó su famosa danza de la banana. J. Baker, vestida tan sólo con una falda de plátanos, entusiasmaba al público del teatro noche tras noche.
◂1905.4

LITERATURA

La tragedia de un magnate

5 F. Scott Fitzgerald ya había escrito cuatro libros a los 29 años de edad (incluyendo su primera novela, de gran éxito, *A este lado del Paraíso*) y una obra de teatro. En 1925 publicó *El gran Gatsby*, una de las piezas clave de la novela del siglo XX. Esta obra, como la mayoría de la producción de Fitzgerald, trata de las criaturas encantadoras pertenecientes a lo que él llamó «La era del *jazz*»: hombres y mujeres jóvenes, cínicos, ricos y presuntuosos que van de fiesta en fiesta y de romance en romance con suma facilidad. En *El gran Gatsby*, la historia de un misterioso millonario de orígenes bajos y de su amor idealizado y condenado por Daisy Buchanan, bella, insensata y casada, Fitzgerald explora la ruina espiritual del sueño americano.

El modelo de Daisy fue la brillante y animada Zelda Sayre, que se casó con Fitzgerald en 1920. Los Fitzgerald, viajando entre la Riviera y sus casas de Nueva York, Long Island y París, llevaban el tipo de vida que sus novelas diseccionan de forma brutal.

Los Fitzgerald se movían libremente en el círculo parisino de artistas expatriados, como Ernest Hemingway y Gertrude Stein. No obstante, en los años treinta, la aparente vida dorada de la pareja había empezado a declinar a causa del colapso financiero, la enfermedad mental y el alcoholismo. Fitzgerald, tras una crisis nerviosa, decidió escribir sobre cine. Casi había terminado su novela sobre Hollywood, *El último nabab*, cuando murió de un ataque cardíaco en 1940 a la edad de 44 años.
◂1923.5 ▸1926.2

Sonrientes o no, Scott y Zelda (con su hija Scottie) eran tan tortuosos como los personajes de *El gran Gatsby*.

NACIMIENTOS

Robert Altman, director cinematográfico estadounidense.

Idi Amin, dirigente de Uganda.

Seymour Cray, diseñador informático estadounidense.

Robert Kennedy, senador estadounidense.

B.B. King, cantante estadounidense.

Malcolm X, activista estadounidense.

Yukio Mishima, escritor japonés.

Paul Newman, actor estadounidense.

Robert Rauschenberg, artista estadounidense.

Peter Sellers, actor británico.

Anastasio Somoza, político nicaragüense.

Rod Steiger, actor estadounidense.

William Styron, novelista estadounidense.

Margaret Thatcher, primera ministra británica.

Jean Tinguely, escultor suizo.

Robert Venturi, arquitecto estadounidense.

Gore Vidal, escritor estadounidense.

MUERTES

George Bellows, pintor estadounidense.

George Curzon, dirigente político británico.

Pablo Iglesias, político socialista español.

Robert M. La Follette, dirigente político estadounidense.

Amy Lowell, poeta estadounidense.

Antonio Maura, político español.

John Singer Sargent, pintor estadounidense.

Erik Satie, compositor francés.

Rudolph Steiner, pedagogo austríaco.

Sun Yat-sen, político chino.

Cine: *El gran desfile* (King Vidor); *La quimera del oro* (Charles Chaplin); *El fantasma de la ópera* (Lon Chaney); *The freshman* (Harold Lloyd); *Body and soul* (Oscar Micheaux, con Paul Robeson); *El acorazado Potemkin* (Eisenstein) [...] **Teatro:** *Hay fever* (Noël Coward).

«Si puedes contestar, nunca lo sabrás.»—**Louis Armstrong cuando le pidieron que definiera el *jazz***

1925

NOVEDADES DE 1925

Cinemascope (cine para pantalla ancha).

The New Yorker.

Hielo seco (comercializado).

Belinógrafo (precursor del fax).

EN EL MUNDO

►PROSPERIDAD EN FLORIDA—La fiebre por el territorio de Florida recordó a los tiempos del «salvaje oeste» y reflejó el clima nacional de prosperidad, optimismo y delirio especulativo. Decenas de miles de personas se lanzaron

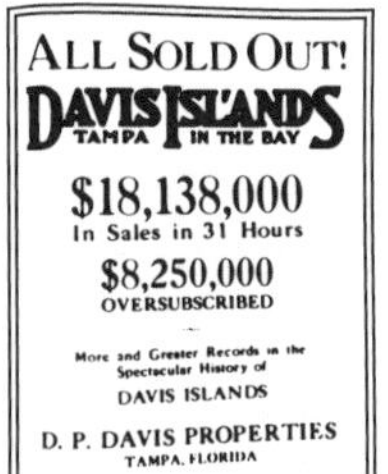

a comprar terrenos en un estado tildado de paraíso de tipo mediterráneo por sus promotores. Algunos los querían para establecerse, otros para comprarlos baratos y revenderlos a precios más elevados; muchos adquirieron solares que no habían visto y que en realidad eran terrenos pantanosos.

►JESUCRISTO, PROFESIONAL DE LA PUBLICIDAD—Nadie expresó la efervescencia del capitalismo de los «felices años veinte» como el genio de la publicidad Bruce Barton, cuya biografía de Jesucristo, *The Man nobody knows*, fue un número uno de ventas en 1925 y 1926. Inventor de Betty Crocker para General Mills y fundador de una de las agencias de publicidad más importantes del mundo (Batten, Barton, Durstine y Osborne, actualmente BBDO/Needham), Barton dijo que Cristo fue el padre de los negocios modernos y el mejor

MÚSICA

Satchmo improvisa

6 Louis Armstrong nació más o menos al mismo tiempo y en el mismo lugar que el *jazz*: 1900, Nueva Orleans. Creció tocando la trompeta en bandas de marchas y en barcos y pasó de ser un niño prodigio a tocar en las orquestas de *jazz* más enérgicas de Chicago. Fletcher Henderson, director de orquesta, le hizo ir a Nueva York, y el mismo Louis Armstrong empezó a dirigir sus propias orquestas en 1925, contribuyendo a cambiar la forma del *jazz*. La gente sofisticada de Harlem pronto empezó a imitar el estilo musical y de vestir de ese joven y carismático trompetista del interior.

En las interpretaciones y grabaciones, sus grupos, los Hot Five y los Hot Seven, desafiaron todas las nociones aceptadas del compás y la tonalidad. Antes de Armstrong, la mayor parte de orquestas de *jazz* utilizaban el clarinete, la trompeta y el trombón para crear un muro de sonido. Armstrong amplió todas estas convenciones con solos innovadores. Estaba dotado para la música y motivó a la gente con improvisaciones largas y melódicas que vertía en su interior. Al cantar sílabas sin significado se convirtió en el pionero de una técnica que luego desarrollaron cantantes como Ella Fitzgerald, entre otros. En resumen, fue el primer verdadero revolucionario del jazz. **◄1923.NM ►1927.9**

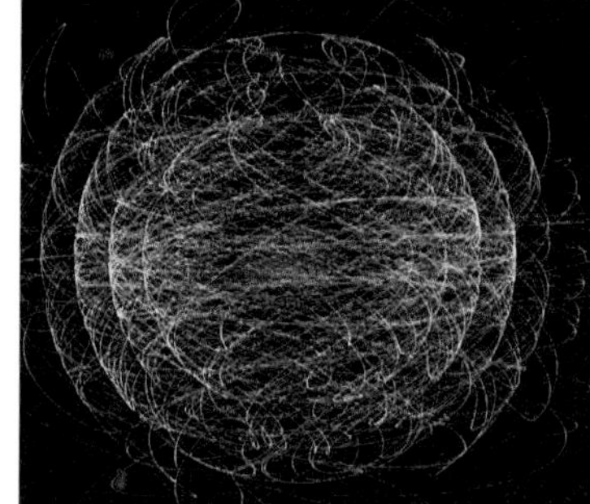

El mundo subatómico de la física cuántica: un modelo moderno de un átomo de uranio-235.

CIENCIA

El salto cuántico de la física

7 En 1925, un año después de que De Broglie presentara su audaz teoría de que las partículas subatómicas de la materia podían actuar como ondas de energía, Werner Heisenberg mostró que la física cuántica no debía ceñirse a los intentos de visualizar estos acontecimientos. Heisenberg, de 24 años, presentó el primer sistema de mecánica cuántica, término utilizado para describir fórmulas teóricas que explican y predicen fenómenos como las transferencias de energía conocidas como «saltos cuánticos». Era ayudante de Max Born en la Universidad de Göttingen, Alemania, y basó su investigación sobre este sistema tan sólo en los cambios observables en la frecuencia y la intensidad de la luz, esquivando la cuestión sobre la naturaleza de la luz que preocupaba a otros.

El sistema de Heisenberg, que él mismo denominó matriz mecánica, estaba relacionado con una forma «propia» de cálculo. Otros físicos habían estudiado nuevas formas de mecánica cuántica. Erwin Schrödinger, trabajando sobre ideas de De Broglie e independientemente de Heisenberg (con quien estaba enemistado profesionalmente), propuso una mecánica de las ondas, un sistema que resultó ser el equivalente matemático al de Heisenberg. Un bretón, Paul Dirac, llegó a otra fórmula basada en las ondas todavía más útil. Aunque todas estas teorías funcionaban bien, ninguna lo hacía perfectamente y ninguna fue capaz de explicar por qué no funcionaban.

Born dio un gran paso adelante con la publicación de un artículo en el que sugería que ya que los fenómenos del mundo subatómico (donde una onda se podía convertir en partícula y viceversa) no se regían por las leyes ordinarias de la causalidad, todo lo que la mecánica cuántica podía ofrecer realmente era una estimación de la *probabilidad* de un resultado dado. Esta idea fue como una bofetada para la doctrina científica, que desde la época de Newton había insistido en que todos los fenómenos eran susceptibles de ser conocidos. Pero también fue la base del revolucionario «principio de incertidumbre» de Heisenberg, presentado en 1927 en Copenhague. **◄1924.2 ►1927.6**

LITERATURA

Ezra Pound

8 Es difícil exagerar la importancia literaria de Ezra Pound: marcó el curso de la literatura moderna a través de sus propios escritos y a través de los escritores que promocionó. Ayudó a publicar las obras de James Joyce, T. S. Eliot, William Carlos Williams, Wyndham Lewis, Marianne Moore y Ernest Hemingway; descubrió a Robert Frost y a D. H. Lawrence, y aconsejó a W. B. Yeats que empleara un estilo más austero. A pesar de la oscuridad desalentadora de su propia obra y de sus obsesiones políticas, que le hicieron caer en desgracia, sus poemas influenciaron a poetas de todo el mundo. Su poema más conocido, inacabado, es *Cantos*, de 23.000 versos épicos, lleno de alusiones históricas crípticas, extrañas referencias políticas y desvaríos antisemitas. El primer volumen se publicó en 1925, el último en 1968.

En 1908, Pound se trasladó de Indiana a Londres y se convirtió

Armstrong *(centro)* con el grupo Hot Five grabó canciones como «Cornet Chop Suey».

DEPORTES: Tenis: Bill Tilden gana el sexto título de Estados Unidos; René Lacoste gana los campeonatos de Wimbledon y el Open francés.

en crítico, editor y fundador de un movimiento llamado «imaginismo», que defendía una poesía de imágenes poderosas y desprovista de estructura convencional y de sentimiento. Después de la Primera Guerra Mundial, su obra empezó a atacar a una «civilización arruinada». En poemas amargos como *Hugh Selwyn Mauberley,* condenó la guerra, el mercantilismo y los préstamos. En 1921, a la edad de 36 años, se trasladó a París, donde se convirtió en el patriarca de los expatriados, y en 1924 a Rapallo, Italia.

Pound había empezado su *Cantos* diez años antes para reunir sus ideas sobre el orden social. (Después de 1920, se dedicó casi por completo a este poema.) De acuerdo con sus intenciones, el poema es una mezcla de ideas cuyas conexiones sólo pueden ser descubiertas por un lector dispuesto a hacer un gran esfuerzo. Su lenguaje salta del estrato coloquial al bíblico y al homérico, con momentos de gran belleza y humor; sus meditaciones sobre la sociedad ideal están inspiradas desde la China de Confucio hasta la América de

Pound pintado por el artista y escritor Wyndham Lewis, una vez protegido suyo.

Jefferson. Sin embargo, su poesía reflejó cada vez más sus simpatías fascistas, que también expresó infamemente en 300 retransmisiones propagandísticas, confusas y muy incoherentes, en la radio italiana.

En 1945, Pound fue recluido por las fuerzas norteamericanas en un campo de prisioneros donde escribió los *Cantos pisanos,* para muchos su obra más brillante. Se le consideró mentalmente incapacitado para soportar un juicio por traición y pasó doce años en un manicomio de Washington. En 1958, salió y regresó a Italia, donde escribió dos volúmenes más de *Cantos* antes de su muerte en 1972. **◂1922.1 ▸1926.2**

CINE

El acorazado Potemkin de Eisenstein

***El acorazado Potemkin,* los diez minutos más influyentes de la historia del cine.**

9 Charles Chaplin dijo que *El acorazado Potemkin* de Sergei Eisenstein era «la mejor película que se había hecho». Douglas Fairbanks afirmó entusiasmado que verla había sido «la experiencia más intensa y profunda de su vida». Las técnicas narrativas introducidas en su alabanza a la revolución soviética cambiaron el carácter del cine.

El gobierno soviético encargó a Eisenstein, director de teatro con una sola película en su haber, que rodara la película para celebrar el vigésimo aniversario de la revolución fallida de 1905. Eisenstein se basó en un hecho real, el motín a bordo del acorazado *Potemkin.* Anclado en Odesa, para simbolizar la totalidad de la revolución. La población de la ciudad apoyó a los marinos maltratados pero los soldados imperiales mataron a los ciudadanos en las escaleras del barrio del puerto cuando la Armada Imperial ya estaba cerca. En la película, los hombres del *Potemkin* deciden enfrentarse a la flota; la tripulación de los barcos amenazantes retira sus cañones negándose a disparar contra sus hermanos marinos mientras los amotinados se van navegando. (En realidad, los amotinados lucharon y finalmente se rindieron; algunos escaparon, otros fueron ejecutados.)

La técnica de Eisenstein transformó en arte este conflicto. Resaltó el poder propagandístico del montaje, que hasta el momento había intentado ser discreto. Eisenstein ideó un método, utilizado brillantemente en la secuencia «las escaleras de Odesa», que consistía en la superposición de planos rápidos para crear un efecto totalmente visceral o intelectual. Mostrando de forma repetida la misma escena desde distintos ángulos, Eisenstein también fue capaz de alargar y destacar dramáticamente una escena principal.

Este tipo de montaje, domado y desprovisto de marxismo, se ha incorporado plenamente a la gramática general de la cinematografía (y a la del vídeo musical). *El acorazado Potemkin,* una obra revolucionaria, rara vez no aparece en las listas de las mejores películas de todos los tiempos. **◂1915.1 ▸1926.5**

IRÁN

El kan Reza moderniza Irán

10 En 1925, el kan Reza fue elegido para ascender al trono de Irán (entonces Persia). Al establecer la dinastía Pahlevi, prometió conducir a su país al siglo XX y lo consiguió, en gran parte.

Las aspiraciones imperiales de Gran Bretaña, Alemania y Rusia se habían centrado en Irán durante mucho tiempo. Al final de la Primera Guerra Mundial, los intereses alemanes y británicos en Irán habían caído bajo el control de los Majles (el parlamento constituido en 1906). Cuando los británicos abandonaron Irán en 1919, el kan Reza, un oficial de la brigada cosaca de Persia, vio claro el camino para tomar el poder. En 1921 asestó un golpe de Estado y en 1925, a pesar de la dura oposición del clero islámico, derrocó a la dinastía Qajar y estableció la suya propia, la Pahlevi.

Como Mustafá Kemal Atatürk, a quien imitó, el kan Reza sha Pahlevi intentó modernizar su país. Modificó las antiguas leyes islámicas del divorcio para hacerlas más favorables a las mujeres, suprimió la obligación del velo y decretó vestimenta occidental para ambos sexos. Construyó el primer ferrocarril del país y mejoró en la enseñanza y la sanidad públicas. Disminuyó el control extranjero sobre Irán negociando acuerdos petrolíferos más equitativos. No obstante, sus métodos eran despiadados y tenía la costumbre de apropiarse de grandes zonas de tierra. Aunque era oficialmente neutral, apoyó a Alemania durante la Segunda Guerra Mundial y provocó que Gran Bretaña y la Unión Soviética, ansiosas por alcanzar una ruta despejada hacia el frente soviético, invadieran el país y le obligaran a abdicar. **◂1923.12 ▸1941.15**

publicista de su época. Los «anuncios de Jesús han pervivido durante 20 siglos», escribió Barton.

▶BRIDGE-CONTRATO —El juego de cartas de más envite lo fue todavía más cuando Harold S. Vanderbilt, heredero del ferrocarril neoyorquino, inventó el bridge-contrato en 1925. El nuevo juego, una variante del bridge-remate (que había nacido del *whist* en el cambio de siglo), introducía un complejo sistema de puntuación basado en alcanzar un contrato exacto, que abría nuevas y sorprendentes posibilidades a los jugadores creativos de uno de los juegos más difundidos de la historia.

▶IZZY Y MOE—En 1925, América perdió a dos de sus agentes de la prohibición más eficaces y carismáticos. En cinco años de trabajo, la pareja de Nueva York formada por Isadore Einstein y Moe Smith habían realizado casi 4.400 detenciones y habían requisado licor por valor de 15 millones de dólares. Izzi y Moe se infiltraban en los bares clandestinos disfrazados de pescadores, jugadores de fútbol, víctimas del frío y policías corruptos. Pero sus característicos disfraces sólo les consiguieron el despido. Un oficial dijo: «Izzi y Moe pertenecen a los escenarios de vodevil». Pero se dedicaron a los seguros. ◂1919.E

▶LA CRUZADA DE UN AVIADOR—En 1925 el ejército de Estados Unidos intentó quitarse una espina al procesar al general de brigada Billy Mitchell en un tribunal de guerra. Mitchell, comandante de las fuerzas aéreas aliadas durante la Primera Guerra Mundial, pensaba que el

control del cielo constituía la clave de la victoria pero el estamento militar rechazó sus peticiones de una fuerza aérea independiente. Después de que uno de los dirigibles más modernos fuera destruido por una tormenta, Mitchell acusó a sus detractores de «incompetencia, negligencia

POLÍTICA Y ECONOMÍA: el dictador español Primo de Rivera cambia el directorio militar por un gobierno civil [...] Creación de la I. G. Farben, consorcio químico alemán, el mayor de Europa [...] Desembarco de tropas españolas en Alhucemas.

«La poesía es hoy el álgebra superior de las metáforas.»—***La deshumanización del arte,* José Ortega y Gasset**

criminal y casi de traición a la defensa nacional». Mitchell, acusado de insubordinación y suspendido del ejército durante cinco años, murió antes de que la Segunda Guerra Mundial probara la corrección de su punto de vista. Las Fuerzas Aéreas de Estados Unidos se crearon en ▸1941.1

▶GRAN BRETAÑA RESTABLECE EL PATRÓN ORO—En 1925, el ministro de hacienda Winston Churchill, desesperado por detener el retroceso económico británico de la posguerra, restableció el patrón oro, con los índices de antes de la guerra. La libra se sobrevaloró en 4,87 dólares y las exportaciones de Gran Bretaña se elevaron en un 10 % sobre los precios mundiales. El resultado fue el desequilibrio económico, los recortes salariales y un porcentaje pasmoso de paro, que culminaron en la huelga general de 1926. ▸1926.4

▶ART DÉCO—El estilo que adorna algunos de los edificios más notables de los años treinta, desde el Empire State Building al interior del transatlántico francés

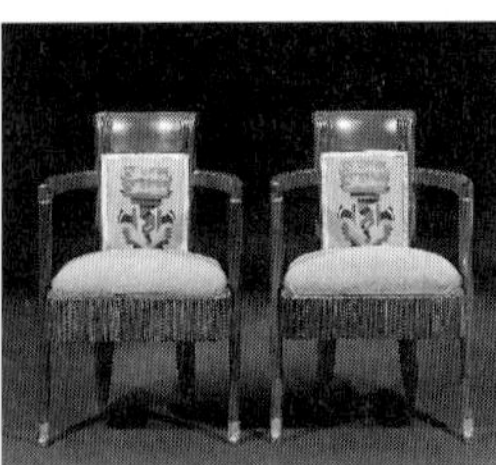

***Normandie* (sillas de su comedor de primera clase, *superior*), nació en 1925 en la Exposition Internationale des Arts Décoratifs et Industriels Modernes de París. El Art Déco primero se relacionó con los artículos de lujo manufacturados con materiales caros, pero durante la Gran Depresión extendió su elegancia a cualquier artículo, desde apliques de cocina hasta estaciones de tren. ▸1930.7**

1925

LITERATURA

Un maestro de la angustia

11 En 1925, Max Brod publicó la novela *El proceso* de su amigo Franz Kafka. El libro narraba la historia de un hombre (llamado «K») que se encuentra acusado de un crimen del que es incapaz de defenderse ante él mismo. Brod actuó contra los deseos expresos de su amigo, que el año anterior le había pedido que quemara sus manuscritos en su lecho de muerte. La decisión de Brod catapultó a Kafka a la fama internacional.

Kafka nunca intentó publicar su obra. Llevó una doble vida: de día trabajaba tediosamente en una compañía de seguros y de noche escribía extrañas historias de alienación y desespero. Vivió siempre con su padre, despreciaba su trabajo, no tenía éxito en el amor y poseía una salud enfermiza. Durante toda su vida se consideró a sí mismo un proscrito: judío en una sociedad cristiana, alemanoparlante en Praga. Brod, que también era novelista, continuó publicando la obra de su amigo y el nombre de Kafka se convirtió en sinónimo de paradoja y absurdo en un mundo donde nada, ni las relaciones personales, ni la comunidad ni la existencia misma, tenía sentido. Sus personajes, torturados por una ansiedad constante pero inexplicable, se encuentran atrapados en situaciones de pesadilla. La primera frase del cuento *La metamorfosis* ilustra la situación «kafkiana» arquetípica: «Cuando Gregor Samsa se despertó una mañana de su sueño intranquilo, se encontró en su cama transformado en un insecto gigantesco».

La obra de Kafka fue muy popular a finales de los años veinte, pero los nazis la prohibieron, tachando al autor de judío «decadente». Después de la guerra fue redescubierto rápidamente por otros escritores, sobre todo los surrealistas franceses, que vieron en su penetrante sentido del absurdo la marca de un espíritu semejante.

La crítica siempre se ha deleitado con la ambigüedad de Kafka y hasta hoy día ha seguido discutiendo si sus obras son profundas alegorías existenciales o simplemente historias sinceras sobre lo que Kafka una vez llamó su «soñadora vida íntima». Su fuerza hace que la cuestión sea irrelevante. **▸1942.13**

IDEAS

Estética literaria

12 José Ortega y Gasset, el filósofo más importante de España en el siglo XX, nació en Madrid en el seno de una familia de tradición intelectual y política. Durante toda su vida desarrolló una gran labor en el campo de la cultura general, además de su actividad filosófica y literaria personal. En 1913 fundó la Liga para la Educación Política, y en 1923 la *Revista de Occidente*, vehículo de divulgación de la modernidad europea y española del momento en todos sus ámbitos.

En 1925 publicó dos de sus ensayos literarios más importantes, uno sobre el vanguardismo y otro sobre la novela. *La deshumanización del arte* era un estudio sobre las características de las vanguardias modernas, «minoritarias» y «antipopulares» por definición. Ortega realizó un recorrido por el arte y la literatura que se estaba dando en Europa, y repercutió notablemente en el mundo artístico. Las descripciones de las características de las vanguardias destacaban su formalismo frente al realismo y la «humanidad» del siglo XIX; la «deshumanización» del arte, es decir, la carencia de sentimentalismo provocada por la intención de crear «placer estético» exclusivamente. En el ámbito de la poesía aludía a la creación puramente verbal, «el poeta empieza donde el hombre acaba», dijo. Puso de relieve el carácter lúdico del arte vanguardista, cargado de ironía y excluyente de emociones personales.

Ortega analizó el género de la novela en *Ideas sobre la novela*, donde diagnostica dos síntomas reveladores del cambio que sufrió la novela en las primeras décadas de siglo. Según Ortega, la novela de su época se caracterizaba por la dificultad de hallar temas nuevos y por el afán esteticista del público, de modo que, para satisfacer a los lectores, la novela debía apostar por métodos más intelectuales e imaginativos frente al agotamiento de los temas realistas de tradición decimonónica. La «novela estructural» de los años setenta responde a estos criterios.

Reproducción del cuadro José Ortega y Gasset, de Gregorio Prieto.

CIENCIA

Una alquimia moderna

13 La necesidad de encontrar un sustituto basado en el carbón para el petróleo como materia prima de la gasolina impulsó el avance de la investigación química en la Alemania de entreguerras. En 1925 se presentaron dos métodos distintos.

A principios de 1912, el químico alemán Friedrich Bergius ya había obtenido gasolina directamente del carbón tratándolo con hidrógeno. Pero empleó doce años en adaptar su método de hidrogenación a las aplicaciones industriales. Por entonces, otros dos químicos alemanes, Franz Fischer y Hans Tropsch, habían dado con otro método, menos directo, para sintetizar petróleo líquido a partir de monóxido de carbono e hidrógeno.

La nueva tecnología se difundió rápidamente por todo el mundo. Al cabo de unos años Japón, Inglaterra y Francia usaron combustibles sintéticos. Sin embargo, Alemania conservó su primacía; a principios de los años cuarenta estaban en funcionamiento doce plantas de combustible (la mayoría utilizaban el proceso Fischer-Tropsch) para satisfacer las demandas de la guerra.

Friedrich Bergius fabricó gasolina sintética y ganó el Premio Nobel en 1931.

Finalmente, el proceso Bergius fue considerado el mejor para la producción de gasolina mientras que el método Fischer-Tropsch era más eficiente para sintetizar metano y otros elementos químicos. La Segunda Guerra Mundial aumentó el interés internacional por el combustible sintético, sobre todo en Europa, que carecía de las grandes reservas petrolíferas de América. Sin embargo, en los años cincuenta, con la apertura de Oriente Medio como fuente abundante de crudo barato, la necesidad de alternativas empezó a parecer menos urgente. **▸1960.NM**

PREMIOS NOBEL: Paz: Austen Chamberlain (británico; Pactos de Locarno) y Charles Dawes (estadounidense; reparaciones alemanas) [...] Literatura: George Bernard Shaw (británico; dramaturgo) [...] Química: Richard Zsigmondy (alemán; coloides) [...] Medicina: Sin galardón [...] Física: James Franck y Gustav Hertz (alemanes; efecto de las colisiones de electrones sobre los átomos).

Acuñar una frase

Anuncio de la Listerina, de Milton Feasley, 1925

«A menudo dama de honor pero nunca novia». Como muchas expresiones «intemporales», ésta apareció por primera vez en un anuncio. La campaña publicitaria, creada por Milton Feasley para el antiséptico Listerina, (para combatir la halitosis), tuvo tanto éxito que se utilizó durante más de diez años. ►**1960.V**

«Me propongo detener del todo los atentados periódicos contra mi vida. No digo esto por mí, porque verdaderamente me gusta vivir en peligro, sino por el pueblo italiano.»—**Benito Mussolini, tras el tercer atentado que sufrió**

HISTORIA DEL AÑO

El año uno de la revolución de Mussolini

1 La transformación de Italia en un estado totalitario llevada a cabo por Benito Mussolini se aceleró por una serie de acontecimientos fortuitos: cuatro intentos de asesinato entre abril y octubre de 1926.

El primer atentado, perpetrado por una irlandesa trastornada, le hirió en la nariz. El gobierno clausuró varios periódicos de la oposición y culpó del acontecimiento a una conspiración internacional. El segundo lo llevaron a cabo un diputado socialista y un francmasón de izquierdas. El resultado fue la ilegalización del moderado Partido Unitario Socialista y de cualquier asociación (como la masonería) no aprobada por el régimen. El partido fascista se hizo con el control de varios diarios independientes, incluido el renombrado *Corriere della Sera*. Un anarquista que había vivido en Francia ejecutó el tercer atentado. Se desató una campaña de propaganda contra aquel país, cuyo gobierno despreciaba al Duce, a diferencia de Gran Bretaña.

Tras el cuarto atentado, realizado por un muchacho de 16 años (que fue linchado en el acto y su cuerpo descuartizado paseado por todo Bolonia), Mussolini decidió ejercer su poder absoluto de modo determinante. Ya había establecido el año 1926 como el año uno de su revolución. A pesar de la oposición, que boicoteaba el parlamento, aprobó con facilidad leyes contra la libertad de expresión y le permitían gobernar sin consultar a la asamblea legislativa. Había sustituido a los gobiernos locales electos con funcionarios que él mismo había designado. En este momento abolió el Parlamento y lo sustituyó por un cuerpo cuyos miembros procedían de organizaciones fascistas. La población sólo podía votar a favor o en contra de los designados. Estableció una fuerza policial especial para los delitos políticos y «tribunales revolucionarios» para juzgar tales crímenes, en juicios rápidos, secretos y sin posibilidad de apelación. Se instituyó la pena de muerte: por traición, insurrección, incitación a la guerra civil y atentar contra la vida del dictador o de personalidades.

Mussolini, con la nariz vendada, se arriesga a aparecer en público.

Muchos italianos aplaudieron la firmeza del Duce; a otros les disgustaba la represión pero pensaban que era la única alternativa al desorden. Desde aquel momento, los que compartían otras ideas debían permanecer callados... o arriesgarse a morir. **◂1922.4 ▸1929.10**

Ernest Hemingway fotografiado por su amigo Man Ray.

LITERATURA

Prosa sencilla

2 Casi inmediatamente después de su publicación en 1926, *Fiesta (The sun also rises)*, de Ernest Hemingway, se convirtió en la biblia de la «generación perdida» americana, término que el escritor, de 27 años de edad, introdujo en el prólogo de su novela, citando a Gertrude Stein, para describir a los que llegaban a una época con un paisaje moral determinado por la Primera Guerra Mundial. Los estudiantes universitarios empezaron a hablar en el tono conciso y hastiado de los diálogos de Hemingway. Otros escritores jóvenes imitaron su estilo narrativo duro pero sensible. Hemingway, genial, deportista, corresponsal de guerra, pronto se convirtió en una estrella literaria internacional.

Fiesta trata de un grupo de expatriados en París, inspirado en el círculo de artistas, escritores y socialistas en busca de emociones al que pertenecía él mismo. Los miembros mayores de esta camarilla disoluta eran Stein y Ezra Pound, y las teorías literarias de ambos le ayudaron en el desarrollo de una prosa de imágenes concretas y repeticiones hipnóticas. Entre sus componentes se hallaban Pablo Picasso y F. Scott Fitzgerald, aunque los personajes de la novela estaban inspirados en figuras menos destacadas.

El narrador americano, Jake Barnes (periodista como Hemingway), ama a la imprudente Lady Brett Ashley, pero una herida de guerra le ha dejado impotente (aunque esta palabra nunca aparece en el libro). Lady Brett posee otro pretendiente, otro americano, el novelista Robert Cohn, idealista sin esperanza; sin embargo, ella está comprometida con Mike Campbell, un hombre de negocios escocés arruinado. Estas infelices almas frecuentan los bares nocturnos y los cafés; más tarde viajan a Pamplona en la festividad de san Fermín y Brett se fuga con un torero joven. La novela acaba cuando ella y Jake están en un taxi, en Madrid. Ella, lamentando la imposibilidad de su amor, dice: «Podríamos haber pasado este condenado buen tiempo juntos». Él le contesta: «Sí. ¿No es hermoso pensarlo?».

Los exilios de Hemingway, cada uno a su manera, son hirientes y estériles. Incapaz de conectar con una gran causa, busca el significado de la vida en hazañas atrevidas, bellas y a veces crueles, como las de las corridas de toros que él admira. *Fiesta* capta el ambiente de la época con gran precisión y los lectores actuales todavía responden a su fuerza bruta. **◂1925.8 ▸1933.10**

LITERATURA

El diagnóstico moral de Gide

3 Al final de su vida le preguntaron a André Gide con qué había disfrutado más, y el iconoclasta novelista francés respondió: «*Con las mil y una noches*, la Biblia, los placeres de la carne y el reino de Dios». Su respuesta refleja las difíciles contradicciones características de sus obras, alternativamente celebradas y denostadas.

En su libro más conocido, la novela de 1926 *Los monederos falsos*, Gide examinó la capacidad humana para la hipocresía y la autodecepción, atributos de una sociedad espiritualmente enferma.
Gide, desafiantemente honesto e intelectualmente curioso, ofendió a muchos críticos al rechazar los tabúes religiosos tradicionales, como la condena de la homosexualidad. (Su novela *El inmoralista*, 1902, fue prohibida por el Vaticano.) Al final, Gide fue un escritor intensamente moral y su gran batalla fue elegir entre el cuerpo y el espíritu. Decía que ambos se debían satisfacer.
Fue autor de más de ochenta obras, experimentales en estilo y contenido, y marcó el rumbo de la literatura francesa del siglo XX. En 1947 recibió el Premio Nobel de Literatura. Su contribución fue resumida por su compatriota Jean-Paul Sartre: «Nos enseña o nos recuerda que todo puede ser dicho, ésta es su osadía, pero que debe ser dicho de acuerdo con unas normas específicas de buena expresión, ésta es su prudencia». Esta dualidad se refleja mejor en la costumbre del autor de

ARTE Y CULTURA: Libros: ***Historia de Inglaterra*** **(G. M. Trevelyan);** ***Los siete pilares de la sabiduría*** **(T. E. Lawrence);** ***Debits and credits*** **(Rudyard Kipling);** ***El castillo*** **(Franz Kafka);** ***Tirano Banderas*** **(Valle-Inclán);** ***La paga de los soldados*** **(William Faulkner) [...] Música: «Someone to Watch Over Me» (George e Ira Gershwin);** ***The lyric suite*** **(Alban Berg) [...] Pintura y escultura:** ***Figura reclinada*** **(Henry Moore)**

«Ni un minuto más de jornada, ni un penique menos de paga.»—**Eslogan de los trabajadores británicos de las minas de carbón durante la huelga general de 1926**

llevar consigo una Biblia bajo la gran capa que le gustaba vestir. **◂1913.9 ▸1943.10**

GRAN BRETAÑA

La huelga

4 Entre los frutos de la victoria británica en la Primera Guerra Mundial no se hallaba el de la prosperidad. Después de 1920 (excepto por una breve subida en 1924), la economía estaba en retroceso y el desempleo permanecía por encima del 10 %. El movimiento laboral británico, uno de los más consistentes del mundo, fue una víctima importante de ese estancamiento. En 1920 los sindicatos habían alcanzado su máxima afiliación con ocho millones de afiliados, casi la mitad de los trabajadores del país. Ahora las filas sindicales disminuían y los patronos de muchas industrias empezaban a recortar los salarios. Cuando en 1926 los propietarios de las minas de carbón pidieron que los mineros trabajasen más horas por menos dinero, el Trades Union Council (TUC) convocó el mayor paro laboral de la historia británica.

Unos cuatro millones de trabajadores participaron en la huelga general. El gobierno contraatacó estableciendo una Organización para la Manutención de Suministros; voluntarios de la organización y soldados se encargaron de los suministros de comida y proporcionaron transporte a algunos viajeros. El ministro de finanzas Winston Churchill ordenó a las imprentas del *Morning Post* que imprimieran un periódico antisindicalista que publicara artículos falsos sobre la intransigencia de los líderes laborales.

La huelga no consiguió su propósito de paralizar el país, pero las incomodidades que provocó exasperaron a la población. Mientras, los funcionarios del gobierno insinuaron que la acción era inconstitucional y que podía acabar con la pérdida de los fondos sindicales. Los líderes del TUC, cada vez más nerviosos, sugirieron un acuerdo basado en un informe de la comisión real defendiendo la nacionalización parcial de la industria del carbón. Sin embargo, como el informe también proponía un recorte salarial, los mineros lo rechazaron.

El TUC, al ver que la situación era desesperada, desconvocó la huelga a los nueve días de su inicio. Sin embargo, un millón de obreros la continuaron durante siete meses más. Luego se rindieron a causa del hambre. La prensa extranjera elogió la moderación de ambos bandos pero estaba claro que uno de ellos había perdido. Los sindicatos fueron perdiendo afiliados durante los nueve años siguientes y alcanzaron su cifra más baja en 1933 con 4,4 millones. La organización laboral británica no se recuperó hasta la Segunda Guerra Mundial. **◂1924.4 ▸1945.NM**

Soldados en Londres celebrando el fin de la mayor huelga de la nación.

CINE

La epopeya expresionista de Lang

5 La película *Metrópolis*, de Fritz Lang, fantasía épica sobre la revolución de los trabajadores en una ciudad del futuro, es el punto culminante de la época dorada (los años veinte) del cine alemán.

El expresionismo dominó las artes en la Alemania de posguerra. El fuerte contraste entre la luz y la sombra, el espacio deformado, extrañamente anguloso, que expresaba las emociones de los artistas tuvieron su origen en *El gabinete del Dr. Caligari* (1919), de Robert Wiene, una película de miedo en la que un decorado roto, de pesadilla, representa la mente de un loco. El expresionismo, más realista y controlado, pareció hipnóticamente extraño y maravilloso en las mejores películas alemanas de la década: *Nosferatu* (la primera película de Drácula), de F. W. Murnau; *Variety*, de E. A. Dupont; *Dr. Mabuse*, de Lang.

Lang empezó a trabajar en *Metrópolis* en 1924, después de su regreso de Estados Unidos. Había quedado muy impresionado con «los cruces neoyorquinos de fuerzas humanas múltiples y confusas que chocaban entre sí y vivían en una ansiedad constante». En la ciudad futurista de la película, los trabajadores desmoralizados trabajan en las entrañas de la tierra mientras que sus despiadados jefes viven en lujosos rascacielos. (La lucha de clases se resuelve con una inundación desastrosa.) El diseño vertical y extremadamente imaginativo de *Metrópolis*, rico en iluminación y líneas expresionistas, y la atrevida secuencia de los planes diabólicos capitalistas para crear un vil robot, el doble de la defensora mujer del líder de los trabajadores, han inspirado a toda una generación de cineastas. **◂1919.NM ▸1933.NM**

Metrópolis **trata de la lucha de clases en una ciudad futurista.**

NACIMIENTOS

Chuck Berry, músico estadounidense.

Fidel Castro, presidente cubano.

John Coltrane, músico estadounidense.

Miles Davis, músico estadounidense.

Isabel II, reina de Gran Bretaña.

Michel Foucault, filósofo francés.

John Fowles, novelista británico.

Allen Ginsberg, poeta estadounidense.

Valéry Giscard d'Estaign, presidente francés.

Hugh Hefner, editor estadounidense.

Marilyn Monroe, actriz estadounidense.

Alfredo di Stefano, futbolista argentino.

Joan Sutherland, cantante australiana.

MUERTES

Emile Coué, fisioterapeuta francés.

Felix Dzerzhinsky, oficial soviético.

Antonio Gaudí, arquitecto español.

Harry Houdini, mago estadounidense.

Claude Monet, pintor francés.

Rainer Maria Rilke, poeta alemán.

Rodolfo Valentino, actor italo-estadounidense.

[...] Cine: ***Don Juan*** **(con John Barrymore);** ***El precio de la gloria*** **(Raoul Walsh);** ***Ben-Hur*** **(Fred Niblo, con Ramón Novarro);** ***The Lodger*** **(Alfred Hitchcock);** ***La madre*** **(V. L. Pudovkin) [...] Teatro:** ***El gran dios Brown*** **(Eugene O'Neill).**

«En sus obras se palpan los fantasmas del inconsciente, los temas de la vida y la muerte. Su arquitectura es como la síntesis de todos los sentimientos.»—**Gabriele Morrione, sobre Antonio Gaudí**

NOVEDADES DE 1926

Compañía de autocares Greyhound.

Anticongelante Prestone.

National Broadcasting Company (Compañía Nacional de Radiodifusión, NBC)

Minigolf (Fairyland Inn, Tennessee).

EN EL MUNDO

▶EL *JAZZ* DE JELLY—En 1926 Jelly Roll Morton entró en la historia de la música cuando por primera vez reunió a varias orquestas pequeñas en una que llamó Red Hot Peppers. Morton, pianista y compositor, fue el primer director que mezcló las adaptaciones formales de *ragtime* con el estilo

improvisado y libre de las bandas de su Nueva Orleans natal. Creó un híbrido fundamental en la evolución del *jazz*. Morton y su orquesta tuvieron mucho éxito durante los años veinte; a través de las grabaciones, su brillante música continúa deleitando a los aficionados de hoy. ◂1925.6 ▸1927.9

▶EL GRAN «CARA DE PALO»—Buster Keaton afianzó su leyenda en 1926 con *El maquinista de «la General»*, la comedia considerada como su obra maestra. Keaton, hijo de actores de vodevil, ya dominaba la comedia cómica desde los seis años y creció en los escenarios. (Houdini, mago del espectáculo, le apodó «Buster» después de que Keaton, a la edad de seis meses, cayera por unas escaleras y sobreviviera). Con sus espectaculares maniobras acrobáticas, su aspecto

ARQUITECTURA

El genio de Gaudí

6 Antonio Gaudí, representante de medio siglo de arquitectura española, murió atropellado por un

tranvía en 1926. Adscrito a la estética modernista de principios de siglo, el arquitecto siempre dio más importancia al individuo romántico que a lo formal de este movimiento cultural. Se ha dicho que Gaudí fue el último representante de una época ya concluida, pero que a la vez abre una línea expresionista que evoluciona en las vanguardias del siglo XX. Gaudí desarrolló su sueño personal en obras como el Parque Güell y las casas Batlló y Milà, situadas en la ciudad de Barcelona. La coronación de su estilo personal, relacionado con el surrealismo, fue la inacabada Sagrada Familia. Nació en una familia artesana y estudió con maestros tradicionales pero, a pesar de sus arraigados sentimientos nacionalistas, consiguió dar un sentido cosmopolita a sus obras, que aúnan tradición y modernidad, tanto en el interior como en las fachadas. Su estilo arquitectónico era espiritualista (él era un ferviente católico) y formalista, y supuso la desaparición del clasicismo. Ocultó soportes, utilizó materiales industriales nuevos y cambió la concepción del espacio. En 1893 recibió el encargo de la construcción de la Sagrada Familia y a partir de entonces dedicó su dinero y su tiempo al templo (en este monumento levantó cuatro torres, de las cuales sólo una fue concluida por él, y la fachada del Nacimiento); vivía tan austeramente que cuando murió fue confundido con un vagabundo. Su obra no llegó a trascender en su época; no fue hasta después de su muerte que fue reconocida internacionalmente.

***Dragón cerámico*, reproducción del original de Gaudí que se encuentra en el Parque Güell (Barcelona).**

ECONOMÍA E INDUSTRIA

Especulador

7 Durante diez años el industrial alemán Ernest Oppenheimer había intentado entrar en la compañía De Beers Consolidated Mines, el imperio de diamantes fundado por Cecil Rhodes en los años setenta del siglo XIX. En julio de 1926 por fin lo consiguió: fue elegido director y tres años más tarde se convirtió en presidente. Bajo su mandato, De Beers controló el 95 % de los diamantes. Cuando murió (1957) era uno de los hombres más ricos del mundo.

Oppenheimer y los arquitectos del *apartheid* echaron a los mineros negros de los oficios especializados.

Oppenheimer fue uno de los operadores más sagaces del mercado. La producción de diamantes había ido disminuyendo desde 1867, pero en 1926 y en 1927 se descubrieron dos yacimientos aluviales en Sudáfrica. La superproducción sin restricción hizo caer los precios. Cuando tuvo lugar la Gran Depresión, se advirtió a todo el que todavía compraba diamantes de los nuevos yacimientos, por lo que dejaron de comprar. El mercado amenazaba con el colapso total.

Oppenheimer respondió en dos frentes: acaparó 13 millones de libras en diamantes, luego los vendió por 40 millones y utilizó el capital para construir sus empresas de zinc, cobre y plomo. Restringió la producción, cerró las minas de De Beers a principios de los años treinta y las reabrió a mediados de la misma década. (Este estrecho control del mercado aseguró que los precios se mantuvieran altos.)

En 1926 Oppenheimer no estaba solo para consolidar su poder. La totalidad de la población blanca sudafricana actuó del mismo modo, aprobando la enmienda a la Ley de Minas y Trabajo que expulsó a los africanos negros de los oficios mineros especializados. ◂1902.5 ▸1948.1

NICARAGUA

La revuelta de Sandino

8 En 1926, Estados Unidos, en un error diplomático de primer orden, intensificó su intervención militar en Nicaragua en un conflicto de guerrillas no declarado. La jugada enturbió las relaciones entre Estados Unidos y Latinoamérica durante décadas, creando un clima que desembocó en el conflicto de la Iran-Contra en la época de Reagan.

DEPORTES: Boxeo: Gene Tunney derrota a Jack Dempsey y se convierte en el nuevo campeón mundial de los pesos pesados; el español Paulino Uzcudun queda campeón de Europa de los pesos pesados tras vencer al italiano Spalla.

«En el proceso creativo interviene el padre, el autor de la obra; la madre, el actor preñado del personaje; y el hijo, el papel que nace.»—**Konstantin Stanislavski, *Un actor se prepara***

En los años veinte, Nicaragua se había convertido en la típica república bananera: sus sistema monetario, sus derechos aduaneros y su ferrocarril estaban administrados por banqueros neoyorquinos en provecho de los intereses económicos estadounidenses. La situación era muy cómoda para los magnates norteamericanos del petróleo, los propietarios de plantaciones y los agentes mineros, pero existía una extendida oposición popular al presidente de paja Adolfo Díaz, protegido desde 1912 por un destacamento militar norteamericano. En 1924 el partido conservador de Díaz perdió las elecciones. Dos años más tarde, el Departamento de Estado de Estados Unidos restauró a Díaz por la fuerza, y el partido liberal de Nicaragua se sublevó en un alzamiento armado. Estados Unidos, alegando una amenaza comunista para sus inversiones e intereses económicos, envió a los marines.

Al cabo de un año, Estados Unidos había establecido un equilibrio entre liberales y conservadores para preservar la paz. Sin embargo, un joven general liberal, Augusto César Sandino, calificó a los líderes conservadores y liberales de «pandilla de canallas, cobardes y traidores, incapaces de gobernar a un pueblo valiente y patriótico», y se negó a aceptarlo. Comparándose a sí mismo con George Washington, Sandino dirigió a un grupo de rebeldes hacia las montañas del norte de Nicaragua y comenzó una campaña guerrillera para acabar con la intervención de Estados Unidos. A continuación, Sandino y los marines jugaron al gato y al ratón: el astuto Sandino hizo que seis mil marines le persiguieran de forma constante por todo el país. No ganó batallas importantes pero sí el apoyo y la admiración de un gran sector de la población nicaragüense. En febrero de 1933, un mes después de que se retiraran las fuerzas estadounidenses, Sandino firmó un tratado de paz con el sucesor de Díaz, elegido por votación popular. Un año más tarde fue secuestrado y ejecutado por la guardia civil de Nicaragua, pero su lucha fue continuada por sus seguidores, los sandinistas. **◂1913.4 ▸1934.NM**

Un Calvin Coolidge de tamaño descomunal escucha los tiros de la cercana Nicaragua desde su base de Cuba.

GRAN BRETAÑA

Los dominios definidos

9 En 1926 el gobierno británico convocó una conferencia imperial en Londres para intentar determinar la función de su imperio en un mundo totalmente cambiado por la guerra mundial. La antigua concepción del Imperio Británico como un sistema de dóciles estados satélite alrededor de Inglaterra y su monarquía había perdido su lustre victoriano. La defensa mutua de la patria y sus satélites fue un asunto importante, pero el punto clave fue cómo conciliar la autonomía local de los dominios (Australia, Canadá, Irlanda, Sudáfrica, Nueva Zelanda, Terranova) con su subordinación en asuntos exteriores.

Los dominios fueron definidos como «comunidades autónomas dentro del Imperio Británico, del mismo rango, de ningún modo subordinados uno a otro en asuntos interiores o exteriores, aunque unidos por una alianza común a la Corona y asociados libremente como miembros de la Commonwealth británica de naciones». **▸1949.9**

TEATRO

El padre de «el método»

10 El gran director de teatro y teórico ruso Konstantin Stanislavski explicó por escrito en 1926 por primera vez la técnica que transformó la interpretación del siglo XX en su libro *Un actor se prepara*. En 1898, «el método Stanislavski», como llegó a llamarse la técnica («el método» para abreviar), fue presentado por primera vez, cuando el Teatro del Arte de Moscú, que había fundado Stanislavski el mismo año, representó *La gaviota*, de Anton Chejov. En lugar de la declamación histriónica que estaba de moda, los espectadores presenciaron un realismo psicológico austero. (El dramaturgo estaba tan contento que revocó su primera decisión de renunciar a la obra.)

Stanislavski siempre afirmó que el objetivo final de un actor era ser tan convincente como una persona real en el escenario, con una vida psicológica y emotiva compleja. La amonestación más temida por sus alumnos era «no te creo».

El método Stanislavski arraigó en todo el mundo, especialmente en Estados Unidos, durante la gira americana y europea del Teatro del Arte de Moscú (1922-1924). Tres miembros de la compañía se quedaron en Nueva York como profesores. Sus alumnos fundaron el Group Theatre (1931) y más tarde el famoso Actors Studio (1947). Lee Strasberg dirigió el Actors Studio, del que salieron los mejores actores de cine y de teatro de la segunda mitad del siglo. **◂1904.2 ▸1947.13**

La conferencia imperial elaboró una solución que reflejó el mundo de la posguerra.

impasible y su precisión, Keaton rivalizó con Chaplin en ser el actor más taquillero de la era del cine mudo y uno de sus pocos genios. ◂1923.NM ▸1936.9

▶EL TRIUNFO DE TRUDY—En una edad de oro de los deportes, ella estuvo entre los mayores héroes: en 1926, Gertrude Ederle «Trudy» fue la primera mujer que atravesó a nado el canal de la Mancha. La nadadora olímpica americana completó el trayecto de 56 km en

14 horas y 31 minutos, casi dos horas menos que el récord anterior, conseguido por un hombre. Ederle, fuerte, decidida y rápida, estableció 29 récords nacionales y mundiales.

▶LA REBELIÓN DE LOS CRISTEROS—En 1926 estalló una rebelión en México cuando el presidente Plutarco Elías Calles puso en vigor los artículos anticlericales de la constitución revolucionaria de 1917. Calles cerró los colegios, los seminarios y los conventos católicos, obligó a registrarse a los sacerdotes y nacionalizó las propiedades de la Iglesia. Los creyentes ofendidos, llamados cristeros, se alzaron en armas. En 1928, los soldados sofocaron la sangrienta rebelión. ◂1920.NM ▸1934.2

▶EL PARTIDO DEL SIGLO—La francesa Suzanne Lenglen, seis veces ganadora de Wimbledon, jugó el «partido del siglo» en Cannes contra la

«Corazón, no te aflijas. Descansaré en paz junto a mis queridos padres y te esperaré.»—**Harry Houdini, en una carta a su mujer algunos días antes de su muerte**

joven americana Helen Wills. Lenglen, en plena forma, ganó la competición en 1926 y más tarde se hizo profesional. Llegó a ser la campeona más importante de la época. **◂1920.NM**

▶*LAISSEZ-FAIRE*—En 1926, el catedrático de Cambridge John Maynard Keynes publicó *El fin del Laissez-Faire.* Plenamente desarrollada más tarde (en su obra de 1936 *Teoría general sobre el empleo, el interés y el dinero*), la teoría se convirtió en un modelo internacional para la recuperación. **◂1919.1 ▸1946.4**

▶UN CREADOR SUPREMO —El pintor vanguardista ruso Kasimir Malévich explicó la teoría del «suprematismo», el movimiento creado en 1923 en su tratado *El mundo de la no representación* (1926). Como Kandinsky, y a diferencia de su colega ruso Vladimir Tatlin (fundador del constructivismo), Malévich fue un místico que creía en «la supremacía del sentimiento puro» del arte. **◂1910.6 ▸1950.4**

▶EL VUELO DEL PLUS ULTRA —Un hidroavión español pilotado por Ramón Franco consiguió realizar el vuelo Palos-Buenos Aires en febrero de 1926. El vuelo se inició el 22 de enero y tras hacer escala en Las Palmas, la isla de la Sal y Noroña, alcanzó Montevideo y, por fin, Buenos Aires.

▶ANARQUISTAS, MILITARES, CATALANISTAS—La dictadura de Primo de Rivera se vio amenazada por dos ataques de origen distinto. En junio, una parte del ejército se sublevó en contra del dictador en Barcelona. El día de San Juan, las guarniciones de Tarragona y Barcelona se pronunciaron en contra del régimen. El movimiento, dirigido por los generales Aguilera y Batet, fue sofocado. En noviembre, la policía abortó un intento del coronel Francesc Macià, dirigente del movimiento separatista Estat Català. Al mando de unos cuatrocientos voluntarios, Macià debía cruzar la frontera franco-española desde Prats de Molló, ocupó Olot y proclamó la república catalana. Una huelga general declarada por la CNT facilitaría la operación. La conspiración fue denunciada a Francia.

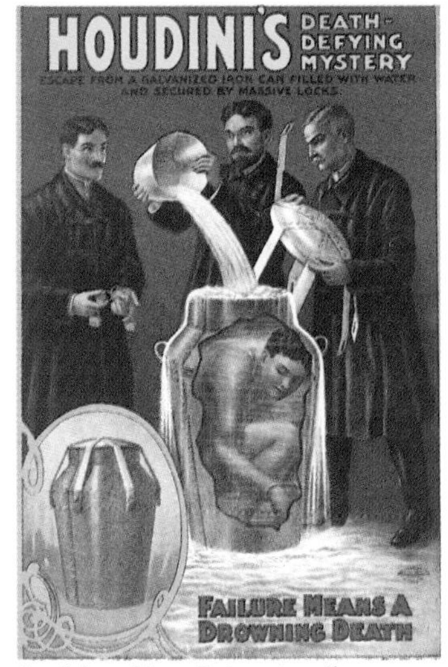

Houdini, nacido en Budapest, podía escapar de todo... menos de la muerte.

CULTURA POPULAR

El gran escapista

11 Harry Houdini prometió a su mujer que intentaría entrar en contacto con ella después de morir a pesar de estar en contra de médiums y otros espiritistas. Bess Houdini, tras el fallecimiento de su marido en la víspera del día de Todos los Santos de 1926, ofreció una gratificación de 10.000 dólares al primer médium que le repitiera la frase secreta que habían acordado ella y su marido. Nadie pudo reclamar el dinero.

Houdini fue un artista del escapismo, un mago, un ilusionista y sobre todo un actor que nunca confió en poderes sobrenaturales, sólo en una gran resistencia, en la agilidad y en una capacidad sorprendente para comprender las claves y los secretos de los grandes magos. Multitudes de espectadores quedaron cautivados con sus huidas que desafiaban a la muerte. Escapaba de jaulas y cofres atados con cadenas y sumergidos en agua y lograba desembarazarse de camisas de fuerza mientras flotaba en el aire a 22 m de altura. Parecía que Houdini era imparable hasta que un día un hombre le desclavó unos punzones de su estómago sin darle tiempo a tensar los músculos. Esto le perforó el apéndice aunque no se lo trató durante días.

Houdini llevó a cabo el último truco en su funeral. Había dejado un sobre en la caja fuerte del Club Elk de Nueva York que debía abrirse tras su muerte. En él había instrucciones para ser enterrado al lado de su madre, Cecilia, con las cartas de ella bajo la cabeza de Houdini. **◂1902.12**

POLONIA

Pilsudski vuelve a gobernar

12 En mayo de 1926, Józef Pilsudski dio un golpe de Estado y muchos polacos recibieron con alegría su regreso. Pilsudski había luchacho por la independencia de Polonia en la última década del siglo XIX y había comandado las tropas polacas en la Primera Guerra Mundial. Había sido el fundador de su nación al convertirse en presidente del nuevo estado polaco tras la derrota de Alemania en la Primera Guerra Mundial. Pilsudski, socialista no marxista, se retiró en 1923 y desde entonces había observado la vacilación de su país entre gobiernos de izquierdas y de derechas mientras la economía empeoraba cada vez más.

Harto de la inestabilidad (catorce gobiernos en sólo cuatro años), frustrado por el conservadurismo del régimen y seguro de recibir apoyo, reunió soldados simpatizantes y marchó sobre Varsovia. Tras unos días de luchas en las calles estableció una dictadura heterodoxa que perduraría una década.

Rechazó el cargo de presidente y gobernó con los atributos de ministro de defensa. En vez de imponer un único partido gobernante, organizó un bloque de cooperación con el gobierno que, en colaboración con los partidos de izquierdas, aseguró una mayoría parlamentaria. En un primer momento hubo poca represión y Polonia prosperó con tecnócratas que renovaron la industria y la infraestructura. Sin embargo, en 1930 la Gran Depresión deshizo la calma política, y las autoridades arrestaron a miles de miembros de los partidos de la oposición.

Cartel soviético en contra de Pilsudski de 1920.

Aun así, los partidos no se disolvieron. A diferencia de Hitler y Stalin, Pilsudski no fue un totalitario completo. En 1934 firmó pactos de no agresión con estos dirigentes esperando preservar la independencia por la que había luchado tanto tiempo. Pero murió al año siguiente y en 1939 Polonia fue invadida de nuevo. **▸1939.1**

DIPLOMACIA

Regreso de un exiliado

13 En septiembre de 1926, exactamente doce años después de que su avance fuera detenido en el Marne, Alemania fue readmitida en la comunidad diplomática mundial. El otoño anterior había empezado el proceso por el cual la nación

El presidente y ministro de asuntos exteriores francés se dirige a la Liga.

rechazada se uniría a la Sociedad de Naciones. En Locarno, Suiza, se firmaron acuerdos con otras naciones europeas. Para que los tratados fueran efectivos, Alemania debía integrarse en la Sociedad de Naciones.

Alemania, como la gran potencia mundial que había sido, exigió un puesto permanente en el órgano ejecutivo de la Sociedad, el Consejo. Sólo existían cuatro puestos de esta categoría y estaban ocupados por Francia, Gran Bretaña, Italia y Japón. Se había mantenido un escaño para Estados Unidos por si se decidía a formar parte de la Sociedad de Naciones (nunca lo hizo) y uno para la Unión Soviética (que entró en 1934), pero cada vez que España, Polonia y Brasil solicitaban un puesto permanente, se lo denegaban. Brasil abandonó la Sociedad cuando su petición fue denegada; más tarde lo hizo España (que volvió al cabo de poco). Polonia se desdijo. Finalmente Alemania fue admitida por votación unánime de la Asamblea General. Alemania y Japón abandonaron la Sociedad en señal de protesta cuando siete años más tarde decidió restringir el militarismo creciente. **◂1920.1 ▸1929.12**

PREMIOS NOBEL: Paz: Aristide Briand y Gustav Stresemann (francés, alemán; Pactos de Locarno) [...] Literatura: Grazia Deledda (novelista italiana) [...] Química: Theodor Svedberg (sueco; ultracentrifugación) [...] Medicina: Johannes Fibiger (danés; *Spiroptera carcinoma*) [...] Física: Jean Perrin (francés; estructura discontinua de la materia y equilibrio de sedimentación).

LA SCIENCE ET LA VIE

La revista francesa LA SCIENCE ET LA VIE *presentaba las novedades automovilísticas para el salón de París de enero de 1927. Las soluciones técnicas cubrían las tres posibilidades —tracción delantera, motor delante y propulsión trasera— que mayoritariamente marcarían el futuro desarrollo de la industria del automóvil.*

«Vi una flota de barcos de pesca [...]. Descendí hasta casi tocar las embarcaciones y grité hacia ellas preguntando si estaba en el camino correcto hacia Irlanda [...]. Una hora después vi tierra.»—**Charles Lindbergh, tras su vuelo en solitario entre Nueva York y París**

HISTORIA DEL AÑO

Lindbergh cruza el Atlántico

1 Charles A. Lindbergh no fue el primero que cruzó el Atlántico en aeroplano ni el primero que realizó una travesía sin escalas. (Ambas proezas ya se habían realizado en 1919.) No obstante, fue el primero que lo cruzó *solo*. La audaz tentativa captó la atención mundial hasta un nivel sólo igualable a la firma del armisticio.

El 20 de mayo de 1927, Lindbergh despegó de Roosevelt Field en Long Island a las 07: 54 horas. Cuando aterrizó en el aeródromo Bourget de París 33 horas y media después, le esperaba una multitud entusiasta de cien mil personas. Los coleccionistas casi destrozan su avión, el *Spirit of St. Louis*. En junio, cuatro millones de neoyorquinos le dieron la bienvenida con un desfile. La prensa le trató como a un nuevo Colón, una imagen equivalente a su ambición. Lindbergh quería adentrar la humanidad en una nueva era: la edad del vuelo transoceánico.

Le llamaban «Afortunado» Lindbergh, pero sus talismanes fueron la pericia y la voluntad.

Empezó a pensar en la idea cuando hacía rutas aéreas postales entre St. Louis y Chicago. Más tarde escribió: «¡Imagínate ser capaz de poder sobrevolar la tierra a voluntad, aterrizando en este o en aquel hemisferio!». Cuando leyó que un hotelero neoyorquino oriundo de Francia ofrecía un premio de 25.000 dólares por un vuelo sin escalas entre su ciudad de adopción y París, Lindbergh se propuso ganarlo. Tras conseguir el apoyo financiero de unos hombres de negocios de St. Louis, empezó a buscar a un fabricante que construyera un aeroplano según sus indicaciones. Muchos se negaron pensando que estaba loco. Finalmente, una compañía californiana, la Ryan Airlines, aceptó.

El *Spirit of St. Louis* se construyó a toda prisa: en mayo, otros pilotos, como el explorador del Ártico Richard E. Byrd, también concursaban por el premio. Sin embargo, el único que planeaba un vuelo en solitario era Lindbergh y la prensa se concentró en él. La víspera de su viaje histórico no pudo dormir; cuando inició su travesía de 5.782 km ya estaba agotado y durante todo el vuelo estuvo luchando para permanecer despierto. La borrasca, la niebla y la inestabilidad del aeroplano dificultaron aún más su tarea.

Lindbergh se convirtió en un héroe internacional y promocionó los viajes aéreos comerciales ante reyes, financieros y todo el que le escuchara. Realizó vuelos de reconocimiento con su mujer, Anne Morrow, y estableció rutas que todavía se utilizan. En 1935, la Pan Am inauguró el servicio de pasajeros a través del Atlántico, y el sueño de Lindbergh se hizo realidad. ◂1909.E ▸1929.6

En Shanghai los soldados estaban preparados para disparar, pero no lo hicieron.

CHINA

Chiang Kai-shek toma posesión

2 En marzo de 1927 el general Chiang Kai-shek y su ejército revolucionario entraron en Shanghai, el centro industrial y comercial del país. La ciudad, paralizada por las huelgas organizadas por el Partido Comunista chino, no ofreció resistencia, no se disparó un solo tiro. Las fuerzas de Chiang, una alianza heterodoxa entre el Partido comunista y el Guomindang, el partido revolucionario burgués, controlaban la mayor parte del país. Parecía que la guerra civil había terminado y los comunistas se vanagloriaban de ello. Sólo Manchuria, gobernada por el general Zhang Zuolin, permanecía fuera de la esfera de influencia de Chiang.

Stalin, desde Moscú, una vez finalizado el conflicto con Trotski por la dirección de los bolcheviques, estaba exultante. La victoria comunista en la guerra civil de China se consideró, en general, como una victoria de Stalin. El país más poblado del mundo estaba a punto de caer en su esfera. Sin embargo, Chiang tenía otros planes. Los acontecimientos se sucedieron sorprendentemente: tras tomar Shanghai, movilizó a sus soldados contra los sindicatos, purgó el Guomindang de comunistas, ilegalizó el Partido Comunista, estableció un gobierno nacionalista y se autoproclamó presidente. Los comunistas quedaron fuera, sólo gobernaba Chiang.

Moscú rompió las relaciones diplomáticas con el régimen anticomunista de Chiang. Los agentes del Komintern en China huyeron a Rusia, y Stalin hizo de la necesidad virtud. El general renovó su campaña contra Zhang Zuolin, el último obstáculo a su sueño de una China unificada. En 1928, el jefe militar fue asesinado y su hijo y sucesor pactó la paz con Chiang. Se completó la unificación de China bajo los nacionalistas. ◂1921.6 ▸1929.14

CIENCIA

El universo de Lemaître

3 Las ideas de Georges Lemaître transformaron la cosmología moderna, aunque este sacerdote católico y profesor de física fue un perfecto desconocido para la comunidad científica hasta 1927. En ese año, Lemaître se acercó a Einstein en una conferencia de física y éste le comentó que sus cálculos eran correctos pero su física abominable. Sin embargo, al cabo de tres años, en otra conferencia en el observatorio del monte Wilson de California, Einstein, tras escuchar la ponencia de Lemaître, saltó de su silla para expresar que aquélla era la explicación de la creación más satisfactoria y bella que había oído.

La explicación en cuestión era la teoría de un universo en expansión, más tarde popularizada como el «Big Bang». Anteriormente, un matemático ruso, Alexander A. Friedmann, había ideado un modelo dinámico del universo que estaba reñido con el modelo estático utilizado por Einstein y otros, pero su obra era puramente matemática. En un trabajo independiente, Lemaître incorporó los últimos descubrimientos de física y astronomía a su teoría. Propuso que ya que la evidencia indicaba que las galaxias se movían separándose unas de otras, debió de haber un tiempo en que estaban concentradas en un solo punto, que él llamó el «átomo primigenio». Esta superconcentración de materia y energía debió desencadenar una inmensa explosión, esparciendo elementos y colocando al universo en un proceso de expansión.

Sin embargo, la teoría del «Big Bang» dejaba una cuestión sin resolver: ¿llegará el día en que el universo empiece a comprimirse de nuevo, hasta que se den las condiciones para otra explosión? Lemaître no estaba seguro. Años más

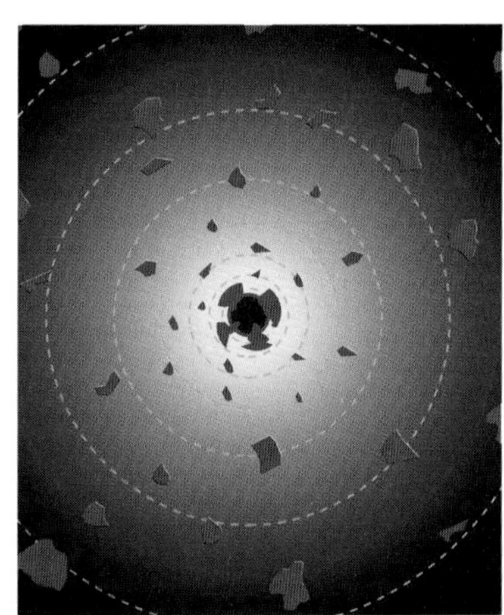
El nacimiento del universo, de acuerdo con las especulaciones de Lemaître.

ARTE Y CULTURA: Libros: *El puente de San Luis Rey* (Thornton Wilder); *El lobo estepario* (Hermann Hesse); *Al faro* (Virginia Woolf); *América* (Franz Kafka); *Elmer Gantry* (Sinclair Lewis); *El tesoro de Sierra Madre* (B. Traven); inicio de *El ruedo ibérico* (Valle-Inclán) [...] Pintura y escultura: *El gran bosque* (Max Ernst) [...] Cine: *Napoleón* (Abel Gance); *Alas* (William Wellman) [...]

«No se puede probar nada en el reino del pensamiento; pero el pensamiento puede explicar muchas cosas.»—**Martin Heidegger**

tarde escribió que existía la posibilidad de que el universo invirtiera su curso y empezara a contraerse, pero que resultaba más probable que la expansión ya hubiera traspasado el punto de equilibrio, por lo que no se daría un proceso de contracción, en cuyo caso el sol se enfriaría, las nebulosas disminuirían y las cenizas y el humo de la explosión primigenia perderían calor y se dispersarían. **►1929.9**

IDEAS

El pensador

4 En *Ser y tiempo*, Martin Heidegger, que anteriormente había sido seminarista jesuita, propuso un nuevo método para explorar la naturaleza del Ser, con mayúsculas. El libro, sistemático y creativo, se publicó en 1927 y desdeñaba la dicotomía tradicional entre el hombre racional y el universo irracional en el que vivía. Redefinía al hombre como partícipe activo en el mundo de las cosas. A pesar de lo difícil de su lectura, la obra de Heidegger fue celebrada como la mayor contribución a la filosofía, y su metodología (más un reto a la mente que un sistema) se convirtió en la piedra angular de la filosofía atea del siglo XX por antonomasia: el existencialismo de Jean-Paul Sartre.

Heidegger recibió influencias de Kierkegaard y de Nietzsche, pero su estilo rebuscado, sazonado con neologismos griegos y alemanes y etimologías caprichosas, era únicamente suyo. Heidegger era profesor en la Universidad de Friburgo cuando escribió *Ser y tiempo*. Más tarde se afilió al partido nazi y fue rector de esa universidad mientras Hitler estuvo en el poder. Algunos estudiosos piensan que sus errores políticos desacreditan su filosofía. En su última obra, Heidegger exploró la sociedad industrial y la deshumanización de la vida moderna. **◄1910.4 ►1943.10**

CINE

El fin del silencio

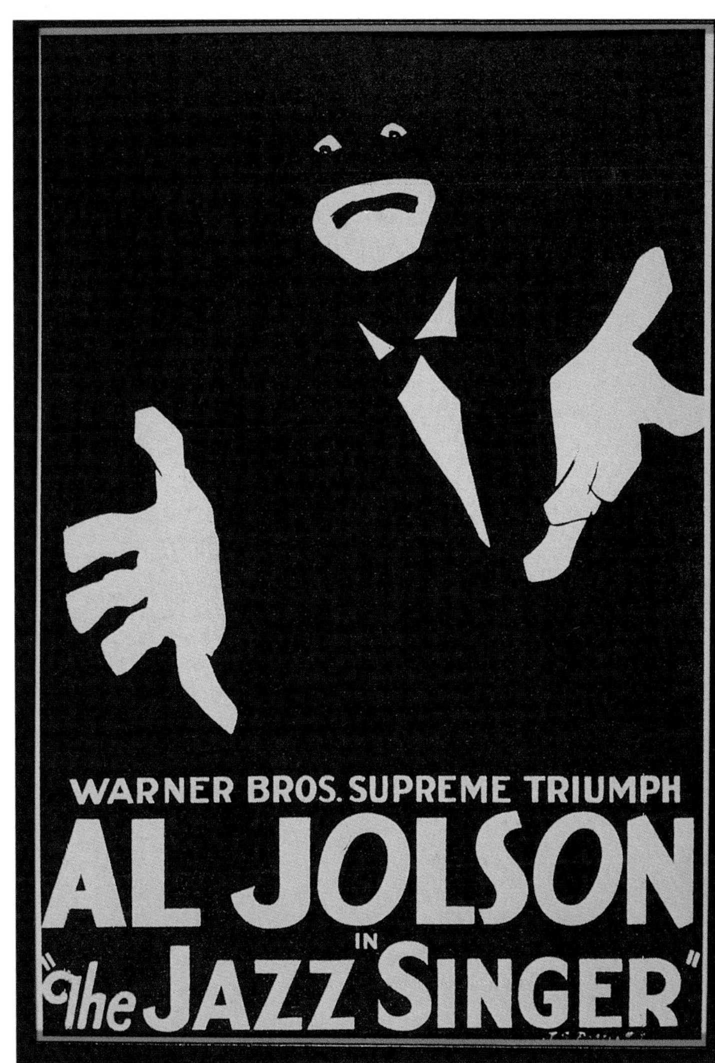

El cartel expresionista de *El cantante de jazz* no mencionaba los diálogos.

5 «¡Espera un momento!, ¡Espera un momento! ¡Todavía no has oído nada!» Con estas proféticas palabras, pronunciadas por Al Jolson en la película de 1927 *El cantante de jazz*, el cine cambió para siempre. Las películas mudas pasaron a la historia y empezaba la era del sonido. *El cantante de jazz* fue considerada enseguida «la primera película sonora», aunque esta descripción no es del todo apropiada.

Los puristas aclaran que el cine nunca fue mudo. La música en vivo acompañaba las escenas de las películas mudas en los cines. Además, ya se habían probado varios sistemas para acoplar escenas y música grabada con cierto éxito en cortometrajes desde 1890. En los años veinte, la mayoría de los problemas técnicos se habían solventado: Bell Labs perfeccionó un sistema de sonido, conectando los proyectores de las películas con los discos de fonógrafo; inventores particulares desarrollaron varios sistemas de sonido sobre películas en los que las ondas sonoras se transcribían sobre la propia película. La Warner Bros., entonces un pequeño estudio de Hollywood, invirtió en el invento de Bell. El sistema, bautizado Vitaphone, se introdujo en 1926 en la película *Don Juan*, que contaba con una banda sonora de la Filarmónica de Nueva York. A pesar de todo ello, los diálogos todavía no formaban parte del plan.

Cuando la Warner decidió realizar una película en Vitaphone sobre la obra de teatro *El cantante de jazz*, que trataba de un cantor judío que debe elegir entre cantar en la sinagoga o en Broadway, pretendía utilizar las secuencias mudas para explicar la historia y las sonoras para las canciones. No obstante, el actor que interpretaba el papel principal, Al Jolson (la estrella más importante de Estados Unidos en aquel momento), improvisó diálogos en dos escenas. Se estrenó el 6 de octubre en Nueva York y el público se entusiasmó. El sonoro estaba ahí para quedarse. **◄1922.8 ►1927.NM**

NACIMIENTOS

Maurice Béjart, coreógrafo francés.

Fidel Castro, político cubano.

César Chávez, dirigente obrero estadounidense.

Bob Fosse, coreógrafo y director cinematográfico estadounidense.

Hubert de Givenchy, diseñador de moda francés.

Günter Grass, escritor alemán.

R. D. Laing, psiquiatra británico.

Gina Lollobrigida, actriz italiana.

Marcel Ophüls, director cinematográfico franco-alemán.

Olof Palme, primer ministro sueco.

Daniel Patrick Moynihan, dirigente político estadounidense.

Mstislav Rostropovich, violoncelista y director de orquesta ruso.

Rafael Sánchez Ferlosio, escritor español.

Neil Simon, dramaturgo estadounidense.

Albert Uderzo, dibujante francés.

Narciso Yepes, músico español.

MUERTES

Brooks Adams, historiador estadounidense.

Carlota, ex-emperatriz de México.

John Dillon, nacionalista irlandés.

Isadora Duncan, bailarina estadounidense.

Juan Gris, artista español.

Jerome K. Jerome, humorista británico.

Gaston Leroux, escritor francés.

Sam Warner, productor cinematográfico estadounidense.

Teatro: ***Grandeza y decadencia de la ciudad de Mahagonny*** **(K. Weill y B. Brecht);** ***Mariana Pineda*** **(García Lorca).**

«Dios es astuto pero no malicioso.»—**Albert Einstein, sobre las implicaciones del principio de incertidumbre de Heisenberg**

NOVEDADES DE 1927

Semáforos para controlar el tráfico (en Londres).

Automóviles Volvo.

EN EL MUNDO

▶LA CHICA—Clara Bow, llamada «la chica» tras la película de éxito de 1927 que llevaba este mismo título, encarnó el ideal de *«flapper»*: pelo corto y revuelto, caderas estrechas, boca seductora, collar largo de cuentas y un apetito voraz por el escándalo. La chispeante Bow dejó entrever a las mujeres posibilidades de emanci-

pación y a los hombres sus piernas. Estuvo entre las grandes estrellas del cine mudo pero no tuvo el mismo éxito en el sonoro (su acento de Brooklyn no la ayudó). En 1933 se retiró de la pantalla.

▶PRIMICIA TELEFÓNICA—El servicio telefónico transatlántico se puso en funcionamiento en enero. Tras unas breves palabras entre los operarios que supervisaron la transmisión, el editor del *The New York Times* y el del *London Times* mantuvieron una conversación a través de 4.800 km de agua. Tres minutos costaban 75 dólares. ◀1915.7

▶UNA «CUENTA LARGA» EN EL COMBATE DE BOXEO—El 22 de septiembre unos ciento cincuenta mil aficionados abarrotaron el Soldier Field de Chicago para asistir al combate entre el campeón del mundo de los pesos pesados, Gene Tunney *(página siguiente)*, y el hombre al que había arrebatado el título, Jack Dempsey. Abatido por una

CIENCIA

El principio de Heisenberg

6 En 1927 Werner Heisenberg, brillante físico alemán que había viajado recientemente a Dinamarca para estudiar con Niels Bohr, presentó una de las ideas más revolucionarias en el ámbito de la física. Heisenberg formuló su teoría una fría noche de enero mientras paseaba por un parque de Copenhague, intentando resolver lo que se puede llamar el problema del huevo y la gallina de la física teórica moderna: si una fórmula matemática predice correctamente la conducta de ciertas partículas subatómicas, ¿la fórmula es válida en y por sí misma o es tan sólo un intento acertado de describir un fenómeno natural? De repente Heisenberg recordó una observación de Einstein: «La teoría es la que decide lo que puede ser observado».

El mismo año, un poco más tarde, Heisenberg publicó un artículo titulado «Sobre la reinterpretación teórica cuántica de las relaciones cinéticas y mecánicas», que luego se conoció como el principio de incertidumbre. En él articulaba un método formal para que los físicos llegaran a convencerse de la incapacidad fundamental de conocimiento del mundo subatómico, un mundo que la física clásica de Newton (todavía adecuada para el mundo visible) no podía justificar. Heisenberg utilizó el principio de incertidumbre para mostrar por qué no se puede determinar la posición de una partícula subatómica sin afectar a la velocidad de la misma. En otras palabras, resultaba imposible medir la posición y la velocidad simultáneamente.

Enseguida se vio que el principio contaba con amplias implicaciones filosóficas. Si el observador formaba parte del proceso de observación, entonces la objetividad, como había sido entendida durante mucho tiempo, ya no sería un concepto válido. Cualquier observador, un antropólogo al estudiar otra cultura o un periodista al cubrir la noticia de un incendio, por ejemplo, debía darse cuenta de que su presencia formaba parte de la historia.

Las antiguas nociones de la objetividad fueron cuestionadas por la teoría de Heisenberg y también las nociones de la verdad. Heisenberg pensó que desde aquel momento la física se reduciría a «la descripción formal de las relaciones entre las percepciones» y abandonó la investigación por la verdad esencial de las mismas. Aunque el principio de incertidumbre perturbó profundamente a Einstein (que pasó muchos años intentando probar que Heisenberg se equivocaba), la mayoría de los físicos consideraron que era un avance teórico de gran importancia. **◀1925.7 ▶1930.14**

MEDICINA

Mutaciones a partir de los rayos X

7 En 1927, Hermann Joseph Muller publicó su descubrimiento de que los rayos X y la luz ultravioleta podían provocar cambios hereditarios, conocidos como mutaciones. A partir de entonces, los científicos pudieron crear mutaciones en vez de esperar a que la naturaleza las produjera de forma espontánea. Muller y otros genéticos emplearon mutaciones provocadas de modo artificial para investigar el modo en que los genes se ordenan linealmente en cromosomas y cómo se «transmiten» en la reproducción sexual.

Muller predijo que los genes tenían que producir el resto de componentes de las células vivas. Su razonamiento se basaba en el hecho de que los genes, a diferencia del resto de componentes celulares, podían reproducir los cambios que se presentaban en ellos. También sugirió que la vida empezaba con la aparición de moléculas autorreproducidas o «genes puros», que se imaginó similares a los virus.

Muller, socialista americano, se trasladó a la Unión Soviética en 1933 con la esperanza de continuar allí sus investigaciones. Pero la genética soviética estaba dominada por el agrónomo Trofim Denisovich Lysenko, de gran poder político, que rechazaba la genética de Mendel. Muller topó con el obstáculo de las convicciones de Lysenko que hacían referencia a que los hijos heredan las características que sus padres han adquirido por enfermedades e influencias ambientales.

Ansioso por abandonar la Unión Soviética, se marchó como voluntario a la guerra civil española en 1937. Cada vez más convencido de que las mutaciones se acumulaban en los genes y que amenazaban a las generaciones futuras, cuando regresó a Estados Unidos empezó a advertir de los peligros de la radiación y de los procesos industriales. Muller también apoyaba el potencial de la eugenesia, o «mejora genética», que se ganaría una mala reputación como proyecto nazi. El objetivo de Muller era guiar la evolución humana de forma

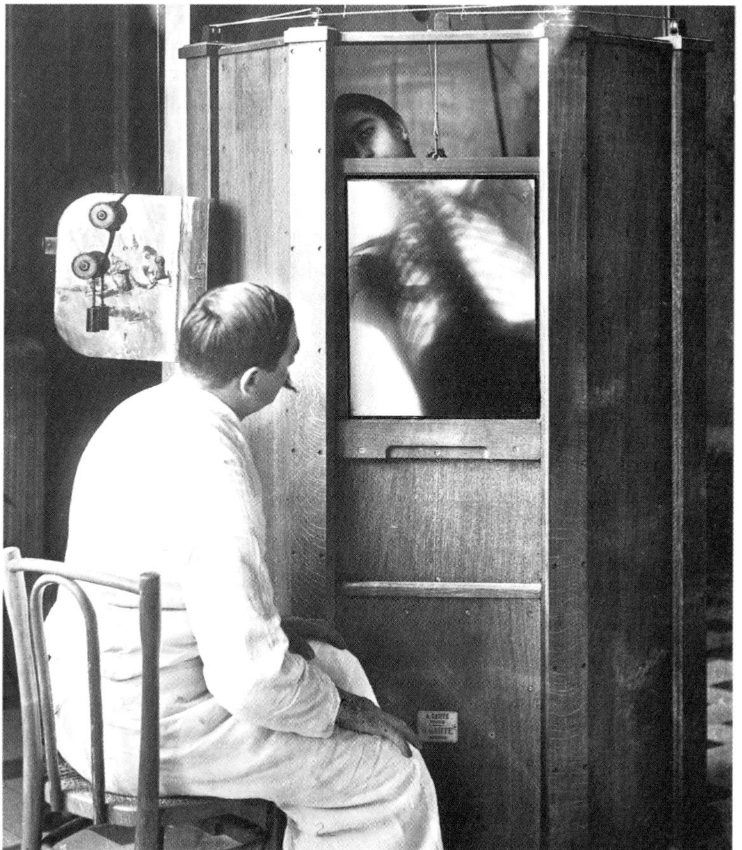

Los primeros radiólogos no sabían que sus máquinas podían provocar mutaciones.

DEPORTES: Natación: Johnny Weissmuller establece un nuevo récord, 91 metros en 51 segundos [...] Ajedrez: Alexander Alekhine derrota a José Capablanca en el campeonato del mundo [...] Boxeo: Max Schemeling campeón de Europa de boxeo.

«Una de esas obras de época sobre la que parlotean los viejos garrulos 25 años después de que los decorados estén en los almacenes.»—J. Brooks Atkinson, crítico del *New York Times*, sobre *Show Boat*

consciente; para alcanzar esa meta, sugirió que el esperma de algunos donantes de buena salud podía ser congelado y preservado como una fuente de recursos para las próximas generaciones. ◄1909.12 ►1943.18

TEATRO

Un musical sobre el Mississippi

8 El estudioso de la escena Miles Kreuger observó que «la historia del teatro musical americano se divide en dos períodos: el anterior a *Show Boat* y el posterior a *Show Boat*». Los musicales de Broadway trataban de asuntos frívolos y alegres del tipo chico-conoce-chica, con tramas de la alta sociedad y canciones y bailes fuera de lugar. El 27 de diciembre de 1927 se estrenó *Show Boat*, una versión musical de la novela de Edna Ferber realizada por Jerome Kern y Oscar Hammerstein; enseguida se apreció que era algo diferente.

Tras una obertura inhabitual que no auguraba nada bueno, la primera escena presentaba una coral de estibadores negros que declamaban con angustia: «Todos los negros trabajan en el Mississippi, todos los negros trabajan mientras la gente blanca juega», en vez de las típicas coristas. *Show Boat* explicaba la vida a bordo de un teatro flotante del Mississippi desde finales de 1880 hasta 1927. Trataba directamente los temas del racismo, el mestizaje, los matrimonios fracasados, el alcoholismo, el juego y la deuda cultural que tenía la América blanca con la música afroamericana. La hábil mezcla de melodrama, drama, comedia, *jazz*, espirituales negros, *blues* y opereta ofrecía un panorama épico de la sociedad americana. Todas las letras de las canciones y los diálogos de Hammerstein, cada nota de la música de Kern, anticipaban el drama o descubrían a un personaje.

Por una vez, la innovación recibió su recompensa: *Show Boat* obtuvo un éxito inmenso. La partitura produjo un gran número de canciones de repertorio: «Can't help lovin' dat man» y «Bill» (ambas interpretadas por la cantante Helen Morgan), «Make Believe», «Life upon the Wicked Stage», «You are love», y una canción que sigue siendo un gran éxito de música teatral, «Ol' Man River» (cantada por Jules Bledsoe en Nueva York y, de forma legendaria, por Paul Robeson en la producción londinense de 1928).

Show Boat ejerció influencia, gracias a su enorme éxito, sobre los musicales serios como *Porgy and Bess* de Gershwin; *Pal Joey* de Rodgers y Hart; *Oklahoma!*, *Carousel, South Pacific* y *El rey y yo* de Rodgers y Hammerstein. ◄1904.M ►1943.11

Con *Show Boat* el musical americano alcanzó su mayoría de edad.

MÚSICA

El mejor local nocturno

9 Duke Ellington, director de orquesta, compositor y pianista, transformó el Cotton Club en la capital de *jazz*, y en la era del *jazz* ello equivalía a decir el centro del universo. En diciembre de 1927 el innovador más destacado de la música afroamericana empezó su deambular de tres años en el local nocturno de Harlem. Ellington escribió complejas composiciones en torno a unos improvisadores virtuosos, creando texturas exuberantes y tonalidades ricas con mezclas poco habituales de instrumentos (como el clarinete bajo y la voz sin letra). Presumía de conseguir un «sonido salvaje», aunque falseaba las nociones de lo primitivo con tanto ingenio como Picasso.

Como la música de Ellington, el Cotton Club ofreció sofisticación condimentada con una pizca de exotismo primitivo. Estaba controlado por gángsters (que liberaron al artista de un contrato anterior advirtiendo al propietario del local rival que fuera generoso o moriría) y ofrecía carne, langosta y a veces confrontaciones armadas en su ambiente tropical. Su coro, formado por bellezas de piel oscura, era tan famoso que las mujeres blancas intentaban hacerse pasar por negras para entrar en él. A pesar de tener empleados negros para entretener y servir y de estar situado en el barrio negro más grande de América, la clientela del club —al igual que sus directivos— era exclusivamente blanca.

Los blancos iban en busca de diversión a los barrios negros atraídos por la aplicación más relajada de la prohibición y porque la cultura afroamericana estaba de moda. (El renacimiento literario de Harlem contribuyó también a ello.) Algunos locales nocturnos contaban con una clientela mixta, pero un número cada vez mayor sólo la aceptaba blanca. Para los aventureros caucasianos, ya fueran intelectuales, turistas que venían del campo, miembros de la realeza europea o matones, un viaje al Cotton Club era una gesta inolvidable. Para los que tenían la piel más oscura, eran aconsejables otros puntos de reunión. ►1934.10

El director de orquesta y cantante Cab Calloway fue la siguiente estrella del Cotton Club de Harlem, después de Duke Ellington.

descarga rabiosa de Dempsey en el séptimo asalto, Tunney tuvo un respiro cuando Dempsey no pudo retirarse a un rincón neutral. Pasaron de tres a cinco segundos antes de que el árbitro empezara la acostumbrada cuenta de diez segundos. Tunney consiguió

levantarse en el segundo nueve y finalmente ganó «el combate de la cuenta larga». ◄1920.6 ►1937.9

►UN DÚO CÓMICO —Stan Laurel, nacido en Gran Bretaña (su nombre real era Arthur Stanley Jefferson) y una vez suplente de Charles Chaplin, formó equipo con el americano Oliver Norvell Hardy, Jr., actor de vodevil, en 1927, en la película *Putting pants on Philip (inferior)*, la primera de las noventa comedias que realizaron juntos. «Mr. Laurel» era flaco y sumiso, «Mr. Hardy» era gordo y engreído. Los personajes,

completamente estúpidos, transformaban las situaciones más cotidianas en auténticas catástrofes (Laurel ideaba la mayoría de situaciones del dúo) y crearon una comedia intemporal y universal.

►PETRÓLEO DE KIRKUK —En octubre el petróleo manó de forma incontrolada durante diez días, después de que los perforadores encontraran un yacimiento en el desierto cercano a Kirkuk, Iraq. El Baba Gurgur n.° 1, un proyecto conjunto de franceses, británicos, americanos e iraquíes, brotó a 42 m de altura y llenó 80.000 barriles diarios. ◄1909.5 ►1960.NM

POLÍTICA Y ECONOMÍA: Estados Unidos y Canadá establecen relaciones diplomáticas independientes [...] El tribunal supremo estadounidense establece que los ingresos ilegales son imponibles (los ingresos anuales de Al Capone ascienden a 105 millones de dólares, la mayor renta privada hasta la fecha de un ciudadano norteamericano).

«Odesa es una ciudad miserable. Todo el mundo sabe qué le hacen a la lengua rusa allí [...] pero de todas formas, quand même et malgré tout, *(el lugar) es extraordinariamente, bastante extraordinariamente, interesante.»*—**Isaac Bábel**

▶MISTERIO PRECOLOMBINO—Un piloto peruano descubrió unas figuras delineadas sobre el desierto mientras sobrevolaba el sur del Perú. Los dibujos de Nazca, que representan animales, reptiles y figuras geométricas, ocupaban un terreno amplio y eran de

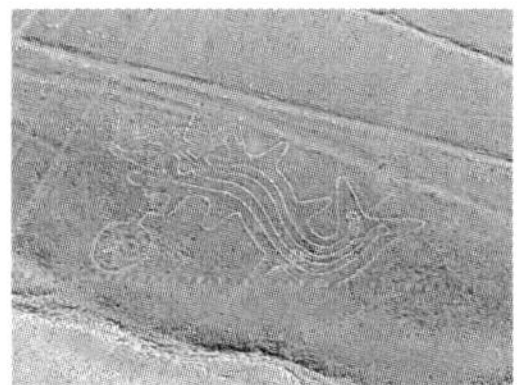

época anterior a los incas. No se sabe por quién, cuándo y por qué fueron trazados. ◀1911.4

▶GRAN BRETAÑA ROMPE SUS RELACIONES CON LA URSS—Gran Bretaña rompió sus vínculos con Moscú: «Hemos tenido paciencia hasta el punto de que perseverar en ella sería debilidad o estupidez», comentó Chamberlain, ministro de asuntos exteriores, explicando la expulsión de los diplomáticos soviéticos del país. La acción de Gran Bretaña presagió la guerra fría. ▶1939.3

▶GENERACIÓN DEL 27–Un grupo de poetas españoles, entre ellos Alberti, García Lorca, Jorge Guillén, Dámaso Alonso, Gerardo Diego, Aleixandre, Cernuda, Altolaguirre, Prados y Salinas, fueron conocidos como la generación del 27. El nombre deriva de los actos organizados por el Ateneo de Sevilla para conmemorar el tricentenario de la muerte de Góngora. Una *Antología* publicada por Gerardo Diego en 1932, que incluía las aportaciones de maestros anteriores

(Unamuno, Manuel y Antonio Machado, J. R. Jiménez) sirvió para que los poetas de la generación del 27 expusieran su concepción sobre la «nueva» poesía española, que compaginaba la tradición literaria del clasicismo español y una renovación vanguardista.

Esta fotografía borrosa fue una primicia del periodismo gráfico y probó la importancia de una revista.

TECNOLOGÍA

La fotografía se sumerge

10 La publicación de la primera fotografía submarina en color confirmó el dominio tecnológico de *National Geographic* sobre el periodismo fotográfico. La revista, dirigida por Gilbert H. Grosvenor, había pasado de ser un simple diario científico a convertirse en una publicación dedicada a «difundir la vida, la respiración y la verdad de interés humano de todo el mundo». Grosvenor hizo entrar a los gauchos argentinos y a los osos polares del Círculo Ártico en los salones de sus lectores con artículos claros y concisos, acompañados de fotografías espectaculares. En 1903 sorprendió al público con una fotografía de un trabajador filipino semidesnudo, y en 1906 las 74 fotografías nocturnas de animales salvajes provocaron la dimisión de dos miembros del consejo de administración ofendidos por la categoría de «álbum de fotografías» de la revista. Grosvenor comprendió que sus lectores deseaban ver lo desconocido y lo exótico y se sirvió de la fotografía para satisfacerlos.

Las fotografías submarinas constituyeron su mayor éxito. El fotógrafo Charles Martin y el científico W. H. Longley diseñaron un equipo sumergible y utilizaron magnesio en polvo para el flash para esta extraordinaria hazaña, difícil porque todavía no se disponía ni de la cámara Leica, que liberó a los fotógrafos de los aparatos voluminosos y de los trípodes incómodos, ni de la película de 35 mm en color Kodachrome.

Más tarde, *National Geographic* publicó la primera fotografía que mostraba la curvatura de la tierra así como la primera toma subterránea en colores naturales (se utilizaron 2.400 bombillas de flash para iluminar las cuevas Carlsbad de Nuevo México). **◀1900.3**

LITERATURA

Una alabanza del caos

11 En 1927 se publicaron los *Cuentos de Odesa*, de Isaac Bábel. Los escritos de este autor reflejaron la ola de cambios que habían acabado con el antiguo Imperio Ruso. La grandeza de Bábel había sido demostrada el año anterior con la publicación de *Caballería roja*, una serie de escenas fragmentadas y sobrecargadas de una sociedad presa del tumulto revolucionario. En los cuatro relatos interrelacionados de los *Cuentos de Odesa*, Bábel regresaba al abarrotado barrio judío de su juventud, terreno en el que habían entrado escritores judíos como Sholem Aleichem con nostalgia. No obstante, Bábel (que, a diferencia de Aleichem, escribía en ruso) lo hizo para enterrar esta tradición y no para continuarla. Sugirió que el gueto podía ser animado pero también atrasado y limitado.

En vez de tratar el tema judío de la lucha entre la moral y la inteligencia, Bábel elogió la vitalidad anárquica del delincuente Benya Krik. Su tono sardónico e insensible presagió el de Brecht en *La ópera de tres peniques*

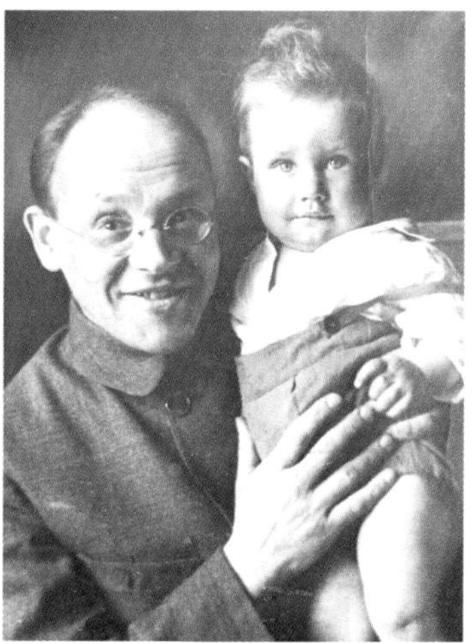

Bábel y su bebé: dio la bienvenida al futuro pero albergaba pocas ilusiones.

que exploró temas similares; su lenguaje conciso y afilado era tan moderno como el de Hemingway.

Bábel había luchado por la causa bolchevique; en 1918 se unió a la Cheka (la policía política soviética) y tomó parte en redadas para obtener comida para los trabajadores hambrientos. Durante la guerra civil había visto acciones bélicas como propagandista con la Caballería de Budenny (un grupo de cosacos comandados por el revolucionario Semyon Mikhailovich Budenny que combatía a los antibolcheviques). Sin embargo, su entusiasmo por la revolución era ambiguo y se mostraba prudentemente escéptico ante la ortodoxia comunista.

Como el narrador con gafas de los relatos del *Caballería roja*, Bábel «intentó anticipar la curva misteriosa a la línea recta de Stalin». La curva le golpeó cuando Stalin empezó la supresión cultural. Bábel fue detenido en 1939 y murió en un campo de trabajo en marzo de 1941. Sus obras fueron inaccesibles a los lectores soviéticos hasta su «rehabilitación» en los años sesenta. **◀1926.2 ▶1928.4**

MEDICINA

El pulmón de acero

12 **En 1927 Philip Drinker, médico de Harvard, diseñó un aparato de respiración artificial que inmediatamente recibió el apodo de pulmón de acero. Hasta entonces los médicos no podían hacer nada mientras los pacientes se asfixiaban porque la polio paralizaba sus pulmones. Utilizando piezas de un viejo aspirador, Drinker construyó un respirador que, mediante una bomba al vacío, trasladaba aire dentro y fuera de un aparato parecido a un tanque en el que se introducían los pacientes. Éstos eran obligados a respirar y permanecían vivos hasta que se recuperaban del ataque.**

Durante veinte años, el pulmón de acero fue la única esperanza de los enfermos de polio. Luego, a principios de los años cincuenta, llegó la vacuna que hizo desaparecer la enfermedad por completo. ▶1955.1

PREMIOS NOBEL: Paz: Ferdinand Buisson (francés; derechos humanos) y Ludwig Quidde (alemán; pacifista) [...] Literatura: Henri Bergson (francés; filósofo) [...] Química: Heinrich Wieland (alemán; ácidos biliares) [...] Medicina: Juliurs Wagner von Jauregg (austríaco; parálisis general) [...] Física: Arthur Compton (estadounidense; longitud de ondas en Irayos X) y Charles Wilson (británico; radiación ionizada).

Memorias de Ernst Heinkel

La locura de la velocidad

El Macchi MC 200, conocido también como Folgore, podía alcanzar una velocidad de 600 kilómetros por hora.

Mis encuentros con personas y hechos fueron, y esto lo comprobé con harta frecuencia desde que me entrevisté por vez primera con Castiglioni, de importancia decisiva para mi trabajo y sus progresos. Y lo mismo volvía a ocurrir cuando a mediados del mes de septiembre del año 1927 fui a Venecia para asistir por vez primera como simple espectador en la célebre carrera de aviones llamada «copa Schneider». A pesar de todas las dificultades, mi fábrica trabajaba a todo rendimiento, lo que me permitía hacer viajes que no fueran única y exclusivamente para conseguir nuevos pedidos o intervenir activamente en las competiciones aeronáuticas, sino simplemente a deseos y sueños personales. Claro está, todos estos viajes tenían en última instancia siempre algo que ver con la aviación y su evolución, y lo confieso abiertamente ya que por aquel entonces era ésta la única idea que anidaba en mi mente.

La competición por la copa Schneider tenía ya su origen antes de la Primera Guerra Mundial. El gran industrial de Mülhausen Jack Schneider había cedido la copa para el vencedor de una carrera aérea a celebrar cada año y durante la cual se decidiera cuál era el avión más rápido del mundo. Esta competición se celebraba en el país que el año anterior se había llevado el premio. Después de la guerra se acordó celebrar la carrera cada dos años, puesto que la construcción de aviones de carrera exigía cada vez más tiempo y también mayores capitales.

Participaban en la carrera única y exclusivamente hidroaviones, ya que se excluía la posibilidad de que unos aviones tan «increíblemente rápidos» (por aquel entonces no alcanzaban todavía los 400 km/h) pudieran aterrizar en un campo de aviación limitado en extensión.

La última carrera en el año 1925 la había ganado el comandante italiano Bernardi con un avión italiano «Macchi» y un motor especial Fiat de 882 CV. Bernardi había alcanzado una velocidad de 396,6 km/h. En el mes de septiembre del año 1927 se volvían los ojos de todo el mundo hacia Italia. ¿Volvería a alcanzar la victoria? En un principio habían querido competir los americanos, franceses e ingleses con los italianos. Esta lucha era tanto para Francia como Inglaterra no sólo un problema deportivo y técnico, sino también político. El rápido incremento de la aviación italiana estaba íntimamente ligado con el concepto del fascismo y los nombres de Mussolini y Balbo. Se había convertido en una cuestión cardinal para el fascismo.

Debí estar en aquellos momentos completamente sumido en mis pensamientos puesto que no me di cuenta de que alguien me tiraba repetidas veces de la manga. Sólo cuando me cogieron fuertemente del brazo, me volví y reconocí a Walter Kleffel, de la editorial Ullstein, que vivía unas horas de gran emoción en Venecia. Con su habilidad característica había metido la nariz por todas partes donde se podía averiguar algo de importancia. Estaba enterado ya de que había habido luchas entre ingleses y fascistas italianos y que los carabinieri habían tenido que intervenir. Sabía también de una discusión en el seno del comité organizador de la carrera. El aviador oceánico americano Lewin había llegado un día antes a Venecia y los italianos le habían nombrado miembro del comité. Pero a continuación declararon los ingleses que en este caso ellos no participarían en la carrera y Lewin tuvo que renunciar a su nuevo cargo. Kleffel hablaba como un libro. Temía por la victoria de los italianos. Los ingleses contaban con un motor Napier fantástico. El director de la fábrica de motores francesa Gnôme-le-Rhône, Weiller, le había entregado hacía pocas horas los planos exactos de los nuevos motores ingleses para su publicación en las ediciones Ullstein. Monsieur Weiller estaba indignado de que los ingleses hubiesen superado el rendimiento de los motores Gnôme-le-Rhône y quería darles a entender por mediación de la prensa alemana, en este caso neutral, que no tenían por qué sentirse tan orgullosos y arrogantes y que los franceses estaban perfectamente al corriente de lo que planeaban y construían los ingleses. Kleffel profetizó que, después de haber estudiado aquellos documentos, los ingleses serían los más rápidos. Me susurró que los italianos habían querido sacar demasiado rendimiento a su motor Fiat. De los doce motores que habían sido construidos, seis habían fallado durante las pruebas. Los motores de carrera sólo tienen vida para las competiciones a que son destinados; sin embargo, estaba convencido de que incluso en este caso fallarían los italianos. Pero todo lo que me contaba Kleffel gesticulando vivamente y llevándose repetidamente el monóculo al ojo, lo asimilé de un modo superficial, puesto que no veía otra cosa que los aviones y sólo pensaba en la nueva meta que me había fijado. Los ingleses habían preparado para el despegue dos biplanos y un monoplano. Pero incluso el biplano era por aquellos días en los que la aerodinámica no representaba todavía un papel decisivo en la construcción de aviones, un ejemplo tan maravillosamente concebido de las formas aerodinámicas que no podía apartar la mirada del mismo. Y esto vale en mayor grado aún por el monoplano inglés «Supermarine» que había sido construido por un oficial del ministerio del aire inglés llamado Mitchel. Una hora más tarde alcanzó este avión, después de una emocionante carrera al mando del piloto Webster, la victoria sobre los aviones «Macchi» de los italianos. El «Supermarine», con sus 450,54 km/h, era el avión más rápido del mundo.

«Ha llegado el momento en que se debe renunciar directamente a la guerra como instrumento de política nacional para garantizar para siempre las relaciones amistosas y pacíficas que ahora existen entre los países.»—**Pacto Kellogg-Briand**

HISTORIA DEL AÑO

Las naciones renuncian a la guerra

1 En los anales de las gestas quijotescas, el pacto Kellogg-Briand posee un lugar destacado. El 27 de agosto de 1929, una década después de lo que H. G. Wells había llamado «la guerra que acabará con la guerra», y menos de doce años antes del conflicto mundial que haría que la Gran Guerra pareciese una carrera de obstáculos, quince naciones firmaron en París un acuerdo que abolía oficialmente la guerra.

Parecido a los acuerdos de Locarno de 1925, el pacto Kellogg-Briand fue concebido cuando el ministro de asuntos exteriores francés Aristide Briand pidió a Estados Unidos que firmara un pacto de no agresión con Francia, con el objetivo de que Norteamérica protegiera a Francia de cualquier brote de expansionismo alemán. El secretario de Estado de Estados Unidos B. Kellogg tenía ciertas reticencias a que su país interviniera en las contiendas internacionales de las potencias. Pero Kellogg decidió apostar por la apertura de Francia con un gesto grandioso: un pacto multilateral que prohibiría la guerra con leyes internacionales.

Kellogg escribió a su mujer durante las negociaciones: «Si puedo conseguir este pacto, creo que también puedo conseguir el Premio Nobel». (Lo obtuvo al año siguiente.) Después de la firma inicial, casi todos los países del mundo apoyaron el pacto. Sin embargo, existían dos problemas. Uno era que el tratado no contenía cláusulas para su puesta en vigor. El otro, que los signatarios podían hacer todo tipo de interpretaciones y calificaciones del mismo: ya que no prohibía las guerras de autodefensa, por ejemplo, o las obligaciones militares de la Doctrina Monroe, el convenio de la Liga de Naciones o los pactos de alianza de la posguerra.

En el primer artículo del acuerdo, los firmantes se avinieron a «renunciar a la guerra como instrumento de política nacional.» Once años después, estos mismos países volvían a alzarse en armas. **◂1925.NM ▸1938.2**

«De nuevo casados», rezaba el pie de esta caricatura. Pero la paz no duraría.

LITERATURA

El último victoriano

2 Cuando murió Thomas Hardy en 1928 a la edad de 87 años, Inglaterra perdió a uno de sus grandes escritores y con él el vínculo con una época más simple y austera. El autor de *Teresa de Urbervilles, Retorno al país natal* y *El alcalde de Casterbridge*, inmortalizó en sus novelas a los campesinos leales, a los pueblos sencillos, a los brezales y a los bosques de su Dorset natal, un lugar que todavía se adentraba en la era industrial. En su juventud, Hardy había oído hablar de las guerras napoleónicas a sus vecinos más viejos y murió antes de los horrores de la Segunda Guerra Mundial.

El condado de Wessex, su mundo de ficción al sudoeste de Inglaterra, estaba detenido en el tiempo. Era un lugar donde seres inquietos, que habían adquirido el individualismo característico del hombre moderno, luchaban por imponerse ante la naturaleza y la sociedad y perdían siempre. Su filosofía es el determinismo científico del siglo XIX, con un toque elegíaco de las nociones tradicionales del destino: el hombre está sujeto a las fuerzas universales, es un juguete de los dioses.

Hardy, pesimista y melancólico, también fue profundamente empático, una cualidad que elevó su obra por encima del melodrama y le convirtió en un héroe nacional. **◂1910.12**

CULTURA POPULAR

El bufón de América

3 El 4 de enero de 1928 la voz presidencial se oyó a través de la emisora NBC: «Estoy encantado de dar cuenta del estado de la nación. La nación prospera. Pero, ¿cuánta prosperidad cabe en un agujero?». La voz que pronunciaba ese mensaje del «estado de la Unión», que fue transmitido por un circuito transcontinental de 45 emisoras, sonaba exactamente igual que la de Calvin Coolidge, pero pertenecía a un hombre mucho más popular: Will Rogers.

Rogers, desde la primera década del siglo hasta su muerte en 1935 en un accidente de aviación (con el aviador Wiley Post), fue el crítico satírico-político más importante de la época. La radio, el recién nacido medio de diversión, le ofreció el foro más amplio para administrar su combinado único de sabiduría popular y de escepticismo benévolo sobre el gobierno. Sus admiradores se entusiasmaron cuando una de sus bromas fue leída en las actas del congreso y Rogers lo satirizó así: «En el congreso, cada vez que hacen una broma, es ley. Y cada vez que hacen una ley, es una broma».

Rogers, descendiente de un indio cherokee de Oklahoma, empezó en el mundo del espectáculo como vaquero de vodevil incorporando bromas y chistes en su actuación. Causó sensación en el Ziegfeld Follies y *The New York Times* lo comparó con Aristófanes. En los años veinte, además de su trabajo en la radio, escribía una columna periodística y aparecía con frecuencia en películas mudas. A principios de los años treinta era el mayor éxito de taquilla de Hollywood con un nuevo programa radiofónico semanal de máxima audiencia y una larga serie de éxitos en películas sonoras. **◂1910.9**

Will Rogers fue apodado «el poeta del lazo»; sus palabras atrapaban a la audiencia y molestaban a la elite.

ARTE Y CULTURA: **Libros:** ***El amante de Lady Chatterley*** **(D. H. Lawrence);** ***Orlando*** **(Virginia Woolf);** ***Contrapunto*** **(Aldous Huxley) [...] Música:** ***Un americano en París*** **(George Gershwin) [...] Pintura y escultura:** ***Men of opinion*** **(George Grosz) [...] Cine:** ***...Y el mundo marcha*** **(King Vidor);** ***La marcha nupcial*** **(Erich von**

«¿A qué se atiene un hombre vivo? Vive sobre los demás. Le gusta golpearlos, engañarlos, comérselos mientras pueda.»

—De «¿A qué se atiene un hombre vivo?», *La ópera de tres peniques*

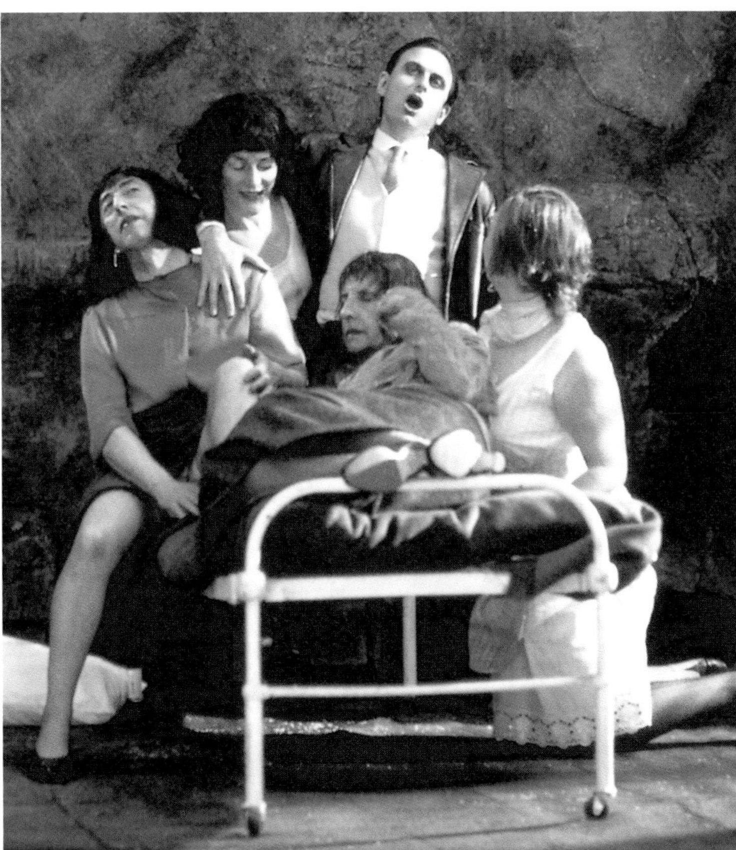

***La ópera de tres peniques:* una sátira tan entretenida que incluso los satirizados la adoraron.**

TEATRO

El banquete del mendigo

4 Los ensayos fueron un desastre. Peter Lorre, que tenía que interpretar al rey mendigo, enfermó y tuvo que ser sustituido. La actriz que debía interpretar a su mujer se negó a cantar la «Balada de la esclavitud sexual» y también fue sustituida. El ensayo de vestuario acabó en una pelea a puñetazos. Sin embargo, la noche del estreno, el 31 de agosto de 1928, durante la canción antimilitarista «Cannon Song», el público empezó a seguir el ritmo con los pies. Desde aquel momento, *La ópera de tres peniques* fue todo un éxito, el mayor éxito teatral alemán de la época de Weimar, y una de las producciones más populares del mundo. Sus canciones pegadizas, con tintes de *jazz* (desde «Mack the Knife» hasta «Pirate Jenny») han sido interpretadas por cantantes, mitos populares y estrellas del *rock*.

El espectáculo nació de la breve colaboración entre Bertolt Brecht, dramaturgo y poeta con chaqueta de cuero, y Kurt Weill, compositor tímido y con gafas conocido por sus composiciones experimentales. Ambos eran marxistas y aspiraban a una nueva clase de ópera: desprovista de pretensiones sentimentales y naturalistas, agresivamente moderna, políticamente didáctica y que sirviera a la clase trabajadora.

Su unión de fuerzas plasmó a la perfección el ambiente de la posguerra alemana, con la inflación que condujo al delito y a la corrupción, su libertad y cinismo, su alegría y su desesperación.

La ópera de tres peniques transformó los bajos fondos londinenses de la sátira de John Gay la *Ópera del mendigo* (1728), en los bajos fondos berlineses de 1928. Trataba de un delincuente, Macheath, que intenta casarse con la hija de un mendigo y de la traición de una prostituta (que fue interpretada por la mujer de Weill, Lotte Lenya, en la producción berlinesa). Macheath representaba para Brecht la decadencia burguesa, detalle que no impidió que los espectadores burgueses abarrotaran el teatro.

◂1927.11 ▸1966.8

JAPÓN

Las redadas derrumban a la izquierda

5 En 1928 salieron a la luz las contradicciones esenciales de la sociedad japonesa de preguerra. A las primeras elecciones generales después de la introducción del sufragio universal masculino (1925), siguió una dura represión gubernamental contra el joven movimiento disidente. El gobierno llevó a cabo redadas en las sedes de los grupos izquierdistas y arrestó a más de mil personas, alegando la Ley de Defensa de la Paz (1925) que prohibía las tentativas de derrocar al gobierno japonés y todas las «ideas peligrosas». En conjunto, los temidos grupos de izquierdas habían conseguido menos de medio millón de votos en las elecciones. Más tarde, un mandato imperial aumentó las sanciones por subversión política de diez años de prisión a la pena de muerte. Japón había empezado su camino hacia el fascismo.

El clima político reaccionario de las dos primeras décadas del siglo fue el producto de un período de intensa industrialización en que un grupo poco numeroso de empresas enormes poseían el control económico. Japón, animado por las victorias bélicas sobre China (1895) y sobre Rusia (1905), que abrieron nuevos mercados de exportación, empezó a transformar su economía agraria en industrial. Después de 1920, la revolución económica fue instigada por la caída de los precios de productos agrícolas, que atrajo a muchos trabajadores a las ciudades en busca de ingresos regulares. Bajo los partidos socialistas y comunistas, la mano de obra industrial creció del mismo modo que los sindicatos. La liberalización del voto fue una concesión de esta nueva política. Sin embargo, el poder político real estaba concentrado en manos de los *zaibatsu*, que controlaban el 60 % del capital japonés y del ejército independiente sin cuyo consentimiento no se podía formar gobierno. La Ley de Defensa de la Paz, aprobada justo después de la concesión del sufragio masculino, prescindía de los valores democráticos. La industria y el ejército constituían el Estado.

Miembros de un partido celebrando una victoria en las primeras elecciones con sufragio universal masculino.

◂1921.5 ▸1931.4

NACIMIENTOS

Shirley Temple Black, actriz y diplomática estadounidense.

Noam Chomsky, lingüista y activista político estadounidense.

Gabriel García Márquez, escritor colombiano.

Ernesto «Che» Guevara, político y guerrillero argentino.

Grace Kelly, actriz estadounidense y princesa de Mónaco.

Stanley Kubrick, director cinematográfico estadounidense.

Hans Küng, teólogo suizo.

Pol Pot, dictador camboyano.

Carlos Rojas, escritor español.

Anne Sexton, poeta estadounidense.

Eduard Shevardnadze, dirigente político soviético.

Karlheinz Stockhausen, compositor alemán.

Andy Warhol, artista estadounidense.

Aaron Spelling, productor de televisión estadounidense.

MUERTES

Roald Amundsen, explorador noruego.

Vicente Blasco Ibáñez, escritor español.

Thomas Hardy, escritor británico.

Leoš Janáček, compositor checo.

Charles Rennie Mackintosh, arquitecto británico.

James Packard, ingeniero y fabricante de coches estadounidense.

Emmeline Pankhurst, sufragista británica.

José Eustasio Rivera, escritor colombiano.

Max Scheler, filósofo alemán.

Italo Suevo, escritor italiano.

Stroheim) [...] Teatro: *Extraño interludio* (Eugene O'Neill); *Rosalie* (George e Ira Gershwin, Romberg y Wodehouse).

«El complejo permanente de Evelyn y la fuente de la mayor parte de su miseria fue que no era demasiado alto, ni muy guapo, ni un duque rico.»—**Cecil Beaton, fotógrafo, sobre Evelyn Waugh**

NOVEDADES DE 1928

Cruce de carretera en forma de trébol (Woodbridge, Nueva Jersey).

Mantequilla de cacahuetes hidrogenizada y homogeneizada (Peter Pan).

Silla Breuer

Chicle de globo (Dubble Bubble de Fleer).

Columbia Broadcasting System (CBS; fundada por un joven ejecutivo de una compañía de cigarros, William S. Paley).

Correo postal aéreo entre Barcelona y Madrid y Sevilla y Las Palmas.

Automóvil propulsado por cohetes en el circuito Opel (Alemania).

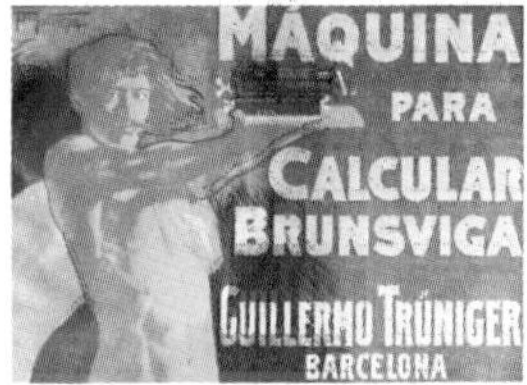

Máquina para calcular

EN EL MUNDO

▶EL POETA DE COLOMBIA —José Eustasio Rivera (1888-1928), político y escritor, murió en la ciudad de Nueva York a finales de noviembre. Su obra literaria, en verso y en prosa, cantó a la patria colombiana desde su primera producción. La *Oda a san Marco* es un homenaje a Antonio Ricaurte, héroe de la independencia. Su pieza más famosa es la novela *La vorágine* (1924) donde la selva, con su fertilidad pero también con su dureza, se erige en la auténtica protagonista de la obra.

▶VIII JUEGOS OLÍMPICOS— En Amsterdam se celebraron los VIII Juegos Olímpicos de la era moderna. Esta edición vio la reincorporación de Austria

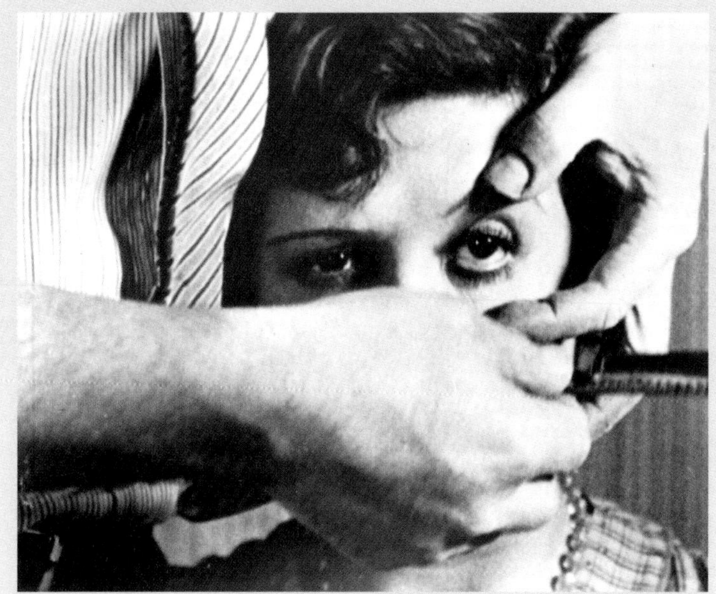

CINE

Surrealismo de celuloide

6 En 1928 el director de cine Luis Buñuel y el pintor Salvador Dalí saltaron a la fama con *Un chien andalou.* Fue una de las primeras películas surrealistas y el principio de la carrera de Buñuel como uno de los directores más importantes del mundo. Nació después de tres días de conversaciones entre los dos españoles, que vivían en París, sobre sus sueños y fantasías. La película, de 17 minutos de duración, era un cúmulo de imágenes perturbadoras y alucinantes —una mano plagada de hormigas, el ojo de una mujer rajado por una cuchilla de afeitar (*superior*)— e impresionó a la mayoría de espectadores. Sus creadores obtuvieron un puesto en la vanguardia del movimiento artístico más importante de su generación ◂1924.3 ▸1930.10

MÚSICA

La satisfacción general de Ravel

7 Joseph Maurice Ravel, compositor que creía que la música surgía de lo más íntimo del alma, se hizo famoso por su *Bolero*, estrenado en París en noviembre de 1928, que carecía de contraste y de creatividad, que sólo era un tema sencillo inspirado en una canción popular española.

Sin embargo, al público le encantó desde el primer toque

Ravel: popular por un crescendo.

de tambor. A los tambores se añadían las flautas, luego los clarinetes, los bajos, las trompetas y los saxos. Los instrumentos se iban incorporando por orden para reforzar el sonido reiterativo de los tambores. La música culminaba en un clímax emotivo y la audiencia estalló en aplausos frenéticos. La obra adquirió fama mundial. Hollywood basó una película en esta composición.

Ravel fue un hombre laborioso y perfeccionista, cuyas composiciones, un tanto mecánicas, hicieron que el compositor Igor Stravinski le llamara «relojero suizo». Las piezas musicales de Ravel (ninguna fue tan popular como el *Bolero*) allanaron el camino para Stravinski y la escuela antirromántica de finales de los años veinte y treinta. **◂1913.5 ▸1934.5**

LITERATURA

Un maestro de la sátira

8 La novela *Decadencia y caída*, mordaz, ingeniosa y sofisticada, anunció la llegada de un nuevo talento literario de gran importancia, Evelyn Waugh. El libro, el primero de Waugh, causó sensación en el sector más elegante de Londres, que reconoció a algunos personajes. Considerada por muchos críticos como la mejor obra satírica de Waugh, fue el principio de la carrera de su autor como observador de «lo joven y brillante», frase que empleaba para describir el medio en el que se encontraba el mundo de la alta sociedad de Cambridge y Oxford en los años veinte.

Tras pasar por Oxford, Waugh empezó a escribir novela para dejar de pensar en la biografía del pintor y poeta prerrafaelista Dante Gabriel Rossetti que estaba escribiendo en aquel momento. El primer editor que leyó la novela la rechazó por obscena, una comedia negra mordaz con referencias a la homosexualidad, la pederastia y el incesto. El segundo aceptaba publicarla si Waugh se avenía a revisar el manuscrito, hecho que se convirtió en legendario cuando Waugh empezó a generar grandes beneficios con sus siguientes novelas. Tanto *Decadencia y caída* como *Rossetti* se publicaron en 1928, el mismo año en que contrajo matrimonio con su primera mujer, que también se llamaba Evelyn.

Waugh retratado por otro «joven brillante», el fotógrafo Cecil Beaton.

Tras prestar sus servicios en la Segunda Guerra Mundial, Waugh abandonó la sátira, que le había hecho famoso, y empezó a explorar cuestiones religiosas en sus novelas. Su obra más conocida de esta época es *Retorno a Brideshead* (Waugh se había convertido al catolicismo en 1930). Se retiró a una finca en el campo, al oeste de Inglaterra; empezó a consumir grandes cantidades de alcohol y se convirtió en un hombre alarmantemente conservador, misántropo y malhumorado. Murió en 1966. **▸1956.12**

DEPORTES: Juegos Olímpicos celebrados en Amsterdam y en St. Moritz [...] Fútbol: Treinta heridos entre los espectadores que asistían al partido de fútbol Bélgica-Holanda [...] Automovilismo: Récord de velocidad en Daytona, 334,010 km/h [...] Boxeo: Gene Tunney se retira (76 victorias, 1 derrota) [...] Natación: Johnny Weissmuller se retira con 67 récords mundiales y 5 medallas olímpicas de oro.

«Amo más al ratón Mickey que a cualquier mujer que haya conocido.»—**Walt Disney**

MEDICINA

Aislada la vitamina C

9 La ciencia de la nutrición se transformó profundamente a partir del aislamiento de la vitamina C (1928). El cambio se aceleró con el descubrimiento de la vitamina B_1 realizado por el bioquímico polaco-americano Casimir Funk en 1914. Parecía que la carencia de esta sustancia provocaba el beriberi, enfermedad mortal.

El descubrimiento de Funk había dado un gran empuje a los defensores de la teoría de las deficiencias, y a principios de los años veinte la investigación sobre el escorbuto, otra enfermedad deficitaria, se centró en un factor desconocido apodado «vitamina C». No obstante, hasta que la vitamina fuera aislada y cristalizada, los científicos no podían estudiarla ni determinar si era una sustancia simple o compuesta.

Albert Szent-Györgyi, bioquímico húngaro que trabajaba en Inglaterra, en el curso de una investigación no relacionada con el escorbuto ni con las vitaminas, realizó el descubrimiento en 1928. Extrajo una sustancia parecida al azúcar de la glándula suprarrenal de un buey y aisló unos cristales de lo que llamó ácido hexurónico, que presentaba características parecidas a la vitamina C. Pocos años más tarde, Szent-Györgyi, instalado de nuevo en Hungría, pudo demostrar que el ácido hexurónico y el ácido ascórbico (el otro nombre de la vitamina C) eran lo mismo. En 1932 la vitamina C fue la primera que se sintetizó en un laboratorio.

Por primera vez los científicos comprendieron no sólo que la vida humana dependía de la ingestión de ciertas sustancias, sino también que podían ser administradas de forma artificial. Rápidamente se aislaron otras vitaminas: la vitamina A, en 1933; las vitaminas E, G, H y K, entre finales de los años treinta y los años cuarenta; y la vitamina B_{12}, que evita la anemia, en 1948-1949. El escorbuto se convirtió en una enfermedad del pasado, excepto por algunos brotes aislados. **◂1912.6**

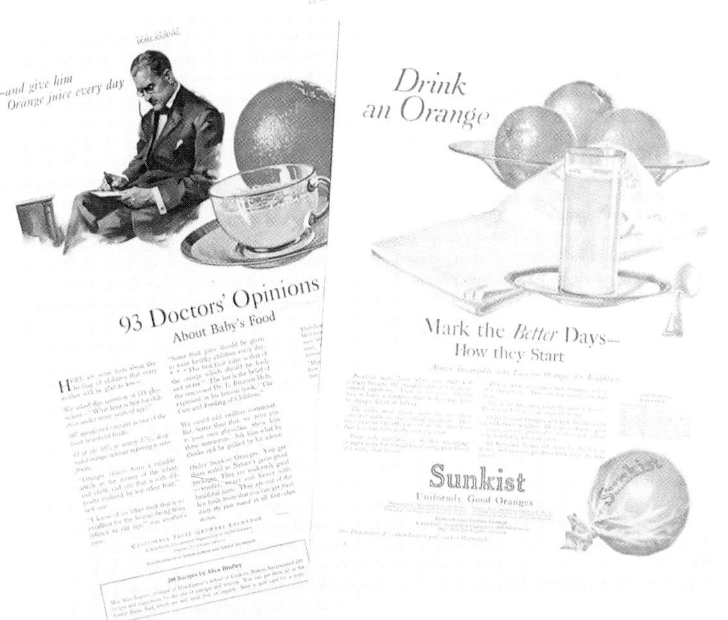

Szent-Györgyi aisló el elemento en las naranjas para combatir el escorbuto.

A Walt Disney le gustaban tanto los ratones que tenía algunos en el cajón de su escritorio para hacer bocetos.

CINE

El debú del ratón Mickey

10 El público que asistió al Colony Theater de Nueva York el 19 de septiembre de 1928 presenció, fascinado, a un héroe cinematográfico que pilotaba una lancha por un río, hacía algo de música estrujando animales de corral hasta que mugían, rebuznaban o graznaban, y rescataba a su novia de las manos de un bruto altísimo. Se trataba de la importante película sonora de dibujos animados *Steamboat Willie*. El versátil protagonista era un roedor llamado Mickey. El genio que se escondía tras él era Walt Disney.

Con los años el ratón Mickey se fue definiendo, adquirió un aspecto más joven y menos parecido a un roedor.

El sonido fue la clave del éxito que Disney obtuvo con el ratón Mickey. El personaje, fruto de la colaboración de Disney y del dibujante Ub Iwerks, había aparecido en dos películas mudas anteriores. El creativo Disney se diferenció de sus competidores haciendo que la música y los efectos sonoros formaran parte integral del humor. Las escenas de comicidad vulgar (pero tecnológicamente audaces) como la de la utilización de los animales de granja como instrumentos musicales, abundan en las primeras películas de Disney, y quienes asocian su nombre al sentimentalismo empalagoso y a la animación respetuosamente realista de sus últimas producciones deberían verlas.

Al cabo de diez años, el ratón Mickey era una de las figuras más conocidas y queridas del mundo. Para el público marcado por la Gran Depresión, el resuelto Mickey se convirtió en un prototipo. Los cines exponían sus breves historietas antes de las películas. Franklin Roosevelt, el rey Jorge V de Inglaterra y Mussolini se encontraban entre sus fervientes admiradores. Una revista de caricaturas de la época mostró a un espectador saliendo abatido del cine y quejándose de que no había película del ratón Mickey. **◂1906.7 ▸1940.10**

y Alemania, que no habían participado en la cita olímpica desde la Primera Guerra Mundial. Éstos fueron los últimos juegos del americano Weissmuller y del finlandés Nurmi, dos mitos de la natación y del atletismo respectivamente. España obtuvo la primera medalla de oro con la victoria en el concurso por equipos en la competición de hípica. Destacaron también la incorporación de la llama olímpica a la liturgia de los juegos y la dimisión del presidente del COI, el barón de Coubertin, en protesta por la politización y la profesionalización de esta magna manifestación deportiva.

▶CHRYSLER SE UNE A LAS COMPAÑÍAS PRINCIPALES—En 1928 apareció en la escena de la fabricación de coches una nueva compañía cuando Walter Chrysler compró la Dodge. La compañía Chrysler introdujo enseguida nuevos coches de medio y bajo precio, el Plymouth y el DeSoto, para competir con la Ford y la General Motors.

▶LA CAMPAÑA DE HOOVER—Herbert Hoover, hombre moderno, ingeniero y millonario por méritos propios, utilizó la nueva tecnología en su campaña presidencial contra el demócrata Al Smith. Hoover transmitió por radio y filmó sus discursos. Ganó a Smith (cuyo catolicismo no fue una ayuda) por uno de los mayores márgenes en una votación popular.

▶¡ES UN PÁJARO!—Los agentes de aduanas de Estados Unidos armaron un gran revuelo en el mundo del arte al acusar al escultor Constantin Brancusi de intentar pasar de contrabando una pieza de bronce de equipamiento industrial. En realidad, se trataba del *Pájaro en el espacio*, una de las esculturas que Brancusi había empezado a elaborar en 1912. El artista francés nacido en Rumanía ganó el caso contra los federales en 1928 y *Pájaro en el espacio*, considerada una

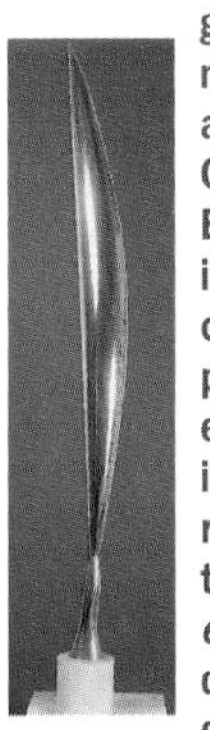

POLÍTICA Y ECONOMÍA: Herber Hoover elegido presidente tras derrotar a Alfred E. Smith [...] La Unión de Izquierdas gana las elecciones en Francia [...] Conferencia panamericana en Cuba.

«Los príncipes salen de Egipto; Etiopía pronto extenderá sus manos hacia Dios.»—***Salmos 68:31*, citado por los rastafaris que aclamaron la coronación de Haile Selassie como emperador de Etiopía**

representación perfecta del vuelo, está reconocida como una obra maestra del arte moderno. ▸1932.13

▶LA PASIÓN DE DREYER—*La pasión de Juana de Arco,* la primera de las obras maestras cinematográficas de Carl Dreyer, recibió críticas entusiastas pero no fue muy bien acogida por el público. La película muda, una descripción emocionante de los últimos días de la mística francesa, le valió a Dreyer la consideración de cineasta espiritual y serio. La actriz francesa Renée Falconetti fue muy elogiada por la interpretación, que muchos consideran la mejor del cine.

▶MUERE AMUNDSEN—En junio, Roald Amundsen sufrió su última derrota en el Ártico al intentar rescatar al explorador italiano Umberto Nobile. En 1909 el objetivo del noruego se vio frustrado cuando Robert Peary llegó antes que él al Polo Norte. (Amundsen descubrió el Polo Sur.) En 1926, Floyd Bennett y Richard Byrd sobrevolaron el Polo Norte por primera vez, dos días antes que Amundsen. Nobile, que había volado con Amundsen y el explorador norteamericano Lincoln Ellsworth en aquel viaje, se estrelló en 1928 contra un témpano de hielo en el Ártico. Amundsen se trasladó en avión desde Noruega para ir en busca de su antiguo compañero y desapareció en el mar junto a otro colega. Nobile fue rescatado y cumplió más de noventa años. ◂1912.E ▸1929.6

MEDICINA

Fleming descubre la penicilina

11 El Dr. Alexander Fleming descubrió la penicilina en parte debido a la suerte y en parte a su habilidad y formación. En 1928, Fleming, bacteriólogo médico del St. Mary's Hospital Medical School de Londres, se dio cuenta de que un moho había infectado un cultivo de estafilococo y que la bacteria se había disuelto en torno al moho. Una espora, transportada por el aire, se había posado de forma fortuita sobre la platina de un microscopio. Aisló el moho para estudiarlo y descubrió que sus sustancias activas, que denominó «penicilinas» (el moho era del género *Penicillium*), inhibían el desarrollo de la bacteria. En 1929, Fleming, hijo de granjeros de las tierras bajas de Escocia, explicó con mucha precaución que la penicilina «parecía tener algunas ventajas sobre los antisépticos químicos conocidos».

Fleming había servido en el cuerpo médico del ejército real durante la Primera Guerra Mundial y conoció de modo penoso las limitaciones de estos antisépticos. Además de ser inútiles para esterilizar heridas complejas, destruían más glóbulos blancos que bacterias. El agente antibacteriano ideal debería deshacerse de la bacteria sin dañar el tejido infectado. Parecía que la penicilina de Fleming lo había logrado.

Fleming publicó sus hallazgos discretamente y en términos muy conservadores. Continuó experimentando con la penicilina pero la composición química inestable de la sustancia le impedía purificarla. En 1940, los investigadores de Oxford Ernst Chain y Howard Florey la estabilizaron y Fleming fue reconocido. La penicilina fue el antibiótico estrella de la Segunda Guerra Mundial y Fleming se convirtió en un héroe. En 1945 recibió el Premio Nobel de medicina, que compartió con Chain y Florey. **▸1941.16**

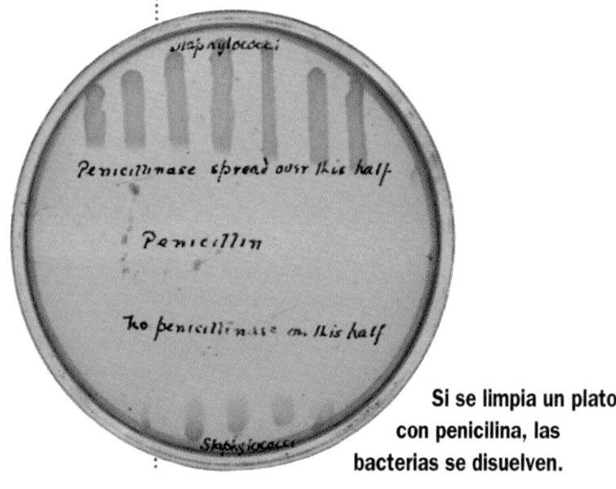

Si se limpia un plato con penicilina, las bacterias se disuelven.

IDEAS

Mead cumple la mayoría de edad

12 ¿Qué papel desempeña la cultura en la determinación del comportamiento humano? Antropólogos como Franz Boas y Ruth Benedict habían debatido la cuestión durante años, pero fuera del ámbito académico pocos les prestaban atención hasta que en 1928 Margaret Mead publicó *Mayoría de edad en Samoa*, un importante estudio sobre las adolescentes del poblado de Ta'u de la Samoa americana.

La idea de Mead de que la permisividad sexual era un indicador de la salud global de una sociedad creó un gran revuelo; a partir de ahí, la antropología social despertó el interés general.

Mead escribió que, a diferencia de las muchachas occidentales, las de Ta'u experimentan la condición biológica de la adolescencia no como un «período de crisis o tensión, sino como una fase de evolución ordenada de una serie de actividades e intereses que maduran lentamente». Sus «ambiciones uniformes y satisfactorias» eran «vivir como una chica con muchos amantes tanto tiempo como pudieran y luego casarse con alguien de su poblado, cerca de su familia, y tener muchos

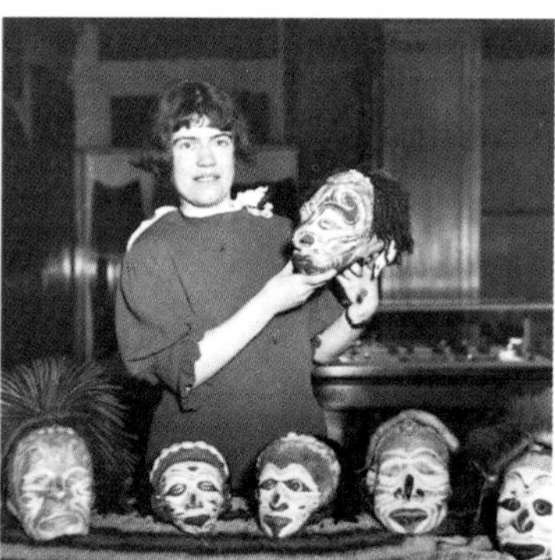

Mead era una graduada de 24 años cuando fue a Samoa.

ausencia de neurosis de tipo occidental era producto de una sociedad feliz y no competitiva, donde «la capacidad de tener relaciones sexuales una sola vez por noche es síntoma de senilidad» y donde no existe «la frigidez ni la impotencia, excepto como consecuencia temporal de alguna enfermedad grave».

Algunos antropólogos pusieron en duda su opinión sobre Ta'u, sugiriendo que su acopio de datos había sido selectivo y su análisis simplificado. Otros la consideraron una determinista cultural demasiado estricta. Experta en el trabajo de campo, fue una pieza clave para la maduración de una disciplina que, como su biógrafa Jane Howard hizo notar, había sido un tema de hombres que estudiaban a hombres, o de hombres que databan huesos y objetos. Mead fue una mujer que estudió a las mujeres. **◂1904.13**

ÁFRICA DEL NORTE

El modernizador real de Etiopía

13 El Ras («príncipe») Tafari Makonnen afirmaba ser

descendiente de Salomón y de la reina de Saba. Como regente de la emperatriz Zauditu de Etiopía, ostentaba el poder de un monarca antiguo. Pero Tafari, hombre cosmopolita, quería modernizar su reino y Zauditu se negaba. En septiembre de 1928 provocó un levantamiento en el palacio. Después de que sus soldados encerraran al comandante fiel a Zauditu en el mausoleo real, las fuerzas fieles a la reina les obligaron a rendirse, pero otro grupo de soldados, favorables a Tafari, rodearon el palacio. La emperatriz abdicó y coronó rey a su primo, de 30 años de edad, en una ceremonia digna del Antiguo Testamento que sorprendió a la diplomacia europea.

El rey Tafari empezó su reinado lanzando bombas aéreas para sofocar una serie de insurrecciones rurales, una clara victoria de los métodos modernos. En 1930, Zauditu murió y él quedó libre de toda restricción excepto de una carencia crónica de fondos. Como emperador Haile Selassie I, aumentó la construcción de carreteras, escuelas y hospitales; intentó modernizar el ejército, y nombró consejeros extranjeros para todo, desde los sistemas telefónicos hasta una campaña contra la esclavitud. Promulgó una constitución nueva y estableció un parlamento.

Sin embargo, los esfuerzos de Haile Selassie se vieron interrumpidos por la invasión italiana de 1935. Presentó cara durante unos meses al potente agresor y luego huyó a Ginebra (volvió en 1941 con la ayuda británica).

Haile Selassie, primer gran político africano del siglo, representó mucho más que esto para los rastafaris, movimiento religioso fundado en Jamaica, inspirado por Marcus Garvey y las profecías bíblicas, que lo consideraban un mesías. Mucho tiempo después de que se retirara en 1974 (y de que muriera un año más tarde), su nombre permaneció vivo en los éxitos musicales de los «rastas» como Bob Marley. **◂1914.8 ▸1935.4**

PREMIOS NOBEL: Paz: Sin galardón [...] Literatura: Sigrid Undset (noruega; novelista) [...] Química: Adolf Windaus (alemán; colesterol) [...] Medicina: Charles Nicolle (francés; tifus) [...] Física: Owen Richardson (británico; emisión de electrones de metales calientes).

Campaña húngara contra las consecuencias de los tratados de paz de París

El uso de técnicas avanzadas de diseño gráfico publicitario muestra la importancia dada a la opinión pública durante el período de entreguerras.

DISPOSICIONES TERRITORIALES DEL TRATADO DEL TRIANÓN. *Antes de la Primera Guerra Mundial Hungría tenía una superficie de 325.000 km², de los que el Tratado del Trianón suprimió 232.000 km².*

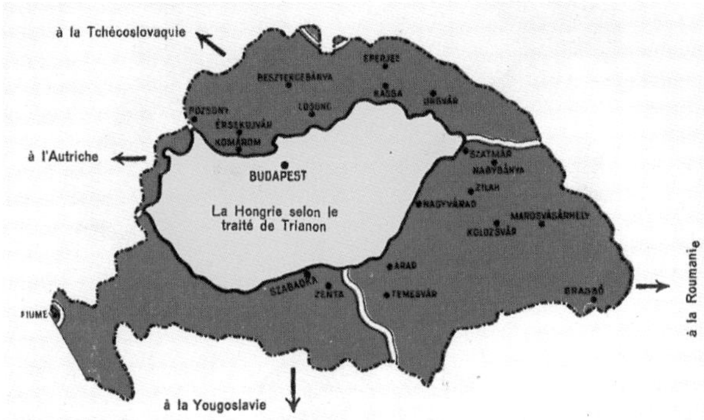

Si las grandes naciones del mundo fueran desmembradas con el mismo rigor implacable del Tratado del Trianón, quedarían así:

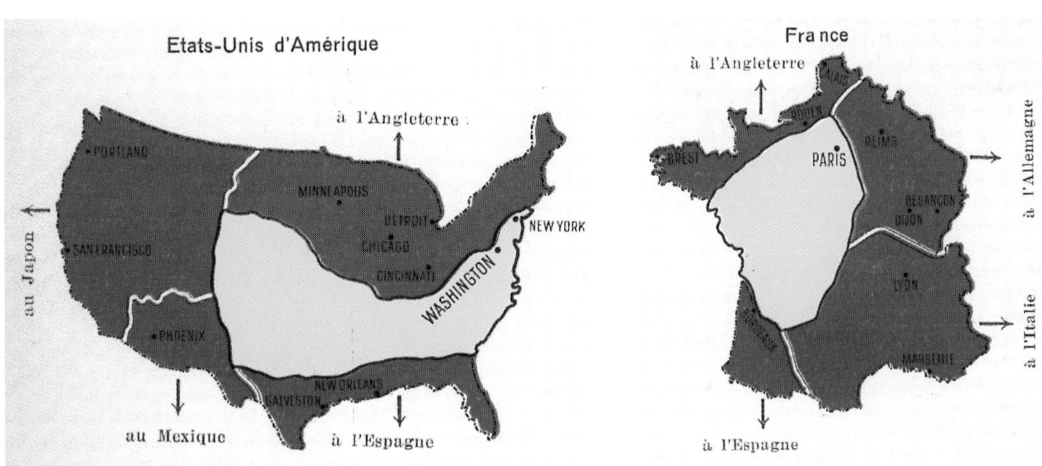

Las zonas rojas representan los territorios arrebatados. Las amarillas, lo que quedaría de cada nación.

(De *Justice pour la Hongrie!*,
Dr. Légrády Ottó)

«La situación industrial de Estados Unidos es perfecta.»—**Charles E. Mitchell, presidente del National City Bank, una semana antes de la quiebra de 1929**

HISTORIA DEL AÑO

El *crack*

1 El 24 de octubre de 1929 al mediodía, el crecimiento financiero de los años veinte yacía hecho pedazos en el suelo de la bolsa de Nueva York. Miles de americanos, desde viudas pobres hasta magnates, habían perdido su salvavidas. Al final del día se habían suicidado once financieros.

Mirando hacia atrás, los signos que desembocarían en el «jueves negro» estaban escritos en las paredes. Los precios de las acciones habían subido más del doble desde 1925, y en septiembre el índice industrial Dow Jones (una estimación del valor de las acciones principales) había alcanzado la altura récord de 381 en un mercado frenético. Los indicios de una recesión económica mundial y las advertencias de los expertos de que las acciones estaban sobrevaloradas habían provocado que algunos inversores importantes empezaran a retirarse del mercado, pero el 19 de octubre el impulso de vender alcanzó unas proporciones alarmantes y los precios empezaron a decaer. El ímpetu fue en aumento hasta cinco días después de que la bolsa fuera presa del peor pánico de su historia.

Tras la quiebra inicial, la caída fue larga y provocó reacciones en cadena a nivel mundial. Cuando el capital de las inversiones se agotó, las compañías recortaron la producción o quebraron, despidiendo a miles de trabajadores. Los salarios y los precios cayeron en picado al igual que el consumo. Los bancos retiraron los préstamos y suspendieron los derechos a prorrogar hipotecas; muchos quebraron y arruinaron a sus clientes. Las naciones europeas cuya economía dependía de los créditos americanos sufrieron el *crack* de forma casi tan aguda como Estados Unidos. El mercado mundial se vio afectado y la imposición de aranceles proteccionistas todavía empeoró más la cuestión.

Entre una ventisca de cintas de cotización, el mundo se hundió en la Gran Depresión, como lo representa la portada de esta revista.

Se creía que el capitalismo era un sistema que se enmendaba a sí mismo y la intervención podía ser perjudicial, por lo cual los gobiernos casi no intervinieron. En 1933, el paro rondaba los treinta millones de personas en las naciones industrializadas, cinco veces más del nivel de 1929. En Estados Unidos los *«hoovervilles»* aumentaban en las principales ciudades. Lejos de «autoenmendarse», el capitalismo parecía un moribundo. Empezaron a surgir movimientos revolucionarios de derechas y de izquierdas en los países donde antes no se daban estos problemas.

El optimismo excesivo de la era del *jazz*, ejemplificado en la facilidad con que se concedían créditos y en la especulación de la bolsa, había provocado su propia ruina. La Gran Depresión permaneció inalterable hasta que estalló la mayor guerra de la historia. **◂1923.5 ▸1930.3**

La «mejor actriz» Janet Gaynor rodeada de los hombres más poderosos de Hollywood.

CINE

Los primeros premios de la Academia

2 La primera ceremonia de la entrega de «premios al mérito» de la Academy of Motion Picture Arts and Sciences, celebrada en 1929, fue simple y duró cinco minutos, a diferencia de la actual, larga y ostentosa. Entonces, como ahora, el factor primordial lo constituían las relaciones públicas, no el mérito. La Academia era obra del magnate de la MGM, Louis B. Mayer, una compañía sindical panindustrial controlada por el productor, que garantizaba que las quejas de los trabajadores serían atendidas en beneficio de los estudios. Los premios se idearon como una compensación para la gente a quien Mayer intentaba controlar y también para recordar al público en general la legitimidad del joven arte del cine.

Entre los ganadores destacaban la actriz Janet Gaynor por sus interpretaciones en *El séptimo cielo*, *El ángel de la calle* y *Amanecer*, y el actor Emil Jannings por sus intervenciones en *La última orden* y *El destino de la carne*. El premio a la mejor película se dividió en dos categorías: mejor producción (para las grandes películas comerciales) y calidad artística de producción (para películas intelectuales especializadas). *Alas* ganó el primero; *Amanecer*, de F. W. Murnau, el segundo. Después, las dos categorías se unificaron.

En 1931, la estatuilla bañada en oro se ganó el sobrenombre de «Óscar» porque un secretario de la Academia le encontró un gran parecido con su tío Óscar. El Óscar, notoriamente ciego ya que directores como Orson Wells o Alfred Hitchcock nunca recibieron el premio al mejor director; ni Richard Burton o Cary Grant el de mejor actor, también ha sido concedido con acierto. Katharine Hepburn lo ganó cuatro veces, al igual que el director John Ford. **◂1924.NM ▸1939.8**

LITERATURA

Un cuarteto de voces

3 El excéntrico «Mr. Bill» era un enigma para la mayoría de sus vecinos de Oxford, Mississippi, incluso después de la primera edición de su cuarta y más influyente novela, que le aseguró su categoría literaria. En 1929 se publicó *El ruido y la furia*, de William Faulkner, que repelió a algunos lectores por su crudeza y su aparente impenetrabilidad. Otros apreciaron inmediatamente su belleza trágica y oscura.

La novela transcurre en el condado imaginario de Yoknapatawpha (inspirado en el condado de Lafayette, donde vivió el autor) y desentraña la historia de una familia, los Compson, a través de las voces doloridas y conmovedoras de tres hermanos: Benjy, retrasado (a quien alude el título de la novela, extraído de *Macbeth*: «Una historia explicada por un idiota, lleno de ruido y furia»); el introvertido Quentin y el misántropo Jason. Hay un cuarto personaje, un narrador en tercera persona, que habla desde la perspectiva de Dilsey, el cocinero negro de la familia. Faulkner incorporó la innovadora técnica de la «corriente de conciencia», que había utilizado recientemente Joyce.

El ruido y la furia, publicada unas semanas antes del *crack*, resonó más allá del profundo sur, con sus temas de la incertidumbre, el declive y la condena. De todas sus obras, ésta era la favorita de Faulkner y ejemplifica la madurez de su talento. Durante los años siguientes escribió muchas novelas, algunas ambientadas en Yoknapatawpha. La mayoría investigaba lo que él llamó «la leyenda trágica de la historia del sur». Faulkner recibió el Premio Nobel en 1949. **◂1922.1 ▸1950.E**

ARTE Y CULTURA: **Libros:** ***Les enfants terribles*** **(Jean Cocteau);** ***Adiós a las armas*** **(Ernest Hemingway);** ***Poeta en Nueva York*** **(Federico García Lorca) [...] Música: «Ain't misbehavin'» (Waller y Razaf); «Happy days are here again» (Ager y Helen); «Am I blue?» (Akst y Clarke); «Cantando bajo la lluvia» (Brown y Freed);** ***El hijo pródigo*** **(Sergei Prokofiev) [...]**

«Voy a enviarle a Moran un regalo de san Valentín que nunca olvidará.»—**Al Capone**

UNIÓN SOVIÉTICA

La brutalidad como política

4 El primer plan quinquenal, el intento frenético de Stalin para industrializar su país atrasado y en estado de guerra, comenzó en 1929; en realidad duró cuatro años. La «revolución desde arriba» engendró un crecimiento significativo de la industria soviética pero a costa del hambre, la muerte y la migración masiva. El alto precio del progreso no contaba para Stalin: «Estamos cincuenta o cien años por detrás de los países avanzados. Si no lo hacemos así, nos hundiremos», dijo.

El plan sustituyó a la N.E.P. que había elaborado Lenin a principios de los años veinte y se propuso objetivos demasiado ambiciosos, como doblar la producción de carbón o triplicar la de hierro, y los revisaba siempre a la alza. Se construyeron enormes fábricas de acero y de tractores, que fueron expuestas ante el mundo como palacios de la efectividad soviética. Estas fábricas, donde trabajaba una mano de obra inexperta, se paralizaban a menudo por la escasez de combustible. Los trabajadores ignoraban la existencia de las cintas transportadoras instaladas por Ford, y montaban los tractores a mano.

Para abastecer al nuevo estado industrial soviético, Stalin empezó una colectivización general de la agricultura. Confiscó cereales y organizó las granjas individuales (que conformaban el 97 % de la agricultura soviética) en cooperativas controladas por el Estado.

La sanción por resistirse a la colectivización era la ejecución o los campos de trabajo. Muchos campesinos, empujados de nuevo a la servidumbre, mataron a su ganado e incendiaron su cosecha; millones de ellos dejaron el campo por la ciudad en busca de trabajo en las fábricas, agravando aún más la situación de escasez de agua, comida, vivienda y salud. Las cooperativas produjeron menos que las granjas independientes y la mayor parte de la producción se la quedaba el Estado. En 1932, la mitad de las granjas soviéticas habían sido transformadas en cooperativas. Incontables campesinos, incapaces de reunir las cuotas y obligados a entregar sus cosechas al Estado, murieron de hambre en la tierra que había sido suya.

Stalin aseguró que la colectivización de la tierra y el plan quinquenal eran un éxito absoluto e intentó ocultar el desastre al resto del mundo. Mientras, el desastre llegó a su propia casa. En 1932, en el punto álgido de la crisis, se suicidó su mujer, Nadia Alliluyeva. **◂1924.1 ▸1931.3**

Un cartel alegórico celebró el primer plan quinquenal.

CRIMEN

La matanza del día de san Valentín

5 En 1929 las guerras de bandas de Chicago habían colocado a Al Capone, que controlaba un imperio criminal de cincuenta millones de dólares, en la cumbre de la pirámide. Una sola organización le disputaba el control de los bajos fondos: la banda de George «Bugs» Moran, en North Side. Capone eligió el día de san Valentín para poner un final sangriento a su rivalidad.

El plan requería que los asesinos fueran disfrazados de policías. Aunque la mayoría de los componentes de este cuerpo estaban sobornados, realizaban redadas rutinarias de gángsters para guardar las apariencias. El 14 de febrero un Cadillac que parecía un coche de la policía se detuvo ante el garaje que servía de cuartel general a Moran. Salieron cuatro hombres, dos vestidos como guardias y dos como detectives. Dentro del garaje los «detectives colocaron contra la pared a seis gángsters (y a un visitante, el optometrista Reinhardt Schwimmer). De repente abrieron fuego con sus metralletas; los otros dos asesinos utilizaron las pistolas para rematar a los que aún se movían.

La matanza más tremenda hasta la fecha se volvió contra Capone.

Uno de los hombres de Moran sobrevivió de milagro durante unas horas. Cuando un verdadero policía le preguntó quién le había disparado, mantuvo el código de silencio de los gángsters. «Nadie», contestó. Sin embargo, Moran, que escapó a su suerte por llegar tarde, había visto la «redada policial» y decidió esperar en un café; él fue menos prudente. Presionado por el comentario de un reportero acotó: «¡Sólo Capone mata de esta manera!». Moran, con su prestigio arruinado, pronto abandonó el crimen organizado.

El presidente Hoover ordenó que Capone fuera encarcelado a toda costa. Dos años y medio más tarde, fue detenido por evasión de impuestos. **◂1923.5 ▸1931.M**

NACIMIENTOS

Yasir Arafat, político palestino.

Jacques Brel, compositor y cantante franco-belga.

Guillermo Cabrera Infante, escritor cubano.

Jürgen Habermas, filósofo alemán.

Hassan II, rey de Marruecos.

Audrey Hepburn, actriz belga-estadounidense.

Milan Kundera, escritor checo.

Martin Luther King, Jr., activista en favor de los derechos civiles, estadounidense.

Jacqueline Kennedy Onassis, primera dama estadounidense.

John Osborne, dramaturgo británico.

Omar Torrijos, político panameño.

MUERTES

C. F. Benz, ingeniero alemán.

David D. Buick, fabricante de coches estadounidense.

B. von Büllow, político alemán.

Georges Clemenceau, político francés.

Sergei Diaghilev, empresario ruso.

Wyatt Earp, policía estadounidense.

Jaime Ferrán, científico español.

Ferdinand Foch, militar francés.

Hugo von Hofmannsthal, dramaturgo austríaco.

María Cristina, reina de España.

Gustav Stresemann, político alemán.

Thorstein Veblen, economista y sociólogo estadounidense.

Pintura y escultura: ***Mujer en una butaca*** **(Picasso) [...] Cine:** ***El desfile del amor*** **(Lubitsch);** ***Broadway melody*** **(Harry Beaumont);** ***Tres páginas de un diario*** **(G. W. Pabst, con Louise Brooks);** ***Blackmail*** **(Alfred Hitchcock) [...] Teatro:** ***El baño*** **(Vladimir Mayakovsky);** ***El zapato de raso*** **(P. Claudel).**

«Se han recuperado los colores del primer arco iris.»—**Charles Demuth, artista americano, sobre los cuadros de Georgia O'Keeffe**

NOVEDADES

Popeye el Marino.

Colonia nudista en Estados Unidos.

Coloración del cabello de aplicación doméstica (Nestlé Colorinse).

Caravanas (casas con ruedas).

Tin Tin.

EN EL MUNDO

▶**EXPOSICIÓN IBEROAMERICANA**—El 9 de marzo los reyes de España inauguraron en Sevilla la Exposición Iberoamericana. Participaron 22 países de habla hispana más los representantes de Portugal, Brasil y Estados Unidos.

▶**LA LÍNEA AÉREA DE LINDBERGH**—En 1929 tres compañías introdujeron vuelos transcontinentales de pasajeros, utilizando trenes en algunos tramos del

recorrido. La compañía de Transporte Aéreo Transcontinental, apodada «Línea de Lindbergh» (el aviador era su asesor técnico), ofrecía el servicio más rápido y selecto. Por un viaje de ida entre Nueva York y Los Ángeles cobraba de 337 a 403 dólares. Normalmente la duración del viaje sobrepasaba las 48 horas, lo que implicaba una serie de incomodidades y riesgos, aunque la TAT rebosaba elegancia: las estrellas de cine bautizaban los aviones; los camareros servían la comida en platos dorados. Sin embargo, los viajeros todavía sufrían las incomodidades de los aviones de la época, sin calefacción y sin control de presión en las cabinas. La

Lobos de la misma camada: el explorador Richard Byrd y sus amigos de la Antártida.

EXPLORACIÓN

Byrd sobrevuela la Antártida

6 La misión histórica a la Antártida realizada por Richard Byrd en 1929 traspasó la última frontera polar y colmó la antigua ambición del comandante de la armada norteamericana de ser el primer piloto que vislumbrara los dos polos desde el aire.

En 1926, Byrd sobrevoló el Polo Norte acompañado del legendario piloto Floyd Bennett; ese vuelo de 15 horas y media los catapultó a la fama. En 1929 se preparaba para viajar a través del continente antártico gracias al respaldo financiero de magnates como Edsel Ford, John D. Rockefeller y el del propio público; entre todos le proporcionaron 400.000 dólares. Su grupo de 80 hombres estaba tan bien equipado que los críticos hablaron de la «expedición del millón de dólares». A pesar de las relativas comodidades del campamento base de Little America y de la brevedad del vuelo, el viaje era peligroso.

Los aeroplanos resultaban mortalmente peligrosos en la Antártida helada. Byrd y su equipo pasaron meses probando el monoplano Ford para adquirir experiencia en apagar los motores y hacer reparaciones a temperaturas que congelaban el aceite del motor. Además, un piloto rival se les podía adelantar en cualquier momento.

El vuelo de Byrd empezó el 28 de noviembre. Cuando el aeroplano alcanzó las montañas que rodean el círculo polar, los motores se detuvieron bruscamente; Byrd tuvo que lanzar dos pesadas bolsas llenas de comida, arriesgándose él y sus tres hombres a morir de hambre en caso de un aterrizaje forzoso. La máquina se elevó entre dos picos y los exploradores dejaron caer una bandera americana sobre la nieve. Nueve horas después estaban de vuelta en Little America. ◂**1927.1** ▸**1931.10**

ORIENTE MEDIO

Renace una antigua disputa

7 En agosto de 1929 se produjo el primer ataque del siglo a gran escala de los árabes a los judíos en Jerusalén. Los disturbios, en los que los palestinos asesinaron a 133 judíos y sufrieron 116 muertes, la mayoría a manos de los soldados británicos, fueron provocados por una disputa sobre el uso del muro de las lamentaciones. (El lugar era sagrado para judíos y musulmanes. Constituía un vestigio del segundo templo judío y una parte del muro rodeaba dos lugares sagrados islámicos.) La violencia estaba profundamente arraigada en los temores árabes ante el embrionario movimiento sionista que pretendía erigir un estado judío en una parte del territorio administrado por los británicos.

Los británicos habían hecho promesas a árabes y a judíos. La declaración Balfour de 1917 apoyaba el establecimiento de una «patria» para los judíos, mientras decía que no haría nada «que perjudicara los derechos civiles y religiosos» de los árabes. Éstos insistían en que la presencia de una patria judía perjudicaba sus derechos. Los británicos, después de intentar convertir el mandato en territorio independiente (los palestinos rechazaron la constitución propuesta por ser prosionista), establecieron «agencias» asesoras para representar a los dos grupos. Los árabes se abstuvieron en señal de protesta; los judíos utilizaron su «agencia» como gobierno fantasma. Mientas, iban acaparando tierra árabe.

Las comisiones británicas que investigaron el alzamiento de agosto advirtieron una clase cada vez más numerosa de palestinos «descontentos y sin tierras» y recomendaron una demora del expansionismo judío. Sin embargo, la presión sionista y la negativa árabe a discutir una nueva constitución con los dirigentes judíos evitaron que las autoridades del mandato hicieran cumplir la prohibición. En los años treinta, las persecuciones de Hitler aumentaron el flujo de inmigración judía y en Palestina estalló una guerra incondicional. ◂**1920.2** ▸**1930.NM**

Después del ataque, se registraba a los árabes en las calles por si llevaban armas.

ARTE

Sensualidad austera

8 Las obras de Georgia O'Keeffe, extremadamente íntimas y sensualmente austeras, podían transformar una flor en un objeto abrumador (y según muchos críticos destacadamente sexual), o unos huesos de vaca en una imagen de energía y elegancia. O'Keeffe encontró la belleza en lugares insospechados, como el paisaje desierto del sudoeste americano, al que regresó en mayo de 1929, con la idea de que había agotado los temas que le proporcionaron el éxito en Nueva York.

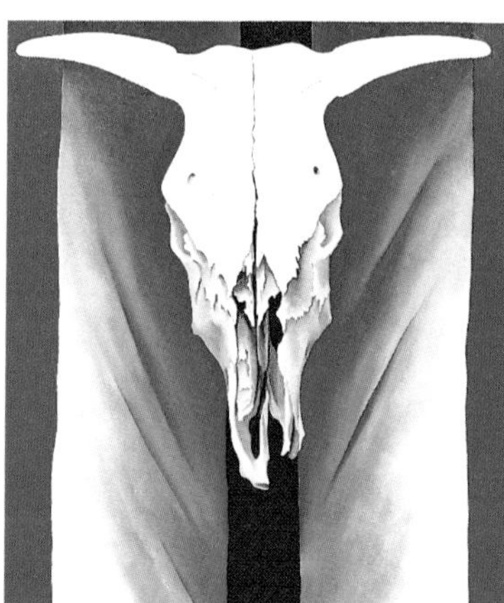

O'Keeffe pintó este cuadro dos años después de trasladarse a Taos.

El marido de O'Keeffe, el fotógrafo Alfred Stieglitz, había expuesto su obra desde 1916 en la galería «291», donde sus exposiciones de flores y paisajes urbanos tuvieron una cálida acogida por parte del público y de la crítica. O'Keeffe fue el tema de centenares de fotografías de su marido pero su punto de vista no fue comprendido por él, ni por ningún artista. En su nuevo hogar cercano a Taos, Nuevo México, descubrió las

---

DEPORTES: Tenis: Helen Wills gana los campeonatos de Estados Unidos y Wimbledon por tercer año consecutivo (ganó ocho campeonatos de Wimbledon y seis Open en toda su carrera).

«Contra la traición literaria a los soldados de la guerra mundial y por la educación de la nación en el espíritu de la verdad, envío a las llamas las obras de Erich Maria Remarque.»—**Discurso de una quema pública de los libros de Remarque en Berlín**

imágenes perturbadoras que dominarían y definirían su obra posterior. Murió en 1986 a la edad de 98 años. ▸**1942.17**

CIENCIA

El universo en expansión

9 Edwin Hubble varió el concepto que la humanidad tenía del cosmos más profundamente que ningún otro astrónomo desde Galileo. Primero presentó un punto de vista radicalmente nuevo sobre el papel de la Tierra en el universo al demostrar que existían otras galaxias más allá de la Vía Láctea. Luego, en 1929, cinco años más tarde, Hubble provocó otra conmoción cuando publicó un artículo que confirmaba lo que había sido una teoría marginal: que el universo se expandía.

Hubbler, como director del observatorio del monte Wilson de California, contaba con la ventaja de un telescopio nuevo de 2,5 m el de mayor alcance del mundo. (El telescopio espacial Hubble, lanzado al espacio desde la lanzadera Atlantis, llevó su nombre.) A través de sus cálculos, Hubble concluyó que la velocidad aparente de alejamiento de una galaxia es directamente proporcional a la distancia de su observador. Esta fórmula *(inferior)* se conoce como la Ley de Hubble, uno de los fundamentos de la teoría del Big Bang del origen cósmico y una herramienta básica para determinar la edad, el tamaño y el futuro del universo. Con el tiempo, los cálculos de Hubble sobre las distancias y las velocidades han sido revisados por completo, pero sus descubrimientos fundamentales y su ley permanecen inmutables. ◂**1927.3** ▸**1930.NM**

ITALIA

Unión de Iglesia y Estado

10 En 1929, la Iglesia católica y el Estado italiano firmaron el acuerdo de Letrán, que puso fin a un problema que duraba ya casi sesenta años. Según el acuerdo, Italia se convertía oficialmente en un estado católico y el Vaticano, en un estado independiente.

La Iglesia y el Estado habían permanecido enfrentados desde 1870, año en que el rey Víctor Manuel II capturó Roma y las zonas de dominio papal y las declaró parte del nuevo reino de Italia. El Papa Pío IX se negó a reconocer la existencia de tal reino, se declaró a sí mismo «prisionero del Vaticano» y nunca más salió de allí. Su sucesor actuó del mismo modo.

Mussolini, anticlerical acérrimo a principios de su carrera, se dio cuenta, al empezar a establecer su dictadura, de que necesitaba el sello legitimador de la Iglesia. El Papa Pío XI, a su vez, quería acabar con el aislamiento de la Iglesia y obtener protección contra los fascistas más totalitarios que sólo veían cabida en Italia para su propia institución. El acuerdo firmado en el Palacio de Letrán (la residencia papal en la Edad Media), representó una victoria para ambos bandos. La parte central del acuerdo fue el reconocimiento del estado italiano por parte del Papa y el reconocimiento de la soberanía del Papa sobre las 44 hectáreas de Ciudad del Vaticano. La unión de la Iglesia y del Estado se tambaleó durante los años fascistas, pero no se deshizo hasta 1985, cerca de medio siglo después de la caída de Mussolini. ◂**1926.1** ▸**1933.3**

Mussolini y el secretario de Estado del Papa, monseñor Pietro Gaspari, firmando el acuerdo.

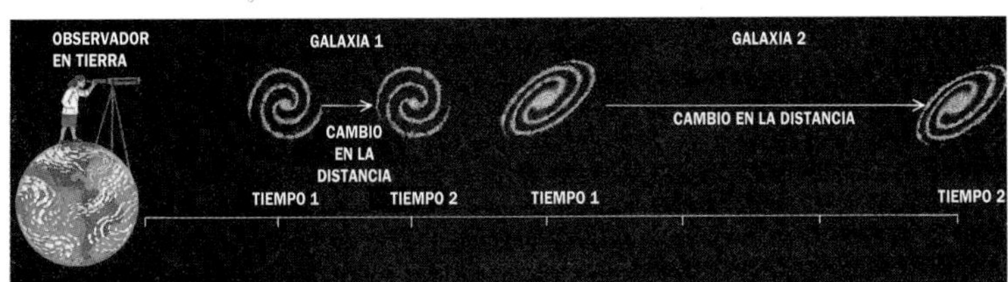

La Ley de Hubble: cuanto más lejos está una galaxia más rápidamente se aleja.

Ilustración de la novela de Remarque. La muerte era el único descanso de los soldados.

LITERATURA

Una guerra despojada de heroísmo

11 *Sin novedad en el frente,* publicada en Alemania en 1929, causó una profunda emoción a una generación todavía insegura a causa de los trastornos de la Primera Guerra Mundial. La novela vendió la enorme cifra de un millón y medio de copias el primer año; la versión cinematográfica de Hollywood ganó el Óscar a la mejor película en 1930. Durante un breve período, el joven autor de esta novela épica de la Primera Guerra Mundial, Erich Maria Remarque, fue una de las celebridades alemanas. Pero en 1932 fue desterrado, al año siguiente se prohibieron la película y el libro en Alemania porque representaban el espíritu antimilitarista que había debilitado a la patria. Este cambio de opinión era un mal signo de la rapidez con que los nazis estaban transformando la cultura alemana.

Remarque, reclutado a los 18 años, había sido herido con metralla en el frente occidental. Obsesionado con la carnicería de la que había sido testigo, decidió escribir un libro sobre «una generación de hombres, que aunque hubiera escapado a las balas, fue destrozada por la guerra». En una prosa sorprendentemente escueta para su tiempo, Remarque describió el conflicto como una batalla sangrienta mecanizada en la que el instinto de supervivencia sustituye el heroísmo y al patriotismo.

Fuera de Alemania, Remarque no sólo sobrevivió sino que prosperó. Primero se trasladó a Suiza, luego a Estados Unidos, donde coincidió con Marlene Dietrich y se casó con la estrella de cine Paulette Goddard. ◂**1915.10** ▸**1948.11**

compañía cambió su nombre por el de Trans World Airlines (TWA) tras sucesivas fusiones, y el excéntrico multimillonario Howard Hughes la convirtió en uno de los mayores negocios del mundo. ◂1927.1 ▸1938.5

▶APERTURA DEL MOMA—En 1929 se inauguró en Nueva York un museo dedicado a la pintura y la escultura de finales del siglo XIX y del siglo XX (con una exposición de obras de Cézanne, Gauguin, Seurat y Van Gogh. El Museo de Arte Moderno *(Museum of Modern Art, MOMA)* fue fundado por Abby Aldrich (Sra. de Rockefeller, Jr.), Mary Quinn (Sra. de Cornelius) y

Lillie P. Bliss (cuya colección privada fue el primer legado del museo). Esta primera exposición se celebró en un edificio de oficinas de la Quinta Avenida y estuvo a cargo de Alfred Barr Jr., de 27 años de edad. Bajo su administración, el MOMA adquirió la que probablemente es la mejor colección de arte moderno del mundo.

▶LA ODISEA DEL ZEPELÍN—El *Graf Zeppelin* completó el primer vuelo alrededor del mundo. Recorrió 30.400 km en 21 días y 7 horas, con 16 pasajeros a bordo y 37 tripulantes. ◂1927.1 ▸1937.E

▶TEORÍA UNIFICADA—Mientras otros científicos estaban inmersos en el campo incipiente de la teoría cuántica, Albert Einstein se dedicaba por su cuenta a conseguir una fórmula única y elegante que explicara el comportamiento de todo el universo, desde un electrón a una galaxia. En 1929, la academia prusiana publicó su primer intento de teoría unificada. Ésta causó sensación, pero fue rechazada por físicos de prestigio, que apremiaron a Einstein para que se uniera a ellos en sus investigaciones. Einstein persistió en su camino solitario y finalmente sin éxito durante el resto de su vida. ◂1927.6 ▸1967.10

«Los croatas y los serbios somos un solo pueblo, sobre todo los croatas y serbios que vivimos juntos [...] y como pueblo único deberíamos tener un estado libre.»—**Stjepan Radic, líder del Partido Campesino Croata, sobre la necesidad de una democracia en Yugoslavia**

►EXPOSICIÓN INTERNACIONAL DE BARCELONA—La montaña de Montjuich y la plaza de España, urbanizadas para esta ocasión, sirvieron de marco a la Exposición Universal de 1929, a la que concurrieron 29 países.

Al dejar París, Young se despide del delegado alemán Hjalmar Schacht.

ALEMANIA

El plan Young

12 Después de años de tentativas infructuosas de solucionar el problema, lleno de carga emocional, de las reparaciones de guerra, la comisión aliada de reparaciones constituyó un equipo internacional de expertos en finanzas para fijar un programa de pagos hasta 1988. El grupo, presidido por el industrial americano Owen Young y con representación alemana por primera vez, diseñó un plan para aliviar la carga de la deuda de la nación derrotada y para estabilizar su sociedad dividida y sus relaciones con el resto del mundo.

El plan Young, presentado en París en junio, contenía las concesiones más favorables a Alemania que se habían hecho hasta el momento: los alemanes ya no deberían hacerse cargo del coste total de la reconstrucción; los pagos anuales se reducirían en un tercio, a unos 407 millones; se aboliría la supervisión aliada de la economía alemana junto a la comisión de reparaciones; se pagaría la deuda a una nueva banca internacional de la que Alemania sería miembro, y Alemania podría declarar una moratoria parcial de los pagos durante los recesos económicos.

Los gobiernos norteamericano y alemán apoyaron el plan. Un enviado americano escribió: «Todos los residuos de desconfianza y enemistad que se habían ido sedimentando desde el día del armisticio finalmente se han disuelto». No obstante, tres años después los pagos fueron suspendidos definitivamente. **◄1924.11 ►1930.12**

YUGOSLAVIA

Se consolida una unión débil

13 En enero de 1929 la crisis parlamentaria que había ido evolucionando durante meses en el reino débilmente unido de los serbios, croatas y eslovenos, se hizo completamente patente. El rey Alejandro I, decidido a unificar su reino rebelde en un estado eslavo del sur, abolió la constitución, se declaró gobernante absoluto y cambió el nombre de su país por el de Yugoslavia.

Era una nación diversa. El reino creado por los aliados después de la Primera Guerra Mundial al unir Serbia, Montenegro y algunas partes del antiguo Imperio Austro-húngaro, vinculó a un grupo de pueblos eslavos que desconfiaban unos de otros. Los serbios eran los únicos que tenían experiencia de autogobierno, pero muchos croatas y macedonios querían la independencia. Las sesiones parlamentarias a menudo acababan en riñas y en 1928 un diputado montenegrino disparó contra varios de sus colegas croatas. La decisión que había tomado el rey Alejandro para consolidar la unión desembocó en las amenazas de separación de los croatas.

El gobierno instituyó tribunales políticos y censura bajo la promesa de que la dictadura duraría el tiempo estrictamente necesario. Hubo pocas detenciones y, por una vez, los distintos grupos de la oposición aceptaron la situación para evitar una guerra civil. Alejandro y sus consejeros reorganizaron el país en distritos basándose más en las fronteras naturales que en las étnicas y establecieron reformas hacía tiempo. No obstante, la crisis mundial minó muchos de sus esfuerzos y pronto volvieron a resurgir los problemas con los defensores de la democracia y con los nacionalistas.

El rey Alejandro I, gobernante del nuevo reino de Yugoslavia.

En 1931, Alejandro empezó a restablecer los derechos civiles aunque no recuperó su popularidad. Fue asesinado en 1934. Los nacionalistas, divididos, no pudieron actuar antes de que los comunistas tomaran posesión en 1943. **◄1918.6 ►1943.9**

CHINA

Confrontación en Manchuria

14 En julio de 1929, las relaciones entre China y la Unión Soviética empeoraron, amenazando el equilibrio de poder de la zona y colocando a Asia y Europa al borde de la guerra. El problema era la zona de Manchuria que atravesaba el Transiberiano de camino al puerto soviético de Vladivostok. El ferrocarril, construido con grandes dispendios por la Rusia zarista en un territorio cedido por China, teóricamente era una empresa conjunta, pero los soviéticos declararon la sobernía sobre el ferrocarril y la tierra. China, debilitada por los desórdenes internos y por la hegemonía de los jefes militares, se enfureció pero se resignó.

El Transiberiano fue el motivo del conflicto entre China y la Unión Soviética.

El resentimiento se convirtió en hostilidad después del asesinato de Zhang Zuolin, el jefe militar que gobernaba Manchuria (con ejército propio y política exterior separada con la Unión Soviética), y de que su hijo y sucesor hiciera una tentativa de paz con el gobierno nacionalista de Chiang Kai-shek. En mayo los manchúes se movilizaron para recuperar el ferrocarril. Los soviéticos enseguida destacaron soldados a lo largo de la frontera de Manchuria.

Manchuria se dirigió a la comunidad internacional, sobre todo a Japón y a Estados Unidos, y acusó a los soviéticos de utilizar el ferrocarril como tapadera de sus actividades comunistas. Japón, que tenía intereses valiosos en Manchuria, se alió con los soviéticos y aconsejó a Estados Unidos que no hiciera nada.

El conflicto duró seis meses, con frecuentes escaramuzas militares, y el mundo lo observaba con nerviosismo. En enero de 1930 la crisis disminuyó tan rápidamente como había aumentado: las partes acordaron asumir conjuntamente la administración del ferrocarril. Pero la paz no duró mucho: durante el año siguiente, Japón empezó a desplegar sus tropas en Manchuria. **◄1927.2 ►1931.4**

PREMIOS NOBEL: Paz: Frank B. Kellogg (estadounidense; pacto Kellogg-Briand) [...] Literatura: Thomas Mann (alemán; novelista) [...] Química: Arthur Harden y Hans von Euler-Chelpin (británico, sueco; fermentación del azúcar y sus enzimas) [...] Medicina: Christiaan Eijkman y Frederick Hopkins (holandés, británico; vitaminas) [...] Física: Louis-Victor de Broglie (francés; naturaleza de los electrones).

Sentido común poético

De *Un cuarto propio,* Virginia Woolf, 1929

Reconocida por novelas experimentales como Orlando *o* Al faro, *Virginia Woolf publicó en el año 1929 un ensayo de un sentido común sorprendente:* Un cuarto propio. *Basado en la premisa de que «una mujer debe tener un cuarto y dinero de su propiedad si quiere escribir», el libro (una adaptación de las conferencias que dio el año anterior) ofrecía una respuesta femenina a la pregunta: «¿Por qué tan pocas mujeres han sido grandes artistas?».*

Woolf era a la vez una artista y una promotora intelectual. Con su marido, Leonard, fundó la Hogarth Press e imprimió las primeras obras de T. S. Eliot y la primera edición inglesa de Freud. Y con su hermana, la pintora Vanessa Bell, acogió al grupo de Bloomsbury, un círculo londinense de pensadores de izquierdas. **◀1918.4 ▶1949.13**

La libertad intelectual depende de las circunstancias materiales. La poesía depende de la libertad intelectual. Y las mujeres siempre han sido pobres, no tan sólo en los últimos doscientos años, sino desde el principio de los tiempos. Las mujeres han disfrutado de menos libertad intelectual que los esclavos de Atenas. Las mujeres, por tanto, no han tenido la menor posibilidad de escribir poesía. Por eso he insistido tanto en la importancia de disponer de dinero y de un cuarto propio. Aun así, gracias a los esfuerzos de las mujeres anónimas del pasado, de las cuales es una pena que no sepamos más cosas, gracias, extrañamente, a dos guerras —la de Crimea, que permitió a Florence Nightingale salir de su saloncito, y la guerra europea, que abrió las puertas, sesenta años después, a las mujeres en general—, estos males empiezan a ser superados. Si no fuera así, hoy no estaríais aquí, y la posibilidad de ganar quinientas libras al año, aunque es todavía pequeña, sería casi inexistente.

Pero, a ver, me dirán, ¿por qué das tanta importancia al hecho de que las mujeres escriban libros, si, según tú misma has reconocido, esto requiere un esfuerzo muy grande, conduce, quizás, al asesinato de una tía, hace que llegues tarde a comer y te lleva a discusiones muy serias con determinados señores respetables? Mis razones son, lo reconozco, bastante egoístas. Como a la mayoría de mujeres inglesas no educadas, me gusta mucho leer, me gusta devorar montones de libros. Últimamente la lista se ha hecho bastante monótona; hay demasiada historia de las guerras; las biografías son sobre grandes hombres con demasiada frecuencia; en poesía, se detecta, según mi parecer, una cierta esterilidad y en la novela,... pero ya he hablado suficientemente de mi ineptitud como crítica de la novela moderna y no diré nada más. Por eso querría pediros que escribiérais todo tipo de libros, que no os asustara ningún tema, trivial o de importancia. Por una cosa o por otra tengo la esperanza de que conseguiréis algo de dinero, no demasiado pero suficiente, para viajar y no hacer nada, para meditar sobre el pasado o el futuro del mundo, para soñar con libros y pasar el rato apoyadas en las esquinas y dejar que el hilo de la caña se hunda en el río. De ningún modo pretendo limitaros a la novela. Si quisiérais complacerme, y como yo hay miles, escribiríais libros de investigación y divulgación, de historia y biografía, de crítica, de filosofía y de ciencia. De todo esto, la novela obtendría un gran beneficio. Es bien sabido que los libros se influyen unos a otros. A la novela le iría muy bien pasear al lado de la poesía y de la filosofía. Además, si reflexionáis sobre cualquier gran personaje del pasado, sobre Safo o Lady Murasaki, o sobre Emily Brontë, descubriréis que son herederas y pioneras a la vez, y que han existido gracias al hecho de que las mujeres se habían acostumbrado a escribir de forma natural; de modo que, aunque sólo fuera como preludio de la poesía, hacerlo sería un servicio incalculable por vuestra parte.

Aunque la guerra había liberado a algunas mujeres, como Woolf dice, ella cayó en una grave depresión en la Segunda Guerra Mundial. En 1941 se suicidó.

La creciente interdependencia de todos los países tuvo su lado funesto, que se manifestó con la difusión de la Gran Depresión desde América al resto del mundo. El desorden económico subsiguiente proporcionó al fascismo un marco apropiado y, a finales de la década, empezó la mayor confrontación de la historia.

1930 1939

La Gran Depresión asestó un duro golpe al país donde se originó: en 1932 más del 30 % de la mano de obra estadounidense estaba en paro. Cuando Franklin D. Roosevelt accedió a la presidencia al año siguiente, estableció una serie de programas destinados a la recuperación de empleo. En esta fotografía (1937) de Dorothea Lange, un hombre sin trabajo espera tiempos mejores en San Francisco (*derecha*). Lange, una de la fotógrafas documentales más prestigiosas del siglo, participó en un proyecto federal que consistía en que los artistas dejaran constancia de las condiciones de pobreza de los americanos.

and
er Sandwich

El mundo en 1930

Población mundial

1920: 1,9 MILLARDOS 1930: 2,1 MILLARDOS

1920-1930: + 10,5 %

China lucha por la unificación

En 1930 el general Chiang Kai-shek del ejército del Kuomintang había conseguido unificar el este y el norte de China. Los señores de la guerra, que habían mantenido a China en un estado de desorden continuo durante más de una década, fueron sometidos.

A principios de 1926, el Kuomintang empezó a avanzar desde el sur y en 1927 había tomado Hankou, Nanjing y Shanghai. Pekín cayó al año siguiente, así como Manchuria (aunque sólo nominalmente). Tras establecer un gobierno, Chiang consolidó su poder purgando a muchos comunistas. Pero sus esfuerzos se vieron frustrados cuando los japoneses invadieron Manchuria en 1931.

El mundo entró en las salas de estar a través de la **radio,** con sólo hacer girar un botón. Proporcionó diversión gratuita a las familias de la época de la Gran Depresión y más tarde, durante la Segunda Guerra Mundial, suministró información sobre los hombres que luchaban en Europa y en el Pacífico. Sustituida en parte por la televisión, la radio, que tuvo tanta difusión anteriormente, pasó a un segundo plano.

Porcentaje de domicilios con radio

	G.B.	EE.UU.
1930	30%	46%
1940	71%	82%
1990	90%	99%

Primicias de aviación

1921 En una demostración, naves aéreas hundieron barcos por primera vez.
1923 Primer vuelo transcontinental sin escalas (Nueva York-California)
1924 Primer vuelo alrededor del mundo (175 días)
1926 Primer vuelo sobre el Polo Norte
1928 Primer vuelo transatlántico sin escalas y en solitario (5.760 km en menos de 34 horas)
1928 Primera travesía transatlántica este-oeste (Dublín-Nueva York)
1929 Récord de permanencia en el aire (150 horas y 40 minutos)
1929 Primer vuelo ciego (despegue y aterrizaje por instrumentos)

Mundiales de fútbol

Asistencia a los partidos del deporte más popular del mundo.

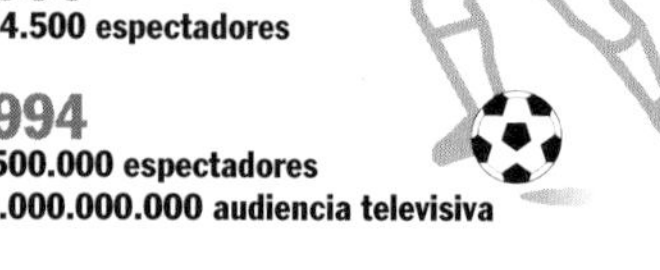

1930
434.500 espectadores

1994
3.500.000 espectadores
32.000.000.000 audiencia televisiva

Velocidad aérea

1904	52 km/h	Aeroplano de los hermanos Wright
1919	190 km/h	Curtiss NC-4
1927	240 km/h	Lockheed Vega
1940	320 km/h	Boeing Stratoliner
1953	480 km/h	Douglas DC-7
1990		

Fábricas de sueños La introducción de las películas sonoras (a pesar de lo rudimentarias que eran las primeras) intensificó la fascinación mundial por el cine de Hollywood. En 1920, el 90% de las películas proyectadas en Europa, África, Asia y Sudamérica ya procedían de Hollywood; en 1930, la industria americana del cine era la mayor del mundo. En 1990, las películas americanas siguen siendo las más prestigiosas a nivel mundial, pero tanto Estados Unidos como Japón (que también posee una amplia industria cinematográfica nacional) están siendo superadas en la producción de cine por el país más prolífico del mundo en filmaciones: la India.

Asistencia cinematográfica semanal en Estados Unidos

Año	Asistencia
1930	90.000.000
1960	40.000.000
1990	22.000.000

Largometrajes realizados

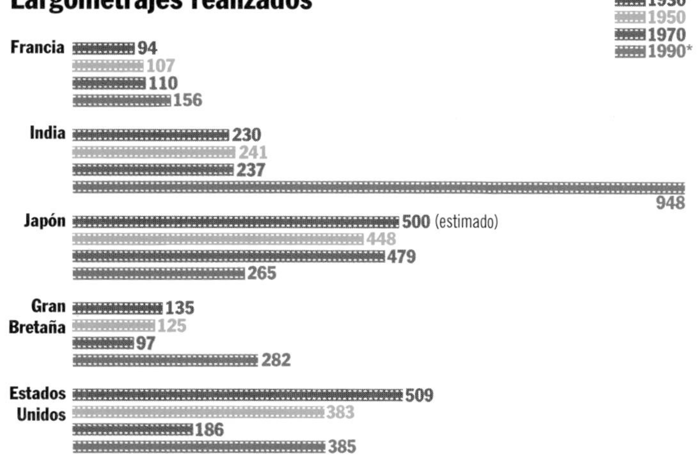

	1930	1950	1970	1990*
Francia	94	107	110	156
India	230	241	237	948
Japón	500 (estimado)	448	479	265
Gran Bretaña	135	125	97	282
Estados Unidos	509	383	186	385

Sueldos

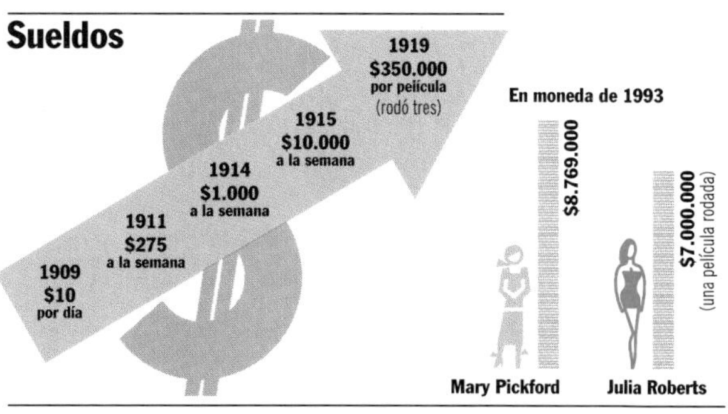

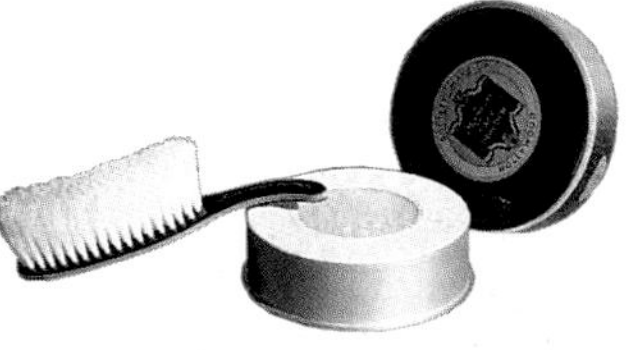

Moda imprescindible

Los **cosméticos**, antiguamente tabú o al menos asociados a «cierta clase de mujeres», fueron plenamente aceptados en 1930. La revista *Vogue* destacó: «Incluso el más conservador debe admitir que una mujer exquisitamente maquillada puede seguir siendo...una esposa leal y una madre devota.» En los años noventa los cosméticos se han convertido en un negocio que factura 80.000 millones de dólares en el mundo.

Seis meses después del *crack* de 1929 el presidente Hoover asegura a los americanos que «la Gran Depresión ha acabado». Su optimismo había sido alentado por economistas de Harvard, uno de los cuales escribe: «Con las buenas condiciones de fondo, pensamos que la recesión...se detendrá en poco tiempo y que se establecerá una mejora durante los meses de primavera».

A pesar de que la enmienda 18 a la constitución norteamericana, la prohibición, se considera generalmente como un fracaso, pocos creen que pueda abolirse con éxito. El senador de Texas Morris Sheppard dice: «Es tan probable que se revoque como que un colibrí vuele al planeta Marte con el Washington Monument bajo el ala».

Los críticos de cine lamentan la baja calidad de las películas sonoras (sobre todo la iluminación y el trabajo de cámara) en comparación con las películas mudas. Louis-Jean Lumière, coinventor del primer proyector de cine, dice: «Las películas sonoras son un invento muy interesante pero no creo que estén de moda mucho tiempo».

Los aeroplanos continúan siendo del dominio exclusivo de exploradores aventureros y de los atrevidos cazadores de récords. Sin embargo, los aviones de pasajeros son el modo más rápido y seguro (sin siniestros hasta la fecha) y lujoso de cruzar el Atlántico.

A pesar de que el partido nazi alemán hizo un buen papel en las elecciones nacionales de 1930, se cree que la influencia de Hitler está en decadencia. El mismo Hitler es despreciado por el presidente alemán Paul von Hindenburg como «un tipo sospechoso que nunca será canciller; lo mejor que puede esperar es dirigir el Servicio de correos».

El físico Albert Einstein declara que «no existe el menor indicio de que pueda obtenerse alguna vez energía nuclear. Se tendría que destruir el átomo para conseguirlo».

STEPHEN SPENDER

Las naciones marchan al paso de la oca

La era del totalitarismo

1930
1939

AL BUSCAR «TOTALITARISMO» en el *Oxford English Dictionary* me sorprendí al descubrir que la entrada registraba que la referencia global sólo servía para 1926. (Mi diccionario cita una definición anterior del *Times* de Londres: «una reacción contra el parlamentarismo a favor de un régimen "totalitario" o unitario, ya sea fascismo o comunismo».) En ese año Mussolini ya había gobernado Italia durante cuatro años, el fascismo se manifestaba como un nuevo tipo de dictadura. Cuando marchó sobre Roma con sus legiones por primera vez, pareció que el Duce sólo era un *condottiere* modernizado —uno de los capitostes mercenarios que habían irrumpido en el gobierno durante el Renacimiento. La verdadera naturaleza del régimen totalitario de derechas no se manifestó hasta 1926, en que una serie de intentos de asesinato le apremiaron a imponer plenamente su programa represivo. Y hasta los años treinta, en que Mussolini, Hitler y Stalin gobernaban, no puede decirse que el mundo hubiera entrado en la era del totalitarismo.

Aunque las ideologías totalitarias habían echado raíces en el siglo XIX, en los escritos de Darwin, Marx y Nietzsche, su realización práctica sólo fue posible en el siglo XX, en el que la llegada de las comunicaciones a gran escala y de la producción en serie permitió que la sociedad y la economía se movilizaran para un objetivo único. Lo que caracteriza al totalitarismo, de derechas o de izquierdas, es su ambición de *totalizar*, de someter todos los aspectos de la vida a la supervisión de una autoridad central. En Italia, los fascistas empezaron a «totalizar» de verdad cuatro años después de tomar Roma. En la Unión Soviética, el Partido Comunista había empezado el proceso tras ganar la revolución de 1917 (pero sufrió reveses en los primeros años). En Alemania, en cambio, los nazis manifestaron sus intenciones totalitarias mucho antes de llegar al poder en 1933. En 1928 el director de propaganda Joseph Goebbels ya utilizó publicaciones del partido para configurar las opiniones de los alemanes no sólo en materia política sino también en esferas hasta aquel momento consideradas no políticas, como educación infantil, música, deportes, literatura. Cuando el partido y el Estado constituyeron una sola cosa, el gobierno empezó a controlar todas estas esferas y más.

Tanto el fascismo como el nazismo prometieron la gloria nacional eterna, o casi eterna: una resurrección del Imperio Romano y el Reich de mil años. Los pueblos de las dos naciones, los italianos y los alemanes «arios», eran superhombres, elegidos por el destino para gobernar a los demás. A la vez sólo constituían el barro que un ser verdaderamente trascendental modelaría: el líder. En Italia y en Alemania todas las decisiones provinieron de un hombre al que prácticamente se consideraba un dios, y fueron transmitidas a través de una jerarquía de individuos e instituciones encargadas explícitamente de transmitir su voluntad.

El dictador de la Unión Soviética resultó tan despiadado como Hitler y objeto de una adulación similar. Sin embargo, había importantes diferencias entre el régimen político de derechas y el de izquierdas. Stalin no estaba considerado como la encarnación de un principio eterno (el *Führerprinzip* de Hitler), sino solamente de una fase transitoria en el desarrollo del comunismo mundial: la dictadura del proletariado. Los comunistas insistieron en que esta forma de gobierno era una medida defensiva necesaria en la Unión Soviética a causa de los enemigos capitalistas. De acuerdo con la teoría marxista, duraría hasta que todas las naciones se hallaran en manos de la clase trabajadora, con lo cual el Estado (y las fronteras nacionales) desaparecería.

Para los totalitarios de cualquier tipo, la pompa ritual ha constituido un modo esencial de afirmar el mito de un pueblo unido bajo un líder infalible. En 1933, en una manifestación nazi celebrada con todo lujo de detalles en Nuremberg, Adolf Hitler, recién nombrado canciller, se dirigió a 250.000 alemanes (*derecha*). Y al año siguiente, una manifestación aún mayor fue inmortalizada de forma escalofriante por Leni Riefenstahl en su documental *El triunfo de la voluntad*.

LA GARRA DEL INVASOR ITALIANO PRETENDE ESCLAVIZARNOS

El igualitarismo y el internacionalismo declarados de los comunistas se encontraban en las antípodas de la obsesión nazi-fascista por el autoritarismo y el nacionalismo (que finalmente desembocó en la Segunda Guerra Mundial), y de la obsesión nazi por la raza (que llevó a la muerte a seis millones de judíos). Esta distinción ayuda a explicar por qué, en los años treinta, muchos intelectuales —desde poetas, como yo, hasta físicos— se afiliaron a los partidos comunistas de sus países. Asimismo ayuda a explicar por qué algunos intelectuales antiigualitaristas declarados (y antisemitas incidentales), el más destacado fue Ezra Pound, optaron por el fascismo. En realidad, incluso los izquierdistas podían sentir el encanto oscuro del fascismo, la tentación de reclamar los privilegios feroces del superhombre. Nosotros apelamos a los sentimientos más justos para resistirnos a él.

La Gran Depresión trajo consigo la sensación de que el sistema capitalista estaba condenado. En mi país, Inglaterra, como en otras naciones occidentales, la pobreza y el desempleo dieron lugar a llamadas revolucionarias; hubo manifestaciones y disturbios. Sin embargo, en Alemania, donde viví a principios de los años treinta, el desorden que culminó en el ascenso de Hitler resultaba verdaderamente abrumador. Allí la economía apenas se había recuperado de la derrota de la Primera Guerra Mundial (y de los pagos de las reparaciones que siguieron) cuando la Depresión asestó su golpe. El gobierno de Weimar, impopular sin remedio, saltaba de crisis en crisis mientras los representantes de 29 partidos se gritaban furiosamente unos a otros en el parlamento. En nombre de la democracia, el canciller Brüning gobernó antidemocráticamente, por decreto —aunque no pudo decretar un final para las peleas callejeras entre los militantes de los dos partidos que crecían con más rapidez: los nazis y los comunistas. Mujeres jóvenes que habían pertenecido a la clase media vendían sus cuerpos en las esquinas de las calles, frente a restaurantes donde los ricos cenaban lujosamente. Casi todo el mundo se hizo miembro de algún grupo político. El odio aumentaba en estos grupos. Para escritores jóvenes como yo y Christopher Isherwood (que pronto alcanzó la fama con sus *Historias de Berlín*), el ambiente de Alemania resultaba extraordinariamente estimulante, y —con su vanguardismo vibrante en arte, arquitectura, música, teatro, incluso en relaciones sociales— incomparablemente más libre que el de nuestro país natal. Pero también era siniestro. Para muchos intelectuales de Occidente, Alemania se erigía como una premonición. Parecía que la humanidad podía elegir entre dos opciones: el infierno del fascismo o el posible paraíso del comunismo.

Mi propia decisión de adherirme al último giró en torno a varios factores. Había leído mucha literatura nazi y la encontré cruel y cínica: junto al racismo, al antisemitismo y al militarismo expansionista, los dirigentes nazis aceptaban abiertamente a la Gran Mentira (como Goebbels la llamó) como una herramienta indispensable para la organización. Por otro lado, me fascinaban las nuevas películas soviéticas que se proyectaban casi cada noche en Berlín. Obras maestras como *El acorazado Potemkin* satisfacían mi hambre de esperanza, belleza y heroísmo así como mi sensibilidad moderna. Asistía a reuniones políticas y me enzarzaba en discusiones eternas en los bares y cafés. Y cuando un amigo de Isherwood volvió de la Unión Soviética, ardiente de entusiasmo por los logros de Stalin, empecé un proceso de conversión.

HACÍA TIEMPO QUE poseía opiniones vagamente izquierdistas, basadas en la lástima por los pobres, la simpatía por los oprimidos, un deseo de paz; si el socialismo «ocurría», yo lo aceptaría de buena gana. Ahora, sin embargo, parece que fuera necesaria una aproximación más analítica y activa. El mundo, mi experiencia alemana me había convencido de ello, se hallaba dividido en las facciones opuestas de Marx, la burguesía y el proletariado. El fascismo, aunque se autodenominara nacional socialismo, proponía dejar los medios de producción en manos de la burguesía y destruir la fuerza del proletariado como clase. Era evidente que los nazis esperaban atacar a la Unión Soviética con el respaldo de Gran Bretaña y la América capitalistas. Para evitar una guerra apocalíptica —y la tiranía fascista que vendría a continuación en todo el mundo—, uno tenía que estar con los obreros.

En 1936 me hice miembro del Partido Comunista por invitación de Harry Pollitt, cabeza de la rama británica. Había leído mi libro *Forward from Liberalism*, en el que abogaba (casi inútilmente, concluí más tarde) a favor de una reconciliación entre las ideas liberales de libertad y las ideas comunistas de justicia social. Pollitt disentía en muchos puntos —defendía los procesos públicos de Moscú, por ejemplo—, pero me pidió que le prestara mi voz para la lucha antifascista en España,

La guerra civil española (1936-1939) fue el primer conflicto del siglo que enfrentó a una república democrática contra fuerzas militares apoyadas por los países fascistas Alemania e Italia. (Este cartel republicano apremia a los españoles a combatir al «invasor italiano que pretende esclavizarnos».) Paradójicamente, la defensa de esta república contra los nacionales rebeldes de Franco fue organizada en gran parte por el odiado enemigo del fascismo, la Unión Soviética, que también era una potencia totalitaria.

donde acababa de estallar la guerra civil. Sin embargo, durante mis viajes a España mis persistentes reservas acerca del comunismo empezaron a agudizarse hasta convertirse en oposición.

En España fue donde el fascismo se enfrentó por primera vez a una resistencia armada organizada. En julio de 1936, cuando las fuerzas nacionales de Franco atacaron desde Marruecos, se creyó que la República española se rendiría, como había ocurrido en Italia, a los rebeldes derechistas. En todas partes la gente se sorprendió cuando la armada española, una parte del ejército y miles de ciudadanos se alzaron para defender el régimen democrático. Italia y Alemania enviaron armas, soldados y dinero a los nacionales; la Unión Soviética envió a los republicanos armas y dinero, y (a través del Komintern) organizó un ejército de voluntarios no comunistas de muchos países, las Brigadas Internacionales.

1930
1939

EL PAPEL DE la Unión Soviética suscita la cuestión de si la guerra civil española no fue únicamente un conflicto entre dos formas de totalitarismo. Para la mayoría de los partidarios de los republicanos, la guerra simbolizó nada menos que la heroica lucha de la democracia por su vida. Y para muchos marxistas, España representó la esperanza de un comunismo más democrático, menos totalitario.

Las filas republicanas acogieron a anarquistas, separatistas, liberales e intelectuales independientes como André Malraux y George Orwell; los comunistas se presentaron a sí mismos como unificadores. Sin embargo, demasiado a menudo consolidaron la unidad a través de la sangre.

En julio de 1937 asistí en Madrid al Congreso de Escritores organizado por los comunistas. La gran división de la reunión internacional surgió del libro de André Gide recién publicado, *Regreso de la URSS*, un relato sobre su visita a la Unión Soviética patrocinada por el gobierno. Gide había encontrado muchos motivos de elogio pero también era crítico, sobre todo con la idolatría a Stalin. Y puso de relieve el terror de la persecución de aquellos que se atrevieron a criticar al régimen.

El Congreso se dividió en dos grupos: los que apoyaban la libertad de expresión de las opiniones de Gide y los que lo condenaron como a «un monstruo fascista» por suministrar munición moral a los fascistas que en aquel mismo instante bombardeaban Madrid. La lucha por construir una sociedad equitativa en Rusia, decían algunos, justificaba las drásticas medidas de puño de hierro de Stalin, igual que el antifascismo justificaba las tácticas fascistas de los comunistas (contra anarquistas y otros izquierdistas radicales) en España. Me sentí atraído por el argumento opuesto —estos medios corruptos conducirían de forma inevitable a fines contaminados. Y me horrorizó la negativa inflexible de los comunistas más dogmáticos a reconocer que «nuestro bando» (no el de Franco precisamente) había cometido atrocidades. De vuelta a Inglaterra, rompí mi vínculo con el partido.

El idealismo que llevó a que los intelectuales apoyaran la versión soviética del socialismo resultó cada vez más difícil de mantener después de 1939, año en que cayó la República española —en parte a causa de la fallida estrategia comunista— y Moscú y Berlín firmaron su impopular pacto de no agresión. Cinco meses después, cuando Hitler invadió Polonia, sólo intervinieron Francia y Gran Bretaña, capitalistas. Después de esto, la lucha contra el fascismo fue una cuestión de ejércitos.

En 1945 los regímenes fascistas expansionistas de Europa habían sido derrotados en una terrible guerra mundial, aunque algunas versiones menos beligerantes de fascismo pervivieron durante décadas en España y Portugal (y siguen prosperando en otros continentes). Se mantuvo un totalitarismo de izquierdas en el este de Europa y en la Unión Soviética casi hasta el final del siglo; fue derrotado no por la fuerza de las armas sino por el descontento popular con un sistema que nunca superó la crueldad «necesaria» y el engaño de su creación. Lejos de marchitarse, el régimen dictatorial había evolucionado hacia una represión monstruosa. Cuando se perdió el punto de apoyo, bajo Gorbachov, las presiones reprimidas de la sociedad comunista simplemente estallaron.

Uno de los fenómenos políticos más curiosos de los últimos años ha sido la convergencia de dos tipos de totalitarismo. En los años setenta, en Argentina, por ejemplo, Juan Perón, un discípulo de Mussolini, inspiró movimientos violentos (y opuestos entre sí) de la derecha y de la izquierda. Y en la Rusia postsoviética, antiguos hijos del sistema se han reunido en un movimiento conservador, ultranacionalista, difícilmente diferenciado del fascismo. Quizás el ímpetu totalitario, el anhelo de orden absoluto en tiempos de desorden alarmante, trasciende las diferencias filosóficas que una vez hicieron parecer que el fascismo y el comunismo eran completamente opuestos. No se ha encontrado ningún tipo de inmunización contra el desorden político, y así las naciones recurren una y otra vez a curas drásticas y terriblemente destructivas. □

El totalitarismo prosperó después de los años treinta. Aquí, en Navidad de 1961, una pareja de alemanes occidentales se asoman con curiosidad sobre el muro de Berlín —una barrera que había sido levantada unos meses antes por Alemania oriental para mantener a sus ciudadanos y a sus ideas alejados de la democracia pluralista. Hasta 1989, en que se derribó el muro (derrocando al régimen de Alemania oriental con él), fue considerado como un emblema de la división del mundo en los sectores capitalista y comunista. Sin embargo, la imagen se complicaba con la persistencia de regímenes totalitarios de derechas —muchos de ellos apoyados por las potencias democráticas como baluartes contra el comunismo.

SACHS

«Existe un largo y duro camino desde la máquina de sumar de Pascal hasta las calculadoras con tarjeta perforada de hoy en día.»—**Vannevar Bush**

HISTORIA DEL AÑO

El primer computador moderno

1 Dirigido por el ingeniero electrotécnico Vannevar Bush, un equipo de científicos del Instituto de Tecnología de Massachusetts empezó a trabajar en un «analizador diferencial» en 1930. El artilugio de Bush, que funcionó un año más tarde, fue el primer computador analógico del mundo. Significó un paso adelante, un nivel superior de los sistemas mecánicos de sumar y fue el precursor de las calculadoras electrónicas.

Como el automóvil o el aeroplano, el computador es un aparato que los científicos y matemáticos ya habían imaginado años antes de contar con los medios tecnológicos para poner sus ideas en práctica. En el siglo XVII el filósofo y científico francés Blaise Pascal había ideado un ingenioso sistema mecánico para sumar. Gottfried Wilhelm von Leibniz, filósofo y matemático alemán del siglo XVIII, diseñó una máquina que resolvía ecuaciones algebraicas. A mediados del siglo XIX, el inventor y matemático británico Charles Babbage (considerado generalmente como el padre del computador moderno) inventó varias máquinas que realizaban complejos cálculos matemáticos. Y a finales del siglo XIX un compatriota de Babbage, Lord Kelvin, consiguió construir una máquina de cálculo impulsada por vapor. Kelvin también fabricó un aparato similar que predecía las mareas; sin embargo, su sueño de un «analizador diferencial» nunca se materializó a causa de las limitaciones infranqueables de la maquinaria de la época victoriana. Bush, 50 años más tarde, utilizó el mismo diseño básico y construyó un computador que funcionaba.

La máquina de Bush se diferenciaba enormemente de los ordenadores de hoy en día, rápidos, silenciosos y compactos; ocupaba varios metros cuadrados en el instituto y se componía de cientos de barras giratorias de acero que simulaban operaciones numéricas. En vez del teclado moderno, los programadores empleaban destornilladores y martillos para iniciar cada nueva operación. Aunque rudimentario, el aparato reveló su utilidad inmediatamente; la máquina podía resolver varios grupos de ecuaciones diferenciales y operar simultáneamente con 18 variables independientes.

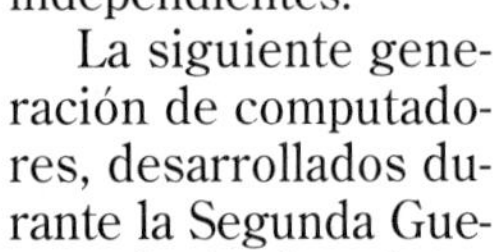

Bush *(izquierda)* con su «cerebro mecánico». Los programadores trabajaban «con una llave inglesa en una mano y una rueda dentada en la otra».

La siguiente generación de computadores, desarrollados durante la Segunda Guerra Mundial, se sirvió más de la tecnología electrónica que de los métodos electromecánicos de Bush. Por ejemplo, el Colossus, un computador fabricado en Bletchley Park, Inglaterra, en los años cuarenta, usaba más de un centenar de tubos al vacío para descifrar los códigos militares alemanes. El desarrollo de transistores, de circuitos impresos y del microchip desembocó en máquinas más pequeñas, más rápidas y más potentes. **►1937.11**

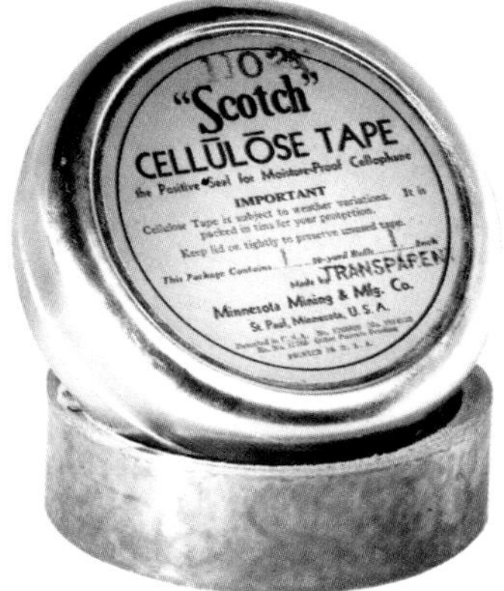

Las primeras cintas Scotch se empaquetaban en latas antihumedad.

TECNOLOGÍA

Una cinta para el ahorro

2 Como en la mayoría de las catástrofes históricas, hubo quien se benefició de la Gran Depresión. Los propietarios de la compañía Minnesota Mining and Manufacturing (3M), por ejemplo, hallaron un mercado sorprendentemente amplio para un nuevo producto especializado que introdujeron en 1930: una cinta de celulosa, transparente y adhesiva. Se ideó para precintar los envoltorios de celofán pero este uso pronto quedó obsoleto cuando Du Pont perfeccionó el precintado por calor. Sin embargo, por entonces los americanos, que no disfrutaban de una buena situación financiera, habían descubierto la versatilidad de la cinta Scotch: para remendar los desgarrones de la ropa y las cortinas, para recomponer juguetes rotos, pegar el yeso desprendido del techo y los billetes rotos. En 1935 se añadió un suministrador.

La demanda de cinta transparente adhesiva aumentó y muy pronto la compañía 3M tuvo que enfrentarse a la competencia. Sin embargo, no importa quién elaborara la cinta, el nombre de Scotch siempre fue ligado a ella. **◄1908.NM ►1938.6**

ECONOMÍA

Se intensifica la Depresión

3 Un año después del *crack* de 1929, el desempleo se había cuadruplicado. En todo el mundo industrializado, se estimaba que había 21 millones de parados. Los salarios caían en picado, y los bancos y los negocios quebraban. Para millones de personas la lucha por la comida, la ropa y el abrigo resultaba cada vez más desesperada. Los barrios de chabolas proliferaron en las zonas urbanas desde Australia hasta Argentina. Algunos agricultores de Arkansas se trasladaron a cuevas, los de California a las alcantarillas. Los británicos, que anteriormente vivían en la opulencia, remendaban sus zapatos con cartón y recogían carbón de las vías ferroviarias en desuso para calentarse. Las colas del pan ocupaban manzanas enteras en las ciudades. Aunque las muertes por inanición escaseaban (110 personas en Nueva York en 1934), la malnutrición era abundante.

Las estadísticas sociales reflejaban lo difundida que estaba la pobreza. Casarse, divorciarse y tener hijos resultaba demasiado caro y la gente no lo hacía, pero los índices de suicidio y abandono del hogar aumentaban. Los papeles familiares y sociales se trastocaron: los hombres sin empleo se quedaban en casa mientras sus esposas e hijos iban a trabajar (cuando podían) como criados; los banqueros vendían manzanas por las calles. Las ciudades pequeñas quedaron vacías, la población se hizo a la carretera en busca de empleo. Para disminuir la competencia laboral, Estados Unidos expulsó a cuatrocientos mil ciudadanos de ascendencia mexicana (tanto nacionalizados como nacidos en América), Francia deportó a muchos inmigrantes italianos, polacos y españoles. Brasil recolocó en el campo a cuarenta mil parados de las ciudades.

Los que vivieron la Gran Depresión cambiaron. Los trabajadores despertaron del letargo de los años veinte y llevaron a cabo huelgas militantes. Algunos parados se manifestaron o crearon disturbios; otros se hundieron en la apatía. Los novelistas se convirtieron en periodistas comprometidos. Los liberales, impresionados por la prosperidad de la Unión Soviética, se hicieron marxistas. Y los conservadores, temiendo el bolcheviquismo, se acercaron al fascismo. **◄1929.1 ►1932.1**

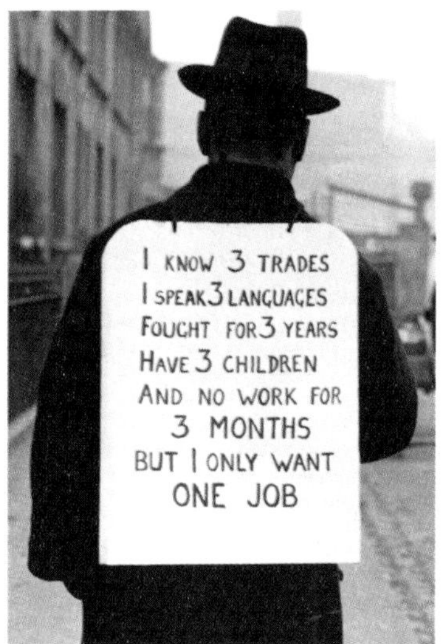

Un parado británico se manifiesta en solitario contra la Gran Depresión.

ARTE Y CULTURA: Libros: ***Mientras agonizo*** **(William Faulkner);** ***El paralelo 42*** **(John Dos Passos);** ***La rebelión de las masas*** **(José Ortega y Gasset);** ***Cimarrón*** **(Edna Ferber) [...] Cine:** ***Sin novedad en el frente*** **(Lewis Milestone);** ***Marruecos*** **(Josef von Sternberg);** ***Hampa dorada*** **(Mervyn LeRoy);** ***Animal crackers*** **(Victor Herman, con los hermanos Marx);** ***La edad de oro*** **(Luis Buñuel) [...]**

«Que mi detención no perturbe a mis compañeros o a la gente en general, gracias a ella no soy yo sino Dios quien guía al movimiento.»—**Mahatma Gandhi**

INDIA

La marcha de Gandhi por la sal

4 El 6 de abril de 1930 Mahatma Gandhi, tras una marcha de 320 km hacia el mar, llegó a Dandi, en la costa oeste de la India, y recolectó

Gandhi y Sarojini Naidu, la primera mujer que presidió el Congreso Nacional indio, en el golfo de Gambay.

sal del océano de forma ilegal. El gobierno británico ostentaba el monopolio de la producción de sal y exigía un impuesto muy elevado por ella. Desafiando al gobierno británico, Gandhi dio un ejemplo de autosuficiencia.

Su gesto simbólico, una reacción a la formación de la comisión Simon (1927), dictada por el decreto Montagu-Chelmsford de 1919, fue el inicio de una segunda campaña de desobediencia civil por todo el país. Teóricamente, la comisión, un grupo de investigación encargado de evaluar las reformas británicas en la India, constituía un signo de la buena voluntad hacia la India. No obstante, después de que el parlamento británico no nombrara a un solo miembro indio para la comisión, los ofendidos dirigentes del Congreso Nacional indio la rechazaron y pidieron la plena independencia por primera vez. (Tras la independencia, la fecha de esta resolución, 26 de enero, se convirtió en el Día de la República.)

Los británicos intentaron ignorar la protesta de la sal de Gandhi, pero no pudieron escapar al mar de fondo de oposición que desencadenó: piquetes, manifestaciones, robos de sal, boicots a los productos británicos, huelgas y, para la consternación de Gandhi, disturbios violentos. El gobierno respondió con el encarcelamiento de más de sesenta mil indios, incluidos Gandhi, Nehru y los demás líderes nacionalistas. Como era de esperar, el arresto de Gandhi intensificó la ola de desobediencia civil y los períodos en prisión y los golpes se convirtieron en insignias de honor. En junio volvió a caer el gobierno, por no haber podido controlar la situación. ◄**1924.5** ►**1931.NM**

TEATRO

Talento para entretener

5 Las mejores obras del dramaturgo Noël Coward son crónicas mordaces de la alta sociedad británica de entreguerras. La mejor, *Vidas privadas*, se estrenó en Londres el 24 de septiembre de 1930, con el mismo Coward en el papel principal masculino.

La obra, que Coward había escrito en un hotel de Shanghai durante una gripe de cuatro días, es una serie de diálogos malévolos e ingeniosos entre una pareja que había estado casada, Elyot y Amanda, que están pasando la luna de miel con sus nuevos esposos en el mismo hotel francés. (Gertrude Lawrence interpretó el papel de Amanda y un joven Laurence Olivier el de Víctor, su segundo marido.) Hay poca acción y menos profundidad, pero frases como «es raro lo eficaz que es la música cursi» o «ciertas mujeres deberían ser golpeadas con regularidad, como los gongs» se pueden citar en cualquier época. Asimismo, la complicidad peligrosa y estimulante de Amanda y Elyot evoca una cierta tristeza.

A pesar de las críticas poco entusiastas, *Vidas privadas* obtuvo tanto éxito que al año siguiente Coward, Olivier y Lawrence la representaron en Broadway. Se repone constantemente.

IDEAS

La rebelión de las masas

6 José Ortega y Gasset obtuvo con este título una difusión internacional que lo ha convertido en el pensador español más conocido del siglo XX. Publicado en castellano en 1929 y en inglés al año siguiente, reafirmó en Europa y América la fama que, desde la publicación en 1921 de *El tema de nuestro tiempo*, había hecho de Ortega un filósofo capaz de interpretar el mundo contemporáneo según una concepción vitalista. Lo primario, en oposición al racionalismo europeo clásico, no es el pensamiento sino la vida. Ortega define su pensamiento como *Filosofía de la razón vital*. En la órbita de la filosofía alemana contemporánea, la relación entre racionalismo y vitalismo no se resuelve con una contraposición dialéctica sino que supone un sistema de inclusión de la razón en la evolución de la vida. La superación del racionalismo sin desembocar en el irracionalismo, la historicidad de la razón es, según Ortega, *El tema de nuestro tiempo*.

En *La rebelión de las masas* un doble proceso desarticula la armonía social. La quiebra de la aristocracia intelectual, incapaz de mantener una guía espiritual por encima de la política, imposibilita la función rectora de las élites sobre las masas. El protagonismo de las masas, su rebelión ante las jerarquías caducas del pasado, abre un panorama donde los nuevos órdenes sociales son más peligrosos que el mismo desorden.

Noël Coward y Gertrude Lawrence en una representación de *Vidas privadas*.

NACIMIENTOS

Neil Armstrong, astronauta estadounidense.

Balduino I, rey de Bélgica.

Sean Connery, actor británico.

Jean-Luc Godard, director cinematográfico francés.

Cristóbal Halffter, músico español.

Helmut Kohl, canciller alemán.

H. Ross Perot, empresario y dirigente político estadounidense.

Harold Pinter, dramaturgo británico.

Jordi Pujol, político español.

Mobutu Sese Seko, presidente de Zaire.

Jean-Louis Trintignant, actor francés.

Derek Walcott, poeta antillano.

Joanne Woodward, actriz estadounidense.

MUERTES

Juan Antonio Benlliure, pintor español.

Lon Chaney, actor estadounidense.

Glenn H. Curtiss, inventor y aviador estadounidense.

Arthur Conan Doyle, escritor británico.

Joan Gamper, fundador del F. C. Barcelona.

D. H. Lawrence, escritor británico.

Vladimir Mayakovsky, poeta ruso.

Gabriel Miró, escritor español.

Mabel Normand, actriz estadounidense.

Miguel Primo de Rivera, dirigente fascista español.

William Howard Taft, presidente estadounidense.

Alfred Wegener, geógrafo alemán.

Teatro: ***como tú me deseas*** **(Luigi Pirandello);** ***La zapatera prodigiosa*** **(Federico García Lorca).**

«Lo que uno ve en otra mujer cuando está borracho, lo ve en Garbo cuando está sobrio.»—**El crítico Kenneth Tynan, acerca de Greta Garbo**

NOVEDADES DE 1930

Plexiglás.

Máquinas del millón.

Azafatas de vuelo (Ellen Church de United Airlines).

Pan en rebanadas (Wonder Bread).

Fusibles.

EN EL MUNDO

►GÓTICO AMERICANO—El austero cuadro de Grant Wood que representa una pareja de granjeros de aspecto rígido y sin expresión, de pie frente a su granja de estilo gótico, causó sensación cuando se expuso en 1930 en el Instituto de Arte de Chicago. Los modelos que Wood escogió para su estudio sobre el robusto linaje del campo americano fueron

su hermana y su dentista. Con su colega del medio oeste Thomas Hart Benton, Wood formó parte del movimiento regionalista americano. ◄1908.4 ►1942.17

►LUEGO, HABÍA NUEVE—Un astrónomo aficionado de 24 años de edad, Clyde Tombaugh, contratado por el Observatorio Lowell de Flagstaff, Arizona, para encontrar el noveno planeta que los astrónomos pensaban que existía, tuvo suerte el 18 de febrero. Sólo después de un año de inspeccionar las fotos tomadas por una cámara astronómica acoplada al telescopio del Lowell, Tombaugh detectó la «estrella oscura» que era Plutón, cruzando la constelación de

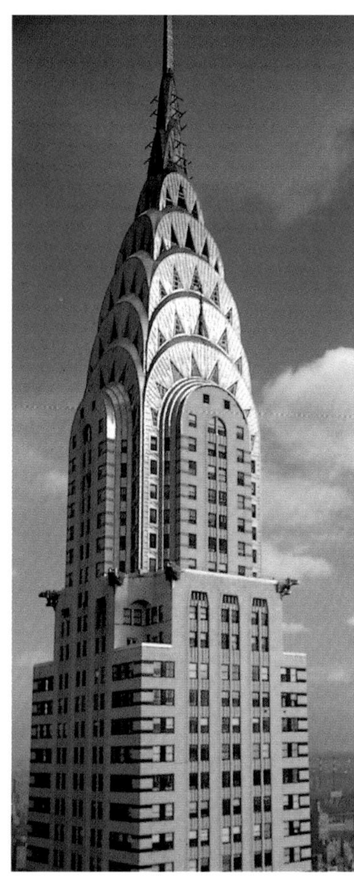

La apoteosis de la arquitectura Art Déco: el edificio Chrysler de Nueva York.

ARQUITECTURA

Estética para la industria

7 El edificio Chrysler de William van Alen fue terminado en 1930 y, durante un breve período, fue la estructura más alta del mundo. La decoración Art Déco del edificio, con los tapones de radiador de acero bañado en níquel y gárgolas con cara de águila, y su torre que penetraba en el cielo, promocionaban claramente a su propietario, Walter P. Chrysler, junto a las glorias del capitalismo. En realidad, el estilo Art Déco permitió que los arquitectos americanos adornaran sus rascacielos como partenones modernos, acabados con frontones y frisos dedicados a la industria y al progreso. (En 1916 una ley urbana de Nueva York aumentó la construcción de edificios de aspecto parecido al de los templos, insistiendo en que los «rascacielos», de una cierta altura, se apartaran de la calle para permitir la entrada de luz y aire. El resultado fue la curiosa forma de muchos edificios.)

El Empire State Building, acabado en 1931, era más alto que el Chrysler y se elogió su ausencia de ornamentación y su ampliación de espacio para alquilar. Finalmente la Gran Depresión acabó con proyectos grandiosos como el Rockefeller Center, que sólo pudo ser construido más tarde. Sin embargo, continuaron construyéndose edificios más pequeños de estilo Art Déco como «un antídoto contra el pesimismo» en lugares como Miami Beach y Hollywood. No obstante, el estilo desapareció cuando las limitaciones económicas y la Segunda Guerra Mundial lo hicieron parecer frívolo, pasado de moda y demasiado caro. Arquitectos como John M. Howells y Raymond Hood se fueron olvidando cuando la pureza rígida del estilo internacional, ejemplificado en las obras de Le Corbusier, Mies van der Rohe y Philip Johnson, marcaron las pautas arquitectónicas durante el medio siglo siguiente. **◄1919.9 ►1931.NM**

CINE

Garbo habla

8 Un crítico describió el estreno (14 de marzo de 1930) de la versión cinematográfica sonora de la obra de teatro de Eugene O'Neill *Anna Christie* en Nueva York como: «El acontecimiento cinematográfico más ansiado y más temido» desde el nacimiento del cine sonoro. Aquel día Garbo habló.

Durante más de dos años, la Metro-Goldwyn-Mayer había protegido a su gran estrella, Greta Garbo, del micrófono. La grabación del sonido resultaba de baja fidelidad y difícil; los ídolos románticos con voces agudas o marcados acentos podían sonar cómicos o no entenderse. Garbo, oriunda de Suecia, con su rostro divino y su sentimiento contenido, era la diosa muda del amor, la favorita de todo el mundo, y abarrotaba los cines con

Garbo (*superior*, con Marie Dressler en *Anna Christie*) realizó la transición del cine mudo al sonoro con éxito.

películas como *La tierra de todos, El demonio y la carne* y *Ana Karenina*. Pero, ¿cómo *sonaría* la antigua dependienta de Estocolmo?

Al escoger un drama de O'Neill sobre una prostituta nacida en Suecia y criada en América, que se enamora de un marinero, la Metro fue prudente. Garbo toma parte en la película durante media hora. Está de pie un momento interminable, en la puerta de un bar de los muelles, con el rostro marcado por el cansancio y el hastío. Se arrastra hacia una mesa, se deja caer en una silla y con una voz ronca, hastiada, con acento escandinavo, dice: «Dame un whisky con ginger ale. Y no seas tacaño, cariño». Un historiador del cine afirmó: «El mundo volvió a respirar».

Se comentaba que Garbo era la estrella más importante de la pantalla y (más discutiblemente) la mejor actriz. A pesar de los grandes éxitos de *Gran hotel* (en la que ella suplica «Quiero estar sola») y *La dama de las camelias*, Garbo pareció demasiado exótica para la época de la Gran Depresión y, a mediados de los años treinta, el público americano la había olvidado. Se retiró de la pantalla en 1941 y repartió su tiempo entre Nueva York y Suiza hasta su muerte en 1990. **◄1921.10 ►1941.NM**

LITERATURA

Digno sucesor de Eliot

9 La figura dominante de la poesía en lengua inglesa durante los decadentes y desilusionados años veinte fue T. S. Eliot, el poeta de *La tierra baldía*. No obstante, cuando se intensificó la Gran Depresión y cambió el ambiente internacional, la alienación y la angustia dieron lugar a posturas cada vez más radicales. Eliot se decantó por la religión y el conservadurismo, pero en 1930 se dio a conocer un heredero poético cuando Faber & Faber publicó los primeros *Poemas* de W. H. Auden.

La poesía de Auden, de profundidad filosófica, ingeniosa y conmovedora, como la de Eliot, se inspiraba en una serie sorprendente de fuentes: estrofas anglosajonas, lírica cortesana de la restauración, baladas del teatro de variedades, Byron, Yeats, Rilke, e incluso Eliot. Pero Auden también era marxista, aunque algo ambiguo (Freud y Nietzsche tuvieron la misma importancia en la configuración de sus análisis de las enfermedades sociales). Auden, miembro de un círculo de poetas de izquierdas, entre los que destacan sus antiguos compañeros de clase en Oxford Cecil Day Lewis y Stephen Spender, llenó los diez volúmenes de poesía que publicó durante la siguiente década con referencias a las cuestiones acuciantes

DEPORTES: Boxeo: Max Schmeling derrota a Jack Sharkey en el campeonato mundial de los pesos pesados [...] Tenis: Francia vence a Estados Unidos en la copa Davis.

de la época. Escribió: «En la pesadilla de la oscuridad, todos los perros de Europa ladran / y las naciones vivas aguardan / aisladas en su odio».

Su experiencia como conductor de ambulancias durante la guerra civil española le condujo a la desilusión y a principios de los años cuarenta su carrera empezó a funcionar de modo inverso a la de Eliot. Éste, americano, se había trasladado a Inglaterra y se había convertido al anglicanismo; Auden, inglés, se trasladó a Estados Unidos y se hizo protestante. Al igual que Eliot, perdió muchos seguidores después del descubrimiento de la religión. Sin embargo, también, se convirtió en un gran hombre de letras, configurando los gustos poéticos americanos como crítico y editor de los Yale Younger Poets. Desde la muerte de Eliot en 1965 hasta la suya propia, en 1973, a Auden se le consideró como el poeta vivo más importante. **◂1922.9 ▸1946.11**

CINE

Los oficios de Jean

10 En 1930, Jean Cocteau, maestro vanguardista en muchas disciplinas, se inició en el cine, la forma artística por la cual se le recuerda más. Como buena parte de su obra *La sang d'un poète* carece de una lógica narrativa y teje imágenes de sueños en una meditación sobre el proceso creativo. El «poeta» del título de la película (en realidad un pintor) dibuja un retrato cuya boca empieza a moverse; cuando, lleno de miedo, la borra con un trapo, la boca le coge la mano y habla. Convertida en estatua, le ordena que pase a través de un espejo. Las aventuras del poeta detrás del cristal incluyen dos suicidios y una resurrección.

Aunque las películas de Cocteau (particularmente *La bella y la bestia* y *Orfeo*), sus novelas (*Les enfants terribles*), sus obras de teatro (*La voix humaine*) y sus cuadros se consideran generalmente obras maestras del surrealismo; él despreciaba a los surrealistas como dogmáticos políticos y rechazaba cualquier etiqueta artística. Cocteau, genio autodidacta que apenas acabó el bachillerato, obtuvo su primer éxito con el ballet *Parade* (1917), que reunió a un plantel extraordinario de colaboradores: Sergei Diaghilev, como productor; Léonide Massine, como coreógrafo; Erik Satie, como compositor, y Pablo Picasso, como diseñador. Diaghilev fue quien se atrevió a decirle al joven libretista «¡Sorpréndeme!», una frase que siguió constituyendo el lema de Cocteau hasta su muerte en 1963. **◂1918.12 ▸1959.7**

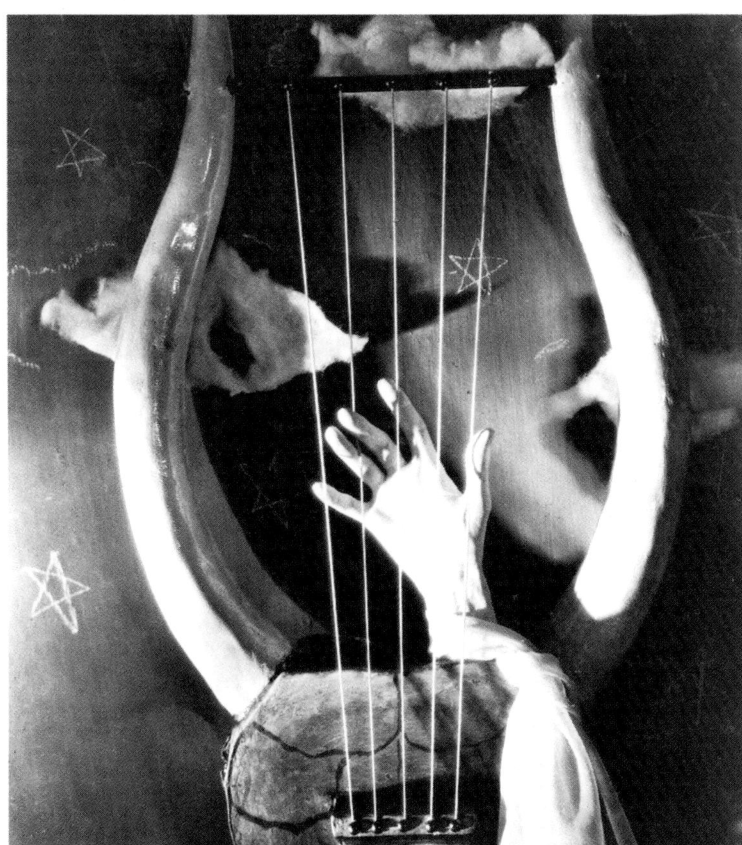

En este fotograma de *La sang d'un poète*, una descripción cinematográfica de la vida íntima de Cocteau, una mano sin cuerpo toca una lira órfica.

LITERATURA

Sam Spade, detective privado

11 La novela policíaca británica clásica, como ya la elaboraron Agatha Christie y Arthur Conan Doyle, resultaba esencialmente optimista: una vez resuelto el misterio, todo volvía a la normalidad. Este género tomó un nuevo giro de la mano del escritor americano Dashiell Hammett, cuyas novelas frías y cínicas evocan un mundo duro y sin piedad, donde la normalidad no existe y en realidad no se resuelve ningún misterio. En 1930, con *El halcón maltés*, Hammett presentó a su personaje más célebre, un investigador privado lacónico y cansado de la vida, llamado Sam Spade.

El título del libro hace referencia a una estatuilla que es robada dos veces. Las traiciones se multiplican hasta que la única persona honesta que resta es el héroe protoexistencialista. Spade, al explicar a la bella Brigid O'Shaughnessy por qué debe entregarla a la policía por asesinato, alude a su ética profesional, contra la cual dice: «Todo lo que tengo es el hecho de que quizá me quieres y quizá yo te quiera a ti». La palabra clave es «quizá». La única certeza en un mundo lleno de mentiras es el código personal de uno mismo.

El halcón maltés, como su novela de 1932 *La araña o Nick Charles, detective*, convirtió a Hammett en «lo más enérgico de Hollywood y Nueva York», según palabras de Lillian Hellman (su compañera durante muchos años). *El halcón maltés* fue adaptada al cine en tres ocasiones, la última versión, y la más famosa, estaba protagonizada por Humphrey Bogart. *La araña* dio lugar a una serie de cinco películas protagonizadas por William Powell y Myrna Loy en los papeles de Nick y Nora Charles, una pareja sofisticada, ingeniosa y amante de los martinis que resuelve crímenes.

Hammett, izquierdista apasionado durante los años treinta y cuarenta, pasó seis meses en la cárcel en 1951 por negarse a testificar ante el comité de actividades antiamericanas, una experiencia que, junto a su habitual ingestión de tabaco y alcohol, le dejó delicado de salud hasta su muerte en 1961. **◂1920.5 ▸1951.E**

Géminis en su órbita de 248 años alrededor del sol. ◂1929.9 ▸1963.11

▸LOS ALIADOS SE VAN DE RENANIA—En junio, las últimas fuerzas aliadas (entonces sólo francesas) abandonaron Renania, cinco años antes de lo establecido en el tratado de Versalles. La retirada prematura marcó un hito en la normalización reciente de las relaciones germano-aliadas tras la Primera Guerra Mundial. ◂1919.11

▸EL ÁNGEL DE VON STERNBERG—Una de las colaboraciones más famosas del cine se inició en 1930 con *El ángel azul*, dirigida por Josef von Sternberg e interpretada por Marlene Dietrich. La actriz resultaba tan convincente en el papel de la cabaretera amoral Lola, que el personaje acabó siendo el modelo de Dietrich. Cuando la actriz nacida en Berlín llegó

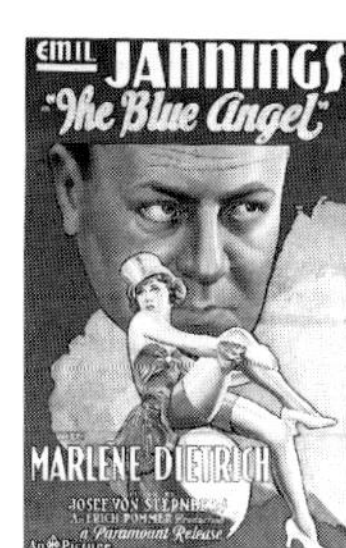

a Hollywood el mismo año, la Paramount (que realizó una versión inglesa de la película) se encargó de convertirla en una estrella como la Metro lo había hecho con Garbo. ◂1930.8

▸RESTRICCIÓN DE LA EMIGRACIÓN—Los ataques árabes contra los judíos palestinos provocaron que Palestina, un mandato británico, realizara dos investigaciones en 1930. Ambas revelaron los temores de los árabes a perder su territorio si seguía aumentando la inmigración judía y recomendaban la imposición de restricciones ante este movimiento migratorio y a la adquisición de tierras. El gobierno británico impulsó esta política pero se vio obligado a rectificarla tras la ruidosa protesta de los ju-díos palestinos y los líderes sionistas del mundo. ◂1929.7 ▸1937.12

«Sus palabras van como una flecha hacia su blanco; toca todas las fibras sensibles [...] y libera el inconsciente general, expresando las aspiraciones más íntimas y diciendo a la gente lo que quiere oír.»—**Otto Strasser, periodista alemán exiliado, sobre Hitler**

▶ANTICONCEPCIÓN CATÓLICA—El 30 de diciembre, el Papa Pío XI publicó su encíclica concerniente al matrimonio cristiano. Consideraba que el control de natalidad constituía «una ofensa contra las leyes divinas y naturales, y los culpables cometían un pecado grave». Los católicos que quisieran evitar la concepción se debían ajustar a la abstinencia total o periódica. (Por ejemplo, sin tener relaciones sexuales cuando la mujer se halla en período de ovulación.) ▶1968.NM

ALEMANIA

Los nazis ganan

12 Dos años después de haber conseguido sólo doce escaños en el parlamento, los nazis obtuvieron seis millones y medio de votos en las elecciones nacionales alemanas de 1930, que les proporcionaron 107 de los 577 escaños y les convirtieron en el segundo partido más importante. El cambio de fortuna de los nazis se puede atribuir a la Gran Depresión.

Hitler había intentado gobernar Alemania por medios legales desde que salió de prisión en 1924. Sin embargo, la creciente prosperidad de la nación había apartado a los votantes de los extremos, tanto de derechas como de izquierdas. Los nazis alcanzaron una mayoría en la asamblea legislativa bávara en 1928, pero continuaban siendo un partido minoritario en todo el país.

Más tarde, terminó la prosperidad (construida en gran parte sobre los créditos norteamericanos) y con la Gran Depresión llegó una radicalización que no se había conocido desde los tiempos de la hiperinflación. El Partido Comunista resurgió, pero los nazis, que apelaban no a una sola clase sino a los temores, resentimientos y orgullo *nacionales*, obtuvieron una aceptación inmensa. Se aventuró que el *Volk* alemán (el pueblo alemán) era la expresión más elevada de la «raza aria», superior. La voluntad del *Volk* estaba encarnada en el *Führer* (líder); el Estado sería un mecanismo para llevar a cabo sus órdenes. La democracia era un fraude, pero el marxismo, que promovía el internacionalismo y la lucha de clases, resultaba directamente diabólico. Los nazis afirmaban que, al igual que el sistema económico mundial que había arruinado a Alemania, todos los movimientos de izquierdas estaban creados por los judíos, la encarnación del mal. El *Volk* debía librarse de ellos y de los otros «extranjeros» y reunir a sus hermanos de los países vecinos en una «Alemania más grande».

Hitler y sus principales lugartenientes en una fotografía poco común (descubierta después de la guerra en el álbum de un seguidor).

Excepto por su antisemitismo declarado (un prejuicio generalizado, explotado por los dirigentes nazis), el nazismo se parecía al fascismo italiano. Como los fascistas, los nazis exaltaban el militarismo y empleaban brigadas armadas uniformadas para suprimir a sus oponentes. Ambos prometían justicia social y acabar con la parálisis parlamentaria, un regreso a la grandeza nacional y un salvador. Cada vez más alemanes pensaban que Hitler, hipnótico, orgulloso y locuaz, encajaba con esta figura. **◀1929.11 ▶1932.2**

DEPORTES

Campeonato mundial de fútbol

13 La copa del mundo de fútbol, probablemente el trofeo más codiciado del deporte moderno, comenzó con dificultades en julio de 1930. Fue un torneo celebrado en Montevideo, Uruguay, en el que sólo participaron trece naciones. Sin embargo, para los anfitriones uruguayos, el campeonato fue un acontecimiento que dio que hablar: una multitud de noventa mil personas (muchos de ellos llegaron seis horas antes) abarrotó el estadio Centenario de Montevideo, todavía sin terminar, para ver cómo los campeones olímpicos de su país superaban a sus rivales argentinos 4 a 2. El gobierno uruguayo declaró un día festivo en honor a la victoria; en Buenos Aires, el consulado uruguayo fue apedreado.

La Federación Internacional de Fútbol (FIFA) había creado dos años antes el campeonato mundial para que profesionales y noveles compitieran en igualdad de condiciones en un campeonato internacional. Al principio sólo entraron en juego cinco países no sudamericanos en este campeonato: Estados Unidos, Francia, Yugoslavia, Rumanía y Bélgica. Dos torneos más tarde, en 1938 (la competición se celebra cada cuatro años), la lista de participantes había ascendido a 36.

El certamen, interrumpido por la Segunda Guerra Mundial, no volvió a celebrarse otra vez hasta 1950. Los campeonatos mundiales modernos constan de eliminatorias que clasifican a 22 equipos, además de la nación anfitriona y al campeón del momento. **▶1958.11**

CIENCIA

Un invento impactante

14 Ernest Lawrence, físico de la universidad californiana de Berkeley, sólo contaba 29 años cuando presentó una solución para uno de los problemas técnicos más espinosos de su disciplina: cómo acelerar una partícula subatómica a la velocidad suficiente para penetrar un núcleo atómico y romperlo a fin de que los científicos pudieran estudiar su estructura y comprender mejor la naturaleza de la radiactividad. En experimentos anteriores se había utilizado un acelerador lineal, desarrollado por el físico británico John Douglas Cockcroft y su colega irlandés Ernest T. S. Walton, en el que se transportaba una partícula con la ayuda de una serie de impulsos de energía. El mayor problema consistía en que la partícula necesitaba un recorrido muy largo para obtener la potencia suficiente y aproximarse a la velocidad de la luz.

La idea de Lawrence era sencilla. En vez de enviar una partícula a lo largo de un camino lineal, el nuevo acelerador la haría girar en círculos. Podría aplicarse la energía en dosis alternas cada vez más potentes, en un campo magnético creado entre dos electrodos; cada impulso del campo magnético haría que la partícula fuera cada vez a mayor velocidad.

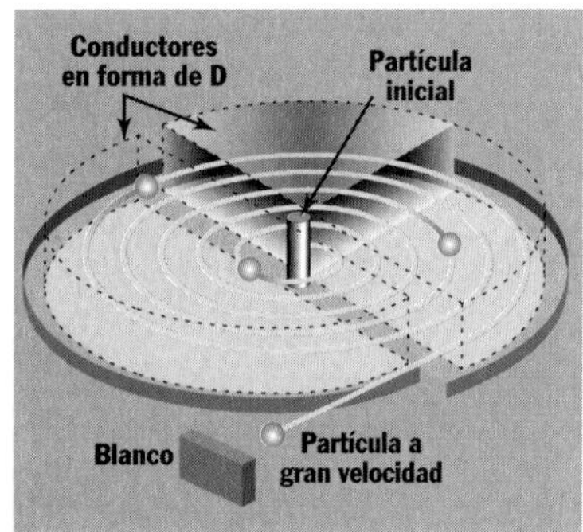

Lawrence denominó a su bombardero de átomos «ciclotrón» porque las partículas se movían en círculos, una innovación esencial.

En septiembre de 1930 el ciclotrón, como se llamó al aparato, consiguió acelerar un protón a la velocidad de 59.200 km/s, una quinta parte de la velocidad de la luz. Apodado enseguida el «bombardero de átomos», resultó tan imprescindible para la física subatómica como el microscopio para la microbiología o el telescopio para la astronomía. Más tarde, Lawrence desempeñó un papel protagonista en el desarrollo de la bomba atómica. **◀1919.5 ▶1932.10**

PREMIOS NOBEL: Paz: Nathan Söderblom (sueco; movimiento ecuménico) [...] Literatura: Sinclair Lewis (estadounidense; novelista) [...] Química: Hans Fischer (alemán; síntesis de la hemina) [...] Medicina: Karl Landsteiner (estadounidense; tipos sanguíneos) [...] Física: Chandrasekhara Raman (indio; difusión de la luz).

Realismo ideal

En 1930 murió Julio Romero de Torres, pintor español famoso por sus retratos femeninos. En su obra puede hablarse de un antes y un después a partir del cuadro Musa gitana, *que marca el inicio de su peculiar y definitivo estilo a caballo entre el realismo y el idealismo. Las exposiciones que realizó dentro y fuera de España obtuvieron siempre grandes éxitos. Sus mujeres se caracterizan por una belleza típicamente española muy apreciada en una época de exaltación de los tópicos nacionalistas y folklóricos. Muchas de sus monografías fueron prologadas por escritores tan reconocidos como Benavente, Valle Inclán y Martínez Sierra. Posteriormente su obra se ha desvalorizado precisamente por los motivos que en su época le llevaron al éxito.*

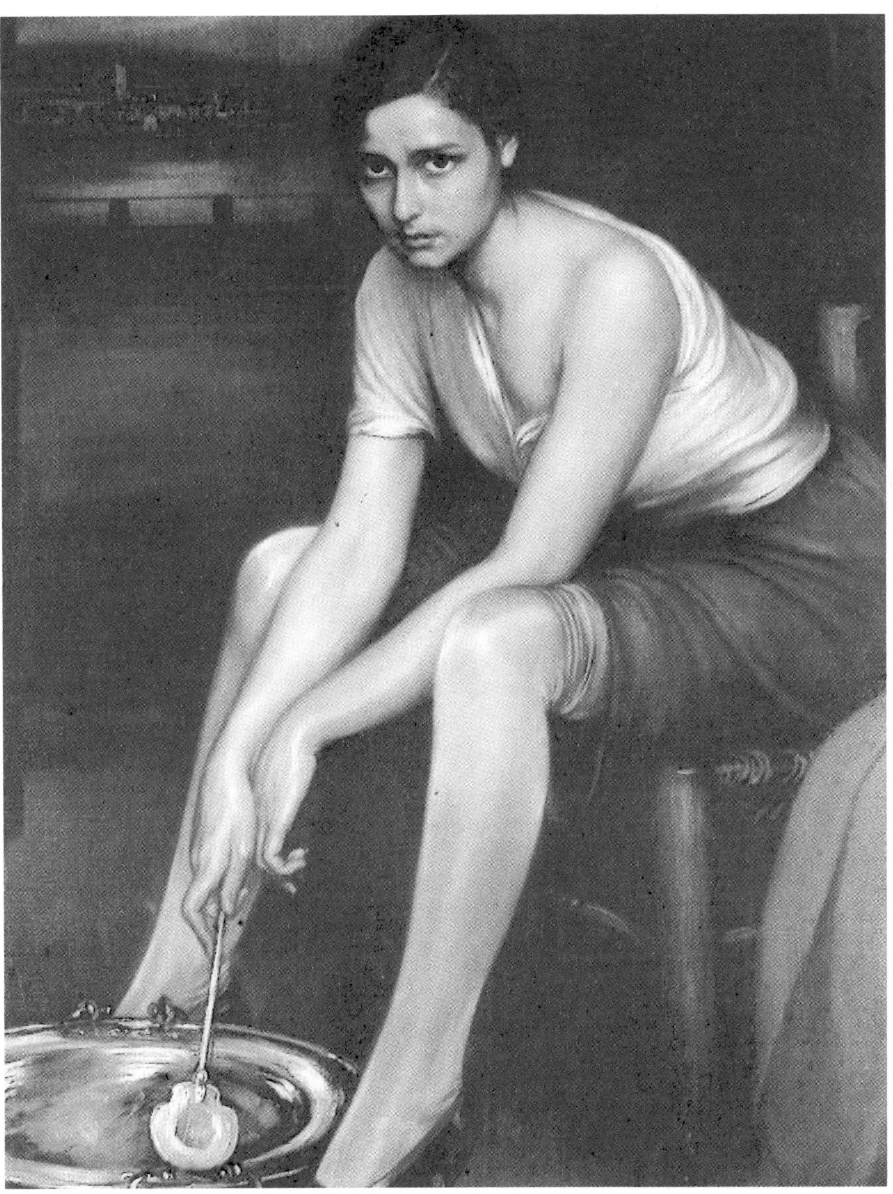

Chiquita piconera

«Sabemos que si el Credit Anstalt [...] quiebra, una catástrofe sin precedentes afectaría a los obreros y asalariados austríacos.»—**Otto Bauer, líder del Partido Socialdemócrata**

HISTORIA DEL AÑO

El Credit Anstalt quiebra

1 Austria había perdido su imperio en la Primera Guerra Mundial pero Viena seguía siendo la capital financiera de Europa central. Cuando el Credit Anstalt, el mayor banco del país, quebró en la primavera de 1931, el impacto también afectó a Alemania. La consecuencia para ambos países fue un fortalecimiento peligroso de la derecha antidemocrática.

El sistema bancario de Austria se había debilitado incluso antes del *crack* de 1929, sobre todo a causa de una mala administración. Cuando a los bancos les sucedía esto simplemente eran absorbidos por instituciones más ricas. Sin embargo, después de que el Credit Anstalt absorbiera a un banco rival endeudado, se dio cuenta de que la Gran Depresión había hecho imposible la digestión. Frente a la insolvencia pidió ayuda gubernamental. El 70 % del comercio y de la industria de Austria dependía del banco.

Mientras los políticos intentaban encontrar ayuda en el extranjero, la gente que poseía dinero en el Credit Anstalt, nerviosa, se precipitó a recuperar sus fondos. El temor se extendió a Alemania, lo que provocó asedios a los bancos de allí. En julio, el enorme Danat-Bank se hundió; siguieron otras clausuras de bancos antes de que el gobierno alemán declarara dos días festivos para estas entidades. Millones de personas perdieron sus ahorros.

Mientras, los austríacos habían conseguido algunos préstamos internacionales y una moratoria de la deuda con sus acreedores extranjeros. Sin embargo, a cambio de la cooperación francesa, Austria había cancelado su unión aduanera con Alemania, defraudando las esperanzas de recuperación económica de ambos países.

La situación de los bancos provocó que los berlineses se precipitaran a retirar sus fondos.

En Alemania el pánico financiero engrosó las filas de los nazis con jóvenes decepcionados por los errores de los políticos al antiguo estilo y con conservadores de clase media, temerosos de que estas quiebras provocaran una revolución comunista. En Austria, aunque la crisis unió al parlamento bajo las medidas de austeridad, también envalentonó a un líder regional del «Heimatbloc» (fascista), el Dr. Walter Pfrimer, para asestar un golpe de Estado. En septiembre, sus tropas paramilitares marcharon sobre Graz pero la sublevación no tuvo éxito. El apoyo activo o pasivo de muchos civiles y policías y la respuesta indiferente del ejército fue una muestra de lo vulnerable que sería la democracia austríaca frente a una acción más firme. Los golpistas quedaron sin castigo y les fue permitido llevarse sus armas a casa. Menos de dos años después, un dictador gobernaba el país al conseguir de forma legal lo que Pfrimer no consiguió por la fuerza. **◂1930.12 ▸1932.2**

CHINA

El marxismo en el campo

2 A finales de 1931 se alzaron ochenta mil estudiantes en Nankin, capital del gobierno nacionalista de Chiang Kai-shek, para protestar contra la política de no resistencia a la invasión del Japón en Manchuria. Los líderes de un régimen separatista en Cantón, Wang Jingwei y Sun Fo, se aprovecharon de los problemas de Chiang y apoyaron a la resistencia (cuando en realidad tenían buenas relaciones con Tokio). En diciembre, Chiang (*superior*) abdicó en favor de Sun Fo.

El acto de Chiang formaba parte de un complejo plan. Cuando se retiró, todavía contaba con el apoyo de su ejército (el mayor de China), de varios gobiernos provinciales y del ministro de finanzas (T. V. Soong, cuñado de Chiang), que dejó el erario en pésimas condiciones de forma deliberada. El gobierno de Sun Fo, paralizado desde el principio, estaba condenado al desastre. Un mes después de la partida de Chiang, éste regresó con un poder mucho mayor, una vez confirmada su indispensabilidad.

Mientras, Mao Zedong, el hombre que se convertiría en el enemigo por antonomasia de Chiang en la lucha legendaria para configurar la China moderna, se había fortalecido. Mao, que operaba en la provincia interior de Jiangxi, rechazó una serie de ofensivas anticomunistas de los nacionalistas de Chiang durante el invierno y la primavera de 1931. Las victorias dieron credibilidad al «marxismo de las montañas», el comunismo rural de Mao. Su sistema era una desviación casi herética de la ideología proletaria urbana de Marx y Lenin pero su éxito indiscutible obligó a que el tradicional comité central (con sede en Shanghai) del Partido Comunista chino reconsiderara su política.

En noviembre, en el decimocuarto aniversario de la revolución de Lenin, el Partido Comunista chino eligió a Mao como presidente de la primera República Popular China. La «República» sólo incluía unas pocas docenas de baluartes comunistas en el centro-sur de China; lo realmente significativo fue el dominio de Mao. Lentamente, y con profundas dificultades, el equilibrio de poder de la China comunista se trasladó de la ciudad a las montañas, de los teóricos que habían aprendido en Moscú a un activista del país. **◂1927.2 ▸1931.4**

UNIÓN SOVIÉTICA

Se silencia a la *Intelligentsia*

3 Cuando Stalin consolidó su poder en el Partido Comunista impuso penalizaciones más duras que nunca a los disidentes. En 1931 la revolución había entrado en un período de retirada hacia el conservadurismo. El estado debía ser venerado y se tenían que adoptar los valores tradicionales. Para asegurarse la conformidad, el dictador empleó un nuevo ardid: su policía secreta, que se había encargado anteriormente de la oposición, ahora vigilaría a toda la sociedad, incluido el propio partido. Con esta represión totalitaria, la tentación de formular opiniones significaba arriesgarse a morir. Artistas e intelectuales fueron silenciados. El novelista Boris Pilnyak observó: «No existe un solo adulto inteligente en este país que no haya pensado que pueden matarle». (A Pilnyak le asesinaron en 1938.)

Durante los primeros años de la revolución, llenos de promesas, se dio un brillante florecimiento artístico en Rusia. Poetas como Anna Akhmatova, Osip Mandelstam y Vladimir Mayakovsky experimentaron con formas y expresiones nuevas; novelistas como Pilnyak e Isaac Bábel

Uno de los blancos de Stalin: Anna Akhmatova, en un retrato de N. I. Altmar.

escribieron libros sinceros y consistentes; el director de cine Sergei Eisenstein exploró las posibilidades del joven medio. Algunos de estos artistas, Akhmatova por ejemplo, se mostraban reticentes al comunismo pero querían darle una oportunidad. Otros, como

ARTE Y CULTURA: Libros: ***Santuario*** **(William Faulkner);** ***Las lanzas coloradas*** **(Arturo Uslar Pietri) [...] Música: «Lady of Spain» (Tilsley, Damerell, Evans y Hargreaves) [...] Pintura y escultura:** ***La persistencia de la memoria*** **(Salvador Dalí);** ***Retrato de Frida y Diego*** **(Frida Kahlo) [...]**

«El núcleo del átomo de deuterio es actualmente uno de los juguetes más encantadores para los científicos.»
—Harold Urey, en la *Columbia University Quarterly*, publicación trimestral

Mayakovsky, Mandelstam y Eisenstein, lo apoyaban con entusiasmo. A finales de los años veinte, Stalin había puesto el arte al servicio del Estado y abortó el renacimiento. El realismo soviético, subvencionado oficialmente, sensiblero y monótono, se convirtió en el único género aceptable. Los artistas que se resistían, como Mandelstam, a menudo desaparecían. Otros, entre ellos Mayakovsky y Sergei Yesenin, «el último poeta de aldea» de Rusia, fueron aterrorizados por la policía secreta y acabaron suicidándose.

Aquellos que escaparon a la muerte lo consiguieron adoptando opiniones que no eran las suyas o permaneciendo en silencio. Akhmatova, una de las mejores poetisas rusas, fue acusada de «monja ramera» y «ajena al pueblo soviético», y se prohibió la publicación de su obra durante cerca de veinte años. Ella siguió escribiendo a escondidas y conmemoró al desesperado pueblo ruso en *Réquiem*, su obra maestra. **◂1929.4 ▸1932.8**

Esta caricatura norteamericana critica a Japón por no cumplir los tratados internacionales.

JAPÓN

La invasión de Manchuria

4 En 1931, con la ocupación de Manchuria, Japón inició una cadena de acontecimientos que desembocarían en una guerra mundial. La invasión fatídica del territorio nordeste de China se efectuó como una venganza por el bombardeo realizado por las tropas chinas sobre un tramo del ferrocarril japonés del sur de Manchuria. (En 1905, Japón había obtenido por un tratado los derechos sobre el ferrocarril y su defensa, como botín de la guerra ruso-japonesa.) Sin embargo, el bombardeo al ferrocarril fue sólo un pretexto: hacía tiempo que Japón se había fijado en Manchuria, relativamente poco poblada y rica en recursos, como fuente de materias primas y zona de expansión para la creciente población japonesa.

Justo después del bombardeo al ferrocarril, al sur de Manchuria, el Kwantung, el ejército japonés encargado de la vigilancia del tren, marchó sobre Mukden (actualmente Shenyang). Ocupó los cuarteles chinos y tomó el mando de la ciudad. La invasión se llevó a cabo sin el consentimiento oficial de las autoridades militares de Tokio ni del gobierno civil japonés. El general chino responsable de la defensa de Manchuria, Zhang Xueliang, ofreció una resistencia mínima, y las fuerzas del Kwantung avanzaron rápidamente hacia el norte. En unos días, Japón había tomado la mayoría de las ciudades manchúes de las provincias de Liaoning y Kirin, situadas al norte y al oeste de Corea (entonces colonia japonesa).

Se supo que Zhang había recibido órdenes de Chiang Kai-shek, dirigente del gobierno nacionalista chino, de entregar su territorio a los agresores japoneses. Chiang aconsejó: «En estos momentos debemos observar una disciplina rígida, rotundos para no dar a los japoneses un pretexto». Pensó que la pasividad general reforzaría su relación con la Sociedad de Naciones. (Tampoco contaban con suficiente fuerza militar como para vencer a Tokio.) La comisión enviada por la Sociedad de Naciones a investigar la reclamación de Chiang condenó la invasión japonesa. Pero si Chiang esperaba un remedio más decisivo, quedó defraudado. La Sociedad de Naciones, demostrando una vez más su ineficacia, no consiguió aprobar ninguna sanción. Las ganancias territoriales japonesas, a pesar de ser condenadas, no sufrieron cambios. **◂1929.14 ▸1932.5**

CIENCIA

La densidad del hidrógeno

5 En las primeras décadas de este siglo, los científicos vieron cómo se derrumbaban uno tras otro todos los tópicos acerca de la estructura atómica. Una de las creencias más arraigadas, aquella que afirma que un átomo de hidrógeno está compuesto de un solo electrón que gira en torno a un núcleo de un solo protón, se desplomó en 1931, cuando Harold C. Urey, químico de la Universidad de Columbia, demostró que aproximadamente uno de cada cinco mil átomos de hidrógeno también contiene un neutrón que duplica su peso.

Ya que un átomo de hidrógeno regular alcanza el punto de ebullición a –259° C y la variedad más pesada a –254° C, Urey pudo disipar (mediante evaporación) el hidrógeno más ligero manteniendo la temperatura por debajo del punto de ebullición del más pesado. Lo que quedaba era una muestra concentrada de una nueva sustancia: deuterio.

El deuterio no era el primer isótopo (un isótopo tiene el mismo número de protones que su átomo, pero distinto número de neutrones) que se descubrió, pero el hecho de que se tratara del átomo más elemental y común resultaba extraordinario. El deuterio condujo al descubrimiento de un isótopo del hidrógeno aún más raro, el denominado tritio, que se da en uno de cada diez mil millones de átomos de hidrógeno y se compone de un protón, un electrón y dos neutrones. Las dos sustancias se convirtieron en los ingredientes básicos de la bomba de hidrógeno. Los isótopos se fusionan para formar un átomo de helio compuesto por dos protones, dos electrones y dos neutrones; la masa perdida en el proceso se convierte en la energía que proporciona su devastadora potencia a la bomba H. **◂1919.5 ▸1932.10**

El deuterio combinado con oxígeno da «agua pesada».

NACIMIENTOS

Thomas Bernhard, escritor austríaco.

Carlos Castaneda, antropólogo brasileño-estadounidense.

James Dean, actor estadounidense.

Mikhail Gorbachov, político soviético.

John Le Carré, novelista británico.

Rupert Murdoch, editor australiano-estadounidense.

Adolfo Pérez Esquivel, escultor y líder pacifista argentino.

Desmond Tutu, líder político y religioso sudafricano.

Tom Wolfe, escritor estadounidense.

Boris Yeltsin, político ruso.

MUERTES

Thomas Alva Edison, inventor estadounidense.

Frank Harris, escritor irlandés-estadounidense.

Thomas Lipton, comerciante de té británico.

Anna Pavlova, bailarina rusa.

Santiago Rusiñol, pintor y escritor español.

Arthur Schnitzler, dramaturgo austríaco.

Juan Zorrilla de San Martín, poeta uruguayo.

Cine: *Cimarrón* (Wesley Ruggles); *Luces de la ciudad* (Charles Chaplin); *Drácula* (Tod Browning, con Bela Lugosi); *M., el vampiro de Düsseldorf* (Fritz Lang); *El campeón* (King Vidor); *Tabú* (Murnau y Flaherty) [...] Teatro: *A Electra le sienta bien el luto* (Eugene O'Neill) [...] Radio: *The Eddie Cantor Show.*

«Me alegro de que no hayamos usado la tortilla.»—**James Cagney, hablando de cuando aplasta un pomelo en la cara a su compañera de reparto Mae Clarke en *El enemigo público número uno***

NOVEDADES DE 1931

Puente George Washington en Nueva York (puente colgante más largo del mundo).

Alka-Seltzer.

Dick Tracy.

Maquinilla de afeitar eléctrica.

Nueva Delhi, India.

EN EL MUNDO

▶TRABAJADORA SOCIAL —Jane Addams recibió el Premio Nobel de la Paz en 1931 en reconocimiento a sus servicios sociales y a sus esfuerzos dedicados a la paz internacional. La Hull House, el establecimiento que Addams fundó en 1889 en un barrio pobre de Chicago, fue considerada como la mejor organización de servicios sociales y educativos de América.

▶EL EDIFICIO MÁS ALTO —El 30 de abril el presidente Hoover apretó un botón y se encendieron las luces del

Empire State Building de Manhattan. Medía 375 m en un desafío a la Gran Depresión. Con su antena de televisión incluida, el edificio de estilo Art Déco siguió siendo el más alto del mundo hasta 1972. ◂1930.7

▶LA PÍCARA NEVADA—El estado norteamericano de Nevada legalizó el juego y aprobó los requisitos de residencia más liberales de la nación (que facilitaban los divorcios «rápidos» para aumentar sus ingresos). El estado empezó a prosperar gracias a los que estaban de paso, a los que iban para jugarse el dinero en los casinos y a los que acudían a deshacerse de compañeros que no querían. Se aprobaron leyes matrimoniales que permitían enlaces rápidos.

1931

LITERATURA

La epopeya china de Buck

6 Aunque de China surgieron escritores indígenas brillantes, como Lu Xun, el país se dio a conocer al resto del mundo mayoritariamente a través de las novelas de una mujer de Virginia Occidental: Pearl S. Buck, que creció en ese país porque sus padres eran misioneros. El estilo absorbente de *La buena tierra*, publicado en 1931, parte de la versión de la Biblia de King James y de las epopeyas chinas que leyó en su juventud.

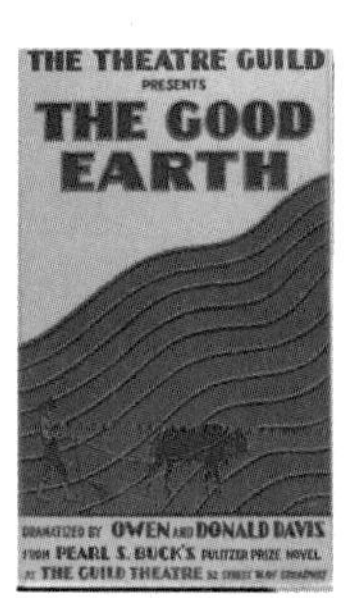

La epopeya, una trilogía sobre las vidas del diligente campesino Wang Lung y su descendencia, fue inmensamente popular, pero los críticos dijeron que la obra de Buck tergiversaba la cultura china. Ella refutó estas acusaciones por escrito e, indirectamente, en la conferencia que dio sobre la novela china al recibir el Premio Nobel de Literatura en 1938.

La concesión del Nobel, fue la primera mujer americana que lo obtuvo, resultó controvertida. Había quien decía que ninguna mujer (excepto quizás Willa Cather) lo merecía y que Buck, que rondaba los 40 años, no era lo suficientemente moderna para haberlo ganado. Sin embargo, en la misma época de la agresión japonesa contra China, y en un mundo amenazado por sus conflictos, su defensa de causas humanitarias cumplían con las intenciones que poseía Alfred Nobel cuando estableció los premios. Buck fundó dos organizaciones internacionales para el bienestar de los niños y escribió más de ochenta y cinco libros. **◂1901.5**

TECNOLOGÍA

Primer microscopio electrónico

8 La tecnología básica del microscopio había permanecido esencialmente inalterada durante cerca de quinientos años cuando, en 1931, los científicos alemanes Max Knoll y Ernst Ruska introdujeron la innovación más importante del aparato desde que en el siglo XVI los holandeses habían añadido una segunda lente: construyeron un microscopio electrónico. El microscopio, capaz de aumentar 17 veces un objeto, funcionaba concentrando un rayo de electrones a través de un campo electromagnético o electroestático en una cámara al vacío. Al cabo de una década se construyó una versión perfeccionada que podía aumentar cien mil veces los objetos.

Knoll y Ruska pudieron realizar su invento gracias a dos descubrimientos previos. En 1924 el físico francés Louis de Broglie demostró que los electrones se propagaban por ondas cuyas longitudes eran mucho más cortas que las de la luz. El descubrimiento de De Broglie significó que, si se encontraba un modo de concentrar los electrones, éstos podrían servir para aumentar una imagen. Dos años más tarde, el físico alemán Hans Busch demostró los efectos de concentración que tenía un campo magnético o electrostático sobre los electrones. El campo se convirtió en una lente y los electrones en luz. Como su longitud de onda es más corta que la de la luz, los electrones poseen una sorprendente capacidad para el aumento.

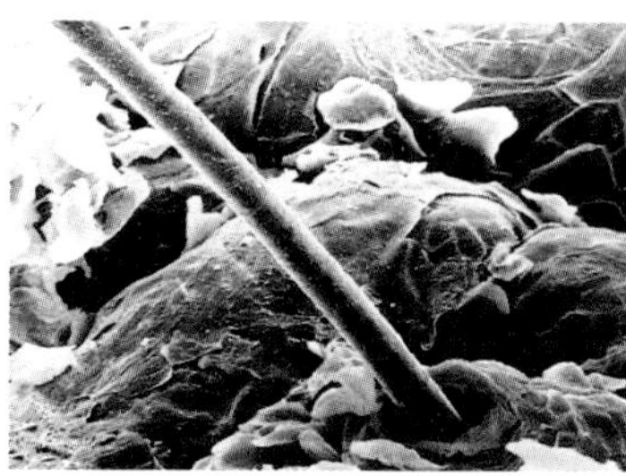

Un cabello aumentado 380 veces bajo un microscopio electrónico moderno.

Los principios básicos de la óptica electrónica fueron perfeccionados en los años treinta por gigantes como la Siemens en Alemania, la Metropolitan-Vickers en Inglaterra o la RCA en Estados Unidos. **◂1924.2**

CINE

Una estrella de cine

7 **«No soy tan duro», jadeaba un James Cagney acribillado a balas casi al final de *El enemigo público número uno*, realizada en 1931. Por el contrario, el personaje cruel de Cagney es uno de los gángsters más duros, reales y electrizantes que se han visto en la pantalla. En una época rica en criminales reales y de celuloide, la autenticidad y amoralidad enérgica de Cagney conmocionó incluso a los espectadores más hastiados. En su quinta película, robó, traicionó, asaltó y mató por maldad y (hasta el final) sin ningún rendimiento. En la escena más memorable, y más chocante, aplasta un pomelo en la cara de su novia. Con una fruta, James Cagney se convirtió en una estrella.**

ESTADOS UNIDOS

Los «muchachos de Scottsboro»

9 Durante la Gran Depresión, miles de americanos viajaban ilegalmente en trenes de mercancías en busca de trabajo. En marzo de 1931 un grupo de jóvenes blancos riñeron con unos cuantos negros en un tren que cruzaba Alabama. Obligados a apearse, los blancos cursaron una queja en la estación siguiente. Representantes del sheriff subieron al tren y detuvieron a nueve jóvenes negros de entre 13 y 20 años de edad, y a dos mujeres blancas que, temiendo que las procesaran por prostitución o por vagancia, declararon que los negros las habían violado. Acusadoras y acusados fueron a Scottsboro, la capital del condado. El proceso fue uno de los más controvertidos del siglo.

Los «muchachos de Scottsboro» fueron a juicio al mes siguiente. A pesar de las historias contradictorias de las dos supuestas víctimas y del testimonio de los médicos que negaba la existencia de una violación, el jurado, formado

DEPORTES: Automovilismo: récord de velocidad, 396,038 km/h (Malcolm Campbell en Daytona); triunfo de R. Caracciola en el circuito automovilístico de Nurburgring [...] Ciclismo: A. Magne gana el Tour de Francia.

Los nueve acusados y su abogado, Sam Leibowitz, en la cárcel de Scottsboro.

exclusivamente por blancos, condenó a un par de acusados el primer día. (Fuera del tribunal, diez mil personas celebraron el veredicto mientras tocaba una banda.) Los demás fueron declarados culpables poco después y todos fueron sentenciados a la silla eléctrica excepto un niño de trece años, que era demasiado joven para ser ejecutado, aunque siete miembros del jurado insistían en que se le impusiera la misma pena de todas formas. El juez declaró entonces el juicio nulo.

Se llevó a cabo la apelación del caso entre las protestas internacionales y en 1932 el tribunal supremo de Estados Unidos, alegando que los acusados no habían disfrutado de un consejo legal apropiado, suspendieron las penas. Uno de los nueve reos fue condenado de nuevo en un juicio viciado por los descarados ataques antisemitas de la acusación contra el abogado defensor. En 1935, una sentencia del tribunal supremo abolió la nueva pena, afirmando que el Estado había excluido sistemáticamente a los negros de los jurados.

A pesar de los fallos, que sentaron precedentes, y de la retractación de una de las acusadoras, los muchachos de Scottsboro fueron juzgados una y otra vez, mientras la NAACP y el Partido Comunista discutían públicamente sobre quién los representaría. El Estado, bajo la creciente presión política, retiró los cargos contra los cinco acusados más jóvenes en 1937 y más tarde dejó libre bajo palabra a todos menos a uno. El último de ellos, Clarence Norris, quedó en libertad bajo palabra en 1946 y fue finalmente indultado por el gobernador de Alabama en el año 1976. **◂1923.6 ▸1941.NM**

AVIACIÓN

La vuelta al mundo en ocho días y medio

10 La última vez que alguien había dado la vuelta al mundo en un aeroplano (1924) había tardado seis meses. Ahora, a raíz del vuelo transatlántico de Charles Lindbergh y el consiguiente interés por la aviación (incluyendo el viaje alrededor del mundo del *Graf Zeppelin* en 21 días y medio), un tuerto de Oklahoma llamado Wiley Post anunció en 1931 que podría realizar el viaje en diez días justos. Lo hizo en menos de nueve.

Post, antiguo piloto de vuelo acrobático, piloto de pruebas de los aviones Lockheed y empleado en los campos petrolíferos, trabajaba como piloto privado y su patrón, un magnate del petróleo, le prestó su avión, un Lockheed Vega de un motor llamado *Winnie Mae*, para que hiciera realidad su sueño. El piloto contrató al navegante Harold Gatty, nacido en Australia, y empezó a adaptar el *Winnie Mae* para vuelos de larga distancia.

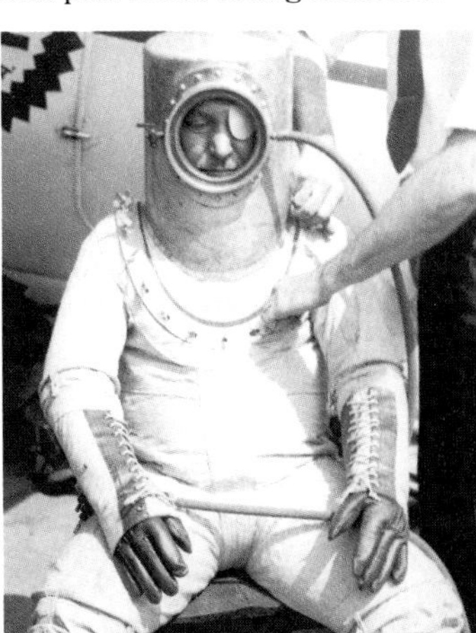

Post mejoró el récord del *Graf Zeppelin* de 1929. Tardó doce días menos.

Post y Gatty volaron de Nueva York a Terranova el 23 de junio, y luego a Liverpool. Miles de personas les recibieron en Berlín, pero tras atravesar una tormenta, fueron rechazados en Moscú. En Siberia, los caballos sacaron a rastras al *Winnie Mae* del barro. Tras aterrizar en una playa de Alaska, Post fijó una hélice torcida con un martillo y una piedra. Los aviadores cruzaron las Rocosas canadienses hasta Edmonton, donde una calle les sirvió como pista de aterrizaje. En el tramo final, la pareja volvió a Nueva York, 8 días, 15 horas y 51 minutos después de su partida, donde una multitud de diez mil personas los esperaban en tierra; Post escribió que la aventura demostraba que «un buen aeroplano con un equipo ordinario y un vuelo prudente» podía aventajar a cualquier dirigible. **◂1929.NM ▸1938.5**

LITERATURA

De crítica importancia

11 «Mi único objetivo ha sido la literatura», escribió Edmund Wilson a los 22 años de edad. La singularidad raramente ha sido definida de modo tan claro. Poeta, novelista, dramaturgo, periodista, editor, historiador y, sobre todo, crítico social y literario, Wilson fue quien más marcó el gusto intelectual de América desde mediados de los años veinte hasta la década de los cincuenta, y uno de los principales hombres de letras del mundo hasta su muerte en 1972. Su primer libro de crítica, *El castillo de Axel*, publicado en 1931, habla de la influencia del simbolismo en Yeats, Valéry, Eliot, Proust, Joyce, Rimbaud y Gertrude Stein. Al igual que gran parte de la obra de Wilson, ayudó a configurar el pensamiento de una generación.

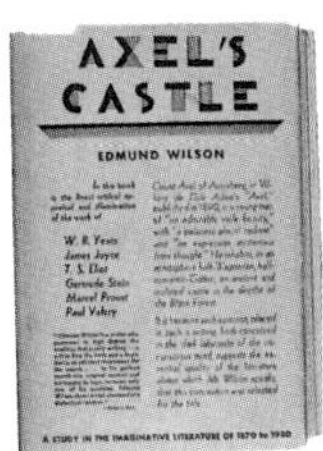

Como editor de *The New Republic* y *Vanity Fair*, Wilson había ayudado a Hemingway, Faulkner y Fitzgerald a establecerse. En *To the Finland Station* (1940), compuso una historia del comunismo tan amena como una novela policíaca, lo que contribuyó a popularizar la ideología marxista entre la intelectualidad americana. Cambió a Marx por Freud en *La herida y el arco* (1941), una investigación rupturista de las relaciones entre el arte y la neurosis.

En los años cincuenta, a pesar de su extremismo, se había convertido en una institución nacional: en 1953 recibió la Medalla de la Libertad. **◂1925.5**

▶UN MONSTRUO MEMORABLE—Boris Karloff cimentó su carrera de

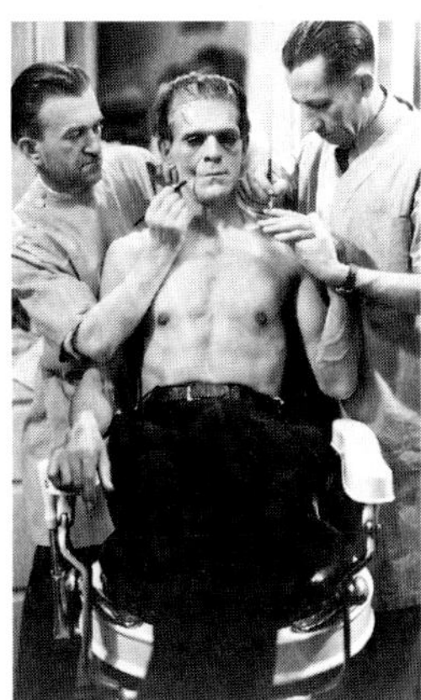

personaje cinematográfico de terror con su interpretación sorprendentemente sensible de *Frankenstein* (1931). ▸1974.E

▶ENEMIGO PÚBLICO —El delito que llevó a Al Capone a la cárcel era nimio comparado con los que había cometido. En octubre, gracias al agente del Departamento de Justicia Eliot Ness, de 28 años de edad, el gángster más famoso de América fue sentenciado a once años de cárcel por evasión de impuestos. ◂1929.5

▶EL LÍMITE DEL CIELO —El 27 de mayo, el físico suizo Auguste Piccard y su ayudante Paul Kipfer fueron los primeros en pilotar un globo en la estratosfera terrestre, a una altitud de 15.528 metros. Vuelos anteriores habían demostrado que la baja presión de las grandes alturas podía ser fatal para los pasajeros, de modo que Piccard diseñó una esfera hermética de aluminio que se convirtió en el modelo de las futuras cabinas a presión. ▸1958.6

▶FASCISTA BRITÁNICO —Sir Oswald Mosley perdió las elecciones de 1931 con el partido socialista que él mismo había fundado. Su siguiente creación fue la de la Unión Fascista Británica, cuyos miembros distribuían propaganda antisemita, se manifestaban en los barrios judíos del este de Londres y adoptaban posturas políticas de extrema derecha. Mosley, orador convincente, era un defensor de Hitler y fue recluido poco después del inicio de la Segunda Guerra Mundial. En 1948 fundó el Movimiento Unionista con el

«Una decoración blanda, amable, una tendencia que recupera el espíritu del rococó.»—**Comentario de los críticos sobre la obra de Sagnot y Alix**

que continuó su política de derechas.

▶EL SÍMBOLO DE UNA CIUDAD—El *Cristo redentor*, una estatua monumental construida en lo alto del Corcovado al sur de Río de

Janeiro, Brasil, se Inauguró en 1931. La gigantesca estatua fue obra del escultor francés Paul Maximilian Landowski.

▶PACTO GANDHI-IRWIN —Lord Irwin, el virrey conciliador de la India, y Mahatma Gandhi (en una salida extraordinaria de la cárcel) concluyeron sus negociaciones el 5 de marzo con la firma del pacto Gandhi-Irwin. Aunque Gandhi hizo más concesiones, su mera presencia en la mesa de negociaciones simbolizó un orden nuevo en el que un indio podía ser tratado del mismo modo que un británico. ◂1930.4 ▸1932.4

▶*QUADRAGESIMO ANNO* —Con este título, el Papa Pío XI publicó una de las encíclicas más importantes del Vaticano. Su contenido era eminentemente secular. En la línea iniciada por la *Rerum Novarum* del Papa León XIII, este documento fijaba la doctrina social de la Iglesia católica, oponiéndola tanto a las concepciones propias del materialismo marxista como a los principios egoístas del capitalismo salvaje.

▶MUERTE DE UN ARTISTA —Santiago Rusiñol, una de las figuras más populares del mundo artístico de finales del siglo XIX y principios del XX, murió a mediados de junio en Aranjuez (España). Su obra pictórica, su producción

literaria pero sobre todo su vida bohemia hicieron de Rusiñol un personaje característico del ambiente artístico catalán, desde la Renaixença hasta el modernismo.

1931

ARTE

Decoración en 1931

12 Durante los años treinta la contraposición entre los estilos artísticos modernistas y tradicionalistas que desde finales del siglo XIX había separado en dos campos irreconciliables el mundo del arte se manifiesta de forma explícita en las exposiciones, los salones, las revistas y los comercios dedicados al mobiliario doméstico de Europa.

Louis Sognot y Charlote Alix. Salón de descanso.

En 1931 la sección de «artes decorativas» del Salón de Otoño de París reúne muestras muy representativas de las dos tendencias. Por una parte —y de acuerdo con los gustos de la mayoría de los posibles clientes— los muebles que se mantienen «fieles a la tradición», obra de hábiles artesanos que, en la línea de Ruhlmann y Ambus, recrean el estilo Luis XVI, representan un falso retorno a los estilos tradicionales, que de hecho nunca habían cedido por completo el paso a las nuevas concepciones artísticas. En abierta disputa, los «rupturistas», que pueden ya presentar una historia de más de cuatro décadas, agrupados desde 1929 en la «Unión de Artistas Modernos», aportan sus productos de vanguardia. La *Cama de hierro y cristal* o el *Salón de descanso para una casa colonial* de Sognot y Alix son considerados por los críticos como un desafío a la vuelta de «una decoración blanda, amable, una tendencia que recupera el espíritu del rococó».

Esta voluntad de oposición al mobiliario tradicional se explicitaría tres años después en el Manifiesto de Cheronet, quien en nombre de la UAM afirmará su decisión de apostar por unos muebles funcionales, fabricados en serie y por tanto capaces de una amplia difusión, contra quienes defienden «la veneración de la tradición, la calidad del oficio artesano y exaltan el folklore».

ESPAÑA

Los republicanos vencen

13 En Alemania el nazismo ascendía, en Italia el fascismo se arraigaba y en la Unión Soviética el estalinismo se consolidaba; sin embargo, España se resistió a esta tendencia y en 1931, después de siete años de régimen totalitario, la nación destronó a su rey y se autoproclamó una república.

En 1923 el rey Alfonso XIII había estado a punto de perder su trono entre crisis políticas y militares pero el general Primo de Rivera lo preservó, suspendió la constitución y se declaró dictador. La izquierda se enfrentó a la política represiva del general, la derecha despreciaba sus intentos (aunque modestos) de reforma social y una y otra le acusaban de incompetente; el país duplicó su déficit en cinco años.

Primo de Rivera dimitió en enero de 1930 (y murió unas semanas más tarde), pero los problemas de Alfonso XIII se agravaron. España todavía era una de las naciones más pobres de Europa y la Gran Depresión la golpeó con dureza. En diciembre el país se sublevó. El rey, obligado a hacer algunas concesiones a la democracia, convocó elecciones para abril de 1931. Sorprendentemente (su jefe de Gobierno exclamó «España se ha acostado monárquica y se ha levantado republicana»), los votantes apoyaron de forma contundente a los candidatos republicanos. Cuando el ejército se negó a proteger el gobierno de Alfonso XIII, éste abandonó el país.

En las elecciones de junio, el Partido Socialista Obrero Español (PSOE) fue el gran ganador y Manuel Azaña, un liberal, se convirtió en primer ministro con el centrista Niceto Alcalá Zamora como presidente. Los nuevos dirigentes construyeron escuelas, legalizaron el divorcio, separaron la Iglesia del Estado y concedieron la autonomía a Cataluña. No obstante, las divisiones internas y la ausencia de fondos no

El presidente centrista de la nueva República española, Niceto Alcalá Zamora *(centro).*

dejaron que el gobierno cumpliera sus promesas de redistribución de la tierra, un fallo que inquietó a la izquierda. Mientras, la derecha se sintió ofendida por los ataques a la Iglesia, a la monarquía y a los ricos, y por la voluntad gubernamental de «desmembrar» a España. La mayoría de españoles recibieron bien la vuelta a la democracia pero cinco años más tarde estallaría la guerra civil en España. **◂1925.2 ▸1933.7**

IDEAS

El teórico incompleto

14 «Todos los cretenses son mentirosos; así lo dice Epiménides el cretense. De modo que esta afirmación es falsa.»

Resulta familiar el problema lógico conocido como afirmación contradictoria, una proposición que es a la vez verdadera y falsa o, como un matemático diría, «irresoluble», porque existe fuera de las leyes de cualquier sistema lógico o matemático conocido. En 1931 Kurt Gödel, matemático de la Universidad de Viena (y más tarde de la de Princeton), elaboró un teorema que probaba que

ningún sistema matemático era inmune a tales paradojas. Más bien cada uno tenía «agujeros» y era «incompleto» en algún aspecto.

Abstracto, sí, pero el teorema de lo incompleto de Gödel revolucionó las matemáticas. Anteriormente, los matemáticos (Russell y Whitehead en su *Principia Mathematica*, por ejemplo) habían invertido mucha energía en intentar resolver las paradojas, contradicciones y ambigüedades a través de la creación de un sistema matemático hermético; el teorema de lo incompleto les convenció de que tales finales abiertos no sólo resultaban inevitables sino que eran fructíferos, pues permitían la manifestación de verdades inesperadas. La teoría de Gödel se reveló muy fértil y abrió nuevos campos de estudio, especialmente en los ámbitos de la lingüística y de la inteligencia artificial. **◂1927.6 ▸1957.13**

PREMIOS NOBEL: Paz: Jane Addams (estadounidense; Sociedad Internacional de mujeres a favor de la paz y la libertad) y Nicholas Murray Butler (estadounidense; Fundación Carnegie para la paz) [...] Literatura: Erik A. Karlfeldt (sueco; poeta) [...] Química: Carl Bosch y Friedrich Bergius (alemanes; proceso de alta presión) [...] Medicina: Otto H. Warburg (alemán; enzima respiratoria) [...] Física: Sin galardón.

¡Viva la República española!

El nuevo régimen viene puro e inmaculado, sin traer sangre ni lágrimas

¡Españoles! ¡Viva la República española! Viene el nuevo régimen puro e inmaculado, sin traernos sangre ni lágrimas. Viene aureolado por la esperanza y por la paz. Viene como una aurora. La República es un nuevo sol que se levanta por su propia fuerza en el horizonte de la patria.

Saludemos a la República, españoles. Saludémosla, y al saludarla tengamos un recuerdo para los que lucharon, sufrieron y murieron por ella.

La clase media y el pueblo, los burgueses y los proletarios votaron por la República en el plebiscito gigantesco del domingo. La nación, puesta en pie, grave y solemne, con la energía tranquila del que se sabe fuerte, dio a conocer su voluntad soberana. Y esa voluntad ha sido acatada y obedecida. Y se inicia una nueva era en nuestra historia.

Elevemos el corazón a las altas y nobles emociones de la solidaridad, de la concordia civil, del patriotismo generoso, que no odia, que comprende y que admira. Un conjunto de hombres ilustres, que supieron sacrificarse por el ideal, nos enseña el camino del porvenir. Recorrámoslo confiados, pero también vigilantes. Que ningún pensamiento bajo nos acometa en estas horas maravillosas. Seamos dignos del momento sublime que estamos viviendo como pueblo.

Viene la segunda República española, como vino la primera, pacíficamente, sin luchas sangrientas, sin que se desgarren para darla a luz las entrañas maternales de nuestra España gloriosa. Lo viejo se va para siempre y se lleva un pasado de hambre, ignorancia y corrupción, de ruinas y catástrofes.

Españoles: lo inevitable se ha consumado. Demostremos al mundo, atónito, que merecemos la libertad.

Alegoría de la segunda República española.

Niceto Alcalá Zamora se dirige al Palacio de las Cortes para recibir la investidura como presidente de la República.

«Estos malos tiempos requieren [...] proyectos [...] que pongan su fe en el hombre olvidado de la base de la pirámide.»
—Franklin Delano Roosevelt

HISTORIA DEL AÑO

F. D. Roosevelt sacude a Hoover

1 La Gran Depresión trastocó la política de los países en los que se sintió su impacto con más dureza. En Gran Bretaña, un fundador del Partido Laborista, Ramsay MacDonald, se colocó a la cabeza de un parlamento que siempre había estado dominado por una mayoría conservadora. En Alemania, los hombres de negocios se alinearon tras Adolf Hitler, anticapitalista declarado. Y en Estados Unidos, Franklin D. Roosevelt, perteneciente a la clase privilegiada, se convirtió en el defensor de la clase obrera. A Herbert Hoover, el oponente de Roosevelt, se le había considerado como un hombre progresista y humanitario, pero en 1932, tras ostentar tres años el cargo, se le veía como un reaccionario que no había hecho nada por la población empobrecida de su país, una imagen que todavía permanece.

En realidad, Hoover intervino en la economía mucho más que el presidente anterior. La pieza central de su programa era la Reconstruction Finance Corporation (Corporación de Reconstrucción Financiera, RFC), creada en enero de 1932. La RFC fue dotada con 1.500 millones de dólares (luego 3.500 millones) para donar préstamos a distintas instituciones y a los ferrocarriles. La idea consistía en suministrar capital a las empresas para que crearan empleo. A pesar de la reticencia de Hoover, la RFC pronto se ocupó de crear empleo público. Hoover autorizó a la junta agrícola federal para que distribuyera los excedentes de trigo entre los necesitados.

Pero este intento resultaba limitado. Los críticos condenaron a la RFC por ser una «sopa boba» para las empresas mientras muchos americanos morían de hambre. Entretanto, Hoover decía que las cosas no iban tan mal.

El programa de la campaña de Roosevelt no fue muy radical (criticaba a Hoover por gastar demasiado) pero tocó la fibra sensible prometiendo una «política nueva» en favor del «hombre olvidado». El gobernador de Nueva York, enérgico a pesar de la polio que le había postrado en una silla de ruedas, contrastaba de modo brillante con el austero presidente. En las elecciones de noviembre Roosevelt obtuvo una victoria arrolladora: 22,8 millones de votos contra los 15,8 millones de Hoover. Durante los doce años siguientes, FDR, como fue apodado, transformaría su país, y con él al resto del mundo. ◂1930.3 ▸1932.12

Campaña en Los Ángeles: FDR *(izquierda)* presentado por Will Rogers *(derecha)*. En el ángulo superior, un reflector con el mensaje electoral.

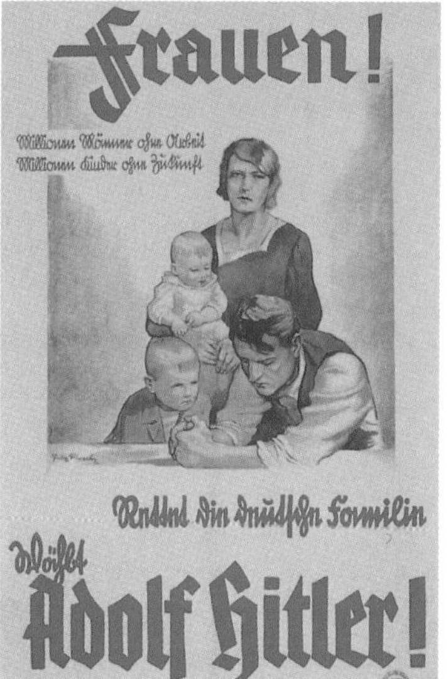

Un cartel de la campaña pedía a las mujeres su voto para Hitler.

ALEMANIA

Hitler en la antesala

2 Las elecciones de 1932 marcaron el principio del fin de la democracia en Alemania. La Gran Depresión había destruido la vieja coalición parlamentaria entre los socialistas y los partidos de la clase media. El canciller centrista Heinrich Brüning era inmensamente impopular, estaba perdido a causa de las duras medidas de austeridad que había impuesto; el Partido Nazi era el único que crecía. En abril obtuvo el control de cuatro gobiernos locales, y su líder, Adolf Hitler, quedó segundo (con el 37 % de los votos) tras el presidente conservador Paul von Hindenburg, que fue reelegido por poco margen. Brüning dimitió y su sucesor, Franz von Papen, convocó elecciones en julio.

Las elecciones duplicaron los escaños nazis (230 escaños) y convirtieron al partido en el mayor del parlamento. Sus delegados, uniformados de color marrón y pendencieros, transformaban los debates en disturbios mientras las riñas entre las secciones de asalto nazis, los SA y las milicias paramilitares comunistas se sucedían noche tras noche por toda Alemania. Papen necesitaba el apoyo nazi para gobernar y le ofreció a Hitler el cargo de vicecanciller de mala gana. Sin embargo, Hitler le pidió la cancillería.

Papen, desesperado, disolvió el parlamento y volvió a convocar elecciones en noviembre. Los nazis perdieron 61 escaños, pero continuaron siendo el partido mayoritario. Papen casi había convencido a Hindenburg de que estableciera una dictadura para mantener fuera a Hitler, pero pensó que el ejército era demasiado débil para reprimir a los comunistas y a medio millón de SA; además, demasiados oficiales apoyaban a Hitler. Hindenburg depuso a Papen y nombró canciller al ministro de defensa Kurt von Schleicher, que ofreció la vicecancillería al líder nazi del ala izquierda, aunque este gesto sólo logró que el partido se uniera bajo su *Führer.*

Schleicher dimitió el 28 de enero de 1933, tras sus intentos fallidos de formar gobierno con los socialistas y con los conservadores nacionalistas. Tanto él como Papen (ambos mantenían cierto poder en el parlamento) se habían autoconvencido de que Hitler podía ser «controlado» si se le rodeaba de un gabinete de ministros moderados.

Tras unas negociaciones difíciles, Hitler se convirtió en canciller el 30 de enero. Papen fue vicecanciller; el gabinete sólo contaba con dos nazis, Hermann Goering y Wilhelm Frick. Sin embargo, estaba claro que Hitler no iba a ser controlado.
◂1930.12 ▸1933.5

LITERATURA

El futuro de Huxley

3 La novela antiutópica de Aldous Huxley *Un mundo feliz,* publicada en 1932, combinaba el optimismo tecnológico y el pesimismo espiritual. En la visión de pesadilla del año 632 d. F. (después de Ford), la gente vivía en un mundo limpio y ordenado, de abundancia material y en el que la guerra, las enfermedades y la miseria habían sido eliminadas y gracias a la eugenesia todo el mundo había sido concebido de modo perfecto para su función en la vida. La soledad, la inseguridad y las dudas habían desaparecido; la historia y el arte habían sido eliminados, y la angustia y la depresión, amortiguadas con drogas. La libertad económica y política había disminuido, la promiscuidad sexual, sancionada por el Estado, se había extendido para colmar el deseo.

La novela se vendió bien en la Inglaterra natal de Huxley, pero en Estados Unidos pareció una incongruencia que la abundancia material conllevara la destrucción del alma. No obstante, más tarde, entre el conformismo general y la histeria política ante el crecimiento económico norteamericano después de la Segunda Guerra Mundial, las

ARTE Y CULTURA: **Libros:** ***1919*** **(John Dos Passos);** ***Conquistador*** **(Archibald MacLeish);** ***Poesía española, 1915-1931*** **(Antología poética seleccionada por Gerardo Diego) [...] Música: «Night and Day» (Cole Porter);** ***Duo concertante*** **(Igor Stravinski) [...] Pintura y escultura:** ***El nacimiento de los deseos líquidos*** **(Salvador Dalí) [...]**

«No podemos actuar sin la buena voluntad del Congreso [Nacional de la India], y en realidad no he creído por un solo momento que pudiéramos conseguirla.»—**Un ministro británico a Lord Willingdon**

advertencias del libro sobre una sociedad saciada de placer, adormecida en la esclavitud, adquirieron una nueva resonancia, y Huxley fue celebrado como un profeta moderno. Su libro de 1954, *The doors of perception*, sobre las experiencias de Huxley con la mescalina, prestó su nombre al grupo de *rock* The Doors. **►1949.4**

INDIA

La resistencia se castiga con severidad

4 A principios de 1932, el partido del Congreso Nacional indio, frustrado por la lentitud con que el gobierno británico se tomaba la cuestión de la soberanía india, reanudó su programa de desobediencia civil por toda la nación. La laboriosa tregua elaborada con dificultad hacía un año justo por Lord Irwin y Mahatma Gandhi había terminado y había sido sustituida por una aspereza mutua. Para que no se repitiera la huelga destructiva y la campaña de boicots, Lord Willingdon, de línea dura y sucesor de Irwin como virrey de la India, no tardó mucho tiempo en castigar de forma severa a la resistencia india. En unos meses Gandhi, Jawaharlal Nehru y 34.000 disidentes más habían sido encarcelados, el partido del congreso fue declarado ilegal y sus propiedades confiscadas.

El detonante de la campaña lo constituyó el fracaso de la segunda sesión de la conferencia celebrada en Londres en septiembre de 1931 para crear el marco de una posible soberanía india. Ésta no sirvió para nada. Gran Bretaña, afectada por la Gran Depresión internacional, tenía poco interés en las peticiones de independencia de la India. Para Gandhi, el único representante del partido del congreso en la conferencia, el fracaso de las negociaciones significó una derrota personal. Regresó a su país, a un distrito descontento y a un partido decidido a seguir con la desobediencia civil, con o sin su bendición.

A diferencia de Irwin, Willingdon se negó a utilizar a Gandhi como enlace entre los británicos y un congreso cada vez más radical. Desde la cárcel de Poona, Gandhi volvió a enfocar el movimiento para la libertad, anunciando «un ayuno perpetuo hasta la muerte» para conseguir la reforma electoral para las clases hindúes oprimidas, llamados los intocables o *Harijans* (niños de Dios) como empezó a denominarlos él. Los líderes nacionalistas, desconcertados, notaron que Gandhi había perdido el sentido de sus prioridades. Sin embargo, en cinco días de ayuno, los británicos acordaron ampliar la representación de las clases hindúes más bajas, el objetivo final de Gandhi, para que en una fase electoral posterior los votos no estuvieran separados en castas electorales altas o bajas. **◄1931.NM ►1935.13**

Una procesión de intocables, los *Harijans* de Gandhi, desafía el sistema de castas.

DIPLOMACIA

El peligro de la expansión japonesa

5 En Manchuria, como en el resto del mundo durante la velocísima concentración de fuerzas antes de la Segunda Guerra Mundial, se vio que la diplomacia no podía competir con el belicismo. El secretario de Estado estadounidense Henry Stimson, actuando de forma independiente, en 1932 advirtió a Tokio que Estados Unidos no reconocería la conquista japonesa de Manchuria. Fue una jugada atrevida aunque infructuosa. El resto de potencias importantes con intereses económicos en China —Francia, Gran Bretaña y la Unión Soviética— no apoyaron a Estados Unidos contra la agresión japonesa. Mientras no afectara a la economía occidental, Japón era libre de hacer lo que quisiera.

Jóvenes comunistas del norte de China capturados por los japoneses.

El ejército japonés, envalentonado por la pasividad occidental, realizó el 28 de enero un ataque sobre Shanghai, uno de los centros comerciales más importantes de China. Un boicot chino a los productos nipones había perjudicado seriamente la economía de Japón. Para acabar con el boicot, Japón bombardeó varias veces la ciudad, matando a miles de civiles. El incidente de Shanghai reveló a Europa los peligros del expansionismo japonés. Gran Bretaña, Francia e Italia, se unieron a la protesta norteamericana. Entretanto, los japoneses se toparon con la inesperada resistencia de los chinos. El 5 de mayo, una vez pactada una tregua con China mediada por las potencias occidentales, retiraron sus tropas de Shanghai.

El ejército japonés siguió mostrándose firme respecto a Manchuria, donde había establecido un estado-títere japonés llamado Manchukuo. El gobierno de Tokio fue cauteloso, reticente a incitar la cólera internacional. Diez días después de la tregua de Shanghai, el primer ministro japonés Tsuyoshi Inukai, que se oponía a la campaña en Manchuria, fue asesinado. A partir de entonces el gobierno nipón estuvo dirigido por los militares y al cabo de un mes reconoció oficialmente el Manchukuo. **◄1931.4 ►1933.8**

NACIMIENTOS

Jacques Chirac, político francés.

Umberto Eco, escritor italiano.

Milos Forman, director cinematográfico checo-estadounidense.

Luc Montagnier, virólogo francés.

Elizabeth Taylor, actriz anglo-estadounidense.

François Truffaut, director cinematográfico francés.

John Updike, escritor estadounidense.

MUERTES

Aristide Briand, político francés.

Ramón Casas, pintor español.

Santos Dumont, aviador brasileño.

George Eastman, inventor estadounidense.

André Maginot, político francés.

Lytton Strachey, biógrafo británico.

Amadeo Vives, compositor español.

Edgar Wallace, novelista británico.

Florenz Ziegfeld, productor teatral estadounidense.

Cine: *Gran hotel* (Edmund Goulding); *Dr. Jekyll y Mr. Hyde* (Rouben Mamoulian); *Tarzán de los monos* (W. S. van Dyke, con Johnny Weissmuller) [...] Teatro: *El armiño* (Jean Anouilh).

«El héroe esencial de nuestros libros es de la clase obrera; es decir, el hombre organizado por los procesos de trabajo.»
—Maxim Gorky, en el Congreso de escritores soviéticos, 1934

NOVEDADES DE 1932

Encendedor Zippo.

Radio City Music Hall.

Revlon.

Impuesto sobre la gasolina.

EN EL MUNDO

▶LA OTRA «BABE»—Mildred "Babe" Didrikson, considerada la mejor atleta femenina de todos los tiempos, dominó las pistas del campeonato de atletismo amateur de 1932 y las pruebas olímpicas. Dos semanas más tarde, en los Juegos Olímpicos de Los Ángeles, obtuvo dos medallas de oro y estableció nuevos récords mundiales en el lanzamiento de jabalina y en los 80 metros valla. Hubiera podido ganar en el salto de altura pero utilizó una técnica

no autorizada y sólo logró la medalla de bronce. En 1950, había ganado todos los campeonatos femeninos de golf al menos una vez; también destacó en baloncesto, natación y béisbol (eliminando una vez a Joe DiMaggio en un partido de exhibición). ◂1920.6

▶DÍAS DE RADIO—Gracias a los aparatos domésticos de radio, los americanos, incluso durante la peor época de la Gran Depresión, se mantuvieron informados y entretenidos. Dos de las mayores estrellas de la radio

empezaron a retransmitir sus programas en 1932. En la NBC *The Jack Benny Show*

1932

Charles Lindbergh hijo, en una fotografía tomada en su primer cumpleaños.

CRIMEN

Secuestro del hijo de Lindbergh

6 La noche del 1 de marzo de 1932, el lado oscuro de la fama se manifestó de forma cruel: el hijo de Charles y Anne Morrow Lindbergh fue secuestrado de la magnífica casa que acababa de estrenar la pareja en Nueva Jersey. El caso fue uno de los más célebres de su época, y provocó una ola de raptos similares y sembró el pánico entre los padres.

El secuestrador dejó una escalera apoyada en la ventana de la habitación del niño y una nota de rescate escrita en un inglés imperfecto sobre el alféizar, pero no detallaba instrucciones. Llegaron cartas de extraños que aseguraban tener información (desde Al Capone, que estaba en prisión, hasta un antiguo agente del FBI que estafó 100.000 dólares a los Lindbergh). Luego llamó un hombre con acento alemán, con información de la que sólo podía disponer el secuestrador. El alemán se reunió con un mediador en un cementerio y, a cambio de 50.000 dólares, le entregó una nota que decía que el bebé se hallaba en la isla de Martha's Vineyard, a 480 km. Pero no se le encontró.

En mayo, mientras Lindbergh estaba ocupado en otra búsqueda infructuosa (se rumoreaba que su hijo estaba en una goleta), un camionero encontró el cuerpo del niño en una carretera cercana a la casa de los Lindbergh.

La policía no pudo cerrar el caso hasta 1934, cuando un carpintero oriundo de Alemania, Bruno Richard Hauptmann, gastó un billete de diez dólares de los de la transacción del cementerio en una gasolinera de Nueva York. Se encontraron unos 30.000 dólares en su casa, junto a unos tablones que había utilizado para construir la escalera. Aunque él declaró su inocencia hasta el final (opción que muchos mantienen todavía), Hauptmann fue condenado a muerte y ejecutado en 1936. **◂1927.1**

RELIGIÓN

Una revolución teológica

7 El primero de los cuatro volúmenes de *Dogmática eclesiástica*, de Karl Barth, se publicó en 1932 y causó un gran impacto en la teología protestante comparable al de las teorías de Einstein sobre la física. Así como Einstein revolucionó los conceptos de los científicos sobre el espacio y el tiempo, Barth trastocó las ideas de los cristianos sobre Dios y la creación. Como Einstein, que fundamentó su obra inmensamente compleja en una sola constante, la velocidad de la luz, Barth basó su sistema filosófico en un solo concepto: Jesucristo. Y, al igual que las fórmulas de Einstein, los escritos del pastor suizo, aunque herméticos para los profanos, influyeron indirectamente en las creencias de millones de personas.

Desde el siglo XX los teólogos habían retratado a Dios como a un ser ético esencialmente parecido a los hombres; habían intentado comprenderle a través del funcionamiento de la historia, la naturaleza y la psicología. En su *Epístola a los romanos* (1919), Barth había propuesto el reconocimiento de Dios como un ser «totalmente distinto», una deidad conocible sólo cuando eligió manifestarse en Jesús. La teología erudita, elocuente y antiteológica de Barth tuvo seguidores inmediatamente. En *Dogmática eclesiástica*, Barth extendió su ideología «cristocéntrica» a casi todos los aspectos de la doctrina cristiana. (Murió en 1968 antes de emprender un volumen sobre la redención.)

Los argumentos del teólogo fueron básicos para los alemanes que se resistían al movimiento «cristiano alemán» de los nazis, que se hizo con la Iglesia evangélica alemana. Barth, profesor en Alemania, colaboró en la redacción de la carta de la Iglesia confesional, cuyos miembros rechazaban las pretensiones mesiánicas de Hitler. Deportado a Suiza (donde se alistó en el ejército), Barth continuó con las actividades antinazis. **◂1923.13**

UNIÓN SOVIÉTICA

La nueva ortodoxia artística

8 Cuando su totalitarismo se extendió de la política y la economía al arte, Stalin impuso en su país una nueva ortodoxia. En 1932, el recién formado Congreso de escritores soviéticos elaboró la doctrina oficial del realismo socialista: «Pide al artista una descripción de la realidad teóricamente concreta y verdadera, en su desarrollo revolucionario».

Rara vez un estado ha circunscrito tanto la libertad de sus artistas.

La diversidad de opiniones y expresiones desapareció. El papel del arte debía ir dirigido a la glorificación de Stalin, del ejército rojo, de las granjas colectivas, de los tractores y de las fábricas. En literatura, el nuevo hombre soviético sería el

El regreso del exilio de Gorky para servir a la revolución a través del arte representado en la portada de una revista.

DEPORTES: Automovilismo: el italiano T. Nuvolari gana el Gran Premio de Mónaco [...] Celebración de los Juegos Olímpicos en Lake Placid, Nueva York y Los Ángeles [...] Boxeo: Jack Sharkey derrota a Max Schmeling en quince asaltos, vuelve a ganar el título de los pesos pesados [...] Fútbol: el Athletic Club de Bilbao gana por tercera vez el campeonato de España de fútbol.

«Creo que deberíamos hacer una investigación profunda del neutrón y me parece que tengo un modelo con el que se puede trabajar.»—**James Chadwick, en una carta a Ernest Rutherford, 1924**

único héroe deseable. La abstracción y la experimentación resultaban inaceptables. En su primera reunión, el Congreso condenó las obras de Proust, Joyce y Pirandello.

El líder de la cruzada de la monotonía artística era Maxim Gorky, el escritor que había surgido de la pobreza más terrible de la época zarista para convertirse en el testimonio más destacado de las clases más bajas de Rusia. Airado, apasionado y anárquico, Gorky (pseudónimo que significa «el amargo») había hecho amistad con Lenin y se había comprometido con la revolución: su obra de 1907 *La madre*, es menos una novela que un tratado marxista. En 1921, desilusionado con los efectos negativos de la revolución sobre las tradiciones culturales de Rusia, se exilió de forma voluntaria a Europa. Regresó en 1927 para demostrar su patriotismo. El reverenciado Gorky aportó credibilidad al realismo socialista. Cuando dijo: «En cuanto a los temas de los cuadros, me gustaría ver más caras de niños, más sonrisas, más felicidad espontánea»; los pintores, temiendo las represalias de Stalin, le complacieron. **◂1931.3 ▸1934.14**

DIPLOMACIA

Stalin corteja a Occidente

9 En 1932, después de años de autoimpuesto aislamiento, Stalin empezó a buscar aliados en Occidente, firmando pactos de no agresión con Francia, Polonia, Finlandia, Estonia y Letonia. El repentino cambio de postura resultaba muy fácil de explicar: la Unión Soviética, una vez finalizado su largo romance con Alemania, que no se dirigía hacia el comunismo precisamente, necesitó erigir una barrera entre ella y el fascismo. En el pasado, la Unión Soviética había ambicionado la conquista de los Estados Bálticos y Polonia. Ahora, de repente, los necesitaba para mantener su propia independencia.

Las condiciones económicas de la Unión Soviética hacían impensable la posibilidad de una guerra. Los campesinos, azotados por el hambre y obligados a abandonar sus hogares por las granjas colectivas, no estarían muy dispuestos a defender al gobierno con sus vidas. Los pactos de no agresión dieron a Stalin un respiro en el interior del país y aliviaron algunas tensiones internacionales. (Las relaciones entre Polonia y la Unión Soviética mejoraron temporalmente.)

En 1933, en vista del cambio efectuado por el nuevo estado bolchevique en la dirección de su economía, Estados Unidos, que había tardado 16 años en reconocerlo (más que ninguna otra potencia importante) entabló relaciones diplomáticas. La Unión Soviética ocupaba demasiado espacio sobre la tierra para ser ignorada. Los capitalistas y los comunistas, cuyas relaciones delimitarían la seguridad mundial la mayor parte del siglo, empezaron a aproximarse con cautela. **◂1931.3 ▸1934.14**

Las condiciones económicas del país obligaron a Stalin a emprender relaciones diplomáticas.

CIENCIA

Año sensacional para la física

10 El Cavendish Laboratory, situado entre los capiteles y los patios medievales de la Universidad de Cambridge, se convirtió en uno de los principales centros de investigación científica entre los años veinte y treinta. No obstante, el año emblemático para el laboratorio, dirigido por Ernest Rutherford, fue 1932. En este año, un miembro del equipo de Rutherford, James Chadwick, confirmó la existencia del neutrón, y otros dos, Ernest Walton y John Cockroft, fueron los primeros científicos que rompieron un núcleo atómico.

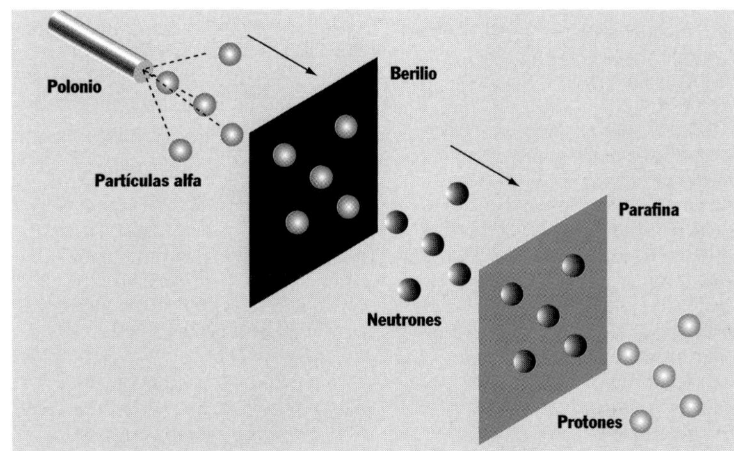

El neutrón, lo suficientemente denso para empujar a los protones fuera de la parafina, resultó ser útil para bombardear los núcleos atómicos.

La presencia de un componente que no era el protón en el núcleo de todos los átomos ya había sido propuesta por Rutherford en 1920 como un modo de explicar la existencia de los isótopos, pero como el neutrón carece de carga eléctrica y por lo tanto resultaba indetectable, no pudo verificarlo. Chadwick aisló la partícula bombardeando el núcleo de un átomo de berilio, metal ligero, con partículas alfa de polonio, elemento radiactivo por naturaleza; en la interacción, fue despedida una corriente de partículas que no poseían carga eléctrica. Cuando Chadwick hizo pasar las partículas a través de parafina rica en hidrógeno, eran lo suficientemente sólidas como para romper los protones fácilmente.

Mientras, Walton y Cockroft, experimentando con un acelerador de partículas subatómicas, dirigieron una corriente de protones a alta velocidad contra un átomo de litio, consistente en tres protones, tres electrones y cuatro neutrones. El átomo y el protón se unieron un momento, luego se separaron en dos fragmentos. Cada uno de ellos contenía un núcleo de un átomo de helio, con dos protones y dos neutrones. Esta reacción nuclear, la primera de la historia realizada con la intervención humana, estaba acompañada de una explosión enorme de energía y planteó la posibilidad de una fuente de energía.

Paul Dirac, otro miembro de la facultad de Cambridge, había predicho la existencia de un electrón de carga positiva llamado positrón y en 1932 fue reivindicado. Sus cálculos se vieron confirmados cuando Carl David Anderson, un físico americano del Instituto de Tecnología de California, detectó la presencia de tal partícula. El positrón fue el primer ejemplo confirmado de antimateria, una partícula idéntica a otra en todos los aspectos, excepto por su carga, de signo opuesto. **◂1931.5 ▸1938.1**

presentó a Benny, de 38 años de edad, en el personaje que pronto puliría hasta la perfección: un violinista avaro de 39 años. La CBS contaba con Fred Allen (*página anterior, izquierda,* con Benny), un antiguo cómico de vodevil cuyo estilo lacónico e irónico y su humor divertido le convirtieron en el «cómico de los cómicos». En ese mismo año, en las emisoras occidentales de la NBC, *One Man's Family* empezó su larga carrera como uno de los seriales más populares. En diciembre, el periodista Walter Winchell empezó su programa de noticias con las palabras «Buenas noches a Mr. y Mrs. América y a todos los barcos del mar».

▶EL DOLOR DE LOS APARCEROS—*La ruta del tabaco,* la novela de 1932 de Caldwell sobre los aparceros blancos de Georgia, detalló sórdidamente las desgracias de Jeeter Lester, un aparcero que vive en la ruta del tabaco con su familia imprudente y propensa a las calamidades. Los desafortunados Lester se hicieron tan conocidos (sobre todo después de que el libro fuera adaptado para el teatro en 1933) que la frase «ruta del tabaco» se convirtió en sinónimo de la miseria agraria.

▶UN VIAJE OSCURO—La novela de 1932 *Voyage au bout de la nuit (Viaje al fin de la noche),* de Louis-Ferdinand Céline, describía el vagabundeo sin objetivo de su alienado protagonista a través de un paisaje horrible, desgarrado por la guerra, en

un lenguaje proletario y rudo que inmediatamente fue tachado de vulgar. Céline (pseudónimo del médico parisino Louis-Ferdinand Destouches), de izquierdas en su juventud, más tarde se sintió atraído por el fascismo por su antisemitismo acérrimo. Fue acusado de colaboracionismo con los nazis durante la Segunda Guerra Mundial.

▶LA GUERRA DEL GRAN CHACO—El Chaco boreal, 160.000 km² de tierra

POLÍTICA Y ECONOMÍA: el paro estadounidense alcanza el 24 % [...] Los salarios norteamericanos descienden un 60 % desde 1929 [...] Guerra del Gran Chaco entre Paraguay y Bolivia [...] Creación del impuesto sobre la renta de la persona física en España.

«El primer agujero hecho a través de un bloque de piedra es una revelación.»—**Henry Moore, «El escultor habla», en *The Listener*, 1937**

prácticamente inhabitada y de densa vegetación entre Bolivia y Paraguay, fue el escenario de una brutal guerra en 1932. Bolivia precisaba un puerto en Río de la Plata con objeto de transportar el petróleo recientemente descubierto hacia el Atlántico. Pero las posesiones de Paraguay en el Chaco estorbaban el camino. Bolivia, que triplicaba la población de Paraguay y con suministros militares de Estados Unidos, parecía dispuesta a la conquista. Sin embargo, muchos de sus soldados murieron por enfermedad y mordeduras de serpiente en las tierras bajas, donde había mucha malaria. En 1935 acabó el conflicto, con un balance de cien mil víctimas.

▶FIN DE LAS REPARACIONES—En junio se celebró una conferencia en Lausana, Suiza, que prácticamente canceló la deuda de las reparaciones alemanas. Esta conferencia propuso reducir la deuda total de Alemania de los 26.000 millones de dólares pactados en el plan Young de 1929, a 714 millones de dólares pagables al cabo de tres años. El Protocolo de Lausana no llegó a ser ratificado. Los pagos alemanes se interrumpieron y, tras el ascenso de Hitler al poder, quedó claro que no se reanudarían nunca. ◂1929.12

▶MUERTE DE E. WALLACE —La revista *News Chronicle*, publicó esta necrológica con motivo de la muerte de E. Wallace, el 11 de febrero: «Lamentamos notificar el fallecimiento de Mr. Edgar Wallace, el famoso dramaturgo y novelista, acaecido ayer en Hollywood, a la edad de 56 años [...]. La industria literaria de Edgard Wallace fue una de las leyendas de su época. Durante su vida escribió 150 novelas y 300 cuentos cortos. En realidad no escribía sino que dictaba, a la velocidad de cuatro mil palabras por hora. Ello le permitía satisfacer las voraces demandas de sus editores, uno de los cuales le pidió un jueves un manuscrito de setenta mil palabras para el mediodía del lunes siguiente y lo recibió antes del plazo convenido».

1932

HUNGRÍA

Un *Führer* fracasado

11 Meses antes de que Hitler ascendiera al poder en Alemania, el primer ministro húngaro intentó transformar su propia nación según las directrices nazis. El general Gyula Gömbös fue nombrado primer ministro en septiembre de 1932 por el almirante Miklós Horthy de Nagybányai, después de que la quiebra del sistema bancario desembocara en la dimisión del predecesor de Gömbös.

Horthy, oficialmente el regente del emperador Habsburgo exiliado, gobernaría Hungría, ya un estado autoritario, el resto de su vida. Gömbös, que había contribuido a derrocar al dictador comunista Béla Kun en 1919, quería ir más allá. Como Hitler, intentaba convertirse en un líder totalitario, uniendo a todas las clases en un bloque «racial» contra los enemigos comunes: los judíos, los sindicatos, los izquierdistas y todos los países que se oponían a las reclamaciones del territorio perdido en la Primera Guerra Mundial.

Encuentro de Gömbös, aspirante a fascista *(izquierda)*, y Mussolini en Venecia.

Gömbös, como primer ministro, intensificó las restricciones existentes contra los judíos, estrechó las relaciones con la Italia fascista y después de que los nazis llegaran al poder, intentó convencer a Alemania de que Hungría formara parte del «Eje Roma-Berlín», acuñando la frase que luego se haría oficial.

Sin embargo, los húngaros no estaban tan desesperados como para aceptar que el poco carismático Gömbös fuera su *Führer*. En 1935 unas elecciones manipuladas otorgaron la mayoría parlamentaria al Partido de la Unidad Nacional, pero Gömbös nunca consiguió el apoyo popular. Ni Italia ni Alemania estaban dispuestas a aceptar a Hungría como una compañera en igualdad de condiciones o a ayudarla a recuperar su territorio. Horthy estaba a punto de sustituir a Gömbös por un primer ministro más tratable cuando éste cayó enfermo y murió en 1936. Cuando Hungría finalmente formó parte del Eje, lo hizo bajo las condiciones de Hitler. **◂1931.1 ▸1938.3**

Los soldados, dirigidos por Douglas MacArthur, dispararon contra el campamento.

ESTADOS UNIDOS

Destrucción del Ejército de las Primas

12 Si hubo un incidente concreto que acabó con la carrera política de Herbert Hoover fue la utilización de las tropas federales contra un campamento de veteranos de guerra sin trabajo, establecido en Washington. Encabezada por Walter W. Waters, trabajador del sector conservero sin empleo, la Bonus Expeditionary Force (Fuerza Expedicionaria de las Primas, BEF), con quince mil efectivos, empezó a llegar a Washington a finales de mayo de 1932. La BEF construyó chabolas y ocupó edificios abandonados cercanos al capitolio y declaró que permanecería allí hasta que el congreso autorizara la distribución inmediata de primas por el servicio militar en la Primera Guerra Mundial (unos centenares de dólares por persona), proyectadas para 1945.

Al principio la policía fue tolerante, incluso simpática, pero después de que el senado rechazara el proyecto de las primas en junio, Waters, bajo la presión de algunos miembros del BEF, se hizo más agresivo. Tras convocar una reunión masiva y asumir poderes dictatoriales, los tropiezos entre el BEF y la policía fueron creciendo en hostilidades. El Ejército de las Primas pronto quedó reducido a la mitad del original.

El 28 de julio una multitud atacó a la policía que estaba echando a miembros del BEF de un antiguo arsenal; el jefe de policía fue insultado, y dos veteranos resultaron heridos fatalmente. Aquella tarde Hoover envió a los soldados. Dirigida por el jefe del estado mayor Douglas MacArthur (que ignoró las órdenes de Hoover de detenerse después de que la infantería echara a los manifestantes de los edificios) y apoyada por tanques y ametralladoras, la caballería arrasó el campamento del BEF y golpeó a sus miembros y a la población. A media noche, el campamento estaba en llamas y el Ejército de las Primas había sido aniquilado.

Hoover defendió a MacArthur diciendo que el BEF estaba compuesto por criminales y revolucionarios, pero la opinión pública estuvo de acuerdo con el jefe de policía, que insistía en que la mayoría eran hombres de clase media. Tres meses después, Hoover ya no era presidente. **◂1932.1 ▸1933.1**

ARTE

Los agujeros de Henry Moore

13 A Henry Moore se le atribuye a menudo ser el artífice de la modernidad del arte británico. En 1932, Moore formaba parte de un círculo que incluía a la escultora Barbara Hepworth y a su marido, el pintor Ben Nicholson; todavía era un seguidor modesto cuando empezó a incorporar sus agujeros emblemáticos a la escultura.

Las mujeres esculpidas por Moore, de cabeza pequeña y cuerpos imponentes y deformados, recordaban a las diosas de la tierra del paleolítico; sus curvas sugerían colinas o piedras. Moore, añadiendo aberturas como si estuvieran erosionadas, estableció un tema central de su obra: el enlace entre el paisaje y el cuerpo, entre la naturaleza y la humanidad. Hijo de un minero de carbón, se convirtió en el artista moderno más popular de Gran Bretaña. **◂1928.NM ▸1944.16**

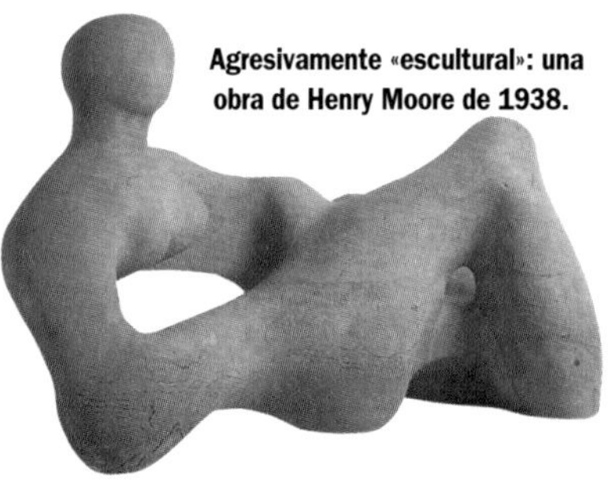
Agresivamente «escultural»: una obra de Henry Moore de 1938.

PREMIOS NOBEL: Paz: Sin galardón [...] Literatura: John Galsworthy (británico; novelista) [...] Química: Irving Langmuir (estadounidense; válvulas electrónicas) [...] Medicina: Charles Sherrington y Edgar D. Adrian (británicos; neuronas) [...] Física: Werner Heisenberg (alemán; principio de incertidumbre).

Prensa norteamericana en español

Sin tener en cuenta la noticia estelar —la victoria de Roosevelt— que ese día acaparó las portadas de la prensa mundial, hay tres factores que caracterizan a estos diarios:

1. La visión américo-centrista del mundo, en contraste con la prensa europea.

2. El interés por las noticias de la América Latina, muy superior al manifestado por los periódicos de lengua inglesa.

3. La atención a los asuntos de España, priorizados por los corresponsales europeos.

3 Generales Mueren al caer un Avión

LA OPINION

DIARIO POPULAR INDEPENDIENTE

Año VII. Los Angeles, California, Miércoles 9 de Noviembre de 1932. Número 55.

APLASTANTE MAYORIA DE MR. ROOSEVELT EN TODO EL PAIS

UN AMPLIO MARGEN EN SU FAVOR

Anoche se consideraba asegurada la victoria de los demócratas

En el Estado de California también iban al frente de la votación

Al Frente de la Votación Presidencial

PLEITO ENTRE EL P.N.R. Y EL DR. ALMAZAN

Se acusa al gobernador de no registrar al candidato Mijares Palencia

Y él dice que el general es español y que no puede ser gobernador

Sesión del Senado en un Panteón

DESASTRE EN LA REGION DEL CHACO

También murieron otros diez oficiales de alta graduación

Iban a la zona de operaciones a tomar parte en los combates

PLATICAN MUSSOLINI Y D'ANNUNZIO

DONDE VOTARON MR. ROOSEVELT Y MR. HOOVER

El primero en Hyde Park, N. Y., y el segundo en Palo Alto, California

Por Frederick STORM (Corresponsal de United Press y de LA OPINION)

Sube el peso a 32 cts. en relación con el Dólar

CIUDAD DE MEXICO, noviembre 8. (Exclusivo).—Ayer se cotizó el peso mexicano a mayor precio que en cualquier día de los últimos seis meses, pues valió 32.5 centavos con relación al dólar.

Se cree que el aumento de las exportaciones y los precios más altos de los productos en los últimos diez días, son la causa del alza del peso.

EL DOLAR BAJO SIETE PUNTOS

CIUDAD DE MEXICO, noviembre 8. (Exclusivo).—El dólar bajó hoy de un golpe siete puntos, causando esto gran sorpresa en los círculos financieros.

No se descubre otra causa para esa repentina y escandalosa baja que las elecciones en los Estados Unidos.

DAN UN VOTO DE CONFIANZA AL GRAL. ACOSTA

La Cámara aprueba la conducta del ministro al rescindir un contrato

EL HURACAN EN EL CARIBE NO HA CESADO AUN

Dos barcos de gran calado están perdidos y otros a punto de naufragar

FORTALECEN LA GUARNICION DE LETICIA

ESTA RODOLFO CALLES EN E. U.

El gobernador va a Rochester a curarse

ES SENTENCIADO ARCADIO GARCIA

16 meses al policía de Nogales, Sonora

PREDICCIONES POLITICAS DE MACIA

BAJARAN LOS FLETES DE CARGA

LA CRISIS DEL PAPEL ES SERIA EN ESPAÑA

QUE NO HAY SUBLEVACION DE YAQUIS

TERMINARA EL REPARTO DE TIERRAS

AL RESCATE

ACTIVIDADES MILITARES EN PERU Y ECUADOR

Primera Edición

«Quizás éstas sean las últimas elecciones presidenciales que tendrá América. El New Deal es para América lo que la primera fase del nazismo fue para Alemania y la primera fase del fascismo fue para Italia.»—**Mark Sullivan, reportero**

HISTORIA DEL AÑO

Los cien primeros días de F. D. Roosevelt

1 El año 1933 empezó sin esperanzas para los americanos. Una cuarta parte de todos los cabezas de familia no tenía trabajo. A pesar de la superproducción agrícola, el hambre era acuciante. Una nueva crisis económica erosionaba el sistema bancario, todavía debilitado. Sin embargo, cuando Franklin D. Roosevelt se convirtió en presidente en marzo, pronunció un discurso inaugural que alentó a millones de personas. «Lo único que debemos temer es el propio temor», constató. Proclamando que los «cambistas habían huido de sus altos puestos del templo de nuestra civilización», advirtió al congreso que, si no conseguía aprobar sus peticiones de recursos, él pediría poder, «tanto poder como el que me darían si fuéramos atacados por un enemigo extranjero». Prometió «¡Acción, acción ya!».

Roosevelt cumplió su promesa en los primeros meses de su mandato, que llegaron a ser conocidos como los Cien Días, con una cantidad sin precedentes de leyes y órdenes ejecutivas nuevas. Primero, convocó una semana de «vacaciones para los bancos» para evitar retiradas de dinero provocadas por un nuevo pánico y la acaparación de oro. Cuando los bancos, ya solventes, volvieron a abrir, los depósitos aumentaron. Se había restaurado la confianza. Mientras, el presidente utilizó una sesión extraordinaria del congreso para aprobar una serie de leyes sociales y reformas económicas.

Durante los Cien Días se abolió la prohibición sobre bebidas alcohólicas, reforzando a la vez la moral y la economía. Washington relevó a los gobiernos locales de la tarea de dar comida y ropa a los necesitados. Y se creó la base de las agencias de empleo público y de regulación, muchas ideadas por el equipo de consejeros no oficiales de Roosevelt. La National Recovery Administration (NRA) establecería normas nuevas, como salario mínimo, máximo de horas laborales y el derecho a organizarse para los obreros. El cuerpo de conservación civil (CCC) contrataría a jóvenes sin experiencia para los proyectos ambientales. El acta de ajuste agrario (AAA) ayudaría a los agricultores. La autoridad del valle de Tennessee (TVA) construiría presas y plantas hidroeléctricas.

Una caricatura del *Vanity Fair* representa al Tío Sam como Gulliver atacado por los liliputienses y atado con las «sopas de letras» del *New Deal* de Roosevelt.

Los críticos advirtieron de la progresión hacia el fascismo o el comunismo; el tribunal supremo declaró inconstitucional a la NRA. No obstante, el principio de un gobierno federal activo había llegado a Estados Unidos, y estaba allí para quedarse. **◂1932.1**

CINE

Anarquía marxista, estilo cinematográfico

2 El escenario: transcurre 1933 y un hombre pequeño y garrulo con bigote toma el poder absoluto en un país europeo arruinado y provoca la guerra con sus vecinos. La localización: la ficticia Freedonia, gobernada por Rufus T. Firefly. La película: *Sopa de ganso*, de los hermanos Marx. Esta escandalosa sátira antibelicista resultaba tan enérgica, «Todos los hijos de Dios cogen un fusil», coreaban los hermanos Marx en un número «patriótico» de humor negro, que fue prohibida en la Italia fascista. Los hermanos, veteranos del vodevil y de Broadway, habían hecho su debú en el cine sonoro con *The cocoanuts* (1929). Eran inconfundibles: Groucho llevaba bigote, gafas y un puro; Harpo, un arpa, una peluca y era mudo. Chico era el inmigrante sospechoso; Zeppo, el hombre encantador y sincero. En *Sopa de ganso* y otras películas clásicas (*Horse feathers*, *Una noche en la ópera*, *Un día en las carreras*), los anárquicos hermanos Marx dinamitaron alegremente todos los mitos de su tiempo. **◂1926.NM ▸1936.9**

De izquierda a derecha: Chico, Zeppo, Groucho y Harpo Marx.

ALEMANIA

Hitler corteja a la Iglesia

3 Aunque el nuevo dictador de Alemania rechazaba el catolicismo de su infancia (era devoto de una fe completamente nueva, una mezcla neopagana de la antigua mitología nórdica y de la ideología racista), sabía que, para dar brillo a su imagen de hombre de Estado y mantener políticamente a raya a la Iglesia, debía llegar a un entendimiento con el Vaticano. La Iglesia, por su parte, buscaba seguridad legal bajo un régimen potencialmente hostil. En julio de 1933 Hitler firmó un concordato con el enviado del Papa en Berlín, el cardenal Eugenio Pacelli, que garantizaba la libre actividad en las escuelas e instituciones católicas, y la continuidad de la enseñanza religiosa en las escuelas públicas. No obstante, el gobierno pronto rompió su palabra y empezó una guerra propagandística contra cualquier fe que no se declarara a favor de la patria y del *Führer*. En 1936 fueron arrestados numerosos sacerdotes, monjas y dirigentes católicos.

Al principio, el Papa Pío XI (*inferior*) y otros eclesiásticos reprimieron su ira, pero en 1937 una encíclica papal llamada *Mit brennender Sorge* se introdujo de contrabando en Alemania. Pío XI, arremetiendo contra el nazismo como un sacrilegio, acusó a los seguidores de Hitler de colocarlo por encima de Dios, pero «aquel que mora en los cielos se ríe de ellos». El gobierno respondió con nuevas detenciones, muchas por traición. **◂1929.10 ▸1962.1**

ESTADOS UNIDOS

La política del «buen vecino»

4 Desde la introducción de la Doctrina Monroe en 1823, los soldados estadounidenses habían sido enviados a Latinoamérica y al Caribe a menudo para instalar o salvar regímenes obedientes a Washington. Sin embargo, en su discurso de investidura de marzo de 1933, Franklin Roosevelt aludió a un cambio importante, prometiendo una política exterior de «buen vecino». Más tarde, en el mismo año, en una conferencia en Montevideo, el secretario de Estado Cordell Hull lo ratificó de forma oficial: la política del buen vecino significaba que Estados Unidos ya no intervendría en el hemisferio occidental.

La nueva medida fue probada en agosto, cuando estalló la guerra civil en Cuba, seguida del torpe intento del presidente Gerardo Machado y Morales de liberar a la isla de la dominación económica norteamericana. El presidente fue expulsado por un alzamiento popular y sustituido, durante poco tiempo, por Carlos Manuel de Céspedes. En los cuatro meses de golpes, contragolpes y trastornos, la política de Estados Unidos vaciló. El embajador en Cuba, Sumner Welles, apoyó el golpe contra Machado, y luego dio soporte a los oficiales favorables a Machado que intentaron derrocar a uno de sus sucesores. Los barcos de guerra norteamericanos atracaron en el

ARTE Y CULTURA: Libros: *La voz a ti debida* (Pedro Salinas) [...] Música: «It's only a paper moon» (Arlen, Harburg y Rose); «Smoke gets in your eyes» (Kern y Harbach); «Sophisticated lady» (Ellington y Parish); «Stormy weather» (Arlen y Koehler) [...]

«Cuando se haya eliminado el peligro comunista, volverá el orden normal de las cosas.»—**Hitler, tras el decreto de emergencia del 28 de febrero de 1933**

Nueva política: tender una mano amistosa.

puerto de La Habana pero no realizaron ninguna acción militar. En su lugar, tras el final de la crisis, Washington anuló la enmienda Platt de 1901, que le daba el derecho a invadir la isla. Tres años después el gobierno renunció oficialmente no sólo a la intervención armada sino también a la intervención de cualquier tipo en Latinoamérica y el Caribe. Durante las dos décadas siguientes, el gobernante real de Cuba sería el jefe del estado mayor Fulgencio Batista y Zaldívar, que había dirigido el golpe contra Céspedes. **◂1903.2 ▸1952.7**

ALEMANIA

El parlamento en llamas

5 Adolf Hitler, nombrado canciller en enero de 1933, inmediatamente empezó a hacerse con el poder absoluto, para poder «purificar» Alemania, política y étnicamente. En primer lugar volvió a convocar elecciones, confiando en obtener una mayoría nazi en el parlamento. La votación se convocó para el 5 de marzo. A medida que se acercaba la fecha, la radio de control estatal emitía propaganda nazi sin parar y los SA acosaban a los oponentes ante la pasividad policial. Luego, la noche del 27 de febrero, el edificio del parlamento de Berlín ardió por completo. El incendio (muchos historiadores piensan que fue provocado por los propios nazis) proporcionó la excusa necesaria para la represión. Un joven holandés fue arrestado y relacionado con un supuesto complot comunista. El gobierno suspendió los derechos civiles, censuró la prensa de la oposición y encarceló a unas cuatro mil personas.

Los nazis no obtuvieron la victoria arrolladora que esperaban, ganaron sólo el 44 % de los votos, pero el Partido Nacionalista acordó una coalición con los nazis y los dos partidos juntos gobernaron con mayoría absoluta. Unos días más tarde, después de organizar el arresto o la exclusión de los 81 diputados comunistas y la coalición con los centristas, Hitler presionó para que se aprobara la Ley de Unificación del Estado, que le otorgó las bases legales para la dictadura.

Todos los partidos políticos excepto el nazi fueron disueltos. Se abolieron los gobiernos locales, la policía y las universidades sufrieron purgas. Los funcionarios estatales fueron citados para demostrar su lealtad política y su carencia de sangre judía. Los sindicatos se reorganizaron en el Frente Obrero Alemán, una organización títere. Las leyes para la «perfección de la raza aria» autorizaron la esterilización de las personas «defectuosas». El gobierno lideró un boicot contra los negocios judíos y animó a la quema de libros. Aparecieron los campos de concentración (Dachau fue el primero); en agosto hacinaron a unos cuarenta y cinco mil presos políticos en condiciones terribles.

Finalmente, en octubre, Alemania se retiró de la Sociedad de Naciones anunciando su intención de rearmarse. Hitler proclamó que el mundo no trataría durante mucho tiempo a los alemanes como a «ciudadanos de segunda clase». Sólo la forma en que *deberían* ser tratados se convirtió en el problema más acuciante del mundo. **◂1932.2 ▸1934.1**

Cuando el parlamento ardió, ardieron con él las esperanzas de salvar la República de Weimar.

ECONOMÍA

Se abandona el patrón oro

6 En abril de 1933, en respuesta a las quiebras bancarias generalizadas y al creciente nerviosismo público, el presidente Roosevelt tomó la decisión de suspender la conversión del dólar en oro. La medida fue en parte una reacción a la decisión británica de 1931 de abandonar el patrón oro con la intención de impulsar la recuperación económica del país, aunque se produjo una caída de las inversiones extranjeras.

VALORES DE LA MONEDA, 1933

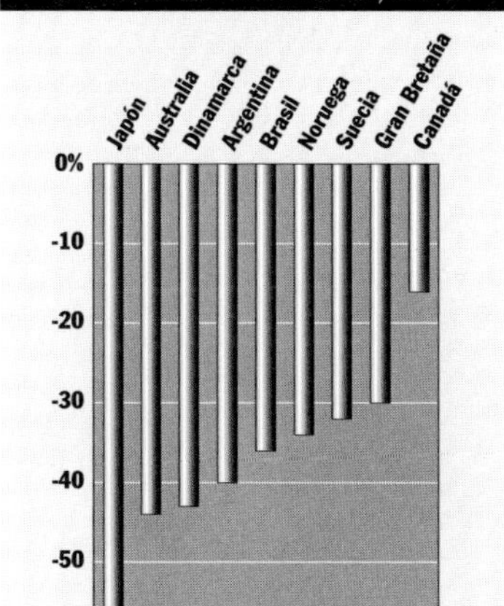

La decisión de Roosevelt de que Estados Unidos abandonara el patrón oro coincidió con una dramática devaluación de la moneda extranjera en relación a su valor en oro de 1929.

En los meses precedentes a la investidura de Roosevelt, se especuló con la posibilidad de que seguiría el ejemplo británico. Los inversores, preocupados, retiraron sus depósitos bancarios mientras eran convertibles. Las reservas federales de oro decrecieron de manera alarmante hasta el punto que Roosevelt impuso «unas vacaciones bancarias durante una semana», que de hecho impidieron la disponibilidad del oro. Un mes más tarde, acabó de manera permanente con la convertibilidad del dólar. Antes de acabar el año, una onza de oro se estabilizó a 35 dólares.

Durante los años siguientes los países europeos con problemas de liquidez y desequilibrios en la balanza de pagos abandonaron sucesivamente el patrón oro. En 1937 había dejado de existir. **◂1931.1 ▸1944.12**

NACIMIENTOS

Corazón Aquino, política filipina.

Jean-Paul Belmondo, actor francés.

Joaquín Blume, gimnasta español.

James Brown, cantante estadounidense.

Costa-Gavras, director cinematográfico greco-francés.

Jerzy Grotowski, director teatral polaco-estadounidense.

Willie Nelson, cantante estadounidense.

Roman Polanski, director cinematográfico polaco.

Philip Roth, escritor estadounidense.

Susan Sontag, escritora estadounidense.

MUERTES

Roscoe "Fatty" Arbuckle, actor estadounidense.

Albert Calmette, bacteriólogo francés.

Cavafis, poeta griego.

Calvin Coolidge, presidente estadounidense.

Faisal I, rey de Iraq.

John Galsworthy, escritor británico.

Stefan George, poeta alemán.

Hipólito Irigoyen, presidente argentino.

Ring Lardner, escritor estadounidense.

Luis M. Sánchez Cerro, político peruano.

Francisco Viñas, tenor español.

Cine: ***La calle cuarenta y dos*** **(Lloyd Bacon) [...] Teatro:** ***Bodas de sangre*** **(Federico García Lorca);** ***Divinas palabras*** **(Valle-Inclán, estreno) [...] Radio:** ***El llanero solitario.***

«Para nosotros la democracia no es un fin sino un medio de conquista.»—**José Gil Robles, dirigente de la Confederación Española de Derechas Autónomas (CEDA)**

NOVEDADES DE 1993

Revista *News-Week* (más tarde *Newsweek*).

Monopoly (Palé).

Air France.

Autocine (Camden, Nueva Jersey).

EN EL MUNDO

▶**RUBIA EXPLOSIVA**—El arte imitó a la vida cuando Jean Harlow, la *sex-symbol* rubia platino de la pantalla, interpretó el papel de una *sex-symbol* de sus mismas características en la sátira del estrellato de 1933: *La rubia explosiva.* La superestrella poseía un estilo

cómico despreocupado, pero su vida personal era difícil: su breve matrimonio con el productor de cine Paul Bern terminó con el suicidio de éste y ella murió de envenenamiento urémico en 1937, a la edad de 26 años.

▶**LLEGA PERRY MASON**—Earle Stanley Gardner, un abogado que redactaba artículos para revistas, decidió retirarse de la práctica legal y dedicarse sólo a escribir tras el éxito de sus dos novelas publicadas en 1933, *The case of the velvet claws* y *The case of the sulky girl*, protagonizadas por un abogado-detective llamado Perry Mason. Gardner llegó a escribir 80 libros más centrados en este carismático personaje de los tribunales.

▶**REMODELACIÓN DE UN RÍO**—La Tennessee Valley Authority (autoridad del valle de Tennessee, TVA), creada por el congreso el 18 de mayo, supervisó la realización de presas, plantas

ESPAÑA

Preludio de la guerra civil

7 Como Austria y Alemania, en 1933 España aprendió que la democracia podía ser explotada por fuerzas antidemócratas. En noviembre, la Confederación Española de Derechas Autónomas (CEDA) ganó las elecciones parlamentarias. La CEDA, una coalición de monárquicos, falangistas y otros derechistas, se hacía eco de los nazis en sus promesas de salvar a España de «marxistas, masones, separatistas y judíos».

El duro trato que dispensó la nueva república a la Iglesia católica unió a las derechas. Parte de la población española, aun siendo católica, se apartó de la Iglesia a causa de su defensa incondicional de los propietarios y de la monarquía. Sin embargo, las restricciones a la religión hechas por los gobiernos locales proporcionaron una causa común a los campesinos devotos y a los terratenientes. El vínculo se confirmó cuando, en mayo de 1932, las Cortes prohibieron las escuelas confesionales, disolvieron a los jesuitas y nacionalizaron las propiedades de la Iglesia.

Entretanto, la coalición de socialistas y liberales que dominaba las Cortes se escindió a causa de la lenta marcha de la reforma agraria. Proliferaron alzamientos anarquistas que fueron reprimidos con violencia. Los anarquistas, tan numerosos como los socialistas, boicotearon las elecciones, lo que favoreció a la victoria de la CEDA.

Tras las elecciones, un derechista no perteneciente a la CEDA, Alejandro Lerroux García, se convirtió en presidente. Su gobierno revocó las reformas del anterior, enviando a la Guardia Civil a destruir los cultivos de las tierras redistribuidas y a arrestar a los campesinos hambrientos por recoger bellotas. En 1934, la izquierda se alzó contra el régimen. En Madrid, los socialistas, antes moderados, tomaron las armas; cayeron en un día. En Barcelona fue sofocada una rebelión de los nacionalistas catalanes con la misma rapidez. Sin embargo, en la provincia de Asturias cincuenta mil anarquistas y socialistas se rebelaron juntos, con el pequeño Partido Comunista. Mineros en su mayoría, los rebeldes tomaron la ciudad de Oviedo, pero el general Francisco Franco, al mando de la legión extranjera, los combatió con una brutalidad sorprendente. Insurgentes caídos fueron castrados. Los prisioneros fusilados o torturados; las mujeres violadas y mutiladas. El alzamiento de Asturias acabó a las dos semanas.

En 1935, España contaba con treinta mil presos políticos, pero la izquierda y el centro tuvieron una oportunidad más de gobernar antes de la guerra civil. ◄**1931.13** ►**1936.2**

En 1933 los campesinos catalanes celebraron el segundo aniversario de la República española.

JAPÓN

Un paso adelante

8 Mientras la Sociedad de Naciones deliberaba sobre su papel en el conflicto sino-japonés, este último amplió su conquista del Asia oriental hacia la frontera norte de China. Alegando que el ejército chino amenazaba la independencia del Manchukuo, el estado títere establecido por Japón en la Manchuria ocupada, en febrero de 1933 el ejército nipón invadió la provincia de Jehol. A pesar de su relación con las tres provincias manchúes, que habían caído en manos japonesas en 1931-1932, Jehol siempre había sido considerada como una parte de China.

Defendiendo descaradamente su usurpación de la provincia, Japón declaró que la presencia en Jehol de «fuerzas anti Manchukuo era imcompatible no sólo con la soberanía del Manchukuo sino también con la restauración de la paz y el orden en Jehol». La Sociedad de Naciones, siguiendo el ejemplo de Estados Unidos, finalmente se había negado a reconocer el Manchukuo y atribuyó la «pérdida del orden y de la paz» en Jehol a la invasión nipona. Continuando con su farsa, Japón se sintió gravemente ofendido. El 27 de marzo el emperador, aludiendo que Manchukuo debía independizarse para que Japón pudiera erradicar «las fuentes del mal en el Lejano Oriente», anunció la retirada de Japón de la Sociedad de Naciones. ◄**1932.5** ►**1936.11**

H. M. Talburt ganó un Pulitzer por este dibujo que condena el incumplimiento de los tratados internacionales por parte de Japón.

PORTUGAL

Un dictador tímido

9 Una nueva constitución aprobada por plebiscito en marzo de 1933 convirtió a Portugal en un estado corporativo con partido único, controlado por el dictador más incongruente y de gobierno más duradero de la Europa moderna, António de Oliveira Salazar. La Constitución Corporativa estableció el Estado Nôvo, en el que la Asamblea Nacional sólo se componía de miembros del partido en el poder, todos los ministros estaban sujetos a la aprobación de Salazar, y el gobierno, en realidad Salazar, poseía el derecho de suspender las libertades individuales o civiles «por el bien común». Esta fórmula hermética de gobierno dictatorial capacitó a Salazar para gobernar ininterrumpidamente hasta 1968.

Salazar, profesor de economía, había rechazado el cargo de ministro de economía en 1926, después de que un golpe militar derrocara al corrupto gobierno parlamentario. Dos años después, el presidente António Oscar de Fragoso Carmona le ofreció de

DEPORTES: Boxeo: Uzcudum, campeón de Europa; Primo Carnera, campeón del mundo [...] Automovilismo: Nuvolari gana las 24 horas de Le Mans [...] Tenis: Helen Hull Jacobs, primera mujer que lleva pantalones cortos en una competición.

«Leer detenidamente a Gertrude Stein es como abrirse camino a través de un libro interminable y mal impreso.»—**Richard Bridgeman, *Gertrude Stein in Pieces***

nuevo el puesto, esta vez con carta blanca. Salazar aceptó y procedió a nivelar el presupuesto de Portugal, con deudas crónicas, consiguiendo beneficios para el país por primera vez en el siglo. En 1932 Carmona le nombró primer ministro y Salazar, obsesionado con el trabajo, creó un país a su semejanza: conservador, prudente y encerrado en sí mismo.

Durante los 36 años siguientes, Salazar obtuvo obsesivamente plusvalías presupuestarias anuales, ignorando la necesidad de reinversión. El crecimiento económico cesó; el analfabetismo y la pobreza agraria permanecían altos. La apatía política estaba arraigada (sólo podía votar una mínima parte de los portugueses; la mujer no logró el derecho a voto hasta finales de los años sesenta); el Portugal casi fascista se convirtió en el lugar más atrasado de Europa occidental. Salazar, tirano subestimado, permaneció oculto, sin provocar nunca un culto a la personalidad. Sufrió una apoplejía en 1968 y fue sustituido por Marcello Caetano. Salazar vivió dos años más pero sus amedrentados ministros nunca le anunciaron que ya no estaba en funciones. **◂1910.3 ▸1974.2**

LITERATURA

La autobiografía secreta de Stein

10 Gertrude Stein escribió su autobiografía como si fuera la de su amante, un método que le permitió dar rienda suelta a su considerable ego. *La autobiografía de Alice B. Toklas*, publicada en 1933, rebosa retratos ingeniosos y a menudo maliciosos de los artistas, escritores, intelectuales y socialistas que frecuentaban el salón parisino de Stein. El retrato más atractivo es el de la propia autora: «Sólo tres veces en mi vida he conocido a un genio», declara la narradora, «y cada vez ha sonado una campana dentro de mí». La primera campana que sonó: Gertrude Stein. Las otras: Pablo Picasso y el filósofo Alfred North Whitehead.

Stein, quizá la promotora artística más célebre del siglo, apoyó a Picasso, Matisse, Braque y Gris cuando eran auténticos desconocidos, y protegió a escritores expatriados como Hemingway, Fitzgerald y Pound. (Stein acuñó el término «generación perdida» para describir a estos escritores y a sus coetáneos.) *La autobiografía* la convirtió en una estrella literaria por derecho propio, como no lo habían hecho sus libros anteriores, menos accesibles y más experimentales. **◂1926.2**

Gertrude Stein (*izquierda*) con su compañera y *alter ego* literaria Alice B. Toklas, tras su llegada a Nueva York en 1934.

CINE

Las bellezas de Berkeley

11 Coros de chicas moviéndose en figuras caleidoscópicas. Ginger Rogers vestida con monedas de oro cantando «We're in the Money». Ruby Keeler bailando un zapateado en el techo de un taxi en Times Square. Éstas son las hazañas de Busby Berkeley, el coreógrafo cuyos números dominaron tres películas de éxito de la Warner en 1933: *Vampiresas 1935*, *La calle Cuarenta y Dos* y *Footlight parade*.

Berkeley nunca actuó como coreógrafo o bailarín; en realidad, sus números tenían poco baile. Por el contrario, era la cámara de Berkeley la que bailaba mientras los intérpretes giraban, se movían, andaban, flotaban o creaban círculos hacia o desde, encima o debajo de ella. La cámara podía descender repentinamente 18 m en segundos o moverse entre las piernas de un grupo de coristas. Luego, en el montaje, él manipulaba la distancia y la escala para crear una relación espacial única en el cine.

Berkeley rodó números musicales en muchas películas; dirigió *Vampiresas 1935* y, más importante, *The Gang's All Here*, en tecnicolor. Un crítico describió los últimos minutos del final de esta película, «The Polka Dot Polka», como «las pequeñas cabezas incorpóreas de todo el reparto sobre la pantalla en una canción llena de carraspeos». Perseguido por problemas personales, incluido el conducir en estado de embriaguez y una acusación de asesinato (fue absuelto) así como ataques de nervios, Berkeley dejó de destacar cuando Hollywood empezó a ahorrar y los gustos musicales cambiaron. Pero sus invenciones idiosincrasias todavía deleitan hoy en día. **▸1934.6**

Los sofisticados números musicales de Berkeley (como éste de *Vampiresas 1935*) liberaron a los musicales de la monotonía visual.

hidroeléctricas y rutas fluviales en el río Tennessee y sus afluentes. Finalmente hizo llegar a la población apalache la electricidad, nuevas prácticas agrícolas y la industria que tanta falta hacía. ◂1933.1

▶UN MONO EN EL CINE—«Fue bonito matar a la bestia», decía el cazador blanco que finalmente

mataba al mono que se abrazaba al Empire State Building al final de la película de 1933 *King Kong*. Robert Armstrong interpretaba al productor-promotor que captura a Kong; Fray Wray fue el objeto de deseo de Kong.

▶DECISIONES SOBRE LA OBSCENIDAD—En diciembre, el juez federal John M. Woolsey levantó la censura sobre la novela de James Joyce, *Ulises* (1922), declarando que «no había detectado en ningún sitio la mirada impúdica de un sensualista». Y un magistrado civil determinó de modo parecido que *La parcelita de Dios*, de Erskine Caldwell, considerada en su totalidad, no era obscena. ◂1922.1 ▸1934.NM

▶ADMIRADOR DE ADMIRADORES—Buena parte del éxito de la Exposición Internacional de Chicago de 1933, visitada por veintidós millones de personas, fue debida a los admiradores de la bailarina Sally Rand, que aparecía en la atracción «Calles de París». Rand, que sostenía una gran pelota opaca, se paseaba a través de la escena al son del *Claro de*

***Luna* de Debussy y causó sensación al mostrar sus piernas, brazos y rostro. ▸1939.7**

«Si el hombre no está dispuesto a arriesgar su vida, ¿qué hay de su dignidad?—**André Malraux, *La condición humana***

▶REINO DESIERTO—En 1933, un año después de proclamar el reino de Arabia Saudí, Ibn Saud, sultán de Najed y rey de Hejaz, realizó una concesión para sesenta años a la Standard Oil de California, que pronto formó la Arabian American Oil Co. (ARAMCO), con derechos exclusivos de prospección de petróleo en el desierto de Arabia Saudí. La medida convirtió a Arabia Saudí en uno de los países más ricos del mundo, pero Saud, un musulmán puritano, llegó a pensar que había hecho un pacto con el diablo: vio cómo la nueva religión del petróleo y de la riqueza sustituía a los antiguos valores islámicos. ◂1909.5

▶MASACRE EN ASIRIA—En el verano de 1933 la unidad de Iraq se vio afectada por las diferencias entre las distintas facciones. El rey Faisal había negociado el fin del mandato británico sobre Iraq en 1932 con la condición de que protegería los derechos de las minorías. Los esfuerzos de Faisal por conseguir la unidad y la paz en su país se malograron cuando, mientras él viajaba por Europa, un antiguo rival ordenó a los soldados iraquíes que atacaran a varios cientos de asirios cristianos que vivían en el norte, en una región llamada Mosul. Faisal murió en septiembre y su coalición quedó inmersa en el caos. ◂1920.2 ▸1941.3

▶LANG ABANDONA ALEMANIA—La película de Lang *El testamento del Dr. Mabuse* (1933) expresaba el desprecio que su director sentía por los nazis. Se prohibió la exhibición de la película, pero Joseph Goebbels, ministro de propaganda, citó a Lang en su despacho, se disculpó y luego le pidió que dirigiera la industria cinematográfica nazi, a petición de Hitler que había admirado mucho su película *Metrópolis* (1926). Lang, cuya madre era judía, se dio cuenta del engaño. Huyó a París esa misma noche, dejando atrás sus propiedades y a su mujer. ◂1926.5 ▸1935.14

TECNOLOGÍA

Armstrong inventa la FM

12 Desde el inicio de las radiotransmisiones a principios de siglo, los gigantes de las telecomunicaciones como la RCA y la AT&T habían contratado equipos de ingenieros para encontrar un remedio para las interferencias eléctricas. Lo que distingue al inventor americano Edwin Armstrong, que en 1933 registró cuatro patentes en la frecuencia radiofónica de la FM, fue el deseo de enfrentarse a la tradición. Mientras los expertos trataban el sistema ya existente de transmisión por modulación de amplitud de ondas (AM), Armstrong ideó un sistema que modulaba la frecuencia de las ondas radiofónicas, en vez de la magnitud. El sistema de Armstrong, prácticamente inmune a las interferencias eléctricas y dócil a una amplia gama de sonidos, consiguió una claridad de transmisión más allá de lo imaginable.

Muchos ingenieros habían experimentado anteriormente con la FM, pero la habían deshechado a causa de las distorsiones de sonido que provocaba. Armstrong descubrió que cuando la banda de frecuencia modulada se ensanchaba, las distorsiones desaparecían, y las interferencias eléctricas también. La mayoría de los locutores pensaban que una banda más estrecha significaba menos interferencias eléctricas; Armstrong demostró que estas interferencias estaban en función de la amplitud y que los principios para reducirlas en la AM no podían aplicarse a la FM.

Frente al cambio, la industria radiofónica se mostró prudente. La radio constituía un gran negocio, y las emisoras comerciales habían realizado fuertes inversiones en la AM; el sistema de Armstrong amenazaba con hacer obsoletos los transmisores y receptores corrientes. Finalmente, en 1939, Armstrong estableció su propia emisora de FM (inventos anteriores le habían hecho rico) y la utilizó para alimentar el crecimiento del sistema. Empezó a alcanzar la popularidad lentamente, pero en 1954 Armstrong enfermó y, con su fortuna dilapidada en litigios por el control de la FM, se suicidó. **◂1920.3 ▸1941.14**

Pocos meses antes de su asesinato a manos de los nazis, el canciller Dollfuss convoca una reunión en un hipódromo austríaco.

AUSTRIA

El dilema de Dollfuss

13 Aunque Adolf Hitler había iniciado un ascenso al poder siguiendo el ejemplo de Benito Mussolini, el líder fascista consideraba a Hitler como un advenedizo peligroso. En 1933, los dos dirigentes (y futuros aliados) eran enemigos y a cualquiera que estuviera entre los dos le esperaban calamidades, como el canciller austríaco Engelbert Dollfuss experimentó enseguida.

Dollfuss, con la esperanza de proteger a su país del deseo vehemente que tenía Hitler de anexionarse Austria (*Anschluss*), alineó a su nación con Italia y castigó severamente a las fuerzas nazis de su país. Como líder del Heimatbloc, una coalición de conservadores contrarios a la anexión, Dollfuss se opuso a los nazis austríacos y a los socialdemócratas. Cuando los nazis alemanes llegaron al poder en marzo de 1933, Dollfuss temió que los austríacos también lo consiguieran en las elecciones. No quiso unir sus fuerzas a las socialistas y, dos días después de las elecciones alemanas, disolvió el parlamento y declaró el estado de guerra que le permitía gobernar por decreto. Se prohibieron las reuniones públicas (excepto para el Heimatbloc) y los uniformes paramilitares (a excepción de los de las Heimwehr). Se impuso la censura y se expulsó del ejército a los nazis.

Los nazis austríacos respondieron con atentados terroristas. Alemania empezó un boicot y una campaña de propaganda al otro lado de la frontera, incitando a los austríacos a derrocar al gobierno. En junio, Dollfuss ilegalizó al partido nazi, deportó a sus dirigentes y envió a miles de sus afiliados a campos de detención. No obstante, la violencia continuó.

Siguiendo las directrices de Mussolini, Dollfuss empezó a reestructurar su nación bajo las líneas fascistas. A principios de 1934 estableció una nueva constitución que sustituyó a los partidos políticos de Austria por un frente monolítico, el Frente Patrio, que le garantizó el poder absoluto. Pero en julio, un destacamento de nazis vieneses asaltó su despacho y le mató. El golpe de Estado subsiguiente fue aplastado por las unidades legales del Heimwehr, y los soldados italianos fueron movilizados en la frontera para evitar una invasión alemana. El ministro de Justicia Kurt von Schuschnigg sucedió a Dollfuss en la cancillería. Se evitó la anexión hasta 1938, año en que Hitler y Mussolini dejaron a un lado sus diferencias. **◂1933.5 ▸1934.1**

LITERATURA

El relato fatalista de Malraux

14 André Malraux, intelectual y aventurero que provocó un escándalo internacional cuando fue arrestado por robar unos bajorrelieves de un templo camboyano, se manifestó como portavoz de una generación en orden de batalla con su novela de 1933, *La condición humana*.

El relato se sitúa en Shanghai durante el año 1927, en que el general Chiang Kai-shek cambió de postura y masacró a sus antiguos aliados comunistas. *La condición humana* presagia las luchas políticas que desembocarían en la Segunda Guerra Mundial, así como el existencialismo moralmente comprometido y de izquierdas de los años de posguerra. Desde el punto de vista de Malraux, la condición humana es severa e inflexible, la humanidad no tiene más remedio que comprometerse en la lucha política. **▸1942.13**

Un anuncio de una emisora de FM de Connecticut en 1935.

PREMIOS NOBEL: Paz: Norman Angell (británico; escritor) [...] Literatura: Ivan Bunin (ruso; poeta y novelista) [...] Química: Sin galardón [...] Medicina: Thomas Hunt Morgan (estadounidense; herencia) [...] Física: Erwin Schrödinger y Paul A. M. Dirac (alemán, británico; mecánica cuántica).

ECOS DE 1933

Choque entre titanes

Correspondencia entre Nelson Rockefeller y Diego Rivera, de *The New York Times*, mayo de 1933

El ostentoso Rockefeller Center de Nueva York era el monumento al capitalismo más ambicioso que se había proyectado. Difícilmente se hubiera podido evitar un conflicto cuando Nelson Rockefeller, el director del complejo, encargó al muralista mexicano y revolucionario declarado Diego Rivera que pintara un mural titulado El hombre en la encrucijada *para el vestíbulo del edificio. Los dos discutieron sobre la inclusión de un retrato de V. I. Lenin. Tras un intercambio de cartas en* The New York Times, *Rockefeller canceló el proyecto y cubrió la obra casi terminada con lienzos. En menos de un año ordenó que la destruyeran.* **◂1930.7 ▸1954.11**

Nelson Rockefeller a Diego Rivera, 4 de mayo de 1933
Estimado Sr. Rivera:

Ayer, mientras estaba en el Rockefeller Center observando los avances de su sensacional mural, observé que en la parte más reciente de la pintura había incluido un retrato de Lenin. Está muy bien pintado pero me parece que este retrato, en este mural, puede ofender a mucha gente. Si estuviera en una casa particular sería otra cosa, pero está en un edificio público y la cosa resulta bastante distinta. Por mucho que me disguste hacerlo, siento mucho tener que pedirle que sustituya la cara de Lenin por la de algún desconocido.

Sabe lo contento que estoy con la obra que está llevando a cabo y que hasta la fecha no le he puesto restricciones en cuanto a sus temas o formas. Estoy seguro de que comprenderá mi situación y yo agradeceré que realice la sustitución que he sugerido.

Diego Rivera a Nelson Rockefeller, 6 de mayo de 1933
Estimado Sr. Rockefeller:

En respuesta a su amable carta del 4 de mayo de 1933, deseo explicarle mis sentimientos sobre la cuestión que menciona, después de haber reflexionado mucho sobre ella.

La cabeza de Lenin estaba incluida en el esbozo original [...] y en los dibujos que delineé en la pared al iniciar mi obra [...]. Comprendo perfectamente el punto de vista referente a los asuntos económicos de un edificio público y comercial, aunque estoy seguro de que el tipo de persona susceptible de sentirse ofendida por el retrato de un gran hombre difunto, se sentiría ofendida, dada su mentalidad, por la concepción total de mi pintura. Por lo tanto, antes de mutilar la idea preferiría la destrucción física de la totalidad de la idea, para conservar su integridad[...]

Me gustaría, si es posible, encontrar una solución aceptable al problema y sugiero que podría cambiar la parte en la que se representa a la gente jugando al bridge y bailando y poner en su lugar, en perfecto equilibrio con la parte de Lenin, la imagen de algún gran líder americano histórico, como Lincoln, que simboliza la unificación del país y la abolición de la esclavitud, rodeado por John Brown, Nat Turner, William Lloyd Garrison o Wendell Phillips y Harriet Beecher Stowe, y quizás alguna figura científica como McCormick, inventor de la segadora McCormick, que contribuyó a la victoria de las fuerzas abolicionistas al proporcionar suficiente trigo para mantener a los ejércitos del norte.

Estoy seguro de que la solución que propongo aclarará del todo la significación histórica de la figura de un líder, representada por Lincoln, y de que nadie podrá objetar nada a los sentimientos más fundamentales de la humanidad, el amor y la solidaridad y la fuerza social representados en tales hombres.

Rivera (*extremo superior,* trabajando en el retrato de Lenin) pintó esta réplica del mural del Rockefeller Center para el Palacio de Bellas Artes de Ciudad de México. Realizó algunos cambios menores para enfatizar la cultura y la historia de México. También incluyó un retrato mordaz de John D. Rockfeller, el padre de Nelson Rockefeller.

«No presumo de que Adolf Hitler haya hecho una revolución según el modelo de la mía. Los alemanes acabarán por estropear nuestra idea.»—**Benito Mussolini, 1934**

HISTORIA DEL AÑO

Hitler clava sus garras con más fuerza

1 Adolf Hitler pasó 1934 preparando el terreno para la conquista alemana de Europa. En su país, necesitaba el apoyo del ejército para obtener el poder absoluto cuando el presidente Paul von Hindenburg, enfermo, muriera. Sin embargo, los generales insistían en que primero dominara a las SA, secciones de asalto que habían intimidado desde hacía tiempo a los enemigos del nazismo y que ahora pedían la dirección militar. El 29 de junio, la «noche de los cuchillos largos», Hitler pretextó un golpe de Estado para llevar a cabo una purga. Hermann Goering, la mano derecha de Hitler, y Heinrich Himmler, la cabeza de las SS (la organización de seguridad de elite de los nazis, que a partir de entonces fue la agencia de seguridad del gobierno), dirigieron el arresto y la ejecución del alto mando de las SA Ernst Röhm y otras cuatrocientas personas. Las SA fueron desarmadas: la mayoría de sus competencias, como la administración de los campos de concentración, pasó a las SS.

Los generales quedaron satisfechos y también los industriales que habían temido que la revolución nazi resultara demasiado revolucionaria. En agosto, cuando Hindenburg murió, Hitler, todavía canciller, se convirtió en presidente por una ley que se había aprobado el día anterior. De ese modo fue comandante supremo de las fuerzas armadas. Oficiales y soldados debían jurar lealtad al *Führer*. En un plebiscito, el 90 % del electorado votó a favor de la medida.

En asuntos exteriores, Hitler obtuvo dos éxitos claros. En enero, firmó un pacto de no agresión con Polonia que duraría diez años, ya que el ejército polaco era más numeroso que el suyo, más del doble. El tratado adormeció a los polacos en una suficiencia que les costaría cara cinco años después, y permitió a Hitler garantizar el estado de paz mientras rearmaba a Alemania en secreto. En junio, declaró que Alemania no reanudaría los pagos de las reparaciones a los aliados.

No obstante, pareció que Hitler tropezaba en otras cuestiones. Una primera visita a su ídolo Benito Mussolini resultó infructuosa. Luego, el intento de instalar un gobierno títere en Austria, después de que los nazis vieneses asesinaran al dictador Engelbert Dollfuss, aliado de Mussolini, se frustró debido a la resistencia popular y a la concentración de soldados italianos. Pero Hitler, de forma muy astuta, renegó del asesinato de Dollfuss (a pesar de haberlo instigado). Su cortejo continuo al Duce daría sus frutos dos años más tarde con la formación del Eje Roma-Berlín. Su primera víctima fue la independencia de Austria. **◄1933.5 ►1935.3**

Hitler en 1934: eliminaba a sus enemigos y consolidaba su poder.

MÉXICO

El salvador de la revolución

2 En 1934, la revolución mexicana dio a luz a su último gran héroe: Lázaro Cárdenas, que se convirtió en presidente y por fin realizó las reformas radicales prometidas en la constitución de 1917. Sucedía a una serie de dirigentes que no habían hecho casi nada por llevar a cabo los objetivos revolucionarios de la reforma agraria y por los derechos de los trabajadores. Durante los seis años que ostentó el cargo, Cárdenas transformó cuarenta y cuatro millones de acres de los hacendados, los terratenientes mexicanos, en ejidos, cooperativas agrícolas. La tierra quedó repartida, a través de los ejidos, entre unos ochocientos mil campesinos. Cárdenas proclamó: «La revolución estaba estancada. Es necesario alzarla».

En 1938 nacionalizó las compañías petrolíferas de propiedad extranjera. Este sorprendente acto fue el resultado precipitado de una disputa salarial que ya venía de tiempo atrás entre los trabajadores mexicanos de la industria petrolífera y sus patrones extranjeros, la mayoría de los norteamericanos y británicos. En 1937, el tribunal supremo de México falló a favor de los trabajadores. Cuando las compañías extranjeras ignoraron el fallo y se negaron a aumentar los salarios o a mejorar las condiciones, Cárdenas las expropió. Las compañías americanas pidieron a Roosevelt que interviniera, pero el presidente, que no deseaba que otro país latinoamericano estrechara sus relaciones con Alemania (que ya había tentado a México durante la Primera Guerra Mundial, con promesas sobre el sudoeste norteamericano), aludió a su política del «buen vecino» y no intervino. La nacionalización del petróleo mexicano era un hecho consumado, un hecho que tendría drásticas consecuencias económicas durante el aumento de los precios de los años setenta. **◄1933.4 ►1982.5**

FRANCIA

El escándalo conmociona al gobierno

3 En enero de 1934 una bala mató a Alexandre Stavisky, y la policía afirmó que se había suicidado, pero muchos franceses consideraron que había sido asesinado para proteger a sus amigos influyentes. Stavisky había sido arrestado en 1925 por las inversiones fraudulentas de siete millones de francos, y permaneció 18 meses en prisión a la espera de juicio. Este juicio se posponía de una u otra manera. Mientras, había estafado a otros inversores por valor de doscientos millones de francos, utilizando el dinero para comprar diarios y políticos. El escándalo (que estalló en enero, cuando se le encontró muerto en una villa alpina) casi derrocó a la república.

El caso Stavisky salpicó a varias personalidades relacionadas con el gobierno centro-izquierdista de Camille Chautemps. Los miembros de Action Française (un grupo monárquico antisemita) provocaron disturbios, y los parlamentarios de derechas pidieron la dimisión de Chautemps, que pronto se retiró. El nuevo primer ministro, Edouard Daladier, amplió el gabinete nombrando a varios miembros de la extrema derecha. Sin embargo, el 6 de febrero, tras haber expedientado a un prefecto de policía que había sido demasiado indulgente con los rebeldes, cinco mil derechistas y fascistas marcharon hacia el parlamento, quemaron edificios y atacaron a la policía con adoquines a lo largo del camino. Al final hubo quince muertos. Disturbios similares estallaron por todo el país; Daladier dimitió al día siguiente.

Los socialistas, temiendo un golpe de Estado, convocaron una huelga general de 24 horas para apoyar la democracia parlamentaria; sus viejos rivales comunistas se les unieron. (Su alianza marcó el inicio del Frente Común, precursor de los frentes populares de mediados de los años treinta). Se formó otro gobierno de coalición y la amenaza disminuyó. No obstante, tras el nombramiento de Pierre Laval como primer ministro en 1935, Francia inició un camino que acabaría en el fascismo impuesto por las tropas alemanas. **◄1906.12 ►1936.5**

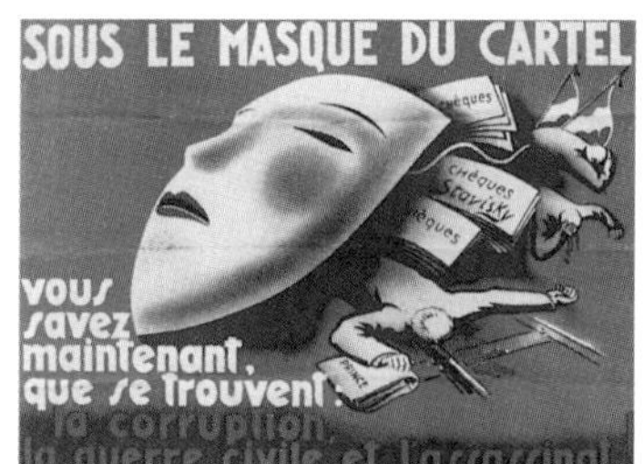

Cartel propagandístico de derechas acusando a los izquierdistas de complicidad en el asesinato de un testigo clave y de las estafas de Stavisky.

ARTE Y CULTURA: Libros: ***Suave es la noche*** (F. Scott Fitzgerald); ***Adiós Mr. Chips*** (James Hilton); ***Yo, Claudio*** (Robert Graves) [...] Música: «Blue Moon» (Rodgers y Hart); ***El lugarteniente Kizhe*** (Sergei Prokofiev) [...]

«No puede actuar. No puede cantar. Nada. Puede bailar un poco.»—**Informe de una prueba de pantalla de 1928 de la estrella de Broadway Fred Astaire**

Una tormenta de polvo en Clayton, Nuevo México, captada por un fotógrafo aficionado que enseguida se metió en casa. El polvo impedía ver nada en la calle.

ESTADOS UNIDOS

Tierras de tormentas de arena

4 En 1934, 375.000 km² de tierras de labrantío del medio oeste americano se convirtieron en un desierto, con la capa superficial del terreno arrancada por fuertes tormentas de arena. El fenómeno se desencadenó a causa de la sequía, aunque sus raíces se remontan a los excesos económicos de los años veinte. Los agricultores, animados por la subida de precios del grano durante la posguerra, habían roturado grandes parcelas de tierra que con anterioridad habían sido pastos naturales. Cuando dejó de llover, no había nada que pudiera impedir que el viento de la pradera arrancara la tierra.

Las tormentas de arena cubrieron zonas de Kansas, Colorado, Oklahoma, Texas y Nuevo México. Resultó imposible volver a cultivar estos terrenos. Al mismo tiempo que desaparecían las granjas, lo hacían los negocios locales. Junto a la pobreza, el polvo provocó incomodidades y riesgos. Llenó los edificios, estropeó la comida, los muebles y el instrumental médico. Las enfermedades respiratorias se prodigaron. Durante las «ventiscas negras» se perdieron estaciones de tren y algunos niños que jugaban fuera de casa se ahogaron.

La mayor parte de la población de estas zonas no se trasladó. Por el contrario, cultivaron un estoico sentido del humor y bromeaban acerca del hombre que se desmayaba cuando le caía una gota de agua en la cabeza y volvía en sí cuando le tiraban un cubo de arena. Pero miles de familias arruinadas abandonaron la región, un éxodo explicado en la novela de Steinbeck *Las uvas de la ira*.

En 1935, el polvo cubría a menudo el cielo de Washington, a más de 1.600 km. El congreso, a instancias de Roosevelt, estableció el servicio de conservación del suelo, que ayudó a los agricultores a restaurar y proteger su precioso terreno. Otra agencia, el cuerpo de conservación civil, plantó millones de árboles como protección contra el viento. Al cabo de dos años, el área de devastación se había reducido de forma considerable. Las lluvias volvieron en 1940 y estas zonas devastadas volvieron a formar parte de las zonas de producción de grano. **◂1930.3 ▸1939.15**

Un crítico acotó que la música de Rachmaninoff sólo podía haber sido compuesta «por un hombre que en su interior es ruso».

MÚSICA

Un ruso romántico

5 Sergei Rachmaninoff, el principal virtuoso del piano de su tiempo y el último compositor romántico ruso, en junio de 1934, convaleciente de una operación, prometió: «Cuando vuelva a casa, empezaré a trabajar en serio». Su casa, en aquel momento, era Suiza, no la querida Rusia de Rachmaninoff. Desde la revolución de 1917 había vivido un penoso exilio en Europa y en Estados Unidos, y no había compuesto ninguna obra significativa. La mayoría de los críticos consideraban que se había retirado de la composición. Más tarde, en ese mismo año, Rachmaninoff por fin recuperó sus fuerzas y escribió una de sus composiciones más populares: *Rapsodia sobre un tema de Paganini*.

Rachmaninoff, cuya música estaba firmemente arraigada en el siglo XIX, fue un melódico en la tradición romántica de Tchaikovsky. Había abandonado su país en 1917 para tocar en Suecia, justo antes de la revolución, y nunca volvió. En su exilio en Estados Unidos se manifestó como un solitario; nunca dominó el inglés y viajaba de forma constante. Llegó a dar 65 conciertos al año ante un público que lo adoraba. En 1931, tras criticar públicamente al régimen soviético, la música de Rachmaninoff fue tildada de decadente. **◂1931.3 ▸1936.13**

CINE

Fred y Ginger en la cumbre

6 A principios de 1934 se presentó una de las parejas más encantadoras de la pantalla. Fred Astaire y Ginger Rogers por primera vez consiguieron una recaudación máxima con la película *La alegre divorciada*. (La pareja ya había actuado junta el año anterior en *Flying down to Rio*). *La alegre divorciada* con su baile, el continental (que parecía demasiado complicado para tener éxito), introdujo un género que se perfeccionó en ocho películas más.

Con las coreografías de Fred Astaire y Hermes Pan, los colosales números de baile limitados a los escenarios se minimizaron. En su lugar se interpretaron los bailes en marcos no teatrales y formaron parte integral de la historia de la película. Se mostraba a los bailarines de cuerpo entero, se rodaba el baile de principio a fin y predominaban los solos y los bailes de pareja. Astaire y Rogers dieron a las películas musicales cohesión, intimidad y sobre todo romanticismo. (En realidad, en sus películas, producidas en la época del estricto código Hays, los bailes y las canciones funcionaban como un ritual de apareamiento; tras un número de *La alegre divorciada*, «Noche y día» de Cole Porter, Astaire incluso abre una pitillera y le ofrece un cigarrillo a una nerviosa Rogers.)

Rogers no se hallaba al mismo nivel de baile que Astaire pero fue su mejor pareja. Él era experimental, ella artesana. Él era etéreo, elegante; ella coordinada y con el ingenio de la calle. Katharine Hepburn dijo: «Él le da a ella clases y ella a él, sexo». **◂1933.11 ▸1935.NM**

Astaire y Rogers bailan el continental.

NACIMIENTOS

Brigitte Bardot, actriz francesa.

Pat Boone, cantante estadounidense.

Bettino Craxi, primer ministro italiano.

Yuri Gagarin, astronauta soviético.

Sofía Loren, actriz italiana.

Mary Quant, diseñadora de moda británica.

Carl Sagan, astrónomo estadounidense.

Norman Schwarzkopf, general estadounidense.

MUERTES

Alberto I, rey de Bélgica.

Alejandro I, rey de Yugoslavia.

Clyde Barrow, delincuente estadounidense.

Marie Curie, química polaca-francesa.

John Dillinger, delincuente estadounidense.

Engelbert Dollfuss, político austríaco.

Edward Elgar, compositor británico.

Fritz Haber, químico alemán.

Paul von Hindenburg, militar y político alemán.

J. Llimona, escultor español.

Bonnie Parker, delincuente estadounidense.

Raymond Poincaré, presidente francés.

Santiago Ramón y Cajal, científico español.

Ignacio Sánchez Mejías, torero español.

Cine: ***Sucedió una noche*** **(Frank Capra);** ***El hombre delgado*** **(W. S. van Dyke);** ***Twentieth century*** **(Howard Hawks);** ***Servidumbre humana*** **(John Cromwell, con Bette Davis) [...] Teatro:** ***La máquina infernal*** **(Jean Cocteau);** ***Yerma*** **(Federico García Lorca) [...] Radio:** ***El show de Bob Hope.***

«Dillinger no ha robado a la gente pobre. Ha robado a los que se han hecho ricos robando a los pobres. Estoy a favor de Johnny.»—**Carta a un periódico de Indiana**

NOVEDADES DE 1934

Flash Gordon, Li'l Abner, el pato Donald.

Prisión federal de la isla de Alcatraz (San Francisco, California).

Órgano sin tubos (Hammond).

Cuentas secretas en los bancos suizos (Ley del secreto bancario).

EN EL MUNDO

▶BONNIE Y CLYDE—Mucho menos encantadores que en la película, Bonnie Parker y Clyde Barrow fueron ladrones y asesinos que atracaron gasolineras, bancos de pequeñas ciudades y casas de comidas desde Missouri, a través de Oklahoma y hasta

Texas. Fueron responsables de doce muertes pero nunca llegaron a robar más de 1.500 dólares de golpe. Su huida de 21 meses acabó el 23 de mayo, cerca de Gibsland, Louisiana. Traicionados por el padre de otro miembro de la «banda de Barrow», cayeron en una emboscada y recibieron los disparos de cinco ayudantes del sheriff y de un policía de Texas. ▶1934.8

▶LUMPEN-LUJURIA—Inmediatamente después de la publicación de *Trópico de Cáncer*, de Henry Miller, en París (1934), Estados Unidos la prohibió por obscena. La novela está basada en las experiencias de su autor mientras vivía en París durante la época de la Gran Depresión entre noches y días salvajes, fiestas, hambre y vagabundeo. Mezcla la carnalidad desvergonzada con

CHINA

La larga marcha

7 Los comunistas de la provincia china de Jiangxi, rodeados por las fuerzas nacionalistas de Chiang Kai-shek, abandonaron su campamento sitiado en 1934. El 16 de octubre, bajo el manto de la noche, unos ochenta mil hombres salieron de Jiangxi y cruzaron la línea de Chiang. Dejaron atrás mujeres, niños y una retaguardia de veintiocho mil soldados, veinte mil de los cuales estaban enfermos o heridos. Pero de esta derrota humillante nacería el hecho que definiría a la China comunista: la larga marcha.

Perseguidos por las tropas nacionalistas y por jefes militares hostiles, los comunistas andaron 9.600 km, cruzaron 18 montañas y 24 ríos antes de refugiarse en Yan'an, al norte de la provincia de Shaanxi. Más de la mitad de los hombres que partieron habían caído durante el año que duró el viaje, pero la legendaria larga marcha constituyó una poderosa victoria simbólica para los comunistas. Defendieron una China socialista futura en el territorio de doscientos millones de habitantes por el que viajaron. Asimismo consolidaron su propia identidad revolucionaria y crearon la leyenda sobre la que se fundó el comunismo chino. La marcha «ha proclamado al mundo que el ejército rojo es un ejército de héroes», escribió Mao Zedong, el director del viaje, «y los imperialistas y sus perros de caza, como Chiang Kai-shek y los que son como él, no pueden hacer nada».

Para Mao significó también un triunfo personal. A mitad de camino había transformado el viaje en una «guerra móvil», ya que efectuó ataques sorpresa a los soldados de Chiang que les perseguían. Los rivales de Mao por el control militar y político del Partido Comunista de China, Zhou Enlai y Bo Gu, reconocieron su superioridad. Al final de la marcha, Mao pudo reclamar la igualdad con su gran enemigo, Chiang. **◂1931.2 ▸1936.10**

La ruta de 9.600 km de la larga marcha.

WANTED

JOHN HERBERT DILLINGER

On June 23, 1934, HOMER S. CUMMINGS, Attorney General of the United States, under the authority vested in him by an Act of Congress approved June 6, 1934, offered a reward of

$10,000.00

for the capture of John Herbert Dillinger or a reward of

$5,000.00

for information leading to the arrest of John Herbert Dillinger.

DESCRIPTION

Age, 32 years; Height, 5 feet 7 1/8 inches; Weight, 153 pounds; Build, medium; Hair, medium chestnut; Eyes, grey; Complexion, medium; Occupation, machinist; Marks and scars, 1/2 inch scar back left hand, scar middle upper lip, brown mole between eyebrows.

All claims to any of the aforesaid rewards and all questions and disputes that may arise as among claimants to the foregoing rewards shall be passed upon by the Attorney General and his decisions shall be final and conclusive. The right is reserved to divide and allocate portions of any of said rewards as between several claimants. No part of the aforesaid rewards shall be paid to any official or employee of the Department of Justice.

If you are in possession of any information concerning the whereabouts of John Herbert Dillinger, communicate immediately by telephone or telegraph collect to the

Durante trece meses, Dillinger fue el atracador de bancos más famoso y más buscado de Estados Unidos.

CRIMEN

Un bandido gallardo

8 La Gran Depresión devolvió al antiguo héroe americano popular: el bandido. Los atracadores de bancos como Pretty Boy Floyd, Bonnie Parker y Clyde Barrow (muertos en 1934) corrían por el país robando a los ricos y a veces entregando dinero a los pobres. Muchos de ellos fueron idolatrados como héroes. El más famoso fue John Dillinger, cuya breve y espectacular carrera en el mundo del crimen acabó de modo sangriento en el mes de julio.

Dillinger había pasado nueve años en la cárcel por intentar robar una tienda de comestibles en Indiana. En mayo de 1933 salió en libertad bajo palabra y enseguida robó cinco bancos. Ofrecía una imagen carismática con sus trajes y su humor desenfadado. El caballero Johnny, como se le apodó, fue apresado en septiembre y rescatado por antiguos compañeros de cárcel a los que había ayudado a fugarse con anterioridad. La banda de Dillinger llevó a cabo numerosos atracos y asaltó arsenales de la policía desde Florida hasta Arizona, donde fue detenido de nuevo. Esta vez amenazó a los guardias de la prisión con una pistola de madera y luego escapó en el coche del sheriff.

Dillinger escapó a los agentes del FBI en repetidas ocasiones. Una vez huyó de un escondrijo de Wisconsin (con un nuevo miembro de la banda, Nelson Cara de Niño) mientras los agentes del FBI disparaban contra los curiosos. El director de la agencia, J. Edgar Hoover, pidió al congreso más jurisdicción. (Hasta ese momento los agentes del FBI sólo estaban autorizados a investigar; utilizaban armas bajo riesgo de castigo.) Dos meses después, la propietaria de un burdel, Anna Sage, rumana de nacimiento, amenazada con ser deportada, se avino a entregar al bandido. Una docena de agentes, del FBI le tendieron una emboscada cuando él y la «dama de rojo» salían del Biograph Theatre de Chicago. Décadas más tarde, se descubrió que la víctima no había sido Dillinger sino un señuelo. (El FBI mantuvo su versión de los hechos.) Hoover se convirtió en un héroe nacional con motivo de esta operación. Durante el siguiente año, los hombres G, como se conocía popularmente a los agentes matarían o capturarían a todos los fugitivos famosos. Durante los treinta años siguientes, Hoover ejerció un poder personal que a veces superaba al de los presidentes a quienes servía. En realidad Dillinger contribuyó de este modo a crear el FBI moderno. **◂1934.NM. ▸1950.NM**

TECNOLOGÍA

La fibra maravillosa de Du Pont

9 La crisis que ocasionó la Primera Guerra Mundial había alertado a los científicos de todo el mundo de la necesidad de encontrar

Wallace H. Carothers con un fragmento de neopreno.

una alternativa sintética al caucho natural, caro y difícil de obtener. En los años veinte se habían desentrañado algunos misterios de la composición de los polímeros naturales, y los químicos se dedicaban a la búsqueda de un polímero sintético. Un equipo de investigación dirigido por Wallace H. Carothers de la Compañía Du Pont de Wilmington, Delaware, desarrolló el neopreno, el primer caucho sintético comercializado. Tres años más tarde, en 1934, el equipo produjo la primera fibra sintética, un superpolímero elaborado con carbón, aire y agua; era más resistente que la seda y podía deshilacharse en fibras muy delgadas. El nailon influiría de forma dramática en el transcurso de los acontecimientos mundiales.

DEPORTES: Boxeo: Max Baer noquea a Primo Carnera doce veces en once asaltos (el combate se detuvo y Baer ganó el título [...] Fútbol: copa del mundo, Italia derrota a Checoslovaquia, 2 - 1.

«Una noche que salí por Harlem, acabé en el Savoy. Tras bailar un par de veces, escuché una voz que me dio escalofríos.»—**Mary Lou Williams, pianista, sobre la primera vez que oyó cantar a Ella Fitzgerald**

El primer uso del nailon se dedicó a la moda. En 1939 Du Pont puso a la venta medias de nailon y la demanda fue enorme. Sin embargo, durante la Segunda Guerra Mundial casi desaparecieron porque el valor militar del nailon era inestimable. Sin él, utilizado en paracaídas, suturas, piezas de máquinas y material aislante, es posible que los aliados no hubieran ganado la guerra.

Carothers no tuvo tanta suerte. El 29 de abril de 1937, fuertemente deprimido, se encerró en una habitación de hotel en Filadelfia, dos días después de haber cumplido 41 años y dos años antes de la comercialización del nailon, y se suicidó ingiriendo cianuro. ◂**1920.10** ▸**1940.NM**

MÚSICA

La incomparable Ella

10 Era la Amateur Night en la Harlem Opera House y una muchacha bajita, delgada y de 16 años de edad entró en escena con la intención de bailar. Sus piernas temblaban por el miedo y decidió que bailar estaba fuera de toda posibilidad, de modo que empezó a cantar las dos únicas canciones que sabía, «The object of my affection» y «Judy». El público de la Opera House, que destacaba por despiadado, quedó hipnotizado. Ella Fitzgerald recordaría más tarde aquella noche de 1934: «Después de tres bises, había ganado el premio de 25 dólares».

Admirada por su amplio registro de voz, su claridad de tono y su impecable vocalización, Fitzgerald daba vida a la música más superficial. Su grabación de «A-Tisket, A-Tasket», una canción infantil, fue uno de los discos más populares de 1938. Más tarde, Fitzgerald alcanzó la fama por su forma de cantar temas de *jazz* sin letra, al modular su flexible voz en sílabas sin sentido. Alcanzó su mayor éxito interpretando canciones populares americanas en su asociación con el empresario Norman Granz, que empezó en 1956. Grabó sus álbumes «Songbook», interpretando a Gershwin, Ellington, Arlen y Kern, entre otros. Las escuelas de música todavía utilizan su veintena de discos para la enseñanza del canto, pero ella es inimitable. Tras su concierto emblemático de 1957 en el Hollywood Bowl un admirador comentó: «Ella Fitzgerald podría cantar la guía de teléfonos con la mandíbula rota y hacer que sonara bien». ▸**1937.5**

Ella Fitzgerald, «primera dama de la canción».

CULTURA POPULAR

La llegada de las revistas de cómics

11 Aunque las tiras cómicas aparecían en los diarios desde principios de siglo (la primera apareció en el *New York World* en 1896), los cómics no se publicaron con éxito en otro soporte hasta los años treinta. George Delacorte, de la Dell Publishing Company, intentó dos variantes. La primera, una especie de suplemento dominical que sólo contenía tiras cómicas y se vendía por separado en los quioscos de periódicos, fue un fracaso; la segunda, una publicación de 68 páginas presentada en 1934, resultó un éxito. Los «Famous Funnies» de Delacorte se editaban en el formato nuevo de 20 × 27 cm y se ofrecían directamente al público, por diez centavos, en los grandes almacenes. La primera edición, de 35.000 ejemplares, se agotó. Había nacido la revista moderna de cómics.

Los títulos y personajes proliferaron cuando otras compañías siguieron el ejemplo. En 1936 la compañía McKay de Filadelfia trasladó a Popeye y a Flash Gordon del dominical a las revistas. Luego, en julio de 1938, llegó la novedad más revolucionaria: Action Comics introdujo un personaje creado por dos artistas de los cómics, Jerry Siegel y Joe Shuster. Superman trascendió el mundo del cómic, llegó a la radio, a la televisión, al cine, y de él nacieron otros superhéroes, como Batman, la Mujer Maravilla y otros personajes de la mitología moderna. ◂**1907.13** ▸**1939.NM**

Además de tiras cómicas, la primera revista de cómics ofrecía «juegos, rompecabezas y magia».

la aceptación de una miseria cómica. *Trópico de Cáncer* no se publicó en América hasta 1961; fue objeto de una serie de juicios por obscenidad que terminaron en 1964 con el fallo del tribunal supremo a favor del libro. ◂**1933.NM**

▶GABLE Y COLBERT—El papel estaba pensado como un medio de la MGM de poner en su sitio a Clark Gable. La estrella comportaba de forma engreída con las compañeras de reparto que le asignaba el estudio, de modo que fue prestado a la Columbia, sin demasiada fama, para que interpretara a un periodista en *Sucedió una noche*. Dirigida por Frank Capra y cointepretada por Claudette Colbert, en el papel de una joven rica que huye, la película de 1934 acabó siendo un éxito de crítica y de taquilla, además de conseguir cinco Óscars importantes. En la famosa escena de «las murallas de Jericó» (Jericó era

una sábana que separaba la habitación de hotel porque la pareja no estaba casada), Gable se quita la camisa y muestra su pecho descubierto. En la época de mayor éxito de la película, la venta de camisetas cayó en picado. ▸**1938.11**

▶LA HISTORIA DE TOYNBEE—En 1934 Arnold Toynbee, uno de los historiadores más influyentes del siglo, publicó el primer libro de su obra de doce volúmenes, *Un estudio de la Historia*. Este británico educado en Oxford defendía que las civilizaciones ascienden y caen en ciclos. Adquieren su fuerza bajo el gobierno de las minorías ilustradas y se derrumban cuando sus dirigentes abandonan la creatividad por el nacionalismo, el militarismo y la tiranía. ◂**1928.12** ▸**19ç62.12**

▶NIÑERA FANTÁSTICA —Pamela Travers, actriz nacida en Australia especializada en Shakespeare, tenía 28 años

POLÍTICA Y ECONOMÍA: **La URSS es admitida en la SPN.**

«Dejé de creer en Santa Claus a muy temprana edad. Mi madre me llevó a verlo a unos grandes almacenes y él me pidió un autógrafo.»—**Shirley Temple**

cuando su primer libro alcanzó gran fama entre los niños británicos. *Mary Poppins* era la historia de una niñera que poseía poderes mágicos. El libro y sus secuelas fueron adaptadas al cine en la película de Disney (1964).

▶LAS QUINTILLIZAS DIONNE—El 28 de mayo Oliva y Elzire Dionne fueron padres de las primeras quintillizas que sobrevivían más de unos cuantos días. La pareja canadiense de Ontario, sin recursos económicos y con nueve hijos, se vio forzada por las circunstancias a hacer trabajar a las quintillizas en el mundo de la publicidad. Emilie, Yvonne, Cécile, Marie y Annette Dionne se hicieron célebres por todo el mundo anunciando todo tipo de productos, desde harina de avena hasta automóviles. Para rescatarlas de la explotación, el gobierno canadiense obtuvo

la custodia de las niñas, de un año de edad, y las instaló provisionalmente en un hospital al otro lado de la calle donde vivían sus padres. Finalmente, los Dionne, al cabo de ocho años, recuperaron la custodia de sus hijas.

▶ASESINATO DE SANDINO—En 1934, un año después de suspender las maniobras guerrilleras para acabar con la ocupación norteamericana de Nicaragua, que duró siete años, el líder rebelde Augusto César Sandino fue asesinado por un escuadrón que obedecía las órdenes del comandante Anastasio Somoza García. El asesinato facilitó el camino a los cuarenta años de dictadura de Somoza y sus hijos. ◂1926.8 ▸1936.7

DANZA

Mr. B. funda un ballet

12 Hasta 1934, año en que el americano Lincoln Kirstein, acaudalado y aficionado a la danza, invitó a George Balanchine a fundar la Escuela de Ballet americano en la ciudad de Nueva York, América carecía de significado para el mundo de la danza clásica; las compañías extranjeras emprendían algunas giras pero el país carecía de tradición propia. Balanchine, de procedencia rusa, había huido a París en 1925 para trabajar con Sergei Diaghilev y fue el artífice del ballet americano.

La forma de bailar de Balanchine, arraigada en la gran tradicion rusa, resultaba completamente moderna. Acentuó el movimiento y la música más que la trama y convirtió a todo el cuerpo de bailarines en la estrella de la escena. En el proceso cambió el vocabulario de la danza. Todos los coreógrafos posteriores se vieron influenciados por él.

El Ballet americano se convirtió en el Ballet de la ciudad de Nueva York en 1948, después de estrenar el *Orfeo* de Igor Stravinski y de trasladarse a dependencias mayores. Se considera que la época dorada de Balanchine se inicia en 1949 y perdura hasta 1964. Durante este tiempo, la compañía, siempre con problemas económicos, desarrolló su imagen característica: un escenario desnudo con los intérpretes en mallas en vez de con trajes clásicos. La obra de Balanchine fue más teatral después de que la compañía se trasladara al Lincoln Center en 1964, pero mantuvo una forma de hacer neoclásica y fría.

Mr. B., como se le conocía, murió en 1983 a la edad de 79 años, y como maestro del siglo XX se le ha equiparado a Picasso y a Stravinski. **▸1943.11**

Balanchine en una clase, fotografiado en 1959 por Henri Cartier-Breson.

En *Ojos cándidos*, Shirley Temple, aquí con James Dunn (*derecha*) y un extra, se pasea por el pasillo de un avión cantando «On the Good Ship Lollipop».

CINE

Una niña récord de taquilla

13 Para muchos espectadores fue amor a primera vista. En 1934 Shirley Temple, de seis años de edad y toda hoyuelos y tirabuzones, se convirtió en una estrella tras cantar y bailar en su primera película de éxito, *Stand up and cheer*. En los tres años siguientes, Temple se convirtió en la estrella más taquillera del mundo, e hizo ganar a su estudio cinco millones de dólares al año en una época en que la entrada del cine costaba 15 centavos. Los fabricantes de juguetes vendieron seis millones de muñecas con su imagen.

A finales de 1934, Temple había firmado por la Fox y había realizado nueve películas más, incluyendo su primer vehículo al estrellato, *Ojos cándidos*. Su «contribución relevante» fue reconocida con un premio especial de la Academia de 1935. Durante los cuatro años siguientes perfeccionó su personaje cinematográfico, el de una «pequeña dama que sorprendía a los adultos», en películas de tanto éxito como *La pequeña coronela*, *Heidi* y *Rebeca, la de la granja del sol*. Algunos críticos encontraron sus encantos poco claros e inquietantes. Graham Greene, entonces crítico de cine, insinuó que el personaje de Shirley Temple era una astuta coqueta que manipulaba a los hombres mayores. La Fox demandó a la revista de Greene por difamación y ganó.

En 1950 Temple se casó con Charles Black, un empresario, y se retiró del cine. Una vez casada intervino en política del lado de los republicanos. **▸1938.NM**

UNIÓN SOVIÉTICA

Eliminar a la oposición

14 La tarde del 1 de diciembre de 1934 Leonid Nikolayev, uno de los secuaces de Stalin, se escabulló de la sede del Partido Comunista de Leningrado y esperó a la puerta del despacho de Sergei Kirov, un miembro del partido que hacía poco había mostrado su desacuerdo con algunos aspectos de la política de Stalin. Cuando Kirov apareció en la puerta, Nikolayev salió de la sombra y le mató de un disparo. El asesinato de Kirov, un amigo íntimo de Stalin, fue considerado el crimen del siglo. Con él Stalin obtuvo poder absoluto.

Stalin *(centro, tras la rueda)* no mostró ningún signo de culpa en el funeral de Kirov.

Stalin enterró a Kirov con todos los honores y actuó con rapidez para implicar en el crimen a sus enemigos. Stalin trabajó con la policía secreta que estaba bajo su control y acusó a un grupo de la oposición de haber tramado el asesinato. Hasta entonces la oposición había sido el único freno para los excesos de Stalin. El asesinato le dio poder para persuadir a muchos camaradas de que sus rivales eran contrarrevolucionarios peligrosos.

Finalmente se dio por sentado que la supuesta conspiración se había llevado la vida de uno de los suyos. Esto proporcionó a Stalin la razón suficiente que necesitaba para su Gran Purga del Partido Comunista, una de las matanzas más corrompidas acaecidas en un país y dirigidas por su líder. **◂1932.9 ▸1936.6**

PREMIOS NOBEL: Paz: Arthur Henderson (británico; desarme internacional) [...] Literatura: Luigi Pirandello (italiano; novelista y dramaturgo) [...] Química: Harold Urey (estadounidense; hidrógeno pesado) [...] Medicina: George Minot, William Murphy y George Whipple (estadounidenses; tratamiento hepático para la anemia) [...] Física: Sin galardón.

ECOS DE 1934

La mujer estéril

de *Yerma,* Federico García Lorca

El estreno de Yerma *en el Teatro Español de Madrid el 29 de diciembre de 1934 obtuvo un gran éxito de público y de crítica. El día 3 de julio del mismo año Lorca había hablado de esta obra en una entrevista para el diario madrileño Luz. En ella resumió su concepción del teatro y sus intenciones dramáticas: «Ahora voy a terminar* Yerma, *una segunda tragedia mía. La primera fue* Bodas de sangre. Yerma *será la tragedia de la mujer estéril. El tema, como usted sabe, es clásico. Pero yo quiero que tenga un desarrollo y una intención nuevos. Una tragedia con cuatro personajes principales y coros, como han de ser las tragedias. Hay que volver a la tragedia. Nos obliga a ello la tradición de nuestro teatro dramático. Tiempo habrá de hacer comedias, farsas. Mientras tanto, yo quiero dar al teatro tragedias.* Yerma, *que está acabándose, será la segunda».*

▸1936.3

CUADRO SEGUNDO

(*Casa de* YERMA. *Atardece.* JUAN *está sentado. Las dos cuñadas de pie.*)

JUAN
¿Dices que salió hace poco? *(La hermana mayor contesta con la cabeza.)* Debe estar en la fuente. Pero ya sabéis que no me gusta que salga sola. *(Pausa.)* Puedes poner la mesa. *(Sale la hermana menor.)* Bien ganado tengo el pan que como. *(A su hermana.)* Ayer pasé un día duro. Estuve podando los manzanos y a la caída de la tarde me puse a pensar para qué pondría yo tanta ilusión en la faena si no puedo llevarme una manzana a la boca. Estoy harto. *(Se pasa la mano por la cara. Pausa.)* Ésa no viene... Una de vosotras debía salir con ella, porque para eso estáis aquí comiendo en mi mantel y bebiendo mi vino. Mi vida está en el campo, pero mi honra está aquí. Y mi honra es también la vuestra. *(La hermana inclina la cabeza.)* No lo tomes a mal. *(Entra* YERMA *con dos cántaros. Queda parada en la puerta.)* ¿Vienes de la fuente?

YERMA
Para tener agua fresca en la comida. *(Sale la otra hermana.)* ¿Cómo están las tierras?
(YERMA *deja los cántaros. Pausa.)*

JUAN
Ayer estuve podando los árboles.

YERMA
¿Te quedarás?

JUAN
He de cuidar el ganado. Tú sabes que esto es cosa del dueño.

YERMA
Lo sé muy bien. No lo repitas.

JUAN
Cada hombre tiene su vida.

YERMA
Y cada mujer la suya. No te pido yo que te quedes. Aquí tengo todo lo que necesito. Tus hermanas me guardan bien. Pan tierno y requesón y cordero asado como yo aquí, y pasto lleno de rocío tus ganados en el monte. Creo que puedes vivir en paz.

JUAN
Para vivir en paz se necesita estar tranquilo.

YERMA
Y tú no estás.

JUAN
No estoy.

YERMA
Desvía la intención.

JUAN
¿Es que no conoces mi modo de ser? Las ovejas en el redil y las mujeres en su casa. Tú sales demasiado. ¿No me has oído decir esto siempre?

YERMA
Justo. Las mujeres dentro de sus casas. Cuando las casas no son tumbas. Cuando las sillas se rompen y las sábanas de hilo se gastan con el uso. Pero aquí no. Cada noche, cuando me acuesto, encuentro mi cama más nueva, más reluciente, como si estuviera recién traída de la ciudad.

JUAN
Tú misma reconoces que llevo razón al quejarme. ¡Que tengo motivos para estar alerta!

YERMA
Alerta ¿de qué? En nada te ofendo. Vivo sumisa a ti, y lo que sufro lo guardo pegado a mis carnes. Y cada día que pase será peor. Vamos a callarnos. Yo sabré llevar mi cruz como mejor pueda, pero no me preguntes nada. Si pudiera de pronto volverme vieja y tuviera la boca como una flor machacada te podría sonreír y conllevar la vida contigo. Ahora, ahora déjame con mis clavos.

JUAN
Hablas de una manera que yo no te entiendo. No te privo de nada. Mando a los pueblos vecinos por las cosas que te gustan. Yo tengo mis defectos, pero quiero tener paz y sosiego contigo. Quiero dormir fuera y pensar que tú duermes también.

YERMA
Pero yo no duermo, yo no puedo dormir.

JUAN
¿Es que te falta algo? Dime. ¡Contesta!

YERMA *(Con intención y mirando fijamente al marido.)*
Sí, me falta. *(Pausa.)*

JUAN
Siempre lo mismo. Hace ya más de cinco años. Yo casi lo estoy olvidando.

Boceto para cartel publicitario de José Caballero

«Convencido de la intuición de que la pureza de la sangre alemana es un prerrequisito para el futuro del pueblo alemán [...] el parlamento ha aprobado la siguiente ley.»—**De la ley de 1935 para la protección de la sangre y el honor alemanes**

HISTORIA DEL AÑO

Las leyes de Nuremberg

1 «Desde la Edad Media no se había oído nada parecido respecto a la segregación y la desprotección completas de los ciudadanos judíos, anunciadas ahora», escribió un columnista británico al descubrir las leyes de Nuremberg. En realidad estos decretos, firmados por Hitler el 15 de septiembre de 1935, constituían sólo el principio de la pesadilla que iban a vivir los judíos europeos y la preparación para que los ciudadanos alemanes aceptaran los acontecimientos, mucho más escalofriantes, que sucederían luego.

Las leyes de Nuremberg, que rescindían los derechos civiles de seiscientos mil judíos de Alemania (y más tarde de millones de judíos de los países ocupados por Alemania), representaron la primera fase de «la solución final» de Hitler para librar a Europa de todos los judíos. Las dos medidas originales fueron: la ley de los derechos civiles y la ley para la protección de la sangre y el honor alemanes. Bajo éstos y otros decretos suplementarios, los judíos fueron despojados de la ciudadanía alemana, se les prohibió practicar una profesión liberal y casarse o mantener relaciones de ningún tipo con no judíos. Las leyes afectaban también a los que tenían una parte de sangre judía (la definición incluía tener un abuelo judío). Los matrimonios ya existentes entre judíos y no judíos fueron ilegalizados; las parejas que no querían divorciarse podían ser encarceladas. Este intento de «purificación racial» no impidió que la mayoría de los soldados alemanes violaran a miles de mujeres, jovencitas y niños.

Las leyes de Nuremberg incitaron a muchos judíos a dejar Alemania. Un mural de Ben Shahn representa a judíos alemanes a su llegada a Nueva York.

Las leyes de Nuremberg privaron a los judíos de sus medios de vida y socialmente los convirtieron en unos parias. Esta degradación legal, apoyada por una propaganda antisemita constante a través de la radio, los diarios, los libros de texto y los discursos, reforzó de forma fatal el sentimiento antisemita que existía desde hacía tiempo. El periodista alemán Bella Fromm escribió: «Pasarán años antes de que los alemanes puedan encontrar el camino de vuelta a un código de vida ético. La funesta doctrina nazi [...] está arraigada en las mentes de adultos, jóvenes y niños». En los funestos tiempos que se aproximaban, pocos alemanes objetarían nada cuando se obligó a los judíos a vender sus casas, sus negocios y otras propiedades a precios irrisorios. Aún menos alzarían la voz cuando familias de judíos desaparecieron para no ser vistas nunca más. ◂1934.1 ▸1938.10

GRECIA

Restauración de la monarquía

2 Tras doce años de exilio en Inglaterra, el rey Jorge II de Grecia (*inferior*) regresó a su país para reinar de nuevo en noviembre de 1935. Jorge había reinado un breve período después de que su padre, el rey Constantino I, cayera en desgracia al perder la guerra contra Turquía, pero abandonó el trono cuando las fuerzas antimonárquicas ganaron las elecciones nacionales. Grecia se había convertido en una república en 1924 y, a excepción de un período de dictadura bajo el general Teodoro Pangalos en 1926, seguía siéndolo. En 1932, la derrota electoral del Partido Liberal, del antiguo primer ministro Eleuthérios Venizélos, había dejado al gobierno en manos de una coalición de derechas. Tres años después, con el parlamento dividido por la intención de los derechistas de restaurar la monarquía, los seguidores de Venizélos dieron un golpe de Estado. Al no tener éxito, la restauración de Jorge fue inevitable.

Irónicamente, el hombre que presidía el retorno de la monarquía era el ministro de guerra Giorgios Kondylis, que había derrocado al tirano Pangalos y había restablecido la democracia. Esta vez, Kondylis (que se manifestaba ahora de derechas) acabó con el ascenso de los que apoyaban a Venizélos. Tras las elecciones de junio, se convirtió en primer ministro suplente y luego en primer ministro. Organizó un plebiscito que aprobó la abolición de la república y la restauración de la monarquía.

La abolición de la democracia fue el siguiente paso. Tras otras elecciones en 1936, la lucha por el poder parlamentario entre liberales y derechistas alcanzó un punto álgido. Mientras, los comunistas planeaban una huelga general. Para impedir desórdenes, el rey nombró primer ministro al antiguo jefe del estado mayor Ioannis Metaxas y poco después, con el consentimiento del rey, Metaxas se proclamó dictador.

El nuevo régimen, que combinaba la represión de los disidentes con las reformas económicas y sociales, se consideró fascista, y cuando llegó la Segunda Guerra Mudial, se esperaba que Metaxas (progermano durante la Primera Guerra Mundial) se alineara con el Eje Roma-Berlín. Pero se unió a los aliados en 1940 y dirigió la resistencia griega contra la invasión italiana hasta su muerte, al año siguiente. ◂1924.12 ▸1941.4

ALEMANIA

Actitudes conciliatorias

3 En 1935 el fortalecimiento de Alemania enterró el tratado de Versalles, ideado para evitar otra guerra mundial (gracias sobre todo a la debilidad de Alemania). En enero se celebró un plebiscito ordenado por el tratado en la región del Sarre, rica en carbón, y nueve de cada diez residentes votaron la unión con Alemania tras quince años de ocupación francesa. Dos meses más tarde, las tropas de Hitler entraron en la ciudad de Sarrebruck. El *Führer* anunció de inmediato que había empezado a rearmar a Alemania y que iba a reinstaurar el reclutamiento para ampliar su ejército. Ambas acciones se oponían al tratado.

Nuremberg 1934: las Juventudes Hitlerianas muestran el nombre de la región que Alemania conseguiría en 1935.

«¡El fin de Versalles!», proclamaron los titulares en Berlín.

La Sociedad de Naciones protestó, pero los dirigentes europeos, reticentes a irritar a Hitler, respondieron de forma pacífica. Políticos de Francia, Gran Bretaña e Italia se reunieron en Stresa, Italia, y acordaron oponerse a nuevas violaciones del tratado que «pudieran poner en peligro la paz en Europa». Gran Bretaña se conformó con un acuerdo que limitara el poder naval de Alemania. La Unión Soviética firmó pactos de defensa mutua con Francia y con Checoslovaquia, aunque ninguno implicaba compromiso.

El dirigente que mostró una actitud más conciliadora hacia Hitler fue el ministro francés Pierre Laval (que finalmente gobernó Francia bajo la ocupación alemana). Laval, antiguo socialista independiente y en aquel momento de extrema derecha, revocó la política antialemana del ministro de asuntos exteriores Louis Barthou, que fue asesinado cuando los nacionalistas croatas de extrema derecha mataron al rey de Yugoslavia en octubre de 1934. Laval aceptó la palabra de Hitler de que no quería apropiarse de ningún territorio

ARTE Y CULTURA: Libros: ***Tortilla Flat*** **(John Steinbeck);** ***El juicio final*** **(James T. Farrell);** ***Razón y existencia*** **(Karl Jaspers) [...] Música: «Porgy and Bess» (Gershwin y Heyward) [...] Pintura y escultura:** ***Mantel amarillo*** **(Georges Braque);** ***Ecce Homo*** **(Jacob Epstein) [...] Cine:** ***Rebelión a bordo*** **(Frank Lloyd);** ***Sombrero de copa*** **(Mark Sandrich, con Astaire y Rogers) [...]** ***39 escalones*** **(Alfred Hitchcock) [...]**

«Hoy nos toca a nosotros, mañana os tocará a vosotros. Dios y la historia recordarán vuestra decisión.»—**Haile Selassie, emperador de Etiopía**

francés. Laval luchó por un «acercamiento directo, honrado y efectivo a Alemania»; finalmente la debilidad de su política exterior contribuyó enormemente al fortalecimiento de Hitler y de Mussolini. **◂1934.1 ▸1936.4**

ITALIA

Mussolini invade Etiopía

Seis meses antes de la invasión de Italia. La caballería etíope formada.

4 Benito Mussolini consideraba que Etiopía era «un país sin un rasgo de civilización». A pesar de ello, en 1935 quiso apropiarse de ella, sobre todo por razones de venganza y orgullo. El ejército italiano había sufrido allí una derrota terrible en 1896. Italia necesitaba más colonias para hacerse un lugar entre las grandes potencias. El rearme de Alemania apremiaba a la acción: Italia no sólo quería asestar un golpe al expansionismo de Hitler sino que quizá pronto debería concentrarse en su propia defensa nacional.

La decisión de Mussolini de emprender la invasión se basó en dos malos entendidos. En enero, el primer ministro francés Laval se había reunido en Roma con el dictador y le había prometido en secreto que Francia olvidaría cualquier interés por Etiopía a cambio de la ayuda italiana para frenar a Alemania. En abril, en la conferencia de Stresa, los negociadores británicos, aunque sabían de las intenciones de Mussolini, no mencionaron Etiopía, dejándola sola frente a un ataque.

Más tarde, Laval proclamó que sólo se había referido a cuestiones económicas. El silencio británico no implicaba consentimiento sino indecisión. No obstante, durante los meses siguientes, Mussolini envió a miles de soldados a la vecina Eritrea (entonces posesión italiana). En octubre, a pesar de las protestas británicas, empezó la invasión.

La campaña italiana resultó un éxito militar: la resistencia, mal armada, luchó con coraje pero sin esperanza contra los tanques y el gas venenoso. Los italianos se unieron como nunca en torno a su líder. Sin embargo, la guerra fue un desastre en términos diplomáticos para todos los afectados excepto para Hitler, que por fin se ganó al aliado que deseaba desde hacía tiempo.

La Sociedad de Naciones impuso sanciones económicas a Italia (Etiopía era uno de sus miembros), pero varios países se negaron a cumplirlas y otros (entre ellos estados no miembros como Alemania y Estados Unidos) las cumplieron parcialmente. Gran Bretaña quiso añadir un embargo de petróleo, al que Francia se uniría en caso de que las negociaciones fracasaran. Los dos gobiernos redactaron una propuesta que hubiera concedido a Italia el control de un territorio más extenso del que ya había conquistado, con la condición de que Etiopía siguiera siendo oficialmente independiente. Pero el plan ofendió a la opinión pública británica, y el emperador etíope, Haile Selassie, se negó a aceptarlo.

En mayo de 1936, Italia obtuvo la victoria sobre el antiguo reino africano, pero sus relaciones con Francia y Gran Bretaña quedaron afectadas, sin posibilidad de reconciliación. Mussolini no tuvo más remedio que aceptar como aliado a su paciente rival, Adolf Hitler. **◂1926.1 ▸1936.4**

ESTADOS UNIDOS

Una red de seguridad

5 La Gran Depresión provocó que Estados Unidos desarrollara programas de seguridad social parecidos a los que habían adoptado las naciones de la Europa occidental en el siglo XIX. En 1935, el congreso aprobó la ley de la seguridad social,

Un cartel diseñado para la Work Progress Administration.

considerada por el presidente Roosevelt como «el mayor logro» de su administración, que por fin proporcionó a los americanos una medida de protección federal contra la pérdida de ingresos por muerte, edad avanzada, paro y ceguera. (Más tarde cubrió la incapacidad permanente por enfermedad o lesiones.)

Mientras tanto, millones de personas con plenas capacidades físicas todavía se enfrentaban al fracaso económico y social. Desde 1933 se pagaban ayudas directas, pero Roosevelt las desacreditó como «un narcótico, un destructor sutil del espíritu humano». En mayo presentó su alternativa, una orden ejecutiva que establecía la Works Progress Administration (WPA), el programa de empleo público más amplio que se había propuesto un gobierno.

Bajo el liderazgo innovador de Harry L. Hopkins, la WPA pronto absorbió a la Public Works Administration (PWA), que supervisaba proyectos «duros». La WPA, modelada a imagen de los grandes programas de construcción de Stalin y Mussolini, construyó ocho mil parques, mil seiscientas escuelas, ochocientos aeropuertos, tres mil presas, setenta y ocho mil puentes y 1.040.000 kilómetros de carreteras.

Los profesionales, desde taxidermistas a enfermeras, pudieron trabajar en su campo si era posible. La Gran Depresión resultó especialmente dura para los artistas, músicos y escritores, de modo que la WPA inició programas culturales. El programa federal de teatro representó obras clásicas y modernas para unos treinta millones de personas. El programa federal de las artes contrató a artistas para decorar los edificios públicos. El programa federal de escritores publicó guías turísticas, estudios regionales y libros de historia.

A pesar de su popularidad, la WPA no llegó a alcanzar sus objetivos. En 1943, la guerra hizo que el empleo fuera casi pleno, y la WPA dejó de funcionar. **◂1933.1**

NACIMIENTOS

Woody Allen, director cinematográfico estadounidense.

Hussein, rey de Jordania.

Christo (Javacheff), artista búlgaro-estadounidense.

Luciano Pavarotti, cantante italiano.

Elvis Presley, cantante estadounidense.

MUERTES

Alban Berg, compositor austríaco.

André Citroën, fabricante de coches francés.

M. B. Cossío, historiador de arte español.

Alfred Dreyfus, soldado francés.

Auguste Escoffier, cocinero francés.

Carlos Gardel, cantante argentino.

Juan Vicente Gómez, político venezolano.

T. E. Lawrence, escritor y militar británico.

Max Libermann, pintor alemán.

Huey Long, político estadounidense.

Kasimir Malevich, pintor ruso.

Józef Pilsudski, militar y político polaco.

Paul Signac, pintor francés.

Konstantin Tsiolkovsky, científico espacial ruso.

Teatro: estreno en Canterbury de *Asesinato en la catedral* (T. S. Eliot); *El bosque petrificado* (Robert Sherwood).

«Honestamente, creo que he exprimido un talento tan pequeño que casi no se ve durante una increíble cantidad de años.»—**Bing Crosby**

NOVEDADES EN 1935

Luces fluorescentes (General Electric Company).

Instituto de encuestas Gallup.

Película a color Kodachrome, para cámaras de cine de 16 mm.

Cerveza en lata (cerveza Krueger, Newton, Nueva Jersey).

Automóviles Toyota.

Irán (nombre moderno de Persia).

Parquímetro (Oklahoma).

Escala Richter (para medir la magnitud de los terremotos).

EN EL MUNDO

▸PRIMERA DAMA ACTIVA —El 30 de diciembre, Eleanor Roosevelt, siguiendo con la transformación del papel de Primera Dama de Estados Unidos en una funcionaria activa, empezó a publicar «Mi día», una columna periodística que aparecía seis días a la semana y en la que ella compartía sus ideas y sus

actividades diarias con los lectores de todo el país. Durante los doce años que fue Primera Dama, E. Roosevelt se convirtió en uno de los personajes más admirados del siglo por su trabajo a favor de las causas humanitarias, como la renovación urbana, su apoyo a la infancia y a la familia, y la igualdad de derechos para las minorías y para las mujeres. Tras la muerte de su marido ostentó el cargo de presidenta de la comisión para los derechos humanos desde 1946 hasta 1951 e intervino en asuntos internacionales hasta su muerte en 1962.

▸«TE QUIERO, PORGY»—La música era de George. La letra de su hermano Ira (y de DuBose Heyward). La popular ópera de los Gershwin *Porgy y Bess*, basada en una historia de Heyward sobre los

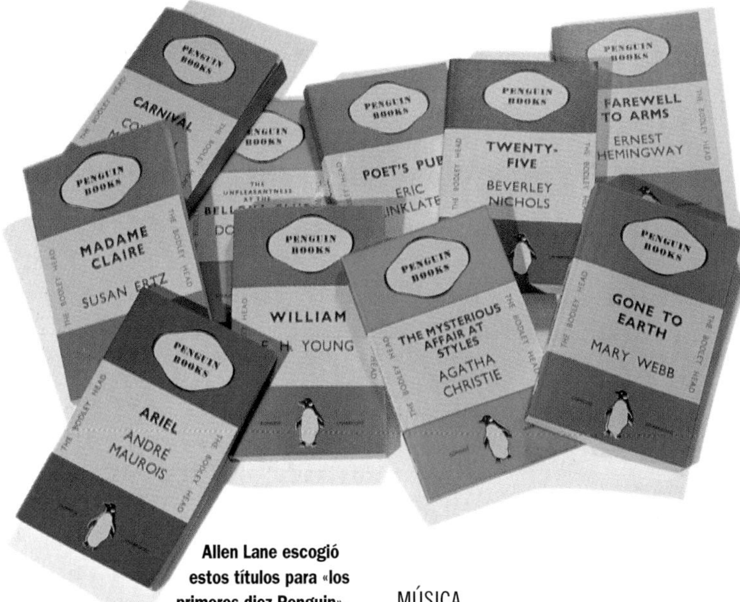

Allen Lane escogió estos títulos para «los primeros diez Penguin».

LITERATURA

Los clásicos en el gran mercado

6 En 1935, un editor londinense llamado Allen Lane tuvo la idea de editar libros de gran calidad de autores conocidos en rústica, un tipo de edición que hasta entonces sólo se había utilizado para las novelas de aventuras y policíacas. La idea, según el propio editor, se le ocurrió en una estación de tren mientras volvía de pasar un fin de semana con Agatha Christie y su marido en Devon. Buscando algo que leer en el quiosco de libros no pudo encontrar nada apetecible entre las revistas elegantes, las ediciones nuevas y caras y las viejas reimpresiones. Al ver la oportunidad, él y sus dos hermanos, Richard y John, obtuvieron los derechos limitados de obras de autores tan respetados como Compton, MacKenzie, Ernest Hemingway y Dorothy L. Sayers.

Los diez primeros títulos de la nueva colección en rústica, que los hermanos bautizaron con el nombre de Penguin, se publicaron el mismo año, y a finales del siguiente, la lista se había ampliado a 70 títulos. El nuevo formato, con el aumento de la alfabetización, democratizó el acto de leer: un libro que antes costaba el salario de media jornada laboral ahora podía adquirirse por la paga de veinte minutos de trabajo. Los «Penguin» se vendieron más en estancos, tiendas y grandes almacenes que en las librerías, que muchos británicos encontraban intimidantes y presuntuosas. Las tapas, de diseño colorido y simple, no se parecían en nada a los habituales diseños recargados de los libros de bolsillo. Los índices de ventas vivieron la mayor expansión desde Gutemberg. **◂1920.5**

MÚSICA

Vocalista consumado

7 Parecía que el muchacho de Tacoma, Washington, no hiciera ningún esfuerzo al cantar, las notas surgían por sí solas de su voz de barítono, rica y de amplio registro. Bing Crosby no se limitaba a cantar, *vocalizaba*. Fue el maestro de las baladas íntimas, creadas a finales de los años veinte por Rudy Vallee. En diciembre de 1935 empezó a trabajar en el programa de radio más popular de los muchos que radió, el *Kraft Music Hall*, un programa semanal de variedades, de una hora de duración. Crosby, que ya era una estrella, dirigió el programa durante diez años, impulsando su carrera a nuevos y sensacionales niveles.

La amplificación y la radio, retos insalvables para muchos de sus contemporáneos (los micrófonos hacían parecer ridículas las actuaciones al estilo de Jolson), sintonizaron con la resonancia natural de la voz de Crosby. Su personalidad pública y su talento para la comedia ligera completaban su atractivo en la radio y en la pantalla. (Su conducta privada, en cambio, a menudo era insensible, incluso cruel.) Las siete películas que hizo con Bob Hope establecieron nuevos récords de taquilla, y su interpretación de un sacerdote católico en *Siguiendo mi camino* le valió un Óscar. Pero lo que se recuerda más es el modo de cantar de «Der Bingle» (como fue llamado por los alemanes que interceptaban la radio de las fuerzas armadas americanas durante la Segunda Guerra Mundial). En la película musical *Navidades blancas* (1942), Crosby, todavía la estrella más brillante de la era, cantaba la canción más popular que se ha grabado, «White Christmas» («Blanca Navidad») de Irving Berlin. Murió en 1977, dejando una herencia equivalente a centenares de millones de dólares. **▸1943.16**

MEDICINA

La primera sulfamida

8 El desarrollo de agentes químicos para combatir las infecciones de bacterias se había ralentizado después del descubrimiento del tratamiento de la sífilis que había realizado Paul Ehrlich en 1909. Sin embargo, a finales de los años veinte, el bacteriólogo alemán Gerhard Domagk, director de investigaciones de la compañía química I. G. Farben, empezó a vislumbrar nuevos tratamientos médicos. En 1935, Domagk hizo públicos sus experimentos con el Prontosil, que combatía de modo efectivo las enfermedades infecciosas.

Domagk hizo una de las primeras pruebas del Prontosil con su hija Hildegard, que había desarrollado una grave infección de estreptococos al pincharse con una aguja. Como todos los tratamientos habían fallado, Domagk le inyectó grandes dosis de Prontosil y se recuperó. La eficacia del Prontosil (más tarde se descubrió que era debida a que contenía un agente antibiótico) impulsó el desarrollo de las sulfamidas para el tratamiento de enfermedades infecciosas tan mortíferas como la meningitis, la neumonía y la gonorrea. El descubrimiento de la penicilina (igual de efectiva pero menos tóxica) provocó un declive en el uso de las sulfamidas, pero el descubrimiento de éstas fue uno de los avances terapéuticos más importantes de la historia de la medicina. **◂1928.11 ▸1941.16**

Domagk en 1947, recibiendo el Premio Nobel de 1939 que Hitler le había obligado a rechazar.

DEPORTES: Tenis: Fred Perry gana los torneos de Wimbledon y de Roland Garros [...] Automovilismo: Nuvolari gana el gran premio de Alemania; Malcolm Campbell establece un récord de velocidad, 481,609 km/h.

«Tienes que ser como un monje. Tienes que sacrificarte por tu trabajo.»—**Wallace Stevens, sobre lo que hace falta para ser un poeta**

UNIÓN SOVIÉTICA

El Komintern cambia su rumbo

9 Ante la ascensión del fascismo en Europa, la Internacional Socialista, fundada por Lenin en 1919 para consolidar y difundir el comunismo a nivel mundial, se vio obligada a reconsiderar sus objetivos. En el séptimo congreso del tercer Komintern, convocado en Moscú en julio de 1935, se aplazó el objetivo, repetido hasta la saciedad, de fomentar la revolución proletaria en el mundo y se prometió «borrar al fascismo de la faz de la tierra, y con

Versión inglesa de la publicación oficial del Komintern, agosto de 1935.

él al capitalismo». El cambio de propósito era explicable. Amenazada por el dominio fascista de Alemania, donde dirigentes del Komintern habían esperado que el comunismo arraigara, la organización se puso a la defensiva, tan ansiosa por evitar la guerra como sus adversarios capitalistas.

Para combatir al fascismo, que veían como «un golpe de Estado contrarrevolucionario», los líderes del séptimo congreso adoptaron su propia estrategia contrarrevolucionaria: unir sus fuezas con las de los partidos burgueses en frentes populares, que (como en Francia y España) conducirían a sus países a aliarse con Moscú. Aunque los frentes populares eran como herejías para el pensamiento de la vieja guardia del Komintern, representaban la mejor defensa del comunismo contra el fascismo. Hubo delegados que incluso pidieron apoyo para los gobiernos capitalistas y antifascistas, como males menores. En el intento de dar una cara positiva a la peligrosa situación, el Komintern declaró: «Permaneceremos más unidos que nunca en formación cerrada».

Trotski, fiel a su fe en la revolución mundial, predijo que la reunión de 1935 «pasaría a la historia como el congreso de la liquidación del Komintern». No se equivocó demasiado: el Komintern ya nunca recuperó su fervor revolucionario y se disolvió en 1943. **◂1919.11 ▸1943.NM**

MÚSICA

El rey del *swing*

10 El *jazz,* que se desarrolló en los burdeles de Nueva Orleans y en los bares clandestinos durante la prohibición, siempre había tenido una imagen viva, ligeramente ilícita. Pero con la revocación de la prohibición, empezó a ir a la deriva en busca de un estilo nuevo y de un público mucho más amplio. Encontró todo esto en Benny Goodman, un clarinetista que había aprendido a tocar cuando era pequeño en la Hull House, el establecimiento de Chicago fundado por Jane Addams. En 1935 Goodman, cuya orquesta tocaba música de baile para el programa radiofónico de la NBC *Let's dance*, decidió lanzarse a la carretera con su grupo y ofrecer a las tierras interiores americanas un poco de verdadero *jazz.* La reacción del público fue indiferente hasta que llegaron a Los Ángeles, donde fueron recibidos con un entusiasmo histérico. El *swing* pronto causó furor en todo el país.

Las bandas de *swing* tendían a ser mayores que las de *jazz,* y sus adaptaciones, la mayoría de las de Goodman las realizó Fletcher Henderson, una figura clave (con Duke Ellington) en el desarrollo de la música de las «grandes bandas», tendían a ser más formales. En vez de enfatizar a los solistas, el *swing* se ocupaba de secciones enteras de metal, viento o percusión, que tocaban una tras otra, a veces en contrapunto, a veces en forma de diálogo musical. En contraste con el estilo cerebral que predominaría después de la guerra, el *swing* era

Benny Goodman, el «rey del swing» (*izquierda*), y el batería Gene Krupa.

una música enérgica y con ritmo. Hacía que la gente se pusiera en pie y se moviera.

El año 1938 fue apoteósico para el *swing.* Goodman tocó en el bastión del clasicismo, el Carnegie Hall. (*The New York Times* criticó el concierto calificándolo como que había sido «una lata», pero destacó que el público «no cabía en sí de gozo».) Goodman fue el «rey del *swing*» hasta la música de Glenn Miller, más comercial, le destronó en 1941. **◂1927.9 ▸1941.18**

ESPAÑA

El Estraperlo

11 En el otoño de 1935 se produjo una crisis ministerial y nació una palabra. El 20 de septiembre Alejandro Lerroux *(inferior)*, el político que había presidido siete gobiernos republicanos, presentó su dimisión. Pocos meses después,

cuando era ministro de Estado del gabinete presidido por Chapaprieta, su carrera política se hundió definitivamente y arrastró en su caída al partido radical que lideraba. La vinculación de Lerroux al escándalo del Estraperlo fue la causa inmediata de su muerte política. El carácter fraudulento de esta acusación era doble. Por una parte Lerroux había aceptado un soborno para conceder el monopolio del juego —prohibido a la sazón en España— a los poseedores de la patente de una variedad de la ruleta que se conocía con el nombre de Estraperlo. Por otra, la ruleta Estraperlo estaba trucada y permitía falsear el juego. Realmente, en la conflictiva historia de la República, en este año 1935, enmarcado por la revolución de octubre de 1934 y la guerra civil de 1936, este escándalo queda reducido a la categoría de anécdota. La tensión entre derechas e izquierdas anulaba la oferta política de los radicales que sólo ofrecía una República para todos los españoles «que desconfiaran a la vez de socialistas y clericales». Pero en cambio *estraperlo* se convirtió en una palabra incorporada al vocabulario de los españoles. Primero, por una extensión de su significado inicial fue sinónimo de estafa. Más adelante se produjo una restricción de su significado y estraperlista sirvió para denominar a quien en una época de penuria y restricciones se dedicaba al mercado negro.

habitantes de Catfish Row, una calle donde vivían negros en la ciudad de Charleston, reunió géneros musicales tan dispares como: *jazz, gospel, blues,* música popular y ópera. El resultado fue una nueva forma de teatro musical. Tras su estreno el 10 de octubre, *Porgy y Bess* permaneció en cartel durante 16 semanas pero ha llegado a estar considerada como la obra maestra de Gershwin. ▸1927.8

▸HUEY LONG ASESINADO —Huey Long actuó prácticamente como un dictador en Lousiana, seduciendo a la gente con

un sistema de protección general. Incluso después de ser senador de Estados Unidos, el antiguo gobernador todavía dirigía el estado, desde Washington. Preparaba su candidatura a la presidencia cuando, el 8 de septiembre, el yerno de una de sus víctimas políticas le mató en la sede del gobierno de Louisiana.

▸TÍTULO NOBILIARIO EN EL MUNDO DEL *JAZZ*—En 1935 William Basie empezó su carrera en solitario, tomó posesión de un nuevo título («Conde», por cortesía de un pinchadiscos de Kansas) y un nuevo grupo. Tras la muerte del director Bennie Moten, Basie formó su propia orquesta de nueve componentes, Barons of Rythm (llamados también Count Basie Band). El grupo se hizo célebre por su sonido equilibrado, su interpretación impecable y su ritmo. El estridente estilo de tocar el piano de Basie le valió legiones de admiradores, primero en Chicago y luego en Nueva York.

▸EL ARTE DE LOS NEGOCIOS—En 1935, a la edad de 65 años, Joseph Duveen, el marchante de arte más influyente y negociante de su época, publicó sus memorias, *Art treasures and intrigue.* La carrera de Duveen como marchante de arte se basó en un sentido comercial

«Estamos convencidos de que las películas constituyen uno de los métodos más científicos y modernos para influir en las masas. A partir de ahora ningún gobierno debe prescindir de ellas.»—**Joseph Goebbels, ministro de propaganda de la Alemania nazi**

brillante y su asociación con el historiador de arte americano Bernard Berenson, que autentificó, algunos dicen que de forma fraudulenta, los cuadros de pintores antiguos adquiridos por Duveen y vendidos a los nuevos millonarios americanos, como John D. Rockefeller, Henry Clay Frick y Andrew Mellon. Sus adquisiciones formaron la parte central de las colecciones de muchos museos americanos. ◂1908.10

▸EL TIRANO DE LOS ANDES—Tras dirigir Venezuela como dictador

absoluto durante 27 años, el presidente Juan Vicente Gómez murió el 17 de diciembre. Gómez, que mató a muchos indios americanos, aterrorizó a la nación a través de su eficiente red de espías y el uso indiscriminado de la fuerza por parte de su ejército. Al morir era uno de los hombres más ricos de Sudamérica gracias al petróleo descubierto en Venezuela en 1918. ◂1922.NM ▸1945.NM

▸LOBOTOMÍA PREFRONTAL—El neurólogo portugués Antonio Egas Moniz, al leer que los chimpancés se tranquilizaban si se les extirpaban los lóbulos frontales, teorizó que una operación similar podía ayudar a pacientes con enfermedades mentales crónicas. En 1935 Moniz empezó a realizar lobotomías prefrontales que consistían en practicar agujeros en el cráneo y seccionar el nervio entre los dos lóbulos frontales del cerebro. La operación hacía más dóciles a los pacientes pero también los reducía a un estado casi vegetativo.

TECNOLOGÍA

Las ondas de la guerra

12 Cuando llegó la guerra mundial, pocas innovaciones tecnológicas tuvieron tanta importancia como el radar. En diciembre de 1935 se autorizó en Inglaterra la construcción de las primeras estaciones que utilizaban las señales invisibles para detectar aeroplanos (de este modo vigilaban los accesos del mar del Norte a Londres). En 1938, Alemania poseía una red similar.

En la Segunda Guerra Mundial, los aliados convirtieron los bombarderos B-18A en detectores de submarinos con un radar en el morro de los aviones.

La idea en sí misma no era nueva: hacia 1880, Heinrich Hertz había descubierto que las ondas de radio se podían lanzar contra los objetos y al rebotar determinaban su posición; en 1904, un ingeniero alemán había patentado un aparato rudimentario de navegación basado en este principio. En los años treinta, con el desarrollo de los bombarderos de largo alcance equipados para transportar grandes cargas, los científicos estadounidenses, europeos y japoneses empezaron a buscar medios prácticos de uso del radar para detectar barcos y aviones.

El radar permitió a los combatientes localizar los blancos a pesar de la oscuridad o la niebla. No obstante, el desarrollo de la habilidad técnica se tomó su tiempo. En 1940, la serie de antenas británicas contribuyó a evitar un desastre durante la batalla de Inglaterra. Pero, un año después, los comandantes de Pearl Harbor malinterpretaron el radar que advertía de un ataque japonés a gran escala.

El radar aéreo, que eliminó la necesidad de torres de recepción y de transmisión, constituyó una mejora esencial que se inició en 1940, año en que el Reino Unido, asediado, envió a sus mejores científicos junto a un transmisor que habían diseñado, mucho más potente y preciso que ningún otro, a trabajar con sus colegas americanos. Los aparatos de microondas podían ser lo suficientemente pequeños como para colocarse en el morro de un aeroplano; la mayoría de los aeroplanos aliados los llevaban en 1943. Los alemanes también desarrollaron un radar aéreo, pero no descubrieron las microondas hasta 1945, dando una ventaja significativa a los aviones aliados. **▸1940.11**

INDIA

Progresos en calma

13 A pesar de los recientes reveses en las relaciones anglo-indias, en 1935 el parlamento aprobó la ley de gobierno de la India, una pieza fundamental para la reforma constitucional más osada que se había realizado hasta entonces. Para Inglaterra, la ley significó una prueba de buena voluntad; para la India fue un paso adelante, merecido y esperado, hacia la independencia.

La ley creaba dos nuevas provincias indias, once en total, y les concedía plena autonomía sobre asuntos internos, excepto, claro está, en caso de emergencia, situación ante la cual toda la autoridad quedaba en manos del gobernador británico. Asimismo separaba Birmania de India y garantizaba a los musulmanes y a otras minorías indias una representación común en la asamblea legislativa federal. El gobierno central de la India apenas se vio afectado por la ley, ya que los británicos mantenían el control de la defensa, de los asuntos exteriores y la responsabilidad económica.

Algunos miembros del Congreso Nacional indio pensaron que no se había avanzado demasiado con esta medida legislativa tan discreta. Por otra parte, los miembros del parlamento (entre ellos, Winston Churchill) creyeron que habían ido demasiado lejos. No obstante, críticas aparte, la ley fue la base constitucional de India y Pakistán en sus primeros tiempos como naciones soberanas. Las reformas permanecieron hasta que la India fue declarada oficialmente una república en 1950. **◂1932.4 ▸1937.3**

Ley de gobierno de la India: en esta caricatura de *Punch*, una gallina se preocupa de si «sus» polluelos pueden nadar por su cuenta.

Leni Riefenstahl en Nuremberg, con el cámara Sepp Allgeier.

CINE

La autora de Hitler

14 Adolf Hitler, consciente de que la propaganda debía estar bien presentada para ser realmente efectiva, aficionado al cine y antiguo estudiante de arte, pidió a Leni Riefenstahl, de 32 años de edad, que grabara el congreso nazi anual de Nuremberg de 1934. La película de Riefenstahl, estrenada en Alemania en 1935, es el documental más controvertido que se ha filmado: *El triunfo de la voluntad*, una oda innovadora, electrizante y maligna a Hitler y a su partido.

Frente al potencial aburrimiento que provocaría la oratoria subida de tono de los conferenciantes, el público estático y los desfiles interminables, Riefenstahl, antigua bailarina y actriz cuyo debú como directora con *La luz azul* (1931) había constituido un éxito artístico y comercial, llevó a cabo una dirección brillante, con movimientos de cámara constantes, composiciones visuales sorprendentes y una emocionante banda sonora pseudowagneriana para crear una película que flaquea en pocos puntos. El Hitler de Riefenstahl es un dios, que desciende de forma etérea de su aeroplano al principio de la película, filmado en tomas desde abajo durante el resto de la película. Cada gesto y cada palabra suya son recibidos por una multitud extasiada. El triunfo de la voluntad, a pesar de la condena ética que suscribe, es todavía hoy una obra maestra del cine documental y una referencia imprescindible para las técnicas de propaganda. **◂1933.NM ▸1936.1**

PREMIOS NOBEL: Paz: Carl von Ossietzky (alemán; periodista) [...] Literatura: Sin galardón [...] Química: Frédéric e Irène Joliot-Curie (franceses; síntesis de elementos radiactivos) [...] Medicina: Hans Spemann (alemán; desarrollo embriónico) [...] Física: James Chadwick (británico; descubrimiento del neutrón).

El nuevo realismo pictórico

De Antonin Artaud, *Nouvelle Revue Francaise*, mayo de 1938
(con motivo de la Exposición Balthus en la galería Pierre, París)

Parece que la pintura, harta de representar «fieras» y plasmar embriones, quiera volver a una especie de realismo orgánico que, en vez de huir de la poesía, de lo maravilloso de la fábula, los valorará más que nunca, pero con medios seguros. Porque usar de lo inacabado, de lo fetal, de las formas para obtener lo imprevisto, lo extraordinario, lo maravilloso parece demasiado fácil. Ya no se pintan esquemas sino cosas que existen; no se detiene a escala microscópica el trabajo inarticulado sino que el pintor, consciente de su capacidad, de su poder, penetra de forma deliberada en el espacio externo y después retira de él los objetos, los cuerpos, las formas, con las que juega de manera más o menos inspirada.

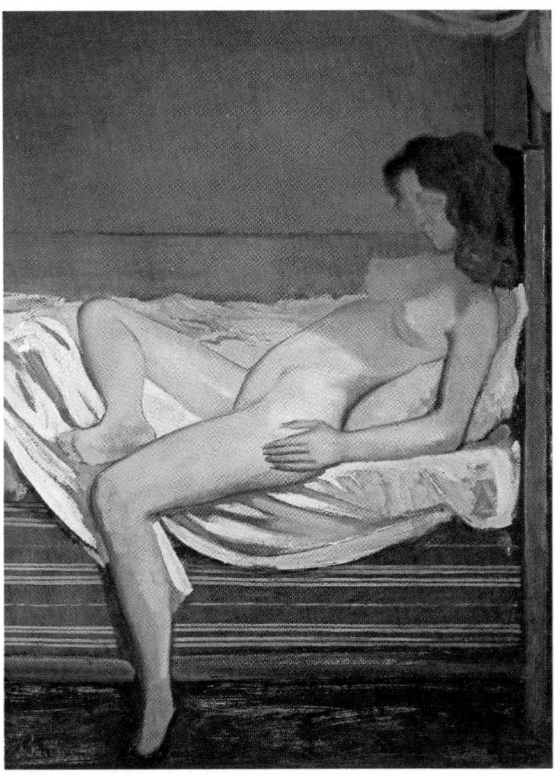

Balthus, *Nu*, 1939

Carel Willink, *Stadgezicht*, 1934

«Aguanto la respiración durante el último tramo. Me adhiero a la pista, respirando de forma natural hasta 27 metros antes de la meta. Luego tomo aire, tenso los músculos abdominales y me lanzo.»—**Jesse Owens, sobre su técnica de esprint**

HISTORIA DEL AÑO

Owens triunfa en los Juegos Olímpicos de 1936

1 Nunca compitieron uno contra otro en una carrera. Nunca se estrecharon las manos. Sin embargo, cuando Owens, un atleta americano de color e hijo de un aparcero de Alabama, ganó cuatro medallas de oro en los Juegos Olímpicos de Berlín de 1936, Adolf Hitler fue el perdedor, con su supremacía aria hecha añicos. (En realidad, Hitler estaba tan seguro de la superioridad de los atletas alemanes que había contratado a la cineasta Leni Riefenstahl para filmar un documental sobre ellos.)

La estrella del estado de Ohio ganó los 100 m (10,3 segundos), los 200 m (20,7 segundos) y el salto de longitud (8,06 m), y formaba parte del equipo que batió un récord mundial en los 400 m de relevos (39,8 segundos). Ya había establecido el récord del salto de longitud (8,13 m) el año anterior en Ann Arbor, Michigan, que se mantuvo hasta 1960, cuando lo batió Ralph Boston.

Hitler sorprendió a todo el mundo al negarse a felicitarle. Salió del estadio encolerizado mientras Owens recibía la corona de laurel y las medallas. Owens dijo a los periodistas: «Estar aquí de pie me emociona muchísimo. Nunca había sentido nada parecido». Más tarde, los íntimos de Owens constataron que al atleta le alivió que Hitler le esquivara: se había ahorrado el mal rato de reprimir sus sentimientos personales al aceptar cordialmente las felicitaciones de alguien a quien aborrecía.

Mientras tanto, los propagandistas nazis, dirigidos por Joseph Goebbels, empezaron a trabajar. En *Der Angriff (La ofensiva)* comentaron que «los yanquis habían sido el gran fracaso de los juegos» y que «sin esos miembros de raza negra, esos ayudantes auxiliares, un alemán hubiera podido ganar el salto de longitud». Los «ayudantes auxiliares» en realidad habían dominado los juegos: en total diez afroamericanos habían ganado trece medallas, incluidas ocho de oro.

La espectacular actuación de Owens en Berlín le valió cuatro medallas de oro y el título de «Atleta de los Juegos».

A pesar de toda la resonancia, los triunfos de Owens en Berlín no se convirtieron en riquezas al regresar a su país. Para mantenerse tuvo que correr en exhibiciones contra perros y caballos, hacer campaña con los Globetrotters de Harlem y trabajar como vigilante en patios de recreo. Más tarde, Owens trabajó como director de personal negro de la compañía Ford y para la comisión atlética del estado de Illinois. Murió en 1980 a la edad de 66 años. **◄1935.14 ►1937.9**

El alzamiento nacional fue avanzando desde su gestación en las islas Canarias, a través de Marruecos, hasta Madrid (1939).

ESPAÑA

Inicio de la guerra civil

2 Para los estados totalitarios, la guerra civil española fue una confrontación por poderes y un ensayo de la Segunda Guerra Mundial. Para los intelectuales de todo el mundo parecía ser la primera fase de una lucha entre el fascismo y el comunismo sobre el cadáver del mundo capitalista. Para los españoles, la guerra significó tres años de horror y heroísmo, seguidos de 35 años de dictadura. El conflicto se inició en julio de 1936, pero las condiciones se habían establecido mucho antes.

Después de ganar las elecciones de 1933 y de sofocar las revueltas izquierdistas, en 1934 la derecha había establecido una república católica y conservadora, aunque los monárquicos y los falangistas querían abolirla. Mientras tanto, Moscú había ordenado a los comunistas de todo el mundo que se unieran con otros partidos en contra de la derecha. En febrero de 1936, unas nuevas elecciones otorgaron el poder al Frente Popular, una coalición de liberales y de izquierdistas.

Una vez en el gobierno, la coalición empezó a disgregarse. En las Cortes, los socialistas, antes moderados, intentaron privar de sus escaños a los diputados de derechas por motivos técnicos. Las juventudes socialistas y comunistas se unieron en luchas callejeras contra estudiantes falangistas. Se quemaron iglesias, los campesinos asaltaron propiedades y los anarquistas ocuparon fábricas, ante la pasividad de las autoridades. En julio, tras el asesinato de un líder monárquico a manos de las fuerzas de seguridad del estado, los generales conservadores decidieron que ya habían tenido bastante.

El alzamiento empezó cuando uno de ellos, el general Francisco Franco, trasladó sus tropas desde Marruecos. Los insurgentes de derechas, los nacionales, pronto controlaron el sur y el oeste de España, con la ayuda de Alemania e Italia, que empezaron a suministrarles soldados, municiones y aviones. Los soviéticos, a su vez, enviaron armas y consejeros a los defensores de la república. Los demás estados no intervinieron a pesar de las peticiones de la república. (Francia contribuyó con 300 aeroplanos, luego se declaró neutral ante la presión de los británicos.) Pero las filas republicanas fueron engrosadas con las Brigadas Internacionales, un cuerpo de voluntarios de 50 nacionalidades que incluía desde obreros industriales hasta escritores tan famosos como George Orwell y André Malraux. Toda España pronto se vio inmersa en una guerra. **◄1933.7 ►1937.7**

ESPAÑA

El martirio de un poeta

3 La violencia de la guerra civil española se extendió más allá del campo de batalla. Las animosidades sociales, enconadas durante décadas, se encendieron. Los republicanos mataron sacerdotes, monjas y falangistas. Los soldados nacionales (entre los que figuraban numerosos sacerdotes) asesinaron a izquierdistas e intelectuales. Al final de la guerra, las bajas civiles ascendían a unas cincuenta mil. La víctima más conocida fue el poeta y dramaturgo Federico García Lorca, de 38 años de edad, que fue asesinado en agosto de 1936, un mes después del inicio del conflicto.

Lorca, uno de los autores más importantes del siglo XX, ya era conocido internacionalmente por obras que combinaban elementos populares, clásicos y realistas con una buena dosis de expresionismo. Poemas como el *Romancero gitano* (1928) y obras de teatro como *Bodas de sangre* (1933), junto a su magnetismo personal, le habían valido muchos seguidores. Sin embargo, muchos conservadores le acusaban de decadente, sobre todo después de que se declarara socialista.

Lorca había llegado a Granada, a la residencia familiar de verano, para descansar pocas horas antes de que empezara el alzamiento de Franco. (Acababa de escribir su obra de teatro *La casa de Bernarda Alba*, en la que cinco hermanas son

---

ARTE Y CULTURA: Libros: *¡Absalon, Absalón!* (William Faulkner); *Ciego en Gaza* (Aldous Huxley); *Teoría general sobre el empleo, el interés y el dinero* (J. M. Keynes) [...] Música: «Pennies from Heaven» (Johnston y Burke); *El Salón México* (Aaron Copland) [...] Pintura y escultura: *Dances and sphere* (Alexander Calder) [...]

«Unidad contra un posible ataque fascista, y esfuerzo en el gobierno [...] para librarnos de las miserias e injusticias en las que el fascismo encuentra sus fundamentos.»—**León Blum, primer ministro francés, en su propuesta de crear un frente popular**

prisioneras de su autoritaria madre.) Cuando los nacionales entraron en la ciudad y arrestaron al alcalde y a otras personalidades para ejecutarlas, Lorca buscó refugio en casa de la familia de un amigo conservador, cuyo hermano entregó al escritor a los falangistas. Lorca fue fusilado la noche del 18 de agosto, tras dos días de encarcelamiento en las dependencias gubernamentales de Granada. (Muchos lectores ven en la muerte de Lorca la culminación trágica de la violencia y el fatalismo, que trasluce su obra.) Parece que arrojaron el cadáver por una montaña. Los restos no se encontraron. **◂1936.2 ▸1937.7**

DIPLOMACIA

Formación del Eje Roma-Berlín

4 Adolf Hitler admiraba profundamente a Benito Mussolini. Modeló gran parte de su personalidad pública y sus tendencias políticas a imagen del Duce, incluso copió el saludo fascista. Sin embargo, a Mussolini no le gustaba Hitler, a quien en privado calificaba como «un hombrecito agresivo [...] probablemente un mentiroso, y con toda seguridad un loco». Se dolía de que el nazismo iba «contra todo y contra todos». No compartía el antisemitismo de los nazis (entre los fundadores del fascismo italiano había judíos) ni, a pesar de su imperialismo, su ambición de destruir a los pueblos «inferiores». No obstante, en 1936 Mussolini unió su suerte a la de Hitler.

Fue una decisión exclusivamente pragmática. La aventura italiana en Etiopía (el país que había invadido en mayo) había apartado a Italia de Francia y de Gran Bretaña. De todas formas Mussolini no podía contar con ellas: cuando en marzo Alemania rompió los acuerdos de Versalles y de Locarno al ocupar Renania, ninguna de las dos potencias intervinieron. Ni sancionaron a Hitler por su campaña de rearme, que también rompía los pactos. Hitler conseguía lo que quería, y quería a Austria. Sólo tenía en contra a Italia. Si, a pesar de la protección italiana, los alemanes invadían Austria, Italia tendría que elegir entre la guerra o una alianza obligada. Era mejor llegar a un entendimiento antes de que sucediera. (Además, Hitler había apoyado a Mussolini en la cuestión de Etiopía.)

En julio, Hitler reconoció la soberanía austríaca (y Austria se avino a ser un «país alemán»). Cuatro meses después, Italia y Alemania redactaron un acuerdo por el que Alemania recibía concesiones económicas en Etiopía y se afirmaban políticas comunes respecto a España, los países del Danubio, la Unión Soviética y la Sociedad de Naciones. Mussolini llamó a la nueva alianza el «Eje Roma-Berlín».

El 25 de noviembre, Alemania firmó el Pacto Anti-Komintern con Japón, que implicaba la ayuda mutua contra los soviéticos. Mussolini añadiría su firma en noviembre de 1937 y, de ese modo, el Eje se extendió desde Roma a Tokio: se había formado el frente que combatiría a los aliados en la Segunda Guerra Mundial. **◂1935.4 ▸1937.14**

El pragmatismo guió el alineamiento de Mussolini con Hitler; los napolitanos se alegraron.

FRANCIA

Un socialista al mando

5 Tras la caída del gobierno de extrema derecha de Pierre Laval en enero de 1936, Francia fue gobernada por el primer ministro liberal Albert Sarraut durante un breve período. Sin embargo, las elecciones de primavera provocaron un profundo cambio: por primera vez hubo un ministro socialista. Léon Blum entró en posesión del cargo en junio, a la cabeza de la amplia coalición del Frente Popular, formada por partidos de centro-izquierda. La izquierda había mantenido la mayoría parlamentaria desde hacía tiempo, pero desde 1920 el Partido Radical-Socialista (un grupo liberal de clase media, a pesar de su nombre) era el único que había formado gobierno. Los socialistas y los comunistas se negaban a compartir el poder entre ellos o con otros. Sin embargo, ahora, la amenaza fascista los había unido a todos.

Una coalición frágil: el socialista León Blum *(derecha)* y uno de los radicales del Frente Popular, Jean Zyromski.

El gabinete de Blum estaba compuesto por todos los partidos del Frente, excepto el comunista, que apoyaba al gobierno sin formar parte de él. Prefería quedar aislado porque temía que la derecha los considerara precursores de la revolución, a la que se oponían porque si se producían nuevos desórdenes, Francia podría caer en manos de los fascistas.

Blum, maestro de las negociaciones, se mantuvo a caballo entre los huelguistas, cuya causa apoyaba, y los patronos, de quienes no era enemigo. Ignoró a la derecha, que pedía la intervención de los soldados (y que acosaba al primer ministro judío con difamaciones antisemíticas), y a la extrema izquierda, que le apremiaba a nacionalizar las fábricas. Al cabo de seis semanas, consiguió que se aprobaran aumentos salariales sustanciales y el mayor bloque de leyes sociales que Francia había temido: a partir de entonces el Estado garantizaría los derechos de contratos colectivos, las cuarenta horas semanales y vacaciones pagadas. Sólo se nacionalizó el Banco de Francia y las fábricas de armas. Volvió la calma laboral.

Blum encolerizó a muchos de sus camaradas al negarse a intervenir en la guerra civil española. La Gran Depresión continuaba minando la economía y su gobierno fue perdiendo cada vez más popularidad. Dimitió en junio de 1937, volvió en marzo de 1938 y fue obligado a dimitir de nuevo en abril. Por entonces, el Frente Popular se había desintegrado. **◂1934.3 ▸1940.7**

NACIMIENTOS

Ursula Andress, actriz suiza.

Silvio Berlusconi, empresario y político italiano.

F. W. De Klerk, presidente sudafricano.

Vaclav Havel, escritor y político checo.

Winnie Mandela, activista sudafricana.

Zubin Mehta, director de orquesta indio-estadounidense.

Raimundo Poulidor, ciclista francés.

Burt Reynolds, actor estadounidense.

Yves Saint-Laurent, diseñador de moda francés.

Mario Vargas Llosa, novelista y político peruano.

MUERTES

Louis Blériot, aviador francés.

G. K. Chesterton, escritor británico.

Juan de la Cierva, ingeniero aeronáutico español.

Federico García Lorca, escritor español.

John Gilbert, actor estadounidense.

Maxim Gorky, escritor ruso.

A. E. Housman, poeta británico.

Jorge V, rey de Inglaterra.

Rudyard Kipling, escritor británico.

Ivan Pavlov, psicólogo ruso.

Luigi Pirandello, escritor italiano.

Ottorino Respighi, compositor italiano.

Oswald Spengler, filósofo alemán.

Miguel de Unamuno, escritor y filósofo español.

Eleuthérios Venizélos, político griego.

Ramón del Valle-Inclán, escritor español.

Cine: *El gran Ziegfeld* (Robert Z. Leonard); *La dama de las camelias* (George Cukor, con Greta Garbo); *Swing Time* (George Stevens, con Astaire y Rogers) [...] Teatro: *César* (M. Pagnol).

«Lo que he hecho es lo que cualquier nicaragüense que ama su país debería haber hecho hace mucho tiempo.»—**Nota encontrada en el bolsillo del hombre que asesinó al dictador nicaragüense Anastasio Somoza en 1956**

NOVEDADES DE 1936

Volkswagen, de F. Porsche.

Gafas de sol Polaroid.

Batidora.

Resultado controlado por cámaras en las carreras de caballos.

Tampones (Tampax).

EN EL MUNDO

►**RENACIMIENTO DEL VIEJO SUR**—*Lo que el viento se llevó* de Margaret Mitchell, publicada en junio, fue una tarea agradable de diez años que la antigua periodista del *Atlanta Journal* había iniciado en la convalescencia de una lesión de tobillo. Escarlata O'Hara, bella y testaruda, Rhett Butler, disoluto, y todos los demás personajes que dan vida a las páginas de esta novela (que vendió la cifra récord de 1,4 millones de ejemplares el primer año) estaban inspirados en las historias del viejo sur y de la guerra civil que Mitchell había oído narrar a su padre. ►1939.8

►**TRIUNFO DE LOS TRABAJADORES DE LA G. M.**—En diciembre, los trabajadores norteamericanos de la General Motors empezaron una huelga de brazos caídos que duró 44 días y acabó cuando la compañía, la tercera más grande del país, se vio forzada a aceptar el derecho a organización de sus trabajadores. La fuerza viva de esta era embriagadora para la clase obrera americana fue un minero del sector del carbón que sentía predilección por los clásicos, John L. Lewis. Bajo el liderazgo agresivo de Lewis, el Congress of Industrial Organizations (congreso para la organización industrial) (CIO) organizó a los trabajadores de los sectores del acero, los automóviles, el caucho y otros muchos.

UNIÓN SOVIÉTICA

La Gran Purga de Stalin

6 A partir de 1936, Stalin empezó a destruir de manera sistemática al viejo partido bolchevique para asegurarse la lealtad de un partido comunista de aduladores. En un período de tres años que duró hasta finales de 1938, Stalin y su policía secreta arrestaron a cinco millones de ciudadanos. Millones de ellos fueron ejecutados; sólo en Moscú, hubo días en que se alcanzaron las mil ejecuciones. Los que quedaban con vida eran desterrados a los *gulag*, un sistema de campos de trabajo construido por Stalin (vestigio terrible de los tiempos zaristas) que resultó ser insuficiente para contener al gran número de prisioneros. La cantidad de rusos que murieron durante la Gran Purga fue superior a la de soldados americanos muertos durante todas las guerras, desde la revolución americana hasta la guerra del Vietnam.

La Purga seguía un esquema oficial de acusación, arresto y condena. Una nueva ronda de recriminaciones iba acompañada por un juicio público en el que el veredicto era siempre de culpabilidad. En agosto de 1936, Stalin celebró el primero de ellos, que envió al paredón a Lev Kamenev y Grigori Zinoviev, sus compañeros en el triunvirato que gobernó tras la muerte de Lenin, y a otros catorce dirigentes comunistas de la vieja guardia. Todos fueron acusados de pertenecer a una conspiración instigada por Trotski para asesinar a los altos cargos de la Unión Soviética y de haber matado a Sergei Kirov (el dirigente comunista a quien Stalin había ordenado ejecutar en 1934, de forma que pareciera un complot). Todos confesaron y fueron sentenciados a muerte. Lo que los corresponsales extranjeros enviados a cubrir el juicio desconocían era que los acusados habían sido amenazados y torturados durante el período de encarcelamiento anterior al juicio y que sus confesiones estaban falseadas. No obstante, Occidente, desesperado por conseguir una alianza contra el fascismo, quería creer a Stalin.

Mientras, en julio, el Comité Central hizo llegar un nuevo conjunto de normas a las células locales: «La cualidad inherente a todo bolchevique en las condiciones actuales debe ser la capacidad de reconocer a un enemigo del partido, sin importar el disfraz que lleve». A partir de entonces, el no reconocer a un enemigo constituía un delito. El partido fue presa de la paranoia. Sólo estaba a salvo Stalin, protegido por su policía secreta. ◄1934.14 ►1938.NM

Trabajadores moscovitas votan a favor de la pena capital para los supuestos asesinos de Kirov.

NICARAGUA

Somoza asume el mando

7 En 1936, el general Anastasio Somoza García, comandante de la Guardia Nacional de Nicaragua, convocó unas elecciones que no podía perder. Ningún político, ningún votante podría enfrentarse a los cañones de Somoza por la presidencia. El general venció por mayoría absoluta y depuso a su tío, Juan Sacasa, que había sido elegido con total libertad.

Somoza, nacido en San Marcos en una familia de hacendados, estudió economía en Estados Unidos antes de iniciar su carrera política. En 1933 Estados Unidos le puso al mando de la Guardia Nacional de Nicaragua, un ejército que se había creado para luchar contra el revolucionario nicaragüense Augusto César Sandino. Cuando las tropas norteamericanas se retiraron de Nicaragua (1933), Sandino se estableció en una quinta subvencionada por el gobierno. El país volvió a estar en paz y el gobierno oscilaba entre Somoza, fuertemente armado, y Sandino, enormemente popular. Al cabo de un año de tregua, Somoza asesinó al antiguo rebelde. Durante dos años Somoza preparó al ejército y se aseguró la lealtad de sus hombres al enriquecerlos, a través de la extorsión, la prostitución y el juego. Luego, se proclamó presidente.

El dictador permaneció en el poder hasta 1956 (durante este tiempo amasó una fortuna personal de unos cincuenta millones de dólares). Se alternó en la presidencia con hombres escogidos a dedo por él. Salvaguardó su posición manteniendo unas buenas relaciones con Estados Unidos: primero acogió sus bases militares, luego imitó su postura anticomunista. Por fin, un joven poeta lo asesinó (y la guardia de Somoza lo mató en el acto), pero Somoza había asegurado su sucesión: uno de sus hijos, educado en Estados Unidos, se hallaba al mando de la Guardia Nacional; el otro era presidente del congreso. La dinastía de Somoza continuó gobernando durante el siguiente cuarto de siglo. ◄1934.NM ►1979.8

CHECOSLOVAQUIA

Hitler se fija en la región de los Sudetes

8 En *Mein Kampf (Mi lucha)*, la biblia nazi, Hitler defendía la creación de un «Alemania más grande» cuyas fronteras contendrían todas las zonas de etnia germanas controladas por otras naciones. Asimismo insistía en la necesidad que presentaba Alemania de «espacio vital» *(Lebensraum)*, e indicaba los países del centro y del este de Europa como objetivos de conquista. Checoslovaquia coincidía con ambas doctrinas. La mayor parte de la región industrial de los Sudetes estaba habitada por germano-parlantes. En 1936, los checos empezaron a construir fortificaciones a lo largo de la frontera alemana de los Sudetes según el modelo de la línea Maginot francesa, supuestamente impenetrable, que defendía la frontera franco-alemana. Pero las defensas contra los tanques resultarían impotentes contra las fuerzas que amenazaban la existencia de Checoslovaquia.

Los habitantes de la región de los Sudetes habían rechazado unirse a la república checoslovaca en 1919 (año de su fundación) y se hallaban discriminados por la mayoría eslava. Además, la Gran Depresión había azotado a la región con dureza. Se daban las condiciones para la difusión de la ideología separatista. En las elecciones de 1935, el Partido Alemán de los Sudetes, financiado en secreto por Hitler, ganó dos tercios de los

DEPORTES: Juegos Olímpicos de verano en Berlín [...] Boxeo: Max Schmeling noquea a Joe Louis.

«El hijo de perra es un bailarín [...]. Es el mejor bailarín que ha existido, y si tengo la ocasión le mataré con mis propias manos.»—**W.C. Fields, sobre Charles Chaplin**

votos locales y se convirtió en el segundo partido más votado del país. Sus dirigentes pedían la autonomía regional mientras las autoridades checas pretendían un arreglo.

En la esfera internacional, los nazis aprovecharon la oportunidad de pregonar lo que pasaba realmente e inventaron motivos de agravio de sus hermanos sudetes. La campaña propagandística intensificó la posición precaria de Checoslovaquia. La Unión Soviética había firmado un pacto por el que prometía defender el país, pero sólo si Francia intervenía primero. Al final, para evitar una guerra, Francia y Gran Bretaña obligaron a Checoslovaquia a que cediera la región de los Sudetes a Alemania en la Conferencia de Múnich (1938). Fue una medida autodestructiva para los franceses:

Soldados checos haciendo prácticas de tiro en la versión checa de la línea Maginot.

tras inspeccionar la imitación de la línea Maginot, los generales alemanes descubrieron los secretos de la defensa francesa, que cayó dos años después. **▸1937.2**

CINE

La sátira de Chaplin contra las máquinas

9 Nueve años después de la revolución que supuso el cine sonoro, Charles Chaplin produjo, escribió, dirigió, interpretó y puso música a la última gran película muda: *Tiempos modernos* (1936). En esta película, que contiene algo de diálogo, música y efectos especiales, Chaplin se despidió de un género y de un personaje emblemático.

Chaplin había creado al vagabundo pendenciero y gracioso con un bigote espeso, un traje en mal estado, unos zapatos demasiado grandes y un bastón, para el corto *Kid auto races at Venice*, del estudio Keystone en 1914. Durante el año siguiente, Chaplin constituyó el mayor éxito de taquilla del mundo.

Como otras películas de Chaplin, 60 cortos y largometrajes como *El chico* (1921), *La quimera del oro* (1925) y *Luces de la ciudad* (1931), *Tiempos modernos* mezcla la emoción, la comedia y la crítica

La fábula de Chaplin sobre los males de la tecnología contiene una de sus mejores escenas.

social. En la película, una sátira de la época de las máquinas, Chaplin interpreta el papel de un trabajador desmoralizado en una cadena de montaje, que enloquece en la fábrica y finalmente es encarcelado. Al final, él y su novia dan la espalda a una sociedad cruel y se alejan por una carretera.

La película fue todo un éxito comercial pero su tendencia socialista inquietó a la derecha. Más tarde, incluso los admiradores de Chaplin se molestaron por algunos aspectos de su vida privada, varios matrimonios fracasados, una paternidad famosa, y un cuarto matrimonio a la edad de 54 años con la hija, de 18 años de edad, del dramaturgo Eugene O'Neill. En 1952 le negó la entrada en Estados Unidos un gobierno empeñado en perseguir a los supuestos comunistas. Chaplin, oriundo de Londres, todavía conservaba la nacionalidad británica. Veinte años después, en una época más calmada, volvió para recibir un galardón especial de la Academia. En 1975, dos años antes de su muerte a la edad de 88 años, fue nombrado Sir por la reina Isabel. **◂1919.3**

CHINA

Secuestro de Chiang

10 La situación de desorden en China, con las luchas internas entre nacionalistas y comunistas y con la agresión exterior de los japoneses, se desbordó en 1936: doce miembros del ejército nacional secuestraron al presidente Chiang Kai-shek *(izquierda)* e intentaron obligarle a que declarara la guerra a Japón. Chiang había enviado al ejército del nordeste, mandado por el joven mariscal Zhang Xueliang, a la provincia de Shanxi para combatir a los comunistas. Sin embargo, el ejército sucumbió a las ofertas de los comunistas y empezó a apremiar a Chiang para que se uniera a ellos en una guerra a gran escala contra los japoneses. El general se negó. En la siguiente visita de Chiang a Shanxi, Zhang (hijo de un antiguo jefe militar manchú) lo colocó bajo arresto domiciliario.

La política de Chiang de evitar la guerra mientras Japón invadía China se había hecho muy impopular. En Pekín, Shanghai y otras ciudades importantes los estudiantes se manifestaban continuamente para mostrar su disgusto; aun así, Chiang se negaba a luchar. Según su opinión, China no podía competir con la maquinaria militar japonesa. Insistía en que «los comunistas eran los mayores traidores». Debían ser erradicados antes de que China pudiera enfrentarse a Japón. Zhang y sus colaboradores (entre los que se encontraba el mentor comunista de Zhang, Zhou Enlai) pidieron a Chiang que dejara de combatir a los comunistas y reorganizara su gobierno con la admisión de «todos los partidos y grupos para compartir la responsabilidad de la salvación nacional». Chiang se resistió.

El 25 de diciembre, mientras el gobierno de Chiang con sede en Nankín preparaba una movilización contra los insurrectos, la crisis se resolvió de repente. Zhang y sus colaboradores (algunos piensan que persuadidos por un rescate ofrecido por T. V. Soong, el «J. P. Morgan» de China) dejaron en libertad a Chiang bajo la promesa de que revisaría su política. Cientos de miles de personas de buena voluntad salieron para darle la bienvenida a Nankín. En su ausencia, se había despertado una adoración por él, y Chiang había conseguido lo que necesitaba para resistir a los japoneses. **◂1934.7 ▸1937.1**

▸LA REVISTA *LIFE*—Al percibir el potencial de la fotografía para captar acontecimientos periodísticos e historias de interés humano con inmediatez y sin manipulación, Henry Luce

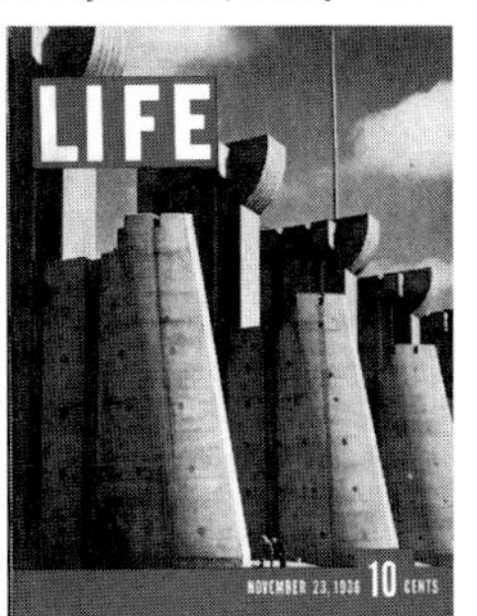

publicó su revista gráfica *Life* en 1936, después del éxito de sus anteriores revistas *TIme* y *Fortune*. Para el primer número, Luce envió a la reportera gráfica Margaret Bourke-White a fotografiar una presa en construcción de Montana. En la portada (*superior*) apareció la fotografía de Bourke-White de la presa Fort Peck; dentro, sus nueve páginas de fotografías de los trabajadores y sus familias iniciaron una nueva forma narrativa en el periodismo americano.

▸SIEMPRE UNA SONRISA —Dale Carnegie, natural de Missouri, se apartó de la pobreza de su infancia rural para convertirse en un autor de éxito, un periodista acreditado, una estrella de la radio y un habitual de los circuitos de conferencias. En 1936 reveló la receta de su éxito en el libro *Cómo ganar amigos e influir en la gente.* Entre sus consejos se encontraba éste: «convierte las dificultades en ventajas». Ha sido el libro de no ficción más vendido del siglo, después de la Biblia. ◂1923.NM ▸1952.NM

▸EL ÚLTIMO FARAÓN—El último rey de Egipto ascendió al trono en 1936, con tan sólo 16 años. Durante su reinado, Faruq I se vio atrapado entre las demandas nacionalistas del partido político WAFD y las demandas coloniales de los británicos, que a pesar de haber cesado su protectorado mantuvieron su dominio sobre el país durante la Segunda Guerra Mundial. Faruq intentó la reforma agraria y otros programas sociales pero la corrupción minó su popularidad. El rey era célebre

POLÍTICA Y ECONOMÍA: Somoza, presidente de Nicaragua [...] Roosevelt gana sus segundas elecciones por mayoría [...] El tribunal supremo de Estados Unidos suprime la ley de ajuste agrario y la ley de conservación del carbón bituminoso y mantiene la autoridad del valle del Tennessee [...] Estados Unidos declara que no intervendrá en la guerra civil española [...] Douglas Aircraft empieza a producir DC-3.

«Cualquier gobierno que me deje escribir mi música tranquilamente, que publique todo lo que compongo antes de que se seque la tinta e interprete cada nota que salga de mi lápiz está de acuerdo conmigo.»—**Sergei Prokofiev**

por su afición al juego, a las diversiones nocturnas y a disfrutar de todo tipo de placeres. Fue destronado en 1952 con un golpe militar dirigido por Gamal Abdal Nasser. ◂1922.5 ▸1945.NM

▸EL ÉXITO DE MARKHAM—En septiembre, Beryl Markham se convirtió en la primera persona que cruzó el Atlántico de este a oeste, en un vuelo en solitario. La encantadora aviadora de procedencia británica, que había crecido en Kenia, aprendió a volar a los 20 años, para poder ver a los elefantes y otros animales desde el aire. Su vuelo histórico de 1936 empezó en Abingdon, Inglaterra, y finalizó 21 horas después cuando aterrizó en la isla del Cabo Breton, Nueva Escocia, a muchos kilómetros de Nueva York, su destino. ◂1911.NM ▸1937.NM

▸EL MODELO T ALEMÁN—El *Volkswagen* («el coche del pueblo»), presentado en febrero y construido según un diseño de Ferdinand Porsche, fue la respuesta de Hitler al Modelo T de Henry Ford, barato y sencillo. Al año

siguiente, el gobierno alemán empezó la producción en serie de este vehículo en forma de burbuja y con el motor en la parte posterior (apodado «escarabajo» por su parecido con este animal). La fábrica Volkswagen fue destruida durante la guerra aunque se reconstruyó después. En 1960, el «escarabajo», cuyo diseño no había sufrido cambios, se convirtió en uno de los coches más populares del mundo. Se interrumpió su producción en Alemania en 1978. ◂1908.1 ▸1960.E

Una caricatura del Evening Standard sobre las ideas de equilibrio naval de los japoneses.

DIPLOMACIA

Japón abandona la Conferencia Naval

11 La segunda Conferencia Naval de Londres (1936), el tercer y último intento de desarme del período de entreguerras, tomó un giro inesperado cuando Japón se retiró de forma brusca, y acabó así con cualquier esperanza de desarme internacional, aunque los otros participantes de la cumbre, Francia, Gran Bretaña, Italia y Estados Unidos, continuaron. Cuando Italia se retiró, sólo quedaron las tres democracias para firmar el tratado.

El Segundo Pacto de Londres, heredero del Pacto de Washington de 1922 y del Pacto de Londres de 1930, quedó obsoleto rápidamente porque los enemigos potenciales de los signatarios ya habían cometido actos que hacían insostenible el desarme. Japón, seguro de la invasión de China, había empezado a construir los dos barcos de guerra más grandes del mundo, de 70.000 toneladas cada uno, el doble del tamaño que permitía el tratado. Mussolini había invadido Etiopía y Hitler había roto el tratado de Versalles y había militarizado Renania.

Teniendo en cuenta las estipulaciones del tratado, Gran Bretaña anunció a Francia y a Estados Unidos su ambicioso proyecto de construir 38 nuevos barcos de guerra, el mayor proyecto naval desde la carrera de armamento de después de la Primera Guerra Mundial. Todos los intentos de paz habían acabado de forma oficial. **◂1922.6 ▸1937.1**

JAPÓN

Los militares ganan una mano

12 En febrero de 1936, un grupo de militares ultranacionalistas, ansiosos por dirigir la política nacional, llevaron a cabo un plan criminal contra figuras clave del moderno gabinete del primer ministro Keisuke Okada. Aunque mataron a cuatro funcionarios e hirieron a uno más, no consiguieron hacerse con el poder y trece de ellos fueron ejecutados. A continuación se estableció la ley marcial, y Okada y su gabinete destruido perdieron el poder. Koki Hirota se convirtió en primer ministro pero la autoridad recayó en el ejército que bloqueó los nombramientos de Hirota y colocó a sus propios hombres en los puestos esenciales. Hirota aceptó el vago programa del ejército: la defensa del

Hirota y su padre escriben las propuestas para Año Nuevo, una ceremonia tradicional.

nacionalismo, el crecimiento militar, una reforma de la política exterior y estabilidad económica.

Bajo Hirota, cuyo gobierno duró menos de un año, y los siguientes primeros ministros, Japón asignó una parte inmensa del presupuesto al ejército. En 1937, el Ministerio de Defensa gastaba más de la mitad del presupuesto del Estado. El país también empezó un desarrollo industrial sin precedentes, concentrado sobre todo en la industria pesada, dedicada a la guerra. Un funcionario del gobierno observó: «La tendencia es ir en contra del liberalismo y la democracia, que una vez se extendieron por el país». En lugar de democracia, se había establecido una dictadura fascista, apoyada en la alianza entre el ejército y los intereses económicos. **◂1936.11 ▸1937.1**

MÚSICA

La música clásica de Prokofiev para niños

13 En 1936 Prokofiev, mientras componía *Pedro y el lobo, un cuento sinfónico*, dijo: «Lo más importante es encontrar un lenguaje que los jóvenes comprendan». El prolífico compositor tardó una semana en lograr su objetivo. Durante años mucha gente joven ha aprendido lo esencial de la interpretación musical, a través de la vinculación entre los motivos musicales hábilmente compuestos de Prokofiev y la acción descrita por el narrador: sin poder dejar la hacienda de su abuelo, Peter (un alegre cuarteto de cuerda) tiene varias aventuras: debe capturar a un lobo (un cuerno siniestro) que amenaza al pájaro Sasha (una flauta), al gato Iván (un clarinete) y al pato Sonya (un oboe). Con su lenguaje musical basado en canciones populares, esta historia de un espíritu independiente no tenía la intención de provocar a los seguidores del realismo socialista decretado por Stalin, que ya le consideraban un compositor tan importante como Dmitri Shostakovich.

Prokofiev, hijo pródigo de Rusia, que había abandonado su país natal por razones artísticas y no políticas poco después de la revolución de 1917, escribió óperas, sinfonías, conciertos, ballets (colaboró con Sergei Diaghilev en París) y bandas sonoras para el cine. Durante su período de expatriación, el pianista-compositor (*superior*, dibujado por Natalya Goncharova) entusiasmó al público en Asia, Norteamérica y Europa antes de regresar a Moscú en 1934. A pesar de algunas suspicacias iniciales de que su obra había sido corrompida por Occidente, pronto fue considerado como la encarnación musical de la revolución. En 1948, incluso él fue blanco de la censura soviética. No fue rehabilitado hasta 1952, año de su última obra, la *Sinfonía n.º 7*. **◂1934.5 ▸1941.12**

PREMIOS NOBEL: Paz: Carlos Saavedra (argentino; mediador de la guerra del Gran Chaco) [...] Literatura: Eugene O'Neill (estadounidense; dramaturgo) [...] Química: Peter J. W. Debye (holandés; estructura molecular de los gases) [...] Medicina: Henry Dale, Otto Loewi (británico, alemán; transmisión química de impulsos nerviosos) [...] Física: Victor F. Hess (austríaco; radiación cósmica) y Carl D. Anderson (estadounidense; positrón).

Modelo de romanticismo

Discurso radiofónico de Eduardo VIII, príncipe de Gales y rey del Reino Unido de Gran Bretaña e Irlanda y de los Dominion británicos y emperador de la India, el 11 de diciembre de 1936

«No debes lamentarlo, yo no lo hago», le dijo el duque de Windsor a Wallis Warfield Simpson después de oír la transmisión radiofónica de la coronación de su hermano, el rey Jorge VI. «Esto es lo que sé: lo que sé de la felicidad está relacionado contigo siempre». La decisión del antiguo rey de dejar el trono del Imperio Británico, a pesar del dolor, tenía mucho que ver con un carácter que era poco serio y que estaba incómodo con el poder. Durante su reinado de once meses, Eduardo VIII luchó para que la monarquía británica estuviera más acorde con el mundo moderno. Abolió las viejas costumbres de la corte y, en general, fue menos estricto que su padre, el rey Jorge V. A pesar de que la mayoría de sus súbditos le apoyaban, la intención del rey de casarse con Simpson, una americana divorciada, provocó la angustia, el desmayo y la censura de la Iglesia, el parlamento y la familia real. Obligado a elegir entre la monarquía y su felicidad personal, Eduardo optó por la última, provocando una crisis constitucional en los días en que la guerra amenazaba a Europa. Su discurso de abdicación, pronunciado el 11 de diciembre de 1936, conmocionó a Gran Bretaña, pero hipnotizó a los románticos de todo el mundo. **◄1901.4 ►1952.1**

INSTRUMENT OF ABDICATION

I, Edward the Eighth, of Great Britain, Ireland, and the British Dominions beyond the Seas, King, Emperor of India, do hereby declare My irrevocable determination to renounce the Throne for Myself and for My descendants, and My desire that effect should be given to this Instrument of Abdication immediately.

In token whereof I have hereunto set My hand this tenth day of December, nineteen hundred and thirty six, in the presence of the witnesses whose signatures are subscribed.

SIGNED AT FORT BELVEDERE IN THE PRESENCE OF

Edward RI

Albert

Henry.

George.

Por fin puedo decir unas cuantas palabras por mí mismo. Nunca he querido ocultar nada, pero hasta ahora no me era constitucionalmente posible hablar.

Hace apenas unas horas he cumplido mi último deber como rey y emperador, y ahora que mi hermano, el duque de York, me ha sucedido, mis primeras palabras deben ser para declarar mi lealtad hacia él. Lo hago de todo corazón.

Todos conocéis las razones que me han impulsado a renunciar al trono. Pero quiero que comprendáis que no he olvidado al país o al Imperio que como príncipe de Gales y al final como rey he intentado servir durante 25 años. Debéis creerme cuando os digo que me hubiera resultado imposible llevar la pesada carga de esta responsabilidad y desempeñar mis deberes de rey como hubiera querido hacer sin la ayuda y apoyo de la mujer a la que amo.

Quiero que sepáis que la decisión ha sido mía y sólo mía. Es algo que he decidido por mí mismo. La otra persona implicada intentó persuadirme hasta el final de elegir otra decisión. He tomado esta decisión, la más importante de mi vida, pensando en lo que sería mejor para todos.

La decisión me ha resultado menos difícil ante la seguridad de que mi hermano, con su experiencia en los asuntos públicos de este país y sus cualidades, será capaz de ocupar mi lugar en el acto, sin interrumpir la vida y el progreso del Imperio. Y tiene una ventaja, sin par, que muchos de vosotros disfrutáis y a mí no me ha sido otorgada: un hogar feliz con su esposa y sus hijos.

Durante estos duros días me he sentido confortado por mi madre y mi familia. Los ministros de la Corona, y particularmente el Sr. Baldwin, el primer ministro, me han tratado siempre con plena consideración. Nunca ha habido la menor diferencia constitucional entre ellos y yo ni entre el parlamento y yo.

Como príncipe de Gales y más tarde como rey, he sido tratado con la mayor amabilidad por todas las clases, en todas partes del Imperio donde he vivido o por donde he viajado. Estoy muy agradecido por esto. Ahora dejo los asuntos públicos y mi cargo. Quizás pase algún tiempo antes de que vuelva a mi país natal pero siempre seguiré el curso de los británicos y del Imperio con profundo interés, y si alguna vez puedo ofrecer mis servicios a Su Majestad en el ámbito privado, prometo que lo haré.

Y ahora todos tenemos un nuevo rey. Le deseo de todo corazón a él y a vosotros, su pueblo, felicidad y prosperidad. Dios os bendiga. Dios salve al rey.

Eduardo VIII renunció oficialmente al trono con una carta al parlamento un día antes de su discurso en la BBC. (Superior) Eduardo (el nuevo duque de Windsor) y la duquesa en Francia el día de su boda, el 3 de junio de 1937.

«El resultado de esta guerra no se decidirá en Nankín ni en otra gran ciudad; se decidirá en el campo de nuestro extenso país y por la voluntad inflexible de nuestro pueblo.»—**Chiang Kai-shek, tras la invasión de China realizada por Japón**

HISTORIA DEL AÑO

Japón invade China

1 «No creo en una política exterior agresiva», declaró el primer ministro japonés, el general Hayashi Senjuro, tras tomar posesión de su cargo en 1937. Para su desgracia y la del resto del mundo, otros dirigentes militares japoneses sí creían en ella. En cuestión de pocos meses, Hayashi fue sustituido por el príncipe Konoe Fumimaro, cuyo gabinete tenía mejor disposición hacia los militares. El ejército japonés, sin el freno del gobierno central, enseguida puso en funcionamiento su plan, aplazado durante tiempo, de conquistar China.

El 7 de julio, los japoneses provocaron la escaramuza que luego ha sido considerada como la primera batalla de la Segunda Guerra Mundial. El ejército japonés estaba haciendo maniobras cerca de Lugouqiao, en un puente que cruzaba el río Yongding a unos 16 km al oeste de Pekín, y un soldado desapareció. Los japoneses acusaron al ejército chino del otro lado del río de secuestro. El soldado pronto apareció de nuevo pero el comandante japonés ya había ordenado atacar.

En unas semanas, los japoneses controlaron el pasillo este-oeste desde Pekín hasta Tianjin, en el golfo de Chihli. Chiang Kai-shek se retractó de su política pacifista, que había costado Manchuria a China, y declaró: «Si perdemos más de nuestro territorio, seremos culpables de un crimen imperdonable contra nuestra raza». La segunda guerra sino-japonesa, preludio de la Segunda Guerra Mundial, había empezado.

Desde Pekín, los japoneses se dirigieron hacia el sur, hacia Nankín, sede del gobierno de Chiang, el Guomindang. Los chinos ofrecieron una resistencia heroica en Shanghai, antes de caer frente a los invasores en octubre. Perdieron un cuarto de millón de soldados.

«Pieza a pieza», decía el título de esta caricatura americana sobre la invasión que Japón realizó en China.

A pesar de la protesta internacional, la Sociedad de Naciones, impotente, se negó a mediar en esta guerra no declarada. Los japoneses tomaron Nankín en diciembre (Chiang se vio obligado a trasladar su gobierno a la remota ciudad de Chongqing) y llevaron a cabo una de las campañas terroristas más horripilantes de las guerras modernas. Durante dos meses, los soldados se desbocaron, violaron a siete mil mujeres, mataron a cientos de miles de soldados desarmados y civiles, y quemaron un tercio de las casas de Nankín. En 1946 sólo fue ejecutado un general japonés por las atrocidades de Nankín. **◂1936.10 ▸1938.4**

GRAN BRETAÑA

Una política pacifista

2 Stanley Baldwin, primer ministro en tres legislaturas, había guiado a Inglaterra a través de la huelga general de 1926 y de la crisis de diez años más tarde. El popular conservador había desarrollado reformas sociales importantes pero su política resultó demasiado débil en los asuntos exteriores. Su respuesta vacilante a la invasión de Etiopía por parte de Italia desagradó incluso a quienes le apoyaban. En mayo de 1937, cuando la situación internacional se ponía cada vez más difícil, Baldwin se retiró y pasó las riendas a Neville Chamberlain, ministro de hacienda. Sin embargo, la política de pacificación de Chamberlain allanó el camino a los sueños de conquista de Hitler.

Antes de su nombramiento, Chamberlain había apoyado de modo vehemente el rearme de su país y había propuesto sanciones contra Italia a causa de la cuestión de Etiopía, pero también había sido el primer político británico en pedir la anulación de las sanciones pensando que Hitler y Mussolini se apaciguarían con concesiones generosas. Como primer ministro, fue conciliatorio con ambos dictadores, mandando notas personales al Duce y al *Führer*.

En febrero de 1938 se negó a unirse a Francia en la protesta por la interferencia alemana en la política austríaca. En marzo, cuando Hitler invadió Austria, Chamberlain reconoció el nuevo régimen (el secretario de asuntos exteriores, Anthony Eden, dimitió en señal de protesta). Unas semanas más tarde reconoció la soberanía italiana sobre Etiopía a cambio de la promesa de Mussolini de que se retiraría de España después de la guerra civil. Por último, en septiembre, Chamberlain realizó su gesto cumbre para apaciguar a Hitler: firmó el pacto de Múnich, que cedía la región de los Sudetes a Alemania. Chamberlain se retractó de su política cuando Hitler invadió el resto de Checoslovaquia (menos de un año después). **◂1936.8 ▸1938.2**

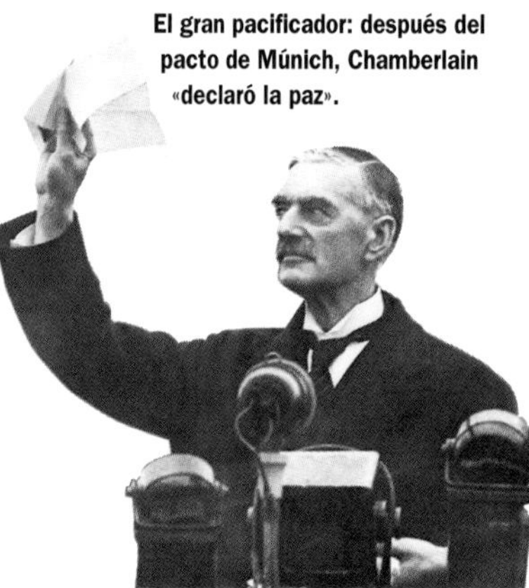

El gran pacificador: después del pacto de Múnich, Chamberlain «declaró la paz».

INDIA

Inicio del período provincial

3 La reforma política india, esperada desde hacía mucho tiempo, empezó en 1937, tras la celebración de las elecciones para las asambleas legislativas de las nuevas provincias creadas por el acta de gobierno de la India. Estas asambleas eran autónomas pero estaban sujetas a la aprobación de un gobernador británico. Por esta razón, los indios nacionalistas se mostraban escépticos ante el nuevo arreglo (Jawaharlal Nehru llegó al punto de decir que era «una nueva carta de esclavitud») y temían que distrajeran a sus participantes de su verdadero objetivo: la total independencia.

En las elecciones, el partido del Congreso Nacional indio, con predominio hindú, ganó de forma contundente y enseguida estableció gobiernos en ocho provincias, donde excluyeron de los ministerios a los que no eran miembros del partido y confirmaron de este modo el temor de muchos musulmanes. En respuesta, los políticos musulmanes ofrecieron todo su apoyo a Muhammad Ali Jinnah (*superior*), dirigente de la minoritaria Liga Musulmana. Jinnah declaró: «Musulmanes, no esperéis ni justicia ni juego limpio bajo el gobierno del Congreso».

A pesar de las tensiones, los gobiernos provinciales actuaron de modo adecuado en los dos años que estuvieron en el poder. En 1939, cuando la Segunda Guerra Mundial acabó con el período provincial, estos gobiernos habían mejorado la educación, la sanidad y la situación agraria. Sin embargo, las relaciones entre hindúes y musulmanes volvieron a deteriorarse a medida que parecía evidente que el partido del Congreso gobernaría la India posbritánica, con Nehru al frente. **◂1935.13 ▸1942.NM**

BRASIL

Un dictador de varias ideologías

4 En los años treinta surgió un sistema político nuevo: el estado autoritario-burocrático. Las naciones

ARTE Y CULTURA: Libros: ***La fuerza bruta*** **(John Steinbeck);** ***Tener y no tener*** **(Ernest Hemingway);** ***El pan y el vino*** **(Ignazio Silone);** ***Viento del pueblo*** **(Miguel Hernández) [...] Música: «My Funny Valentine» (Rodgers y Hart);** ***Lulu*** **(Alban Berg);** ***Carmina Burana*** **(Carl Orff) [...] Pintura y escultura:** ***Guernica*** **(Pablo Picasso) [...]**

«Lo esencial de mi canto es el sentimiento. Si no siento nada no puedo cantar.»—**Billie Holiday, en su autobiografía *Lady Sings the Blues***

podían inclinarse por la izquierda (como la Polonia de Pilsudski), por la derecha (como el Portugal de Salazar) u oscilar entre ambos lados, como hizo Brasil en 1937 cuando el presidente Getúlio Vargas declaró en su país el Estado Nôvo.

El país más extenso de Sudamérica había sido una república desde 1889, pero una república débil, dirigida por cultivadores de café y políticos inoperantes. La clase media de las ciudades y los oficiales militares jóvenes hacía tiempo que pedían una reforma social, incluso si ésta significaba la suspensión de la constitución. En 1930, debido a los estragos que causó la Gran Depresión sobre los precios del café, el ejército se rebeló y nombró presidente a Vargas, gobernador del Estado de Río Grande.

Al principio, Vargas apenas varió la estructura política de Brasil, pero en 1935, cuando los integralistas iniciaron peleas callejeras con la izquierda, empezó a actuar y encarceló a cientos de izquierdistas. En 1937 se autodeclaró dictador y los

Vargas llegó al poder gracias a quienes se hallaban muy próximos al fascismo.

integralistas no protestaron. No obstante, Vargas pronto volvió a hostigarlos. Intentaron un golpe de Estado y fueron desapareciendo.

En el Estado Nôvo de Vargas los sindicatos, la prensa y la economía quedaron bajo control gubernamental. La censura, los arrestos sumarios y la tortura se convirtieron en la rutina del país. Pero en lugar de establecer un sistema unipartidista, Vargas prohibió *todos* los partidos. No instauró una ideología o un culto personal ni alentó el expansionismo. Apoyó a Estados Unidos durante la Segunda Guerra Mundial a cambio de ayuda para el desarrollo. En 1945 liberó a los presos políticos de izquierdas y se puso en contra de las inversiones extranjeras. Cuando los comunistas le ofrecieron su apoyo, los oficiales de Vargas, furiosos, lo depusieron y volvieron a establecer la democracia.

Vargas ganó las elecciones presidenciales de 1950 pero la inflación y la corrupción minaron su popularidad. En 1954, tras su implicación en la muerte de un oponente, el ejército le obligó a dimitir. Horas después se suicidó. **►1960.9**

MÚSICA

Lady Day y Pres

5 En enero de 1937 se inició una de las colaboraciones más importanes de la historia del *jazz*: la vocalista Billie Holiday y el saxofonista Lester Young, respaldados por el Teddy Wilson Ensemble, grabaron «This Year's Kisses» en Nueva York. La voz inolvidable y agridulce de Holiday se complementaba a la perfección con los solos lacónicos y ligeros de Young (que se desviaban del sonido profundo y cargado de vibraciones de Coleman Hawkins, hasta entonces el saxo tenor más destacado de la época). Juntos, «Lady Day» y «Pres» (así apodados) crearon un estilo nuevo que fue el precursor de lo que se llamaría «*cool*» *jazz*.

Tras una infancia de servidumbre y un trabajo de prostituta, Holiday había empezado su carrera musical en 1933 con el clarinetista y director de orquesta Benny Goodman. Dos años después se unió al grupo de Count Basie. Su relación, personal y profesional, con Young duró siete años y se inició cuando él se reincorporó al grupo de Goodman tras una larga ausencia.

Ambos murieron en 1959. Young, alcoholizado, pasó los últimos años de su vida solo, en la habitación de un hotel de Nueva York; murió a los 49 años de edad, horas después de su regreso de París. Holiday, destrozada por su adicción a la heroína y a sus sucesivos intentos de desintoxicación, murió a los 44 años mientras se hallaba bajo custodia policial. **◄1935.10 ►1945.15**

CIENCIA

Darwin conoce a Mendel

6 En 1937, Theodosius Dobzhansky, genético ucraniano-americano, publicó el libro *La genética y el origen de las especies*, en el que integraba la genética de Mendel y la teoría de la evolución de Darwin, abriendo el camino de la genética evolutiva. Hasta Dobzhansky, la mecánica de la evolución había escapado a los científicos, que en su mayoría creían que la selección natural de Darwin se producía muy poco a poco en el tiempo, generando de este modo especies idealmente adaptadas. Dobzhansky lo demostró de otra manera: al trabajar con moscas de vinagre observó una diversidad total dentro de la especie. Pero postuló que esta variabilidad genética aumenta las ventajas de una especie para sobrevivir, y la hace más adaptable a los cambios ambientales.

Dobzhansky, escritor ávido, investigador y viajero había llegado a la Universidad de Columbia en 1927 para trabajar con Thomas Hunt Morgan, el descubridor de los cromosomas. Su teoría de la «evolución sintetizada» fue apoyada por los descubrimientos independientes de los genéticos matemáticos G. B. S. Haldane y R. A. Fisher en Gran Bretaña, y de Sewall Wright en Estados Unidos, y de los biólogos Ernst Mayr y Julian Huxley. **◄1909.12 ►1943.18**

Todas las cantantes de jazz posteriores a Holiday han tenido que competir con su fantasma.

NACIMIENTOS

Jorge Cafrune, poeta y cantante argentino.

Bill Cosby, cómico estadounidense.

Jane Fonda, actriz estadounidense.

Robert Gallo, virólogo estadounidense.

Dustin Hoffman, actor estadounidense.

Saddam Hussein, político iraquí.

Jack Nicholson, actor estadounidense.

Colin Powell, general estadounidense.

Robert Redford, actor estadounidense.

Vanessa Redgrave, actriz británica.

Boris Spassky, jugador de ajedrez soviético.

MUERTES

Alfred Apler, psiquiatra austríaco.

J. M. Barrie, dramaturgo británico.

J. A. Chamberlain, político inglés.

P. de Coubertin, promotor de los Juegos Olímpicos de la era moderna y primer presidente del COI.

George Gershwin, compositor estadounidense.

Antonio Gramsci, político italiano.

Jean Harlow, actriz estadounidense.

Erich Ludendorff, militar y político alemán.

Ramsay MacDonald, primer ministro británico.

Guglielmo Marconi, inventor italiano.

Thomas Masaryk, filósofo y político checo.

Andrew Mellon, financiero estadounidense.

Maurice Ravel, compositor francés.

John D. Rockefeller, industrial estadounidense.

Ernest Rutherford, médico británico.

Cine: *Ha nacido una estrella* (William Wellman); *Capitanes intrépidos* (Victor Fleming) [...] Teatro: *Electra* (Jean Giraudoux).

«Nunca he odiado a un hombre, ni siquiera en el cuadrilátero. No se odia tan fácilmente.»—**Joe Louis**

NOVEDADES DE 1937

Carritos de supermercado (Oklahoma).

Autobanco (Los Ángeles).

Banco de sangre norteamericano (Hospital del Condado de Cook, Chicago).

Antihistamínicos (descubiertos por el químico francés Daniel Bovet).

Puente Golden Gate (el puente colgante más largo del mundo hasta 1964).

1937

EN EL MUNDO

▸LUTO OLÍMPICO—En Lausana, a la edad de 72 años, murió el creador de los Juegos Olímpicos modernos, el aristócrata francés Pierre de Coubertin. En 1896 había presidido en Atenas los primeros Juegos Olímpicos que se suponían herederos de la tradición deportiva de la Grecia clásica. Presidió el Comité Olímpico Internacional hasta los Juegos de 1924, celebrados en París por segunda vez. En 1925 dimitió de su cargo como protesta contra dos tendencias que, incipientes en los años veinte, acabarían dominando los Juegos: la profesionalización y las ingerencias políticas.

▸BELLEZA NATURAL—En 1937 Frank Lloyd Wright finalizó una de las obras de arquitectura americana más sorprendentes: una residencia para Edgar Kaufmann en las montañas Allegheny de

Pensilvania. La casa, llamada «la cascada» por su ubicación en una catarata, con sus terrazas rectas y sus molduras de piedra, encarna la creencia de Wright en una «arquitectura orgánica», integrada en su entorno.

ESPAÑA

Hitler practica en Guernica

7 Cuando Francisco Franco pidió ayuda a principios de la guerra civil española, los dirigentes de la Italia fascista y de la Alemania nazi se la concedieron enseguida. Esperaban una victoria rápida que les valdría un aliado a muy poco coste y, a la vez, tendrían la oportunidad de probar su nueva maquinaria bélica. En abril de 1937 la legión Cóndor, con lo más nuevo de la tecnología alemana, bombardeó la ciudad de Guernica durante unas cuatro horas. Destruyó el 70 % de los edificios y mató a campesinos en el mercado y en sus tierras. Murieron más de mil personas de las siete mil que vivían en Guernica.

A pesar de que ambos bandos habían atacado objetivos civiles con anterioridad, el bombardeo de Guernica fue la acción más salvaje y prolongada de la corta historia de la guerra aérea.

La atrocidad afectó profundamente a Pablo Picasso. Se le había encargado una pintura para el pabellón español de la Exposición Internacional de París y el artista pintó el *Guernica*, un mural emocionalmente devastador que conmemoraba el bombardeo. El cuadro causó sensación en París y luego en Estados Unidos, adonde fue enviado después de la guerra civil. Permaneció en el Museo de Arte Moderno de Nueva York durante 43 años antes de trasladarse al Museo del Prado de Madrid en 1981, de acuerdo con los deseos de Picasso de que volviera a España cuando se restableciera la democracia. Actualmente se encuentra en el Centro de Arte Reina Sofía, en Madrid. **◂1936.2 ▸1939.9**

Los prisioneros franceses organizan un motín musical en la película de Renoir.

CINE

La obra maestra pacifista de Renoir

8 «He hecho *La gran ilusión* porque soy pacifista», dijo Jean Renoir tras el rodaje, en 1937, de la que quizá sea la condena contra la guerra más rica y aguda que se haya filmado en el cine. En este relato de la Primera Guerra Mundial sobre unos prisioneros franceses y sus carceleros alemanes, Renoir (hijo del impresionista Pierre Auguste Renoir) creó una meditación sutil y emotiva sobre las fronteras entre naciones, clases y religiones, que hacen de la camaradería una condición mucho más difícil de mantener que la guerra.

Franklin Roosevelt apostilló de *La gran ilusión*, interpretada por Erich von Stroheim, Pierre Fresnay y Jean Gabin: «Todos los demócratas deberían ver esta película». Joseph Goebbels comentó que era «el enemigo público cinematográfico número uno» y la prohibió en Alemania y Austria. Italia también impidió su exhibición al igual que el ministro de asuntos exteriores belga Paul Henri Spaak, cuyo hermano Charles era guionista de la película.

Renoir fue más modesto en cuanto a la fuerza política de la película. Años después explicaría: «Hice una película en la que intenté expresar mis sentimientos íntimos a favor de la paz. La película tuvo mucho éxito. Tres años después estalló la guerra. Es la única respuesta que tengo». **▸1939.8**

DEPORTES

El «Brown Bomber»

9 En 1937, Joe Louis, apodado «Brown Bomber» («Bombardero Negro»), ganó en ocho asaltos a James Braddock y durante doce años mantuvo el título mundial de los pesos pesados. Noquear a James Braddock en Chicago representó una dulce victoria para el boxeador afroamericano, que había sufrido su primera derrota profesional el año anterior en un combate de doce asaltos contra el alemán Max Schmeling. Aún más fácil fue el combate con Schmeling de 1938 en el Yankee Stadium de Nueva York.

Este encuentro resultó casi decepcionante: Louis noqueó a Schmeling, un supuesto ejemplar

El *Guernica* de Picasso: las imágenes de personas y animales agonizantes son un símbolo de protesta contra la brutalidad militar.

DEPORTES: Tenis: Don Budge consigue los tres premios de Wimbledon (individuales, dobles y dobles mixtos) [...] Boxeo: Joe Louis empieza su reinado de once años como campeón mundial de los pesos pesados derrotando a James J. Braddock.

«Presiento que tiene que haber un vuelo mejor, espero que sea éste.»—**Amelia Earhart, antes de emprender su último vuelo**

de la raza superior aria, descargando más de cincuenta golpes en los 124 primeros segundos. La derrota de Schmeling fue tan humillante para los alemanes que interrumpieron sus conexiones radiofónicas antes de que acabara el combate y luego manipularon la versión cinematográfica añadiendo metraje del primer encuentro entre Schmeling y Louis.

Aunque Louis no era el primer hombre de color que conseguía el título de los pesos pesados (Jack Johnson había sido campeón en 1908), fue el primero que aportó una significación social al acontecimiento. La prensa se deleitó con su imagen: un pugilista sin dinero que sale por sus propios méritos de las calles de Detroit. Sin embargo, Louis nunca

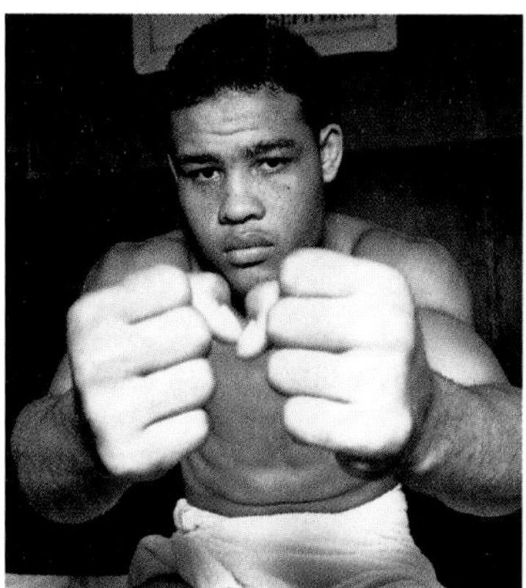

La modestia de Louis fuera del cuadrilátero contrastaba con su ferocidad dentro de él.

perdió de vista su compromiso con los derechos civiles. Se negó a sentarse en sectores «sólo para negros» y, tras alistarse en el ejército en 1942, contribuyó a integrar el béisbol y el fútbol militares.

Louis continuó boxeando hasta 1949, en que se retiró sin una derrota. Dos años más tarde se vio forzado a volver al cuadrilátero para pagar impuestos. Su carrera terminó definitivamente el 26 de octubre de 1951 por cortesía de Rocky Marciano en una eliminatoria de ocho asaltos. **◄1936.1 ►1956.NM**

AVIACIÓN

Earhart desaparece

10 En 1937, volar alrededor del mundo era casi normal. Pan American Airways acababan de inaugurar su servicio San Francisco-Hong Kong, el eslabón final de una cadena de rutas por el Pacífico. Pero todavía nadie había dado la vuelta al planeta por su camino más largo: el ecuador. Amelia Earhart decidió que ella sería la primera piloto en emprender el viaje.

Conocía los riesgos. En 1932, en el viaje que la convirtió en la primera mujer que volaba sobre el Atlántico en solitario, Earhart había tenido que realizar un aterrizaje de emergencia en Irlanda después de que una tormenta eléctrica dañara su avión. (Impávida, lo único que hizo fue saltar de la carlinga y preguntar dónde estaba.) Con el mismo espíritu y determinación, la aviadora de 39 años de edad y su veterano navegante, Fred Noonan, subieron al bimotor Lockheed Electra y despegaron de Los Ángeles para su vuelo alrededor del mundo el 1 de junio de 1937.

Tras una parada en Puerto Rico, se dirigieron a la costa norte de Sudamérica, cruzaron África y la India y volaron a través del sudeste asiático. Alcanzaron Australia el 28 de junio y Nueva Guinea al día siguiente. El 2 de julio empezaron un trayecto de 4.090 km sobre el océano sin islas hacia la isla Howland, un punto diminuto de coral colonizado por Estados Unidos en 1935, donde se había construido una pista de aterrizaje para Earhart.

Ella nunca llegó a su destino y la suerte de Earhart y de su avión, que desaparecieron sin dejar rastro, sigue siendo un misterio. Los historiadores han especulado que el brillo del sol podía oscurecer la isla, o que el avión se quedó sin gasolina. Más recientemente se ha barajado la posibilidad de que Earhart estaba realizando una misión de espionaje para Estados Unidos y que fue capturada por los japoneses y hecha prisionera en la base nipona de Saipan, en las islas Marianas. Se ha dicho que su avión iba equipado con el instrumental de navegación más moderno del ejército y que su vuelo había sido supervisado con detalle por la inteligencia naval. **►1938.5**

Amelia Earhart sobre el Lockheed Electra en el que realizó su último vuelo.

TECNOLOGÍA

Concepción del computador

11 En 1937, Alan Turing era un graduado de Cambridge cuando publicó el artículo que

estableció las bases teóricas del computador digital. «Sobre los números computables, con una aplicación al *Entscheidungs-problem*» abordaba una cuestión propuesta por el gran matemático alemán David Hilbert en el cambio de siglo: ¿se pueden resolver todos los problemas matemáticos mediante una serie de procedimientos fija y definida?

Turing respondió que no en un esfuerzo de álgebra arcana. Para una ilustración concreta, esbozó la idea de una máquina automática para resolver problemas. Escribió que un aparato así contendría una cinta interminable dividida en cuadrados con las cifras 1 o 0 impresas, representando el «sí» y el «no», en la que toda información puede ser dividida. Al mover la cinta de aquí para allá, la máquina registraría los cuadrados, borrando o escribiendo los dígitos para suministrar soluciones codificadas a las preguntas codificadas de un operador.

Turing dirigió el equipo que, durante la Segunda Guerra Mundial, diseñó el primer computador digital electrónico del mundo. En 1954 se suicidó después de recibir un «tratamiento» de estrógenos por orden judicial a causa de su homosexualidad. **◄1930.1 ►1941.6**

►LA MÁS GUAPA DE TODAS—***Blancanieves y los siete enanitos*** **(Walt Disney, 1937) no sólo fue el primer largometraje de dibujos animados (82 minutos); su**

tema (adaptado de un cuento de los hermanos Grimm) representó el nuevo rumbo que tomarían las películas de Disney. Los protagonistas eran personas (aunque no personas corrientes) en vez de animales que hablaban. ◄1928.10

►LOS MÓVILES DE CALDER—Aparte de las otras creaciones vanguardistas presentadas en la Exposición Mundial de París de 1937, se

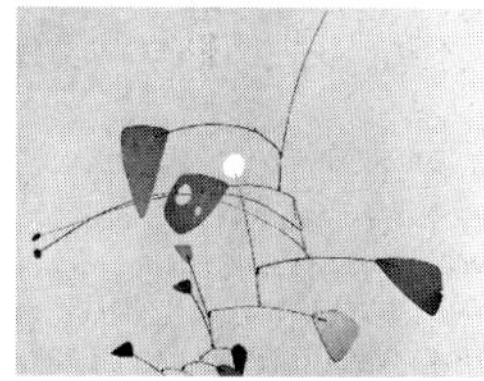

encontraba la *Mercury Fountain*, una de las esculturas móviles de Calder. Calder había empezado a crear sus «móviles» motorizados (nombre acuñado por Duchamp) a principios de los años treinta. Después de 1932 las esculturas, normalmente una serie de figuras abstractas suspendidas de alambres, se movían con corrientes de aire. ◄1917.4

►SUPERESTRELLA SINFÓNICA—Arturo Toscanini ya era el director de orquesta más famoso del mundo cuando, en 1937, el presidente de la NBC David Sarnoff creó en la cadena una orquesta sinfónica para él. El maestro dirigió la orquesta de la NBC durante 17 años y ganó su público más amplio a través de la radio. ◄1912.NM ►1957.9

►LAS POTENCIAS CEDEN ANTE JAPÓN—En diciembre, aviones japoneses bombardearon a barcos británicos en el puerto chino de Wuhan. El mismo mes, el acorazado norteamericano *Panay* fue hundido por los japoneses en el río Yangzi.

ECONOMÍA Y POLÍTICA: coronación de Jorge VI de Inglaterra; inicio de la guerra chino-japonesa; Birmania se separa de la India; nueva constitución para el Estado Libre de Irlanda; Getulio Vargas proclama la constitución del «estado novo» de Brasil.

«¡Dios mío! Voy a volverme loco, ¡no tiene una sola hélice!»—**Oficial de la RAF, sobre la prueba de vuelo del Gloster E.28/39, el primer avión a reacción británico, en 1941**

Las dos potencias occidentales se negaron a interferir en la conquista japonesa de China. Gran Bretaña no pudo tomar represalias por el temor a perjudicar sus inversiones en China. Estados Unidos, aunque finalmente había condenado la invasión, aceptó las disculpas de los japoneses y una oferta de indemnización y sostuvo firmemente su política de no intervención. ◂1937.1 ▸1938.4

▸ARTE DEGENERADO—En 1937, una comisión especial, nombrada por Hitler, requisó más de cinco mil piezas de arte moderno «degenerado», de colecciones públicas y privadas. (El ministro de economía Hermann Goering se quedó catorce cuadros, entre ellos dos de Van Gogh.) El 19 de julio la Exposición de

Arte degenerado celebrada en Múnich (*superior*, cartel de la exposición itinerante para Hamburgo) se inauguró junto a la Exposición de Arte alemán, organizada por los nazis. Acudieron más de dos millones de visitantes a ver los primeros ejemplos de dadaísmo, cubismo y expresionismo alemán, mientras que sólo visitaron la exposición subvencionada por el Estado unas sesenta mil personas. ◂1920.4

▸MEMORIAS DE ÁFRICA—La escritora de procedencia danesa Karen Blixen vivió en una plantación de café de Kenia entre los años 1914 y 1931. En 1937 se publicaron a la vez las ediciones inglesa y danesa de sus memorias de aquellos años, *Memorias de África* (bajo el pseudónimo de Isak Dinesen). El libro de Dinesen llora la pérdida de las cosas que más amó en Kenia: su granja, su marido (del que se había divorciado hacía tiempo), su amante (el cazador Denis Finch-Hatton, que murió), el sencillo modo de vida y las personas a las que amó.

ORIENTE MEDIO

Sin ninguna esperanza

12 Desde la Declaración Balfour de 1917 (que apoyaba la idea de un estado judío en Palestina), el gobierno británico había luchado por reconciliar las conflictivas aspiraciones de los judíos y los árabes en Palestina, que Gran Bretaña administraba bajo un mandato de la Sociedad de Naciones. Aquellos que todavía creían en la posibilidad de una coexistencia pacífica entre los dos grupos se llevaron un disgusto cuando la comisión Peel, dirigida por Lord Robert Peel, presentó su informe en julio de 1937. La comisión concluía que el mandato de Palestina resultaba impracticable: no había esperanza de que ninguna entidad nacional de cooperación incluyera a árabes y judíos.

El reciente aumento de la violencia palestina había impulsado la formación de la comisión. Los disturbios y las protestas árabes contra los judíos de Palestina habían ido en aumento durante los años veinte y treinta. A mediados de la tercera década, en respuesta a la llegada de miles de judíos de Europa, los árabes palestinos formaron el Alto Comité Árabe para defenderse contra lo que percibían como una invasión judía. Una huelga general se transformó en un alzamiento. Los británicos, desesperados por encontrar una solución, nombraron a Lord Peel para que estudiara la situación. La dirección árabe boicoteó el estudio.

Árabes palestinos proclaman su hegemonía sobre Palestina.

La comisión, tras eliminar la posibilidad de una amistad entre árabes y judíos, recomendó la partición de Palestina en un estado judío, uno árabe y un estado neutral administrado por Gran Bretaña. Al cabo de dos años, Gran Bretaña se encontró en una situación difícil. En los albores de la Segunda Guerra Mundial promulgó una ley que restringía severamente la inmigración judía a Palestina. **◂1930.NM**

Óleo pintado por R. Lovesey. Frank Whittle y la «unidad Whittle», su primer motor probado.

AVIACIÓN

Prueba del motor a reacción para los aviones

13 Ante el rearme que llevaba a cabo Hitler abiertamente, las otras potencias respondieron mejorando sus sistemas de armamento, especialmente en el campo de la aviación, que los estrategas veían como una pieza clave para la victoria de la cercana guerra mundial. Se desarrollaron nuevos tipos de aviones, desde bombarderos hasta aviones de combate pequeños y rápidos. En 1937, dos jóvenes ingenieros en Alemania y en Gran Bretaña cimentaron lo que sería la revolución del arma aérea. Cada uno por su lado realizaron las primeras pruebas de los motores a reacción, en tierra.

El británico antiguo piloto de pruebas Frank Whittle, había patentado su diseño en 1930, cuando contaba tan sólo 23 años. El alemán, Hans von Ohain, había registrado su patente en 1935, cuando tenía 24 años. El motor de Ohain realizó su primera prueba en el aire en 1939, impulsando un avión de combate He178. El de Whittle pasó su prueba en 1941, en un Gloster E.28/39.

Las ventajas revolucionarias del motor a reacción, más potente, menos pesado, libre de vibraciones y más seguro, fueron evidentes desde el principio. Sin embargo, el desarrollo de un avión a reacción listo para el combate resultó lento: en 1944 sólo estaban en servicio unos pocos Gloster británicos y algunos Messerschmitt alemanes. Mientras, los alemanes perfeccionaban otro tipo de nave impulsada a reacción: el misil V-1, que ocasionaría el terror y la destrucción de Londres durante meses. **◂1903.1 ▸1944.2**

ITALIA

Una asociación de admiración mutua

14 En dos viajes realizados en 1937, Mussolini reconoció de forma oficial su divorcio con los antiguos aliados de la Primera Guerra Mundial y su nuevo matrimonio con la Alemania nazi. En marzo visitó la colonia italiana de Libia, donde se declaró protector del mundo musulmán e inauguró una carretera de gran importancia estratégica a lo largo de la costa hasta la frontera egipcia. En septiembre, emprendió un viaje de cinco días a Alemania que lo convirtió en un peón al servicio de Hitler, en vez del aliado desdeñoso que había sido hasta entonces.

Hitler obsequió a su huésped con un desfile impresionante en Múnich y con unas maniobras militares en Mecklemburgo. El Duce inspeccionó el armamento en Essen y se trasladó con un tren especial a Berlín para acudir a una reunión. En todas partes los dos dictadores fueron recibidos con adoración por multitudes disciplinadas. Mussolini quedó profundamente impresionado.

De regreso a Italia, anunció que el ejército italiano adoptaría el paso de la oca de los alemanes. Tres semanas después, Alemania envió a Joachim von Ribbentrop a Roma y persuadió a Mussolini de que se constituyera como la tercera parte del Pacto Anti-Komintern, la entente que habían firmado hacía un año Alemania y Japón. En diciembre, Italia se retiró de la Sociedad de Naciones, como Alemania había hecho cuatro años antes. **◂1936.4 ▸1939.5**

Mussolini en su viaje por Libia antes de su visita conciliatoria a Alemania.

PREMIOS NOBEL: Paz: Vizconde Cecil de Chelwood (británico; Sociedad de Naciones) [...] Literatura: Roger Martin du Gard (francés; novelista) [...] Química: Walter Haworth y Paul Karrer (británico, suizo; vitaminas) [...] Medicina: Albert Szent-Györgyi (húngaro; oxidación de los nutrientes) [...] Física: Clinton Davisson y George Thomson (estadounidense, británico; difracción de electrones).

ECOS DE 1937

Desastre en el cielo

Transmisión radiofónica sobre el aterrizaje del *Hindenburg*, por Herbert Morrison, el 6 de mayo de 1937

La llegada rutinaria de la nave aérea Hindenburg *a la base naval norteamericana de Lakehurst, Nueva Jersey, en principio no era un acontecimiento importante. (El lujoso* Hindenburg, *el zepelín más grande del mundo y una muestra del poderoso Tercer Reich, ya había realizado diez viajes transatlánticos desde que había sido fletado el año anterior.) Allí estaba el reportero Herb Morrison para cubrir el acontecimiento para la emisora de radio WLS de Chicago. Morrison grababa sus impresiones para retransmitir el acontecimiento más tarde y, cuando él y su técnico de grabación Charles Nehlson estaban observando la llegada del «gran palacio flotante», la nave estalló. En unos minutos murieron 36 de los 97 pasajeros. El escalofriante relato de Morrison se hizo célebre porque en su reacción en el lugar de los hechos ante la catástrofe, que incluyó un desfallecimiento momentáneo durante el que vomitó, habló con la objetividad de la que se enorgullecería a partir de entonces el periodismo radiofónico.* **◄1929.NM**

Algunos investigadores concluyeron que la explosión de la parte posterior del *Hindenburg* (*extremo superior*) estuvo provocada por la electricidad atmosférica que provocó un escape de gas (el combustible era hidrógeno, muy inflamable). Otros pensaron que la nave, adornada con esvásticas, había sido objeto de un sabotaje antinazi. En una fotografía tomada tres horas y veinte minutos después (*superior*), el armazón del zepelín sigue tirado en el suelo.

Ya está aquí, señoras y señores, y qué espectáculo, un espectáculo maravilloso. Va descendiendo del cielo directo hacia nosotros y hacia las amarras. Sus potentes motores diesel rugen, las hélices golpean el aire y provocan torbellinos como los de un vendaval. Las hélices, entre los rayos de sol, reflejan sus superficies pulidas[...]. A nadie le maravilla que este gran palacio flotante pueda viajar por el aire ante la velocidad que desarrollan estos motores tan potentes. El sol llega a las ventanillas del lado este y las hace brillar como si fueran joyas sobre una tela de terciopelo negro[...].

Ahora está prácticamente quieto. Se han lanzado las amarras y unos hombres desde tierra las han recogido. Empieza a llover otra vez. La lluvia le hace ir un poco más despacio. Los motores traseros están a la potencia justa para mantener la nave.

[Se produce la explosión y hay un corte en la grabación, la fuerza de la explosión rompió una parte de la grabadora y Nehlson la reparó.]

¡Sal de aquí!, ¡Sal, Charley! ¡Está ardiendo! ¡Es horrible! Es una de las mayores catástrofes del mundo. Las llamas alcanzan los 150 metros. Es un accidente terrible, señoras y señores. Está rodeado de llamas y de humo. ¡La gente! ¡Los pasajeros! No puedo hablar, señoras y señores. Honestamente, es una masa de restos humeantes. Señora, lo siento. De verdad, apenas puedo. Iba a entrar cuando he visto esto. Charley, ¡es horroroso! Escuchen, voy a detenerme un momento porque he perdido el habla.

[Sonidos de fondo.]

De vuelta otra vez. Me he recuperado de la terrible explosión y del horrible accidente que ha ocurrido justo antes de descender hasta el amarre. No sé cuánto personal de tierra había debajo cuando ha caído. ¡No ha podido salvarse ninguno! Los parientes de los pasajeros que estaban aquí para darles la bienvenida han sido los primeros en correr hacia la nave. Han ayudado a transportar a los pasajeros y los han consolado. Algunos de ellos se han desmayado. La gente ha entrado en la nave en llamas con extintores para intentar apagar el fuego. El fuego es terrible a causa de la gran cantidad de gas hidrógeno que hay en la nave.

«¡Qué tontos hemos sido todos! ¡Esto es maravilloso! ¡Es justo como debe ser!»—**Niels Bohr tras enterarse del descubrimiento de la fisión nuclear, realizada por Otto Hahn, Fritz Strassmann y Lise Meitner**

HISTORIA DEL AÑO

El descubrimiento de la fisión

1 A mediados de los años treinta, físicos de Alemania, Francia e Italia competían por ser los primeros en conseguir romper un átomo. El físico francés Frédéric Joliot-Curie había iniciado la carrera al declarar que «las reacciones nucleares en cadena» conducían a la «liberación de enormes cantidades de energía aprovechable». En 1935 había sido galardonado con el Premio Nobel (junto con su mujer, Irène Joliot-Curie) por el descubrimiento de la radiactividad artificial. En Berlín, un equipo de investigación compuesto por Otto Hahn, Fritz Strassmann y Lise Meitner empezó a bombardear átomos de uranio con neutrones. Los científicos esperaban que el proceso diera lugar a elementos radiactivos más pesados similares al uranio. En vez de esto, a finales de 1938, Hahn y Strassmann (Meitner, judía austríaca, había huido a Suecia después de que Hitler invadiera Austria en marzo) se sorprendieron al descubrir que su bombardeo sobre el uranio había dado lugar a un elemento mucho más ligero que el uranio, llamado bario.

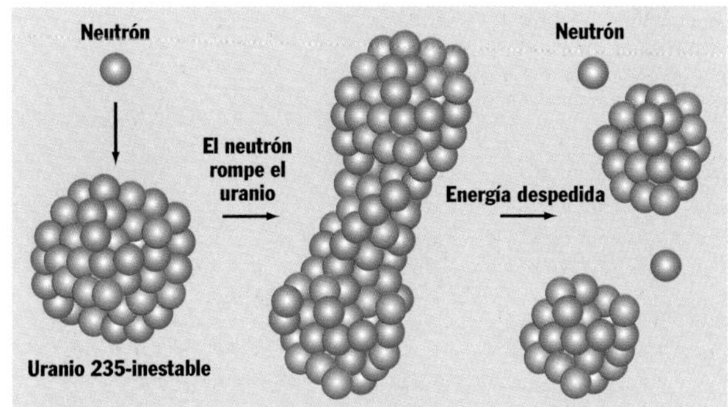

La escisión de un núcleo de uranio, llamada «fisión» por Lise Meitner.

Hahn y Strassmann enviaron sus resultados a Meitner, a Estocolmo, donde ella y su sobrino, el físico Otto Frisch, investigaron el misterio. Llegaron a la conclusión de que el núcleo del uranio, en vez de emitir una partícula o un pequeño grupo de partículas como se suponía desarrollaba una «cadena» y luego se rompía en dos fragmentos ligeros prácticamente iguales, cuyas masas, unidas, pesaban menos que el núcleo original del uranio. La diferencia de peso se convertía en energía.

Meitner dio el nombre de «fisión» al proceso. Joliot-Curie descubrió que la fisión del uranio producía la liberación de neutrones adicionales que, a su vez, podían ser utilizados para romper otros átomos de uranio. Se habían establecido las condiciones para el tipo de reacción en cadena que daría lugar a la bomba atómica.

Durante la guerra, Hahn y Strassmann permanecieron en Alemania. Hahn fue capturado por los aliados en la primavera de 1945 y, mientras se hallaba detenido en Inglaterra, se enteró de que había ganado el Nobel de Química de 1944. Cuando aceptó el premio, el sentimiento de que había realizado un gran descubrimiento científico estaba empañado a causa de que la fisión había hecho posible la destrucción de Hiroshima y Nagasaki. Después de la guerra, Hahn defendió con gran efusión el control de las armas nucleares. **◄1932.10 ►1939.NM**

ALEMANIA

Hitler se anexiona Austria

2 Una vez conseguida la alianza con Italia, Hitler pudo completar la primera fase de su plan para conquistar el mundo: con el *Anschluss* (anexión) de Austria. Para aplacar a Mussolini, protector de Austria, en 1936 Hitler había firmado un acuerdo por el que reconocía la soberanía del país. Pero a cambio obligó al canciller austríaco Kurt von Schuschnigg a declarar su nación «país alemán» y a prometer que compartiría el poder con la «oposición nacional». Estas estipulaciones proporcionaron la legalización de los nazis austríacos, que estaban a favor de la anexión, y el pretexto para que Hitler invadiera el país dos años más tarde.

Los acontecimientos se desencadenaron en febrero, cuando Schuschnigg se desplazó a Alemania para quejarse de un golpe que los nazis habían tramado contra él. Hitler le obligó a firmar un compromiso para apoyar a Alemania «moral y diplomáticamente», para detener la persecución de los agitadores nazis y para nombrar ministro del interior a un abogado afiliado al partido nazi, Arthur Seyss-Inquart. De regreso a su país, Schuschnigg se recuperó y convocó un plebiscito sobre la independencia de Austria, con el derecho a voto limitado a los mayores de 24 años (esto excluía a la mayoría de los simpatizantes nazis).

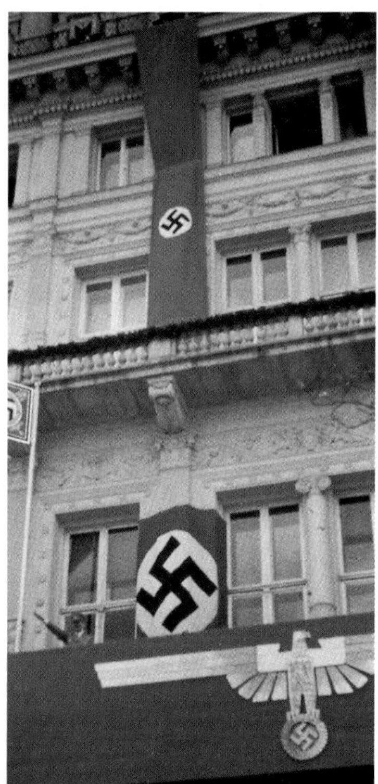

Hitler en Viena. El *Führer* realizó su primera conquista sin disparar un solo tiro.

Hermann Goering, lugarteniente de Hitler, pidió que el plebiscito se pospusiera. Cuando Schuschnigg aceptó, Goering le rogó que dimitiera y él lo hizo. Luego Goering nombró canciller a Seyss-Inquart. El presidente austríaco Wilhelm Miklas ya no quiso tolerarlo. El 12 de marzo las tropas alemanas invadieron Austria. Schuschnigg ordenó al ejército que no ofreciera resistencia, lo que no le salvó de pasar los siete años siguientes en prisión.

Hitler y sus soldados fueron recibidos por multitudes entusiastas (muchos austríacos, seducidos por los discursos de Hitler, consideraban la unificación como un modo de recuperar su grandeza teutona). Pronto, los disidentes antinazis fueron obligados a limpiar las aceras de Viena. Algunos judíos se exiliaron, como Sigmund Freud; otros fueron enviados a campos de concentración.

Londres y Washington aceptaron la conquista rápidamente; Roma envió sus felicitaciones. Hitler, agradecido, contestó al enviado del Duce: «Dile a Mussolini que nunca olvidaré esto, nunca, pase lo que pase». En un plebiscito organizado por los nazis en abril, el 99,75 % de los austríacos aprobó el *Anschluss*. **◄1937.2 ►1938.3**

ALEMANIA

Traición en Múnich

3 Con Austria dominada por Hitler, Checoslovaquia resultaba más vulnerable que nunca. Después de tres años de fomentar el descontento entre los alemanes de los Sudetes, Hitler estaba dispuesto a atacar. Sin embargo, en mayo de 1938 Francia y Gran Bretaña advirtieron a Alemania que defenderían el país si Hitler llevaba a cabo sus planes. Éste actuó debilitando y aislando a Checoslovaquia, y el resultado fue el pacto de Múnich, un intento de pacificación que convenció a Hitler de que podía hacer lo que quisiera.

La estrategia del Führer giró en torno a una coincidencia: todas las fortificaciones de Checoslovaquia se hallaban en la región germanoparlante de los Sudetes, dominada por los partidarios de la independencia de la región. Al mismo tiempo, incrementó su campaña propagandística contra los checos, acusándolos de atrocidades contra la minoría teutona. Insistió en que los Sudetes constituían el último territorio europeo que ambicionaba. Pronunció discursos agresivos para que Gran Bretaña y Francia no

«En este momento resulta intolerable pensar que una parte de nuestro pueblo esté expuesta a las hordas demócratas que amenazan a nuestra gente. ¡Me refiero a Checoslovaquia!»—**Adolf Hitler**

Terroristas favorables a los nazis en los Sudetes. El pacto de Múnich puso esta región en manos de Hitler.

intervinieran. La estrategia funcionó: las palabras hicieron innecesarios los tiros.

En septiembre, Neville Chamberlain, primer ministro británico, y Edouard Daladier, primer ministro francés, se reunieron con Hitler en Múnich. Mussolini actuó como mediador. Las dos potencias estaban de acuerdo en conceder a Alemania no sólo los Sudetes sino todas las zonas de Checoslovaquia con mayoría alemana. (El presidente checo, Eduard Beneš, dimitió en señal de protesta.) Chamberlain comunicó que se había «conseguido la paz» con honor. Él y Daladier volvieron a sus respectivos países para recibir los aplausos de la población.

El 1 de octubre los soldados alemanes llegaron a los Sudetes. Polonia y Hungría, apoyadas por Alemania, se anexionaron otras regiones de Checoslovaquia poco después. Finalmente, en 1939, Hitler obligó a Eslovaquia a separarse y al gobierno checo a rendirse.

Checoslovaquia dejó de existir; sus industrias y su armamento quedaron bajo el control alemán. Francia y Gran Bretaña se dieron cuenta demasiado tarde de que habían sido traicionadas. Era evidente que Polonia sería el siguiente objetivo de Hitler, pero esta vez la victoria no resultaría tan fácil. **◂1937.2 ▸1939.1**

JAPÓN

China se defiende

4 La campaña japonesa culminó con la captura de Wuhan, un centro industrial de China, a finales de 1938. Tras meses de luchas encarnizadas, los japoneses controlaron la mayor parte del este de China. El gobierno nacionalista de Chiang Kai-shek se vio obligado a retirarse a Chongqing, hacia el oeste, donde las comunicaciones estaban cortadas. Parecía que Japón estaba en camino de conseguir su objetivo de encabezar un «nuevo sistema en Asia oriental».

El único obstáculo a la ocupación total lo constituía el tamaño de China. A finales de 1938, Japón ya había enviado a China más soldados de los que quería pero la resistencia todavía estaba viva en el este rural. El centro-norte de China se hallaba en manos de los comunistas, bajo el mando de Mao Zedong, mientras que el sudeste estaba controlado por los nacionalistas de Chiang. En lo que Chiang llamó «un triunfo del sentimiento nacional sobre cualquier otra cosa», los dos partidos suspendieron la guerra civil para ofrecer una resistencia única contra los invasores extranjeros. Chiang, astuto estratega militar, se percató de que el tamaño del país era su mayor ventaja. Sabiendo que los japoneses no podrían ocupar todo el territorio chino, decidió extender las hostilidades.

Su táctica dio lugar a la acción más sorprendente de la guerra: en junio de 1938 los chinos dinamitaron los diques del río Amarillo de la provincia de Henan. La inundación acabó con la vida de miles de personas y destruyó los hogares de millones, pero evitó la penetración japonesa en el sur de China. Mientras, los nacionalistas, aislados al oeste de la llanura inundada, iniciaron una operación que abriría un enlace con el resto del mundo: la famosa ruta de Birmania. Cientos de miles de trabajadores chinos construyeron la carretera de 1.144 km entre Kumming, China, y Mandalay, Birmania, en menos de un año. Los primeros suministros llegaron a Kumming en diciembre de 1938. **◂1937.1 ▸1940.15**

A pesar de la invasión militar de los japoneses, los soldados chinos controlaban gran parte del campo. Aquí, miembros del ejército rojo vigilan la Gran Muralla.

NACIMIENTOS

Leonardo Boff, teólogo brasileño.

Claudia Cardinale, actriz italiana.

Frederick Forsyth, escritor británico.

Sofía de Grecia, reina de España.

Giogetto Giugiaro, diseñador industrial italiano.

Juan Carlos de Borbón, rey de España.

Rod Laver, tenista australiano.

Rudolf Nureyev, bailarín soviético.

Romy Schneider, actriz austríaca.

Ted Turner, empresario estadounidense.

MUERTES

Serafín Álvarez Quintero, dramaturgo español.

Kemal Atatürk, presidente de Turquía.

Fyodor Chaliapin, cantante ruso.

Gabriele D'Annunzio, escritor y político italiano.

Harvey Firestone, industrial estadounidense.

Ernst Kirchner, pintor alemán.

Leopoldo Lugones, escritor argentino.

Armando Palacio Valdés, escritor español.

Konstantin Stanislavsky, actor y director ruso.

César Vallejo, poeta peruano.

Thomas Wolfe, novelista estadounidense.

Pintura y escultura: *Rich Harbor* (Paul Klee) [...] Cine: *Alexander Nevsky* (Sergei Eisenstein).

«Tras haber cruzado Texas volando dos o tres veces, la distancia de un vuelo alrededor del mundo no parece tan larga.»
—Howard Hughes

NOVEDADES DE 1938

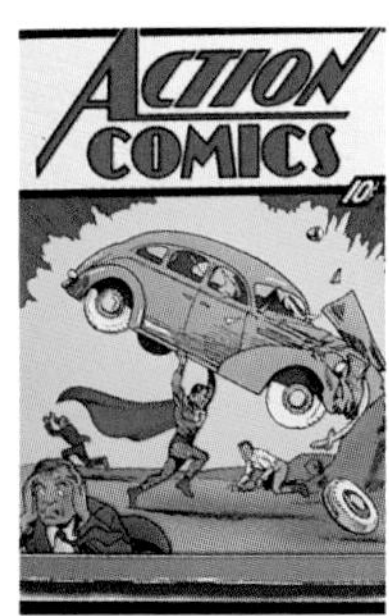

Superman (cómic de aventuras)

Cabinas a presión en los aviones de pasajeros.

Café instantáneo (Nescafé de Nestlé).

Terapia de electroshock.

Fibra de vidrio.

Hewlett-Packard.

EN EL MUNDO

►MUERTE DE UN GAUCHO —El escritor argentino Leopoldo Lugones se suicidó el 19 de febrero en la localidad de El Tigre, próxima a Buenos Aires. La crítica lo ha considerado como la figura más importante de la literatura argentina, por su tarea en la reivindicación de la poesía tradicional, su papel

fundacional (junto a Rubén Darío) del modernismo sudamericano y su función de puente con las vanguardias artísticas europeas. Su personalidad, de una riqueza compleja, se manifestó en su producción literaria en verso y en prosa, en sus escritos matemáticos, históricos, filosóficos, pedagógicos, filológicos y en sus traducciones de los clásicos griegos. Su trayectoria política lo llevó desde unas posturas iniciales de carácter socialista hasta la defensa de ideas ultranacionalistas y militaristas que rayaban con el fascismo. La *Guerra gaucha*, publicada en 1905, recoge en una prosa modernista modélica una serie de escenas de la lucha de la

AVIACIÓN

Hughes cierra una época

5 Howard Hughes, productor de cine, fabricante de aviones y multimillonario también estableció un récord como piloto. Hughes cerró la época de los aviadores heroicos el 14 de julio de 1938, en que aterrizó con su bimotor Lockheed en el campo Floyd Bennett de Nueva York tras dar la vuelta al mundo en tres días, 19 horas y 17 minutos, la mitad del tiempo que había empleado Wiley Post en su viaje en solitario de 1933. Más tarde, Hughes aclaró: «Cualquier piloto aéreo comercial hubiera podido hacer lo mismo».

Hughes aprovechó las experiencias de sus predecesores y sus fondos ilimitados. Su Lockheed 14 estaba equipado con los instrumentos de navegación más modernos; estuvo en contacto permanente con emisoras de radio situadas en tierra y en barcos. En las seis escalas que ya tenía programadas y en los puestos de emergencia situados entre ellas, contaba con piezas de recambio.

El avión despegó hacia París el 10 de julio. En Siberia tropezó con el único problema cuando vislumbró una montaña que no estaba bien indicada en el mapa. Tras las escalas en Fairbanks, Alaska y Minneapolis, Minnesota, el aeroplano aterrizó en Nueva York, donde le esperaban veinticinco mil admiradores entusiasmados. Para Hughes, extremadamente tímido, lo peor del viaje fue enfrentarse a la multitud. Murmuró algunas palabras y luego se marchó en una limusina. Fue la última vez que el vuelo de un avión creó tanta expectación. **►1958.6**

TECNOLOGÍA

La primera fotocopia

6 En un modesto taller de Queens, Nueva York, un antiguo administrador de patentes llamado Chester Carlson y su ayudante bañaron una placa de metal con sulfuro e imprimieron la fecha y el lugar: «10-22-38 Astoria», en tinta china sobre una lámina de cristal. Frotaron la placa sulfurada con un algodón para conferirle electricidad, la unieron con el cristal y expusieron a ambos a una luz potente. Tras unos segundos, separaron la lámina y espolvorearon la placa con polvo negro. Apareció una imagen casi perfecta de la inscripción. Presionaron una lámina de papel de cera contra la placa y la despegaron. Las imágenes de polvo se habían traspasado al papel. El resultado fue la primera copia xerográfica.

Carlson había empezado su investigación tratando elementos químicos en la cocina de su casa. Al cabo de cinco años, cansado y sin dinero, contactó con el Battelle Memorial Institute, una fundación privada de investigación de Ohio, que por el 75 % del invento le ofreció 3.000 dólares. En 1946, la compañía Haloid, una fábrica de papel fotográfico de Rochester, Nueva York, también firmó y en 1949 la compañía fabricó la primera fotocopiadora xerográfica, una máquina frágil y de difícil manejo.

Durante la década siguiente, en la que se realizaron aún más investigaciones, la Haloid contrató a un equipo de diseñadores y técnicos para trabajar en el proyecto. En 1959 se comercializó la Xerox 914, una fotocopiadora más práctica. Aunque era más grande que la máquina que había imaginado Carlson, era tan fácil de usar que incluso un niño podía hacerlo. De hecho, el anuncio televisivo presentaba a una niña fotocopiando una carta. Cuando su padre le pregunta cuál era la copia y cuál el original, la niña contestaba que lo había olvidado. A pesar del escepticismo acerca del su utilidad, las ventas resultaron increíbles. La Haloid pronto se convirtió en la Xerox Corporation. **►1988.11**

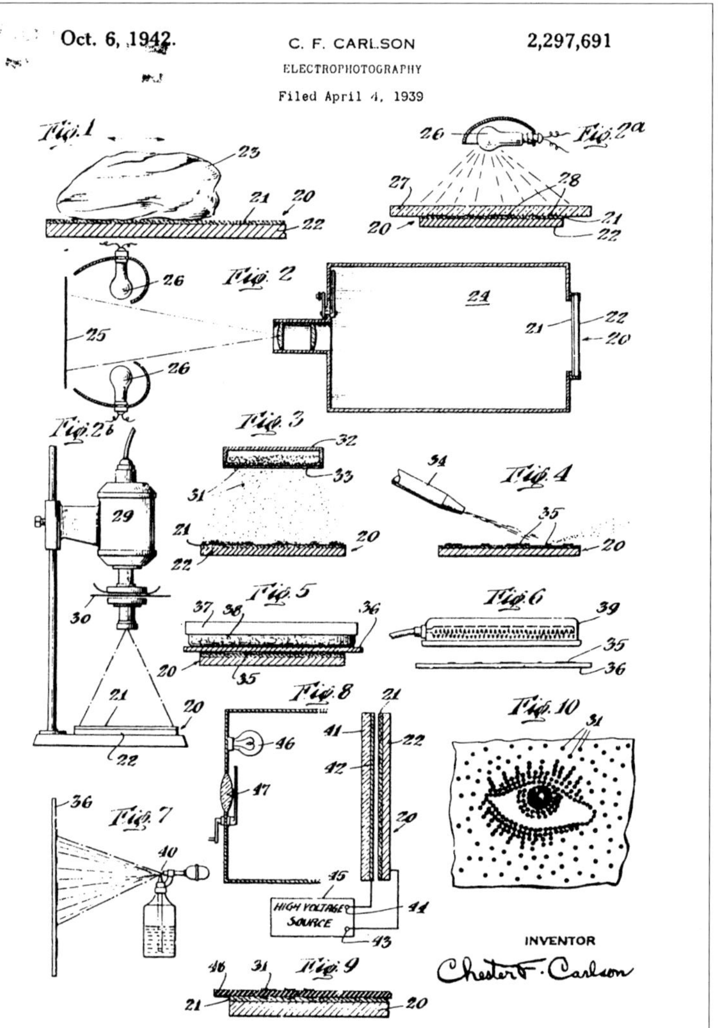

Dibujos de Carlson para la patente que registró de su proceso «electrofotográfico».

DEPORTES: Fútbol: Italia gana por segunda vez el campeonato del mundo, derrotando a Hungría por 4 goles a 2 [...] Boxeo: Joe Louis noquea a Max Schmeling en el primer asalto [...] Tenis: Helen Wills Moody gana en Wimbledon.

«No me interesan las cosas efímeras, como los adulterios de los dentistas. Me interesan las cosas que se repiten una y otra vez en las vidas de millones de personas.»—**Thornton Wilder**

***Jezabel*, coprotagonizada por Henry Fonda, dio a Bette Davis un papel a su medida.**

CINE

La temible Bette

7 Como cualquier otra actriz de los años treinta y cuarenta, Bette Davis fue una esclava de los estudios. Había debutado en la pantalla con *Bad sister* (1931), se convirtió en una estrella con *Of human bondage* (1934) y ganó un Óscar por *Peligrosa* (1935). Sin embargo, en 1936, disgustada con las películas que su contrato le obligaba a filmar, Davis dejó Hollywood por Londres. La Warner Bros. la denunció por incumplimiento de contrato y ganó. Pero Davis también: a su regreso a Hollywood hizo películas mejores. La primera de ellas fue *Jezabel*, rodada en 1938. Dirigida por William Wyler y escrita por John Huston, *Jezabel*, como sugiere el título, proporcionó a la estrella rebelde el papel para el que había nacido, el de una belleza del sur obstinada, atractiva y ambiciosa. La interpretación del papel le valió el segundo Óscar.

Durante las seis décadas de su carrera, Davis dio luz a docenas de interpretaciones inolvidables de mujeres enamoradas, codiciosas o en situaciones límite. Sus enormes ojos brillantes, su dicción precisa y su modo de fumar caracterizaron su presencia en la pantalla (fuera de ella resultaba igualmente formidable: Jack Warner la definía, afectuosamente, como «una mujercita explosiva con una izquierda demoledora»). Davis podía interpretar a una asesina calculadora *(La loba)*, una dama de sociedad moribunda (*Dark victory*) o a una cenicienta solterona *(Now, voyager)* con la misma fuerza. Al menos tres de sus papeles se han convertido en ejemplares: la bruja frustrada en *Beyond the forest*; la diva de Broadway Margo Channing, de mediana edad, en *Eva al desnudo*; y la loca antigua estrella infantil en *¿Qué fue de Baby Jane?* **▸1961.11**

TEATRO

Un innovador americano

8 Acogida por el público como un retrato rocambolesco de la vida de los pueblos americanos en los primeros años del siglo, la innovadora obra de Thornton Wilder

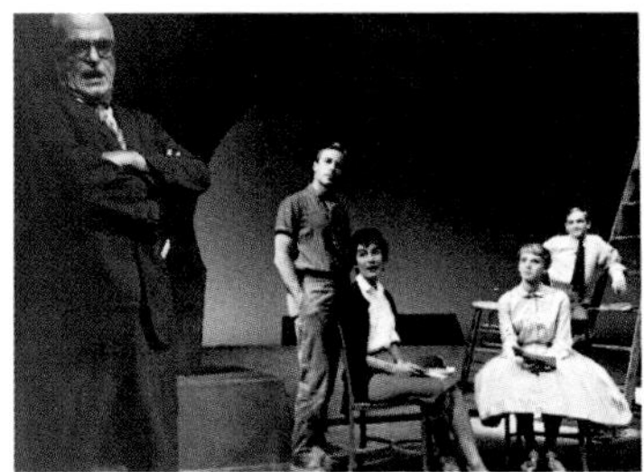

Thornton Wilder en un ensayo de Nuestra ciudad, en Williamstown, Massachusetts, 1959.

Nuestra ciudad (1938), era en realidad una expresión del existencialismo típicamente americano del autor. Al prescindir de convenciones teatrales como escenas, acotaciones y una historia lineal, Wilder creó una alegoría de la vida y la muerte individual comparada con la indiferencia del universo. La innovadora obra, que ganó un premio Pulitzer, se ha convertido en un clásico del teatro americano.

En un escenario desnudo, con un director de escena que hace comentarios desde un lateral, *Nuestra ciudad* examina una ciudad corriente, Grover's Corners, New Hampshire, en todos sus aspectos, desde su «Vida cotidiana» (acto I), su «Amor y matrimonio» (acto II) hasta su «Muerte» (acto III). La mezcla inusual de desolación y originalidad de la pieza, «Ella muere, nosotros morimos, ellos mueren», dice Wilder de la muerte de su heroína, confundió a los críticos que la tildaron de enormemente pesimista o de ingenua y optimista. La obra, en sus múltiples puestas en escena, ha sido transformada a menudo en lo que Wilder criticaba, en un retrato de la «vida familiar». Sus gustos se decantaban por Proust, Joyce y el teatro japonés (que influyó en la escenificación de *Nuestra ciudad*). Actualmente, como su admirador Edmund Wilson observó, Wilder «ocupa un lugar único entre las obras maestras y la sofisticación parisina por un lado, y la industria del entretenimiento por otro». **◂1931.11 ▸1949.E**

TECNOLOGÍA

Un avance en la escritura

9 En 1851 un periodista escribió en el *Scientific American*: «Lo que todo el mundo quiere es un sustituto del lápiz y de la pluma. Parece que un solo instrumento puede hacer esta función». Un deseo modesto pero que no se hizo realidad hasta 1938, 87 años más tarde, cuando dos hermanos húngaros, Ladislao y Georg Biro, inventaron el bolígrafo.

El bolígrafo de los Biro consistía en una bola de acero en la punta de un cilindro lleno de tinta. Una acción de bombeo impregnaba la bola y permitía que la tinta fluyera de modo uniforme. Fran Seech, un químico austríaco residente en California, lo perfeccionó y consiguió que la tinta se secara de forma inmediata sobre el papel.

El bolígrafo, introducido en Estados Unidos después de la Segunda Guerra Mundial, fue anunciado como «el único lápiz que escribía bajo el agua». Los hermanos Biro fundaron una compañía para fabricar bolígrafos; más adelante fue superada por la compañía francesa Bic, que fabricó un bolígrafo más barato y desechable. **◂1938.6**

El dibujo de la patente de Ladislao Biro.

independencia donde se dan la mano su talento literario y su vocación historiográfica.

▸ROMANCE AMERICANO—En la película de 1938 *Love finds Andy Hardy*, el saludable héroe americano, interpretado por Mickey Rooney, disfruta de la atención de dos novias, una es Lana Turner y la otra Judy Garland (*superior*, junto a M. Rooney). Fue la primera de una serie de quince películas reconocida en 1942 con un Óscar especial a la MGM por

«haber conseguido representar el modo de vida americano».

▸PROFETA URBANO—*The culture of cities*, el segundo libro de la serie *Renewal of life* de Lewis Mumford, se publicó en 1938 y fue un éxito de la crítica. Mumford, perfilando la historia de las ciudades modernas, expresó su temor de que la tecnología arrebatara su cultura a la civilización y advertía contra las obras públicas mal planificadas e impersonales que desfiguraban el paisaje urbano. ▸1960.9

▸EL ÚLTIMO ENEMIGO—Nikolai Bujarin, el último rival de Stalin por el poder político que todavía vivía en la Unión Soviética, fue encontrado culpable de traición y ejecutado en 1938 después de un proceso público. Bujarin, miembro de la vieja guardia bolchevique, se había aliado con Stalin después de la muerte de Lenin para apoyar su programa moderado contra el que defendían Trotski, Zinoviev y Kamenev, más radical. Pero en 1929 Stalin, que ya se había deshecho de sus rivales de izquierdas, expulsó a Bujarin del Komintern y del gobierno, y en 1937 le mandó arrestar por «trotskista». La ejecución de Bujarin fue la base de la novela de Arthur Koestler *El cero y el infinito*. ◂1936.6 ▸1941.NM

▸FÓSIL VIVIENTE—Un pescador de la costa de

POLÍTICA Y ECONOMÍA: F. D. Roosevelt pide incrementar el ejército y la armada; se aprueba la ley de expansión naval [...] Formación del comité de investigación de actividades antiamericanas [...] Se aprueba la segunda ley de ajuste agrario [...] No se aprueba la resolución Ludlow, que proponía un referéndum antes de que el congreso declarara la guerra [...] Se funda McDonnell Aircraft y Eastern Airlines.

«Me pareció que eran cientos de hombres, blandiendo porras. Saltaron de los camiones y empezaron a romper los escaparates de todas las tiendas.»—**Peter Oestereicher, un joven judío que miraba escaparates de tiendas la noche de los cristales rotos**

Sudáfrica cobró la pieza más extraordinaria de los últimos setenta millones de años. En diciembre de 1938 pescó un ejemplar de *Latimeria chalumnae,* conocido como «celacanto». (La especie no ha cambiado en 350 millones de años.) Los científicos pensaban que se había extinguido hacía setenta millones de años, pero el pez había servido de alimento durante años a los habitantes de las islas Comoro.

►LA OBRA DE HINDEMITH —El compositor alemán Paul Hindemith había sido acusado de «bolchevique cultural» y de «no tener espíritu ario» por el ministro de propaganda Joseph Goebbels cuando en 1934 se estrenó la versión orquestal de su ópera *Mathis der Maler* con la Filarmónica de Berlín. En 1938 se presentó íntegra en Zúrich, y Hindermith recibió el reconocimiento que se merecía. Aunque era innovador, fue contra las tendencias vanguardistas y defendía la primacía de la tonalidad, un concepto considerado obsoleto por otros compositores como Arnold Schoenberg. ◄1912.11

Los berlineses supervisan los daños ocasionados a una tienda la mañana después de la Kristallnacht.

ALEMANIA

La noche de los cristales rotos

10 Ernst vom Rath era un diplomático alemán; Herschel Grynszpan, un estudiante judío polaco cuyos padres habían vivido en Alemania desde 1914. Ambos vivían en París. La noche del 9 de noviembre de 1938, sus vidas separadas convergieron en el inicio de lo que se llamó la *Kristallnach*, la noche de los cristales (una referencia a los escaparates que se rompieron durante el pogrom). La violencia sangrienta iría en aumento durante los siete años siguientes.

El pretexto para el primer incidente realmente violento de los nazis contra los judíos fue el tiro que Grynszpan disparó contra Vom Rath (sospechoso asimismo de deslealtad). Peones de un juego entre Alemania y Polonia sobre qué país era responsable de que los judíos polacos vivieran en Alemania, los padres de Grynszpan habían sido deportados a la frontera polaca por los nazis en octubre. Angustiado por la situación de sus padres, Grynszpan irrumpió en la embajada alemana, escogió al azar a Vom Rath y le disparó. Éste, a consecuencia del atentado, murió dos días más tarde, el 9 de noviembre.

Tan pronto como llegó a Múnich la noticia de la muerte de Vom Rath, (ciudad en la que Hitler y sus seguidores celebraban el decimoquinto aniversario del alzamiento en la cervecería), Joseph Goebbels, el director de propaganda nazi, ordenó la destrucción general de los hogares, negocios y sinagogas de los judíos. Las SS y las Juventudes Hitlerianas tomaron las calles, incendiaron unas doscientas sinagogas, profanaron tumbas, rompieron los escaparates de las tiendas y atacaron a todos los judíos que se cruzaron en su camino. En tan sólo 24 horas murieron 91 judíos, 36 fueron gravemente heridos y unos treinta mil fueron arrestados y enviados a los campos de concentración de Buchenwald, Dachau y Sachsenhausen.

Muchos de los judíos que no fueron deportados o asesinados fueron acorralados en las sinagogas quemadas donde se les golpeó y se les obligó a recitar pasajes de *Mein Kampf.* Los que fueron enviados a los campos sufrieron un trato aún peor: al llegar a Sachsenhausen, 62 hombres fueron obligados a atravesar pasillos de porras, palas y látigos. Doce murieron. Se había establecido el marco para «la solución final de la cuestión judía». (*die Endlösung der Judenfrage*). Al cabo de un año, Hitler se ocuparía de los judíos de Europa oriental. **◄1935.1 ►1939.18**

CINE

Comedias

11 **Gracias a películas como *Sucedió una noche* y a estrellas como Carol Lombard, el público cinematográfico de los años treinta supo que lo divertido también podía ser atractivo. *La fiera de mi niña,* dirigida por Howard Hawks en 1938, es el arquetipo de comedia conocida como «*screwball*». Protagonizada por Cary Grant, en el papel de un zoólogo serio, Katharine Hepburn como la chica rica y alocada que le desordena la vida, y un leopardo, la película, rápida y enérgica no fue un éxito de taquilla. Pero se ha convertido en un clásico indiscutible. ◄1934.NM ►1949.NM**

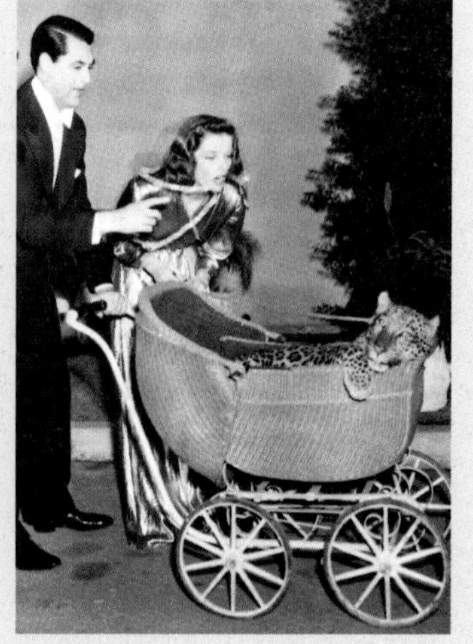

TECNOLOGÍA

Una sustancia polifacética

12 Roy J. Plunkett, un joven físico de la compañía Du Pont recién graduado, estaba abriendo en abril de 1938 una lata de gas tetrafluoroetileno cuando en lugar del ruido característico que emiten los vapores al salir, no oyó nada. Con curiosidad, Plunkett seccionó la lata con una sierra y se dio cuenta de que el gas, conocido con las iniciales TFE, se había transformado en un polvo blanco y grasiento. En términos técnicos, se había polimerizado de forma natural; es decir, las moléculas se habían reagrupado de alguna manera en cadenas. Plunkett realizó varias pruebas. Los resultados demostraron que el polímero no tenía actividad química y era completamente estable. No le afectaba la electricidad, los ácidos o los disolventes; no era susceptible a la corrosión, además de ser la sustancia más viscosa que se había descubierto.

El polímero, llamado «teflón» por Du Pont, finalmente se convirtió en un material para usos múltiples. Durante la Segunda Guerra Mundial se utilizó en secreto para que el hexafluorido de uranio, componente altamente corrosivo utilizado en la producción de uranio 235, componente principal de la bomba atómica, no se escapara por las juntas. El teflón, comercializado en 1948, sirvió para el aislamiento de cables y componentes eléctricos. En los años cincuenta, los panaderos descubrieron sus utilidades y, en 1956, se pusieron a la venta las primeras cazuelas revestidas de teflón. El entusiasmo disminuyó cuando el revestimiento empezó a desprenderse del metal, pero Du Pont encontró el modo de solucionarlo. Desde entonces, el teflón se ha instaurado en la vida cotidiana: se puede encontrar en objetos y materiales muy diversos, desde Goretex (que protege de las temperaturas extremas y de la humedad) hasta arterias y ligamentos artificiales. **◄1934.9 ►1941.NM**

PREMIOS NOBEL: Paz: Oficina internacional para refugiados (Suiza) [...] Literatura: Pearl S. Buck (estadounidense; novelista) [...] Química: Richard Kuhn (alemán; vitaminas; lo rechaza por orden del gobierno alemán) [...] Medicina: Corneille Heymans (belga; regulación de la respiración) [...] Física: Enrico Fermi (italiano; reacciones nucleares).

ECOS DE 1938

Llegan los marcianos

De «La guerra de los mundos», *Mercury Theatre on the Air*, CBS, 30 de octubre de 1938

El domingo 30 de octubre de 1938, Orson Welles, director, actor y productor de 23 años de edad, y su Mercury Theatre gastaron una broma que provocó una gran oleada de pánico. Aquella tarde, Welles y su compañía interpretaron la adaptación de Howard Koch de la novela de Orson Welles La guerra de los mundos, *una invasión de Marte sobre la Tierra. La obra radiofónica simulaba una emisión de noticias, con boletines informativos sobre el aterrizaje de los extraterrestres en Nueva Jersey y su victoria sobre América.*

A pesar de los anuncios anteriores a la retransmisión de que el programa era pura ficción, al menos un millón de oyentes se aterrorizó. En todo el país hubo familias que tomaron aviones, miles de personas rezaron y algunas se prepararon para la batalla. Welles no esperaba esta reacción tan fuerte y se disculpó. En el extracto siguiente, el «comentarista Carl Phillips» habla «en directo» desde Nueva Jersey. ◄**1932.NM** ►**1941.11**

PHILLIPS: ¡Un momento! ¡Está ocurriendo algo! ¡Señoras y señores, esto es terrible! ¡Está empezando a desprenderse la parte inferior de esta cosa! ¡La parte de arriba está empezando a girar, como una hélice! ¡La cosa tiene que ser hueca!

VOCES: ¡Se está moviendo! ¡Mira, la cosa esa se desatornilla! ¡Apártate de aquí! ¡Apártate, te digo! ¡Quizás hay hombres dentro que intentan escapar! ¡Está al rojo vivo! ¡Quedarán carbonizados! ¡Apartáos!, ¡apartáos más, idiotas!

(De repente se oye el ruido de la caída de una pieza metálica)

VOCES: ¡Se ha ido! ¡Ha caído la parte de arriba! ¡Mira allí! ¡Más atrás!

PHILLIPS: Señoras y señores, es lo más aterrador que he visto nunca... ¡Un momento! ¡Alguien está saliendo de la parte de arriba! Alguien o... algo. Si me asomo a este agujero negro puedo ver dos discos luminosos ... ¿Son ojos? Debe ser una cara. Debe ser...

(Gritos de pavor de la multitud)

Cielos, algo se está retorciendo fuera de la sombra como si fuera una serpiente. Ahora hay otra y otra más. Me parecen tentáculos. Allí. Puedo ver el cuerpo de la criatura. Es tan grande como un oso y brilla como el cuero mojado. Pero la cara. Es... es indescriptible. Ya no puedo mirarla más. Tiene los ojos negros y reluce como una serpiente. La boca tiene forma de V y la saliva le resbala por sus labios temblorosos. El monstruo o lo que sea se mueve con dificultad. Parece sobrecargado por... la gravedad o alguna cosa. La criatura se está levantando. La multitud se aparta. Ya han visto suficiente. Es la experiencia más extraordinaria. No tengo palabras... ¡Espera! ¡Está pasando algo!

(Se oye un silbido y luego un zumbido cada vez más fuerte)

Una forma encorvada sale del agujero. Puedo distinguir un rayo de luz contra un espejo. ¿Qué es eso? Hay una llama que sale del espejo y se dirige directamente hacia los hombres de delante. ¡Les golpea en la cabeza! ¡Dios mío se han transformado en llamas!

(Gritos y ruidos extraños)

Ahora todo el campo está incendiado. *(Explosión)* Los árboles ... Los graneros... los depósitos de gasolina de los coches... se está extendiendo por todas partes. Está llegando aquí. A unos metros de mí...

(Ruido del micrófono... Silencio absoluto)

La retransmisión de Welles compitió con el programa de más audiencia: El show de Charlie McCarthy. (Alexander Woollcott telegrafió a Welles después de la emisión diciéndole: «Esto prueba que la gente inteligente escuchaba a un tonto y los tontos te escuchaban a ti.» Más tarde Welles pidió disculpas por el terror que había provocado.

«Lo único que me preocupa es que en el último momento algún canalla me proponga un plan de mediación.»—**Adolf Hitler, antes de que Alemania invadiera Polonia**

HISTORIA DEL AÑO

Hitler invade Polonia e inicia la Segunda Guerra Mundial

1 El 22 de agosto de 1939, Adolf Hitler pronunció un discurso fatídico dirigido al alto mando alemán. Un testigo apuntó lo esencial: «Aniquilación de Polonia en primer término [...] No tengáis piedad. Actuad con brutalidad». Siguieron unos días de disputas diplomáticas en los que Hitler intentó superar la oposición británica, y Mussolini intentó persuadirlo de que negociara con Polonia, pero el 31 de agosto el *Führer* ordenó a sus soldados que entraran en acción. Aquella noche, para tener lo que Hitler llamó «el pretexto propagandístico», los hombres de las SS simularon que los polacos habían atacado una emisora de radio cercana a la frontera, y Alemania invadió Polonia. El 3 de septiembre Francia y Gran Bretaña declararon la guerra a Alemania y se inició la Segunda Guerra Mundial.

Por entonces, las fuerzas de Hitler habían llegado al río Vístula, en el interior de Polonia. Aunque los británicos bombardearon las naves que se hallaban en el norte de Alemania, en la ciudad portuaria de Kiel, y los franceses atacaron la frontera fortificada del oeste de Alemania, la falta de prevención política y militar no permitió que las dos potencias ayudaran con más efectividad a Polonia. La nación estaba condenada. Sus soldados no estaban bien posicionados y su caballería no podía hacer nada contra los modernos tanques de Alemania. Los bombarderos alemanes destruyeron el sistema de transporte de Polonia, derribaron sus pequeñas fuerzas aéreas y aterrorizaron a sus ciudades. Cracovia cayó el 6 de septiembre. El 9 del mismo mes el resto de fuerzas defensivas quedó cercado. Cuando la lucha había casi finalizado, llegaron del este los soldados soviéticos. El 18 de septiembre se encontraron con los alemanes en Brest-Litovsk; el gobierno polaco huyó hacia el exilio. Varsovia capituló diez días después.

Del millón de soldados polacos, setecientos mil habían sido hechos prisioneros y otros ochenta mil habían huido del país. (El total de bajas se desconoce.) De la fuerza expedicionaria alemana de un millón y medio de soldados, sólo murieron, fueron heridos o desaparecieron cuarenta y cinco mil. Conforme al pacto que había firmado un mes antes, Hitler ofreció a Stalin dos tercios de Polonia y permitió que los Estados Bálticos y Finlandia quedaran bajo la esfera de influencia soviética. La próxima vez que golpeara lo haría contra Occidente. **◂1938.3 ▸1939.2**

El ejército victorioso de Alemania marcha sobre las calles de Varsovia el 5 de octubre de 1939.

SEGUNDA GUERRA MUNDIAL

La caída de Praga

2 Las condiciones para la invasión de Polonia ya se habían establecido a principios de 1939 con la disección de Checoslovaquia y la neutralización incruenta de uno de los ejércitos más poderosos de Europa. La conferencia de Múnich del año anterior había transformado a la nación en una federación de tres repúblicas. A mediados de marzo, Hungría se apoderó de Rutenia y Eslovaquia se separó, y se convirtió en un estado nuevo (pero sometido a Alemania).

Un soldado alemán cuelga un cartel en la recién nombrada plaza Adolf Hitler, en la ciudad de Brno.

La República Checa fue la última en caer. Su presidente, Emil Hácha, intentó apaciguar a los alemanes mediante la aprobación de leyes antisemíticas y anticomunistas. Sin embargo, el ejército alemán empezó a concentrar soldados en la frontera. El 14 de marzo, el día en que Eslovaquia proclamó su independencia, Hácha se desplazó a Berlín para rogar por la supervivencia de su república. Él y sus edecanes estaban citados con Hitler a las 01.15 horas. El *Führer* les anunció que la invasión empezaría a las 06.00 horas, luego se fue.

Los ministros Hermann Goering y Joachim von Ribbentrop se quedaron en la habitación y les anunciaron a los checos que Praga sería bombardeada a no ser que firmaran la rendición. De repente, Hácha, que sufría del corazón, se desmayó. El médico de Hitler le puso una inyección que le hizo recobrar el conocimiento el tiempo suficiente para que firmara los documentos. Después Hitler abrazó a sus secuaces y dijo: «Chicos, ¡es el mejor día de mi vida!». Aquella tarde entró con sus tropas en la capital checa. Hácha continuó como presidente de paja del nuevo protectorado alemán de Bohemia y Moravia. En el conflicto inmediato, la antigua Checoslovaquia suministraría recursos vitales a la maquinaria de guerra de Hitler. **◂1939.1 ▸1939.3**

ARTE Y CULTURA: Libros: ***El despertar de Finnegan*** **(James Joyce);** ***El sueño eterno*** **(Raymond Chandler) [...] Música: «La polka del barril de cerveza» (Vejvoda y Brown) [...] Pintura y escultura:** ***Retrato de la burguesía*** **(David Alfaro Siqueiros);** ***Man*** **(Willem de Kooning) [...]**

«No puedo pronosticar cuál será la reacción de Rusia. Es una adivinanza envuelta en un misterio dentro de un enigma.»—**Winston Churchill, después de que Stalin firmara un pacto de no agresión con Alemania**

SEGUNDA GUERRA MUNDIAL

Stalin se une a Hitler

3 Hitler invadió Polonia para facilitarse el camino hacia Rusia, pero lo hizo sólo después de intentar neutralizar a los polacos a través de negociaciones. En marzo de 1939, se ofreció para *protegerlos* de los rusos a cambio de la devolución de Danzig (actualmente Gdánsk), separada de Alemania al final de la Primera Guerra Mundial. Sin embargo, Polonia, desconfiando de sus dos poderosos vecinos, aceptó una oferta de defensa de Gran Bretaña.

Hitler se encolerizó. Siempre había contado con el consentimiento de Londres en sus planes contra la Unión Soviética. Cuando los británicos instituyeron el servicio militar obligatorio se dio cuenta de que debía atacarlos para poder conquistar Rusia. Pero primero quería utilizar a Rusia contra Polonia. Tras revocar sus tratados de 1935 con Polonia y Gran Bretaña, envió al ministro de asuntos exteriores, Joachim von Ribbentrop, a Moscú.

Stalin, inseguro acerca de la ayuda de Occidente en caso de un ataque alemán, llegó a un acuerdo con Hitler. Stalin demostró su ansia de entendimiento al destituir a su ministro de asuntos exteriores, un judío. El 23 de agosto el nuevo ministro, Vyacheslav Molotov, se citó con Von Ribbentrop y firmaron un pacto de no agresión ante la sorpresa del mundo, que consideraba al fascismo y al comunismo como enemigos irreconciliables. La entrada en vigor del protocolo secreto del tratado causó una sorpresa todavía mayor: en el caso de una «transformación territorial y política» en la región, los alemanes y los soviéticos se repartirían el este de Europa.

Joseph Stalin (izquierda) estrecha la mano de Joachim von Ribbentrop.

Hitler inició esa transformación unos días más tarde. Cuando acabó, Rusia había obtenido los prometidos dos tercios de Polonia como una zona tapón contra la invasión. Mientras, Alemania contaba con una plataforma de lanzamiento para este mismo propósito. **◂1939.1 ▸1939.6**

Soldados indios de Egipto, fotografiados por la periodista gráfica Margaret Bourke-White.

SEGUNDA GUERRA MUNDIAL

Un Imperio en guerra

4 La Segunda Guerra Mundial afectó a todo el mundo poco después de la invasión de Polonia. Las naciones del Imperio Británico y la Commonwealth tomaron las armas. Lord Linlithgow, virrey de la India, declaró la guerra en septiembre de 1939, a pesar de la oposición del Congreso Nacional indio, que controlaba seis de las once provincias. El parlamento de Canadá votó por una mayoría arrolladora a favor de unirse a los aliados, aunque su ejército sólo contaba con cuatro mil hombres bien entrenados. El primer ministro australiano, Robert Menzies, ni siquiera consultó al parlamento, simplemente hizo un anuncio por radio: «Gran Bretaña está en guerra, de modo que Australia también lo está». Nueva Zelanda también se unió a la causa.

En diciembre, los soldados de la Primera División Canadiense llegaron a Inglaterra, y los soldados indios se unieron a las tropas británicas en Francia. India finalmente contribuyó con dos millones de soldados, la misma cifra que las colonias y dominios británicos juntos. La armada de Canadá aumentó y se convirtió en la tercera del mundo. Australia aportó medio millón de soldados y serviría de base para las operaciones americanas en el Pacífico. Nueva Zelanda (cuyos soldados sufrieron el índice más alto de bajas de la Commonwealth) suministró la mayor parte de la comida que mantuvo a su gente nutrida para luchar. **◂1937.3 ▸1940.1**

SEGUNDA GUERRA MUNDIAL

El pacto de acero

5 Benito Mussolini se sintió humillado por la victoria sin sangre de Hitler sobre los checos. Sin disparar un solo tiro, su alumno le había superado como conquistador. Deseoso de ponerse a su altura, el Duce decidió anexionarse la pequeña Albania (sobre la que Italia ejercía un dominio de hecho desde 1934). Sin embargo, la campaña, lejos de ser gloriosa, llevó a Mussolini a una condición todavía más servil hacia el *Führer* al firmar el tratado de 1939 que Hitler denominó el pacto de acero.

Ligados por el pacto, soldados italianos y alemanes conversan en Tirana (capital de Albania).

El 7 de abril empezó la invasión de forma completamente desorganizada. En lugar de entrar en primer lugar en la capital, Tirana, los comandantes italianos se detuvieron a parlamentar con enviados del rey Zog de Albania. Mientras, éste huyó a Grecia; se abrieron las prisiones de Tirana y la multitud saqueó la ciudad. El consulado italiano envió una llamada de socorro a Roma, que no sirvió de nada. (Voluntarios albaneses restauraron el orden.) A pesar de la incompetencia de los invasores y su falta de equipamiento, los italianos superaron a una resistencia desorganizada. El 16 de abril en Roma, representantes de Albania destronaron a Zog y el país se convirtió en una provincia de Italia.

Gran Bretaña protestó pero Alemania le felicitó. Convencido de que el *Führer* era imparable, Mussolini aceptó su oferta de hacía tanto tiempo de firmar una alianza formal. (El pacto Anti-Komintern de 1937 sólo era una entente limitada.) El acuerdo, firmado en mayo, ligaba Italia a Alemania bajo cualquier circunstancia. **◂1937.14 ▸1940.2**

NACIMIENTOS

Lee Harvey Oswald, criminal estadounidense.

Amos Oz, escritor israelí.

Jackie Stewart, corredor automovilístico británico.

Concha Velasco, actriz española.

Mauricio Vázquez, escritor chileno.

MUERTES

Howard Carter, arqueólogo británico.

Joseph Duveen, marchante de arte holandés-británico.

Douglas Fairbanks, actor estadounidense.

Anton Fokker, diseñador aéreo alemán.

Sigmund Freud, psicoanalista y escritor austríaco.

Federico Gamboa, escritor mexicano.

Zane Grey, novelista estadounidense.

Antonio Machado, poeta español.

James A. Naismith, inventor del baloncesto canadiense.

Pío XI, Papa de Roma.

Ernst Toller, escritor alemán.

William Butler Yeats, escritor irlandés.

Cine: *Lo que el viento se llevó* (Victor Fleming); *La diligencia* (John Ford); *Caballero sin espada* (Frank Capra); *Las reglas del juego* (Jean Renoir) [...] Teatro: *Terror y miseria del tercer Reich* (B. Brecht).

«Un finlandés vale por diez rusos.»—Dicho popular finlandés

NOVEDADES DE 1939

Cámara de microfilm.

Tokyo Shibaura Electric Co. (Toshiba).

Automóvil con aire acondicionado (Packard).

Servicio transatlántico de correo aéreo.

Olla a presión.

Lavavajillas automático.

EN EL MUNDO

1939

►PAPAM HABEMUS—El 2 de marzo, el cónclave reunido en el Vaticano, en la tercera sesión, eligió al cardenal Eugenio Pacelli como nuevo Papa para suceder a Pío XI. El nuevo Papa, que tomó el nombre de Pío XII, había sido nuncio pontificio en Baviera y Berlín y secretario de estado del Vaticano desde 1930.

►CÓMICS—En 1939, el misterioso personaje de Batman, creado por el artista Bob Kane cuando tenía 18 años, irrumpió en las páginas de los cómics de detectives. Pronto se incorporó Robin, y juntos lucharon contra un grupo de enemigos variopintos. Su popularidad como héroe del cómic sólo fue superada por la de Superman. ◄1934.11

►CARTA SOBRE LA REACCIÓN NUCLEAR—Una carta dirigida a «F. D. Roosevelt» fechada el 2 de agosto de 1939, advertía de que los científicos alemanes ya habían conseguido una reacción nuclear en cadena. La carta decía: «En vista de la situación, sería deseable que la administración estuviera en contacto permanente con el grupo de físicos que trabaja en las reacciones en cadena en América». Estaba firmada por Albert Einstein, Edward Teller y Alexander Sacks. ◄1938.1 ►1940.8

►UNA AMERICANA ORIGINAL—Un coleccionista de arte descubrió los paisajes rurales de estilo *naïf* de Anna Mary Robertson Moses en el interior de una farmacia. Compró quince

Finlandia cedió una décima parte de su territorio a la URSS pero mantuvo su independencia.

SEGUNDA GUERRA MUNDIAL

Guerra ruso-finlandesa

6 A pesar del pacto de no agresión con Hitler, Joseph Stalin no quiso tentar a la suerte. Para evitar que Alemania emprendiera una guerra relámpago a través de Finlandia con el fin de llegar a Leningrado, decidió apostar soldados en las fronteras del pequeño vecino de Rusia. En diciembre de 1939, pidió al gobierno finlandés cesiones territoriales (la mayoría en el sudeste) para este propósito. Finlandia se negó y Stalin respondió con un ataque aéreo sobre Helsinki que devastó la capital y dejó sin hogar a miles de finlandeses. Había empezado la guerra ruso-finlandesa.

Los defensores se atrincheraron en la línea Mannerheim (llamada así por su comandante, el barón Carl Gustav Mannerheim, que había derrotado a los bolcheviques en la guerra civil finlandesa de 1918) en el istmo de Carelia. Unos ciento veinticinco mil finlandeses repelieron la primera ofensiva soviética, medio millón de soldados y un centenar de tanques. En el norte del istmo, desde el lago Ladoga hasta el océano Ártico, los finlandeses confiaron en brigadas de diez esquiadores cada una para defender los 1.120 km de la frontera ruso-finlandesa. Las patrullas de esquiadores acosaron al ejército rojo, realizando ataques repentinos durante la noche para cobrarse sus víctimas. Las temperaturas descendieron notablemente y muchos soldados soviéticos murieron congelados en los bosques del norte. Los finlandeses bromeaban diciendo: «Son demasiados y nuestro país es demasiado pequeño. ¿De dónde sacaremos sitio para enterrarlos a todos?».

En febrero de 1940, Stalin lanzó una segunda ofensiva masiva. Los finlandeses pidieron ayuda exterior pero las potencias occidentales se la denegaron porque temían una respuesta agresiva de Alemania a una invasión aliada en Escandinavia. Cuando los franceses y los británicos se decidieron a movilizar sus tropas en Noruega y Suecia, ya era demasiado tarde. El 12 de marzo Finlandia, que había sufrido veinticinco mil bajas contra las doscientas cincuenta mil soviéticas, firmó un tratado de paz por el que cedía una décima parte de su territorio a la Unión Soviética. El resto del país conservó su independencia. ◄1939.3 ►1940.12

CULTURA POPULAR

El mundo del mañana

7 **Cinco meses antes del inicio de la guerra más devastadora de la historia, se inauguró la Exposición Internacional de Queens, Nueva York, con el tema «La construcción del mundo del mañana». Acudieron millones de visitantes para ver la mayor exposición que se había montado nunca, con las muestras de tecnología (incluida la televisión), arte y cultura de sesenta naciones y 1.300 empresas. Los recuerdos de la feria iban desde alfileres y botones hasta tapetes (*superior*), la mayoría con imágenes de las distintas construcciones de la Exposición: el Trylon (un obelisco de 210 m de altura) y la Perisfera (un globo de 60 m). El presidente Roosevelt pronunció el discurso de apertura y declaró el acontecimiento «abierto a toda la humanidad». En realidad, Alemania fue la ausente destacada, y muchas de las maravillas tecnológicas que en ella se exponían serían utilizadas antes en la guerra que en la construcción de un planeta mejor.**

CINE

El año milagroso

8 Éste fue un año milagroso para el cine. En todo el mundo se rodaron 2.012 películas y un gran número de ellas resultaron de las mejores de la historia del cine. La lista de las nominaciones de la

Vivien Leigh y Clark Gable en los papeles de Escarlata O'Hara y Rhett Butler.

Academia a la mejor película en pocas ocasiones ha sido tan impresionante: *Dark victory*; *¡Adiós, Mr. Chips!*; *Love Affair* (luego rodada como *An Affaire to Remember*); *Caballero sin espada*; *Ninotchka*; *La fuerza bruta*; *La diligencia*; *El mago de Oz*; *Cumbres borrascosas*; y, naturalmente, la ganadora: *Lo que el viento se llevó*. No obstante, muchas películas soberbias no entraron en la lista: *Sólo los ángeles tienen alas*; *El joven Lincoln*, *Las mujeres*, *Intermezzo*, *Gunga Din*, *The old Maid* y *The roaring twenties*. La magia del año también tocó a Europa: Inglaterra produjo clásicos como *Las cuatro plumas* y *The stars look down*; en Francia, Jean Renoir dirigió otra obra maestra, *Las reglas del juego*.

Pero a nivel popular, *Lo que el viento se llevó* fue la película más significativa del año 1939. (*El mago de Oz* es la segunda por muy poco.) Durante tres años, los americanos habían esperado con impaciencia la versión cinematográfica de la novela de Margaret Mitchell. La elección de la actriz que interpretaría a la heroína de la guerra civil, Escarlata O'Hara, resultó complicada. En diciembre se estrenó la película en Atlanta y la ciudad declaró el día festivo. El productor David O. Selznick y las estrellas Clark Gable, Vivien Leigh y Olivia de Havilland se pasearon

DEPORTES: Automovilismo: Floyd Roberts, campeón de 1938, muere en accidente en Indianápolis [...] Tenis: Bobby Riggs gana el título individual de Wimbledon.

«Como todos los novatos, empezamos con el helicóptero [...] pero pronto nos dimos cuenta de que no tenía futuro y lo dejamos.»—**Wilbur Wright, en un artículo de 1909 que Orville Wright enseñó a Igor Sikorsky en 1942**

por las calles rodeados de multitud de admiradores.

Al público le entusiasmó la fuerza narrativa de la película, las interpretaciones de los actores, la banda sonora y la galantería romántica, y pasaron por alto su descripción de los esclavos como personas felices e infantiles. Su éxito de taquilla no se superó durante un cuarto de siglo. *Lo que el viento se llevó* ganó ocho Óscars y, gracias a las reposiciones y al vídeo, es la película «más vista» de la historia. **◂1936.NM ▸1941.11**

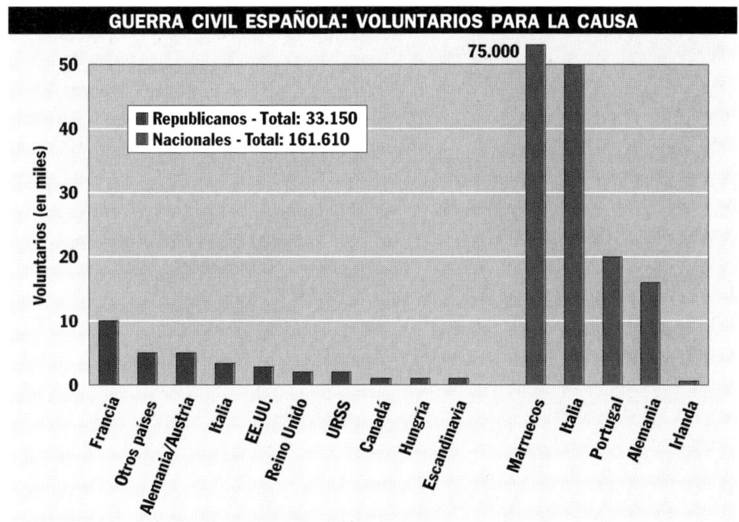

Los nacionales recibieron efectivos de pocos países en relación con los republicanos, pero su número fue mucho mayor. Además los nacionales recibieron mayores ayudas económicas, armamentísticas y otros suministros que los republicanos.

ESPAÑA

Fin de la guerra civil

9 En marzo de 1939, Francisco Franco entró con sus tropas nacionales en Madrid y la guerra civil española finalizó después de casi tres años de lucha. El verano anterior, una ofensiva republicana a lo largo del río Ebro para acabar con la presión de los nacionales sobre Cataluña había fracasado. Tras esta derrota, el gobierno soviético, el único aliado de los republicanos, cortó sus suministros. En enero las fuerzas de Franco habían arrebatado a los republicanos el dominio de Barcelona, de tradición liberal y el símbolo más importante de la resistencia. El resto era bastante más fácil.

Como la mayoría del ejército había apoyado la rebelión de derechas, la defensa de la república se hallaba al principio en manos de las milicias, a menudo antiautoritarias, y de las Brigadas Internacionales, en gran parte mal entrenadas. A pesar del armamento soviético, estos combatientes no representaban un enemigo insuperable para las tropas nacionales, entrenadas y respaldadas por sesenta mil soldados italianos y alemanes. El Partido Comunista Español, que había ganado influencia a través de su política moderada y de sus vínculos con los soviéticos, se obstinó en transformar las milicias en un ejército regular y en obtener el control gubernamental entre bastidores. Logró ambos objetivos tras sangrientas luchas cuerpo a cuerpo; el precio fue la desmoralización. A finales de 1937, los republicanos perdieron fuerza a causa de la falta de suministros y de la superioridad aérea de los nacionales. En septiembre se difuminó la última esperanza cuando Francia y Gran Bretaña firmaron el pacto de Múnich con Alemania: no habría una intervención de última hora de las democracias.

El balance final fue de noventa mil nacionales y ciento diez mil republicanos muertos en combate y de un millón de inválidos permanentes. Decenas de miles de civiles fallecieron de hambre o en los bombardeos. Unos quinientos mil españoles se exiliaron, la mitad no volvieron.

Para los republicanos, la guerra había significado la lucha por mantener a España fuera de la órbita nazi-fascista. Curiosamente, aunque Hitler y Mussolini saborearon la victoria de Franco, y miles de republicanos fueron fusilados o encarcelados con prontitud, el Generalísimo no convirtió España en un estado estrictamente fascista. La Falange, el único partido legalizado, no funcionó como un mecanismo de control global. La Iglesia católica recuperó su antigua influencia. Franco mantuvo su amistad con las potencias del Eje pero, durante la Segunda Guerra Mundial, España declaró su neutralidad. «Los españoles están cansados de la política», dijo. Gobernó hasta 1975, no como *Führer* o *Duce*, sino como Caudillo. **◂1937.7 ▸1945.NM**

AVIACIÓN

Dos acontecimientos aéreos históricos

10 En 1939 los americanos hicieron historia de la aviación por partida doble. El 28 de junio, tres Clipper Boeing de Pan American Airways iniciaron el primer servicio transatlántico de pasajeros. El *Dixie Clipper*, con 22 pasajeros a bordo (que pagaron 675 dólares por el billete de ida y vuelta), voló desde Port Washington, Nueva York, hasta Lisboa, Portugal, con una escala en las Azores, en 22 horas. La Pan Am había surcado el cielo del Pacífico durante tres años, pero la nueva ruta significó lo que *The New York Times* denominó «la conquista aérea más importante de los últimos tiempos, y también, comercialmente hablando, del mayor océano del mundo».

En septiembre, cerca de Stratford, Connecticut, un ingeniero aeronáutico oriundo de Rusia, Igor Sikorsky tiró de una palanca de la carlinga de su prototipo VS-300 y ascendió verticalmente unos metros. Los helicópteros ya habían funcionado con anterioridad, el primer éxito fue el del birrotor Focke-Achgelis Fa-61 de los alemanes en 1936, pero el de Sikorsky incorporaba los rasgos que caracterizarían a la mayoría de estos vehículos en el futuro: un gran rotor horizontal, con un segundo rotor pequeño y vertical en la cola. Esta configuración proporcionó mayor equilibrio, capacidad de suspensión en el aire y velocidad horizontal. Para Sikorsky este primer vuelo (su primer helicóptero no apareció hasta 1942) constituyó la realización de un sueño de su adolescencia: los esbozos de Leonardo da Vinci de un helicóptero impulsado por la fuerza muscular le habían inspirado para construir una versión motorizada. **◂1937.E ▸1958.6**

El servicio de Clipper de la Pan Am introdujo el lujo del zepelín en los viajes en avión.

cuadros, varios de ellos expuestos en el Museo de Arte Moderno de Nueva York, y convirtió a la «abuela» autodidacta (tenía 78 años cuando empezó a pintar) en una celebridad. ▸1942.17

▸EL EXPERIMENTO DE JOYCE—James Joyce terminó su «obra en marcha» a los 17 años de haberla empezado. *El despertar de Finnegan* seguramente es la obra de ficción más cerebral, revolucionaria y confusa del siglo XX. En ella, Joyce expone toda la historia de la humanidad en un lenguaje completamente original inspirado en fuentes tan dispares como las canciones populares y la historia irlandesa antigua. ◂1922.1

▸APARICIÓN DEL DDT—En 1939 se completó la

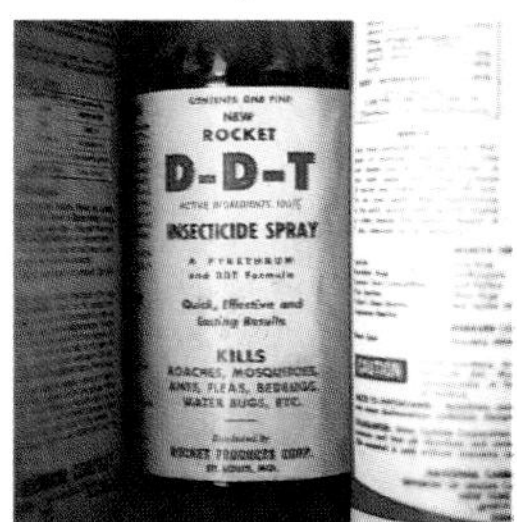

búsqueda de un insecticida barato, rápido y duradero. El químico suizo Paul Müller confirmó las propiedades mortíferas del diclorodifeniltricloroetano (DDT). El DDT, empleado contra el escarabajo de la patata y los piojos transmisores de enfermedades entre otras muchas plagas, se presentó como un gran avance para la agricultura del siglo XX. Sin embargo, al cabo de veinte años, muchos insectos desarrollaron defensas contra el veneno. Mientras, causó estragos en la cadena de alimentación al matar a insectos beneficiosos y a predadores. ▸1962.11

▸CARTA BLANCA—En un intento de establecer una política británica en la colonia judía de Palestina, la Carta

POLÍTICA Y ECONOMÍA: Roosevelt pide al congreso 535 millones de dólares para defensa, ordena cerrar los puertos y aguas a todos los submarinos de las naciones beligerantes [...] Estados Unidos retira a su embajador de Alemania [...] La ley Hatch prohíbe a los funcionarios del gobierno entrar en política [...] El congreso revoca la ley de neutralidad de 1937 y aprueba una nueva.

«He visto la guerra y la he odiado. Digo esto una y otra vez. Espero que Estados Unidos se mantenga fuera de esta guerra.»—**Franklin D. Roosevelt, en su discurso de 1939 reafirmando la neutralidad de Estados Unidos**

Blanca de MacDonald comunicó que en diez años se formaría un estado binacional árabe-judío (a pesar de la mayoría árabe). Asimismo imponía cuotas de inmigración: durante los cinco años siguientes sólo se permitiría el establecimiento en Palestina de 75.000 judíos; a partir de entonces la cifra estaría determinada por la mayoría árabe, con el control británico de la adquisición de territorio por parte de los judíos. Para los judíos europeos, que estaban amenazados, la «solución» británica no pudo llegar en peor momento. ◂1937.12 ▸1945.14

1939

SEGUNDA GUERRA MUNDIAL

▸EL PRETEXTO DE HITLER—El *Führer* quería Polonia, de modo que Heinrich Himmler, comandante de las SS, tramó una excusa para que él pudiera conseguirla. La noche del 31 de agosto, soldados de las SS vestidos con uniformes polacos «tomaron» una emisora de radio alemana de la ciudad fronteriza de Gliwice y retransmitieron, en polaco, que Polonia había invadido Alemania. Esa misma noche los hombres desalmados de las SS vistieron a una docena de delincuentes alemanes como si se tratara de polacos y los mataron. Colocaron los cuerpos cerca de la frontera para que pareciera que los «soldados» habían muerto en la invasión. El ejército alemán invadió Polonia al día siguiente.

▸EL PRIMER TIRO—El 1 de septiembre, mientras el ejército alemán entraba en Polonia, el acorazado *Schleswig Holstein,* que se encontraba cerca del puerto de Danzig (Gdánsk), disparó contra las instalaciones navales polacas de la península Westerplatte. A las 04.45 horas se oyó el primer estampido de lo que, dos días más tarde, sería la guerra mundial.

▸EL FIN DE LA CABALLERÍA—Narración de una batalla de la invasión de Polonia: la división de tanques del general Heinz Guderian contra la brigada de caballería polaca de Pomorske. Los polacos, a

Aunque oficialmente estaba en el otro bando, Turquía no hacía ascos al galanteo alemán.

SEGUNDA GUERRA MUNDIAL

Un aliado inseguro

11 Cuando Turquía, de gran importancia estratégica (fronteriza con la Unión Soviética y Oriente Medio), se unió a los aliados en 1939, la revista *Time* dijo que era «la mayor victoria en la guerra contra Hitler». Sin embargo, la victoria fue menor de lo que parecía.

En mayo los turcos habían iniciado conversaciones con los británicos, después de que Italia invadiera Albania. Pero cuando los soviéticos y los alemanes firmaron su pacto de no agresión en agosto, los turcos, a pesar de su ejército de considerables proporciones, empezaron a arrepentirse de haberse apartado de Moscú y de hacer peticiones económicas extravagantes para alargar las negociaciones con los aliados. Finalmente se acordó que Turquía no lucharía a menos que su propio territorio estuviera amenazado.

Cuando los nazis conquistaron a sus vecinos, los turcos volvieron a declararse neutrales, incluso firmaron un tratado de amistad con Alemania. Hasta 1945, cuando el Eje ya estaba casi derrotado, no declararon la guerra. **◂1939.5 ▸1941.9**

SEGUNDA GUERRA MUNDIAL

La ley de la neutralidad de América

12 Una de las víctimas de la invasión de Polonia fue la política americana de neutralidad estricta. Durante los cuatro años anteriores, el congreso había aprobado leyes para evitar el tipo de conflictos que habían hecho entrar a la nación en la Primera Guerra Mundial. Pero cuando estalló la Segunda Guerra Mundial, la opinión pública había cambiado. La mayoría de americanos, aunque todavía se oponían a una intervención directa, estaban a favor de la ayuda a los aliados. En noviembre, el congreso aprobó la ley de la neutralidad de 1939. La nueva ley era similar a las precedentes excepto por un detalle importante: ya no incluía un embargo de armas contra todas las naciones beligerantes. Gran Bretaña y Francia podían comprar armamento americano, siempre y cuando los transportaran en sus propios barcos.

Esta medida que sacaba a América de su aislamiento fue el resultado de la política que practicaba el presidente Roosevelt. Durante dos años había empujado con suavidad a la nación para que mirara hacia fuera, mientras cuidaba que sus enemigos no le acusaran de entrometerse en disputas extranjeras. Cuando estalló el conflicto en Polonia y un periodista le preguntó si América podría evitar involucrarse, él contestó: «Sinceramente, no sólo lo espero, sino que creo que puede». Sin embargo, pronto convocó una sesión extraordinaria del congreso para considerar la revocación del embargo de armas.

Un grupo influyente de diputados se opuso a la revocación así como personalidades tan populares como el aviador Charles Lindbergh y el padre Charles Coughlin (un sacerdote católico de extrema derecha cuyo programa de radio contaba con una gran audiencia en todo el país). Los ministerios se abarrotaron de correspondencia favorable al embargo. Pero Roosevelt, a través de su experiencia política, consiguió convencer a algunos de sus rivales incondicionales y, al cabo de seis semanas de debate, se votó por mayoría la revocación del embargo de armas.

Roosevelt afirmó que suministrar a los aliados lo que necesitaran contra la agresión era una política «mejor calculada que cualquier otra para mantenerse fuera de la guerra». En realidad, mientras América destinaba cada vez más recursos a los aliados, el ejército de Estados Unidos estuvo fuera de la guerra... hasta que el ataque japonés a Pearl Harbor hizo imposible mantenerse al margen. **▸1940.NM**

SEGUNDA GUERRA MUNDIAL

La fuerza de Alemania

13 En 1939 Alemania estaba mejor preparada, física y psicológicamente, para librar una guerra que cualquier otro país del mundo. El programa de rearme de cinco años dirigido por Hitler había fortalecido el frente nacional alemán: multiplicó la producción de armamento y el empleo público

TRABAJADORES EXTRANJEROS EN ALEMANIA

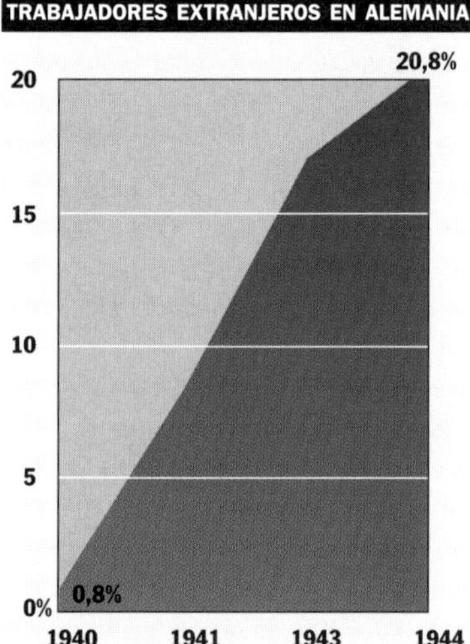

En Alemania, el porcentaje de trabajadores extranjeros aumentó radicalmente en cuatro años. Los llevaron para trabajar en las fábricas de maquinaria de guerra alemanas.

Roosevelt explicó la ley de la neutralidad a través de un discurso radiofónico.

SEGUNDA GUERRA MUNDIAL: Enero: Chamberlain se reúne con Mussolini; Roosevelt pide 552 millones de dólares para el programa de defensa; Cae Barcelona [...] Febrero: Japón ocupa Hainan; Gran Bretaña y Francia reconocen el gobierno de Franco en España, que se declara neutral [...] Marzo: Alemania invade y se anexiona Checoslovaquia; Gran Bretaña y Francia apoyan a Polonia [...] Abril: Italia se anexiona

«¡Qué mujer tan maravillosa! No sólo sabe lo que está bien sino que hace lo que está bien.»—**Marian Anderson, al enterarse de la dimisión de Eleanor Roosevelt de la DAR**

relacionado con la defensa, acabó con el paro masivo de 1932 y se ganó la gratitud de su pueblo.

En términos militares, las nuevas técnicas ofensivas de Alemania eran el resultado de las lecciones que los generales alemanes habían aprendido de la derrota de la Primera Guerra Mundial. La invasión de Polonia fue algo revolucionario: una guerra relámpago. Los tanques de Hitler, que se desplazaban a gran velocidad, y la artillería motorizada rompieron las líneas contrarias, aislando grupos de enemigos que eran cercados y capturados por la infantería; mientras, los bombardeos sembraban el pánico e interrumpían las operaciones de suministros y las comunicaciones. La estrategia mostró a los aliados (que de forma errónea justificaban una guerra estática y defensiva con su victoria en la Primera Guerra Mundial, obtenida en gran parte porque resistieron más en las trincheras que las potencias centrales) lo fuerte que era el enemigo al que se enfrentaban.

Gran Bretaña, Francia y Polonia juntas sobrepasaban a Alemania en soldados, población y recursos aeroplanos, barcos más grandes y casi tantos tanques. Pero desde muchos puntos de vista, las fuerzas alemanas eran superiores. El entrenamiento, la disciplina y el espíritu guerrero de los soldados de Hitler, gracias a la glorificación nazi del soldado, no tenían comparación en ningún sitio. Las divisiones alemanas de infantería contaban con más munición que las aliadas. El ejército alemán organizó sus tanques en divisiones, una disposición que los hizo mucho más efectivos. Los aeroplanos de las fuerzas aéreas alemanas, lo último en tecnología, equipados con motores estandarizados (de fácil reparación) y con blindajes, podían superar la actuación de la colección abigarrada de aviones aliados. ◄**1939.1** ►**1940.16**

ESTADOS UNIDOS

Una diva rechazada

14 Marian Anderson fue una de las mejores contraltos de su tiempo. Había cantado ante la nobleza europea; Jean Sibelius había escrito una pieza («Solitude») para ella. Sin embargo, cuando en 1939 intentó alquilar el Constitution Hall para celebrar su debú en Washington, su petición fue denegada. La propietaria del edificio era una de las Daughters of the American Revolution (hijas de la revolución americana, DAR), una sociedad de mujeres blancas descendientes de los soldados fundadores de la nación, y Anderson era negra, descendiente de esclavos.

Tras ser rechazada por la DAR, Anderson actuó en el Lincoln Memorial.

El incidente provocó protestas generalizadas, entre las que destacó la de Eleanor Roosevelt, la mujer del presidente (y defensora de los derechos humanos), que comunicó su dimisión de la DAR en su columna periodística. Un grupo de ciudadanos destacados, entre los que figuraba el secretario del interior Harold L. Ickes, organizó un recital en el Lincoln Memorial. Acudieron unas 75.000 personas, suficientes para llenar varios Constitution Hall.

Anderson regresó en 1955 y fue la primera negra que cantó en la Ópera Metropolitana de Nueva York. Compartió un honor con Eleanor Roosevelt: ambas fueron nombradas delegadas de las Naciones Unidas, Roosevelt en 1945 y Anderson en 1958. ►**1949.11**

LITERATURA

La saga de Steinbeck

15 Ninguna obra literaria ha captado mejor la difícil situación de los refugiados, en este caso la población del medio oeste que huía de las tierras arrasadas por las tormentas de polvo, que la epopeya de Steinbeck *Las uvas de la ira*, publicada en 1939. Uno de los mejores ejemplos del género característico de la época, la novela proletaria, el libro trata de una familia de *okies* (el apodo que recibían los que abandonaron Oklahoma y otras zonas de tormentas) que se dirige al campo californiano. Los Joad, granjeros relegados a ser braceros obligados a emigrar para trabajar, tropiezan con el hambre, con la brutalidad policial y con la explotación despiadada. Sin embargo, el realismo de Steinbeck y su izquierdismo doctrinario se atenúan con un profundo sentido de lo sagrado. Sus *okies* poseen una dignidad casi bíblica; sus paisajes son tan sagrados como los de Canaán; y su descripción de la sociedad trabajadora emigrante es a la vez poética y emotiva, antropológica y escrupulosa.

Steinbeck temía que el público diera la espalda a una historia tan dura. Su editorial, la Viking Press, lamentó que el lenguaje y las imágenes resultaran demasiado estremecedoras, sobre todo al final: una Joad joven, abandonada por su marido, a quien se le muere un bebé recién nacido, amamanta a un viejo moribundo. Sus temores carecían de fundamento. La novela despertó la indignación social como pocas veces ha ocurrido desde entonces. Estuvo en las listas de superventas y, al año siguiente, la 20th Century Fox produjo una película basada en el libro, dirigida por John Ford y protagonizada por Henry Fonda. ◄**1934.4** ►**1940.18**

En la película, Tom Load era interpretado por Henry Fonda (*izquierda*, con Russell Simpson como Pa Joad).

caballo y con guantes blancos, tenían estilo y espíritu. Los invasores alemanes, una potente maquinaria de guerra. La caballería cargó blandiendo sus sables. Los panzer de Guderian segaron las vidas de hombres y de animales. El avance alemán continuó sin ningún impedimento.

►RESISTENCIA DE VARSOVIA—Durante semanas, las fuerzas aéreas alemanas bombardearon Varsovia, dejaron la ciudad en ruinas para preparar su ocupación. No obstante, la ciudad seguía resistiéndose. Soldados y civiles se atrincheraban y luchaban

contra el avance alemán calle a calle. (*Inferior*, tropas alemanas desarman a soldados polacos.) La radio de Varsovia, para demostrar que la causa todavía no estaba perdida, retransmitía la «Polonesa» de Chopin a todas horas. El 25 de septiembre, Hitler multiplicó los bombardeos. Tres días después dejó de sonar la «Polonesa». En su lugar se oía la «Marcha Fúnebre» de Chopin. Varsovia, sangrante como un matadero, finalmente había caído.

►LA BATALLA DEL ATLÁNTICO—Alemania empezó la batalla del Atlántico, la campaña más amplia de la guerra: el 3 de septiembre un submarino torpedeó al transatlántico británico *Athenia*, matando a 112 pasajeros. La flota alemana de submarinos, bajo las órdenes del almirante Karl Dönitz, aterrorizó a los aliados desde Islandia hasta Sudáfrica.

►EVACUACIÓN—Las familias londinenses, pensando en un posible ataque de Hitler, enviaron a los niños al campo para mantenerlos a salvo. Unos seiscientos cincuenta mil niños,

«Desde que me di cuenta de que era compositor, he sido plenamente consciente de la fraternidad entre los pueblos [...] y he intentado servir a esta idea con mi música.»—**Béla Bartók**

con etiquetas con su nombre y dirección alrededor del cuello, abandonaron la ciudad más poblada del mundo

durante los primeros días de la guerra. El día de Año Nuevo, como no se había producido el ataque previsto, la mitad del millón y medio de ni ños evacuados había regresado a Londres, por poco tiempo. La batalla de Gran Bretaña empezó aquel verano, y el peregrinaje de niños hacia el campo se reanudó.

▶LA BATALLA DE RÍO DE LA PLATA—En diciembre de 1939, tres cruceros británicos, dispuestos a acabar con la campaña alemana contra los barcos británicos del sur del Atlántico, persiguieron al barco alemán *Admiral Graf Spee*. En la batalla de Río de la Plata, cerca de Uruguay, los navíos británicos, más ligeros, perjudicaron gravemente al acorazado alemán, que llegó con dificultad al puerto de Montevideo y fue abandonado por orden de Hitler. La moral británica se remontó.

MÚSICA

El sexto cuarteto de Bartók

16 Como su amigo y compatriota húngaro Zoltán Kodály, Béla Bartók fue un compositor y etnomusicólogo influyente así como un pianista de fama internacional. Dedicó más de tres décadas de su vida al estudio de la música popular de la Europa oriental. Se inspiró en la música tradicional de distintos grupos étnicos y nacionales para componer docenas de obras para orquesta, cámara, coros y solos de piano que todavía se interpretan en todo el mundo. En 1939 compuso su sexto cuarteto de cuerda, el final de una serie de piezas que el compositor americano Virgil Thomson calificó como «la crema del repertorio de Bartók, la esencia de sus pensamientos y sentimientos más profundos, su medio de comunicación más humano y efectivo».

El último cuarteto de Bartók está empapado de melancolía; el compositor estaba seriamente afectado cuando lo escribió a causa de la muerte de su madre y del ascenso del nazismo. Todos los movimientos empiezan con la acotación *mesto*, que significa «melancólico». La tristeza se transforma en algo trascendental a través de la complejidad de la composición, de su sonoridad elegante y su percusión acentuada. Tras finalizar la pieza, Bartók abandonó Budapest y se exilió a Estados Unidos por propia voluntad. Al llegar ya estaba delicado de salud y murió de leucemia en 1945. Sus restos no volvieron a Hungría hasta 1988. **◂1936.13 ▸1941.12**

SEGUNDA GUERRA MUNDIAL

Fortaleza alpina

17 En el conflicto mundial que estalló en 1939, un país pequeño, ubicado entre tres de los principales beligerantes, pasó una prueba de fuego. Suiza, neutral desde 1648, continuó siéndolo durante toda la guerra; fue la única democracia del centro de Europa que sobrevivió.

Para mantenerse fuera de la guerra, los suizos evitaron ofender tanto al Eje como a los aliados. Censuraron la prensa crítica con los dos bandos y las empresas suizas (para su provecho) repartieron sus suministros entre ambos. Sin embargo, los factores más importantes los constituyeron: el formidable ejército de la nación, sus fuerzas aéreas y su topografía. De una población de cuatro millones de personas, se movilizaron ochocientos cincuenta mil soldados. Se estableció una plaza fuerte en los Alpes con suministros de armas, comida, medicamentos, plantas hidroeléctricas y fábricas, de modo que aunque las ciudades suizas fueran atacadas, sus habitantes podrían resistir a los invasores. Los enemigos potenciales sabían que los suizos tomarían las montañas en caso de ataque y que destruirían las carreteras y el ferrocarril para que nadie pudiera transitar por el país.

Un soldado suizo vigila la frontera de Suiza con Alemania.

Durante la guerra, cuatrocientos mil refugiados se trasladaron a Suiza o la cruzaron. La bienvenida a menudo era fría: durante la mayor parte del período se exigió visados a los refugiados, se les prohibió trabajar y se les envió a campos de internamiento. Pero cuando los dirigentes del Eje se convirtieron en fugitivos, una regla permaneció inalterable: las «personas indeseables» no tenían derecho a asilo. **▸1940.NM**

SEGUNDA GUERRA MUNDIAL

Confinación de los judíos en los guetos

18 En 1939, los nazis reimplantaron en Europa una forma de control social que se había abolido en el siglo XIX: el gueto. Aunque el término generalmente se utiliza para describir una zona urbana empobrecida y segregada, su significado original se refería a las zonas amuralladas de las ciudades europeas, donde los judíos se hallaban legalmente confinados. Tras la invasión de Polonia, los alemanes restablecieron los guetos judíos, el primero en la ciudad de Lódź. Luego otro en Varsovia y finalmente todas las poblaciones polacas con población judía significativa tuvieron el suyo propio.

El gueto estaba rodeado por un muro que en la parte superior presentaba alambradas. Las entradas estaban vigiladas día y noche; se controlaba todo movimiento de entrada y salida. Las condiciones de vida resultaban denigrantes: la media por habitación era de trece personas. Las instalaciones sanitarias eran insuficientes y el hedor impregnaba el ambiente. Era habitual morir lentamente de hambre: mientras un alemán de Varsovia consumía 2.310 calorías diarias, los judíos ingerían una media de 184. Las madres ocultaban la muerte de sus hijos para conseguir la ración de comida que les pertocaba. Adam Czerniakow, director del gueto de Varsovia, realizó una anotación en su diario sobre «las quejas interminables de que no había nada que ocultara a los muertos. Estaban tendidos en el suelo, desnudos sin ni siquiera un trozo de papel en vez de ropa».

El gueto de Lublin, uno de los establecidos en Polonia para confinar judíos.

Poco tiempo después, los que no habían muerto de hambre o enfermedad fueron enviados a los campos de la muerte, a Auschwitz, Bergen-Belsen, Treblinka y Majdanek. **◂1938.10 ▸1942.6**

PREMIOS NOBEL: Paz: Sin galardón [...] Literatura: Frans Eemil Sillanpää (finlandés; novelista) [...] Química: Adolf Butenandt y Leopold Ruzicka (alemán, suizo; hormonas sexuales; Butenandt lo rechaza por orden del gobierno alemán) [...] Medicina: Gerhard Domagk (alemán; sulfamidas; lo rechaza por orden del gobierno alemán) [...] Física: Ernest Lawrence (americano; ciclotrón).

Muerte y exilio

1939

Poco antes del fin de la guerra civil española, se decretó la ley de responsabilidades políticas, que obligó al exiliarse a todos los que estaban relacionados de algún modo con la España republicana. Entre los que se vieron forzados a partir se encontraban muchos intelectuales comprometidos ideológicamente con el bando perdedor. Antonio Machado ya no vivía en España y murió precisamente unos meses antes de que finalizara el conflicto. La nostalgia y la rabia se mezclan en las obras de posguerra de los autores exiliados. Abajo, poesías de Alberti y Guillén, ambos pertenecientes a la generación del 27, que ejemplifican estos sentimientos.

LA SANGRE AL RÍO

En A la altura de las circunstancias *(tercer libro, o parte, de* Clamor*) se halla este poema que constituye una personal reflexión sobre nuestra guerra civil (y del que damos un fragmento). Guillén no olvida la sangre, los muertos, el odio, el miedo..., pero, con todo, quiere dar fe de una esperanza histórica. No es necesario subrayar la grandeza de su actitud. Los versos son de 7 y 11 sílabas (con dos trisílabos).*

Llegó la sangre al río.
Todos los ríos eran una sangre,
Y por las carreteras
De soleado polvo
—O de luna olivácea—
Corría en río sangre ya fangosa,
Y en las alcantarillas invisibles
El sangriento caudal era humillado
Por las heces de todos.

Entre las sangres todos siempre juntos,
Juntos formaban una red de miedo.
También demacra el miedo al que asesina,
Y el aterrado rostro palidece,
Frente a la cal de la pared postrera,
Como el semblante de quien es tan puro
Que mata.
Encrespándose en viento el crimen sopla.
Lo sienten las espigas de los trigos,
Lo barruntan los pájaros,
No deja respirar al transeúnte
Ni al todavía oculto,
No hay pecho que no ahogue:
Blanco posible de posible bala.

Innúmeros, los muertos,
Crujen triunfantes odios
De los aún, aún supervivientes.
A través de las llamas
Se ven fulgir quimeras,
Y hacia un mortal vacío
Clamando van dolores tras dolores.
Convencidos, solemnes si son jueces
Según terror con cara de justicia,
En baraúnda de misión y crimen.
Se arrojan muchos a la gran hoguera
Que aviva con tal saña el mismo viento,
Y arde por fin el viento bajo un humo
Sin sentido quizá para las nubes.
¿Sin sentido? Jamás.

No es absurdo jamás horror tan grave.
Por entre los vaivenes de sucesos
—Abnegados, sublimes, tenebrosos,
Feroces—
La crisis vocifera su palabra
De mentira o verdad.
Y su ruta va abriéndose la Historia,
Allí mayor, hacia el futuro ignoto,
Que aguardan la esperanza, la conciencia
De tantas, tantas vidas.

RETORNOS DE UNA SOMBRA MALDITA

Dando un nuevo salto, entramos en la etapa del destierro. En Retornos de lo vivo lejano, *se halla este hermoso poema, amorosa invocación a su lejana madre España. Recuerda el «hachazo» de la guerra, los odios fratricidas... Pero, por encima de todo, y junto a su anhelo de «volver», su voz clama por la reconciliación. El lenguaje es ahora de una sencillez grave.*

¿Será difícil, madre, volver a ti? Feroces
somos tus hijos. Sabes
que no te merecemos quizás, que hoy una sombra
maldita nos desune, nos separa
de tu agobiado corazón, cayendo
atroz, dura, mortal, sobre tus telas,
como un oscuro hachazo.
No, no tenemos manos, ¿verdad?, no las tenemos,
que no lo son, ay, ay, porque son garras,
zarpas siempre dispuestas
a romper esas fuentes que coagulan
para ti sola en llanto.
No son dientes tampoco, que son puntas,
fieras crestas limadas incapaces
de comprender tus labios y mejillas. [...]

Júntanos madre. Acerca
esa preciosa rama
tuya, tan escondida, que anhelamos
asir, estrechar todos, encendiéndonos
en ella como un único
fruto de sabor dulce, igual. Que en ese día,
desnudos de esa amarga corteza, liberados
de ese hueso de hiel que nos consume,
alegres, rebosemos
tu ya tranquilo corazón sin sombra.

Selección de poemas.
(Colección Antología Hispánica, n.º 23.)
Ed. Gredos.

La guerra que se extendió por todo el mundo hizo que la que había acabado dos décadas antes pareciera un simple ejercicio de calentamiento. Se abandonaron para siempre los códigos de guerra; murieron más civiles que soldados. Y apareció un armamento apocalíptico que marcaría toda la generación posterior: por primera vez, la humanidad contó con medios para aniquilarse con sólo apretar un botón.

1940 1949

Mientras los hombres iban a la guerra, cada vez más mujeres empezaron a trabajar en industrias tradicionalmente dominadas por hombres, incluida la de armamento. En la planta de la Boeing Aircraft Company de Renton, Washington, una trabajadora hace inventario entre la reluciente simetría del grupo de estabilizadores verticales de los B-29 (utilizados por la fuerza aérea norteamericana contra los japoneses).

EL MUNDO EN 1940

Población mundial

Balance antes de la guerra

	POBLACIÓN	RENTA PER CAPITA (1938)	AVIONES DE COMBATE	BUQUES*
ALIADOS				
Francia	41.600.000	$248	735	155
Polonia	34.662.000	$92	390	9
G. Bretaña	47.692.000	$498	1.144	315
EJE				
Alemania	68.424.000	$487	2.765	74
Italia	43.779.000	$157	1.500	241
Japón	70.590.000	$81	1.980	212
NEUTRALES				
EE.UU.	129.825.000	$520	800	366
U.R.S.S.	167.300.000	$188	5.000	215

*Barcos de guerra, remolcadores, cruceros, destructores, submarinos

Fuerzas Armadas

Fuerzas permanentes, 1939 — Fuerzas durante la época de guerra movilizadas durante la Segunda Guerra Mundial

	Fuerzas permanentes, 1939	Fuerzas movilizadas
U.R.S.S.	1.700.000	12.500.000
Estados Unidos	190.000	12.364.000
Alemania	800.000	10.000.000

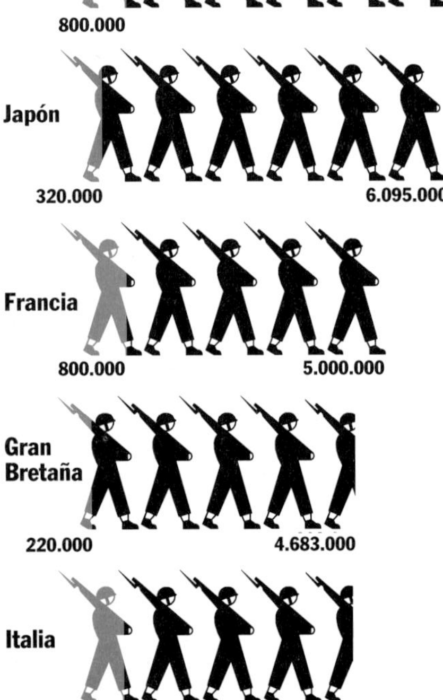

Una verdadera guerra mundial

La Segunda Guerra Mundial fue la primera que mereció realmente este nombre: prácticamente todos los países del mundo se vieron involucrados en el conflicto y no hubo ninguna nación que no se viera afectada por él. En la cumbre de su expansionismo, las potencias del Eje controlaban la mayor parte de Europa y buena parte del norte de África, de China y de Asia. Estados Unidos se mantuvo fuera de la guerra hasta el 7 de diciembre de 1941, día en que Japón atacó Pearl Harbor y Estados Unidos se unió a los aliados para combatir no sólo a Japón sino también a las otras potencias del Eje. La guerra finalizó con la derrota de los fascismos italiano y alemán y del militarismo japonés y con la creación de un nuevo tipo de conflicto global: la guerra fría.

LA DIFUSIÓN DE LA TÉCNICA

A finales del siglo XIX la introducción de la máquina de escribir en los despachos permitió a la mujer asumir trabajos de oficina realizados por hombres hasta el momento. (La máquina de escribir significó que una función «tradicionalmente» masculina se amplió a las mujeres.) La guerra y la escasez de hombres para trabajar aceleraron la feminización de los trabajos de oficina. La **máquina de escribir eléctrica** (I.B.M. presentó su primer modelo comercializado en 1935: la Electromatic) aceleró la escritura.

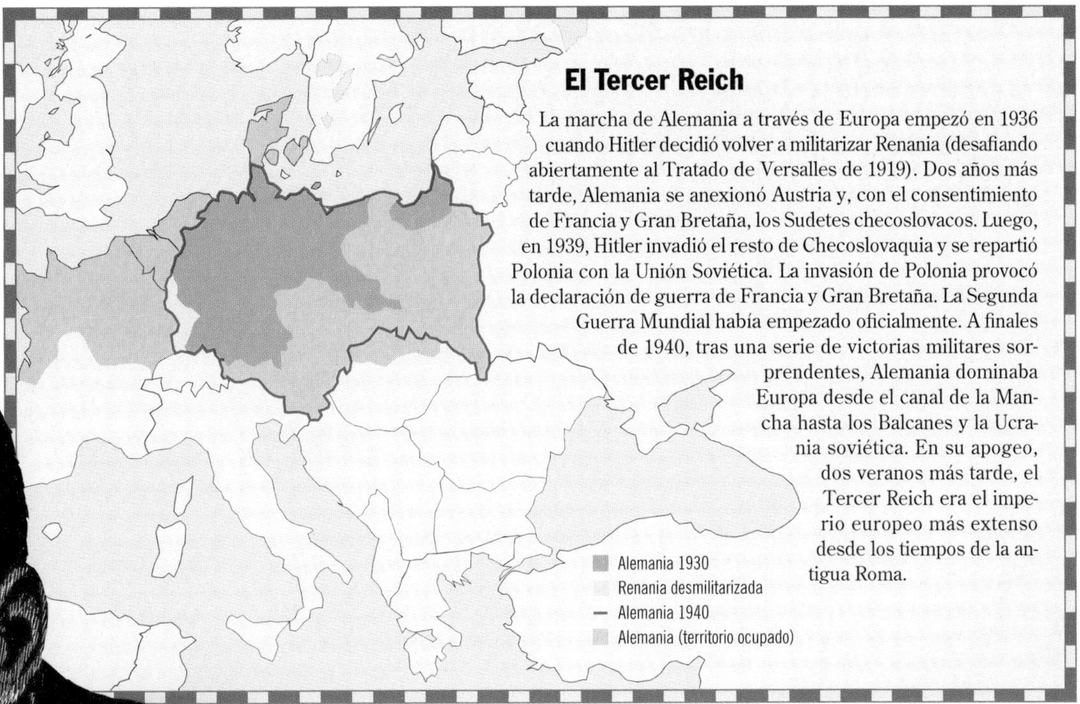

El Tercer Reich

La marcha de Alemania a través de Europa empezó en 1936 cuando Hitler decidió volver a militarizar Renania (desafiando abiertamente al Tratado de Versalles de 1919). Dos años más tarde, Alemania se anexionó Austria y, con el consentimiento de Francia y Gran Bretaña, los Sudetes checoslovacos. Luego, en 1939, Hitler invadió el resto de Checoslovaquia y se repartió Polonia con la Unión Soviética. La invasión de Polonia provocó la declaración de guerra de Francia y Gran Bretaña. La Segunda Guerra Mundial había empezado oficialmente. A finales de 1940, tras una serie de victorias militares sorprendentes, Alemania dominaba Europa desde el canal de la Mancha hasta los Balcanes y la Ucrania soviética. En su apogeo, dos veranos más tarde, el Tercer Reich era el imperio europeo más extenso desde los tiempos de la antigua Roma.

Moda imprescindible

Una revolución científica dio lugar a una revolución en el mundo de la moda. En 1934, Du Pont había sintetizado el nailon y en 1939-1940 empezó a fabricar **medias de nailon**. El primer año se vendieron unos sesenta y cuatro millones de pares (como las que lleva la actriz y modelo Betty Grable en la imagen superior). Durante la guerra, el uso militar del nailon fue prioritario pero después las medias de nailon tuvieron un regreso triunfante.

Estrenos

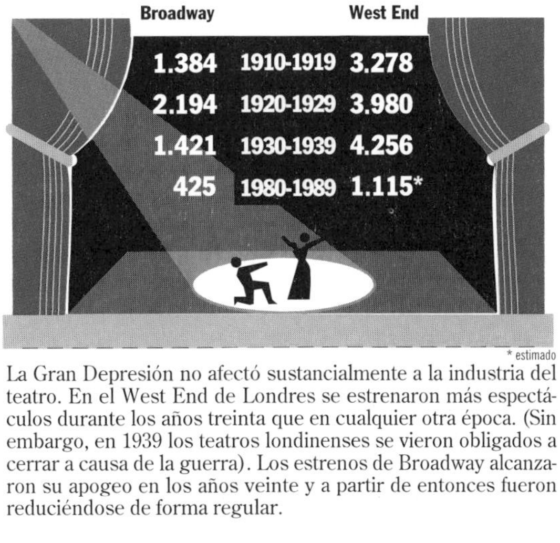

Broadway		West End
1.384	1910-1919	3.278
2.194	1920-1929	3.980
1.421	1930-1939	4.256
425	1980-1989	1.115*

* estimado

La Gran Depresión no afectó sustancialmente a la industria del teatro. En el West End de Londres se estrenaron más espectáculos durante los años treinta que en cualquier otra época. (Sin embargo, en 1939 los teatros londinenses se vieron obligados a cerrar a causa de la guerra). Los estrenos de Broadway alcanzaron su apogeo en los años veinte y a partir de entonces fueron reduciéndose de forma regular.

Inglaterra y Francia han declarado la guerra a Alemania pero parece que la intervención americana no es probable. «En este momento Estados Unidos está tan desmoralizado y corrupto que no es necesario tomarlo en consideración como adversario militar», asegura el ministro alemán Richard-Walther Darre al partido nazi. El presidente de Estados Unidos Franklin D. Roosevelt refuerza este punto de vista en un discurso en Boston: «Lo digo una y otra vez: vuestros muchachos no serán enviados a guerras extranjeras».

■

Las fuerzas aéreas de Inglaterra (R.A.F), que pronto se encontrarán bajo los bombardeos alemanes, no se consideran dignas rivales de las fuerzas aéreas alemanas (Luftwaffe). «En tres semanas Inglaterra tendrá el pescuezo retorcido como si fuera un pollo», predice el general francés Maxime Weygand en 1940.

■

«Japón no formará parte del Eje», asegura el general Douglas MacArthur en septiembre de 1940. Otros miembros del estamento militar expresan su confianza en que «las islas hawaianas están superprotegidas; la totalidad de la flota y las fuerzas aéreas japonesas no podrían amenazar seriamente a Oahu», en palabras de un antiguo director de la Inteligencia Naval.

■

Los radiólogos tienen sus dudas pero los consumidores norteamericanos piensan que los fluoroscopios (aparatos de rayos X), ubicados en las zapaterías de todo el país, son aparatos inocuos y útiles para determinar si una posible compra es o no apropiada.

■

A pesar de la introducción generalizada de fluoruro en los suministros públicos de agua en cinco años (y en los dentríficos en una década), el deterioro dental es una plaga de la juventud americana. La consulta semestral al dentista descubre caries en cuatro de cada cinco visitados y los defectos dentales son la causa de enfermedad más frecuente para no poder hacer el servicio militar.

Robert Stone

Guerra total

Conflicto global como forma de vida

1940
1949

En diciembre de 1935, cuando apareció en *AIZ*, un periódico alemán de izquierdas, este fotomontaje del artista berlinés John Heartfield (que anglicanizó su nombre real, Helmut Herzfeld, en señal de protesta contra el papel que su país natal había desarrollado en la Primera Guerra Mundial), muchos se preguntaban no si llegaría la guerra sino cuándo. El pie (sátira de la declaración del dirigente nazi Hermann Goering de que «el hierro fortalece a las personas; la mantequilla y la grasa sólo engordan») dice: «¡Bien! ¡Se ha acabado la mantequilla!». Pero a pesar de sus llamadas a sacrificar la mantequilla por las armas, Hitler mantuvo a su pueblo en una situación bastante holgada durante el rearme y la guerra.

EN CUANTO A la cantidad de sangre derramada, la Segunda Guerra Mundial fue la guerra más horrenda de la historia. Como en la primera, murieron más civiles que soldados, unos cincuenta millones de los primeros y unos quince millones de los últimos. Pero esta guerra mundial, aún más que la anterior, fue una guerra *total*, en la que poblaciones enteras fueron movilizadas para el combate o la producción militar, y toda la población se convirtió en objetivo militar. En 1914, al inicio de la Primera Guerra Mundial, Lord Edward Grey, el ministro de asuntos exteriores británico, predijo que «todas las señales de alarma [...] se encienden por toda Europa». Los odios y rivalidades que consumían a buena parte del mundo eran más profundos de lo que Grey podía imaginar.

La guerra total fue posible, sobre todo, gracias a la tecnología moderna, en armamento, comunicaciones y producción industrial. Sin embargo, la victoria estuvo sujeta a muchos otros factores, tanto materiales como espirituales. Alemania, el principal agresor, al principio se vislumbraba como la ganadora con un sector industrial, coordinado a la perfección, dedicado por completo a la guerra, un arsenal de armamento y aviones modernos y un grupo de generales cuyo sentido de la estrategia (aprendido por el método más duro, el de la derrota) era mucho más sofisticado que el de sus adversarios. Tras la máquina de guerra y el pueblo alemán, se encontraba un hombre de ideas fanáticas, de extraordinaria perspicacia política y con un magnetismo personal incomparable.

Adolf Hitler no provocó sin ayuda la Segunda Guerra Mundial pero sus contornos estratégicos y su dimensión moral estaban configurados por sus obsesiones. Era la encarnación del verso de Yeats: «lo peor está lleno de intensidad pasional». Fue un hombre marginal, vomitado del caos de viejos imperios arruinados, la reencarnación demoníaca de Napoleón, inconsciente devoto de la oportunidad. Para una nación militarmente humillada y económicamente arruinada, Hitler ofrecía un elitismo barato basado en las nociones maníacas de la raza (una exageración de teorías que en realidad mantenían incluso algunos académicos) y una visión de la vida como guerra: una lucha darwiniana entre los «arios» superiores y sus inferiores genéticos (sobre todo judíos y eslavos). Al invocar una imagen pseudohistórica de los alemanes como guerreros nórdicos, el *Führer* transformó a sus compatriotas disciplinados y moderados en agentes meticulosos del genocidio. Al principio, su temeridad funcionó, cuando los ataques relámpago confundieron y desmoralizaron a un mundo que deseaba desesperadamente que no se produjera otra Gran Guerra.

Hitler, convencido de que el alzamiento que había derrocado al káiser al final de la Primera Guerra Mundial fue originado sobre todo por la carestía, intentó conquistar Europa desorganizando lo menos posible su país. El racionamiento llegó tarde a Alemania. Los ricos mantuvieron a sus criados. El Reich, a diferencia de los otros combatientes europeos, empleó muy poco a las mujeres para la guerra. El alto mando alemán compensó con el saqueo de la Europa ocupada; la exprimió hasta el hambre. El régimen nazi, con toda su veneración a la eficiencia, resultó más eficaz organizando los campos de la muerte que aprovisionando a sus fuerzas armadas. La Luftwaffe carecía de bombarderos pesados de larga distancia; la Wehrmacht no pudo suministrar uniformes de abrigo a los soldados enviados a la fría Rusia. Además, los dirigentes nazis eran arrogantes e ignorantes. Cuando un ayudante le dijo al comandante de la Luftwaffe, Hermann Goering, que los americanos podían fabricar cuarenta mil aviones al año, Goering le contestó que necesitaba un psiquiatra. «Pueden fabricar coches y refrigeradores, no aviones», dijo.

Hurrah, die Butter ist alle!

ering in seiner Hamburger Rede: „Erz hat stets ein Reich stark gemacht,
tter und Schmalz haben höchstens ein Volk fett gemacht".

Fotomontage: John Heartfield

Hitler se equivocó en la comparación de sus fuerzas y las de sus enemigos. El irracionalismo central de la ideología nazi se manifestó mejor que en ningún otro sitio en su personalidad, en la que se mezclaba un optimismo maniático con una paranoia enfermiza. Al insistir en dirigir en persona las operaciones militares, malgastó su ventaja inicial con un coste terrible de hombres y material.

Pero si Alemania sufrió la suficiencia del *Führer*, todas las naciones del Eje tuvieron que cargar con las necesidades, ambiciones y debilidades de su líder. Siguiendo el ejemplo de Hitler, en 1940 Mussolini llevó a su pueblo a la guerra contra Polonia y Francia. Aunque la mayoría adoraba al Duce, pocos italianos se alegraron de la situación. Cuando la Unión Soviética y luego Estados Unidos se añadieron a la lista de enemigos, su entusiasmo no aumentó. El país perdió enseguida el control de su propio destino y se convirtió en un campo de batalla en el que los alemanes y los aliados lucharon entre sí durante los últimos días de la guerra. Los dirigentes de Japón y la mayoría de su pueblo poseían un sentido de su destino nacional tan orgulloso y místico como el de Alemania, pero más afectado por el fatalismo. Durante los años treinta, los grupos militares dirigieron al país hacia la aventura imperialista más que nunca, y superaron la oposición civil con el terror y la muerte. No obstante, mientras las fuerzas imperiales conseguían subyugar buena parte de Asia y del Pacífico, muchos dirigentes japoneses en privado se mostraban pesimistas acerca de su suerte militar contra Estados Unidos. La nación insular dependía peligrosamente de los suministros por mar; su capacidad productiva constituía una décima parte de la de América. Algunos oficiales de edad avanzada, sobre todo de la armada, expresaron de forma cortés sus reservas acerca de la guerra. Sin embargo, ninguno se declaró abiertamente en contra de ella.

En gran parte fueron las ideas de la buena educación y el deber —la tradición japonesa consagra la aceptación y reverencia la ética guerrera— las que provocaron que el Imperio del Sol Naciente avanzara de este modo estoico hacia el desastre. Cuestionar la guerra hubiera sido un error imperdonable, de mal gusto. Y más tarde, cuando ya todo estaba perdido, parecía que nadie tuviera autoridad para ordenar la retirada.

Un incidente explicado por George Feifer en *Tennozan: La batalla de Okinawa y la bomba atómica*, es ejemplar. En marzo de 1945, las fuerzas norteamericanas se hallan cerca de la isla de Okinawa, sólo a 480 km del sur de Japón. En el palacio imperial se celebró una reunión de guerra, en la que el jefe de la armada, el almirante Oikawa, informó al emperador Hirohito. La defensa se confiaría a una fuerza kamikaze, 3.500 aeroplanos que se convertirían en misiles dirigidos cuando sus pilotos suicidas se lanzaran contra los barcos americanos. (Por entonces, los ataques kamikaze eran corrientes, así como las ofensivas suicidas, y los suicidios individuales de soldados y civiles japoneses por todas las islas del Pacífico.) «Pero, ¿dónde está la armada?», preguntó Hirohito, «¿ya no hay barcos?». Aunque lo que quedaba de la armada japonesa poco podía hacer por resistir la invasión, los comandantes de la flota sintieron un terror repentino a perder prestigio. Decidieron enviar media docena de navíos a la lucha, incluido el mayor acorazado del mundo, el *Yamoto*. Todos fueron hundidos y murieron cuatro mil marinos.

LA UNIÓN SOVIÉTICA, el más despreciado enemigo de Hitler, fue el país que más sufrió en la guerra. Al superar los primeros reveses, Stalin utilizó sus poderes dictatoriales para guiar a su nación. Tras detener el avance alemán en Estalingrado en febrero de 1943, los soviéticos iniciaron lo que en esencia fue un contraataque, interrumpido a veces, pero destinado a acabar en las ruinas de Berlín. Como Napoleón había descubierto en el siglo anterior, el Imperio Ruso se podía invadir, pero su vasto territorio, su enorme población y sus inviernos asesinos hacían de él una presa difícil de conservar. Estas ventajas naturales no constituyeron las únicas claves de la victoria soviética. El desarrollo de la industria pesada, fomentado hacía tiempo por Stalin, capacitó al país para superar a Alemania en producción. (Muchas fábricas se trasladaron pieza a pieza hacia el este para continuar funcionando fuera del alcance alemán.) Un amor casi religioso por la madre patria rusa impulsó a sus habitantes a realizar hazañas heroicas de resistencia. Y el comunismo soviético, considerado el sistema totalitario más débil, resultó ser altamente resistente: muchos seguidores de Stalin estaban dispuestos a morir en defensa de la revolución.

El método de guerra soviético consistió básicamente en ataques frontales con muchos hombres, repetidos por progresivas oleadas de infantería. La brutalidad y alto coste de estos ataques indignaron a los alemanes ante la indiferencia de los rusos por la vida humana. Pero no hay duda de

Cuando aumentaron los riesgos de la guerra también lo hicieron la potencia y la sofisticación de las armas, y la frecuencia de los ataques masivos a la población civil. El 9 de agosto de 1945 Estados Unidos lanzó la segunda bomba atómica de la historia sobre la ciudad japonesa de Nagasaki *(izquierda)*. El bombardeo se produjo sólo tres días después del primer ataque nuclear contra Hiroshima. La Unión Soviética pronto contaría con armas de este tipo (*superior,* la llave de la primera bomba atómica soviética, la bomba A). Su existencia y sus terribles efectos dieron una dimensión nueva al término «guerra total».

que fueron efectivos. Según el historiador John Ellis, entre junio de 1941 y marzo de 1945, el ejército ruso sufrió entre el 80 y el 90 % de las bajas causadas por los alemanes a nivel mundial.

Durante la Segunda Guerra Mundial los ingleses perdieron el dominio de su imperio. Pero salvaron su honor de forma espectacular. Durante siglos, su sociedad disciplinada y homogénea había demostrado que estaba capacitada para la conquista (más que los alemanes); ahora también prevaleció en la defensa. Al luchar prácticamente solos durante meses, soportar bombardeos, misiles y penurias extremas mientras Hitler consumía Europa para evitarlas, los británicos experimentaron los años de guerra como una edad de oro en el aspecto moral, llena de aflicción y sacrificio pero tocada por el heroísmo. (Las imágenes de esta época —apagones, cartillas de racionamiento, refugios en el metro— siguen siendo símbolos nacionales significativos.) La pérdida de las fronteras tradicionales entre clases y el sentimiento de la clase obrera de que había salvado al país contribuyeron a que se formara un gobierno socialista en las elecciones de 1945, cuando Gran Bretaña sorprendió al mundo retirando de su cargo a Winston Churchill, gran dirigente en la guerra pero aristócrata impenitente.

1940
1949

LA ACTITUD DE Hitler hacia Estados Unidos fue similar a la de muchos europeos de entonces y de ahora. Los veía como la patria de la mediocridad, filisteos sin autenticidad, sin historia e incapaces de tener ideales o grandeza. Sus orígenes promiscuos desbarataban las teorías raciales de Hitler. Quizás el artista frustrado que llevaba dentro detestaba el pragmatismo inquebrantable del país. (Todas las ideologías totalitarias se basaban en la estética y en la noción mítica de la pureza conseguida por la lucha.) En cualquier caso, su desprecio, considerado enfermizo, hacia la potencia americana fue el factor más significativo de su caída. Estados Unidos, protegido de los estragos de la guerra por dos océanos, poseedor de enormes recursos de mano de obra, industria y agricultura y sin dependencia tecnológica de ningún otro país, en especial cuando empezaron a llegar científicos refugiados de los países del Eje, dio a los aliados la ventaja que necesitaban para vencer de forma definitiva a sus enemigos.

Aunque ambos bandos concentraron su ira en los civiles, la reputación de América quedó unida para siempre al acto de violencia contra población civil más espectacular del conflicto: el bombardeo atómico de Hiroshima y Nagasaki. El Big Bang que finalizó la guerra convirtió a Estados Unidos en la potencia más letal del mundo.

Del mismo modo que la victoria lo convirtió en la más brillante. A finales de los años cuarenta, la economía de Estados Unidos, impulsada por la guerra, representaba la mitad de la producción industrial del mundo, y sus dólares de ayuda reconstruían la Europa occidental y Japón. Anteriormente, Estados Unidos se había mantenido distante de los asuntos del mundo; ahora asumió el liderazgo de lo que llegaría a ser «el mundo libre». En realidad, el país salió de la guerra tan bien que la mayoría de norteamericanos sentían que estaba justificada la imposición de sus valores en el mundo, una mezcla única de liberalismo clásico, rectitud protestante, racionalismo tecnocrático e individualismo egoísta. Pero los soviéticos también pensaban que su ideología estaba justificada, y las dos potencias estaban dispuestas a proteger sus ganancias y a extender su poder. En cierto sentido, el enfrentamiento conocido como guerra fría representó la *institucionalización* de la guerra total, la movilización militar, económica y psicológica de todas las naciones en una lucha global contra un enemigo extranjero e intolerable.

Sin embargo, la introducción de la bomba atómica por parte de América había cambiado de modo irrevocable la naturaleza de la guerra. Cuando Washington y Moscú se embarcaron en la carrera de armas nucleares, quedó claro que una nueva guerra mundial significaría la destrucción total de la humanidad. Durante las décadas siguientes, aunque en alguna ocasión llegaron al borde de una confrontación catastrófica, las superpotencias siempre se las arreglaron para detenerse a tiempo. Cuando cayeron los sistemas coloniales en África y Asia, los americanos y los soviéticos compitieron en unos conflictos limitados en los que la población local era la más perjudicada, y las fuerzas «prooccidentales» generalmente no eran más demócratas que las «prosoviéticas». Al final, la competición contribuyó a la ruina de los soviéticos y en los años noventa se establecieron reestructuraciones geopolíticas tan radicales como las que siguieron a la Segunda Guerra Mundial. □

Durante casi medio siglo después de la Segunda Guerra Mundial, las dos superpotencias, Estados Unidos y la Unión Soviética, estuvieron preparadas para una posible guerra total: invirtieron en la producción de armas, hicieron propaganda constantemente y prepararon a sus ejércitos para el Apocalipsis. Al final de la guerra fría (que endeudó a ambas naciones), los dos lados desmantelaron cientos de bombas y aviones, como estos B-52 que fueron desmontados en Arizona. El coste original de estos aviones era de 64 millones de dólares; como chatarra se vendieron a 16 centavos los 500 gramos.

USAF
USAF
USAF
USAF

«Situación desesperada [...]. Personalmente pienso que podremos salvar a las FEB.»—**Entrada del diario de William Edmund Ironside, jefe de estado mayor, sobre la retirada de Dunkerque de las Fuerzas Expedicionarias Británicas, fechada el 21 de mayo de 1940**

HISTORIA DEL AÑO

Rescate en Dunkerque

1 La invasión nazi de Francia y de los Países Bajos de 1940 hubiera podido acabar con los aliados a no ser por el rescate milagroso, ideado por los británicos, de un tercio de millón de soldados del puerto francés de Dunkerque. El avance alemán había arrinconado a unos doscientos mil británicos y ciento cuarenta mil franceses y belgas en esta ciudad cercana a la frontera belga. Para salvarlos, el almirantazgo británico utilizó todos los barcos disponibles, desde barcos de guerra y transbordadores de pasajeros hasta barcas de pesca y yates de recreo. El 26 de mayo, los primeros barcos cruzaron el canal de la Mancha, vigilado por los aviones de la RAF. Los soldados atrapados llenaron las playas

El rescate aliado en Dunkerque recreado en un cuadro de Charles Cundall.

y embarcaderos de Dunkerque para poder reunirse con ellos.

La evacuación, cuyo nombre en clave fue operación Dynamo, duró diez angustiosos días. Los soldados plagaron las cubiertas de los destructores británicos (y unos cuantos franceses), que volvieron a toda velocidad a Dover sin dejar de disparar sus cañones. Las barcas más pequeñas condujeron soldados a los barcos que se encontraban fuera del puerto destruido. Los bombarderos alemanes, que atacaban tierra y mar, eran una amenaza continua; la RAF derribó a 159. La proximidad de los invasores aumentaba la tensión: el tercer día del éxodo, cayó el cercano puerto de Calais y al día siguiente, Bélgica se rindió. El rescate se vio favorecido por la desacertada decisión de Hitler de suspender su ataque a Dunkerque.

Aunque se perdieron 243 barcos y botes y toneladas de material militar, sólo murieron dos mil hombres. El resto fue recibido triunfalmente al desembarcar en Inglaterra y pronto volvieron a la lucha. El primer ministro Winston Churchill, que había supervisado la operación, observó: «Las guerras no se ganan con evacuaciones pero en este salvamento hay una victoria». Prometió al parlamento que contarían con triunfos mayores. «No flaquearemos ni caeremos» [...]. Lucharemos en mares y océanos, lucharemos con más y más confianza y fuerza en el aire, defenderemos nuestra isla, cueste lo que cueste [...]. Lucharemos en los campos y en las calles, lucharemos en las colinas; nunca nos rendiremos.» **◂1939.1 ▸1940.6**

SEGUNDA GUERRA MUNDIAL

Italia declara la guerra

2 Durante los primeros meses de la Segunda Guerra Mundial, Benito Mussolini se sentía angustiado por si lucharía y cuándo lo haría. Sediento de gloria, temeroso de que Alemania pudiera ganar la guerra antes de que él invadiera algún territorio, el dictador amante de la guerra ansiaba luchar. Pero le retenían varios factores. Su pueblo prefería la paz y su ejército no estaba entrenado. Él estaba enojado por el pacto de Hitler con Stalin y por su crueldad con los polacos. Asimismo le preocupaba que Alemania *no* pudiera ganar. Pero poco a poco sus ganas de acción y la presión del *Führer* prevalecieron sobre sus reservas. En marzo de 1940, los dos dictadores se reunieron en Brenner para formalizar su alianza; Mussolini prometió enviar a la batalla a sus soldados cuando se realizara el ataque alemán a Francia. El 10 de junio, mientras los franceses se debilitaban bajo el fuego nazi, declaró la guerra a los aliados.

A pesar de sus propias dudas, Mussolini había convencido a Hitler de la fuerza de su país. Pero la verdad pronto salió a la luz. El primer ataque de Italia, en el sur de Francia, ganó un territorio insignificante. En agosto, cuarenta mil soldados italianos invadieron una parte de la Somalia británica, con éxito pero sin gloria: cuadruplicaban a los defensores, perdieron dos mil hombres contra 260 de Gran Bretaña; la operación se arrastró durante dos semanas. En septiembre, ochenta mil italianos salieron de Libia hacia Egipto, rumbo al canal de Suez. No sólo fueron expulsados por treinta mil británicos sino que también perdieron buena parte del este de Libia. En octubre, sin el consentimiento de Hitler (que acababa de ocupar la zona petrolífera de Rumanía sin haber consultado a Mussolini), el Duce envió ciento cincuenta y cinco mil soldados a Grecia desde Albania. De nuevo no logró su conquista; además, un tercio de Albania cayó en manos griegas mientras los británicos tomaban la estratégica isla de Creta.

En teoría, Italia debía librar una «guerra paralela» en el Mediterráneo mientras Alemania se concentraba en el norte. Pero durante el año siguiente, Hitler estaría ocupado en recomponer los estropicios de Mussolini y la independencia de éste disminuiría. **◂1939.5 ▸1941.2**

SEGUNDA GUERRA MUNDIAL

La guerra en el mar

3 Después de la invasión de Polonia, Hitler esperó durante siete meses el momento apropiado mientras planeaba sus próximos movimientos y esperaba a que finalizara un crudo invierno. Hubo tan poca actividad militar que los ingleses hablaban burlonamente de una *phony war*, los franceses la llamaban *la drôle de guerre* mientras que los alemanes utilizaban el término *Sitzkrieg*. Sin embargo, en el mar sí hubo acción.

En respuesta a un bloqueo naval británico, los bombarderos y submarinos alemanes hundieron barcos mercantes en enero de 1940, entre ellos el transatlántico británico *Athenia* (en el que murieron 112 pasajeros) y muchos navíos de países neutrales. Los barcos se enfrentaban en aguas europeas y en otras tan lejanas como las de Uruguay, donde un mes antes la tripulación del *Admiral Graf Spee* había abandonado el barco, derrotado por los cruceros británicos.

En febrero, marinos del destructor británico *Cossack* abordaron un barco alemán, mataron a cuatro hombres de la tripulación y liberaron a 299 prisioneros de guerra. (La mitad de ellos procedían de barcos hundidos por el *Admiral Graf Spee*). El mismo día, el gobierno británico anunció que todos los buques

Hitler y Mussolini pasan revista a la guardia de honor italiana en Brenner.

ARTE Y CULTURA: Libros: *Por quién doblan las campanas* (Ernest Hemingway); *El corazón es un cazador solitario* (Carson McCullers); *El poder y la gloria* (Graham Greene) [...] Música: *Concierto de Aranjuez* (Joaquín Rodrigo); *El don apacible* (Shólojov) [...] Pintura y escultura: *Marinero* (Paul Klee) [...]

«No tengo nada que ofrecer aparte de sangre, sudor y lágrimas.»—**Winston Churchill, en su primer discurso como primer ministro, el 13 de mayo de 1940**

Los portaaviones dieron una nueva dimensión a las batallas navales.

mercantes y pesqueros del mar del Norte debían armarse. Alemania proclamó enseguida que trataría a tales buques como barcos de guerra, formalizando una política que había seguido desde hacía tiempo. **◂1939.NM ▸1941.1**

SEGUNDA GUERRA MUNDIAL

Noruega y Dinamarca invadidas

4 Para conquistar el oeste, Hitler debía asegurar antes el norte. Alemania obtenía buena parte de su hierro de Suecia, a través del puerto noruego de Narvik. (Tanto Noruega como Suecia se habían declarado neutrales.) Los aliados planeaban invadir Noruega para cortar el suministro pero, el 9 de abril de 1940, 24 horas después de que barcos ingleses sembraran las primeras minas en un puerto noruego, los alemanes arribaron antes que los británicos. Protegidos por la confusión, aparecieron buques alemanes en los principales puertos de Noruega y descargaron a miles de soldados de infantería. Mientras tanto, los paracaidistas (utilizados por primera vez en una guerra) tomaron campos de aviación importantes. Tardaron dos meses en someter a Noruega. La pequeña Dinamarca, que Alemania atacó a la vez para conseguir un camino franco hacia el norte, cayó en un breve plazo de tan sólo cuatro horas.

Aunque los invasores encontraron cierta oposición al entrar en Noruega, la mayoría de sus objetivos cayeron con prontitud. Oslo, la capital, se rindió en pocos días ante la amenaza alemana de bombardear la población. Los nazis nombraron dictador a Vidkun Quisling, cabeza del pequeño Partido Nazi del país. (Su apellido entró en el idioma inglés como sinónimo de colaboracionista.) No obstante, el rey Haakon VII y sus ministros se negaron a admitir la derrota. Huyeron a las montañas nevadas y se ocultaron en cuevas mientras el ejército noruego, pequeño y mal equipado, junto a una milicia organizada precipitadamente, organizaba operaciones de guerrilla contra los ocupantes.

Al principio de la invasión, Noruega declaró su lealtad a la causa aliada, pero los soldados franceses y británicos tardaron cerca de una semana en llegar. Incluso en Narvik, donde quintuplicaban al enemigo, no fueron capaces de expulsar a los alemanes hasta el 27 de mayo. Por entonces, Francia se hallaba en plena batalla, y los soldados aliados debían trasladarse allí. Se retiraron pocos días después y Haakon y su gobierno escaparon a Londres. Hitler no sólo había ganado una fuente inagotable de minerales (Suecia, aislada, no podía negarse), sino también bases desde las que atacar a Gran Bretaña. La victoria tuvo su contrapartida: trescientos mil soldados movilizados en Noruega, muy lejos de cualquier frente de batalla, y, a pesar de su presencia, la resistencia de Noruega y Dinamarca. **◂1939.6 ▸1940.6**

Patrullas francesas vigilan un ferrocarril cerca de Narvik, Noruega.

SEGUNDA GUERRA MUNDIAL

Los nuevos dirigentes de los aliados

5 A medida que se acercaba el momento en que los aliados deberían defender sus propios países de la invasión, empezó a parecer que los hombres que gobernaban Francia y Gran Bretaña no eran los más apropiados. Durante años, Edouard Daladier y Neville Chamberlain habían intentado apaciguar a Hitler y, aunque por fin habían puesto los pies en la tierra, ninguno poseía la imagen carismática de un líder. En ambos países optaron por un cambio. Daladier cayó el 21 de marzo de 1940 y el ministro de economía, Paul Reynaud, formó un nuevo gobierno. El 10 de mayo, al inicio de la invasión de los Países Bajos, Winston Churchill sucedió a Chamberlain. (Chamberlain murió ocho meses después.)

Reynaud esperaba sustituir la estrategia de Daladier, basada en la supuesta impenetrabilidad de la línea Maginot, por una táctica más agresiva. Pero las demandas de los parlamentarios franceses le obligaron a mantener a Daladier como ministro de la guerra y a aceptar miembros de la extrema derecha en su gabinete. Cuando los alemanes atacaron, Francia quedó bloqueada entre unas defensas obsoletas y un gobierno indeciso en cuanto a continuar o no la lucha. Tras la derrota, Reynaud y varios colegas (incluido Daladier, que se uniría a la resistencia en el norte de África) fueron enviados a campos de concentración nazis.

En cambio, Churchill obtuvo carta blanca cuando accedió a la jefatura del gobierno. Formaba parte del parlamento desde 1900 y su fortuna política había oscilado mucho durante estos años. Se había hecho famoso en la guerra de los bóers y nunca perdió su espíritu marcial. El primer día de la Segunda Guerra Mundial, Chamberlain le había devuelto su puesto de la Primera Guerra Mundial como ministro de la marina; Churchill se convirtió en el máximo exponente británico de la intransigencia contra Hitler. Como primer ministro reunió un gabinete de guerra compuesto por todas las facciones, *excepto* por la extrema izquierda y la extrema derecha.

Para su pueblo y para el mundo, Churchill se convirtió en el símbolo de la determinación británica. Con su cara de bulldog, su gran puro, su V como símbolo de la victoria y su elocuencia viajó por el país apremiando a los británicos a que hicieran de la guerra «su mejor momento». No le decepcionaron. **◂1940.1 ▸1940.7**

El primer ministro, desafiante, vigilando la costa de Inglaterra con sus soldados.

NACIMIENTOS

John Lennon, músico británico.

Jack Nicklaus, jugador de golf estadounidense.

Pelé, futbolista brasileño.

Wilma Rudolph, corredora estadounidense.

Ringo Starr, músico británico.

Tina Turner, cantante estadounidense.

Frank Zappa, músico estadounidense.

MUERTES

Manuel Azaña, político español.

Walter Benjamin, crítico literario alemán.

Peter Behrens, arquitecto alemán.

Neville Chamberlain, primer ministro británico.

Walter Chrysler, industrial estadounidense.

F. Scott Fitzgerald, novelista estadounidense.

Emma Goldman, activista política lituana-estadounidense.

Paul Klee, artista suizo.

Selma Lagerlöf, novelista sueca.

Joaquín Mir, pintor español.

Joseph J. Thomson, físico británico.

Leon Trotski, revolucionario ruso.

Edouard Vuillard, pintor francés.

Cine: *Rebeca* (Alfred Hitchcock); *Historias de Filadelfia* (George Cukor); *El gran dictador* (Charles Chaplin); *Fantasía* (Walt Disney) [...] Teatro: *Eloísa está debajo de un almendro* (Jardiel Poncela); *El animal macho* (Thurber y Nugent); *Aquí durmió George Washington* (Kaufman y Hart).

«¿Se ha dicho la última palabra? ¿No debe quedar esperanza? ¿La derrota es definitiva? ¡No!... Pase lo que pase, la llama de la resistencia francesa no debe morir y no morirá.»—**El general Charles de Gaulle, por radio desde Inglaterra, el 18 de junio de 1940**

NOVEDADES DE 1940

Caja de cambios automática (General Motors).

Todo-terreno (diseñado por Karl Pabst).

Televisión en color (primera transmisión experimental de la CBS desde el edificio Chrysler de Nueva York).

British Overseas Airways (BOAC, compañía aérea).

EN EL MUNDO

▶EJECUCIÓN DE COMPANYS— El presidente de la Generalitat de Cataluña, Lluís Companys, fue fusilado el 15 de octubre en el castillo de Montjuich, en Barcelona. Durante la guerra civil española había dirigido el gobierno autónomo catalán en

su lucha frente a los militares alzados contra la República. Tras la ocupación de Cataluña por las tropas de Franco, pasó la frontera hacia Francia, donde continuó presidiendo el gobierno de la Generalitat desde el exilio. En agosto de 1940 fue detenido por los alemanes y entregado a las autoridades españolas. Tras un juicio sumarísimo fue condenado a muerte por «incitación a la rebelión».

▶CHEQUE POR CORREO—Ida May Fuller, una viuda de 35 años de edad de Vermont (Estados Unidos), fue la primera destinataria de un cheque de la Seguridad Social de Estados Unidos. La suma total del primer pago a los pensionistas americanos equivalía a 75.844 dólares. En 1975, el gobierno había efectuado pagos por valor de miles de millones de dólares. **◀1935.5**

SEGUNDA GUERRA MUNDIAL

Guerra relámpago en el oeste

6 El 10 de mayo de 1940 Hitler atacó Holanda, Bélgica y Luxembugo, los países neutrales que se interponían entre él y su enemigo, Francia. El *Führer* declaró: «La lucha que empieza hoy decide el destino de la nación alemana para los próximos mil años». Por fin había empezado la guerra en el oeste.

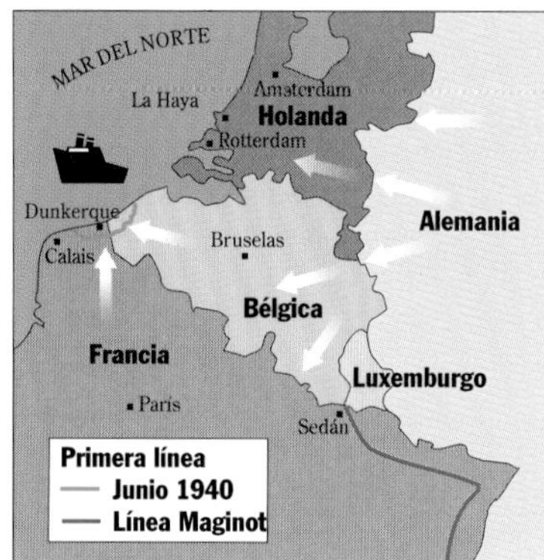

Al invadir los Países Bajos y el norte de Francia, Alemania evitó la «impenetrable» línea Maginot y arrinconó a los aliados en Dunkerque.

Primero, la Luftwaffe bombardeó objetivos militares de todos los Países Bajos y varias bases de Francia. (Amsterdam y Rotterdam fueron bombardeadas más tarde, a pesar de que la última ya se había rendido.) Luego los paracaidistas, algunos con uniformes holandeses, cayeron del cielo mientras planeadores remolcados depositaban a la infantería en el lado belga del canal Albert. Los soldados ocuparon tan rápidamente las orillas que los defensores no tuvieron tiempo de levantar los puentes. Los holandeses abrieron las compuertas de sus diques e inundaron los campos pero la Werhmacht estaba preparada con barcas neumáticas. Los *stukas* en picado, con sus sirenas en marcha, destrozaron a soldados y civiles. Las divisiones Panzer atravesaron los pueblos aplastando todo lo que encontraban en su camino.

Simpatizantes de los alemanes sabotearon grupos electrógenos y sistemas de alarmas antiaéreas. La debilidad de los países atacados también tuvo que ver con la victoria de los alemanes. Luxemburgo era demasiado pequeño para poder resistir. El rey Leopoldo de Bélgica, fiel a la neutralidad, se negó a coordinar su ejército con los franceses y holandeses. El ejército holandés carecía de vehículos blindados y de experiencia táctica. Los franceses y los británicos acudieron a ayudar a estos países pero fueron superados en táctica y en armamento.

Luxemburgo cayó el primer día; Holanda cuatro días después. Bélgica resistió hasta el 28 de mayo pero las tropas de Hitler ya habían entrado en el norte de Francia. **◀1940.1 ▶1940.7**

SEGUNDA GUERRA MUNDIAL

La caída de Francia

7 El 12 de mayo de 1940, dos días después del inicio de la invasión de los Países Bajos, los tanques alemanes entraron en Francia desde Bélgica a través del macizo de las Ardenas. Los comandantes franceses, que confiaban en que esas colinas tan frondosas no podían ser atravesadas, equiparon a sus tropas con pocas armas antitanques o antiaéreas. Los soldados alemanes cruzaron el río Mosa por Sedán mientras los aviones bombardeaban las defensas. La famosa línea Maginot no constituyó un problema: los invasores la rodearon por el norte. El ejército francés casi quedó paralizado por la impresión. La organización táctica era pésima, y los alemanes tenían muchos más aviones. El fin fue inevitable.

El 3 de junio, doscientos aviones bombardearon París; once días después, los nazis entraron en la capital sin resistencia, marchando al paso de la oca por los Campos Elíseos. (Por entonces el gobierno había huido a Burdeos.) El 16 de junio, Paul Reynaud prefirió dimitir a rendirse y fue sustituido por el octogenario mariscal Henri Pétain (todavía respetado como héroe de la Primera Guerra Mundial, a pesar de haber dirigido la política militar responsable de la derrota). El 22 de junio Pétain firmó un armisticio en Compiègne, en el mismo vagón donde los alemanes habían aceptado el final de la guerra anterior. Tres quintas partes del norte y el oeste del territorio francés eran zona ocupada, el resto de Francia seguía siendo soberana.

Pétain trasladó la capital a Vichy. En julio, después de que los británicos atacaran a barcos franceses frente a Algeria para que no cayeran en manos de los alemanes, rompió las relaciones con sus antiguos aliados y convirtió la Francia ocupada en una dictadura de tipo fascista.

Mientras, el antiguo viceministro de la guerra, el general Charles de Gaulle, empezó a retransmitir llamadas a sus compatriotas para que continuaran luchando. De Gaulle, que había huido a Londres, fundó el movimiento de la Francia Libre, cuyas fuerzas armadas, compuestas por exiliados y habitantes de las colonias francesas, ayudaron a los aliados durante el resto de la guerra. **◀1940.6 ▶1940.11**

CIENCIA

Descubrimiento del plutonio

8 El elemento básico de la primera arma nuclear fue descubierto por científicos americanos en 1940. Descubrimiento que, irónicamente, fue posible gracias al trabajo de los alemanes.

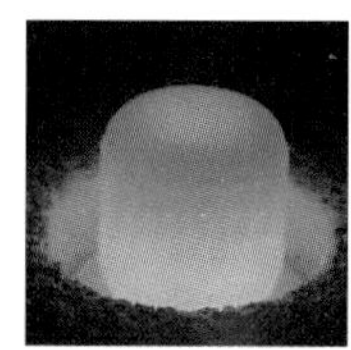

En 1938, Otto Hahn y Fritz Strassmann habían bombardeado uranio con neutrones, para intentar demostrar la teoría del italiano Enrico Fermi de que el proceso produciría un elemento nuevo y más pesado. En vez de esto, tropezaron con la fisión nuclear (identificada por su colega en el exilio Lise Meitner), en la que los átomos de uranio se dividían en dos partes.

Dos años después, en la Universidad de Berkeley, California,

En una de las imágenes más conmovedoras de la guerra, un francés llora mientras observa desfilar las banderas de los regimientos derrotados de su país, en Marsella.

un grupo de jóvenes científicos demostraron que algunos átomos de uranio, en vez de dividirse, *absorbían* los neutrones y se convertían en las sustancias que había predicho Fermi.

Los investigadores de Berkeley Edwin McMillan y Philip Abelson realizaron experimentos en los que obtuvieron un elemento que poseía un protón más que el uranio, de modo que su número atómico era 93. Se le llamó neptunio, por el planeta Neptuno, más allá de Urano. Luego un equipo dirigido por su colega Glenn Seaborg descubrió que los átomos de neptunio se deterioraban y se convertían en un elemento cuyo número atómico era 94.

Este elemento fue llamado plutonio por el planeta Plutón. El primer isótopo descubierto fue el plutonio 238 (*izquierda*). Un segundo isótopo, el plutonio 239, resultó ser tres veces más fisionable que el uranio 235 (el material que finalmente se utilizó en la bomba de Hiroshima). En teoría, 300 gramos podían generar una carga explosiva equivalente a 20.000 toneladas de TNT. Como el físico Ernest Lawrence observó después de este descubrimiento, el plutonio podía ser el elemento básico de una «superbomba». La terrible profecía de Lawrence se cumplió en 1945, cuando se hizo explotar una bomba de estas características en el desierto de Nuevo México... y unas semanas más tarde estalló otra en Nagasaki, Japón. **◄1938.1 ►1942.15**

ARQUEOLOGÍA

Hallazgo de un tesoro prehistórico

9 En septiembre de 1940, cuatro colegiales franceses cazaban conejos cerca del pueblo de Montignac, en la provincia de la Dordogne. Su perro cayó en un agujero. Lo siguieron y se encontraron en una gruta decorada con pinturas de animales, muchos de ellos extinguidos o desaparecidos de la zona. Un fresco representaba a un hombre caído entre un bisonte y un rinoceronte herido; otros mostraban jabalíes, caballos, lobos, toros, renos y una criatura desconocida (quizá mítica) parecida a un unicornio. Cuando los arqueólogos examinaron la gruta de Lascaux, una gran cueva magníficamente decorada y conectada con otras galerías a través de pasadizos, dataron las pinturas en el año 18.000 a. C. y declararon que la cueva era uno de los hallazgos más importantes del arte paleolítico.

Los expertos especularon que los cuadros pintados frente a algunos animales representaban trampas

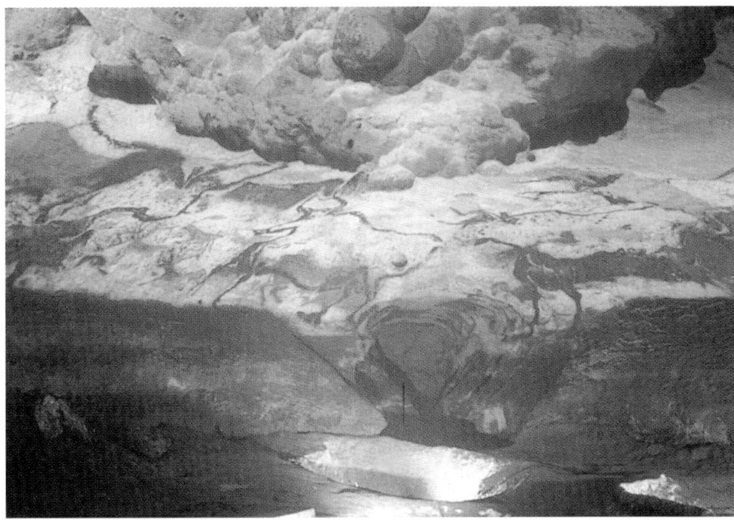

Caballos, ciervos y cuatro toros rodean la cueva principal de Lascaux.

cubiertas por pieles y que las figuras en forma de peines sobrepuestas a algunos animales eran cercados. No obstante, la intención de las pinturas era (y sigue siendo) un misterio. Quizá tenían una función religiosa o mágica relacionada con la caza o quizá eran puramente decorativas.

La cueva se convirtió enseguida en una atracción turística, pero en 1963 se cerró al público porque las pinturas empezaban a borrarse y a llenarse de hongos. Se construyó una imitación que los turistas pueden visitar. **◄1900.6 ►1947.6**

CULTURA POPULAR

Un antídoto para Disney

10 En la pantalla aparece un cazador con una gran cabeza calva, se dirige al público y dice ceceando: «Eztaz muy, muy calladoz. Eztoy cazando conejoz». Muestra su presa apoyada en un árbol, la apunta con su escopeta. Y el conejo, con la tranquilidad de quien lo sabe todo, pregunta: «¿Qué hay de nuevo, Doc?». Con esta pregunta, el héroe de dibujos animados Bugs Bunny hizo su debú en la película de la Warner Bros.: *A Wild Hare*. Por fin existía una amenaza para el ratón Mickey.

El personaje descarado de Bugs fue creado por el genio de la animación Tex Avery, uno del incomparable grupo de escritores y artistas de la Warner al que pertenecían: Chuck Jones, Fritz Freleng, Bob McKimson, Bob Clampett y Mike Maltese. El acento de Brooklyn de Bugs lo ponía Mel Blanc, el versátil «hombre-voz». Juntos estos talentos, poco reconocidos, rodaron series de seis minutos de arte popular de alto voltaje, que rivalizaron en gran medida con el maestro de los dibujos animados que reinaba en Hollywood, Walt Disney.

Los personajes de Disney eran cálidos y adorables; Bugs y sus colegas, el pato Lucas, Silvestre y Correcaminos, eran neuróticos, rencorosos y sarcásticos (sólo Porky se acercaba al candor de Disney). Los dibujos de Disney defendían «la

Bugs Bunny y el pato Lucas se manifiestan a favor de la guerra. Mel Blanc prestó su voz a ambos personajes.

ilusión de vivir»; los de la Warner preferían la velocidad, la ferocidad y las transformaciones sorprendentes. Bugs y sus amigos interrumpían los créditos de presentación o se dirigían al espectador de forma ruda; se metamorfoseaban en Carmen Miranda o giraban a toda velocidad y se convertían en aviones. El humor de Disney era el del tímido americano medio; el de la Warner tenía la energía del vodevil de Nueva York. **◄1928.10 ►1950.6**

►MEDIAS DE NAILON—En 1940 las medias de nailon se pusieron a la venta en todo el territorio de Estados Unidos. El histerismo se produjo el año anterior cuando Du Pont anunció que las primeras ventas se limitarían a los residentes de Wilmington, Delaware. Llegó a la ciudad gente de fuera para alquilar apartamentos y habitaciones de hotel. En 1941, la mayoría del nailon fue reservado para uso militar. ◄1934.9

►AMÉRICA PRIMERO—En un intento de última hora por preservar el aislamiento de Estados Unidos, un grupo de hombres de negocios y políticos formaron el comité América Primero a finales de 1940. Apoyado por la cadena de diarios Hearst, el comité se oponía a la intervención en otra guerra europea y se convirtió en un aliado de organizaciones pacifistas como El trabajador católico y la Liga Internacional de mujeres para la paz y la libertad. ◄1939.12 ►1941.1

►UN CAZADOR SOLITARIO —Carson McCullers escribió su primera novela, *El corazón es un cazador solitario*, a los 23 años de edad. El libro, que se publicó en 1940, explica la historia de la vida en una pequeña ciudad sureña a través de los ojos de un sordomudo que se hace amigo de una chica. En la novela están los temas característicos de la escritora: la soledad y el ansia por el contacto humano y el amor. ◄1929.3

►EL LABERINTO DE LOS ÁNGELES—Lo que se ha convertido en el paradigma de la pesadilla del urbanismo moderno empezó de forma inocente en diciembre de

1940 con la inauguración del Arroyo Seco Parkway de Los Ángeles. La primera autovía de California engendró un laberinto bizantino de barrios dispares, atascos, y una colección inmensa de aparcamientos. ◄1908.1 ►1956.NM

«En el campo de los conflictos humanos, nunca tantos han debido tanto a tan pocos.»—**Winston Churchill, sobre la heroica actuación de la RAF, sobrepasada en razón de 1 a 30 por la Luftwaffe de Hitler, 20 de agosto de 1940**

▸DECLARACIÓN DE LA HABANA—Con Francia y Holanda bajo la ocupación nazi y Gran Bretaña amenazada, existía el temor de que Alemania heredara las colonias de estos países en el hemisferio occidental. En julio, en una reunión de la Unión Panamericana celebrada en La Habana y promovida por Estados Unidos, delegados de 21 repúblicas de la zona adoptaron una postura abiertamente antigermánica. Todas estas colonias quedarían bajo una administración fiduciaria interamericana hasta que estuvieran preparadas para la independencia o pudieran devolverse a sus antiguos propietarios. ◂1933.4 ▸1941.9

▸LA DECIMOCUARTA REENCARNACIÓN—Bstandzin subió al trono a los cinco años de edad como el decimocuarto Dalai Lama,

la manifestación física de Bodhisattva Avalokitesvara, y como gobernante del Tíbet. Fue declarado rey diez años después, cuando los chinos comunistas invadieron el país. Tras un alzamiento fallido contra el régimen en 1959 huyó a Dharmsala, India, donde su gobierno en el exilio luchó incesantemente por la independencia de su país. ▸1950.3

▸ASESINATO DE TROTSKI—Tras años de acosar a su antiguo camarada, Stalin consiguió su objetivo de ser la única voz del comunismo soviético. El 20 de agosto, Leon Trotski, exiliado en Coyoacán, México, fue asesinado con un punzón por su «amigo» Frank Jackson, un agente del servicio secreto soviético. Trotski, el último rival de Stalin y una alternativa viva al comunismo soviético, defendía la «revolución permanente». La Unión Soviética negó cualquier relación con el asesinato. ◂1938.NM

SEGUNDA GUERRA MUNDIAL

La batalla de Inglaterra

11 Con Francia ocupada, Gran Bretaña constituía el último bastión de la lucha contra la agresión nazi. La armada británica y la barrera natural del canal de la Mancha protegieron a Gran Bretaña de la guerra relámpago. Hitler sabía que tenía que destruir a la RAF antes de iniciar la operación León Marino, una invasión anfibia planeada para el 15 de septiembre.

Tras semanas de ataques esporádicos y difíciles a puertos y campos de aviación, la Luftwaffe intensificó su campaña a principios de agosto con incursiones diarias de centenares de aviones contra las bases aéreas y las fábricas de aviones de toda Gran Bretaña. Los atacantes desplegaron mil trescientos bombarderos; sus mil doscientos cazas doblaban en número a los británicos. Sin embargo, los aviones alemanes estaban poco armados y sólo podían llevar una carga ligera de bombas. Los cazas alemanes operaban al límite de su alcance, y las modernas estaciones de radar británicas impedían que el enemigo atacara por sorpresa.

Los británicos ya habían perdido muchos pilotos y aviones pero el 28 de agosto sorprendieron a los alemanes: bombardearon Berlín. Los aviones aliados habían alcanzado objetivos por toda Alemania pero éste fue su primer ataque a la capital. Hitler contraatacó de forma temeraria al bombardear centros de población en Gran Bretaña. Londres, Liverpool, Coventry y ciudades más pequeñas sufrieron ataques despiadados. El Palacio de Buckingham fue alcanzado y la catedral de Coventry destruida, pero las incursiones no tuvieron efectos estratégicos. La población estaba preparada (los niños habían sido evacuados al campo) y, a pesar de miles de víctimas, se mantuvo la moral. Muchos londinenses durmieron en los túneles del metro. En septiembre, Alemania había perdido tantos aviones como su enemigo, y Hitler aplazó la operación León Marino indefinidamente.
Pero los bombardeos no habían terminado. El *Führer* los multiplicó con la esperanza de que Gran Bretaña se rindiera. Continuaron hasta junio de 1941, año en que la Luftwaffe fue necesaria en Rusia. **◂1940.1 ▸1942.3**

Capiteles góticos entre los escombros de la catedral de Coventry, destruida el 14 de noviembre de 1940 en el peor bombardeo hasta aquel momento.

SEGUNDA GUERRA MUNDIAL

Ocupación de los Estados Bálticos

12 Entre la Unión Soviética y la Alemania nazi se encontraban tres pequeñas naciones que

Los soldados soviéticos entran en la plaza mayor de Riga, Letonia, el 17 de junio.

intentaban proteger su independencia manteniendo la neutralidad en la guerra europea: Lituania, Estonia y Letonia. En agosto de 1940 la Unión Soviética se las anexionó. Un año antes, Hitler y Stalin habían firmado un pacto secreto de no agresión que delineaba las esferas de influencia nazi y soviética en el este de Europa: Alemania poseía el oeste de Polonia y todo el sur; los soviéticos el este de Polonia, Finlandia y los Estados Bálticos. Después de la conquista alemana de Polonia en 1939, Moscú se apresuró a asegurarse su botín. Ofreció tratados de «asistencia mutua» a Finlandia y a los Estados Bálticos, un eufemismo de la ocupación por el ejército rojo.

Finlandia rechazó los términos de Stalin y libró una lucha sangrienta por su independencia. Los tres pequeños países aceptaron la oferta soviética. A finales de 1939, el ministro de asuntos exteriores soviético, Molotov, declaró: «Los pactos con los Estados Bálticos no implican de ningún modo la intrusión de la Unión Soviética en sus asuntos internos». Pocos meses después, aludiendo a una falsa conspiración báltica para mermar la seguridad soviética, el ejército rojo se trasladó allí. Los ocupantes impusieron gobiernos títere, que rápidamente optaron por incorporar los países bálticos a la Unión de Repúblicas Soviéticas Socialistas. **◂1939.6 ▸1941.7**

SEGUNDA GUERRA MUNDIAL: Febrero: los soviéticos cruzan la línea Mannerheim [...] Marzo: Finlandia se rinde [...] Abril: Alemania invade Dinamarca y Noruega [...] Mayo: Alemania invade Bélgica, Holanda, Luxemburgo y Francia; rescate de Dunkerque [...] Junio: Italia declara la guerra a Francia y a Gran Bretaña; los alemanes ocupan París; Pétain cierra un armisticio con Alemania [...] Julio: el gobierno francés

«No podemos perdonar o justificar lo que la vida nos ha hecho. El pasado es el presente. También es el futuro.»—**Eugene O'Neill, *El largo viaje hacia la noche***

ESTADOS UNIDOS

F. D. Roosevelt avanza hacia la guerra

13 Cuando la guerra se intensificó, Franklin D. Roosevelt se enfrentó a un dilema: cómo ayudar a derrotar al Eje sin poner en peligro la presidencia. Con unas elecciones en noviembre de 1940, debía ser prudente. Muchos americanos tenían una veta aislacionista muy marcada y el candidato republicano, Wendell Willkie (aunque compartía el punto de vista de Roosevelt en cuanto a política exterior) jugaba a favor de estos votantes. Por fortuna para Roosevelt, un nuevo mecanismo llamado «sondeo de la opinión pública» reveló que la actitud general estaba cambiando: desde mediados de 1940, la mayoría de americanos estaban dispuestos a ayudar a las víctimas de la agresión nazi, incluso a riesgo de tener que ir a luchar. Sabiendo esto, Roosevelt pudo tomar dos medidas atrevidas.

En septiembre, aceptó la sugerencia de Churchill a prestar a Gran Bretaña 50 destructores antiguos a cambio del derecho a construir bases militares en las posesiones británicas del hemisferio occidental. Dos semanas después, Roosevelt estableció el servicio militar obligatorio, por vez primera en tiempo de paz. Presentó el acuerdo con Gran Bretaña como un decreto no sujeto a la aprobación de la asamblea. La ley de servicio militar obligatorio fue defendida con más vehemencia: para conseguir la aprobación del congreso hizo gala de sus dotes de persuasión, tanto con la prensa como con los políticos.

Willkie apoyó el servicio militar, aunque acusó a su oponente de belicista. El presidente presentó las medidas como puramente defensivas. «Vuestros muchachos no irán a ninguna guerra extranjera», prometió al electorado, que volvió a votarle para el cargo por tercera vez. **◂1939.12 ▸1941.1**

Agujas (pins) de la campaña de Willkie: una silla presidencial.

TEATRO

El viaje angustioso de O'Neill

14 Eugene O'Neill a menudo salía llorando de su estudio cuando escribía *El largo viaje hacia la noche.* La obra narra un día de la angustiosa vida de una familia compuesta por un padre actor, miserable y autodestructivo, una madre tímida y drogadicta, un hijo amargado y alcohólico y otro que sufre de tuberculosis y de un sentido poético de la condenación. Quizás lo más desgarrador sea que la obra es autobiográfica.

La adaptación cinematográfica de la obra de O'Neill fue dirigida por Sidney Lumet en 1962 y protagonizada por: Jason Robards, Dean Stockwell, Katharine Hepburn y Ralph Richardson.

Es la obra maestra del dramaturgo americano más importante, cuyos dramas han sido tan traducidos y representados como los de Shakespeare y Shaw. Las piezas de O'Neill, cuyo estilo abarca desde el naturalismo hasta el expresionismo, a menudo son muy largas: *El largo viaje hacia la noche* dura tres horas y media y destaca por su penetración psicológica y una fuerza dramática arraigada en la tragedia griega.

Para terminar esta obra, O'Neill (que tenía entonces 52 años) no sólo tuvo que luchar contra los demonios de su infancia sino también con lo que finalmente fue diagnosticado como enfermedad de Parkinson. Pidió que la obra no fuera representada hasta 25 años después de su muerte para ahorrarle a su hermano el dolor de verla. Sin embargo, el estreno mundial se produjo en 1956, en Estocolmo, 22 años antes de lo que había pedido. **◂1904.7 ▸1947.13**

SEGUNDA GUERRA MUNDIAL

Gran Bretaña abandona China

15 En 1940 los británicos perdieron prestigio en China, mientras defendían su patria con heroísmo. Durante casi cien años Gran Bretaña había sido la potencia extranjera con más influencia sobre este país perpetuamente explotado. Sin embargo, ahora los japoneses ocupaban buena parte de China e insistían en controlar sus asuntos.

La cuestión prioritaria de Japón era cortar los suministros a Chongqing, donde se encontraba el ejército nacionalista de Chiang Kai-shek. En junio, Japón presionó a la Francia ocupada para que paralizara el ferrocarril de la Indochina francesa a Chongqing. Esto haría de la carretera de Birmania la principal vía de suministros. Luego, los japoneses aislaron Hong Kong (colonia británica) para que los británicos cerraran el final birmano de la ruta. Gran Bretaña, que sufría ataques en su país, no quiso arriesgarse a una guerra en Asia y en julio cerró la ruta, pero se reservó el derecho de reabrirla en tres meses.

Las 21 curvas de la ruta de Birmania, que se extiende de China hasta ese país.

La ruta de Birmania estaba cerrada sobre el papel aunque permaneció abierta hasta 1942, cuando los japoneses invadieron Indochina. El incidente minó la capacidad de lucha de los nacionalistas y el prestigio británico. Peor aún, en el mes de agosto, Gran Bretaña tuvo que evacuar a sus guarniciones de las ciudades chinas. Varias naciones occidentales habían mantenido sus guarniciones durante décadas, incluso bajo la ocupación japonesa, para proteger sus intereses económicos; no obstante, las fuerzas británicas eran las más numerosas, con 2.850 soldados, la mayoría en Shanghai. Su partida, de nuevo bajo la presión japonesa, cerró un capítulo de la historia imperial. **◂1938.4 ▸1941.13**

SEGUNDA GUERRA MUNDIAL

▸LA LÍNEA MAGINOT—Ideada por el ministro de la guerra André Maginot como una solución a las bajas francesas de la Primera Guerra Mundial, la línea Maginot fue la instalación defensiva más cara (500 millones de dólares) y más sólidamente fortificada que se ha construido. Tras su complejo invencible de fuertes subterráneos y cañones

montados entre Bélgica y Suiza, a partir de 1929 Francia estaría protegida de un ataque alemán, o eso pensaban muchos estrategas. En 1940 la Wehrmacht la burló y penetró en Francia a través de las Árdenas y de los Países Bajos. Confiado en las fortificaciones, el ejército francés estaba poco preparado para resistir la invasión.

▸UN NUEVO MOVIMIENTO CLANDESTINO—Tras las invasiones de Hitler en primavera, más de veinte mil judíos que vivían en Bélgica, Francia y Holanda escaparon a Suiza, España y Portugal con la ayuda de ciudadanos solidarios que les proporcionaron documentación falsa y protección para llegar a los países neutrales. Muchos judíos daneses pasaron clandestinamente a Suecia. En Francia muchos se escondieron y se unieron a la resistencia.

▸LA FLOTA FRANCESA DESTRUIDA—La conquista de Francia podía dar a Alemania nuevas armas: la flota francesa. El 3 de julio Gran Bretaña se apoderó de algunos barcos franceses. La mayoría no ofrecieron resistencia pero en el puerto argelino de Mers-el-Kebir, una parte de la flota se negó a rendirse. Los buques ingleses abieron fuego y murieron mil doscientos marinos franceses.

se traslada a Vichy y rompe relaciones diplomáticas con Gran Bretaña [...] Agosto: batalla de Inglaterra; Italia invade la Somalia británica; los soviéticos se anexionan los Estados Bálticos [...] Septiembre: Japón entra en Indochina [...] Octubre: Italia invade Grecia [...] Noviembre: Alemania bombardea Coventry; Hungría y Rumanía se unen al Eje [...] Diciembre: los británicos echan a los italianos de Egipto; entran en Libia.

«Nosotros vivimos aquí y ellos viven allí. Nosotros somos negros y ellos blancos. Ellos tienen cosas y nosotros no. Ellos hacen cosas y nosotros no podemos. Es como vivir en la cárcel.»—**Richard Wright, *Un muchacho de la tierra***

▶LA RAF DEFIENDE GRAN BRETAÑA—En julio, la Luftwaffe empezó a bombardear Inglaterra en la preparación de la operación León Marino, la invasión de Gran Bretaña que Hitler se había propuesto. Los jóvenes y audaces pilotos de la RAF (con una media de 23 años) estaban preparados y a la espera. Surcaron el cielo con rápidos Spitfires y

Hurricanes y superaron a los alemanes. El 7 de septiembre Hitler bombardeó Londres. El ataque destruyó un millón de hogares y provocó la muerte de cuarenta mil civiles, pero la ciudad y la RAF resistieron. Los británicos derribaron mil setecientos aviones alemanes y perdieron novecientos. No habría invasión.

▶CORSARIOS CAMUFLADOS—En la batalla del Atlántico, Alemania utilizó un arma secreta: los barcos de guerra navegaban como si fueran navíos mercantes. Los seis corsarios evitaban a los convoyes y atacaban a barcos que navegaban en solitario. A finales de año habían hundido unas 360.000 toneladas de barcos aliados.

▶EL CERO—Rápido, armado con ametralladoras y cañones, capaz de llevar varias bombas y equipado con un tanque de combustible adicional, el Cero japonés elevó los aviones de combate a un nivel nuevo. El Cero empezó a fabricarse en 1940, el «año cero», el 2.600.° aniversario de la fundación legendaria de Japón, y durante los tres años siguientes no hubo un equivalente en el arsenal aliado.

▶VICTORIA—Una campaña de pintadas iniciada por dos belgas que trabajaban en la BBC de Londres se difundió por toda Europa. En Bélgica la «V» significó *vrijheid* (libertad) y en Francia *victoire*. Fuera cual fuera la traducción una «V» garabateada significaba algo en la Europa ocupada: la rebeldía del espíritu humano.

Estudiantes de Osaka recién llegados a Shanghai para servir en el ejército japonés.

SEGUNDA GUERRA MUNDIAL

Material de guerra japonés

16 En 1940 el gobierno japonés invirtió el 50 % del presupuesto nacional en gastos militares y se apropió de la dirección de la industria armamentística privada. El gobierno, en parte a causa de la inesperada duración de la campaña de China, también recortó salarios, hizo más rigurosos los controles de precios, reclutó obreros para la frenética producción de armas y empezó a racionar la comida y otros suministros. Productos básicos como el arroz, la soja y la ropa fueron cada vez más escasos.

Japón dependía de las importaciones norteamericanas para abastecer su maquinaria de guerra, pero los dirigentes americanos se inclinaban por cortarlas. En enero, Washington declaró que su acuerdo mercantil de 1911 con Tokio había caducado. Sin embargo, el comercio continuó incluso sin tratado porque algunos temían que un embargo provocara la invasión japonesa del sudeste asiático. En realidad, los estrategas japoneses veían la salvación económica en esta región, donde las colonias británicas, francesas y holandesas, ricas en petróleo y caucho, estaban desprotegidas mientras sus dirigentes coloniales libraban una guerra en Europa. En septiembre, Japón obtuvo del débil gobierno de Vichy varias bases en la Indochina francesa y firmó el Pacto Tripartito, que formalizaba su alianza con Italia y Alemania. En julio del año siguiente, a pesar de las sanciones norteamericanas, los japoneses obtuvieron concesiones de los franceses más al sur, en un intento claro de ocupar toda Indochina.

En 1941, Estados Unidos, todavía oficialmente neutral, respondió congelando el capital japonés en América y con el embargo de las exportaciones de petróleo a la isla. Japón, desesperado por conseguir materias primas y atrapado por un pacto de no agresión con la Unión Soviética (la ley de neutralidad de 1941), avanzó por el sudeste asiático y se preparó para hacer la guerra contra Estados Unidos. ◀**1940.15** ▶**1941.1**

LITERATURA

La gloria de Greene

17 La mayoría de novelistas modernos se han planteado la cuestión de cómo puede existir una conducta moral sin religión. Para el autor británico Graham Greene la cuestión era la contraria: ¿Cómo se puede servir a Dios en un mundo inmoral? *El poder y la gloria*, publicada en 1940, fue la primera de sus obras en las que la fe es el tema principal.

Durante diez años Green, a pesar de ser un fervoroso converso al catolicismo, había escrito novelas laicas, la mayoría de suspense, listas para ser llevadas al cine, como *Una pistola en venta* u *Orient-Express*, pero este nuevo libro (considerado el mejor de su carrera de 60 años) era una obra de suspense *teológico*. El antihéroe de Greene es un sacerdote fugitivo en un México anticlerical, perseguido por un revolucionario idealista. Bebedor y libertino, se convierte en una especie de santo cuando arriesga su vida para administrarle los últimos sacramentos a un gángster moribundo.

El poder y la gloria no se vendió bien al principio, pero atrajo a gran cantidad de lectores después de la guerra. Greene escribió una serie de «novelas católicas» (como las llamó la crítica). Pero incluso en novelas como *Los comediantes* y *El americano impasible*, en las que apenas se menciona la religión, siguen apareciendo las ideas del sacrificio y del pecado. Greene enmarca sus novelas en lugares conflictivos desde Haití a Vietnam y relaciona la bondad con las opciones humanitarias y generosas, comunistas a veces, y el mal con las egoístas. ◀**1928.8** ▶**1942.NM**

LITERATURA

Un muchacho de la tierra

18 El libro norteamericano más espectacular y más vendido de 1940 lo escribió un comunista negro llamado Richard Wright. *Un muchacho de la tierra* es la saga de Bigger Thomas, un joven afroamericano que asfixia por accidente a la hija de su patrón blanco, mata a su propia novia cuando la policía le acorrala y llega a una especie de autodescubrimiento a través de la muerte. La novela, exploración dostoyevskiana de la culpa y la desesperación, en parte polémica sobre las relaciones entre razas y clases y en parte melodramática, tocó las zonas más dolorosas de la psique de la nación e influyó profundamente a una generación de escritores americanos.

Wright, de 32 años de edad, había emigrado a Chicago desde el campo sureño y trabajó como criado hasta que el proyecto federal para escritores (un programa de empleo) le proporcionó su oportunidad como autor. Su primer libro, *Los hijos del tío Tom*, era una colección de novelas trágicas con las que los lectores «podían llorar y sentirse bien» (según escribió más tarde). Intentó que *Un muchacho de la tierra* fuera «tan dura y profunda» como para que sus lectores no se permitieran «el consuelo de las lágrimas».

La historia refleja el marxismo de Wright: la ignorancia convierte a Bigger en un asesino pero un par de comunistas blancos le ayudan a ver que la opresión ha moldeado su vida. Sin embargo, el partido encontró errores ideológicos en *Un muchacho de la tierra* y él dejó de ser miembro en 1944. Tras publicar otro número uno en ventas, *Muchacho negro* (autobiográfico), se trasladó de forma definitiva a París donde se sentía más libre en una manzana de casas que en todo el territorio de Estados Unidos, según escribió.

PREMIOS NOBEL: No se otorgaron los premios.

Una visión de la Francia ocupada

De *Cuatro años de mi vida*, Victoria Kent, 1940

Victoria Kent, política y jurista, ha sido una de las figuras destacadas de la vida pública española. Fue diputada de las Cortes (1931), directora general de prisiones en el gobierno de Alcalá Zamora (impulsó una reforma penitenciaria que aún hoy resulta revolucionaria), funcionaria de la república de Francia desde 1937, miembro de la sección de defensa social de las Naciones Unidas y fundadora y directora de la revista Ibérica *desde 1957.* Cuatro años de mi vida, *publicada simultáneamente en París y Buenos Aires en 1947, procede de las notas personales que Victoria Kent tomó durante los años que residió en el París ocupado, burlando a la Gestapo y a la policía franquista. A continuación, un fragmento del año 1940.*

Yo me creía a salvo del ambiente, lejos de la epidemia: me engañé. La atmósfera está infectada y es inútil; aunque cerremos las puertas y ventanas, aunque pretendamos tapar sus más débiles resquicios, la atmósfera nos envuelve. Un buen día, llaman a la puerta, y querámoslo o no, nos inyectan el virus y ahí lo tenemos: o nos mata o nos salva. La manifestación de miedo de ese hombre sería un reproche a mi miedo, si yo lo tuviera; pero no, él empieza cuando yo he terminado. Yo ya no tengo ideas negras, ni siquiera imprecisas; ya puedo plantearme todos los problemas; pasó el momento en que las sombras son ideas y las ideas sombras; ya puedo convocar todos los peligros llamándolos uno a uno por su nombre. Se tiene miedo cuando se considera la catástrofe fuera de uno mismo; cuando uno se convence de que forma parte de ella, de nuevo el miedo deja de existir. Yo, entre estas cuatro paredes, me muevo en la catástrofe; empapado hasta los huesos de ella pretendía ignorarla resistiéndola, pero ella, más fuerte que yo, más fuerte que todos, me sacude y me dice que esto no basta, que hay que cogerse de su brazo y recorrer el camino a pie, paso a paso.

No he vivido a lo tonto, no quisiera morir a lo tonto. Los que cayeron en la batalla cayeron en sus puestos de lucha, unos mandando, otros obedeciendo; cayeron por un ideal o por un interés, pero unidos en la defensa de algo que les era común y que estaba por encima de cada uno. Ellos acabaron así, unos con decoro, otros con dignidad y otros con grandeza; todos cayeron bien. Los barridos por la guerra, los que la guerra deshace sin tocarlos, ésos son los únicos que no darán ya nada, de los que nadie sabrá nunca nada; secos, terminaron en cenizas sin arder. Quizá en una noche morada y fría, larga y solitaria, el amigo junto al fuego susurrará quedamente a su mujer: «¿Qué habrá sido de fulano?». Y ahí se acabó la historia.

Uno se pregunta si la trayectoria social del hombre estará encerrada en un círculo; si la evolución humana puede afectar a todo, salvo a la vida política de los pueblos; si nada ha cambiado en este terreno desde que apareció la idea de lo justo y de lo injusto; si el hombre, fatalmente, tendrá que alzarse periódicamente contra el señor convertido en tirano, contra las oligarquías arbitrarias, contra los regímenes democráticos enmohecidos, contra el absolutismo de un jefe salido del pueblo, que le sirve primero y luego le traiciona; si el hombre estará dando vueltas en un círculo creyendo que va en línea recta, o por el contrario, su lucha es avance.

—¿Somos optimistas o somos pesimistas? Unamuno caló a fondo y fue él el que nos dijo: «No suelen ser nuestras ideas las que nos hacen optimistas o pesimistas, sino que es nuestro optimismo o nuestro pesimismo, de origen filosófico o patológico, quizá tanto el uno como el otro, el que hace nuestras ideas». El optimismo y el pesimismo determinan una actitud mental. ¿Habrá, pues, una lucha entablada entre pesimistas y optimistas? ¿La Humanidad estará, una parte en las filas de Aristóteles, Goethe, Lincoln, Giner, y la otra en las filas de Maquiavelo, Nietzsche, Fouché y Hitler, entre los que esperan del hombre y los que desesperan de él? Si no cerramos los ojos, no podemos por menos que observar los movimientos de los dos bandos: optimistas, pesimistas.

Victoria Kent

Yo tengo fe en el hombre, pero no voy más allá de la fe, como Rousseau; mi fe está fuera de mí. La ciencia dice que el hombre es un eslabón en la evolución de los seres organizados; que la aparición de la vida sobre la tierra no llega más allá de diez millones de años; que, por lo menos, un millón de millones de siglos han de transcurrir antes que la vida sea imposible sobre la tierra, y que la vida del hombre, los comienzos de la vida del hombre, en tanto que el hombre, no llegan a más de una centena de miles de años. Es decir, que el hombre está en la aurora de la evolución humana, porque la evolución del hombre continúa. Y si el hombre continúa su evolución, si ninguna hipótesis elimina la posibilidad de que su cerebro persista, y con él su memoria, ¿por qué pensar que escapará a la evolución?

La ciencia no es inmutable; un hecho nuevo puede echar por tierra teorías y sistemas: ésta es su fuerza. No vemos, pues, en las teorías actuales una forma definitiva; la ciencia, el futuro del hombre, es aún una cuestión de fe. La ciencia sólo nos permite leer en el pasado; por esto nuestra fe es una fe en el desenvolvimiento de las leyes de la naturaleza, fe en que este desenvolvimiento no va a detenerse mañana.

Sí; se tiene fe, o no se tiene fe en el hombre, se es optimista o pesimista, o estamos en un bando o en otro. De un lado, con optimismo, esperando en el mañana, avanzan los hombres que tienen fe en el hombre, los que tratan de recoger sus aspiraciones, de transformar su vida oyendo el grito de un instinto que le empuja lejos de la miseria. Del otro lado, caminan hacia atrás los pesimistas, los que no tienen nada que pedir al mañana, los que no tienen fe en el hombre, los que creen que cada uno tiene que coger su miseria con las dos manos y tenerla por eterna compañera, los que sólo en el pasado ven formas de convivencia humana y solamente a aquéllos el pasado les despierta una emulación, los que sólo aspiran a resurrecciones: éstos son los que creen poseer el secreto de las tradiciones y de la Historia, pero ni de las tradiciones ni de la Historia sacan sus enseñanzas.

Para unos, las tradiciones y la Historia dicen que el pasado pasó, que un régimen social o político en un país determinado son hijos de su tiempo y no duran ni más ni menos que las fuerzas que les dieron la vida; para los otros, las tradiciones y la Historia son formas acabadas de vida en las que la ascensión del hombre ha cristalizado: sus esperanzas están puestas sólo en las resurrecciones; encerrados en un círculo, no verán nunca más que el movimiento circular. Para los que tienen fe en el futuro del hombre, las tradiciones y la Historia son su antecedente, de ellas se nutre su raíz; pero ellos sacan esta conclusión: en la vida florecen muchas cosas, pero no resucita nada. Las nuevas floraciones no serán realidad si no son hijas del esfuerzo del hombre, no serán nada sin su esfuerzo mismo: la marcha de la humanidad es un movimiento en espiral.

El hombre tendrá que luchar y que sufrir, el hombre tiene que aceptar la lucha porque lleva el germen en su naturaleza, porque todo elemento vivo es transformación, es reacción, y porque parece también que es ley de su vida poner en movimiento lo estancado y abrasar en su llama lo podrido.

«No sólo nos defenderemos hasta el final, sino que lo haremos con la certeza de que esta forma de traición nunca volverá a ponernos en peligro.»—**Franklin D. Roosevelt en su discurso al congreso, al pedir que declare la guerra a Japón, 8 de diciembre de 1941**

HISTORIA DEL AÑO

Ataque sorpresa a Pearl Harbor

1 Franklin D. Roosevelt informó al congreso: «Ayer, 7 de diciembre de 1941, el día de la infamia, Estados Unidos fue atacado repentina y deliberadamente por las fuerzas navales y aéreas del Imperio Japonés». El bombardeo de Pearl Harbor, efectuado sin ninguna declaración de hostilidades, conmocionó a América y provocó que incluso los que estaban a favor del aislamiento apoyaran un desquite. El congreso declaró la guerra a Japón. «No importa cuánto tardaremos en vencer esta invasión premeditada, el pueblo americano conseguirá una victoria absoluta», dijo el presidente.

El ataque sorpresa a la flota estadounidense del Pacífico, planeado por el almirante Isoroku Yamamoto, resultó muy efectivo: cuatro acorazados hundidos, cuatro más inutilizados, otros once barcos hundidos o muy afectados, 188 aviones destruidos sobre el terreno del aeródromo Hickham y 2.330 militares y cien civiles muertos. Sin embargo, tres portaaviones escaparon ilesos. Los americanos derribaron a 29 aviones japoneses y causaron 64 bajas.

Simultáneamente al bombardeo de Pearl Harbor, los japoneses atacaron a los británicos en Malasia y Hong Kong e instalaciones americanas en las islas Filipinas, Guam, las Midway y Wake. El 8 de diciembre el Pacífico estaba en manos niponas. Tanto Yamamoto como el primer ministro Hideki Tojo creían que la guerra estaba prácticamente finalizada: Gran Bretaña y Estados Unidos, democracias débiles, no podrían resistir la voluntad militar japonesa. Hitler, por una vez, estaba de acuerdo. «Ahora no es posible que perdamos la guerra. Tenemos un aliado que no ha sido vencido en tres mil años», dijo a un consejero. El 11 de diciembre el *Führer* declaró la guerra a Estados Unidos, todavía neutrales en Europa, y así aseguró la derrota del Eje. Italia siguió su ejemplo. Estados Unidos hizo lo mismo. Mientras tanto, Gran Bretaña comunicó oficialmente la guerra con Japón. Con Estados Unidos por fin en la batalla, el panorama aliado mejoró. «Todos expiarán sus faltas y con tiempo y paciencia obtendremos una victoria segura, dijo Churchill. Segura pero no inmediata. Durante el resto del invierno, Japón se expandió por el Pacífico y venció a todos sus enemigos.

◂1940.16 ▸1942.1

El 7 de diciembre, tras escuchar la orden «¡Tora, tora, tora!», los pilotos japoneses atacaron la base naval americana de Pearl Harbor, Hawai. En la fotografía, la explosión del destructor *Shaw*.

El «zorro del desierto», Erwin Rommel, comandante alemán de la campaña africana.

SEGUNDA GUERRA MUNDIAL

Operaciones en África

2 En 1941 los italianos seguían sufriendo derrotas en África hasta que un ejército alemán acudió en su ayuda. A finales de enero, los británicos persiguiendo a los hombres de Mussolini habían penetrado en Libia. Mientras tanto, el emperador etíope Haile Selassie había regresado del exilio con dos batallones (y un guerrillero británico experto, el general de división Orde Wingate) para llevar a cabo un alzamiento. Los soldados británicos (incluidos los arqueros sudaneses) se reunieron en Etiopía y tomaron la Somalia italiana y Eritrea por el camino. Los italianos ofrecieron poca resistencia y, el 5 de mayo, cinco años después de su marcha, el emperador volvió a Addis Abeba.

Sin embargo, en febrero, el general Erwin Rommel desembarcó en el oeste de Libia. Rommel había dirigido a la temible 7.ª división blindada en la invasión de Francia. Mandaba dos divisiones en el norte de África, con órdenes de mantener las posiciones contra los británicos, pero Rommel tenía planes más ambiciosos. Aunque sus fuerzas eran menores, lanzó una ofensiva sorpresa.

El 31 de marzo, los 50 blindados de Rommel habían hecho retroceder 160 km a los británicos, hacia Mersa Bréga. Tres días después, ignorando la orden de detenerse, reanudó el ataque respaldado por dos divisiones italianas. A mediados de abril había recuperado toda Libia excepto Tobruk. Los defensores australianos del puerto fortificado resistieron tres ataques y un largo asedio. En noviembre las fuerzas aliadas contraatacaron y arrinconaron a Rommel. Pero el «zorro del desierto» volvió en 1942 y tomó Tobruk de camino a Egipto.

◂1940.2 ▸1942.8

ARTE Y CULTURA: Libros: *El último nabab* (F. Scott Fitzgerald); *Diario de Berlín* (William Shirer) [...] **Música:** *Diez melodías vascas* (J. Guridi); «Chattanooga Choo-Choo» (Warren y Gordon); *Defensa de Corinto* (Elliott Carter) [...] **Cine:** *¡Qué verde era mi valle!* (John Ford); *La loba* (William Wyler); *El halcón maltés* (John Huston) [...]

«¡Rommel, Rommel, Rommel! ¿Qué otro problema hay aparte de derrotarlo?»—**Winston Churchill**

SEGUNDA GUERRA MUNDIAL

Los aliados controlan Oriente Medio

3 En 1941, mientras las fuerzas aliadas y las del Eje luchaban sin resultados definitivos en el norte de África, tres países árabes cayeron en manos de los aliados.

En abril, el ex-primer ministro iraquí Rashid Ali al-Gaylani *(inferior)* llevó a cabo un golpe proalemán contra el regente probritánico, el príncipe Abd al-Ilah. Los británicos apelaron a su derecho de trasladar tropas a través de Irán, establecido por el tratado de 1930, y enviaron soldados a Basora. Rashid Ali respondió cercando la base aérea británica de Habbaniyah, a 80 km al oeste de Bagdad. Los británicos abrieron fuego, lograron salir luchando y llegaron a la capital. El 30 de mayo Rashid Ali y sus compañeros huyeron a Irán. Abd al-Ilah recuperó el gobierno, y los soldados británicos se quedaron para que lo mantuviera.

Los alemanes habían enviado suministros militares a Rashid Ali a través del mandato francés de Siria, cuyo gobernador, el general H. F. Dentz, había sido nombrado por el gobierno de Vichy. El material llegó a Iraq demasiado tarde, pero a los aliados también les preocupaba el que Siria y el Líbano (asimismo bajo la administración de Vichy) terminaran en la órbita del Eje. En junio las fuerzas de la Francia Libre invadieron ambos países con el apoyo de británicos, australianos e indios. El líbano cayó tras un mes de lucha encarnizada. Los soldados de Dentz resistieron una semana más y se rindieron el 14 de julio el día de la fiesta nacional de Francia.. **◂1925.10**

SEGUNDA GUERRA MUNDIAL

El Eje toma los Balcanes y Grecia

4 África no fue el único sitio donde Hitler tuvo que intervenir después de Mussolini. Las fuerzas italianas no habían logrado invadir Grecia el año anterior y, en abril, los alemanes tomaron este país, junto a Yugoslavia.

Hitler empezó a preparar la campaña de Grecia en noviembre de 1940. Con Hungría y Rumanía junto al Eje, aseguró que sus tropas pudieran atravesar estas fronteras de camino a Bulgaria, la plataforma para la invasión. Sin embargo, el rey Boris III de Bulgaria aplazó la operación, con promesas de cooperación, hasta 1941, año en que Turquía (una potencia aliada insegura) dejó de amenazar con interferir. Luego el regente de Yugoslavia, el príncipe Pablo, permitió que su país se uniera al Eje lo que provocó un golpe militar. El nuevo régimen, encabezado nominalmente por el rey Pedro II de 17 años de edad, desafió a Hitler y, cuando cayó, el *Führer* ya había decidido invadir Yugoslavia. Deprimido por el baño de sangre que se acercaba, el primer ministro húngaro Pál Teleki, que hacía poco había firmado un tratado de «amistad eterna» con Yugoslavia, se suicidó.

Las invasiones gemelas empezaron el 6 de abril. Yugoslavia cayó en dos semanas. Poco después, a pesar de los esfuerzos de cincuenta mil soldados británicos, la esvástica ondeaba en lo alto del Partenón. A mediados de mayo, toda Grecia excepto la isla de Creta se hallaba bajo el poder alemán o italiano. El 20 de mayo cayeron sobre Creta paracaidistas alemanes; en una batalla de 20 días echaron a los últimos defensores británicos.

Yugoslavia fue desmembrada: Serbia, Croacia y Montenegro se convirtieron en repúblicas «independientes». El resto se repartió entre sus conquistadores y sus vecinos. Luego empezó una guerra civil no declarada. Los *ustashi* (fascistas) de Croacia masacraban a la minoría serbia. La resistencia nacionalista serbia, los *chetniks*, mataba a ciudadanos musulmanes y croatas. Partisanos de varias etnias comandados por el líder comunista Josip Broz Tito, combatía contra *ustashis, chetniks* y ocupantes. Al final de la guerra, Yugoslavia sería para Tito. **◂1940.2 ▸1943.9**

Cañones antiaéreos alemanes en la Acrópolis de Atenas.

SEGUNDA GUERRA MUNDIAL

Política norteamericana: la guerra necesita ayuda

5 Antes de Pearl Harbor, la frase clave de la política americana respecto a los aliados era: «la guerra necesita ayuda». En marzo de 1941, el congreso aumentó esta ayuda al aprobar la ley de préstamo y arrendamiento, que otorgaba poderes al presidente para prestar y ceder material. Roosevelt dijo que la ley convertiría a América en el «arsenal de la democracia». (También reavivaría la producción industrial, al finalizar la Depresión.)

Durante las semanas siguientes, Roosevelt ordenó la retención de los navíos del Eje en los puertos americanos, abrió los puertos a los barcos británicos y autorizó a la armada a atacar a los submarinos alemanes al oeste del meridiano 25. En mayo bloqueó los capitales del Eje y cerró sus consulados. Los marines norteamericanos ocuparon Groenlandia en abril e Islandia en julio para evitar que lo hiciera Alemania.

Con la ley de préstamo y arrendamiento Roosevelt contribuyó a acabar con la Depresión económica de Estados Unidos

Roosevelt prometió que intentaría mantener a América fuera de la lucha, pero en agosto firmó el tratado del Atlántico con Churchill en un barco en Terranova. Se trataba de un pacto de «paz» que abogaba por la autodeterminación de todos los pueblos y prometía «la destrucción de la tiranía nazi». **◂1940.13 ▸1942.7**

NACIMIENTOS

Paul Anka, cantante canadiense.

Joan Baez, cantante estadounidense.

Chick Corea, músico estadounidense.

Plácido Domingo, cantante español.

Bob Dylan, músico estadounidense.

Stephen Jay Gould, paleontólogo estadounidense.

Jesse Jackson, activista estadounidense por los derechos humanos.

Bruce Lee, actor chino-estadounidense

Wilson Pickett, cantante estadounidense.

MUERTES

Alfonso XIII, rey de España.

Sherwood Anderson, escritor estadounidense.

Isaac Babel, escritor ruso.

Robert Baden-Powell, británico, fundador de los Boy Scouts.

Henri Bergson, filósofo francés.

Arthur Evans, arqueólogo británico.

Simon Guggenheim, industrial y filántropo estadounidense.

Guillermo II, emperador de Alemania.

James Joyce, escritor irlandés.

Luis Millet, músico español.

Rabindranath Tagore, poeta indio.

Virginia Woolf, escritora británica.

Teatro: *Un espíritu burlón* (Noël Coward); *Arsénico por compasión* (Joseph Kesselring); *Watch on the Rhine* (Lillian Hellman); *Lady in the Dark* (Weill, L. Gershwin y M. Hart) [...] **Radio:** *El show de Red Skelton.*

«Sólo hay que dar una patada a la puerta para que se derrumbe por completo un edificio carcomido.»—**Adolf Hitler, antes del inicio de la operación Barbarossa**

NOVEDADES DE 1941

Batería de plata y zinc.

La National Gallery of Art (Washington).

Insecticida en aerosol.

La Mujer Maravilla.

EN EL MUNDO

▶LA HUIDA DE FROMM—En su libro de 1941 *El miedo a la libertad,* el filósofo y psicólogo Erich Fromm (refugiado de la Alemania nazi) aplicó los principios del psicoanálisis a la sociedad. Su conclusión fue que la sociedad industrial moderna no consigue satisfacer las necesidades humanas esenciales de seguridad y unidad. El resultado es que los individuos buscan el alivio de la alienación en el autoritarismo. Fromm confundió a los freudianos ortodoxos al afirmar que las necesidades sociales influyen en el desarrollo psicológico individual tanto como los mecanismos biológicos y los procesos mentales. ▶1943.12

▶TRIUNFO DE LA UAW —Henry Ford, antisindicalista violento y el último de los tres grandes fabricantes de coches que se resistió a

aceptar asociaciones obreras, capituló en 1941 al firmar un contrato con la United Automobile Workers. El acuerdo, resultado de una breve huelga, afectaba a ciento treinta mil trabajadores. ◂1936.NM

▶GARBO SE VA —Probablemente Greta Garbo no tenía intención de retirarse pero lo hizo después de las malas críticas que recibió por su interpretación en *La mujer de las dos caras.* (El público no respondió a los intentos de la MGM de americanizar a su sueca.) La carrera de Garbo,

1941

SEGUNDA GUERRA MUNDIAL

Se desentraña el enigma

6 La derrota aliada de 1941 en Creta ilustró un principio básico del arte de la guerra: la inteligencia militar es inútil si no se puede utilizar. Gracias a una sorprendente proeza de decodificación, los aliados conocieron los planes alemanes de atacar la isla sólo desde el aire. Pero estar prevenido no significa estar bien armado.

Los nazis poseían lo que creían que era un sistema de codificación indescifrable: la máquina Enigma *(superior)*. Los tambores giratorios del aparato podían cifrar el alfabeto en millones de combinaciones y generar un galimatías que sólo podía ordenar otra Enigma que tuviera el ajuste apropiado. Sin embargo, los alemanes no sabían que criptoanalistas polacos, que habían estudiado la Enigma, compartían sus conocimientos con los aliados o que los británicos habían conseguido una copia de la máquina. Tampoco estaban enterados del proyecto de decodificación Ultra, en el que llegaron a trabajar diez mil personas en su momento de máxima actividad.

Establecido en 1939 por el servicio secreto británico (MI-6), el proyecto Ultra contrató a los mejores jugadores de ajedrez y otros expertos en lógica para diseñar máquinas decodificadoras. (Un equipo, dirigido por el matemático Alan Turing, desarrolló uno de los primeros computadores digitales electrónicos, el Colossus.) El servicio de inteligencia del Ultra resultó crucial en la batalla de Inglaterra, la evacuación de Dunkerque y el desembarco de Normandía. Sin embargo, en Creta los aliados carecían de soldados y de material para convertir la información en victoria. **◂1937.11 ▸1944.NM**

SEGUNDA GUERRA MUNDIAL

Reconciliación entre aliados y soviéticos

7 En mayo de 1941, cuando Rudolf Hess, el secretario de Hitler, aterrizó en Escocia para una misión de paz que había decidido por sí mismo, las relaciones entre los soviéticos y los aliados, abismales desde la partición nazi-soviética de Polonia, tomaron un nuevo giro. Aunque el gobierno alemán declaró que Hess estaba loco y los británicos lo encarcelaron, Stalin estaba seguro de que Gran Bretaña y Alemania conspiraban contra él. (Hacía tiempo que sospechaba que Gran Bretaña quería hacer entrar a la Unión Soviética en una guerra suicida con Alemania.) En junio, cuando Roosevelt y Churchill le enviaron informes de los servicios de inteligencia sobre un asalto inminente de Hitler a la Unión Soviética, Stalin pensó que mentían, pero cuando se realizó el ataque empezó un cambio decisivo. Británicos y soviéticos se comprometieron a no firmar una paz separada con Alemania. En agosto fuerzas indio-británicas y soviéticas invadieron Irán, hasta entonces neutral, para mantener sus puertos y campos petrolíferos fuera del alcance alemán. Vencieron al ejército iraní en cuatro días, sustituyeron al sha y dividieron el país en zonas de ocupación. En septiembre, representantes británicos y americanos viajaron a Moscú para confeccionar una lista de suministros que serían enviados mensualmente a la Unión Soviética.

Stalin, considerado anteriormente como el principal agente de la amenaza roja, pronto obtuvo el sobrenombre de «Tío Joe» en el mundo de habla inglesa; Roosevelt y Churchill, tachados de imperialistas hasta entonces, fueron presentados en la propaganda soviética como camaradas antifascistas. Sin embargo, Stalin estaba preocupado por la negativa de sus aliados a reconocer sus posesiones en el este de Europa y su fracaso (hasta 1944) de abrir un «segundo frente» en Francia para que Rusia sufriera menos presión. La desconfianza mutua nunca se solventó. **◂1939.3 ▸1941.8**

Una realineación decisiva: la invasión de Hitler convirtió en aliadas a Gran Bretaña y la Unión Soviética.

SEGUNDA GUERRA MUNDIAL

Operación Barbarossa

8 Con Grecia y Yugoslavia conquistadas, Hitler inició una empresa que le obsesionaba desde los años veinte: la conquista de Rusia. Aunque había intentado derrotar

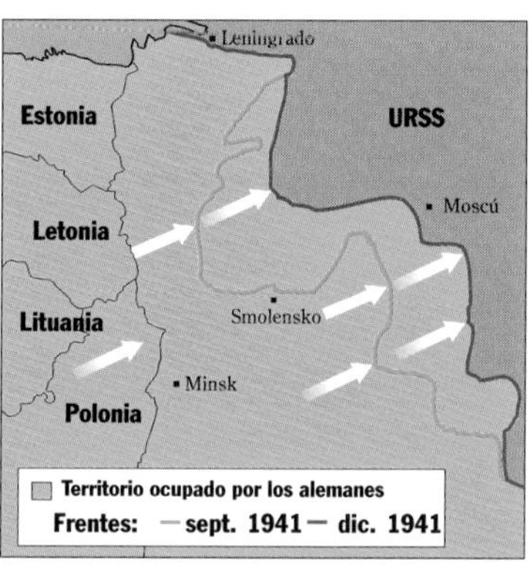

Operación Barbarossa, la mayor batalla terrestre de la historia. En diciembre, el ejército alemán estaba muy cerca de Moscú.

primero a los británicos, el temor de que Stalin golpeara primero superó su paciencia. El 22 de junio de 1941 las fuerzas invasoras más numerosas de la historia, tres millones de

POLÍTICA Y ECONOMÍA: acuerdo fronterizo entre Ecuador y Perú [...] Pacto ibérico entre Franco y Salazar.

«No puede permitirse que nada interfiera en esta esfera, porque esta esfera fue decretada por la Providencia.»

—Hideki Tojo, primer ministro de Japón, sobre el aniversario de la declaración de un «Orden Nuevo» en el este de Asia, 30 de noviembre de 1941

soldados alemanes respaldados por otros doscientos mil del Eje, atacaron la Unión Soviética a lo largo de un frente de 2.880 km.

El ejército soviético era el más grande del mundo, con cuatro millones de soldados en activo y tres millones en la reserva, pero tenía deficiencias calamitosas: la mayoría de sus aviones habían quedado obsoletos, la purga de oficiales durante los años 1937 y 1938 había diezmado la dirección militar y, a pesar de las advertencias de los aliados, Stalin no había movilizado a sus fuerzas. En vista de la reciente campaña soviética en Finlandia, Hitler esperaba que la operación Barbarossa (el nombre en clave de la invasión) duraría dos meses. En tres semanas, los soldados del Eje avanzaron 640 km y tomaron varias ciudades.

Sin embargo, los soviéticos resistieron con una tenacidad sorprendente. A diferencia de las anteriores víctimas de la guerra relámpago, los soldados soviéticos rara vez huían y, si morían, rápidamente aparecían refuerzos. Smolensk cayó pero retrasó bastante el ritmo de la invasión. Los campesinos quemaron sus casas y cultivos para que los enemigos no los utilizaran. Los obreros desmantelaron fábricas enteras y las trasladaron al este para volverlas a montar. La naturaleza también se resistió: a mediados de julio las lluvias enfangaron los caminos y los hicieron intransitables. Luego, Hitler y sus generales perdieron tiempo con discursos estratégicos.

Aun así, la incompetencia de muchos comandantes soviéticos y las interferencias de Stalin favorecieron a los alemanes. Los invasores a menudo mataban a los prisioneros y el hambre a muchos más. En las calles de las ciudades ocupadas se ahorcaba a los sospechosos, y los hombres sin minusvalías se enviaban a campos de trabajo. Las primeras matanzas masivas de judíos se iniciaron durante el verano: escuadrones especializados fusilaron a cientos de hombres, mujeres y niños.

Las atrocidades (y un asedio asfixiante a Leningrado, que empezó en septiembre) incitaron a los soviéticos a luchar de modo más tenaz. Luego, apareció un nuevo aliado: el invierno más temprano y duro desde hacía décadas. La nieve y las temperaturas bajo cero inmovilizaron los vehículos alemanes y la congelación alcanzó a los soldados mal abrigados. En diciembre, cuando los invasores se hallaban cerca de Moscú, los rusos contraatacaron. Acostumbrados al frío y bien abrigados, obligaron a retroceder a los alemanes. **◂1940.12 ▸1942.11**

Un cartel chileno contra el nazismo.

SEGUNDA GUERRA MUNDIAL

Latinoamérica y los aliados

9 Con Estados Unidos en guerra, mantener a Latinoamérica fuera de la órbita nazi resultaba vital para los aliados. Por fortuna, la política de «buen vecino» de Roosevelt había superado buena parte de la animosidad generada por décadas de intervencionismo norteamericano. México cortó sus relaciones con el Eje el 8 de diciembre, el día después de Pearl Harbor, y declaró la guerra seis meses después de que hundieran varios barcos mercantes. El régimen casi fascista de Brasil siguió su ejemplo a cambio de ayudas para el desarrollo. Ambos países acabarían enviando soldados al otro lado del mar.

Bolivia practicó una política similar a la de Brasil y rompió con el Eje en enero de 1942, pero un golpe de Estado en diciembre de 1943, apoyado por el Movimiento Nacionalista Revolucionario, puso en duda su posición. Para limitar la influencia del MNR, agentes británicos habían prefabricado pruebas de que el grupo nacionalista, que se oponía a la inmigración de refugiados judíos era un frente nazi. El nuevo presidente, el comandante Gualberto Villarroel ofreció su ayuda a los aliados pero Estados Unidos se negó a reconocer su gobierno a menos que lo purgara de miembros del MNR. Lo hizo en junio de 1944. (En 1946 fue depuesto y asesinado.)

Al final, todas las naciones latinoamericanas se unieron a los aliados aunque Argentina, Paraguay, Uruguay y Venezuela esperaron hasta 1945 para declarar la guerra, cuando ya estaba claro que la lucha estaba a punto de acabar. No obstante, después de la guerra, refugiados nazis se instalaron en varios de estos países cuyos regímenes se parecían a los de las potencias derrotadas del Eje. **◂1940.NM**

SEGUNDA GUERRA MUNDIAL

Tojo entra en funciones

10 El 16 de octubre de 1941 el general Hideki Tojo, ministro de la guerra y antiguo comandante del ejército japonés en China, sustituyó al príncipe Fumimaro Konoe como primer ministro. Tojo inmediatamente arrojó el guante a Estados Unidos.

Declaró que la política expansionista japonesa en el sudeste asiático era «inmutable e irrevocable». Japón permanecería en Indochina (donde amenazaba las reservas de petróleo de las Indias holandesas) hasta que Estados Unidos desbloqueara el capital japonés que había congelado, garantizara envíos de petróleo a Japón y dejara de ayudar a China. Además, China debía rendirse. Desde el punto de vista de Estados Unidos, las rígidas demandas de Tojo equivalían a una declaración de guerra. (En realidad ya preparaba el ataque a Pearl Harbor.)

Tojo, militarista fanático, había defendido la reorganización del ejército y la conquista de Manchuria en los años treinta. Su idea final era «una economía de guerra total»: la integración de la industria japonesa y la fuerza militar. Japón, bajo Konoe, menos radical, había flaqueado, sin querer desafiar a Estados Unidos. Con Tojo acabó cualquier vacilación. **◂1941.1 ▸1942.1**

ya inestable, acabó de caer. Anunció su retiro y, a pesar de los eternos rumores de su regreso, nunca volvió a aparecer en pantalla. ◂1930.8

▶EL DERRUMBAMIENTO DE LA CONCIENCIA—Arthur Koestler, escritor y anticomunista ferviente, escribió: «He abandonado el comunismo igual que uno

intenta salir de un río contaminado por la ruina de las ciudades inundadas y de los cadáveres ahogados». El libro de 1941 de Koestler *El cero y el infinito*, explica por qué. El libro, relato ficticio de la detención, interrogatorio, confesión y ejecución del revolucionario ruso N. S. Rubashov, un héroe envejecido de la revolución de 1917 (inspirado en la vida de Nikolai Bujarin), explora la incompatibilidad del compromiso ideológico y la conciencia individual. La novela sigue siendo una de las condenas más fuertes del totalitarismo. ◂1938.NM

▶SIN ARRUGAS—En 1941 John Rex Whinfield, químico de las Imperial Chemical Industries de Inglaterra, inventó una fibra de poliéster que revolucionó la industria de la moda. Al combinar ácido tereftálico con dietilenglicol, Whinfield produjo el terilene, que entrelazado, mezclado o tejido con lana o algodón daba una fibra que no se arrugaba, no era devorada por los insectos, no se desteñía ni se rompía. Después de la guerra, Du Pont comercializó el material en Estados Unidos bajo la marca Dacron. ◂1934.9

▶PERÚ INVADE ECUADOR —Mientras Japón y Alemania luchaban por expandirse en Asia y Europa, Perú sintió deseos de ampliar su territorio. Ecuador, en pésimas condiciones económicas, apenas podía mantener en pie un ejército. Perú aprovechó la debilidad de su vecino y lo invadió en julio. Estados Unidos, que tenía bases en Ecuador, estaba demasiado ocupado

SEGUNDA GUERRA MUNDIAL: Enero: los británicos invaden Eritrea [...] Febrero: los británicos entran en la Somalia italiana; Rommel llega al norte de África [...] Marzo: Bulgaria y Yugoslavia se unen al Eje [...] Abril: Rommel rechazado en Tobruk; la Unión Soviética y Japón firman un pacto de no agresión; Yugoslavia y Grecia se rinden ante Alemania; los británicos ocupan Iraq [...]

«Aquí, si no fuera por la gracia de Dios, se transformaría en Dios.»—**Herman Mankiewicz, coguionista de *Ciudadano Kane*, sobre Orson Welles**

con la Segunda Guerra Mundial para intervenir. El Protocolo de Río de 1942 favoreció a Perú. El resultado fue la caída del presidente ecuatoriano, Carlos Arroyo del Río.

SEGUNDA GUERRA MUNDIAL

▶LA BATALLA DEL CABO MATAPAN—En marzo, los británicos, cerca del cabo Matapan, en el extremo sur de Grecia, atacaron a la flota italiana. La marina inglesa en el Egeo había interceptado señales radiofónicas italianas y conocía la posición exacta de la principal fuerza italiana. Con su ataque por sorpresa, Gran Bretaña eliminó a Italia del Egeo y del Adriático. Italia perdió cinco cruceros, tres destructores y dos mil cuatrocientos marinos.

▶TROPAS PARACAIDISTAS —En una demostración

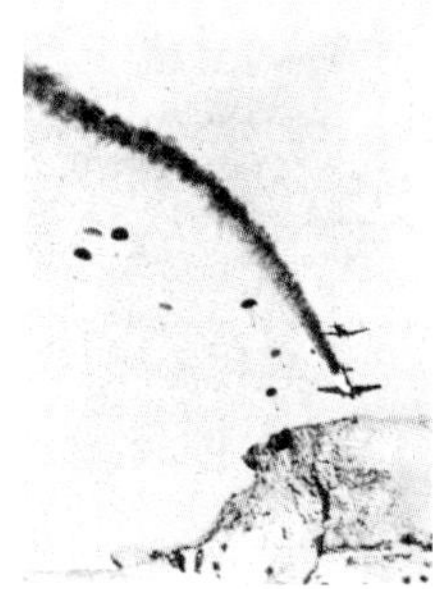

aplastante de superioridad aérea, Alemania atacó la isla de Creta en mayo. Destruyó dos bases aéreas y derrotó a los soldados británicos, australianos, neozelandeses y griegos. La primera invasión totalmente aérea de la guerra fue un éxito a medias para Alemania: sus paracaidistas consiguieron expulsar de la isla a los británicos, pero la mitad murieron o fueron heridos en la operación.

▶HUNDIMIENTO DEL *BISMARCK*—El *Bismarck*, el barco más poderoso de todos los mares (42.000 toneladas de acorazado), constituía el orgullo de Alemania. En mayo de 1941, después de que los aviadores británicos localizaran a la fortaleza flotante en el estrecho de Dinamarca, la armada real lo persiguió con saña. El *Bismarck* quedó rodeado y disparó: hundió al *Hood* pero,

CINE

Una obra maestra del cine

11 El niño prodigio de la radio y de la escena, Orson Welles, todavía era un novicio en el cine cuando la RKO lo introdujo en Hollywood con un contrato que le garantizaba plena libertad artística. Encantado con los recursos de un gran estudio («es el tren eléctrico más grande que puede tener un muchacho», dijo), el director de 25 años de edad pronto rompió las reglas no escritas del cine comercial. Cuando se estrenó *Ciudadano Kane* en 1941, la crítica quedó deslumbrada por su estructura narrativa fracturada, los espectaculares saltos en el tiempo entre las escenas, los ángulos altos y bajos de la cámara, las tomas de acción en primer plano, medio plano y panorámico, y la banda sonora de Bernard Herrmann, que complementaba y comentaba la acción. *The New York Times* comentó entusiasmado que «podría ser la mejor película de Hollywood». El novelista John O'Hara, que escribía en el *Newsweek*, anotó que era la mejor película que había visto en su vida.

Pero si el estilo de Welles fue la gloria de *Ciudadano Kane*, el antihéroe de la película constituyó su desgracia. La película, coescrita por Welles y Herman J. Mankiewicz, explica el ascenso y caída del magnate ficticio del periodismo Charles Foster Kane, inspirado en el magnate de los medios de comunicación William Randolph Hearst (interpretado por Welles). La trama gira en torno a los intentos de un periodista por encontrar el significado de la última palabra pronunciada por Kane antes de morir: «Rosebud». (Los periodistas la vieron pero el público no pudo apreciar la escena en la que se revela que Rosebud era un trineo de la infancia de Kane.) Cuando los hombres de Hearst se enteraron, amenazaron a Hollywood con revelar los escándalos del mundo del cine. Louis B. Mayer, director de la MGM, se ofreció a comprar la película a la RKO y destruirla; la mayoría de circuitos de salas cinematográficas se negaron a exhibirla. Pero la RKO se mantuvo firme.

Ciudadano Kane perdió dinero (al menos al principio), pero está reconocida mundialmente como una obra maestra y como la película americana más influyente desde *El nacimiento de una nación*. El director francés François Truffaut dijo de ella: «Esta película es la que ha inspirado más vocaciones cinematográficas en todo el mundo». **◂1938.E ▸1942.NM**

En escenas como ésta (donde Kane es candidato a gobernador), la cámara de Gregg Toland permitió a Welles profundizar en la verdadera naturaleza de Kane.

MÚSICA

Monumento sinfónico a una ciudad

12 El compositor Dimitri Shostakovich se hallaba en Leningrado, trabajando en su *Séptima sinfonía*, cuando los nazis empezaron a bombardear la ciudad en septiembre de 1941. La comida escaseaba cada vez más y muchos artistas fueron evacuados a lugares más seguros pero Shostakovich se quedó. Al final se le ordenó que partiera hacia Kuybyshev (actualmente Samara) a finales de diciembre. Acabó su sinfonía el día 27. La dedicó a Leningrado, que seguiría asediada durante dos años.

Con sus cambios violentos de humor y su primer movimiento *in crescendo*, la *Sinfonía de Leningrado* se convirtió en un símbolo de la resistencia soviética. La mayoría de miembros de la orquesta radiofónica de la ciudad estaban muertos, y el estreno fue interpretado por aficionados y soldados medio muertos de hambre el 5 de marzo. El estreno de Moscú, dos semanas después, fue retransmitido por radio y no fue interrumpido por el bombardeo aéreo que tuvo lugar en mitad del programa. La partitura pudo atravesar las líneas enemigas y las ondas transportaron el estreno a Nueva York.

Pero la fama de Shostakovich como héroe nacional no duró mucho. Había sido denunciado por su vanguardismo y luego rehabilitado. En 1948 fue vilipendiado otra vez. (Décadas después escribiría que la *Sinfonía de Leningrado* era una protesta contra las injusticias nazis y contra las estalinistas.) Durante años estuvo a merced de los crueles caprichos del régimen. Incluso después de 1953, en que murió Stalin y la muerte del compositor Sergei Prokofiev le dejó sin rival como el mejor compositor de Rusia, se le observaba con desaprobación. Su *Decimotercera sinfonía*, basada en «Babi Yar», el poema de Yevgeny Yevtushenko sobre la masacre nazi de judíos ucranianos, fue prohibida después de una representación. Sólo se volvió a interpretar después de que Yevtushenko purgara el texto de referencias a la complicidad soviética **◂1936.13 ▸1961.NM**

Mayo: Alemania arrebata Creta a los británicos [...] Junio: Alemania invade la Unión Soviética [...] Julio: Estados Unidos ocupa Islandia; la Francia Libre ocupa el Líbano y Siria [...] Agosto: Gran Bretaña y la Unión Soviética invaden Irán [...] Septiembre: empieza el asedio a Leningrado; los alemanes toman Kiev [...] Octubre: los alemanes toman Odessa; continúa el asedio a Moscú [...]

«La competencia saca a la luz lo mejor de los productos y lo peor de las personas.»—**David Sarnoff, pionero de la televisión comercial**

SEGUNDA GUERRA MUNDIAL

Desafío en China

13 En China, 1941 empezó con una batalla encarnizada. La alianza entre nacionalistas y comunistas contra Japón se había ido deteriorando durante dos años. El líder nacionalista Chiang Kai-shek (animado por agentes nazis) empezaba a ver a Alemania como un futuro apoyo para la independencia china y temía las ganancias territoriales de los comunistas. El octubre anterior, los comandantes nacionalistas habían ordenado a los comunistas que se retiraran del valle del Yangtze. En enero, cuando salían las últimas unidades, los nacionalistas les prepararon una emboscada.

Irónicamente, las fuerzas de Chiang sufrieron veinte mil bajas y los comunistas entre tres mil y seis mil. Se pudo evitar una guerra civil abierta pero la hostilidad (y las divisiones internas entre los nacionalistas) perjudicó a los esfuerzos chinos por resistir la ocupación japonesa. Mientras la guerrilla comunista continuaba acosando, los invasores y los nacionalistas libraron unas cuantas batallas defensivas y China permaneció relativamente en calma hasta 1944.

Curiosamente Chiang no declaró la guerra a Japón hasta que lo hizo América, justo después de Pearl Harbor. (El día después del ataque, veinte mil japoneses atacaron la colonia de Hong Kong. Sus doce mil defensores británicos, indios, canadienses y chinos resistieron durante 18 días.) Los primeros

Los «tigres voladores» frente a un avión con el distintivo del grupo: un tiburón.

voluntarios americanos habían llegado a China a principios de año, doscientos pilotos civiles y antiguos militares y técnicos conocidos como los «tigres voladores». Los pilotos, en aviones antiguos y maltrechos, mandados por el teniente general retirado Claire Chennault, causaron graves problemas a las fuerzas japonesas en China y Birmania **◂1940.15 ▸1942.2**

Uno de los primeros programas fue para y sobre las personas que trabajan en casa.

CULTURA POPULAR

Inicio de la era de la televisión

14 La televisión comercial moderna nació el 1 de julio de 1941, cuando la National Broadcasting Company (NBC) de David Sarnoff y el Columbia Broadcasting System (CBS) de William Paley empezaron a transmitir desde Nueva York quince horas semanales de dibujos animados, deportes y noticias. Sarnoff, con la ayuda de 67 patrocinadores asociados, había confeccionado 148 programas. «Esperamos que la televisión ayude a consolidar a Estados Unidos como una nación de gente libre y altos ideales», comentó. Realizada o no esta esperanza, la televisión se ha convertido en un aspecto central de la cultura norteamericana y ha ayudado a convertir el mundo en una especie de aldea global.

El primer promotor de programas televisivos regulares fue el gobierno de Hitler en 1935, seguido por Gran Bretaña en 1936 con la emisora estatal BBC. En Estados Unidos en 1939 operaban 22 emisoras experimentales privadas pero los modelos técnicos eran diversos. Ese mismo año, la RCA retransmitió en directo desde la Exposición Internacional de Nueva York. También ese año la compañía emitió por televisión su primer anuncio publicitario: el comentarista deportivo Red Barber anunció el jabón Procter & Gamble durante un partido de béisbol.

En 1940, la RCA intentó establecer sus especificaciones sobre la industria. La Federal Communications Commission (comisión federal de comunicaciones, FCC), sensible al poder del monopolio de la RCA/NBC sobre el medio, intervino y decidió aplazar las emisiones comerciales hasta que todas las emisoras llegaran a un acuerdo. Los estándares de ingeniería autorizados por la FCC aún son válidos en la actualidad. **◂1925.1**

ORIENTE MEDIO

Un sha derrocado

15 Las fuerzas británicas y soviéticas invadieron Irán en agosto de 1941 y forzaron la abdicación del sha Reza Pahlevi, el gobernante absolutista del país. Oficialmente neutral, el sah tenía fuertes vínculos con Alemania, la guerra los había reforzado y no era nada popular en su país. Aunque había modernizado e introducido reformas necesarias, su reinado estaba marcado por una represión implacable, la corrupción y las diferencias entre ricos y pobres. El agregado de prensa británico dijo: «La mayoría del pueblo odia al sah. Estas personas prefieren la guerra al régimen actual».

Los aliados atacaron para evitar que los oficiales proalemanes del ejército iraní intentaran derrocar al sah y entregaran Irán al Eje. Afortunadamente para ellos muchos iraníes los recibieron como salvadores y no como invasores. Reza abdicó y se exilió. Su hijo Muhammad Reza Pahlevi *(superior)*, inexperto y de 25 años de edad, accedió al trono. El reinado del nuevo sah también finalizó con el exilio, provocado por la revolución de 1979. **◂1925.10 ▸1951.12**

después de ser acosado por tres cruceros británicos durante dos días, se hundió la

mañana del 27 de mayo. Se ahogaron unos dos mil trescientos marinos alemanes.

▶MANADAS DE LOBOS —Animales de rapiña en la batalla del Atlántico, los submarinos cazaban en grupos llamados «manadas de lobos». La técnica de merodeo fue ideada por el almirante alemán Karl Dönitz. Los

submarinos permanecían bajo el agua a ras de superficie. De día vigilaban a los convoyes aliados y de noche se reunían en grupos con un efecto devastador. En 1941 Alemania aumentó con doscientos submarinos su flota original de 57.

▶SUBMARINOS ALEMANES TORPEDEAN DESTRUCTORES—En octubre de 1941, aunque oficialmente era neutral, Estados Unidos había aumentado la flota de barcos británicos y franceses con sus convoyes atlánticos. Ese mes los submarinos alemanes torpedearon dos destructores norteamericanos, el *Kearny* y el *Reuben James*. El último se hundió y murieron cien personas. Los americanos todavía toleraban el aislamiento, Roosevelt no. Estados Unidos se había convertido en un combatiente claro, aunque no declarado, en la guerra naval contra Alemania.

▶EJECUCIÓN MÓVIL —El ataque alemán a Rusia avanzaba 40 km/día y tras los soldados que marchaban iban los destacamentos especiales de tres mil hombres, los *Einsatzgruppen*, grupos de ejecución cuyo trabajo consistía en matar a comunistas, judíos y otros

Diciembre: Japón bombardea Pearl Harbor y toma Tailandia, Hong Kong, Guam y la isla de Wake; Estados Unidos y Gran Bretaña declaran la guerra a Japón; Alemania e Italia declaran la guerra a Estados Unidos.

«No ha habido una orquesta militar de éxito en el país [...] Sí, es indiscutible, cualquiera puede mejorar a Sousa.»—**Glenn Miller, al convertirse en director de la banda del ejército del aire de Estados Unidos**

supervivientes no arios. A finales de 1941, los *Einsatzgruppen* habían asesinado a casi dos millones de enemigos de los nazis.

▶PRE-PEARL HARBOR—El destructor americano *Ward* destruyó un submarino de bolsillo japonés el 7 de diciembre frente a las costas de Hawai una hora antes de que la primera bomba alcanzara al *Oklahoma* en Pearl Harbor. El mensaje de aviso del *Ward* se perdió en la cadena de mandos. El informe del operador de un radar sobre la proximidad de aviones enemigos no fue tomado en serio ni transmitido al puesto de mando.

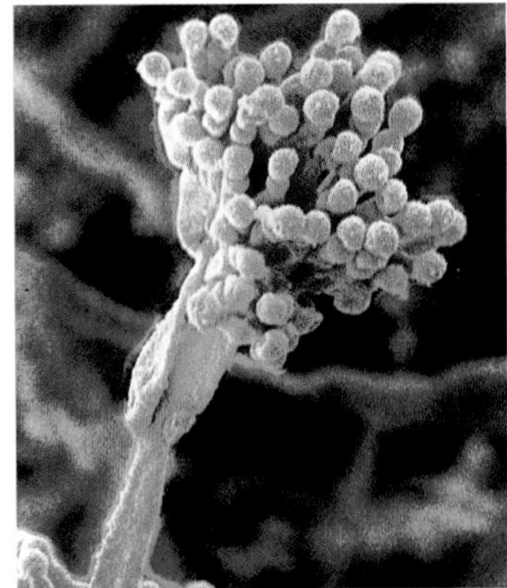

Penicilina vista a través de un microscopio electrónico.

MEDICINA

Fármaco milagroso

16 En 1941 se efectuó la primera aplicación médica de la penicilina contra las enfermedades venéreas que sufrían los soldados de la Segunda Guerra Mundial, tras un proyecto que se había iniciado seis años antes. El bacteriólogo de la Universidad de Oxford Howard Florey había contratado a un refugiado judío-alemán llamado Ernst Chain para estudiar las propiedades de las sustancias antibióticas. Chain leyó todo lo que encontró y dio con el escrito original de Fleming sobre su descubrimiento de la penicilina (1928). Aunque Fleming había supuesto la capacidad curativa de la sustancia, había abandonado su investigación al no poder producir suficiente penicilina para una investigación clínica.

Durante tres años, la inestabilidad de la composición química de la sustancia frustró al científico de Oxford y a sus colegas. Luego, el bioquímico Norman Heatley concibió un modo de concentrar la penicilina utilizando la nueva técnica de la congelación seca. En 1940 se dispuso de la suficiente cantidad para realizar pruebas en ratones infectados. Los investigadores sabían que la droga mataba a las bacterias en un cultivo pero temían que también pudiera matar a los animales: los curó rápidamente. «Parece un milagro», dijo Florey.

En 1941 las pruebas con personas demostraron que la penicilina era el antibiótico menos tóxico y más efectivo que se conocía, pero Gran Bretaña, en guerra, carecía de recursos para fabricarla a gran escala de modo que Florey y Heatley enviaron sus descubrimientos a América. La industria farmacéutica de Estados Unidos, en colaboración con el gobierno de ese país, se aseguró de que los soldados dispusieran de penicilina al invadir Normandía. **◂1935.8 ▸1944.17**

CULTURA POPULAR

El negocio del espectáculo en la guerra

17 En 1941 el negocio del espectáculo norteamericano empezó a ponerse al servicio de los aliados. El año anterior se había formado la United Service Organizations (organización de servicios unidos, USO) y unos cuatro mil quinientos actores y cantantes levantaron la moral de los soldados con sus espectáculos por todo el mundo. En las filas estelares de la USO se encontraban: Bob Hope, Bing Crosby, las Andrews Sisters, Danny Kaye, Mickey Rooney, Marlene Dietrich y los directores de orquestas Glenn Miller, Kay Kyser y Duke Ellington. El empresario de Broadway Billy Rose produjo espectáculos en campamentos militares en los que actuaron famosos como Al Jolson, Eddie Cantor, Bill Robinson, George Burns y Gracie Allen.

En Hollywood, los directores cinematográficos colaboraron con la censura del gobierno para apoyar la guerra con caracterizaciones inspiradas, aunque simplistas. En la pantalla los americanos eran virtuosos; los británicos, decididos; los rusos, buenos; los alemanes, crueles; los «japos», infrahumanos, y todos los franceses, activistas de la resistencia.

Casi treinta mil personas del mundo del cine sirvieron en las fuerzas armadas, incluidas estrellas como Clark Gable y Jimmy Stewart. Otros, como Groucho Marx, James Cagney y Judy Garland vendieron bonos de guerra. Bette Davis y John Garfield contribuyeron a la apertura de la Cantina de Hollywood, una meca para los militares. Los directores John Huston, John Ford y William Wyler realizaron documentales comprometidos; Frank Capra, Walt Disney y Ronald Reagan, el principal actor de películas de serie B, hicieron películas de propaganda.

Algunos dieron más que esto: Carole Lombard murió en un accidente de aviación durante una gira benéfica en 1942, Leslie Howard perdió la vida cuando su avión fue derribado mientras realizaba una misión de espionaje para los británicos en 1943 y Glenn Miller desapareció en el canal de la Mancha en 1944. **▸1941.18**

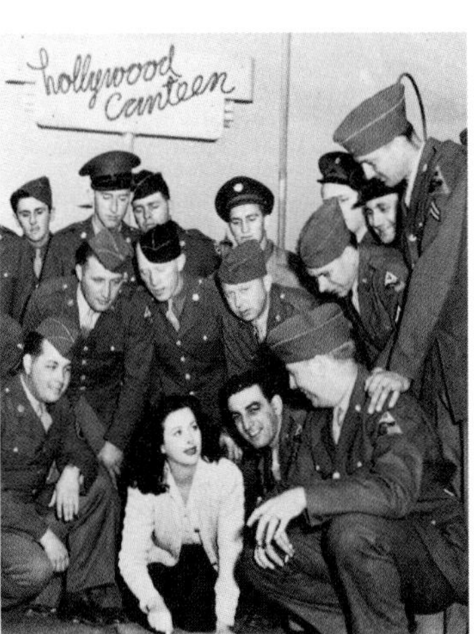

La estrella de cine Hedy Lamar deja su autógrafo en la Cantina de Hollywood.

MÚSICA

Miller vende un millón de discos

18 En 1941, la moda de las *big-band* alcanzó su apogeo. Duke Ellington, los hermanos Dorsey, Artie Shaw, Count Basie, Benny Goodman, Jimmie Lunceford, Claude Thornhill y Harry James recorrieron el país tocando para el público aficionado al *jazz* o retransmitiendo espectáculos en directo desde salones de baile de grandes hoteles. Pero la orquesta más célebre era la de Glenn Miller. En 1941 esta banda, ya popular por sus melodías sentimentales y sus números de baile, llegaron a lo más alto con la película *Sun Valley Serenade*, en la que interpretaban una canción nueva llamada «Chattanooga Choo-Choo». La canción vendió más de un millón de discos.

Glenn Miller y su trombón junto a Sonja Henie y John Payne en *Sun Valley Serenade*.

Lo que tocaba la orquesta de Miller era demasiado reglamentado para ser *jazz,* pero era sincopado y bailable. Canciones tan conocidas como «Moonlight Serenade», «In the Mood» y «Pennsylvania 6-5000» captaron el espíritu de una América que salía de la Gran Depresión.

En 1942 Miller se presentó voluntario para dirigir la banda de las fuerzas aéreas americanas, en su base de Europa. Volaba de Londres a París cuando su avión desapareció. Jamás se pudieron encontrar sus restos. **◂1935.10 ▸1943.16**

PREMIOS NOBEL : No se otorgaron los premios.

Entre «el seco olor a sangre pisoteada» y «el aroma a jardines, a amanecer diario»

Entre el clavel y la espada, Rafael Alberti

Rafael Alberti pertenece al prolífico grupo del 27. Su trayectoria poética evolucionó en varias etapas desde sus primeros libros inspirados en la lírica popular y las canciones tradicionales, pasando por una fase barroca y vanguardista y otra de poesía política y social. Rafael Alberti se ocupa con maestría de una gran variedad de temas y utiliza estilos y tonos muy distintos, con lo que su obra es de una gran riqueza y le convierte en uno de los poetas más completos de la lírica contemporánea. A continuación, el Prólogo 2 de su libro publicado en 1941, Entre el clavel y la espada, *gestado en los primeros tiempos del exilio tras la guerra civil.* ◄**1927.NM**

Si yo no viniera de donde vengo; si aquel reaparecido, pálido, yerto horror no me hubiera empujado a estos nuevos kilómetros todavía sin lágrimas; si no colgara, incluso de los mapas más tranquilos, la continua advertencia de esa helada y doble hoja de muerte; si mi nombre no fuera un compromiso, una palabra dada, un expuesto cuello constante, tú, libro que ahora vas a abrirte, lo harías solamente bajo un signo de flor, lejos de él la fija espada que lo alerta.

Hincado entre los dos vivimos: de un lado, un seco olor a sangre pisoteada; de otro, un aroma a jardines, a amanecer diario, a vida fresca, fuerte, inexpugnable. Pero para la rosa o el clavel hoy cantan pájaros más duros, y sobre dos amantes embebidos puede bajar la muerte silbadora desde esas mismas nubes en que soñaran verse viajando, vapor de espuma por la espuma.

No te muevas. Silencio. No te muevas.

Sobre las alamedas de los verdes más íntimos, un decreto de fuego. Sobre el sueño, en la noche, ausente bajo sábanas de temores rendidos, la ley del sobresalto, la explosión imprecisa. E igual sobre la torre, el cristal, el humo, el charco de las ranas, el césped madruguero...

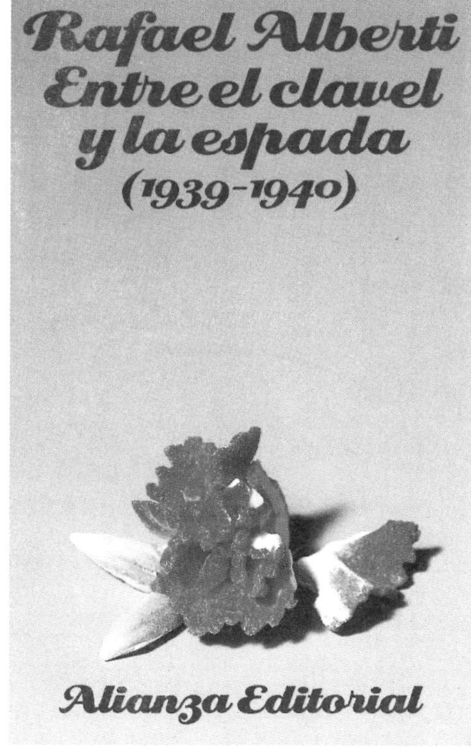

Espada, espada, espada, espadas.

Y mientras, en acoso, en abrazo, en sitio, la imaginación siempre atónita, con ojeras y párpados de asombro, ardiendo por la fuerza de la sangre; mandando desmandada, aferrándose ansiosa, imperecedera, en lo que deseáramos eterno por debajo de los escombros, aplastado por las ruinas.

Clavel, clavel, clavel, claveles.

Salta, gallo de alba: mira qué alcobas encendidas van a abrírsete. Caballo, yerba, perro, toro: tenéis llama de hombre. Aceleraos. Hay cambios en el aire. Errores floridos. Pero... Silencio. Oíd. Esperad. No os mováis.

Entre el clavel y la espada.

Hoy como espada quedaréis, mis ojos...
Lope de Vega

«Recordad, los de casa cuentan con nosotros. Voy a marcar un tanto si suelto esto sobre su cubierta de vuelo.»

—El teniente John James Powers, antes de lanzar una bomba sobre un portaaviones japonés desde una altitud de menos de sesenta metros en la batalla del mar del Coral

La batalla de las Midway: en ésta y en la batalla del mar del Coral, las fuerzas americanas destruyeron a la Armada Imperial japonesa.

HISTORIA DEL AÑO

América ataca en el Pacífico

1 En la primavera de 1942, a miles de kilómetros de su patria, las fuerzas armadas de Estados Unidos y Japón libraron dos batallas épicas que cambiaron el curso de la Segunda Guerra Mundial. Las victorias en el mar del Coral y las islas Midway dieron una ventaja definitiva a los aliados en el Pacífico.

La batalla del mar del Coral duró cuatro días y empezó cuando los americanos, que habían descifrado los planes nipones de ataque a Port Moresby, Nueva Guinea, y Tulagi, en las islas Salomón, enviaron una fuerza naval a interceptar el convoy militar japonés y su flota de escolta. Los barcos enemigos no entraron en contacto ni siquiera cuando se avistaron, pero entre el 2 y el 6 de mayo ambos bandos atacaron con oleadas de aviones de caza y bombardeo. Cuando el cielo se aclaró, los japoneses habían perdido 70 aviones y el portaaviones ligero *Shoho*. Las pérdidas americanas alcanzaban 66 aviones y el portaaviones *Lexington*, una ciudad flotante. Japón estadísticamente victoriosa en términos de tonelaje hundido, perdió demasiados pilotos para poder llevar a cabo las invasiones. De este modo se detuvo el avance nipón por el sur del Pacífico.

Un mes más tarde, los americanos obtuvieron un triunfo absoluto en las islas Midway. De nuevo enterados de la estrategia japonesa, los americanos sabían que la gran flota de 86 buques enviada por Japón atacaría el pequeño atolón en mitad del Pacífico. El 3 de junio, los japoneses iniciaron un asalto paralelo a las dos islas aleutianas más occidentales, Kiska y Attu (el único territorio americano que ocuparía Japón durante la guerra). Al día siguiente, un grupo de aviones japoneses bombardearon las islas Midway. Los americanos respondieron con cuatro ataques aéreos consecutivos contra la flota nipona. Todos fracasaron; gran cantidad de aviones fueron derribados. Sin embargo, el 5 de junio, un quinto bombardeo hundió tres portaaviones. El almirante japonés Yamamoto, con su flota destruida, se retiró hacia el oeste. Las pérdidas japonesas ascendieron a cuatro portaaviones, un crucero, 332 aviones y tres mil quinientas vidas. Los americanos perdieron un portaaviones, un destructor, 147 aviones y 307 vidas. Las batallas más sangrientas del Pacífico estaban por llegar, pero la armada japonesa no se recuperó de estas derrotas. **◂1941.1 ▸1942.14**

SEGUNDA GUERRA MUNDIAL

Conquista del sudeste asiático

2 En 1942 los japoneses arrollaron el sudeste asiático. Japón había atacado la península de Malaca, que estaba en manos británicas, el mismo día del ataque a Pearl Harbor (diciembre de 1941). A principios del nuevo año, los británicos se habían retirado a la isla de Singapur, dejando a los japoneses el caucho y estaño malayos. En febrero de 1942 también cayó Singapur y los japoneses bombardearon la base aliada de Darwin en Australia. En marzo, los holandeses se retiraron de Java y los británicos evacuaron Birmania. (Con la ruta de Birmania en manos de los japoneses, el ejército nacionalista de Chiang Kai-shek tenía que recibir sus suministros por la India, a través del Himalaya, una ruta difícil.)

La lucha en la jungla fue brutal al igual que sus consecuencias. Los soldados japoneses torturaban y mataban a sus enemigos vencidos. De los noventa mil soldados británicos, indios y australianos que fueron hechos prisioneros en la rendición de Singapur, más de la mitad murieron en cautividad. En Malasia, las tropas británicas en retirada encontraban a su paso a compatriotas colgados de los árboles, muchos con una inscripción que decía: «Tardó mucho en morir». Los japoneses, después de invadir Birmania, pusieron a trabajar en la construcción de un ferrocarril entre este país y Tailandia (que Japón había ocupado el diciembre anterior) a los soldados británicos, australianos y holandeses. En el «ferrocarril de la muerte» fallecieron un total de dieciséis mil prisioneros aliados y aproximadamente cincuenta mil civiles birmanos.

En 1943, en un intento de conseguir el apoyo local de los territorios conquistados, Japón declaró la independencia de Birmania y de las Filipinas. La mayoría de nativos continuaron siendo hostiles al régimen aunque un número significativo, seducido por las promesas de una «zona de prosperidad común», acogieron el imperialismo asiático como un mal menor al imperialismo europeo. **◂1941.13 ▸1943.7**

SEGUNDA GUERRA MUNDIAL

Bombardeos por rutas turísticas

3 Cuando los británicos bombardearon el antiguo puerto de Lübeck en marzo de 1942, estaban pidiendo guerra de forma intencionada. Además de destruir instalaciones estratégicas, destrozaron deliberadamente cientos de hogares y tiendas, con la esperanza de hundir la moral de los civiles y de provocar la venganza de Hitler. Últimamente el cielo británico estaba en una calma relativa, ya que los aviones alemanes permanecían concentrados en la Unión Soviética. Durante el respiro, Gran Bretaña había fortalecido sus defensas aéreas y sus escuadrones de bombarderos. En aquel momento Winston Churchill quería reducir la presión que sufrían los soviéticos dividiendo la atención de la Luftwaffe. El plan funcionó pero no fue agradable: en respuesta al ataque sobre Lübeck, los alemanes bombardearon Exeter y Bath, matando a unas quinientas personas.

Éstos fueron los primeros ataques *Baedeker* (guía turística) sobre ciudades históricas inglesas,

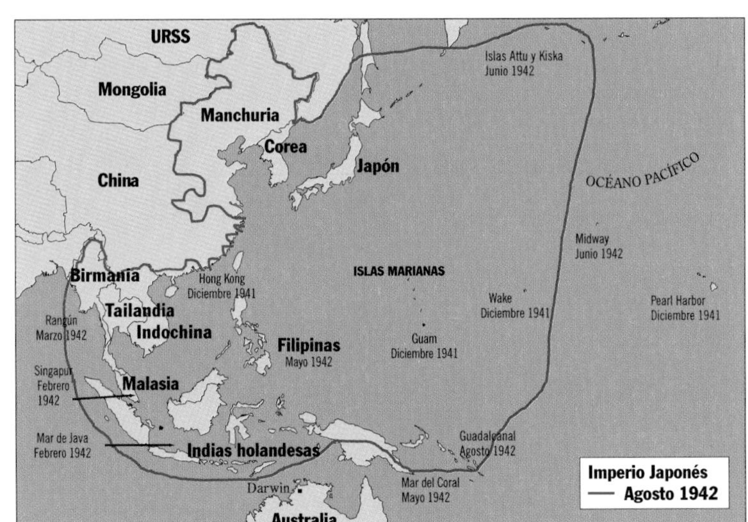

En agosto de 1942, dos meses después de la batalla de las Midway, el Imperio Japonés que estaba en su cenit se había extendido casi hasta Australia y Hawai.

1942

ARTE Y CULTURA: Libros: *Desciende, Moisés* (William Faulkner); *La familia de Pascual Duarte* (C. J. Cela); *Cuentos de invierno* (Isak Dinesen) [...] Música: «White Christmas» (Irving Berlin); *Danses concertantes* (Igor Stravinski); *Concierto para piano* (Arnold Schönberg); *Saber danse, second symphony* (Aram Khachaturian) [...] Pintura y escultura: *Europe After the Rain* (Max Ernst); *Male and Female* (Jackson Pollock) [...]

denominados así porque los alemanes escogían sus blancos a partir de las guías turísticas. Ambos bandos se enzarzaron en un juego de «donde las dan las toman». En abril, la RAF bombardeó Rostock, causando doscientas víctimas; la Luftwaffe destruyó la mayor parte de Norwich y York. En mayo, los británicos atacaron Colonia, en el mayor bombardeo aéreo de la guerra, Essen y Bremen. Los alemanes, debilitados por su aventura soviética, siguieron sus incursiones a pequeñas ciudades británicas pero cada vez menos potentes. En octubre, tras un ataque inefectivo sobre Canterbury, se cerró el *Baedeker*.

Ambos bandos perdieron una cantidad significativa de aviones y pilotos pero ninguno quedó seriamente perjudicado por los bombardeos. La acción de Colonia aumentó la moral británica pero sólo murieron 480 alemanes. Al cabo de dos semanas, a pesar de la destrucción que había sufrido, la ciudad prácticamente había vuelto a la normalidad. Pero Churchill, confiando en el «efecto devastador» de los ataques, reanudó la ofensiva aérea en marzo de 1943. El clímax llegaría con el bombardeo de Dresde, uno de los episodios más terribles y controvertidos de la conducta de los aliados en la guerra. **◄1940.11 ►1945.3**

Hitler, artista fracasado, piensa en bombardear la Royal Academy de Londres.

SEGUNDA GUERRA MUNDIAL

Batán y Corregidor

4 En abril de 1942, más de setenta mil soldados filipinos y americanos se rindieron a los japoneses después de resistir un largo asedio en la península de Batán. La capitulación significó que la única posesión que les quedaba a los aliados en las islas Filipinas era Corregidor, en la bahía de Manila. El teniente general Jonathan Wainwright (al mando como sustituto del general Douglas MacArthur) resistió en Corregidor hasta mayo. Luego, con sus hombres hambrientos, se rindió. Los japoneses tenían así el control total de las Filipinas.

En primer lugar, Japón lanzó un ataque aéreo el 8 de diciembre de 1941. A pesar de los avisos y advertencias, MacArthur no estaba preparado para el ataque: parte de sus aviones fueron destruidos, y gran parte de ellos ni despegaron. MacArthur trasladó al puesto de mando a Corregidor, condujo a sus soldados a Batán y declaró Manila ciudad abierta. Los japoneses bombardearon la capital y entraron en ella el 2 de enero.

MacArthur prometió a sus tropas sitiadas en Batán que esperaban refuerzos cuando en realidad no era cierto. La prensa americana divinizó al general por su resistencia heroica en Corregidor (disparaba su revólver contra los Ceros japoneses). Sus hombres, destrozados por la enfermedad y la desnutrición, no estaban demasiado impresionados.

En febrero se ordenó a MacArthur que abandonara a sus soldados. El secretario de la guerra Henry Stimson dijo: «Hay momentos en los que los hombres tienen que morir». El general, con su mujer y su hijo de cuatro años, fue enviado a Mindanao y luego a Australia. Siempre con una cita en los labios, pronunció la mejor de su carrera: «Volveré». **◄1941.1 ►1944.8**

La rendición de Corregidor en el cuadro de un artista japonés desconocido.

SEGUNDA GUERRA MUNDIAL

Doolittle ataca Tokio

5 Fue idea de Franklin D. Roosevelt: un bombardeo sobre Japón para vengarse de Pearl Harbor. En abril de 1942 el teniente coronel James H. Doolittle despegó del portaaviones *Hornet* encabezando un escuadrón de bombarderos norteamericanos contra objetivos militares de Tokio, Yokohama y otras ciudades. Como las patrullas navales japonesas mantenían a 800 km de la costa a los portaaviones aliados y los aviones navales no tenían suficiente autonomía, Doolittle y sus hombres emplearon aviones B-25. Los atacantes volaban a una altitud que los radares no podían detectar, «suficientemente baja como para ver las expresiones de la cara de la gente», explicó Doolittle.

Los 16 aviones alcanzaron sus objetivos pero ninguno volvió. Al carecer de combustible para regresar continuaron hacia el oeste. Uno se estrelló cerca de Vladivostok; la tripulación sobrevivió pero permanecieron cautivos más de un año. Otros dos cayeron en territorio japonés y el resto en China. Tres hombres murieron al saltar en paracaídas y tres más fueron ejecutados por los japoneses. Doolittle (piloto aeronáutico y doctorado por el Instituto de Tecnología de Massachusetts) llegó a casa en perfectas condiciones. Fue ascendido a general de brigada y recibió la Medalla al Honor del congreso norteamericano.

A pesar de su insignificancia estratégica, la incursión sirvió para levantar el ánimo a los americanos: después de todo, Japón no era impenetrable. **◄1942.1 ►1945.3**

Doolittle en 1942, el año que realizó su misión.

NACIMIENTOS

Muhammad Ali (Cassius Clay), boxeador estadounidense.

Margaret Court, tenista australiana.

Aretha Franklin, cantante estadounidense.

Muammar al-Gadafi, político libio.

Jerry García, músico estadounidense.

Felipe González, político español.

Stephen Hawking, astrofísico británico.

Jimi Hendrix, músico estadounidense.

Werner Herzog, director cinematográfico.

John Irving, novelista estadounidense.

Erica Jong, escritora estadounidense.

Calvin Klein, diseñador de moda estadounidense.

Paul McCartney, músico británico.

Martin Scorsese, director cinematográfico estadounidense.

Barbra Streisand, cantante y actriz estadounidense.

MUERTES

John D. Barrymore, actor estadounidense.

José Raúl Capablanca, ajedrecista cubano.

Michel Fokine, coreógrafo ruso-estadounidense.

Miguel Hernández, poeta español.

Bronislaw Malinowski, antropólogo polaco-británico.

Robert Musil, escritor austríaco.

Cine: ***La señora Miniver*** **(William Wyler);** ***Ser o no ser*** **(Ernst Lubitsch);** ***Yanqui dandy*** **(Michael Curtiz) [...] Teatro:** ***Antígona*** **(Jean Anouilh);** ***La piel de nuestros dientes*** **(Thornton Wilder).**

«Hoy estamos a tan sólo 80 km de Alejandría y El Cairo y tenemos la puerta de Egipto en nuestro poder.»—**El general alemán Erwin Rommel, en una conferencia de prensa, 3 de octubre de 1942**

NOVEDADES DE 1942

Lanzagranadas Bazooka.

Napalm.

Ración K (envasada por la Wrigley Co., Chicago).

EN EL MUNDO

▶MUERTE DE UN POETA —Miguel Hernández murió, víctima de la tuberculosis, a los treinta y dos años de edad, cuando cumplía una condena de treinta años de cárcel, tras serle conmutada la pena de muerte a la que había sido condenado por su participación en la guerra civil española como voluntario en el bando republicano. Miguel Hernández fue uno de los mayores poetas en lengua castellana del siglo xx. De origen humilde, fue pastor de cabras en su niñez. Evolucionó rápidamente desde una postura formalista, esteticista y hermética, patente en *Perito en lunas* (1934) hasta un interés explícito por la vida, el amor y la muerte (*El rayo que no cesa*, 1936) y un compromiso decididamente político en *Viento del pueblo* (1937). Ya en la cárcel compuso la mayor parte del *Cancionero y romancero de ausencias* y algunos de sus mejores poemas como «Las nanas de la cebolla».

▶UNA FAMILIA TREMENDA —La primera novela de Camilo José Cela —futuro Premio Nobel de Literatura— *La familia de Pascual Duarte*, publicada en 1942, dividió a la crítica y al público entre detractores acérrimos y

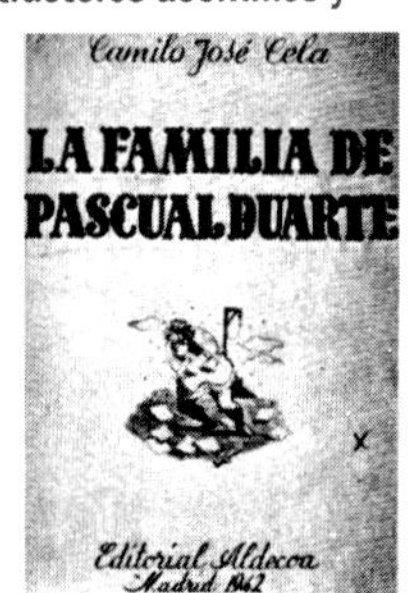

entusiastas. En ella Pascual Duarte, un campesino extremeño que está condenado a muerte por sus

En el campo de concentración de Treblinka fueron asesinados cerca de ochocientos mil judíos.

EL HOLOCAUSTO

La política del genocidio

6 El 20 de enero de 1942, los altos mandos nazis se reunieron en Grossen-Wannsee, a las afueras de Berlín, para discutir la cuestión de «la solución final» al problema judío. La «solución» (el genocidio) había sido organizado de modo imperfecto. Los *Einsatzgruppen* (grupos de trabajo) mataban a miles de hombres, mujeres y niños judíos en Polonia y en la Unión Soviética, pero este método requería gran cantidad de hombres y municiones; además, los soldados que debían hacerlo a menudo sufrían ataques de nervios. La mayoría de los judíos de las zonas controladas por los nazis habían sido enviados a campos de concentración o a guetos pero su destino final todavía no estaba claro.

La conferencia de Wannsee, presidida por el subdirector de las SS Reinhard Heydrich, estableció que todos los judíos de Europa serían enviados a campos de los países del este, donde los que no presentaran invalidez física serían esclavizados. Los obreros esclavos de los territorios conquistados ya resultaban imprescindibles para la economía alemana porque la mano de obra estaba en la guerra. La esclavitud tendría otra ventaja: como Heydrich observó, «muchos judíos desaparecerían por causas naturales». Los que no fueran aptos para el trabajo «recibirían un trato especial». Las actas de la conferencia no definirían este término. Pronto los judíos y otros «indeseables» iban a morir en las cámaras de gas en los campos. **◂1939.18 ▸1943.1**

SEGUNDA GUERRA MUNDIAL

Los yanquis en Europa

7 A principios de 1942, el papel de América en la guerra fuera del Pacífico todavía no estaba definido. En enero, las conversaciones entre Roosevelt y Churchill en Washington, la conferencia de Arcadia, finalizaron con un acuerdo sobre los puntos principales: los comandantes británicos y norteamericanos colaborarían bajo la dirección de un nuevo Estado Mayor mixto y Estados Unidos ayudaría a los británicos en el desembarco del norte de África. No obstante, la liberación de Europa tenía máxima prioridad.

En abril, Roosevelt propuso a Churchill que descartara el ataque al norte de África en favor de un desembarco en Francia en otoño. Al principio Churchill aceptó, pero luego decidió que la acción era prematura. En junio volvió a visitar a Roosevelt para hacer hincapié en la invasión al norte de África. Los generales americanos (dirigidos por el comandante de las fuerzas americanas en Europa, el general Dwight D. Eisenhower) presentaron objeciones, pero la tenacidad de Churchill las superó. Con el aplazamiento indefinido de la apertura de un «segundo frente», el gran perdedor fue Stalin, que había solicitado una acción en el oeste para que los soldados alemanes se retiraran de Rusia.

En la planificación de la invasión europea existía el problema de que las fuerzas aéreas norteamericanas nunca se habían enfrentado a la Luftwaffe alemana. Los estrategas británicos consideraban que los bombarderos americanos no estaban lo suficientemente armados. Luego, en agosto, el primer escuadrón solamente americano atacó el tramo de ferrocarril que poseían los alemanes en Ruán, Francia. La misión tuvo éxito aunque dos aviadores resultaron heridos cuando una paloma rompió su parabrisas. Sin embargo, la prueba definitiva llegaría en 1943, cuando empezaron los ataques conjuntos de norteamericanos y británicos sobre Alemania. **◂1941.5 ▸1942.9**

Boeing B-17 americanos, conocidos como «fortalezas volantes», se dirigen a Francia.

SEGUNDA GUERRA MUNDIAL

Tobruk y El Alamein

8 En enero de 1942 los británicos habían arrinconado al oeste de Libia al Afrika Korps de Rommel y a los italianos. Sin embargo, Rommel contraatacó y empujó a sus enemigos 350 km hacia el este. En las afueras de Gazala se inició una lucha encarnizada. Los británicos empezaron con 700 tanques contra los 525 de Rommel. Al cabo de dos semanas la relación era de 70 tanques británicos contra 150 de Rommel. Los británicos se retiraron a Egipto, dejando a sus espaldas una

Cartel que apremia a los soldados del norte de África a «confundir a los hunos» con camuflajes.

guarnición en el puerto libanés de Tobruk.

Rommel tomó la ciudad, junto a treinta y tres mil prisioneros, en cuatro días. Tras superar una moción de censura, Winston Churchill relevó al teniente general Neil Ritchie y puso al mando del octavo ejército del norte de África a sir Claude Auchinleck, que dirigió la retirada a la ciudad egipcia de El Alamein.

POLÍTICA Y ECONOMÍA: la oficina de administración de precios norteamericana congela los alquileres y detiene la producción de coches y vagones [...] Se establecen la junta de producción de guerra, la comisión de mano de obra de guerra y la oficina de información de guerra [...] El tribunal supremo de Estados Unidos abole la ley de contratos laborales de Georgia; normas de Nevada del divorcio válidas en todo Estados Unidos.

«La mayoría de esta inmundicia está eliminada, es lo mejor para la seguridad del Reich.»—**El ministro de propaganda Joseph Goebbels sobre las matanzas de Lídice**

Mientras Rommel se acercaba al Nilo, Mussolini voló a Trípoli, desde donde planeaba entrar en El Cairo con sus soldados. Sin embargo, la primera batalla de El Alamein frustró las esperanzas del Eje de una conquista rápida de Egipto. En agosto, Rommel, con sus soldados agotados y pocos suministros, quedó paralizado. Auchinleck insistió en aplazar una contraofensiva hasta septiembre pero Churchill lo destituyó de su puesto y nombró comandante regional al general Harold Alexander y comandante del octavo ejército al general Bernard Law Montgomery.

Paradójicamente, Montgomery aplazó la ofensiva hasta el 23 de octubre. Por entonces las fuerzas británicas contaban con doscientos treinta mil hombres y 1.230 tanques; el bando italo-alemán sólo tenía ochenta mil hombres y 210 tanques. Rommel estaba en Austria con un permiso de convalescencia cuando empezó la segunda batalla de El Alamein. Llegó dos días después a Libia para encontrarse con la mitad de sus tanques destruidos. En enero de 1943 sus fuerzas habían sido atacadas por todo el camino de vuelta a Túnez. ◂**1941.2**

SEGUNDA GUERRA MUNDIAL

Operación Antorcha

9 El 8 de noviembre de 1942 una fuerza de cien mil hombres, la mayoría americanos, desembarcó en las colonias francesas de Marruecos y Argelia y el 25 del mismo mes lo hicieron en Túnez para presionar al Africa Korps desde el oeste mientras los ingleses ejercían la presión desde el este. La operación Antorcha probó la neutralidad del gobierno de Vichy hasta el límite.

El mariscal Pétain cortó las relaciones con Washington y ordenó a sus fuerzas que lucharan; sin embargo, tras dos días de resistencia, Marruecos aceptó el armisticio. Hubo poca oposición en Argelia. Túnez, defendida por soldados alemanes, resistió hasta mayo de 1943.

Cuando empezaron los desembarcos, el comandante supremo de Vichy, el almirante Jean-François Darlan, se hallaba de visita en Argel. Darlan, a pesar de ser públicamente progermano, había ofrecido en secreto su apoyo a los aliados. No obstante, la operación le cogió por sorpresa. Algunos soldados franceses de la zona eran leales a Pétain, otros a De Gaulle y otros al general Henri Giraud, apoyado por los americanos. El 9 de noviembre Darlan ordenó el alto al fuego.

Pétain (*izquierda*) renegó de Darlan después de que éste hiciera un trato con los americanos.

Al día siguiente, para hacer desistir a Vichy de un futuro cambio de bando, Hitler invadió con sus soldados una zona del sur de la Francia no ocupada. Este insulto provocó que los comandantes de Argelia y del África occidental apoyaran la política de Darlan: a cambio de ser reconocido como jefe político del África francesa, Darlan reconoció la autoridad militar de Giraud. El 27 de noviembre los alemanes intentaron tomar la flota francesa, fondeada en Toulon, pero el almirante Jean-Joseph de Laborde ordenó hundirla para que no cayera en poder de los nazis.

Darlan fue asesinado por un monárquico francés y Giraud le sustituyó. Vichy había perdido su imperio africano, su armada y cualquier esperanza de un trato de favor por parte de Hitler. ◂**1941.2** ▸**1943.4**

Oficiales de las SS en Lídice examinan su obra: un pueblo arrasado para vengar a un «verdugo».

SEGUNDA GUERRA MUNDIAL

La venganza salvaje de los nazis

10 En todas partes donde gobernaban los nazis —pero sobre todo en los países eslavos, donde los habitantes eran considerados subhumanos—, el castigo por sedición era arbitrario y sorprendentemente brutal. En junio de 1942 tuvo lugar uno de los peores actos de desquite: los alemanes se vengaron del asesinato de Reinhard Heydrich, segundo de las SS, destruyendo el pueblo checo de Lídice.

Heydrich, como artífice principal de la «solución final», había obtenido apodos de *der Henker* (el verdugo) y de *Reichsprotektor* de Bohemia-Moravia («protector» de lo que había sido Checoslovaquia). El 27 de mayo tres combatientes de la resistencia checa (enviados en paracaídas por el servicio de inteligencia británico) atacaron el coche de Heydrich en Praga y le hirieron de muerte con una bomba de fabricación casera. De inmediato se produjeron las represalias alemanas: se asesinaron a varios centenares de judíos en el campo de concentración de Sachsenhausen y veinte mil soldados y policías registraron hogares checos y mataron a familias enteras acusadas de colaborar con los asesinos. Una semana después Heydrich murió y tres mil judíos fueron enviados a las cámaras de gas en su nombre.

Pero las matanzas de judíos eran habituales. Los dirigentes nazis querían actuar de modo más contundente. Se ensañaron con Lídice, donde la Gestapo decía que se habían refugiado durante un tiempo los resistentes. El 9 de junio todos los hombres del pueblo mayores de 15 años (doscientos jóvenes y adultos) fueron arrestados y ejecutados en grupos de diez. A las mujeres y a los niños los mandaron a campos de concentración, menos ocho criaturas que fueron enviadas a familias de las SS para ser «germanizadas». (Sólo se encontraron 16 supervivientes.) Tras quemar y acabar con la ciudad, se plantaron cultivos. La propaganda nazi difundió la acción por todo el mundo. ◂**1942.6** ▸**1944.NM**

crímenes, narra su terrible vida. Una familia monstruosa encuadra desde su infancia una existencia marcada por las desgracias, los crímenes y las injusticias que culminan en el asesinato de la madre de Pascual Duarte por su propio hijo.

▶LAS PIERNAS DE GRABLE —Haciendo lo que haría un hombre de negocios para proteger sus posesiones más preciadas, la 20th Century-Fox aseguró por un millón de dólares las piernas de la sirena de Hollywood Betty Grable en 1942. Sus atractivas piernas contribuyeron a convertirla en la *pinup girl* favorita de los soldados americanos, que decían que sus populares fotografías les daban una buena idea de por qué luchaban: por las bellezas de piernas largas. En 1943 las *pinups*, un fenómeno de la guerra, forraron las paredes de todos los cuarteles.

▶LAS MUJERES VAN A LA GUERRA—El 14 de mayo de 1942 se avanzó un paso más en la integración de la mujer

en el ejército: el congreso creó el Women's Auxiliary Army Corps (cuerpo militar auxiliar de mujeres, WAAC). Entre el WAAC (cambiado por WAC en 1943, cuando las mujeres obtuvieron una equiparación plena), las WAVES (Women Accepted for Voluntary Emergency Service; mujeres aceptadas para el servicio voluntario de emergencia) y las otras ramas femeninas, unas trescientas cincuenta mil mujeres sirvieron en todas las categorías excepto en combate.

▶INICIO DEL RACIONAMIENTO—En 1942, Estados Unidos abordó las dificultades de ganar una

guerra. El racionamiento empezó en mayo con el azúcar, el 29 de noviembre siguió con el café y pocos días después con la gasolina. En 1943 se racionó la carne y se limitó el pescado, la harina y la comida enlatada. Los «jardines de la victoria» (hortalizas por flores) aparecieron por todas partes. Escaseaban las verduras, debido en parte al internamiento de los nipones-americanos de la costa oeste, que anteriormente obtenían dos tercios de la producción de California.

▶SABOTAJE CINEMATOGRÁFICO—En 1942, justo tres años después de que la RKO diera carta blanca a Orson Welles (y de que él filmara *Ciudadano Kane*), el estudio controló la que hubiera sido su obra maestra *The Magnificent Ambersons* y la censuró. Temiendo que fuera un fracaso de taquilla en sus manos, la RKO volvió a firmar partes de la película y cortó unos 43 minutos, mientras Welles se hallaba en Argentina realizando una película para el gobierno. No se grabó ninguna copia de la versión original de 131 minutos. (Incluso la versión cortada se considera una gran película.) La carrera del chico prodigio nunca se recuperó del disgusto. Al año siguiente, la RKO presentó su nuevo lema: «Teatralidad en lugar de genio». ◂1941.11

▶GANDHI Y CHURCHILL ENFRENTADOS—En 1942 los aliados habían llegado a un punto crítico contra las potencias del Eje y Gandhi pensó que para contar con un aliado estratégico contra Japón en el sudeste asiático Gran Bretaña debía conceder la independencia a la India. Aunque despreciaba al fascismo, Gandhi fue contra su aliado ideológico y pidió que los británicos se retiraran por completo de la India. Churchill, furioso, encarceló a todo el Congreso Nacional indio y dijo que él no se había convertido en primer ministro «para presidir la liquidación del Imperio Británico». ◂1939.4 ▸1947.3

▶FUNDACIÓN DEL OXFAM —Alarmados por la situación

1942

Soldados soviéticos en Estalingrado. En noviembre, los alemanes, hambrientos, tuvieron que comerse a sus caballos.

SEGUNDA GUERRA MUNDIAL

Los soviéticos sobreviven

11 En marzo de 1942 una contraofensiva del ejército rojo había hecho retroceder a las fuerzas de Hitler unos 240 km, pero los soviéticos habían sufrido cuatro millones de bajas mientras que los alemanes sólo un millón. En mayo, los invasores se reagruparon en Crimea. En junio atacaron Smolensk, que cayó tras unas semanas de lucha. El mismo mes, atraído por el petróleo del Cáucaso, Hitler lanzó una ofensiva en el sur de Rusia, que culminó en la batalla de Estalingrado, la mayor de la guerra.

Estalingrado (ahora Volgogrado) era una ciudad industrial que se extendía 48 km a lo largo del río Volga, pero la importancia que tenía para ambos bandos era simbólica: tenía el nombre del líder soviético, que dirigió su defensa como si se tratara de su propia vida. El ataque empezó el 19 de agosto, con trescientos mil soldados bajo las órdenes del mariscal de campo Friedrich von Paulus. Los soviéticos, bajo el general Vasily Chuikov, resistieron ferozmente; a pesar de ello los alemanes penetraron en los suburbios y las bombas destruyeron la mayor parte de casas de la ciudad. A mediados de septiembre, los hombres de Chuikov quedaron reducidos a una extensión de 14 × 5 km pero combatieron a los alemanes en todos los edificios humeantes y les causaron pérdidas importantes.

En noviembre, un millón de soldados soviéticos a las órdenes del mariscal Georgi Zhukov acudieron en su ayuda. Rodearon a los alemanes y rechazaron todos los intentos de socorro. Von Paulus, ignorando las órdenes de Hitler, se rindió el 31 de enero de 1943 junto a otros 24 generales y noventa y un mil soldados hambrientos y congelados. Días después, una nueva contraofensiva soviética liberó todo el territorio que los alemanes habían tomado desde la primavera. El *Führer* no había renunciado a la Unión Soviética pero Estalingrado resultó el punto clave: una humillación para Alemania y la prueba de que los soviéticos habían aprendido de los errores del pasado. **◂1941.8 ▸1943.2**

SEGUNDA GUERRA MUNDIAL

El pacto de Vichy

12 Francia se cayó de la cuerda floja política en abril de 1942, cuando Hitler obligó al dictador, el mariscal Henri Pétain, a nombrar primer ministro a Pierre Laval. En parte para apaciguar a sus patrones alemanes (que ocupaban la mayor parte del país y tenían miles de prisioneros de guerra), Pétain construyó el régimen de Vichy según las directrices fascistas. Cambió el lema nacional de «Libertad, Igualdad y Fraternidad» por el de «Trabajo, Familia y Patria». Promulgó leyes antisemitas y encarceló a los disidentes. No obstante, mantuvo cierta independencia y libró a Francia de la batalla.

Laval había sido viceprimer ministro durante los primeros meses de Vichy hasta que sus maquinaciones contra Pétain desembocaron en su destitución. Era mucho menos popular que el mariscal, un héroe de la Primera Guerra Mundial que hacía parecer

El nuevo primer ministro de Francia, Pierre Laval, según un caricaturista americano.

patrióticas sus concesiones a Alemania, pero las demandas de Laval de una colaboración más íntima le procuraron el favor de Hitler.

Con el nuevo primer ministro y el poder de Pétain reducido, los alemanes presionaron a Vichy más que nunca. Francia ya estaba pagando los gastos de los ocupantes. Ahora granjas y fábricas debían contribuir con el 8 % de su producción. A cambio de la liberación de unos cuantos prisioneros de guerra, Laval consintió en enviar trabajadores a Alemania y a arrestar judíos para mandarlos a campos de concentración.

En julio, trece mil hombres, mujeres y niños judíos fueron reunidos en el estadio deportivo de París a la espera de su destino fatal. Al final de la guerra, a pesar de la declaración de Laval de que sólo se irían los judíos no nacidos en Francia, veintitres mil judíos franceses habían sido deportados. **◂1940.7 ▸1943.6**

LITERATURA

Muerte al absurdo

13 En 1942 París no era el lugar más apropiado para publicar una primera novela. Pero *L'étranger* (*El extranjero*) realzó la importancia de Albert Camus en el mundo literario, primero entre sus compatriotas y luego en el mundo entero.

La historia de Meursault, un argelino-francés que mata a un árabe sin un motivo aparente y que rechaza las mentiras blancas y los credos cómodos que protegen a la mayoría de gente contra lo absurdo de la existencia, captó el ambiente de la Francia de Vichy. Muchos lectores, resignados al fascismo y a la ocupación, compartían la alienación de Meursault, su angustia y su disgusto con la hipocresía cotidiana.

La visión de Camus de un universo carente de cualquier significado no le llevó a la inactividad o al desespero. Fue cofundador de un periódico clandestino de la resistencia, *Combat*; tras la liberación de Francia se convirtió en portavoz de la izquierda, más interesado por la moral y la justicia que por la teoría política. *El mito de Sísifo*, un ensayo también publicado en 1942, destila su filosofía. Condenado por los dioses a pasar la eternidad empujando una roca hasta lo alto de una colina para

Junio: batalla de Midway; Estados Unidos bombardea los campos petrolíferos de Rumanía; los alemanes toman Tubruk [...] Julio: ataque aéreo norteamericano contra los alemanes en Holanda [...] Agosto: batalla de Guadalcanal; primer ataque aéreo norteamericano sobre Francia, en Ruán; los aliados bombardean Rotterdam [...] Septiembre: inicio de la batalla de Estalingrado [...]

observar cómo rueda de nuevo hacia abajo, Sísifo no tiene esperanza; pero debe continuar su lucha y mantener su conciencia... el sentido de la vida que todos necesitamos.

En la resistencia, Camus trabajó con el pensador Jean-Paul Sartre y más tarde fue calificado de existencialista, pero Camus rechazaba lo que él sentía como una adaptación sartriana del comunismo y despreciaba tanto el dogmatismo marxista como el cristiano. Murió, de forma absurda, en un accidente de coche tres años después de recibir el Premio Nobel en 1957. **►1943.10**

SEGUNDA GUERRA MUNDIAL

La batalla de Guadalcanal

14 El 7 de agosto de 1942 empezó la contraofensiva aliada en el Pacífico con el desembarco de dieciséis mil marines americanos en Guadalcanal, en las islas Salomón, y la toma de un campo de aviación japonés. Durante los seis meses siguientes la isla, pequeña y de población dispersa, a unos miles de kilómetros de Australia en el mar del Coral, se convirtió en el escenario de algunas de las batallas más encarnizadas de la guerra. Cuando los japoneses capitularon, en febrero de 1943, habían perdido veintiún mil hombres (la mitad por enfermedad y hambre) contra dos mil americanos y mil australianos.

Durante la campaña, un soldado raso americano escribió: «Nunca he visto ni he leído una lucha de este tipo. Esta gente se niega a rendirse». Librado de cerca, a menudo cuerpo a cuerpo, el combate resultó salvaje. Después de perder el campo de aviación en el desembarco aliado inicial, los japoneses se atrincheraron en la isla y repelieron con tenacidad los ataques. Cuando no podían mantener sus posiciones, muchos preferían suicidarse antes que caer prisioneros. En septiembre, Estados Unidos envió refuerzos a Guadalcanal y amplió su área de dominio. Un mes después, con la ayuda del servicio de inteligencia, que conseguía saber por adelantado cualquier maniobra del enemigo, la armada de Estados Unidos interceptó un convoy japonés que llegaba a Guadalcanal con refuerzos. Los americanos consiguieron hundir tres destructores y un crucero pesado.

En los meses siguientes los americanos evitaron una y otra vez los intentos de desembarco de soldados japoneses a costa de grandes pérdidas de vidas y de material. Estas batallas en el mar resultaron decisivas y dejaron a las tropas japonesas sitiadas y sin suministros. En febrero, Guadalcanal y todas las Salomón pertenecían a los aliados. **◄1942.1 ►1944.9**

Desembarco de soldados americanos en Guadalcanal. Se enfrentaron a un enemigo desesperado en las selvas infestadas de serpientes.

SEGUNDA GUERRA MUNDIAL

El proyecto Manhattan

15 J. Robert Oppenheimer era alto y flaco, físico teórico, intelectual y liberal. El general Leslie R. Groves era un ingeniero militar que pesaba unos 130 kg, inclinado políticamente a la derecha. Cuando el ejército de Estados Unidos decidió coordinar la investigación de las armas nucleares en 1942, los dos hombres formaron un equipo que fue la punta de la lanza de lo que se conoció como el proyecto Manhattan (bautizado así por el lugar de sus primeras oficinas centrales). Groves aplicó su experiencia burocrática para coordinar a cien mil trabajadores, 37 instalaciones en trece estados y una docena de laboratorios universitarios. Oppenheimer aportó sus conocimientos científicos y llevó a los mejores investigadores a un recinto secreto cerca de Los Álamos, Nuevo México.

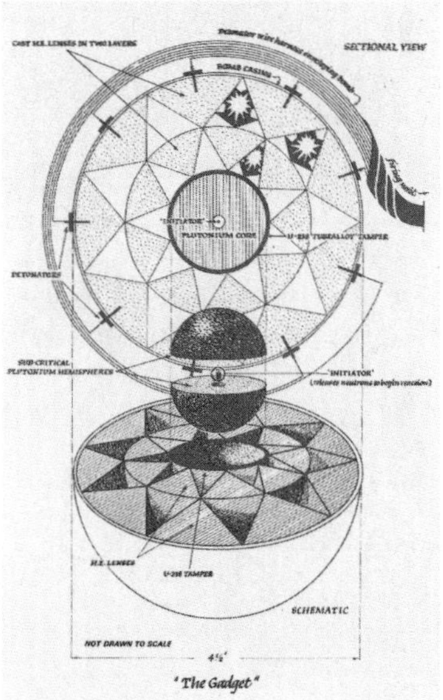

Un dibujo esquemático de la bomba atómica: una esfera de plutonio de 10 cm tendría un poder apocalíptico.

Groves hacía poco que había supervisado la construcción del Pentágono, la sede militar de Estados Unidos a las afueras de Washington. En septiembre esperaba que se le asignara un destino en el frente, pero en vez de esto se encontró con otro trabajo de construcción. Al preguntar por los detalles se le respondió que si hacía bien su trabajo la guerra estaría ganada. Unas semanas después, Oppenheimer propuso la idea de que los científicos colaborarían con más libertad en un lugar aislado, protegido por soldados. A finales de año se había construido un edificio en la meseta del Pajarito.

El trabajo en Los Álamos y en los otros lugares culminó en menos de tres años con un ensayo que llenó el desierto de Nuevo México de una luz cegadora. Oppenheimer recordó un verso del *Bhagavad Gita*: «Me he convertido en Muerte, el destructor de mundos». Groves fue más optimisma. Cuando alguien comentó que la explosión era más brillante que una estrella, él señaló las estrellas de general de sus hombros y contestó: «¡Más brillante que dos estrellas!». Pronto estuvo de camino a Washington para dar noticias de la primera bomba atómica. **◄1940.8 ►1942.18**

de los niños hambrientos en Grecia, un grupo de académicos de la Universidad de Oxford fundó una organización dedicada a suministrar ayuda a los países empobrecidos. Llamada Oxford Committee for Famine Relief (comité de Oxford para el socorro del hambre, OXFAM), la organización también desempeñó un papel esencial en el establecimiento y repatriación de refugiados después de la Segunda Guerra Mundial. ◄1941.4

SEGUNDA GUERRA MUNDIAL

►ATAQUE DE COMANDOS —En la operación Chariot, los comandos británicos atacaron la instalación naval alemana de St. Nazaire, Francia, el 28 de marzo. Los atacantes cargaron con explosivos un antiguo destructor de Estados Unidos y lo lanzaron contra la base, inutilizando el importante dique seco del Atlántico para el resto de la guerra. En el ataque murieron unos cuatrocientos comandos y marineros británicos, cientos fueron hechos prisioneros. Alemania también perdió cuatrocientos hombres.

►MARCHA DE LA MUERTE DE BATAN—El 9 de abril los aliados se rindieron en Batan y los japoneses obligaron a setenta y seis mil americanos y filipinos a una marcha cruel de 104 km hacia un campo de prisioneros. Ya debilitados por la disentería y el hambre, más de cinco mil filipinos y seiscientos americanos

murieron en la Marcha de la Muerte de Batan. Muchos fueron asesinados con bayoneta cuando ya no podían avanzar, otros fueron torturados hasta la muerte. Sólo consiguieron terminar el camino cincuenta y cuatro mil prisioneros (diez mil escaparon en la selva); de éstos, diecisiete mil murieron de hambre en el campo.

►TOMA DE MADAGASCAR —El 7 de mayo de 1942

1942

«Cuando tratamos con la raza caucasiana, tenemos métodos para probar su [...] lealtad. Pero cuando tratamos con los japoneses, entramos en un campo totalmente distinto.»—**Earl Warren, procurador general de California, sobre la evacuación de japoneses-americanos**

fuerzas británicas y sudafricanas desembarcaron en Madagascar y tomaron el puerto de Diégo-Suarez de manos de sus defensores de Vichy. Los aliados actuaron para evitar que Japón se apropiara de la isla y la utilizara como base del océano Índico. (Japón había hecho un trato con Vichy en 1941.)

▶FUGA DE UN GENERAL—El general francés Henri Giraud había sido capturado por los alemanes dos veces: la primera en la Primera Guerra Mundial y la segunda a principios de la Segunda Guerra Mundial. En abril de 1942 Giraud, de 63 años de edad, se fugó del castillo-prisión de Königstein, deslizándose por una cuerda. Salió de forma clandestina de Alemania y pronto se convirtió en el jefe militar del África francesa.

▶ARSENAL AMERICANO—En 1942 el presidente americano Roosevelt pidió la construcción de sesenta mil aviones, cuarenta y cinco mil tanques, veinte mil cañones antiaéreos y seis millones de toneladas de barcos mercantes. El *Robert E. Peary*, el primero de los 1.460 barcos Liberty construidos en los astilleros Kaiser de la costa oeste, fue botado el 9 de noviembre.

▶PRIMER ÉXITO DE LOS AUSTRALIANOS—Luchando en condiciones muy difíciles en la jungla de Nueva Guinea, las tropas australianas rechazaron a los japoneses, que a mediados de septiembre habían avanzado hasta 52 km de Port Moresby. Los japoneses se retiraron a Gona y Buna y los australianos obtuvieron una victoria decisiva. Cuando tuvo lugar esta primera victoria aliada en tierra contra Japón, la situación de los

australianos era crítica: desde Port Moresby los japoneses hubieran podido dominar el mar del Coral y casi invadir Australia.

Nipo-americanos a su llegada a un campo de internamiento en California.

ESTADOS UNIDOS

Nipo-americanos internados

16 El ataque de Japón a Pearl Harbor provocó una oleada de xenofobia en Estados Unidos. En 1942 el ejército trasladó a todos los residentes de ascendencia japonesa de la costa oeste a campos de internamiento en el interior del país. Durante la guerra, mucho después de que ya no existiera la posibilidad de una invasión japonesa, ciento diez mil nipo-americanos permanecieron confinados en diez «centros de recolocación» donde las condiciones de vida eran espartanas y el acceso al trabajo y a la educación estaba duramente restringido.

Todos los extranjeros tenían la obligación de registrarse en el gobierno durante la Segunda Guerra Mundial pero la política de internamiento, que obligaba a sus víctimas a vender sus hogares y negocios en 48 horas, reflejó el prejuicio antiasiático general, sobre todo en las costas del Pacífico. El *San Francisco Examiner* captó el espíritu de la época exclamando: «¡Expulsión de todos los japoneses de California!». Aunque ningún nipo-americano había hecho nada para despertar sospechas, la mayoría reaccionaron a su encarcelamiento con la resolución de demostrar su patriotismo. casi dieciocho mil niseis (americanos de segunda generación, descendientes de japoneses) se alistaron en el ejército norteamericano; muchos se distinguieron en la batalla. **◂1941.1**

TECNOLOGÍA

Los albores de la era nuclear

18 En octubre de 1942 un equipo de científicos dirigido por el físico italiano emigrado Enrico Fermi empezó a construir una pila atómica (uranio colocado entre ladrillos de grafito puro) bajo las gradas de un estadio en la Universidad de Chicago. Bajo la tutela del proyecto Manhattan, el intento de América de construir la primera arma nuclear, demostraron una teoría básica: que los neutrones liberados en la fisión de un átomo de uranio podían servir para romper *otros* átomos de uranio en una «reacción en cadena», reacción que generaría más energía de la que necesitaba para arrancar. Los ladrillos de grafito servían para ralentizar la caída de los neutrones, dándoles más posibilidades de penetrar en el núcleo del uranio, mientras las franjas de cadmio, que absorbían neutrones, clavadas en rodetes de madera, podían ser

Ladrillos de grafito · **Uranio** · **Rodetes de cadmio**

La pila de Fermi, el precedente de los reactores nucleares modernos, fue la clave para la fabricación de la bomba atómica.

insertadas o retiradas en caso de que la reacción fuera demasiado rápida o demasiado lenta.

A medida que los trabajadores amontonaban el grafito capa sobre capa, la intensidad de los neutrones aumentaba; el 1 de diciembre la pila estaba preparada. Al día siguiente, el equipo de Fermi cambió lentamente los rodetes de cadmio, y se detuvo para medir el incremento de radiactividad en cada escalón. Voluntarios con cubos llenos de solución cádmica vigilaban desde arriba, listos para mojar la pila en caso de que la reacción quedara fuera de control.

Finalmente, a las 14.20 horas se logró una reacción en cadena. Un auditorio vigilaba mientras los instrumentos registraban la efusión neta de energía. Después de generar aproximadamente medio vatio de potencia cada 28 minutos, la pila se desmoronó. El físico de la Universidad de Chicago Arthur Compton telefoneó al rector de Harvard y al presidente del comité de investigación de defensa nacional, James Conant, otro científico del proyecto Manhattan. «El navegante italiano acaba de desembarcar en el Nuevo Mundo», declaró Compton en el código preestablecido. «¿Los nativos son amistosos?», preguntó Conant. La respuesta fue: «Todo el mundo ha desembarcado a salvo y seguro». **◂1942.15 ▸1945.1**

ARTE

La luz aislada de Hopper

17 **Edward Hopper negó que intentara comentar la vida contemporánea en sus cuadros. «Intento pintarme a mí mismo», declaró el pintor neoyorquino. Desde los años veinte hasta su muerte en 1967, captó como ningún otro artista la soledad en el corazón de la ciudad moderna. Alumno del fundador de la Ashcan School, Robert Henri, Hopper rodeaba a sus personajes, como en el famoso *Nighthawks* (*superior*), terminado en 1942, con una luz desoladora que parecía atarlos al aislamiento. ◂1908.4 ▸1948.NM**

PREMIOS NOBEL: No se otorgan los premios.

«Siempre nos quedará París»

De *Casablanca*, Warner Bros., 1942

Un cartel español de *Casablanca*. Los actores refugiados –entre ellos Paul Henreld, Peter Lorre y Conrad Veldt— aportaron un toque de realidad a la ficción de la película de Hollywood. Abajo, Humphrey Bogart e Ingrid Bergman.

Casablanca *perdura como una de las películas más dignas de la Segunda Guerra Mundial, un melodrama romántico y vivo que toca la fibra sensible sin hacer pensar demasiado. Con Humphrey Bogart como Rick, el propietario de un bar en Marruecos, cansado de la vida, Ingrid Bergman como su antiguo amor Ilsa, «El tiempo pasa» («As Time Goes By»)como su canción (la que ellos piden que toque Sam) y un autosacrificio que hace llorar a las estatuas, la historia dirigida por Michael Curtiz sobre espionaje y el amor perdido es, en palabras del crítico Andrew Sarris, «el accidente más feliz de los accidentes felices». (Los hados estaban en contra del éxito: la producción estuvo llena de problemas y el guión, escrito por Julius y Philip Epstein y Howard Koch, y revisado por otros cuatro escritores, volvió a ser alterado al principio del rodaje.) Estrenada en Nueva York el día de Acción de Gracias de 1942, sólo dos semanas después de que los aliados desembarcaran en Marruecos, la película resume una era y apunta el camino de las películas de serie negra del período de posguerra. En el siguiente extracto, de la escena final de la película, Rick implora a Ilsa que se vaya a un lugar seguro con su marido, líder de la resistencia.* ►**1945.17**

RICK: Louis, que tus hombres acompañen al Sr. Laszlo y cuiden de su equipaje

RENAULT: Lo que tú digas, Rick. Id a buscar el equipaje del Sr. Laszlo y subidlo al avión.

ORDENANZA: Sí, señor. Por aquí por favor.

RICK: Si no tienes inconveniente, pon tú mismo los nombres. Será más oficial.

RENAULT: Piensas en todo, ¿no?

RICK: Los nombres son Sr. y Sra. Laszlo.

ILSA: Pero, ¿por qué mi nombre, Richard?

RICK: Porque vas a coger ese avión.

ILSA: No lo entiendo. ¿Y tú?

RICK: Yo me quedo aquí con él hasta que el avión haya despegado.

ILSA: No, Richard. ¡No! ¿Qué te pasa? Anoche dijiste...

RICK: Anoche dijimos muchas cosas. Tú dijiste que debía pensar por los dos. Bien, he pensado mucho desde entonces y sólo tiene sentido una cosa. Vas a coger ese avión con Víctor, a quien perteneces.

ILSA: Pero Richard, no, yo...

RICK: Ahora escúchame. ¿Tienes alguna idea de lo que pasaría si te quedaras? Con toda probabilidad nos enviarían a los dos a un campo de concentración, ¿verdad Louis?

RENAULT: Me temo que el mayor Strasser insistiría.

ILSA: Dices eso para que me vaya.

RICK: Lo digo porque es verdad. Los dos sabemos que perteneces a Víctor. Eres parte de su obra. La fuerza que le hace continuar. Si ese avión despega y tú no estás en él, lo lamentarás.

ILSA: No.

RICK: Quizás hoy no, ni mañana, pero pronto, y para el resto de tu vida.

ILSA: ¿Y nosotros?

RICK: Siempre nos quedará París. Lo habíamos perdido hasta que viniste a Casablanca. Lo recuperamos anoche.

ILSA: Y dije que no volvería a dejarte.

RICK: Y no lo harás. Pero yo también tengo algo que hacer. Y a donde voy no puedes seguirme. No puedes tomar parte en lo que tengo que hacer. Ilsa, no se me da bien ser noble pero no cuesta demasiado ver que los problemas de tres seres insignificantes no cuentan mucho en este mundo de locos. Algún día lo comprenderás. Ahora tienes que decidir, cariño.

«Acuciados por el hambre, salíamos durante la noche. Como ratas, rebuscábamos entre la basura en busca de un trozo de pan. Me debilité gradualmente; mi cuerpo se cubrió de llagas.»—**Un rebelde del gueto de Varsovia que escapó por las alcantarillas.**

HISTORIA DEL AÑO

Alzamiento en el gueto de Varsovia

1 El espíritu que guió a los judíos del gueto de Varsovia a una revuelta desesperada está captado en un pasaje del diario de un participante: «No podemos contar con nadie» escribió el organizador sionista Hersh Berlinski, «ni con la Unión Soviética ni con los aliados. Que nuestro acto desesperado sea una bofetada de protesta en la cara del mundo».

Tras el alzamiento de Varsovia, un escuadrón nazi lleva a los supervivientes al campo de concentración de Treblinka.

Durante meses, los alemanes habían vaciado el gueto sellado de su medio millón de habitantes, y los enviaban al campo de exterminio de Treblinka. Como matar a un solo alemán suponía represalias masivas, la mayoría de los habitantes del gueto intentaban no cruzarse en el camino de los ocupantes y algunos colaboraban con ellos para sobrevivir. Cuando el hambre, la enfermedad y las ejecuciones acababan con centenares al día y se filtraron las historias de las cámaras de gas de Treblinka, cada vez más judíos empezaron a sentir que no tenían nada que perder. Algunos formaron grupos paramilitares y consiguieron armas y acero.

En enero se produjo la primera resistencia armada cuando 50 alemanes fueron asesinados mientras arrestaban a víctimas para un envío a los campos de la muerte; murieron mil judíos en la acción. Luego, el 19 de abril, llegaron dos mil soldados alemanes para empezar a deportar a los sesenta mil judíos que quedaban en el gueto. Unos mil quinientos hombres y mujeres judíos hambrientos les hicieron frente equipados con pistolas, granadas, cócteles Molotov y dos o tres ametralladoras ligeras. Los combatientes del gueto resistieron durante semanas y lograron matar a unos cientos de alemanes.

El 8 de mayo se rindieron. Muchos de los rebeldes se suicidaron. Otros escaparon a través de las alcantarillas; la mayoría fueron asesinados o traicionados por delatores. La lucha continuó durante ocho días. Cuando acabó, los últimos judíos de Varsovia habían muerto, habían sido deportados o estaban ocultos. El general de división de las SS Jürgen Stroop dinamitó la sinagoga. El gueto «ya no existe», escribió Stroop en su informe. **◂1942.6 ▸1944.10**

SEGUNDA GUERRA MUNDIAL

La mayor batalla de tanques

2 El ejército rojo inició el año 1943 con una victoria en Estalingrado y una contraofensiva en el Cáucaso. El 18 de enero abrió una brecha en el bloqueo alemán de Leningrado, que permitió la llegada de algún suministro a la ciudad después de meses de asedio. No obstante, los alemanes todavía tenían soldados alineados a lo largo de 2.880 km de la frontera soviética. Hitler reconquistó Járkov y Belgorod en marzo. El 5 de julio sus fuerzas atacaron la región de Kursk.

La ofensiva de Kursk fue la mayor batalla de tanques de la historia. Los alemanes lanzaron novecientos mil hombres y tres mil vehículos blindados, incluidos los nuevos Tigres, los tanques más grandes, contra unas fuerzas soviéticas similares. El humo de la batalla era tan denso que ningún bando pudo emplear sus aviones. Sin embargo, los tanques del ejército rojo eran más manejables y seguros; los de los alemanes, que se arrastraban a través de los campos minados y el barro, podían ser alcanzados por los lanzallamas a través de sus sistemas de ventilación. Los alemanes empezaron a retirarse al cabo de una semana, con los rojos tras ellos. Aunque ambos bandos perdieron la mitad de sus tanques, los soviéticos, con gran capacidad de producción, pudieron absorber las pérdidas mejor que los alemanes.

Hitler ordenó el alto el fuego el 17 de julio, pero los soviéticos siguieron presionando. A finales de agosto, Járkov y Belgorod volvían a estar en su poder. Poco después, los alemanes perdieron Smolensk y el Cáucaso. En noviembre el general Nikolai Vatutin liberó Kiev de sus dos años de ocupación. El sueño de Hitler de esclavizar a los eslavos y de llenar sus tierras con colonos arios no se haría realidad aunque la guerra continuara en territorio soviético. **◂1942.11 ▸1944.3**

El mariscal de campo Friedrich von Paulus en la rendición de Stalingrado.

SEGUNDA GUERRA MUNDIAL

Masacre en el bosque Katín

3 En abril de 1943, en el bosque Katín, cercano a la ciudad rusa de Smolensk, el ejército alemán descubrió una gran cantidad de sepulturas que contenían los cuerpos de 4.400 oficiales polacos. Las víctimas habían recibido un tiro en la nuca cuando estaban arrodillados. Los nazis culparon a los soviéticos de las ejecuciones. Los soviéticos acusaron a los nazis, e insistieron en que los oficiales se hallaban en la zona cuando Alemania la invadió dos años antes.

Alemania invitó a la prensa extranjera a la apertura de las tumbas de Katín. En el suelo, las víctimas calcificadas.

Las autoridades polacas se preguntaban desde hacía tiempo qué había sido de los quince mil oficiales capturados cuando los soviéticos invadieron el este de Polonia en 1939. Cuando Alemania atacó a la Unión Soviética en 1941 y el régimen exiliado de Polonia decidió reunir un ejército antinazi en tierra soviética, los comandantes polacos pidieron que los oficiales fueran liberados. Sin embargo, los soviéticos dijeron que desconocían su paradero.

El hallazgo de Katín parecía resolver el misterio, sobre todo

ARTE Y CULTURA: Libros: *A tree grows in Brooklyn* (Betty Smith); *Génesis* (Delmore Schwartz); *Cristianismo y democracia* (Jacques Maritain); *Cuatro cuartetos* (T. S. Eliot); *Here is your war* (Ernie Pyle); *El ser y la nada* (Jean-Paul Sartre) [...] Música: «Bésame mucho» (Velázquez y Skylar); *Concierto para orquesta* (Béla Bartók) [...] Pintura y escultura: *Broadway Boogie-Woogie* (Piet Mondrian) [...]

«Me pregunto si no es demasiado arriesgado repetir la lucha contra el espacio ilimitado de Rusia [...] mientras el peligro anglosajón va acercándose por el oeste.»—**Benito Mussolini respecto a la negligencia de Hitler sobre el escenario mediterráneo en favor del ruso**

cuando los investigadores de la Cruz Roja polaca confirmaron que los hombres habían muerto en 1940. (Las pruebas incluían el contenido de los bolsillos de los cadáveres y el testimonio de campesinos que habían visto a la policía secreta soviética cargar a los oficiales en camiones.) Los soviéticos se negaron a autorizar una investigación de la Cruz Roja internacional.

De hecho, Stalin buscaba una excusa para romper con el gobierno de Polonia y reconocer en su lugar un «comité nacional» patrocinado por la Unión Soviética. Lo hizo poco después del inicio de la controversia de Katín y, durante cerca de cinco décadas, sus sucesores negaron la responsabilidad soviética. En 1990, Moscú admitió que agentes de Stalin habían cometido la acción y que también asesinaron a otros diez mil oficiales polacos cuyos cuerpos no se han encontrado. **◂1939.3 ▸1944.6**

SEGUNDA GUERRA MUNDIAL

Triunfo de los aliados en el norte de África

4 El 7 de mayo de 1943 el general Harold Alexander se comunicó por radio desde Túnez con Winston Churchill: «Ha cesado toda resistencia en el norte de África». Oficialmente los alemanes se rindieron dos días después. La campaña de Túnez había empezado en noviembre de 1942 con el desembarco de los aliados bajo las órdenes del general británico Kenneth Anderson. Las fuerzas se encontraron con una resistencia alemana más dura de la esperada. Lo peor tuvo lugar en febrero de 1943, cuando el Afrika Korps de Rommel arrolló a los inexpertos soldados norteamericanos en Kasserine.

Tras este desastre, los soldados americanos fueron entrenados por oficiales británicos y llegó un nuevo comandante estadounidense: George S. Patton. De nuevo disperso, el Afrika Korps pronto fue obligado a retirarse de Kasserine. El 8.º ejército de Montgomery, que había expulsado de Libia a las fuerzas de Rommel, las atacó desde el este. Rommel contraatacó pero se retiró tras perder 50 tanques. El 9 de marzo, agotado, regresó a Alemania para pedirle a Hitler que abandonara el norte de África. El *Führer* lo relevó de su cargo.

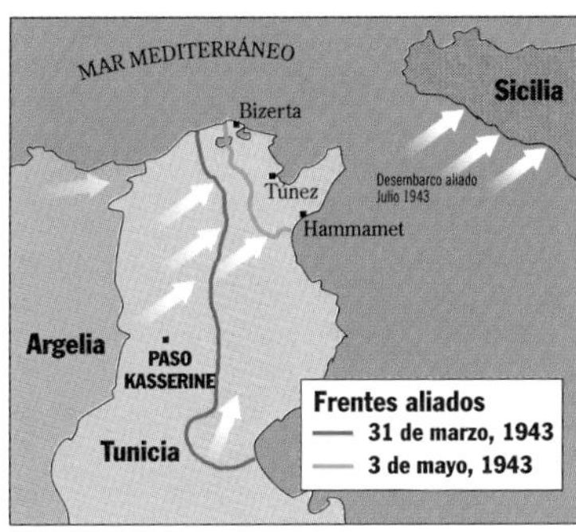

La ofensiva aliada en Túnez. Los alemanes se rindieron el 9 de mayo. En julio los aliados desembarcaban en Italia.

Bajo el mando del general Hans Jürgen von Arnim, las fuerzas italogermanas se retiraron hacia Bizerta y Túnez; resistieron durante semanas entre ambas ciudades. Sin embargo, el 6 de mayo los aliados atacaron y al día siguiente Túnez cayó en poder británico; los americanos y la Francia Libre tomaban Bizerta. Arnim y doscientos cincuenta mil soldados fueron capturados. Con el norte de África fuera del dominio del Eje, el Mediterráneo se había convertido en un mar seguro para los barcos aliados. **◂1942.9 ▸1943.5**

SEGUNDA GUERRA MUNDIAL

Invasión en Italia

5 La invasión de Sicilia empezó el 10 de julio de 1943 y cogió por sorpresa a los mandos del Eje. Soldados norteamericanos transportados por aire tocaron tierra en la punta sur de la isla antes del amanecer, seguidos por la infantería aliada. Aunque los invasores tuvieron que luchar con los alemanes que se retiraban en orden, los italianos se rindieron en tropel mientras la población les daba una calurosa acogida. Los yanquis, bajo el mando de Patton, tomaron Palermo el 22 de julio; tres semanas más tarde se reunieron con los británicos de Montgomery en Messina. Por entonces, cien mil soldados del Eje habían escapado a la península italiana, donde Benito Mussolini acababa de ser depuesto.

El descontento con el dictador se había incrementado entre la población. No obstante, éste, que temía la ira del *Führer*, se negaba a rendirse. El 24 de julio Mussolini fue destituido y al día siguiente el rey de Italia lo arrestó. El mariscal Pietro Badoglio formó un nuevo gobierno e inició conversaciones secretas con los aliados. Italia capituló el 3 de septiembre, día en que las tropas de Montgomery llegaron a la península.

Los comandos nazis rescataron a Mussolini, que proclamó una «república» junto al lago de Garda. Conforme los aliados ascendían por Italia, se encontraban con la resistencia alemana. Ésta mantuvo Roma, a pesar de los bombardeos. A finales de año organizaron una línea defensiva que retrasaría la llegada de los aliados. **◂1943.4 ▸1944.5**

Tras dejar Túnez, soldados aliados asaltaron una estación de tren de Sicilia utilizada por los alemanes en retirada como fortaleza.

NACIMIENTOS

Arthur Ashe, tenista estadounidense.

Catherine Deneuve, actriz francesa.

Robert de Niro, actor y director cinematográfico estadounidense.

Bobby Fischer, ajedrecista estadounidense.

George Harrison, músico británico.

Julio Iglesias, cantante español.

Mick Jagger, cantante estadounidense.

Janis Joplin, cantante estadounidense.

Jean-Claude Killy, esquiador francés.

Billie Jean King, tenista estadounidense.

Sam Shepard, dramaturgo y actor estadounidense.

MUERTES

Carlos Arniches, escritor español.

Leslie Howard, actor británico.

Sergei Rachmaninoff, compositor ruso.

Max Reinhard, director de teatro austríaco.

Wladyslaw Sikorski, militar y político polaco.

Chaim Soutine, pintor franco-lituano.

Simone Weil, filósofo francés.

Isoroku Yamamoto, almirante japonés.

Cine: *Casablanca* (Michael Curtiz); *Por quién doblan las campanas* (Sam Wood); *Iván el terrible, 1.ª parte* (Sergei Eisenstein); *Días de ira* (Carl Dreyer) [...] Teatro: *La buena persona de Setzuan* (Bertolt Brecht); *Something for the boys* (Cole Porter) [...] Radio: *Perry Mason*.

«Checoslovaquia va en la dirección correcta y está en el campo correcto [...] de la victoria militar y de la paz victoriosa.»—**Eduard Beneš, en la firma del tratado checoslovaco-soviético del 21 de diciembre de 1943**

NOVEDADES DE 1943

American Broadcasting Co. (ABC, compañía radiofónica).

Jefferson Memorial.

EN EL MUNDO

►F. D. ROOSEVELT MILITARIZA LOS FERROCARRILES—Para asegurar que «los suministros a los combatientes no se interrumpieran», en diciembre de 1943 F. D. Roosevelt ordenó al departamento de guerra que controlara todos los trenes americanos. La acción llegó en medio de un conflicto laboral.

►GUERRA EN DIBUJOS—Bill Mauldin se alistó al ejército americano en 1940. Después de que su división fuera enviada a Sicilia en 1943, colaboró con la edición mediterránea de *Stars and Stripes*. Sus personajes de guerra, Willy y Joe, pronto llegaron a representar a todos los hombres de servicio que intentaban mantener el humor y la humanidad mientras

estaban atrapados en los horrores de la guerra y de la burocracia militar, a menudo indiferente.

►LA INVESTIGACIÓN DE PAPANICOLAOU—Dieciséis años después de descubrir el desarrollo de células cancerígenas en una prueba microscópica vaginal, George Papanicolaou publicó su artículo «Diagnóstico de cáncer uterino por el frotis vaginal» en 1943 y convenció al estamento médico americano de la efectividad de su prueba de diagnóstico (citología) en la detección del cáncer vaginal. A partir de las secreciones vaginales o células uterinas o de los

1943

En esta caricatura De Gaulle, de extrema derecha, que convenció a los de izquierdas para la resistencia, hace sombra al mismo Stalin.

SEGUNDA GUERRA MUNDIAL

De Gaulle unifica la resistencia

6 La lucha por el liderazgo de la Francia Libre estaba polarizada en dos generales: Henri Giraud y Charles de Gaulle. En mayo de 1943 se reunió por primera vez en París el Consejo Nacional de la Resistencia, una organización que abarcaba a los grupos no comunistas del movimiento, y De Gaulle dio un paso adelante hacia el liderazgo. Los catorce fundadores del CNR votaron conceder a De Gaulle (que estaba en Argel) «la dirección de los intereses de la nación», mientras que Giraud, el comandante aliado del norte de África, quedó relegado a los asuntos militares. Aunque el CNR se apartó al final de ambos, su decisión inicial convenció a los dirigentes aliados de que el destino de Francia estaba en manos de De Gaulle.

De Gaulle contaba con el apoyo de Winston Churchill desde 1940. En cambio, Roosevelt (que lo encontraba un egocéntrico) había apoyado a su rival. Sin embargo, Giraud (famoso por su fuga de un campo de prisioneros nazi) carecía de inteligencia política. A pesar de su antipatía por los alemanes, había permanecido fiel a Pétain y había ofendido a muchos patriotas franceses al elegir la lealtad a Vichy.

De Gaulle se había ganado el apoyo de los gobernadores de las colonias francesas de África y del Pacífico y, aunque era casi tan reaccionario como Giraud, había dejado a un lado la ideología para lograr el soporte de los líderes de izquierdas de la resistencia. En enero de 1942 envió al valiente organizador de la resistencia Jean Moulin para que unificara a los combatientes clandestinos de Francia. En junio de 1943, cuando los nazis torturaron a Moulin hasta la muerte, esta misión ya estaba cumplida. Moulin, como primer presidente del CNR, había convencido incluso a los comunistas de apoyar a De Gaulle, al menos de forma temporal. Al cabo de un año, De Gaulle había obligado a Giraud a retirarse. **◄1942.12 ►1944.4**

SEGUNDA GUERRA MUNDIAL

Wingate tras las líneas

7 El general de brigada Orde Charles Wingate, un excéntrico en la mejor tradición

El general de brigada Wingate (*centro*, sin sombrero) antes de la invasión de Birmania.

militar británica, heredero de T. E. Lawrence, comandó una fuerza de tres mil guerrilleros británicos, gurjas y birmanos en Birmania, que estaba en poder de los japoneses. Los *chindits*, como Wingate llamaba a sus hombres, cruzaron el río Chindwin en febrero. Durante los tres meses siguientes, aprovisionados sólo por paracaídas de la RAF, avanzaron por la selva volando ferrocarriles, destruyendo carreteras y puentes. Wingate decía: «No hay nada tan devastador como atacar al enemigo en la oscuridad, golpearlo y desaparecer silenciosamente en la noche». Avanzando 40 km al día, comunicándose por radio y palomas mensajeras, los atacantes de Wingate infligieron bajas sustanciales a los aturdidos japoneses.

Wingate empezó a ser conocido a finales de los años treinta. Estaba en la inteligencia palestina y organizó patrullas defensivas judías que más tarde se transformaron en el ejército israelita. En 1941 su banda de comandos sudaneses y etíopes expulsaron de Addis Abeba a las fuerzas italianas, superiores en número.

Wingate era partidario de una dieta a base de cebollas crudas y se lavaba en el bosque frotándose el cuerpo con un cepillo para el pelo. Su falta de decoro militar tendía a irritar a otros oficiales pero su resistencia y su osadía inspiraban lealtad entre los soldados. Un irregular explicaba: «No puedes hacer otra cosa que seguirlo cuando lo ves cargar a través de la hierba con ese viejo casco». En 1944 Wingate se mató en un accidente mientras dirigía un ataque en Birmania. **◄1942.2 ►1945.NM**

DIPLOMACIA

La forja del telón de acero

8 Con la esperanza de preservar la integridad de su país en la posguerra europea, Eduard Beneš, dirigente del gobierno checo en el exilio, firmó un pacto con la Unión Soviética en 1943. Dirigido especialmente contra Alemania, que había desmembrado Checoslovaquia en 1939, el acuerdo contenía una alianza militar de 20 años y la promesa de cooperación económica. El tratado checoslovaco-soviético estipulaba que los signatarios debían rechazar «cualquier coalición dirigida contra la otra parte». En base a esta cláusula, la Unión Soviética se convertiría en el único aliado de Checoslovaquia en la posguerra,

«El hombre no puede lograr nada a menos que primero comprenda que sólo puede contar con él mismo.»—**Jean-Paul Sartre, *El ser y la nada***

Defensor de la integridad checoslovaca: Eduard Beneš, con su mujer, 1935.

y sustituiría así a Gran Bretaña, Francia y a los estados de la antigua Pequeña Entente, Hungría y Yugoslavia.

Beneš imaginó una Checoslovaquia de posguerra como un puente entre Oriente y Occidente. Aseguró a las potencias occidentales la buena voluntad de los soviéticos: Stalin le había prometido personalmente que la autonomía de los estados del este de Europa sería respetada; la alianza era para disuadir a Alemania, nada más. Los diplomáticos británicos y americanos seguían escépticos: sospechaban que la Unión Soviética tenía un plan para cambiar el viejo *cordon sanitaire*, el sistema de estados tapón tradicionalmente utilizado por Occidente para contener a Rusia. Un artículo del tratado despertó los temores occidentales más que ningún otro: un protocolo que permitía que cualquier estado fronterizo con Checoslovaquia o la Unión Soviética y que hubiera sufrido la agresión alemana se uniera al pacto. Estos términos afectaban a la mayor parte del este de Europa. Checoslovaquia, de modo inconsciente, se convirtió en el primer ladrillo de un muro que los soviéticos construirían entre ellos y Occidente. **◄1939.2 ►1944.11**

SEGUNDA GUERRA MUNDIAL

Los partisanos de Tito

9 En 1943, los partisanos yugoslavos transformaron la resistencia en revolución. A principios de año, tras sobrevivir a la primera de las tres ofensivas del Eje dirigidas a su «liquidación final», los partisanos empezaron a concentrarse en derrotar a los *chetniks*, nacionalistas serbios, de Dragoljub Mihajlović. En noviembre, después de que la caída de Italia pusiera gran parte de la costa adriática yugoslava bajo control partisano, establecieron un gobierno provisional que prohibió al jefe del los *chetniks*, el rey Pedro, volver del exilio. El dirigente partisano Josip Broz Tito se convirtió en mariscal y en presidente del Estado.

Hijo de un herrero croata, Tito (apodo de Broz) había sido dirigente de los comunistas de Yugoslavia cuando Alemania atacó en 1941, pero había hecho un llamamiento para que todos los grupos políticos y étnicos lucharan «como un solo hombre» contra los invasores. Al cabo de unos meses sus guerrilleros habían liberado la mitad de Yugoslavia. Los *chetniks*, apoyados por los británicos, al principio también lucharon contra los alemanes, pero los partisanos pronto se convirtieron en su principal problema. (Aunque la colaboración de los *chetniks* con los nazis desembocó en la ejecución de Mihajlović en 1946, hay historiadores que todavía discuten esta sentencia.) A pesar de la cantidad de bajas y de la falta de ayuda exterior, las fuerzas de Tito siguieron luchando y en septiembre de 1943 sus filas habían aumentado hasta doscientos cincuenta mil hombres.

Ese mes, Winston Churchill envió una comisión a Yugoslavia para «descubrir quién mataba a más alemanes». Tras conocer la respuesta, Gran Bretaña trasladó su apoyo a Tito. En diciembre, en la conferencia de Teherán, los aliados siguieron su ejemplo. En junio de 1944 los partisanos rechazaron la última ofensiva alemana y el mayo siguiente, un ataque partisano y soviético venció a los ocupantes. **◄1941.4 ►1948.6**

Tito (en su cuartel de la montaña), líder de la resistencia partisana de Yugoslavia.

LITERATURA

Resistencia existencialista

10 *El ser y la nada* hizo de Jean-Paul Sartre el teórico existencialista más influyente. El libro, de 1943, modelado según las ideas del filósofo alemán Martin

Intelectual de intelectuales: Sartre en París, fotografiado por Henri Cartier-Bresson.

Heidegger, declara que la conciencia, a diferencia de la materia, no está afectada por el determinismo. Aunque la existencia no tiene un propósito en esencia, los humanos son libres de crearlo a través de la acción. Para Sartre, la libertad y la responsabilidad son características de la acción política y de la escritura. **◄1942.13 ►1949.13**

ovarios, Papanicolaou podía detectar las células cancerígenas. ►1960.1

►MANDO SUPREMO—Como comandante de las fuerzas americanas en Europa, el general Dwight D. Eisenhower fue nombrado comandante en jefe de la fuerza expedicionaria aliada. En diciembre de 1943 empezó a planear la invasión

de Normandía y obtuvo victorias impresionantes en el norte de África, en Sicilia y en Italia.

►UN CANTOR AMERICANO —Woody Guthrie, una figura legendaria de la música popular americana a los 31 años de edad, publicó su autobiografía, *Bound for glory*, en 1943. Nacido en Oklahoma, Guthrie se fue de casa a los 15 años pero nunca abandonó su legado campesino. En los años veinte viajó en tren por todo el país y vivió duras experiencias que luego explicaría en miles de canciones como «Hard traveling» y «This land is my land». El hijo de Guthrie, Arlo, se convirtió en un intérprete importante de música *folk-rock*.

►LSD—Mientras experimentaba con un hongo que causaba enfermedades, el químico suizo Albert Hofmann ingirió un compuesto derivado y luego proclamó: «Con los ojos cerrados parecía que ante mí surgían imágenes fantásticas de plasticidad extraordinaria y de color intenso». Hofmann había descubierto de forma fortuita las propiedades alucinógenas del LSD.

►CONFERENCIA DE LAS NACIONES UNIDAS—El nombre de Naciones Unidas al principio se refería a los países (conocidos como «los aliados») que combatían al Eje. En mayo de 1943 delegados de los 31 aliados y 12 países «asociados» (los que habían roto relaciones diplomáticas con al menos un país del Eje) se

SEGUNDA GUERRA MUNDIAL: Enero: los aliados toman Papúa, Nueva Guinea; los alemanes se retiran del Cáucaso; conferencia de Casablanca; finaliza el asedio a Leningrado tras 900 días; los británicos entran en Trípoli [...] Febrero: los alemanes derrotados en Estalingrado; Estados Unidos recupera Guadalcanal; Rommel se retira a través del paso Kasserine [...] Marzo: Rommel vuelve a Alemania [...]

«SIN PIERNAS, SIN BROMAS, SIN VEROSIMILITUD.»—**El secretario de Walter Winchell en un telegrama a su jefe, después de haber visto *Oklahoma!* en un ensayo en New Haven**

reunieron en Hot Springs, Virgina, para la conferencia de alimentación y agricultura de las Naciones Unidas. Prometiendo mejorar la nutrición mundial y los niveles de vida después de la guerra, los conferenciantes nombraron una comisión provisional para estudiar la

producción internacional de alimentos y su distribución. Cuando las Naciones Unidas se reconstituyeron en 1945 como una organización internacional para mantener la paz, la comisión de alimentación se transformó en la Organización para la Alimentación y la Agricultura (FAO), el primer departamento especializado de las NU.

►EL KOMINTERN ENTERRADO—Stalin abandonó la revolución mundial en 1943 cuando disolvió la Tercera Internacional. Con el deseo de calmar los temores de sus aliados frente al expansionismo soviético, Stalin actuó así para asegurarles que la subversión no entraba en sus planes. Sin embargo, la mayoría de los partidos comunistas dependían de Moscú. ◄1935.9 ►1976.14

SEGUNDA GUERRA MUNDIAL

►LOS ALIADOS SE COORDINAN—En 1943 los dirigentes aliados celebraron varias sesiones para hablar de la estrategia a seguir; Stalin sólo participó en la última. En enero, en Casablanca, Churchill y Roosevelt decidieron invadir Sicilia en julio (y así ocurrió) y asaltar Rangún por mar (que no sucedió). En mayo, en Washington, acordaron realizar la operación Overlord, la invasión de Francia, en mayo de 1944; más tarde en Quebec pospusieron la fecha. En noviembre, en Teherán, se reunieron por primera vez los «tres grandes». Stalin ofreció atacar el frente este en

En el ballet de Agnes de Mille, los sueños de Laurey toman vida.

TEATRO

Un musical distinto

11 El 31 de marzo de 1943 Broadway levantó el telón con un espectáculo musical nuevo. En lugar de un número de apertura con coristas, el sorprendido público vio a una granjera de mediana edad que batía mantequilla. Un vaquero andaba muy despacio por el escenario cantando una oda a «una mañana preciosa». Casi tres horas después, el público estaba en pie. El nuevo equipo formado por Richard Rodgers y Oscar Hammerstein II había logrado un éxito y una nueva forma de arte provocaba una conmoción. Después de *Oklahoma!*, el teatro musical cambió para siempre.

Salvo raras excepciones como *Show boat* (1927), también compuesto por Hammerstein y con letra de Jerome Kern, los musicales de Broadway se habían centrado en estrellas, chistes y chicas; las canciones descaradas y los bailes rápidos no tenían relación con las tramas poco convincentes. En *Oklahoma!* el libretista Hammerstein, el compositor Rodgers, el coreógrafo Agnes de Mille y el director Rouben Mamoulian decidieron que cada elemento, diálogos, canciones, escenas y bailes, dramatizaría la historia de la granjera Laurey, su compañero, el vaquero Curly y el celoso mozo de labranza Jud. La partitura (que incluía «Oh, What a Beautiful Morning», «The surrey with the fringe on top», «I can't say no») era sentimental y muy rítmica. El primer número de baile de Mille era revolucionario: los sueños de Laurey sobre sexo, romance y peligro la hacían mucho más compleja que las típicas heroínas. musicales. Al público le encantó *Oklahoma!* Durante cinco años estuvo en cartel y sus innovaciones permanecieron en el género. **◄1927.8 ►1965.12**

IDEAS

El análisis del mal

12 Como judío prisionero en un campo de concentración, el psicoanalista vienés Bruno Bettelheim permaneció lúcido mientras observaba con ojo clínico los horrores que le rodeaban. Después de que la intervención de Eleanor Roosevelt y del gobernador de Nueva York Herbert Lehman le permitiera emigrar a Estados Unidos, Bettelheim recopiló sus descubrimientos en un ensayo angustioso titulado «Conducta individual y general en situaciones extremas», que apareció en la edición de octubre de 1943 de *The Journal of Abnormal and Social Psychology.*

El estudio de las respuestas de los prisioneros en condiciones de terror, humillación y carencia resultó esencial para la anticipación de los problemas de rehabilitación de los supervivientes durante la posguerra. Su autor, de 40 años de edad, se hizo famoso y el texto se convirtió en lectura indispensable para las autoridades de ocupación aliada en Europa.

Antes de su internamiento, Bettelheim, animado por Anna Freud, se había especializado en niños autistas. En América, como director (desde 1944) de la Sonia Shankman Orthogenic School de la Universidad de Chicago, creó un entorno vital favorable para jóvenes perturbados y utilizó técnicas que neutralizaban las prácticas de destrucción del alma de los campos. Sus métodos (descritos en libros como *El amor no es suficiente*) resultaron influyentes y controvertidos al igual que sus opiniones sobre el desarrollo infantil *(Un buen padre)* e incluso sobre los cuentos de hadas *(Los usos de la magia)*. A pesar de su gran penetración psicológica, nunca escapó a sus demonios: se suicidó en 1990, obsesionado con la muerte de su esposa y con sus pesadillas sobre Dachau y Buchenwald. **◄1923.4 ►1944.10**

«La civilización es el proceso de liberar al hombre de los hombres.»—**Ayn Rand, *El manantial***

LITERATURA

Glorificación del individualismo

13 La novela didáctica de Ayn Rand *El manantial* fue rechazada docenas de veces antes de ser publicada en 1943. El libro, de 754 páginas, se convertiría en una de las obras de ficción más populares del siglo. Aunque no se distinguió por su calidad literaria, fue un vehículo para la filosofía objetivista de Rand, basada en un individualismo no comprometido y un egoísmo sin disculpa.

Rand había emigrado a América desde Rusia en 1926, cuando tenía 21 años de edad. Al ver por primera vez la silueta de Manhattan desde el barco prometió escribir una novela con los rascacielos como tema. *El manantial* glorifica este «símbolo del éxito». En el libro, el dinámico arquitecto Howard Roark hace estallar un proyecto de viviendas que ha diseñado después de que la burocracia deshace sus planes. «La autoridad de lo gastado, de lo mediocre, del antiguo monstruo se ha desatado y ha enloquecido», declara el arquitecto. Roark, la encarnación del objetivismo, despreciaba a los «colectivistas»,

La individualista Ayn Rand detestaba el moderno estado del bienestar.

afectados por el altruismo, la fe religiosa y la mentalidad gregaria.

Aunque no fue apreciado por la mayoría de filósofos, el objetivismo se convirtió en una industria, completada con seminarios, conferencias y grabaciones. Rand, «capitalista radical» declarada, fomentó la visión del «hombre como un ser heroico, con su propia felicidad como meta en la vida, con logros productivos como su actividad noble y con la razón como el único absoluto». **◂1943.10**

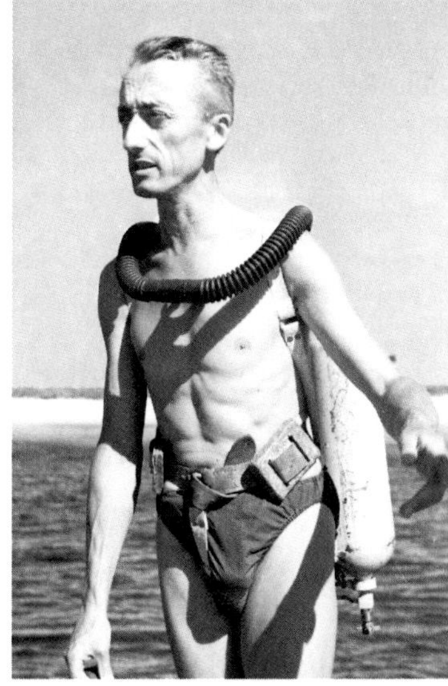

Jacques-Yves Cousteau con un antiguo diseño de Aqua-Lung.

TECNOLOGÍA

Descubrimiento del mundo oceánico

14 En enero de 1943 un joven ingeniero naval francés, Jacques-Yves Cousteau, y su socio Emile Gagnan transportaron un aparato compuesto de poco más de un regulador y dos depósitos de aire comprimido al río Marne, a las afueras de París. Iban a probar un aparato que los inventores habían intentado construir durante un siglo: un artilugio parecido a una mochila que suministrara aire a un buzo de modo autónomo, sin necesidad de una conexión con la superficie.

La mujer de Cousteau tomó fotografías cuando él se metió en el agua. Un minuto más tarde volvió a salir, maldiciendo. El Aqua-Lung, como lo llamaron sus creadores, fallaba. Pero unas horas más tarde, tras realizar unos pequeños ajustes, Cousteau volvió a ponérselo y se sumergió en un depósito cubierto. Respiró cómodamente mientras se movía bajo el agua. El aparato respiratorio submarino autónomo funcionaba.

El Aqua-Lung revolucionó la exploración submarina. En los años siguientes, dos barcos de investigación, el sueco *Albatross* y el danés *Galathea*, rastrearon, exploraron y diseñaron mapas de los fondos oceánicos a profundidades sin precedentes; el equipo les permitió permanecer y trabajar bajo el agua como nunca se había podido hacer.

Gagnan, muy retraído, no alcanzó la fama por su invento, pero Cousteau se hizo muy popular. Pionero en el arte de la fotografía submarina, dirigió su propio barco de investigacion, el *Calypso*. A través de películas, de la televisión y de los libros, el capitán Cousteau llevó al gran público a las profundidades del mar. **▸1977.NM**

LITERATURA

El pequeño príncipe

15 Antoine de Saint-Exupéry fue un piloto y escritor que nunca se sintió feliz en tierra. No obstante, un aterrizaje forzoso resultó casi afortunado. Al intentar establecer un récord de vuelo entre París y Saigón, se estrelló en el desierto del Líbano, donde casi murió de sed. Años después, esta experiencia fue la base para su libro infantil de 1943, *El pequeño príncipe*. La historia alegórica de un piloto caído de un avión, que conoce a un joven príncipe del asteroide B-612, entusiasmó a niños y a adultos. El príncipe, mientras explica su viaje interplanetario, describe a la mayoría de los adultos que ha conocido como avaros, egoístas y sin imaginación. En cambio el mismo príncipe, un niño eterno, está lleno de buenas intenciones, espontaneidad y sentido común.

Saint-Exupéry había sido un autor para adultos durante una década, famoso por novelas como *Vuelo nocturno* y sus memorias *Viento, arena y estrellas*, que utilizaba las bellezas y peligros de la aviación como materia de sus elucubraciones filosóficas sobre la disciplina, la integridad, la fraternidad y las alegrías que se ganan sólo si se arriesga todo.

El pequeño príncipe posando para su «mejor retrato».

cuanto se iniciara la operación Overlord (y lo hizo). También prometió intervenir contra Japón. (Lo hizo, en cierto modo: los soviéticos invadieron Manchuria un día antes de la rendición de Japón.)

▶EL PEOR ENEMIGO DE HITLER—El *Führer* (que había tomado el mando militar en persona después de que Estados Unidos entrara en la guerra) normalmente ignoraba los consejos de sus estrategas capacitados. Con su megalomanía, colocaba en situaciones difíciles a su ejército y culpaba a sus generales cuando llegaban las inevitables derrotas. Un ejemplo dramático: ordenó a sus soldados, con pocas armas, que resistieran en el frente este contra 5,5 millones de rusos en 1943. Lo hicieron y fueron aplastados.

▶YAMAMOTO ASESINADO —Japón perdió a su mejor dirigente militar en 1943. Los cazas americanos atacaron al almirante en el cielo del Pacífico. Yamamoto, artífice

del ataque a Pearl Harbor, se dirigía a revisar sus tropas de las islas Salomón. El servicio de inteligencia aliado interceptó su itinerario y los atacantes se hallaban en el aire y alerta cuando el avión de Yamamoto apareció ante su vista el 18 de abril.

▶ATTU Y KISKA —Para intentar desviar la atención de su inminente ataque sobre Midway, en 1942 Japón desembarcó tropas en dos islas Aleutianas occidentales, Attu y Kiska. Estados Unidos dejó a los invasores solos sobre las estériles rocas del Pacífico, el único territorio norteamericano ocupado durante la guerra, hasta 1943. En mayo, soldados americanos arribaron a Attu y mataron a todos los japoneses, muchos de los cuales murieron en cargas suicidas. La estela funeraria de un piloto

«Sospecho que si Shakespeare viviera, sería un aficionado al jazz.*»*—**Duke Ellington**

americano derribado en Kiska y enterrado por los japoneses (*inferior*), dice: «Aquí descansa un valiente héroe que perdió su juventud y felicidad por su madre patria. 25 de julio, ejército japonés». Japón se retiró de Kiska antes de que una fuerza anfibia americana desembarcara en agosto.

▶BOMBARDEO EN PLOESTI —Los ricos campos petrolíferos de Ploesti, Rumanía, eran vitales para los alemanes. Los aliados lo sabían y por eso los destruyeron. Volando 1.400 km desde Libia, una oleada de bombarderos americanos llegaron a Ploesti el 1 de agosto y destruyeron la mitad de las refinerías (*superior,* la Astra, una refinería rumana). De los 177 aviones que participaron en la operación fueron derribados 54 con unas pérdidas de 532 hombres.

▶BOMBAS DÍA Y NOCHE —Las ténicas eran distintas; los efectos igual de mortales: los bombarderos británicos preferían volar de noche y atacar en una línea baja y larga; los americanos, como planeaban en grupos pequeños a gran altura, preferían los ataques de día. En el verano y a principios de otoño de 1943, los ataques aliados mataron a cuarenta mil personas en los bombardeos del Ruhr, Hamburgo y Berlín. Los desesperados defensores construyeron falsas ciudades en las afueras de Berlín y Hamburgo, pero las bombas encontraban sus objetivos.

Frank Sinatra en *Meet Danny Wilson* (1952) en la que interpreta a un cantante que se relaciona con estafadores.

MÚSICA

La Voz

16 Con los hombres americanos en la guerra, las jóvenes americanas encontraron una nueva fuente de sensaciones en un muchacho escuálido, de ojos azules, de Hoboken, Nueva Jersey. En 1943 Frank Sinatra obtuvo su primer disco de oro, «All or Nothing at All». Con 26 años de edad, acababa de dejar la Tommy Dorsey Band y desde el momento en que empezó su carrera en solitario causó sensación. Las mujeres se desmayaban cuando «la Voz» interpretaba melancólicas canciones de amor. La «sinatramanía» se difundió por el país, dejando una multitud de adolescentes estremecidas a su paso. «Era un muchacho flaco con unas orejas grandes», recordaba Dorsey, inspirador de la técnica de Sinatra, «pero el efecto que tenía en las mujeres era algo tremendo. Y lo tenía cada noche, fuera donde fuera».

Lo que hacía Sinatra era cantar con tal intimidad que todas las mujeres sentían que lo hacía para ellas. En octubre de 1944, treinta mil admiradoras histéricas intentaron asaltar la sala Paramount, y establecieron así el precedente de las reacciones ante Elvis Presley y los Beatles. La era de las Big Bands había terminado. Los vocalistas reinaban, y Sinatra era el rey indiscutible.

Sin cambios durante casi diez años, «la Voz» se calló en 1952. Tenía dañadas las cuerdas vocales, su vida personal iba mal (se casó cuatro veces) y su fama disminuyó. Tuvo un regreso destacable como estrella de cine. Ganó un Óscar en 1953 por *De aquí a la eternidad* y luego consiguió colocarse varias veces en las listas de éxitos. Sinatra, a pesar de los cambios de las modas musicales, reúne multitudes incluso en los años noventa. **◂1935.7 ▸1951.11**

MÚSICA

El efecto Ellington

17 *Black, brown, and beige*, una obra para orquesta de Edward Kennedy «Duke» Ellington, se estrenó en el Carnegie Hall de Nueva York en enero de 1943. Compuesta como un «paralelo musical» de la historia afroamericana, la obra se dividía en tres secciones: la primera, basada en espirituales, evocaba los tiempos de la esclavitud y el desarrollo de la iglesia negra; la segunda, impregnada de *blues* y motivos de los indios del oeste, recordaba la emancipación y homenajeaba el papel de los soldados negros en las guerras americanas; y la tercera se refería a Harlem y a «todos los pequeños Harlem de Estados Unidos» (como dijo Ellington). Aunque algunos críticos pusieron reparos, la mayoría constataron una revolución: el *jazz* se había convertido en música «seria».

El concierto de 57 minutos, el primero de los ocho conciertos orquestales anuales del Carnegie, inauguró el período más rico del compositor. (Fue un maestro de la música, desde la bailable hasta la sacra.) La única grabación del Carnegie Hall era una clandestina que no se editó hasta treinta años después: tras un concierto en Boston, la orquesta de Ellington no volvió a interpretar *Black, brown, and beige* en su totalidad. En realidad nadie volvió a oírla tocada como aquella noche: aunque Ellington estaba preocupado por la estructura más que ningún otro compositor de *jazz* anterior, consideraba la partitura como un esbozo de la composición, no como algo definitivo. Reescribía sus piezas hasta el último minuto y esta partitura nunca fue publicada.

Elegante y versátil: Duke Ellington antes de su primera gira europea (1933).

Para Duke Ellington la orquesta era un instrumento gigante que debía ser tocado según dictaba el ánimo. Los aficionados llamaban a su mezcla de sofisticación y espontaneidad el «efecto Ellington». **◂1927.9 ▸1945.15**

CIENCIA

Decodificar la genética

18 En 1943, un científico de procedencia canadiense llamado Oswald Avery *(inferior)* y dos ayudantes identificaron el agente responsable de la transferencia de la información genética de una generación a la siguiente. Avery, bacteriólogo en la plantilla del Instituto Rockefeller de Nueva York, había centrado su investigación en los neumococos. Estos microbios existían en dos formas, una relacionada con la neumonía humana y la otra no. Por raro que parezca, la mera presencia del primer tipo, incluso tras su muerte, transformaba a las crías de la segunda en una forma virulenta. Aunque los biólogos habían intentado aislar el elemento químico que transmitía el mensaje genético no habían conseguido identificarlo.

A través de un proceso de eliminación que duró casi una década, el equipo de Avery pudo determinar que la sustancia *no existía*. Lo que *sorprendió* a los genéticos era una molécula que se creía irrelevante; ácido desoxirribonucleico, o ADN. Después de la publicación de los resultados de Avery en 1944, los científicos empezaron a estudiar el ADN con profusión. Finalmente descubrieron que portaba el código genético de toda la vida terrestre, desde las bacterias y la mayoría de virus hasta las secuoyas y las ballenas. **▸1953.1**

PREMIOS NOBEL: Paz: Sin galardón [...] Literatura: Sin galardón [...] Entrega retroactiva de los premios en 1944: Química: George de Hevesy (húngaro; utilización de los isótopos como indicadores) [...] Medicina: Henrik Dam y Edward XA. Doisy (danés, estadounidense; vitamina K) [...] Física: Otto Stern (estadounidense; fuerza magnética del protón).

Radiaciones

de Ernst Jünger

Ernst Jünger nació en Heidelberg en 1895 y se dedicó a la zoología y a la filosofía al mismo tiempo que desarrollaba su vocación literaria. Reflejó la tragedia de la Primera Guerra Mundial en Tempestades de acero. Radiaciones *es el nombre de sus diarios escritos entre 1939 y 1948 y constituyen un testimonio personal que ya forma parte de la historia. Durante la Segunda Guerra Mundial fue oficial del ejército pero nunca se alineó con el Partido Nacional Socialista de Hitler y siempre estuvo en contra del nazismo. En* Jardines y carreteras, *diarios de la época de la invasión alemana de Francia, ni siquiera menciona a Hitler o al Partido, que viven su máximo esplendor. Además de los diarios, escritos durante toda su vida, Jünger es autor de novelas y ensayos. En octubre de 1942 Jünger es enviado a Rusia en misión política y permanece allí hasta principios del año siguiente. A continuación, un fragmento de* Radiaciones *fechado el 7 de enero de 1943 en Voroshilovsk.*

Voroshilovsk, 7 de enero de 1943

En el Estado Mayor la moral era más baja que entre la tropa; sin duda se debe a que en él se tiene una visión de la situación en su totalidad. Los cercos provocan un estado de ánimo no conocido en guerras anteriores de nuestra historia —ese agarrotamiento que corresponde a la aproximación al punto cero absoluto.

Tal cosa no puede deberse a los hechos como tales, por muy espantosa que sea la perspectiva de sucumbir en el hielo y la nieve en medio de aplastadas multitudes de cadáveres y moribundos. Se trata, antes bien, del estado de ánimo propio de seres humanos que creen que la aniquilación es completa.

En un gran Estado Mayor se oye el roce producido por la red que va cerrándose; casi a diario se ve que una de sus mallas ha enganchado algo. Es en esos sitios donde resulta posible estudiar los temperamentos, en semanas en que va anunciándose poco a poco el pánico, como en el mar unas corrientes suaves anuncian la marea invisible, pero ya próxima. En esa fase los seres humanos se apartan los unos de los otros; se vuelven taciturnos, meditabundos, como en la pubertad. Pero en los más débiles se hace ya visible lo que cabe aguardar. Son los puntos de resistencia mínima, como ese pequeño teniente que era presa de un ataque de llanto en el momento en que yo entraba en su despacho a buscarlo.

Ernst Jünger

También la población está inquieta; en el mercado hacen aparición las mercancías acaparadas, el valor de los billetes de banco sube. Los campesinos, que se ven obligados a quedarse aquí, buscan los billetes rusos; los habitantes de las ciudades, una parte de los cuales quiere acompañar a los alemanes en la retirada, buscan los billetes alemanes. Se oye decir que cosas parecidas han ocurrido ya en el sector del I Ejército blindado, y también que quienes se echaron al camino con la mujer y los hijos quedaron descolgados al segundo o tercer día y ahora su situación es peor aún que antes, ya que esa tentativa de huida sellará su destino.

Naturalmente los rusos están intentando ahora volar los puentes y las vías férreas y a ese fin dedican numerosas patrullas de sabotaje, que en parte se infiltran por las brechas del frente y en parte saltan en paracaídas. El jefe de los servicios de contraespionaje de este Grupo de Ejércitos me ha contado algunos detalles de una de esas patrullas, compuesta de seis miembros, tres hombres y tres mujeres. De los hombres, dos eran oficiales del Ejército Rojo y el tercero era un radiotelegrafista; de las mujeres, una era radiotelegrafista, la segunda exploradora y encargada de las vituallas, y la tercera, enfermera. Los seis fueron hechos prisioneros mientras pasaban la noche en un pajar. No habían podido llevar a cabo su objetivo, que era el volar puentes, ya que el paracaídas en el que iban los explosivos había caído en un pueblo. Las mujeres, estudiantes de bachillerato, habían servido primero en el Ejército Rojo y luego fueron enviadas a realizar un cursillo de sabotaje. Un buen día aquellas seis personas tuvieron que prepararse para partir; las montaron en un avión y las lanzaron detrás de las líneas alemanas, sin que nadie les hubiera dicho cuál era su cometido. El equipo consistía en metralletas, también la enfermera portaba una, así como en un radiotransmisor, conservas, dinamita y un botiquín.

Rasgo humano: en el momento de la detención una de las muchachas se abalanzó sobre el médico ruso que acompañaba al alcalde y a los soldados alemanes, trató de abrazarlo y lo llamó «padre». Luego se echó a llorar y dijo que aquel hombre tenía el mismísimo aspecto que su padre.

Los viejos nihilistas de 1905 celebran su resurrección en estas personas, aunque desde luego las circunstancias han cambiado. Los medios de que se valen, las misiones que quieren cumplir, su estilo de vida siguen siendo los mismos. Sólo que ahora es el Estado el que proporciona la dinamita.

A primera hora de la mañana en el mercado, donde había muchísima gente. La situación incita a vender, ya que resulta más fácil llevarse dinero que mercancías. Ahora la comida es muy abundante; se derrochan las existencias. He visto soldados que chamuscaban gansos en los jardines; en la mesa se apilaban montones de carne de cerdo. Vislumbré el remolino de terror que anuncia la aproximación de columnas de ejércitos orientales.

A mediodía en el despacho del comandante en jefe, el teniente general Von Kleist; lo encontré delante del mapa, con aire preocupado. Bella la manera como pasé así del trajín del mercado al centro de las cosas. La perspectiva de los generales está enormemente simplificada, pero al mismo tiempo posee una altura demoniaca. Los destinos singulares desaparecen de la vista, pero espiritualmente están presentes, se suman a la atmósfera, cuya presión es enorme.

En el antedespacho me entregó un telegrama el oficial de transmisiones; mi padre está grave. Al mismo tiempo está corriendo el rumor de que el ferrocarril de Rostov se halla cortado. Por casualidad tropecé con el teniente coronel Krause, con el que me unen tratos anteriores, especialmente desde las jornadas clandestinas celebradas en Eichhof. Krause estaba aguardando un avión de Berlín y me lo ofreció para el regreso. Mientras estaba hablando con él de esto, el jefe de personal del comandante en jefe me hizo llegar el recado de que hay reservada una plaza para mí en el avión correo que mañana a primera hora despega de Armavir. Dentro de dos horas sale un automóvil para esa ciudad.

«Vais a ser responsables de la destrucción del aparato de guerra alemán, de la eliminación de la tiranía nazi sobre los pueblos oprimidos de Europa y de nuestra propia seguridad en un mundo libre.»—**Eisenhower, antes del desembarco de Normandía**

HISTORIA DEL AÑO

El día D empieza la cruzada aliada

1 Fue la mayor invasión marítima de la historia, participaron dos mil barcos, cuatro mil lanchas de desembarco y once mil aviones. Mientras los soldados aliados cruzaban el canal de la Mancha hacia Normandía el 6 de junio de 1944, sus oficiales leyeron la orden del día del comandante en jefe en Europa: «Estáis a punto de empezar una gran cruzada», comenzaba la declaración del general Eisenhower. La cruzada era la operación Overlord: la reconquista del norte de Europa tras cuatro años de dominio nazi.

En un principio planeado para 1942, el desembarco había sido aplazado varias veces, con un último retraso de 24 horas a causa de la peor tormenta del último cuarto de siglo. El día D (término empleado para referirse al primer día de cualquier operación militar, aunque se ha convertido en sinónimo de esta invasión en el habla popular) empezó con incursiones de paracaidistas antes del alba. Los dragaminas limpiaron las aguas mientras los acorazados y los bombarderos atacaban las posiciones enemigas. Se construyeron puertos flotantes prefabricados. A las 06.30 horas, soldados americanos, británicos y canadienses bajo las órdenes del general Montgomery empezaron a abarrotar las playas de Utah, Omaha, Gold, Juno y Sword (nombres en clave). Tras atravesar las frías olas y precipitarse tierra adentro en tanques anfibios, lucharon contra los obstáculos de acero y las alambradas para recuperar los primeros trozos de suelo francés. Al final del día, unos ciento cincuenta y cinco mil hombres habían alcanzado tierra.

Soldados americanos en el desembarco en la playa de Omaha.

Aunque la preparación del desembarco resultó demasiado masiva para disimularla, las discusiones entre los altos mandos nazis entorpecieron la respuesta alemana. Hitler y Rommel (que supervisaban las operaciones en Francia) discutían con Runstedt, comandante en jefe del Frente Occidental, sobre el lugar de la probable invasión y la mejor línea de defensa. Cuando se inició el ataque, Hitler pensó que era un simulacro y retuvo sus fuerzas para la invasión «real». Sólo en la playa de Omaha hubo una resistencia dura al principio, con tres mil americanos muertos en el primer día de lucha. Los invasores se esparcieron rápidamente a lo largo de los 160 km de la costa.Cherburgo resistió durante diez días, Caen durante más de un mes. Sin embargo, a mediados de agosto los aliados habían salido de Normandía y atravesaban Francia. Los Países Bajos y la propia Alemania estaban ante ellos. **◂1943.5 ▸1944.4**

SEGUNDA GUERRA MUNDIAL

Medidas desesperadas de Hitler

2 El aparato de guerra nazi empezó a fallar mucho antes de que las fuerzas aliadas entraran en Alemania. Las bombas tenían buena parte de culpa, tanto las lanzadas desde los aviones como las colocadas en tierra por unos conspiradores. En ambos casos, la respuesta de Hitler consistió en aterrorizar a sus enemigos, reales y supuestos.

Un cohete V-2 que no explotó colocado en Trafalgar Square, Londres.

A mediados de 1944, la prolongada ofensiva aérea de los aliados había conseguido minar la producción de aviones y el combustible alemán. En contraste, las fábricas británicas y americanas producían grandes cantidades de aeroplanos. Cuando los escuadrones de bombarderos destruían las ciudades alemanas, la Luftwaffe no podía vengarse; sin embargo, los alemanes desarrollaron un arma secreta: las bombas volantes.

La primera en aparecer fue la V-1. Alcanzaron Gran Bretaña en junio; en marzo de 1945, cuando explotó la última, habían matado a más de cinco mil personas, la mayoría en Londres. Los aliados tomaron las principales bases de V-1, cerca de Calais, en septiembre de 1944. Luego llegó la V-2 supersónica, aún más devastadora (una sola podía destruir una manzana de casas) y más difícil de interceptar. Lanzadas desde Holanda, las V-2 mataron a más de dos mil personas. Los ataques con misiles V eran peores que los bombardeos de 1940, pero no consiguieron acabar con la voluntad de lucha de Gran Bretaña.

Sin embargo, la moral alemana estaba rota. En julio un grupo de oficiales y de funcionarios civiles, consternados por las derrotas en el campo de batalla y por las atrocidades, intentaron dar un golpe. El coronel Claus von Stauffenberg colocó una bomba en el cuartel que Hitler tenía en la Prusia oriental. Hitler sólo resultó levemente herido. Los ocho golpistas fueron estrangulados y colgados de ganchos de carne; otras cinco mil personas fueron ejecutadas, incluidas las familias de los supuestos conspiradores. (Erwin Rommel, el héroe del África Korps pudo elegir entre un juicio público y el suicidio; escogió lo último.) Hitler ya no se fiaba de nadie. **◂1940.11 ▸1945.10**

SEGUNDA GUERRA MUNDIAL

Los nazis fuera de Rusia

3 La Unión Soviética venció a los invasores alemanes en 1944. Los triunfos del año empezaron con la liberación de Leningrado, lugar de nacimiento de la revolución bolchevique, tras el asedio más largo de la historia moderna.

Desde otoño de 1941, fuerzas germano-finesas cercaron Leningrado en un «círculo de acero». El hambre, las enfermedades, el frío y los bombardeos mataron a seiscientos cincuenta mil habitantes sólo en 1942. El invierno fue terrible: descalzos, en busca de alimentos o muebles para quemar, familias enteras esperaban la muerte. Por todas partes yacían cuerpos congelados.

A principios de 1943 las fuerzas soviéticas rompieron el bloqueo pero no consiguieron levantar el sitio. El 14 de enero de 1944, se reanudaron los combates. El 27 del mismo mes el asedio había terminado. Durante los meses siguientes los soviéticos fueron recuperando ciudad tras ciudad. En mayo, Hitler ordenó la retirada general de Rusia; en septiembre, los soldados soviéticos

En Leningrado descuartizan a un caballo muerto en la batalla que finalizó un asedio de 900 días.

ARTE Y CULTURA: Libros: *El enano* (Pär Lagerkvist); *El filo de la navaja* (W. Somerset Maugham); *Darwinismo social en el pensamiento americano* (Richard Hofstadter) [...] Música: «Don't Fence Me In» (Cole Porter); «Sentimental Journey» (Homer, Brown y Green); «Moonlight in Vermont» (Suessdorf y Blackburn); *Bachianas brasileiras* (Heitor Villa-Lobos) [...]

«Sí, no tenemos Cassino / Hoy no tenemos Cassino / Tenemos Aversa, Caserta, Mignano, Minturno / y la querida vieja Nápoles / pero, sí, no tenemos Cassino / Hoy no tenemos Cassino.»—**Canción de los soldados norteamericanos en Italia**

perseguían a los invasores a través de Polonia hacia la frontera alemana. Las fuerzas del Eje sólo resistieron en Letonia.

El ejército rojo luchó contra sus vecinos bajo dominio nazi. Cuando los soviéticos atacaron Rumanía, el rey Miguel derrocó al dictador Ion Antonescu. Tras firmar un armisticio con la Unión Soviética, Miguel declaró la guerra a Alemania. En Bulgaria, Kimon Georgiev, un coronel de izquierdas, tomó el poder y siguió el ejemplo de Rumanía. Las fuerzas de Stalin entraron en Yugoslavia, se unieron a los partisanos de Tito y marcharon sobre Albania. A finales de año, los soldados soviéticos estaban en Hungría. Se estaba formando un nuevo imperio. **◂1943.2 ▸1945.2**

SEGUNDA GUERRA MUNDIAL

Liberación de París

4 A mediados de agosto de 1944, un millón de soldados aliados desembarcaron en Normandía y abrieron brechas en las líneas alemanas. Fuerzas de la Francia Libre y de Estados Unidos desembarcaron en la Riviera y avanzaron hacia el norte. Para ayudar a los liberadores, los combatientes de la resistencia saboteaban puentes y líneas telefónicas, tendían emboscadas y tomaban puntos estratégicos. El 19 de agosto estalló en París un alzamiento armado. Hitler ordenó quemar la ciudad pero el comandante de la guarnición Dietrich von Choltitz desobedeció. El 25 de agosto se rindió al general Jacques Philippe Leclerc. Tras cuatro años de ocupación alemana, la capital era libre.

Horas más tarde, los parisinos aclamaron al general Charles de Gaulle, cuyo Comité de Liberación Nacional se había autoproclamado gobierno provisional de Francia. Sin embargo, cuando los dirigentes de la resistencia le pidieron que proclamara la república desde el balcón del Ayuntamiento, se negó. «La república», dijo, «no ha dejado de existir».

La resistencia había mantenido vivo el espíritu de la república, pero en sus filas existían grandes desacuerdos sobre el futuro de la nación. El movimiento incluía grupos tan diversos como Combat, compuesto por profesionales, negociantes y oficiales del ejército; Libération, que movilizaba a los obreros; Franc-Tireur, dirigido por intelectuales de izquierdas; y Témoignane Chrétien, de base confesional. En las montañas estaban los maquis, un ejército guerrillero de jóvenes que huían de los trabajos forzados de Alemania. El grupo más fuerte de Francia lo constituía el Frente Nacional, de ideas comunistas. El nuevo gobierno tendría que evitar los sectarismos para no provocar una guerra civil. Por supuesto, la mayoría de ciudadanos franceses habían hecho muy poco para liberarse de la represión nazi. Aun así, las cortes se encargaron de juzgar y procesar a todos aquellos acusados de colaboracionismo. Aproximadamente unos nueve mil ciudadanos fueron ejecutados por el sumario que presentaban; otros setecientos más fueron ejecutados tras el juicio. La traición fue castigada con la humillación pública: cientos de mujeres fueron castigadas y mostradas desnudas por las calles por dormir con el enemigo.
◂1943.6 ▸1945.2

La humillación de una colaboracionista, captada por el fotógrafo Robert Capa. El padre de su hijo era un ocupante alemán.

Los tanques americanos frente al Coliseo.

SEGUNDA GUERRA MUNDIAL

Cassino, Anzio y Roma

5 En 1944 las fuerzas del general británico Harold Alexander (el 5.° ejército norteamericano, bajo el teniente general Mark Clark y el 8.° británico bajo el general Oliver Leese) comprendieron que Italia, antes considerada como una parte «indefensa» de Europa, era una plaza fuerte. El terreno era áspero, contaban con menos hombres que el mariscal de campo Albert Kesselring y encontraron fortificaciones a lo largo de la línea Gustav.

Este frente separaba el sur de Italia de Roma y dependía de Cassino, cuyo monasterio-fortaleza del siglo VI, todavía habitado por monjes benedictinos, dominaba un peñasco de más de 500 m de altura. Incluso después de que los bombarderos aliados destrozaran el pueblo y sus alrededores, los hombres de Kesselring resistieron en las ruinas. El 22 de enero, una fuerza aliada desembarcó en el puerto de Anzio, tras la línea Gustav, sólo para languidecer durante 123 días sangrientos. Por fin, en mayo, tropas polacas asaltaron Monte Cassino y la fuerza de Anzio liberó la ciudad; el 5 de junio los aliados entraron en Roma. La Ciudad Eterna se hallaba relativamente ilesa y las multitudes aclamaron a los soldados. Pero el valor de Roma era simbólico, no estratégico.

Kesselring se retiró al norte hacia Florencia, que permaneció en poder de los alemanes hasta mediados de agosto. (Los nazis olvidaron sus promesas de respetar los tesoros históricos de la ciudad y dinamitaron sus puentes renacentistas. El bombardeo americano también pasó factura.) En octubre, cuando las lluvias de otoño dificultaron la lucha, el avance aliado se atascó en un nuevo frente, que iba desde el mar de Liguria hasta el norte del Adriático: la línea Gótica. **◂1943.5 ▸1945.2**

NACIMIENTOS

Angela Davis, activista política estadounidense.

Richard Leakey, arquéologo británico.

George Lucas, director cinematográfico estadounidense.

Chico Mendes, político brasileño.

Reinhold Messner, escalador italiano.

Jimmy Page, músico británico.

Diana Ross, cantante estadounidense.

Sirhan Sirhan, asesino palestino-estadounidense.

Alice Walker, escritora estadounidense.

MUERTES

Joaquín Álvarez Quintero, dramaturgo español.

Leo Hendrik Baekeland, químico estadounidense.

Alexis Carrel, cirujano franco-estadounidense.

Galezzano Ciano, político italiano.

Jean Giraudoux, escritor francés.

Wassily Kandinsky, pintor franco-ruso.

Arístides Maillol, artista francés.

F. T. Marinetti, escritor italiano.

Glenn Miller, músico estadounidense.

Piet Mondrian, pintor holandés.

Edvard Munch, pintor noruego.

Kan Sha Reza Pahlevi, dirigente iraní.

Erwin Rommel, general alemán.

Antoine de Saint-Exupéry, aviador y escritor francés.

Ida M. Tarbell, periodista estadounidense.

Ernst Thälmann, político alemán.

Wendell Willkie, político estadounidense.

Pintura y escultura: ***White Balancing Act*** **(Wassily Kandinsky) [...] Cine:** ***Siguiendo mi camino*** **(Leo McCarey);** ***Perdición*** **(Billy Wilder);** ***Náufragos*** **(Alfred Hitchcock);** ***Enrique V*** **(Laurence Olivier); [...] Teatro:** ***A puerta cerrada*** **(Jean-Paul Sartre);** ***La dama del alba*** **(A. Casona);** ***El adefesio*** **(R. Alberti)**

«Por muy atormentado que esté por las preocupaciones e incluso con problemas físicos por su culpa, nada puede hacer cambiar mi decisión de luchar hasta que al final la balanza se incline hacia nuestro lado.»—**Adolf Hitler, en la batalla de las Ardenas**

NOVEDADES DE 1944

Chiquita Banana.

Le Monde (Paris).

EN EL MUNDO

▶**ROSIE LA REMACHADORA—En 1944 la incorporación masiva de las mujeres al trabajo alcanzó su cumbre. Cerca de la mitad de las mujeres americanas trabajaban fuera de casa. Tras el soldado Joe en el frente de batalla, estaba Rosie la Remachadora en el frente de casa, homenajeada en una canción popular y por Norman Rockwell en la portada del *Saturday Evening Post*. Armadas con una pistola remachadora y vistiendo pantalones, millones**

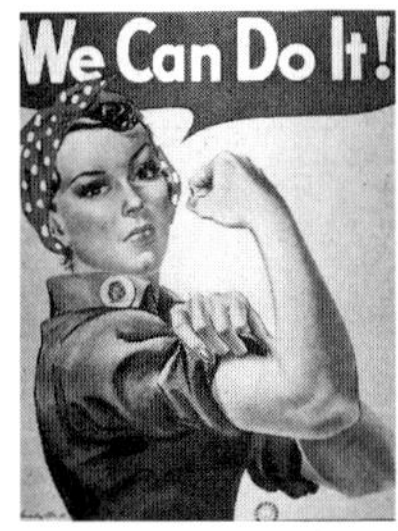

de Rosies irrumpieron en las industrias de armas tradicionalmente de dominio masculino.

▶**JUGADOR EXPERTO—En su libro de 1944 *Game Theory and Economic Behavior* (coescrito con Oskar Morgenstern), el americano de origen húngaro John von Neumann, un genio de los números, empleó una lógica avanzada para abordar problemas difíciles de la vida real. El sistema de Von Neumann trataba no sólo de la economía sino también la diplomacia, la carrera de armamento y otras interacciones sociales complejas como juegos regidos por normas, en los que los jugadores intentaban maximizar las ganancias; un individuo, una compañía o una nación podía obtener resultados óptimos utilizando principios matemáticos. ▶1948.12**

Entre las ruinas de Varsovia, rebeldes y funcionarios de la Cruz Roja piden la paz.

SEGUNDA GUERRA MUNDIAL

Varsovia traicionada

6 Durante cinco años de ocupación alemana, se asesinó al 20 % de la población polaca. No obstante, a finales de julio de 1944, las esperanzas resurgieron cuando las fuerzas soviéticas llegaron a las afueras de Varsovia. Animado por las autoridades soviéticas, el ejército polaco clandestino se rebeló contra los ocupantes alemanes de la capital el 1 de agosto; al cabo de unos días los polacos habían recuperado la ciudad. Luego, increíblemente, el ejército rojo se detuvo en el río Vístula y esperó acontecimientos. Sin ningún impedimento, los alemanes atacaron Varsovia. Los polacos, sin suministro, resistieron durante 63 días antes de rendirse. Unos doscientos mil habitantes murieron, la ciudad estaba en ruinas y el ejército, leal al gobierno polaco exiliado, estaba diezmado.

Acusado de haber traicionado a Varsovia, Stalin mantuvo que el ejército rojo simplemente había quedado agotado después de una larga campaña de verano. Pero sus intenciones estaban claras. Poco antes del alzamiento, los soviéticos habían establecido un gobierno títere en la ciudad liberada de Lublin. Apoyado por el ejército rojo, el comité de Lublin reclamó la autoridad sobre la Polonia libre. Después de que los soviéticos expulsaran a los alemanes de Varsovia en enero de 1945, estalló la guerra civil entre los restos del ejército polaco y los lublinitas.

En febrero, Churchill y Roosevelt negociaron con Stalin en Yalta y aceptaron (con condiciones) el gobierno de Lublin para Polonia. En primavera los soviéticos invitaron a 16 militares y políticos polacos a una «reunión» para resolver diferencias. No hubo ninguna negociación: tras un proceso público, los soviéticos encarcelaron al grupo, decapitando a la oposición. Finalmente liberada, Polonia era a duras penas independiente. **◂1943.3 ▸1944.11**

SEGUNDA GUERRA MUNDIAL

La batalla de las Ardenas

7 Tras la liberación de París el 25 de agosto de 1944, los aliados fueron recuperando rápidamente toda Francia, excepto las zonas más orientales, así como Bélgica y

Los alemanes cercaron a los aliados.

Luxemburgo. Sin embargo, su avance se detuvo cerca de la frontera alemana. Un intento fallido de tomar la ciudad holandesa de Arnheim provocó que la mayor parte de una división británica transportada por aire muriera o fuera capturada. Cayó Aquisgrán, la primera ciudad alemana conquistada, pero tras el asedio de un mes. A principios de noviembre, cuando los aliados se dirigían hacia la cuenca del Sarre, Hitler preparaba a su país para un temerario contraataque: la batella de las Ardenas.

El 18 de octubre, el *Führer* ordenó el reclutamiento de todos los hombres sanos de entre 16 y 60 años de edad. A mediados de diciembre, la *Volkssturm* (guardia nacional) junto a soldados regulares lanzaron una contraofensiva masiva. Aprovechando el mal tiempo que impedía el despegue de aviones, los alemanes invadieron Luxemburgo y Bélgica, rodeando a la división americana 101 del general de brigada Anthony McAuliffe en Bastogne.

Pero cuando los emisarios del general Hasso von Manteuffel pidieron a la división que se rindiera, McAuliffe contestó: «¡Jamás!». El 23 de diciembre el tiempo aclaró y la situación empezó a cambiar. Miles de aviones aliados bombardearon a los soldados alemanes y a sus vías de suministros. El tercer ejército de Patton liberó Bastogne el 26 de diciembre y el 3 de enero de 1945 las fuerzas de tierra aliadas contraatacaron. Cinco días después los alemanes, congelados y enfermos, empezaron a retirarse. Al final las Ardenas les costaron ciento veinte mil bajas contras las setenta y cinco mil aliadas. La iniciativa del frente oeste pertenecía por completo a los aliados. **◂1944.4 ▸1945.2**

SEGUNDA GUERRA MUNDIAL

El regreso de MacArthur

8 El 20 de octubre de 1944, cien mil soldados norteamericanos desembarcaron en la isla filipina de Leyte y con ellos el general MacArthur, cumpliendo la famosa promesa que había hecho dos años antes: «Volveré». El día de Navidad, cuando la isla estaba asegurada, habían muerto cincuenta y cinco mil japoneses; otros veintisiete mil fallecieron en las siguientes operaciones de limpieza. Los americanos sólo perdieron a poco más de tres mil hombres. Con Leyte, MacArthur obtuvo una base desde la que recuperar todas las Filipinas.

Aunque la lucha en las islas fue encarnizada, la batalla se decidió en el mar. En la batalla de tres días del golfo de Leyte, el encuentro naval más amplio de la historia, los japoneses perdieron 36 barcos. Además de cortar el apoyo a las fuerzas terrestres japonesas en las

MacArthur *(centro)*, con su característica teatralidad, cumplió su palabra.

POLÍTICA Y ECONOMÍA: Roosevelt reelegido por cuarta vez [...] El congreso estadounidense aprueba la ley de reajuste de los hombres en servicio [...] La OPA finaliza el racionamiento de carne.

«He vuelto. Por la gracia de Dios Todopoderoso, nuestras fuerzas vuelven a estar en suelo filipino.»—**El general Douglas MacArthur**

Filipinas, la batalla eliminó a la Armada Imperial. También significó la aparición de los ataques kamikaze, en los que los pilotos suicidas nipones intentaban hundir a los barcos enemigos estrellándose contra ellos.

En enero los soldados americanos habían asaltado la gran isla de Luzón, y amenazaban Manila, donde MacArthur esperaba celebrar la liberación con un gran desfile. El 6 de febrero el general envió el comunicado de una falsa victoria. En realidad la lucha por la capital duró otro mes más. Los defensores japoneses, sabiendo que la derrota en las Filipinas dejaría a Iwo Jima y Okinawa entre las fuerzas norteamericanas y Japón, resistieron con uñas y dientes. Murieron cerca de cien mil habitantes. Cuando la ciudad cayó, el 3 de marzo, había quedado arrasada por completo. **◂1942.4 ▸1944.9**

SEGUNDA GUERRA MUNDIAL

Combate isla por isla

9 En 1944 los japoneses no sólo perdieron las Filipinas en el Pacífico. En febrero, las islas Marshall fueron las primeras posesiones japonesas, anteriores a la guerra, en caer. En los atolones de Kwajalein y Eniwetok, las guarniciones japonesas lucharon hasta el final, dando a las fuerzas norteamericanas una idea de lo que iba a suceder.

En abril, ochenta y cuatro mil soldados desembarcaron en Nueva Guinea. Durante dos años las fuerzas australianas, dispuestas a proteger su patria a 800 km al sur, habían luchado contra los ocupantes japoneses por cada centímetro de la isla. La llegada de los yanquis cambió las cosas. Murieron unos trece mil japoneses (de un total de quince mil) en tres meses; muchos de los supervivientes se escondieron en cuevas y los americanos los alcanzaron con lanzallamas.

En junio, las fuerzas de Estados Unidos invadieron Saipán, en las islas Marianas. En una batalla de tres semanas, los japoneses perdieron veinte mil hombres; los americanos, tres mil quinientos. Otros siete mil japoneses se suicidaron, siguiendo el ejemplo de su comandante, Yoshitsugo Saito, que se hizo el haraquiri. Los cuatro mil defensores que quedaban murieron casi todos en una última carga suicida.

La lucha en Guam y Tinian fue casi tan terrible. Guam, en poder japonés desde 1941, cayó en agosto. Murieron más de dieciocho mil japoneses, muchos se suicidaron. El último soldado japonés, el sargento Shoichi Yokoi, fue descubierto en Guam en 1972; para evitarse el deshonor de la rendición, había permanecido en la jungla durante 28 años.

Un soldado aparta del oleaje el cadáver de un compañero en la playa coralina de Eniwetok.

Poco después de perder Saipán, Hideki Tojo dimitió como primer ministro. Los americanos habían eliminado la amenaza de una ofensiva japonesa y habían ganado una base para atacar al enemigo. **◂1944.8 ▸1945.4**

SEGUNDA GUERRA MUNDIAL

Holocausto en Hungría

10 Hasta que los alemanes ocuparon Hungría en marzo de 1944, el antisemitismo oficial de este país estuvo marcado por la ambigüedad. Seis años antes, para conseguir el favor de Hitler, el gobierno había aprobado leyes que privaban de sus derechos civiles a los judíos. En 1941, después de que la nación se uniera oficialmente al Eje, sus soldados colaboraron con los alemanes en la muerte de unos diecisiete mil judíos en los territorios recién anexionados de Yugoslavia. Pero las autoridades húngaras, cuya cooperación con los nazis estaba más relacionada con el oportunismo que con la ideología, se negaron reiteradamente a deportar judíos a los campos de concentración.

Todo esto cambió cuando los alemanes, con el fin de evitar que el país se rindiera a los aliados, mandaron allí a sus soldados e indujeron a su regente, Miklós Horthy, a nombrar un gobierno títere. Como en otras naciones ocupadas por los nazis, los judíos de Hungría fueron despojados de sus propiedades, obligados a llevar la estrella amarilla y a permanecer en los guetos a la espera de ser deportados a los campos. Con la ayuda de colaboradores húngaros, cuatrocientos treinta y cuatro mil judíos fueron conducidos a Auschwitz antes de que Horthy detuviera las deportaciones en julio; la mayoría fueron a las cámaras de gas tan sólo llegar.

El terror se intensificó en octubre, cuando el Partido de la Cruz de Flecha, ultraderechista, ofendido por los esfuerzos de paz de Horthy, dio un golpe. Los hombres de la Cruz de Flecha recorrieron las calles del gueto, robando y matando. Miles de judíos, la mayoría mujeres, fueron obligados a marchar hacia Austria para construir fortificaciones; muchos fueron asesinados y lanzados al Danubio. En abril de 1945, cuando el ejército rojo invadió Hungría y capturó a los últimos soldados alemanes, de setecientos cincuenta mil judíos habían sido asesinados más de quinientos cincuenta mil. **◂1943.1 ▸1945.9**

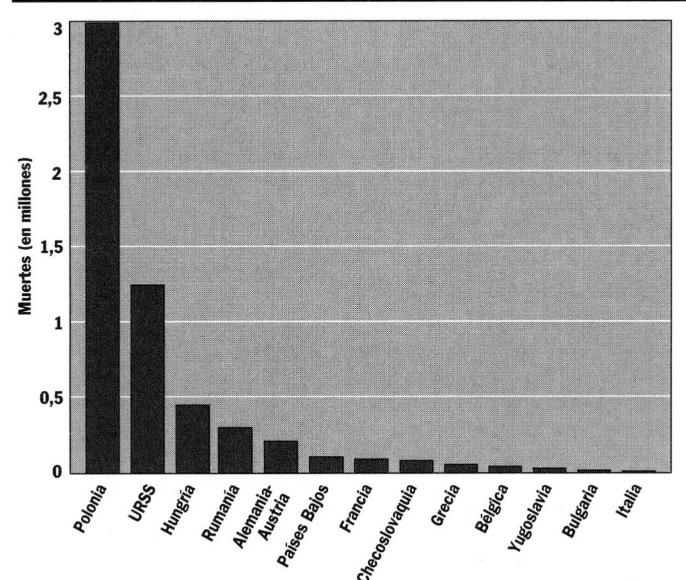

Además murieron siete millones de personas más: 3,3 millones de soldados soviéticos; tres millones de polacos no judíos; más de medio millón de gitanos, homosexuales y testigos de Jehová.

▸LA MAYOR CALCULADORA DEL MUNDO—La aventura conjunta del matemático de Harvard Howard Aiken y la IBM desembocó en la Mark I (1944), la primera calculadora electromecánica. Prototipo del computador digital, la Mark I realizaba las operaciones tradicionales de

aritmética, multiplicando y dividiendo números muy altos en segundos. Su mayor defecto era su tamaño: 5 m de largo y 35 toneladas de peso. ◂1941.6 ▸1946.NM

▸SALVAR A LOS NIÑOS AZULES—La cardióloga Helen Taussig y el cirujano Alfred Blalock, mientras trabajaban en la Universidad John Hopkins, realizaron la primera operación de un «niño azul» en 1944. Las investigaciones de Taussig sobre los defectos cardíacos congénitos la habían convencido de que la muerte de los niños azules, recién nacidos con insuficiencia de oxígeno en la sangre, podía evitarse a través de la cirugía. Ella y Blalock inventaron un método de rodear una arteria pulmonar defectuosa para permitir la libre circulación del oxígeno en la corriente sanguínea. La última investigación de Taussig fue esencial para impedir el uso de la talidomida en Estados Unidos. ▸1962.9

▸POBREZA AMERICANA—Contratado por la Carnegie Corporation para estudiar las relaciones raciales en Estados Unidos, el economista y sociólogo sueco Gunnar Myrdal escribió una obra importante de sociología. *Un dilema americano*, publicada en 1944, examina la contradicción entre el idealismo democrático americano y su racismo de hecho. Myrdal también introdujo el concepto de la causa acumulativa (la pobreza engendra pobreza) para explicar que los negros sin recursos estaban condenados a un círculo vicioso económico.

SEGUNDA GUERRA MUNDIAL: Enero: batalla de Monte Cassino; desembarco aliado en Anzio [...] Febrero: avance norteamericano por el Pacífico [...] Marzo: Japón invade la India; Alemania invade Hungría [...] Abril: la Unión Soviética recupera Odesa y entra en Rumanía; batalla de Kohima [...] Mayo: Estados Unidos toma la isla Wake; los aliados toman Montecassino [...]

«Podría ser considerado el colmo del cinismo que nosotros hubiéramos dispuesto estas medidas, tan decisivas para millones de personas, de modo tan informal.»—**Churchill, al aconsejar a Stalin que destruya el «documento inmoral» de la división de los Balcanes**

▶GUERRA AL HAMBRE—En 1944, el Programa Cooperativo de Agricultura Mexicana, patrocinado por la Fundación Rockefeller y dirigido por el agrónomo americano Norman Borlaug, inició un programa para incrementar la producción agrícola a través de la hibridación, los fertilizantes y el regadío. En 1960, gracias a la «revolución verde», los excedentes de México habían aumentado en más del doble. ▶1984.4

▶INICIO DE LA GUERRA CIVIL GRIEGA—En octubre, los soldados alemanes abandonaron Grecia y el gobierno del rey Jorge II volvió a Atenas desde Londres. (El rey no regresó hasta 1946.) Pero sí disolvió la coalición con el gobierno provisional del Frente Nacional de Liberación (EAM) cuando éste se negó a desarmar a su ala militar, el Ejército de Liberación Nacional Popular (ELAS), el grupo partisano antinazi más poderoso. En diciembre estalló una guerra civil (*inferior*, guerrilleros del ELAS transportan a un camarada muerto) y llegaron soldados británicos para apoyar a los monárquicos. La lucha duró 40 días; los rebeldes ganaron bastante terreno pero al

carecer de la ayuda soviética (Stalin había incluido Grecia en la zona de influencia británica) no consiguieron hacerse con el poder. El ELAS, aceptando la derrota, se desintegró. Sin embargo, en 1946 se reanudó la lucha. ◀1941.4 ▶1947.4

▶UNA LOCURA FRANCESA—Jean Giraudoux murió en 1944 tras finalizar su obra de teatro *La loca de Chaillot*. La obra trata de las aventuras fantásticas de una mujer madura que planea el derrumbamiento de los especuladores y los magos de las finanzas de París y pone de manifiesto el estilo teatral extravagante de Giraudoux. *La loca de Chaillot* se estrenó en París en diciembre de 1945.

En una caricatura americana, el secretario de Estado Cordell Hull presenta a F. D. Roosevelt los regímenes títeres estalinistas.

DIPLOMACIA

Reparto de botines de guerra

11 Cuando la Unión Soviética se transformó de víctima en vencedora a principios de 1944, Churchill tenía cada vez más recelos frente a las intenciones de su aliado respecto al este y al sur de Europa. «¿Estaremos de acuerdo con la bolchevización de los Balcanes y de Italia quizá?», preguntó Churchill a su ministro de asuntos exteriores, Anthony Eden. «Sueña con el ejército rojo extendiéndose como un cáncer de un país a otro», escribió el médico del primer ministro. «Se ha convertido en una obsesión». Primero Churchill propuso bloquear el avance de la Unión Soviética con un desembarco británico-norteamericano en Trieste, en el Adriático, seguido de un avance a través de Ljubljana que empujaría a los soviéticos hacia Viena. Frustrado por la indiferencia de Estados Unidos y por la ocupación alemana de Italia, intentó otra táctica. En octubre voló a Moscú y presentó a Stalin un plan para repartir las zonas de influencia de la posguerra.

Churchill sugirió que los soviéticos y los británicos se dividieran los Balcanes. Esbozó unas fórmulas en un trozo de papel (llamado por él mismo «documento inmoral»): el 90 % del control soviético en Rumania; el 90 % del control británico en Grecia, el 75 % del control soviético en Bulgaria; y un 50 % del control para ambos países en Hungría y Yugoslavia. Más tarde, los ministros de asuntos exteriores Eden y Molotov ajustaron los porcentajes y otorgaron a los soviéticos el 80 % de Hungría y Bulgaria. Este intento de estabilización geopolítica nunca se llevó a cabo.

Roosevelt se adhirió a su principio «cardinal» (tanto Estados Unidos como la Unión Soviética tenían intereses repartidos por todo el mundo; podían trabajar juntos) y aceptó la expansión soviética sin alarma. Churchill, sin el apoyo militar de Estados Unidos, sólo podía observar cómo el ejército rojo se extendía por Rumania, Bulgaria, Hungría, Polonia y Checoslovaquia en noviembre de 1944. **◀1943.8 ▶1945.5**

DIPLOMACIA

Armonía económica

12 En el verano de 1944, representantes económicos de 44 países se reunieron en Bretton Woods, New Hampshire, para negociar la configuración de la economía mundial después de la guerra. El ministro de hacienda de Estados Unidos, Henry Morganthau declaró al final de las conversaciones: «Hemos venido para encontrar fórmulas que acaben con los males económicos, la devaluación competitiva de la moneda y las destructivas limitaciones para el mercado, que han precedido la presente guerra. Hemos tenido éxito».

Los resultados más destacados de la conferencia fueron: el Banco Internacional para la Reconstrucción y el Desarrollo (BIRD) y el Fondo Monetario Internacional (FMI). El BIRD (conocido como Banco Mundial), fundado por las naciones miembros, al principio contribuyó a reconstruir la economía destrozada por la guerra; más tarde fundó proyectos de desarrollo para el Tercer Mundo. El FMI fue concebido para estabilizar los índices de cambio y prevenir desequilibrios de pagos.

Los acuerdos de Bretton Woods reflejaban en buena parte la filosofía económica de John Maynard Keynes, dirigente de la delegación británica y crítico con la política aprobada en Versalles tras la Primera Guerra Mundial. El nuevo orden monetario desembocó en un crecimiento económico mundial sin precedentes. Sin embargo, en los años setenta, cuando muchos países tenían una deuda insalvable con las instituciones, el legado de la conferencia empezó a perder lustre. **◀1921.7 ▶1971.4**

Forjadores de un nuevo orden económico: los delegados en Bretton Woods.

ESPAÑA

Franco en difícil situación

13 El año 1944 fue un año difícil para el régimen español. La derrota del Eje, que sólo era cuestión de tiempo, suponía una amenaza para Franco. Para evitar las consecuencias de su amistad con Italia y Alemania, el gobierno español ordenó la retirada del frente del este de la División Azul, una fuerza militar formada por voluntarios que había sido enviada a luchar contra Rusia.

La liberación de Francia por los aliados abrió una nueva fuente de problemas. En octubre, unos cuatro mil combatientes republicanos, la mayoría veteranos de la guerra civil española y de la resistencia francesa contra los alemanes, intentaron invadir España a través del valle de Arán. La invasión fue rápidamente rechazada por el ejército de Franco.

No obstante, el panorama internacional era cada vez más negro para España. La no inclusión de España en la ONU en 1945 y la condena al año siguiente del régimen franquista fueron dos muestras claras de esta tendencia. La guerra fría y el anticomunismo de Franco fueron los factores que más adelante permitieron cambiar esta situación y romper el aislamiento del régimen.

Junio: los aliados liberan Roma; invasión de Normandía; la Unión Soviética ataca Finlandia; V-1 bombardean Londres [...] Agosto: los aliados toman Florencia; Japón abandona la India; Alemania abandona la Unión Soviética; los aliados liberan París y Marsella; Rumania se rinde [...] Septiembre: Finlandia negocia la paz con la Unión Soviética; los aliados liberan Bruselas y Luxemburgo; V-2 bombardean Londres [...]

«Un temor a la expresividad criolla le lleva a una elaboración constante que produce una gran sensación de belleza lírica.»—**Sobre Borges**

DIPLOMACIA

La ONU en proyecto

14 Representantes de las cuatro potencias (Estados Unidos, Gran Bretaña, la Unión Soviética y China) se reunieron en una mansión de Washington llamada Dumbarton Oaks en el verano y otoño de 1944 para crear una asociación internacional que mantuviera la paz en el mundo una vez finalizada la Segunda Guerra Mundial.

Los conferenciantes de Dubarton Oaks almuerzan al aire libre

La fallida Sociedad de Naciones suministró un modelo de lo que se tenía que evitar. Los asistentes de Dumbarton acordaron que era necesario una fuerza militar poderosa para prevenir futuras guerras mundiales, con suficiente poder para respaldar las resoluciones realizadas sobre el papel. La cuestión crítica era la autoridad: ¿cuánta estaban dispuestos a ceder como grupo los cuatro países y cuánta por separado? A medida que las conversaciones progresaban, se hacía cada vez más evidente que la propuesta de Roosevelt de un mundo gobernado por cuatro naciones resultaba inviable. Ninguna de las cuatro potencias quería cambiar su autoridad individual por la ley de un grupo.

Tras seis semanas de conversaciones, los conferenciantes llegaron a un acuerdo básico. La nueva organización se compondría de una Asamblea General de Naciones con carácter consultivo y un Consejo con poderes ejecutivos, dominado por miembros permanentes, al principio los cuatro. Los detalles se acordarían en Yalta y San Francisco en 1945; la conferencia de Dumbarton Oaks sentó las bases de las Naciones Unidas. **◂1943.NM ▸1945.NM**

LITERATURA

El laberinto de Borges

15 Dada la obsesión de Borges por la naturaleza del tiempo, del espacio y del destino, no resulta contradictorio que el libro que le dio fama internacional no se conociera fuera de Argentina hasta casi dos décadas después de su publicación en 1944. *Ficciones,* una colección de cuentos fantásticos, a menudo filosóficos y de humor negro, desafió la moda del realismo literario así como todas las nociones convencionales de la trama y la caracterización.

Cada uno de los cuentos de Borges es un pequeño laberinto (una imagen recurrente en su obra), donde los acontecimientos están dirigidos por un sistema lógico alternativo. En una historia, un insomne recuerda cosas que nunca le han sucedido. En otra, un detective y un asesino se persiguen uno a otro, de acuerdo con una fórmula geométrica, a través de reencarnaciones sucesivas. Entre los protagonistas de Borges hay un hereje cristiano que deduce que Judas es el Mesías, y no Cristo; un dramaturgo judío que logra equiparar la actividad creativa de un año al instante anterior a su muerte en manos de los nazis.

Muy conocido entre los intelectuales argentinos por sus poemas y ensayos, Borges se introdujo en la ficción a partir de 1938, cuando contaba 39 años de edad, después de sufrir una herida en la cabeza que casi le mata. En 1961 compartió el premio Formentor con Samuel Beckett y a partir de entonces empezó a ser traducido y leído en el extranjero. El reconocimiento de Borges como uno de los mejores escritores del siglo llevó al «descubrimiento» mundial de la literatura latinoamericana, influenciada por la mezcla de erudición, precisión lingüística y magia de Borges. **◂1925.11 ▸1967.7**

En los años sesenta, cuando Borges adquirió fama mundial, estaba completamente ciego.

SEGUNDA GUERRA MUNDIAL

▸MUSSOLINI EJECUTA A CIANO—El conde Galeazzo Ciano, que había sido ministro de asuntos exteriores, encontró su fin en enero, ejecutado por oponerse a Mussolini. Su suegro, el mismo Duce, dictó la sentencia de muerte.

▸VENGANZA RUSA—En mayo, las fuerzas soviéticas expulsaron al ejército alemán de Sebastopol acabando así una ocupación que duró dos años. Los conquistadores redujeron la ciudad a las ruinas, y los soviéticos no gozaban de un humor demasiado indulgente cuando la retaguardia alemana compuesta de unos sesenta mil o cien mil soldados, se entregó. Los soldados de Stalin los asesinaron a todos.

▸OTRA LÍDICE—El 10 de junio, doscientos miembros de las SS destruyeron la pequeña ciudad francesa de Oradour-sur-Glane como castigo por un ataque de la resistencia contra soldados alemanes que se dirigían a las playas de Normandía. Tras detener a los habitantes y encerrar a los hombres en establos y a las mujeres en la iglesia, los soldados dinamitaron la ciudad. Asesinaron a todos los supervivientes. Sólo escaparon de la muerte diez personas. En 1945, 21 de los doscientos SS fueron juzgados, y todos menos uno fueron sentenciados a muerte.

▸BANZAI—Los soldados americanos que combatían a Japón isla por isla en el

Pacífico se enfrentaron a una táctica extraña y desalentadora. Los soldados japoneses preferían suicidarse antes que rendirse y luchaban hasta el último instante. En la isla de Saipán, la resistencia llegó a su apoteosis. En la batalla final, en julio, más de cuatro mil japoneses, incluidos

Octubre: los alemanes sofocan el alzamiento de Varsovia; los británicos liberan Atenas; batalla del golfo de Leyte [...] Noviembre: los aliados entran en la cuenca del Sarre [...] Diciembre: batalla de las Ardenas.

«Olivier es una muestra de genialidad; Wolfit tiene que demostrarla.»—**La actriz Hermione Gingold, comparando a Laurence Olivier y Donald Wolfit, dos de los mejores actores shakespearianos de Inglaterra**

cocineros del ejército y civiles, cargaron con bayonetas y porras a pecho descubierto. Casi todos murieron y los supervivientes se suicidaron allí mismo.

▶ANA FRANK TRAICIONADA—En agosto, el refugio secreto de Ana Frank y su famiia fue descubierto por la Gestapo y fueron enviados a Auschwitz. En el ático de Amsterdam donde se habían escondido durante dos años, la joven judía de 15 años de edad dejó un relato de la lucha de su familia. Ana murió en el campo de concentración pero se ha conservado su diario.

▶BOMBAS VOLADORAS—Los londinenses llamaban a los misiles alemanes V-1 «bombas zumbantes» por el ruido que hacían. Pero era peor el silencio que seguía cuando sus motores se paraban después de dar en el blanco. Cuando los V-1

atacaron Gran Bretaña en 1944, los pilotos de la RAF aprendieron a interceptarlos, pero incluso sus cazas más rápidos, los Spitfire, no podían superar la velocidad máxima de los V-1.

▶OPERACIÓN PLUTO—El primero en lanzar la idea fue el almirante Mountbatten al preguntar: «¿Se puede construir un oleoducto que cruce el canal de la Mancha?». De esta cuestión nació la operación Pluto, un oleoducto bajo el océano. El primer oleoducto submarino del mundo proporcionó a los aliados una fuente continua de gasolina para el continente.

▶SUMINISTROS DEL DÍA D—Los aliados convirtieron Inglaterra en una despensa gigante al acumular material para la invasión de Normandía. El ejército de Estados Unidos almacenó cañones, munición, botes de desembarco y chicles contra el mareo sobre la hierba de parques y campos.

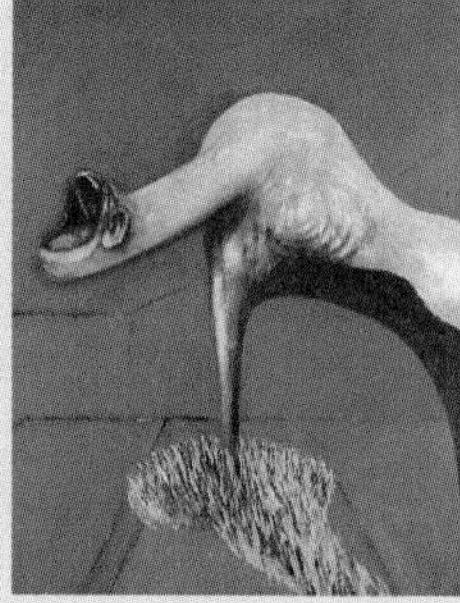

ARTE

Un Goya del siglo XX

16 **El pintor británico Francis Bacon escribió que su mayor preocupación como artista era la «brutalidad de la realidad». A lo largo de su carrera, Bacon plasmó esta obsesión en imágenes frías de figuras humanas aisladas y mutiladas de forma grotesca. Trabajó en relativa oscuridad hasta 1944, año en que sus *Three Studies for Figures at the Base of a Crucifixion (superior)* le condujeron a la fama y fue comparado con maestros tan macabros y visionarios como Francisco Goya. El centro de su obra es el horror y la repugnancia por la condición humana, una valoración que él rechaza repetidamente. Niega que la muerte tenga un significado personal para él. ¿Cómo iba a tenerlo?, se pregunta: no somos más que carne.**

Pintor autodidacta, Bacon nació en Irlanda y se fue de casa a los 16 años de edad después de que su padre le encontrara vestido con la ropa interior de su madre, según explicó más tarde. Viajó a Berlín y París y se estableció en Londres en 1928. A mediados de los años cuarenta, las características de su obra madura ya estaban definidas: la paleta violenta, las figuras distorsionadas, la degradación y el terror. Ya antes de su muerte en 1992, muchos lo consideraban el pintor británico más importante del siglo XX. ◂1932.13 ▸1950.4

MEDICINA

Antibiótico contra la tuberculosis

17 En 1944 ya se fabricaba penicilina en cantidades suficientes para atender a los civiles y soldados aliados, pero ni siquiera este fármaco maravilloso podía combatir la tuberculosis. En enero, el microbiólogo Selman Waksman de la Universidad de Rutgers anunció el descubrimiento de un antibiótico nuevo (término acuñado por él en 1941 para referirse a las sustancias, como la penicilina, que mataban o inhibían microbios de modo selectivo) llamado estreptomicina. La clínica Mayo de Minnesota la probó en animales y descubrió que era efectiva contra la tuberculosis.

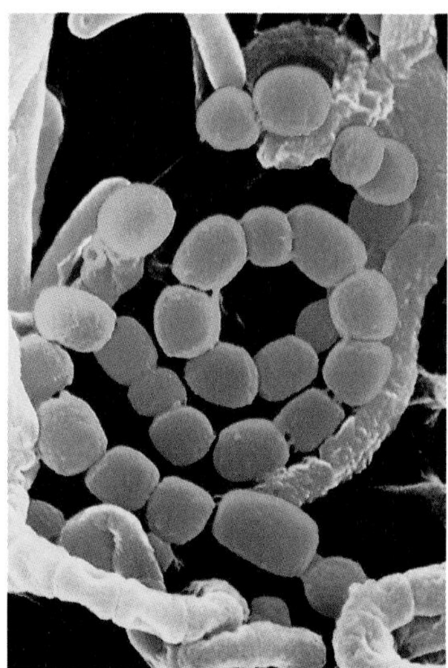

La estreptomicina trató la tuberculosis y también el tifus, la pneumonía y la meningitis espinal.

Waksman era especialista en microorganismos que vivían en el suelo. Al buscar una cura para la tuberculosis, él y su ayudante, Albert Schatz, habían aislado unos diez mil microbios y habían probado su capacidad para matar bacterias. Redujeron el campo a mil, luego a cien y más tarde a diez. Al fin, en 1943, Waksman dio con una especie de microbios parecidos a las bacterias que llamó *Streptomyces griseus*, que mostraban propiedades antibióticas.

La estreptomicina, extraída del microbio, revolucionó el tratamiento de la tuberculosis. En lugar de limitarse a la prevención (a través de la vacuna Calmette-Guérin) o a las curas en sanatorios (un método incierto y caro, basado en proporcionar aire puro al paciente), los médicos podían atacar directamente la tuberculosis. Los científicos se dieron cuenta enseguida de que, usada sola, la estreptomicina resultaba ineficaz (el bacilo de la tuberculosis desarrollaba defensas con prontitud) y la combinaron con otros antibióticos. El fármaco era tan efectivo que, tras su introducción en Europa cinco años después, los índices de tuberculosis cayeron en picado en todo el mundo. **◂1941.16 ▸1955.1**

TEATRO

Una temporada gloriosa

18 Con las buenas perspectivas de los aliados, en 1944 el Old Vic Theatre decidió reanimar sus históricas instalaciones en Londres. Dos de los actores dramáticos importantes de Gran Bretaña, Ralph Richardson y Laurence Olivier, dejaron el servicio militar y volvieron a la escena en una temporada que muchos consideran como el nacimiento del teatro inglés moderno.

Richardson, estrella de las dos primeras obras de la nueva temporada del Old Vic, poseía un talento innegable. Laurence Olivier era un tipo de actor totalmente distinto. Antes de la guerra había alcanzado el estatus de ídolo de las funciones de tarde con interpretaciones teatrales de Hamlet, Yago y Coriolano, y cinematográficas como en *Cumbres borrascosas* de William Wyler y *Rebeca* de Alfred Hitchcock. Sus trabajos en el Old Vic le colocaron en el camino de la inmortalidad.

Richardson *(izquierda)* y Olivier en el Old Vic.

Tras una difícil interpretación en la obra de Shaw, *Héroes*, Olivier confió a su colega Tyrone Guthrie que odiaba a su personaje, Sergio. La famosa respuesta de Guthrie: «Bien, naturalmente, si no puedes amarlo, no seas amable con él», transformó por completo el modo de actuar de Olivier.

La metamorfosis se manifestó en *Ricardo III*, la última producción de la temporada. Noël Coward comentó que era la mejor interpretación masculina que había visto en el teatro y dijo que Olivier era el mejor actor que había en Inglaterra. En tres producciones, Olivier y Richardson, con una compañía en la que se encontraban Guthrie, Sybil Thorndike y Margaret Leighton, habían infundido un aura de leyenda al Old Vic. Diecinueve años más tarde, el Royal National Theater se instaló en el Old Vic, bajo la dirección de Laurence Olivier. **◂1930.5 ▸1947.13**

PREMIOS NOBEL: Paz: comité de la Cruz Roja internacional (Suiza) [...] Literatura: Johannes V. Jensen (danés; novelista) [...] Química: Otto Hahn (alemán; filósofo nuclear) [...] Medicina: Joseph Erlanger y Herbert S. Gasser (estadounidenses; fibras nerviosas y transmisión por impulsos) [...] Física: I. I. Rabi (estadounidense; medición magnética del núcleo atómico).

Nada

Carmen Laforet, 1944

En 1944 Carmen Laforet tenía 23 años y era estudiante. Como la protagonista de su novela Nada, *ganadora del Premio Nadal de ese año, había llegado a Barcelona para cursar estudios de Filosofía y Letras.* Nada *es pues, en buena parte, una obra autobiográfica. Pero más allá de la anécdota personal lo importante de este libro reside en la recreación del ambiente sórdido, mísero y mezquino de la Barcelona de los años cuarenta, realizada en un tono frío —muy alejado del tremendismo de Cela— y desesperadamente triste.*

No seas tozuda, sobrina —me dijo Juan—. Te vas a morir de hambre.

Y me puso las manos en el hombro con una torpe caricia.

—No, gracias, me las arreglo muy bien...

Mientras tanto eché una mirada de reojo a mi tío y vi que tampoco a él parecían irle bien las cosas. Me había cogido bebiendo el agua que sobraba de cocer la verdura y que estaba fría y olvidada en un rincón de la cocina, dispuesta a ser tirada.

Antonia había gritado con asco:

—¿Qué porquerías hace usted?

Me puse encarnada.

—Es que a mí este caldo me gusta. Y como veía que lo iban a tirar...

A los gritos de Antonia acudieron los demás de la casa. Juan me propuso una conciliación de nuestros intereses económicos. Yo me negué.

La verdad es que me sentía más feliz desde que estaba desligada de aquel nudo de las comidas en la casa. No importaba que aquel mes hubiera gastado demasiado y apenas me alcanzara el presupuesto de una peseta diaria para comer: la hora del mediodía es la más hermosa en invierno. Una hora buena para pasarla al sol en un parque o en la Plaza de Cataluña. A veces se me ocurría pensar, con delicia, en lo que sucedería en casa. Los oídos se me llenaban con los chillidos del loro y las palabrotas de Juan. Prefería mi vagabundeo libre.

Aprendí a conocer excelencias y sabores en los que antes no había pensado; por ejemplo, la fruta seca fue para mí un descubrimiento. Las almendras tostadas, o mejor, los cacahuetes, cuya delicia dura más tiempo porque hay que desprenderlos de su cáscara, me producían fruición.

La verdad es que no tuve paciencia para distribuir las treinta pesetas que me quedaron el primer día, en los treinta días del mes. Descubrí en la calle de Tallers un restaurante barato y cometí la locura de comer allí dos o tres veces. Me pareció aquella comida más buena que ninguna de las que había probado en mi vida, infinitamente mejor que la que preparaba Antonia en la calle de Aribau. Era un restaurante curioso. Oscuro, con unas mesas tristes. Un camarero abstraído me servía. La gente comía deprisa, mirándose unos a otros y no hablaba ni una palabra. Todos los restaurantes y comedores de fondas en los que yo había entrado hasta entonces eran bulliciosos menos aquél. Daban una sopa que me parecía buena, hecha con agua hirviente y migas de pan. Esta sopa era siempre la misma, coloreada de amarillo por el azafrán o de rojo por el pimentón; pero en la «carta» cambiaba de nombre con frecuencia. Yo salía de allí satisfecha y no me hacía falta más.

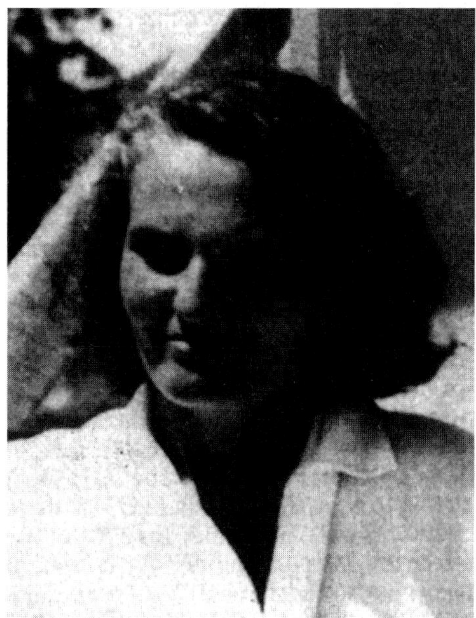

Carmen Laforet.

«Hace dieciséis horas que un avión americano ha lanzado una bomba sobre Hiroshima[...]. Si ahora no aceptan nuestras condiciones, les espera un diluvio de destrucción como jamás se ha visto en el mundo.»—**Harry S. Truman**

El personal de tierra del bombardero B-29 *Enola Gay* junto a su piloto, Paul Tibbets. *Inferior*, Hiroshima después de la bomba.

HISTORIA DEL AÑO

Fin de la guerra tras las bombas de Hiroshima y Nagasaki

1 Antes del amanecer del 6 de agosto de 1945, un bombardero americano B-29, el *Enola Gay*, despegó de la isla Tinian, en las Marianas. Llegó a Hiroshima, Japón, a las 08:15 horas y lanzó una única bomba. En un instante murieron ochenta mil personas y la mayor parte de Hiroshima simplemente dejó de existir. Cuatro días después, una segunda bomba atómica en Nagasaki causó cuarenta mil víctimas mortales. El 14 de agosto Japón se rindió. El conflicto más sangriento de la historia finalizó con una amenaza de una violencia inconcebible. La humanidad había adquirido el poder de destruir el mundo.

Continúa la discusión sobre la necesidad de haber utilizado armas nucleares contra Japón. Los detractores de esta decisión destacan que el emperador Hirohito ya había presionado a su gabinete para empezar las negociaciones del alto el fuego; insisten en que la petición de los aliados de una rendición *incondicional*, con la abdicación del emperador, era el único obstáculo para la paz. Los defensores contestan que los japoneses, aunque se enfrentaban a una derrota segura, estaban preparados para luchar de forma indefinida. Dicen que los bombarderos aliados convencionales hubieran matado a más japoneses que las bombas atómicas; además, un ataque por tierra sobre Japón hubiera costado cientos de miles de vidas a ambos bandos.

Pero más allá de la discusión están los horrores sin precedentes que desencadenaron los ataques atómicos. Las personas que se hallaban cerca de donde cayeron las bombas se vaporizaron, dejando tras de sí sombras carbonizadas. Muchas de las que al principio sobrevivieron, murieron a causa de las radiaciones que destruían sus cuerpos célula a célula. Dosis de radiación menores provocaron cáncer y defectos genéticos. Sólo en Hiroshima la bomba causó ciento cuarenta mil muertes en años posteriores.

Dos días después de Hiroshima, la Unión Soviética declaró la guerra a Japón e invadió Manchuria. El 15 de agosto Hirohito se dirigió a la nación por radio. Explicó que el enemigo «había empezado a utilizar una bomba nueva y extremadamente nociva, cuya capacidad de causar el mal era incalculable» y anunció la aceptación de las condiciones aliadas. El general MacArthur recibió los documentos de la rendición a bordo del acorazado *Missouri* en la bahía de Tokio el 2 de septiembre. **◂1942.18 ▸1945.NM**

SEGUNDA GUERRA MUNDIAL

Victoria en Europa

2 Para las potencias europeas del Eje, el final empezó el 12 de enero de 1945, cuando el ejército rojo lanzó una gigantesca ofensiva en Polonia. Desplegadas a lo largo de los 1.120 km del frente oriental, flanqueadas en los Balcanes y rodeadas en Lituania, las fuerzas alemanas fueron derrotadas. Los soviéticos tomaron Varsovia y Lódź. Hitler se retiró de las Ardenas, en el frente occidental, y dirigió a los soldados a Budapest en un intento vano de conservar Hungría. En febrero, algunas divisiones soviéticas estaban a tan sólo 64 km de Berlín.

El traslado de la Wehrmacht para resistir a los soviéticos dejó desprotegidas las fronteras occidentales de Alemania. El 23 de marzo los aliados atacaron a través del Rin. El 1.er ejército canadiense se abrió paso a través de Holanda, el 2.º británico se dirigió al Báltico y las fuerzas norteamericanas avanzaron desde Magdeburgo hasta las fronteras checa y austríaca.

Mientras, los soviéticos seguían avanzando. A mediados de abril tomaron Viena, Danzig y Königsberg. El 25 de abril se reunieron con los americanos en el río Elba.

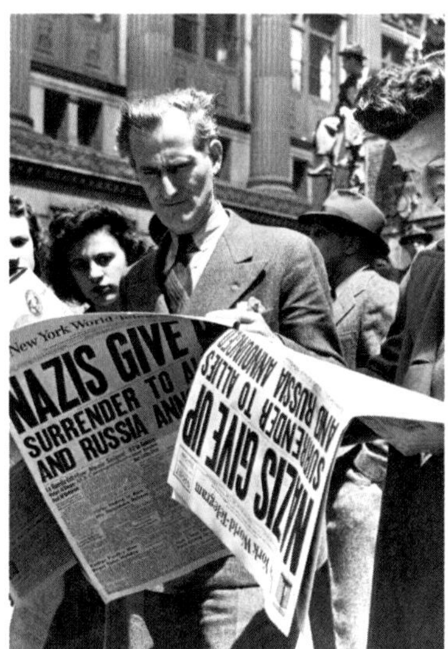

Neoyorquinos leyendo los titulares de la rendición de Alemania.

El 2 de mayo cayó Berlín. Las fuerzas del Eje se rindieron en Italia el mismo día y también en Austria. El 4 de mayo, cinco días después del suicidio de Hitler, sus contrapartidas de Alemania, Holanda y Dinamarca siguieron su ejemplo. El 7 de mayo, el alto mando alemán (representado por el general Alfred Jodl y el almirante Hans Friedeburg) se rindió incondicionalmente en Reims, Francia. La lucha sólo continuó en Checoslovaquia durante unos días.

ARTE Y CULTURA: Libros: *Cannery Row* (John Steinbeck); *Rebelión en la granja* (George Orwell); *Cristo se detuvo en Eboli* (Carlo Levi); *The age of Jackson* (Arthur Schlesinger); *Retorno a Brideshead* (Evelyn Waugh) [...] Cine: *Días sin huella* (Billy Wilder); *Alma en suplicio* (Michael Curtiz); *Objetivo, Birmania* (Raoul Walsh); *Levando anclas* (George Sidney); *Roma, ciudad abierta* (Roberto Rossellini) [...]

«Es terrible. No sólo invalida todas nuestras declaraciones sobre nuestros objetivos bélicos [...] sino que también es la prueba oficial de todo lo que Goebbels ha dicho sobre el tema.»—**Cecil King en el *Daily Mirror*, sobre el bombardeo de Dresde**

El 8 de mayo, cinco años y ocho meses después de su inicio, finalizó de forma oficial la guerra de Europa.

En las semanas siguientes, los aliados arrestaron a todos los oficiales nazis que pudieron encontrar, acusados de crímenes de guerra. El Reich de los mil años de Hitler había expirado con 988 años de anticipación. **◂1944.1 ▸1945.7**

SEGUNDA GUERRA MUNDIAL

Los infiernos de Dresde y Tokio

3 En los últimos meses de la guerra, las fuerzas aéreas aliadas incrementaron los bombardeos sobre objetivos civiles como táctica de desmoralización. No era nada nuevo: en 1943 un bombardeo británico sobre Hamburgo había matado a cincuenta mil personas. Sin embargo, en 1945 los ataques de Dresde y Tokio perturbaron especialmente la conciencia de británicos y americanos.

Dresde era una de las ciudades históricas más bellas de Europa. A principios de 1945 contaba con una población de más de seiscientos mil habitantes, incluidos los prisioneros de guerra aliados. Carecía de interés estratégico y había sufrido bombardeos tan leves que sus defensas antiaéreas habían sido desarticuladas. Pero los jefes del mando de bombarderos de Gran Bretaña pensaban que los ataques aéreos podían ganar la guerra y Churchill quería impresionar a Stalin. En la noche del 13 de febrero cerca de ochocientos Lancaster británicos bombardearon Dresde, la mayoría con bombas incendiarias. Al día siguiente, trescientas fortalezas volantes norteamericanas atacaron un nudo ferroviario y destruyeron muchas casas. La estimación de muertes fue de treinta y cinco mil a ciento treinta y cinco mil víctimas.

El bombardeo provocó fuertes protestas, sobre todo en Estados Unidos, cuyos estrategas habían desdeñado desde siempre este tipo de ataque a los centros de población. Pero en el Pacífico, el comandante de las fuerzas aéreas americanas decidió probarlo.

El primer ataque importante, realizado por doscientas cincuenta fortalezas volantes, fue sobre Tokio después de la medianoche del 10 de marzo. Murieron unas cien mil personas, muchas ahogadas al buscar refugio en el río Sumida. En agosto, 66 ciudades japonesas habían sido bombardeadas. Pocos americanos protestaron porque buena parte de la industria bélica se

El bombardeo de Dresde redujo a escombros a la ciudad y mató a miles de civiles.

realizaba en hogares japoneses. Pero después del ataque inicial a Tokio, el bombardeo más mortífero, muchos se cuestionaron si sus militares eran tan brutales como sus enemigos. **◂1945.1 ▸1945.10**

SEGUNDA GUERRA MUNDIAL

Los yanquis toman el Pacífico

4 La estrategia de guerra en el Pacífico, que consistía en ir tomando de manos japonesas isla tras isla y convertirlas en bases aéreas desde las cuales bombardear a los barcos y territorios enemigos, culminó en 1945 con la toma de Iwo Jima y Okinawa. Las dos campañas costaron la vida a veinte mil americanos a causa de la feroz resistencia de los japoneses hasta el último hombre.

Los yanquis invadieron Iwo Jima, un atolón de unos 20 km² de las islas Volcano, el 19 de febrero. Tras tres días de lucha encarnizada, se plantó la bandera americana en el monte Suribachi, el punto más elevado de la isla. La fotografía del acontecimiento, realizada por el cámara Joe Rosenthal, se convirtió en la imagen más famosa de la guerra del Pacífico, pero no antes de que tres de los seis soldados fotografiados hubieran muerto. La lucha continuó durante otro mes antes de que los japoneses, que habían perdido veinte mil de sus veintiún mil hombres, se rindieran. Los bombarderos norteamericanos utilizaron enseguida Iwo Jima para atacar al resto de islas.

Las fuerzas americanas desembarcaron en Okinawa, a 576 km de Japón, el 1 de abril. Durante tres meses, los soldados nipones, muchos refugiados en cuevas y túneles, defendieron los 726 km² de la isla de todas las maneras, desde ataques kamikazes hasta con bayonetas. La batalla costó la vida de ciento cincuenta mil japoneses, incluidas 85 enfermeras ocultas en una cueva que fueron confundidas con soldados por las fuerzas americanas. En junio cayó Okinawa. **◂1944.9 ▸1945.NM**

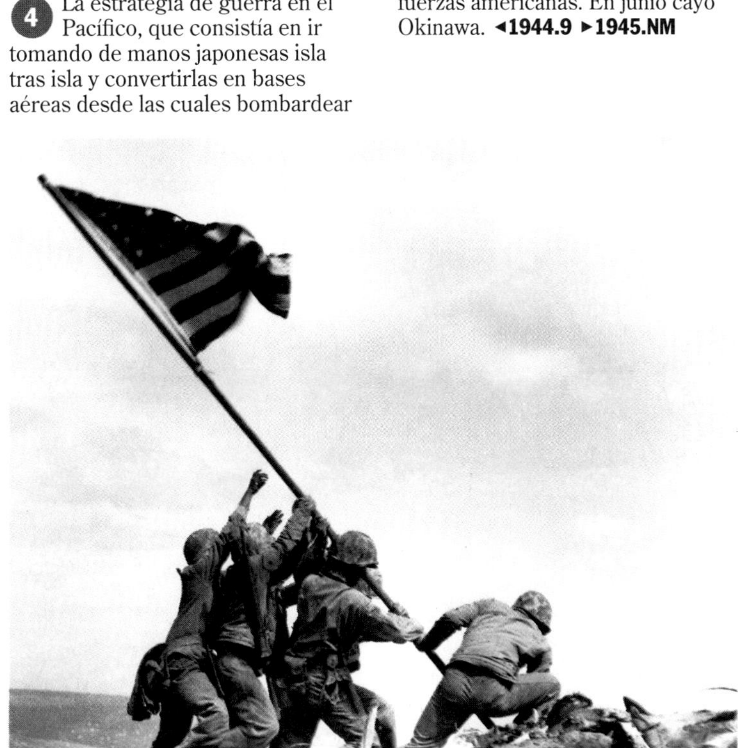

La colocación de la bandera en Iwo Jima, fotografía de Joe Rosenthal, fue la imagen más reproducida de la guerra en el Pacífico.

NACIMIENTOS

Daniel Cohn-Bendit, activista político franco-alemán.

Rajiv Gandhi, primer ministro indio.

Anselm Kiefer, artista alemán.

Bob Marley, músico jamaicano.

Steve Martin, actor estadounidense.

Daniel Ortega, presidente nicaragüense.

Itzhak Perlman, músico israelí-estadounidense.

August Wilson, dramaturgo estadounidense.

MUERTES

Francis Aston, físico británico.

Béla Bartók, compositor húngaro.

Theodore Dreiser, novelista estadounidense.

Ana Frank, autora de un diario, holandesa.

Johannes Hans Geiger, físico alemán.

Joseph Goebbels, oficial nazi alemán.

Heinrich Himmler, oficial nazi alemán.

Adolf Hitler, dirigente nazi austríaco-alemán.

David Lloyd George, primer ministro británico.

Thomas Hunt Morgan, genético estadounidense.

Benito Mussolini, dirigente fascista italiano.

George Patton, general estadounidense.

Ernie Pyle, periodista estadounidense.

Franklin D. Roosevelt, presidente estadounidense.

Paul Valéry, poeta francés.

Anton von Webern, compositor austríaco.

Teatro: ***La barca sin pescador*** **(A. Casona);** ***El zoo del cristal*** **(Tennessee Williams).**

«Roosevelt murió con las botas puestas como sus soldados, marinos y pilotos[...]. Es una muerte envidiable.»—**Winston Churchill, en un discurso en la Cámara de los Comunes, 17 de abril de 1945**

NOVEDADES DE 1945

Sufragio femenino en Francia.

Suministro de agua fluorada (Grand Rapids, Michigan).

Tupperware (fiambrera).

Objetivos con zoom.

EN EL MUNDO

▶MUERTE DE PATTON —El general George Patton sobrevivió a dos guerras y se hirió de gravedad en un accidente de coche en la Alemania ocupada, en 1945. Patton, oficial implacable y exigente (estuvo a punto de ser relevado del mando en 1943 porque pegó a un soldado conmocionado por las bombas en un hospital militar), había dirigido los desembarcos aliados en el norte de África y Sicilia y la entrada en Alemania y Checoslovaquia. ◄1943.4

▶REGRESO DE UN HÉROE —El lugarteniente Audie Murphy, el soldado americano más condecorado de la guerra (24 condecoraciones, incluida la Medalla al Honor) regresó a su país en 1945. Fue recibido como un héroe e intentó entrar en el mundo de Hollywood. La carrera cinematográfica del muchacho de Texas, juvenil y elegante, se caracterizó por las películas de vaqueros de

bajo presupuesto; tuvo su mejor momento al interpretarse a sí mismo en *To hell and back* (1955), la historia (basada en su libro) de su ascenso de soldado raso a subteniente. Murphy murió en un accidente de aviación en 1971.

▶JOHNSON FUNDA UN IMPERIO—El editor de

Decidiendo el futuro de Europa: *(de izquierda a derecha)* **Churchill, Roosevelt y Stalin.**

DIPLOMACIA

Los tres grandes en Yalta

5 Churchill, Roosevelt y Stalin se reunieron en Yalta por segunda y última vez para planear la derrota de las potencias del Eje y el futuro de Europa. La conferencia, celebrada en febrero de 1945, estableció acuerdos sobre la división de Alemania en zonas de ocupación y otras cuestiones de importancia. Yalta fue considerada un gran paso adelante para la paz mundial y se caracterizó por las concesiones que hicieron los líderes británicos y norteamericano a su aliado soviético para asegurar su cooperación en la guerra.

A cambio de la promesa de Stalin de unirse a la guerra contra Japón después de la rendición de Alemania, la Unión Soviética obtuvo las islas Kuriles y zonas de Manchuria (perdidas ante Japón en 1875 y 1904, respectivamente), así como la garantía de que se mantendría el comunismo en Mongolia. En cuanto a las cuestiones europeas, los dirigentes occidentales todavía fueron más ingenuos. Con Stalin, aprobaron la declaración conjunta sobre la Europa Liberada, que exigía la democracia en la Europa oriental. Pero su confianza en las intenciones soviéticas era equivocada: con el ejército rojo ocupando la región, la declaración resultaría irrelevante.

Polonia fue un ejemplo. Churchill y Roosevelt reconocieron el Comité de Lublin, establecido por los soviéticos, como gobierno provisional del país, condicionado a la inclusión de miembros no comunistas del gobierno en el exilio. Pero en Polonia no se celebraron elecciones hasta 1948 y por entonces ya era, efectivamente, un estado unipartidista. **◄1944.11 ►1945.8**

ESTADOS UNIDOS

Muerte de Roosevelt

6 Cuando Franklin D. Roosevelt pronunció el discurso de investidura de su cuarto mandato como presidente, su apariencia achacosa sorprendió a los asistentes. Aunque estaba enfermo de polio, siempre pronunciaba los discursos de pie y en aquel momento temblaba frente al atril. El viaje de febrero a Yalta le había debilitado y a su regreso Roosevelt pasó unos días de reposo en Warm Springs, Georgia. El 12 de abril, mientras posaba para un cuadro, exclamó: «Me duele mucho la cabeza», y se marchó. Unas horas más tarde había muerto. Al borde de la victoria, el dirigente había agotado sus últimas fuerzas.

Roosevelt fue presidente mucho más tiempo que ningún otro político de Estados Unidos, a pesar de la peor depresión económica de la historia y de la guerra más feroz. En su país, su programa intervencionista, el *New Deal*, le convirtió en un héroe para los obreros y los pobres; en las naciones aliadas fue respetado por comprometer a América en la lucha contra el Eje. Su valor para superar la invalidez inspiró a millones de personas. Incluso el senador republicano Robert Taft, un enemigo político, le elogió como «la figura más importante de su tiempo».

El sucesor de Roosevelt fue el vicepresidente Harry S. Truman, de 60 años de edad, un granjero de Missouri que no había conseguido ser camisero pero había destacado en la política. De repente era el presidente de una de las tres naciones más poderosas del mundo. Las decisiones que finalizarían la guerra y configurarían una nueva era dependían en gran parte de él. **◄1940.13**

SEGUNDA GUERRA MUNDIAL

Muerte a los dictadores

7 Los dirigentes supremos del fascismo y del nazismo habían sido maestros en escenificaciones, sin embargo sus muertes no fueron nada gloriosas.

Hitler acabó sus días en un búnker bajo el jardín de la cancillería en Berlín, asistido por sus guardias, ayudantes, médicos y su amante, Eva Braun. Aterrorizado por las

Mussolini y su amante Claretta Petacci encontraron un final humillante en Milán.

conspiraciones de asesinato y debilitado por una serie de medicamentos, consultaba el horóscopo y se entusiasmaba con movimientos de soldados imaginarios. El 28 de abril, cuando ardió Berlín, Hitler y Braun se casaron. El *Führer* redactó sus últimas voluntades: legó sus bienes al Partido Nazi (o a Alemania si el partido desaparecía) y

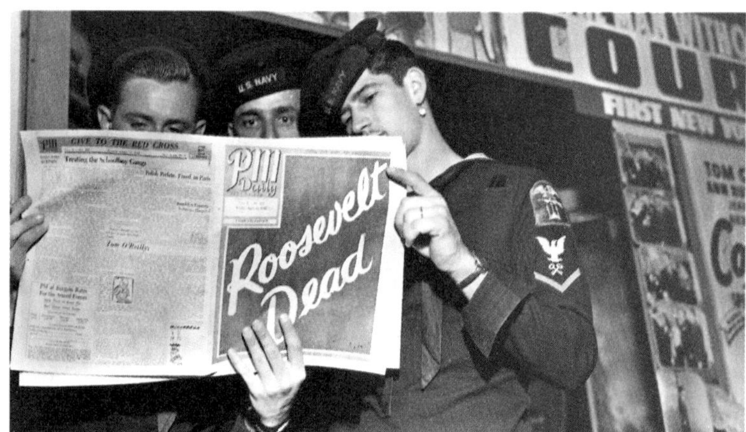

Marinos americanos leen un periódico que informa de la muerte de su comandante en jefe.

POLÍTICA Y ECONOMÍA: muere el presidente Roosevelt; el vicepresidente Harry S. Truman se convierte en presidente [...] El gobernador Thomas E. Dewey establece la comisión contra la discriminación del estado de Nueva York.

nombró al almirante Karl Dönitz su sucesor.

El mismo día, Mussolini y su amante, Claretta Petacci, fueron atrapados por partisanos italianos mientras huían del avance aliado. Aunque él prometió que si le dejaban con vida les entregaría un imperio, la pareja fue ejecutada tras un juicio sumario y luego fueron colgados por los tobillos en una plaza de Milán.

El 30 de abril Hitler y su nueva esposa dieron la mano a sus compañeros y entraron en sus habitaciones. Allí, él se metió una pistola en la boca y disparó; ella prefirió ingerir cianuro. Sus cuerpos fueron llevados arriba, al jardín, donde los rociaron con gasolina y los quemaron, junto a montones de documentos nazis. **◂1945.2 ▸1945.9**

Stalin saluda a Churchill al inicio de la conferencia de Potsdam.

DIPLOMACIA

Última conferencia aliada

8 En julio de 1945 se inauguró la última conferencia de los aliados, en Potsdam, a las afueras de Berlín. Los participantes no eran los mismos que los de la anterior: Truman había sucedido a Roosevelt; a los diez días, el nuevo primer ministro de Gran Bretaña, Clement Attlee, sustituyó a Churchill. El tono de la discusión también varió.

Stalin, cuyo pueblo había padecido lo peor de la agresión nazi, exigía reparaciones durísimas para los alemanes. Los americanos y los británicos, que temían tener que subvencionar a una Alemania permanentemente incapacitada, abogaban por condiciones más leves. Hubo desacuerdos sobre las fronteras de Polonia y la legitimación de los regímenes títere del este de Europa.

La bomba atómica fue un nuevo factor de Potsdam. Estados Unidos acababa de probar su arma en México. Después de que Truman compartiera el secreto con Churchill, los dirigentes occidentales advirtieron a Japón de una «destrucción rápida y eficaz» si no se rendía de forma incondicional. Los japoneses se negaron. La bomba permitió a Truman tratar con más dureza a Stalin porque restaba importancia a la intervención soviética contra Japón.

Al final, los conferenciantes acordaron que cada potencia podría hacer lo que quisiera con su zona de ocupación en Alemania y debería dar a Moscú un porcentaje de su botín. Polonia se desplazó 240 km hacia el oeste, ganando territorio alemán y perdiendo una zona oriental entregada a Rusia. Las tres grandes potencias prometieron reconstruir Alemania sobre bases «democráticas», sin definir el término. **◂1945.5 ▸1949.2**

EL HOLOCAUSTO

Horrores nazis

9 Cuando los soldados aliados penetraron en territorio alemán descubrieron las evidencias del crimen más execrable de los nazis: el asesinato sistemático de seis millones de judíos y de otros «indeseables» por razones políticas, religiosas, raciales o sexuales. Al liberar algunos campos de concentración como los de Treblinka, Majdanek y Auschwitz (donde el letrero de la entrada rezaba: «el trabajo os hará libres»), los soldados encontraron montones de cadáveres, barracones inmundos abarrotados de literas de cinco niveles, letrinas al descubierto y esqueletos vivientes que se tambaleaban entre el hedor.

Los supervivientes explicaron lo que habían soportado. Los internos eran separados al llegar. La mayoría eran conducidos a «las duchas» para morir asfixiados por el gas; a los que parecían más fuertes se les tatuaba un número, los vestían con uniformes de rayas y se les asignaban a unos grupos de trabajo. Algunos trabajaban en compañías importantes (incluida la IG Farben, que fabricaba el Zyklon-B, veneno utilizado en las cámaras de gas), otros eran conejillos de indias para sádicos experimentos médicos. Los guardias obligaron a prostituirse a las mujeres, a las jovencitas y a los muchachos. Cuando los prisioneros se debilitaban por el hambre, la enfermedad o el frío, los mandaban a las cámaras de gas. Los *Sonderkomandos* de prisioneros llevaban los cadáveres a los crematorios o a las fosas comunes. Los cuerpos también se utilizaban para la fabricación de mercancías: jabón de grasa humana y pelucas con cabello humano.

Ocupados en las prioridades estratégicas, los aliados habían ignorado las súplicas de los líderes judíos del mundo de que bombardearan las cámaras de gas. Tribunales para los crímenes de guerra castigarían a algunos de los responsables de tales horrores, pero para las víctimas la justicia llegaba demasiado tarde. **◂1944.10 ▸1946.E**

Obreros esclavos en Buchenwald, como los encontraron los soldados de la 80.ª división estadounidense.

Chicago John H. Johnson tomó el modelo de *Life* para su revista *Ebony*, presentada en 1945. La revista le convertiría en uno de los hombres más ricos del mundo editorial. Creada para un público negro, la revista mensual vendió doscientos cincuenta mil ejemplares de su primer número. Más tarde, Johnson añadió *Jet*, *Tan* y *Black World* a su imperio editorial, uno de los más grandes de América. ◂1936.NM

▶FUEGO EN EL CIELO —El 16 de julio de 1945 los científicos más prestigiosos del mundo occidental (*inferior* Robert Oppenheimer con el general de brigada Leslie Groves) se reunieron en el interior del desierto de Nuevo México para ser testigos del terrible fruto de años de labor intensa: la primera explosión atómica del mundo en la zona de Arenas Blancas, al sur de Nuevo México. La bomba explotó a las 05:30 horas, y desprendió tanta luminosidad que la luz se pudo ver en centenares de kilómetros a la redonda. (A una distancia de 10 km los científicos se hubieran quedado ciegos si no se hubieran protegido.) En el punto cero, la arena del desierto se fundió en cristales; la explosión resultó cegadora. Se había desatado una fuerza nueva en el mundo. Kenneth

Bainbridge, el director del laboratorio de Los Álamos, dijo: «Nadie que lo haya visto puede olvidarlo; un espectáculo horrible y pavoroso». ◂1945.1 ▸1946.7

▶UNA ÚLTIMA DECLARACIÓN—El primer ministro egipcio Ahmed Maher Pasha fue asesinado por un simpatizante nazi poco después de haber declarado la guerra al Eje en febrero de 1945. Circuló un rumor, nunca probado, de que el asesino había actuado bajo las órdenes de la Hermandad Musulmana de Egipto, nacionalista militante, que veía en Ahmed Maher un agente de la dominación británica. ◂1936.NM ▸1952.3

«Chiang Kai-shek ha perdido su alma [...] es sólo un cadáver y ya nadie creerá en él.»—**Mao Zedong**

▶EL AISLAMIENTO ESPAÑOL—España no asistió a la fundación de la Organización de las Naciones Unidas. La nación no intervino en la Segunda Guerra Mundial, pero las simpatías por el Eje del dictador Francisco Franco (*inferior*) llevaron a España al

aislamiento tras la victoria de los aliados. Enfrentado a una oposición creciente dentro y fuera del país, Franco utilizó su aislamiento diplomático para reafirmar el sentimiento nacional. Más tarde, la ONU olvidó el pasado y admitió a España. ◂1939.9 ▸1946.NM

▶CHURCHILL NO REELEGIDO—La guerra de Europa había terminado y con ella acabó el gobierno de Winston Churchill. El artífice de la victoria británica dimitió como primer ministro en julio de 1945, después de que los conservadores fueran derrotados por el Partido Laborista en las elecciones parlamentarias. Él derrotó a los nazis y salvó la nación pero fue vencido por el programa laborista de reforma social y económica en tiempo de paz.

▶REFORMADOR VENEZOLANO—Con la caída del general Isaías Medina Angarita en un golpe de 1945, el líder político Rómulo Betancourt, de regreso de su exilio, asumió la presidencia de Venezuela. Fundador del Partido de Acción Democrática, liberal y no comunista, Betancourt desarrolló una reforma moderada social y laboral durante sus 28 meses en el poder. (Volvió en 1959 en un segundo mandato.) Fomentó la creación de una constitución nueva en 1947, que estableció las elecciones por sufragio universal. ◂1935.NM

SEGUNDA GUERRA MUNDIAL

▶INDUSTRIA DE MUERTE—Buchenwald, Auschwitz y Dachau son nombres familiares que suenan a horror, pero son sólo tres de las

Un cohete V-2 alemán en el centro de investigación nazi de Peenemünde.

TECNOLOGÍA

Botines de guerra intelectuales

10 Cuando acabó la guerra en Europa, los ganadores se apresuraron a capturar a los magos de la tecnología que habían diseñado los modernos aparatos aéreos alemanes, especialmente los misiles V-1 y V-2 que bombardearon Gran Bretaña. La idea no era castigar a aquellos que habían dirigido la muerte de miles de civiles, sino contratarlos. En la primavera de 1945 los americanos y los soviéticos se dedicaban a recolectar lo que Eisenhower llamó «botines de guerra intelectuales».

En Peenemünde, un centro de investigación en la costa báltica, el general Walter Dornberger y el doctor (y oficial de las SS) Wernher von Braun habían supervisado a cientos de científicos del programa alemán de cohetería. Cuando llegó el ejército rojo, los dos hombres y sus colaboradores recogieron el archivo de 14 toneladas y huyeron al sur. En mayo se entregaron a los americanos, de quienes esperaban cobrar más por sus servicios.

Un mes antes, las fuerzas americanas habían entrado en la planta subterránea de cohetes cercana a Nordhausen, una zona de ocupación atribuida a Rusia por la conferencia de Yalta. Con prisa para hacerlo todo antes del 1 de junio, fecha en que la zona pasaría a los soviéticos, los americanos contrataron a trabajadores forzosos de Nordhausen (morían cien al día en la fábrica) para salvar los equipos de misiles. Cuando llegó la fecha límite, cien V-2, el archivo de Peenemünde y 115 científicos alemanes habían sido enviados a América. Von Braun y Dornberger, olvidados sus pecados, contribuyeron a la creación del programa espacial de Estados Unidos.

Los soviéticos también se hicieron con su equipo de científicos. En la guerra de Corea, sus aviones Mig 15 se enfrentarían a los F86 americanos, ambos diseñados por ingenieros alemanes. **◂1944.2 ▸1957.2**

COLONIALISMO

Revueltas en Argelia y en Vietnam

11 Para Francia, el final de la Segunda Guerra Mundial significó el principio del fin de su imperio, anunciado por los alzamientos de Argelia y Vietnam.

La guerra había empobrecido a los nativos de Argelia, y los colonizadores franceses habían bloqueado sus peticiones de derechos civiles. En el desfile de la victoria en la ciudad de Sétif, algunos árabes portaban pancartas que decían: «Larga vida a Argelia libre e independiente», «Queremos ser vuestros iguales». Los gendarmes requisaron los carteles y dispararon contra la multitud, mataron a algunos manifestantes. Grupos de argelinos se vengaron asesinando a cien europeos. Como represalia, cañoneros, aviones y soldados franceses atacaron pueblos argelinos. La revuelta fue aplastada pero el movimiento independentista se radicalizó.

Vietnam pasó la mayor parte de la guerra bajo ocupación japonesa, pero era administrada oficialmente por el gobierno de Vichy. Mientras, en China, el líder comunista exiliado Ho Chi Minh *(inferior izquierda)* había formado un frente para la independencia llamado Viet Minh. (Cuando Chiang Kai-shek encarceló a Ho, los americanos, agradecidos a la guerrilla Minh por su ayuda contra los japoneses, exigieron su liberacion.) En marzo de 1945 los japoneses expulsaron por completo a los franceses y proclamaron la independencia al emperador de Vietnam, Bao Dai. Pero en agosto, tras la derrota japonesa y antes de que los franceses pudieran recuperar el control, el Viet Minh se rebeló.

La «revolución de agosto» llevó al poder al Viet Minh y derrocó a Bao Dai, sin embargo, los aliados habían acordado en Potsdam que Vietnam todavía pertenecía a Francia. Con la ayuda de soldados británicos, los franceses recuperaron las ciudades del sur a finales de año pero en otros lugares continuó la resistencia. Las negociaciones llevaron a un alto al fuego, aunque en noviembre de 1946 empezó la primera guerra en Indochina. **◂1942.9 ▸1946.NM**

CHINA

Actuación para la paz

12 El matrimonio sin amor entre los nacionalistas y los comunistas chinos, forjado para la resistencia unida contra los japoneses, se disolvió con la derrota de Japón en 1945. Las fuerzas de Chiang Kai-shek, presidente del gobierno nacionalista, y de Mao Zedong, director del Partido Comunista, empezaron a reclamar el territorio chino abandonado por los ejércitos vencidos del emperador Hirohito. Estaba en juego el futuro político del país más poblado del mundo.

Al principio los nacionalistas y los comunistas sólo libraron combates esporádicos, mientras Chiang y Mao montaron una mascarada diplomática ante su pueblo harto de la guerra y ante el mundo, especialmente ante Moscú y Washington, cuyo apoyo a uno u otro bando podría decidir el resultado de la lucha. Durante 1945 y 1946 los dos líderes entablaron negociaciones de paz y Estados Unidos, intermediario de las

Abril: desembarco americano en Okinawa; la Unión Soviética entra en Viena; los aliados llegan al río Elba; ejecución de Mussolini; la Unión Soviética entra en Berlín; los alemanes se rinden en Italia; Hitler se suicida [...] Mayo: rendición de Berlín; el alto mando alemán se rinde oficialmente en Reims; fin de la guerra en Europa; los japoneses empiezan a retirarse del sur de China [...] Junio: Estados Unidos

conversaciones, esperaba conseguir un gobierno de coalición. Chiang y Mao estaban de acuerdo con la idea sólo de palabra porque los dos sabían que sus visiones del futuro de China eran incompatibles y ninguno de los dos planeaba compartir el poder.

Mujeres de la milicia china defienden el territorio del sur contra los ocupantes japoneses.

A principios de 1947 cada bando se había afianzado y se reanudó la guerra civil. Duraría tres años y costaría tres millones de vidas. ◄**1941.13** ►**1949.1**

COREA

Fin del enfrentamiento en Corea

13 En 1945 Japón había mantenido a Corea bajo dominio colonial durante 35 años. Cuando los japoneses perdieron la Segunda Guerra Mundial, los veintiséis millones de coreanos siguieron siendo los peones de las grandes potencias.

En la conferencia de Potsdam, poco antes de la derrota de Japón, los aliados estipularon que las fuerzas japonesas de Corea se rendirían a los americanos en el sur y a los soviéticos en el norte; el paralelo 38 sería la línea de separación. El 9 de agosto, el día posterior a la declaración de guerra de Stalin a Japón (y seis días antes de que finalizara la guerra mundial), doscientos mil soldados soviéticos ocuparon el norte de Corea, junto a un ejército de comunistas coreanos exiliados. Las desmoralizadas fuerzas japonesas huyeron. Un mes más tarde, soldados norteamericanos arribaron al sur de Corea; los soviéticos ya habían empezado a establecer un gobierno comunista en su zona.

Sin saber si estaban conquistando un resto del imperio japonés o liberando a una nación oprimida, los americanos administraron el sur de Corea con mano dura y cierta incertidumbre. Su único objetivo claro era evitar que los soviéticos controlaran todo el país. Para complicar más la situación, se percataron de que la economía colonial coreana se había derrumbado con la retirada de los japoneses. Huelgas, manifestaciones y revueltas de los campesinos se prodigaban en la zona americana. El comandante estadounidense, el general John Hodge, escribió: «Un gobierno militar es completamente inadecuado para controlar esta situación». Pero los soviéticos estaban allí de modo que los americanos debían quedarse. La independencia prometida a Corea tendría que esperar. ◄**1945.8** ►**1948.3**

Soldados de la infantería americana en el sur de Corea inspeccionan armas japonesas.

ORIENTE MEDIO

El dilema palestino de Gran Bretaña

14 Con la Segunda Guerra Mundial finalizada y los campos de concentración descubiertos a los ojos del mundo, los sionistas multiplicaron sus demandas de que Gran Bretaña abriera su mandato palestino a la inmigración judía sin ningún límite. En Palestina, los grupos guerrilleros judíos, el Irgun Zvei Lumi y el Stern Gang, aumentaron sus campañas para forzar la decisión de Gran Bretaña. (Los dirigentes judíos moderados, dirigidos por Chaim Weizmann, apelaban a la conciencia británica recordando que una brigada sionista de voluntarios había contribuido a la causa aliada.) Los árabes de la región se oponían a la inmigración judía pero carecían de un liderazgo unificado en Palestina. En marzo de 1945 Arabia Saudí, Siria, el Líbano, Irak, Transjordania, Yemen y Egipto organizaron la Sociedad de Estados Árabes para presionar a Gran Bretaña en sentido contrario.

El nuevo gobierno laborista británico (a diferencia de su predecesor) simpatizaba con el objetivo de los sionistas pero quería seguir manteniendo relaciones amistosas con los árabes. El presidente Truman, cuyas inclinaciones sionistas eran evidentes, se sumaba al dilema británico. En abril de 1946 Gran Bretaña, presionada por Estados Unidos, envió otra comisión para estudiar una solución. El comité anglo-americano de investigación recomendó que se admitieran con prontitud a cien mil refugiados judíos europeos, que se suprimieran las restricciones en las adquisiciones de tierra y que se estableciera un estado binacional judío-árabe bajo la tutela de la Organización de las Naciones Unidas.

Los refugiados a bordo del *Exodus* desembarcan en Haifa. Los británicos les negaron la entrada en Palestina.

En 1947, la ONU envió a su propia comisión en busca de respuestas al problema palestino. El resultado fue la fundación de Israel y la guerra entre la nación judía y sus vecinos árabes. ◄**1939.NM** ►**1948.9**

fábricas de muerte del Holocausto. Los aliados liberaron más de cien campos. Ohrdruf, en Alemania oriental, fue el primero. El 3 de abril soldados americanos entraron y encontraron miles de cadáveres esqueléticos amontonados contra los muros, «rígidos y amarillos como maderos», según un soldado. Cuando la noticia del descubrimiento salió de Alemania, una oleada de condena se extendió por todo el mundo.

►LA POLÍTICA DE TIERRA QUEMADA DE HITLER—Hitler razonó de modo demente con Albert Speer, jefe de la producción militar: «Si la guerra se pierde, la nación alemana desaparecerá. No hay ninguna necesidad de conservar lo que la gente va a necesitar para seguir viviendo». En marzo, el *Führer* ordenó la destrucción de todas las fábricas, grupos electrógenos y granjas. Todo lo que pudiera ser de utilidad para los aliados, que iban avanzando, debía ser destruido. Speer no cumplió la orden, pero Alemania ya había perdido la guerra.

►OCUPACIÓN DE BERLÍN—En Yalta, los aliados acordaron dividir la Alemania de posguerra en zonas de ocupación; en la zona soviética, que se componía del este de Alemania, Berlín sería dividida en cuatro sectores administrativos: soviético, americano, británico y francés. El acuerdo fue aceptado por Eisenhower, que en abril detuvo el avance de los aliados occidentales en el Elba, a 75 km de Berlín. Pero los soviéticos, tras

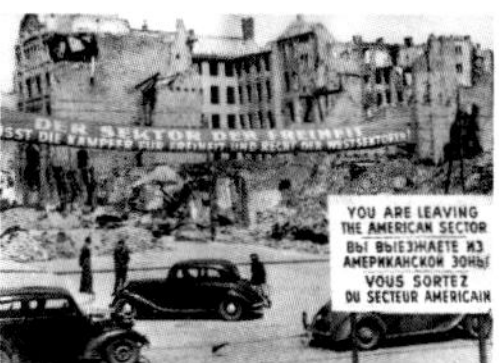

tomar la capital en mayo, cerraron sus puertas hasta julio, tiempo suficiente para saquear la ya arruinada ciudad y de empezar a construir el régimen que gobernaría Berlín oriental durante los siguientes sesenta años.

►REAPERTURA DE LA RUTA DE BIRMANIA—Para el general americano Joseph Stilwell, la conclusión de un nuevo tramo de la ruta de

toma Okinawa, Tarakan y las Filipinas [...] Julio: Italia declara la guerra a Japón; conferencia de Potsdam [...] Agosto: Estados Unidos lanza las bombas atómicas sobre Hiroshima y Nagasaki; la Unión Soviética declara la guerra a Japón, entra en Corea; Japón se rinde en Birmania; Estados Unidos empieza la ocupación [...] Septiembre: Japón se rinde oficialmente; finaliza la Segunda Guerra Mundial.

«He hecho 23 películas. Las cambiaría todas por la suerte de haber hecho Los hijos del paraíso.*»*—**François Truffaut**

Birmania hacia China fue una dulce venganza: derrotado por los japoneses en 1942, había prometido recuperar el territorio perdido. Su ruta de Ledo, establecida con mucho trabajo a través de la frondosa selva, conectó la India con la ruta birmana original. Por ella los aliados transportaron material bélico hacia el este acabando con los tres años de ocupación nipona de China.

▶«MUERTES NOBLES» —Durante los últimos y desesperados meses de la guerra del Pacífico, cada vez más pilotos japoneses se convertían en kamikazes y estrellaban sus aviones, como bombas guiadas, contra los barcos americanos. De los trece mil soldados aliados muertos en el Pacífico en 1945, tres cuartas partes fueron víctimas de kamikazes. Otros japoneses eligieron un método más privado, el *seppuku* o «suicidio noble». (Un suicida fallido fue el general Hideki Tojo, que se disparó a la cabeza, en septiembre. Sobrevivió pero fue acusado de crímenes de guerra y condenado a la horca el 28 de abril de 1946.) En Alemania, Hitler y Goering sólo fueron dos entre miles, incluidos ciudadanos corrientes, de los que eligieron suicidarse.

▶DESAPARICIÓN DE UN HÉROE—Entre la ocupación de Hungría por Alemania y la llegada del ejército rojo, el diplomático sueco Raoul Wallenberg salvó a cien mil judíos húngaros de Auschwitz, instalando a miles en «casas protegidas» bajo la bandera sueca y de otras naciones neutrales y distribuyendo innumerables pasaportes suecos falsos. No obstante, cuando el ejército rojo asaltó Budapest, Wallenberg fue detenido por espía. Durante años los soviéticos dijeron que ignoraban su paradero; finalmente explicaron que había muerto en la cárcel en 1947. No obstante, antiguos cautivos de los campos soviéticos afirmaron que continuaba preso en 1975.

▶VÍCTIMAS DE LA GUERRA—Más de treinta y cinco millones de personas murieron como consecuencia de la Segunda Guerra Mundial.

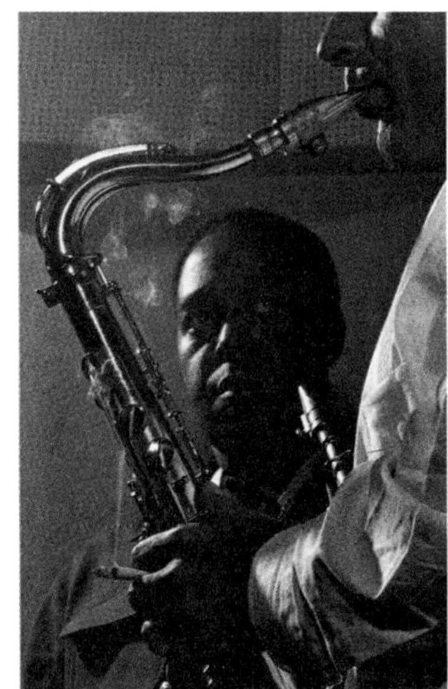

El gran Charlie Parker con la silueta del saxofonista Flip Phillips (1949).

MÚSICA

Charlie Parker

15 En pequeños clubes nocturnos como el Minton's y el Uptown Club, un grupo de músicos jóvenes desarrollaron un estilo revolucionario de *jazz* que se deshizo de las convenciones del género: los pianistas Tadd Dameron y Thelonius Monk, el batería Kenny Clarke, el guitarrista Charlie Christian y el trompetista John Birks «Dizzy» Gillespie. Pero un hombre personificó la nueva estética cerebral y melancólica: el saxofonista Charlie «Yardbird» Parker. El nuevo estilo maduró en 1945 con la colaboración de Bird (como era conocido) y Gillespie en las primeras grabaciones que captaban esta música de compleja armonía de ritmo excéntrico en su forma pura.

Los inicios de Parker fueron difíciles. Entró en el panorama musical de Kansas City a la edad de quince años, ya adicto a la heroína, que acabó matándole veinte años más tarde. Ridiculizado por músicos mayores que él, Parker se ocultó durante meses de intensa práctica. Cuando reapareció, su habilidad técnica entusiasmó a sus detractores. Cuando llegó a Nueva York empezó a experimentar las técnicas rupturistas que le convertirían en una leyenda.

Parker, improvisador con una inventiva inacabable y fascinado por compositores modernistas como Schoenberg y Hindemith, iba en camino de convertirse en el solista de *jazz* más influyente desde Louis Armstrong. Al principio los críticos musicales encontraron los discos de Parker y Gillespie inescuchables, pero en 1955, año de la muerte de Parker, su estilo era el sonido rey del *jazz*. **◂1937.5 ▸1955.7**

MÚSICA

Britten de Gran Bretaña

16 *Peter Grimes* de Benjamin Britten se estrenó en junio de 1945 en el Sadler's Wells Theatre de Londres, de reciente reapertura, con la compañía de Britten y el tenor Peter Pears en el papel principal. Fue la primera ópera moderna británica que tuvo repercusión fuera de Londres. Con sus melodías melancólicas que evocaban el conflicto entre un pueblo de pescadores de mente estrecha y el inadaptado Grimes, la ópera le valió a Britten la fama de ser el compositor dramático británico más importante desde el siglo XVII.

Britten escribió trece óperas pero su talento va más allá de este género. Colaboró con el poeta W. H. Auden en la opereta *Paul Bunyan*; *Serenata para Tenor, cuerno e instrumentos de cuerda*, considerada por un crítico como «la obra musical más perfecta de este siglo». Realizó su obra coral *Réquiem de guerra* basándose en poemas del poeta Wilfred Owen; escribió varias piezas para el virtuoso del violonchelo Mstislav Rostropovich. Entre las obras para niños está su popular composición *Young person's guide to the orchestra*. En 1976, año de su muerte, la reina Isabel II lo nombró par; fue el primer músico que recibió este honor. **◂1936.13 ▸1956.NM**

CINE

Un monumento de celuloide

17 Dirigida por Marcel Carné y escrita por el poeta Jacques Prévert, *Los hijos del paraíso* se filmó en Francia durante la ocupación y fue exhibida en 1945. Esta meditación de tres horas de duración sobre el amor, el poder, la lujuria y el arte es, según un crítico, «una de las películas estéticamente más satisfactorias de todos los tiempos».

Philip Langridge en el papel de Peter Grimes en una producción de la Ópera Nacional inglesa de 1991.

Previas colaboraciones de Carné y Prévert, como *Drôle de drame* (1937) o *Amanece* (1939), eran historias modernas filmadas con un realismo fatalista. El tema de la desesperanza contemporánea estaba prohibido por los nazis, de modo que los cineastas escogieron un contexto histórico sugerido por el gran actor y director Jean-Louis Barrault, una de las estrellas de la película. Ambientada en el Boulevard du Temple, el distrito teatral de París de los años cuarenta del siglo XIX, donde se mezclaban la clase alta y la baja, la película retrata a figuras históricas como el mimo Baptiste Deburau, el actor teatral Frédéric Lemaître y el criminal Lacenaire. La interpretación de Barrault como Baptiste es admirada por los cinéfilos; la de Arletty, como el buscador de oro Garanze, idolatrada.

El rodaje presentó ciertas dificultades: las victorias aliadas y los apagones generalizados ralentizaban

Las tres estrellas de *Los hijos del paraíso*: Brasseur, Barrault y Arletty.

el trabajo y los miembros judíos del reparto trabajaban en secreto. Aunque no era abiertamente política, se convirtió en un monumento al espíritu imperecedero de Francia a causa de su afecto al teatro francés, su historia de pasión y sacrificio y las circunstancias de su creación. **◂1937.8**

PREMIOS NOBEL: Paz: Cordell Hull (estadounidense; ONU) [...] Literatura: Gabriela Mistral (chilena; poeta) [...] Química: A. I. Virtanen (finlandés; método de conservación de pienso) [...] Medicina: Alexander Fleming y Ernst B. Chain (británicos) y Howard W. Florey (australiano; penicilina) [...] Física: Wolfgang Pauli (austríaco; principio de exclusión).

Llegada al cementerio marino

Del artículo «Paul Valéry y la poesía difícil» publicado en *La Vanguardia* (1945)

por M. Fernández Almagro, de la Real Academia de la Historia

Paul Valéry murió en 1945 dejando tras él una poesía de lectura a menudo difícil inscrita en los parámetros de la llamada «poesía pura». Fernández Almagro realizó un encomio al gran poeta desaparecido en el que intentó dar algunas claves para la comprensión de su obra.

La muerte de Paul Valéry ha dado lugar a que reviva un tema, el de la poesía pura, que en estos últimos años ha dado varias veces la vuelta, ganando la atención de la gente de letras. Pero la gente de letras, en definitiva, es casi todo el mundo: el que no escribe, lee. Y de eso se trata precisamente al plantear la cuestión consabida. A propósito de la poesía pura, se discute si puede haber o no una zona en que el arte —de cualquier índole que sea— reserve su secreto para sus iniciados, y para nadie más.

Pero no creo que ningún artista de veras —poeta, músico, pintor, etcétera—, empiece por imponerse un tipo determinado de lector. Primero, produce, y luego, atrae. Si atrae a muchos, es que su arte goza de facilidad y gran alcance humano. En otro caso, se evidencia la oscuridad de una obra que así resulta difícil, inaccesible. Es decir, inaccesible y difícil para los más. Justamente la poesía de Paul Valéry era ejemplo cumplidísimo del último supuesto. De los versos de Paul Valéry no podía disfrutar cualquiera. Tal es la verdad. Hay que reconocerlo, desde luego, sin la más leve sombra de reproche. ¿Por qué va el poeta a tener un ámbito de resonancia por el estilo del que lógicamente aspira a lograr un autor dramático o un tribuno? Y conste que al formular estas elementales consideraciones, no planteo el tema estético y técnico de la llamada «poesía pura», a cuyo concepto está indisolublemente unido el nombre del abate Brémond, en un sentido, como el de Paul Valéry, en otro. Hablo con la mira puesta en el fenómeno social de la poesía. La poesía es todo un mundo, y en ese mundo cabe todo: versos que lleguen al último rincón de la curiosidad general y capten multitudes, en tanto que otros versos, a fuerza de íntimos, no obtengan otro eco que el suscitado por el poeta mismo, o en la entraña de su espíritu. Todo es, o puede ser, poesía; más convengamos que entre todas las formas y modos de la creación literaria, la poesía es la que surge de más dentro, y su voz no se malogra, antes bien se realiza esencialmente, quedando en confesión o confidencia. Pues bien, esa poesía para el poeta y a lo sumo para sus afines, es la que bien se puede llamar «pura». Lo que ocurre es que la gran masa de lectores está inficionada de una estética democrática y hasta demagógica. Arte de multitudes, soberanía del gusto numéricamente dominante; cada lector, un voto. Pero el arte, y la poesía con él, puede ser eso, aquello o lo de más allá: campo de concentración, cenáculo más o menos amplio, torre de marfil. Y bien se debe comprender que un lector de calidad está en la obligación de hacer un esfuerzo, con la inteligencia o con la sensibilidad, para llegar a entender lo que en principio rechazaría por difícil u oscuro. Nada tan oscuro y tan claro a la vez, valga el ejemplo, como una tabla de logaritmos. Nada tan útil y tan inútil, al mismo tiempo, según quien se acerque a ellas. Por algo era Paul Valéry matemático y poeta, con profunda simultaneidad en uno y otro ejercicio, ninguno profesional, por cierto. Matemático y poeta presupone una común inclinación a la precisión y al misterio. El número es eso: bajo la inequívoca necesidad matemática del guarismo, palpita todo el problema del conocimiento humano. En una cifra se condensan las operaciones de la razón que plantea y resuelve cuestiones muy arduas. Y se dice «cifrado» del lenguaje que necesita clave para ser comprendido.

Paul Valéry, autorretrato.

Sobremanera ardua es la representación poética del mundo. Como que equivale a crearlo de nuevo, y por medios genuinamente humanos, por considerable que sea ese estado de gracia poética que los tratadistas han llamado siempre «inspiración», procurando designar esa cosa vaga a que los antiguos se referían cuando hablaban del quid dirinum. El problema de la poesía superior —que es la más lírica e íntima, porque la poesía épica necesita de lo objetivo o histórico— tiene que abordarse como un problema de las matemáticas: contando con todos los términos, ya que ninguno es insignificante ni superfluo. De ahí que precisamente Paul Valéry escribiese: «el que quiera hacer grandes cosas debe pensar profundamente en todos y cada uno de sus detalles». Nuestro gran poeta Jorge Guillén, que tanto tiene de Paul Valéry, pensó por un momento dar por título el de «Mecánica celeste» a su libro «Cántico», desistiendo por un lógico temor a la confusión que el rótulo ocasionase en el ánimo del presunto comprador. Pero es evidente que la visión poética de nuestra vida, en toda su pureza, participa no poco de la mecánica celeste, por el rigor y la elevación, la exactitud de datos y el último misterio de la poesía y del mundo, del universo y del espacio. Por lo grande a lo pequeño o viceversa. En Ciencia como en Poesía.

¿Me será permitido dar al lector un consejo? No rechace nunca una poesía, o una obra de arte en general, por ininteligible, ni llame oscuro a un autor por el simple hecho de no ser entendido. Leer poesía requiere algo más que la trivial atención que basta y sobra para cualquier otro texto. El maravilloso poema de Paul Valéry «Cementerio marino», guarda hondas y exquisitas emociones bajo las siete llaves de un lenguaje poético, abundante en sabias metáforas y sobrentendidos de honda raíz espiritual. Ese patético sentido se me reveló súbitamente una tarde de excursión en que me fue dado pasar por el florido camposanto de Ciboure, junto al plateado mar de la tierra vascofrancesa. Entré en ese cementerio y, a la vez, entra por completo en el poema de Paul Valéry.

M. FERNÁNDEZ ALMAGRO

«Cuando le demuestras que crees que es el bebé más maravilloso del mundo, desarrollan su espíritu, del mismo modo que la leche desarrolla su cuerpo.»—**Dr. Benjamin Spock, en *El cuidado de los niños***

HISTORIA DEL AÑO

La generación Spock

1 «Confiad en vosotros mismos. Sabéis más de lo que creéis saber.» Con estas palabras de alivio empieza la obra *El libro del sentido común sobre el cuidado de los niños* del pediatra Benjamin Spock, que volvió a establecer la confianza en sí mismos de los padres de la posguerra. El libro, un recetario de consejos prácticos referentes a todo, desde los abscesos hasta los pañales, demolió las rígidas ideas tradicionales sobre el cuidado infantil y enfatizó la intuición y la flexibilidad como claves de la actuación de los padres. El Dr. Spock fue estimado por su sensatez. En 1990 su manual se editó por sexta vez; ya había vendido cuarenta millones de ejemplares en 38 lenguas, convirtiendo al médico en uno de los autores americanos más leídos en todo el mundo.

Nacido en Nueva Inglaterra, Spock recibió una estricta educación yanqui, hecho por el que se le atribuye su gran permisividad con la rebeldía. El mismo Spock declaró: «Estaba de acuerdo con la mayoría de ideales y con la mitad de los métodos de mis padres». Su desacuerdo real era con teorías pediátricas tan tradicionales como las del conductista John B. Watson, que aconsejaba a los padres que trataran a los niños como a adultos jóvenes: «No los abracéis ni les beséis nunca, no dejéis que se sienten en vuestras rodillas. Si debéis hacerlo, besadles una vez en la frente cuando os den las buenas noches». Spock intentó desmitificar la crianza infantil, no era partidario de los consejos de frialdad hacia los hijos. «Sed naturales y espontáneos, disfrutad de vuestro bebé», decía. Su rechazo a establecer edades específicas en las que los niños debían realizar tareas concretas, como lavarse solos o dormir toda la noche, a veces fue malinterpretado como una defensa de la indulgencia absoluta. En las últimas ediciones del libro, Spock corrigió esta falsa impresión: explicó que la autoridad familiar reside en los padres y no en los hijos.

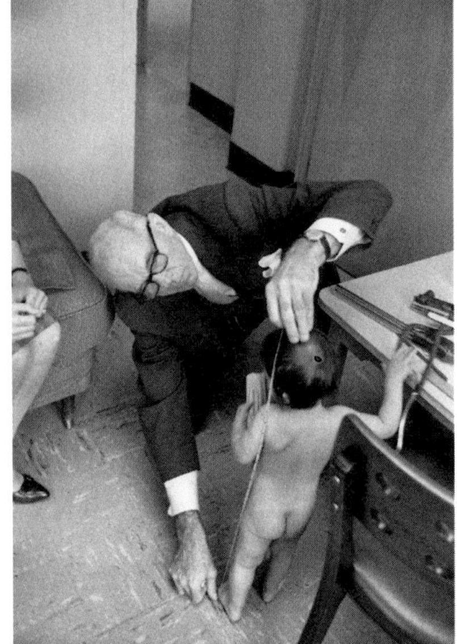

El Dr. Spock, fotografiado a principios de los años sesenta por Henri Cartier-Bresson, midiendo a un paciente.

Durante los turbulentos años sesenta, en que los primeros niños de Spock cumplieron la mayoría de edad, sus detractores le acusaron de haber fomentado una «generación de pacifistas sin voluntad». Spock, activista contra la guerra de Vietnam, alababa el idealismo de los jóvenes que protestaban contra la guerra y negaba cualquier responsabilidad. Los padres siguieron educando según los consejos de su libro y comprándolo. «Tiene que querer mucho a los niños para comprenderlos tan a fondo», escribió una admiradora, «quiero que sea el único médico de mis hijos». ◂**1923.4** ▸**1948.7**

1946

DIPLOMACIA

Nueva esperanza para la paz mundial

2 En el intento de dejar atrás el horror de siete años de guerra mundial, delegados de 51 naciones se reunieron en Londres el 10 de enero de 1946 en la primera sesión de la Asamblea General de la Organización de las Naciones Unidas. La ONU, plena de idealismo pero respaldada por la fuerza militar, sustituyó a la Sociedad de Naciones, como organización dedicada a evitar una futura guerra global.

Cartel ganador del concurso de las NU «Cartel del año», realizado por el canadiense Henry Eveleigh.

La idea de una nueva organización internacional ya había sido esbozada por Roosevelt y Churchill en 1941 y, al año siguiente, fue apoyada por los otros aliados en la Declaración de las Naciones Unidas. En la Declaración de Moscú de 1943, China, Gran Bretaña, Estados Unidos y la Unión Soviética confirmaron la necesidad de sustituir a la Sociedad de Naciones; en la conferencia de Dumbarton Oaks de 1944, delegaciones de estas cuatro naciones diseñaron una propuesta. En junio de 1945, en San Francisco, delegados de 50 naciones redactaron una carta que fue ratificada el mismo año. Recogía el establecimiento de una Asamblea General de todos los miembros (naciones soberanas y «amantes de la paz») así como un Consejo de Seguridad, compuesto por once miembros (cinco de ellos permanentes, China, Francia, Gran Bretaña, Estados Unidos y la Unión Soviética). Sólo el Consejo de Seguridad poseía autoridad para intervenir en disputas internacionales, y sólo después del voto unánime de todos los miembros permanentes.

La economía de la ONU se encargaría a la Secretaría, presidida por un secretario general (el primero fue el noruego Trygve Lie, ministro de asuntos exteriores del gobierno noruego en el exilio durante la guerra). Por invitación del congreso de Estados Unidos, la ONU decidió establecer su sede permanente en la ciudad de Nueva York. John D. Rockefeller hijo donó sus propiedades de Manhattan a lo largo del East River. En 1952, las dependencias principales estaban acabadas. ◂**1945.NM** ▸**1953.8**

JAPÓN

La ocupación americana

3 El anteproyecto aliado para la reconstrucción de Japón quedó reducido a un proyecto exclusivamente americano, con el general Douglas MacArthur en el cargo de comandante supremo. Los objetivos políticos de América de desmilitarizar la arruinada economía japonesa y de democratizar su gobierno recibieron un impulso considerable el 1 de enero de 1946, cuando el emperador Hirohito renunció a su categoría de divinidad, facilitando una constitución nueva.

Presentada a la Diet (asamblea legislativa) en noviembre, la constitución convirtió al emperador en una figura decorativa sujeta a «la voluntad del pueblo, en quien reside el poder soberano». Asimismo establecía una ley de derechos con 31 artículos, por la que renunciaba a las fuerzas armadas y al derecho de declarar la guerra, y estructuraba el gobierno en dos cámaras, un primer ministro elegido por la asamblea y la independencia del poder judicial. La antigua tradición de gobierno imperial se había roto; el gobierno japonés moderno sería laico y democrático.

Hirohito, al renunciar a su origen divino, se dirige a sus súbditos en mayo de 1946.

Los americanos fueron igualmente agresivos en el terreno económico:

ARTE Y CULTURA: Libros: *Zorba el griego* (Nikos Kazantzakis); *La estación total* (J. R. Jiménez) [...] Música: *Concierto para violonchelo* (Katchaturian); *El rapto de Lucrecia* (N. Britten) [...] Cine: *Los mejores años de nuestra vida* (William Wyler); *El limpiabotas* (Vittorio de Sica); *La bella y la bestia* (Jean Cocteau); *Encadenados* (Alfred Hitchcock) [...]

«A largo plazo estaremos todos muertos.»—**John Maynard Keynes, cuando se le preguntó sobre las implicaciones de sus teorías económicas «a largo plazo»**

intentaron destruir el poder militar japonés disolviendo sus monopolios, las corporaciones familiares que fueron la piedra angular de la economía de guerra japonesa. Pero la guerra fría añadió una nueva dimensión política a la recuperación económica japonesa y estos monopolios se consideraron como un «baluarte contra el comunismo». Sólo se disolvieron 18 de las 325 empresas del programa inicial. La organización cooperativa de las restantes firmas contribuyó al rápido crecimiento económico de la posguerra en Japón. **◄1945.1 ►1959.NM**

ECONOMÍA

La revolución keynesiana

4 A mediados de los años treinta ya era importante la intervención gubernamental en las economías capitalistas, en sociedades tan distintas como la Alemania nazi y Estados Unidos. Las bases teóricas de esta tendencia, que se generalizó en casi todo el mundo después de la guerra, las proporcionó el economista británico John Maynard Keynes. Estados Unidos fue el país que recibió de forma más entusiasta a la «revolución keynesiana». En 1946 (el año de la muerte de Keynes) ratificó la ley de pleno empleo, por la que el gobierno federal prometía ajustar su presupuesto a la optimización del empleo y la producción. La ley reflejaba las ideas económicas fundamentales de Keynes, que el economista había presentado la década anterior en su ataque frontal a la política económica del *laissez-faire* en el libro *Teoría general sobre el empleo, el interés y el dinero*.

Frente a la economía clásica que enseña que los niveles de fluctuación del empleo y las tasas de interés se autocorrigen con el tiempo, Keynes, que escribía durante la Gran Depresión económica, dijo que el ahorro individual y la reducción del consumo resultaban insuficientes para corregir recesiones importantes. Desde su revolucionario punto de vista, la clave para incrementar el capital era el crecimiento de la demanda, que dependía del índice del empleo permanente y alto, y para esto las inversiones privadas no eran suficientes. De modo que el gobierno debía intervenir para asegurar el equilibrio económico. Keynes, antisocialista declarado que creía firmemente en la economía capitalista de mercado, abogaba sin embargo por «una socialización extensa de la inversión» a través de inversiones gubernamentales directas. Nada reivindicó tanto la heterodoxia de Keynes como la Segunda Guerra Mundial, en que el gasto gubernamental llevó al pleno empleo y finalizó la Gran Depresión.

Keynes y su mujer, la bailarina Lydia Lopokova, pintados por William Roberts. Rechazada como una «corista» por el Grupo de Bloomsbury, Lopokova fue el gran amor de su vida.

Las teorías de Keynes y la macroeconomía que nació de ellas resultaron sorprendentemente eficaces en los años cincuenta y sesenta, de alto crecimiento y paro bajo. Después, la vuelta de la inflación y el déficit público las cuestionaron. **◄1944.12 ►1957.7**

FILIPINAS

Una independencia limitada

5 Tras 425 años de dominación extranjera (España hasta 1898 y luego Estados Unidos), las Filipinas obtuvieron la independencia en 1946. Con un gobierno similar al de Estados Unidos, el 4 de julio se proclamó la República de Filipinas. Acto seguido, se adoptó una nueva constitución y se eligió a Manuel Roxas *(inferior)* como presidente. Pero los filipinos verían que la libertad llegaba con ataduras, la mayoría relacionadas con Estados Unidos.

El gobierno norteamericano, tras arrebatar las Filipinas a España en 1898, insistió en que no pretendía convertir las islas en una colonia permanente: la fase de ocupación duraría hasta que los filipinos aprendieran a autogobernarse de forma democrática. El «aprendizaje» duró 36 años; mientras tanto, las Filipinas suministraron a Estados Unidos materias primas baratas y Estados Unidos ganó un mercado para sus productos. A medida que el período colonial se alargaba, los filipinos se intranquilizaban. «Preferiría vivir bajo un gobierno filipino infernal que bajo uno americano celestial», dijo el patriota Manuel Quezón.

En 1934, el congreso de Estados Unidos concedió el estatus de Commonwealth a las Filipinas. Quezón fue elegido presidente. Sin embargo, la independencia fue aplazándose hasta diez meses después de la rendición de Japón en la Segunda Guerra Mundial. Por entonces Quezón ya había muerto y había sido sustituido por Roxas, mucho más débil. A cambio de los fondos americanos, Roxas (colaborador de los japoneses durante su ocupación) hizo concesiones que permitieron que las bases norteamericanas permanecieran y asimismo consintió restricciones mercantiles que salvaguardaron la antigua política colonial. En las montañas de Manila, arraigaría un movimiento antiamericano de izquierdas.

NACIMIENTOS

Bob Beamon, atleta estadounidense.

José Carreras, cantante español.

William J. Clinton, presidente estadounidense.

Rainer Werner Fassbinder, director cinematográfico.

John Paul Jones, músico británico.

Liza Minnelli, actriz y cantante estadounidense.

Ilie Nastase, tenista rumano.

Donald Trump, empresario estadounidense.

MUERTES

John Logie Baird, inventor escocés.

María Barrientos, cantante española.

Francisco Largo Caballero, político español.

Manuel de Falla, compositor español.

W. C. Fields, actor estadounidense.

Hermann Goering, dirigente nazi alemán.

Gerhart Hauptmann, dramaturgo alemán.

Eduardo Marquina, escritor español.

John Maynard Keynes, economista británico.

Hermann Reyserling, escritor austríaco.

Gertrude Stein, escritora estadounidense.

H. G. Wells, escritor británico.

Teatro: ***El águila de dos cabezas*** **(J. Cocteau);** ***El existencialismo es un humanismo*** **(J. P. Sartre);** ***Nacida ayer*** **(Garson Kanin).**

«Argentina era un país de toros gordos y peones desnutridos.»—**Juan Perón, sobre el estado de Argentina en 1946**

NOVEDADES DE 1946

Sufragio femenino en Japón.

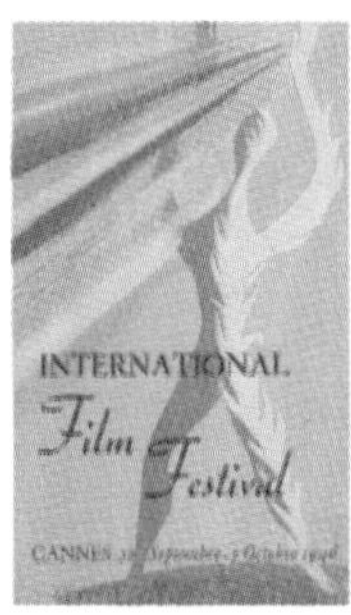

Festival de cine de Cannes

Biquini.

Bebés del «baby-boom» (Kathleen Casey Wilkens, nacida un segundo después de medianoche, 1/1/1946).

Becas a la brillantez académica.

EN EL MUNDO

▶SAGA SUREÑA—Robert Penn Warren, importante poeta y crítico literario, se hizo famoso con una obra de ficción, *Todos los hombres del rey*. Paradigma de la literatura crítica moderna, la novela presenta al demagogo sureño Willie Stark (inspirado en Huey Long, de Louisiana) como un arquetipo de la humanidad «perdida». «El hombre es concebido en pecado y nace entre corrupción», opina Stark, «y pasa de la peste de los pañales al hedor de la mortaja».

▶EL APOGEO DE HAYWORTH—En una escena clásica de *Gilda*, la seductora Rita Hayworth se quitaba un par de guantes largos y negros mientras cantaba «Put the blame on Mame, boys». La película de 1946 significó la confirmación de la actriz, cuyo nombre real era Carmen Cansino, como una importante *sex-symbol* de Hollywood.

1946

ITALIA

Fuera la monarquía, sí a la república

6 En junio de 1946 cayó definitivamente la casa de Saboya, de 900 años de antigüedad, con el exilio del rey de Italia Humberto II. En 1944, el rey Víctor Manuel III, padre de Humberto, se había retirado de la vida pública siguiendo los consejos de los aliados, dejó el poder en manos de un gobierno provisional. En mayo de 1946 los italianos se prepararon para votar la permanencia de la monarquía y el antiguo rey, impopular a causa de su asociación con el fascismo, abdicó en favor de su hijo Humberto. El día anterior al referéndum, el Papa Pío XII instó al electorado a que eligiera al cristianismo y no al materialismo, una argucia para mantener a Humberto; no obstante, el 54 % de los votantes se inclinaron por la república.

El último monarca de Italia tomó el título de conde de Sarre en el exilio. (Fotografía de 1979.)

El rey rechazado impugnó las elecciones pero las autoridades de ocupación aliadas fueron inflexibles y el primer ministro, Alcide de Gasperi, le ordenó que se marchara. El último monarca de Italia partió hacia Portugal tras un reinado de un mes de duración.

Los votantes también eligieron una asamblea constituyente para que redactara una constitución para la nueva república. La dinámica política de la Italia posfascista empezaba a tomar forma: el nuevo Partido Demócrata Cristiano ganó el 35 % de los votos; los socialistas, el 21 %, y los comunistas, el 19 %. Unos cuantos partidos minoritarios se repartieron el resto.

Aunque el Partido Comunista italiano era el mayor de la Europa occidental, la amenaza de una revolución, palpable sólo un año antes a causa de la inflación, la escasez y las reacciones antiderechistas, estaba retrocediendo. Al evitar purgas contra los colaboradores fascistas, De Gasperi y sus demócratas cristianos se ganaron la lealtad de la mayor parte de las clases media y alta. Los pragmáticos comunistas siguieron su ejemplo. Los tres partidos mayoritarios diseñaron una constitución (puesta en vigor en 1948) que formalizó un compromiso: en parte socialista y en parte capitalista, al garantizar la libertad de expresión pero admitir la censura, y salvaguardando la libertad de religión pero otorgando una serie de privilegios a la Iglesia católica. **◂1945.7 ▸1976.14**

ESTADOS UNIDOS

Ensayos nucleares

7 Fue una manifestación de «destrucción mayestática», de «luz cegadora y nubes de color naranja», explicaba una descripción entusiasta de la detonación de una bomba atómica realizada por Estados Unidos en 1946 en el atolón Bikini de las islas Marshall. La prueba de Bikini, llamada operación Crossroads, fue el primer intento científico de determinar los efectos del armamento atómico, cuyo inimaginable poder, incluso después de Hiroshima y Nagasaki, todavía suscitaba más interés tecnológico que repulsión. Entre 1946 y 1958, Estados Unidos realizó más de sesenta pruebas atómicas en las islas Marshall.

En enero de 1946, mandos militares seleccionaron la isla de Bikini, en mitad del Pacífico, para probar en el mar su nueva superarma. El congreso aprobó el lugar la primavera siguiente. Los preparativos para la operación se iniciaron de forma inmediata con la evacuación de los 162 habitantes de Bikini a otras islas. Durante los doce años siguientes, trasladaron a la población de las Marshall de una isla a otra, a menudo a campos de trabajo.

Cada uno de los dos ensayos consistió en hacer detonar una bomba de la envergadura de Nagasaki, equivalentes a veinte mil toneladas de TNT. La segunda estalló bajo el agua y hundió casi al instante una flota de veintiséis mil toneladas que se encontraba 165 m más arriba. Hasta 1949 las pruebas parecían una aventura científica. Ese mismo año, los soviéticos detonaron su primera bomba atómica, rompiendo el monopolio de Estados Unidos. A partir de entonces, la experimentación, controlada por la comisión de energía atómica (creada en agosto), adquirió una urgencia macabra. **◂1945.1 ▸1951.3**

Los observadores de la prueba atómica en el atolón de Bikini tuvieron que inventar un vocabulario nuevo para describir lo que vieron: «nube en forma de seta», «nube en forma de coliflor».

Juan y Eva Perón saludan a la multitud.

ARGENTINA

El ascenso de Perón

8 En 1946 el coronel Juan Perón fue elegido presidente de Argentina cuando el fascismo ya había sido derrotado en Europa.

Perón, destinado en Italia durante la guerra, regresó a Argentina en 1940 armado con ideas nuevas. Tras el golpe militar que derrocó al gobierno civil en 1943, pidió ser nombrado secretario de trabajo. Prometiendo reformas sociales, el carismático coronel consiguió el apoyo de miles de «descamisados». En 1945 fue nombrado

DEPORTES: Fútbol: el Sevilla ganador de la liga española.

«Frank, si quieres hacer una película en la que me voy a suicidar, con un ángel sin alas llamado Clarence, soy tu hombre.»—**James Stewart, después de que Frank Capra le resumiera la historia de *¡Qué bello es vivir!***

vicepresidente y ministro de la guerra.

El ascenso de Perón alarmó a muchos argentinos que se oponían a la intervención estatal en la economía, temían la desaparición de los sindicatos independientes y detestaban sus tendencias autoritarias. Encarcelado por sus enemigos en octubre de 1945, Perón fue rescatado por su joven amante, la actriz de radio y teatro Eva Duarte («Evita»), que convocó a quinientos mil bonaerenses para que lo apoyaran. Perón quedó libre y anunció su candidatura a la presidencia del gobierno esa misma noche. (Se casó con Evita tres meses más tarde.) Tras una campaña en la que intimidó con violencia a la oposición, obtuvo el 56 % de los votos.

Aprobadas las leyes que le concedieron el poder absoluto, Perón aumentó los salarios y los beneficios; construyó hospitales, escuelas y viviendas, suministró cuidados médicos gratuitos a los necesitados. Argentina aprobó que la mayoría de servicios públicos se nacionalizaran y que se introdujera el sufragio femenino. La atractiva Evita, dedicada a la caridad, se convirtió en objeto de culto.

No obstante, al mismo tiempo, Perón censuró a los periódicos, realizó purgas entre los profesores y los jueces y acabó con los sindicatos y partidos que no le apoyaban. La corrupción aumentó, Argentina se convirtió en un refugio para nazis y la política económica llevó al país a un desastre financiero. Tras la muerte de Evita en 1952, Perón empezó su decadencia. **◄1937.4 ►1952.9**

CINE

Obra maestra incomprendida

9 «*¡Qué bello es vivir!* es una de las obras más sentimentales desde *Cuento de Navidad*», comentó el crítico de cine James Agee cuando se estrenó en 1946 esta película de Frank Capra. De hecho, gracias a las reposiciones televisivas, hoy en día es más conocida que la obra de Dickens.

El héroe de la película, George Bailey (James Stewart), es un banquero generoso y querido en la pequeña ciudad de Bedford Falls. George sacrifica su sueño de dejar esa ciudad para ver mundo. Una noche de Navidad, la quiebra de su empresa le induce a suicidarse. Clarence, un ángel de segunda clase, le salva y le ayuda haciéndole ver cómo sería el mundo si él no hubiera existido. La película tiene un final feliz pero las escenas en las que se describe la agradable ciudad como un lugar corrupto si él no hubiera nacido le da un toque de amargura.

Un descuido del tío Billy, interpretado por Thomas Mitchell (*izquierda*), casi amarga la Navidad de la familia Bailey.

Sin embargo, el público cínico de la posguerra fue inmune a esta amargura y no se conmovió con la película, que no funcionó bien en taquilla. Capra, uno de los directores más famosos de Hollywood, no se recuperó de este fracaso. **◄1934.M**

IRÁN

Una confrontación en Azerbaiyán

10 El confuso movimiento de tropas por el mundo después de la Segunda Guerra Mundial posponía el retorno a la normalidad. En Irán la resaca militar se evidenció cuando en 1946 la Unión Soviética se negó a evacuar sus territorios ocupados. Irán, país neutral con relaciones económicas importantes con Alemania, fue ocupado por los británicos y los soviéticos para proteger las concesiones petrolíferas británicas del golfo Pérsico y evitar que Alemania bloqueara las vías de suministros a través de Irán hacia la Unión Soviética. Para aliviar los temores iraníes, los aliados acordaron en el Pacto Tripartito que se retirarían seis meses después de que acabara la guerra. Los soviéticos se atrincheraron en siete provincias del norte y cuando llegó el día de la retirada, en marzo de 1946, abandonaron la parte este de su zona ocupada pero no se movieron de la provincia de Azerbaiyán (fronteriza con la república soviética del mismo nombre).

La Unión Soviética ansiaba el nordeste de Irán desde hacía tiempo por sus reservas de petróleo y las enormes cosechas de trigo de Azerbaiyán. Establecieron un gobierno comunista a finales de 1945, hecho que los aliados occidentales e Irán entendieron como un presagio de la anexión. Irán se quejó ante la ONU; el presidente Truman advirtió a Moscú (con lo que algunos interpretaron como una amenaza nuclear) que no toleraría su obstinación con Irán. Incitado a actuar, Stalin entabló un acuerdo con el primer ministro iraní Ahmad Qavam: a cambio de irse, los soviéticos recibirían una concesión petrolífera importante y el gobierno prosoviético de Azerbaiyán permanecería autónomo.

El 9 de mayo, confiando en su acuerdo, empezó a retirar las tropas. Sin embargo, en aquel otoño, Qavam, alentado por Gran Bretaña y Estados Unidos, abolió el régimen comunista en Azerbaiyán. El parlamento de Irán rechazó el acuerdo petrolífero.

Irán entraba en un juego peligroso; había escapado de la esfera de influencia soviética para entrar en la de Occidente. Las fronteras de la guerra fría se estaban trazando y sus peones se empezaban a identificar. **◄1941.15 ►1951.12**

Soldados soviéticos y británicos sonríen en las calles de Mekhabad, Irán, durante la ocupación en tiempo de guerra.

►CEREBRO ELECTRÓNICO—Científicos de la Universidad de Pensilvania construyeron el primer computador digital electrónico integral del mundo. Pesaba 30 toneladas y se llamó Electronic Numerical Integrator and Computer (computador e integrador numérico electrónico o ENIAC). (El Colossus, construido en Inglaterra durante la guerra, también era electrónico pero fue diseñado sólo para descifrar códigos.) Equipado con 18.000 tubos al vacío, el ENIAC, bromeaban sus detractores, apagaba todas las luces del oeste de Filadelfia. La máquina representaba un avance importante respecto a computadores electromecánicos anteriores: realizaba cinco mil operaciones matemáticas en un segundo. Encargado por el ejército de Estados Unidos para calcular ecuaciones de balística, el ENIAC fue instalado en Aberdeen, Maryland. La revista *Popular Mechanics* predijo: «Los computadores del futuro sólo tendrán mil tubos al vacío y quizás no pesen más de una tonelada y media». **◄1944.NM ►1951.1**

►SILLA DE MUSEO—En 1946 el Museo de Arte Moderno de Nueva York presentó una exposición de Charles Eames, el primer diseñador de muebles que obtuvo este honor. La pieza estrella era una silla que Eames (cuya mujer, Ray, colaboraba en sus diseños) había creado seis años antes. Hecha con tubos de acero cromado y madera

contrachapada, la silla Eames combinaba comodidad, resistencia y un aspecto ligero. Pronto se produjo en serie, en plástico y en madera contrachapada, y se convirtió en un elemento imprescindible de las salas de espera. **►1981.11**

►ESPAÑA EXCLUIDA DE LA ONU—En la sesión del 9 de febrero de la Asamblea General de las Naciones

«Las ideas sólo están en las cosas.»—**William Carlos Williams**

Unidas, el régimen de Franco fue condenado por unanimidad, por su origen y su complicidad con los «estados agresores», derrotados en la Segunda Guerra Mundial. Esta condena supuso para España la imposibilidad de incorporarse a la ONU y su aislamiento diplomático y económico.

▶HÉROE DE KAZANTZAKIS—Nikos Kazantzakis, hombre de letras griego, fue internacionalmente aplaudido por su novela de 1946 *Zorba el griego*. Este memorable

retrato de un hombre pobre y su amor a la vida (interpretado en la versión cinematográfica de 1964 por Anthony Quinn, *superior*) estudia el conflicto entre la razón y la pasión, tema recurrente en las obras de Kazantzakis.

▶CAE EL TELÓN—El 5 de marzo, el antiguo primer ministro Winston Churchill pronunció un discurso en el que aconsejaba que Gran Bretaña y Estados Unidos debían frenar la expansión soviética. «Desde Stettin a Trieste ha caído un telón de acero.» ◂1945.5 ▸1947.4

▶INICIO DE UNA LARGA GUERRA—Vietnam y Francia rompieron una paz inestable en marzo, tras ocho meses de escaramuzas: Vietnam del Norte, gobernado por Ho Chi Minh, se convirtió en un estado libre dentro de la unión francesa, y la Conchinchina (Vietnam del Sur) se convirtió en una república separada. La tregua acabó pronto: la armada francesa bombardeó Haiphong en noviembre y la lucha estalló en Hanoi. ◂1945.11 ▸1949.7

▶PARLAMENTO MONOCOLOR—En Polonia, las primeras votaciones de la posguerra se celebraron en julio entre el fraude y el terror. El gobierno comunista provisional obtuvo la victoria: los votantes aprobaron un parlamento monocolor. El éxito del referéndum proporcionó a los comunistas el medio de ejercer un control duradero sobre el gobierno. ◂1944.6 ▸1956.4

LITERATURA

Poesía llana

11 En 1946 se publicó el primero de los cinco volúmenes de *Paterson*, la epopeya en versos libres de William Carlos Williams sobre la vida en una ciudad de Nueva Jersey. Reflejo de la campaña de su autor para liberar al idioma americano de su progenitor, el inglés, *Paterson* alaba la lengua vulgar y el papel del poeta en la sociedad. Junto a los *Cantos* de Ezra Pound y a *La tierra baldía* de T. S. Eliot, constituye una de las obras monumentales de la poesía moderna.

Williams, experto pediatra, practicaba la medicina en su Rutherford natal y se tomaba la escritura como una diversión. Conoció a Pound cuando ambos estudiaban en la Universidad de Pensilvania y bajo su influencia se convirtió en un defensor del «imaginismo», una teoría poética que enfatiza la expresión precisa y el uso controlado del verso libre. Cuando maduró, desarrolló su propia estética, el objetivismo, que otorgaba más valor al lenguaje vivo, corriente, sin demasiadas imágenes.

Williams, también dramaturgo (*centro*), revisa su obra de 1949, *Dream of love*, con los actores Deren Kelsey y Lester Robin.

Williams, relativamente desconocido como escritor, disfrutó de una fama repentina en los años cincuenta, en que apareció el último volumen de *Paterson*. A partir de entonces se convirtió en uno de los poetas más imitados y respetados de su época. **◂1925.8 ▸1949.8**

AUSTRALIA

Crece un continente

12 En 1946 Australia, dotada de mucho territorio y poca población, promovió un programa de inmigración masiva que proporcionó a las víctimas desplazadas de la Segunda Guerra Mundial un lugar para vivir y respondió a la demanda laboral del crecimiento económico de la posguerra australiana. El programa, dirigido por el ministro de inmigración Arthur Calwell, acogió a dos millones y medio de inmigrantes.

Un grupo de inmigrantes sostienen una pancarta de agradecimiento a sus patrocinadores.

Ayudó a cubrir el coste del pasaje y de la instalación; a cambio, un inmigrante debía trabajar en un empleo asignado durante dos años. La tradicional política de una «Australia blanca» se aplicó (un siglo antes ya se había prohibido la inmigración asiática). Todos los inmigrantes serían de raza caucasiana, el 90 % británicos. «Dos amarillos no equivalen a un blanco», dijo Calwell. Al no acogerse suficientes británicos, Calwell se dirigió a los refugiados del centro y del este de Europa, muchos de los cuales «eran pelirrojos y de ojos azules».

Finalmente, una vez asimilada la primera oleada de «nuevos australianos», la ayuda para el pasaje se extendió a Grecia, Italia, España, Portugal y Turquía. A principios de los años setenta, cuando se suspendió el programa, la población australiana ya se había doblado, había pasado de siete a catorce millones. Los inmigrantes y sus hijos representaban más de la mitad del aumento. **◂1901.10**

MÚSICA

El gorrión levanta el vuelo

13 Cuando en 1946 Edith Piaf se convirtió en una estrella internacional con su grabación de «La vie en rose», una canción que se hizo inseparable de su imagen pública, junto a «Je ne regrette rien», en Francia, su vida llena de dolor ya era una leyenda. Abandonada por su madre y descuidada por su padre, siendo adolescente dio a luz a una niña que murió a muy corta edad. A los 20 años apenas podía sobrevivir como cantante callejera en el barrio parisino de Montmartre, pero en 1935 el propietario del cabaret Gerny, llamado Louis Leplée, dio a la cantante el nombre de «Piaf» (gorrión), y la puso en el escenario de su cabaret. Gustó tanto al público que uno de los asistentes, el famoso actor y cantante francés Maurice Chevalier, se levantó y dijo: *«Cette môme-elle en a dans le ventre!»* («Esta chiquilla tiene agallas»).

Las interpretaciones de Piaf elevaron la canción popular francesa a un nivel nuevo, hicieron que se respetara en todo el mundo. Sola en escena, vestida de negro, con su pelo rizado, explicando historias de amor y de desamor con una voz temblorosa y rota, a menudo arrancaba lágrimas de sus admiradores. Su fama aumentó a lo largo de los años cincuenta por su serie de asuntos amorosos, accidentes de coche y adicciones, que acentuaron el halo de tragedia que la rodeaba. Murió de cirrosis el 11 de octubre de 1963. **▸1961.12**

Edith Piaf cultivó una imagen pública acorde con su melodramática vida.

PREMIOS NOBEL: Paz: Emily Greene Balch (estadounidense; Sociedad Internacional de mujeres para la paz y la libertad) [...] Literatura: Hermann Hesse (germano-suizo; novelista) [...] Química: James B. Sumner, John H. Northrup y Wendell M. Stanley (estadounidenses; proteínas) [...] Medicina: Hermann J. Muller (estadounidense; efectos de los rayos X) [...] Física: P. W. Bridgman (estadounidense; alta presión).

Juicio de los secuaces de Hitler

De los juicios de Nuremberg, Alemania, 1945-1946

Entre octubre de 1945 y octubre de 1946, Nuremberg fue el marco de algunos de los juicios más importantes del siglo, los de 24 antiguos dirigentes nazis acusados de supervisar asesinatos masivos a una escala sin precedentes. Los tribunales de Nuremberg estaban constituidos por Estados Unidos, Gran Bretaña, la Unión Soviética y Francia. Los acusados se enfrentaban a cuatro acusaciones: crímenes contra la paz (fomentando agresiones bélicas); crímenes contra la humanidad (genocidio); crímenes de guerra (violando las normas de guerra) y conspiración criminal. Cuando se fallaron las sentencias el 30 de septiembre de 1946, uno de los acusados se había suicidado y otro había sido declarado incompetente. Del resto, tres fueron absueltos. Doce fueron sentenciados a la horca (incluido el desaparecido Martin Bormann, juzgado in absentia*), tres a cadena perpetua y cuatro a condenas de entre diez y veinte años. Los siguientes extractos pertenecen a testigos y documentos presentados en los juicios.* ◄1945.9 ►1947.E

[TESTIMONIO DE ANTON PACHOLEGG, PRISIONERO DE DACHAU QUE TRABAJÓ COMO OFICINISTA EN UNA INSTALACIÓN EXPERIMENTAL DONDE OTROS PRISIONEROS ERAN SOMETIDOS A «EXPERIMENTOS MÉDICOS»]:

La Luftwaffe trajo [...] una cabina de madera y metal que medía un metro cuadrado por dos metros de alto. En esa cabina era posible aumentar o disminuir la presión [...] Algunos experimentos ejercieron tal presión en la cabeza de los hombres que éstos enloquecían y se arrancaban los cabellos en un intento de aliviarla [...] Se destrozaban la cabeza con los dedos y las uñas [...] Golpeaban las paredes con las manos y con la cabeza y aullaban [...] Estos casos generalmente acababan con la muerte de la persona [...]

Después de asesinarlos, les arrancaban la piel de los muslos y de las nalgas [...] Rasher, el director científico, la recogía antes de quemar los cuerpos [...] Más tarde vi que la señora Rascher llevaba un bolso hecho con aquella piel. La mayoría se destinaba a la fabricación de guantes para los oficiales de las SS del campo.

[TESTIMONIO DE JOACHIM VON RIBBENTROP, MINISTRO DE ASUNTOS EXTERIORES DE HITLER, SENTENCIADO A MUERTE]:

P: ¿Quiere hacernos creer que no sabía nada de lo que pasaba en los campos, al menos de un modo general?

R: Puedo asegurar que no tenía la más remota idea de que estaban ocurriendo esas cosas.

P: ¿No recuerda que el presidente Roosevelt protestó contra esos campos de concentración y contra el trato que se les daba a los judíos y a otras minorías?

R: Sí, lo recuerdo.

P: ¿Y no se tomó el trabajo de informarse sobre este tema y enterarse de lo que estaba pasando?

R: Lo intenté todo y siempre me encontraba con lo mismo: todos los informes de este tipo que llegaban eran entregados directamente al *Führer*, pero puedo afirmar que en 1938 era muy difícil incluso mencionar el tema de los judíos [...] al *Führer*. Él era [...] No sé si puede darse cuenta de la personalidad arrolladora que tenía [...] Si él no quería hablar acerca de alguna cosa era casi imposible conseguir que lo hiciera.

[TESTIMONIO DE RUDOLF HESS, ANTIGUO SEGUNDO DE HITLER, QUE DECÍA HABER PERDIDO LA MEMORIA Y FUE SENTENCIADO A CADENA PERPETUA]:

P: ¿Sabe quiénes son los judíos?

R: Sí, son un pueblo, una raza.

P: No le gusta mucho, ¿verdad?

R: ¿Los judíos? No.

P: Aprobó algunas leyes acerca de los judíos, ¿verdad?

R: Si usted lo dice, tendré que creerlo.

P: ¿No recuerda haber hecho nada respecto a unas leyes sobre los judíos?

R: No.

[TESTIMONIO DE JULIUS STREICHER, EDITOR DEL DIARIO PROPAGANDÍSTICO ANTISEMITA *DER STÜRMER*, SENTENCIADO A MUERTE]:

P: ¿Cómo explicaba que los judíos debían ser expulsados fuera de Alemania?

R: No hacía sugerencias en público.

P: ¿Nunca utilizó la palabra «exterminación»?

R: Creo que una vez la utilizó mi jefe [...] Exterminación puede significar esterilización [...] La palabra «exterminación» no tiene por qué significar necesariamente matar.

Criminales de guerra en el Palacio de Justicia de Nuremberg. En el banquillo, de izquierda a derecha: Hermann Goering (tomando notas), Rudolf Hess y Joachim von Ribbentrop.

[DECLARACIÓN JURADA DE RUDOLF HOESS, COMANDANTE DE AUSCHWITZ, SENTENCIADO A MUERTE]:

El comandante del campo de Treblinka [...] utilizaba gas monóxido y yo no creía que sus métodos fueran muy eficaces. De modo que cuando dirigí la exterminación en Auschwitz, utilicé Cyclon-B, un ácido prúsico cristalizado, que introducíamos en las cámaras por un pequeño agujero. Tardaba de tres a quince minutos en matar a la gente [...] Sabíamos que habían muerto cuando cesaban los gritos [...]. Tras trasladar los cuerpos, nuestros comandos especiales les sacaban los anillos y los dientes de oro a los cadáveres.

Otra mejora que llevamos a cabo fue la siguiente: en Treblinka las víctimas casi siempre sabían que iban a morir. En Auschwitz les decíamos que iban a pasar por un proceso de desinfección. Naturalmente a menudo se daban cuenta de nuestras verdaderas intenciones y alguna vez tuvimos problemas para cumplir con nuestro cometido [...] Se nos exigía llevar a cabo estas exterminaciones en secreto pero el humo y el olor nauseabundo de las continuas cremaciones impregnaban toda la zona, y toda la gente que vivía en los alrededores sabía que se estaban realizando exterminaciones en Auschwitz.

«Un nómada de las estepas asiáticas puede saber del mundo haciendo girar el dial [...] Antes, el hombre tenía una oportunidad limitada de saber lo que iba a pasar, ahora puede controlar su destino.»—**Walter H. Brattain, sobre la importancia del transistor**

HISTORIA DEL AÑO

Los laboratorios Bell presentan el transistor

1 Antes de la Navidad de 1947, el físico William Shockley, de 37 años, pidió a unos cuantos colegas de los Bell Telephone Laboratories que dejaran lo que estaban haciendo para observar «algunos efectos» que él y sus colaboradores John Bardeen y Walter H. Brattain habían observado. Seis meses después, los laboratorios Bell hicieron públicas sus investigaciones e iniciaron una revolución electrónica que todavía está en marcha.

Los tres inventores hicieron una demostración del paso de una corriente eléctrica a través de un pequeño aparato llamado «transistor» (del término inglés «transfer resistor», resistencia de transferencia). El aparato, aunque rudimentario y voluminoso respecto a los modelos modernos, constituía un avance inmenso, el resultado del esfuerzo de los laboratorios Bell por encontrar un sustituto a los tubos o válvulas electrónicas. Al igual que éstas, el transistor podía amplificar corrientes. A diferencia de ellas, resultaba barato y duradero, su consumo era mínimo y, como se demostraría en las décadas posteriores, podía fabricarse en un tamaño minúsculo.

Un transistor genera mucho menos calor que las válvulas electrónicas, se sirve de semiconductores, materiales a medio camino entre los aislantes, como el cristal, y los de alta conductividad, como el oro o el hierro. El equipo de los laboratorios Bell trabajó con materiales, sobre todo con germanio y sílice, que en pequeñas cantidades podían provocar el mismo comportamiento en los electrones que la válvula electrónica. El «efecto transistor» permite obtener grandes variaciones de corriente entre el emisor y el colector a partir de variaciones muy débiles entre el emisor y la base. De hecho, los transistores funcionan como amplificadores. Todos los montajes realizados con válvulas pueden construirse utilizando transistores.

Los laboratorios Bell retuvieron su descubrimiento durante seis meses mientras lo adaptaban para patentarlo. Cuando salió a la luz, los expertos en electrónica se entusiasmaron con sus posibilidades, pero la prensa no le prestó demasiada atención: *The New York Times* nombró de pasada la noticia en una columna sobre la radio, y el *New York Herald Tribune* dijo: «Los aspectos importantes de este aparato tienen más interés técnico que popular». No obstante, diez años después los transistores de bolsillo eran un accesorio juvenil tan corriente como los tejanos. Shockley, Bardeen y Brattain recibieron el Premio Nobel en 1956. **◂1904.8 ▸1971.5**

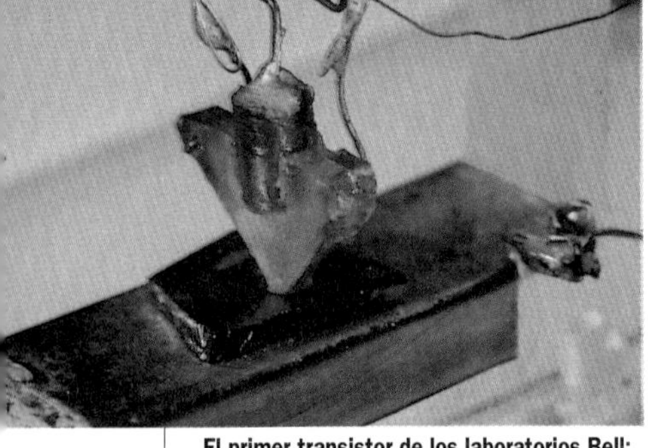

El primer transistor de los laboratorios Bell; éste ampliaba las señales eléctricas pasándolas por un semiconductor sólido.

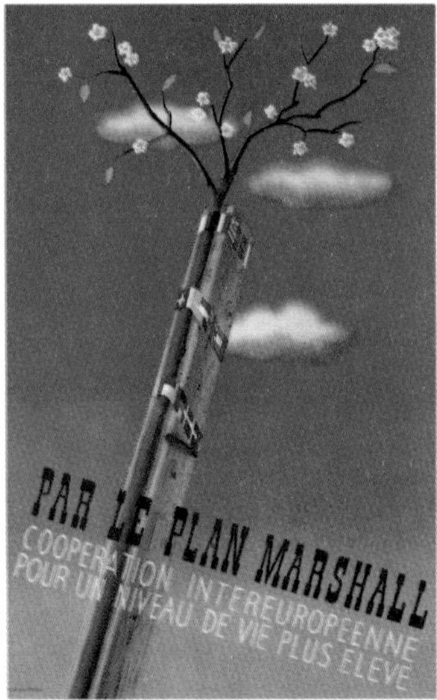

Cartel a favor del Plan Marshall.

ECONOMÍA

El Plan Marshall

2 Alemania se hallaba derrotada, Francia y Gran Bretaña económicamente exhaustas. Estados Unidos llenó el vacío económico de la Europa occidental de posguerra con un programa para la recuperación europea dirigido por el secretario de Estado George C. Marshall. En un discurso pronunciado en la Universidad de Harvard en junio de 1947, Marshall mencionó por primera vez su idea: la creación, con dólares americanos, de una economía internacional que «permitiría la mejora de las condiciones económicas y sociales en las que pueden existir las instituciones libres». En resumen, Estados Unidos proporcionaría el dinero y los conocimientos técnicos para reconstruir Europa, mantener a raya al comunismo y construir mercados para las exportaciones americanas. El congreso aprobó la propuesta en 1948 y, durante los cuatro años siguientes, el Plan Marshall concedió trece mil millones de dólares a la Europa occidental en concepto de ayuda gubernamental. Fue la iniciativa económica de mayor envergadura que había acometido una nación en tiempo de paz.

Un escéptico funcionario del Ministerio de Hacienda de Gran Bretaña comentó: «Los americanos quieren una Europa integrada parecida a Estados Unidos de América». El Plan Marshall significó que por primera vez un país vinculaba la ayuda económica internacional al progreso de sus propios intereses estratégicos (al menos, fuera de su hemisferio). Los intereses americanos coincidían en general con los de la Europa occidental: la creación de una próspera comunidad económica integrada que equilibrara al poder soviético. En 1947, la inestabilidad económica de la Europa occidental había contribuido al crecimiento de los partidos comunistas, sobre todo en Francia e Italia. El Plan Marshall se ideó para suprimir la fuerza de estos movimientos.

La recuperación ya estaba en marcha, pero el Plan Marshall la aceleró. Durante los cuatro años que funcionó, la producción industrial de la Europa occidental aumentó en un 40 % y el producto nacional bruto de los países participantes se incrementó en un 32 %. **◂1944.12 ▸1947.4**

INDIA

Independencia

3 Jawaharlal Nehru, al dirigirse a su gobierno de Delhi como primer ministro de la India, dijo: «Ha llegado un momento que rara vez llega en la historia: pasamos de lo viejo a lo nuevo, finaliza una época, y el alma de una nación, reprimida durante mucho tiempo, se puede manifestar». El momento llegó a la medianoche del 14-15 de agosto de 1947, cuando la colonia británica de la India se transformó en dos países independientes: India y Pakistán.

Nehru con la nueva bandera de su país, aprobada por la asamblea constituyente un mes antes de la independencia.

La partición de la India desencadenó una oleada de violencia sin precedentes: mientras los musulmanes expulsaban a los hindúes y sijs del Pakistán islámico (en urdu, «tierra de pureza») y los hindúes y sijs expulsaban a los musulmanes de la India hindú. En el obligado intercambio de población, murieron un millón de personas, y unos diez millones emigraron. Los sijs, atrapados entre dos territorios ajenos, sufrieron la mayor cantidad de víctimas y tuvieron los sentimientos de rencor más profundos. Un líder sij observó: «Los musulmanes tienen su Pakistán; los hindúes, su Indostán, ¿qué tenemos los sijs?».

Gran Bretaña había esperado evitar la participación, pero en la época en que Lord Mountbatten, el último

---

ARTE Y CULTURA: **Libros:** ***Doctor Fausto*** **(Thomas Mann);** ***El sendero de los nidos de araña*** **(Italo Calvino);** ***La guerra fría*** **(Walter Lippmann);** ***Día tras día*** **(Salvatore Quasimodo);** ***La peste*** **(Albert Camus);** ***Bajo el volcán*** **(Malcolm Lowry) [...]** **Pintura y escultura:** ***Das Matterhorn*** **(Oskar Kokoschka) [...]**

«No sirve de nada buscar héroes ni villanos porque no los había. Sólo había víctimas.» **—Dalton Trumbo, guionista, uno de los «diez de Hollywood», dirigiéndose a la Sociedad de Escritores en 1970**

virrey de la India, empezó a negociar la independencia en 1946, Muhammad Ali Jinnah, dirigente de la Liga Musulmana, se había declarado a favor de un país musulmán. «No importa lo pequeño que sea siempre y cuando me lo den entero», le dijo Jinnah a Mountbatten. Nehru y sus compañeros del Congreso Nacional indio querían ceder un territorio de dominación musulmana. Sólo Gandhi se oponía firmemente a la partición de la India.

Temiendo el estallido de una guerra civil, el Congreso, la Liga y los dirigentes sijs apoyaron el plan formulado por Mountbatten el 3 de junio de 1947. En el convenio final se creó Pakistán con Punjab, Sind y las provincias de Beluchistán. Bengala fue partida por la mitad, el este de Bengala se convirtió en el Pakistán oriental y más tarde, en 1971, en Bangladesh. Jinnah gobernaría Pakistán. A pesar de las esperanzas de Mountbatten, la posibilidad de una transición pacífica había expirado hacía tiempo. **◂1942.NM ▸1948.5**

ESTADOS UNIDOS

Principio de la guerra fría

4 En 1947 se declaró la guerra fría: Churchill advirtió que en Europa oriental había caído un telón de acero; Stalin, condenando el imperialismo implacable de Occidente, se negó a participar en el Banco Internacional y en el Fondo Monetario Internacional; el diplomático americano George Kennan envió el famoso telegrama desde Moscú advirtiendo a Washington que «el neurótico punto de vista del Kremlin sobre los asuntos internacionales» dificultaba un entendimiento durante la posguerra. El presidente Truman, menos popular que nunca, no actuó hasta el 12 de marzo, cuando presentó al congreso la doctrina Truman, la declaración anticomunista que definiría la política exterior norteamericana durante los cuarenta años siguientes.

El congreso republicano había planeado el regreso a la normalidad, pero el presidente obligó a aprobar un programa global y caro para acabar con el comunismo. Truman inició su cruzada con una recaudación de cuatrocientos millones de dólares para combatir al comunismo en Turquía (frontera del bloque soviético) y Grecia. Hizo que Gran Bretaña rectificara el anuncio de que no ayudaría al gobierno griego en su lucha contra las guerrillas comunistas. Para asegurarse el apoyo popular, Truman describió a los guerrilleros (a los que el embajador americano Lincoln MacVeagh llamó en privado «los mejores hombres» de Grecia) como peones de Stalin, aunque en aquel momento los apoyara el disidente Tito, de Yugoslavia; aclamó al régimen griego, conservador, cruel y represivo, como un bastión de libertad. Stalin respondió reanimando al Komintern, su red mundial revolucionaria, bajo el nombre de Oficina de Información Comunista (Kominform), y renovando la campaña propagandística antiamericana. La polarización este-oeste era total. **◂1947.2 ▸1948.2**

COSTE DE LA GUERRA FRÍA EN ESTADOS UNIDOS

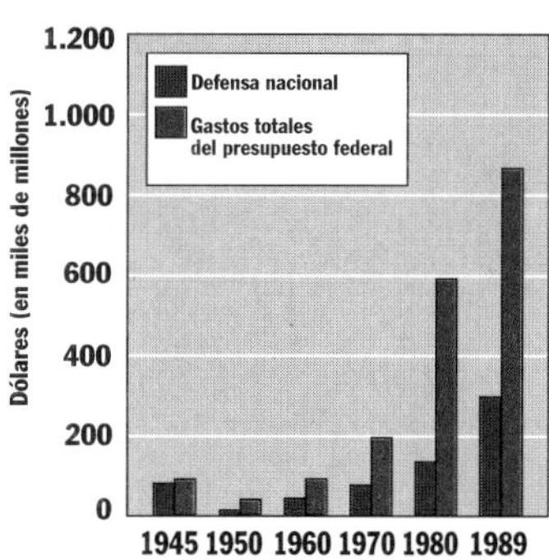

Durante la guerra fría, el gasto para la defensa nacional se disparó, aunque con menor intensidad que el resto del presupuesto federal.

ESTADOS UNIDOS

Los diez de Hollywood

5 Antes de la Segunda Guerra Mundial ya existían acusaciones derechistas de que Hollywood era un «nido de comunistas», pero durante la posguerra, en un clima de acoso al comunismo, las investigaciones del House Committee on Un-American Activities (comité de actividades antiamericanas, HUAC) se cebaron en la industria cinematográfica más que nunca. En mayo de 1947, el HUAC se instaló en un hotel de Hollywood y escuchó las historias de una serie de celebridades acerca de la penetración generalizada del comunismo en el cine. El comité repartió docenas de citaciones, creando el marco para algunos de los dramas con más implicaciones políticas que los americanos habían visto.

En octubre empezaron las audiencias, con testigos que exigían acciones contundentes contra los conspiradores dirigidos por Moscú. Sin embargo, los testimonios más espectaculares fueron los de once personas que se negaron a responder preguntas sobre sus actividades políticas, acogiéndose a la Primera Enmienda. Una de ellas, Bertolt Brecht, se marchó a Suiza el día anterior a su comparecencia. El resto fue conocido como los «diez de Hollywood». Cuando se le ordenó que se retirara, el guionista Dalton Trumbo dijo: «Esto es el principio de un campo de concentración americano». Cuando le cuestionaron a Ring Lardner si había pertenecido en algún momento al Partido Comunista, su respuesta fue: «Podría contestar, pero me odiaría a mí mismo cada mañana». Los diez fueron acusados de desacato, puestos en la lista negra y sentenciados a penas de prisión con cadenas que iban de cuatro a diez meses.

Sólo uno de ellos, el director Edward Dmytryk, se retractó y pudo mantener su empleo. Las carreras de muchos no se recuperaron; otros, finalmente, reanudaron su trabajo, primero a través de pseudónimos (Trumbo, bajo el nombre de Robert Rich, ganó un Óscar en 1956 por *The brave one*), luego con sus propios nombres (Lardner lo ganó en 1971 por su guión de *M*A*S*H*). **▸1950.5**

Humphrey Bogart, Lauren Bacall y otras estrellas protestan contra el HUAC.

NACIMIENTOS

Lew Alcindor (Kareem Abdul-Jabbar), jugador de baloncesto estadounidense.

Petra Kelly, política alemana.

Stephen King, escritor estadounidense.

Ángel Nieto, motociclista español.

Salman Rushdie, novelista anglo-indio.

Arnold Schwarzenegger, actor austríaco-estadounidense.

Steven Spielberg, director cinematográfico estadounidense.

Ron Wood, músico británico.

MUERTES

U Aung San, político birmano.

Stanley Baldwin, político británico.

Pierre Bonnard, pintor francés.

Ettore Bugatti, fabricante de coches italiano.

Francesc Cambó, político español.

Al Capone, mafioso estadounidense.

Henry Ford, fabricante de coches estadounidense.

Fiorello LaGuardia, político estadounidense.

Ernst Lubitsch, director cinematográfico germano-estadounidense.

Manolete, torero español.

Max Planck, físico alemán.

Víctor Manuel III, rey de Italia.

Alfred N. Whitehead, matemático y filósofo británico.

Cine: ***La barrera invisible*** **(Elia Kazan);** ***La dama de Shanghai*** **(O. Welles);** ***Duelo al sol*** **(King Vidor);** ***El silencio es oro*** **(René Clair) [...] Teatro:** ***Todos eran mis hijos*** **(Arthur Miller);** ***Llama a un inspector*** **(J. B. Priestley);** ***Brigadoon*** **(Lerner y Loewe).**

«Nadie diría que son bonitas, o elegantes o espaciosas [...]. Se diferencian en los aleros y en las líneas del techo, y están pintadas de distinto color, pero básicamente son tan parecidas entre sí como los Ford.»—**Revista *Fortune*, sobre las casas de Levittown**

NOVEDADES DE 1947

Objeto volador no identificado (OVNI).

***Der Spiegel*.**

Frase «guerra fría» (acuñada por el financiero Bernard Baruch).

Compañía Sony.

Everglades, parque nacional.

Producto de limpieza Ajax.

EN EL MUNDO

▶SE ROMPE UNA BARRERA—En octubre, el piloto Charles Elwood «Chuck» Yeager aceleró el Bell X-1, un avión-cohete de las fuerzas aéreas norteamericanas, más allá de la línea divisoria entre las velocidades subsónicas y las supersónicas. Yeager, el primer piloto que rompió la barrera del sonido (unos 1.120 km/h), más tarde estableció un récord de velocidad de 2.640 km/h.

▶UNA VOZ CELESTIAL—La cantante de *gospel* Mahalia Jackson, de 34 años de edad, obtuvo su primer éxito nacional en 1947 con «Move on up a little higher» (el primer disco de *gospel* que vendió un millón de copias). Nieta de una esclava, Jackson ya era muy conocida en la comunidad eclesiástica negra antes de ganar prestigio internacional.

Baptista devota que sólo cantaba himnos religiosos y volvía la espalda a los clubes nocturnos, incorporó sin embargo ritmos de *blues* y técnicas de *jazz* a sus interpretaciones.

▶GUITARRA ELÉCTRICA—La guitarra de Gibson Les Paul, comercializada en 1947,

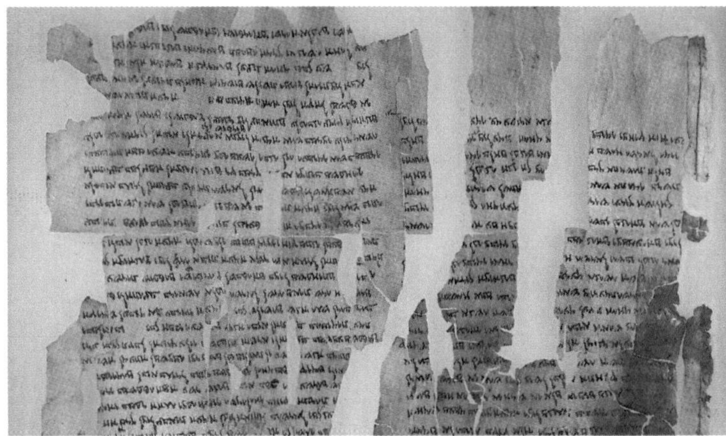

El papiro de las «Normas de la comunidad» ha sido interpretado de diversos modos.

ARQUEOLOGÍA

Los pergaminos del mar Muerto

6 En el verano de 1947 un joven beduino que buscaba una cabra perdida en la costa noroeste del mar Muerto se topó con uno de los hallazgos arqueológicos más sensacionales del siglo. Se introdujo en una brecha de los acantilados y encontró varias tinajas de loza. Una contenía tres papiros envueltos en una tela de lino deteriorada, escritos con caracteres antiguos.

El primero de los papiros del mar Muerto proporcionó noticias del período «intertestamentario», unos dos mil años atrás, cuando el judaísmo se desarrollaba en sectas rivales y el cristianismo primitivo empezaba a tomar forma.

El descubrimiento desencadenó una ardua investigación de veinte años que condujo a otros hallazgos en cuatro lugares cercanos. Los manuscritos, que incluían ocho papiros y decenas de miles de fragmentos, que datan aproximadamente de mediados del siglo III a. C. hasta el período de la segunda revolución judía contra Roma, en 132-135 d. C., contenían textos bíblicos que superaban en mil años a los más antiguos ya conocidos. Muchos estudiosos piensan que los papiros del lugar original (Khirbat Qumran) pertenecían a una hermandad judía, los esenios, que vivieron en esta zona hacia el año 68. Uno de los documentos de Qumran, un manual de enseñanzas esenias conocido como «Normas de la comunidad», alude a un «maestro justo» por oposición a un «sacerdote del mal». Una teoría mantiene que el primer nombre hace referencia a Jaime, el hermano de Jesús, que formó parte de una facción cristiana primitiva (luego suprimida de la historia de la Iglesia) que era fiel a una organización religiosa judía y se oponía a aquellos que, como el apóstol Pablo, rechazaban el judaísmo en favor de una nueva religión.

El debate sigue abierto, en parte porque durante muchos años el equipo internacional designado para estudiar los papiros no permitió el acceso a los documentos de personas ajenas a tal equipo. **◂1940.9 ▸1959.5**

EXPLORACIÓN

La *Kon-Tiki* surca el Pacífico

7 Thor Heyerdahl, un joven antropólogo noruego, se hallaba en las Marquesas, un archipiélago del Pacífico, cuando notó que los vientos y las corrientes marinas siempre provenían del este. Este hecho, junto a dos historias que había oído, una leyenda local acerca de predecesores blancos y barbudos que venían del este y un cuento peruano que explicaba cómo un cacique blanco escapó de una masacre navegando hacia el oeste en una balsa de madera, hicieron que Heyerdahl se preguntara si las dos leyendas no eran la misma. Pensó que quizá las islas del Pacífico habían sido pobladas no por marinos de Indonesia, como muchos antropólogos pensaban, sino por exploradores sudamericanos llegados de la dirección contraria. En 1947, él y otros cinco escandinavos pusieron a prueba esta teoría. Salieron del puerto peruano de El Callao en una balsa de madera, la *Kon-Tiki,* en dirección a la puesta de sol.

Heyerdahl puso a su barca el nombre del cacique que había empezado la inmigración pacífica en el año 500.

La *Kon-Tiki* cubrió unos 7.900 km antes de estrellarse contra los arrecifes de una isla paradisíaca del Pacífico, en el archipiélago Tuamotu. Tomaron tierra el 7 de agosto de 1947, tras 101 días de viaje, y todos los titulares del mundo se hicieron eco, un golpe publicitario que Heyerdahl aprovechó para escribir una obra que alcanzó el número uno de ventas. Su aventura emocionó a los lectores, pero los expertos, aunque reconocieron la posibilidad de una migración desde América, permanecieron escépticos. **◂1929.6 ▸1953.5**

ARQUITECTURA

Primeras viviendas Levittown

8 Abraham Levitt y sus hijos Alfred y William hicieron por los suburbios lo que Henry Ford realizó por los coches. Utilizando las técnicas de la producción en serie, los Levitt construyeron 17.400 viviendas para veteranos de guerra en 1.600 hectáreas de campos de patatas ubicados a 40 km de Manhattan, en Long Island. En octubre de 1947 empezaron las obras en Levittown y el proyecto tomó este nombre. Fue el inicio del desarrollo suburbano de la América de posguerra.

Los Levitt planearon la construcción como una campaña militar: desplegaron un ejército de apisonadoras para aplanar el suelo y un regimiento de camiones que descargaban material cada 19 m exactos. Todas las casas se construyeron según un único modelo. Las camionetas cargadas de maderos iban directamente a un aserradero donde un hombre elaboraba todas las piezas necesarias para doce casas en un día. Cuadrillas especializadas pintaban de rojo o de blanco o colocaban tejas. El resultado: miles de casas sorprendentemente baratas para satisfacer una demanda inacabable de viviendas. (Eran económicas y estaban financiadas con préstamos gubernamentales de bajo interés.)

Levittown fue criticado por su uniformidad pero la gente hacía cola por casas que todavía no estaban construidas. Con los años, los propietarios «adornaron» sus casas con elementos diferenciales. Sin embargo, las dificultades de la suburbanización masiva se

DEPORTES: Inauguración del estadio de fútbol de Chamartín.

«Lo que más me interesa no son los bodegones ni los paisajes sino la figura humana. A través de ella he podido expresar del mejor modo el sentimiento casi religioso que tengo hacia la vida.»—**Henri Matisse**

incrementaron, desde los problemas de tránsito y la contaminación hasta la segregación racial (los Levitt se negaron a vender casas a los negros hasta mediados de los años sesenta),

Los componentes de una casa Levittown.

y los políticos y sociólogos empezaron a criticar el sistema. **▸1960.9**

RUMANÍA

Los soviéticos adquieren un satélite

9 El Kremlin añadió otro país a su lista de satélites en 1947: instalaron un gobierno comunista en Rumanía y obligaron a abdicar al rey Miguel, de 27 años de edad *(izquierda)*. Al proclamar la «liberación» de Rumanía, los soviéticos establecieron la República del Pueblo Rumano al año siguiente.

Rumanía había entrado en la esfera soviética en 1944, cuando el rey Miguel orquestó un golpe de Estado contra Ion Antonescu, el dictador fascista que alineó a su país con Alemania. Con el derrocamiento de Antonescu, Miguel esperaba evitar una invasión soviética, pero en agosto de 1944, justo después del encarcelamiento de Antonescu, el ejército rojo avanzó.

A continuación estalló un conflicto político: los comunistas combatían con los anticomunistas; se prodigaron el terrorismo, la tortura y los asesinatos. Con la ayuda de Moscú, los comunistas llegaron al poder en las elecciones de 1946 (fraudulentas según la opinión de muchos). Cuando Miguel abdicó, se suprimió la oposición política a los comunistas. **◂1944.3 ▸1965.NM**

DEPORTE

Robinson rompe la barrera del color

10 Branch Rickey, administrador de los Dodgers de Brooklyn, meditó durante bastante tiempo antes de fichar a Jackie Robinson, el primer jugador negro que se incorporó a la liga de primera división de béisbol en 1947. Tras interrogar al deportista de Georgia (que había formado parte de ligas de categorías inferiores el año anterior en Montreal) durante tres horas en su despacho, Rickey se convenció de que Robinson poseía la fortaleza necesaria para soportar la inevitable reacción racial. Fichó al jugador por 600 dólares mensuales y 3.500 dólares de prima. El 15 de abril de 1947 Robinson debutó en la liga de primera división en el campo Ebbets de Brooklyn, jugando de primera base.

Como Rickey había predicho, Robinson se enfrentó a una enorme animosidad. Durante el entrenamiento de primavera, varios miembros del equipo se opusieron a su admisión y en mayo corrió el rumor de que los Cardinals de St. Louis boicotearían sus series con los Dodgers si Robinson jugaba (no lo hicieron). Los jugadores que se oponían intentaban inutilizarlo con amenazas de muerte. A pesar de esto, Robinson jugó espectacularmente bien.

Rápidamente se convirtió en una de las estrellas del béisbol. En 1949 fue nombrado «jugador más valioso» de su liga y en 1962 se convirtió en el primer negro que ocupó un lugar en el Basebal Hall of Fame. Su éxito aceleró la integración racial en el béisbol. Al cabo de dos años de la primera temporada de Robinson, la mayoría de equipos contaba con negros jugando en primera división o en ligas de menor categoría. **◂1908.6 ▸1957.NM**

Robinson, uno de los corredores más hábiles, al llegar a la tercera base.

ARTE

El último regalo de Matisse

11 Cuarenta años después de que las coloreadas telas de Matisse le convirtieran en el artista *fauve* más importante, el pintor todavía creaba nuevas modas de expresión pictórica. En 1947, con casi 90 años de edad, enfermo, postrado en la cama e incapaz de pintar, Matisse ofreció un último y apasionado regalo al arte, publicando *Jazz*, un libro basado en sus recortables de papel, abstractos y fantásticos.

Con las tijeras en la mano como si fueran un pincel, Matisse crea sus recortables.

Los cuadros luminosos y coloristas de Matisse destilan *joie de vivre*. Del mismo modo, sus figuras escultóricas, hechas de pasta de papel pintada, exploran la complejidad de la luz y el espacio. **◂1905.10**

se convertiría en una pieza imprescindible del equipo de los músicos de *rock*. Esta guitarra eléctrica era una adaptación de la versión de Adolf Rickenbacker, de 1931. Asimismo, Paul inventó su propio magnetófono de ocho pistas, igualmente importante para la evolución de la música *pop*. Paul, un buen guitarrista de *jazz*, grabó un disco con su mujer, Mary Ford, en los años cincuenta.

▶UNA BÓVEDA PARA VIVIR—Profeta del diseño «dimaxión» (dinámico y máximo), R. Buckminster Fuller construyó su primera bóveda geodésica en 1947. Adelanto decisivo de

la geometría aplicada, la esfera futurista combinaba resistencia estructural y eficacia material óptimas.

▶CREACIÓN DE LA CÍA —La oficina de servicios estratégicos, el servicio de inteligencia durante la guerra dirigido por William J. Donovan, tuvo una nueva organización en 1947, cuando el congreso aprobó la ley de seguridad nacional que reestructuró las Fuerzas Armadas y creó la Central Intelligence Agency (Agencia Central de Inteligencia, CIA). La ley definía la misión de la nueva agencia de modo tan abstracto que, en esencia, la CIA pudo convertir las reuniones internacionales de los servicios de inteligencia y las investigaciones políticas en iniciativas políticas secretas. Entre las actividades clandestinas más notables emprendidas por la Agencia se encuentran el derrocamiento del primer ministro iraní Muhammad Mussadegh en 1953 y la caída del presidente de Guatemala Jacobo Arbenz Guzmán en 1954. ▸1953.4

▶EL INTÉRPRETE MUDO —En 1947, inspirado en las películas mudas de Charles Chaplin, el intérprete francés Marcel Marceau creó un personaje de pantomima llamado Bip. Marceau, triste, con la cara pintada de blanco,

POLÍTICA Y ECONOMÍA: el congreso estadounidense aprueba una reducción de impuestos de cuatro millones de dólares [...] Creación de la oficina del secretariado de defensa en Estados Unidos [...] Henry Ford muere, dejando el 90 % de las acciones de la compañía a la Fundación Ford (se convierte en la sociedad filantrópica más rica del mundo).

«La moda procede del sueño y el sueño es una huida de la realidad.»—**Christian Dior**

vestido con pantalones de marinero y jersey de rayas, se convirtió en el último mimo. Después formó una compañía de giras que se hizo famosa en todo el mundo.

▶DECADENCIA EN MÉXICO —*Bajo el volcán*, de Malcolm Lowry, no gozó de mucha difusión en su año de publicación, 1947, pero tras la muerte prematura del autor, diez años después, adquirió el rango de obra maestra antiheroica. En parte autobiográfica en el contenido y experimental en la forma (la técnica de Lowry consistente en yuxtaponer imágenes se ha descrito a menudo como cinematográfica), la novela narra los desesperados últimos días de un alcohólico, antiguo cónsul británico de México. Lowry, de procedencia británica, llamó a su libro, enmarcado en la fiesta del Día de Difuntos, una «*Divina Comedia* de borrachos».

EL HOMBRE DELGADO DE GIACOMETTI—Tras años de experimentación, el escultor suizo Alberto Giacometti encontró su estilo característico en 1947, cuando empezó a elaborar sus «construcciones transparentes» de figuras humanas atenuadas, esqueléticas, casi inmateriales. Fue uno de los artistas más originales del siglo. ◀1932.13

▶TORERO LLORADO—España perdió un héroe nacional cuando Manolete, el torero más importante de su época, fue herido de muerte en una corrida de toros de Linares. Manuel Laureano Rodríguez Sánchez, de 30 años de edad, alcanzó la fama por sus formas elegantes, su porte aristocrático y su sangre fría en los pases con el capote.

1947

MODA

La nueva imagen de Dior

12 Con su línea «Corolle», presentada en febrero de 1947, el modisto Christian Dior acabó con siete años de austeridad y restableció a París como la capital mundial de la moda. La colección estaba inspirada en la «Belle Époque», la sociedad extravagante y liberal de principios de siglo, cuando la costura se caracterizaba por la ostentación y la opulencia. Para infundir este espíritu perdido en un mundo ansioso de lujo y romanticismo, Dior, que con el apoyo de un fabricante textil francés había abierto su primer salón en la Avenue Montaigne el año anterior, bajó el largo de los vestidos (que se habían acortado a causa del racionamiento) y reinventó las faldas largas y anchas, las hombreras estrechas, los cuerpos y caderas ajustados y las cinturas ceñidas. Su elogio a la figura femenina se hizo tan célebre tanto entre los hombres como entre las mujeres, que compraron y copiaron sus modelos en todo el mundo. Mientras algunos se tomaron las libertades de Dior como un signo de la recuperación económica, otros criticaron su extravagancia así como sus esfuerzos por conservar el sistema de la alta costura contra la invasión de diseñadores más jóvenes y asequibles.

De hecho, la nueva imagen marcó el final de los buenos tiempos de la alta costura, pero Dior siguió cosechando un éxito sorprendente. La «línea saco» llegó a ser una imagen característica de los años cincuenta y en 1957, año de la muerte del modisto, la Casa Dior poseía sucursales en 24 países. ▶**1965.2**

TEATRO

Melodrama poético de Williams

13 El 3 de diciembre de 1947, Tennessee Williams conmocionó Broadway con una obra maestra, cargada de sexo y miseria, sobre una belleza sureña inquieta y delicada, Blanche Du Bois, y el enfrentamiento catastrófico con su brutal cuñado, Stanley Kowalski. *Un tranvía llamado deseo*, dirigida por Elia Kazan y protagonizada por Jessica Tandy y Marlon Brando en los papeles de Blanche y Stanley, no sólo emocionó y sorprendió al público, también afianzó la fama de su joven autor, que ya había llamado la atención tres años antes con su drama familiar *El zoo de cristal*.

La evocación cruda y lírica del asalto del mundo moderno sobre la belleza y la gracia fue, en palabras de un historiador del teatro, «un melodrama explicado de forma poética». La fealdad de la historia, que trata de violación, ninfomanía, alcoholismo, suicidio y malos tratos, está envuelta en un lenguaje memorable: «Quienquiera que seas, siempre he dependido de la amabilidad de los extraños», dice Blanche al final de la obra al médico que va a llevarla al manicomio.

Asimismo, *Un tranvía llamado deseo* transformó la interpretación americana. Brando, como torturador de Blanche y vestido con una camiseta, se convirtió en el primer ejemplo del «método», al interpretar su papel a través de la intuición psicológica en vez de a través de la observación de los rasgos externos del personaje. Basado en las técnicas de Stanislavsky, desarrolladas por Lee Strasberg en los años treinta y cuarenta, y adoptadas por Kazan (cofundador del Actors Studio en 1947, al que se unió Strasberg en 1949), el método se convirtió en la forma de actuar americana. **◀1926.10 ▶1949.E**

CIENCIA

Un método para datar la antigüedad

14 En 1947, un químico de la Universidad de Chicago, Willard Frank Libby, utilizó el isótopo radiactivo carbono-14 en el desarrollo del primer método realmente científico para determinar la edad de un organismo que tuvo vida alguna vez. El método se basaba en el hecho de que un organismo vivo contaba con una provisión constante de carbono-14. Una vez un organismo deja de comer y respirar, esta provisión no puede reciclarse a través del dióxido de carbono de la atmósfera. Los átomos inestables del carbono-14 que todavía se encuentran en el cuerpo empiezan a deteriorarse en períodos de aproximadamente 5.730 años. Transcurrido este tiempo, el porcentaje de carbono se reduce a la mitad. Así la radiactividad del carbono-14 indica la edad de cualquier muestra orgánica (un esqueleto, un fósil vegetal). Por ejemplo, un nivel de radiación reducido a la mitad denota una edad de unos 5.700 años.

A pesar de algunos problemas, el método del carbono-14 fue una gran herramienta para los arqueólogos, oceanógrafos y geólogos. Asimismo, abrió el camino a métodos de datación para objetos inanimados, por ejemplo la porcelana. ▶**1959.5**

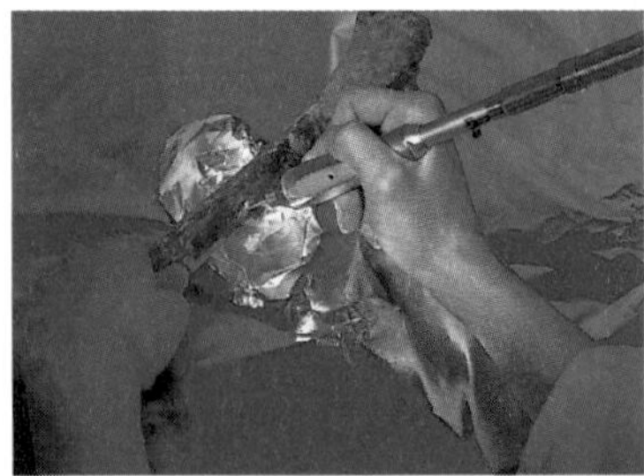

Un científico toma muestras de un hueso para datarlos a través del carbono-14.

La interpretación de Brando en *Un tranvía llamado deseo* se convirtió en un modelo a seguir para los siguientes actores que retomaron el papel.

PREMIOS NOBEL: Paz: Friends Service Council y American Friends Service Committee (británica y estadounidense; servicios humanitarios) [...] Literatura: André Gide (francés; novelista) [...] Química: Robert Robinson (británico; alcaloides) [...] Medicina: Carl F. y Gerty T. Cori (austríaco-estadounidenses; metabolismo) y Bernardo Houssay (argentino; pituitaria) [...] Física: Edward Appleton (británico; ionosfera).

ECOS DE 1947

El idealismo imposible de una muchacha

Del *Diario de Ana Frank,* publicado por primera vez en Holanda en 1947

La adolescente Annelies Marie Frank (que nació en Alemania pero había huido de los nazis con su familia a los cuatro años de edad) empezó un diario el día que cumplió 13 años, el 12 de junio de 1942, con las palabras: «Espero ser capaz de confiar en ti plenamente, como nunca he sido capaz de confiar en nadie». Un mes después, Ana, su hermana mayor Margot, sus padres y otra familia se escondieron en habitaciones secretas del almacén del negocio de su padre, Otto, en la Amsterdam ocupada por los nazis. (Luego se agregó un dentista.) Dos años y treinta días después, traicionados por informadores holandeses, fueron detenidos por la Gestapo y enviados a Auschwitz. De allí Ana y su hermana fueron trasladadas a Bergen-Belsen, donde ambas murieron de tifus. Sólo sobrevivió Otto Frank.

Cuando Frank regresó a Holanda después de la guerra, la mujer que había ayudado a la familia escondida le entregó los papeles y cuadernos de Ana. Frank mecanografió los escritos de su hija y, con la ayuda de amigos, los publicó en 1947 con el título Het Achterhuis (Anexo secreto)*, una referencia a una parte del escondite que Ana llamaba así. Con una inmediatez sorprendente, una intuición precoz y un notable sentido del humor que sugiere la grandeza que habría obtenido como escritora madura, Ana revela su humanidad desgarradora frente al miedo, a las intolerables condiciones de vida y al genocidio. Su diario se ha traducido a más de treinta lenguas. Aquí se muestra un extracto del 15 de julio de 1944, un mes antes de ser descubiertos.*
◄1946.E ►1960.8

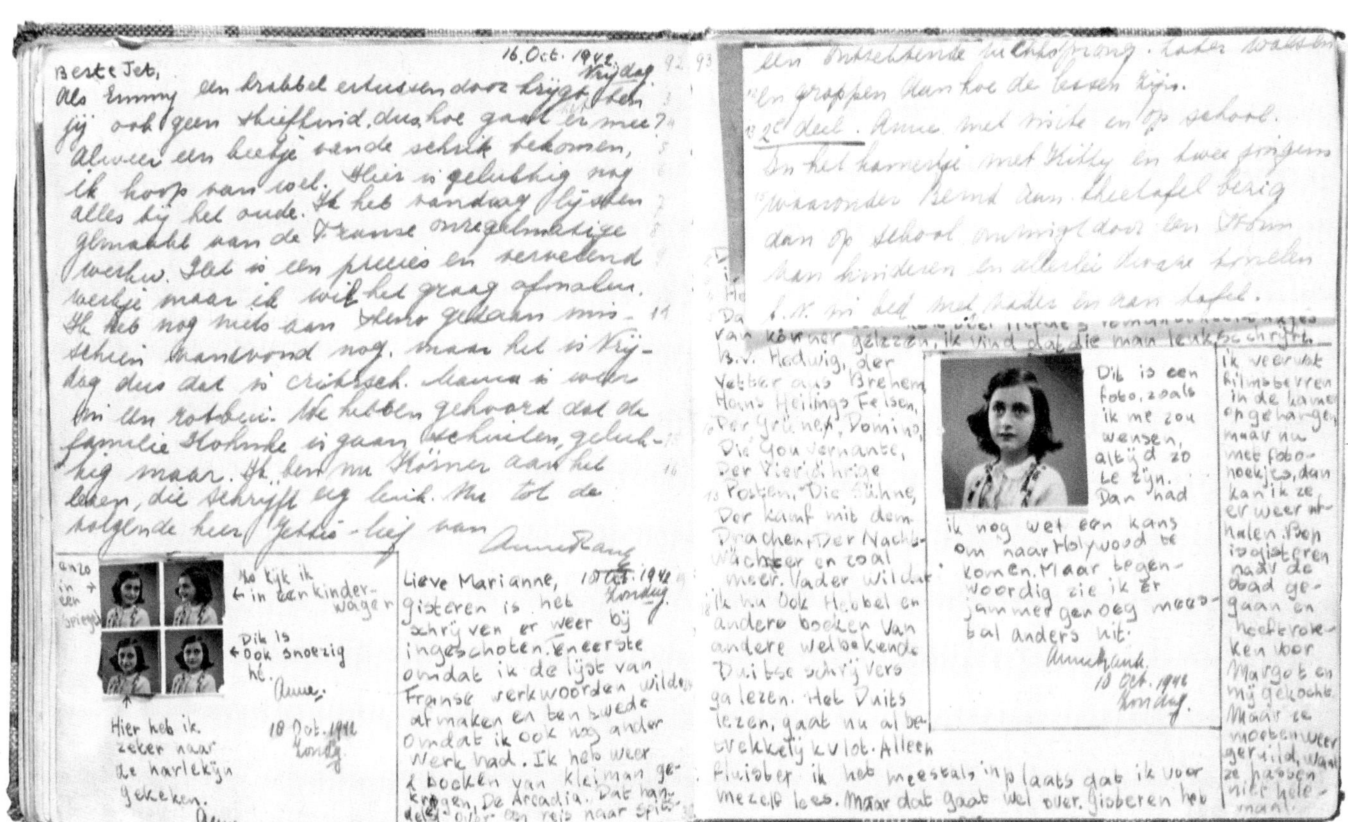

Junto a la fotografía que pegó en su diario el 18 de octubre de 1942, Ana escribió: «Me gustaría estar siempre como en esta fotografía. Entonces quizá hubiera tenido la oportunidad de llegar a Hollywood. Ahora, lo siento, pero estoy muy distinta».

[Sábado, 15 de julio de 1944]: «En lo más profundo, la juventud es más solitaria que la vejez». Leí esto en algún libro y siempre lo he recordado, y creo que es verdad. ¿Es verdad que en estos tiempos los adultos lo pasan peor que nosotros? No. Sé que no. La gente mayor tiene opiniones formadas sobre todo, y no vacilan antes de actuar. Es doblemente duro para nosotros los jóvenes argumentar nuestros motivos y mantener nuestras opiniones en una época en la que todos los ideales han sido destruidos, en la que la gente está mostrando su peor lado y no sabe si creer en la verdad, en lo justo y en Dios.

Todo el que dice que los mayores cuentan con más dificultades en estos momentos, en realidad, no se da cuenta de que nos hace cargar con sus problemas, problemas para los cuales todavía somos demasiado jóvenes, pero a los que nos empujan sin querer continuamente, hasta que, tras mucho tiempo, pensamos que tenemos una solución, pero la solución no parece capaz de resistir los hechos que la reducen a nada de nuevo. Ésta es la dificultad de este momento: ideales, sueños y esperanzas que crecen dentro de nosotros sólo para toparse con la horrible verdad y ser destruidos.

Es increíble que no haya perdido todos mis ideales, porque parece que es totalmente absurdo e imposible mantenerlos. Pero los mantengo porque a pesar de todo todavía creo que la gente en el fondo es buena. Simplemente no puedo construir mis esperanzas sobre la base de la confusión, la miseria y la muerte. Veo que el mundo se va transformando en un desierto, oigo los truenos cada vez más cerca, que también nos destruirán a nosotros, puedo sentir el sufrimiento de millones y todavía, si miro hacia el cielo, pienso que llegará la justicia, que esta crueldad acabará y que la paz y la tranquilidad volverán.

Mientras tanto, debo mantener mis ideales, para la época que vendrá, cuando sea capaz de elevarlos.

Tuya, Ana.

«Nuestra labor principal consiste en garantizar la supremacía de la nación blanca.»—**Dr. Hendrik F. Verwoerd, primer ministro de Sudáfrica en 1958**

HISTORIA DEL AÑO

Se asienta la segregación racial

1 Favorecido por un sistema electoral que primaba a las áreas rurales de población dispersa y de hegemonía afrikáner, el reaccionario Partido Nacionalista ganó el mayor número de escaños en las elecciones sudafricanas de 1948, a pesar de perder la votación popular por un amplio margen. El líder del Partido Nacionalista, Daniel F. Malan, un afrikáner de 76 años de edad, sustituyó a Jan Smuts en el cargo de primer ministro. De inmediato aplicó el segregacionismo racial para preservar la supremacía blanca a través de leyes raciales.

Los negros sudafricanos fueron desprovistos de los derechos civiles fundamentales.

Desde su formación en 1910, la Unión Sudáfricana había estado gobernada por una coalición de afrikáners, descendientes de holandeses, y británicos. Al final de la Segunda Guerra Mundial, el afrikáner común poseía una mentalidad cerrada, sentía que su existencia y prosperidad estaban amenazadas por la mayoría negra (cada vez más politizada), los británicos (más numerosos que los afrikáners) y la comunidad mundial (que había condenado la política racial sudafricana durante los años cuarenta). Sudáfrica contó por primera vez con un gabinete formado exclusivamente por afrikáners, caracterizado por la segregación racial, el anticomunismo y la autodeterminación para los afrikáners.

El segregacionismo dividió a la población sudafricana en cuatro grupos raciales: los blancos (que poseían el derecho a controlar el estado gracias a que eran «civilizados»), los negros, los mestizos (que tenían antepasados europeos y africanos) y los asiáticos (indios y pakistaníes). En 1948, había unos once millones de negros, mestizos y asiáticos y dos millones y medio de blancos. El gobierno nacionalista de Malan aprobó sin debate previo una serie de leyes represivas. Una de las primeras y más agresivas fue la ley de 1949 que prohibía los matrimonios mixtos. Un año más tarde, la ley de supresión del comunismo ilegalizó las huelgas laborales en una época en que los negros ganaban 17 centavos al día trabajando en condiciones infrahumanas en las minas de diamantes. La ley del registro de la población, también aprobada en 1950, hizo obligatoria la clasificación racial de todos los hombres, mujeres y niños; asignó áreas específicas de convivencia según las razas (la mayoría negra fue confinada en un 13 % del territorio sudafricano y el resto de la población podía salir de su «área» sin permiso especial); y anuló un fallo judicial que equiparaba la calidad de los servicios públicos separados, como escuelas, hospitales y parques.

En 1949 estallaron los primeros disturbios contra el apartheid, segregacionismo racial, pero hasta los años noventa las víctimas de este sistema no realizaron sus esperanzas de igualdad. ◂**1912.10** ▸**1960.6**

ALEMANIA

Confrontación en Berlín

2 El 26 de junio de 1948 se inauguró un puente aéreo entre Occidente y Berlín occidental, poco después de que los soviéticos que ocupaban la Alemania oriental bloquearan las comunicaciones terrestres y fluviales entre Berlín y Occidente. El puente aéreo berlinés parecía demasiado ambicioso: un avión de ida y vuelta cada tres minutos, 24 horas al día. No obstante, durante 318 días, Gran Bretaña y Estados Unidos se ciñeron al proyecto, realizaron cerca de doscientos mil vuelos y transportaron un millón y medio de toneladas de suministros a la ciudad sitiada.

Los soviéticos impusieron el bloqueo en respuesta a la decisión que las potencias occidentales habían tomado en marzo: unir sus zonas de ocupación en Alemania en una única entidad económica. Temiendo la aparición de una Alemania occidental fuerte en la esfera de influencia americana, los soviéticos intentaron aislar del mundo no comunista a la ciudad. El 1 de julio anularon de modo unilateral la administración compartida de Berlín, y exigieron la plena jurisdicción sobre la ciudad. La guerra parecía inminente. El general americano Lucius Clay, comandante en jefe en Alemania, predijo: «Si cae Berlín, Alemania occidental será la próxima. El comunismo se extenderá rápidamente».

Los aliados estaban decididos a no doblegarse bajo la presión soviética, de modo que Estados Unidos envió a Gran Bretaña aviones equipados con bombas atómicas. La Unión Soviética no avanzó más hacia la guerra y el problema se limitó a una disputa diplomática por Berlín entre el este y el oeste.

Durante el largo y caluroso verano, dos millones y medio de berlineses dependieron del puente aéreo para abastecerse de comida, combustible, suministros médicos y bienes de consumo. El bloqueo continuó durante el otoño y el invierno y hubo racionamiento de alimentos y cortes de electricidad.

Un avión americano aterriza en el aeropuerto (Berlín oeste).

Occidente respondió con otro bloqueo, embargó las exportaciones de Alemania oriental y del bloque del este. Que Berlín no se rindiera a causa del hambre significó una victoria para Occidente. En primavera, afectados por el embargo, los soviéticos cedieron. Levantaron el bloqueo el 12 de mayo de 1949. ◂**1945.NM** ▸**1949.3**

COREA

Víctima de la guerra fría

3 En 1948, la península de Corea se convirtió en el marco de un enfrentamiento entre la Unión Soviética y Estados Unidos. Con la creación de dos estados separados por el paralelo 38, de ideologías opuestas pero oficialmente democráticos, dejó de existir una Corea unificada. Se sacrificó a las estrategias de la guerra fría entre las superpotencias.

Los esfuerzos de soviéticos y americanos por establecer un gobierno único en Corea habían fracasado el año anterior. Los soviéticos sugirieron retirarse y dejar que los propios coreanos formaran un gobierno a su modo. Temiendo que los comunistas del norte invadieran el sur si los americanos se retiraban, Estados Unidos propuso unas elecciones generales supervisadas por la ONU. Esta vez los soviéticos se negaron y prohibieron la entrada de los funcionarios de la ONU en su zona.

En 1948, la ONU convocó las elecciones en el sur. El 10 de mayo, en unas votaciones caracterizadas por la violencia y los rumores de coacciones norteamericanas, los coreanos del sur escogieron una asamblea general. Su presidente fue Syngman Rhee (*superior*), activista de la independencia de Corea que había presidido el gobierno en el exilio durante la Segunda Guerra Mundial y ferviente anticomunista recién llegado de Estados Unidos, tras estar 33 años en el exilio. Mientras Rhee constituía su gobierno, los soviéticos nombraron al comunista Kim Il Sung presidente de su zona, llamada República Popular de Corea. Moscú anunció que todos los soldados soviéticos estarían fuera de Corea a finales de año. Los americanos se retiraron en

ARTE Y CULTURA: Libros: ***Viaje a la Alcarria*** **(C. J. Cela);** ***España en su historia*** **(A. Castro) [...] Música:** ***Sonatas e interludios*** **(John Cage);** ***Scherzo Fantastique*** **(Ernest Bloch);** ***Un superviviente de Varsovia*** **(A. Schoenberg) [...] Pintura y escultura:** ***Composición n.º 1*** **(Jackson Pollock) [...] Cine:** ***Hamlet*** **(Laurence Olivier);** ***El tesoro de Sierra Madre*** **y** ***Cayo Largo*** **(John Huston) [...]**

«Personalmente haré lo que pueda por ayudar y proteger al pueblo coreano. Lo protegeré del mismo modo que protegería de una agresión a Estados Unidos o a California.»—**El general Douglas MacArthur al nuevo presidente coreano Syngman Rhee**

junio de 1949, tras dejar a quinientos consejeros militares para entrenar al ejército de Corea del Sur. En los años siguientes la división del país desencadenó una guerra. **◂1945.13 ▸1950.1**

TECNOLOGÍA

Presentación del LP

4 En 1948 la Columbia Records introdujo una de las innovaciones que transformarían la vida en la posguerra. El disco de vinilo de larga duración era más grande que su precursor, poseía surcos más pequeños y giraba a 33 1/3 r.p.m. en vez de a 78. Los LP ofrecían sonido de «alta fidelidad» y 25 minutos de música por cada cara en vez de los cinco del anterior. Los compradores invertían en un entretenimiento que duraba una tarde y no en una sola canción de éxito. Los LP beneficiaron a cantantes como Peggy Lee y Frank Sinatra, que se dedicaban a interpretar canciones sentimentales más que melodías pegadizas. Para los músicos de *jazz* como John Coltrane y Miles Davis, el estudio de grabación fue tan importante como las salas de conciertos.

En 1949, la RCA Victor presentó un competidor, un disco que giraba

Fábrica de discos Columbia; aquí se produjeron numerosos LP para abastecer la creciente demanda.

a 45 r.p.m. Las dos compañías compitieron durante años antes de llegar a un acuerdo: los discos de 45 r.p.m. se utilizarían para grabaciones de una canción. El LP reinó hasta los años ochenta en que empezó a ser sustituido por el disco compacto. **◂1902.11**

INDIA

Gandhi asesinado

5 La legendaria batalla de la India por su independencia indudablemente se hubiera llevado

Mahatma Gandhi tras su rueca dos años antes de su muerte. Gandhi insistió en que la fotógrafa, Margaret Bourke-White, aprendiera a hilar antes de tomar la instantánea.

a cabo sin Gandhi, pero sus contribuciones morales al discurso político fueron únicas y duraderas. A lo largo de su carrera, desempeñó un papel tanto espiritual como político. Se le llamaba Mahatma, «alma grande». El 30 de enero de 1948, Gandhi fue víctima de la violencia que había repudiado durante toda su vida. Fue asesinado por un fanático hindú ofendido por sus concesiones a los musulmanes.

La noticia de la muerte de Gandhi conmocionó a medio mundo. Primeros ministros y presidentes, reyes y dictadores lloraron al humilde asceta de 78 años de edad. Jawaharlal Nehru, compañero de Gandhi y primer ministro de la India, dijo: «La luz se ha ido de nuestras vidas y sólo queda oscuridad [...]. El padre de nuestra nación ya no está». **◂1947.3 ▸1965.8**

YUGOSLAVIA

Tito rompe con Stalin

6 En la posguerra cada vez más polarizada, el presidente Tito de Yugoslavia permaneció independiente. Convirtió a su país en un estado comunista federal (compuesto por Croacia, Eslovenia, Serbia, Bosnia, Herzegovina, Montenegro y Macedonia) y se apartó de Occidente (que lo condenaba por su apoyo a los comunistas en la guerra civil griega y por su intento de tomar Trieste al final de la Segunda Guerra Mundial) y también de Moscú, su aparente aliado. Decidido a impedir el control soviético de Yugoslavia, Tito fue el primer líder comunista que rompió con Stalin: en 1948, el Partido Comunista de Yugoslavia dejó el Kominform. Enfrentados a un bloqueo económico y a la amenaza

La Yugoslavia de Tito en una caricatura: entre el «diablo ruso» y «el hada de Occidente».

de una invasión, los yugoslavos se alinearon junto a su dirigente y su antigua canción de guerra se oyó por todo el país: «Eslavos, las fuerzas del infierno amenazan en vano, todavía sois libres».

Tito llevó a cabo reformas constitucionales que apartaron todavía más a Yugoslavia de la Unión Soviética. Descentralizó el gobierno, otorgó a los estados de Yugoslavia más libertad administrativa y económica y aprobó la autogestión laboral y un mercado libre limitado. Convirtió a Yugoslavia en el país comunista más liberal de Europa. **◂1943.9 ▸1991.2**

NACIMIENTOS

Charles Philip Arthur George, príncipe británico.

Gerard Depardieu, actor francés.

Pepa Flores (Marisol), actriz española.

Mick Taylor, músico británico.

Garry Trudeau, dibujante estadounidense.

MUERTES

Eduard Beneš, político checoslovaco.

Sergei Eisenstein, director cinematográfico ruso.

Mohandas Mahatma Gandhi, político indio.

D. W. Griffith, director cinematográfico estadounidense.

Muhammad Ali Jinnah, político indio-pakistaní.

Franz Léhar, compositor austro-húngaro.

Louis Lumière, inventor francés.

John Pershing «Black Jack», general estadounidense.

Kurt Schwitters, artista alemán.

Hideki Tojo, general japonés.

Vicente Huidobro, poeta chileno.

Orville Wright, aviador estadounidense.

Teatro: ***Ana de los mil días*** **(Maxwell Anderson);** ***El círculo de tiza caucasiano*** **(Bertolt Brecht);** ***Las manos sucias*** **(J. P. Sartre);** ***Bésame, Kate*** **(Cole Porter) [...] TV:** ***Cámara indiscreta; Hopalong Cassidy.***

«Lo que me gustaría pregonar a los cuatro vientos es esto: ¡Nos espera una buena vida, aquí y ahora.»—**B. F. Skinner, en *Walden Two***

NOVEDADES DE 1948

Inyecciones de cortisona sintética (para aliviar la artritis).

Automóvil Porsche.

Velcro (Georges de Mestral, Suiza).

Organización Mundial de la Salud (OMS).

Todo-terreno Land Rover.

EN EL MUNDO

▶ASESINATO Y DISTURBIOS EN BOGOTÁ—El líder del ala izquierda del partido liberal de Colombia, Jorge Eliécer Gaitan, murió víctima de un atentado el 9 de abril. El linchamiento del asesino fue seguido de un alzamiento popular en Bogotá —el bogotazo— que culminó en la destrucción de la sede del diario conservador *El siglo*. Gaitan, probable vencedor de las futuras elecciones a la presidencia del país, era el político más popular entre las masas obreras y campesinas. La oligarquía colombiana que controlaba a los aparatos políticos de los dos partidos mayoritarios fue considerada la principal instigadora del asesinato.

▶TRIUNFO DE LA REVOLUCIÓN EN COSTA RICA—Las tropas revolucionarias mandadas por el socialdemócrata José Figueras tomaron San José, la capital de Costa Rica. El movimiento revolucionario se había iniciado en febrero, tras la anulación de las elecciones ganadas por Otilio Ulate, candidato de la Unión Nacional que contaba con el apoyo de los socialdemócratas de Figueras.

▶EL «BIG BANG»—Con el artículo de 1948 «El origen de los elementos químicos», el físico ruso George Gamow y su alumno Ralph Alpher elaboraron la teoría del «Big Bang», propuesta por primera vez en los años veinte por Georges Lemaître. La teoría mantenía que miles de millones de años atrás,

IDEAS

Tratado de conductismo

7 El racionalismo, el deseo de ordenar los asuntos caóticos de la humanidad con pautas lógicas y claras, culminó en la novela utópica del psicólogo experimental B. F. Skinner, *Walden Two*. La novela, un vehículo para la teoría del conductismo de Skinner, defiende que a través de la «ingeniería del comportamiento» la gente puede ser condicionada a comportarse de un modo productivo y cooperativo, del mismo modo que se puede persuadir a las ratas de laboratorio para que empujen una palanca a cambio de comida. Los habitantes de Walden Two se rinden al racionalismo de la comunidad y son recompensados con una vida basada en poco trabajo, mucho ocio y amplias posibilidades de satisfacción. En términos skinnerianos, pierden su libertad para ganarla.

La novela fue calificada de visionaria y de fascista. Su autor, un profesor de Harvard alto y con gafas, fue acusado de no hacer distinciones entre las personas y las ratas de laboratorio. En *Walden Two* no hay elecciones ni controversias, ni descontentos ni rebeldes. Los personajes no tienen sentimientos porque, según Skinner, los sentimientos son una ilusión. El libro, más un tratado que una novela, fue tomado como una parábola irónica de la vida moderna en la que los individuos, aparentemente libres, son inducidos a la uniformidad.
◂1932.3 ▸1957.13

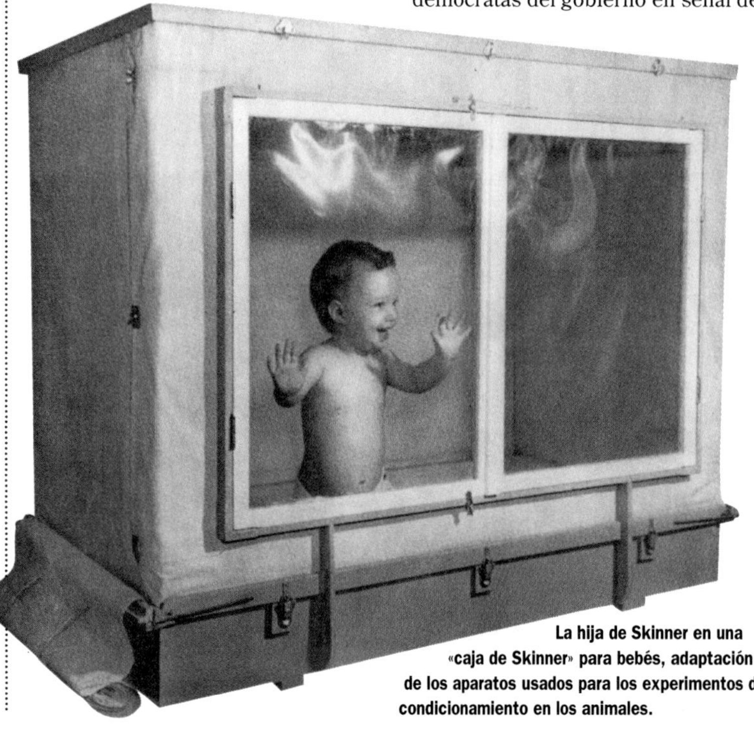

La hija de Skinner en una «caja de Skinner» para bebés, adaptación de los aparatos usados para los experimentos de condicionamiento en los animales.

CHECOSLOVAQUIA

Los comunistas derrocan a Beneš

8 En 1948 acabó la democracia checoslovaca cuando un golpe comunista derrocó a la frágil coalición de gobierno del presidente Eduard Beneš y estableció un régimen estalinista. Por segunda vez en diez años, Checoslovaquia sufría una agresión extranjera.

Beneš, tras presidir el gobierno en el exilio, regresó a su país en 1945 con la intención de restaurar el régimen democrático que los alemanes habían desplazado. Prometiendo «libertad individual, de asociación, reunión, expresión hablada y escrita y prensa», nombró un gobierno provisional compuesto por miembros de todos los partidos. Klement Gottwald, dirigente del Partido Comunista de Checoslovaquia (PCC), fue nombrado viceprimer ministro y el demócrata Jan Masaryk, ministro de asuntos exteriores. En mayo de 1946, Checoslovaquia eligió una asamblea nacional provisional (en funciones hasta que se redactara una constitución nueva). Como el PCC obtuvo el 38 % de los votos, Gottwald se convirtió en primer ministro.

En 1948, mientras el país se preparaba para las primeras elecciones bajo la nueva constitución, los miembros comunistas del gobierno ocuparon ministerios clave. Beneš seguía confiando y predijo que los comunistas perderían. Sin embargo las elecciones libres no llegaron a celebrarse. En febrero dimitieron una docena de miembros demócratas del gobierno en señal de protesta contra el intento comunista de dirigir el ejército y la policía. Beneš no aceptó sus dimisiones y Gottwald instigó un alzamiento. Se hizo cargo de los ministerios vacantes, cerró la puerta a los demócratas y clausuró los periódicos, obligando a Beneš a aceptar un gobierno comunista. La Unión Soviética ejerció su poder a través del PCC.

Los comunistas, acusando a los demócratas de reaccionarios y extranjeros, iniciaron una caza de brujas: arrestaron y exiliaron a miles de intelectuales y no comunistas. El 10 de marzo se encontró el cadáver de Masaryk bajo la ventana de su despacho (posiblemente, el «suicidio» fue en realidad un asesinato llevado a cabo por agentes soviéticos). A las elecciones de mayo se presentaron candidatos de un solo color. Beneš dimitió, fue sucedido por Gottwald, y murió tres meses después de negarse a firmar la nueva constitución. La estalinización de Checoslovaquia era completa.
◂1943.8 ▸1968.2

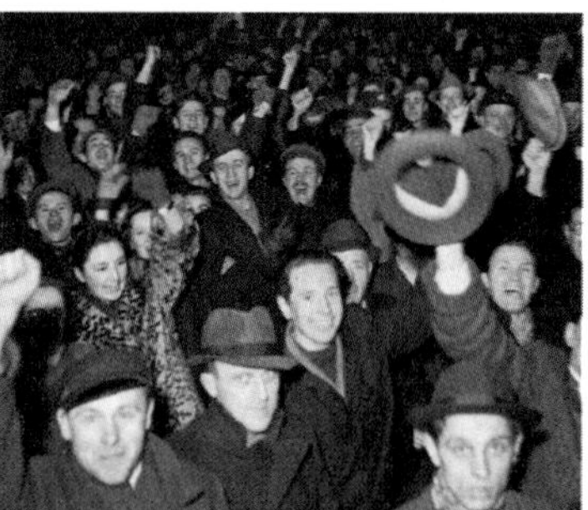

«Febrero victorioso»: simpatizantes de Gottwald reunidos en una plaza de Praga.

ORIENTE MEDIO

Proclamación del estado de Israel

9 La restauración de la patria bíblica judía representó la culminación de casi dos mil años de anhelo religioso, cinco décadas de organización política y unos años de guerra. Paradójicamente, quizás no se hubiera llevado a cabo sin la actuación de Adolf Hitler: la muerte de seis millones de judíos y la gran cantidad de refugiados sin patria suscitaron simpatías por la causa sionista después de la guerra.

En noviembre de 1947 se creó el marco, cuando la ONU aprobó un informe que recomendaba la división del mandato británico de Palestina en dos estados independientes (aunque económicamente unificados): más de la mitad del territorio pertenecería a los judíos, el resto a los árabes. La decisión significó una gran victoria

DEPORTES: el F.C. Barcelona queda campeón de la liga española [...] Celebración de los Juegos Olímpicos en Londres y St. Moritz (los primeros desde 1936).

«Mientras escribo, siempre tengo cuatro libros encima de la mesa: Ana Karenina, Of Time and the River, USA y Studs Lonigan.*»*—**Norman Mailer, mientras escribía *Los desnudos y los muertos***

para David Ben-Gurion, el organizador sionista más destacado desde la Primera Guerra Mundial. Para los líderes de las naciones de la Liga Árabe, que intentaban evitar la fundación de un país judío en Oriente Medio, la división significó una acción de guerra. Prometieron su ayuda a los palestinos en la resistencia a la «solución» de la ONU.

En febrero de 1948 el terrorismo se cobró las vidas de cientos de judíos y de árabes. El conflicto avanzaba hacia una guerra abierta. La Haganah (la milicia judía) obtuvo el control de todo el territorio que la ONU había concedido a los judíos y tomó posiciones en el territorio asignado a los árabes.

El 14 de mayo se proclamó el estado de Israel. Ben-Gurion se convirtió en primer ministro del gobierno provisional (y en enero de 1949 del electo). Washington y Moscú reconocieron a Israel inmediatamente. Al día siguiente se retiró Gran Bretaña y cinco países árabes atacaron a la nueva nación. La ONU envió al conde Folke Bernadotte, un sueco, como mediador. En septiembre, tras haber negociado dos treguas de corta duración, fue asesinado por extremistas judíos. **◂1945.14 ▸1949.6**

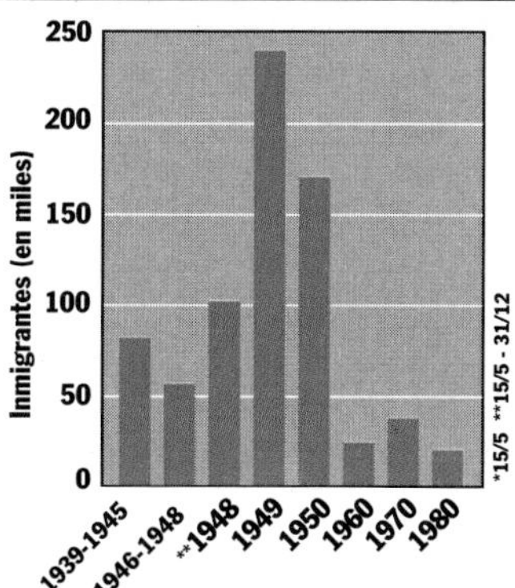

Entre 1939 y 1980, más de setecientas treinta mil personas, la mayoría judías, emigraron al antiguo mandato británico.

IDEAS

Kinsey estudia el sexo

10 El Dr. Alfred C. Kinsey, un tímido profesor de la Universidad de Indiana, estaba especializado en avispas, pero cuando se dio cuenta de que no podía responder a las preguntas sobre el sexo humano que le proponían sus alumnos, decidió recopilar la historia sexual del género humano. En 1948, tras diez años y unas nueve mil entrevistas, se publicó el

«Soy un descubridor de hechos», insistía Kinsey (en la fotografía aparece en su casa de Indiana con su mujer).

primer volumen de su estudio, *Comportamiento sexual del varón*, y se convirtió en un superventas. La revista *Newsweek* dijo: «Desde que se difundió la teoría de Darwin no había habido una conmoción social de estas características».

Lo impactante no sólo eran las distintas experiencias sexuales que Kinsey describía, sino la naturaleza de la investigación en sí. (Incluso Margaret Mead, defensora de la libertad sexual, calificó sus métodos de «fisgones».) Uno de cada tres hombres admitieron algún tipo de experiencia homosexual adulta, del 30 al 45 % de hombres casados reconocieron que habían sido infieles a sus esposas y el 90 % de los hombres declararon que se habían masturbado. (En el segundo volumen, publicado cinco años después y centrado en la sexualidad femenina, las relaciones respectivas eran: una de cada ocho mujeres habían tenido una experiencia homosexual, un 26 % reconocieron que habían sido infieles a sus maridos y un 62 % aceptaron haberse masturbado en alguna ocasión.)

Kinsey fue condenado por clérigos, diarios e incluso por el senado. Corrió la misma suerte con el estamento académico. Hoy en día, las deficiencias de los informes están reconocidas: estaban centrados en habitantes del medio oeste, blancos, de clase media y en estudiantes. Los entrevistados incluían presos y agresores sexuales y todos eran voluntarios que quizás mintieron. Aun así, Kinsey fue un pionero que abrió las puertas cerradas de las vidas sexuales de hombres y mujeres. **◂1920.12 ▸1966.NM**

LITERATURA

Libro de guerra de Mailer

11 Pocos escritores noveles han irrumpido en la escena literaria con tanta fuerza como Norman Mailer, cuya novela de guerra *Los desnudos y los muertos* se publicó en 1948, cuando él contaba 25 años. El libro, escrito en un lenguaje directo y duro, está basado en las experiencias de su autor durante la Segunda Guerra Mundial. Describe la invasión de un pelotón de americanos en una isla del Pacífico en poder japonés. Su amargo cinismo contra la guerra llegó a una generación de lectores que se sentían ajenos a la propaganda de militarismo de los años de posguerra. *Los desnudos y los muertos* reunió tal profusión de elogios que su joven autor se convirtió en una celebridad de la noche a la mañana.

Quizá, por todo ello, los siguientes libros de Mailer quedaron oscurecidos por su primer éxito. Sus obras posteriores, como las novelas *El parque de los ciervos* (1955) y *Un sueño americano* (1965), o la obra de testimonial *Los ejércitos de la noche* (1968), tratan de cuestiones morales similares. Todas comparten la obsesión del autor por el sexo y la violencia. **▸1951.11**

la materia estaba concentrada en una masa muy caliente y densa. Gamow y Alpher propusieron la hipótesis de que una explosión termonuclear hizo que la masa se separara, creando una mezcla de partículas subatómicas que se expandieron a gran velocidad. En unos minutos, las partículas se fundieron en protones y neutrones, luego en los elementos más ligeros, hidrógeno y helio, los componentes del núcleo atómico y del universo. ◂1927.3

▶FOTOGRAFÍAS AL INSTANTE—La cámara Polaroid Land salió al mercado en 1948 y se hizo muy popular. Su inventor, Edwin Herbert Land, ya la había presentado el año anterior. Se comportaba como un cuarto oscuro y revelaba fotografías en 60 segundos. ◂1900.3

▶LIBERTAD ARTÍSTICA—El tribunal supremo de Estados Unidos determinó que los grandes estudios de Hollywood estaban monopolizando la producción, distribución y exhibición de las películas y les ordenó que cedieran sus cadenas de salas cinematográficas, de modo que los exhibidores fueran libres de pasar películas de todas partes. La decisión contribuyó a la decadencia de los estudios.

▶EL MUNDO DE WYETH—Andrew Wyeth acabó su cuadro más famoso en 1948, *El mundo de Cristina*. Con un estilo realista, Wieth creó un

ambiente de misterio casi surrealista en torno a la figura central del cuadro, Anna Christina Olson, una mujer inválida de Cushing, Maine. ◂1942.17 ▸1986.M

▶MEZCLA MUSICAL MODERNA—El compositor natural de Missouri Virgil Thomson ganó el premio Pulitzer por su banda sonora para el documental de Robert Flaherty, *Lousiana Story* (1948). La música de Thomson, alegre, directa

POLÍTICA Y ECONOMÍA: PIB de Estados Unidos: 257.600 millones de dólares [...] Harry Truman elegido presidente de Estados Unidos; derrota de Thomas E. Dewey.

«Vivienda, sanidad, educación y seguridad social, éstos son vuestros derechos de nacimiento.»—**Aneurin Bevan, ministro de sanidad británico**

y pegadiza, incorporó una amplia gama de influencias, incluidos los himnos tradicionales angloamericanos y las canciones populares. ◄1939.NM

▶INDEPENDENCIA DE BIRMANIA—Birmania (actualmente Myanmar) obtuvo su independencia el 4 de enero, 63 años después de que Gran Bretaña empezara a gobernarla. Los años de empobrecimiento provocaron una situación que pronto evolucionó en una guerra civil. En 1962, un golpe de Estado estableció un gobierno socialista que persistía en el aislamiento político y cultural mientras defendía una rápida industrialización. La mala situación económica perdura: en 1990, Birmania era una de las naciones más pobres del mundo. ◄1989.NM

▶ARRESTO DE MINDSZENTY—El cardenal József Mindszenty, cabeza de la Iglesia católica en Hungría, fue detenido en 1948 por oponerse al régimen comunista. Torturado y condenado por traición en un juicio público, se le sentenció a muerte, pena que le conmutaron por la de cadena

perpetua. Durante el alzamiento anticomunista de 1956 fue liberado; cuando los comunistas retomaron el control, pidió asilo en la embajada norteamericana de Budapest. Vivió allí hasta 1971. Murió en Viena en 1975. ◄1956.4

▶FORMACIÓN DE LA OEA—En abril, 21 naciones americanas se reunieron en Bogotá, Colombia, para fundar una organización dedicada a la cooperación económica y a la seguridad mutua. La Organización de Estados Americanos (OEA) sustituyó a la Unión Panamericana.

CIENCIA

Desarrollo de la cibernética

12 Con su libro de 1948 *Cibernética: control y comunicación entre el hombre y la máquina*, Norbert Wiener, matemático del Instituto de Tecnología de Massachusetts, acuñó el término «cibernética» (derivado de la palabra griega *kybernētēs* que significa «timonel») para describir una nueva ciencia interdisciplinaria que estudia el paralelismo de los sistemas de control de las máquinas y los organismos vivos. Wiener comentó que las acciones de las personas, como las de las máquinas, se pueden predecir y programar. Tanto las máquinas como las personas buscan la estabilidad, utilizan la información y ajustan su comportamiento de acuerdo con la realimentación recibida. Un ejemplo clásico de mecanismo de realimentación lo constituye el termostato, que reacciona a una temperatura indeseable ajustando la calefacción. De modo similar, una persona reacciona a la bajada de temperatura poniéndose un abrigo.

Aunque mal organizada y llena de erratas, *Cibernética* fue una obra visionaria que suministró un complemento a otras ideas del período, como la teoría de la información del matemático Claude Shannon (un sistema matemático que aplica la lógica del álgebra booleana al modo de procesar la información, tanto de las máquinas como de los seres vivos). La cibernética aportó al lenguaje común términos como «realimentación» e «*in-put*» («potencia de entrada»); su desarrollo llevó a crear las «máquinas pensantes». En 1961 los primeros robots industriales sustituían a las personas en lugares de trabajo. Wiener se mostró cada vez más escéptico ante la automatización, y escribió que mientras la competitividad de las máquinas durante la primera revolución industrial devaluó la mano de obra humana, la revolución industrial moderna «está ligada a la devaluación del cerebro humano». **◄1937.11 ►1951.1**

Wiener, niño prodigio, estableció conexiones entre diversas disciplinas.

El ministro Bevan administra a los médicos la nueva medicina social.

GRAN BRETAÑA

Prestaciones sanitarias

13 En Gran Bretaña la evolución desde el capitalismo dickensiano hasta un casi socialismo culminó en 1948 con el nacimiento de la Seguridad Social, que proporcionó a todos los ciudadanos cuidados médicos gratuitos «de la cuna a la tumba». Tres años antes, el Partido Laborista había obtenido la mayoría parlamentaria por primera vez. Los británicos, agotados y prácticamente arruinados por la guerra, dieron carta blanca a los laboristas para que establecieran las medidas que habían estado proponiendo durante cuarenta años.

El gobierno del primer ministro Clement Attlee ya había nacionalizado el ferrocarril, el transporte terrestre, las minas de carbón, los puertos y las centrales eléctricas. La sanidad era la última fase del proceso. En 1946 el parlamento aprobó el programa de sir William Beveridge de la Seguridad Social, pero su entrada en vigor se retrasaba con los debates de médicos y políticos para configurarlo. La oratoria agresiva y las habilidades para negociar del ministro de sanidad Aneurin Bevan, hijo de un minero galés, consiguieron que el proyecto se llevara a la práctica.

Como Alemania, Austria, Francia, Italia, Dinamarca y Nueva Zelanda, Gran Bretaña se convirtió en un «estado del bienestar», una nación capitalista que reconocía la comida, la vivienda, la educación y la medicina como derechos fundamentales que debía asegurar el gobierno. Izquierdistas antisoviéticos como Bevan veían los programas como el de la Seguridad Social como la mejor garantía de que una población europea, agotada por la guerra, no se sintiera atraída por el comunismo. Estados Unidos, cuyos fondos hicieron posible la implantación de esta medida, pensaba del mismo modo, aunque los servicios de la Seguridad Social en América se desarrollaron más tarde. **◄1945.NM**

CINE

Neorrealismo italiano

14 El neorrealismo emergió de los escombros de la posguerra italiana. Al renunciar a las descripciones optimistas de personas que luchan en una sociedad hostil, realizadas en las películas de alto presupuesto de Hollywood, directores neorrealistas como Roberto Rossellini *(Roma, ciudad abierta)* y Luchino Visconti *(La tierra tiembla)* rodaron sus películas en suburbios urbanos de clase obrera o en pueblos pobres, y contrataron a personas corrientes para los papeles principales. El neorrealismo alcanzó su apogeo en 1949 con *El ladrón de bicicletas*, dirigida por Vittorio de Sica.

La película narra las andanzas por Roma de un hombre que se dedica a colgar carteles y a quien le roban la bicicleta. Antonio y su hijo inician un recorrido desmoralizante por las calles de la ciudad en busca del vehículo. Se cruzan con comerciantes del mercado negro, obreros en huelga, delincuentes comunes y fanáticos del fútbol. Finalmente encuentran al ladrón, un pobre epiléptico al que la policía se niega a detener. Antonio, desesperado y humillado, intenta robar una bicicleta pero una multitud encolerizada se lo impide. En consideración a su hijo, la gente suelta a Antonio.

De Sica eligió al obrero Lamberto Maggiorani para el papel de Antonio.

Se ha dicho que es «la película más importante de la posguerra inmediata». El año después de su exhibición internacional, el gobierno italiano amordazó a los neorrealistas al prohibir la exportación de películas «poco gratas». Pero De Sica y sus colegas ya habían elevado el cine a su madurez, demostrando que el cine popular podía ser barato y crítico. **►1956.10**

PREMIOS NOBEL: Paz. Sin galardón [...] Literatura: T. S. Eliot (anglo-estadounidense; poeta) [...] Química: Arne Tiselius (sueco; proteínas) [...] Medicina: Paul Müller (suizo; DDT) [...] Física: Patrick Maynard Stuart Blackett (británico; radiación cósmica).

Modernistas y existencialistas

Artículo publicado por Eugenio D'Ors en *La Vanguardia* el 16 de septiembre de 1948

Eugenio D'Ors (1882-1954) está inscrito en el Novecentismo, movimiento de ámbito cultural, político, artístico e ideológico que floreció entre el modernismo y las vanguardias y que se caracteriza por el reformismo burgués en lo político, la serenidad y claridad racional en lo cultural, la reacción contra actitudes decimonónicas, el europeísmo, el elitismo cultural y una estética presidida por la obsesión de la «obra bien hecha». D'Ors, junto a Ortega, fue un promotor entusiasta de las novedades intelectuales y estéticas. En 1948, cuando el existencialismo triunfaba en Europa, D'Ors publicó el artículo siguiente. En él critica y asemeja actitudes modernistas y existencialistas.

Los «modernistas» que la Iglesia condenó en la hora de su florecimiento, a las albas de nuestro siglo, eran inmanentistas, es decir, consideraban la verdad religiosa como inmanente a un mundo interior, del cual no se podía salir por trascendencia, con paso al mundo propio de la ciencia, por ejemplo. Los «existencialistas», que también veremos condenados cualquier día de estos, parten de lo mismo y del mismo estado y situación de ruptura en el conocer. Aquéllos se decían consolados por esta dualidad. Estos se dicen, en su presencia, angustiados. A los demás, la posición emocional de los aludidos caballeros no nos importa. Consolados o angustiados, lo esencial es el hecho de su intelectual ruptura y, sobre todo, su pretensión de imponerla como canónica a todos y a cada uno de nosotros.

Advirtamos que la afición a andar por la vida con un alma rota puede también ser llevada a otros asuntos que al asunto de la fe. Con la manera personal de sentir la patria, puede ocurrir tres cuartos de lo mismo. En torno nuestro, para no buscar más allá, hemos conocido casos de conciencias partidas en dos mitades, cada una sin puerta ni ventana sobre la otra. Don Victor Balaguer, en su época, escribía unos versos de tan inflamado separatismo, que no los hubiera rimado más crudos Mossen Collell, el de la barretinesca memoria. Esto no le impedía ser en Madrid ministro de Colonias o desempeñar los cargos políticos y académicos de más delicada responsabilidad. A otro poeta de la misma cuerda y, por otra parte muy claro varón, le hizo don Antonio Maura fiscal del Tribunal Supremo.

No les venía a mientes, no, al designador ni al designado, la posibilidad de que éste pudiera verse en coyuntura de perseguir en prosa lo que preconizaba en verso. Se entendía que esto quedaba también encerrado en una categoría inmanente, la de una poesía sin trascendencia alguna a la vida real. Al estado oficial nada le importaba que su magistrado vindicase, por juego, a naciones sedicentes esclavas, como la cónyuge oficial no tenía reparo en unas estrofas sáfico-idónicas de la propia minerva estallasen, por juego, de pasional amor hacia Filis.

La suscitación de este último ejemplo me hace pensar que también en el capítulo del amor se han dado impunemente los casos de las almas rotas. Vamos recorriendo la trilogía «Fe, Patria, Amor», así en discurso de mantenedor de Juegos Florales. Sobre la Fe ya tenemos sacados a los creyentes modernistas; sobre la Patria, a los separatistas enchufados. ¿Será mucho que dentro del campo del amor se traiga aquí la ambivalencia sentimental de algún personaje de Croemelink? El médico de su honra toma gustoso, en la farsa de éste —una de las obras más potentes que haya conocido la escena contemporánea—, los atributos característicos de Sgaguarelle. Vive en una ruptura dentro de la cual los celos se regodean en la propia infamia. También estos celos son inmanentes. Buscan las chispas que saltan del choque del hierro y el pedernal, como Pascal, el geómetra, cuando ponía como primer precepto: «¡Bestializáos! *(abêtisez-vous!)*», o como Rasputín, uno de los grandes precursores del existencialismo, cuando proponía como método de liberación del pecado el baño promiscuo con las señoras de la Corte.

Lo importante aquí es subrayar el hecho de la autoridad integra y sin matiz que, dentro de estas posiciones de ruptura, conserva el principio lógico «de contradicción», el angustiado por Soeren Kierkegaard, al igual que el consolado por el P. Laberthoniére, no conocen, para su drama o para su idilio internos, ninguna de las asertorias templanzas de la ironía. No recurren a la «sagesse». No se reservan en el «seny». Llaman, al pan, pan, al vino, vino; y si al vino el pan le sienta como un tiro, tanto mejor. Fiestas han ellos de hacerse del reconcomio.

No, para ellos, la síntesis. No, para ellos, las conciliantes superaciones armoniosas. El estado se conciencia —unitario, a fuerza de cordura— que permite que haya físicos piadosos y creyentes doctísimos, y, hasta sin ir más lejos, que un físico adopte, a la vez, el principio mecánico de la conservación de la energía, no es tampoco para ellos. Ni la gracia de Mistral o de Maragall, reuniendo en acto único y pacífico dos patrios amores. Ni la católica salvación reuniendo la tierra y el cielo, inmortalizando dogmáticamente el alma y resucitando dogmáticamente la carne...

No, no. Ruptura y, en la ruptura, tente tieso. El cuerpo no es, según principio de contradicción, el espíritu; la tierra no es el cielo. Y allá van modernistas y existencialistas, cada cual cargado con su mueble de dos compartimientos. Con su juguete del ratón y el gato, donde para que uno se asome, es necesario que el otro se oculte.

Eugenio d'Ors.

«No sólo servimos para destruir el Viejo Mundo, sino también para construir el Nuevo.»—**Mao Zedong, 1949**

HISTORIA DEL AÑO

Mao proclama la República Popular

1 El 21 de enero de 1949, Chiang Kai-shek, con su ejército derrotado por los comunistas, dimitió como presidente nacionalista de China. Diez días más tarde, las fuerzas comunistas de Mao Zedong entraron en Pekín. A finales de otoño, el Partido Comunista chino ocupaba las principales ciudades de China, incluida Nankín, la capital nacionalista. La guerra civil china había terminado; los comunistas habían triunfado. El 1 de octubre de 1949 Mao se dirigió a la multitud desde lo alto de la Puerta de la Paz Celestial, la entrada del Palacio Imperial de Pekín, y anunció el nacimiento de la República Popular China. Él sería el presidente; Zhu De, comandante militar de las fuerzas comunistas, sería vicepresidente, y Zhou Enlai, diplomático del partido comunista, primer ministro y ministro de asuntos exteriores.

Mao, hijo de campesinos, concibió una versión china de la dictadura del proletariado. Su gobierno prometió libertad de pensamiento, expresión y religión e igualdad de derechos para las mujeres. Sólo a los «imperialistas» les sería negada la entrada en el nuevo estado utópico, construido, según el modelo soviético, sobre la agricultura socializada y la industria pesada bajo el control gubernamental. La URSS y los estados del bloque soviético reconocieron oficialmente a la República Popular China inmediatamente y, al cabo de unos meses, los imitaron Birmania, la India y varios países europeos. Estados Unidos negó el reconocimiento diplomático y siguió fiel a Chiang Kai-shek, que huyó a Taiwan para establecer su gobierno nacionalista.

En diciembre, Mao realizó su primer viaje al exterior, a Moscú, en busca del apoyo soviético. Stalin le recibió con frialdad. Primero le ignoró y luego le ofreció algo de ayuda. Mao regresó con el equivalente de trescientos millones de dólares, repartidos en cinco años, y la promesa de ayuda contra el militarismo de Japón, que en 1949 era inexistente. Peor aún, el presidente se vio obligado a aceptar que Mongolia, territorio que él esperaba integrar a China, permaneciera «independiente», es decir, bajo la influencia soviética.

Estudiantes a favor de Mao. En otoño de 1949, su revolución había triunfado en toda China.

La política interior tampoco avanzó con facilidad. Un millón de personas fallecieron en las violentas luchas entre propietarios y arrendatarios que acompañaron a la reforma agraria. El trato preferente que el Partido Comunista dispensaba a los campesinos ricos se hizo popular entre las masas. La dictadura del pueblo de Mao se fue convirtiendo a gran velocidad en la dictadura de Mao. **◂1945.12 ▸1952.2**

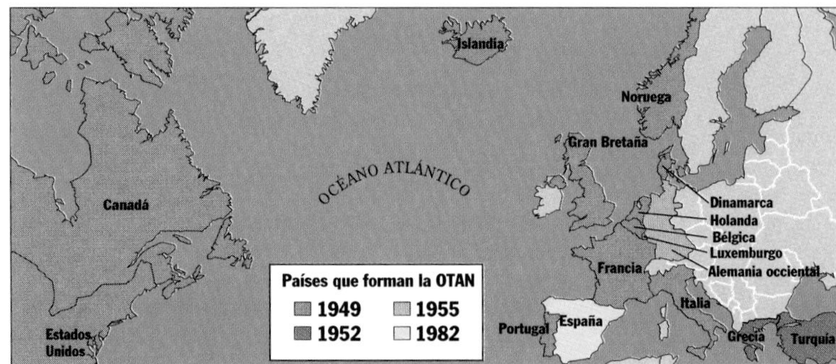

La OTAN, fundada en 1949, contaba con 16 miembros en 1982.

DIPLOMACIA

Fundación de la OTAN

2 Doce países occidentales, inquietos ante la perspectiva de una posible guerra, firmaron un pacto el 4 de abril de 1949 que constituyó la mayor alianza militar del mundo. La Organización del Tratado del Atlántico Norte (OTAN) provenía del artículo n.º 5 del Tratado del Atlántico Norte, por el que las partes contratantes se comprometían a que «un ataque armado contra una o más de ellas [...] sería considerado como un ataque contra todas».

El Tratado del Atlántico Norte en parte fue diseñado a partir del tratado de Río (el bloque de defensa nacional creado en 1947 por las naciones de América Central, Sudamérica y Estados Unidos) y estaba justificado por el artículo n.º 15 de la Carta de la ONU, que concedía el derecho a la defensa colectiva. Las bases de la OTAN se establecieron en 1948 cuando Bélgica, Holanda, Luxemburgo, Francia y Gran Bretaña firmaron el tratado de Bruselas, una alianza militar europea. No obstante, carecían de los recursos militares y económicos de Estados Unidos, de modo que las conversaciones de la OTAN empezaron casi de inmediato.

Las naciones del oeste de Europa, débiles por separado, juntas y con el apoyo de Estados Unidos equilibraban al poder soviético. Los militares americanos de la OTAN dijeron que la alianza era «un antídoto contra el miedo», pero su fundación completó la polarización del mundo en dos campos armados. **◂1948.NM ▸1955.4**

ALEMANIA

Dos estados separados

3 Bajo la ocupación de las cuatro potencias, Alemania evolucionó hacia dos estados incompatibles, a imagen y semejanza de sus ocupantes: la República Federal Alemana, al oeste de la línea Oder-Neisse, en la órbita de los aliados occidentales, y la República Democrática Alemana al este, de afiliación soviética. La creación de dos Alemanias separadas nació como una medida temporal, pero resultó ser un legado perdurable de la guerra fría.

Der Parlamentarische Rat hat das vorstehende Grundgesetz für die Bundesrepublik Deutschland in öffentlicher Sitzung am 8. Mai des Jahres Eintausendneunhundertneunundvierzig mit dreiundfünfzig gegen zwölf Stimmen beschlossen. Zu Urkunde dessen haben sämtliche Mitglieder des Parlamentarischen Rates die vorliegende Urschrift des Grundgesetzes eigenhändig unterzeichnet.

BONN AM RHEIN, den 23. Mai des Jahres Eintausendneunhundertneunundvierzig.

PRÄSIDENT DES PARLAMENTARISCHEN RATES

1. VIZEPRÄSIDENT DES PARLAMENTARISCHEN RATES

La nueva constitución de Alemania occidental enfatizaba los derechos civiles.

La cooperación de las cuatro potencias en Alemania, frágil desde el principio, se había roto el año anterior, después de que el bloqueo soviético de Berlín demostrara que la Unión Soviética no permitiría elecciones libres en Alemania. En 1948, una comisión compuesta por parlamentarios electos de los *Länder* (estados) de Alemania occidental empezó a redactar una constitución provisional (que duraría hasta que la Alemania unificada adoptara una constitución). El documento resultante, *Grundgesetz* (ley fundamental), fue una obra maestra. Incluía una ley de derechos fundamentales y facilitaba el establecimiento de un gobierno federal estable y flexible. Los *Länder* de Alemania occidental la ratificaron y el 24 de mayo de 1949 nació la República Federal Alemana. Konrad Adenauer fue elegido canciller, cargo que ostentaría durante los catorce años siguientes. Su ministro de economía empezó inmediatamente a desarrollar una «economía social de mercado», lo que marcó la importante

ARTE Y CULTURA: Libros: *El cielo protector* (Paul Bowles); *Amor conyugal* (Alberto Moravia); *El principio del fin* (Naguib Mahfouz) [...] Cine: *Decepción* (Robert Rossen); *El tercer hombre* (Carol Reed); *Día de fiesta* (Tati); *Manon* (Henri-Georges Cluzot); *Un día en Nueva York* (Kelly y Donen) [...]

«Hay dos clases de genios, los "normales" y los "magos" [...]. Richard Feynman es un mago del mayor calibre.»
—Mark Kac, matemático

y extraordinaria recuperación económica que experimentó Alemania occidental.

En la zona oriental, los soviéticos convocaron unas elecciones a su modo: confeccionaron una lista de candidatos y los votantes podían aceptarla o rechazarla. En mayo fue elegido el Congreso del Pueblo, dominado por los comunistas. El 7 de octubre de 1949 reconoció a la República Democrática Alemana como «el primer estado de obreros y campesinos en el territorio alemán». Wilhelm Pieck, del Partido Comunista, se convirtió en primer ministro, pero el poder real se hallaba en manos de Walter Ulbricht, que, como secretario general del Partido Comunista, controló el aparato estatal hasta 1971. **◄1948.2 ►1953.7**

LITERATURA

El relato de Orwell

4 *1984* de George Orwell es quizá la novela más antiutópica de la historia. Apareció en 1949 (entre el puente aéreo de Berlín y el inicio de la guerra de Corea) y se convirtió de inmediato en un clásico de la guerra fría.

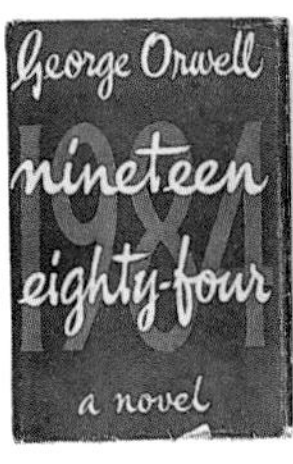

El libro describe un estado totalitario en el que el amor, la privacidad, el placer sexual y el pensamiento individual se han proscrito y donde la belleza se ha erradicado. Bajo la vigilancia continua del «Gran Hermano», los ciudadanos viven con el miedo de que la Policía del Pensamiento se entere de alguna transgresión. El héroe, Winston Smith, trabaja elaborando propaganda en el Ministerio de la Verdad. Cuando se rebela y se enamora de una colega que comparte sus opiniones subversivas, es arrestado, torturado y «reeducado» para la sumisión total.

El autor de este estudio sobre el terrorismo de estado del siglo XX fue un socialista notario llamado Eric Blair, un británico educado en Eton que a mediados de los años treinta empezó a escribir bajo el pseudónimo de George Orwell. De acuerdo con una doctrina no partidista, fue sobre todo un humanista incondicional. Luchó en la guerra civil española en el bando republicano; escapó cuando la milicia marxista a la que pertenecía fue atacada por el ejército republicano apoyado por los soviéticos. Orwell recordaría toda la vida ese encuentro con el terror estalinista, que desempeñó un importante papel en la concepción de *1984* y de *Rebelión en la granja* (1945), su fábula política acerca de animales de corral que se deshacen de sus opresores humanos y son sometidos por los cerdos que se hacen con el poder.

La respuesta del público lector fue tan entusiasta que Orwell llegó a temer que su «exposición de las perversiones a las que tiende una economía centralizada» (como escribió a un amigo) hubiera sido mal interpretada por fanáticos anticomunistas de extrema derecha. Sin embargo, no vivió para observar las exageradas interpretaciones que se dieron de su libro. A los seis meses de su publicación, Orwell, ya uno de los escritores más famosos del mundo, murió de tuberculosis en un sanatorio inglés. Contaba tan solamente 46 años de edad. **◄1932.3 ►1954.13**

CIENCIA

Las fórmulas de Feynman

5 Richard Feynman, nacido en Nueva York y veterano del proyecto Manhattan, introdujo una mejora esencial en las últimas investigaciones sobre la colisión de partículas con la presentación del «diagrama Feynman» (1949). Éste ejemplifica el movimiento de una partícula en el espacio cuando entra en contacto con campos magnéticos, mediante la aplicación de las teorías de la probabilidad de la nueva disciplina conocida como «electrodinámica cuántica».

Los diagramas e integrales de Feynman no sólo ilustraron lo que ocurría con las partículas, también simplificaron los cálculos necesarios para analizar y predecir el proceso.

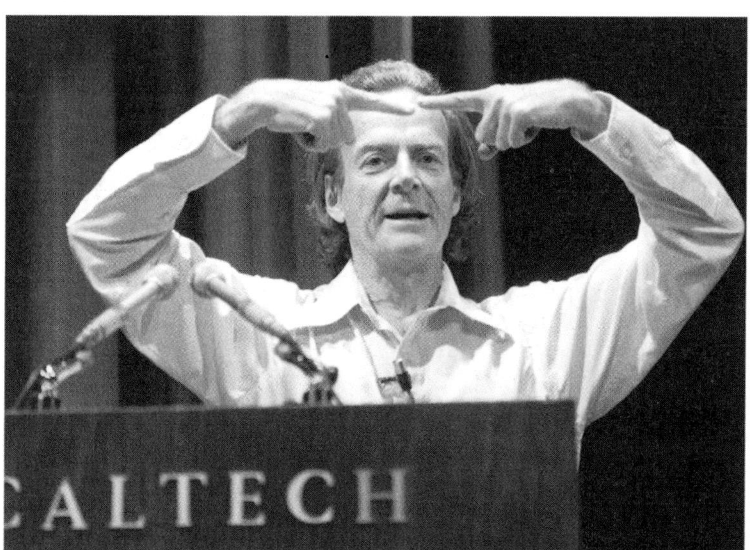

Feynman ejemplifica una colisión de partículas durante un seminario en Cal Tech, 1978.

Feynman, extrovertido y con una curiosidad intelectual insaciable, que le llevó a interesarse por actividades tan diversas como la pintura, los bongos o los jeroglíficos mayas, se mostró especialmente entusiasta al valorar su método: declaró que describía «todos los fenómenos del mundo físico excepto la gravedad». El 1965 ganó el Premio Nobel junto al físico americano Julian Schwinger y el japonés Shinichiro Tomonaga (que llegaron a conclusiones similares).

Feynman fue conocido mundialmente por su participación en la comisión que investigó la explosión del *Challenger* (1986). Concluyó que la probabilidad de fallo estaba más cerca de uno entre cien que de uno entre cien mil, como pensaba la NASA. Las aptitudes de Feynman para la teatralidad se manifestaron claramente cuando utilizó un vaso de agua helada para demostrar a senadores y científicos cómo funcionaba una parte del *Challenger*. **◄1925.7 ►1964.12**

NACIMIENTOS

Pablito Calvo, actor español.

Pablo Escobar, narcotraficante colombiano.

Annie Leibovitz, fotógrafa estadounidense.

Ilyich Ramírez Sánchez, terrorista venezolano.

Bruce Springsteen, cantante estadounidense.

Meryl Streep, actriz estadounidense.

MUERTES

Niceto Alcalá Zamora, presidente español.

Georgi Dimitrov, político búlgaro.

James Ensor, pintor belga.

James Forrestal, militar estadounidense.

Mariano Fortuny, pintor español.

Henri Giraud, general francés.

Alejandro Lerroux, político español.

Maurice Maeterlinck, escritor belga.

Margaret Mitchell, escritora estadounidense.

Axel Munthe, escritor sueco.

José Clemente Orozco, pintor mexicano.

Antonio Rovira Virgili, historiador y político español.

Richard Strauss, compositor alemán.

Joaquín Turina, compositor español.

Teatro: ***Historia de una escalera* (Buero Vallejo); *The Cocktail Party* (T. S. Eliot) [...] T.V.: *El llanero solitario*.**

«Un poeta nunca toma notas. No tomes notas sobre un asunto amoroso.»—**Robert Frost**

NOVEDADES DE 1949

Scrabble (Juego de mesa).

Vuelo alrededor del mundo sin escalas (*Lucky Lady II*, de las Fuerzas Aéreas de Estados Unidos).

Felicitaciones de Navidad de UNICEF.

Radio Europa Libre.

Bloques de construcción Lego.

Premios Emmy.

EN EL MUNDO

▶TRACY Y HEPBURN —En 1949 George Cukor, el director por excelencia de «películas de mujeres», aportó un toque humorístico al tema de la igualdad entre los sexos. *La costilla de Adán* presentaba a Spencer Tracy y Katharine Hepburn en los papeles de los abogados de un juicio por intento de asesinato. El fiscal y la defensora están casados. Garson Kanin y Ruth Gordon escribieron un guión inteligente, ingenioso y vivo para una de las parejas más

carismáticas de Hollywood, en su mejor interpretación según muchos. ◂1938.11

▶ CAZA DE ROJOS—En 1949, la paranoia de la guerra fría se intensificó con la condena de once comunistas, partidarios de derribar el gobierno de Estados Unidos. El mismo Alger Hiss, presidente de la Fundación Carnegie para la paz internacional, antiguo secretario general provisional de la ONU y consejero en Yalta fue juzgado por perjurio. Hiss fue procesado tras una investigación del comité de actividades antiamericanas, presidido por el congresista

ORIENTE MEDIO

Final de la primera guerra árabe-israelita

6 En la fase inicial de la guerra árabe-israelita, los ejércitos de Egipto, Transjordania, Irak, Siria y el Líbano, junto a los irregulares del ejército de liberación árabe, ocuparon toda la zona de Palestina que no había sido asignada a Israel por la ONU. La falta de disciplina de las fuerzas árabes y la desunión de sus dirigentes las perjudicaron a pesar de ser mucho más numerosas que los treinta mil defensores israelitas. Los hombres y mujeres de Israel lucharon desesperadamente y (tras las primeras semanas) con armas suministradas por Francia, Checoslovaquia y simpatizantes particulares de todo el mundo. A principios de 1949, la nueva nación había expulsado a sus atacantes y empezaba a ganar terreno.

Entre febrero y julio, el mediador de la ONU, Ralph Bunche, negoció los armisticios de Israel y los estados árabes. Israel mantuvo todos sus territorios conquistados, incluidos Galilea, la costa palestina (excepto la franja de Gaza, ocupada por Egipto) y el desierto de Negev. Israel, bajo la presidencia de Chaim Weizmann y el primer ministro David Ben-Gurion, había ganado su guerra bautismal. No obstante, el triunfo resultaba incompleto: el resto de lo que la ONU les había designado como Palestina, que incluía Jerusalén, pasó a Transjordania (a partir de entonces Jordania).

Los grandes perdedores fueron los árabes palestinos. El 70 % (más de setecientos veinte mil) se convirtieron en refugiados. Su marcha dejó a Israel con una mayoría judía. **◂1948.9 ▸1951.5**

VIETNAM

Una independencia acordada

7 A principios de 1949, el gobierno nacionalista de Ho Chi Minh controlaba el 80 % de Vietnam, mientras que Francia conservaba las ciudades más importantes. Tras tres años y unas treinta mil víctimas, las tropas francesas no habían realizado ningún progreso contra la guerrilla Viet Minh, pero en marzo se ideó un plan para derrotar políticamente al Viet Minh: la solución Bao Dai.

El emperador Bao Dai *(inferior)* había reinado sobre el histórico Annam como un gobierno títere francés en los años treinta, y más tarde sirvió a los japoneses del mismo modo. Obligado a abdicar cuando Ho tomó el poder en 1945, fue consejero del nuevo régimen hasta que se exilió por voluntad propia a Hong Kong y luego a Francia. Los franceses pronto empezaron a presionarle para que regresara a su país y estableciera un gobierno rival al de Ho, pero Bao tenía sus propias ideas. A menos que París concediera la independencia a Vietnam, prefería permanecer fuera de su país. (Sobre todo disfrutando de las noches de la Riviera francesa.) París prefería no concederla.

La naciente guerra fría modificó los cálculos de ambos lados. Los franceses cada vez estaban más convencidos de que el régimen de Bao Dai separaría del Viet Minh a los nacionalistas no comunistas. Bao cada vez estaba más dispuesto a comprometerse: pensaba que Estados Unidos le apoyaría contra los rojos (la victoria de Mao, que llevó a las tropas comunistas chinas a la frontera norte de Vietnam a finales de 1948, intensificó la tensión) y presionaría a Francia para que rompiera sus lazos coloniales. Tras nueve meses de negociaciones, Francia reconoció a Bao como dirigente de un Vietnam oficialmente independiente. La defensa, la diplomacia y la economía seguían en manos francesas.

Desafortunadamente para Bao, algunos de sus compatriotas confundieron este arreglo con una independencia real. Muchos nacionalistas boicotearon su gobierno y oportunistas corruptos se adhirieron a él. Ho acusó a Bao de colaboracionista y el Viet Minh luchó contra él. El emperador pronto se quejó de que la «solución Bao Dai» sólo lo era para los franceses. En el año 1955 volvió a la Riviera. **◂1946.NM ▸1950.2**

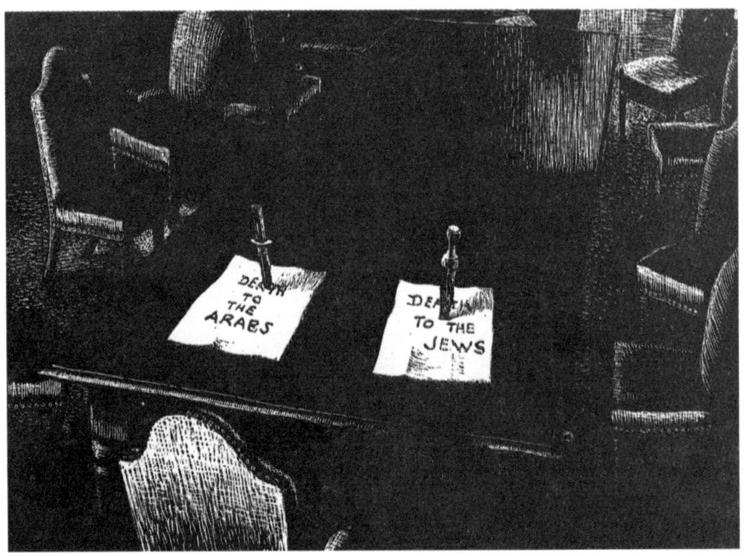

El título de este dibujo preguntaba: ¿Alguna otra propuesta?

LITERATURA

El poeta-granjero de América

8 «Elijo ser un sencillo granjero de New Hampshire / con unos ingresos en metálico de, digamos, mil dólares / (de, digamos, un editor de Nueva York). [...] Ahora estoy viviendo en Vermont.» Las contradicciones en tono jocoso que contienen estos versos (de un poema titulado «New Hampshire») son las que caracterizan a su autor, el poeta Robert Frost, un hombre que quiere presentarse a sí mismo como un rústico granjero de Nueva Inglaterra, pero cuyos versos en apariencia simples a menudo aluden a misterios oscuros y profundos. La *Poesía completa* de Frost, publicada en 1949 y compuesta por toda su obra poética hasta la fecha, muestra la concepción vital de este escritor americano en toda su amplitud.

Los lectores (entre los que se encontraban numerosas personas) apreciaron la claridad de su estilo lírico y la métrica tradicional. Inspirado en Wordsworth y Browning, así como en los clásicos griegos y latinos, Frost se caracteriza por una especie de trascendencia apocalíptica en la tradición de Henry David Thoreau y Ralph Waldo Emerson. Aunque nunca se consideró adscrito a un movimiento poético concreto, los estudiosos y los partidarios del vanguardismo a menudo lo han tachado de convencional a causa de la forma y la métrica tradicional de su obra. Sin embargo, la accesibilidad externa de los poemas de Frost encierra cierta sofisticación y un original uso del lenguaje de formas llanas y coloquiales que, en sus mejores

DEPORTES: Boxeo: Joe Louis se retira [...] Atletismo: récord mundial de los 10.000 metros, 29 minutos 21 segundos de E. Zatopek.

«El representante español más calificado de un teatro de hondura trágica, en el que los problemas del hombre se plantean con grandeza y esperanza.»—Sobre Buero Vallejo

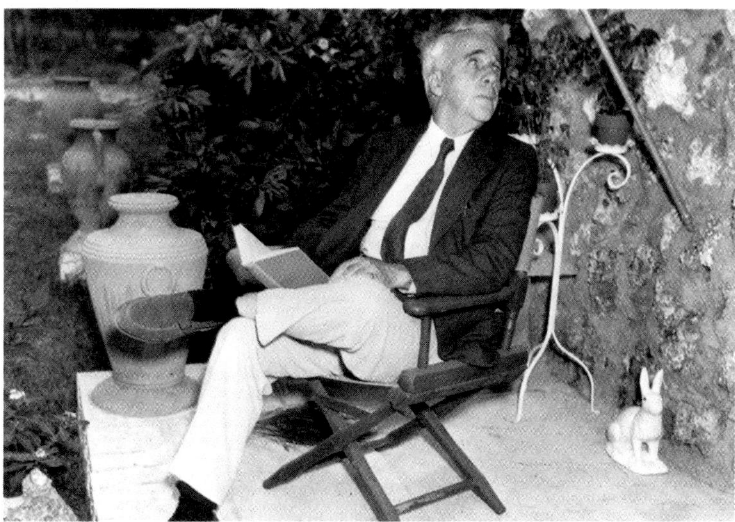
Poeta de la naturaleza: Robert Frost en su jardín en 1939.

poemas, llegan a conseguir al menos dos niveles de significado a la vez («utilizamos las palabras tal y como las encontramos», afirmó en una ocasión). La sabiduría popular y tosca que se capta en una lectura rápida se convierte, tras una aproximación más íntima, en un conocimiento sutil, casi religioso, de las ambigüedades «profundas y oscuras» de la condición humana. **◂1946.11**

IRLANDA

República independiente

9 Tras casi ocho siglos de dominación británica, los 26 condados de Irlanda que componían el Estado Libre de Irlanda se desligaron por fin de la Commonwealth. El 18 de abril de 1949 se proclamó la República de Irlanda, pero no constituyó un éxito completo: la división efectuada en 1920 seguía vigente, con los seis condados del norte de mayoría protesante formando parte del Reino Unido.

Gran Bretaña reconoció la independencia de Irlanda tras doce años de autonomía de hecho. En 1937, el gobierno del primer ministro Eamon de Valera abolió el juramento de lealtad a Gran Bretaña y declaró a Irlanda un país autónomo. (De Valera, nacido en Nueva York y defensor de la independencia irlandesa, escapó de la ejecución por su actuación en el alzamiento de 1916 a causa de su nacionalidad americana. Más tarde cumplió una pena en prisión por denunciar el tratado de 1922 que concedía el rango de dominion a Irlanda.) Durante los doce años siguientes, los condados del Estado Libre, aún parte de la Commonwealth según los británicos, existieron como el estado soberano del Eire. En 1948, cuando el parlamento irlandés proclamó la plena independencia, efectiva el Lunes de Pascua de 1949, la pertenencia al imperio se reconoció en general como una ficción diplomática. Al final, Gran Bretaña cedió. **◂1922.12 ▸1968.10**

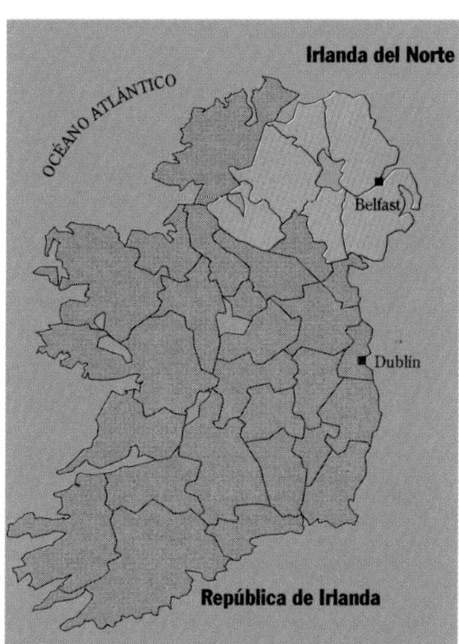

La independencia de Irlanda del sur consolidó la separación entre el norte y el sur.

LITERATURA

Un trágico moderno

10 En 1949, Antonio Buero Vallejo ganó el premio Lope de Vega y con él la posibilidad de representar la obra galardonada: *Historia de una escalera*. Antes de dedicarse al teatro, Buero Vallejo se sintió atraído por la pintura y estudió Bellas Artes en Madrid.

En un ensayo de 1958 titulado *La tragedia*, Buero Vallejo explica su concepción del teatro, cuya función es doble: «inquietar», plantear un conflicto sin dar la solución y «curar», animar a la superación personal y colectiva. Las ideas de la libertad y la responsabilidad son esenciales en su obra así como sus preocupaciones sociales y existenciales. A pesar de la aparente amargura que encierran sus personajes y situaciones, Buero es un humanista que realiza una «llamada a la esperanza». Su trayectoria cubre la evolución que experimentó el teatro español a partir de los años cuarenta: de lo existencial a lo social y luego a lo estético.

Historia de una escalera se inscribe en una primera etapa en la que predomina la preocupación existencial. Presenta la vida, las ilusiones, los fracasos y la frustración de varias familias humildes a lo largo de tres generaciones, y trata tanto del peso social como de las debilidades humanas.

En los años sesenta, Buero Vallejo alcanzó fama internacional y en España participó en actos de oposición política. Elevó la calidad del teatro español y a la vez llegó al gran público.

Antonio Buero Vallejo.

de California Richard Nixon, que lo acusó de haber pasado información al agente soviético Whittaker Chambers en 1937 y 1938. Hiss negó haber sido espía a favor del comunismo ni haber visto a Chambers después de enero de 1937. El primer jurado no se puso de acuerdo en el veredicto. El 17 de noviembre empezó otro juicio que acabó con el veredicto de culpabilidad. Hiss, que cumplió tres años de su condena de cinco, siempre mantuvo su inocencia. ◂1947.5 ▸1950.5

▶ CASA DE CRISTAL—Philip Johnson, defensor de la nueva arquitectura europea, definió el «estilo internacional». Con la casa rectilínea de paredes de cristal que construyó en 1949 en Connecticut, Johnson creó una versión americana del vanguardismo europeo. ◂1947.8 ▸1954.5

▶ LA ROSA DE TOKIO A JUICIO—Iva Toguri d'Aquino, conocida como la Rosa de Tokio por los soldados americanos en el Pacífico, fue juzgada por traición en San Francisco en 1949. Una de las trece mujeres que leían propaganda japonesa en inglés para los soldados americanos a través de la radio, d'Aquino, ciudadana americana nacida en Los Ángeles, fue acusada de colaborar con el enemigo. Ella alegó que había sido detenida en Tokio al principio de la guerra y obligada a prestar sus servicios a Japón. Tras tres meses de juicio, se la halló culpable de un cargo menor y pasó seis años en prisión. En 1977, el presidente Gerald Ford, con un indulto, reconoció que había sido perseguida injustamente.

▶ COMECON—En respuesta a la cooperación económica de Europa occidental, en 1949 Moscú creó el consejo para la mutua asistencia económica, COMECON, para integrar el mercado, la economía y el desarrollo industrial de la URSS y sus

POLÍTICA Y ECONOMÍA: fundación de la OTAN y del COMECON [...] Weizmann, presidente de Israel [...] Proclamación formal de la República de Irlanda (Eire) [...] Creación de la República Federal Alemana y de la República Democrática Alemana [...] Proclamación de la República Popular China con Mao como presidente [...] Fin de la guerra civil griega.

«Las malas hierbas se arrancan con el esfuerzo físico del campesino, pero sólo el sol y el agua pueden hacer que crezca el maíz. La voluntad no puede producir ningún cultivo.»—**Simone Weil**

satélites. El COMECON, que nunca llegó a competir plenamente con la Comunidad Económica Europea, tuvo problemas con el control de precios, que convirtió en irrelevantes los valores del mercado y desembocó en un sistema de permutas entre los estados miembros. ◀1949.2 ▶1955.4

▶ HOLANDA RECONOCE INDONESIA—Cuatro años después de que Sukarno y Muhammad Hatta declararan unilateralmente la independencia de Indonesia, los holandeses, que esperaban recuperar su dominio colonial de antes de la guerra, la reconocieron. Tras la derrota de la Segunda Guerra Mundial, los japoneses transfirieron el gobierno de Indonesia a Sukarno y Hatta, pero los británicos y los holandeses tenían otras intenciones. Los indonesios lucharon contra los británicos durante un año (*inferior*, revolucionarios de Java) hasta que dos «acciones policiales»

de tropas holandesas en 1947 y 1948 fueron condenadas a escala mundial. En diciembre de 1949, bajo la presión de la ONU, los holandeses capitularon. ▶1966.13

▶ PAZ EN GRECIA—La guerra civil griega finalizó en octubre de 1949, con unas cincuenta mil víctimas. Cuando se reanudó la lucha entre la guerrilla comunista (EAM) y el gobierno del rey Pablo en 1946, tras un año de tregua, la Yugoslavia de Tito apoyó a los rebeldes. Tras su distanciamiento de Stalin, Tito retiró su ayuda y el gobierno de Atenas obtuvo una victoria decisiva. ◀1947.4 ▶1967.2

MÚSICA

Estrella de la ópera

11 Como muchos aspirantes al canto, la soprano María Callas (nacida Kalogeropoulos), oriunda de Nueva York, se trasladó a Italia, la cuna de la ópera, después de la Segunda Guerra Mundial. Sus primeras actuaciones recibieron críticas discretas, pero cuando cantó *Tristán e Isolda*, de Wagner, y *Turandot*, de Puccini, en Venecia, empezó a cosechar elogios cada vez más entusiastas. A principios de 1949, cantó dos óperas seguidas en una sesión agotadora en La Fenice de Venecia; demostró su virtuosismo triunfal.

Callas ya había sido contratada para el papel de Brunilda en *Las Valquirias* de Wagner, cuando el director Tullio Serafin le pidió que sustituyera a Margarita Carosio, enferma, en la parte de Elvira de la ópera *Los puritanos*, de Bellini. El papel era totalmente distinto a lo que hasta entonces había cantado Callas y no estaba familiarizada con él. De la noche a la mañana, su extraordinaria hazaña estaba en boca de todos los melómanos de Italia. Le llovieron las ofertas y pronto fue comparada a las legendarias Lilli Lehmann y Maria Malibran. Aunque los estudiosos de la ópera siguen discutiendo sobre su técnica vocal, lo que no admite discusión es su registro, su versatilidad y la emoción con que cantaba cada nota. Su aureola de estrella ayudó a popularizar las óperas de los compositores menos conocidos.

Fuera del escenario, Callas era una artista temperamental. Rudolf Bing la despidió de la Metropolitan Opera tras una serie de disputas acaloradas; sus relaciones con la Ópera de Roma y La Scala de Milán fueron casi siempre difíciles. La prensa explicaba con detalles sus peleas entre bastidores con otros cantantes, su estilo de vida y su larga relación con el armador griego Aristóteles Onassis. Callas era una artista muy crítica consigo misma y sus autoexigencias contribuyeron a la brevedad de su carrera (40 papeles y 20 discos de óperas completas). Obligada a retirarse de la escena por problemas en las cuerdas vocales, Callas hizo su última aparición como Tosca en una producción del Covent Garden de Londres en 1965. Murió en 1977 a la edad de 53 años. **◀1939.14 ▶1959.6**

María Callas, diva temperamental, en 1955.

IDEAS

Una santa autodidacta

12 Entre los muchos intelectuales que abrazaron la fe religiosa tras los desencantos políticos de los años treinta, pocos le pidieron tanto a la religión o a sí mismos como Simone Weil. Publicado póstumamente en 1949, *El arraigo* ofrece su visión de cristiana de origen judío de una sociedad centrada en lo individual y firmemente arraigada en Dios y en la familia. En tal sociedad, la persecución de la bondad sustituiría a la búsqueda de la riqueza y el poder. La libertad de expresión debería pertenecer a los individuos pero no a los grupos. La Iglesia estaría desligada de la política, y los partidos políticos no deberían existir.

Weil ejerció una gran influencia en los años cincuenta, tanto por su misticismo como por sus libros (como *La torpeza y la gracia* y *El conocimiento sobrenatural*). T. S. Eliot, entre otros, la consideraba una santa. A pesar de haber nacido en la opulencia parisina, se decantó por una vida espartana y virginal. Tras una temporada como maestra en una escuela de provincias, trabajó en varias fábricas aunque estaba demasiado delicada de salud. Más tarde, en la guerra civil española, fue cocinera de los republicanos en el campo de batalla. Horrorizada por las atrocidades de la guerra y con la salud destrozada, tuvo experiencias místicas que la llevaron a la conversión.

Durante la Segunda Guerra Mundial huyó a Londres con su familia y pidió a las fuerzas de la Francia Libre que la dejaran unirse a la resistencia, pero le encargaron que escribiera máximas para la reconstrucción de la sociedad francesa. Estas composiciones se convirtieron en *El arraigo*. En 1943 murió por malnutrición al haberse negado a comer más de lo estipulado por el racionamiento de la Francia ocupada. Tenía 34 años. **◀1923.13**

IDEAS

Un clásico del feminismo

13 Aunque Simone de Beauvoir ya era una figura del mundo literario parisino (autora de varias novelas y obras filosóficas y compañera de Jean-Paul Sartre), *El segundo sexo* (1949), su ensayo sobre el papel de las mujeres en la sociedad, la convirtió en un símbolo mundial del movimiento feminista. El estudio consiste en un recorrido histórico, cuyo protagonista es la mujer, imbuido del ingenio y la inteligencia de Beauvoir. Empieza con una discusión de Eva en el Paraíso y va avanzando a través del tiempo describiendo cómo han sido tratadas las mujeres en un mundo de hombres.

Simone de Beauvoir en 1945, fotografiada por Robert Doisneau.

De Beauvoir extrae crudas conclusiones sobre la situación de las mujeres. Afirma que desde la infancia están destinadas a ser la presa pasiva de los hombres. No tienen «pasado, ni historia, ni religión propia». Lo que los hombres temen sobre todo es que las mujeres dejen de ser su «idea» más preciada y se conviertan en seres como ellos, es decir, personas. En la frase más memorable del libro de Beauvoir escribe: «La mujer no nace, se hace».

Elogiado por *The New York Times* como «uno de los pocos grandes libros de la época», *El segundo sexo* también contó con detractores. El *Time* se lamentaba: «el cálido aire de misterio que normalmente envuelve a las mujeres ha sido reducido a un frío de acero». Pero para incontables feministas, S. de Beauvoir fue una heroína. **◀1943.10 ▶1963.8**

PREMIOS NOBEL: Paz: John Boyd Orr (británico; colaboración para eliminar el hambre en el mundo) [...] Literatura: William Faulkner (estadounidense; novelista) [...] Química: William F. Giauque (estadounidense; termodinámica a bajas temperaturas) [...] Medicina: Walter Rudolf Hess y Egas Moniz (suizo y portugués; control cerebral funciones físicas) [...] Física: Hideki Yukawa (japonés; el mesón).

ECOS DE 1949

Una tragedia americana

De *La muerte de un viajante*, Arthur Miller, 1949

En La muerte de un viajante *Arthur Miller* (izquierda) *intenta crear una versión moderna de la tragedia clásica, con un hombre corriente como héroe. La sensibilidad artística y la vida de Miller están afectadas por la Gran Depresión, que arruinó los pequeños negocios de su padre y le mostró la fragilidad del sueño americano. En* La muerte de un viajante, *que se estrenó el 10 de febrero de 1949, Willy Loman es traicionado por este sueño. A la edad de 63 años, Willy pierde su trabajo como vendedor y finalmente se enfrenta a su propio fracaso y con el de sus dos hijos Biff y Happy. Despojado de todas sus ilusiones, se suicida. La obra ganó el premio Pulitzer y su autor se convirtió en uno de los dramaturgos más famosos de su generación.*

WILLY: Intentas clavarme un cuchillo, no creas que no sé lo que vas a hacer.
BIFF: Muy bien, farsante. Entonces, arriésgate. *De repente saca el tubo de goma de su bolsillo, y lo pone sobre la mesa.*
HAPPY: Estás loco.
LINDA: ¡Biff! *Tira al suelo el tubo pero Biff lo atrapa.*
BIFF: ¡Déjalo aquí! ¡No lo toques!
WILLY, *sin mirarla*: ¿Qué es esto?
BIFF: Sabes perfectamente lo que es.
WILLY, *atrapado, intentando escapar*: No lo he visto nunca.
BIFF: Sí lo has visto. Los ratones no lo han llevado al sótano. ¿Para qué se supone que es, para hacerte el héroe? ¿Se supone que tengo que sentirlo por ti?
WILLY: No sé nada de esto.
BIFF: No habrá piedad para ti, ¿te enteras? No habrá piedad.
WILLY, *a Linda*: ¿Ves qué odio?
BIFF: No, vas a oír la verdad, ¡quién eres y quién soy yo!
LINDA: ¡Calla!
WILLY: ¡Odio!
HAPPY, *acercándose a Biff*: ¡Para ahora mismo!
BIFF, *a Happy*: El tipo no sabe quiénes somos pero lo va a saber. En esta casa nunca se ha dicho la verdad durante más de diez minutos.
HAPPY, *a Willy*: ¡Siempre hemos dicho la verdad!
BIFF, *volviéndose hacia él*: Tú, ¿eres el auxiliar de compras? ¿Eres uno de los dos auxiliares del auxiliar?
HAPPY: Bueno, casi...
BIFF: Casi, ¡del todo! ¡Todos lo somos! Y voy a acabar con esto. Ahora escúchame Willy, éste soy yo... No soy un líder, Willy, y tú tampoco. No has sido más que un trabajador que no ha conseguido nada, como todos los demás. Soy un dólar por hora, Willy. He probado siete estados y no puedo con ellos. ¿Lo entiendes? No pienso traer a casa más premios y vas a dejar de esperar que lo haga.
WILLY, *directamente a Biff*: ¡Estúpido, rencoroso y vengativo!
Biff se aparta de Happy. Willy empieza a subir las escaleras. Biff lo atrapa.
BIFF, *más furioso que nunca*: Papá, ¡no soy nada! ¡No soy nada, papá! ¿No puedes entenderlo? No hay odio en esto. Sólo soy lo que soy, nada más.
Biff estaba agotado y se derrumba, solloza y se agarra a Willy, que le toca la cara.
WILLY, *asombrado*: ¿Qué vas a hacer?
A Linda: ¿Qué vas a hacer? ¿Por qué está llorando?
BIFF, *llorando*: ¿Me dejarás marchar, por Dios? ¿Cogerás este maldito sueño y lo quemarás antes de que pase algo?

Miller trató a su viajante como a una especie de héroe trágico. Lee J. Cobb interpretó a Willy Loman, uno de los papeles más codiciados del teatro americano, en el primer montaje de la obra, dirigido por Elia Kazan.

Durante la posguerra la búsqueda de la normalidad dio lugar a una cultura de la conformidad en el próspero mundo occidental, del mismo modo que la guerra fría heló la atmósfera en ambos continentes. Y de los vestigios de los antiguos imperios nació una nueva fuerza: el Tercer Mundo, una serie de antiguas colonias que intentaban forjar su propia identidad.

1950 1959

Tras la Segunda Guerra Mundial tuvo lugar el mayor crecimiento económico de la historia. El gobierno de Estados Unidos ofreció dinero barato y los antiguos soldados se lanzaron a comprar casas prefabricadas en urbanizaciones como ésta de Levittown, Nueva York. Criticados por muchos —la cantante Malvina Reynolds hablaba de «cajitas de juguete» que, como sus habitantes, «tenían todas el mismo aspecto»—, los suburbios y los refugios contra ataques nucleares cavados en muchos patios traseros americanos fueron símbolos de la década.

El mundo en 1950

Población mundial

Nacionalismo en el sudeste asiático

Inmediatamente después de que la victoria aliada en la Segunda Guerra Mundial finalizara la ocupación japonesa en las colonias del sudeste asiático que antes de la guerra habían pertenecido a Gran Bretaña, Francia, Holanda y Portugal, se desarrollaron movimientos independentistas. Gran Bretaña y Holanda, conscientes de la poca lealtad que había demostrado la población de la zona cuando los japoneses la ocuparon, se dieron cuenta de que intentar restablecer su dominio resultaría caro, cruento y, a fin de cuentas, inútil. Optaron por conceder la independencia a la mayoría de sus antiguas colonias. Francia y Portugal decidieron quedarse. Sin embargo en 1976, cuando Portugal se marchó de la isla de Timor, ninguna de las antiguas colonias, excepto Hong Kong y Macao, estaba gobernada por Europa.

Casos de sífilis por 100.000 personas

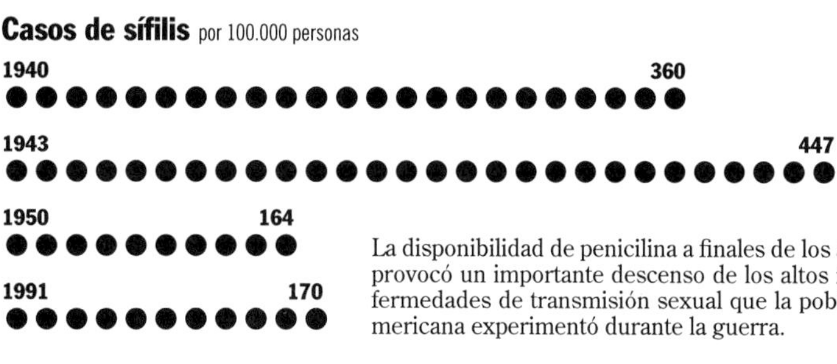

La disponibilidad de penicilina a finales de los años cuarenta provocó un importante descenso de los altos índices de enfermedades de transmisión sexual que la población norteamericana experimentó durante la guerra.

Moda imprescindible

Durante la Segunda Guerra Mundial el gobierno norteamericano declaró que los **tejanos** eran un artículo de consumo esencial y sólo podían comprarlos las personas relacionadas con el trabajo militar. A partir de la guerra se han convertido en un símbolo de la moda informal americana y han alcanzado una difusión mundial.

La difusión de la técnica

En 1948 se instalaron en los estudios ABC de Nueva York, Chicago y Hollywood los primeros **magnetófonos** de bobina para la grabación de anuncios publicitarios. Al año siguiente Sony comercializó un aparato que costaba unos 400 dólares en Japón. Al cabo de 20 años, el magnetófono formaría parte de una industria que facturaría 300 millones de dólares en Estados Unidos.

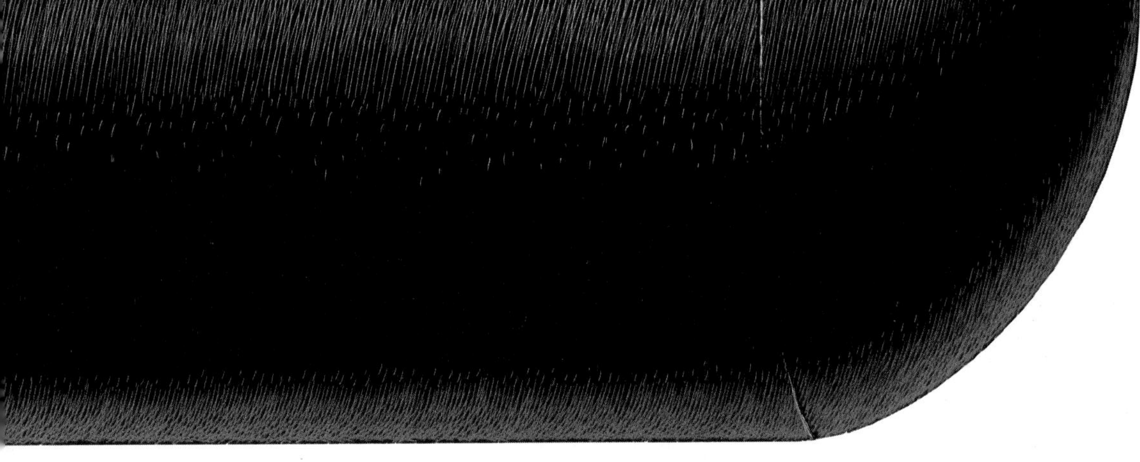

La explosión demográfica

Tasas de natalidad por 100.000 personas

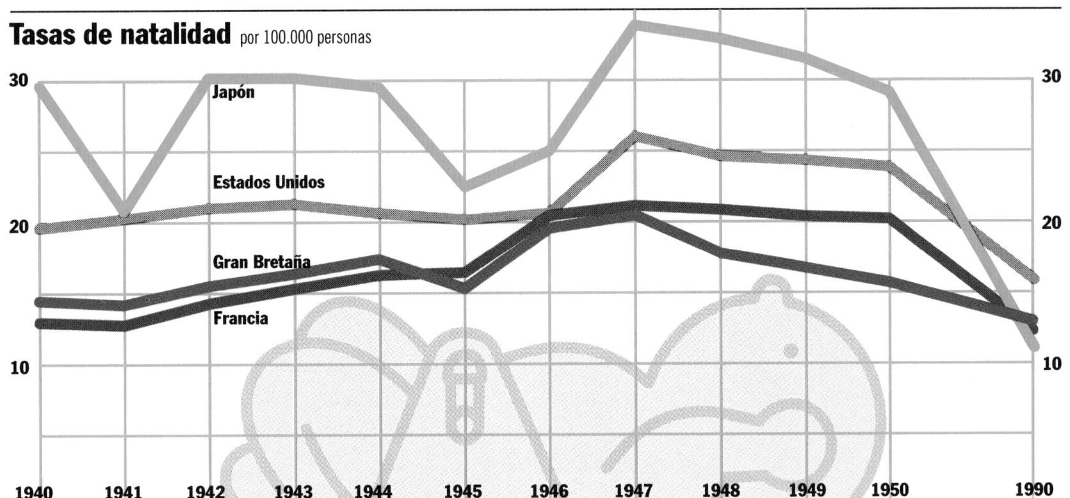

La escalada natural

		1950	1960	1989
EE.UU.	Cabezas nucleares	350	18.700	22.500
	Megatones de TNT	77	19.000	11.000
U.R.S.S.	Cabezas nucleares	5	1.700	32.000
	Megatones de TNT	0,1	500	4.500

La bomba de Hiroshima equivalía a 0,015 Kilotones de TNT. En 1989 existían tres toneladas de TNT por cada uno de los habitantes del planeta.

La amenaza atómica La utilización de la bomba atómica por Estados Unidos durante la Segunda Guerra Mundial y el anuncio soviético del éxito en sus pruebas sucesivas con ingenios nucleares aceleraron el proceso de obtención de bombas de hidrógeno, artefactos de fusión cuyo poder destructivo superaba ampliamente el de las bombas A. El mundo de la posguerra quedó así sometido a un clima de terror y fatalismo ante la posibilidad de una guerra nuclear que supondría la destrucción total de la civilización humana en la Tierra.

Se creía que la guerra por Indochina entre Francia y el ejército de Ho Chi Minh estaba a punto de acabar. «Ganaremos en quince meses», declaró el general Jean de Lattre de Tassigny, comandante en jefe de las fuerzas francesas en Indochina.

■

Un bronceado profundo y oscuro significa buen aspecto, salud robusta y riqueza. Los anuncios de lociones solares reflejan las últimas investigaciones (se piensa que el sol emite dos tipos de rayos, los que queman y los que broncean) y prometen que su producto «protegerá de los rayos perjudiciales» y «permitirá el paso del 90 % de los saludables».

■

El sueco Gunder Haegg ha mantenido el récord de velocidad durante cinco años. Muchos expertos piensan que no puede batirse su marca sin que el corredor muera.

■

La extracción de las amígdalas es la operación quirúrgica más común en Estados Unidos, sobre todo en niños de cinco a quince años de edad. Los médicos piensan que las amígdalas no sirven para nada y que a menudo son claramente perjudiciales. Son partidarios de extraer dos pares, las palatinas y las adenoideas, para disminuir la frecuencia del dolor de garganta, los resfriados y el dolor de oídos.

■

Existe la esperanza de que las aplicaciones y la sofisticación de los ordenadores crecerán en proporción inversa a su tamaño y peso. La revista *Popular Mechanics* predice con optimismo: «Actualmente un computador está equipado con 18.000 tubos al vacío y pesa 30 toneladas. En el futuro sólo tendrá 1.000 tubos al vacío y pesará 1,5 toneladas.»

ARTHUR C. CLARKE

Con destino a la Luna

Los albores de la primera era espacial

1950
1959

LA FECHA INAUGURAL de lo que considero la primera era espacial fue el 4 de octubre de 1957, cuando la Unión Soviética lanzó el primer satélite terrestre artificial, el *Sputnik 1*. Fue el primer salto de la humanidad hacia las estrellas y cambiaría para siempre la consideración que tenía el hombre de su lugar en el universo. Y el mundo no pudo evitar sobrecogerse y sorprenderse, a pesar de que la astronáutica, lejos de ser una disciplina nueva, había sido objeto de estudios científicos desde hacía más de medio siglo y un tema propio de los escritores de ficción mucho antes.

En realidad, durante los años inmediatamente anteriores al *Sputnik*, el interés científico y general por los viajes estaba al rojo vivo. Este entusiasmo fue en buena parte un producto de la cultura de los años cincuenta: la prosperidad de la época, sus obsesiones con la guerra fría, su seducción por la tecnología (que había derrotado a Hitler y que ofrecía al ciudadano medio una serie de aparatos que le ahorraban trabajo o le proporcionaban entretenimiento, como la televisión). Del mismo modo que el automóvil y el avión habían influido en la estética de décadas anteriores, la nave espacial se convirtió en una imagen característica de la modernidad de los años cincuenta, incluso antes del lanzamiento del satélite soviético. El espacio exterior era el atractivo destino de la década. No obstante, el logro de este destino fue el resultado de la labor solitaria de un grupo de visionarios y del intercambio cotidiano de información entre unos cientos de ingenieros y científicos poco conocidos.

La famosa novela de Julio Verne *De la Tierra a la Luna* (1865) fue quizás la primera anticipación del viaje espacial que *no* era pura fantasía, en el sentido de que Verne logró que un viaje a la Luna pareciera un proyecto factible. Calculó de forma correcta la velocidad necesaria para salir de la Tierra, once kilómetros por segundo, e incluso indicó que los cohetes funcionarían en el vacío del espacio. El libro de Verne fue una inspiración fundamental para los tres grandes pioneros de la astronáutica. El primero, el ruso Konstantin Eduardovich Tsiolkovsky (1857-1935), publicó descripciones detalladas y anticipadas de vehículos, e incluso de estaciones, espaciales en la época en que los hermanos Wright realizaban sus primeros vuelos. Resumió su filosofía en el famoso epigrama: «La Tierra es la cuna de la mente, pero no se puede vivir en la cuna eternamente».

A Robert Goddard (1882-1945) corresponde la distinción de haber logrado el primer vuelo de un cohete impulsado por combustible líquido, en 1926, pero su carácter reservado y sus desafortunadas experiencias con la prensa —que lo calificó de chiflado y le puso el apodo de «Moony»— le impidieron publicar sus sueños sobre viajes espaciales: se descubrieron después de su muerte.

German Hermann Oberth (1894-1989), de procedencia rumana, no tuvo tales reservas. En 1929, al llegar por su cuenta a las mismas conclusiones que Tsiolkovsky, publicó una tesis gigantesca, *Los cohetes hacia los espacios interplanetarios*. Esta obra inspiró a toda una generación de indagadores, uno de los cuales fue un adolescente alemán llamado Wernher von Braun. Trece años más tarde, bajo la dirección de Von Braun, el primer cohete V-2 llegó al borde del espacio. La tecnología necesaria para alcanzar la Luna se hizo patente, aunque para una causa bélica: los V-2 de Von Braun, al caer sobre Gran Bretaña, costaron cientos de vidas. (Más tarde el gobierno de Estados Unidos le perdonó y le contrató.)

Aunque la mayoría de gente corriente todavía encontraba inverosímil la idea del viaje espacial, en 1950 la cohetería se iba apoderando de la imaginación de un número creciente de ingenieros y científicos. En septiembre se celebró en París el primer Congreso Astronáutico Internacional, y muchos pioneros de la cohetería (incluidos los de naciones que habían sido enemigas tan sólo cinco años antes) entablaron amistades perdurables. Al año siguiente, en el segundo congreso en Londres,

Esta pintura de Chesley Bonestell, una de las muchas que ilustraron una serie de artículos de Wernher von Braun, que aparecieron en la revista *Colliers* a principios de los años cincuenta, representa una expedición a Marte que se prepara para volver a la Tierra tras quince meses de exploración. El artículo titulado «Podemos ir a Marte» aconsejaba: «Los primeros hombres que sean enviados a Marte tienen que asegurarse de dejar todo lo de casa en perfecto orden. No volverán a la Tierra durante más de dos años y medio [...]. Durante más de un año los exploradores tendrán que vivir en el gran planeta rojo esperando que se coloque en una posición favorable para el viaje de regreso».

asociaciones de vuelos espaciales de once países, compuestas por investigadores profesionales, escritores de ciencia ficción como yo y aficionados interesados, fundaron la Federación Astronáutica Internacional. (Hoy en día la FAI representa a más de cien organizaciones, incluidas compañías privadas y departamentos gubernamentales. Todavía celebra congresos anuales donde se presentan las últimas teorías y los resultados experimentales.)

Como nuevo presidente de la Sociedad Interplanetaria Británica, tuve el deber de presidir el congreso de 1951 y el privilegio de hospedar en mi casa al profesor Oberth. Si alguien nos hubiera dicho que, sólo 18 años más tarde, observaríamos el despegue de la primera nave espacial hacia la Luna, estoy seguro de que nos hubiéramos reído. *Ocurriría*, de eso estábamos seguros, pero no esperábamos que ocurriera en nuestras vidas. «A principios del próximo siglo» hubiera sido nuestra estimación más optimista.

1950 1959

DOS ACONTECIMIENTOS DE principios de los años cincuenta desempeñaron un papel decisivo para que la opinión pública occidental se tomara en serio los vuelos espaciales. El primero fue la película de George Pal *Con destino a la Luna* (1950), un espectáculo de efectos especiales coescrito por el autor de ciencia ficción Robert Heinlein. Todavía ofrece aspectos sugestivos pero ha quedado anticuada por lo que ha ocurrido en «el mundo exterior al cine», como lo llamó un habitante de Hollywood. Con toda probabilidad fueron más influyentes la serie de artículos titulada «El hombre pronto conquistará el espacio» (marzo 1952 - abril 1954) que apareció en la popular revista *Colliers* y pronto fue publicada en tres libros: *Across the Space Frontier, Conquest of the Moon* y *The Exploration of Mars*.

Mientras el gran público recibía el influjo de toda esta propaganda, una quinta columna de entusiastas del espacio trabajaba en establecimientos industriales y militares americanos. En 1955, cohetes de gran alcance lanzados desde el campo de pruebas Arenas Blancas, de Nuevo México, ya habían explorado la atmósfera superior antes de que sus breves vuelos finalizaran en agujeros en el desierto. Estaba claro que lo que se necesitaba era un LPR, un *Long-Playing Rocket* (cohete de larga duración). Es decir, un satélite.

La necesidad de un satélite había constituido el tema principal del congreso de la FAI de 1951. Un artículo titulado «Minimum Satellite Vehicles» ejerció una influencia considerable en investigaciones posteriores. Se planteaba y respondía la cuestión siguiente: «¿Cuál es el cohete más pequeño que puede poner en órbita una carga útil?». Uno de los diseños presagió el *Vanguard* de la Armada de Estados Unidos.

Sin embargo, algunos científicos seguían mostrándose escépticos, incluso los que pertenecían a disciplinas que se beneficiaban de la tecnología espacial. El tercer Simposio de Viajes Espaciales del planetario Hayden de Nueva York, celebrado en 1954, fue un ejemplo de escepticismo. Cuando el planetario me pidió que coordinara el programa, decidí que debía incluir una ponencia sobre el valor de los satélites para la meteorología. De modo que escribí al Dr. Harry Wexler, el director científico del servicio meteorológico, y le invité a participar. Para mi sorpresa contestó que los satélites carecían de valor para los meteorólogos. «En ese caso, es su deber público explicar por qué hablamos de tonterías, ya que durante años hemos estado diciendo que transformarían su ciencia», repliqué. Para mérito suyo, el Dr. Wexler aceptó el reto. Mientras preparó su «refutación», se convirtió en un entusiasta ferviente y unos cuantos años después dirigió el programa de satélites meteorológicos de Estados Unidos.

Sí, el momento se acercaba, y en 1955 la realidad y el sueño se unieron con la llegada del Año Internacional de la Geofísica (AIG, 1957-1958), durante el cual científicos de todo el mundo cooperarían en el proyecto de investigación más extenso de la historia: el estudio del planeta Tierra con todos los medios conocidos. Los satélites artificiales eran una gran promesa y en julio de 1955 Estados Unidos declaró su intención de poner en órbita uno en el transcurso del AIG. La Unión Soviética (cuyos investigadores espaciales acababan de unirse a la FAI) rápidamente se comprometió a hacer lo mismo, pero nadie le dio mucha importancia: parecía obvio que los americanos eran los únicos que poseían la capacidad técnica para realizar esta espectacular hazaña, sobre todo porque sus mejores ingenieros militares, bajo la dirección de Von Braun, estaban trabajando en misiles balísticos de largo alcance que pasarían buena parte de su breve vida en el espacio.

En diciembre de 1972 se realizó la última misión americana tripulada, el *Apolo 17*. Aquí, en una imagen extraordinaria que una década antes hubiera sido pura fantasía de ciencia ficción, el comandante del *Apolo 17*, Eugene A. Cernan, explora el valle Taurus-Littrow en un «vehículo ambulante lunar». La fotografía fue tomada por el geólogo y piloto Harrison H. Schmitt. Al viajar 35 km en el «vehículo», Cernan y Schmitt pasaron 22 horas en la superficie de la Luna mientras un tercer miembro de la tripulación, el comandante naval Ronald E. Evans, permanecía en la órbita lunar.

Sin embargo, el presidente Eisenhower, reticente a desviar medios del desarrollo de misiles nucleares para respaldar la cohetería especial, que poseía aplicaciones prácticas menos claras, al principio no quiso incluir al equipo de Von Braun en el programa. Se encomendó la fabricación de una lanzadera de satélite al laboratorio de investigación naval. (El resultado fue el *Vanguard*, al principio problemático pero finalmente todo un éxito.) Los soviéticos intentaron enviar su primer misil balístico intercontinental antes que los americanos. Y no tuvieron reparos en emplear equipos militares para la exploración del espacio: el *Sputnik* y sus sucesores fueron lanzados por misiles balísticos adaptados. De modo que, en realidad, el satélite *Explorer 1* fue transportado al espacio a bordo del *Jupiter-C*, de Von Braun, el 31 de enero de 1958, dos meses después de que el primer *Vanguard* explotara en la plataforma de lanzamiento.

Desde el principio estaba claro que la carrera espacial incluiría algo más que satélites, por muy útiles que fueran para las telecomunicaciones, la meteorología, la astronomía, la observación de la Tierra, la navegación y el espionaje. Antes del desastre del *Vanguard*, Moscú había lanzado el *Sputnik 2* con la perrita Laika a bordo. La prueba de que el viaje espacial no significa la muerte instantánea, como algunos pesimistas habían predicho, ayudó a los planes soviéticos de poner en órbita a hombres, y al cabo de tres años el cosmonauta Yuri Gagarin se convertiría en el primer hombre en el espacio. En octubre de 1958, un disgustado Eisenhower estableció la National Aeronautics and Space Administration (NASA); en abril de 1959 presentó el programa Mercury y los siete primeros astronautas americanos: Alan Shepard, John Glenn, Walter Schirra, Scott Carpenter, Donald Slayton, Virgil Grissom y Gordon Cooper, se convirtieron en hombres famosos.

1950
1959

EN 1961, EL PRESIDENTE KENNEDY prometió a su nación que el hombre llegaría a la Luna antes de que acabara la década, y nombró a Wernher von Braun supervisor del programa de cohetes para el viaje. Paradójicamente, Kennedy no se hubiera planteado el reto si los americanos no hubieran estado muy por detrás de los soviéticos: era necesario emprender una gran hazaña. El alunizaje se realizó en 1969. Sólo tres años más tarde, con el vuelo del *Apolo 17*, finalizó la primera era espacial, una víctima indirecta de la desastrosa guerra del Vietnam, que no sólo agotó el presupuesto de Estados Unidos sino también el entusiasmo público por las aventuras de alta tecnología subvencionadas por el gobierno.

¿Cuándo veremos la segunda? Apostaría que en el 2020 el perfeccionamiento de la propulsión y de la tecnología aeroespacial posibilitarían un acceso mucho más barato, y seguro, a la Luna y al resto de planetas. Sin embargo, el momento en el que llegue una segunda gran era de la exploración espacial depende tanto de factores políticos y sociales como tecnológicos. Nadie podía predecir que las presiones de la guerra fría abrirían el espacio medio siglo antes del programa. Quizás algún acontecimiento en la época posterior a la guerra fría, como la intensificación de la crisis ecológica, estimulará a nuestros descendientes a reanudar la búsqueda de otros mundos. O quizás el espíritu de exploración (esta vez como un esfuerzo internacional) se reafirmará a medida que la investigación nuclear pierda su carácter prioritario.

Cinco años antes de la inauguración de la era espacial, en *La exploración del espacio* (1952), intenté imaginar cómo vería nuestra época un historiador del año 3000:

«Sin lugar a dudas, el siglo XX fue el más trascendental [...] de la historia de la humanidad. Se inauguró con la conquista del aire y antes de que recorriera la mitad de su camino dio a la civilización su mayor incentivo, el control de la energía atómica. A pesar de todo, estos acontecimientos [...] pronto fueron eclipsados. A nosotros [...] toda la historia de la humanidad anterior al siglo XX nos parece el ensayo de alguna gran obra, representado en la preescena antes de que se alce el telón y presente el escenario [...]. Hacia el final de este fabuloso siglo, el telón empezó a subir lenta e inexorablemente [...]. La llegada de los cohetes acabó con un millón de años de aislamiento. Con el aterrizaje de las primeras naves espaciales en Venus y Marte finalizó la infancia de nuestra especie y empezó la historia como la conocemos ahora [...]»

Bueno, Venus —donde el plomo se funde en la sombra— tendrá que esperar, pero sin duda ya han nacido el primer hombre y mujer que caminarán sobre Marte. □

Estados Unidos ganó la carrera de la Luna en la primera era espacial, pero la Unión Soviética lo superó en el lanzamiento de estaciones espaciales, que giran en torno a la Tierra durante largos períodos de tiempo y son visitadas por tripulaciones que llegan y se van en otros vehículos. La estación *Mir*, sucesora de la *Salyut*, fue lanzada por la Unión Soviética en 1986 y fue la primera estación espacial con tripulación permanente. Siempre ha estado ocupada a pesar de la disolución de la Unión Soviética. Hay cosmonautas que han permanecido en sus instalaciones durante más de un año. A finales de 1993, las superpotencias, antes enemigas, firmaron un acuerdo para unir sus esfuerzos en el desarrollo de las estaciones espaciales.

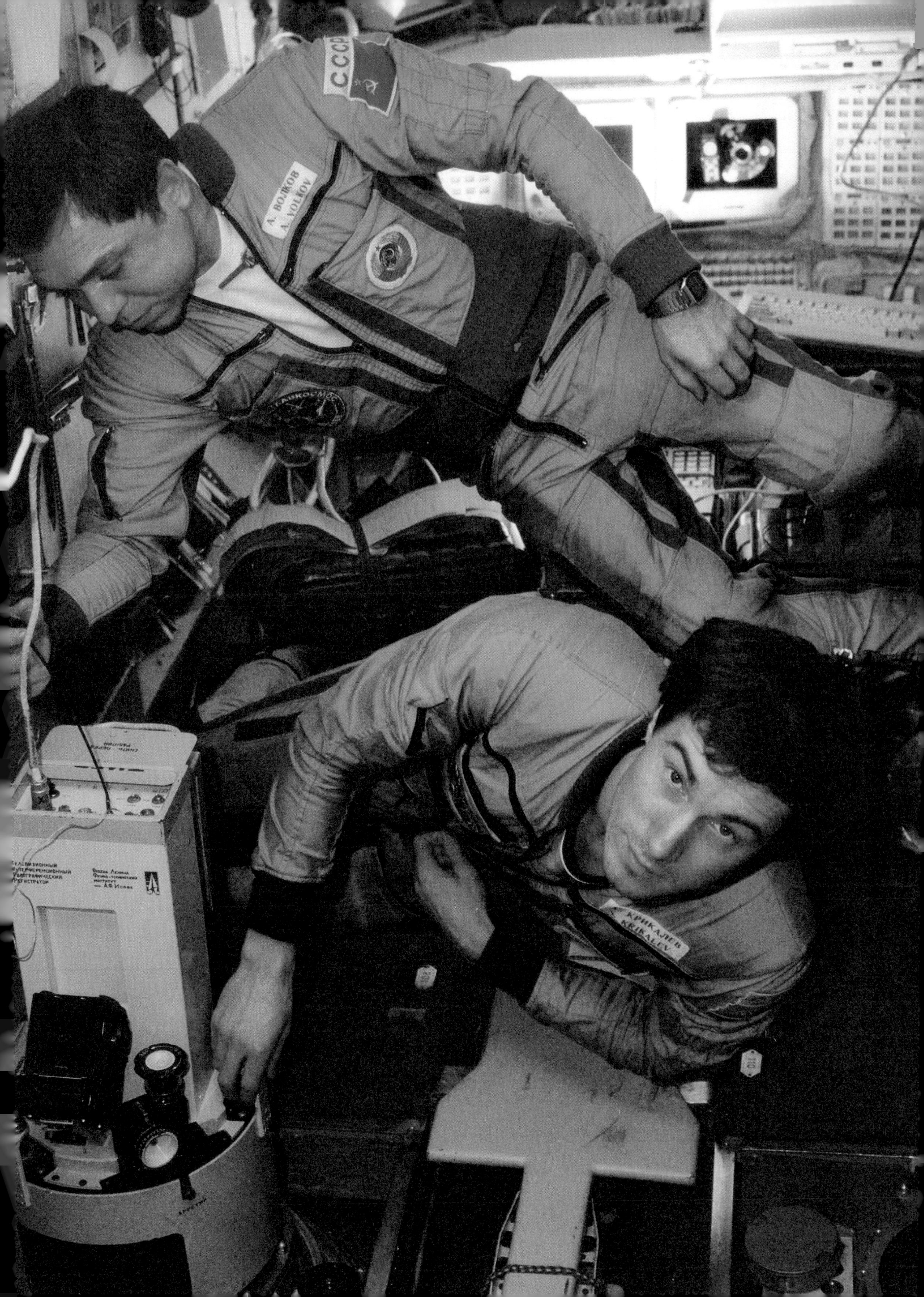
СССР
А. ВОЛКОВ
A. VOLKOV
КРИКАЛЕВ
KRIKALEV

«Cruzarse de brazos ahora que Corea está sufriendo un ataque armado no provocado probablemente desencadenaría una serie de acontecimientos que desembocarían en una guerra mundial.»—**John Foster Dulles, embajador americano, a Truman**

HISTORIA DEL AÑO

Inicio de la guerra de Corea

1 Antes del amanecer del 25 de junio de 1950 el Ejército del Pueblo norcoreano, equipado por los soviéticos, cruzó el paralelo 38 y entró en la República de Corea del Sur. Dos días después, tras una reunión de emergencia del Consejo de Seguridad (a la que no quiso asistir el delegado soviético), la ONU sugirió a sus miembros ayudar a Corea del Sur contra la invasión. El presidente Truman inmediatamente envió a la lucha a las fuerzas aéreas y navales de Estados Unidos. Pocos días más tarde se sumaron tropas de tierra. La guerra de Corea, oficialmente una «acción política» de la ONU (la primera de la organización), tenía una importancia simbólica. Para Washington era el paradigma de la guerra fría: en un país lejano, las fuerzas demócratas se enfrentaban a las comunistas. A pesar de que no existió una declaración de guerra formal, el conflicto aumentó hasta el punto de que, al final, intervinieron veinte naciones. Sin embargo, la verdadera lucha se llevó a cabo entre Estados Unidos y la Unión Soviética, con el apoyo de la China comunista.

En las primeras semanas de la guerra, el Ejército del Pueblo norcoreano arrolló Corea del Sur, tomó la ciudad portuaria de Inchon y la capital, Seúl, y el gobierno del

Norcoreanos huyen hacia el sur durante la batalla del río Naktong.

presidente Syngman Rhee dejó la ciudad. El general MacArthur, héroe de la Segunda Guerra Mundial, de 70 años de edad, fue nombrado comandante en jefe de las fuerzas de la ONU. Realizó un desembarco efectivo en Inchon y en septiembre recuperó Seúl. Estados Unidos se propuso un objetivo nuevo: la unificación de Corea. En octubre, tropas de la ONU invadieron Corea del Norte, tomaron su capital, Pyongyang, y se dirigieron hacia la frontera china.

China respondió con el envío de ciento ochenta mil soldados. Una nueva ofensiva comunista recuperó Pyongyang en diciembre. A finales de año, Corea del Norte volvía a estar bajo control comunista. El 31 de diciembre los chinos, prometiendo «liberar Corea» y «empujar a MacArthur hasta el mar», se dirigieron a Seúl. El 15 de enero la tomaron. **◂1948.3 ▸1951.NM**

VIETNAM

Inicio de la ayuda americana

2 Ho Chi Minh había sido partidario de Estados Unidos durante la Segunda Guerra Mundial y cuando proclamó la República Democrática de Vietnam en 1945, citó la Declaración de independencia de América. En 1950, Washington lo consideró un instrumento del comunismo internacional; si ganaba la guerra contra los franceses, caería la primera ficha de dominó y haría que cayeran todas las demás en el resto de Asia.

En febrero, después de que Mao y Stalin reconocieran el gobierno de Ho (Viet Minh), Estados Unidos reconoció el régimen de Bao Dai en Saigón. En mayo, el presidente Truman, a instancias del secretario de Estado Dean Acheson *(superior)*, uno de los principales artífices de la política americana sobre Vietnam, autorizó quince millones de dólares en concepto de ayuda militar a Francia para combatir al Viet Minh. A finales de año, la cifra había aumentado a 133 millones de dólares, más de cincuenta millones en suministros no militares para conseguir la lealtad de la población vietnamita.

Estados Unidos se encontraba en un aprieto. El Viet Minh libraba un combate en tres fases, inspirado en los escritos de Mao: una guerra de paciencia absoluta que ya había agotado los fondos de Francia y dividido a sus ciudadanos. En la primera fase, Vo Nguyen Giap había evitado confrontaciones mientras reunía un ejército de cien mil hombres. Desde 1947 este ejército había desmoralizado al enemigo con ataques guerrilleros de «atacar y escapar». Y ahora que la victoria de Mao proporcionaba plataformas y accesos a los suministros chinos y soviéticos, había llegado el momento de las batallas decisivas. En diciembre, regulares del Viet Minh atacaron seis guarniciones del norte.

El mismo mes, Francia sustituyó a sus oficiales superiores de Indochina y nombró jefe político y militar de la región al general Jean de Lattre de Tassigny, héroe de las dos guerras mundiales. El general consiguió rechazar varios ataques importantes pero, cuando murió de cáncer en 1952, dos tercios de Vietnam se hallaban en poder del Viet Minh. Se había creado el marco para la derrota de Francia y la intensificación de la intervención de Estados Unidos. **◂1949.7 ▸1954.1**

El ejército rojo construye puentes y transporta carretas a lo largo de los ríos.

CHINA

Conquista del Tíbet

3 Cuando en 1950 la República Popular de China ofreció al Tíbet la «liberación», el gobierno tibetano replicó que la nación ya era libre. No obstante, en octubre, alegando que imperialistas internacionales controlaban el país, China envió unos veinte mil soldados del ejército de liberación a la frontera. El pequeño ejército tibetano ofreció poca resistencia. El Dalai Lama, de quince años de edad (líder temporal y espiritual del Tíbet, respetado como la encarnación de un ancestro divino), pidió ayuda a la ONU, en vano.

El Tíbet, país de pastores donde uno de cada seis varones era monje budista, estuvo por primera vez bajo control chino en el siglo XVIII. En 1912, cuando se desmoronó la dinastía manchú de China, el Tíbet expulsó a todos los chinos y declaró su independencia; su soberanía nunca fue reconocida internacionalmente. Tanto los comunistas como los nacionalistas insistían en que el país pertenecía a China. Cuando las fuerzas de Mao derrotaron a las nacionalistas en 1949 prometieron llevar la revolución a todos los rincones de China.

Con la promesa de respetar las tradiciones culturales y religiosas del Tíbet, los invasores obligaron a los dirigentes de la nación a aceptar la anexión en 1951. Ocho años más tarde, el resentimiento latente de los tibetanos estalló en un alzamiento que fue aplastado de forma brutal. A partir de entonces la represión se intensificó, se ilegalizó el budismo y el Dalai Lama se exilió a la India. **◂1940.NM ▸1959.3**

ARTE

Los expresionistas abstractos

4 En 1950 se percibía un cambio en el ambiente, y en las paredes, en la Bienal de Venecia, una feria internacional de arte contemporáneo. La proliferación de obras influidas por el fauvismo, el cubismo, el futurismo

ARTE Y CULTURA: Libros: ***Al otro lado del río y entre los árboles*** **(Ernest Hemingway);** ***La vida breve*** **(Juan Carlos Onetti);** ***La luna y las fogatas*** **(Cesare Pavese);** ***Canto general*** **(Pablo Neruda);** ***El uso humano de los seres humanos*** **(Norbert Wiener) [...] Música:** ***Cuarteto para piano y cuerdas*** **(A. Copland) [...] Pintura y escultura:** ***Lavender Mist*** **(Jackson Pollock) [...]**

«La pintura es autodescubrimiento. Todo buen artista pinta lo que es él mismo.»—**Jackson Pollock**

y el expresionismo demostraba que el experimentalismo artístico europeo más osado se había convertido en una corriente mayoritaria. En aquel momento las innovaciones más sorprendentes tenían lugar en Estados Unidos, donde una pequeña muestra de pinturas de Jackson Pollock y Willem de Kooning ejemplificó un movimiento radicalmente nuevo, conocido como expresionismo abstracto.

La ascensión de estos artistas afincados en Manhattan fue un indicio de cómo la Segunda Guerra Mundial había transformado el mundo del arte. Muchos de los espíritus creativos europeos más destacados (como De Kooning,

***Mujer 1* (1950-1952) de Willem de Kooning, parte de una serie que pintó en cinco años.**

nacido en Holanda) habían abandonado sus países y se habían trasladado a América. La escuela de Nueva York aventajaba a la escuela de París. El estimulante bullicio neoyorquino de intelectuales, galerías, marchantes y museos atrajo de modo irresistible a visionarios y charlatanes por igual.

La crítica estaba dividida en cuanto a Pollock. El pintor (que murió en un accidente de coche en 1956 a la edad de 42 años) había estado en el punto de mira de modo incómodo desde finales de los años cuarenta, cuando desarrolló su técnica «de goteo» (también llamada pintura «acción» porque el pintor se movía en torno a un gran lienzo extendido en el suelo). La revista *Time* le llamó «Jack el Goteador», pero en 1950 se ganó la admiración de personas tan influyentes como el crítico de *Nation*, Clement Greenberg, y Alfred Barr, del Museo de Arte Moderno, que elogió sus cuadros de gotas y borrones afirmando que eran como «una aventura estimulante para los ojos [...] llena de fuegos artificiales, trampas, sorpresas y gozos». Junto a De Kooning (cuya primera serie de *Mujeres* combina adornos de similar extravagancia técnica con una imaginería realista) y a otros expresionistas abstractos como Franz Kline, Ad Reinhardt, Robert Motherwell, Lee Krasner (la mujer de Pollock), Clyfford Still y Helen Frankenthaler, Pollock anunció lo que ha sido denominado «el primer cambio significativo en el espacio pictórico desde el cubismo». **◄1944.16 ►1958.5**

***Número 1* (1948). Para este cuadro, Pollock dejó gotear aceite y esmalte sobre un lienzo sin imprimar.**

ESTADOS UNIDOS

Caza de brujas de McCarthy

5 En 1950, con el triunfo del comunismo en China y Europa oriental y la aparición de movimientos revolucionarios en el Tercer Mundo (término popularizado por el escritor marxista Frantz Fanon para referirse a los países económicamente subdesarrollados), América quedó paralizada por el miedo a los rojos. La administración Truman investigaba a

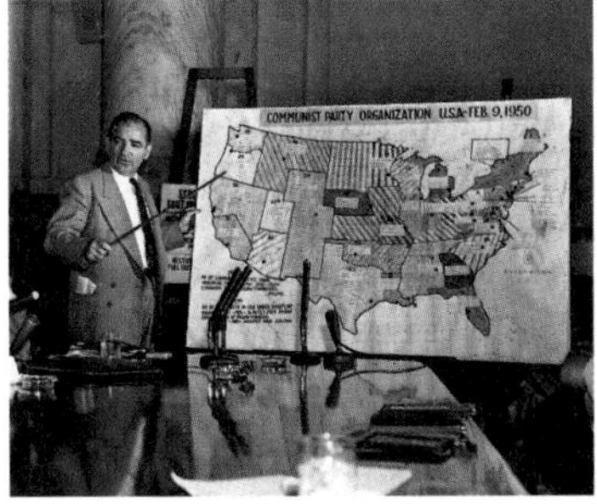

McCarthy muestra al congreso la distribución geográfica de supuestos «compañeros de viaje» de los comunistas.

funcionarios federales por «tendencias» comunistas. El comité de actividades antiamericanas había detenido a un personaje muy influyente: Alger Hiss, antiguo funcionario del Departamento de Estado, acusado de perjurio en enero por negar que había sido un espía comunista. Luego, el 9 de febrero, el senador de Wisconsin Joseph McCarthy se puso a la cabeza de la caza de rojos. Durante un discurso pronunciado en Virginia, mostró un fajo de papeles que contenían una lista de 205 comunistas infiltrados en el Departamento de Estado.

McCarthy no presentó pruebas, pero su acusación causó una gran conmoción. El republicano, anteriormente moderado (sólo cuatro años antes había elogiado a Stalin), aprovechó demagógicamente su reciente notoriedad. Sus primeros objetivos fueron los demócratas (a los que atacó por «víctimas» o «compañeros de viaje» de los comunistas), pero políticos de ambos partidos se adhirieron a su iniciativa. El congreso aprobó la ley McCarran, que obligaba a los comunistas y a grupos definidos como pertenecientes al «frente comunista» a inscribirse en un registro y exigía que los subversivos fueran reunidos en campos de concentración. Miles de personas que habían pertenecido a asociaciones (o se rumoreaba que lo habían hecho) fueron inscritas en listas negras; algunas, encarceladas; otras, inducidas al suicidio. Películas y revistas captaron el ambiente y advertían que había «un rojo debajo de cada cama».

El terror de McCarthy y sus aliados intensificó el conformismo que caracterizó a los años cincuenta en América. Ese terror le hizo parecer imparable, sobre todo cuando atacó a colegas republicanos. Luego persiguió al sacrosanto ejército americano. **◄1947.5 ►1954.E**

NACIMIENTOS

Julius Erving, jugador de baloncesto estadounidense.

Peter Gabriel, cantante británico.

Mark Spitz, nadador estadounidense.

Stevie Wonder, cantante estadounidense.

MUERTES

Arturo Alessanori, político chileno.

Max Beckmann, pintor alemán.

Léon Blum, político francés.

Edgar Rice Burroughs, novelista estadounidense.

Willis H. Carrier, inventor estadounidense.

Álvaro de Figueroa, conde de Romanones, político español.

Gustavo V, rey de Suecia.

Al Jolson, actor estadounidense.

W. L. Mackenzie King, político canadiense.

Edgar Lee Masters, escritor estadounidense.

Vaslav Nijinsky, bailarín ruso.

George Orwell (Eric Blair), escritor británico.

Cesare Pavese, escritor italiano.

Alfonso Rodríguez Castelao, pintor y escritor español en lengua gallega.

George Bernard Shaw, dramaturgo irlandés.

Jan C. Smuts, político sudafricano.

Kurt Weill, compositor alemán-estadounidense.

Cine: *Eva al desnudo* (Joseph L. Mankiewicz); *El crepúsculo de los dioses* (Billy Wilder); *Rashomon* (Akira Kurosawa); *La jungla del asfalto* (John Huston); *La Ronda* (Max Ophüls) [...] Teatro: *La rosa tatuada* (Tennessee Williams); *El ensayo o el amor castigado* (Jean Anouilh).

«Ha mostrado nuestra conciencia colectiva y se ha convertido en parte de nuestras vidas.»—**Jack Lang, ministro de cultura francés, sobre Snoopy, en la exposición *Peanuts* del Louvre, 1990**

NOVEDADES DE 1950

Tarjeta de crédito (Diner's Club).

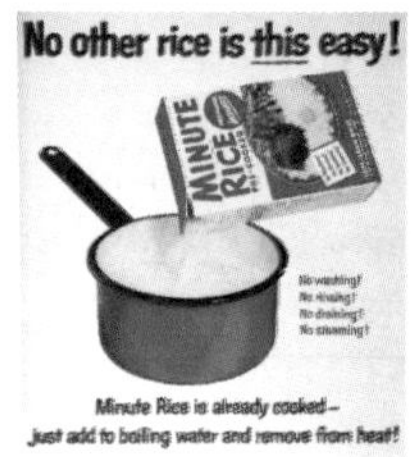

Arroz al minuto.

Drivers World Championship (carrera de automovilismo).

Tren Talgo (España).

EN EL MUNDO

▶LA MAGIA DE COLE—Admirado por los puristas del *jazz* por su elegante estilo al piano como líder del trío King Cole, Nat King Cole inició su carrera como vocalista en los años cuarenta como una diversión de inspiración jazzística. Más tarde descubrió que al público le gustaba su voz y la suavizó. En 1950, el disco «Mona Lisa» de Cole vendió más de tres millones de copias.

▶ESTAFAS INVESTIGADAS—Mientras presidía vistas televisadas ante el comité de investigación criminal del senado, el senador Estes

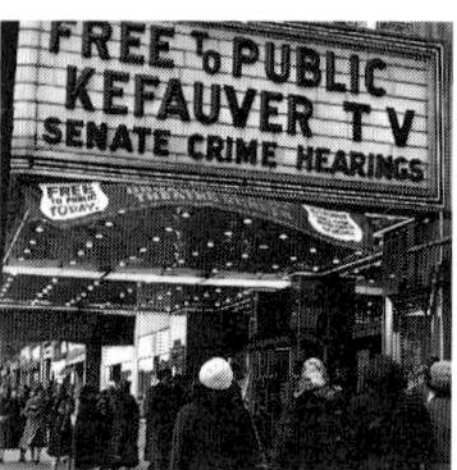

Kefauver empezó a descubrir la parte criminal más delicada en mayo. Millones de espectadores asombrados presenciaron el testimonio de gángsters como Frank Costello y Joe Adonis. La investigación de Kevaufer marcó el inicio del periodismo electrónico. ▶1952.5

▶CULTURA DEL CONFORMISMO—El título del libro de David Riesman, publicado en 1950, *La multitud solitaria* (escrito con Nathan Glazer y Reuel Denney), se convirtió en el reflejo de la alienada clase media contemporánea. Riesman alegaba que el rasgo

CULTURA POPULAR

Charlie Brown

6 «La felicidad no engendra humor. No hay nada divertido en ser feliz», dijo Charles Schulz, que se hizo rico con un grupo de personajes encantadores e inadaptados. Schulz, nacido en Minneapolis y estudiante por correspondencia, protestó cuando la United Features cambió el título de su tira cómica *Li'l Folks* por el de *Peanuts* (que aludía al público infantil, conocido como *«peanut gallery»*, del programa televisivo *Howdy Doody*). El 2 de octubre de 1950 se presentó la tira cómica en siete periódicos y ni el nombre ni el estilo sencillo de Schulz evitaron que obtuviera un gran éxito.

Los *Peanuts*, compuestos por Charlie Brown («Carlitos»), el eterno inseguro; su perro Snoopy, adicto a soñar despierto; la mandona Lucy; el contemplativo Linus y una pequeña comunidad de niños, alcanzaron un nivel de popularidad mundial sólo comparable a la de los personajes de Walt Disney. Pero mientras que el ratón Mickey y compañía se ganaron al público con su alegría desenfrenada, los personajes de Schulz (aunque susceptibles de sentimientos tan famosos como «la felicidad es un cachorro afectuoso») se preocupaban constantemente por problemas que iban desde los exámenes hasta la lluvia radiactiva.

A mediados de los años noventa, los *Peanuts* habían sido traducidos a más de dos docenas de idiomas, distribuidos en más de dos mil diarios, adoptados por los astronautas del *Apolo 10* e incluidos en anuncios, libros, películas, televisión, teatro, discos, carteles, tarjetas de felicitación y otros productos. Y Schulz había proporcionado a Charlie Brown («Carlitos») un momento de gloria: tras cuatro décadas de perder jugando al béisbol, el desafortunado chico finalmente ganó un partido. **◂1908.E**

TEATRO

Debut absurdo de Ionesco

7 *La cantante calva,* primera obra de Eugène Ionesco, estaba inspirada en las frases de un manual de conversación de inglés para principiantes que el emigrado rumano establecido en París intentaba estudiar. Fue uno de los primeros ejemplos del teatro del absurdo y se estrenó en 1950 en una sala parisina poco conocida, cuando su autor contaba 38 años de edad. Los protagonistas, una pareja inglesa de clase media, chapurrean una serie de obviedades sin sentido y viven en una ciudad donde parece que todos los habitantes se llaman Bobby Watson. En el mundo terrible e hilarante de la obra, los tópicos adquieren vida propia y las personas se convierten en autómatas. La conciencia, la voluntad y la posibilidad de comunicación han sido vencidas por las convenciones sociales.

Absurdas pero divertidas, las obras de Ionesco son alegorías de la enajenación humana.

El drama de Ionesco mezcla las intuiciones de Sartre y Camus —la existencia carece de sentido pero los individuos son responsables de configurar sus propias vidas— con tácticas de sorpresa heredadas de los surrealistas y de los hermanos Marx. Sus obras contienen un nivel de sátira social. (En su último drama, *Rinocerontes,* ciudadanos respetables se convierten en animales con cuernos y armaduras, una alegoría inspirada en el ascenso del fascismo rumano durante los años treinta.)

Pero, como Jean Genet y Samuel Beckett, Ionesco fue esencialmente un crítico de las relaciones entre el hombre y el universo. El parloteo de sus personajes y la irracionalidad de su discurso pretenden empujar al público a replantearse conceptos tan fundamentales como el tiempo, la muerte, la libertad y el ego. **◂1943.10 ▸1953.11**

TEATRO

Un musical dinámico

8 A principios de los años cincuenta, el musical de Broadway estaba en su mejor momento. El 24 de noviembre de 1950 casi alcanzó la perfección cuando una compañía de jugadores y miembros del ejercito de salvación de Times Square subieron al escenario del Teatro de la calle Cuarenta y Seis y explicaron la historia de los amores entre Nathan Detroit, empresario del juego, y la desgraciada corista miss Adelaide, y entre el embaucador Sky Masterson y Sarah Brown, trabajadora de una misión. *Guys and Dolls,* con libreto de Abe Burrows, canciones de Frank Loesser y dirección a cargo de George S. Kaufman, se convirtió en una de las obras más apreciadas de la historia de Broadway.

Basada en relatos del antiguo periodista Damon Runyon, *Guys and Dolls* es una visión divertida y popular de los timadores de Broadway y las mujeres que los aman. El libreto de Burrows (fue el duodécimo escritor del proyecto) presenta una destacada penetración psicológica y es ingeniosamente agudo. La música de Loesser define a los personajes en su justa medida: el número de apertura, «The Fugue for Tinhorns»; la canción romántica «I've never been in love before» (de Sky y Sarah); la rápida «Luck, be a lady»; el himno «Sit down, you're rockin' the boat» (de un jugador arrepentido) y la triste «Adelaide's lament» (que se lamenta del resfriado psicosomático crónico de Nathan).

Un espectador entusiasmado comentó: «Lo malo de *Guys and Dolls* es que una representación dura una sola tarde, cuando debería durar una semana». Cuarenta y dos años más tarde se volvió a representar en Broadway y fue acogida con gran entusiasmo; *The New York Times* le dedicó una portada. **◂1943.11 ▸1956.8**

Los primeros dibujos de Schulz no incluían a los posteriores miembros de los *Peanuts,* ni el carácter simpático de Charlie Brown («Carlitos»).

DEPORTES: Fútbol: copa del mundo, Uruguay derrota a Brasil por 2 a 1 (primera competición desde 1938); el Atlético de Madrid, campeón de la liga española.

«El hombre se ha convertido en un ser heterodirigido, opuesto al autodirigido».—**David Riesman, en *La multitud solitaria***

Partida de dados en una alcantarilla de Manhattan. Nathan Detroit (Sam Levene) y los jugadores miran cómo Sky Masterson (Robert Alda) implora, «Luck, be a lady».

TURQUÍA

Una tentativa de democracia

9 En mayo de 1950, Turquía llevó a cabo una revolución pacífica. Por primera vez desde el nacimiento de la nación en 1923, los votantes rechazaron al Partido Republicano del Pueblo (PRP). Kemal Atatürk, el fundador de la república, concibió una Turquía a imagen y semejanza de las democracias occidentales, aunque suprimió a los partidos rivales alegando que su pueblo aún no estaba preparado para tal experiencia. El sucesor de Atatürk, Ismet Inönü, al principio siguió su ejemplo, pero al final de la Segunda Guerra Mundial se extendió el descontento contra un gobierno monocolor.

Los capitalistas se quejaban de la burocracia sofocante de Turquía; los obreros, de la inflación y la prohibición de huelgas. Los terratenientes protestaban por la política de redistribución de la tierra y los campesinos por su insuficiencia. Los musulmanes tradicionalistas todavía estaban dolidos por las reformas laicas de Atatürk. Los liberales deploraban la supresión de disidentes. En 1945, Inönü legalizó los partidos de la oposición (excepto el socialista y el comunista), y aunque se falsificaron los resultados de las elecciones celebradas al año siguiente, el Partido Demócrata (PD) obtuvo 61 escaños en la Asamblea Nacional.

El miembro más importante del PD era el antiguo primer ministro y líder del PRP Celâl Bayar *(superior)*. Como ministro de economía de Atatürk en los años treinta, Bayar marcó el inicio del control económico estatal; ahora prometió empresas libres, legalización de las huelgas y relajación de las leyes laicas. El PD prosperó y en 1950, en las primeras votaciones secretas de Turquía, otuvo 396 escaños de los 487 del parlamento.

Bayar se convirtió en presidente y gobernó Turquía durante la siguiente década. Alió su país con la OTAN y Estados Unidos, contribuyó a la guerra de Corea con veinticinco mil hombres y consiguió importantes concesiones económicas. No obstante, las huelgas siguieron siendo ilegales y se produjo una vuelta a la inflación y la represión. En 1960, militares reformistas lo depusieron y lo encarcelaron, en nombre de Atatürk.
◄1923.12 ►1960.10

ESPAÑA

El franquismo perdura

10 Cinco años después del fin de la Segunda Guerra Mundial, el régimen de Franco había conseguido sobrevivir a la derrota de las potencias del Eje. A pesar de la condena internacional aprobada por la ONU, el cisma entre Rusia y Estados Unidos permitió a Franco utilizar su probado anticomunismo como un argumento fundamental para romper de forma progresiva el aislamiento diplomático.

Franco y Eisenhower, en Torrejón.

En el mes de noviembre, la Asamblea General de la ONU suspendió los acuerdos que en 1946 habían provocado la retirada de embajadores y la exclusión de España de cualquier organismo internacional vinculado a la organización. La oposición española al franquismo acusaba también esta situación nueva. Desde finales de 1948, los maquis socialistas y comunistas, que mantenían una resistencia armada al franquismo con la esperanza de que la remodelación europea posterior a 1945 no permitiera la continuidad del régimen, depusieron las armas. Sólo los anarquistas continuaban su lucha, pagando por ello su aislamiento en el seno de la oposición y la ejecución de los guerrilleros detenidos. En 1950 fueron fusilados Manuel Sabater y Sadurní Culebras. Aunque las acciones anarquistas continuaron de forma esporádica todavía durante varios años, la oposición a Franco discurría cada vez más por cauces políticos y sindicales. Al uso de la propaganda franquista respondería la oposición con las campañas que ponían de manifiesto el carácter antidemocrático y la opresión de las libertades individuales y colectivas característicos del régimen. La popularidad de películas como *Agustina de Aragón* o de la serie «El guerrero del antifaz» son ejemplos de un patriotismo usado como valedor del régimen. Acciones como la de Pau Casals, que condenó el franquismo y reivindicó su nacionalidad catalana desde el exilio, o el estreno en Madrid de *En la ardiente oscuridad* de Buero Vallejo, que mostraba la atmósfera opresiva del país, son muestra de la continuidad de la disidencia frente al régimen.

La disputa ideológico-teórica sería superada por los acontecimientos reales. El afianzamiento del régimen se asentaría en el desarrollo económico y la oposición se manifestaría a través de enfrentamientos cívicos y laborales: huelga de tranvías en Barcelona al año siguiente. **◄1946.NM ►1951.NM**

predominante de la sociedad americana era el conformismo: el individuo se ha convertido

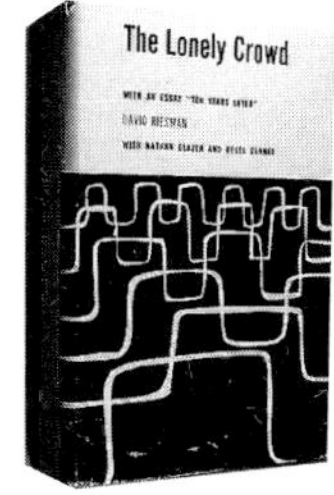

en un hombre «heterodirigido», moldeado por grupos iguales, opuesto al «autodirigido» o individualista. Ambos términos penetraron en el léxico de la cultura popular pseudocientífica.

►BODA DE LA HIJA DE FRANCO—El 10 de abril, la boda de Carmen Franco Polo con Cristóbal Martínez Bordiu, marqués de Villaverde, constituyó un acontecimiento social y político que abrió una doble línea de especulaciones

sobre el futuro del régimen. Por una parte, la inversión de apellidos del primer hijo varón de la pareja, Francisco Franco-Martínez Bordiu, y, posteriormente, el matrimonio de una nieta del dictador con un príncipe de la familia real española, pudieron haber sido las bases de la instauración de una dinastía Franco en la corona española.

►UNA MUSA MODERNA —Nadia Boulanger, que fue nombrada directora del Conservatorio americano de Fontainebleau, Francia, en 1950, alcanzó su fama musical no a través de sus composiciones sino de sus alumnos: Aaron Copland, Marc Blitzstein, Walter Piston y Virgil Thomson, entre otros importantes modernistas americanos. Boulanger renunció a la composición en 1918, tras la muerte de su hermana Lili, que poseía el mismo talento que ella (fue la primera mujer que ganó el codiciado premio de Roma). Nadia también fue directora

POLÍTICA Y ECONOMÍA: constitución en Barcelona de la SEAT (Sociedad Española de Automóviles de Turismo).

«Es terrible, si un hombre no dice la verdad, no cree a otro, y la tierra se convierte en un infierno.»—**Rashomon, de Akira Kurosawa**

de orquesta, la primera mujer que dirigió las filarmónicas de Nueva York y Boston y la Orquesta de Filadelfia. ◄1948.NM ►1957.9

►ROBO ESCOCÉS—Un grupo de jóvenes escoceses nacionalistas irrumpieron en la abadía de Westminster de Londres el día de Navidad y recuperaron por poco tiempo un antiguo símbolo del patrimonio escocés. Desde el siglo IX, los reyes escoceses

eran coronados sobre la Piedra de Scone. Esta tradición finalizó en 1296, cuando el rey Eduardo I de Inglaterra invadió Escocia y trasladó la «piedra del destino». Colocada bajo el trono de la coronación de Inglaterra, se convirtió en un símbolo de la dominación inglesa sobre Escocia. Cuatro meses después del robo, la codiciada piedra fue recuperada y recolocada en la abadía.

►LAS LECCIONES DE LESSING—Nacida en Persia y criada en la Rodesia colonial, la inglesa Doris Lessing se comprometió políticamente y relató las tragedias forjadas por el colonialismo. Su primera novela, *La hierba*, publicada en 1950, trata de una esposa amargada y su posible asesinato a manos de un criado africano, amante ocasional. Como los libros posteriores de Lessing (incluido su clásico feminista de 1962 *El cuaderno dorado*), el primero destaca por su realismo y perspicacia sobre la vida de las mujeres.

CINE

Llega el cine japonés

11 En 1950 se estrenó en Japón la película de Akira Kurosawa *Rashomon*, un problema filosófico disfrazado de drama costumbrista. Los productores, desconcertados por sus ambigüedades y dudando que un público de fuera comprendiera *cualquier* película japonesa no hecha para extranjeros, la presentaron de mala gana al Festival Internacional de Venecia al año siguiente. Sin embargo, después de que *Rashomon* ganara el Gran Premio y un Óscar a la mejor película extranjera, el cine se convirtió en uno de los artículos de exportación más importantes de Japón.

Rashomon, ambientada en el siglo XVI, es una meditación sobre la verdad, la decepción y la autodecepción. La historia gira en torno a un interrogatorio policial en el que varias personas involucradas en la violación de una noble y el supuesto asesinato de su marido, incluyendo una médium que habla por el muerto, ofrecen versiones contradictorias del doble delito. Cada personaje, al confesar diversos atropellos y abandonos, está convencido de que no hubiera podido actuar de otro modo. Justo cuando parece que el mensaje es de amoralidad y desespero, un único acto afirma la posibilidad de compasión y esperanza. La película, magníficamente ambientada e interpretada de modo convincente, fue acogida con entusiasmo por los cinéfilos occidentales.

Con *Rashomon*, Kurosawa *(en primer plano)* introdujo el cine japonés en Occidente.

A Japón no le faltaban grandes directores, pero Kurosawa fue el primero en ser reconocido internacionalmente, e imitado en todo el mundo. La enfermedad y las desavenencias con los estudios japoneses le condujeron a un intento de suicidio en 1971, pero el prolífico director, que entonces tenía unos 60 años de edad, sobrevivió para realizar la coproducción soviético-japonesa ganadora de un Óscar *Dersu Uzala* (1975) y la gran adaptación del *Rey Lear: Ran* (1985). **►1991.12**

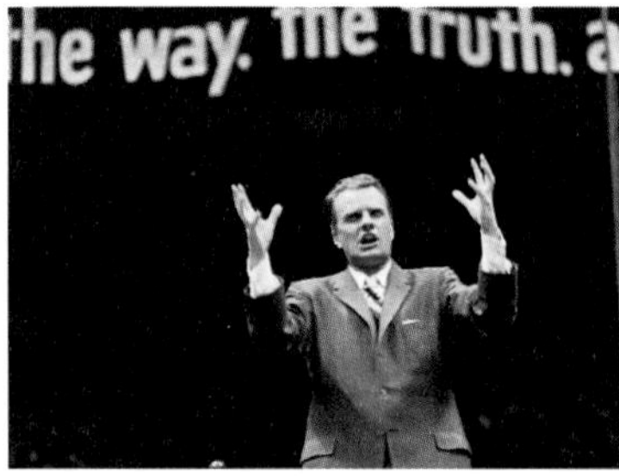

El reverendo Billy Graham en 1957, predicando en el Madison Square Garden de Nueva York.

RELIGIÓN

El púlpito electrónico de Graham

12 El predicador baptista Billy Graham empezó su ascenso al estrellato de los medios de comunicación en 1950, cuando empezó su programa semanal de radio *Hour of decision* (*La hora de la verdad*). Graham, de 31 años de edad, había trabajado en el circuito de «carpas» desde su adolescencia, aunque había obtenido su gran éxito unos meses antes. Cuando predicó en Los Ángeles, convirtió a un actor disoluto, a un gángster y a una antigua estrella olímpica. Al darse cuenta del potencial del predicador, el magnate de los periódicos William Randolph Hearst ordenó a sus periodistas que hablaran de Graham. A principios de 1950 era el predicador más conocido de Estados Unidos que exhortaba a los pecadores a rendir sus almas a Jesucristo.

Desde los años treinta ningún evangelista había causado tanto impacto. Predecesores de Graham, como Billy Sunday o Aimee Semple McPherson, habían sido buhoneros carismáticos que actuaban directamente para obtener «ofrendas de amor» (donaciones en metálico) de sus seguidores. Sin embargo, Graham era de otra especie: fervoroso, sano, elegante. Sus formas suaves encajaban a la perfección con el conformismo de los años cincuenta y fue un astuto empresario. *Hour of decision* se convirtió rápidamente en el programa radiofónico religioso de mayor audiencia, con quince millones de seguidores. Al año siguiente, Graham empezó a televisar sus actuaciones en directo. Su imperio pronto incluyó una revista y una editorial. Se convirtió en una figura internacional, confidente de estrellas de cine y de varios presidentes americanos.

Al apoyar a medias el movimiento de derechos civiles y al oponerse a medias al movimiento pacifista contrario a la guerra de Vietnam, Graham eludió tomar posiciones políticas concretas. Su imagen perdió brillo por su amistad con Richard Nixon durante la época del Watergate, pero escapó al escándalo personal. La generación de «televangelistas» que le siguió no tuvo tanta suerte.

MÚSICA

Casals rompe su silencio

13 El violoncelista más importante del siglo regresó al escenario musical en 1950 tras cuatro años de «renuncia». Pau Casals, demócrata y catalanista ferviente, huyó de España en 1936 bajo la amenaza de ejecución de los nacionales de Francisco Franco. Cuando el régimen de Franco obtuvo el reconocimiento diplomático internacional en 1946, Casals dejó caer su arco en señal de protesta, pero cuatro años más tarde lo retomó para celebrar el bicentenario de la muerte de Johann Sebastian Bach. Algunos de los músicos más famosos del mundo se reunieron en Prades, la ciudad francesa donde se había afincado Casals, para acompañarle.

Casals, niño prodigio del piano, el órgano y el violín, no escuchó un violoncelo hasta los once años de edad, pero al cabo de una docena de años había tocado para la reina Victoria. Sus interpretaciones armonizaron ternura, pasión y sutilezas tonales únicas. En 1919 Casals era el mejor músico de su instrumento. Ese año fundó su propia orquesta en Barcelona y cofundó la École Normale de Musique en París. Continuó siendo un hombre sin pretensiones, telúrico, que tocó para trabajadores antes de la guerra civil española y ayudó a refugiados durante la Segunda Guerra Mundial.

Casals permaneció en un exilio voluntario; se trasladó a Puerto Rico en 1956. Siguió tocando y haciendo campaña a favor de la paz mundial casi hasta su muerte, en 1973, a la edad de 97 años. **►1971.9**

Casals en 1916, antes de dejar de tocar en señal de protesta por el reconocimiento de Franco.

PREMIOS NOBEL: Paz: Ralph Bunche (estadounidense; mediación en el conflicto de Palestina) [...] Literatura: Bertrand Russell (británico; filósofo) [...] Química: Otto Diels y Kurt Alder (alemanes; síntesis de dieno) [...] Medicina: Philip Hench, Edward C. Kendall (estadounidenses) y Tadeus Reichstein (suizo-polaco; cortisona) [...] Física: Cecil Frank Powell (británico; fotografía del núcleo atómico y mesones).

Poesía y espíritu humano

Discurso de recepción del Premio Nobel, William Faulkner, 10 de diciembre de 1950

«Si tienes una historia, debe ser explicada», dijo una vez William Faulkner. Sus primeras novelas tardaron algún tiempo en plasmarse: antes de dedicarse a escribir, Faulkner había viajado por su querido sur, se había unido a la RAF en Canadá durante la Primera Guerra Mundial (quería luchar por la democracia pero no por los americanos) y se había matriculado por poco tiempo en la Universidad de Mississippi, en su ciudad natal de Oxford. En cuanto empezó a escribir, las historias, narrativamente oblicuas y cronológicamente flexibles, llenas de penetración psicológica y experimentación formal, brotaron como un torrente. En su discurso de aceptación del Nobel, el autor, a menudo críptico, expresó en un lenguaje cristalino su visión de la literatura y de la humanidad. ◄1929.3

La Academia Sueca premió a Faulkner (*superior*, sentado a la derecha, e *inferior*, en su casa de Oxford, Mississippi) por «su profunda contribución artística a la novela moderna americana», y lo calificó como «el mejor novelista experimental del siglo XX.

Creo que este premio no se me concede a mí como persona sino a mi obra, una obra vital sobre la agonía y el esfuerzo del espíritu humano, no para conseguir la gloria o algún otro beneficio sino la creación, con el material del espíritu humano, de algo que antes no existía. De modo que este premio sólo me pertenece en fideicomiso. No será difícil encontrar un destino para la parte monetaria acorde con el propósito y significación de su origen. Pero me gustaría hacer lo mismo con el prestigio utilizando este momento como pedestal desde el cual puedo ser escuchado por hombres y mujeres que se dedican al mismo trabajo y angustia, entre los cuales existe alguno quc un día estará donde yo estoy ahora.

Nuestra tragedia actual es un temor físico general y universal tan largamente sufrido que incluso podemos tolerarlo. Ya no hay problemas espirituales. Sólo existe la pregunta: ¿cuándo seré destruido? A causa de esto los hombres y mujeres jóvenes que escriben hoy en día han olvidado el problema del corazón humano en conflicto con él mismo, que es el único que puede producir buenos escritos porque sólo vale la pena escribir sobre él, sólo él merece el esfuerzo y la agonía.

Deben enseñarles de nuevo. Deben enseñarse a sí mismos que el fundamento de todas las cosas es el temor; y, una vez aprendido, olvidarlo para siempre, sin dejar lugar más que para las antiguas verdades del corazón, las verdades universales sin las cuales cualquier historia es efímera y un fracaso —amor, honor, piedad, orgullo, compasión y sacrificio. Hasta que lo aprendan, trabajarán bajo una maldición. Escribirán no de amor sino de lujuria, de derrotas en las que nadie pierde algo de valor, de victorias sin esperanza y, lo peor de todo, sin piedad ni compasión. Sus pesares no afligen, no dejan cicatrices. No escribirán sobre el corazón sino sobre las glándulas.

Hasta que aprendan estas cosas escribirán como si asistieran al fin del hombre. Yo no quiero aceptar el fin del hombre. Es bastante fácil decir que el hombre es inmortal simplemente porque resistirá: que cuando la última campana del juicio final haya sonado y se haya secado el último escollo por falta de mareas en el último crepúsculo rojo, que incluso entonces habrá un sonido más: el de su débil e inagotable voz, hablando todavía. Me niego a aceptar esto. Creo que el hombre no sólo resistirá: prevalecerá. Es inmortal no porque sea la única criatura que tiene una voz inagotable sino porque tiene un alma, un espíritu capaz de compasión y de sacrificio y de resistencia. El deber del escritor, del poeta, es escribir acerca de estas cosas. Tiene el privilegio de ayudar al hombre a resistir elevando su corazón, recordándole el valor, el honor, la esperanza, el orgullo, la compasión, la piedad y el sacrificio que han sido la gloria del pasado. La voz del poeta no tiene por qué ser sólo el recuerdo del hombre, puede ser uno de los apoyos, de los pilares que le ayudan a resistir y a prevalecer.

HISTORIA DEL AÑO

Comercialización de los computadores

1 Para la gente en general todavía eran cosas temibles, «cerebros mecánicos» y «robots». No obstante, la primera generación de computadores había demostrado su utilidad durante la Segunda Guerra Mundial (sobre todo para descifrar códigos), e ingenieros de prestigio reconocieron el enorme potencial de los aparatos que podían resolver problemas en milésimas de segundo. En 1951 se empezaron a utilizar computadores electrónicos para fines civiles en Estados Unidos y Gran Bretaña. Se inauguraba la era de la informática.

El UNIVAC, financiado por la Remington Rand, ocupaba una habitación.

La compañía tetera británica J. Lyons & Company fue la primera empresa comercial que confió en los computadores electrónicos. En 1951, su máquina LEO (Lyons Electronic Office, Oficina Electrónica de Lyons), basada en la EDSAC (Electronic Delay Storage Automatic Calculator), el prototipo con programa almacenado fabricado por Maurice Wilkes y su equipo de ingenieros de Cambridge, empezó a realizar tareas de oficina en la sede de la empresa. Sin embargo, era en América donde la industria informática estaba a punto de convertirse en una fuerza económica importante. Dos científicos sentaron las bases para el desarrollo comercial: John Eckert y John Mauchly. En 1946 construyeron el ENIAC, el primer computador digital para todo uso y completamente electrónico, para el ejército de Estados Unidos. Decepcionados por el curso lento y los difusos objetivos de la investigación académica, Eckert y Mauchly abandonaron la Universidad de Pensilvania poco después de formar la Ecket-Mauchly Computing Corporation (EMCC). Ingenieros brillantes pero pésimos empresarios, estuvieron al borde de la quiebra hasta 1950, cuando la Remington Rand, una compañía de suministros de oficina, les compró la empresa. Al año siguiente, los ingenieros entregaron el UNIVAC (Universal Automatic Computer, Computador Automático Universal) a la oficina del censo de Filadelfia.

Al emplear cinta magnética en vez de tarjetas perforadas para la entrada y salida de la información y al ser capaz de leer 7.200 dígitos por segundo y de manipular caracteres numéricos y alfabéticos con la misma facilidad, el UNIVAC se erigió como el mejor computador del mundo con diferencia. Su éxito conmocionó a la industria de la maquinaria de oficina y obligó a que la empresa líder en el sector, IBM, se replanteara su opinión acerca de los computadores electrónicos. Decidida a conservar su mercado, la IBM empezó a trabajar en su propia línea de máquinas «pensantes». Durante las tres décadas siguientes, a medida que tales máquinas se difundían por el mundo, la mayoría ostentarían la marca IBM.

◄1946.NM ►1971.5

1951

ESTADOS UNIDOS

Los Rosenberg condenados

2 En marzo de 1951, en el clímax de uno de los casos de espionaje más espectaculares desde el caso Dreyfus, Ethel y Julius Rosenberg fueron declarados culpables de organizar la red de espionaje internacional que facilitó a los soviéticos el secreto militar mejor guardado: el diseño de la bomba atómica. El caso Rosenberg se había divulgado el año anterior, después de que el físico nuclear de origen alemán Klaus Fuchs confesara que había espiado para Moscú mientras trabajaba en programas de armamento de Estados Unidos, incluido el proyecto Manhattan. Fuchs identificó a su contacto americano, un químico llamado Harry Gold. Éste implicó a David Greenglass, un soldado raso que había trabajado como operario en Los Álamos (el laboratorio del proyecto Manhattan). Greenglass implicó a su hermana y a su cuñado, los Rosenberg.

La pareja, que vivía con sus dos hijos en un pequeño apartamento del Lower East Side de Manhattan, no encajaba con el estereotipo del espía comunista de la guerra fría. Además, nunca ocultaron sus inclinaciones izquierdistas. (La afiliación política de Julius le había costado su trabajo de funcionario civil del ejército en 1945.) No obstante, en el ambiente febril del momento, su vulgaridad pareció lo

Ethel y Julius Rosenberg: ¿espías o víctimas de la guerra fría?

más amenazante. Si los Rosenberg podían ser espías, también podrían serlo el carnicero, el panadero o el fabricante de velas. A pesar de sus elocuentes e idealistas alegaciones de inocencia, y a pesar de la reprobación internacional, fueron declarados culpables. El principal testigo en su contra era Greenglass, que a cambio de su testimonio recibió una sentencia de quince años de prisión. Fuchs fue condenado a catorce años. Pero los Rosenberg fueron sentenciados a muerte. El juez Irving Kaufman declaró de modo exagerado que los Rosenberg, al poner la bomba en manos soviéticas, habían animado la agresión comunista contra Corea; que su crimen era «peor que el asesinato».

Todavía se discute acerca de la inocencia o la culpabilidad de la pareja, pero la mayoría de expertos están de acuerdo en que las acciones de Fuchs quizá provocaron que los soviéticos tuvieran la bomba un año antes de lo esperado, de modo que la supuesta información que poseían los Rosenberg carecía de valor.

◄1942.15 ►1953.NM

TECNOLOGÍA

Energía atómica para la paz

3 Seis años después de que bombas atómicas destruyeran Hiroshima y Nagasaki, científicos estadounidenses emplearon por primera vez la tecnología nuclear para generar electricidad. En 1951, el aprovechamiento del «átomo pacífico» hizo soñar con energía abundante y barata y con la liberación de la dependencia de combustibles fósiles.

El acontecimiento tuvo lugar en Arco, Idaho, en una central eléctrica construida por los Laboratorios Nacionales Argonne bajo la supervisión de la comisión de energía nuclear. El reactor experimental produjo energía suficiente para poner en funcionamiento su propio sistema de puesta en marcha; como llegaría a ser común en todas las plantas de energía atómica, el calor del núcleo haría hervir agua y el vapor impulsaría una turbina. Pero la planta de Arco hacía más: producía combustible adicional. El gran obstáculo de la energía atómica fue encontrar suficiente material fisionable para los reactores. El uranio 235 existía en cantidades demasiado limitadas. El plutonio 239, subproducto de la fisión del uranio, resultaba más fisionable (y por lo tanto más eficaz) pero aún más escaso. Una solución fue diseñar un reactor reproductor, que produciría más plutonio y quemaría menos uranio. El primero fue el de Argonne.

En 1954, los soviéticos abrieron la primera planta nuclear civil, una instalación pequeña de cinco megavatios. Dos años después, los británicos inauguraron la primera planta industrial para uso civil y

ARTE Y CULTURA: Libros: *El rebelde* (Albert Camus); *Bestiario* (Julio Cortázar); *La balada del café triste* (Carson McCullers); *El conformista* (Alberto Moravia); *El motín del Caine* (Herman Wouk) [...] Música: «On top of old smoky» (Pete Seeger); *Billy Budd* (Benjamin Britten); *La armonía del mundo* (P. Hindemith) [...] Pintura y escultura: *Crucifixión* (S. Dalí) [...]

«Nadie le está diciendo a los alemanes: si nos pagáis, os perdonaremos. No estamos prometiendo nada; no estamos ofreciendo nada. Simplemente estamos reclamando lo que nos pertenece moral y legalmente.»—**Dr. Nahum Goldmann**

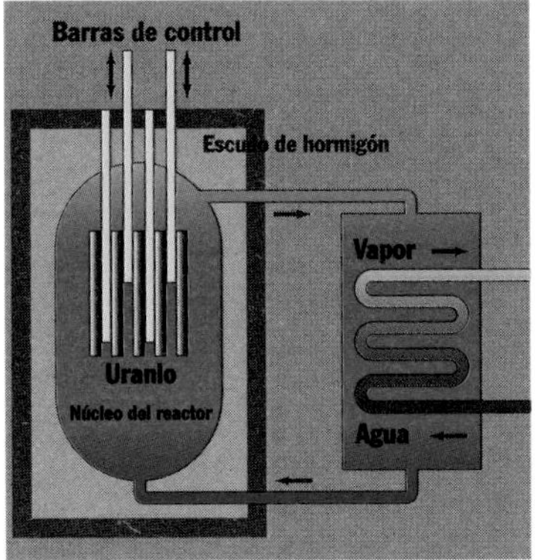

El reactor a presión se convirtió en el modelo de las centrales nucleares de todo el mundo.

plutonio para uso militar. Pronto empezaron a funcionar centrales nucleares en todo el mundo.

Pero las predicciones de un futuro impulsado por energía atómica resultaron poco realistas. Las centrales nucleares, caras de construir y de mantener, también resultan peligrosas por los residuos radiactivos y la posibilidad de accidentes catastróficos. **◄1946.7 ►1952.NM**

DIPLOMACIA

La penitencia de Alemania

4 Bastante antes del final de la Segunda Guerra Mundial, muchos líderes judíos habían pedido reparaciones alemanas por el holocausto. No obstante, el inicio de conversaciones secretas tuvo que esperar hasta 1951, tres años después de la fundación de Israel y dos de la de Alemania occidental. (Alemania oriental desestimó cualquier responsabilidad por los crímenes de Hitler.) Las ventajas prácticas de las compensaciones eran evidentes para ambas partes: Israel, con una gran carencia de liquidez, se enfrentaba al establecimiento de quinientos mil refugiados y Alemania podría empezar a superar su rango de paria a través de la generosidad. Pero las cuestiones morales eran más oscuras, así como los tecnicismos del pago.

La mayoría de los judíos se oponían a cualquier contacto con Alemania, e insistían en que nada podía compensar los crímenes de esa nación. La extrema derecha alemana exigía la solidaridad con los árabes; la extrema izquierda acusó al estado judío de ser un instrumento del imperialismo americano. El ministro de economía de Bonn se opuso a un convenio que comprometiera la capacidad del país para pagar sus otras deudas. Pero el canciller de Alemania occidental, Konrad Adenauer, estaba decidido a que su pueblo expresara su vergüenza por las atrocidades cometidas en su nombre, y el presidente de Israel, Chaim Weizmann, no estaba dispuesto a permitir que los alemanes escaparan a reparaciones económicas.

En marzo de 1952 se iniciaron las negociaciones directas en la ciudad holandesa de Wassenaar. Israel pedía el equivalente a mil millones de dólares y los representantes de la comunidad judía mundial solicitaban quinientos millones de dólares para las víctimas de otros países. El acuerdo final concedió a Israel ochocientos veinte millones de dólares en bienes y moneda (a plazos) y ciento siete millones a organizaciones de ayuda a los judíos. Ni siquiera los disturbios provocados en Jerusalén por los que se oponían al tratado pudieron ofuscar su significación: por primera vez en dos mil años un perseguidor de judíos intentaba, aunque de forma inadecuada, dar satisfacciones. **◄1946.E ►1965.9**

Manifestación en Tel Aviv contra el tratado de reparaciones germano-israelita.

ORIENTE MEDIO

Asesinato de un monarca pragmático

5 En julio de 1951, el rey de Jordania Abdullah fue asesinado en la mezquita de Omar de Jerusalén. El monarca había dado motivos de inquietud a sus compañeros árabes: sus ambiciones de controlar Siria, sus estrechas relaciones con Gran Bretaña, su apoyo a un estado árabe-judío en Palestina (un secreto mal guardado) y la supresión de disidentes en su país le habían reportado muchos enemigos. Su asesino palestino, que fue reducido inmediatamente por los guardaespaldas del rey, pertenecía a la organización Santuario de la Lucha. Durante la reciente guerra árabe-israelita, Abdullah no se había unido a las demás fuerzas árabes para intentar tomar el territorio que la ONU había asignado a los judíos; ante la insistencia británica, prefería optar por una parte de la Palestina árabe que incluía la Ciudad Antigua de Jerusalén.

El sucesor de Abdullah se enfrentaba no sólo a la hostilidad de los aliados oficiales de Jordania sino también a la mayoría palestina de su país, una mayoría aumentada por la población de la recién anexionada orilla occidental y decenas de miles de refugiados. (La dinastía Hashemita de Abdullah era beduina, no palestina.) Cuando sucedió el asesinato de Abdullah, su hijo Talal estaba en tratamiento por una enfermedad mental, y poco después de su coronación, el parlamento de Jordania lo declaró incompetente. En mayo de 1953 el hijo de Talal, el príncipe Hussein, de 18 años de edad, se convirtió en rey.

Hussein, como su abuelo, se mostró amistoso con Occidente y «moderado» con Israel, aunque también participó en las guerras contra el estado judío. Confió en la represión para conservar el poder. Superviviente de varios atentados, seguía siendo uno de los hombres de estado importantes de la zona en los años noventa. **◄1949.6 ►1967.3**

NACIMIENTOS

Pedro Almodóvar, director cinematográfico español.

Lisa Halaby (Noor al-Hussein), reina de Jordania.

Anjelica Huston, actriz estadounidense.

Anatoly Karpov, ajedrecista soviético.

Michael Keaton, actor estadounidense.

Gordon Sumner (Sting), cantante británico.

MUERTES

Ernest Bevin, político británico.

Robert Flaherty, director cinematográfico estadounidense.

André Gide, escritor francés.

Jacinto Guerrero Torres, músico español.

William Randolph Hearst, editor estadounidense.

Abdullah ibn al-Hussein, rey de Jordania.

Sinclair Lewis, novelista estadounidense.

María Montez, actriz estadounidense.

Henri Philippe Pétain, militar y político francés.

Ferdinand Porsche, ingeniero alemán.

Enrique Santos Discepolo, músico argentino.

Arnold Schoenberg, compositor austro-estadounidense.

Ludwig Wittgenstein, filósofo austríaco.

Cine: ***Un americano en París*** **(Vicente Minnelli);** ***La reina de África*** **(John Huston);** ***Un lugar en el sol*** **(George Stevens);** ***Diario de un cura de pueblo*** **(Robert Bresson) [...] Teatro:** ***El rey y yo*** **(Rodgers y Hammerstein).**

«En Inglaterra era como un extraño rasgo distintivo del paisaje al que los habitantes locales no daban importancia [...]. A los forasteros no les era fácil pasar por alto sus excentricidades.»—Goronwy Rees, sobre Guy Burgess

NOVEDADES DE 1951

Rock 'n' roll (llamado así por el pinchadiscos de Cleveland Alan Freed).

Daniel el Travieso.

Productos Tropicana.

Retransmisión televisiva en color (especial de una hora de la CBS).

EN EL MUNDO

▶UNA DULCE VICTORIA —Sugar Ray Robinson quizás sea el boxeador más destacado de la historia. Robinson derrotó a Jake LaMotta en el campeonato

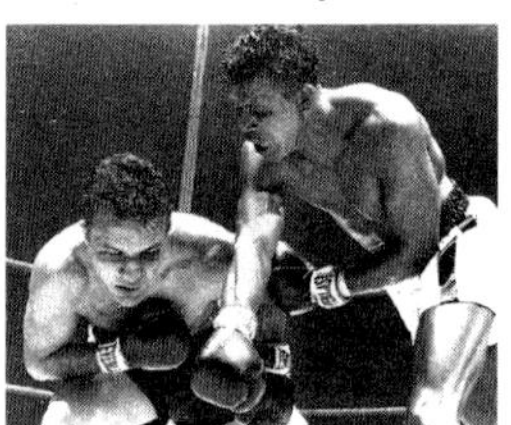

mundial de los pesos medios de 1951. La victoria significó la revancha de la derrota que sufrió Robinson a manos de LaMotta ocho años antes. Robinson, campeón wélter en 1946, ganó y perdió la corona de los pesos medios cinco veces. ◂1937.9 ▸1956.NM

▶NUNCA MUEREN —Al estabilizar la ofensiva china al sur de Seúl en enero, el general Douglas MacArthur, comandante en jefe en Corea, estaba preparado para lanzar una ofensiva total contra los chinos. Tras las críticas públicas de MacArthur a los máximos dirigentes de Estados Unidos por su insistencia en mantener una guerra limitada, el presidente Truman, que había concluido que Corea no podía quedar unificada y temía que las declaraciones de MacArthur provocaran una nueva guerra mundial, le relevó de sus funciones. El 11 de abril, MacArthur fue sustituido por el general Matthew B. Ridgeway, cuya estrategia de contención pasaba por empujar a los chinos sólo

ESPIONAJE

Desaparición de agentes dobles

6 Guy Burgess (*extremo superior*) y Donald Maclean, funcionarios de la embajada británica de Washington, eran personajes pintorescos, quizás demasiado pintorescos. Ninguno ocultaba sus opiniones izquierdistas, sobre todo cuando bebían (cosa que hacían muy a menudo). Burgess hizo poco por esconder su homosexualidad. A principios de 1951 sus indiscreciones provocaron el regreso de ambos a Londres. Pero su desaparición en mayo supuso al gobierno un problema mucho mayor que los anteriores: ambos huyeron cuando Maclean iba a ser detenido como espía soviético. Su fuga, y la revelación de que ambos habían sido topos durante más de diez años, conmocionó a Occidente.

En los años treinta, la pareja había pertenecido a los Apóstoles, grupo de elite de Cambridge, del que también era miembro Anthony Blunt. Los tres fueron reclutados por los soviéticos para infiltrarse en el servicio de inteligencia de Gran Bretaña. En la misma época y también en Cambridge se encontraba otro recluta soviético, Kim Philby. Durante la guerra, Blunt se alistó al MI5, el servicio de seguridad nacional; los otros al MI6, la sección de inteligencia en el extranjero. Tras la guerra, Philby ascendió casi hasta lo más alto del MI6; Burgess y Maclean se convirtieron en diplomáticos y Blunt en conservador de la colección de arte real, dejando que sus relaciones soviéticas se diluyeran. Philby fue quien en 1951 envió a Burgess para que advirtiera a Maclean que estaba bajo sospecha y fue Blunt quien les ayudó a escapar.

La búsqueda de los fugitivos duró hasta 1956, cuando reaparecieron en Moscú. El papel de Philby como el «tercer hombre» del caso no se confirmó hasta 1963, cuando también él huyó a Moscú. En 1964, el MI5 identificó a Blunt, entonces sir Anthony, como el «cuarto hombre». Confesó y se le concedió inmunidad, pero perdió su título cuando su secreto se hizo público en 1979. ◂**1951.2** ▸**1963.3**

CINE

El toque de los estudios Ealing

7 En 1951 la industria cinematográfica inglesa se encontraba en pleno renacimiento de posguerra. Desde 1945 había producido películas tan bien interpretadas como *Cadenas rotas* y *Oliver Twist* de David Lean, la obra de suspense *El tercer hombre* y el cuento sobre ballet de Emeric Pressburger y Michael Powell *Las zapatillas rojas*. Los estudios Ealing de Londres realizaron una serie de comedias satíricas brillantes, como *Ocho sentencias de muerte* o *El hombre del traje blanco*, que presentaban al británico medio rebelándose contra el capitalismo, el sistema de clases y la burocracia. Las comedias de los estudios Ealing, producidas por Michael Balcon, interpretadas a menudo por el actor Alec Guinness, con guiones de T. E. B. Clarke y dirigidas por Charles Crichton, Alexander Mackendrick, Henri Cornelius o Robert Hamer, resultaban atractivas y ácidas.

Oro en barras, realizada en 1951 y dirigida por Crichton, es una de las mejores películas de los estudios Ealing. Un apacible empleado de banca (Guinness), que lleva 20 años trabajando, trama robar uno de los envíos de oro que supervisa. Junto a un fabricante de recuerdos y dos ladrones, el empleado lleva a cabo el robo, coloca el oro en reproducciones de la torre Eiffel y exporta la mercancía a París, donde sus compinches se proponen recuperarla y empezar una vida de lujo. Pero surgen complicaciones. La película, una descripción algo amoral del descontento de la clase media provocado por la monotonía, ofrece un aliciente adicional: la novia de Guinness, que aparece durante menos de un minuto en la escena inicial, está interpretada, en su cuarta aparición en la pantalla, por una modelo belga de 22 años de edad, Audrey Hepburn. ▸**1961.11**

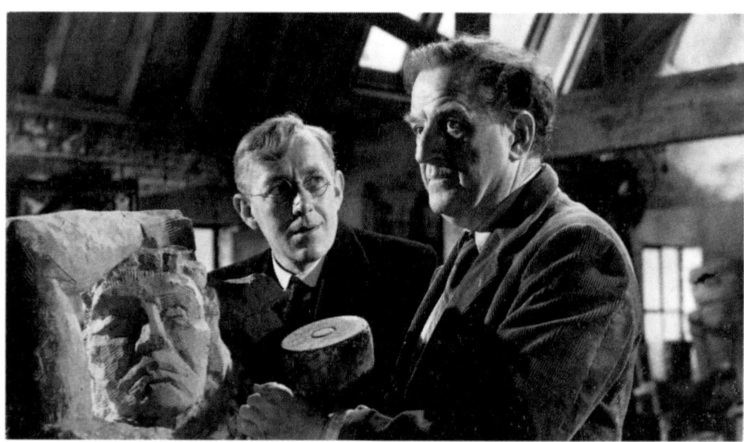

Alec Guinness *(izquierda)* y Stanley Holloway traman un robo en *Oro en barras*.

IDEAS

Medios de comunicación

8 El primer libro de Marshall McLuhan, *La novia mecánica: folklore del hombre industrial*, sólo vendió unos centenares de ejemplares cuando se publicó en 1951. Quizás era una obra adelantada a su tiempo: nadie había visto algo parecido a este estudio, profundo pero en tono divertido, sobre mitología moderna (desde etiquetas hasta anuncios), ilustrado con lo que un crítico llamó «juegos de palabras que hielan la sangre». Al cabo de dos décadas, las primeras ediciones se convirtieron en piezas de colección porque las apariciones públicas de su autor y escritos como *La galaxia Gutenberg: la creación del hombre tipográfico* (1962) y *Los medios de comunicación* (1964) habían convertido al profesor canadiense en la principal autoridad en materia de comunicación, en un «gurú de los medios de comunicación» solicitado por promotores, empresarios y

McLuhan analizó las diferencias entre los «medios de comunicación fríos y calientes».

políticos, incluidos los asesores de la campaña presidencial de Nixon de 1968.

La fama de McLuhan se extendió a partir de la acuñación de dos frases. La primera fue «la aldea global». Mientras que la introducción de la imprenta en el siglo XV marcó el comienzo de la nación-estado, al sustituir la cultura tribal por un modo

DEPORTES: primeros juegos panamericanos [...] Hockey: España, campeona del mundo de hockey sobre patines [...] Automovilismo: Juan Manuel Fangio, campeón del mundo [...] Ciclismo: primera vuelta ciclista a Colombia.

«Sigo imaginando a todos estos chavales en este gran campo [...]. Si ellos no miran por dónde van tengo que salir de algún sitio y atraparlos. Es lo único que hago en todo el día.»—**J. D. Salinger, *El ingenuo seductor***

de vida basado en el individualismo y la alienación, los medios de comunicación electrónicos han empezado a invertir el proceso, defendía McLuhan. La televisión, el teléfono, el computador y otras extensiones de los sentidos humanos unen de forma progresiva a la humanidad en una comunidad mundial con una cultura distintiva propia. En esta cultura, «el medio es el mensaje» (segunda frase), es decir, la forma de comunicación, no su contenido, determina el significado que recibe el público.

Al aparecer sus primeros libros, McLuhan fue tachado de chiflado y a la vez elogiado como profeta. En los años noventa sus intuiciones se han convertido en tópicos en una sociedad dominada por la cultura visual. **◂1950.NM ▸1952.5**

ESPAÑA

Deporte y política

9 En junio se celebraron en Barcelona los campeonatos mundiales de hockey sobre patines. España se proclamó vencedora y sucedió a Portugal, que durante los años cincuenta, sesenta y setenta fue la nación que acumuló más títulos. El hockey sobre patines era una adaptación del hockey sobre hielo. Se difundió en Inglaterra, su país de origen, durante los años treinta, pero, tras la Segunda Guerra Mundial fue sobre todo en los países latinos donde arraigó más.

Más allá de la anécdota deportiva, este campeonato fue significativo por dos motivos. Por una parte, contribuyó a normalizar las relaciones internacionales de España. A pesar de la relativa importancia de este deporte, la organización de un campeonato mundial en España tuvo un eco considerable en Europa y sirvió para poner de manifiesto sobre todo de puertas adentro el fin del aislamiento del franquismo. Por otra parte, constituyó un hito importante en la carrera —como dirigente deportivo— de J. A. Samaranch, que en los años ochenta culminó con la presidencia del COI (Comité Olímpico Internacional).

Imagen del hockey sobre patines en los Juegos Olímpicos de Barcelona 1992, cuando fue deporte de exhibición.

LITERATURA

Un adolescente típico

10 Cuando se publicó *El ingenuo seductor* en 1951, miles de lectores se sintieron identificados con su joven e inquieto protagonista. J. D. Salinger creó uno de los adolescentes literarios más convincentemente alienados: Holden Caulfield, un muchacho que huye del colegio con un melancólico anhelo de inocencia y una visión crítica sobre los adultos que le rodean («La verdad es que son un atajo de farsantes»).

En el relato de su aventura de dos días en Nueva York, Holden es alternativamente elocuente y quejumbroso, experto e ingenuo, un Huck Finn de clase media-alta de la posguerra americana.

Salinger, a los 32 años de edad, no era un novato. Había publicado cuentos en el prestigioso *New Yorker* durante una década y participó como soldado en el desembarco de Normandía. Pero el profundo conocimiento del descontento adolescente de *El ingenuo seductor* afianzó el puesto de Salinger como una especie de adolescente honorario. Algunos críticos vieron una propaganda de la delincuencia en los actos de Holden y una visión crítica de la sexualidad adulta. Fue una de las novelas favoritas de los adolescentes rebeldes de los años cincuenta.

Salinger, celoso de su intimidad, respondió a la fama cortando sus relaciones con Manhattan y retirándose a New Hampshire. Publicó otros dos libros en los doce años siguientes y luego dejó de hacerlo. Perseguido por biógrafos (interpuso una demanda para que no se publicaran sus cartas) y seguidores que esperaban saber algo de él, en los años noventa mantenía su aislamiento. **◂1910.12 ▸1955.9**

hasta el paralelo 38. En Estados Unidos, MacArthur testificó ante una sesión parlamentaria. Cuando anunció su retirada forzosa después de 30 años de servicio militar, evocó una antigua balada que proclamaba con el máximo orgullo que «los viejos soldados nunca mueren, sólo se desvanecen». ◂1950.1 ▸1951.NM

▶HUELGA DE TRANVÍAS—A finales de febrero estalló en Barcelona una huelga de los usuarios de tranvías. El motivo inmediato fue la subida del precio de estos transportes. En la protesta confluyeron tres corrientes diferentes: las difíciles condiciones económicas de la clase obrera, la sensación de agravio comparativo que Barcelona tenía con Madrid respecto a los servicios públicos y la oposición al régimen político de Franco como aglutinador de todos los descontentos. El boicot a los tranvías desembocó en una huelga general a mediados de marzo que constituyó la máxima protesta contra el régimen desde el final de la guerra civil. ◂1950.10

▶PUNTO MUERTO EN COREA—A principios de año, las fuerzas de la ONU se retiraban de Corea y Seúl fue evacuado por segunda vez (el 4 de enero). El avance chino se detuvo a 48 km al sur de la ciudad. A finales de enero las fuerzas de la ONU lanzaron una contraofensiva y el 31 de marzo llegaron al paralelo 38. Sin desear arriesgarse a una confrontación total, en julio los comandantes de la ONU y los comunistas empezaron las negociaciones para el armisticio. Mientras, continuaba la lucha. ◂1950.1

▶MONUMENTO A LA RENOVACIÓN—Unos diez años después de que las bombas alemanas destruyeran la catedral gótica de

Coventry, en 1950 empezaron las obras de reconstrucción. El arquitecto británico Basil Spence diseñó el proyecto

«No tengo intención de llegar a un acuerdo con nadie. Antes de acordar algo con los británicos, sellaré los pozos de petróleo con barro.»—**Muhammad Mussadegh, primer ministro de Irán**

ganador, que incorporaba las ruinas de la catedral original a una iglesia nueva, terminada en 1962. ◄1940.11

▶REGRESO DE CHURCHILL —Winston Churchill dedicó el tiempo que estuvo fuera del cargo del primer ministro a escribir su historia de seis volúmenes *La Segunda Guerra Mundial* y a encabezar la oposición parlamentaria. En 1951 volvió a ser primer ministro. Con casi ochenta años de edad, delegó buena parte de la responsabilidad de la política interior para concentrarse en la exterior. Defendió (sin éxito) la unión europea y se esforzó por estrechar las relaciones anglo-americanas. ◄1945.NM

▶EL PLAN SCHUMAN —En 1951, Francia, Alemania occidental, Bélgica, Italia, los Países Bajos y Luxemburgo acordaron crear la Comunidad Europea del Carbón y el Acero. La CECA, propuesta oficialmente por el ministro de asuntos exteriores francés Robert Schuman, fue ideada para acabar con las fronteras mercantiles del carbón y el acero. La CECA, ratificada en 1952, se adelantó a la integración política y económica de Europa y fue precursora de la Comunidad Europea. ►1951.13 ►1957.5

1951

LITERATURA

La epopeya bélica de Jones

11 «Recuerdo haber pensado con profundo respeto que nuestras vidas no volverían a ser lo mismo», escribió el autor James Jones, al recordar el impacto del ataque japonés a Pearl Harbor. La experiencia bélica de Jones en Hawai inspiró su primera novela. *De aquí a la eternidad*, publicada en 1951, ganó un premio nacional.

Superando incluso la franqueza brutal de *Los desnudos y los muertos* de Norman Mailer, el libro de Jones, de 861 páginas, impresionó a muchos lectores con sus descripciones en lenguaje vulgar de borracheras y escapadas sexuales de la vida cuartelaria y con su exposición de la brutal competencia y de la corrupción del «antiguo estamento militar», que había minado la instrucción de reclutas.

El retrato mordaz de Jones estaba algo suavizado en la versión cinematográfica que realizó la Columbia Pictures en 1953, ganadora, de ocho premios de la Academia. Considerada muy indecente, sobre todo por una escena en la que Burt Lancaster y Deborah Kerr se unen en un apasionado abrazo en la playa, la película estaba protagonizada por Montgomery Clift en el papel del idealista Robert E. Lee Prewitt y Donna Reed en el del objeto de su amor (una prostituta en el libro y tan sólo una señorita de compañía en la película). La interpretación de Frank Sinatra como el soldado Angelo Maggio le valió un Óscar y consiguió impulsar nuevamente su carrera.

La siguiente novela de Jones, *Como un torrente*, trata de la vida en una ciudad pequeña, pero con *The thin red line* (1963) continuó el proyecto de una trilogía sobre la Segunda Guerra Mundial. Murió en 1977 antes de acabar *Silbido*, el último libro de la serie. Lo terminó al año siguiente su amigo Willie Morris. **◄1948.11 ►1957.NM**

Lancaster y Kerr en la playa. La película suavizó las escenas de la novela.

IRÁN

La industria petrolífera nacionalizada

12 El asesinato del primer ministro iraní Ali Razmara en marzo de 1951 marcó el inicio de un período turbulento que finalizó dos años más tarde con la intervención americana. El sha Muhammad Reza Pahlevi había nombrado primer ministro a Razmara hacía sólo seis meses, bajo la presión de Washington: los americanos esperaban que el general derechista fuera capaz de imponer el orden contra la ascensión de las fuerzas nacionalistas, incluido el partido comunista Tudeh. Sin embargo, Razmara era muy impopular y cuando fue asesinado (por un islamista militante que le preguntó: ¿por qué entregas el país a extranjeros?), la presión popular obligó al sha a sustituirlo por un nacionalista, Muhammad Mossadegh (*superior*).

Mossadegh, liberal, lideró una iniciativa parlamentaria para nacionalizar la gigante Anglo-Iranian Oil Company, de propiedad británica. (Irán sólo recibía una mínima parte de los beneficios de la AIOC en una época en que otros países los compartían al 50 % con los extranjeros; la compañía no permitía que ningún iraní ostentara un cargo de importancia.) La nacionalización fue aprobada por el parlamento pocos días después de la muerte de Razmara. Pero los británicos boicotearon el petróleo iraní y la economía nacional se resintió enormemente.

Mossadegh respondió a la profunda crisis con discursos lacrimógenos (a menudo pronunciados desde una cama colocada en las cámaras parlamentarias, una estratagema que le granjeó la simpatía de los iraníes pero desconcertó a los occidentales), medidas autoritarias y propuestas a los comunistas. Ninguna de sus tácticas resultó muy eficaz. En 1953, un golpe de Estado, apoyado por los británicos y dirigido por los americanos, finalizó la era Mossadegh. **◄1946.10 ►1953.4**

EUROPA

El camino hacia la unidad

13 Desde el final de la Segunda Guerra Mundial la construcción de una organización europea supranacional apareció como una garantía para superar los enfrentamientos futuros —el franco-alemán, fundamentalmente— y para ofrecer una alternativa a la bipolarización Estados Unidos-Unión Soviética del mundo. En septiembre de 1946, W. Churchill propuso la creación de un «Consejo de Europa» como instrumento para crear los Estados Unidos de Europa; al año siguiente, creó en Londres el «Comité provisional de Europa Unida».

Uno de los firmantes de la CECA, Konrad Adenauer, ministro de asuntos exteriores de la República Federal Alemana.

En marzo de 1948 el tratado de Bruselas creó un comité de estudio para la unión europea. Al año siguiente en Estrasburgo —elegido como sede— tuvo lugar la primera reunión del Consejo de Europa. En 1950, la realización del plan Schuman para crear una Comunidad Económica Europea para el Carbón y el Acero fue rechazado por Gran Bretaña que se negó a aceptar cualquier autoridad supranacional. Sin el Reino Unido, los seis (Bélgica, Francia, Luxemburgo, Italia, Holanda y la República Federal Alemana) formaron el núcleo central del primer mercado común europeo. **◄1951.NM**

PREMIOS NOBEL: Paz: León Jouhaux (francés; líder laboral) [...] Literatura: Pär Lagerkvist (sueco; novelista y poeta) [...] Química: Edwin McMillan y Glenn Seaborg (estadounidenses; elementos transuránicos) [...] Medicina: Max Theiler (sudafricano; vacuna contra la fiebre amarilla) [...] Física: John Douglas Cockcroft y Ernest Walton (británico, irlandés; transmutación del núcleo atómico).

ECOS DE 1951

Mike Hammer en acción

De *Una noche solitaria*, Mickey Spillane, 1951

En una época de películas y programas de televisión contenidos, el escritor Mickey Spillane ofrecía sensaciones fuertes. Sus novelas de detectives, trepidantes y violentas, batieron récords de ventas en los años cincuenta. Spillane, que afirmaba que escribía por dinero, mantenía los elementos habituales de las historias de crímenes (detectives bruscos, mujeres guapas, whisky, cigarrillos, pistolas), pero desechaba los detalles; escribía libros en los que el realismo se sustituía por el sadismo y la sensualidad por el sexo puro. Su novela Una noche solitaria *(1951) condujo a un nuevo nivel la fiebre anticomunista de la época: «He matado a más personas esta noche que dedos tengo en las manos», se jacta el investigador Mike Hammer; «Las he matado a sangre fría y he disfrutado cada minuto [...] eran comunistas [...] hijos de puta rojos que deberían haber muerto hace mucho». En el extracto que sigue, Hammer tropieza con dificultades: una noche oscura en Manhattan, un puente desierto, una mujer desesperada y un hombre herido.* **◂1930.11**

Había visto el miedo antes pero nunca un miedo como aquél. Sólo estaba a unos pasos más allá y corrí hacia ella, mis manos asieron sus brazos para levantarla del suelo.

Sus ojos estaban abiertos como platos, enrojecidos, inundados de lágrimas que empañaban sus pupilas. Me miró y me dijo angustiada: «Señor... no, por favor».

«Tranquila, cariño, tranquila», le dije. La apoyé contra la barandilla y sus ojos buscaron mi cara a través de las lágrimas, incapaces de verme con claridad. Intentó hablar y la hice callar. «No digas nada, querida. Habrá tiempo para eso después. Sólo cálmate, nadie va a hacerte daño.»

Como si esto estimulara algo en su mente, sus ojos volvieron a abrirse y giró la cabeza para mirar fijamente hacia el final de la rampa.

Yo también lo oía. Pasos, no eran apresurados. Se acercaban tranquila y suavemente, como si supieran que iban a alcanzar su objetivo en pocos segundos.

Sentí que se enredaba un rizo en mi boca y mis ojos se medio cerraron. Quizás se pueda pegar a una dama y hacer de su vida un infierno, pero nadie tiene derecho a asustar a una mujer a pleno día. No de este modo. Temblaba tanto que tuve que rodear sus hombros con mi brazo para calmarla. Vi que sus labios intentaban hablar, un temor atroz se reflejaba en su rostro y no podía articular ningún sonido.

La atraje de la barandilla. «Vamos, lo resolveremos enseguida». Estaba demasiado débil para mantenerse en pie. Mantuve mi brazo en torno a ella y empezamos a andar hacia los pasos.

Apareció por el muro, un tipo bajo y gordo con una gabardina abrochada. Su sombrero estaba ladeado a lo chulo e incluso a esa distancia pude ver que sonreía. Llevaba ambas manos metidas en los bolsillos y caminaba contoneándose. No se sorprendió en absoluto al vernos. Levantó un poco una ceja y nada más. Sí, tenía una pistola en el bolsillo.

Me estaba apuntando.

Nadie tuvo que decirme que era él. Ni siquiera tenía que saber que tenía un revólver en su mano. El modo como el cuerpo de la chica se tensó al verle fue suficiente. Mi cara no debía tener un aspecto afable pero no molestó al tipo.

Se movió el arma en el bolsillo y entonces supe que era una pistola. Su voz cuadraba con su cuerpo, brusca y grave. Dijo: «No es inteligente ser un héroe, no lo es en absoluto». Sus viscosos labios se transformaron en una sonrisa de satisfacción y presunción. Dejó tan claro su pensamiento que casi pude oírlo. La chica corriendo, cayendo ciegamente en los brazos de un desconocido. Su demanda de ayuda, el tipo accede rápidamente a protegerla, sólo para ver el cañón de un revólver.

No ocurrió así, pero es lo que él pensaba. Su sonrisa se ensanchó y dijo ásperamente, «mañana os encontrarán a los dos aquí». Sus ojos eran tran fríos y violentos como los de una raya gigante.

Era demasiado engreído. Lo único que podía ver era que controlaba la situación. Hubiera tenido que verme como un pequeño duro y quizás hubiera visto cómo tengo los ojos. Quizás hubiera visto que yo también era un asesino a mi modo y se hubiera dado cuenta de que yo sabía perfectamente que él era un tipo que preferiría sacar la pistola antes que arruinar un buen abrigo.

En realidad, no le di la oportunidad. Todo lo que moví fue mi arma y, antes de que él sacara su pistola, yo ya tenía mi 45 en la mano con el seguro fuera y el gatillo hacia atrás. Sólo le di un segundo para que se diera cuenta de que iba a morir y luego le borré la expresión de su cara.

Nunca imaginó que el héroe también tenía una pistola.

Antes de que pudiera guardarla en la pistolera, la chica se giró bruscamente y se apoyó contra la barandilla. Ahora tenía los ojos secos. Miraban fijamente la suciedad del suelo, la pistola en mi mano y los rasgos de mi rostro, que formaban una máscara de asesino.

Ella gritó. Dios mío, cómo gritó. Gritó como si yo fuera un monstruo que hubiera salido del infierno. Gritaba y decía cosas como «tú, uno de ellos... basta».

Vi lo que iba a hacer e intenté cogerla pero el breve momento que tuvo fue suficiente para darle la fuerza que necesitaba. Se movió y subió a la barandilla y me di cuenta de que el abrigo había quedado en mi mano cuando ella cayó de cabeza en el hueco del puente.

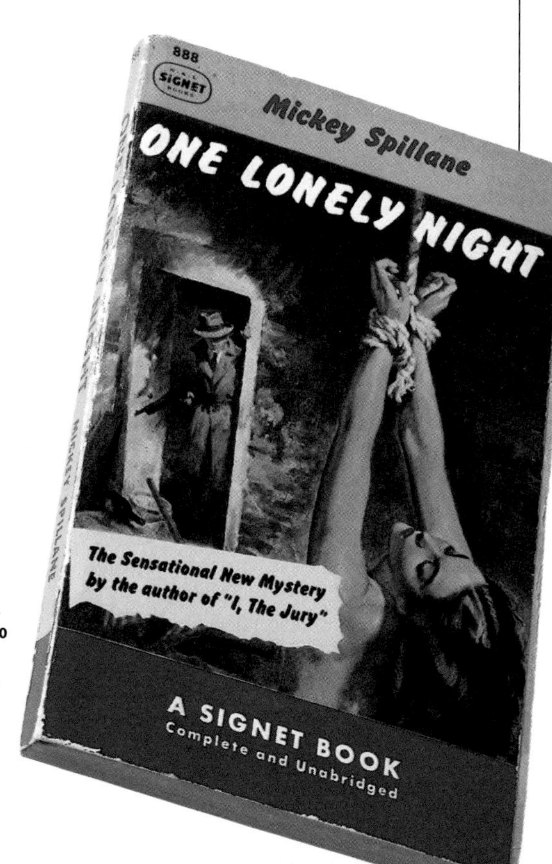

La tapa macabra del libro ayudó a vender *Una noche solitaria*. Spillane *(superior)* cultivaba una imagen dura parecida a la de su héroe, Mike Hammer.

«Pobre y dulce Lilibet, ahora nuestra reina.»—**Lord Mountbatten, tío de Isabel II, en su diario, 7 de febrero de 1952**

HISTORIA DEL AÑO

Vivat Regina

1 El rey Jorge VI de Inglaterra murió como había reinado: de forma impasible. El monarca, enfermo de un cáncer de pulmón y con problemas cardíacos, se había retirado a Sandringham para practicar su afición favorita, la caza. La noche del 5 de febrero de 1952, tras haber cazado nueve conejos y un pichón (y de declarar que había pasado «un día completamente fantástico»), murió mientras dormía. Su hija mayor, Isabel Alejandra María, de 25 años de edad, regresó a toda prisa de una misión de caridad en Kenia con su consorte, el príncipe Felipe, para ser proclamada «reina de su reino y de todos los demás reinos y territorios de la Commonwealth, defensores de la Fe».

La reina Isabel II tenía 27 años de edad cuando lució la diadema real para su coronación en 1953.

Los restos del rey permanecieron tres días en Sandringham (en un atáud construido con uno de los robles más grandes de la hacienda) y tres en el Westminster Hall de Londres. Más de trescientos mil británicos desfilaron ante el ataúd, algunos esperaron toda la noche en una cola de casi 5 km. Un millón de londinenses vieron pasar al cortejo fúnebre y otros doscientos mil acompañantes, incluidos siete monarcas, tres presidentes y otras mil figuras internacionales, que se reunieron para el funeral en Windsor, el hogar ancestral de la realeza inglesa.

El reinado de Jorge había empezado con una crisis en 1936, cuando su hermano Eduardo VIII abdicó para casarse con una americana divorciada. Jorge sirvió de ancla espiritual a Gran Bretaña durante una parte de la Gran Depresión y durante toda la Segunda Guerra Mundial permaneció en Londres incluso cuando las bombas cayeron sobre el Palacio de Buckingham. Asistió con calma al nacimiento del estado del bienestar y a la reducción del imperio. (El título de la nueva reina reflejaba los cambios de las relaciones entre Inglaterra y sus colonias. Jorge había sido, no cabeza de la Commonwealth, sino rey de los dominion británicos.)

Isabel II heredaba las funciones de su padre y con ellas las responsabilidades de nombrar al primer ministro, aprobar leyes, aconsejar al gobierno y encarnar la antigua idea de la «britanidad» ante sus súbditos y el mundo. Su coronación tuvo lugar en junio de 1953, 17 meses después de su ascenso; esta ceremonia fue tan espectacular como triste la del año anterior. **◂1936.E ▸1981.4**

Mujeres chinas recolectan té. Tras 1952, Mao se dedicó más a la industria.

CHINA

El camino de la industrialización

2 Tras décadas de guerras y revoluciones, China por fin se estabilizaba. En 1952, la República Popular contaba ya tres años de vida. La reforma agraria estaba en marcha pero la industria se hallaba muy atrasada. El régimen de Mao Zedong decidió que había llegado el momento de extender la revolución a las ciudades. La revolución soviética (en su cuarta década) resultaba un modelo imperfecto para el tipo de transformación política, social y económica que China quería efectuar, pero era el único disponible. A pesar de algunas reservas, Mao y sus camaradas siguieron el ejemplo de Moscú. En agosto, el primer ministro Zhou Enlai viajó a la Unión Soviética para discutir el futuro de China. Al cabo de unos meses de su regreso, China había empezado su primer plan Quinquenal para la industrialización.

El plan representó un cambio radical de una antigua economía agraria a una industrial y moderna. El avance hacia la modernización significó que China debía adoptar preceptos económicos y administrativos estalinistas. Entre 1953 y 1957, el 80 % de la población china residía en zonas rurales, pero el mismo porcentaje del presupuesto gubernamental fue a parar a las ciudades. La industria pesada —producción de acero, cemento y hierro— se incrementó casi en un 20 % anual. Mientras, la agricultura se estancó. Los campesinos corrieron con los gastos de la industrialización, a través de impuestos y cuotas. Unos treinta millones de chinos abandonaron el campo, y la clase obrera urbana dobló su número.

La nueva economía centralizada exigía nuevos principios de gobierno. La flexibilidad, un dogma importante de la teoría revolucionaria maoísta, se sacrificó a favor de una burocracia de estilo soviético, hecho que suscitó el temor occidental de que China se había convertido en un gobierno títere del Kremlin. Sin embargo, Mao nunca perdió sus antiguos recelos hacia los soviéticos. Pronto se produjo un distanciamiento que llevó a Moscú a suspender su ayuda y a China a encontrar su propio camino comunista. **◂1949.1 ▸1958.2**

EGIPTO

Rebelión y golpe

3 Después de tres décadas de independencia «tutelada», los egipcios se alzaron definitivamente contra los británicos en 1952. Los acontecimientos empezaron a desarrollarse el año anterior, cuando las negociaciones sobre la soberanía plena se paralizaron. El parlamento egipcio, bajo la creciente presión popular para expulsar a todos los soldados británicos, anuló el tratado anglo-egipcio de 1936 y proclamó al rey Faruk soberano del Sudán (que Gran Bretaña controlaba pero planeaba independizar). Gran Bretaña respondió concentrando tropas a lo largo del canal de Suez; las autoridades egipcias, a su vez, permitieron que los grupos nacionalistas crearan milicias. En enero, tras varios encuentros violentos, El Cairo se alzó. Los rebeldes destruyeron 750 establecimientos británicos y asesinaron a once ciudadanos europeos.

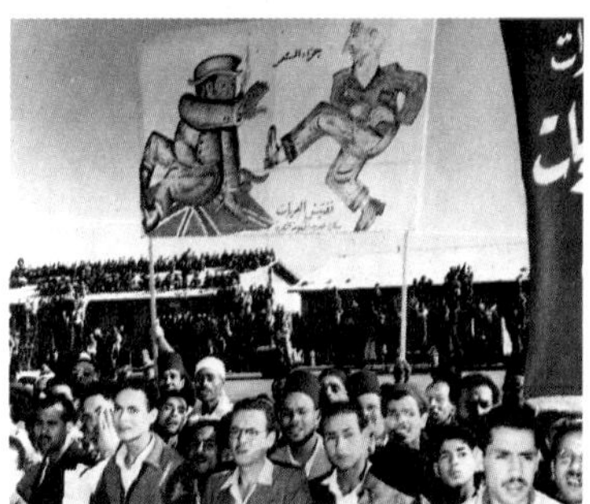

Nacionalistas egipcios en El Cairo se manifiestan contra la intervención británica.

ARTE Y CULTURA: Libros: ***El viejo y el mar*** **(Ernest Hemingway);** ***The natural*** **(Bernard Malamud);** ***La cárcel de cristal*** **(Truman Capote) [...] Música:** ***VII sinfonía*** **(S. Prokofiev);** ***Estructura*** **(P. Boulez) [...] Pintura y escultura:** ***Woman and bicycle*** **(Willem de Kooning);** ***Mountains and sea*** **(Helen Frankenthaler) [...]**

«Esto es lo que tenemos y esto es lo que debemos. No es mucho, pero Pat y yo tenemos la satisfacción de que hemos ganado honestamente cada dólar que poseemos.»—**Richard M. Nixon, en su discurso «Checkers»**

Ambos gobiernos rectificaron, temiendo a las fuerzas que ellos mismos habían desencadenado. El régimen de Faruk declaró la ley marcial pero un grupo de militares egipcios descontentos aprovechó el momento. Los conspiradores del movimiento Oficiales Libres estaban unidos por el fervor nacionalista y por la convicción de que el estado lastimoso del ejército egipcio (y su reciente derrota ante Israel) era el resultado de la corrupción militar. En julio, sus soldados tomaron la sede gubernamental. Faruk abdicó de forma pacífica y abandonó el país.

El golpe incruento fue dirigido por Gamal Abdal Nasser, un coronel de 34 años de edad e ideas populistas. Al principio dejó el gobierno en manos de un hombre de más edad y más conocido que él: el general Muhammad Naguib, un héroe de la guerra árabe-israelita. Se convirtió en presidente del Consejo Revolucionario, que inició la reforma agraria, disolvió el parlamento y abolió los partidos políticos (aunque prometió establecer un gobierno civil). Mientras, Nasser consolidó su poder entre bastidores. Reapareció en 1954, a tiempo para supervisar el fin del dominio británico y para convertirse en el líder árabe más influyente de su época. ◂**1949.6** ▸**1954.2**

ÁFRICA ORIENTAL

La sublevación del Mau Mau

4 Periodistas occidentales describieron el movimiento que aterrorizó a la colonia británica de Kenia como una «secta primitiva fetichista» inspirada por la superstición o por una conspiración comunista. Sin embargo, la causa de la rebelión Mau Mau no era tan complicada: la mayoría de los habitantes de Kenia querían liberar a su país del opresivo régimen europeo. En 1952, cuando el gobernador colonial declaró el estado de emergencia, decenas de miles de kikuyus, miembros del grupo étnico más amplio de Kenia, se habían unido al Mau Mau (el origen del nombre todavía se discute). Gran Bretaña envió soldados y, en una lucha que duró hasta 1956, murieron once mil quinientos kikuyus y dos mil soldados contrarios al Mau Mau, la mayor parte africanos. En la misma época fueron encarcelados ochenta mil africanos. Aun así, las demandas de autogobierno eran cada vez más fuertes.

La penetración europea en Kenia había empezado a mediados del siglo XIX. Para facilitar una economía de plantaciones, los colonos británicos expulsaron a los kikuyus de las fértiles tierras altas. Una generación de kenianos desprovistos de propiedades y derechos presionaba a favor de la reforma del sistema colonial. Tras la Segunda Guerra Mundial cambiaron las tácticas. Jomo Kenyatta, un líder político kikuyu que había estudiado en Londres, regresó de Inglaterra para asumir la presidencia de la Unión Africana de Kenia (UAK).

Kenyatta convirtió a la UAK en un partido nacionalista, con sus propias instituciones educativas. Cuando estalló el alzamiento de 1952 fue detenido y acusado de dirigir el Mau Mau, acusación que él negó tenazmente. Kenyatta estuvo en prisión hasta 1961. Cuando salió, negoció las condiciones para la independencia de su país. ▸**1963.6**

Kenyatta, futuro presidente de Kenia, escoltado de camino a la cárcel.

ESTADOS UNIDOS

A los americanos les gusta Ike

5 Con la promesa de finalizar la guerra de Corea, el general retirado Dwight D. Eisenhower arrolló al demócrata Adlai Stevenson en las elecciones presidenciales de 1952. Eisenhower aprovechó el recuerdo de su actuación en la Segunda Guerra Mundial y su encanto natural, la reputación de cruzado anticomunista de su compañero de campaña Richard M. Nixon y el anhelo de cambio de la población tras dos décadas de gobierno demócrata. Como haría Kennedy después, se sirvió en gran medida del nuevo medio de comunicación: la televisión.

La cantinela «Me gusta Ike» recibía a Eisenhower en todas partes. La agencia publicitaria que se encargaba de la campaña diseñó una serie de anuncios televisivos en los que se cantaba «¡Me gusta Ike! ¡Te gusta Ike! ¡A todo el mundo le gusta Ike!». Contra los discursos intelectuales de media hora que pronunciaba Stevenson, los anuncios eran dinamita. No obstante, fue Nixon quien consiguió el mayor triunfo en las retransmisiones. Cuando salió a la luz que un grupo de empresarios de California le había pagado 18.000 dólares de un fondo secreto, el senador, a punto de ser expulsado de la campaña, utilizó las ondas para luchar por su vida política.

Sesenta millones de espectadores americanos asistieron a lo que llegaría a llamarse el discurso «Checkers». Nixon, con su mujer a su lado, defendió la legalidad de los fondos y negó haber empleado ningún dinero para gastos personales. Se autodescribió como un muchacho de origen humilde que había conseguido lo que tenía con su trabajo. Dijo que Pat, su mujer, vestía un «respetable abrigo republicano de paño». El único regalo que había aceptado de un elector era el perro de la familia, al que su hija Tricia, de seis años, le había puesto el nombre de *Checkers*. Nixon, con desafío fingido, dijo: «y vamos a quedárnoslo». Los espectadores derramaron lágrimas, se recibió una gran cantidad de cartas de apoyo y la campaña Eisenhower-Nixon se reforzó más que nunca. ▸**1960.2**

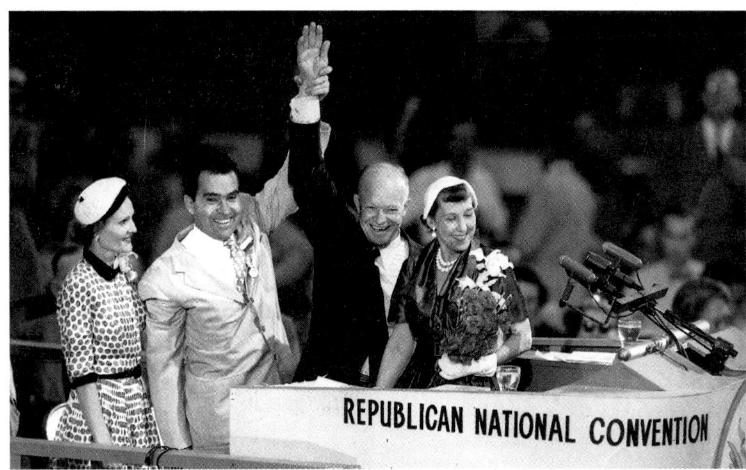

El senador de California Richard Nixon (*segundo por la izquierda*, con Pat, su mujer) apareció como compañero de campaña de Eisenhower en la Convención Republicana de Chicago.

NACIMIENTOS

Dan Aykroyd, actor canadiense-estadounidense.

Jimmy Connors, tenista estadounidense.

Roseanne, actriz estadounidense.

MUERTES

Amado Alonso, filólogo español.

Mariano Azuela, escritor mexicano.

Benedetto Croce, filósofo y político italiano.

John Dewey, filósofo estadounidense.

Eugène Grindel (Paul Eluard), poeta francés.

Enrique Jardiel Poncela, escritor español.

Ferenc Molnár, escritor húngaro.

María Montessori, médico y pedagoga italiana.

Knut Pederson (Knut Hamsun), escritor noruego.

María Eva Duarte de Perón, líder política argentina.

George Santayana, filósofo hispano-estadounidense.

Charles Scott Sherrington, neurólogo británico.

Kiichiro Toyoda, fabricante de coches japonés.

Chaim Weizmann, líder sionista y político ruso-israelita.

Cine: *El mayor espectáculo del mundo* (Cecil B. DeMille); *¡Viva Zapata!* (Elia Kazan); *El hombre tranquilo* (John Ford); *La vida de O'Haru, mujer galante* (Kenji Mizoguchi) [...] Teatro: *Las sillas* (Eugène Ionesco); *La boda del Sr. Mississippi* (Friedrich Dürrenmatt) [...] TV: *The Today Show; The Adventures of Ozzie and Harriet.*

«El programa [...] era técnicamente bueno [...]. Los problemas fueron de tipo militar, político y humano.»—**J. Robert Oppenheimer, sobre la fabricación de la bomba de hidrógeno**

NOVEDADES DE 1952

Holiday Inn (Memphis, Tennessee).

Transistor de bolsillo (Sony).

Revista *Mad*.

Refresco sin azúcar (*ginger ale* sin calorías).

Participación de la Unión Soviética en los Juegos Olímpicos.

EN EL MUNDO

▶CANTANDO BAJO LA LLUVIA—La interpretación de Gene Kelly de la canción que daba título a la película de 1952 *Cantando bajo la lluvia* fue un alarde de gracia, habilidad y frescura. Es una de las imágenes más típicas de Hollywood: ágil y

eufórico, Kelly, agarrado a una farola, canta y sonríe con un paraguas abierto mientras le empapa una lluvia torrencial. La película, sátira de un grupo caótico de actores en los albores del cine oscuro, es una obra maestra del cine musical. ◂1934.6 ▸1965.12

▶LA MODA DE LAS TRES DIMENSIONES—La trama vulgar del primer largometraje en tres dimensiones que se proyectaba en treinta años no impidió que el público abarrotara los cines cuando en noviembre se estrenó

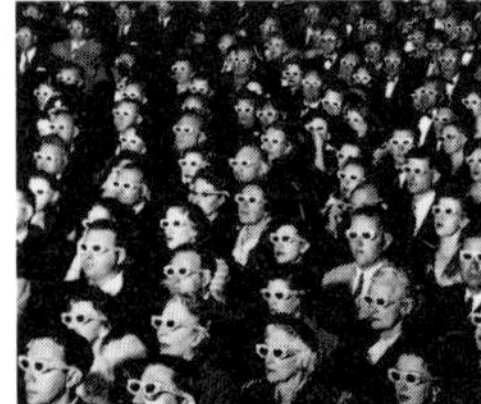

***Bwana, el diablo de la selva.* Multitudes de espectadores se pusieron las gafas rojas y**

Una nube en forma de seta provocada por un ensayo termonuclear sobre las islas Marshall.

TECNOLOGÍA

La primera bomba-H

6 El 1 de noviembre de 1952 una bola de fuego de 4 km se extendió sobre el atolón Eniwetok de las islas Marshall y el islote de Elugelab desapareció. Había explotado la primera bomba de hidrógeno (cuyo inocente nombre era Mike) con la fuerza de diez millones de toneladas de TNT, quinientas veces más potente que la bomba atómica que había destruido Hiroshima. En California, el físico Edward Teller, director del programa americano de la bomba-H, detectó el impacto sísmico y se alegró enormemente: «Es un chico», gritó.

El físico Enrico Fermi concibió una superbomba termonuclear en 1942, un aparato impulsado por fusión, no por fisión, y Teller lo convirtió en una misión personal. No obstante, muchos científicos atómicos, incluidos J. Robert Oppenheimer y el propio Fermi, se resistían a la idea por motivos morales. En 1950, tras el primer ensayo atómico soviético, el presidente Truman acabó con el debate y ordenó a la comisión de energía atómica que fabricara la bomba-H lo más rápido posible. Teller, un emigrado húngaro, se encargó del programa. Oppenheimer era el presidente del comité asesor de la comisión y en 1953 fue tachado de subversivo y despojado de su acreditación a causa de su resistencia al proyecto.

Científicos soviéticos, supervisados por Igor Kurchatov, artífice de la bomba atómica soviética, y basados en la obra teórica de Andrei Sakharov e Igor Mann, trabajaron con gran rapidez: detonaron su primera bomba termonuclear en agosto de 1953. Un año después, los americanos realizaron tres ensayos más de bombas-H en Bikini, otro atolón de las islas Marshall, seguidos de otros 17 en 1955 (en un intervalo de tiempo de tres meses). Estas explosiones dieron nombre a una prenda de baño femenina cuyo efecto sobre los varones se dijo que era igual de devastador. La superbomba también inspiró otro producto menos agradable: en Estados Unidos, los refugios antinucleares subterráneos causaron furor. **◂1946.7 ▸1961.E**

CUBA

La isla pecaminosa de Batista

7 Fulgencio Batista y Zaldívar, conocido como el mecanógrafo más rápido de Cuba (empezó su carrera militar como taquígrafo), ascendió hasta convertirse en el hombre más poderoso de la isla. Gobernó el país dos veces: desde 1933 hasta 1944 fue un modelo de buen gobierno, pero en 1952 volvió de un retiro voluntario para establecer una dictadura temida y odiada. Aunque sus mandatos estaban separados por pocos años, las diferencias fueron abismales.

Batista accedió al gobierno por primera vez como líder del alzamiento de sargentos, en el que un grupo de jóvenes militares ambiciosos se hicieron cargo de un Gobierno corrupto y lo reformaron. Se convirtió en gobernante de hecho de Cuba en 1933 y en 1940 fue elegido presidente. Su política fue inteligente, mejoró la educación y desarrolló la economía, y, a pesar de que él y sus compañeros se llenaron los bolsillos, el país alcanzó una cierta prosperidad. Cuando se retiró, Cuba volvió a sumergirse en la corrupción y prácticamente se le suplicó que regresara. Lo hizo a través de un golpe militar. Esta vez no llevó a cabo reformas sino más bien la supresión total de la libertad política y las diferencias entre ricos y pobres se agrandaron.

Entre 1952 y el día de Año Nuevo de 1959, cuando Fidel Castro lo expulsó, Batista gobernó Cuba como si fuera una colonia. Los dirigentes eran él y los latifundistas, las empresas americanas, que invirtieron cerca de mil millones de dólares en el país y la Mafia, que controló los famosos casinos de La Habana (el país hospedaba a unos veintisiete mil jugadores profesionales en los años cincuenta).

Cuba se convirtió en un lugar atractivo para visitar, una fiesta subtropical continua, y terrible para vivir. La mayoría de los que criticaban la mala administración de Batista fueron encarcelados o asesinados. **◂1933.4 ▸1953.NM**

La Cuba de Batista atraía a los buscadores de diversión. Los bares nocturnos como éste contribuyeron a la fama de La Habana: «la ciudad más sexy del mundo».

ESPAÑA

Ingreso en la UNESCO

8 El 19 de noviembre de 1952, la organización para la cultura de la ONU, la UNESCO, admitió a España como miembro de pleno derecho. La decisión no supuso ninguna sorpresa. La evolución de las relaciones internacionales entre

DEPORTES: Juegos Olímpicos en Oslo y Helsinki [...] Boxeo: Rocky Marciano noquea a Joe Walcott en el título mundial de los pesos pesados.

«Desde el principio rechazamos una democracia que nos había conducido repetidamente a la guerra civil, a la miseria y a la desintegración de la patria.»—**Discurso de Franco al Consejo Político Sindical en noviembre de 1952**

España y las potencias occidentales, tras el restablecimiento de las representaciones diplomáticas en Madrid, condicionaba un proceso que acabaría con la incorporación española al sistema de defensa atlántico de forma indirecta, eso sí, a través de los pactos bilaterales con Estados Unidos, y finalmente con la inclusión de España en la ONU.

Edificio de la UNESCO, parte central y patio de honor, París.

Además, razones de orden estrictamente cultural jugaban a favor de la nueva situación. El prestigioso diario *Le Monde* el 21 de noviembre de 1952 glosaba así este acontecimiento: «Desde un punto de vista más general, era paradójico que España, y su vecino ibérico Portugal, fueran excluidos de un organismo cultural internacional cuando estos dos países desempeñaron en el pasado, y continúan en el presente, un papel tan importante en la civilización mundial, junto a las naciones que son sus herederas en el Nuevo Mundo». Se podía objetar que el régimen español no se adecuaba a la *Declaración de los derechos humanos* tal como aparece en el programa fundacional de la UNESCO. Pero por una parte el caso español no constituía una excepción; otros países con regímenes, comunistas o no, de carácter dictatorial formaban parte de la UNESCO. Por otra, las garantías dadas por el gobierno de Madrid de que las publicaciones de la UNESCO circularían libremente por el país podía contribuir a la «democratización» de España. Precisamente esta cuestión, el contenido de la palabra democracia, lo suficientemente ambiguo para permitir versiones tan dispares como las «democracias populares» de los países comunistas y las «democracias orgánicas» de los países ibéricos, debería definirse con la integración en la UNESCO o por lo menos eso opinaba *Le Monde*, que acababa así el mencionado artículo: «La cuestión será pues ponerse de acuerdo de una vez por todas sobre el significado de la palabra *democracia*. A esto debe dedicarse la UNESCO ahora que los representantes españoles podrán exponer con toda libertad cuáles son sus argumentos». **◂1951.13 ▸1953.NM**

ARGENTINA

Decadencia de Perón

9 En sus buenos tiempos, el dictador argentino Juan Perón fue un héroe para los nacionalistas del Tercer Mundo. Incluso los que condenaban sus vínculos nazis y su política represiva elogiaron sus ambiciosas reformas económicas y sociales y su desafío a los yanquis. En su país, millones de personas asistían a las reuniones peronistas. Pero en 1952 se inició su declive cuando su segunda mujer, Eva, murió de cáncer a los 33 años de edad (su primera mujer había muerto a esa edad y de la misma enfermedad).

El magnetismo personal de la antigua actriz y sus antecedentes humildes la convirtieron en el ídolo de los descamisados. A través de la radio y de apariciones personales, Evita ayudó a establecer el peronismo en Argentina como una especie de religión. Asimismo, contribuyó a atraer a la poderosa jerarquía católica, al patrocinar una ley que ordenaba la educación religiosa en los colegios públicos. Gobernó de forma no oficial los ministerios de Sanidad y Trabajo y se dedicó a la caridad (también en propio provecho) a través de la Fundación Eva Perón. Consiguió el voto para las mujeres. Durante su funeral murieron 16 personas por las aglomeraciones para ver su cadáver, que Perón mantuvo en la mansión presidencial.

Pero el viudo de Evita escandalizó a los católicos cuando abolió la legislación proeclesiástica, legalizó la prostitución y se relacionó con jovencitas; y también enojó a los nacionalistas por sus concesiones a Washington para conseguir ayuda económica. Los préstamos no pudieron solventar las desgracias provocadas por la inflación, la corrupción y el programa peronista de industrialización. Respondió al descontento creciente con una propaganda más ruidosa e intensificó

Eva Perón saludando a sus adoradores en el aeropuerto de Buenos Aires.

la represión. Detuvo a docenas de sacerdotes y el Papa Pío XII lo excomulgó. Perón fue derrocado en 1955 y se exilió a Madrid, donde empezó a tramar su regreso, que tendría lugar 18 años más tarde. **◂1946.8 ▸1973.3**

MEDICINA

Un hombre se convierte en mujer

10 **Cuando el antiguo soldado George Jorgensen salió del Bronx, Nueva York, hacia Dinamarca, era un joven desgarbado. Cuando unos periodistas lo localizaron en Copenhague en 1952 —después de dos años, cinco operaciones importantes y dos inyecciones de hormonas— era Christine Jorgensen, una rubia que desafió a las ideas que tenía una generación conservadora sobre el sexo y el género. (*Superior*, Jorgensen antes de la operación, inmediatamente después y 20 años más tarde). Unos meses después volvió a Nueva York y declaró: «Estoy contenta de volver a casa. ¿Qué mujer americana no lo estaría?».**

Aunque la cirugía de cambio de sexo se practicaba desde los años veinte, Jorgensen fue el primer transexual que se dio a conocer. Según su propio relato, disfrutó de una juventud completamente normal, a pesar de haber pensado siempre que le hubiera gustado ser chica. Tras enterarse del interés por la endocrinología sexual que tenían los médicos daneses, Jorgensen viajó en busca de ayuda. Aunque médicamente no fue espectacular, el caso Jorgensen conmocionó a la prensa. Más adelante fue materia de películas y novelas (desde *The Rocky Horror Picture Show* hasta *El silencio de los corderos*) y abrió el camino para que otros hombres se convirtieran en mujeres. ◂1948.10

verdes para experimentar la nueva sensación, y los directivos de los estudios acogieron las tres dimensiones como el modo de salvar a Hollywood de la televisión. Pasó todo un año antes de que el público aprendiera a asociar el truco con la baja calidad. Las tres dimensiones murieron en las taquillas. ◂1922.8 ▸1953.NM

▶PENSAMIENTO POSITIVO —Con la publicación en 1952 de *El poder del pensamiento positivo*, el prelado Norman Vincent Peale entró en el campo de una industria floreciente. El libro de Peale, imbuido de una corriente cristiana peculiarmente materialista y simple, se convirtió en uno de los libros más vendidos de todos los tiempos. ◂1936.NM

▶REPÚBLICA PUERTORRIQUEÑA—Cedido por España a Estados Unidos en 1898, Puerto Rico adoptó una constitución nueva en 1952 y se convirtió en una república de Estados Unidos. El cambio de rango otorgó a los residentes de la isla todos los privilegios de la nacionalidad norteamericana, excepto uno: el derecho a votar en las elecciones federales. ▶1967.NM

▶REVOLUCIÓN EN BOLIVIA —En abril, insurgentes urbanos se alzaron contra un gobierno militar que había impedido que el presidente Paz Estenssoro, elegido popularmente, asumiera su cargo. A la cabeza de la revuelta se hallaba el Movimiento Nacional Revolucionario de Bolivia (MNR). Los rebeldes del MNR prácticamente destruyeron al ejército en la lucha de 1952. Estenssoro entró en funciones y estableció una serie de reformas sociales que hicieron de la revolución boliviana una de las más profundas de la historia sudamericana. ◂1941.9 ▸1980.6

▶NIEBLA MORTAL—Las chimeneas domésticas e industriales de Londres arrojaban diariamente dos mil toneladas de dióxido sulfúrico y otros productos tóxicos. A principios de diciembre, un fenómeno atmosférico anormal atrapó a las sustancias contaminantes y envolvió a la ciudad en una bruma espesa. El cielo se volvió amarillo y luego negro, la visibilidad era

POLÍTICA Y ECONOMÍA: finaliza la ocupación americana en el Japón (Japón renuncia a Formosa, Kuril, Pescadores, Sakhalin del Sur y Corea) [...] Aprobación de la Ley de Nacionalidad y de la McCarran-Walter de inmigración (restablecimiento del sistema de cuotas de 1924 y eliminación de prohibiciones raciales).

«¡Qué farsante! Sí, pero, ¿una farsa de qué?»—**Ned Rorem, compositor americano, sobre John Cage**

mínima. Tres semanas después, el gas venenoso se evaporó pero la «niebla

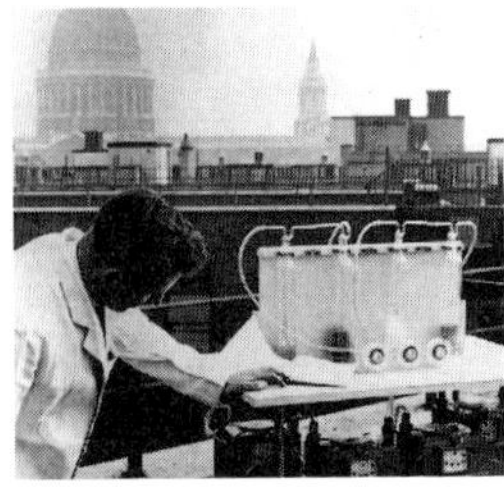

asesina» había matado a cuatro mil personas. Otras ocho mil, aparentemente recuperadas, murieron más tarde por fallos respiratorios. ◂1951.3

▶EL PRIMER ACCIDENTE NUCLEAR DEL MUNDO —En 1952 la energía atómica demostró su potencial catastrófico cuando una fuga del Centro de Investigación de energía atómica de Chalk River en Canadá provocó la formación de una nube radiactiva en el aire. Se contaminaron más de tres millones y medio de litros de agua del reactor. ◂1951.3 ▸1979.7

▶SIEMPRE EN CARTEL —En noviembre se estrenó *La ratonera* de Agatha Christie en el teatro Ambassador de Londres. Treinta años más tarde, trasladada a otro teatro sin interrupción, se convirtió en la obra representada durante más tiempo. ◂1920.5

1952

A punto para combatir el crimen, Will Kane se despide de su novia (Grace Kelly).

CINE

Nobleza en el viejo oeste

11 *Sólo ante el peligro*, rodada en 1952, es una película del oeste clásica: la historia del jefe de policía Will Kane, que el día de su boda y retiro arriesga su vida para salvar de una banda de pistoleros que buscan venganza a los cobardes habitantes de Hadleyville. Pero la trama, centrada en la crisis de conciencia del jefe de policía, también es una alegoría de la difícil situación en la que se encontraban los izquierdistas y liberales que fueron puestos en listas negras por Hollywood durante la histeria anticomunista de principios de la guerra fría. «Es mi historia de una comunidad corrompida por el miedo», dijo el guionista Carl Foreman, que pronto estaría en la lista negra. (Se trasladó a Inglaterra y trabajó de forma anónima en varias películas, incluida *El puente sobre el río Kwai*, dirigida por David Lean.)

Paradójicamente, el papel de Kane fue interpretado por Gary Cooper, un conservador que testificó de forma voluntaria ante el comité de actividades antiamericanas. Este veterano de las películas de vaqueros no constituía la primera elección del director Fred Zinnemann: con 50 años de edad, Cooper parecía demasiado mayor. Los años habían marcado su rostro, sufría de úlceras de estómago y tenía mal una cadera. Y, aunque había ganado un Óscar (por *Sargento York* en 1941), sus últimas películas no habían tenido demasiado éxito. Pero el productor financiero de *Solo ante el peligro*, un cultivador de lechugas californiano, era un admirador absoluto de Cooper, de modo que el dibujante de Montana convertido en actor obtuvo el papel.

El reparto funcionó. El semblante inquieto de Cooper contrastaba con el de los típicos vaqueros de Hollywood y su interpretación natural, llena de gestos expresivos, silencios, miradas y titubeos, le valió un segundo Óscar y reanimó su éxito de taquilla. **◂1947.5 ▸1962.7**

MEDICINA

Cirugía cardíaca

12 A principios de 1952 una serie de avances redujeron de forma drástica los riesgos de la cirugía cardíaca. Uno de tales avances eliminó el requisito de trabajar «a ciegas» a través de un charco de sangre. En septiembre, el Dr. Floyd Lewis de la Universidad de Minnesota suturó un agujero en el corazón de una niña de cinco años cuya temperatura corporal era de 26 °. El frío (conseguido al envolverla en una manta empapada en una solución de alcohol fría) disminuyó a la mitad la necesidad de oxígeno, y permitió detener la circulación durante más de cinco minutos.

El año siguiente se descubrió un método para mantener el corazón seco durante períodos de tiempo más prolongados. El Dr. John H. Gibbon, un cirujano del Jefferson Medical College Hospital de Filadelfia, había pasado casi veinte años desarrollando el aparato, que era un avance de lo que en el futuro se convertiría en la máquina del pulmón y corazón artificial, que no sólo bombeaba sangre sino que también le suministraba oxígeno y le extraía dióxido de carbono al organismo. Finalmente, los cirujanos desarrollaron una técnica llamada refrigeración extracorporal, que combinaba el método de disminución de la temperatura con el de un *bypass* mecánico, mientras una máquina enfriaba la sangre.

Asimismo, en septiembre de 1952, el Dr. Charles Hufnagel, del Georgetown University Medical Center de Washington, implantó la primera válvula cardíaca artificial. Un tubo de plexiglás que contenía una bolita de plástico sustituía a una válvula defectuosa de la aorta. Su característica principal era que podía funcionar en cualquier posición. El cirujano dijo: «Los pacientes podrán caminar sobre las manos si quieren». **◂1914.11 ▸1967.1**

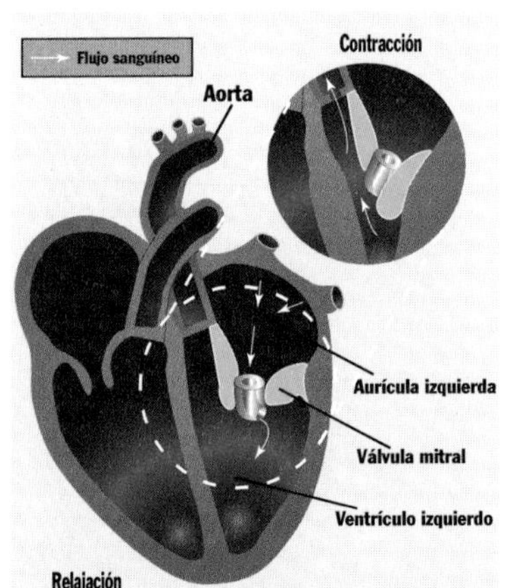

La válvula cardíaca artificial evita que la sangre retroceda a la aurícula izquierda cuando el corazón se contrae. En corazones sanos, una válvula natural obtura la aurícula izquierda.

MÚSICA

El sonido del silencio

13 El compositor John Cage se interesó más por las ideas que por las orquestas. Decía que su música favorita era «la que oímos cuando estamos callados». Su obra *4'33"*, estrenada en 1952, presenta a un pianista que no toca nada. El músico entra en el auditorio, levanta la tapa del piano, se sienta en silencio durante 4 minutos y 33 segundos y cierra la tapa. La música se compone de los ruidos de fondo que se producen durante este intervalo de tiempo.

Considerado por algunos críticos como el compositor más importante de mediados del siglo XX (y por otros ni un compositor), Cage estaba tan obsesionado por la percusión como por el silencio, y por lo fortuito. Sus primeras obras «preparaban los pianos», cuyas cuerdas eran punteadas o rasgueadas para producir una serie de sonidos exóticos. Más tarde, Cage compuso piezas para radios, magnetófonos y tiestos, consultando con frecuencia el *I ching* (el antiguo libro sagrado chino) para determinar la estructura de la música. «Intento adaptar mi sentido compositivo, de modo que no quiero tener ninguna idea de lo que puede pasar».

Se dice que Schoenberg liberó la disonancia. Cage liberó el ruido. Aunque para Cage no era ruido, sino sonido. Sus teorías (sobre todo la idea de que la música es esencialmente «un continente vacío») probablemente han sido más influyentes que su música. Aunque algunas de sus composiciones eran incluso bailables: entre los años treinta y los años setenta, Cage fue director musical del coreógrafo Merce Cunningham. **◂1948.NM ▸1976.10**

PREMIOS NOBEL: Paz: Albert Schweitzer (alsaciano-alemán; Hospital de Lambaréné en el África Ecuatorial francesa) [...] Literatura: François Mauriac (francés; novelista) [...] Química: Archer Martin y Richard Synge (británicos; cromatografía) [...] Medicina: Selman A. Waksman (estadounidense; estreptomicina) [...] Física: Edward Mills Purcell y Felix Bloch (estadounidenses; medición del magnetismo nuclear).

ECOS DE 1952

Betsy McCall consigue una muñeca

De la revista *McCall*, septiembre de 1952

En los años cincuenta, para millares de jovencitas americanas y también para sus equivalentes europeas, Betsy McCall fue un alter ego idealizado. Asimismo, fue un excelente producto material. Betsy era una muñeca de papel cuyas aventuras aparecían en la revista femenina McCall. Cada mes le pasaba algo con su madre, su padre, su perro Nosy, o con uno de sus compañeros de juegos. Iba equipada con varios trajes —equivalentes a los que salían en los anuncios de la revista y se podían comprar en las tiendas mencionadas en sus páginas. La edición de septiembre de 1952 presentó a la muñeca Betsy McCall con su «cara de plástico blando y su pelo lavable». Los patrones de confección («tan sencillos que un niño mañoso puede coserlos») para la ropa de la muñeca aparecieron en ediciones posteriores.

Betsy McCall gets a doll

DRAWINGS BY KAY MORRISSEY

BETSY and her mother were buying a new dress. "Eeny, meeny, miney, mo," said Betsy. "Oh, Mummy," she broke off, "they're so pretty! Can't I have all three?" "All right," Mummy relented, "and you may wear the red dress home, but let's save the others for school. Now," she said, "shall we see about that new doll?" They took the escalator to the toy department. "I want a doll," Betsy told the clerk.

"Now this is a *lovely* doll," said the salesgirl. "No," said Betsy, "she's too big. Besides, I want a doll that looks just like me!"

"Why I have *just* the doll!"—and the clerk led Betsy to a counter where there was a row of dolls—and they all looked *just like Betsy*

And they wore dresses exactly like Betsy's! "Oh, my," she said, "Let me have the one in red so right away everyone will see she's mine"

NEXT MONTH
BETSY McCALL MEETS A WITCH

This is Betsy McCall

Try these dresses on Betsy's doll and see which one you like best

Betsy's striped dress has a red belt, white piqué collar and cuffs

Betsy looks like a Gibson Girl in her red dress with push-up sleeves

Betsy's gray-and-white checked dress has a scalloped bib of solid red

BETSY McCALL'S COTTON PANTIES BY CARTER'S
BETSY'S DRESSES BY YOUNG LAND
MAY BE SEEN AT MACY'S, NEW YORK,
AND STORES LISTED ON PAGE 156

Muñecas, vestidos y una madre ama de casa y empalagosa eran los complementos de la infancia prefeminista de Betsy McCall.

1952

«Creo que si esta estructura es exacta [...] la biología teórica se revolucionará y entrará en una fase muy activa.»
—Max Delbrück, sobre la doble hélice de Watson y Crick

HISTORIA DEL AÑO

La doble hélice

1 En 1953 muchos científicos de prestigio estaban a punto de determinar la estructura del ácido desoxirribonucleico (ADN), la molécula que contiene el código genético de todas las formas de vida, pero la determinó una singular pareja, James D. Watson y Francis Crick. Watson era un niño prodigio americano que obtuvo su doctorado a la edad de 22 años y Crick, un biofísico inglés de 35 años de edad, ya era doctor en Física cuando se conocieron en 1951. Watson era bajo y discreto, su compañero, alto y exaltado, pero ambos poseían un talento brillante.

Crick *(izquierda)* y Watson utilizaron las investigaciones de muchos científicos para determinar la estructura del ADN.

Aunque parezca extraño, su relativa inexperiencia resultó ser una ventaja. A diferencia de algunos de sus colegas, Watson y Crick no temían compartir sus ideas, cometer errores ni pedir consejo. «No decidimos que Jim se dedicaría a la biología y yo a la física. Trabajábamos juntos, intercambiábamos nuestros cometidos y nos criticábamos mutuamente», comentó Crick. El ADN se había descubierto en 1869 y en 1943 el microbiólogo Oswald Avery demostró sus funciones hereditarias. Lo que desconocía era el modo de funcionamiento del ADN: cómo determinaba los atributos de una célula, es decir, cómo se replicaban los genes. Watson y Crick, compañeros en los laboratorios Cavendish de la Universidad de Cambridge, decidieron resolver el misterio.

En su investigación utilizaron las fotografías de difracción de rayos X de los biofísicos británicos Maurice Wilkins y Rosalind Franklin, y determinaron la estructura del ADN. Demostraron que era una doble hélice, dos cadenas de polímeros entrelazadas en espiral. Cuando el ADN se separa en cadenas individuales, cada una se convierte en la base sobre la cual se forma otra cadena idéntica. La antigua y la nueva constituyen una molécula nueva de ADN. Cada nueva molécula contiene la misma información genética que la cadena original. Así se reproducen los genes y los cromosomas y se transmiten los rasgos genéticos. En abril de 1953, Crick y Watson publicaron su investigación en la revista científica británica *Nature*. La biología se revolucionó y nació la genética moderna. Crick, Watson y Wilkins compartieron el Premio Nobel de medicina en 1962. Franklin había muerto en 1958 y las normas del Nobel no permiten conceder el premio póstumamente, ni que éste sea compartido por más de tres personas. **◂1943.18 ▸1955.NM**

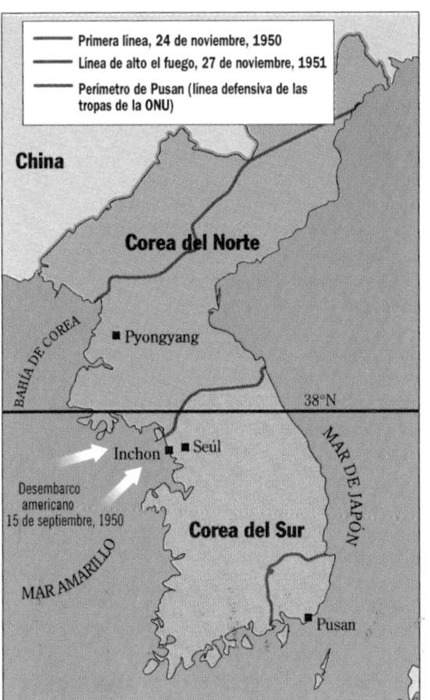

La línea de alto el fuego de la ONU se convirtió en la frontera entre Corea del Norte y Corea del Sur.

COREA

Fin de la guerra

2 La guerra de Corea finalizó en 1953 después de tres años de lucha entre los norcoreanos y los comunistas chinos en un bando y las fuerzas de las Naciones Unidas (principalmente americanos y sudcoreanos) en el otro. Las pérdidas fueron enormes. Hubo unos cuatro millones de muertos, incluidos un millón de chinos, cincuenta y cuatro mil americanos, varios miles de soldados de la ONU y unos dos millones de coreanos. Los cambios territoriales fueron mínimos.

Las conversaciones de paz se iniciaron en 1951 y se caracterizaron por dos cuestiones: dónde trazar la línea divisoria de las dos Coreas y qué hacer con los prisioneros de guerra. Los comunistas propusieron mantener la frontera en el paralelo 38, que ellos habían cruzado al principio de la guerra. La ONU insistía en establecerla en la línea de batalla existente, de modo que el sur ganaba algo de territorio. Respecto a los prisioneros, la ONU apoyaba una «repatriación voluntaria»: volverían a Corea del Norte y a China sólo los prisioneros que lo desearan. La ONU tenía más de ciento treinta mil prisioneros y parecía que uno de cada tres prefería quedarse en Corea del Sur. (Muchos de ellos eran sudcoreanos reclutados de forma obligatoria por los invasores del norte; muchos otros eran antiguos nacionalistas chinos llamados a filas por el ejército de Mao Zedong.) Los comunistas no estaban de acuerdo.

En junio de 1953, ambas partes estaban a punto de llegar a un acuerdo (la frontera propuesta por la ONU y la formación de una comisión neutral para decidir sobre los prisioneros que no querían ser repatriados), pero el presidente sudcoreano, Syngman Rhee, intentó dinamitar el proceso de paz: ordenó a sus soldados que ignoraran cualquier tratado futuro y facilitó la «fuga» de veinticinco mil prisioneros que no querían volver al norte. Cuando los comunistas respondieron con una ofensiva devastadora, la ONU obligó a Rhee a cooperar. El 27 de julio se firmó el armisticio. **◂1951.NM ▸1968.6**

UNIÓN SOVIÉTICA

La muerte de un déspota

3 El 5 de marzo de 1953 el pueblo soviético no sabía si lamentar o celebrar la muerte de Joseph Vissarionovich Stalin, de 73 años de edad. Stalin, odiado como déspota y adorado como un dios, había gobernado la Unión Soviética durante 29 años. Consiguió ganar la guerra y mejorar la industria, pero también organizó asesinatos masivos e impuso la colectivización. En el clima de paranoia oficial que fomentó, sus posibles sucesores —Georgi Malenkov, Vyacheslav Molotov, Lavrenti Beria, Nikolai Bulganin, Nikita Khrushchev— actuaron con mucha cautela. Se rogó a la población una y otra vez que permaneciera calmada y unida. El temor a la disensión, al caos y al alzamiento saturaron al Kremlin.

Se dijo que Stalin planeaba otra purga cuando murió.

Un triunvirato compuesto por Malenkov (presidente del Consejo de Ministros y sucesor designado por Stalin), Beria, jefe de seguridad interior, y el ministro de asuntos exteriores Molotov asumió el control gubernamental. Beria planeaba hacerse con el mando, pero Khrushchev (presidente del comité central del Partido Comunista) y Malenkov se unieron para impedirlo. En julio lo arrestaron por complicidad con el terror estalinista. Beria fue condenado y ejecutado.

La acción fue escandalosa: era como condenar al mismo Stalin.

ARTE Y CULTURA: Libros: *Réquiem por un campesino español* (R. J. Sénder); *España, un enigma histórico* (C. Sánchez Albornoz); *Los puentes de Toko-Ri* (James Michener); *Fahrenheit 451* (Ray Bradbury) [...] Música: *El despertar de los pájaros* (O. Messiaen); *Trionfi* (C. Orff) [...]

Además, si Beria era culpable, Krushchev y Malenkov también lo eran. Cuando el Partido avanzó hacia la desestalinización resultó imposible determinar si los líderes del país estaban dirigiendo una revolución o un nuevo tipo de purga. **◄1947.4 ►1956.2**

IRÁN

La CIA apoya un golpe

4 Con el derrocamiento del gobierno electo de Irán en agosto de 1953, un nuevo jugador camuflado entró en la escena política mundial: la CIA. Dos años antes el gobierno iraní, dirigido por el primer ministro Muhammad Mossadegh, había nacionalizado la Anglo-Iranian Oil Company, de propiedad británica. Ante las peticiones de ayuda de Londres para anular la nacionalización, Washington al principio se resistió a hacer algo más que fomentar negociaciones (que fracasaron) y apoyar un boicot al petróleo iraní. La administración Truman oscilaba entre la lealtad a Gran Gretaña y el apoyo a la autodeterminación iraní. Pero el sucesor de Truman, el conservador Dwight D. Eisenhower, temió que Mossadegh introdujera el comunismo en Irán.

Mossadegh, de avanzada edad y aristócrata liberal, se oponía tanto al intervencionismo soviético como al monarca respaldado por Gran Bretaña, el sha Muhammad Reza Pahlevi; pero cuando el boicot hundió la economía de Irán y su coalición política nacionalista, confió cada vez más en los métodos dictatoriales y en el apoyo del partido comunista Tudeh. A principios de 1953 pidió la expulsión del sha pero, por entonces, incluso el Tudeh estaba en su contra. Eisenhower y el primer ministro británico Churchill decidieron que era el momento de empezar a actuar.

Las piezas clave de la operación (que ambos gobiernos mantuvieron en absoluto secreto) fueron el secretario de Estado norteamericano John Foster Dulles; su hermano Allen, director de la CIA, y Kermit Roosevelt, también de la CIA e hijo de Theodore Roosevelt. El golpe empezó mal: el sha destituyó a Mossadegh, que no quiso abandonar su cargo. Sus seguidores se rebelaron y el sha huyó a Roma. La CIA contrató a mercenarios y organizó un alzamiento militar. Tras una semana de luchas callejeras, murieron unos trescientos iraníes. Al final, Mossadegh acabó siendo detenido y el sha regresó triunfalmente.

Iraníes contrarios al sha celebran su derrocamiento temporal derribando una estatua del soberano.

Irán tuvo un gobierno militar. La AIOC (reorganizada en 1954 como la British Petroleum) se convirtió en un consorcio nominalmente iraní. Las compañías petrolíferas americanas obtuvieron concesiones y el antiamericanismo se extendió entre el pueblo iraní. **◄1951.12 ►1971.NM**

EXPLORACIÓN

Conquista del Everest

5 El 29 de mayo de 1953 un antiguo sueño se hizo realidad. El escalador neozelandés Edmund Hillary y su guía nepalés Tenzing Norkay alcanzaron la cima del Everest, a 8.880 m de altura, el punto más elevado de la Tierra. Los escaladores, que formaban parte de una expedición británica, se dieron la mano y plantaron varias banderas (las de la ONU, la de Gran Bretaña, la de Nepal y la de la India). Norkay hizo una ofrenda de tabletas de chocolate y galletas a los dioses del Everest; Hillary les regaló un crucifijo. Permanecieron quince minutos arriba, respirando oxígeno de sus botellas, y luego iniciaron el descenso.

El Everest debe su nombre a sir George Everest, topógrafo británico, y ya se habían dado muchos intentos de alcanzar la cima antes del de Hillary. Entre los más espectaculares destacan: una expedición británica en la que dos escaladores llegaron a una altura de 8.500 m antes de desaparecer (1924), y un ascenso en solitario de Michael Wilson, que murió de agotamiento (1934). La apertura del Nepal al extranjero (1950) permitió a Hillary el acceso a la ladera sur, desconocida hasta aquel momento y mucho más fácil de escalar que la norte.

El éxito de la expedición de 1953 fue acogido con entusiasmo por Inglaterra y el jefe del equipo de Hillary, John Hunt, recibió el título de Sir. Hillary volvió al Himalaya y construyó hospitales, escuelas y campos de aviación para la población sherpa, sin la cual no hubiera conseguido su triunfo. **◄1947.7**

Norkay *(derecha)* y Hillary se preparan para la última fase del asalto al Everest.

NACIMIENTOS

Jean-Bertrand Aristide, político haitiano.

Benazir Bhutto, político pakistaní.

Jim Jarmusch, director cinematográfico estadounidense.

MUERTES

Hilaire Belloc, escritor británico.

Raoul Dufy, artista francés.

Edwin Powell Hubble, astrónomo estadounidense.

Ibn Saud, rey de Arabia Saudí.

Jorge Negrete, cantante y actor mexicano.

Eugene O'Neill, dramaturgo estadounidense.

Francis Picabia, pintor francés.

Sergei Prokofiev, compositor ruso.

Ethel Rosenberg, acusada de espionaje, estadounidense.

Julius Rosenberg, acusado de espionaje, estadounidense.

Titta Ruffo, barítono italiano.

Joseph Stalin, político soviético.

Dylan Thomas, poeta galés.

Jim Thorpe, atleta estadounidense.

Pintura y escultura: *Study after Velázquez: portrait of Pope Innocent X* (Francis Bacon); *Washington Crossing the Delaware* (Larry Rivers) [...] Cine: *De aquí a la eternidad* (Fred Zinnemann); *El salario del miedo* (Henri-Georges Clouzot); *Raíces profundas* (George Stevens) [...] Teatro: *Pícnic* (William Inge); *Té y simpatía* (Robert Anderson); *Las brujas de Salem* (Arthur Miller) [...] Radio: Pepe Iglesias «El Zorro».

«Hay posibles chicas Playboy por todas partes: la secretaria nueva de la oficina, la belleza de ojos de gacela que ayer estaba frente a ti a la hora de comer o la dependienta de tu tienda de camisas.»—**Playboy, presentación de la «Chica Playboy del mes» en julio de 1955**

NOVEDADES DE 1953

SEAT 1400.

Coche deportivo Corvette.

Japan Airlines (líneas aéreas japonesas) (JAL).

EN EL MUNDO

▶EN COLOR—En 1953, la NBC emitió retransmisiones en color programadas para la reducida audiencia que poseía televisores en color. Hacía años que se anunciaban televisores en color, pero el público se resistía: los aparatos eran muy caros, las películas en color no ofrecían una imagen nítida, la programación era de dos horas diarias y tenía que ajustarse el color constantemente. Hasta los años sesenta el color no se consolidó en el mercado televisivo. ◀1941.14

▶PELÍCULAS PARA PANTALLA ANCHA —Hollywood compitió con la afición al cine doméstico (la televisión) al desechar los viejos trucos ténicos para atraer al público, como las

tres dimensiones. En 1953, la Twentieth Century Fox realizó la primera película en Cinemascope, un proceso de filmación en el que una película de 35 mm se proyectaba en una pantalla dos veces y media más ancha que alta (la relación convencional es 1,33 × 1). A diferencia de las tres dimensiones, el formato de pantalla grande fue una innovación que funcionó. ◀1952.NM

▶*BIENVENIDO MR. MARSHALL*—El tratado entre España y Estados Unidos tuvo

CULTURA POPULAR

La revista *Playboy*

6 La primera edición de la revista *Playboy*, con una fotografía de Marilyn Monroe en la portada, no llevaba fecha porque su editor, Hugh Hefner, no estaba seguro de si saldría un segundo número. La nueva revista era un cruce entre

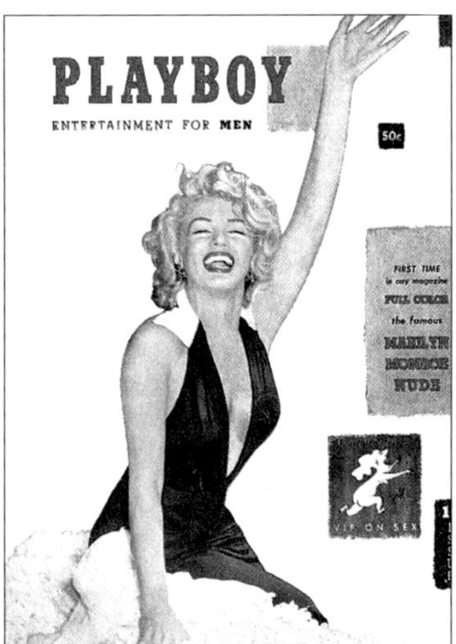

Marilyn Monroe fue la primera «Chica Playboy del mes».

Modern Man (un periodicucho de coches, armas y chicas) y *Esquire* (una revista elegante para la que había trabajado Hefner) y tuvo tanto éxito que a los tres años de su presentación había superado en ventas a *Esquire*. La publicación incluía una «Chica Playboy del mes» (cuyo desnudo aparecía en las páginas centrales), periodismo serio, relatos eróticos de calidad y una serie de consejos para los lectores de cómo vivir bien.

En una época conformista en que lo sueños de éxito de los varones se centraban sobre todo en la familia y el hogar, Hefner ofreció una alternativa inmensamente seductora. El hombre *playboy* era un soltero elegante que bebía un whisky excelente, vivía en una casa lujosa y disfrutaba de una vida sexual intensa y variada. Hefner asumió este papel, publicó su revista desde la cama redonda de una mansión de Chicago con 48 habitaciones. Difundió su estilo de vida a través de clubes privados, cuyas camareras vestían uniformes muy cortos y llevaban orejas y rabo de conejo (las «conejitas»). En los años setenta empezó la decadencia de las empresas Playboy. La revista fue atacada por feministas y por conservadores (que la encontraban obscena). Mientras tanto, aparecieron otras revistas de mujeres desnudas mucho más gráficas.

ALEMANIA ORIENTAL

Alzamiento obrero

7 En junio de 1953 unos trescientos mil trabajadores de Alemania oriental abandonaron su trabajo. El primer alzamiento popular de la posguerra en el bloque soviético atrajo la atención mundial. Pasó de ser una protesta laboral a una manifestación a favor de la democracia y luego a un alzamiento. Terminó cuando los tanques soviéticos rodaron por Berlín este. Hubo 21 muertos, mil trescientas personas fueron detenidas y varias ejecutadas.

Alemania oriental, llamada también República Democrática Alemana, había remodelado su economía según el modelo soviético desde su fundación en 1949. La industria pesada se desarrolló a expensas de los bienes de consumo. Algunas granjas se colectivizaron y se recaudaron impuestos muy altos de agricultores privados para pagar la industrialización. La producción industrial se incrementó pero a costa de la agricultura. Miles de agricultores huyeron a Alemania occidental, y en 1952 Alemania oriental sufrió una grave carencia de alimentos.

Aunque el Kremlin posestalinista le aconsejó que moderara su política, el líder comunista Walter Ulbricht decidió en marzo aumentar los índices de producción industrial en un 10 %. Esta decisión fue la que provocó el alzamiento obrero. Los soviéticos culparon del desorden a los «mercenarios extranjeros» y se negaron a aceptar la oferta norteamericana de quince millones de dólares en concepto de ayuda para Alemania oriental afirmando que era propaganda capitalista. En 1954 Moscú declaró al país estado soberano. Las reparaciones de guerra a la Unión Soviética finalizaron y durante unos años se incrementó la producción de bienes de consumo, la colectivización fue más lenta y las restricciones de la libertad de expresión se suavizaron. **◀1949.3 ▶1961.1**

DIPLOMACIA

Un trabajo difícil

8 En abril de 1953, Dag Hammarskjöld sucedió a Trygve Lie para realizar el trabajo «más difícil de la Tierra». Como primer secretario general de la ONU, Lie se había encontrado atrapado entre dos frentes: los soviéticos, que lo rechazaban por haber apoyado la intervención en Corea, y la derecha americana, que consideraba a la ONU como un frente comunista y pedía la retirada de la organización de Estados Unidos. El senador Joseph McCarthy investigaba al personal de la ONU por subversión, y la moral decaía. Tras la dimisión de Lie pasaron casi seis meses antes de encontrar un sustituto aceptable para los soviéticos y para Occidente.

Hammarskjöld, de 47 años de edad, parecía ser el alma de la neutralidad. Hijo de un político sueco, soltero, aficionado al montañismo, a la literatura y a otras actividades solitarias, evitó las intrigas políticas como delegado de su país en la Asamblea General de la ONU. Como secretario general, se definió a sí mismo como un «técnico», alguien cuyo principal cometido era suavizar las relaciones entre las naciones miembros. Trabajó discretamente entre bastidores y

Obreros de Alemania oriental queman un quiosco en Leipzig.

DEPORTES: Fútbol: F. C. Barcelona, campeón de liga y copa [...] Ciclismo: el italiano Fausto Coppi, campeón de mundo [...] Tenis: Maureen Connolly gana el Grand Slam (primera mujer).

«La función de la poesía es, y era, elogiar al hombre, que también es elogiar a Dios.»—**Dylan Thomas**

Hammarskjöld, frente a la sede de la ONU en Nueva York.

reconstruyó el espíritu de la organización.

No obstante, en 1955, cuando voló a Pekín para asegurar la liberación de quince prisioneros de guerra, Hammarskjöld se convirtió en un líder mundial. En las crisis de Hungría y de Suez de 1956, se saltó el proceso de deliberación de la ONU y tomó iniciativas atrevidas que le valieron tanto críticas como elogios. Murió en 1961, en un accidente de aviación en el Congo, cuando ya había contribuido a definir el papel de la ONU como árbitro de los conflictos mundiales. Al igual que ocurrió con su predecesor, también se había ganado la enemistad de Moscú. **◂1946.2 ▸1961.NM**

LITERATURA

Presentación del agente 007

9 Su nombre procedía de un ornitólogo desconocido, pero en labios del superespía británico adquirió elegancia y sugirió peligro: Bond... James Bond. El agente 007, presentado en la novela de Ian Fleming *Casino Royale* (1953), protagonizó una serie de superventas y de películas de éxito. Nació de la experiencia de su creador, que había sido oficial de la inteligencia naval durante la Segunda Guerra Mundial. Pero Bond era un personaje de ficción: la encarnación de un dios que lucha contra el mal, con un gran atractivo sexual.

Bond, que nació cuando el mundo estaba conmocionado por el espionaje real, poseía una energía que ayudó a transformar la severidad de la guerra fría. Divertido y despreocupado, con un arsenal de inventos ingeniosos, licencia para matar y una líbido insaciable, limpiaba el mundo de dementes y salvaba a la chica. Luego pedía un Martini, «agitado, no batido».

Fleming subsanó sus fallos como prosista con tramas sorprendentes y con imaginación. También manejó bien los nombres, como Auric Goldfinger, Hugo Drax, Pussy Galore y Kissy Suzuki. Escribió los libros para «heterosexuales de sangre caliente que leían en los trenes, aviones, o en la cama» y por «placer y dinero». **▸1963.9**

En la primera película de Bond, *Dr. No* (1962), Sean Connery era 007. *(Aquí con Ursula Andress.)*

LITERATURA

Muerte de un poeta

10 Dylan Thomas murió el 9 de noviembre de 1953, había publicado unos cien poemas y ya era considerado como el mejor poeta en lengua inglesa de su generación aunque sólo contaba 39 años de edad. Sus *Poemas completos* fueron acogidos con entusiasmo y *Bajo el bosque lácteo*, su nueva «obra para voces», prometía obtener el mismo éxito. Sus lecturas llenas de fuerza dramática mostraban su arte, una mezcla de juegos de palabras inspirada en el freudismo, el surrealismo y un curioso cristianismo.

El poeta estaba perseguido por demonios personales. En su tercera gira de lecturas poéticas por Norteamérica, Thomas, tan conocido por su afición a la bebida y a las mujeres, y sus problemas económicos, como admirado por su talento literario, fue a beber a la White Horse Tavern del Greenwich Village de Manhattan. Al regresar al hotel sufrió un ataque y pronunció sus últimas palabras: «Me he tomado 18 whiskys. Creo que es mi récord». Entró en coma y murió sin haber recuperado la conciencia. La autopsia atribuyó su muerte a una lesión cerebral. En uno de sus poemas más famosos, un epitafio a su padre, Thomas también escribió el suyo: «*No seas amable en esta noche benigna [...] Encolerízate, encolerízate contra la muerte de la luz*». **◂1922.9**

Thomas en el ensayo de *Bajo el bosque lácteo*, en Nueva York. Murió antes de representarla.

una consecuencia inesperada: *Bienvenido Mr. Marshall*, quizá la mejor película española de los años cincuenta. España había quedado fuera del Plan Marshall, concebido para aportar la ayuda americana a la reconstrucción de la Europa de la posguerra. En 1953, el tratado hispano-americano fue interpretado en clave de humor por los cineastas Luis García Berlanga y Juan Antonio Bardem, como una tardía llegada del maná americano a las pobres tierras hispánicas. La ilusión de un pueblo carpetovetónico que se prepara para recibir a los americanos, supuestos portadores de una generosa ayuda económica que paliará la miseria local, contrasta con el nulo resultado práctico del rapidísimo tránsito por la población de una delegación americana. *Bienvenido Mr. Marshall*, en la línea del neorrealismo italiano, con matices oníricos, surrealistas y con tonos críticos pero cómplices con el casticismo español, es todavía hoy un espléndido retrato de la España de principios de los años cincuenta.

▶EJECUCIÓN DE LOS ROSENBERG—Julius y Ethel Rosenberg, sentenciados a muerte, apelaron al tribunal supremo estadounidense. A pesar de la dudosa imparcialidad del juez que falló la sentencia (y a pesar de la condena mundial que provocó), el tribunal supremo aprobó la ejecución por 6 votos a 3. Eisenhower, a quien pidieron la conmutación de la pena, también decidió mantenerla. El 19 de junio, los Rosenberg, padres de dos niños, murieron en la silla eléctrica de la prisión de Sing Sing. Fueron los primeros (y los únicos) ciudadanos americanos que murieron por la acusación de espionaje. ◂1951.2

▶PRIMERA REBELIÓN DE FIDEL—El primer ataque de Fidel Castro, joven abogado

POLÍTICA Y ECONOMÍA: **el presidente norteamericano Eisenhower establece el programa «Átomos para la paz» para promover de forma oficial el uso de la energía nuclear [...] Concordato entre España y el Vaticano [...] Pacto hispano-norteamericano de ayuda económico-militar.**

«No hay nada que expresar, nada con qué expresar, nada de lo que expresar, ni fuerza para expresar, ni deseo de expresar, junto a la obligación de expresar.»—**Samuel Beckett, explicando la paradoja a la que se enfrentaba como escritor**

convertido en revolucionario, contra el dictador de Cuba Fulgencio Batista, el 26 de julio, acabó de modo desastroso: la mitad de los 165 rebeldes de Castro fueron muertos, heridos o capturados en un ataque al cuartel de Moncada en Santiago de Cuba. Castro se entregó y fue sentenciado a quince años de cárcel (cumplió once meses). En el tribunal pronunció un discurso, «La historia me absolverá», que se convirtió en el texto fundacional de la revolución, apodada «El movimiento del 26 de julio».◄1952.7 ►1959.1

▶FIRME HOMBRE DE IGLESIA—El cardenal Stefan Wyszynski, primado católico romano de Polonia y crítico con el régimen estalinista de su país, fue detenido en 1953 por oponerse a la represión comunista de la Iglesia. Wyszynski, líder de la resistencia antinazi durante la Segunda Guerra Mundial, no se dejó intimidar. Cuando salió de la cárcel en 1956, siguió criticando la política estatal llamando a los comunistas «bárbaros culturales impíos». ◄1948.NM ►1956.4

▶INDEPENDENCIA DE CAMBOYA—Doce años después de que los franceses le hicieran rey de Camboya (Kampuchea), el príncipe Norodom Sihanouk decidió que había llegado el momento de romper las relaciones con sus promotores coloniales: disolvió el parlamento, impuso la ley marcial y declaró la independencia de Camboya. En un viaje alrededor del mundo, conocido como la

Campaña Real, quedó demostrado el poder de Sihanouk y Francia se avino a retirarse. Con la independencia llegó un período de quince años de relativa calma y prosperidad durante el cual Sihanouk mantuvo a Camboya fuera de la guerra de Vietnam. Su reinado finalizó en 1970, cuando el general Lon Nol lo derrocó con un golpe apoyado por Estados Unidos. ►1969.6

1953

Representación de *Esperando a Godot*, 1991.

TEATRO

Llega Godot

11 El grupo reducido de intelectuales parisinos y personajes mundanos que se reunieron en el Théâtre de Babylone la noche del 5 de enero de 1953 para ver el estreno de la primera obra de un irlandés excéntrico que escribía en francés asistieron a un acontecimiento fundamental de la historia del teatro. *En attendant Godot (Esperando a Godot)*, un lamento en parte cómico y en parte existencial, se diferenciaba de cualquier cosa. Sobre un escenario en penumbra y árido aparecen dos vagabundos que hablan en una prosa monosilábica acorde con la pobreza de la escena. Durante dos actos, los personajes esperan a Godot (que no aparece nunca), discuten, piensan en el suicidio y siguen esperando.

Cuando acabó la obra, muchos espectadores pensaron que habían sido engañados. Pero los críticos asistentes inmediatamente reconocieron la importancia de la obra y de su autor, Samuel Beckett. *Esperando a Godot* se convirtió en la obra más elogiada e influyente del teatro moderno y fue objeto de muchas interpretaciones; algunos la tomaron como una alegoría del cristianismo, otros como un manifiesto nihilista. El autor se negó a pronunciarse sobre ellas. «Significo lo que digo», fue su único comentario.

Nacido y educado en Irlanda, Beckett se afincó en París en 1937 y entabló una profunda amistad con James Joyce. Hasta *Esperando a Godot,* los escritos de Beckett eran desconocidos, e incluso esta pieza (una «obra mala» según su autor) fue rechazada durante cuatro años antes de encontrar un editor. Beckett consideró sus novelas, como la trilogía *Molloy, Malone se muere* y *El innombrable,* su obra principal. Ganó el Premio Nobel en 1969. **◄1922.1 ►1957.12**

IDEAS

La realidad de Wittgenstein

12 El filósofo Bertrand Russell comentó una vez que las tres grandes influencias de la filosofía del siglo XX habían sido el positivismo lógico y dos libros: *Tractatus logico-philosophicus* e *Investigaciones filosóficas.* Un grupo de pensadores había escrito el primero, pero los otros eran producto de una sola mente, la del judío austriaco Ludwig Wittgenstein. Paradójicamente, la segunda gran obra deWittgenstein, publicada en 1953, es una refutación de la primera.

El *Tractatus,* escrito durante la Primera Guerra Mundial, cuando Wittgenstein era un militar austríaco, es un ejercicio de empirismo radical: se dice que la realidad consiste en hechos irreducibles e incontables que los humanos intentan comunicar simbólicamente a través de las palabras. *Investigaciones filosóficas,* escrito entre 1936 y 1949, parte de la premisa opuesta: las palabras no representan la realidad, la *determinan.* Los problemas filosóficos no nacen de la naturaleza sino de la lógica interna del lenguaje. Wittgenstein dice que la complejidad de la filosofía «no reside en el tema que trata sino en nuestra dificultad de comprensión».

Su vida fue tan notable como su inteligencia. Hijo de un rico fabricante de acero, sufrió una conversión mística leyendo a Tolstoi durante el servicio militar. Renunció a su fortuna y se hizo maestro de escuela en un pueblo. Volvió a la filosofía en 1929 con un empleo en Cambridge, pero trabajó como conserje de un hospital londinense durante la Segunda Guerra Mundial. En 1947 se retiró al campo irlandés. En 1951 se publicaron sus *Investigaciones filosóficas* póstumamente, de acuerdo con sus deseos. **◄1910.4**

ESPAÑA

El espectáculo número uno: el fútbol

13 El 30 de septiembre de 1953, Alfredo Di Stefano, posiblemente el jugador de fútbol más cotizado del mundo, debutó con un nuevo equipo: el Real Madrid. Aunque antes de la guerra civil española el fútbol había gozado de una enorme popularidad, no fue hasta los años cuarenta y la década siguiente cuando el «deporte rey» se convirtió en el espectáculo de masas más popular de España. En estos años, el campeonato de liga estuvo dominado por los equipos de Madrid y el Barcelona. En las temporadas 1947-1948 y 1948-1949 el Barcelona fue el campeón, sustituido al bienio siguiente por el Atlético de Madrid. Los dos años siguientes, de nuevo el Barcelona —el de las «Cinco Copas»— se hizo con el triunfo, liderado por su jugador carismático, Ladislao Kubala.

El Real Madrid respondió a los éxitos del Atlético de Madrid y sobre todo del Barcelona con la contratación del argentino Di Stefano. La polémica que produjo este fichaje fue enorme. Di Stefano era jugador del club Millonarios de Bogotá, pero pertenecía al River Plate de Buenos Aires, que no había recibido el traspaso acordado con el club colombiano. El Real Madrid compró al jugador al Millonarios mientras el Barcelona hacía lo mismo con el River Plate. La disputa —que tuvo connotaciones políticas— se saldó con una decisión salomónica de la Delegación Nacional de Deportes. Di Stefano debía jugar una temporada con cada uno de los equipos españoles de forma alternativa. Al no aceptar esta solución el club catalán, Di Stefano se convirtió en jugador del Real Madrid, que ganó las dos ligas siguientes, 1953-1954 y 1954-1955, y comenzó su carrera de éxitos en las competiciones europeas.

Kopa, Di Stefano *(centro)* y Santiago Bernabeu, entonces presidente del Real Madrid.

PREMIOS NOBEL: Paz: George C. Marshall (estadounidense; Plan Marshall) [...] Literatura: Winston Churchill (británico; primer ministro e historiador) [...] Química: Hermann Staudinger (alemán; polímeros) [...] Medicina: Fritz A. Lipmann (estadounidense; coenzima A) y Hans Adolf Krebs (británico; ciclo del ácido cítrico) [...] Física: Frits Zernike (holandés: microscopía por contraste de fases).

Los cipreses creen en Dios

José M.ª Gironella, 1953

La guerra civil española y el período final de la monarquía y la república que la precedió suscitaron numerosas evocaciones literarias por parte tanto de escritores españoles (Malraux, Hemingway, Bernanos, Koestler) como españoles exiliados (Aub, Barea, Sénder). Pero hasta 1953 la producción literaria realizada en la España de Franco, mediatizada por la propaganda y limitada por la censura, no recogió con ecuanimidad la tragedia española. En este año se publicó el primer tomo del amplio ciclo literario dedicado por José M.ª Gironella a plasmar la vida española antes, durante y después de la guerra civil: Los cipreses creen en Dios.

Hora por hora, las noticias iban siendo alarmantes. El Movimiento fracasaba en muchos lugares. El país vasco se había declarado adicto al Gobierno. El comandante Martínez de Soria no se lo explicaba. ¡San Sebastián se consideraba seguro! Pudo más en los vascos su nacionalismo que otras consideraciones.

En Madrid se combatía encarnizadamente. Valencia era «leal». En Barcelona... por de pronto, el general Aranguren, de la Guardia Civil, se había puesto a disposición de las autoridades gubernamentales. Aquello fue un nuevo golpe para el comandante. El capitán Roberto, de la Guardia Civil, y Padilla y Rodríguez casi lloraban de rabia. «¡La Guardia Civil al lado de estos canallas, no!» Y, sin embargo, era cierto, y muy posible que aquello inclinase la balanza de la ciudad, en favor del Gobierno, arrastrando a toda Cataluña, la frontera, los puertos de mar.

Las únicas noticias satisfactorias continuaban llegando de África, de Castilla, de Navarra, ¡de Oviedo!, y de algunos puntos aislados del Sur: Cádiz, Granada... En Sevilla, el general Queipo de Llano manejaba como podía sus hombres y los refuerzos que llegaban de Marruecos por vía misteriosa.

Casi todos los aeródromos en que había aparatos estaban en manos del Gobierno. La Marina también, tal como previó Julio. El destructor *Churruca*, después de desembarcar unos legionarios en Cádiz, había zarpado rumbo a puerto gubernamental.

El comandante Martínez de Soria decía: «Madrid se ha considerado siempre perdido, y los planes han previsto desde el primer momento dirigir sobre la capital cuatro columnas, dos del Norte y dos del Sur. ¡Pero habiendo fallado el país vasco, todo cambia!»

Se sabía que en Castilla los falangistas voluntarios se contaban por centenares, y que en Navarra los requetés acudían en masa al llamamiento del general Mola. «Hay familias en que se presentan con boina roja, el abuelo, el padre y todos los hijos», informaba don Emilio Santos. Carmen Elgazu decía: «Los navarros son medio vascos». «¡No me hables de los vascos!», gruñía Pilar. Pero, por otro lado, en muchas plazas «el pueblo» se había lanzado a la calle con absoluto desprecio del peligro.

A última hora de la noche llegó la noticia definitiva, sin remedio, que no dejaba lugar a la esperanza: las fuerzas sublevadas en Barcelona se habían rendido. El propio general Goded, ¡el general Goded!, había hablado por radio pidiendo que se evitara un inútil derramamiento de sangre. Ello significaba que las demás guarniciones catalanas debían seguir su ejemplo.

Jose M.ª Gironella.

«Lo peor que le puede pasar a Estados Unidos es verse envuelto en una guerra en Indochina.»
—Dwight D. Eisenhower, presidente de Estados Unidos, febrero de 1954

HISTORIA DEL AÑO

Derrota francesa en Vietnam

1 Ho Chi Minh predijo que aunque sus pérdidas fueran diez veces más numerosas que las de Francia, este país se rendiría antes. Su profecía se hizo realidad en 1954, tras la batalla de Dien-Bien-Fu.

Con la certeza de que podría vencer a las fuerzas de Ho en una guerra convencional, el general Henri Navarre quiso tentar al Viet Minh (bajo el mando del general Vo Nguyen Giap) para que abandonara sus tácticas guerrilleras y lanzara una gran ofensiva. Como cebo ordenó el establecimiento de una guarnición en Dien-Bien-Fu, un pueblo de un valle cercano a la frontera noroeste con Laos: una base allí constituiría un estorbo para el Viet Minh en Laos, adonde había llegado la guerra, y cortaría los beneficios del opio. En noviembre de 1953, paracaidistas franceses tomaron la ciudad y empezaron a construir una fortaleza rodeada de puestos armados.

Navarre pensó que las montañas impedirían que el enemigo pudiera transportar artillería pesada. Se equivocó: doscientos mil porteadores cargaron con el armamento desmontado. Nunca se imaginó que los atacantes, equipados con palas, excavaran un ***túnel*** bajo los muros de la fortaleza. En marzo de 1954, Dien-Bien-Fu estaba sitiada y sólo recibía algún suministro de paracaidistas franceses y norteamericanos. París pidió a Washington que interviniera. (Estados Unidos ya pagaba la mayoría de los gastos de guerra de Francia.) Eisenhower advirtió a América que la pérdida de Indochina podría causar la caída del sudeste asiático; el vicepresidente Nixon estaba dispuesto a utilizar bombas atómicas pero la administración no estuvo de acuerdo.

Fuerzas francesas en Indochina utilizan barcas para evacuar a los muertos y a los heridos.

Dien-Bien-Fu cayó el 7 de mayo, y sus diez mil supervivientes fueron capturados. El gobierno del primer ministro francés Joseph Laniel también cayó y su sucesor, Pierre Mendès-France, se comprometió a conseguir el alto el fuego en Indochina. Tras ocho años de guerra, con noventa y cinco mil muertos franceses (incluidos cincuenta mil soldados de las colonias africanas, árabes y caribeñas de Francia) y cerca de un millón y medio de vietnamitas (incluidos un millón de civiles), los franceses estaban hartos. En julio se negoció un acuerdo en Ginebra. Vietnam conseguiría la independencia, temporalmente estaría dividido por el paralelo 17 con la administración de Ho en el norte y el gobierno de Bao Dai en el sur. Las elecciones de 1956 decidirían quién sería el gobernante de toda la nación. Pero los problemas de Vietnam no habían finalizado y los de Estados Unidos acababan de empezar. **◂1950.2 ▸1955.3**

El coronel Gamal Abdal Nasser, padre de la independencia egipcia.

EGIPTO

Nasser entra en funciones

2 Durante casi dos años, el coronel Gamal Abdal Nasser dirigió discretamente la revolución egipcia mientras el general Muhammad Naguib era presidente y primer ministro. En febrero de 1954, el coronel empezó a destacar. Aludiendo a los vínculos de Naguib con la Hermandad Musulmana (ilegal) y a su intención de restaurar el antiguo sistema de gobierno, Nasser le obligó a dimitir. Después de que las protestas masivas facilitaran el regreso de Naguib, Nasser hizo que la junta militar legalizara a los partidos de la oposición para demostrar su sumisión a la voluntad popular, pero pronto organizó la detención de oficiales favorables a Naguib y ordenó al partido del gobierno, el Congreso de Liberación, que convocara una huelga general contra el retorno a un régimen parlamentario. En abril, Naguib capituló, Nasser le relegó al cargo figurativo de presidente y ocupó el puesto de primer ministro.

En octubre, Nasser finalizó las negociaciones para la retirada progresiva de los soldados británicos, situados a lo largo del canal de Suez. El anuncio de que Egipto sería por fin libre convirtió a Nasser en un héroe para muchos pero para la Hermandad Fundamentalista el tratado, que permitía la intervención británica en ciertas circunstancias, constituía una traición. Uno de los miembros de la Hermandad disparó contra Nasser mientras éste pronunciaba un discurso en Alejandría.

El dictador sobrevivió y su valor al ser herido aumentó su popularidad. Asimismo, el atentado le dio el pretexto para ejecutar a seis líderes de la Hermandad, encarcelar a miles y poner bajo arresto domiciliario a Naguib. **◂1952.3 ▸1956.3**

COLONIALISMO

Inicio de la guerra de Argelia

3 Tras perder la guerra de Indochina, Francia se enfrentó a un conflicto similar en Argelia. Los nacionalistas de esta colonia, debilitados por la represión gubernamental y las disputas internas, habían permanecido inactivos desde el último alzamiento nueve años atrás. En noviembre de 1954, el nuevo Frente de Liberación Nacional (FLN) inició una revolución. Empezó con el asesinato de unos cuantos colonos y oficiales musulmanes francófilos. Las fuerzas francesas respondieron con el encarcelamiento de cientos de personas y el saqueo de pueblos enteros. Estas represalias aumentaron las filas del FLN y, en agosto de 1955, los rebeldes asesinaron a 123 civiles (incluidos 71 europeos) en la ciudad de Philippeville. La respuesta fue la matanza de mil trescientos musulmanes a manos de soldados franceses, policías y vigilantes. La insurrección se convirtió en una verdadera guerra.

Refugiados argelinos van un campo de internamiento durante la revolución.

ARTE Y CULTURA: Libros: *No soy Stiller* (Max Frisch); *Cristo de nuevo crucificado* (Nikos Kazantzakis); *Buenos días, tristeza* (Françoise Sagan); *Poemas 1923-1953* (E. E. Cummings); *Las confesiones de Felix Krull* (Thomas Mann) [...] Música: «El rock del reloj» (Freedman y De Knight) [...] Pintura y escultura: *Colonial Cubism* (Stuart Davis); *Vache la belle allegre* (Jean Dubuffet) [...]

«La única negociación posible es la guerra.»—**François Mitterrand, ministro del interior, sobre Argelia, 1954**

Como la guerra de Indochina, el conflicto argelino se inició bajo un gobierno francés de izquierdas. El primer ministro Pierre Mendès-France, liberal, estaba dispuesto a conceder la autonomía de Marruecos y Tunicia. (Ambos consiguieron la independencia en 1956.) Pero Argelia era diferente: no se trataba un mero protectorado; legalmente era una parte de Francia, sus 8,7 millones de musulmanes eran ciudadanos franceses. Además se acababa de descubrir petróleo en la zona. Aunque en Francia se reconocía la necesidad de una reforma —los musulmanes sufrían discriminaciones políticas y económicas—, la independencia estaba fuera de discusión.

En enero de 1955, Mendès-France nombró gobernador general de Argelia a Jacques Soustelle, que intentó fomentar la igualdad aunque la violencia del FLN le hizo tomar medidas severas, y en 1956 un nuevo gobierno francés le mandó de vuelta a Francia. Tropas francesas empezaron a llevar a los residentes de las zonas guerrilleras a campos de internamiento. El FLN atacó con una campaña de atentados con bombas en Argel, provocando represalias aún más violentas. **◂1945.11 ▸1958.4**

TECNOLOGÍA

El primer submarino nuclear

4 En enero de 1954 se botó el primer submarino nuclear del mundo en New London, Connecticut. Se le bautizó como *Nautilus* por la nave sumergible que inventó Robert Fulton en 1800 y por el submarino pilotado por el capitán Nemo en *Veinte mil leguas de viaje submarino* de Julio Verne. Con una longitud de unos 97 m y 95 tripulantes a bordo, empequeñecía a los anteriores submarinos; su velocidad de crucero de 20 nudos era más del doble de la de sus predecesores. No obstante, la novedad más significativa residía en su fuente de energía: un reactor que, a diferencia de los motores de combustión, no necesitaba aire para funcionar. Los submarinos anteriores habían sido esencialmente barcos de superficie capaces de realizar inmersiones temporales. La nueva nave sólo ascendía a la superficie en contadas ocasiones. Su combustible de uranio podía durar años. Al principio, el aire para respirar provenía de botellas convencionales de oxígeno, luego la electrólisis del agua de mar facilitó un suministro prácticamente inagotable.

Diseñado por el Departamento de reactores navales de la Comisión de energía atómica y fabricado por la General Dynamics Corporation, el *Nautilus* se construyó en un año y medio y costó más de treinta millones de dólares. En enero de 1955, tras pasar todas las pruebas preliminares, el submarino salió de New London en su primer viaje. A una velocidad media de 16 nudos, recorrió 2.210 millas seguidas bajo el agua hasta Puerto Rico. Tres años después, el comandante William R. Anderson capitaneó el *Nautilus* en otra primicia: una travesía ciega (bajo hielo de más de 10 m de grosor) desde Point Barrow, Alaska hasta el mar de Groenlandia, por debajo del Polo Norte. **◂1951.3**

El Nautilus dio a la armada americana la hegemonía submarina.

ARQUITECTURA

Monumento moderno de Mies

5 El encargo de diseñar un edificio de oficinas para la compañía de licores Seagram proporcionó a Ludwig Mies van der Rohe, maestro de la Bauhaus oriundo de Alemania (que se había afincado en Chicago en 1937), un lugar privilegiado donde mostrar su concepción arquitectónica: la deslumbrante Park Avenue de Nueva York. Para su compañero de trabajo, Philip Johnson, el proyecto representó la oportunidad inusual de colaborar con Mies. Johnson había defendido la obra de Mies en su libro *El estilo internacional* (1932). El edificio Seagram, empezado en 1954 y terminado cuatro años más tarde, fue una innovación en la arquitectura del siglo XX. La estructura geométrica, de más de 160 m de altura, incorporó elementos que pronto fueron corrientes en las ciudades de todo el mundo: en la entrada una plaza con una fuente, ventanas en todas las fachadas y cristales tintados.

El edificio Seagram otorgó una mayor elegancia a los rascacielos de la época.

Mies dijo una vez: «Dios está en los detalles». El proyecto Seagram, su primer edificio de oficinas, lo confirmó. El rectángulo austero de cristal y mármol, construido sobre una plataforma, se elevaba sobre una estructura revestida de acero. Un pabellón en la parte trasera acogía el bar-restaurante Four Seasons, diseñado por Johnson. Aunque parezca frío y autoritario, el edificio en ningún modo desmerece de sus vecinos. No es casualidad el hecho de que la plaza Seagram ofrezca la mejor ubicación de la ciudad para un monumento anterior: el Racquet and Tennis Club, de un extraordinario estilo renacentista italiano, creado por McKim, Mead y White, justo cruzando Park Avenue. **◂1919.9 ▸1965.13**

NACIMIENTOS

Chris Evert, tenista estadounidense.

Denzel Washington, actor estadounidense.

Bernard Minault, ciclista francés

MUERTES

Lionel Barrymore, actor estadounidense

Jacinto Benavente, escritor español.

Sidonie Gabrielle Colette, escritora francesa.

André Derain, pintor francés.

Enrico Fermi, físico estadounidense.

Alcide de Gasperi, político italiano.

Auguste Lumière, inventor francés.

Henri Matisse, artista francés.

Eugenio d'Ors, escritor español.

Alan Turing, matemático británico.

Getúlio Vargas, presidente brasileño.

Cine: ***La ley del silencio*** **(Elia Kazan);** ***Los siete samurais*** **(Akira Kurosawa);** ***La strada*** **(Federico Fellini);** ***Ha nacido una estrella*** **(George Cukor);** ***La ventana indiscreta*** **(Alfred Hitchcock) [...] Teatro:** ***Mesas separadas*** **(Terence Rattigan);** ***The Pajama Game*** **(Adler y Ross).**

«Era como si hubiera explotado un flash [...]. No lo recuerdo demasiado bien.»—**Roger Bannister, tras cruzar la línea de meta**

NOVEDADES DE 1954

Iglesia de la Unificación (fundada por Sun Myung Moon en Corea del Sur).

Biscúter.

Eurovisión.

Acumulador solar (Bell Telephone Labs).

Sistema de inyección para los coches (Mercedes 300SL).

Impuesto sobre el valor añadido, IVA (Francia).

Elección de Miss América televisada.

EN EL MUNDO

▶REGRESO DE RUSIA—El 2 de abril llegaron al puerto

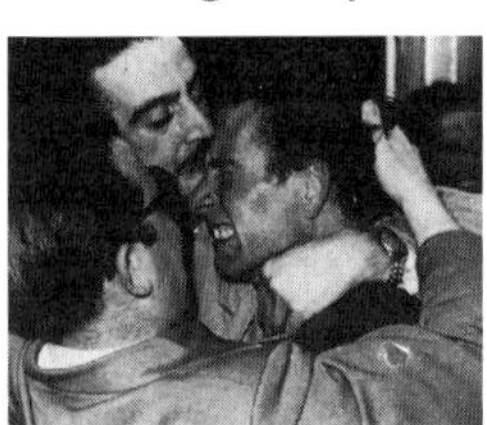

de Barcelona 286 repatriados a bordo del *Semiramis*. De ellos, 248 eran soldados de la División Azul, prisioneros de guerra de los soviéticos durante la Segunda Guerra Mundial. El resto vivían en la URSS desde la guerra civil española.

▶PRIMER FESTIVAL DE *JAZZ* DE NEWPORT—En julio, músicos pertenecientes al mundo del *jazz* se mezclaron con aristócratas de la costa este en el famoso punto de veraneo de New Port, Rhode Island, en el primer festival de *jazz*. El festival fue dirigido por el empresario de *jazz* George Wein. A él asistieron miles de personas que respondieron con entusiasmo a música muy alejada de las corrientes generales. El festival se convirtió en un acontecimiento anual y se trasladó a Nueva York en 1972. ▶1955.7

▶RITMOS FASCINANTES —En 1954 «Mambo italiano» y «Papa loves mambo» se encontraban entre las

1954

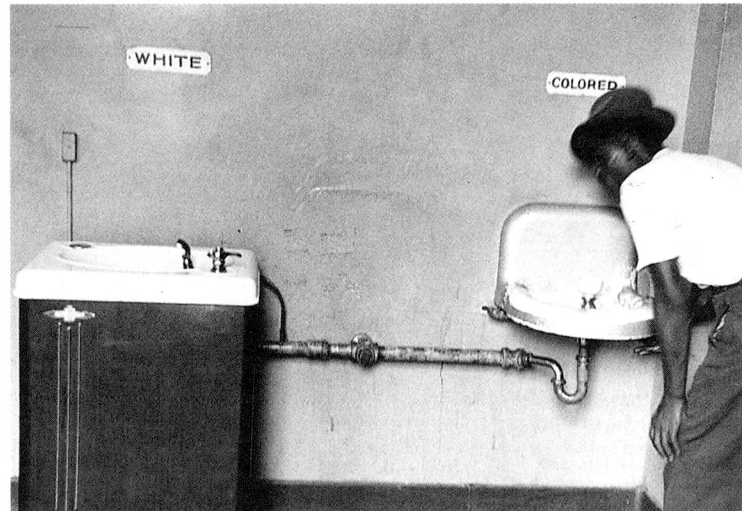

Bajo las leyes «Jim Crow», los negros tuvieron servicios separados, pero no de la misma calidad.

REFORMA SOCIAL

Sentencia de muerte para Jim Crow

6 Durante casi un siglo, las leyes americanas «Jim Crow» establecieron servicios separados para blancos y negros, desde restaurantes hasta hospitales. En mayo de 1954, el tribunal supremo se ganó el aplauso mundial al declarar inconstitucional la segregación en las escuelas públicas. Su decisión en el juicio *Brown contra la Junta de Educación de Topeka* cavó la tumba de Jim Crow, pero los viejos demonios tardarían en morir.

El tribunal aprobó la segregación con su fallo en el juicio *Plessy contra Ferguson* (1896) al decretar que la constitución justificaba servicios «separados pero equivalentes». En los años cincuenta, la National Association for the Advancement of Colored People (Asociación Nacional para la mejora de las personas de color, NAACP) recopiló gran cantidad de datos que mostraban que, en la práctica, las escuelas para negros no eran de la misma calidad que las escuelas para blancos, no contaban con el personal ni con los fondos adecuados y estaban congestionadas. Los anteriores litigios de la organización habían conseguido mejoras aisladas, pero en 1952 el tribunal supremo empezó a revisar los pleitos de la NAACP (rechazados por tribunales ordinarios) que denunciaban que la segregación era discriminatoria «en sí misma» y que perjudicaba a los estudiantes negros.

Los casos tomaron el nombre del primero que se consideró: el de Linda Brown, de once años de edad. Su padre había solicitado a la Junta de Educación de Topeka, Kansas, que Linda asistiera a una escuela para blancos por cuestiones de distancia. El abogado de la NAACP, el futuro juez del tribunal supremo Thurgood Marshall, argumentó que las escuelas para negros, además de tener peores instalaciones, aislaban a Linda y a otros jóvenes negros privándolos de autoestima y de las oportunidades sociales ordinarias.

Esta vez, el tribunal estuvo de acuerdo con él por unanimidad. El presidente, Earl Warren, escribió: «La doctrina de "separado pero equivalente" no tiene lugar». Al año siguiente, el tribunal falló que la integración escolar debía entrar en vigor «a toda prisa», pero el gobernador de Georgia, Herman Talmadge, representó a muchos segregacionistas cuando dijo que el fallo Brown sólo era un «trozo de papel». El movimiento de derechos civiles tardaría muchos años en convertirlo en algo más. **▶1955.2**

ESTADOS UNIDOS

Dulles sube la apuesta

7 En enero de 1954, el secretario de Estado John Foster Dulles *(inferior)* presentó una política militar nueva diseñada para impedir la expansión soviética. Se llamó «represalia masiva» y alarmó y confundió al mundo. En lo sucesivo, Estados Unidos confiaría en su «gran capacidad de vengarse por métodos y en lugares de su elección», reservándose el derecho de responder a las armas de fuego con armamento nuclear.

La represalia masiva fue la doctrina característica de la nueva imagen militar del presidente Eisenhower y una ruptura de la administración Truman con la política de «contención» de los soviéticos. (Dulles, consejero de Truman, se había opuesto a la política del antiguo presidente por ser demasiado pasiva). Eisenhower estaba decidido a recortar gastos pero también a fomentar la agresividad contra el comunismo en todo el mundo. Defender cada lugar conflictivo con métodos convencionales hubiera sido caro, pero la amenaza del armamento nuclear lo hizo innecesario.

La mayoría de observadores internacionales pensaron que la venganza masiva era un farol y no tomaron en serio la idea de que Washington planeara convertir las escaramuzas coloniales en una guerra nuclear. Sin embargo, muchos otros lo consideraron seriamente. Dulles, en respuesta a las protestas, publicó una clarificación explicando que las bombas de hidrógeno no eran el tipo de armas que servían para cualquier circunstancia pero que debía hacerse un uso «imaginativo» de todo el arsenal americano para detener a los rojos. **◂1947.4 ▶1957.2**

DEPORTES

Marca de cuatro minutos

8 Durante generaciones, los expertos en la materia habían declarado que ningún hombre podía correr una milla en cuatro minutos. Cuando Roger Bannister, estudiante de medicina en Oxford, empezó a prepararse para conseguirlo, algunos entrenadores temieron que el esfuerzo fuera fatal. Sin embargo, el 6 de mayo de 1954 Bannister corrió una milla en 3:59,4 minutos en una competición entre el equipo de Oxford y la Asociación Atlética Amateur de Gran Bretaña. El acontecimiento tuvo la misma repercusión que la superación de la barrera del sonido.

Bannister se enfrentó a más obstáculos que los demás que intentaban establecer el récord: sus estudios limitaban el tiempo de entrenamiento a una hora diaria y no tenía preparador oficial, pero su actitud era inmejorable. Bajo la influencia del entrenador de Oxford Franz Stampfl, estaba convencido de que la fe en sí mismo era un factor esencial para la victoria atlética: con la disciplina mental que luego hizo de él un gran neurólogo, Bannister se autoconvenció de que podía alcanzar su objetivo. Más tarde comentó que estaba preparado incluso para morir.

Bannister sobrevivió aunque se desmayó al cruzar la línea de meta y

DEPORTES: Boxeo: Rocky Marciano defiende el título de los pesados por segunda vez contra Ezzard Charles [...] Fútbol: copa del mundo, Alemania occidental derrota a Hungría por 3 a 2 [...] Ciclismo: el francés Bobet gana el Tour de Francia y Bahamontes, el premio de la montaña.

«Si Gran Bretaña y Francia creen que deben adoptar una actitud independiente apoyando al gobierno de Guatemala, nos sentiríamos libres de adoptar una actitud independiente respecto a [...] Egipto y el norte de África.»—**Henry Cabot Lodge**

sufrió daltonismo temporal. La consecuencia más curiosa de su hazaña fue lo que se llamó el «efecto Bannister». Seis semanas después, el australiano John Landy corrió una milla en 3:58 minutos en Turku, Finlandia. A partir de entonces, muchos corredores traspasaron la barrera de los cuatro minutos. **◂1924.10 ▸1960.NM**

Bannister realizó un «imposible».

GUATEMALA

Un golpe organizado

9 Un año después de instigar un golpe en Irán, la CIA actuó cerca de su país. El presidente de Guatemala Jacobo Arbenz Guzmán confiscó más de doscientos treinta mil acres de la United Fruit Company (americana) para distribuirlos entre los campesinos, y estableció buenas relaciones con los comunistas locales. Washington quería echar a Arbenz, pero la Organización de Estados Americanos prohibió la intervención. La CIA empezó a armar y a entrenar a derechistas guatemaltecos exiliados en Honduras y Nicaragua. En junio de 1954, Eisenhower dio a los rebeldes la orden de invasión después de que Guatemala recibiera un envío de armas desde Checoslovaquia (eludiendo el embargo americano).

Aunque las tropas gubernamentales bloquearon su avance, los insurgentes contaban con dos armas clave: radiotransmisores y aviones militares. Media docena de aviones pilotados por norteamericanos atacaron la ciudad de Guatemala. La red radiofónica clandestina, dirigida por el futuro conspirador del Watergate, E. Howard Hunt, retransmitió victorias falsas de los rebeldes. (Los guatemaltecos pensaban que eran miles pero en realidad sólo eran cuatrocientos).

El ejército se negó a apoyar a Arbenz para evitar un derramamiento de sangre y, tras dos semanas de confusión, el presidente dimitió y luego se exilió. Ostentó el cargo desde 1951 y fue el segundo presidente de Guatemala elegido popularmente, un líder de la revolución de 1944 que llevó al país la democracia, la libertad de expresión y leyes que regulaban salarios mínimos, un máximo de horas de trabajo y el derecho a la huelga. Bajo la dictadura del coronel rebelde Carlos Castillo Armas, tales derechos se suprimieron. Pocos latinoamericanos creyeron en la inocencia de la CIA y un sentimiento antinorteamericano empezó a difundirse notablemente por toda la zona. **◂1913.4 ▸1992.13**

Guatemaltecos de derechas apuntan a una imagen de Arbenz. El letrero dice: «Me llaman de Rusia, donde está José Arévalo» (el antiguo presidente socialista de Guatemala).

LITERATURA

El señor de los Hobbits

10 Los dragones, los magos y demás criaturas fantásticas de la trilogía de J. R. R. Tolkien *El señor de los anillos* atrajeron a una generación de jóvenes lectores que querían evadirse del mundo moderno. El primer volumen se publicó en 1954, pero hasta una década más tarde no alcanzó su popularidad. Entre 1965 y 1968 vendió tres millones de ejemplares.

Tolkien, profesor de literatura medieval en Oxford, creó un universo de ficción inspirado en la mitología inglesa. En su novela de 1937, *El Hobbit*, presentó una raza de gnomos llamados hobbits y realizó un retrato de su lengua, historia, cosmología y geografía. La trilogía de *El señor de los anillos* era una verdadera epopeya de los hobbits, con héroes (Bilbo Baggins y su sobrino Frodo), un tesoro y un monstruo que lo protegía.

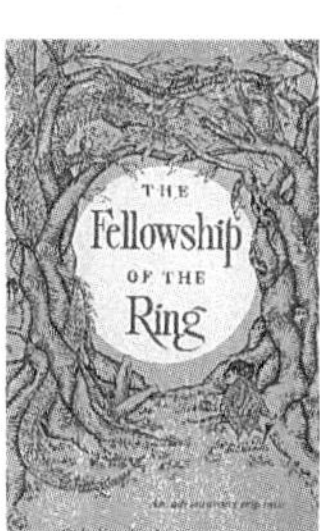

Muchos críticos han señalado una supuesta conexión entre el redescubrimiento de la trilogía y el aumento del consumo de drogas en los años sesenta. El sociólogo Nigel Walmsley afirmó que el LSD «conduce a una interpretación atávica de lo primitivo y lo étnico por encima de lo moderno», proporcionando el ambiente intelectual perfecto para la obra de Tolkien. Ciertamente, el movimiento *hippie* de la década, con sus comunas, productos de artesanía y la moda del pelo largo, podría considerarse una cultura inspirada en los hobbits, pero los libros de Tolkien siguieron atrayendo a nuevos lectores mucho después de que finalizara la época *hippie*. **◂1942.NM**

canciones más populares de América. Todo el mundo disfrutaba con los bailes afrocubanos de ritmo fuerte. Los directores de orquestas cubanas Tito Puente, Machito y Pérez Prado obtuvieron grandes éxitos. La fiebre del mambo más tarde pasó al chachachá. Más fácil de bailar, se puso de moda en todo el mundo. ◂1914.7 ▸1956.13

▶ARTE POPULAR EN WATTS—En 1954 Simon Rodilla acabó la serie de torres que había empezado a construir en el barrio de Watts de Los Ángeles, 33 años antes. Rodilla, sin estudios escultóricos ni arquitectónicos, construyó sus fantásticas murallas con desechos urbanos (partes de coches, piedras, cristales,

tapones de botellas, madera y acero) que amontonó, conformó y dispuso de acuerdo con una visión interna. Las Torres Wats se han comparado con la extraordinaria arquitectura de la Sagrada Familia de Barcelona, de Antonio Gaudí. ◂1909.4

▶STROESSNER TOMA EL MANDO—El general Alfredo Stroessner, hijo de un emigrante alemán, se hizo con el gobierno de Paraguay en 1954, dando fin a una serie de dictaduras débiles. Stroessner amañó las elecciones, suspendió los derechos civiles, suprimió a la oposición política y convirtió a Paraguay en un paraíso para el mercado negro y en un asilo para delincuentes internacionales. Fidel Castro es el único dictador que supera en el hemisferio occidental los 35 años de gobierno de Stroessner. Ferviente anticomunista, disfrutó del apoyo continuado de Estados Unidos. ▸1989.7

▶PERIODISTA GRÁFICO—El periodista gráfico Robert Capa murió al pisar una mina en

«Hemos tenido que establecer normas y obedecerlas. Después de todo, no somos salvajes: somos ingleses y los ingleses son los mejores en todo.»—**William Golding, en *El señor de las moscas***

Thai-Binh mientras cubría la guerra de Indochina para la revista *Life*. Capa, miembro fundador de la agencia fotográfica Magnum con los fotógrafos Henri Cartier-Bresson, David Seymour y George Rodger (*superior, derecha*, con Capa en Nápoles), fue un periodista valiente y tenaz que recopiló una serie sorprendente de reportajes de guerra durante su carrera. ◄1936.NM

►CINE DE AUTOR—El crítico y cineasta francés François Truffaut contribuyó a la legitimación del cine como una disciplina académica con la publicación de «Una tendencia del cine francés» en la edición de enero de la prestigiosa revista cinematográfica *Cahiers du Cinéma*. Defendiendo que la «autoría» de una película pertenece al director, Truffaut atacó la tradición literaria del cine francés por la cual la personalidad del director estaba sometida al guión. La teoría de la «autoría», adaptada y popularizada por el crítico americano Andrew Sarris a principios de los años sesenta, hizo que la obra de los directores comerciales de Hollywood se valorara de otra manera. ►1959.7

***Las dos Fridas* (1938). La Frida de la derecha sostiene un pequeño retrato del marido de la artista, Diego Rivera.**

ARTE

La realidad surrealista de Kahlo

11 «Espero que el final sea gozoso y espero no volver nunca», anotó Frida Kahlo en la última página de su diario. Kahlo, entre soñadora y realista, murió el 13 de julio de 1954. La artista, a la sombra de su marido, el muralista mexicano Diego Rivera, la mayor parte de su vida, actualmente está considerada como una de las mejores pintoras de México. En 1990 se convirtió en la primera artista latinoamericana que rompió la barrera del millón de dólares en una subasta.

En los autorretratos simbólicos que constituyen el grueso de su obra, Kahlo mezcló el folklore mexicano y las tradiciones coloniales con una poderosa y turbadora visión personal. André Breton, el fundador y árbitro estético del surrealismo, la incluyó en su movimiento y afirmó que México era un «país surrealista». Pero mientras los surrealistas se mueven entre las imágenes oníricas, Kahlo «nunca pintó sueños». Insistió siempre en que pintaba «su propia realidad». Esa realidad a menudo fue de pesadilla. Cuando tenía 18 años, se rompió la pelvis en un accidente que la dejó semiinválida para el resto de su vida. Su turbulento matrimonio con Diego Rivera, adúltero compulsivo del que se divorció una vez pero con el que volvió a casarse al cabo de un año, fue otra fuente de dolor. Ella también tuvo amantes, mujeres y hombres (como el líder soviético exiliado Leon Trotski).

Kahlo exploró su identidad personal y nacional, política, artística y sexualmente. En su pintura, un arte de exploración más sutil que los monumentos públicos de Rivera, convergen imágenes de su historia personal y de la de su país. En 1985 el gobierno mexicano declaró la obra de Kahlo patrimonio nacional. **◄1933.E**

MEDICINA

Primer transplante con éxito

12 En 1954 un equipo de cirujanos del hospital Peter Bent Brigham de Boston realizó la primera operación con éxito de transplante de un órgano. Los intentos anteriores habían fracasado a causa de la tendencia física a atacar los tejidos extraños como si se tratara de una infección. En 1952 se avanzó en este sentido cuando unos cirujanos franceses, bajo la tutela del nefrólogo Jean Hamburger, transplantaron el riñón de una mujer a su hijo enfermo. Pareció que el niño se recuperaba y sobrevivió tres semanas antes de rechazar el órgano. El experimento indicó que existía una correlación entre el parentesco entre donante y receptor y las probabilidades de aceptación del órgano.

Dos años más tarde, un paciente, Richard Herrick, ofreció una oportunidad inusual al equipo de Boston, dirigido por el Dr. Joseph Murray. Herrick, de 24 años de edad, se estaba muriendo por problemas renales y tenía un hermano gemelo, Donald. Como los gemelos idénticos provienen de un solo óvulo, Murray y sus colegas pensaron que sus células proteínicas también debían ser iguales, de modo que el sistema inmunitario de uno seguramente no reconocería como elemento extraño a los órganos del otro. El 23 de diciembre se extrajo el riñón izquierdo de Donald y se le transplantó a Richard. El órgano empezó a funcionar inmediatamente y los dos hermanos sobrevivieron. Richard murió al cabo de ocho años de una enfermedad no relacionada con el caso. Entre gemelos, los transplantes de órganos funcionaban. Para los demás, el sistema inmunitario siguió siendo un problema insoluble hasta la llegada de las drogas inmunosupresoras diez años después. **◄1952.12 ►1967.1**

Donald *(izquierda)* y Richard Herrick con su enfermera, después de la operación.

LITERATURA

La fábula macabra de Golding

13 «Cuando era joven, antes de la guerra, tenía una visión de color de rosa sobre los hombres. Pero fui a la guerra y esto cambió», declaró el escritor y oficial naval William Golding. El desencanto de Golding se manifestó claramente en su primera e influyente novela, *El señor de las moscas*, publicada en 1954.

En parte inspirada en el clásico juvenil de R. M. Ballantyne *La isla de coral* (1858), el libro de Golding relata la historia de un grupo de estudiantes, supervivientes de un ataque contra su avión, que están atrapados en una isla remota. Mientras que los protagonistas de Ballantyne son un modelo de compostura, los niños de Golding se convierten en salvajes, y llegan a practicar incluso el asesinato ritual. Casi se aniquilan entre ellos antes de ser rescatados por un oficial naval. Mientras el oficial conduce a los niños a su barco y a un mundo desgarrado por la guerra, se sorprende de que no hayan conseguido emular a los personajes de *La isla de coral*. Por el contrario, Golding da a entender que el instinto primitivo hacia la crueldad manda en la conducta de las personas y de las naciones.

El señor de las moscas, rechazada varias veces antes de encontrar editor, obtuvo un éxito inmediato en Gran Bretaña. Se popularizó en todo el mundo durante los años sesenta: el sentimiento pacifista y la desesperanza de la era nuclear sobre el futuro de la humanidad conectaron con la novela. En 1963, Peter Brook llevó a la pantalla la «fábula» de Golding. El libro alcanzó un lugar de prestigio en la literatura inglesa junto a obras maestras como *El corazón de las tinieblas* de Joseph Conrad y *1984* de George Orwell. Golding recibió el Premio Nobel de Literatura en 1983. **◄1902.3 ►1985.13**

PREMIOS NOBEL: Paz: Alta Comisión para refugiados de la ONU (Suiza) [...] literatura: Ernest M. Hemingway (estadounidense; novelista) [...] Química: Linus Pauling (estadounidense; enlaces químicos) [...] Medicina: John Enders, Thomas Weller y Frederick Robbins (estadounidenses; virus de la polio) [...] Física: Max Born (británico; mecánica cuántica) y Walther Bothe (alemán; radiación cósmica).

Se rompe el hechizo de McCarthy

Declaración del subcomité permanente del Senado sobre las investigaciones de las vistas Ejército-McCarthy, 9 de junio de 1954

Joseph Raymond McCarthy, senador mediocre de Wisconsin, fracasó durante dos años en Washington antes de encontrar un puesto destacado: el de cazador de rojos. Elegido en 1948, en 1950 anunció que algunos agentes rojos se habían infiltrado en el departamento de Estado. Se hizo famoso enseguida. Que McCarthy careciera de pruebas no disuadió a casi nadie. Durante los cuatro años siguientes el senador, disfrutando de su nuevo prestigio como presidente del comité del gobierno sobre operaciones del Senado y como director de un subcomité senatorial de investigación (el abogado conservador Roy Cohn era su principal consejero), llevó a cabo una caza de brujas. Sus armas fueron la histeria, las insinuaciones indirectas y los ataques personales. Llevó a la ruina a muchas personas inocentes y dominó a la América de los años cincuenta durante un tiempo. No obstante, en 1954 McCarthy encontró la horma de su zapato: acusó al ejército de esconder espías. En vistas televisadas, las tácticas miserables del senador se pusieron en evidencia. El momento álgido llegó el 9 de junio, cuando un abogado militar muy respetado, Joseph Welch, al responder a la difamación de un empleado, Fred Fisher, criticó con dureza la malicia del senador. Cuando Welch acabó de hablar, la habitación estalló en aplausos y también muchos de los millones de espectadores que veían la televisión. El hechizo se había roto. El Senado pronto censuró a McCarthy, que murió en desgracia en 1957. ◂**1950.5**

Senador McCarthy. En cuanto a la solicitud del Sr. Welch de que se dé información, lo que sabemos de alguien que podría estar trabajando para el Partido Comunista, creo que debemos decirle que en su firma de abogados hay un hombre llamado Frederick G. Fisher, recomendado para trabajar en esta comisión, que ha sido miembro de una organización considerada (hace muchos años) el baluarte legal del Partido Comunista, una organización que se lanza a la defensa de cualquiera que se atreve a desenmascarar comunistas [...]
Sr. Welch. Senador McCarthy, creo que hasta ahora [...]
Senador McCarthy. Sólo un minuto. Déjeme hablar. Jim, ¿quiere saber algo más de las consecuencias de la pertenencia de este hombre a esta organización del frente comunista?
Sr. Welch. Quiero decirle que pertenece a ella.
Senador McCarthy. ¿Quiere las citaciones, citaciones que demuestran que es el arma legal del Partido Comunista, cuánto tiempo perteneció a él y que fue recomendado por el Sr. Welch? Deben estar en el acta.
Sr. Welch. Senador, no necesitará mirar las actas cuando acabe de decirle esto. Hasta ahora, no creo haber calibrado su crueldad o su falta de consideración.

Fred Fisher es un joven que estudió en la facultad de derecho de Harvard, llegó a mi firma y empezó lo que parece una brillante carrera con nosotros. Cuando decidí trabajar para este comité, le pedí a Jim St. Clair, sentado a mi derecha, que fuera mi primer ayudante y le dije: «Designa a quien quieras de la firma para que trabaje contigo».

McCarthy *(derecha)* y Roy Cohn hablan durante las vistas Ejército-McCarthy.

Escogió a Fred Fisher y llegaron en el avión de la tarde. Aquella noche echamos una ojeada al caso y nos fuimos a cenar los tres.

Luego les dije a estos dos jóvenes: «Muchachos, no sé nada de vosotros aparte de que siempre me habéis gustado, pero si hay alguna cosa en vuestra vida que pueda perjudicar a este caso, decídmelo».

Fred Fisher dijo: «Sr. Welch, cuando estaba en la facultad de derecho y durante unos meses después pertenecí a la cofradía de abogados», como usted ha sugerido, senador [...]

Siento decir que es igualmente cierto que temí que estuviera marcado para siempre, por su culpa, senador. Si estuviera en mi mano perdonarle por su crueldad, lo haría. Me gusta pensar que soy un caballero pero el perdón tendrá que venir de alguien que no soy yo.

* * *

Senador McCarthy. Quizá pueda decir por qué el Sr. Welch habla de este ser cruel y desconsiderado. Sólo está acosando, ha estado acosando al Sr. Cohn durante horas, pidiéndole que echara inmediatamente del departamento de gobierno a cualquiera que sirva a la causa comunista.

Ahora, daré el informe de este hombre y quiero decir que empieza mucho antes de que se convirtiera en miembro de la organización en 1944.
Sr. Welch. Senador, ¿no podemos omitirlo? Sabemos que perteneció a la cofradía de abogados.
Senador McCarthy. Déjeme terminar.
Sr. Welch. Y el Sr. Cohn estará de acuerdo conmigo. Creo que no le he insultado personalmente, Sr. Cohn.
Sr. Cohn. No, señor.
Sr. Welch. No era mi intención insultarle personalmente y si lo he hecho le pido perdón. No acabemos con este muchacho, senador. Usted ya ha hecho bastante. ¿No tiene sentido de la decencia, señor?

«A nadie. ¿Se puede patentar el sol?»—**Jonas Salk, en respuesta a la pregunta de Edward R. Murrow de a quién pertenecía la patente de la vacuna de la polio**

HISTORIA DEL AÑO

Vacuna eficaz contra la polio

1 La poliomielitis, conocida comúnmente como parálisis infantil o polio, fue la última plaga infantil y posiblemente la enfermedad más temida de su época. Atacaba de forma indiscriminada a las extremidades de los niños, los confinaba al pulmón de acero o los mataba. (Posiblemente su víctima más famosa fue Franklin D. Roosevelt, que contrajo la enfermedad siendo adulto.) Hasta 1955 no existía ningún tipo de prevención contra esta enfermedad altamente contagiosa. El 12 de abril de este año se hicieron públicos los resultados de la gran investigación para encontrar un agente inmunológico: la vacuna de Jonas Salk, segura y eficaz para la prevención de la polio. La noticia fue recibida como la respuesta a una plegaria, y el joven Dr. Salk se convirtió en un héroe popular.

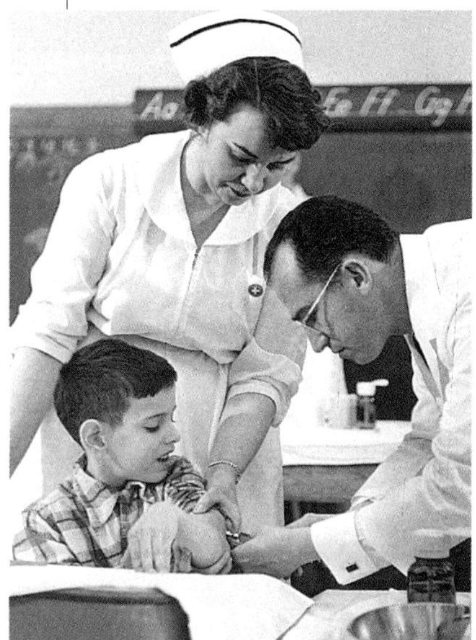

Salk administra su vacuna a un estudiante.

Salk, que había recibido una subvención de la Fundación Nacional para la parálisis infantil, había empezado su investigación en 1947. Como norma, las vacunas consistían en un grupo de virus que se inyectaban en una persona sana. Funcionaban provocando una enfermedad benigna que ponía en marcha las defensas naturales del cuerpo inmunizándolo. El riesgo de una vacuna contra la polio con virus vivos estaba ampliamente demostrado, debido a la muerte de algunos de los que fueron vacunados en los años treinta. La mayoría de los investigadores esperaban conseguir virus vivos pero debilitados; sin embargo, Salk empezó a explorar la posibilidad de una vacuna de virus muertos. En 1952 creó una vacuna de este tipo contra la polio que estimulaba la inmunidad en animales de laboratorio sin causar efectos perniciosos.

Salk decidió ser la primera persona en recibir la vacuna. «Lo considero ritual y simbólico. No se debería querer para los demás lo que no se quiere para uno mismo.» La incidencia de la polio era altísima, con casi sesenta mil casos en Estados Unidos y un número similar en Asia y Europa. Durante todo el verano, un diario de Nueva York ofrecía un informe diario sobre el número de casos de polio. Los padres prohibían a sus hijos ir a piscinas y beber en fuentes públicas y les obligaban a dormir con la ventana cerrada para que no se contagiaran. La vacuna de Salk, disponible en 1955, calmó el pánico. Millones de niños de todo el mundo hicieron cola para ser vacunados. Al cabo de diez años, Albert Sabin fabricó una vacuna segura de virus vivos que sustituyó a la de su predecesor. **◂1927.12 ▸1960.NM**

ESTADOS UNIDOS

El boicot del autobús

2 Se puede decir que el movimiento americano para los derechos civiles empezó el 1 de diciembre de 1955 en Montgomery, Alabama, cuando Rosa Parks se negó a ceder su asiento en el autobús a un hombre blanco. Una ordenanza de Montgomery prohibía que los negros se sentaran en la parte delantera del autobús y les obligaba a ceder su sitio (en la parte media) a cualquier blanco que estuviera de pie. No obstante, la costurera de 43 anos de edad (voluntaria de la NAACP) desafió la orden del conductor y fue arrestada inmediatamente. Los líderes locales negros planearon una campaña sin precedentes en torno al caso de Parks. El 75 % de los conductores de autobús de Montgomery eran negros, y los activistas esperaban que un boicot de autobuses el día del juicio enviaría un mensaje a los funcionarios y a los empresarios blancos.

Al final el boicot duró un año, a pesar del acoso policial, los juicios y las bombas en las casas de los líderes negros. Participaron casi los cuarenta y ocho mil negros de Montgomery. Miles de ellos se reunían en las iglesias y transformaban los himnos y espirituales en «canciones de libertad». Pero las autoridades rechazaron sus modestas demandas: cortesía para los pasajeros negros, contratación de los conductores de color y el derecho a permanecer sentados aunque hubiera blancos de pie. (Los manifestantes ni siquiera mencionaron la obligación de estar en la parte trasera del autobús.) Finalmente el tribunal supremo declaró inconstitucional «cualquier» segregación en los autobuses. Aunque los segregacionistas empezaron a atacar a los conductores negros, perdieron la batalla.

En Montgomery se engendró una de las mayores revoluciones pacíficas de la historia y el artífice del boicot se convirtió en un líder espiritual de esta revolución. El reverendo Martin Luther King, de 26 años de edad, se inspiró en Mahatma Gandhi y prometió a sus seguidores: «Si protestáis valerosamente pero con dignidad y amor cristiano, los historiadores de generaciones futuras dirán que "vivió un gran pueblo, el pueblo negro, que inyectó un sentido y una dignidad nuevos en las venas de la civilización"». **◂1954.6 ▸1956.NM**

Un policía toma las huellas dactilares a Parks después de su arresto.

VIETNAM

Batallas sangrientas

3 En 1955 estalló de nuevo la violencia en Indochina mientras los dirigentes de los estados, en principio temporales, del Norte y del Sur consolidaban su poder. En el Norte comunista, miles de terratenientes y campesinos ricos fueron ejecutados en un programa de reforma agraria que fracasó. (El régimen reconoció enseguida su «error».) En el Sur, el primer ministro Ngo Dinh Diem, apoyado por Estados Unidos, sofocó tres rebeliones y acabó con los vestigios de la dominación francesa.

Una madre de Saigón y su hijo buscan refugio durante el alzamiento Binh Xuyen, rebelión sofocada por Diem en 1955.

Diem, nacionalista y antiguo ministro del interior, fue rival del jefe de Estado nombrado por los franceses, Bao Dai. Sin embargo, Bao lo reclamó del exilio y le hizo primer ministro de 1954, temiendo el descontento popular y norteamericano si el gobierno era solamente de obediencia francesa. Diem no suponía una gran amenaza para Bao: católico en un país budista y hombre antipático, contaba con pocos seguidores. Además, fue desafiado por tres sectas político-religiosas armadas: las rurales Hoa Hao y Cao Dai y la urbana Binh

ARTE Y CULTURA: Libros: ***Pido la paz y la palabra*** **(Blas de Otero);** ***Diario de un cazador*** **(Miguel Delibes) [...] Música: «Love is a many-splendored thing» (Fain y Webster) [...] Cine:** ***Marty*** **(Delbert Mann);** ***Muerte de un ciclista*** **(J. A. Bardem);** ***Atrapa a un ladrón*** **(Alfred Hitchcock);** ***El hombre del brazo de oro*** **(Otto Preminger);** ***Mr. Roberts*** **(Ford y LeRoy) [...]**

«Estamos a favor de una detente, pero si alguien piensa que por esta razón vamos a olvidar a Marx, Engels y Lenin, se equivoca. Esto pasará cuando las ranas críen pelo.»—**Nikita Khrushchev, en Ginebra**

Xuyen, cuyas mafias dominaban los negocios ilegales, la policía de Saigón y el servicio secreto federal.

Diem sobornó a varios dirigentes Hoa Hao y Cao Dai para que apoyaran su régimen, pero el Binh Xuyen se enfrentaba a menudo con tropas gubernamentales. En mayo de 1955 finalizó la resistencia importante de la secta después de cientos de muertes en una lucha callejera. En verano, Diem bloqueó un intento de golpe de un general apoyado por los franceses y sofocó una rebelión dirigida por jefes Hoa Hao intransigentes.

Bao (que se trasladó a la Riviera) fue depuesto en un referéndum que abolió la monarquía y convirtió a Diem en presidente. Los patrocinadores americanos de Diem se convencieron por completo de que podría hacer de Vietnam del Sur un estado permanente y un baluarte contra el comunismo, pero en 1956 debían celebrarse elecciones para decidir quién gobernaría todo Vietnam; de hecho, el líder del Norte, Ho Chi Minh, seguía siendo favorito en el país dividido. La solución de Diem fue simple: se negó a celebrar las prometidas elecciones. A partir de entonces la lucha de Ho por la reunificación se realizaría mediante métodos militares. **◂1954.1 ▸1961.6**

DIPLOMACIA

Consolidación de alianzas

4 Los bandos de la Europa de posguerra estaban muy claros a finales de 1955 gracias a una serie de acontecimientos diplomáticos de gran importancia. En mayo (cumpliendo los acuerdos de París de 1954), Alemania occidental fue admitida en la OTAN. El final de la ocupación de los aliados occidentales en el país y la posibilidad de su rearme angustió a la Unión Soviética, víctima de la agresión alemana dos veces en 40 años. El Kremlin respondió con la formalización inmediata del Pacto de Varsovia, un acuerdo de mutua defensa con Albania, Checoslovaquia, Bulgaria, Alemania oriental, Hungría, Polonia y Rumanía. (Además de representar una fuerza que contrapesaba a la de la OTAN, el pacto permitió a Moscú mantener efectivos militares importantes en estos países, lo que aseguraba, en consecuencia, la dominación soviética.) Asimismo, en mayo, Moscú firmó el Tratado de Austria, que finalizó la ocupación de las cuatro grandes potencias y devolvió a Austria su soberanía. La retirada de las tropas soviéticas, que se habían convertido en una manzana de la discordia entre Oriente y Occidente, empezó de inmediato.

La cordialidad reinó en la reunión de los dirigentes de los cuatro *(de izquierda a derecha):* Bulganin (URSS), Eisenhower (Estados Unidos), Faure (Francia) y Eden (Gran Bretaña).

En julio, dirigentes de Gran Bretaña, Francia, Estados Unidos y la Unión Soviética se reunieron en Suiza, país neutral, para discutir varias cuestiones esenciales para la convivencia de Oriente y Occidente. El ambiente posestalinista provocó un gran optimismo y la declaración de Eisenhower de que no planeaba «tomar parte en una guerra agresiva» tranquilizó a un mundo obsesionado por el holocausto nuclear. Pero no se arregló nada sustancial y la cuestión de la reunificación de Alemania continuó sin resolverse. **◂1949.2 ▸1961.1**

DIPLOMACIA

Primera conferencia del Tercer Mundo

5 En abril de 1955 políticos de veintitrés naciones asiáticas y seis africanas se reunieron en Bandung, Indonesia, para organizar el futuro de una nueva fuerza política global: el Tercer Mundo. Según las últimas teorías sociopolíticas (apuntadas por el sociólogo francés Alfred Sauvy en 1952), cada país pertenece a uno de los tres «mundos»: el primero es el de las democracias capitalistas industrializadas; el segundo, el bloque soviético, y el tercero, el de los estados poscoloniales. La mayoría de la población del tercero no es blanca, de modo que el presidente de Indonesia, Sukarno, llamó a la conferencia de Bandung «la primera conferencia internacional de pueblos de color en la historia de la humanidad».

Las naciones representadas en la convención tenían poco en común, aparte de la pobreza. Se inició un debate acalorado sobre si la política soviética en la Europa oriental y el centro asiático equivalía al colonialismo occidental. Finalmente se aprobó una resolución que condenaba «al colonialismo en todas sus manifestaciones», censurando de forma implícita a Moscú. China, a pesar de la reciente subyugación del Tíbet, fue recibida en Bandung con los brazos abiertos.

Un resultado concreto fue la «declaración sobre la promoción de la paz y la cooperación mundial», basada en la carta de la ONU y en los principios morales del primer ministro indio Jawaharlal Nehru (uno de los políticos asistentes de mayor edad). De Bandung surgiría el Movimiento No Alineado, a través del cual docenas de naciones intentarían, con o sin éxito, evitar convertirse en peones de los titanes de la guerra fría. La conferencia otorgó proyección internacional a un grupo de políticos como Sukarno, Zhou Enlai, de China, o Gamal Abdal Nasser, presidente de Egipto, y dio nuevas esperanzas a los idealistas del Primer Mundo, desesperados por la política de las superpotencias: quizá la respuesta al conflicto Oriente-Occidente residía en estos líderes dinámicos y en sus naciones recién nacidas. **◂1955.4**

Carlos Romulo de Filipinas (*izquierda*) y el editor americano Norman Cousins en la conferencia de Bandung.

NACIMIENTOS

Isabelle Adjani, actriz francesa.

Kevin Costner, actor y director cinematográfico estadounidense.

Willem Dafoe, actor estadounidense.

MUERTES

Theda Bara, actriz estadounidense.

James Dean, actor estadounidense.

Albert Einstein, físico alemán-estadounidense.

Concha Espina, escritora española.

Alexander Fleming, bacteriólogo británico.

Arthur Honegger, compositor suizo.

Fernand Léger, pintor francés.

Thomas Mann, escritor alemán-estadounidense.

José Ortega y Gasset, filósofo español.

Charlie "Bird" Parker, músico estadounidense.

Robert E. Sherwood, dramaturgo estadounidense.

Ives Tanguy, pintor francés.

Pierre Teilhard de Chardin, teólogo y paleontólogo francés.

Maurice Utrillo, pintor francés.

Teatro: ***Sublime decisión*** **(Miguel Mihura);** ***Bus Stop*** **(William Inge);** ***La gata sobre el tejado de zinc*** **(Tennessee Williams);** ***Panorama desde el puente*** **(Arthur Miller).**

«Es casi cierto que mi novela contiene varias alusiones a los impulsos psicológicos de un pervertido. Pero, después de todo, ninguno de nosotros es un niño.»—**Vladimir Nabokov, novelista, sobre *Lolita***

NOVEDADES DE 1955

Ford Thunderbird.

Kentucky Fried Chicken.

Hovercraft.

Conferencia de prensa televisada del presidente de Estados Unidos.

Libro Guinness de los récords.

Caravelle, primer reactor civil de transporte (Francia).

EN EL MUNDO

▶II JUEGOS DEL MEDITERRÁNEO—Entre el 16 y el 26 de julio se celebraron en Barcelona los II Juegos del Mediterráneo. Esta manifestación deportiva

que reproduce unos juegos olímpicos a escala regional contó con la participación de Egipto, España, Francia, Grecia, Italia, Líbano, Malta, Mónaco, Siria y Turquía. El gimnasta Joaquín Blume, con seis medallas de oro, fue el deportista español más destacado.

▶MARCUSE Y LA NUEVA IZQUIERDA—*Eros y la civilización* de Herbert Marcuse hizo de este filósofo social el líder intelectual del movimiento de la Nueva Izquierda. El libro, que presenta interpretaciones complejas de Freud, Marx y Hegel, identificaba a la sociedad industrial como un agente de represión sexual, política y económica. Las ideas de Marcuse fueron acogidas por extremistas de los años sesenta, que creyeron firmemente en su defensa de la «resistencia hasta alcanzar la subversión». Marcuse, exiliado de la Alemania nazi, sostenía que la

CULTURA POPULAR

McDonald's se hace nacional

6 En abril de 1955, Ray A. Kroc, antiguo pianista de *jazz*, abrió una franquicia de comida rápida en Des Plaines, Chicago. Entonces nadie se imaginó que estaba naciendo una revolución en los hábitos alimenticios americanos y un imperio mundial. Kroc, distribuidor exclusivo de la Multimixer, una máquina que hacía cinco batidos a la vez, conoció a los hermanos McDonald el año anterior en su restaurante de carretera de San Bernardino, California. Al utilizar técnicas de producción en cadena para preparar hamburguesas, batidos y patatas fritas, los hermanos convirtieron su puesto junto a la carretera en un negocio que facturaba doscientos mil dólares anuales y empezaron a establecer franquicias en California. Kroc, queriendo ganar una parte de los beneficios (y vender más Multimixer), convenció a los hermanos de que le autorizaran para extender los restaurantes por toda la nación.

Kroc pronto vendió su empresa para dedicarse por completo a las hamburgueserías. En 1961, cuando les compró su parte a los hermanos McDonald, la cadena contaba con más de doscientas sucursales. Kroc, que se describía a sí mismo como un «superpatriota» y ordenó que ondeara la bandera americana en sus establecimientos, construyó su éxito sobre una presentación y un producto uniformes. En los años ochenta, con más de diez mil franquicias, la compañía McDonald's era la empresa de comida rápida más amplia del mundo, la mayor propietaria de bienes comerciales de Estados Unidos y una de las que empleaba a una mayor cantidad de personal. Los restaurantes McDonald's, extendidos desde París hasta Pekín, representan el consumismo de estilo americano.

Davis en un descanso durante una grabación. Su carrera duró cuatro décadas.

MÚSICA

Los quintetos de Miles

7 Tras su gran actuación en el Festival de Jazz de Newport en 1955, el trompetista de *jazz* Miles Davis, hasta entonces sólo conocido por expertos, llegó a lo más alto de su profesión. Por primera vez un hombre negro era el músico de *jazz* de más éxito de su época. El mismo año, Davis formó un quinteto de estrellas con el saxofonista John Coltrane, el pianista Red Garland, el bajo Paul Chambers y el batería Philly Jo Jones. El grupo se ganó un sitio entre los grandes del *jazz* y condujo el *«cool jazz»* a su madurez. Un crítico observó: «La soledad nunca ha sido examinada con tanta severidad en el *jazz*». El sonido íntimo y amortiguado de la trompeta de Davis se ha relacionado con el cristal ahumado y con la respiración.

En su juventud, Davis, hijo de un dentista de Alton, Illinois, había venerado a Dizzy Gillespie y Charlie Parker (tocó con ambos a finales de los años cuarenta) pero sabía que carecía de sus dotes técnicas. Sin dejarse intimidar, empezó a experimentar con un estilo más introspectivo y asequible. En 1949, él y un grupo de músicos grabaron *Birth of the Cool*. El disco marcó una ruptura con 30 años de *jazz* caliente, preocupado por un sonido exuberante, y avanzó lo que llegaría con el emblemático quinteto. El grupo, con el saxofonista Cannonball Adderley en sustitución de Coltrane, intentó un acercamiento modal al *jazz* (por oposición al armónico) a finales de los años cincuenta, y a finales de los sesenta Davis introdujo la mezcla de *jazz* y *rock* llamada «fusión». El quinteto Davis de los años sesenta (Wayne Shorter al saxo, Herbie Hancock al piano, Ron Carter al bajo y Tony Williams en la batería) fue tan famoso como el de los años cincuenta. **◀1945.15 ▶1959.NM**

LITERATURA

Nabokov escandaliza

8 Vladimir Nabokov escribió novelas ingeniosas y eruditas en ruso antes de pasarse al inglés en los años cuarenta. A finales de la década, fue nombrado profesor de literatura rusa y europea en la Universidad de Cornell, Nueva York. A pesar de sus credenciales intelectuales, los editores norteamericanos no quisieron publicar *Lolita*, la «confesión» medio en broma medio en serio de Humbert Humbert, un emigrante europeo elegante, obsesionado por una preadolescente americana, por considerarlo un libro obsceno más. Nabokov permitió que un especialista en pornografía lo publicara en París en 1955. La novela provocó controversias en Francia, Estados Unidos y Gran Bretaña. *Lolita* se convirtió en una obra maestra (junto a obras de Joyce, Lawrence y muchos otros) que desafiaba las convenciones occidentales sobre la descripción por escrito del deseo sexual. Con la adaptación cinematográfica de Stanley Kubrick (con James Mason en el papel de Humbert), el debate se extendió al cine.

«Mi tragedia personal es que he tenido que abandonar mi idioma materno, mi lengua rusa, rica, dócil y sin trabas, por un inglés de segunda categoría», se lamentó Nabokov. No obstante, la prosa de su exiliado aristocrático no podía haber sido más correcta o alabada. Los literatos elogiaron *Lolita* como una brillante

Un McDonald's de Nueva Jersey en 1962. Ya se habían vendido casi mil millones de hamburguesas.

DEPORTES: Ciclismo: tercer triunfo consecutivo del francés L. Bobet en el Tour; primera victoria de Guillermo Timones en el campeonato del mundo de medio fondo de ciclismo tras moto [...] Automovilismo: Juan Manuel Fangio, campeón del mundo por tercera vez.

«Lo obsceno no es el poeta sino lo que observa. La basura obscena de "Aullido" es la triste basura del mundo mecanizado, perdido entre bombas atómicas y nacionalismos enfermizos.»—**Lawrence Ferlinghetti**

obra «del arte por el arte», una orquestación brillante de sátira, parodia, juegos de palabras y segundas intenciones. El libro se convirtió en un superventas y permitió a Nabokov dejar la enseñanza, trasladarse a Suiza y dedicarse por completo a escribir y a coleccionar mariposas. **◂1913.3**

CINE

Nacimiento de un mito

9 James Dean, de 24 años de edad, era uno de los nuevos talentos de Hollywood del que más se hablaba. La periodista Hedda Hopper escribió que nunca había visto a un joven actor con «tanta fuerza y tantas formas de inventiva». Dean consideraba exagerada su fama creciente. «Para mí el único éxito, la única grandeza, es la inmortalidad», decía. El 30 de septiembre de 1955 alcanzó este estatus en un cruce de carreteras de California. Un Ford sedán chocó contra el Porsche de Dean y le mató al instante.

Dean era conocido por alguna obra de Broadway, algunos seriales de televisión, pequeños papeles en tres películas mediocres y el papel estelar de Cal, la representación del torturado Caín en la película *Al este del Edén*. Cuatro días después de su muerte se estrenó, como estaba programado, *Rebelde sin causa*, melodrama de Nicholas Ray sobre la delincuencia juvenil. Dean protagonizaba la película. Los adolescentes se identificaron con su interpretación de Jim Stark, un muchacho de clase media, angustiado y frustrado por una madre dominante y un padre calzonazos. *Rebelde sin causa* fue un éxito de taquilla y la Warner llegó a recibir ocho mil cartas a la semana dirigidas a la estrella fallecida.

El último papel de Dean, como el vulnerable chico malo que trabaja en un rancho en *Gigante* (1956), afianzó su leyenda. Se crearon clubes de admiradores en todo el mundo. Algunos todavía existen. Miles de personas han visitado su tumba, en Indiana. Ha sido imitado, consciente o inconscientemente, por ídolos de los adolescentes, desde Elvis Presley hasta Jason Priestley, y su imagen aparece en camisetas, carteles y anuncios. Un buen actor que ha demostrado ser un mejor ídolo. **◂1921.10 ▸1956.1**

Dean abraza a la coprotagonista de *Rebelde sin causa*, Natalie Wood. Como él, Natalie Wood y otro actor de la película, Sal Mineo, murieron violenta y prematuramente.

LITERATURA

Una lectura revolucionaria

10 «He visto a las mejores mentes de mi generación destruidas por la locura, famélicas histéricas desnudas...» Este primer verso de «Aullido», leído por Allen Ginsberg en la Six Gallery de San Francisco en noviembre de 1955, marcó la aparición de un gran poeta americano y el nacimiento de un movimiento creativo. Desde mediados de los años cuarenta, Ginsberg y unos cuantos colegas —Jack Kerouac, William Burroughs, Gary Snyder y otros— habían insinuado una estética llamada *beat*. Los beats, que rechazaban los valores de la clase media («los estrechos»), adoraban la espontaneidad, la naturaleza y la expansión del inconsciente, que buscaban a través de drogas, sexo, *jazz* y religiones orientales. Hablaban, escribían y se vestían como profetas pero con alguna característica moderna: les gustaba maldecir y su ropa provenía del Ejército de Salvación.

«Aullido», escrito en una tarde de inspiración, era la expresión perfecta de la concepción del mundo que tenían los beats, una dura crítica a la América contemporánea («una dinamo caníbal») y el elogio a los *hipsters* (rebeldes de la época) que no temen la destrucción para encontrar una verdad más elevada. La actuación de Ginsberg se convirtió en una leyenda, pero cuando el poema apareció en *Aullido y otros poemas* (1956), el editor, Lawrence Ferlinghetti, se enfrentó a acusaciones por obscenidad. El caso, fallado a favor de Ferlinghetti, hizo famoso a Ginsberg y a su círculo. El libro se convirtió en uno de los volúmenes de poesía más vendidos del siglo.

Homosexual declarado cuando todavía se consideraba ofensiva esta inclinación, Ginsberg continuó siendo objeto de controversia en las décadas siguientes. Apoyó el movimiento *hippie* en los años sesenta, y causas radicales (y la iluminación budista) en los noventa. En 1974, cuando ganó un Premio Nacional por *La decadencia de América: poemas de estos estados*, su talento poético fue reconocido por el estamento literario. **▸1957.8**

Allen Ginsberg *(derecha)* con sus compañeros beats, Peter Orlovsky *(izquierda)* y Gregory Corso, en Nueva York (1957).

universidad americana era un «reducto» de libertad académica.

▶AISLAMIENTO DEL ARN—Severo Ochoa, profesor español de bioquímica en la Facultad de Medicina de la Universidad de Nueva York, contribuyó a desentrañar los misterios de la herencia cuando aisló una enzima bacteriana que le permitió catalizar el ácido ribonucleico (ARN). La obra fue crucial para comprender cómo se transmite la información de los genes a las enzimas, que controlan la naturaleza y el funcionamiento de las células individuales. La hazaña de Ochoa fue fundamental para la síntesis del ARN y el desciframiento del código genético. ◂1953.1 ▸1967.11

▶LA FAMILIA DE STEICHEN—En 1955, Edward Steichen, fotógrafo y director del Museum of Modern Art (MOMA), montó una exposición ideada para

destacar la diversidad y solidaridad de la raza humana. «La familia del hombre» incluía 503 fotografías procedentes de todo el mundo. (La imagen superior es una fotografía de dos niños realizada por W. Eugene Smith.) Fue una de las exposiciones de arte más populares, visitada por unos nueve millones de personas. ◂1902.13

▶ESPAÑA EN LA ONU—Junto con otros quince países, el Consejo de Seguridad de las Naciones Unidas aceptó el 14 de diciembre la incorporación de España a este organismo internacional. De esta forma quedaba totalmente normalizada la situación diplomática del

régimen español en el «concierto internacional de las naciones». Culminó así un

POLÍTICA Y ECONOMÍA: IBM presenta su primer computador de empresa, el IBM 752 [...] 63.057 cines en España [...] La República Federal Alemana, estado de plena soberanía [...] Pacto de Varsovia [...] Mohemet V de Marruecos recupera el trono de Rabat.

«Si quieres darle otro nombre al rock 'n' roll, *puedes llamarlo "Chuck Berry".»*—**John Lennon**

proceso que había empezado cuando en 1946 comenzaron a desmoronarse las condenas que los países vencedores de la Segunda Guerra Mundial habían impuesto a la España de Franco por su complicidad con las potencias del Eje.

▶UNA CHINA NUEVA —Chiang Kai-shek, dirigente del gobierno nacionalista depuesto, siempre mantuvo buenas relaciones con Estados Unidos y, además, era un enemigo absoluto del comunismo. En enero, su lealtad fue recompensada con la aprobación de la Resolución de Formosa, por la que Estados Unidos se comprometía a defender el gobierno nacionalista de Taiwan (reconocido por Estados Unidos como el único gobierno de China) contra cualquier amenaza comunista de China. ◂1949.1 ▸1972.2

▶CONCILIADOR CRISTIANO—Los escritos de Pierre Teilhard de Chardin, sacerdote católico, paleontólogo y filósofo, fueron publicados en 1955 después de su muerte. La Iglesia prohibió a Teilhard, que intentó conciliar ciencia y cristianismo, publicar sus

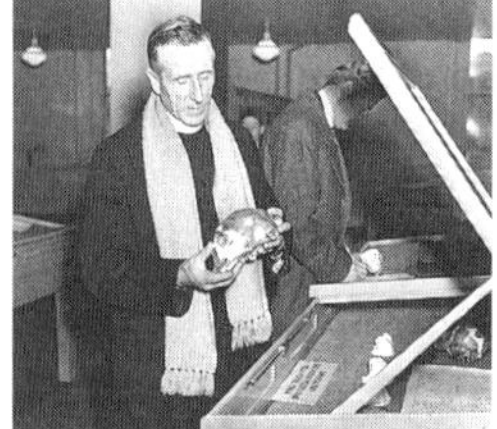

ideas sobre la evolución. *El fenómeno del hombre*, su obra maestra, presentaba su teoría optimista de que a través de la ciencia el hombre podría dar el paso final de la fe y completar el reconocimiento de Cristo. ◂1925.3 ▸1962.1

CULTURA POPULAR

El imperio del ratón Mickey

11 El año 1955 fue un gran año para Walt Disney. Su nueva serie de televisión, *Disneylandia*, y otros productos de la compañía Disney, como cómics, películas, dibujos animados o documentales, alcanzaron un éxito asombroso. El 17 de julio de ese mismo año Disney inauguró su mayor obra: Disneylandia.

El parque temático, construido en Anaheim, California, fue la primera de las atracciones de este tipo. Comparados con Disneylandia, los otros parques quedaron anticuados y parecieron aburridos y poco imaginativos. Una familia podía pasear durante horas; visitar el simulacro de un lanzamiento a la Luna, el viejo oeste americano o Tahití; subirse a una gran taza de té o a un barco pirata en reinos que se llamaban Fantasilandia y Aventurolandia. El parque, un auténtico reino lleno de magia y diversión, tenía algo que ofrecer a personas de cualquier edad.

En octubre, Disney presentó un programa de televisión dedicado «directamente a los niños». *El club del ratón Mickey* acompañó a los niños de la generación del *baby-boom*, Disneylandia, con sus establecimientos en Florida, Japón y Francia, continuó siendo una atracción turística durante las décadas siguientes. **◂1928.10**

LITERATURA

Se reinventa la novela

12 La novela de Alain Robbe-Grillet *El mirón* (1955) puede que se trate de un viajante que ha violado y asesinado a una joven. Quizá trate de un viajante obsesionado con la violación y el asesinato cometido por otra persona. O quizá el crimen sea totalmente imaginario. Estos detalles resultaban irrelevantes para Robbe-Grillet. Lo importante era expresar cuidadosamente la percepción humana del tiempo, el espacio y la materia. *El mirón*, como todas sus obras, está llena de contradicciones, repeticiones y sobre todo de *objetos*, descritos con una meticulosidad exasperante. El escritor francés, con estudios de estadística, introduce en sus novelas inventarios, horarios y mediciones, pero no una trama o personajes convencionales.

La anterior novela de Robbe-Grillet, *La doble muerte del profesor Dupont* (1953), desconcertó por completo a los lectores. *El mirón,* en cambio, ganó el prestigioso Premio de la Crítica. En los años sesenta, Robbe-Grillet fue reconocido como el representante principal de lo que él mismo llamó *nouveau roman* o «novela nueva». Los novelistas de este movimiento —Michel Butor, Marguerite Duras, Claude Mauriac, Nathalie Serraute y Claude Simon— sólo tenían en común la determinación de explorar la naturaleza de la percepción y poner a prueba las fronteras de la narrativa. «Cada novela debe inventar su propia forma», escribió Robbe-Grillet. **▸1957.10**

El castillo por el que se entra en Disneylandia.

MÚSICA

El abuelo del *rock 'n' roll*

13 Comparada con la complejidad del *rock 'n' roll* posterior, la obra de Chuck Berry (cuyo éxito «Maybellene» alcanzó el número uno en las listas de *rythm-and-blues* y el número cinco en las listas de música de actualidad) puede parecer simple, pero todos los rockeros posteriores han recibido la influencia de Berry, de su forma de tocar la guitarra, de sus letras y de su manera espectacular de moverse. Sus canciones, simples y pegadizas, sobre los días estudiantiles de citas y coches, han dominado a grupos profesionales y aficionados.

Durante el día, Berry, que vivía en St. Louis, era peluquero y por la noche tocaba en pequeños clubes. Su primer gran éxito llegó cuando Muddy Waters, uno de los grandes

Berry en 1986, a los 60 años de edad.

del *blues*, le contrató para una actuación única en Chicago y luego le recomendó para una audición con la compañía discográfica Chess Records. «Maybellene» era la adaptación de una canción *country* llamada «Ida Red» y se convirtió en su primer gran éxito. Siguieron nuevos éxitos con «Roll over Beethoven» y «Johnny B. Goode».

Sin embargo, el superestrellato de Berry no duró mucho. En 1962 fue enviado a prisión durante dos años por llevar a un menor en sus giras estatales para «propósitos inmorales». En 1972, Berry hizo una gira por Las Vegas y obtuvo su primer éxito *pop*: una canción llamada «My ding-a-ling». **◂1950.NM ▸1956.1**

PREMIOS NOBEL: Paz: Sin galardón [...] Literatura: Halldór K. Laxness (islandés; novelista) [...] Química: Vincent du Vigneaud (norteamericano; hormona polipéptida) [...] Medicina: Hugo Theorell (sueco; enzimas oxidantes) [...] Física: Polycarp Kusch y Willis Lamb (norteamericanos; magnetismo del electrón).

Una decisión arriesgada

De *Sublime decisión*, de Miguel Mihura, 1955

La mejor obra de Mihura, el mejor autor de teatro cómico español del siglo XX, Tres sombreros de copa, *fue escrita en 1932 y tardó más de veinte años en estrenarse. Fue rechazada durante este tiempo por su audacia formal, por su libertad creadora y su humor insólito. Mihura decidió «prostituirse» y escribir «un teatro comercial o de consumo». Sólo consiguió su propósito a medias, ya que la comercialidad no pudo ocultar su inmenso talento. En 1955 estrenó uno de sus mayores éxitos, que recuperaba el nivel de* Tres sombreros de copa.

Se trata de Sublime decisión*: la deliciosa historia de una chica que decide trabajar en un negociado público escapando así al convencional dilema al que se enfrentaba la condición femenina: la sumisión al matrimonio o la aceptación de la triste condición de solterona inútil. A pesar de que la obra está ambientada a finales del siglo XIX, la crítica de Mihura se ceba en ciertas rutinas atávicas —la desconfianza frente al trabajo femenino, la ineficiencia estúpida de las oficinas ministeriales— plenamente vigentes a mediados del siglo XX en la sociedad española.*

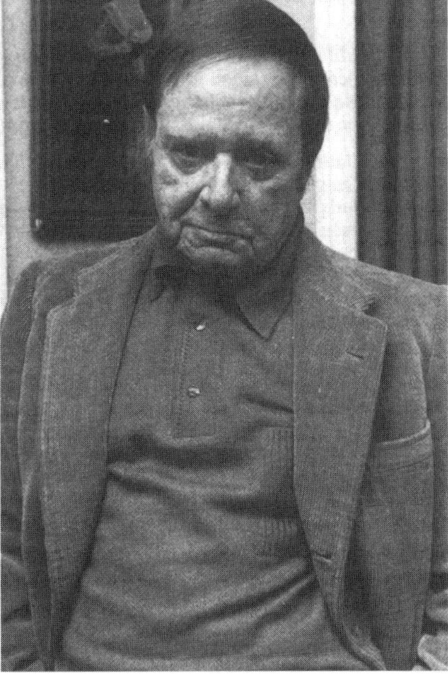

Miguel Mihura.

HERNÁNDEZ.—Buenos días, Pablito.

(PABLO *se sienta junto a su pupitre, que está en segundo término, a la derecha.* DON CLAUDIO *aparta el tabaco, tose y dice gravemente.)*

CLAUDIO.—¿Está usted ya sentado?
PABLO.—*(Sorprendido, igual que* HERNÁNDEZ.) Sí señor.
CLAUDIO.—Pues bien... Sólo esperaba que usted llegase para, una vez todos reunidos, confirmarles una grave noticia, de la que supongo ya tendrán alguna referencia.
HERNÁNDEZ.—Algo se dice por ahí...
PABLO.—Yo he oído rumores...
HERNÁNDEZ.—Pero, con todos los respetos, don CLAUDIO, yo creo que eso que se dice no puede ser verdad...
CLAUDIO.—Pues es verdad, amigos míos. Por primera vez en España, y creo que en el mundo, una mujer va a venir a trabajar a una oficina. Pero no como mujer de la limpieza, que sería lo lógico, sino como funcionaria de Obras Públicas...
HERNÁNDEZ.—(*Sin dar crédito a lo que oye*). ¿Como funcionaria de Obras Públicas?...
CLAUDIO.—Sí, señor, Lo mismo que nosotros.
PABLO.—*(Estupefacto.)* ¡Pero eso es imposible!
HERNÁNDEZ.—¿Una mujer funcionaria? ¿Pero qué función va a hacer una mujer? ¿Es que las mujeres pueden funcionar fuera de sus casas?... ¿En qué país vivimos, don CLAUDIO?
CLAUDIO.—*(Se levanta y va al centro de la escena.)* ¡Déjeme terminar! Esta señorita, que es amiga mía, viene a título de prueba, y estoy seguro que no durará mucho tiempo entre nosotros...
HERNÁNDEZ.—*(Indignado.)* ¿Pero cómo quiere usted que dure? ¿Pero usted no comprende que una mujer no podrá nunca convivir entre personas del sexo contrario, sin ocasionar serios conflictos de orden público y moral?
PABLO.—Y sobre todo, don CLAUDIO, que le quita el puesto a un hombre que tiene que alimentar una familia...
HERNÁNDEZ.—*(Furioso.)* ¡Y a eso no hay derecho!...
CLAUDIO.—¿Me dejan que continúe hablando?...
HERNÁNDEZ.—Sí, señor, siga...
CLAUDIO.—La señorita en cuestión es hija de un pobre cesante que no tiene donde caerse muerto, y quiere este empleo para ganarse el pan honradamente y alimentar a su familia...
HERNÁNDEZ.—Pues que se case.
CLAUDIO.—No tiene novio...
HERNÁNDEZ.—¡Pues que lo busque!
CLAUDIO.—No le sale.
HERNÁNDEZ.—¡Pues que se muera!...
CLAUDIO.—¡No quiere morirse!...
HERNÁNDEZ.—Bueno, bueno; entonces siga usted...
CLAUDIO.—Hace algún tiempo me llamó a mí y a un sacerdote, y nos dijo: «Yo quiero ser funcionaria de Obras Públicas, como usted, y ganarme mi pan y el de los míos... Y si ustedes no me lo consiguen, habrán hecho de mí una "tunanta"».
HERNÁNDEZ.—¿Una tunanta?
CLAUDIO.—¡Una tunanta!
HERNÁNDEZ.—Eso ya es más grave...
CLAUDIO.—Figúrense nuestra sorpresa e indignación. Le dijimos que estaba loca, y allí mismo la dejamos llorando. Sin embargo, el sacerdote tuvo remordimientos, y reflexionó. Habló con el Reverendo de este caso. El Reverendo, con el Obispo. El Obispo, con el Ministro, y el Ministro con nuestro Director General. Y, desdichadamente, se ha aceptado la idea, y hoy vendrá a trabajar esa muchacha a nuestro negociado...

(Y vuelve a ocupar su sitio en su mesa.)

«Salí del escenario y mi manager me dijo que gritaban porque yo quería. Salí otra vez para un bis y les provoqué un poco más y, cuanto más les provocaba, más gritaban.»—**Elvis Presley sobre su primera gran actuación, 1956**

HISTORIA DEL AÑO

El Rey

1 En marzo de 1956 se presentó «Heartbreak Hotel», el primer éxito del rockero más influyente de todos los tiempos. Al acabar el año, Elvis Presley, además de haber cosechado tres éxitos más, se había convertido en un éxito televisivo y en el ídolo de los adolescentes. Presley no inventó el *rock*, que a principios de los años cincuenta había evolucionado desde los ritmos negros hacia la música blanca, pero personificó su promesa de liberación y su desafío al conformismo de la época más que ningún otro intérprete. Su carisma y la fuerza de sus mejores actuaciones le valieron el título de «Rey del *rock 'n' roll*». Aunque al principio fue repudiado por los defensores del buen gusto y de la moralidad (y más tarde acusado de aprovecharse de la cultura negra sin pagar peaje), popularizó el género en todo el mundo e influyó en generaciones enteras de músicos. El culto por su personalidad continúa incluso a finales de siglo.

Presley había cantado, y soñado con el estrellato, desde su infancia. Trabajaba como camionero en Memphis, Tennessee, cuando grabó una canción *country* en un estudio dirigido por Sam Phillips, el propietario de Sun Records. Éste, que había editado los primeros discos de estrellas del *blues* como B. B. King y Howlin' Wolf, tenía buen ojo para los negocios: esperaba hacerse rico encontrando a «un blanco con sonido y sentimientos negros». Llevó a Presley en esta dirección y en 1954 el cantante obtuvo un éxito regional con «That's all right», escrita por Arthur Crudup. Presley realizó una gira por el sur de Estados Unidos que conmocionó al público adolescente.

En 1955, se colocó en el número uno de las listas de éxitos del país con su versión de «Mystery train» y la compañía gigante RCA pagó a la Sun Records la cifra sin precedentes de 35.000 dólares por el contrato del artista. (En el primero de sus legendarios actos de generosidad, le compró un Cadillac rosa a su madre.) Las canciones de éxito se sucedieron: 83 en 16 años. Gracias al talento comercial de su representante, el coronel Tom Parker, siguió manteniendo su fama en todo el mundo mucho después de que se apagara su grandeza; no obstante, la presión de la popularidad le llevó a un final trágico. **◂1955.13 ▸1977.6**

El Rey tal y como aparecía en la película de 1956 *Love me tender.*

UNIÓN SOVIÉTICA

Khrushchev repudia a Stalin

2 El «discurso secreto» de Nikita Khrushchev contra Stalin fue el ataque más duro al comunismo desde el interior del sistema. Pronunciado en febrero de 1956 en una sesión nocturna extraordinaria del 20.º Congreso del Partido Comunista en Moscú (en el que se

Khrushchev enterró el culto a Stalin y redefinió el comunismo durante la época de la guerra fría.

prohibió la entrada a la prensa y a los extranjeros), la diatriba de cuatro horas de Khrushchev dinamitó las bases del Partido y anunció una nueva era soviética.

Khrushchev consiguió la dirección comunista tras la muerte de Stalin en 1953. Durante los años siguientes, se fue desviando con gran cautela de la política del dictador; inició sutiles reformas penales y liberalizó la política exterior. En 1955 incluso intentó una reconciliación con el mariscal Tito de Yugoslavia. De modo que, cuando el congreso se reunió, los más de mil trescientos asistentes esperaban un cierto revisionismo ideológico y pocos se sorprendieron cuando algunos oradores denunciaron «el culto a la personalidad».

Sin embargo, en la sesión inaugural, Khrushchev declaró que «la guerra podía evitarse», contradiciendo directamente la doctrina de la lucha de clases y escandalizando a la vieja guardia del partido. Luego, la décima noche, convocó a los delegados, cerró las puertas y denunció extensamente a su antiguo jefe, atacando su «intolerancia, brutalidad y abuso de poder». El ritmo de la desestalinización se aceleró. Al año siguiente, fueron liberados ocho millones de presos políticos y miles de miembros del partido que habían sido purgados fueron rehabilitados póstumamente.

Los estalinistas convencidos proyectaron numerosos atentados contra la vida de Khrushchev y, en 1958, un grupo liderado por Vyacheslav Molotov, Georgi Malenkov y Lazar Kaganovich intentó derrocarlo. Khrushchev aguantó el golpe, depuso a sus enemigos de sus cargos, los exilió al interior del país y colocó a sus partidarios en el gobierno. Había alcanzado la mayoría de edad bajo Stalin y conocía las reglas del juego. **◂1953.3 ▸1956.4**

ORIENTE MEDIO

La crisis de Suez

3 Gamal Abdal Nasser convirtió a Egipto en un estado socialista con un único partido, se negó a unirse al pacto antisoviético de Bagdad y reconoció a la China comunista. Como Occidente no quiso proporcionarle armas, las compró a la Unión Soviética, pero declaró su independencia de ambos bandos de la guerra fría. Mientras estas osadías convertían al dictador en un héroe en los países en vías de desarrollo, suscitaron la cólera del resto del mundo. El resultado fue la crisis de Suez en 1956: una derrota militar pero un triunfo diplomático.

La crisis estalló cuando Estados Unidos y Gran Bretaña retiraron los préstamos para la construcción de la presa alta de Asuán. Nasser, furioso, anunció que nacionalizaría el canal de Suez, de propiedad internacional, y que utilizaría sus beneficios para pagar la presa. Gran Bretaña y Francia pactaron un acuerdo secreto con Israel para que atacara a Egipto a través de la península del Sinaí; después, los dos países europeos podrían ocupar la zona del canal con el pretexto de separar a los

Un oficial israelita interroga a un prisionero egipcio. Pese a todo, Nasser prevaleció.

adversarios. El 29 de octubre tropas israelitas atacaron Egipto. Bombarderos británicos destruyeron la fuerza aérea egipcia y paracaidistas franceses y británicos capturaron los puertos de Said y Fuad. La lucha finalizó una semana después con dos mil setecientos defensores y ciento

ARTE Y CULTURA: **Libros:** ***La caída*** **(Albert Camus);** ***El Jarama*** **(R. Sánchez Ferlosio);** ***El arte de amar*** **(Erich Fromm) [...] Música: «Qué será, será» (Livingston y Evans); «Fever» (Davenport y Cooley) [...]**

«Jóvenes húngaros, vuestros deseos se han cumplido. [...]. Nagy ha vuelto. Creará un orden nuevo. ¿Por qué continuáis luchando?»—**Comunicado del Partido Comunista húngaro en la radio de Budapest**

cuarenta invasores muertos o heridos.

La ONU condenó la invasión y envió soldados para garantizar el alto el fuego. Egipto estuvo de acuerdo en compensar a la antigua Compañía del canal de Suez y mantuvo en su poder el canal. (La presa se terminó en 1970 con la ayuda soviética.) Israel se vio obligado a devolver el territorio que había ocupado, y Gran Bretaña y Francia perdieron buena parte de sus posiciones en Oriente Medio. El prestigio de Nasser, que había desafiado a tres ejércitos y había obtenido beneficios, aumentó más que nunca. **◂1954.2 ▸1958.1**

EUROPA ORIENTAL

Alzamientos en Polonia y en Hungría

4 Durante un breve tiempo pareció que el final del estalinismo significaría que los satélites de la Unión Soviética ya no deberían obediencia a Moscú. El Nuevo Rumbo de Khrushchev (como él mismo denominó a su política de desestalinización) prometía «caminos nacionales hacia el socialismo». En 1956, la distensión desembocó en alzamientos en Hungría y Polonia. En este país, pudo evitarse una revolución anticomunista general. Hungría fue mucho más allá antes de que una contraofensiva soviética aplastara cualquier ilusión de que el Nuevo Rumbo significaba un orden nuevo.

En octubre, los polacos se alzaron violentamente contra el régimen apoyado por Moscú. Khrushchev voló a Varsovia, mientras el ejército soviético iba de «maniobras», y llegó a un acuerdo con el líder polaco Wladyslaw Gomulka: Polonia gozaría de una cierta libertad pero se mantendría en la esfera de influencia soviética. Mientras, el 23 de octubre, en Budapest, miles de estudiantes salieron a la calle para demostrar su solidaridad con los rebeldes polacos. Los manifestantes se dirigieron a la emisora radiofónica estatal para pedir la retirada de las tropas soviéticas, libertad de expresión, elecciones libres y el regreso al gobierno del reformista Imre Nagy.

Cuando la policía disparó contra la multitud, la manifestación se convirtió en un alzamiento popular. Fuerzas de seguridad húngaras y soldados soviéticos asaltaron Budapest, pero el ejército húngaro no colaboró y sus soldados se pusieron a favor del bando rebelde. El gobierno cayó, y el Partido Comunista húngaro nombró primer ministro a Nagy, que anunció el fin del sistema monocolor y la retirada del Pacto de Varsovia. La alegría duró una semana: el 4 de noviembre unos dos mil quinientos tanques soviéticos entraron en la capital. Miles de resistentes murieron luchando en las calles y otros mil quinientos huyeron a través de la frontera austríaca. Nagy se refugió en la embajada yugoslava, donde permaneció durante dos años. En 1958 salió, víctima de un engaño del nuevo primer ministro János Kádár, y fue ejecutado. **◂1956.2 ▸1968.2**

Manifestantes antisoviéticos en Budapest ante una estatua derribada de Stalin.

LITERATURA

Premio y tragedia

5 Fue un año trágico para Juan Ramón Jiménez. El Premio Nobel de literatura que le fue concedido en 1956 coincidió con la muerte de Zenobia Camprubí Aymer, su esposa desde 1916, compañera y colaboradora literaria inigualable, «apoyo insustituible de un poeta incapaz de enfrentarse solo a los detalles materiales de la existencia».

Juan Ramón Jiménez había nacido en 1881 en un pueblo de la provincia de Huelva, Moguer, donde 25 años más tarde, tras una profunda depresión a causa de la muerte de su padre, escribió su obra más famosa, *Platero y yo*. Se trata de un texto de lentísima elaboración, publicado en 1914 y completado en 1917. Es un bellísimo ejemplo de prosa poética que marca la transición del modernismo a la «poesía desnuda» que caracteriza la que el poeta considera su mejor obra, *Diario de un poeta recién casado*, publicado en 1917 y titulado en una reedición posterior *Diario del poeta y el mar*. Al comienzo de la guerra civil española, J. R. Jiménez se trasladó a América para fijar su residencia definitiva en Puerto Rico en 1951. En 1958 murió como hacía mucho tiempo había escrito en una de sus poesías de juventud: «Yo me moriré, y la noche / triste, serena y callada / dormirá el mundo a los rayos / de su luna solitaria».

NACIMIENTOS

Björn Borg, tenista sueco.

Sebastián Coe, atleta británico.

Mel Gibson, actor australiano-estadounidense.

Joe Montana, futbolista estadounidense.

Martina Navratilova, tenista checa-estadounidense.

Mickey Rourke, actor estadounidense.

MUERTES

Pío Baroja, escritor español.

William Boeing, empresario estadounidense.

Bertolt Brecht, escritor alemán.

Tommy Dorsey, músico estadounidense.

Irène Joliot-Curie, científica francesa.

Alfred Kinsey, biólogo estadounidense.

Alexander Korda, director cinematográfico húngaro-británico.

Mistinguett, cantante francesa.

Giovanni Papini, escritor italiano.

Jackson Pollock, pintor estadounidense.

Josep Puig i Cadafalch, arquitecto español.

Art Tatum, músico estadounidense.

Cine: ***La vuelta al mundo en 80 días*** **(Michael Anderson);** ***Calle Mayor*** **(J. A. Bardem);** ***The searchers*** **(John Ford);** ***Godzilla, el rey de los monstruos*** **(Morse y Honda);** ***Invasión de los devoradores de cuerpos*** **(Don Siegel) [...] Teatro:** ***La visita*** **(Friedrich Dürrenmatt);** ***The most happy Fella*** **(Frank Loesser) [...] TV:** ***El precio justo*** **(Estados Unidos).**

«Tengo que reconocerlo, Bernard Shaw es mucho mejor con música.»—**T. S. Eliot, sobre el estreno de *My fair lady***

NOVEDADES DE 1956

Cable telefónico transatlántico.

Vídeograbadora (Ampex).

Pañales desechables.

EN EL MUNDO

▶EL INVENCIBLE—Boxear era una cosa; lo que hacía el campeón de los pesos pesados Rocky Marciano cuando subía al cuadrilátero era otra. Se acercaba a sus

oponentes como un toro y los derribaba con golpes implacables. Marciano se retiró en 1956, sin una sola derrota en sus 49 combates profesionales (43 de sus oponentes fueron noqueados), siendo el único campeón de los pesos pesados en conseguir un récord perfecto. ◀1937.9 ▶1964.11

▶AMPLIACIÓN DE CARRETERAS—Dos proyectos que se convirtieron en ley en 1956 cambiaron la superficie de Estados Unidos: la ley federal de ayuda a las autopistas y la ley de rentas de autopistas. La primera autorizó la construcción de un sistema de carreteras interestatales de 64.000 km que conectarían las ciudades principales (y proporcionarían las mejores rutas para vehículos militares en caso de una emergencia). Al cabo de cuatro años se habían construido 16.000 km, los camiones habían sustituido al tren como principal medio de transporte y los trabajadores viajaban en coche a diario. Mientras, se desatendió al transporte público. Durante los años cincuenta y sesenta, el 75 % de los fondos federales para el transporte se dedicó a construir carreteras, y sólo un 1 % se invirtió en el tránsito urbano. ◀1940.NM

▶INDEPENDENCIA DE MARRUECOS—Francia y España reconocieron la independencia de Marruecos en marzo y abril de 1956. El sultán Muhammad V ibn Yusuf había sido depuesto por los

DESASTRES

Hundimiento del *Andrea Doria*

6 El *Andrea Doria* realizaba la travesía entre Génova y Nueva York. La noche del 25 de julio de 1956 se encontraba a pocas horas de su destino cuando la proa del barco sueco de pasajeros *Stockholm* le embistió por un costado, provocando una de las catástrofes más controvertidas y costosas de la historia marítima. El capitán Piero Calamai y su tripulación supervisaron una evacuación caótica, mientras los barcos cercanos (incluido el *Stockholm*) rescataban a los pasajeros. A las 10:09 horas habían sido salvadas mil setecientas personas y finalmente el transatlántico de lujo se hundió. Hubo 52 víctimas mortales.

La primera colisión de transatlánticos en alta mar fue una advertencia de las limitaciones de la tecnología, incluso la más moderna. A diferencia de los dos aviones que habían chocado sobre el Gran Cañón un mes antes, los dos barcos estaban equipados con radar, como muchas otras naves que habían colisionado en los últimos años. Se pensaba que el *Andrea Doria*, con el casco dividido en once compartimentos estancos, no podía hundirse, como el *Titanic*.

¿Qué funcionó mal? ¿Quién era el responsable? En el juicio, la atención se centró en Calamai y el tercer oficial del *Stockholm*, Johan-Ernst Carstens-Johannsen, que se contradecían en puntos tan esenciales como las condiciones de visibilidad y la orientación de sus barcos antes de la colisión. Nunca se llegó a una conclusión. Seis meses después del desastre las dos compañías navales abandonaron los intentos de fijar la culpabilidad y establecieron un fondo para pagar la tercera parte de las reclamaciones. El coste total, incluida la pérdida de un barco, el daño del otro y unas tres mil compensaciones legales , ascendió a cuarenta millones de dólares. **◀1912.1**

El *Andrea Doria* hundiéndose tras la colisión con el *Stockholm*.

Brigitte Bardot fue una novia nada convencional en la película de su marido, Roger Vadim.

CINE

Una nueva *sex symbol*

7 Gary Cooper, al ver una de sus escenas eróticas, murmuró: «Creo que debo taparme los ojos». Algunos dirigentes eclesiásticos la boicotearon. Pero Simone de Beauvoir la elogió: «El hombre es un objeto para ella, igual que ella lo es para él. Y esto es precisamente lo que hiere el orgullo masculino». Brigitte Bardot, de 22 años de edad, encarnó la sexualidad de una manera que raramente se había visto en el cine. *Y Dios creó a la mujer*, dirigida por su marido, Roger Vadim, la lanzó al estrellato en 1956. La película también suscitó el interés americano y británico por el cine «artístico» europeo y convirtió a su escenario, el pueblo de pescadores de St. Tropez, en un lugar de moda.

La película explicaba una historia antigua: una jovencita fogosa se casa con un hombre bueno y aburrido y luego se acuesta con su cuñado. Lo que causó sensación fue la líbido desenfrenada de Bardot y la ropa que llevaba. En su primera aparición estaba desnuda, en las escenas siguientes llevaba una sábana (que abre ante su marido) y se paseaba con la chaqueta de un pijama de hombre. Roger Vadim, fotógrafo de revistas, empapó su primera película con una sofisticación visual que le dio una apariencia artística.

Los escándalos de su vida fuera de la pantalla (Bardot tenía un romance con Jean-Louis Trintignant y pronto se divorció de Vadim) contribuyeron a aumentar el éxito de taquilla en el extranjero: *Y Dios creó a la mujer* fue un negocio mediocre en Francia, pero en Londres y en América cosechó un gran éxito, recaudó cuatro millones de dólares, un récord para una película europea. El triunfo de esta obra personal, realizada fuera de los grandes estudios, animó a otros directores franceses de la Nouvelle vague. **▶1959.7**

TEATRO

La transformación de una florista

8 «Prohibo rotundamente tal atrocidad», dijo Bernard Shaw cuando un director aficionado le propuso realizar una versión musical de su obra *Pigmalión*. No obstante, en 1956, seis años después de la muerte del dramaturgo, se estrenó

Julie Andrews interpretó a la vendedora de flores en *My fair lady*. El musical de Broadway estuvo en cartel durante seis años.

en Broadway una adaptación musical que incluso Shaw hubiera podido perdonar. Con diálogos y canciones de Alan Jay Lerner, música de Frederick Loewe y dirección de Moss Hart, *My fair lady* no fue nada nuevo ni reinventó el género. Era sencillamente impecable.

Los diálogos de Lerner conservaron buena parte de la crítica social de la comedia de Shaw —la historia de Henry Higgins (Rex Harrison), un irascible profesor de fonética, que enseña a hablar y a actuar como una duquesa a Eliza Doolittle (Julie Andrews), una

DEPORTES: Celebración de los Juegos Olímpicos de invierno en Cortina d'Ampezzo (Italia) y los de verano en Melbourne [...] Fútbol: el Real Madrid, campeón de Europa [...] Boxeo: Floyd Patterson noquea a Archie Mooe por el título mundial de los pesos pesados.

«Ha caído con la facilidad de una trapecista. Lo que no sé es si la plataforma sobre la que ha caído es demasiado estrecha.»—**Alfred Hitchcock, sobre la boda de Grace Kelly con el príncipe Rainiero**

vendedora de flores— pero le dio un final más feliz. (Esto, la desviación más controvertida del original, era también la más legitimada: Shaw toleró un final feliz similar en la película *Pigmalión* de 1938.) Andrews cantó magníficamente; Harrison medio hablaba medio cantaba de forma muy apropiada. Las canciones incluyeron una serie de clásicos: «I could have danced all night», «I've grown accustomed to her face», «Get me to the church on time», «On the street where you live» y el extraordinario tango «The rain in Spain».

My fair lady alcanzó 2.717 representaciones seguidas en Broadway. La producción londinense de 1958 (también con Andrews y Harrison) obtuvo el mismo éxito. La versión cinematográfica de 1964 con Harrison y Audrey Hepburn ganó siete Óscars, incluido el de la mejor película y el del mejor actor para Harrison. **◂1904.7 ▸1961.11**

Grace y Rainiero intercambian sus votos en una ceremonia católica en la catedral de Mónaco.

CULTURA POPULAR

Grace se convierte en princesa

9 El hombre que presidía el reducto de juego más elegante del mundo se casó con la antigua modelo publicitaria del dentífrico Ipana, mientras treinta millones de europeos observaban en directo la ceremonia televisada. La prensa dijo que era un cuento de hadas hecho realidad y la boda del siglo.

El novio era el príncipe Rainiero III, de 32 años, soberano de Mónaco —famoso por su clima mediterráneo, sus casinos de elite y la ausencia de impuestos. La novia era Grace Kelly, de 26 años, hija de un empresario de Filadelfia y estrella de cine, célebre por su belleza serena y sus interpretaciones en *Solo ante el peligro*, *La ventana indiscreta* y *La angustia de vivir*, por la que ganó el Óscar a la mejor actriz en 1954.

La pareja se conoció en 1955 cuando Kelly, para hacerle un favor a un periodista amigo suyo, visitó Mónaco para añadir el encanto de Hollywood a unas fotografías de Rainiero y su palacio. El príncipe y la estrella de cine congeniaron enseguida. Cuando él visitó Estados Unidos a finales de año, se declaró. Grace Kelly acabó su nueva película, *Alta sociedad*, y navegó hasta Monte Carlo.

Del matrimonio nacieron tres hijos. Rainiero convirtió Mónaco en un destino fundamentalmente turísico. La princesa Grace abandonó su carrera de actriz y se dedicó a las obras de caridad. Murió en un accidente de coche en 1982. **◂1952.11**

CINE

El gran proyecto de Ray

10 Pocos directores han iniciado sus carreras con tan buenos augurios como Satyajit Ray, cuya primera película, *El lamento del sendero*, fue calificada como «el mejor documento humano» en el Festival de Cannes de 1956. La película, primera entrega de la trilogía de Apu (seguida de *El invencible* el mismo año y *El mundo de Apu* en 1959), inauguró la epopeya sobre la mayoría de edad de un muchacho bengalí y supuso el reconocimiento de su director como uno de los grandes cineastas del mundo.

Vagamente basada en la novela de Bibhuti Bhushan Bannerjee, *El lamento del sendero*, la película, plagada de problemas de financiación, representa la vida de un pueblo indio de forma tan convincente que algunos espectadores la tomaron por un documental a pesar de su artificiosidad artística, desde los ángulos de cámara hasta el ritmo deliberadamente lento y las interpretaciones que Ray obtuvo de sus niños actores. La música de Ravi Shankar y las imágenes simbólicas de Ray expresan lo que no puede el austero diálogo. El director británico, nacido en la India, Lindsay Anderson, observó: «De forma implícita, *El lamento del sendero* traza un gran proyecto de vida».

El sutil realismo de Ray (inspirado en la obra maestra de Vittorio de Sica *El ladrón de bicicletas,* 1948) influyó en cineastas de todo el mundo. En 1961 Ray realizó un documental sobre Rabindranath Tagore, ganador del Premio Nobel, cuyos escritos fueron la base de algunas películas del director. **◂1948.14**

Ray estaba a punto de abandonar *El lamento del sendero* cuando el gobierno bengalí suministró los fondos necesarios para terminar la película.

franceses y confinado a Córcega en 1953 como responsable de la agitación nacionalista que desde 1944 reclamaba la plena independencia del país. En noviembre de 1955 su regreso triunfal marcó el paso decisivo en el camino de la soberanía marroquí. Marruecos fue admitido en la ONU en octubre de 1956 y se convirtió en reino al año siguiente. Las reclamaciones territoriales del nuevo estado provocaron sucesivas remodelaciones de sus fronteras, proceso que continúa a finales de los años noventa.

▶ALABAMA EXPULSA A LUCY—El rector y los administradores de la Universidad de Alabama desafiaron el fallo de un tribunal federal que obligaba a la readmisión de Autherine Lucy y la expulsaron. El rechazo de Lucy, la primera negra que llegaba a la universidad, se llevó a cabo a pesar del fallo de 1954 del tribunal supremo que declaró inconstitucional la segregación en la enseñanza pública. Congresistas sureños juraron resistirse a la integración «por todos los medios legales». ◂1954.6 ▸1957.NM

▶LUJURIA LITERARIA —*Peyton Place*, la novela de Grace Metalious sobre los asuntos escabrosos de una ciudad pequeña, fue tachada inmediatamente de

escandalosa. El libro carecía de calidad literaria pero se vendía. En 1964, la ABC se basó en la historia para realizar un serial retransmitido en horas de máxima audiencia. En él se decía y se mostraba «todo».

▶MAKARIOS ENCARCELADO—Las autoridades coloniales británicas de Chipre (anexionado en 1914) arrestaron a Makarios III, arzobispo de la Iglesia ortodoxa de Chipre, bajo cargos de sedición. Makarios, partidario notorio de la *Enosis*

«Quiero hacer sentir a la gente, darle lecciones de sentimientos. Pueden pensar después.»—**John Osborne**

(Unión) con Grecia, fue acusado de haber apoyado a la organización guerrillera greco-chipriota del coronel Georgios Grivas. Tras su exilio, Grivas incrementó su campaña terrorista y las conversaciones entre Turquía —que abogaba por una partición de la isla en una

zona turca y otra griega—, Grecia y Gran Bretaña quedaron paralizadas. Más tarde, Makarios aceptó un compromiso: la independencia de la Commonwealth sin partición ni *Enosis*. En 1959 el arzobispo fue elegido presidente, el primero del Chipre independiente. ▸1960.10

▶INDEPENDENCIA DE SUDÁN Y TÚNEZ—Sudán y Túnez, así como Marruecos, obtuvieron la independencia en 1956. Tras el conflicto argelino, los franceses también se retiraron de Túnez. Sudán, el mayor país de África, obtuvo el autogobierno en 1953, pero tuvo que esperar tres años para independizarse de Gran Bretaña y Egipto. Mientras tanto, las tensiones entre los cristianos del sur y los musulmanes del norte estallaron en una guerra civil. ◂1956.NM ▸1992.NM

▶EL LIRISMO DE POULENC —En 1956, el versátil compositor francés Francis Poulenc (uno de los músicos vanguardistas posteriores a la Primera Guerra Mundial, conocidos como «Les Six») acabó los *Dialogues des Carmélites*, una tragedia sobre un grupo de monjas durante la revolución francesa. La ópera, que despliega el lirismo característico de Poulenc, su sentimiento religioso y profunda compasión, se consideró su obra maestra.

MÚSICA

El peculiar talento de Gould

11 Una de las obras más sublimes compuestas para piano, las *Variaciones Goldberg* de Johann Sebastian Bach, había desaparecido del repertorio cuando un canadiense de 23 años de edad, Glenn Gould, la rescató para su debut discográfico con la Columbia Records en 1956. Las *Variaciones Goldberg* de Gould se convirtieron en el disco clásico más vendido del año y abrieron nuevas posibilidades de interpretación pianística. «Gould tiene más porvenir que cualquier otro joven pianista norteamericano», anotó un crítico.

Pero así como la recuperación apasionada de Bach fue reveladora, la personalidad de Gould era enigmática. El público se maravillaba ante sus peculiaridades, desde la costumbre de llevar bufandas y gabanes (en cualquier época del año) hasta las posturas (utilizaba una silla de 36 cm), gestos y murmuraciones que acompañaban sus actuaciones. Sus gustos musicales también resultaban peculiares. Gould despreciaba la mayor parte de obras clásicas de los siglos XVIII y principios del XIX y algunos críticos encontraron insultantes sus interpretaciones de las sonatas para piano de Mozart y Beethoven. Apoyó a varios compositores desconocidos del siglo XX pero permaneció ligado íntimamente a Bach.

Un artículo periodístico describe a Gould como «un canadiense delicado, desgarbado, con una abundante mata de pelo castaño».

En 1964, harto de la «tiranía» de las apariciones en escena, Gould se retiró al aislamiento del estudio de grabación y nunca más actuó en directo. Murió de una apoplejía en 1982 a la edad de 50 años. En su tumba en forma de piano están grabadas las primeras notas de las *Variaciones Goldberg*. **◂1950.13 ▸1958.10**

John Osborne, como el antihéroe de su obra, procedía de la clase trabajadora y tenía estudios universitarios.

TEATRO

Los jóvenes airados

12 El 8 de mayo de 1956 el director Tony Richardson y la English Stage Company estrenaron *Mirando hacia atrás con ira*, de John Osborne, en el Royal Court Theatre de Londres. La producción, protagonizada por Kenneth Haigh y Alan Bates, representó un cambio decisivo para la cultura británica. Hacía tiempo que la gente no acudía a los teatros, que ofrecían una suave selección de obras finas. «La pasión de Osborne salvó al teatro inglés de morir a causa del buen tono», observó Angus Wilson, novelista y biógrafo de Osborne, una década más tarde.

El héroe, o antihéroe, de *Mirando hacia atrás con ira* es Jimmy Porter, un joven de clase obrera con estudios universitarios (como un sector creciente de la población). Jimmy manifiesta su rabia ante el hermetismo de las clases dirigentes inglesas abusando de su esposa, de clase media. «Es una combinación desconcertante de sinceridad y rencor, de ternura y crueldad», escribió Osborne de su personaje. A pesar de los actos del indeseable Porter, su resentimiento críticamente articulado tocó la fibra en la Gran Bretaña de posguerra.

Las similitudes entre Porter y el protagonista de *Jim el afortunado*, novela satírica de Kingsley Amis sobre un profesor auxiliar de universidad de procedencia humilde atrapado en el mundo académico de las clases altas, les valió a ambos escritores el apodo de «jóvenes airados». Finalmente, el nombre se aplicó a toda una generación de dramaturgos y novelistas que se dedicaron a la crítica social tras el éxito de la obra de Osborne. **◂1915.11 ▸1958.13**

MÚSICA

El calipso hace furor

13 El calipso se había desarrollado en el país caribeño de Trinidad y Tobago desde principios de siglo, pero un americano, Harry Belafonte, fue quien lo difundió en todo el mundo. El disco de Belafonte, *Calypso*, con canciones que llegarían a ser famosas, como «Jamaica Farewell» y «The Banana Boat Song (Day-O)», se mantuvo en las listas de éxito norteamericanas durante 31 semanas en 1956. En 1959 había vendido un millón de copias, y el calipso era un género de fama mundial.

Belafonte nació en el barrio de Harlem de Nueva York y cuando era niño vivió con unos parientes en Jamaica durante cinco años, donde adquirió el acento tropical y el interés por la música caribeña de raíces africanas. (Harlem también era un centro de calipso.) Sin embargo, el éxito inicial de Belafonte no tuvo nada que ver con el calipso: se hizo famoso interpretando al protagonista masculino de *Carmen Jones* en el teatro y en el cine, y su primer disco de éxito fue de canciones populares.

Aunque el nombre de Belafonte está unido para siempre a sus números de estilo caribeño, su carrera cubrió otras facetas: en los años noventa grabó una serie de discos, protagonizó varias películas y prestó su voz para causas que van desde el movimiento de los derechos civiles hasta la campaña de 1984 de Estados Unidos en ayuda de África. **◂1954.NM ▸1984.4**

Belafonte popularizó el calipso.

PREMIOS NOBEL: Paz: sin galardón [...] Literatura: J. R. Jiménez (español; poeta) [...] Química: Cyril Hinshelwood y Nikolaj Semenov (británico, soviético; reacciones cinéticas) [...] Medicina: Dickinson Richards, André Cournand y Werner Forssmann (estadounidenses y alemán; enfermedad cardíaca) [...] Física: William Shockley, Walter Brattain y John Bardeen (estadounidenses; transistor).

El «decir poético»

El arco y la lira (1956), Octavio Paz

Octavio Paz, creador «condenado a la heterodoxia y a la oposición», según sus palabras, se caracteriza por una inquietud constante en la busca de nuevos caminos artísticos. Su obra lírica se nutre de corrientes estéticas e ideológicas muy diversas por lo que resulta de gran complejidad. El arco y la lira *es un ensayo sobre la creación poética. En él analiza diversos aspectos de la poesía, desde su creación y su significación hasta el modo de comunicarla. A continuación, un fragmento de la introducción del libro.*

POESÍA Y POEMA

La poesía es conocimiento, salvación, poder, abandono. Operación capaz de cambiar al mundo, la actividad poética es revolucionaria por naturaleza; ejercicio espiritual, es un método de liberación interior. La poesía revela este mundo; crea otro. Pan de los elegidos; alimento maldito. Aísla; une. Invitación al viaje; regreso a la tierra natal. Inspiración, respiración, ejercicio muscular. Plegaria al vacío, diálogo con la ausencia: el tedio, la angustia y la desesperación la alimentan. Oración, letanía, epifanía, presencia. Exorcismo, conjuro, magia. Sublimación, compensación, condensación del inconsciente. Expresión histórica de razas, naciones, clases. Niega a la historia: en su seno se resuelven todos los conflictos objetivos y el hombre adquiere al fin conciencia de ser algo más que tránsito. Experiencia, sentimiento, emoción, intuición, pensamiento no-dirigido. Hija del azar; fruto del cálculo. Arte de hablar en una forma superior; lenguaje primitivo. Obediencia a las reglas; creación de otras. Imitación de los antiguos, copia de lo real, copia de una copia de la Idea. Locura, éxtasis, logos. Regreso a la infancia, coito, nostalgia del paraíso, del infierno, del limbo. Juego, trabajo, actividad ascética. Confesión. Experiencia innata. Visión, música, símbolo. Analogía: el poema es un caracol en donde resuena la música del mundo y metros y rimas no son sino correspondencias, ecos, de la armonía universal. Enseñanza, moral, ejemplo, revelación, danza, diálogo, monólogo. Voz del pueblo, lengua de los escogidos, palabra del solitario. Pura e impura, sagrada y maldita, popular y minoritaria, colectiva y personal, desnuda y vestida, hablada, pintada, escrita, ostenta todos los rostros pero hay quien afirma que no posee ninguno: el poema es una careta que oculta el vacío, ¡prueba hermosa de la superflua grandeza de toda obra humana!

¿Cómo no reconocer en cada una de estas fórmulas al poeta que las justifica y que al encarnarlas les da vida? Expresiones de algo vivido y padecido, no tenemos más remedio que adherirnos a ellas —condenados a abandonar la primera por la segunda y a ésta por la siguiente. Su misma autenticidad muestra que la experiencia que justifica a cada uno de estos conceptos, los trasciende. Habrá, pues, que interrogar a los testimonios directos de la experiencia poética. La unidad de la poesía no puede ser asida sino a través del trato desnudo con el poema.

Al preguntarle al poema por el ser de la poesía, ¿no confundimos arbitrariamente poesía y poema? Ya Aristóteles decía que «nada hay de común, excepto la métrica, entre Homero y Empédocles; y por esto con justicia se llama poeta al primero y fisiólogo al segundo». Y así es: no todo poeta —o para ser exactos: no toda obra construida bajo las leyes del metro— contiene poesía. Pero esas obras métricas ¿son verdaderos poemas o artefactos artísticos, didácticos o retóricos? Un soneto no es un poema, sino una forma literaria, excepto cuando ese mecanismo retórico —estrofas, metros y rimas— ha sido tocado por la poesía. Hay máquinas de rimar pero no de poetizar. Por otra parte, hay poesía sin poemas; paisajes, personas y hechos suelen ser poéticos: son poesía sin ser poemas. Pues bien, cuando la poesía se da como una condensación del azar o es una cristalización de poderes y circunstancias ajenos a la voluntad creadora del poeta, nos enfrentamos a lo poético. Cuando —pasivo o activo, despierto o sonámbulo— el poeta es el hilo conductor y transformador de la corriente poética, estamos en presencia de algo radicalmente distinto: una obra. Un poema es una obra. La poesía se polariza, se congrega y aísla en un producto humano: cuadro, canción, tragedia. Lo poético es poesía en estado amorfo; el poema es creación, poesía erguida. Sólo en el poema la poesía se aísla y revela plenamente. Es lícito preguntar al poema por el ser de la poesía si deja de concebirse a éste como una forma capaz de llenarse con cualquier contenido. El poema no es una forma literaria sino el lugar de encuentro entre la poesía y el hombre. Poema es un organismo verbal que contiene, suscita o emite poesía. Forma y substancia son lo mismo.

Apenas desviamos los ojos de lo poético para fijarnos en el poema, nos asombra la multitud de forma que asume ese ser que pensábamos único. ¿Cómo asir la poesía si cada poema se ostenta como algo diferente e irreductible? La ciencia de la literatura pretende reducir a géneros la vertiginosa pluralidad del poema. Por su misma naturaleza, el intento padece una doble insuficiencia. Si reducimos la poesía a unas cuantas formas —épicas, líricas, dramáticas—, ¿qué haremos con las novelas, los poemas en prosa y esos libros extraños que se llaman *Aurelia, Los cantos de Maldoror* o *Nadja*? Si aceptamos todas las excepciones y las formas intermedias —decadentes, salvajes o proféticas— la clasificación se convierte en un catálogo infinito. Todas las actividades verbales, para no abandonar el ámbito del lenguaje, son susceptibles de cambiar de signo y transformarse en poema: desde la interjección hasta el discurso lógico. No es ésta la única limitación, ni la más grave, de las clasificaciones de la retórica. Clasificar no es entender. Y menos aún comprender. Como todas las clasificaciones, las nomenclaturas son útiles de trabajo. Pero son instrumentos que resultan inservibles en cuanto se les quiere emplear para tareas más sutiles que la mera ordenación externa. Gran parte de la crítica no consiste sino en esta ingenua y abusiva aplicación de las nomenclaturas tradicionales. Un reproche parecido debe hacerse a las otras disciplinas que utiliza la crítica, desde la estilística hasta el psicoanálisis. La primera pretende decirnos qué es un poema por el estudio de los hábitos verbales del poeta. El segundo, por la interpretación de sus símbolos. El método estilístico puede aplicarse lo mismo a Mallarmé que a una colección de versos de almanaque. Otro tanto sucede con las interpretaciones de los psicólogos, las biografías y demás estudios con que se intenta, y a veces se alcanza, explicarnos el porqué, el cómo y el para qué se escribió un poema. La retórica, la estilística, la sociología, la psicología y el resto de las disciplinas literarias son imprescindibles si queremos estudiar una obra, pero nada pueden decirnos acerca de su naturaleza última.

HISTORIA DEL AÑO

El *Sputnik* inicia la carrera espacial

1 El 4 de octubre de 1957, la Unión Soviética lanzó al espacio el primer satélite artificial del mundo, el *Sputnik I*. Cuando la esfera de aluminio dio la vuelta a la Tierra, los americanos quedaron aturdidos: un país que, según ellos, era tecnológicamente inferior, les había superado. En noviembre aumentó su consternación cuando los soviéticos pusieron en órbita el *Sputnik II* con la perra *Laika* a bordo.

***Laika*, el primer animal en el espacio, fue a bordo del *Sputnik II*.**

Los temores americanos por el *Sputnik* tenían dos vertientes: el sorprendente logro de los soviéticos les daba ventaja en la guerra propagandística, y la tecnología espacial podía ser aplicada al armamento. Los americanos se negaron a creer el anuncio de que la Unión Soviética había probado el primer misil balístico intercontinental (MBIC), un arma nuclear autopropulsada capaz de cruzar océanos. Ahora, el liderazgo de Moscú era innegable, y la opinión pública norteamericana exigía un satélite. La carrera espacial había comenzado.

En Estados Unidos ya se estaban desarrollando tres programas de cohetería. En 1955, el presidente Eisenhower había seleccionado el proyecto Vanguard de la Armada para la investigación espacial; el reciente programa Atlas de las fuerzas aéreas (dedicado a la fabricación de un MBIC) y uno similar del ejército lo apoyaban. El Vanguard contaba con pocos fondos y el científico más importante, Wernher von Braun, se había quedado con el ejército.

En diciembre de 1957, Estados Unidos lanzó un cohete Vanguard con un satélite. Explotó en la rampa de lanzamiento. Un mes despúes fue lanzado con éxito el satélite *Explorer I* utilizando un cohete que había diseñado Von Braun. Sus instrumentos científicos hicieron un gran descubrimiento: dos franjas de radiación sobre la atmósfera terrestre, los cinturones Van Allen.

En Estados Unidos y la Unión Soviética se sucedieron los lanzamientos de satélites y las fuerzas armadas norteamericanas (apoyadas por el senador de Texas Lyndon Johnson) empezaron a presionar al gobierno para establecer bases militares en la Luna. En julio de 1958, Eisenhower estableció la National Aeronautics and Space Agency (Agencia Espacial y Aeronáutica Nacional, NASA) que reclutó a siete astronautas y contrató a Von Braun como ingeniero jefe.

Cuando Moscú puso en órbita al primer hombre en 1961, ambos países habían sacrificado a muchos animales y la carrera espacial se había convertido en una obsesión nacional. **◂1903.M ▸1957.2**

TECNOLOGÍA

Muerte a larga distancia

2 En agosto de 1957 desapareció la invulnerabilidad americana a un ataque nuclear cuando el primer misil balístico intercontinental de la Unión Soviética superó con éxito las pruebas. Aunque al principio Washington restó importancia a la declaración de Moscú, el lanzamiento del *Sputnik* poco después suscitó los temores de Estados Unidos, que reforzó su programa de misiles. Al cabo de unos meses, América presentó su propio MBIC, el Atlas.

Antes dc la aparición del misil soviético, Estados Unidos no sólo poseía mas bombas que su adversario ideológico, sino también mejores medios de lanzarlas. Con bases aéreas en Alaska, Groenlandia, Islandia, Japón, Arabia Saudí, España y Turquía, los americanos poseían un cordón nuclear alrededor del bloque soviético. La Unión Soviética, tras diseñar y probar bombas de hidrógeno de gran potencia, apenas tenían posibilidades de lanzarlas sobre América. Una guerra entre las superpotencias se hubiera tenido que librar en Europa, o eso parecía hasta 1957. Entonces, por primera vez en la historia, existió la posibilidad de una guerra a larga distancia.

Cuando la carrera armamentística entró en esta nueva fase, ambas superpotencias declararon la necesidad de controlar las armas nucleares. En agosto de 1958, Khrushchev dio el primer paso y anunció una prohibición unilateral de ensayos nucleares. Pero en octubre, cuando se inauguró la tercera conferencia para el desarme en Ginebra, los soviéticos habían reanudado sus ensayos. De allí salió un acuerdo para detener los ensayos pero duró pocos años. Impulsada por una lógica peligrosa, la de que «la seguridad de la destrucción mutua era la mejor garantía para que las armas nunca fueran utilizadas», la carrera se aceleró. **◂1957.1 ▸1963.2**

CABEZAS NUCLEARES ESTRATÉGICAS

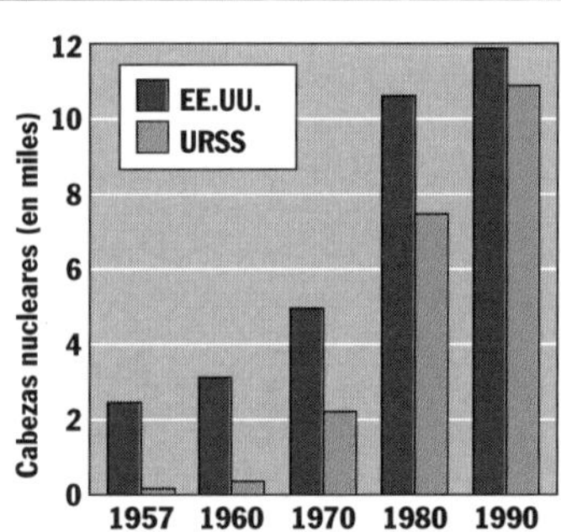

En los años cincuenta se empezaron a contar las cabezas nucleares. En 1990 sólo Gran Bretaña había empezado a desmantelarlas.

HAITÍ

Papa Doc asume el poder

3 En septiembre de 1957 nació una dinastía nefasta cuando François Duvalier, con su programa de reforma social y nacionalismo negro, fue elegido presidente de Haití. La nación había estado agitada desde la dimisión forzosa del dictador Paul Magloire. En diez meses hubo seis presidentes provisionales y las bandas dominaban las calles. Duvalier, antiguo ministro de sanidad y trabajo, había encabezado la oposición a Magloire, pero «Papa Doc», como le llamaban los haitianos, resultó ser el déspota más represivo y de gobierno más duradero de la historia de Haití.

La primera república negra del mundo no había tenido mucha suerte desde que se separó de Francia (tras una cruenta guerra de independencia) en 1804. Haití, con poca tierra cultivable y marcada por un siglo de esclavitud, fue gobernada por una serie de élites que vivían con gran lujo (ayudadas por las inversiones americanas), mientras la mayoría de la población sufría una terrible pobreza. Se alternaron dictaduras con breves épocas de democracia y una ocupación militar norteamericana (que duró desde 1915 hasta 1934).

François Duvalier, «Papa Doc», trabaja en 1969 con dos pistolas sobre la mesa.

Duvalier prometió derrocar a la antigua clase dirigente (compuesta por mulatos en su mayor parte) y doblegar al ejército pero, después de evitar un golpe de Estado en 1958, estableció una fuerza de seguridad, los Tontons Macoutes, cuyo reino de terror no tenía precedentes. Como Duvalier, los Macoutes explotaron la religión vudú, y convencieron a muchos haitianos de que los Macoutes eran invulnerables y sobrenaturales. Vestidos de paisano y con gafas de sol, torturaron y asesinaron a voluntad. Cuando los rivales de Duvalier habían muerto o se hallaban en el exilio, él y sus partidarios corruptos acapararon la riqueza que quedaba en el país. En 1964, cuando el país se encontraba en un aislamiento diplomático grave, Papa Doc se declaró presidente vitalicio. **◂1916.2 ▸1986.4**

ARTE Y CULTURA: Libros: *La celosía* (Alain Robbe-Grillet); *Homo Faber* (Max Frisch); *En la playa* (Nevil Shute); *El ayudante* (Bernard Malamud) [...] Cine: *El puente sobre el río Kwai* (David Lean); *Witness for the Prosecution* (Billy Wilder); *Doce hombres sin piedad* (Sidney Lumet); *El trono de sangre* (Akira Kurosawa) [...]

«Preferimos independencia con peligro que servilismo con tranquilidad.»—Kwame Nkrumah

ÁFRICA OCCIDENTAL

Independencia de Ghana

4 El final de la dominación europea en el África subsahariana empezó en 1957, cuando la antigua colonia británica de Costa de Oro se convirtió en el país independiente de Ghana. La transición fue más pacífica de lo que se esperaba siete años antes, cuando alzamientos y huelgas desembocaron en el encarcelamiento del líder nacionalista Kwame Nkrumah. Gran Bretaña estaba decidida a preparar a sus colonias para el autogobierno y, después de que el partido de Nkrumah ganara las elecciones de 1951, fue liberado para convertirse en el jefe de gobierno de Costa de Oro. Con la independencia, Nkrumah fue nombrado primer ministro.

Ghana era como una promesa del futuro del África poscolonial. Gracias a la necesidad británica de cacao y oro (los principales productos de exportación de Ghana), el país contaba con una cierta infraestructura. Su dirigente tenía tres licenciaturas de universidades americanas. Nkrumah, de procedencia humilde, se declaraba socialista no dogmático, demócrata y cristiano. Su elocuencia y el ejemplo de Ghana inspiraron a nacionalistas de todo el Tercer Mundo.

Al cabo de cinco años, la mayor parte de los territorios coloniales del continente eran independientes. Algunos se separaron de forma pacífica, otros entre disensiones; algunos habían sido preparados para la nueva situación; otros abandonados de forma brusca; pero todos ellos eran básicamente sociedades preindustriales lanzadas a una competición con las potencias industrializadas, y todos sufrieron las consecuencias desastrosas del colonialismo, incluidas las fronteras arbitrarias (que crearon o exacerbaron hostilidades interétnicas), las economías basadas en la exportación de materias primas, los erarios (tesoros públicos) dependientes de la ayuda extranjera, las historias marcadas por el comercio de esclavos y las culturas políticas condicionadas por generaciones sometidas al imperialismo. En Ghana y las demás naciones, la euforia de la independencia no duró mucho tiempo. **►1966.12**

Un cartel en la capital de Ghana augura un futuro prometedor con educación para todos.

ECONOMÍA

El Mercado Común

5 Una docena de años después de una guerra ruinosa, seis naciones europeas (algunas antiguas enemigas) se aliaron para asegurar la paz y la prosperidad. El Tratado de Roma, firmado en 1957 por Bélgica, Francia, Alemania occidental, Italia, Luxemburgo y Holanda, estableció la Comunidad Económica Europea, conocida como el Mercado Común. La CEE hizo desaparecer las tensiones entre Francia y una Alemania en reconstrucción y, al cabo de diez años, el nivel económico de sus miembros se había cuadruplicado.

En el período inmediato de posguerra, cuando Europa luchaba contra una recesión, resultó evidente que la supervivencia dependía de la unidad. En 1950, el ministro de asuntos exteriores francés, Robert Schuman, propuso la creación de un mercado común del acero y el carbón. El Plan Schuman (diseñado por el Comisario de desarrollo Jean Monnet) fue ratificado por Francia, Alemania occidental, Italia y las naciones del Benelux en 1952. Se creó la Comunidad Europea del Carbón y del Acero (CECA), sometiendo las industrias del carbón y del acero a una autoridad central. El comercio del acero floreció como nunca lo había hecho.

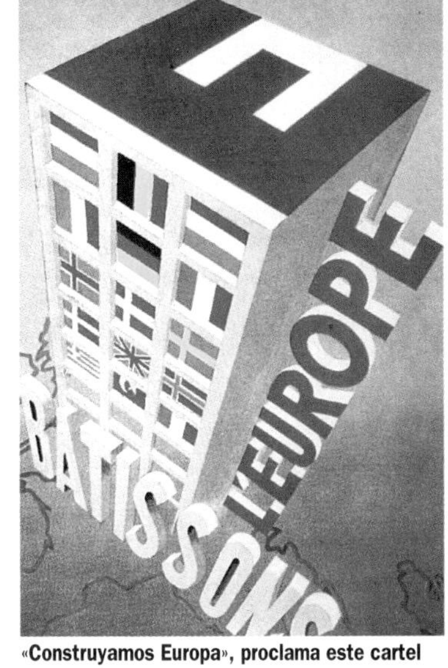

«Construyamos Europa», proclama este cartel francés.

La CEE aplicó los principios de la CECA a otras industrias (a excepción de la agricultura). Los seis signatarios también formaron la Comunidad Europea de Energía Atómica (EURATOM), un mercado común de la energía nuclear. En 1960, siete naciones no miembros (Austria, Portugal, Gran Bretaña, Dinamarca, Noruega, Suecia y Suiza) establecieron su propio mercado común, menos vinculante, la European Free Trade Association) (Asociación Europea de Libre Comercio, EFTA). Siete años más tarde la CEE, la CECA y la EURATOM se unieron en la Comunidad Europea (CE), a la que pronto se añadieron Gran Bretaña, Irlanda y Dinamarca. (Años más adelante se añadirían otros países.) **◄1951.NM ►1958.NM**

NACIMIENTOS

Carolina, princesa de Mónaco.

Geena Davis, actriz estadounidense.

Melanie Griffith, actriz estadounidense.

Spike Lee, director cinematográfico estadounidense.

Michelle Pfeiffer, actriz estadounidense.

MUERTES

Aga Khan III, dirigente musulmán.

Humphrey Bogart, actor estadounidense.

Constantin Brancusi, escultor franco-rumano.

Richard E. Byrd, explorador estadounidense.

Christian Dior, diseñador de moda francés.

Jimmy Dorsey, músico estadounidense.

Oliver Hardy, actor estadounidense.

Edouard Herriot, político francés.

Miklós Nagybányai Horthy, político húngaro.

Pedro Infante, cantante mexicano.

Nikos Kazantzakis, escritor griego.

Malcolm Lowry, novelista británico.

Louis B. Mayer, productor de cine estadounidense.

Joseph McCarthy, político estadounidense.

Gabriela Mistral, poetisa chilena.

Max Ophuls, director cinematográfico.

Ernest Oppenheimer, industrial sudafricano.

Diego Rivera, pintor mexicano.

Jean Sibelius, compositor finlandés.

E. von Strohem, director cinematográfico austríaco.

Kart Suckert (Curzio Malaparte), escritor italiano.

Arturo Toscanini, director de orquesta italiano.

Teatro: ***Bajada de Orfeo*** **(Tennessee Williams);** ***Final de partida*** **(Samuel Beckett) [...] TV:** ***Perry Mason; Maverick.***

«Mi obra se compone de un libro extenso como En busca del tiempo perdido *de Proust, sólo que mis recuerdos están escritos sobre la marcha en vez de más tarde, en el lecho de un enfermo.»*—**Jack Kerouac**

NOVEDADES DE 1957

Máquina de escribir eléctrica portátil (Smith Corona).

Ensayo nuclear subterráneo (Nevada).

SEAT 600.

EN EL MUNDO

►DOCTRINA EISENHOWER —El 5 de enero, el presidente Eisenhower envió un mensaje público a los soviéticos, cuya implicación en Oriente Medio durante la crisis de Suez causó alarma en Estados Unidos. El presidente consiguió que el congreso autorizara el uso de las fuerzas armadas en caso de expansión soviética en Oriente Medio. La Doctrina Eisenhower amplió la política de contención de la Doctrina Truman. ◄1947.4

►TRIUNFO DE GIBSON—Siete años después de haber sido la primera negra aceptada en una pista de tenis, en Forest Hills (Nueva York), Althea Gibson se convirtió en la primera deportista negra que ganaba en Wimbledon. Con estilo y fuerza dominó el tenis

femenino entre 1956 y 1958; ganó los campeonatos individuales de Wimbledon y el Open de Australia, Francia, Italia y Estados Unidos.

►COLOMBIA: CAMBIO DE GOBIERNO—A principios de mayo, el presidente colombiano, el general Gustavo Rojas Pinilla, fue derrocado del mismo modo incruento que había tomado el poder cuatro años antes. En 1950 fue presidente de la república el conservador Laureano Gómez en un clima de guerra civil que fomentó la aparición de numerosas guerrillas que se oponían al régimen. Tres años después, un golpe militar depuso a Gómez y nombró en su lugar a Rojas Pinilla. Durante dos años (1953 y 1954), el país vivió en paz pero pronto se reanudó la actividad de los

1957

Partida de ajedrez entre la Muerte (Bengt Ekerot) y el Cruzado (Max von Sydow).

CINE

Un nuevo maestro sueco

6 En 1957, un año después de que hechizara al Festival de Cannes con *Sonrisas de una noche de verano,* el director sueco Ingmar Bergman volvió con una película sombría que consolidó su posición como uno de los mejores cineastas del mundo. «*El séptimo sello* no es más que poesía, la poesía más bella que se ha proyectado en una pantalla», acotó un crítico de la prestigiosa revista *Cahiers du Cinéma.* Asimismo, fue una de las obras maestras más baratas del cine comercial: se rodó en 35 días y costó aproximadamente 125.000 dólares.

En las impactantes imágenes en blanco y negro de Gunnar Fischer, *El séptimo sello* explica la historia de un cruzado del siglo XIV (Max von Sydow) que tiene un encuentro con la Muerte (Bengt Ekerot) a su regreso a una Suecia asolada por la peste. Se enfrentan en una partida de ajedrez, de cuyo resultado depende el destino de varios personajes. La película expresó el interés de Bergman por temas a la vez intemporales y de actualidad. «En la Edad Media, los hombres vivían con el temor a la peste. Hoy en día viven temiendo la bomba atómica», observó Bergman. Describió la película como «una alegoría con un tema muy simple: el hombre, con su eterna búsqueda de Dios y con la única certeza de la muerte».

La parábola fue interpretada por un grupo de actores de talento, entre los que se encontraban Bibi Andersson y Gunnar Bjornstrand (que, con Von Sydow, Harriet Andersson, Ingrid Thulin y Liv Ullmann, serían reconocidos mundialmente por su trabajo con Bergman).

A pesar de las batallas contra la enfermedad y los impuestos, el director recibió el aplauso por sus películas durante décadas; entre las más destacadas figuran: *Persona, Gritos y susurros, Secretos de un matrimonio* y *Fanny y Alexander.* **►1976.2**

ECONOMÍA

La función de Friedman

7 ¿Qué es el dinero? Ésta es la primera pregunta planteada por Milton Friedman en su asalto a las ideas económicas establecidas. La siguiente era: ¿Qué hace el dinero, y qué hace la gente con el dinero? Según Friedman, no lo que la mayoría de economistas pensaban. Con su tratado de 1957 *Teoría de la función del consumo,* Friedman inició una revolución contra las teorías de John Maynard Keynes, que habían dominado la economía occidental durante la posguerra. Friedman y su «Escuela de Chicago» intentó restaurar el monetarismo, el sistema derrocado por el keynesianismo y la Gran Depresión.

Friedman decía que el suministro de dinero y los índices de interés, sin tasación ni inversión gubernamental (como Keynes defendía), influían en el crecimiento económico. El incremento de disponibilidad de dinero incrementa el gasto y aumenta los precios: «siempre y en todas partes, la inflación es un fenómeno monetario», escribió. Friedman recuperaba la teoría cuantitativa del dinero, que sostiene que tanto la demanda de dinero como la velocidad de la circulación del mismo son constantes. Precisamente ésta era la proposición que Keynes rechazó en los años treinta. El inglés defendía que la demanda de dinero fluctúa con los índices de interés: cuando las tasas de interés suben, la gente cambia el dinero por acciones.

Para restaurar la teoría cuantitativa, Friedman tuvo que redefinir el dinero. «La aproximación más provechosa es considerar el dinero como una serie de bienes, al mismo nivel que las acciones, los bonos, las casas o los bienes perdurables», escribió. Es decir, el dinero puede convertirse en un número de bienes de consumo, incluidas las acciones. Los índices de interés ejercen una influencia mínima en la demanda. Los ingresos personales, controlados por la cantidad de dinero que mueven los bancos centrales, es el factor decisivo.

El keynesianismo siguió imperando durante dos décadas, pero, en los años ochenta, Friedman, enemigo de la intervención económica gubernamental se convirtió en el gurú de muchos presidentes y primeros ministros. **◄1946.4 ►1958.9**

LITERATURA

El rey de los beats

8 La manera de escribir de Jack Kerouac era tan heterodoxa como lo que escribía. Para componer su novela autobiográfica *En el camino,* colocó un rollo de papel en una máquina de escribir y vomitó una prosa rica y delirante a cien palabras por minuto durante tres frenéticas semanas. Kerouac tuvo que esperar seis años, hasta 1957, para ver su libro impreso, pero cuando se publicó sólo tenía alguna corrección sin importancia.

En el camino es la crónica de los viajes enloquecidos del escritor Sal Paradise y de Dean Moriarty, el mítico *«hipster»,* a través del país. Los protagonistas fuman marihuana, beben y mantienen discusiones filosóficas, retratando una América subterránea y desinhibida. El libro encontró adeptos enseguida aunque fue desdeñado por la mayoría de intelectuales. Para la frustración de Kerouac, tanto sus seguidores como sus detractores no consiguieron apreciar el sentido moral y artístico escondido en su elogio a la libertad y al modo de vida beat.

Junto a Kerouac, el movimiento beat incluyó a poetas como Allen Ginsberg, Gregory Corso y Gary Snyder, así como a novelistas como William Burroughs.

Descendientes espirituales de Whitman y Thoreau, los beats participaron en una rebelión romántica contra la cultura del conformismo, pero la opinión pública

DEPORTES: Boxeo: Carmen Basilio derrota a Sugar Ray Robinson en el campeonato mundial de los pesos medios: [...] Fútbol: el Real Madrid, campeón de la liga española y de la copa de Europa.

se centró fundamentalmente en sus excentricidades: sus lapsos de higiene, su experimentación sexual y su consumo de drogas.

El sensible Kerouac, que recibió el título de «Rey de los beats», llevó mal la popularidad. Murió en 1969, amargado y alcohólico, a los 47 años de edad, cuando algunas de sus novelas ya se habían convertido en textos sagrados del movimiento *hippie.* **◄1955.10**

Jack Kerouac se describió a sí mismo como un «místico católico loco».

MÚSICA

El versátil Bernstein

9 Con dirección y coreografía de Jerome Robbins, canciones de Stephen Sondheim y música de Leonard Bernstein, *West Side Story* (una historia de Romeo y Julieta ambientada entre las bandas de las calles de Nueva York) entusiasmó al público cuando se estrenó en Broadway en septiembre de 1957. Para Berstein significó la coronación de su trabajo en el teatro musical (que también incluyó *On the town* y *Candide*), pero su nombramiento como director de la Filarmónica de Nueva York en noviembre lo redujo a uno de los momentos culminantes de una carrera extraordinariamente amplia.

Bernstein irrumpió en la escena en 1943 cuando, siendo ayudante de dirección de la Filarmónica, sustituyó a Bruno Walter en el último minuto. La dirección apasionada del joven cautivó al público del Carnegie Hall, y un reportaje de *The New York Times* sobre su debú le condujo a la fama. «Lenny» (como se le conocía) fue el primer director de la Filarmónica nacido en América. Estuvo en el cargo durante doce años y se erigió en toda una leyenda por la intuición y el talento de sus interpretaciones y por su carismática personalidad.

Bernstein, gran difusor de la música clásica, acudió con frecuencia a la televisión y a salas de conferencias. Sus propias obras abarcaron géneros muy distintos, desde sinfonías, con influencia de música litúrgica judía, hasta bandas sonoras de películas. **◄1956.11**

Incluso en un ensayo, Bernstein desplegaba su expresividad.

IDEAS

Barthes y la semiología

10 En su libro de 1957 *Mitologías,* Roland Barthes argumentaba que una pastilla de jabón no sólo es una pastilla de jabón y que un coche es más que un coche. Tras la superficie de la cultura de masas yace una mezcla confusa de significados ocultos, un lenguaje codificado que espera ser descifrado. En Francia, Barthes ya era conocido por sus estudios sobre literatura. *(El grado cero de la escritura,* de 1953, había suministrado el fundamento teórico al *nouveau roman.*) Sin embargo, su análisis de temas menos elevados le convirtió en una estrella literaria en su país y en el rival de Jean-Paul Sartre en la izquierda intelectual. Asimismo, el libro puso de moda la semiología (término que Barthes adoptó para describir su esfuerzo), un ámbito de estudio muy de moda en Occidente.

Según el lingüista suizo Ferdinand de Saussure (1857-1913), la semiología es una disciplina hipotética que investigaría los métodos a través de los cuales una sociedad combina signos (desde caracteres alfabéticos hasta formas de vestir) para crear significados.

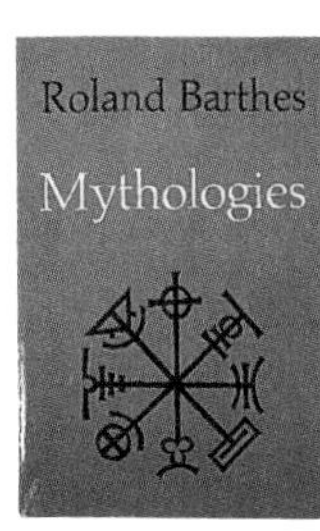

Barthes buscó los significados de objetos y acontecimientos cotidianos y encontró mensajes ideológicos transmitidos a través de las convenciones persuasivas del mito. Por ejemplo, la lucha profesional es a la vez un deporte divertido y una confrontación ritual entre el bien y el mal. Cuando una revista parisina muestra a un soldado negro saludando a la bandera francesa, la fotografía comunica un mito patriótico: que los súbditos de las colonias francesas sirven al imperio con alegría.

A Barthes se le identificó con el estructuralismo, más tarde con el posestructuralismo. Podía ser un ensayista divertido, como en *Mitologías*, o un teórico de talento. En todas sus facetas fue controvertido: para algunos, el último en frecuentar las tertulias sofisticadas; para otros, el arquetípico académico charlatán. **◄1943.10 ►1962.12**

insurgentes. Rojas fue depuesto y sustituido por una junta militar que convocó elecciones generales. Pero a partir de los pactos de Sitges y Benidorm (1957), los partidos políticos

tradicionales, el conservador y el liberal, fundaron el Frente Nacional y acordaron repartir de forma proporcional los puestos administrativos y alternarse en la presidencia. Al año siguiente, el liberal Lleras Camargo *(superior)* fue elegido presidente, y en 1962 lo sucedió el conservador G. León Valencia.

►CRISIS EN LITTLE ROCK—El 2 de septiembre, un día antes de que nueve negros ingresaran en una escuela para blancos en Little Rock, Arkansas, el gobernador Orval Faubus declaró que no los protegería de los segregacionistas blancos. El 3 de septiembre «los nueve de Little Rock» se quedaron en casa. Al día siguiente, cuando intentaron entrar en el colegio, la guardia nacional de Arkansas les obligó a dar la vuelta. Finalmente, admitidos el 23 de septiembre, los nueve fueron enviados de nuevo a casa cuando algunos blancos los atacaron ante la indiferencia policial. La problemática integración duró un año: en 1958, Faubus clausuró las escuelas de la ciudad y en 1958 una sentencia judicial volvió a abrirlas. ◄1956.NM

►EL WANKEL—El ingeniero alemán Felix Wankel fabricó el primer motor de combustión interna, distinto al que se hacía desde el siglo XIX, en su taller particular. En vez de pistones y bielas, el Wankel presentaba un sencillo rotor triangular que atraía el combustible a la cámara del motor, lo comprimía y expulsaba los gases por un escape. El motor Wankel fue adoptado por el fabricante de coches Mazda pero no tuvo éxito entre los demás fabricantes. ◄1911.8

POLÍTICA Y ECONOMÍA: incidentes en Ifni entre el ejército de la metrópolis y bandas de guerrillas que se oponen a la continuidad española en estas tierras [...] El nuevo gobierno español, nombrado por el general Franco, estuvo básicamente constituido por tecnócratas en contraposición con los anteriores, formados en su mayoría por militares y políticos.

«Incluso ahora siento miedo cuando pienso en esa carrera, conocía mis carencias, el riesgo que corría.»—**Juan Manuel Fangio, sobre su victoria en el Grand Prix alemán de 1957**

►LA EPOPEYA BÉLICA DE LEAN—Con *El puente sobre el río Kwai*, el director británico David Lean realizó una película bélica que le

convirtió en el cineasta más importante del renacimiento cinematográfico de la posguerra británica. Basada en una novela de Pierre Boulle, la película de 1957 describe la vida en un campo de prisioneros de guerra en Birmania durante la Segunda Guerra Mundial. Alec Guinness ganó un Óscar por su interpretación. ◄1951.11

►MACMILLAN ASUME EL MANDO—El 10 de enero, después de que la crisis de Suez forzara la dimisión de Anthony Eden, Harold Macmillan se convirtió en primer ministro de Gran Bretaña. Macmillan, veterano de la Primera Guerra Mundial, miembro de la Cámara de los Comunes y político del Partido Conservador en los gobiernos de Churchill y Eden, intentó estrechar relaciones con Estados Unidos (era amigo de Eisenhower desde la Segunda Guerra Mundial), visitó a Khrushchev en Moscú y encabezó a los conservadores en las elecciones generales de 1959. ◄1956.3 ►1963.3

Juan Manuel Fangio con su compañera en el Grand Prix británico, en 1954.

DEPORTES

La gran carrera

11 Ningún piloto automovilístico ha superado el récord del argentino Juan Manuel Fangio. En 1957 ganó el campeonato del mundo por quinta vez. (Hacía siete años que existía el premio.) Fangio, cuando se retiró a la edad de 47 años, había ganado 24 carreras de 51 del Grand Prix, a pesar de un grave accidente en 1952.

Fangio, hijo de un emigrante italiano sin recursos, fue aprendiz de mecánico en su niñez y se hizo piloto de carreras en su adolescencia. En los años cuarenta la escasez de recambios de coche y de gasolina interrumpió su prometedora carrera. Tenía 38 años cuando el presidente Juan Perón, aficionado al automovilismo, le envió a Europa en busca de la gloria para su país. Fangio ganó las carreras más importantes, pero sin duda la más espectacular fue una de las últimas.

El Grand Prix alemán de 1957 se celebró en Nürburgring, entonces uno de los circuitos más largos y duros del mundo. (Se habían producido allí docenas de accidentes mortales desde su inauguración en la década de los veinte.) Fangio conducía un Maserati en malas condiciones y se enfrentaba a pilotos jóvenes que pilotaban Ferraris más rápidos. Se había creado una reputación pero había estado mucho tiempo retirado. Fangio efectuó un regreso sorprendente. Salió de bastante atrás, redujo distancias en sucesivas vueltas y aceleró en el último tramo, llegando a la meta cuatro segundos antes que el segundo coche. Más tarde se supo que había conducido en unas condiciones nefastas: con el asiento roto, se apoyó durante todo el recorrido a la puerta de su automóvil con la rodilla. **◄1910.2 ►1969.NM**

TEATRO

Drama de disfraces

12 Jean Genet, niño abandonado que pasó sus primeros 30 años robando y prostituyéndose, encontró su salvación en la escritura. A pesar de ser condenado por la derecha francesa por pervertido sexual y subversivo político, su teatro influyó en dramaturgos de todas partes. El «teatro del odio» encontró su primera expresión madura en *El balcón*, que se estrenó en el Arts Theatre Club de Londres en 1957.

Como todas las obras de Genet, *El balcón* trata de la ilusión: cómo conforma los papeles sociales y cómo seduce incluso a aquellos que deciden combatirla. La acción sucede en un burdel llamado el Gran Balcón, cuyos clientes buscan el placer fingiendo ser figuras autoritarias: un juez, un obispo, un general. Sin embargo un cliente, un jefe de policía real, lamenta que nadie quiera disfrazarse de «él». Fuera se inicia una revolución y finalmente los ocupantes del Balcón acuden disfrazados para hacer que los rebeldes se rindan. La trampa funciona. Además, el líder de los rebeldes implora al que está disfrazado de jefe de policía. Estalla otra revolución cuando el burdel cierra por la noche.

Genet se dedicó al teatro después de publicar tres novelas. Escribió la primera, *Nuestra Señora de las Flores* (1942), mientras estaba en la cárcel. Fue elogiada por Jean Cocteau, Jean-Paul Sartre y Simone de Beauvoir. En 1948 estos intelectuales estaban entre un grupo que solicitó con éxito al gobierno francés que le indultara de una condena a cadena perpetua por robo. Sus obras de teatro siguen, en la actualidad, siendo representadas con suma frecuencia. **◄1953.11 ►1958.13**

***El balcón*, representada por The Royal Shakespeare Company en 1987.**

IDEAS

La sintaxis de Chomsky

13 Con su libro de 1957, *Estructuras sintácticas*, el lingüista Noam Chomsky provocó una revolución académica. Las teorías de Chomsky se oponían frontalmente a las de B. F. Skinner, cuyo *Comportamiento verbal* (publicado el mismo año) defendía que los humanos aprendían el lenguaje de forma esencialmente similar a como las ratas aprenden el camino por un laberinto, a través de la interacción de estímulos y respuestas condicionadas. Al poner de manifiesto que la gente a menudo utiliza el lenguaje de un modo que no le han enseñado, Chomsky sostenía que la capacidad gramatical es una característica innata del género humano. Durante algunos años, Chomsky perfeccionó su sistema de comportamiento lingüístico, llamado gramática generativa, en el que la «estructura superficial» de la expresión lingüística oculta una «estructura profunda» de la cual procede. Esta estructura profunda capacita a las personas para reconocer ciertas frases como correctas sintáctica y gramaticalmente aunque no tengan significado semántico. El ejemplo de Chomsky fue: «Las ideas verdes duermen furiosamente».

Esta teoría dio lugar a otras, pero Chomsky siguió siendo la figura central y más original de su disciplina. A mediados de los años sesenta también fue conocido como crítico social y pacifista. Tras la invasión de Timor por Indonesia en 1975, Chomsky intentó mostrar a la atención pública los abusos que allí se cometían, afirmando que la escasa información que recibían era una consecuencia del apoyo americano al régimen anticomunista de Suharto. **◄1948.7 ►1975.9**

PREMIOS NOBEL: Paz: Lester B. Pearson (canadiense; mediación en la crisis del canal de Suez) [...] Literatura: Albert Camus (francés; novelista) [...] Química: Alexander Todd (británico; nucleótidos) [...] Medicina: Daniel Bovet (suizo-italiano; tratamiento de alergias y relajación muscular) [...] Física: Tsung-dao Lee y Chen Ning Yang (chinos; no conservación de la igualdad).

De peatones a «seatones»

Chiste de la época

El 9 de mayo de 1950 se constituyó la SEAT, empresa automovilística española. Siete años más tarde, en 1957, fabricó el modelo 600. Continuó la producción de este utilitario durante 17 años y vendió ochenta mil unidades. El seiscientos, un coche ligero, económico, de fácil manejo y cómodo aparcamiento pronto se convertiría en «el coche de todos los españoles» y contribuyó de forma esencial a la motorización de España. Se convirtió en el utilitario popular por excelencia y, gracias a él, muchos españoles pasaron de ser peatones a «seatones», como explicaba un chiste de la época.

El seiscientos, un utilitario ligero, económico y de fácil manejo.

«¡Larga vida a la unidad árabe! Nuestra felicidad es incompleta sin la liberación de Palestina!»—**Canto sirio que celebra la fundación de la República Árabe Unida**

HISTORIA DEL AÑO

Unidad árabe

1 La fusión en 1958 de Siria y Egipto en la República Árabe Unida (RAU) fue la primera de una serie de alianzas en Oriente Medio, instigadas por la postura radical de Gamal Abdal Nasser. Siria se había ido acercando ideológicamente al dictador egipcio desde la caída del régimen militar de derechas en 1954. El nuevo gobierno, dominado por el partido socialista Baas, seguía el ejemplo de Egipto: reconocía la China de Mao y adquiría armas soviéticas. Los dirigentes sirios, atrapados entre Washington (que apoyaba a los gobiernos árabes antisoviéticos contra sus vecinos no alineados) y una tendencia comunista creciente dentro del país, decidieron poner a prueba sus ideas panarábigas. Después de todo, las fronteras nacionales eran una invención europea: Siria no perdería nada —y podía ganar fuerza— si se unía a Egipto.

Se dieron más cambios. Yemen, a pesar de estar gobernada por un monarca conservador, se unió a la RAU en una confederación llamada los Estados Unidos Árabes en busca de seguridad. Los reinos de orientación occidental de Irak y Jordania formaron una unión rival. En Arabia Saudí, el rey Saud se vio obligado a ceder el poder a su hermano Faisal tras ser implicado en un atentado contra la vida de Nasser. En el Líbano, estalló una guerra civil entre los árabes nacionalistas apoyados por Siria y los partidarios del presidente Camille Chamoun, de inclinaciones occidentales. En Irak, cuando el primer ministro Nuri al-Said decidió ayudar a Chamoun, militares proegipcios se rebelaron, mataron a Said, a Faisal II y a miembros de la familia real. La federación iraquí-jordana se disolvió.

Estados Unidos, temiendo que las ideas de Nasser se extendieran al Líbano, envió diez mil tropas y fomentó conversaciones entre los dos bandos. Se acordó celebrar elecciones y el general Fuad Chehab, más cercano a Nasser que Chamoun, se convirtió en presidente.

Excepto Jordania, el resto de países árabes estaba, en mayor o menor grado, bajo la influencia de El Cairo, aunque pronto se apartaron de ella. Entre el hombre fuerte de Irak, Abdul Karim Kassem, y Nasser empezó a despertarse una gran rivalidad personal. Los sirios se resentían del autoritarismo del dirigente egipcio, mientras que Arabia Saudí y Yemen se oponían a su socialismo. En 1961, cuando Siria se retiró de la RAU, la unidad árabe ya se había desmoronado. **◂1956.3 ▸1964.5**

Nasser *(derecha)* y el presidente de Siria, Shukri al-Kuwatli, firman los documentos oficiales de la unificación en El Cairo.

CHINA

El gran salto

2 Mao Zedong llamó el «gran salto» a un programa de desarrollo simultáneo de la agricultura y la industria. El plan de Mao era la guerra económica, librada por cientos de millones de campesinos armados con azadas y rastrillos. Significó la movilización total de la mano de obra y sus consecuencias fueron catastróficas: hambre generalizada y devastación de la economía.

Mao en los campos cercanos a Tientsin.

El primer plan quinquenal chino había finalizado hacía poco. Basado en el modelo soviético de los años veinte, el programa aumentó la producción industrial a costa de la agricultura. Millones de campesinos se trasladaron a las ciudades y China esperaba pagar los préstamos soviéticos con grano. Quedó claro que un nuevo plan quinquenal no funcionaría. Mao propuso una reorganización drástica del trabajo rural. Los campesinos, manteniendo las granjas a nivel de subsistencia, desarrollarían el campo, cavando canales de regadío, construyendo carreteras y roturando las tierras. Además, se unirían a la «batalla por el acero», construyendo hornos en sus casas para aumentar la producción industrial del país.

Durante un tiempo, explotando el recurso natural más importante de China, pareció que el gran salto funcionaba. En 1958, las cosechas fueron enormes y el gobierno requisó una cantidad récord de cultivos. El año siguiente fue desastroso para la agricultura a causa del mal tiempo y de la diversificación del trabajo en las granjas, pero los requisitos del gobierno no disminuyeron, de modo que los campesinos, sin comida, empezaron a morir de hambre (entre 1959 y 1962 murieron veinte millones). Mao reconoció el desastre, pero se negó a disculparse. Explicó a sus partidarios que Confucio, Lenin y Marx habían cometido errores y él también.
◂1952.2 ▸1959.3

TECNOLOGÍA

Nuevo juguete electrónico

3 En 1958, el físico William Higinbotham inventó el primer vídeojuego del mundo para animar una jornada de puertas abiertas en el laboratorio nacional Brookhaven, en Long Island (Nueva York), su lugar de trabajo. Utilizando un computador analógico conectado a un osciloscopio, así como *hardware* electrónico, fabricó el precedente del Pong, el simulador de ping-pong que catorce años después sería el primer vídeojuego comercializado.

El juego de Higinbotham presentaba una mesa y una red que parecían una «T» invertida, con el pie más corto, en una pantalla circular de diez centímetros. Cada jugador controlaba la pelota (un punto blanco) a través de una caja con un botón y un mango. Para lanzar la pelota se apretaba el botón y para dirigir la trayectoria se giraba el mango. El juego causó sensación entre los visitantes: cientos pasaron de largo entre aparatos científicos para intentar probar suerte con el juego.

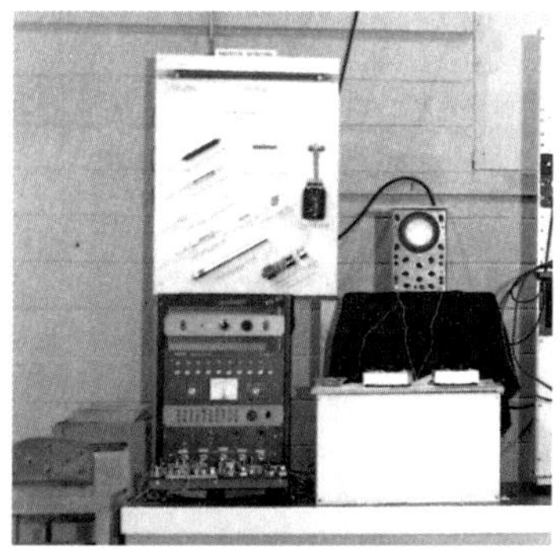

El juego de Higinbotham fue expuesto entre otros instrumentos fabricados por el laboratorio Brookhaven, en una jornada de puertas abiertas.

Al principio de su carrera, Higinbotham colaboró en el desarrollo del radar y diseñó algunos circuitos para la primera bomba atómica. Tenía unas veinte patentes a su nombre, pero no encontró razón alguna para registrar su invento.
◂1930.1

ARTE Y CULTURA: Libros: *Desayuno en Tiffany's* (Truman Capote); *Exodus* (Leon Uris); *Antropología estructural* (Claude Lévi-Strauss) [...] Música: «Diana» (Paul Anka); «If I had a hammer» (Seeger y Hays); «Volare» (Modugno y Parish); *The good soldier Schweik* (Robert Kurka); *Three piano moods* (William Schuman) [...] Pintura y escultura: *Four darks on red* (Mark Rothko); *Three flags* (Jasper Johns) [...]

«Durante más de un siglo Argelia ha sido como una rata de laboratorio, en cautividad mientras los franceses experimentaban con ella.»—**Ferhat Abbas, líder del gobierno provisional en el exilio de la República de Argelia**

Algunos argelinos se sentían profundamente franceses. En la ilustración se observa una manifestación a favor de Francia, mayo de 1958.

ARGELIA

De Gaulle al rescate

4 En 1958, parecía que las tropas francesas estaban a punto de derrotar a las guerrillas del FNL de Argelia. Sus tácticas, sin embargo, fueron políticamente desastrosas. Un año antes, las noticias de que los soldados del general Jacques Massu torturaban por sistema a los prisioneros conmocionaron a Francia. En febrero, cuando bombarderos franceses atacaron a los guerrilleros a través de la frontera tunecina y mataron a ochenta civiles, las condenas se generalizaron. En Francia, la opinión pública empezó a oponerse a esta guerra por los privilegios coloniales. Pierre Pflimin se convirtió en primer ministro e intentó una negociación, pero los «colonos» y sus aliados militares preferían renunciar a la Cuarta República de Francia antes que abandonar Argelia.

En mayo se rebelaron y tomaron las oficinas gubernamentales de Argel. Massu se proclamó jefe del alzamiento y exigió que el general De Gaulle fuera el presidente de Francia. Los amotinados enviaron un destacamento a Córcega, donde fue bien recibido por las autoridades locales. En París, temiendo un golpe de Estado o incluso una guerra civil, el presidente René Coty pidió a De Gaulle que aceptara ser primer ministro. El héroe de la Segunda Guerra Mundial aceptó con la condición de que le fuera permitido gobernar por decreto durante seis meses y redactar una nueva constitución. Fue a Argel y aseguró a los colonialistas que «les había comprendido».

En privado, De Gaulle aceptaba que el colonialismo estaba acabado. La constitución que redactó para la Quinta República concedía a las colonias francesas el derecho de obtener la independencia. Asimismo reforzaba el poder ejecutivo, poniendo fin a la inestabilidad que había dado a Francia 26 gobiernos en catorce años. Las votaciones generales ratificaron el documento (sólo Guinea decidió separarse de Francia) y eligieron presidente a De Gaulle, aunque el FNL rechazó sus propuestas de conceder a los musulmanes argelinos el derecho a voto, reformas sociales y plena representación en el parlamento de Francia. Las guerrillas formaron un gobierno provisional y empezaron a comprar armas a China. En 1960 volvían a movilizarse y los «colonos» reanudaban su propia lucha. ◂**1954.3** ▸**1962.4**

ARTE

Símbolos y objetos

5 Leo Castelli era un fabricante fracasado convertido en marchante de arte. Jasper Johns era un artista emprendedor. Ninguno había tenido suerte, pero un amigo común, el artista Robert Rauschenberg, los presentó en 1957 y formaron una de las parejas más provechosas y duraderas del mundo del arte. En enero de 1958, Castelli presentó una exposición de las obras de Johns en Nueva York. Alcanzó tal éxito que se vendieron todos los cuadros excepto uno. Más tarde, Castelli declaró que su galería se había inaugurado realmente con la exposición de Johns.

Hasta esa exposición, en Nueva York había predominado el expresionismo abstracto (a pesar de que su líder, Jackson Pollock, había fallecido en 1956), pero el entusiasmo de la crítica por obras como *Target with plaster casts* de Johns anunciaba el ascenso de otro estilo más cerebral. Dianas y banderas americanas eran algunos de los símbolos «confeccionados» (*ready-made*), «cosas que se ven pero no se miran», como dijo el artista, que Johns, un admirador de Marcel Duchamp (el pionero de estos símbolos), rescataba de la vulgaridad. Las imágenes cotidianas esconden sorpresas si se las mira con detenimiento: bajo una diana pintada puede aparecer un *collage* de recortes de periódico apenas legibles y una bandera blanca puede contener hileras de números.

Poco después del triunfo de Johns, Castelli consiguió un éxito similar con una exposición de Rauschenberg. La *Cama* de Rauschenberg, una mezcla de pintura y sábanas reales, fue uno de los objetos artísticos más llamativos de los años cincuenta. Esta colisión violenta entre objetos cotidianos completaba la inmovilidad de los símbolos de Johns. Los dos artistas y Castelli iniciaron un camino que los artistas *pop* de los años sesenta continuarían. ◂**1950.4** ▸**1962.8**

Una de las obras de Johns, *Target with four faces* (1955), realizada con diversos materiales, entre otros, periódico, plástico y madera.

NACIMIENTOS

Anita Baker, cantante estadounidense.

Michael Jackson, cantante estadounidense.

Madonna Ciccone, cantante estadounidense.

Daley Thompson, atleta británico.

MUERTES

Ataulfo Argenta, director de orquesta español.

Claire L. Chennault, general americano.

Josep Clará, escultor español.

Juan Comorera, político español.

Juan Ramón Jiménez, poeta español.

Frédéric Joliot-Curie, científico francés.

Roger Martin du Gard, escritor francés.

Imre Nagy, líder comunista húngaro.

Eugenio Pacelli (Pío XII), Papa italiano.

Wolfgang Pauli, físico austríaco-estadounidense.

Tyrone Power, actor estadounidense.

Georges Rouault, artista francés.

Ralph Vaughan Williams, compositor británico.

Maurice de Vlaminck, pintor francés.

Cine: *Gigi* (Vicente Minelli); *Sed de mal* (Orson Welles); *Vértigo* (Alfred Hitchcock) [...] Teatro: *Un soñador para un pueblo* (Buero Vallejo); *De repente, el último verano* (Tennessee Williams).

«Vivir la vida hasta el límite no es cosa de niños.»—**Boris Pasternak, *Doctor Zhivago***

NOVEDADES DE 1958

Grabaciones estereofónicas.

American Express Card (tarjeta de crédito).

BankAmericard (tarjeta de crédito, más tarde VISA).

EN EL MUNDO

▶**HULA-HOOP**—La moda del *hula-hoop*, un anillo de plástico que se hacía girar con el movimiento del cuerpo, causó furor. Comercializado por Wham-O Manufacturing en 1958, siguió el camino habitual de las modas desde California hacia todo el continente. En Estados

Unidos las ventas alcanzaron los veinticinco millones en cuatro meses. En verano pasó de moda.

▶**MANIFESTACIÓN ANTIATÓMICA**—En Londres, el 4 de abril más de diez mil personas se reunieron en Trafalgar Square para pedir la prohibición de armas nucleares. El terror a una guerra atómica, que posiblemente sería la última ya que destruiría el planeta, explica la proliferación de movimientos pacifistas activos en todos los países de la Tierra.

▶**LA PETICIÓN DE PAULING**—Linus Pauling, químico molecular, publicó una apasionada argumentación contra los ensayos nucleares titulada *¡Basta de guerra!* El libro detallaba los efectos de la radiación y predecía que los ensayos nucleares continuados podían causar cinco millones de taras de nacimiento en años venideros. Pauling lideró los esfuerzos internacionales para limitar los ensayos y presentó a la

AVIACIÓN

Inicio de la era de los transportes a reacción

6 El 4 de octubre de 1958, la British Overseas Airways Corporation (BOAC) inauguró el primer servicio transatlántico de pasajeros con aviones a reacción, entre Londres y Nueva York. La BOAC se adelantó tres semanas a la PanAmerican Airways, una victoria para la industria aérea británica, que había empezado a realizar vuelos con los aviones a reacción Comet I (a África y Asia) en 1952, pero los había retirado en 1954 a causa de varios accidentes. El Comet IV llegó a Londres en seis horas y doce minutos, la mitad del tiempo empleado por un avión con hélices. Los pasajeros de este primer vuelo se sorprendieron de su suavidad y velocidad. Uno comentó: «Vuelo así o no vuelo».

Los británicos superaron a los americanos hasta mediados de los años cincuenta en el desarrollo de los aviones a reacción para pasajeros. Los fabricantes de Estados Unidos dudaban en producirlos a causa de su alto consumo de combustible y de la necesidad de pistas de aterrizaje más largas. No obstante, los primeros éxitos del Comet I despejaron sus dudas. Douglas fabricó el DC-8 en 1958 y el Boeing 707, que la PanAm utilizó en la ruta Londres—Nueva York. A mediados de los años sesenta, los aviones a reacción de fabricación americana dominaban el mundo occidental.

Estos aviones acortaron las distancias más que nunca. En 1959 el presidente Eisenhower visitó once países en 18 días a bordo del Air Force One. Apareció una nueva subclase, la «jet set», que podía cruzar el océano para pasar un fin de semana de compras. Para la gente corriente, pasar una semana en un país lejano se convirtió en algo más rutinario. **◂1939.10 ▸1972.6**

Llegada a Londres de los pasajeros procedentes de Nueva York, en el primer viaje del Comet IV.

LITERATURA

Pasternak rechaza el Nobel

7 «Quiero escribir algo profundo y verdadero», declaró el novelista ruso Boris Pasternak al empezar *Doctor Zhivago*, su epopeya lírica sobre la revolución bolchevique.

En 1958, un año después de la publicación de la novela, Pasternak fue galardonado con el Premio Nobel de literatura pero se le prohibió aceptar tal honor.

Desde principios de los años veinte, Pasternak fue reconocido como uno de los mejores poetas de la Unión Soviética. Al principio era optimista ante el efecto de la revolución sobre la cultura rusa, pero se fue desilusionando ante la represión comunista. Durante años abandonó la actividad creativa y se dedicó a traducir, especialmente a Shakespeare. En 1946, Pasternak decidió escribir un libro sobre la lucha de un poeta apasionado (el médico Yuri Zhivago) contra un sistema que intenta someter todos los aspectos de la vida a los dictados de la razón. La crítica al marxismo y las inclinaciones hacia el cristianismo de *Doctor Zhivago* impidieron su publicación en la Unión Soviética; sin embargo, Pasternak consiguió que se publicara en Italia en 1957. La novela se convirtió en un número uno y fue traducida a más de una docena de idiomas.

El régimen soviético de Khrushchev quedó totalmente desconcertado cuando Pasternak se convirtió en el primer escritor ruso que recibía el Premio Nobel. Acusado de traidor y expulsado de la Unión de escritores soviéticos, fue el primer escritor que rechazó el Nobel. «Considerando la idea de que este galardón ha sido concedido a la sociedad a la que pertenezco, debo rechazar este inmerecido premio que se me ofrece personalmente. Espero que mi rechazo voluntario no sea mal interpretado», comunicó al comité sueco.

Cuando murió en 1960, hubo una asistencia masiva a sus funerales, pero hasta 1987 no fue rehabilitado por la unión de escritores, lo que facilitó la publicación en ruso de su obra más famosa. **◂1931.3 ▸1961.NM**

CINE

Un diamante polaco

8 El cineasta polaco Andrzej Wadja es un poeta visual cuya obra explora los problemas de una vida marcada por la guerra y la represión. Controvertido en su propio país por cuestionar la ortodoxia comunista, ha sido reconocido internacionalmente por su complejidad temática, sus ricas imágenes y su integridad moral a pesar de las trabas de la censura. En 1958 Wadja realizó su obra maestra, *Cenizas y diamantes*, el inicio de una trilogía (con *Una generación* y *Kanal*) que narra el desencanto de la posguerra.

Superficialmente, la película es un relato de suspense. Al final de la Segunda Guerra Mundial, un miembro de la facción nacionalista de la resistencia polaca recibe la orden de matar a un comunista. El joven asesino y su víctima (de edad avanzada) pasan un día y una noche en un hotel. Al amanecer, el nacionalista mata al comunista, luego le disparan a él y muere en un vertedero de basuras. Por un lado, la película funciona como un alegato a favor de la unidad nacional: ambas muertes son absurdas y lamentables; de hecho, la rivalidad entre antiguos compatriotas antinazis sólo puede desembocar en una tragedia. No obstante, también parece glorificar al asesino, inquieto y *sexy* (interpretado por Zbigniew Cybulski), frente al comunista decrépito.

DEPORTES: Fútbol: copa del mundo, Brasil derrota a Suecia por 5 a 2; el Real Madrid gana otra vez la liga española y la copa de Europa [...] Ciclismo: el luxemburgués Gaul gana el Tour de Francia y Bahamontes el premio de la montaña [...] Ajedrez: Bobby Fischer, de quince años, es el campeón más joven de la historia.

«El dinero se diferencia de una amante, un coche o un cáncer en que es igual de importante para quienes lo tienen como para quienes no lo tienen.»—**John Kenneth Galbraith, economista**

El James Dean polaco: el joven asesino de *Cenizas y diamantes* (interpretado por Zbigniew Cybulski) muere en un vertedero de basuras.

Más tarde, en *El hombre de mármol* (1977) y *El hombre de hierro* (1981), Wadja tomó partido abiertamente por el movimiento obrero anticomunista (Solidaridad) y el gobierno lo apartó de su puesto en la industria del cine. Sin embargo, siguió trabajando y siendo el iconoclasta de más talento del cine polaco. **◂1955.9**

ECONOMÍA

La receta de Galbraith

9 En *La sociedad opulenta*, un ataque a las teorías tradicionales, el economista John Kenneth Galbraith se centró en un fenómeno que la mayoría de economistas preferían ignorar: la diferencia abismal entre la riqueza privada y la miseria pública en Estados Unidos. Como solución proponía aumentar la intervención gubernamental en la economía.

Galbraith afirmaba que en América la prosperidad había sustituido a la pobreza como norma económica. El incremento de la productividad había provocado una superabundancia de bienes materiales creando una economía artificial, alentada por la publicidad, en la que la gente compraba cosas que no necesitaba. «No puedes explicar a alguien por qué necesita comida, pero puedes convencerle de por qué necesita un Toyota en vez de una bicicleta», dijo el economista a su biógrafo. Galbraith sugirió que el dinero estaría mejor invertido en servicios públicos.

Nacido en Ontario, Canadá, Galbraith estudió económicas en la Universidad de Berkeley, California. Keynesiano convencido, dirigió el control de precios durante la Segunda Guerra Mundial antes de empezar su larga carrera como profesor de Harvard y consejero de presidentes demócratas. Su ingenio mordaz y sus ideas izquierdistas ofendieron tanto a los republicanos que, a mediados de la década de los cincuenta, estuvo sometido a una investigación del FBI. El departamento determinó que no era comunista, sólo «egoísta, vanidoso y presumido». Tuvo más suerte con el público lector: *La sociedad opulenta* estuvo en los primeros puestos de las listas de ventas durante casi un año. **◂1957.7**

MÚSICA

Cliburn en Moscú

10 Seis meses después del lanzamiento del *Sputnik*, la victoria de un muchacho texano de 23 años en el primer Concurso Internacional de Piano Tchaikovsky, puso en órbita la carrera del pianista y la moral americana. Van Cliburn llegó a Moscú con unas credenciales impresionantes: había estudiado en la escuela Juilliard con Rosina Lhévinne, licenciada en el conservatorio de Kiev, y tocó con orquestas importantes norteamericanas tras haber ganado el Concurso Leventritt en 1954. Pero su carrera se había estancado.

La publicidad que se dio a su éxito en Moscú impulsó su carrera. Desde el momento en que llegó a la Unión Soviética, el joven rusófilo cautivó a los que le escucharon. El jurado, que pidió permiso a Khrushchev antes de conceder el máximo honor a un producto de la cultura capitalista, se maravilló ante sus interpretaciones del *Primer concierto para piano* de Tchaikovsky y el *Tercero* de Rachmaninov. El compositor Aram Khachaturian dijo que la última rivalizó con la de su creador.

De vuelta a América, Cliburn fue recibido con una recepción en la Casa Blanca, apariciones en la televisión, un contrato discográfico y un intenso programa de actuaciones. Su disco del concierto de Tchaikovsky se convirtió en el primero de música clásica que vendía un millón de copias. Esta pieza, junto a la de Rachmaninov, estaba siempre incluida en su repertorio, hasta el punto de que un crítico dijo que Cliburn era como una «caja de música de carne y hueso». A medida que se crearon nuevos concursos (incluido uno patrocinado por Cliburn en Fort Worth, Texas), su fama como intérprete fue disminuyendo hasta que en 1978 se retiró. Su regreso a finales de los años ochenta fue mejor recibido en la Unión Soviética que en su país. **◂1956.11 ▸1986.13**

Cliburn volvió de Moscú convertido en una estrella.

ONU una petición de prohibición firmada por once mil científicos. Acusado de antiamericano por los conservadores, Pauling ganó el Premio Nobel de la paz en 1962. Era su segundo Nobel; en 1954 había ganado el de Química.

▶PRESENTACIÓN DE LOS GRAMMY—Hollywood tenía los Óscar, Broadway los Tony, la televisión los Emmy y en 1958 la industria discográfica presentó los Grammy. El primer concurso reflejó los gustos musicales populares y anunció las nuevas tendencias. Frank Sinatra, nominado para veinte premios, sólo recibió un trofeo. Domenico Modugno obtuvo los mejores honores por «Volare».

▶GRACIAS AL CIELO—«¿Por qué Arthur quiere hacer una película sobre una prostituta?», preguntó un ejecutivo de la MGM. Pero *Gigi*, la película musical producida por Arthur Freed en 1958 y basada en una

novelita de Colette sobre una aprendiz de prostituta de lujo, se convirtió en una obra de arte musical de la MGM. La dirección de Vicente Minnelli captó el ambiente más encantador de París. Maurice Chevalier (*inferior, derecha*) realizó una interpretación memorable, cantando «Gracias al cielo por las jovencitas». La película ganó nueve Óscars, incluido el de mejor película.

▶EL BENELUX—Bélgica, Holanda y Luxemburgo firmaron un tratado en La Haya creando el primer mercado internacional completamente libre del mundo. La Unión económica del Benelux, consecuencia de una unión aduanera con una antigüedad de diez años entre los tres países, coordinó los problemas económicos, agrícolas y del estado del bienestar de sus miembros, permitiendo la libre circulación de personas, bienes y dinero. ▸1985.11

POLÍTICA Y ECONOMÍA: el ejército estadounidense lanza el *Explorer I* (primer satélite norteamericano con éxito) [...] Fundación de la RAU, República Árabe Unida, constituida por Siria y Egipto [...] Exposición Universal de Bruselas con la participación de 51 países [...] Una nueva constitución da origen a la Quinta República francesa presidida por De Gaulle.

«Estaría satisfecho si mis novelas [...] no hicieran más que enseñar a mis lectores que su pasado no es una larga noche de salvajismo de la cual fueron liberados por los primeros europeos que actuaron en nombre de Dios.»—**Chinua Achebe**

▶NIXON EN SUDAMÉRICA —«El viaje de Nixon por Sudamérica constituyó un fracaso estrepitoso. El vicepresidente, abucheado en Uruguay, apedreado en Perú y acosado por una manifestación en Venezuela, acortó el viaje y regresó a Washington. Nixon fue mal recibido en Sudamérica porque Estados Unidos apoyaba a dos dictadores odiados: Somoza en Nicaragua y Trujillo en la República Dominicana. ◂1933.4 ▸1961.7

▶MURALES DE MIRÓ EN LA UNESCO—Imposible de catalogar, el arte de Joan Miró incorporaba elementos

del cubismo, fauvismo, dadaísmo, surrealismo y primitivismo. En pinturas, grabados y esculturas, el enérgico catalán era a veces formal y a veces lúdico. Entre sus obras se encuentran dos murales de cerámica diseñados para la sede de la UNESCO en París, completados en 1958.

▶NAGY EJECUTADO—Con la ejecución de Imre Nagy, comunista moderado, se completó la represión soviética de Hungría. Nagy salió de la embajada de Yugoslavia, donde estaba refugiado, con la promesa de un salvoconducto, pero fue arrestado inmediatamente. Janós Kádár anunció su ejecución cuando ya se había producido. ◂1956.4

1958

DEPORTES

El atleta del siglo

11 Al inicio del campeonato mundial de fútbol, Pelé (Edson Arantes do Nascimento), de 17 años de edad, sólo hacía 20 meses que jugaba como profesional. Aunque en Brasil se le consideraba como una promesa del fútbol, fuera de su país era totalmente desconocido. Sin embargo, cuando acabaron los mundiales, había marcado seis espectaculares goles, y había contribuido a que Brasil ganara su primer campeonato mundial. Pelé llegaría a ser el atleta más famoso (y mejor pagado) del mundo.

Durante casi dos décadas, Pelé dominó el deporte de equipo más internacional. Entre 1958 y 1974 jugó 180 partidos al año con el Club de Fútbol Santos, marcó unos mil goles en 1.362 actuaciones y rompió cualquier récord conocido. Su forma de jugar deslumbraba a los espectadores y desafiaba a las estadísticas: contra el Fluminense de Río de Janeiro marcó un gol tan bello que fue llamado «el mejor gol marcado en Maracaná». Pelé jugó en el equipo de Brasil en cuatro campeonatos mundiales (de los cuales ganó tres). Papas y presidentes quisieron conocerle. Nigeria y Biafra suspendieron sus hostilidades para que pudiera jugar.

En 1975, un año después de retirarse del Santos, Pelé firmó con el New York Cosmos, suscitando el interés por el fútbol en un país que no era aficionado. Se retiró tras conseguir la victoria para su equipo (el Cosmos) en 1977. En 1980 fue nombrado Atleta del siglo. **◂1930.13**

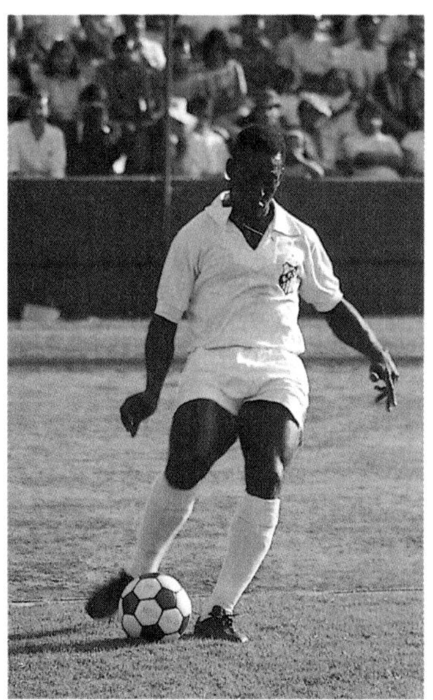

Los brasileños llamaban a Pelé «la perla negra».

LITERATURA

La historia de Achebe

12 Durante siglos los extranjeros idealizaron y vilipendiaron al continente africano mientras explotaban sus recursos, marcando la tierra y las mentes de su gente. Los movimientos nacionalistas posteriores a la Segunda Guerra Mundial iniciaron una revolución en la conciencia de los colonizados. Como dijo el escritor y activista político nigeriano Chinua Achebe, «de repente vemos que tenemos una historia que explicar». Con *Things fall apart*, publicado en 1958, Achebe empezó su versión novelada de esta historia. Fue la primera de una serie de obras que describían la vida de Nigeria desde mediados del siglo XIX en adelante.

Achebe creció bajo la dominación británica y experimentó personalmente los traumas del colonialismo. Nacido en 1930 de padres cristianos (fue bautizado con el nombre de Albert Chinualumogu), hablaba la lengua *igbo* antes de aprender el inglés a los ocho años de edad. Con un pie a cada lado de la frontera cultural entre colonizadores y colonizados, se consideraba superior a sus vecinos no cristianizados pero inferior a los europeos que dirigían su educación, una actitud que Achebe acabó considerando perniciosa.

Escrita en un inglés condimentado con palabras y proverbios nigerianos, *Things fall apart* explica la trágica historia de un hombre *igbo*, Okonkwo, cuyo pueblo se desintegra bajo la influencia británica. Un personaje lamenta que los blancos «han acuchillado las cosas que nos mantenían unidos y nosotros nos hemos desmoronado». Un crítico observó: «Ningún etnólogo europeo podría presentar tan íntimamente esta mezcla de costumbres de la tribu *igbo* ni detallar los rituales cotidianos de la vida del clan». Pero la penetración psicológica, filosófica e histórica del libro trasciende los temas estrictamente locales: fue la primera novela africana reconocida internacionalmente como un clásico. **▸1986.12**

TEATRO

La fiesta de Pinter

13 Cuando el dramaturgo británico Harold Pinter estrenó su primera obra, *La fiesta de cumpleaños*, en el West End de Londres en 1958, la crítica la calificó de «galimatías». Estuvo en cartel muy poco tiempo. Pero al cabo de unos años, la obra de Pinter fue elogiada como una de las más originales y audaces.

En *La fiesta de cumpleaños*, dos tipos llegan a una casa junto al mar y, sin identificarse y sin motivo alguno, atacan a un morador de la casa con acusaciones inquisitoriales. La obra acaba con los intrusos alejándose junto a su víctima, cuya sumisión es tan inquietante como inexplicable la autoridad de los otros. La mezcla de realismo, absurdo y terror es típica de Pinter, como lo es el diálogo, lleno de silencios y evasivas que constituyen la innovación característica del dramaturgo. En ésta y en posteriores obras, los personajes de Pinter se comunican sin comunicarse: hablan con frases hechas, evitan manifestarse directamente y hacen insinuaciones. A veces ni siquiera hablan.

Harold Pinter en un retrato de Justine Mortimer (1992).

Freud, la Biblia y la brutalidad del siglo XX pueden mencionarse como posibles fuentes de lo que un crítico llamó la «comedia de amenaza» de Pinter. Sin embargo, el dramaturgo rechazaba cualquier etiqueta. «No puedo resumir ni describir ninguna de mis obras; sólo puedo decir una cosa: lo que pasa», declaró. **◂1957.12 ▸1985.13**

PREMIOS NOBEL: Paz: Dominique Georges Pire (belga; ayuda a desplazados) [...] Literatura: Boris L. Pasternak (soviético; novelista) [...] Química: Frederick Sanger (británico; estructura molecular de la insulina) [...] Medicina: Joshua Lederberg, George W. Beadle y Edward L. Tatum (estadounidenses; genética) [...] Física: Pavel A. Cherenkov, Ilya M. Frank e Igor E. Tamm (soviéticos; radiación cósmica).

Cuba en los cincuenta

El acoso, de Alejo Carpentier

*En palabras de la profesora Jean Franco: «*El acoso *es la novela que refleja con mayor fidelidad la atmósfera de la Cuba de los años cincuenta, el inflexible círculo de represión y violencia. Sin embargo, está tan lejos como las demás novelas de Carpentier de ser una novela documental. La partitura sinfónica impone un esquema que es análogo al de la tela de araña, en la cual el protagonista, el "acosado", muere a manos de los estudiantes a los que ha traicionado, completamente incapaz de evitar su destino». El cubano Alejo Carpentier (1904-1980) entrelaza lo real y lo maravilloso en sus novelas sin abandonar el interés por la renovación novelística. Entre sus obras destacan* Los pasos perdidos *(1953) y* El siglo de las luces *(1962).* El acoso*, de la que continúa un fragmento, es una novela corta que ejemplifica el interés de su autor por la estructura narrativa.*

«Luego de ese prodigioso Scherzo, con sus torbellinos y sus armas, es el Final, canto de júbilo y de libertad, con sus fiestas y sus danzas, sus marchas exaltantes y sus risas, y las ricas volutas de sus variaciones. Y he aquí que, en su medio, reaparece la Muerte, que es el más allá de la Victoria. Mas, otra vez, la Victoria la rechaza. Y la voz de la Muerte se ahoga bajo los clamores del júbilo...» En fortissimo descendían ahora las cuerdas y las maderas del «Presto», para abrirse a ambos lados de un alegre concierto de cobres. «¿Puedo abrir ya?» —preguntó el acomodador, viendo que el taquillero cerraba un libro con gesto irritado, sin atender ya a lo que sonaba tras de la cortina de damasco raído. Todo lo exasperaba esta noche: la sinfonía perdida, el olor de la lluvia en su único traje, las formas de la carne palpada que aún le entibiaban las manos; el deseo presente en latidos, el despecho de no poderlo aplacar, las penurias de su vida obscura —«detrás de las rejas...»— y la tristeza del cuarto en desorden que ahora lo esperaba para hacerle más ingrato el insomnio. La emprendía a media voz con Estrella, tratándola de lo que era. Y le volvían sus plantos acerca de la Inquisición y las cosas que había dicho bajo amenaza; seguro que había delatado a alguien; a alguien que se hubiera confiado a ella, olvidando que la ramera siempre es ramera, y basura su apellido; seguro que por haber delatado, trataba de encontrar disculpas en el aturdirse hablando: «que si no iba a la cárcel de mujeres; que si no se iba del barrio; que si querían saber ahora hasta con quién buscaba vida». Y la había escuchado sin comprender, sordo para todo lo que no fuera el apremio de su deseo. Dio un puñetazo en la gaveta de los dineros, repitiendo, sin saciarse, el insulto que mejor le sonaba, desde que se viera echado de la casa por falta de unas monedas. A su izquierda, junto al «Beethoven, las grandes épocas creadoras», se estampaba en un cartel orlado de medias cañas el artículo de la reglamentación nacional de espectáculos: «El encargado de la venta al público de las localidades se hará cargo, con la debida antelación, del billetaje sellado, para su revisión y corrección de las faltas o dudas que hubiese, haciendo entrega de la recaudación debida dentro de su horario, para lo cual cerrará la taquilla media hora antes de la terminación de su jornada.» Llovía de nuevo, y el rumor del agua en los árboles cercanos, en las aceras, en el granito de la escalinata, se confundía con el ruido de aplausos que se levantaba dentro del teatro. «Abre» —dijo el taquillero, pasando llave a su puerta: «El director es infecto; llevó la Sinfonía de tal modo que no debe haber durado sus cuarenta y seis minutos.» Miró hacia la azotea de la vieja; pronto iría a cerciorarse de que no era ella quien había muerto. El público se apresuraba a salir de la sala, por temor a que el turbión arreciara, con esos vientos venidos del mar, que se anticipaban a los malos tiempos anunciados, en esos días, por el Observatorio. Se cerraron las puertas laterales y sólo quedaron algunos indecisos, discutiendo de la interpretación, entre los espejos y alegorías del vestíbulo.

Entonces, dos espectadores que habían permanecido en sus asientos de penúltima fila se levantaron lentamente, atravesaron la platea desierta, cuyas luces se iban apagando, y se asomaron por sobre el barandal de un palco ya en sombras, disparando a la alfombra. Algunos músicos salieron al escenario, con los sombreros puestos, abrazados a sus instrumentos, creyendo que los estampidos pudieran haber sido un efecto singular de la tormenta, pues, en aquel instante, un prolongado trueno retumbaba en las techumbres del teatro. «Uno menos» —dijo el policía recién llamado, empujando el cadáver con el pie. «Además, pasaba billetes falsos» —dijo el taquillero, mostrando el billete del General con los ojos dormidos. «Démelo» —dijo el policía, viendo que era bueno: «Se hará constar en el acta.»

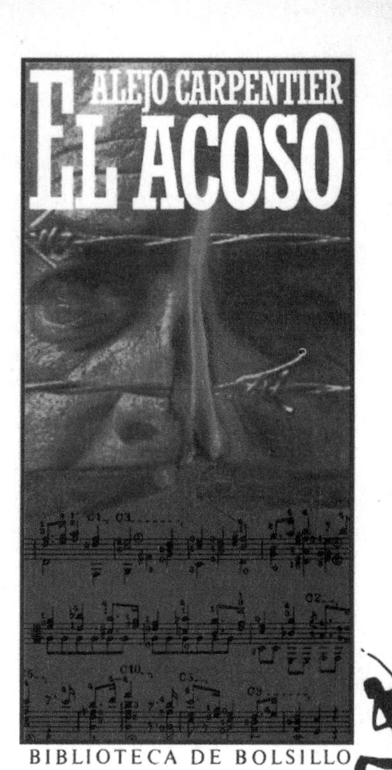

«Cuba ya no se dedicará a servir a sus millonarios.»—**Fidel Castro, sobre el éxito de la revolución cubana**

HISTORIA DEL AÑO

La revolución triunfa en Cuba

1 Los rebeldes que salieron de las montañas para combatir a las fuerzas del dictador de Cuba, Fulgencio Batista, fueron conocidos como «los barbudos». Su lucha contaba con el apoyo de un gran sector de la población: —campesinos sin tierras, trabajadores urbanos y empresarios medios. El líder de la insurrección, un joven y enérgico abogado de nombre Fidel Castro, había dirigido en 1953 un alzamiento que fracasó. Cuando fue encarcelado declaró: «La historia me absolverá». Los cubanos admiraban el temple de Castro. La absolución llegó en una fecha propicia: el día de Año Nuevo de 1959, los fidelistas tomaron La Habana. Batista había huido el día anterior, tras embolsarse buena parte del erario público.

Castro saluda a sus partidarios en La Habana. En aquel momento, nadie estaba seguro de si el líder querría gobernar la Cuba que dejó Batista.

Bajo Batista —gobernante desde 1933, dictador declarado desde 1952— Cuba, la mayor productora de caña de azúcar del mundo, sufrió una represión brutal y una explotación enorme. El dictador corrupto encarceló y mató a sus oponentes, robó unos cuarenta millones de dólares del tesoro público y vendió el país a capitalistas extranjeros. Los americanos poseían intereses en el azúcar (40 %) y en los recursos minerales (9 %), controlaban las empresas de servicios públicos (80 %), las industrias del petróleo, del turismo y la banca. Los inversores se enriquecieron pero dejaron muy poco para los seis millones de habitantes de la isla. Castro salió de prisión en 1955, se trasladó a México y tramó el derrocamiento de Batista. Cuando regresó a su país para dirigir una guerra de guerrillas en 1956, «Cuba para los cubanos» se convirtió en el lema de su revolución.

Cuando Castro asumió el poder en 1959, promulgó medidas drásticas para la reforma agraria e industrial, expropiando un total de mil millones de dólares en bienes americanos. Sus oponentes murmuraban que la revolución ya no era verde (el color del nacionalismo), como Fidel decía, sino de color sandía o «roja por dentro». En febrero de 1960, Castro firmó una transacción de cinco millones de toneladas de azúcar con la Unión Soviética. Luego, cuando las refinerías norteamericanas en Cuba rechazaron el petróleo soviético, Castro se apoderó de ellas. Eisenhower respondió con un embargo y un año después cortó las relaciones diplomáticas. Inevitablemente Castro se acercó aún más a la Unión Soviética y declaró que su revolución era comunista, la primera en el hemisferio americano. **◂1953.NM ▸1961.5**

TECNOLOGÍA

Ingeniería y política

2 El presidente Eisenhower dijo que «simbolizaba magníficamente [...] la posibilidad de que las naciones democráticas trabajaran juntas para el bien común». La reina Isabel II la elogió como «una de las mejores obras de ingeniería de los tiempos modernos». La vía marítima de San Lorenzo, inaugurada por ambas personalidades en junio de 1959, constituyó un triunfo de la ingeniería y de la política, el fruto de casi seis décadas de negociaciones y cinco años de cooperación tecnológica entre Estados Unidos y Canadá.

En 1896, las dos naciones empezaron a discutir la transformación del río San Lorenzo en una vía navegable, una conexión entre los Grandes Lagos y el Atlántico, pero la Primera Guerra Mundial atrasó las negociaciones para llegar a un acuerdo y, hasta 1932, no se firmó un tratado que autorizara la obra. Entonces la ratificación del pacto quedó bloqueada por los temores de los ferrocarriles y los puertos marítimos a perder sus negocios con los puertos de los Grandes Lagos.

La Segunda Guerra Mundial reanimó las perspectivas del proyecto porque los americanos estaban convencidos de que la vía marítima era esencial para su defensa nacional. Al final, en 1954 empezaron las obras. Veintidós mil trabajadores abrieron canales nuevos e hicieron más profundos los antiguos, construyeron diques, presas, esclusas y una central hidroeléctrica. Durante los primeros seis meses, el tránsito por el río aumentó un 67 % y los cargamentos de algunos puertos, un 150 %. Hoy en día, los 3.680 km de la vía marítima continúan siendo una de las rutas comerciales más importantes de Norteamérica. **◂1914.9 ▸1994.11**

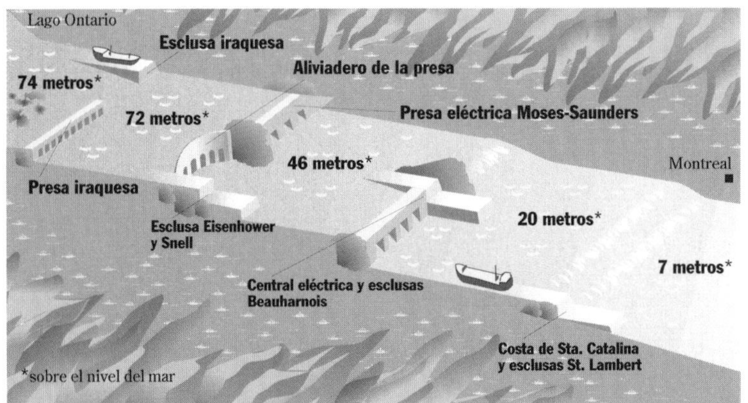

La vía marítima de San Lorenzo, dividida en cinco secciones con seis esclusas, cubre 3.680 km entre Montreal y el lago Ontario.

El Dalai Lama en Tezpur, India, tras huir del Tíbet.

TÍBET

China aplasta un alzamiento

3 En marzo de 1959, nueve años después de que Mao Zedong ocupara el Tíbet, se produjo un alzamiento armado en Lhasa, la capital. Durante años, la presencia china fue provocando un resentimiento cada vez mayor. La represión de una revuelta en la región de Khams (en parte anexionada a China en 1956) atrajo al centro del Tíbet a una oleada de refugiados que explicaban historias atroces. Pero lo que hizo estallar la rebelión en Lhasa fueron los rumores de que los ocupantes planeaban detener al Dalai Lama.

El Dalai Lama, soberano feudal considerado la reencarnación de una divinidad budista, era un dios-rey para su pueblo. Nacido en una familia humilde de granjeros y proclamado heredero de una dinastía de seiscientos años de antigüedad a los dos años de edad (los monjes le seleccionaron de entre todos los niños del reino mediante la interpretación de simbología mística), tenía quince cuando los chinos invadieron su reino. Como hombre santo creía en la bondad innata de los hombres, pero sus negociaciones con Mao no

1959

ARTE Y CULTURA: Libros: ***Nuevas amistades*** **(J. García Hortelano);** ***Billar a las nueve y media*** **(Heinrich Böll) [...] Música: «You've got personality» (Price y Logan); «What'd I Say» (Ray Charles) [...] Cine:** ***Ben-Hur*** **(William Wyler);** ***Con la muerte en los talones*** **(Alfred Hitchcock);** ***Orfeo negro*** **(Marcel Camus);** ***Balada del soldado*** **(Gregori Chukhral) [...]**

«¡Lo he encontrado! Es el antecedente del hombre, nuestro hombre. Ven rápido.»—**Mary Leakey, Al descubrir al *Zinjanthropus***

obtuvieron ningún fruto. En 1959, China había enviado miles de colonos al Tíbet. Además de modernizar la infraestructura de la nación, las autoridades ocupantes se esforzaron por colectivizar los rebaños de yaks y por debilitar la cultura y la teocracia indígenas.

Los chinos aplastaron a los rebeldes de forma rápida y cruel. (En 1988 se estimaba que más de un millón de tibetanos habían muerto en las represalias continuas y que cien mil habían huido del país; más de seis mil monasterios fueron destruidos.) El Dalai Lama se exilió con varios centenares de seguidores, y prometió a sus súbditos que volvería para liberar al Tíbet. Estableció un gobierno en el exilio en el norte de la India y empezó una larga cruzada para restaurar la independencia de su país. **◂1950.3 ▸1966.1**

Discusión acalorada entre el complejo, pintoresco y totalmente sincero («Vamos a enterrar a todos los enemigos de la revolución», dijo en otra visita a Estados Unidos) Nikita Khrushchev y Richard Nixon en Moscú.

DIPLOMACIA

El debate de la cocina

4 El improvisado «debate de la cocina» entre Nikita Khrushchev y Richard Nixon fue una batalla verbal entre los representantes de las dos naciones más poderosas del mundo. Cuando Nixon llegó a Moscú en julio de 1959 para inaugurar la Exposición Nacional Americana, una muestra de la cultura americana, Khrushchev no estaba de humor para visitas: el congreso de Estados Unidos acababa de aprobar la resolución de las Naciones Cautivas, que condenaba a la Unión Soviética por maltratar a sus países satélite. El líder soviético pensaba que la Exposición y la visita de Nixon habían sido preparadas para humillarle.

Antes de visitar la muestra, Nixon y Khrushchev tuvieron un encuentro en privado en el que intercambiaron fuertes palabras sobre las Naciones Cautivas. Según las memorias de Nixon, Khrushchev atacó: «Esto apesta como mierda de caballo fresca, y no hay nada que huela tan mal»; Nixon respondió: «Hay algo que huele peor que la mierda de caballo, la de cerdo». (Khrushchev había sido granjero de cerdos en su juventud.) Luego fueron a visitar la feria. Ante un grupo de periodistas occidentales, Khrushchev predijo que la URSS pronto aventajaría tecnológicamente a Estados Unidos. «Cuando os adelantemos, os haremos una señal». «Tú no sabes nada», contestó Nixon. «Si yo no sé nada, tú no sabes nada del comunismo; sólo le temes».

El momento culminante de la pelea llegó en la cocina de la maqueta de una casa americana. Khrushchev despreció a los electrodomésticos —exprimidores, lavadoras— porque «evocaban la actitud capitalista hacia la mujer». Dudaba que los trabajadores americanos pudieran permitirse el lujo de tales aparatos inútiles. Nixon, poniendo su dedo en la solapa del soviético, defendió la casa de catorce mil dólares: cualquier obrero americano podía comprar una. Siguió un debate fuera de programa sobre el capitalismo y el comunismo, que derivó en un alarde de méritos sobre temas que iban desde los misiles hasta los lavavajillas. En la época moderna, dos líderes mundiales raramente, o nunca, han discutido cara a cara tan incisiva o abiertamente. **◂1956.2 ▸1960.2**

ARQUEOLOGÍA

Los Leakey encuentran un eslabón

5 Casi un siglo después de la muerte de Darwin, los antropólogos británicos Louis y Mary Leakey descubrieron un testigo de una de las cuestiones básicas de la evolución: en qué momento de la cadena evolutiva los humanos se separaron de los gorilas y los chimpancés. En 1959, Mary encontró un cráneo fosilizado de *Zinjanthropus boisei* en Olduvai, una garganta de la llanura Serengeti de Tanzania. No claramente humano pero sí humanoide, el *Zinjanthropus* (el hombre del África oriental) se dató en 1,75 millones de años por el nuevo método del argón-potasio. Era un millón de años anterior a cualquier otro hallazgo humanoide.

Apodado «cascanueces» por el tamaño de sus mandíbulas, el humanoide proporcionó a los Leakey fama infernacional y fondos económicos. Con los años, la pareja realizó una serie de descubrimientos espectaculares, incluido el *Homo habilis*, un antepasado directo del

Louis Lakey trabaja en Tanzania.

hombre moderno. En 1978, seis años después de la muerte de Louis, Mary desenterró un grupo de huellas humanoides de 3,5 millones de años de antigüedad. El hijo de la pareja, Richard, desenterró unos cuatrocientos fósiles humanoides en el curso de diez años de excavaciones en Kenia. La totalidad de los hallazgos de la familia Leakey son la prueba de que la raza humana es mucho más antigua de lo que nadie había imaginado y que procede de África, no de Asia, como indicaban los primeros fósiles. **◂1912.3**

NACIMIENTOS

Florence Griffith-Joyner, atleta estadounidense.

Earvin «Magic» Johnson, jugador de baloncesto estadounidense.

John McEnroe, tenista estadounidense.

MUERTES

Manuel Altolaguirre, poeta español.

Anglada Camarasa, pintor español.

Joaquín Blume, gimnasta español.

Raymond Chandler, escritor estadounidense.

Louis Costello, actor estadounidense.

Cecil B. DeMille, director cinematográfico estadounidense.

John Foster Dulles, político estadounidense.

Agustín de Foxa, escritor español.

George Grosz, artista alemán.

Billie Holiday, cantante estadounidense.

George C. Marshall, general estadounidense.

Gerard Philipe, actor francés.

Alfonso Reyes, escritor mexicano.

Carlos Riba, poeta español.

José Vasconcelos, pensador mexicano.

Heitor Villa-Lobos, compositor brasileño.

Frank Lloyd Wright, arquitecto estadounidense.

Teatro: *Maribel y la extraña familia* (M. Mihura); *El sonido de la música* (Rodgers y Hammerstein); *La historia del zoo* (Edward Albee) [...] TV: *Bonanza; Rawhide; Dimensión desconocida.*

«El cine es verdad 24 veces en un segundo.»—Jean-Luc Godard

NOVEDADES DE 1959

Pantis (medias enteras).

Museo Guggenheim (Nueva York; diseñado por Frank Lloyd Wright).

Submarino con misiles balísticos.

Un cohete soviético es el primero que alcanza la Luna.

EN EL MUNDO

▶JUEGO DE HOMBRES—Pisándole los talones a la de los pantis, una nueva moda se apoderó de los campus estudiantiles americanos: la de llenar cabinas telefónicas.

La idea (procedente de las universidades sudafricanas) era meter dentro de una cabina al máximo de personas. Los estudiantes del Modesto Junior College de California establecieron el récord de 34.

▶EL NACIMIENTO DE BARBIE—En marzo, la Mattel Toys presentó la muñeca más

famosa de la historia: la maniquí Barbie. La muñeca, de 30 cm de altura, costaba tres dólares. Durante las tres décadas siguientes se diseñaron para ella vestidos, accesorios y compañeros. En 1991 se habían vendido más de setecientos millones de Barbies en todo el mundo.

▶*JAZZ* LIBRE—El saxofonista Ornette Coleman comparó su música, de ritmo

1959

MÚSICA

Una diva australiana

6 La producción del director italiano Franco Zefirelli de la ópera de Donizetti *Lucia di Lammermoor* en el Covent Garden de Londres fue un momento decisivo de la historia de la ópera. La soprano Joan Sutherland, nacida en Sídney, con una actuación brillante en la que desplegó su virtuosismo técnico y su elegancia dramática, se convirtió en la sucesora de Nellie Melba y María Callas, y contribuyó a renovar el interés por la ópera de los siglos XVIII y XIX.

Sutherland, que se consideró a sí misma una mezzo-soprano al principio de su carrera, durante mucho tiempo no fue consciente de la capacidad de sus dotes. Hasta que se trasladó a Londres con su madre, su joven mentor (y futuro marido), Richard Bonynge no la presionó para que desarrollara la amplitud de registro necesaria para papeles como el de Lucia.

En los años sesenta, Sutherland continuó trabajando su voz. Se ganó el apelativo de La Stupenda tras una representación de la *Alcina* de

Sutherland en la producción de 1959 de *Lucia di Lammermoor.*

Haendel en Venecia y entusiasmó al público de París, Milán y Nueva York con sus interpretaciones de *Lucia.* Sus actuaciones ganaron en profundidad y complejidad incluso cuando tuvo que luchar contra la artritis en sus últimos años. Popularizó la ópera en televisión y radio tanto como en escena; le hicieron dama del Imperio Británico en 1978 y se retiró en 1990 a la edad de 63 años. **◂1949.11 ▸1974.M**

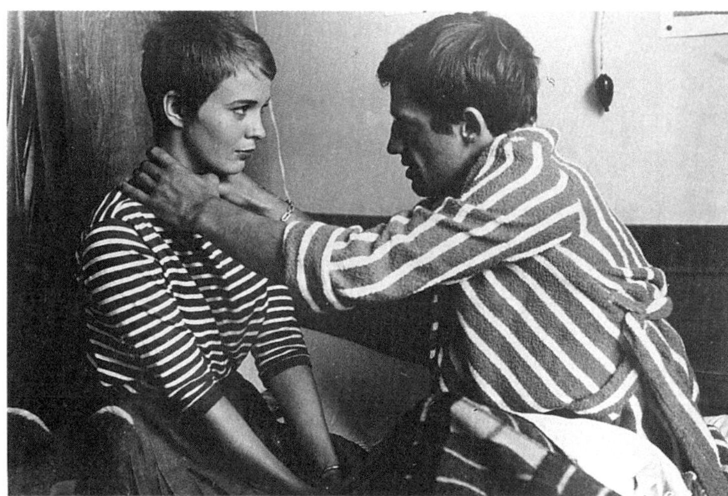

Al final de la escapada de Godard, con Jean-Paul Belmondo y Jean Seberg *(superior),* presenta una estructura narrativa mucho más sencilla que sus producciones posteriores.

CINE

La *Nouvelle vague*

7 Durante años, François Truffaut, Jean-Luc Godard y otros críticos de la revista *Cahiers du Cinéma* atacaron al cine tradicional francés por ser poco interesante y anónimo. Alabaron a una serie de directores internacionales (la mayoría de ellos directores americanos subvalorados) como *auteurs* (autores) por su característico trabajo personal. A finales de los años cincuenta, estos cinéfilos, junto a compatriotas que pensaban como ellos, empezaron a realizar sus propias películas, de bajo presupuesto y caracterizadas por historias peculiares, alusiones intencionadas a otras películas y una dirección innovadora. Crearon así la *Nouvelle vague,* que culminó en el Festival de Cannes de 1959 con las victorias de *Hiroshima, mon amour,* de Alain Resnais, y *Los 400 golpes,* de Truffaut. Mientras, Godard estaba acabando su primer largometraje, *Al final de la escapada,* que, estrenada a principios de 1960, se unió a sus predecesoras como arquetipo de una obra menos iconoclasta pero comercial.

En *Hiroshima, mon amour,* un romance franco-japonés (y una meditación sobre la bomba atómica) con guión de la vanguardista Marguerite Duras, Resnais evoca la «complejidad de la mente» a través de *flashbacks,* repeticiones y cine dentro del cine. *Los 400 golpes* fue la primera entrega de un ciclo de películas que trazan el paso de la delincuencia a la normalidad del *alter ego* de Truffaut, Antoine Doinel (Jean-Pierre Léaud). La película, un retrato de la niñez nada sentimental pero profundamente conmovedor, se convirtió en una clásico. Su filmación con una cámara de mano y su imagen final congelada influyeron en generaciones de cineastas.

Al final de la escapada presentó al disoluto Jean-Paul Belmondo como un delincuente ocasional y a la radiante Jean Seberg como su novia americana que le traiciona. Una imitación adorablemente irónica de las películas americanas de gángsters (el personaje de Belmondo se identifica con Humphrey Bogart), la película posee un ritmo frenético, consecuencia en parte de la rapidez con que pasan imágenes sueltas —un método utilizado asimismo en las películas de Hollywood y en los vídeos comerciales y musicales. **◂1956.7 ▸1971.12**

CINE

La comedia salvaje de Wilder

8 *Con faldas y a lo loco,* una de las farsas sexuales más audaces y divertidas del cine, relata las desgracias de dos músicos de Chicago que, por casualidad, son testigos de la matanza del día de San

Marilyn Monroe y Jack Lemon en *Con faldas y a lo loco,* de Billy Wilder.

DEPORTES: Boxeo: Ingemar Johansson noquea a Floyd Patterson en el campeonato mundial de los pesos pesados [...] Fútbol: el Real Madrid gana la cuarta copa de Europa [...] Ciclismo: Guillermo Timones, campeón del mundo en la prueba de medio fondo con moto; Bahamontes gana el Tour de Francia.

«Pensábamos que las Supremes iban a ser tres negritas modernas y aparecisteis aquí con vuestros abriguitos de piel, remilgadas y compuestas.»—**George Harrison, al conocer a las Supremes**

Valentín perpetrada por Al Capone. Para escapar de los gorilas que les persiguen, se disfrazan de mujer y se marchan a Florida con una orquesta femenina. Uno de los dos (Tony Curtis), de vez en cuando se despoja del disfraz de mujer para ligar con la vocalista de la orquesta (Marilyn Monroe) haciéndose pasar por un millonario. El otro (Jack Lemon) disfruta de las atenciones de un magnate un poco chiflado. Finalmente ambos músicos confiesan su verdadera personalidad. En la escena final, cuando Jack Lemon confiesa que es un hombre para desanimar al magnate, éste le contesta: «Nadie es perfecto».

Billy Wilder, director y coguionista de la película, era un periodista judío vienés (una vez entrevistó a Sigmund Freud) que huyó de los nazis a París antes de emigrar a Hollywood. La primera película que dirigió, *El Mayor y la menor* (1942), era, como *Con faldas y a lo loco*, una comedia de simulaciones: la historia de una mujer disfrazada de niña y enamorada de un oficial del ejército. Otras películas de Wilder tienen una cara amarga: *Días sin huella* describe los riesgos del alcoholismo; *El crepúsculo de los dioses* trata de la desesperación de una vieja gloria del cine mudo. El cine de Wilder es atormentado y cínico, con un agudo ingenio y una dirección espléndida. **◂1933.NM ▸1962.2**

CULTURA POPULAR

Escándalo en la televisión y en la radio

9 A Herbert Stempel, antiguo campeón del concurso televisivo de preguntas y respuestas *Twenty-one*, se le proporcionaban las respuestas a las preguntas (muchas de las cuales conocía de antemano), se le decía cuáles debía fallar y le enseñaron a «actuar». Tras dos meses en el programa, fue «derrotado» por el profesor de inglés Charles van Doren. Entrenado del mismo modo, Van Doren «ganó» 129.000 dólares en cuatro meses y se hizo famoso en todo el país. Cuando Stempel explicó el engaño, el público se sintió tan ofendido que en 1959 el congreso inició una investigación sobre el caso.

Los productores decían que nadie había salido perjudicado y que su engaño no era ilegal. El congreso extendió su investigación a las *payolas* de la radio, cantidad que las compañías discográficas pagaban a los pinchadiscos para que pusieran sus canciones. Esta práctica, tan antigua como la radio, *era* ilegal por una buena razón: un pinchadiscos de una gran ciudad con una audiencia considerable podía hacer que un disco tuviera éxito o fracasara. En la época del *rock 'n' roll*, cuando las compañías independientes luchaban por romper el dominio de las grandes, la *payola* era muy común.

El escándalo de las *payolas* fue como la corroboración de que el mundo del *rock* funcionaba por influencias y estaba corrompido.

Charles van Doren simula concentración en el concurso. El escándalo fue llevado a la pantalla en la película de Robert Redford *Quiz Show* (1994).

Unos doscientos empleados de radio admitieron su culpabilidad. La *payola* se convirtió en un delito federal y el fraude de los concursos fue declarado ilegal. Las cadenas televisivas cancelaron la mayoría de sus concursos y los sustituyeron por otros más «divertidos y sencillos» que no se tomaron tan en serio. **◂1941.14**

MÚSICA

Sonido Motown

10 En 1959, el antiguo boxeador Berry Gordy fundó una compañía que pronto se convertiría en la empresa musical de propiedad negra más famosa del mundo. Tras fracasar como propietario de una tienda de discos y alcanzar el éxito como compositor de canciones, Gordy creó su propia compañía de producción. Uno de sus artistas, Smokey Robinson, le convenció para que la convirtiera en un sello discográfico. Al principio la llamó Tamla, pero enseguida le cambió el nombre por el de Motown. Se ocupaba de la grabación, distribución, dirección y edición de canciones.

La Motown, que recibió este nombre por la ciudad en la que se encontraba su sede (Detroit, «la ciudad del motor», desarrolló una música característica que mezclaba *blues* y *gospel* con canciones románticas pegadizas. Un equipo formado por Lamont Dozier, Brian y Eddie Holland compuso canciones basadas en la repetición y con estribillos fáciles de recordar. Gordy era un perfeccionista, para la música y para todo: viajó en busca de nuevos talentos, controló con cuidado las finanzas y creó una escuela donde los intérpretes aprendían buenas maneras. Una de sus graduadas más famosas fue Diana Ross, que cuando se separó del grupo de las Supremes para cantar en solitario se convirtió en una estrella.

A mediados de los años sesenta, la Motown estaba en pleno apogeo: el 75 % de sus discos destacaban en las listas nacionales. Las actuaciones de Temptations, Supremes, Miracles, Martha y los Vandellas, Little Stevie Wonder, Marvin Gaye y más tarde de los Jackson 5 y Gladys Knight y los Pips, crearon el «sonido de la joven América» (como lo denominaron los publicistas de Gordy). **◂1955.13 ▸1961.NM**

Las Supremes *(de derecha a izquierda)*: Florence Ballard, Mary Wilson y Diana Ross.

y estructura fluctuantes, con la pintura de Jackson Pollock. En 1959, el músico autodidacta sacó tres discos con títulos proféticos: *Tomorrow is the question!* (La cuestión es mañana), *Change of the century* (El cambio de siglo) y *The shape of jazz to come* (La forma del futuro *jazz*). Sus composiciones de «*jazz* libre» intentaban cruzar las fronteras tradicionales de la melodía, la armonía y el ritmo. (Incluso afinaba su instrumento de forma heterodoxa.) El «*jazz* libre» al principio no fue reconocido ni por los más progresistas, pero a mediados de los años sesenta causó furor. ◂1955.7 ▸1964.6

▶PLAN DE ESTABILIZACIÓN—La economía española era incapaz de subsistir sin abrirse, de forma paulatina, a los mercados exteriores. Como primera premisa para

conseguir un tránsito de la autarquía a una política de corte más liberal, los ministros de hacienda, Mariano Navarro Rubio *(superior)*, y de comercio, Alberto Ullastres *(inferior)*, modificaron mediante un decreto ley el marco financiero y mercantil español. El Plan de Estabilización intentaba sanear las finanzas españolas, controlando el gasto público, equilibrando la balanza de pagos y regulando la convertibilidad de la peseta. En conjunto constituyó un éxito que permitió la modernización de la economía española.

▶TRATADO ANTÁRTICO —Representantes de doce naciones se reunieron en Washington y acordaron proteger al continente más

POLÍTICA Y ECONOMÍA: Alaska y Hawai se convierten en estados norteamericanos [...] El gobierno de Estados Unidos devuelve la plena nacionalidad a los nipo-norteamericanos que fueron internados durante la Segunda Guerra Mundial.

«El tipo con menos talento con el que he trabajado.»—**Paul Cohen, al despedir a Buddy Holly de la compañía discográfica Decca en 1956**

subdesarrollado del mundo. El Tratado Antártico, firmado el 1 de diciembre, convirtió al continente helado en una zona no militarizada reservada a la investigación científica. Los signatarios (Argentina, Australia, Bélgica, Chile, Francia, Gran Bretaña, Japón, Nueva Zelanda, Noruega, Sudáfrica, la Unión Soviética y Estados Unidos) prometieron abstenerse de probar armas y de dejar residuos radiactivos en la Antártida. En 1991 se añadió al tratado original una cláusula que prohibía la explotación mineral y petrolífera durante 50 años. ◄1958.NM ►1963.2

►BODA REAL—Como vástago de la familia real más antigua del mundo, el príncipe Akihito de Japón estaba

destinado a ocupar el trono por nacimiento. Como monarca de un estado moderno, obtenía su posición «de voluntad del pueblo», como se estableció explícitamente en la constitución japonesa de posguerra. En 1959, Akihito solventó esta contradicción de forma tácita —y rompió con mil quinientos años de historia— al casarse con una plebeya, Shōda Michiko. Para la mayoría de japoneses, esta unión simbolizó la nueva era de igualdad política y social. ◄1946.3 ►1993.11

►LAS MUJERES SUIZAS NO PUEDEN VOTAR—En 1959 los votantes de la neutral y democrática Suiza manifestaron un machismo absoluto: eligieron mantener el sufragio como un privilegio exclusivamente masculino. Así fue hasta 1971, cuando una enmienda constitucional permitió a las mujeres votar en las elecciones o ser funcionarias. ◄1920.11

La revista *Rolling Stone* dijo que Holly fue quien más influyó en el *rock* de los años sesenta.

MÚSICA

Los primeros mártires del *rock*

11 En los años posteriores, las estrellas del *rock* morirían con frecuencia por sobredosis de droga, pero los primeros mártires del *rock* (Buddy Holly, Richie Valens y Big Bopper) alcanzaron la inmortalidad cuando su avión se estrelló cerca de la ciudad de Mason, Iowa, el 3 de febrero de 1959. La tragedia marcó el final de la primera oleada de creatividad en el mundo del *rock*: a finales de los años cincuenta la radio estaba plagada de versiones homogéneas de la música rebelde nacida al principio de la década.

Valens, el primer mexicano-norteamericano que entró en el panteón del *rock*, era conocido por la balada «Donna» (cuya cara B contenía la canción tradicional «La bamba»), número dos en las listas de éxitos; Big Bopper (J. P. Richardson), pinchadiscos y compositor de canciones novedosas, era famoso por su forma de cantar, medio hablando medio cantando, «Chantilly Lace». Pero el talento de Holly era de otro tipo. En un género lleno de artistas muy varoniles, Holly, de 22 años de edad y con gafas, transmitía en sus actuaciones una inteligencia, sensibilidad e intensidad poco comunes.

Holly fue un pionero del tecno-*rock*, el primer rockero blanco que utilizó un acompañamiento de *blues*, el primer músico de *rock* que experimentó con el *overdubbing* (un método de grabación que permite a los intérpretes acompañarse a sí mismos). Los gritos de Holly eran inimitables, aunque fueron copiados por muchos. Cuando ocurrió el accidente, era más popular en Gran Bretaña que en su país, pero la muerte le convirtió en una figura de culto y sus canciones —«Peggy Sue», «Rave On», «That'll be the day», entre otras— seguían sonando en los años noventa. **◄1956.1 ►1962.6**

TEATRO

Gypsy cierra una época

12 La edad de oro del musical de Broadway (en el que los diálogos se entretejían con canciones y bailes incluidos en la acción que caracterizaban a los personajes) finalizó en 1959 con *Gypsy*. Basada en las memorias de la artista de *striptease* Gypsy Rose Lee, la obra es una crónica divertida, emocionante y a veces terrible del absorbente amor materno y de la ambición mal dirigida. La madre de Gypsy, la agresiva Rose, lo sacrifica todo para lograr que sus hijas se hagan un sitio en el teatro. Cuando las niñas crecen y la abandonan, Rose cae en la autocompasión y la locura.

Gypsy contó con unos colaboradores destacados. Fue producida por David Merrick (conocido por *Fanny* y más tarde por *Hello, Dolly!*) y Leland Hayward *(South Pacific)*, escrita por Arthur Laurents *(West Side Story)* y dirigida por Jule Styne *(Los caballeros las prefieren rubias)*. La coreografía corría a cargo de Jerome Robbins *(West Side Story)*. Sus canciones fueron escritas por Stephen Sondheim *(West Side Story)*. Ethel Merman interpretaba a Mamá Rose. Canciones como «Some people» y «Everything's coming up roses» se convirtieron en arquetipos. Pero *Gypsy* marcó el final de una época: en los años posteriores, el número de escritores y compositores líricos disminuyó y el teatro musical dió más importancia a los números espectaculares que a los guiones bien elaborados. **◄1956.8 ►1964.9**

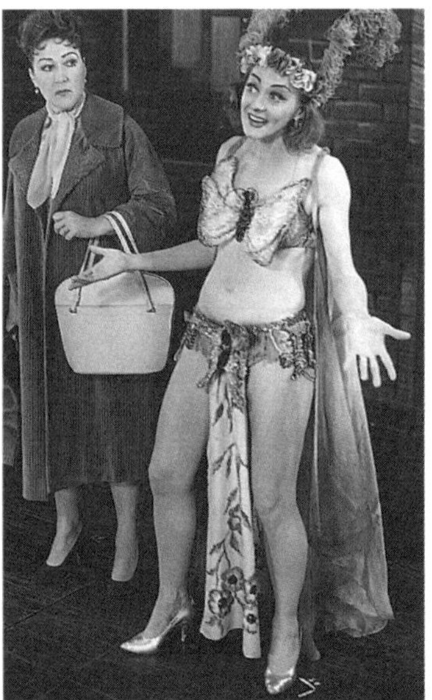

Ethel Merman *(izquierda)*, con Maria Karnilova; al final de la década se empezó a dar más importancia a los números espectaculares que a los guiones bien elaborados.

LITERATURA

La conversión de Grass

13 Günter Grass, nacido en Danzig (actualmente Gdansk), se unió a las Juventudes Hitlerianas cuando tenía catorce años de edad. Durante la Segunda Guerra Mundial luchó en el ejército alemán y fue herido y capturado por los americanos. Pero tras visitar el campo de concentración de Dachau, ya clausurado, empezó a rechazar los valores nazis. Este proceso de purga llevó a Grass a escribir *El tambor de hojalata* (1959), su primera novela y la primera obra alemana de ficción en conseguir el reconocimiento internacional desde los años treinta.

La historia, narrada por Oskar, cuya desconfianza en los adultos provoca que a los tres años deje de crecer, se enmarca en Danzig antes, durante y después de la era hitleriana. Desde un manicomio, Oskar recuerda su juventud, cuando era capaz de romper cristales con su voz y de llamar la atención con su tambor además de ser el líder mesiánico de una banda de vándalos. (Es significativo que el primer apodo de Hitler fuera «Tambor».) *El tambor de hojalata* rompió con la tradición realista de la *Trümmerliteratur*. A la vez unas memorias, una parodia de las novelas clásicas alemanas sobre la llegada de la mayoría de edad y un laberinto de metáforas surrealistas, a menudo obscenas y blasfemas, el libro escandalizó a la mayoría de compatriotas del autor.

Al mismo tiempo, convirtió a Grass en el portavoz de su generación. Además de escribir novelas, piezas teatrales y poesía, fue un activista socialista, haciendo campaña a favor de causas y candidatos de izquierdas pero oponiéndose firmemente a las tendencias agresivas de los años sesenta. **◄1929.11 ►1961.10**

PREMIOS NOBEL: Paz: Philip Noel-Baker (británico; desarme y redacción de la carta de la ONU) [...] Literatura: Salvatore Quasimodo (italiano; poeta) [...] Química: Jaroslav Heyrovský (checo; polarografía) [...] Medicina: Severo Ochoa y Arthur Kornberg (español y estadounidense; síntesis del ADN y el ARN) [...] Física: Emilio Segré y Owen Chamberlain (estadounidenses; antiprotón).

Nuevas amistades

J. García Hortelano, 1959

Al final de los años cincuenta, una parte minoritaria de la población española vive en un mundo que ya tiene muy poco que ver con la posguerra y que, al contrario, prefigura la sociedad urbana, hedonista y competitiva característica de la sociedad de consumo. Con mirada crítica Juan García Hortelano plasmó en Nuevas amistades, *publicada en 1959, el desarraigo de estas gentes que estrenan de forma casi simultánea la recuperación de la miseria y la aparición del desencanto y la futilidad de una nueva situación.*

Joaquín tendió el paquete de «Camel» a Ventura y, después de encender los cigarrillos, dejó el mechero rozando los dedos de ella.

—Y mañana a las nueve tengo que abrir la tienda.

Ventura asintió, solidarizándose en la fatal relación entre aquel hecho y el estar velando el sueño intranquilo, erizado en una modorra de pequeños sobresaltos respiratorios y mínimos movimientos, de la muchacha.

—Bueno—. Ventura dejó caer la punta del cigarrillo entre sus pies—, ¿no te acabas la horchata?

—¿Vas a echarla?

—A ver qué remedio. Tengo que cerrar. Y, además, que no me gusta tenerla ahí. Puede entrar alguien.

—Y a ti ¿qué?

—Bastantes contemplaciones he tenido ya. —La mano derecha de Ventura sacudió el hombro de la durmiente—. Es inútil; cuando una mujer o una mula se paran, es inútil tratar de moverlas.

Ventura se puso en pie y se mordió el labio inferior.

—¿La has mirado el bolso?

—No.

—Pero, ¿te ha pagado?

—Sí. Le dije que me pagase, que íbamos a cerrar. Me pidió el cubalibre, me pagó, se lo bebió y se quedó como un leño. Ahí la ves.

Los dos miraron la alargada cartera de piel azul al borde de una silla. Joaquín se levantó con una violencia decidida.

—Venga, ya, hombre—. Cogió la cartera y, después de abrirla, se la ofreció a Ventura. —Mira tú.

—¿Yo? —titubeó—. Maldita borracha.

Joaquín se acercó a examinar el registro de Ventura. La cartera contenía unos billetes arrugados, un llavero, un tubo de carmín, una polvera, dos pañuelos y una agenda. Entre las hojas de la agenda había una cartulina. Ventura le leyó despacio y se la entregó a Joaquín, sonriendo. Tenía el tamaño aproximado de una tarjeta de visita y, escrito a máquina: «En caso necesario, llame a este teléfono, pregunte por el señor Cantarlé y dígale que venga a recogerme al lugar donde me encuentre. No importa la hora. Gracias». En el reverso, a grandes trazos, estaban las seis cifras.

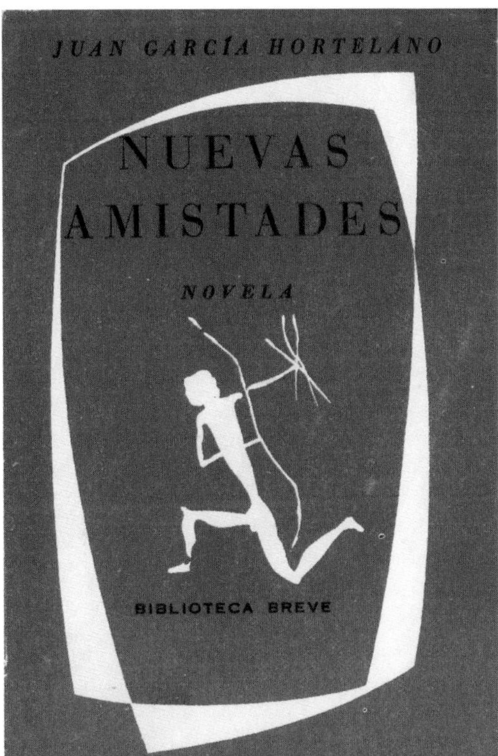

JUAN GARCÍA HORTELANO
NUEVAS AMISTADES
NOVELA
BIBLIOTECA BREVE
EDITORIAL SEIX BARRAL, S. A. - BARCELONA

—Por lo visto —dijo Joaquín— la chica tiene costumbre de estas cosas.

Ventura pasó al otro lado del mostrador y sacó el teléfono de debajo de la barra. Joaquín se sentó en el taburete y bebió un sorbo de horchata, mientras Ventura hacía girar el disco.

—A cualquier hora... Valiente gente hay por ahí—. Cambió el tono de la voz y retiró la mirada de Joaquín. —Oiga, ¿vive ahí el señor Cantarlé?

—¿Es usted el señorito Pedro?

—No, no, señora. Yo llamo desde un bar. ¿Está el señor Cantarlé?

—No, señor.

—Oiga, señora, y ¿usted sabe cuándo llegará?

—Ay, no. ¿Conoce usted al señorito Pedro? Él también le está buscando. Creía que era usted.

—No, no soy ése—. Ventura le hizo un gesto de resignación a Joaquín, que seguía expectante su monólogo—. ¿Podría usted coger un recado?

—Sí, señor.

—Mire, es de aquí, de un bar del Paseo de Ronda. Hay una señorita que está mareada. Ha bebido un poco más de la cuenta, ¿comprende?

—Dios mío.

—Y, bueno, en el bolsillo lleva una tarjeta, diciendo que se llame a ese número para que vengan a recogerla.

—El señorito Leopoldo no está. Pero yo se lo diré en cuanto llegue a casa. Descuide usted. Y ella ¿cómo se encuentra?

—Bien, señora, no se preocupe. Que ha bebido un poco, pero no es nada. Ahora, que yo tengo que cerrar y no puedo estar aquí toda la noche.

—Lo comprendo, sí, señor, lo comprendo. El señorito Leopoldo no tardará seguramente. Dígame usted las señas.

—Paseo del Doctor Esquerdo, número 82. Cerca de Ibiza. No tiene pérdida.

—Paseo del Doctor Esquerdo, 82. En seguida que pueda localizarle, irá. Y muchas gracias, señor.

—De nada. Adiós.

Ventura apoyó los codos sobre la barra y contempló a la mujer.

Fue una década rebelde. Mientras se libraba una guerra impopular en el sudeste asiático, jóvenes de todas partes se alzaron contra las clases dirigentes, pidiendo no sólo la paz sino un mundo radicalmente distinto.

1960 1969

En 1967, cuando esta manifestante y sus compañeros se enfrentaron a los soldados en Washington, el «poder de las flores» (la idea de que el amor podía triunfar sobre un estado militarizado) ya era un concepto extendido entre los detractores de la guerra de Vietnam. Sin embargo, al año siguiente, estudiantes rebeldes de todo el mundo adoptaron tácticas más violentas. En países capitalistas y comunistas, combatieron a la autoridad —y en algún momento estuvieron cerca de ganar.

El mundo en 1960

Población mundial

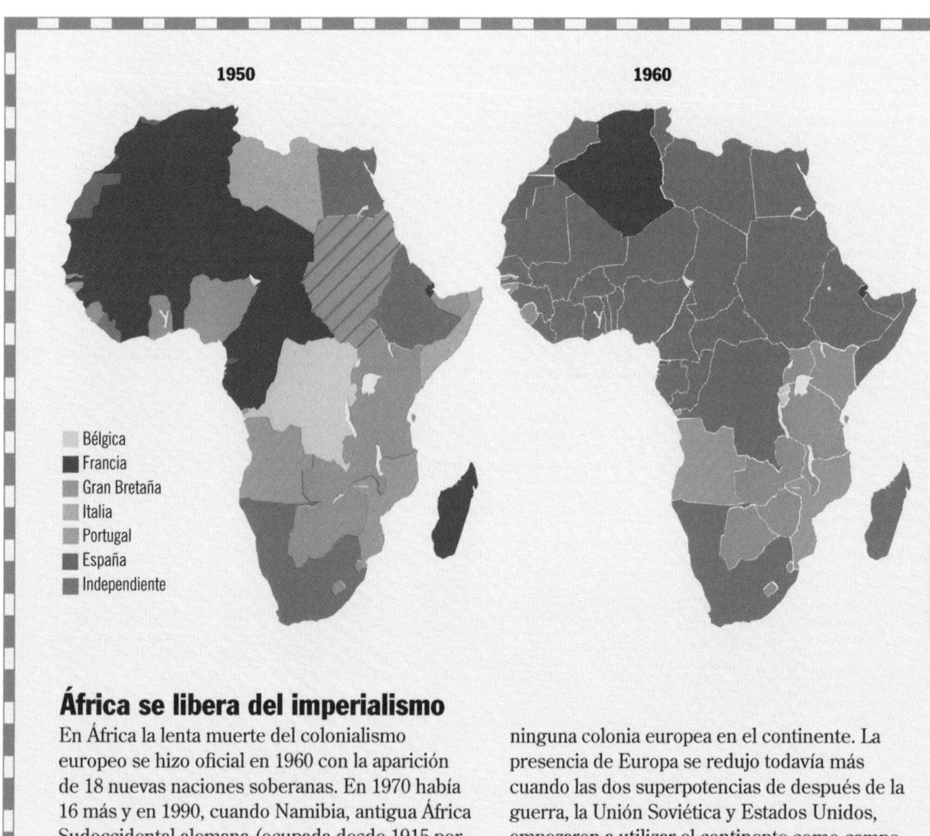

África se libera del imperialismo

En África la lenta muerte del colonialismo europeo se hizo oficial en 1960 con la aparición de 18 nuevas naciones soberanas. En 1970 había 16 más y en 1990, cuando Namibia, antigua África Sudoccidental alemana (ocupada desde 1915 por Sudáfrica) se independizó, ya no quedaba ninguna colonia europea en el continente. La presencia de Europa se redujo todavía más cuando las dos superpotencias de después de la guerra, la Unión Soviética y Estados Unidos, empezaron a utilizar el continente como campo de actuación de la guerra fría.

Explorer 1

Combatir la polio

El desarrollo de una vacuna eficaz contra la polio prácticamente erradicó una enfermedad temible que afectaba sobre todo a los jóvenes.

Promedio de casos registrados anualmente

	1951-1955	1961-1965	% disminución
Australia	2.187	154	93%
Checoslovaquia	1.081	0	100%
Dinamarca	1.614	77	95,2%
Suiza	1.526	28	98,2%
Gran Bretaña	4.381	322	92,7%
Estados Unidos	37.864	570	98,5%

Niños de dos años vacunados (en %), 1990

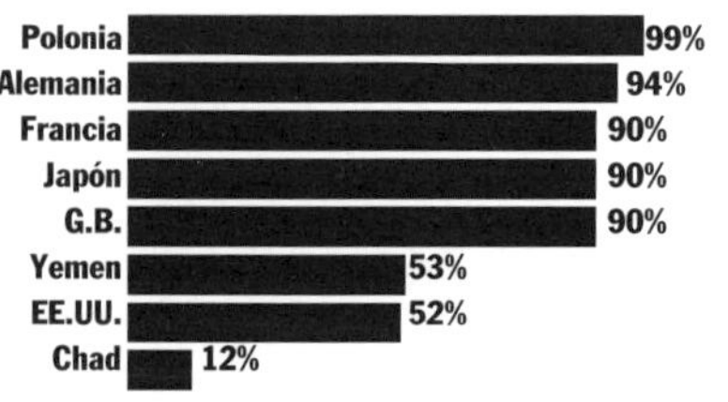

Moda imprescindible

El **traje gris**, como este modelo de Brooks Brothers, era el uniforme de los hombres de empresa. La novela de Sloan Wilson *El hombre del traje gris* (1955) hizo que la expresión formara parte del lenguaje y el atuendo de los hombres de negocios se convirtió en un símbolo de la uniformidad de la época.

Facilidades de crédito

Las primeras tarjetas de crédito se idearon como un modo fácil de que los consumidores pudieran comprar sin llevar dinero al contado encima. Pero al animar el gasto también aumentaron la deuda. En 1990, las familias americanas tenían una deuda media de 71.500 dólares en hipotecas y artículos de consumo.

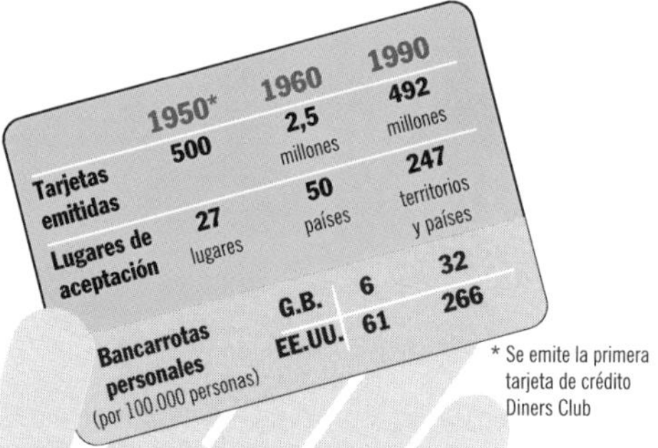

		1950*	1960	1990
Tarjetas emitidas		500	2,5 millones	492 millones
Lugares de aceptación		27 lugares	50 países	247 territorios y países
Bancarrotas personales (por 100.000 personas)	G.B.		6	32
	EE.UU.		61	266

* Se emite la primera tarjeta de crédito Diners Club

Sputnik 1

Aunque cada vez se hace más evidente que fumar no es sano, la mayoría de americanos que fuman —unos 70 millones con un consumo anual de 3900 cigarrillos por adulto— siguen creyendo, como el cirujano G.MacDonald, que «fumar tiene efectos beneficiosos».

■

Estados Unidos confía en el presidente de Vietnam Ngo Dinh Diem. «Se dijo que nadie podía salvar a Vietnam y que Diem no era bueno, pero ¡mirad ahora!», había dicho el presidente Eisenhower. Este elogio fue reiterado por el vicepresidente Lyndon Johnson: «Diem es el Winston Churchill del sudeste asiático».

■

El presidente cubano depuesto, Fulgencio Batista, desde el exilio dio a Castro «un año, no más».

■

Los científicos experimentan un entusiasmo ilimitado por la energía termonuclear. Muchos piensan que «cubrirá la mayoría de necesidades industriales y alimenticias durante siglos», en palabras del profesor John Toll de la Universidad de Maryland. Entre muchas predicciones: energía gratuita y sin límite para todos dentro de pocas décadas; coches, trenes, aviones y barcos con motores atómicos en 1980; radiación atómica para esterilizar los alimentos frescos.

■

El uso del DDT, el principal pesticida del mundo, ha incrementado la producción agrícola a niveles inimaginables, pero los científicos han empezado a notar que algunos insectos se han hecho inmunes a él y que los pájaros que comen estos insectos están desapareciendo.

■

Aunque los padres son más permisivos y flexibles con sus hijos, como defendía el Dr. Benjamin Spock, una encuesta revela que el 72 % de profesores de enseñanza primaria y secundaria apoyan los castigos físicos.

LA DIFUSIÓN DE LA TÉCNICA

En una sóla década, el **televisor** pasó de ser una novedad a un objeto corriente: en 1960, el 89% de las familias americanas tenían al menos un televisor (en 1950, el 9%). En 1990 el televisor era universal, se encontraba en el 98% de hogares norteamericanos.

	Publicidad minutos por hora 1990	**Audiencia media** horas por día 1990
Alemania	2:45	2:13
Japón	0:22	9:12
España	2:13	3:00
EE.UU.	13:30	7:00

La carrera espacial Cuando la Unión Soviética lanzó el *Sputnik* al espacio en 1957, Estados Unidos aceptó el desafío. Las dos primeras misiones Vanguard fracasaron y ensombrecieron el éxito del *Explorer I* en 1958. En 1960 los soviéticos habían establecido un récord sorprendente de «primicias», mientras que Estados Unidos intentaba alcanzarlos. Lo consiguieron al enviar a dos americanos a la Luna antes de que acabara la década.

1957
- ! **4 octubre** Sputnik 1, primer satélite en órbita
- ! **3 nov.** Sputnik 2, con el primer animal a bordo
- **6 diciembre** El Vanguard explota durante el despegue

1958
- **31 enero** Explorer 1, en órbita
- **5 febrero** Fracasa la segunda misión Vanguard
- **17 marzo** Primer Vanguard en órbita
- **15 mayo** Sputnik 3
- **29 julio** Se constituye la NASA
- **11 octubre** Fracasa el primer intento del Pioneer 1 de alcanzar la Luna
- **8 nov.** Fracaso del Pioneer 2
- **6 diciembre** Fracaso del Pioneer 3
- ! **18 diciembre** Felicitación navideña de Eisenhower radiada vía satélite

1959
- **2 enero** Luna 1 orbita la Tierra
- **3 marzo** Pioneer 4 alcanza la Luna
- ! **12 sept.** Luna 2 alcanza la Luna
- ! **4 octubre** Luna 3 vuela alrededor de la Luna y fotografía la cara oculta

La carrera espacial

● EE.UU. ● U.R.S.S. ! = primer intento

	1957	1993*
Número de satélites en órbita	1	7.347
Países con satélites en órbita	1	24

*31 marzo

	U.R.S.S.	EE.UU.
Número de personas enviadas a la Luna hasta 1990	0	12
Número de personas enviadas al espacio hasta 1990	82	158

MARY GORDON

La era de los inocentes

El culto a la infancia

1960
1969

LO QUE UNA sociedad piensa y siente acerca de los niños es un índice de sus actitudes frente a un gran número de cuestiones: el conocimiento, el sexo, el poder, el futuro. La infancia empieza con el desamparo y termina con la independencia. O al menos es lo que pensamos en la actualidad. Una de las características que nos diferencia radicalmente de nuestros ancestros es la percepción de la niñez como una entidad distinta, un estado no sólo anterior a otro más tardío (la edad adulta) sino cualitativamente diferente.

Esta percepción, nacida de la explotación infantil durante la revolución industrial y de la respuesta protectora de la sociedad, cobró fuerza en el siglo XIX y dominó los primeros sesenta años del XX. La infancia, bajo la custodia protectora de los adultos, era un mundo en el cual se entraba como un trozo de arcilla que debía moldearse y del que se esperaba pasar a la fase superior de adulto. Sin embargo, en los años sesenta, la infancia adquirió un aspecto nuevo: se valoró como un tesoro sin relación con su futuro y, quizá por primera vez en la historia, los viejos consideraron la idea de que podían aprender algo de los jóvenes.

Freud, a finales del siglo XIX, explicó al mundo que los niños eran sexuales; ninguna otra de sus ideas encontró una resistencia tan férrea. A pesar de la aparente absorción social de las teorías de Freud, durante la primera mitad del siglo XX se pensaba que los niños debían ser protegidos del conocimiento de la sexualidad para que continuaran su existencia pura, inocente, feliz y casta. Tal protección requería reforzar las fronteras entre la infancia y la edad adulta, ocultar información acerca del sexo y disimular lo que se consideraba turbador: tensiones maritales de los padres, dinero, trabajo, política. Los niños debían vivir en su propia esfera, separada por una especie de *cordón sanitario*, a salvo del mundo real, sucio e infeccioso.

Las barreras protectoras de esta esfera se fortalecieron entre la Segunda Guerra Mundial y los años sesenta —una época de prosperidad, de deseo de normalidad y de paz y de fe en lo bueno del mundo privado, representado por la familia perfecta. Pero las barreras empezaron a tambalearse en los años sesenta, quizá como una consecuencia del cambio social y político de la década. Es obvio decir que los sesenta empezaron en los cincuenta y acabaron en los setenta, pero quizá sólo de este modo podemos comprender el impacto total de una década que tuvo, a mi parecer, tres etapas que insistieron en la importancia de la juventud pero de distintos modos. La primera podría llamarse los años Kennedy; la segunda, la época de los Beatles, y la tercera, la época de Vietnam.

Los Kennedy se trasladaron a la Casa Blanca en 1961 y encendieron todas las luces. Buena parte del voltaje procedía de su energía juvenil. De repente la idea de que las personas mayores debían escuchar a las jóvenes estaba en el aire. Pero los Kennedy representaban a la juventud de un modo transitorio. Eran jóvenes pero no constituían una grave amenaza para los mayores. Su imagen juvenil se relacionaba más con la responsabilidad ideal que con el placer. Las fotografías del presidente con su joven y elegante mujer y sus hijos son sobre todo formales en su planteamiento, y sugirieron que, incluso en su adolescencia, la esfera de los niños Kennedy tenía poco en común con la de sus padres. Las generaciones iban juntas sólo cuando los padres se acercaban con un interés condescendiente a un mundo que no tenían intención de habitar. En esos años, la frase «los niños deben ser vistos pero no escuchados» todavía tenía una aplicación universal: los padres eran los depositarios de la sabiduría y no tenían casi nada que aprender de los niños. La idea de que éstos podían transmitir algo realmente valioso a los padres hubiera sido casi incomprensible.

Durante la mayor parte de la historia, los niños (especialmente los que no pertenecían a las clases altas) se consideraban como adultos en miniatura. Pero a principios de siglo, el daño causado por el trabajo industrial a los cuerpos y mentes en crecimiento empezó a cambiar esta percepción. Con estas imágenes turbadoras de niños realizando un trabajo de adultos en talleres de algodón (*derecha*), minas de carbón y fábricas de conservas, el fotógrafo Lewis Hine impulsó el movimiento a favor de las leyes laborales infantiles en Estados Unidos —y contribuyó a entrar en una época más proteccionista.

Aunque durante los años Kennedy los niños se mantenían «en su sitio», en ese tiempo las teorías psicológicas y pedagógicas de pensadores como Piaget y Montessori habían creado un clima escolar en el que la infancia era considerada como un estado valioso y precioso por derecho propio —no sólo un campo de entreno para la futura edad adulta. Tanto padres como profesores decidieron que el colegio ya no sería la prisión que muchos de ellos recordaban. La felicidad de los niños —y su adaptación social— se convirtió en un objetivo educativo tan importante como el aprendizaje de la regla de tres. Mientras la pintura en las aulas se hizo más vibrante y se animaba a los niños a que «se salieran de la raya» al colorear, la cultura general empezó a valorar cualidades tradicionalmente asociadas con la niñez: espontaneidad, entusiasmo, candor. Era un mundo a la espera de la llegada de los Beatles.

1960 1969

LAS RESPUESTAS TOTALMENTE distintas a las apariciones televisivas de Elvis Presley en 1956 y de los Beatles en 1964 demuestran con claridad cómo había cambiado el mundo en ocho años. La sexualidad agresiva de Elvis provocó una serie de sermones ofendidos. Políticos y diarios le atacaron. Los adultos le encontraban ridículo y peligroso; en el otro lado estaban los jóvenes.

El carácter lúdico de estos años desembocó en el movimiento *hippie* y, finalmente, en una abdicación en toda regla del formalismo más pesado de la edad adulta. No obstante, el sentido infantil del bien se fue desintegrando de forma gradual mientras Vietnam cobraba importancia en la conciencia. Fue entonces cuando nuestras ideas de inocencia —y por lo tanto de la infancia— se hicieron más paradójicas y complejas.

Estudiantes universitarios —así como muchos de sus profesores— pensaban que la guerra de Vietnam era un resultado directo de la codicia y la falsedad de hombres (mayores) militares y civiles. Éstos tomaban decisiones peligrosas en amplios despachos y mentían con consecuencias fatales. Esta percepción dio lugar a ideas complejas y a menudo contradictorias sobre la naturaleza de la inocencia y las consecuencias del control y la manipulación de la información. Algunos empezaron a pensar que el gobierno (o las clases dirigentes) había ocultado la historia real para poder realizar mejor su trabajo sucio. Las pérfidas jerarquías representadas por Lyndon Johnson y Dean Rusk —y los estamentos policiales y las grandes empresas— tenían secretos sucios y el resultado era el terror. De modo que toda ocultación era sospechosa: sólo la verdad podía hacernos libres.

Muchos padres que deseaban identificarse con la liberación de los sesenta empezaron a pensar que el disimulo era nocivo para sus propios hijos. Pensaban que las normas y represiones de la civilización burguesa estropeaban el estado prístino de la infancia (idea que perdura tenazmente). Pero mientras estos padres esperaban presionar menos a sus hijos, también querían, en nombre de un nuevo candor y un estilo paterno distinto y menos autoritario, que sus hijos se hallaran más involucrados en sus vidas. Se creía que un clima de apertura era óptimo. En el mejor de los mundos posibles, los niños no sólo serían sanos, ricos y sabios, sino también libres.

Sin embargo, la libertad y los cambios culturales de la época levantaron la tapa de la ambivalencia paterna. En un ambiente que valoraba el placer, el compromiso político y el mundo público o común sobre el mundo particular, las tareas cotidianas de cambiar pañales y limpiar caras (por no decir nada de traer a casa la comida) difícilmente estaban donde se hallaba la acción. La publicación en 1963 de *La mística femenina* de Betty Friedan permitió a muchas madres expresar lo que ellas consideraban su terrible secreto: poseían sentimientos poco claros acerca de la maternidad. La píldora, que se autorizó en 1960 en Estados Unidos, forjó un cambio aún más revolucionario: por primera vez las mujeres tenían pleno control sobre cuándo querían ser madres o de si querían. En teoría, los niños eran apreciados: padre, madre y niños, desnudos y engalanados con flores, aparecen en muchas fotografías del periódico. Pero la paternidad ya no era un requisito, un paso inevitable tras el fin de la adolescencia. El modelo general de responsabilidad paterna estaba reñido con las tendencias de la época.

Se rompían más matrimonios e iban a trabajar más mujeres (tendencia que se generalizaría años más tarde). Para adaptarse a tales cambios, el entramado de la vida familiar se volvió más laxo, estrechando las distancias entre adultos y niños. Se consideró que los niños eran capaces de tomar decisiones, que podían tener mayor responsabilidad y consecuentemente que merecían más libertad. Esta libertad estaba bien y era buena —mientras no impidiera la libertad de los padres. Lo que,

La familia ideal: California, 1965. Al final de la década, los niños podrían haber conducido —o papá y mamá hubieran podido pedalear en direcciones opuestas. En una época de definiciones clarificadoras, la antigua afirmación de Tolstoi «todas las familias felices son iguales» fue sustituida por una pregunta: «¿Qué es una familia?».

naturalmente, ocurría. No es sorprendente que a finales de los años sesenta empezaran a aparecer películas como *El exorcista*, que describía a los niños como demoníacos y posesos —lo más alejado de la inocencia.

MIENTRAS LA PROSPERIDAD de los sesenta dio paso a la recesión de los setenta y el consumismo de los ochenta a los austeros noventa, la sociedad se ha hecho más incoherente acerca de las ideas sobre la infancia. Las ideas sobre la relación entre el placer y la responsabilidad dependen de lo rica que sea la sociedad. La inocencia es cara, y ya no sabemos qué nos podemos permitir —o durante cuánto tiempo. No podemos decidir si queremos que nuestros hijos hagan sus deberes de matemáticas para que puedan competir con sus equivalentes japoneses o que simplemente descansen y jueguen «como niños» (si es que sabemos lo que eso significa). Lo que resulta más difícil, ya no estamos seguros de si nuestros hijos son o no son inocentes. Gracias a muchas horas a la semana ante el televisor, los niños de hoy en día saben mucho más de lo que sabían sus padres a la misma edad. Entre las imágenes ven que hay niños como ellos, muy sexualizados, convertidos en objetos sexuales. Mientras muchos adultos se incomodan ante estas imágenes, no tenemos ni idea de lo que suponen para los niños. ¿Qué hacen con la información, dada la cantidad que reciben? Se me planteó la cuestión personalmente cuando mi hijo de nueve años me explicó su problema: él sabía qué era la homosexualidad, la heterosexualidad, la prostitución, la violación; lo que no sabía era qué sucedía al practicar el sexo. Yo daba por hecho que se lo habían explicado: tuve que explicárselo. Igual que nosotros somos conscientes del conflicto entre lo que deben saber o no nuestros hijos, ellos están divididos interiormente de modo parecido.

Existe una gran diferencia entre los hijos de los pobres, malnutridos, sin educación ni casa, y los hijos de los ricos, que a menudo son tratados por sus padres como una especie de Lexus viviente que requiere los últimos y más caros complementos para que su forma de actuar y su comodidad sean obvias para todos. El abismo entre los niños que están muriendo de hambre y los que no pueden vivir sin su Nintendo es un escándalo mundial. Quizás a un nivel fundamental los niños de ambos extremos son víctimas de la misma erosión: de un idealismo que mantiene a la infancia como una época de inocencia irrebatible y un santuario en un mundo hostil. Aquellos de nosotros que hemos nacido durante el *baby boom* de la posguerra de la Segunda Guerra Mundial hemos crecido en una cultura donde este ideal todavía se mantenía y formamos parte de la generación que lo ha desmantelado. Somos suficientemente cínicos para saber que, en el mejor de los casos, el ideal se realiza de modo imperfecto y, en el peor, que es un mito que esconde una parte de abusos ocultos y mentiras. A pesar de ello, somos reticentes a abandonarlo del todo —aunque sólo sea porque no le hemos encontrado sustituto (y no por no intentarlo). En una época en la que cuestiones como el abuso sexual y el SIDA ocupan nuestras mentes, muchos de nosotros sentimos que no podemos permitirnos el lujo de negar información a nuestros hijos. Pero, cuando les informamos —si no se nos han adelantado los medios de comunicación o algún espabilado— también nos preocupa estar apartándolos de su infancia. ¿Está obsoleta la infancia, como el avión de hélice o el teléfono de disco? No lo sabemos. Pero sabemos que no podemos volver a los conceptos de la época anterior a los años sesenta, pretendiendo que adultos y niños viven en reinos separados con fronteras intraspasables y sin problemas que no puedan ser resueltos antes de la cena, el baño y la cama. □

Entre los pobres del mundo, la infancia sigue siendo un lujo inalcanzable. La lucha por la vida empieza pronto y los juegos juveniles a menudo se caracterizan por una temeridad desesperada. En 1989, estos adolescentes de los barrios bajos de Río de Janeiro practican un juego a veces mortal que consiste en mantenerse en pie sobre el techo de un tren en marcha.

«La observación sin prejuicios del hombre civilizado revela que su comportamiento sexual [...] es el de otros primates; sin embargo, su conducta sexual puede aparecer modificada por factores sociales y espirituales.»—**Dr. John Rock**

HISTORIA DEL AÑO

La primera píldora anticonceptiva

1 Una revolución sexual estaba a punto de estallar y la ciencia la hizo posible: en 1960 el Departamento de Alimentación y Fármacos de Estados Unidos aprobó el primer anticonceptivo oral del mundo. Fabricada por el endocrinólogo americano Gregory Goodwin Pincus, la «píldora» fue uno de los medicamentos con más significación cultural y demográfico de la historia. Su función era otorgar a la mujer «dominio sobre un viejo demonio, el sistema reproductivo femenino», dijo Katherine McCormick, que patrocinó la investigación Pincus.

Pincus se hizo famoso en los años treinta, cuando logró la fecundación *in vitro* de óvulos de conejo. Se le consideró una especie de Dr. Frankenstein que quería crear un mundo «donde las mujeres fueran autosuficientes y el hombre no tuviera ningún valor», escribió un periodista. Rechazados en Harvard, él y el endocrinólogo Hudson Hoagland fundaron su centro de investigación, la Fundación Worcester de biología experimental, financiada con fondos privados y gubernamentales y por la industria farmacéutica. En 1951, junto a Min-Cheuh Chang, Pincus empezó a realizar pruebas sobre el valor contraceptivo de la progesterona. Los experimentos atrajeron la atención de Margaret Sanger, defensora del control de natalidad desde los años veinte. Sanger notificó el proyecto a su amiga McCormick que se convirtió en su benefactora más generosa junto a la industria farmacéutica de Chicago G. D. Searle.

Pastillero mensual de anticonceptivos. Se toma una al día durante tres semanas seguidas y se descansa la cuarta.

Hacía tiempo que se sabía que la progesterona inhibía la ovulación en animales de laboratorio, y que causaba un embarazo imaginario. Para probar los efectos de la hormona en mujeres, Pincus contrató al ginecólogo bostoniano John Rock, que investigaba la esterilidad. Rock, como católico, tuvo cuidado en distinguir la «anticoncepción médica» del «control de natalidad». Sin embargo, fue un defensor de la píldora. «Un buen católico, tan generoso como un dios, no puede ser castigado por nada», escribió Sanger a un amigo.

En el curso de los experimentos de Rock y Pincus, una partida de progesterona sintética se contaminó de forma accidental con menastrol, una sustancia estrógena. Fue un feliz accidente. Los científicos descubrieron que las dos hormonas trabajan en equipo para bloquear la concepción. Searle empezó a fabricar un compuesto de progesterona y estrógenos para realizar pruebas más amplias. Éste fue el fármaco aprobado en 1960 y pronto se convirtió en algo cotidiano para millones de mujeres de todo el mundo. **◄1915.2**

ESTADOS UNIDOS

Kennedy triunfa

2 En la campaña presidencial de 1960, el candidato demócrata, un senador de Massachusetts de 43 años de edad, prometió «conseguir que el país volviera a progresar» tras la inactividad de finales de los años cincuenta. Se quejó del supuesto «desfase de misiles» respecto a la URSS y habló a los americanos de una «nueva frontera» de reforma social y liderazgo internacional. Pero la victoria de John Fitzgerald Kennedy sobre Richard Nixon se basó en algo más que en cuestiones políticas. El catolicismo de Kennedy desempeñó un papel importante así como los fondos invertidos por el patriarca Joseph Kennedy (antiguo miembro de la administración Roosevelt) y, sobre todo, la televisión.

J. F. Kennedy era un dirigente anómalo, un católico irlandés miembro de la elite protestante de mayoría anglosajona. Explotó esta situación de forma magistral: atacó directamente el prejuicio anticatólico general y se presentó a sí mismo como un líder natural del hombre corriente oprimido. Su heroísmo en la Segunda Guerra Mundial y su bella mujer, Jacqueline, aumentaron su carisma; su compañero de campaña, Lyndon Johnson, se ganó el apoyo de los votantes del sur con su naturalidad texana. No obstante, el momento decisivo de la carrera contra Nixon, vicepresidente del popular Eisenhower y admirado como cruzado anticomunista, llegó en el primero de los cuatro debates televisados (una nueva forma de hacer campaña). Nixon, con aspecto cansado y enfermizo, no tuvo nada que hacer contra su oponente fotogénico y saludable.

En noviembre, Kennedy ganó las elecciones por 118.000 votos (incluido algún recuento sospechoso en los estados de Illinois y Texas). Investido en enero de 1961, el presidente (el más joven elegido) mostró encanto y vigor, entusiasmó a los americanos y cautivó al mundo. La era Kennedy, para bien o para mal, fue una época de aventura —desde el espacio exterior hasta los campos de batalla de Vietnam. **◄1952.5 ►1961.2**

En su primer debate televisado Kennedy superó a Nixon. Los oyentes que lo escucharon por radio dijeron que Nixon había hablado mejor.

ÁFRICA CENTRAL

Guerra en el Congo

3 Durante 75 años de dominio colonial, los habitantes indígenas del Congo belga no pudieron participar en el gobierno y, en 1960, de los trece millones de negros sólo catorce tenían estudios universitarios. En junio de este año, tras celebrar unas elecciones precipitadas, Bélgica, queriendo evitar una guerra con los nacionalistas rebeldes, declaró independiente a la colonia y dejó en manos del destino a la nueva República del Congo.

El primer paso hacia la guerra civil fue la secesión de Katanga.

De inmediato estalló la lucha entre las docenas de grupos étnicos, y el ejército del Congo se amotinó contra los oficiales blancos. Mientras los civiles europeos huían, Bélgica envió paracaidistas. Luego, la provincia de Katanga, rica en recursos minerales, se separó, con el apoyo belga. La ONU envió a veinte mil soldados, la

ARTE Y CULTURA: Libros: *Libertad bajo palabra* (Octavio Paz); *Que van a dar en la mar* (J. Guillén) [...] Música: «Itsy Bitsy Teenie Weenie Yelow Polka Dot Bikini» (Vance y Pockriss) [...] Pintura y escultura: *Bathtub* (Joseph Beuys); *Walking man* (Alberto Giacometti) [...] Cine: *El apartamento* (Billy Wilder); *Espartaco* (Stanley Kubrick); *La aventura* (Michelangelo Antonioni) [...]

«No está nada claro, ni siquiera para quienes lo investigan, que llegue a tener aplicaciones importantes. Y sin duda no irá más allá.»—**Charles H. Townes, sobre el láser**

mayoría africanos, para ayudar al gobierno del Congo. Al cabo de tres meses, aparentemente se había restaurado el orden.

Sin embargo, el gobierno se había dividido: el presidente Joseph Kasavubu, partidario de una confederación abierta, se oponía a obligar a Katanga a permanecer dentro del Congo; el primer ministro Patrice Lumumba pensaba lo contrario y pidió ayuda logística a los soviéticos. En septiembre, un coronel favorable a Kasavubu, Joseph Mobutu, tomó el poder y Lumumba se ocultó. Mobutu expulsó a los soviéticos y los belgas se marcharon, pero dejaron a mercenarios que ayudaron a los rebeldes de Katanga.

En diciembre, dos semanas después de que el régimen Kasavubu-Mobutu entrara en la ONU, los soldados de Mobutu capturaron a Lumumba. Empezaba una nueva fase de la guerra. **◂1957.4 ▸1961.4**

TECNOLOGÍA

El láser

4 En 1960, Theodore Maiman, físico de los laboratorios de investigación Hughes en Miami, ganó la carrera mundial de la construcción del primer láser operativo. El aparato de Mainan utilizaba un potente flash para estimular los átomos de cromo del interior de un cristal de rubí. Se creaba un estrecho rayo de luz roja tan concentrada que aumentaba enormemente la temperatura de la superficie que tocaba.

El aparato de Maiman ha tenido una gran repercusión en la vida cotidiana. Discos compactos, escáneres, radares e impresoras se basan en la tecnología láser. Un rayo láser puede soldar acero y practicar doscientos agujeros en la cabeza de una aguja. En comunicaciones, los cables de fibra de vidrio transmiten señales de teléfono, ordenador y televisión a través de rayos láser. Un cable de fibra óptica puede transportar la misma información que veinte mil cables telefónicos de cobre. En cirugía, una incisión por láser hiere menos que un corte de bisturí y facilita la cirugía ocular y cerebral. Asimismo, los rayos láser se han utilizado para medir la distancia existente entre nuestro planeta y su satélite.

Pero aunque Maiman fue el primero en hacer funcionar un láser, la batalla legal sobre quién *inventó* la tecnología se convirtió en un caso emblemático de la ley de patentes. Un contendiente fue Gordon Gould, el científico que acuñó el término

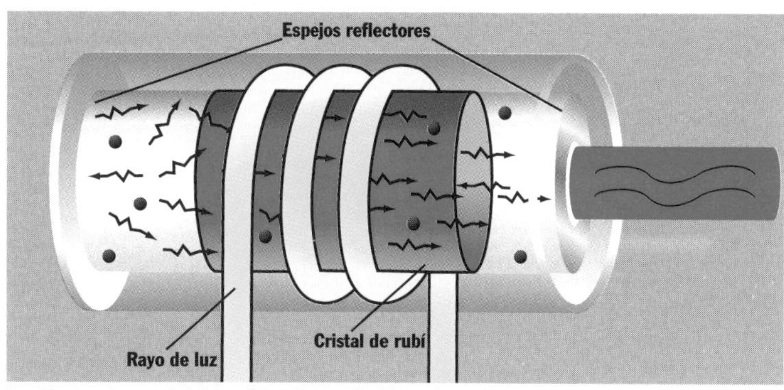

Los átomos de un cristal de rubí emiten radiación en forma de luz que se refleja entre dos espejos. La energía acumulada se concentra en un rayo láser.

«láser» (siglas de *«light amplification by the stimulated emission of radiation»*, amplificación de la luz por estimulación de la emisión de radiación) en 1957 mientras realizaba el doctorado en la Universidad de Columbia. Al pensar erróneamente que se necesitaba un aparato que funcionara para registrar una patente, Gould anotó sus ideas y las hizo firmar por un notario.

En la misma época, Charles Townes, investigador del «máser» (un precursor del láser que utilizaba microondas en lugar de luz), estaba desarrollando el concepto del láser con su cuñado, Arthur Schawlow, en Columbia. Aunque Gould al final se dio cuenta de su error y registró una solicitud en el registro de patentes, Townes y Schawlow se le habían adelantado nueve meses. Veinte años después se le otorgaron a Gould patentes por algunos de sus conceptos; no obstante, la batalla legal continuó durante muchos años.

ESPIONAJE

El incidente U-2

5 El piloto de la CIA Francis Gary Powers sobrevolaba la URSS el 1 de mayo de 1960 cuando un misil soviético derribó su avión Lockheed U-2. Cuando la administración Eisenhower consiguió explicar el intempestivo incidente (que había ocurrido unas semanas antes de celebrarse una cumbre de las cuatro potencias en París), las relaciones soviético-americanas entraron en una nueva fase de la guerra fría.

Desde 1956, algunos pilotos norteamericanos volaban en misiones de reconocimiento sobre la URSS. Aunque las autoridades soviéticas conocían estos vuelos, no podían hacer nada para evitarlos: los aviones U-2 volaban a una altitud más allá del alcance de los misiles soviéticos. Sin embargo, en 1960, cuando Powers despegó de Pakistán, la tecnología militar soviética se había puesto al día respecto a los U-2.

Khrushchev anunció el incidente el 5 de mayo sin declarar que Powers seguía vivo. Estados Unidos alegó indignado que el U-2 era un avión civil y había entrado en el cielo soviético mientras se dirigía a una misión meteorológica en Turquía. Khrushchev jugó su as: Powers estaba preso y había confesado. Ni siquiera la promesa de suspender los vuelos U-2 pudo salvar la cumbre de París, que acabó con la sugerencia de Khrushchev de que Eisenhower fuera procesado.

En un juicio retransmitido a todo el mundo, los soviéticos acusaron de espionaje a Powers y le condenaron a diez años. Despreciado en su país por haberse declarado culpable (en vez de tomarse la «píldora suicida», en un acto patriótico), Powers fue intercambiado por el espía soviético Rudolph Abel en 1962, que había sido arrestado en Estados Unidos. **◂1959.4 ▸1962.5**

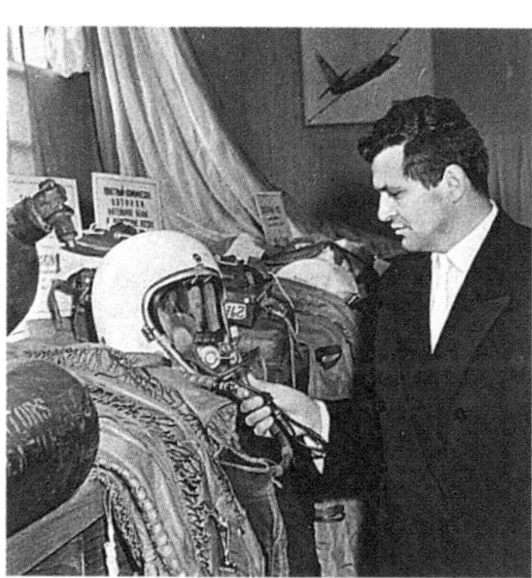

El piloto capturado Gary Powers, en espera de juicio, examina los restos de su avión.

NACIMIENTOS

Said Aouita, atleta marroquí.

Kenneth Branagh, actor y director cinematográfico británico.

Tim Burton, director cinematográfico estadounidense.

Diego Maradona, futbolista argentino.

Sean Penn, actor estadounidense.

MUERTES

Vicky Baum, escritora austríaca.

Fausto Coppi, ciclista italiano.

Albert Camus, escritor francés.

Arthur Fleming, ingeniero británico.

Clark Gable, actor estadounidense.

Oscar Hammerstein II, músico y compositor estadounidense.

Gregorio Marañón, médico y escritor español.

Boris Pasternak, escritor soviético.

Wilhelm Pieck, político alemán.

John D. Rockefeller, Jr., filántropo estadounidense.

Mack Sennett, director cinematográfico estadounidense.

Jaime Vicens Vives, historiador español.

Teatro: ***Toys in the attic*** **(Lillian Hellman);** ***The dumb waiter*** **(Harold Pinter);** ***The fantasticks*** **(Schmidt y Jones);** ***Camelot*** **(Lerner y Loewe);** ***Oliver!*** **(Lionel Bart) [...] TV:** ***The Andy Griffith Show; The Bob Newhart Show.***

NOVEDADES DE 1960

Marcapasos.

Librium (Laboratorios Roche).

Bebidas en latas de aluminio.

Satélite meteorológico *(Tiros I)*.

Portaaviones nuclear *(Enterprise)*.

Televisión portátil (Sony).

EN EL MUNDO

▶**MANIFESTACIÓN SENTADA**—En febrero, cuatro estudiantes de la escuela negra de Carolina del Norte A&T entraron en el local de comidas Woolworth's de Greensboro, se sentaron en la barra de blancos y se negaron a moverse hasta que les sirvieran. Al día siguiente, unos ochenta y cinco activistas se añadieron a la protesta. Las «sentadas» se difundieron de Greensboro a otras ciudades y a otros locales (tiendas, teatros) e iniciaron una nueva etapa del movimiento para los derechos civiles. ◂1957.M ▸1961.M

▶**FABIOLA REINA DE BÉLGICA**—El 15 de diciembre el rey Balduino de Bélgica contrajo matrimonio con Fabiola de Mora y Aragón, una dama de la nobleza española

nacida en Madrid en 1928. El rey de Bélgica Balduino I fue coronado en 1951 tras la abdicación de su padre Leopoldo III.

▶**LA VACUNA DE SABIN**—El médico americano nacido en Polonia Albert Sabin, uno de los inmunólogos más destacados del mundo, vio reconocidas sus investigaciones en 1960, cuando fue aprobada la

Policía sudafricana dispara contra manifestantes en Sharpeville. Murieron 69 personas.

SUDÁFRICA

La masacre de Sharpeville

6 Mostrada por el gobierno como comunidad negra modélica, la ciudad sudafricana de Sharpeville se convirtió en un símbolo de la violencia de la segregación racial. El 21 de marzo de 1960, la policía nacional disparó contra negros desarmados que se manifestaban de forma pacífica contra la segregación. Murieron 69 y resultaron heridos 178. Sharpeville concentró la atención pública en Sudáfrica e incitó al movimiento antisegregacionista a renunciar a la protesta no violenta.

A raíz de la masacre se produjeron manifestaciones en todas las ciudades de población negra y el gobierno del Partido Nacional del primer ministro Hendrick Verwoerd impuso la ley marcial e ilegalizó el Congreso Nacional Africano (CNA) y el Congreso Panafricanista. En mayo, 20.000 negros habían sido encarcelados y grupos antisegregacionistas sobrevivían en la clandestinidad. El presidente del CNA, Albert Luthuli, recibió el Premio Nobel de la paz en 1960), pero sus jóvenes representantes consideraban otros caminos. «¿Es políticamente correcto continuar aconsejando la paz y la no violencia cuando nos enfrentamos a un gobierno cuyas prácticas bárbaras han causado tanto sufrimiento y miseria a los africanos?», planteó Nelson Mandela. Pronto se iniciaría una fase de rebeliones y represalias.

Sudáfrica salió de la Commonwealth en 1961. La guerra de Verwoerd contra los activistas negros culminó en 1963 cuando la policía atacó la sede de un grupo escindido del CNA. Mandela se encontraba entre los líderes capturados y sentenciados a cadena perpetua. Tres años más tarde, un blanco trastornado apuñaló a Verwoerd en el parlamento. No obstante, su partido y su política se mantuvieron en el poder. **◂1948.1 ▸1976.4**

MEDIO AMBIENTE

Regreso al monte

7 La historia de vida salvaje más popular de su tiempo, traducida a 25 idiomas, *Nacida libre* fue un catalizador del reciente movimiento ecológico. Escrita por Joy Adamson, el libro (que más tarde fue llevado al cine) trataba de su trabajo y el de su marido, George, con animales africanos, en especial con una leona llamada *Elsa*.

Los Adamson no habían estudiado ciencias n aturales. Eran europeos expatriados que sentían pasión por los animales salvajes. Joy, austríaca, y George, británico, trabajaron para el departamento de caza de Kenia. Obligado a matar a una leona que

Joy Adamson con la leona a la que hizo famosa.

había aterrorizado a muchos poblados, George adoptó a su cría. En lugar de enviarla al zoológico, los Adamson la educaron para devolverla a la naturaleza. La historia del gran felino cautivó los corazones de millones de personas, pero el afecto mutuo de los Adamson se enfrió: George se dedicó a investigar en un programa de rehabilitación para la vida salvaje en una región remota de Kenia y Joy no quiso seguirle. No obstante, ambos siguieron comprometidos con las especies en extinción, incluso hasta el punto de morir por ellas: Joy fue asesinada por un trabajador disgustado en una reserva de leopardos en 1980, y George encontró la muerte a manos de un cazador furtivo en 1989. **◂1905.5 ▸1987.9**

EL HOLOCAUSTO

Eichmann capturado

8 La noche del 11 de mayo de 1960, en Buenos Aires, agentes secretos israelitas obligaron a entrar en un coche a un hombre de mediana edad. Unos días después se identificó a sí mismo en un tribunal de Jaffa, Israel: «Soy Adolf Eichmann». El jefe del departamento de asuntos judíos de la Gestapo, el burócrata que supervisó el holocausto, y llegó incluso a escoger el veneno para las cámaras de gas de Hitler, era prisionero del Estado judío.

Eichmann había vivido bajo nombres falsos desde que escapó de un campo de internamiento al final de la Segunda Guerra Mundial. En 1950 se estableció en Argentina, entonces gobernada por Juan Perón, admirador de Hitler. Los cazadores de nazis (y supervivientes de campos de concentración) Simon Wiesenthal y Tuvia Friedmann emplearon brillantes tácticas detectivescas para encontrarle; no obstante, el secuestro de Eichmann —y el derecho a juzgarlo en un país que no existía cuando cometió sus crímenes— provocó objeciones incluso de la Organización Sionista Mundial. El presidente israelí David Ben-Gurion se mantuvo firme, y alegó «la máxima justificación moral» para violar los derechos de Eichmann y Argentina.

En los cuatro meses de juicio en Jerusalén, en 1961, ante un tribunal especial de tres jueces, los testigos detallaron la eficacia con la que orquestó la exterminación de millones de personas. Eichmann, sin embargo abogaba que sólo había cumplido órdenes. «No soy el monstruo que me hacéis parecer. Este asesinato masivo es responsabilidad de los dirigentes políticos», afirmaba. Fue declarado culpable y ahorcado el 31 de mayo de 1962 en una prisión cercana a Tel Aviv. **◂1946.E ▸1963.14**

DEPORTES: Juegos olímpicos en Squaw Valley, California, y Roma [...] Fútbol: el Real Madrid gana la copa de Europa y la Intercontinental; el F. C. Barcelona gana la liga española.

«En el alba más espléndida, / feliz como la sonrisa de un niño, / un sueño se transformó en realidad, / la ciudad más fantástica empezó a existir, / Brasilia, la Capital de la Esperanza.»—**Del himno brasileño «La Capital de la Esperanza»**

BRASIL

La ciudad soñada

9 El escritor francés André Malraux apodó a Brasilia «La Capital de la Esperanza». Inaugurada en abril de 1960, la novísima ciudad representaba la consecución de un objetivo nacional (reubicar la capital en el interior) y el cumplimiento de la promesa del presidente Juscelino Kubitschek de que un Brasil democrático «alcanzaría cincuenta años de progreso en cinco».

Animados por el nacionalismo de Kubitschek, los trabajadores construyeron Brasilia en medio de una pradera remota. El arquitecto de procedencia francesa Lúcio Costa, discípulo de Le Corbusier, organizó la ciudad según la forma de un avión, con los edificios gubernamentales (muchos diseñados por el arquitecto más famoso de Brasil, Oscar Niemeyer) como el fuselaje y los complejos residenciales como las alas. Bloques uniformes de apartamentos rodeados de zonas peatonales eliminarían las distinciones de clases. Para evitar la congestión del tránsito, habría carreteras en vez de calles, con rampas que conducirían a los edificios particulares. Figuras como Malraux, Fidel Castro, Dwight Eisenhower y Aldous Huxley asistieron al nacimiento de Brasilia.

Pero la ciudad utópica resultó inhabitable. La apariencia uniforme de los edificios, los nombres de calles que eran números en serie y las vallas de las carreteras desanimaban a los peatones. La especulación del terreno y la aparición de suburbios pobres y ricos destrozaron el ideal de igualdad de clases. Como Costa observó más tarde: «No se solucionan los problemas sociales de un país (pobreza, sobrepoblación urbana, polución) simplemente trasladando su capital». Hacia 1964, el optimismo y el populismo de Kubitschek dieron paso a un gobierno militar represivo. **◂1937.4 ▸1964.M**

CHIPRE

República reticente

10 Gran Bretaña concedió la independencia a su colonia de Chipre en 1960, tras cuatro años de guerrilla y más de uno de negociaciones (mediadas por Londres) entre Grecia y Turquía. Los chipriotas apenas fueron consultados, y los grupos étnicos rivales depusieron las armas por poco tiempo.

La enemistad entre la mayoría griega y la minoría turca había crecido a instancias de la política británica de «divide y vencerás» (que favoreció políticamente a los chipriotas turcos) y del movimiento favorable a la *enosis* (unificación de los antiguos territorios griegos con su tierra madre). La geografía complicaba las cosas: Chipre se hallaba a tan sólo 64 km de Turquía y a 768 km de Grecia. Los chipriotas griegos combatieron a los británicos para conseguir la *enosis* desde 1955, pero las guerrillas turcas lucharon por la partición de la isla y la unión de su zona con Turquía. Al final, Gran Bretaña se lavó las manos, y mantuvo dos bases militares y el derecho de intervención.

La nueva constitución de Chipre establecía un presidente griego y un vicepresidente turco. Los griegos en el parlamento doblarían a los turcos pero los chipriotas griegos no aceptaban esta proporción (sólo un 18 % de los seiscientos cincuenta mil chipriotas eran de ascendencia turca); los chipriotas turcos a su vez se quejaban de que no se aplicaran las cuotas para el servicio civil e insistían en un ejército segregado. (Consecuentemente, no se formó ejército.) Cuando el presidente ortodoxo griego, el arzobispo Makarios III, intentó reducir los privilegios de los turcos, se reanudó la guerra en Chipre. **▸1974.5**

Una multitud entusiasta rodea el coche del arzobispo Makarios a su regreso a Chipre.

vacuna oral contra la polio, compuesta de virus vivos pero debilitados. Resultaba más efectiva y duradera que la vacuna de Salk, de virus muertos. ◂1955.1

▶SINCROTRÓN DEL CERN —A principios de año se inauguró en las afueras de Ginebra el mayor acelerador de partículas del mundo. Se trataba de un enorme túnel circular que permitía obtener una potencia de 50 Ge V y que colocaba al CERN en cabeza de la física teórica nuclear del mundo. El CERN es el Consejo Europeo para la Investigación Nuclear del que forma parte: Austria, Bélgica, Dinamarca, Francia, Gran Bretaña, Grecia, Italia, Noruega, Holanda, España, Alemania, Suecia y Suiza.

▶EL *JAZZ* VA A LA FACULTAD—El disco del Dave Brubeck Quartet, *Time out*, contribuyó a mantener la moda del *jazz* entre la clase media, sobre todo en los

campus universitarios. Con canciones de distintas sintonías influenciadas por autores tan diversos como Bach y Arnold Schoenberg, el disco fue todo un éxito. Una de sus piezas, *Take five*, interpretada por el saxo Paul Desmond, se colocó entre las mejores 25 de las listas de música pop. ◂1959.M ▸1964.6

▶TRATADO NIPO-NORTEAMERICANO —Las relaciones entre Japón y Estados Unidos después de la guerra aislaron al país nipón de los estados comunistas (URSS, China y Corea del Norte) y crearon una situación tensa en la isla desmilitarizada. En 1960, Estados Unidos y Japón renegociaron su pacto de mutua defensa de 1952, permitiendo a Estados Unidos mantener sus bases militares en Japón e intervenir contra agresiones extranjeras. Muchos japoneses no estuvieron de acuerdo con el tratado, pero la geopolítica prevaleció. ◂1946.3 ▸1988.12

Le Corbusier elogió «el espíritu inventivo» de Brasilia. Más tarde, un crítico la llamó «una ciudad fantasma habitada por fantasmas».

POLÍTICA Y ECONOMÍA: John F. Kennedy elegido presidente de Estados Unidos, derrotando a Richard Nixon [...] Más de setenta mil personas toman parte en manifestaciones de brazos caídos en más de cien ciudades norteamericanas [...] Brezhnev es nombrado presidente de la URSS.

«Si hubiera hecho Cenicienta, *el público habría buscado un cadáver en la carroza.»*—**Alfred Hitchcock**

▶NACIMIENTO DE LA OPEP —La formación en 1960 de la Organización de Países Exportadores de Petróleo fue la consecuencia de dos acontecimientos acaecidos el año anterior: la decisión de las grandes compañías petrolíferas de rebajar los precios sin consultar a los gobiernos de estos países y la adopción norteamericana de cuotas proteccionistas que redujeron las importaciones. Las naciones más dependientes de los ingresos del petróleo (Irán, Irak, Arabia Saudí y Venezuela) decidieron asociarse para coordinar la política de exportación. El nacimiento de la OPEP reflejó los cambios de la economía global pero no tuvo demasiadas consecuencias internacionales. Pasarían una docena de años antes de que la organización se utilizara como un arma ofensiva. ▸1973.1

▶RÉCORD DE MARATÓN —Sigue siendo una de las mayores hazañas de la historia olímpica: corriendo descalzo por las calles de Roma, el corredor etíope Abebe Bikila ganó la maratón de 1960 y estableció un récord mundial de 2:15:16,2. Bikila, el primer africano

negro en ganar una prueba olímpica, dijo: «Hubiera podido volver a correr toda la carrera». Cuatro años más tarde, Bikila volvió a ganar, esta vez calzado. ◂1954.8

▶LAWRENCE LIBERADO —En 1960, los editores de la Penguin, animados por un fallo judicial del año anterior en Estados Unidos, decidieron publicar el que quizá sea el libro «obsceno» más conocido en lengua inglesa: *El amante de Lady Chatterley*. Un tribunal de Londres, como había hecho el norteamericano, concluyó que la novela podía publicarse. El fallo anunció una nueva época de libertad editorial. ◂1934.NM

Janet Leigh en la famosa escena de la ducha de Psicosis.

CINE

Voyeurismo en la taquilla

11 En 1960, dos directores británicos de éxito comercial y aclamados por la crítica realizaron dos violentas películas centradas en un *voyeur* pervertido. La carrera de uno quedó destruida, la del otro rejuveneció. Actualmente, ambas películas están consideradas como clásicos.

«El único modo realmente satisfactorio de acabar *Peeping Tom* sería tirarla al wáter», sugirió un espectador. Duras palabras para una película de Michael Powell, director de *Las zapatillas rojas.* Pero *Peeping Tom* era turbadora: su protagonista, el cámara de un estudio, apuñala a mujeres jóvenes, filma su agonía y la proyecta por puro placer. Directores y críticos posteriores han elogiado la película como una investigación sobre las relaciones entre los papeles de cineasta y público, asesino y víctima. Pero su contenido escandaloso acabó con la carrera de Powell.

Muchos críticos están de acuerdo en que el maestro del suspense Alfred Hitchcock fue demasiado lejos con *Psicosis.* La película gira en torno a Norman Bates (Anthony Perkins), el tímido propietario de un motel que se disfraza con la ropa de su madre muerta y mata a los que visitan su establecimiento. En la secuencia más sensacional de *Psicosis,* Norman espía a través de un agujero a una mujer que se desnuda (Janet Leigh); minutos después, la «madre» la apuñala en la ducha. (La escena, una de las más famosas del cine, contiene setenta planos en menos de un minuto.)

Como en *Peeping Tom,* el público está obligado a compartir la sensación del *voyeur* asesino. Dwight Macdonald, crítico y ensayista, considera que la película refleja «una mentalidad un poco sádica, maliciosa y vil», pero *Psicosis* fue un éxito de taquilla. Hoy en día los estudiosos del cine alaban su sofisticación visual, su complejidad temática y sus escalofriantes sobresaltos. **◂1951.7 ▸1967.9**

LITERATURA

El hombre de Updike

12 John Updike, a pesar de pertenecer a la elite literaria por su elegante dominio de la sintaxis y su descripción sutil de personajes, está más relacionado con la cultura suburbana norteamericana. «Cuando escribo, no pienso en Nueva York sino en un lugar inconcreto, un poco al este de Kansas», declaró. Updike saltó a la fama con su segunda novela, *Corre, Conejo,* aclamada por el público y la crítica.

Al alcanzar la mayoría de edad durante la recuperación económica tras la Gran Depresión, Updike percibió que el declive social era inminente. Su personaje principal, Harry Angstrom «Conejo», ejemplifica esta tendencia. Veterano del ejército, antigua estrella del

John Updike, en su patio de Massachusetts.

baloncesto en el colegio y habitante de una ciudad dormitorio, no está satisfecho con las panaceas de los años cincuenta: la vida familiar, la religión y la persecución del sueño americano. Atrapado en sus dudas como padre de familia y como marido, intenta recuperar la sensación de libertad y poder que sentía en sus días de gloria. Abandona a su esposa, embarazada y alcohólica, por otra mujer, pero cuando aquélla va a dar a luz vuelve. A continuación tiene lugar una tragedia: su mujer, que ha bebido en exceso, ahoga accidentalmente al bebé.

La angustia de «Conejo» tocó la fibra sensible cuando la época conformista de Eisenhower daba paso a un futuro incierto. Updike mantuvo su fama en los años noventa con una serie de novelas, poemas, cuentos y ensayos. Asimismo, continuó la historia de Angstrom en tres novelas más: *El regreso de Conejo* (1971), *Conejo es rico* (1981) y *Conejo descansa* (1990). **▸1969.13**

DANZA

Baila el *twist*

13 El baile que hizo furor en 1960 encarnó a dos de las cualidades que hicieron revolucionaria a la década. Anunciando una época de individualismo desenfrenado, el *twist* podía bailarse sin pareja. Se centraba en un movimiento de pelvis apoyado en una cadera que desafiaba cualquier decoro tradicional. Inventado en 1959 por jóvenes negros que bailaban una canción de *rock 'n' roll* de Hank Ballard, el *twist* lo popularizó Chubby Checker y fue adoptado por los adolescentes blancos tras verle cantar y bailar su versión. El disco de Checker, peor cantado que el de Ballard pero más frenético, alcanzó los primeros puestos de las listas de éxitos en Estados Unidos. La canción volvió al número uno al año siguiente, cuando el *twist* se puso de moda entre los adultos.

El *twist* engendró varias versiones: el *twist peppermint* (llamado así por el Peppermint Lounge de Manhattan, donde iban a bailar famosos como Liz Taylor y Richard Burton), el «puré de patata», el «frug», entre otros. Estos bailes pronto acompañaron a la beatlemanía y animaron discotecas, que enfatizaban más la música grabada en disco que las actuaciones en directo, desde Londres hasta Luanda. Años más tarde, el *twist* evolucionó aún más, cuando los bailes sin nombre y de movimientos informales se pusieron de moda de acuerdo con el movimiento *hippie,* que acabó con la moda de todos los pasos estandarizados. **▸1978.5**

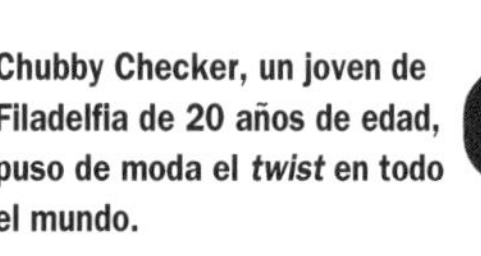

Chubby Checker, un joven de Filadelfia de 20 años de edad, puso de moda el *twist* en todo el mundo.

PREMIOS NOBEL: Paz: Albert Luthuli (sudafricano; presidente del Congreso Nacional Africano) [...] Literatura: Saint-John Perse (francés; poeta) [...] Química: Willard Frank Libby (estadounidense; datación por radiocarbono) [...] Medicina: Frank Macfarlane Burnet y P. B. Medawar (australiano, británico; tolerancia inmunológica) [...] Física: Donald A. Glaser (estadounidense; cámara burbuja).

Madison Avenue piensa en pequeño

Anuncio de Volkswagen, de Helmut Krone y Julian Koening, 1960

El fabricante de coches de lujo Ferdinand Porsche ideó el Volkswagen en los años veinte y los primeros modelos de la posguerra salieron de una fábrica alemana en 1945. Pero «el coche del pueblo» no se puso de moda en Estados Unidos hasta principios de los años sesenta, gracias a una campaña publicitaria diseñada por la agencia Doyle Dane Bernbach. En una cultura automovilística en la que lo mayor equivalía a lo mejor, la campaña ingeniosa y directa de la DDB presentó la ventaja del «escarabajo»: «Piensa en pequeño», aconsejaba un anuncio (precio pequeño, reparaciones pequeñas, seguros pequeños). Contra la competencia ostentosa (un Buick, por ejemplo, llevaba 20 kg de cromados), la «cucaracha» se mantuvo: un vehículo sencillo, de confianza, que podía recorrer 50 km (los coches americanos sólo unos 16 km) con menos de cuatro litros de gasolina. La campaña creada por el equipo de la DDB, del director artístico Helmut Krone y el escritor publicitario Julian Koenig, llamó la atención de los fabricantes de coches. ◂1936.NM

Lemon.

This Volkswagen missed the boat.

The chrome strip on the glove compartment is blemished and must be replaced. Chances are you wouldn't have noticed it; Inspector Kurt Kroner did.

There are 3,389 men at our Wolfsburg factory with only one job: to inspect Volkswagens at each stage of production. (3000 Volkswagens are produced daily; there are more inspectors than cars.)

Every shock absorber is tested (spot checking won't do), every windshield is scanned. VWs have been rejected for surface scratches barely visible to the eye.

Final inspection is really something! VW inspectors run each car off the line onto the Funktionsprüfstand (car test stand), tote up 189 check points, gun ahead to the automatic brake stand, and say "no" to one VW out of fifty.

This preoccupation with detail means the VW lasts longer and requires less maintenance, by and large, than other cars. (It also means a used VW depreciates less than any other car.)

We pluck the lemons; you get the plums.

«Actualmente la frontera de la libertad se encuentra en el Berlín dividido.»—**Kennedy, 22 de julio de 1961, tres semanas antes de la construcción del muro de Berlín**

HISTORIA DEL AÑO

Un muro divide Berlín

1 La madrugada del 13 de agosto de 1961 un convoy militar avanzó por Berlín este. Al amanecer, los soldados ya habían colocado alambradas a lo largo de la ciudad, que separaban la zona comunista de la capitalista. Las alambradas pronto se sustituyeron por una serie de muros y vallas electrificadas, protegidas por hombres, perros y campos de minas. Era una barrera de 48 km de longitud que separaba Alemania de Alemania. La metáfora de Churchill sobre el Telón de Acero se convirtió en realidad.

El Muro de Berlín, aparentemente construido para mantener fuera a subversivos y saboteadores, en realidad fue ideado para que los alemanes del este no huyeran. Desde 1949, dos millones y medio escaparon de las privaciones económicas y de la represión política de la zona comunista de Alemania, provocando falta de mano de obra y un vacío de obreros especializados y profesionales. Berlín oeste, una isla de democracia y capitalismo en mitad de la Alemania oriental, era la principal vía de salida.

Soldados de Alemania oriental bloquean Berlín este con alambradas.

A lo largo de los años, los soviéticos habían pedido periódicamente que todo Berlín fuera una «ciudad libre», con la retirada de las tropas occidentales y soviéticas, pero las potencias occidentales se negaban por miedo a una ocupación comunista total. En junio de 1961, Khrushchev amenazó con utilizar armamento nuclear si no se resolvía rápidamente la «cuestión de Berlín». Cuando la creciente tensión aceleró la marcha de emigrantes ilegales —en julio desertaron treinta mil alemanes—, las autoridades comunistas decidieron detener el flujo por la fuerza. El muro fue su solución. A partir de entonces la entrada en el este estuvo sujeta a restricciones severas y se prohibió la salida hacia el oeste.

A pesar de que multitud de berlineses occidentales se enfrentaron a los constructores del muro (fueron dispersados con gas lacrimógeno y mangueras de agua) y Estados Unidos envió soldados en un gesto simbólico, el temor a las represalias excluyó medidas más severas: se consideró un embargo contra Berlín este pero los comunistas declararon que bloquearían Berlín oeste. Finalmente los alemanes orientales rodearon todo Berlín oeste con una valla y torres de vigilancia. Las restricciones de entrada y salida para los occidentales se suavizaron en los años ochenta, pero el muro continuó intacto durante casi tres décadas. **◂1955.4 ▸1989.1**

El presidente Kennedy pronunciando su discurso de investidura el 20 de enero de 1961.

ESTADOS UNIDOS

El reto de Kennedy

2 En enero de 1961, tras ocho años de gobierno de un general retirado aficionado al golf, John F. Kennedy fue investido presidente en Washington: joven, patricio, atractivo y vehemente. Era evidente que llegaba una nueva época. Por invitación de Kennedy intervino el poeta Robert Frost, y en la zona de los VIP se sentó un grupo numeroso de artistas y académicos. En su discurso, Kennedy planteó de modo elocuente una serie de retos a los americanos y al mundo.

«La antorcha ha pasado a otra generación de americanos, nacidos en este siglo, templados por la guerra, disciplinados por una paz dura y amarga», declaró J. F. Kennedy. Exhortó a sus compatriotas a «pagar cualquier precio, soportar cualquier carga, enfrentarse a cualquier apuro, apoyar a cualquier amigo y oponerse a cualquier enemigo para asegurar la supervivencia y el éxito de la libertad». Y les instó a «no preguntarse qué podía hacer su país por ellos sino qué podían hacer ellos por su país».

A pesar del tono belicoso marcado por la guerra fría, Kennedy prometió negociar con los soviéticos y lanzó un llamamiento conmovedor al altruismo, un voto de ayuda a «aquellas personas que viven en barracas y pueblos y luchan por romper los límites de la miseria». Uno de los primeros actos de Kennedy fue establecer el Cuerpo de Paz, una organización que envió decenas de miles de jóvenes idealistas a las naciones en vías de desarrollo (la mayoría como profesores) para ayudar a su población a ayudarse a sí misma. En los 1.007 días anteriores a su asesinato, Kennedy gobernó con toda la beligerancia, diplomacia, humanitarismo y carisma que caracterizó su discurso de investidura. En este tiempo, conmocionó políticamente al mundo. **◂1960.2 ▸1961.5**

EXPLORACIÓN

El primer hombre en el espacio

3 El 12 de abril de 1961, el mayor de las fuerzas aéreas soviéticas Yuri Gagarin se convirtió en el primer hombre en el espacio. Tras cubrir la órbita terrestre una vez (en 1 hora y 48 minutos), Gagarin, de 27 años de edad, se lanzó en paracaídas en un prado ruso, donde su cápsula *Vostok I* ardió a causa del calor de la reentrada. Gagarin, un hombre gregario y modesto, se convirtió en un héroe y en un embajador de buena voluntad para Moscú.

El primer americano en el espacio, el comandante Alan Shepard hijo, realizó un vuelo suborbital de 15 minutos a bordo del *Freedom 7* el 5 de mayo, pero el segundo lugar en la carrera espacial equivalía al último y era necesario algo más para enardecer el orgullo nacional. El 25 de mayo, el presidente Kennedy recogió el guante prometiendo que América pondría a un hombre en la Luna a finales de la década.

Los soviéticos mantuvieron su ventaja durante mucho tiempo. El capitán Virgil Grissom emprendió un segundo vuelo suborbital en julio, pero casi se ahogó cuando una parte de la cápsula explotó durante el amerizaje en el Atlántico. Más tarde, en agosto, el cosmonauta Gherman Titov pasó en órbita un día entero. Al final el teniente coronel John Glenn rodeó la Tierra en febrero de 1962, pero el mismo año los soviéticos lanzaron al espacio dos cápsulas tripuladas a la vez. En 1963 enviaron a la primera mujer, Valentina Tereshkova; al año siguiente, pusieron en órbita la primera nave con tres tripulantes, y en 1965 Aleksei

En el bloque oriental los cosmonautas eran héroes. A la derecha, sellos rumanos en honor de Gagarin y Titov.

ARTE Y CULTURA: Libros: ***Un caso acabado*** **(G. Greene);** ***Un millón de muertos*** **(J. M. Gironella) [...] Música: Estreno de** ***La Atlántida*** **en el Liceo de Barcelona [...] Pintura y escultura:** ***Stripes*** **(Morris Louis);** ***Magic base*** **(Piero Manzoni) [...] Cine:** ***West Side Story*** **(Robert Wise);** ***Jules et Jim*** **(F. Truffaut);** ***El año pasado en Marienbad*** **(Alain Resnais);** ***Vencedores y vencidos*** **(Stanley Kramer) [...]**

«Lumumba es malo para el gobierno de todos modos. Si lo pierde, lo destruirá, y si lo gana, lo consumirá.»
—Oficial belga, antes del asesinato de Patrice Lumumba

Leonov fue el primer hombre que caminó en el espacio. No obstante, en marzo de 1966 dos naves norteamericanas lograron la primera conjunción en órbita y los americanos tomaron la delantera. **◂1957.1 ▸1963.NM**

ÁFRICA CENTRAL

Lumumba asesinado

4 En 1961, la guerra civil congolesa se había convertido en una lucha a tres bandas: las tropas gubernamentales bajo Joseph Mobutu, las fuerzas leales al primer ministro encarcelado Patrice Lumumba y los separatistas de Katanga comandados por Moise Tshombe, luchando unos contra otros. (También tuvo lugar una guerra étnica en la provincia de Kasai, donde las tropas de Mobutu se unieron a la mayoría Lulua y las fuerzas de las Naciones Unidas protegieron a la minoría Baluba.) El antisoviético Mobutu, que abogaba por una autonomía limitada para Katanga y otras provincias, tenía más en común con Tshombe, apoyado por Bélgica, que con Lumumba, respaldado por los soviéticos, que insistía en un estado unitario. En enero, Mobutu y Tshombe eliminaron a su mutuo enemigo. Mercenarios belgas «secuestraron» a Lumumba de la custodia congolesa y lo entregaron a los katangueños, que declararon que había muerto mientras intentaba escapar.

El asesinato de Lumumba escandalizó al Tercer Mundo y al bloque soviético, y el Consejo de Seguridad de la ONU llegó a considerar una intervención en gran escala. Los beligerantes, excepto el sucesor de Lumumba, Antoine Gizenga, empezaron unas negociaciones que no dieron fruto y, en abril, Tshombe fue detenido por el gobierno central. Mientras estaba en la cárcel estuvo de acuerdo en que Katanga formara parte de una federación congolesa pero, al salir, cambió de opinión. En septiembre, el secretario general de la ONU Dag Hammarskjöld dio la orden de ataque contra los katangueños y los belgas que les apoyaban; sin embargo, los soldados de la ONU no estaban preparados y tuvieron poco que hacer. Hammarskjöld murió en un accidente de aviación mientras se dirigía al Congo para visitar a sus fuerzas.

Tanto Washington como Moscú apoyaron el intento de la ONU. (Los soviéticos esperaban que se beneficiara Gizenga, y no Mobutu, respaldado por los americanos.) Sin embargo, la guerra duró hasta 1963, cuando Tshombe aceptó la formación de una federación. Tuvo su compensación al año siguiente: el presidente Joseph Kasavubu le nombró primer ministro del Congo. **◂1960.3**

Seguidores de Lumumba lloran su muerte en El Cairo.

Castro y un grupo de periodistas examinan los restos de los aviones americanos que se estrellaron en playa Girón, Cuba.

CUBA

La invasión de Bahía de Cochinos

5 Desde que tomó el poder en 1959, Fidel Castro predecía que Estados Unidos intervendría militarmente en Cuba para aplastar su revolución antiimperialista; del mismo modo, prometía que arrasaría a los invasores. Su predicción se hizo realidad el 17 de abril de 1961, cuando mil quinientos exiliados cubanos derechistas entrenados por la CIA llegaron a playa Girón, en Bahía de Cochinos, con armamento y barcos norteamericanos. Castro mantuvo su promesa: en 72 horas murieron cuatrocientos atacantes, y los supervivientes se rindieron.

El presidente Kennedy había autorizado la invasión (un plan heredado de Eisenhower) tras un largo debate con su gabinete. La CIA, basándose en el éxodo de miles de cubanos hacia América, pronosticó que el ataque provocaría un alzamiento general pero en realidad la mayoría de cubanos estaban a favor de Fidel. Castro había estimulado el orgullo nacional con las expropiaciones de propiedades norteamericanas y su postura antiyanqui; sus programas de educación, cuidados médicos gratuitos, construcción de viviendas, reforma agraria y promoción de la igualdad racial y sexual, prometían mejorar la calidad de vida de la mayoría. La clausura de los casinos y burdeles de La Habana y la ejecución de quinientos oficiales de la dictadura de Batista fueron bien acogidas. Las bombas terroristas y el bloqueo norteamericano sólo consiguieron reforzar la resolución cubana.

Kennedy aceptó su culpa por la mala organización de la invasión, pero aseguró a los rebeldes derrotados que un día gobernarían Cuba. (Estados Unidos pagó un rescate de cincuenta y tres millones de dólares en comida y medicinas por su liberación.) Castro estrechó su amistad con los soviéticos y anunció por primera vez que su país estaba en la senda comunista. **◂1959.1 ▸1962.5**

NACIMIENTOS

Greg LeMond, ciclista estadounidense.

Carl Lewis, atleta estadounidense.

Dan Marino, futbolista estadounidense.

Eddie Murphy, actor estadounidense.

Isiah Thomas, jugador de baloncesto estadounidense.

MUERTES

Gary Cooper, actor estadounidense.

Marion Davies, actriz estadounidense.

Liugi Einaudi, presidente italiano.

Dag Hammarskjöld, diplomático sueco.

Dashiell Hammett, escritor estadounidense.

Ernest Hemingway, escritor estadounidense.

Patrice Lumumba, primer ministro de la República del Congo.

Chico Marx, cómico estadounidense.

Muhammad V, rey de Marruecos.

Eero Saarinen, arquitecto finlandés-estadounidense.

Josep M.ª de Segarra, escritor español.

Rafael Leónidas Trujillo Molina, presidente de la República Dominicana.

Ahmed Zogu, rey de Albania.

Teatro: *Luther* (J. Osborne); *La noche de la iguana* (Tennessee Williams); *Rinocerontes* (Eugène Ionesco); *How to succeed in business without really trying* (Mead y Loesser) [...] TV: *The Avengers; Wide world of sports; The Dick van Dike show.*

«Te irás hundiendo paso a paso en un cenegal político y militar sin fondo.»—**Charles de Gaulle a John F. Kennedy, refiriéndose a Vietnam en 1961**

NOVEDADES DE 1961

Cepillo de dientes eléctrico.

Cuerpos de Paz (Estados Unidos).

Valium.

EN EL MUNDO

▶CABALLEROS DE LA LIBERTAD—Para poner de manifiesto la discrepancia entre la ley y la realidad de la segregación, siete «caballeros de la libertad» negros y seis blancos elegidos por el Congreso de igualdad racial subieron a dos autocares y salieron de Washington hacia Nueva Orleans en mayo. Un autocar llegó a Anniston antes de ser apedreado; el otro fue atacado en

Birmingham, Alabama, por una banda de fanáticos que golpearon a los «caballeros». La brutalidad de estas acciones provocó la condena general. A finales de verano, más de trescientos «caballeros» arriesgaron sus vidas buscando la igualdad racial. ◀1960.NM ▶1962.NM

▶MÚSICA COMPUTERIZADA —El matemático americano convertido en músico Milton Babbitt fue de los primeros compositores que utilizaron la tecnología del computador para investigar la estructura musical. Su cerebral *Composición para sintetizador* (1961) es un hito de la música electrónica. Aplicando el sistema dodecafónico, introducido por Arnold Schoenberg en los años veinte, a todos los componentes musicales (timbre, ritmo, armonía, melodía), Babbitt creó una «serialización total». ◀1912.11 ▶1964.NM

▶CRÍTICA SOCIAL—La primera detención de Lenny

La base Gia Long, una de las «aldeas estratégicas» de Vietnam del Sur.

VIETNAM

Estados Unidos se compromete aún más

6 En 1961 se iniciaron las acciones que desembocarían en la guerra más controvertida de Estados Unidos. El presidente Kennedy intentó subsanar el desastre de Bahía de Cochinos actuando contra el comunismo en Asia. El predecesor de Kennedy había gastado mil millones de dólares en ayudas a Ngo Dinh Diem, con la esperanza de transformar el estado provisional de Vietnam del Sur en un baluarte en favor de Occidente. No obstante, aunque Diem era totalmente leal a sus patrocinadores, su popularidad decaía a la vez que la economía. En Saigón, miles de ciudadanos se unieron a un alzamiento militar; en el campo, el Frente de Liberación Nacional, un movimiento nacionalista de izquierdas apoyado por los comunistas del norte, acababa de empezar una guerra de guerrillas.

En mayo se inició la nueva estrategia con la llegada de cien hombres de las fuerzas especiales norteamericanas que se agregaron a los setecientos consejeros militares que ya se encontraban en Vietnam del Sur para entrenar a los soldados de Diem y dirigirlos en la batalla. Se anunció el plan de aumentar el ejército de ciento cincuenta mil a doscientos cincuenta mil hombres, pero la opción militar no era suficiente: a los combatientes del FLN (Viet Cong) se les debía negar el apoyo popular y se debía convencer a la población de que la democracia era mejor que el comunismo. Los campesinos de zonas guerrilleras fueron trasladados a «aldeas estratégicas», pueblos rodeados de alambradas, custodiados por soldados locales, donde recibían una lluvia de propaganda americana.

En 1963 se había triplicado la ayuda a Vietnam del Sur; había dieciséis mil consejeros americanos en el país y el programa de aldeas estratégicas se desarrollaba cada vez más. La población seguía rebelándose y el Viet Cong continuaba ganando terreno, de modo que Washington decidió que el problema debía ser el propio Diem. **◀1955.3 ▶1963.NM**

LATINOAMÉRICA

Alianza para el progreso

7 Mientras planeaba la invasión de Bahía de Cochinos, Kennedy también intentaba encontrar un método pacífico para combatir al comunismo en el hemisferio occidental. En 1961 presentó la Alianza para el Progreso, un programa de ayudas ideado para transformar Latinoamérica en «un gran crisol de ideas y resultados revolucionarios». Representantes de 22 naciones se reunieron en Uruguay y aprobaron la carta de la Alianza, estableciendo objetivos que incluían la democratización, el crecimiento económico, una distribución más justa de las rentas, la reforma agraria, la estabilización de los precios de importación y exportación y la mejora de los servicios sanitarios y sociales.

Kennedy fue muy bien recibido en su viaje por toda la zona pero, a pesar de los discursos revolucionarios, su verdadero objetivo era evitar posibles revoluciones a través de reformas liberales. Resultó que, aparte de construir algunas escuelas y hospitales, los fondos de la Alianza apenas sirvieron para reducir las injusticias. La Agencia para el Desarrollo Internacional, que administraba la Alianza, envió grandes sumas de dinero a las compañías de propiedad norteamericana (como la United Fruit de Guatemala) mientras las denegaba a los competidores locales. Los gobiernos corruptos y los grandes propietarios de tierras y negocios también se beneficiaron.

Cuando empezó a crecer la simiente revolucionaria, la Alianza se concentró en aumentar sus fuerzas de seguridad. La policía fue entrenada para utilizar sofisticados equipos antidisturbios y los soldados aprendieron técnicas contrarrevolucionarias. La ayuda militar se incrementó un 50 % en un año, transformando los presupuestos de países pequeños y elevando el prestigio y poder de sus ejércitos. Entre 1961 y 1967 Latinoamérica sufrió 17 golpes militares, más que en cualquier otro período, mientras la prosperidad y la democracia no aumentaron de forma significativa. **◀1959.1 ▶1965.11**

AMÉRICA LATINA: INVERSIONES Y DEUDAS

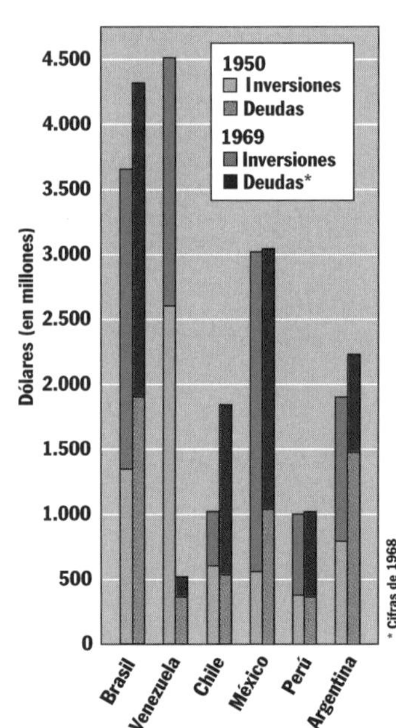

En Latinoamérica aumentaron las inversiones pero también la deuda. En 1969 sólo había disminuido la deuda de Venezuela.

REPÚBLICA DOMINICANA

Trujillo asesinado

8 Durante sus 31 años de gobierno, Rafael Leónidas Trujillo Molina casi extinguió la práctica política en la República Dominicana. Su asesinato por militares rivales creó una crisis de sucesión: más allá de un pequeño círculo de factótums de Trujillo, la nación caribeña carecía de gobernantes experimentados.

Trujillo, oficial del ejército entrenado por los marines durante la ocupación norteamericana (1916-1924), gobernó su país como un feudo particular: colocó en el gobierno a miembros de su familia y asumió la propiedad total de la tierra. La capital fue rebautizada con el nombre de Trujillo, la montaña más alta del país se llamó Pico Trujillo y los calendarios llevaban la leyenda «Era de Trujillo». Bajo «Su Ilustre Superioridad», el país disfrutó de una relativa prosperidad y estabilidad política, asegurada por la

«La descolonización siempre es un fenómeno violento.»—**Frantz Fanon, *Los condenados de la tierra***

El asesinato de Trujillo provocó una crisis.

policía secreta. Los agentes de Trujillo intimidaron a enemigos reales e imaginarios a través de la tortura, el encarcelamiento y el asesinato.

Estados Unidos, tras contribuir a la creación del dictador en décadas anteriores, ahora también colaboró en la desordenada transición a la democracia. El derechista Joaquín Balaguer, el presidente nominal de Trujillo, asumió el poder. Cuando la familia del difunto empezó a protestar, fueron enviados barcos de guerra norteamericanos para impedir un golpe. En 1962 el líder de la izquierda, Juan Bosch, ganó las primeras elecciones libres de la República Dominicana desde 1924, pero fue derrocado por los conservadores un año después. En 1965, un intento de restablecerlo desencadenó una guerra civil. **◄1916.2 ►1966.NM**

IDEAS

Una psicología revolucionaria

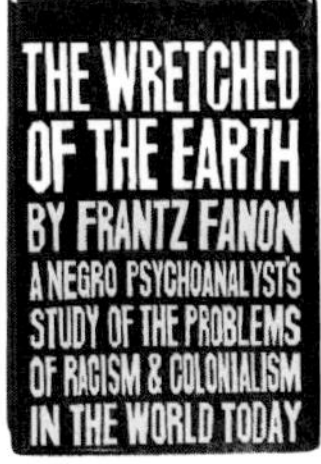

9 Frantz Fanon escribió que para los súbditos coloniales la violencia «es una fuerza purificadora. Libera al nativo de su complejo de inferioridad, de su desespero y de su pasividad. Le hace valiente y restablece su autoestima». Este resumen político y psicológico es la tesis central de *Los condenados de la tierra* de Fanon, publicado en 1961.

Fanon, nacido en la Martinica, no era ajeno al colonialismo o a la violencia. Recibió la Cruz de Guerra por sus servicios en las fuerzas de la Francia Libre durante la Segunda Guerra Mundial. Tras la guerra estudió psiquiatría, escribió *¡Escucha blanco!* (una investigación sobre el racismo) y se unió al Frente de Liberación Nacional de Argelia. Su trabajo médico y político por la revolución argelina le convirtió en el blanco de la ira de los colonos franceses: sufrió heridas en la espina dorsal a causa de un atentado y luego sobrevivió a otro intento de asesinato mientras se recuperaba en un hospital.

En 1960, Fanon supo que tenía leucemia. Acabó a toda prisa *Los condenados de la tierra* en el último año de su vida. El libro supuso un avance en el análisis social de las naciones en vías de desarrollo. En un momento en el que el pensamiento convencional negaba la existencia de sistemas de clases africanos, Fanon los esclareció. A diferencia de los marxistas ortodoxos, investigó los aspectos psicológicos, y los económicos, del colonialismo, pero lo que impresionó a sus lectores, desde Jean-Paul Sartre hasta Che Guevara, fue su explicación de una «catarsis colectiva violenta». Las teorías de Fanon —que las enfermedades mentales pueden provenir de la opresión y que la salud mental puede surgir del cañón de un arma— se convirtieron en dogmas para los rebeldes del Tercer Mundo. **◄1958.12 ►1965.11**

CINE

Premio y censura

10 En 1961, Buñuel, el director cinematográfico español con mayor fama internacional, regresó a España para rodar su primera película en su patria desde su exilio en 1938. La película elegida fue *Viridiana*, el mayor éxito y el mayor escándalo del cine hispano de los años sesenta. El argumento narra las aventuras de una novicia que, tras abandonar el convento, se dedica a realizar una serie de obras caritativas. La «caridad cristiana», sutilmente satirizada, es el blanco de la crítica de Buñuel, adobada con su característico humor negro. La película pasó, milagrosamente, la censura española y fue presentada en el Festival de Cannes. Allí fue galardonada con la Palma de Oro.

Su éxito llamó la atención de las autoridades católicas que le atacaron con gran dureza: algunas de sus secuencias más logradas (como la parodia de la Última Cena) se tildaron de blasfemas. En España la condena vaticana provocó un gran escándalo político y la película se prohibió antes de que pudiera estrenarse.

Luis Buñuel.

Buñuel no volvería a rodar en España hasta 1970 *(Tristana)*; en el intervalo produjo dos de sus mejores películas francesas: *Belle de Jour* (1966) y *La Voi Lactée* (1968).

CINE

Audrey Hepburn

11 **Con su elegancia etérea y su acento aristocrático (nació en Bélgica, hija de un banquero británico y una baronesa holandesa), Audrey Hepburn era la muchacha más seductora de la pantalla. En 1961 interpretó un papel a su medida: Holly Golightly, una chica moderna que frecuenta fiestas, en la película de Blake Edwards *Desayuno con diamantes* (adaptación de la novela de Truman Capote). Robando de modo desenfadado en Woolworth, charlando de forma sofisticada en fiestas o cantando melancólicamente «Moon river» en una salida de incendios, la Holly de Hepburn se convirtió en el modelo de feminidad de principios de los años sesenta: espabilada sexualmente pero juvenil, independiente pero confiando en sus encantos, cosmopolita pero en el fondo una muchacha de pueblo. Era una combinación imposible pero Hepburn, con un vestuario diseñado por Givenchy, la hizo realidad. ◄1951.7**

Bruce por obscenidad tuvo lugar en San Francisco en 1961. Bruce, satírico, colérico y blasfemo, era crítico cultural y actor, un provocador cuyas irreverencias acerca del sexo,

la religión y la política escandalizaban en todas partes donde actuaba. Pionero de la contracultura de los años sesenta, murió en 1966 de una sobredosis de droga.

►LAS SUPREMES—Florence Ballard, Mary Wilson y Diana Ross, tres adolescentes de Detroit, firmaron un contrato con discos Motown en 1961 y se llamaron Supremes. Pocos años después, consiguieron los primeros puestos de las listas de éxitos con «Where did our love go» (1964). El grupo alcanzó tal éxito que la dicotomía tradicional entre «música blanca / música negra» de la revista *Billboard* perdió sentido: las Supremes estuvieron en el número uno de ambas listas. ◄1959.10

►ESTRENO EN EL LICEO —A finales de noviembre se estrenó en el Gran Teatro del Liceo de Barcelona la obra póstuma de Manuel de Falla *La Atlántida*. La composición quedó interrumpida por la muerte de su autor y fue completada por Ernesto Halffter. El libreto estaba inspirado en el poema de Jacinto Verdaguer y en su estreno mundial, en versión de concierto, fue interpretada por la Orquesta Municipal de Barcelona con las voces de Victoria de los Ángeles y Raimundo Torres como solistas.

►U THANT A LA CABEZA DE LA ONU—El birmano U Thant, profesor y hombre de Estado, era un candidato de compromiso ya que Estados Unidos y la URSS no se ponían de acuerdo en la sucesión de Dag Hammarskjöld. U Thant, crítico con el antagonismo de la guerra fría, resultó ser un dirigente de talento y un defensor de la paz mundial como secretario general de la

POLÍTICA Y ECONOMÍA: IBM presenta la máquina de escribir Selectric [...] Sithn U Thant sucede como secretario general de la ONU a Dag Hammarskjöld, muerto en accidente de aviación.

«Cuando Judy Garland salió a escena, sin abrir la boca consiguió lo mismo que Renata Tebaldi en dos horas y media de Puccini: una ovación de aclamaciones de cinco minutos de duración.»—**La revista *Time*, sobre el concierto de Garland en el Carnegie Hall**

ONU. Entre otros conflictos contribuyó a solucionar la crisis cubana de los misiles, la guerra civil del Congo (Zaire) y la guerra indo-paquistaní de 1965. ◄1953.8 ►1982.M

►MÁS ALLÁ DE LA SEXUALIDAD—La *sex symbol* internacional Sofía Loren mostró sus dotes dramáticas

en *Dos mujeres*. Interpretaba a la madre de una adolescente en Italia durante la Segunda Guerra Mundial. La película, dirigida por Vittorio de Sica, proporcionó a Sofía Loren su mejor papel. ◄1948.14

►IRONÍA SOBRE LA IDENTIDAD—Con su cuarta novela, *Una casa para Mr. Biswas*, divertida pero de sentimientos profundos, V. S. Naipaul se convirtió en una figura internacional. El autor, nacido en Trinidad y de procedencia india, se estableció en Londres, donde se interesó por los caprichos de la identidad cultural y personal de la era poscolonial desde un punto de vista crítico. Se le ha comparado con Joseph Conrad por su penetración psicológica y su pesimismo arraigado. ◄1902.3

►OSADA VOZ SOVIÉTICA—El poeta Yevgeny Yevtushenko era un fenómeno literario en su país (sus lecturas dramáticas llenaban estadios). En 1961 consiguió el reconocimiento exterior con su poema *Babi Yar*, acerca de la matanza nazi de miles de judíos ucranianos sucedida en 1941. El poema, también una condena del antisemitismo soviético, conmocionó al gobierno. Tras la publicación en Francia de su autobiografía (1963), Yevtushenko fue censurado. ◄1958.7 ►1966.11

Garland saluda a sus admiradores. La revista Variety comentó: «Cuando salió al escenario estalló un estruendo infernal».

MÚSICA

Garland en el Carnegie Hall

12 La corta vida de Judy Garland, la actriz de Hollywood que mejor cantaba, estuvo llena de éxitos (como sus papeles en *El mago de Oz* y en *Ha nacido una estrella*) y de fracasos (adicción a las drogas, cuatro divorcios y varios intentos de suicidio). El 23 de abril de 1961 es la fecha de uno de sus triunfos: su legendario concierto en el Carnegie Hall de Nueva York.

Dos años antes, Garland estuvo a punto de morir de una enfermedad hepática, causada por las pastillas y el alcohol, pero volvió a trabajar; grabó discos, ofreció dos conciertos de gran éxito en Londres e hizo campaña a favor de John F. Kennedy en bases militares norteamericanas de Alemania. El concierto del Carnegie Hall era su regreso a América.

Cuando Garland salió al escenario, una multitud de más de tres mil personas, entre ellas docenas de famosos, se puso en pie y le dedicó una ovación de cinco minutos. Ella recompensó a sus admiradores con 26 canciones, incluidas sus habituales «The man that got away» y «Over the rainbow». Hubo al menos seis ovaciones más. Hombres y mujeres con trajes de noche se subieron a los asientos, cientos irrumpieron en el escenario. Tras dos horas y media Garland preguntó: «¿De verdad queréis más? ¿No estáis cansados?». La respuesta fue «¡No!», y la actriz cantó una más.

El disco del concierto *Judy Garland en el Carnegie Hall* fue el número uno durante 73 semanas y ganó cinco premios Grammy. Garland ya no volvió a estar tan bien, su voz falló y las drogas le destrozaron el cuerpo. En 1969 murió a los 47 años de edad a causa de una sobredosis de barbitúricos. **◄1939.8**

DANZA

El mayor salto de Nureyev

13 Rudolf Nureyev era uno de los bailarines más prometedores de la Unión Soviética, renunció a la compañía Bolshoi por considerarla demasiado restrictiva y se convirtió en la estrella del Ballet Kirov de Leningrado. Se negó a unirse a la Liga de Jóvenes Comunistas, criticó la política de la compañía y se relacionó con extranjeros. Durante una gira por Europa se enteró de que le iban a enviar a Moscú para disciplinarlo y realizó el mayor salto de su carrera: el 17 de junio de 1961 saltó sobre una barandilla del aeropuerto de París y solicitó asilo político.

Su deserción fue un golpe propagandístico para Occidente y para Nureyev. Al cabo de una semana, era uno de los bailarines mejor pagados de Europa e interpretó el protagonista masculino de *La bella durmiente* con la compañía del Marqués de Cuevas. Nureyev bailó (e hizo coreografías) para los mejores ballets del mundo. Mientras era el artista invitado permanente del Royal Ballet de Londres se convirtió en la pareja favorita de la legendaria Margot Fonteyn, 18 años mayor que él. Sus *pas de deux* reavivaron la carrera de la bailarina e hicieron aún más famoso a Nureyev. (Una vez, en Viena, salieron a saludar 89 veces).

Nureyev fue comparado con Nijinsky por su audacia artística y su magnetismo personal. Asimismo, captó la atención pública con su vida privada por frecuentar regularmente discotecas en los años sesenta y setenta; no obstante, la mantuvo separada de la opinión pública. Murió en 1993 entre rumores de que había contraído el SIDA. **◄1934.12 ►1974.M**

Nureyev interpreta un solo en Covent Garden después de su deserción.

CULTURA POPULAR

Dietas

14 La equivalencia cultural entre belleza femenina y delgadez y el fracaso crónico del ama de casa de 37 años de edad para estar delgada convergieron en 1961, dando lugar a lo que se convertiría en un negocio multimillonario. Cuando le preguntaron para cuándo esperaba el niño, Jean Nidetch, que pesaba 97 kg y siempre estaba a dieta, decidió perder peso definitivamente. Fue a una clínica de adelgazamiento subvencionada por el Departamento de Sanidad de Nueva York, pero consideró que el régimen era demasiado estricto. Con la esperanza de que el apoyo mutuo podría cambiar su suerte, invitó a seis amigas para que la acompañaran. Un año después había adelgazado más

A pesar de su éxito, Nidetch (*superior*, antes y después) siempre se refería a sí misma como antigua ama de casa gorda.

de 30 kg y difundía su método por toda la ciudad. En 1963, Nidetch y dos socias, aprovechando la moda de las dietas y de la buena forma física, fundaron la Weight Watchers International.

La fórmula de Nidetch era simple: una dieta compuesta por proteínas pobres en grasas y abundancia de fruta y verdura, reuniones semanales para mantener la moral dirigidas por graduados y cuotas de socio baratas. Su fórmula alcanzó un gran éxito: en 1968 la Weight Watchers tenía 87 franquicias en Estados Unidos. En los años setenta la compañía había sido adquirida por la Heinz, una corporación alimentaria gigante, y en los noventa había clubes Weight Watchers en 24 países, así como numerosos imitadores en todo el mundo. **►1981.E**

PREMIOS NOBEL: Paz: Dag Hammarskjöld (sueco; secretario general de la ONU) [...] Literatura: Ivo Andrić (yugoslavo; novelista) [...] Química: Melvin Calvin (estadounidense; fases químicas de la fotosíntesis) [...] Medicina: Georg von Békésy (estadounidense; cóclea) [...] Física: Robert Hofstadter (estadounidense; estructura de protones y neutrones) y Rudolf Mössbauer (alemán; radiación gamma).

ECOS DE 1961

El sueño americano conoce la pesadilla atómica

De «Un asunto urgente, muchas cosas que hacer —y que debe saber», *Life*, 15 de septiembre de 1961

La angustia de la guerra fría creció durante el tenso verano y otoño de 1961, cuando Estados Unidos y la Unión Soviética se enfrentaron por Berlín. El presidente Kennedy anunció en directo por televisión: «En caso de un ataque, las vidas de aquellas familias que no sufran la explosión nuclear se pueden salvar si se les avisa que busquen refugio y si ese refugio está disponible». El discurso del presidente y los medios de comunicación (que publicaron artículos como el del extracto) provocaron una manía nacional nueva. Unas doscientas mil familias americanas, mostrando una extraña mezcla de pesimismo (la guerra atómica era inminente) y ánimo (podían sobrevivir) invirtieron en refugios nucleares domésticos. Por todo el país aparecieron compañías poco fiables que se dedicaban a la construcción de refugios, que se convirtieron en el complemento preferido de las casas.

No todo el mundo se dejó llevar y las dudas sobre si era posible sobrevivir a una guerra nuclear aumentaron después de que los soviéticos detonaran una bomba de hidrógeno de 60 megatones (la mayor que se ha hecho explotar) en octubre. Kennedy y Khrushchev fueron relajando su retórica y en diciembre retiraban sus tanques de Berlín. El refugio nuclear se convirtió en una pieza de museo, en una reliquia de la curiosa unión del sueño americano y la pesadilla atómica. **◄1961.1 ►1962.5.**

Durante años, la mayor parte de la gente ha tenido la idea fatalista de que era inútil hacer cualquier cosa para protegerse de una bomba nuclear. Pensaba que si la explosión no la mataba, lo haría la radiación. Se consideraba que el hombre corriente con un refugio nuclear en el patio trasero estaba chiflado. Pero ahora es un hombre sensible y sano y un ciudadano respetable.

Si el enemigo ataca, seguramente se centrará primero en objetivos militares, como bases de misiles. Las grandes ciudades y centros industriales, que no tienen posibilidad de contestar, serán blancos secundarios. Si ahora se produjera un ataque a objetivos militares de una nación desprevenida, morirían cuarenta y cinco millones de americanos, un cuarto de la población. Algunos morirían con la explosión. Sin embargo, el mayor peligro para la mayoría provendría de la radiación, la lluvia mortal de polvo radiactivo y de los escombros que cubrirían la tierra.

A cientos de kilómetros del blanco, la gente estaría en contacto con la radiación, que no tendrían por qué ver, oler ni tocar. Tendrían suficiente en la piel para sufrir quemaduras y enfermedades. La radiación también contaminaría su comida y agua y dañaría sus órganos vitales.

Pero si los americanos tomaban precauciones contra la lluvia radiactiva, la mortandad se reduciría sensiblemente. Morirían unos cinco millones de personas, un 30 % de la población. El número en sí es grande, pero se tiene que mirar con frialdad. Desprevenidos hay una posibilidad entre cuatro de que usted y su familia mueran. Prevenidos, tienen el 97 % de probabilidades de sobrevivir.

Básicamente la protección consiste en cubrir el cuerpo, el agua y la comida para que las partículas radiactivas no puedan contaminarlos. Si hay suficiente protección entre la lluvia radiactiva y uno, se está a salvo. Tendría que estar preparado para estar a cubierto al menos dos semanas.

Evidentemente esto no siempre es fácil de hacer. ¿Qué haría si estuviera en una ciudad como Nueva York? Aunque se ha avanzado bastante, la mayoría de ciudades están muy atrasadas en cuanto a protección radiactiva. La gente debe saber inmediatamente dónde ir. Pero sus posibilidades de sobrevivir a la lluvia radiactiva en una gran ciudad puede ser altas. Si usted se halla en un edificio de oficinas o apartamentos puede dirigirse al sótano o permanecer en un pasillo interior de uno de los pisos medios.

El entramado subterráneo o los túneles de la ciudad ofrecen un excelente refugio. Donde quiera que viva o trabaje debe intentar disponer de un depósito portátil de agua. Puede vivir varias semanas sin comida pero no sin agua.

Es probable que tenga lugar un ataque durante la noche, mientras está en casa —ya que el enemigo puede prepararlo a la luz del día. (Cuando en Nueva York es medianoche, en Moscú son las 08.00 horas.) Si es propietario de una casa puede construir un refugio familiar. Ningún refugio civil aguantaría una explosión directa o cercana. No hay garantía de que sus defensas (o incluso las nacionales) sean adecuadas si el enemigo ataca, pero aumentarán sus posibilidades. Y cada refugio familiar contribuirá a la disuasión porque si Estados Unidos está tan bien preparado que no puede ser destruido, quizás el enemigo no ataque nunca.

La familia Carlson en su refugio. Los dudosos refugios eran agujeros o tanques de acero y estaban equipados con provisiones de emergencia como latas de comida, agua, juegos de mesa y a menudo una o dos pistolas.

«El representante de la autoridad espiritual más alta está feliz y orgulloso de ser hijo de un trabajador humilde pero fuerte y honesto.»—**Papa Juan XXIII**

HISTORIA DEL AÑO

Concilio Vaticano II: modernización de la Iglesia

1 Hacía más de noventa años que los dirigentes católicos habían celebrado el Concilio Vaticano I, y el papa Juan XXIII pensó que había llegado el momento de discutir el lugar que ocupaba la Iglesia en un mundo cambiante. El Concilio Vaticano II empezó en octubre de 1962 y finalizó en diciembre de 1965. En el curso de las cuatro sesiones del concilio, el catolicismo romano entró de forma definitiva en el siglo XX.

El Papa Juan XXIII, el gran reformador de la Iglesia católica del siglo XX.

Considerado un conformista sumiso cuando sucedió al conservador Pío XII en 1958, Juan (que entonces contaba 76 años) estuvo perturbando el *status quo* desde entonces. El pontífice desconcertó a los clérigos más prudentes al hacerles partícipes de la conveniencia de celebrar el Concilio Vaticano II en los meses de su elección. En 1961 publicó la encíclica *Mater et Magistra*, que le convirtió en el primer Papa que aprobaba los sindicatos, el estado del bienestar y la democracia constitucional. Juan XXIII se acercó a los protestantes y a los judíos como ningún otro Papa y concedió audiencias al yerno de Khrushchev y a un sumo sacerdote sintoísta.

El objetivo de Juan, como dijo a los dos mil quinientos participantes del Concilio Vaticano, era «hacer avanzar el Reino de Cristo en el mundo», es decir, que la Iglesia volviera a ocuparse de los asuntos del mundo. Predicó que para hacerlo era necesario reconciliarse con otras creencias, servir de puente entre Oriente y Occidente y entre los países desarrollados así como en vías de desarrollo y actualizar las viejas tradiciones.

El Vaticano II redactó 16 documentos que detallaban la reforma eclesiástica. Quizás el más llamativo fuera el que disponía que la misa no tenía que decirse toda en latín. Los miembros seglares debían ser invitados a participar de forma más activa en la liturgia y a estudiar la Biblia en vez de confiar los dogmas sólo a los eclesiásticos. El concilio se adhirió a la «colegialidad» entre el Papa y sus obispos, reduciendo la autoridad absoluta del pontífice. Finalmente, los convocados acordaron que los católicos debían colaborar con los que no lo eran para enfrentarse al mal.

El cambio de la Iglesia generó un entusiasmo especial en Latinoamérica, donde la religión y la revolución iban a la par, pero a finales de la década, mientras muchos clérigos del Tercer Mundo adoptaron una «teología de la liberación» extremista, empezaba a darse una reacción conservadora. **◄1933.3 ►1968.12**

CINE

La muerte de una diosa

2 La carrera de Marilyn Monroe fue la clásica historia de la chica pobre que se hace rica. Su nombre real era Norma Jean Baker, y sus orígenes eran humildes. Sobrevivió a una infancia marcada por los abusos para convertirse en la diosa de la pantalla más idolatrada de su época. Tras interpretar algunos papeles secundarios, estudió en el Actors Studio con Paula y Lee Strasberg y luego demostró su categoría dramática en *Bus Stop* (1956) y *Con faldas y a lo loco* (1959). Pero la diosa era desgraciada, y el 5 de agosto de 1962 la encontraron muerta con un tubo vacío de sedantes. Tenía 36 años.

En su funeral, Lee Strasberg acotó: «Monroe era el símbolo de la femineidad para todo el mundo». El pelo teñido, la cirugía estética y el talento dramático la transformaron en la rubia con la que muchos fantaseaban. Sin embargo, la actriz no se sentía cómoda con su imagen y sufría por sus imperfecciones, su decadencia física y su falta de dignidad. Sus matrimonios (con la estrella del béisbol Joe DiMaggio, con el dramaturgo Arthur Miller) no le dieron la seguridad que buscaba.

Cuando acabó de rodar *Vidas rebeldes* (1961), el abuso de alcohol y medicamentos la habían perjudicado tanto que el director John Huston predijo: «Dentro de poco estará muerta o en un sanatorio». El tratamiento psiquiátrico no fue suficiente para salvarla de sus demonios o de sus poderosos amantes (entre ellos se cree que figuraba el presidente Kennedy), que compartieron su cama pero no su corazón. **◄1959.8**

Marilyn Monroe en el rodaje de su última película acabada, *Vidas rebeldes*.

FRANCIA

La nueva era de De Gaulle

3 Con la guerra de Argelia acabada, el presidente De Gaulle podía reanudar la tarea que empezó con la fundación de la Quinta República: sustituir el inestable sistema parlamentario francés por una forma de gobierno basada en una presidencia fuerte. En aquel momento, el presidente era elegido por un colegio electoral pero De Gaulle pensaba que la verdadera autoridad sólo la podía ejercer un dirigente elegido directamente por el pueblo. De Gaulle lo consiguió en 1962, a pesar de la oposición de casi todo el estamento político.

Georges Pompidou, primer ministro nombrado por De Gaulle, en 1962.

De Gaulle emprendió su primer movimiento en abril: sustituyó al primer ministro Michel Debré por un banquero, Georges Pompidou. La clase política recibió el nombramiento con desdén: aunque había negociado la tregua con Argelia, Pompidou nunca había ostentado un cargo electivo. Sin embargo, su falta de relaciones políticas, excepto con De Gaulle, de quien había sido consejero desde 1944, aseguraba su lealtad completa. Su visión de una Francia poscolonial con una política exterior agresivamente independiente y una economía que integrara a las grandes empresas con la planificación estatal, se correspondía con la del presidente.

Con Pompidou en el cargo, De Gaulle empezó a insinuar que deseaba cambiar la constitución, pero los franceses asociaban las elecciones presidenciales directas con la autocracia, el último resultado de la dictadura de Luis Napoleón. De modo que De Gaulle esperó hasta septiembre para abordar la cuestión, cuando un intento de asesinato le

ARTE Y CULTURA: **Libros:** ***La ciudad y los perros*** **(M. Vargas Llosa);** ***El siglo de las luces*** **(A. Carpentier);** ***Un día en la vida de Iván Denisóvich*** **(Alexander Solzhenitsyn);** ***La naranja mecánica*** **(Anthony Burgess);** ***La galaxia Gutenberg*** **(Marshall McLuhan) [...] Música:** ***War Requiem*** **(Benjamin Britten) [...] Pintura y escultura:** ***Third element*** **(Morris Louis) [...]**

«Los chinos dicen que estaba asustado. Claro que estaba asustado[...]. Si tener miedo significa que contribuí a impedir esa locura, entonces estoy orgulloso de haber tenido miedo.»—**Nikita Khrushchev, sobre la crisis cubana de los misiles**

hizo ganar el apoyo popular. El parlamento respondió cesando a Pompidou, negándole un voto de confianza.

De Gaulle convocó un referéndum sobre la presidencia y las elecciones parlamentarias. En octubre, tras una campaña masiva por radio y televisión (buena parte de la prensa aconsejaba votar «no»), los votantes aprobaron la elección directa. En noviembre, los candidatos gaullistas ganaron a los de los partidos tradicionales y consiguieron la mayor pluralidad que el parlamento había visto en décadas.

Pompidou volvió a ser primer ministro y De Gaulle tuvo la oportunidad de parafrasear al rey Luis XIV diciendo: *«Le gouvernement, c'est moi»*. **◂1946.NM ▸1963.5**

ARGELIA

Victoria de los rebeldes musulmanes

4 En marzo de 1962 se firmó una tregua tras ocho años de guerra argelina. Habían muerto diecisiete mil soldados franceses y más de un millón de musulmanes. Tendría que haber acabado antes: el presidente Charles de Gaulle había empezado a hablar de la autodeterminación de Argelia en 1959. Pero la guerra fue alimentada por fuerzas que escapaban al control de un hombre. De Gaulle debía asociar sus primeros gestos de paz con discursos contra la independencia para calmar al ejército, a los derechistas y a los colonos. En 1960, los colonialistas que se oponían a transigir con los argelinos llevaron a cabo un alzamiento que terminó cuando De Gaulle hizo un llamamiento a la lealtad. Las guerrillas musulmanas del FLN eran cada vez más poderosas; la guerra gozaba de muy escasa popularidad, pero las negociaciones que inició De Gaulle el mismo año fracasaron.

Después de que De Gaulle defendiera abiertamente una *Algérie algérienne* y de que los franceses lo aprobaran en un referéndum, los colonos extremistas volvieron a rebelarse. En abril de 1961, la Secret Army Organization (Organización del Ejército Secreto, OAS), dirigida por cuatro generales derechistas, tomó el control de buena parte de la capital de Argelia, pero la elocuencia de De Gaulle (y la policía leal) desarmó a los renegados una vez más y los generales fueron arrestados o bien escaparon.

Las conversaciones de paz se reanudaron unas semanas después en Evian, Francia, y se alargaron durante todo el año 1962. Mientras, la OAS emprendió acciones equivalentes a los peores excesos del FLN: colocaron bombas en Argelia y Francia, mataron a miles de civiles musulmanes y atentaron varias veces contra De Gaulle. Los ataques continuaron incluso después de que el general Raoul Salan, dirigente de la OAS, fuera sentenciado a cadena perpetua. Argelia consiguió la independencia el 5 de julio, después de 132 años de gobierno francés. Tras una breve guerra civil, se celebraron elecciones y en septiembre el presidente del consejo Ahmed Ben Bella proclamó una república socialista no alineada. Por entonces, la mayoría de colonos habían emigrado; muchos de ellos destruyeron hospitales, fábricas, bibliotecas y otras instalaciones antes de su marcha. **◂1958.4 ▸1993.9**

Musulmanes argelinos celebran la independencia de Francia tras 132 años.

GUERRA FRÍA

La crisis de los misiles

5 La Unión Soviética y Estados Unidos siempre evitaron una confrontación directa armada en su lucha por la supremacía ideológica y territorial. Sin embargo, durante dos tensas semanas de 1962 las superpotencias se enfrentaron cara a cara y casi provocaron una guerra nuclear.

La crisis de los misiles empezó el 14 de octubre, cuando un avión espía americano detectó un misil balístico en la isla comunista de Cuba, a sólo 145 km de Estados Unidos. (Khrushchev declaró que las armas que enviaba a Cuba no eran nucleares sino defensivas.) Era la primera vez que los soviéticos desplegaban armas nucleares en el continente americano.

El presidente Kennedy y sus consejeros discutieron sobre cómo responder. Las sugerencias iban desde la pasividad —«no hay ninguna diferencia entre morir por un misil enviado desde la Unión Soviética o desde Cuba», razonó el secretario de defensa Robert McNamara— hasta la invasión inmediata. Kennedy optó por un bloqueo (al que se añadió la Organización de Estados Americanos). El 22 de octubre, el presidente explicó la situación por televisión. «He ordenado a las fuerzas armadas que se preparen para cualquier eventualidad», manifestó. El mensaje estaba claro. El mundo se preparaba para la guerra.

Refugiados cubanos en Estados Unidos escuchan el discurso televisado del presidente Kennedy.

Khrushchev no desafió el bloqueo enviando barcos con armas nucleares, pero al principio se negó a desmantelar el armamento que ya estaba en la isla. La confrontación se intensificó: doscientos mil soldados norteamericanos se concentraron en Florida y un piloto americano que realizaba un vuelo de reconocimiento sobre Cuba fue derribado y asesinado. Fue la única víctima. El 28 de octubre, a cambio de la promesa de que Estados Unidos nunca invadiría Cuba y trasladaría misiles de Turquía, Khrushchev accedió a retirar el armamento. **◂1961.5 ▸1963.2**

NACIMIENTOS

Tom Cruise, actor estadounidense.

Patrick Ewing, jugador de baloncesto jamaicano-estadounidense.

Jodie Foster, actriz estadounidense.

Demi Moore, actriz estadounidense.

MUERTES

Norma Jean Baker (Marilyn Monroe), actriz estadounidense.

Karen Blixen (Isak Dinesen), escritora danesa.

Niels Bohr, físico danés.

Adolf Eichmann, oficial alemán.

William Faulkner, escritor estadounidense.

Ernest Hemingway, escritor estadounidense.

Hermann Hesse, escritor alemán.

Yves Klein, pintor francés.

Charles Laughton, actor anglo-estadounidense.

Charles «Lucky» Luciano, timador estadounidense.

Leopoldo Panero, escritor español.

Ramón Pérez de Ayala, escritor español.

Cine: ***Lawrence de Arabia*** **(David Lean);** ***Dr. No*** **(Terence Young) [...] Teatro:** ***Los físicos*** **(Friedrich Dürrenmatt);** ***La camisa*** **(Lauro Olmo).**

«He hecho el papel de John Wayne en todo lo concerniente al personaje, y lo he estado haciendo bien, ¿no?»—John Wayne

NOVEDADES DE 1962

Aeropuerto Dulles (Washington, primer aeropuerto civil diseñado especialmente para reactores).

Casa de moda Yves Saint-Laurent.

Avión a reacción Lear.

Navío mercante nuclear (Estados Unidos, *Savannah*).

Servicio de «hovercraft» en Gran Bretaña (de Gran Bretaña a Francia).

EN EL MUNDO

▶**INTEGRACIÓN UNIVERSITARIA**—James H. Meredith fue el primer estudiante negro matriculado en la universidad de blancos

de Mississippi, un baluarte de la segregación. Aunque un fallo judicial ordenó a la universidad que aceptara a Meredith, el gobernador Ross Barnett se negó. Exhortó a los blancos a resistir contra el movimiento de derechos civiles y dijo que la matriculación de Meredith era «el momento de mayor crisis desde la guerra civil». El 30 de septiembre, Meredith llegó al campus escoltado por agentes federales y una multitud empezó a lanzar piedras y botellas. El presidente Kennedy habló por televisión para intentar acabar con la difícil situación, pero los racistas crearon disturbios, mataron a dos personas e hirieron a 160 agentes. Las tropas federales restablecieron el orden. Meredith se graduó en 1963. ◂1961.NM ▸1963.7

▶**EL NIDO DE KESEY**—El carismático escritor Ken Kesey se dio a conocer con la

1962

Los Beatles *(de izquierda a derecha)*: Ringo Starr, John Lennon, Paul McCartney y George Harrison, en París, a principios de los sesenta.

MÚSICA

Presentación de los Beatles

6 En septiembre de 1962 salió el primer sencillo de los Beatles, «Love me do» y estuvo en el número 17 de las listas británicas de música *pop*. El segundo, «Please please me» fue el número 2. A finales de 1963, los Beatles eran los músicos más populares de la historia británica, con admiradores tan diversos como la reina madre y cantidad de adolescentes histéricas. A principios de 1964, cuando una gira por Estados Unidos (iniciada con dos apariciones en el *Ed Sullivan Show*) llevó la «beatlemanía» a América; la profecía del representante Brian Epstein se hizo realidad: el grupo era «más grande que Elvis».

Los miembros del grupo John Lennon, Paul McCartney y George Harrison habían trabajado en clubes sórdidos de su Liverpool natal y de Hamburgo desde mediados de los años cincuenta. Cuando Epstein los descubrió en 1961 ya llevaban su corte de pelo característico, habían añadido canciones originales a su repertorio de *rock 'n' roll* y también se habían convertido en el grupo más famoso de la escena *«merseybeat»* de Liverpool. Epstein mejoró su vestuario, sustituyó al batería Pete Best por Ringo Starr y los promocionó de forma brillante.

Los Beatles destacaban musicalmente: las composiciones de Lennon y McCartney eran frescas y divertidas, su compenetración vocal resultaba estimulante y sus actuaciones, de alto voltaje. Fueron el primer grupo de *rock* con éxito e iniciaron una «invasión británica» que acabó con el predominio americano. Culturalmente constituyeron una revelación: los rockeros anteriores celebraron la pasión adolescente, pero los Beatles simplemente jugaban al amor. Con su apariencia andrógina presagiaron la anarquía polimorfa de finales de los años sesenta. Durante estos años descubrieron las drogas y el misticismo y se convirtieron en los músicos de la contracultura.

La sofisticación musical y verbal de los Beatles fue aumentando. *Sgt. Pepper's lonely hearts club band* (1967) —considerado por algunos como el mejor disco de *rock*— fue el primer «álbum conceptual» (una serie de canciones interrelacionadas en vez de una colección de canciones sueltas) que incorporó sonido electrónico y una orquesta de cuarenta instrumentos. Cuando el grupo se separó en 1970, el *rock* ya había alcanzado el estatus de música seria. ◂1959.11 ▸1965.10

CINE

El duque

7 John Wayne hizo más de doscientas cincuenta películas entre *The drop kick* (1927) y *The shootist* (1976). Entre las noventa películas del oeste americano que rodó, *El hombre que mató a Liberty Valance*, dirigido por John Ford en 1962, es de las mejores. La película, un estudio emotivo del conflicto entre la libertad y el orden, lamenta lo que se perdió cuando se construyeron las ciudades en América. Wayne interpreta a un ganadero diestro con la pistola que sacrifica su propia felicidad para eliminar al malo del pueblo y hacer posible la civilización. Con sus andares característicos, su aspecto cínico y sus frases dichas entre dientes, Wayne matizó e hizo más profundo al personaje y, a pesar de toda su hombría, no disimuló los sentimientos del héroe.

Wayne en *Liberty Valance*. El público se dividió. La estrella podía ser un semidios patriótico o un demonio patriotero.

Además de vencer a indios y bandidos, Wayne, uno de los actores más taquilleros de todos los tiempos, luchó en todas las guerras americanas, desde la revolución hasta la de Vietnam. Fuera de la pantalla era un militante de derechas, aunque nunca fue militar. Sus personajes cinematográficos y su personalidad real se mezclan: la imagen de un John Wayne armado en las colinas del Monument Valley (la localización donde solía ubicarlo Ford) se ha convertido en un símbolo de Estados Unidos. ◂1952.11

ARTE

Las estrellas *pop*

8 «Intento utilizar un tópico —un tópico poderoso— y presentarlo de forma organizada», dijo Roy Lichtenstein, uno de los tres artistas importantes que alcanzaron la fama en 1962 al reventar las pretensiones del mundo del arte con el *pop*, un estilo que adoptó técnicas e imágenes de la cultura de masas para lograr que los espectadores vieran esa cultura, y el arte, de otra manera. Mientras que los expresionistas abstractos intentaron verter su alma en los lienzos, los artistas *pop*, como Lichtenstein, Claes Oldenburg y Andy Warhol, proclamaron la seductora falta de alma de la vida moderna. A finales de año los tres habían expuesto en Nueva York, y causaron una gran conmoción.

DEPORTES: Automovilismo: Graham Hill, campeón del mundo [...] Tenis: Rod Laver gana el Grand Slam [...] Fútbol: copa del mundo, Brasil derrota a Checoslovaquia por 3 a 1.

«En el colegio los niños cuentan hasta diez con los dedos. Yo no tengo dedos, pero cuento hasta diez con los dedos mentalmente.»—**Un niño afectado por la talidomida en Heidelberg, Alemania occidental, tras su primer día de colegio**

Las «esculturas blandas» de gran tamaño de Oldenburg, de un cucurucho de helado que se derrite, una hamburguesa o un trozo de bizcocho (expuestas en la Green Gallery) parecían juguetes. El marchante Leo Castelli montó la primera exposición individual de Lichtenstein, de pinturas que se inspiraban en cómics, con viñetas y comentarios.

La obra de Warhol se dio a conocer junto a la de Lichtenstein en una exposición colectiva de la Sidney Janis Gallery, y fue la que creó más escuela. Warhol, anteriormente artista comercial, utilizaba el estampado y otros procesos para realizar un arte sumamente impersonal. Se hizo célebre en todo el mundo con sus creaciones de retratos repetidos de objetos (botella de Coca-Cola, latas de sopa Campbell's) y de famosos. El artista

Uno de los últimos cuadros de Warhol pintados a mano: *Lata de sopa Campbell's* (1962).

de la peluca rubia platino resumió sus ideas, democráticas y desmitificadoras, en una frase que se convirtió en un tópico: «En el futuro todo el mundo será famoso durante quince minutos» **◂1958.5 ▸1965.7**

MEDICINA

Una droga que causa deformaciones

9 La talidomida, anunciada como «la pastilla para dormir del siglo», fue la culpable de uno de los capítulos más negros de la historia farmacéutica. En 1962, cuando fue retirada del mercado, la droga había causado más de doce mil malformaciones infantiles (la mayor parte en Alemania occidental); casi la mitad de los bebés deformes murieron al poco de nacer.

La talidomida, un tratamiento popular contra el insomnio, la tensión y las náuseas durante el embarazo, fue comercializada por catorce compañías en 46 países y se pensaba que carecía de efectos secundarios. Por desgracia no se realizaron pruebas acerca de sus repercusiones sobre el feto. Tras su introducción en Europa en 1957, miles de bebés cuyas madres habían tomado la droga nacieron con unos apéndices parecidos a aletas en vez de brazos y piernas. A menudo también estaban dañados los ojos, las orejas y algunos órganos internos.

En Europa miles de niños sufrieron malformaciones, en América sólo una docena gracias en gran parte a Frances Oldham Kelsey, investigadora del Departamento de Alimentación y Fármacos. Kelsey acababa de ser contratada cuando recibió una muestra del fabricante americano de la talidomida. Preocupada por informes que describían inflamaciones nerviosas e insomnio en animales, decidió no autorizar su comercialización y se mantuvo firme durante catorce meses de presiones. (Luego recibió una medalla del presidente Kennedy). A pesar de que la droga no estaba aprobada oficialmente, más de mil doscientos médicos habían recibido muestras gratuitas y veinte mil de sus pacientes femeninas las ingirieron.

El escándalo de la talidomida impulsó el establecimiento de una regulación estricta de los fármacos en muchos países. La talidomida resultó útil para otros tratamientos —para la lepra y para prevenir enfermedades derivadas del trasplante de médula. **◂1906.11 ▸1974.NM**

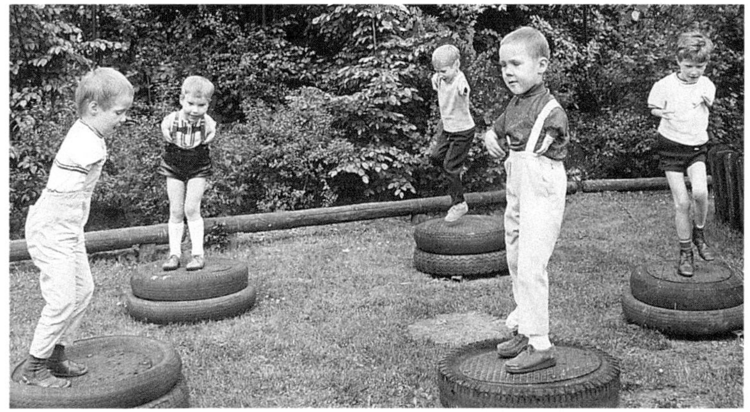

Un grupo de niños afectados por la talidomida juegan en el patio de un parvulario especial de Colonia.

TEATRO

La temible *Woolf* de Albee

10 Producciones como *La historia del zoo* convirtieron a Edward Albee en el dramaturgo americano más prometedor del teatro del absurdo, pero la obra que le hizo famoso era de otro género. *¿Quién teme a Virginia Woolf?*, estrenada en Broadway en 1962, era un drama violento sobre una confrontación emocional, una actualización aguda y subida de tono de O'Neill y Strindberg.

Albee ideó los tres actos de la obra como una «comedia grotesca» sobre «la sustitución de valores reales por valores imaginarios». Como en muchas de sus obras menos naturalistas, investiga la dinámica violenta de la dominación y la sumisión en las relaciones cotidianas. Dos matrimonios llegan a la casa de uno de ellos para acabar una fiesta de la facultad: los anfitriones, George y Martha, y los invitados, Nick y Honey, quedan atrapados en un psicodrama alcohólico que manifiesta el deseo, la frustración, la rabia y el sufrimiento de sus vidas. El título, que Albee observó en la pintada de un bar de Greenwich Village, capta el carácter infantil de las discusiones hirientes entre los personajes.

Elogiada por *The New York Times* como «la mejor obra americana de la década», *¿Quién teme a Virginia Woolf?* ganó un Tony y un premio de la Crítica de Nueva York. Una versión cinematográfica de 1966 ganó cinco Óscars y, a causa de su uso liberal de las palabras soeces, instó a la industria del cine a establecer un sistema de clasificación de películas. **◂1949.E ▸1983.10**

novela satírica y negra sobre problemas mentales y sociales *Alguien voló sobre el nido del cuco*. El libro de 1962 (más tarde llevado al cine con Jack Nicholson en el papel del iconoclasta McMurphy) le dio a su autor prestigio literario; su liderazgo de un grupo *hippie* de San Francisco llamado «Los bromistas felices» le convirtió en un héroe de la contracultura. ▸1968.E

▶REIVINDICACIÓN DE SEEGER—Tras años de caza de brujas (con inclusión en listas negras que le impidieron grabar con compañías importantes), el cantante *folk* y activista social Pete Seeger conmocionó las ondas radiofónicas con una venganza indirecta: los cantantes Peter, Paul y Mary alcanzaron un gran éxito con «If I had a hammer», una canción de Seeger de 1949; el grupo Kingston Trio popularizó su antigua composición pacifista «Where have all the flowers gone?». ◂1943.NM

▶LOS PUNTOS DE WILT—Cuando Wilt Chamberlain, jugador de la NBA entre 1959 y 1973, entraba en una

cancha de baloncesto, los récords se derrumbaban. El 2 de marzo, cuando jugó con los Philadelphia Warriors, anotó cien puntos en un partido de tiempo reglamentario, récord que todavía se mantiene. Asimismo, fue el primer jugador que se retiró con una media de treinta puntos por partido y el primero en conseguir treinta mil puntos en toda su carrera. ▸1979.NM

▶LA ÚLTIMA ACTUACIÓN DE NIXON—Tras haber perdido la presidencia ante John F. Kennedy por poco margen en 1960, Richard Nixon regresó a su hogar de California para presentar su candidatura a gobernador contra Edmund

«Por primera vez en la historia, casi todos los seres humanos están en contacto con sustancias químicas peligrosas desde que nacen hasta que mueren.»—**Rachel Carson, *Primavera silenciosa***

G. «Pat» Brown. Perdió por trescientos mil votos y convocó una conferencia de prensa en la que dijo a los reporteros: «Nunca volveréis a ver a Nixon hacer el tonto porque ésta es mi última conferencia de prensa». ◂1960.2 ▸1968.1

▶TÁCTICAS REVOLUCIONARIAS—El manual del revolucionario brasileño Carlos Marighella se convirtió en una especie de clásico en su limitado mercado aunque nunca ejerció la influencia que le atribuyó el gobierno. El *Minimanual de la guerrilla urbana*, prohibido en casi todo el mundo, decía que «la razón de ser de la guerrilla urbana, la acción básica que realiza y con la que sobrevive, es disparar». Su estrategia consistía en hacer que los gobiernos latinoamericanos tomaran represalias contra las guerrillas, propiciando así a la intervención norte, que, a su vez, causaría una rebelión masiva. Marighella fue asesinado en São Paulo en 1969. ▸1965.11

▶GUERRA ENTRE CHINA Y LA INDIA—A pesar de los cinco principios compartidos de coexistencia pacífica

(mutuo respeto, mutua no agresión, no interferencia, igualdad y pacificación), China y la India tomaron las armas una contra otra en 1962. Se disputaban dos territorios fronterizos del Himalaya, uno cercano a Assam en la frontera tibetana y otro en la región de Cachemira. (Ambos fueron arrebatados a China y entregados a la India por Gran Bretaña en 1914.) India envió soldados *(superior)* a las zonas disputadas. China respondió con una invasión. El primer ministro indio Jawaharlal Nehru pidió ayuda internacional y recibió armas y aviones de Estados Unidos y Gran Bretaña. China se retiró enseguida. ▸1965.8

MEDIO AMBIENTE

Una profeta ecológica

11 En *Primavera silenciosa*, publicada en 1962, Rachel Carson pide a los lectores que imaginen un lugar donde los pájaros no canten, los pollitos no salgan del cascarón y los manzanos no den frutos, un lugar donde el ganado muera de forma misteriosa en el campo y los niños en los parques. Luego les explica que ese lugar es real y que el culpable es un compuesto químico: su descripción procedía de incidentes que ocurrían en Estados Unidos y en otros países donde se utilizaban pesticidas artificiales.

Primavera silenciosa alertó de los peligros de los venenos que se utilizaban normalmente en granjas y casas de todo el mundo. La industria química y las empresas agrícolas, despistadas por la calidad de su prosa, atacaron las credenciales científicas de Carson. En realidad era una bióloga marina de prestigio que estudió con sumo cuidado los efectos destructivos en los ecosistemas del mundo de dos grupos importantes de pesticidas: los hidrocarbonos clorados y los fosfatos orgánicos.

Carson, defendiendo un uso controlado de los pesticidas y no una prohibición total, reveló que el DDT (uno de los venenos más populares) podía encontrarse en los casquetes polares; explicó que los residuos de insecticidas se almacenan en los tejidos humanos y pasan de las madres a los fetos, y contribuyó a iniciar el movimiento ecológico moderno. «Unos centenares de palabras suyas y el mundo tomó otra dirección», comentó un crítico.

Un estudio de la administración Kennedy confirmó el informe de Carson y en 1972 el Departamento de Protección Ambiental prohibió el DDT. Muchos otros países siguieron el ejemplo. Aun así, el uso de pesticidas sobre productos alimenticios siguió aumentando. **◂1939.NM ▸1970.5**

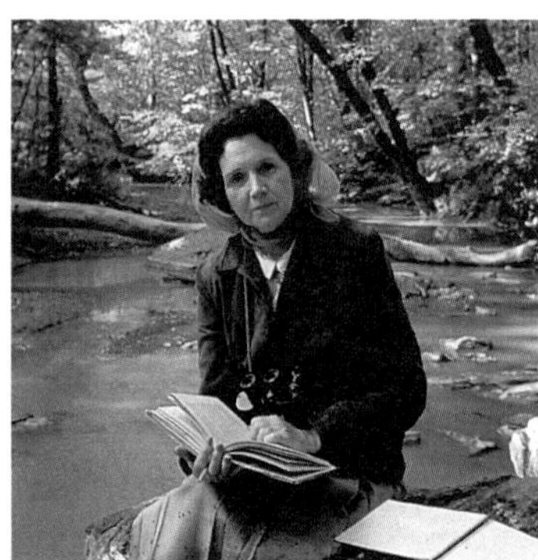

Cassandra Rachel Carson en una fotografía de Alfred Eisenstaedt.

IDEAS

Rivales culturales

12 En *El pensamiento salvaje*, publicado en 1962, el antropólogo Claude Lévi-Strauss discutió la teoría sartriana de que los individuos pueden hacerse a sí mismos libremente y de que la humanidad había progresado desde el salvajismo hacia la civilización de este modo. Lévi-Strauss defendía que las personas actúan de acuerdo con

unas estructuras mentales innatas y que el progreso es una ilusión. Partiendo de un estudio sobre los tótems de los aborígenes australianos, intentó demostrar que la mente «primitiva» es tan racional como la «civilizada» y que ésta, a su vez, es tan salvaje (es decir, dependiente de los mitos) como la primitiva.

El libro era una exposición asequible de la antropología cultural de Lévi-Strauss, una de las disciplinas más influyentes del siglo. Empezó a desarrollar sus ideas en los años cuarenta (tras un trabajo de campo con los indios brasileños) cuando partió hacia Nueva York a causa de la ocupación nazi. Allí el lingüista Roman Jakobson le introdujo en la lingüística estructural, cuyos conceptos aplicó Lévi-Strauss a la antropología. Empezó a analizar los mitos y costumbres como sistemas dentro de sistemas y no de acuerdo con su contenido.

Concluyó que toda cultura está basada en parejas de opuestos (lo crudo y lo cocido, por ejemplo), relacionados con otras parejas como una especie de gramática dictada por los circuitos cerebrales. En lugar de sociedades primitivas y modernas hay sociedades «frías» y «calientes»: las primeras valoran la armonía y la estasis; las últimas, el cambio y la expansión. La cultura es igualmente rica, compleja, lógica y mítica en cualquier sociedad.

La obra de Lévi-Strauss abarca desde las autobiografías de *Tristes trópicos* (1955), el libro que le hizo célebre, hasta la erudición. Sin embargo, sigue siendo controvertido: el debate entre sus herederos conceptuales y los de Sartre continúa incluso en la década de los noventa. **◂1957.10 ▸1967.12**

TECNOLOGÍA

AT&T lanza el *Telstar*

13 Arthur C. Clarke, el escritor británico de ciencia ficción que predijo la llegada de las máquinas de fax, los teléfonos móviles y el correo electrónico, profetizó una vez que los satélites de comunicaciones lograrían «la rápida unificación del mundo en una sola entidad cultural, para bien o para mal». Su profecía empezó a cumplirse en 1962, cuando AT&T lanzó el *Telstar*, el primer satélite de comunicaciones en entrar en órbita. Trazaba una órbita elíptica de entre 800 y 5.600 km sobre la Tierra y recibía señales de televisión que amplificaba miles de millones de veces (utilizando energía solar) y enviaba hacia la Tierra. De la noche a la mañana, los espectadores americanos podían recibir imágenes transmitidas desde Gran Bretaña o Francia y viceversa. Asimismo, el *Telstar* operaba con señales telefónicas que anunciaban un gran avance en las comunicaciones directas entre personas y entre computadores.

El *Telstar* sólo era un satélite experimental y sus primeras

***El Telstar*, el primer satélite de comunicaciones mundiales.**

transmisiones no fueron demasiado sorprendentes (los europeos vieron ondear una bandera en la parte superior del edificio de la AT&T de Maine; Francia envió saludos del actor Yves Montand); se suscitó un debate sobre la propiedad futura de un sistema de satélites y estaciones: el gobierno (que probablemente emplearía un sistema orbital alto con tres satélites para cubrir el mundo) o la AT&T (que planeaba un sistema orbital bajo, menos eficiente pero mucho más aprovechable). En su lucha por superar a los soviéticos en el ámbito de las telecomunicaciones, la administración Kennedy apoyó a la AT&T y la compañía creció enormemente. **◂1957.1 ▸1988.11**

PREMIOS NOBEL: Paz: Linus Pauling (estadounidense; desarme nuclear) [...] Literatura: John Steinbeck (estadounidense; novelista) [...] Química: Max F. Perutz y John C. Kendrew (británicos; proteínas globulares) [...] Medicina: James Watson, Maurice Wilkins y Francis Crick (estadounidense y británicos; estructura del ADN) [...] Física: Lev D. Landau (soviético; condensación de la materia).

ECOS DE 1962

Una niña preguntona

De las tiras cómicas *Mafalda*, de Quino, 1962

Quino, dibujante nacido en Argentina de padres españoles, es uno de los humoristas argentinos más destacados. El personaje que le hizo célebre en todo el mundo es una niña pequeña que odia la sopa y pone en aprietos a los adultos con sus preguntas tan sencillas como profundas. Mafalda *nació en 1962 y tendría una vida de diez años, pero su fama haría que siguiera reeditándose muchos más.*

«No dejéis que se olvide / que una vez, / durante un breve y brillante instante, / hubo un lugar llamado Camelot.»

—Alan Jay Lerner, de *Camelot*, citado por Jacqueline Kennedy para describir la presidencia de su marido

HISTORIA DEL AÑO

J. F. Kennedy, asesinado en Dallas

1 La cámara doméstica de Abraham Zapruder, residente en Dallas, siguió filmando la terrible escena mientras él gritaba horrorizado: «¡Le han matado! ¡Le han matado!». Durante unos segundos pareció que el tiempo se había detenido en la Plaza Dealey de Dallas, paralizada por la bala de un asesino. El descapotable negro que conducía al presidente, al gobernador de Texas, John Connally, y a sus respectivas esposas se desvió de forma brusca, los agentes del servicio secreto no se movieron, Kennedy se dobló hacia adelante, herido. Luego, un ruido infernal. El coche se dirigió al Parkland Memorial Hospital, con el presidente tumbado en el asiento de atrás. Eran las doce y media del mediodía del viernes 22 de noviembre de 1963. La muerte de Kennedy se comunicó media hora más tarde.

El saludo del hijo de Kennedy ante su ataúd fue el gesto más emotivo del funeral del presidente.

A las 13.45, la policía de Dallas detuvo a un sospechoso: Lee Harvey Oswald, empleado del Texas School Book Depository, de donde se dijo que provenían los disparos. Dos días después, el domingo 24 de noviembre, millones de americanos presenciaban por televisión el traslado de Oswald desde la cárcel de Dallas a una prisión del condado. De repente, el propietario de un club nocturno, Jack Ruby, avanzó entre la multitud y disparó a Oswald en el estómago con una pistola del calibre 35. Oswald murió a los pocos minutos.

La extraña «silenciación» del presunto asesino y otros detalles oscuros del atentado dieron lugar casi instantáneamente a toda una gama de teorías sobre la responsabilidad del crimen. (La explicación oficial, el informe Warren de 1964, no fue en absoluto suficiente para aliviar la perplejidad de la nación.) El asesinato de Kennedy se convirtió en una especie de obsesión nacional. «¿Dónde estabas cuando mataron a Kennedy?», es la pregunta con la que se identificó una generación de americanos.

Cuando Lyndon Johnson juró su cargo como trigésimo sexto presidente a bordo del *Air Force One* en Dallas, tres horas después del asesinato, la leyenda Kennedy había crecido enormemente; se oscurecieron ciertas realidades duras, como la violenta división de la nación respecto a los derechos civiles y la creciente involucración en Vietnam. En los años siguientes, mientras la inclinación hacia la violencia se reafirmaba una y otra vez, Camelot, la utopía mítica del musical de Broadway de Lerner y Loewe (con la que Jacqueline Kennedy comparó el breve mandato de su marido) pareció cada vez más dorado, un símbolo de lo que hubiera podido ser. **◂1961.2 ▸1964.NM**

1963

DIPLOMACIA

La primera prohibición de ensayos nucleares

2 Desde que empezó la carrera de armamento atómico, los intentos norteamericanos y soviéticos de negociar la limitación de la fabricación de armas siempre tropezaban con la cuestión de la inspección: ninguna de las dos potencias confiaba en que la otra cumpliera un tratado y no querían someterse a una inspección. Pero en 1963 el mundo recogió el primer fruto de la diplomacia nuclear: el Tratado de limitación de ensayos.

El pacto se firmó tras 17 años de intentos fallidos. En 1946 la administración Truman había presentado el plan Baruch, que proponía remitir la dirección de todos los proyectos atómicos a una organización internacional. Los soviéticos (que aún no tenían su propia bomba) rechazaron el plan. De modo parecido, la iniciativa de Eisenhower de los «Átomos para la Paz» (1953), que sugería la cooperación mundial, y su propuesta de 1957 «Cielos abiertos», que permitía los reconocimientos aéreos de Estados Unidos y la Unión Soviética, toparon con el escepticismo de Moscú y la ambivalencia de la nación americana. El intento de Khrushchev de «coexistencia pacífica», sus repetidas demandas de desarme completo y su propuesta de una prohibición total de ensayos nucleares tampoco persuadieron a Washington. Las superpotencias (que en los años sesenta también incluían a Francia y Gran Bretaña) continuaron almacenando bombas y misiles nucleares.

Partidarios del desarme nuclear frente a la casa del primer ministro británico Macmillan, que estaba reunido con John F. Kennedy.

A principios de los años sesenta, los satélites espía facilitaron la inspección mutua sin necesidad de entrar en el espacio aéreo o terrestre del otro; pero el acontecimiento que rompió el estancamiento del control sobre el armamento fue la crisis de los misiles en Cuba (1962). En 1963, cien naciones (entre las que no se encontraban China ni Francia, que se añadirían al «club nuclear» en 1964) firmaron el Tratado de limitación de ensayos (mediado por el primer ministro británico Harold Macmillan) que prohibía los ensayos aéreos, submarinos y espaciales; sin embargo, no los subterráneos. El pacto, altamente simbólico, no acabó con la carrera armamentística, pero demostró que Moscú *podía* acordar alguna cosa. **◂1957.2 ▸1969.8**

GRAN BRETAÑA

Sexo, espías y escándalo

3 En 1963, el Partido Conservador de Gran Bretaña, en el gobierno durante doce años, perdió el poder. El primer ministro Harold Macmillan llevaba seis años en el cargo y, aunque al principio de su mandato le apodaron «Supermac», al final sus fallos superaron a sus triunfos. Apático y a la deriva, el gobierno de Macmillan finalizó en 1963 con dos escándalos: los asuntos Philby y Profumo.

Philby en 1955, tras ser absuelto de la acusación de ser el «tercer hombre».

El escándalo Philby fue el último acto de un drama que empezó en 1951, cuando los diplomáticos Donald Maclean y Guy Burgess fueron desenmascarados como espías soviéticos y huyeron a Rusia. La búsqueda de un tercer hombre, el cómplice que les advirtió de que escaparan, señaló a Harold Philby, «Kim» era su apodo, el enlace del servicio secreto británico con la CIA. Aunque no pudo probarse nada, fue despedido, luego aceptado de nuevo y destinado a Beirut. Philby desapareció en enero de 1963 (finalmente apareció en Moscú), justo cuando las investigaciones descubrieron que había sido uno de los espías del Kremlin, responsable de muchas filtraciones del servicio de inteligencia y de cientos de muertes. La revelación conmocionó tanto a América como a Gran Bretaña.

ARTE Y CULTURA: Libros: *Opiniones de un payaso* (Heinrich Böll); *Campo del moro* (Max Aub); *Cuadernos para el diálogo* (primer número) [...] Pintura y escultura: *El pintor y su modelo* (Pablo Picasso) [...] Cine: *Tom Jones* (Tony Richardson); *Los pájaros* (Alfred Hitchcock); *Hud* (Martin Ritt); *El gatopardo* (Luchino Visconti) [...]

«Lo que está sucediendo realmente es una especie de descubrimiento mutuo entre dos vecinos [...] por primera vez en muchas generaciones, los germanos y los galos se solidarizan.»—**Charles de Gaulle, sobre el Tratado de Reconciliación entre Francia y Alemania**

Simultáneamente estalló el escándalo Profumo. Empezó cuando una prostituta llamada Christine Keeler no testificó en el juicio de uno de sus amantes, un traficante de marihuana antillano que había asaltado el piso de un famoso médico. Keeler pronto reveló que también mantuvo relaciones con el médico y, dos años antes, con el secretario de guerra John Profumo. Declaró que en la misma época también se había relacionado con el agregado naval soviético. Aunque nunca se demostró que Profumo hubiera divulgado secretos, el secretario dimitió. Macmillan siguió sus pasos al cabo de seis meses alegando problemas de salud. Las elecciones siguientes, en 1964, dieron la mayoría al Partido Laborista, y Harold Wilson fue primer ministro. **◂1951.6 ▸1979.3**

CIENCIA

Explicación del movimiento continental

4 La tectónica de placas, una teoría tan revolucionaria para la geología como la relatividad lo fue para la física, sostenía que la capa exterior de la Tierra se compone de grandes placas en movimiento sobre las cuales se encuentran los océanos y los continentes. Cuando las placas convergen, generan cordilleras de montañas; cuando se separan, se crean cuencas oceánicas. La tectónica de placas derivó de la teoría del movimiento continental (1912) del geólogo alemán Alfred Wegener, pero geólogos posteriores también se quedaron en el plano hipotético. La teoría tenía sentido pero no podía demostrarse. En 1963 dos británicos, Drummond Matthews y Frederick Vine, propusieron un método para probar la tectónica de placas.

Matthews y Vine partieron de una idea llamada «expansión del suelo marino», publicada el año anterior por el geólogo americano Harry Hess. Tras la Segunda Guerra Mundial, los oceanógrafos, equipados con nuevos aparatos como el sonar, rastrearon los fondos oceánicos y descubrieron características tan sorprendentes como fosas profundas y cordilleras oceánicas, montañas submarinas. Hess lanzó la hipótesis de que cuando dos placas convergen, el borde de una se pone bajo el de la otra y bajo el manto, la capa de magma que está bajo la corteza. Las fosas marcan el punto de descenso (subducción). Las placas que quedan abajo se funden con la lava y se reciclan en el manto terrestre, parte del cual, a su vez, se enfría de forma continua y configura una nueva corteza. Las cordilleras oceánicas surgen cuando la nueva corteza emerge del manto. En efecto, la corteza se expande de fosa a cordillera, con rocas nuevas que empujan a las anteriores.

La gran contribución de Matthews y Vine fue ofrecer un método para probar la provocativa teoría de Hess: si el fondo oceánico se halla realmente en expansión, distintos segmentos de la corteza deberían tener distintas polaridades magnéticas, equivalentes a la época en que se formaron. (El geólogo canadiense Laurence Morley llegó a una conclusión parecida.) Cuando el fondo oceánico fue sometido a pruebas magnéticas a finales de los años sesenta, Hess, Matthews y Vine vieron confirmadas sus teorías. **◂1912.4**

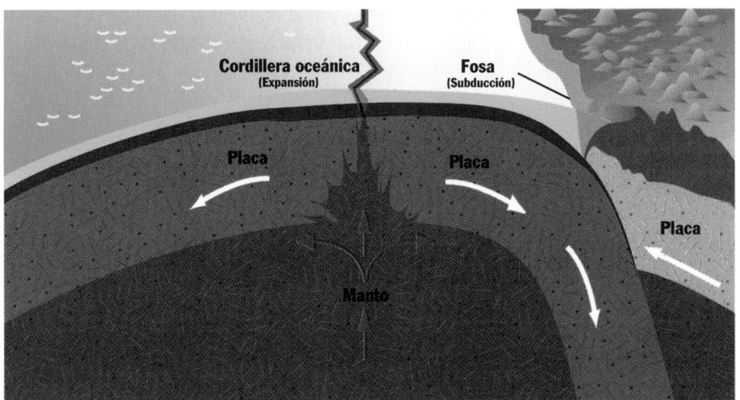

El movimiento continental se manifiesta en las fosas y cordilleras del fondo oceánico.

DIPLOMACIA

Tratado franco-alemán

5 En enero de 1963, 19 años después del fin de la ocupación alemana en Francia, el presidente Charles de Gaulle y el canciller Konrad Adenauer firmaron el Tratado de Reconciliación en París. De acuerdo con el pacto, los jefes de gobierno francés y alemán consultarían todos los asuntos importantes de política exterior, los ejércitos de ambos países compartirían estrategias, se prestarían personal mútuamente y se aumentaría el intercambio cultural. Los signatarios declararon que el tratado acababa con «una rivalidad de siglos». De Gaulle afirmó: «No existe ningún hombre en el mundo que no comprenda la importancia capital de este acto».

En una caricatura de Alemania occidental, Alemania se encuentra atrapada entre Estados Unidos y Francia. «Elige, ¿quieres la chaqueta o los pantalones?», decía el título.

Pero, como el Pacto de Locarno de 1925, también diseñado para acabar con la enemistad franco-alemana, el nuevo acuerdo se prestaba a interpretaciones diversas. Una semana antes de la firma, De Gaulle vetó la entrada de Gran Bretaña en la Comunidad Económica Europea, diciendo que los vínculos especiales entre Londres y Washington colocarían a toda Europa en la órbita norteamericana. Ideó el Tratado de Reconciliación como la base de un contrapeso para el gigante anglo-americano: una Europa continental unida en torno a sus dos estados más fuertes, con Alemania occidental como un socio menor.

No obstante, los alemanes tenían otro punto de vista. Con el bloque soviético en sus fronteras, no querían perder la protección americana, sobre todo cuando Francia estaba interesada en mantener una Alemania dividida. De modo que el parlamento alemán ratificó el tratado pero añadió una resolución y un preámbulo contrarios a los objetivos de De Gaulle: Bonn continuaría apoyando a la OTAN, la participación británica en la CEE y la reunificación alemana.

La luna de miel franco-alemana terminó unos meses después de su inicio. «Los tratados son como las jovencitas y las rosas. No duran demasiado», dijo filosóficamente De Gaulle a sus colegas. **◂1955.4 ▸1966.5**

NACIMIENTOS

Michael Jordan, jugador de baloncesto estadounidense.

Anne-Sophie Mutter, violinista alemana.

MUERTES

Abd el-Krim, revolucionario marroquí.

Georges Braque, pintor francés.

Luis Cernuda, poeta español.

Jean Cocteau, escritor y director cinematográfico francés.

Robert Frost, poeta estadounidense.

Paul Hindemith, compositor y violinista germano-estadounidense.

Aldous Huxley, escritor británico.

Juan XXIII, papa italiano.

John F. Kennedy, presidente estadounidense.

Lee Harvey Oswald, asesino estadounidense.

Edith Piaf, cantante francesa.

Francis Poulenc, compositor francés.

Tristan Tzara, poeta francés.

Teatro: ***Días felices*** **(Samuel Beckett);** ***Las salvajes en puente San Gil*** **(Martín Recuerda);** ***Descalzos en el parque*** **(Neil Simon) [...] TV:** ***El fugitivo; Hospital General.***

«¡Segregación hoy! ¡Segregación mañana! ¡Segregación siempre!»—**George C. Wallace, gobernador de Alabama en su discurso de toma de posesión, 14 de enero de 1963**

NOVEDADES DE 1963

Transfusión sanguínea prenatal (Nueva Zelanda).

Tab (refresco de cola sin calorías).

Hologramas (con láser, en la Universidad de Michigan).

«Teléfono rojo» entre el Kremlin y la Casa Blanca.

Cámara Kodak Instamatic.

Valentina Terechkova, primera mujer en el espacio.

EN EL MUNDO

►EL PEQUEÑO WONDER —Presentado al magnate de la Motown, Berry Gordy, por un músico impresionado, el joven Steveland Judkins Morris tocó (la armónica) y bailó para una prueba de grabación. Gordy dio al niño prodigio, ciego desde la infancia, un nombre artístico y editó su primer álbum en 1963: *El pequeño Stevie*

***Wonder, el genio de doce años de edad.* Fue el primero de los 23 álbumes y 56 sencillos de éxito que Stevie Wonder realizaría durante los 25 años siguientes. Su brillante carrera se ha caracterizado por la introducción de nuevos instrumentos (piano, batería, órgano, sintetizador) y la asimilación de nuevas tendencias musicales (*reggae, rap*). ◄1959.10**

►POITIER GANA UN ÓSCAR —Con su sutil interpretación de un hombre mañoso que se hace amigo de unas monjas en *Los lirios del valle,* Sidney Poitier se convirtió en el primer negro que ganaba un Óscar al mejor actor. Poitier, nacido en Florida y criado en las Bahamas, actuó con el American Negro Theater de Nueva York antes de entrar en el cine en los años cincuenta

El príncipe Felipe de Gran Bretaña felicita a Jomo Kenyatta por la independencia de Kenia.

ÁFRICA ORIENTAL

Kenia independiente

6 En 1963, el sueño de independencia de Kenia por fin se hizo realidad cuando la colonia británica alcanzó la categoría de nación dentro de la Commonwealth. Jomo Kenyatta, gran hombre del nacionalismo keniano, se convirtió en primer ministro de la Kenia libre. Durante los quince años siguientes, hasta su muerte en 1978, Kenyatta presidió la transformación de Kenia en un estado relativamente democrático, capitalista y moderno.

El nacionalismo keniano, apagado durante medio siglo de gobierno británico, se encendió después de la Segunda Guerra Mundial. Las organizaciones políticas africanas reformistas y las rebeliones violentas como la Mau Mau demostraron que el régimen británico resultaba insostenible. Las primeras elecciones libres, en 1960, dieron a los africanos el control del gobierno; pronto despuntaron dos partidos nacionalistas, la Unión Nacional Africana de Kenia (UNAK) y la Unión Democrática Africana de Kenia (UDAK). Kenyatta, que estaba en la cárcel cumpliendo una sentencia (acusado injustamente de haber dirigido la rebelión Mau Mau de 1952), fue nombrado presidente de la UNAK, el partido mayoritario. Mientras estaba encarcelado, la UNAK formó un gobierno de coalición con la UDAK.

Kenyatta quedó en libertad en 1961 y viajó a Londres al año siguiente para negociar la independencia. Hombre pragmático y magnánimo, lanzó un mensaje conciliador: «Los europeos encontrarán un lugar en la futura Kenia siempre que se comporten como ciudadanos corrientes», prometió. En las elecciones generales de 1963 para la presidencia del primer gobierno de Kenia independiente, la UNAK de Kenyatta obtuvo una gran victoria sobre la UDAK. Kenyatta juró su cargo de primer ministro el 12 de diciembre y un año después, cuando Kenia declaró la república, se convirtió en presidente. **◄1952.4**

REFORMA SOCIAL

La lucha por los derechos

7 El movimiento de los derechos civiles entró en otra fase en 1963 cuando el presidente Kennedy, tras meses de vacilación, declaró su apoyo inequívoco. La presión sobre el presidente empezó a aumentar en abril, cuando la Conferencia de Líderes Cristianos del Sur lanzó una campaña de integración en Birmingham, Alabama. El jefe de policía de la ciudad, Theophilus Eugene Connor, utilizó perros y mangueras contra los pacíficos manifestantes (muchos de ellos niños) y encarceló a Martin Luther King, hijo, presidente de la conferencia, entre otros. Kennedy envió a un mediador a Birmingham y los empresarios locales pronto estuvieron de acuerdo con las demandas de los conferenciantes, pero se reanudaron los disturbios después de que segregacionistas blancos pusieran bombas en casas de activistas. Cesaron cuando Kennedy envió tropas federales a una base cercana como amenaza a los extremistas de ambos bandos.

Birmingham provocó la condena nacional, fomentó las manifestaciones y persuadió a Kennedy a inclinarse a favor del movimiento. En junio, cuando el gobernador de Alabama, George Wallace, bloqueó la puerta de una universidad pública para que no entraran dos estudiantes negros, agentes federales aseguraron su admisión. Esa misma noche Kennedy exigió la aprobación de una ley nueva de derechos civiles que apoyara la igualdad para los afroamericanos: «Los fuegos de la frustración y la discordia se han encendido en todas la ciudades». Horas después, el líder negro Medgar Evers moría asesinado a la puerta de su casa en Mississippi, delante de su familia.

El asesinato de Evers dio lugar a la primera reunión entre Kennedy y los líderes del movimiento y a la manifestación del 28 de agosto en Washington, la mayor en favor de los derechos humanos que se había celebrado en Estados Unidos. Casi trescientas mil personas se reunieron en la capital, donde fueron entretenidos por cantantes (entre los que destacaba un joven Bob Dylan) y estrellas de Hollywood. Martin Luther King pronunció uno de sus mejores discursos, caracterizado por la frase «Tengo un sueño». Sin embargo, el sueño topó de forma brusca con la realidad en septiembre, cuando cuatro estudiantes negras murieron en el atentado a una iglesia de Birmingham. **◄1962.NM ►1963.E**

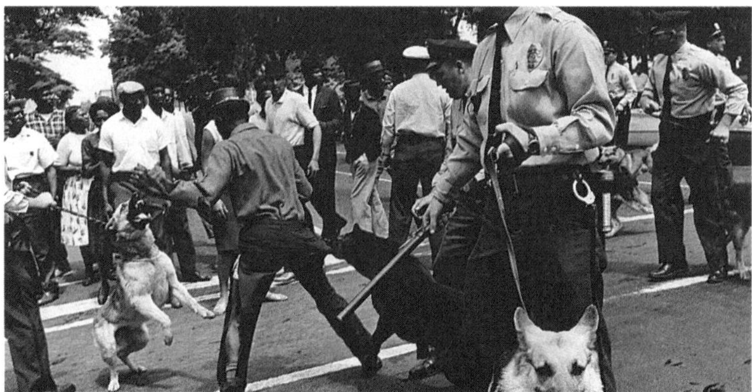

La policía de Birmingham utilizó perros contra los manifestantes.

IDEAS

Un lugar para la mujer

8 El libro de Betty Friedan *La mística femenina* (1963) ha sido considerado *La cabaña del tío Tom* del movimiento feminista moderno. El profundo análisis del lugar de la mujer en la sociedad posindustrial nació de la experiencia personal de la autora como ama de casa y madre frustrada. Nacida en 1921, un año después de que la decimonovena enmienda concediera el voto a la mujer, Friedan se graduó con notas excelentes en la escuela femenina Smith y ganó una beca de investigación de psicología. Se dejó llevar por un camino más tradicional: casada y madre de tres hijos, esperaba sentirse satisfecha en su casa. Mientras organizaba una reunión escolar, se dio cuenta de que muchas mujeres compartían su descontento.

La mística femenina desprecia las zonas residenciales por ser «guetos sexuales con cocina y dormitorio» y condena a la sociedad por presentar el matrimonio como el único camino hacia la felicidad. El problema era la «extraña discrepancia entre la

DEPORTES: Automovilismo: Jim Clarck campeón del mundo [...] Ciclismo: J. Anquetil gana el Tour de Francia.

realidad de la vida de las mujeres y la imagen con la que intentan conformarse, la imagen de la «mística femenina», escribió. Muchas mujeres americanas que se sentían estafadas con sus vidas convencionales se identificaron plenamente con las palabras de Friedan.

Friedan fundó la Organización Nacional para Mujeres, establecida en 1966 para conseguir «una igualdad real entre hombres y mujeres» y hacer campaña a favor de la enmienda de igualdad de derechos (que no llegaba a ratificarse). Siguió atacando ideas establecidas, como la de que la vejez es un estado que debe temerse y soportarse, en su libro de 1993 *The fountain of age.* **◂1949.13 ▸1970.9**

LITERATURA

La guerra fría de Le Carré

9 Con *El espía que surgió del frío,* el novelista británico John Le Carré presentó los temas y las técnicas que le convertirían en uno de los autores más actuales, y vendidos, de su época. El relato de 1963 contiene una trama complicada y personajes descritos con realismo y mesura. La novela destacó por su tratamiento escéptico de la guerra fría; descubrió el juego del espionaje internacional y mostró la hipocresía de la dicotomía Oriente contra Occidente.

En lugar de agentes galantes y librescos como James Bond, Le Carré (pseudónimo del diplomático británico David John Moore Cornwell) presentó a Alec Leamas, un espía anticuado traicionado por sus propios jefes (en teoría los buenos) que lo utilizan y se deshacen de él como si fuera un trasto viejo en su última misión.

El espía que surgió del frío vendió más de veinte millones de ejemplares en todo el mundo. Le Carré, en sus siguientes novelas de espionaje (incluida *El topo*, de 1974, primer volumen de una trilogía sobre el gran espía George Smiley), continuó empleando este género para estudiar las ambigüedades morales. **◂1953.9**

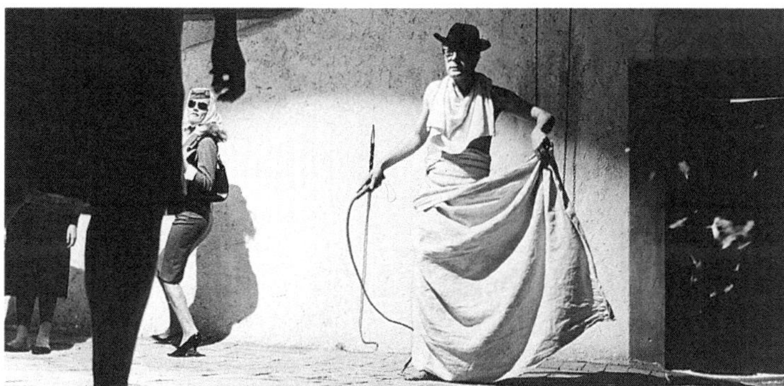

En una de las secuencias de *8½* el director, interpretado por Marcello Mastroianni (*superior*), se imagina que es un domador de leones.

CINE

El *alter ego* de Fellini

10 El director italiano Federico Fellini, en su divertida película *8 ½*, explica la vida, amores y limitaciones de un famoso director de cine muy parecido a... Federico Fellini. Fue una obra espléndida que trascendió la mera autobiografía para crear un retrato magistral del artista moderno en crisis.

Fellini empezó a hacer películas a principios de los años cincuenta y pronto se distinguió por un estilo característico: una mezcla de firmeza neorrealista, parábola sentimental y humanismo lírico en un clima a menudo grotesco de feriantes y monstruos circenses. *La Strada* (1954) anunció su llegada artística. *La Dolce Vita* (1960), un análisis de la decadencia europea contemporánea, afianzó su fama.

8 ½ (llamada así por el número de películas que había realizado, contando ésta) presentó a Marcello Mastroianni, colaborador habitual de Fellini, en el papel de un director angustiado por una crisis creativa y asediado por todos lados, por colegas, por su mujer, por su amante, por la prensa y por la Iglesia. La película finaliza con el protagonista bailando en una pista de circo con personas de su presente y de su pasado. Un Fellini burlón parece decir que, aceptando y amando su vida, el artista se libera. **◂1948.14**

CIENCIA

La cercanía de los quásar

11 En 1969, dos décadas de exploración espacial a través de radiotelescopios desecharon la antigua idea de que el universo era un lugar estable y ordenado. Los astrónomos descubrieron todo tipo de «anormalidades», como estrellas absurdamente luminiscentes, otras que latían, galaxias de formas extrañas y fuentes de energía llamadas quásar (voz inglesa, contracción de *quasi stellar radio sources*). Aun así nadie estaba preparado para la revelación que aquel año hizo Maarten Schmidt, astrónomo del Instituto de Tecnología de California. Schmidt demostró que los quásar (teóricamente cercanos a la Tierra por la fuerza de la radiación que transmitían) estaban más lejos que cualquier otro cuerpo observado hasta entonces. Aún más sorprendente: un sólo quásar es cien veces más brillante que cien mil millones de estrellas y se separa de la Tierra a una velocidad de 40.000 km por segundo, más rápido que cualquier otro elemento.

Schmidt llegó a sus conclusiones al estudiar la distorsión causada por el efecto Doppler sobre un quásar conocido, el 3C 273, que indicó que retrocedía a gran velocidad. Schmidt, aplicando la ley de Hubble, determinó que el quásar se hallaba a mil quinientos millones de años luz. Es decir, la luz que se veía desde la Tierra había viajado a través del espacio durante mil quinientos millones de años. **◂1929.9 ▸1968.8**

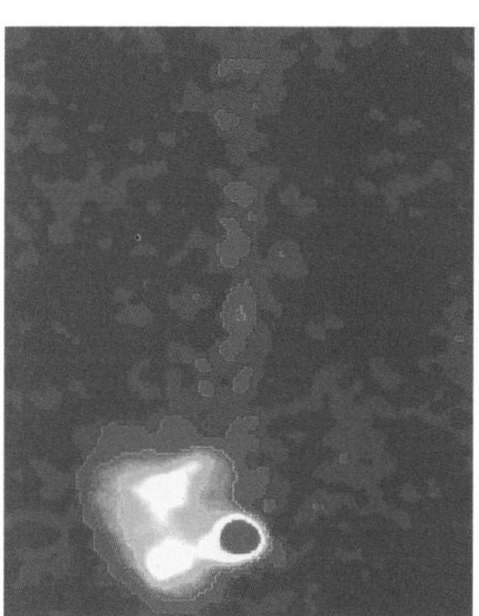

Un quásar puede ser un grupo de materia que gira en torno a un agujero negro.

(No way out; Cry, the beloved country; The defiant ones). **La carrera de Poitier abrió paso a otros actores negros.**

▸EJECUCIÓN DE JULIÁN GRIMAU—El 17 de abril, 24 años después de acabada la guerra civil española, un consejo de guerra dictó una sentencia de muerte contra Julián Grimau, miembro del comité central del Partido Comunista español. Pese a las campañas de protesta internacionales y las peticiones de clemencia, la sentencia fue ejecutada.

Julián Grimau fue detenido en noviembre del año anterior en Madrid, donde actuaba como agente clandestino del Partido Comunista, pero los cargos en que se basó la acusación se remontaban a sus actividades como policía de Barcelona durante la guerra civil española.

▸LIZ Y DICK—La actriz Elizabeth Taylor cobró un millón de dólares en 1963 por su papel en *Cleopatra*, la película más cara hasta aquel momento. Ni siquiera su presencia estelar pudo salvar la obra, uno de los mayores fracasos económicos de Hollywood. Pero los devaneos entre Taylor y su compañero de reparto Richard Burton se convirtieron en uno de los romances más temperamentales del mundo del cine.

▸INICIO DE EL BOOM—El novelista argentino Julio Cortázar escribió *Rayuela* en 1963. El libro se puede leer de principio a fin, al revés o de acuerdo con el modelo que propone su autor. La obra maestra experimental de Cortázar fue la primera novela importante de El Boom, un período extraordinariamente fértil de la ficción sudamericana. Influido por el surrealismo, el existencialismo y su propia imaginación lúdica y subversiva, Cortázar (que se instaló de modo permanente en París en 1951 por su descontento con el régimen

POLÍTICA Y ECONOMÍA: **John F. Kennedy asesinado, Lyndon B. Johnson le sucede en la presidencia. [...] Primer Plan de Desarrollo en España aprobado por las Cortes.**

«Una vez un crimen concreto ha salido a la luz, su reaparición es más verosímil de lo que lo fue su primera realidad.»
—Hannah Arendt, en *Eichmann en Jerusalén: un informe sobre la banalidad del mal*

peronista) se hallaba profundamente interesado en grandes cuestiones: la moral tradicional, la naturaleza del tiempo, el significado de la vida y de la muerte. ◂1944.15 ▸1967.7

▸FUERA DE ESTE MUNDO —La cosmonauta soviética Valentina Tereshkova fue la primera mujer que visitó el espacio exterior. El 16 de junio de 1963 fue enviada en una misión en solitario. Tereshkova rodeó la Tierra

48 veces antes de volver tres días más tarde. El triunfo de la cosmonauta, otra primicia en la larga lista de hazañas espaciales soviéticas, fue retransmitido por la televisión de la URSS. Tereshkova recibió la medalla de Lenin, el honor más alto de la Unión Soviética. ◂1961.3 ▸1965.NM

▸DIEM ASESINADO—En noviembre, el dictador de Vietnam del Sur Ngo Dinh Diem fue asesinado por sus propios oficiales militares mientras su país estaba en guerra. Diem, un aristócrata católico, fue una figura política desde los años treinta. Tras la Segunda Guerra Mundial, cuando Ho Chi Minh le invitó a unirse a su gobierno independiente del Norte, Diem, anticomunista acérrimo, se exilió. Apoyado por Estados Unidos, regresó en 1954 para combatir a los comunistas, pero su catolicismo y corrupción le apartaron de sus compatriotas (budistas en su mayoría). Diem encarceló y ejecutó a cientos de budistas, alegando que eran comunistas, y Estados Unidos le retiró su apoyo y aprobó el golpe fatal. ◂1961.6 ▸1964.1

Joan Baez y Bob Dylan actuaron juntos en 1963.

MÚSICA

Dylan y Baez en Newport

12 La cantante *folk* Joan Baez ya contaba con muchos seguidores cuando asistió al Festival Folk de Newport (Rhode Island) de 1963. Su compañero musical y amante ocasional, Bob Dylan, aún no había alcanzado la fama pero estaba a punto de convertirse en el portavoz de una generación. Su música fue el sonido característico del movimiento juvenil de los años sesenta.

Baez, activista contra la guerra del Vietnam (libró una batalla continua con la delegación de contribuciones, a la que no quiso pagar impuestos que se hubieran utilizado para la fabricación de armamento), otorgó seriedad y credibilidad a la música *folk*. Sus canciones claras, sencillas y acústicas atrajeron a un público «intelectual», parte del cual se sorprendió cuando salió al escenario con Bob Dylan. Baez seguiría siendo una cantante esencialmente *folk*, pero Bob Dylan experimentaría de forma constante con la música.

Bob Dylan nació en Duluth, Minnesota, y su nombre real era Robert Zimmerman. Su nombre artístico procede del poeta galés Dylan Thomas. Dotado con una peculiar voz nasal que a menudo desagradaba al público de los cafés donde actuaba a principios de los años sesenta, fue un compositor de canciones de talento cuyas influencias iban desde Walt Whitman y Arthur Rimbaud hasta Allen Ginsberg. Hacia finales de 1963, canciones proféticas y rebeldes como «Blowin' in the wind» y «The times they are a-changing» le convirtieron en el rey de la protesta *folk*. Dylan, retraído y misántropo (más aún cuando un accidente de motocicleta casi acaba con su vida en 1966), se dedicó a explorar nuevos sonidos (*folk* urbano, *rock country* y un *pop* surrealista oscuro).

En el Festival de Newport de 1965, Dylan cambió la guitarra acústica por la eléctrica, a lo que escandalizó a los aficionados al *folk*, pero el cambio le permitió hacerse un lugar en el *rock* y le confirmó como uno de los músicos más importantes de su generación. **▸1969.4**

CINE

Un chico problemático

13 Jerry Lewis, guionista, director y estrella de muchas comedias disparatadas, plantea un problema a los cinéfilos profesionales. Los críticos americanos normalmente le tachan de vulgar egocéntrico, cuyas películas pueriles pondrían seria a una hiena; en Francia es conocido como «le Roi du Crazy» («el rey de la locura») y se le considera un genio innovador que se rebeló contra las convenciones cinematográficas. Todos coinciden en que *El profesor chiflado* es su película arquetípica.

Lewis perfeccionó su personaje característico (un chico superdesarrollado, hiperactivo y gritón) en los hoteles de las montañas de Catskill de Nueva York. En 1946 formó equipo con Dean Martin; la mezcla de las canciones del atractivo Martin y las habituales actuaciones de Lewis les convirtieron en una de las parejas más populares del cine. Se separaron en 1956, y Lewis protagonizó en solitario varias películas aceptables antes de dirigir su primer largometraje, *El botones*, en 1960.

En *El profesor chiflado,* la cuarta película que dirigió, Lewis interpreta a un aburrido profesor que ingiere una pócima que le convierte en Buddy Love, un seductor. (Jerry Lewis negó que Love fuera una reproducción de su antiguo compañero Dean Martin.) Según la crítica americana, la película era liosa y de poca calidad; según la francesa, era «magnífica, ingeniosa y profunda». El problema de la crítica no ha impedido que Lewis tuviera gran cantidad de seguidores a ambos lados del Atlántico. **◂1959.8**

Lewis *(izquierda)* protagonizó *El profesor chiflado* con Stella Stevens.

IDEAS

La banalidad del mal

14 La mayor parte de la gente consideraba que con el ahorcamiento de Adolf Eichmann el mundo se había librado de un demonio, el diabólico organizador del Holocausto. Sin embargo, la filósofa política Hannah Arendt propuso una impresionante interpretación alternativa. En una serie de artículos sobre el juicio de Eichmann, publicados en el libro de 1963 *Eichmann en Jerusalén* (con el provocativo subtítulo *Un informe sobre la banalidad del mal*), Arendt presentó al nefasto asesino como un bufón, una de las muchas piezas burocráticas que consintieron, activa o pasivamente, las atrocidades nazis. Sorprendentemente, Arendt incluyó en este grupo a muchos líderes de la comunidad judía que habían cooperado con los nazis.

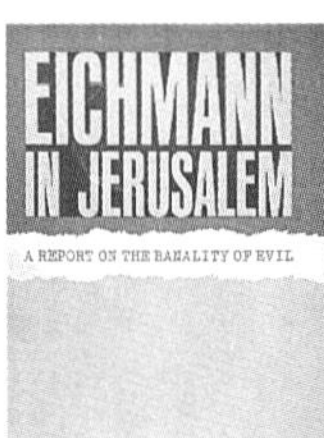

Arendt, judía nacida en Alemania que estudió con el filósofo Karl Jaspers, conocía el horror nazi personalmente. Huyó a Francia del régimen de Hitler en 1933 y emigró a Estados Unidos ocho años más tarde. Su informe sobre Eichmann, con su opinión reduccionista del mal y sus elementos de autoincriminación, conmocionaron a la comunidad judía. Los ofendidos detractores de Arendt la condenaron por infravalorar la astucia del criminal y por culpar a las víctimas de su propio sufrimiento. Entre los intelectuales que comprendieron la obra de Arendt, en en el contexto de sus contribuciones a la filosofía política, el libro fue mucho mejor acogido. Lejos de exculpar a Eichmann, Arendt examinaba la naturaleza (y turbador encanto) del totalitarismo, tema que había tocado anteriormente en *Orígenes del totalitarismo* (1951), que vincula el nazismo con el comunismo, y el antisemitismo del siglo XIX y con el imperialismo. *Eichmann en Jerusalén* provocó una consideración seria sobre un tema de gran carga emocional: la capacidad de un régimen totalitario de obtener la complicidad tanto de sus víctimas como de sus Eichmanns. **◂1960.8 ▸1987.11**

PREMIOS NOBEL: Paz: Comité Internacional de la Cruz Roja y Liga de Sociedades de la Cruz Roja (Suiza) [...] Literatura: George Seferis (griego; poeta) [...] Química: Karl Ziegler y Giulio Natta (alemán, italiano; polímeros) [...] Medicina: Alan Hodgkin, Andrew Huxley y John Eccles (británicos y australiano; neuronas) [...] Física: Eugene Wigner, Maria Mayer y J. H. Jensen (estadounidenses, alemán; estructura nuclear).

ECOS DE 1963

Un momento trascendental del movimiento

Del discurso de Martin Luther King pronunciado en el Lincoln Memorial, Washington, D.C., 28 de agosto de 1963

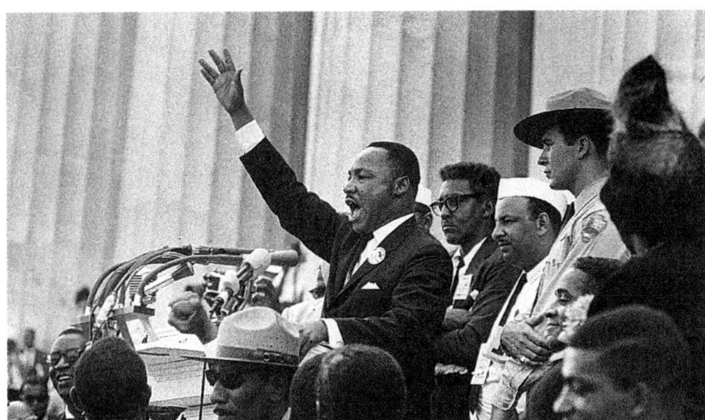

La campaña pacífica de Martin Luther King en Birmingham, Alabama, iniciada en la primavera de 1963, concienció sobre el racismo incluso a los americanos más informados; en agosto, King y otros líderes de los derechos civiles convocaron a muchos de estos americanos en Washington para una manifestación. Un récord de trescientas mil personas de distintas razas y clases sociales, unidas espiritualmente, se reunieron en la capital de la nación para manifestarse a favor de las libertades fundamentales: el derecho a ser contratado, a recibir una educación y a comer en un restaurante. La multitud, ordenada y tranquila, caminó a la sombra de grandes monumentos a la Libertad y a la Justicia hasta llegar al más emotivo de ellos: el Lincoln Memorial. Desde sus escaleras de granito, King pronunció el legendario discurso en el que repetía «Yo tengo un sueño», que ejemplificó la concepción trascendental del movimiento de derechos civiles. ◄**1963.7** ►**1964.3**

Me alegra unirme a vosotros en el día de hoy, que será recordado como el de la mayor manifestación por la libertad en la historia de nuestra nación.

Hace unos cien años, un gran americano, a cuya sombra simbólica estamos, firmó la Proclamación de Emancipación. Este decreto decisivo llegó como una gran luz de esperanza para millones de esclavos negros que se habían abrasado en las llamas de la injusticia. Llegó como un día glorioso para finalizar la larga noche de la cautividad.

Pero cien años después, debemos enfrentarnos al trágico hecho de que el negro todavía no es libre. Cien años después, la vida del negro todavía está tristemente oprimida por los grillos de la segregación y las cadenas de la discriminación. Cien años después, el negro vive en una isla desierta de pobreza en medio de un gran océano de prosperidad material. Cien años después, el negro todavía se consume en los márgenes de la sociedad americana y se encuentra exiliado en su propia tierra. Hoy hemos venido aquí para poner de manifiesto una condición pésima...

Hoy os digo, amigos, que a pesar de las dificultades y frustraciones actuales, todavía tengo un sueño. Un sueño arraigado en el suelo americano.

Cientos de miles de personas se reunieron en Washington el 28 de agosto de 1963 para escuchar el discurso de King. *Superior*, King pronuncia su discurso desde el Lincoln Memorial.

Tengo el sueño de que un día esta nación se alce y viva de acuerdo con su verdadero credo: «Decimos que estas verdades son evidentes por sí mismas; que todos los hombres son iguales».

Tengo el sueño de que un día en las colinas rojas de Georgia, los hijos de antiguos esclavos y los hijos de antiguos amos puedan sentarse juntos a la mesa de la fraternidad.

Tengo el sueño de que un día incluso el estado de Mississippi, un estado desierto sofocado por el calor de la injusticia y la opresión, se transforme en un oasis de libertad y justicia.

Tengo el sueño de que mis cuatro hijos pequeños un día vivan en una nación donde no sean juzgados por el color de su piel sino por el contenido de su carácter.

Tengo un sueño.

Tengo el sueño de que un día el estado de Alabama, los labios de cuyo gobernador ahora pronuncian palabras de interposición y anulación, se transforme en un sitio donde los niños y niñas negros puedan darse la mano con los blancos y pasear como hermanas y hermanos.

Tengo un sueño.

Tengo el sueño de que un día todos los valles sean elevados, todas las colinas y montañas rebajadas, los lugares accidentados sean llanuras y los sitios tortuosos sean rectos, y la gloria del Señor sea revelada y todos los humanos la vean juntos.

Éstas son nuestras esperanzas. Ésta es la fe con la que regreso al sur. Con esta fe debemos ser capaces de extraer una piedra de esperanza de la montaña del desespero. Con esta fe debemos ser capaces de transformar el sonido discordante de nuestra nación en una bella sinfonía de fraternidad. Con esta fe debemos ser capaces de trabajar juntos, de rezar juntos, de luchar juntos, de ir a la cárcel juntos, de alzarnos por la libertad juntos, sabiendo que un día seremos libres.

Llegará el día en que todos los niños de Dios canten con un significado nuevo: «Canto por ti, mi país, dulce tierra de la libertad. Tierra donde murieron mis padres, tierra del orgullo de los peregrinos, deja que la libertad se oiga desde todas las montañas».

Y si América es una gran nación, esto se hará realidad. De modo que ¡dejad que la libertad se oiga desde las colinas de New Hampshire! ¡Dejad que la libertad se oiga desde las montañas de Nueva York! ¡Dejad que la libertad se oiga desde los Allegheníes de Pensilvania!

¡Dejad que la libertad se oiga desde las montañas nevadas de Colorado!

¡Dejad que la libertad se oiga desde los picos curvados de California!

Pero no sólo eso; ¡dejad que la libertad se oiga desde la Stone Mountain de Georgia!

¡Dejad que la libertad se oiga desde la Lookout Mountain de Tennessee!

Cuando dejemos que la libertad se oiga, cuando dejemos que se oiga desde cada pueblo y desde cada aldea, cada ciudad y cada estado, podremos acelerar la llegada del día en que todos los niños de Dios, blancos y negros, judíos y gentiles, protestantes y católicos, podremos darnos las manos y cantar como en este espiritual negro: ¡Por fin libres! ¡Por fin libres! ¡Gracias a Dios Todopoderoso, por fin somos libres!».

«No tenemos intención de enviar a muchachos americanos a quince o dieciséis mil kilómetros de casa para hacer lo que los muchachos asiáticos deberían estar haciendo.»—**Lyndon Johnson, en su campaña de 1964**

HISTORIA DEL AÑO

La resolución del golfo de Tonquín

1 La guerra que costaría al país más poderoso del mundo su fama de invencible nunca fue declarada. No hizo falta a causa de la resolución del golfo de Tonquín, aprobada por el congreso de Estados Unidos el 7 de agosto de 1964. Días antes, barcos norvietnamitas habían atacado sin motivo a dos destructores americanos que se encontraban en el golfo. El presidente Johnson ordenó numerosos bombardeos y pidió al congreso autorización para intervenir libremente en Vietnam. Su conformidad casi unánime le permitió intensificar su involucración en el conflicto sin las complicaciones políticas y legales que hubiera supuesto una declaración de guerra. La táctica funcionó: en noviembre, Johnson fue elegido presidente al derrotar al senador de Arizona Barry Goldwater, abiertamente favorable a la guerra, por el margen más amplio de la historia norteamericana. Poco después de su investidura, el presidente empezó a bombardear de forma sistemática Vietnam del Norte y envió a combatir a los marines.

El presidente Johnson, rodeado por miembros del senado, firmando la resolución del golfo de Tonquín.

El incidente de Tonquín formaba parte del plan secreto de Johnson para incitar a los comunistas a intensificar las hostilidades, dándole una excusa para contraatacar. (*Los informes del Pentágono*, el estudio del Departamento de Defensa comunicado a la prensa en 1971 por Daniel Ellsberg, revelaron que barcos americanos habían atacado Vietnam del Norte. Todavía se discute si fueron provocados o no.) En 1964 Johnson pensó que era necesario intervenir: a pesar de la presencia de dieciséis mil consejeros militares americanos en Vietnam del Sur, una serie de regímenes corruptos (el más reciente el de Ngo Dinh Diem, asesinado nueve meses antes) habían perdido la mitad del país. Johnson temía ser culpado de la «pérdida de Vietnam» (como Truman lo había sido de la de China). Además, él y la mayor parte del servicio de inteligencia pensaban que las guerrillas rurales del líder de Vietnam del Norte, Ho Chi Minh, se derrumbarían bajo un ataque americano violento, aunque fuera limitado.

Johnson se equivocó al juzgar la determinación de los guerrilleros, la ingenuidad de los generales de Ho y el descontento de los soldados sudvietnamitas. Tampoco tuvo en cuenta el malestar de la población americana con una guerra costosa, distante e incomprensible. En 1968 se enviaron más de quinientos mil soldados, y los aviones americanos lanzaron más bombas que los aliados en toda la Segunda Guerra Mundial, pero los comunistas no se dejaban intimidar y la indignación por la guerra desgarraba a Estados Unidos. Johnson no fue reelegido. **◂1963.NM ▸1965.1**

UNIÓN SOVIÉTICA

Khrushchev expulsado

2 Nikita Khrushchev, impetuoso, vulgar e impaciente, se indispuso con demasiada gente para sobrevivir como jefe del gobierno soviético. En 1964, cuando el comité central del Partido Comunista votó por mayoría deponerle de todos sus cargos, el político, tras once años de gobierno conflictivo, se quedó solo: ejecutivos del partido, funcionarios burocráticos, militares, intelectuales, campesinos, obreros, industriales, todos habían sufrido sus reformas precipitadas y atrevidas. Había llegado el momento de una dirección nueva.

Khrushchev, decidido a realizar reformas tras años de excesos estalinistas, se dejó llevar constantemente por su ambición y llegó a olvidar la eficacia. Intentó mejorar el gobierno descentralizándolo y desarrolló la burocracia del partido, apoyó las armas nucleares más que el armamento convencional (luego guió negociaciones de desarme) y chocó con los militares, elaboró una política exterior de «convivencia pacífica» con las potencias capitalistas y ofendió tanto a China como a los soviéticos radicales. Empeñado en «superar a Estados Unidos», Khrushchev tomó una serie de medidas industriales y agrarias optimistas pero mal planeadas. En 1963, el resentimiento contra él alcanzó un punto álgido cuando sus programas agrarios trajeron el hambre a la Unión Soviética, el país con más campo cultivable del mundo.

Khrushchev en su última sesión del Soviet Supremo. A su lado *(de izquierda a derecha)*: Grishin, Kirilenko, Polyansky, Voronov, Khrushchev y Brezhnev.

En octubre de 1964, mientras Khrushchev estaba en el mar Negro, algunos líderes del partido se reunieron en Moscú y planearon su expulsión. El proceso fue limpio y constitucional: tras informar del plan a los doscientos miembros del comité central, sus diseñadores, dirigidos por Mikhail Suslov y Leonid Brezhnev, convocaron a Khrushchev en Moscú. La noche del 13 de octubre, tras un día agotador de reuniones, Khrushchev se resignó a dimitir «voluntariamente». Fue relevado de sus funciones al día siguiente. El establecimiento de Brezhnev como nuevo presidente del partido y de Alexei Kosygin como primer ministro fueron los siguientes pasos; Khrushchev, ahorrándose la condena pública que normalmente recibía un político expulsado, se retiró a una vida tranquila en su casa de campo. Murió en 1971. **◂1963.2 ▸1966.11**

REFORMA SOCIAL

Aprobación de la Ley de derechos civiles

3 Los activistas de los derechos civiles prometieron convertir el verano de 1964 en una estación de liberación, pero las amenazas de muerte pesaban sobre sus intenciones. En junio, tres jóvenes participantes del Verano para la Libertad, una campaña del Student Nonviolent Coordinating Committee (Comité de coordinación de estudiantes no violentos, SNCC) con sede en Chicago para empadronar a negros de Mississippi sin derecho de voto, fueron asesinados. Andrew Goodman y Michael Schwerner, blancos, y James Chaney, un negro de Mississippi, desaparecieron una noche tras ser detenidos por exceso de velocidad. Se encontraron sus cuerpos, golpeados y llenos de balas, en un dique; varios miembros del Ku Klux Klan (incluido el jefe de policía) fueron condenados por asesinato.

El vergonzoso crimen demostró que el problema no era una desgracia que afectaba a algunas zonas del país, sino a toda la nación. Las protestas generalizadas aportaron al presidente Johnson el apoyo público necesario para que el congreso aprobara la Ley de derechos civiles, que ilegalizó la discriminación en los establecimientos públicos, en la contratación, en los sindicatos, en las escuelas públicas y en los registros de votantes. El senador de Illinois Everett Dirksen, enemigo de la integración, promovió la ley con el senador de Minnesota, Hubert Humphrey. Dirksen citó a Victor Hugo para explicar su cambio de postura: «Ningún ejército puede enfrentarse a la fuerza de una idea para la que ha llegado su momento».

La idea de los derechos civiles era imparable, pero su realización todavía se enfrentó a obstáculos enormes. En agosto, el partido democrático se negó a sustituir la delegación blanca de Mississippi para la convención nacional por una

ARTE Y CULTURA: **Libros:** ***Que trata de España*** **(Blas de Otero);** ***El hombre unidimensional*** **(Herbert Marcuse) [...] Música: «Oh, pretty woman» (Roy Orbison) [...] Pintura y escultura:** ***Brillo boxes*** **(Andy Warhol) [...]**

«Palestina es nuestra, nuestra y nuestra. No aceptaríamos otra tierra.»—**Compromiso de los 350 delegados palestinos del primer Congreso Nacional Palestino**

Un trabajador del SNCC visita a campesinos de Mississippi durante el Verano para la Libertad, 1964.

mixta. En octubre, dos negros fueron asesinados en un atentado a una iglesia de Vicksburg que servía de registro de votantes. **◂1963.E ▸1965.5**

MEDICINA

Advertencia sanitaria

4 Los cigarrillos perdieron su encanto en 1964, cuando el gobierno estadounidense publicó su informe sobre el tabaco. Corroborando estudios privados, los descubrimientos del Departamento de Sanidad, recopilados por diez investigadores biomédicos, afirmaban que el hábito de fumar era la causa principal del cáncer de pulmón y de las enfermedades cardiovasculares. Menos de dos años después de la publicación del informe, el congreso dispuso que debía aparecer una advertencia de los peligros del hábito de fumar en todos los paquetes de cigarrillos vendidos en el país. Gran Bretaña pronto siguió el ejemplo y, en 1972, Alemania occidental, Estados Unidos y Canadá prohibieron la publicidad de cigarrillos por televisión. Muchos países europeos empezaron a establecer fuertes impuestos sobre el tabaco.

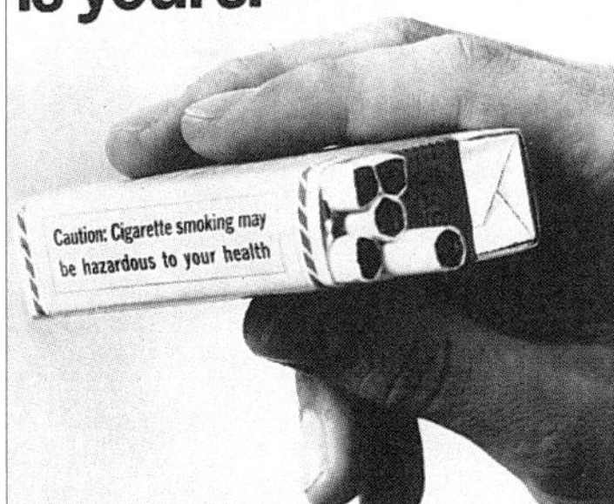

Este cartel de la Asociación Americana de Cáncer alude al informe del Departamento de Sanidad.

Desde los años cincuenta los epidemiólogos establecieron relaciones entre el tabaco y las enfermedades. Por entonces, el cáncer de pulmón, casi desconocido a principios de siglo, se había convertido en una enfermedad mortal habitual. El aumento de su incidencia se correspondía con la popularidad de los cigarrillos, que creció durante la Primera Guerra Mundial, cuando los fabricantes de tabaco suministraron cigarrillos a los soldados de forma gratuita, y experimentó un aumento parecido desde la Segunda Guerra Mundial, cuando los médicos incluso recomendaban a los soldados que fumaran para calmar los nervios. Cuando los riesgos se hicieron públicos, las compañías de tabaco (que anteriormente habían recomendado los efectos saludables de sus productos) empezaron a ponerse a la defensiva. Ya en 1949, una campaña publicitaria de la marca Camel presentaba a especialistas de la garganta que no habían encontrado un solo caso de irritación provocada por los cigarrillos Camel.

En Estados Unidos, la advertencia del Departamento de Sanidad fue efectiva. A mediados de los años sesenta fumaba un 40 % de la población americana adulta; treinta años más tarde, menos del 25 %. **◂1919.E ▸1978.13**

ORIENTE MEDIO

Un convenio palestino

5 El promotor de la creación de la Organización para la Liberación de Palestina (OLP) no era palestino, sino egipcio: Gamal Abdal Nasser, presidente de Egipto. Defensor del nacionalismo árabe y enemigo acérrimo de Israel, Nasser creía que para derrotar a Israel, el mundo árabe debía unirse, preferiblemente bajo su dirección. Propuso la OLP como una organización protectora que acogiera a los diversos grupos guerrilleros de Palestina (a la que habían sido desplazados dos millones de residentes a causa de la creación de Israel en 1948). Los líderes árabes afines a Nasser aprobaron el plan y, en una conferencia celebrada en mayo, apoyaron la elección de Ahmad Shukeiry, representante palestino de la Liga Árabe, como primer presidente de la OLP.

El Convenio Nacional Palestino, adoptado por los delegados de la conferencia, cuestionó los vínculos judíos con Palestina, realizó un llamamiento a la lucha armada para lograr «la eliminación del sionismo» y apoyó la formación de un estado árabe «democrático y laico» en la zona de Israel. Asimismo, se tomaron acuerdos para la creación de un ejército palestino. A pesar de su retórica agresiva, la autoridad de la OLP era inestable. Entre los distintos grupos constituyentes que cuestionaban a su presidente, destacaba el Movimiento para la Liberación de Palestina, conocido como Al-Fatah y cofundado por un joven ingeniero educado en Egipto, Yaser Arafat.

Yaser Arafat, presidente de la OLP, en 1968.

Tras la aplastante derrota israelita de Egipto en la guerra de los Seis Días de 1967, Al-Fatah transformó la OLP en una formidable fuerza independiente política y militar. Arafat, nombrado presidente de la OLP en 1968, se convirtió en el dirigente supremo de los palestinos y su organización en el principal grupo representativo, hechos que incluso Israel tuvo que reconocer. **◂1958.1 ▸1967.3**

NACIMIENTOS

Mike Powell, atleta estadounidense.

Tracy Chapman, cantante estadounidense.

MUERTES

Emilio Aguinaldo, revolucionario filipino.

Ian Fleming, novelista británico.

Pío Font i Quer, botánico español.

Herbert Hoover, presidente estadounidense.

Peter Lorre, actor húngaro-estadounidense.

Douglas MacArthur, general estadounidense.

Arthur Marx (Harpo), actor estadounidense.

Giorgio Morandi, artista italiano.

Jawaharlal Nehru, primer ministro indio.

Sean O'Casey, dramaturgo irlandés.

Cole Porter, compositor estadounidense.

Palmiro Togliatti, político italiano.

José M.ª Ybarra, naviero español.

Cine: ***My fair lady*** **(George Cukor);** ***¿Teléfono rojo? Volamos hacia Moscú*** **(Stanley Kubrick);** ***Mary Poppins*** **(Robert Stevenson);** ***La pantera rosa*** **(Blake Edwards) [...] Teatro:** ***Entertaining Mr. Sloane*** **(Joe Orton);** ***Ninette y un señor de Murcia*** **(Miguel Mihura);** ***Después de la caída*** **(Arthur Miller);** ***Hello, Dolly!*** **(Jerry Herman) [...] TV:** ***La familia Addams.***

«John Coltrane fue profeta en su tierra.»—**Carlos Ward, saxofonista**

NOVEDADES DE 1964

Ford Mustang.

Tren bala (entre Tokio y Osaka).

EN EL MUNDO

▶**APATÍA URBANA**—El 13 de marzo, 38 personas vieron y oyeron cómo Kitty Genovese, residente en Queens, Nueva York, moría apuñalada en el patio de su casa. Aunque Genovese gritó pidiendo ayuda durante una hora y media, nadie llamó a la policía hasta que terminó el brutal asalto. La pasividad escandalosa de los testigos —no querían «verse involucrados»— se convirtió en un símbolo de la apatía, aislamiento y degradación de la vida urbana americana.

▶**¿QUIÉN MATÓ A KENNEDY?**—Según el informe de la Comisión Warren, el grupo de juristas y políticos (presididos por Earl Warren) nombrado para investigar el asesinato de J. F. Kennedy, Lee Harvey Oswald actuó en solitario. La comisión publicó sus investigaciones en 1964; por entonces, muchos de los que creían en una conspiración contaban con una larga lista de alternativas: la KGB, la mafia, la CIA, cubanos anticastristas, un grupo de generales norteamericanos. ◂1963.1

▶**CONJUNTO MODERNO**—El diseñador de moda americano Rudi Gernreich, al notar la tendencia a llevar menos ropa, presentó el monoquini, el biquini sin parte superior, en 1964. En las conservadoras playas americanas no tuvo mucho éxito, pero la prenda se convirtió en una manifestación llamativa de los tiempos modernos. ▸1965.2

▶**ESTRANGULADOR ARRESTADO**—En un período de dos años de terror, el «estrangulador de Boston» violó y asesinó en sus domicilios a una docena de mujeres. Se pensó que el asesino era el antiguo convicto

MÚSICA

El gran momento de Coltrane

6 El saxofonista John Coltrane fue una excepción del *jazz*, un intérprete innovador que disfrutó del respeto de sus colegas y del agrado del público. Con su extraordinario álbum de 1964 *A love supreme*, Coltrane alcanzó su cumbre musical.

Coltrane, seguramente el músico de *jazz* más influyente y virtuoso de los años sesenta, pasó años como seguidor de Dizzy Gillespie, Miles Davis y Thelonius Monk antes de presentar su propio estilo con el disco de 1959 *Giant steps,* en el que interpretó melodías animadas y rápidas sobre cambios de acordes concentrados pero perfectamente articulados, sus famosas «láminas de sonido». Coltrane ideó técnicas musicales que rompieron los esquemas tradicionales rítmicos y armónicos. Para los profanos, su

Coltrane y su mujer, Alice (que tocaba el piano en su cuarteto). Su influencia en la música de los años sesenta y setenta se ha comparado a la de Charlie Parker en años anteriores.

música podía sonar caótica, densa, disonante, pero sus discos funcionaron muy bien. *My favorite things* (1960) vendió cincuenta mil copias.

A love supreme abrió un nuevo espacio musical. Editado sólo tres años antes de su repentina muerte, a los 41 años de edad, la obra fue a la vez una síntesis de los distintos estilos de Coltrane y una nueva expresión de su misticismo religioso. Hímnico, profundamente melódico, está considerado por muchos su mejor obra. ◂1955.7

Julius Nyerere *(con bastón)* y algunos de sus soldados se preparan para un ascenso simbólico al Kilimanjaro para celebrar la independencia de Tanganika, 1961.

ÁFRICA ORIENTAL

Unión de Tanganika y Zanzíbar

7 El presidente de Tanganika Julius Nyerere denominó a su socialismo *ujamaa*, «comunidad» en suajili. En abril de 1964, poco después de haber superado un golpe de Estado, Nyerere unió la isla de Zanzíbar con Tanganika, para formar la República Unida de Tanzania. La unión reflejó el temor de Nyerere a que Zanzíbar, cuya mayoría negra había derrocado a su sultán afroárabe en enero, entrara en la esfera comunista china. Nyerere, partidario de la neutralidad, llevó a cabo el pacto con el presidente de Zanzíbar, Abeid Amani Karume, que compartía sus ideas, mientras el primer ministro, favorable a Pekín, estaba en el extranjero.

Entre las nuevas naciones de África, Tanzania parecía la bienaventurada. El país carecía de divisiones étnicas y su historia reciente era menos traumática que la de la mayoría: durante décadas, Tanganika fue un mandato británico bajo la Sociedad de Naciones (y luego, hasta 1961, bajo la ONU) en vez de una colonia. Además, Nyerere era excepcional. Aunque gobernaba con un régimen monocolor, ofrecía la posibilidad de una elección real de candidatos y era poco represivo. Mientras otros líderes africanos adoptaron motes grandiosos (como el «Redentor» dictatorial de Ghana, Kwame Nkrumah) y radiaban propaganda, Nyerere, educado en Edimburgo, se tituló «Profesor» y retransmitía conferencias de economía doméstica.

De hecho, el mayor logro de Nyerere fue un sistema de escuelas libres que convirtieron a su pueblo en uno de los más alfabetizados de África. Pero no todas las consecuencias de la *ujamaa* fueron buenas. La nacionalización de la industria perjudicó a la producción y la colectivización agraria provocó escasez de alimentos. Al final, las cárceles se llenaron de capitalistas disidentes y fugitivos de trabajos forzados (la represión fue más intensa en Zanzíbar, de tradición totalitaria). Aparte de un ferrocarril (construido paradójicamente por China) la infraestructura de la nación seguía atrasada. La autoconfianza, el objetivo más preciado de Nyerere, era difícil de conseguir: cuando se retiró en 1985, un tercio del presupuesto de Tanzania provenía del exterior. ◂1957.4 ▸1966.12

LITERATURA

Pecados del corazón

8 La novela *Herzog* de Saul Bellow, que combinaba la sofisticación intelectual del Viejo Mundo con el ingenio e informalidad del Nuevo, presentó al protagonista característico de Bellow, Moses Herzog, un intelectual judío de mediana edad cuyas valiosas reflexiones sobre la vida se interrumpen constantemente por su agitada vida real. Planteándose la incapacidad de su inteligencia para soportar el fracaso de su segundo matrimonio, el héroe de Bellow se da cuenta de que «él, Herzog, ha pecado contra su propio corazón».

Bellow, el novelista de ideas más famoso de América, hijo de inmigrantes judíos rusos, pasó su infancia en un barrio judío de Quebec antes de trasladarse, a los nueve años de edad, a Chicago, a otro vecindario políglota. En su ciudad de adopción, entre las lenguas hebrea y yidis,

DEPORTES: celebración de los Juegos Olímpicos en Innsbruck y Tokio [...] Fútbol: España gana la copa de Europa tras vencer a Rusia por 2 a 1 [...] Ciclismo: Anquetil gana su quinto Tour de Francia.

aprendió el inglés americano leyendo a Sherwood Anderson, Theodore Dreiser y Edgar Lee Masters. Este proceso desembocó en el estilo característico de Bellow: una mezcla vigorosa, a menudo irreverente, de lenguaje culto y ordinario que incorpora cadencias yidis en frases americanas.

El primer libro de Bellow, *El hombre que se bambolea* (1944), pulicado cuando tenía 29 años de edad, consiguió un público lector reducido y literario. En sus *Aventuras de Augie March* (1953), Bellow creó una especie de Huck Finn racial y urbano que lucha por encontrarle sentido a la vida moderna. Al trascender las fronteras trazadas por escritores como Hemingway y Twain, *Augie March* inició lo que se llamaría la «nueva tradición judía» de las letras americanas. Con *Herzog* y las novelas posteriores, *El planeta de Mr. Sammler* y *Humboldt's gift* (inspirado en la trágica vida de su amigo y poeta Delmore Schwartz), Bellow extendió esta tradición y llevó sus investigaciones filosóficas a otro nivel. Citando «la comprensión humana y análisis sutil de la cultura contemporánea que se combinan en su obra», el comité del Nobel le otorgó el premio de literatura en 1976. **◂1927.11 ▸1969.13**

TEATRO

El violinista de Broadway

9 Los temas judíos que Saul Bellow introdujo en la novela americana también aparecieron en otros géneros. El musical de 1964 *El violinista en el tejado* presentó al público de Broadway el antiguo mundo judío. Aunque el espectáculo, la historia de Tevye el lechero y su familia en un pueblecito de la Rusia zarista, planteaba problemas de «traducción» para un público moderno y gentil, los superó con su profunda humanidad. *El violinista en el tejado*, producida por Harold Prince, con dirección y coreografía de Jerome Robbins, se convirtió en la obra de Broadway más representada de su época (ocho años, 3.242 representaciones).

Asimismo, la obra se caracterizó por su puesta en escena y su estructura, organizada en torno a un tema central (en este caso la tradición). Canciones sentimentales con melodías judías («Si yo fuera rico» o «Sunrise, sunset») de Jerry Bock y Sheldon Harnick realzaron el libreto de Joseph Stein (basado en historias del humorista yidis Sholem Aleichem) sobre la tradición atacada desde fuera y desde dentro (las hijas de Tevye se niegan a aceptar matrimonios convenidos). Otro de los principales atractivos de la producción fue Zero Mostel, cuya excelente interpretación de Tevye transmitió una mezcla de humor y honestidad. **▸1966.8**

Tevye (Zero Mostel) discute con Dios en «Si yo fuera rico».

ÁFRICA ORIENTAL

La Rhodesia británica se separa

10 Las colonias de Rhodesia del Norte y del Sur se separaron de Gran Bretaña en 1964 y 1965, respectivamente, y tomaron caminos totalmente distintos. Rhodesia del Norte obtuvo la independencia como República de Zambia, de gobierno negro. Rhodesia del Sur se declaró a sí misma la nación de Rhodesia, de supremacía blanca. Las diferencias entre los dos nuevos estados se debieron en buena parte a la demografía (la minoría blanca de Rhodesia era más amplia y con más poder económico que la de Zambia) y también a los caracteres opuestos de sus líderes: el presidente de Zambia, Kenneth Kaunda, y el primer ministro de Rhodesia, Ian Smith.

Ian Smith firma la declaración de independencia de Rhodesia.

Kaunda fue encarcelado en 1959 como dirigente del Congreso Nacional Africano de Zambia (inspirado en el Congreso Nacional Africano, del que había sido secretario general), pero su único crimen consistió en dirigir una campaña de desobediencia civil contra el gobierno británico. En las negociaciones para la independencia, se caracterizó por una actitud conciliatoria, intentando aliviar el resentimiento de los tres millones y medio de negros de la colonia contra su población blanca (unos setenta y cinco mil), y calmar los temores de los blancos hacia un gobierno negro así como reducir la animosidad interétnica. Smith, por el contrario, se mostró intransigente hacia Gran Bretaña, que insistía en un gobierno mayoritario como prerrequisito para la independencia (que Smith declaró ilegal) y hacia los cuatro millones de negros de la colonia.

El régimen de Smith, de tipo sudafricano, provocó sanciones internacionales y una guerra civil. Zambia se enfrentó a otros problemas. Kaunda, amenazado por la hostilidad de Sudáfrica y Rhodesia y por el malestar interno a causa de la pobreza, también utilizó la represión y, en 1972, impuso un gobierno monocolor. Se retiró en 1991, poco después de haber legalizado la oposición política. Smith perdió el poder en 1980, cuando la resistencia guerrillera acabó con su gobierno y Rhodesia se convirtió en Zimbabwe. **◂1902.5 ▸1979.2**

Albert Henry DeSalvo (confesó a la policía pero su abogado no le permitió confesar en el tribunal; al carecer de prueba física alguna que lo implicara, no pudo ser acusado). Juzgado y acusado de crímenes anteriores a los del estrangulador, DeSalvo fue un precedente de lo que se llamarían asesinatos en serie.

▸EL CANDIDATO—El senador conservador Barry Goldwater ganó al gobernador liberal de Nueva York Nelson Rockefeller en la nominación republicana para la presidencia de 1964. Aunque su nombre se prestaba por sí mismo a eslóganes

curiosos, su convincente y agresiva manera de hablar conmocionó a los votantes. «¡El extremismo en la defensa de la libertad no es malo!», declaró. ▸1964.1

▸TRÁGICO PARTIDO—En el encuentro internacional de fútbol que enfrentaba a las selecciones de Argentina y Perú en la ciudad de Lima resultaron muertas 320 personas y heridas unas ochocientas. Un gol marcado por los peruanos y anulado por el árbitro provocó la invasión del terreno de juego por gran parte de los cincuenta mil espectadores presentes en el encuentro. La policía, incapaz de contener la avalancha humana, realizó varios disparos en el aire. Miles de espectadores asustados intentaron abandonar el estadio y cientos de ellos perecieron en las estrechas bocas de salida.

▸BANDA LLEGA AL PODER—La colonia británica de Nyasalandia, situada en el sudeste de África, formaba parte de una confederación colonial con Rhodesia del Norte y del Sur (Zambia y Zimbabwe). En 1964 se convirtió en una nación independiente miembro de la Commonwealth con el nombre de Malawi. Kamazu Banda volvió de Gran Bretaña, donde practicó la medicina, para ser presidente de su nación dos años después, cuando Malawi se convirtió en una república.

POLÍTICA Y ECONOMÍA: Lyndon B. Johnson elegido presidente, derrota a Barry Goldwater [...] Creación de la OLP (Organización para la Liberación de Palestina) [...] Manifestación en Barcelona el 11 de septiembre por primera vez desde 1939. Los manifestantes que reclamaban la libertad para Cataluña fueron disueltos por la policía.

«¿Entiendes lo que significa para los americanos negros saber que el hombre mejor dotado físicamente, posiblemente el más guapo y uno de los más carismáticos del mundo es negro?»—**Reggie Jackson, jugador de baloncesto, sobre Muhammad Ali**

Banda encarceló o mató a la oposición, prohibió las críticas a su gobierno monocolor y fue el primer líder negro africano que estableció relaciones como el régimen segregacionista de Sudáfrica.

▶CONJUNTO ELECTRÓNICO —El compositor alemán Karlheinz Stockhausen, teórico y partidario de la música electrónica, formó su conjunto de percusión en 1964 para interpretar sus composiciones conceptuales y complicadas. En diciembre, el grupo debutó en Bruselas

con *Microfonía I*, interpretada con micrófonos, tam-tams y filtros. Utilizando material electrónico (que incluía «instrumentos» como magnetófonos y radios de onda corta), Stockhausen y sus colaboradores consiguieron una curiosa gama de sonidos.

▶BRANCA EN BRASIL —En 1964, el general Castelo Branca dirigió un golpe de Estado incruento en Brasil. Los catalizadores fueron una inflación descontrolada, una deuda nacional muy alta y la desaparición de los préstamos extranjeros. La solución del presidente João Goulart, la adopción de un programa izquierdista de reformas, disgustó a los gobernantes tradicionales, a la derecha política y al ejército. Con el golpe, Brasil, el país más extenso de Sudamérica y el quinto del mundo, fue gobernado por una dictadura militar. Durante 21 años no conoció otro presidente civil y durante 25 años tampoco hubo uno electo. ◀1960.9 ▶1989.8

DEPORTES

El mejor

11 Cuando Cassius Marcellus Clay, medalla olímpica de oro, de 22 años de edad y nacido en Louisville, Kentucky, subió al cuadrilátero para luchar contra Sonny Liston, el campeón del mundo de los pesos pesados, los expertos en boxeo temieron lo peor: Liston era más grande, más fuerte y más experimentado que el impetuoso, aniñado y simpático Clay. Rápido y potente como un rayo, el muchacho noqueó al campeón con un golpe tan rápido que muchos de los espectadores se lo perdieron. Luego, flexionando los brazos con los guantes puestos, se recreó contemplando al Goliat derrotado. «No tengo que ser quien vosotros queréis que sea. Soy libre de ser quien yo quiera», declaró a la prensa. Su sorprendente hazaña, junto a su arrogancia desvergonzada («soy el mejor», le gustaba decir), electrificó al público, sobre todo a los jóvenes negros. Clay pronto se convirtió a la religión del Islam, cambió su nombre por el de Muhammad Ali y realizó una carrera que le hizo famoso en todo el mundo.

En 1967, en su cumbre, Ali se negó a alistarse en el ejército norteamericano por razones religiosas, una postura que le costó el título. En 1970 fue vindicado por el tribunal supremo y, cuatro años más tarde, recuperó el título luchando contra George Foreman en Kinshasa, Zaire, «Flotar como una mariposa, picar como una abeja. Sus manos no pueden golpear lo que sus ojos no pueden ver», decía de su ritmo Ali, pero en vez de bailar optó por la táctica de pelear contra las cuerdas hasta que Foreman quedó agotado de dar puñetazos. Entonces, el astuto maestro abandonó las cuerdas y noqueó a su rival. La estrategia le trajo consecuencias nefastas: probablemente agravó el Parkinson que más tarde ralentizaría sus palabras y sus sorprendentes movimientos. **◀1956.NM ▶1975.NM**

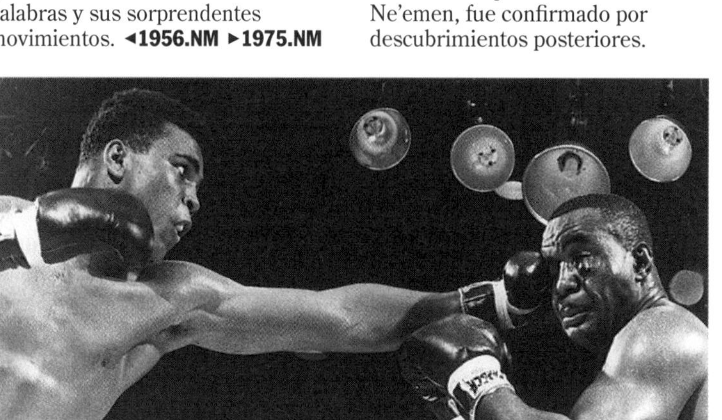

Clay descargó su izquierda en el ojo de Liston en el tercer asalto de su combate n.° 64 por el título.

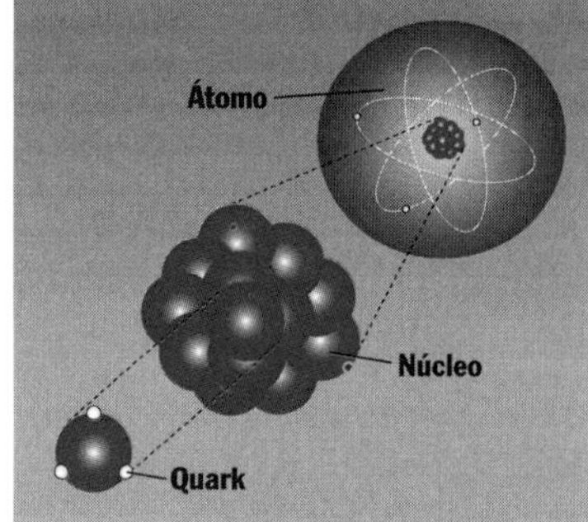

El quark es a la partícula elemental lo que los protones y neutrones son al núcleo.

CIENCIA

A la caza del quark

12 La ciencia de la física atómica progresa a saltos previsibles. Los físicos examinan el átomo, identifican vacíos estructurales y describen lo que piensan que se ha perdido. (El proceso se había comparado a la deducción de la existencia de ventanas, puertas y cañerías a partir de las vigas y travesaños del esqueleto de un edificio.) En 1964, el físico Murray Gell-Mann propuso la existencia de los quarks: partes constituyentes de las partículas elementales del átomo. De acuerdo con el modelo de Gell-Mann, corroborado de modo independiente por George Zweig, un colega del Instituto de Tecnología de California, hay átomos, hay núcleos, hay bariones y mesones, y luego hay quarks. Zweig llamó a sus partículas hipotéticas «ases» pero prevaleció el término original de Gell-Mann, extraído de una obra de James Joyce.

La primera aportación significativa de Gell-Mann a la física de partículas fue la teoría de 1953 que explicaba el rápido deterioro de un grupo recién descubierto de partículas subatómicas. En 1961 diseñó una especie de tabla periódica de elementos subatómicos que agrupaba a las partículas en familias de ocho. Este esquema, similar a uno desarrollado por el israelita Yuval Ne'emen, fue confirmado por descubrimientos posteriores.

Por razones estructurales, clasificó a los quarks en seis grupos teóricos, que proporcionaron a los investigadores algo que buscar. A finales de los años sesenta, se experimentó mucho con los quarks y en los años noventa probó la existencia del último de los seis. **◀1949.5**

TEATRO

Streisand como Fanny Brice

13 «Soy la mejor estrella», cantó Barbra Streisand en *Funny girl*, la dramática biografía de la actriz, del Ziegfeld Follies, Fanny Brice, que se estrenó en Broadway el 23 de marzo de 1964. El público estuvo de acuerdo: salió a saludar 23 veces. Streisand, de 21 años de edad, inició su carrera como una de las leyendas menos convencionales del negocio del espectáculo.

En el personaje de Fanny Brice, Streisand encontró un papel perfecto. Ambas eran judías de Nueva York, con un aspecto un poco chiflado, un sentido del humor excéntrico y una conexión extraordinaria con el

Streisand: nacida para interpretar a Fanny Brice.

público. Aun así, Streisand no fue la primera elección para el papel (lo fue Mary Martin). En 1968 repitió el papel para la pantalla, ganó un Óscar a la mejor actriz y empezó su larga asociación con Hollywood, primero como actriz y luego como compositora y directora.

Con *Funny girl*, Streisand conquistó Broadway, pero no su terror crónico al escenario. Durante las décadas siguientes grabó docenas de discos de éxito y protagonizó (y dirigió) largometrajes, pero hasta su gira de 1994 actuó muy pocas veces en directo. **◀1910.9**

PREMIOS NOBEL: Paz: Martin Luther King, hijo (estadounidense; derechos civiles) [...] Literatura: Jean-Paul Sartre (francés; novelista; rechazado) [...] Química: Dorothy Hodgkin (británica; cristalografía de rayos X) [...] Medicina: Konrad E. Bloch y Feodor Lynen (estadounidense, alemán; colesterol y metabolismo) [...] Física: Charles Townes, Nikolai G. Basov y Alexander Prokhorov (estadounidense, soviéticos; láser).

Del yo al nosotros

Que trata de España, de Blas de Otero

La obra poética de Blas de Otero (1916-1979) ejemplifica la trayectoria de la poesía española a lo largo de varias décadas. Sus primeras poesías tratan de temas existenciales y religiosos, de sus problemas personales. En una segunda etapa de poesía «social» se acerca a los problemas colectivos y el lenguaje se hace más transparente. Por fin su poesía evoluciona en busca de nuevos caminos para la expresión literaria. En 1964 publicó en Cuba Que trata de España*, recopilación de tres libros ya publicados y que conforman su ciclo de poesía social. A continuación, unos poemas del libro.*

Nadando y escribiendo en diagonal

ESCRIBIR en España es hablar por no callar
lo que ocurre en la calle, es decir a medias palabras
catedrales enteras de sencillas verdades
olvidadas o calladas y sufridas a fondo,
escribir es sonreír con un puñal hincado en el cuello,
palabras que se abren como verjas enmohecidas
de cementerio, álbumes
de familia española: el niño,
la madre, y el porvenir que te espera
si no cambias las canicas de colores,
las estampinas y los sellos falsos,
y aprendes a escribir torcido
y a caminar derecho hasta el umbral iluminado,
dulces álbumes que algún día te amargarán la vida
si no los guardas en el fondo del mar
donde están las llaves de las desiertas playas amarillas,
yo recuerdo la niñez como un cadáver de niño junto a la
orilla,
ahora ya es tarde y temo que las palabras no sirvan
para salvar el pasado por más que braceen
incansablemente
hacia otra orilla donde la brisa no derribe los toldos
de colores.

Españahogándose

CUANDO pienso
en el mar es decir
la vida que uno ha envuelto desenvuelto
como
olas
sonoras
y sucedió que abril abrió sus árboles
y yo callejeaba iba venía
bajo la torre de San Miguel
o más lejos
bajaba
las descarnadas calles de Toledo
pero es el mar
quien me lleva y deslleva en sus manos
el mar desmemoriado
dónde estoy son las márgenes
del Esla los esbeltos álamos
amarillos que menea el aire
no sé oigo las olas
de Orio Guetaria
Elanchove las anchas
olas rabiosas
es decir la vida que uno hace
y deshace
cielos
hundidos días como diamante
una
guitarra en el Perchel de noche
la playa rayada de fusiles
frente a Torrijos y sus compañeros.

¿Yo entre álamos y ríos?

ESTATE tranquilo. No importa que sientas frío
en el alma. Debes estar tranquilo,
y dormir. Y por la mañana, te levantas temprano y
te vas a ver el río,
debes mirarlo sin prisa, dejarlo pasar, sin preocuparte
lo más mínimo
de que el tiempo pase, como si fueras un niño
horriblemente maltratado por la vida; pero no importa,
siempre hay un sitio
tranquilo, con algún álamo que tiembla si silba un
pajarillo
y tú le ves entre las leves hojas, dichoso, felicísimo,
ahora mismo le estás viendo silbar, saltar, volar por el
apenas sientes el rumor del río
aire limpio,
y... por qué lloras, si es verdad lo que te he dicho,
anda, ve a dormir, y mañana iremos a ver de verdad
el río
y a dudar de que soñaste con él, mi pobre amigo...

Palabra viva y de repente

ME gustan las palabras de la gente.
Parece que se tocan, que se palpan.
Los libros, no; las páginas se mueven
como fantasmas.

Pero mi gente dice cosas formidables,
que hacen temblar a la gramática.
¡Cuánto del cortar la frase,
cuánta de la voz bordada!

Da vergüenza encender una cerilla,
quiero decir un verso en una página,
ante estos hombres de anchas sílabas,
que almuerzan con pedazos de palabras.

Recuerdo que, una tarde,
en la estación de Almadén, una anciana
sentenció, despacio: «Sí, sí; pero el cielo y el infierno *está aquí.*» Y lo clavó

con esa *n* que faltaba.

HABLAMOS DE LAS COSAS DE ESTE MUNDO.
Escribo
con viento y tierra y agua y fuego.
(Escribo
hablando, escucheando, caminando.)

Es tan sencillo
ir por el campo, venir por la orilla
del Arlanza, cruzar la plaza
como quien no hace nada
más que mirar al cielo,
lo más hermoso
son los hombres que parlan a la puerta
de la taberna, sus solemnes manos
que subrayan sus sílabas de tierra.

Ya sabes
lo que hay que hacer en este mundo: andar,
como un arado, andar entre la tierra.

«Por primera vez desde que nos metimos en Vietnam, hay esperanza para Estados Unidos [...]. El mérito es del presidente Lyndon B. Johnson. Ha hecho que la guerra sea "imperdible".»—**Sam Castan, en la revista *Life*, 30 de noviembre de 1965**

HISTORIA DEL AÑO

Estados Unidos intensifica la guerra

1 Estados Unidos entró en serio en la guerra de Vietnam en 1965. El presidente Johnson, al percibir poco apoyo popular para una intervención plena, al principio confió en la fuerza aérea. En marzo se iniciaron los bombardeos continuados sobre Vietnam del Norte; los infantes de marina llegaron días después a Vietnam del Sur para defender la base aérea de Da Nang. Pero las fuerzas sudvietnamitas (conocidas por el acrónimo ARVN) también necesitaban ayuda en tierra y Johnson empezó a acceder a las demandas del general William Westmoreland, comandante de las fuerzas americanas en Vietnam, de que enviara más soldados. A finales de año, partieron ciento ochenta mil.

La estrategia de Westmoreland se basaba sobre todo en debilitar al enemigo y no en ocupar territorio. Los objetivos de las bombas no sólo fueron las industrias del norte y el Sendero Ho Chi Minh (la red de caminos por los que el Norte enviaba hombres y material hacia el Sur), sino también centros sureños de población sospechosos de refugiar guerrilleros. El objetivo básico era eliminar el máximo posible de infiltrados y al Viet Cong. Los «índices de muertos», una acuñación que, como el «recuento de cuerpos», nació en Vietnam, fueron impresionantes desde el principio. En el primer encuentro con regulares norvietnamitas, en Ia Drang, los americanos mataron a mil doscientos hombres y sólo perdieron a doscientos.

No obstante, los números no lo eran todo. Para muchos soldados norteamericanos la lucha significaba caminar penosamente a través de selvas y arrozales persiguiendo una presa esquiva. Por todas partes surgían tiradores escondidos y trampas explosivas; era difícil distinguir compañeros y enemigos y a menudo era más seguro disparar que preguntar. En misiones de «búsqueda y destrucción», se incendiaron pueblos aparentemente pacíficos y sus habitantes fueron trasladados a «aldeas estratégicas». Esta forma de guerra minaba la moral y separó a los sudvietnamitas del gobierno de Saigón, apoyado por Estados Unidos. En Estados Unidos, fotografías de civiles quemados alimentaron el sentimiento contra la guerra. En noviembre hubo una manifestación de cincuenta mil personas en Washington, los consejeros de Johnson pensaron que la guerra era un error. **◄1964.1 ►1966.6**

El primer cuerpo de infantes de marina que desembarcó en Da Nang aumentó las fuerzas americanas en Vietnam hasta veintisiete mil.

Mary Quant siempre llevaba minifalda, incluso en enero.

MODA

La revolución del largo

2 Cuando el modisto André Courrèges presentó su colección de primavera-verano en el invierno de 1965, sabía que su carrera iba por buen camino. «Cada vez que he hecho algo moderno, con amor y entusiasmo, se me ha criticado. Ya tengo bastante», comentó. Aun así, Courrèges hizo desfilar a docenas de modelos con botas blancas, vestidos angulares y minifaldas (una prenda nueva diez centímetros por encima de la rodilla). El público quedó en silencio pero, cuando terminó el desfile, Courrèges había mostrado no sólo una moda nueva sino también la mujer que la llevaría.

Al otro lado del canal, en Inglaterra, Mary Quant, una joven diseñadora propietaria de una tienda, había diseñado su propia minifalda, más corta que la de Courrèges. El largo de falda de Mary Quant era totalmente novedoso y también la clientela de su tienda de Londres, Bazaar: Quant atendía a mujeres «reales», no a una elite social. Sus creaciones fueron tan populares que Bazaar se quedaba constantemente sin existencias. Quant, que entonces tenía 21 años de edad, compraba género nuevo cada mañana, cosía todo el día y por la noche había vendido toda su ropa. Pronto se hizo célebre por la «democratización de la moda» y fue apodada «el Courrèges de la clase obrera».

A finales de año, la revolución de la moda completó su círculo: Courrèges, como si se hubiera dejado influir por una máxima de Mary Quant: «Los modistos, incluso los parisinos, confirmarán mañana el *prêt-à-porter* de hoy») se dedicó a fabricar vestidos asequibles para cualquiera en vez de coser ropa a medida para los ricos. «Quiero que cualquier mujer pueda llevar un Courrèges», dijo. La minifalda, barata y atractiva, estaba al alcance de cualquier mujer que se atreviera a llevarla. Lo hicieron millones, desde las muchachas corrientes a famosas tan distintas como Gloria Steinem y Brigitte Bardot. **◄1947.12 ►1970.NM**

SUDESTE ASIÁTICO

Separación de Singapur

3 En 1965, la federación de Malasia expulsó a la isla de Singapur, un enclave de mayoría china en la costa sur de la península malaya. Tengku Abdul Rahman, primer ministro malayo, aludió a la disensión étnica chino-malaya para justificar la expulsión de la isla. «Es evidente que la situación actual no puede continuar», comentó a su gobierno. Singapur se convirtió en una ciudad-estado independiente y Lee Kuan Yew, favorable a la federación, en su primer ministro. «El sueño se ha esfumado», acotó. Pero aunque el sueño de la federación había terminado, empezaba el sueño económico. Durante los treinta años siguientes, el primer ministro convirtió Singapur, un centro comercial desde la Edad Media, en la capital mercantil del sudeste asiático. Malasia, rica en recursos naturales (petróleo, caucho, estaño), también experimentó cierta prosperidad.

Estos dos territorios, colonias británicas desde el siglo XVIII, fueron ocupados por Japón durante la Segunda Guerra Mundial; Gran Bretaña recuperó el control tras la guerra pero los movimientos nacionalistas presionaron para obtener la independencia. Singapur la consiguió en 1959 y Malasia un año después. En 1963 Singapur, Malaya, Sarawak y la zona norte de Borneo (Sabah) constituyeron Malasia. La confederación no duró, pero sí la unión económica.

En 1967, Malasia y Singapur formaron con las Filipinas, Tailandia e Indonesia (colonia holandesa hasta 1949) la Asociación de Naciones del Sudeste Asiático. La organización, anticomunista (en Indonesia el despiadado dictador de derechas Suharto acababa de derrocar a su homónimo de izquierdas, Sukarno), fomentó la estabilidad económica, a menudo a expensas de la libertad política. Singapur fue quien tuvo más suerte. Bajo el gobierno de Lee se

1965

ARTE Y CULTURA: Libros: *Dune* (Frank Herbert); *Jugando en los campos del Señor* (Peter Matthiessen); *Moral y sociedad* (J. L. Aranguren); *The painted bird* (Jerzy Kosinski) [...] Música: «Yesterday» (Lennon y McCartney); «Mr. Tambourine man» (Bob Dylan); «King of the road» (Roger Miller) [...] Pintura y escultura: *Liz* (Andy Warhol) [...]

«Creo en la fraternidad del hombre, de todos los hombres, pero no creo en la fraternidad con alguien que no quiera fraternidad conmigo.»—**Malcolm X**

convirtió en un centro de inversiones internacionales. Junto a Hong Kong, Corea del Sur y Taiwan, Singapur es uno de los motores comerciales de Asia, uno de los «cuatro dragones». Sin embargo, incluso en Singapur la democracia resultó difícil: Lee, anteriormente progresista, estableció una dictadura para proteger las inversiones. **◄1946.3 ►1984.7**

REFORMA SOCIAL

Organización de los más pobres

4 En 1965 un mexicano-americano y antiguo bracero, César Chávez, empezó a tener éxito en un proyecto que se había visto frustrado durante décadas: sindicar a los trabajadores agrícolas de Estados Unidos. En la nación más rica de la tierra, los campesinos ganaban salarios tercermundistas; carecían de agua limpia y de lavabos en el trabajo y, a menudo, vivían en campamentos miserables. Pero como muchos eran inmigrantes y nómadas, permanecían apartados del movimiento laboral. El historial de Chávez le proporcionó cierta ventaja sobre sus predecesores: estaba profundamente integrado en su circunscripción y fue uno de los organizadores más dedicados y llenos de recursos de la historia.

Chávez, que no cursó la enseñanza secundaria, aprendió sus técnicas trabajando (y luego dirigiendo) con un grupo de acción popular, la Organización de Servicios a la Comunidad. En 1962 dimitió para fundar la Asociación Nacional de Trabajadores Agrícolas (ANTA). Con la ayuda de amigos y parientes, Chávez reunió a unos miles de braceros de California, la mayoría mexicanos-americanos como él, en la ANTA. Tres años después, la unión se añadió a una huelga iniciada por vendimiadores filipinos. Chávez, que había aprendido las tácticas del movimiento de derechos civiles, convenció a millones para que boicotearan las viñas y consiguió el apoyo de estudiantes, sindicatos y líderes religiosos.

La huelga y el boicot duraron hasta 1970, a pesar de la interferencia a veces violenta de los propietarios. (Cuando los trabajadores respondían, Chávez, partidario de la desobediencia civil gandhiana, los castigaba con el ayuno.) Finalmente, la dirección reconoció al sindicato, que fue rebautizado como Trabajadores Agrícolas Unidos. Por entonces, el carismático Chávez se había convertido en una figura internacional. **►1988.6**

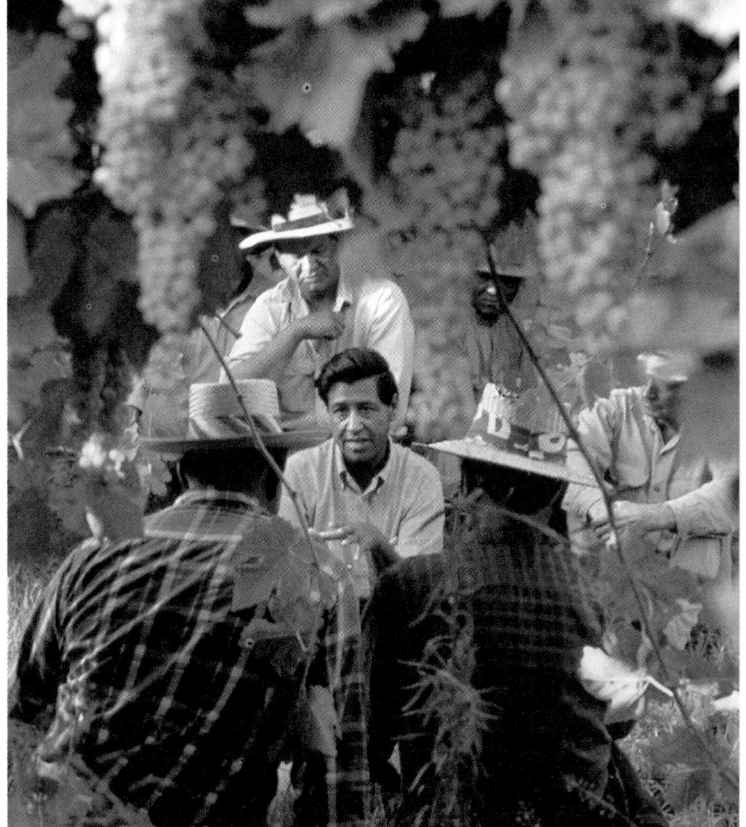

César Chávez en 1965, hablando con un grupo de vendimiadores en Delano, California.

REFORMA SOCIAL

Derechos civiles, injusticias mortales

5 La Ley del derecho al voto de 1965 constituyó una victoria emblemática de la batalla por la igualdad afroamericana y de la lucha mundial por la democracia. La ley, que prohibió la práctica sureña de despojar de sus derechos a los negros a través de pruebas de alfabetización y otros métodos, se aprobó tras ataques violentos contra sus partidarios. En Alabama, la policía utilizó porras para detener la marcha entre Selma y Montgomery, dirigida por Martin Luther King. Ni siquiera las tropas federales enviadas para proteger a los manifestantes pudieron evitar la muerte de una mujer a manos de dos miembros del Ku Klux Klan.

La legislación no pudo acabar con la injusticia racial, y muchos negros se sentían frustrados por la lenta marcha del progreso. En agosto, el vecindario Watts de Los Ángeles estalló en un alzamiento. Veinte mil guardias nacionales tardaron cinco días en dominar los saqueos e incendios; murieron 34 personas (la mayoría negros) y los daños ascendieron a cuarenta millones de dólares. El vecindario nunca se recuperó plenamente.

Otra víctima de la violencia fue Malcolm X (*superior*), el defensor más carismático de los negros urbanos airados. Malcolm abandonó la delincuencia de las calles para convertirse en el portavoz de los musulmanes negros, una secta nacionalista cuyos miembros consideraban a los blancos unos «demonios» y utilizaban la letra «X» para sustituir apellidos procedentes de amos de esclavos. Tras un viaje a la Meca (donde musulmanes de diversas razas profesaban culto unidos), Malcolm fundó otra organización y criticó duramente al líder de los musulmanes negros, Elijah Muhammad. En febrero, sus antiguos compañeros le mataron en Harlem, Nueva York. **◄1964.3 ►1966.10**

NACIMIENTOS

Matt Biondi, nadador estadounidense.

Nicolas Cage, actor estadounidense.

Linda Evangelista, modelo canadiense.

Marlee Matlin, actriz estadounidense.

Scottie Pippen, jugador de baloncesto estadounidense.

David Robinson, jugador de baloncesto estadounidense.

MUERTES

Ignacio Barraquer, oftalmólogo español.

Clara Bow, actriz estadounidense.

Martin Buber, filósofo austríaco-israelita.

Alejandro Casona, dramaturgo español.

Nat «King» Cole, cantante estadounidense.

Winston Churchill, primer ministro británico.

T. S. Eliot, escritor anglo-estadounidense.

Faruk, rey de Egipto.

Spike Jones, músico estadounidense.

Charles Edouard Jeanneret (Le Corbusier), arquitecto franco-suizo.

Stan Laurel, actor anglo-estadounidense.

Malcolm X, líder estadounidense de los derechos civiles.

W. Somerset Maugham, escritor británico.

Syngman Rhee, presidente coreano.

Carolina Rodríguez (La Bella Otero), bailarina española.

Albert Schweitzer, misionero alsaciano.

David O. Selznick, productor cinematográfico estadounidense.

Adlai E. Stevenson, político estadounidense.

Edgar Varèse, compositor franco-estadounidense.

Cine: ***Sonrisas y lágrimas*** **(Robert Wise);** ***Doctor Zhivago*** **(David Lean);** ***The shop on Main Street*** **(Jan Kadar) [...] Teatro:** ***The homecoming*** **(Harold Pinter);** ***La extraña pareja*** **(Neil Simon);** ***El hombre de La Mancha*** **(Darion y Leigh).**

«El defensor que nunca supimos que necesitábamos contra un enemigo que nunca sospechamos que existiera.»—**Revista *Life*, que nominó a Ralph Nader como uno de los cien mejores americanos**

NOVEDADES DE 1965

Lentillas blandas.

EN EL MUNDO

▶REVOLUCIÓN—Era el año 1965: empezaba la década psicodélica. Varios indicios comunicaron la tendencia: el psicólogo Timothy Leary,

despedido como profesor en la Universidad de Harvard, fue detenido por tenencia de drogas en Texas («sintoniza, conecta, abandónate», se convirtió en la frase típica del gurú del LSD); en Nueva York, el Museo de Arte Moderno presentó «El ojo sensible», una exposición de pinturas con ilusiones ópticas; en San Francisco, se formó un grupo de *folk-rock* llamado Warlocks (liderado por Jerry García, *superior*) que pronto se rebautizó Grateful Dead (muerte agradecida).

▶LA GRAN SOCIEDAD —La gran sociedad, propuesta por Lyndon Johnson, y su filial, la guerra a la pobreza, constituyeron los programas de bienestar social más amplios desde el New Deal de F. D. Roosevelt. En 1965, por primera vez en la historia, Estados Unidos estableció un seguro nacional de enfermedad: los programas Medicare y Medicaid, que proporcionaron cuidados médicos a millones de ancianos, disminuidos e indigentes americanos. Entre las iniciativas adoptadas entre 1964 y 1967, Medicare/Medicaid fue la mayor, consumiendo la mayor parte de fondos federales. Uno de los grandes éxitos a largo plazo fue el Project Head Start, un programa de educación preescolar para niños pobres. ◂1935.5 ▸1969.5

▶EL GRAN APAGÓN DE 1965—Desde Ontario, Canadá, a través de Nueva Inglaterra, pasando por

Los coches de choque ayudaron a Nader a ilustrar los peligros del automóvil.

REFORMA SOCIAL

Supervisor

6 Un joven abogado de Connecticut inició el nuevo campo de la defensa del consumidor en 1965 con un libro que minó el encanto de la industria americana del automóvil. Ralph Nader inició su libro (*Inseguridad a cualquier velocidad*) dinamitando sesenta años de elogios al automóvil. «Durante medio siglo, el automóvil ha traído muerte, heridas y la mayor tristeza y privación a millones de personas», afirmó Nader. Luego presentó la evidencia de que, a pesar de décadas de competencia, los fabricantes de coches todavía descuidaban la seguridad y mantenían un muro de silencio sobre «los peligros del diseño», como los frenos inadecuados. Nader criticó con dureza a la General Motors, que no probó el sistema de suspensión de los Corvair, fabricados durante cuatro años y que provocaron más de un millón de accidentes.

Detroit, sorprendida y humillada por las revelaciones de Nader, intentó vengarse. La General Motors contrató a un detective para buscar información de la vida privada de Nader que pudiera desacreditarle, pero la estrategia no funcionó. Nader informó al subcomité senatorial de seguridad viaria de que estaba siendo acosado, y el presidente de la General Motors, James Roche, tuvo que pedir disculpas durante una audiencia televisada. Poco después, el congreso aprobó la Ley de seguridad de los vehículos motorizados y del tránsito nacional; el Corvair fue retirado. Nader, serio, austero e inconformista obtuvo esta doble victoria, fue apoyado por muchos que compartían sus ideas y se dedicó a supervisar la economía y el gobierno. **◂1906.11 ▸1988.6**

ARTE

Menos es más

7 Aunque el término «minimalismo» ya se había aplicado al arte en 1929, la expresión «arte minimalista» se popularizó en 1965, cuando la prestigiosa *Arts Magazine* la empleó como título de un estudio de Richard Wollheim, un profesor de filosofía. Al observar que objetos de «mínimo (minimalista) contenido artístico» adquirieron la categoría de arte, Wollheim dividió tales objetos en dos clases: los de «muy poco contenido» (como los cuadros monocromáticos que el artista americano Ad Reinhardt empezó a pintar tras la Segunda Guerra Mundial) y los de origen «sin ayuda» (como los «*ready-mades*», objetos corrientes presentados como esculturas, introducidos por el artista francés Marcel Duchamp en las dos primeras décadas del siglo).

En 1965, el escultor americano Donald Judd ejemplificó el minimalismo con su obra *Sin título*, una serie de cajas metálicas montadas sobre una pared. Era un estudio impersonal, formal y sorprendente sobre el espacio y la materia. La escultora americana, de origen alemán, Eva Hesse, trató al minimalismo de otro modo. Trabajó con materiales heterodoxos (látex, fibra de vidrio, cuerdas) y desafió las convenciones formales con sus configuraciones asimétricas y dentadas.

El minimalismo, una reducción analítica y consciente del arte a sus formas primarias (un cubo o un plano pintado, por ejemplo), fue una reacción contra las definiciones tradicionales del arte y contra los excesos estéticos. Los minimalistas intentaron que sus obras no tuvieran forma ni contenido, ni siquiera significado. La tendencia reductivista culminó en los años setenta con el arte conceptual, según el cual la idea que está detrás de una obra de arte *es* el arte. **◂1962.8 ▸1970.10**

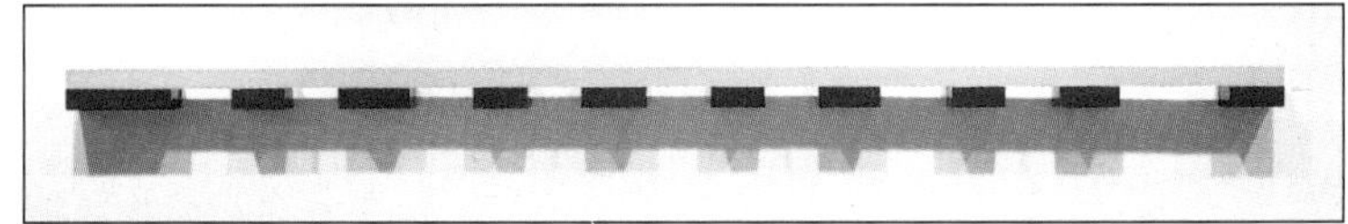

***Sin título*, de Judd, una serie de cajas de aluminio, 1965.**

INDIA

La lucha por Cachemira

8 India y Pakistán lucharon en 1965, hindúes contra musulmanes, por el control de Cachemira, país al norte de la India, de mayoría musulmana. El conflicto intensificó las hostilidades generadas en 1947 por la partición de la India, cuando Cachemira se unió a la India independiente, de mayoría hindú, en lugar de a la nueva nación islámica de Pakistán. Poco después de la partición, Pakistán invadió Cachemira, luchó y fue rechazado. Desde entonces se sucedían las escaramuzas esporádicas en la frontera.

La localización estratégica de Cachemira, entre Pakistán, China

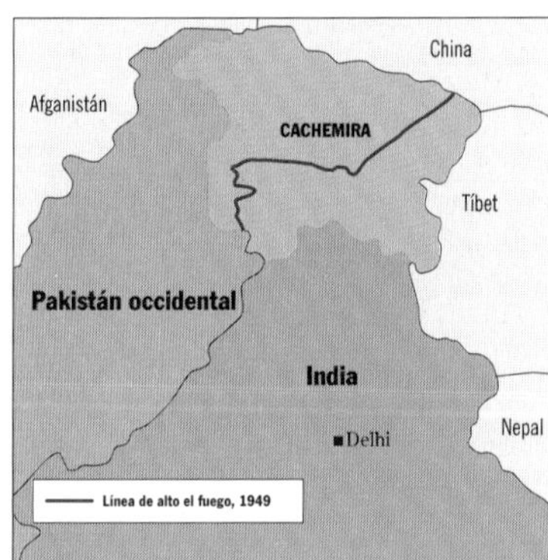

La línea de alto el fuego permaneció durante casi dos décadas.

y la India, dotaba al conflicto de una significación más que regional: China, la Unión Soviética y Estados Unidos mantenían intereses políticos en la zona. Cuando China apoyó a Pakistán en la guerra de 1965, la Unión Soviética protestó airadamente: India era un estado aliado contra la hostil China. Estados Unidos, oficialmente neutral en el conflicto, consideraba a la India como un obstáculo a la expansión china. Con las dos superpotencias en

DEPORTES: **Béisbol: Colombia gana el campeonato del mundo.**

«Seduzco al público[...]. Naturalmente, lo que hago es algo sexual. Bailo, y todo baile es un sustituto del sexo.»—**Mick Jagger**

su contra, Pakistán optó por retirarse.

La guerra duró menos de un año, pero Pakistán declaró que no existiría la paz hasta que el pueblo de Cachemira pudiera elegir con total libertad una patria. La India respondió que la cuestión se había decidido en 1947. En realidad, la anexión a la India se realizó como una medida provisional ideada para mantener el orden hasta que pudiera celebrarse un referéndum. La India nunca llegó a plantearse unas votaciones. Aunque la mayoría de la población de Cachemira apoyó la unión con la India en 1947 (y 18 años después probablemente también lo haría), su rango seguía siendo incierto. **◂1948.5 ▸1966.7**

DIPLOMACIA

Alemania mejora sus relaciones

9 Los alemanes y los judíos dieron un gran paso adelante hacia la reconciliación en marzo de 1965, cuando Israel aceptó la oferta de Bonn de establecer plenas relaciones diplomáticas. Muchos israelitas, marcados por el genocidio nazi, se opusieron a la idea. El futuro primer ministro Menachem Begin, cuyos padres y hermano murieron en el holocausto, pidió a sus compañeros parlamentarios que «no fraternizaran con la generación alemana de la destrucción». No obstante, el primer ministro israelita Levi Eshkol dijo que «en la balanza de la razón y la emoción los intereses prácticos de Israel se decantaban en favor de la razón».

En realidad, el acercamiento poseía un sentido práctico: el comercio alemán y el pago de una deuda de conciencia de casi mil millones de dólares fueron esenciales para la supervivencia del joven Israel. Alemania occidental, ansiosa por borrar la vergüenza nazi (exponiéndose a la ira de los países árabes), necesitaba el perdón de los judíos tanto como Israel necesitaba el comercio alemán.

El ansia de Alemania occidental por dejar atrás el nazismo no siempre agradó a Israel. Días después de que Israel aprobara el intercambio de embajadores, el parlamento alemán votó ampliar el estatuto de limitaciones para crímenes nazis de guerra, que expiraba en mayo, sólo hasta 1969. Dirigentes judíos (y algunos alemanes) se decepcionaron, ya que habían estado presionando para una ampliación de diez años. Pero dado el clima político de Alemania occidental (dos tercios de la población querían que los juicios

A pesar de los temores de muchos alemanes, ningún país árabe cortó sus relaciones con Alemania occidental después de su acercamiento con Israel.

a nazis finalizaran inmediatamente), los políticos alemanes sólo pudieron conseguir cuatro años. **◂1951.4 ▸1993.6**

MÚSICA

Los Rolling Stones

10 En 1965, un año después de añadirse a la invasión del *rock 'n' roll* británico en Estados Unidos, los Rolling Stones se convirtieron en superestrellas con una sola canción.

Los Rolling Stones: Mick Jagger, Charlie Watts, Keith Richards, Brian Jones y Bill Wyman.

«(I can't get no) Satisfaction», en la que el cantante Mick Jagger se jacta de «intentar hacerse a alguna chica». Esta alusión abierta al sexo, muy lejana del «quiero darte la mano» de los Beatles, transformó el vocabulario de la música *pop* y conmocionó a más de un adulto. Una generación rebelde de jóvenes la acogieron, y «Satisfaction» alcanzó enseguida los primeros puestos de las listas de éxito de Estados Unidos, donde vendieron más de un millón de discos antes de editar la canción en Inglaterra.

«Satisfaction» se convirtió en la canción *rock* emblemática de los años sesenta, y los Stones en su grupo de *rock* característico, agresivo, nervioso y vivo. Los miembros del grupo, presentados como «chicos malos» por sus primeros promotores para alejarlos de los Beatles, con los años han realizado esta imagen: el guitarrista Brian Jones se ahogó en su piscina intoxicado en 1969; el mismo año, un admirador murió apuñalado en un concierto de los Rolling Stones en Atlamont, California; el guitarrista Keith Richards era heroinómano. A pesar de todo, durante treinta años el grupo continuó haciendo giras y grabando discos de éxito («Honky tonk woman», «Let's spend the night together», «Jumpin' Jack flash», «You can't always get what you want»), que les han convertido en el grupo de *rock* de trayectoria más larga. **◂1962.6 ▸1969.10**

Manhattan y hasta Michigan, el 9 de noviembre se apagaron las luces. Unos ciento veintiocho mil kilómetros cuadrados se sumieron en la oscuridad y unos treinta millones de personas se quedaron sin electricidad a causa de una subida de tensión (y de la falta de un sistema de regulación). En la ciudad de Nueva York, sin electricidad durante trece horas, casi un millón de personas quedó atrapado en los túneles del metro, otros miles en ascensores a oscuras y en rascacielos. ▸1977.NM

▶ESPAÑA: APERTURA Y OPOSICIÓN—La política interior española se encontraba en una situación incierta. Por una parte, el régimen de Franco, que el año anterior había celebrado un cuarto de siglo de existencia con la campaña propagandística «25 años de paz», era lo bastante fuerte para permitir una cierta liberalización manifiesta en las nuevas leyes de prensa (1966) y de asociaciones (1965) y en la Ley Orgánica del Estado (1966), que sin alcanzar las cotas democráticas mínimas, suponían una mejora con respecto al totalitarismo de la legislación anterior. El desarrollo económico, cimentado en el turismo, las aportaciones de los emigrantes y el crecimiento industrial también significaba un saldo positivo. Pero la oposición al régimen se canalizó en dos frentes cada vez más activos: el mundo laboral y el universitario. En marzo los mineros de Asturias, que reclamaban libertad sindical, se enfrentaron a la policía, que tuvo serias dificultades para controlarlos. En la universidad, la agitación estudiantil organizada desde los primeros meses del año recibió el apoyo de una parte del profesorado. En agosto, tres catedráticos de la Universidad Central (Aranguren, García Calvo y Tierno Galván) fueron separados *sine die* de sus cátedras.

▶MARCOS ELEGIDO—Ferdinand Marcos, tras quince años en la política filipina, se separó del Partido Liberal y se presentó a la presidencia en 1965. Elegido

«Es sentimental pero no veo nada particularmente malo en esto. Creo que la gente ha recibido una gran dosis de esperanza con esta película.»—**Richard Rodgers, sobre *Sonrisas y Lágrimas***

en buena parte por su historial de guerra (luego se supo que era falso), Marcos y su mujer Imelda empezaron su largo asedio a las arcas filipinas. Marcos, que en 1933 había sido acusado del asesinato de un rival de su suegro, suprimió a los disidentes y asumió poderes dictatoriales. ◂1946.5 ▸1973.10

▶CEAUŞESCU TOMA EL PODER—Con la muerte de su mentor, Gheorghe Gheorghiu-Dej, Nicolae Ceauşescu tomó el control del Partido Comunista de Rumanía. Su ascenso marcó el inicio de una de las dictaduras modernas más despiadadas y extrañas. Emprendió una política exterior de tipo soviético, pero en su país se comportó de otra manera, estableciendo un culto a la personalidad que podía rivalizar con el de Stalin y creando una policía secreta tan temible como la de Beria. Copó los puestos gubernamentales con su familia, encarceló o mató a sus oponentes, agotó el tesoro y, cuando la economía se derrumbó, vendió alimentos y petróleo al mejor postor extranjero, sumiendo a su pueblo en la miseria y el hambre. ◂1947.9 ▸1989.1

▶UN PASO EN EL ESPACIO —Los soviéticos, líderes en la carrera espacial, abrieron un nuevo capítulo en la exploración del espacio en marzo: el cosmonauta Aleksei Leonov fue el primer hombre que caminó por el espacio. Dos meses después, el astronauta americano Edward White repitió la hazaña. White, miembro de la tripulación del *Gemini IV*, atado a la cápsula con un largo cordón umbilical, flotó sobre la Tierra durante 21 minutos. «Podía sentarme allí fuera y ver toda la costa de California», explicó. ◂1961.3 ▸1966.2

1965

El revolucionario argentino Che Guevara en un cartel de Paul Davis.

LATINOAMÉRICA

Desaparición de Che Guevara

11 Lugarteniente y amigo personal de Fidel Castro, Ernesto «Che» Guevara, el cerebro táctico de la revolución cubana, desapareció de modo repentino en 1965. Las agencias de inteligencia del mundo occidental empezaron una búsqueda frenética. Proliferaron los rumores sobre su paradero: estaba organizando una guerrilla en Panamá, tramando una insurrección en Perú, dirigiendo ataques rebeldes en Colombia o en una misión en Vietnam. En La Habana, donde Castro permanecía en silencio, se bromeaba con el hecho de que el saludo «¿Cómo está?» había sido sustituido por el de «¿Dónde está?».

Nacido en una buena familia de Argentina, Guevara empezó su carrera revolucionaria como agitador contra la dictadura de Juan Perón. Tras acabar sus estudios de medicina en Buenos Aires en 1953, primero se dirigió a Guatemala, donde vio caer al gobierno progresista de Jacobo Arbenz en un golpe dirigido por la CIA, y luego a México, donde conoció y se unió a Castro. Tras el éxito de la revolución cubana, en 1959, Guevara escribió *Guerrilla*, un manual de estrategia revolucionaria. Entre sus lectores se encontraban estudiantes de izquierdas de universidades europeas y americanas. Para sus seguidores extremistas, Guevara encarnaba el ideal comunista de igualdad; para los agentes de inteligencia, constituía una amenaza.

Guevara, que vio en Cuba la chispa revolucionaria que encendería toda Latinoamérica, era, según los gobiernos capitalistas, un hombre muy peligroso para dejar en libertad. El misterio del paradero de Guevara se resolvió en 1967, cuando reapareció en Bolivia a la cabeza de un grupo guerrillero. (Luego se supo que había estado organizando fuerzas marxistas en el Congo durante su ausencia.) En octubre de 1967, el ejército boliviano (con la ayuda de la CIA) detuvo a Guevara. Pocos días más tarde fue ejecutado. **◂1959.1**

CINE

La sonrisa del éxito

12 *Sonrisas y lágrimas*, una de las películas más vistas de la historia del cine, provocó distintas reacciones cuando se estrenó en 1965. La crítica la tachaba de sentimental o elogiaba su alegría de vivir. El público no tenía dudas: la película estableció un récord de recaudación, superando a *Lo que el viento se llevó*.

Sonrisas y lágrimas, basada en un musical de Broadway de Richard Rodgers y Oscar Hammerstein, transcurre en Austria durante los años treinta y está protagonizada por Christopher Plummer (capitán Von Trapp) y Julie Andrews (María). Él es un viudo con muchos hijos, ella una novicia que les hace de niñera. La pareja, recién casada, y los niños huyen de la Austria anexionada por los nazis cantando todo el camino. Parte del atractivo de la película era que estaba basada en hechos reales: existió una María, un capitán y sus hijos. Daban conciertos y escaparon de los nazis. Sin embargo, no cantaban melodías como «Do-Re-Mi» ni «Climb ev'ry mountain», sino canciones e himnos populares. Tampoco fueron andando a Suiza, a unos 160 km de Salzburgo, sino a Italia. «¿Ninguno se tomó la molestia de mirar un mapa?», preguntó la María real después de ver la película. **◂1956.8 ▸1966.8**

María (Julie Andrews) enseña a los niños Von Trapp la escala musical.

ARQUITECTURA

El pórtico del oeste

13 **El Gateway Arch del arquitecto americano nacido en Finlandia, Eero Saarinen, se alza como un arco iris de acero en St. Louis, Missouri, junto al río Mississippi. La parábola, de 19 m de altura y terminada en 1965, es un monumento a la expansión americana hacia el oeste (Lewis y Clark salieron de St. Louis) y el primer proyecto de Saarinen (presentó el diseño en 1948). Sus obras posteriores, incluidos el Aeropuerto Internacional Dulles de Washington (1963) y la terminal de la TWA en el Aeropuerto Kennedy de Nueva York (1962), le convirtieron en uno de los arquitectos más dinámicos y eclécticos de su época. Como el Gateway Arch, los demás proyectos fueron concluidos tras su repentina muerte en 1961, a la edad de 51 años. ◂1954.5 ▸1966.4**

PREMIOS NOBEL: Paz: Fundación Infantil de la ONU [...] Literatura: Mikhail Sholokhov (soviético; novelista) [...] Química: Robert B. Woodward (estadounidense; síntesis orgánica) [...] Medicina: François Jacob, André Lwolff y Jacques Monod (franceses; control genético de la síntesis de enzimas y virus).

ECOS DE 1965

La niña bien y el charnego

De *Últimas tardes con Teresa*, de Juan Marsé, 1965

Juan Marsé nació en Barcelona en 1933. Sus primeras obras están inscritas en un realismo social y crítico con elementos formales innovadores. En 1965 se le otorgó el premio Biblioteca Breve por Últimas tardes con Teresa, *novela ambientada en la Barcelona de los años sesenta en la que un muchacho de origen murciano y clase obrera (un «charnego») se hace pasar por un militante político clandestino para conquistar a una universitaria de buena familia que juega a ser «progre». Mario Vargas Llosa dijo de la novela: «[...] leyendo* Últimas tardes con Teresa *he tenido la impresión de asistir a los minuciosos e impecables preparativos de un suicidio que está cien veces a punto de culminar en una hecatombe grotesca y que siempre se frustra en el último instante por la intervención de esa oscura fuerza incontrolable y espontánea que anima las palabras y comunica la verdad y la vida a todo lo que toca, incluso a la mentira y a la muerte, y que constituye la más alta y misteriosa facultad humana: el poder de la creación» (Revista* Ínsula*).*

Juan Marsé.

Esta noche la invitó a tomar una copa en «Jaborée». A Teresa le encantó la idea de mostrarse en compañía del murciano en la cava de la Plaza Real (deslizándose como peces en un acuario, allí se veían siempre algunos prestigiosos conjurados estudiantiles, Luis Trías entre ellos, ejercitándose en la semiclandestinidad bajo una luz verdosa, exilada, parisina). Actuaba un singular y primitivo conjunto de jazz español a base de instrumentos de hueso, el «Maria's Julián Jazz» (la quijada de burro hecha sonido y filosofía, decía el programa de mano), latoso y cínico farsante cuya música, al no tomarla nadie en serio (excepto una atenta parejita con gafas, miopes los dos y estudiantes de Letras, que reconocieron a Teresa y pretendieron que la muchacha y su acompañante compartieran su mesa), tenía cuando menos la virtud de que se podía bailar sin miedo a profanar la verdadera cátedra del jazz. Y en la penumbra rojiza del local, bailando estrechamente abrazada a su nuevo amigo frente a las miradas meditabundas de los estudiantes (que ella despreciaba por carcas y reaccionarios, según dijo al oído de Manolo), la universitaria dejó que él le rozara por vez primera las sienes y la frente con los labios.

Al día siguiente, al salir de la clínica, Manolo propuso ir a la playa. Era a primera hora de la tarde y hacía mucho calor. Ya más seguro de sí, el murciano consideraba ciertas posibilidades favorables, si bien por otra parte la espada pendía de nuevo a unos centímetros de su cabeza: estaba a punto de quedarse sin un céntimo y no veía el modo de apañar algo sin arriesgarse demasiado. Lo de ir a la playa fue una decisión repentina y ninguno de los dos llevaba bañador, por lo que a Teresa se le ocurrió pasar por su casa.

—Encontraremos un slip de papá para ti.

No permitió que él la esperara fuera, en el coche, y le invitó a entrar.

—Tengo que cambiarme —dijo ella mientras cruzaban el jardín—. Es sólo un momento. ¿Te importa?

—No, no.

Manolo la siguió por el sendero de grava, bajo la sombra de los frondosos árboles (repentinamente se hizo de noche y era invierno, él llevaba puesta su chaqueta de cuero y su bufanda, la señorita Teresa corría hacia la explosión de luz y de música que salía de las ventanas, corría con sus finos zapatos de tacón alto y con la gabardina blanca como la nieve echada sobre los hombros, arrastrando el cinturón por el sueño, el rojo pañuelo de seda colgando de su bolsillo...) Teresa abrió la puerta con la llave y le hizo pasar a un amplio salón muy ventilado y lleno de luz.

—Ponte cómodo —dijo descalzándose—. Y sírvete una copa si quieres, ahí tienes todo. No tardo ni un minuto. No mires los cuadros, son horribles.

Desapareció por el recibidor, con los zapatos en una mano y desabrochándose el vestido con la otra, en el costado. Se oyó su voz mientras subía unas escaleras: «Vicenta, soy yo». Manolo paseó por el salón. En las paredes había paisajes suizos, que a él no le parecían tan horribles, y el retrato de una señora que le miraba satisfecha desde azules regiones placenteras; el cuello esbelto, rosado, surgía de las gasas lilas que envolvían sus frágiles hombros. Debía ser mamá. Qué guapa, qué dulce su expresión. La casa se hallaba sumida en el más completo silencio (un silencio, sin embargo, que no se parecía a ningún otro: el silencio de las casas de ricos era para él como una sugestiva fuerza dormida, algo así como un silencio de ventiladores parados o un vago rumor subterráneo de calefacción). Un cuadro grande sobre el hogar: perros cazadores; pues tampoco estaba mal, debía hacer mucha compañía en invierno, al sentarse frente a la lumbre, después de un día agotador por los negocios... Se sentó en el diván, ante el hogar, y cruzó las piernas con deleitosa lentitud. De pronto oyó a su izquierda, sobre las relucientes losas, aproximándose, un alegre trotecillo de pezuñas: un pequeño fox-terrier de fosca pelambrera, la cabeza un poco ladeada, considerando con aire tristón al desconocido visitante, le miraba fijamente con sus ojillos recelosos, apenas visibles detrás de la cortina de pelos. Manolo le observó un rato con simpatía y luego tendió la mano para acariciarle, pero el animal, irguiendo la cabeza, retrocedió y dio un par de vueltas en torno al diván. Su aire de desconfianza se acentuó curiosamente cuando, rehuyendo un segundo gesto amistoso, se sentó sobre los cuartos traseros y volvió la cabeza en dirección a la puerta del salón, esperando ver aparecer a alguien de la casa, visiblemente desinteresado —o más bien dominado por serias dudas ante la personalidad del intruso. Ahora Manolo pudo observar que se trataba de una perra. Su graciosa cabeza, que exhibía un aire de chiquilla alocada pero listísima, seguía desdeñosamente vuelta hacia un lado, y sólo de vez en cuando, bruscamente —como si quisiera atajar algún reproche incluso antes de ser formulado— se dignaba mirar al sospechoso desconocido. «Ven, chucho, ven, toma...», murmuraba Manolo. La perrita se le acercó despacio, sin mirarle, husmeó concienzudamente la pernera de los tejanos, las zapatillas de goma, la tenebrosa mano que pretendía acariciarla, y luego, cabizbaja —como si el examen no hubiese hecho más que aumentar sus dudas— dio media vuelta y regresó a su sitio. Manolo recostó cansadamente la cabeza en el respaldo del diván y contempló de nuevo los luminosos cuadros de las paredes y la intimidad tranquila del hogar con una curiosidad vagamente insatisfecha y obsesionante, pero muy grata. Le apetecía fumarse un pitillo.

Resultaba curiosa esta sensación de seguridad que experimentaba aquí, en medio de este orden y este silencio confortables, en relación con la torpeza y dificultad cada vez mayor con que de un tiempo a esta parte se desenvolvía en su ambiente habitual, en su casa, en el mismo bar Delicias, o con el Cardenal y su sobrina (recordó la última visita que les hizo, atroz, y lo malamente que había sacado dinero), era como si hubiese perdido parte de su influencia y de su poder frente a ellos, por negligencia, por descuido, una sensación como de excesiva rapidez, de haber olvidado algo con las prisas, de haber cometido algún error que en el momento de la llegada (¿llegada adónde?) se lo iban a recordar y le pedirían cuentas. Tal vez por eso, a modo de aviso, se presentaban ahora inesperadamente las hermanas Sisters en funciones de su cargo. La tarde iba a resultar pródiga en sorpresas.

«Si el padre es un héroe, el hijo será un hombre valiente; si el padre es un reaccionario, el hijo será un canalla.»
—Consigna de los guardias rojos

Los guardias rojos desfilan con carteles de Mao.

HISTORIA DEL AÑO

La última campaña de Mao

1 Un anciano Mao Zedong en decadencia inició una última campaña en 1966 con el objetivo de aniquilar a sus enemigos del Partido Comunista chino, el aparato político que había construido durante toda su vida. En abril, tras una purga realizada a los altos oficiales hostiles, Mao estableció el Grupo Central de la Revolución Cultural con sus partidarios. Su tarea consistía en desmantelar una burocracia recalcitrante y reanimar el fervor revolucionario de China, que Mao sentía apagado. Como ayuda adicional, acudió a la fuerza más radical de China, sus estudiantes universitarios. Les encargó que destruyeran el «revisionismo» y que suprimieran a los viajeros del «camino capitalista». Así se inició la revolución cultural proletaria, que se cobró unas cuatrocientas mil vidas.

Durante la primera fase del movimiento, los llamados Cincuenta Días, entre junio y agosto de 1966, los estudiantes tomaron los campus, atacaron a las autoridades universitarias y denunciaron a funcionarios contrarios al partido de Mao. La violencia iba aumentando y apareció un grupo sumamente destructivo: los guardias rojos, soldados de asalto adolescentes. Éstos, que seguían la enseñanza de Mao de «aprender la revolución haciéndola», atacaron a los «monstruos y fantasmas» burgueses y hundieron a China en el caos. A finales de año, unos diez millones de guardias habían desfilado ante el presidente para recibir su bendición.

Mientras los guardias rojos se desmandaban, Mao fortaleció su posición dentro del partido. Purgó a los principales defensores de la reforma económica: el presidente Liu Shaoqi y el secretario general del partido, Deng Xiaoping, y a sus partidarios. Respaldado por el general Lin Biao, comandante del ejército, y por la Banda de los Cuatro, el grupo extremista dirigido por su tercera mujer, Jiang Qing, Mao transformó el partido en una organización casi militar, dedicada al pensamiento maoísta y a continuar la revolución. Objeto del culto a la personalidad, disolvió a los guardias rojos en 1968 (más tarde recriminó sus excesos) y reinó como una especie de emperador hasta su muerte en 1976. **◂1958.2 ▸1967.NM**

EXPLORACIÓN

Alunizaje controlado

2 Los científicos soviéticos realizaron toda una hazaña de ingeniería el 3 de febrero de 1966, cuando lograron aterrizar de forma controlada al *Luna IX* sobre la superficie lunar. El primer alunizaje controlado abrió el camino para misiones lunares tripuladas. Asimismo sirvió para que los científicos conocieran mejor la superficie de la Luna: junto a la nave principal, los soviéticos depositaron un pequeño vehículo equipado con material fotográfico que transmitió fotografías históricas a la Unión Soviética. Gran Bretaña interceptó la transmisión con el radiotelescopio gigante de Jodrell Bank y los astrónomos occidentales tuvieron la posibilidad de ver unas imágenes que la Unión Soviética quizás no hubiera revelado durante años.

Hasta el alunizaje del *Luna IX*, muchos astrónomos pensaban que la Luna estaba cubierta por una capa de polvo tan espesa que se tragaría a cualquier vehículo que aterrizara. Otros científicos temían que la superficie lunar fuera «demasiado peligrosa para caminar sobre ella, llena de agujeros y quebradiza». Sin embargo, el *Luna IX* demostró que era una corteza rasa con rocas desiguales y piedrecitas, un terreno relativamente hospitalario. El alunizaje también demostró que una nave espacial a gran velocidad podía frenarse lo suficiente como para evitar un impacto que la destruyera, algo esencial si alguna vez el hombre llegaba a la Luna.

La misión fue un éxito para los técnicos espaciales soviéticos. Los americanos también la celebraron. Todavía no dominaban la tecnología del alunizaje controlado, pero sus misiones tripuladas Géminis se desarrollaban cada vez mejor. Ahora, con el éxito del *Luna IX*, sabían que era posible aterrizar en la Luna. **◂1965.M ▸1969.1**

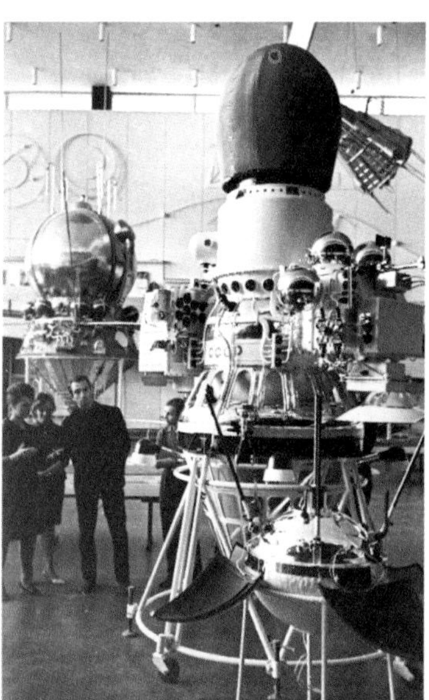

El alunizaje del *Luna IX* (*superior*, en el Museo Espacial Tsiolkovsky de la URSS) anunció que el hombre llegaría a la Luna.

CULTURA POPULAR

Los viajes de la *Enterprise*

3 *Star Trek*, la serie televisiva sin igual de ciencia ficción, se estrenó el 9 de diciembre de 1966 en la NBC y no tuvo demasiado éxito.

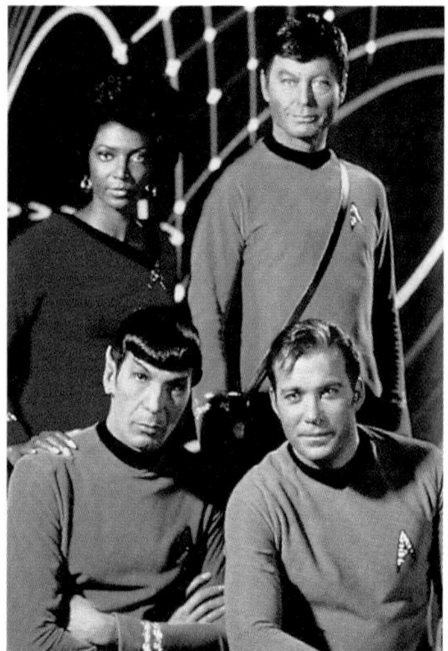

Cuatro tripulantes de la *Enterprise*: Spock, Uhura, McCoy y Kirk.

Durante su trayectoria de tres años, nunca superó el número 50 en las clasificaciones de la cadena; sin embargo, a nivel mundial encontró un público amplio y leal. Sus 79 capítulos originales constituyeron el tema de media docena de películas, de más de cien novelas, de series de dibujos animados y se rodaron dos series más. Engendró una subcultura «Trekkie», cuyos miembros publicaban cartas en los periódicos, se comunicaban por ordenador y celebraban convenciones anuales.

Star Trek, creada por el escritor Gene Roddenberry, que fue también su productor ejecutivo, transcurre en el siglo XXIII y narra las aventuras de la tripulación de la nave *Enterprise*, que tiene la misión de «buscar nuevas civilizaciones y formas de vida en lugares donde no ha estado ningún hombre». La tripulación de la nave es mixta: el capitán americano James T. Kirk (William Shatner), valiente, enérgico y cerebral; el famoso señor Spock (Leonard Nimoy), medio humano medio vulcanita, con las orejas puntiagudas; un escocés, un asiático y una mujer negra. La serie fue pionera en la

ARTE Y CULTURA: Libros: *El hombre de Kiev* (Bernard Malamud); *Los comediantes* (Graham Greene); *Últimas tardes con Teresa* (Juan Marsé) [...] Música: «Strangers in the night» (Kaempfert, Singleton y Snyder); «California dreamin'» (John Phillips) [...]

«Un edificio es una ofrenda al espíritu de la arquitectura.»—**Louis Kahn**

descripción de las relaciones humanas y del espacio exterior. (Ofreció los primeros besos entre personas de distintas razas... y entre seres de distintas especies.) Los complementos casi maravillosos, como las pistolas «phaser», y el vocabulario especializado que sonaba a alta tecnología añadían verosimilitud científica a la serie, caracterizada por su visión optimista del futuro. **◂1938.E ▸1968.5**

ARQUITECTURA

La nueva modernidad de Kahn

4 El arquitecto americano Louis Kahn, un filósofo del ladrillo, del hormigón y de la madera, inició las obras del Kimbell Art Museum de Fort Worth, Texas, en 1966. Con su simplicidad severa y su pureza euclídea, el Kimbell, como otros edificios de Khan, contribuyó a liberar a la arquitectura de los límites modernos del cristal y el acero en los que se había estancado.

Kahn, nacido en Estonia pero residente en Estados Unidos desde los cinco años de edad, poseía un gran sentido cívico, alimentado en parte por su infancia en Filadelfia. Pensaba que la arquitectura moderna a menudo ignoraba la necesidad de que los edificios públicos tuvieran más importancia que las torres de oficinas y los complejos de viviendas. Su gran contribución fue una cualidad que él denominó personalmente «monumentalidad»: una expansión del espíritu, una presencia grandiosa hecha más de «luz y silencio» (componentes esenciales de la concepción podría decirse casi mística de Kahn) que de ladrillo y mármol.

El Kimbell, que fue construido en seis años, muestra la monumentalidad de Kahn a una escala más humana que otros de sus edificios públicos, como el complejo gubernamental de Dacca, Bangladesh, o el Salk Institute de La Jolla, California. El interior del Kimbell es tan silencioso como una iglesia. Como tributo a Kahn, cuya fama creció enormemente tras su muerte en 1974, arquitectos de todo el país se manifestaron en contra de la propuesta de la dirección del Kimbell de ampliar el museo: la integridad del edificio no debía ponerse en peligro (y no se hizo). **◂1965.13 ▸1977.11**

El Kimbell introdujo en Fort Worth, Texas, la modernidad de la «Escuela de Filadelfia» de Kahn.

FRANCIA

Adieu, OTAN

5 Charles de Gaulle nunca ocultó su desacuerdo con la OTAN, pero cuando retiró a Francia de la obediencia militar a la organización en marzo de 1966, su atrevimiento sorprendió a los dirigentes occidentales. Ignorando las normas que obligaban a los miembros a consultarse entre sí antes de cambiar su categoría, el presidente De Gaulle anunció que, a partir de julio, el personal francés no respondería ante los mandos de la OTAN y que las fuerzas extranjeras tenían el plazo de un año para retirarse de Francia. (La OTAN trasladó su sede de París a Bruselas.) Luego realizó un viaje por la Unión Soviética.

El acercamiento de De Gaulle a Moscú era el resultado de su lucha contra la dominación americana en la política exterior. Desde el final de la guerra de Argelia, su actitud había sido cada vez más independiente. En 1963 vetó la entrada de Gran Bretaña en el Mercado Común (desafiando a Washington), rechazó el Tratado de prohibición de ensayos nucleares y retiró de la OTAN a las fuerzas navales francesas. En 1964 reconoció la China de Mao, declinó una invitación del presidente Johnson para visitar Estados Unidos y abogó

Charles de Gaulle en misión de buena voluntad en Kiev, Ucrania.

por un Vietnam del Sur neutral. En 1965 escribió una carta de solidaridad a Ho Chi Minh, de Vietnam del Norte, condenó la intervención militar americana en Vietnam, retiró a los representantes franceses de la Organización del Tratado del Sudeste Asiático y se negó a participar en las maniobras de la OTAN. Asimismo, exigió un boicot francés al Mercado Común hasta que se corrigieran ciertas tendencias «supranacionales», que supuestamente perjudicaban a la soberanía francesa. (La mayor parte de sus demandas fueron satisfechas.)

De Gaulle, sin ser de izquierdas, empezó a cortejar a Rusia, la «aliada tradicional» de Francia, después de que Alemania occidental rechazara sus proposiciones de formar un pacto antiamericano, pero Moscú fue tan reticente como Bonn a apoyar su desafío a la hegemonía de Estados Unidos sobre Europa occidental. La frágil alianza se rompió por completo cuando en 1968 los soviéticos invadieron Checoslovaquia. Por entonces, la negligencia de De Gaulle respecto a los asuntos interiores contribuyó a colocar a Francia al borde de la revolución. **◂1963.5 ▸1968.1**

NACIMIENTOS

Cindy Crawford, modelo estadounidense.

Alberto Tomba, esquiador italiano.

Mike Tyson, boxeador estadounidense.

MUERTES

Anna Akhmatova, poetisa rusa.

Elizabeth Arden, comerciante estadounidense.

Jean Arp, artista francés.

André Breton, escritor francés.

Lenny Bruce, actor estadounidense.

Montgomery Clift, actor estadounidense.

Walt Disney, director cinematográfico estadounidense.

C. S. Forester, novelista británico.

Alberto Giacometti, artista suizo.

Buster Keaton, actor estadounidense.

Chester Nimitz, almirante estadounidense.

Erwin Piscator, director de teatro alemán.

Paul Reynaud, político francés.

Alfred P. Sloan, empresario estadounidense.

Camilo Torres, sacerdote y guerrillero colombiano.

Evelyn Waugh, escritora británica.

Cine: *Un hombre para la eternidad* (Fred Zinnemann); *Alfie* (Lewis Gilbert); *El evangelio según san Mateo* (Pier Paolo Pasolini); *Un hombre y una mujer* (Claude Lelouch); *Persona* (Ingmar Bergman) [...]
Teatro: *El arquitecto y el emperador de Asiria* (Fernando Arrabal); *Sweet Charity* (Fields y Coleman) [...] **TV:** *Hollywood Squares; Misión imposible; Family Affair.*

«Mi padre era un hombre de Estado, yo soy un político. Mi padre era un santo, yo no.»—**Indira Gandhi, hija del primer presidente de la India**

NOVEDADES DE 1966

MasterCharge (más tarde MasterCard).

Cables telefónicos de fibra óptica.

EN EL MUNDO

▶SEXO CIENTÍFICO —En 1966 los investigadores William Howell Masters y Virginia Eshelman Johnson publicaron *Respuesta sexual humana*, que sorprendentemente se convirtió en un superventas. Era el primer estudio extensivo de fisiología de la conducta íntima. A diferencia de investigadores anteriores, que recopilaron datos a través de cuestionarios y entrevistas, Masters y Johnson reunieron pruebas a través de las respuestas humanas a un equipo electrónico. ◂1948.10 ▸1970.NM

▶A SANGRE FRÍA —Era un tema extraño para el decadente escritor de Nueva York: la historia de dos

psicópatas de Kansas. La novela de «no ficción» de Truman Capote, *A sangre fría* (1966), mezcla la técnica periodística con entrevistas a los asesinos (a veces transcritas literalmente) y la reconstrucción de los crímenes según la opinión de Capote.

▶EXPLOSIÓN DE LA MÚSICA POP—El *rock'n' roll*, nacido hacía apenas una década, ya abarcaba diversos estilos como se reflejó en los distintos discos editados en 1966. En la costa este estadounidense prevalecía la música tocada en los cafés e interpretada por vocalistas armónicos como Simon y Garfunkel, que seguían el género *folk-rock* de Bob Dylan. Sus canciones de éxito, *Parsley, Sage, Rosemary y Thyme* trataban de la angustia y alienación urbanas. En el oeste, los Beach Boys tenían

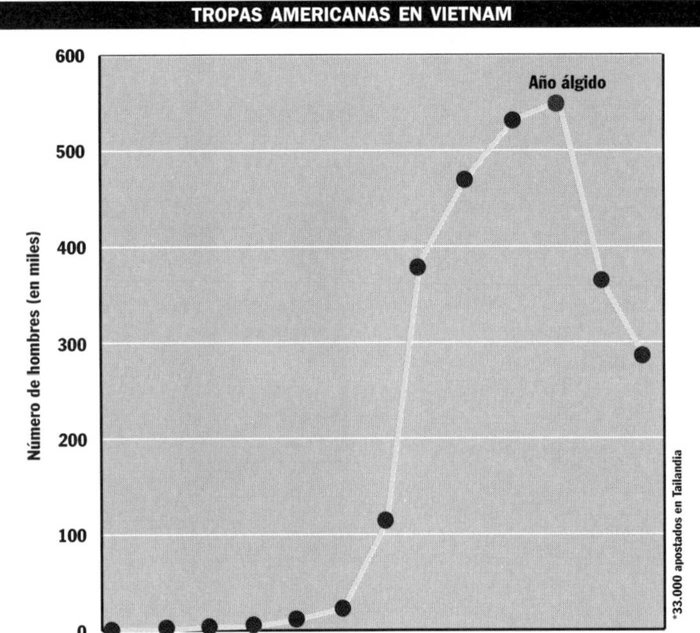

La presencia norteamericana en Vietnam aumentó de 35 consejeros en 1950 a 542.500 soldados en 1969.

GUERRA DE VIETNAM

Intensificación y división

6 En agosto de 1966 murieron veinte soldados norteamericanos en Vietnam del Sur cuando uno de sus propios aviones los bombardeó por error con napalm. El incidente ejemplificó de un modo terrible las grietas que empezaban a abrirse en la sociedad americana a medida que la guerra se intensificaba. Estudiantes contrarios a la guerra ocuparon los edificios de las Universidades de Nueva York y Chicago a la vez que estudiantes partidarios presentaban al vicepresidente Humphrey una declaración de apoyo con quinientas mil firmas. En Nueva York, una marcha por la paz de veinte mil personas fue atacada por un grupo violento. En Washington, unos cuantos congresistas de prestigio empezaron a tachar al presidente Johnson de belicista.

En Vietnam del Sur también existían disensiones internas. Tras obtener el poder en las elecciones fraudulentas de 1965, el primer ministro (y antiguo comandante de las fuerzas aéreas) Nguyen Cao Ky prometió a Johnson que realizaría reformas políticas y económicas (para que los americanos creyeran que apoyaban un régimen justo) pero se llevaron a cabo pocas reformas y, en 1966, cuando tuvo lugar una manifestación de budistas a favor de la democracia y contra la corrupción en Saigón, Ky los atacó violentamente. Sin embargo, la ayuda económica americana, de un millón de dólares mensuales, continuaba llegando (un 40 % iba directamente a los bolsillos de la oligarquía del país).

En términos puramente militares, la guerra no iba mal para Estados Unidos. Los aviones B52 habían empezado a bombardear ciudades de Vietnam del Norte. Soldados trasladados con helicópteros se desplegaban por el Triángulo de Hierro, el delta del Mekong, y otros objetivos; el recuento de bajas enemigas superaba de forma constante al de americanas. Pero los soldados sudvietnamitas a menudo se mostraban apáticos, incluso hostiles, mientras el número y la moral del enemigo parecía inagotable. En realidad, el «enemigo» seguía siendo bastante popular entre la población que los americanos intentaban proteger. Políticamente las cosas empezaban a desmoronarse. **◂1965.1 ▸1967.E**

INDIA

La madre de una nación

7 Tras un breve interregno, la dinastía Nehru recuperó el poder de la India en 1966, cuando Indira Gandhi se convirtió en la tercer primer ministro desde la independencia. Indira Gandhi, hija de Jawaharlal Nehru y educada en Oxford, sucedió al sucesor de su padre, Lal Bahadur Shastri, que murió tras 18 meses en el cargo. Indira, independiente y tenaz, llegó a personificar la India moderna durante los quince años, a menudo conflictivos, que estuvo en el gobierno y fue apodada Bharat Mata (Madre de la India).

Poco después de tomar posesión, enfrentada a profundos problemas económicos causados por la peor sequía del siglo, Indira redujo unilateralmente el valor de la rupia más de un 50 %. La drástica devaluación disgustó a muchos miembros del gobierno. Peor aún, provocó un fuerte aumento de los precios, favoreciendo a sus enemigos políticos para las siguientes elecciones, en 1971.

Sin embargo, Indira, con el eslogan *Garibi hatao!,* («¡Librémonos de la pobreza!»), fue reelegida por un margen arrollador. La economía siguió empeorando, y provocó el malestar general, y en 1975 la primer ministro declaró el estado de emergencia. Censuró a los medios de comunicación, cada vez más críticos, y encarceló a muchos de sus rivales. Mientras, la corrupción y la venalidad dañaron a su administración. En 1977, Indira Gandhi fue derrotada en las urnas pero su ausencia fue breve: dos años después volvía a asumir el cargo y lo conservó hasta que fue asesinada por sus guardias de seguridad en 1984.

Los indios a menudo decían que Indira Gandhi había nacido para gobernar. Bharat Mata nunca contradijo esta opinión. Un político de menor categoría se hubiera podido sentir derrotado por los problemas sociales y económicos de la India, pero Indira Gandhi, totalmente identificada con su país y con el gobierno, nunca perdió la esperanza. **◂1965.8 ▸1984.2**

TEATRO

Weimar en el Hudson

8 El tema y el contexto de *Cabaret*, estrenado en Broadway en 1966, demostraron lo mucho y muy rápidamente que había madurado el musical americano. La obra transcurre en el Berlín de finales de la república de Weimar e inició un tipo nuevo de musicales, sofisticados, absorbentes y dirigidos sólo a los adultos. Hizo que Hammerstein y Rodgers (cuya obra de 1959 *Sonrisas y lágrimas* también transcurría en los inicios del nazismo) parecieran irrelevantes.

Cabaret, una adaptación libre de las *Historias de Berlín* del escritor británico Christopher Isherwood,

DEPORTES: Fútbol: el Real Madrid gana su sexta copa de Europa [...] Tenis: Manolo Santana vence en el torneo de Wimbledon.

«La violencia es necesaria; esto es tan americano como la tarta de cerezas.»—**H. Rap Brown**

explica la caída en el nazismo de la decadente república de Weimar desde los distintos puntos de vista de un expatriado americano, Sally Bowles, cantante de segunda fila que le seduce, de su casera burguesa,

Joel Grey interpretó al maestro de ceremonias de *Cabaret* en el teatro y en la película de 1972.

Aryan, y de un timador simpático, añade color a la acción y aporta una interpretación cínica. Buena parte de los recursos dramáticos (decorados abstractos, personajes que observan la acción y canciones que la comentan) recuerdan al dramaturgo alemán Bertolt Brecht. (El carácter brechtiano de la producción estaba relacionado con la presencia de Lotte Lenya, la viuda de Kurt Weill, colaborador de Bertolt Brecht.) En el escenario había un gran espejo que reflejaba al público como método para implicarlo en la tragedia que se representaba. Hal Prince, productor y director del espectáculo, pensaba que la obra tenía un paralelo en los conflictos raciales de la América de los años sesenta. Los espectadores aceptaron el reto: *Cabaret* alcanzó un total de 1.165 representaciones. **◂1928.4**

DESASTRES

El renacimiento arruinado

9 En el otoño de 1966 el centro y el norte de Italia sufrieron lluvias torrenciales que causaron inundaciones generales, desprendimientos de tierras y más de cien muertes. Cuando la tempestad amainó, el mundo centró su atención en la ciudad de Florencia, la catedral del renacimiento, donde las inundaciones dejaron docenas de muertos, a miles de personas sin hogar y un gran número de obras de arte insustituibles dañadas o destruidas.

La crecida del río Arno desbordó el insuficiente sistema de alcantarillado y causó más estragos en la ciudad artística que la guerra. La parte alta de la *Crucifixión*, un fresco del maestro del siglo XIII Giovanni Cimabue, quedó completamente borrada. La corriente abatió y partió las *Puertas del Paraíso*, construidas por el escultor Lorenzo Ghilberti para el baptisterio de Florencia. La biblioteca Vieusseux, compuesta por más de doscientos cincuenta mil volúmenes de literatura romántica, quedó destrozada.

El desastre conmocionó a los amantes del arte de todo el mundo. El Papa PabloVI contribuyó con cincuenta millones de liras para la restauración de Florencia; en Estados Unidos la viuda de Kennedy, Jacqueline, fue de las primeras en hacer donativos. Clérigos, estudiantes y eruditos de todo el mundo dedicaron tiempo y experiencia a la causa. Muchas de las obras no pudieron ser salvadas y una circunstancia agravó aún más la situación: gran parte de las obras de arte valiosas estaban almacenadas en lugares bajos. **▸1993.13**

La iglesia de la Santa Croce de Florencia inundada.

REFORMA SOCIAL

El poder negro

10 El movimiento de derechos civiles se escindió en 1966 cuando Stokely Carmichael, dirigente del Comité de coordinación de estudiantes no violentos prometió que nunca más «aguantaría un golpe sin replicar». Declaró que los negros habían suplicado la libertad demasiado tiempo y que había llegado el momento de exigirla.

El clamor por el «poder negro» se levantó por toda América y su eco llegó a Sudáfrica. Expresó la impaciencia de los jóvenes negros contra el programa basado en las leyes de sus mayores y contra los ataques continuos de la policía y los

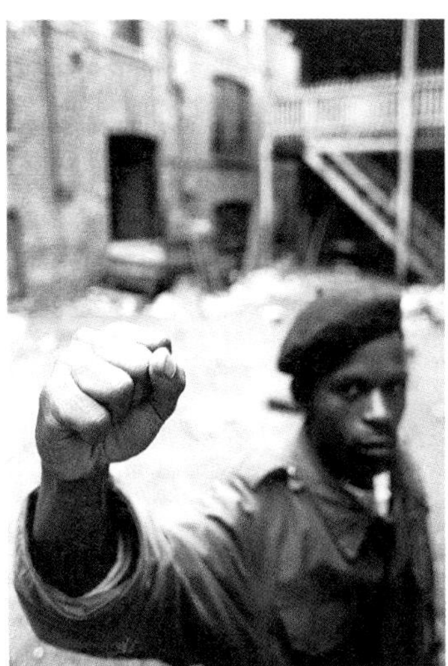

Un puño cerrado y desafiante, un nuevo símbolo para un nuevo movimiento negro.

vigilantes contra los activistas del movimiento.

La postura agresiva del poder negro atemorizó a la mayoría de blancos y a muchos negros. Miembros del Partido Pantera Negra, fundado en California por Bobby Seale y Huey Newton, llevaban ropas paramilitares y a menudo fusiles. En sus comunidades, los panteras establecieron programas de sanidad y alimentación gratuitas pero las autoridades, inquietas, utilizaron infiltrados, condenas de prisión y balas para destruirlos.

El movimiento de derechos civiles aportó énfasis a la integración; el poder negro, a la independencia. El Comité de estudiantes y otros grupos expulsaron a sus miembros blancos. H. Rap Brown, sucesor de Carmichael en el Comité de estudiantes, adoptó plenamente esta actitud. «Si América no se conforma, vamos a incendiarla, hermano.» A medida que aumentaban los disturbios en los años 1966, 1967 y 1968, la canción del movimiento «Venceremos» daba paso a la de «Incendia, incendia». **◂1965.5 ▸1968.4**

temas más ligeros: coches, chicas, playas. Obtuvieron un éxito internacional con «Good vibrations». El californiano Frank Zappa *(inferior)* editó *Freak-out!*, el primer álbum doble de *rock*. El disco, con canciones agresivas de crítica social, convirtieron a Zappa y a su grupo Mothers of Invention

en portavoces de la contracultura. ◂1965.10 ▸1969.4

▶MUÑECAS Y PISTOLAS —*El valle de las muñecas* de Jacqueline Susann fue la novela más vendida de 1966. El libro, con drogas y sexo, fue uno de los primeros en los que una escritora describía de forma gráfica la sexualidad femenina y el primero en ser promocionado por su propia autora.

▶PELIGRO ATÓMICO—Un accidente aéreo, acaecido cuando un bombardero norteamericano B52 chocó en el aire con un avión nodriza que le suministraba combustible, sembró la alarma en la provincia de Almería, en el sudeste español. Como resultado del choque, cuatro bombas termonucleares, las bombas H, se desprendieron. Tres cayeron en tierra y fueron recuperadas, pero la cuarta cayó al mar, frente a la localidad de Palomares. Entre el 17 de enero, cuando se produjo el accidente, y el 7 de abril, fecha en la que finalmente pudo recuperarse la cuarta bomba, que se hallaba a 840 m bajo la superficie del mar, la posibilidad de que se hubieran producido radiaciones atómicas peligrosas atemorizó a la población levantina.

▶EL PEQUEÑO LIBRO ROJO —Lin Biao, jefe del Ejército de Liberación del Pueblo Chino, necesitaba un modo de familiarizar a sus reclutas sin educación con el espíritu de

«No les gusta nada de nuestro país, nada es sagrado para ellos [...] están a punto para maldecir y atropellar al hombre soviético, en el pasado y en el presente.»—***Izvestia*, sobe los escritos de Sinyavski y Daniel**

la revolución. Su solución la constituyó las *Citas del presidente Mao*, una recopilación de máximas y sentencias radicalmente ortodoxas. El «pequeño libro rojo» fue la biblia de la revolución cultural, y los guardias rojos encontraron en él la justificación para sus actos brutales. Traducido al inglés en 1966, el pequeño volumen se convirtió en el complemento de moda de la contracultura. ◂1966.1

▶DEMOCRACIA DOMINICANA—En 1966, tras cinco años de guerra civil y golpes de Estado (y de presencia de soldados americanos), la República Dominicana celebró sus segundas elecciones generales desde el asesinato de Rafael Trujillo Molina. Joaquín Balaguer, nombrado presidente por Trujillo en 1960, derrotó a Juan Bosch en julio (Bosch gobernaba desde el año anterior bajo la protección de un alto el fuego de la Organización de Países Americanos). Balaguer, favorito de la Iglesia y del ejército, estabilizó la política de la República Dominicana pero siguió algunas de las medidas autocráticas de Trujillo. Fue reelegido cuatro veces entre 1978 y 1990. ◂1961.8

UNIÓN SOVIÉTICA

Disidentes a juicio

11 El deshielo postestalinista finalizó en 1966 de forma abrupta y sin remisión con el juicio público y condena de los escritores liberales soviéticos Andrei Sinyavski y Yuli Daniel. El juicio demostró que el nuevo gobierno, encabezado por Leonid Brezhnev, no toleraría la crítica. Enfrentados a la cárcel o al silencio, muchos intelectuales empezaron a publicar de modo clandestino escritos ilegales, reanimando la antigua tradición rusa de la disidencia.

Entre 1953 y 1966, los escritores soviéticos disfrutaron de un alto grado de libertad. Animados por la condena de Khrushchev al terror estalinista, novelistas como Ilya Ehrenburg y Aleksandr Solzhenitsyn criticaron abiertamente los abusos del gobierno. En 1962, Solzhenitsyn publicó legalmente la novela *Un día en la vida de Iván Denisovich*, una descripción valiente de la crueldad en un campo de trabajo estalinista, que demostraba el alto grado de apertura. Sin embargo, tras la expulsión de Khrushchev en 1964, el espíritu de tolerancia se disipó rápidamente.

Sinyavski y Daniel atacaron la política estalinista y el arte del realismo social. Acusados de crear propaganda antisoviética, fueron juzgados por sus palabras: los fiscales, sin reconocer la distinción entre la opinión y la imaginación de autor, citaron pasajes satíricos como prueba de la depravación de sus autores. Sinyavski y Daniel, condenados a trabajos forzados, se negaron a admitir su culpabilidad, actitud que caracterizaría al movimiento de resistencia que se inició con este juicio. **◂1964.2 ▸1974.13**

Daniel *(izquierda)* y Sinyavski en su juicio de 1966.

ÁFRICA OCCIDENTAL

Exilio de «el Redentor»

12 La decadencia y caída del ghanés Kwame Nkrumah ejemplificó los problemas de la descolonización africana. Líder de la primera nación subsahariana en conseguir la independencia de Europa y respetado en toda África por su anticolonialismo, Nkrumah cayó en la tiranía durante su mandato. Fue depuesto por un golpe derechista mientras visitaba Pekín.

Nkrumah, que consiguió la independencia de Ghana en 1957, impresionó al mundo con sus llamadas a la libertad, pero como primer ministro aprobó una ley que permitía el encarcelamiento sin juicio por «riesgos de seguridad». Al principio, las nuevas carreteras, escuelas y hospitales aumentaron su popularidad. En 1960 fue elegido presidente en unas votaciones generales y proclamó una constitución nueva. La mayor parte de la economía continuó en manos extranjeras y su declive sembró el malestar general. Nkrumah se apoyó cada vez más en las ayudas de países comunistas pero la economía seguía hundiéndose. El presidente creó una policía secreta violenta para acabar con la disidencia y alimentó el culto a la personalidad.

Cada vez más aislado, «el Redentor» (como lo llamaba la prensa oficial) empezó a producir de forma mecánica libros, a veces brillantes y a veces incoherentes, de teoría marxista. Mientras tanto, la economía nacional se hallaba en manos de «nkrumanistas» a menudo incompetentes. En los años sesenta,incluso muchos africanos nacionalistas se pusieron en contra de su antiguo héroe, y las inclinaciones marxistas de Nkrumah provocaron la retirada de ayudas occidentales. Aislada, cargada de deudas y oprimida, Ghana estaba preparada para el cambio cuando Nkrumah fue derrocado en 1966. **◂1957.4**

INDONESIA

Sukarno pierde el control

13 El hombre que forjó una identidad para el país más extenso y diverso del sudeste asiático cayó en 1966. El presidente indonesio Sukarno (como muchos de sus compatriotas sólo usaba un nombre) declaró la independencia de su país en 1945. Cuando los holandeses intentaron recuperar Indonesia, Sukarno se enfrentó a ellos y se convirtió en un héroe en las más de trece mil islas del archipiélago. No obstante, después se volvió autoritario. Disolvió el parlamento en 1956, suprimió a los disidentes y su «economía dirigida» nunca funcionó. En 1965, Suharto, jefe del Estado Mayor del ejército, le desafió.

Al principio, el dinamismo y el carisma de Sukarno —y su cautela en el manejo del enfrentamiento entre el Partido Comunista y el ejército anticomunista— aseguraron su posición. Construyó monumentos, escuelas y hospitales que enorgullecieron y dieron cohesión a su pueblo multicultural. Pero la corrupción de su régimen y su posición en contra de Washington disgustaron al ejército conservador de Indonesia.

En 1965, el general Suharto atacó con el ejército a presuntos conspiradores comunistas contrarios a Sukarno. El objetivo real del comandante era el propio presidente: en unos meses, el ejército y sus partidarios mataron a unos trescientos mil comunistas, reales y supuestos. La masacre acabó por completo con la confianza pública en Sukarno: si no podía controlar al ejército de Indonesia, ¿qué podía controlar? Sukarno, autonombrado presidente vitalicio, perdió su cargo y su libertad. Permaneció en arresto domiciliario hasta su muerte en 1970. **◂1949.NM**

PREMIOS NOBEL: Paz: Sin galardón [...] Literatura: Shmuel Yoseph Agnon (israelita; novelista) y Nelly Sachs (sueco-alemana; poeta y dramaturga) [...] Química: Robert S. Mulliken (estadounidense; enlaces químicos) [...] Medicina: Charles Huggins (estadounidense; tratamiento de cáncer de próstata) y Francis Peyton Rous (estadounidense; virus productores de tumores) [...] Física: Alfred Kastler (francés; energía atómica).

Muerte del cura-guerrillero

Diario *El Tiempo* (20 de febrero de 1966)

Camilo Torres Restrepo, sacerdote colombiano, inició su liderazgo revolucionario en 1964. Intentó aglutinar en un futuro partido de masas a trabajadores y estudiantes y se apoyó en las fuerzas guerrilleras a las que se incorporó como miembro del Ejército de Liberación Nacional. El 15 de febrero de 1966 murió en combate en un enfrentamiento de la guerrilla contra la Quinta Brigada del ejército. Su cadáver no fue identificado y se desconoce dónde fue enterrado. El diario El Tiempo *de Bogotá recogió así la noticia:*

«Los hechos se desarrollaron así, Camilo Torres y sus compañeros ya habían divisado la primera patrulla del ejército. El puesto de mira debió ser Patio Cemento (cerca del Corregimiento del Carmen, municipio de San Vicente). La tropa tenía que pasar precisamente por ese sector si quería continuar la inspección de reconocimiento.

Al entrar al cacaotal, la sorprendieron con una descarga que produjo inmediatamente cuatro muertos y tres heridos. Siguieron algunos minutos de silencio, que fueron aprovechados por quienes dispararon para requisar los cadáveres y apoderarse del armamento.

En este momento los asaltantes se aproximaron al grupo de soldados muertos y heridos. Un soldado que había resultado ileso y se había colocado cerca del teniente herido, fingiéndose muerto, se levantó sorpresivamente y disparó su metralleta contra el grupo —al parecer de 25 hombres— que se aproximaba.

Las ráfagas alcanzaron a Camilo Torres y a cuatro de sus compañeros, mientras los demás salieron en precipitada fuga hacia otro bosque más tupido. El levantamiento de los cadáveres lo realizó el inspector del Carmen, sargento primero de la policía, Jaime Quinteiro Herrera, a las 5.30 de la tarde.»

Camilo Torres, cuyo sentido del cristianismo desembocó en un claro y radical compromiso político.

«Soy un nuevo Frankenstein.»—**Louis Washkansky, el primer receptor de un corazón transplantado**

HISTORIA DEL AÑO

Primer transplante de corazón

1 En Ciudad del Cabo, Sudáfrica, el cirujano Christiaan Barnard, asistido por un equipo de treinta ayudantes, salvó la vida de Louis Washkansky, de 55 años de edad, al sustituir su corazón enfermo por el de una mujer muerta en un accidente de coche. Denise Darvall había sufrido graves heridas en la cabeza y en el cuerpo a causa del impacto, pero su corazón de 25 años quedó ileso. Latía impulsado por el sistema nervioso. Las circunstancias dieron a Barnard la oportunidad de practicar cirugía experimental y a Washkansky, que moría por una enfermedad cardíaca, la oportunidad de sobrevivir.

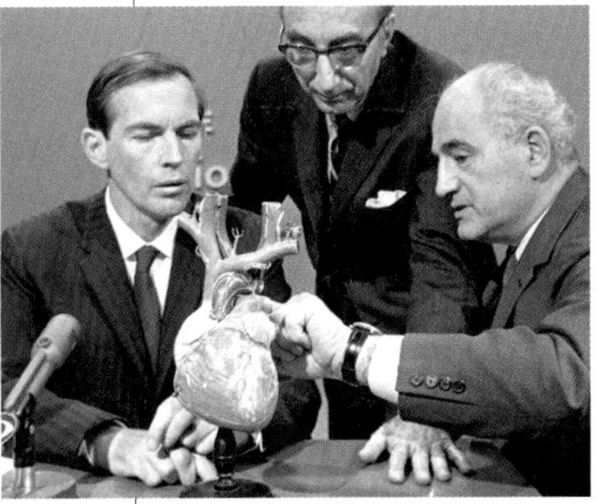

Los cardiólogos pioneros *(de izquierda a derecha)*: Christiaan Barnard, Michael de Bakey y Adrian Kantrowitz hablan sobre el transplante en un programa de televisión.

La operación, el primer transplante de corazón humano con éxito, despertó un enorme interés internacional. Reportajes periodísticos describieron el proceso de forma detallada. Barnard y su equipo abrieron en primer lugar el pecho de Washkansky y partieron su esternón; luego apartaron las costillas y abrieron el pericardio (revestimiento cardíaco), el corazón quedó al descubierto. A través de una máquina pulmón-corazón, la sangre de Washkansky circulaba en torno al corazón enfermo. Al retirar el órgano, los médicos dejaron en su sitio la parte superior. Luego cortaron el 95 % del corazón sano de Darvall y lo cosieron a la «cobertura» del corazón de Washkansky. Para estimular un latido, Barnard aplicó dos electrodos al corazón y le dio una descarga eléctrica. «Fue como poner en marcha un coche», dijo un miembro del equipo. En el pecho de Washkansky, un corazón nuevo empezó a bombear sangre. Horas después de la operación, cirujano y paciente se encontraron en la sala de recuperación. «Me prometió un corazón nuevo», susurró Washkansky. «Y tiene un corazón nuevo», respondió Barnard.

Aunque el transplante en sí resultó un éxito, Washkansky contrajo una neumonía y murió 18 días después. La operación provocó una discusión ética acerca de los límites de la vida y la muerte y acerca del papel adecuado de la medicina. Tradicionalmente se pensaba que la vida acababa cuando se detenía el corazón; ahora los médicos eran capaces de reanimar o sustituir corazones que no funcionaban. Un teólogo jesuita de prestigio, al descubrir el corazón como una «bomba eficiente», rechazó las objeciones éticas de los transplantes; otros religiosos mantuvieron que alterar radicalmente el cuerpo era usurpar la función de Dios. Los médicos ofrecieron una definición nueva de la muerte: la inactividad eléctrica del cerebro. Las cuestiones referentes a cuándo acabar con una vida y cuándo prolongarla, y sobre quién debe tomar estas decisiones, siguen sin resolverse. ◄1952.12 ►1982.11

GRECIA

El golpe de los coroneles

2 En 1967, Grecia se convirtió en la primera nación de Europa occidental desde la Segunda Guerra Mundial que reincidía en una dictadura. Dos facciones planearon por separado evitar que el antiguo primer ministro Georgios Papandreou (obligado por el rey a abandonar el cargo en 1965) recuperara el poder. Una facción, un grupo de generales dirigidos por el rey, tenía intención de actuar si la coalición de centro-izquierda de Papandreou ganaba las elecciones de mayo. La otra, una conspiración de coroneles, decidió dar el golpe antes. El 21 de abril, los coroneles derrocaron el gobierno de Grecia y durante los siete años siguientes funcionó una tiranía en la cuna de la democracia.

Un civil, Konstantinos Kollias, se hallaba al frente del nuevo régimen, pero el hombre fuerte era el coronel George Papadopoulos (*superior*). Fueron encarcelados cuarenta y cinco mil presuntos subversivos (entre ellos Papandreou, que murió en 1968 mientras estaba bajo arresto domiciliario). La junta disolvió el parlamento, suspendió las libertades civiles y prohibió la barba, la minifalda y las canciones de protesta. En diciembre, tras un contragolpe fallido del rey Constantino, el régimen se esforzó por salvar las apariencias: Papadopoulos se convirtió en primer ministro y se concedió una amnistía a los presos políticos. No obstante, la represión continuó.

Aunque la mayoría de gobiernos europeos condenaron a la junta, Washington la apoyó discretamente. (Papandreou abolió la prohibición contra el Partido Comunista, y su hijo Andreas propuso que Grecia abandonara la OTAN. Los coroneles, en cambio, eran proamericanos declarados.) Al principio la mayor parte de los griegos eran optimistas: los gobiernos anteriores habían sido corruptos, ineficientes e indisciplinados, pero en los años setenta el descontento popular y las rivalidades internas empezaron a minar al régimen. ◄1949.NM ►1974.5

ORIENTE MEDIO

La guerra de los Seis Días

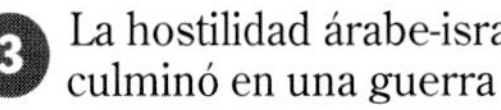

3 La hostilidad árabe-israelita culminó en una guerra breve cuando Israel, asediada por las guerrillas palestinas, inició un ataque masivo contra Egipto, el estado más importante del mundo árabe. La provocación desencadenó la guerra de los Seis Días, pero los conflictos eran habituales desde 1947, cuando se dividió a Palestina para hacer sitio al estado judío. La anexión israelita de una parte del territorio árabe tras su victoria decisiva de 1967 provocó una violencia que continuaría durante las décadas siguientes.

Tras la partición, miles de palestinos huyeron de Israel a los estados árabes vecinos y muchos formaron guerrillas para atacar al nuevo país. En 1964, el presidente egipcio Gamal Abdal Nasser intentó controlar algunos grupos guerrilleros uniéndolos en la Organización para la Liberación de Palestina. La táctica falló: algunos grupos guerrilleros palestinos independientes, respaldados por Siria, aumentaron sus ataques. En mayo de 1967, Israel respondió concentrando soldados en la frontera siria. Nasser, haciendo valer su liderazgo, reaccionó de forma agresiva. Ordenó que los soldados de la ONU abandonaran la frontera egipcio-israelita, bloqueó el estrecho de Tirán del mar Rojo, una ruta de navegación esencial para Israel, y firmó un pacto militar con Jordania, vecina y enemiga de Israel. Siria, Jordania, Irak, Kuwait y Argelia juraron «borrar del mapa» a Israel.

Israel, anticipándose a una invasión, atacó. El 5 de junio lanzó una ofensiva sorpresa que destruyó la aviación egipcia, la mejor fuerza de combate de los árabes, y luego

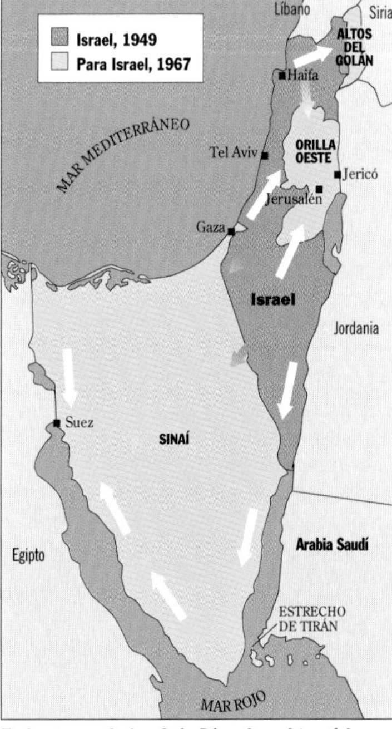

En la guerra de los Seis Días, Israel tomó la península del Sinaí, la ciudad de Jerusalén, la orilla oeste y los Altos del Golán.

ARTE Y CULTURA: Libros: *Volverás a Región* (Juan Benet) [...] Música: «Light my fire» (The Doors); *Magical mystery tour* (Los Beatles, LP); *The Mamas and the Papas* (LP); *Sinfonía n.º 7* (Roger Sessions) [...]

«Quizá la verdadera lucha de América no es la política, es el estilo de vida.»—**Jerry Rubin, rebelde de los años sesenta, tras asistir a la primera concentración en San Francisco**

derrotó a la infantería egipcia y ocupó la franja de Gaza y la península del Sinaí. Jordania entró en la guerra y pronto fue vencida. Israel se apropió de todo el territorio al oeste del río Jordán, la orilla oeste. Luego expulsó a Siria de los Altos del Golán. La ONU estableció un alto al fuego el 11 de junio finalizando el conflicto, pero la suerte estaba echada: Israel empezó a trasladar colonos a los territorios ocupados y los palestinos, descontentos con la dirección egipcia y siria, se hicieron cargo de su propio destino y de la OLP. **◂1964.5 ▸1970.3**

ORIENTE MEDIO

Guerra civil en los dos Yemen

4 En 1967 las dos mitades de lo que actualmente es la República de Yemen, en el extremo sur de la península arábiga, eran países distintos. Ambos sufrieron una guerra civil y ambos, además, se vieron libres de las fuerzas de ocupación, egipcias y sauditas en Yemen del Norte y británicas en Yemen del Sur.

Yemen del Sur había estado gobernada por los británicos desde 1839. La guerra civil empezó en 1965 cuando Gran Bretaña anunció que pronto se retiraría y dos facciones nacionalistas —el Frente para la Liberación de Yemen del Sur Ocupado, apoyado por Egipto, y el Frente de Liberación Nacional— se enfrentaron por la autoridad tras la independencia. El derramamiento de sangre aceleró la partida de Gran Bretaña. En noviembre de 1967 transfirió la autoridad al FLN, que se convirtió en el único partido reconocido de la nueva nación, llamada República Popular de Yemen del Sur.

Yemen del Norte (conocido como Yemen) era independiente desde la caída del Imperio Otomano. La guerra civil empezó en 1962, cuando el imán Muhammad al-Badr fue derrocado por el ejército. El cabecilla del golpe, el coronel Abd Allah al-Sallal, comandante en jefe de Badr, proclamó la República Árabe de Yemen. Badr, que había huido a las montañas, le declaró la guerra. Arabia Saudí envió soldados para ayudar a Badr y Sallal consiguió el apoyo de Egipto. En 1967, Sallal perdía y los egipcios acordaron con los sauditas que se retirarían.

Una junta antiegipcia expulsó a Sallal y la guerra civil terminó en 1970, cuando ascendieron al gobierno los partidarios de Badr. Mientras, Yemen del Sur se convirtió en una «república popular» del bloque soviético. Tras algunas luchas en la frontera, las dos naciones sorprendieron al mundo en 1972 con el anuncio de su intención de unirse. La anexión se aplazó a causa de golpes de Estado en ambos países, más luchas en la frontera y la guerra civil de Yemen del Sur (1986). La República de Yemen nació en 1990, pero cuatro años después norte y sur volvieron a enfrentarse. **◂1920.2**

Residentes de Shibam, Yemen del Sur, celebran la independencia.

CULTURA POPULAR

Verano del Amor

5 Durante el verano de 1967, personas de muy distinta condición (novelistas que habían ganado el Nobel, estrellas del *rock*, amas de casa de clase media, *hippies* que viajaban con ácido, profesores rebeldes) se reunieron en varias ocasiones para manifestarse contra la guerra de Vietnam y para iniciar una nueva era en la que la gente «haría el amor y no la guerra». En primavera, el 15 de abril, tuvo lugar «el Verano del Amor», una marcha por la paz en la ciudad de Nueva York que concentró a trescientos mil participantes. Entre los manifestantes se encontraban: el pediatra Benjamin Spock, el cantante de *folk* Pete Seeger y el líder de los derechos civiles Martin Luther King, que destacó la conexión entre la lucha por la paz y la lucha por la igualdad racial (las minorías estaban representadas de modo desproporcionado en el número de soldados americanos en Vietnam).

El movimiento pacifista acogió a jóvenes y viejos, y la mayor parte de sus miembros vivían en comunidades tradicionales. Para el número creciente de jóvenes desilusionados, la oposición a la guerra era una forma de dar impulso a la búsqueda de estilos de vida «alternativos». Los establecimientos urbanos de *hippies* se propagaron por todo Estados Unidos. Quizás el lugar más conocido fue el distrito Haight-Ashbury de San Francisco, donde miles de «muchachos con flores» vivían de forma provisional y expresaban con total libertad valores alternativos, normalmente tocando música *rock*, experimentando con drogas, llevando ropas psicodélicas y practicando el sexo fuera del matrimonio —intentando aprovechar «el poder de las flores». Si se reunían en un lugar suficientes «buenas vibraciones», podía pasar cualquier cosa. El poeta beat Allen Ginsberg celebró la primera concentración en 1965 en San Francisco. Estas concentraciones, «organizadas para actividades desorganizadas», se convirtieron en una de las actividades favoritas de la contracultura en América y en Europa occidental.

El espíritu del movimiento *hippie* fue incorporado a los carteles de los conciertos de *rock* por encargo del empresario Bill Graham.

El movimiento tuvo una cara triste. A medida que más y más jóvenes se concentraban en el Haight y en otros barrios *hippies*, el espíritu de liberación chocó con ciertas realidades económicas y químicas, provocando el aumento de la drogadicción, los delitos y las enfermedades físicas y mentales. **◂1965.NM ▸1968.E**

NACIMIENTOS

Boris Becker, tenista alemán.

Julia Roberts, actriz estadounidense.

MUERTES

Konrad Adenauer, político alemán.

Clement Attlee, primer ministro británico.

Primo Carnera, boxeador italo-estadounidense.

Ilya Ehrenburg, escritor soviético.

Brian Epstein, promotor de *rock* británico.

Oliveiro Girondo, poeta argentino.

Ernesto «Che» Guevara, revolucionario argentino.

Woody Guthrie, músico estadounidense.

Jiménez Díaz, médico español.

Alfred Krupp, fabricante alemán.

Vivien Leigh, actriz británica.

Henry Luce, editor estadounidense.

René Magritte, pintor belga.

John Masefield, escritor británico.

José Martínez Ruiz (Azorín), escritor español.

André Maurois, escritor francés.

Carson McCullers, escritora estadounidense.

Muhammad Mussadegh, político iraní.

J. Robert Oppenheimer, físico estadounidense.

Dorothy Parker, escritora estadounidense.

Gregory Pincus, biólogo estadounidense.

Basil Rathbone, actor anglo-estadounidense.

Otis Redding, cantante estadounidense.

Jack Ruby, asesino estadounidense.

Luis Somoza Debayle, presidente nicaragüense.

Spencer Tracy, actor estadounidense.

Cine: *En el calor de la noche* (Norman Jewison); *Adivina quién viene a cenar* (Stanley Kramer); *Cool Hand Luke* (Stuart Rosenberg); *Blow-up* (M. Antonioni); *Martín Fierro* (Leopoldo Torres Nilson); *Elvira Madigan* (Bo Winderberg); *Belle du jour* (Luis Buñuel) [...] Teatro: *El tragaluz* (A. Buero Vallejo) [...] TV: *The Carol Burnett Show*.

«Pensamos que estamos en nuestro propio país. Sabemos que hay problemas pero pensamos que son problemas impuestos[...]. Ahora querría no ser nigeriano. Se ha acabado para mí.»—**Chinua Achebe, escritor igbo, sobre el bloqueo nigeriano de Biafra**

NOVEDADES DE 1967

Revista *Rolling Stone*.

Corporación para retransmisiones públicas en Estados Unidos (PSB).

Prueba del alcoholímetro para automovilistas (Gran Bretaña).

Comercialización de hornos microondas (Amana).

Relojes de cuarzo.

EN EL MUNDO

▶«NO» A LA CATEGORÍA DE ESTADO—Puerto Rico, una república norteamericana desde 1952, participó con América en las guerras de Corea y Vietnam y dependía de los fondos federales. Muchos habitantes pensaban que la categoría de estado tenía sentido, sobre todo después de que Alaska y Hawai la obtuvieran en 1959. En 1967 se celebró un plebiscito sobre la cuestión, pero los votantes eligieron que se mantuviera el estatus de república. Sólo un 39 % era partidario de la categoría de estado y una minoría de la independencia. (La facción mayoritaria radical favorable a la independencia boicoteó el referéndum). ◀1952.NM

▶HAMLET REPLANTEADO—El dramaturgo británico nacido en Checoslovaquia Tom Stoppard (refugiado de la Segunda Guerra Mundial) publicó la obra irónica *Rosenkrantz y Guildenstern han muerto* en 1967. La parodia sobre *Hamlet*, tremendamente divertida e ingeniosa, presentaba a los dos amigos mercenarios del danés melancólico como antihéroes existenciales.

▶DESERCIÓN DE LA HIJA DE STALIN—Su padre debió revolverse en la tumba: Svetlana Alliluyeva, la hija

Las víctimas más jóvenes de la guerra: niños desnutridos en un campo de refugiados, cerca de Aba, Biafra.

ÁFRICA OCCIDENTAL

Hambre en Biafra

6 La guerra que descubrió al mundo la tragedia del África moderna empezó en mayo de 1967, en la región oriental de Nigeria, entre los secesionistas, dirigidos por el teniente coronel Odumegwu Ojukwu, y las fuerzas nigerianas, comandadas por Yakubu Gowon, y arruinó al nuevo país. Nigeria bloqueó a Biafra y las imágenes de niños muriendo de hambre llenaron los medios de comunicación de todo el mundo, provocando horror y repulsa.

Organizaciones de socorro intentaron lanzar suministros desde el aire a la nación asediada, pero lo hicieron sin el apoyo oficial y consiguieron hacer llegar muy poca comida. Biafra se moría a causa del hambre y por razones políticas: los países más poderosos del mundo estaban de acuerdo en que la independencia de Biafra podría instigar el secesionismo en otros países africanos. Gran Bretaña, Egipto y la Unión Soviética suministraron armas a Nigeria con el apoyo tácito de Estados Unidos. Portugal, Sudáfrica y Francia apoyaron a Biafra, aunque débilmente.

Las causas del conflicto se remontaban a los años treinta, cuando un gran número de igbos, que sumaban una séptima parte de los sesenta y siete millones de la población total de Nigeria, emigraron del oeste a regiones tradicionalmente ocupadas por los yorubas y los hausas. En 1966 se produjo un golpe dirigido por los igbos seguido de un contragolpe comandado por los hausas. Murieron unos treinta mil igbos y más de un millón huyeron al este. Los acontecimientos convencieron a Ojukwu, gobernador militar del este de Nigeria, de que el país ya no era seguro para los igbos. Declaró la independencia de su territorio y se anexionó más. Al cabo de un año, Gowon estableció firmemente su bloqueo mortal. En 1970, cuando los rebeldes se rindieron, había muerto más de un millón de los habitantes de Biafra, la mayoría civiles y a causa del hambre. **◀1914.6 ▶1984.4**

LITERATURA

La magia de García Márquez

7 *Cien años de soledad* de Gabriel García Márquez empieza con uno de los párrafos más elogiados de la literatura del siglo XX: «Muchos años después, frente al pelotón de fusilamiento, el coronel Aureliano Buendía había de recordar aquella tarde remota en que su padre lo llevó a conocer el hielo». La novela, publicada en 1967, presentó al mundo la riqueza de la literatura latinoamericana. García Márquez, con esta obra cautivadora, profunda y llena de humor, se convirtió en el primer representante del realismo mágico, un género literario latinoamericano que, sirviéndose del surrealismo como trampolín, mezcla poéticamente lo mítico y lo mundano para captar en toda su extensión la historia y la cultura, pintorescas y a menudo mágicas.

El relato de Márquez debe mucho a los cuentos que le explicaron sus abuelos en la localidad de Aracataca, Colombia. Estas fábulas, reinventadas por García Márquez, que se inspiró tanto en la historia latinoamericana como en escritores como Cervantes, Faulkner, Kafka y Borges, entraron en el canon literario. La crítica declaró que *Cien años de soledad* era «la gran novela de las Américas».

El libro ha influido profundamente en autores de todas las nacionalidades, pero ejerció un efecto especial en los escritores que formaron parte del «boom» de la literatura latinoamericana de los años sesenta: además de influir en su obra directamente, contribuyó a aumentar su fama. La internacionalidad de figuras como Carlos Fuentes de México, Mario Vargas Llosa de Perú, Julio Cortázar de Argentina, José Donoso de Chile, Jorge Amado de Brasil y Guillermo Cabrera Infante de Cuba es atribuible al éxito de *Cien años de soledad* de García Márquez. El autor recibió el Premio Nobel de literatura en 1982. **◀1963.NM ▶1990.NM**

MÚSICA

La reina Aretha coronada

8 En 1967, el ascenso de Aretha Franklin, la «reina del *soul*», quedó confirmada cuando la revista *Billboard* la nombró mejor vocalista femenina del año. El éxito de Franklin, un tributo a su talento y energía, trascendía la significación personal. Anteriormente los cantantes negros se habían visto obligados a adaptarse a los gustos blancos para ser aceptados, pero Franklin se hizo famosa con un estilo *gospel* apasionado y canciones de ritmos afroamericanos sin diluir.

Franklin siempre le quitó importancia a la cuestión racial: «No es importante ser negro, judío, italiano o cualquier otra cosa. Lo importante es estar vivo, estar interesado. No hace falta ser negro

Aretha Franklin en una grabación de 1967, el año de su gran éxito.

«Parece que no está interpretando sino que es testigo de una realidad tan simple y compulsiva que no podría falsificarla.»—**La revista *Time* sobre Aretha Franklin, 1968**

para tener alma». Empezó a cantar en Detroit, en el coro de la iglesia donde oficiaba su padre, sacerdote baptista, y creció escuchando a figuras del *gospel* como Mahalia Jackson y Clara Ward, con las que cantó.

En los años sesenta, Franklin había intentado entrar en la música *pop* pero no tuvo éxito: el gran público no estaba preparado para su voz flexible y apasionada con un registro de cuatro octavas. En 1967, tanto ella como el público habían madurado y su álbum editado por Atlantic Records, en el que interpretaba la canción «I never loved a man (the way I love you)», vendió más de un millón de copias. En total editó cinco canciones de éxito en 1967, incluidas «Respect», que, además de convertirse en un símbolo de la América negra y del movimiento feminista, fue también un clásico de las fiestas privadas. **◄1947.NM**

CINE

Extremismo en Hollywood

9 Dos de las películas menos convencionales y más agresivas de 1967, *El graduado* y *Bonnie y Clyde*, ejemplificaron el cambio de forma y contenido del cine americano así como el espíritu de rebelión al que Hollywood quiso responder.

Dirigida por el antiguo actor Mike Nichols, *El graduado* presentó a Dustin Hoffman como Benjamin Braddock, un recién graduado de pocas palabras y malestar interior, a la deriva en el mundo suburbano de clase media de sus padres. Seducido por Mrs. Robinson, de mediana edad e infeliz, se enamora de la hija de ésta, Elaine. El público joven se identificó con el antimaterialismo de Benjamin y con su hastío y elogiaron su actitud al rescatar a Elaine del altar cuando está a punto de casarse con otro. La banda sonora de Simon y Garfunkel acentuó el tono de la película y legitimó el uso de canciones *rock* que funcionaban como comentarios cinematográficos. La elección de Hoffman rompió otra convención: los ídolos de la pantalla podían ser vulnerables y tener una pariencia ordinaria.

El antiautoritarismo de *Bonnie y Clyde*, dirigida por Arthur Penn, estaba enmarcado en la época de la Gran Depresión. Violenta y nihilista, la historia de los bandidos Bonnie Parker (Faye Dunaway) y Clyde Barrow (Warren Beatty) fue la película más controvertida de su época. «Una obra de arte», dijo Pauline Kael en *The New Yorker*; «sin sentido y sin gusto», la calificó Bosley Crowther en *The New York Times*. Penn comentó que la forma alegre en que los personajes cometen delitos y la violencia de toda la película eran una alegoría de los tiempos desesperados de la época de Vietnam en América. «Es un indicio de los tiempos que corren, el que los héroes no sean admirables», comentó. La película fue muy influyente: en los años siguientes la pantalla se llenó de renegados y la escena de la muerte de Bonnie y Clyde fue muy imitada. **◄1960.11 ►1972.9**

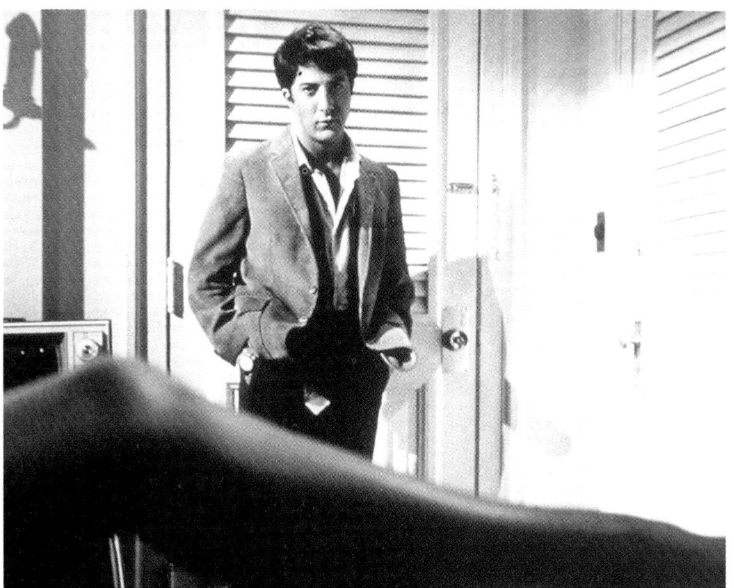

Benjamin (Dustin Hoffman) se deja seducir por una mujer mayor que él en *El graduado*.

CIENCIA

Teoría física unificada

10 El físico de Harvard Steven Weinberg *(inferior)* dio un gran paso adelante hacia la realización de una «teoría del campo unificado». Ésta comprendería las cuatro fuerzas aparentemente distintas de la naturaleza: gravedad, electromagnetismo y las fuerzas nucleares débil y fuerte. La gravedad es conocida como la fuerza que atrae a los objetos hacia el suelo; el electromagnetismo, que reúne las propiedades de la electricidad y del magnetismo, es la fuerza que enlaza los átomos entre sí. La fuerza nuclear débil se manifiesta al expulsar partículas del núcleo en deterioro radiactivo y la fuerza fuerte une las partículas nucleares. El modelo de Weinberg describe el electromagnetismo y la fuerza nuclear débil como distintas manifestaciones del mismo fenómeno.

Weinberg predijo la existencia de «corrientes neutrales» —reacciones entre partículas elementales en las que no hay intercambio de carga eléctrica. Abdus Salam, físico del Imperial College de Londres, propuso lo mismo. A pesar de su brillantez, el modelo Weinberg-Salam es limitado: sólo es aplicable a las partículas elementales. En 1970 Sheldon Glashow, otro físico de Harvard, extendió la teoría a todas las partículas conocidas. El científico alemán Gerhardt Hooft perfiló una prueba de la teoría al año siguiente. En 1979, Weinberg, Salam y Glashow compartieron el Premio Nobel de física. A finales de los años setenta, una teoría del campo sobre la fuerza nuclear fuerte, cromidinámica cuántica, se integró con la teoría electrodébil de Weinberg y Salam para formar el modelo estándard. De las cuatro fuerzas, la única que queda fuera de esta teoría unificada es la gravedad. **◄1929.NM**

de Joseph Stalin, desertó a Estados Unidos en abril. Los funcionarios de la embajada norteamericana de Nueva Delhi, India, ante los que se

presentó Alliluyeva dudaron al principio de su historia. Obtuvo asilo político pero el departamento de Estado le restó importancia al acontecimiento. La tensa relación entre Estados Unidos y la Unión Soviética entraba en uno de sus períodos de deshielo y darle demasiada proyección a la deserción hubiera bajado el termostato.

▶DE GAULLE EN CANADÁ —Charles de Gaulle visitó Canadá con motivo del centenario de la nación como dominio británico y la celebración de la Exposición Internacional de Montreal y causó furor al apoyar el separatismo franco-canadiense. El presidente francés remató un discurso en Montreal exclamando: «¡Viva Quebec libre!», el eslogan de los partidarios de la provincia de mayoría francoparlante. De Gaulle, censurado por el primer ministro canadiense Lester Pearson, canceló su visita programada a Ottawa y regresó a Francia. ◄1968.NM

▶CHINA OBTIENE LA BOMBA-H—El 17 de junio, China hizo detonar una bomba de hidrógeno y se convirtió así en la quinta nación del mundo que poseía armamento nuclar. El ensayo chino tuvo lugar en medio de una hostilidad creciente sino-soviética y despertó los temores de Moscú de la inminencia de un conflicto nuclar. Estados Unidos también estaba preocupado: a finales de año, anunciaron un sistema nuevo de misiles balísticos como defensa contra un ataque chino. ◄1963.2 ►1969.8

▶LOS TUPAMAROS—A principios de los años sesenta, se rompió una tradición que hacía de Uruguay una excepción en América Latina. Durante seis décadas, la vida política uruguaya había discurrido por cauces pacíficos, haciendo de este

POLÍTICA Y ECONOMÍA: el rey Constantino de Grecia abandona su país y se exilia en Roma [...] Coronación de Mohamed Reza Pahlevi como sha de Persia (Irán).

«La gente que intente copiar a Twiggy, mordiéndose las uñas o torciendo las piernas, no lo conseguirá, nunca será Twiggy.»—**Mel Sokolsky, fotógrafo**

país la «Suiza americana». La figura de José Batlle y Ordóñez (presidente durante los mandatos de 1903-1907 y 1911-1915) marcó la superación de las guerras civiles, las dictaduras y las revoluciones como formas habituales de la confrontación política. El acuerdo institucional entre los dos partidos principales se plasmó en la constitución de 1917. Durante treinta años, los procesos electorales limpios, la alternancia en el poder de políticos a la vez reformistas y moderados hicieron de Uruguay un modelo de estabilidad política para toda Sudamérica y un país con una legislación social más avanzada que la de muchos países europeos. A pesar de las dificultades derivadas de las crisis económicas y de las modificaciones del marco constitucional (1934-1942-1952), no fue hasta 1962 cuando se produjo una ruptura violenta de la «paz uruguaya». La fundación del Movimiento Nacional de Liberación de Uruguay por Raúl Sendic, dirigente sindical socialista, unió a diversos grupos revolucionarios que tomaron el nombre de tupamaros en recuerdo del rebelde indio Tupec Amaru. Partidarios de la guerrilla urbana y de la acción directa, los tupamaros optaron por un lucha revolucionaria cuyos objetivos principales eran la banca, las empresas norteamericanas y los arsenales militares y policiales. A finales de 1967, en el balneario de Shangrilá tuvo lugar un enfrentamiento armado entre tupamaros y policías que abrió una nueva época en la que la represión gubernamental comenzó a traspasar los límites de la legalidad iniciando la «guerra sucia» como respuesta a la violencia revolucionaria.

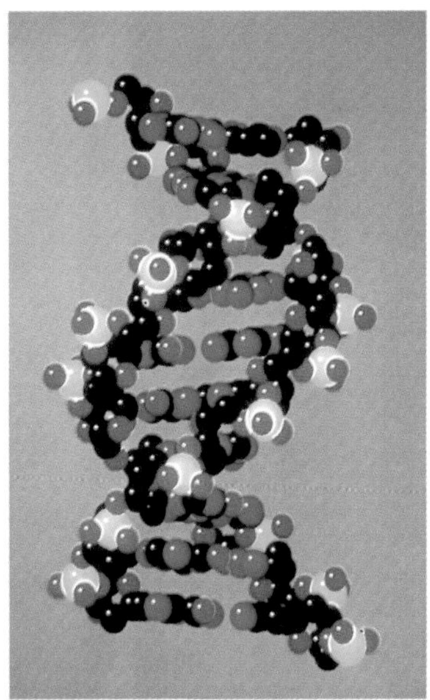

Un modelo de ADN generado por ordenador. La información genética que porta la molécula está determinada por los pares básicos.

CIENCIA

El ADN en una probeta

11 En 1967, catorce años después de que Watson y Crick describieran la estructura del ADN (ácido desoxirribonucleico), un equipo de científicos dirigidos por el bioquímico americano Arthur Kornberg sintetizaron ADN biológicamente activo en una probeta. Kornberg y sus compañeros Mehran Goulian y Robert L. Sinsheimer utilizaron una enzima llamada ADN polimerasa para crear una cadena simple de ADN. Como el ADN normal, la réplica de Kornberg contenía toda la información genética que permite a las células reproducirse. Kornberg insistió en que sólo había copiado el ADN, no lo había creado, pero su logro resultaba muy prometedor. Entre sus aplicaciones posibles estaba la de un tratamiento para el cáncer.

Kornberg y Severo Ochoa, biólogo molecular residente en Estados Unidos pero nacido en España, habían compartido el Premio Nobel de medicina de 1959 (Kornberg por descubrir el ADN polimerasa, y Ochoa por aislar una enzima que podía servir para sintetizar componentes similares al ARN —ácido ribonucleico—, la materia genética que capacita a las células para producir proteínas). Estas enzimas eran esenciales en el funcionamiento genético: el ADN polimerasa permitió a Kornberg sintetizar primero moléculas inertes de ADN y luego sintetizar su réplica viva de 1967; la enzima de Ochoa, llamada polinucleotidofosforilasa, le permitió sintetizar el ARN.

Los descubrimientos genéticos despertaron mucho interés, tanto científico como popular. Para muchas personas la replicación *in vitro* del ADN sonaba a una especie de experimento de Frankenstein: el primer paso hacia la génesis de la vida humana en un laboratorio, o incluso peor, de «clones» humanoides, copias genéticas de humanos reales. (En 1967, un biólogo británico consiguió producir un clon de renacuajo.) El congreso de Estados Unidos formó un comité de supervisión sobre el tema. Entre los biólogos moleculares, la significación real de la ingeniería genética se reconoció de inmediato: algún día permitiría a los médicos tratar con éxito las enfermedades hereditarias.
◂1953.1 ▸1976.5

IDEAS

Un saboteador literario

12 En *De la gramatología*, publicada en 1967, el filósofo francés Jacques Derrida explicó su teoría de la deconstrucción, que influiría de forma decisiva en la filosofía francesa y en el criticismo literario norteamericano y se convertiría en una fuente de fascinación para generaciones de estudiantes. La obra de Derrida, una crítica sagaz al lingüista suizo del siglo XIX Ferdinand de Saussure, presentó el método de «deconstrucción» de textos, desde novelas a tratados filosóficos, para poner de manifiesto la imprecisión del lenguaje y la variabilidad de los significados.

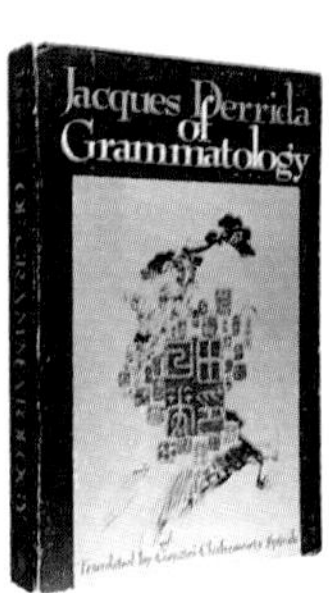

El libro representó un ataque a la metafísica tradicional: ningún valor absoluto tiene sentido. La teoría del deconstructivismo minó la autoridad absoluta atribuida tradicionalmente al escritor. Según Derrida, el significado de un texto deriva tanto de las suposiciones del lector como de las intenciones del escritor.

La prosa de Derrida, llena de intuiciones brillantes y juegos de palabras perspicaces, puede llegar a ser muy opaca: «El centro está en el centro de la totalidad y sin embargo, como el centro no pertenece a la totalidad (no es una parte de la totalidad), la totalidad tiene su centro en otro sitio. El centro no es el centro», escribió en *La escritura y la diferencia*.

La deconstrucción desencadenó una especie de guerra civil en los departamentos de filosofía y literatura de las universidades europeas y americanas: los académicos odiaban o amaban la teoría de Derrida. Parece apropiado que Derrida, que demostró muchas de las inadecuaciones del lenguaje, se burlara de los malentendidos que provocó su obra.
◂1962.12 ▸1984.13

MODA

La imagen poco convencional de Twiggy

13 Una muchacha de Cockney de 17 años de edad llamada Twiggy llegó triunfalmente a Estados Unidos en 1967. En el aeropuerto le esperaban más seguidores y fotógrafos que a nadie desde que llegaron los otros invasores británicos, los Beatles. Con el pelo corto, los ojos maquillados con tres rayas y pestañas postizas y una figura escuálida, Twiggy (cuyo nombre real era Leslie Hornby) transmitía juventud, inocencia y una especie de antielegancia, un cambio resfrescante para la sofisticación de la alta costura. Patizamba y aficionada a morderse las uñas, era adolescente, desgarbada y, sobre todo, poco convencional: descarada en su forma de vestir y en su estilo, liberada de la rancia moda antigua.

La imagen de Twiggy congenió con la juventud de clase media, que surgía como un gran mercado y en conjunto gastaba millones en complementos de la nueva cultura, como ropa y discos de *rock*. El estilo informal de Twiggy (minifaldas, pantalones rasgados, camisetas cortas) fue durante unos años el más picante de la moda. Ella no era el ideal de belleza de todo el mundo. Un editor, preocupado por la moda aerodinámica que desencadenó Twiggy, dijo: «Se puede oír la rotura de las costuras de costa a costa». No tenía de qué preocuparse: Twiggy, una niña perfecta de los años sesenta, se retiró con la década.
◂1965.2
▸1970.NM

Twiggy, la primera supermodelo, dinamitó el ideal de belleza imperante desde hacía un siglo.

PREMIOS NOBEL: Paz: Sin galardón [...] Literatura: Miguel Ángel Asturias (guatemalteco; novelista y poeta) [...] Química: Manfred Eigen, Ronald Norrish y George Porter (alemán y británicos; reacciones químicas de alta velocidad) [...] Medicina: Haldan K. Hartline, George Wald y Ragnar Granit (estadounidenses y sueco; ojo humano) [...] Física: Hans A. Bethe (estadounidense; producción de energía de las estrellas).

ECOS DE 1967

Querida América

Cartas a Estados Unidos de soldados movilizados en Vietnam, 1967

En todas las épocas, los soldados han escrito a casa desde el frente, documentando la guerra con una inmediatez inaccesible para los historiadores. A menudo el lenguaje es simple y directo, las opiniones sinceras, a veces brutales. Durante la guerra civil americana se escribieron cartas de una elocuencia poco común, llenas de ideas de patriotismo y honor procedentes de ambos bandos. Los soldados atrincherados de la Primera Guerra Mundial, conmocionados por la muerte a una escala inhumana, transmitieron su angustia y terror en las cartas. Desde Vietnam en 1967, un año ambiguo en una guerra ambigua, llegaron misivas que expresaban tristeza, frustración, amargura y también algo de esperanza. Aquí el capitán de marines, Rodney Chastant (que murió en 1968), y el comandante de pelotón Fred Downs expresan sus sentimientos ambivalentes sobre la guerra, sentimientos que reflejan los de América. ◄**1966.6** ►**1968.3**

10 de septiembre de 1967
(Querido) David:
[...] aquí en Vietnam la guerra continúa. La moral está muy alta a pesar de que la mayoría de los hombres piensan que la guerra no se está llevando bien. Uno de los hechos asombrosos es que la mayoría de los soldados de aquí piensan que *no* ganaremos la guerra. Y aun así, se rompen la espalda cada día y realizan sus tareas asignadas como si estuvieran luchando por la seguridad continental de Estados Unidos. Es difícil de creer pero es cierto.

Los infantes de marina han sufrido una grave derrota. No cuentan con suficientes hombres. Nosotros necesitamos más, al menos el doble. Ellos tienen asignada una tarea demasiado amplia para tan pocos hombres. Hemos luchado por nuestras vidas en el norte. En las 15 últimas semanas, hemos perdido el 47 % de los helicópteros de Vietnam...

No nos hubiéramos comprometido para este objetivo pero ahora que lo estamos, ¿qué debemos hacer? Debemos destruir la voluntad de Hanoi rápidamente y dejar de ofrecer vidas americanas en algo que no vale la pena. Luego, redistribuir nuestro dinero y material y, con el doble o el triple de hombres, aplastar a los guerrilleros...

Un miembro del escuadrón Zippo (llamado así por el encendedor) en una misión de búsqueda y destrucción.

5 o 6 de octubre de 1967
Hola cariño,

Ayer fue un infierno...

Nos estábamos acercando a este valle y me informaron de que se habían localizado a unos sesenta Viet Cong en la colina siguiente a mi posición. Le dije a mi ayudante que nos dirigiéramos hacia aquel lugar. Llegamos a un río profundo y caudaloso a causa de las recientes lluvias. Estábamos buscando un paso cuando seis Viet Cong salieron de una cabaña al otro lado del río...

En el flanco derecho, un Viet Cong salió de un agujero y lanzó una granada. Mi M-79 se mantuvo en pie y disparó al amarillo a la vez que tiraba la granada. Mi M-79 fue herido en la pierna por la metralla, y el amarillo cayó bajo sus disparos. Mi hombre avanzó a rastras entre los arbustos. Su casco, su cartera, sus fotografías y sus cartas estaban desparramadas por todas partes por no decir sus armas. Empezó a gritar: «¡un médico!», de modo que corrí hacia él con el médico...

Estaba lloviendo y su sangre se mezclaba con el agua en el charco sobre el que yacía. Quería que le diera la mano porque tenía dolores muy fuertes. Le cogí las manos y le dije que tenía una herida de un millón de dólares. Le dolía tanto que apretaba los dientes pero intentó sonreír. Todos los que están en el campo quieren una herida de un millón de dólares porque eso significa que regresan a Estados Unidos...

Les dije a mis hombres que al primer escuadrón que matara a un amarillo le regalaría una botella de whisky. Estaban impacientes por matar a alguno.

Acabo de oír una explosión más abajo, en la carretera. Por la radio escucho que un vehículo del ejército ha topado con una mina. La mina ha destrozado al camión y ha hecho un buen agujero en la carretera. Ningún hombre está a salvo en todo el país.

Nunca olvidaré la mirada de ese hombre cuando le daba la mano.

Bueno, mi amor, uno de estos días llegará el correo y leeré las dulces palabras de «Te quiero».

Con todo mi amor,
Fred

7 de noviembre de 1967
Hola querida,

[...] Mi RTO, que se marcha dentro de 28 días, se ha derrumbado. Temblaba y gemía. No gritaba pero las lágrimas corrían por su cara.

Le dije que saliera y viniera a mi agujero. Un poco de compañerismo no hace daño. Pasé mi brazo sobre sus hombros hasta que se calmó. En el último par de cartas que ha recibido de casa, su esposa le ha dicho que no le importa si vuelve o no. Él está muy orgulloso de su hijo, que todavía no conoce y de su mujer. La zorra no sabe qué le está haciendo. Ya es suficientemente malo estar aquí pero cuando tu mujer te escribe una mierda así te destroza por completo...

Anoche yo consolaba a alguien pero no había nadie que me consolara a mí. Cuando todo va mal, pienso en ti y en los niños y me siento mejor. Te quiero, Linda.

Tu marido,
Fred

«Disparad a matar.»—**Orden del mayor Daley a la policía de Chicago durante las manifestaciones de 1968 de la Convención Demócrata Nacional**

HISTORIA DEL AÑO

Un año rebelde

1 La rebeldía de la década culminó en 1968 cuando ciudadanos desencantados desde Praga hasta Perú pidieron la liberación cultural, social, económica y política. El movimiento de la Nueva Izquierda adoptó ideologías tan distintas como el anarquismo o el maoísmo, pero rechazó todo indicio de respetabilidad burguesa. En Ciudad de México, la policía atacó a manifestantes. Las universidades de Gran Bretaña y Alemania occidental se transformaron en comunas; los primeros ministros de Italia y Bélgica cayeron, y Josip Tito de Yugoslavia se vio obligado a hacer concesiones. Los estudiantes de París humillaron a la Quinta República del presidente Charles de Gaulle. En Estados Unidos, los rebeldes protestaron contra el sistema de elección de sus dirigentes.

En la primavera de 1968, los estudiantes de París se rebelaron.

De Gaulle, una de las figuras más destacadas de la Segunda Guerra Mundial, declaró una vez «yo soy Francia», pero como presidente descuidó los asuntos nacionales y, en 1968, su paternalismo pasó de moda. En mayo, la policía de Nanterre puso el punto final a una huelga de estudiantes que protestaban contra las instalaciones y los planes de estudios anticuados. La protesta se extendió a la Sorbona y de allí a las calles de París. Con ladrillos y barricadas, treinta mil miembros de la Nueva Izquierda se enfrentaron a cincuenta mil policías. Obreros simpatizantes tomaron las fábricas en todo el país. Muchos franceses pensaron que era el fin de la civilización.

Tras semanas de silencio, De Gaulle concedió aumentos de sueldo a los obreros, disolvió la Asamblea Nacional y amenazó con emplear al ejército. Se restableció el orden y las elecciones revelaron una reacción progaullista. Sin embargo, el presidente sobrevaloró su fuerza al jurar que dimitiría a menos que los votantes aprobaran una proposición de reorganización gubernamental. No lo consiguió, y en abril de 1969 finalizó la era De Gaulle.

En Estados Unidos, el cataclismo acaeció en agosto, cuando diez mil manifestantes invadieron la convención nacional del Partido Demócrata en Chicago. Dirigidos por el Partido Internacional de la Juventud (los *yippies*) y los Estudiantes para una Sociedad Democrática, renegaron de la guerra de Vietnam, del racismo y del sistema político que había hecho inevitable la nominación presidencial del vicepresidente Hubert Humphrey en lugar de la del candidato pacifista, el senador Eugene McCarthy. (Los *yippies* nominaron a un cerdo.) La policía de Chicago golpeó no sólo a los manifestantes sino también a viandantes, periodistas y voluntarios de MacCarthy. Al final, los votantes eligieron por poco margen a Richard Nixon, un republicano partidario de la ley y el orden que declaró tener «un arma secreta» para acabar la guerra.

◂1966.5 ▸1968.2

CHECOSLOVAQUIA

La breve Primavera de Praga

2 El «socialismo con rostro humano», un noble experimento brutalmente reprimido del líder del Partido Comunista checo Alexander Dubček, murió en 1968, del mismo modo que, doce años antes, en una revolución similar en Hungría: ante la amenaza de los tanques soviéticos. La Primavera de Praga introdujo reformas sin precedentes en un país del bloque comunista —libertad de prensa, independencia del poder judicial, tolerancia religiosa— y representó el florecimiento más pleno de la democracia tras el Telón de Acero. Sin embargo, la delicada eclosión de Dubček no tuvo nada que hacer contra los seiscientos cincuenta mil soldados del Pacto de Varsovia que invadieron Checoslovaquia el 20 de agosto.

Dubček sucedió al tirano estalinista Antonín Novotny como secretario del Partido Comunista checo en enero de 1968 y empezó a establecer reformas económicas y políticas con el apoyo del comité central. Un grupo de intelectuales, inspirados por la atmósfera de liberalización de Praga, publicó en junio «Las dos mil palabras», un manifiesto que pedía el establecimiento de una democracia real. La Unión Soviética ya había aguantado bastante y dio la orden, compartida con Polonia y Alemania oriental, de acabar con todas las actividades contrarrevolucionarias. A finales de julio, Leonid Brezhnev, el presidente del partido soviético, le mandó llamar para censurarlo de forma oficial. Dubček volvió como un héroe a Praga: había resistido ante el jefe soviético y vivía para contarlo. Parecía que las posibilidades eran

Los checos utilizaron palos, piedras y las manos para evitar la ocupación soviética.

ilimitadas... hasta que llegaron los soldados.

A pesar de la llegada del invierno político, Checoslovaquia continuó siendo idealista: todo el Partido Comunista checo y el presidente Ludvik Svoboda apoyaron a Dubček. El Kremlin no encontró a ningún colaboracionista que ocupara su lugar. Brezhnev resolvió el problema al permitirle permanecer en su cargo, pero con el poder real en manos de los tanques y soldados instalados en Praga. Las reformas finalizaron y, en abril de 1969, Gustav Husák, partidario de los soviéticos, sustituyó a Dubček. **◂1956.5 ▸1989.1**

GUERRA DE VIETNAM

La ofensiva Tet

3 En enero de 1968 los comunistas de Vietnam lanzaron una ofensiva que resultó un fracaso militar pero una victoria psicológica. Aprovechando el desorden de las

Soldados norteamericanos cerca de Hue arrastran a un compañero herido.

vacaciones de Tet (el Año Nuevo lunar), sesenta y siete mil Viet Cong y soldados norvietnamitas atacaron Vietnam del Sur. La ofensiva Tet, la primera campaña comunista por todo el país, se inició en ciudades que hasta entonces no habían sido atacadas.

Los americanos quedaron sorprendidos. Los oficiales habían informado recientemente que la mayor parte del campo estaba «asegurada» y que empezaba a verse «la luz al final del túnel». Ahora, tras años de guerra (y a pesar de las tremendas pérdidas del Viet Cong en la ofensiva), parecía que los comunistas estaban decididos a levantar la cabeza. Peor aún, Estados Unidos no había conquistado los corazones y mentes de los sudvietnamitas: la ofensiva Tet se llevó a cabo con la colaboración de miles de simpatizantes que trasladaron las armas a Saigón.

Las fuerzas americanas reaccionaron con desespero. Para acabar con la ocupación de Hue, bombardearon la antigua ciudad hasta dejarla en ruinas. Los soldados destruyeron la ciudad de Ben Tre para salvarla, según explicó un oficial. En

ARTE Y CULTURA: **Libros:** *Myra Breckenridge* (Gore Vidal); *Parejas* (John Updike); *Los ejércitos de la noche* (Norman Mailer) [...] **Música:** «Both sides now» (Joni Mitchell); «Hello, I love you» (The Doors); *Beggars Banquet* (Rolling Stones, LP) [...] **Pintura y escultura:** *Earthworks* (Robert Morris) [...]

«He subido a la cima de la montaña y he visto la tierra prometida [...]. Quizá no he llegado con vosotros, pero esta noche quiero que sepáis que nosotros como pueblo llegaremos a la tierra prometida.»—**Martin Luther King, la noche anterior a su asesinato**

un pueblo llamado My Lai mataron a quinientos hombres, mujeres y niños desarmados. Aunque no fue la única atrocidad, My Lai simbolizó la locura de la guerra.

La ofensiva Tet provocó cambios drásticos en la política norteamericana. De los doscientos seis mil soldados nuevos reclutados por el general Westmoreland, el presidente Johnson sólo autorizó la marcha de trece mil quinientos y luego relevó del mando al general. Johnson ordenó detener los bombardeos parcialmente y consiguió que Hanoi aceptara el inicio de las conversaciones de paz en París. No se presentó a la reelección: la guerra de Vietnam constituyó su ruina política. **◂1967.E ▸1969.6**

ESTADOS UNIDOS

Dos asesinatos

4 En 1968 murieron asesinadas dos personalidades: uno de los líderes más importantes de los derechos civiles y uno de los hombres de Estado más prometedores. Martin Luther King y Robert F. Kennedy murieron a la edad de 39 y 43 años, respectivamente. Los dos dejaron una marca imborrable en su breve carrera, y los dos murieron en mitad de una evolución personal profunda. Estos actos violentos conmocionaron a América.

La incomparable oratoria de King, su tenaz pacifismo y fuerza de voluntad para soportar la cárcel o lo que hiciera falta para combatir la discriminación le valieron la admiración mundial y un Premio Nobel de la paz. King amplió su causa: atrajo a los negros separatistas, planeó un campamento antipobreza en Washington que aceptaría a negros y blancos y habló en contra de la guerra de Vietnam. El FBI respondió intensificando su vieja campaña de acoso, hasta el punto de enviarle notas que le inducían al suicidio. Pero su asesino fue un blanco llamado James Earl Ray, que le disparó en el balcón de un motel de Memphis el 4 de abril. El asesinato provocó luto y disturbios en todo el país.

Kennedy entró en la vida pública en 1953 como abogado del subcomité del senado presidido por el anticomunista Joseph McCarthy. Como fiscal general en la administración de su hermano John Kennedy, «Bobby» se convirtió en un cruzado contra el crimen organizado y los monopolios y se acercó cada vez más al movimiento de derechos civiles. En 1964 fue elegido senador por Nueva York y condenó la guerra que su difunto hermano contribuyó a iniciar. Muchos pensaban que era el hombre que la acabaría y que esto, junto a su carisma y antecedentes, le convertirían en el favorito en las elecciones presidenciales de 1968. Estaba celebrando la victoria de las primarias en California cuando un joven palestino-americano, Sirhan B. Sirhan, le mató en un hotel de Los Ángeles en protesta contra el apoyo americano a Israel. **◂1966.10**

King *(tercero por la izquierda)* y sus compañeros Hosea Williams, Jesse Jackson y Ralph Abernathy *(de izquierda a derecha)* en el balcón del motel donde King fue asesinado al día siguiente.

CINE

La odisea de Kubrick

5 Con su película de 1968, *2001: Odisea del espacio*, el director Stanley Kubrick añadió complejidad intelectual y moral al género ligero de la ciencia ficción y realizó una obra maestra de efectos técnicos y visuales. Basada en una historia de Arthur C. Clarke (que también escribió el guión), las dos horas y media de meditación sobre la evolución de la inteligencia y la decadencia del alma contenían música de Richard Strauss (*Así habló Zarathustra*), efectos especiales fascinantes y un supercomputador parlante, pensante, en principio infalible y finalmente malvado llamado HAL (cuyo nombre, al contrario de lo que se creía, no era una referencia a IBM, sino un acrónimo de «heurística» y «algorítmica»).

Keir Dullea interpretó al héroe astronauta de la sorprendente película de Kubrick.

La fantasía de la película, alucinatoria y a menudo no verbal, examina el progreso de la vida humana desde el barro de la prehistoria hasta un reino futuro y frío de la ciencia pura. Las imágenes enigmáticas (en el inicio de la película, la Tierra y el sol alineados; al final, el viaje del héroe astronauta a través de la muerte y su renacimiento acompañado de una cascada de luz y color) dieron lugar a un debate eterno sobre el significado de *2001*. (Kubrick admitió que «la idea de Dios estaba en el corazón de la película».) Muchos espectadores la encontraron incoherente y fría, pero muchos más quedaron hipnotizados. El éxito comercial de la película hizo que la crítica, que al principio la despreció, la revalorizara. **◂1966.3**

NACIMIENTOS

Gary Coleman, actor estadounidense.

Harry Connick, hijo, cantante estadounidense.

Barry Sanders, jugador de fútbol estadounidense.

MUERTES

Karl Barth, teólogo suizo.

León Felipe Camino, poeta español.

Marcel Duchamp, artista francés.

Yuri Gagarin, cosmonauta soviético.

Giovanni Guareschi, escritor italiano.

Otto Hahn, físico alemán.

Robert Kennedy, político estadounidense.

Martin Luther King, líder estadounidense de los derechos civiles.

Ramón Menéndez Pidal, historiador español.

Georgios Papandreou, político griego.

Salvatore Quasimodo, poeta italiano.

Upton Sinclair, escritor estadounidense.

John Steinbeck, escritor estadounidense.

Cine: *Oliver* (Carol Reed); *La noche de los muertos vivientes* (George A. Romero); *Faces* (John Cassavetes); *Barbarella* (Roger Vadim); *Érase una vez en el oeste* (Sergio Leone); *The producers* (Mel Brooks) [...] Teatro: *El precio* (Arthur Miller).

«Campesinos, los terratenientes ya no se alimentarán de vuestra pobreza.»—**Juan Velasco Alvarado, general de las Fuerzas Armadas del Gobierno Revolucionario de Perú**

NOVEDADES DE 1968

Camas de agua.

Laringe artificial.

Torneo de Tenis Open de Estados Unidos (Forest Hills, Nueva York).

***Queen Elizabeth II* (Cunard).**

Bañera *jacuzzi.*

Clasificación de películas en Estados Unidos.

Disco de platino (*Wheels of fire,* de Cream, vende un millón de copias).

EN EL MUNDO

►EL ÉXITO DE ACUARIO —*Hair,* el primer musical de *rock* importante, se estrenó en el Biltmore Theater de

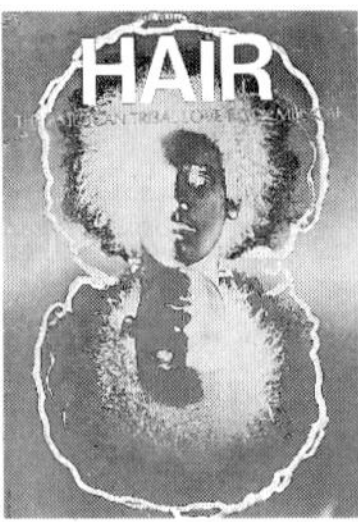

Nueva York en abril, dotando de respetabilidad y renombre a la época *hippie* de Broadway. «Es el principio de la era de acuario», cantaban sus protagonistas de pelo largo y mal vestidos que hacían un tributo a la paz y al amor libre. La obra llegó a las 1.742 representaciones. ◄1967.5

►LOS SONIDOS DE LA ERA ESPACIAL—En 1968, cuatro después de que Robert Mood presentara el instrumento de la era espacial, el sintetizador electrónico, el compositor Benjamin Folkman grabó un disco con este instrumento. *Switched-on Bach* se editó al año siguiente y fue un éxito. Folkman interpretaba la música barroca de órgano con el sintetizador. El disco estuvo en las listas de éxitos durante seis años y luego cayó en el olvido, pero el sintetizador, con su variedad tonal, se convirtió en un instrumento corriente. ◄1964.NM

ESTADOS UNIDOS

El incidente del *Pueblo*

6 Lanchas cañoneras norcoreanas se apoderaron de un barco espía de la armada de Estados Unidos en aguas internacionales en enero de 1968. Confiscaron el navío y detuvieron a los 83 miembros de la tripulación. El gobierno comunista de Corea del Norte declaró que el *Pueblo* se había adentrado en aguas coreanas «llevando a cabo actividades hostiles». Washington negó la acusación y condenó la incautación como «un acto agresivo y gratuito».

En 1968, quince años después de que un alto el fuego acabara de forma oficial la guerra de Corea, el conflicto todavía continuaba a través de espionaje, propaganda y con guerrillas norcoreanas que atravesaban la frontera para hacer incursiones en ciudades del sur. En Estados Unidos, que todavía contaba con cincuenta y cinco mil soldados en Corea del Sur, la beligerancia norcoreana, rematada por la incautación del *Pueblo*, se consideraba como parte de un plan comunista asiático para perjudicar a los americanos en Vietnam. En el congreso se exigió una respuesta contundente pero el presidente Johnson, que ya estaba perdiendo una guerra en Asia, prefirió negociar.

La negociación fue lenta y tediosa, y los marinos americanos estuvieron encarcelados durante casi un año. Muchos miembros de la tripulación, golpeados a menudo por sus guardianes, «confesaron» haber violado la integridad territorial de Corea del Norte. El comandante Lloyd M. Bucher, capitán del barco, también firmó una confesión (para salvar las vidas de sus hombres, según declaró más tarde). Para asegurar la liberación de los marinos, el gobierno de Estados Unidos firmó una disculpa, sólo por conveniencia. El mediador americano dijo que la «confesión» no significaba nada, que se había llevado a cabo «para liberar a la tripulación y sólo para eso». Tras recibir como héroes a los marineros en diciembre, la armada cerró discretamente el incidente. Los norcoreanos se quedaron con el barco. **◄1953.2 ►1994.3**

Junto a los oficiales y la tripulación del *Pueblo,* las patrullas norcoreanas confiscaron material electrónico de vigilancia.

PERÚ

Los nuevos generales

7 En 1968 los tanques rodearon el palacio presidencial de Perú y acabaron con los cinco años de presidencia civil de Fernando Belaúnde Terry. El resultado fue el exilio en Argentina para Belaúnde y un régimen militar para Perú, uno más en su larga lista, esta vez encabezado por el general Juan Velasco Alvarado. Parecía una historia corriente, pero los hechos de 1968 se separaron significativamente de la línea histórica tradicional: los nuevos dirigentes de Perú se declararon a favor de una reforma ambiciosa y políticamente se inclinaban por la izquierda. Eran los «nuevos generales».

Fernando Belaúnde Terry *(superior)* fue derrocado por los militares peruanos.

Entre las primeras medidas de la junta figuró la expropiación de la International Petroleum Company de la Standard Oil, un símbolo de la explotación extranjera para millones de peruanos pobres. Luego, al exigir el control de todas las compañías que operaban en el país, Velasco y sus oficiales nacionalizaron las industrias más importantes (minería, banca y pesca). Decididos a realizar una reforma agraria, los militares abolieron el sistema de fincas y distribuyeron diecisiete millones y medio de acres de tierra entre los campesinos pobres durante la década siguiente.

Las reformas de los nuevos generales no trajeron la prosperidad a Perú. Interfirieron desastres naturales. En 1970, un terremoto se cobró setenta y cinco mil vidas y causó daños por un valor aproximado de quinientos millones de dólares. En 1972, la industria pesquera quedó arruinada por un fuerte calentamiento del océano en la costa sur de Sudamérica provocado por los movimientos cíclicos de una corriente marina llamada El Niño. La producción se redujo y la deuda exterior aumentó. En 1975, el general Francisco Morales Bermúdez derrocó a Velasco y configuró una junta nueva. Cinco años más tarde, el electorado peruano, harto de un gobierno militar, devolvió la presidencia a Balaúnde. El restablecimiento de un gobierno constitucional y del mercado libre no consiguieron frenar la recesión económica. En los años ochenta, la inflación y el paro aumentaron de forma drástica y también el terrorismo. **◄1924.NM ►1992.8**

CIENCIA

Especulaciones sobre los púlsars

8 Cuando Jocelyn Bell, una graduada irlandesa de 24 años de edad, detectó unas misteriosas señales de radio que procedían del espacio exterior, muchos pensaron que había encontrado un indicio de vida extraterrestre. A diferencia de la energía constante que emitían las estrellas conocidas, las señales de Bell eran intermitentes. «A menudo se ha exagerado un pequeño indicio de una civilización inteligente. Pero si se quiere atribuir algo a una civilización, éste es el mejor caso que tenemos para hacerlo», observó el astrónomo Maarten Schmidt, que había descubierto recientemente los quásars.

Bell, miembro del equipo de investigación del astrofísico Antony Hewish en la Universidad de Cambridge, detectó las señales, que se daban en intervalos de un segundo y medio, con un radiotelescopio que él mismo había diseñado. Tras estudiar las emisiones, el equipo de

«Estamos al borde del desorden. No soy un hombre dotado con un lenguaje ostentoso pero esta noche debo deciros que nuestra conducta de los próximos días y semanas decidirá nuestro futuro.»—**El capitán Terence O'Neill, primer ministro de Irlanda del Norte**

Un púlsar emite ondas de radio en rayos muy pequeños y, debido a la rotación rápida de la estrella, parecen intermitentes.

Hewish concluyó que procedían de un objeto que giraba a gran velocidad al que llamaron «púlsar», de menos de 64.000 km de diámetro y a menos de doscientos años luz de la Tierra (un tamaño pequeño y a poca distancia según los valores habituales). Esta revelación y el descubrimiento de más púlsars en lugares no planetarios indicaron que las señales venían de algo que no era una civilización inteligente.

Actualmente se piensa que los púlsars son estrellas de neutrones, restos de explosiones de estrellas llamadas «supernovas». A pesar del papel clave de Bell en el descubrimiento, el Premio Nobel de física de 1974 fue para Hewish y su mentor sir Martin Ryle. Fueron los primeros astrónomos que recibieron el premio. **◄1963.11 ►1974.6**

PANAMÁ

El golpe de Torrijos

9 En 1968, en un clima antinorteamericano creciente, el teniente coronel Omar Torrijos Herrera *(izquierda)* derrocó al presidente de Panamá Arnulfo Arias. Torrijos, un populista, empezó una serie de reformas económicas y sociales: sustituyó la elitista Asamblea Nacional por un cuerpo democrático, intentó romper el dominio económico de los «rabiblancos», las familias ricas, y apartó a Panamá de la infuencia norteamericana. Como siempre, el tema más importante lo constituía el canal de Panamá, de propiedad y explotación norteamericanas.

El golpe de 1968 era el tercero que sufría Arias, cirujano educado en Harvard y tirano intolerante. Presidente entre 1940 y 1941, apoyó a los nazis durante la Segunda Guerra Mundial y fue derrocado por un golpe respaldado por Estados Unidos. En 1949 fue reelegido y estuvo dos años en el poder hasta que la Guardia Nacional lo expulsó por haber suspendido la constitución. En 1968 tuvo otra oportunidad pero intentó imponer la autocracia una vez más. Dos semanas después de las elecciones, Torrijos y sus hombres le echaron. Arias buscó refugio en la zona del canal, unos novecientos kilómetros cuadrados controlados por Estados Unidos. Torrijos se ascendió a sí mismo a general y se hizo cargo del estado.

Lo primero que llevó a cabo fue consolidar su posición. Encarceló a presuntos comunistas y tomó el control de la universidad, donde coexistían muchos izquierdistas. Luego desafió a Washington al apoyar a los sandinistas de Nicaragua y establecer relaciones amistosas con la Cuba de Castro. Con la intención de reducir la dependencia económica del canal, Torrijos liberalizó la banca y las leyes de impuestos y convirtió a Panamá en un paraíso financiero para el capital internacional (incluido el procedente de la cocaína sudamericana). En 1977 renegoció las condiciones del tratado sobre el canal por lo que fue elogiado en su país y criticado en Estados Unidos. **◄1914.9 ►1977.7**

IRLANDA DEL NORTE

Católicos y protestantes

10 En 1968, Londonderry, la segunda ciudad de Irlanda del Norte, se vio afectada por la peor oleada de violencia desde los años veinte, después de que la policía dispersara una manifestación pacífica por los derechos civiles con porras y mangueras de agua. Londonderry era una ciudad de mayoría católica en un país de mayoría protestante y ya había sobrevivido a luchas religiosas: en 1689 los protestantes soportaron un sitio de cien días establecido por las fuerzas católicas del rey Jaime II.

En torno a la parte vieja de la ciudad, el centro comercial, se alzan unas murallas de piedra que datan del siglo XVII. Éstas, de gran importancia simbólica para los Ulster Orangemen protestantes, representaban tenacidad y energía; para los católicos, excluidos de las viviendas, trabajos y del gobierno local, las fortificaciones significaban discriminación y prejuicios.

Los disturbios de 1968 tuvieron lugar al pie de la muralla de la ciudad vieja. El 5 de octubre, desafiando una prohibición gubernamental, cuatrocientos manifestantes marcharon sobre el centro de Londonderry para protestar contra la discriminación de los católicos respecto a la vivienda y el voto. (En el Ulster, el voto estaba restringido a los propietarios; el departamento de la vivienda, controlado por los protestantes, a menudo dejaba fuera del mercado a los católicos.) La policía rodeó a la multitud y luego arremetió contra ella. Un centenar de manifestantes necesitó cuidados médicos. La noche siguiente unos ochocientos hombres entraron en la ciudad vieja, tiraron piedras y cócteles Molotov y se enfrentaron a la policía al pie de las murallas.

Los soldados usan un cañón de agua para lavar la calle tras un disturbio en Londonderry.

Se produjeron incidentes violentos en lo que fue el inicio de una nueva etapa sangrienta de discordia en Irlanda del Norte. **◄1949.9 ►1969.2**

►DON CAMILO DE LUTO—La vida rural durante la posguerra italiana tuvo dos protagonistas de ficción que alcanzaron fama mundial. El párroco don Camilo y su cordial enemigo el alcalde comunista Peppone fueron los personajes que a partir de 1948 hicieron famoso a su autor, el escritor italiano Giovanni Guareschi, que murió en Cervia, un pueblo de la Riviera, el 22 de julio de 1968.

►PRIMEROS ATENTADOS MORTALES DE ETA—La organización terrorista vasca ETA cometió los dos primeros

asesinatos políticos en 1968. El 7 de junio dos etarras mataron al guardia civil José Pardines y el 2 de agosto al jefe de la Brigada Social de San Sebastián, Melitón Manzanas.

►JUEGOS OLÍMPICOS—Peggy Fleming, cinco veces campeona femenina de Estados Unidos y tres veces campeona del mundo de patinaje artístico, ganó la medalla de oro en los Juegos Olímpicos de invierno de Grenoble en 1968. En los juegos de verano, en Ciudad de México, el equipo masculino norteamericano hizo toda una demostración de velocidad y resistencia. Jim Hines ganó el esprint de cien metros y se convirtió en

el primer hombre que rompió la barrera de los diez segundos; Dick Fosbury realizó un salto de altura de espaldas de 2,24 m e inventó la «caída Fosbury»; Tommy Smith y John Carlos, primero y tercero respectivamente en los 200 m, alzaron el puño cerrado como símbolo del poder negro cuando estaban

POLÍTICA Y ECONOMÍA: Richard Nixon elegido presidente derrotando a Hubert Humphrey [...] España: independencia de Guinea; II Plan de Desarrollo.

«Nunca he reducido la velocidad y nunca lo haré. No puedo hacerlo. Nunca he tenido miedo físico [...]. Para mí, esquiar es como respirar.»—**Jean-Claude Killy**

en el pódium. La actuación más importante fue la de Bob Beamon, cuyo fenomenal salto de longitud de 8,90 m estableció un récord mundial. ▸1968.13

▸CATOLICISMO Y ANTICONCEPCIÓN—El Papa Pablo VI fue reformista hasta cierto punto: abolió la misa, relajó las normas sobre los matrimonios mixtos, reanimó el diálogo ecuménico con las iglesias protestantes y los regímenes comunistas y viajó por todo el mundo pero se detuvo en la anticoncepción. En su encíclica *Humanae Vitae*, el pontífice reiteró la postura tradicional de la Iglesia acerca del control artificial de la natalidad: lo rechazó totalmente. Desechó toda posibilidad en cuanto al matrimonio de los clérigos y al sacerdocio femenino.

▸LOS BEATLES EN LA INDIA—Los viajes de 1968 de los Beatles a la India en busca de la iluminación con el líder espiritual Maharishi Maresh Yogi seguían una evolución totalmente acorde con la época. Los Beatles, el grupo de *rock* más influyente de todos los tiempos, cultural y musicalmente, empezaron a

llevar el pelo largo y ropa oriental y a cultivar una imagen cercana al misticismo (relacionada con drogas alucinógenas). Su disco de 1967 *Sgt. Pepper's lonely hearts club band* incorporaba música india y contribuyó a popularizar la música oriental en Occidente. ◂1962.6 ▸1970.NM

▸CANADIENSE CARISMÁTICO—En 1968 se retiró el primer ministro canadiense Lester B. Pearson y le sucedió un hombre considerado el soltero más deseable de la nación: Pierre Elliott Trudeau, de 48 años de edad. Partidario de las reformas también era realista y aconsejó a los votantes: «Si queréis la luna, votad a otro partido». Se oponía a la independencia de Quebec y los votantes dieron la mayoría a su Partido Liberal. ◂1967.NM ▸1970.11

IDEAS

Profeta de la nueva era

11 En 1968 un graduado de la Universidad de California, Carlos Castañeda, visitó el desierto y regresó con las semillas del espiritualismo de una Nueva Era. Castañeda tenía que presentar una tesis de antropología en la universidad cuando, por casualidad, se encontró con un chamán indio yaqui en una ciudad anónima de la frontera con Arizona. Guiado por el chamán a lo largo de un camino hacia la iluminación espiritual —a través de alucinógenos naturales, como setas—, Castañeda quiso compartir su historia con el público lector en *Las enseñanzas de Don Juan: un camino yaqui hacia el conocimiento*, publicado en el apogeo de los años sesenta, época psicodélica y de búsqueda.

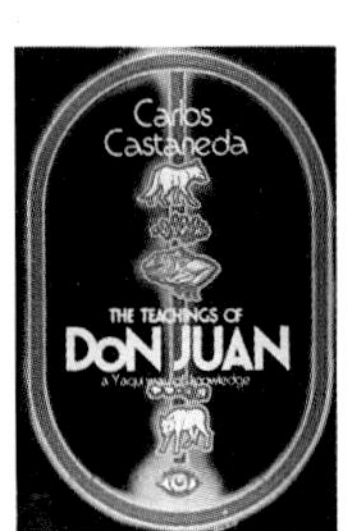

Las enseñanzas de Don Juan, una mezcla de etnografía, psicología y documental de viajes, tocó la fibra sensible popular. El libro ofrecía misticismo asequible en una época materialista. «Don Juan nos lleva por una grieta del universo entre la luz del día y la oscuridad a un mundo que no es otro que el nuestro, pero en un orden de la realidad completamente diferente», rezaba el prólogo del libro. Toda una proeza para un libro presentado en principio como una tesis de licenciatura. Hubo quien cuestionó la existencia del chamán de Castañeda (aparentemente desconocido por todo el mundo excepto por el autor) y algunos criticaron su metodología heterodoxa (dejó que desapareciera la distancia tradicional entre sujeto y observador). La controversia no evitó que Castañeda fuera leído en todas partes. Su libro, buena o mala antropología o simplemente ficción, satisfizo un ansia existencial generalizada.

RELIGION

Liberación del catolicismo

12 Los prelados que asistieron en Medellín a la Segunda Conferencia de Obispos Latinoamericanos, inspirados por las reformas del Vaticano II, examinaron el papel social de la Iglesia en sus países. Tras muchas discusiones, los obispos publicaron una proclama. Denunciaron la opresión sistemática de los pobres, criticaron la explotación del Tercer Mundo por las naciones industrializadas y exigieron reformas políticas y sociales. No se detuvieron ahí: los obispos declararon que la Iglesia de Latinoamérica contenía una misión distinta a la de la Iglesia de Europa (que en realidad era una Iglesia distinta) y le otorgaban una función política activa. Esta aplicación práctica de la fe se conoció como teología de la liberación, una de las ramas más importantes dentro de la Iglesia católica moderna y una influencia política importante en América Central y del Sur.

En 1971, el padre Gustavo Gutiérrez, un teólogo peruano, publicó la doctrina central del movimiento, *Una teología de la liberación*, que establecía que la Iglesia debía ayudar a los pobres, no imponerse sobre ellos. El libro inspiró la fundación de la Iglesia de los Pobres, una organización popular que combina la enseñanza religiosa con el activismo social.

El movimiento fue más allá con el teólogo brasileño Leonardo Boff, que en sus libros criticó a la Iglesia histórica que había permitido las injusticias en Latinoamérica, e incluso había contribuido a ellas, y defendió con firmeza la moralidad de la lucha de clases.

Ni a Roma ni a los regímenes conservadores latinoamericanos les gustó el cariz marxista de la teología de la liberación: los dirigentes del movimiento no fueron invitados a la conferencia de obispos de 1979, el Papa Juan Pablo II sustituyó a los teólogos de la liberación por clérigos dóciles y, en 1984, el Vaticano condenó a Boff a un año de silencio. Las represalias laicas, en forma de asesinatos cometidos por escuadrones de muerte o en forma de encarcelamientos con torturas, se incrementaron y clérigos como el arzobispo de El Salvador Óscar Romero y el padre Antonio Pereira Neto, de Brasil, se convirtieron en mártires del movimiento. **◂1962.1 ▸1978.4**

El teólogo de la liberación Leonardo Boff, convocado en el Vaticano en 1984, fue censurado por sus ideas marxistas.

DEPORTES

La estrella de las pistas

13 El 17 de febrero de 1968 millones de espectadores presenciaron por televisión los Juegos Olímpicos de invierno de Grenoble, Francia. La atención se centraba en el esquiador francés Jean-Claude Killy y en la competición de eslálom. Ya había ganado la medalla de oro en el eslálom gigante y en el descenso, y otra victoria significaría haber conseguido todas las competiciones de los Alpes. El único hombre que lo había logrado anteriormente fue el austríaco Toni Sailer en 1956. La competición duró hasta la meta, pero los dos rivales más próximos a Killy fallaron puertas y la medalla de oro fue para él.

Para Killy, tan famoso por su encanto francés como por su destreza deportiva, el triunfo marcó la culminación de una carrera estelar como aficionado (empezó a esquiar a los tres años de edad) y el inicio de una lucrativa carrera profesional, como esquiador y como empresario. Maestro de la postura «huevo», la posición fetal que se ha convertido en estándar, Killy alcanzaba velocidades que a veces superaban los 125 km/h. El año anterior a los juegos de Grenoble ganó todas las competiciones de descenso en las que participó.

La gloria olímpica de Killy le convirtió en uno de los atletas más famosos, y comerciales, del mundo. En Francia, donde el equipo nacional de esquí es objeto de un enorme orgullo, sus admiradores le trataron como si fuera una estrella de cine. **◂1968.NM**

PREMIOS NOBEL: Paz: René Cassin (francés; Tribunal Europeo de Derechos y Declaración Universal de Derechos Humanos —ONU—) [...] Literatura: Yasunari Kawabata (japonés; novelista) [...] Química: Lars Onsager (EE.UU.; ecuaciones termodinámicas) [...] Medicina: Har Gobind Khorana, Robert Holley y Marshall Nirenberg (EE.UU.; código genético) [...] Física: Luis Álvarez (EE.UU.; física de partículas).

Viaje psicodélico

De *Gaseosa de ácido eléctrico,* Tom Wolfe, 1968

En Gaseosa de ácido eléctrico, *el periodista literario Tom Wolfe mezcló reportaje, observaciones profundas y un tono narrativo habitualmente reservado a la ficción para narrar la historia real y curiosa de Ken Kesey, novelista y proto*hippie, *y su grupo de* groupies, *los Merry Pranksters, que recorrieron el país en un autocar escolar. «Lo único que conocía entonces de Kesey era que era un novelista de 31 años y con muchos problemas relacionados con las drogas», confesó el autor al principio de su libro de 1968. (Kesey había vuelto de México hacía poco para enfrentarse a un juicio sobre marihuana.) Con este punto de partida, Wolfe creó el relato definitivo de la contracultura de los años sesenta. Remontó el inicio del fenómeno* hippie *a principios de los años sesenta, cuando Kesey, autor de* Alguien voló sobre el nido del cuco, *y sus Pranksters organizaron las primeras fiestas de LSD en la costa oeste, «exámenes de ácido». En el paisaje siguiente, Wolfe explica que estos tempranos experimentos dieron a la revolución psicodélica su impulso y su sensibilidad. De ellos provienen la forma de vestir, la música y las artes gráficas que caracterizaron la cultura de los años sesenta.* **◂1962.NM**

Richard Alpert tampoco estaba contento con los «exámenes de ácido». Alpert, como Timothy Leary, había sacrificado su carrera académica como psicólogo por el movimiento psicodélico. Era bastante difícil evitar que la gente no se pusiera histérica con el tema del LSD, incluso en las mejores circunstancias —por no hablar de cuando se utilizaba en orgías ruidosas en lugares públicos. Entre los principales seguidores que se inclinaban por Leary y Alpert era difícil creer, incluso colocados, que los Pranksters se colocaran de ese modo. Temían que en algún momento explotarían en una especie de debacle, una especie de fenómeno general, que la prensa lo sabría y que enterraría al movimiento psicodélico para siempre. La policía vigilaba de cerca, pero poco podían hacer aparte de alguna redada esporádica de marihuana porque en aquella época no había ninguna ley contra el LSD. Los Pranksters celebraron exámenes de ácido en Palo Alto, Portland, Oregón, dos en San Francisco, cuatro en Los Ángeles y sus alrededores y tres en México, y no se quebrantaba ninguna ley (*sólo la ley de Dios y el hombre*). En resumen, una ofensiva divina, y somos *impotentes*.

Los exámenes de ácido fueron una de estas ofensas, uno de estos *escándalos*, que crearon un nuevo estilo o una nueva visión del mundo. Todo el que cloquea, echa pestes, se encoleriza contra el mal gusto, la inmoralidad, la insolencia, la vulgaridad, la puerilidad, la locura, la crueldad, la irresponsabilidad, el fraude y, de hecho, se introduce en este estado de excitación, esta representación, este barco negrero, no puede librarse de ello. Se convierte en una obsesión total. Y ahora os mostrarán como se *hubiera* tenido que hacer.

Los exámenes de ácido eran la *época* del estilo psicodélico y casi todo lo que cabía en ella. No quiero decir solamente que los Pranksters los hicieran por primera vez, sino que todo lo que resultó directamente de los exámenes de ácido se dirigió en línea recta al Trips Festival de enero de 1966. Entretenimiento de «varios medios de comunicación», salió directamente de la combinación de los exámenes de ácido, de proyecciones de luces y películas, flashes, cintas, *rock 'n' roll*, luz negra. «Acid *rock*» (el sonido del álbum de los Beatles *Sergeant Pepper* y los sonidos vibrantes de los Jefferson Airplane, los Mothers of Invention y muchos otros grupos), la madre de todos ellos fueron los Grateful Dead de los exámenes de ácido. Los Dead eran la contrapartida de «sonido» de las proyecciones de luz de Roy Seburn. Owsley realizó algunas de ellas, indirectamente. Owsley había abandonado su gran Freakout y había empezado a invertir dinero en los Grateful Dead y también en los exámenes. Quizá se imaginó que los exámenes eran la onda del futuro, estuviera colocado o no. Quizá pensaba que el «acid *rock*» era el sonido del futuro y quiso ser una especie de Brian Epstein de los Grateful Dead. No lo sé. De todas formas, empezó a comprar equipos para los Dead como nadie había comprado para un grupo de *rock*, ni para los Beatles, todo tipo de amplificadores, micrófonos, mesas de mezclas, altavoces, instrumentos, luces, todo lo que estuviera en el mercado. El sonido procedía de tantos micrófonos y se apoyaba en tantas mezclas y revestimientos variables y estallaba en tantos amplificadores y reventaba en torno a tantos altavoces y se retroalimentaba bajo tantos micrófonos que se desarrollaba como una refinería química. Había algo completamente nuevo, delirante y fantástico en la música de los Dead y casi todo lo nuevo de *rock* y *jazz* que he escuchado proviene de ella.

Incluso los detalles como el arte psicodélico de los carteles, los remolinos pseudo *art nouveau* de las letras, el diseño y los colores vibrantes, ácidos, pastel y sombreados, provienen de los exámenes de ácido. *El arte no es eterno*. Los carteles se convirtieron en obras de arte aceptadas por la tradición cultural. Algunos tocarían la música de los Dead con más éxito, más comercialmente que los Dead. Otros realizarían las actuaciones combinadas hasta que fueran un bombón de pura ambrosía con relleno cremoso para el cerebro. A lo que Kesey diría: «Saben *dónde* está, pero no *qué* es».

Frustrados ante las restricciones de los reportajes objetivos, Tom Wolfe *(superior)* y otros escritores, como Norman Mailer, Joan Didion y Hunter S. Thomson, crearon el nuevo periodismo —en el que se aplicaban técnicas de ficción al género de no ficción. En la ilustración, Ken Kesey en los años setenta, con el autocar utilizado por los Merry Pranksters.

«Venimos en misión de paz en nombre de la humanidad.»—**Placa colocada por los astronautas del *Apolo 11* en la superficie de la Luna**

HISTORIA DEL AÑO

El hombre en la Luna

1 El 21 de julio de 1969, el astronauta americano Neil Armstrong descendió de la nave de aterrizaje del *Apolo 11*, la *Eagle*, y se posó en la superficie de la Luna. La promesa que había formulado el presidente John Kennedy en 1961 de poner a un hombre en la Luna a finales de la década se había cumplido. «Es un paso pequeño para un hombre y un salto gigante para la humanidad», afirmó Armstrong por televisión ante millones de espectadores.

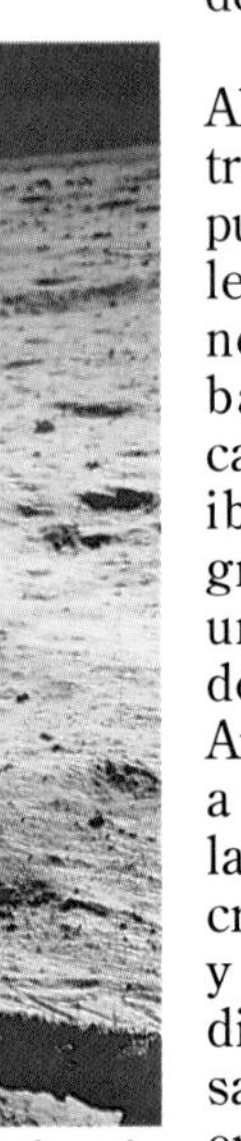

El astronauta Edwin Aldrin caminando por la Luna, fotografiado por su compañero Neil Armstrong.

El coronel Edwin Aldrin se unió a Armstrong 19 minutos después y, caminando con lentitud, los dos pioneros plantaron una bandera norteamericana. A medida que se iban adaptando a la gravedad de la Luna, una sexta parte de la de la Tierra, Aldrin y Armstrong empezaron a avanzar a saltos por la superficie llena de cráteres, maravillando y deleitando a su audiencia terrestre. Sus saltos se convirtieron en una de las imágenes características del siglo y simbolizaron el espíritu de exploración y las maravillosas aplicaciones de la ciencia. Tras recoger muestras de piedras y hacer fotografías durante dos horas, los astronautas regresaron al módulo lunar y cerraron la escotilla. El paseo por la Luna había acabado. En total pasaron 21 horas y media en la Luna antes de volver a la nave de mando del *Apolo 11*, la *Columbia,* pilotada por el teniente coronel Michael Collins.

El alunizaje, un gran triunfo del programa espacial norteamericano, tuvo lugar dos años y medio después de un trágico accidente que conmocionó a la NASA y al país. En enero de 1967, Virgil Grissom, el segundo astronauta americano, Edward H. White, el primer americano que caminó en el espacio, y Roger B. Chaffee murieron durante un ensayo de rutina en cabo Kennedy. Empezó un incendio durante los ensayos de la cuenta atrás y aumentó con la atmósfera de oxígeno puro de la cápsula. Los trajes inflamables, las redes de nailon de la cabina y los cables aislantes se fundieron casi instantáneamente. Grissom, White y Chaffee se carbonizaron. La NASA suspendió todos los vuelos durante más de un año para revisar completamente el diseño de la nave *Apolo.*

Cuando se reanudaron los lanzamientos, la NASA envió cuatro misiones tripuladas que abrieron el camibo al viaje de Armstrong, Aldrin y Collins. Los tres astronautas, tras visitar la Luna, cayeron sanos y salvos en el Pacífico, frente a las costas de Hawai, el 24 de julio. **◄1966.2 ►1971.3**

1969

IRLANDA DEL NORTE

Los conflictos empeoran

2 Una confrontación en Belfast entre protestantes extremistas y católicos desencadenó un ciclo de ataques y represalias durante el mes de agosto de 1969. Cuando los disturbios violentos se extendieron de Belfast a otras ciudades, Gran Bretaña desplegó tropas en Irlanda del Norte para evitar una guerra civil. La llegada de los soldados marcó la primera actuación del ejército británico contra civiles irlandeses desde el alzamiento de Pascua de 1916.

El problema de Irlanda del Norte lo constituía el sistema electoral: estaba en manos de los dos tercios de mayoría protestante y los católicos querían una parte. Los activistas católicos pidieron el derecho de «un hombre, un voto», con el que contaba cualquier otro súbdito británico, pero el parlamento de Irlanda del Norte, dominado por los protestantes, lo impedía. Como el catolicismo estaba asociado a la República de Irlanda, los protestantes extremistas temían que los católicos adquirieran poder. Pensaban que si ocurría, su pequeño país quedaría sometido al del sur. En 1969, radicales de ambos bandos aumentaron sus acciones violentas.

Cuando el Irish Republican Army (Ejército Republicano Irlandés, IRA) y su rama más radical, los Provisionales, intensificaron su campaña terrorista, la Asociación para la Defensa del Ulster respondió del mismo modo.

Muchos católicos dieron la bienvenida a los soldados británicos, ya que consideraban que eran una protección contra la policía local, la Policía Real del Ulster, llena de prejuicios. Sin embargo, en Belfast, donde el temor y el odio distorsionaban la política, los soldados británicos inevitablemente mostraron su desacuerdo con los manifestantes católicos. El resentimiento católico contra el gobierno local se amplió contra Londres. **◄1968.10 ►1972.4**

Los soldados británicos llegaron a Belfast para mantener la paz, pero pronto formaron parte de los disturbios.

REFORMA SOCIAL

Liberación homosexual

3 Un viernes por la noche del mes de junio de 1969, la policía llevó a cabo una redada en el Stonewall Inn, un bar de homosexuales del Greenwich Village, el barrio bohemio de Nueva York. La operación era rutinaria: el Stonewall

***Gay Liberation* (1980) del escultor George Segal, situada cerca del Stonewall Inn, conmemora la rebelión.**

carecía de licencia para vender alcohol y atraía a una clientela joven, ruidosa, la mayor parte no blanca y travestida. No obstante, la reacción no tuvo precedentes. En vez de dispersarse, los dueños respondieron con ira. El consiguiente jaleo duró todo el fin de semana y salió a la luz

ARTE Y CULTURA: **Libros:** ***La segunda muerte de Ramón Mercader*** **(J. Semprún);** ***Boquitas pintadas*** **(Manuel Puig);** ***El padrino*** **(Mario Puzo);** ***La mujer del teniente francés*** **(John Fowles);** ***Ada*** **(Vladimir Nabokov) [...] Música: «Lay, lady, lay» (Bob Dylan);** ***Let it bleed*** **(Rolling Stones, LP);** ***La transfiguración*** **(Messiaen);** ***Cantos de amor y de guerra*** **(Joaquín Rodrigo) [...]**

«El estado no se ha de meter en los dormitorios de la nación.»—**Trudeau, primer ministro de Canadá, apoyando la despenalización de la homosexualidad**

una causa nueva: la liberación homosexual.

Desde los años cincuenta, había existido un movimiento de derechos homosexuales reducido y discreto. Pero hacía poco que sus activistas, influenciados por los movimientos del poder negro y de la liberación de la mujer, habían adoptado un tono más agresivo. La rebelión del Stonewall fue significativa para aquellos que esperaban no sólo el fin de la discriminación y el acoso contra los homosexuales (término referido tanto a homosexuales varones como a lesbianas) sino también crear una sociedad con valores sexuales menos rígidos. Los liberacionistas homosexuales se unieron con otras fuerzas radicales, y las manifestaciones atrajeron a miles de personas en las democracias occidentales, e incluso en Argentina en períodos no dictatoriales.

En 1969, Canadá y Alemania despenalizaron la homosexualidad (Gran Bretaña ya lo había hecho dos años antes); Australia y varios estados de Norteamérica siguieron su ejemplo. En 1973, la Asociación Americana de Psiquiatría borró a la homosexualidad de su manual de diagnósticos de enfermedades mentales. Políticos homosexuales declarados empezaron a ganar elecciones. Aun así, los homosexuales sufrieron las consecuencias del miedo y el odio. **◂1964.3 ▸1985.12**

MÚSICA

Días de música y barro

4 La Feria de Música y Arte de Woodstock fue el acontecimiento emblemático del movimiento juvenil y representó a la década en sí: a la vez desafiante, inocente, optimista y tolerante. La cantante de *folk* Joan Baez la describió como «un reflejo de los años sesenta en tecnicolor y salpicado de barro». Más de cuatrocientos mil jóvenes abarrotaron el festival de tres días de duración (del 15 al 17 de agosto de 1969), celebrado en una granja del estado de Nueva York, a pesar de las lluvias torrenciales y de las instalaciones insuficientes.

Ideado por un grupo de promotores e inversores autodenominados Woodstock Ventures, Inc., el acontecimiento (ahora se celebra en la ciudad de Bethel y no en Woodstock) se anunció como «tres días de paz y música». Entre los cantantes que actuaron destacaban: Joan Baez; Crosby, Stills, Nash y Young; The Who; Janis Joplin; Jimi Hendrix; Sly and the family Stone; Jefferson Airplane, y Santana. Para muchos de los estudiantes, fumadores de marihuana, residentes en comunas, profesores, *hippies* y *yippies* que emprendieron el viaje a la granja de Max Yasgur (alquilada para la ocasión), Woodstock fue «una reunión de todas las tribus», un acontecimiento abiertamente político. Más tarde, cuando se creó la leyenda, adquirió un significado mayor. En el juicio de los «ocho de Chicago», acusados de instigar disturbios en la Convención Demócrata de 1968, el acusado Abbie Hoffman le dijo al juez que no era americano, que era un miembro de la nación Woodstock. «Woodstock '94» se celebró 25 años después, a unos kilómetros del lugar original. **◂1963.12**

Woodstock fue más que un festival musical para la mayoría de asistentes. Fue un símbolo de la paz y la solidaridad en tiempos de la guerra.

CULTURA POPULAR

Caponata y sus amigos

5 En 1969, el productor de televisión Joan Ganz Cooney presentó un programa infantil basado en una idea sencilla pero provocativa: el poder comercial de la televisión, su capacidad de transmitir información rápida y sucintamente, podía ser utilizado para vender el producto más importante: el conocimiento. Cooney, ejecutivo del Public Broadcasting System de Nueva York, estaba fascinado por estudios que demostraban que los niños en edad preescolar retenían más contenidos de los anuncios, rápidos y cortados, que de los programas en sí. Aplicando técnicas publicitarias para la lectura y la aritmética, Cooney y sus colegas crearon *Barrio Sésamo* y revolucionaron la programación infantil.

Con unos muñecos blandos, diseñados por Jim Henson, canciones pegadizas, secuencias de dibujos animados y un grupo de actores de distinta raza, *Barrio Sésamo* tuvo un éxito inmediato. Ideado para niños urbanos pobres que no tenían posibilidad de tener libros y cuyos conocimientos de lectura y aritmética eran mínimos, el programa también atrajo a espectadores de clase media. Los personajes de Caponata, Epi, Blas y el Monstruo de las Galletas, se convirtieron en estrellas internacionales.

Algunos acusan al programa de haber perdido su objetivo original, ayudar a los niños pobres, a cambio de aumentar la audiencia. (Durante un cuarto de siglo *Barrio Sésamo* no ha conseguido demostrar una influencia importante en la mejora de los conocimientos verbales o matemáticos de sus espectadores.) Otros critican que al tratar el aprendizaje como otro artículo de consumo que puede ser anunciado y vendido con técnicas publicitarias, el programa inculca los valores del consumismo y rechaza implícitamente la idea de que la adquisición del conocimiento a menudo necesita esfuerzo y disciplina. **◂1965.NM**

Caponata, una buena amiga de millones de niños.

NACIMIENTOS

Steffi Graf, tenista alemana.

MUERTES

Theodor Adorno, filósofo alemán.

Otto Dix, artista alemán.

Max Eastman, escritor estadounidense.

Dwight D. Eisenhower, presidente estadounidense.

Rómulo Gallegos, escritor venezolano.

Judy Garland, actriz estadounidense.

Vito Genovese, criminal italo-estadounidense.

Walter Gropius, arquitecto germano-estadounidense.

Sonja Henie, patinadora noruega-estadounidense.

Ho Chi Minh, presidente vietnamita.

Boris Karloff, actor anglo-estadounidense.

Joseph Kasavubu, presidente del Congo.

Joseph Kennedy, diplomático y empresario estadounidense.

Jack Kerouac, escritor estadounidense.

Rocky Marciano, boxeador estadounidense.

Carlos Marighella, guerrillero brasileño.

Ludwig Mies van der Rohe, arquitecto germano-estadounidense.

Otto Stern, físico alemán.

Moise Tshombe, político del Congo.

Franz von Papen, político alemán.

Josef von Sternberg, director cinematográfico austríaco-estadounidense.

Victoria Eugenia de Battenberg, ex-reina de España.

Margarita Xirgu, actriz española.

Cine: ***Cowboy de medianoche*** **(John Schlesinger);** ***Grupo salvaje*** **(Sam Peckinpah);** ***True Grit*** **(Henry Hathaway) [...] Teatro:** ***Sueños de un seductor*** **(Woody Allen);** ***Butterflies are free*** **(Leonard Gash);** ***¡Oh, Calcuta!*** **(Kenneth Tynan, et. al.) [...]**

«El loro ya no está. Ha dejado de existir. Ha expirado. El loro ha ido a encontrarse con su creador. Es un loro difunto [...]. Si no lo hubieras clavado a la percha, estaría jugando con las margaritas.»—**John Cleese, en la pieza «El loro muerto» de *Monty Python***

NOVEDADES DE 1969

Vacuna contra la rubeola.

Revista *Penthouse.*

Cajero automático (Chemical Bank de Nueva York).

Avión Jumbo (Boeing 747).

Vuelta al mundo en barco, sin escalas y en solitario.

Premio Nobel de economía.

EN EL MUNDO

▶NEWMAN Y REDFORD—*Dos hombres y un destino,* una película de 1969 sobre dos pistoleros del oeste, presentó a una de las parejas cinematográficas más populares: Paul Newman y Robert Redford. Más la historia de una amistad que una película del oeste

americano tradicional, la obra (con la canción de Burt Bachrach «Raindrops Keep Fallin' on my head») inició la fase moderna de un género antiguo: «las películas de compinches».

▶CHAPPAQUIDDICK—El 19 de julio, el senador de Massachusetts Edward Kennedy, hermano de John F. Kennedy, salió de una fiesta y su coche se salió del camino en un estrecho puente de Chappaquiddick Island. Le acompañaba Mary Jo Kopechne, de 28 años de edad, antigua ayudante en la campaña de Robert Kennedy. La mujer quedó atrapada en el coche y se ahogó. Kennedy no fue capaz de explicar el accidente con claridad ni de decir por qué había esperado diez horas para hablar de él. Su credibilidad quedó dañada para siempre. ◀1968.4

▶GUERRA DEL FÚTBOL—Una algarabía entre aficionados al

1969

En un ritual corriente, el sargento del ejército americano John Cameron lanza una bomba de humo desde su helicóptero para celebrar el fin de su servicio en Vietnam.

GUERRA DE VIETNAM

Menos soldados, más bombas

6 Poco después de que Richard Nixon se estableciera en la Casa Blanca, el plan secreto para la paz de Vietnam que fue la pieza clave de su campaña electoral se hizo evidente: el presidente estaba retirando soldados, pero aumentando los bombardeos. En enero de 1969 quedaban quinientos cuarenta y tres mil soldados en el país; en diciembre, Nixon había retirado a setenta y cinco mil. Asimismo intensificó la guerra aérea, empezando bombardeos (revelados por periodistas), contra Camboya, refugio de vietnamitas comunistas, y reanudando los de Vietnam del Norte.

Nixon había prometido «paz con honor» en tres años, pero los dirigentes de Vietnam del Norte seguían impasibles y las conversaciones de paz de París no lograron nada. Los pacifistas norteamericanos respondían a la escalada de Nixon con la suya propia: los estudiantes cerraban cada vez más campus, los Weathermen empezaron una campaña terrorista de bombas y dos *moratorium,* festivales de un día de duración para protestar pacíficamente, llenaron las calles de miles de manifestantes.

En el campo de batalla, las escaramuzas contra las guerrillas Viet Cong habían dado paso a batallas contra tropas regulares norvietnamitas. En abril habían muerto en acción más de treinta y tres mil norteamericanos, más que el total de muertos americanos de la guerra de Corea. Los objetivos de la guerra continuaban siendo confusos, y los soldados norteamericanos, enviados a la lucha sin el apoyo emocional de su país, se inquietaban cada vez más. El uso de drogas y la deserción aumentaron enormemente; los asesinatos de oficiales se convirtieron en algo tan corriente que incluso se acuñó una palabra para referirse a ellos. En los equipos de camuflaje de los soldados aparecían símbolos de la paz. Pero, cuando el presidente de Vietnam del Norte Ho Chi Minh murió en septiembre, la guerra que había librado durante buena parte de sus 75 años de edad (contra los japoneses, los franceses y finalmente los americanos) todavía estaba lejos de su fin. **◀1968.3 ▶1970.1**

CULTURA POPULAR

Seriamente cómico

7 Los actores del *Monty Python's Flying Circus* de la cadena de televisión BBC eran unos maestros de los chistes, las bromas y las actuaciones cómicas. Entre su aparición en octubre de 1969 y su conclusión en diciembre de 1974, el programa fue objeto de una especie de culto en el mundo de habla inglesa. La comedia libre del grupo Phython, que dio un toque intelectual británico al absurdo más puro, procedía de la televisión, de los libros, de las películas y de las revistas teatrales.

Cuatro de los seis miembros de Monty Python (*de izquierda a derecha*): Terry Jones, Eric Idle, John Cleese, Michael Palin.

Los seis miembros de la compañía, Graham Chapman, John Cleese, Terry Gilliam, Eric Idle, Terry Jones y Michael Palin, ideaban y representaban números sobre canibalismo, leñadores travestidos o la muerte de un loro, entre otros temas. Su humor informal y subversivo encontró un público fiel en Estados Unidos donde el programa debutó en la televisión de Dallas en 1974. Al cabo de unos meses, se retransmitió en otras muchas ciudades. Para numerosos adolescentes, la audiencia principal de Monty Python, la imitación de los números y el acento británico se convirtió en un juego sumamente habitual.

Mientras tanto, los miembros de Python se dedicaron por separado a proyectos para el cine y la televisión (Cleese realizó *Hotel Fawlty*, otro éxito de la BBC que traspasó las fronteras británicas) y se reunían ocasionalmente para algún proyecto en común. Sus tres películas —la parodia del ciclo del rey Arturo *Monty Python y el Santo Grial* (1975); *La vida de Brian* (1979), el Nuevo Testamento en clave de humor, y *El sentido de la vida* (1983), una sátira general, desde los condones hasta las absorciones de empresas— todavía entusiasmaron al público, más de veinte años después de que Monty Python entrara en la escena cómica. **◀1968.NM**

DIPLOMACIA

SALT I

8 Al llegar a un equilibrio nuclear estratégico, la Unión Soviética y Estados Unidos abrieron la ronda de negociaciones sobre desarme conocidas como Strategic Arms Limitations Talks (Conversaciones para la Limitación de Armas Estratégicas, SALT). A la vez, como patrocinadoras del Tratado de No Proliferación de 1968 (TNP), las superpotencias intentaron evitar que la tecnología de las bombas se difundiera a otros países. Ambas medidas tuvieron diversas consecuencias.

Durante la carrera armamentística, las superpotencias siguieron una política de disuasión nuclear basada en la MAD (destrucción mutua asegurada). Mientras una no aventajara a la otra en cuestión de misiles, ninguna los utilizaría. Esta política constituía una disuasión efectiva cuando pocos países contaban con arsenales nucleares; pero a finales de los años sesenta, China y Francia se habían añadido a Gran Bretaña, Estados Unidos y la Unión Soviética como potencias nucleares y varios países más estaban a punto de hacerlo. El TNP de 1968 se ideó para detener la proliferación. Los soviéticos y los americanos acordaron guardar los secretos nucleares; otras 43 naciones prometieron no aumentar sus arsenales. Francia, China y otras naciones que estaban en el proceso de fabricación de bombas, se negaron a firmar el tratado.

DEPORTES: Automovilismo: Jackie Stewart, campeón del mundo; Mario Andretti gana las quinientas millas de Indianápolis (establece un nuevo récord de velocidad, 250,9872 km/h) [...] Motociclismo: Ángel Nieto, campeón del mundo de 50 cc [...] Tenis: Rod Laver gana su segundo Grand Slam.

«Sólo soy un espejo; cualquier cosa que veas en mí eres tú.»—**Charles Manson**

Las sesiones preliminares de las SALT se celebraron en noviembre de 1969 en Helsinki. Durante los dos años y medio siguientes, delegaciones americanas y soviéticas se reunieron con regularidad, 434 veces en total, antes de que Brezhnev y Nixon firmaran el acuerdo SALT I en 1972. El primero de los dos tratados SALT I limitó los sistemas defensivos de misiles balísticos: éstos mantenían el equilibrio de poder porque capacitaban a un bando para protegerse del poder destructivo del otro, y el equilibrio destructivo era la base de la disuasión. El segundo acuerdo era un límite del número de misiles que podía tener cada país. No se eliminó ningún misil y se redactaron estipulaciones para valorar el armamento antiguo. Las conversaciones institucionalizaron la diplomacia nuclear y crearon un órgano semipermanente para las negociaciones de las superpotencias. **◂1963.2 ▸1972.7**

El ministro de asuntos exteriores soviético V. S. Semenov *(centro)* pronuncia un discurso en la apertura de las conversaciones SALT I en Helsinki.

CRIMEN

El culto de Manson al descubierto

9 En agosto de 1969, la policía inició la investigación del asesinato de la actriz Sharon Tate, esposa del director Roman Polanski, y de cuatro amigos en su casa de Los Ángeles. Las cinco víctimas sufrieron varios disparos y más de cincuenta puñaladas. Tate estaba embarazada de ocho meses. La palabra «cerdo» estaba escrita con sangre en la puerta. En diciembre, otro asesinato múltiple, el de Leno y Rosemary LaBianca, se relacionó con el de Tate. En las paredes del segundo escenario se encontraron mensajes crípticos, también escritos con sangre, como «muerte a los cerdos» y «desbandada general».

El culpable era Charles Manson, un compositor de canciones sin éxito que había pasado la mayor parte de su vida en la cárcel. Manson y su «familia», formada en su mayor parte por jóvenes desarraigadas que se habían convertido en sus *groupies*, representaron el lado nefasto del movimiento *hippie*. La gente vio en ellos un rechazo a la sociedad llevado a extremos patológicos, un rechazo a la vida en sí. Para Manson, instalado con sus discípulos en un rancho a las afueras de Los Ángeles, el asesinato y la mutilación se convirtieron en expresiones de justicia comunal, una «filosofía» basada, en parte, en sus extrañas interpretaciones de canciones de los Beatles.

En su proceso, Manson anunció que él mismo se defendería.

Manson y cinco de sus discípulos, dos hombres y tres mujeres, fueron condenados a muerte. En 1972, California abolió la pena capital y sus sentencias fueron conmutadas por cadena perpetua. En 1975, Lynette Fromme, una antigua seguidora de Manson, intentó asesinar al presidente Gerald Ford. Manson, a quien se le negó la libertad condicional, siguió atrayendo la atención como una reliquia oscura de una década de confusión. **▸1974.12**

MÚSICA

El mago de las máquinas recreativas

10 El grupo de *rock* británico The Who, ya toda una sensación por su actitud desafiante en canciones como «My generation» (en la que proclamaba: «Espero morir antes de hacerme viejo»), presentó un nuevo género musical y dramático en 1969: la ópera *rock*. *Tommy*, la historia de un «muchacho sordo, mudo y ciego» que, a través de su habilidad con las máquinas recreativas, se convierte en un mesías, fue crucial en la evolución del *rock* desde una moda musical a una forma de arte.

Pete Townshend, el guitarrista y principal escritor de las canciones de The Who (famoso por su estilo de tocar enérgico y dinámico) experimentó con el género nuevo en *A quick one while he's away*, un disco de 1966 en el que varias canciones estaban encadenadas. Con *Tommy* fue más allá: presentó una historia completamente integrada: el muchacho disminuido supera los abusos mentales y físicos para convertirse en un «mago de las máquinas de juegos recreativas», un héroe y un profeta que al final es traicionado por sus seguidores. Tachada de enfermiza por un crítico, de absurda por otros y de revolucionaria por muchos, *Tommy* fue todo un éxito tanto en la Metropolitan Opera House de Nueva York (fue la primera pieza de *rock* que se representó allí) como en Woodstock y convirtió a The Who en el símbolo de una cultura joven que veía a las clases directoras ciegas, sordas y mudas respecto a ella. En 1975, el director Ken Russell realizó una versión cinematográfica interpretada por Roger Daltrey, vocalista de The Who, en el papel de Tommy, y otras estrellas del *rock* (Eric Clapton, Tina Turner, Elton John).

Durante los años setenta y a principios de los ochenta, Townshend y The Who continuaron a la alza. Influyeron en rockeros como Jimi Hendrix, empezaron a llevar ropa *pop-art*, como abrigos de la Union Jack, y fueron «el grupo más ruidoso del mundo». *Tommy* también disfrutó de una larga vida y en 1993 se repuso en Broadway. **◂1965.10 ▸1970.4**

Roger Daltrey interpretó a *Tommy* en la película de 1975.

fútbol que asistían a un partido entre las selecciones de El Salvador y Honduras fue la causa inmediata de una guerra entre estas dos naciones centroamericanas. En realidad, el conflicto tenía sus raíces en las disputas fronterizas que enfrentaban a los dos países, que rompieron las relaciones diplomáticas el 27 de junio y comenzaron las hostilidades el 14 de julio. Cuatro días después se restableció la paz de acuerdo con el mandato de la OEA (Organización de Estados Americanos).

▸EL ÉXITO DE UN FUGADO —Henri Charrière fue condenado por homicidio y confinado en el penal de Cayena. Tras múltiples penalidades consiguió fugarse. En 1969 relató sus aventuras en una novela, *Papillon*, que se colocó en los primeros puestos de ventas de Europa y América. La primera edición francesa se agotó en un día. Posteriormente la fuga de Papillon fue llevada a la pantalla repitiendo en el cine el éxito que había alcanzado como novela.

▸AGILIDAD AUSTRALIANA —El australiano Rod Laver, uno de los mejores tenistas de la historia, ganó el Open de Estados Unidos en 1969 en un partido agotador de cuatro sets contra su compatriota Tony Roche. Esta victoria redondeó un año excepcional para Laver, en el que obtuvo cuatro títulos importantes (los Open australiano, francés y americano y Wimbledon), una hazaña conseguida tres veces anteriormente: por Don Budge en 1938, Maureen Connolly en 1953 y el mismo Laver en 1962. ▸1975.7

▸MEIR, PRIMER MINISTRO —Golda Meir, una de las signatarias de la

proclamación de independencia de Israel en 1948, se convirtió en su cuarta primer ministro en 1969. Con este cargo, Mier trabajó a través de vías diplomáticas para asegurar la

«Porque ser malo, madre, es la verdadera lucha: ser malo, ¡y disfrutarlo! Esto es lo que nos hace hombres a los muchachos, madre... ¡DEJA QUE EL ID VUELVA A SER JUDÍO!»—**Philip Roth, en *Portnoy***

paz con Egipto y Siria. Dimitió en 1974 entre acusaciones de que Israel no había sido preparada para la guerra Yom Kippur. ◄1948.9 ►1972.5

►CONDUCCIÓN—El piloto automovilístico Jackie Stewart ganó el primero de sus tres campeonatos del mundo en 1969. Repitió la hazaña en 1971 y 1973. Stewart había sido mecánico y cambió de profesión acertadamente: ganó 27 competiciones de Grand Prix durante su carrera. Se retiró en 1973 tras la muerte por accidente de varios colegas. ◄1957.11

►GOLPE DE GADDAFI —Nacido en el desierto de Libia, Muammar al-Gaddafi se convirtió en un ambicioso oficial del ejército y en un ferviente nacionalista árabe. En 1969, cuatro años después de haber salido de la academia militar, el capitán Gaddafi, de 27 años de edad, dirigió un golpe de Estado contra el rey Idris. Gaddafi asumió el mando del ejército, se hizo cargo del nuevo gobierno revolucionario y empezó a transformar Libia, rica en petróleo, en un estado socialista pero islámico. ◄1937.14 ►1981.3

Las palabras rusas significan trampas, vandalismo y difamación, y están referidas a Mao.

DIPLOMACIA

Enfrentamientos entre China y la URSS

11 El enfrentamiento verbal dio lugar a un conflicto armado a lo largo de la frontera sino-soviética en 1969, cuando las dos grandes potencias comunistas se disputaron el dominio ideológico. En marzo, las fuerzas chinas bombardearon la pequeña isla de Damansky, situada en el río Ussuri, la frontera entre la URSS y el nordeste de China, matando a 34 soldados soviéticos. Los soviéticos iniciaron un ataque masivo en el que murieron ochocientos soldados chinos y Damansky desapareció. La hostilidad entre Pekín y Moscú alcanzó niveles peligrosos. Durante el tenso verano que siguió, mandos del ejército chino declararon que la guerra era inminente.

Los imperios ruso y chino, antiguos rivales, habían disfrutado de un período de amistad después de 1949, cuando Mao Zedong proclamó la República Popular China. En 1956, alarmado por los ataques de Khrushchev a Stalin y su reconciliación con Tito de Yugoslavia, Mao empezó a distanciarse de Moscú. El presidente declaró que Pekín estaba en el buen camino y en 1958 inició el gran salto adelante, su desastroso experimento económico. Al año siguiente, Moscú retiró a todos sus consejeros de China y completó el distanciamiento.

La separación ideológica entre China y la URSS se manifestó físicamente en la frontera entre ambos países. En 1962 y 1963 los soviéticos concedieron la nacionalidad a unos sesenta mil kazakhs y uighurs de Xinjiang, región del noroeste de China. Pekín envió soldados a la zona, multiplicó los ataques verbales contra el imperialismo soviético, exigió la anexión del «territorio perdido» y empezó a hacer incursiones en la frontera. La disputa era antigua pero podía tener consecuencias terribles: ambos países poseían armamento nuclear. Las escaramuzas culminaron en Damansky. Luego, tras repetidas predicciones de una tercera guerra mundial inminente, los chinos se retiraron en octubre. La cuestión fronteriza se aplazó de forma indefinida, pero la causa del conflicto, la cuestión de la autoridad ideológica, siguió abierta. **◄1952.2 ►1972.2**

DEPORTES

El Tour de Merckx

12 A pesar de un inicio lento, el ciclista belga Eddy Merckx ganó el Tour de Francia de 1969, la primera de las cinco victorias que conseguiría en la carrera ciclista más prestigiosa del mundo. El margen de 18 minutos por el que ganó todavía no ha sido superado. A Merckx le gustaba ganar. Su determinación salvaje le valió el apodo de caníbal.

Merckx empezó a competir a los catorce años. Cuando tenía 18 fue campeón del mundo amateur. El éxito llegó enseguida: un total de cuatrocientas victorias durante una carrera de doce años, incluidos cuatro campeonatos del mundo. Merckx dominó este deporte como nadie lo había hecho, y se convirtió en el atleta más admirado de Europa. Para sus admiradores era Muhammad Ali o Beethoven.

En el Tour de Francia de 1972, Merckx tuvo una de sus actuaciones más sorprendentes. En una carrera de 3.840 km, que incluía algunas de las montañas más duras del país (algunos pensaron que el recorrido se había diseñado para perjudicar al belga, que era mejor velocista que escalador), Merckx ganó de forma indiscutible. Tras otra victoria en el Tour de 1974 el atleta se retiró, millonario, y está considerado el mejor ciclista de la historia. **►1989.NM**

Merckx asciende por el Mont Kemmel de Bélgica, 1974.

LITERATURA

Las quejas de Roth

13 Con su novela de 1969 *Portnoy*, irreverente y obscena, el escritor americano Philip Roth se afianzó como símbolo generacional, autor de superventas y figura controvertida. El libro, en forma de monólogo dirigido por el abogado Alexander Portnoy al Dr. Spielvogel, su psicoanalista, relata la lucha de Portnoy por reconciliar su herencia judía (representada por su madre) y la tendencia a forjar su propia identidad. La rebelión de Portnoy se manifiesta en las frecuentes relaciones sexuales que mantiene con mujeres blancas protestantes. Ninguna novela con similares aspiraciones literarias había tratado el libertinaje de un personaje o su predilección por la masturbación adolescente, con tal entusiasmo.

Aún más provocativo que el contenido sexual del libro es el tratamiento irónico de la identidad judío-americana contemporánea. Portnoy, sintiéndose oprimido por su educación, intenta desprenderse de los valores judíos, pero el pasado le mantiene unido a ellos. «Ésta es mi vida, mi única vida, y estoy viviendo en mitad de una broma judía», se queja al Dr. Spielvogel. La caracterización ofendió a muchos lectores y algunos críticos dijeron del escritor que era un «pionero del antisemitismo judío».

Otros lectores confundieron la vida del personaje con la del autor, un equívoco que Roth alimentó en novelas posteriores, sobre todo en las que tratan del novelista judío llamado Nathan Zuckerman, que es famoso por haber escrito una novela sobre la sexualidad. Los problemas de identidad son esenciales en toda la obra de Roth. **◄1964.8**

PREMIOS NOBEL: Paz: Organización Obrera Internacional (Suiza) [...] Literatura: Samuel Beckett (franco-irlandés; dramaturgo y novelista) [...] Química: Derek Barton y Odd Hassel (británico, noruego; moléculas orgánicas [...] Medicina: Max Delbrück, Alfred Hershey y Salvador Luria (estadounidenses; genes víricos [...] Física: M. Gell-Mann (estadounidense; quark) [...] Economía: R. Frisch y J. Tinbergen (noruego y holandés).

ECOS DE 1969

Polémica Cortázar-Argüedas

En los años sesenta los escritores latinoamericanos se repartían bajo dos concepciones distintas de la literatura: algunos pensaban que la lengua debía ser la base de la novela, considerada como objeto estético y verbal y no como mera descripción de naturaleza y geografía; otros se negaban a abandonar su tierra y pretendían llegar a lo universal a través de la observación de lo particular, de lo provincial. La polémica Cortázar-Argüedas (el parisino por excelencia y el indio quechua, respectivamente) ejemplifica ambas posturas:

Julio Cortázar.

ENTREVISTA A JULIO CORTÁZAR EN LA REVISTA *LIFE* DEL 7 DE ABRIL DE 1969

Hay otra pregunta de *Life* que exige una respuesta más terminante que las proporcionadas habitualmente por críticos y escritores. Me interrogan sobre una supuesta «generación perdida» de exiliados latinoamericanos en Europa, citando entre otros a Fuentes, Vargas Llosa, Sarduy y García Márquez. En los últimos años el prestigio de estos escritores ha agudizado, como era inevitable, una especie de resentimiento consciente o inconsciente por parte de los sedentarios, que se traduce en una casi siempre vana búsqueda de razones de esos «exilios» y una reafirmación enfática de permanencia *in situ* de los que hacen su obra sin apartarse, como dice el poeta, del rincón donde empezó su existencia. De golpe me acuerdo de un tango que cantaba Azucena Maizani: «No salgas de tu barrio, sé buena muchachita, casate con un hombre que sea como vos, etc.», y toda esta cuestión me parece afligentemente idiota en una época en que por una parte los *jets* y los medios de comunicación les quitan a los supuestos «exilios» ese trágico valor de desarraigo que tenían para un Ovidio, un Dante o un Garcilaso, y por otra parte los mismos «exiliados» se sorprenden cada vez que alguien les pega la etiqueta en una conversación o un artículo. Hablando de etiquetas, por ejemplo, José María Argüedas nos ha dejado como frascos de farmacia en un reciente artículo publicado por la revista peruana *Amaru*. Prefiriendo visiblemente el resentimiento a la inteligencia, lo que siempre es de deplorar en un cronopio, ni Argüedas ni nadie va a ir demasiado lejos con esos complejos regionales, de la misma manera que ninguno de los «exiliados» valdría gran cosa si renunciara a su condición de latinoamericano para sumarse más o menos parasitariamente a cualquier literatura europea. A Argüedas le fastidia que yo haya dicho (en la carta abierta a Fernández Retamar) que a veces hay que estar muy lejos para abarcar de veras un paisaje, y que una visión supranacional agudiza con frecuencia la captación de la esencia de lo nacional. Lo siento mucho, don José María, pero entiendo que su compatriota Vargas Llosa no ha mostrado una realidad peruana inferior a la de usted cuando escribió sus dos novelas en Europa.

INEVITABLE COMENTARIO A UNAS IDEAS DE JULIO CORTÁZAR

Admiro con todas mis fuerzas, lo he dicho, a García Márquez; admiro con la intensidad de un «provinciano» a Vargas Llosa, admiraba realmente a Cortázar. He sentido y siento odios y ternuras; el resentimiento aparece sólo en los desventurados e impotentes. Yo soy un hombre feliz y continuaré siéndolo aquí o allá. La prueba de Cortázar resulta, pues, contraria. En el mismo párrafo citado, Cortázar afirma también que se puede renunciar a la condición de latinoamericano. No; no es posible, si realmente se ha llegado a tener la condición de tal, porque si lo intentara, en el propio curso del intento se la descubriría, ya fuere este latinoamericano, artista, lavaplatos o comerciante. No voy a comentar las otras expresiones de desprecio que desde esa fortaleza de *Life*, tan juiciosamente tomada, me dedica Cortázar, porque son personales y poco importan; bastará con que conteste a una pregunta que me hace, un tanto a la manera como ciertos gamonales interrogan a sus indios siervos: «¿Se imagina que vivir en Londres o en París da las llaves de la sapiencia?» No, señor Cortázar; no me imagino eso. Ni Cortázar, ni Vargas Llosa, ni García Márquez son exiliados. No sé de dónde ni de parte de quién surgió este inexacto calificativo con el que, aparentemente, Cortázar se engolosina. Ni siquiera Vallejo fue un verdadero exiliado. A usted, don Julio, en esas fotos de *Life* se le ve muy en su sitio, muy «macanudo», como diría un porteño. No es exiliado quien busca y encuentra —hasta donde es posible hacerlo en nuestro tiempo— el sitio mejor para trabajar. A pesar de su pasión y muerte, Vallejo escribió lo mejor de su obra en París, quién sabe si no habría llegado a tanto si no se hubiera ido a Europa. Empiezo a sospechar, ahora sí, que el único de alguna manera «exiliado» es usted, Cortázar, y por eso está tan engreído por la glorificación, tan folkloreador de los que trabajamos in situ y nos gusta llamarnos, a disgusto suyo, provincianos de nuestros pueblos de este mundo, donde como usted dice, funcionan muy eficientemente los jets, maravilloso aparato al que dediqué un *Jaylli* quechua, un himno bilingüe de más de cinco notas como felizmente las tienen nuestras quenas modernas.

José María Argüedas
(José María Argüedas murió el 2 de diciembre de 1969)

Mientras la nación más poderosa de Occidente se tambaleaba a causa de un líder desacreditado y de la pérdida de una guerra no declarada, el mundo industrializado sufría las consecuencias de su dependencia del petróleo. Al mismo tiempo, el desequilibrio ecológico de la Tierra ponía de manifiesto los peligros del progreso.

1970 1979

En cuestión de poco tiempo, la riqueza de las naciones experimentó una remodelación basada en una premisa muy sencilla: unos países tenían petróleo y otros lo necesitaban. La Organización de Países Exportadores de Petróleo (OPEP) se fundó en 1960, pero no desempeñó un papel decisivo en la escena mundial hasta 1973, cuando aumentó el precio del petróleo en más de un 200 %. Mientras Occidente se esforzaba por desarrollar fuentes de energía alternativas, las naciones árabes ricas en petróleo se enfrentaron con la espada de doble filo de la modernización inmediata. Aquí, en una provincia oriental de Arabia Saudí, un árabe solitario observa una llamarada de gas en el horizonte.

El mundo en 1970

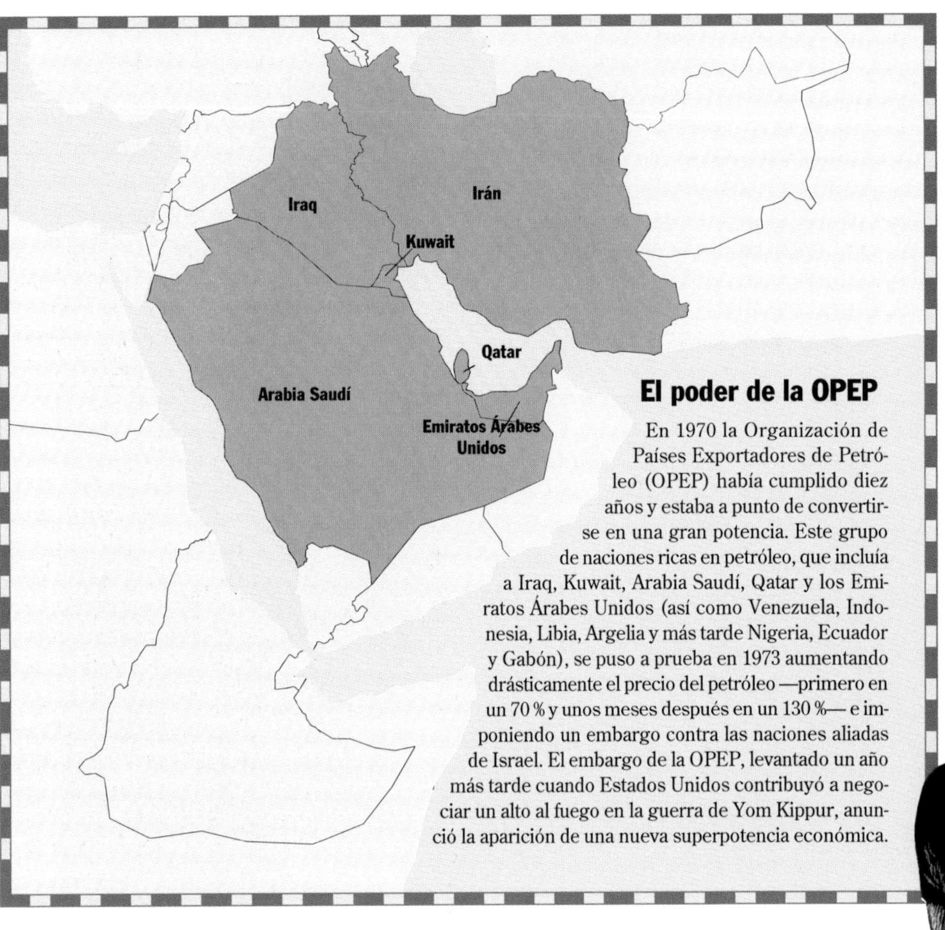

El poder de la OPEP

En 1970 la Organización de Países Exportadores de Petróleo (OPEP) había cumplido diez años y estaba a punto de convertirse en una gran potencia. Este grupo de naciones ricas en petróleo, que incluía a Iraq, Kuwait, Arabia Saudí, Qatar y los Emiratos Árabes Unidos (así como Venezuela, Indonesia, Libia, Argelia y más tarde Nigeria, Ecuador y Gabón), se puso a prueba en 1973 aumentando drásticamente el precio del petróleo —primero en un 70 % y unos meses después en un 130 %— e imponiendo un embargo contra las naciones aliadas de Israel. El embargo de la OPEP, levantado un año más tarde cuando Estados Unidos contribuyó a negociar un alto al fuego en la guerra de Yom Kippur, anunció la aparición de una nueva superpotencia económica.

1968—El año de las barricadas En 1970, el espíritu de «los sesenta» era la vanguardia de la conciencia colectiva. En la imaginación popular la década se resumía en un solo año: 1968, cuando los alzamientos «contra las clases dirigentes», a menudo liderados por estudiantes, estallaron por todo el mundo.

Enero
España La Universidad de Madrid cierra tras una protesta estudiantil.

Japón Manifestaciones de estudiantes.

Polonia Estudiantes e intelectuales se manifiestan contra la dictadura.

Febrero
Alemania occidental Choques violentos en Berlín, Frankfurt y Bonn.

Gran Bretaña Sentada estudiantil en Leicester.

Marzo
Italia La Universidad de Roma cierra tras unos disturbios.

Gran Bretaña Una marcha en contra de la guerra de Vietnam reúne a diez mil personas en Londres.

Polonia Estudiantes invaden el Ministerio de Cultura.

Abril
Estados Unidos Manifestaciones tras la muerte de Martin Luther King.

China Enfrentamientos entre guardias rojos en Pekín.

España Estudiantes y obreros se rebelan en Madrid.

Mayo
Francia La poli[…] ocupa la Sorbo[…] «La noche de la[s] barricadas».

Alemania occidental Manifestacione[s] contra las leyes de emergencia.

Estados Unidos Los estudiantes ocupan el State College de San Francisco.

La **calculadora de bolsillo**, de un tamaño parecido al de una libreta de notas, apareció en 1969, pero hasta que se presentó un modelo que cabía en una mano en 1971 no empezaron a aumentar las ventas. En este año sólo se vendieron diecisiete mil en Europa y América. En 1973 se habían vendido unos veinticinco millones en todo el mundo.

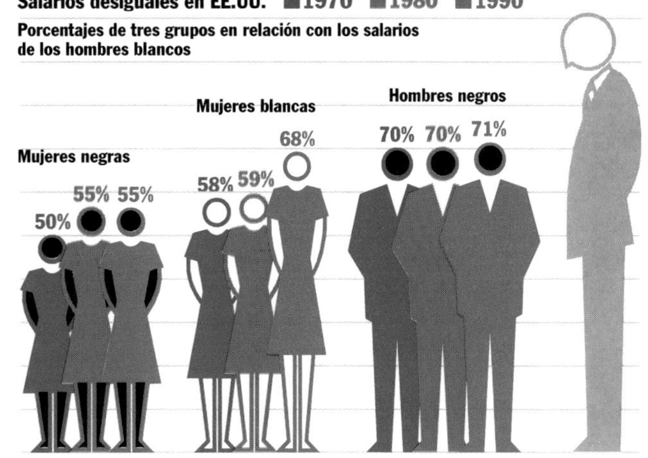

Corazón a corazón

El Dr. Christiaan Barnard realizó el primer transplante de corazón humano en 1967, pero la operación se repitió muy pocas veces hasta 1981, cuando un nuevo fármaco antirrechazo llamado ciclosporin aumentó enormemente las posibilidades de sobrevivir. La cantidad de transplantes se incrementó rápidamente y luego se estancó debido a la escasez de donantes.

Número de trasplantes

1967 1

1970 10

1980 105

1990

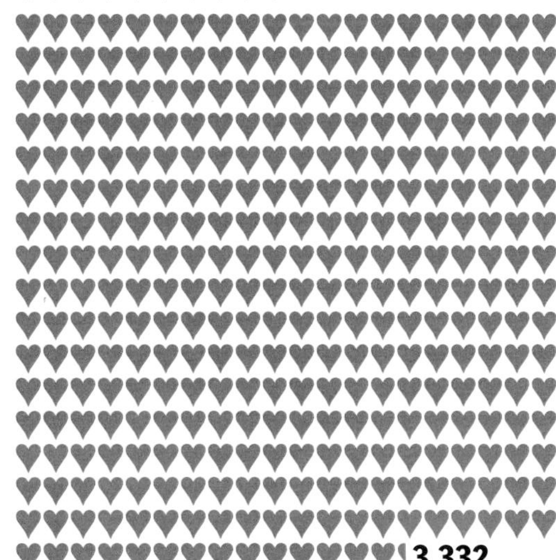

Moda imprescindible

André Courrèges y Mary Quant revolucionaron la moda en 1965 cuando sus modelos desfilaron por la pasarela llevando faldas que quedaban 10 cm por encima de la rodilla. En 1970 la **minifalda** se había acortado aún más: normalmente quedaba 25 cm por encima de la rodilla.

«Ninguna mujer de mi época será primer ministro, canciller o ministro de asuntos exteriores» dijo la candidata a ministro de educación del Partido Conservador, en la oposición, Margaret Thatcher. «No seré primer ministro, podeis estar completamente seguros».

■

Aunque un 50% de las familias norteamericanas tenía al menos una tarjeta de crédito, las tarjetas «hasta ahora han modificado poco el consumo», dijo un portavoz de la reserva federal de Estados Unidos. También predijo que «con los niveles y con los índices de crecimiento actuales, la difusión de tarjetas no es suficientemente amplia para tener algún efecto significativo».

■

Aunque el aborto es legal en la mayor parte de Europa, la Unión Soviética y China (y se utiliza como método de control de natalidad en las dos últimas), en Estados Unidos sólamente los estados de Nueva York, Washington, Alaska y Hawai permiten el aborto libre, de modo que «Jane Roe», una camarera de Dallas, y «Mary Doe», un ama de casa de Georgia, ambas embarazadas, inician acciones legales porque no pueden abortar legalmente en sus estados.

■

La cámara de representantes de Estados Unidos ha aprobado por mayoría una enmienda constitucional que concede derechos igualitarios a las mujeres y prohíbe cualquier discriminación basada en el sexo. Se espera que obtenga la aprobación del senado y sea ratificada por las tres cuartas partes necesarias de la asamblea legislativa.

o
cia La policía en las cas ocupadas breros.

os Unidos ntamiento estudiantes cías en el le's Park de eley.

lavia festaciones iantiles en ado.

Julio
México Manifestaciones de estudiantes en las universidades.

Japón La Universidad de Tokio cierra a causa de las huelgas.

Checoslovaquia Dirigentes soviéticos condenan el revisionismo checo.

Agosto
Checoslovaquia Invasión de las fuerzas del Pacto de Varsovia.

Estados Unidos Disturbios y manifestaciones durante convenciones políticas;

México Treinta mil personas se manifiestan en Ciudad de México.

Septiembre
México Estudiantes y obreros se enfrentan a la policía en Ciudad de México antes de la inauguración de los Juegos Olímpicos.

Alemania occidental Disturbios estudiantiles.

Octubre
Francia Manifestaciones estudiantiles.

Japón El rector de la Universidad de Tokio dimite tras protestas estudiantiles;

Gran Bretaña Ocupación y clausura de la Facultad de Económicas de Londres.

Noviembre
Checoslovaquia Estudiantes en huelga se oponen a la invasión soviética.

Gran Bretaña Estudiantes ocupan la Universidad de Birmingham.

Diciembre
Francia Manifestaciones estudiantiles en las universidades.

Gran Bretaña Estudiantes ocupan la Universidad de Bristol.

Estados Unidos Estudiantes armados ocupan el edificio administrativo de la Universidad de Cornell.

STEPHEN JAY GOULD

Un lobo en la puerta

El medio ambiente se convierte en protagonista

1970
1979

NO HAY UN acontecimiento concreto que defina a los años setenta como la década del medio ambiente. Más bien, como un ladrón en la noche, un tema central, resultado de un largo proceso, entró a hurtadillas en nuestra conciencia colectiva para marcar un cambio. En resumen, reconocimos que el *Homo sapiens* se había convertido en un «lobo universal» en el sentido shakespeariano, y ya no simplemente en un saqueador local. En *Troilo y Cresida*, Shakespeare explica qué ocurre cuando la rapacidad se convierte en universal:

> Entonces todo se encierra en el poder,
> el poder de la voluntad, la voluntad en el apetito;
> y el apetito, un lobo universal,
> secundado por la voluntad y el poder,
> debe hacer forzosamente del universo su presa,
> y por último se devora a sí mismo.

Quizás siempre hayamos tenido la *voluntad*. Los humanos hemos contaminado lugares concretos con anterioridad, pero hasta este siglo no contábamos con el *poder* de dañar verdaderamente a nivel planetario. La difusión perniciosa de nuestro poder y (siguiendo la metáfora de Shakespeare) el conocimiento de esta capacidad última de destruirnos (quizás en poco tiempo) engendra el primer impulso para que la preocupación por el medio ambiente, hasta ahora una cuestión local, a menudo considerada incomprensible o excéntrica, se transforme en un imperativo a nivel planetario —un movimiento político-global bien coordinado y de influencia creciente, mientras nos acercamos al abismo. Los cronistas del futuro, si llegan a existir, verán en la defensa del medio ambiente, junto a las revoluciones tecnológicas del transporte y la comunicación electrónica, los elementos clave de una de las transformaciones más portentosas de la historia de la humanidad: la irrevocable transición del siglo XX desde centros locales, desarrollados con independencia, a una sociedad y economía globales.

El siglo XX ha sido el primero en observar la devastación ecológica a escala global. Sin embargo, los humanos han venido manifestando tendencias hacia el saqueo local desde hace tiempo. Los artífices de los monolitos gigantes de la Isla de Pascua (esculpidos en piedra volcánica y datados entre el año 800 y el 1600 d. C.) dejaron muchas estatuas inacabadas en las canteras, con picos clavados en ellas. Esta interrupción aparentemente misteriosa no constituye un enigma: habían destrozado tanto su entorno que no quedaba un sólo tronco con el que trasladar las estatuas a su destino.

Nuestros antepasados no necesitaban una tecnología compleja para destruir ecologías locales y limitadas. Los maoríes, el pueblo polinesio que llegó a Nueva Zelanda en el siglo XII, encontraron una fauna dominada por unas veinticinco especies de pájaros pesados, grandes, que no volaban y de un tamaño que iba desde un pavo a un avestruz. Los maoríes los denominaron *moas* y empezaron a exterminarlos durante quinientos años. De modo similar, la decadencia y desaparición de los que fabricaron las estatuas de la Isla de Pascua no constituye un misterio oscuro (como defienden los ocultistas) sino la consecuencia de un saqueo tan completo (en una isla de recursos muy limitados) que no quedó un sólo tronco para trasladar las figuras acabadas desde las canteras hasta sus emplazamientos.

Con la tecnología de la revolución industrial y el aumento de poder todavía no se llega al reino universal de los lobos. A principios del siglo XIX, William Blake acusó la presencia de «fábricas oscuras y satánicas» sobre el «verde de las montañas» y «los pastos agradables» de las antiguas propiedades rurales de Inglaterra —y comprometió su espada y su «lucha mental» a construir Jerusalén «en la tierra verde y acogedora de Inglaterra». Aún así, el humo vomitado desde Birmingham y Pittsburg no ensució el lejano Taj Mahal (ahora estropeado debido, en parte, a la

lluvia ácida) ni molestó a los pájaros de las islas desiertas oceánicas (que ahora sufren nuestras influencias de varios modos, incluida la penetración de residuos de pesticidas en sus huevos y sus polluelos).

Muchos factores contribuyeron a cohesionar las preocupaciones por el medio ambiente en un movimiento global durante los años setenta. Empezó a tomarse conciencia del alcance de nuestro violento ataque contra la atmósfera y la ecología. Otros ingredientes fueron simbólicos y a la vez muy importantes. Mientras la exploración del espacio empezó a tientas en los años cincuenta, se desarrolló en los sesenta y culminó en un alunizaje a principios de la siguiente década, nuestro conocimiento del planeta experimentó el cambio más profundo desde la época de los descubrimientos quinientos años atrás.

Las personas que crecieron habituadas a imágenes de toda la Tierra no pueden conocer la sensación conceptual y estética que tuvimos la gente mayor cuando vehículos espaciales fotografiaron por primera vez la cara oculta de la Luna (tan cercana, cósmicamente hablando, pero tan lejana en su permanente invisibilidad) o los satélites lejanos de Urano y Neptuno con la misma claridad sorprendente. No obstante, nada superó la satisfacción que produjo la visión de la Tierra como una esfera resplandeciente en el espacio. Sabíamos desde la época de Arquímedes que nuestro planeta es una esfera, pero no habíamos conseguido distanciarnos lo suficiente para registrar su redondez. La primera fotografía de la Tierra nos obligó, como ninguna otra imagen lo había hecho, a observar nuestra morada como algo limitado, con todas sus partes interrelacionadas. El arquitecto e ingeniero americano Buckminster Fuller captó esta revelación en su inolvidable metáfora «la pequeña nave espacial Tierra».

U Thant, secretario general de la ONU, en 1969 advirtió: «No quiero parecer demasiado dramático pero sólo puedo concluir [...] que los miembros de la ONU tienen unos diez años para arreglar sus antiguas disputas e iniciar una colaboración para dominar la carrera de armamento, mejorar el entorno humano, controlar la explosión demográfica y dar el impulso requerido a los esfuerzos para el desarrollo. Si esta colaboración global no se forja en la próxima década, temo que los problemas que he mencionado alcancen tales proporciones que escapen a toda posibilidad de control».

LA PRIMERA SEMANA de la Tierra en abril de 1970 multiplicó las actividades proteccionistas. Una literatura hasta entonces limitada y con pocos héroes (desde Thoreau a Rachel Carson, cuyo libro de 1962 *Primavera silenciosa* alertó al público de la polución ambiental) se desarrolló en una gran cantidad de libros, desde manifiestos populares (*The Closing Circle* de Barry Commoner en 1971, por ejemplo) a estudios más técnicos (como *The Limits to Growth* del Club de Roma, 1972). Antiguas tendencias por fin se habían acelerado lo suficiente y se habían extendido bastante como para producir expectación y alarma.

Tuvimos que obligarnos a recordar y reconocer la verdad acerca de procesos que se duplicaban a intervalos fijos: la mitad de la suma total se acumula en la última fase. Para citar la vieja historia: una pequeña hoja de nenúfar dobla su tamaño cada día. Empieza como un punto en el estanque y en treinta días cubre por completo el agua. El dueño del estanque decide que no debe preocuparse hasta que la mitad del agua esté cubierta y que luego ya se encargará de detener la extensión. Contará sólo con un día, sólo el día 30, para actuar de forma rápida y decisiva, o todo estará perdido; y sin embargo, el índice de crecimiento no ha cambiado. Además, los humanos modernos han añadido a la ecuación un alto crecimiento demográfico así como nuevas tecnologías muy peligrosas para acelerar el índice de cambio.

A framework of research on the human dimensions of global environmental change, una publicación de 1991 del Departamento Internacional de Ciencia Social, encargada por la UNESCO, identifica cuatro categorías principales (y ya familiares) de daños globales. La primera es el cambio climático. En ésta ningún efecto humano sobre la atmósfera o los océanos se ha registrado con tanta seguridad y claridad —ni ha sido tan temido— como el aumento inexorable de dióxido de carbono en la atmósfera, que facilita el «efecto invernadero» y un calentamiento global. El segundo perjuicio es la reducción de la capa de ozono, protectora de la Tierra, probablemente causada por la liberación en la

Buena parte de los primeros ecologistas fueron individuos ricos que deseaban preservar las tierras para utilizarlas en su tiempo de ocio. Para proteger estas zonas de un desarrollo desorganizado, a finales del siglo XIX empezaron a fundarse grupos naturalistas como el Sierra Club y, ya en 1872, en Estados Unidos se creó un sistema de parques nacionales y reservas salvajes. Una de las grandes zonas preservadas del oeste americano fue el parque nacional de Yosemite de California *(izquierda)*, fotografiado en 1947 por el gran cronista de los parques nacionales americanos Ansel Adams, que visitó el Yosemite anualmente durante 67 años.

atmósfera de fluorocarbonos y otros halocarbonos utilizados generalmente en el aire acondicionado, la refrigeración y los aerosoles. La lluvia ácida, con altos niveles de óxido de nitrógeno y dióxido de sulfuro de emisiones industriales, constituye el tercer problema mundial del medio ambiente. Ésta devasta de forma lenta ríos y lagos así como arte y arquitectura. Para finalizar, el planeta está sufriendo índices de extinción de especies que quizás superan la cantidad total de pérdidas durante las muertes masivas de nuestro registro geológico.

LOS ACONTECIMIENTOS DE las tres primeras categorías son peligrosos aunque reversibles —y la presión política ya ha suministrado algún motivo de esperanza y algunos indicios de moderación si no de reversión. Pero la pérdida de especies no puede repararse en ninguna escala de tiempo que sea aplicable a la vida humana. Cada especie es el producto histórico único de una secuencia de la evolución que se puede rastrear a través de miles de millones de años hasta el origen de la vida. Si se pierde cualquier rama del árbol de la vida (incluso un pequeño brote que se distinguió de sus ancestros sólo en un segundo geológico), al libro mayor de la rica diversidad de la naturaleza le faltará un detalle. El frondoso árbol de la vida, si se repite el proceso, se transforma en una planta enferma de ramas escasas, tronco débil y raíces podridas.

Algunos enemigos equivocados de los movimientos ecologistas, partidarios de la idea de que cualquier problema real siempre tendrá un «arreglo tecnológico» rápidamente disponible, dicen que incluso esta tristeza por la pérdida de la biodiversidad está fuera de lugar. ¿Por qué preocuparse por la extinción?, se preguntan. Todas las especies al final mueren. Los fósiles atestiguan al menos cinco fases de extinciones masivas, con pérdidas mayores del 95 % (de las especies marinas invertebradas en la mayor de las catástrofes, ocurrida hace unos 225 millones de años). La desaparición masiva es incluso buena a largo plazo, los viejos son eliminados y dejan espacio ecológico para mejorar la evolución. Este argumento nos afecta directamente; en último término, la muerte de los dinosaurios hizo posible nuestra aparición. Los mamíferos habían vivido como pequeñas criaturas a la sombra de dinosaurios durante cien millones de años. Si los dinosaurios (así como un 50 % de las especies marinas invertebradas) no se hubieran extinguido por el impacto de un cuerpo extraterrestre (la causa aparente de la exterminación masiva del cretáceo), los mamíferos probablemente todavía serían criaturas pequeñas en los intersticios de un mundo de dinosaurios y ninguna especie autoconsciente habitaría nuestro planeta.

La lluvia ácida, una consecuencia de la industrialización, se ha cebado en la vida acuática, en la vegetación e incluso en grandes obras arquitectónicas. En un bosque de Baviera, las cruces blancas marcan los árboles dañados por la lluvia ácida *(derecha)*. Un estudio publicado en 1983 reveló que un 34 % de los bosques alemanes sufrían tales daños. A causa del desarrollo incontrolado y de las enfermedades creadas por los humanos, más especies que nunca están bajo amenaza de extinción. En tiempos prehumanos uno de cada millón de especies se extinguía anualmente de forma natural. En la actualidad se extinguen decenas de miles al año. El oso gris *(superior)* es una especie protegida. En Estados Unidos hay menos de mil ejemplares.

Esta escala de tiempo del planeta medida en millones de años es fascinante (como paleontólogo he dedicado buena parte de mi vida profesional a ello). No, los humanos no amenazan el planeta a su propia escala de tiempo. Los daños al medio ambiente se podrán rectificar finalmente si conseguimos destruirnos a nosotros mismos, o se adaptarán naturalmente incluso si nosotros no lo hacemos. No somos tan poderosos como la naturaleza a largo plazo; el megatonaje de todo nuestro armamento nuclear es equivalente a tan sólo diez milésimas partes de la fuerza del cuerpo extraterrestre que provocó la extinción del cretáceo.

Sin embargo, no puedo pensar en algo más irrelevante para la escala limitada de nuestras propias vidas que el tiempo planetario de la naturaleza. Estamos profundamente preocupados, y debemos estarlo, por las vidas de nuestros hijos, nuestra descendencia, nuestra preciosa y frágil cultura con la magnificencia de su arte, literatura y música; nuestros logros arquitectónicos y tecnológicos. Medimos nuestro tiempo legítimo en décadas, siglos y, como máximo, en milenios. Todos estos intervalos no constituyen más que microsegundos en el tiempo geológico.

Nuestros ataques al medio ambiente resultan peligrosos y aterradores porque su impacto sobre nosotros y nuestros compañeros de evolución (desde medio millón de especies de cucarachas a la única especie de oso hormiguero) se siente en la inmediatez de la escala humana del tiempo. La extinción del cretáceo quizás fue maravillosa para los mamíferos grandes que estaban a diez millones de años de un futuro evolutivo insondable. Pero para un ejemplar de *Tyrannosaurus* que vio cómo chocaba el cometa, ¿no fue un desastre personal y general? Si pensamos que nosotros somos el *Tyrannosaurus* de la metáfora, no el resultado hipotético de un futuro distante e imprevisible, quizá movilicemos los productos de nuestra propia y única conciencia (nuestra «lucha mental») para rectificar nuestra guerra civil contra nosotros mismos y persuadir a la Tierra de que constituimos un detalle insignificante, al menos durante este «corto mientras tanto» que, para nosotros, es de aquí a la eternidad. □

«No somos un pueblo débil. Somos un pueblo fuerte [...]. No nos humillarán. La nación más poderosa del mundo (no actuará) como un gigante despreciable y desvalido.»—**Richard Nixon, presidente de Estados Unidos, sobre el bombardeo de Camboya**

HISTORIA DEL AÑO

La guerra se extiende

1 En marzo de 1970, la derecha militar derrocó al jefe de Estado de Camboya, el príncipe Norodom Sihanouk. Éste había dado asilo a soldados vietnamitas comunistas, y el nuevo dirigente de Camboya, el general Lon Nol, intentó expulsarlos del país. Pero mientras los soldados de Lon Nol mataban a miles de civiles vietnamitas, actuaban poco contra el ejército norvietnamita y el Viet Cong. Su demanda de ayuda a Estados Unidos fue lo que Washington estaba esperando: la oportunidad de asestar un golpe al enemigo sin que pareciera que se revocaba la política prometida por el presidente Nixon de retirar de forma progresiva las tropas americanas de Vietnam. O así lo pensaban Nixon y su principal estratega, Henry Kissinger. El 30 de abril tropas norteamericanas y sudvietnamitas entraron en Camboya.

Espectadores horrorizados observan el cuerpo de un estudiante después de que la guardia nacional disparara contra los manifestantes.

Nixon insistió en que la acción no era una invasión sino una «incursión limitada». Fuera lo que fuera, indignó al movimiento pacifista de Estados Unidos, que ya contaba con más de la mitad de la población. Los estudiantes se declararon en huelga por toda la nación y en algunos campus incendiaron las instalaciones del Cuerpo de Oficiales de la Reserva, donde los estudiantes recibían instrucción militar. El edificio de este cuerpo en la universidad estatal Kent de Ohio todavía humeaba cuando la guardia nacional abrió fuego contra manifestantes y espectadores, matando a cuatro estudiantes desarmados. Diez días después, la policía disparó y mató a dos estudiantes que se manifestaban en la Universidad estatal Jackson de Mississippi. El consiguiente estallido de rabia acabó con la clausura de 75 escuelas americanas para el resto del año académico.

La invasión de Camboya y el incidente de Kent contribuyeron a decidir la oposición de los americanos a la guerra. En un acto principalmente simbólico, el congreso revocó la resolución del golfo de Tonquín y la comisión Scranton, nombrada por Nixon, publicó un informe que advertía que América no había estado tan dividida desde la guerra civil y apremiaba a un final temprano de la intervención norteamericana en el sudeste asiático.

La «incursión» resultó un fracaso. Nixon no avisó previamente a Lon Nol, de modo que no hubo coordinación con las fuerzas camboyanas. Los vietnamitas comunistas, mejor informados, se retiraron antes de la llegada de sus enemigos. Los invasores se marcharon en junio. Aún así siguieron los bombardeos y la ayuda de Estados Unidos al país alcanzó los tres mil millones de dólares antes de que los khmer rojos tomaran el poder en 1975. **◄1969.6**

CHILE

Revolución elegida

2 Chile fue la primera nación occidental que eligió con total libertad a un marxista declarado como jefe de Estado en 1970, cuando el Dr. Salvador Allende Gossens ganó por un margen estrecho a un nacionalista de derechas y a un demócrata-cristiano de izquierdas. Allende era un radical respetable: hijo de una familia pudiente, había sido senador, ministro de sanidad y eterno candidato a la presidencia. En los años treinta cofundó el Partido Socialista pero a menudo se mantuvo a la izquierda de los comunistas chilenos. Su elección provocó una crisis en la bolsa, un asedio a los bancos y una huelga de mineros de cobre bien pagados que temían perder sus privilegios. Muchos chilenos ricos abandonaron el país.

El predecesor de Allende, el demócrata cristiano Eduardo Frei Montalva, ya había iniciado una política de izquierdas. El gobierno adquirió el 51 % de las compañías norteamericanas dedicadas a la extracción de cobre, la principal riqueza de Chile, y Frei inició una reforma agraria al establecer cooperativas agrícolas y expropiar una parte de tierra. Pese a todo, la mayoría de chilenos seguía siendo pobre y la inflación aumentaba de forma alarmante. Las iniciativas de Frei aumentaron más las esperanzas que la calidad de vida.

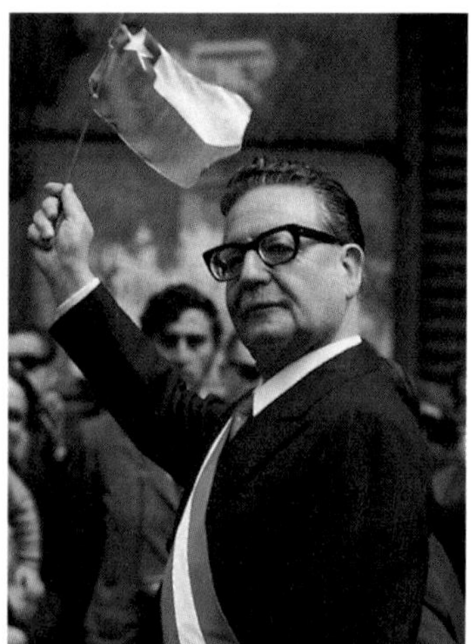

A pesar de los intentos de manipulación de la CIA, Chile eligió como presidente a Salvador Allende *(superior).*

Allende veía a Chile como una víctima del neocolonialismo, dominada por capital extranjero y dependiente de exportaciones baratas de materias primas y de importaciones de todo lo demás. Propuso nacionalizar por completo la minería, la banca y la industria, y redistribuir la tierra y la riqueza. Prometió hacerlo sin comprometer las libertades políticas de una nación orgullosa de su tradición democrática. Sin embargo, una serie de fuerzas frustraron su experimento que tres años más tarde acabó de forma sangrienta. **◄1968.7 ►1973.4**

ORIENTE MEDIO

Desorden y luto

3 Los palestinos lo recuerdan como el Septiembre Negro. Para los egipcios el noveno mes de 1970 también estuvo marcado por la

Hussein de Jordania inició un ataque para expulsar de su reino a los comandos palestinos, y el 28, el presidente de Egipto Nasser murió a la edad de 52 años.

La crisis de Jordania había empezado al final de la guerra de 1967, en la que Israel ocupó la orilla oeste. A medida que la OLP se valía más y más de Jordania como base para sus ataques contra Israel, los ciudadanos jordanos aguantaban lo peor de las represalias israelitas. Hussein, que no quería arriesgarse a otra guerra con Israel y estaba incómodo con el creciente poder palestino en Jordania, intentó desarmar a la OLP con fuerzas militares que exigieron su retirada. Las negociaciones con el presidente de la OLP, Yasir Arafat, finalizaron en un compromiso, pero Arafat no pudo controlar a los extremistas. Se intensificaron los encuentros violentos entre las fuerzas palestinas y jordanas y en 1970 se perpetraron dos atentados contra la vida de Hussein.

La paciencia de Hussein se agotó cuando una facción de la OLP, el Frente Popular para la Liberación de Palestina, secuestró tres aviones de pasajeros (uno americano, otro suizo y un tercero, británico) que se dirigían a Jordania para volarlos después de evacuar a sus ocupantes. El rey envió tropas a ciudades del norte y a campos de refugiados en lo que tenía que ser una operación rápida para expulsar a las guerrillas de la OLP. Pero Siria, enemiga de Jordania, aprovechó la ocasión para atacar y, aunque el asalto fracasó, la OLP luchó hasta julio de 1971.

Gamal Abdal Nasser murió de un ataque al corazón horas después de haber mediado un alto el fuego entre palestinos y jordanos, un mes después de haber acordado un alto el fuego, mediado por Estados Unidos, en la guerra entre Egipto e Israel y dos meses más tarde de haber inaugurado la presa alta de Asuán, un símbolo de sus 18 años de gobierno. La presa, construida con cooperación

ARTE Y CULTURA: Libros: *Manifiesto subnormal* (M. Vázquez Montalbán); *El miedo del portero ante el penalty* (Peter Handke) [...] Música: *Bridge over troubled water* (Simon y Garfunkel, LP); *Déja vu* (Crosby, Stills, Nash y Young, LP); *Eric Clapton* (LP); *Ancient voices of children* (George Crumb); *32 études australes* (John Cage) [...] Pintura y escultura: *Three studies from the human body* (Francis Bacon) [...]

«En el escenario hago el amor con 25.000 personas, luego me voy a casa sola.»—**Janis Joplin**

El 5 de octubre, El Cairo lloró en el funeral de Nasser. El héroe nacionalista fue sucedido por Anuar el-Sadat.

soviética tras la retirada de ayuda occidental, aportaría electricidad a todo el país. Árabes de todas partes lloraron al gran modernizador, al nacionalista desafiante y al dictador paternalista aunque implacable. Nasser fue sucedido por el vicepresidente Anuar el-Sadat, que le había ayudado a alcanzar el poder en 1952. **◄1967.3 ►1972.8**

MÚSICA

Sumos sacerdotes del exceso

4 Para los jóvenes rebeldes de finales de los años sesenta, la frase «sexo, droga y *rock 'n' roll*» representó una especie de santísima trinidad cuyos sumos sacerdotes eran estrellas del *rock*. Entre los máximos exponentes musicales del exceso se hallaban: Janis Joplin, Jim Morrison y Jimi Hendrix. Sus muertes en 1970 y 1971 anunciaron la gran crisis cultural que seguiría a la década eufórica.

Lo que los Beatles y los Rolling Stones habían tan sólo insinuado en su primera época, estos artistas lo comunicaron abiertamente, celebrando la búsqueda carnal y química del éxtasis con un convencimiento descarado. Joplin, cuyas actuaciones la convirtieron en una de las pocas cantantes blancas de *blues* con éxito, interpretaba con voz áspera canciones de soledad y vagabundeo mientras bebía de una botella. Hendrix, quizás el guitarrista más imaginativo de todos los tiempos, era famoso por sus posturas en el escenario (tocaba la guitarra con los dientes o aguantándola detrás de su cabeza; a veces la incendiaba) y por sus hazañas amorosas y psicodélicas. Morrison, adorado por sus canciones intelectuales y su libertinaje legendario, hechizaba a su público cuando interpretaba la letra de «The End», una canción conmovedora sobre incesto y parricidio. Los tres artistas cultivaban una imagen «ilegal». Fueron detenidos por drogas e indecencia. Morrison lo resumió así: «Me interesa la rebeldía, el desorden, el caos [...]. Me parece que éste es el camino hacia la libertad».

Parecía que las tres estrellas estaban conformes con sus muertes tempranas. Hendrix, poco antes de morir ahogado por sus vómitos (consecuencia de la mezcla de alcohol y drogas) en septiembre de 1970, bromeaba acerca de su propio funeral. Joplin, que falleció por sobredosis de heroína unas semanas más tarde, dijo una vez a un periodista: «Quizás no dure tanto como otros cantantes, pero creo que se puede destruir el presente si te preocupas por el futuro». Morrison, que murió al año siguiente de un ataque cardíaco relacionado con las drogas, imbuía sus canciones (influidas por los simbolistas franceses) de una morbosidad poética. Su tumba es una de las más visitadas del cementerio Père-Lachaise de París. Miles de admiradores se reúnen ante ella cada año para dejarle flores, cartas de amor y botellas de whisky. **◄1969.10 ►1977.6**

Morrison *(izquierda)*, Hendrix *(centro)* y Joplin vivieron intensamente y murieron jóvenes.

MEDIO AMBIENTE

Un día festivo ecológico

5 La creciente preocupación internacional por la inestable salud de la Tierra se manifestó de forma oficial el 22 de abril de 1970, cuando Estados Unidos estableció el día de la Tierra. El senador de Wisconsin, Gaylord Nelson, y el activista ecológico Denis Hayes organizaron las actividades del primer día festivo ecológico del mundo, entre las que destacaban: seminarios, desfiles y recogida de metales para reciclar. La ecología se había convertido en una fuerza poderosa.

Incluso el gobierno norteamericano contribuyó al crear dos meses después la Agencia para la protección del medio ambiente. En 1972 la ONU también participó convocando una conferencia sobre el medio ambiente

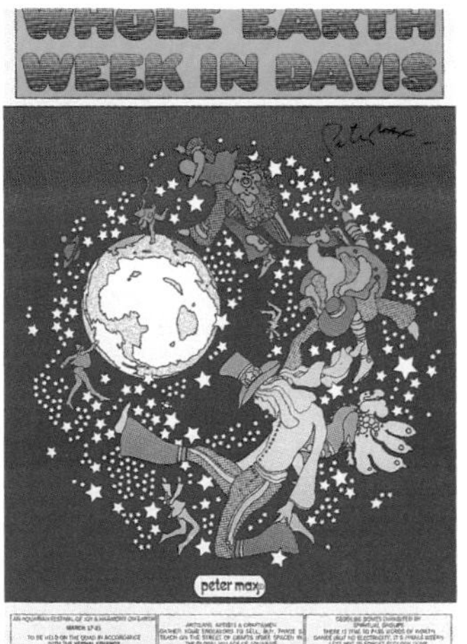

El artista Peter Max diseñó el cartel para la Semana de la Tierra celebrada en Davis, California, en 1969.

en Estocolmo. Organizaciones como Greenpeace (fundada en 1971 por los canadienses que se oponían a los ensayos nucleares de Estados Unidos) tomaron medidas más directas y se enfrentaron a compañías y a gobiernos.

En 1979, cuando apareció en Bremen el primer partido político verde, el movimiento ecológico había arraigado pero el ecosistema seguía en peligro. Las fábricas habían lanzado miles de millones de toneladas de mercurio a ríos y lagos de todo el mundo. Los clorofluorocarbonos, empleados en refrigeración y aerosoles, destruían la capa de ozono. Las selvas del Amazonas y del sudeste asiático se talaban a velocidades pasmosas, poniendo en peligro de extinción a setecientas cincuenta mil especies de plantas y animales. La gente empezaba a preguntarse si no era demasiado tarde para la Tierra. **◄1962.11 ►1983.5**

NACIMIENTOS

Andre Agassi, tenista estadounidense.

Jim Courier, tenista estadounidense.

Alonzo Mourning, jugador de baloncesto estadounidense.

River Phoenix, actor estadounidense.

Gabriela Sabatini, tenista argentina.

Mariah Carey, cantante estadounidense.

MUERTES

Lázaro Cárdenas, político mexicano.

Edouard Daladier, político francés.

John Dos Passos, escritor estadounidense.

E. M. Forster, escritor británico.

Charles de Gaulle, presidente francés.

Jimi Hendrix, cantante estadounidense.

Basil Henry Liddell Hart, teórico militar británico.

Janis Joplin, cantante estadounidense.

Aleksandr Kerensky, revolucionario ruso.

Leopoldo Marechal, escritor argentino.

Luis Mariano, cantante español.

François Mauriac, escritor francés.

Yukio Mishima, escritor japonés.

Gamal Abdal Nasser, político egipcio.

Erich Maria Remarque, escritor germano-estadounidense.

Nina Ricci, diseñadora de moda francesa.

Mark Rothko, pintor ruso-estadounidense.

Bertrand Russell, filósofo británico.

António Salazar, político portugués.

Sukarno, presidente indonesio.

Cine: *Patton* (Franklin J. Schaffner); *M*A*S*H* (Robert Altman); *Love story* (Arthur Hiller).

«Se pueden esperar batallas campales entre los grupos militantes y los cerdos a una escala que hará parecer cualquier cosa de los años sesenta un pícnic escolar.»—**Mark Rudd, líder de los Weathermen, explicando el programa de su grupo para los años setenta**

NOVEDADES DE 1970

World Trade Center (Nueva York).

Maratón de Nueva York.

Metro en Ciudad de México.

Legalización del divorcio en Italia.

EN EL MUNDO

▶TERREMOTO EN PERÚ—Desde el terremoto de San Francisco no se había producido en el continente americano una catástrofe sísmica de consecuencias tan nefastas. A finales de mayo, un terremoto, cuyo epicentro se hallaba en el mar, asoló más de cien kilómetros de costa en el norte de Perú. La intensidad del seísmo, que superó los ocho grados de la escala de Richter, arrojó olas y mareas de enorme volumen sobre una zona densamente poblada. Más de cincuenta mil personas perdieron la vida y más de ochocientas mil quedaron sin hogar.

▶NOVEDADES FARMACOLÓGICAS—Los fármacos litio y L-dopa fueron aprobados en 1970 en Estados Unidos. Se descubrió que el litio en forma salina era un tratamiento eficaz contra los síntomas de enfermedades mentales maníaco-depresivas. La generalización de su uso transformó la psicofarmacología y abrió el camino del éxito a los antidepresivos. El L-dopa alivió a doscientos mil americanos que sufrían la enfermedad de Parkinson, un trastorno nervioso progresivo e incurable. El fármaco estimulaba al cerebro para que produjera dopamina neurotransmisora, muy deficiente en estos enfermos. No obstante, la droga tenía efectos secundarios perjudiciales y perdía efectividad con el tiempo.

▶EL SEXO VENDE—La apertura de los americanos hacia el sexo se vio reflejada en la lista de superventas de 1970. Al menos tres libros explicaban a sus lectores cómo mejorar su vida sexual. *La mujer sensual* de «J» reflejó el aumento del conocimiento de la sexualidad femenina (un tema expresado de forma muy

DIPLOMACIA

Amistad entre Moscú y Bonn

6 Willy Brandt, canciller socialista de Alemania occidental, logró un objetivo político muy esperado cuando su gobierno firmó un tratado con la Unión Soviética por el que se «renunciaba a la fuerza». La campaña para una convivencia pacífica entre Europa occidental y el bloque comunista, la *Ostpolitik* de Brandt, tomó forma en el tratado, que permitió la continuación de negociaciones inacabadas desde la Segunda Guerra Mundial, normalizó las relaciones entre la Unión Soviética y Alemania occidental y estableció un período de relajación en toda Europa. «Es el final de una época, pero también un buen principio», dijo Brandt en una ceremonia celebrada en la plaza Roja.

A cambio del reconocimiento tácito del *status quo* en Europa central (en la frontera entre Alemania oriental y occidental y la frontera occidental de Polonia, trazada por los soviéticos sobre territorio alemán después de la guerra), Brandt y el ministro de asuntos exteriores Walter Scheel obtuvieron concesiones importantes de Moscú. Las principales fueron: la aceptación del derecho de Alemania a la «autodeterminación» (un eufemismo para el objetivo final de la reunificación) y el acceso libre de Occidente al Berlín rodeado por los comunistas. Los soviéticos, a su vez, mejoraron las relaciones comerciales con el próspero Occidente, el acceso a la tecnología y a la ciencia de la República Federal Alemana y la seguridad en la frontera occidental del imperio, muy importante ante la intensificación del antagonismo sino-soviético en el este.

En diciembre, cuatro meses después de firmar el tratado entre Bonn y Moscú, Alemania occidental estableció un pacto similar con Polonia, estabilizando aún más las relaciones entre los bloques oriental y occidental. Brandt obtuvo el Premio Nobel de la paz en 1971. Sin embargo, la *Ostpolitik* no fue acogida con el mismo optimismo en todas partes. En Europa occidental despertó los temores ante una Alemania con inclinaciones neutralistas, que perjudicarían a la OTAN (de la que era miembro). El Departamento de Estado de Estados Unidos apoyó con cautela a Brandt pero advirtió que un solo tratado no constituía una «evidencia tangible de la cooperación soviética». **◂1963.5 ▸1974.3**

Un liliputiense alemán y otro ruso conspiran para atar al Gulliver de la guerra fría.

ESTADOS UNIDOS

Rebelión y reacción

7 La desobediencia civil de principios de los años sesenta desembocó en un extremismo agresivo y a menudo violento, incluso entre los miembros socialmente privilegiados y mejor educados de la Nueva Izquierda de América. En 1970 diversos incidentes pusieron de manifiesto el grado al que había llegado la situación. En marzo, los Weathermen (una rama violenta de los Estudiantes para una Sociedad Democrática) manipulaban una bomba que explotó y mató a tres jóvenes extremistas en una casa de Manhattan, propiedad de los padres de uno de los dos supervivientes. El otro escapó para constituir el Weather Underground, que cometió robos y colocó bombas durante toda la década. En agosto, en la Universidad de Wisconsin, cuatro estudiantes se manifestaron contra la participación del centro en la investigación militar gubernamental volando un laboratorio del campus. Murió un graduado y se perdió un ordenador de un millón y medio de dólares. En Boston, en septiembre, dos estudiantes de la Universidad de Brandeis, cuya oposición a la guerra de Vietnam se había convertido en la determinación de derrocar el sistema capitalista, tomaron parte en un atraco a un banco, en el que falleció un policía. Las dos chicas se escondieron y una de ellas, Katherine Ann Power, fue la persona más buscada por el FBI antes de entregarse en 1993.

El padre Daniel Berrigan también optó por la clandestinidad. Era un sacerdote católico que, con su hermano Philip (también clérigo) y otras siete personas («los nueve de Catonsville»), fue condenado por quemar registros de reclutamiento en Catonsville. «He quemado algunos papeles para explicar que quemar a niños es inhumano», declaró Berrigan. En abril, cuando debía empezar su condena en prisión, se fugó. Fue detenido cuatro meses después por el FBI.

Esbozo de Bobby Seale, atado y amordazado en el juicio de Chicago.

Las represalias gubernamentales afectaron con más dureza, como siempre, a las minorías. En febrero, tras un juicio caracterizado por la hostilidad del juez y la actitud anárquica de los acusados, cinco de los Siete de Chicago (todos de raza blanca) fueron condenados por instigar disturbios en la Convención Demócrata de Chicago de 1968. Un octavo acusado, el Pantera Negra, Bobby Seale, fue juzgado aparte, después de ser atado y amordazado por sus arranques de cólera en el tribunal. (Finalmente todas las condenas fueron revocadas.) En agosto, Angela Davis, una negra cuya militancia en el Partido Comunista le costó su trabajo como profesora de filosofía en la Universidad de California, fue acusada de asesinato, secuestro y conspiración cuando el hermano de George Jackson (un interno de la cárcel de Soledad del que estaba enamorada) utilizó pistolas registradas a su nombre en un asalto con rehenes al Palacio de Justicia en el que murieron cuatro personas. Davis se escondió pero el FBI la encontró en

DEPORTES: Fútbol: copa del mundo, Brasil derrota a Italia por 4 a 1.

«Las mujeres actúan como si el sexo fuera un deber social. Ni siquiera saben si quieren o no pero todo el mundo lo hace, de modo que ellas también lo hacen.»—**Germaine Greer**

octubre. Pasó más de un año en prisión antes de salir bajo fianza (en este tiempo, Jackson fue asesinado en la cárcel por guardias que alegaron que había intentado escapar). Cuando Davis fue juzgada en 1972, un jurado de blancos no encontró pruebas suficientes para condenarla.
◂1969.NM ▸1974.4

CINE

La culpabilidad de Francia

8 Francia alimentó la leyenda de que la mayor parte de los franceses se resistieron a la ocupación nazi durante la Segunda Guerra Mundial. En su película de 1970, el documentalista francés Marcel Ophüls, hijo del gran cineasta alemán Max Ophüls, plantea a sus compatriotas la pregunta infantil: «¿Qué hiciste en la guerra, papá?». La sincera respuesta conmocionó a la nación.

El documental llevó al cineasta a Clermont-Ferrand, una ciudad de provincias a 57 km de Vichy (sede del gobierno de la Francia ocupada) en el centro de una importante región de la resistencia. Ophüls, al entrevistar a una serie de personas, les pregunta acerca de sus actividades durante la época de la ocupación. Unos ayudaron a la resistencia; otros, atraídos por el antisemitismo y la anglofobia alemanes, se asociaron o trabajaron para el enemigo. La mayoría, sin embargo, colaboraron de forma pasiva encogiéndose de hombros y continuando con sus vidas. Las argumentaciones de los colaboradores se mezclan con material irrecusable: tras hablar con un hombre que niega que su ciudad hubiera estado ocupada, Ophüls visita a un oficial alemán que estuvo destinado allí. El yerno del primer ministro de Vichy, Pierre Laval, declara que Laval «hizo todo lo que pudo para defender a los franceses», y el historiador Claude Levy afirma que Laval ofreció a los nazis cuatro mil niños judíos que no habían reclamado.

Ophüls rodó el documental para la televisión francesa pero la cadena estatal la rechazó. Un funcionario gaullista comentó: «Ciertos mitos no deben ser destruidos». Se estrenó en un pequeño cine parisino y provocó un escándalo. La película, a pesar de la tendenciosidad admitida de Ophüls, resulta destacadamente imparcial y permite a sus protagonistas explicar sus propias historias. Anthony Eden, ministro de asuntos exteriores británico durante la guerra, amonestó a Ophüls: «Si no se han experimentado los horrores de la ocupación, no se tiene derecho a juzgar». **◂1945.17**

Imagen de la ocupación: la Cámara de los diputados de París con un cartel alemán.

IDEAS

Dos visiones feministas

9 Dos superventas de 1970 añadieron contenido intelectual al feminismo y convirtieron a sus jóvenes autoras en líderes del movimiento femenino. En *La mujer eunuca,* Germaine Greer, de 31 años de edad, oriunda de Australia y educada en Cambridge, examina la sexualidad femenina, la evolución psicológica de la mujer y su historia cultural. Escribió que «la castración de la verdadera personalidad femenina» había condicionado a las mujeres para aceptar las características de un eunuco: «timidez, gordura, languidez, delicadeza y afectación». La culpa no era de los hombres sino «de las propias mujeres y de la historia». Un crítico elogió el libro como «el manifiesto sobre la liberación de la mujer más realista y menos antimachista».

La independencia de Greer del feminismo militante y su imagen carismática y abiertamente sexual despertaron pasiones, pero sus opiniones y su imagen pública continuaron evolucionando. En 1984 publicó *Sexo y destino: la política de fertilidad humana*, que criticaba a Occidente por presionar al Tercer Mundo para que limitara el crecimiento demográfico a través de la anticoncepción artificial y defendía formas naturales de controlar la natalidad, incluida la abstinencia. En *El cambio* (1991), habló del tema de la menopausia y la vejez femenina.

Sexual politics: a surprising examination of society's most arbitrary folly de Kate Millett empezó siendo una tesis doctoral para la Universidad de Columbia. El libro examina las formas en que la cultura patriarcal otorga a la mujer un papel inferior e incluye críticas mordaces a Freud (sobre todo a su teoría de la envidia de pene), D. H. Lawrence, Henry Miller y Norman Mailer. (Mailer se indignó tanto que escribió *El prisionero del sexo* en respuesta.) A causa del libro, Millett se vio obligada a confesar su lesbianismo en una concentración feminista. Su novela *En vuelo* (1974) obtuvo

Greer intentó liberarse de las definiciones tradicionales de feminidad y feminismo.

críticas despiadadas y en *The loony-bin trip* (1990) relató su lucha interna contra la demencia. **◂1963.8**

distinta en los libros de Germaine Greer y Kate Millett). *Human sexual inadequacy* de Masters y Johnson destacó la parte clínica de las disfunciones sexuales y el libro del Dr. David Reuben se jactaba de incluir *Todo lo que siempre quiso saber sobre el sexo pero no se atrevió a preguntar.*
◂1970.9

▸LA MIDI—El fin de la esclavitud de la mujer americana a los dictados de la industria de la moda se remonta al fracaso de la «midi» en 1970. Anunciada como el largo requerido para la primavera, la midi, a media pantorrilla, tuvo una acogida poco entusiasta por parte de una generación inconformista que había crecido con las faldas cortas (o era partidaria de los tejanos) y que no quería invertir en un guardarropa completamente nuevo. Las faldas midi se quedaron en las perchas de las tiendas. **◂1965.2**

▸LIBRO BÍBLICO DE MAYOR VENTA—Un grupo de eruditos protestantes británicos tradujeron la totalidad de la Biblia de los textos antiguos al inglés moderno en 1970 por primera vez en *The New English Bible.* El nuevo volumen se desviaba del lenguaje altisonante de la Biblia del rey Jaime, lo que provocó una gran controversia. **◂1952.M**

▸SEPARATISMO VASCO —En un intento de dominar el nacionalismo vasco, el régimen represivo de Franco detuvo a los dirigentes del movimiento y los juzgó en Burgos. Los procesos militares de 1970 tuvieron lugar tras represalias gubernamentales a ETA, la facción nacionalista (y cada vez más terrorista) del grupo étnico superviviente más antiguo de Europa. Los juicios a ETA acrecentaron la oposición política en toda España.
◂1968.NM ◂1973.11

▸BONANZA PETROLÍFERA —Hacía cinco años que más de

«Hay muchos corazones sangrantes a quienes no les gusta ver gente con cascos y pistolas. Todo lo que puedo decir es: "Seguid adelante y sangrad".»—**Pierre Trudeau, primer ministro de Canadá, tras imponer la ley marcial en Quebec**

cien compañías internacionales con permisos de perforación buscaban petróleo en el mar del Norte, al norte de Escocia. La Phillips Petroleum fue la

primera en encontrarlo, y en grandes cantidades. El descubrimiento parecía un regalo de Dios: un gran yacimiento de petróleo accesible y políticamente estable a las puertas de Europa occidental; el mercado petrolífero que crecía más rápidamente en todo el mundo. Pero el sueño europeo de transformar su economía y dejar de depender del petróleo de la OPEP no se cumplió del todo, aunque los pozos del mar del Norte aumentaron las reservas petrolíferas de Europa y crearon miles de puestos de trabajo. ◂1960.NM ▸1973.11

▶ADIÓS A LOS BEATLES —Ocho años después de grabar su primer sencillo («Love me do»), el grupo de *rock* más imaginativo, popular e influyente había agotado su creatividad. Con la separación de los Beatles en 1970 llegó su último álbum, inacabado, *Let it be*. Cada miembro se dedicó a proyectos individuales. ◂1968.NM ▸1980.E

En cuadros como *Rojo claro sobre negro* Rothko estudió las cualidades emotivas del color.

ARTE

El escándalo Rothko

10 Mark Rothko, conocido por sus pinturas obsesivamente simples (rectángulos en suspensión de colores difuminados que parecen brillar con una luz espiritual), fue el último expresionista abstracto extravagante. Desdeñó a «los comerciantes de la calle Cincuenta y Siete», que sólo comprendían el considerable valor monetario de su obra. En 1970, cuando la enfermedad y la depresión condujeron al artista, nacido en Rusia, al suicidio, se originó uno de los escándalos más vergonzosos del mundo del arte.

Las figuras más destacadas del mundo artístico de Nueva York asistieron a su funeral pero su marchante, Francis Lloyd, de las Galerías Marlborough, no hizo acto de presencia. Al cabo de tres meses, Lloyd consiguió adquirir ochocientas pinturas de la herencia de Rothko a un precio muy inferior al del mercado. Lloyd pronto se convirtió en la figura central de un litigio entablado por la hija del difunto, Kate, que acusó al marchante y a los albaceas de Rothko de estafar al Estado con los cuadros.

Los cuatro años de litigios y los ocho meses de juicio, el más largo y costoso de la historia del arte, revelaron las prácticas ilegales e inmorales del negocio del arte. Los acusados tuvieron que pagar más de nueve millones de dólares en multas, daños y perjuicios; Lloyd fue condenado a doscientas horas de servicios a la comunidad. La herencia de Rothko fue redistribuida, la mitad fue para sus dos hijos. **◂1950.4 ▸1982.10**

CANADÁ

Crisis en Quebec

11 En octubre de 1970, miembros del Frente de Liberación de Quebec (FLQ) secuestraron al diplomático británico James Cross de su casa de Montreal. Como rescate pidieron medio millón de dólares en oro, el nombre de un delator y la liberación de 23 presos políticos. Días después, otra célula del FLQ raptó al ministro provincial de trabajo Pierre Laporte. La crisis de octubre, como la llamaron los canadienses, conmocionó tanto a la provincia de Quebec, la comunidad francesa más amplia fuera de Francia, como al estado.

Los seis millones de canadienses francoparlantes, más de un cuarto de la población total del país, constituían una minoría con desventajas económicas y sociales. Sin embargo, Quebec había experimentado mejoras en la última década. Después de 1960, cuando los votantes rechazaron a un régimen conservador agotado, la provincia modernizó la educación en francés (anteriormente en manos de la Iglesia católica) e inició programas del estado del bienestar. Aun así, las finanzas y las empresas seguían en manos anglo-canadienses y algunos habitantes de Quebec veían la secesión como la única salida. El FLQ recurrió a la violencia a escala reducida: colocó bombas en los buzones de Montreal y lanzó cócteles Molotov contra instalaciones militares.

Los secuestros de 1970 marcaron un cambio cualitativo y desafiaron directamente al primer ministro canadiense. Pierre Trudeau, también franco-canadiense de izquierdas, temía que se le considerara un partidario tibio del FLQ, de modo que envió al ejército a Quebec y declaró la ley marcial. Casi quinientas personas fueron encarceladas sin juicio previo. Laporte fue asesinado, y la policía no localizó y liberó a Cross hasta diciembre. A sus secuestradores se les permitió huir a Cuba. (Los asesinos de Laporte fueron a la cárcel.)

Los titulares anuncian la aplicación de la ley de medidas de guerra en tiempos de paz.

Tras la crisis, el Parti Québecois, separatista, que había conseguido un 24 % de votos en las elecciones provinciales de abril, perdió a más de la mitad de sus militantes. **◂1968.NM ▸1976.6**

ARTE

Picasso y Barcelona

12 En marzo de 1970 Pablo Ruiz Picasso donó a la ciudad de Barcelona un legado compuesto por más de mil obras suyas. La donación constituía un homenaje a Jaime Sabartés, amigo y secretario del pintor, que había fallecido dos años antes. Con las pinturas, grabados y dibujos que formaban el legado fue posible enriquecer el Museo Picasso, inaugurado en 1963, con una colección importantísima del genial

Pablo Ruiz Picasso.

artista, sobre todo con obras de sus primeras épocas. La relación de Picasso con la capital catalana databa de los últimos años del siglo XIX y los primeros del XX, cuando estableció allí su residencia y realizó alguna de sus obras más conocidas. Esta primera época está representada en el museo por la pintura *Ciencia y caridad*, ganadora de una mención honorífica en la Exposición Nacional de Madrid de 1897. De la llamada época clásica (1915-1925) destaca el *Arlequín* y de 1957, los 44 lienzos que componen la serie de las *Meninas*, extensa recreación de la obra de Velázquez, en sintonía con las variaciones que sobre temas de pintores del pasado realizó Picasso en los años cincuenta y sesenta.

PREMIOS NOBEL: Paz: Norman E. Borlaug (estadounidense; hambre mundial) [...] Literatura: Aleksandr Solzhenitsyn (soviético; novelista) [...] Química: Luis Leloir (argentino; carbohidratos) [...] Medicina: Julius Axelrod, Ulf von Euler y Bernard Katz (estadounidense, sueco, británico; impulsos nerviosos) [...] Física: Hannes Alfvén (sueco; plasma) y Louis Néel (francés; ferrimagnetismo) [...] Economía: Paul Samuelson (estadounidense).

Alucinado collage de sombras

Manifiesto subnormal, de Manuel Vázquez Montalbán, 1970

Manuel Vázquez Montalbán, escritor y periodista nacido en Barcelona en 1939, experimenta con formas visuales y narrativas en su Manifiesto subnormal *de 1970. Una crítica a la primera edición es ilustradora de tal experimentalismo: «Este libro ensayo-poema-poster-novellage que se llama* Manifiesto subnormal *resulta de difícil clasificación. No se sabe bien si la obra es desencantada, lúcida, perversa, marginada, consumista, subversiva, decadente, oportunista o, simplemente, paranoica. Que el lector decida por su cuenta y riesgo. Tal vez se trate de una invitación a sobrevivir». A continuación, fragmentos de la obra, dividida, como un manual, en teoría y práctica.*

PARTE I
LA TEORÍA

Hay una actividad intelectual que conduce al invento del paraguas, del cepillo de dientes, del agua pesada, del uranio enriquecido y de las sopas preparadas. Hay otro tipo de actividad intelectual que conduce a formulaciones tan gratuitas como: Si Dios ha muerto, todo está permitido. Pero Dostoyewski ya sabía que la ferocidad semántica de *La muerte de Dios* era poco más que un alarde de expresión. A Dostoyewski le estaba permitido mucho menos que al zar y muchísimo menos que a los Gordon Bennet, que por aquellas fechas ya habían conseguido encarrilar un notable emporium periodístico. Y es que poner nombre a las cosas que ya están ahí es el único recurso de ese esfuerzo intelectual que consiste en crear paraísos artificiales de lenguaje. El autor de un cantable popular resuelve su desigual combate con la realidad escribiendo:

Se vive solamente una vez
hay que aprender a querer y a vivir.

Por las mismas fechas Cesare Pavese sublima su terror a la realidad mediante un diario, falsamente sincero, un instante e iniciar las piruetas espaciales. La equiparación de los niveles tecnológicos prometía la continuidad del soso combate a niveles galáxicos. Y desde la marginada inteligencia occidental nada era posible. Los canales que podía facilitar el tránsito cualitativo de la idea convertida en energía al ser encarnada por las masas estaban obstruidos o falseados por la organización de la cultura. No existía ni siquiera una voluntad de lenguaje común, ni una voluntad de prescindir del lenguaje de los tiempos verbales. La vana palabrería marxista se había convertido en algo tan exasperante como la vana palabrería liberal de Franklin D. Roosevelt; o del abogado de los Rosenberg cuando comentó: «Hoy ha muerto la democracia americana».

La historia sin moral necesitaba una reestructuración; al fin y al cabo las metas del humanismo redentor habían sido una estrategia burguesa que en un momento determinado había producido los beneficios esperados por el «hombre-burgués». Y así como los programadores del metro de Moscú copiaron la magnificencia ecléctica de la burguesía rascacielista, el proletariado se limitó a vestir de azul obrero al muñeco humanístico de la burguesía. Había que matar la idea del hombre, y en la justificación de la matanza acudía nuevamente una idea de beneficencia: ese humanismo idealizante no ha hecho otra cosa que aplazar una comprensión eficaz del juego social, político, técnico y en definitiva ha aplazado una real promoción del hombre histórico actual.

Teoría
de
la
evidencia.
Asumir

lo
que
es
evidente,
sin

pedir
explicaciones
a
la
evidencia.

PARTE II
LA PRÁCTICA

Estos POSTERS participan de una doble porción de entusiasmo: la que corresponde al autor como supremo creador de verdad artística, y la que corresponde al lector con su capacidad imaginera educada por el Cine, la TV y las Enciclopedias ilustradas. Ante el estímulo del lema, cada lector podrá aceptar la imagen propuesta o bien aportar su propia imagen, gracias a la aplicación de una imaginación imaginera al alcance de cualquier ciudadano.

Cierra los ojos para matar,
Cierra los ojos para vivir

Sea Relativista
en todo Aquello
que No le importe

B
NOVELLAGE

Proyecto de nuevo género literario presentado ante el ICSID (International Council of Societies of Industrial Design) para ilustrar literariamente las papelinas de *fish and chips* de todo el Imperio Británico.

«El mundo no cumple su deber moral con Bangladesh. En vez de condenar a Pakistán por su matanza inhumana y cruel [...] la mayor parte de países han optado por elogiar los esfuerzos de ayuda de la India.»—**Indira Gandhi**

HISTORIA DEL AÑO

El nacimiento de Bangladesh

1 En 1971 nació un nuevo país tras décadas de descontento y meses de matanzas. Pakistán oriental se declaró a sí mismo estado soberano de Bangladesh. Desde la formación de Pakistán 24 años atrás, su zona oriental, separada de la occidental por 1.600 km de territorio indio, no había tenido acceso al gobierno y había estado sometida militarmente. La capital de Pakistán, Islamabad, sita en el oeste, poseía una mayoría étnica punjabí. El este estaba habitado por bengalíes. El único vínculo, cada vez más tenso, entre las dos regiones lo constituía el Islam.

En 1970, el partido nacionalista Awami de Pakistán oriental obtuvo una mayoría aplastante en las elecciones parlamentarias. El líder del partido, Sheikh Mujibur Rahman debería haber sido primer ministro por derecho, pero el dictador Agha Muhammad Yahya disolvió la asamblea nacional, arrestó a Mujibur y envió soldados punjabíes al este para reprimir a los disidentes. Estalló una guerra civil.

Secesionistas de Pakistán oriental amenazan a prisioneros sospechosos de ser leales al gobierno del oeste.

Los soldados de Yahya mataron a un millón de bengalíes; otros diez millones huyeron a la India, donde el gobierno de Indira Gandhi los alojó en campos de refugiados. En abril de 1971 el partido Awami, dirigido por el futuro presidente Zia-ur Rahman, proclamó el nacimiento del Bangladesh independiente y estableció un gobierno en el exilio, en Calcuta. Las relaciones indopakistaníes, siempre difíciles, se estropearon definitivamente y, en diciembre, Yahya bombardeó ocho bases aéreas indias. Ahora contaba con dos enemigos: los separatistas bengalíes y la poderosa India. Gandhi envió a su ejército a defender Bangladesh. A pesar de la ayuda militar de Estados Unidos, que apoyaron a Pakistán como eslabón de la cadena de contención en torno a la Unión Soviética (Washington veía a la India no alineada como un peón soviético), Pakistán cayó en dos semanas. Por tercera vez desde la partición, India había derrotado a Pakistán.

Mujibur Rahman se convirtió en primer ministro de Bangladesh y se estableció la capital en Dacca; sin embargo, la guerra y siglos de gobierno extranjero (británico antes de pakistaní) habían dejado en la ruina económica a Bangladesh y no resultaba fácil conseguir la estabilidad política. Mujibur Rahman fue asesinado en 1975 y su sucesor, Zia-ur Rahman, en 1981. **◂1965.8 ▸1977.4**

1971

ESTADOS UNIDOS

Los juicios de la guerra

2 Las fisuras que la guerra de Vietnam había abierto en la sociedad americana se pusieron de manifiesto una vez más en 1971 con la controversia que despertaron los procesos de Daniel Ellsberg y de William Calley.

Cuatro años atrás, Ellsberg había sido asesor gubernamental y había colaborado en la elaboración de una historia secreta de la política norteamericana en Indochina para el secretario de defensa, Robert McNamara. Como Ellsberg (pero a diferencia de Johnson, entonces presidente), McNamara se opuso a la guerra y quiso conservar el lastimoso informe pero, cuando Richard Nixon llegó a la presidencia, nadie quiso leer el estudio de 47 tomos. Al final, Ellsberg decidió hacerlo público. En junio de 1971, *The New York Times* y *The Washington Post* publicaron algunos extractos y, después de que el tribunal supremo bloqueara una orden federal, otros periódicos siguieron el ejemplo.

Los «Papeles del Pentágono» revelaron una gran cantidad de equivocaciones y mentiras. El presidente Eisenhower había ignorado los consejos de sus generales contra la intervención en la guerra civil de Vietnam. El presidente Kennedy había aprobado el derrocamiento del presidente sudvietnamita Diem. Las operaciones secretas del presidente Johnson habían provocado el incidente del golfo de Tonquín y más tarde rebajó el número de víctimas civiles. De acuerdo con un documento secreto, el 70 % de la guerra se había librado para «evitar la humillación de una derrota americana» y sólo el 10 %, en interés de los vietnamitas.

Aunque el gobierno le acusó de violar las leyes del secreto de estado, Ellsberg se convirtió en un héroe para el movimiento pacifista. A la vez, miles de conservadores se manifestaron a favor de Calley cuando fue juzgado por haber asesinado a 102 hombres, mujeres y niños desarmados en el pueblo sudvietnamita de My Lai (1968). Los soldados bajo su mando mataron a quinientos habitantes. Calley alegó que sólo cumplía órdenes, una defensa que había sido invalidada hacía 25 años en Nuremberg. Partidarios y detractores pensaban que Calley era un cabeza de turco de los errores de la política exterior americana en Vietnam.

Aunque su oficial de mando, el capitán Ernest Medina, fue absuelto y los cargos contra ocho soldados más acabaron en absolución o sobreseimiento, Calley fue condenado por 22 asesinatos y sentenciado a cadena perpetua. Nixon redujo su sentencia a 20 años, en 1974 volvió a conmutarla y en 1975 Calley salió en libertad bajo palabra. Los cargos contra Ellsberg fueron retirados en 1973. **◂1968.3**

La oposición a la guerra de Vietnam alcanzó su cenit en 1971 (*extremo superior*, alfiler de la paz). Calley y su abogado defensor *(superior)* llegan a Fort Benning, Georgia, para el juicio militar.

EXPLORACIÓN

Misiones a Marte

3 En mayo de 1971, Estados Unidos y la Unión Soviética lanzaron naves sin tripulación para que recopilaran datos sobre Marte con la esperanza de que algún día el hombre aterrizara en ese planeta. Se comprometieron a colaborar, y ambas naciones intentaron aprovechar la proximidad del planeta rojo.

El 14 de noviembre, la *Mariner 9* de la NASA se convirtió en la primera nave espacial que giraba alrededor de otro planeta. A bordo llevaba cámaras de televisión para grabar el acontecimiento e instrumental de percepción remota: un radiómetro para medir la temperatura de la superficie y espectrómetros para detectar la composición de la atmósfera. Se esperaba lograr cinco mil fotografías en tres meses, pero Marte recibió a su primer visitante con fuertes tormentas de polvo por todo el planeta. Aunque la mayor parte de las fotografías resultaron inútiles, las tormentas permitieron a los científicos estudiar los vientos y la erosión de la superficie del planeta.

El 27 de noviembre llegó la *Mars 2*, la primera de las dos naves orbitales soviéticas. El 2 de diciembre, la *Mars 3* liberó una cápsula que aterrizó suavemente y transmitió una señal de vídeo durante 20 segundos antes de perderse (quizás a causa del polvo). El aterrizaje fue todo un éxito para el

ARTE Y CULTURA: Libros: *The day of the jackal* (Frederick Forsyth); *Los inquilinos* (Bernard Malamud); *Maurice* (E. M. Forster); *Agosto 1914* (Aleksandr Solzhenitsyn) [...] Música: *Who's next* (The Who, LP) [...] Cine: *Contra el imperio del hampa* (William Friedkin); *Klute* (Alan J. Pakula); *La naranja mecánica* (Stanley Kubrick); *Muerte en Venecia* (Luchino Visconti) [...]

«Puede que Marte sea rojo, pero seguro que no está muerto.»—**Carl Sagan, astrónomo, sobre las fotografías del *Mariner* de los volcanes de Marte**

Una maqueta de la *Mars 3*, la estación interplanetaria automática enviada al planeta rojo por los soviéticos, en una exposición de Moscú.

programa espacial soviético, que recientemente había sufrido trágicas pérdidas. En junio tres cosmonautas veteranos (Georgi Dobrovolsky, Viktor Patsayev y Vladislav Volko) regresaban a la Tierra tras establecer un récord de permanencia en el espacio de 24 días cuando la cabina se despresurizó. El trío, que había deleitado a los rusos con una celebración espacial del cumpleaños de Patsayev, se encontró muerto tras el descenso de la nave.

Cuando las tormentas de polvo amainaron en enero, se vislumbró que Marte tenía cuatro grandes volcanes, un cañón enorme (diez veces más largo y cuatro veces más profundo que el Gran Cañón de Colorado) e indicios de una posible erosión líquida. Aunque parecía que el planeta carecía de formas de vida, su historia debía haber sido espectacular. **◂1969.1 ▸1972.NM**

ECONOMÍA

Estados Unidos abandona el patrón oro

4 El presidente Nixon, enfrentado al crecimiento del déficit, la disminución de las reservas de oro y el aumento de la inflación y el paro, suspendió los pagos en oro en agosto de 1971, acabando con el último vestigio del patrón oro. El intento de impulsar la economía devaluando el dólar y mejorando la estabilidad mercantil de América acabó con el sistema monetario internacional establecido durante la Segunda Guerra Mundial en la conferencia de Bretton Woods, cuando la mayor parte de naciones fijaron su moneda en relación al dólar. Sin el respaldo del oro, el dólar se encontró a la deriva en los mercados de valores para encontrar su propio lugar frente a las otras monedas: ninguna poseía un valor fijo en relación a la de los otros países.

Para reforzar aún más su economía, Washington impuso una tasa del 10 % sobre las importaciones. La economía europea se resintió. De repente una guerra comercial que

La caída del dólar alarmó a muchos observadores del mercado del dinero.

nadie deseaba se hizo inminente. «En Europa ya hemos pasado por un realineamiento de las monedas importantes en los últimos años. No veo ninguna razón para pasar por otra ahora», alegó un banquero suizo. Muchos pensaban que el problema de América no era el comercio (el país tenía excedentes con los países del Mercado Común) ni los índices de la bolsa, sino un gasto militar desproporcionado.

El dólar siguió a flote, con bajadas discretas contra monedas fuertes, como el yen japonés o el marco alemán. Finalmente, en diciembre, los países industriales no comunistas más importantes del mundo —el grupo de los diez— se reunieron para acabar con la crisis monetaria. El dólar se devaluó en un 7,89 % y Estados Unidos canceló sus impuestos de importación. A partir de entonces un sistema de índices flotantes controlados prevaleció en el comercio internacional. **▸1979.NM**

TECNOLOGÍA

La revolución del microprocesador

5 Los primeros computadores electrónicos digitales, fabricados en los años cuarenta, eran aparatos grandes y pesados. Se preveía que un día existirían una docena de computadores gigantes situados estratégicamente que procesarían los datos de Estados Unidos. En vez de eso, y gracias a la introducción a finales de los años sesenta del circuito integrado, un trocito («chip») de silicio que contenía cientos de transistores, diodos y resistencias, la industria de los computadores se desarrolló por vías totalmente distintas. Los grandes aparatos empezaron a dar paso a minicomputadores (del tamaño de una nevera) a finales de los años sesenta.

En 1971 nació una tercera generación de *micro*computadores, del tamaño de un televisor, gracias al microprocesador. Éstos eran un único chip formado por cientos de miles de componentes electrónicos (un circuito integrado a gran escala), y finalmente contendrían todo lo necesario para procesar la información a través de un teclado, un ratón o un escáner óptico. El chip de la memoria RAM (de acceso aleatorio), donde se almacenan y actualizan los datos, también se pudo fabricar gracias al microprocesador. (La memoria RAM se distingue de la ROM —sólo para leer— en que la última almacena datos de forma permanente y no puede alterarlos.)

El microprocesador, también llamado *central processing unit* (unidad central de procesamiento, CPU), logró que los computadores fueran no sólo más pequeños sino más baratos. En 1973, un microcomputador podía realizar el triple de trabajo que un minicomputador. Los microprocesadores formaron enseguida parte de los artículos cotidianos como teléfonos, cajeros automáticos y semáforos. Además, abrieron el camino a la cuarta generación de computadores, los PC, una década después. **◂1951.1 ▸1974.11**

Se ha dicho que el microprocesador es «un computador en un chip».

NACIMIENTOS

Winona Ryder, actriz estadounidense.

Arantxa Sánchez Vicario, tenista española.

MUERTES

Louis Armstrong, músico estadounidense.

Coco Chanel, diseñadora de modas francesa.

François Duvalier, «Papa Doc», presidente haitiano.

Nikita Khrushchev, político soviético.

Sonny Liston, boxeador estadounidense.

Harold Lloyd, actor y director cinematográfico estadounidense.

György Lukács, filósofo húngaro.

Ludwig Marcuse, filósofo alemán.

Igor Stravinski, compositor ruso-estadounidense.

Teatro: *The prisoner of Second Avenue* (Neil Simon) [...] TV: *Colombo*.

«Cuando oigo una discordancia, sencillamente no puedo soportarlo. Es como ver una gran mancha de salsa de tomate en una camisa blanca.»—**Pierre Boulez**

NOVEDADES DE 1971

Prohibición de publicidad de cigarrillos por televisión (Estados Unidos).

Disco blando para almacenar información (IBM).

Línea telefónica directa entre Londres y Nueva York.

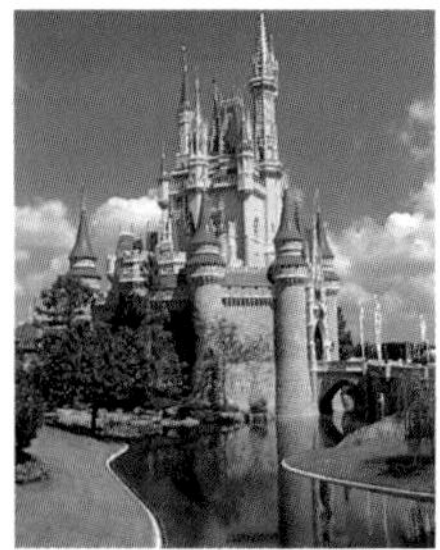

Walt Disney World (Orlando, Florida).

La República Popular China, miembro de la ONU.

Sistema métrico decimal en Gran Bretaña.

EN EL MUNDO

▶GALAXIAS «NUEVAS» —Nueve astrónomos californianos declararon en 1971 que la Maffei I y II, objetos estelares detectados por el astrónomo italiano Paolo Maffei en 1968, no eran meras curiosidades: eran galaxias pertenecientes al Grupo Local, en el que está incluida la Vía Láctea. Maiffei y el equipo de California utilizaron un radiotelescopio para traspasar el velo del polvo interestelar que había impedido la observación de estas galaxias durante toda la historia. ◂1968.8 ▸1974.6

▶*SHAFT*—Protagonizada por Richard Roundtree en el papel de un investigador privado, duro y astuto, la película *Shaft* sirvió de modelo a un género nuevo de acción interpretado por negros que

hablaban la jerga de los negros y vestían como los negros. La película, impregnada de sexo y violencia y apoyada en la banda de Isaac Hayes,

Jimmy Page *(con la guitarra)* y el vocalista Robert Plant del grupo Led Zeppelin.

MÚSICA

Zeppelin en el cielo

6 Led Zeppelin, todavía hoy uno de los grupos más populares de la historia del *rock*, editó su canción emblemática en 1971. En noviembre se presentó en la radio «Stairway to Heaven», críptica, confusa, de ocho minutos de duración, y fue todo un éxito. Veinte años después, la audiencia radiofónica aún la vota como canción favorita de todos los tiempos. A mediados de los años noventa el disco que contiene la canción *Led Zeppelin IV* había vendido diez millones de copias.

Desde su presentación en 1969, Led Zep (como sus seguidores llaman al grupo británico) había introducido el *heavy metal*, un estilo musical lleno de grandiosidad desordenada con solos de guitarra muy complejos, letras mordaces e influido por sonatas clásicas, *raga* indias y *blues*. Las letras del grupo alternaban expresiones soeces y añoranza mística. «Stairway», una mezcla de imágenes semipaganas, atrajo a la parte mística del todavía floreciente movimiento *hippie*. Otros simplemente respondieron a la melodía rítmica de la canción y a cómo se aceleraba desde una apertura acústica hasta un clímax apoteósico.

«Stairway» se ha interpretado como un matrimonio entre la armonía pastoral y la agresividad de la era atómica, y como una celebración al diablo. (Fundamentalistas cristianos americanos juraron que podían oír hechizos satánicos cuando la tocaban al revés.) El grupo no hizo nada para desalentar las especulaciones sobre sus creencias, incluso llegaron a imprimir diagramas esotéricos en las cubiertas de sus discos y a permitirse excesos orgiásticos de sexo y drogas. El guitarrista Jimmy Page se sentía especialmente fascinado por el ocultismo, pero el culto al diablo sólo añadía más encanto a Led Zeppelin. Cuando el grupo se separó en 1980 ya era toda una leyenda. **◂1969.10 ◂1970.4**

LITERATURA

Un Nobel para Neruda

7 Cuando Pablo Neruda recibió el Premio Nobel de Literatura de 1971 «por una poesía que, con la acción de una fuerza elemental, hace realidad el destino y los sueños de un continente», muchos lectores pensaron que se le debía haber otorgado hacía mucho tiempo. Neruda, nacido en 1904, se dedicó desde muy pronto a la búsqueda poética de «algo común a su propio pueblo y a los pueblos del mundo». En el proceso se convirtió en un héroe para millones de personas y no sólo en las naciones de habla hispana.

La búsqueda de Neruda tomó varias formas: desde el exquisito lirismo de *Veinte poemas de amor y una canción desesperada* (la recopilación de 1924 que le hizo famoso) hasta el surrealismo de *Residencia en la Tierra* (1935), la crítica social elocuente del *Canto general* (1950) y finalmente el tono simple de sus últimos poemas de amor y protesta. Asimismo le condujo a la política. Neruda sirvió a su país en diversos cargos diplomáticos. Cuando era cónsul en Madrid, durante la guerra civil española, se convirtió en un partidario ferviente de los republicanos. En 1945 fue elegido para el senado de Chile por los comunistas y, cuando el partido fue ilegalizado, optó por exiliarse. (Regresó a su país en el año 1953.)

Recibió el Premio Nobel poco después de que el presidente Salvador Allende le nombrara embajador en Francia; el acontecimiento constituyó un motivo para conservar su optimismo: «los poetas creen en los milagros y ahora ha ocurrido uno». Abandonó su cargo al cabo de poco tiempo por motivos de salud y murió unos días después de la caída de Allende en 1973. Su funeral se convirtió en una manifestación exaltada contra el nuevo régimen militar de Chile. **◂1970.2 ▸1973.4**

MÚSICA

Boulez a la batuta

8 Las orquestas menos afianzadas de las más de mil que existían en Estados Unidos a principios de los años setenta intentaban enfrentarse a los gustos cambiantes y a las crisis de presupuestos incorporando música *rock* en sus programas o concentrándose en compositores escogidos. La orquesta más antigua del país, la Filarmónica de Nueva York, se resistió con firmeza a esta tendencia al nombrar a Pierre Boulez director musical en sustitución de Leonard Bernstein, que se retiraba. Boulez era el compositor más destacado e innovador de Francia y el defensor más abierto de la música de vanguardia.

El músico, a los 46 años de edad, tenía fama de iconoclasta y violento. (Una vez le preguntaron qué se debía hacer con la ópera y su respuesta fue: «Volar todos los teatros de ópera».) En la Filarmónica evitó los músicos de repertorio como Bach, Beethoven y Brahms a favor de obras poco conocidas de Lizst, Wagner y Berlioz

Los bromistas llamaban a Boulez, un impulsor de la música contemporánea, el «siglo XX, S.A.».

1971

DEPORTES: Ciclismo: E. Merckx gana el Tour de Francia.

«Un anfitrión que combina los deberes de un jefe de camareros y de un historiador.»—**Alistair Cooke, sobre su papel en *Masterpiece Theatre* de la PBS**

y presentó a compositores del siglo XX «tan difíciles» como Mahler, Prokofiev y Schoenberg. Incluso sustituyó el frac de los músicos por esmóquines. El director no cedió ante el público que se enfureció por los conciertos y canceló sus abonos de temporada: se describió a sí mismo como «un jardinero que poda las ramas enfermas para que el árbol crezca con más fuerza». Aunque no siempre convenció a los entendidos, éstos estaban de acuerdo en que poseía un oído infalible y una gran inteligencia.

Boulez, pionero de la composición electrónica, se refería a su propio estilo matemático y turbulento (una ampliación extrema del sistema atonal de Schoenberg) como «un delirio ordenado». Cuando dejó la Filarmónica en 1977, se dedicó más intensamente a la música vanguardista y dirigió el Institut de Récherche et de Coordination Acoustique-Musique de París, entonces el laboratorio de música electrónica más importante. **◂1957.9 ▸1971.9**

MÚSICA

Pinky y Yo-Yo

9 En 1971, cuando Pierre Boulez inició su controvertida dirección de la Filarmónica de Nueva York, el violinista Pinchas Zuckerman y el violoncelista Yo-Yo Ma ofrecieron recitales en Nueva York que los convirtieron en dos de los músicos clásicos más prometedores de la época.

«Pinky» nació en Israel y sus padres eran supervivientes de un campo de concentración; Ma había nacido en Francia y sus padres eran emigrantes chinos. Sus historias poseen muchos puntos en común. Ambos niños prodigio recibieron educación musical a una edad temprana, del violinista Isaac Stern y del violoncelista Pau Casals. Los dos estudiaron en la Juilliard School de Nueva York. Y ahora, sus recitales de Manhattan eran elogiados por *The New York Times*. Zuckerman, de 22 años de edad (cuya actuación con Stern en el Lincoln Center fue muy celebrada), fue alabado por interpretar desde Schubert hasta Schoenberg con «absoluta autoridad interpretativa y completa maestría del violín». Ma, de 15 años (que había sido presentado en televisión por Bernstein hacía ocho años), interpretó obras que iban de Beethoven a Hindemith con «una calidad que muchos músicos mayores envidian».

En los años siguientes ambos artistas afianzaron su posición en lo

Ma, un niño prodigio del violoncelo, a principios de los años setenta.

alto del estamento musical clásico. Ma ganó el premio Avery Fischer en 1978 y Zuckerman, que también se dedicó a dirigir, se convirtió en el director musical de la Orquesta de Cámara de St. Paul, Minnesota, en 1980. **◂1971.8**

CULTURA POPULAR

Los americanos importan cultura

10 En 1971 la televisión americana era conocida en todo el mundo por ser una fuente de diversión fácil y asequible con sus concursos, series de aventuras y comedias de enredos. Las producciones teatrales de los años cincuenta estaban excluidas de la programación, sólo quedaba una serie dramática semanal. En enero, un producto británico de importación trajo a la pequeña pantalla americana entretenimiento «intelectual». *Masterpiece theatre*, presentada por la cadena pública de Boston WGBH-TV y distribuida a través de las cadenas no lucrativas del país, envió producciones británicas cultas a América. La primera fue «Los primeros Churchill», de doce capítulos.

La serie tuvo un éxito instantáneo de crítica y fue fielmente seguida por muchos espectadores. Un elemento clave de su atractivo lo constituyó la participación de Alistair Cooke, emigrado británico, que cada semana anticipaba algunos datos sobre la serie antes del capítulo.

Aunque el programa ganó varios premios Emmy, el puesto en las listas de las series británicas fue bajo hasta enero de 1974, cuando los señores y sirvientes de «Arriba y abajo» cautivaron al público. Estuvo tres meses en pantalla y engendró tres secuelas igualmente populares. Su éxito incitó a las cadenas comerciales a pasar series dramáticas, empezando por *Raíces* en 1977 en la ABC. Sin embargo, la crítica se quejó de que *Masterpiece Theatre* contribuía a alejar a la televisión pública de su misión original de tribuna pública y eco de los menos privilegiados. **◂1956.NM ▸1977.5**

La televisión estadounidense presentó la serie *Masterpiece theatre* con «Los primeros Churchill» *(superior)*. La crítica se quejó de que la televisión pública americana se estaba convirtiendo en una sucursal de la BBC.

ganadora de un Óscar, engendró dos secuelas cinematográficas (ambas dirigidas por Gordon Parks), una serie de televisión y varias películas. ◂1963.NM ▸1989.12

▸FUERA DE «LA ROCA»—En junio, agentes federales obligaron a un grupo de activistas indios americanos a salir de la isla de Alcatraz, en la bahía de San Francisco. Los 89 manifestantes, que aludían a un tratado de 1868 que otorgaba a los indios derechos sobre la tierra despoblada, ocuparon La Roca, donde entre 1934 y 1963 existió una prisión federal famosa por su severidad, durante más de un año y medio. No pedían Alcatraz sino un trato justo por parte del gobierno, que había revocado de forma unilateral muchos tratados firmados con los indios americanos. En 1972 Alcatraz entró a formar parte de un parque nacional.

▸MOTÍN EN LA PRISIÓN DE ATTICA—El 9 de septiembre en la prisión estatal de Attica, en Nueva York, unos mil doscientos internos tomaron como rehenes a 30 guardias y otros empleados de la cárcel

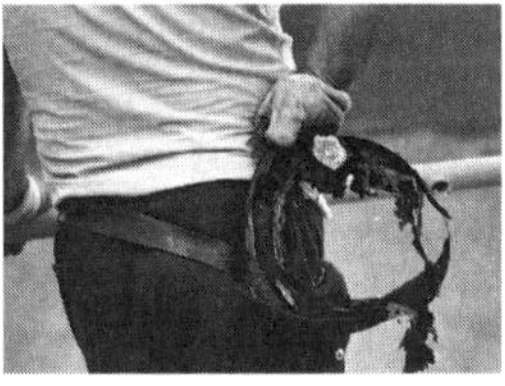

y controlaron una gran parte de la prisión. Los amotinados pedían reformas penales y amnistía por el motín, pero las negociaciones fracasaron; el gobernador Nelson Rockefeller envió a la policía del estado para recuperar la prisión. La insurrección acabó cuatro días después de su inicio cuando mil quinientos policías abrieron fuego, matando a 28 internos y nueve guardias. Los agentes de Nueva York acusaron a los internos de haber asesinado a los guardias pero una investigación reveló que todas las víctimas tenían balas de la policía. ▸1977.NM

▸EMIGRACIÓN ESPAÑOLA —Uno de cada cinco españoles en edad laboral trabajaba fuera de España. El destino de estos emigrantes que abandonaron el país en busca de trabajo o de

«En los combates de mis películas no hay violencia. Hay acción. Una película de acción está entre la realidad y la fantasía.»—**Bruce Lee**

mejores salarios fue, en primer lugar, Europa, que había sustituido al continente americano como nueva tierra prometida. Alemania y Francia por este orden fueron los dos países que recibieron más trabajadores españoles. La proximidad de estos destinos permitía el regreso de estos inmigrantes a sus localidades de origen durante las vacaciones de forma masiva. La emigración, como el turismo, supuso así no sólo una notable aportación de divisas sino que permitió un mayor conocimiento de la realidad europea y fue un factor decisivo en el proceso de apertura de España.

►CUMPLEAÑOS DEL SHA —Muhammad Reza Pahlevi, sha de Irán, celebró una fiesta para conmemorar el 2.500 aniversario del Imperio Persa de Ciro el Grande. La fiesta, que costó doscientos millones de dólares, tuvo lugar entre el hambre, la represión política y el creciente resentimiento contra el sha. ◄1953.4 ►1979.1

►INVASIÓN DE LAOS—El 13 de febrero más de doce mil soldados sudvietnamitas apoyados por aviones y artillería americana invadieron Laos en un intento de cerrar el sendero Ho Chi Minh, la ruta de suministros de Hanoi a través de Laos hacia Vietnam del Sur. El presidente sudvietnamita Nguyen Van Thieu denominó la incursión como «un acto de legítima defensa»; la participación americana en el ataque fue ampliamente criticada. Los invasores fueron rechazados y, el 18 de marzo, pilotos americanos sacaron de Laos a mil soldados sudvietnamitas. ◄1970.1 ►1975.4

►CONCIERTO POR UNA CAUSA—En 1971 George Harrison organizó el Concierto por Bangladesh, que se convirtió en el modelo de futuras cruzadas musicales como Live Aid. Ravi Shankar (*inferior*), el profesor de sitar de Harrison, fue el intérprete principal del acontecimiento.

Hounsfield y Cormack compartieron el Premio Nobel de 1979 por su diseño del escáner TAC.

MEDICINA

Un prodigio para el diagnóstico

11 El escáner de Tomografía Axial Computerizada (TAC), presentado en 1971, fue la herramienta de diagnosis más importante desde el descubrimiento de los rayos-X (Röntgen, 1895). El nuevo aparato tomaba radiografías parciales de todo el cuerpo y permitió observar por primera vez los tejidos blandos internos del abdomen, pecho y cráneo sin necesidad de cirugía.

El primer escáner de TAC, diseñado para producir imágenes del cerebro, fue ideado por Godfrey Hounsfield, de la compañía británica EMI. (Allan Cormack, de la Tufts University de Massachusetts, fabricó un aparato similar.) El escáner EMI conectó un aparato de rayos-X a una computador de modo que los radiólogos pudieran distinguir la sangre normal de la coagulada y examinar los ventrículos que retienen el fluido cerebroespinal. (Anteriormente era necesario bombear aire en los ventrículos, un procedimiento doloroso y desagradable, para lograr interpretar los rayos.)

Pronto aparecieron variantes del artilugio como el escáner TAC de cuerpo entero, en el que el paciente permanece estirado dentro de un cilindro. A finales de los años setenta, la resonancia magnética volvió a revolucionar la medicina. Ésta funciona con ondas de radio de una frecuencia altísima sobre un campo magnético potente, que consiguen alinear los átomos del cuerpo para una evaluación computerizada óptima. La resonancia produce imágenes claras del funcionamiento interno del cuerpo, sobre todo de los procesos que implican movimiento de líquidos. Estas herramientas médicas de alta tecnología resultaban caras, pero los hospitales y los médicos las necesitaban —tanto para atraer pacientes como para detectar tumores y hemorragias incipientes. Cuando el costo de los cuidados sanitarios se disparó a mediados de los años setenta, el uso generalizado de escáneres (sobre todo en Estados Unidos) provocó críticas. **◄1960.4**

CINE

Un ídolo de la acción

12 Una oleada de delincuencia en Estados Unidos y la preocupación por la ley y el orden de la era Nixon contribuyeron a que 1971 fuera el año de las películas de policías y ladrones. *Contra el imperio del hampa* obtuvo cinco Óscars de la Academia, entre ellos el del mejor actor para Gene Hackman. Una película de acción de presupuesto modesto protagonizada por Clint Eastwood fue un éxito de taquilla inesperado. *Harry el sucio*, producida y dirigida por Don Siegel, un maestro de las películas de serie B y un ídolo para los cineastas franceses de la *nouvelle vague*, presentó a Harry Callahan, un detective de San Francisco duro y casi sádico con la costumbre de ejercer de juez, jurado y ejecutor. Callahan no era el primer hombre duro que Eastwood había interpretado: en los años sesenta, tras hacerse famoso en la televisión como Rowdy Yates en *Rawhide*, había actuado en el papel de «el hombre sin nombre» en tres *spaghetti westerns* sangrientos del director italiano Sergio Leone.

Cuando Eastwood, que también dirigió y actuó en *Escalofrío en la noche* en 1971, apareció en la portada de *Life*, el titular decía: «¡La estrella de cine favorita del mundo es Clint Eastwood!» En los años noventa interpretó cuatro veces más a Callahan y se convirtió en uno de los talentos más respetados de Hollywood. En 1992 ganó el Óscar a la mejor película por *Sin perdón*, que también protagonizó. **◄1959.7 ►1971.13**

Callahan (Clint Eastwood) primero disparaba y luego preguntaba.

CINE

La llegada del dragón

13 El actor chino-americano experto en artes marciales Bruce Lee era conocido por su papel de Kato en la serie de televisión *The green hornet* desde los años sesenta, pero se convirtió en una estrella internacional en 1971 con la película *Fists of Fury*, su primera colaboración con el productor de Hong Kong Raymond Chow.

La crítica tachó la película de típico pasatiempo de puñetazos, con un diálogo ridículo, una trama rudimentaria y personajes inexpresivos. Su estrella, sin embargo, destacó como actor, luchador y coreógrafo. Lee quería crear una clase superior de películas de artes marciales, con movimientos mejores, pocas armas y una calidad dramática más sofisticada. *Enter the dragon* y *Return of the dragon*, ambas presentadas en 1973, le afianzaron como la figura más importante del género, difundieron el interés por las artes marciales y contribuyeron a que los cineastas occidentales prestaran atención al cine de Hong Kong.

El estilo de Lee, que podía deshacerse de un grupo de villanos con un solo salto, se ha comparado al de Rudolf Nureyev. Su muerte en 1973 a la edad de 32 años, de un edema cerebral, dejó un vacío en el género. **◄1971.12**

Tras Fists of fury, Lee se convertiría en una de las estrellas de cine más populares del mundo.

PREMIOS NOBEL: Paz: Willy Brandt (alemán; *Ostpolitik*) [...] Literatura: Pablo Neruda (chileno; poeta) [...] Química: Gerhard Herzberg (canadiense; estructura electrónica de radicales libres) [...] Medicina: Earl W. Sutherland (estadounidense; mecanismos hormonales) [...] Física: Dennis Gabor (británico; holografía) [...] Economía: Simon Kuznets (estadounidense).

Una anécdota de un Nobel

De *Confieso que he vivido,* de Pablo Neruda

Pablo Neruda, poeta y diplomático chileno, recibió el Premio Nobel de literatura en 1971. En sus memorias, Confieso que he vivido, *recordaría el acontecimiento y las circunstancias que lo rodearon con gran sencillez y humor. A continuación, una anécdota curiosa relacionada con el premio.*

Los telegramas (que hasta ahora no he podido leer ni contestar enteramente) se amontonaron en pequeñas montañas. Entre las innumerables cartas llegó una curiosa y un tanto amenazante. La escribía un señor desde Holanda, un hombre corpulento y de raza negra, según podía observarse en el recorte de periódico que adjuntaba. «Represento —decía aproximadamente la carta— al movimiento anticolonialista de Paramaribo, Guayana Holandesa. He pedido una tarjeta para asistir a la ceremonia que se desarrollará en Estocolmo para entregarle a usted el Premio Nobel. En la embajada sueca me han informado que se requiere un frac, rigurosa etiqueta para esta ocasión. Yo no tengo dinero para comprar un frac y jamás me pondré uno alquilado, puesto que sería humillante para un americano libre vestir una ropa usada. Por eso le anuncio que, con el escaso dinero que pueda reunir, me trasladaré a Estocolmo para sostener una entrevista de prensa y denunciar en ella el carácter imperialista y antipopular de esa ceremonia, así se celebre para honrar al más antiimperialista y más popular de los poetas universales».

En el mes de noviembre, viajamos Matilde y yo a Estocolmo. Nos acompañaron algunos viejos amigos. Fuimos alojados en el esplendor del Gran Hotel. Desde allí veíamos la bella ciudad fría, y el Palacio Real frente a nuestras ventanas. En el mismo hotel se alojaron los otros laureados de ese año, en física, en química, en medicina, etc., personalidades diferentes, unos locuaces y formalistas, otros sencillos y rústicos como obreros mecánicos recién salidos por azar de sus talleres. El alemán Willy Brandt no se hospedaba en el hotel; recibiría su Nobel, el de la paz, en Noruega. Fue una lástima porque entre todos aquellos premiados era el que más hubiera interesado conocer y hablarle. No logré divisarlo después sino en medio de las recepciones, separados el uno del otro por tres o cuatro personas.

Para la gran ceremonia era necesario practicar un ensayo previo, que el protocolo nos hizo escenificar en el mismo sitio donde se celebraría. Era verdaderamente cómico ver a gente tan seria levantarse de su cama y salir del hotel a una hora precisa; acudir puntualmente a un edificio vacío; subir escaleras sin equivocarse; marchar a la izquierda y a la derecha en estricta ordenación; sentarnos en el estrado, en los sillones exactos que habríamos de ocupar el día del Premio. Todo esto enfrentados a las cámaras de televisión, en una inmensa sala vacía, en la cual se destacaban los sitiales del rey y la familia real, también melancólicamente vacíos. Nunca he podido explicarme por qué capricho la televisión sueca filmaba aquel ensayo teatral interpretado por tan pésimos actores.

El día de la entrega del Premio se inauguró con la fiesta de Santa Lucía. Me despertaron unas voces que cantaban dulcemente en los corredores del hotel. Luego las rubias doncellas escandinavas, coronadas de flores y alumbradas por velas encendidas, irrumpieron en mi habitación. Me traían el desayuno y me traían también, como regalo, un largo y hermoso cuadro que representaba el mar.

Un poco más tarde sucedió un incidente que conmovió a la policía de Estocolmo. En la oficina de recepción del hotel me entregaron una carta. Estaba firmada por el mismo anticolonialista desenfrenado de Paramaribo, Guayana Holandesa. «Acabo de llegar a Estocolmo», decía. Había fracasado en su empeño de convocar una conferencia de prensa pero, como hombre de acción revolucionario, había tomado sus medidas. No era posible que Pablo Neruda, el poeta de los humillados y de los oprimidos, recibiera el Premio Nobel de frac. En consecuencia, había comprado unas tijeras verdes con las cuales me cortaría públicamente «los colgajos del frac y cualesquiera otros colgajos». «Por eso cumplo con el deber de prevenirle. Cuando usted vea a un hombre de color que se levanta al fondo de la sala, provisto de grandes tijeras verdes, debe suponer exactamente lo que le va a pasar».

Le alargué la extraña carta al joven diplomático, representante del protocolo sueco, que me acompañaba en todos mis trajines. Le dije sonriendo que ya había recibido en París otra carta del mismo loco, y que en mi opinión no debíamos tomarlo en cuenta. El joven sueco no estuvo de acuerdo.

—En esta época de cuestionadores pueden pasar las cosas más inesperadas. Es mi deber prevenir a la policía de Estocolmo— me dijo, y partió velozmente a cumplir lo que consideraba su deber.

Debo señalar que entre mis acompañantes a Estocolmo estaba el venezolano Miguel Otero Silva, gran escritor y poeta chispeante, que es para mí no solamente una gran conciencia americana, sino también un incomparable compañero. Faltaban apenas unas horas para la ceremonia. Durante el almuerzo comenté la seriedad con que los suecos habían recibido el incidente de la carta protestataria. Otero Silva, que almorzaba con nosotros, se dio una palmada en la frente y exclamó:

—Pero si esa carta la escribí yo de mi puño y letra, por tomarte el pelo, Pablo. Qué haremos ahora con la policía buscando a un autor que no existe?

—Serás conducido a la cárcel. Por tu broma pesada de salvaje del mar Caribe, recibirás el castigo destinado al hombre de Paramaribo —le dije.

En ese instante se sentó a la mesa mi joven edecán sueco que venía de prevenir a las autoridades. Le dijimos lo que pasaba:

—Se trata de una broma de mal gusto. El autor está almorzando actualmente con nosotros.

Volvió a salir presuroso. Pero ya la policía había visitado todos los hoteles de Estocolmo, buscando a un negro de Paramaribo, o de cualquier otro territorio similar.

Y mantuvieron sus precauciones. Al entrar a la ceremonia, y al salir del baile de celebración, Matilde y yo advertimos que, en vez de los acostumbrados ujieres, se precipitaban a atendernos cuatro o cinco mocetones, sólidos guardaespaldas rubios a prueba de tijeretazos.

«Estos bastardos no han sido bombardeados nunca como van a serlo esta vez.»—**Richard Nixon, presidente de Estados Unidos, mayo de 1972**

HISTORIA DEL AÑO

América se retira de Vietnam

1 En marzo de 1972 ciento veinte mil soldados regulares norvietnamitas entraron en Vietnam del Sur. La invasión, apoyada por las guerrillas Viet Cong, tomó por sorpresa a los ejércitos americano y sudvietnamita. En

Una de las fotografías más impactantes de la guerra muestra las consecuencias de un bombardeo de napalm sobre el pueblo de Trang Bang.

el país sólo quedaban seis mil soldados de combate americanos: la preparación de Vietnam del Sur para su defensa sin ayuda exterior resultó un fracaso. Cuando la provincia de Quangtri cayó en poder de los soldados de Hanoi, los B-52 americanos bombardearon Vietnam del Norte como nunca lo habían hecho. En agosto, cuando se desactivó la última unidad de combate americana según el programa, los comunistas seguían avanzando.

Sin embargo, en el frente diplomático sufrieron un revés: las visitas de Nixon a China y a la Unión Soviética a principios de año perjudicaron las relaciones entre Hanoi y sus partidarios. Así, en octubre, el negociador norvietnamita en las conversaciones de paz de París, Le Duc Tho, ofreció un compromiso. Si los soldados comunistas podían quedarse en Vietnam del Sur tras el alto al fuego, Hanoi no insistiría en sustituir inmediatamente el régimen de Thieu en Saigón por un nuevo gobierno. Y los vietnamitas podrían llegar a un acuerdo entre ellos más adelante. El negociador americano Henry Kissinger estuvo de acuerdo, y afirmó que el plan permitiría un «intervalo aceptable» entre la retirada americana y cualquier trastorno político. Aunque Thieu se resistía, Kissinger anunció que la paz estaba cerca. Días después, Nixon fue reelegido por un margen amplio ante el demócrata pacifista George McGovern.

Kissinger se desdijo enseguida, e insistió en que las tropas norvietnamitas se retiraran del Sur. Le se negó y añadió condiciones a su oferta original. En diciembre, Nixon ordenó bombardeos masivos sobre Hanoi y Haiphong. El «bombardeo de Navidad» provocó la condena mundial pero calmó a Thieu, que lo vio como una prueba de que no le abandonarían por completo. El 27 de enero de 1973 se firmó un tratado muy parecido al plan que Le había propuesto en octubre.

La guerra más larga de América había finalizado con su primera derrota militar, ante un país pequeño y tecnológicamente menos avanzado y al precio de cincuenta y siete mil vidas americanas. ◂**1971.2** ▸**1973.8**

DIPLOMACIA

Nixon en China

2 Tras 20 años de hostilidad, la República Popular China y Estados Unidos llegaron a una detente en 1972. El 21 de febrero, el presidente Nixon llegó a China para entrevistarse con el primer ministro Zhou Enlai y el presidente Mao Zedong. Se abrió así una nueva situación política y finalizó una época durante la cual China consideró a Estados Unidos como «el peor enemigo de la gente de todo el mundo» y Washington se negó a reconocer la existencia de la República Popular.

Un incentivo para la cumbre fue el antagonismo creciente entre China y la Unión Soviética. Pekín empezó a suavizar su oposición a Washington en 1969, después de las escaramuzas en la frontera sino-soviética. Dos años después China culminó esta postura cuando invitó al equipo americano de tenis de mesa. La «diplomacia del ping-pong» convenció a muchos americanos de que el monolito comunista, una idea fundamental de la política exterior americana, era un mito. Nixon, un partidario de la línea dura, pudo explotar la situación sin que se le acusara de ser blando con el comunismo. «Pekín nos necesita para romper su aislamiento», declaró Henry Kissinger, que viajó en secreto a China en julio de 1971. Washington, a su vez, necesitaba a Pekín para presionar a Moscú.

La ONU, en parte motivada por la misión de Kissinger (que se hizo pública a su regreso), admitió a China

El presidente Nixon y su esposa, Pat, se reúnen con los dirigentes de China en una cena oficial en Shanghai.

y expulsó a Taiwan. La decisión revocó la postura de la ONU (y de Estados Unidos), mantenida desde el triunfo de Mao sobre Chiang Kai-shek, de que el régimen nacionalista de Chiang en Taiwan era el verdadero gobierno de China. La visita de Nixon tuvo como resultado el comunicado de Shanghai, en el cual los dos países, reconociendo diferencias básicas, anunciaron el deseo de mejorar sus relaciones. Hubo intercambio de regalos: de China dos pandas gigantes y de América dos bueyes almizclados. El efecto sobre la cultura popular americana fue inmediato: China se puso de moda, desde la comida hasta la acupuntura. ◂**1949.1** ▸**1976.1**

UGANDA

Amin expulsa a los asiáticos

3 En agosto de 1972 el general Idi Amin, dirigente de Uganda, dio a los residentes asiáticos sin nacionalidad ugandesa (sesenta mil de un total de setenta y cinco mil) un plazo de 90 días para abandonar el país. Amin esperaba que con esta medida los ugandeses desviaran su atención sobre la recesión económica.

El mundo expresó su condena pero los ugandeses se alegraron: los asiáticos, que dominaban el comercio y las profesiones liberales de la nación, constituían una minoría envidiada. Sin embargo, la mayor parte de empresas confiscadas pasaron a manos de oficiales del ejército que las llevaron a la quiebra.

Los problemas de Uganda se remontaban a la época colonial. Los británicos (que nunca se establecieron del todo en Uganda) concentraron sus esfuerzos en la región de Buganda y prepararon al grupo étnico ganda (el 20 % de la población de Uganda) para el gobierno nacional. El resultado fue que los ganda despertaron resentimientos. Después de que el país obtuviera la independencia en 1962, el presidente Milton Obote reforzó el ejército y le dio carta blanca para reprimir a los ganda. Amin, un antiguo boxeador que había ido ascendiendo en el ejército colonial, dirigió la operación.

En 1971, mientras Obote estaba ausente, Amin inició su derrocamiento. Los partidarios de Amin, de la región del oeste del Nilo, asesinaron a soldados pertenecientes a grupos étnicos de la zona de Obote. Luego amplió aún más el ejército y gastó los escasos fondos de Uganda en armas. Sus tropas empezaron a aterrorizar a los ciudadanos y a los extranjeros por igual. Conocido por los ugandeses como «Gran Padre», Amin osciló entre actitudes groseras y diatribas enfermizas. Ordenó el

ARTE Y CULTURA: Libros: ***La saga-fuga de J. B.*** **(G. Torrente Ballester) [...] Música:** ***XVIII Sinfonía*** **(D. Shostakóvich) [...] Pintura y escultura:** ***Mao*** **(Andy Warhol) [...] Cine:** ***El padrino*** **(Francis Ford Coppola);** ***El discreto encanto de la burguesía*** **(Luis Buñuel);** ***Las amargas lágrimas de Petra von Kant*** **(R. W. Fassbinder) [...]**

«Éste es nuestro Sharpeville. Nunca lo olvidaremos.»—**Bernadette Devlin, miembro del parlamento de Irlanda del Norte, sobre la matanza de Londonderry**

asesinato de varios miembros de su gabinete y, tras cortar sus relaciones con Israel (antigua patrocinadora) para recibir ayuda libia, declaró su aprobación del holocausto nazi.

El desorden económico se intensificó tras el éxodo asiático, y una invasión mal organizada de ugandeses exiliados (apoyada por Tanzania) en septiembre de 1972 le hizo más agresivo que nunca. Cuando las fuerzas de Tanzania consiguieron expulsarle en 1979, su régimen había acabado con más de trescientas mil personas. **◂1901.7 ▸1976.NM**

IRLANDA DEL NORTE

Otro Domingo Sangriento

4 El 30 de enero de 1972 desafiando una prohibición gubernamental, diez mil irlandeses del norte se manifestaron por los derechos civiles. Marcharon desde el barrio católico de Bogside hasta el centro de Londonderry. Un cordón de soldados británicos les esperaba. Normalmente ambas partes seguían una rutina: los manifestantes avanzaban; el ejército les impedía el paso; los más agresivos tiraban piedras; el ejército contestaba con gases lacrimógenos, mangueras de agua y balas de goma, y la gente se dispersaba y regresaba a casa. Pero ese día, conocido como el Domingo Sangriento, el ejército no siguió el guión y abrió fuego contra la multitud, matando a trece católicos desarmados.

«Esta comunidad nunca volverá a acoger al ejército británico», declaró un sacerdote testigo de la masacre. Un terrorista del IRA fue más agresivo: «Nuestro objetivo inmediato es matar al mayor número de soldados británicos». El ejército británico, enviado a Irlanda del Norte en 1969 para calmar la violencia, era para muchos católicos una extensión del gobierno local discriminatorio. La política de internamiento, por la que el ejército arrestaba y encarcelaba de forma indefinida y sin juicio a sospechosos y registraba por sorpresa casas y pisos, amargó la vida a los católicos. El Domingo Sangriento abrió heridas que se remontaban al siglo XII, cuando Inglaterra inició su conquista de Irlanda. Por primera vez en la fase actual de enfrentamientos, la violencia se extendió a la República de Irlanda. El 2 de febrero, un día de luto en Londonderry, incendiaron la embajada británica de Dublín. En marzo, Londres disolvió el parlamento de Irlanda del Norte, controlado por protestantes, finalizando medio siglo de gobierno local fracasado. Los activistas católicos, a pesar de alegrarse del fin de un gobierno odiado, continuaron atacando al ejército, en toda Irlanda del Norte, un país en guerra consigo misma y sus fantasmas. **◂1969.2 ▸1973.6**

TERRORISMO

Masacre en los Juegos Olímpicos

5 Los primeros Juegos Olímpicos celebrados en Alemania desde la Segunda Guerra Mundial deberían haber sido un símbolo de la reconciliación; sin embargo, se convirtieron en un espectáculo de terror y en un eco horripilante de la era nazi porque las víctimas fueron judías. En la madrugada del 5 de septiembre, comandos del grupo de la OLP Septiembre Negro (llamado así por el mes de 1970 en que los soldados jordanos derrotaron a las guerrillas palestinas) escalaron una valla que protegía la villa olímpica. Se dirigieron a las dependencias donde descansaba el equipo de Israel, mataron a dos entrenadores y tomaron nueve rehenes, entre ellos dos oficiales de seguridad. (Catorce miembros del equipo escaparon.) Doce mil policías rodearon la villa por la mañana.

Los comandos pedían la liberación de doscientos guerrilleros que se hallaban en cárceles israelitas, pero la primer ministro Golda Meir se negó.

Un terrorista palestino encapuchado en el balcón de la villa olímpica alemana.

Los alemanes negociaron con los terroristas, que no aceptaron a un representante de la Liga Árabe enviado a toda prisa al lugar. Los ocho palestinos rehusaron rendirse y rechazaron la oferta de los negociadores de intercambiar sus puestos por los de los rehenes, pero aplazaron la hora límite de matar a sus prisioneros y finalmente aceptaron la proposición de trasladarse a El Cairo con sus prisioneros.

Por la noche, unos helicópteros condujeron a los secuestradores y a sus víctimas a un aeropuerto militar donde les esperaba un avión de la Lufthansa. Cuando dos de los terroristas descendieron del helicóptero, tiradores apostados de la policía abrieron fuego. Al final murieron cinco terroristas, un policía y todos los rehenes.

El Comité Olímpico tomó la controvertida decisión de continuar con los Juegos. Los atletas israelitas supervivientes regresaron a su país y su gobierno bombardeó campos palestinos de Siria y el Líbano. **◂1970.3 ▸1972.8**

NACIMIENTOS

Michael Chang, tenista estadounidense.

Jamal Mashburn, jugador de baloncesto estadounidense.

Shaquille O'Neal, jugador de baloncesto estadounidense.

MUERTES

Max Aub, escritor español.

Américo Castro, historiador español.

Maurice Chevalier, actor y cantante francés.

Eduardo VIII, duque de Windsor, rey de Inglaterra.

Gabriel Ferrater, poeta español.

J. Edgar Hoover, director del FBI.

Mahalia Jackson, cantante y activista estadounidense de los derechos civiles.

Louis Leakey, antropólogo británico.

Kwame Nkrumah, presidente de Ghana.

Ezra Pound, poeta estadounidense.

Paul Henri Spaak, político belga.

Harry S. Truman, presidente estadounidense.

Las hostilidades convirtieron Londonderry en una zona de guerra (*superior*, miembros del IRA abatidos por soldados británicos).

Teatro: *Grease* (Jacobs y Casey); *Quejío* (grupo La Cuadra) [...] TV: *M*A*S*H; Las calles de San Francisco.*

«El hecho de que no hayan fabricado camellos es realmente destacable.»—**Dean Thornton, de la Boeing Aircraft con sede en Estados Unidos, sobre el Airbus**

NOVEDADES DE 1972

Zapatillas Nike.

Videojuego con éxito comercial (Pong, de Atari).

EN EL MUNDO

▶WALLACE HERIDO—El 15 de mayo Arthur Bremer, de 21 años de edad, disparó contra el gobernador segregacionista de Alabama, George Wallace, que hacía campaña en Laurel, Maryland, para la nominación demócrata presidencial de 1972, dejándole paralítico. (Otras tres personas fueron heridas.) Wallace, que se había hecho famoso cuando prohibió en persona la entrada en la Universidad de Alabama a unos estudiantes negros, retiró su candidatura pero volvió a presentarla cuatro años después. ◂1963.7

▶MISIÓN CUMPLIDA—El programa Apolo, tras realizar el último de sus seis alunizajes proyectados, finalizó el 19 de diciembre cuando el *Apolo 17* cayó en el Pacífico. El programa, desde su inicio en 1961, pasando por su primera misión tripulada en 1968 y los espectaculares alunizajes que siguieron, fue uno de los proyectos tecnológicos más ambiciosos que se han emprendido. ◂1969.1 ▸1975.6

▶SPITZ CONSIGUE EL ORO—En una actuación olímpica legendaria, el nadador de 22 años de edad Mark Spitz consiguió siete medallas de oro en los Juegos de Múnich de 1972. Ganó cuatro competiciones individuales y

tres carreras de relevos con el equipo norteamericano. En todas batió récords mundiales y se convirtió en una de las figuras más populares del mundo. ◂1972.5

▶ATENTADO FRUSTRADO—El 16 de agosto, el rey de Marruecos fue víctima de un

AVIACIÓN

El autobús aéreo

6 El Airbus A300 realizó su primer vuelo el 28 de octubre de 1972. El avión fue producido por un consorcio de cinco compañías de Francia, Alemania, Holanda, España y Gran Bretaña. Estos países enviaron las piezas a la fábrica aeroespacial de Toulouse en un gran avión de carga llamado Super Guppy.

Los expertos americanos en aviación compararon con desprecio el A300 con un torpe camello, «un caballo diseñado por un comité», pero el avión, barato y con 280 plazas, resultaba perfecto para las rutas europeas de corta y media distancia. El Airbus funcionaba con dos motores turborreactores, en lugar de los cuatro motores del Boeing 747, y sus alas de tecnología avanzada reducían la distancia requerida para el despegue y el aterrizaje. Las primeras ventas fueron promovidas por los pedidos de líneas aéreas estatales como la Lufthansa y Air France. Aunque los fabricantes norteamericanos protestaron porque las subvenciones gubernamentales convirtieron a los europeos en una competencia desleal, no pudieron evitar que líneas aéreas norteamericanas como la TWA, la Delta y Air Canada compraran estos aparatos.

En 1992, la Airbus Industrie había acaparado el 30 % del mercado mundial de aviones de pasajeros, desafiando a la industria aeronáutica americana sin rival hasta entonces. ◂1958.6 ▸1977.9

Respaldados por sus arsenales nucleares, Brezhnev y Nixon se sienten libres para hablar.

DIPLOMACIA

Cumbre en Moscú

7 En mayo de 1972, semanas después de su acercamiento histórico a China, Richard Nixon se convirtió en el primer presidente de Estados Unidos que visitaba la Unión Soviética. Aunque durante la visita el tema de la guerra en el sudeste asiático apareció muchas veces, las conversaciones sobre comercio, cooperación científica y control de armamento constituyeron la cumbre soviético-americana más productiva desde la Segunda Guerra Mundial.

Los principales resultados de la cumbre fueron dos tratados de limitación de armas estratégicas (ambos conocidos como SALT I) que restringían los sistemas defensivos de misiles antibalísticos y congelaban de modo temporal el armamento ofensivo nuclear. (Al renunciar a los misiles defensivos, ambos bandos abandonaron un escudo que les hubiera dado impunidad en el ataque.) Asimismo, las dos potencias acordaron iniciar un programa espacial conjunto, materializado en 1975 con el ensamblaje espacial Apolo-Soyuz.

Aunque Nixon había recibido elogios por su acercamiento a China, muchos americanos de derechas le acusaron de traición ideológica por este nuevo acuerdo amistoso. La acusación perjudicó a su ya insegura administración. Pero la mayor parte de ciudadanos, americanos y soviéticos, acogieron con alegría la distensión. Los dos gobiernos, por una vez al menos, habían dejado de hablar de enterrarse uno a otro. ◂1969.8 ▸1977.NM

En 1972 empezaron a montarse en Toulouse los primeros Airbuses.

EGIPTO

Sadat expulsa a los soviéticos

8 El presidente de Egipto Anuar el-Sadat expulsó de su nación a unos quince mil militares soviéticos en julio de 1972, rompiendo la dependencia de su predecesor de la ayuda técnica y militar de Moscú. El gobierno de Egipto eligió a Sadat

Sadat abandonó la política de Nasser para seguir la suya propia.

como sucesor de Gamal Abdal Nasser y el 90 % del electorado lo confirmó, pensando que continuaría la política de su predecesor; no obstante, Sadat empezó a demostrar de varios modos que seguiría su propia política: abolió parcialmente las restricciones de la libertad de expresión, purgó a algunos izquierdistas del único partido legal de Egipto y favoreció la religión y la empresa privada. La expulsión masiva de técnicos rusos (aceptada por los soviéticos para conservar la detente con América y evitarse mala prensa en el Tercer Mundo) lo demostró claramente.

Sadat obtuvo el apoyo popular para su política explicándola en términos nasseristas de independencia nacional y disponibilidad para la guerra contra Israel (los soviéticos habían retrasado siempre los envíos de armas). Aunque la ruptura con Moscú no se presentó como definitiva, se usó en varios frentes. Sadat intentó calmar a sus propios oficiales, que amenazaban con rebelarse a causa de la arrogancia y negligencia de los consejeros soviéticos. Quería privar a Washington de una razón para armar a Israel y desdeñar a Egipto.

DEPORTES: Juegos Olímpicos de Sapporo y Múnich [...] Esquí: medalla de oro de eslálom especial para el esquiador español Francisco Fernández Ochoa en los Juegos Olímpicos de invierno [...] Motociclismo: Angel Nieto, campeón del mundo de 50 y 125 c.c.

«¿Estás poniendo toda esta mierda en el artículo? Se ha negado todo. Si esto se publica van a hacer carne picada de Katie Graham (propietaria de The Washington Post*).»* **—John Mitchell, antiguo fiscal general, al periodista de *The Washington Post* Carl Bernstein**

Esperaba asegurar la alianza con los ricos y antisoviéticos saudistas y pretendía demostrar a los soviéticos que no debían tomar a Egipto como algo seguro.

Todos los deseos de Sadat se cumplieron menos uno: la esperanza de ganarse a Washington. Sin embargo, El Cairo se benefició. Con Moscú supuestamente fuera de juego, Estados Unidos se sintió libre para preocuparse de otras cosas y los soviéticos pudieron continuar suministrando armas. Al cabo de unos meses, Egipto estaba listo para la guerra. **◂1970.3 ▸1973.2**

Los hombres Corleone interpretados por John Cazale, Al Pacino, Marlon Brando y James Caan.

CINE

Una saga de mafiosos

9 *El padrino*, estrenada en 1972, resultó una combinación poco habitual en Hollywood: un éxito absoluto de taquilla (acumuló 330 millones de dólares en dos años y medio) y una película muy inteligente. La historia hubiera podido convertirse en una versión más sangrienta y sexual de las películas de gángsters de los años treinta, pero el director Francis Ford Coppola añadió grandeza y profundidad a la superficial novela de Mario Puzo sobre la mafiosa familia Corleone.

Coppola y Puzo, que coescribieron el guión, retrataron los tratos y dobles tratos, fidelidades y deslealtades, el código de honor y la crueldad de la mafia como reflejos deformados de la empresa libre americana. Don Vito Corleone (interpretado por Marlon Brando, que ganó un Óscar) habla con eufemismos de banquero: «Le hemos hecho una oferta que no puede rechazar». En nombre de los negocios se dan palizas, se dispara y se mata. Estos acontecimientos terribles se yuxtaponen a cálidas escenas familiares: bodas, cenas y juegos con los nietos. Los mafiosos son seres humanos con alegrías corrientes, pero el amor a la familia no es una virtud ordinaria sino que esconde una amoralidad antisocial patológica que desemboca en tragedia y decadencia moral. Después de que el Don cae en una emboscada y su hijo mayor es asesinado, Michael (Al Pacino), el hijo menor, destinado a ser honrado, debe vengarse y cometer un asesinato. Al final se convierte en el «empresario» más implacable y de este modo pierde su alma.

Gordon Willis dirigió la fotografía de *El padrino* de tonos fúnebres, y Nino Rota compuso la banda sonora. Su primera secuela, *El padrino, II parte* (1974) fue incluso mejor que su predecesora (ambas ganaron el Óscar a la mejor película). La tercera parte (1990) en cambio fue desigual y repetitiva. **◂1947.13 ▸1973.12**

ESTADOS UNIDOS

El escándalo Watergate

10 Richard Nixon emprendía su campaña electoral para un segundo mandato presidencial en junio de 1972 cuando un guardia de seguridad del Watergate, complejo de hoteles y oficinas de Washington, advirtió que se estaba cometiendo un robo en la sede nacional del Partido Demócrata. La policía detuvo a cinco hombres (que portaban micrófonos) en el lugar y poco después a dos más, el antiguo agente del FBI G. Gordon Liddy y el antiguo agente de la CIA E. Howard Hunt. Pronto se descubrió que Liddy, Hunt y el ladrón James McCord estaban relacionados con la Casa Blanca y el comité para la reelección del presidente (llamado CREEP). El torbellino de escándalos que siguió desembocó en 1974 con la primera dimisión de un jefe de Estado estadounidense.

El caso permaneció silenciado el tiempo suficiente para que Nixon fuera reelegido en noviembre. Nixon y sus ayudantes H. R. Haldeman y John Erlichman ocultaron una serie de sobornos, evasiones de impuestos, financiación ilegal de la campaña, «juegos sucios» contra los candidatos rivales y vigilancia ilegal de enemigos políticos a cargo de la CIA, el FBI y la «unidad de fontaneros» de la Casa Blanca. (Esta última incluso desvalijó el despacho del psiquiatra de Daniel Ellsberg, que había divulgado los «Papeles del Pentágono».)

Cuando el juez John J. Sirica y los audaces periodistas del *Washington Post*, Carl Bernstein y Bob Woodward, empezaron a deshacer el nudo del Watergate, el senado intervino formando una comisión de investigación presidida por Sam Ervin, de Carolina del Norte. En marzo de 1973, McCord informó a Sirica de que en su juicio de enero, los acusados de haber entrado de forma ilegal en el Watergate habían mantenido silencio o habían mentido por orden de altos cargos. El director en funciones del FBI, L. Patrick Gray III, Erlichman, Haldeman y el fiscal general Richard Kleindienst dimitieron y el consejero del presidente John Dean III fue despedido. Archibald Cox, profesor de derecho en Harvard, fue nombrado fiscal especial y después de que Dean implicara a Nixon durante unas audiencias televisadas, un funcionario de la Casa Blanca reveló (también por televisión) que el presidente había instalado grabadoras en sus despachos. La paranoia de Nixon y su obsesión por conservar sus conversaciones para la posteridad aseguraron su desgracia política. **◂1968.1**

Los hombres del presidente fueron cayendo hasta que el escándalo alcanzó al mismo Nixon.

doble atentado del que consiguió salir ileso. Cuando regresaba de París por vía aérea, su avión, un Boeing 727, fue atacado por aviones marroquíes que paradójicamente tenían que darle escolta cuando sobrevolaba Tetuán. El avión real logró aterrizar en Rabat a pesar de los daños. Ya en el Palacio Real, Hassan II fue de nuevo atacado por aviones marroquíes que causaron tres muertes pero no llegaron a alcanzar al monarca. El general Ufkir, ministro de defensa, considerado responsable de los atentados, se suicidó tras su fracaso.

▶GUERRA CIVIL EN BURUNDI—En 1972, seis años después de que un golpe militar derrocara a la monarquía de Burundi, en el centro-este de África, y se proclamara la primera República (dominada por el grupo étnico tutsi), el rey exiliado Mwami Ntare V intentó recuperar el poder. El presidente Michel Micombero resistió el golpe, pero la mayoría hutu reprimida (que fue culpada del intento de Ntare) se rebeló. La represión gubernamental se convirtió en un genocidio: de los ciento cincuenta mil hutus que había en Burundi murieron cien mil, cerca de un 5 % de la población total, y la clase culta fue prácticamente erradicada. En el futuro, el enfrentamiento entre hutus y tutsis se cobraría cientos de miles de vidas en Burundi y en la vecina Ruanda. ▸1994.2

▶EL ENCANTO DE KORBUT —La actuación de la gimnasta soviética Olga Korbut en los Juegos Olímpicos de Múnich de 1972 cautivó al mundo.

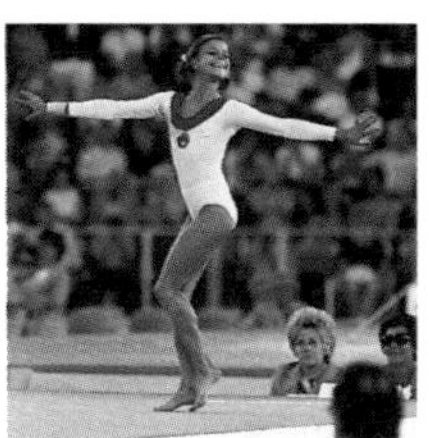

La pequeña bielorrusa de 16 años consiguió tres medallas de oro y una de bronce y entusiasmó a los espectadores con su abierta sonrisa y un salto mortal hacia atrás desde las barras asimétricas. ◂1972.5 ▸1976.3

▶UN GOURMET DEL SEXO —El superventas del geriatra

POLÍTICA Y ECONOMÍA: **la Volkswagen fabrica el «escarabajo» 15.007.634 batiendo el récord que tenía la Ford con su Modelo T [...] Richard Nixon reelegido presidente al derrotar a George McGovern [...] La EPA prohíbe el uso de DDT.**

«No he nacido en el gueto y no forma parte de mi experiencia personal. La música reggae *me influyó profundamente porque intensificó el elemento de la comprensión emocional.»*—**Michael Manley, primer ministro jamaicano**

Alex Comfort, *El placer de amar,* era una imitación del libro de cocina *The joy of cooking.* El tono liberal del libro encajó perfectamente con la revolución sexual que estaba teniendo lugar. «No debemos juzgar la moral de los distintos estilos de vida», escribió Comfort, que animaba a la experimentación y afirmaba que todos somos bisexuales. ◂1970.NM

▶RECUPERACIÓN DE OKINAWA—Tras 27 años de gobierno americano, Estados Unidos devolvió las islas Ryukyu a Japón en 1972. La isla más conocida del archipiélago era Okinawa, escenario de algunas de las batallas más sangrientas de la Segunda Guerra Mundial. ◂1945.1

La estrella del *reggae* Bob Marley difundió la conciencia negra caribeña por todo el mundo.

CARIBE

Socialismo y *reggae*

11 Para todas las antiguas colonias, los primeros años de independencia constituyen una época de afirmación de su identidad cultural y de su autonomía económica y política. Estas cuestiones convergieron en las elecciones jamaicanas de 1972. Michael Manley, del Partido Nacional Popular, condenó la dominación americana y británica que había sufrido Jamaica y empleó la retórica del «rastafarianismo», el culto comunitario de los pobres de Jamaica que tenían a África como cielo, adoraban a Haile Selassie como a un dios encarnado y profetizaban la caída del capitalismo. Manley suavizó su mensaje con *reggae*, la música meditativa de los rastas y ganó fácilmente las elecciones.

Manley pensaba que la bauxita, el mayor producto de exportación jamaicano junto con la marihuana, era la clave para aumentar su influencia. Formó un cartel de naciones exportadoras de bauxita (según el ejemplo de la OPEP) y aumentó el precio de los derechos para la explotación de cobre. Con el aumento de ingresos creó servicios sociales nuevos, pero el cartel pronto se deshizo y las compañías mineras (la mayor parte de propiedad americana) redujeron la producción. Durante el segundo mandato de Manley, su gobierno controló parcialmente muchas industrias jamaicanas y se alineó con el Tercer Mundo. Washington tomó represalias: se paralizaron las ayudas, las inversiones y el turismo. La pobreza creció enormemente.

Manley perdió las elecciones de 1980 ante el conservador Edward Seaga pero, a pesar del fracaso de su política, la actitud desafiante de Manley y su oratoria agresiva otorgaron a su pueblo una confianza nueva. Durante su gobierno, el *reggae* se convirtió en otro producto jamaicano de exportación y el gran compositor y profeta Bob Marley se convirtió en una de las estrellas *pop* más influyentes. **◂1928.13 ▸1973.NM**

DEPORTES

Fischer derrota a Spassky

12 Poco después de convertirse en un maestro del ajedrez a la edad de quince años, Bobby Fischer empezó a obsesionarse con acabar la sucesión de campeones soviéticos que dominaban el juego desde los años cuarenta. Cuando finalmente Fischer se enfrentó con Boris Spassky en los campeonatos del mundo de 1972 en Reykiavik, Islandia, el ajedrez se convirtió en un frente de batalla de la guerra fría.

Fischer, de 29 años, boicoteó la ceremonia inaugural al negarse a aparecer hasta que no recibiera una remuneración más elevada. (Un patrocinador generoso dobló el premio.) Perdió la primera partida y renunció a la segunda, objetando la presencia de las cámaras. Pero luego empezaron los fuegos artificiales: en cuatro partidas de una virtuosidad sorprendente, Fischer arrolló a Spassky. En un momento dado, la seguridad soviética insistió en desmontar la silla de Fischer por si contenía artilugios electrónicos que le suministraran información.

Aficionados al ajedrez de todo el mundo (superior, en Praga) siguen las partidas movimiento a movimiento.

El éxito de Fischer no duró mucho. Renunció al título de 1975 al negarse a enfrentarse con Anatoly Karpov. Fue una leyenda retirada hasta 1992, cuando volvió a jugar contra Spassky en la Yugoslavia en guerra (violando las sanciones internacionales). Su victoria no fue significativa: Spassky ya no estaba entre los cien mejores jugadores del mundo.

MÚSICA

El «*glitter rock*»

13 Cuando la rebeldía política de los años sesenta dio paso a los problemas personales de los setenta, nació una nueva fuerza en la cultura juvenil: el «*glitter rock*». El *glitter* inició un ataque musical contra los roles sexuales. Su sonido iba desde el *rock* duro protopunk de los New York Dolls hasta las baladas etéreas de Roxy Music; su imagen, desde los trasvestidos con ropa mala hasta los vanidosos más elegantes. El género disfrutó de su mejor época en 1972, cuando David Bowie inició una gira internacional para promocionar su disco *The rise and fall of Ziggy Stardust and the spiders from Mars.*

David Bowie fue el ejemplar *glitter* original.

Con sus pómulos pronunciados, su voz sinuosa y su ingenio decadente, Bowie dio al *glitter* un encanto genuino. Su música era una combinación de *rock* y ópera, su puesta en escena, con decorados elaborados y bailarines disfrazados, resultaba tan compleja como un espectáculo de Broadway. Bowie pronto abandonó la imagen de diva en favor de una más andrógina y menos espectacular, pero su éxito popular contribuyó a que una serie de intérpretes *glitter* llegaran al estrellato. El más importante es Elton John, que, como su colega británico, continúa vendiendo millones de discos en los años noventa. **▸1976.NM**

PREMIOS NOBEL: Paz: Sin galardón [...] Literatura: Heinrich Böll (alemán; escritor) [...] Química: Christian Boehmer, Stanford Moore y William H. Stein (estadounidenses; enzimas) [...] Medicina: Gerald Edelman y Rodney Porter (estadounidense y británico; anticuerpos) [...] Física: John Bardeen, Leon N. Cooper y John R. Schrieffer (estadounidenses; superconductividad) [...] Economía: Kenneth J. Arrow (estadounidense) y John R. Hicks (británico).

Vivos o muertos

Accidente en los Andes

En octubre de 1972 el equipo de rugby uruguayo del colegio Stella Maris de Montevideo fletó un chárter con rumbo a Chile para ir a jugar un partido. A bordo iban familiares y amigos además de los jugadores, 36 personas en total. A causa de un fallo, el avión se estrelló en plena cordillera andina. Tras 72 días, el mundo se conmocionó ante el relato de 16 supervivientes, que se habían visto obligados a comer carne humana para continuar viviendo. Al cabo de un año se publicó un libro que explicaba su terrible experiencia y al cabo de veinte años se rodó una película sobre el accidente.

El 22 de diciembre aparecen vivos 16 de los 36 pasajeros del avión que el 13 de octubre se había estrellado en la cordillera de los Andes. El relato de las penalidades de los supervivientes, obligados a devorar los cadáveres de sus compañeros, estremece a la opinión pública.

«En vista del aumento de ayudas a Israel, el reino de Arabia Saudí ha decidido paralizar la exportación de petróleo a Estados Unidos por adoptar tal postura.»—**Comunicado del gobierno de Arabia Saudí, publicado el 20 de octubre de 1973**

HISTORIA DEL AÑO

La OPEP empieza a actuar

1 En otoño de 1973, la Organización de Países Exportadores de Petróleo empezó a asestar una serie de golpes a la economía mundial. En vísperas de la guerra del Yom Kippur entre árabes e israelitas, la OPEP dobló el precio del petróleo, a 3 dólares el barril. Durante la guerra la organización aumentó el precio en otro 70 % y los miembros árabes redujeron la producción a un cuarto e impusieron un embargo a los países que ayudaban a Israel. El enero siguiente, la OPEP dobló los precios otra vez, a 11,56 dólares el barril. Estas medidas provocaron pánico. En América se produjeron colas kilométricas en las gasolineras; en Europa, muchos países prohibieron ir en coche los fines de semana; en todo el mundo se rebajaron los límites de velocidad y los termostatos, se redujeron los viajes por avión y la publicidad luminosa se apagó para ahorrar electricidad generada con petróleo. Entre las consecuencias persistentes mucho después de que se levantara el embargo en marzo de 1974 destacan: la intensificación de la pobreza en los países desarrollados, el déficit en la balanza de pagos, la inflación y el mayor trasvase de riqueza —de los países consumidores a los productores de petróleo— de la historia.

«El verano de 1973», representado por un dibujante del *Boston Globe*.

Aunque parezca mentira la reducción y el embargo petrolífero afectó poco y sólo temporalmente a los suministros internacionales de petróleo. Lo que provocó la escasez fue el acaparamiento y las medidas de emergencia de distribución. El temor de la población fue manipulado por compañías petrolíferas transnacionales, que lo utilizaron para conseguir beneficios más altos y por políticos que defendían un cambio de postura en la política proisraelita. Aunque la presión del petróleo les valió a los árabes la hostilidad general (a pesar de la decisión de Washington de no permitir a Israel una victoria total en la guerra), les aseguró un lugar privilegiado en los asuntos internacionales, mientras se mantuviera la unidad de la OPEP.

Sin embargo, el efecto de la crisis fue más allá de las cuestiones políticas y económicas. La sociedad industrial, que ya no podía dar por supuesto un suministro eterno de energía barata, tuvo que replantearse sus objetivos y expectativas. El movimiento ecológico, que imaginaba un futuro basado en la conservación y en estilos de vida sencillos, atrajo a muchos partidarios a partir de 1973 frente a los tecnócratas que confiaban en combustibles de procedencia nacional y en la energía nuclear. La controversia resultante se convertiría en una de las más acaloradas de la década y finalmente provocó la desobediencia civil de cientos de miles de «antinucleares» en todo el mundo. **◂1960.NM ▸1979.NM**

ORIENTE MEDIO

La guerra del Yom Kippur

2 Cuando empezaron a sonar las alarmas de ataque aéreo el 5 de octubre de 1973, la mayor parte de los israelitas se hallaban en las sinagogas celebrando el Yom Kippur, la festividad más importante del judaísmo. Para los atacantes árabes era el décimo día del ramadán y el aniversario de una de las batallas más importantes del profeta Mahoma. Para ambos grupos de creyentes, la guerra del Yom Kippur tendría graves repercusiones.

Los árabes deseaban vengarse desde la guerra de los Seis Días de 1967. Pero el presidente de Egipto Anuar el-Sadat y el de Siria Hafez al-Assad se decidieron en febrero de 1971, cuando Israel rechazó la oferta de paz de Sadat a cambio de la retirada israelita de los territorios árabes ocupados. La nueva guerra poseía un objetivo concreto: con la ayuda de recursos de otras naciones árabes (y algunos de sus soldados), Egipto y Siria querían obligar a los israelitas a aceptar el canje de territorios por acuerdos de paz.

El ataque del Yom Kippur cogió desprevenido a Israel. Egipto recuperó enseguida la orilla este del canal de Suez y Siria buena parte de los Altos del Golán. A medida que la lucha se intensificaba, Moscú suministraba armas a los árabes y Washington a los israelitas, dando lugar a una amenaza de guerra nuclear. Los israelitas (dirigidos, como en 1976, por el ministro de defensa Moshe Dayan) eran menos pero estaban mejor organizados, mejor entrenados y decididos a todo. El 22 de octubre, cuando América presionó a sus aliados para un alto el fuego con Egipto, Israel había ampliado los territorios ocupados. Aunque las escaramuzas con Siria continuaron durante meses, la guerra había terminado.

El conflicto no presentó resultados militares definitivos pero fue políticamente decisivo. Israel quedó muy afectada por el alto precio de una mezquina victoria, y los árabes dudaban que hubieran podido actuar mejor. Sadat empezó a cuestionarse si Egipto podría afrontar otra guerra. **◂1972.8 ▸1974.10**

Víctimas de la guerra del Yom Kippur: dos soldados egipcios yacen en el desierto del Sinaí.

ARGENTINA

El breve regreso de Perón

3 Durante 18 años, Argentina se consumió bajo regímenes que hicieron parecer al de Perón una utopía, mientras el dictador expulsado, exiliado en España, reconstruía su movimiento. Por fin, en marzo de 1973, una junta militar insegura permitió que su partido se presentara a las elecciones. Los peronistas ganaron la presidencia y la mayoría en la asamblea nacional. El nuevo presidente dimitió e invitó a Perón a que regresara para presentarse a otras elecciones. En septiembre, el 62 % de los argentinos votaron a Perón, de 77 años de edad. Su tercera mujer, Isabel (antigua bailarina de un club nocturno sin experiencia política), se convirtió en vicepresidente.

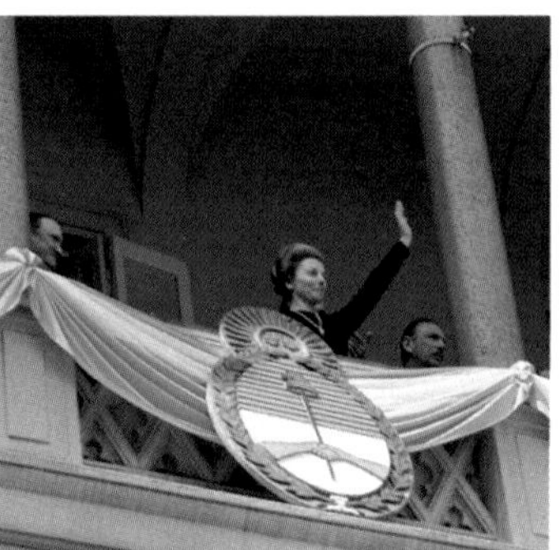

Isabel Perón saluda a los obreros en una manifestación.

Millones de argentinos celebraron el regreso de Perón, pero los problemas que arruinarían su último mandato se manifestaron desde el primer día de su regreso, cuando en una lucha violenta entre los

---

ARTE Y CULTURA: Libros: *Pantaleón y las visitadoras* (Mario Vargas Llosa); *Breakfast of champions* (Kurt Vonnegut); *Miedo a volar* (Erica Jong) [...] Música: «You are the sunshine of my life» (Stevie Wonder); «I shot the Sheriff» (Bob Marley); *Band on the run* (Wings, LP); *Goodbye yellow brick road* (Elton John, LP) [...] Pintura y escultura: *Peacock* (Lee Krasner) [...]

«Lo que este país necesita es silencio político.»—**General Oscar Bonilla Bradnovic, ministro del interior de Chile, tras el golpe**

partidarios que esperaban su avión murieron más de cien personas. En su ausencia se habían abierto brechas entre los peronistas de izquierdas y los de derechas. Perón siempre fue un camaleón: para los fascistas, hablaba como un fascista, y para los maoístas, como un maoísta. Pero ahora, respaldado por dos fuerzas importantes, los militares y la jerarquía católica, reprimió a la izquierda.

Aun así los izquierdistas, la mayoría estudiantes que esperaban que los seguidores de Perón de la clase obrera se convirtieran en un movimiento socialista, invocaron un *peronismo* idealizado y en su nombre algunos lucharon en guerrillas urbanas. Los inversores volvieron la espalda a Argentina y agravaron los problemas económicos del país. Para dominar la inflación, Perón congeló los precios y los salarios; el resultado fue la carestía, el mercado negro y las huelgas. El desorden aumentaba.

En julio de 1974 Perón murió de un ataque al corazón. Argentina estaba a punto de entrar en el episodio más negro de su historia. **◂1952.9 ▸1976.7**

Unas semanas después del golpe, los niños chilenos jugaban a la guerra a las puertas de la sede del Partido Socialista en Santiago.

CHILE

Un golpe sangriento

4 El golpe que derrocó al presidente Salvador Allende en 1973 fue quizás el más sangriento de la historia de Sudamérica, con un número de víctimas de entre cinco mil (según la CIA) y treinta mil (según las estimaciones de los defensores de los derechos humanos). Para «desestabilizar» al gobierno electo de Chile, la CIA subvencionó con millones de dólares a la prensa de la oposición, a políticos, a empresarios, a sindicatos, a saboteadores y a provocadores. Pero aunque los acontecimientos no hubieran sucedido de igual forma sin tal ayuda, el intento democrático de Allende de transformar Chile según el programa marxista había fracasado.

Desde que tomó posesión del cargo en 1970, Allende había aumentado los salarios, incrementado los servicios sociales, acelerado la redistribución de la tierra y nacionalizado cientos de empresas nacionales y extranjeras. Estas medidas entusiasmaron a campesinos y obreros, que empezaban a poseer propiedades, pero disgustaron a las clases media y alta, a las compañías norteamericanas como la ITT y la Anaconda Copper y a Washington. El capital extranjero desapareció (Moscú era parco en las ayudas), apareció la escasez y la inflación aumentó. Transportistas, granjeros, tenderos y profesionales liberales fueron a la huelga, mientras que los partidarios de Allende organizaban contramanifestaciones. Los extremistas de derecha recurrieron al terrorismo, y los extremistas de izquierda pidieron armas al gobierno. La coalición de Allende, constituida por socialistas, comunistas, liberales y pequeños partidos radicales, se escindió.

El general de confianza de Allende dimitió a causa de las presiones derechistas, y Allende le sustituyó por Augusto Pinochet, que dirigió el golpe unos días después. Cuando los soldados tomaron las ciudades clave, Allende se atrincheró en el palacio presidencial de Santiago. Murió (según la junta, se suicidó) cuando los aviones de las fuerzas aéreas atacaron el edificio. En el resto del país la resistencia fue leve pero los rebeldes mataron a miles de chilenos en campos de concentración improvisados.

La junta de Pinochet ilegalizó los partidos políticos, impuso una censura estricta y se sirvió de cárceles, torturas y «desapariciones» contra sus oponentes. Los «Chicago Boys», un grupo de tecnócratas que habían estudiado con el economista de la Universidad de Chicago Milton Friedman, impusieron un régimen capitalista de *laissez-faire*. Pero tras un breve crecimiento, la economía cayó en picado. A principios de los años ochenta volvieron las protestas. **◂1970.2 ▸1988.NM**

ESTADOS UNIDOS

El derecho al aborto

5 En 1973 Estados Unidos se añadió a los países que permitían a las mujeres escoger llevar un embarazo hasta el final o no. Al fallar sobre las recusaciones a leyes estatales realizadas por dos apelantes anónimas, el tribunal supremo de Estados Unidos decidió por 7 a 2 que todas las restricciones sobre el aborto en el primer trimestre eran inconstitucionales. En el caso *Roe contra Wade*, los jueces declararon que como «los entendidos en las disciplinas de medicina, filosofía y teología» no podían ponerse de acuerdo al decidir cuándo un feto se convierte en persona, las leyes que presumen que la categoría de persona se adquiere en el momento de la concepción no eran válidas. En los meses de embarazo anteriores a que el feto pueda sobrevivir fuera del útero, el derecho de una mujer a abortar es una decisión que afecta solamente a la mujer y a su médico. Sólo en el último trimestre, el gobierno puede intervenir y prohibir el procedimiento para preservar una vida potencial.

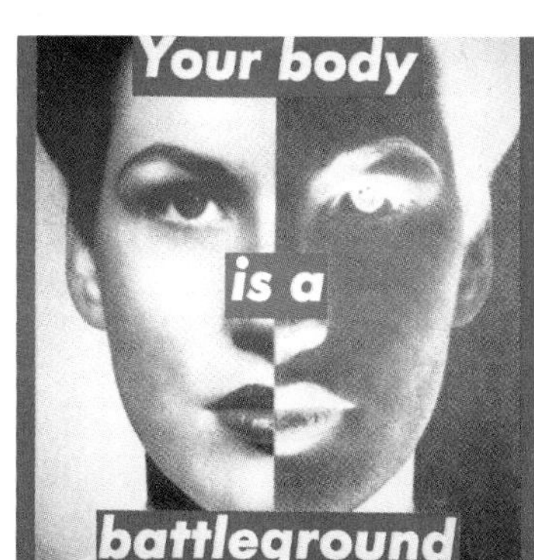

El cuadro de la artista Barbara Kruger denuncia la politización del embarazo.

Roe engendró el movimiento antiabortista más militante del mundo. Basado en las comunidades católicas y cristiano-evangélicas y apoyado por el Partido Republicano, el movimiento americano «pro-vida» se convirtió en una potente fuerza política. En los años noventa, sus tácticas se hicieron más agresivas, desde la desobediencia civil hasta el terrorismo. **◂1968.NM**

NACIMIENTOS

Mónica Seles, tenista yugoslava-estadounidense.

MUERTES

Salvador Allende Gossens, presidente chileno.

W. H. Auden, poeta británico-estadounidense.

Fulgencio Batista y Zaldívar, presidente cubano.

David Ben-Gurion, político polaco-israelita.

Abebe Bikila, atleta etíope.

Nino Bravo, cantante español.

Pearl S. Buck, escritora estadounidense.

Pau Casals, músico español.

Noël Coward, dramaturgo y compositor británico.

John Ford, director cinematográfico estadounidense.

Betty Grable, actriz estadounidense.

William Inge, dramaturgo estadounidense.

Lyndon Baines Johnson, presidente estadounidense.

Jacques Maritain, filósofo francés.

Pablo Neruda, poeta y diplomático chileno.

Paavo Nurmi, atleta finlandés.

Pablo Picasso, artista español.

Edward G. Robinson, actor estadounidense.

Manuel Rojas, escritor argentino.

J. R. R. Tolkien, novelista británico.

Karl Ziegler, químico alemán.

Cine: ***El golpe*** **(George Roy Hill);** ***Malas calles*** **(Martin Scorsese);** ***Tal como éramos*** **(Sydney Pollack);** ***El exorcista*** **(William Friedkin);** ***Secretos de un matrimonio*** **(Ingmar Bergman) [...] Teatro:** ***Equus*** **(Peter Shaffer) [...] TV:** ***Kojak.***

Le he envenenado con el pescado que he comido. Sé que no debería pero a veces deseo que muera antes que yo. Sé que tengo muchos más días de dolor por delante.»—**Kiyoko Kosaki, una víctima de la enfermedad de Minamata, que contagió a su hijo Tatsuzumi**

NOVEDADES DE 1973

Códigos de barras en los supermercados.

Medidas de seguridad en los aeropuertos para evitar el terrorismo.

Ópera de Sídney (diseñada por el arquitecto danés Jörn Utzon e inaugurada tras 16 años en construcción).

Torre Sears de Chicago (el edificio más alto del mundo).

EN EL MUNDO

►DEMANDAS DEL AIM—En febrero, doscientos miembros del American Indian Movement (Movimiento Indio Americano, AIM), dirigidos por los activistas indios Russell Means y Dennis Banks, tomaron la aldea de Wounded Knee, en Dakota del Sur, donde en 1890 la caballería americana acabó la conquista del oeste matando a doscientos sioux. El grupo proclamó la Nación Independiente Oglala Sioux y envió una serie de demandas al gobierno: elecciones libres de consejos tribales en las reservas, la revisión de más de trescientos tratados indio-americanos que según los líderes del AIM habían sido violados durante años y la revisión senatorial del Departamento de asuntos indios y del trato general a los

indios de Estados Unidos. Los activistas permanecieron en Wounded Knee durante 70 días. Means fue detenido al rendirse pero en 1974 se retiraron los cargos contra él a causa de las incorrecciones legales cometidas durante el juicio.

1973

IRLANDA DEL NORTE

Un voto por la permanencia

6 En un referéndum de 1973, boicoteado por los católicos, Irlanda del Norte votó seguir formando parte del Reino Unido. Dado que la población protestante doblaba a la católica, el resultado desequilibrado de la votación, la primera de este tipo en la historia británica, no sorprendió a nadie: las autoridades británicas y los protestantes moderados de Irlanda del Norte reconocieron en privado que el referéndum sólo reiteraba que los no católicos no estaban dispuestos a unirse a la República de Irlanda, de mayoría católica. Mientras los grupos protestantes extremistas se regocijaban, la facción Provisional ilegal del IRA manifestó su disgusto llevando su compañía terrorista al centro de Londres.

Un policía británico observa el lugar de la explosión en el Old Bailey desde la ventana rota de un edificio cercano.

La tarde del 8 de marzo, dos coches bomba, uno cerca de Trafalgar Square y otro frente al Old Bailey (tribunal central), conmocionaron a la capital: falleció una persona y más de doscientas resultaron heridas. Hasta entonces la mayor parte de los británicos, aunque enterados de la lucha de Irlanda del Norte, no la habían sufrido directamente. «Dios ayude a los de Belfast si esto pasa a cada momento», comentó un testigo de las explosiones, que muchos relacionaron con los bombardeos alemanes de la Segunda Guerra Mundial. Gracias a un aviso anónimo, la policía encontró y desarticuló otras dos bombas, impidiendo la pérdida de más vidas en una escalada de violencia que se había cobrado cientos de víctimas desde 1969.

Mientras tanto, decidido a calmar a su provincia, el gobierno británico trabajaba en una solución política. El Libro Blanco del primer ministro Edward Heath, publicado el 20 de marzo, creó una asamblea en la que la clase dirigente protestante compartiría el poder con la minoría católica, apartada del gobierno hacía mucho tiempo. Respaldada por los moderados de ambas partes, la asamblea de 78 escaños fue elegida en junio y sustituyó al parlamento de Irlanda del Norte, un reducto protestante suspendido por Londres en 1972 por su incapacidad para gobernar de forma justa. Westminster se reservó el veto al gobierno y los soldados británicos siguieron patrullando los seis condados en lucha del Ulster. **◄1972.4 ►1979.6**

MEDIO AMBIENTE

Un pueblo envenenado

7 Los peces muertos constituyeron el primer indicio de que había algo pernicioso en la bahía de Yatsushiro. Luego, los cuervos empezaron a caer del cielo. Los siguientes fueron los gatos de Minamata, en la isla de Kyushu. Ciegos y rígidos, giraban de forma grotesca y se tiraban a la bahía. Tras la desaparición de los gatos, los roedores proliferaron pero la «enfermedad del baile» pronto eliminó también a las ratas. Por fin, la misteriosa plaga alcanzó a las personas, murieron más de un centenar y muchos quedaron ciegos y lisiados. En 1973, 20 años después de la aparición de la primera plaga de Minamata, los tribunales japoneses responsabilizaron a la Chisso Corporation, una compañía química situada en Minamata.

Entre las 460 toneladas de contaminantes que la Chisso lanzó a la bahía durante años había 27 toneladas de mercurio. La enfermedad de Minamata no era exactamente una enfermedad: era envenenamiento por mercurio transmitido por los peces contaminados. En 1963, científicos de la cercana Universidad de Kumamoto encontraron el origen de la plaga. (Más tarde un médico de la compañía admitió que la Chisso conocía el problema desde 1959 pero había seguido arrojando el producto.) El gobierno no se enteró de la causa hasta 1969.

La Chisso indemnizó con más de seiscientos millones de dólares a unas dos mil víctimas, pero muchos enfermos no pudieron obtener ninguna compensación a causa de unas severas normas de certificación. Miles de ellos demandaron al gobierno por negligencia en su lenta respuesta inicial al desastre. Dos décadas más tarde, el caso todavía estaba en los tribunales: «Ésta es la política del gobierno: si el caso se alarga lo suficiente, los demandantes morirán», dijo un abogado). En 1992, un tribunal de Tokio absolvió de responsabilidad al gobierno pero las apelaciones continuaron. **►1978.12**

SUDESTE ASIÁTICO

Una guerra sin americanos

8 A finales de marzo de 1973, dos meses después de que Estados Unidos y los comunistas de Vietnam firmaran los acuerdos de paz en París, todos los soldados y prisioneros de guerra reconocidos de Estados Unidos abandonaron Indochina. (La cuestión del destino de varios centenares de americanos desaparecidos en combate crisparía las relaciones entre Washington y Hanoi durante dos décadas.) Los prisioneros fueron recibidos calurosamente al volver a su país, pero otros soldados obtuvieron una bienvenida fría de una nación escarmentada. A pesar de que el alto

El fotógrafo W. Eugene Smith reflejó el trágico legado del mercurio arrojado por la Chisso. Aquí, una madre japonesa baña a su hija de 17 años de edad, deforme de nacimiento.

DEPORTES: Boxeo: George Foreman derrota a Joe Frazier en el título mundial de los pesos pesados [...] Cicilismo: Luis Ocaña gana el Tour de Francia [...] Fútbol: Johan Cruyff ficha por el F.C. Barcelona.

«Algunos lo llaman dictadura, otros "crisis de gobierno" [...]. Yo lo llamo autoritarismo.»—**Ferdinand Marcos, presidente de Filipinas**

el fuego entre el rebelde Pathet Lao y el gobierno derechista de Laos se hizo efectivo en febrero, en Vietnam y Camboya no se dio tregua a la guerra.

Los aviones americanos continuaron bombardeando Camboya hasta agosto, cuando el congreso, indignado ante las revelaciones de que el presidente Nixon había ordenado en secreto bombardear el país entre 1969 y 1970, finalmente suspendió los ataques. (En noviembre, anulando el veto de Nixon, el congreso aprobó la ley de poderes de guerra, por la que se requería la aprobación del congreso para cualquier intervención de las fuerzas armadas americanas en el extranjero durante más de sesenta días). Por entonces, miles de campesinos habían abandonado sus hogares y empuñaban las armas al lado de los Khmer rojos y comunistas, que habían intensificado su fanatismo bajo la lluvia de fuego. Las bombas no pudieron evitar que avanzaran hasta Phnom Penh.

Kissinger conversa con Le Duc Tho *(derecha)* a través de un intérprete *(centro).*

Mientras, a pesar de la ayuda americana en armas y dinero, el ejército sudvietnamita seguía perdiendo terreno (con más de mil víctimas al mes) ante los soldados norvietnamitas y el Viet Cong.

Cuando el secretario de Estado norteamericano Henry Kissinger y el negociador norvietnamita Le Duc Tho fueron galardonados con el Premio Nobel de la paz de 1973 por haber negociado la tregua entre los dos países, Le lo rechazó. La paz todavía no había llegado. **◂1972.1 ▸1975.4**

POLÍTICA

Ampliación de la Comunidad Europea

9 El 1 de enero de 1973 tuvo lugar el nacimiento oficial de la Comunidad Europea integrada por nueve países. Un año antes se había firmado en Bruselas el tratado de incorporación a la CEE de Dinamarca, el Reino Unido, Irlanda y Noruega. Pero en un referéndum celebrado el 26 de septiembre, los noruegos se pronunciaron en contra de la

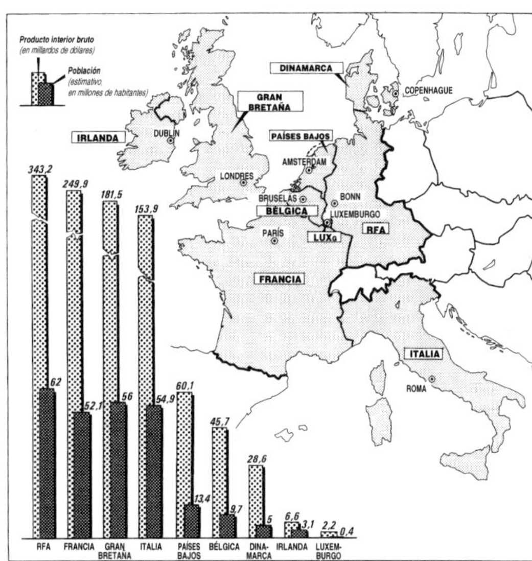

La Comunidad Económica Europea en 1973.

integración de su país en la Comunidad. Por consiguiente, a partir de 1973, la CEE quedaba formada por los signatarios del Tratado de Roma, los «seis»: Alemania, Bélgica, Francia, Holanda, Italia y Luxemburgo, a los que se añadían los «tres»: Dinamarca, Irlanda y Gran Bretaña. El contenido jurídico de esta unión estaba compuesto por una serie de acuerdos con carácter de recomendaciones, reglamentos y tratados sobre cuestiones que van de la política interior y exterior al desarrollo de la energía atómica, la conquista del espacio o la integración económica.

Destacaban dos bloques en la medida en que constituían realidades y no proyectos de futuro: el PAC, la Política Agrícola Común, y la Unión Aduanera. Por el contrario resultó más problemático, entre otras cosas por su indefinición, el acuerdo tomado el 19-20 de octubre del año anterior por los jefes de Estado de los «nueve», reunidos en París para crear una «Unión Europea» en 1980.

FILIPINAS

Marcos toma represalias

10 La transformación de las Filipinas de una democracia de estilo americano en lo que a menudo se ha denominado una «cleptocracia» (dictadura de ladrones) tuvo su inicio real en enero de 1973, cuando los votantes aprobaron continuar con la ley marcial y una constitución nueva que establecía un gobierno parlamentario. El presidente Ferdinand Marcos había declarado el estado de emergencia cuatro meses antes. En ese momento se autonombró presidente y primer ministro e ignoró la estipulación constitucional de formar una asamblea legislativa.

Marcos era enormemente popular como héroe de la Segunda Guerra Mundial y como hombre de Estado. En 1969, sus promesas de reforma agraria, desarrollo cultural y mayor independencia de Estados Unidos contribuyeron a convertirle en el primer presidente de la historia filipina que fue reelegido. De hecho, el principal punto de la nueva constitución era la eliminación del límite de dos mandatos.

El régimen intentó compensar la ley marcial construyendo carreteras, escuelas y servicios sociales en las zonas rurales. Pero la oposición política y los sindicatos se suprimieron por completo. Los salarios continuaron siendo los más bajos del sudeste asiático y el desempleo se generalizó más. La reforma agraria no se llevó a cabo, y Marcos ofreció concesiones a grandes propietarios y empresas agrícolas norteamericanas.
La deuda ascendente y las inversiones extranjeras al principio

Marcos descartó la democracia de estilo americano. Aquí, se dirige al recién formado Congreso del Pueblo.

impulsaron el crecimiento económico pero los beneficios iban directamente a las manos de Marcos y sus compinches. Continuaban los alzamientos musulmanes y comunistas. Una década después, el asesinato del principal rival de Marcos provocaría una revolución no violenta. **◂1965.NM ▸1983.2**

▶LA REINA DEL TENIS—Anunciado como «lucha de sexos», el partido de tenis entre Billie Jean King y el excampeón Bobby Riggs, ya mayor, resultó todo un acontecimiento para las mujeres: en el Astrodome de Houston, ante treinta mil aficionados, King le dio una paliza al arrogante Riggs. La primera atleta femenina en ganar 100.000 dólares en un año (1971), King, que ganaría 20 trofeos en Wimbledon (entre ellos seis individuales), fue una promotora tenaz de la igualdad de sexos en el tenis. Fue la primera presidente de

la Asociación de Mujeres Tenistas, fundó la primera revista deportiva para mujeres y contribuyó a establecer un circuito separado para hombres y mujeres. ▶1975.7

▶RESCATE MILLONARIO—En julio de 1973 en Italia fue secuestrado Paul Getty III, nieto del magnate del petróleo Paul Getty I. Los secuestradores pedían diez mil millones de liras para liberarlo. Como prueba de la veracidad de su secuestro y de lo peligroso que resultaría no atender a sus demandas, aportaron una prueba cruel: la oreja derecha de su víctima. Tras más de cinco meses de negociaciones y previo pacto de una cantidad de dinero importante pero inferior a las demandas iniciales de los secuestradores, Paul Getty III fue devuelto con vida a su familia. La organización del secuestro fue atribuida a la mafia, aunque no se llegó a detener a los responsables de este delito.

▶ABOLICIÓN DE LA MONARQUÍA GRIEGA—Tras el fracaso de un golpe de oficiales navales en mayo, el presidente de la junta militar griega George Papadopoulos abolió la monarquía del país (el rey Constantino se hallaba en el exilio desde 1967), proclamó la república y se autonombró presidente. Papadopoulos suprimió la ley marcial (en vigor durante seis

POLÍTICA Y ECONOMÍA: huelga y manifestaciones antifranquistas (en España), disueltas a tiros por la policía el 3 y el 4 de abril [...] Olof Palme continúa como primer ministro de Suecia tras las elecciones de septiembre.

años), pero muchos pensaron que la medida pretendía guardar las apariencias. Los militares de derechas no dudaron de la sinceridad democrática de Papadopoulos: el 25 de noviembre fue derrocado por el general Phaedon Gizikis. ◂1967.2 ▸1974.5

▸PINK FLOYD—En 1973, el grupo británico de *rock* Pink Floyd editó *Dark side of the moon* (*inferior*, cubierta del disco), un álbum difícil que batiría el récord de permanencia en las listas de

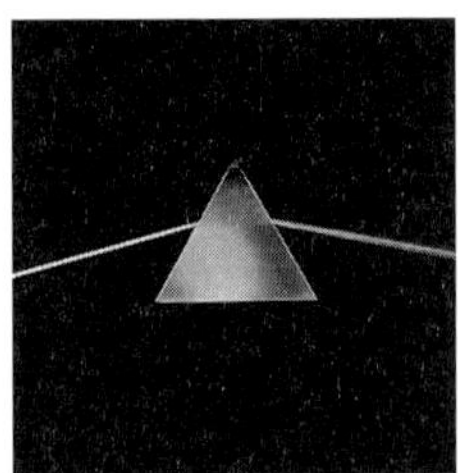

éxitos (741 semanas en las norteamericanas). Pink Floyd, un grupo experimental, fue pionero en el uso de las luces láser, las proyecciones en pantallas y los accesorios mecánicos en sus conciertos en directo. ◂1971.6 ▸1976.NM

▸INDEPENDENCIA DE LAS BAHAMAS—El 10 de julio, tras 256 años como colonia de la Corona británica (interrumpidos por un año como colonia española), las Bahamas lograron la independencia. El primer ministro Lynden O. Pindling, líder del Partido Liberal Progresista de mayoría negra, negoció el acuerdo por el que el archipiélago del océano Atlántico se convirtió en un estado soberano dentro de la Commonwealth. ▸1981.NM

Carrero Blanco fue asesinado con una bomba colocada en su coche.

ESPAÑA

El heredero de Franco asesinado

11 La bomba de los separatistas vascos que mató a Luis Carrero Blanco en diciembre de 1973 hizo volar su coche por encima de un edificio de pisos de Madrid. Asimismo, acabó con los planes del octogenario general Francisco Franco de conservar su legado dictatorial más allá de su muerte. Carrero Blanco, de 70 años, era el amigo más íntimo de Franco y había sido uno de los dirigentes de los nacionales en la guerra civil española. Aunque estaba programado que el príncipe Juan Carlos de Borbón se convirtiera en jefe de Estado (y en el primer rey desde los años treinta) a la muerte de Franco, el poder debía permanecer en manos de Carrero Blanco, al menos hasta que el joven monarca «madurara».

Cuando Franco eligió al ministro del interior (y antiguo jefe de la policía secreta) Carlos Arias Navarro para suceder a Carrero Blanco, el gobierno se dividió en dos facciones: los tecnócratas pragmáticos, que habían diseñado la modernización de España durante la década anterior y que ahora eran partidarios de una democratización limitada, y la vieja guardia franquista. Arias Navarro apartó de su gabinete a los tecnócratas, asegurando de este modo la continuación de la represión política. La jerarquía católica, cuyos lazos con los reformistas y Carrero Blanco fueron estrechos, así como la mayoría de españoles, se distanciaron cada vez más del régimen franquista.

El futuro de España dependía fundamentalmente de Juan Carlos y ni Franco ni Arias Navarro podían saber que el príncipe albergaba una idea de la democracia mucho más amplia que la de los tecnócratas. **◂1970.NM ▸1975.1**

CINE

El tango de Bertolucci

12 La crítica Pauline Kael la calificó como «la película con más fuerza erótica que se había rodado», una obra rupturista que «alteró la imagen de una forma de arte». Los tribunales italianos la declararon «obscena, indecente y portadora de los instintos más bajos de la líbido» y retiraron el derecho al voto de su director, Bernardo Bertolucci. Ninguna película de la época generó tantos elogios e insultos ni hizo correr tanta tinta como *El último tango en París*, que se estrenó en 1973.

Por primera vez en el cine, el sexo puro, con desnudez explícita y sin romanticismo, se utilizó para algo más que la excitación. Se convirtió en un objeto artístico. Un Marlon Brando de mediana edad interpreta a un americano solitario y angustiado, cuya mujer acaba de suicidarse. Maria Schneider es una joven francesa que está a punto de casarse. Los dos se conocen por casualidad mientras buscan piso, y viven un romance corto, tórrido y anónimo en el que él domina y degrada a la chica. Luego, el protagonista quiere formalizar su situación pero ella se niega, con consecuencias fatales.

Donde muchos espectadores vieron mera pornografía, otros apreciaron una descripción conmovedora del intento desesperado de comunicación y liberación de dos personas de una sociedad hostil a través del sexo. La maestría de Bertolucci era indiscutible. La película está magníficamente rodada por Vittorio Storaro, y la banda sonora se compone por los solos evocadores de saxo de Gato Barbieri. Brando llevó a cabo una interpretación histórica. Hasta entonces, ningún otro actor de cine importante se había desnudado por completo en la pantalla. En monólogos improvisados y en parte autobiográficos, descubre el alma de un hombre atormentado y pregona su dolor desgarrador.

Luego Bertolucci rodó *1900*, una epopeya política, y *El último emperador*, ganadora de varios Óscars. Brando envejeció, engordó y solo trabajó en ocasiones especiales. Schneider realizó otra buena película (*La pasajera*, de Antonioni) y en varias menores. El sexo se convirtió en algo habitual en el cine pero *El último tango en París* sigue siendo una película provocativa. **◂1972.9**

LITERATURA

Un cohete literario

13 En 1973 Thomas Pynchon irrumpió en la escena literaria como uno de los misiles V-2 de los que habla con *Gravity's rainbow*, novela apocalíptica y paranoica sobre las consecuencias de la Segunda Guerra Mundial en Alemania.

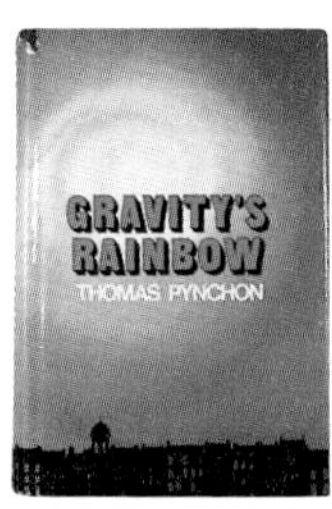

A lo largo de las más de setecientas páginas del libro, aparecen cientos de personajes (que buscan un misil que puede abrirse camino a través del campo gravitatorio de la Tierra), una multiplicidad de lenguajes, líneas argumentales, juegos de palabras y alusiones a temas tan dispares como la neurología, los cómics, la cohetería, las matemáticas y el tarot.

Muchos críticos encontraron el libro demasiado complejo. Uno dijo que leerlo requería una «tenacidad calvinista» y que su autor, un solitario que nunca apareció en público, poseía «el estilo de prosa duro y lento de un filósofo en público». Pero una gran parte de los lectores encontraron «este nuevo hito monstruosamente cómico que revuelve las tripas y la cabeza» (como lo describió otro crítico) digno heredero del *Ulises* de Joyce. **◂1922.1**

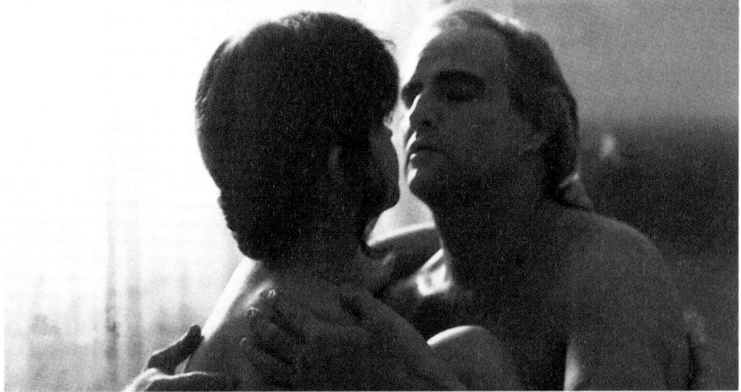

Schneider y Brando interpretaron a los amantes de un romance anónimo en *El último tango en París*.

PREMIOS NOBEL: Paz: Henry Kissinger y Le Duc Tho (estadounidense, vietnamita; acuerdo de paz) [...] Literatura: Patrick White (australiano; novelista) [...] Química: E. Fischer y G. Wilkinson (alemán, británico; contaminación) [...] Medicina: K. Frisch, K. Lorenz y N. Tinbergen (austríacos y holandés; conducta) [...] Física: I. Giaever, L. Esaki y B. Josephson (estadounidense, japonés, británico; electrónica) [...] Economía: Wassily Leontief (estadounidense).

Estricto cumplidor del deber

De *Pantaleón y las visitadoras,* Mario Vargas Llosa, 1973

Mario Vargas Llosa, novelista peruano que inició brillantemente su carrera con premios literarios para sus dos primeras novelas, en 1973 dio un giro innovador a su narrativa habitual con Pantaleón y las visitadoras, *en la que introdujo nuevos recursos, como cartas y documentos oficiales intercalados con narración y diálogo. El protagonista de la novela, Pantaleón, es un militar con un sentido del deber extremadamente riguroso y en el intento de cumplir a la perfección la misión que se le ha asignado acaba por desbaratarla. Sigue un fragmento en el que se explica la preparación de la misión: la organización de un servicio de prostitutas para los soldados.*

Informe del alférez Alberto Santana a la Comandancia General de la V Región (Amazonía) sobre la operación-piloto efectuada por el SVGPFA en el Puesto de Horcones a su mando.

Conforme a las instrucciones recibidas, el alférez Alberto Santana tiene el honor de remitir a la Comandancia General de la V Región (Amazonía), la siguiente relación de hechos acaecidos en el Puesto a su mando sobre el río Napo:

Apenas informado por la superioridad de que el Puesto de Horcones había sido elegido sede de la experiencia inaugural del Servicio de Visitadoras para Guarniciones, Puestos de Frontera y Afines, se dispuso a prestar todas las facilidades para el éxito de la operación y preguntó por radio al capitán Pantaleón Pantoja qué disposiciones debía tomar en Horcones previas a la experiencia-piloto. A lo cual el capitán Pantoja le hizo saber que ninguna porque él personalmente se trasladaría al río Napo para supervigilar los preparativos y el desarrollo de la prueba.

Efectivamente, el día lunes 12 de septiembre, a las 10 y 30 de la mañana, aproximadamente, acuatizó en el río Napo, frente al Puesto, un hidroavión de color verde con el nombre *Dalila* pintado en letras rojas en el fuselaje, piloteado por un individuo al que apodan Loco, y, como pasajeros, el capitán Pantoja, quien vestía de civil, y una señora llamada Chuchupe, a quien fue preciso descender cargada por hallarse en estado de desmayo. La razón de su desvanecimiento fue haber pasado mucho susto durante el vuelo río Itaya-río Napo, debido a los sacudimientos impartidos por el viento al avión y a que el piloto, según afirmación de la susodicha, con intención de aumentar su terror para divertirse, había efectuado constantes, arriesgadas e inútiles acrobacias, que sus nervios no pudieron soportar. Una vez que la mencionada señora se hubo repuesto pretendió, con abuso de palabras y gestos soeces, agredir de obra al piloto, siendo preciso que el capitán Pantoja interviniera para poner fin al incidente.

Apaciguados los ánimos, luego de un rápido refrigerio, el capitán Pantoja y su colaboradora procedieron a dejar todo expedito para la realización de la experiencia, la que debía celebrarse al día siguiente, martes 13 de septiembre. Los preparativos fueron de dos órdenes: de participantes y topográficos. En cuanto a los primeros, el capitán Pantoja, ayudado del suscrito, estableció una *lista de usuarios*, preguntando para ello, uno por uno, a los veintidós clases y soldados del Puesto —los suboficiales fueron excluidos— si deseaban beneficiarse del Servicio de Visitadoras, para lo cual se les explicó la índole del mismo. La primera reacción de la tropa fue de incredulidad y desconfianza, creyendo que se trataba de una estratagema, como cuando se piden ¡voluntarios para ir a Iquitos! y a los que dan un paso adelante se los manda a limpiar las letrinas. Fue preciso que la mencionada Chuchupe se hiciera presente y hablara a los hombres en términos maliciosos para que, a las sospechas y dudas, sucediera, primero, una gran hilaridad, y luego una excitación de tal magnitud que fue necesario a los suboficiales y al suscrito actuar con la máxima energía para calmarlos. De los veintidós clases y soldados, veintiuno se inscribieron como candidatos-usuarios, siendo la excepción el soldado raso Segundo Pachas, quien indicó que se exceptuaba porque la operación tendría lugar en día martes 13 y que, siendo él supersticioso, estaba seguro que le traería mala suerte participar en ella. Según indicación del enfermero de Horcones se eliminó igualmente de la lista de candidatos-usuarios al cabo Urondino Chicote, por estar aquejado de una erupción de sarna, susceptible de propagarse, vía la visitadora respectiva, al resto de la unidad. Con lo cual quedó definitivamente establecida una lista de veinte usuarios, quienes, consultados, admitieron que se les descontara por planilla la tarifa fijada por el SVGPFA como retribución por el servicio que se les ofrecería.

En cuanto a los preparativos topográficos consistieron fundamentalmente en acondicionar cuatro emplazamientos destinados a las visitadoras del primer convoy del SVGPFA y se llevaron a cabo bajo la dirección exclusiva de la apodada Chuchupe. Esta indicó que, como podía darse caso de lluvia, los locales debía estar techados, y, de preferencia, no ser contiguos para evitar interferencias auditivas o emulaciones, lo que por desgracia no se pudo conseguir totalmente. Pasada revista a las instalaciones techadas del Puesto, que, la superioridad lo sabe, son escasas, se eligieron el depósito de víveres, el puesto de radio y la enfermería como las más aparentes. Debido a su amplitud, el depósito de víveres pudo ser dividido en dos compartimentos, utilizando como barrera separatoria las cajas de comestibles. La indicada Chuchupe solicitó luego que en cada emplazamiento se colocara una cama con su respectivo colchón de paja o de jebe, o en su defecto una hamaca, con un hule impermeable destinado a evitar filtraciones y deterioro del material. Se procedió de inmediato a trasladar a dichos emplazamientos cuatro camas (elegidas por sorteo) de la cuadra de la tropa, con sus colchones, pero como no fue posible conseguir los hules demandados, se los reemplazó con las lonas que se utilizan para cubrir la maquinaria y el armamento cuando llueve. Asimismo, una vez forrados los colchones con las lonas, se procedió a instalar mosquiteros para que los insectos, tan abundantes en esta época, no obstaculizaran el acto de la prestación. Habiendo resultado imposible dotar a cada emplazamiento de la bacinica que la señora Chuchupe pedía, por no disponer el Puesto de ni uno solo de dichos artefactos, en instalar sendos lavadores con sus recipientes de agua respectivos en cada emplazamiento, así como en proveer a cada uno de éstos de una silla, cajón o banco para colocar la ropa, y de dos rollos de papel higiénico, rogando el suscrito a la superioridad se sirva ordenar a Intendencia le reponga cuanto antes estos últimos elementos, por lo justas que son nuestras reservas en dicho artículo, no habiendo en esta zona tan aislada nada con qué sustituirlo, como papel periódico o de envolver y existiendo el antecedente de urticarias y graves irritaciones cutáneas en la tropa por emplear hojas de árboles. Asimismo, la denominada Chuchupe precisó que era indispensable colocar en los emplazamientos cortinas que, sin dejarlos en la total oscuridad, amortiguaran la luz del sol y dieran una cierta penumbra, la que, según su experiencia, es el ambiente más adecuado para la prestación. La imposibilidad de conseguir los visillos floreados que sugería la señora Chuchupe no fue impedimento; el sargento primero Esteban Sandora improvisó ingeniosamente una serie de cortinas con las frazadas y capotes de la tropa que cumplieron bastante bien su cometido, dejando a los emplazamientos en la media luz requerida. Además, por si caía la noche antes de que terminara la operación, la señora Chuchupe hizo que se recubrieran los mecheros de los emplazamientos con trapos de color rojo, porque, se aseguró, la atmósfera colorada es la más conveniente para el acto. Finalmente, la denominada señora, insistiendo en que los locales debían tener cierto toque femenino, procedió ella misma a confeccionar unos ramitos con flores, hojas y tallos silvestres, que recogió ayudada por dos números, y que colocó artísticamente en los respaldares de las camas de cada emplazamiento. Con lo cual los preparativos estuvieron ultimados y sólo quedó esperar la llegada del convoy.

«La cuestión es ésta: ¿qué sabía el presidente y cuándo lo supo?»—**Howard Baker, senador de Tennessee, sobre el Watergate**

HISTORIA DEL AÑO

El Watergate hunde a Nixon

1 A mediados de 1974, la presidencia de Richard Nixon se tambaleaba a causa de la corrupción y el abuso de poder descubiertos por el caso Watergate. Nixon se perjudicó mucho a sí mismo. El julio anterior se supo que grababa sus conversaciones oficiales y desobedeció una orden judicial que le obligaba a entregar tales grabaciones. Aquel octubre, cuando el fiscal especial Archibald Cox rechazó la oferta de Nixon de entregar un sumario de las cintas, el presidente ordenó al fiscal general Elliot Richardson que despidiera a Cox, nombrado por el propio Richardson. Los dos fiscales dimitieron y dejaron el caso en manos del procurador general del Estado Robert Bork. Esta «masacre del sábado por la noche» escandalizó a la opinión pública y, en noviembre, Nixon cedió, aunque sólo parcialmente.

Nixon hace la señal de la victoria por última vez al salir de la Casa Blanca para siempre.

La Casa Blanca entregó siete de las nueve cintas exigidas con la excusa de que las otras no existían. Una contenía una sospechosa laguna de 18 minutos, en apariencia resultado de un fallo técnico de la transcriptora de la cinta, la secretaria de Nixon Rose Mary Woods. Las grabaciones revelaron que Nixon era malhablado, cínico, a veces antisemítico y que estaba obsesionado con los «enemigos», pero no contenían pruebas concluyentes de culpabilidad. Mientras tanto, sin embargo, el comité del senador Sam Ervin, que investigaba el Watergate, se dedicaba a celebrar audiencias televisadas en las que agentes de la campaña de Nixon y funcionarios de la Casa Blanca confesaban que se habían producido muchas irregularidades, desde lavado de dinero hasta grabaciones ilegales.

A medida que avanzaba el año, el antiguo fiscal general Richard Kleindienst, el antiguo consejero de interior John Ehrlichman y el antiguo consejero presidencial John Dean fueron acusados de cargos relacionados con el Watergate. El antiguo ayudante de la Casa Blanca H. R. Haldeman y el antiguo fiscal general (y director de la campaña de Nixon) John Mitchell se añadieron a la lista de acusados; el congreso votó un proceso de acusación de alta traición. El 5 de agosto, se obligó a Nixon a entregar otro grupo de cintas, que le relacionaron directamente con el encubrimiento de la involucración de la Casa Blanca en actividades ilegales. El 8 de agosto dimitió.

«Nunca he sido un desertor; abandonar mi cargo antes de acabar el mandato es totalmente contrario a todos los instintos de mi cuerpo. Pero como presidente debo pensar en las necesidades de América antes que en las mías.» Un mes después de convertirse en el 38.º presidente de Estados Unidos, Gerald Ford indultó a su antiguo jefe, y le ahorró un proceso criminal. ►**1986.8**

PORTUGAL

Dictadura derrocada

2 La Revolución de los Claveles portuguesa puso fin a la dictadura más larga de Europa occidental. El primer ministro Marcello Caetano, que mantuvo el régimen estricto erigido por António Salazar en 1933, se marchó. La temida policía secreta se disolvió. Se acabó con la censura y el servicio militar obligatorio. En su lugar se encontraron el general António Spínola y la promesa de la democracia. Miles de portugueses llenaron las calles de Lisboa la mañana después del golpe para celebrar a Spínola con claveles blancos y rojos.

Spínola era un liberador poco común. Había luchado al lado de Franco en los años treinta, se había entrenado con la Wehrmacht de Hitler en los cuarenta y se hizo famoso por reprimir alzamientos en las colonias africanas de Portugal en los años sesenta. Como gobernador de Guinea-Bissau (entonces la Guinea portuguesa) desde 1968, Spínola se dio cuenta de que Portugal no podía ganar sus guerras coloniales. En 1974, Spínola era partidario de la independencia de las colonias. Su postura tocó la fibra popular y los conspiradores del golpe le obligaron a ser su líder.

Resultó que Spínola no estuvo a la altura de su revolución: Portugal quería librarse de décadas de represión de la noche a la mañana, y el general era «demasiado pesimista, demasiado rígido y demasiado triste», según un colega más joven. Dimitió seis meses después de tomar posesión del cargo.

Tras el golpe, partisanos socialistas se manifestaron a favor de la Junta del Movimiento de las Fuerzas Armadas.

La Junta se decantó hacia la izquierda y alcanzó su apogeo socialista en 1975. Ese año, además de nacionalizar la industria y de reformar la agricultura, el gobierno concedió la independencia a Angola, Guinea-Bissau, Mozambique, São Tomé, Príncipe y Cabo Verde. Asimismo permitió elecciones en Portugal. ◄**1933.9** ►**1975.2**

ALEMANIA OCCIDENTAL

La caída de Willy Brandt

3 Según cálculos oficiales, unos quince mil espías comunistas operaban en Alemania occidental en 1974 pero ninguno es tan extraordinario como Günter Guillaume, ayudante y amigo personal del canciller Willy Brandt. El desenmascaramiento de Guillaume empujó a Brandt a la dimisión. Fue una derrota amarga y paradójica: durante los cinco años en que Brandt fue canciller, su *Ostpolitik* mejoró las relaciones entre Alemania occidental y los países del Pacto de Varsovia: abrió el camino hacia la detente soviético-americana y eso le valió un Premio Nobel de la paz. Miles de partidarios apremiaron a Brandt a permanecer en el cargo pero su decisión era terminante: «Asumo la responsabilidad política por negligencia en cuanto al caso de espionaje de Guillaume», declaró.

Brandt empezó a ser conocido como alcalde de Berlín oeste entre 1957 y 1966, cuando su resistencia a la ocupación soviética le convirtió en un símbolo internacional de la libertad. Para sus compatriotas, que le llamaban *unser Willy* (nuestro Willy), fue el hombre de Estado que se enfrentó con los fantasmas nazis y empezó a hacer del orgullo alemán algo de nuevo aceptable. «Ningún pueblo puede escapar de su historia», decía a menudo, y en su visita de 1970 a Polonia se arrodilló y rezó por los quinientos mil judíos del gueto de Varsovia asesinados por soldados alemanes durante la Segunda Guerra Mundial. Sin embargo, cuando no pudo llevar a cabo las reformas económicas prometidas, su fortuna política empezó a declinar.

En 1974 la inflación y la *Ostpolitik*, que, según sus detractores, había dado más a los comunistas de lo que había recibido a cambio, le separaron de buena parte del electorado. La detención de Guillaume, un topo de

ARTE Y CULTURA: Libros: ***Zen and the art of motorcycle maintenance*** **(Robert M. Pirsig);** ***Todos los hombres del presidente*** **(Bob Woodward y Carl Bernstein) [...] Música:** ***Tercera suite para violoncelo*** **(B. Britten) [...]**

«Se me ha dado la oportunidad de elegir entre ser liberada en una zona segura o unirme a las fuerzas del Ejército de Liberación Simbiótico y luchar por mi libertad y la de todos los oprimidos.»—**Patricia Hearst**

Alemania oriental que había fingido desertar en 1956, fue la gota que colmó el vaso. Brandt, profeta de la reconciliación, acusó la brecha en la seguridad nacional como un golpe decisivo contra su continuidad en el gobierno. **◄1970.6 ►1983.5**

ESTADOS UNIDOS

La extraña odisea de una heredera

4 El secuestro político más extraño del siglo tuvo lugar el 5 de febrero de 1974, cuando Patricia Hearst, de 19 años, hija de un magnate editorial y estudiante apolítica de la Universidad de Berkeley, fue raptada a punta de pistola del apartamento que compartía con su novio. Los secuestradores se autodenominaban Symbionese Liberation Army (Ejército de Liberación Simbiótico, SLA), un docena de jóvenes, la mayoría revolucionarios blancos y de clase media, agrupados en torno a dos negros, convictos y fugados, con historiales de enfermedades mentales. El SLA apareció por primera vez en noviembre de 1973, cuando mataron a un profesor con balas impregnadas de cianuro. Con el secuestro de Hearst, el pequeño «ejército» alcanzó la fama en todo el mundo.

Los secuestradores pidieron a los padres de Hearst, «insectos fascistas» (su padre era hijo de William Randolph Hearst), que distribuyeran dos millones de dólares en comida para los pobres de la zona. Pero después de que la familia cumpliera lo pactado, llegó un mensaje grabado en una cinta junto a una fotografía de la secuestrada portando una ametralladora. «He elegido quedarme y luchar», anunciaba. Con el nombre de guerra de Tania, Hearst tomó parte en un atraco a un banco y liberó a dos camaradas atrapados en el robo a una tienda al disparar contra el escaparate.

En mayo, unos investigadores encontraron un escondite del SLA en Los Ángeles. Cuatrocientos policías y agentes del FBI acabaron a tiros con sus ocupantes, pero ninguno de los seis cuerpos encontrados correspondía al de Hearst. En su siguiente comunicado, ésta acusó a su novio de «cerdo» y elogió a los muertos, entre los que se encontraba su amante, un guerrillero llamado Cujo, y el líder del SLA, el «mariscal» Donald «Cinque» DeFreeze.

Finalmente, en septiembre de 1975 Hearst fue detenida. En su juicio, el famoso abogado criminalista F. Lee Bailey alegó que su cliente había sido coaccionada y que había sufrido un lavado de cerebro: le habían vendado los ojos, le hicieron pasar hambre, la amenazaron y la encerraron en un armario, pero el jurado la declaró culpable de robo a mano armada. Hearst fue sentenciada a siete años de cárcel, pero tras 22 meses de condena el presidente Carter conmutó la sentencia. Tras su salida de prisión, se casó con un guardaespaldas y se estableció como ama de casa. **◄1970.7 ►1975.10**

Sus padres pagaron el rescate, pero en lugar de su hija Patty recibieron una fotografía de la revolucionaria Tania.

GRECIA

Una batalla por Chipre

5 Ante el malestar creciente provocado por la represión y el estancamiento económico, los dirigentes militares de Grecia necesitaban una victoria para recuperar su popularidad. Esperaban obtenerla en Chipre, cuyo presidente, el arzobispo Makarios, últimamente había cambiado su postura de defensor de la enosis por la de mantener la independencia. Peor aún, se había aliado con los comunistas locales, que apoyaban su neutralidad en la guerra fría. En julio de 1974, la Junta apoyó a la guardia nacional chipriota, de mayoría griega y mandada por oficiales del continente, para derrocar a Makarios. El resultado fue desastroso tanto para Chipre como para la dictadura de Atenas.

Al cabo de una semana del golpe, las tropas turcas invadieron Chipre. Su objetivo principal era evitar la enosis (prohibida por el tratado greco-turco que proclamó la república chipriota en 1960) y proteger a la minoría turca de la isla. La ONU estableció enseguida una tregua pero, tras el fracaso de las conversaciones de paz de agosto, los turcos avanzaron de nuevo. Días más tarde, cuando Turquía declaró el alto el fuego, dos quintas partes del norte de Chipre estaban en su poder. Los chipriotas griegos, aterrados por los bombardeos y las atrocidades, huyeron hacia el sur (luego, los chipriotas turcos fueron enviados al norte). Los chipriotas griegos sufrieron seis mil bajas, el doble que los turcos. Makarios regresó de Londres para retomar la presidencia, y Chipre quedó dividida por una «línea verde» controlada por la ONU.

La Junta griega, sin recursos para una intervención directa, observó el alcance del desastre con impotencia. Antes de su final, llamó al antiguo primer ministro Constantine Karamanlis del exilio para restaurar la democracia y el gobierno civil en Grecia. **◄1960.10 ►1981.NM**

Mientras Turquía y Grecia se enfrentaban por Chipre, los chipriotas griegos moderados se manifestaban a favor de una coexistencia pacífica con los chipriotas turcos.

MUERTES

David Alfaro Siqueiros, político mexicano.

Miguel Ángel Asturias, escritor guatemalteco.

James Chadwick, físico británico.

Edward Kennedy «Duke» Ellington, músico y compositor estadounidense.

Samuel Goldwyn, director cinematográfico estadounidense.

H.L. Hunt, empresario estadounidense.

Charles A. Lindbergh, aviador estadounidense.

Walter Lippmann, periodista estadounidense.

Agnes Moorehead, actriz estadounidense.

Juan Perón, presidente argentino.

Georges Pompidou, presidente francés.

Ed Sullivan, periodista y presentador de televisión estadounidense.

Jacqueline Susann, escritora estadounidense.

U Thant, diplomático birmano.

Cine: ***El padrino, II parte*** **y** ***La conversación*** **(F. Ford Coppola);** ***El gran Gatsby*** **(Jack Clayton);** ***Alicia ya no vive aquí*** **(Martin Scorsese);** ***Amarcord*** **(Federico Fellini);** ***La Raulito*** **(Murua) [...] TV:** ***La casa de la pradera.***

«Los agujeros negros parecen sugerir que Dios no sólo juega a los dados sino que a veces también los tira donde no pueden ser vistos.»—**Stephen Hawking**

NOVEDADES DE 1974

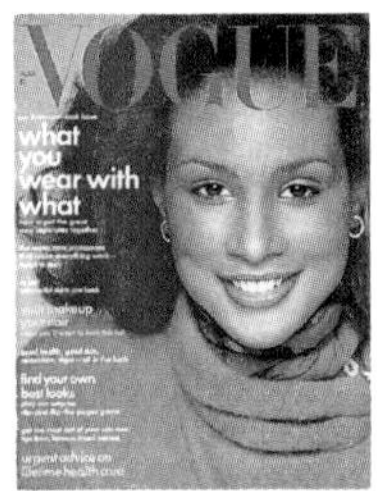

Modelo negra en la portada de una revista de moda de prestigio (Beverly Johnson en *Vogue*).

EN EL MUNDO

▶SACERDOCIO FEMENINO —En julio, en contra de la política oficial de la Iglesia, cuatro sacerdotes episcopales de Filadelfia (el lugar de fundación de la Iglesia episcopal) ordenaron sacerdote a once mujeres. La Cámara de Obispos, uno de los cuerpos legislativos de la Iglesia, declaró ilegales las ordenaciones pero en octubre apoyó el *principio* del sacerdocio femenino. La sanción oficial tuvo lugar en 1976. ▸1991.7

▶STREAKING—La moda que dio más que hablar en una década llena de modas llegó a los campus estadounidenses en primavera, cuando unos estudiantes se quitaron la ropa para correr desnudos. El *streaking* pronto se difundió y se practicó en la entrega de premios de la Academia, acontecimientos deportivos, cenas de gala, etc. Ambos sexos lo practicaban pero había más *streakers* varones que mujeres. Los sociólogos consideraron que la moda era la expresión final de la revolución sexual. ◂1959.NM

▶SUSPENSIÓN DE EXPERIMENTOS —Investigadores médicos americanos anunciaron una suspensión voluntaria de los experimentos sobre la recombinación del ADN en 1974. Por entonces, la ciencia contaba con la tecnología suficiente para manipular las secuencias nucleótidas de los genes, un avance que prometía el tratamiento de enfermedades hereditarias (y grandes beneficios para las compañías bioquímicas) pero también la creación accidental de nuevas patologías mortales y su difusión en el medio

Representación artística de un agujero negro que absorbe materia estelar.

CIENCIA

Nueva teoría de los agujeros negros

6 En 1974, el físico y cosmólogo británico Stephen Hawking dinamitó las ideas establecidas sobre el universo al afirmar que los agujeros negros emitían radiaciones. Según la definición aceptada, los agujeros negros (estrellas hipotéticamente muertas cuya fuerza gravitatoria es tan potente que ni siquiera la luz puede escapar a ella), no emitían nada. La declaración de Hawking en un congreso de astronomía lo enfrentaba decididamente con sus colegas.

Parecía que Hawking, de 32 años de edad, contradecía la teoría de la relatividad de Einstein, que afirma que nada puede viajar a mayor velocidad que la luz. En realidad, intentaba integrar la teoría de la relatividad con la cuántica, objetivo que Einstein y otros científicos persiguieron sin éxito. Las ecuaciones de Hawking ayudaron a explicar cómo se ha expandido el universo durante quince millones de años desde un punto hasta la inmensidad y cómo se contraería sobre sí mismo en una «crisis cósmica».

La obra de Hawking se popularizó en 1988 con su libro *Una breve historia del tiempo*. Nació una especie de culto en torno a su persona, inspirado en parte por su ánimo. A los 20 años le diagnosticaron una esclerosis lateral amiotrófica (también conocida como enfermedad de Gehrig), y Hawking invalidó las predicciones de los médicos que le daban dos años de vida. Recurrió a una silla de ruedas para trasladarse y a un ordenador para hablar. Hawking, una mente privilegiada atrapada en un cuerpo estropeado, resistió gracias a su afán inagotable de descifrar el cosmos. ◂**1968.8**

ETIOPÍA

La caída de un emperador

7 En casi cinco décadas de gobierno, el emperador Haile Selassie transformó Etiopía de un lugar medieval en un estado semimoderno con el mayor ejército del África subsahariana y se convirtió en un mediador importante en conflictos regionales. Sin embargo, los etíopes carecían de derechos políticos y continuaban siendo uno de los pueblos más pobres y analfabetos del mundo. En 1974 derrocaron al monarca, de 82 años de edad.

El alzamiento fue provocado por el hambre, que el año anterior había matado a doscientas mil personas, y por el descubrimiento de que el gobierno, además de no socorrer al pueblo, había ocultado el desastre al resto del mundo. En febrero se iniciaron una serie de huelgas y manifestaciones que se extendieron a las fuerzas armadas, constituidas por cuarenta y siete mil hombres. Al principio, el ejército sólo pidió aumentos de sueldo, pero al final, los oficiales radicales transformaron el alzamiento en una revolución. Obligaron a Haile Selassie a sustituir su gobierno por uno encabezado por un aristócrata liberal, luego arrestaron a los ministros del nuevo gobierno uno tras otro y nacionalizaron los trece palacios del emperador. En septiembre, tras la negativa de Selassie a devolver diez millones de dólares que había transferido a cuentas extranjeras, lo depusieron y lo colocaron bajo arresto domiciliario.

La Junta fue llamada la Derg (sombra) por el anonimato de sus miembros. Al principio encabezado por un general, el régimen se hizo aún más oscuro cuando el líder y 59 oficiales más fueron asesinados en noviembre. El artífice de la purga era el verdadero hombre fuerte, el mayor Mengistu Haile Mariam. La Derg pronto nacionalizó la industria, la banca y la agricultura. Guerrillas urbanas de izquierdas se enfrentaron al gobierno militar y separatistas de las provincias de Eritrea y Tigre lucharon por la independencia. La agonía de Etiopía continuaría agravándose. ▸**1978.NM**

FRANCIA

Los socialistas pierden... por muy poco

8 Aunque Charles de Gaulle murió en 1970, su influencia en la política francesa perduró hasta 1974, cuando Georges Pompidou, antiguo primer ministro de De Gaulle y luego presidente de Francia, murió de cáncer. Aparte de moderar la política antibritánica y antiamericana de De Gaulle, Pompidou emprendió pocos cambios. La era postgaullista empezaría cuando los votantes eligieran a su próximo presidente. Se enfrentaban dos candidatos radicalmente opuestos: el socialista François Mitterrand y el centrista Valéry Giscard d'Estaing, ministro de economía.

Giscard (*superior*) pertenecía al pequeño Partido Republicano Independiente, cuya actitud hacia De

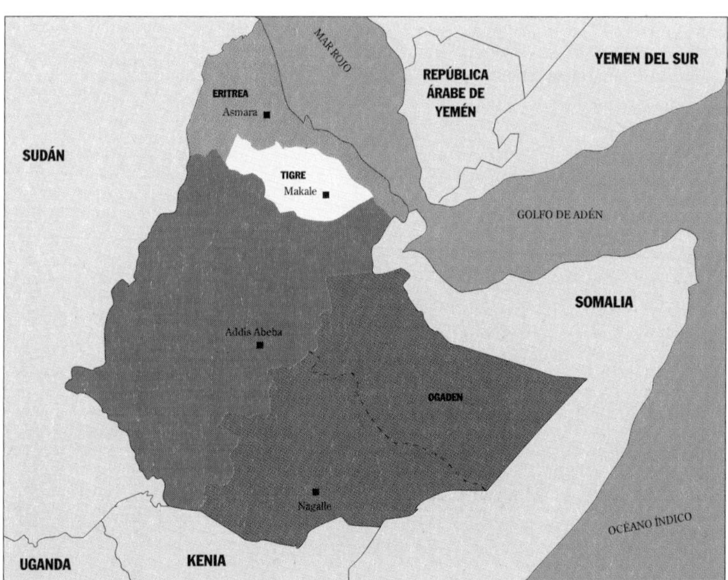

Separatistas de Eritrea, Tigre y Somalia reclaman buena parte de territorio etíope.

DEPORTES: Jimmy Connors gana su primer Wimbledon, el Open de Estados Unidos y el de Australia; Chris Evert gana su primer Wimbledon; el sueco Bjorn Borg, de 18 años, gana el trofeo Roland Garros [...] Fútbol: el F.C. Barcelona, campeón de liga en España.

«El artista y el criminal son compañeros de viaje; ambos poseen una creatividad salvaje, son amorales y se guían por la fuerza de la libertad.»—**Joseph Beuys**

Gaulle fue (en palabras de Giscard) «sí... pero». No estaba de acuerdo con el nacionalismo gaullista y quería convertir Francia en un *rayonnement*, una proyección de la civilización y no en una superpotencia. Como sus predecesores, apoyó a las grandes empresas; a diferencia de ellos, las consideraba un elemento clave para financiar reformas liberales moderadas. Mitterrand, hijo de un jefe de estación, era partidario de la intervención gubernamental, incluida la nacionalización de bancos e industrias importantes, para solucionar la desigualdad social y el desempleo.

En la primera ronda de las elecciones, Mitterrand, respaldado por los comunistas (que representaban el 20 % del electorado), superó a Giscard por dos millones de votos. No obstante, en la vuelta final esta alianza, con la amenaza de miembros del gobierno marxista-leninistas, le hizo perder votos. Su actuación en un debate televisado también le perjudicó. Giscard, con el eslogan «Cambio sin riesgo», ganó por un solo punto.

A pesar de su derrota, la izquierda no había sido tan fuerte desde los años treinta y vencería pocos años después. **◄1968.1 ►1976.14**

ARTE

Beuys y el coyote

9 A su llegada al aeropuerto Kennedy de Nueva York en mayo de 1974, el escultor alemán Joseph Beuys, fue envuelto en fieltro, colocado en una camilla y conducido en ambulancia a la René Blok Gallery, donde vivió con un coyote durante tres días y tres noches antes de ser envuelto en fieltro de nuevo, colocado en una camilla y conducido en ambulancia al aeropuerto. Esta extraña pieza, titulada *Me gusta América y a América le gusto yo*, era la última de una serie que hizo de Beuys uno de los artistas más provocadores de su época.

La obra de Beuys estaba influida por su experiencia en la Luftwaffe durante la Segunda Guerra Mundial. Derribado en Crimea, fue encontrado por nómadas tártaros que trataron sus heridas con grasa animal y lo envolvieron en fieltro para calentarlo. Evocó este recuerdo y otros acontecimientos traumáticos a través de la escultura, las artes gráficas y las «acciones», en las que empleaba medios nada convencionales. Figura clave de Fluxus, un movimiento de los años sesenta que rechazaba la profesionalidad y perdurabilidad del arte «elegante», se hizo célebre con

El artista alemán Joseph Beuys compartió alojamiento con un coyote.

Cómo explicar cuadros a una liebre muerta (1965), una exploración sobre los «problemas del lenguaje», en la que se empapaba la cabeza con oro laminado y miel y llevaba a dar una vuelta por la galería al animal muerto.

Para sus admiradores, Beuys era un chamán, una obra de arte viviente. (Su despido de la Universidad de Düsseldorf en 1972 provocó disturbios.) Partidario de causas que iban desde la liberación tibetana hasta el Partido Verde alemán, ejerció tanta influencia con sus discursos como con su obra sumamente original. Murió en 1986. **◄1920.4 ►1983.12**

ORIENTE MEDIO

Tregua árabe-israelita

10 Durante cuatro semanas de la primavera de 1974, el secretario de Estado norteamericano Henry Kissinger voló entre Jerusalén y Damasco, con el fin de tejer un acuerdo entre dos naciones que habían sido enemigas durante un cuarto de siglo. El 31 de mayo, representantes de Israel y de Siria firmaron en Ginebra un documento que establecía una frontera nueva, vigilada por la ONU, en los Altos del Golán y acababa con ocho meses de enfrentamientos esporádicos. La gestión diplomática de Kissinger significó un último éxito para Nixon, perjudicado por el caso Watergate, antes de su dimisión. Asimismo constituyó un triunfo final para Golda Meir que, muy criticada por su actitud en la guerra de 1973, ya había anunciado su dimisión en favor de Yitzhak Rabin.

El acuerdo de tregua, que obligaba a Israel a devolver a Siria 480 km² de tierra y la ciudad de Queneitra, mejoró las relaciones árabe-americanas y alentó al presidente de Egipto, Sadat, que había sido capaz de romper filas para negociar con Israel. Sin embargo, la unidad árabe se resintió cuando los líderes radicales de Irak y Libia añadieron a su lista de «traidores» al presidente sirio Hafez al-Assad. Y la tregua no consiguió solucionar la cuestión palestina.

Kissinger retratado como un «superdiplomático» en la portada de *Newsweek*.

Semanas antes, este problema había aterrorizado a dos ciudades israelitas. Comandos de la OLP asesinaron a 18 civiles en Kiryat Shmona y en Maalot murieron 16 niños cuando soldados del gobierno asaltaron una escuela que había sido tomada por otro grupo de la OLP. En noviembre, después de que la Liga Árabe declarara a la OLP como «el único representante legítimo» de los palestinos, el presidente Yasir Arafat se dirigió a la ONU con una pistola en la mano. «He venido con una rama de olivo y con la pistola de un luchador por la libertad. No dejéis que la rama de olivo caiga de mis manos», dijo. **◄1973.2 ►1977.1**

ambiente. La suspensión terminó en 1976. ◄1967.11 ►1976.5

►35 AÑOS DE GUERRA —El último militar nipón que continuaba en guerra contra Estados Unidos se enteró con casi 30 años de retraso del final de la Segunda Guerra Mundial y de la derrota de Japón. Emboscado en la selva filipina, primero con varios compañeros, después con un único camarada y por fin, durante años, solo y sin aceptar la posibilidad de que su país hubiera perdido la guerra, permaneció en espera de que los ejércitos del Imperio del Sol Naciente reconquistaran las islas. Para este oficial de la infantería de marina japonesa, la guerra acabó el 10 de marzo de 1973.

►GUERRILLA EN COLOMBIA—El M19 (Movimiento 19 de abril) se dio a conocer en el mes de enero como una fuerza dispuesta a combatir con las armas el régimen colombiano que consideraba «un instrumento de opresión y de sometimiento al capital extranjero». Tomó su nombre de la fecha en que el presidente Rojas Pinilla fue derrocado en 1970 por un golpe militar. Su primera acción tuvo un carácter eminentemente propagandístico. Asaltó el museo dedicado a Bolívar en Bogotá y robó la Espada del Libertador de América. Junto a los otros grupos de guerrilleros que operaban en las montañas, el M19 mantuvo la situación endémica de guerra civil en Colombia.

►EL DEBUT DE KANAWA —La gran soprano Kiri Te Kanawa debutó en el Metropolitan Opera de Nueva York en 1974 en el papel de Desdémona, de la ópera de Verdi *Otelo*. La crítica elogió su voz cálida y viva y su estilo sencillo para cantar. Te Kanawa, neozelandesa de ascendencia inglesa y maorí, estudió canto en Auckland antes de trasladarse a Londres y conseguir el apoyo de sir Georg Solti y otros directores a finales de los años sesenta. En 1981 cantó en la boda del príncipe Carlos y la princesa Diana. Al año siguiente, fue nombrada dama por la reina Isabel II. ◄1959.6 ►1975.11

►DESERCIÓN DE MISHA —Mikhail Baryshnikov, el bailarín más famoso de su

«Porque cuando habla, las autoridades oyen la voz de los campos, oyen a los fantasmas, a los millones, a las de decenas de millones que dejaron allí sus cuerpos. Y tienen miedo.»—**Escritor soviético anónimo sobre las razones para censurar a Aleksander Solzhenitsyn**

generación y el último alumno del legendario maestro soviético Aleksandr Pushkin, desertó a Occidente en junio

mientras realizaba una gira por Canadá como artista invitado del Ballet Bolshoi. Baryshnikov, primer bailarín del prestigioso Ballet Kirov de Leningrado, al desertar siguió los pasos de bailarines tan importantes como Rudolf Nureyev (1961) y Natalia Makarova (1970). En Estados Unidos se convertiría en una figura muy popular. ◄1961.13

▶INDIA REALIZA ENSAYOS NUCLEARES—De la India llegó la noticia de que los residuos reciclados de plutonio de una central nuclear podían servir para fabricar bombas. La India detonó su primera bomba nuclear en 1974, y se convirtió en el sexto país que poseía armamento nuclear. El hecho de que los científicos indios hubieran fabricado la bomba con material «pacífico» causó terror. Los especialistas estimaron que en el año 2000 la acumulación de plutonio producida en centrales nucleares de todo el mundo poseería «el potencial explosivo de un millón de bombas del tamaño de la que destruyó Nagasaki». ◄1969.8

TECNOLOGÍA

Regla de cálculo

11 Las calculadoras de bolsillo anteriores habían sido poco más que ábacos electrónicos, pero cuando en 1974 empezaron a incorporar el chip integrado a gran escala (LSI) en su tecnología se convirtieron en un instrumento científico, una herramienta valiosa que podía realizar cálculos de trigonometría avanzada y funciones logarítmicas. Anteriormente las calculadoras que realizaban estas operaciones estaban provistas de seis chips que las hacían caras y voluminosas. Los consumidores adquirieron enseguida los nuevos modelos: el primer año se vendieron unos veinte millones. Para la mayoría de la gente, la calculadora de bolsillo de funciones avanzadas representó la incorporación de la tecnología computerizada a la vida cotidiana.

El efecto sobre su precio fue inmediato: en un solo año, la calculadora pasó de costar 400 dólares a menos de 100. (Mientras tanto, las calculadoras de funciones simples sólo costaban 15 dólares y finalmente resultaron tan baratas que se regalaban, como premios.) Las calculadoras de bolsillo se introdujeron en todos los niveles de la sociedad e influyeron profundamente en la actitud no sólo hacia las matemáticas sino hacia las computadoras en general, que rápidamente perdieron su imagen esotérica. **◄1971.5 ►1981.10**

Las calculadoras multifuncionales llevaron la tecnología del microchip a millones de personas.

CINE

El *thriller* visceral de Polanski

12 En su *thriller* de 1974 *Chinatown*, el director Roman Polanski ofreció una visión melancólica de la sociedad acorde con una nación vencida por la guerra del Vietnam y conmocionada por el Watergate: la sociedad estaba completamente corrompida. La película, ambientada en Los Ángeles durante los años treinta, muestra la venalidad, en las relaciones personales y políticas, que cataliza la transformación de la ciudad desértica en la Meca del cine y la capital del sueño americano. El guión de Robert Towne añade espontaneidad e ingenio a una fórmula pasada de moda de películas de detectives: un investigador privado endurecido por las calles (Jack Nicholson), una dama sospechosa (Faye Dunaway), un millonario (John Huston) y un misterioso asesinato. Towne quería un final feliz pero Polanski, que aparece en el pequeño papel de un criminal que le raja la nariz a Nicholson, insistió en un final sangriento y nihilista.

***Chinatown* presenta a Jack Nicholson en el papel del detective privado J. J. Gittes y a Faye Dunaway en el de Evelyn Mulwray, la bella y misteriosa viuda cuyos secretos él intenta descubrir.**

Las mejores películas de Polanski, entre las que se encuentran *El cuchillo en el agua* (rodada en Polonia antes de que emigrara a París, Londres y Hollywood), *Repulsión* (1965) y *La semilla del diablo* (1968), están impregnadas de violencia, locura y humor negro. El fatalismo de Polanski está justificado: cuando era niño escapó del gueto judío de Cracovia y su madre murió en un campo de concentración. En 1969 volvió a sufrir un golpe violento cuando seguidores de Charles Manson asesinaron a su mujer (la actriz Sharon Tate), que estaba embarazada, y a cuatro amigos. En 1977, en libertad bajo fianza tras declararse culpable por haber tenido relaciones sexuales con una niña de trece años, huyó a París antes de la sentencia. **◄1969.9**

UNIÓN SOVIÉTICA

Solzhenitsyn censurado

13 En 1974 las autoridades soviéticas censuraron al novelista Aleksandr Solzhenitsyn. El escritor, de 51 años de edad, fue detenido por traición tras la publicación en París de algunas entregas de su monumental «investigación literaria» sobre el sistema carcelario soviético: *El archipiélago Gulag*. El libro se basa en un antiguo enfrentamiento con las autoridades: como oficial de artillería durante la Segunda Guerra Mundial, Solzhenitsyn fue arrestado por criticar a Stalin en una carta a un amigo. Juzgado *in absentia*, fue condenado a ocho años en un campo de trabajo y a tres más de exilio en Asia central. Durante su encarcelamiento, memorizó las historias de otras víctimas, y les prometió que las escribiría cuando acabara su condena.

Tras recoger el Premio Nobel de literatura que le fue otorgado en 1970 (entonces no fue a Estocolmo por miedo a que el Kremlin no le dejara regresar), Solzhenitsyn se estableció en Vermont, en Estados Unidos. Aunque fue reconocido por su valor y sus dotes creativas *(Un día en la vida de Iván Denisóvich* y *Pabellón del cáncer* son dos de sus obras principales), también fue polémico en el exilio por sus críticas a la cultura americana. Abogaba por el establecimiento en Rusia de un despotismo benevolente basado en el místico cristianismo ortodoxo ruso. En 1990 recuperó su nacionalidad gracias a Gorbachov, y en 1994 regresó a su patria. **◄1966.11 ►1975.5**

El congreso estadounidense ofreció una fiesta en honor de Solzhenitsyn *(izquierda)*, pero el escritor nunca estuvo de acuerdo con el estilo de vida americano.

PREMIOS NOBEL: Paz: Eisaku Sato y Sean MacBride (japonés, irlandés; desarme) [...] Literatura: Eyvind Johnson y Harry Martinson (suecos; novelistas) [...] Química: Paul Flory (estadounidense; macromoléculas) [...] Medicina: G. Palade, C. de Duve y A. Claude (estadounidense y belgas; estructura celular) [...] Física: A. Hewish y M. Ryle (británicos; radioastrofísica) [...] Economía: G. Myrdal y F. von Hayek (sueco y británico).

La venganza de una reina del baile

De *Carrie,* Stephen King, 1974

En su primera novela, Carrie, *Stephen King* (izquierda) *presentó a una muchacha desgarbada de 16 años de una ciudad pequeña que sufre las humillaciones de sus compañeros de clase y de su madre perturbada. Pero tiene un arma secreta: es telequinética. En la noche del baile del colegio, una maliciosa broma la lleva al límite y el «patito feo entre los cisnes» utiliza sus poderes sobrenaturales para llevar a cabo una venganza sangrienta de proporciones bíblicas. (En la escena inferior sus principales torturadores sufren su merecido castigo.) El superventas de 1974 inició la carrera de King como escritor de novelas de terror. Sus libros han vendido más de cien millones de ejemplares en todo el mundo. Es una fábrica de libros, mantenida por su habilidad para encontrar el horror en las relaciones humanas y darle un toque sobrenatural.*

Se metieron en el coche y él lo puso en marcha. Cuando encendió los faros delanteros, Chris empezó a gritar y se puso las manos crispadas en la cara.

Billy sintió lo mismo a la vez: algo en su cabeza

(Carrie, Carrie, Carrie),

una presencia.

Carrie estaba de pie frente a ellos, a poca distancia.

Las luces la destacaban en cadavéricos blancos y negros de película de miedo, con gotas y coágulos de sangre. Ahora buena parte de ella era suya. El mango del cuchillo de carnicero sobresalía de su espalda y su vestido estaba cubierto de manchas grasientas. Se había arrastrado gran parte del camino desde Carlin Street, casi desmayada, para destrozar ese albergue —quizá donde había empezado la condena de su creación. Se balanceaba, con los brazos rígidos como los de un hipnotizador en escena, y empezó a avanzar hacia ellos.

Sucedió en un segundo.

Chris no tuvo tiempo ni de gritar. Los reflejos de Billy eran buenos y su reacción fue instantánea. Se agachó y le dio al embrague.

Los neumáticos del Chevrolet rechinaron contra el asfalto y el coche avanzó como un viejo y terrible tigre. La figura se agrandó en el parabrisas y mientras lo hacía la presencia se hizo más fuerte.

(CARRIE, CARRIE, CARRIE)

y más fuerte

(CARRIE, CARRIE, CARRIE)

como una radio a todo volumen. Parecía que el tiempo los encerraba en un armazón y durante un segundo quedaron congelados incluso en movimiento: Billy

(CARRIE como a los perros, Carrie, como a los perros malditos CARRIE me gustaría CARRIE que te CARRIE pasara)

y Chris

(CARRIE Jesús no la mató CARRIE no pensaba matarla CARRIE Billy yo no CARRIE lo veré CARRIE)

y la misma Carrie.

(Mira las ruedas del coche, la rueda, el pedal del gas, veo la rueda o Dios mi corazón, mi corazón, mi corazón.)

Y de repente, Billy notó que su coche le traicionaba, cobraba vida y no le obedecía. El Chevrolet se hundió en un semicírculo de humo, el tubo de escape hacía ruido y de repente la valla del The Cavalier se agrandó, se agrandó y

chocaron contra ella y la madera se pulverizó en una detonación de neón. Billy salió disparado hacia adelante y la columna de dirección le atravesó. Chris salió disparada contra el tablero.

El depósito de gasolina se partió y la gasolina empezó a esparcirse por la parte trasera del coche. Luego, la gasolina se incendió.

En la versión cinematográfica realizada por Brian De Palma en 1976, Carrie (Sissy Spacek) lleva a cabo una terrible venganza contra los que la han nombrado reina del baile sólo para humillarla. Aquí, cubierta de sangre de cerdo, incendia el gimnasio y comienza su venganza.

«Ser español es ser alguien en el mundo. ¡Arriba España!»—**El Generalísimo Francisco Franco en su último discurso público en octubre de 1975, un mes antes de su muerte**

HISTORIA DEL AÑO

Finaliza la época de Franco

1 A los 82 años, el general Francisco Franco se aferraba a la vida con la misma tenacidad con que se había mantenido como gobernante absoluto de España durante 40 años. El Generalísimo estaba enfermo, pero los médicos y su voluntad de hierro le habían salvado hasta ahora. En octubre de 1975, encontró fuerzas para reunir a ciento cincuenta mil seguidores en contra de «la conspiración masónica de izquierdas» que intentaba deponerle. Finalmente, en noviembre le falló el corazón. El rey Juan Carlos se enfrentaba a una decisión que había provocado la guerra civil en muchos países: continuar la dictadura o establecer la democracia.

Dos días después de la muerte de Franco, el príncipe Juan Carlos fue proclamado rey de España.

El descontento con la dictadura estaba muy generalizado. Cuando la industrialización y el turismo empezaron a aumentar los ingresos en los años sesenta, la clase media comenzó a desear más libertad política y cultural. Los estudiantes manifestaban este deseo aun con el riesgo de ir a la cárcel. La Iglesia católica era cada vez más crítica. Los obreros, oprimidos por los sindicatos oficiales, empezaron a convocar huelgas ilegales. Los separatistas vascos continuaban su campaña terrorista y el autonomismo también se difundía por Cataluña. En los años setenta, cuando «el milagro económico» de España dio paso a la recesión, el descontento aumentó. Pero incluso después de la muerte de Franco, la oligarquía de derechas se aferraba a sus privilegios.

Al principio muchos españoles pensaron que Juan Carlos, de 37 años, no sería capaz o no querría enfrentarse al antiguo orden. Prometió elecciones pero las manifestaciones eran sofocadas, a menudo de forma violenta. Sin embargo, se puso fin a la censura de la prensa y se otorgó una tribuna a aquellos que pedían una «ruptura democrática» con el franquismo. El rey quería la democracia pero temía provocar un conflicto violento, de modo que mientras mantenía conversaciones con los líderes de la oposición llevaba a cabo cambios lentos y mantenía un tono moderado en sus discursos. En julio de 1976 puso en libertad a la mayoría de presos políticos, legalizó los partidos y sustituyó al reaccionario primer ministro Carlos Arias Navarro por un político joven y poco conocido, Adolfo Suárez González. En septiembre, Suárez presentó la propuesta de formar un parlamento multipartidista (incluyendo a los comunistas) y de celebrar elecciones en 1977.

Aunque algunas leyes represivas de Franco sobrevivieron tras estas elecciones, el gobierno dejó de aplicarlas. España disfrutaría de una libertad de expresión sin precedente desde los años treinta. **◂1973.11 ▸1981.5**

COLONIALISMO

Fin del imperio portugués

2 En 1975, cinco siglos después de haber iniciado la colonización de África, Portugal se convirtió en el último país europeo que abandonó el continente. Guerras costosas e impopulares contra los movimientos independentistas de Angola, Mozambique y la Guinea portuguesa habían provocado la caída del régimen derechista el año anterior. El régimen revolucionario concedió la independencia a Guinea de forma inmediata (el país fue rebautizado como Guinea-Bissau).

Para las tres colonias, la dominación portuguesa resultó cruel y los dirigentes no prepararon el terreno para el autogobierno. En Mozambique y Angola los problemas poscoloniales fueron especialmente complejos. Muchos de los doscientos veinte mil blancos de Mozambique, que temían el desquite de ocho millones de negros y desconfiaban del régimen maoísta de Samora Machel, huyeron del país. Algunos destruyeron las propiedades que abandonaron y el éxodo creó escasez de capital y de experiencia técnica. Los que se quedaron fueron bien tratados, pero los proyectos de Machel de reforma social y de colectivización fueron saboteados por Sudáfrica y Rhodesia. Ambos países atacaron a Mozambique en represalia por su apoyo a las condenas de la ONU y a las guerrillas antisegregacionistas. Un grupo guerrillero llamado Renamo, apoyado por Sudáfrica, inició una guerra contrarrevolucionaria.

Muchos blancos también huyeron de Angola mientras tres grupos armados nacionalistas se disputaban el poder. El MPLA, dirigido por el poeta y presidente Agostinho Neto, que quería superar las divisiones étnicas, había liderado la lucha por la independencia. El FNLA de Holden Roberto, respaldado por el pueblo kongo, se unió con el UNITA de Jonas Savimbi, con sede en Ovimbundu, para desafiar al gobierno de Neto. El MPLA estaba apoyado por armas soviéticas y soldados cubanos, el FNLA-UNITA por Estados Unidos y Sudáfrica. En Angola estalló una guerra endémica. **◂1974.2**

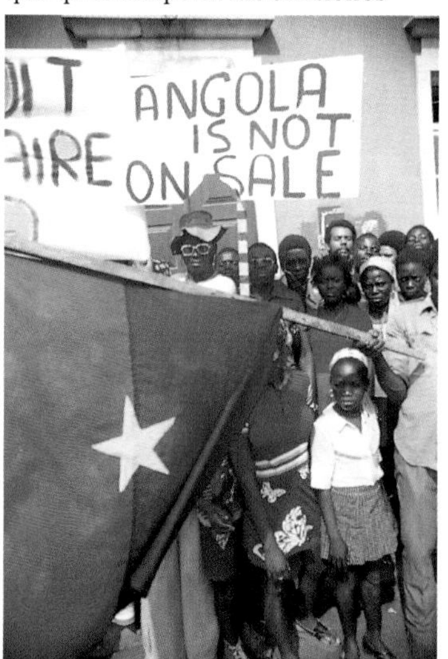

Algunos manifestantes de Angola frente al palacio del gobernador en Luanda.

ORIENTE MEDIO

Guerra en el Líbano

3 La larga y caótica guerra civil libanesa empezó en abril de 1975 en Beirut cuando los cristianos masacraron un autobús de palestinos. Al cabo de unas semanas, la artillería estaba desplegada por todo el país y el gobierno nacional había caído.

Antes de la guerra, Beirut era la Riviera de Oriente Medio.

Las causas del conflicto se remontaban a los años veinte, cuando Francia, que heredó la región del Imperio Otomano, creó la República libanesa con el territorio del Líbano y varias zonas de Siria. Con una población dividida entre musulmanes y cristianos maronitas a partes iguales, la inestabilidad era la norma. En 1946, cuando el Líbano obtuvo la plena independencia, se estableció un sistema de distribución del poder: el presidente era un maronita, el primer ministro un musulmán sunni y un musulmán chiita presidía la cámara de diputados. Pero las tensiones entre los musulmanes pobres, campesinos, y los cristianos urbanos, relativamente privilegiados, aumentaron en 1970 con la llegada de miles de palestinos expulsados de Jordania. Ahora los musulmanes constituían una gran mayoría que amenazaba a los cristianos. Las incursiones de la OLP contra Israel desde bases libanesas provocaron

ARTE Y CULTURA: Libros: *Shogun* (James Clavell); *La verdad sobre el caso Savolta* (Eduardo Mendoza); *El otoño del patriarca* (Gabriel García Márquez) [...] Música: *Still crazy after all these years* (Paul Simon, LP) [...] Cine: *Alguien voló sobre el nido del cuco* (Milos Forman); *Tiburón* (Steven Spielberg); *Shampoo* (Hal Ashby) [...]

«Estados Unidos ya no está en posición de emprender aventuras bélicas [...] Hace 15 años eran muy fuertes, pero ya no lo son.»—**Fidel Castro, sobre el fracaso de Vietnam**

represalias y los bombardeos israelitas contra pueblos libaneses (en los que también murieron muchos maronitas) impulsaron a los cristianos de derechas a atacar a sus rivales musulmanes, tanto palestinos como locales.

Al principio, Siria respaldó a los palestinos y al movimiento musulmán de izquierdas liderado por Kamal Jumblatt pero, a principios de 1976, cuando los musulmanes estaban a punto de ganar, el presidente sirio Assad temió una intervención israelita. Cambió de bando, envió veinte mil soldados al Líbano y los cristianos recuperaron terreno. La ciudad quedó dividida por una «línea verde» entre los escombros de Beirut, en constante disputa con los cristianos al norte y los musulmanes al sur. Ni siquiera la llegada de treinta mil soldados de la Liga Árabe pudo detener la lucha. El antiguo centro financiero y lugar de veraneo de Oriente Medio se convirtió en un infierno. **◄1920.2 ►1982.2**

SUDESTE ASIÁTICO

Saigón en poder comunista

4 El ejército de Vietnam del Sur resistió durante dos años tras la retirada de Indochina de las fuerzas americanas. En 1975 llegó el final cuando Washington, enfrentado a un déficit presupuestario altísimo, suspendió las ayudas. En marzo, las fuerzas comunistas tomaron Hue y Da Nang. El presidente Thieu huyó el 21 de abril. En 29 del mismo mes, se ordenó a los americanos que todavía permanecían en Vietnam que se reunieran en su embajada de Saigón para ser evacuados. Miles de vietnamitas también se presentaron: se amontonaron ante las puertas cerradas e intentaron subir a los helicópteros. Los comunistas arribaron al día siguiente, Saigón se convirtió en la Ciudad de Ho Chi Minh, y los dos Vietnam se unificaron.

Desde 1965 habían muerto un millón de soldados comunistas y doscientos mil sudvietnamitas junto a más de un millón de civiles. Muchos más quedaron lisiados. El país estaba plagado de minas que no habían explotado y de agujeros, ocasionados por las bombas, llenos de agua donde se reproducían los mosquitos portadores de la malaria. Los americanos fumigaron con herbicidas los bosques y los cultivos y los refugios para que los comunistas no se aprovecharan de ellos. Además del desequilibrio ecológico, los productos químicos causaron enfermedades y taras de nacimiento. Frenada a causa del embargo americano y la política comunista, la reconstrucción duraría generaciones.

En el terrado de la embajada americana de Saigón, docenas de evacuados suben a un helicóptero.

Los bombardeos americanos también devastaron Camboya y Laos, donde los comunistas locales ascendieron al poder en abril y en agosto, respectivamente. Decididos a rehacer su nación de la nada, los nuevos dirigentes de Camboya, los Khmer rojos, evacuaron las ciudades. En 1979, en busca de la pureza étnica y política, asesinaron a unos dos millones de camboyanos. En mayo, el mundo constató por primera vez su extraña manera de actuar cuando confiscaron un buque mercante de Estados Unidos, el *Mayaguez*, y mantuvieron retenida a la tripulación durante tres días. Quince americanos fallecieron al asaltar el barco pero los prisioneros ya no estaban allí. Los Khmer rojos, que los habían escondido, los liberaron inmediatamente. **◄1973.8 ►1977.8**

UNIÓN SOVIÉTICA

Un Nobel para un disidente

5 Aludiendo a su compromiso con «el principio de que la paz mundial no puede tener un valor perdurable a menos que se base en el respeto por el ser humano como individuo», el comité del Nobel otorgó el Premio de la paz de 1975 al físico Andrei Sajárov, a quien el Kremlin prohibió recibirlo personalmente. Sajárov, padre de la bomba H soviética, dio la espalda a los dirigentes soviéticos para hacer campaña contra los abusos institucionales contra los derechos humanos. Su cruzada le valió la aprobación internacional y la persecución nacional.

En 1953, Sajárov, a los 32 años de edad, se convirtió en el miembro de la Academia Soviética de Ciencias más joven de la historia. Su apoyo a la prohibición de ensayos nucleares en 1957 le enfrentó con el gobierno, pero el Partido Comunista le concedió un trato de privilegio: era demasiado valioso para castigarle y se le presentó como a un sabio excéntrico. No obstante, a mediados de los años sesenta, cuando sus críticas alcanzaron a la totalidad del sistema social, cayó en desgracia. En 1968 publicó «Pensamientos sobre el progreso, la coexistencia pacífica y la libertad intelectual», una llamada a las libertades civiles, al acercamiento Oriente-Occidente y al fin de la carrera armamentística. Impreso por *The New York Times* y distribuido de forma clandestina por la Unión Soviética, el ensayo le convirtió en una figura política internacional. Su acreditación de seguridad le fue retirada inmediatamente.

Sajárov fotografiado en casa del disidente Lev Kopelev en 1977.

Cinco años después de ganar el Nobel, Sajárov fue detenido y exiliado a la ciudad de Gorky por condenar la invasión de Afganistán. Liberado por Mijail Gorbachov en 1987, reasumió su papel de crítico. Antes de su muerte en 1989, vio convertidas en leyes muchas de las reformas que defendió. **◄1974.13 ►1975.8**

NACIMIENTOS

Drew Barrymore, actriz estadounidense.

MUERTES

Hannah Arendt, filósofa germano-estadounidense.

Nikolai Bulganin, político soviético.

Georges Carpentier, boxeador francés.

Raymond Cartier, periodista francés.

Carlos Chávez, compositor y director mexicano.

Chiang Kai-shek, presidente nacionalista chino.

Eamon De Valera, político irlandés.

Walker Evans, fotógrafo estadounidense.

Francisco Franco, político español.

Haile Selassie, emperador de Etiopía.

Susan Hayward, actirz estadounidense.

Julian Huxley, biólogo y escritor británico.

József Mindszenty, cardenal católico húngaro.

Antonín Novotny, político checo.

Aristóteles Onassis, armador y empresario griego.

Saint-John Perse, poeta francés.

Dmitri Joseph Toynbee, historiador británico.

Thornton N. Wilder, escritor estadounidense.

P. G. Wodehouse, escritor anglo-estadounidense.

Teatro: ***Same time, next year*** **(Bernard Slade);** ***Tlerra de nadie*** **(Harold Pinter) [...] TV:** ***Fauna ibérica*** **(Félix Rodríguez de la Fuente).**

«No hay vencedores ni vencidos, ganadores ni perdedores. Ha sido una victoria de la razón.»—**Leonid Brezhnev, líder del Partido Soviético, comentando el resultado de la Conferencia de Helsinki**

NOVEDADES DE 1975

Computadores domésticos (Altair).

Cerveza *light* (Miller Lite).

Cruce de búfalo y vaca.

Pago computerizado en supermercados.

Maquinillas de afeitar desechables.

Convertidores catalíticos en los coches.

ECU (European Current Unity).

EN EL MUNDO

▶DESAPARICIÓN DE HOFFA —Jimmy Hoffa, antiguo presidente de la Fraternidad Internacional de Camioneros, desapareció de un restaurante de las afueras de Detroit el 30 de julio. Hoffa, que había contribuido a convertir a la Fraternidad en el sindicato

más amplio de Estados Unidos, fue a la cárcel en 1967 por fraude, conspiración y soborno al jurado, pero su condena de trece años fue conmutada por el presidente Nixon en 1971. Enseguida violó las condiciones de su libertad al intentar recuperar el control del sindicato. El día de su desaparición debía encontrarse con los mafiosos Anthony Provenzano y Anthony Giacolone. El cuerpo de Hoffa nunca se encontró.

▶COMBATE EN MANILA—El 1 de octubre en las Filipinas, Muhammad Ali y Joe Frazier se enfrentaron en el combate más importante en cinco años de rivalidad. Frazier había derrotado a Ali en un encuentro brutal en 1971; Ali había vencido tres años después. Esta vez, unos setecientos millones de telespectadores de 65 países presenciaron cómo Ali golpeaba con tanta fuerza a su

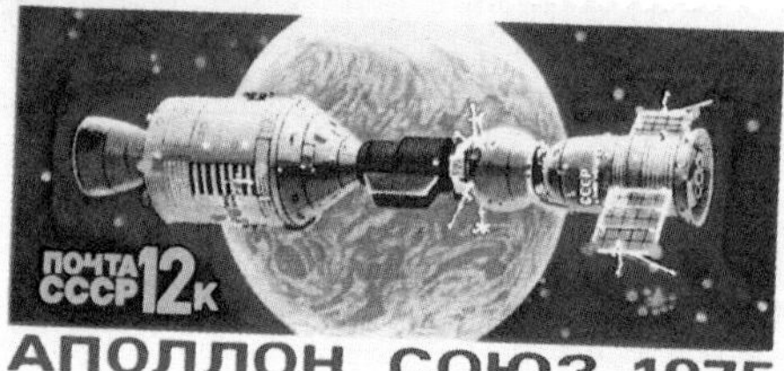

Sellos conmemorativos del acoplamiento.

EXPLORACIÓN

Unión espacial de las superpotencias

6 El 17 de julio de 1975, mientras sus naves orbitaban la Tierra, el coronel soviético Aleksei Leonov y el general norteamericano Thomas Stafford flotaron a lo largo de un túnel que unía sus dos naves y se dieron la mano.

El gesto entre las dos superpotencias rivales, el primer encuentro internacional en el espacio, era el resultado de un tratado firmado durante el viaje de 1972 de Richard Nixon a la Unión Soviética. Demostrando una nueva actitud aperturista, los soviéticos permitieron que los americanos visitaran su base de lanzamientos y comentaron francamente sus principales fracasos. (Incluso lanzaron el *Soyuz 16* como prueba de que habían superado sus problemas.) La NASA, a su vez, diseñó un módulo que permitiría el ensamblaje de las dos naves. Según el acuerdo, la cápsula norteamericana alcanzaría a la soviética y se acoplaría a ésta. Los soviéticos acogerían a los americanos en su nave.

Las tripulaciones se entrenaron en ambos países, para aprender algo de los idiomas respectivos para entenderse. Tras dos días de cohabitación durante los que hubo intercambio de placas y medallas, los astronautas se prometieron amistad eterna. En la Tierra, sin embargo, los misiles de sus países seguían dispuestos para la destrucción mutua. **◀1972.NM ▶1981.12**

DEPORTES

Ashe gana en Wimbledon

7 Las pistas de hierba bien cortada y la norma del blanco integral de Wimbledon sirvieron de marco a los estilos opuestos de los dos americanos que se enfrentaron en la final de 1975. A un lado de la red estaba el descarado Jimmy Connors, chico malo del tenis y favorito de los entendidos londinenses. Al otro lado se encontraba Arthur Ashe, un deportista muy dotado cuyo revés diabólico y duro servicio coexistían con una serenidad imperturbable. Ashe arrasó: ganó en cuatro sets, dos de ellos con gran ventaja, para convertirse en el primer campeón negro de uno de los torneos de tenis más prestigiosos.

Ashe, educado en Richmond, Virginia, aprendió a jugar en parques segregados de la ciudad. Su padre, viudo, un policía de parques, le enseñó autocontrol y dignidad, armas contra Jim Crow y, más tarde, contra sus rivales del tenis. Ashe ganó 51 torneos importantes, fue el primer presidente de la unión profesional de jugadores y se convirtió en el primer millonario negro del tenis. Después de que una enfermedad del corazón le obligara a retirarse en 1980, se convirtió en un crítico radical del segregacionismo sudafricano y de las injusticias de las ciudades de Estados Unidos. En 1988 publicó *A hard road to glory*, una historia en tres volúmenes sobre los deportistas negros.

En 1992 Ashe anunció que tenía el SIDA, seguramente contraído a través de una transfusión de sangre. La prevención del SIDA fue su siguiente campo de batalla y la creación de una fundación para la investigación médica su último gran compromiso. Murió en 1993 a la edad de 49 años. **▶1976.9**

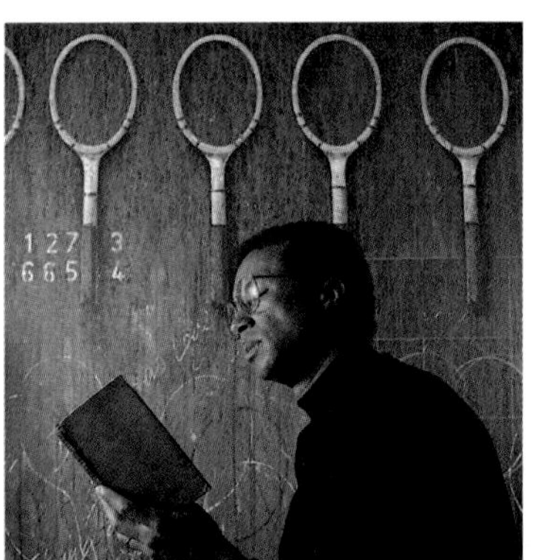

Fuera y dentro de la pista, Ashe destacó por su temple y valor.

DIPLOMACIA

Tratado de derechos humanos

8 Tras dos largos años de conversaciones diplomáticas, los participantes de la Conferencia sobre Seguridad y Cooperación en Europa (CSCE), celebrada en Helsinki en 1975, aprobaron una serie de normas sobre los derechos humanos de todo el mundo. Estas normas proporcionaron a los disidentes del bloque soviético un marco para sus protestas. Los acuerdos de Helsinki fueron aprobados por 33 países europeos, Estados Unidos y Canadá.

Fue el ministro de asuntos exteriores soviético, Vyacheslav

Brezhnev se dirige a los conferenciantes de Helsinki.

Molotov quien propuso en 1953 una conferencia para la seguridad europea. Con la esperanza de legitimar el imperio europeo de Moscú, Molotov pensó en un organismo que reconociera oficialmente la situación creada en la postguerra. Pero en vez de esto, la CSCE reconoció un principio que Moscú alabó pero no puso en práctica: la «igualdad de soberanía» de las partes constituyentes del bloque soviético. Además, Austria planteó la idea de que la inviolabilidad de las fronteras nacionales incluía la inviolabilidad de los derechos individuales dentro de tales fronteras. Los negociadores soviéticos aceptaron ambos conceptos para salvar las apariencias y lograr concesiones comerciales.

Los acuerdos de Helsinki, aunque no eran legalmente vinculantes, tenían significación política. Un estado ya no podría alegar que los abusos sobre los derechos humanos eran de su estricta incumbencia. Después de Helsinki, muchos

DEPORTES: Montañismo: la japonesa Junko Tabei, primera mujer que alcanza la cima del Everest.

«No considero que esto sea un verdadero debú. Después de todo, nadie me mira y dice: "¡Aquí viene la debutante!"»
—Beverly Sills, tras su primera actuación en la Metropolitan Opera de Nueva York

gobiernos occidentales, sobre todo la administración norteamericana de Carter, vincularon el comercio a la situación de los derechos humanos en los países afectados. Dentro del bloque soviético, sobre todo en Polonia y Checoslovaquia, los líderes disidentes tomaron los acuerdos como punto de partida para sus movimientos. ►**1977.2**

CIENCIA

Se nace o se hace

9 Con su libro de 1975 *Sociobiology: the new synthesis*, E. O. Wilson, entomólogo de Harvard, inició el desarrollo de la sociobiología, el estudio de la base genética del comportamiento social. Wilson afirmó que todos los actos sociales se basan en la genética y están programados para asegurar la supervivencia del código genético. «La función primaria del organismo no es reproducir otros organismos; el organismo reproduce genes y les sirve de portador», escribió. Es decir, «el organismo es sólo el método del ADN para fabricar más ADN».

Wilson explicó el altruismo de los animales (una hormiga «soldado» sacrificará su vida para defender a su colonia contra los intrusos) como el instinto de proteger a los que llevan sus mismos genes. Sin embargo, sus cautelosos intentos de aplicar estas teorías a los humanos despertaron las críticas de los intelectuales, sobre todo de aquellos que consideraban el entorno (educación por oposición a naturaleza) como el principal configurador de la conducta. Fue acusado de reducir la compleja conducta humana a un imperativo químico.

De hecho, Wilson nunca negó el papel de la ética ni sugirió que más del 10 % de la conducta humana estuviera «predeterminada». Pero su obra fue una importante contribución al sector del pensamiento teórico que daba un lugar preeminente a la naturaleza en el debate naturaleza-educación. (Desde la idea de Piaget de que el desarrollo intelectual se produce en fases determinadas biológicamente hasta la afirmación de Chomsky de que las «estructuras profundas» del lenguaje están programadas en el cerebro.) ◄**1957.13**

TERRORISMO

Un año sangriento

10 El terrorismo aumentó durante diez años en países oficialmente en paz y culminó de forma sangrienta en 1975. Los motivos de los ataques fueron tan diversos como los métodos.

En febrero, miembros de la Facción del Ejército Rojo Alemán (Baader-Meinhof) secuestraron a un político de Berlín occidental y consiguieron un salvoconducto a Oriente Medio para dos camaradas encarcelados. En abril, el grupo tomó doce rehenes en la embajada alemana occidental de Estocolmo y pidió la liberación de 26 miembros de la banda. Dos diplomáticos fueron asesinados y los terroristas capturados.

En octubre, el IRA mantuvo secuestrado durante semanas a un empresario holandés. En noviembre, voló la casa londinense de un político británico, matando a un transeúnte. El mismo mes, las Brigadas Rojas de Italia raptaron y golpearon a un empresario genovés y lo abandonaron en un vertedero de basuras. Los embajadores turcos de París y Viena fueron asesinados. Nacionalistas armenios y chipriotas griegos se atribuyeron los crímenes.

En diciembre, separatistas de las Molucas del Sur (parte de un archipiélago al este de Indonesia) tomaron rehenes en el consulado indonesio de Amsterdam y en un tren holandés (el maquinista y dos pasajeros fueron asesinados). Comandos propalestinos, dirigidos por el famoso «Carlos», un terrorista mercenario venezolano cuyo nombre real era Ilyich Ramírez Sánchez, raptaron a dirigentes de la OPEP en Viena. Secuestradores y rehenes volaron a Libia y Argelia, donde se concedió asilo a los terroristas. Por último, dos días antes de Año Nuevo, una bomba colocada por nacionalistas portorriqueños mató a catorce personas en el aeropuerto La Guardia de Nueva York.

Sills como Pamira (*centro*) en su debú en el Metropolitan Opera de Nueva York, donde se interpretaba *El cerco de Corinto* de Rossini.

MÚSICA

Sills en el Metropolitan

11 Cuando Beverly Sills realizó por fin su debú oficial en la Metropolitan Opera de Nueva York el 7 de abril de 1975, recibió una gran ovación antes de cantar una sola nota. Miembro de la New York City Opera (NYCO) desde 1955, la cantante, de 45 años y cuyo nombre real era Belle Silverman, era la primera diva americana que se había convertido en una estrella sin haber actuado en el Metropolitan ni en las grandes óperas de Europa. Debutó en La Scala en 1969 y por entonces su brillante voz («tan clara y ligera que parece fosforescente», según un crítico) y su fuerza escénica ya la consagraron como la cantante-actriz más importante de la ópera. Una larga enemistad con sir Rudolph Bing, director general del Metropolitan, la mantuvo fuera del escenario del Lincoln Center.

El sucesor de Bing, Schuyler Chapin, fue quien la invitó a cantar en el gran teatro la ópera de Rossini *El cerco de Corinto*. A una edad en la que muchas cantantes empiezan a declinar, realizó una actuación sorprendente. «Éste es mi último debú», bromeó Sills tras actuar. Se retiró cinco años después pero pasó a ser directora de la NYCO. ◄**1959.6** ►**1990.8**

La policía examina la Old Bond Street de Londres, donde estalló una bomba del IRA.

rival que el preparador de Frazier tiró la toalla un asalto antes del final. ◄**1964.11**

►MAESTRO DE MAESTROS—El 13 de abril, Jack Nicklaus ganó el prestigioso Masters Tournament en Augusta,

Georgia. Posiblemente el mejor jugador de golf del mundo, el «Oso de Oro», cuyos triunfos incluían cinco títulos de la Asociación de Golfistas Profesionales, cuatro Open de Estados Unidos y tres británicos, fue el jugador más joven (23 años) que ganó el Masters, en 1963. Con seis Masters en su poder, en 1986 también fue el de mayor edad (46 años).

►AÑO INTERNACIONAL DE LA MUJER—Bajo el patrocinio de la ONU, 1975 fue declarado Año Internacional de la Mujer. La declaración supuso el reconocimiento explícito por parte de la primera institución internacional de las situaciones de injusticia y desigualdad que —en grados diversos— sufren las mujeres del mundo. Además de promover una vindicación de la igualdad para las féminas en el ámbito jurídico, laboral, social y cultural, el Año Internacional de la Mujer impulsó los estudios sobre la condición femenina tanto por parte de organismos públicos como de empresas privadas.

►POLONIA ABRE SUS PUERTAS—Solucionando una trágica herencia de la Segunda Guerra Mundial, Alemania occidental y Polonia firmaron un tratado en 1975 que permitió a unos ciento veinte mil alemanes residentes en Polonia emigrar a Alemania. A cambio de los visados, el gobierno de Bonn de Helmut Schmidt estuvo de acuerdo en pagar a Polonia más de dos millones de marcos alemanes en concepto de reparaciones por la ocupación nazi durante la guerra. ◄**1974.3**

►TESORO ENTERRADO—Una excavación arqueológica en la tumba del emperador chino

«Los bailarines se matan en un espectáculo. Trabajan como perros, cobran menos que nadie y no tienen un prestigio real. Quiero montar un espectáculo donde los bailarines sean las estrellas.»—**Michael Bennett, director y coreógrafo de *A Chorus Line***

Shih Huang-ti, gobernante de China entre el 221 y el 206 a. C, desenterró tesoros

que hicieron parecer un pobre al faraón Tutankamon: unos ocho mil guerreros de cerámica de tamaño natural *(superior)*, armados con espadas, ballestas y lanzas auténticas, caballos y carros de bronce; más de diez mil piezas de oro, jade, hierro y seda. El tesoro funerario fue encontrado por unos campesinos que cavaban pozos cerca de Xi'an, en la provincia de Shanxi. ◄1922.3

►GENOCIDIO EN TIMOR —Indonesia se anexionó la antigua colonia portuguesa de Timor oriental (en la isla de Timor, a unos 640 km de la costa noroeste de Australia) en 1975. El régimen derechista de Suharto declaró que la anexión era una medida defensiva contra la infiltración comunista. La ONU declaró que era una agresión. Con la aprobación tácita de Estados Unidos, Suharto persistió: su ejército y el hambre provocada por la guerra mataron a la mitad de la población en cinco años. ◄1966.13

►DECLARACIÓN «INFAME» —El 10 de noviembre la Asamblea General de la ONU calificó al sionismo de «una forma de racismo y discriminación racial». La sorprendente declaración («infame», según el delegado norteamericano Daniel Patrick Moynihan), fue acompañada de un llamamiento a la participación de la OLP en las conversaciones de paz de Oriente Medio. La resolución fue rechazada en 1991. ►1993.1

Selección de bailarines anónimos en *A Chorus Line*.

TEATRO

Un éxito original

12 A la vez local y universal, *A Chorus Line*, un musical de Broadway sobre 18 bailarines que se presentan a una audición para un musical de Broadway, tocó temas tan conocidos como la ambición, la competencia, el individualismo y el conformismo. El espectáculo se estrenó en el Public Theatre del Shakespeare Festival de Nueva York en abril de 1975 y pronto se trasladó al Shubert Theatre de Broadway, donde realizó 6.137 representaciones en quince años.

La producción nació de la idea del director, coreógrafo y antiguo bailarín Michael Bennett de que los bailarines son los miembros menos valorados de una compañía. Bennett reunió a un grupo de bailarines muy distintos, conversó con ellos durante dos noches y grabó las historias personales que explicaron. Con el patrocinio del productor del Shakespeare Festival, Joseph Papp, Bennett y sus colaboradores (Nicholas Dante, bailarín y escritor; James Kirkwood, novelista y dramaturgo; el compositor Marvin Hamlisch y el letrista Ed Kleban) escribieron, crearon la música y coreografiaron el espectáculo mientras los bailarines ensayaban.

La crítica se entusiasmó con la historia, con el sencillo decorado (de fondo oscuro, con un gran espejo y una línea blanca en el suelo) y con el baile en sí. Una de las canciones de la partitura, original y enérgica, se convirtió en un éxito: «What I did for love». *A Chorus Line* ganó nueve Tonys, un Pulitzer y, hasta 1990, cincuenta millones de dólares.

MÚSICA

The Boss

13 Tras la presentación de su primer disco de éxito, *Born to run* (1975), Bruce Springsteen tuvo el honor inusual de aparecer simultáneamente en las portadas de *Time* y de *Newsweek*. Entre las frases referidas al cantante-guitarrista de Nueva Jersey estaban las de «el nuevo Bob Dylan» y «lo más grande desde Elvis». Para sus seguidores, los recuerdos de una adolescencia en una pequeña ciudad, entre la clase obrera, eran poesía de Whitman. Su música, arraigada en la tierra, fue una bocanada de aire fresco para una escena dominada por la música disco y otros derivados del *rock* superexplotados, decadentes o diluidos. Cuando el LP vendió un millón de discos en seis semanas, quedó claro que había llegado *The Boss* (el jefe).

Problemas empresariales le impidieron grabar durante los tres años siguientes pero Springsteen siguió realizando giras y componiendo canciones para otros intérpretes. Su siguiente LP, el sombrío *Darkness at the edge of town*, le confirmó como buen músico. *The river* (1980) fue su primer álbum que estuvo en el número uno de las listas y en 1984, cuando el LP *Born in the USA* dio lugar a cuatro discos sencillos de éxito, Springsteen era la estrella del *rock* más famosa del mundo. **►1980.E**

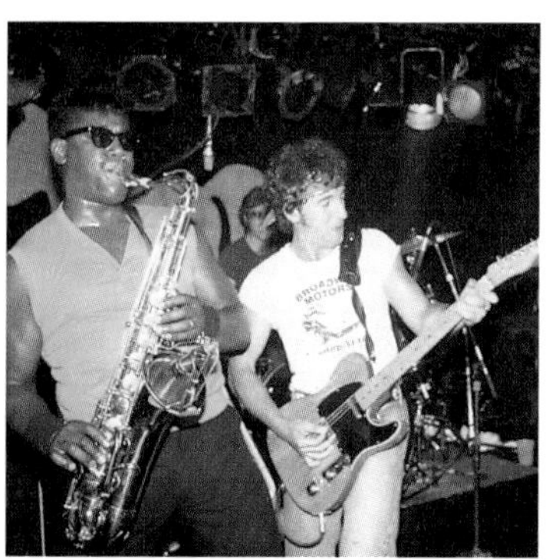

Springsteen (*derecha*) con el saxofonista Clarence Clemons.

CINE

Crítica americana

14 La calidad del cine comercial americano fue mejor en los años setenta que en cualquier otra época desde el apogeo de los estudios cuarenta años atrás, y la película de Robert Altman *Nashville* seguramente es la culminación de la buena cosecha de la década. «Nunca había visto una película que me gustara tanto. *Nashville* es la visión épica de América más divertida que ha llegado a la pantalla», anotó la crítica Pauline Kael.

Altman, ya admirado por su comedia antibelicista *M*A*S*H* (1970) y la película del oeste americano revisionista *Los vividores* (1971), utilizó Nashville, la capital comercial de la música *country*, para estudiar la sociedad americana. La película sigue a dos docenas de personajes (músicos, aspirantes a *groupies*, un asesino) a través de un mundo de avaricia y vanidad. Con familias y amigos destrozados por

La cantante Loretta Lynn (Ronee Blakley) da una conferencia de prensa en Nashville.

traiciones, enfermedades, muertes y sexo, estos individuos son ruinas; toda la nación es una ruina a causa de la violencia, los buhoneros, los políticos inútiles y la apatía de la gente. Cuando una estrella del *country* muere a causa de un disparo en un acto de la campaña de un candidato presidencial insulso, los cantantes y el público se animan cantando «It don't worry me» («No me preocupa»).

La característica agilidad narrativa de Altman contribuye a que los 159 minutos de *Nashville* no se hagan largos. Los actores, entre ellos Lily Tomlin, Ned Beatty, Geraldine Chaplin, Henry Gibson, Ronee Blakley, Keith Carradine y Barbara Harris, colaboraron en sus diálogos con Altman y la guionista Joan Tewkesbury. Algunos escribieron o coescribieron canciones con resultados sorprendentemente efectivos: «I'm easy», de Carradine, ganó un Óscar. **►1977.12**

PREMIOS NOBEL: Paz: Andrei Sajárov (soviético) [...] Literatura: Eugenio Montale (italiano; poeta) [...] Química: J. Cornforth y V. Prelog (australiano, suizo; moléculas biológicas) [...] Medicina: D. Baltimore, H. Temin y R. Dulbecco (estadounidenses; virus) [...] Física: J. Rainwater, B. Mottelson y A. Bohr (estadounidenses y danés; núcleo asimétrico) [...] Economía: L. Kantorovich y T. Koopmans (soviético, estadounidense).

El espacio de la libertad

Artículo de José María Marco, publicado en la revista *Quimera*, sobre la obra de Eduardo Mendoza

Eduardo Mendoza publicó su primera novela, La verdad sobre el caso Savolta, *en 1975. Recibió el premio de la Crítica por ella y continuó escribiendo con gran éxito. Entre sus obras posteriores se encuentran las novelas* El misterio de la cripta embrujada, El laberinto de las aceitunas *(ambas con el mismo protagonista),* La ciudad de los prodigios, Una comedia ligera... *y una obra de teatro,* Restauració. *A continuación una valoración de su primera novela a cargo de José María Marco.*

La verdad sobre el caso Savolta, primera novela de Eduardo Mendoza, es un texto generador, como lo son el **Jean Santeuil** de Proust y el **Murphy** de Beckett. Toda su obra posterior está ahí, en espera de un futuro desarrollo. Estos desarrollos suelen ser sorprendentes. En el caso de Mendoza, las dos expectativas —la continuidad y la sorpresa— se cumplen. El presente narrativo de **La verdad...** se sitúa en 1928. Un personaje, Javier Miranda, se enfrenta a un proceso cuyo objeto no se conocerá hasta el final de la obra. Mientras tanto, no queda otro remedio que dar crédito al título. El juicio intenta averiguar lo ocurrido en un asunto denominado «el caso Savolta». Para el rastreo y el establecimiento de esa verdad —es decir, para reconstruir, con un grado suficiente de verosimilitud, unos hechos determinados—, se despliegan tres estrategias narrativas. La primera, que va a cobrar mayor importancia a medida que transcurre la novela, consiste en el relato en primera persona de Javier Miranda. Aquí empiezan las complicaciones. Esta narración no forma parte de los dos documentos alegados o producidos durante el proceso. Parece haber sido generada a partir de éste, como si Javier Miranda, al rememorar una etapa de su vida, hubiera cedido a la tentación de contarla de una forma más personal, sin evitar las valoraciones ni la expresión de los sentimientos que la memoria suscita. Un texto privado, por lo tanto, que coloca al lector en posición de privilegio, pero que también le niega la capacidad de juzgar, de la que por un momento pareció gozar. Intercaladas van, justamente, las piezas documentales manejadas en el juicio. Constituye ésta la segunda fórmula, bastante más heterodoxa que la anterior. Se compone de cartas, fichas policiales, artículos escritos por algunos de los implicados, transcripciones de las declaraciones del propio Miranda o del comisario encargado del caso. En vez del único punto de vista al que restringía el relato autobiográfico, aquí predomina la variedad de perspectivas. La tercera línea consiste en una nueva narración, esta vez en tercera persona. Un narrador que hace gala de su omnipotencia («Se dijo que no conseguía recordar...», explica de un personaje) cuenta aquello que Javier Miranda no presenció y que, con buen tino, evita en su relato. Esta voz vendría a revelar la otra cara de la aventura. No es, cabalmente, la poseedora de la única verdad. Más bien, proporciona una coherencia de base al conjunto y establece una trama que permite situar en su correcta perspectiva los hechos descritos en los demás testimonios.

La primera novela de Eduardo Mendoza, *La verdad sobre el caso Savolta.*

A esta estructura narrativa en tres partes corresponden otros tantos personajes, que se erigen con el protagonismo. Los tres tienen algo del héroe picaresco. El primero, que no es otro que Javier Miranda, ocupa, aparentemente, el centro de la peripecia. Lo picaresco en él es, en primer término, el hecho mismo de escribir un relato autobiográfico. A partir del esclarecimiento del caso Savolta, Javier Miranda intenta arrojar alguna luz sobre su propio *caso*, como dice el Lazarillo de Tormes: dilucidar cómo ha llegado a la situación en que se encuentra. Con su intervención, la verdad pierde su carácter unívoco: una cosa es la verdad sobre el caso Savolta; otra muy distinta la verdad del caso de Javier Miranda. Nacido en Valladolid, llegó a Barcelona en busca de unas oportunidades que no hallaba en su tierra. Encuentra un empleo que no le satisface, pero sólo logra mejorar su estatus a costa de una abyección: el matrimonio con la querida de su jefe, un aventurero llamado Paul-André Lepprince. No anda muy lejos el recuerdo del Lazarillo, casado con la barragana de un clérigo. La diferencia, aparte de la muy dispar ocupación de los protectores, estriba en que Javier Miranda —así lo afirma, y no hay razón alguna para no creerlo— desconoce la situación que es, por otro lado, de dominio público. Toda Barcelona se siente cómplice, o finge indignarse, de unos cuernos tan rentables. Aquí está la clave del personaje. Javier Miranda es el sujeto pasivo de unos acontecimientos que no comprende, o que ignora. En algún momento se esfuerza por esclarecerlos, pero sin demasiada convicción. En el fondo, prefiere ignorarlos.

El segundo protagonista es un personaje del que Miranda, de forma característica, no ha tenido noticia alguna hasta el día del proceso. Se llama Nemesio Cabra García. El primer apellido alude quizá al maestro Cabra del **Buscón**. Sin ninguna duda, hace explícito, con una fórmula retórica que gusta mucho a Mendoza, el desvarío de Nemesio, sujeto a alucinaciones, visitado periódicamente por Jesucristo y, claro está, asiduo al manicomio, las comisarías y las cárceles. Buen conocedor de esa zona de la sociedad donde el poder se exhibe sin asomo de mala conciencia, se ve sometido a una permanente manipulación por parte de las bandas anarquistas, por parte de la policía, y por parte de algún poderoso. Todos tratan de sonsacarle una información que el mendigo, con su capacidad de entrar en contacto con ambientes muy heterogéneos, debería estar en condiciones de obtener. Paradójicamente, se afanan por obtener unos datos que Nemesio conoce, pero, como en *La carta robada* de Poe, ninguno es capaz de percibir la verdad que Nemesio anhela transmitirles. Cuando el comisario se percata del malentendido, ya es demasiado tarde. Lepprince, el asesino de Savolta, ha tenido tiempo de hacerse fuerte en su nueva posición.

Es éste el tercer gran personaje de la novela. Más que de la picaresca, y más que de la literatura, Lepprince es deudor de los mafiosos cinematográficos. Guapo, refinado, brutal, se casa con una rica heredera tras haber hecho matar al que iba a ser su suegro. Lepprince es el motor de la acción y en él convergen múltiples puntos de vista: un matarife, según unos; un gran hombre, según su esposa; un individuo fascinante, en opinión de Javier Miranda. Pero sobre él, que recibe en su casa a Alfonso XIII y puede matar impunemente, pesa también una sospecha, insinuada por el comisario: la de haber jugado el papel de hombre de paja de alguien mucho mejor situado. Su muerte, por otro lado, queda sin aclarar.

Puede que al final se conozca, por lo menos en parte, la verdad de los hechos. Pero se ha quedado del lado de los fenómenos, de los efectos. Las relaciones siguen ocultas, las causas y las concatenaciones, fuera de campo.

Lo que se había iniciado como la búsqueda de la verdad ha ido desplazándola, a medida que iba siendo reconstruida. El proceso sobre el cobro de un seguro de vida suscrito por Lepprince —tal es su motivo— queda sin sentenciar: así como las diversas estrategias narrativas se superponen y avanzan sin cubrir todo el espacio, como un puzzle al que le faltaran piezas, la verdad está siempre más allá de lo

«Nuestra misión, inacabada, puede durar un centenar de años. / La lucha nos fatiga y nuestro cabello encanece. / Tú y yo, viejo amigo, ¿sólo podemos observar cómo flaquean nuestras fuerzas?»—**Mao Zedong en una carta de 1974 a Zhou Enlai**

HISTORIA DEL AÑO

Las muertes de Mao y Zhou finalizan una época

1 Al final de su vida, la transfiguración fue extraordinaria: Mao Zedong, el cerebro y espina dorsal de la revolución comunista china, se había erigido en algo parecido a un emperador. Adorado por ochocientos millones de súbditos, Mao estaba en todas partes y en ninguna: su imagen figuraba en todos los hogares, sus palabras eran acogidas como dogmas de fe, su nombre fue santificado («Quizás tenga cien mil años de vida»), pero el presidente se hallaba cada vez más aislado del pueblo y del gobierno que había formado. Mao murió el 9 de septiembre de 1976, a la edad de 82 años, viejo y enfermo.

Un millón de personas abarrotaron la plaza de Tiananmen de Pekín para llorar a su líder, cuyo cuerpo se exhibía en un sarcófago de cristal. Invisible a la multitud, se estaba librando una batalla por la sucesión del poder. Zhou Enlai, primer ministro de China desde 1949 (y un factor estabilizador durante los últimos años de Mao) había fallecido en enero, tras preparar para la sucesión a Hua Guofeng. Hua asumió la presidencia del Partido Comunista, pero no todo el partido estaba de acuerdo. Los experimentos sociales de Mao y su actitud autocrática lo habían dividido en facciones hostiles.

Para el pueblo chino, Mao Zedong fue un líder en la talla de un dios.

La representante de la extrema izquierda era Jiang Qing, viuda de Mao y líder de la llamada Banda de los Cuatro, la organización que dirigió la revolución cultural. En el ala derecha destacaba Deng Xiaoping, un maestro del enfrentamiento político cuerpo a cuerpo y enemigo implacable de Jiang y sus partidarios. Deng había intentado un cambio de política tras la muerte de veinte millones de campesinos durante el Gran Salto Adelante, el catastrófico programa económico iniciado en 1958. Purgado por «compañero de viaje del capitalismo», Deng trabajó en una fábrica de tractores hasta que Zhou lo rehabilitó en 1973. Regresó para sembrar moderación en el Partido y, tras la muerte de Zhou, Mao volvió a purgarlo.

En la lucha por el control, Hua asestó el primer golpe. En octubre arrestó a Jiang y sus partidarios, y le abrió las puertas a Deng. Rehabilitado una vez más en 1977, Deng fue adquiriendo poder en el partido y apartó de forma gradual a Hua. **◂1972.2 ▸1980.10**

SUECIA

Interrupción del socialismo

2 En las elecciones parlamentarias de septiembre de 1976, los votantes suecos se rebelaron contra el monopolio de los socialdemócratas (44 años en el poder, el reinado ininterrumpido más largo de un partido europeo no soviético) al otorgar la mayoría (50,8 %) a una coalición liberal, moderada y de centro. El líder del Partido del Centro, Thorbjörn Fälldin *(superior)*, sustituyó a Olof Palme como primer ministro.

En cierto modo, el gobierno socialista había actuado demasiado bien. Gracias a la mayor tasa de impuestos sobre la renta del mundo (el 40 % del PNB), Suecia tenía el «estado de bienestar» más perfecto de Occidente. Los servicios incluían cuidados sanitarios, pensiones y subvenciones para la educación y la vivienda. El nivel de vida era alto; el paro, escaso, y las relaciones laborales, tranquilas. Pero con la prosperidad aumentó el recelo contra el poder del gobierno. Muchos asalariados simpatizaban con el cineasta Ingmar Bergman, que se había autoexiliado a causa de los impuestos y, aunque el 90 % de la economía seguía en manos privadas, los capitalistas temían el programa socialista para transferir el control parcial de las empresas a los sindicatos.

La cuestión más importante de las elecciones la constituyó, no obstante, la energía nuclear. Para disminuir la dependencia del petróleo extranjero, Palme inició un ambicioso programa de construcción de reactores. Fälldin se opuso a él por motivos ecológicos. En las primeras elecciones en las que la edad de voto se había rebajado a los 18 años, atrajo a la juventud de ideas ecologistas.

No obstante, el nuevo primer ministro no consiguió detener el programa nuclear y en 1978 dimitió. Su sucesor, Ola Ullsten, formó un gobierno con un tercio de mujeres. Fälldin recuperó el cargo en las elecciones de 1979, pero la recesión económica mundial anuló su política y en 1982 los votantes dieron una nueva oportunidad a los socialistas y, por ende, a Olof Palme. **▸1986.NM**

DEPORTES

La favorita de los Juegos Olímpicos

3 En los Juegos Olímpicos de verano de 1976 celebrados en Montreal, Nadia Comaneci, una gimnasta rumana de catorce años, se subió a las barras asimétricas y con sus saltos, volteretas y giros anunció una nueva era de su deporte. A ratos parecía que permanecía quieta en el aire, desafiando a la gravedad; otras veces, sus brazos y piernas se movían como las aspas de un molino. Al final de la competición había conseguido siete «dieces» perfectos (la máxima puntuación) y tres medallas de oro.

El entrenador Bela Karolyi, que desertó a Estados Unidos tras preparar al equipo triunfador de Rumanía, descubrió a Nadia cuando ésta contaba seis años de edad en un patio de colegio. Rápidamente se convirtió en una campeona, y les robó protagonismo a deportistas de más edad como la soviética Olga Korbut. A pesar de su estrellato deportivo, la vida en la represiva Rumanía era dura. Una victoria constituía un triunfo del comunismo, una derrota era una vergüenza nacional y a menudo conllevaba la expulsión del equipo. Los niños con posibilidades atléticas eran separados de sus familias e instalados en complejos deportivos donde entrenaban durante horas y horas. A algunos atletas se les suministraban drogas para mejorar sus resultados deportivos. Comaneci padecía trastornos de alimentación e intentó suicidarse a los quince años. Aunque siguió ganando competiciones internacionales, nunca recuperó la forma física que tenía en Montreal. Desertó a Estados Unidos en 1989. **◂1972.NM**

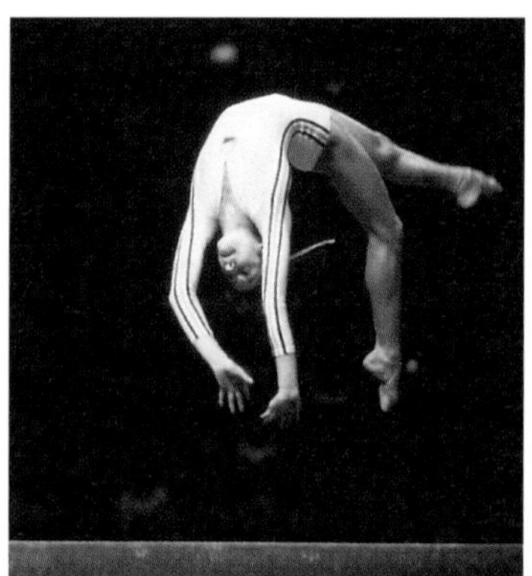

Comaneci demostró un equilibrio perfecto en los Juegos Olímpicos de Montreal (1976).

ARTE Y CULTURA: Libros: *Los niños del Brasil* (Ira Levin); *1876* (Gore Vidal); *Nacido el 4 de julio* (Ron Kovic); *The Hite report: A nationwide study on female sexuality* (Shere Hite); *Barrio de maravillas* (Rosa Chacel) [...] Pintura y escultura: *Skull* (Andy Warhol); *Japanese Figure with Black Mirror* (Balthus) [...]

«Estamos oprimidos no como individuos ni como zulúes, zhosas, vendas o indios. Estamos oprimidos por ser negros.»
—Steve Biko, activista sudafricano

Una manifestación estudiantil se convirtió en un alzamiento general después de que la policía abriera fuego.

SUDÁFRICA

El alzamiento de Soweto

4 El 16 de junio de 1976, diez mil estudiantes avanzaban de forma pacífica por Soweto (un barrio pobre de Johannesburgo) para protestar contra el bajo nivel de las escuelas sudafricanas para negros. Se dirigían a un estadio para una manifestación organizada. Un policía blanco lanzó un bote de gas lacrimógeno y otros dispararon contra los manifestantes matando a cuatro. De este modo se inició el alzamiento de Soweto, el episodio más sangriento de la historia de rebeliones de negros y represalias policiales desde principios de los años sesenta. A finales de 1977 la violencia se había cobrado más de mil vidas.

El sistema segregado de educación bantú, establecido en los años cincuenta, obligaba a los negros a pagar para asistir a escuelas decrépitas con clases congestionadas, profesores mal preparados y planes de estudio mal diseñados. (La enseñanza pública para blancos era gratuita.) En 1975, el gobierno decretó que la enseñanza secundaria debía impartirse en afrikáner (antes se impartía en inglés). La medida garantizaba el fracaso académico de los negros: las escuelas primarias negras utilizaban varias lenguas africanas (una política diseñada para promover las divisiones étnicas entre los negros); ahora, para tener éxito, los estudiantes negros debían dominar las dos lenguas oficiales de la nación. El decreto provocó la oleada de protestas que culminó en la masacre de Soweto.

La difícil historia del movimiento estudiantil de Sudáfrica engendró un gran héroe: Steve Biko. En 1968, mientras estudiaba en la facultad de medicina, cofundó la Organización de Estudiantes Sudafricanos, el primer grupo antisegregacionista de jóvenes negros. (Anteriormente las organizaciones estudiantiles estaban dominadas por liberales blancos.) Biko y la organización formaban parte del movimiento más amplio de Concienciación Negra, que quería superar el sentimiento de inferioridad que afectaba a la mayoría oprimida de la nación. El movimiento estimulaba el orgullo negro e insistía en que los negros debían encargarse de su propia liberación. Censurado oficialmente (es decir, con la prohibición de actuar políticamente, de abandonar su ciudad y de hablar con más de una persona a la vez) y detenido sin motivo en muchas ocasiones, Biko murió en 1977 a los 30 años mientras estaba bajo custodia policial. Doce jefes de estado asistieron a su funeral. **◂1960.6**

CIENCIA

Un gen artificial

5 Un equipo de científicos del Instituto de Tecnología de Massachusetts dirigido por el bioquímico americano de origen indio Har Gobind Khorana creó el primer gen artificial capaz de funcionar en una célula viva. El nuevo gen se diferenciaba de las anteriores síntesis en que estaba completamente manufacturado, no se había utilizado ningún gen natural como plantilla. El acontecimiento científico aumentó la intranquilidad de la opinión pública acerca de la ingeniería genética: aunque la remodelación del ADN pudiera prevenir las enfermedades hereditarias algún día, la posibilidad de su uso para predeterminar el sexo, color o inteligencia de las personas era una perspectiva aterradora.

De hecho, la bioquímica estaba muy lejos de poder engendrar humanos a medida. Lo que Khorana y su equipo consiguieron fue el gen de ARN transferente de tirosina, que corrige una mutación genética. El gen y sus controles (las señales químicas que indican a las enzimas dónde iniciar y dónde detener la construcción de una cadena de ARN) se compone de unos doscientos nucleótidos encadenados (los componentes fundamentales del ADN y del ARN). Una célula humana contiene unos seis mil millones de nucleótidos.

El experimento procedía de uno que Khorana había dirigido en 1970, la síntesis del gen del ARN transferente de alanina, que aparece en la levadura. La fabricación del gen de la levadura se hizo posible gracias a las investigaciones de dos bioquímicos americanos. Marshall Nirenberg demostró que el ADN está compuesto por cuatro elementos químicos. Robert Holley determinó (en 1964) la estructura química del ARN transferente de alanina, que sirvió a Khorana para deducir la estructura del gen que la producía. Khorana montó el gen con nucleótidos fabricados en el laboratorio, una hazaña comparable al montaje de un automóvil con un grupo de piezas. **◂1967.11 ▸1978.1**

Khorana ganó el Premio Nobel de medicina por sus experimentos con el ADN.

NACIMIENTOS

Jennifer Capriati, tenista estadounidense.

MUERTES

Alvar Aalto, arquitecto y diseñador de muebles finlandés.

Busby Berkeley, coreógrafo y director cinematográfico estadounidense.

Benjamin Britten, compositor británico.

Alexander Calder, escultor estadounidense.

Agatha Christie, escritora británica.

Max Ernst, pintor alemán.

J. Paul Getty, empresario estadounidense.

Martin Heidegger, filósofo alemán.

Werner Heisenberg, físico alemán.

Howard Hughes, aviador y empresario estadounidense.

Fritz Lang, director cinematográfico germano-estadounidense.

André Malraux, escritor francés.

Mao Zedong, político chino.

Ulrike Meinhof, terrorista alemana.

Sal Mineo, actor estadounidense.

Jacques Monod, biólogo francés.

Bernard Law Montgomery, militar británico.

Man Ray, artista estadounidense.

Carol Reed, directora cinematográfica británica.

Paul Robeson, cantante, actor y activista por los derechos civiles estadounidense.

Rosalind Russell, actriz estadounidense.

Luchino Visconti, director cinematográfico italiano.

Zhou Enlai, político chino.

Adolph Zukor, productor de cine húngaro-estadounidense.

Cine: *Rocky* (John G. Avildsen); *Un mundo implable* (Sidney Lumet); *Taxi Driver* (Martin Scorsese); *Todos los hombres del presidente* (Alan Pakula); *1900* (B. Bertolucci); *Cría cuervos* (C. Saura) [...] TV: *Los ángeles de Charlie; The Muppet Show.*

«No poder vivir como deberíamos, con nuestra propia lengua y a nuestro modo, sería como vivir sin una pierna o un brazo [...] o quizás sin corazón.»—**René Lévesque, en su libro de 1968 *Opción Quebec***

NOVEDADES DE 1976

Diarios *El País, Avui* y *Cambio 16* en España.

EN EL MUNDO

▶BICENTENARIO—El 4 de julio, Estados Unidos celebró su 200.° aniversario con festejos por todo el país. Oficialmente las celebraciones se iniciaron cuando el sol salió por la costa de Maine, el punto

más al nordeste del país y continuaron en ciudades grandes —Nueva York se enorgulleció de la operación Sal, una regata de grandes veleros en el puerto de la ciudad *(superior)*— así como en las pequeñas (la población de George, Washington, hizo una tarta de cerezas de 18 m²). ▶1986.NM

▶REVOLUCIONARIOS DEL PC—Steven Jobs y Steven Wozniak eran estudiantes que habían dejado la facultad de California. En 1976 presentaron el Apple I, el primer producto de una compañía cuyos ordenadores baratos y fáciles de usar contribuyeron a iniciar la revolución del ordenador personal. La Apple, impulsada por las dotes técnicas de Wozniak y por la intuición comercial de Jobs, abandonó su lugar de operaciones original, un garaje, para convertirse en la compañía que creció más rápidamente en la historia de América. ◂1971.5 ▶1981.10

▶BODA DE FAMOSOS —En Chipiona, en la iglesia de Nuestra Señora de la Regla, se casaron el 21 de mayo la cantante folklórica Rocío Jurado con el antiguo boxeador Pedro Carrasco. La boda reunió a dos figuras populares de la España del

CANADÁ

Oui a los separatistas

6 Los canadienses se alarmaron cuando el Parti Québecois (PQ) ganó 71 de los 110 escaños de la asamblea provincial de Quebec en noviembre de 1976 (la primera victoria de un partido separatista canadiense). La provincia de mayoría francoparlante constituía un cuarto de la población del país y de su producto nacional bruto. Algunas de las mayores compañías de Canadá tenían allí sus sedes. Si el nuevo gobierno ponía en práctica sus ideas secesionistas (y socialistas), el comercio nacional quedaría profundamente afectado.

Sin embargo, el PQ era mucho más moderado que el Frente de Liberación de Quebec, cuyas prácticas terroristas desaprobaban incluso muchos separatistas. El nuevo primer ministro, René Lévesque, fundador del partido y antiguo locutor de televisión, intentó ser conciliatorio. Su partido había derrotado a los liberales y a la conservadora Unión Nacional minimizando la cuestión de la secesión y poniendo énfasis en los errores económicos de la administración anterior. (En realidad, el gobierno liberal de Quebec se preocupó por el nacionalismo al declarar al francés idioma oficial de la provincia y al aumentar la autonomía de Ottawa. El gobierno liberal federal, bajo el franco-canadiense Pierre Trudeau, promovió el bilingüismo.) Aun así, el PQ señaló la pobreza de la provincia como prueba de que la mayoría inglesa de Canadá nunca concedería a los franco-canadienses la plena igualdad. Al advertir la erosión de la cultura francesa en una nación de predominio inglés, la administración de Lévesque convenció a muchos quebequeses de que la provincia debía ser «la dueña de su propia casa». Sin embargo, cuando se celebró un referéndum sobre la independencia en 1980, la mayoría, reticente a asumir los riesgos económicos de la secesión, dijo *non*. **◂1970.11 ▶1992.5**

Las señales bilingües en las vías públicas reflejan la política nacional de Canadá.

Madres argentinas de desaparecidos se manifiestan con los nombres y las fotografías de las víctimas.

ARGENTINA

Inicio de la guerra sucia

7 Los militares que derrocaron a la presidente Isabel Perón en 1976 pretendían que el golpe fuera el último de Argentina. Durante dos décadas, el país había soportado una serie de gobiernos incompetentes. La señora Perón, que heredó el cargo de su difundo marido en 1974, resultó aún más inepta que sus predecesores: las acciones terroristas de peronistas de derechas y de izquierdas se multiplicaron y la inflación superó el 300 %. Respaldados por la clase media argentina (la más amplia de Sudamérica), los golpistas, dirigidos por el teniente general Jorge Rafael Videla, colocaron bajo arresto domiciliario a la antigua bailarina y declararon que cuando los argentinos hubieran sido «reeducados en la moral, la rectitud y la eficacia» podría volver una democracia acorde con la realidad, las necesidades y el progreso del país.

Para acelerar la llegada de ese día, la junta gubernamental empezó a suprimir a la izquierda argentina. Con la esperanza de evitar las críticas que se ganaron las fuerzas de seguridad brasileñas en una campaña similar a principios de los años setenta, libró su «guerra sucia» en secreto. Además de encarcelar y torturar a miles de presuntos rebeldes, los militares utilizaron escuadrones de ejecución no oficiales para secuestrar, matar o hacer desaparecer a más de veinte mil personas. Incluso los que criticaban moderadamente el régimen fueron silenciados. La cantidad de desaparecidos sigue siendo desconocida.

La economía, sin embargo, escapó al poder del régimen. Al principio un programa de austeridad rebajó la inflación, aunque a costa de los salarios. La privatización de la industria y la promoción de las inversiones extranjeras desembocaron en la especulación, el descenso de la productividad y el aumento del paro. En 1982, los precios volvían a estar por las nubes y la junta decidió iniciar otro tipo de guerra. **◂1973.3 ▶1982.1**

JAPÓN

El escándalo Lockheed

8 La detención en 1976 del antiguo primer ministro Kakuei Tanaka *(izquierda)* por haber aceptado sobornos de la Lockheed, una compañía americana de fabricación de aviones, conmocionó a Japón. Las posibles infracciones de Tanaka se hicieron públicas en febrero, cuando el presidente de la Lockheed testificó ante el congreso norteamericano que su compañía había pagado más de doce millones de dólares para «engrasar los mecanismos comerciales» y que el soborno era la única manera de hacer negocios en Japón (entre otros países). Durante el mes de julio, investigadores japoneses relacionaron parte del dinero negro con Tanaka, la decimoquinta persona detenida por el escándalo.

Tanaka, dirigente del conservador Partido Democrático Liberal (la fuerza política dominante desde la Segunda Guerra Mundial) había dimitido del cargo de primer ministro en 1974 por supuestas irregularidades en sus finanzas privadas. Conservó su escaño en el parlamento gracias a sus

DEPORTES: Juegos Olímpicos celebrados en Innsbruck y Montreal: Bruce Jenner gana el decatlón; el cubano Alberto Juantorena gana dos medallas de oro en 400 y 800 metros lisos.

«No soy guapo en el sentido estricto de la palabra. Tengo los párpados caídos, la boca torcida, los dientes mal puestos y la voz de un mafioso en un entierro, pero de alguna manera todo esto es resultón.»—**Sylvester Stallone**

contactos económicos y mantuvo su influencia. Se especuló que el escándalo Lockheed podría acabar con su carrera, que incluso podría arruinar a los demócratas liberales pero, a pesar de los buenos resultados obtenidos por la oposición en las elecciones de 1976, el Partido Democrático Liberal conservó el gobierno. Tanaka, a pesar de su dimisión forzosa del partido, continuó ejerciendo un gran poder desde la sombra durante los años ochenta. **◄1973.7 ►1989.5**

DEPORTES

El hombre de hielo

9 Björn Borg, «el hombre de hielo», se mantenía tan imperturbable ante los gritos de sus seguidoras como ante sus rivales en

Borg muestra su trofeo de Wimbledon (1976).

la pista. En 1976, el tenista de 20 años afianzó su categoría de estrella, asegurada ya el año anterior al ganar su segundo Open francés, y condujo al equipo sueco a su primera victoria en la Copa Davis: tras ganar el campeonato del mundo, en junio triunfó en Wimbledon. El estoico sueco aplastó al rumano Ilie Nastase en la final sin haber perdido un solo set en todo el torneo.

El único revés que sufrió en 1976 fue la derrota ante Jimmy Connors en el Open de Estados Unidos (una competición que nunca consiguió ganar). Durante el resto de la década, Borg venció a sus rivales en Wimbledon, manteniendo su título de campeón en 1977 contra Jimmy Connors y en 1980 contra John McEnroe. Entre 1978 y 1981 también dominó el Open francés, acumulando el récord masculino de seis trofeos. Se retiró en 1983 declarando a la prensa que estaba «asqueado del tenis». Su intento de regreso a principios de los años noventa se vio frustrado por un matrimonio turbulento y la reticencia a sustituir su raqueta de madera por los nuevos modelos de grafito. **◄1975.7 ►1982.13**

MÚSICA

La ópera de Glass

10 *Einstein on the beach* era una ópera en cuatro actos, de cuatro horas de duración y sin arias ni trama. En lugar de todo ello, el director, diseñador y escritor Robert Wilson presentó imágenes irreales: una nave espacial brillante, un misterioso juicio y Einstein tocando el violín. El compositor Philip Glass le añadió una música hipnótica: zumbidos orquestales y cantantes que balbuceaban. La gira triunfal europea de 1976 seguida de dos representaciones en el Metropolitan Opera de Nueva York convirtieron en estrellas internacionales a sus autores americanos y liberaron a Glass de su oficio de taxista en Manhattan.

Glass había sido alumno de Nadia Boulanger y desarrolló su estilo «minimalista», una mezcla de tonalidades agudas y repeticiones obsesivas, a partir de un viaje por la India y el norte de África. Después de *Einstein on the beach* compuso más óperas (*The voyage* de 1992), bandas sonoras de películas y colaboró con estrellas *pop*. Wilson, que había alcanzado la celebridad con el estreno parisino de su obra de 1971 *Deafman glance*, siguió dedicado a las innovaciones, tanto en sus puestas en escena de óperas clásicas como en sus creaciones. Sus obras, en las que el texto suministra más ambiente que significado, han influido a toda una generación de dramaturgos de vanguardia. **►1983.12**

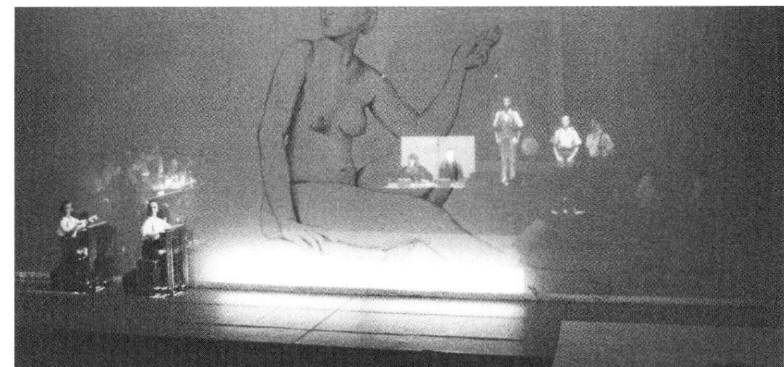

***Einstein on the beach* era «extraña, a ratos aburrida pero intermitentemente bella», según un crítico. En la ilustración, una producción de 1992 en París.**

CINE

Un K.O. cinematográfico

11 «Lo apostó todo a una carta.» Esta frase se refería a Rocky Balboa, el héroe-boxeador de *Rocky,* película de bajo presupuesto rodada en 1976, pero también se aplicó a Sylvester Stallone, su creador y director. La historia semiautobiográfica de Stallone (escrita en tres días y medio) sobre un luchador desconocido de un club de Filadelfia que milagrosamente consigue salir de la pobreza boxeando, seguía una fórmula antigua: un buen hombre trabaja duro, consigue una victoria moral y se casa con una buena chica. Gracias en parte al éxito de *Rocky,* Hollywood empezó a desmarcarse de la complejidad que había caracterizado a sus películas comerciales desde finales de los años sesenta.

Con una estrella desconocida y un director irregular (John G. Avildsen), los pronósticos eran poco favorables, pero se lanzó una campaña publicitaria que enfatizaba el punto de vista de la auténtica vida de los menos privilegiados. Muchos espectadores, frustrados por la crisis nacional y alarmados por las demandas de las feministas y de las minorías (así como por la franqueza del cine reciente), se entusiasmaron con la gran esperanza blanca y su mensaje reconfortante. La película ganó tres Óscars, incluido el premio a la mejor película. **◄1971.12 ►1977.10**

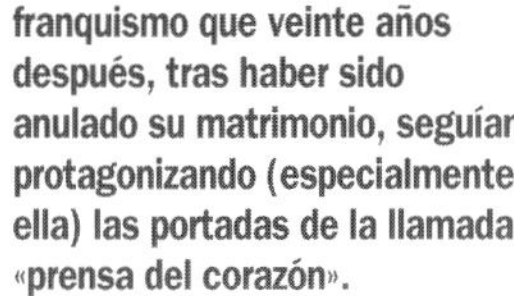

franquismo que veinte años después, tras haber sido anulado su matrimonio, seguían protagonizando (especialmente ella) las portadas de la llamada «prensa del corazón».

►ÉTICA MÉDICA—En marzo, los padres de Karen Ann Quinlan, una mujer de 22 años de Nueva Jersey que había entrado en coma irreversible provocado por drogas desde hacía un año, ganaron una batalla judicial para desconectar el respirador de su hija. El aparato se le retiró en junio, sobrevivió durante otros nueve años y murió de neumonía en 1985. ►1990.11

►INCURSIÓN EN ENTEBBE —El 4 de julio, tras haber sobre volado 4.000 km entre Israel y Uganda, una unidad de elite de comandos israelitas entró en el aeropuerto de Entebbe, donde hacía unos días terroristas propalestinos habían tomado 106 rehenes de un avión de Air France. Los terroristas pedían la liberación de 53 prisioneros palestinos y propalestinos detenidos en Israel y Europa. El comando israelita rescató a todos los rehenes menos a tres (que fueron asesinados), mataron a varios terroristas y soldados ugandeses, destruyeron once aviones de Uganda y escaparon con una sola baja. ◄1972.3 ►1985.9

►SUPERVENTA DE UNA SUPERESTRELLA—El álbum doble del guitarrista Peter Frampton, *Frampton comes*

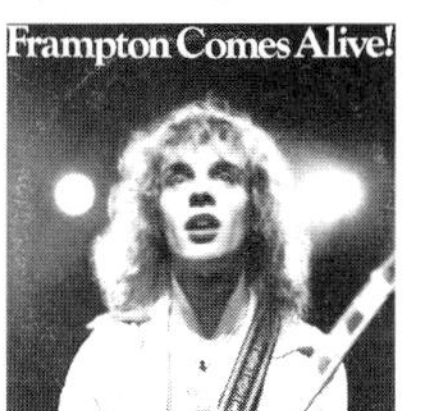

***alive*, se convirtió en el disco *pop* grabado en directo más vendido de la historia. Veterano de los grupos de *rock* Herd y Humble Pie, Frampton contaba con una gran cantidad de admiradores, la mayoría femeninas, que lo confirmaron como ídolo permanente de los adolescentes. Su fama terminó con la década de los setenta; un intento de regreso en los años noventa despertó poca expectación. ◄1973.M ►1982.12**

►PRIMER INDICIO DE SOLIDARIDAD—El gobierno

POLÍTICA Y ECONOMÍA: tras la retirada de España del territorio del Sáhara, el Frente Polisario proclama la República Árabe Saharaui Democrática frente a las reclamaciones de Marruecos y Mauritania.

«¿Qué tiene que ver Praga con esto? Estaba en otra situación, había otro Partido Comunista con otras aspiraciones.»—**Enrico Berlinguer, líder del Partido Comunista italiano**

comunista de Polonia combatía la ruina económica con subvenciones masivas a las granjas que mantenían bajos los precios de consumo. En junio, sin atreverse a cortar los subsidios para que los granjeros no retuvieran la producción, anunció un drástico aumento de precios: del 30 % en los productos lácteos, del 70 % en la carne y del 100 % en el azúcar. Los obreros industriales reaccionaron con indignación, abandonaron el trabajo y se rebelaron en Varsovia y otras ciudades. La protesta improvisada funcionó: los aumentos planeados se suspendieron. Animados, los obreros intentaron institucionalizar su fuerza política. El movimiento Solidaridad estaba tomando forma. ◂1975.NM ▸1980.1

Comparado con el Cray I *(superior)*, el procesador más potente parecía un simple ábaco.

TECNOLOGÍA

Supercomputador

12 El diseñador Seymour Cray invalidó el criterio según el cual los «supercomputadores» debían ser enormes. El Cray I medía una cuarta parte de sus predecesores y era diez veces más potente gracias al «proceso vectorial», una técnica que permitía tratar numerosas partes de un problema a la vez. Capaz de realizar doscientos cuarenta millones de cálculos por segundo, el Cray I se empleó por primera vez en los Laboratorios Nacionales de Los Álamos.

En 1968 Cray construyó el que se ha considerado el primer supercomputador, el CDC 7.600, con capacidad para quince millones de operaciones por segundo, mientras trabajaba en la Control Data de Minneapolis, que había contribuido a fundar hacía once años pensando que existía un mercado comercial (no sólo militar-gubernamental) para las computadores científicos grandes y ultrarrápidos. En 1972, Cray fundó su propia compañía, la Cray Research.

El Cray I fue su primer proyecto en solitario y obtuvo un gran éxito. A principios de los años noventa, la Cray Research había fabricado dos tercios de los supercomputadores de todo el mundo. Por entonces, Cray fundó la Cray Computer para diseñar aparatos más avanzados. Los diseños de Cray se han convertido en herramientas indispensables de científicos e ingenieros, que ahora pueden predecir los cambios atmosféricos de la Tierra, simular accidentes de coche y recrear (de forma matemática) explosiones nucleares en el espacio exterior, todo en minutos u horas en vez de en semanas, meses o años. **◂1971.5 ▸1981.10**

TECNOLOGÍA

Caja revolucionaria

13 En 1976 dos compañías japonesas rivales presentaron dos tipos de vídeo, un exponente de la revolución del entretenimiento doméstico. El vídeo se añadió a las diversas opciones televisivas, que incluían estaciones UHF, sistemas por cable y toda una variedad de videojuegos, que finalmente competirían con las cadenas de televisión y alterarían el papel del medio de comunicación.

El vídeo Betamax de la Sony, comercializado por primera vez en 1975 como parte de una consola de televisión y vídeo, finalmente sucumbió ante su competidor, el VHS, presentado por la Victor Company de Japón (JVC). El VHS, incompatible con el Beta, no era superior, pero fue comercializado en Estados Unidos por la Matsushita con una campaña agresiva y, tras doce años de lucha comercial, superó al Beta.

El vídeo amplió enormemente lo que los espectadores podían ver en el televisor, sobre todo en los lugares donde las transmisiones eran limitadas. La programación dejó de ser una tarea exclusiva de las cadenas: los propietarios de vídeos podían programar sus equipos (un reto constante), grabar un programa y verlo cuando y tantas veces como quisieran, saltándose los anuncios publicitarios a voluntad. La publicidad televisiva y las «películas de la semana» se vieron perjudicadas por las tiendas de alquiler de cintas de vídeo y una nueva industria, la de los vídeos pornográficos, experimentó un gran impulso mientras que la de las películas domésticas de 8 mm quedó obsoleta. **◂1958.3**

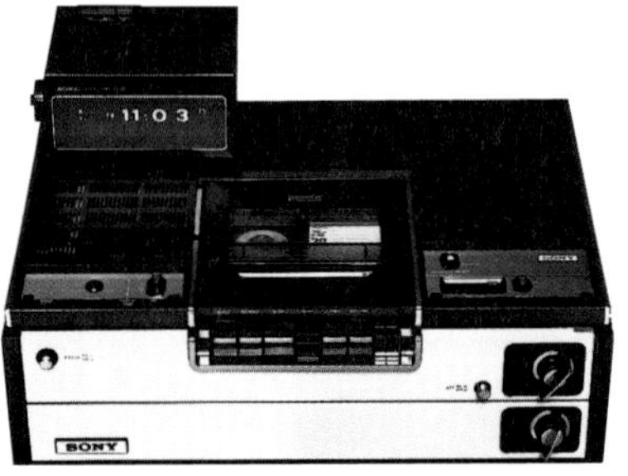

El vídeo Betamax *(superior)*, modelo de 1976 de la Sony, fue presentado antes, pero el VHS fue el que prevaleció en el mercado.

EUROPA OCCIDENTAL

Eurocomunismo

14 La influencia de los partidos comunistas nacionales era palpable en toda Europa occidental, pero sobre todo en Italia. En junio, el Partido Comunista, dirigido por Enrico Berlinguer, ganó el 34 % de los votos en las elecciones parlamentarias. Los nuevos comunistas, democráticos, desencantados con la brutalidad de Moscú, muchos de acuerdo con el Mercado Común, también ganaban partidarios en España, Francia y Portugal.

En Italia la recesión económica sufrida bajo el largo pero ineficaz

El líder comunista italiano en Avezzano durante las elecciones.

gobierno de los demócrata-cristianos indujo a muchos votantes a dar una oportunidad a los comunistas. En 1976, el partido de Berlinguer no formó parte del gobierno, pero al año siguiente pactó con los demócrata-cristianos para compartirlo.

Incluso el Partido Comunista de Francia, tradicionalmente prosoviético, mostró indicios de distanciamiento de Moscú. En febrero, Georges Marchais declaró el apoyo de su partido al «socialismo de colores franceses». Cuando el socialista François Mitterrand fue elegido presidente en 1981, cuatro comunistas formaron parte de su gabinete.

La opción más radical de autonomía eurocomunista fue la de España, donde el líder Santiago Carrillo aceptó la presencia militar norteamericana en Europa mientras los soviéticos mantuvieran su dominio sobre Checoslovaquia. Era un nuevo tipo de comunismo, uno con el que Washington y sus aliados podrían convivir de mala gana. **◂1968.2 ▸1981.7**

PREMIOS NOBEL: Paz: Mairead Corrigan y Betty Williams (irlandés, norirlandesa; movimiento pacifista) [...] Literatura: Saul Bellow (EE.UU.; novelista) [...] Química: William N. Lipscomb (EE.UU.; boranos) [...] Medicina: Baruch Blumberg y Carleton Gajdusek (EE.UU.; enfermedades contagiosas) [...] Física: Burton Richter y Samuel C. C. Ting (EE.UU.; partícula subatómica J/psi) [...] Economía: Milton Friedman (EE.UU.).

ECOS DE 1976

El inocente

Última película de Luchino Visconti

Luchino Visconti murió en 1976 dejando tras él un legado cinematográfico de gran calidad. Sus primeras películas se inscriben en el neorrealismo italiano pero ya se caracterizan por su particular esteticismo, que irá en aumento a lo largo de su carrera como director. Como Muerte en Venecia, *inspirada en una obra de Thomas Mann y considerada por muchos como su obra maestra,* El inocente *también está basada en una novela, de Gabriele d'Annunzio en este caso. La película, que participa del amaneramiento que caracteriza las últimas obras del director, se fundamenta en los sentimientos de su protagonista, Tullio (Giancarlo Giannini), que se cree por encima de la moral burguesa y se jacta de sincero en sus relaciones conyugales pero no puede soportar que su mujer haya tenido un amante, aunque él mismo haya tenido muchas, a pesar de haber establecido un pacto de libertad con ella. Sus celos desencadenan la tragedia. Laura Antonelli actúa en el papel de Giuliana, la esposa.*

A continuación, dos escenas opuestas. En la primera, Tullio le dice a su esposa con toda naturalidad que está realmente enamorado de otra mujer y le explica sus teorías sobre las relaciones amorosas y matrimoniales. En la segunda, es Giuliana quien, muy azorada, se ve obligada a confesarle que ha tenido un amante.

Tullio: Estás despierta aún
Giuliana: Como me dijiste que no te encontrabas bien. Estaba preocupada. He abierto la ventana cien veces para ver si volvías.
Tullio: Te escribía una carta... puesto que ya estás aquí... Mañana me voy a Florencia, no sé cuándo volveré. Esta vez es una cosa seria, debo decírtelo.
Giuliana: ¿Te vas para siempre?
Tullio: ¡Qué término tan tremendo! Nunca te he hablado de esto pero estoy seguro de que algún alma caritativa te habrá contado eso que llaman mis infidelidades. No te lo he dicho yo mismo porque no tenía importancia y sobre todo porque entre nosotros dos hay un acuerdo muy claro que aceptamos desde el principio de nuestro matrimonio. El amor existe en los primeros meses, luego se convierte en cariño, en afecto, amistad, intereses comunes... siempre que sea posible, claro. En nuestro caso ha sido así, para tí y para mí, puesto que has aceptado sin rebelarte una situación que existe desde hace bastante tiempo.
Giuliana: Eran cosas sin importancia como tú dices por eso he intentado ignorarlas, olvidarlas. Para mí el matrimonio debe ser...
Tullio: Sí, nuestro matrimonio tenía... que ser defendido a toda costa, hasta de nuestros propios resentimientos, ¿es eso lo que querías decir? Tienes razón, eres una mujer extraordinaria y aunque mi amor por tí se haya debilitado, y es fatal que ocurra eso, el respeto y el cariño no han hecho más que aumentar, te quiero y te respeto como a una hermana dulcísima de la cual no podría prescindir. Comprendo que tendrías derecho a dejarme pero yo sufriría terriblemente si me abandonaras. ¿Quieres seguir viviendo conmigo, ayudarme?
Giuliana: ¿Ayudarte? ¿En qué sentido?
Tullio: Soportándome, haciendo frente a una situación que según los esquemas de nuestra sociedad sería ciertamente criticada. La mujer que amo...
Giuliana: Teresa Rafo.
Tullio: Sí, Teresa.
Giuliana: Es viuda, libre, ¿qué te impide vivir con ella si te gusta?
Tullio: Yo te he dicho que amo a Teresa, no que me quiera casar o vivir con ella. Es una mujer sensual, bella, la deseo. Ninguna mujer ha conseguido jamás impresionarme tanto como Teresa.

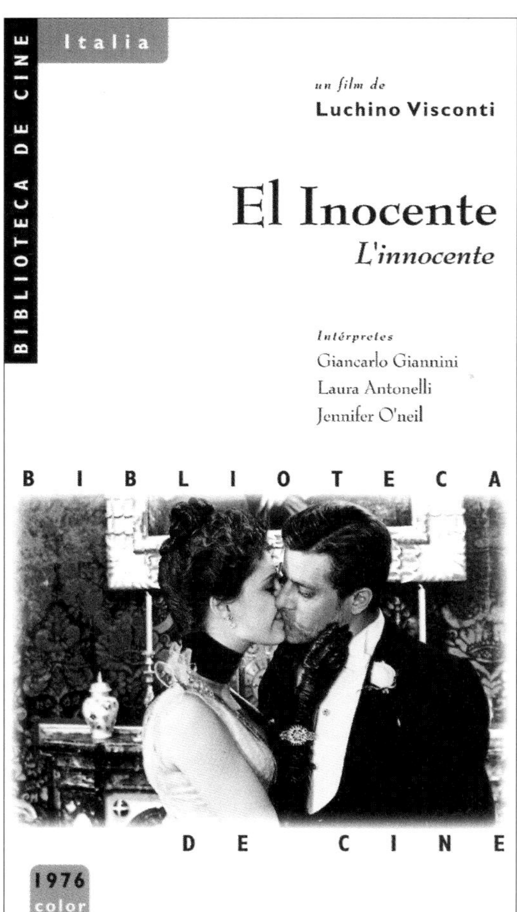

Italia
BIBLIOTECA DE CINE
un film de
Luchino Visconti
El Inocente
L'innocente
Intérpretes
Giancarlo Giannini
Laura Antonelli
Jennifer O'neil
BIBLIOTECA
DE CINE
1976
color

* * *

Tullio: ¿Es verdad lo que me ha dicho mi madre? ¿Que estás embarazada?
Giuliana: Sí es verdad. Yo también quería decírtelo. Lo intenté ayer en Villa Lila.
Tullio: Y por ese motivo te has ido de Roma.
Giuliana: Sí. Pero aún no lo sabía.
Tullio: Y él, ¿te ha seguido hasta aquí?
Giuliana: ¿Seguirme? ¿Quién? Todo había acabado antes de que yo viniera aquí, antes de que yo supiera que estaba... así, ya había encontrado fuerzas para superar este momento de locura. Estaba muy sola, muy triste, no quiero justificarme, no quiero acusarte. Estoy desesperada, sí, desesperada, pero yo vuelvo, tú en cambio...
Tullio: Lo que he dicho siempre para mí, valía para tí también. Éramos dos amigos, dos personas libres, tú también podías.
Giuliana: No ha sido para hacer valer mis derechos, nunca he creído tenerlos. Había jurado serte fiel toda la vida. Para tí era algo diferente pero yo...
Tullio: Hay algo que quiero saber y es lo que de verdad tiene importancia. Nuestra forma de vivir hasta ahora ya no me interesa. En estos últimos días que he vuelto contigo he cambiado mucho... y ayer, ayer en Villa Lila, he vuelto a encontrarte y he creído que tú también estarías de acuerdo en que sería maravilloso empezar de nuevo.
Giuliana: Durante un momento me pareció que todo lo que había sufrido no era más que un sueño, una terrible pesadilla. Estábamos allí, tú y yo, como cuando nos casamos.
Tullio: ¿Eres sincera? Nadie debe sospechar nada jamás.
Giuliana: ¿Por qué? ¿Es que quieres que me quede contigo?
Tullio: Sí.

«Tocad las campanas para vuestros hijos. Decidles que ésta es la última guerra y el fin del dolor.»—**Anuar el-Sadat, presidente de Egipto, dirigiéndose al Knesset de Israel**

HISTORIA DEL AÑO

Sadat acepta a Israel

1 En sus 29 años de historia, Israel a menudo había intercambiado balas y bombas con sus vecinos árabes pero nunca visitas de jefes de Estado. Los líderes árabes incluso dudaban que Israel tuviera derecho a existir. De modo que el mundo se maravilló cuando el presidente egipcio Anuar el-Sadat viajó a Jerusalén en 1977 y visitó algunos de los lugares sagrados del Islam, el cristianismo y el judaísmo así como el museo del holocausto. Telespectadores de todo el mundo se emocionaron cuando se dirigió al Knesset (parlamento de Israel): «Con toda sinceridad os digo que sois bienvenidos entre nosotros [...]. Hoy proclamo [...] que aceptamos vivir con vosotros en una paz duradera y justa».

Begin da la bienvenida a Sadat en Jerusalén.

El viaje de Sadat fue precedido por meses de comunicación indirecta con el primer ministro israelita Menachem Begin, con cuyo país, Egipto, seguía técnicamente en guerra. (Los intermediarios fueron el dictador rumano Nicolae Ceauşescu, el rey Hassan de Marruecos y funcionarios del Departamento de Estado de Estados Unidos.) Parecía que Begin era un compañero poco probable en una iniciativa de paz: accedió al cargo de primer ministro en mayo, cuando su coalición derechista del Likud, que rechazaba cualquier compromiso con los árabes, derrotó al Partido Laborista, perjudicado por los escándalos, en las elecciones. Pero la tenacidad incuestionable de Begin, que había dirigido la organización terrorista Irgun durante la lucha por la independencia, le permitió estrechar la mano de Sadat sin ser acusado de traidor.

Aun así, la paz estaba lejos. Sadat insistió en su discurso al Knesset en que Israel debía retirarse de los territorios árabes ocupados (incluido Jerusalén). Begin, a su vez, enfatizó «el vínculo eterno» entre los judíos y la patria bíblica (que abarcaba los territorios ocupados) y en que Israel necesitaba una zona militar tapón. Ambos hombres de Estado navegaban por aguas peligrosas. Aunque Sadat fue bien recibido por la población a su regreso a Egipto, los árabes extremistas lo condenaron: Libia rompió sus relaciones y diplomáticos egipcios fueron atacados en Damasco, Beirut, Bagdad e incluso en Atenas. Y a pesar de que Begin no podía ignorar las manifestaciones masivas del movimiento pacifista de Israel, tampoco podía permitirse disgustar a sus partidarios belicistas.

El líder israelita visitó Egipto en diciembre pero las negociaciones pronto llegaron a un punto muerto, que Carter desencallaría. **◂1974.10 ▸1978.3**

DIPLOMACIA

Derechos humanos

2 Los derechos humanos son una causa apoyada por todos los gobiernos, incluso por aquellos cuyas políticas los contradicen. En diciembre de 1977, justo después de haber recibido el Premio Nobel de la paz, el grupo para los derechos humanos con sede en Londres Amnistía Internacional (AI) publicó un informe que acusaba a 116 miembros de la ONU de encarcelar a personas sólo por sus creencias u orígenes étnicos. Desde su fundación en 1961, AI había contribuido a la liberación de diez mil de estos presos, gracias en buena parte a la desvinculación política de la organización. Asimismo, 1977 fue el año en que el nuevo presidente de Estados Unidos Jimmy Carter inició un nuevo experimento: utilizar el poder político y económico de su gobierno para reducir los abusos contra los derechos humanos.

Carter fue mucho más franco acerca de tales abusos que cualquier otro presidente norteamericano durante décadas y apoyó su retórica con medidas políticas. Argentina, Uruguay y Etiopía fueron los primeros países que perdieron las ayudas norteamericanas. No obstante, la doctrina Carter se enfrentó a varios problemas. Por un lado, el historial de Estados Unidos en esta cuestión estaba lejos de ser perfecto (el informe de AI citaba persecuciones injustas a negros e indios americanos). Por otro, la definición de los derechos humanos era vaga y no tenía en cuenta las excepciones. Asimismo, el pragmatismo geopolítico llevó a contradicciones: Irán, entre otros aliados norteamericanos, escapó a la crítica. En otros casos, las críticas y las sanciones resultaron ineficaces o contraproducentes. Los intentos de suavizar la supresión de disidentes soviéticos, por ejemplo, provocaron represalias todavía más severas.

Aun así, se consiguieron cosas. Gracias en parte a la presión de Estados Unidos «desaparecieron» menos argentinos, se liberó a presos políticos de muchos países (treinta y cinco mil en Indonesia entre 1977 y 1980) y el número de judíos soviéticos que pudieron emigrar aumentó de catorce mil en 1976 a cincuenta y un mil en 1979. En Checoslovaquia se fundó el Charter 77, un grupo disidente dedicado a controlar la observación de los acuerdos de Helsinki y las normas de la ONU sobre los derechos humanos. Uno de sus líderes perseguidos, el dramaturgo checo Vaclav Havel, llegaría a convertirse en presidente de su país. **◂1975.8 ▸1979.9**

El Premio Nobel de la paz otorgado a Amnistía Internacional despertó el interés por los derechos humanos.

AMNESTY INTERNATIONAL

GUERRA FRÍA

Bomba de neutrones

3 En 1977, el senado de Estados Unidos aprobó por el margen de un voto la financiación de la bomba de neutrones, un artilugio termonuclear diseñado para matar a personas sin destruir edificios. La decisión causó una conmoción internacional una grave crisis en la administración.

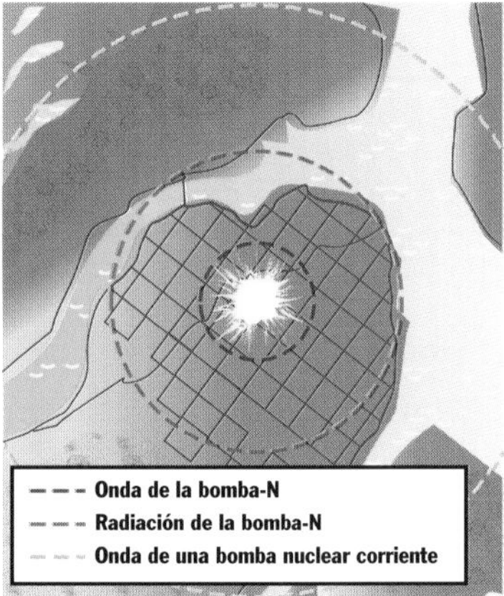

La bomba de neutrones se diseñó para matar más allá del alcance de la explosión.

La bomba de neutrones, procedente del programa americano de la bomba de hidrógeno, se hallaba en la mesa de diseño desde los años cincuenta. En esencia es una bomba H «pequeña», de un kilotón, una pequeña parte del tamaño de la bomba de Hiroshima, que genera una sacudida y calor mínimos pero expande radiación de rayos gama y de neutrones que penetra los blindajes y destroza las células en un área de 1,5 km² aproximadamente. (Su radiación se desvanece rápidamente.) Estados Unidos realizó ensayos de esta bomba en 1963 antes de descartar la idea.

En 1975, el presidente Gerald Ford reanimó el programa en secreto al incluirlo en el presupuesto para el año fiscal de 1978. Su razonamiento era que tales bombas permitirían a la OTAN repeler una invasión del Pacto de

1977

ARTE Y CULTURA: **Libros:** ***El beso de la mujer araña*** **(A. Puig);** ***El rodaballo*** **(Günter Grass);** ***A rumor of war*** **(Philip Caputo) [...] Música: «You light up my life» (Joe Brooks);** ***Rumours*** **(Fleetwood Mac, LP);** ***Fly like an Eagle*** **(Steve Miller Band, LP);** ***Hotel California*** **(The Eagles, LP);** ***War cry*** **(Harold Faberman) [...] Pintura y escultura:** ***My parents*** **(David Hockney);** ***Ocean Park*** **(Richard Diebenkorn);** ***Observatory*** **(Robert Morris) [...]**

«Siento un gran respeto por las elecciones pero no puedo permitir que el país se enfrente al desastre por su culpa.»
—El general Zia ul-Haq de Pakistán tras expulsar al primer ministro Zulfikar Ali Bhutto

Varsovia en Alemania occidental sin destrozar el país. Carter heredó el programa de Ford y la cuestión de la «bomba N» apareció durante los debates del congreso de 1977. El arma daba pánico pero el congreso aprobó financiarla. Al principio, Carter apoyó su fabricación. Mientras intentaba convencer a los dirigentes de Alemania occidental de la eficacia del arma (debían desplegarse bombas de neutrones en Alemania), empezaron las manifestaciones en Europa y América, Los soviéticos condenaron al arma «capitalista» que provocaba muerte y enfermedad pero respetaba las propiedades. (Mientras tanto, trabajaban en su propio modelo.)

En 1978, cuando el canciller alemán Helmut Schmidt aceptó la bomba, Carter decidió posponer su fabricación. Schmidt se sintió abandonado y los detractores de Carter interpretaron su cambio de postura como una muestra de inseguridad, algo de lo que nunca se recuperó plenamente. La administración Reagan reanudó la fabricación de la bomba de neutrones en 1981 y las protestas se renovaron. **◂1972.7 ▸1979.4**

PAKISTÁN

El golpe del general Zia

4 El golpe tuvo lugar en mitad de la noche y no se derramó ni una gota de sangre. De acuerdo con las circunstancias, lo segundo fue extraordinario: meses antes de que el jefe del Estado Mayor Muhammad Zia ul-Haq derrocara al primer ministro pakistaní Zulfikar Ali Bhutto, habían muerto más de trescientas personas por protestar contra su gobierno. Más tarde, Zia diría que el ejército «había observado las luchas políticas durante mucho tiempo». En julio de 1977, mientras el desorden sumía a Pakistán en el desastre económico, el general se sintió obligado a «llenar el vacío» creado por los líderes nacionales. Prometió que el régimen militar duraría hasta que se eligiera libremente un nuevo gobierno. Once años después, Zia todavía gobernaba.

Bhutto, abogado educado en Oxford, fue elegido presidente en 1971 tras la tercera guerra indo-pakistaní, en la que Pakistán oriental se independizó para convertirse en Bangladesh. Sustituyó al dictador Muhammad Yahya, y se convirtió en el primer líder civil en más de una década. Pero a pesar de las tendencias reformistas, Bhutto mantuvo la ley marcial durante dos años, encarcelando a cientos de sus oponentes. En 1977 falsificó los

Tras el golpe de Zia, la presencia de soldados en ciudades y pueblos pakistaníes se hizo habitual.

resultados de las elecciones para asegurarse la victoria. Bhutto dijo de la votación, celebrada en marzo, que era «la primera elección civil plenamente democrática» de Pakistán. Una coalición de la oposición, la Alianza Nacional Pakistaní, afirmó que era un fraude.

Las protestas se convirtieron en disturbios y Bhutto impuso de nuevo la ley marcial. En julio, presionado por el desorden, aceptó celebrar otras elecciones en octubre. Pero Zia, nombrado por Bhutto y aparentemente leal, ya había tenido bastante. Bhutto fue colocado bajo «custodia preventiva»; Zia anuló las elecciones y estableció un régimen autoritario. En 1979, el régimen militar desoyó las peticiones diplomáticas internacionales y ahorcó a Bhutto. **◂1971.1 ▸1988.5**

CULTURA POPULAR

En busca de los orígenes

5 Durante ocho noches del mes de enero de 1977, americanos de todas las razas se sentaron ante la televisión para seguir la historia familiar novelada del periodista negro Alex Haley. Unos ciento treinta millones de personas, cerca de la mitad de la población de Estados Unidos, vieron *Raíces*, una saga que empezaba en 1750 en África y terminaba en 1867 en el sur de Estados Unidos. La miniserie, basada en el libro de Haley del mismo título, obtuvo seis premios Emmy. Pocas series dramáticas de televisión han logrado más elogios o más audiencia que ésta.

El productor independiente David Wolper compró los derechos confiando en que la historia interesaría a una nación con problemas raciales y la ABC estuvo de acuerdo. La serie describía de forma gráfica las crueles condiciones de los barcos de esclavos y de las plantaciones. Empezaba con la historia de Kunta Kinte, esclavo y antepasado de Haley, y continuaba con la del bisnieto de éste, el herrero Tom Murray, ya libre.

El éxito de la serie y del libro hizo famoso a Haley (que había colaborado con Malcolm X en su autobiografía) desde Alabama hasta Pekín. *Raíces* procedía de las historias que había oído de su abuela y de la hermana de ésta en el porche de Henning, Tennessee, cuando tenía cinco años. Unas décadas más tarde empezó la investigación que finalmente le conduciría a Gambia. La obra de Haley incitó a americanos de todas las razas a buscar sus orígenes étnicos: «Mi libro despertó la idea de que la genealogía no está reservada a la nobleza», comentó Haley.

El libro ganó un premio Pulitzer especial en 1977. Más tarde, Haley fue acusado de plagio y de inventar descaradamente; sin embargo, a principios de los años noventa, la novela había vendido más de seis millones de ejemplares y se había publicado en dos docenas de países. **◂1971.10 ▸1989.E**

Kunta Kinte (LeVar Burton) llega al Nuevo Mundo en un barco de esclavos.

MUERTES

Steve Biko, activista de los derechos civiles sudafricano.

James M. Cain, novelista estadounidense.

Maria Callas, cantante greco-estadounidense.

Charles Chaplin, actor y director cinematográfico británico.

Henri-Georges Clouzot, director cinematográfico francés.

Joan Crawford, actriz estadounidense.

Bing Crosby, actor y cantante estadounidense.

Anthony Eden, político británico.

Peter Finch, actor británico.

Erroll Garner, músico estadounidense.

Peter Goldmark, ingeniero húngaro-estadounidense.

Howard Hawks, director cinematográfico estadounidense.

Kamal Jumblatt, político libanés.

Guy Lombardo, músico estadounidense.

Robert Lowell, poeta estadounidense.

Julius «Groucho» Marx, actor estadounidense.

Samuel «Zero» Mostel, actor estadounidense.

Vladimir Nabokov, escritor ruso-estadounidense.

Anaïs Nin, escritora franco-estadounidense.

Alice Paul, sufragista estadounidense.

Elvis Presley, cantante estadounidense.

Jacques Prévert, poeta y guionista francés.

Roberto Rossellini, director cinematográfico.

Adolph Rupp, entrenador de baloncesto estadounidense.

Leopold Stokowski, director de orquesta anglo-estadounidense.

Cine: ***Annie Hall*** **(Woody Allen);** ***El hombre de mármol*** **(Andrzej Wajda);** ***Padre, patrón*** **(Paolo y Vittorio Taviani) [...] Teatro:** ***Las arrecogías del beaterio de Santa María Egipcíaca*** **(Martín Recuerda);** ***El hombre elefante*** **(Bernard Poerance); Annie (Meehan, Strouse y Charmin);** ***A life in the theater*** **(David Mamet);** ***Gemini*** **(Albert Innaurato) [...] TV:** ***Vacaciones en el mar.***

«Espera hasta que la bandera americana esté arriada y la panameña izada. Entonces habrá una estampida.»

—Un norteamericano residente en la zona del canal

NOVEDADES DE 1977

Ordenador Apple II.

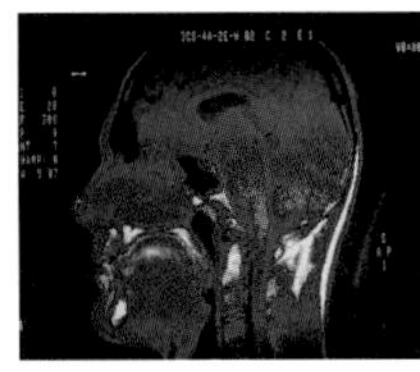

Imágenes por resonancia magnética.

EN EL MUNDO

▶VARIOS ASESINATOS—El asesino Gary Gilmore fue ejecutado por un escuadrón de fusilamiento en la prisión del estado norteamericano de Utah el 17 de enero. Gilmore *(inferior)*, que había asesinado brutalmente a dos estudiantes, presionó mucho a favor de su propia ejecución, la primera en Estados Unidos desde hacía diez años. Su historia fue el tema del libro de 1979 de Norman Mailer *Executioner's song*. El 10 de agosto se hizo público otro sensacional caso de homicidio: la policía de Nueva York detuvo a David Berkowitz, un trabajador de correos de 24 años, por los

asesinatos de seis mujeres jóvenes y un hombre. Berkowitz, que se autodenominaba «Hijo de Sam» (Sam era un perro negro cuyo espíritu milenario le «ordenaba» que matara), mantuvo una correspondencia críptica con la policía y unos diarios durante los doce meses que duró su actividad mortal. Finalmente fue declarado paranoico, condenado y encarcelado en Attica. ◀1969.9

▶APERTURA DE UN OLEODUCTO—El 20 de junio empezó a correr petróleo a través del oleoducto de Alaska, que había costado nueve mil setecientos millones de dólares y medía 1.278 km de longitud. El oleoducto, construido en tres años, salía de los

MÚSICA

El Rey ha muerto

6 El largo declive de Elvis Presley fue un espectáculo que interesó a partidarios y detractores por igual. Se inició en 1958, el año en que fue reclutado por el ejército (que le afeitó sus famosas patillas y le apartó de su público) y en que murió su adorada madre. Acabó el 16 de agosto de 1977 con su repentina muerte a la edad de 42 años.

Presley dejó de actuar en directo en 1961 para concentrarse en el cine. En 1968 regresó a los escenarios con un gran concierto televisado. Elvis, vestido con chaquetas de lentejuelas y cantando baladas, pronto volvió a ser el Rey, no del *rock* sino de los salones de Las Vegas. Esta etapa culminó en 1973 con una retransmisión desde Hawai de la que disfrutaron mil millones de admiradores de todo el mundo.

Después de 1974, Presley se engordó tanto que a veces sus pantalones se rompían en el escenario. Hablaba sin coherencia y su legendaria generosidad alcanzó proporciones desmesuradas. (Regaló un Cadillac a un extraño.) Su muerte se atribuyó a un fallo cardíaco pero la historia completa se hizo pública un poco más tarde: profundamente inseguro, Elvis pasaba su tiempo libre escondido en su mansión de Memphis, Graceland, con una serie de compinches que satisfacían todos sus deseos. Devoraba comida basura hasta reventar, era abstemio pero se atiborraba de estimulantes y pastillas para dormir. Muerto, como en vida, atrajo a seguidores que le rendían culto. Graceland, abierto al público en 1982, se ha convertido en un lugar de peregrinaje visitado por miles de personas. Las ventas de sus reliquias siguen sin disminuir, aunque algunos insisten en que no ha muerto. **◀1956.1**

Elvis en 1973. *Superior*, un palillero de la tienda de regalos de Graceland.

Carter nada en aguas peligrosas para conseguir la ratificación del tratado.

PANAMÁ

Estados Unidos cede el canal

7 El antiguo gobernador de California Ronald Reagan convenció a muchos americanos con su sencillo análisis de la cuestión del canal de Panamá: «Lo compramos, pagamos por él, es nuestro». Los juristas y los panameños interpretaban el asunto de otra manera. Ningún panameño había firmado el tratado de 1903 que concedía a Estados Unidos el control permanente del paso marítimo. (El representante de Panamá había sido un francés muy relacionado con los constructores del canal.) Para la población del istmo, esta ofensa imperialista (además de la tendencia norteamericana de dar empleos inferiores a los panameños de la zona del canal) ensombreció las ventajas económicas del canal. El sentimiento antinorteamericano se había estado cociendo durante décadas, y había contribuido a que dirigentes norteamericanos pensaran cada vez con más seguridad que el tratado no podía mantenerse. En 1977, a pesar de las protestas, Jimmy Carter (el cuarto presidente norteamericano que intentaba llegar a un arreglo) estuvo de acuerdo en transferir la propiedad del canal de Panamá.

Los dos tratados firmados al año siguiente por Carter y el general Omar Torrijos Herrera (tras ser ratificados por el senado) establecían un traspaso gradual, efectivo en 1999, tanto del canal como de la zona del mismo de 853 km² gobernada por Estados Unidos y donde vivían unos diez mil americanos. Estados Unidos reconocería la soberanía panameña y la neutralidad del canal pero mantendría derechos de defensa permanentes.

Carter declaró que los acuerdos reflejaban la idea de que «la justicia y no la fuerza debería regir la política norteamericana con el resto del mundo». Aun así muchos norteamericanos, entre ellos la mayoría de los que vivían en Panamá, condenaron el «regalo del canal»: lamentaban que Washington se hubiera humillado ante un país tercermundista. El debate del senado fue acalorado pero finalizó con la ratificación. Una década más tarde, sin embargo, con Reagan en la Casa Blanca, la fuerza volvería a dominar las relaciones entre Panamá y el gigante del norte. **◀1968.9 ▶1989.2**

SUDESTE ASIÁTICO

El éxodo del *boat people*

8 La guerra había acabado pero la paz no llegaba. Vietnam, Laos y Camboya estaban asoladas por los años de lucha. Los dos primeros países se empobrecían aún más en manos de comunistas a cuyos errores administrativos se añadía la obsesión por reformar (o castigar) a los no comunistas; el tercero estaba gobernado por los genocidas Khmer rojos. En 1977, miles de personas huían de Indochina cada mes en una de las mayores migraciones masivas

REFUGIADOS DEL SUDESTE ASIÁTICO

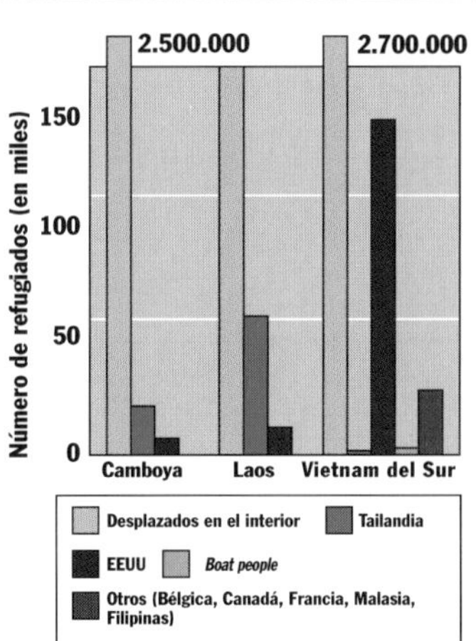

En 1977, más de cinco millones y medio de camboyanos, laosianos y sudvietnamitas habían emigrado.

DEPORTES: España: para prevenir la violencia en los estadios deportivos, los campos de juego deberán estar separados de los espectadores por «vallas, fosos o cualquier otro elemento».

«Son los restos de la época en que yo tenía doce años. Todos los libros y cómics que me gustaban cuando era niño.»
—George Lucas, sobre *La Guerra de las Galaxias*

del siglo. Algunos refugiados viajaban por tierra hacia Tailandia, pero la mayoría lo hacían por mar. Hacinados en barcos pequeños y en mal estado, entregaban sus ahorros a contrabandistas que les prometían conducirles a una vida mejor; fueron conocidos como *boat people*.

Muchos murieron en el mar. Buena parte de los supervivientes desembarcaba en cualquier sitio de Asia o lo intentaba: saturadas, Indonesia, Malasia, Hong Kong y las Filipinas empezaron a cerrar sus puertas. Francia, Alemania occidental, Canadá y Taiwan recibieron a algunos. Estados Unidos, cuya política había contribuido a crear las míseras condiciones del *boat people,* acogió a ciento sesenta y cinco mil en los dos primeros años posteriores a las victorias comunistas. En 1977, Washington estableció una cuota de quince mil al año; el límite se elevó en 1978 a veinticinco mil y en 1979 a cincuenta mil. La inmigración continuaba en los años noventa. **◂1975.4 ▸1978.9**

AVIACIÓN

Una victoria supersónica

9 El primer transporte supersónico del mundo cruzó su última frontera en octubre de 1977 al despegar del aeropuerto Kennedy de Nueva York. El doble de rápido que un avión corriente, el Concorde, con capacidad para cien pasajeros, construido por la Aircraft Corporation de Gran Bretaña y la Aérospatiale de Francia, había tenido complicaciones desde la construcción del prototipo una década atrás.

Los fabricantes del Concorde prometieron a sus respectivos gobiernos (copatrocinadores del avión) tenerlo listo para febrero de 1968, pero problemas técnicos y la cuadruplicación de los costes de fabricación retrasaron la fecha. Los disturbios de mayo de 1968 volvieron a posponerla. En diciembre de 1968 un avión supersónico soviético, el Tupelev Tul44 para rutas domésticas y de media distancia, se adelantó al Concorde en su primer vuelo. En Francia, Gran Bretaña y Estados Unidos aumentó la oposición popular cuando los ecologistas advirtieron del peligro de la contaminación, los estampidos sónicos, el deterioro de la capa de ozono y el gran consumo de combustible. En 1971, el gobierno norteamericano decidió cancelar la financiación para el avión supersónico que estaba construyendo la Boeing, lo que añadió aún más incertidumbre sobre el futuro del Concorde.

Por fin, en 1976 nueve aviones Concorde estaban en servicio, volando desde Londres y París a Bahrain, Washington, Caracas y algún otro destino, pero hicieron falta 19 meses de batallas judiciales y un fallo del tribunal supremo para levantar la

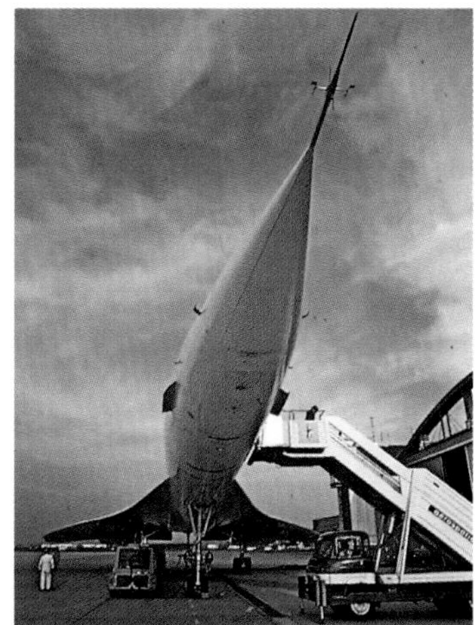

El Concorde mide unos sesenta metros de su morro de aguja hasta la cola.

prohibición del avión en Nueva York y abrir una ruta esencial para operaciones rentables. En el despegue del aeropuerto Kennedy, el lujoso avión superó la prueba del ruido y pudo iniciarse el vuelo regular transatlántico. En los años siguientes, el Concorde siguió siendo un avión para privilegiados. **◂1972.6**

CINE

Una guerra cósmica

10 «La palabra que encaja con esta película es diversión», comentó el director George Lucas de su obra de 1977 *La guerra de las galaxias.* La película era una mezcla de todo tipo de géneros de aventura, novelas para muchachos, mitología griega, leyendas samurai, películas del oeste americano, ciencia ficción, y sucedía hacía mucho tiempo en una galaxia muy lejana», como anunciaban los créditos de apertura. El Imperio del Mal, dominado por Darth Vader, vestido con armadura negra y casco nazi, es atacado por rebeldes buenos: Luke Skywalker, un aspirante a caballero que está aprendiendo a manejar la Fuerza mística, Obi-Wan Kenobi, el instructor moral y militar de Luke, que siempre se despide de él diciéndole «que la Fuerza te acompañe», la testaruda princesa Leia, el mercenario Han Solo y dos cómicos robots: C-3PO y R2-D2.

El público disfrutó con los efectos especiales, la historia simple de buenos contra malos y el ritmo trepidante de la película. Los detractores afirmaron que todos estos elementos promovían la falta del sentido crítico y que, junto a la presentación de una inocencia presexual y premental como un estado de gracia, infantilizaban al público. Además, el gran éxito de la película, que recaudó 232 millones de dólares en Norteamérica y muchos más fuera, como el de *Rocky* el año anterior, contribuyó al fin de una época dorada del cine americano temáticamente complejo, desafiante y sofisticado.

Lucas produjo dos secuelas más de la obra y varias películas dirigidas por Steven Spielberg. Su estudio Industrial Light and Magic, situado en California, también creó efectos especiales por ordenador para otros directores. **◂1976.11 ▸1982.9**

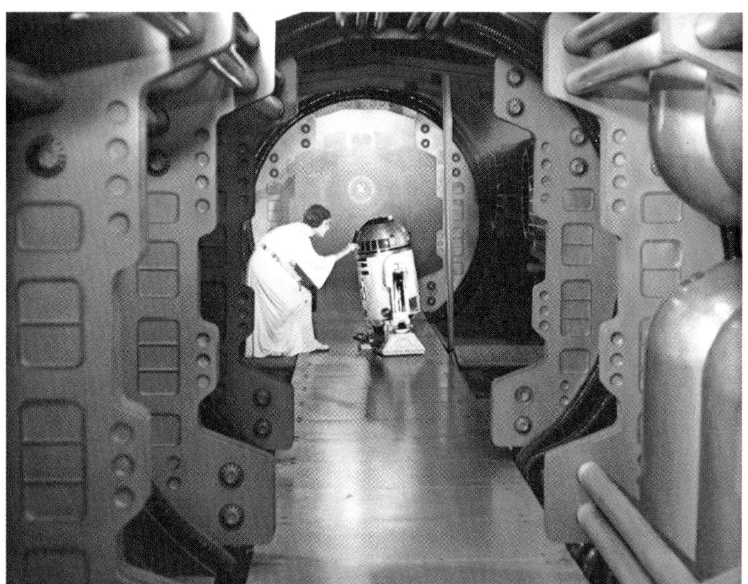

La princesa Leia (Carrie Fisher) y el robot R2-D2 en *La guerra de las galaxias.* La película obtuvo siete Óscars.

campos petrolíferos de North Slope en la bahía Prudhoe del Ártico y llegaba a las refinerías

de Valdez en el estrecho Prince William. El primer suministro de la reserva más rica de Norteamérica llegó a Valdez el 28 de julio. ▸1984.6

▶OTRO APAGÓN—El 13 de julio un relámpago inutilizó las líneas eléctricas del condado de Westchester y la ciudad de Nueva York quedó a oscuras por segunda vez en doce años. Durante las 25 horas que duró el apagón, miles de personas salieron a la calle para robar y utilizar como combustible todo tipo de cosas, desde pañales hasta coches. La policía llevó a cabo 3.776 detenciones y los daños sobre propiedades públicas y privadas se valoraron en casi ciento cincuenta millones de dólares.◂1965.NM

▶INVERNADEROS SUBMARINOS—En el fondo oceánico de las islas Galápagos, al oeste de Ecuador, se descubrieron en 1977 unos respiraderos hidrotermales o «chimeneas» que mantenían un ecosistema exótico. Los respiraderos arrojaban agua rica en minerales y calentada por el magma, creando un entorno apropiado para la proliferación de bacterias, almejas del tamaño de un plato de postre, gusanos de mar gigantes y otros animales marinos. Se alimentaban de plantas, que crecían sin fotosíntesis en un lugar de tal oscuridad (no llegaba un solo rayo de sol) que parecía imposible cualquier forma de vida. Más tarde se descubrieron varios respiraderos y comunidades biológicas en otros emplazamientos del fondo marino del Pacífico, del Atlántico y del lago Baikal de Rusia. ◂1963.4

▶REGRESO DE «LA PASIONARIA»—Dolores Gómez Ibárruri, apodada «La Pasionaria», regresó a España en 1977 tras 38 años de exilio en la Unión Soviética. Ibárruri, de 82 años, había arengado a los republicanos contra las fuerzas de Franco

POLÍTICA Y ECONOMÍA: el presidente Jimmy Carter indulta a los desertores de Vietnam [...] El director de presupuestos Bert Lance dimite por la controversia sobre finanzas particulares [...] Carter detiene la producción de bombarderos B-1 [...] Pruebas de lanzaderas espaciales norteamericanas.

«No quiero alcanzar la inmortalidad a través de mi obra. Quiero alcanzarla no muriéndome.»—**Woody Allen**

en 1936 diciendo: «¡Es mejor morir de pie que vivir de

rodillas! ¡No pasarán!» A su regreso (18 meses después de la muerte de Franco) fue elegida para el parlamento español y fue presidente honorario del Partido Comunista hasta su muerte en 1989.◂1975.1 ▸1981.5

▶EL SOVIET SUPREMO —En 1977, tras trece años de gobierno, el primer secretario del Partido Comunista Leonid Brezhnev consolidó su poder al asumir la presidencia del Soviet Supremo (dirigiendo así el partido y el Estado). El año anterior había sido nombrado mariscal de la Unión soviética, un título militar que sólo había ostentado Stalin. En el «liderazgo colectivo» oficial compartido con Aleksei Kosygin y Nikolay Podgorny, Brezhnev había sido el principal gobernante de la Unión Soviética desde mediados de los años sesenta. Mantuvo los cargos hasta su muerte en 1982.◂1972.7 ▸1979.4

ARQUITECTURA

Edificio del revés en París

11 Como la Torre Eiffel antes que él, el Centro Nacional Pompidou de Arte y Cultura, inaugurado en París en 1977, constituyó un *scandale d'architecture*. Ideado como una «máquina urbana viviente» por sus jóvenes arquitectos, el italiano Renzo Piano y el británico Richard Rogers, el edificio de seis pisos, de cristal y de alta tecnología, poseía un diseño totalmente heterodoxo: estaba hecho al revés. Todos sus soportes estructurales y partes mecánicas (tuberías, cañerías, conductos, escaleras mecánicas) se hallaban en el exterior y pintados según un modelo: azul para el aire acondicionado, amarillo para los conductos eléctricos, rojo para los ascensores, verde para las cañerías de agua. Sus detractores dijeron que era «repugnante, odioso y horrible». Algunos lo consideraron un diseño «intestinal», a otros les recordaba una refinería de petróleo. Al colocar en el exterior toda la estructura, quedaba mucho espacio en el interior. Grandes zonas que podían variar sus particiones con paneles móviles alojaron museos e instituciones de enseñanza (como el IRCAM, el centro de música electrónica de Pierre Boulez).

La gente pronto se encariñó con el Pompidou. Ubicado en el centro del Beaubourg, uno de los barrios más antiguos de París, se convirtió en un lugar muy visitado por los turistas, pero el éxito del Centro Pompidou (construido para acoger a ocho mil visitantes al día, atraía a unos treinta mil) así como su diseño (al tener sus «tripas» en el exterior era más vulnerable a las temperaturas rigurosas) se han cobrado un precio muy alto en deterioro y desgaste y el edificio se ha visto obligado a permanecer cerrado durante largos períodos para ser restaurado. **◂1966.4 ▸1984.9**

El Centro Pompidou de Piano y Rogers atrae a ocho millones de visitantes al año.

Diane Keaton y Woody Allen en *Annie Hall*. El vestuario de Keaton en la película creó la moda de la «imagen Annie Hall».

CINE

Tarjeta de san Valentín divertida

12 Quizá la historia de amor más ingeniosa de la época fue *Annie Hall*, en la que el director, actor y guionista Woody Allen relata de forma cómica y profunda el apogeo y decadencia del romance entre Annie, una mujer blanca, anglosajona, protestante y seductoramente alegre (Diane Keaton), y Alvy, un judío de Nueva York neurótico y divertido (Woody Allen). La película captó el aturdimiento agridulce de una época en la que la revolución sexual y la liberación de la mujer añadieron confusión a las viejas contradicciones de las relaciones sentimentales.

Annie Hall es, en parte, autobiográfica, Allen y Keaton fueron amantes; el apellido real de Keaton es Hall; Allen, como Alvy, era un antiguo escritor de comedias y actor de monólogos, pero la credibilidad de la película deriva menos de estos detalles que de sus profundas intuiciones (acerca del arte, de la muerte y de las relaciones personales), de la espontaneidad de los actores y de la fuerza escénica de ambos.

Se ha dicho que *Annie Hall* era una tarjeta de san Valentín de Allen para Keaton. Asimismo se ganó críticas por su sutil misoginia, su sugestión de que Annie es inestable, desagradecida y por último tramposa. (Alvy la ayuda a desarrollar su mente y su talento y luego ella le abandona.) Sin embargo, la buena fama de Allen como escritor de papeles para mujeres está muy bien representada en *Annie Hall*. La obra ganó el Óscar a la mejor película, actriz, guión y director. **◂1975.14**

ESPAÑA

Un año difícil

13 Este año comenzó en España de forma violenta. La espiral de terror era alimentada por quienes querían impedir la transición pacífica desde posturas enfrentadas: continuadores del franquismo inmovilista y revolucionarios radicales. El 23 de enero los ultras asesinaron a Arturo Ruiz, un joven que participaba en una manifestación proamnistía. En la manifestación de duelo subsiguiente, falleció un día después María Luz Nájera, alcanzada por un bote de humo. El mismo día un comando ultra disparó a un grupo de abogados laboristas reunidos en su despacho matando a cinco de ellos e hiriendo a cuatro más. La violencia de signo contrario utilizaba preferentemente el secuestro como arma intimidatoria. En diciembre de 1976, el GRAPO (Grupo Revolucionario Antifascista Primero de Octubre, que en 1975 inauguró su actividad terrorista al asesinar a cuatro policías en Madrid el 1 de octubre) secuestró a Oriol y Urquijo, presidente del Consejo de Estado. Exigía a cambio de su liberación la excarcelación de varios presos de extrema izquierda. El mismo trágico 24 de enero de 1977, el GRAPO secuestró al general Villaescusa, presidente del Consejo Supremo de Justicia militar, reiterando su demanda de excarcelación de los izquierdistas presos y como respuesta al asesinato de Arturo Ruiz.

La estrategia de la ultraizquierda y la ultraderecha parecía conducir al país a un golpe militar o a una revolución sangrienta. Las cosas no sucedieron así. En febrero, Oriol y Villaescusa fueron liberados por las fuerzas de seguridad. En marzo se publicó un real decreto que ampliaba el alcance del indulto concedido a los delitos políticos en junio de 1976. En abril se legalizó el Partido Comunista. En junio, se celebraron elecciones generales para elegir a los miembros del congreso y del senado que constituirían las Cortes, que redactarían una nueva constitución democrática.

PREMIOS NOBEL: Paz: Amnistía Internacional (Londres) [...] Literatura: Vicente Aleixandre (español; poeta) [...] Química: Ilya Prigogine (belga; termodinámica) [...] Medicina: Rosalyn Yalow, Roger Guillemin y Andrew Schally (estadounidenses; hormonas) [...] Física: Philip Anderson, John Van Vleck y Nevill Mott (estadounidenses y británico; sistemas magnéticos) [...] Economía: Bertil Ohlin y James Meade (sueco, británico).

ECOS DE 1977

Vicente Aleixandre

Premio Nobel de literatura

Vicente Aleixandre.

Vicente Aleixandre (1898-1984), poeta perteneciente a la llamada generación del 27, obtuvo el Premio Nobel de literatura en 1977 «por su gran obra creadora, enraizada en la tradición de la lírica española y en las modernas corrientes poéticas iluminadoras de la condición del hombre en el cosmos y de las necesidades de la hora presente». El poeta dividió su obra en dos partes: «en la primera parte de mi trabajo yo veía al poeta en pie sobre la tierra, como expresión telúrica de las fuerzas que le subían desde sus plantas [...]. Por debajo de todas las apariencias sensibles, una sola sustancia existía, y a esa sustancia unificadora el poeta la llamaba amor. En la segunda parte de mi labor [...] yo he visto al poeta como expresión de la difícil vida humana, de su quehacer valiente y doloroso».
A continuación unos poemas pertenecientes a los libros Espadas como labios *(de la primera etapa) y* En un vasto dominio *(de la segunda).*

EL VALS

Eres hermosa como la piedra,
oh difunta;
oh viva, oh viva; eres dichosa como la nave.
Esta orquesta que agita
mis cuidados como una negligencia,
como un elegante biendecir de buen tono,
ignora el vello de los pubis,
ignora la risa que sale del esternón como una gran
batuta.

Unas olas de afrecho,
un poco de serrín en los ojos,
o si acaso en las sienes,
o acaso adornando las cabelleras;
unas faldas largas hechas de colas de cocodrilos;
unas lenguas o unas sonrisas hechas con caparazones
de cangrejos.
Todo lo que está suficientemente visto
no puede sorprender a nadie.

Las damas aguardan su momento sentadas sobre
una lágrima,
disimulando la humedad a fuerza de abanico insistente.
Y los caballeros abandonados de sus traseros
quieren atraer todas las miradas a la fuerza hacia
sus bigotes.
Pero el vals ha llegado.
Es una playa sin ondas,
es un entrechocar de conchas, de tacones, de espumas
o de dentaduras postizas.
Es todo lo revuelto que arriba.

Pechos exuberantes en bandeja en los brazos,
dulces tartas caídas sobre los hombros llorosos,
una languidez que revierte,
un beso sorprendido en el instante que se hacía
«cabello de ángel»,
un dulce «sí» de cristal pintado de verde.

Un polvillo de azúcar sobre las frentes
da una blancura cándida a las palabras limadas,
y las manos se acortan más redondeadas que nunca,
mientras fruncen los vestidos hechos de esparto
querido.

Las cabezas son nubes, la música es una larga
goma.
las colas de plomo casi vuelan, y el estrépito
se ha convertido en los corazones en oleadas de
sangre,
en un licor, si blanco, que sabe a memoria o a cita.

Adiós, adiós, esmeralda, amatista o misterio;
adiós, como una bola enorme ha llegado el instante,
el preciso momento de la desnudez cabeza abajo,
cuando los vellos van a pinchar los labios obscenos
que saben.
Es el instante, el momento de decir la palabra que
estalla,
el momento en que los vestidos se convertirán en
aves,
las ventanas en gritos,
las luces en ¡socorro!
y ese beso que estaba (en el rincón) entre dos bocas
se convertirá en una espina
que dispensará la muerte diciendo:
Yo os amo.

(Espadas como labios, 1932)

BOMBA EN LA ÓPERA

Toda descote, la platea brilla;
brilla o bulle, es igual, gira y contempla
el do de pecho que en la glotis grande
—escenario y telón— vibra, retiembla,
rebota en las paredes, sube en aguas
y anega a todos, a los felicísimos
que piensan mientras rtragan, tragan, tragan,
que un bel morir tutta una vita onora.
Agua o música, o no: puro perfume,
y el perfume no ahoga.
Sobreviven, conversan, abanican.
La mano muerta mueve las varillas,
el nácar decorado. «Oh, conde, estalle,
rompa ese peto de su camisola
y no me mire así. Tiemblan mis pechos
como globos de luz...» Petróleo hermoso
o gas hermoso, o, ya electrificados,
globos de luz modernos en la noche.
Noche de ópera azul, o amarillenta,
mientras los caballeros enfrascados
en la dulce emoción de las danseuses
mienten a las condesas sus amores
lánguidamente verdes en la sombra.
Tarde, ¡qué tarde! Ya los terciopelos,
todo granate, sofocados ciñen
esculturales torsos desteñidos,
mientras el escenario ha congregado
a la carne mortal, veraz que canta.
Todos suspensos en la tiple. ¡Cómo!
¿Es la voz? ¡Es la bomba! ¿Qué se escucha?
Oh, qué dulce petardo allí ha estallado.
Rotos muñecos en los antepalos.
Carnes mentidas cuelgan en barandas.
Y una cabeza rueda allá en el foso
con espantados ojos. ¡Luces, luces!
Gritos de los muñecos que vacían
su serrín doloroso. ¡Luces, luces!
La gran araña viva se ha apagado.
Algo imita la sangre. Roja corre
por entre pies de trapo. Y una dama
muerta, aún más muerta, con su brazo alzado
acusa. ¿A quién? La música aún se escucha.
Sigue soñando sola. Nadie la oye,
y un inmenso ataúd boga en lo oscuro.

(En un vasto dominio, 1962)

1977

«La posibilidad de diseñar a nuestros descendientes, de fabricar a la generación siguiente, de convertir la reproducción en sinónimo de fabricación es un panorama terrible.»—**Paul Ramsey, teólogo protestante**

HISTORIA DEL AÑO

La vida en una probeta

1 En su clásico de ciencia ficción, *Un mundo feliz* (1932), Aldous Huxley imaginó una sociedad donde «los bebés son fabricados en serie a partir de soluciones químicas dentro de tubos de ensayo». En 1978, muchos pensaron que la pesadilla de Huxley se había hecho realidad. En julio nació en Inglaterra Louise Brown, el primer ser humano concebido fuera del útero. El mismo año, el periodista David Rorvik publicó *In his image: the cloning of a man*, un libro (más tarde se supo que era un fraude) sobre un soltero millonario de 68 años que asegura haberse autorreproducido asexualmente en forma de un bebé genéticamente idéntico a él. Unos meses más tarde, los genéticos Karl Illmensee, suizo, y Peter Hoppe, norteamericano, realizaron un experimento que dio como resultado lo que muchos consideraron el primer clónico de un mamífero.

Para Lesley y John Brown, la concepción extrauterina no era una pesadilla sino un milagro. La pareja no podía tener hijos y acudió al ginecólogo Patrick Steptoe y a su colaborador Robert Edwards, médico de la Universidad de Cambridge, que durante más de una década habían experimentado con la fecundación *in vitro*. Para conseguir el embarazo, se extrae un óvulo de los ovarios de la paciente, se fecunda con el esperma de un donante (lo ideal es que sea de su compañero) y se reimplanta en el útero. Hasta que la operación dio resultado con Lesley Brown, los embriones siempre habían muerto antes o justo después de la implantación. La fecundación *in vitro* se convirtió en algo común desde entonces (aunque sus resultados sólo son del 16 %), pero en su época provocó condenas y desconfianza, en parte porque Steptoe y Edwards vendieron la historia a un periódico de Londres en lugar de hacerla pública en una revista médica.

Mucha gente consideró la idea de los mamíferos clónicos, sobre todo humanos, aún más alarmante. El relato de Rorvik quizá fuera un fraude pero otras historias relacionadas con el tema, como *Los niños del Brasil* de Ira Levin, en la que un médico malévolo «fabrica» un ejército de bebés clónicos de Hitler, alimentaron la histeria popular. Aunque muchas de las cuestiones éticas de la ingeniería genética todavía no se han resuelto, sus aplicaciones más benignas han incluido logros tan importantes como la producción masiva de proteínas como la insulina y las vacunas antivíricas. ◄**1976.5**

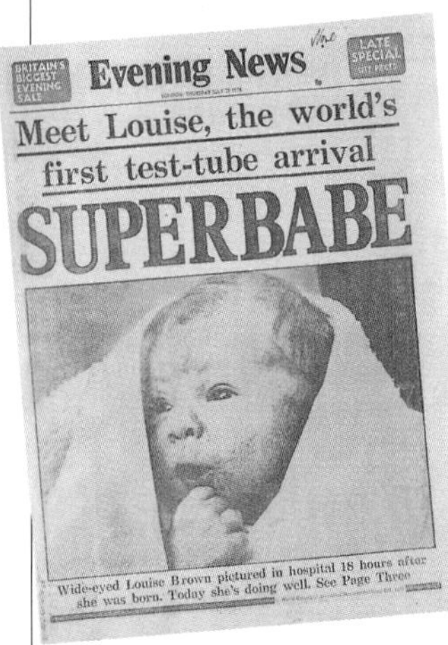

Evening News

Meet Louise, the world's first test-tube arrival

SUPERBABE

Wide-eyed Louise Brown pictured in hospital 18 hours after she was born. Today she's doing well. See Page Three

Los periódicos de Londres hicieron pública la historia del bebé probeta.

RELIGIÓN

La masacre de Jonestown

2 Mientras los movimientos contraculturales de los años sesenta se disolvían, una parte de la población occidental empezó a afiliarse a sectas religiosas, en busca,

Cuerpos esparcidos en la comuna donde los sectarios tomaron el veneno.

quizá, de una vida utópica o de algo en qué creer. Algunos de estos grupos utilizaban el lavado de cerebro para esclavizar a sus miembros. En noviembre de 1978, el congresista de California Leo Ryan y 18 colaboradores se trasladaron a la Guyana para investigar a una de estas sectas: el Templo del Pueblo, liderado por el reverendo Jim Jones, un antiguo activista político de San Francisco que afirmaba ser una encarnación de Jesús y de Lenin. La misión acabó con la muerte de Ryan y el suicidio o asesinato de otras novecientas personas.

Hasta 1977, Jones había dirigido centros de servicios sociales de base religiosa en California, ayudando a los pobres y reuniendo una congregación de miles de seguidores. Luego, con unos cientos de fieles, la mayoría negros, el ministro (un blanco cuyo padre había sido miembro del Ku Klux Klan) se instaló en la selva de la Guyana, donde edificó una comuna agrícola llamada Jonestown. A Ryan le llegaron quejas de que sus residentes eran sometidos a palizas, trabajos forzados, abusos sexuales y simulacros de suicidios masivos (como «prueba de lealtad»).

El congresista y un grupo de ayudantes, periodistas y abogados, fueron acogidos cordialmente pero, al día siguiente de su llegada, Jones empezó a mostrarse hostil. Miembros de la comuna empezaron a pedir ayuda a los visitantes. Mientras una pareja discutía si irse o quedarse, un residente atacó a Ryan con un cuchillo. Al intentar huir en avión, Ryan y otras cuatro personas fueron asesinadas a tiros. Poco después, Jones organizó un suicidio ritual. Los fieles hicieron cola para tomar una bebida de frutas y cianuro. Algunos la bebieron de forma voluntaria, otros a punta de pistola (unos pocos pudieron escapar). Al supervisar los cadáveres de sus seguidores, Jones pronunció sus últimas palabras: «Madre, madre, madre». Luego se pegó un tiro. ►**1993.NM**

ORIENTE MEDIO

Los acuerdos de Camp David

3 Cuando las negociaciones entre Israel y Egipto llegaron a un punto muerto en 1978, el presidente norteamericano Jimmy Carter invitó a los líderes de ambos países a Camp David, la residencia de descanso presidencial de Maryland. Durante doce días del mes de septiembre, Menachem Begin, Anuar el-Sadat y altos funcionarios norteamericanos, israelitas y egipcios se reunieron en las cabañas rústicas o pasearon juntos por el bosque. El marco y la ropa eran informales pero la tarea que les ocupaba era de lo más serio. Finalizar 30 años de estado de guerra entre las dos naciones más poderosas de Oriente Medio sería el primer paso hacia la desaparición de las hostilidades entre árabes e israelitas que podían provocar un holocausto nuclear.

La hostilidad entre Sadat y Begin en Camp David alcanzó momentos tan tensos que pareció que las conversaciones estaban destinadas al fracaso; sin embargo, gracias a la diplomacia personal de Carter (tras horas de intentar negociar amablemente con un líder, iba a la cabaña del otro para repetir el proceso), se llegó a dos acuerdos principales. El primero era la creación de un marco para un pacto bilateral de paz, con la retirada gradual de las tropas israelitas del Sinaí y el restablecimiento del

Carter observa a Sadat y a Begin dándose la mano.

ARTE Y CULTURA: Libros: *Panfleto contra el todo* (F. Savater); *El honorable colegial* (J. Le Carré); *El mundo según Garp* (John Irving); *El golpe* (John Updike) [...] Música: *Some girls* (The Rolling Stones, LP) [...] Pintura y escultura: *Swimmer* (Robert Moskowitz) [...]

«Cuando la moda disco llegue a Milwaukee, se estropeará. Habrá gente vestida con cierto tipo de ropa, por ejemplo, pero no sabrá por qué la lleva.»—**Richard Peterson, profesor de sociología de la Universidad de Vanderbilt**

derecho de Israel a utilizar el canal de Suez (negado desde 1956). El segundo proponía de forma vaga la creación de un gobierno autónomo palestino en la orilla oeste y la franja de Gaza y la retirada parcial de soldados de estos territorios.

Sadat y Begin compartieron el Premio Nobel de la paz por sus esfuerzos y cerraron formalmente los acuerdos el marzo siguiente. Pero la firma provocó disturbios en varias ciudades y la Liga Árabe, condenando la «paz separada» de Sadat con Israel, expulsó a Egipto y le impuso un boicot económico. Israel esquivó las previsiones del tratado concernientes a los palestinos. Sadat pronto pagaría con la vida su acercamiento a Israel. **◂1977.1 ▸1981.2**

RELIGIÓN

El año de los tres Papas

4 Cuando el Papa Pablo VI murió en agosto de 1978, los católicos se entristecieron pero no se sorprendieron: el pontífice tenía 80 años y durante la última década había ofrecido un aspecto cada vez más cansado y enfermizo. Sin embargo, cuando su sucesor de 65 años, Juan Pablo I, murió de un ataque al corazón 34 días después de su nombramiento, el golpe fue mucho mayor. El sucesor de Juan Pablo I, Juan Pablo II constituyó otra sorpresa.

El nuevo Papa, oriundo de Polonia y llamado Karol Wojtyla, era el primer pontífice no italiano en 456 años. Era el segundo que procedía de la clase obrera y, con 58 años de edad, era el Papa más joven desde 1846. Antes de ordenarse sacerdote, había sido autor y actor de obras en verso vanguardistas y había trabajado en la resistencia antinazi durante la Segunda Guerra Mundial. Como clérigo en un país comunista, condenó el ateísmo marxista y adquirió experiencia política. Hablaba siete idiomas y tocaba la guitarra.

La energía, el carisma y la falta de ceremonia de Juan Pablo II así como su apoyo a los movimientos defensores de los derechos humanos de todo el mundo le hicieron muy popular incluso fuera de la Iglesia. Viajó aún más que Pablo VI para reunirse con sus fieles y conocer a los de otras religiones. Teológicamente, sin embargo, resultó ser más conservador que aquél. Mientras Pablo defendió las reformas del Vaticano II, Juan Pablo II abogaba por el retorno a valores más estrictos. Ordenó a los sacerdotes que se apartaran de

Llegada del Papa Juan Pablo II a Polonia (1979).

la política de izquierdas y que rechazaran las teologías de la liberación e insistió en la superioridad del Papa sobre sus obispos. Aquellos que esperaban que el nuevo Papa aboliera las prohibiciones de divorcio, anticoncepción artificial, aborto y sacerdocio femenino quedaron defraudados. **◂1968.12 ▸1979.NM**

CULTURA POPULAR

La moda disco

5 La moda disco se difundió por el mundo en 1978 gracias a una película estrenada el último día del año: *Fiebre del sábado noche.* Dirigida por John Badham y protagonizada por John Travolta, la película explicaba la historia de Tony Manero, un residente en Brooklyn de clase obrera que se siente vivo en la pista de baile. Los gestos sugerentes y los movimientos atléticos de Travolta provocaron el entusiasmo de los jóvenes y la envidia de los jóvenes. De forma repentina, la subcultura de los homosexuales y los negros americanos pasó a ser una tendencia general. La banda sonora de los Bee Gees (un grupo de música procedente de Australia) vendió treinta millones de discos en todo el mundo.

La moda disco rompió con la estética rebelde de los años sesenta que todavía dominaba la cultura juvenil. Los hombres llevaban trajes ostentosos y cadenas de oro; las mujeres, vestidos y tacones altos. Las parejas bailaban juntas con pasos establecidos. Incluso las drogas eran distintas: en vez de alucinógenos se tomaban productos que hacían sentirse bien, y cocaína los que podían permitírselo. La música disco rechazaba las ambiciones artísticas y políticas del *rock* de los años sesenta. Estaba dominada por un ritmo marcado y fuerte y letras que trataban del sexo y sus metáforas.

Muchos productores, inspirados por el genio Giorgio Moroder, prescindían de músicos caros y utilizaban sintetizadores programados por ordenador y baterías eléctricas.

Sin embargo, lo que más caracterizó a la moda disco fue una serie de personajes extravagantes y carismáticos. El Studio 54 de Manhattan fue el templo de esta cultura. Allí la elite libertina y sus seguidores se encontraban para

John Travolta en *Fiebre del sábado noche* muestra la pose paradigmática de la música disco.

alternar y «mover el esqueleto». Fuera, la gente se agolpaba para entrar, esperando convencer al portero y poder ver a Liza Minnelli, Bianca Jagger y Andy Warhol bajo las luces de la discoteca. **◂1967.5 ▸1984.10**

MUERTES

Santiago Bernabeu, presidente del Real Madrid.

Houari Boumedienne, político argelino.

Charles Boyer, actor franco-estadounidense.

Jacques Brel, cantante franco-belga.

Jorge Cafrune, cantante argentino.

Giorgio de Chirico, pintor italiano.

Kurt Gödel, matemático checo-estadounidense.

Juan Pablo I, Papa italiano.

Jomo Kenyatta, político de Kenia.

Aram Khachaturian, compositor soviético.

Salvador Madariaga, escritor español.

Margaret Mead, antropóloga estadounidense.

Golda Meir, primera ministro israelita.

Anastas Mikoyan, político soviético.

Aldo Moro, político italiano.

Pablo VI, Papa italiano.

Alfonso Paso, escritor español.

Norman Rockwell, ilustrador estadounidense.

Ignazio Silone, escritor italiano.

Leopoldo Torres Nilson, director cinematográfico argentino.

Gene Tunney, boxeador estadounidense.

Cine: ***The deer hunter*** **(Michael Cimino);** ***Superman*** **(Richard Donner);** ***La escopeta nacional*** **(L. Berlanga);** ***Julia*** **(Fred Zinnemann) [...] Teatro:** ***Evita*** **(Lloyd Webber y Rice) [...] TV:** ***Dallas.***

«Ésta es la Constitución de la libertad y las autonomías. Por fin la soberanía nacional reside en el pueblo español.»—**Felipe González, 1978.**

NOVEDADES DE 1978

Ultrasonidos (alternativa ultrasónica a los rayos X).

Legalización del aborto en Italia.

El gato Garfield.

EN EL MUNDO

▶TEORÍAS SOBRE CONSPIRACIONES—Al acabar su revisión de los atentados de J. F. Kennedy y Martin Luther King, el comité de asesinatos estadounidense concluyó en 1978 que era probable que hubieran existido conspiraciones, una opinión compartida por buena parte de la población pero contraria al informe de 1964 de la Comisión Warren. El comité no estuvo dispuesto a facilitar los nombres de los posibles colaboradores de Oswald o de los de James Earl Ray *(superior)*, que fue condenado por matar a King en 1968 pero más tarde se retractó de su confesión. ◂1964.NM ▸1991.6

▶ETIOPÍA SE ACERCA A MOSCÚ—En 1978, el Consejo administrativo provisional militar de Etiopía, la junta socialista que había depuesto al emperador Haile Selassie, firmó un tratado comercial con la Unión Soviética. La junta, también llamada la Derg, empezó a recibir suministros militares de comunistas extranjeros (entre ellos soldados cubanos y consejeros soviéticos) que utilizó para contener a los secesionistas rebeldes de Eritrea y de Ogaden, región de habla somalí. La Derg, encabezada por el teniente coronel Mengistu Haile Mariam, declaró a Etiopía una República Comunista Popular en 1984. ◂1974.7 ▸1993.NM

El rey Juan Carlos I, símbolo de la democracia española.

ESPAÑA

La Constitución

6 El 6 de diciembre, los españoles aprobaron en referéndum la Constitución que serviría de nuevo marco a la vida política del país desde aquel momento. Un 87,87 % de los votantes respondió afirmativamente a la consulta, pero la tasa de abstención también fue destacable: un 32,89 % no acudió a las urnas. La redacción de la Constitución fue un proceso largo y laborioso. El 5 de enero se presentó el primer borrador que iba acompañado de 168 notas particulares de los ponentes. Durante su tramitación se presentaron dos mil trescientas enmiendas. El texto constitucional convertía a España en una monarquía parlamentaria democrática y equilibrada con supuestos liberales (derecho a la propiedad) y con garantías sociales (derecho al trabajo). Sin embargo, su capítulo más conflictivo era el que se refería a la articulación del compromiso entre la unidad del Estado español y los diferentes grados de autogobierno de las diversas regiones y «nacionalidades» del país. El 31 de octubre, la «constitución de la libertad y las autonomías», como la llamó el dirigente socialista Felipe González, fue respaldada en el congreso por 325 votos a favor frente a 6 en contra. Asimismo, hubo 14 abstenciones. En el senado el resultado fue de 226 votos a favor, 5 en contra y 8 abstenciones. Parte de las abstenciones y los votos negativos señalaban el desacuerdo de los representantes del País Vasco, PNV y EE, con el texto, que no satisfacía las expectativas nacionalistas de estos partidos. A pesar de las reservas que suscitó y las obligadas ambigüedades que resultan inevitables a todo compromiso político, la Constitución española ha mantenido su vigencia desde su promulgación en 1978. **▸1979.NM**

AFGANISTÁN

Golpe comunista

7 El 27 de abril de 1978 (la víspera de la Juma, el *sabbath* musulmán), miles de afganos salieron pronto del trabajo y abarrotaron las estrechas calles de Kabul mientras a su alrededor los tanques bombardeaban el palacio presidencial. Los taxis se disputaban el paso con los vehículos blindados; la policía de tráfico empujaba a los carros para que salieran de los cruces congestionados. Parecía que a la gente le interesaba más llegar a casa que el golpe de Estado que estaba teniendo lugar. Al final del día, los líderes rebeldes anunciaron por radio que un consejo revolucionario había tomado posesión del gobierno. El comunismo había llegado a Afganistán.

El presidente Muhammad Daud *(superior)*, asesinado a tiros con su familia cuando los rebeldes consiguieron entrar en el palacio, había llegado al poder en 1973 tras derrocar al rey Muhammad Zahir, primo hermano suyo. Daud, antiguo primer ministro, al principio disfrutó del respaldo del ejército afgano, suministrado por los soviéticos, y de las facciones rivales Khalq y Parcham del Partido Democrático Popular de Afganistán, de izquierdas. En 1977, Daud se decantó por la derecha, arrestó a miembros del Partido Demócrata y llenó al gobierno con amigos suyos. De este modo rompió sus relaciones con Moscú, la influencia extranjera más importante.

La Unión Soviética apreciaba a su vecino (estratégicamente situado entre Irán, Pakistán y China) y las acciones de Daud le costarían la vida. Los líderes del Parcham y del Khalq, con el apoyo del Kremlin, superaron sus diferencias y en 1977 se unieron en el Partido Democrático Popular. Daud respondió con una oleada de represalias pero los oficiales clave del ejército ya se habían marchado. El golpe aprobado por Moscú no encontró resistencia. Muhammad Taraki, secretario general del Partido Democrático, se convirtió en el primer presidente marxista de Afganistán; no obstante, la guerra civil estaba a punto de estallar. **◂1919.4 ▸1979.5**

CINE

El nuevo cine alemán

8 La industria cinematográfica alemana, una de las más importantes del mundo, empezó a declinar a partir de los años treinta, cuando directores de la talla de Fritz Lang y G. W. Pabst huyeron de los nazis. A finales de los años sesenta, experimentó un resurgimiento gracias a la distancia histórica de la época nazi y a una política gubernamental de subvenciones a cineastas innovadores como Alexander Kluge, Volker Schlöndorff y Jean-Marie Straub. En 1978, la revista *Time* pudo declarar que el nuevo cine alemán resultaba «el más vital de Europa».

Fassbinder *(izquierda)* dirige a su actriz favorita, Hanna Schygulla.

DEPORTES: Fútbol: copa del mundo, Argentina derrota a Holanda por 3 a 1 [...] Boxeo: Muhammad Ali recupera el título de los pesos pesados de Leon Spinks.

«Fue la lengua de mártires y de santos, de soñadores y de cabalistas —rica en humor y recuerdos que la humanidad no debe olvidar. Simbólicamente, el yídis es la lengua humilde y juiciosa [...] de una humanidad asustada y llena de esperanza—**Singer**

Rainer Werner Fassbinder fue el más destacado de estos nuevos directores. Ya había rodado 33 películas, la mayoría de ellas estudios duros pero con un toque divertido acerca de la confusión social y emocional, cuando, a la edad de 31 años, filmó *El matrimonio de María Braun* (1978), la primera parte de una trilogía sobre la Alemania de posguerra. (En 1982 realizó las otras dos partes *Lola* y *Veronica Voss*.) Hanna Schygulla interpretaba a una mujer que personificaba a la propia Alemania occidental. Tras sobrevivir a las bombas de la guerra y a los desastres amorosos de la paz, María Braun muere cuando estalla su cocina.

Otros dos cineastas alemanes compartieron los elogios de la crítica. Werner Herzog era un aventurero excéntrico: para conseguir un realismo total en la historia de un conquistador loco filmó *Aguirre: la cólera de Dios* (1972) en el Amazonas; para transmitir la sensación de histeria colectiva en *Corazón de cristal* (1976) hizo hipnotizar a sus actores. Los *road-films* de Wim Wenders mezclan la dureza existencial de Hollywood con la angustia filosófica alemana. Wenders reunió a Dennis Hopper y a los grandes directores de serie B Sam Fuller y Nicholas Ray en *El amigo americano* (1977) y más tarde emparejó a Ganz y Peter Falk en *Wings of desire* (1988). **◂1959.7 ▸1991.12**

SUDESTE ASIÁTICO

Genocidio en Camboya

9 Hacía tres años que corrían rumores espantosos, pero la verdad de Camboya no salió a la luz hasta que Vietnam la invadió en diciembre de 1978. Las fosas comunes y los testigos oculares dieron testimonio: desde que tomaron el poder en 1975, los Khmer rojos habían asesinado a cientos de miles de camboyanos. Un número similar había muerto de hambre, agotamiento o enfermedad. La masacre se había intensificado en los últimos meses, después de que la facción ultranacionalista del partido del primer ministro Pol Pot se deshiciera de sus oponentes.

Los líderes de los Khmer rojos eran comunistas de educación francesa que habían iniciado sus carreras de guerrilleros en los años cincuenta, al intentar derrocar al príncipe Norodom Sihanouk. Los bombardeos americanos de principios de los años setenta les llevaron a una alianza con el príncipe (que había sido depuesto por derechistas). Asimismo les proporcionaron ayuda norvietnamita y muchos partidarios. Escondidos en la selva bajo una lluvia de proyectiles, los revolucionarios desarrollaron una ideología extraordinariamente agresiva y paranoica.

Ya como dirigentes de Camboya, ocultaron su identidad durante meses mientras Sihanouk era el jefe del Estado oficial e iniciaron su programa de autosuficiencia nacional, inspirado en el Gran Salto Adelante de Mao. Los Khmer rojos vaciaron las ciudades y enviaron a sus habitantes al ejército. Obsesionados con la pureza racial y política, masacraron a minorías étnicas, intelectuales, enfermos, a los que se quejaban e incluso a los que practicaban el sexo sin permiso. Se prohibió la entrada de extranjeros, excepto consejeros norcoreanos y chinos.

El alineamiento de los Khmer rojos con China (enemiga tradicional de Vietnam) fue lo que impulsó a Hanoi a atacar. En enero de 1979, las tropas vietnamitas entraron el Phnom Penh; Pol Pot huyó hacia la frontera tailandesa y Sihanouk escapó a Pekín. Los invasores nombraron a un primer ministro, Heng Semrin, que proclamó la República Popular de Camboya. A continuación estalló una guerra civil, impulsada por las superpotencias. **◂1977.8 ▸1989.NM**

Esqueletos descubiertos en los campos de muerte cercanos al pueblo de Choevng Ek, Camboya.

LITERATURA

El yídis universal de Singer

10 El Premio Nobel de literatura rara vez se concede a un autor que escribe en una lengua «minoritaria», hablada por pocas personas debido a las causas que sean. Sin embargo, cuando Isaac Bashevis Singer recibió el Nobel de 1978 confirmó la vitalidad de su lengua escogida, un híbrido de alemán y hebreo con préstamos de todos los países por los que han pasado los judíos. «El yídis contiene tesoros que no han sido mostrados a los ojos del mundo», dijo Singer.

Singer, nacido en 1904, emigró de Varsovia a Nueva York en 1935 poco después de haber publicado *Satán en Goray* (acerca de la locura y el mesianismo del siglo XVII) en Polonia. En Nueva York empezó a escribir en yídis para el periódico *Jewish Daily Forward*, donde sus cuentos y novelas por entregas atrajeron a un público reducido. En 1953, la traducción de Saul Bellow de «Gimpel el loco» en la *Partisan Review* presentó a Singer a un público más amplio.

Las obras de Singer, llenas de demonios y santones, poseían el encanto de los cuentos populares. Recreaban mundos apagados por el holocausto y a la vez resultaban modernos: fábulas morales sofisticadas, en las que se encontraban lo profano y lo sagrado, la sensualidad y la devoción. Con un pie en el Viejo Mundo y otro en el Nuevo, Singer podía escribir de tradición y de asimilación con la misma penetración psicológica y el mismo ingenio mordaz. **◂1964.8**

▶TOQUE DE DIFUNTOS PARA BREL—El solitario cantautor belga Jacques Brel murió de cáncer a los 49 años de edad el 9 de octubre. Brel vivió en Francia desde principios de los años cincuenta, cuando empezó su carrera de cantante y guitarrista de cafés. Sensual, a veces amargo, a menudo triste, Brel fue uno de los principales cantantes de los años sesenta. Debutó en el Carnegie Hall en 1965. En 1968 su música fue interpretada en el famoso espectáculo de Nueva York *Jacques Brel is alive and well and living in Paris*. Brel dejó de grabar durante una década pero su álbum de regreso, *Brel*, vendió más de dos millones de discos.

▶MUERE EL GRAN WALLENDA—Una trágica y espectacular familia de funambulistas perdió a su patriarca de 73 años el 22 de marzo. Karl Wallenda cayó desde una altura de

30 m a causa de una ráfaga de viento que le tiró del cable que estaba atravesando, colocado entre dos hoteles de San Juan, Puerto Rico. Los Gran Wallenda, como se denominaba a la familia formada por hijos, nietos, primos, sobrinas y nietas, siempre trabajaban sin red. Esta decisión provocó la muerte de cuatro miembros de la familia y la parálisis de otro. Wallenda siempre decía: «la muerte pasa y el espectáculo debe continuar».

▶LA PRIMERA ACADÉMICA —El 9 de febrero la poetisa Carmen Conde (Cartagena, Murcia, 1907) fue elegida miembro de la Real Academia Española de la Lengua, convirtiéndose así en la primera mujer que ingresaba en la solemne institución. En 1784, María Isidra Quintina de Guzmán y la Cerda había sido elegida a los 16 años de edad pero nunca llegó a tomar posesión. Carmen Conde ha escrito poesía, memorias y ensayo. Sus primeras poesías

proceden de la vanguardia pero tras la guerra evolucionó hacia sentimientos existencialistas y amorosos. Entre sus obras destacan *Pasión del verbo* (1944), la novela *Soy la madre* (1980) y las biografías de Menéndez Pidal y Gabriela Mistral.

▶SECUESTRO Y ASESINATO —El 16 de marzo Aldo Moro, antiguo primer ministro de Italia y dirigente de la Democracia Cristiana, fue

secuestrado en Roma por las Brigadas Rojas. La organización pedía la liberación de varios terroristas importantes. A pesar del despliegue policial realizado, el 9 de mayo Aldo Moro fue encontrado muerto en el interior de un coche. La Democracia Cristiana había decidido no negociar con los secuestradores del político.

▶ANDORRA CUMPLE 700 AÑOS—El principado de Andorra, situado en un valle de los Pirineos entre Francia y España, cumplió 700 años de existencia. El presidente de la República francesa y el obispo de La Seu d'Urgell comparten la jefatura del estado. Monseñor Martí Alanís y Valéry Giscard d'Estaign se reunieron en Andorra la Vella con motivo del séptimo centenario y mantuvieron conversaciones acerca de una reforma institucional que se llevaría a cabo más adelante, de acuerdo con la nueva realidad política y económica.

Vicious, al bajo, y Rotten, al micrófono.

MÚSICA

La revolución *punk*

11 A finales de los años setenta, el *rock 'n' roll* perdió el contacto con sus raíces rebeldes. Los Rolling Stones eran autores mecánicos y el ambiente de amor y paz de Woodstock se había comercializado. Los grupos conocidos tocaban música para fiestas o «*rock* sinfónico» y los solos del *heavy metal* se convirtieron en tópicos del machismo. Sin embargo, en los márgenes del *rock* había aparecido un nuevo y agresivo género. El *rock punk* fue una revolución contra la cultura *pop* de una época monótona. Engendró una gran cantidad de grupos inconformistas que llegaron a los años noventa. A la vez, la música *punk* era un grito de desesperación, como lo sugieren las horribles muertes en 1978 de Sid Vicious y su novia.

Vicious (John Simon Ritchie) tocaba el bajo en el emblemático grupo de los Sex Pistols. Creado en Londres por Malcolm McLaren, el grupo interpretaba canciones de Johnny Rotten (John Lydon), que apoyaban la anarquía e insultaban a la realeza (a pesar de la censura de la BBC, su interpretación de «God save the Queen» fue número dos en Gran Bretaña) y una música que era agresión pura y dura. Algunos grupos resultaban más moderados (los Clash) o poseían más talento (los Buzzcocks), otros estaban más cerca del ideal *punk* de «hazte a ti mismo» (los Ramones de Nueva York), pero ninguno tenía la inmediatez apocalíptica de los Sex Pistols. Cuando Rotten gritaba «no hay futuro» convencía a la audiencia de que toda la civilización occidental, y no sólo Inglaterra, con sus altos niveles de paro y crispación, estaba condenada.

La ira y el rencor de los Sex Pistols no apuntaba directamente contra las clases dirigentes. El movimiento *punk* poseía una vena masoquista, representada por una imagen que se componía de cortes de pelo irregulares y pendientes en la nariz y encarnada en Vicious. El músico y su novia americana, Nancy Spungen, eran drogadictos desesperados cuyos juegos amorosos a menudo les dejaban amoratados y sangrantes. En octubre, Spungen fue encontrada apuñalada en el hotel Chelsea de Manhattan. Vicious, acusado de su muerte, nunca fue juzgado: en libertad bajo fianza en febrero de 1979, murió de una sobredosis de heroína. **◂1972.13 ▸1994.NM**

DESASTRES

Marea negra

12 En marzo de 1978, la primera de una serie de tres mareas negras en un período de 16 meses constituyó un triste recordatorio de que la dependencia del petróleo comportaba costes más allá del precio del barril. La marea negra se originó cuando el petrolero *Amoco Cadiz* embarrancó frente a las costas de Bretaña, con 230.000 toneladas de crudo a bordo. (El derramamiento de petróleo aumentó durante el tiempo en que el capitán del petrolero y un operador discutían sobre el precio de la operación de remolque.) Muchos jóvenes franceses colaboraron en los trabajos de limpieza de la marea negra (la peor del mundo hasta la fecha) durante las vacaciones de Semana Santa.

La catástrofe provocó la muerte masiva de pájaros y desbarató la pesca local, el turismo y las crecientes industrias de algas. El gobierno francés prohibió que los petroleros navegaran a menos de siete millas marinas de la costa francesa. **▸1989.13**

Trabajos de limpieza de la peor marea negra hasta 1978.

CULTURA POPULAR

Estar en forma se pone de moda

13 El editor James Fixx *(inferior)* decidió hacer caso de la frase «demasiados martinis y poco ejercicio»; empezó a correr a mediana edad y se enamoró del deporte. *The Complete Book of Running*, un superventas de 1978, encajó perfectamente con una obsesión casi internacional. A finales de los años setenta, millones de americanos intentaban adelgazar, haciendo aerobic e, inspirados por héroes tan populares como el campeón de maratones Bill Rodgers, empezaron a practicar el *jogging* o *footing*.

Durante la década siguiente, el fenómeno del ejercicio se difundió por todo el mundo occidental. Influyeron una serie de factores muy distintos. Por un lado el famoso narcisismo de «mi generación» de los años setenta: en la época pos*hippie*, tener una apariencia saludable era importante para las personas que habían nacido durante el *baby-boom*. Asimismo, había una parte de la espiritualidad de los años sesenta (sobre todo en el correr, una búsqueda esencialmente solitaria que se decía que llevaba a la serenidad). Rodgers (un profesor de Boston que conducía un viejo Volkswagen y era abstemio) ejemplificó el aspecto neopuritano aunque vagamente contracultural de la buena forma física. También representó otro gran aspecto de esta moda: el consumismo. Rodgers comercializó su propia línea de ropa deportiva. Nike, una compañía de calzado deportivo fundada por dos corredores de Oregón en los años sesenta, dominó el mercado con ventas multimillonarias; asimismo, proliferaron los clubes deportivos caros.

Fixx (de quien la revista *People* difundió que era una de las figuras más «intrigantes» de 1978) también obtuvo cuantiosos beneficios de las ventas de su libro pero, en 1984, irónicamente, murió de un ataque al corazón mientras corría. **◂1922.NM ▸1981.E**

PREMIOS NOBEL: Paz: Menachem Begin y Anuar el-Sadat (israelita, egipcio; acuerdos de Camp David [...] Literatura: I. B. Singer (estadounidense; novelista) [...] Química: Peter Mitchell (británico; energía) [...] Medicina: D. Nathans, H. Smith y W. Arber (estadounidenses y suizo; enzimas) [...] Física: A. Penzias, R. Wilson (estadounidenses; microondas) y P. Kapitza (soviético; física a bajas temperaturas) [...] Economía: Herbert Simon (estadounidense).

ECOS DE 1978

Disuasión irónica

Del *Panfleto contra el todo,* de Fernando Savater, 1978

A pesar de su condición académica (catedrático primero en el País Vasco y luego en Madrid), la personalidad de Fernando Savater constituye una negación antológica del arquetipo del profesor universitario de ética de rancia raigambre hispana. Su capacidad de comunicación literaria ha logrado que sus ensayos alcanzaran una enorme difusión hasta transformarse en superventas, dentro y fuera del ámbito hispánico, sin sacrificar por ello su calidad filosófica. Con referencias amplias a fuentes muy diversas que van de los enciclopedistas franceses a la literatura anglosajona de los últimos siglos, pasando por Nietzsche, sin que jamás

el recurso de la biblioteca impida una constante atención a la realidad inmediata, su obra constituye un alegato contra la estupidez contemporánea y una condena valiente tanto de la tiranía del Estado como de la violencia irracional de los nacionalismos desaforados. Alejado, voluntariamente, de lo «políticamente correcto», Fernando Savater desarrolla, de forma tan brillante como fundamentada, una entusiasta defensa de la posibilidad de una ética vital comprometida con la dignidad humana, capaz de ser a la vez realista y esperanzada. En 1978 publicó el Panfleto contra el todo, *del que sigue su prólogo.*

Después de concluir *Moby Dick*, Hermann Melville escribió a Hawthorne: «He escrito un libro impío y me siento inmaculado como el cordero». Por mi parte, creo que éste es sin lugar a dudas un libro impío, pero estoy muy lejos de compartir el envidiable estado de ánimo de Melville al terminar su epopeya. Por eso le he titulado «Panfleto», para descargarlo de pretensiones científicas, para abocarlo a la proclama y el arrebato, al *«coup de tête»* más que a la meditación trascendental o la declaración de principios. No concibo este libro como una obra de persuasión política, sino de *disuasión política*. Aquí se habla de cosas en las que nadie cree ni puede creer, cosas fantásticas, irreales, extrapolaciones, caldo de cabeza, en suma: cosas como el Todo y el Poder, el Estado y la Justicia, la Igualdad y el Bien Común... Por favor, créanme, yo tampoco creo en nada de eso: pero quisiera contribuir a que dejasen de ser considerados como ideales, como categorías-límite de la filosofía política, como aquello a lo que hay que tender aunque la imperfección humana sea incapaz de alcanzarlo. Si se quiere ir más allá, en teoría y práctica, de la política de buenos sentimientos y nobles esperanzas que ahora practican los más despiadados miserables en las burocracias estatales de todo el mundo, quizá sea oportuno intentar orear un poco el utillaje de mayúsculas al que se atienen las grandes concepciones políticas. Personalmente, no creo que este tipo de análisis vaya a dar frutos espectaculares, pero me parece un honesto esparcimiento para un intelectual con deseos de expresarse sobre la cosa pública, que es algo de lo que los intelectuales siempre tenemos muchas ganas. Baste decir que este panfleto no pretende ser más que una derivación de la reflexión ética y política de Federico Nietzsche, mostrando a mi manera la raíz de su escándalo, que es justamente la de su insólita honradez y de un desbordante coraje que tuvo la humildad de revestirse con los gestos de bravuconería, para facilitar la indignación a quienes no tienen otra salida de emergencia frente a las realidades que no son capaces de soportar.

Dicho brevemente, la impiedad de este libro consiste en esto: tras leerlo, uno tendrá motivos para escupir con verdadero asco sobre estos versos vibrantes de Bertolt Brecht, síntesis de la nobleza progresista:

O todos o ninguno. O todo o nada.
Uno solo no puede salvarse.
O los fusiles o las cadenas.
O todos o ninguno. O todo o nada.

La pérdida de elevación de nivel moral que supondrá este gesto de repugnancia ante lo más solidario y hermoso ni siquiera será paliada por una comprensión más profunda de estos otros versos de Antonin Artaud, también conseguida como resultas de la lectura del panfleto de marras:

La Sociedad de los seres es un vampiro
que no quiere marcharse
y que está atado
nervio a nervio
y fibra a fibra
a su objeto:
la indefinida explotación del cuerpo del
hombre humano.

En fin, dentro de lo posible, vaya lo uno por lo otro.

En buena medida, como algún otro de mis libros, este panfleto ha sido concebido a modo de una especie de *«collage»* de citas, aportadas con un designio que el lector bienintencionado me permitirá considerar *irónico*. Aquí la ironía recae sobre las ciencias sociológicas y su inconsutil discurso, así como sobre la colonización del futuro por parte de nuestros grandes hombres de la teoría política. No se olvide que uno de los padres de tan ilustre progenie, el gran Hobbes, autor de un Leviathan que no deja de devorarnos, advertía: «el reír es un grave defecto de la naturaleza humana, que toda cabeza que piensa se esforzará en superar». Contradecirle también en este punto me parece un deber, aunque sea por medio de alguna discreta parodia. ¡Por favor, téngase presente este designio irónico sobre todo en el último capítulo, cuando el futuro hace una aparición más o menos marchosa y parecen darse instrucciones sobre qué cosas se deben hacer y cómo hacerlas! En estas citas, recurro frecuentemente a autores conservadores o incluso francamente reaccionarios. Y esto no sólo porque con muchísima frecuencia un cierto pesimismo o, mejor, la ausencia de la necesidad de mostrarse optimistas (que tienen los progresistas), les da una especial acuidad en la visión del Orden y de su avance —que imaginan en su contra, como luego se verá—, sino que también me guío por aquel veredicto de Horkheimer: «para que uno se incline a perseguir a grupos más débiles y responda a la correspondiente propaganda del odio, es mucho más decisivo que sea una persona de una determinada estructura de carácter, en vez de que, por ejemplo, sus puntos de vista sean conservadores y "reaccionarios" en el sentido usual de la palabra». Desgajar tal carácter de las teorías y señalar las teorías que mejor se adaptan a tal carácter es parte de los propósitos de este libro, con ayuda del concepto de *resentimiento* puesto a punto por Nietzsche y Max Scheler.

Las tesis de esta obra tiene como inmediato referente polémico las de los dos filósofos que más me interesan hoy en este país: Víctor Gómez Pin y Eugenio Trías. Forman parte de una batalla entrañable y denodada que mantenemos desde mucho antes de lo que suponen quienes nos leen como parte de un mismo ánimo teórico.

Algunas partes de lo aquí tratado —lo correspondiente a Pierre Clastres, a Louis Dumont, la misma noción de Todo— fueron discutidas con mis compañeros del Departamento de Ciencias Sociales de la Universidad Nacional de Educación a Distancia, en el seminario que dirige Carlos Moya. Muchos amigos me buscaron citas útiles para el panfleto o me dieron orientaciones de obras sobre el tema que podría interesarme leer. Quizá Tomás Pollán fue a este respecto el que acertó más frecuentemente con lo que yo andaba buscando, pero a todos les agradezco cordialmente su colaboración. También y de modo muy especial a Lourdes, que soportó mi encierro de casi dos meses para redactar este texto a su manera afortunadamente nada estoica. El mejor elogio que puedo hacer de ella es decir que estoy seguro de que este libro no zanjará en modo alguno nuestra eterna discusión sobre los medios y los fines, sino que contribuirá a potenciarla; espero que, en cierta medida, pueda clarificarla también en algunos aspectos...

«Ésta no es una batalla entre Estados Unidos e Irán. Es una batalla entre Irán y la blasfemia.»—**Ayatollah Ruhollah Jomeini, elogiando a los estudiantes que asaltaron la embajada norteamericana de Teherán**

HISTORIA DEL AÑO

La revolución islámica de Irán

1 «No me daba cuenta de lo que estaba pasando. Cuando me desperté, ya había perdido a mi pueblo», se lamentó el sha Muhammad Reza Pahlevi tras su derrocamiento en 1979. Durante dos décadas, el sha intentó sacar a Irán de la época feudal. Redistribuyó la tierra, redujo el analfabetismo y disminuyó la represión tradicional que sufría la mujer. Empleó los ingresos del petróleo para diversificar la industria y construir edificios de viviendas. Sin embargo, concedió libertades políticas a los iraníes y los aterrorizó con una policía secreta entrenada por la CIA. Desvió grandes sumas de dinero para enriquecerse a sí mismo y a sus amigos. Sus reformas progresistas ayudaron más a los campesinos ricos que a los pobres. Construyó carreteras pero no alcantarillas. Su campaña de occidentalización cultural ofendió a la poderosa casta religiosa musulmana chiíta, que había perdido buena parte de sus propiedades con la reforma agraria.

Llegada del ayatollah Jomeini a Teherán en febrero de 1979.

En 1978, empezaron a celebrarse manifestaciones masivas de musulmanes fundamentalistas, izquierdistas y defensores de los derechos humanos que pedían la expulsión del sha. Las protestas estaban organizadas desde Francia por el ayatollah Jomeini, famoso líder religioso iraní exiliado desde 1964. El alzamiento continuó hasta el año siguiente obligando al sha a huir en enero de 1979. Dos semanas después, el ayatollah regresó a Irán y formó un gobierno provisional. En abril, tras unas elecciones falsificadas que fueron boicoteadas por los partidarios del laicismo, proclamó la República Islámica de Irán.

El nuevo régimen ejecutó a cientos de funcionarios del sha y combatió a los izquierdistas y a las minorías resistentes. Se prohibió la música laica, se obligó a las mujeres a llevar la cabeza cubierta y la blasfemia se convirtió en un delito capital. Sin embargo, la ira más encendida se reservó para Estados Unidos, el principal aliado del sha. A finales de octubre, cuando el monarca se trasladó a América para tratarse un cáncer, millones de iraníes se manifestaron pidiendo su extradición.

El 4 de noviembre, un grupo de estudiantes asaltó la embajada norteamericana de Teherán y capturó a sus 66 ocupantes. Los ciudadanos no americanos, los negros y la mayoría de las mujeres fueron liberados enseguida pero 52 americanos fueron retenidos durante 444 días (a pesar de la muerte del sha a mediados de 1980). La crisis de los rehenes provocó la expulsión de moderados de los altos cargos del gobierno de Jomeini, la derrota electoral de Jimmy Carter y, con Ronald Reagan, una nueva era de la política norteamericana. **◂1971.NM ▸1980.2**

SUDÁFRICA

El lento nacimiento de Zimbabwe

2 La guerra civil de Rhodesia, que duró siete años y costó veinte mil vidas, finalizó en diciembre de 1979, cuando los líderes guerrilleros aceptaron una constitución nueva por la que gobernaría una mayoría negra. El país había ido tomando esta dirección desde el año anterior, cuando el primer ministro Ian Smith, antes supremacista blanco, prometió la transferencia gradual de poder a los negros (unos siete millones frente a unos doscientos cincuenta mil blancos). El cambio de postura de Smith fue fruto tanto de la guerra como de las condenas internacionales. En 1978 formó un gobierno provisional con tres líderes negros moderados. En las elecciones multirraciales de enero de 1979, uno de los tres, el obispo metodista Abel Muzorewa, se convirtió en primer ministro de una nación llamada Rhodesia Zimbabwe gobernada oficialmente por negros. No obstante, el arreglo presentaba grietas profundas: durante un período de diez años, los blancos seguirían controlando la judicatura, los servicios civiles, el ejército y la policía y poseerían 28 escaños de los cien del parlamento.

El Frente Patriótico guerrillero, compuesto por la Zimbabwe African National Union (Unión Nacional Africana de Zimbabwe, ZANU) del izquierdista Robert Mugabe y la Zimbabwe African People's Union (Unión Popular Africana de Zimbabwe, ZAPU) del centrista Joshua Nkomo, condenó al gobierno y aumentó sus ataques. Bajo las presiones de Estados Unidos y Gran Bretaña, Muzorewa inició

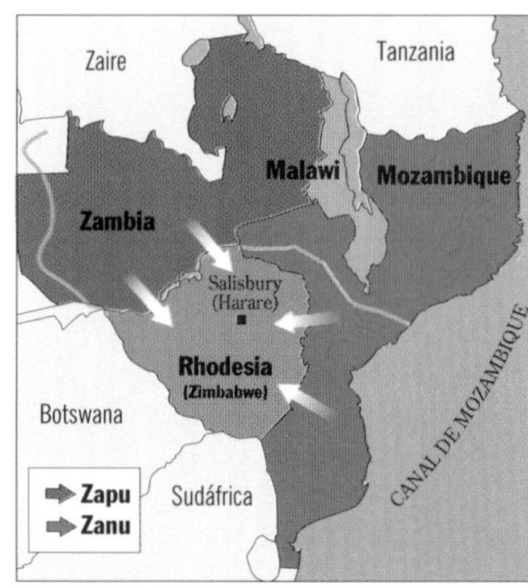

Las fuerzas guerrilleras (ZAPU y ZANU) atacaban Rhodesia desde sus bases de Zambia y Mozambique.

conversaciones con Nkomo y Mugabe en Londres. El acuerdo de paz de diciembre colocó al país bajo la administración temporal británica. En 1980 se celebraron elecciones, Mugabe se convirtió en primer ministro y por fin nació Zimbabwe.

Las reformas socialistas moderadas de Mugabe resultaron muy populares entre los negros y sus propuestas amistosas a los blancos finalizaron su éxodo. Pero sus relaciones con Nkomo, ministro del interior, eran más problemáticas. Sus diferencias políticas y rivalidades étnicas desembocaron en la destitución de Nkomo en 1982 y en la violencia entre los partidarios de cada uno. **◂1964.10 ▸1980.NM**

GRAN BRETAÑA

La dama de hierro

3 En mayo de 1979, los votantes británicos eligieron un nuevo gobierno para su país. Los laboristas quedaron fuera y dieron paso a los conservadores, con el 44 % de los votos y una mayoría de 43 escaños en el parlamento.

Margaret Thatcher, la primera mujer europea elegida para el cargo, sustituyó a James Callaghan como primer ministro. Permanecería en el gobierno durante once años (más tiempo que ningún otro primer ministro británico del siglo XX), dirigiendo la llamada «revolución Thatcher»: una transformación del estado del bienestar de Gran Bretaña, de su estamento político y de sus clases sociales tradicionales.

Thatcher, apodada «la dama de hierro» por su voluntad y su aparente indiferencia ante sus detractores, prometió cumplir tres objetivos: apartar a Gran Bretaña del laborismo, restablecer la vitalidad económica del país y controlar el movimiento sindical. Durante casi 40 años, el gobierno británico había colaborado con los sindicatos para mantenerse cerca del pleno empleo, a costa de perder productividad y aumentar la inflación. Durante el «invierno del descontento» que desembocó en las elecciones de 1979, las huelgas paralizaron el país. No se recogió la basura, no se distribuyó combustible y las escuelas cerraron. El consenso nacional era que los sindicatos habían adquirido demasiado poder. Thatcher, hija de un tendero que, a diferencia de sus colegas masculinos de clase dirigente, carecía de reparos clasistas, actuó con firmeza.

Su política económica consistió principalmente en bajar los impuestos para estimular las inversiones y privatizar las obras

ARTE Y CULTURA: Libros: ***La verdad sobre el caso Savolta*** **(Eduardo Mendoza);** ***A part of Speech*** **(Joseph Brodsky);** ***The White House years*** **(Henry Kissinger) [...] Música:** ***The Wall*** **(Pink Floyd, LP) [...] Pintura y escultura:** ***Position*** **(Jörg Immendorff) [...]**

«Los rusos no pueden quedarse en Afganistán. Son tan extranjeros que hasta los animales los odian.»—**Gul Amir, rebelde afgano**

públicas, con lo que disminuyeron sensiblemente los servicios sociales a los menos privilegiados. Controló la inflación, dejó que el paro aumentara (a mediados de los años ochenta se había triplicado) y estimuló la empresa libre, acentuando la importancia del trabajo productivo. **◂1963.3 ▸1980.4**

DIPLOMACIA

Fracaso del SALT II

4 La Strategic Arms Limitation Talks (conversaciones para la limitación de armas estratégicas, SALT), iniciadas por el presidente Nixon y continuadas por el presidente Ford, finalizaron con el presidente Carter y el primer ministro soviético Brezhnev en junio de 1979 en la cumbre de Viena. El acuerdo SALT II limitó las armas nucleares estratégicas de cada país a 2.400, lo que permitió a Estados Unidos ampliar su arsenal y obligó a la Unión Soviética a reducirlo ligeramente. Aun así, los radicales del senado norteamericano condenaron el tratado y en enero de 1980, tras la invasión soviética de Afganistán, ambas partes se comprometieron a seguir sus directrices, que no hacían referencia al armamento táctico (de corto alcance) ni establecía cuántas *cabezas nucleares* podía desplegar cada país.

A finales de los años setenta, la Unión Soviética contaba con más misiles que Estados Unidos, pero la mayoría tenían una sola cabeza y los americanos varias, dirigidas a distintos objetivos, de modo que los americanos poseían más potencial. Para los detractores de la carrera armamentística, el debate sobre quién era más fuerte resultaba absurdo: los dos poseían suficiente armamento nuclear para destruirse mutuamente varias veces. Pero los oficiales del Pentágono afirmaban que la ventaja soviética hacía a Estados Unidos vulnerable en un primer ataque. La «destrucción mutua asegurada», la política americana de disuasión estaba en peligro. La incursión en Afganistán aumentó los temores americanos.

Ronald Reagan, que en su campaña electoral había prometido que cerraría «la ventana de la vulnerabilidad», ganó las elecciones de 1981 e inició la producción de armas más costosa de la historia en tiempo de paz. El Kremlin respondió del mismo modo. En 1982 se celebró en Ginebra otra ronda de negociaciones para el desarme, las Strategic Arms Reduction Talks (conversaciones para la reducción de armas estratégicas, START). Los presidentes Bush y Gorbachov firmaron el pacto START nueve años más tarde, cuando la Unión Soviética se hallaba sumergida en un proceso de desmembración y Estados Unidos sufría una recesión económica. **◂1977.3**

Carter y Brezhnev firman el SALT II en el Palacio Hofburg de Viena.

AFGANISTÁN

La invasión soviética

5 Los primeros soldados fueron aerotransportados el 26 de diciembre de 1979 y su número aumentó rápidamente. La intervención de Moscú en la guerra civil de Afganistán, el primer despliegue de la infantería soviética fuera del bloque del Este desde la Segunda Guerra Mundial, finalmente condujo a cien mil soldados al montañoso país. Grupos de guerrilleros, los Mujahidin, ofrecieron una dura resistencia. La invasión recibió el nombre del «Vietnam soviético». Un diplomático occidental llegó a afirmar: «Han dado el último paso».

El presidente marxista de Afganistán, Noor Muhammad Taraki, tras alcanzar el poder gracias al golpe de Estado de 1978, intentó crear un estado comunista centralizado en un país donde la autonomía había funcionado durante siglos. Lo único que consiguió Taraki fue provocar una guerra santa entre los musulmanes fundamentalistas. Antes de que acabara el año, fue derrocado y asesinado por su segundo, Hafizullah Amin. Éste tampoco consiguió consolidar su poder: las guerrillas enseguida dominaron tres cuartos de las 28 provincias de Afganistán. Los avances rebeldes crisparon a la Unión Soviética: Afganistán se ideó como un estado tapón del subcontinente hostil. El Kremlin estaba tan ofendido por el comunismo heterodoxo de Amin como por la rebelión.

Antes de enfrentarse con los Mujahidin, las fuerzas soviéticas destituyeron a Amin y nombraron presidente a Babrak Karmal. El golpe fue la única parte fácil de la incursión en Afganistán. Estados Unidos lideró la oposición internacional y, mientras que las sanciones económicas del presidente Carter contra los soviéticos tuvieron pocos seguidores, 59 naciones boicotearon los Juegos Olímpicos de Moscú en el verano de 1980. Aun así se celebraron, y la guerra continuó durante nueve años. **◂1978.7 ▸1988.NM**

Los rebeldes afganos, mal equipados pero fervientes, combatieron al gobierno central y a los soviéticos.

MUERTES

Herber Marcuse, filósofo alemán.

Herbert «Zeppo» Marx, actor estadounidense.

Charles Mingus, músico estadounidense.

Jean Monnet, economista y político francés.

Louis Mountbatten, almirante británico.

Blas de Otero, poeta español.

Mary Pickford, actriz canadiense-estadounidense.

Jean Renoir, director cinematográfico francés.

Jean Seberg, actriz franco-estadounidense.

John Wayne, actor estadounidense.

Cine: ***Kramer contra Kramer*** **(Robert Benton);** ***Empieza el espectáculo*** **(Bob Fosse);** ***Norma Rae*** **(Martin Ritt);** ***Alien, el octavo pasajero*** **(Ridley Scott) [...] Teatro:** ***Jueces en la noche*** **(A. Buero Vallejo).**

«No me expulsó el pueblo de Nicaragua. Me expulsó una conspiración internacional de comunistas que desean que Nicaragua sea un país comunista.»—**Anastasio Somoza Debayle**

NOVEDADES DE 1979

Trivial Pursuit (juego de mesa).

Walkman Sony.

EN EL MUNDO

▶LA CAÍDA DE LA SKYLAB —La estación espacial Skylab penetró en la atmósfera terrestre el 11 de julio y se hundió en el océano Índico. Nadie resultó herido a causa de la caída del laboratorio espacial de 77 toneladas de peso. La Skylab fue puesta en órbita alrededor de la Tierra en 1973 y realizó tres misiones científicas antes de ser retirada de servicio en 1974 hasta que la NASA pudo ponerla en una nueva órbita. La NASA calculó erróneamente la resistencia de la atmósfera y en 1978 la Skylab empezó a acercarse a la Tierra, causando consternación antes de su regreso accidentado. ◂1975.6 ▸1981.12

▶RELACIONES DIPLOMÁTICAS CON CHINA —Siete años después del comunicado de Shanghai de Nixon y Mao, otros dos

líderes, el presidente Jimmy Carter y el mariscal Deng Xiaoping *(superior)*, consolidaron las relaciones diplomáticas chino-norteamericanas. El acuerdo Carter-Deng de 1979 se formalizó durante la visita del último a Estados Unidos. Obligados por el reconocimiento de la República Popular como único gobierno legal de China, Estados Unidos rompió sus relaciones diplomáticas con Taiwan, pero los vínculos económicos entre los dos países no se debilitaron. ◂1972.2 ▸1980.10

GRAN BRETAÑA

El IRA mata a Mountbatten

6 Mountbatten, uno de los héroes británicos de la última gran guerra, murió de forma violenta en agosto de 1979 pero no en el campo de batalla. Fue asesinado mientras veraneaba en su casa de la costa occidental de Irlanda. Terroristas del IRA volaron su barco y mataron en el acto a Mounbatten, a su nieto de catorce años y a un amigo de éste mientras pescaban en la bahía de Donegal. «Hacía un momento el barco estaba aquí, y al cabo de un minuto sólo quedaban astillas flotando», comentó un testigo.

Mountbatten en 1947, cuando era virrey de la India.

Bisnieto de la reina Victoria y primo de la reina Isabel, Mountbatten era la víctima más famosa del IRA en sus diez años de lucha por expulsar a Gran Bretaña de Irlanda del Norte. Se había alistado en la Marina Real y sirvió en las dos guerras mundiales. En la segunda mandó una flota de destructores antes de dirigir la recuperación de Birmania. Después de la guerra y como último virrey de la India, guió la transición de la colonia a la independencia. A su funeral asistieron miles de personas.

La República de Irlanda expresó su pésame por la muerte de Mountbatten pero su promesa de acabar con el terrorismo del IRA fue recibida con escepticismo por el gobierno británico, que lamentó que los terroristas de Irlanda del Norte se refugiaran a menudo en el sur. La República respondió que la mayor parte de su población era partidaria de la reunificación. Gran Bretaña, a su vez, declaró que la mayoría de habitantes de Irlanda del Norte preferían el *status quo*. **◂1973.6 ▸1981.9**

DESASTRES

Fuga nuclear

7 En marzo de 1979, una serie de errores mecánicos y humanos puso al borde de la catástrofe a la central nuclear Three Mile Island. El incidente de la central de Pensilvania (a 16 km de Harrisburg, la capital del estado) empezó cuando una válvula automática cerró mal y afectó al sistema de refrigeración del núcleo del reactor Unit 2. Éste, lugar donde se fisiona el uranio para producir energía, dejó de funcionar, como estaba previsto en caso de averías. La situación debía estabilizarse pero una serie de errores provocaron el derrame del refrigerante fuera del núcleo. Cuando los técnicos se dieron cuenta de lo que pasaba, las barras de uranio del reactor ya habían estado expuestas a la radiación. Se formó una nube de hidrógeno dentro del reactor, aumentando las probabilidades de una explosión. Miles de habitantes de la zona se vieron obligados a abandonar la región.

La tensión duró doce días, tiempo suficiente para que millones de personas llegaran a la conclusión de que la energía nuclear era muy peligrosa. Los detractores hablaron del «síndrome de China» (dramatizado en una película del mismo nombre que se había estrenado dos semanas antes del incidente) que consiste en la perforación de la corteza terrestre por el calor, teóricamente hasta China. Finalmente se pudo controlar la nube de hidrógeno y restablecer la refrigeración del núcleo, donde el calor alcanzó temperaturas elevadísimas.

El gobierno clausuró temporalmente varios reactores similares e impuso una moratoria (también temporal) sobre centrales nuevas. Mientras tanto, se tardó más de diez años en descontaminar el reactor arruinado de Three Mile Island. **◂1952.NM ▸1986.1**

NICARAGUA

Los sandinistas en el poder

8 En una zona acosada por regímenes crueles y corruptos, la dinastía de Nicaragua, derrocada en 1979, era aún peor que la mayoría: tres Somoza seguidos, un padre y dos hijos, habían gobernado la república centroamericana durante casi medio siglo, saqueando el erario público, matando a sus oponentes políticos y confiando en el apoyo de Estados Unidos. («Somoza quizás sea un hijo de perra, pero es nuestro hijo de perra», dijo Franklin D. Roosevelt).

A finales de los años setenta, la oposición a los Somozas se había intensificado tanto que ni siquiera Estados Unidos, que había suministrado ayuda militar por valor de catorce millones de dólares entre 1975 y 1978, pudo salvar la dictadura. En julio de 1979, cuando la guardia nacional entrenada por los norteamericanos se retiró ante los guerrilleros del Frente de Liberación Nacional Sandinista, Anastasio Somoza Debayle escapó a Miami con unos veinte millones de dólares. (Finalmente se instaló en Paraguay, donde fue asesinado en 1980.) Los sandinistas se hicieron cargo de Nicaragua: formaron un gobierno provisional con una coalición de izquierdistas y moderados.

Fundado en 1962, el movimiento sandinista tomó su nombre de Augusto César Sandino, el líder revolucionario nicaragüense asesinado por Somoza padre en 1934. Los rebeldes ganaron más partidarios a partir de 1972, cuando Somoza respondió a un terremoto devastador (murieron veinte mil personas y Managua quedó destruida) embolsándose dieciséis millones de dólares de ayudas internacionales. A medida que aumentaba la oposición, también lo hacía la represión. En 1978, el régimen asesinó al prestigioso editor y reformista Pedro Joaquín

Central nuclear de Three Mile Island.

DEPORTES: Tenis: Björn Borg gana por cuarta vez consecutiva el torneo de Wimbledon [...] Golf: Severiano Ballesteros gana el Open británico.

«No tiene sentido que me defienda ante un tribunal. Mi destino está predeterminado.»—**Anatoly Shcharansky en su juicio del 15 de julio de 1978**

Durante la «ofensiva final», los rebeldes incendiaron el coche de un informador de Somoza en Managua.

Chamorro, despertando la ira popular en todas las clases sociales y reforzando a los sandinistas para su ofensiva final.

Sin embargo, la alegría de la victoria duró poco. Somoza dejó muy poco dinero y una deuda exterior enorme. La guerra civil se había cobrado cuarenta mil vidas y había dejado sin hogar a seiscientas mil personas. Peor aún, Estados Unidos desconfiaba del nuevo régimen y pronto empezó a atacarlo con una guerra encubierta. **◄1936.7 ►1984.3**

UNIÓN SOVIÉTICA

El éxodo judío

9 Los judíos del Imperio Ruso estuvieron oprimidos durante siglos y aunque los *pogroms* habían cesado bajo el gobierno soviético, la discriminación no había terminado. Temiendo provocar dificultades internacionales y perder a obreros especializados, Moscú restringió la emigración durante mucho tiempo. Pero en los años setenta, la detente relajó la situación. El éxodo culminó en 1979, cuando se expedieron más de cincuenta mil visados de salida.

El aumento de la emigración coincidía con la conclusión del SALT II y se vio como una forma de influir en la ratificación del tratado.

A la vez que aumentaba la emigración, el Kremlin reprimía el activismo judío, acusando a los judíos que no querían marcharse de «agentes del sionismo mundial» y sentenciando a muchos a largas condenas en campos de trabajo o en instituciones psiquiátricas. La detención en 1977 de Anatoly Shcharansky, un joven matemático que explicó claramente a los periodistas occidentales que no le habían concedido un permiso de salida, generó las condenas internacionales. Shcharansky, acusado de espía de la CIA, fue condenado en un juicio a puerta cerrada a nueve años de prisión. Finalmente fue liberado en Israel en un intercambio de espías. Su caso fue extraordinario por la atención que despertó.

Se estima que en 1979 unos ciento ochenta mil judíos soviéticos pidieron visados, pero la inmigración descendió mucho al año siguiente, cuando la administración Carter no ratificó el SALT II y estableció un embargo en respuesta a la invasión de Afganistán. En 1984, el número de emigrantes había descendido a 896. **◄1977.2 ►1982.3**

Nueva esperanza: judíos rusos llegan a Israel.

LITERATURA

La fábula moderna de Calvino

10 Italo Calvino había estudiado en su obra la naturaleza del pensamiento, de la realidad y de la narración y lo había hecho con una brillantez y claridad de lenguaje que se convirtió en el escritor más conocido de su generación. En 1979, con su décima novela, Calvino demostró que era un «metanovelista» del nivel de Borges o Nabókov: *Si una noche de invierno un viajero* es una novela que trata de la propia novela.

El libro, una hazaña imaginativa y técnica, trata de dos lectores que se hacen amantes en extrañas circunstancias: los dos han comprado un libro titulado *Si una noche de invierno un viajero*, y descubren que está mal encuadernado. Tras la introducción, la novela se interrumpe con un *thriller* polaco. Mientras cambian sus Calvinos defectuosos por ejemplares de la obra eslava, más intrigante, los lectores también intercambian sus números de teléfono. Pero el libro nuevo también está mal encuadernado, parece una novela de Cimmerian. Los lectores pasan por los principios de novelas de diez países distintos (todas ellas escritas por un traductor maligno), mientras intentan desentrañar un misterio que les lleva a la confrontación filosófica con las personas relacionadas con la literatura, desde el editor hasta el censor.

La primera novela de Calvino, *El sombrero de los nidos de araña* (1947), estaba basada en sus experiencias con la resistencia italiana durante la Segunda Guerra Mundial. Su trilogía de los años cincuenta, *Nuestros antepasados*, le hizo internacionalmente famoso, pero a pesar de su fama continuó trabajando como editor y siguió siendo tanto lector como escritor. **◄1967.7 ►1979.13**

►ESTATUTOS PARA CATALUÑA Y EL PAÍS VASCO—La España de las autonomías cerró su primer capítulo tras la aprobación en referéndum de los estatutos de Cataluña y el País Vasco, el 25 de octubre. Las dos «nacionalidades» con los nuevos estatutos adquirieron cierta capacidad de autogobierno. Las competencias políticas se repartían entre los gobiernos central y los locales de tres formas diferentes: las reservadas al gobierno central, las transferidas a los gobiernos locales y las compartidas. Así se lograba articular el doble carácter que poseían las autonomías: por una parte constituían un proceso de descentralización administrativa (en principio general para todo el Estado) y por otro una restitución de las antiguas formas de autogobierno y el reconocimiento de los «hechos diferenciales» vinculados a las comunidades históricas. ◄1978.6

►LA FIEBRE DEL BALONCESTO—El 26 de marzo la final de baloncesto de la NCAA enfrentó a las selecciones de Michigan e Indiana, pero lo que realmente captó la atención de los telespectadores de todo el país fue la rivalidad individual

entre Larry Bird y Earving «Magic» Johnson, los mejores jugadores del país. Johnson superó a Bird aquella tarde y su equipo ganó el título. Ambos continuaron su rivalidad en la NBA, reanimando la liga con ella. En sus brillantes carreras profesionales, que contribuyeron a convertir al baloncesto en el deporte espectacular de los años ochenta, «Magic» Johnson, rápido en los pases, ganó cinco títulos con los Lakers de Los Ángeles y Bird, gran encestador, ganó tres con los Celtics de Boston. ►1991.NM

POLÍTICA Y ECONOMÍA: Margaret Thatcher, primer ministro de Gran Bretaña.

«Los más desamparados, los más desgraciados y los moribundos han recibido su compasión, basada en el respeto al hombre.»—**El comité del Nobel al otorgar el Premio de la paz a la Madre Teresa de Calcuta**

▶HACIA UNA SOLA MONEDA—En un audaz intento de curar la «euroesclerosis», la parálisis económica europea, cinco países de la CE crearon el Sistema Monetario Europeo en 1979. Con la vinculación de las monedas de Bélgica, Luxemburgo, Francia, Dinamarca, Alemania occidental, Irlanda, Italia y Holanda (con el objetivo final de una moneda única europea), el Sistema Monetario Europeo esperaba impulsar el comercio eliminando la fluctuación del cambio y estabilizando la inflación. El sistema fue promovido por el francés Valéry Giscard d'Estaing y el alemán Helmuth Schmidt, ambos antiguos ministros de economía.◀1971.4 ▶1979.12

▶EXPULSIÓN DE UN DEMENTE—Jean-Bedel Bokassa, dirigente de la República Centroafricana, fue derrocado en 1979 después de que él y su guardia imperial asesinaran a cien estudiantes (se rumoreó que se comieron a algunos), una atrocidad que

provocó la conspiración de un golpe de Estado llevado a término por soldados franceses y que reinstauró en el gobierno a David Dacko, predecesor y primo de Bokassa. Éste, un tirano de la peor especie, expulsó al presidente democrático Dacko en 1966, se autoproclamó presidente vitalicio y se coronó emperador (siguiendo el ejemplo de Napoleón, su héroe) en una ceremonia que costó doscientos millones de dólares *(superior)* en 1977. Regresó a la República Centroafricana en 1986 e inmediatamente fue detenido, condenado por asesinato y sentenciado a cadena perpetua.◀1972.3

▶EL PAPA VUELVE A CASA—En junio, Juan Pablo II, el primer Papa italiano desde 1523, regresó a su Polonia natal en un viaje con 32 paradas que impulsó al incipiente movimiento obrero Solidaridad.

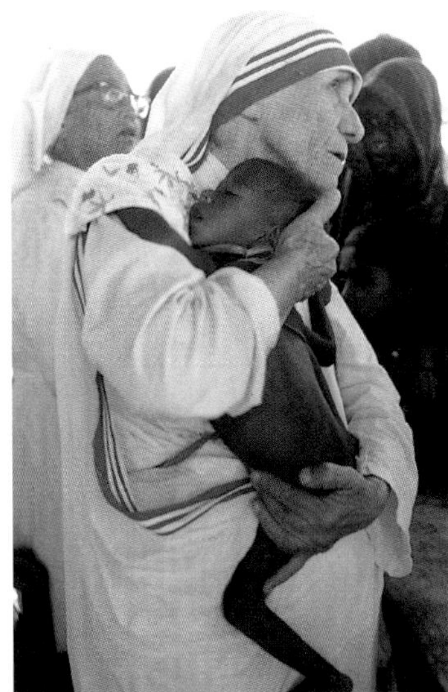

La Madre Teresa visita un orfanato en Assam, al norte de la India.

INDIA

Un Nobel para la Madre Teresa

11 La Madre Teresa de Calcuta constituyó una elección indiscutible para el Premio Nobel de la paz de 1979. En un mundo violento, cínico y políticamente dividido, su dedicación desinteresada a los necesitados era tan conmovedora como su humildad. «Personalmente no lo merezco, lo acepto en nombre de los pobres», dijo al comité del premio.

La Madre Teresa (Agnes Gonxha Bojaxhiu), nacida en Shkup, Albania (actualmente Skopje, Macedonia), entró en la congregación de las Hermanas de Loreto en 1927, a los 17 años, y se trasladó a la India poco después. Fue profesora en una escuela-convento para las hijas de la clase alta de Calcuta durante dos décadas antes de oír lo que luego denominaría «la llamada dentro de la llamada»: la idea de dedicar la vida a los «pobres más pobres». En 1950, el año en que se convirtió en ciudadana india, fundó la Orden de las Misioneras de la Caridad, que se dedicó al alivio del sufrimiento humano.

Entre los pacientes que atendió en su primera misión había un hombre moribundo cuyo cuerpo se consumía por un cáncer. «¿Cómo puedes soportar mi hedor?», le preguntó. «No es nada comparado con el dolor que debes sentir». Esta compasión inquebrantable y este respeto poco común por la dignidad de los que están a su cuidado eran característicos de su orden, que finalmente fundó hogares infantiles, lugares para leprosos, comedores de beneficencia y hospitales por todo el mundo. «Se ha dicho que mimo a los pobres. Bueno, al menos una congregación está mimando a los pobres, porque todas las demás miman a los ricos», observó una vez la Madre Teresa. **◀1968.12**

ECONOMÍA

Aumento de la inflación

12 La inflación aumentó a una velocidad vertiginosa en casi todo el mundo durante los años setenta, lo que provocó la reducción de las cuentas bancarias y de la calidad de vida de millones de personas. Con el aumento de precios, algunos consumidores sucumbieron al síndrome de «compra hoy porque mañana será más caro». El resultado fue más dinero en circulación y la inflación cada vez más alta. En Argentina, un índice del 172,6 % podía no sorprender en 1979, pero la inflación de dos cifras en Gran Bretaña, Francia o Estados Unidos aumentó los temores de que se acercaba otra Gran Depresión.

Ningún otro factor concreto contribuyó más a la crisis que el alto coste de la energía, que se puso por las nubes cuando la OPEP aumentó el precio del petróleo en un 400 % en 1973-1974. Un 70 % adicional en 1979 aplastó una incipiente recuperación. A pesar de subir los índices de interés (en Estados Unidos los bancos llegaron a un 15,5 %) y de promover la reducción del consumo, los precios aumentaron durante todo el año y una década de malestar económico acabó de una forma nada prometedora. **◀1979.NM ▶1980.13**

INFLACIÓN EN ESTADOS UNIDOS, EUROPA Y JAPÓN

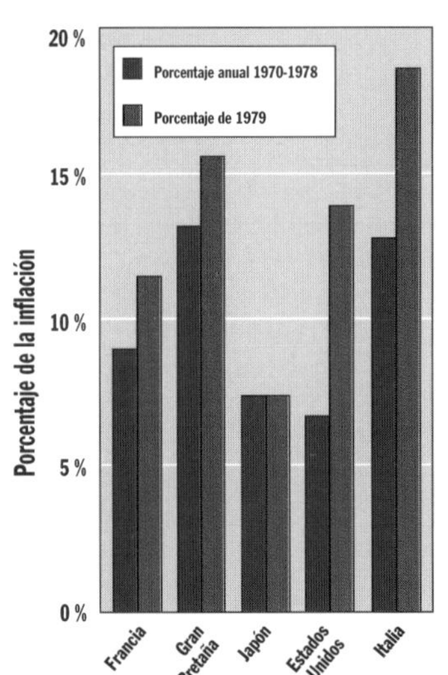

Entre 1970 y 1978 la inflación era inferior al 10 % en muchos países. En 1979 la mayoría la habían superado.

LITERATURA

La memoria disidente de Kundera

13 El expatriado checo Milan Kundera dijo de su *Libro de la risa y el olvido*, publicado en Francia en 1979, que era «una novela en forma de variaciones». Una mezcla irónica, melancólica y lírica de novela, autobiografía e historia contemporánea checoslovaca; el libro se compone de siete historias organizadas en torno a un solo acontecimiento, la ejecución de un líder del Partido Comunista y su desaparición posterior de una famosa fotografía oficial. A ratos filosófico, erótico y cómico, consolidó a Kundera como uno de los autores experimentales más destacados de la época. Asimismo provocó que el gobierno le retirara la ciudadanía, el último de una larga serie de ataques oficiales.

Kundera en su estudio de París.

Kundera, partidario temprano de la revolución comunista checa de 1948, también se convirtió en un disidente temprano. Expulsado del partido en 1950, fue readmitido tras la muerte de Stalin. En 1967 empezó a ser conocido fuera de su país durante la Primavera de Praga, cuando publicó su primera novela, *La broma*, un relato kafkiano sobre la represión política. Después de que los soviéticos pusieran fin al experimento del comunismo liberal, volvió a ser expulsado del partido y se le prohibió publicar. Para ganarse la vida recurrió a la redacción de horóscopos bajo un pseudónimo. En 1975 escogió el exilio en Francia.

Filosóficamente conservador, Kundera veía la lealtad al pasado —una resistencia tanto a los intentos oficiales de reescribir la historia como a los propios impulsos a escapar a los recuerdos— esencial para conservar la civilización y la identidad en medio de la falta de humanidad de la sociedad moderna. «La lucha del hombre contra el poder es la lucha de la memoria contra el olvido», dice el protagonista disidente de *El libro de la risa y el olvido.* **◀1974.13 ▶1980.11**

PREMIOS NOBEL: Paz: Madre Teresa (India) [...] Literatura: Odysseus Elytis (griego; poeta) [...] Química: Herbert Brown y Georg Wittig (estadounidense, alemán; reacciones químicas) [...] Medicina: Allan Cormack y Godfrey Hounsfield (estadounidense, británico; TAC) [...] Física: Steve Weinberg, Sheldon Glashow y Abdus Salam (estadounidenses y pakistaní; teoría unificada de campos) [...] Economía: W. A. Lewis y Theodore Schultz (británico, estadounidense).

ECOS DE 1979

Óscar gana un Óscar

de *El tambor de hojalata*, película de Volker Schloendorff (1979)

Volker Schloendorff nació en Alemania en 1939. Se introdujo en el mundo cinematográfico como ayudante de Louis Malle, Resnais y Melville. Su primera película fue una adaptación de Musil, El joven Törles *(1966), sobre la crueldad en un internado de estudiantes. Trató el tema de la inadaptación juvenil en* Asesinato y homicidio *(1967), la revuelta campesina liderada por* Michael Kohlhas *(1969) y realizó la película histórica* La repentina riqueza de los pobres de Kombach *(1971) pero obtuvo el éxito y reconocimiento internacional con la adaptación de la novela de Günter Grass* El tambor de hojalata, *que le valió el Óscar y la Palma de Oro de Cannes en 1976. La película relata la historia del inquietante Óscar, un niño que en su tercer cumpleaños decide no crecer, simula una caída trágica para conseguirlo y no se separa de un tambor en toda su vida. A continuación, fragmento de la novela de Günter Grass en la que se basa la película. Óscar explica la «caída» que justificará la falta de crecimiento.*

Gente menuda y gente grande, el pequeño y el gran Belt, el pequeño y el grande ABC, Pipino el Breve y Carlomagno, David y Goliat, Gulliver y los Enanos; yo me planté en mis tres años, en la talla de Gnomo y de Pulgarcito, negándome a crecer más, para verme libre de distinciones como las del pequeño y el gran catecismo, para no verme entregado al llegar a un metro setenta y dos, en calidad de lo que llaman adulto, a un hombre que al afeitarse ante el espejo se decía mi padre y tener que dedicarme a un negocio que, conforme al deseo de Matzerath, le había de abrir a Óscar, al cumplir veintiún años, el mundo de los adultos. Para no tener que habérmelas con ningún género de caja registradora ruidosa, me aferré a mi tambor y, a partir de mi tercer aniversario, ya no crecí ni un dedo más; me quedé en los tres años, pero también con una triple sabiduría; superado en la talla por todos los adultos, pero tan superior a ellos; sin querer medir mi sombra con la de ellos, pero interior y exteriormente ya cabal, en tanto que ellos, aún en la edad avanzada, van chocheando a propósito de su desarrollo; comprendiendo ya lo que los otros sólo logran con la experiencia y a menudo con sobradas penas; sin necesitar cambiar año tras año de zapatos y pantalón para demostrar que algo crecía.

Con todo —y aquí Óscar ha de confesar algún desarrollo—, algo crecía, no siempre por mi bien, y acabó por adquirir proporciones mesiánicas. Pero ¿qué adulto, entonces, poseía la mirada y el oído a la altura de Óscar, el tocador de tambor, que se mantenía a perpetuidad en sus tres años?

Vidrio, vidrio, vidrio roto

Si hace un momento describía una foto que muestra a Óscar de cuerpo entero, con tambor y palillos, y anunciaba al propio tiempo las decisiones cuya adopción vino a culminar durante la escena de la fotografía, en presencia de la compañía reunida con motivo de mi cumpleaños en torno al pastel con las tres velas, ahora que el álbum calla cerrado a mi lado he de dejar hablar a aquellas cosas que, si bien no explican la perennidad de mis tres años, sucedieron de todos modos, y fueron provocadas por mí.

Desde el principio lo vi con toda claridad: los adultos no te van a comprender, y si no te ven crecer de modo perceptible te llamarán retrasado; te llevarán, a ti y a su dinero, a cien médicos, para buscar, si no consiguen tu curación, por lo menos la explicación de tu enfermedad. Por consiguiente, con objeto de limitar las consultas a una medida soportable, había de proporcionar yo mismo, aun antes de que el médico diera su explicación, el motivo más plausible de mi falta de crecimiento.

Estamos en un domingo resplandeciente de sol del mes de septiembre, en la fecha de mi tercer aniversario. Atmósfera delicada y transparente de fines de verano: hasta las risotadas de Greta Scheffler suenan como en sordina. Mamá pulsa al piano los acentos del *Barón Gitano*; Jan está detrás de ella y del taburete, le toca ligeramente la espalda y hace como que sigue las notas. Matzerath ya está preparando la cena en la cocina. Mi abuela Ana se ha ido con Eduvigis Bronski y Alejandro Scheffler a la tienda del verdulero Greff, enfrente, porque éste siempre tiene alguna historia que contar, historias de exploradores en que siempre se exaltan el valor y la lealtad. Además, un reloj vertical que no omitía ninguno de los cuartos de hora de aquella fina tarde de septiembre. Y como quiera que, al igual que el reloj, todos estaban sumamente ocupados, y que se había establecido una especie de línea que, desde la Hungría del Barón Gitano, pasaba junto a los exploradores de Greff en los Vosgos y frente a la cocina de Matzerath, en la que unas cantarelas cachubas se estaban friendo en la sartén con unos huevos revueltos y carne de panza, y conducía a lo largo del corredor hasta la tienda, la seguí, tocando suavemente mi tambor. Y heme ya aquí en la tienda y detrás del mostrador: lejos quedaban ya el piano, las cantarelas y los Vosgos, y observé que la trampa de la bodega estaba abierta; probablemente Matzerath, que había ido a buscar una lata de ensalada de fruta para los postres, se habría olvidado de cerrarla.

Necesité de todos modos un buen minuto para comprender lo que la trampa de la bodega exigía de mí. Nada de suicidio, ¡por Dios! Eso hubiera sido realmente demasiado sencillo. Lo otro, en cambio, era difícil, doloroso y exigía un sacrificio de mi parte, lo que, como siempre que se me pide un sacrificio, hizo que me volviera el sudor a la frente. Ante todo, mi tambor no había de sufrir daño alguno; era cuestión pues de bajarlo indemne los dieciséis peldaños desgastados y de colocarlo entre los sacos de harina, de tal modo que su buen estado no ofreciera sospechas. Y luego otra vez arriba hasta el octavo peldaño; no, uno menos, o quizá bastaría desde el quinto. Pero no, desde ahí no parecían conciliarse la seguridad y un daño verosímil. Así que arriba otra vez, hasta el décimo peldaño, demasiado alto, para precipitarme finalmente desde el noveno, de cabeza sobre el piso de cemento de nuestra bodega, arrastrando en mi caída un estante de botellas llenas de jarabe de frambuesa.

Aun antes de que mi conciencia corriera la cortina, me fue dado confirmar el éxito del experimento: las botellas de jarabe de frambuesa arrastradas adrede hicieron un estrépito suficiente para arrancar a Matzerath de la cocina, a mamá del piano, al resto de la compañía de los Vosgos y atraerlos a todos a la trampa de la bodega y escalera abajo.

Antes de que llegaran dejé actuar sobre mí el olor del jarabe de frambuesa derramado, observé asimismo que mi cabeza sangraba y me pregunté, cuando ellos bajaban ya por la escalera, si sería la sangre de Óscar o las frambuesas lo que esparcía aquel perfume tan dulce y embriagador; pero estaba contento de que todo hubiera salido tan bien y de que mi tambor, gracias a mi previsión, no hubiera sufrido el menor daño.

Creo que fue Greff el que me subió en sus brazos. Y no fue hasta que estuve en el salón cuando Óscar volvió a emerger de aquella nube, hecha sin duda por mitades de jarabe de frambuesa y de su joven sangre. El médico no había llegado todavía. Mamá gritaba y le pegaba a Matzerath, que trataba de calmarla, repetidamente; y ello no sólo con la palma de la mano, sino también con el dorso, y en la cara, llamándole asesino.

Así pues —y los médicos lo han confirmado una y otra vez—, con una sola caída, no del todo inofensiva, sin duda, pero bien dosificada por mi parte, no sólo había proporcionado a los adultos la razón de mi falta de crecimiento, sino que, a título de propina y sin habérmelo propuesto en realidad, había convertido al bueno e inofensivo de Matzerath en un Matzerath culpable. Él era, en efecto, el que había dejado la trampa abierta, y a él le echó mamá toda la culpa; cargo que le repitió después inexorablemente, si bien no con frecuencia, y que él hubo de soportar por muchos años.

La caída me valió cuatro semanas de permanencia en la clínica, dejándome luego, con excepción de las ulteriores visitas de los miércoles al doctor Hollatz, relativamente tranquilo por lo que hace a los médicos. Ya desde mi primer día de tambor había logrado proporcionar al mundo un signo, y el caso quedaba aclarado antes de que los adultos pudieran comprenderlo conforme al verdadero sentido que yo mismo le había dado. De ahí en adelante había pues de decirse: el día de su tercer aniversario nuestro pequeño Óscar rodó por la escalera de la bodega y, aunque no se rompió nada, desde entonces dejó de crecer.

Y yo, por mi parte, empecé a tocar el tambor. Vivíamos en un piso alquilado de una casa de cuatro. Desde el portal subía tocando hasta la buhardilla y volvía a bajar. Iba del Labesweg a la Plaza Max Halbe, y de ahí seguía por la Nueva Escocia, el paseo Anton Möller, la calle de la Virgen María, el Parque de Kleinhammer, la Fábrica de Cerveza, Sociedad Anónima, el estanque, el Prado Fröbel, la Escuela Pestalozzi y el Mercado Nuevo, hasta volver al Labesweg. Mi tambor lo resistía todo, pero no así los adultos que querían interrumpirlo, cortarle el paso, echarle la zancadilla a toda costa. Afortunadamente, la naturaleza me protegía.

En efecto, la facultad de poner entre mí a los adultos, por medio de mi tambor de juguete, la distancia necesaria, revelóse poco después de mi caída por la escalera de la bodega, casi simultáneamente con el desarrollo de una voz que me permitía cantar, gritar o gritar cantando en forma tan sostenida y vibrante y a un tono tan agudo, que nadie se atrevía, por mucho que le estropeara los oídos, a quitarme mi tambor; porque cuando lo intentaban, me ponía a chillar, y cada vez que chillaba algo costoso se rompía. Tenía la condición de poder romper el vidrio cantando: con un grito mataba los floreros; mi canto rompía los cristales de las ventanas y provocaba en seguida una corriente; cual un diamante casto, y por lo mismo implacable, mi voz cortaba las cortinas, y sin perder su inocencia, se desahogaba en su interior con los vasitos de licor armoniosos, de noble porte y ligeramente polvorientos, regalo de una mano querida.

La pasión por el dinero no tenía límites en una década en la que la frase de un héroe de la pantalla, «la codicia es buena», se convirtió en dogma. Para sorpresa de casi todo el mundo, la fiebre llegó incluso a las naciones comunistas cuando las revoluciones sustituyeron los «estados de los obreros» por repúblicas con mercado libre.

1980 1989

Tras dos décadas de trastorno, las naciones capitalistas se dedicaron por completo al negocio de los negocios. Las multinacionales se extendieron por todas partes; se establecieron allí donde la mano de obra era barata y el ambiente legal acogedor. Los magos de las finanzas ganaron millones construyendo y vendiendo empresas, a menudo preocupándose bien poco por la prosperidad de lo comprado y lo vendido. Y, mientras la deuda de Estados Unidos aumentaba, Japón se convertía en la central financiera del mundo. Durante los años ochenta, la Bolsa de Tokio o NIKKEI *(derecha)*, se convirtió en uno de los mercados más fuertes del mundo.

El mundo en 1980

Población mundial

Insurrección en Centroamérica

En 1980 estalló una guerra sangrienta en Centroamérica que duraría una década. La revolución de Nicaragua del año anterior fue considerada tanto por sus vecinos como por Estados Unidos una amenaza directa para la estabilidad de la zona: Nicaragua podía ser la ficha de dominó que iniciara la caída de otros regímenes opresivos. Los «contras», con bases en Honduras y Costa Rica, se oponían al nuevo gobierno sandinista de Nicaragua. Temiendo la llegada de los comunistas a su «propio patio trasero», Estados Unidos, guiado por su presidente recién elegido Ronald Reagan, apoyaron a la contra y promovieron los regímenes de derechas, cada vez más represivos, de Guatemala y El Salvador. Una década después las elecciones generales de Nicaragua, el acuerdo de paz de El Salvador y el fin de la guerra fría estabilizarían relativamente la zona.

La difusión de la técnica

En 1980, el **walkman Sony** tenía un año de vida y ya era un éxito absoluto. Akio Morita, presidente de la Sony, había inventado el reproductor de cintas de audio en miniatura para sus tres hijos, después descubrió que el resto del mundo también lo quería. A finales de 1979 había más de cien mil aparatos en uso en Japón. Al cabo de tres años, las ventas anuales eran de 2,5 millones en todo el mundo.

Planificación familiar

En 1980 la mayor parte de mujeres disponían de medios para controlar su fertilidad: las píldoras anticonceptivas llevaban en funcionamiento más de dos décadas y el aborto estaba legalizado en la mayor parte de países desarrollados. Pero los métodos variaban sustancialmente de país a país. En la India, por ejemplo, la esterilización (de ambos sexos) era el método preferido de control de natalidad y en la Unión Soviética (donde los anticonceptivos modernos escaseaban) las mujeres tenían una media de seis abortos en su vida.

Uso de anticonceptivos Porcentaje de mujeres en edad fértil que utilizan métodos anticonceptivos en 1980		**Abortos** por mil nacimientos
66%	Brasil	440
74%	China	490
34%	India	247
64%	Japón	382*
83%	G. Bretaña	223
69%	EE.UU.	422
18%	U.R.R.S.	2.080

*Cifras oficiales; las reales pueden ser ligeramente más elevadas

La guerra de la gasolina

Precio de gasolina por litro en dólares: 1973, 1980, 1991

Los propietarios de coches todavía recuerdan perfectamente las largas colas en las gasolineras y el alto precio del combustible. Entre 1975 y 1980 los precios de la gasolina continuaron aumentando y en 1981 la OPEP estableció el más alto de la historia: 37$ el barril de crudo. A partir de entonces, los precios tendieron a estabilizarse en los países desarrollados que podían explotar sus propios campos petrolíferos. Los países sin recursos propios todavía estaban a merced de los suministros extranjeros y de su propia economía, a menudo inestable.

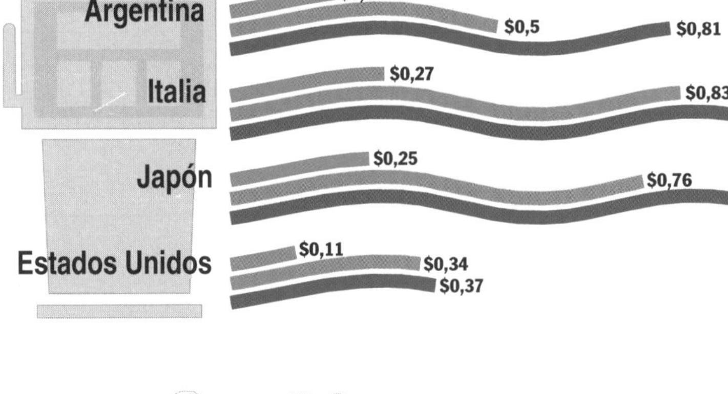

Moda imprescindible

Las originales eran blancas, de lona y goma y costaban unos 10 dólares. Luego, a finales de los años setenta, las zapatillas de goma se convirtieron en **calzado deportivo** y empezaron a subir de precio, hasta 50 dólares. (En 1990, un par de zapatillas de deporte podía costar 170 dólares.)

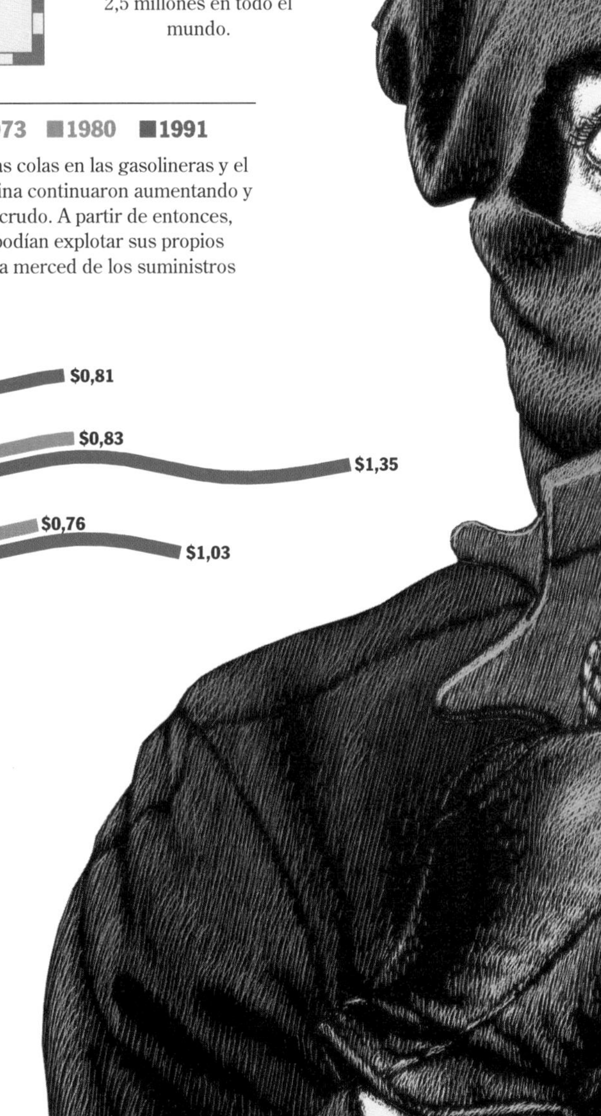

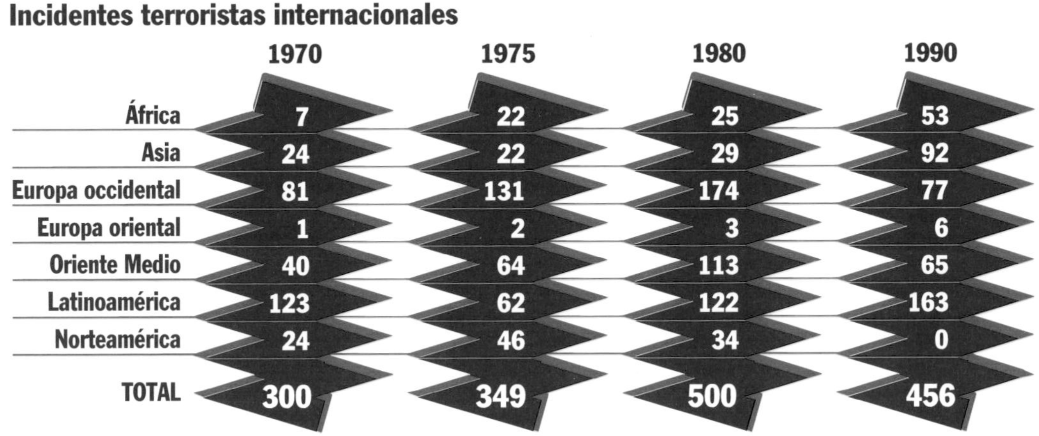

Incidentes terroristas internacionales

	1970	1975	1980	1990
África	7	22	25	53
Asia	24	22	29	92
Europa occidental	81	131	174	77
Europa oriental	1	2	3	6
Oriente Medio	40	64	113	65
Latinoamérica	123	62	122	163
Norteamérica	24	46	34	0
TOTAL	300	349	500	456

Una época de terror La mayor parte de definiciones del terrorismo incluyen cuatro elementos: premeditación, motivación política, violencia y víctimas no combatientes. Durante los años setenta el mundo tomó plena conciencia del problema con el asesinato de atletas israelitas en los Juegos Olímpicos de Múnich de 1972 a manos de la OLP, la campaña terrorista de la banda Baader-Meinhof en Alemania occidental y la de ETA en España, el secuestro y asesinato del antiguo primer ministro italiano Aldo Moro en 1978, el atentado del IRA contra Lord Mountbatten en 1979, innumerables secuestros de aviones y, a finales de la década, el secuestro de diplomáticos norteamericanos en la embajada de Estados Unidos en Teherán llevado a cabo por estudiantes israelitas en noviembre de 1979.

La utilización de computadores para procesar datos a gran escala estaba generalizada pero «no había motivo para que cada persona tuviera un computador en su casa», según el presidente de la Digital Equipment Corporation.

■

Médicos norteamericanos habían diagnosticado una extraña forma de cáncer, el sarcoma de Kaposi, que provocaba manchas en la piel, neumonía, infecciones víricas y parasitarias y graves deficiencias inmunológicas. Los afectados eran hombres homosexuales de edades comprendidas entre los 26 y los 51 años. Investigadores médicos citaron factores ambientales como posible causa de que actuara contra un grupo concreto, y, de acuerdo con *The New York Times,* «pruebas indirectas indicaban que no era contagioso».

■

Aunque las cintas de audio eran de uso corriente, los discos de vinilo de 33 ⅓ rpm seguían siendo el método de mejor calidad auditiva de reproducción musical.

■

El líder soviético Leonid Brezhnev mantenía firmemente en su lugar al telón de acero. Disturbios recientes en Polonia habían reforzado la determinación de Brezhnev de que «los renegados no debían esperar impunidad». Las relaciones entre la Unión Soviética y Estados Unidos empeoraron tras el fracaso del SALT II y la invasión soviética de Afganistán en 1980.

■

El líder del Congreso Nacional Africano Nelson Mandela fue encarcelado en la prisión de Robben Island, Ciudad del Cabo, Sudáfrica, con una condena de 18 años. Aunque la campaña para su liberación se había convertido en una causa famosa dentro y fuera de Sudáfrica, el primer ministro sudafricano Pieter Botha condenó a Mandela como un «marxista» cuyo compromiso con la revolución violenta garantizaba que cumpliría íntegramente su condena.

James Gleick

Exceso de información

La revolución electrónica

1980
1989

A MEDIADOS DE los años ochenta, una peculiar fórmula estadística ya se había convertido en un cliché de la era electrónica. *Hace diez años un chip corriente costaba 100 dólares y actualmente sólo 5. Hace diez años contenía 50 transistores y actualmente 50.000.* La primera calculadora «de bolsillo» pesaba casi un kilo y costaba 250 dólares cuando apareció en 1971. Una década más tarde, la máquina equivalente pesaba unos gramos y costaba 10 dólares. Se vendían decenas de millones al año. Un ejecutivo describió hipotéticamente lo que hubiera supuesto que los automóviles hubieran experimentado este tipo de progreso: «Iríamos tranquilamente en coche a 160.000 km/h, consumiendo cuatro litros de gasolina a los 80.000 km. Sería más barato abandonar un Rolls-Royce y comprar otro que aparcarlo por la tarde en un parking».

En 1981 Ronald Reagan empezó su mandato como presidente de Estados Unidos; Carlos y Diana se casaron; la primera lanzadera espacial realizó una misión en la órbita terrestre y, lo más emblemático de todo, la IBM presentó la computadora «personal», con 64 kilobytes de memoria, al precio de 2.665 dólares.

De repente pareció que, hasta la revolución electrónica, el *Homo sapiens* no había logrado nada. Ahora la humanidad empezaba a adquirir un control absoluto sobre materiales y aparatos, energía y datos tras haber luchado durante siglos para medir el tiempo con péndulos de latón y enviar mensajes con tambores o humo, la especie humana descubría escalas de medición molecular y subatómica. La milésima de segundo tenía razón de ser.

Los primeros computadores electrónicos eran grandes, costosos y requerían un escuadrón de asistentes para controlarlos. El Mark I de la IBM *(derecha)*, que entró en funcionamiento en 1944 en la Universidad de Harvard (donde pronto fue dedicado a la investigación militar) empleaba cintas para procesar la información. El primer computador digital automático —completado con una unidad de memoria— lo diseñó en los años treinta del siglo XIX el matemático inglés Charles Babbage para construir la máquina de sus sueños *(superior)*, la Difference Engine n.° 2. Al trabajar con instrucciones codificadas en tarjetas perforadas, podía computar cifras de 31 dígitos.

El desarrollo tecnológico había empezado hacía cuatro décadas, cuando tres científicos de los Bell Telephone Laboratories inventaron el transistor. Hasta entonces, la electrónica había significado tubos al vacío, tubos de cristal que producían una luz naranja. Éstos se sobrecalentaban y ardían. El resultado culminante de esta técnica fue la ENIAC, el primer computador gigante, con 18.000 tubos. Como John von Neumann, uno de los padres de la teoría informática moderna, destacó, «cada vez que se ponía en marcha, se fundían dos tubos». El monstruo no muy fiable requería un escuadrón de soldados con cestas de tubos de recambio. El tubo al vacío podía amplificar una corriente y conectarla y desconectarla diez mil veces por segundo. El transistor, una pieza en un cristal de silicona, actuaba del mismo modo, pero era más o menos eterno. La gente pronto llevaría equivalentes de la ENIAC en sus muñecas. La humanidad había aprendido cómo adaptar la arena a los computadores.

A medida que los tubos llegaban al límite de sus posibilidades también lo hacían las máquinas en sí, aunque de modo más lento. La máquina no electrónica podía compaginar maravillosamente habilidad y artesanía, pero Rube Goldberg captó sus limitaciones —las de *aparato* y *artilugio*— en sus absurdos dibujos. Los transistores implicaron miniaturización: los ingenieros empezaron a entrar en un dominio inimaginable dentro de un mundo de mecanismos y palancas. La década que siguió a la presentación en 1947 de la invención de los Bell Labs vio cómo el transistor se utilizaba para audífonos y (creando una moda popular) para radios baratas pero de confianza. Fue en 1961, sin embargo, cuando el destino de la era electrónica empezó a cumplirse, cuando los primeros microchips (circuitos integrados compuestos por tres o cuatro transistores y media docena de otros componentes en un bloque pequeño y sólido) llegaron al mercado.

En 1963 se vendieron medio millón de chips. En 1970, el número ascendía a trescientos millones. Los chips transformarían el programa espacial norteamericano, la televisión, la calculadora.

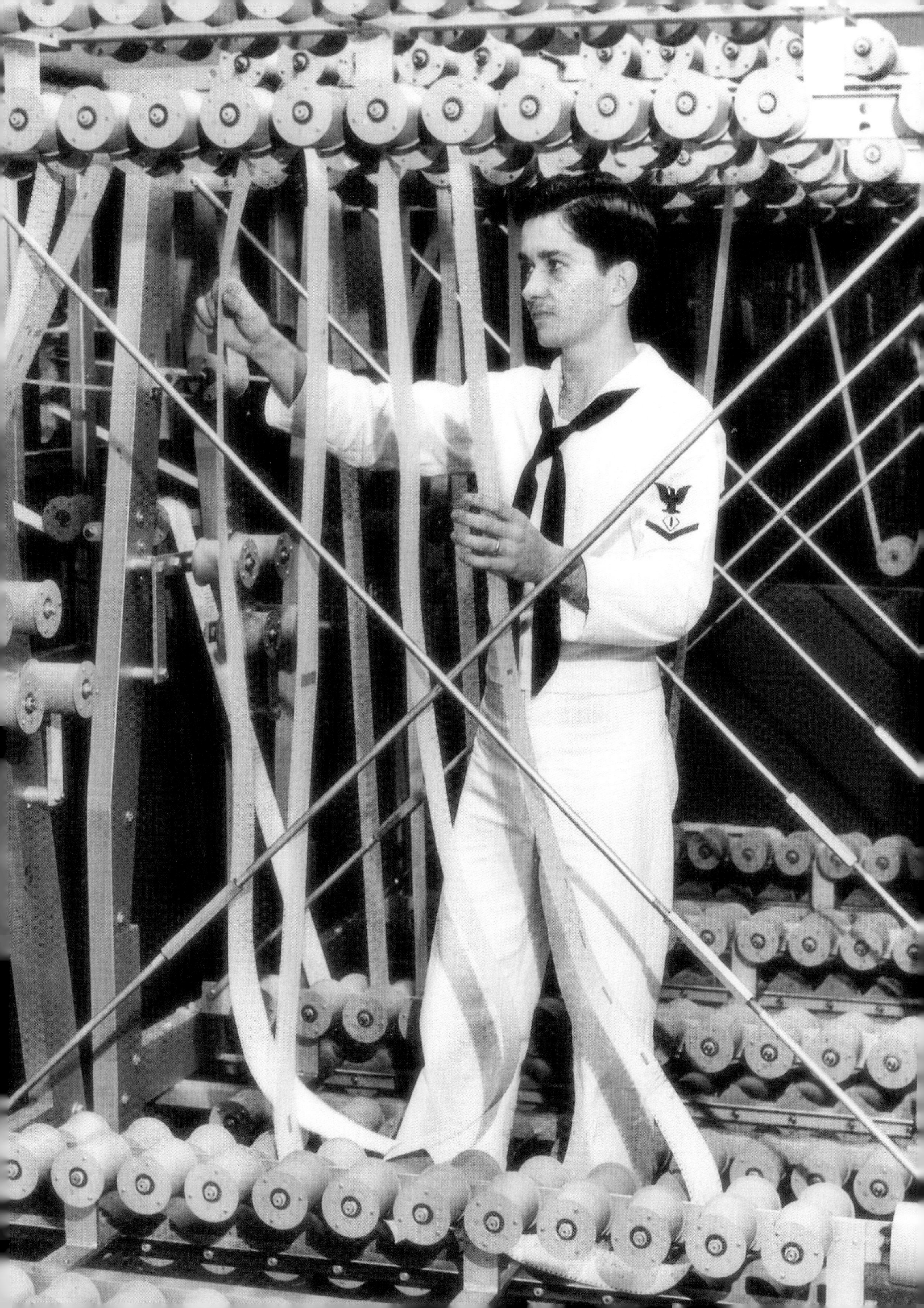

Invadirían los relojes de muñeca, los hornos y el automóvil. Los procesos cotidianos más triviales estarían controlados por chips, maestros de la exactitud y del control. Los fabricantes de automóviles no habían conseguido fabricar un limpiaparabrisas intermitente con garantías; de repente, la electrónica trivializó el problema. Un solo inventor luchó contra toda la industria del automóvil por los derechos de esta patente durante 20 años... y ganó.

1980 1989

EL CHIP SE convirtió en una imagen visual habitual: fotografías ampliadas mostraban sus circuitos, semejantes al plano de calles de una ciudad futurista vista desde arriba. Producidos en serie se convirtieron en pisapapeles, posavasos y broches. Los chips constituían una nueva encarnación de las máquinas. Los aparatos con componentes electrónicos parecieron menos mecánicos, menos predecibles, más mágicos y dotados de alma. Encarnaron el conocimiento como ninguna otra máquina lo había hecho antes; estaba claro que, como medios de la revolución electrónica, eran información.

Cuando una tecnología consigue el 50 % más de velocidad o de efectividad, normalmente el resultado es sólo una tecnología más rápida o más efectiva. Cuando consigue ser diez o cien veces más rápida o efectiva, el resultado puede ser un fenómeno a la vez nuevo e impredecible. Ninguna tecnología del siglo XX ilustra esta regla tan claramente como el computador.

Los primeros computadores gigantes (descendientes del ENIAC) ocupaban habitaciones. Comunicar con ellos era como perturbar a un oráculo. En su libro de 1981 *The soul of a new machine*, Tracy Kidder escribió: «Normalmente una gran máquina servía para toda una organización. A menudo se hallaba tras un panel de cristal, gente vestida de blanco operaba con ella y aquellos que deseaban utilizarla lo hacían a través de intermediarios. Los usuarios eran como suplicantes». El esquema mental para el trabajo con grandes computadores era: plantea una pregunta (cuanto más difícil mejor), formúlala (en tarjetas perforadas por ejemplo), pon en marcha el computador y recibe la respuesta.

El esquema mental de la era siguiente sería: juega.

Para cuando el computador gigante aumentó su capacidad y manejabilidad, ya estaba sufriendo un ataque invisible. Dos factores tecnológicos aparentemente diversos tuvieron que ver con ello. Uno fue la calculadora de bolsillo: cada generación de calculadoras poseía más funciones y componentes (raíces, senos, cosenos, logaritmos) y eran realmente programables. El otro fue el bricolaje de la electrónica: la disponibilidad y buen precio de procesadores y memorias permitieron de repente a los aficionados pasar de montar el timbre de una puerta a tener un computador en casa.

La cultura de los grandes computadores resultaba irrelevante para los empresarios que fundaron la Apple en un garaje, la primera gran compañía de ordenadores. Por extraño que parezca, resultó igualmente irrelevante para la subdivisión de la IBM que se inauguró en los años ochenta con un PC, que por fin convirtió al ordenador en un artículo de consumo. El computador abandonó su urna de cristal. Con ratones, módem y pantallas táctiles, los fabricantes de ordenadores disfrazaron la potencia esencial de sus aparatos. No obstante la potencia existía. Todos los escribanos y bibliotecarios del mundo clásico y medieval habían trabajado durante milenios para conservar menos conocimientos en total de los que se podían almacenar en un disco magnético del ordenador de un adolescente.

La tecnología empezó en dos pequeños reductos de la civilización industrial: la contabilidad empresarial y los cálculos científicos. ¿Quién más necesitaría un ordenador? Incluso en el campo de la ciencia no resultaba evidente la necesidad de realizar miles, millones y miles de millones de operaciones por segundo. En primer lugar fueron los astrónomos, luego los diseñadores de armas y los fabricantes de bombas de Los Álamos durante la Segunda Guerra Mundial, luego... ¿quizá los estadistas?

A finales de los años ochenta, sin embargo, la informática había salido de estos reductos para invadir la vida cotidiana. La electrónica no realizaba un trabajo directo. Se dijo que este reino de la tecnología sería el sucesor no del motor a vapor sino del reloj. Sus cualidades eran la exactitud, el control y la manipulación y acumulación de información. Cualidades de las que casi ninguna máquina podía prescindir. Coches, lavadoras, teléfonos, todos eran electrónicos. Un elegante reloj de cuerda se convirtió en una rareza: mucho más caro, menos fiable y tan curioso como un disco surcado de

En los años ochenta, los microchips como el Intel 432 (de centro cuadrado y pequeño, aumentado cinco veces su tamaño real, *izquierda*) iniciaron una revolución informática. (El 432 tenía la potencia de un computador moderno de talla mediana.) Las calculadoras entraron en los bolsillos de las camisas, los ordenadores personales se instalaban en casa y las máquinas corrientes (desde coches hasta acondicionadores de aire) empezaron a imitar al cerebro humano. A principios de los años noventa, extraños de todo el mundo estaban interconectados sin levantarse de sus mesas.

1980
1989

vinilo negro. El camino hacia el cambio fue vertiginoso: un presidente americano se puso en evidencia a finales de la década cuando en una tienda de comestibles no pudo entender por qué una cajera, en lugar de marcar en la caja registradora, simplemente pasaba la compra por una luz roja.

Nosotros casi no percibimos la transformación. Demasiados cambios se realizaban entre bastidores o dentro de una caja negra. Los decorados de series populares de ciencia-ficción como *Star Trek* evolucionaron con la década y, naturalmente, eran nuestros propios decorados los que evolucionaban, no los del futuro: las bombillas dieron paso a diodos luminosos y los computadores llegaron a ser de bolsillo.

La dirección de la revolución tecnológica dio otro giro a finales de los ochenta, desde la informática en sí hacia la comunicación. Convergieron dos tendencias. En primer lugar, en la mayor parte del mundo industrial las redes telefónicas y radiofónicas llegaron a una interconexión masiva. —El gobierno habló de crear una «autopista de la información» pero la autopista ya se estaba formando ante sus ojos, con nuevos caminos de fibra óptica y transmisiones celulares anunciadas semanalmente por compañías telefónicas, empresas celulares e imperios de la televisión por cable. En segundo lugar, las distintas tecnologías antiguamente encarnadas en el ordenador, el teléfono, el fax, el correo, el reloj, la brújula y la televisión (por no mencionar ancestros no electrónicos como los libros) empezaron a converger en un sólo aparato (de preferencia lo suficientemente pequeño como para meterlo en una cartera o en un bolsillo). Con la ayuda de los satélites podía transmitirse un flujo continuo de datos: noticias, números de teléfono, el emplazamiento de cualquier usuario, resultados de investigaciones, índices de ventas. «Estamos todos conectados» fue el anuncio de una compañía telefónica. Asimismo podría ser el eslogan de la época. El trastorno político resultante del Muro de Berlín y de la Plaza Tiananmen fue algo nuevo en la historia: la televisión y el fax fueron coconspiradores. La información y las aspiraciones compartidas hicieron que la tiranía se convirtiera si no en obsoleta, al menos en mucho menos plausible.

EN LA ALDEA global electrónica han empezado a emerger nuevas clases de comunidades. Si utilizamos ordenadores y los conectamos a la red, nuestro vecindario ya no será el kilómetro cuadrado que rodea nuestra casa. Hemos aprendido a recolocarnos a nosotros mismos en más parcelas de la vida humana. En el pasado la gente con un oscuro, o no tan oscuro, interés concreto (telas medievales o juegos de estrategia militar) se dirigía a las ciudades o universidades, los únicos lugares que reunían a masas críticas de gente con ideas comunes. Ahora las posibilidades son más ricas.

Las tecnologías son espejo de sus creadores. Las miramos, nos contemplamos a nosotros mismos y cambiamos con lo que vemos. La máquina electrónica de pensar, el computador, quizá haya empezado una profunda transformación de nuestra idea de nosotros mismos. Discutimos sobre si las máquinas pueden pensar realmente, aunque pocos de nosotros podemos ganar al ajedrez a un computador disponible en las jugueterías a precio económico. ¿Una máquina puede escribir poesía, sentir tristeza o inventar una idea nueva? Mientras discutimos, tendemos a pensar en nosotros mismos como si fuéramos máquinas, supercomputadores. *Déjame procesar esto. El rato de reprogramar mi mente. Tengo los sentidos sobrecargados.* Conceptos como almacenamiento de datos, indicadores, secuencias y organización han penetrado en disciplinas muy lejanas a la ciencia informática. Filósofos y psicólogos comparan conocimientos y dan si no respuestas al menos metáforas nuevas para ayudar a entender cómo una maraña de neuronas, bastante caótica y compleja, puede tararear canciones y cometer errores aritméticos.

«Al crear una máquina pensante como un hombre, éste se recrea a sí mismo, se define a sí mismo como máquina», escribió David Bolter en *Turing's Man* a mediados de la década. Sea bueno o malo, el hecho resulta ineludible. Igual que lo hizo anteriormente la revolución industrial, la revolución electrónica ha transformado nuestra relación con la naturaleza, con los demás y con la red aún más estrechamente conectada en que se ha convertido la comunidad humana. □

Para las personas de mediana edad, la adquisición de conocimientos informáticos es a menudo un desafío desalentador, pero para los niños de la era electrónica (como éstos de Cupertino, California, sede de la compañía Apple Computer), los ordenadores son casi tan familiares como el lápiz y el papel lo eran para sus padres.

THE TALE OF PETER RABBIT

HISTORIA DEL AÑO

Polonia: el nacimiento de Solidaridad

1 En julio de 1980 el gobierno polaco decretó un aumento en los precios de la carne. Trabajadores de todas partes, desde los puertos del Báltico hasta las cuencas mineras de Silesia, reaccionaron con huelgas ilegales como ya había sucedido en respuesta a los aumentos de precio de 1970 y 1976. Por primera vez

Walesa, recibido como un héroe en una fábrica polaca.

muchos tomaron posesión de las fábricas. Las huelgas no tenían objetivos concretos; una masa que descargaba su frustración ante las malas condiciones de trabajo y la carencia crónica de comida, combustible y ropa. Cuando estaba a punto del colapso, un electricista sin trabajo, barrigón y con un bigote de morsa transformó el alzamiento en un movimiento duradero.

Lech Walesa había sido una figura destacada en la rebelión de 1970 y hacía poco que le habían despedido de su trabajo en los astilleros Lenin de Gdansk por haber organizado una reunión ilegal. El 14 de agosto trepó a un muro de los astilleros y fue elegido director del comité de la huelga de allí. Al cabo de tres días, el gobierno concedió al comité sus demandas, pero trabajadores y otras empresas locales pidieron a los obreros de los astilleros que no desconvocaran la huelga por solidaridad; de este modo, Walesa se convirtió en director de un comité interempresarial de huelgas en la zona de Gdansk-Sopot-Gdynia.

Walesa, líder de oratoria sencilla y carismáticamente brusco, se convirtió en un símbolo internacional de las aspiraciones de su combativo pueblo. Asimismo demostró ser un negociador eficaz en cuestiones que iban más allá del coste de la vida. El régimen de Gierek otorgó a los trabajadores concesiones sorprendentes: derecho a huelga y a sindicatos, suavización de la censura y acceso a los medios de comunicación para la Iglesia católica y los sindicatos. A cambio, los huelguistas accedieron a no desafiar al poder político comunista. Los llamados Acuerdos de Gdansk, firmados por Walesa y representantes del gobierno en una ceremonia televisada el 31 de agosto, fueron motivo de una celebración nacional.

El comité interempresarial se convirtió en el órgano central de un nuevo sindicato nacional llamado Solidaridad al que pronto se afiliaron diez millones de miembros, el cuádruple de los del Partido Comunista y un cuarto de la población total de Polonia. «No me interesa la política. Soy un sindicalista», declaró Walesa, pero estaba liderando una revolución. **◂1976.NM ▸1981.6**

IRÁN

Rehenes norteamericanos

2 En 1980, casas, árboles y camisetas de Estados Unidos se adornaron con cintas amarillas, símbolos de solidaridad con 52 compatriotas retenidos desde que revolucionarios iraníes habían asaltado la embajada norteamericana de Teherán el noviembre anterior. Para sus secuestradores, los rehenes eran espías y fueron sometidos a torturas físicas y psicológicas por sus presuntas acciones. Para el régimen del ayatollah Jomeini eran más importantes: primero, un instrumento para conseguir la extradición del sha Reza Pahlevi; luego (tras la muerte del sha en julio en Egipto), para recuperar los fondos que había robado del tesoro público, para obligar a Washington a disminuir sus demandas económicas y para desalentar una intervención de Estados Unidos. Para los norteamericanos, sin embargo, los rehenes constituían el símbolo de la erosión del poder de su nación y, cada vez más, de la debilidad del presidente Jimmy Carter.

Con la esperanza de mejorar su imagen, Carter envió comandos a liberar a los prisioneros en abril, pero la misión fracasó cuando un helicóptero de rescate se estrelló, provocando la muerte de ocho soldados; otros helicópteros sufrieron averías. El secretario de Estado Cyrus Vance, que había advertido de los peligros de la operación, dimitió. Los rehenes fueron trasladados a escondites dispersos.

La crisis, junto a los crecientes problemas económicos, persiguió a la campaña para la reelección de Carter. Continuaron las negociaciones indirectas y secretas con Jomeini y cuando Iraq atacó a Irán en septiembre, se creó el marco para un acuerdo. La guerra empezó como una disputa por las fronteras (centrada en el estratégico paso marítimo de Šaṭṭ al-Arab y la provincia del Juzistán rica en petróleo) pero duraría ocho años, alimentada por los temores del hombre fuerte iraquí, Saddam Hussein, y otros líderes árabes a causa de la revolución de Jomeini. Irán necesitaba dinero con urgencia y sus depósitos estaban congelados en bancos norteamericanos.

Las negociaciones, basadas en la concesión del 70 % de los fondos de Irán, concluyeron en enero de 1981, demasiado tarde para Carter, que había perdido las elecciones en noviembre. Los rehenes fueron liberados minutos después de la investidura de Reagan. **◂1979.1 ▸1980.NM**

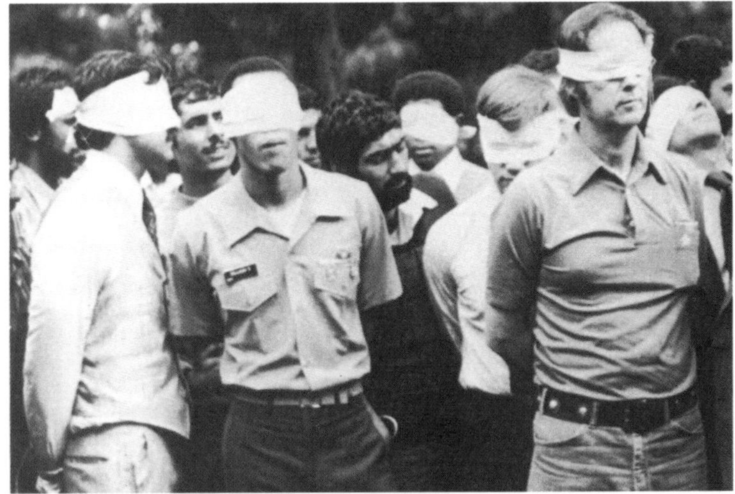

Atados y con los ojos vendados, los rehenes de la embajada norteamericana de Teherán empezaron su larga espera de la libertad el 4 de noviembre de 1979.

CUBA

Los «desechos» de Castro

3 En Estados Unidos, la migración marítima de Mariel, el éxodo de ciento veinticinco mil cubanos hacia Florida, se denominó «la flotilla de la libertad». En Cuba, Fidel Castro lo describió de otro modo: una descarga de «escoria». La migración, que duró cinco meses, inició otra fase de las relaciones entre Cuba y Estados Unidos, con ambos países atribuyéndose una victoria política y moral. Un hecho resultaba indiscutible: Miami se convirtió en el mayor centro de población cubana fuera de La Habana.

«No hay una prueba más evidente del fracaso de la revolución de Castro que el dramático éxodo que está teniendo lugar», dijo el Departamento de Estado norteamericano. No obstante, la migración, iniciada en abril después de que varios miles de cubanos pidieran asilo en la embajada peruana de La Habana, se realizó bajo las condiciones de

ARTE Y CULTURA: Libros: ***Makbara*** **(Juan Goytisolo);** ***El nombre de la rosa*** **(Umberto Eco);** ***Cosmos*** **(Carl Sagan);** ***Poderes terrenales*** **(Anthony Burgess);** ***El hombre apareció en el holoceno*** **(Max Frisch) [...]**
Música: «Sailing» (Christopher Cross), «Another brick in the wall» (Roger Waters); ***Remain in light*** **(Talking Heads, LP);** ***In memory of a summer day*** **(David del Tredici) [...]**

«El problema de Cuba es que los jóvenes no tienen nada que hacer. Nos hacen trabajar pero no dejan que lo pasemos bien.»—**Raúl, un cubano de 22 años que llegó a Estados Unidos durante la emigración de Mariel**

Inmigrantes cubanos navegan hacia cayo Hueso, Florida.

Castro. Al abrir el puerto de Mariel a la emigración, invitó a los cubanos exiliados en Estados Unidos a rescatar a sus amigos y familiares desde el puerto. Al llegar a Mariel, sin embargo, muchos expatriados se encontraron con que no podían salir hasta que subieran a bordo de sus barcos los pasajeros designados por Castro, entre ellos un gran número de criminales y enfermos mentales. «En pocos barcos había parientes. En Mariel no vi a nadie abrazándose o besándose», comentó un marinero norteamericano. Aun así la flotilla continuó en funcionamiento durante meses, con miles de barcos de pesca, yates y botes en mal estado que arribaban a Florida.

La expulsión de indeseables afectó a la política norteamericana de inmigración (que siempre había prometido el estatus de refugiados políticos a los que huían de la Cuba comunista) y desafió al control de Estados Unidos sobre sus propias fronteras. El presidente Carter, retractándose de la promesa de recibir a los desterrados «con los brazos y el corazón abiertos», declaró ilegal la migración por mar. Detenidos en campos al llegar a Miami, los inmigrantes causaron problemas de recolocación y agravaron el resentimiento norteamericano contra Cuba y contra Carter. **◂1962.5 ▸1994.14**

ESTADOS UNIDOS

La contrarrevolución de Reagan

4 Tras dos décadas de trastorno social, político y sexual, surgió una tendencia conservadora en todo el mundo occidental. La contrarrevolución se inició en 1971, cuando Margaret Thatcher se convirtió en primer ministro de Gran Bretaña, pero se consolidó en noviembre de 1980, cuando el republicano Ronald Reagan, antiguo actor de cine y gobernador de California, derrotó al demócrata Jimmy Carter para convertirse en el 40.º presidente de Estados Unidos. La oleada pronto llegó a Alemania, donde el demócrata cristiano Helmut Kohl sustituyó al socialista Helmut Schmidt como canciller en 1982; a Canadá, donde el primer ministro liberal Pierre Trudeau (destituido brevemente en 1979) perdió ante el conservador Brian Mulroney en 1984; e incluso a Francia, donde el presidente socialista François Mitterrand, elegido en 1981, se vio obligado a compartir el gobierno con el primer ministro de derechas Jacques Chirac en 1986.

Al rechazar el modelo económico keynesiano, que confiaba en el gasto gubernamental para estimular el consumo, el nuevo dirigente norteamericano defendió una economía basada en que la prosperidad se puede impulsar mejor liberando al sector privado de impuestos y burocracia. Reagan suprimió docenas de programas sociales iniciados con Roosevelt y Johnson y manipuló leyes reguladoras diseñadas para proteger a los trabajadores, a los consumidores, a la economía y al medio ambiente contra los excesos del mercado y a las minorías contra los prejuicios y ataques. En Estados Unidos los años ochenta fueron una época de crecimiento económico unido, por primera vez, a un alto paro; una era de *yuppies* que derrochaban mucho junto a muchas personas sin hogar. Estados Unidos luchaba por superar el «síndrome de Vietnam» interviniendo de forma agresiva en el Líbano, Libia, Granada y Nicaragua. A finales de la década, sin embargo,

Dos líderes cortados por el mismo patrón conservador: Thatcher y Reagan en 1981.

los cambios políticos (la caída de la Unión Soviética, el apogeo de la Comunidad Europea) hicieron obsoleto el «reaganismo» (y el «thatcherismo»). Los conservadores se mantuvieron pero bajo circunstancias cada vez más difíciles. **◂1979.3 ▸1981.NM**

EXPLORACIÓN

Instantáneas de Saturno

5 **Durante su viaje por el sistema solar, el vehículo de exploración espacial sin tripulación *Voyager 1* pasó como un rayo por Saturno en 1980, y transmitió a la Tierra sorprendentes fotografías del lejano planeta. El vehículo, lanzado por la NASA junto al *Voyager 2* en 1977, aportó a los científicos una nueva perspectiva de Saturno. Entre las revelaciones más impactantes se hallaba la de que los tres anillos característicos del planeta estaban compuestos por miles de «anillitos». En su travesía por el espacio exterior, los *Voyager* (el *Voyager 2* llegó a Saturno en agosto de 1981) también descubrieron ocho lunas saturninas demasiado pequeñas para ser detectadas desde la Tierra y dieron una imagen detallada *(superior)* de lo que se había considerado como puntos de luz. ◂1979.NM ▸1981.12**

NACIMIENTOS

Macaulay Culkin, actor estadounidense.

MUERTES

Roland Barthes, escritor francés.

Marcello Caetano, político portugués.

Alejo Carpentier, escritor cubano.

Karl Dönitz, almirante alemán.

Jimmy Durante, actor estadounidense.

Erich Fromm, psicoanalista y escritor germano-estadounidense.

Alfred Hitchcock, director cinematográfico anglo-estadounidense.

Oskar Kokoschka, pintor austríaco.

John Lennon, músico británico.

Marshall McLuhan, teórico de los medios de comunicación canadiense.

Steve McQueen, actor estadounidense.

Henry Miller, escritor estadounidense.

Jesse Owens, atleta estadounidense.

Muhammad Reza Pahlevi, sha de Persia.

Benjamín Palencia, pintor español.

Jean Piaget, psicólogo suizo.

Óscar Romero, arzobispo salvadoreño.

Jean-Paul Sartre, escritor francés.

Peter Sellers, actor británico.

Anastasio Somoza Debayle, político nicaragüense.

Josip Broz Tito, político yugoslavo.

Llorenç Villalonga, escritor español.

Mae West, actriz estadounidense.

Pintura y escultura: *Geography lesson* (Julian Schnabel); *Two painters* (Francesco Clemente) [...] Cine: *Gente corriente* (Robert Redford); *Vestida para matar* (Brian de Palma); *El hombre elefante* (David Lynch); *Berlin Alexanderplatz* (Rainer Werner Fassbinder) [...] TV: *Magnum*.

«A los espectadores les gusta ver que los ricos están más apurados que ellos. Hace que se sientan mejor.»—**Philip Capice, productor ejecutivo de *Dallas***

NOVEDADES DE 1980

Notas de quita y pon (Post-it) (compañía 3M).

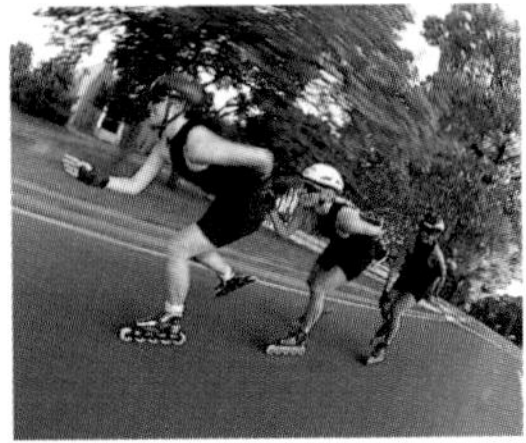

Patines con ruedas alineadas.

RU-486 píldora abortiva (Roussel Uclaf, París).

Patentes para organismos vivos (por una sentencia del tribunal supremo de Estados Unidos).

EN EL MUNDO

▶ERUPCIÓN DE UN VOLCÁN—Tras dos meses de grandes estruendos, el Mount Saint Helens del estado de Washington, dormido desde 1857, hizo erupción el 18 de mayo expulsando una gran nube de ceniza. Era la primera erupción volcánica en la Norteamérica continental desde hacía 60 años (y la más

violenta). Causó 60 muertes, 2.700 millones de dólares en daños materiales y perjudicó gravemente a la flora y a la fauna de la zona.

▶NOTICIAS CONTINUAS—En junio, el empresario norteamericano de Atlanta Ted Turner, de 41 años, inauguró la Cable News Network (CNN), la primera cadena del mundo dedicada exclusivamente a las noticias. La CNN empezó cuando Turner rescató una estación local de UHF y, a pesar de las poderosas presiones de la televisión y de la industria cinematográfica, la transformó en la primera cadena que emitió vía satélite y por cable a toda la nación. Con un presupuesto de tan sólo treinta millones de dólares (un cuarto de lo que gastan las cadenas importantes en una hora diaria de noticias) y sólo dos millones de abonados, la CNN fue considerada una aventura ambiciosa. Poseía ansias de dinero, mujeres y poder por igual. El episodio de marzo, en el que alguien dispara a J. R., alcanzó la audiencia televisiva más alta de la temporada primaveral. El de noviembre, en el que se revela el autor de los disparos (la hermana embarazada de la mujer de J. R.) rompió todas las previsiones.

Una planta provisional procesadora de cocaína en Bolivia.

BOLIVIA

El golpe de la cocaína

6 El 17 de julio de 1980, la primera mujer presidente de Bolivia, Lidia Gueiler Tejada, se encontraba reunida con su gabinete cuando 20 hombres armados irrumpieron en la sala. El 188.º gobierno del país en 155 años fue derrocado y subió al poder uno de los regímenes más corruptos. El comandante del ejército Luis García Meza dió el golpe para evitar que Hernán Siles Suazo, que había ganado las elecciones presidenciales del mes anterior, tomara posesión. Siles (presidente entre 1956 y 1960) era un izquierdista moderado pero los golpistas temían menos su política que sus planes de investigar la involucración del ejército en el mercado de la cocaína.

Que el nuevo régimen contaba con el apoyo de los barones bolivianos de la droga era un secreto a voces. (Los bolivianos normalmente se referían a los acontecimientos de julio como «el golpe de la cocaína».) Tras clausurar el congreso, encarcelar a miles de «indeseables» y matar a los oponentes clave, la junta inició lo que un informe militar denominó la «concentración de la producción». Los pequeños y medianos traficantes de drogas fueron suprimidos para garantizar los beneficios de los grandes productores, que acordaron pagar un diezmo sobre sus exportaciones de cocaína. El programa se diseñó con la ayuda del fugitivo nazi Klaus Barbie («el carnicero de Lyon» de la Gestapo), que ya había asesorado a otros dictadores bolivianos.

La administración Carter suspendió de inmediato la mayor parte de los doscientos millones de dólares de ayuda a Bolivia y, a pesar del anticomunismo rabioso del régimen, incluso el sucesor derechista de Carter, Ronald Reagan, retiró su apoyo. La represión violenta a la oposición boliviana provocó las condenas de la Iglesia y de las democracias sudamericanas. A mediados de 1981, el país se hallaba diplomáticamente aislado y cercano a la bancarrota. Finalmente los militares se rebelaron contra García Meza y, en octubre de 1982, Siles retomó la presidencia. Bolivia, ya la segunda nación más pobre del hemisferio (después de Haití) cuando tuvo lugar el golpe de la cocaína, estaba atrapada en una espiral descendente que Siles no pudo detener. **◀1952.NM ▶1985.8**

CULTURA POPULAR

Los Ewing de Southfork

7 Durante el verano de 1980, una pregunta unió a la mayor parte del mundo industrializado: «¿Quién disparó a J. R.?» J. R. Ewing

¿Quién disparó a J. R.?, un hombre con muchos enemigos.

(interpretado por el veterano de la televisión Larry Hagman), vástago de una familia petrolera de Texas enormemente rica, era un catálogo de defectos: empalagoso, falso, cruel y ambicioso. Poseía ansias de dinero, mujeres y poder por igual. El episodio de marzo, en el que alguien dispara a J. R., alcanzó la audiencia televisiva más alta de la temporada primaveral. El de noviembre, en el que se revela el autor de los disparos (la hermana embarazada de la mujer de J. R.) rompió todas las previsiones.

Dallas, en la cima de la popularidad, fue retransmitida en 91 países y se emitió durante 14 años (1978-1991), pero pertenece a la era Reagan. La serie, llena de lujo y éxito, armonizaba perfectamente con una cultura de ambición generalizada. Contaba con héroes corrompidos: todos los miembros del clan Ewing y de su rival, el clan Barnes, eran en mayor o menor grado corruptos. De un modo perverso, el cruel J. R. fue un héroe de su época. **▶1988.NM**

CINE

Redención de un boxeador

8 El cineasta Martin Scorsese se había hecho famoso entre el público y la crítica por sus indagaciones apasionadas sobre la violencia, la masculinidad, el pecado mortal, el fracaso y el éxito dudoso, con películas como *Taxi Driver*, *New York, New York*, y *Malas calles*. En 1980 rodó lo que muchos estudiosos del cine consideran la mejor película de la década: *Toro salvaje*.

Robert De Niro, actor habitual de Scorsese, interpretó a Jake LaMotta, «Toro salvaje», un campeón de boxeo de los años cuarenta que se parecía a los antihéroes torturados del director. Con los guionistas Paul Schrader y Mardik Martin, Scorsese convirtió *Toro salvaje* en una fábula de pecado y redención: LaMotta, que se aborrece a sí mismo, engaña a su primera mujer, pega a la segunda, se alía con la mafia, toma parte en un tongo y se aparta de su querido hermano. Su castigo divino consiste en recibir una tremenda paliza en el cuadrilátero, perder el título y a su familia y ser detenido por corrupción. Destrucción, soledad y desespero es el precio que tiene que pagar una naturaleza violenta, templada en parte por el catolicismo. Aun así, sugiere el antiguo seminarista Scorsese, es posible la salvación a través del autoconocimiento.

A pesar de esta posibilidad, *Toro salvaje* evita el ensalzamiento de estilo *Rocky*. El diálogo está salpicado de insultos, obscenidades y amenazas. En las sangrientas escenas de boxeo, la cámara (Scorsese rodó en blanco y negro) no se acobardó: la carnicería se proyecta directamente ante los ojos del espectador. La interpretación de De Niro, que le

DEPORTES: Tenis: Björn Borg derrota a John McEnroe (quinto título consecutivo de Wimbledon) [...] Juegos Olímpicos de invierno en Lake Placid (Estados Unidos) y de verano en Moscú, sin la participación de Estados Unidos ni la de otros 59 países.

«Si defender los derechos humanos es subversivo, entonces soy un subversivo.»—**Óscar Romero, arzobispo de El Salvador**

valió un Óscar, es de entrega completa: se entrenó como un boxeador y luego ganó peso para interpretar a LaMotta.

Toro salvaje fue un negocio regular, no obtuvo el premio de la Academia a la mejor película. Entrados los años noventa, Scorsese no había ganado ningún Óscar pero era el único cineasta americano en activo comparable a Welles, Ford, Eisenstein y Hitchcock. **◄1960.11**

De Niro en el papel del atormentado LaMotta.

EL SALVADOR

Escuadrón de la muerte

9 En 1980 un ciclo de protestas populares y represión gubernamental sumió a El Salvador en una guerra civil. El conflicto saltó a los titulares internacionales en marzo, cuando el arzobispo Óscar Romero fue asesinado mientras oficiaba misa en la capital, San Salvador. Romero no era el primer sacerdote salvadoreño asesinado por los escuadrones de la muerte derechistas, de hecho, fue la muerte de un jesuita que trabajaba para los pobres lo que impulsó al arzobispo a convertirse en el principal defensor de la reforma social. Por este motivo, los militares le tacharon de subversivo. Más tarde se supo que el asesino de Romero actuó siguiendo las órdenes de Roberto D'Aubisson, antiguo oficial del ejército que había fundado la Alianza Republicana Nacional (ARENA), de derechas.

Los disturbios de la república centroamericana se intensificaron. Más de cincuenta años de gobierno militar corrupto habían dejado a la mayoría de campesinos en la miseria y sólo una pequeña minoría controlaba casi la mitad de la riqueza del país. En octubre de 1979 renació la esperanza cuando militares progresistas dieron un golpe; sin embargo, al cabo de tres meses, la oligarquía recuperó el control de los militares, y los miembros civiles de la junta dimitieron. Mientras tanto, el político reformista José Napoleón Duarte (que ganó las elecciones presidenciales de 1972 pero no pudo tomar posesión a causa de los militares) regresó del exilio. Cuando en enero de 1980 se presentó una junta nueva, se unió al gobierno y fue nombrado presidente ese mismo año. Pero Duarte no tenía poder suficiente para controlar al ejército.

A principios de 1980, los grupos guerrilleros que se oponían al gobierno se unieron en el Frente de Liberación Nacional Farabundo Martí (FLNFM). Para asustar a potenciales partidarios del FLNFM, soldados del gobierno y grupos paramilitares empezaron a matar a unos mil civiles al mes. Entre las víctimas se encontraba el fiscal general Mario Zamora (asesinado en su propia casa por hombres de D'Aubuisson mientras estaba reunido con Duarte, incidente que impulsó al hermano de Zamora, Rubén, a convertirse en un líder rebelde) y, en diciembre, tres monjas norteamericanas y una trabajadora social seglar fueron secuestradas, violadas y asesinadas por un escuadrón de la muerte.

El último episodio provocó las condenas internacionales y la suspensión de ayudas de la administración Carter (restablecidas un mes después, cuando los rebeldes del FLNFM parecía que iban a triunfar). Reagan, ansioso por no «perder» El Salvador como Carter había «perdido» Nicaragua, apoyó al régimen con el incremento de los envíos de dinero, armas y consejeros militares. **◄1979.8 ►1981.8**

Cadáveres de cinco mujeres salvadoreñas torturadas y asesinadas por los derechistas.

CHINA

La Banda de los Cuatro a juicio

10 En consonancia con su pose de actriz de serie B, Jiang Qing, de 66 años, viuda de Mao Zedong y líder de la Banda de los Cuatro, acaparó la atención en su juicio de 1980. Se la acusaba de haber intentado hacerse con el poder tras la muerte de Mao en 1976 y de ser responsable de los excesos criminales de la Revolución Cultural entre 1966 y 1969, el intento de Mao de revitalizar la sociedad china liberando la energía rebelde de la juventud de la nación. La Banda de los Cuatro, que se autonombraba única intérprete del «pensamiento de Mao», había presidido una carnicería nacional.

Jiang, despreciada en los círculos gubernamentales, obtuvo su poder político únicamente de Mao. Cuando éste desapareció, fue detenida enseguida. Pero los dirigentes del partido se toparon con un gran problema: cómo deshacerse de los fantasmas del sangriento alzamiento sin desprestigiar al sagrado Mao.

Jiang, desviándose de su papel (se esperaba que aceptara humildemente su culpabilidad), insistió en que todo lo había hecho con la aprobación de Mao. Llamó a sus acusadores «revisionistas y criminales», no se retractó ni cuando se pronunció la sentencia de muerte (luego conmutada por cadena perpetua). En cuanto al papel de Mao en la Revolución Cultural, el fiscal determinó que un error no ensombrecía sus grandes logros. **◄1976.1 ►1984.7**

Jiang Qing dijo en su juicio: «La víctima soy yo, la esposa de Mao».

quijotesca pero a mediados de los años noventa tenía sesenta y dos millones de abonados norteamericanos y otros sesenta y siete millones en el resto del mundo. ◄1941.14 ►1981.13

►TERRORISMO EN ESPAÑA —La normalidad política que presidía el proceso de transición democrática contrastaba con la violencia terrorista que intentaba imponerse a la voluntad de la mayoría de los españoles. Durante 1979, 105 víctimas del terrorismo fueron el trágico resultado de la actividad de los violentos. A finales de febrero de 1980, la trágica lista se había incrementado con 26 muertes. El GRAPO y ETA eran los principales responsables de este siniestro balance. Sin embargo, la respuesta de los grupos de extrema derecha y la sospecha de la existencia de un cierto «terrorismo de Estado» ensombrecían el panorama del país y aumentaban el número de víctimas. Policías locales, guardias civiles, militares y ciudadanos de a pie eran los objetivos de los terroristas vascos y de los GRAPO. La condena de ultraderechistas, responsables del asesinato de cinco abogados laboralistas, a más de cien años de cárcel, no frenó la actividad de grupos terroristas ultras que, como el Batallón Vasco Español, elegían a sus víctimas entre miembros, presuntos o reales, de las organizaciones independentistas vascas, como muestran el asesinato de Yolanda González en las cercanías de Madrid o el ametrallamiento de un bar de Hendaya, en Francia, frecuentado por simpatizantes de ETA, con víctimas mortales.

►PRESIDENTE ESPAÑOL DEL COI—Juan Antonio Samaranch Torelló fue elegido el 16 de

julio presidente del Comité Olímpico Internacional, en la reunión que este organismo celebró en Moscú. A esta elección contribuyeron tanto la carrera de Samaranch como dirigente deportivo —era ya

«El escudo de armas definitivo de la General Motors será un robot vestido con un quimono y sentado frente a un procesador de textos.»—**Ben Bidwell, ejecutivo de la Chrysler, sobre las relaciones entre la General Motors y Japón**

vicepresidente olímpico—como su labor diplomática como embajador de España en la URSS.

▶REGRESO DE UN PERUANO—Ante la antigua primera dama Rosalynn Carter y representantes de 82 naciones, Fernando Belaúnde Terry tomó posesión en agosto del cargo de presidente de Perú, el primero electo en una docena de años. El antiguo arquitecto, de 61 años, liberó inmediatamente a los presos políticos y retiró el control estatal sobre prensa y televisión.

▶ERRADICACIÓN DE LA VIRUELA—Uno de los sueños más antiguos de la medicina se hizo realidad en 1980, cuando

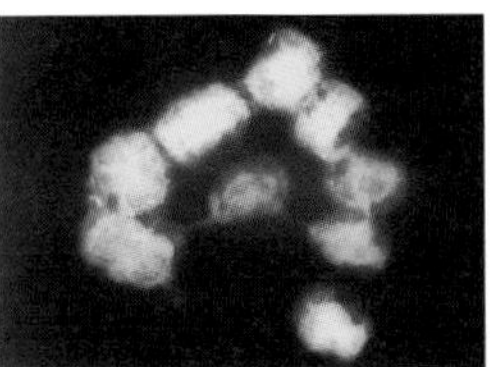

la Organización Mundial de la Salud anunció la desaparición de la viruela. En 1967, el virus todavía mataba a dos millones de personas al año en todo el mundo. ◂1955.1

▶INDEPENDENCIA DE ZIMBABWE—Tras meses de negociaciones, Rhodesia, gobernada por blancos, se convirtió en Zimbabwe, gobernada por negros, en 1980. Las elecciones de febrero, las primeras abiertas a la mayoría negra, dieron una victoria al partido de Robert Mugabe, la Unión Nacional Africana Marxista de Zimbabwe. En la ceremonia del nombramiento del antiguo líder guerrillero como primer ministro, el príncipe Carlos de Inglaterra hizo entrega de los documentos que concedían la independencia. ◂1979.2

▶GUERRA ENTRE IRÁN E IRAQ—Los soldados de Saddam Hussein invadieron el oeste de Irán en septiembre. Sus motivos eran la ambición y el temor: quería controlar la provincia del Juzistán, rica en petróleo, y el paso marítimo de Saṭṭ al-Arab y temía que el régimen fundamentalista islámico del ayatollah Jomeini incitara a los iraquíes a la rebelión. Las fuerzas de Hussein tomaron la ciudad de Jorramshahr, pero la resistencia iraní conservó el centro de refinerías en Abādān. ◂1980.2 ▸1988.3

LITERATURA

Un testimonio moral

11 El Premio Nobel de literatura de 1980 se otorgó a Czeslaw Milosz, poeta, ensayista y novelista en lengua polaca, en reconocimiento a sus profundas y humanas meditaciones sobre la libertad, la conciencia y el poder del totalitarismo sobre los cuerpos y las mentes de sus súbditos. Era un tema que conocía personalmente.

Milosz, hijo de polacos, nació en Lituania cuando el país formaba parte del Imperio ruso. Fue al colegio en Vilnius (luego llamado Wilno y parte de Polonia). Vivió en París entre 1934 y 1937 y absorbió las ideas estéticas y políticas de los círculos vanguardistas de la ciudad. Para Milosz, un socialista, escribir fue siempre un acto político. Sus primeras obras predijeron el inminente cataclismo internacional, lo que le supuso el reconocimiento como líder de la escuela poética catastrofista de Polonia. Al llegar la guerra, Milosz dedicó sus energías a la resistencia de Varsovia: combatió la ocupación nazi y publicó clandestinamente poemas como «Canción invencible».

Tras la guerra, Milosz fue agregado cultural del nuevo gobierno comunista de Polonia pero en 1951, desencantado con el régimen, desertó a París. Despertó el interés de Occidente con la publicación en 1953 de *El pensamiento cautivo*, una colección de ensayos que ejemplificaban y condenaban la disposición de los intelectuales polacos para someterse al sistema comunista. En 1960 emigró a Estados Unidos, donde continuó meditando sobre la debilidad, la crueldad y la corrupción de los hombres en poemas clásicos en la forma y casi bíblicos por su fuerza moral. **◂1979.13**

ECONOMÍA E INDUSTRIA

Un revés de la fortuna

13 En enero de 1980, el presidente Carter firmó el controvertido préstamo de mil quinientos millones de dólares a la Chrysler Corporation, la decimoséptima compañía de Estados Unidos. La ayuda gubernamental sin precedentes llegó como consecuencia de la pérdida de doscientos siete millones de dólares que la Chrysler había sufrido el año anterior e indicó el declive de las fortunas industriales: desde coches y electrónica hasta acero y ropa, los artículos de consumo que Estados Unidos vendía anteriormente al mundo, ahora el mundo se los vendía a él.

El revés resultó más evidente en la industria automovilística, uno de los indicios más claros de la salud económica de la nación. («Lo que es bueno para el país, lo es para la General Motors y lo que es bueno para la General Motors, es bueno para el país», había afirmado un presidente de la General Motors en 1952.) Una serie de factores de los años setenta (recesión, mano de obra cara, crisis energética, menos calidad de los coches americanos y creciente fiabilidad de los compactos japoneses) fue devastadora. La administración Reagan intentó solucionar las cosas exigiendo a Japón la restricción de la importación a Estados Unidos. Los fabricantes de coches de Japón respondieron construyendo fábricas en Estados Unidos, y los fabricantes norteamericanos se expandieron hacia el extranjero en busca de mano de obra barata.

PRODUCCIÓN DE COCHES, JAPÓN Y EE.UU.

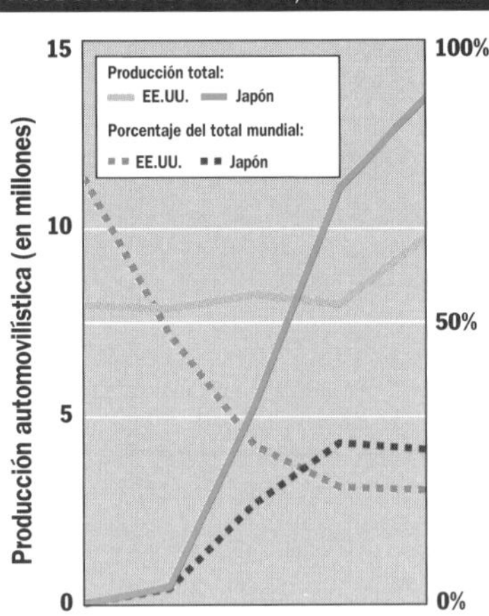

Hacia mediados de los setenta, Japón ya superaba a Estados Unidos, tanto en producción como en ventas.

La Chrysler, bajo la dirección de Lee Iacocca, anunció unos beneficios de 705 millones de dólares el primer trimestre de 1984 y pagó el préstamo al gobierno, evento que convirtió a Iacocca (cuya autobiografía de 1984 vendió seis millones de ejemplares) en un héroe popular. Parecía que la industria americana se recuperaba pero, durante los años ochenta, muchas compañías (incluida la Chrysler) confiaron en los despidos y los recortes de salarios para obtener beneficios y los obreros norteamericanos sufrieron su primer descenso en la calidad de vida desde la Segunda Guerra Mundial. No obstante, esta política económica no consiguió mejorar el déficit del país, que pasó de 19.700 millones de dólares en 1980 a 119.800 millones en 1989. **◂1979.12**

BRASIL

Fiebre del oro en el Amazonas

12 La fiebre del oro se apoderó de Brasil en enero, cuando un ganadero descubrió oro en su propiedad de la selva del Amazonas. Unos veinticinco mil buscadores llegaron a la zona con picos y palas y abrieron un cañón bajo un sol abrasador. Estallaron peleas en la mina, el gobierno federal intervino para mantener el orden y compró todo lo que extraían los «garimpeiros». A finales de año se habían extraído pepitas por valor de cincuenta millones de dólares, personas desposeídas se habían convertido en magnates y, el país en vías de desarrollo con la mayor deuda del mundo obtuvo un capital que necesitaba desesperadamente. El impacto en el ecosistema no resultó en absoluto beneficioso. ◂1964.NM ▸1988.6

PREMIOS NOBEL: Paz: Adolfo Pérez Esquivel (argentino; derechos humanos) [...] Literatura: Czeslaw Milosz (polaco-estadounidense; escritor) [...] Química: P. Berg, W. Gilbert y F. Sanger (EE.UU. y G.B.; estructura del ADN) [...] Medicina: B. Benacerraf, G. Snell y J. Dausset (EE.UU. y francés; inmunología) [...] Física: James Cronin y Val Fitch (EE.UU.; deterioro del kaón neutro) [...] Economía: Lawrence Klein (EE.UU.).

ECOS DE 1980

Las últimas reflexiones de Lennon

De la última entrevista a Lennon, realizada por Jonathan Cott el 5 de diciembre de 1980

Durante cinco años John Lennon, el talento irónico de los Beatles, había estado retirado, haciendo de «amo de casa» (como él decía) con su mujer, Yoko Ono, y su hijo, Sean, en la residencia familiar del edificio Dakota de Nueva York. Pero ahora Sean tenía cinco años y Lennon, joven rebelde de los años sesenta, experto en pop y pacifista, tenía cuarenta años y nuevos sentimientos. Editó el álbum Double fantasy, *en colaboración con Ono, y volvía a hablar con la prensa. El 5 de diciembre de 1980, el periodista Jonathan Cott le entrevistó para la revista* Rolling Stone, *y se encontró ante un hombre satisfecho, que preguntaba retóricamente: «¿qué hay de gracioso en el amor, la paz y la comprensión?».*

Lennon había hablado recientemente de «otros 40 años de productividad por delante». Sólo le quedaban tres días: la tarde del 8 de diciembre, cuando Lennon y Ono regresaban a casa de una sesión de grabación, un admirador psicópata llamado Mark David Chapman (que había adorado a Lennon pero consideraba que se había vendido), les atacó en la puerta del Dakota y mató a Lennon. La muerte violenta de «una persona que dedicaba su música a la lucha contra la violencia» (como dijo Pravda*) generó estupor y repulsa en todo el mundo. Jefes de Estado expresaron su condolencia, miles de personas le lloraron. En enero,* Rolling Stone *publicó la última entrevista, de la que sigue un extracto.* **◄1970.NM**

La gente siempre te juzga, critica lo que has intentado decir en un solo álbum, en una sola canción, pero para mí es la obra de toda una vida. Desde las pinturas y poemas de la adolescencia hasta que muera —todo forma parte de una gran producción. Y no tengo que declarar que este álbum forma parte de una obra más amplia; si no está claro, olvídalo...

Si te fijas en el logo del nuevo disco (cosa que todos los niños desde Brasil hasta Australia o Polonia han hecho) dentro se lee: UN MUNDO, UNA GENTE...

Me han emocionado profundamente cartas de Brasil, Polonia o Austria, lugares en los que no pienso generalmente, al saber que hay alguien allí, escuchándome. Un niño de Yorkshire escribió una carta conmovedora sobre que era tanto oriental como inglés y se identificaba con John y Yoko. El niño raro de la clase. Hay muchos niños que se identifican con nosotros. No necesitan la historia del *rock 'n' roll*. Se identifican con nosotros como pareja, que está a favor del amor, de la paz, del feminismo y de las cosas positivas del mundo.

Ya sabes, da una oportunidad a la paz, no mates a nadie en nombre de la paz. Todo lo que hace falta es amor. Creo en ello, es condenadamente difícil, pero creo absolutamente. No somos los primeros en decir «imagínate que no hay países» o «da una oportunidad a la paz», pero llevamos esta antorcha, como la olímpica, pasándola de mano a mano, de uno a otro, de país en país, de generación en generación.

Annie Leibovitz fotografió a Lennon y Ono en su casa para la portada de la revista *Rolling Stone* unas horas antes de que Lennon fuera asesinado. «Has captado nuestra relación con toda exactitud», le dijo a la fotógrafa cuando vio las polaroid de prueba.

Es nuestro trabajo. Debemos concebir una idea antes de poder actuar.

Nunca me he creído un dios. No he afirmado que tengo un alma pura ni la respuesta a la vida. Sólo he compuesto canciones y respondido a las preguntas tan honestamente como he podido, pero *sólo* tan honestamente como he podido, ni más ni menos. No puedo satisfacer otras expectativas porque son ilusorias. Y la gente que quiere más de lo que soy yo, o Bob Dylan o Mick Jagger...

Mick, por ejemplo. Mick lleva 20 años seguidos haciendo un buen trabajo, ¿le han dado un respiro? Incluso dirán: «Mira, es número uno, tiene 36 y ha sacado una buena canción, "Emotional Rescue", sigue en pie». A mí me pasa lo mismo, a mucha gente le pasa. Subes y bajas, subes y bajas. Dios ayude a Bruce Springsteen cuando decidan que ya no es un dios. Nunca le he visto en directo, pero he oído cosas muy buenas de él. Ahora sus seguidores están felices. Les habla de borracheras, ligues, coches... y es este nivel superficial lo que les gusta. Pero cuando empiece a enfrentarse con su propia fama y a hacerse mayor y a tener que crear lo mismo una y otra vez, se volverán contra él y espero que sobreviva a ello. Lo que tiene que hacer es fijarse en Mick y en mí... Yo no puedo ser un *punk* de Hamburgo o Liverpool. Soy más mayor y veo el mundo con otros ojos. Todavía creo en el amor, la paz y la comprensión, como decía Elvis Costello, y ¿qué hay de gracioso en el amor, la paz y la comprensión?

«Es una enfermedad gravísima. Creo que podemos asegurar que es nueva.»—**Dr. James Curran, director del departamento de enfermedades venéreas (luego agrupación del SIDA) del Centro para el control de enfermedades de Atlanta, Georgia, en 1981**

HISTORIA DEL AÑO

Una nueva epidemia

1 El anuncio oficial de lo que se convertiría en la epidemia del SIDA se dio a conocer el 5 de junio de 1981, cuando el *Morbidity and Mortality Weekly Report* (publicado por el Centro de control de enfermedades del gobierno de Estados Unidos) informó de cinco casos de neumonía *Pneumocystis carinii* —normalmente observada en recién nacidos o adultos que se medicaban con drogas inmunosupresivas— entre hombres homosexuales de hospitales de Los Ángeles. Un mes después, *The New York Times* informó que 41 hombres, la mayoría homosexuales (dos daneses), habían contraído el sarcoma de Kaposi, un cáncer de piel poco común que normalmente afectaba sólo a blancos ancianos o negros jóvenes. La enfermedad no era mortal, pero ya había matado a ocho de los homosexuales. Como el cáncer no es contagioso, los médicos quedaron sorprendidos.

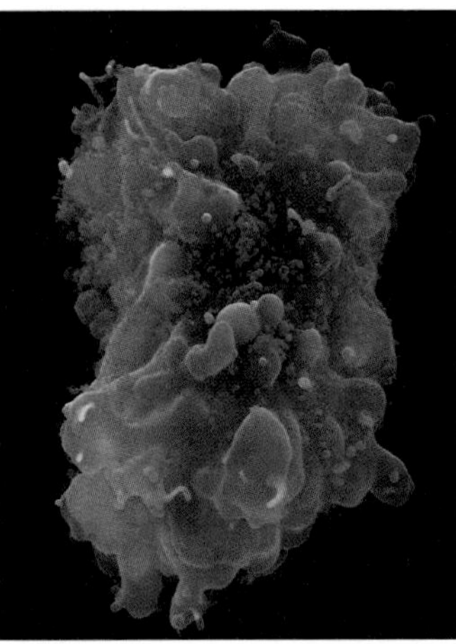

El VIH (azul) atacando a un linfocito. No se probó que el virus fuera la causa del SIDA hasta 1984.

Pronto, los homosexuales empezaron a presentar una serie de enfermedades e infecciones que indicaban un fallo en el sistema inmunitario. Los análisis mostraron que sus linfocitos T (glóbulos rojos que combaten las infecciones) estaban gravemente debilitados. Al principio, la enfermedad recibió el nombre de «inmunodeficiencia relacionada con la homosexualidad», pero al cabo de un año, cuando se dieron casos entre otros grupos (drogadictos intravenosos, prostitutas, receptores de transfusiones, heterosexuales haitianos y africanos), muchos investigadores se decantaron por un término más amplio: síndrome de inmunodeficiencia adquirida (SIDA).

En diciembre de 1982 ya se habían registrado unos mil seiscientos casos en todo el mundo: 750 en América, unos cien en Europa y la mayoría del resto, en África. La incidencia del SIDA se duplicaba cada seis meses. Casi la mitad de los pacientes a los que se les había diagnosticado la enfermedad desde que se había descubierto habían fallecido. El microbio responsable todavía se desconocía. Los científicos determinaron que la infección se transmitía a través de la sangre o del semen, pero se sabía poco más.

En las naciones occidentales, los prejuicios tradicionales, sobre todo contra los homosexuales, se exacerbaron y provocaron una discriminación aún mayor. Proliferaron los temores ante la contaminación de las reservas de sangre. Para los homosexuales, que empezaban a recoger los frutos del movimiento para la igualdad de derechos iniciado una década atrás, el SIDA se convirtió en una tragedia existencial y en un desafío político. Y para las personas de todas las tendencias sexuales, la enfermedad incurable proyectó una amenaza mortal sobre sus vidas sexuales. ►**1984.5**

1981

ORIENTE MEDIO

Una paz violenta

2 En 1981, tres años después de que Menachem Begin de Israel y Anuar el-Sadat de Egipto firmaran los acuerdos de Camp David, las tensiones entre Israel y sus otros vecinos se encontraban en un punto crítico. Egipto era un caos, y el nuevo presidente de Estados Unidos no encontraba el modo de evitar que la paz oficial se transformara en violencia.

El pacto de Camp David había intentado evitar otra guerra contra Israel al neutralizar a Egipto, el país árabe más poderoso pero, según la opinión de Begin, Israel continuaba siendo vulnerable. Una de las preocupaciones era que el dictador Saddam Hussein, que esperaba convertirse en el máximo líder árabe, fabricara armas nucleares. En junio, Begin ordenó el bombardeo de un reactor nuclear iraquí. Washington respondió reteniendo un envío de cazas a Israel pero levantó el embargo tres meses después. Mientras tanto, en respuesta a los ataques de las guerrillas palestinas, Israel bombardeó la sede de la OLP en Beirut. El ataque aéreo (con aviones norteamericanos) mató a trescientas personas. Begin irritó aún más a los árabes al apoyar y animar a los colonos judíos de la orilla oeste y de la franja de Gaza a pesar de las cláusulas de Camp David que prometían la autonomía futura para los territorios ocupados.

Sadat, aislado de las naciones árabes tras los acuerdos de Camp David, también tenía problemas en su país. Muchos egipcios estaban ofendidos por su «traición» a los palestinos y sus pasos hacia la democratización no consiguieron mejorar las desigualdades económicas. En septiembre, entre el creciente malestar, detuvo a mil trescientos miembros de la oposición y en octubre, mientras asistía a un desfile militar, fue asesinado por fundamentalistas musulmanes radicales.

El vicepresidente, Hosni Mubarak, prometió atenerse a los acuerdos de Camp David y ampliar las reformas de Sadat; sin embargo, cuando Begin logró aprobar un decreto por el cual se anexionaba los Altos del Golán de Siria (ocupados por Israel desde la guerra de los Seis Días de 1967), Egipto se unió al mundo árabe —y a Estados Unidos— en las condenas a la acción.

Sin inmutarse, Begin pronto inició una nueva guerra. ◄**1978.3** ►**1982.2**

Un mes después de reprimir a la oposición, Sadat murió a manos de fundamentalistas musulmanes que le consideraban un traidor por su actitud proccidental.

ORIENTE MEDIO

Reagan contra Gaddafi

3 El hombre fuerte de Libia, Muammar el-Gaddafi, era un demagogo carismático cuyo régimen apoyaba a grupos terroristas desde el IRA a la OLP, a agentes que asesinaban a los disidentes libios y con ambiciones territoriales que atemorizaban a sus vecinos. Incluso los soviéticos le apoyaban con reticencias. Durante la presidencia de Carter, Estados Unidos había expulsado a algunos diplomáticos libios tras el incendio de la embajada norteamericana de Trípoli, pero había evitado un conflicto mayor con su tercer suministrador de petróleo. Sin embargo, en 1981, cuando Reagan se trasladó a la Casa Blanca, una superabundancia mundial de petróleo permitió a Washington subir su apuesta.

Reagan aumentó la ayuda militar a las naciones fronterizas con Libia,

ARTE Y CULTURA: **Libros:** ***Hijos de la medianoche*** **(Salman Rushdie);** ***El hotel New Hampshire*** **(John Irving);** ***Conejo es rico*** **(John Updike);** ***Crónica de una muerte anunciada*** **(Gabriel García Márquez);** ***Los santos inocentes*** **(Miguel Delibes) [...] Música:** ***Ghost in the machine*** **(The Police, LP);** ***Face Value*** **(Phil Collins, LP) [...] Pintura y escultura:** ***Football player*** **(Duane Hanson);** ***Seventh sister*** **(Robert Moskowitz);**

«Tienen el mismo sentido del humor tonto y a ambos les gusta el ballet, la ópera y los deportes. Es perfecto. Ambos pasan el rato mirando las musarañas.»—**Lady Sarah McCorquodale, sobre el compromiso de su hermana Diana con el príncipe Carlos**

aprobó un plan de la CIA de desestabilización y expulsó a los diplomáticos libios. En agosto, envió a la sexta flota de maniobras al golfo de Sidra (una zona marítima reclamada por Gaddafi, aunque ningún país reconocía su pertenencia a Libia). Después de que dos aviones libios fueran abatidos mientras atacaban a los cazas escoltas de la flota norteamericana, presuntamente Gaddafi intentó matar a diplomáticos norteamericanos en París y Roma. En diciembre, la Casa Blanca declaró que los libios habían intentado asesinar a Reagan y a otros altos cargos.

Ese mes la compañía petrolífera Exxon se retiró de Libia y Reagan apremió a todos los norteamericanos de allí a abandonar el país. En marzo de 1982, Washington anunció un boicot al petróleo libio. Por entonces, Reagan pudo obtener una concesión importante de Gaddafi: Libia retiró sus tropas del Chad, donde intervenían en una guerra civil. La guerra de nervios entre los dos líderes acababa de empezar. **◂1969.NM ▸1986.6**

GRAN BRETAÑA

Una boda de cuento de hadas

4 Aunque hacía tiempo que el sol se había puesto en el Imperio Británico, una boda real británica nunca había despertado tal emoción. En julio de 1981, cuando su Alteza Carlos Felipe Arturo Jorge, príncipe de Gales (y heredero del trono) de 32 años, se casó con Lady Diana Frances Spencer, profesora de parvulario de 19 años (y prima lejana suya), 750 millones de telespectadores de todo el mundo presenciaron el acontecimiento. Un millón de personas se agrupó en torno a la catedral de St. Paul, donde se celebraba la boda. Muchos de ellos habían acampado toda la noche para asegurarse un buen sitio.

La mayor parte de los británicos estaban contentos de olvidar, al menos por un rato, una dura recesión que provocaba disturbios diarios de jóvenes sin empleo. No se reparó en gastos para la boda. La comitiva estuvo formada por jefes de Estado reales y no reales de muchos países, por carrozas adornadas, caballos con penachos y guardias vestidos a la antigua. Fue el Dr. Robert Runcie, arzobispo de Canterbury, quien los casó. La aturdida novia, vestida de tafetán de seda y puntillas antiguas, con una cola de 7 m de largo y un velo bordado con diez mil lentejuelas de nácar, equivocó el primer y segundo apellido del novio mientras pronunciaba los votos. Sin embargo, el Dr. Runcie declaró a la pareja

Los recién casados se besan en el balcón del Palacio de Buckingham.

marido y mujer. «Éste es el tema de los cuentos de hadas», aventuró.

Después de una década y de haber traído al mundo dos niños, el cuento de hadas se transformó en una sátira amarga, interpretada, como la boda, ante los ojos del mundo. **◂1952.1 ▸1992.11**

ESPAÑA

El 23 F

5 Un golpe de Estado fallido, con características propias del siglo XIX si se exceptúa que durante la primera media hora se pudo presenciar a través de la televisión por toda España y durante las 18 horas que duró fue retransmitido por radio, puso en peligro el régimen democrático español. La dimisión de Adolfo Suárez a finales de enero como presidente del gobierno propició la reunión del Congreso de los Diputados en sesión plenaria para elegir a su sucesor. Leopoldo Calvo Sotelo, miembro como Suárez de UCD, era el candidato propuesto. A las 18.22 horas del 23 de febrero, cuando se procedía a la segunda votación que debía concluir con su investidura, doscientos guardias civiles, mandados por el teniente coronel Antonio Tejero ocuparon el parlamento y secuestraron a los diputados. Durante media hora, una de las cámaras de televisión que estaba transmitiendo el acto, continuó funcionando. Quedó así grabada para la posteridad la intentona golpista.

Mientras los secuestradores y los parlamentarios amenazados por la armas de los guardias civiles, que llegaron a efectuar disparos de intimidación, esperaban la llegada de una autoridad competente «militar por supuesto», en el resto de España se vivían unas horas de tremenda inquietud por la vida de los políticos y la suerte de la democracia. En Valencia, el general Milans del Bosch, implicado en la conjuración, declaró el estado de excepción y sacó los tanques a la calle. El resto de los mandos militares optó por acuartelar a las tropas y esperar acontecimientos.

Suárez *(en las escaleras)* no se doblegaría ante el golpe. El rey Juan Carlos tampoco.

El rey Juan Carlos se hizo cargo del gobierno junto con los subsecretarios ministeriales y la junta de jefes del Estado Mayor. Durante una noche tensa, esta instancia provisional de poder recondujo la situación. Milans del Bosch, aislado al no producirse un alzamiento militar generalizado, depuso su actitud; el rey aseguró la lealtad de los mandos militares y tranquilizó al país poniendo de manifiesto que la Corona no podía tolerar que se interrumpiera el proceso democrático votado por el pueblo, en un mensaje televisado.

A las doce del mediodía del 24 de febrero los golpistas permitieron la salida de los diputados secuestrados y se rindieron a continuación. Al día siguiente, con un margen de diez votos sobre la mayoría absoluta requerida, Leopoldo Calvo Sotelo era investido presidente. La democracia había pasado la prueba más dura desde su instauración. **◂1975.1 ▸1983.8**

MUERTES

Georges Brassens, cantante francés.

Héctor José Campora, político argentino.

René Clair, director cinematográfico francés.

Álvaro Cunqueiro, escritor español.

Moshe Dayan, político y militar israelita.

Bill Haley, músico estadounidense.

William Holden, actor estadounidense.

Joe Louis, boxeador estadounidense.

Bob Marley, músico jamaicano.

Eugenio Montale, poeta italiano.

Josep Pla, escritor español.

Anuar el-Sadat, político egipcio.

William Saroyan, escritor estadounidense.

Albert Speer, arquitecto y militar alemán.

Natalie Wood, actriz estadounidense.

William Wyler, director cinematográfico germano-estadounidense.

Stefan Wyszynski, cardenal polaco.

The sea* (Julian Schnabel) [...] Cine: *Carros de fuego* (Hugh Hudson); *Rojos* (Warren Beatty); *En busca del arca perdida* (Steven Spielberg); *Mephisto* (István Szabó) [...] Teatro: *Amadeus* (Peter Shaffer); *Cats* (Andrew Lloyd Webber) [...] TV: *Dinastía, Canción triste de Hill Street.

«Mi intención es convencer, no derrotar. Sólo hubo un vencedor el 10 de mayo, la esperanza. Quizá sea la posesión mejor compartida de Francia.»—**François Mitterrand, en su discurso de investidura**

NOVEDADES DE 1981

Tren TGV (París-Lyon).

Videojuego Pac-Man.

Alcalde mexicano-americano de una ciudad norteamericana importante (Henry Cisneros de San Antonio, Texas).

Legalización del divorcio en España.

EN EL MUNDO

▶ATENTADO CONTRA REAGAN—El 30 de marzo, apenas dos meses después de haber sido investido presidente, Ronald Reagan recibió un disparo en el pecho efectuado por John Hinckley al salir de un hotel de Washington. En el atentado también resultaron heridos el secretario de prensa James Brady (que sufrió daños cerebrales permanentes y, junto a su esposa, se convirtió en un defensor del control de armas), un agente del servicio secreto y un oficial de policía. Reagan, que se recuperó rápidamente,

obtuvo un apoyo popular masivo por el modo como manejó el asunto: con chistes y guiños. («Cariño, ¡olvidé agacharme!», bromeó con su mujer Nancy.) Hinckley, que ofreció el atentado como un homenaje a la actriz Jodie Foster, fue absuelto por motivos de locura. En una nota a pie de página del incidente, el agresivo secretario de Estado, Alexander Haig, despertó temores al declarar: «estoy al mando», después de que Reagan fuera trasladado rápidamente al hospital. **◀1980.4**

▶MUERTE DE UN ESCRITOR—A los 84 años falleció Josep Pla, el que quizás haya sido el mejor

POLONIA

Solidaridad reprimida

6 Desde los primeros días en los astilleros de Gdansk, cuando los obreros en huelga se arrodillaron para confesarse ante sacerdotes católicos simpatizantes (a pesar del ateísmo oficial, la religión seguía siendo una gran fuerza en Polonia), el movimiento sindical llamado Solidaridad se había convertido en una revolución. Era un alzamiento de trabajadores auténticos contra un estado llamado de trabajadores y llevó a Polonia 17 meses de libertad. No obstante, la noche del 12 de diciembre de 1981, el gobierno del general Wojciech Jaruzelski lo reprimió de forma brutal.

Se cortaron las líneas telefónicas, los tanques circularon por las calles, los soldados se enfrentaron con los mineros de carbón y mataron al menos a siete, y la policía detuvo a miles de líderes sindicales. Lech Walesa fue arrestado a las 03.00 de la madrugada y permanecería en la cárcel más de un año. A la mañana siguiente, Jaruzelski habló por la radio y «con el corazón roto» declaró la ley marcial. «Nuestro país está al borde del abismo», advirtió. Ni él ni los cien mil soldados soviéticos concentrados en la frontera permitirían un nuevo desafío.

Jaruzelski, militar de carrera, fue nombrado primer ministro en febrero de 1981. Sus predecesores, al ceder ante quinientos mil trabajadores en huelga, legalizaron Solidaridad y suavizaron las restricciones sobre viajes y libertad de expresión. No obstante, la producción industrial seguía disminuyendo, las huelgas espontáneas se sucedían y Solidaridad invitaba a los obreros del bloque soviético a que formaran sus propios sindicatos independientes. La misión de Jaruzelski fue ordenada por Moscú: volver a establecer el orden.

En noviembre, el general se reunió con Walesa y con el arzobispo Jozef Glemp, líder espiritual de los treinta millones de católicos polacos. Jaruzelski habló de reconciliación y ofreció negociar, pero a medida que las conversaciones se alargaban, el sindicato de diez millones de afiliados se impacientaba. A pesar de la protesta de Walesa, líderes de Solidaridad exigieron un referéndum nacional sobre la abolición del comunismo. Fue la provocación definitiva: el ejército se movilizó en unas horas. La ley marcial no se levantó hasta 1983, año en que Walesa recibió el Premio Nobel de la paz. **◀1980.1 ▶1989.1**

Fotografía tomada de forma clandestina tras la represión militar de Varsovia.

FRANCIA

Victoria socialista

7 El triunfo de François Mitterrand sobre Valéry Giscard d'Estaign en las elecciones presidenciales de 1981 (y la consiguiente victoria de su partido en las parlamentarias) se debió en gran parte a la mala suerte del poseedor del cargo —la recesión mundial estaba afectando a la economía francesa— y a la buena imagen televisiva de su oponente, pero sobre todo a la reconstrucción del Partido Socialista que Mitterrand había efectuado. El primer presidente socialista de Francia había sido antigaullista desde 1958 y socialista desde 1971, cuando también se convirtió en presidente del partido. Ese año, los socialistas tocaron fondo, y representaron a tan sólo un 5 % del electorado. Mitterrand se unió a los comunistas (a pesar de su clara oposición a Moscú) y empezó a recuperar su propio electorado y a procurarse la amistad de los centro-izquierdistas. Diez años más tarde, los socialistas constituían el partido más amplio de Francia, y el 52 % de los votantes eligieron a Mitterrand para que gobernara el país.

Durante su primer año en el cargo, el nuevo presidente nacionalizó una docena de empresas importantes. (Gran parte de la industria francesa había estado controlada por el Estado desde hacía décadas.) Aumentó los impuestos y el salario mínimo, acortó la semana laboral a 39 horas, añadió una quinta semana de vacaciones y creó miles de puestos de trabajo en el

Mitterrand durante la campaña de Nantes.

sector público. Sin hacer caso de la ortodoxia marxista, descentralizó muchas funciones gubernamentales. Sin embargo, la recesión pronto le obligó a establecer un programa de austeridad. Se inclinó cada vez más por una economía de libre mercado, los comunistas le abandonaron y su popularidad descendió.

En 1986 la izquierda perdió la mayoría parlamentaria y Mitterrand se vio obligado a «cohabitar» con un primer ministro gaullista, Jacques Chirac. Los problemas económicos se achacaron a los derechistas, y las mejoras de la seguridad social y el descenso de los índices de delincuencia a las reformas socialistas. Mitterrand fue reelegido por un sólido margen en 1988 y los socialistas recuperaron el control del parlamento y de los ministerios. A la vez, se proyectó una nueva sombra: la extrema derecha; el Frente Nacional consiguió 35 escaños. **◀1976.14 ▶1993.8**

EL SALVADOR

Masacre en El Mozote

8 El Mozote no era una plaza fuerte guerrillera. La mayor parte de los habitantes del pueblo eran cristianos evangélicos. Si apoyaban a alguien en la guerra civil de El Salvador era al gobierno militar y no a los rebeldes de izquierdas del Frente Nacional de Liberación Farabundo Martí (FNLFM). No obstante, El Mozote se hallaba en la región de Morazán, que estaba en poder de los insurgentes. Estas «zonas rojas» eran objeto de misiones gubernamentales de búsqueda y destrucción. (Muchos de los muertos de la guerra fueron civiles, víctimas de tales misiones.) En 1981, el ejército, entrenado y financiado por Estados Unidos, lanzó una campaña de tierra quemada en

DEPORTES: Tenis: John McEnroe gana su primer Wimbledon [...] Motociclismo: Ángel Nieto gana su décimo título de campeón del mundo [...] Fútbol: la Real Sociedad de San Sebastián gana la liga española por segundo año consecutivo.

«Allí todo estaba muerto, animales y personas mezclados. Había buitres por todas partes. No se podía soportar estar allí a causa del hedor.»—**Un guía del ejército salvadoreño en su descripción de un pueblo cercano a El Mozote tras la masacre**

Mozarán, en la que arrasó El Mozote y las aldeas cercanas cometiendo la mayor masacre de la guerra.

Comandados por el teniente coronel Domingo Monterossa, los soldados atacaron El Mozote a principios de diciembre. Tras interrogar a los habitantes, los separaron por sexo y edad. Decapitaron a muchos prisioneros varones con el machete y fusilaron al resto. Las mujeres fueron violadas antes de ser asesinadas. Los soldados abrieron fuego contra las puertas y ventanas de las casas donde se encontraban los niños y luego quemaron los edificios. La matanza duró todo el día. Cuando acabó, El Mozote ya no existía.

Una mujer llamada Rufina Amaya Márquez escapó a la muerte y, en enero de 1982, su historia apareció publicada en los periódicos de Estados Unidos, pero el gobierno, que había invertido cientos de millones de dólares en El Salvador, desmintió la historia. No se llevó a cabo una investigación rigurosa de las atrocidades hasta 1991, cuando

El horror de la masacre de El Mozote registrado por la fotógrafa Susan Meiselas, una de las primeras periodistas que visitó el lugar.

un tribunal salvadoreño publicó el nombre de 794 víctimas. Científicos forenses excavaron el pueblo y desenterraron cientos de cartuchos M16 de fabricación norteamericana entre los cadáveres. **◂1980.9 ▸1984.NM**

IRLANDA DEL NORTE

Nacimiento de un mártir

9 Aunque la mayor parte de los irlandeses católicos estaban de acuerdo con los objetivos del IRA (independencia del gobierno británico para Irlanda del Norte

Asistentes al funeral de Sands en el cementerio Milltown de Belfast.

y unificación con la República de Irlanda), pocos compartían sus tácticas: bombas y disparos que mataban a más civiles que paramilitares protestantes rivales o soldados británicos. En 1981 un miembro del IRA encarcelado intentó cambiar la imagen de su ejército guerrillero. Bobby Sands emprendió una huelga de hambre que le condujo a la muerte en una prisión de Irlanda del Norte dirigida por los británicos y se convirtió en un auténtico mártir del IRA.

Sands inició su huelga de hambre de 66 días para que se concediera el rango de prisioneros de guerra a los miembros del IRA encarcelados, a los que el gobierno británico consideraba presos ordinarios aunque extremadamente violentos. La política databa de 1976, cuando Gran Bretaña abolió una clasificación de «categoría especial» para los presos acusados de crímenes políticos. En septiembre de ese año, miembros del IRA de la prisión de Maze sustituyeron sus trajes de presos por mantas y mancharon sus celdas con excrementos. La «huelga sucia» no logró concesiones y tampoco una huelga de hambre iniciada más tarde. Sands decidió llegar hasta el final.

En su cuadragésimo día de ayuno, Sands fue elegido para el parlamento británico por un distrito electoral católico de Irlanda del Norte. Cuando falleció 26 días más tarde, el 5 de mayo (el primero de diez huelguistas en morir), acabó convirtiéndose en héroe. Para muchos que sólo habían visto la máscara del terrorismo, el IRA mostró su aspecto humano: el rostro de un rebelde de 27 años muerto prematuramente. «Eligió suicidarse. Fue una elección que su organización no ofrece a ninguna de sus víctimas», declaró una dura Margaret Thatcher. **◂1979.6 ▸1994.4**

ECONOMÍA E INDUSTRIA

Computador personal

10 En 1981 el mercado del ordenador personal llegó a su mayoría de edad cuando la IBM presentó su modelo: el PC. Desde 1977, otros fabricantes vendían computadores de mesa pero la IBM, la mayor fabricante de ordenadores del mundo, contaba con una ventaja competitiva: su importancia le permitía no sólo construir un producto análogo sino también comercializarlo de modo más agresivo. En 1981 vendió veinticinco mil unidades; tres años más tarde, alcanzó los tres millones de ventas.

En el interior del PC de IBM se hallaba un microprocesador de la Intel Corporation de Santa Clara, California, y un sistema operativo —el programa que facilita el funcionamiento de otros programas *(software)*— autorizado para IBM por Microsoft, con sede en Seattle. En un descuido fatal, la IBM no impidió que la Intel y la Microsoft vendieran tales productos a otros fabricantes. Pronto aparecieron multitud de «clones» del PC de la IBM, con el chip de la Intel y el MS-DOS (el sistema operativo de Microsoft).

A mediados de los años noventa, casi un 90 % de los ordenadores personales eran IBM o clones, y una industria anteriormente de tecnología poco común estaba prácticamente estandarizada. Por entonces, la IBM, en parte a causa de la caída de precios, presentaba graves problemas financieros; la Intel era la fabricante de chips más importante del mundo y Bill Gates (nacido en 1955), de la Microsoft, era uno de los hombres más ricos del mundo. **◂1976.M ▸1984.12**

Uno de los primeros PC de IBM, el PC/AT.

prosista contemporáneo en lengua catalana y autor de una extensa obra que constituye una crónica imprescindible para entender la evolución histórica de la sociedad durante buena parte del siglo XX. Los escritos de Pla, narraciones cortas, crónicas políticas, artículos de costumbres, relatos de viajes, memorias autobiográficas, publicados en libros, revistas y periódicos, alcanzan una difícil síntesis entre una visión centrada en un pequeño mundo rural (el Baix Empordà, «Empordanet») y su capacidad para entrar en la convulsa Europa de la primera mitad del siglo XX, que conoció en sus viajes como corresponsal de varias

publicaciones periódicas. Vinculado desde su juventud a la Liga Regionalista Catalana, crítico socarrón de la segunda República española y tolerante con el franquismo —al que consideraba un mal menor a pesar de la persecución del catalanismo cultural y político—, Josep Pla fue uno de los espíritus más lúcidos del panorama intelectual español de nuestra época.

▸FUTBOLISTA SECUESTRADO—A finales de marzo concluyó el secuestro del delantero centro de la selección nacional española y del Barcelona F.C. «Quini». Los secuestradores, que pedían cien millones de pesetas por liberar a su rehén, fueron descubiertos cuando uno de ellos intentó cobrar el rescate en la ciudad suiza de Ginebra. El futbolista y los dos secuestradores restantes fueron localizados en Zaragoza y la liberación se produjo el 25 de marzo.

▸ONETTI, PREMIO CERVANTES—El escritor uruguayo Juan Carlos Onetti recibió el Premio Cervantes de literatura correspondiente al año anterior, el 23 de abril de 1981. Onetti, exiliado en

POLÍTICA Y ECONOMÍA: dimite el presidente del gobierno español Adolfo Suárez [...] Ruptura de relaciones diplomáticas entre Colombia y Cuba [...] Mitterrand, elegido presidente de Francia [...] España ingresa en la OTAN.

«¡Menuda manera de llegar a California!»—**El capitán Robert L. Crippen, tras aterrizar con la nave espacial *Columbia* en la base Edwards de las fuerzas aéreas**

Madrid desde 1974 a causa de la dictadura militar uruguaya, es autor de una extensa obra en la que destacan *La vida breve* (1950), *El astillero* (1961) y *Juntacadáveres* (1964).

▶SOCIALISTA GRIEGO —Andreas Papandreou, hijo del antiguo primer ministro griego Georgios Papandreou y anteriormente ciudadano americano, fue elegido primer ministro en 1981. Papandreou defendió la reforma económica y la resistencia a la presencia militar norteamericana, dos causas que no le granjearon las simpatías del gobierno de su anterior patria. Problemas de salud y un divorcio confuso y tocado por el escándalo le hicieron dimitir ocho años después. ◂1974.5

▶INDEPENDENCIA DE BELICE—En septiembre, el país centroamericano de Belice se convirtió en la última colonia británica del continente americano en obtener la plena independencia. Con ella llegaron los desafíos: la vecina Guatemala, antigua colonia española que había reclamado a Belice como parte del país, amenazaba con invadirla. En 1991 por fin reconoció la independencia de Belice.

▶NUEVA OLA EN LA MODA —La diseñadora de moda japonesa Rei Kawakubo

presentó su primera colección en París en 1981. Sus creaciones desenfadadas e iconoclastas *(superior)* la situaron a la cabeza de la «nueva ola» de diseñadores japoneses, entre los que destacaban Issey Miyake, Yohji Yamamoto y Mitsuhiro Matsuda.

▶ATENTADO CONTRA EL PAPA—El 13 de mayo, en la plaza de San Pedro (Roma), Mehmet Ali Ağca, terrorista turco, atentó contra Juan Pablo II. El papa logró recuperarse y Ağca fue sentenciado a cadena perpetua (el Papa le visitó dos años más tarde).

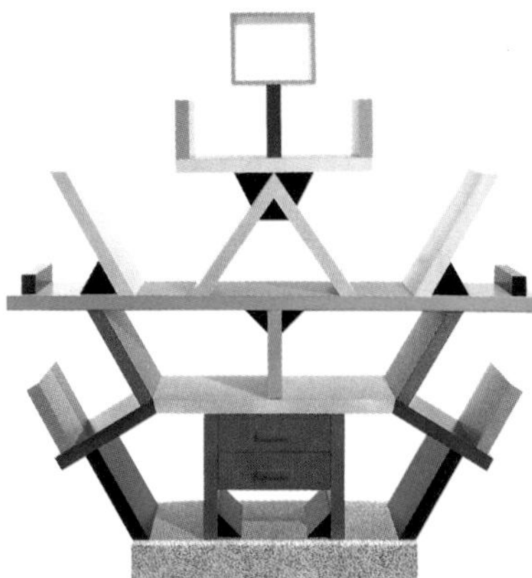

El biombo *Carlton* lúdico y multicolor de Ettore Sottsass ejemplifica la «nueva ola» del diseño italiano.

CULTURA POPULAR

La imagen de los ochenta

11 El grupo de diseño Memphis, con sede en Milán, un consorcio internacional de diseñadores, fue la estrella absoluta de la feria del mueble de Milán de 1981 (llamada Salone Internazionale del Mobile), con muebles caprichosos, de colores brillantes y formas impactantes inspirados en el *kitsch* suburbano de los años cincuenta, el *pop art* de los sesenta y en conceptos modernos. Fundado por el diseñador austríaco-italiano Ettore Sottsass, Memphis rechazaba el buen gusto tradicional en favor de lo llamativo y lo divertido. El biombo *Carlton* de Sottsass (muchas de las piezas de Memphis tenían nombre de hotel), por ejemplo, estaba hecho de madera recubierta de plástico púrpura, amarillo, verde y rojo, tenía estanterías con particiones angulares heterodoxas, los libros quedarían forzosamente inclinados. Los diseñadores de Memphis, guiados por el espíritu de la contradicción, construyeron mesas equilibradas sobre patas con bolas de boliche y carritos de ruedas con tubos de acero y cristal, que daban la sensación de que iban a derrumbarse. Memphis (cuyos miembros eran de ocho países distintos y diseñaban telas, cerámica y cristal, además de muebles) intentó romper los estrictos principios del diseño moderno «serio»: regularidad, utilidad y poca ornamentación. Inspirado en la canción de Bob Dylan «Stuck inside of mobile with the Memphis blues again», Sottsass escogió el nombre de Memphis «porque estaba asociado a lugares y culturas tan contradictorias como Elvis y el antiguo Egipto». El grupo fue uno de los más conocidos e imitados entre las escuelas de diseño de los años ochenta de la «nueva ola». **◂1962.8**

EXPLORACIÓN

Una nave espacial reutilizable

12 La lanzadera espacial *Columbia* despegó de cabo Cañaveral, Florida, en abril de 1981. Era la primera misión tripulada norteamericana desde la del *Apolo-Soyuz*, seis años atrás. Empezada en 1972 y con un coste de unos diez mil millones de dólares, la lanzadera había sufrido aplazamientos y problemas técnicos pero, en una época de humillaciones nacionales, el lanzamiento probó a los americanos que su país todavía podía realizar grandes cosas.

A pesar de su excesivo coste, la lanzadera también reflejó un nuevo interés por la utilidad en una época de recortes de presupuestos. La nave era el primer vehículo espacial reutilizable, construida para elevarse como un cohete, cruzar el espacio como una nave y aterrizar como un planeador. Tras el despegue, los dos cohetes secundarios de combustible sólido se lanzaban al mar y se recuperaban para vuelos futuros. La superficie de la nave estaba recubierta de treinta y una mil tejas de cerámica que, a diferencia de los anteriores blindajes, no se quemaría durante la reentrada. La nave se diseñó para llevar satélites al espacio y para que los astronautas pudieran reparar los que ya estaban en órbita. Incluso el control desde tierra se perfeccionó: en el lanzamiento del *Apolo* intervinieron quinientas personas pero los computadores lograron que en el del *Columbia* sólo actuaran 150.

Asimismo, a bordo había computadoras que pilotaban la nave. Los astronautas John Young (veterano del *Apolo*), de 50 años de edad, y el capitán Robert Crippen, de 44, sólo tenían que controlar el equipo. Tras dos días en el espacio, fueron los primeros astronautas que aterrizaron en tierra y no en el mar, en la base Edwards de las Fuerzas Aéreas en el desierto Mojave de California. La NASA transportó la *Columbia* hasta Florida en un reactor Jumbo para su siguiente lanzamiento en noviembre. **◂1975.6 ▸1986.2**

La lanzadera espacial *Columbia* en su plataforma de lanzamiento de Cabo Cañaveral, Florida.

CULTURA POPULAR

Música en la televisión

13 En agosto de 1981, la Warner Amex Satellite Entertainment Company presentó el primer canal musical de 24 horas, la MTV (música en la televisión). Warner Amex, el programador de entretenimiento más importante de Estados Unidos, invirtió treinta millones de dólares para ofrecer una serie de vídeos musicales (presentados por «vídeo-jockeys»), entrevistas en el estudio y conciertos a dos millones y medio de abonados de 48 estados. Dirigida a jóvenes de entre 12 y 34 años de edad, la MTV fue una pionera de la «audiencia restringida», un cambio total del objetivo tradicional de las cadenas de conseguir la máxima audiencia posible. El canal triplicó sus abonados en tan sólo un año y, al cabo de una década, retransmitía *rock* británico y americano (y algo de otros géneros) de Rusia a Brasil.

La MTV fue criticada por descuidar a los cantantes negros y, sus vídeos, que normalmente presentaban artistas masculinos rodeados de mujeres voluptuosas ligeras de ropa, fueron tachados de sexistas. Sin embargo, el canal se convirtió pronto en árbitro del gusto popular, no sólo musical sino de la moda y otros medios visuales. La imagen y el estilo característico de los vídeos musicales (con planos cortos y rápidos e imágenes enigmáticas a menudo surrealistas) influyeron en anuncios publicitarios y películas de cine, cuyos directores a menudo empezaron filmando vídeos. (Norman Mailer, novelista y observador cultural, dijo que el vídeo musical «quizá sea la única nueva forma artística del estilo de vida americano».) Con la MTV Madonna y Michael Jackson alcanzaron el estrellato y, gracias a ella, muchos artistas llegaron a ser famosos antes de haber tocado en directo. **◂1980.NM ▸1982.8**

PREMIOS NOBEL: Paz: Comisión de Refugiados de la ONU (Suiza) [...] Literatura: Elias Canetti (británico; novelista) [...] Química: R. Hoffmann y K. Fukui (EE.UU. y japonés; reacciones químicas) [...] Medicina: R. Sperry, D. Hubel y T. Wiesel (EE.UU. y sueco; procesamiento de la información) [...] Física: N. Bloembergen, A. Schawlow y K. Siegbahn (EE.UU. y suizo; láser) [...] Economía: James Tobin (EE.UU.).

ECOS DE 1981

En forma

Del *Libro de ejercicios de Jane Fonda*, 1981

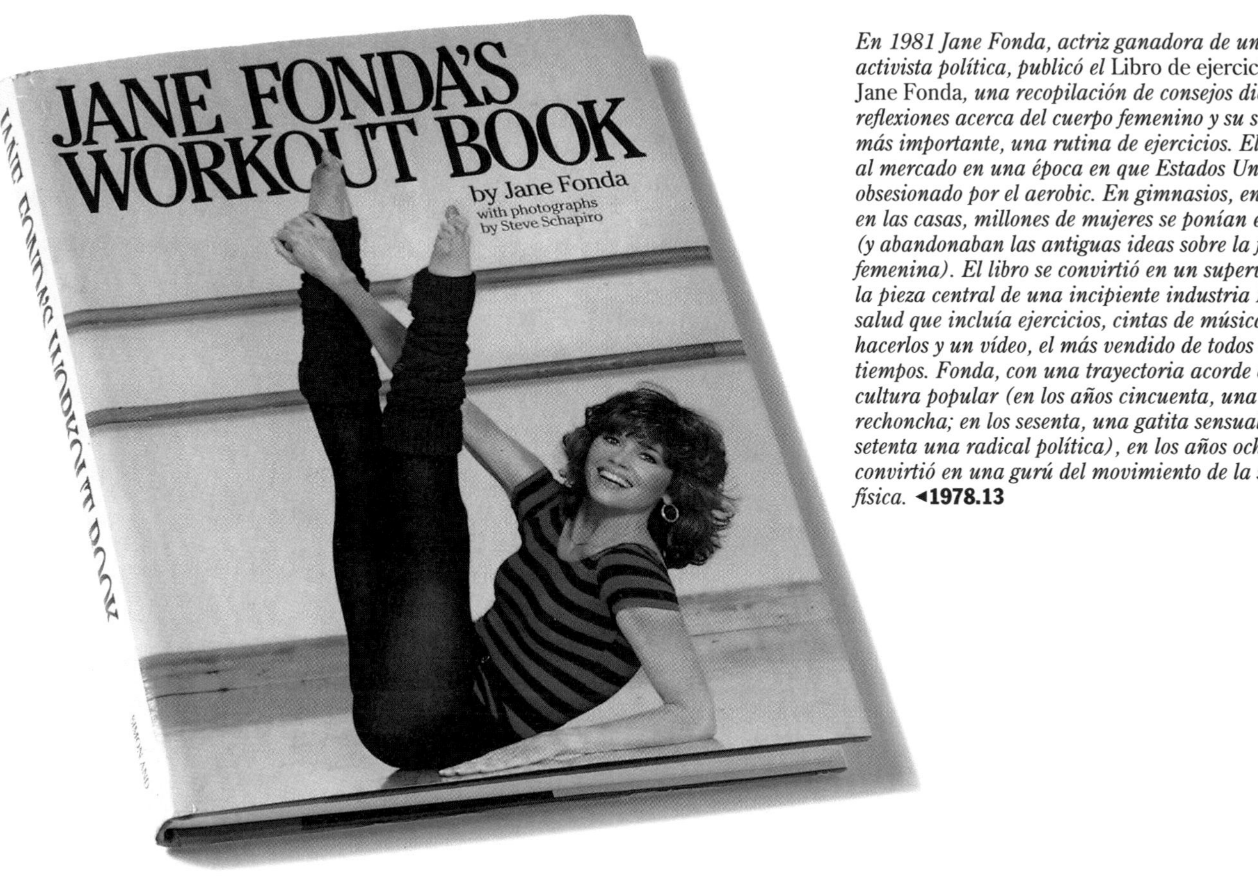

En 1981 Jane Fonda, actriz ganadora de un Óscar y activista política, publicó el Libro de ejercicios de Jane Fonda, *una recopilación de consejos dietéticos, reflexiones acerca del cuerpo femenino y su salud y, lo más importante, una rutina de ejercicios. El libro salió al mercado en una época en que Estados Unidos estaba obsesionado por el aerobic. En gimnasios, en clubes y en las casas, millones de mujeres se ponían en forma (y abandonaban las antiguas ideas sobre la figura femenina). El libro se convirtió en un superventas y en la pieza central de una incipiente industria Fonda de salud que incluía ejercicios, cintas de música para hacerlos y un vídeo, el más vendido de todos los tiempos. Fonda, con una trayectoria acorde con la cultura popular (en los años cincuenta, una niña rechoncha; en los sesenta, una gatita sensual, y en los setenta una radical política), en los años ochenta se convirtió en una gurú del movimiento de la salud física.* ◄**1978.13**

ABDOMINALS 4 MINUTES

Purpose: *To burn away the spare tire, tone and strengthen the upper and lower abdominal muscles.*

Music:
Linda Clifford—"Bridge Over Troubled Water"/Let Me Be Your Woman
Blondie—"Call Me"/American Gigolo
Irene Cara—"Fame"/Fame
Irene Cara—"Red Light"/Fame
Sylvester—"You Make Me Feel"/Step 2
Sylvester—"Dance Disco Heat"/Step 2
Voyage—"Souvenirs"/Night at Studio 54
Musique—"In the Bush"/Night at Studio 54
D. C. LaRue—"Hot Jungle Drums & Voodoo Rhythm"/Night at Studio 54
Evelyn "Champagne" King—"Shame"/Smooth Talk
Evelyn "Champagne" King—"Nobody Knows"/Smooth Talk
Gloria Gaynor—"I Will Survive"/Love Tracks

Note of caution: You must concentrate on keeping your stomach pulled in during all these exercises, so as not to develop a protruding abdomen.

One SIT-UPS
Lower abdominals

Starting position: Lie on your back, knees bent, feet flat on floor, feet and knees parallel about a foot apart, hands behind your head with your elbows out to the sides.

1. Lift your head and upper back off the floor as high as you can, using your abdominal muscles, not your arms. Keep your elbows back.

2. Lower a little but do not touch the floor.

Do these lifts, combining movements 1 and 2, 20 times.

Breathing: Exhale as you lift, inhale as you lower.

108

BEGINNERS' ABDOMINALS / 109

Two THROUGH LEG REACHES
Upper and lower abdominals

Leave your right hand behind your head for support and reach through your knees with the left arm, pulling through, releasing slightly between pulls, for 15 counts.

Breathing: Exhale as you reach; inhale as you release slightly between reaches.

Three KNEES TO CHEST
Abdominal release

Starting position: Continuing from preceding exercise, let the head relax back onto the floor.

Hug your knees tightly in to your chest and hold for 10 counts. This position is especially soothing and beneficial for the female organs.

Breathing: Normal

«No hay dudas sobre la cuestión de la soberanía. Los habitantes de las Malvinas son británicos y desean seguir siéndolo.»—**Margaret Thatcher**

HISTORIA DEL AÑO

Enfrentamiento en las Malvinas

1 A principios de 1982, la economía argentina presentaba un estado catastrófico. La inflación era altísima (en marzo del 146 %), los ingresos reales eran inferiores a los de 1970 y la industria trabajaba a capacidad media. Desafiando a la represión de los dirigentes militares, los manifestantes tomaban las calles. Para desviar la atención pública, el general Leopoldo Galtieri decidió iniciar una guerra. El objetivo serían las islas Malvinas, controladas por Gran Bretaña desde 1833 pero reclamadas por los argentinos desde hacía mucho tiempo. Galtieri esperaba una victoria fácil: pensaba que el enemigo no se arriesgaría para defender un territorio lejano ocupado por mil ochocientos británicos y seiscientas mil ovejas. El 2 de abril los soldados argentinos vencieron a la pequeña guarnición de la Marina Real y tomaron las Malvinas.

Galtieri subestimó el interés de Gran Bretaña por su colonia. Al condenar la violación del derecho de los isleños a la autodeterminación, la primera ministra británica Margaret Thatcher movilizó una fuerza naval de más de cien barcos. Estados Unidos (aliado de ambas naciones) intentó mediar en el conflicto, así como la ONU, pero no consiguieron nada. El 25 de abril un pequeño contingente británico recuperó la isla de South Georgia. El 1 de mayo estallaron las principales batallas aéreas y navales.

En Argentina, incluso los que se oponían al régimen, se entusiasmaron con patriótico fervor. Pero el presidente Reagan apoyó a Thatcher y, aunque los ataques aéreos hundieron cuatro barcos británicos, la insignificante armada argentina era muy inferior a la de Gran Bretaña. El 21 de mayo las tropas británicas llegaron a las playas de la Malvina oriental y se abrieron camino hacia el sur desde Puerto San Carlos. Por entonces, con Argentina sufriendo un embargo de la Comunidad Económica Europea y sus tropas desmoralizadas, la guerra estaba a punto de finalizar.

Un convoy de tanques argentinos entra en Port Stanley. Argentina tuvo en su poder a las Malvinas durante dos meses.

Las fuerzas argentinas se rindieron el 17 de junio. La aventura de las Malvinas le había costado a Argentina 712 muertes y once mil prisioneros (Gran Bretaña perdió 255 hombres) y había destruido la credibilidad de la junta. Galtieri dimitió; las fuerzas aéreas y navales abandonaron el régimen. El nuevo presidente, el general Reynaldo Bignone, prometió elecciones para 1983. Un gobierno civil curaría las cicatrices del reino de terror que los militares habían mantenido durante siete años. **◂1976.7 ▸1983.NM**

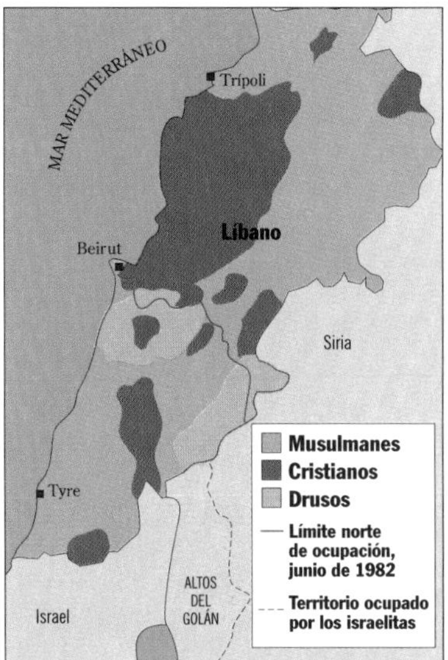

Las luchas internas y la invasión extranjera hicieron del Líbano los Balcanes de los años ochenta.

ORIENTE MEDIO

Israel invade el Líbano

2 En abril de 1982 Israel cumplió la primera fase de los acuerdos de Camp David al devolver a Egipto la última porción de la península del Sinaí. (En una extraña acción, el gobierno de derechas de Israel se encontró enviando soldados para deshauciar a los colonos judíos de derechas de la zona.) Pero en junio, la segunda fase (autogobierno para los palestinos de la orilla oeste y la franja de Gaza) fue aplazada indefinidamente mientras el primer ministro Menachem Begin invadía el Líbano.

Al principio, el objetivo de Begin era crear una franja de seguridad de 38 km en la frontera. (Comandos palestinos a menudo atacaban Israel desde el sur del Líbano.) Sin embargo, a medida que las fuerzas israelitas avanzaban hacia el norte, aparecieron mayores ambiciones: expulsar a seis mil guerrilleros de los cuarteles de la OLP en Beirut; desalojar a los sesenta mil soldados sirios que ocupaban el Líbano y establecer un gobierno cristiano amistoso.

Mientras los israelitas sitiaban Beirut oeste, de mayoría musulmana, el enviado norteamericano Philip Habib se movía entre los beligerantes organizando altos el fuego e intentando establecer un acuerdo. Al principio, la administración Reagan estaba dividida acerca de cómo manejar a Begin. El secretario de Estado Alexander Haig, partidario de la indulgencia, perdió el debate y dimitió. Pero Begin desafió a la presión diplomática. Sus fuerzas continuaron bombardeando la ciudad. A finales de agosto, llegó una fuerza multinacional de mantenimiento de la paz para asegurar la evacuación de combatientes de la OLP a varios países árabes.

Sin embargo, las matanzas no habían terminado. El 14 de septiembre unos asaltantes anónimos asesinaron al presidente electo del Líbano, Bashir Gemayel. Rompiendo la promesa de Begin a Reagan, soldados israelitas ocuparon Beirut oeste, en teoría para acabar con las matanzas. Los israelitas designaron a militares libaneses cristianos para supervisar dos campos de refugiados palestinos, Sabra y Shatila. Para vengar la muerte de Gemayel, su antiguo comandante, los cristianos mataron a ochocientos refugiados civiles de los campos, la mayor parte mujeres y niños.

La masacre provocó las condenas de Israel y del resto de países, despertó simpatías por el presidente de la OLP Yaser Arafat, cada vez más moderado (que incluso fue recibido por el Papa Juan Pablo II) y anuló en Beirut la eficacia de las fuerzas de pacificación, lo que estableció el marco para más tragedias. **◂1981.2 ▸1983.3**

UNIÓN SOVIÉTICA

Finaliza una época de estancamiento

3 Cuando murió a la edad de 76 años, en noviembre de 1982, el líder soviético Leonid Brezhnev *(inferior)* había presidido 18 años de represión cada vez más intensa. No es que no hubieran sucedido cosas mientras fue presidente del Partido Comunista y jefe de Estado: Brezhnev supervisó la invasión de Checoslovaquia de 1968 y anunció una detente en los años setenta, para ver cómo se evaporaba en los ochenta (en parte a causa de su invasión de Afganistán). Ordenó la mayor producción de armas que se había emprendido, igualando a Estados Unidos. La calidad de vida había aumentado modestamente, sobre todo la de los más pobres. Aun así, las últimas reformas habían sido la causa de que su época en el gobierno se denominara «la época del estancamiento».

Los intentos de Brezhnev por aumentar la producción industrial y agrícola resultaron infructuosos. La mala cosecha de 1975 (la producción agrícola estuvo setenta y seis millones de toneladas por debajo de

ARTE Y CULTURA: **Libros:** ***Cabos sueltos*** **(F. Tierno Galván) [...] Música:** ***Sinfonía n.° 1*** **(Ellen Taaffe Zwilich) [...] Cine:** ***Tootsie*** **(Sydney Pollack);** ***Víctor o Victoria*** **(Blake Edwards);** ***Lola*** **(Rainer Werner Fassbinder);** ***Volver a empezar*** **(J. L. Garci, Óscar a la mejor película de habla no inglesa) [...]**

«Nuestro objetivo es establecer la familia ideal. Y estableciendo una familia ideal, podemos establecer un mundo ideal.»
—Dr. Mose Durst, presidente norteamericano de la Iglesia unificada

lo previsto) desembocó en la peor carestía desde la Segunda Guerra Mundial. En el Partido, una oligarquía cada vez más aislada (y vieja) ahogaba las nuevas ideas. Se extendió la corrupción mientras la elite del partido obtenía privilegios oficiales como casas, tiendas y escuelas especiales. Aunque Brezhnev no recurrió al terror estalinista, los que protestaban eran tratados con dureza: una de las tácticas habituales, que databa desde los tiempos zaristas, era encerrar a los que creaban problemas en instituciones psiquiátricas.

La sensación de parálisis nacional impregnó los últimos años de Brezhnev; su muerte fue un alivio incluso para los dirigentes del partido. No obstante, un cambio dinámico se haría esperar. Su sucesor, Yuri Andropov, de 68 años (que, como jefe de la KGB, había organizado la represión de los disidentes), inició reformas moderadas pero murió al cabo de quince meses. Su sustituto, Konstantin Chernenko, de 73 años, falleció un año más tarde. Por fin, en 1985, con la llegada de Mijail Gorbachov, empezó una nueva era.
◂1979.9 ▸1984.NM

RELIGIÓN

La boda masiva de Moon

4 El 1 de julio de 1982 el reverendo Sun Myung Moon ofició el matrimonio simultáneo de 2.075 parejas en el Madison Square Garden de Nueva York. Las novias iban vestidas con vestidos blancos idénticos; los novios, con trajes azules. La ceremonia también ordenó a los recién casados misioneros de la Iglesia unificada. Moon proclamó que las familias que fundarían «se expandirían en una sociedad verdadera, en una nación verdadera, en un mundo verdadero».

Los seguidores de Moon (unos tres millones en todo el mundo) les llamaban a él y a su mujer los antiguos Hak Ja Han, los «padres verdaderos» de la humanidad. Nacido en 1920 en lo que sería Corea del Norte, Moon afirmaba que Jesucristo le había ungido nuevo mesías a la edad de 16 años. Moon fue expulsado de la Iglesia presbiteriana y más tarde encarcelado por el régimen comunista. Fundó su secta en Corea del Sur en 1954 sobre las premisas de que los comunistas eran instrumentos de Satán y de que su misión divina era promover el capitalismo y la teocracia conservadora.

Muchos padres de fieles acusaron a la Iglesia de lavar el cerebro a sus

Más de cuatro mil seguidores de Sun Myung Moon pronunciaron sus votos en el Madison Square Garden. Muchos habían llegado a Estados Unidos unos días antes.

miembros. Los «moonies» renunciaban a toda independencia, vivían en centros de la Iglesia, vendían flores en los aeropuertos e incluso dejaban que Moon o los mayores de la iglesia escogieran sus cónyuges. (Algunos maridos y esposas hablaban distintos idiomas y debían comunicarse a través de un intérprete.) La boda masiva provocó la condena conjunta de judíos y cristianos de la zona de Nueva York.

Moon, cuyo imperio terrenal con sede en Estados Unidos se componía de flotas pesqueras, diarios, empresas de exportación de ginseng y fábricas de armas, fue acusado de delitos mayores. En mayo fue condenado en Estados Unidos por fraude fiscal y conspiración (empezó su condena de 18 meses en 1984). Y, aunque legales, sus intentos de «sometimiento del gobierno norteamericano» (como dijo en uno de sus últimos discursos) a través de una red de organizaciones de derechas inquietó a mucha gente.
◂1978.2

Los problemas económicos de México trasladaron a mucha gente a las ciudades. Aquí, un autobús con los pasajeros colgados de él.

MÉXICO

Colapso económico

5 La creciente economía mexicana se derrumbó en 1982 consumida por la deuda. Las obligaciones exteriores del país sólo tenían equivalente en Brasil dentro del mundo en vías de desarrollo; en agosto, el gobierno estuvo muy cerca de no poder pagar sus préstamos, un 30 % de los cuales eran de bancos norteamericanos. En el último momento, Washington intercedió desembolsando casi tres mil millones de dólares en ayudas. Pero para el pueblo mexicano, los problemas acababan de empezar.

En los años setenta, cuando México descubrió que era una de las mayores reservas petrolíferas del mundo, los bancos extranjeros se mostraron encantados de prestar dinero al país, y el presidente José López Portillo inició un gasto vertiginoso. Sin embargo, la superabundancia internacional de petróleo había reducido los beneficios previstos y más del 60 % de los ingresos del país tuvieron que emplearse en el pago de deudas. El peso perdió la mitad de su valor. La inflación llegó casi al 100 %. López Portillo nacionalizó la banca y estableció un severo control de divisas. Tras cuatro años de un sorprendente 8 % de crecimiento anual, la economía se detuvo.

El presidente Miguel de la Madrid recibió la carga. De la Madrid, abogado licenciado por Harvard y con fama de honesto tomó posesión en diciembre. Anunciando que «había una situación de emergencia», impuso un programa de austeridad diseñado para disminuir el déficit a la mitad. La crisis hizo que miles de familias de clase media se hundieran en la pobreza y los pobres se sintieran cada vez más desesperados; los mexicanos empezaron a llamar a los años ochenta «la década perdida».
◂1934.2 ▸1993.2

MUERTES

Louis Aragon, escritor francés.

John Belushi, actor estadounidense.

Ingrid Bergman, actriz sueca-estadounidense.

Leonid Brezhnev, político soviético.

Rainer Werner Fassbinder, director cinematográfico alemán.

Henry Fonda, actor estadounidense.

Eduardo Frey, político chileno.

Nahum Goldmann, líder sionista lituano-israelita.

Wladyslaw Gomulka, político polaco.

Glenn Gould, pianista y compositor canadiense.

Grace Kelly, actriz estadounidense y princesa de Mónaco.

Paco Martínez Soria, actor español.

Pierre Mendès-France, político francés.

Thelonius Monk, músico estadounidense.

Carl Orff, compositor alemán.

Ayn Rand, escritor soviético-estadounidense.

Arthur Rubinstein, músico polaco-estadounidense.

Romy Schneider, actriz austríaca.

Ramón Sénder, escritor español.

Lee Strasberg, director, actor y profesor estadounidense.

Jacques Tati, actor y director cinematográfico francés.

King Vidor, director cinematográfico estadounidense.

Teatro: ***Las bicicletas son para el verano*** **(F. Fernán Gómez) [...] TV:** ***Cheers.***

«Es fantástico ser poderosa. He pasado mi vida luchando por ello. Creo que es lo que todas las personas buscan: el poder.»
—**Madonna**

NOVEDADES DE 1982

Liposucción.

Experimental Prototype Community of Tomorrow (Comunidad Prototipo Experimental del Mañana, EPCOT), Orlando.

Pastillas para dormir Halcion.

EN EL MUNDO

▶FIN DE UNA ENMIENDA —«Las palabras más equívocas desde "una talla equivale a todas"», dijo la columnista de humor Erma Bombeck acerca de la enmienda de la igualdad de derechos que proponía que «la igualdad de derechos bajo la ley no sería denegada o privada por Estados Unidos ni otro país a causa del sexo». La enmienda murió en 1982, diez años después de haber sido aprobada por el congreso. En el plazo límite había tres estados menos del número necesario para la ratificación (38). ◂1964.3

▶BETANCUR PRESIDENTE DE COLOMBIA—El liberal-conservador Belisario Betancur asumió la presidencia. Su política frente a la guerrilla (problema endémico) se caracterizó por combinar medidas políticas, como una amnistía promulgada en noviembre, con actividad militar. El principal movimiento guerrillero, el M.19, declaró como respuesta una tregua provisional.

▶INUNDACIONES EN ESPAÑA—Durante el otoño las lluvias, habituales en el Levante español en esta época del año, provocaron una auténtica catástrofe. El balance provisional arrojó un saldo de trescientas mil personas sin hogar y 38 muertos. La causa más destacada del desastre fue la rotura de la presa de Tous, que provocó el desbordamiento del río Júcar que asoló una zona muy poblada de la Comunidad Valenciana. Los canales de la Albufera,

MEDIO AMBIENTE

Lluvia ácida

6 El mundo tomó conciencia del fenómeno de la lluvia ácida en 1982, cuando Canadá declaró que la contaminación procedente del noreste de Estados Unidos había matado a todos los peces de los lagos de Ontario y estaba aniquilando a los salmones de Nueva Escocia. Anteriormente conocida como «deposición ácida», la lluvia ácida puede dañar vías fluviales, árboles, cultivos, edificios y los pulmones humanos. Se da cuando el dióxido de azufre y el óxido de nitrógeno, procedentes de combustibles fósiles quemados, se transforman en ácido sulfúrico y nítrico dentro de la atmósfera y se precipitan en forma de lluvia o polvo. Los escandinavos se han preocupado por la lluvia ácida desde los años cincuenta, cuando unos estudios la relacionaron con la disminución de peces en aguas frías. En los años setenta se la consideró la causante de los daños producidos en los bosques de Alemania occidental.

El debate se convirtió en una disputa diplomática mientras el presidente Reagan, que se oponía a la legislación ambiental por ser demasiado cara para empresas y contribuyentes, exigía nuevos estudios y los canadienses lo acusaban de atrasar las medidas. En 1984, el estado de Nueva York aprobó una ley que regulaba la contaminación causada por la lluvia ácida, pero el congreso no tomó medidas hasta 1988, cuando ratificó un protocolo de la ONU (con 24 países más) que congelaba las emisiones de óxido de nitrógeno en los niveles de 1987. (La ley norteamericana de 1990 del aire puro preveía la reducción a la mitad del dióxido de azufre al cabo de una década.)

La reacción europea fue más rápida. En 1984, diez naciones se agruparon en el «Club del 30 %», y prometieron reducir las emisiones al 30 % de los niveles de 1980 en 1993. Al año siguiente, 21 países firmaron el protocolo de Helsinki, que establecía una reducción similar. A principios de los años noventa las emisiones de dióxido de azufre habían descendido un 40 % en la mayor parte de Europa occidental y un 70 % en la República Federal Alemana. No obstante, miles de lagos de todo el mundo ya estaban biológicamente muertos y los bosques desde Maine hasta Sudáfrica, perjudicados. En el antiguo bloque soviético, la combustión de carbón rico en sulfuros seguía produciendo elementos químicos corrosivos. **◂1970.5 ▸1983.5**

En una caricatura alemana, un árbol dañado por la lluvia ácida requiere cuidados médicos urgentes.

CIENCIA

Darwin refinado

7 En el centenario de la muerte de Charles Darwin, los evolucionistas celebraron conferencias en todo el mundo para evaluar el estado de la teoría de la evolución. Biólogos y paleontólogos coincidían en que dos de las tres ideas básicas de *El origen de las especies* de Darwin (el origen común de todas las formas de vida y la evolución de éstas a través de la selección natural) tenían fundamento y estaban apoyadas por descubrimientos de biología molecular y genética. Pero la tercera, que promulgaba que la evolución se da contínuamente a una velocidad muy lenta, se estaba revisando. Según una teoría alternativa llamada «equilibrio interrumpido», las nuevas especies aparecen de repente (en miles de años y no en millones como decía Darwin), permanecen inalteradas (en estado de equilibrio) durante un período prolongado y luego son sustituidas repentinamente por nuevas especies.

La teoría, propuesta por los paleontólogos Stephen Jay Gould *(izquierda, superior)* de Harvard y Niles Eldredge *(izquierda, inferior)* del American Museum of Natural History, reconciliaba el darwinismo con la realidad paleontológica: los fósiles muestran las fases de formación de las especies pero no los niveles intermedios de la evolución.

Los genéticos se opusieron a la teoría diciendo que los restos petrificados no registran todos los cambios, ni siquiera los importantes y menos aún los leves. El debate se remontaba a Darwin, que ingenuamente admitió que la evolución gradual no cuadraba con los fósiles. Gould insistió en que el darwinismo era «incompleto, no incorrecto». Sin embargo, la teoría del equilibrio interrumpido fue un refinamiento del pensamiento de Darwin así como un modelo útil para otras disciplinas desde la antropología hasta las ciencias políticas. **◂1937.6**

MÚSICA

El primer sencillo de Madonna

8 La conversión de Madonna (cuyo nombre completo es Madonna Louise Ciccone) de estudiante de la Universidad de Michigan en diosa internacional de la cultura *pop* empezó en 1982, cuando su primer sencillo «Everybody» se convirtió en un éxito de las discotecas y de la radio. Sólo cuatro años antes había llegado a Nueva York con 37 dólares. A mediados de los años noventa, era un ídolo de la música *pop* y presidía un imperio de mil millones de dólares.

Madonna fue una de las primeras estrellas lanzadas por la MTV. Aunque su música disco, al menos al principio, era mediocre, sus vídeos magistralmente producidos destacaban su imagen, sus movimientos de bailarina (había estudiado en la escuela de Alvin Ailey) y sus complementos sensuales y caprichosos. Adolescentes de todas partes empezaron a imitar sus ropas de segunda mano, sus crucifijos de bisutería, sus medias rotas y su ropa interior a la vista. Asimismo, los vídeos establecieron su iconografía característica: una mezcla de catolicismo ambiguo y obsesiones que iban del narcisismo a la esclavitud. Su primer álbum, *Madonna*, vendió tres millones de

DEPORTES: Fútbol: Italia gana el campeonato del mundo, celebrado en España [...] Tenis: Jimmy Connors derrota a John McEnroe en Wimbledon (en la final masculina más larga hasta la fecha: 4 h 14 m).

«La obra de Schnabel está confeccionada para parecer importante. Es grande y contiene referencias al resto del Gran Arte [...]. Sus imágenes son jóvenes y solemnes, un desfile de curiosidades expresionistas.»—**Robert Hughes, crítico de arte, acerca del pintor Julian Schnabel**

copias en 1984; el sencillo «Like a virgin» fue número uno durante seis semanas. Sus intentos de convertirse en estrella de cine no dieron fruto, pero sus discos seguían en los primeros puestos en los años noventa y sus golpes de efecto calculados (como protagonizar un libro de fotografías eróticas) la mantenían en el candelero.

La clave del éxito de Madonna fue su interpretación astuta de las tendencias generales de la época. En los años ochenta de los *yuppies* fue (como lo dijo en una canción) una «chica materialista», una mujer emprendedora cuyas ropas de estilo *punk* constituían un símbolo de aventuras apasionadas. En los noventa, se inclinó por la alta costura,

Madonna construyó un imperio en torno a las fronteras de la sociedad.

una actitud escapista en una década castigada. Denominada «la empresaria más astuta de América» por la revista *Forbes*, fundó sus propias compañías cinematográfica y discográfica, un seguro para el día en que su imagen ya no sea rentable. **◂1981.13 ▸1982.12**

ARTE

Las luces más brillantes

10 **Beneficiándose de la legendaria alza de Wall Street durante los años ochenta, que creó fortunas instantáneas, el mercado del arte contemporáneo entró en un período de expansión en 1982. El distrito del SoHo de Nueva York fue el centro de este crecimiento embriagador, y el pintor Julian Schnabel, un autopromotor confiado en sí mismo que pasó de ser taxista a poner precios de seis cifras a sus lienzos, a menudo fue llamado el «mayor no militar» del SoHo. El «neoexpresionismo» de Schnabel —a menudo pegaba vajilla rota en la superficie de sus cuadros— fue defendido por algunos críticos por salvar al arte moderno de la hegemonía de los movimientos *pop*, minimalista y conceptualista de los años sesenta y setenta. Sus detractores decían que Schnabel era todo apariencia, sin profundidad, y que antes de ponerse a pintar tenía que aprender a dibujar. Otras estrellas del mundo del arte fueron Jeff Koons, que creó estatuas de porcelana de tamaño natural de Michael Jackson y el molde de acero inoxidable de un conejo «hinchable» gigante, y Jenny Holzer, cuyo medio era el mensaje: aforismos en postales, camisetas y carteles electrónicos en Times Square. Las curiosas obras de Koons fueron consideradas como comentarios sobre el consumismo que le hizo millonario. Holzer, que ganó los máximos honores en la Bienal de Venecia de 1990, contribuyó a resumir la «obra de texto»: «el dinero crea el gusto». ◂1974.9 ▸1987.13**

CINE

Ciencia-ficción, luz y oscuridad

9 Lo extraterrestre apareció de forma muy distinta en dos películas emblemáticas de ciencia-ficción de 1982. Una de ellas, un gran éxito de taquilla, presentó a los extraterrestres como seres benignos con una bondad infantil en un mundo terrestre de adultos recelosos. La otra, un rotundo fracaso, presentaba impulsos más oscuros y maliciosos. *E.T.* fue la cuarta película de Steven Spielberg, de 35 años, que estableció un récord de taquilla (*Tiburón, Encuentros en la tercera fase* y *En busca del arca perdida* eran las otras). *E.T.* contenía los habituales efectos especiales de Spielberg (a cargo de la Industrial Light and Magic Company de George Lucas) y la historia más íntima que había explicado hasta entonces: la de la amistad entre un niño solitario y un extraterrestre perdido. La «estrella», una obra maestra de artesanía y electrónica, era una criatura encantadora, inteligente y adorable que telefoneaba a larga distancia, le gustaba la televisión y tenía dotes mágicas (podía curar con una especie de dedo). «Teléfono, mi casa», se convirtió en una frase célebre en todo el mundo.

Niños y adultos por igual se enamoraron de E.T. Por otro lado, los personajes de *Blade Runner*, de Ridley Scott, fueron acogidos con disgusto. Harrison Ford interpretaba a un policía quemado de Los Ángeles en el año 2019, cuya especialidad es dar caza a «replicantes» fugados, robots con apariencia humana empleados como esclavos en las colonias del espacio exterior. Construidos para autodestruirse al cabo de cuatro años, los androides piensan, sienten, recuerdan una infancia y, para sobrevivir, matan sin remordimientos.

A la mayoría de espectadores *Blade Runner*, de la Warner Bros., les pareció lenta, confusa y con un mal guión. Pero un número cada vez mayor de críticos y admiradores han llegado a considerar la versión «montada por el director», realizada en 1993, como una película clave de los años ochenta, un estudio provocador de la frontera entre los humanos y las máquinas, una evocación severamente moderna de una ciudad futurista en decadencia y un ejemplo definitivo de un nuevo subgénero de ciencia-ficción llamado *ciberpunk*. **◂1977.10 ▸1993.12**

Spielberg posa junto a su estrella, «una criatura bajita, arrugada, de color barro, con un resfriado crónico» (según un crítico).

cercanos a la capital, también se desbordaron, lo que provocó cuantiosas pérdidas económicas.

▸RÉCORD ESPACIAL—Durante 211 días dos astronautas soviéticos, Beresovoi y Leveden, permanecieron orbitando la Tierra en un satélite artificial. La cápsula fue recuperada con éxito el 10 de diciembre. Este récord de permanencia fuera de la atmósfera constituyó una importante fuente de datos para conocer la resistencia humana en condiciones propias de los futuros viajes espaciales.

▸EL MUSEO MÁS RICO—El Getty Trust, formado en 1982, transformó la colección privada de arte del magnate del petróleo J. Paul Getty (que había fallecido en 1976) en el museo más rico del mundo. Con una dotación de 1.200 millones de dólares, el Museo J. Paul Getty, en Malibú, California, de pronto tuvo más poder de compra que instituciones como el Louvre o el Metropolitan Museum. Un conservador dijo: «Efectivamente, el Getty tendrá la primera opción de compra sobre cualquier pieza que llegue al mercado». Compró de modo compulsivo (y a veces tontamente: pagó más de un millón de dólares por un busto de mármol de la antigua Grecia de dudosa autenticidad) y enseguida consiguió una colección de categoría mundial. ◂1977.11 ▸1987.13

▸MÚSICA MUNDIAL—En el verano de 1982 se celebró el primer festival anual World of Music, Arts and Dance en Shepton Mallet, Inglaterra.

Organizado por el músico británico Peter Gabriel, el WOMAD era una muestra de la «música mundial», un término amplio que abarcaba a tradiciones musicales diversas de África, Latinoamérica y Asia. Con Gabriel como embajador y el WOMAD como su embajada portátil, la música mundial

«Dios mío, se mueve de forma fantástica.»—**Fred Astaire, sobre Michael Jackson**

pronto formó parte significativa de la industria musical. ◄1971.M ►1986.M

►INSULINA FABRICADA GENÉTICAMENTE—En septiembre, el ministerio británico de sanidad aprobó el uso de insulina fabricada de forma genética. La hormona, llamada «humulina», fue aceptada en Estados Unidos un mes más tarde. La humulina era el primer producto de la tecnología de recombinación del ADN que se aprobó oficialmente para uso humano. ◄1978.1 ►1988.NM

►NUEVO DIRIGENTE EN LA ONU—El diplomático peruano Javier Pérez de Cuellar fue elegido quinto secretario general de la ONU en 1982 sucediendo a Kurt Waldheim. Pérez de Cuellar, el primer dirigente latinoamericano de la organización internacional, fue elegido para un segundo mandato en 1986 y negoció el alto el fuego entre Irán e Iraq en 1988. ◄1961.NM

►EL NIÑO—En 1982 las aguas costeras occidentales de Sudamérica empezaron a experimentar un El Niño especialmente extremo. El nombre hace referencia a una corriente costera caliente que aparece sin previo aviso durante las Navidades. Las temperaturas superficiales del Pacífico oriental alcanzaron cotas altísimas lo que perjudicó a la industria pesquera de la zona (los peces emigraron a aguas más agradables) y causó lluvias torrenciales e inundaciones desde Ecuador hasta Chile, sequía en Australia y tifones en Tahití durante 1982 y 1983.

MEDICINA

Un corazón mecánico

11 El 2 de diciembre de 1982, en el Centro Médico de la Universidad de Utah en Salt Lake City, el cirujano William DeVries implantó por primera vez un corazón artificial permanente en un ser humano. Con anterioridad, el corazón Jarvik-7, diseñado por el bioingeniero de Utah Robert Jarvik, sólo se había implantado en ovejas y terneras.

El paciente era Barney Clark, un dentista retirado que sufría cardiomiopatía, un debilitamiento progresivo del músculo cardíaco, mortal a menos que se sustituyera su corazón. A la edad de 61 años, Clark sobrepasaba en once años la edad ideal para un trasplante de corazón. Sin embargo, demostró estabilidad psicológica y una fuerte voluntad de vivir, lo que convenció a DeVries de que era un buen candidato para probar el nuevo artilugio.

Tras una operación de siete horas y media (realizada por un equipo de 17 miembros), en principio Clark estuvo más sano que antes de la intervención. El corazón de plástico funcionaba bien pero pronto aparecieron complicaciones. La primera semana tuvo ataques cardíacos, molestias en los pulmones y en el riñón, posiblemente porque no había recibido sangre sana durante mucho tiempo. Pero fue capaz de pasear, unido por tubos a un carro cargado de 170 kg de maquinaria, y celebró la Navidad y su cumpleaños con la familia.

Clark sobrevivió 112 días. Una década más tarde, los descendientes del corazón de Jarvik todavía se usaban como «puente» para mantener vivos a los pacientes mientras esperaban un trasplante, pero aún no se ha construido un corazón artificial que pueda mantener la vida de forma indefinida. **◄1967.1**

El corazón artificial Jarvik-7. Los dos ventrículos están hechos de poliuretano.

La superestrella Michael Jackson en un concierto.

MÚSICA

El megaéxito de Michael Jackson

12 Con la presentación de *Thriller* en 1982, Michael Jackson se convirtió en una megaestrella *pop*. Del LP surgieron siete sencillos que estuvieron entre los diez primeros puestos de las listas. En 1984, con treinta millones de copias vendidas en todo el mundo, fue el disco más vendido de todos los tiempos. Los vídeos de promoción del álbum, sobre todo el del título, de 14 minutos, en el que Jackson se transforma en hombre lobo, aumentaron la popularidad de la MTV y convirtieron al cantante en uno de los rostros más famosos (y cambiantes) de su generación.

Jackson empezó a ser conocido en 1969, a los once años, como vocalista de los Jackson Five, un grupo de hermanos en edad escolar de Gary, Indiana, que alcanzaron la fama. A principios de los años setenta empezó su carrera en solitario y en 1979 dejó definitivamente a sus hermanos con *Off the wall*, un álbum de música disco que fue el LP más popular de *soul* (como se llamaba al *pop* negro en la época) durante dos años.

Para *Thriller*, Jackson creó un sonido más ecléctico (interpretando un dúo con Paul McCartney y un solo de guitarra de la estrella del *heavy-metal* Eddie Van Halen). Tanto la música como el misterio acrecentaron el atractivo de Jackson. Su pronunciación era agresiva, sus movimientos de pantera, y seguía siendo un niño eterno. Cantaba con suspiros de tenor, convirtió su casa en una Disneylandia y hablaba de sus animales exóticos como si fueran amigos. Vestía como un príncipe de cómic, con uniformes de lentejuelas y un solo guante, y con la ayuda de la cirugía estética su aspecto traspasó las fronteras del sexo y de la raza. Fue objeto de rumores sin fin. En 1993, a los 35 años, fue demandado por molestar a un niño de 13 años. El caso se arregló de modo privado. En 1994 las autoridades decidieron no procesarlo pero mantuvieron abierto el caso hasta que el estatuto de limitaciones finalizara. Mientras tanto, Jackson había dado el golpe de efecto más sensacional de su carrera: se casó con la princesa del *rock 'n' roll*, Lisa Marie Presley, la hija de Elvis Presley, de la que no tardaría en divorciarse. **◄1981.13**

DEPORTES

Tenista musculada

13 En 1982, la Asociación Femenina de Tenis nombró a Martina Navratilova la mejor tenista femenina del mundo, honor que recibiría durante un período dorado de cuatro años. Entre 1982 y 1986, Navratilova ganó doce torneos de Grand Slam y recopiló el récord de 427 victorias contra 14 derrotas.

El entrenamiento de Navratilova, consistente en hacer gimnasia, correr y una dieta especial, dotó a la tenista de una musculatura decisiva. (Su servicio alcanzaba una velocidad de 144 km/h.) En 1992 había ganado 158 campeonatos, más que cualquier otro jugador hombre o mujer, y había extendido su influencia más allá de las pistas como defensora de los deportes femeninos y de los derechos de homosexuales y lesbianas.

Hasta 1975 fue ciudadana checoslovaca y viajaba a Occidente para jugar contra tenistas tan importantes como Evonne Goolagong y Chris Evert. Tras liderar el equipo de su país en su primer campeonato de la Copa Federación en 1975, Navratilova, de 18 años, se negó a ser un peón de la guerra fría, y desertó a Estados Unidos. En 1986 volvió a Praga como capitana del equipo norteamericano para la misma copa. **◄1976.9**

Navratilova en 1982 en Wimbledon, torneo que ganaría en nueve ocasiones.

PREMIOS NOBEL: Paz: Alva Myrdal y Alfonso García Robles (sueca, mexicano; desarme) [...] Literatura: Gabriel García Márquez (colombiano; novelista) [...] Química: Aaron Klug (británico; estructura vírica) [...] Medicina: S. Bergström, B. Samuelsson y J. Vane (suecos y británico; próstata) [...] Física: Kenneth G. Wilson (estadounidense; transiciones físicas) [...] Economía: George J. Stigler (estadounidense).

Muerte de la musa de Dalí

1982

«Amo a Gala más que a mi madre, más que a mi padre, más que a Picasso e incluso más que al dinero». Estas palabras de Salvador Dalí resumen sus sentimientos hacia la mujer que fue compañera, amante, esposa y musa del artista durante cuarenta años. Dalí conoció a Gala, nacida en Kazan en el seno de una familia de la nobleza rusa, en 1929, cuando aún estaba casada con Paul Éluard, uno de los padres del surrealismo. Más tarde, en su Vida secreta, *el pintor recordaría la impresión que le produjo este encuentro: «Su cuerpo poseía una complexión infantil, sus omoplatos y sus músculos lumbares esa tensión un poco brusca de los adolescentes. En cambio su espalda era extremadamente femenina y unía grácilmente el torso enérgico y orgulloso a las preciosas nalgas que la cintura de avispa hacía aún más deseables». El verano del mismo año, Gala y Paul Éluard pasaron unos días en casa del pintor. Allí Gala y Dalí decidieron unirse y ya no se separarían en los cuarenta años siguientes. El propio pintor daría la clave de sus relaciones con Gala en el libro anteriormente mencionado: «Sería mi Gradiva ("la que avanza"), mi victoria, mi esposa. Pero para esto era necesario que ella me curase. Y me curó, gracias a la fuerza indomable e insondable de su amor, cuya profundidad mental y habilidad práctica superaban a los métodos psicoanalíticos más ambiciosos [...]. Me acercaba a la experiencia de mi vida, la experiencia del amor». En 1982 murió la musa y numen de Dalí, el pintor la sobreviviría siete años pero en 1983 pintó su última obra.*
▸**1989.10**

Leda atómica**, culminación de la «pintura nuclear o atómica» de Salvador Dalí.**

«Los sucesos del Líbano y Granada [...] están íntimamente relacionados. Moscú les ha suministrado apoyo directo a través de una red de terroristas.»—**Ronald Reagan, 27 de octubre de 1983**

HISTORIA DEL AÑO

Estados Unidos invade Granada

1 El primer experimento comunista caribeño fuera de Cuba finalizó de forma cruenta en 1983. La revolución de Granada había empezado cuatro años atrás, cuando el primer ministro Eric Gairy, corrupto, represivo y obsesionado con los platillos volantes, fue derrocado por un partido político armado llamado New Jewe Movement. En general, los granadinos recibieron bien al carismático Maurice Bishop, educado en Londres, como primer ministro. Se alegraron cuando el régimen (con la ayuda de Cuba, el bloque soviético y estados radicales árabes) emprendió un ambicioso programa de obras cuyo colofón lo constituía un aeropuerto moderno. Para alivio de los no marxistas, el NJM dejó en manos privadas la mayor parte de la economía. Muchos, sin embargo, se inquietaron ante la represión creciente y la incompetencia administrativa y financiera del gobierno.

Un infante de marina norteamericano en St. George, Granada, con un soldado granadino capturado.

En octubre de 1983, una lucha de poder entre Bishop y Bernard Coard, su antiguo viceprimer ministro, acabó con el derrocamiento y detención del primero. Unos diez mil granadinos se manifestaron a su favor. Liberado por la multitud, Bishop dirigió a sus partidarios en la toma de cuarteles del ejército. Decenas de ellos murieron, incluido Bishop, y la facción de Coard declaró la ley marcial.

El disturbio dio al presidente norteamericano Ronald Reagan una oportunidad de apuntarse un tanto en la guerra fría y de volver a establecer su prestigio militar tras las recientes humillaciones en Beirut (sólo dos días antes, 241 infantes de marina habían sido asesinados con un coche bomba en una instalación norteamericana). Reagan hacía tiempo que decía que el aeropuerto de Granada era para aviones de guerra soviéticos. Ahora, actuando en respuesta a la llamada de gobiernos caribeños conservadores y aludiendo al peligro que corrían los mil americanos de la isla, inició una invasión. Los seis mil soldados norteamericanos encontraron poca resistencia por parte de los mil quinientos hombres del ejército granadino o de los ochocientos ayudantes cubanos del NJM, la mayor parte de los cuales eran obreros de la construcción.

Aunque las bajas totales fueron escasas (58), la operación fue condenada como violación del derecho internacional pero bien recibida por la mayoría de granadinos, que en general pensaban que la revolución se había malogrado. En diciembre de 1984, las elecciones devolvieron el cargo de primer ministro a Herbert Blaize, que había sido jefe de gobierno en los años sesenta, cuando Granada todavía era una colonia británica. Las tropas de ocupación se marcharon poco después de que Blaize entrara en funciones. **◂1961.5 ▸1983.3**

FILIPINAS

Asesinado el peor enemigo de Marcos

2 Al regresar a las Filipinas en agosto de 1983, Benigno Aquino sabía que se arriesgaba a ser asesinado. El antiguo senador, liberal carismático procedente de una familia importante, fue el principal enemigo de Ferdinand Marcos, incluso antes de que éste declarara la ley marcial en 1972. Aquino, encarcelado con el resto de los líderes de la oposición, fue sentenciado a muerte por cargos inventados. Sin embargo, el dictador, para no convertirlo en un mártir, le permitió ir a Estados Unidos para operarse del corazón en 1980. Después de estudiar política en Harvard durante tres años, Aquino decidió arriesgarse. Sin escuchar el consejo de amigos y enemigos (incluso Marcos le advirtió que corría el riesgo de morir a manos de antiguos enemigos políticos), Aquino voló hacia Manila y fue asesinado segundos después de salir del avión.

Aunque los soldados asignados para la seguridad de Aquino mataron inmediatamente al presunto asesino, un delincuente de poca monta, y Marcos condenó el asesinato como «nefasto y ultrajante», la mayor parte de filipinos creían que altos mandos del ejército y dirigentes civiles eran los responsables. Desde mediados de los años setenta, el desencanto con el régimen aumentaba a causa no sólo de la represión sino de las consecuencias económicas de la corrupción, la mala administración, la creciente deuda exterior y la reducción de los precios de las exportaciones del país. Las elecciones parlamentarias amañadas de 1978 aumentaron aún más el descontento. Cuando Marcos levantó la ley marcial en 1981, conservando poderes dictatoriales, incluso numerosos filipinos de clase alta se habían unido a la oposición.

Aquino (*centro*) y su asesino, muertos en el aeropuerto de Manila.

El asesinato de Aquino eliminó a un enemigo tanto de la dictadura como a la revolución comunista. Pero su muerte ayudaría al triunfo de sus sueños de democracia. **◂1973.10 ▸1986.3**

ORIENTE MEDIO

Tragedia en el Líbano

3 En 1983, la invasión israelita del Líbano expulsó a la OLP de Beirut. No obstante, la misión no había conseguido expulsar del valle de Bekaa a los guerrilleros palestinos y, a medida que avanzaba el año, sus repercusiones eran más desastrosas. En febrero se acusó el primer golpe cuando una comisión judicial israelita atribuyó «responsabilidad indirecta» de las recientes masacres de palestinos refugiados en los campos de Sabra y Shatila al ministro de defensa Ariel Sharon, que fue forzado a dimitir. Dos meses después, un camión-bomba colocado por la organización Jihad Islámica, apoyada por Irán, destruyó la embajada de Estados Unidos en Beirut, y causó la muerte a 40 personas. Entre los norteamericanos asesinados (17) se encontraban el máximo analista de Oriente Medio de la CIA y su jefe de Beirut.

Infantes de marina de Estados Unidos excavan entre los escombros de los cuarteles bombardeados.

La bomba hizo que el secretario de Estado, George Shultz, se trasladara a Beirut, donde medió un pacto que concedía a Israel una zona de seguridad en el sur del Líbano a cambio de su promesa de retirarse. Aunque la OLP y Siria (que ya contaban con cuarenta mil soldados en el Líbano) rechazaron el acuerdo, la presión pública obligó a las fuerzas israelitas a iniciar la retirada en septiembre. Deprimido y enfermo, el primer ministro israelita Menachem Begin dimitió. Su sucesor fue el igualmente militarista Yitzhak Shamir.

La retirada de Israel dejó una fuerza pacificadora internacional peligrosamente vulnerable de cinco mil hombres en Beirut. Los milicianos drusos apoyados por Siria empezaron a bombardear a los mil quinientos infantes de marina y, a su vez, fueron atacados por barcos de guerra de Estados Unidos. Los norteamericanos temían que el Líbano se convirtiera en otro Vietnam. En octubre, camiones-bomba de musulmanes

ARTE Y CULTURA: **Libros:** ***Mazurca para dos muertos*** **(C. J. Cela);** ***Stanley y las mujeres*** **(Kingsley Amis);** ***The Anathomy lesson*** **(Philip Roth) [...] Música: «Beat it» (Michael Jackson); «Every breath you take» (The Police);** ***Strand settings: darker*** **(Mel Powell) [...] Cine:** ***La fuerza del cariño*** **(James L. Brooks);** ***Fanny y Alexander*** **(Ingmar Bergman);** ***El rey de la comedia*** **(Martin Scorsese);** ***Yentl*** **(Barbra Streisand) [...]**

«La crisis ecológica es la expresión final del fracaso de la industrialización del mundo, con la bomba como punta del iceberg.»—**Rudolf Bahro, miembro del Partido Verde de Alemania occidental**

fundamentalistas se lanzaron contra cuarteles norteamericanos y franceses a la vez. Murieron 58 franceses y 241 norteamericanos.

En nombre de la dignidad, la misión pacificadora esperó hasta febrero de 1984 para marcharse. En marzo, el presidente sirio, Hafez al-Assad, convenció al presidente libanés, Amin Gemayel, de que rescindiera su pacto con Israel. La retirada gradual de Israel continuó y, a mediados de 1985, la mayoría de los soldados se habían marchado. Las facciones armadas del Líbano luchaban entre sí. **◂1982.2 ▸1989.6**

En 1993, marinos rusos abrieron las tumbas de las víctimas del KAL 007 para devolver los restos mortales a sus parientes.

LA GUERRA FRÍA

Un misil destruye el vuelo 007

4 En un viaje de rutina de Nueva York a Seúl, el vuelo 007 de Korean Air Lines (las líneas aéreas de Corea), hizo escala en Anchorage, Alaska, la mañana del 31 de agosto de 1983. Una hora y media más tarde, el Boeing 747 despegó para su último tramo de viaje con 269 personas a bordo. Cinco horas después de haber despegado de Anchorage, un caza soviético lo derribó sobre la isla Sakhalin, una zona militar soviética. Todos murieron, incluido el congresista norteamericano Larry McDonald. Esto es lo único claro del fatal vuelo.

El presidente Reagan expresó inmediatamente su condena por «el asesinato de civiles inocentes». Pero como estos civiles se habían adentrado en el espacio aéreo restringido de la Unión Soviética, en una zona del mundo sometida a una vigilancia continua por Estados Unidos y Japón, nunca tuvo una explicación satisfactoria. Tampoco la brutal acción soviética. Al principio, los dirigentes soviéticos negaron cualquier conocimiento sobre el ataque. Luego afirmaron que habían intentado establecer contacto por radio con el KAL 007 antes de abrir fuego. (Esta declaración fue refutada en 1992 cuando los soviéticos entregaron la «caja negra», que anteriormente negaron haber recuperado. Las grabaciones soviéticas, sin embargo, indicaron que los responsables no se dieron cuenta de que era un vuelo de pasajeros.) Finalmente defendieron su derecho de atacar a cualquier intruso. No pidieron disculpas.

El vuelo 007 había seguido una ruta no autorizada que sobrevoló la península de Kamchatka (otra zona militar), el mar de Okhotsk (donde se encontraba la flota soviética del Lejano Oriente) y finalmente la isla de Sakhalin. Dada la importancia estratégica de la ruta, el informe poco claro del servicio de inteligencia de Estados Unidos y la ausencia de una explicación concluyente, algunos sospecharon que el avión realizaba una misión de espionaje. Al final, la verdad del KAL 007 se redujo a un duro hecho: que 269 personas habían muerto en el cielo. **◂1960.5 ▸1985.1**

ALEMANIA OCCIDENTAL

Los Verdes en el parlamento

5 Uno de los aspectos indeseados de la producción militar de Reagan fue la entrada en el Parlamento alemán de un partido político «antipartido», ecologista y feminista: Die Grünen (los Verdes). Tras obtener el 5,6 % de los votos en las elecciones de marzo de 1983, los Verdes entraron resueltamente en el parlamento, tocando tambores africanos y con plantas para acceder a sus 27 escaños. Su entrada restó atención a la toma de posesión del nuevo canciller, el cristiano demócrata conservador Helmut Kohl.

Los Verdes nacieron en 1979, el año en que la OTAN votó desplegar Pershing 2 de medio alcance y misiles-crucero en Europa (para contrarrestar a los SS-20 soviéticos que apuntaban a Occidente). El gran auge llegó en 1981, cuando el nuevo presidente de Estados Unidos anunció que empezaría a construir bombas de neutrones. Millones de europeos, que temían que Washington librara una guerra nuclear en Europa, celebraron manifestaciones organizadas por grupos como las Mujeres por la Paz de Dinamarca, la Campaña para el Desarme Nuclear de Gran Bretaña y el movimiento católico internacional con sede en Bélgica, Pax Christi. En Alemania occidental, unas doscientas cincuenta organizaciones locales se aliaron para formar los Verdes. El partido pronto empezó a ganar elecciones locales.

Cuatro años después de entrar en el parlamento, los Verdes aumentaron su porcentaje de votos en un 8,3 %. Por entonces habían aparecido partidos similares por toda Europa, pero la anárquica organización se vio debilitada por la falta voluntaria de liderazgo, a pesar de la importancia de Petra Kelly, cofundadora del partido e hijastra de un oficial del ejército norteamericano, y por las divisiones entre las facciones Realos, pragmática, y Fundi, radical. La oposición de los Verdes a la reunificación alemana (a menos que ambas Alemanias adoptaran su política) también resultó perjudicial. En 1990 perdieron todos sus escaños. Kelly murió dos años después cuando su amante, un general retirado de Alemania occidental, la mató y luego se suicidó. **◂1977.3 ▸1986.9**

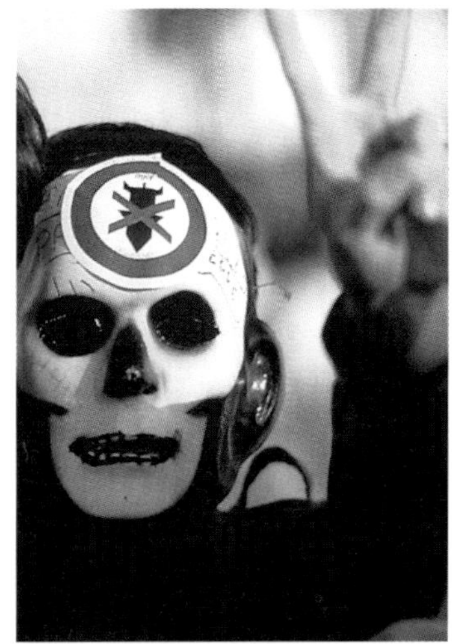

Los grupos europeos antinucleares dieron paso a «antipartidos» políticos como los Verdes. Aquí, un manifestante antinuclear en París.

MUERTES

Raymond Aron, sociólogo francés.

George Balanchine, coreógrafo y bailarín soviético-estadounidense.

José Bergamín, escritor español.

Georges Bidault, líder político francés.

Luis Buñuel, director cinematográfico español.

George Cukor, director cinematográfico estadounidense.

Jack Dempsey, boxeador estadounidense.

Louis de Funes, actor francés.

Ira Gershwin, letrista estadounidense.

Herge, dibujante belga.

Humberto II, rey de Italia.

Arthur Koestler, escritor húngaro-estadounidense.

Leopoldo III, rey de Bélgica.

Joan Miró, pintor español.

David Niven, actor anglo-estadounidense.

Nikolay Podgorny, político soviético.

Charlie Rivel, payaso español.

Mercé Rodoreda, escritora española.

Tino Rossi, cantante francés.

Gloria Swanson, actriz estadounidense.

Tennessee Williams, dramaturgo estadounidense.

Xavier Zubiri, filósofo español.

Teatro: ***'night, Mother*** **(Marsha Norman);** ***Fool for love*** **(Sam Shepard);** ***Painting churches*** **(Tina Howe);** ***Brighton Beach memoirs*** **(Neil Simon);** ***La cage aux folles*** **(Jerry Herman) [...] T.V.:** ***The Thorn Birds.***

«No me preocupa que sean reales o falsos. Son tan aburridos, tan insensatos, que no hay ninguna diferencia.»—**Hans Bloom, de los archivos federales alemanes, sobre los diarios de Hitler**

NOVEDADES DE 1983

Ratón para ordenadores (Apple).

Disco compacto.

Día festivo en conmemoración de Martin Luther King.

EN EL MUNDO

▶RÉCORD DE GOLES—El equipo español de fútbol jugó el 21 de diciembre un partido clasificatorio para el Campeonato Europeo de Selecciones Nacionales en el estadio Sánchez Pizjuan de Sevilla. Aunque el rival era inferior (se trataba del equipo de Malta, una selección semiprofesional), el compromiso parecía insalvable para los españoles. Para clasificarse necesitaban ganar por once goles de diferencia a sus oponentes. El resultado final fue de 12 a 1 a favor de la selección española.

▶UNA NACIÓN EN PELIGRO—La comisión nacional de educación estadounidense publicó «Una nación en peligro», un informe sobre el estado de la educación norteamericana. La comisión advirtió de «una fuerte tendencia hacia la mediocridad» y recomendó nuevos programas para la enseñanza media que proponían más ciencias y humanidades, la mejora de los sueldos de los profesores, un año escolar más y «muchos más deberes».

▶LA MUERTE DE UN PAYASO—El 28 de julio de 1983 falleció uno de los payasos más famosos de todos los tiempos. Charlie Rivel, que a su muerte contaba 87 años de edad,

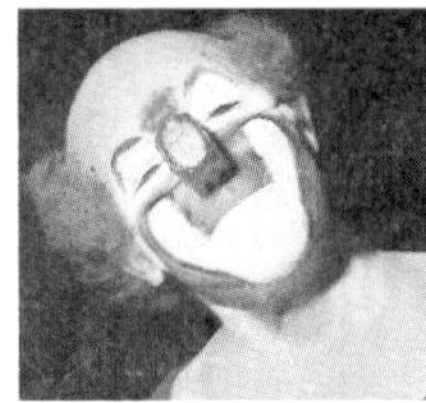

CULTURA POPULAR

El fraude de los diarios de Hitler

6 El semanario de Alemania occidental *Stern* inició uno de los episodios más sonados del periodismo moderno en 1983 cuando, con titulares sensacionalistas y una conferencia de prensa de tres horas, anunció el descubrimiento de los diarios secretos de Adolf Hitler. Gerd Heidemann, un veterano periodista de la revista, declaró que había encontrado el manuscrito de 62 volúmenes tras una investigación de cuatro años por todo el mundo. Supuestamente rescatados de un avión nazi derribado en 1945, los diarios (que describían al *Führer* como pacifista y amistoso con los judíos) se habían trasladado de Alemania oriental a una cámara acorazada de un banco suizo. Para proteger las vidas de sus fuentes, Heidemann no dio más datos. Los periódicos europeos pagaron a *Stern* más de tres millones de dólares por los derechos de publicación y la noticia apareció en la primera página de los diarios de todo el mundo.

Sin embargo, ya en la conferencia de prensa hubo disturbios: un biógrafo de Hitler fue expulsado por los guardias de seguridad cuando gritó que los diarios eran falsos, y el respetado historiador Hugh Trevor-Roper, que anteriormente los había dado por auténticos, empezó a retractarse. Expertos de todo el mundo tomaron partido. Empezaron a correr rumores sobre las simpatías nazis de Heidemann. Ante la insistencia de los periodistas de *Stern*, la dirección envió muestras a los archivos federales pero el jefe de redacción, Peter Koch, comentó por la televisión norteamericana que sólo expertos incompetentes o editores celosos podían dudar de la autenticidad de los diarios.

Al día siguiente de la aparición de la primera entrega en *Stern*, los archivos dieron su veredicto: una falsedad «grotesca». La escritura era incorrecta; los diarios contenían poliéster, un producto posterior a la guerra, y el texto estaba plagiado de un libro escrito en 1962. Tras largas evasivas, Heidermann admitió que había comprado los diarios (con cuatro millones de dólares de *Stern*) a un comerciante de memorias nazis aficionado a la caligrafía. El comerciante confesó y fue a la cárcel, Koch y otro editor dimitieron y varias publicaciones prestigiosas quedaron en ridículo.

Visión de un dibujante alemán de la vida cotidiana de Hitler. En la última viñeta el *Führer* señala el logotipo de *Stern*, aconsejando a los lectores que compren la revista.

ESTADOS UNIDOS

Nuevos males urbanos

7 A la vez que la primera dama Nancy Reagan animaba a la juventud americana a decir «no» a las drogas en 1983, uno de los tóxicos más adictivos y destructivos se presentaba en las calles. El crack, fumable como la cocaína, era fabricado por traficantes de drogas de las Bahamas (pero podía fabricarse fácilmente en cualquier cocina). La adicción al crack extendió una plaga terrible y duradera sobre las ciudades de Estados Unidos.

El crack, barato, fuerte y muy adictivo, constituía el mejor agente de destrucción posible. Mientras que para contraer la adicción a la cocaína tenían que pasar semanas y era muy cara, la adicción al crack se adquiría en días. A diferencia de la heroína, a menudo convertía en agresivos y paranoicos a sus consumidores. Además, el tráfico de crack estaba dominado por bandas de adolescentes armados. Jóvenes atrevidos abandonaron la legalidad para ganar dinero y se convirtieron en magnates locales de la droga. Sus clientes a menudo estaban abocados al robo y a la prostitución y mucha gente de ambas partes del negocio moría mientras las bandas rivales convertían los barrios en zonas de guerra. La ciudad de Nueva York pasó de tener diez mil presos en 1986 a dieciocho mil en 1988; el abuso de menores provocado por las drogas se triplicó y el índice de muertes creció en un 10 %. En todo el país la incidencia de la violencia se incrementó en un 33 % durante la década.

Una persona sin hogar rebusca en una papelera de un parque de Washington.

El crack agravó el problema de las personas sin hogar, los adictos a menudo acababan en la calle, y la gente de la calle con frecuencia caía en las drogas. Pero el problema social de la gente sin hogar trascendía el abuso de sustancias tóxicas (incluso el alcoholismo). Una tendencia nacional hacia la «desinstitucionalización» provocó que veintenas de hospitales psiquiátricos estatales redujeran de forma drástica el número de camas o que fueran clausurados. Miles de pacientes con enfermedades mentales, buena parte de los cuales no estaban preparados para vivir por su cuenta, salieron a la calle. La escasez de viviendas asequibles en las ciudades de todo el país junto a los recortes en los programas sociales que se establecieron en la época de Lyndon Johnson desplazaron a familias enteras y las dejaron sin «red de seguridad». Además, mientras el sector industrial daba paso a una economía basada en los servicios, el paro o el salario mínimo se convirtieron en condiciones crónicas de muchos trabajadores que

DEPORTES: Fútbol: el Atlétic de Bilbao gana la liga española [...] Atletismo: los atletas españoles Josep Marín y Jordi Llopart ganan los campeonatos del mundo de marcha de 20 km y 50 km, respectivamente.

«No importa que el gato sea blanco o sea negro. Lo importante es que cace ratones.»—**Felipe González**

antes tenían trabajos bien pagados en las fábricas. A finales de la década, la pobreza y la delincuencia habían alcanzado unos porcentajes enormes en uno de los países más ricos del mundo. **◂1965.NM**

ESPAÑA

Un año de gobierno socialista

8 Las elecciones celebradas en octubre de 1982 dieron el triunfo a los socialistas por un amplio margen. En el Congreso de los Diputados la victoria quedó reflejada por la amplia mayoría obtenida frente a sus adversarios: los 202 escaños socialistas casi doblaban a los obtenidos por el partido de la oposición de derechas, Alianza Popular, que sólo se atribuyó 106. Más contundente aún resultaba la victoria socialista frente a un partido comunista que, con sólo cinco escaños, fracasaba como alternativa a la izquierda del PSOE. Además, la magnitud del triunfo socialista se apoyaba en el entusiasmo popular que veía en la instauración de un gobierno de izquierdas la garantía de que la democracia se había consolidado en España, más todavía tras el fracaso del golpe del 23 F. En diciembre de 1982, el líder del PSOE Felipe González fue investido como presidente del gobierno. Un año después, el balance que podía presentar el ejecutivo socialista confirmaba en parte las esperanzas que muchos españoles habían depositado en él. Una serie de medidas progresistas, como la despenalización del aborto, la limitación de los programas religiosos que monopolizaban la televisión pública durante la Semana de Pascua y sobre todo la expropiación de RUMASA, un *holding* cuyas prácticas fraudulentas encubrían un agujero financiero de más de 257.000 millones de pesetas, contaron no sólo con la aprobación popular sino también con el apoyo de importantes sectores de la banca y del empresariado. En contrapartida, la política económica dirigida por Miguel Boyer no resultaba demasiado grata para los sindicatos, y el progresivo cambio de orientación con respecto a la participación de España en la OTAN (a la que se había opuesto Felipe González cuando estaba en la oposición) suscitaba el temor de los antiatlantistas que celebraron manifestaciones masivas en Madrid y otras capitales españolas.

Las relaciones con Cataluña y el País Vasco, las «autonomías históricas», resultaron conflictivas. Jordi Pujol, el presidente de la Generalitat catalana, salpicado por el escándalo de la quiebra financiera de Banca Catalana, de la que sería exculpado judicialmente años después, fue blanco de los sarcasmos por parte del gobierno socialista. La LOAPA, una ley aprobada por socialistas y centristas en la legislatura anterior que recortaba atribuciones de los gobiernos autónomos, sólo quedó frenada en su aplicación por una sentencia del tribunal constitucional que, al declararla de rango inferior a los estatutos de autonomía, la dejaba sin sentido. En la lucha antiterrorista en el País Vasco, el cambio de gobierno no aportó ninguna modificación sustancial, aunque el año 1985 PSOE y PNV firmarían un pacto de legislatura. Sin embargo al final del primer año de la «era González», a pesar del mantenimiento de muchos problemas antiguos y de la aparición de tendencias que marcarían los conflictos del futuro, las puertas a la esperanza quedaban abiertas y el balance podía considerarse positivo. **◂1977.13**

Los nuevos ministros juran sus cargos ante el rey Juan Carlos.

DIPLOMACIA

Adieu, UNESCO

9 Dos de las principales ideas políticas de Reagan (recortar el gasto social y reafirmar la autoridad de Estados Unidos en el rebelde Tercer Mundo) se hicieron realidad a la vez en diciembre de 1983, cuando el presidente anunció su intención de retirar a Estados Unidos de la Organización Cultural, Científica y Educativa de las Naciones Unidas. La UNESCO era una de las agencias más amplias de la ONU y la única organización mundial que promovía proyectos intergubernamentales de ciencia, cultura y educación. No obstante, para Reagan sus «políticas equivocadas, programas tendenciosos y mala administración del presupuesto» eran motivos de divorcio.

Fundada en 1946 para fomentar «la búsqueda libre de la verdad objetiva» y «el intercambio de ideas y conocimientos», la UNESCO empezó como una pequeña organización de hegemonía occidental. Con los años se expandió, incluyó a docenas de países recién descolonizados y empezó a dedicarse a temas como los derechos humanos y el desarme nuclear, cuestiones por las que los miembros occidentales y los del Tercer Mundo discutirían. Quizá lo que más disgustó a Washington fue la hostilidad de la UNESCO hacia Israel y su apoyo a «una nueva clase de información mundial» que pretendía mejorar la información en los países en vías de desarrollo imponiendo algunas restricciones a los periodistas.

Dirigentes norteamericanos lamentaron que la organización «politizara casi todos los temas». En realidad, la UNESCO siempre había sido una organización política, pero su política ya no era la norteamericana. **◂1946.2**

Aludiendo a «la hostilidad endémica hacia las instituciones de una sociedad libre», Estados Unidos dejó la UNESCO.

protagonizó en su juventud una anécdota sorprendente. Admirador de Charlot, el personaje creado por Charles Chaplin, se presentó a un concurso de imitadores del vagabundo del bastón y del bombín. Rivel ganó el concurso, derrotando al propio Chaplin, que se había presentado de incógnito y sólo pudo quedar tercero.

▶REGRESO DE VANITY—Con la edición de marzo, gruesa, elegante, de tono culto y, según la crítica, confusa y contradictoria, la revista *Vanity Fair* resucitó tras 46 años de silencio. Desde 1914 hasta que quebró en 1936, *Vanity Fair* fue un compendio de ingenio y estilo de la era del *jazz* que llegó a tener cien mil lectores mensuales. Recuperada por publicaciones Condé Nast por más de diez millones de dólares, la nueva revista obtuvo casi inmediatamente seiscientos mil suscriptores. Aun así, se sumió en una crisis de identidad de once

meses antes de que los editores la confiaran a la joven británica Tina Brown, que la convirtió en una guía de las tendencias de los años ochenta, en una mezcla de culto a la fama, carisma y elegancia de alta rentabilidad.

▶CRAXI EN FUNCIONES—En abril, Bettino Craxi, presidente del Partido Socialista italiano, se retiró del gobierno de coalición de mayoría demócrata cristiana, y precipitó su caída. Se celebraron elecciones generales y Craxi formó un nuevo gobierno de coalición. De este modo se convirtió en primer ministro, el primero socialista en Italia. Craxi, un reformista, distanció a su partido de los comunistas, apoyó la política exterior norteamericana, puso en vigor una política monetaria antiinflacionista y abolió el catolicismo como religión oficial. ◂1976.14

«Fui al cine y vi un perro de nueve metros de altura. Y este perro estaba hecho de luz.»—**Laurie Anderson, en *United States, Parts I-IV***

▶GOBIERNO CIVIL EN ARGENTINA—Tras ocho años de régimen militar durante los cuales el gobierno mató a miles de ciudadanos disidentes, Argentina invistió a un presidente civil. El moderado Raúl Alfonsín fue elegido en octubre después de que el régimen militar cayera a consecuencia de la guerra de las Malvinas. Alfonsín se centró en procesar a dirigentes militares por violación de los derechos humanos y en recortar la enorme deuda exterior argentina. ◂1982.1 ▸1989.8

▶CHIPRE DIVIDIDO—En 1983, los chipriotas turcos se declararon independientes del resto de Chipre. La isla mediterránea estaba dividida en una zona griega y otra turca desde 1974. Los chipriotas griegos se establecieron en el sur y los turcos en el norte. La recién proclamada República de Chipre del Norte sólo fue reconocida por Turquía. ◂1974.5

▶NUEVA CONSTITUCIÓN, VIEJA HISTORIA—Sudáfrica adoptó una nueva constitución que concedía una representación limitada a los «mestizos», personas de ascendencia mixta, y a los indios pero no a los negros. Todo el poder real residía todavía en el Partido Nacional del presidente P. W. Botha,

defensor del segregacionismo. La «reforma» provocó la reacción más violenta contra el segregacionismo en una generación. ◂1976.4 ▸1984.8

TEATRO

Los astutos vendedores de Mamet

10 David Mamet ganó el premio Pulitzer de 1983 con *Glengarry Glen Ross*, pieza teatral sobre un grupo de vendedores poco honrados y competitivos que constituye un drama compulsivo sobre el lado sórdido de los negocios. Las palabras violentas y cortantes de los vendedores eran crudamente realistas y, a la vez, rituales y conjuradoras. Los personajes de la obra, masculinos, emplean el lenguaje como un arma mágica: para superar a la competencia, para vengarse de un sistema que les ha hecho perder la dignidad y para demostrarse a sí mismos que están vivos. La obra fue comparada con *Muerte de un viajante* pero, a diferencia del clásico de Arthur Miller, *Glengarry Glen Ross* carecía de sermones. Desprovista de sentimientos, mezclando cadencias del lenguaje corriente con un estilo altamente literario, la obra de Mamet estaba más cerca de la tradición de Harold Pinter o Samuel Beckett.

El National Theatre de Londres produjo *Glengarry Glen Ross (superior)* antes de que se estrenara en Nueva York.

Mamet, natural de Chicago, se había hecho un nombre como dramaturgo entre un público reducido mientras trabajaba como taxista, cocinero y vendedor de terrenos «sin valor». (Su forma agresiva de hablar, sus chaquetas de cuero y sus puros también le convirtieron en una leyenda local.) En 1974, a los 27 años, su obra *Sexual Perversity in Chicago* fue representada fuera de Broadway y al año siguiente, *American Buffalo*, una historia de estafadores de poca monta, se estrenó en Broadway.

Glengarry Glen Ross le convirtió en uno de los mejores dramaturgos norteamericanos en activo. Pronto empezó a escribir para Hollywood y con *House of Games* (1987) empezó su carrera como director. Mamet escribió el guión para la versión cinematográfica de *Glengarry Glen Ross* en 1992, muy elogiada por la crítica. ◂1962.10

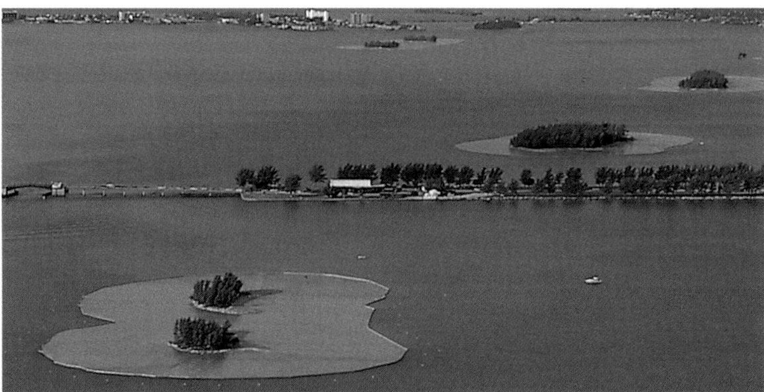

Un nativo calificó a las *Surrounded islands* como «manchas de aceite». A otros les entusiasmó.

ARTE

Christo envuelve

11 En 1983, un artista con un sólo nombre y un método monomaniático finalizó su obra más ambiciosa hasta la fecha: rodear once islotes de la bahía de Biscayne de Miami con telas de color rosa fosforescente. Christo (Christo Vladimirov Javacheff), emigrado búlgaro nacido en 1935, describió a las *Surrounded islands* como su «versión de los *Nenúfares* de Monet». Sin embargo para muchos habitantes de Miami constituían simplemente una monstruosidad de tres millones y medio de dólares. Como todo el arte de Christo, era temporal: tras dos semanas desmanteló la obra con sus ayudantes. Los formidables proyectos de Christo siempre captaban la atención de los medios de comunicación y provocaban reacciones variadas. Anteriormente había envuelto un museo suizo, colgado una enorme cortina en un valle de Colorado y colocado una valla de tela de unos 38 km a lo largo de cultivos californianos hasta el Pacífico. Sus admiradores alababan el misterio que sus esculturas daban a paisajes corrientes y su forma de mezclar la monumentalidad y lo efímero. Sus detractores le despreciaban como «un error escultural» y decían que dañaba el medio ambiente.

A pesar de planearlos como una campaña militar, sus proyectos estuvieron sometidos a fuerzas imprevistas, a veces trágicas. En 1991, una obra compuesta por miles de paraguas de más de 200 kg de peso fue la causa de la muerte de dos personas.

ARTE

El ascenso del *avant-pop*

12 Al igual que la escultura de Christo, la «performance» era una forma artística híbrida que se desarrolló en el clima artístico emprendedor de los años ochenta. La forma, una mezcla de teatro, música, escultura y cualquier otra cosa que eligieran sus representantes, procedía del dadaísmo de los años veinte y de los *happenings* de los sesenta y heredó la fuerza de provocación de tales géneros. En 1983, la artista Laurie Anderson se jugó su fama recién adquirida en el estreno de su gran obra vanguardista, *United States, Parts I-IV,* en la prestigiosa Academia de Música de Brooklyn.

La obra duraba seis horas y se representó en dos noches. Era una meditación profunda sobre la vida del siglo XX y contenía monólogos aforísticos, pronunciados a través de aparatos que le permitían utilizar varias voces, vídeos, dibujos animados, diapositivas e instrumentos musicales, desde una gaita hasta un violín.

El discurso de Anderson resultaba más alusivo que incisivo, y su música carecía de la sofisticación de sus modelos minimalistas. Pero las intuiciones y sonidos se mezclaban con fuerza. La crítica dijo que era una «Casandra electrónica que indicaba el camino hacia la ópera del futuro». ◂1976.10

Laurie Anderson voló a la cabeza de la cultura *pop.*

PREMIOS NOBEL: Paz: Lech Walesa (polaco; Solidaridad) [...] Literatura: William Golding (británico; novelista) [...] Química: Henry Taube (estadounidense; transferencia de electrones) [...] Medicina: Barbara McClintock (estadounidense; genética) [...] Física: Subrahmanyan Chandrasekhar y William A. Fowler (estadounidenses; evolución de las estrellas) [...] Economía: Gerard Debreu (estadounidense).

Volver a empezar

Película ganadora de un Óscar

En 1983 la película Volver a empezar, *protagonizada por Encarna Paso y Antonio Ferrandis y dirigida por José Luis Garci, ganó el Óscar a la mejor película de habla no inglesa. Era la primera vez que una película española obtenía tal honor y, a pesar de que no tuvo mucho éxito de público, el galardón la convirtió en un clásico.*

Óscar para Garci

El director de cine José Luis Garci obtiene el Óscar de Hollywood a la mejor película en lengua no inglesa por *Volver a empezar*, la primera vez que la famosa estatuilla se otorgaba a un filme español. El hecho de que el preciado galardón cayera en un melodrama sobre la tercera edad, muy distinto de lo que se consideraba cine de calidad, levantó una considerable polémica. Sin embargo, *Volver a empezar*, que había tenido una escasa aceptación comercial en las salas, se convirtió, por obra y gracia de Hollywood, en un clásico. En la fotografía, Garci, acompañado por los dos actores protagonistas de la película, Encarna Paso y Antonio Ferrandis, con la estatuilla en la mano.

Garci, acompañado por Encarna Paso y Antonio Ferrandis.

«Pensaba que había visto de todo, pero esto es peor que la guerra.»—**A. B. Bhosale, soldado indio de Bhopal, India**

HISTORIA DEL AÑO

La fuga más mortífera

1 Tras la medianoche del 3 de diciembre de 1984, tuvo lugar una fuga de gas venenoso en una planta química de pesticidas de Bhopal, India, perteneciente a la compañía norteamericana Unión Carbide. A medida que la nube venenosa envolvía la ciudad, cientos de víctimas se asfixiaban en la cama y otras huían con los ojos quemados por el gas, similar a un potente gas lacrimógeno.

Muchas de las víctimas de Bhopal recibieron una atención médica rudimentaria y quedaron lisiadas permanentemente.

Durante los días siguientes murieron otros miles con los pulmones envenenados. Un superviviente que había visto animales muertos en un campo dijo: «Pensé que era la peste». Al cabo de una semana, el accidente se había convertido en el peor desastre industrial de la historia. Unas dos mil personas habían fallecido y otras dos mil iban a morir. Dos mil más estaban enfermas o lesionadas, con problemas en los ojos, los pulmones, los riñones y el hígado.

Mientras la India luchaba por hacer frente a la desgracia, la Unión Carbide se enfrentaba a todo tipo de críticas. Los empleados afirmaban que la compañía había reducido las medidas de seguridad, corriendo riesgos que en Estados Unidos hubieran sido ilegales. A pesar de las negativas de la dirección, los informes demostraron que habían sucedido muchos accidentes en la fábrica y que las instalaciones carecían de los sistemas de seguridad presentes en una planta similar de Virginia. El presidente Warren Anderson viajó a la India para supervisar los daños y fue detenido por «negligencia y responsabilidad criminal» (tras unas largas negociaciones, fue puesto en libertad bajo fianza). Una brigada de abogados indios y norteamericanos litigaron y pidieron hasta quince mil millones de dólares de indemnización para las víctimas. Un representante de la Unión Carbide declaró: «Cuando pasa algo así, gente de todas partes empieza a ver posibilidades de dinero.»

En todo el mundo, el desastre de Bhopal se consideró como el ejemplo de uno de los principales dilemas del mundo moderno: la tecnología, creada para mejorar la vida en la Tierra, también la ponía en peligro. Finalmente la Unión Carbide fijó todas las demandas en 470 millones de dólares, unos ciento cincuenta mil dólares por cada muerto de Bhopal. **◂1973.7 ▸1986.1**

INDIA

Asesinato de Indira Ghandi

2 Indira Gandhi dominó la política india durante casi dos décadas y mantuvo la unidad de la democracia más poblada del mundo. Cuando el 31 de octubre de 1983 recibió varios disparos de dos miembros de su propio cuerpo de seguridad, el país, fraccionado étnica y religiosamente, amenazó con desmembrarse.

Aunque no fue tan querida como su padre, Jawaharlal Nehru, fundador de la India moderna, se había ganado el sobrenombre de «madre de la India», tanto por su actitud autocrática como por sus luchas contra enemigos extranjeros y contra las divisiones internas. Derrotó definitivamente a Pakistán en la guerra de 1971 y defendió la unidad india contra amenazas como el separatismo sij en el estado de Punjab y el descontento musulmán en Cachemira. Al final se vio sumida en las disensiones internas contra las que había luchado (e instigado de modo inconsciente con medidas represivas). Su muerte era una venganza por la represión de los separatistas sijs en junio, cuando envió al ejército indio al templo de oro de Amritsar, Punjab, el santuario más sagrado de los sijs y el cuartel general de un movimiento terrorista en ciernes. Más de cuatrocientos sijs murieron en Amritsar, que también había sido el marco de una masacre de indios a manos de soldados británicos.

El asesinato de Gandhi provocó disturbios violentos. Hindúes

Rajiv *(segundo por la izquierda)* contempla la pira fúnebre de Indira Gandhi.

ofendidos atacaron a los sijs: golpearon y quemaron a familias inocentes. La semana siguiente al asesinato mataron a más de cinco mil personas en Delhi y a miles más por todo el país.

La difícil tarea de restablecer el orden recayó en Rajiv Gandhi, el primogénito de Indira, que se había convertido en el heredero tras la muerte de su hermano menor, Sanjai, en un accidente de avión (tragedia de la que su madre no se recuperó plenamente). Elegido presidente del Partido del Congreso, Rajiv se convirtió en primer ministro en diciembre, perpetuando la dinastía Nehru-Gandhi (que había gobernado desde la independencia de la India en 1947 a excepción de cinco años). «No sólo era mi madre sino la de toda la nación», declaró Rajiv defendiendo la paz. Pero la paz era difícil de conseguir y Rajiv también murió de forma violenta en 1991. **◂1966.7 ▸1991.NM**

NICARAGUA

Estados Unidos mina los puertos

3 La última acción de la intervención norteamericana no sorprendió a los nicaragüenses, su país había sufrido tres invasiones de Estados Unidos durante el siglo XX, pero los propios norteamericanos expresaron su condena cuando la CIA minó los puertos de Nicaragua en abril de 1984. La acción no sólo violaba el derecho internacional sino que también malgastaba el dinero de los impuestos durante una crisis presupuestaria. El congreso respondió con la cancelación de la ayuda a los contras, los guerrilleros contrarrevolucionarios que, desde 1981, habían recibido el apoyo encubierto (pero conocido) de la administración Reagan en su guerra contra el gobierno sandinista de izquierdas.

Los sandinistas accedieron al poder en 1979, y expulsaron al dictador Anastasio Somoza Debayle. Al principio, el nuevo régimen, oficialmente neutral, que había iniciado campañas de alfabetización y sanidad pública, fue menos represivo que algunos de sus predecesores y dejó en manos privadas la mayor parte de las propiedades; disfrutó además de buenas relaciones con Washington. Ante la presión del presidente Carter, el congreso aprobó ayudas por valor de setenta y cinco millones de dólares en 1980. (Europa occidental también suministró ayudas.) Pero Somoza había dejado una deuda de mil quinientos millones de dólares y la guerra civil había dejado sin hogar a una quinta parte de la población. De modo que los sandinistas negociaron un tratado económico de cien millones de dólares con la Unión Soviética. Las ayudas de Moscú y La Habana (y la amistad con la guerrilla del FNLFM de El Salvador) les costaron muy caras a los sandinistas: cuando Reagan entró en funciones empezó a armar a la contra.

Reagan definía a los contras como «luchadores por la libertad». Otros, sin embargo, pensaban que estaban dirigidos por partidarios de Somoza. Organizaciones de derechos humanos informaron de sus prácticas de secuestrar, torturar y matar a profesores y funcionarios públicos.

ARTE Y CULTURA: Libros: *La insoportable levedad del ser* (Milan Kundera); *Lincoln* (Gore Vidal) [...] Música: *Born in the USA* (Bruce Springsteen, LP); *Like a virgin* (Madonna, LP); *The Perfect Stranger* (Pierre Boulez) [...] Pintura y escultura: *Departure from Egypt* (Anselm Kiefer); *Elements III* (Brice Marden); *Grillo* (Jean-Michel Basquiat) [...]

«La naturaleza nunca se conquista del todo. Los retrovirus humanos y su complicada relación con las células humanas son un buen ejemplo de ello.»—**Dr. Robert Gallo, investigador del SIDA**

En el puerto de Corinto, los nicaragüenses utilizaron barcos de pesca para extraer las minas.

En la misma época en que se hizo pública la colocación de minas en los puertos, apareció una guía utilizada por la CIA para entrenar a los contras. El manual explicaba cómo matar a funcionarios públicos y cómo sabotear la economía. Como era de esperar, el congreso cortó la ayuda a la contra pero la guerra sucia continuó: al no poder suministrar ayuda legal, la Casa Blanca empezó a enviar dinero procedente del tráfico de armas a los rebeldes. **◂1979.8 ▸1985.5**

DESASTRES

Hambre en África

4 En 1984, diez años después de que unos trescientos mil africanos (la mayor parte etíopes) murieran de hambre, una carestía todavía mayor se apoderó del continente. Aunque los avances de la genética de plantas y otras técnicas agrícolas —la llamada revolución verde— habían duplicado la producción mundial de cereales desde 1950, la mayor parte de países africanos se habían beneficiado poco. Guerras civiles, superpoblación, deforestación, políticas gubernamentales que no fomentaban la producción de alimentos, recesión internacional, falta de infraestructura y de intercambio con el extranjero para importar comida, todos estos factores junto a una persistente sequía condenaron a cientos de miles a morir de hambre.

Aunque los informes sobre el hambre se habían publicado hacía meses, no suscitaron un escándalo global hasta finales de año, cuando la audiencia televisiva pudo presenciar cada noche escenas de las víctimas. Gobiernos y organizaciones de caridad de Norteamérica, Europa y Oceanía enviaron más de mil millones de dólares en ayudas, pero lo que realmente motivó a la gente fue una serie de acciones de socorro llevadas a cabo por famosos. Band Aid, un grupo de músicos británicos organizado por Bob Geldof (líder de un grupo *new wave* llamado Boomtown Rats) obtuvo millones de dólares con el sencillo «Do they know it's Christmas?» Al año siguiente, su equivalente norteamericano, USA for Africa, ganó aún más con «We are the world», compuesta por Michael Jackson y Lionel Richie e interpretada por un plantel de estrellas. Luego, los satélites conectaron a ambas organizaciones para un concierto de *rock* espectacular, Live Aid, visto aproximadamente por mil ochocientos millones de personas. Se recaudaron unos cincuenta millones de dólares.

Aunque se recaudaron muchos fondos de esta manera, llegaron demasiado tarde para los dos millones de víctimas del hambre, la mitad de ellas etíopes, que murieron en junio de 1985. Fallecieron más mientras disminuían la sequía y la atención mundial. El fantasma del hambre continuó acechando al continente durante los años noventa. **◂1967.6 ▸1992.6**

El concierto Live Aid de julio de 1985 llenó el estadio JFK de Filadelfia con cien mil seguidores. Otros setenta y dos mil asistieron en Londres. El espectáculo recaudó cincuenta millones de dólares.

MEDICINA

Controversia sobre el SIDA

5 En abril de 1984, un alto cargo de la sanidad pública de Estados Unidos anunció el descubrimiento del virus que provocaba el SIDA. Unos días antes, otro funcionario había comunicado que un equipo parisino dirigido por el Dr. Luc Montagnier *(superior)* descubrió el virus. Los franceses llamaron al virus VAL (virus asociado con la linfodenopatía). El equipo americano, dirigido por el Dr. Robert Gallo del National Cancer Institute de Washington lo denominó HTLV-3 (virus linfotrópico de células humanas T). De este modo empezó una intensa controversia.

El equipo de Montagnier había aislado el VAL de nodos linfáticos de un paciente parisino de SIDA pero no fue capaz de extraer el suficiente para demostrar que era la causa del SIDA. Los medios de comunicación se centraron en Gallo, que pensaba que la causa del SIDA era el HTLV-1, un retrovirus que había descubierto en 1980 y que causa un cáncer poco común en las células T del sistema inmunológico.

Los descubrimientos de Gallo demostraron que su variante HTLV era casi idéntica al VAL. Como los virus sufren mutaciones constantemente sería improbable que un tipo americano de virus del SIDA tuviera una estructura tan similar a la del VAL. Los científicos franceses concluyeron que Gallo (con quien habían intercambiado muestras víricas) había cultivado su virus. Gallo insistió en que había utilizado el suyo. Cuando se les adelantó en patentar una prueba sanguínea del SIDA, se indispusieron por completo con él. En 1987, una decisión conjunta de los gobiernos de ambas naciones dividió los méritos y los derechos de autor entre los dos equipos.

Por entonces, los científicos se habían puesto de acuerdo en llamar al virus del SIDA VIH (virus de inmunodeficiencia humana). Pero las acusaciones contra Gallo continuaron. En 1991 admitió que había empleado el virus de los franceses sin querer. Las investigaciones concluyeron que ambos virus fueron contamindos por un tercero, lo que explicaba el equívoco y las similitudes. **◂1981.1 ▸1985.12**

MUERTES

Vicente Aleixandre, poeta español.

Yuri Andropov, líder político soviético.

Count Basie, músico estadounidense.

Enrico Berlinguer, líder político italiano.

Richard Burton, actor británico.

Truman Capote, escritor estadounidense.

Julio Cortázar, escritor argentino.

Michel Foucault, historiador y filósofo francés.

Indira Gandhi, primera ministra india.

Jorge Guillén, poeta español.

Lillian Hellman, dramaturga estadounidense.

Martin Niemöller, teólogo alemán.

Liam O'Flaherty, escritor irlandés.

Sam Peckinpah, director cinematográfico estadounidense.

Lee Krasner Pollock, pintor estadounidense.

J. B. Priestley, escritor británico.

Claudio Sánchez Albornoz, historiador español.

Mijail A. Sholokhov, novelista ruso.

Ahmed Sékou Touré, presidente guineano.

François Truffaut, escritor y director cinematográfico francés.

Lila Wallace, editora estadounidense.

Johnny Weissmuller, nadador y actor estadounidense.

Cine: *Amadeus* (Milos Forman); *París, Texas* (Wim Wenders); *Pasaje a la India* (David Lean) [...] TV: *El show de Bill Cosby, Corrupción en Miami.*

«Los actuales sistemas económico y social de Hong Kong no cambiarán y tampoco su estilo de vida.»—**Declaración conjunta Sino-británica sobre Hong Kong**

NOVEDADES DE 1984

Tejanos lavados a la piedra.

Chip de memoria Megabit (Laboratorios Bell).

Vuelo transatlántico en solitario en globo (por Joe Kittinger, desde Caribú, Maine, hasta Savona, Italia).

Trasplante de un corazón de mandril a un bebé (que murió quince días después).

Candidata femenina de un partido norteamericano a la vicepresidencia (la representante demócrata Geraldine Ferraro con Walter Mondale).

EN EL MUNDO

►EL PRÍNCIPE DE PÚRPURA—El músico de *funk-rock* Prince (llamado Prince Rogers Nelson) se hizo

mundialmente famoso en 1984 con el álbum *Purple rain*. El disco, que incluía las canciones número uno «When doves cry» y «Let's go crazy», se presentó en una película-concierto espectacular protagonizada por la estrella vestida de terciopelo y púrpura. El excéntrico Prince, que tocaba todos los instrumentos en su primer disco, mezclaba imágenes religiosas y sexuales en sus canciones y se rodeaba de guardaespaldas.

►ARNOLD EN LA PANTALLA —*Terminator*, dirigida por James Cameron y protagonizada por el antiguo Míster Universo Arnold Schwarzenegger en el papel de un asesino cibernético que viaja en el tiempo, estableció las pautas de un nuevo género de películas de acción. Violenta y de ritmo frenético, la película (realizada con un presupuesto relativamente modesto) fue el modelo para

Trabajadores del gasoducto ajustan el último tramo en la región de Gorki.

TECNOLOGÍA

Gasoducto soviético

6 En enero de 1984, Francia fue el primer cliente en recibir gas natural soviético a través del gasoducto más largo del mundo. Recorría 4.480 km desde los yacimientos de gas de Siberia hasta la frontera checoslovaca (donde se unía a la red suministradora de Europa occidental). El gasoducto era una obra monumental de ingeniería y un acontecimiento político de gran relevancia: la oposición norteamericana al proyecto (incluyendo un intento de bloquear las obras) apartó a Estados Unidos de sus aliados europeos.

Dos años antes, el presidente de Estados Unidos obligó a las compañías norteamericanas a cancelar con la Unión Soviética los contratos rentables de suministros de piezas para el gasoducto de diez mil millones de dólares. Luego intentó que Europa occidental se uniera al embargo, pero los altos índices de paro hacían que los contratos del gasoducto resultaran muy beneficiosos y además muchos países europeos ya habían firmado acuerdos para recibir el barato gas soviético. Cuando los aliados se negaron a imponer sanciones, Washington extendió el embargo a las compañías europeas que operaban bajo licencia norteamericana.

Los dirigentes europeos se disgustaron. (El ministro de comercio francés declaró que la acción era una hipocresía y que Reagan había levantado el embargo de cereales de Jimmy Carter porque a los agricultores americanos no les convenía.) Reagan intentó muchos ataques. Primero dijo que el gasoducto haría que Europa occidental dependiera peligrosamente de los soviéticos. Luego declaró que las ventas de gas proporcionaban a Moscú mucho dinero para construir armamento. Finalmente, relacionó las sanciones con la represión de Solidaridad en Polonia. Ninguno funcionó: en noviembre de 1982 levantó el embargo.

Los soviéticos anunciaron la finalización del gasoducto antes de lo previsto, pero expertos occidentales dudaron que el primer gas que llegó a Francia procediera de un lugar tan lejano como Siberia. Paradójicamente, en 1984 los precios del petróleo descendieron, con lo que se redujo la necesidad de gas soviético y se provocó un recorte drástico de la demanda. **◄1977.NM**

DIPLOMACIA

Un país, dos sistemas

7 En 1984, tras dos años de negociaciones, dirigentes chinos y británicos llegaron a una solución heterodoxa sobre «la cuestión de Hong Kong»: la colonia británica, un baluarte del capitalismo en la frontera de la República Popular comunista, sería devuelta a China en 1997. Según una fórmula única de «un país, dos sistemas», China gobernaría la zona como una región administrativa especial, conservando (al menos durante medio siglo) sus leyes casi democráticas, la lengua inglesa y el mercado libre. A cambio, Hong Kong contribuiría al enriquecimiento de su nuevo gran propietario del norte.

Gran Bretaña consiguió la primera de las tres partes de la colonia, la isla de Hong Kong, en 1842 como botín de la primera guerra del opio. Dieciocho años después, la segunda guerra del opio proporcionó a los británicos el extremo de la península de Kowloon. La última parte, el 94 % de todo el territorio continental de la colonia, se agregó en 1898, cuando Gran Bretaña obligó a China a firmar la cesión de los Nuevos Territorios por un plazo de 99 años. Hong Kong prosperó y se convirtió en una fuente de mercados y préstamos para una serie de gobiernos chinos. Aunque al principio reclamaron la soberanía, los nacionalistas y sus sucesores comunistas estaban conformes con que la colonia estuviera en manos británicas. Sin embargo, en los años setenta, la cercanía del final del arriendo hizo imposible que los inversores de Hong Kong realizaran negocios a largo plazo. Los dirigentes chinos manifestaron claramente que no lo prolongarían.

«Un país, dos sistemas» constituyó un compromiso satisfactorio para todas las partes. Pero tras la brutal represión de los demócratas nacionales de Pekín en 1989, marcada por la masacre de la plaza de Tiananmen, muchos de los seis millones de residentes de Hong Kong temieron que las promesas de libertad no se mantuvieran. **◄1980.10 ►1989.4**

Enclave del capitalismo: vista nocturna del distrito comercial de Hong Kong.

SUDÁFRICA

Tutu gana el Nobel de la paz

8 Desmond Tutu, primer deán negro de la Iglesia anglicana de Sudáfrica, llevó con él a Oslo a

Cuando el presidente Botha advirtió a Desmond Tutu que no se debía mezclar la política con la religión, el Nobel citó 30 ejemplos bíblicos de tal mezcla.

40 invitados para recibir el Premio Nobel de la paz de 1984: pertenecían a la población sudafricana que sufría.

Utilizando su púlpito para publicar las terribles condiciones de su nación racialmente segregada, Tutu censuró no sólo a los dirigentes blancos de Sudáfrica sino también a los estados extranjeros que no habían impuesto sanciones más duras al país. Atacó sobre todo a la política del presidente Reagan de «compromiso constructivo». Advirtió que «los

DEPORTES: Fútbol: Diego Armando Maradona, futbolista argentino del F.C. Barcelona, traspasado al Nápoles por siete millones de dólares; el Atlétic de Bilbao, campeón de España [...] Juegos Olímpicos celebrados en Sarajevo y Los Ángeles (Joan Benoit gana la primera maratón olímpica femenina en 2 h 24 m 52 s).

«Os aseguro que dentro de diez años todas las discusiones se habrán olvidado. La pirámide estará aquí y los franceses la verán como otro clásico.»—**Emile Biasini, director del proyecto de la pirámide del Louvre**

negros no olvidarían que Washington había colaborado con un régimen que perpetuaba el sistema más corrupto desde el nazismo». Poco después de ganar el Nobel, Tutu se convirtió en el primer obispo negro de Johannesburgo. Dos años después, fue nombrado arzobispo de Ciudad del Cabo, jefe de la Iglesia anglicana de Sudáfrica.

El ascenso de Tutu coincidió con la lucha racial más intensa de la historia del país. En 1985 el presidente sudafricano P. W. Botha declaró el estado de emergencia y envió tropas de choque a los municipios negros. Mientras tanto, la violencia entre las facciones desmembró a la comunidad negra. El Frente Democrático Unido atacó a los que colaboraban con el gobierno. Miembros de la Inkatha, la organización nacionalista conservadora fundada por Mangosuthu Gatsha Buthelezi (líder hereditario de los zulúes de Sudáfrica), se enzarzaron con el Congreso Nacional Africano, líder de la lucha contra el segregacionismo. Tutu condenó toda violencia racial pero apoyó abiertamente al Congreso, ilegal, que defendía la insurrección armada. Sus declaraciones ofendieron a muchos, dentro y fuera de Sudáfrica, pero su importante cargo y su integridad incuestionable le concedían una autoridad moral indiscutible.
◄1983.NM ►1985.3

Cuando se inauguró la pirámide en 1989 ya estaba considerada como un triunfo arquitectónico.

ARQUITECTURA

La pirámide de París

9 Cuando el prestigioso arquitecto chino-norteamericano I. M. Pei presentó su proyecto de ampliación del Louvre de París en 1984, provocó un debate nacional. Pei, de 67 años, alcanzó la fama en 1964 con su diseño de la biblioteca John F. Kennedy de Boston. Para el Louvre proyectó una pirámide de cristal con la doble función de claraboya y entrada a los pisos inferiores del museo. Sus detractores comentaron que el diseño de Pei era más apropiado para Egipto que para Francia y que a Pei no le importaba estropear una de las instituciones más sagradas de Francia. El presidente François Mitterrand fue muy criticado por aprobar el proyecto.

Sin embargo, cuando Pei inició las obras, la pureza de su diseño y su respeto por la geometría, en consonancia con el gusto francés, decantaron a su favor la batalla de la pirámide. Aunque el del Louvre era el primer proyecto europeo de Pei, conocía bien los museos: había conseguido el encargo del Louvre a consecuencia del ala este triangular que había construido para la National Gallery of Art de Washington en 1978.

La pirámide se inauguró en 1989, un siglo después de que la Torre Eiffel se presentara entre una controversia similar. La mayoría de los visitantes quedaron encantados con los resplandecientes paneles de cristal de la estructura, montados como diamantes con una red de cables de metal. La joya de Pei (colocada en un patio que había servido de aparcamiento) estaba rodeada de pirámides más pequeñas. Al pie de su escalera de caracol esperaban las nuevas instalaciones para liberar al Louvre de su fama de museo poco atractivo. Pei reafirmó su posición como uno de los arquitectos más inspirados del siglo.
◄1977.11 ►1994.6

MÚSICA

El ascenso del *rap*

10 Un género musical creado por adolescentes urbanos negros y latinos se difundió por Estados Unidos en 1984 cuando *Run-D.M.C.*, grabado por el grupo del mismo nombre, se convirtió en el primer álbum de *rap* que ganó un disco de oro (vendió medio millón copias) y que tuvo un vídeo presentado en la MTV. A medida que otros raperos seguían al trío hacia el estrellato, el *hip-hop* (término que abarca la música, el baile, la moda y la jerga relacionados con el *rap*) se popularizaba en todo el mundo.

El *rap* nació en Nueva York en los años setenta, cuando jóvenes aburridos de la monotonía de la música disco (y que no podían permitirse el pago de las entradas de las discotecas) empezaron a hacer de pinchadiscos con varios platos y mesas de mezclas. Unían trozos de canciones, repetían pasajes y añadían sonidos rítmicos moviendo los discos hacia delante y hacia atrás. Rimadores recitaban letras, *raps*, sobre la mezcla. (Las batallas de habilidad verbal son una tradición popular afroamericana.) Bailes con movimientos bruscos reflejaban la energía de la música. Nació una imagen *hip-hop*: ropa deportiva (más tarde tejanos amplios), gorras puestas del revés, bisutería dorada ostentosa y zapatillas de deporte adornadas.

El *rap* pasó de las calles a los estudios de grabación. En 1979 la Sugar Hill Gang grabó un sencillo emblemático: «Rappers delight». Con canciones como «The message» (1982), de Grand-master Flash and the Furious Five, el género se convirtió en una forma de protesta contra la pobreza, la violencia y el racismo. Junto a las ofensas y las provocaciones, materia prima de las letras de *rap*, Run-D.M.C. hablaban de temas sociales pero algunos de sus sucesores presentaron un tipo de canciones de delincuencia conocido como *rap* «gangsta». A diferencia de lo que esperaban los adultos detractores del *rap*, no fue una moda pasajera, en los años noventa era más fuerte que nunca. **◄1978.5**

Los raperos Run-D.M.C. en un concierto *anticrack* de 1986 en el Madison Square Garden.

películas fantásticas como *Die Hard* y, naturalmente, *Terminator 2*, una secuela de 1991 también protagonizada por el entonces ya una estrella Schwarzenegger, esta vez en el papel de bueno.
◄1982.9

►FIN DE LA DICTADURA URUGUAYA—Un año después del final de la dictadura en Argentina, Uruguay recuperó la normalidad democrática con la elección de Julio Maria Sanguinetti, candidato del Partido Colorado. Con las elecciones del 12 de diciembre quedaban atrás una docena de años de tiranía militar que, con el pretexto de combatir la revolución marxista, había suprimido las libertades públicas, limitado la actividad sindical y prohibido los partidos políticos. La «guerra sucia» contra los «subversivos» sumió al país en un clima de temor causado por la respuesta desmesurada que los militares habían dado a la guerrilla urbana y a la disidencia civil y política, que había transformado el terrorismo de estado en una práctica habitual. El panorama económico al que tendría que enfrentarse Sanguinetti no era menos sombrío. La recesión había disparado los índices de paro y el contexto financiero estaba marcado por una inflación y una deuda externa desbordantes.

►DESTRONADA—Vanessa Williams, la primera negra que ganó el concurso de Miss América, devolvió su corona el 23 de julio después de aparecer desnuda en la revista *Penthouse*. Williams resistió el golpe e inició una carrera afortunada como vocalista *pop* y actriz de Broadway.

►CHERNENKO ENTRA EN FUNCIONES—Konstantin Chernenko, colaborador de Leonid Brezhnev y sucesor designado por éste, empezó a gobernar oficialmente la Unión Soviética a la muerte de Yuri Andropov el 9 de febrero. Mientras que

«La realidad virtual es la primera cosa nueva objetiva desde el mundo físico. Es el primer nuevo lugar que existe entre la gente exactamente igual que el mundo físico, sólo que está bajo nuestro control absoluto.»—**Jaron Lanier, fundador del VPL Research**

Andropov fue un reformista que intentó reparar la corrupción y la decadencia social de la época de Brezhnev durante sus quince meses de mandato, Chernenko fue un conservador de la vieja guardia. Enfermo terminal, murió trece meses después de su ascenso. ◂1982.3 ▸1985.1

▶EL ACUERDO NKOMATI —Sudáfrica estableció su primer pacto con una nación africana negra el 16 de marzo, cuando firmó el acuerdo Nkomati con Mozambique. El tratado impedía a Mozambique suministrar fondos al Congreso Nacional Africano y a Sudáfrica apoyar a la Resistencia Nacional de Mozambique (Renamo), un grupo guerrillero *(inferior)* respaldado en parte

por el régimen segregacionista de Sudáfrica. La Renamo continuó su campaña terrorista y de sabotaje económico en los años noventa, levantando la sospecha de que Sudáfrica no cumplía el acuerdo. ◂1975.2 ▸1985.3

▶DUARTE ELEGIDO—El reformista de centro José Napoleón Duarte fue elegido presidente de El Salvador en mayo. Duarte, educado en Estados Unidos, se enfrentó a la junta civil-militar entre 1980 y 1982 y derrotó a Roberto D'Aubuisson, jefe de un escuadrón de la muerte y de la Alianza Republicana Nacionalista (ARENA) de ultraderechas. Duarte proporcionó al gobierno un elemento democrático de credibilidad, esencial para asegurar la creciente ayuda de Estados Unidos, que suministraba fondos a la guerra del ejército contra los rebeldes de izquierdas. Duarte, ineficaz a causa de la corrupción del sistema, fue derrotado por el candidato de la ARENA, Alfredo Cristiani, en 1989 y murió de cáncer al año siguiente. ◂1981.8 ▸1987.2

MÚSICA

Un seductor español

11 En 1984, cuando la CBS editó el primer álbum en inglés de Julio Iglesias, *1100 Bel Air Place*, el elegante español ya había pisado escenarios de casi todo el mundo. Con 40 años recién cumplidos, había vendido cien millones de discos en seis idiomas. *Newsweek* dijo que era «el cantante más popular del mundo», y el *Libro Guinness de los récords* lo incluyó como el artista musical con más discos vendidos.

Dirigido a un público de habla inglesa, *1100 Bel Air Place* contenía «To all the girls I've loved before», el dúo con Willie Nelson, y apariciones de Diana Ross, los Beach Boys y las Pointer Sisters. Lanzado con una espectacular campaña publicitaria que hizo muy conocido el nombre de «Julio» antes de la edición del disco, *1100 Bel Air Place* vendió más de un millón de copias en cinco días, indicando que todavía existía un público para las canciones románticas y las letras sencillas que la ascendencia del *rock* había ensombrecido. El estilo de Julio Iglesias debía tanto a la tradición mediterránea como a los cantantes Vic Damone, Johnny Mathis o Nat King Cole.

Su discreto atractivo varonil (sobre mujeres mayores de treinta años sobre todo) también fue reconocido por un negocio que no era el musical: Julio Iglesias firmó un contrato publicitario con Coca-Cola. (La Pepsi había fichado al andrógino Michael Jackson.) Coca-Cola contó con el *latin-lover* más conocido desde Rodolfo Valentino. **◂1943.16**

Una voz amada por millones de mujeres: Julio Iglesias en concierto.

Jaron Lanier trabajando en el Silicon Valley.

TECNOLOGÍA

Una nueva dimensión digital

12 En 1984 los pioneros del reino de la «realidad virtual» dieron con la fórmula para iniciar sus expediciones. Un inventor de 24 años, Jaron Lanier, fundó la primera compañía de fabricación de cascos, trajes, guantes y *software* que permitieron a los «cibernautas» ver, oír e «interactuar» en el mundo tridimensional simulado de modo digital que Lanier llamó «realidad virtual». «Es el sueño de cualquier niño», dijo Lanier acerca de la tecnología fabricada por su VPL Research, con sede en el Silicon Valley, California, meca de la alta tecnología.

Las versiones anteriores de realidad virtual contenían imágenes parecidas a la de los dibujos animados, y el equipo a veces provocaba náuseas y dolor de cabeza, pero la realidad virtual mantenía la promesa de llegar a ser todo lo que sus aficionados esperaban de ella, un medio nuevo y revolucionario que trascendía las limitaciones bidimensionales de la tecnología informática. «Dentro de diez años veremos nuestro mundo computerizado a través de una pecera llamada monitor. La realidad virtual nos invita a entrar en las tres dimensiones de este mundo y a sentir dentro de él», escribió un periodista en 1993.

A principios de los años noventa, la VPL Research se había fusionado con una serie de compañías de investigación, y las líneas aéreas y el ejército ya empleaban simuladores de vuelo de realidad virtual para el entrenamiento de sus pilotos: se proyecta un copiloto virtual sobre una pantalla de cristal líquido dentro del casco (un giro de la cabeza del espectador cambia el ángulo de visión) y el guante permite al usuario utilizar los controles virtuales. Empezaron a aparecer juegos de realidad virtual y aplicaciones para la participación en películas de tres dimensiones, por ejemplo. Algunos especialistas en el ámbito, aunque Lanier afirmó con rotundidad que estaban «confundidos», predijeron lo que se llamó «el sexo más seguro»: el sexo virtual. **◂1981.10**

IDEAS

Filósofo del sexo

13 En 1984, en el apogeo de su reinado como el intelectual más destacado de la época, Michel Foucault publicó *The care of the self*, la tercera entrega de su proyecto en seis volúmenes *Historia de la sexualidad*. El estudio de las relaciones entre las actitudes sexuales, la identidad y la ética desde los tiempos de la antigua Grecia hasta la modernidad también constituyeron el último acto de erudición de Foucault: poco después murió de SIDA a los 57 años.

Protegido del destacado filósofo marxista Louis Althusser (que escandalizó a la intelectualidad francesa al estrangular a su esposa), Foucault se dio a conocer en 1961 con *Historia de la locura en la época clásica*, que presentaba respuestas históricas de la civilización a las enfermedades mentales, como un modo de identificarse a sí misma por exclusión. En un estudio posterior, *Vigilar y castigar*, afirma que las cárceles, los hospitales y las escuelas presentan similitudes entre sí porque sirven para la intención primera de la civilización: la coacción.

Caricatura de Foucault: un hombre encadenado.

Las controvertidas ideas de Foucault sobre el poder (que deben mucho a Nietzsche) le condujeron al tema del sexo. Pensaba que la regulación del comportamiento sexual, es decir del cuerpo, es la experiencia individual más básica del control social. Históricamente las censuras han configurado las ideas occidentales sobre la identidad. En *The care of the self* modificó su anterior actitud rotunda y observó que en el reino del sexo algunas sociedades, la de la antigua Roma por ejemplo, permitieron un grado mayor de placer individual. Paradójicamente, revelaciones póstumas acerca de la conducta sexual de Foucault (homosexual y sadomasoquista, se expuso deliberadamente al SIDA así como a otros) afectó a su credibilidad ante algunos estudiosos. **◂1943.10**

PREMIOS NOBEL: Paz: Desmond Tutu (sudafricano; movimiento antisegregacionista [...] Literatura: Jaroslav Seifert (checoslovaco; poeta) [...] Química: R. Bruce Merrifield (EE.UU.; síntesis en fase sólida) [...] Medicina: G. J. F. Kohler, C. Milstein y N. K. Jerne (alemán y británicos; inmunología) [...] Física: C. Rubbia y S. van der Meer (italiano y holandés; partículas subatómicas) [...] Economía: Richard Stone (británico).

Garbo, el espía que engañó a Hitler

En 1984 se desveló uno de los secretos mejor guardados de la historia: la identidad del espía doble apodado «Garbo», uno de los protagonistas anónimos más importantes de la historia del siglo XX. Gracias a sus falsos informes a los servicios de espionaje alemanes se salvaron miles de vidas y la Segunda Guerra Mundial terminó con la victoria de las fuerzas europeas y norteamericanas aliadas frente a los alemanes de **Adolf Hitler**.

Joan Pujol García —ése era el nombre real del agente británico «Garbo» y del agente alemán «Arabel»— resultó ser un catalán de 1,60 m de estatura que nació en la calle Muntaner de Barcelona en 1912, en el seno de una familia formada por su padre **Joan Pujol Pena**, un importante químico textil catalán, y por una granadina, **Carmen García**.

Cuando estalló la guerra civil española tenía 24 años y, en un primer momento, consiguió no ser movilizado, aunque posteriormente fue enviado, con el bando republicano, al frente del Ebro.

En un momento determinado pasó a las líneas franquistas y fue recluido en un campo de concentración en la localidad vizcaína de Deusto, de donde lo rescató un fraile. Una vez libre, se incorporó al ejército de **Franco** y prestó servicios en las oficinas del cuartel general, en Burgos.

Acabada la guerra, **Joan Pujol** trabajó como gerente en un hotel madrileño. Paralelamente se ofreció a los británicos para infiltrarse en el servicio secreto alemán, pero fue rechazado. Entonces hizo su oferta a los alemanes, que sí le aceptaron. En esa época estaba casado con una mujer de Lugo, de nombre Araceli, con quien tuvo dos hijos, Juan y Jorge, y que tras la guerra europea, creyéndole muerto, rehizo su vida en Madrid junto a un estadounidense, **Eduardo Kreiler**.

Al parecer, Araceli tuvo un papel importante en el contacto de **Pujol** con los servicios secretos alemanes, así como en la invención de su red de agentes y en la redacción de los falsos informes que enviaba —teóricamente desde Inglaterra, realmente desde Madrid— con la ayuda de una guía de ferrocarriles y viejos libros de barcos, bajo el nombre de «Arabel», en clara referencia al nombre de su mujer.

Agente doble

Algunos de esos falsos informes fueron interceptados por los servicios secretos británicos, que hallaron increíbles coincidencias con la realidad. Con esa tarjeta de presentación se volvió a ofrecer, en 1942, como agente doble a los ingleses que, en esa ocasión, sí lo aceptaron, imponiéndole el nombre de «Garbo», para algunos debido a sus grandes dotes de actor; para otros, apócope de su segundo apellido, **García**, y de la marca de un concentrado de carne, Bovril, dado su parecido con el modelo utilizado en los anuncios. En cualquiera de los dos casos, un nombre que en los últimos años ha llegado a ser un mito para los estudiosos de la lucha secreta entre los dos bloques durante la Segunda Guerra Mundial y del que apenas se tenían datos hasta que, el 3 de junio, el periódico inglés *The Mail on Sunday*, descubrió su verdadera personalidad.

Ya al servicio de los británicos, «Garbo» y su familia se trasladaron a Londres, donde establecieron su residencia. Desde allí, el día 6 de junio de 1944, envió el mensaje más importante de su vida. En él comunicaba a los alemanes: «La flota de invasión ha salido ya. La "operación Normandía" ha empezado. Firmado "Arabel"». Sólo que antes «Arabel» había anunciado que el gran desembarco de las tropas aliadas se produciría en Calais, a unos 200 kilómetros del lugar donde de verdad se estaba desarrollando la llamada «operación Overlord», en la que participaron 39 divisiones, más de doscientos mil hombres, unos diez mil aviones y más de cinco mil barcos de todo tipo. Sin embargo, en los informes de «Arabel» lo de Normandía no era más que «una maniobra de distracción».

Y así fue como **Joan Pujol García** intervino decisivamente en el curso de la guerra y, por tanto, de la historia del siglo XX. Luego, fue condecorado por ambos servicios secretos, los británicos y los alemanes. **Hitler** en persona lo felicitó por su acción. Después, temiendo posibles represalias, preparó su muerte oficial y hasta 1984 vivió ignorado en Venezuela, donde se casó con una criolla, con quien tuvo tres hijos. Al cumplirse el cuarenta aniversario del desembarco de Normandía, su identidad y su historia salieron a la luz y por fin recibió los honores públicos merecidos. En cuanto a los motivos, **Pujol** declaró: «Lo hice por mi padre. Por la idea de libertad que me inculcó de pequeño».

(Texto extraído del *Anuario informativo 1985* del Grupo Zeta, 1985)

Joan Pujol recuerda sus años de espía en activo en uno de los despachos del MI-5, el servicio de contraespionaje británico.

«Búsqueda y creatividad, sensibilidad hacia nuevos fenómenos y procesos: éstas son las peticiones de vida de todos los trabajadores del frente ideológico.»—**Mijail Gorbachov, en un discurso al Comité Central del Politburó en 1984**

HISTORIA DEL AÑO

El ascenso de Gorbachov

1 Unas horas después de anunciar la muerte del secretario general del Partido Comunista Konstantin Chernenko en marzo de 1985, el Kremlin nombró para el más alto cargo a un relativo desconocido. A la edad de 54 años, Mijail Gorbachov era el miembro más joven del Politburó y el primer máximo líder soviético que había cumplido la mayoría de edad después de la muerte de Stalin. Gorbachov, protegido del predecesor de Chernenko, el reformista Yuri Andropov, prometió revitalizar la inestable burocracia soviética. En vez de esto, las fuerzas que desencadenó llevarían al desmembramiento de la Unión Soviética y trastocarían completamente el orden político mundial.

Chernenko personificó la parálisis de la época de Brezhnev. Durante sus trece meses en funciones, pasó largos períodos en cama, una vez durante 59 días consecutivos. Según Gorbachov, Chernenko llevó a cabo una política económica ruinosa (la esperanza de vida de la Unión Soviética *disminuyó* durante los años setenta, algo totalmente novedoso en un país industrializado), no disminuyó la represión política, enfrió las relaciones con Occidente (congeladas con la invasión de Afganistán en 1979) y difundió el desencanto entre la población.

Occidente dio la bienvenida a Mijail Gorbachov en París. Aquí, con el presidente francés François Mitterrand.

Incluso antes de su ascenso, Gorbachov había manifestado el deseo de remodelar su extenso país. «Debemos llevar a cabo grandes transformaciones sociales y políticas», declaró en un discurso de 1984. Durante una visita a Inglaterra, Gorbachov impresionó a los que le vieron con su energía. Era apuesto, encantador y con sentido del humor. Su esposa, Raisa, era elegante y sociable, muy alejada del estereotipo de una esposa del Kremlin que se tenía en Occidente. Más importante aún, Gorbachov valoraba la detente y hablaba de romper el tradicional secretismo soviético. «Me gusta Gorbachov. Podemos hacer negocios juntos», dijo la primera ministra Margaret Thatcher.

Una vez en el cargo, Gorbachov inició un programa reformista doble. Con la *perestroika* (reestructuración) introdujo un mercado libre limitado y la descentralización. Con la *glasnost* (apertura) impulsó un reajuste de la política, la cultura y la historia de la Unión Soviética. Gorbachov condenó el reino de terror de Stalin y el «estancamiento» de Brezhnev. Expulsó a los miembros de línea dura del Politburó y liberó a los presos políticos. En conversaciones con Ronald Reagan sobre el control de armamento ofreció concesiones sorprendentes. Gorbachov estaba iniciando una revolución desde arriba, pero el proceso pronto escaparía a su control. **►1986.5**

MEDIO AMBIENTE

Un agujero en la capa de ozono

2 En 1985 meteorólogos británicos confirmaron algo que se sospechaba desde hacía tiempo: sobre la Antártida se había abierto un agujero en la capa de ozono, la capa atmosférica que bloquea el 99 % de los rayos solares ultravioletas. Los científicos detectaron el problema por primera vez en 1977 pero decidieron no hacerlo público hasta que la evidencia fuera indiscutible. Datos de satélites mostraron que el ozono de la Antártida disminuía cada octubre, cuando el 40 % de la capa se disolvía, y que el 2,5 % del ozono de todo el planeta había desaparecido en sólo cinco años. Las implicaciones de la disminución eran terribles: la radiación ultravioleta podía causar cáncer de piel, matar al fitoplancton (los pequeños organismos del principio de la cadena alimenticia oceánica), dañar los cultivos, cegar a los animales y causar estragos todavía desconocidos.

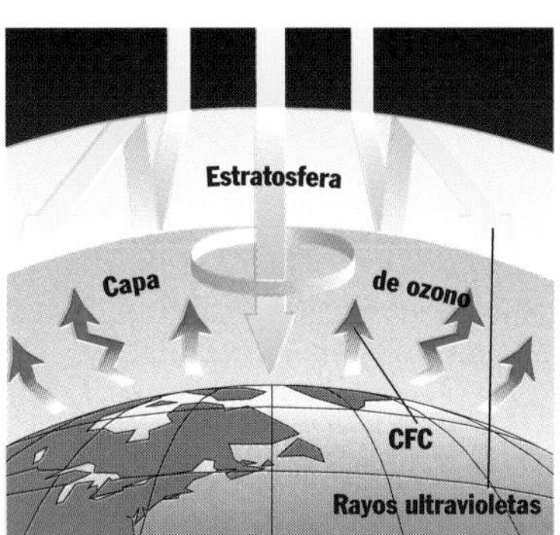

La capa de ozono menguada intensifica los rayos ultravioletas. La polución atrapa el calor solar y aumenta la temperatura de la atmósfera.

Los expertos sospechaban que los culpables eran unas sustancias fabricadas por el hombre llamadas clorofluorocarbonos (CFC). Once años antes, los químicos californianos Sherwood Rowland y Mario Molina publicaron unos cálculos computerizados que mostraban que los CFC ponían en peligro la capa de ozono. Cada átomo de cloro de un CFC que llegaba a la estratosfera podía destruir cien mil moléculas de ozono. En 1978, el gobierno de Estados Unidos prohibió el uso de CFC en los aerosoles, pero la resistencia de los fabricantes hizo que su uso continuara en neveras, aires acondicionados, disolventes industriales y pinturas plásticas. En otros países todavía se utilizaba en pulverizadores.

El CFC era el causante principal del recién detectado «efecto invernadero», en el que el calor solar reflejado desde el suelo queda atrapado por una capa de contaminación desplazada por el aire. Los científicos predijeron que en cincuenta años la media de la temperatura terrestre aumentaría en ocho grados, la mayor subida de la historia de la humanidad. Se temía que el calentamiento global fundiera los casquetes polares, aumentara el nivel del mar e inundara las ciudades costeras. El cambio climático podría transformar en desiertos zonas fértiles.

En 1987, 53 países industrializados firmaron los Protocolos de Montreal, un acuerdo para eliminar el uso de CFC en el año 2000. En otros lugares, sin embargo, la producción continuó permitida y el CFC liberado años atrás continuó su ascenso hacia la atmósfera superior. **◄1982.6 ►1988.6**

SUDÁFRICA

Declaración de la ley marcial

3 Sudáfrica estaba en guerra. Junto a las incursiones guerrilleras esporádicas del Congreso Nacional Africano, el gobierno de la minoría blanca se enfrentó a un alzamiento del millón y medio de miembros del Frente Democrático Unido (FDU, una coalición de grupos estudiantiles, sindicatos y asociaciones comunitarias). Los activistas del FDU lucharon contra uno de los ejércitos mejor equipados del mundo con piedras y cócteles Molotov. En julio de 1985, cuando el presidente P. W. Botha declaró el estado de emergencia en 36 ciudades sudafricanas, la comunidad internacional empezó a involucrarse.

En varias naciones occidentales habían surgido movimientos populares que pedían sanciones gubernamentales contra el régimen del segregacionismo. La primera iniciativa, sin embargo, fue de carácter privado. Diez días después de que Botha impusiera la ley marcial, el Chase Manhattan Bank con sede en Nueva York dejó de conceder créditos a Sudáfrica. Otros

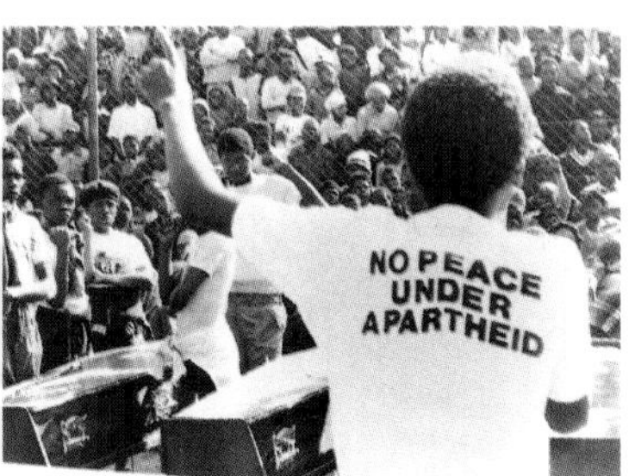

Funeral de cuatro jóvenes negros asesinados con una granada de mano. Sus muertes provocaron la alarma internacional.

ARTE Y CULTURA: **Libros:** ***El sur*** **(A. García Morales);** ***El turista accidental*** **(Anne Tyler);** ***La verdadera vida de Alejandro Mayta*** **(Mario Vargas Llosa) [...] Música:** ***We are the world*** **(M. Jackson y L. Richie, LP);** ***Brothers in arms*** **(Dire Straits, LP);** ***Quinteto de viento n.° 4*** **(George Perle) [...] Pintura y escultura:** ***Four Lemons*** **(Donald Sultan) [...]**

bancos de Estados Unidos pronto siguieron su ejemplo, lo que provocó una crisis económica en Sudáfrica, que estaba muy endeudada. La moneda del país perdió el 30 % de su valor en un mes. En septiembre, Estados Unidos (a pesar de la política conciliatoria de Reagan de «compromiso constructivo») impuso sanciones limitadas y la Comunidad Económica Europea tomó sus propias medidas. Bajo la creciente presión popular, muchas empresas y universidades renunciaron a sus relaciones con Sudáfrica.

Botha reaccionó con un desafío. «No nos presionéis más», advirtió. Sin embargo, los empresarios sudafricanos importantes habían tomado una decisión: en septiembre, un grupo de industriales se desplazó a Zambia para entablar conversaciones con los líderes del Congreso Nacional Africano por primera vez en la historia. El gobierno, cada vez más aislado dentro y fuera del país, anunció reformas limitadas en enero de 1986. En mayo, sin embargo, poco después de que los negros iniciaran la mayor huelga laboral del país, el régimen lanzó una ofensiva para aplastar al Congreso Nacional, bombardeando presuntos refugios guerrilleros en Botswana, Zambia y Zimbabwe. Las condenas internacionales se intensificaron y el congreso de Estados Unidos (que anuló el veto de Reagan) aprobó sanciones más duras. Otras naciones intensificaron el boicot. No obstante, en Sudáfrica continuó la represión. **◂1984.8 ▸1988.2**

El terremoto destruyó más de cuatrocientos edificios en Ciudad de México.

DESASTRES

La tierra tiembla varias veces

4 En 1985 dos países latinoamericanos sufrieron catástrofes naturales y políticas de importancia. En septiembre, México experimentó dos terremotos con un día de diferencia (de 8,1 y 7,5 en la escala de Richter). En Ciudad de México murieron siete mil personas y cientos más en el resto del país. Unos cuatrocientos cincuenta edificios de la capital, entre ellos rascacielos a prueba de terremotos, quedaron destruidos, otros miles dañados y cincuenta mil habitantes se quedaron sin hogar.

En noviembre, el volcán Nevado del Ruiz de Colombia, dormido desde hacía mucho tiempo, expulsó un río de barro que inundó la ciudad de Armero y mató a veintidós mil personas. La erupción volcánica, una de las más destructivas de la historia conocida, tuvo lugar una semana después de una catástrofe humana: cuando 60 guerrilleros del movimiento de izquierdas M-19 tomaron el Palacio de Justicia de Bogotá con 40 jueces como rehenes; el presidente Belisario Betancur dio orden de atacar a la policía y al ejército. En el enfrentamiento murieron unas cien personas, entre ellas el presidente del tribunal supremo y once jueces.

Las dos catástrofes naturales llenaron los medios de comunicación internacionales con imágenes similares: montones de cadáveres y algún superviviente rescatado de los escombros, una niña de Armero atrapada en el barro y un niño de Ciudad de México entre los escombros (ambos murieron). Los dos desastres provocaron recriminaciones políticas: en México, contra constructores y burócratas que ignoraron las normas de construcción; en Colombia, contra sus dirigentes, que habían sido advertidos de la erupción pero fueron demasiado lentos con los planes de evacuación y socorro. Ambos recibieron ayudas de todo el mundo. **▸1989.NM**

NICARAGUA

Un líder elegido por el pueblo

5 Daniel Ortega Saavedra *(inferior)*, primer presidente de Nicaragua elegido por votación popular, fue investido en 1985 pero tenía poco que celebrar. Su Frente de Liberación Nacional Sandinista se enfrentaba a muchos problemas, entre ellos la oposición de Washington. Desde que derrocaron al dictador Anastasio Somoza en 1979, la administración de Reagan atacaba a los sandinistas considerados una amenaza para la seguridad del continente americano. Los dirigentes norteamericanos advertían que el comunismo nicaragüense se extendería hacia Río Grande. Para contrarrestar la supuesta amenaza, los norteamericanos apoyaron a los guerrilleros antisandinistas, la contra.

Los sandinistas iniciaron reformas sociales y económicas a gran escala. Unos dos millones de acres de tierra se distribuyeron entre sesenta mil familias campesinas sin propiedades, se duplicaron los gastos en seguridad social, la mejora en la sanidad se mereció una mención de la Organización Mundial de la Salud, se redujo drásticamente el analfabetismo y la economía creció un impresionante 7 % anual. Pero Washington seguía siendo hostil, en parte porque Ortega afianzaba sus relaciones con la Unión Soviética y Cuba, pero también porque posponía las prometidas elecciones.

Cuando finalmente se celebraron en 1984, los sandinistas obtuvieron el 67 % de los votos. Los observadores norteamericanos de los comicios comentaron que las elecciones «habían sido un modelo de probidad e imparcialidad». Sin embargo, Estados Unidos no reconoció los resultados y muchos observadores se sorprendieron de que los sandinistas tuvieran que demostrar su legitimidad. Mientras, la guerra encubierta de Reagan continuaba con efectos devastadores. «Por desgracia, la contra incendia escuelas, hogares y centros médicos a la misma velocidad que los sandinistas los construyen», dijo un destacado empresario nicaragüense que se oponía a Ortega. En 1985, al límite, Ortega pidió más ayuda a la Unión Soviética y el resultado fue que Nicaragua dependió de los soviéticos tanto como Washington había dicho. En mayo, Estados Unidos estableció un embargo económico; a partir de entonces la situación de Nicaragua se deterioró rápidamente. **◂1984.3 ▸1986.8**

MUERTES

Anne Baxter, actriz estadounidense.

Heinrich Böll, escritor alemán.

Yul Brynner, actor estadounidense.

Italo Calvino, escritor italiano.

Marc Chagall, pintor franco-ruso.

Konstantin Chernenko, líder político soviético.

Jean Dubuffet, artista francés.

Salvador Espriu, poeta español.

Robert Graves, escritor británico.

Enver Hoxha, político albanés.

Rock Hudson, actor estadounidense.

Henry Cabot Lodge, diplomático estadounidense.

Charles Richter, seismólogo estadounidense.

Simone Signoret, actriz francesa.

Paulino Uzcudun, boxeador español.

Orson Welles, actor y director estadounidense.

Cine: ***Memorias de África*** **(Sydney Pollack);** ***El honor de los Prizzi*** **(John Huston);** ***My beautiful laundrette*** **(Stephen Frears) [...] Teatro:** ***Los miserables*** **(Schonberg, Boubil y Kretzmer);** ***Bajarse al moro*** **(Alonso de Santos);** ***Tele Deum*** **(Els Joglars) [...] TV:** ***Las chicas de oro.***

«No hay nada más potente para desestabilizar al gobierno democrático que el poder del narcotráfico.»—**Gustavo Sánchez, subsecretario del interior de Bolivia**

NOVEDADES DE 1985

Se suma un segundo al calendario anual.

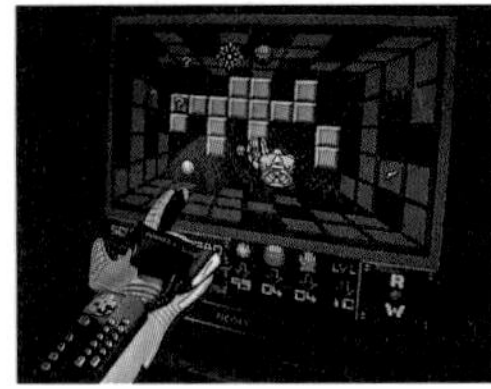

Videojuegos Nintendo.

Prohibición de la gasolina con plomo en Estados Unidos.

EN EL MUNDO

▶EL MAYOR DESINTEGRADOR DE ÁTOMOS—En octubre, en los Fermi National Labs de Illinois, los científicos probaron un nuevo y superpotente acelerador de partículas de antimateria. Los resultados fueron excelentes: la energía descargada en la colisión entre protones subatómicos y antiprotones

equivalía a 1,6 trillones de voltios elecrónicos, casi el triple de cualquier cantidad conseguida hasta el momento. Las colisiones de antimateria (partículas subatómicas poco comunes que cuentan con una carga opuesta a la de las partículas corrientes) permitieron a los físicos de los laboratorios Fermi observar la manifestación de la famosa ecuación de Einstein $E=mc^2$: en la colisión de materia contra antimateria, el 100 % de la masa se convierte en energía. (La energía liberada por una bomba nuclear representa una conversión de menos del 1 % de la materia atómica.) ◀1930.14

▶ESPAÑA Y PORTUGAL EN LA CEE—El 12 de junio se firmó el tratado de adhesión de España a la Comunidad Económica Europea, que culminaría con el ingreso el primer día del año siguiente. Portugal seguiría un proceso paralelo en el tiempo. De esta forma, la CEE se convertiría

MEDIO AMBIENTE

El *Rainbow Warrior* bombardeado

6 En los ocho años como barco bandera de la organización ecologista Greenpeace, el *Rainbow Warrior* había viajado por todo el mundo, llevando a bordo objetores dedicados a la desobediencia civil contra ensayos nucleares, residuos radiactivos y la muerte de mamíferos marinos. El barco a menudo había sido confiscado por autoridades locales pero, en julio de 1985, se enfrentó a un recibimiento particularmente hostil. Cuando atracó en Auckland, Nueva Zelanda, para preparar una flotilla contra los ensayos nucleares franceses en el sur del Pacífico, explotaron dos bombas prendidas al casco que mataron a un fotógrafo portugués y hundieron el navío. El gobierno francés era el principal sospechoso.

Unas horas antes de la explosión, se vio a un hombre rana con una barca de goma en una playa cercana. La metió en una camioneta alquilada que conducía una pareja que viajaba con pasaportes suizos falsos. Se supo que las dos personas eran funcionarios de la Dirección General de Seguridad Exterior, el servicio internacional de inteligencia de Francia.

Altos cargos pusieron cortapisas a una investigación ordenada por el presidente François Miterrand. El intento de encubrimiento y el consiguiente escándalo desembocaron en la dimisión del ministro de defensa francés, el despido del jefe del servicio de inteligencia del país y la admisión final del gobierno de complicidad en la colocación de las bombas.

Desde su fundación en 1971 por ecologistas canadienses, los métodos de Greenpeace habían generado controversias. El asunto del *Rainbow Warrior* ensalzó la reputación de la organización. «Pensamos que hemos tenido éxito utilizando la acción directa pacífica, y continuaremos empleándola», declaró Bryn Jones, presidente de la sección británica. **◀1983.5 ▶1988.6**

El *Rainbow Warrior* de Greenpeace, hundido por agentes del gobierno francés.

ALBANIA

El último acólito de Stalin

7 Enver Hoxha murió en abril de 1985 a la edad de 76 años tras 40 años como dirigente de Albania. Para Hoxha, el último estalinista ortodoxo, incluso el bloque soviético había sido demasiado revisionista. La pequeña nación balcánica (la más pobre de Europa y la única de mayoría musulmana) se hallaba prácticamente aislada: recibía pocas visitas y los albaneses salían poco. El funeral de Hoxha estuvo cerrado a los extranjeros.

Durante la Segunda Guerra Mundial, cuando Italia ocupó Albania y fue dirigida por un gobierno títere del Eje, Hoxha, antiguo profesor de francés, huyó a las montañas para liderar la resistencia. Tras la guerra, Albania fue la única nación europea no invadida por las tropas soviéticas que se inclinó por el comunismo. Tito, en la vecina Yugoslavia, contribuyó a que Hoxha se convirtiera en jefe del naciente Partido Comunista de Albania. Las elecciones de 1946, de una sola lista de candidatos, le convirtieron en primer ministro.

Bajo el gobierno de Hoxha, la política exterior se asemejó al juego de las sillas. Rompió con Tito en 1948, a la vez que Stalin; se apartó de la Unión Soviética en 1961, cuando lo hizo China, se desligó de China en 1978, tras el acercamiento sino-norteamericano y la muerte de Mao. Hoxha, un tirano cruel, purgó varias veces su partido, encarceló a los disidentes, acosó a la población albanesa de raíces griegas y reprimió la religión. El país (durante mucho tiempo un lugar atrasado del Imperio Otomano) realizó grandes progresos en la industria, la sanidad y la educación, pero seguía a la zaga de sus vecinos. El sucesor de Hoxha, Ramiz Alia, mantuvo el aislamiento de Albania hasta 1990, cuando una intensa crisis económica le obligó a abrir las fronteras. En 1992 el descontento general provocó la celebración de elecciones libres, en las que los herederos de Hoxha perdieron el poder. **◀1939.5 ▶1991.4**

CRIMEN

El ascenso de la cocaína

8 En febrero de 1985, la DEA (Drug Enforcement Agency) de Estados Unidos anunció que la producción de cocaína había aumentado un tercio respecto a la del año anterior en Colombia, Bolivia y Perú (los mayores productores junto a Ecuador). Las cifras reflejaban una tendencia *yanqui*. Entre los ricos elegantes, la cocaína era la droga preferida, los norteamericanos corrientes también la probaban y, entre los pobres de las ciudades, el consumo de crack, la forma de cocaína barata y fumable, superaba al de heroína. Como resultado, miles de campesinos andinos miserables obtenían dinero al contado a cambio de hojas de coca (empleadas tradicionalmente para combatir el hambre y la fatiga). Adolescentes sudamericanos morían a causa de un sucedáneo fumable de la cocaína, el basuco, y unos cuantos grandes narcotraficantes, la mayoría establecidos en Colombia, se hicieron millonarios.

En los años ochenta, la cocaína tuvo fama de ser la droga de los *yuppies*.

Los reyes de la droga eran muy distintos entre sí: Carlos Lehder tenía una discoteca privada con una estatua de John Lennon desnudo; Jorge Ochoa poseía su zoológico y su propia plaza de toros, y Pablo

«Están golpeando a los pasajeros. Tenemos que aterrizar en Beirut. Ha sacado una granada de mano y está dispuesto a volar el avión. Repito, tenemos que aterrizar en Beirut.» **—El piloto del vuelo 847 de la TWA, secuestrado entre Atenas y Roma**

Escobar construyó un complejo futbolístico público gigante y obtuvo escaños en el congreso. Muchos de sus compatriotas les respetaban porque daban trabajo, capital y filantropía a una nación empobrecida.

Sin embargo, la violencia y la corrupción se hallaban detrás del tráfico de cocaína. En Colombia se daban reyertas entre los cárteles rivales de Medellín y Cali, asesinatos como el del ministro de justicia, en abril y conexiones con escuadrones de muerte derechistas. En Perú, los guerrilleros maoístas de Sendero Luminoso protegían a los cultivadores de cocaína a cambio de sobornos. En México altos dirigentes estuvieron implicados en el secuestro y asesinato de dos agentes de la DEA en febrero. Desde Bolivia hasta las Bahamas, desde Jamaica hasta Miami, banqueros, policías y burócratas vivían a costa del dinero de la cocaía.

El ejército de Estados Unidos inició lo que Reagan llamó «la guerra de la droga» contra los países productores de cocaína, pero la guerra resultó ineficaz contra la vieja ley de la oferta y la demanda. **◂1980.6 ▸1991.11**

TERRORISMO

Acciones en todo el mundo

9 A veces se dice que lo que para uno es un terrorista para otro es un luchador por la libertad. No obstante, según la definición más estricta (violencia realizada por fuerzas no gubernamentales contra civiles que no tienen nada que ver con el país o las cuestiones en disputa), el terrorismo se intensificó en 1985. Entre los cientos de sucesos acaecidos destacan unos cuantos.

En junio, miembros del Jihad Islámico, un grupo libanés chiíta pro-iraní, secuestraron un vuelo de la TWA que realizaba el trayecto Atenas-Roma. Durante días el avión voló entre Beirut y Argel mientras los terroristas pegaban a algunos secuestrados, liberaban a otros y mataban a uno. Los 39 restantes fueron entregados a milicianos chiítas en Beirut. Al cabo de dos semanas, el moderado líder de la milicia Nabih Berri los intercambió por 735 prisioneros chiítas de Israel. Antes de su liberación, organizó una fiesta para los secuestrados en un hotel junto al mar. El mismo mes una bomba destruyó un avión iraní en las costas irlandesas y causó la muerte de 329 personas que volaban de Toronto a Bombay. Aunque nunca se encontró a los culpables, los investigadores sospechaban de los sijs radicales.

En octubre, a pesar de la nueva política de la OLP de atacar sólo blancos israelitas, comandos del Frente para la Liberación de Palestina (FLP) secuestraron un crucero

Los secuestradores del avión de la TWA en el aeropuerto de Beirut. Ordenaron a un civil sin identificar que mostrara las manos mientras se acercaba al avión.

italiano, el *Achille Lauro*. Mataron a un judío neoyorquino de edad avanzada y lo lanzaron al Mediterráneo con silla de ruedas incluida. Luego, siguiendo órdenes del líder del FLP Abul Abbas, se rindieron a las autoridades egipcias. No enterados del asesinato, los egipcios acordaron enviar a los terroristas y a su jefe a Túnez, pero los cazas norteamericanos obligaron al avión a aterrizar en Italia. Abul Abbas enseguida quedó el libertad, lo que provocó un escándalo que casi acaba con el gobierno italiano.

En noviembre, palestinos leales a Abu Nidal (un antiguo líder de la OLP apoyado por los libios) secuestraron un avión egipcio. De las 60 víctimas mortales, 57 murieron cuando las tropas egipcias asaltaron el avión en Malta. Los hombres de Abu Nidal volvieron a actuar en diciembre, al atacar los aeropuertos de Roma y Viena con rifles y granadas de mano. El balance fue de 19 muertos y 112 heridos. **▸1988.4**

ESTADOS UNIDOS

Año de espías

10 Ya sea porque las leyes recientes facilitaron la intervención de los teléfonos de los presuntos espías o porque el número de topos se había multiplicado, en 1985 se acusó de pasar información secreta a más americanos que el año anterior. Dos de los casos se encontraban entre los más graves de la historia de Estados Unidos.

El primero fue el de la red de espionaje de Walker. John Walker, de 47 años, era un detective privado de Norfolk, Virginia, que afirmaba pertenecer a la Sociedad John Birch, anticomunista, y al Ku Klux Klan. Sin embargo, como oficial de la armada en 1968 había utilizado su acreditación de seguridad y su experiencia en submarinos nucleares y códigos secretos para iniciar un lucrativo negocio: suministrar material clasificado a los soviéticos. Más tarde reclutó a su hermano (un ingeniero contratado por el ejército), a su hijo (lugarteniente de la armada) y a su mejor amigo (otro oficial de la armada). Fue la ex-esposa de Walker quien denunció la red de espionaje, una de las más extensas y duraderas de Estados Unidos. Los cuatro miembros fueron condenados a cadena perpetua.

El segundo caso tuvo que ver con cuestiones éticas y diplomáticas más espinosas. Jonathan Jay Pollard, de 32 años, era un analista de la inteligencia naval que había empezado a espiar para Israel en 1984. Aunque Washington compartía muchos secretos militares con su aliado, Pollard, un sionista ferviente, sintió la obligación moral de pasar toda la información. (Sus honorarios fueron modestos respecto a los habituales en tal negocio.) Cuando lo descubrieron ya había entregado mucha información. En 1987 fue condenado a cadena perpetua y su mujer, Alice, a cinco años de prisión por cómplice.

El caso Pollard afectó a las relaciones entre Estados Unidos e Israel, hizo tambalear al régimen israelita y empañó la imagen del legendario servicio de inteligencia de Israel, el Mossad. Se supo que los socios de Pollard actuaron sin el conocimiento del Mossad. **◂1963.3**

Un agente federal escolta a John Walker *(izquierda)*, patriarca de la mayor red familiar de espionaje de Estados Unidos.

en la Europa de los doce y la península Ibérica que, a causa de los regímenes dictatoriales había sufrido un retraso de décadas, se incorporaría a la más importante organización para la integración del Viejo Continente. Culminaba así un proceso que comenzó en 1977 cuando los dos países postularon su ingreso en la Comunidad. Los recelos que suscitaba la incorporación de los dos países al Mercado Común tenían un escenario triple: los antiguos miembros de la Comunidad, los nuevos participantes y los países asociados. El sector agrícola ofrece un buen ejemplo de los problemas suscitados: la irrupción de los vinos ibéricos en el territorio comunitario podía compararse con el temor que suscitaba la producción láctea y cárnica comunitaria en la península Ibérica. Por su parte, países asociados, como Marruecos e Israel, temían por la competencia que los productos agrícolas hispano-lusos podrían realizar desde dentro de la CEE en sus exportaciones. Sin embargo, las consideraciones económicas no podían ensombrecer el éxito político que suponía la ampliación de la Comunidad.

▶EL *TITANIC* ENCONTRADO —En septiembre, el submarino *Argo* encontró los restos del *Titanic*, el lujoso transatlántico hundido con mil quinientas personas a bordo en abril de 1912, durante su primer viaje. Un equipo de científicos franceses y norteamericanos realizaron varias inmersiones en julio de 1986 y descubrieron que estaba partido en dos y oxidado, pero en gran parte intacto (aunque era demasiado pesado para sacarlo a la superficie). ◂1912.1

▶LA AUTÉNTICA—Con el deseo de explotar su ventaja en la «guerra de las colas», Coca-Cola, la mayor compañía de refrescos del mundo, presentó la «nueva» Coca-Cola en abril. Un poco más dulce que la fórmula corriente, la nueva Coca-Cola estaba pensada para convertir a los partidarios de la Pepsi, pero ambos bandos la rechazaron. Los ejecutivos de Coca-Cola pronto recuperaron la fórmula tradicional, llamándola Coca-

POLÍTICA Y ECONOMÍA: Mijail Gorbachov, nuevo secretario general del Partido Comunista soviético [...] Christos Sartzetakis, nuevo presidente de Grecia en sustitución de Constantino Karamanlis [...] En Francia se sustituye el sistema electoral mayoritario por el proporcional [...] Adhesión de España a la Comunidad Económica Europea [...] El Reino Unido abandona la UNESCO.

«No compararía el Mahabharata *con una única obra de Shakespeare sino con sus obras completas.»* **—Peter Brook, director**

Cola clásica, y dejaron de fabricar la nueva.

▶EXHUMACIÓN DE MENGELE—El 21 de junio, un equipo internacional de forenses y cazadores de nazis anunció que el cuerpo exhumado de una tumba cercana a São Paolo, Brasil, era el del nazi Josef Mengele, oficial médico, jefe del campo de Auschwitz durante la Segunda Guerra Mundial. Mengele, apodado el «ángel de la muerte», seleccionó víctimas de las cámaras de gas y realizó experimentos espantosos con personas vivas. Apresado por los norteamericanos después de la guerra, consiguió escapar a Argentina. Bajo un pseudónimo consiguió la nacionalidad paraguaya en 1959 (le fue revocada en 1979) y vivió en Sudamérica hasta su muerte en 1979 en Brasil.

▶MIGRACIÓN DETENIDA —En 1985 Egipto obligó al gobierno israelita a detener su ayuda a la migración masiva de *falasha*, los judíos etíopes, a Israel. Desde el inicio de la migración en 1974 (cuando la persecución de *falasha*

aumentó tras la caída del emperador etíope Haile Selassie), Israel había trasladado a unos doce mil miembros de la antigua secta judía, que permaneció aislada del resto del mundo judío desde el siglo II a. C. Israel reanudó el traslado aéreo en 1989 y al cabo de pocos años la mayoría de los catorce mil *falasha* que quedaban habían emigrado. ◂1979.9

DIPLOMACIA

La euroeuforia se apodera del continente

11 Lo que Napoleón y Hitler no consiguieron con la guerra, se hizo realidad con la paz en 1985, cuando las doce naciones de la Comunidad Europea redactaron el Acta Única Europea. Ésta, una revisión del Tratado de Roma de 1957, trazó un procedimiento detallado para la plena integración de Europa occidental a finales de 1992. La Comisión de la CEE, presidida por el diplomático francés Jacques Delors (*superior*), empezó a trabajar para transformar la zona en el bloque económico más amplio del mundo.

A pesar de cuatro décadas de paz, el período más largo de la historia, Europa había perdido terreno frente a Japón y Estados Unidos durante los años ochenta. La CEE se enfrentó a graves problemas, como los altos índices de paro, la baja productividad y las barreras mercantiles internas. El viejo sueño de la unidad europea (concebido en los años cuarenta por el francés Jean Monnet, el principal diseñador de la CEE) seguía sin concretarse. En busca de un antídoto para la paralización de Europa, la Comisión de la CEE publicó en 1985 *Completing the internal market*, una guía para el establecimiento definitivo de las «cuatro libertades»: movimiento libre de artículos de consumo, servicios, capital y personas dentro de las fronteras de la CEE. El informe identificaba las barreras fiscales, físicas y ténicas del mercado y recomendaba 300 mejoras.

Con el Acta Única Europea, la CEE obtuvo los medios legales para llevar a cabo estas propuestas. Firmada en 1986, entró en vigor al año siguiente. Las naciones miembros de la CEE empezaron enseguida a ejercer políticas agresivas de inversión. La producción y el mercado experimentaron un gran crecimiento. La unidad política todavía estaba lejos y la caída del comunismo en la Europa oriental pronto crearía una serie de problemas políticos, pero de momento la cohesión económica parecía posible. **▸1993.8**

MEDICINA

El SIDA se cobra un ídolo

12 Cuatro años después de su descubrimiento, todavía se ignoraba el SIDA en Estados Unidos, aunque con doce mil casos (y seis mil muertes) hasta la fecha, el país contaba con más enfermos que cualquier otra nación. En Europa se pusieron en marcha programas educativos que recomendaban el uso de preservativos, pero la política norteamericana no daba prioridad a la enfermedad, en parte por su relación con la homosexualidad. Para muchos norteamericanos no resultaba de buen gusto hablar del SIDA. El silencio se rompió en 1985, cuando un portavoz anunció que el actor Rock Hudson padecía la enfermedad.

La noticia causó sensación, y no sólo porque Hudson había besado recientemente a la actriz Linda Evans en *Dinastía*. Hudson, que había protagonizado películas como *Gigante*, era el arquetipo de galán de Hollywood. La revelación de que era homosexual obligó a una modificación de los estereotipos. Asimismo suscitó el interés por la situación de los afectados. Anteriormente, el tratamiento que los medios de comunicación habían propagado sobre el SIDA se centró en los pocos heterosexuales que contrajeron la enfermedad a través de transfusiones de sangre. Ahora, los periodistas se lanzaron a realizar obras de investigación sobre la enfermedad.

Por primera vez, la lenta agonía de miles de enfermos de SIDA se implantó en la conciencia general, así como el heroísmo de médicos, voluntarios, amigos y amantes que los cuidaban. No obstante, la administración Reagan se resistió a los intentos del congreso para aumentar los fondos para la investigación y prevención del SIDA. Hudson era amigo de los Reagan, pero el presidente ni siquiera mencionó el SIDA en un discurso hasta 1987. Por entonces, existían más de cincuenta mil casos en 113 países y la Organización Mundial de la Salud predecía que ascenderían a tres millones en 1991. **◂1984.5**

Rock Hudson con su compañera de la pantalla Doris Day, en 1985.

TEATRO

Una epopeya hindú modernizada

13 El director británico Peter Brook llevó a cabo el proyecto más ambicioso de su innovadora y prodigiosa carrera teatral en 1985: escenificó una epopeya hindú de 1.500 años de antigüedad, cuyo texto es quince veces más largo que el de la Biblia. A partir de la adaptación del dramaturgo francés Jean-Claude Carrière del poema en sánscrito *Mahabharata*, Brook creó una meditación de nueve horas y media sobre el amor, la guerra, el nacimiento, la muerte y el cosmos. Tras debutar en el Festival de Avignon, el *Mahabharata* dio la vuelta al mundo, se representó en Madrid, Atenas, Zúrich, Los Ángeles y Nueva York. «Tras casi diez horas, estábamos casi muertos pero merece el esfuerzo», dijo un miembro del espectáculo.

Arqueros hindúes lanzan sus flechas en la adaptación de Brook.

Brook era un innovador de raíces clásicas. Había dirigido la Royal Shakespeare Company de Inglaterra (una producción de 1970 de *Sueño de una noche de verano* escenificada con trapecios, zancos y saltos acrobáticos había sido muy elogiada) y había resucitado el Teatro de la Crueldad de Antonin Artaud con una producción de 1964 del *Marat/Sade* de Peter Weiss. Admiraba el *Mahabharata* por su investigación de los dilemas del hombre y del universo. «Trata de ideas eternas sobre lo que es correcto y lo que es inmoral o moral y, a través de personajes contradictorios, las grandes preguntas se convierten en materia humana». El reparto del *Mahabharata*, la mayoría del Centro de investigación teatral de París de Brook, era casi tan universal como la misma obra: 24 actores de 18 países. **◂1957.12**

PREMIOS NOBEL: Paz: Equipo internacional para la Prevención de la Guerra Nuclear (EE.UU.) [...] Literatura: Claude Simon (francés; novelista) [...] Química: Herbert A. Hauptman y Jerome Karle (EE.UU.; estructuras cristalinas) [...] Medicina: Michael Brown y Joseph Goldstein (EE.UU.; colesterol) [...] Física: Klaus von Klitzing (alemán; efecto Hall) [...] Economía: Franco Modigliani (EE.UU.).

Europalia 85

«Este festival es la mejor tarjeta de presentación de España en vísperas de su adhesión a la Comunidad Económica Europea. España aporta aquí lo mejor de su historia, lo mejor de su pasado y un atisbo de su futuro». Javier Solana, entonces ministro de cultura, presentaba con estas palabras el festival cultural celebrado en Bélgica entre el 24 de septiembre y el 22 de diciembre, que en 1985 tenía a España como única protagonista. En 1969 se celebró por primera vez el festival Europalia y desde entonces, cada dos o tres años, un país europeo muestra su cultura al resto de la comunidad. Los actos de la edición dedicada a España se compusieron de exposiciones pictóricas y escultóricas, representaciones teatrales, conciertos, danza, cine, gastronomía. La prensa europea e internacional se hizo eco de la moda, el diseño, el deporte y la música española, en plena revitalización. La revista Newsweek *publicó: «La conmoción es auténtica. Después de casi cincuenta años de represión, las artes están por fin resucitando en España. Nutrida por la capacidad de desarrollo social y político de la época que siguió a la muerte de Franco, la nación que produjo a Cervantes y García Lorca, a Velázquez y a Goya, ha alumbrado una nueva generación de pintores, diseñadores, arquitectos y directores de cine de prestigio mundial. El resultado es un renacimiento cultural de los que España no había visto desde que Picasso y Buñuel se marcharon a París cuando el siglo estaba todavía en sus principios.»*

El príncipe Felipe visita la exposición en compañía de los reyes belgas.

«Era como si se pudiera ver la radiación. Había flashes de luz por todas partes, sustancias brillantes y chispas centelleantes.»—**El mayor Leonid Telyatnikov, jefe de la unidad de bomberos de Chernobil**

HISTORIA DEL AÑO

El desastre de Chernobil

1 Una mañana de abril de 1986, los técnicos de una central nuclear sueca registraron por primera vez niveles de radiación anormalmente elevados en los alrededores de la planta. Una inspección demostró que no

Un técnico se acerca al reactor de Chernobil.

existían fugas. Por la tarde, controladores de Dinamarca, Noruega y Finlandia registraron una situación similar. Se observó que el viento soplaba del este. Los científicos, horrorizados, se dieron cuenta de que en algún lugar del mar Báltico se estaba produciendo una catástrofe sin precedentes, una fuga nuclear a gran escala. La ubicación exacta no se conoció hasta el final de la tarde, cuando la televisión soviética informó que «había ocurrido un accidente en la central nuclear de Chernobil».

El accidente de la planta ucraniana había ocurrido unos días antes, pero a pesar de la nueva política de apertura (*glasnost*) de Mijail Gorbachov, la poca disposición del gobierno soviético para dar noticias desagradables seguía en vigor. Uno de los cuatro reactores de Chernobil había explotado y liberado en la atmósfera cien millones de curies de radiación, seis millones de veces más que la fuga de Three Mile Island, Pensilvania (el accidente nuclear más grave antes de Chernobil). La central estuvo en llamas durante dos semanas, lo que frustró los primeros intentos de detener la fuga. Treinta y una personas murieron de forma inmediata, la mayor parte a causa de la radiación, 135.000 fueron evacuadas (algunas semanas más tarde) de un área de 480 km^2. Las tierras de labrantío y las aguas de 32 km a la redonda de Chernobil se contaminaron. Los efectos se notaron mucho más allá: en Escandinavia, la leche presentaba niveles de radiación quince veces más elevados que los comunes; en otros lugares de Europa, los cultivos contaminados se tuvieron que destruir. Las consecuencias totales de la fuga tóxica no se conocieron hasta una generación después. Los expertos estimaron un balance de cuarenta mil casos de cáncer y quizás seis mil quinientas víctimas mortales.

La explosión de Chernobil se debió a errores humanos y al mal diseño de la planta. Los técnicos cometieron una serie de equivocaciones y la central carecía de controles de seguridad apropiados para contrarrestar los errores. El desastre provocó una revaluación política en Europa occidental, que dependía de la energía nuclear para el 30 % de la electricidad, pero pocos cambios: a pesar de los peligros, la energía nuclear todavía se consideraba más segura y más limpia que los combustibles fósiles. **◂1979.7**

DESASTRES

Explosión del *Challenger*

2 Millones de americanos presenciaron por la televisión una y otra vez el peor desastre de la historia de la exploración espacial. El suceso quedó así grabado en la memoria colectiva de la nación. El 28 de enero de 1986, 73 segundos después de un despegue aparentemente rutinario en cabo Cañaveral, Florida, la lanzadera espacial *Challenger*, que ya había realizado nueve vuelos, explotó en el cielo a una altura de menos de 16 km. Mientras la cabina de los astronautas caía al mar, la nube de la explosión indicaba la muerte de los siete tripulantes: el comandante Francis Scobee, el piloto de la armada Michael Smith, los especialistas Ellison Onizuka, Ronald McNair y Judith Resnik, y los novatos Gregory Jarvis y Christa McAuliffe. Ésta, una profesora de New Hampshire que había ganado el concurso nacional «Un profesor en el espacio», era el primer civil que volaba en una misión espacial.

Cinco meses después de la tragedia, una comisión del gobierno

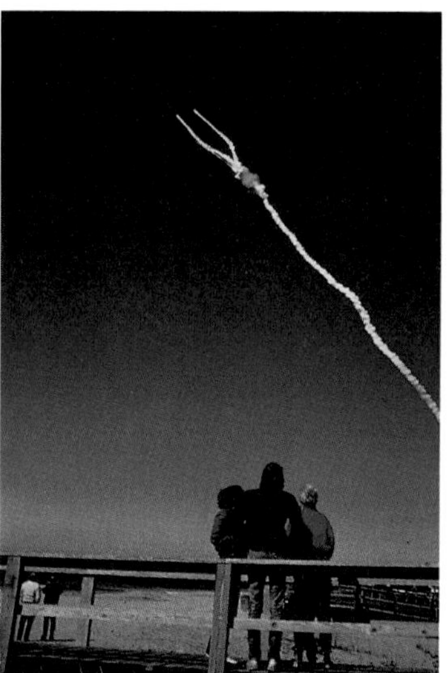

El *Challenger* se desintegró en una nube de humo.

concluyó que podía haberse evitado. Los ingenieros advirtieron que uno de los componentes esenciales de la lanzadera era defectuoso, un grupo de juntas llamadas «anillas O», que unían las secciones del cohete. Pero la NASA, en su determinación de lanzar el *Challenger* en la fecha prevista (el vuelo inmediatamente anterior se había aplazado en diversas ocasiones), no corrigió el problema. El despegue del *Challenger* se había postergado cuatro veces, y el director de la misión tomó la trágica decisión de realizar el lanzamiento a temperaturas muy frías, a pesar de que el frío pudiera desencajar las anillas O. Las juntas fallaron, lo que provocó un incendio en el depósito principal de combustible.

Enfadados porque se había sacrificado su seguridad en favor de la conveniencia, varios astronautas abandonaron el programa. Bastantes altos cargos de la NASA fueron sustituidos y se suspendieron los vuelos de lanzaderas hasta 1988. Al año siguiente, la NASA anunció que los civiles no formarían parte de las tripulaciones espaciales. **◂1981.12 ▸1990.12**

FILIPINAS

Sublevación popular

3 En febrero de 1986, la presión de un movimiento masivo de oposición (así como de la guerrilla comunista y del Departamento de Estado de Estados Unidos) obligó a Ferdinand Marcos a celebrar las primeras elecciones presidenciales con varios candidatos en 17 años. El dictador se enfrentó a un rival importante: Corazón Aquino, la viuda idealista, sencilla y muy popular del líder de la oposición Benigno Aquino. Marcos manipuló los votos y ganó oficialmente las elecciones, pero perdió a su país.

Tras los comicios fraudulentos, Corazón Aquino hizo un llamamiento para una campaña de desobediencia civil. Unos días después los generales Juan Ponce Enrile y Fidel Ramos encabezaron un alzamiento militar y tomaron dos bases de Manila. Al no conseguir el gobierno, desestimaron el intento de golpe de Estado y apoyaron a Aquino. Miles de ciudadanos desarmados rodearon las instalaciones para proteger a las tropas desleales a Marcos, y bloquearon la llegada de tanques para sofocar la rebelión. La revolución se extendió por todo el país.

Aparte de unos cuantos cohetes lanzados por los rebeldes a una base aérea leal y al Palacio de Malacanang (la residencia presidencial), apenas hubo lucha. Unos días después del inicio del alzamiento, Marcos y sus secuaces huyeron a Hawai. Multitudes jubilosas invadieron el palacio, donde encontraron pruebas evidentes de la «cleptocracia» de Marcos, la más curiosa: los 1.060 pares de zapatos de su esposa Imelda.

Aquino liberó inmediatamente a los presos políticos y empezó a restaurar las instituciones democráticas. Las negociaciones con los comunistas dieron paso a un alto el fuego, el primero en casi

ARTE Y CULTURA: Libros: *El testimonio de Yarfoz* (Rafael Sánchez Ferlosio); *La ciudad de los prodigios* (Eduardo Mendoza); *No digas que fue un sueño* (Terenci Moix) [...] Pintura y escultura: *Mural with blue brushstroke* (Roy Lichtenstein); *Legs* (Louise Bourgeois) [...] Cine: *Platoon* (Oliver Stone); *Hannah y sus hermanas* (Woody Allen); *Aliens* (James Cameron); *Jean de Florette* (Claude Berri);

«Me gustaría pasar a la historia con la cabeza bien alta y la conciencia tranquila. Por eso he decidido confiar el destino de la nación a las fuerzas armadas de Haití.»—**Jean-Claude Duvalier, «Baby Doc», en su último discurso a la nación**

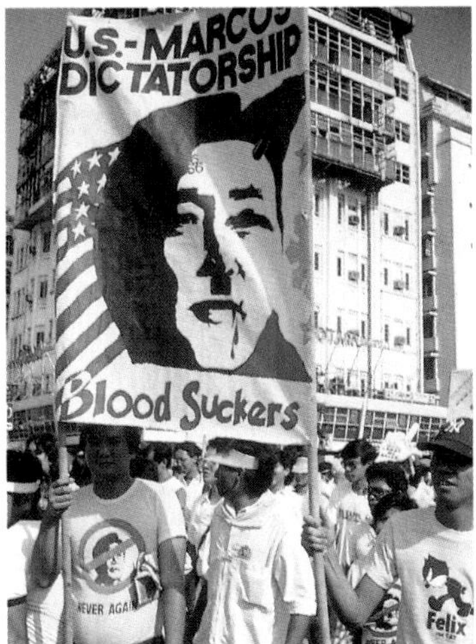

Filipinos se manifiestan contra Marcos.

dos décadas. Pero la euforia revolucionaria disminuyó enseguida. El gobierno se hallaba dividido respecto a la política económica y social. Los partidarios de Marcos conservaban un poder significativo (respaldados a veces por las milicias privadas). Aquino a menudo manifestaba su falta de experiencia política y no logró cumplir las promesas que había hecho a los pobres. Se reanudó la sublevación izquierdista y en 1992 la nueva democracia había sobrevivido a siete intentos de golpes derechistas, uno del general Enrile. Ese año, Aquino decidió no presentarse a las elecciones, apoyó a Ramos (su ministro de defensa), que ganó holgadamente. **◂1983.2 ▸1989.NM**

EL CARIBE

«Baby Doc» depuesto

4 La noche de febrero en la que un alzamiento expulsó de Haití a Jean-Claude Duvalier, el dictador hizo esperar durante dos horas a sus escoltas norteamericanos en el aeropuerto mientras él celebraba una fiesta en casa. Esta arrogancia frívola caracterizó su gobierno, que se inició en 1971 cuando su moribundo padre, François, traspasó su título de presidente vitalicio a su hijo de 19 años. Al principio «Baby Doc» (el Duvalier mayor era «Papa Doc») liberó a unos cuantos presos políticos y relajó las restricciones de la prensa. La masiva ayuda extranjera no pudo contrarrestar los efectos económicos de la corrupción y la mala administración. Después de 1980, cuando Duvalier se casó con la hija de una familia mulata de la elite de Haití (una clase odiada, cuyos privilegios había restringido su padre), el resentimiento popular aumentó y la represión se intensificó. Su esposa despilfarró los fondos de la nación más pobre del hemisferio en moda de París; el resentimiento se convirtió en rabia.

En 1984 empezaron los disturbios. Duvalier, presionado por Estados Unidos y la Iglesia católica, enmendó la constitución para legalizar los partidos políticos. Pero la intimidación violenta de los Tonton Macoutes (la temible milicia privada creada por Duvalier padre) echó a perder un referéndum en 1985 y no se celebraron las elecciones. Las manifestaciones proliferaron por todo el país y algunas fueron dispersadas a fuerza de balas. El turismo y las inversiones extranjeras disminuyeron. Finalmente, Estados Unidos le advirtió que su régimen estaba acabado y el dictador huyó a Francia, dejando a una junta civil militar en el poder. Tras 29 años, la dinastía Duvalier había caído.

En la subsiguiente explosión de furia, lincharon a dos docenas de Tonton Macoutes y se saquearon las propiedades de los partidarios de Duvalier, incluso el mausoleo del propio Duvalier. El jefe de la junta, el teniente general Henri Namphy, hizo un llamamiento a la calma y prometió elecciones y «un compromiso con los derechos humanos». No obstante, la libertad tardaría aún en llegar y no duraría demasiado tiempo. **◂1957.3 ▸1990.13**

Manifestación contra Duvalier. La pancarta dice: «Jean-Claude, gran cerdo».

DIPLOMACIA

La cumbre de Reykiavik

5 La cumbre de las superpotencias celebrada en Reykiavik en otoño de 1986 constituyó el primer encuentro entre el secretario general soviético Mijail Gorbachov y el presidente norteamericano Ronald Reagan. Finalizó con ambos líderes acusando al otro del colapso de las conversaciones. Animadas por un grado infrecuente de espontaneidad, pero perjudicadas por la falta de preparación de ambos bandos, las negociaciones se convirtieron en una ocasión para las demostraciones públicas. El clima era apropiado para el control de armamento: la determinación de Gorbachov de revitalizar la economía soviética se vería favorecida por un retroceso de la producción armamentística.

Gorbachov y Reagan en Reykiavik.

En un encuentro estrictamente privado, los dos dirigentes casi dieron el último paso: un acuerdo para acabar con la amenaza de la guerra atómica. «Sería magnífico eliminar el armamento nuclear», alegó Reagan. «Podemos hacerlo», contestó Gorbachov. Pero su utópica visión de la paz fue anulada por el igualmente idealista plan de guerra de Reagan: la iniciativa de defensa estratégica (apodada «Guerra de las Galaxias»), un proyecto grandioso para construir satélites y misiles escudo ubicados en el espacio para inmunizar a Estados Unidos de un ataque nuclear. A cambio de desmantelar las armas nucleares soviéticas almacenadas, Gorbachov quería que la iniciativa se limitara al laboratorio. Reagan se negó. La atmósfera de Reykiavick de «todo o nada» hizo imposible llegar a un compromiso: las dos partes regresaron a sus países con las manos vacías.

Las conversaciones de 1987 fueron más serenas y productivas: a finales de año, los líderes americano y soviético firmaron el primer tratado para reducir el tamaño de sus arsenales nucleares. **▸1987.10**

MUERTES

Simone de Beauvoir, escritora francesa.

Joseph Beuys, artista alemán.

Jorge Luis Borges, escritor argentino.

Broderick Crawford, actor estadounidense.

Marcel Dassault, diseñador aeronáutico francés.

Jean Genet, dramaturgo francés.

Benny Goodman, músico estadounidense.

Cary Grant, actor anglo-estadounidense.

W. Averell Harriman, político estadounidense.

Urho Kekkonen, presidente finlandés.

Harold Macmillan, primer ministro británico.

Bernard Malamud, escritor estadounidense.

Vincente Minnelli, director cinematográfico estadounidense.

Henry Moore, escultor británico.

Alva Myrdal, socióloga y diplomática sueca.

Georgia O'Keeffe, pintora estadounidense.

Olof Palme, primer ministro sueco.

Otto Preminger, director cinematográfico estadounidense.

Hyman Rickover, almirante ruso-estadounidense.

Juan Rulfo, escritor mexicano.

E. Tierno Galván, intelectual y político español.

***Tampopo* (Juzo Hami) [...] Teatro: *Broadway Bound* (Neil Simon); *El público* (García Lorca) [...] TV: *La ley de Los Ángeles*.**

«Los de mi generación nos hundimos en la maquinaria de la guerra, el temor y el intento de sobrevivir.»—**Kurt Waldheim**

NOVEDADES DE 1986

AZT (acidotimina, tratamiento para el SIDA).

Vacuna fabricada genéticamente, aprobada por Estados Unidos (para la hepatitis B).

España y Portugal, miembros del Mercado Común Europeo.

EN EL MUNDO

▶DIEZ AÑOS DE DEMOCRACIA ESPAÑOLA—El decenio que comenzó en 1976 con la aprobación de la ley para la reforma política culminó en 1986, un año en el que tuvieron lugar dos consultas electorales importantes: el referéndum sobre la permanencia de España en la Alianza Atlántica

(12 de marzo) y la elección legislativa para el Congreso de los Diputados y el Senado (22 de junio). En ambos, el triunfador efectivo y moral fue el presidente del gobierno socialista Felipe González *(superior)*. A pesar de que mientras dirigía la oposición se opuso sin éxito al ingreso de España en la OTAN, una vez en el poder defendió la permanencia en la campaña previa a un referéndum que convocó en cumplimiento de sus compromisos electorales. Triunfó la opción propuesta por el gobierno que obtuvo un 52,50 % de los votos. Pero la abstención, por encima del 40 %, fue muy alta. Las elecciones generales celebradas en junio ratificaron la confianza que la mayoría de los votantes habían otorgado cuatro años antes al partido socialista. Un 44,3 % de los votos permitieron a Felipe González mantener la mayoría absoluta, con un desgaste limitado de escaños (18 menos que en 1982). Ni el terrorismo endémico (38 muertos en 1986), ni la

ORIENTE MEDIO

Estados Unidos bombardea Libia

6 Ningún líder mundial había vilipendiado de forma tan vehemente a Estados Unidos ni había elogiado tan abiertamente a los grupos terroristas como Muammar el-Gaddafi. Las sanciones internacionales (y los intentos de la CIA de desestabilización) no consiguieron derrocarle o cambiar su actitud. Ronald Reagan quería utilizar la fuerza militar contra él, pero carecía de pruebas que relacionaran a Libia con ningún acto terrorista concreto. Finalmente, esta prueba se materializó en abril de 1986, cuando una explosión en una discoteca de Berlín, quizás la venganza de una reciente escaramuza en el golfo de Sidra, donde los aviones americanos habían hundido cañoneras libias, mató a un soldado americano y a una mujer turca e hirió a 230 personas más. La inteligencia de Estados Unidos declaró que había interceptado mensajes incriminatorios de Gaddafi a la embajada libia de Berlín este. Dos semanas después, 150 aviones atacaron Libia en el mayor bombardeo norteamericano desde la Segunda Guerra Mundial.

El ataque se concentró en el recinto militar de Trípoli donde residía Gaddafi. (Desde 1976, el derecho norteamericano prohibía el asesinato de dirigentes extranjeros, pero un bombardeo era otra cuestión.) Aunque murieron 40 civiles, entre ellos la hija menor de Gaddafi, el dictador resultó ileso.

Estados Unidos fracasó en otras ocasiones. Aunque Gran Bretaña le permitió el uso de sus campos de aviación, la mayor parte de los otros aliados se opusieron a la operación. Francia y España rechazaron a los aviones norteamericanos y no les permitieron cruzar su espacio aéreo. Europa condenó el ataque y el terrorismo continuó: al cabo de unos días, un rehén americano y tres británicos fueron asesinados en el Líbano como represalia y en Londres, París y Viena estallaron bombas. Se sabía que Irán y Siria eran más partidarios del terrorismo que Libia, pero su influencia diplomática y militar los convertían en unos enemigos más difíciles. **◂1981.3 ▸1988.4**

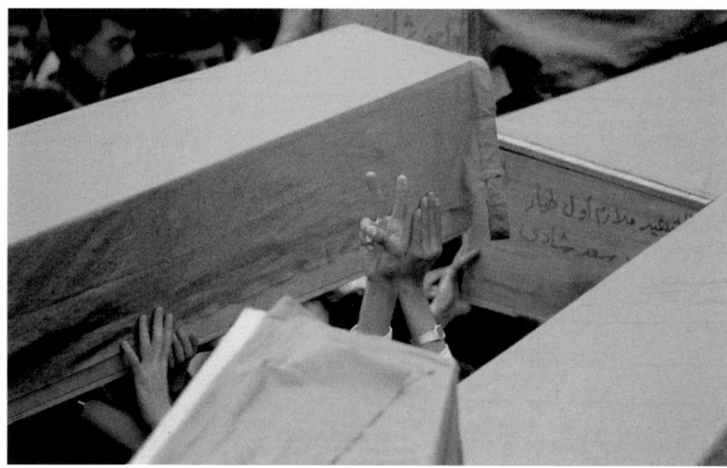

Signo de la victoria en el funeral de las víctimas de Trípoli.

AUSTRIA

El pasado nazi de un presidente

7 A lo largo de una carrera política de cuatro décadas, que incluía un mandato como secretario general de la ONU (1972-1982), Kurt Waldheim construyó una biografía inofensiva en respuesta a la pregunta «¿Qué hizo en la guerra?». Afirmaba que nunca había sido nazi y que había sido reclutado por el ejército alemán tras la Anschluss, luego reinició sus estudios en la facultad de derecho, tras ser herido en 1941. Pero en 1986, cuando Waldheim se presentó como candidato a la presidencia por el Partido Popular austríaco, de derechas, unos documentos recién descubiertos revelaron un pasado mucho más siniestro. No sólo se había afiliado a grupos estudiantiles nazis en 1938 sino que, además, en 1942 y 1943, había sido un alto mando de una división que asesinó a civiles yugoslavos y deportó a miles de judíos griegos a campos de concentración.

Waldheim respondió que sus afiliaciones nazis fueron puramente pragmáticas. Al principio, negó cualquier conocimiento sobre los crímenes de guerra (por los que su comandante fue ejecutado en 1947), luego comentó que «saberlo no era un crimen». Sus evasivas provocaron la condena mundial, pero sus compatriotas reaccionaron defendiéndole. Aunque la mayor parte de los austríacos habían colaborado con Hitler, aludieron a una declaración aliada de 1943 de que su país había sido una víctima de la agresión nazi. Muchos estuvieron de acuerdo con los impresos de campaña de Waldheim, que afirmaban que el Congreso Judío Mundial dirigía una campaña «psicoterrorista» contra la nación. Casi toda la prensa austríaca apoyó a Waldheim. (Un diario publicó caricaturas antisemitas.) Incluso su oponente socialista, que siguió la tendencia general, amortiguó el escándalo. En junio, Waldheim ganó las elecciones con un 54 % de los votos.

A pesar de la nota de felicitación de Ronald Reagan, se le prohibió visitar Estados Unidos y muchos dirigentes europeos le ignoraron. Israel retiró a su embajador de Viena. Un número cada vez mayor de austríacos empezó a pedir la dimisión de su presidente, pero Waldheim cumplió su mandato de seis años y no se presentó en las elecciones de 1992. **◂1938.2 ▸1993.7**

ESTADOS UNIDOS

El escándalo Irán-Contra

8 Una revista libanesa publicó una sorprendente historia en noviembre de 1986: la administración Reagan había vendido misiles a Irán. Las transacciones, llevadas a cabo para liberar a rehenes americanos de la guerrilla proiraní del Líbano, eran ilegales y violaban los principios de Reagan de no negociar con terroristas y de aislar a quienes los apoyaban. Unas semanas más tarde, el fiscal general Edwin Meese realizó unas declaraciones aún más escandalosas: los dirigentes norteamericanos involucrados habían desviado millones de dólares de los beneficios de las ventas hacia los contras derechistas de Nicaragua. Esto contravenía la enmienda Boland, que prohibía la ayuda militar a la contra. La involucración directa de Reagan significaría alta traición.

Meese afirmó que el teniente coronel Oliver North, del Consejo de Seguridad Nacional, actuó por su cuenta. North fue despedido y su jefe, el consejero de Seguridad Nacional John Poindexter, dimitió. Investigaciones posteriores llevadas a cabo por el congreso, por la Comisión Tower y por el fiscal

DEPORTES: Motociclismo: Ángel Nieto se retira de la competición tras ganar trece títulos de campeón del mundo [...] Fútbol: copa del mundo, Argentina (con Diego Maradona) derrota a Alemania por 3 goles a 2.

«Si el comandante en jefe le dice a este teniente coronel que vaya a un rincón y haga la vertical, lo haré [...]. Y si decide echarme [...] le saludaré con orgullo y diré "gracias [...]", y me iré.»—**Oliver North**

especial Lawrence Walsh, desmintieron la historia de Meese. La CIA, el CSN y algunos miembros del gabinete de Reagan, entre ellos el vicepresidente George Bush, estaban implicados.

La confianza pública en el popular Reagan se vio seriamente afectada. En el mejor de los casos había sido negligente; en el peor, había formado parte de una conspiración delictiva. En 1987, Reagan admitió haber fomentado ayudas privadas de varios tipos para la contra. Respecto a haber aprobado la venta de armas a Irán, dijo que: «Sencillamente, no se acordaba».

North no había perdido la memoria. En audiencias televisadas del congreso, el agresivo infante de marina convenció a muchos americanos con su retórica patriótica. Pero mientras se jactaba de su lealtad a sus superiores, nombró una cadena de mandos que alcanzó a los más altos. «Pensaba que tenía el permiso del presidente», declaró.

La Casa Blanca intentó desacreditar la historia de North.

En 1989, North fue el primero de los muchos condenados por el caso Irán-Contra. (Más tarde, un tribunal de apelación modificó los fallos por cuestiones formales.) Reagan no fue acusado; los procesos a otros dirigentes se alargaron hasta 1992, cuando Bush, ya presidente (había sucedido a Reagan), indultó a los seis últimos antes de ser juzgados. **◂1984.3**

MEDIO AMBIENTE

Catástrofe en el río Rin

9 En noviembre de 1986 un incendio en una central química de Sandoz cercana a Basilea, Suiza, causó la peor catástrofe ecológica de Europa en una década. El Rin se llenó de unas treinta toneladas de veneno: pesticidas, fungicidas y otros productos químicos agrícolas. En unas horas, el río se contaminó tanto como en un año.

En una caricatura alemana, un hombre acusa a las compañías químicas alemanas de matar al Rin. En el pie, el otro responde: «No importa, los suizos ya lo han hecho».

Aunque el desastre no provocó víctimas humanas, la vida acuática quedó seriamente dañada. Se sacaron toneladas de peces muertos del río y los pocos supervivientes enfermaron. El veneno se fue hundiendo y mató a todos los microorganismos que salían a su paso, incluida la base de la cadena alimenticia del Rin. Casi 320 km del río quedaron prácticamente sin vida. La recuperación duraría diez años.

Las naciones fronterizas del Rin (Suiza, Francia, Alemania occidental y Holanda) prohibieron la pesca, cerraron las esclusas para que la contaminación no se propagara y trasladaron agua potable en camiones. En Europa se celebraron manifestaciones y, en una de Basilea, los manifestantes arrojaron botellas de agua del río y anguilas muertas a las autoridades locales y a representantes de Sandoz. Suiza (con su fama de país ecológico perjudicada) fue acusada de no seguir las normas de seguridad. Finalmente el país asumió la responsabilidad del derrame químico y se avino a pagar las reparaciones a sus vecinos.

El único que se benefició de la calamidad fue el Partido de los Verdes de Alemania occidental, que consiguió un apoyo mayor después de exigir medidas más severas para proteger al río. **◂1983.5 ▸1989.13**

ARTE

Populismo *pop*

10 La explosión artística de los años ochenta, que amenazaba con convertir el arte en un artículo de consumo más, también convirtió en estrellas a los artistas. El neoyorquino Keith Haring se hizo famoso (y consiguió un gran éxito comercial) con sus características representaciones de contornos de bebés brillantes y perros que ladraban. En 1986 Haring cruzó definitivamente la frontera poco definida entre arte y negocio: abrió una tienda de venta al por menor. La Pop Shop, situada en el SoHo, vendía artículos baratos (camisetas, botones, imanes para la nevera) adornados con los jeroglíficos de Haring. Acusado de buhonero, Haring alegó que «estaba rompiendo la barrera entre el alto y bajo arte», algo a lo que dedicó su carrera.

Haring empezó como «artista de *graffiti*», pintando sus imágenes en estaciones de metro. Luego continuó con esta técnica en las galerías y puso precios exorbitantes a sus lienzos. Sus siguientes obras conservaron la tendencia populista: creó una serie de imágenes para campañas contra la droga y la investigación del SIDA, fue profesor de arte y pintó un mural en el Muro de Berlín, que enseguida fue cubierto de negro por un artista alemán que lo encontró inapropiado. **◂1982.10**

Keith Haring murió de SIDA en 1990. Por entonces, sus pictogramas se habían convertido en símbolos *pop* internacionales.

querella interna en el gobierno (oposición entre Alfonso Guerra, vicepresidente, y Miguel Boyer, «superministro» de economía), ni la aparición de los primeros escándalos de corrupción ni el indudable desgaste que supuso el referéndum de la OTAN impidieron el segundo éxito de los socialistas.

▸LADY LIBERTAD CUMPLE 100 AÑOS—Tras una restauración de tres años y setenta millones de dólares, la Estatua de la Libertad fue objeto de un lujoso centenario el 4 de julio. Regalo de Francia, el coloso del puerto de

Nueva York fue inaugurado por el presidente Grover Cleveland en 1886. El presidente Reagan inició el aniversario encendiendo la antorcha de la estatua, el 3 de julio.

▸BARCELONA OLÍMPICA —El 17 de octubre Barcelona fue designada sede de los Juegos Olímpicos de verano de 1992. El presidente del COI, el barcelonés J. A. Samaranch, leyó el nombre de su ciudad tras una intencionada pausa, para aumentar el suspense, al final de la votación que tenía como candidatas a la capital catalana y a la ciudad de París.

▸¿QUIÉN MATÓ A OLOF PALME?—El 28 de febrero, el primer ministro sueco Olof Palme, pacifista de renombre internacional, fue asesinado por un hombre en las calles de Estocolmo cuando el político volvía del cine con su esposa,

Lisbeth. Era el primer jefe de Estado sueco asesinado desde 1792. La policía sospechaba de una serie de grupos terroristas internacionales pero su asesino no pudo ser detenido. ◂1976.2

POLÍTICA Y ECONOMÍA: las agrupaciones inscritas en el Registro de Partidos Políticos en vísperas de las elecciones generales españolas alcanzaban la respetable cifra de 506 [...] El «equilibrio nuclear estratégico» entre Estados Unidos y la URSS se componía de 1.910 cohetes y 12.846 cabezas nucleares de los norteamericanos frente a 2.502 cohetes y 10.716 cabezas nucleares de los soviéticos.

«Un pianista puede ser un buen americano cuando interpreta a Barber, un buen polaco cuando interpreta a Chopin, un buen ruso cuando interpreta a Tchaikovsky [...]. Un pianista es un ciudadano del mundo.»—**Vladimir Horowitz**

▶CATÁSTROFE EN NYOS —El 21 de agosto tuvo lugar un extraño desastre natural en la ciudad de montaña de Nyos, Camerún: el cercano lago Nyos expulsó una nube mortífera de dióxido de carbono. La bruma envolvió a Nyos y a los pueblos vecinos durante la noche; mató a casi todo el mundo, más de mil setecientas personas. Con la prisa por quemar los cadáveres para evitar enfermedades, el ejército no consiguió realizar un recuento completo de los cuerpos.

▶SUPERCONDUCTIVIDAD A TEMPERATURAS MÁS ALTAS—En enero, el físico suizo Karl Alex Müller y su compañero alemán Johannes Georg Bednorz presentaron su descubrimiento de un material con una temperatura transitoria excepcionalmente alta (la temperatura en la cual un material pierde resistencia eléctrica, estado llamado de superconductividad). El físico holandés Heike Kamerlingh Onnes descubrió la superconductividad a -268,8° C en 1911, Müller y Bednorz (que más tarde ganó el Nobel) encontraron un compuesto metalóxido con una temperatura de transición de -196° C, una reducción significativa. Al año siguiente, el físico americano Paul W. Chu indentificó un compuesto similar que alcanzaba la superconductividad a -179° C. Los superconductores pueden utilizarse para crear campos magnéticos y sus aplicaciones incluyen computadores, reactores de fusión y generación de electricidad.
◂1911.2

Michael Crawford y Sarah Brightman en la producción londinense de *El fantasma de la ópera*.

TEATRO

Una producción británica en Broadway

11 En 1986 el teatro musical completó un ciclo: a principios de siglo reinaban las producciones inglesas escapistas; a finales, volvieron a hacerlo. En el período intermedio, Rodgers y Hammerstein, Jerome Kern, Irving Berlin y Cole Porter habían dominado la escena lírica. Sin embargo, en los años ochenta, los músicos norteamericanos escribían canciones de *rock* y no melodías de Broadway. Letristas como Stephen Sondheim a menudo resultaban demasiado cerebrales para el gusto general. Andrew Lloyd Webber, un británico que mezclaba tonadas de Broadway, ópera y *pop-rock*, entró en escena para convertirse en el compositor más famoso de la historia teatral. *El fantasma de la ópera,* que se estrenó en el West End de Londres en octubre de 1986 y se trasladó a Broadway en 1988, es su obra más emblemática.

Lloyd Webber, hijo del director del London College of Music, se dio a conocer en 1968 con *Joseph and the amazing technicolor dreamcoat*, seguida de las obras *Jesucristo superstar, Evita, Cats* y *Starlight express.* La crítica no trató muy bien estas operetas (totalmente cantadas) por sus melodías poco originales, sus letras mediocres y sus argumentos superficiales. Pero el público las adoraba: en 1982, Lloyd Webber hizo historia del teatro con tres éxitos simultáneos en Nueva York y Londres.

Una exquisita versión de la historia de Gaston Leroux, *El fantasma de la ópera* se representó con efectos especiales sorprendentes: el escenario ruinoso de la Ópera de París se transformaba en esplendoroso; en un momento, salían velas de un lago sobre el escenario y un velero volaba sobre los espectadores y se estrellaba cerca de la heroína (interpretada por la entonces mujer de Lloyd Webber, Sarah Brightman). La música resultaba familiar —los críticos destacaron sus influencias de Puccini y los Beatles— y la romántica aria del fantasma «Music of the night» (cantada por Michael Crawford) se popularizó como disco sencillo. Casi una década después de su estreno, *El fantasma de la ópera* todavía agotaba las localidades. **◂1975.12**

LITERATURA

El Nobel de Soyinka

12 En 1986 el nigeriano Wole Soyinka se convirtió en el primer negro que ganaba el Premio Nobel de literatura. El gobierno de Nigeria, reconociendo la importancia del premio, agasajó a Soyinka con los honores más altos.

Esta aprobación oficial era algo nuevo para el escritor, educado en Gran Bretaña. Durante los turbulentos años sesenta, la primera década de la independencia de Nigeria, fue encarcelado en dos ocasiones por sus actividades políticas. La segunda vez, durante el conflicto de Biafra, pasó 22 meses de confinamiento solitario acusado de contrabando de armas. (En realidad, se manifestó por la paz. Se oponía a la guerra genocida contra los secesionistas igbos.) Incluso dentro de una celda muy pequeña, Soyinka se las arregló para escribir poemas y cartas en papel higiénico y hacerlos llegar de forma clandestina a sus lectores.

Su obra, escrita en lengua inglesa, combina lo ritual, la sátira y la alta tragedia con elementos procedentes de las mitologías europeas y yorubas. Aunque elogiado tanto por sus escritos autobiográficos (*The man died*, recuerdos de la prisión) como por sus novelas, poesía y ensayo, Soyinka es sobre todo un dramaturgo. Fundó compañías y dirigió el departamento dramático de la Universidad de Ife. Sus obras han sido representadas en los principales teatros de Nueva York y Londres. Observador penetrante de las flaquezas de Occidente y de África, Soyinka acompañó la euforia independentista con *A dance of the forests* (1960), atacó al colonialismo británico con *Death and the King's horseman* (1975) y criticó a los dictadores africanos (y las actitudes de las superpotencias hacia ellos) en *A play of giants* (1984). **◂1958.12**

MÚSICA

Horowitz regresa a su patria

13 En 1986, gracias a las reformas de Mijail Gorbachov, Vladimir Horowitz, quizás el mejor virtuoso del piano del siglo, regresó a la patria que había abandonado 61 años atrás.

Nacido en Kiev en 1904, Horowitz abandonó la Unión Soviética en 1925. En 1928, ya muy conocido en Europa, debutó en los escenarios norteamericanos con la Filarmónica de Nueva York en un concierto en el que retó al director Thomas Beecham. (Horowitz tocó una pieza de Tchaikovsky a una velocidad mayor que la dictada por Beecham. Acabó cuatro compases antes que el resto de la orquesta.) Programas agotadores de conciertos, un matrimonio difícil (pero que duró 56 años) con la hija de Arturo Toscanini y una serie de retiradas y regresos hicieron que Horowitz estuviera dentro y fuera de la vida pública durante décadas. Entre sus compatriotas de la Unión Soviética, los discos lograron que no se olvidara «el tornado de las estepas».

Tras superar una serie de enfermedades, en 1985 inició su giro más importante, que culminó con el regreso triunfal a la Unión Soviética, inspirado en parte por el deseo de volver a ver Rusia antes de morir. Primero actuó en el Gran Salón del Conservatorio de Moscú, luego viajó a Leningrado para un segundo concierto. Haciendo uso de su particular técnica, interpretó piezas de Schumann, Scriabin, Rachmaninov y Chopin ante los emocionados rusos, muchos de los cuales habían hecho cola toda la noche para conseguir entradas. (En Moscú, algunos estudiantes de música desesperados entraron a empujones en el lugar donde se celebraría el concierto.) El poder de emocionar de la interpretación de Horowitz «libera al público [...] es una especie de experiencia religiosa», dijo un crítico.
◂1958.10

Horowitz saluda a sus admiradores tras el histórico concierto de Leningrado.

PREMIOS NOBEL: Paz: Elie Wiesel (EE.UU.; trabajo en beneficio de las víctimas del Holocausto) [...] Literatura: Wole Soyinka (nigeriano; novelista) [...] Química: D. Herschbach, Y. Lee y J. Polanyi (EE.UU. y canadiense; dinámica de reacción) [...] Medicina: Rita Levi-Montalcini y Stanley Cohen (EE.UU.; crecimiento celular) [...] Física: G. Binnig, E. Ruska y H. Rohrer (alemanes y suizo; microscopio) [...] Economía: James Buchanan (EE.UU.).

Notas de un referéndum

Artículo de Antonio Gala, 1986

El 12 de marzo de 1986 los españoles fueron convocados a las urnas para decidir la permanencia de España en la OTAN. El gobierno socialista pidió el SÍ a sus votantes, aunque mientras el partido estuvo en la oposición optó por la postura contraria. La abstención fue considerable; no obstante, los socialistas, únicos que predicaban el SÍ (el partido de la oposición, Alianza Popular, pedía la abstención), ganaron la consulta popular por casi 10 puntos y en junio conservaron la mayoría absoluta. Entre los intelectuales que se pronunciaron por el NO destaca Antonio Gala, novelista, dramaturgo y autor de artículos periodísticos de opinión, que presidió la Plataforma Cívica para la salida de España de la OTAN.

Antonio Gala, poeta, ensayista y autor teatral.

No intento hacer Historia: otros la harán. Intento contar unos recuerdos que amo y que amaré.

Fui convocado a una cena a principios de otoño del 85. Había seis comensales más. (Yo asistía esa noche a una sesión teatral —de mimo y mala— del Festival de Otoño de Madrid. Me salí a la mitad, y llegué al restaurante a la hora del café. No cumplí, pues, con integridad ninguno de mis dos propósitos.) En la sobremesa, se decidió hacer y publicar, para exigir la salida de la OTAN, una especie de *fotografía de familia*. Aparecerían en ella doce o quince personas, inmediatamente identificables, de muy distintas —incluso opuestas— procedencias. Sus rostros debían inspirar confianza y significar limpieza. Rostros de hombres y mujeres independientes, valiosos, representativos y reconocidos en sus respectivas actividades. Doce o quince españoles que personificaran de veras a una España que, en la Constitución, proclamó su voluntad de «colaborar en el fortalecimiento de unas relaciones pacíficas y de eficaz cooperación entre todos los pueblos de la Tierra». Llegamos a un acuerdo en nombres, en suplentes y en fechas. Ninguno de los designados se negó en principio. Aún no se había convocado el referéndum, ni se había desencadenado la contradictoria, avasalladora y terrorífica campaña del gobierno. Después sí hubo defecciones. No mencionaré a nadie. Sólo a Enrique Tierno Galván, porque se me acusó más tarde de utilizar su memoria. Es falso: Tierno aceptó, consecuente con sus afirmaciones reiteradas, estar junto a mí en la fotografía. Una fotografía que, infortunadamente, por razones mecánicas y casi todas tristes, no se llegó a tomar.

A finales de enero —la víspera de mi partida de Madrid, para trabajar durante febrero en Andalucía como suelo— se convocó en un hotel una reunión heterogénea y multitudinaria. De ella surgió la Plataforma Cívica para la salida de España de la OTAN, cuya presidencia acepté. No me fue fácil. No voy a exponer aquí los motivos íntimos que yo mismo me daba para rechazar un puesto tan visible, ni los que me daba para acceder. Fueron más poderosos y urgentes y generosos los segundos. Mi postura quedó bien clara: acometía una tarea cívica, no política, y, consumado el referéndum, cualquiera que fuese su resultado, yo volvería a mi trabajo habitual de escritor.

El Día de Andalucía, el 28 de febrero, asistí a mi primer mitin en Sevilla. Desde junio del 77, cuando se votó la Constitución, no había participado en una solidaridad tan gozosa. Pero a ella se agregaba un subrayado de riesgo y de lucha, porque se pretendía arrebatarnos algo: un sentimiento de la dignidad nacional, y el ejemplo de neutralidad que íbamos a significar para Europa. A aquel mitin siguieron otros. (Pocos: en la campaña comprobé la extraña e irreal ubicuidad de los políticos.) Pero en todos palpaba el amor de la gente que me atendía, su ilusionada entrega, su extrema juventud en la mayor parte de los casos, su decepción en los restantes. O sea, su esperanza: la esperanza de una gente que era, a su vez, la mejor y más noble esperanza de España.

Tres dolores me produjo, en su transcurso y su fin, el referéndum.

Primero: la actitud de algunos intelectuales, tan contraria a la que habían mantenido antes de él. Quien no es fiel a sí mismo, no puede serlo a su tiempo ni a su pueblo; y viceversa. Pienso, por otra parte, que es una simple vanagloria llenar un manifiesto con nombres que la gente desconoce. Nuestro pueblo lee poco, y no a más de 10 intelectuales encuentra suficientemente respetables como para que su mero nombre le incite a consentir con ellos. Por eso no convoqué a ninguno, y a ninguno retuve.

Segundo: la actitud de las Juventudes Socialistas, cuya energía, cuyo sentido de la rectitud y de la coherencia, cuya obligada fe en el futuro, cuyos ideales, se vieron arrasados.

Tercero: la actitud de mi Andalucía, que siendo la más amenazada en Morón y en Rota, en Palomares y tácitamente en el resto de sus costas, se desbordó en el *sí*. Detesto que se me hable de los votos del miedo y la ignorancia, pero, de todas las explicaciones, quizá sea ésta la menos ofensiva.

Las consecuencias para los que desembozadamente intervinimos en contra del gobierno, se hicieron sentir enseguida. El *síndrome de subsecretario* o *de conserje*, con su exceso de celo para complacer al superior, es habitual aquí. Por lo que a mí respecta, podría exponer una lista de agravios larga y más sangrienta por proceder de quienes procedía. Por lo que respecta a otros compañeros —y esta palabra alcanzó entonces su más alto sentido—, acaso más aún. La reacción no por prevista fue menos entristecedora.

Los sucesos históricos posteriores (desde los graves incidentes de Libia hasta los últimos maltratos y desdenes norteamericanos referidos a España y Europa; desde los condicionantes de la pregunta refrendada a la artera realidad que los conculca) se han empeñado tozudamente en darnos la razón a quienes proclamamos el *no*.

Yo, dentro y fuera de mí, lo sigo proclamando.

Retorné a mi mesa con la conciencia orgullosa y tranquila. Había cumplido un deber civil que me sacó literalmente de mis casillas, y traía una enorme ansia de quedarme a solas con mis papeles y mis pensamientos. En primer lugar, porque me habían herido en carne propia gestos de envidia, de mediocridad, de mentiras útiles y de medias verdades, de cobardías y traiciones. Yo no sé actuar sino con nitidez y con voluntad pura. Estoy seguro de que el *Premio a la Transparencia*, que una asociación nacional acaba de otorgarme, no es ajeno a esta idea. Y en segundo lugar, pero quizá con mayor importancia, porque para reflexionar y para escribir nací, y entre mi silencio y mis libros se realiza mi destino. Un destino que no se ha separado —ni se separará nunca, esté yo donde esté— del de mi pueblo.

«No se puede llenar la barriga de los banqueros y la de la gente a la vez.»—**Jair Meneguelli, líder laboral brasileño**

HISTORIA DEL AÑO

Brasil suspende los pagos de deudas

1 Brasil era el país en vías de desarrollo que debía más dinero al extranjero, de modo que cuando el presidente José Sarney anunció en febrero que su país suspendía el pago de intereses de su deuda de ciento ocho mil millones de dólares, los acreedores de las naciones desarrolladas se inquietaron. No es que los bancos fueran a quebrar sin los pagos de diez mil millones de dólares anuales de Brasil, pero las mayores deudoras latinoamericanas (Brasil, México, Argentina y Venezuela) debían en total doscientos ochenta y cinco mil millones de dólares. Si las otras naciones seguían el ejemplo de Brasil, las instituciones financieras se verían gravemente perjudicadas. Varios bancos norteamericanos, obligados a desviar capital a sus reservas de deudas incobrables como precaución, anunciaron pérdidas para el año.

Los brasileños culpaban a los acreedores. Durante veinte años, hasta 1985, Brasil había sido gobernada por dictadores militares y los bancos extranjeros habían financiado sus programas monumentales. Los generales construyeron carreteras, presas, centrales nucleares y fábricas de armas, con lo que contribuyeron a transformar un reducto agrícola en la octava economía capitalista del mundo. Muchos proyectos no se acabaron o no funcionaron bien. Para pagar su gran deuda, los dirigentes brasileños idearon campañas de exportación, pero los beneficios no se correspondían con los pagos de intereses y el consumo nacional cayó en picado. A pesar de las riquezas del país, la desnutrición y el analfabetismo continuaban siendo endémicos. La inflación aumentaba.

El declive económico provocó protestas y represalias violentas. En la ilustración, la policía dispersa una manifestación.

En 1986, Sarney intentó aliviar la mala situación de su pueblo congelando los precios, aumentando los salarios y las aportaciones de capital. La economía y la moral mejoraron; el partido de Sarney ganó las elecciones de noviembre, pero pronto reapareció la carestía y la inflación se disparó. Cuando el gobierno subió los precios de los bienes de consumo y de los servicios suministrados por el estado, estallaron las protestas. A principios de 1987 no contaban con excedentes económicos y Sarney no podía hacer otra cosa que desafiar a los bancos.

Como sus equivalentes peruano y ecuatoriano (ambos habían declarado una moratoria en los pagos), Sarney se dio cuenta de que era tan duro vivir con la banca internacional como sin ella. A medida que la economía empeoraba y las reformas agrarias se retrasaban, se intensificaba el descontento y el gobierno recurría cada vez más a la violencia. En febrero de 1988, Sarney cedió y finalizó la moratoria con un pago de trescientos cincuenta millones de dólares. **◄1961.7 ►1989.8**

CENTROAMÉRICA

El plan de paz de Arias

2 El presidente de Costa Rica Óscar Arias Sánchez, de acuerdo con la tradición neutral de su país y con sus dotes personales de mediador, intentó establecer la paz en una Centroamérica caracterizada por la guerra. El acuerdo que medió,

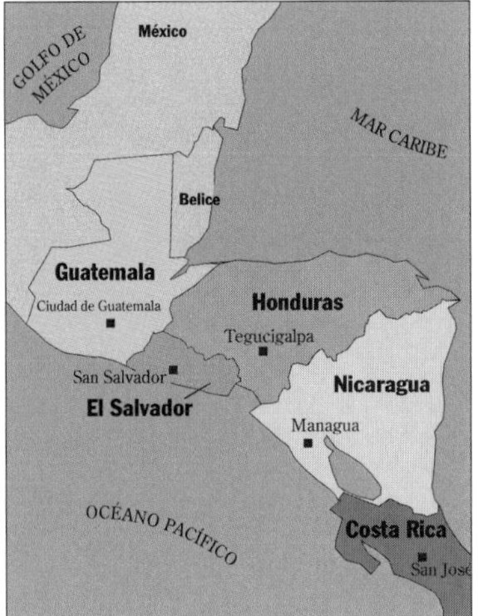

Arias esperaba llevar la concordia a una de las zonas más agitadas del mundo.

firmado en Guatemala en agosto de 1987 por Arias y los presidentes de Guatemala, Honduras, El Salvador y Nicaragua, estableció un alto el fuego en la zona, la liberación de presos políticos y elecciones libres en los países signatarios. Elogiado como una iniciativa interna que confiaba el proceso de paz a las personas más afectadas, el intento le valió a Arias el Premio Nobel de la paz.

A pesar de la calurosa recepción del plan Arias por el comité del Nobel, Washington lo recibió con frialdad. La administración Reagan, que apoyaba a la contra nicaragüense en su intento de derrocar al gobierno marxista del país, prefería que los rebeldes siguieran luchando hasta que derrotaran a los sandinistas. Reagan pidió doscientos setenta millones de dólares en concepto de ayuda a la contra, en una medida que se consideró diseñada para socavar el frágil acuerdo centroamericano. El congreso no se los concedió. En enero de 1988 el presidente nicaragüense Daniel Ortega anunció un alto el fuego unilateral. Esta acción, junto a la relajación de la censura y la liberación de presos políticos, fue bien recibida por los signatarios del plan Arias como una prueba de las intenciones de reducir las tensiones en la zona pero rechazada por la Casa Blanca como actos de «imagen».

Ortega y los dirigentes de la contra iniciaron negociaciones en febrero, en lo que se consideró la primera comunicación entre las facciones hostiles de Nicaragua en siete años de guerra civil. Los sandinistas insistían en que la contra depusiera las armas; sin embargo, los líderes rebeldes se negaban a considerar un alto el fuego hasta que los sandinistas estuvieran de acuerdo en compartir el gobierno. Mientras se celebraban las negociaciones, la CIA aumentaba la ayuda en armas a la contra. Desafiando el plan de paz, que abogaba por la no intervención extranjera, los «luchadores por la libertad» de Reagan seguían enviando misiones desde la vecina Honduras. Mientras, en Estados Unidos se hizo público que el FBI entrenaba a civiles que se oponían a la política de «pacificación» de Centroamérica. **◄1985.5 ►1990.6**

ECONOMÍA

Lunes negro

3 El lunes 19 de octubre de 1987, el índice Dow Jones cayó 508 puntos, de 2.246,73 a 1.738,41. Significó una caída del 22 %, casi el doble de la del *crack* de 1929 que inició la Gran Depresión. Unos ochocientos setenta mil millones de dólares en acciones de dividendo fijo sencillamente se evaporaron. Aunque los inestables años ochenta todavía no habían finalizado de forma oficial, las necrológicas aparecieron casi de inmediato.

El desastre, que se inició el viernes anterior con un descenso de 108 puntos, pronto afectó a las inquietas bolsas de todo el mundo. Los precios de las acciones cayeron en un 15 % en Tokio, un 12 % en Londres, un 11 % en Hong Kong y un 6 % en París. Las causas del descenso generalizado eran diversas, pero los analistas indicaron un factor principal: el deplorable estado de la economía de Estados Unidos. Los inversores empezaban a dudar que Estados Unidos pudiera enderezar su presupuesto general y su déficit económico. El presidente Reagan no consiguió aliviar los temores cuando,

Tras la caída, una nerviosa multitud se reunió en Wall Street.

ARTE Y CULTURA: Libros: *La hoguera de las vanidades* (Tom Wolfe); *Imperio* (Gore Vidal); *Historia de los judíos* (Paul Johnson); *El invierno en Lisboa* (A. Muñoz Molina); *Decidme, ¿quién mató al conde?* (Néstor Lujan) [...] Música: *Sign O the times* (Prince, LP); *The Joshua Tree* (U2, LP); *Bad* (Michael Jackson, LP) [...]

«Si alguien tiene un libro con buenas ilustraciones a color del techo de la Capilla Sixtina de Miguel Ángel antes de la restauración, que lo guarde, se convertirá en una pieza de coleccionista.»—**James Beck, historiador de arte**

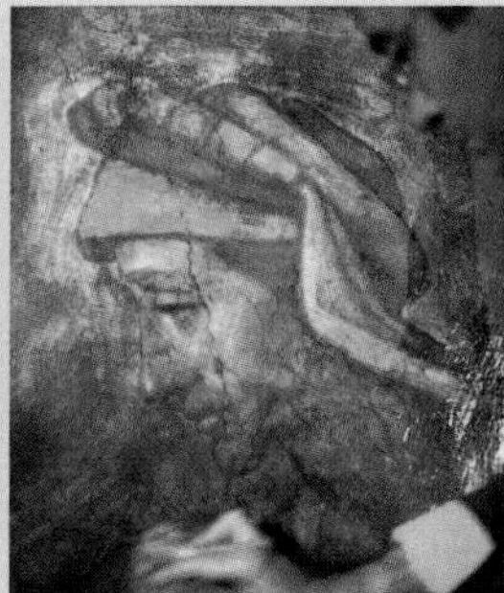

ARTE

Desafío artístico en la Capilla Sixtina

4 Tras siete años de obras, la controvertida restauración de la Capilla Sixtina de Miguel Ángel en el Vaticano, la más meticulosa desde que se acabaron los frescos en 1512, topó con la oposición más dura hasta la fecha. En marzo de 1987, quince artistas norteamericanos de prestigio (entre ellos Robert Motherwell, Robert Rauschenberg, James Rosenquist, George Segal y Andy Warhol) pidieron al Papa Juan Pablo II que detuviera el procedimiento que estaba convirtiendo una de las obras de arte más prestigiosas del mundo en empalagosa, chillona y casi irreconocible. El enemigo principal del proyecto era el historiador de arte de la Universidad de Columbia James Beck, que lo llamó un «Chernobil artístico».

La mayoría de los expertos en arte aprobaban la limpieza de lo que el director de la restauración llamó «epidermis oscura, marrón y vidriosa» (consistente principalmente en polvo, hollín y sustancias aplicadas por restauradores anteriores). Los miembros del equipo, que se servían de material de alta tecnología y de investigación artística, pusieron al descubierto colores brillantes y formas definidas, muy alejadas de la tenebrosidad, considerada mucho tiempo esencial en la estética de Miguel Ángel.

Como el crítico de arte Waldemar Januszczak escribió al final de la restauración en 1989: «el paño de limpieza ha finalizado su viaje a través de la mejor pintura del arte occidental. En mi opinión, ha mejorado sustancialmente esta pintura celebrándola como la obra de un ser humano racional, trabajador y vivo y no de un genio impulsivo, sudoroso y guiado por los dioses». Finalmente, los resultados fueron tan impresionantes que incluso los detractores de la restauración los elogiaron. ◂1982.10

culpando del *crack* a «algunas personas que se estaban beneficiando», aseguró que «la economía esencial seguía firme». Herbert Hoover pronunció prácticamente lo mismo en 1929.

Durante el resto de la semana, los precios fluctuaron más desordenadamente que nunca. Muchos analistas convinieron en que la bolsa se había sobrevalorado en exceso y que era necesaria una «corrección». El jueves siguiente al «lunes negro», Reagan anunció que se celebraría un debate en el congreso sobre la reducción del déficit. Fue la admisión tácita de que el enorme gasto de Estados Unidos, condenado por el presidente pero exacerbado por su producción militar, no podía continuar eternamente. Aunque finalmente la bolsa se recuperó, los años noventa serían una época de austeridad, fuera y dentro de Wall Street. **◂1929.1 ▸1992.4**

ITALIA

Juicio a la mafia

5 El mayor ataque legal contra el sindicato del crimen más importante del mundo, la mafia siciliana, culminó en 1987 en Palermo, Italia. Durante los 22 meses que duró, fueron procesados 474 mafiosos (cien *in absentia*, porque todavía se hallaban en libertad) acusados de delitos que iban desde la extorsión y el tráfico de drogas hasta el asesinato. En diciembre, más de trescientos de ellos fueron sentenciados a un total de 2.665 años de cárcel.

Desde finales de los años setenta los mafiosos sicilianos habían sido los principales suministradores de heroína en Estados Unidos y Europa. Las guerras entre familias rivales se habían cobrado trescientas vidas (muchas inocentes). Varios periodistas, policías y magistrados fueron asesinados, pero el atentado que instigó el juicio fue el del prefecto de Palermo y su esposa.

Los procesamientos se celebraron en una sala a prueba de bombas protegida por tres mil policías. Declararon más de cuatrocientos testigos, entre ellos dos ministros. Algunos recibieron amenazas de muerte (un trozo de lengua humana acompañaba un mensaje). Como el derecho italiano establecía que los acusados fueran liberados si no se les juzgaba en un período establecido, la defensa retrasaba el proceso: los abogados intentaron leer las 700.000 páginas del sumario en voz alta y uno de los acusados, obedeciendo la famosa ley de la *omertá* (silencio), se *cosió la boca.* Los sicilianos que dependían de docenas de negocios legales controlados por la mafia se manifestaron en contra del juicio. Finalmente, sin embargo, los intentos de intimidación y obstrucción fallaron.

Una de las 19 sentencias de cadena perpetua fue para Michele Greco, jefe de la cúpula directiva de la Cosa Nostra, conocido como «el Papa» por su poder. Pero rápidamente una nueva generación de dirigentes sustituyó a la anterior y los crímenes de la mafia continuaron. En 1992, el juez del «superjuicio», su esposa y sus guardaespaldas sufrieron un atentado mortal; en 1993, el escándalo de la implicación del gobierno italiano en el crimen organizado hizo que el país se tambaleara. **◂1983.NM ▸1993.13**

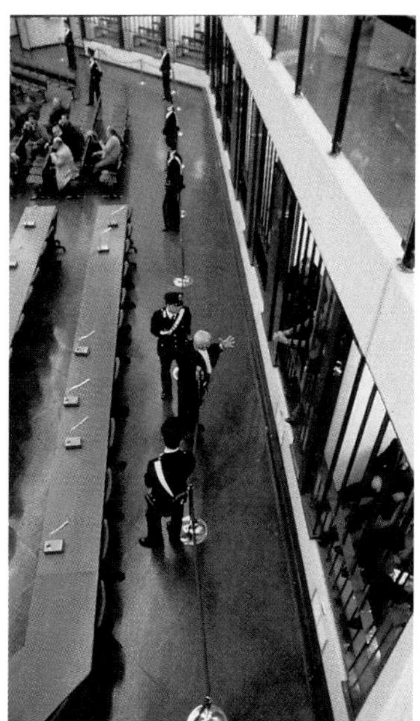
Los acusados del juicio de Palermo estaban en celdas.

MUERTES

Jacques Anquetil, ciclista francés.

Fred Astaire, actor y bailarín estadounidense.

Mary Astor, actriz estadounidense.

James Baldwin, escritor estadounidense.

Erskine Caldwell, escritor estadounidense.

Gerardo Diego, poeta español.

Bob Fosse, coreógrafo y director cinematográfico estadounidense.

Salvador Gilvernet, médico español.

Rita Hayworth, actriz estadounidense.

Rudolf Hess, militar alemán.

John Huston, director cinematográfico estadounidense.

Victoria Kent, política española.

Primo Levi, escritor italiano.

Louis Victor, príncipe de Broglie, físico francés.

Federico Mompou, compositor español.

Gunnar Myrdal, sociólogo y economista sueco.

Pola Negri, actriz polaca-estadounidense.

Geraldine Page, actriz estadounidense.

Andrés Segovia, guitarrista español.

Andy Warhol, artista estadounidense.

Marguerite Yourcenar, escritora francesa.

Pintura y escultura: ***Sin título (Boxeadores)*** **(Keith Haring);** ***High-speed gardening*** **(Ed Ruscha);** ***Desert flowers*** **(Richard Long) [...] Cine:** ***El último emperador*** **(Bernardo Bertolucci);** ***Los intocables de Eliot Ness*** **(Brian de Palma);** ***Raising Arizona*** **(Joel Coen);** ***Atracción fatal*** **(Adrian Lyne) [...] Teatro:** ***Paseando a Miss Daisy*** **(Alfred Uhry) [...] TV:** ***El tiempo es oro.***

NOVEDADES DE 1987

National Museum of Women in the Arts (Washington).

Anuncios de preservativos en televisión.

Admisión de mujeres en los Rotary Club de Estados Unidos.

EN EL MUNDO

▶EL JUICIO DE LA COLZA—El juicio de la colza, el más largo de la historia de España, ocupó nueve meses del año 1987. El síndrome tóxico fue un envenenamiento producido por la ingestión de aceite de colza adulterado. La defensa sostenía que eran los vegetales tratados con pesticidas los causantes de la enfermedad, tesis que quedó completamente desacreditada. El síndrome presentaba dos fases diferenciadas. La primera consistía en un principio brusco con un rápido encharcamiento de los pulmones; en la segunda, se producía una alteración en la piel y la destrucción de nervios aislados, especialmente de las extremidades. Entre los epidemiólogos que intervinieron en las vistas destacaba el británico Richard Doll, catedrático de

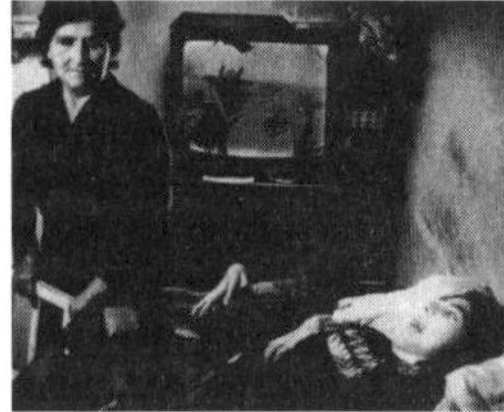

la Universidad de Oxford y propuesto para el Premio Nobel, que no estuvo de acuerdo con la teoría de la defensa y fue su principal oponente. La relación de causalidad entre el consumo de aceite y el envenenamiento, que antes de iniciarse el juicio se planteaba como la parte más débil de la acusación, se estableció sin lugar a dudas.

COREA DEL SUR

Alzamiento para la democracia

El presidente surcoreano Chun Doo Hwan manipuló las

Estudiantes de Seúl provocan a un cuerpo de policía antidisturbios.

elecciones de 1987, y provocó una serie de manifestaciones cada vez más violentas. Día tras día, decenas de miles de manifestantes de Seúl celebraban marchas, atacaban el ayuntamiento y lanzaban piedras y cócteles Molotov a las fuerzas antidisturbios. Las batallas callejeras no eran nuevas en Corea del Sur, lo que las distinguía era la participación de la clase media del país. Chun ya no podía atribuir el desorden a una conspiración de radicales.

Las protestas se iniciaron en abril, cuando Chun, bajo la presión de reformar el defectuoso sistema electoral, detuvo las conversaciones con los grupos de la oposición. Chun, cuyo mandato presidencial finalizaba en febrero de 1988 y que había consolidado su poder en 1980 con la represión violenta de un alzamiento en la ciudad de Kwangju, nombró como su sucesor al militar Roh Tae Woo. Estudiantes activistas, hartos de la administración y horrorizados ante la revelación de la tortura y asesinato de un estudiante disidente a manos de la policía, se rebelaron en masa. En la subsiguiente represión incluso adultos de clase media se opusieron al gobierno a causa de la muerte de otro estudiante (uno de los miles bajo custodia) al que golpearon en la cabeza con un bote de gas lacrimógeno.

La justificación del gobierno para la represión de los disidentes fue la necesidad de mantener la estabilidad para evitar otra invasión de Corea del Norte. Muchos temieron que el ejército surcoreano interviniera si continuaban las protestas. Sin embargo, los manifestantes tenían un as en la manga: con Corea del Sur nombrada anfitriona de los Juegos Olímpicos del año siguiente, Chun no podía provocar las condenas internacionales e imponer la ley marcial. Chung tuvo que capitular y revisar la constitución para celebrar elecciones libres directas. Su retirada le salió bien: Roh Tae Woo ganó las elecciones. **◂1953.2 ▸1994.3**

ARTE

Buena temporada artística en España

7 La temporada artística española de 1987 confirmó la progresiva difusión social del arte y la privilegiada posición de España en el sector. Entre Madrid y Barcelona se presentaron importantes monográficos individuales de grandes maestros del arte contemporáneo como E. Munch, Ben Nicholson, los Giacometti, Diego Rivera, A. Rodin. Entre las importantes muestras colectivas del mejor arte internacional destacan la colección de I. Sonnabend que, con el título *Profecía y transformación*, reunió una selección antológica de J. Beuys, I. Klein y M. Rothko, y la denominada *Raumbilder*, dedicada a la escultura alemana. Asimismo este año fue el de las grandes exposiciones históricas como las de *Rubens*, *Copistas de Tiziano*, *Pintura rusa del siglo XIX* y *Maestros antiguos de la colección Thyssen-Bornemisza*, entre otras. En cuanto a la organización de las grandes exposiciones de arte español contemporáneo destacan *El cubismo de Picasso: 1907-1920*, *El pabellón español en la Exposición Universal de París de 1937*, *Naturalezas españolas (1940-1987)*, *El legado Miró*, *Moreno Villa (1887-1955)* y *José María Sert*.

***La lechera de Burdeos*, de Goya.**

Con el título general de *París a la hora de España*, se celebró en esta ciudad un amplio y variado programa de muestras y actividades de todo tipo, relacionadas con la cultura española del pasado y del presente, agrupadas bajo la denominación *Cinco siglos de arte español*. Este ambicioso conjunto de cuatro muestras (*De El Greco a Picasso, El siglo de Picasso, La imaginación nueva. Los años setenta y ochenta* y *España 87*) se concibió como una reflexión histórica sobre el gusto artístico español. Las exposiciones reunieron obras relevantes de los mejores pintores españoles desde el siglo XVI hasta la actualidad.

ORIENTE MEDIO

Rehenes en el Líbano

8 Durante cinco años, el grupo guerrillero del Líbano Hezbolah (Partido de Dios), respaldado por Irán, había tomado rehenes extranjeros para protestar contra la opresión que sufría la minoría chiíta o para conseguir la liberación de terroristas fundamentalistas encarcelados. En 1987, el enviado de la Iglesia de Inglaterra Terry Waite logró liberar a tres prisioneros pero otros 23 (ocho americanos, un indio, dos sauditas y una docena de europeos) siguieron retenidos. En enero, en su quinta visita a Beirut, el negociador desapareció. Lo tomaron como rehén.

Al principio, como ninguna facción del Hezbolah se declaró autora del secuestro, se pensó que Waite había muerto. Pero en 1990 un rehén liberado explicó que había oído que un guardia hablaba con Waite en la celda contigua a la suya. Cuando Waite fue liberado en noviembre de 1991, su historia ya se había aclarado.

DEPORTES: Atletismo: Ben Johnson corre los 100 metros en 9,83 segundos y S. Bubka salta 6,03 metros en la prueba de pértiga, estableciendo dos nuevos récords mundiales.

«Está claro [...] que el uso o la amenaza de la fuerza ya no puede ni debe ser un instrumento de política exterior. Esto se aplica sobre todo a las armas nucleares.»—**Mijail Gorbachov**

Waite, liberado tras cinco años en cautividad.

En realidad, no fue responsable de la liberación de los rehenes sino que sirvió (según él, sin querer) como mediador del intercambio de rehenes y armas entre Oliver North e Irán. Tras su secuestro, fue confinado en solitario durante cuatro años, encadenado en una pequeña celda. Finalmente, fue trasladado con el jefe del departamento de prensa de Oriente Medio, Terry Anderson, y otras dos personas: el profesor norteamericano de origen escocés Thomas Sutherland y el periodista británico John McCarthy (liberado en agosto de 1991).

Hasta diciembre de 1991, tras la liberación de Anderson (el último rehén norteamericano, prisionero durante siete años), los otros antiguos rehenes no revelaron la verdad acerca de las horrendas condiciones de su detención. Encerrados en habitaciones minúsculas por todo el Líbano, les habían vendado los ojos, encadenado, pegado, negado comida e higiene suficientes y habían sido sometidos a torturas psicológicas. A algunos les quedaron lesiones permanentes. Varios rehenes murieron o fueron asesinados en cautividad. Los supervivientes, apoyándose mutuamente y sacando fuerzas de flaqueza, consiguieron mantenerse cuerdos. **◄1985.9**

MEDIO AMBIENTE

El cóndor de California

9 La caza del último cóndor salvaje de California hizo que por primera vez en dos millones de años las grandes aves norteamericanas no sobrevolaran el cielo y, simultáneamente, fue un nuevo principio para los buitres en peligro.

A causa del abuso humano, la población de cóndores californianos había ido disminuyendo desde los años cincuenta. Las aves a menudo eran envenenadas por carroña que contenía veneno para roedores, estricnina (para los coyotes) o eran alcanzadas por balas. Las cáscaras de los huevos de cóndor (y de otras aves rapaces) cada vez se debilitaban más porque éstos se alimentaban de animales expuestos a DDT. Algunos morían al chocar contra cables de alta tensión.

En 1965 se estimaba que sólo quedaban 60 ejemplares salvajes en California. Ocho años después, los zoológicos de San Diego y Los Ángeles iniciaron un programa para mantener bajo custodia protectora a los que restaran hasta que su número creciera sustancialmente. En 1992, la población en cautividad había aumentado de 27 a 52 aves. Ese año una pareja de ocho meses de edad fue liberada en el bosque nacional de Los Padres. El macho murió tras beber anticongelante de una reserva cercana a la carretera, pero siete de los cóndores fueron retornados a su hábitat natural a mediados de 1994. Mientras tanto, continuaba la reproducción en cautividad.

La capacidad de supervivencia de estas aves en libertad se consideró como un resultado importante de la Ley de especies en peligro de 1973, diseñada para proteger a especies amenazadas por el progreso. No obstante, en los años noventa la ley misma se hallaba en peligro a causa de los intereses económicos (como operaciones de explotación forestal) que iban contra las necesidades de los ecosistemas frágiles. En muchos países, sobre todo los más pobres, desaparecían especies a diario, mientras los humanos saqueaban sus hábitats primitivos. **◄1905.5 ►1990.NM**

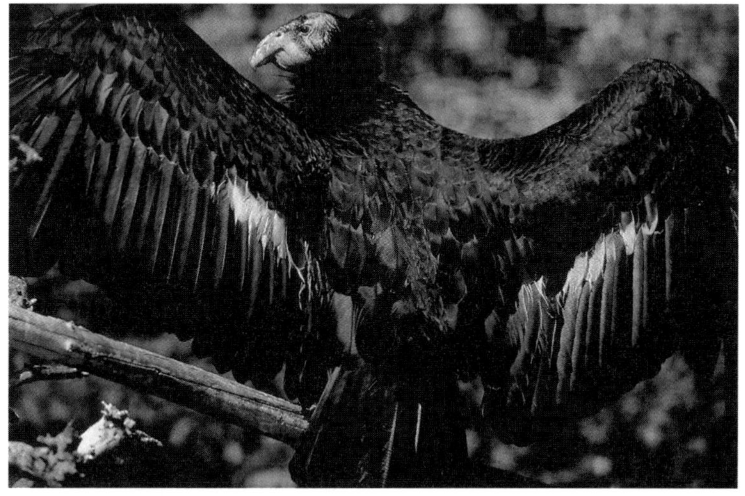

Un cóndor de California en una reserva de vida salvaje.

DIPLOMACIA

Gorbachov en Estados Unidos

10 La visita de Gorbachov a Washington en diciembre de 1987 estuvo rodeada de publicidad. El control armamentístico era el asunto principal de la agenda oficial y las conversaciones entre el líder soviético y el presidente Ronald Reagan dieron como fruto el primer acuerdo bilateral de las superpotencias para reducir su arsenal nuclear. Asimismo, la cumbre de tres días le ofreció a Gorbachov la oportunidad de presentarse ante los norteamericanos, que estaban muy interesados en el artífice de la *perestroika* y la *glasnost*. Durante su visita, el paso de la caravana de coches de Gorbachov recibió aplausos de los impasibles residentes de Washington y el líder soviético, mostrando ser un político experto,

Los Reagan fueron anfitriones de los Gorbachov.

se bajó del coche y paseó entre la gente.

Antes de partir, Gorbachov firmó el Intermediate Range Nuclear Forces Treaty, en el que los americanos y los soviéticos acordaban eliminar los misiles terrestres de alcance de entre 480 km y 5.440 km, en total unas 1.750 armas soviéticas y unas 860 americanas. «Sólo podemos esperar que este acuerdo histórico no sea un fin en sí mismo», comentó Reagan. **◄1986.5 ►1989.1**

►CAZA EN ESPAÑA—La caza movía en España hasta cien mil millones de pesetas al año. La Secretaría General de Turismo presentó un plan a la Administración para duplicar la cantidad de divisas que los cazadores extranjeros se dejaban en España. Ya no se trataba de que España fuera sólo un coto de caza sino el gran coto de Europa. Sin apenas promoción ni facilidades, eran treinta mil los cazadores extranjeros, italianos, franceses, norteamericanos, belgas, suizos, alemanes y británicos. Caza ya no era salir al campo con la escopeta. La caza empezaba por la contratación telefónica de una cacería, a tanto la pieza. El panorama de especies a cazar se iba reduciendo anualmente. En 1987 existían sólo 45 especies que podían cazarse. Las especies de caza en España se dividían en tres apartados: caza mayor (jabalí, ciervo, gamo...), mamíferos predadores (zorro, tejón, comadreja...) y caza menor (perdiz, conejo, paloma, entre muchos otros).

►TRASPLANTES EN EL CEREBRO—El 16 de septiembre, un zamorano de 52 años, enfermo de Parkinson desde hacía catorce, se sometió a un trasplante de células suprarrenales en su cerebro. La operación se llevó a cabo en el hospital madrileño Puerta de Hierro, por un equipo médico encabezado por el neurocirujano G. Bravo y el neurólogo J. J. López Lozano, y era la primera vez que se realizaba en España. Tan sólo habían transcurrido dos meses desde que en Estados Unidos empezara a practicarse esta técnica con la que se obtuvo el primer éxito a principios de 1986.

►JAPÓN SUPERA A ESTADOS UNIDOS—Un estudio japonés sobre la economía americana publicado en febrero citaba la mala administración y las escasas relaciones laborales como causas de una mala situación que amenazaba con reducir a Estados Unidos en una «economía de hamburguesas». En cambio, Japón era el mayor productor y acreedor del mundo. En abril, el presidente Reagan estableció una tarifa del 100 % sobre algunas importaciones japonesas, en respuesta a lo

que llamó «prácticas comerciales desleales». La medida no detuvo el déficit económico norteamericano que llegó a los 1.650 millones de dólares en julio. ◄1987.3 ►1988.12

►REVUELTA TAMIL—En junio, tras un período de separación, India y Sri Lanka firmaron un acuerdo para acabar con la guerrilla de la minoría separatista tamil de Sri Lanka. Los rebeldes tamil, establecidos en la provincia de Jaffna, eran hindúes estrechamente vinculados a la India. Cuando el ejército de Sri Lanka actuó contra los insurgentes en 1987, la India envió misiones de socorro a Jaffna. Una vez firmado el acuerdo, la India envió a Sri Lanka una misión de mantenimiento de paz de veinte mil soldados. Pero los rebeldes continuaron luchando y los soldados indios, para conservar la nueva detente con Sri Lanka, se enfrentaron

a los tamil. Incluso después de la retirada de la India en 1989, el conflicto continuó y el balance de muertes se aproximaba a las veinte mil.

►EL ÚLTIMO INTERNO DE SPANDAU—Rudolf Hess, admirador y amigo íntimo de Adolf Hitler, se suicidó con un cable eléctrico en la prisión alemana de Spandau el 17 de julio. Hess, de 93 años, estuvo en la cárcel desde 1941, cuando voló a Gran Bretaña en una presunta misión de paz. Condenado por crímenes de guerra en los juicios de Nuremberg, fue sentenciado a cadena perpetua en Spandau, donde sobrevivió a todos sus compañeros. A partir de 1966 fue un preso solitario. ◄1946.E ►1987.11

Barbie en una de sus escasas apariciones ante el tribunal.

CRIMEN

El «Carnicero de Lyon» a juicio

11 En los años cincuenta, en Francia, Klaus Barbie, antiguo jefe de la Gestapo de Lyon, fue juzgado dos veces *in absentia* por el asesinato de seis mil judíos y miembros de la resistencia durante la Segunda Guerra Mundial y condenado a muerte las dos veces. No obstante, el estatuto de limitaciones de 20 años sobre los crímenes de guerra expiró antes de que Barbie fuera detenido. Cuando por fin fue juzgado en persona en Francia en 1987, se enfrentó a la acusación de haber ordenado 842 deportaciones a campos de concentración («crímenes contra la humanidad»), a los que no se aplicaba ningún estatuto de limitaciones). La mayoría de sus crímenes, entre ellos el asesinato del líder de la resistencia Jean Moulin, ya no podían ser juzgados por un tribunal.

Barbie había sido intocable durante mucho tiempo. Tras la guerra, como muchos altos mandos nazis, pasó a trabajar para la contrainteligencia militar de Estados Unidos realizando operaciones de espionaje a comunistas y ultraderechistas de Alemania y otros países. Sus jefes evitaron que las autoridades francesas y norteamericanas le arrestaran y le condujeron a un sacerdote croata que hacía salir de Europa a nazis y fascistas de forma clandestina. Establecido en Bolivia, Barbie se convirtió en consejero de los dictadores del país. Francia empezó a intentar su extradición en 1972, después de ser localizado por los cazadores de nazis Serge y Beate Klarsfeld. Pero hasta 1983, cuando el nuevo régimen democrático de Bolivia entregó a Barbie, no se conoció su historial de posguerra.

El «Carnicero de Lyon», como lo apodó la prensa, apareció en su juicio de dos meses en muy pocas ocasiones. Sus abogados restaron importancia al Holocausto, destacaron los crímenes de guerra de Francia en Argelia y los de Estados Unidos en Vietnam, mientras los testigos describían el placer que sentía Barbie al torturar y su entusiasmo persecutorio (uno de sus «éxitos» fue la detención de 44 niños judíos escondidos en una granja). El jurado lo declaró culpable pero Barbie eludió la muerte una vez más: Francia había abolido la pena capital en 1981, de modo que fue condenado a cadena perpetua. ◄1963.5

ECONOMÍA E INDUSTRIA

El caso de la Texaco

12 La Texaco, la octava empresa más importante de Estados Unidos y la tercera compañía petrolífera del país, contaba con un capital de treinta y cuatro mil millones de dólares cuando quebró en 1987. Para muchos la acción resumía todo lo peor de la cultura corporativa americana de los años ochenta, llenos de percances.

La quiebra de la Texaco tuvo lugar después de tres años de litigios con la compañía Pennzoil, que la había demandado por desbaratar la absorción de la Getty Oil. El caso empezó en 1984, cuando la Getty accedió a vender a la Pennzoil las tres séptimas partes de sus acciones 40 dólares más caras, cada una de ellas, que el precio de mercado. Días después, la Getty se echó atrás y vendió la totalidad de sus acciones a la Texaco por 16 dólares más cara cada acción (un total de diez mil millones de dólares). Antes de firmar, los abogados de la Getty insistieron en que la Texaco indemnizara a la Getty por cualquier litigio que pudiera surgir de la transacción. La Pennzoil puso una demanda y en 1985 un jurado de Texas estableció que la Texaco

Alfred C. DeCrane declara la quiebra.

pagara a la Pennzoil 10.500 millones de dólares. Tras una serie de apelaciones que llegaron al tribunal supremo, la Texaco tuvo que tomar una decisión difícil: o saldar la cuenta o aceptar que la Pennzoil tuviera participaciones en la compañía. La Texaco optó por la quiebra.

Finalmente los litigantes llegaron a un acuerdo de tres mil millones de dólares, y la Texaco declaró la quiebra después de que un ejército de abogados y banqueros obtuvieran beneficios de más de un millón de dólares del caso. ►1988.7

ARTE

Mercado millonario

13 En noviembre de 1987, en la casa de subastas Sotheby's de Nueva York, el cervecero australiano Alan Bond pagó 53,9 millones de dólares por los *Lirios* del postimpresionista holandés Vincent van Gogh. La suma récord elevó el listón de los precios del arte, ya altos (cifras de más de un millón de dólares se convirtieron en habituales

Los *Lirios* de Van Gogh: un nuevo récord para la belleza.

incluso para artistas vivos) a un nivel inaudito. En 1990, el alza culminó cuando el japonés Ryoei Saito, un magnate editorial, pagó 82,5 millones de dólares por el *Retrato del Dr. Gachet*, la última obra maestra de Van Gogh, y 78,1 millones por el *Moulin de la Galette*, una escena de café del impresionista francés Pierre Auguste Renoir. Aunque la riqueza japonesa (y el gusto por el impresionismo) impulsaron el auge, cuando Saito realizó su compra, el mercado se estaba moderando.

Bond es quien mejor ejemplifica las vicisitudes del mercado artístico. En 1990 ostentaba una deuda de 5.500 millones de dólares y la compra de los *Lirios* resultó escandalosa: en un negocio éticamente dudoso, Sotheby's prestó veintisiete millones de dólares a Bond y se quedó el cuadro como garantía. Luego fue vendido por unos cuarenta millones al museo Paul Getty de California. El museo, dotado de unos fondos casi inagotables, se convertiría en una primera potencia dentro del mercado del arte. ◄1982.10

PREMIOS NOBEL: Paz: Óscar Arias Sánchez (costarriqueño; plan de paz) [...] Literatura: Joseph Brodsky (soviético-estadounidense; poeta) [...] Química: D. Cram, C. Pedersen y J. Lehn (estadounidenses y francés; moléculas artificiales) [...] Medicina: S. Tonegawa (japonés; anticuerpos) [...] Física: K. Alex Müller y J. Georg Bednorz (suizo, alemán; superconductividad) [...] Economía: R. M. Solow (EE.UU.).

El fenómeno Almodóvar

de *Un cine visceral*, conversaciones con Frédéric Strauss

Pedro Almodóvar es uno de los cineastas españoles con mayor proyección internacional. Con los once largometrajes que ha dirigido entre 1980 y 1995 ha conseguido crear un «estilo Almodóvar» y las actrices que trabajan con él se convierten ineludiblemente en «chicas Almodóvar». La película que le catapultó a la fama internacional fue Mujeres al borde de un ataque de nervios, *rodada en 1987 y nominada al Óscar a la mejor película de habla no inglesa. De ella habla su director en el extracto siguiente, que pertenece a una serie de conversaciones con Frédéric Strauss, redactor jefe de la prestigiosa revista francesa* Cahiers du cinéma.

En este tipo de comedia el final suele ser un desenlace puramente convencional que carece de interés. El final de Mujeres al borde de un ataque de nervios, *al contrario, es muy original, muy extraño, es incluso una de las escenas más bellas de la película. ¿Cómo se le impuso este desenlace?*

Ahí hago una cosa que he visto mucho, sobre todo en las obras de teatro clásico. El gazpacho tiene el sentido del elixir mágico que cambia la vida del que lo bebe y le permite acceder a un nuevo mundo, como en *El sueño de una noche de verano*. El gazpacho es una pócima que convierte a Rossy en una nueva mujer. Cuando duerme tiene ese sueño que la cambia completamente y, cuando despierta, Carmen le dice que tiene ya otra cara, que ha perdido la dureza y la insensibilidad de las vírgenes. No me acuerdo cuándo imaginé esta escena, es muy posible que la escribiera durante el rodaje. Una película como *Mujeres al borde de un ataque de nervios*, la rodé casi cronológicamente. El final me viene ya impuesto por la propia acción y por el conocimiento que tengo de los personajes.

Pedro Almodóvar.

Mujeres al borde de un ataque de nervios *posee cualidades que a veces no tienen sus películas, la virtuosidad formal y la perfecta mecánica del guion, cuya eficacia viene acentuada por la dinámica de la puesta en escena. Es su película más límpida, pero por eso resulta también menos compleja y menos extraña que las otras. Según mi parecer, carece un poco de misterio.*

Toda la película respira esa especie de facilidad debida a que es un guión que funciona de modo muy directo. Probablemente sea la película que me ha quedado más redonda, en la que veo menos fisuras. Las tesis de *Mujeres al borde de un ataque de nervios* —una vez que superé la etapa en que ya no trataba de ajustarme a *La voz humana*, de Cocteau, que era el origen— era proponer un universo femenino donde todo es idílico y maravilloso, un universo donde las ciudades son una especie de paraíso donde todo funciona muy bien, la gente es muy amable y generosa y donde el ser humano ha encontrado una vida a su medida. El único problema que provoca tensión es que, en las relacionales personales, los hombres siguen abandonando a las mujeres. Es una tesis perfecta para una comedia porque hace que el taxista sea encantador, como un ángel de la guarda para Pepa, y que la farmacéutica sea una chica estupenda. Es también irónico porque la vida en la ciudad es exactamente lo opuesto. *Kika* es, en el origen, una comedia de este tipo; sin embargo, la tesis es inversa: los personajes viven en un absoluto infierno, como si la acción pasara después de la tercera guerra mundial. Yo creo que la vida en las ciudades se ha convertido en una auténtica tortura y el único modo de sobrevivir a ese infierno es a base de buena disposición simplemente.

Como Pathy Diphusa, una mujer siempre optimista.

Exactamente. A Kika, por ejemplo, acaban de violarla y se lo explica a su marido diciéndole que violan a veinte chicas cada día, que ahora le ha tocado a ella pero que no quiere traumatizarse, que no ha pasado nada y lo olvida. Hablo de ese tipo de disposición. Ese guión me ha resultado más complicado que el de *Mujeres...* La historia es menos unilateral, menos lineal y más complicada para el espectador.

«Si Salman Rushdie es un rehén, los demás también lo somos.»—**Günter Grass, novelista alemán, hablando en favor de su colega**

HISTORIA DEL AÑO

Sentencia de muerte para un escritor

1 Si uno de los signos característicos de los años ochenta fue el próspero *yuppie*, otro fue el puritano —y ferviente crítico— fundamentalista religioso. Junto a un mar de fondo general de fe militante se produjo una reacción contra la blasfemia artística incluso en países famosos por su libertad de expresión. En Estados Unidos, la película bíblica de Martin Scorsese, *La última tentación de Cristo*, provocó tales condenas de cristianos evangélicos en 1988 que algunos cines se negaron a proyectarla. El mayor disturbio cultural de la década se inició el mismo año en Inglaterra con la publicación de los *Versos satánicos*, un libro que convirtió a su autor, Salman Rushdie, en el fugitivo más célebre del mundo.

Rushdie, de 41 años, había ganado el prestigioso Booker Prize de Gran Bretaña por una novela anterior, *Hijos de la medianoche* (1981). Londinense nacido en Bombay y musulmán renegado, escribió acerca de sus distintas herencias con amor, escepticismo e irreverencia. Pero en *Versos satánicos* se atrevió a desafiar las ideas fundamentalistas islámicas de una religión rígida, fundada por un profeta infalible. En una prosa imaginativa, el libro relata las aventuras de dos indios musulmanes que sobreviven de milagro al ataque a un avión de separatistas sijs. Tras aterrizar en Inglaterra a Saladin Chamcha le salen cuernos, pezuñas y una cola; a Gibreel Farishta una aureola y sueña que se encuentra con un profeta llamado Mahound (uno de los nombres de Mahoma), que duda sobre la categoría divina de tres diosas, y con un grupo de prostitutas que tienen los nombres de las esposas de Mahoma, entre otros personajes semicoránicos.

Rushdie en su casa de Londres en 1988 antes de tener que esconderse.

Los musulmanes radicales de Inglaterra quemaron el libro, que fue prohibido en varios países y provocó disturbios en la India y en Pakistán. Sin embargo, la reacción más violenta fue la de Irán, cuyo líder, el ayatollah Jomeini, se mencionaba en uno de los sueños de Gibreel. En 1989 Jomeini condenó a muerte a Rushdie y prometió el paraíso a cualquiera que muriera en el intento de asesinarle. (Finalmente el clero iraní fijó la recompensa en seis millones de dólares.) Rushdie se escondió, protegido por Scotland Yard. Bombas y amenazas hicieron que muchos libreros retiraran la obra de sus estantes y los editores suspendieron el proyecto de una edición en rústica. A pesar de las condenas oficiales de Gran Bretaña y otros países, de las peticiones de intelectuales famosos y de las disculpas de Rushdie, el edicto sobrevivió al ayatollah: en los años noventa, el escritor seguía siendo un hombre perseguido.

◂1979.1

1988

SUDÁFRICA

El acuerdo Namibia-Angola

2 El tratado que finalizó en diciembre de 1988 entre Angola y Cuba por un lado y Sudáfrica por el otro fue un gran logro diplomático. Durante 22 años, los guerrilleros de la Organización del Pueblo del Sudoeste Africano (OPSOA) habían utilizado Angola como base de la lucha para la liberación de su país, Namibia, del dominio sudafricano. Durante trece años, desde la independencia de Angola, soldados cubanos ayudaron al gobierno de Angola a resistir las incursiones sudafricanas, así como la guerrilla local de la Unión Nacional para la Independencia Total de Angola (UNITA), respaldada por Pretoria y Washington. Ahora, Sudáfrica estaba dispuesta a retirar de Nambia a sus cincuenta mil soldados si Cuba retiraba de Angola a los suyos. Después Namibia celebraría unas elecciones supervisadas por Estados Unidos y, en 1990, la antigua colonia alemana ocupada por Sudáfrica desde 1915 sería libre.

Escolares namibios celebran las elecciones libres y la inminente independencia.

El acuerdo, fruto de ocho años de negociaciones mediadas por Estados Unidos, reflejaba la nueva buena voluntad entre Washington y Moscú y la creciente efectividad de la presión mundial sobre Sudáfrica. El país del segregacionismo rechazó la petición norteamericana de 1945 por la que renunciaba a su dominio de Namibia, desafió el fallo del Tribunal Internacional de 1966 que constataba que la ocupación era ilegal, y moldeó a Namibia a su imagen y semejanza, con una minoría blanca dominante de setenta y cinco mil miembros sobre más de un millón de negros segregados y sin derechos. Pero finalmente las sanciones económicas internacionales hicieron que los costes de la defensa de su colonia contra la OPSOA y la intervención directa en la guerra civil de Angola fueran demasiado altos.

En Angola, a pesar de que el gobierno abandonó el marxismo y dejó de ser monocolor y de un tratado de paz en 1991, la UNITA y su líder Jonas Savimbi se negaron a abandonar la lucha, incluso después de que Estados Unidos suspendiera su ayuda en 1993. Finalmente pareció que la paz era posible cuando a finales de 1994 la UNITA (sin la presencia de Savimbi, que estaba escondido) firmó un alto el fuego con el gobierno de Angola. ◂1975.2

ORIENTE MEDIO

Fin de la guerra entre Irán e Iraq

3 La guerra entre Irán e Iraq finalizó en agosto de 1988, tras ocho años y un millón de muertos. En términos territoriales, el resultado no fue concluyente: tras violar las fronteras iraníes, Iraq fue invadido y al final sólo recuperó lo que había perdido. En términos de poder en la zona, sin embargo, Iraq ganó de forma decisiva.

La mayoría de los observadores predijeron otro final. Irán, con una población que triplicaba la de su enemigo y encendido con la pasión fundamentalista musulmana, apareció como el vencedor seguro. Pero resultó que Iraq contaba con más aliados. Sólo Siria y Libia, cuyos líderes eran rivales de Saddam Hussein, apoyaron a Irán. Arabia Saudí y Jordania, temiendo la difusión de la revolución islámica, apoyaron a Iraq, así como Francia (que dependía del petróleo iraquí) y la Unión Soviética.

La guerra estuvo en un punto muerto durante años, con ambos bandos atacando ciudades, refinerías y envíos de petróleo, y con Irán enviando a miles de jóvenes mal armados a la muerte en ataques masivos. No obstante, Iraq desplegó más armas, incluido gas venenoso contra los pueblos kurdos proiraníes (a pesar de la prohibición internacional). Además, Estados Unidos apoyó cada vez más a Iraq. Desde 1983, Estados Unidos apoyaba a Hussein a través de créditos de cereales y de la información por satélite y animaba a sus aliados a armarle. En 1987, escoltas navales dirigidos por norteamericanos empezaron a proteger los depósitos petrolíferos del «neutral» Kuwait (en

Un niño kurdo desfigurado por el napalm iraquí.

ARTE Y CULTURA: Libros: *El amor en los tiempos del cólera* (Gabriel García Márquez); *Ciencias naturales* (Rosa Chacel); *Lección de esgrima* (Arturo Pérez Reverte); *El desorden de tu nombre* (Juan José Millas) [...] Música: *Destruction* (Guns N' Roses, LP); *Faith* (George Michael, LP) [...]

«Fue como si un meteoro hubiera caído del cielo.»—**Ann McPhail, una habitante de Lockerbie, Escocia**

realidad proiraquí) en el golfo Pérsico y a hundir cañoneras iraníes.

La economía y la moral de Irán se hundieron y, en julio de 1988, después de que el crucero americano *Vincennes* derribara por accidente a un avión iraní con 290 pasajeros a bordo, el ayatollah Jomeini se dio cuenta de la inutilidad de luchar contra las dos superpotencias. Calificando a su decisión «más mortal que ingerir veneno», aceptó un alto el fuego propuesto por la ONU. **◄1980.NM ►1990.7**

Los restos del vuelo 103 de la Pan Am cerca de Lockerbie, Escocia.

TERRORISMO

Atrocidad sobre Lockerbie

4 La tarde del 21 de diciembre de 1988, el vuelo 103 de la Pan Am entre Londres y Nueva York explotó a unos diez kilómetros de altura en Lockerbie, Escocia, lo que hizo llover sobre el pueblo cuerpos, regalos de Navidad y trozos de metal en llamas. Las 258 personas que iban a bordo del Boeing 747 y once que se hallaban en tierra murieron. Los investigadores supieron enseguida *qué* había destruido al avión: explosivos plásticos. *Quién* los había colocado fue bastante más difícil de determinar.

Pronto se supo que una llamada anónima había advertido a la embajada de Estados Unidos de Helsinki de un complot para volar un avión de la Pan Am entre Frankfurt (lugar de origen del vuelo 103) y Nueva York. Había implicado a Abu Nidal, un jefe palestino que se oponía a las recientes aperturas de la OLP hacia Israel. El gobierno finlandés, sin embargo, pensó que la llamada carecía de fundamento. (La Pan Am no advirtió a sus clientes de la amenaza, lo que causó litigios y protestas.) Tras la bomba, otros dos grupos se declararon responsables: uno dijo haber actuado para vengar el derribo de un avión iraní por un barco norteamericano en julio, el otro para vengar el ataque de Estados Unidos a Libia en 1986.

Cientos de investigadores trabajaron para resolver el caso. La policía de Alemania occidental contaba con pruebas de que el Comando General del Frente Popular para la Liberación de Palestina, una facción renegada de la OLP dirigida por Ahmed Jibril, había colocado la bomba por orden de Irán. Pero los alemanes, quizá avergonzados por haber dejado escapar a criminales importantes, no publicaron lo que sabían y, en 1990, Estados Unidos acusó del delito a dos libios. (Se acusó a la administración Bush de exculpar a Irán para ganar un aliado en la guerra del Golfo contra Iraq.) Libia se negó a entregar a sus ciudadanos y los intentos de extradición, y el misterio, continuaban a mediados de los años noventa. **◄1986.6**

PAKISTÁN

Ascenso y caída de Benazir Bhutto

5 El dictador pakistaní Mohammad Zia ul-Haq suprimió a la oposición durante su gobierno de once años. Cuando murió en un extraño accidente de avión en agosto de 1988 no había dejado ningún sucesor ni procedimiento para elegirlo. Durante 25 años de los 41 de su vida, Pakistán había vivido bajo un régimen militar y sus flirteos con la democracia habían terminado siempre con trastorno y represión. Aún así muchos pakistaníes deseaban el regreso de un gobierno civil, ninguno más apasionadamente que Benazir Bhutto, hija de Zulfikar Ali Bhutto, el primer ministro que Zia depuso en 1977 y después ejecutó.

«No siento la muerte de Zia», dijo Bhutto después de que el avión del dictador se estrellara sobre el desierto matándole a él, a diez de sus generales y al embajador norteamericano Arnold Raphel. (Se sospechó que fue un atentado pero no pudo probarse.) Como líder del Partido Popular, Bhutto podía sacar provecho: ahora era posible celebrar elecciones.

Durante su campaña, Bhutto abandonó la antigua retórica antimilitarista y antiamericana de su partido. (Separarse del ejército hubiera sido peligroso, del mismo modo que hacerlo de Washington, que había ayudado a Zia contra la ocupación soviética de Afganistán con miles de millones de dólares). En noviembre ganó las primeras elecciones libres de Pakistán en más de una década y se convirtió en la primera ministra femenina del mundo islámico. Liberó a los presos políticos, abolió las restricciones de sindicatos y prensa y prometió reformas económicas.

El mandato de Bhutto sólo duró 20 meses. No consiguió sofocar las matanzas étnicas de la provincia de Sind ni introducir algo nuevo en la legislación. Se enzarzó en disputas personales con los líderes de la oposición y finalmente sucumbió a los males endémicos de Pakistán: la corrupción y el nepotismo. En 1990 el presidente Ghulam Ishaq dio un «golpe constitucional», expulsó a Bhutto y suspendió las Asambleas Nacional y Provincial. Se eligió un gobierno de coalición pero el ejército recuperó de nuevo el poder real. Bhutto sin embargo todavía no estaba acabada: los pakistaníes volvieron a elegirla en 1993. **◄1977.4**

Benazir Bhutto fue la primera mujer que dirigió un estado musulmán. Tras ella, un retrato de su padre.

MUERTES

Milton Caniff, dibujante estadounidense.

Enzo Ferrari, fabricante de coches italiano.

Klaus Fuchs, físico y espía anglo-alemán.

Francisco "Chico" Mendes, activista brasileño.

Louise Nevelson, escultor estadounidense.

Kim Philby, espía anglo-soviético.

Max Shulman, escritor estadounidense.

Pablo Sorozabal, compositor español.

Josep Tarradellas, político español.

Muhammad Zia ul-Haq, presidente pakistaní.

Pintura y escultura: ***Diagrammed Couplet n.° 1*** **(Brice Marden);** ***Samarkand Stiches n.° 5, ROCI U.S.S.R.*** **(Robert Rauschenberg) [...] Cine:** ***Rain man*** **(Barry Levinson);** ***Pelle el conquistador*** **(Bille August);** ***Mujeres al borde de un ataque de nervios*** **(Pedro Almodóvar);** ***¡Adiós, muchachos!*** **(Louis Malle) [...] Teatro:** ***La lección de piano*** **(August Wilson);** ***Mar i Cel*** **(Dagoll Dagom).**

«Este juego no se juega según las reglas del marqués de Queensberry. No hay reglas para este tipo de subasta.»—**Un consejero de F. Ross Johnson**

NOVEDADES DE 1988

Marcapasos impulsado por plutonio.

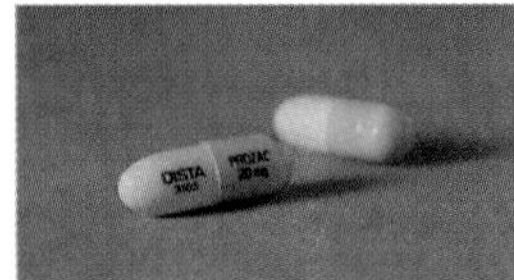

Prozac (fármaco para el tratamiento de la depresión).

El túnel submarino más largo del mundo (el del tren Seikan, en Japón, de casi 54 km).

Anuncios norteamericanos en la televisión soviética.

EN EL MUNDO

▶ROSEANNE—Con el estreno el 18 de octubre de la serie *Roseanne,* la actriz Roseanne Barr (luego Roseanne Arnold y por fin simplemente Roseanne), obesa, cínica y feminista, presentó su imagen poco común en televisión. La actriz, que interpretaba el papel de una obrera, esposa y madre bromista, inyectó una dosis de realismo al retrato normalmente dulzón de la familia americana. La serie disfrutaría de un largo reinado en los puestos más altos de los índices de audiencia.

▶BUSH ELEGIDO—George Bush, paciente subordinado de Reagan durante sus dos mandatos, se convirtió en noviembre en el primer vicepresidente que sucedía al presidente a través de elecciones desde Martin Van Buren en 1836. Bush y su compañero de campaña Dan Quayle, senador de Indiana, derrotaron a los demócratas, al gobernador de Massachusetts, Michael Dukakis, y al senador de Texas, Lloyd Bentsen. Dukakis fue nominado superando a varios demócratas importantes, entre ellos el activista de derechos civiles Jesse Jackson. El momento más

Las selvas, anteriormente consideradas inagotables, estuvieron sujetas a una peligrosa explotación.

MEDIO AMBIENTE

Defensor de la selva asesinado

6 Francisco «Chico» Mendes Filho era un sindicalista brasileño que alcanzó la fama como activista ecológico. Mendes luchó por los recolectores de caucho de la cuenca del Amazonas, cuyo sustento dependía de la conservación de la selva y sus árboles de caucho. Luchó contra rancheros, que quemaban la selva para convertirla en pastos, leñadores y explotadores dentro y fuera de los tribunales: dirigidos por Mendes, cientos de recolectores de caucho marcharon por la selva y obligaron a desistir a muchos. Mendes forjó una alianza entre los recolectores y los indios amazónicos. Su unión convenció al gobierno para establecer reservas forestales. Mendes ganó un premio de la ONU y viajó a Estados Unidos para promocionar su causa pero los señores de la frontera brasileña le despreciaban. En diciembre de 1988 fue asesinado en su propia casa por el hijo de un ranchero.

La muerte de Mendes atrajo la atención internacional sobre la mala situación de las selvas. En sólo unos siglos los humanos habían reducido el área total de los bosques (esenciales para el clima del planeta y para muchas especies animales y vegetales) de veinticuatro millones de kilómetros cuadrados a 9.600.000. En los años ochenta, se destruían hectáreas cada hora. Especies de plantas medicinales estaban empezando a extinguirse. Asimismo, los aborígenes de la selva padecían los estragos. Las minas de oro constituyen una de las mayores amenazas contra los indios brasileños. En los años ochenta, un millón de mineros invadieron la cuenca del Amazonas, contaminaron el río con mercurio (utilizado para refinar oro) y difundieron enfermedades mortales entre los yanomami y otros pueblos.

En respuesta a la condena internacional por el asesinato de Mendes, el presidente del Brasil José Sarney y su sucesor, Fernando Collor de Mello, aumentaron sus esfuerzos para proteger las selvas. El índice de quemas descendió pero la destrucción continuó. ◂**1980.12**

ECONOMÍA E INDUSTRIA

El negocio del siglo

7 Antes de cambiar de manos en noviembre de 1988, en la absorción empresarial más importante de la historia, la RJR Nabisco era una empresa de altos dividendos. Era la 19.ª compañía de Estados Unidos, producía unos beneficios anuales de dieciséis mil millones de dólares y en la bolsa sus acciones se vendían a 56 dólares cada una. Entonces fue subastada a artistas de la absorción.

En una venta al mejor postor negociada en salas de juntas revestidas de caoba, la firma de Kohlberg Kravis Roberts (KKR) hizo la mejor oferta, superando a un grupo de ejecutivos de la RJR Nabisco, para conseguir la enorme compañía de tabaco y alimentación. La KKR pagó veinticinco mil millones de dólares por la compañía, unos 109 dólares por acción, cerca del doble del precio de mercado. Financiada por bonos basura y préstamos bancarios comerciales, la transacción dejó a la RJR Nabisco unos 2.280 millones de dólares en pagarés. Al alto ejecutivo F. Ross Johnson, que puso en juego a la Nabisco sólo para perder la guerra de licitación (y su empleo), la inflación de la bolsa endulzó su derrota: sus acciones equivalían a más de veintitrés millones de dólares.

El equipo de la KKR *(de izquierda a derecha):* George Roberts, Henry Kravis y Paul Raether.

Para muchos «el negocio del siglo» resumió la avaricia de Wall Street, el estilo de los años ochenta, en los que negociantes pidieron prestado mucho dinero para comprar compañías solventes y luego las vendieron a partes para conseguir más dinero y pagar a sus acreedores. El resultado habitual era la liquidación general de empleos. La licitación de la RJR Nabisco representó «la locura del capitalismo», dijo un banquero. Una megacorporación (entre sus empresas se encontraban las galletas Oreo, los aperitivos Ritz, las verduras Del Monte y los cigarrillos Winston) se enfrentaba a la desmembración. Algunas de sus partes constituyentes tendrían que venderse para pagar unas deudas anuales de dos mil quinientos millones de dólares. ◂**1987.12**

MÉXICO

Elecciones bajo sospecha

8 Carlos Salinas de Gortari, un tecnócrata doctorado por Harvard, ganó las elecciones presidenciales de México en julio de 1988. El resultado no sorprendió a nadie: durante seis décadas, la política mexicana había estado sometida al dominio exclusivo del Partido Revolucionario Institucional (PRI), y Salinas era su miembro más destacado. Lo extraño fue el estrecho margen por el que ganó. El antiguo ministro de planificación y presupuesto sólo consiguió un 50,7 % de los votos, el peor resultado de un candidato del PRI. Muchos mexicanos, sin embargo, dudaron que incluso este resultado no hubiera sido manipulado. Las urnas se hincharon con votos de personas fallecidas hacía años. Para acusar al gobierno de fraude electoral, unas doscientas cincuenta mil personas se manifestaron ante el Palacio Nacional de México.

Salinas no fue acusado directamente de haber actuado de forma ilegal. Paradójicamente, el presidente electo había llevado a

DEPORTES: Fútbol: Holanda gana la copa de Europa al derrotar a la URSS por 2 goles a 0 [...] Juegos Olímpicos celebrados en Calgary y Seúl (Florence Griffith Joyner establece el récord de los 100 metros en 10,54 segundos) [...] Tennis: Steffi Graf gana el Grand Slam.

«Si algún día se me pasa la necesidad de escribir, quiero que sea mi último día.»—**Naguib Mahfouz**

cabo una campaña reformista, ya que conocía la necesidad de superar el sistema moribundo de México. «Debemos entrar en una nueva era política con un partido mayoritario y una oposición competente», declaró. Para un líder de partido que había disfrutado de un poder sin precedentes fuera de la Unión Soviética, era una declaración sorprendente y ofendió a muchos altos cargos del PRI, los llamados «dinosaurios», que controlaban la política mexicana.

El responsable de los problemas del PRI en los comicios fue Cuauhtémoc Cárdenas, antiguo senador del partido e hijo del querido presidente revolucionario Lázaro Cárdenas. El joven Cárdenas, candidato de una coalición de izquierdas, atacó a Salinas desde dos frentes: la corrupción y la economía. El PRI no sólo era corrupto sino que había vendido los ideales revolucionarios de México para financiar una deuda exterior de 103.000 millones de dólares.

Muchos mexicanos consideraban que Cuauhtémoc Cárdenas (*superior*) era el vencedor real de las sospechosas elecciones de 1988.

Salinas tomó posesión en diciembre y prometió seguir una «política moderna» y una modernización económica. Tuvo que sostener una ardua lucha contra los «dinosaurios». **◂1985.4 ▸1993.2**

LITERATURA

El Nobel para un escritor árabe

9 Naguib Mahfouz era el autor más famoso de Egipto y una celebridad controvertida en todo Oriente Medio. Sin embargo, cuando ganó el Premio Nobel de literatura de 1988 —primer árabe—, los periodistas reunidos en Estocolmo para el acontecimiento preguntaron: «Naguib, *¿qué?*». En Occidente, las 40 novelas y la docena de colecciones de cuentos de Naguib apenas se conocían, aunque la crítica lo calificaba como el padre de la novela árabe moderna, comparándolo a Balzac o Dickens por su compromiso social, sus ideas de la vida urbana y sus personajes bien definidos.

Mahfouz, de 76 años, causaba admiración sobre todo por su *Trilogía de El Cairo*, una serie de novelas escritas a finales de los años cincuenta que hablaban de tres generaciones de una familia antes, durante y después del golpe de 1952 que colocó a Gamal Abdal Nasser en el poder.

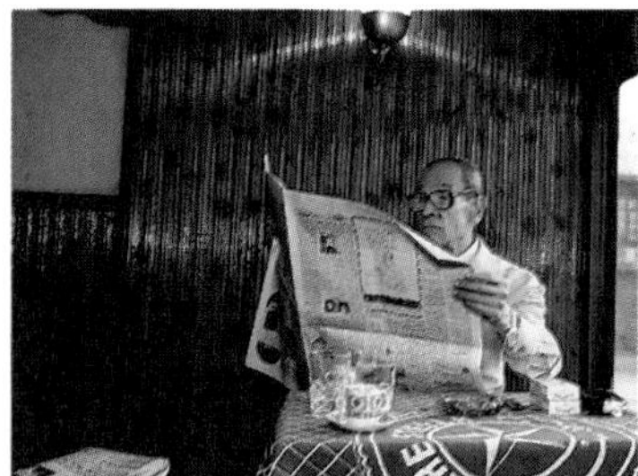

Mahfouz en el café de El Cairo donde desayunaba todos los días.

Pero una de sus novelas, la alegórica *Los niños de Gebelawi* (1959), con sus retratos irreverentes de Moisés, Jesús y Mahoma, fue prohibida en Egipto tras las protestas de los musulmanes conservadores. Otras obras, críticas sutiles al gobierno de Nasser, provocaron malestar político y, cuando Mahfouz apoyó públicamente el tratado de paz de 1979 entre Egipto e Israel, su obra completa fue prohibida en algunos países árabes.

El presidente de la Sociedad Jordana de Escritores alegó que el autor era un «delincuente». Aun así, el presidente egipcio Hosni Mubarak enseguida le felicitó, y en Europa y América aumentaron las ventas de sus libros. **◂1988.1**

ORIENTE MEDIO

La intifada gana adeptos

10 La lucha palestino-israelita se intensificó en 1988 con una revuelta en los territorios ocupados de la orilla oeste y la franja de Gaza. Empezó unos días antes de Año Nuevo, cuando jóvenes árabes de los territorios comenzaron a tirar piedras y cócteles Molotov contra patrullas israelitas. Aunque la OLP, los fundamentalistas islámicos y los dirigentes de izquierdas se aliaron para organizar boicots y huelgas, la iniciativa se redujo a «los niños de las piedras». En 1990, más de setecientos palestinos habían muerto (y 40 israelitas), decenas de miles resultaron heridos, y miles encarcelados sin juicio previo. Pero la intifada había ayudado a la causa palestina más que cualquier otro acontecimiento en cuatro décadas.

Aunque Israel había librado todas sus guerras por la cuestión palestina, el conflicto con los propios palestinos se limitó mayoritariamente a encuentros con comandos de la OLP. Los árabes que se encontraban en Israel disfrutaban de una igualdad oficial, y la mayoría de los palestinos de otros lugares, aunque a menudo confinados en campos de refugiados, habían dejado que otros libraran su lucha. Ahora, cuando se defendían por sí mismos (incluso los árabes israelitas se revolucionaron y se unieron a una huelga general) con armas que recordaban la batalla de David contra Goliat, se ganaron apoyos como no lo habían conseguido hasta entonces. Al declarar su lealtad a la OLP, rechazaron la negativa israelita a la legitimidad de la organización, pero también presionaron a los líderes para que obtuvieran resultados rápidamente, incluso a través de un compromiso.

La intifada llevó al rey Hussein de Jordania a renunciar a su reclamación de la orilla oeste y ayudó al presidente de la OLP, Yasir Arafat, a superar a los miembros de línea dura de la organización. En noviembre, Arafat declaró un estado palestino, renunció al terrorismo y reconoció implícitamente a Israel por primera vez. En diciembre, después de que Estados Unidos vetara su entrada en la ONU, la Asamblea General se reunió en Ginebra para escucharle. Arafat repitió las intenciones de moderación de la OLP y nació una nueva esperanza para Oriente Medio. **◂1982.2 ▸1993.1**

Para los palestinos de la orilla oeste, tirar piedras fue un acto elemental de desafío.

difícil en una campaña dominada por las imágenes (Dukakis condujo un tanque para demostrar su dureza y Bush comió cortezas de cerdo para demostrar que era un hombre corriente) se produjo durante el debate vicepresidencial, cuando el veterano Bentsen le dijo al joven Quayle (que había citado el nombre del 35.° presidente) que «no era Jack Kennedy». ◂1980.4 ▸1992.4

▶EL 14 D—Los dos sindicatos mayoritarios en España, la UGT y Comisiones Obreras, próximos a los partidos socialista y comunista respectivamente, convocaron una huelga general para el 14 de diciembre. El éxito de la convocatoria (el país quedó completamente paralizado) subrayó todavía más la paradoja de que unos sindicatos de izquierdas

se movilizaran contra un gobierno socialista. El motivo de la protesta, un Plan de Empleo Juvenil auspiciado por el gobierno y considerado por los sindicatos un instrumento que abarataba y precarizaba las prestaciones laborales, no justificaba, por sí solo, la amplitud de la «abstención cívica generalizada», como certificó el diario *El país* en la portada del mencionado día. Sin embargo, al año siguiente los socialistas, en unas elecciones que fueron adelantadas, todavía consiguieron obtener la mayoría absoluta.

▶PINOCHET RECHAZADO —En un plebiscito de 1988 ideado para legitimar el régimen del general Pinochet, el electorado chileno votó contra la continuación del dictador. Fue una derrota humillante para Pinochet, que había ilegalizado los partidos de la oposición y suspendido los derechos civiles tras tomar el poder en 1973; sin

«Si hubiéramos podido conseguir 9,79 sin drogas, lo hubiéramos hecho.»—**Charlie Francis, entrenador de Ben Johnson**

embargo, el autócrata aceptó los resultados y al año siguiente se celebraron elecciones libres. ◂1973.4 ▸1989.8

▶RETIRADA DE AFGANISTÁN—En mayo, cumpliendo una promesa que había hecho en la cumbre de Ginebra de 1985, Mijail Gorbachov empezó a retirar de Afganistán a los soldados soviéticos. La intervención soviética en la república centroasiática, iniciada en 1979, provocó las condenas internacionales, minó la moral del ejército soviético y costó la vida de quince mil soldados soviéticos. Al final las tropas no consiguieron derrotar a los muhajdines, rebeldes afganos musulmanes, apoyados por Estados Unidos, Gran Bretaña y China con un armamento sofisticado. Los últimos soldados soviéticos fueron evacuados en febrero de 1989 y Muhammad Najilbullah, que había sucedido a Babrak Karmal en 1986, siguió gobernando durante tres años más antes de que su gobierno cayera ante una coalición de facciones rebeldes. ◂1979.5 ▸1992.NM

▶SUDARIO DATADO—El 13 de octubre, el obispo de Turín cerró un debate de siglos de antigüedad acerca de la autenticidad del sudario de Turín, con el que

presuntamente había sido enterrado Cristo. Aceptando los resultados del carbono-14, el obispo declaró que el sudario databa de entre 1260 y 1390 d. C. La Iglesia católica animó a sus miembros a seguir venerando la mortaja por su fuerza iconográfica. ◂1947.14

TECNOLOGÍA

El auge del fax

11 El fax, anteriormente considerado un elemento exótico, se convirtió en un artículo corriente en cualquier tipo de empresa. En 1988 sólo en Estados Unidos se vendieron más de un millón (en 1983, sólo cincuenta mil). Europa le seguía de cerca y en Japón, principal fabricante y usuario, los rápidos aparatos de telecomunicaciones constituían más de 20 % de la telefonía.

El crecimiento del fax (abreviación de facsímil) constituyó el clásico caso que unió demanda y asequibilidad. Estas máquinas ocuparon un rincón discreto del mercado de la ofimática desde principios de los años setenta. En 1980, el fax moderno se hizo realidad gracias a un modelo nuevo

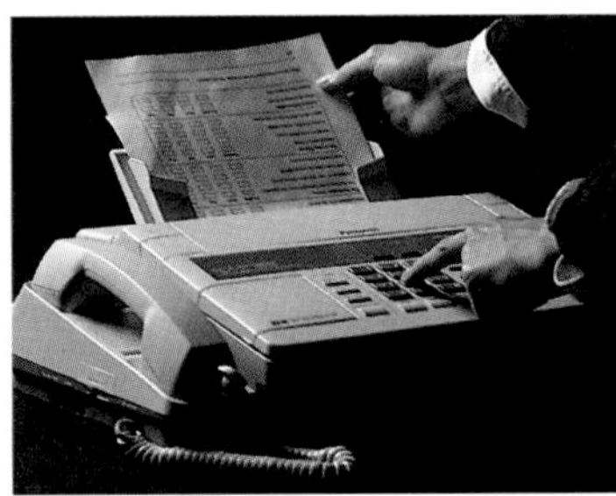

El fax, el servicio de correos más rápido del mundo.

que digitalizaba un documento, lo enviaba por vía telefónica ordinaria y era recibido en un minuto o menos. A medida que caían los precios (de 2.000 dólares en 1984 a 400 en 1988), para una gran cantidad de pequeñas empresas se hizo imprescindible. El fax era más rápido y barato que las empresas de correos y resultaba más versátil que el télex. (Entre 1984 y 1988 la Western Union perdió la mitad de sus télex.) En los años noventa, carecer de fax en una empresa significaba lentitud, un gran problema en la era de la velocidad. **◂1938.6**

ECONOMÍA

Estados Unidos y Japón

12 En 1988 Estados Unidos se enfrentó a una crisis generalizada de confianza en su economía. El dólar había perdido la mitad de su valor contra el yen japonés en tres años; el déficit económico era de unos diez mil millones de dólares al mes; Estados Unidos (con la mayor economía del mundo) era la nación con más deudas, y Japón (la segunda economía) era el mayor acreedor. Aunque la administración Reagan insistía en que el desequilibrio económico contribuía a la inversión de capital extranjero en el país, los pronósticos eran menos optimistas: el llamado siglo americano había finalizado. El nuevo coloso se hallaba en Oriente.

En Estados Unidos aumentaron las demandas de limitación de las importaciones japonesas, incluso cuando Washington liberalizó las restricciones sobre otro mercado: en enero, Canadá y Estados Unidos firmaron un acuerdo de libre comercio, que eliminaba las tarifas entre los dos países. Ocho meses después, el congreso aprobó la ley económica Omnibus, diseñada para congraciarse con los americanos y para perjudicar a Japón. (Con la demanda de que Japón abriera sus propios mercados o se enfrentara a ciertas sanciones, se hallaba el aumento de las subvenciones al tabaco y las ayudas a las refinerías de azúcar de Louisiana.) A pesar de las protestas por los artículos japoneses, las exportaciones americanas al Japón habían aumentado en un 14,5 % entre enero y septiembre. Además, según los japoneses, Estados Unidos ya castigaba a Japón: la devaluación del dólar penalizaba a los artículos importados.

Dejando aparte la disputa, las dos naciones formaban una fuerte sociedad económica. Japón necesitaba el enorme mercado americano, con su apetito de coches y electrónica japoneses, igual que Estados Unidos confiaba en las inversiones niponas, posibles gracias a los excedentes mercantiles, para financiar el déficit: 1,2 trillones de dólares en 1988. **◂1987.NM ▸1993.2**

Miembros del congreso muestran su resentimiento contra los productos japoneses y destrozan una radio Toshiba.

DEPORTES

El oro deslustrado de Johnson

13 El corredor canadiense Ben Johnson llegó como favorito para la prueba de los 100 metros a los Juegos Olímpicos de Seúl de 1988. El año anterior había establecido el récord del mundo con 9,83 segundos, una décima de segundo (una eternidad para la categoría) menos que el récord anterior. Parecía que Big Ben había ganado definitivamente a su rival americano Carl Lewis, uno

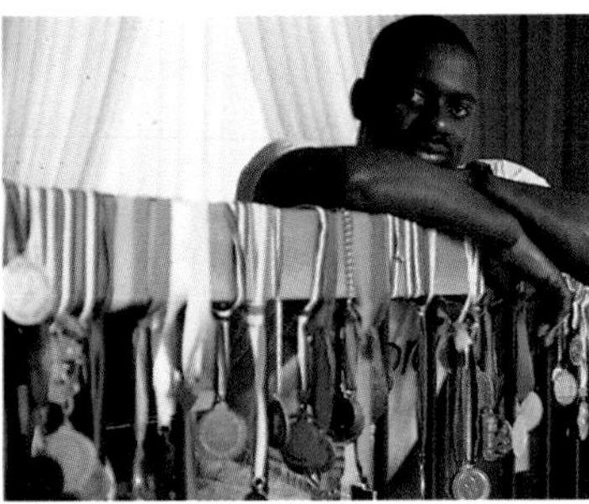

Johnson tuvo que devolver su medalla olímpica.

de los mejores atletas de todos los tiempos. Orgulloso y arrogante, célebre por sus espectaculares salidas, Johnson pronosticó que ganaría el oro de Seúl: «Cuando se produzca el disparo, la carrera habrá terminado». En realidad, así fue: estableció el nuevo récord del mundo en 9,79 segundos. Sin embargo, dos días después las pruebas obligatorias mostraron que Johnson había consumido esteroides. Fue despojado de sus honores y de sus contratos comerciales, valorados en un millón de dólares. Su medalla de oro fue otorgada a Lewis, el hombre «limpio» más rápido del mundo.

Hacía tiempo que el abuso de esteroides se había convertido en un problema internacional, pero nunca se había descubierto a un atleta de la talla de Johnson. Los competidores utilizan las drogas prohibidas (que pueden causar psicosis y problemas cardíacos y hepáticos) para muscularse. Johnson estuvo bajo sospecha durante años (sus músculos eran extraordinarios y sus ojos a menudo amarilleaban), pero siempre había superado las pruebas de drogas. Tras el escándalo olímpico, el gobierno canadiense inició una investigación sobre el uso de esteroides. Johnson declaró que, por consejo de su entrenador, se había inyectado drogas durante siete años. A Francis se le prohibió volver a entrenar y Johnson fue suspendido durante dos años. Cuando regresó, bastante menos voluminoso, no consiguió correr competitivamente. Dos años después, volvió a utilizar sustancias ilegales y fue suspendido permanentemente. **▸1989.NM**

PREMIOS NOBEL: Paz: Fuerzas de paz de la ONU (Nueva York) [...] Literatura: N. Mahfouz (egipcio; novelista) [...] Química: J. Deisenhofer, R. Huber y H. Michel (alemanes; proteínas y fotosíntesis) [...] Medicina: G. Elion, G. Hitchings y J. Black (EE.UU. y británico; tratamiento de drogas) [...] Física: L. Lederman, M. Schwartz y J. Steinberger (EE.UU.; partículas elementales [...] Economía: M. Allais (francés).

ECOS DE 1988

Una canción para estar a gusto

«Don't worry, be happy», de Bobby McFerrin, 1988

En directo, el cantante americano de jazz *Bobby McFerrin hacía maravillas con su voz suave y de amplio registro, haciendo incluso contrapuntos consigo mismo. Sus admiradores alemanes le apodaron «Stimmwunder», la voz maravillosa. Sin embargo, no alcanzó la fama por sus habilidades vocales sino por una cancioncita con ritmo de calipso llamada «Don't worry, be happy». El disco se editó en julio y a finales de año había vendido más de diez millones de copias. Incluso George Bush, entusiasta de la música* country, *utilizó la melodía de la canción para su campaña. Con su marcado ritmo caribeño y su optimismo absoluto (seguramente irónico), «Don't worry, be happy» reflejó una reciente tendencia americana hacia el bienestar y un creciente interés por la llamada «música mundial». Ésta, una fusión del* pop *occidental y de tradiciones populares desde Camerún hasta Brasil, Bulgaria o Haití (de cualquier sitio fuera de la Europa occidental y de Estados Unidos), era fresca, bailable y satisfacía ciertos deseos culturales exógamos.*

Here's a little song I wrote.
You might want to sing it note for note.
Don't worry, be happy.

In every life we have some trouble,
but when you worry you make it double.
Don't worry, be happy.

Ain't got no place to lay your head,
somebody came and took your bed.
Don't worry, be happy.

The landlord say your rent is late.
He may have to litigate.
Don't worry, be happy.

Look at me, I'm happy.
Here, I give you my phone number.
When you worry, call me, I make you happy.

Ain't got no cash, ain't got no style,
ain't got no gal to make you smile.
Don't worry, be happy.

'Cause when you worry your face will frown
and that will bring everybody down.
Don't worry, be happy.

Don't worry. Don't worry. Don't do it.
Be happy. Put a smile on your face.
Don't bring everybody down. Don't worry.
It will soon pass, whatever it is.
Don't worry. Be happy. I'm not worried.
I'm happy.

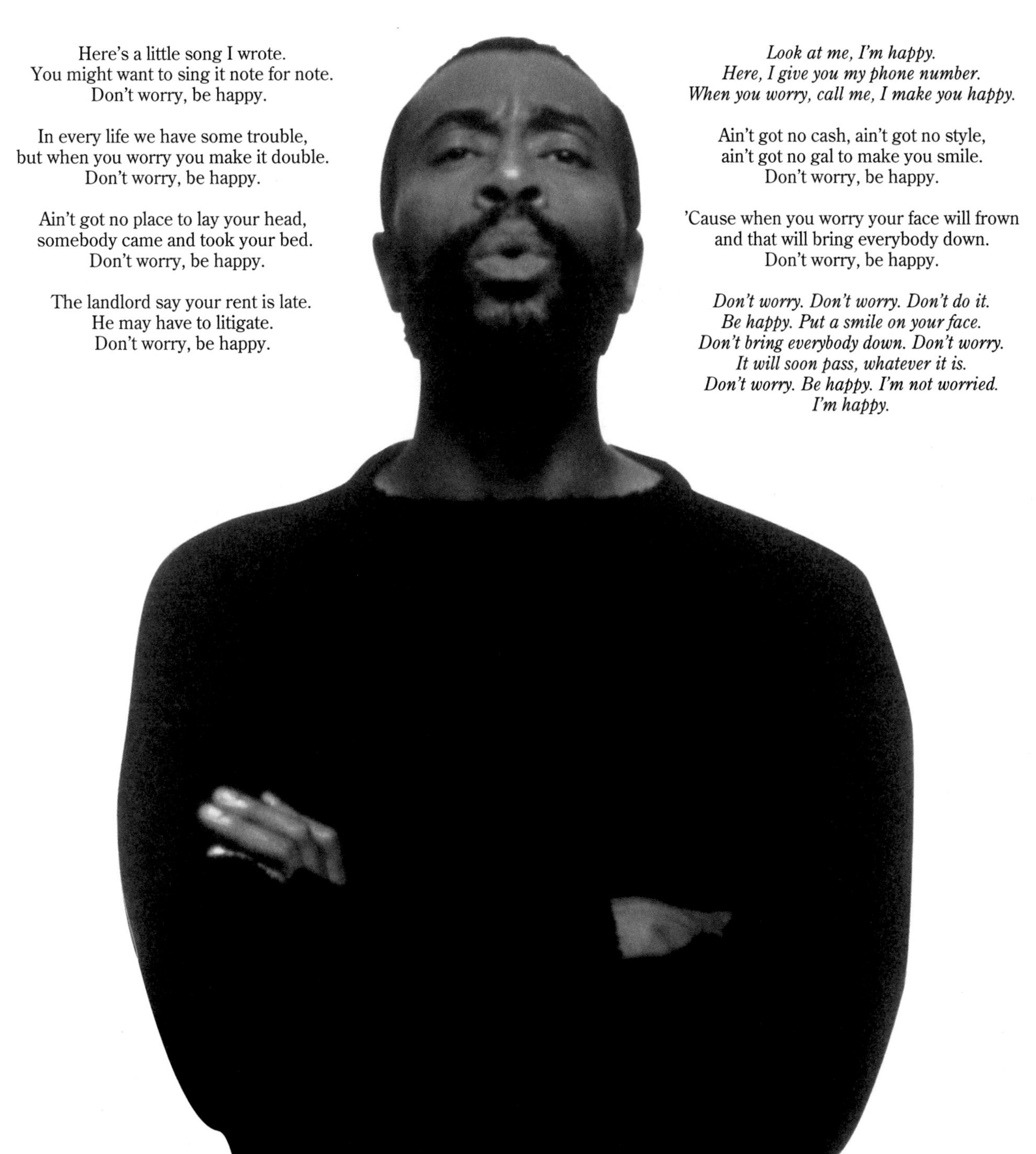

«Estamos viviendo una época de relaciones internacionales y entrando en otra.»—**Mijail Gorbachov**

HISTORIA DEL AÑO

Revoluciones anticomunistas en Europa

1 Alentados por las reformas de Mijail Gorbachov y por su renuncia al poder imperial de Moscú, los movimientos que apoyaban una economía basada en el mercado y una democracia pluralista derrocaron las dictaduras comunistas de la Europa central y del este durante 1989 y, excepto en Rumanía, donde la Securitate mató a más de siete mil personas antes de que los insurgentes lincharan a Nicolae Ceauşescu y a su mujer, las revoluciones no fueron cruentas.

La caída del Muro de Berlín engendró una nueva generación de alemanes unificados.

La transformación empezó en Hungría. El Partido Comunista expulsó al que había sido su presidente durante tres décadas, János Kádár, en 1988, a causa de la mala situación económica y del aumento del descontento popular. El gobierno del nuevo primer ministro Miklós Németh aprobó medidas cada vez más liberales y, en octubre de 1989, el partido se disolvió oficialmente. Las elecciones de 1990 convirtieron en primer ministro al líder del Forum Democrático, de centro derecha, József Antall.

En Alemania oriental, en ocubre de 1989, proliferaron las manifestaciones antigubernamentales. Mientras tanto, miles de ciudadanos hartos se dirigían hacia la recién abierta frontera entre Hungría y Austria de camino a Alemania occidental o en busca de asilo en las embajadas alemano-occidentales de Praga y Varsovia. El Politburó sustituyó al presidente del partido, Erich Honecker, por otro miembro de línea dura, pero la modesta relajación de las restricciones sobre viajes que había concedido el régimen provocó su caída: en noviembre, dos millones de alemanes orientales entraron en Berlín oeste, y los guardias del muro no se movieron o se unieron a ellos cuando empezaron a derribar la odiada muralla. El comunista reformista Hans Modrow se convirtió en primer ministro y, en 1990, su partido perdió las primeras elecciones libres del país ante los cristiano-demócratas, cuyo líder, Lothar de Maizière, sustituyó a Modrow.

En abril de 1989, tras meses de intranquilidad y negociaciones, el gobierno de Polonia legalizó Solidaridad. En junio se celebraron elecciones pseudolibres en las que Solidaridad obtuvo casi todos los escaños no reservados para los comunistas o sus aliados. El secretario general del Partido Comunista, Wojciech Jaruzelski, nombró primer ministro al miembro de Solidaridad Tadeusz Mazowiecki. En diciembre de 1990, Lech Walesa fue elegido presidente.

La «revolución de terciopelo» de Checoslovaquia culminó con la elección de Vaclav Havel como presidente. En Bulgaria, el presidente del Partido, Todor Zhivkov cayó en noviembre, lo que favoreció la celebración de elecciones libres. Era indiscutible que había nacido una nueva Europa. **◂1987.10 ▸1990.1**

PANAMÁ

Estados Unidos derroca a Noriega

2 El gobierno de Estados Unidos actuó de forma interesada con el general Manuel Noriega, comandante de las fuerzas armadas y gobernante *de facto* de Panamá: aunque fue un informador de la CIA generosamente pagado desde los años sesenta, también vendió información norteamericana a Cuba y permitió que el cártel de Medellín enviara drogas a Estados Unidos a través de Panamá. Washington perdió la paciencia y, en diciembre de 1989, el recién elegido presidente George Bush envió a veinticinco mil soldados contra el déspota.

La invasión (la cuarta incursión norteamericana en Panamá desde 1900) causó cuantiosas pérdidas de vidas civiles y propiedades. Los tiroteos urbanos destruyeron los hogares de unos quince mil panameños; de las 516 muertes que reconoció el Pentágono, 459 eran de civiles. Hubo 23 bajas norteamericanas. La «operación Causa Justa» cumplió su principal objetivo: la extradición de Noriega a Florida para enfrentarse a los cargos de drogas y crimen organizado. Guillermo Endara, elegido presidente en 1989 aunque no pudo ejercer a causa de Noriega, se convirtió en jefe de Estado.

Noriega en la cumbre de su poder, en 1988. Tenía cuatro yates llamados *Macho*.

Noriega consolidó su poder en 1984 y era el último y más despiadado de una serie de militares que habían gobernado Panamá tras la misteriosa muerte del dictador populista Omar Torrijos Herrera en un accidente de helicóptero hacía tres años. El control de Noriega sobre la seguridad del estado y su relación con el servicio de inteligencia de Estados Unidos le hicieron invencible durante algún tiempo. Había negociado con Bush por primera vez en 1976, cuando éste era director de la CIA. Luego, trató con Oliver North para suministrar armas a la contra nicaragüense. Cuando Bush se convirtió en presidente en enero de 1989, Noriega esperó aprovecharse de su antigua relación, pero por entonces su doble juego restó importancia a su utilidad.

Juzgado en Miami en 1992, Noriega fue sentenciado a 40 años. (El coste total de esta condena, incluida la invasión, superaba ciento sesenta millones de dólares.) No obstante, no se consiguió acabar con el tráfico de drogas procedente de Panamá. **◂1977.7**

SUDÁFRICA

De Klerk inicia las reformas

3 En 1989 el Partido Nacional del gobierno sudafricano se estaba desintegrando. Al darse cuenta de que la respuesta del presidente Botha al movimiento antisegregacionista (la represión brutal) no funcionaba, los reformistas del gobierno empezaron a buscar soluciones alternativas. Botha y sus partidarios, llamados «segurócratas» por el estado policial que habían creado, conservaban el poder suficiente para bloquear los desafíos políticos. Su autoridad, sin embargo, iba disminuyendo a causa de la mala situación económica del país, su aislamiento internacional y la lucha implacable del Congreso Nacional Africano contra el régimen racista.

En febrero, Botha sufrió una apoplejía y, aunque continuó ostentando el cargo de presidente, F. W. de Klerk, ministro de educación, entró en funciones como presidente del Partido Nacional. Siete meses después De Klerk y sus aliados bloquearon un intento de regreso de Botha. El presidente dimitió y en septiembre el parlamento eligió a De Klerk para sucederle. Las puertas de la reforma empezaban a abrirse.

Los últimos años de gobierno de Botha fueron una época humillante para la minoría blanca de la nación. Un estado permanente de emergencia, en el que el gobierno enviaba soldados a ocupar barrios negros, no consiguió detener las actividades guerrilleras. Los ataques del Congreso Nacional se incrementaron entre 1984 y 1988. Mientras, se obligó a Sudáfrica a abandonar su guerra no declarada en Angola, donde había luchado con las fuerzas rebeldes de derechas para derrocar al gobierno marxista, y a retirarse de Namibia.

Cuando abandonó la ideología moribunda de su partido, De Klerk inició una reforma «progresiva». Redujo la autoridad de las fuerzas de seguridad y abolió la segregación

ARTE Y CULTURA: Libros: ***Lo que queda del día*** **(Kazuo Ishiguro);** ***Las edades de Lulú*** **(Almudena Grandes);** ***Los cabellos del sueño*** **(Clara Janes) [...] Música:** ***Don't be cruel*** **(Bobby Brown, LP);** ***Let it loose*** **(Miami Sound Machine, LP); «Like a prayer» (Leonard y Ciccone);** ***Symphony for winds*** **(Ellen Taaffe Zwilich) [...] Pintura y escultura:** ***Historical Portraits*** **(Cindy Sherman) [...]**

«He tomado la decisión de dimitir para volver a establecer la confianza del pueblo en el gobierno.»—**Noboru Takeshita, primer ministro de Japón**

De Klerk *(izquierda)*, en campaña.

de las playas durante los primeros meses de su mandato. En febrero de 1990 legalizó el Congreso Nacional Africano e inició la reducción de la censura. Luego, en su mayor gesto concreto de buena voluntad, liberó a Nelson Mandela. Tras 27 años, el líder del movimiento y símbolo viviente del antisegregacionismo era libre. **◄1988.2 ►1990.E**

CHINA

La plaza de Tiananmen

4 El 3 de junio de 1989, soldados y vehículos blindados del Ejército de Liberación Popular llegaron a la plaza de Tiananmen de Pekín, donde los estudiantes se manifestaban a favor de la democracia desde hacía tres semanas. Antes del amanecer del día siguiente, los soldados ordenaron a los manifestantes que se dispersaran; luego, los tanques empezaron a avanzar, aplastando las tiendas de los que acampaban en la plaza. Los estudiantes huyeron, sus líderes fueron arrestados o se escondieron y así finalizó la mayor revuelta antigubernamental desde la revolución. El sucesor de Mao Zedong, Deng Xiaoping, había ganado.

Deng (que había renunciado a su puesto en 1987 pero continuaba gobernando China entre bastidores) había sido un reformista: defendió la descentralización económica, la incorporación de principios del libre mercado en el comunismo y los vínculos más estrechos con Occidente, pero la libertad política era otra cuestión. Las protestas estudiantiles comenzaron en abril, a causa de la muerte del antiguo dirigente del Partido Comunista Hu Yaobang, a quien Deng obligó a dimitir por haberse mostrado demasiado blando con un alzamiento anterior. A medida que obreros, intelectuales y otras personas se agregaban a la manifestación, las demandas de reforma se fueron convirtiendo en exigencias radicales (entre ellas que Deng no gobernara). El gobierno acusó a los líderes estudiantiles de conspirar para «negar el liderazgo del Partido y del sistema socialista».

El 13 de mayo, algunos estudiantes iniciaron una huelga de hambre en la plaza de Tiananmen, donde Deng tenía previsto recibir a Mijail Gorbachov dos días después. (Asimismo, plantaron una reproducción de la Estatua de la Libertad, una provocación definitiva.) Los periodistas occidentales que iban a cubrir la visita del líder soviético, primer contacto oficial entre China y la Unión Soviética en 30 años, concentraron la atención mundial en la sentada. El 20 de mayo, después de que un millón de chinos acudiera a Pekín para apoyar a los estudiantes, el gobierno impuso la ley marcial. Los manifestantes levantaron barricadas para bloquear a los tanques. Luego, Deng ordenó al ejército que atacara. Cientos, quizás miles, fueron asesinados. Occidente respondió, durante poco tiempo, con sanciones, pero Deng se negó a hacer poco más que liberar a unos cuantos presos. No permitiría que en China ocurriera lo mismo que en la Unión Soviética. **◄1984.7 ►1994.14**

Estudiantes en la plaza de Tiananmen dos semanas antes de la brutal represión de Deng.

JAPÓN

Escándalo en el gobierno

5 Perseguido por el escándalo, el Partido Democrático Liberal (PDL) de Japón, en el gobierno, sufrió su peor revés electoral en 1989. El PDL ostentaba el poder desde 1955 y por primera vez perdió el control de la cámara alta en las elecciones de julio. En la cámara baja todavía se mantuvieron. El primer ministro Sousuke Uno renunció al liderazgo del partido en favor de Toshiki Kaifu *(superior)*. Uno acababa de alcanzar el máximo puesto hacía tan sólo un mes, cuando su predecesor, Noboru Takeshita, dimitió por un escándalo de tráfico de influencias. Kaifu era el tercer primer ministro en tres meses.

El PDL siempre había disfrutado de una simbiosis beneficiosa con las grandes empresas, pero nadie supo cuán amistosa había llegado a ser la relación hasta que estalló el escándalo de la compañía Recruit a finales de 1988. A cambio de favores políticos, la Recruit, un conglomerado de comunicaciones e inmobiliarias, concedió a algunos políticos descuentos equivalentes a nueve millones de dólares. Las transacciones no eran ilegales en sí mismas y los sobornos eran difíciles de demostrar ante un tribunal. No obstante, la confianza pública en el gobierno desapareció, lo que forzó la dimisión de Takeshita en abril. Uno acababa de llegar al poder cuando una geisha lo acusó de haberle pagado a cambio de sexo. Esto, junto al asunto Recruit y un impuesto de consumo recién aprobado, condenó al partido en julio.

Kaifu, elegido para suceder a Takeshita sobre todo por no estar salpicado por la corrupción, heredó la peor crisis del PDL desde 1974, cuando el desequilibrio financiero acabó con el primer ministro Kakuei Tanaka. Muchos expertos predijeron que el partido perdería su mayoría parlamentaria en las elecciones siguientes de la cámara baja, pero en febrero siguiente el PDL derrotó a una oposición dividida. Kaifu siguió como primer ministro pero se rumoreaba que Takeshita todavía ejercía el control. **◄1976.8 ►1993.11**

MUERTES

Lucille Ball, actriz estadounidense.

Samuel Beckett, escritor franco-irlandés.

Nicolae Ceauşescu, presidente rumano.

Salvador Dalí, pintor español.

Bette Davis, actriz estadounidense.

Daphne Du Maurier, escritora británica.

Malcolm Forbes, editor estadounidense.

Andrei Gromyko, político soviético.

Nicolás Guillén, poeta cubano.

Hirohito, emperador de Japón.

Ayatollah Ruhollah Jomeini, líder político y religioso iraní.

János Kádár, político húngaro.

Herbert von Karajan, director de orquesta austríaco.

Silvana Mangano, actriz italiana.

Ferdinand Marcos, presidente filipino.

Laurence Olivier, actor británico.

Sugar Ray Robinson, boxeador estadounidense.

Andrei Sajarov, físico soviético.

Leonardo Sciascia, escritor italiano.

Georges Simenon, novelista belga.

Cine: ***Paseando a Miss Daisy*** **(Bruce Beresford);** ***Nacido el 4 de julio*** **(Oliver Stone);** ***Drugstore Cowboy*** **(Gus Van Sant);** ***Mi pie izquierdo*** **(Jim Sheridan);** ***Enrique V*** **(Kenneth Branagh) [...] Teatro:** ***Cómeme el coco negro*** **(La Cubana) [...] TV: concurso «El precio justo», programa más visto a lo largo del año en España.**

«¿Esta guerra insensata va a continuar hasta que muera el último libanés?»—***La Voz de la Nación*, emisora de radio de Beirut**

NOVEDADES DE 1989

Prohibición mundial del comercio de marfil.

Bombardero silencioso.

Tortugas Ninja.

Time Warner Inc. (fusión de la Time y la Warner Communication).

Pólizas de seguros que cubren los daños ocasionados por virus informáticos.

EN EL MUNDO

▶TOUR DE FORCE —El ciclista americano Greg LeMond ganó su segundo Tour de Francia en julio, superando al francés Laurent Fignon en

el tour más disputado de la historia. Aún más destacable que el margen de la victoria de LeMond, de tan sólo ocho segundos tras tres semanas y 3.240 km, fue su regreso tras un accidente de caza casi mortal en 1987. Ganó su tercer tour en 1990. ◂1969.12 ▸1995.8

▶QUIEBRA DE UNAS AEROLÍNEAS—Las Eastern Airlines, perjudicadas por el alto precio del petróleo, la recesión y una huelga laboral dirigida por el presidente sindical Charles Bryan, declararon la quiebra el 9 de mayo para protegerse de sus acreedores. Ese mes el presidente de la Eastern Frank Lorenzo vendió la Boston-New York-Washington Eastern Shuttle al magnate Donald Trump por 365 millones de dólares. Ni siquiera esta inyección de dinero pudo salvar a la Eastern, fundada en 1928 y una de las mejores compañías aéreas en otro tiempo. En enero de 1991, tras agotar su dinero líquido y enfrentarse a

ORIENTE MEDIO

El apocalipsis de Beirut

6 La violencia que se apoderó de Beirut en 1989 fue la más intensa de catorce años de guerra civil. Empezó en marzo, cuando el general Michel Aoun, comandante de veinte mil milicianos cristianos, declaró una «guerra de liberación» a los cuarenta mil soldados sirios que ocupaban buena parte del Líbano. Armado por Iraq (cuyo dictador, Saddam Hussein, estaba resentido con Siria por haber ayudado a Irán en la reciente guerra irano-iraquí), Aoun empezó a bombardear el Beirut oeste musulmán. El general declaró que atacaba posiciones sirias, pero la lucha destrozó gradualmente la ciudad que había sido considerada la joya de Oriente Medio.

En agosto, la mitad del millón y medio de habitantes de Beirut eran refugiados. Los que se quedaron tuvieron que soportar carestía, francotiradores y bombardeos constantes. Jóvenes combatientes de las milicias cristianas, musulmanas y drusos se enfrentaron a lo largo de la línea verde que dividía la ciudad. «Nos estamos suicidando», lamentó Walid Jumblatt, líder de la milicia de los drusos apoyada por Siria. La lucha continuó incluso después de que el parlamento votara disolver las milicias e incorporarlas al ejército regular.

El sirio Hafez al-Assad insitía en que su deseo era ayudar a los libaneses a «llegar a una reconciliación nacional» y a restaurar un gobierno efectivo. Sin embargo, muchos pensaban que deseaba el dominio permanente sobre el Líbano. Aoun por su parte esperaba mantener la hegemonía de la minoría cristiana sobre la política libanesa. La mayoría del pueblo libanés estaba atrapada en medio. **◂1983.3 ▸1990.NM**

PARAGUAY

Dictador derrocado

7 La dictadura más larga del hemisferio occidental finalizó en febrero de 1989, cuando el general Alfredo Stroessner fue derrocado por el general Andrés Rodríguez. Desde que tomó el poder en 1954, Stroessner había empleado el terror de un estado policial (además, pertenecer a su Partido Colorado era un prerrequisito para la mayoría de profesiones) para transformar un país extremadamente inestable en un ejemplo de orden cerrado. Al final, su autoridad resultó tan inquebrantable que no permitió muestras de actividad de la oposición. No obstante, junto al gobierno de un solo hombre, llegó una singular corrupción.

Paraguay se convirtió en un paraíso para los nazis fugitivos (como el Dr. Josef Mengele), dictadores depuestos y traficantes de drogas. Todos pagaron generosamente para obtener refugio, pero el lucrativo mercado de divisas de Paraguay no era nada comparado con el contrabando. La nación obtenía unos setecientos millones de dólares anuales con las exportaciones ilegales, más del doble que con el comercio legal. Stroessner y sus secuaces, entre ellos Rodríguez, vivían como reyes. Mientras tanto, una economía subdesarrollada sumió a la mayoría de la población en la pobreza.

La posición de Stroessner empezó a erosionarse en los años setenta, cuando la política de derechos humanos de Jimmy Carter cesó las ayudas de Estados Unidos. En los años ochenta, a medida que la economía empeoraba, estallaban las protestas callejeras y se abrían brechas entre los partidarios de Stroessner y un grupo menos conservador, «los tradicionalistas». El dictador, enfermo y de 76 años, tenía previsto nombrar a su hijo como sucesor, pero Rodríguez, apoyado por los tradicionalistas, dio un golpe de Estado. En la acción murieron más de trescientas personas y Stroessner abandonó el país. Para sorpresa de los escépticos, Rodríguez celebró las primeras elecciones con varios candidatos en décadas y a nadie le sorprendió que las ganara. En 1993, los votantes eligieron a un civil para sucederle, Juan Carlos Wasmosy, del Partido Colorado. **◂1954.NM ▸1989.8**

La guerra civil del Líbano se libró en mitad de la ciudad más poblada del país.

SUDAMÉRICA

Las cargas heredadas

8 En tres recientes democracias sudamericanas, los votantes eligieron nuevos líderes en 1989, los cuales se enfrentarían a la herencia de la dictadura.

Respaldado por una coalición variopinta (desde comunistas a centro-derechistas), el cristiano-demócrata Patricio Aylwin Azócar derrotó al candidato nombrado por Augusto Pinochet en las primeras elecciones presidenciales en 19 años. No obstante, según la constitución que Pinochet había promulgado en 1981, el general permanecería como comandante en jefe. Al temer una intervención militar, Aylwin no se atrevió a revisar las medidas que habían enriquecido a los ricos a expensas de los pobres ni a procesar a los militares implicados en miles de asesinatos políticos bajo el régimen anterior.

Tras seis años de gobierno civil, Argentina también se hallaba bajo la sombra del ejército. El presidente Raúl Alfonsín sobrevivió a varios intentos de golpes de Estado, represalias por su procesamiento de altos oficiales implicados en muertes masivas bajo el régimen militar. Sin embargo, fue superado por el desorden económico de la dictadura: a principios de 1989, la deuda exterior era de sesenta y seis mil millones de dólares; la inflación se disparaba un 200 % mensual, y los disturbios estallaban por toda la nación. En mayo, el peronista Carlos Saúl Menem fue elegido para suceder a Alfonsín. Menem, un carismático populista, prometió aumentos de salario y facilidades de crédito pero, una vez en el cargo, impuso un programa de austeridad, redujo los subsidios y vendió las empresas estatales. Asimismo, indultó a 289 militares, y se decantó

DEPORTES: inauguración de la remodelación del estadio de Montjuïc en Barcelona, sede de los Juegos Olímpicos de 1992, con motivo de los campeonatos mundiales de atletismo.

«Me cuesta mucho reconocer la diferencia entre información confidencial y estudio minucioso de investigación.»—**Walter Wriston, antiguo presidente de Citicorp**

Los chilenos se manifiestan contra Pinochet en 1988, un año después votaron contra su candidato.

por la seguridad antes que por la justicia.

En diciembre, los brasileños escogieron como primer presidente electo en 29 años a Fernando Collor de Mello. El predecesor civil de Collor, José Sarney, heredó otra economía destrozada por una junta despilfarradora. Cuando Collor entró en funciones, en marzo de 1989, la deuda alcanzaba los ciento quince millones de dólares y un índice anual de inflación del 100.000 %. Collor estableció una severa política fiscal pero las clases media y baja llevaron toda la carga. La búsqueda de su propio beneficio pronto le arruinó. **◂1988.NM ▸1992.7**

CIENCIA

La fusión fría

9 En marzo de 1989 dos electroquímicos celebraron una conferencia de prensa en la Universidad de Utah que conmocionó al mundo científico. B. Stanley Pons (de Utah) y Martin Fleischmann (de la Universidad inglesa de Southampton) anunciaron que habían conseguido la fusión nuclear a temperatura ambiente. Llamada «fusión fría», el fenómeno violaba las leyes físicas conocidas. Si era cierto, la fusión fría prometía energía barata, limpia y casi inagotable.

El experimento era simple: Pons y Fleischmann sumergieron una célula compuesta de dos electrodos, uno de paladio y otro de platino, en agua pesada. La corriente eléctrica enviada a través del aparato producía que el electrodo de paladio se fundía. La única explicación posible era que había tenido lugar una fusión. Científicos de todas partes intentaron repetir el experimento, algunos dijeron que con éxito. Pons y Fleischmann declararon ante el congreso estadounidense con la esperanza de obtener fondos federales.

Sin embargo, a finales de verano la opinión científica se opuso a ambos investigadores. Entre los errores achacados a Pons y Fleischmann destacaban: una simple reacción química pudo haber provocado el calor que habían observado; no lograron medir helio, resultado de una fusión, y una auténtica fusión desprendería suficientes neutrones como para matar a cualquiera que estuviera cerca. Fleischmann y Pons se retiraron con su reputación

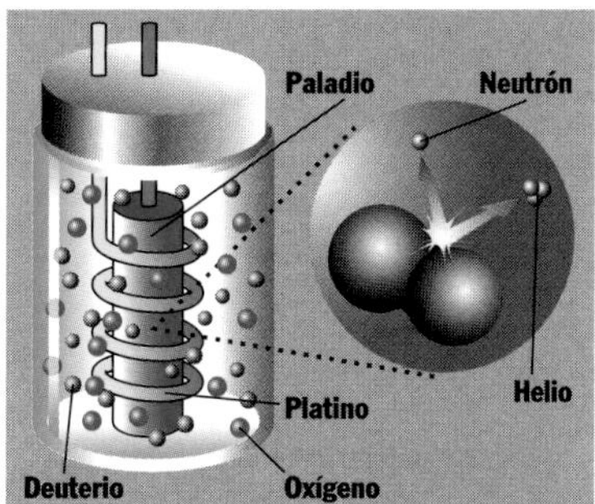

Fusión embotellada (en teoría): cuando el paladio absorbe los átomos de deuterio, el núcleo de deuterio se funde, liberando energía, neutrones y helio.

destrozada, pero continuaron experimentando con la fusión fría en los años noventa. **◂1951.3**

ARTE

Dalí: la muerte de un genio

10 «Picasso es un pintor, yo también, Picasso es un genio, yo también, Picasso es comunista, yo tampoco.» En esta boutade de Salvador Dalí —una de las que jalonaron su biografía— quedan reflejadas, en una síntesis entre la forma y el fondo, las características de la personalidad del artista. Dalí fue un gran pintor que cultivó con esmero, y éxito, su inclusión en la categoría de los genios del siglo y, a pesar de los coqueteos que en los años veinte tuvo con el comunismo, su evolución política lo alejó de una postura izquierdista. Desde 1938 esta separación cristalizó en su exclusión formal del movimiento surrealista, plasmada en la transliteración SALVADOR DALÍ-AVIDA COLARS que le aplicó A. Breton para condenar lo que consideraba evidente: su amor al dinero como imperativo muy superior a cualquier compromiso político.

Dalí nació en Figueras en 1904; estudió en la Escuela de Bellas Artes de San Fernando de Madrid, donde consiguió un dominio casi perfecto

***Espectro de la líbido*, de Salvador Dalí.**

de la técnica tanto en el ámbito del dibujo como en el de la utilización del color. Durante esta época el clasicismo académico de sus cuadros no impidió que se interesara por los movimientos de vanguardia cultural, artística e intelectual. La admiración por la pintura metafísica y el arquitecturismo de los italianos Carra y Chirico, la influencia del pensamiento freudiano, de la estética de García Lorca le acompañaron en una evolución que le condujo desde un realismo inicial, pasando por un cubismo de acusada ingenuidad, hasta alcanzar un surrealismo heterodoxo: «paranoico-crítico». La teorización literaria de su obra es una de las características distintivas de Dalí. Por esta vía consiguió ser el principal crítico de sus pinturas. La colaboración en proyectos literarios, cinematográficos o simplemente en espectáculos de masas hizo de la personalidad de Dalí el más claro ejemplo de la integración de un artista y sus propias obras. Fue una de las principales figuras del mundo artístico del siglo XX.

una deuda de mil millones de dólares, la Eastern fue liquidada. Otras dos aerolíneas, la Midway y la Pan Am, corrieron la misma suerte al año siguiente. Trump, frente a una crisis financiera, acabó con la Eastern Shuttle y la rebautizó con el nombre de Trump. En 1992, la Trump Shuttle también quedó fuera del negocio.

▶TEATRO CATALÁN —Durante los años ochenta, el panorama teatral español, concentrado en Madrid básicamente, vivió una revolución producida por el éxito de las compañías catalanas. El Teatre Lliure, Els Comediants, La Fura del Baus, Dagoll Dagom, La Cubana y El Tricicle son los nombres principales de entre los grupos de la *nouvelle vague* teatral en la que destacan, a título personal, Pascual, Puigcorber, Teixidor, Flotats y Boadella.

▶SAN FRANCISCO TIEMBLA—El 17 de octubre, San Francisco sufrió un terremoto de magnitud 7,1 en la escala de Richter. En el temblor de cinco segundos murieron unas noventa personas, muchas aplastadas en sus coches cuando las carreteras se doblaron. El seísmo provocó pérdidas materiales por valor de seis mil millones de dólares. Los edificios más nuevos, diseñados para resistir terremotos, superaron la prueba. El movimiento sísmico se produjo minutos

antes del inicio del tercer partido de las series mundiales de béisbol, un partido local entre los San Francisco Giants y los Oakland Athletics. Las series fueron suspendidas durante once días. ◂1985.4 ▸1994.12

▶VIETNAM SE RETIRA DE CAMBOYA—El gobierno vietnamita retiró de Camboya a los últimos de sus veinte mil soldados el 26 de septiembre, finalizando así una ocupación de once años. Vietnam invadió

POLÍTICA Y ECONOMÍA: el PSOE gana por tercera vez las elecciones en España y Felipe González continúa como presidente del gobierno.

«No lo sé. Sé que lo incorrecto es el racismo.»—**Spike Lee, director cinematográfico, en respuesta a la pregunta «¿qué es lo correcto?»**

Camboya en diciembre de 1978, derrocando al gobierno de los Khmer rojos e instaurando un régimen provietnamita. Tras la retirada, estalló una guerra civil cuando los Khmer rojos intentaron recuperar el poder. ◂1978.9

▶BIRMANIA REBAUTIZADA—En junio, la junta militar, que había depuesto el régimen del general Ne Win el año anterior, cambió el nombre de Birmania por el de Myanmar (la capital, Rangún, se convirtió en Yangón). Un año después, la junta patrocinó unas elecciones —la caída de Ne Win fue el

resultado de unas manifestaciones violentas en favor de la democracia—, pero cuando la Liga Nacional para la Democracia ganó por mayoría absoluta, la junta anuló los resultados y detuvo a la líder de la Liga, Daw Aung San Suu Kyi *(superior, centro)*. Hija de U Aung San, resistente antifascista de la Segunda Guerra Mundial y líder nacionalista, Aung San Suu Kyi recibió el Premio Nobel de la paz en 1991. El régimen se negó a liberarla de su arresto domiciliario a menos que renunciara a la política.

▶MUERTE DE UN CLEPTÓCRATA—Ferdinand Marcos, el dictador filipino que defraudó a su país miles de millones de dólares, murió en Hawai el 28 de septiembre. Contaba 72 años de edad y había pasado los tres últimos años de su vida en el exilio, en Estados Unidos, eludiendo a los tribunales. Su esposa Imelda, una antigua reina de la belleza cuyos 1.060 pares de zapatos se convirtieron en un símbolo de la «cleptocracia» familiar, le sobrevivió. En 1990, Imelda Marcos fue juzgada y absuelta en Estados Unidos. Regresó a las Filipinas en 1991 y se presentó a la presidencia sin éxito. ◂1986.3

DEPORTES

Desorden mortal

11 En abril de 1989 murieron 95 personas y muchas más sufrieron daños en un partido de fútbol entre Liverpool y el Nottingham Forest. Miles de aficionados llegaron a las gradas ya abarrotadas del estadio Hillsborough de Sheffield y aplastaron al público contra una valla de seguridad que rodeaba el campo. El incidente de Sheffield, la peor tragedia británica relacionada con el mundo deportivo, fue la última mancha de sangre del historial violento del juego.

No hubo víctimas a causa de peleas, la barrera contra la que quedaron atrapadas se colocó para evitar que los espectadores agresivos saltaran al terreno de juego. La situación mortal se creó cuando la policía, temiendo que los aficionados del Liverpool que habían llegado con retraso causaran disturbios en las calles, abrieron las puertas del estadio para dejarles entrar.

El desastre se produjo cuatro años después de que unos *hooligans* causaran la muerte de 39 espectadores durante un partido de la copa de Europa en Bruselas. Tras este incidente, los aficionados y los equipos ingleses fueron apartados de las competiciones europeas. Tras el de Hillsborough, el gobierno inició una segunda investigación en cinco años. Entre los problemas del fútbol había: una dirección que se negaba a modernizar unas instalaciones de la época victoriana; medidas de control inhumanas, como la de la colocación de los aficionados rivales en unos lugares parecidos a jaulas, y aficionados violentos para quienes el fútbol era una excusa para crear disturbios. «Lo de Hillsborough no fue solamente un penoso incidente, fue una demostración brutal del fracaso del sistema», declaró *The Economist*. **◂1930.13**

Algunos aficionados murieron aplastados contra las vallas de seguridad de Hillsborough.

Lee y Danny Aiello como Mookie y Sal.

CINE

El deber de Spike Lee

12 *Haz lo que debas*, de Spike Lee, polémica, divertida, vibrante y acerca del odio racial, se convirtió en la película más controvertida de la década. Ambientada en un vecindario negro de Brooklyn en el día más caluroso del año, la película examina las relaciones entre sus habitantes, entre ellos, un activista negro egocéntrico, un aficionado al *rap*, un repartidor de pizzas no comprometido llamado Mookie (interpretado por Lee), y personajes que no son negros y trabajan allí: Sal, honrado propietario de una pizzería, y sus dos hijos, un irascible tendero coreano y policías blancos agresivos. Las tensiones van en aumento hasta que un joven negro es asesinado y el negocio de Sal incendiado.

Lee, de 32 años, alcanzó el estrellato desde que su primera obra comercial, un estudio de bajo presupuesto acerca de la sexualidad femenina llamado *She's gotta have it* (1986), ganó un premio en Cannes y ocho millones de dólares. *Haz lo que debas* era la segunda obra de investigación de Lee (la primera, *School Daze*, examinaba la rivalidad entre los negros de piel oscura y los de piel clara) y conmocionó a los medios de comunicación. Fue acusado de ser partidario de la violencia en respuesta al racismo y se anunció que la película provocaría disturbios (no ocurrió así). En realidad, Lee demostró su propia ambivalencia al finalizar la película con citas contradictorias sobre la autodefensa de Martin Luther King y Malcolm X (sobre quien más tarde rodaría una película). El logro del joven director fue indiscutible: aunque otros cineastas negros disfrutaron de algo de éxito (como Gordon Parks y Melvin Van Peebles en los años sesenta y setenta), Lee fue el primero en ser aceptado por el público y la crítica en general por su descripción honesta y provocativa de la vida de los negros. De hecho, abrió las puertas a una nueva generación de directores negros. **◂1971.NM**

MEDIO AMBIENTE

La catástrofe del *Exxon Valdez*

13 En marzo de 1989, el petrolero *Exxon Valdez* chocó contra un arrecife y derramó más de treinta millones de litros de crudo en las aguas de Prince William Sound, cerca del extremo sur del oleoducto de Alaska. La marea negra se extendió a lo largo de 1.700 km de costa en una zona especialmente sensible. Aunque la Exxon (y cientos de voluntarios) intentaron contenerla, sólo pudo recuperarse una mínima parte de crudo. Ni siquiera una cuidadosa limpieza de las playas pudo eliminar el petróleo. La marea negra provocada por el *Exxon Valdez* era la mayor de la historia de Estados Unidos, ninguna otra había perjudicado tanto la vida silvestre. Entre los animales muertos hubo más de medio millón de aves y cinco mil de otras especies.

Tras el desastre de *Exxon Valdez*, numerosos voluntarios intentaron limpiar las playas de Prince William Sound.

Los ecologistas advirtieron del peligro desde que se descubrieron los campos petrolíferos de North Slope en Alaska, en 1968. Sin embargo, las compañías insistían en la validez de sus medidas de seguridad y en que eran capaces de limpiar cualquier escape. La catástrofe del *Exxon Valdez* fue el resultado de una negligencia absoluta: el capitán Joseph Hazelwood había confiado el mando a un tercer oficial incalificado y la vigilancia costera no advirtió al barco que se estaba apartando de su ruta.

En 1990, Hazelwood fue absuelto de todos los cargos mayores, entre ellos negligencia criminal y navegar ebrio. En 1994, sin embargo, admitió que había bebido. Por entonces, la Exxon había pagado: una multa de cien millones de dólares, dos millones en la limpieza, unos novecientos más en costas legales y cinco millones en daños y perjuicios a los pescadores de Alaska. **◂1978.12**

PREMIOS NOBEL: Paz: Dalai Lama (tibetano; independencia del Tíbet) [...] Literatura: Camilo José Cela (español; escritor) [...] Química: T. Cech y S. Altman (estadounidenses; ARN) [...] Medicina: J. M. Bishop y Harold Varmus (estadounidenses; cáncer) [...] Física: N. Ramsey (estadounidense; reloj atómico) y H. Dehmelt y W. Paul (estadounidense, alemán; partículas subatómicas) [...] Economía: T. Haavelmo (noruego).

El Nobel para Camilo José Cela

1989

«La vida no es buena; el hombre tampoco lo es. Quizá fuera más cómodo pensar lo contrario. La vida, a veces, presenta fugaces y luminosas ráfagas de simpatía, de sosiego e incluso también, ¿por qué no?, de amor... pero no nos engañemos.» Estas palabras del escritor Camilo José Cela, que recibió el Premio Nobel de literatura en 1989, pueden ejemplificar su concepción de la vida. Cela es un espectador irónico y frío de la vida, por la que a veces manifiesta un gran vitalismo y a veces una amarga repulsa a la vez que demuestra una cierta ternura y compasión ante el dolor. Su estilo incorpora desde el lenguaje más soez hasta el tono más lírico. Dada la extensión y variedad de su obra (libros de viajes, novelas, poesías, cuentos, ensayos, artículos), los registros y técnicas son muy diversos y a lo largo de su carrera se ha ido renovando en todos los campos. La polémica siempre ha acompañado al autor a causa de sus declaraciones provocativas y de su actitud ante la opinión pública.

Camilo José Cela recibiendo el Premio Nobel de literatura de manos del rey Carlos Gustavo de Suecia.

La prolongada guerra fría no finalizó con un golpe sino con un lamento, sin vencedores y sin apenas botín. Con una sola superpotencia en pie, la democracia arraigó en lugares inesperados, pero también la anarquía económica, la delincuencia y la guerra civil.

1990 1996

En Soweto (el grupo de distritos municipales negros a las afueras del blanco Johannesburgo), los sudafricanos negros, despojados de los derechos básicos de la democracia durante mucho tiempo, hicieron cola para votar en las elecciones de 1994, las primeras abiertas a todas las razas. Las reformas de la antigua Unión Soviética contribuyeron a resolver crisis en lugares donde se había librado la guerra fría. En otros, sin embargo, el fin de las restricciones comunistas sobre el fervor nacionalista desató horrores que habían sido refrenados por el puño de hierro del Kremlin.

EL MUNDO EN 1990

Población mundial

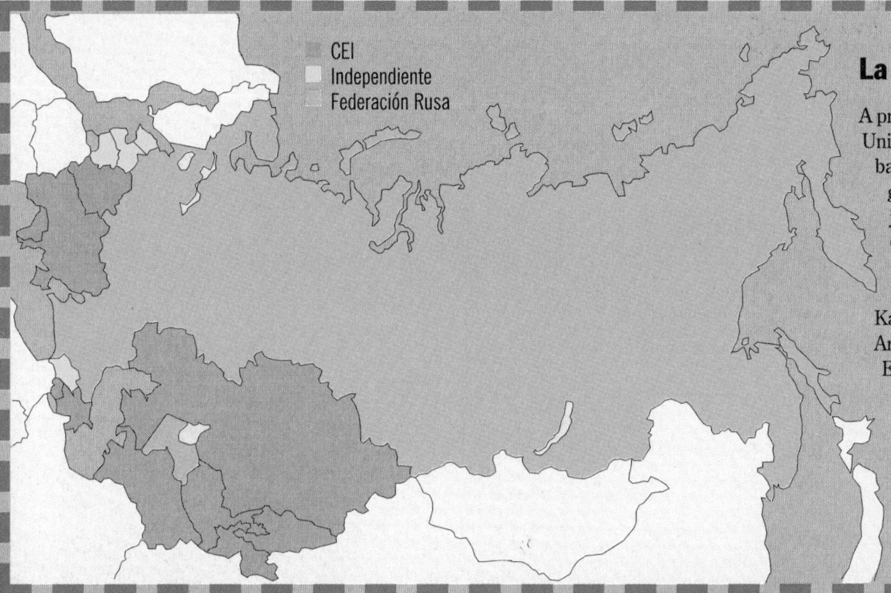

CEI
Independiente
Federación Rusa

La caída de la URSS

A principios de 1990 el Telón de Acero se había levantado pero la Unión de Repúblicas Soviéticas, bajo el liderazgo de Mijail Gorbachov, todavía estaba intacta. El 31 de diciembre del año siguiente, Gorbachov y el Partido Comunista estaban fuera de juego y la «república invencible de Lenin» había muerto tras 69 años de gobierno comunista. Sustituyendo a la Unión Soviética estaba la Comunidad de Estados Independientes, formada por Rusia, Ucrania, Bielorrusia y otras ocho repúblicas: Kazajstan, Kyrgyzstan, Tajikistan, Turkmenistán, Uzbekistán, Armenia, Azerbaiyán y Moldavia. (Georgia, Lituania, Letonia y Estonia rechazaron toda asociación formal). Los países se comprometieron a cooperar mutuamente pero la independencia vino acompañada de conflictos étnicos y colapso económico. En 1992 Rusia y 19 repúblicas de la antigua URSS se unieron para crear el mayor país del mundo, la Federación Rusa.

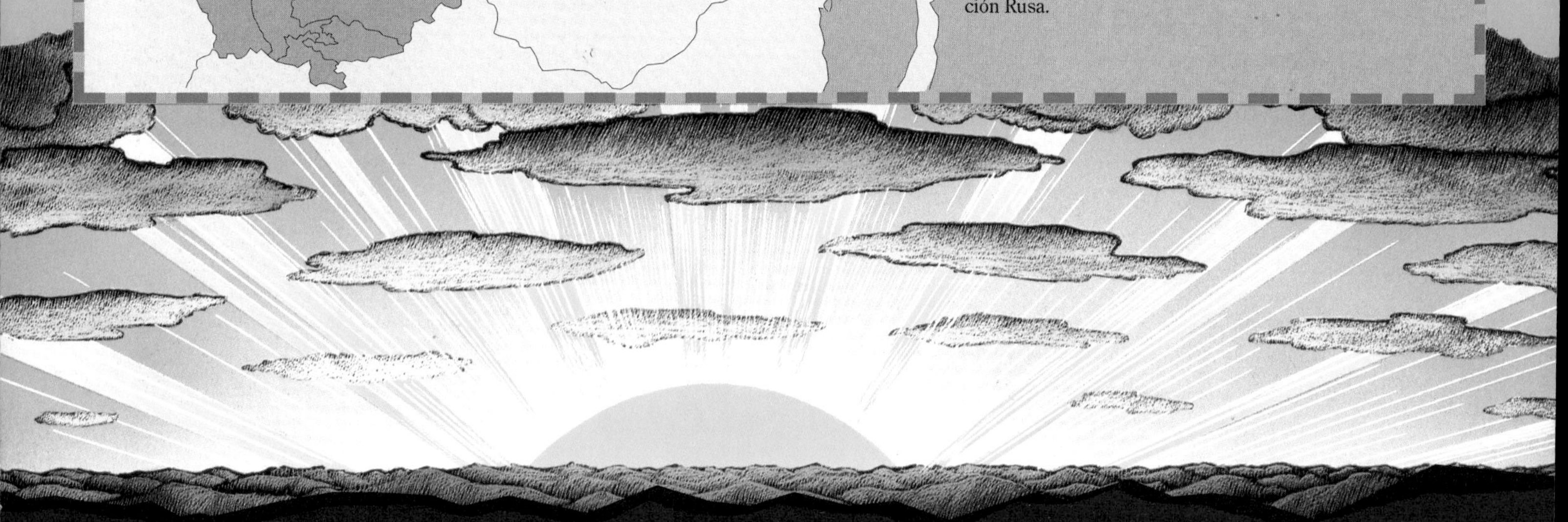

Un futuro incierto La reflexión finisecular apareció tempranamente en el veloz siglo XX. En 1990 los habitantes de la Tierra ya pensaban en el futuro del milenio, con incertidumbre y una buena dosis de escepticismo acerca de la anteriormente incuestionable inevitabilidad del progreso. Un mundo que había sido testigo de la derrota casi milagrosa de enfermedades mortales como la tuberculosis y la polio veía con frustración cómo el cáncer y el SIDA se cobraban miles de vidas. Centenares de «conflictos armados» que se libraban cada día en todo el planeta creaban millones de refugiados. Otras cuestiones de «calidad de vida» —la proliferación de la delincuencia, la amenaza de la guerra nuclear— exigían soluciones. Pero, mientras la civilización mantenía el equilibrio en la antesala del siglo XXI, las soluciones eran más difíciles de encontrar que nunca.

SIDA	Casos reportados durante 1990	Casos de adultos, 1995	Promedio masculino/femenino (casos en 1992)
África subsahariana	116.568	11.449.000	1/1
América del Norte	180.337	1.495.000	8/1
Latinoamérica	28.850	1.407.000	4/1
Sudeste asiático	273	1.220.000	2/1*
Europa occidental	51.527	1.186.000	5/1

*Estimación conservadora basada en fecha limitada

Cáncer (Muertes por cada 100.000 habitantes)	1950	1960	1970	1980	1990
Francia	1.726	1.968	2.074	2.315	2.457
Alemania oriental	3.320	1.056	2.327	sin datos	10.558
Alemania occidental	1.696 sólo Berlín	2.084	2.396	2.547	3.345
Japón	777	1.004	1.166	1.384	1.761
G.B.	1.946	2.159	2.362	2.624	2.816
EE.UU.	1.393	1.487	1.615	1.855	1.991

Muertes por armas de fuego, 1990

Australia	10
Suecia	13
G.B.	22
Canadá	68
Japón	87
EE.UU.	10.567

Los bancos más grandes del mundo

1970

		TOTAL
Bank of America	EE.UU.	$22,2
First National City Bank	EE.UU.	$19,1
Chase Manhattan Bank	EE.UU.	$19,0
Barclay's Bank	G.B.	$12,5
Manufacturer's Hanover	EE.UU.	$10,4
Royal Bank of Canada	Canadá	$9,1
Morgan Guaranty Trust	EE.UU.	$9,0
Banca Nazionale	Italia	$8,8
Westdeutsche Landesbank	Alemania O.	$8,8
Banque Nationale	Francia	$8,7

Millardos de dólares EE.UU.

1990

		TOTAL
Dai-Ichi Kangyo Bank	Japón	$428,2
Sumitomo Bank	Japón	$409,2
Mitsu Taiyo Kobe Bank	Japón	$408,8
Sanwa Bank	Japón	$402,7
Fuji Bank	Japón	$399,5
Mitsubishi Bank	Japón	$391,5
Credit Agricole Mutuel	Francia	$305,2
Banque Nationale de Paris	Francia	$291,9
Industrial Bank of Japan	Japón	$290,1
Credit Lyonnais	Francia	$287,3

Millardos de dólares EE.UU.

Distribución porcentual de población en el mundo

Asia, Europa, África, U.R.S.S., Latinoamérica, América del Norte, Oceanía*

1950: 54,7 15,6 8,8 7,2 6,6 6,6

1990: 58,8 9,4 12,1 5,4 8,5 5,2

2025: 57,8 6,1 18,8 4,1 8,9 3,9

*Oceanía tiene 0,5% cada año

Moda imprescincible

Las ventas anuales de artículos con licencia, desde camisetas y neceseres hasta bisutería y tazas, ascendían a unos 91 mil millones de dólares en todo el mundo. Warner Brothers *(derecha)*, la Federación Nacional de Baloncesto, incluso departamentos municipales de bomberos prestaron sus nombres, logotipos y fama a productos de todo el mundo.

La difusión de la técnica

En 1990 los **vídeojuegos** domésticos formaban parte del paisaje moderno infantil. El primer juego comercializado con éxito, el Pong, fue presentado en 1972; le siguió el Pac-Man, con más éxito todavía, en 1981. Pero la compañía japonesa Nintendo, con sede en Kyoto, y su juego Super Mario Brothers (presentado en 1985), fue la que convirtió este juguete en un fenómeno mundial. En 1994 los vídeojuegos constituían una industria de seis mil millones de dólares (de la que Nintendo controlaba el 80 %).

Lo que se sabía

Muchos inmunólogos creen que en el año 200 la diabetes, la esclerosis múltiple y la artitris reumática podrán evitarse. Mientras, a través de los clones de proteínas humanas, los ingenieros genéticos habrán fabricado más de cien fármacos nuevos. Se espera que un producto de tales características —un fármaco que evite que ciertas enzimas conviertan la testosterona en DHT, un derivado que destruye las glándulas capilares— haga que la calvicie desaparezca.

Como los vertederos están sobrecargados (en 1990 el vertedero de Fresh Kills en Staten Island, Nueva York, era la estructura más grande del mundo) muchos expertos estiman que en el año 2000 las plantas incineradoras manejarán un cuarto de los residuos municipales. La Agencia de Protección del Medio Ambiente predice que por entonces las naciones desarrolladas generarán unos 9 kg por persona y día.

La revista *Life* prevé que en el año 2050 los turistas visitarán Marte. El viaje durará siete meses e incluirá una parada en una estación espacial que orbite la Tierra y sirva como trampolín para las exploraciones espaciales.

El *Environmental Almanac* anticipa que en el año 2030 el nivel del mar habrá aumentado unos 20 cm, ya que el calentamiento general del planeta fundirá los casquetes polares de la Antártida y Groenlandia. A principios del siglo XXII la temperatura de la Tierra será 6°C más alta que la actual.

La revista *Fortune* prevé la televisión holográfica en tres dimensiones en los salones de los espectadores y que la traducción oral automática romperá las barreras del idioma. Estas innovaciones serán el resultado del progreso de la tecnología informática. Robert N. Noyce, vicepresidente de la Intel, dice: «Es posible que en el año 2000 exista un chip de mil millones de transistores».

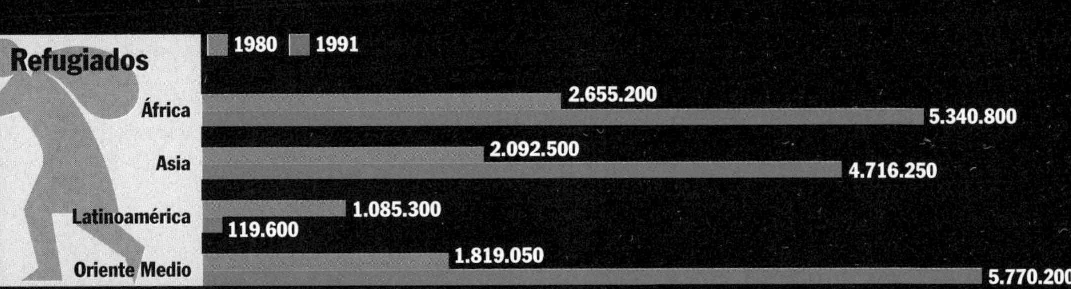

Países con arsenal nuclear

U.R.S.S., EE.UU., Francia, G.B., China, Rusia, Ucrania, Bielorrusia, Kazajstán, India, Pakistán, Irán, Iraq, Libia, Corea del Norte, Corea del Sur, Argelia, Taiwán

1950

1970

1994 (incluye países con capacidad para hacerse con el arsenal nuclear de forma rápida)

Situación desconocida

TAYLOR BRANCH

La libertad en alza

El reto de la democracia

1990
1996

NACIDA EN LA antigua Grecia, la democracia entró en el siglo XX como un joven huérfano bullicioso pero solitario y actualmente perdura como un abuelo, algo indiferente al triunfo, con apenas nadie en el planeta que defienda el futuro de un orden político rival. Este cambio de la realidad histórica causa estupor incluso a aquellos que fueron testigos de la desintegración revolucionaria de la Unión Soviética en 1991. Sólo podemos imaginar el asombro de los victorianos, que, antes de la aparición de los dictadores totalitarios, imaginaban el futuro sólo como una evolución progresiva de la monarquía tradicional. A pesar de su legado de siglos, reforzado con el descubrimiento mutuo de monarquías de culturas lejanas, la realeza desaparecía mientras el siglo despilfarraba millones de vidas experimentando con alternativas sustitutorias para guiar o gobernar a las masas. No hace tanto tiempo que democracias incipientes admiraban a una serie de reyes, sultanes, zares y emperadores. Ahora, en el primer destello de hegemonía popular, los monarcas son recuerdos fantasmales de la democracia.

En 1905, para evitar disturbios con el gobierno republicano, las casas reales europeas convencieron al rey Óscar de Suecia de que permitiera la secesión de Noruega y estipularon que el nuevo trono se ofreciera al príncipe Carlos de Dinamarca y a su esposa Maud, hija del rey Eduardo VII de Inglaterra. El mismo año, Eduardo se negó a reconocer al rey Pedro de Serbia, cuyo predecesor había sido asesinado por nacionalistas serbios. «Nos veríamos obligados a cerrar nuestro negocio si nosotros, los reyes, actuáramos como si los asesinatos de reyes carecieran de importancia», declaró Eduardo. Esta comunicación fue privada, naturalmente, del mismo modo que el emperador Francisco José empleó su papel de carta personal en 1908 para notificar a unos cuantos soberanos que se había anexionado Bosnia y Herzegovina del sultán de Turquía para asegurarse Serbia. La idea de la realeza era permanecer por encima de la necesidad de justificarse públicamente, así los reyes mantenían un curioso silencio sobre el estado de la monarquía, aunque el resto del mundo estuviera inmerso en la tormenta ruidosa del nuevo siglo, entre periódicos, coches, radios, teléfonos y aviones. Inevitablemente, la totalidad de esta interacción confirmó a la opinión pública como tribunal de la soberanía democrática. En la era informática de los años noventa, sólo anacrónicos reyes como Hussein de Jordania y Fahd de Arabia Saudí consiguen resistir al cuestionamiento fatal de sus coronas.

Nada menos que siete nietos de la reina Victoria ocuparon tronos nacionales antes y después de la Gran Guerra que se extendió por el mundo desde Sarajevo en 1914. Después, como Lord Asquith explicó al rey Jorge V, hubo «una crisis de emperadores»: la huida del káiser Guillermo II de Alemania y de los Habsburgo de Austria; el asesinato por los bolcheviques del zar Nicolás II de Rusia, conocido entre sus primos nobles como «el pobre Nicky». Otra prima, la reina María de Rumanía, predijo que las repúblicas caprichosas «volverían de nuevo a la monarquía como un viajero cansado y débil vuelve a lo que mejor conoce».

Estados Unidos apareció como la primera fuerza democrática de la política mundial. «Ningún pacto de paz que no incluya a los pueblos del Nuevo Mundo puede ser suficiente para mantener el futuro a salvo de la guerra», comentó el presidente Woodrow Wilson, cuya importancia internacional ofendió a algunos de los que recordaban qué lugar tan atrasado del cortejo había ocupado Theodore Roosevelt en el funeral del rey Eduardo VII en 1910. El mundo católico todavía consideraba a América como un «territorio de misiones», lleno de materialistas engreídos como los describió el

El gobierno de los monarcas, fuerte y enérgico a principios de siglo, fue languideciendo incluso antes de que la Primera Guerra Mundial provocara que su entramado dinástico de punto de cruz se deshilachara. En mayo de 1914, cuando el zar Nicolás II apareció, pequeño y solo, en el balcón del Palacio de Invierno de San Petersburgo *(derecha)* para comunicar a una multitud de súbditos la declaración de guerra de Rusia, su declive ya había comenzado por el descontento interno. Pero en otros lugares, la pasión de la guerra y las presiones del nacionalismo redujeron incluso a las monarquías más sólidas a símbolos sin importancia.

IS
THIS
DEMOC

Papa León XIII en su advertencia de 1899 contra el «americanismo». León condenó la teoría de la soberanía popular pero, progresista al fin, relajó de mala gana el dogma de que la democracia era una herejía contra la armonía doctrinal de un Dios, un Papa, un Rey.

Ante la llegada, tardía pero decisiva, de soldados americanos, un viejo orden debilitado y defensivo aceptó la retórica igualitaria en la que el presidente Wilson enmarcó los acuerdos alcanzados en Versalles. Al solicitar «un acuerdo libre, de miras abiertas y totalmente imparcial de todas las demandas coloniales», Wilson exigió que «los intereses de los pueblos afectados» —se detuvo antes de llegar a favorecer la emancipación real de las colonias— tuvieran «el mismo peso» que las demandas de soberanía de las potencias aliadas, como Japón, que adquirió antiguos territorios alemanes en Asia. El equilibrio político de las naciones libres pasó de las clases dirigentes al control popular, cuando el electorado pronto se triplicó por término medio para incluir a la mayoría de varones adultos.

Con las ideas masculinas de gloria desacreditadas por la exterminación mutua, Estados Unidos permitió votar a las mujeres en 1920, justo después de que Inglaterra concediera el derecho a las mujeres mayores de 30 años. (Finlandia, Noruega, Australia y Nueva Zelanda ya habían establecido el sufragio femenino. Suiza se resistió hasta 1971.) La democracia suscitó temores y esperanzas mientras crecía el prestigio de Estados Unidos, aunque en las décadas venideras nacerían nuevas repúblicas (en España, Italia, Alemania y China), más espectaculares en su caída que en su fundación.

1990
1996

A MEDIADOS DE siglo, menos de una tercera parte del mundo vivía en democracias estables (algunas de las cuales retenían su apego a la monarquía), pero casi todas ellas se mostraron dignas de luchar en la Segunda Guerra Mundial. Al vencer a Japón, el general Douglas MacArthur «redujo al emperador» al despedir a 7.500 empleados de la Casa Imperial. Luego obligó a Hirohito a repudiar el antiguo mito de su divinidad y promulgar una constitución de estilo americano. Sobre el búnker de Berlín donde murió Hitler, eliminado el fascismo como heredero sangriento de la monarquía, los vencedores dividieron Alemania a su imagen: una parte fue una república democrática y la otra un estado comunista soviético. De este modo empezó un enfrentamiento que afectó a todo el mundo.

Ambos bandos de la guerra fría prometieron libertad y prosperidad en nombre de la ideología pero, encontrando muy pocos jeffersianos y marxistas convencidos en casa, blandieron banderas más vistosas: la bomba, el dólar, la Coca-Cola contra la bomba, las guerrillas y la presa de Asuán. A causa del temor y la tentación, cada lado atacó al otro para justificar el uso de métodos del antiguo régimen. El dictador soviético Stalin empleó pogroms, juicios públicos, golpes y deportaciones masivas. La CIA norteamericana, tomando prestadas técnicas coloniales del Servicio Secreto de Su Majestad, derrocó de forma clandestina un gobierno popular iraní en 1953 para restaurar al sha de la dinastía Pahlevi.

No todo se pudo encubrir. Contra la inclinación de las potencias occidentales a justificar su dominio del disputado Tercer Mundo como supervisoras de la libertad, la competencia comunista apoyó protestas contra la explotación colonial, lo que forzó un nuevo orden. Empezando con la India de Gandhi en 1947, una tendencia hacia el autogobierno se extendió desde el continente africano hasta Indonesia y más allá. A principios de los sesenta, descendientes de esclavos africanos de Estados Unidos convirtieron las demandas de libertad en un recordatorio vivo de que los demócratas debían resistirse a la constante tendencia del poder hacia la tiranía. El movimiento para la libertad, en el intento de crear unas relaciones cívicas nuevas a través de protestas disciplinadas que se transformaron en odio o violencia, resonaron mucho más allá del conflicto americano sobre el derecho al voto.

Entre estos portavoces destaca Martin Luther King, que elevó la democracia, a través de la filosofía política de la revolución americana, a una posición paralela a la visión espiritual de los antiguos profetas hebreos. («Dejad que la justicia fluya como el agua».) Como Lincoln en Gettysburg, King extrajo de la democracia una gran fuerza moral, nacida durante las pruebas más severas de la historia de las creencias americanas. Una unión asombrosa de almas iguales con idénticos deseos emergió para desafiar a jerarquías tenaces, cuestionando si dios y líder querían decir blanco o *él*.

En Estados Unidos y muchas otras repúblicas, la credibilidad política retrocedió para una generación sumida en duros enfrentamientos internos. Los problemas económicos de los años

La democracia representa un reto constante para quienes la practican, incluso en las democracias supuestas. En muchos lugares del sur de Estados Unidos, el derecho a voto (la expresión más elemental de la democracia) se negaba a los negros o requería un proceso de registro complicado y prácticamente inviable. Aquí, en 1960, una mujer de 65 años de Petersburg, Virginia, que no ha votado hasta el momento, asiste a una clase, dada por la Asociación para la mejora de Petersburg, de piquetes no violentos y de cómo registrarse para votar.

setenta y ochenta despertaron dudas acerca de la marcha del progreso, mientras la actuación desalentadora de repúblicas excoloniales como el Zaire y el Líbano ahogaban el optimismo del mundo libre. Menos conocida fue la pérdida paralela de confianza dentro del mundo comunista, marcada por unas proposiciones poco acertadas sobre la revolución mundial y el colapso seguro de la democracia (que Lenin denominó «el mejor marco político posible para el capitalismo»). Hostiles a causa de la larga guerra fría, ambos bandos se amenazaban mutuamente almacenando armas mortíferas.

1990 1996

AL PRINCIPIO, DIRIGENTES occidentales escépticos subvaloraron como «coyuntural» la campaña reformista de finales de los años ochenta iniciada por el líder soviético Mijail Gorbachov; sin embargo, sus muestras humildes de autoridad sacudieron los anhelos internos imprecisos con más fuerza que la rigurosa inercia institucional. Como un imán, la visita de Mijail Gorbachov a Pekín en 1989 atrajo a un cuarto de millón de manifestantes favorables a la democracia en la plaza de Tiananmen. Cuatro meses más tarde en Berlín, cuando Gorbachov se negó a apoyar al estado comunista alemán con soldados soviéticos, el Muro de Berlín cayó poco antes que los regímenes comunistas satélites desde Letonia hasta Bulgaria. En 1992, el progreso de la historia afectó a la propia Unión Soviética. «La democracia no sustituye a la ley y al orden», declaró el jefe de la policía secreta soviética, pero su golpe resultó impotente contra los gritos de los demócratas locales, que pronto desplazaron al mismo Gorbachov por mantener una actitud demasiado moderada. Mientras tanto, en Sudáfrica, el lobo del segregacionismo caía ante el cordero de la democracia y Nelson Mandela, preso durante 27 años, fue elegido presidente con la cooperación de sus recientes carceleros.

Los mecanismos más sofisticados de la inteligencia política no lograron prever estos milagros democráticos y ningún sabio ni ningún tonto soñó con encontrarse en paz, sin ningún signo del imaginado apocalipsis final. Sólo en Pekín existió un brote de héroes no violentos víctimas de una retirada famosa y transitoria. Desde Praga hasta Pretoria, los que cantaban himnos no violentos ganaron el liderazgo de un nuevo orden.

No obstante, las alegrías en repúblicas más antiguas quedaron frustradas por miedo o aprensión. Las angustias liberadas de la guerra fría avanzaron por otro lado. Cuando la democracia ya no pudo reducirse a una cruzada contra el comunismo, su promesa de plenitud se redujo a una costumbre monótona en casa, y a una creencia no probada fuera. En un presagio tempranamente cruel, las guerras nacionalistas de los territorios cercanos a Sarajevo evocaron las estupideces más antiguas del siglo pasado más que la primera bendición del milenio que llegaba. En otros lugares, el mundo posideológico cuestionó la relación legendaria entre democracia y capitalismo. En Polonia y otras repúblicas en lucha, la celebración de las primeras elecciones libres pronto dio paso a quejas sobre las estanterías todavía vacías. En la obstinada China, a la inversa, los mandarines comunistas introdujeron reformas económicas de libre mercado pero suprimieron de modo implacable la libertad política.

En épocas anteriores, las epidemias y las malas cosechas fueron más que suficientes para limitar la autoconfianza; las sociedades modernas deben inventar restricciones creadas por el hombre. El decrépito socialismo recomienda encarecidamente la franqueza eficiente del mercado abierto, pero el capitalismo intenta regular la competencia en áreas que van desde el deporte profesional y la pesca hasta las cuotas del cuidado médico. La democracia requiere una autodisciplina inherente a su idea principal de autogobierno. Donde los autócratas insisten en una naturaleza humana infantil que necesita una guía externa, los demócratas ven el sentido común, la mente clara del votante.

Más allá de la cuestión de la soberanía, el ingrediente más difícil de la vitalidad democrática es un compromiso determinado de ciudadanos libres que supone las fronteras culturales. El siglo que viene no puede juzgar a la democracia de forma más mordaz que confirmando su excelencia sólo donde no haya conflictos religiosos o étnicos. En el extremo opuesto, la promesa curativa de la democracia afecta nada menos que al problema teológico del mal, en donde los odios genocidas hierven. En algún sitio intermedio se encuentra el porvenir de Sudáfrica, Bosnia y Tiananmen II, en un nuevo siglo en el que las lecciones políticas se aprendan de los destinos de las democracias como antiguamente del desfile de reyes, algunos sórdidos, otros sublimes, muchos recordados por obligación. □

La noche de fin de año de 1989 el fotógrafo Richard Avedon, corresponsal de la revista francesa *Egoïste*, registró uno de los acontecimientos más emblemáticos del siglo, la unificación de Berlín este y Berlín oeste. Aquí, en la Puerta de Brandemburgo, entre celebraciones frenéticas y fuegos artificiales, la cara de un joven berlinés representa la incertidumbre del futuro.

«EL MARXISMO-LENINISMO ESTÁ EN EL VERTEDERO DE BASURA DE LA HISTORIA.»—**Pancarta llevada por los participantes de la manifestación de mayo de 1990 en la plaza Roja**

HISTORIA DEL AÑO

La guerra fría termina, Gorbachov se tambalea

1 Durante cinco años, el líder soviético Mijail Gorbachov mantuvo un equilibrio difícil: presionó a favor de una política exterior de futuro y de reformas económicas y sociales, contuvo a los miembros del partido que se resistían a los cambios y mantuvo a raya a las repúblicas separatistas de la Unión Soviética. Junto a él siempre estuvo el ministro de asuntos exteriores Eduard Shevardnadze, cofundador de la *perestroika* y mano derecha de Gorbachov. Hasta 1990 esta asociación parecía invulnerable. Entonces, cuando las crisis empezaron a sucederse, se disolvió. Un Shevardnadze visiblemente perturbado dimitió en diciembre.

Shevardnadze fue quien en 1989 anunció el cambio de dirección de la política exterior soviética. En un discurso al Soviet Supremo declaró que las naciones del bloque soviético «tenían plena libertad» para escoger sus propios gobiernos. El Pacto de Varsovia se había disuelto y las semillas de la democracia se habían sembrado. En 1990 los soviéticos empezaron a reducir sus fuerzas armadas y a retirar de Europa oriental a sus soldados. Estas acciones ayudaron a convencer a los aliados occidentales de la sinceridad de Gorbachov. La amenaza de una invasión soviética se había disipado. Las potencias de la OTAN declararon finalizada la guerra fría.

Elocuente y pragmático, Shevardnadze resultó esencial para asegurar la ayuda internacional para la Unión Soviética: la economía se hundía y la comida escaseaba. Las concesiones a la Europa oriental, el abandono de la ortodoxia ideológica y el fracaso económico llevaron a los extremistas del partido al borde de la revolución.

En enero, Gorbachov envió a unos once mil soldados a Azerbaiyán para sofocar un alzamiento separatista. La represión ilustró la trágica paradoja que caracterizaba a Gorbachov: para continuar sus reformas debía conservar su cargo pero la vieja guardia preferiría expulsarle antes que dejar que el imperio soviético se desintegrara por completo.

A finales de año, la sombra de un resurgimiento derechista —y la intuición de que su amigo se dejara llevar por él— habían llevado al desespero a Shevardnadze. «Los reformistas se dirigen a las montañas. Llega la dictadura», advirtió en su despedida. A partir de entonces, Gorbachov continuaría en solitario. **◂1989.1 ▸1991.3**

La dimisión de Shevardnadze abandonó a su suerte a Gorbachov.

RUMANÍA

Primeras elecciones libres

2 Los rumanos no necesitaban incentivos para salir a votar: no habían participado en unas elecciones libres en 53 años. En los comicios de mayo abarrotaron las urnas, con el fin de apoyar al candidato del Frente de Salvación Nacional, Ion Iliescu, para gobernar Rumanía en la era poscomunista. Jefe del gobierno provisional inmediatamente posterior a la sangrienta caída del dictador estalinista Nicolae Ceauşescu en diciembre de 1989, Iliescu era un antiguo dirigente del Partido Comunista que prometió reformas moderadas.

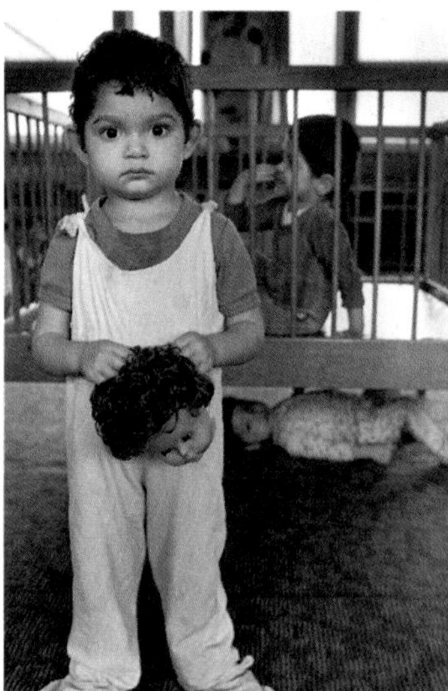

Los orfanatos rumanos se llenaron de víctimas de la política de Ceauşescu.

Cinco meses antes, cualquier reforma hubiera parecido imposible. Durante 24 años, incluso después de que la política de Gorbachov animara a los cambios, Ceauşescu y su esposa Elena gobernaron Rumanía con un rigor implacable. La agencia soviética de noticias Tass (anterior portavoz estalinista) declaró que Ceauşescu era «uno de los dictadores más odiosos del siglo XX». Su policía secreta de sesenta mil miembros, la Securitate, sembró el terror, y le permitió llevar a cabo sus extraños designios: la «sistematización», por la que destrozó pueblos medievales y construyó bloques de viviendas como cárceles sobre las ruinas y un programa de austeridad que hizo pasar frío y hambre a los rumanos, mientras él acaparaba combustible y comida para exportar. Cuando estalló el alzamiento de diciembre de 1989, la Securitate mató a miles de manifestantes y espectadores. El ejército regular, sin embargo, desertó y se puso de parte del pueblo. Los Ceauşescu cayeron al cabo de una semana.

Condenada por un tribunal militar por genocidio, abuso de poder y delitos económicos, la pareja impenitente fue ejecutada el día de Navidad. No obstante, incluso después del acontecimiento catártico (y de la elección de Iliescu), la vida rumana continuó siendo dura. Una de las primeras medidas del nuevo presidente fue exhortar a los mineros a que suprimieran las manifestaciones anticomunistas con picos y palas. (Unos seis mil miembros de la Securitate fueron contratados para dirigir una nueva policía secreta.) Y aunque la represión acabó, la pobreza del país se intensificó y las reformas languidecieron. **◂1989.1**

ALEMANIA

La fiebre de la unificación

3 «Como un rayo hacia la reunificación» fue la frase de los medios de comunicación para describir la senda por la que avanzaban las dos Alemanias para convertirse en una. La fecha oficial fue el 3 de octubre de 1990, pero la unidad fue el resultado inevitable del fin del régimen comunista de Alemania oriental.

Los obstáculos eran enormes: el exorbitante coste que suponía para Alemania occidental absorber una Alemania oriental económicamente muerta, la oposición soviética a la participación de la Alemania unificada en la OTAN (una condición para la reunificación, exigida por las potencias occidentales) y el temor ancestral de Europa a un Goliat alemán reconstituido. Sin embargo, el canciller de Alemania occidental, Helmut Kohl, estaba convencido de que había llegado el momento y estaba decidido a aprovecharlo. Sería el canciller de la reunificación.

Las elecciones de Alemania oriental celebradas en marzo constituyeron una primera prueba y Kohl la superó con una facilidad sorprendente. Al votar libremente por primera vez desde antes de la Segunda Guerra Mundial, los alemanes orientales apoyaron en su mayoría a un partido de coalición que apoyaba el programa de Kohl. En julio, la reunificación salvó otro obstáculo importante, la integración económica, cuando los 16,3 millones de alemanes orientales canjearon su débil moneda por el fuerte marco alemán. Para facilitar el paso de Alemania oriental a la competitiva economía de mercado, el rico gobierno de Alemania occidental

ARTE Y CULTURA: **Libros:** ***El amante bilingüe*** **(Juan Marsé);** ***El manuscrito carmesí*** **(A. Gala) [...] Música: «Nothing compares 2U» (Prince); «U cant't touch this» (James, Miller y Hammer);** ***Duplicates*** **(Mel Powell) [...] Pintura y escultura:** ***Manhattan Codice*** **(Miguel Ángel Ríos);** ***Some violets*** **(Julian Schnabel);** ***Zumaits*** **(A. Chillida) [...] Cine:** ***Bailando con lobos*** **(Kevin Costner);** ***Uno de los nuestros*** **(Martin**

«Obviamente, nadie es invencible —casi.»—**Margaret Thatcher, en 1988**

A la sombra de la catedral de Berlín, dos niños alemanes celebran la reunificación.

invirtió miles de millones de marcos en una red de seguridad social.

El último golpe de Kohl fue el más decisivo: en una reunión sorpresa con Mijail Gorbachov, celebrada en julio, logró un acuerdo que permitió que la Alemania unificada ingresara en la OTAN. Se evitó un posible conflicto entre las superpotencias al eliminar la última barricada significativa. La recompensa de Kohl llegó en diciembre: ganó holgadamente las primeras elecciones de la nueva Alemania. Un abismo profundo, producto de 45 años de alejamiento político, cultural y económico, todavía dividía el país pero para la mayoría de alemanes la pesadilla logística de la integración era mucho mejor que la separación. **◄1989.1 ►1993.6**

MEDICINA

Inicio de la terapia genética

4 De todas las enfermedades genéticas, la deficiencia de ADA es una de las peores; se puede describir como un trastorno poco común resultante de un defecto en el gen que ordena a las células que produzcan deaminasa adenosina, una enzima que evita la producción de toxinas letales para el sistema inmunitario. Anteriormente los que la padecían debían pasar su corta vida aislados de gérmenes o sufrir peligrosos transplantes de médula. En los años ochenta, apareció un tratamiento llamado PEG-ADA, pero las costosas inyecciones semanales no siempre resultaban efectivas. Luego, en septiembre de 1990, se produjo un avance con implicaciones muy amplias: una niña de cuatro años que sufría deficiencia de ADA (y no respondía al PEG-ADA) se convirtió en la primera receptora de la terapia genética, es decir, de la reparación o alteración de las células del cuerpo utilizando alguno de los cien mil genes presentes en el ADN humano.

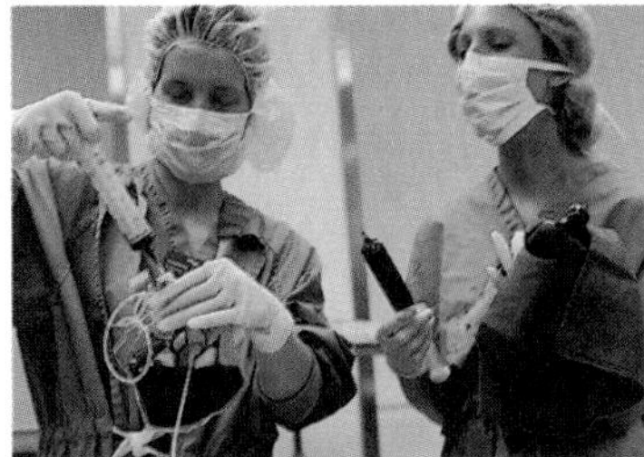

La sangre se coloca en una bolsa de laboratorio para ser alterada genéticamente.

Los doctores W. French Anderson, R. Michael Blaese y Kenneth Culver del Instituto Nacional de Sanidad de Bethesda, Maryland, empezaron por unir un gen de ADA de una célula sana con un retrovirus de leucemia de ratón cuyos propios genes peligrosos habían sido eliminados. Luego extrajeron unos mil millones de células T maduras (células del sistema inmunitario que sobreviven en la sangre durante meses) de la sangre de la niña y las infectaron con el retrovirus de fabricación genética. Éste actuó como todos los retrovirus (como el del SIDA): copió su información genética en las células. Las células T, que ya contenían el gen ADA, se inyectaron de nuevo en el sistema circulatorio de la niña.

Transfusiones bimensuales pronto crearon un sistema inmunitario casi normal en la paciente. (Algo *permanente* debería esperar al día en que los científicos pudieran aislar gran cantidad de células de la médula espinal —las células que engendran las demás células sanguíneas— e «infectarlas» con genes de ADA.) Mientras, las tentativas de terapia genética continuaron para el cáncer, el SIDA, la fibrosis quística y otras enfermedades en las que la información genética puede ofrecer una ayuda curativa.

GRAN BRETAÑA

El mutis de Thatcher

5 Cuando se retiró en noviembre de 1990, Margaret Thatcher había ostentado su cargo más que cualquier otro primer ministro británico del siglo XX. Durante once años, transformó profundamente su país. Thatcher, defensora ferviente del mercado libre, inició una contrarrevolución desde arriba contra las instituciones socialistas que, según ella, debilitaron Gran Bretaña. Privatizó la industria y destripó el estado del bienestar y a los sindicatos, defendió los restos del imperio en la guerra de las Malvinas, se opuso a la tendencia de la Comunidad Europea hacia un continente sin fronteras y trató sin miramientos a quienes se cruzaron en su camino.

El declive de Thatcher empezó en marzo, cuando su gobierno sustituyó los impuestos sobre la propiedad por una «tasa comunitaria».

El «impuesto por estar vivo» acabó con el mandato de la Dama de Hierro.

Popularmente conocida como *poll tax*, impuso una sobrecarga altísima sobre los adultos con modificaciones mínimas para los pobres. Sus partidarios creyeron que éste animaría la economía municipal porque hacía a todo el mundo igualmente responsable del gasto gubernamental. En realidad, como todos los impuestos uniformes, favorecía a los ricos. Muchos británicos se negaron a pagarlo, se estallaron disturbios por todo el país y la popularidad de Thatcher se hundió. Algunos colegas conservadores se unieron a la oposición laborista para echarla. En noviembre, después de que intentara sin éxito bloquear el plan de la CEE para la moneda común (única), sus rivales pidieron su dimisión. Tras una lucha por el poder, los conservadores escogieron al joven y afable ministro de hacienda, John Major, como presidente del partido y primer ministro.

Thatcher dejó un legado ambiguo. Las propiedades nacionales, la bolsa, el consumo privado y la productividad industrial habían aumentado, pero también el paro, la explotación, la falta de vivienda, el endeudamiento y la delincuencia. La inflación estaba en un 10 %. **◄1981.4 ►1993.8**

MUERTES

Dámaso Alonso, escritor español.

Leonard Bernstein, compositor y director estadounidense.

Bruno Bettelheim, psicólogo austríaco-estadounidense.

Mario Cabré, torero español.

Sammy Davis, Jr., actor estadounidense.

Lawrence Durrell, escritor británico.

Greta Garbo, actriz sueca-estadounidense.

Ava Gardner, actriz estadounidense.

Paulette Goddard, actriz estadounidense.

Rex Harrison, actor británico.

Bruno Kreisky, político austríaco.

Le Duc Tho, líder político vietnamita.

Alberto Moravia, escritor italiano.

Lewis Mumford, escritor estadounidense.

Concha Piquer, cantante española.

Antonio Puigvert, médico español.

Mohan Chandra Rajneesh, líder religioso indio.

Fernando Sancho, actor español.

Alfred Sauvy, demógrafo francés.

B. F. Skinner, psicólogo estadounidense.

Sarah Vaughan, cantante estadounidense.

Scorsese); *Pretty Woman* (Garry Marshall); *Hamlet* (Franco Zeffirelli); *Cyrano de Bergerac* (Jean-Paul Rappeneau); *The krays* (Peter Medak) [...] Teatro: *Restauració* (Eduardo Mendoza); *Prelude to a kiss* (Craig Lucas) [...] TV: *Twin Peaks; Sensación de vivir.*

«Es una imagen como la Virgen de Fátima. No tiene que hablar, sólo puede encabezar la procesión.»—**Un miembro de la Unión Opositora Nacional, sobre Violeta Barrios de Chamorro**

NOVEDADES DE 1990

Prohibido fumar en vuelos nacionales.

Túnel bajo el canal de la Mancha.

McDonald's en Moscú.

EN EL MUNDO

▶EL ESCRITOR CONTRA «EL CHINO»—Las elecciones presidenciales de Perú enfrentaron a dos candidatos poco comunes: el escritor de fama mundial Mario Vargas Llosa y el desconocido ingeniero Alberto Fujimori, hijo de padres japoneses, pronto apodado «el Chino». El 8 de abril en la primera confrontación ambos quedaron prácticamente empatados. Fujimori se presentó sin el apoyo de ninguno de los partidos tradicionales. Vargas Llosa recibió el apoyo de la derecha peruana. En la segunda vuelta se produjo el triunfo del ingeniero japonés. Fujimori aglutinó los votos de la izquierda peruana, los de los «pueblos jóvenes» (los barrios pobres de Lima), desengañados por la política del APRA y por el desprestigiado expresidente Alain García. Tras asumir la presidencia, Fujimori tuvo que enfrentarse a una situación difícil. Perú sufría la mayor inflación del continente, casi el 8.000 % anual, y la violencia terrorista de los guerrilleros de Sendero Luminoso y del movimiento revolucionario Tupac Amaru.

▶LA OTRA CARA DE LA PELÍCULA DEL OESTE AMERICANO—En su debut como director en 1990, la estrella de cine Kevin Costner

escribió una carta de amor de tres horas de duración al pueblo sioux Lakota. En

Chamorro se convirtió en la primera presidente femenina de Centroamérica. Ortega *(derecha)* la felicitó.

NICARAGUA

Los sandinistas fuera del gobierno

6 En febrero de 1990, unos once años después de haber derrocado al dictador Anastasio Somoza Debayle, los sandinistas celebraron sus segundas elecciones generales... y perdieron. Violeta Barrios de Chamorro ganó por el 55 % de los votos contra el 41 % del líder sandinista Daniel Ortega Saavedra. Entre los motivos de su derrota se encontraban el descontento con la torpe organización del régimen izquierdista y las cruzadas ideológicas, pero los factores decisivos fueron la larga guerra de la contra, apoyada por Estados Unidos, y la mala situación económica. El voto para Chamorro fue un voto para la paz y la normalización.

Chamorro, de 60 años, no siempre se mostró clara acerca de los puntos importantes de su programa electoral. Entró en la política como viuda de Pedro Joaquín Chamorro, editor activista cuyo asesinato por secuaces de Somoza en 1978 desencadenó el alzamiento popular dirigido por los sandinistas. Al tomar el poder, los sandinistas la invitaron a unirse a su junta de cinco miembros. Desencantada con las tendencias marxistas del régimen, pronto dimitió y el diario familiar, *La Prensa*, una vez más se convirtió en portavoz de la oposición. En varias ocasiones los sandinistas cerraron el periódico. Un hijo de Chamorro, sin embargo, se convirtió en editor del diario sandinista *Barricada*.

Ortega aceptó su derrota electoral con una elegancia sorprendente. El obstinado gobierno norteamericano se negó a conceder la ayuda prometida al gobierno de Chamorro a menos que purgara de sandinistas al ejército y a la policía. (Chamorro destituyó al jefe de la policía pero se negó a romper su acuerdo con los sandinistas de mantener como comandante del ejército al hermano de Ortega.) Además, como los sandinistas conservaban el control militar, los rebeldes de la contra no quisieron deponer las armas. La democracia estaba viva pero todavía faltaba mucho para la estabilización de Nicaragua. **◂1987.2**

ORIENTE MEDIO

Escudo del Desierto

7 La crisis que desembocó en la primera guerra internacional de la época inmediatamente posterior a a la guerra fría empezó en agosto de 1990, cuando el hombre fuerte iraquí, Saddam Hussein, con la intención de dominar la zona y de recuperar los costes de su reciente guerra contra Irán, invadió el pequeño y rico país de Kuwait. Hussein durante meses puso a prueba la tolerancia de Occidente antes de atacar y obtuvo respuestas suaves. Intensificó su retórica antiamericana, ejecutó a un periodista británico nacido en Irán y amenazó a Israel con armas químicas. Envalentonado, acusó a Kuwait de competir deslealmente con el petróleo iraquí y de robar de un campo petrolífero de la frontera. Cuando comprobó que las concesiones de Kuwait no eran suficientes (y sus advertencias veladas al embajador de Estados Unidos, April Glaspie, no provocaron ninguna reacción), Hussein envió a cien mil soldados.

La mayor parte del ejército kuwaití huyó junto al emir Jabir al-Ahmad al-Sabah, y los iraquíes avanzaron hasta la frontera saudí. Encarcelaron o exiliaron a los posibles agitadores (miles de extranjeros, entre ellos varios diplomáticos norteamericanos, fueron retenidos como rehenes hasta diciembre) pero, ante la sorpresa de Hussein, la invasión provocó condenas internacionales. La Liga Árabe votó por catorce votos a cinco la retirada e incluso los soviéticos (sus mayores suministradores de armas) se sumaron al embargo encabezado por Estados Unidos. El presidente norteamericano George Bush, anteriormente partidario de Hussein, favoreció una opción más agresiva: una acción militar para consolidar el «nuevo orden mundial».

Bush había utilizado esta frase a menudo para referirse al debilitamiento de la lucha entre la Unión Soviética y Estados Unidos y la emergencia de este último como única superpotencia. Ahora, en respuesta a la demanda de protección de Arabia Saudí, inició la operación Escudo del Desierto. Cerca de medio millón de soldados americanos se movilizaron en el desierto saudí y el golfo Pérsico. Las fuerzas que les apoyaban no procedían sólo de los aliados tradicionales de Estados Unidos sino también de Siria, un estado de tendencia soviética. Moscú ofreció ayuda diplomática y sus antiguos satélites consejeros técnicos. Al cabo de unos meses, la operación defensiva Escudo del Desierto se transformaría en la ofensiva Tormenta del Desierto. **◂1988.3 ▸1991.1**

MÚSICA

Trío de tenores

8 Para los amantes de la ópera de todo el mundo, el momento culminante de la final de la copa del mundo de fútbol, celebrada en Roma en 1990, no fue deportivo sino musical. Ante una multitud de seis mil personas y una audiencia televisiva de un millón y medio, el director Zubin Mehta dirigió un concierto único con los tenores más destacados de la época.

José Carreras, de 43 años, había conseguido un público encantado con la dulzura de su timbre y la pureza de su estilo. Una

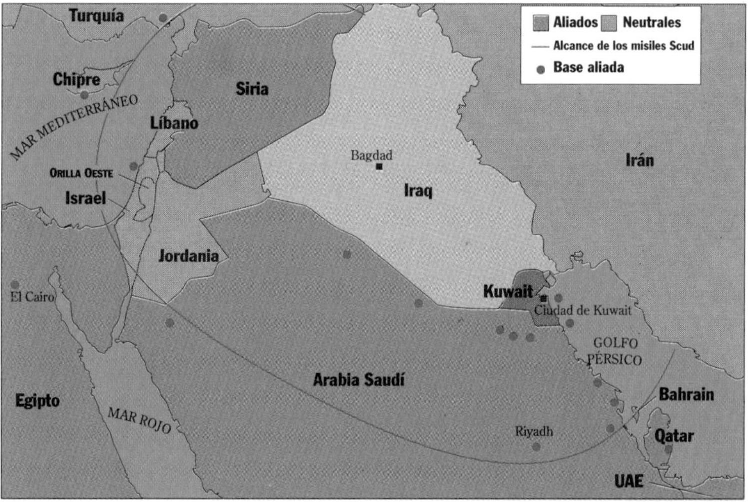

La operación Escudo del Desierto protegió a Arabia Saudí de los soldados iraquíes, pero los misiles Scud de Saddam Hussein, con cabezas químicas, amenazaron a la mayor parte de zona.

DEPORTES: Tenis: Martina Navratilova gana el título de Wimbledon por novena vez [...] Fútbol: copa del mundo, Alemania derrota a Argentina por 1 gol a 0 [...] Ciclismo: el español Miguel Indurain gana el Tour de Francia.

«Cuando yo era pequeño, había 30 grandes tenores, no sólo tres. No sé por qué ahora las cosas son así.»—**Luciano Pavarotti**

Los tres tenores y Metha en Roma *(de izquierda a derecha:* Domingo, Carreras, Metha y Pavarotti).

circunstancia reciente añadió fuerza a la interpretación del español: en 1988 regresó a los escenarios en Barcelona después de estar retirado durante un año a causa de la leucemia. Plácido Domingo, de 49 años y también español, vivió parte de su infancia en México y pasó buena parte del principio de su carrera en Israel. Famoso por su interpretación de *Otelo*, estaba considerado como el tenor lírico más elegante de su generación. Completando el trío se hallaba el italiano Luciano Pavarotti, de 54 años y la estrella de la ópera más famosa del mundo. Con su tonalidad cristalina, su entusiasmo carismático y su facilidad para desenvolverse ante los medios de comunicación, Pavarotti era un Caruso de los tiempos modernos querido en todo el mundo.

Bajo una luna llena, el trío interpretó un programa muy conocido con voces que ya no estaban en su plenitud, pero la asociación musical y la presencia en el escenario de los tres tenores hicieron que el concierto resultara un éxito. Sus secuelas fueron igualmente exitosas: el vídeo superó por un tiempo al de Madonna en Gran Bretaña, y en Estados Unidos el álbum llegó al puesto 43 de las listas *pop*, el clásico más famoso desde los años sesenta. Cuatro años después, el trío volvió a reunirse para un segundo concierto en el estadio de los Dodger de Los Ángeles. ◄**1902.11**

ÁFRICA OCCIDENTAL

Liberia estalla

9 La república independiente más antigua de África dejó de existir en 1990. Fundada en 1847 por esclavos americanos liberados, Liberia había sido gobernada por sus descendientes, que explotaron de modo implacable a la mayoría indígena, hasta 1980, cuando el sargento Samuel K. Doe dio un golpe

El dictador Samuel K. Doe *(centro)* fue el primer dirigente indígena de Liberia.

militar. Doe, respaldado por Estados Unidos, resultó aún más represivo y corrupto que sus predecesores. No obstante, pocos podían imaginar la anarquía sangrienta que vendría cuando Charles Taylor, antiguo miembro de la junta, «invadió» Liberia en diciembre de 1989 con 150 guerrilleros entrenados en Libia.

El Frente Patriótico Nacional de Liberia (FPNL) al principio sólo atacó a soldados y dirigentes. Aunque Taylor era un liberio-americano, Doe, miembro de la minoría krhan, le consideraba un agente de las mayorías gio y mano. Doe envió a su ejército de krhanes a destruir poblados gio y mano. Miles de personas en busca de venganza se unieron al FPNL, que empezó a masacrar a los krhan y a los mandingo, supuestamente prokrhan. En agosto, un grupo liderado por el general de brigada Prince Y. Johnson (un gio) llegó a la capital, Monrovia, y las fuerzas de Taylor la rodearon. Los soldados asediados de Doe continuaron asesinando a civiles, entre ellos a seiscientos que se refugiaron en un recinto eclesiástico.

Con refugiados que huían a los países vecinos y la ONU negándose a actuar, los 16 miembros de la Comunidad Económica de Estados de África Occidental decidieron enviar una fuerza pacificadora a Liberia. Sin embargo, la mayoría de sus soldados procedían de Nigeria, que apoyaba a Doe, de modo que Taylor los consideró un ejército enemigo y los atacó. Luego, cuando Doe iba a visitar los campamentos de las fuerzas pacificadoras en Monrovia, fue secuestrado, torturado y asesinado por soldados de Johnson.

Las fuerzas de Doe se retiraron, quemando lo que encontraban a su paso. Las tropas de paz tuvieron que defenderse. En noviembre, Taylor controlaba toda Liberia a excepción de Monrovia y se declaró un alto el fuego, pero el hambre se extendió y vendrían más luchas. ►**1992.9**

ARTE

La conmoción Mapplethorpe

10 La mayor controversia artística de la década en Estados Unidos estalló en 1990, cuando se inauguró «The perfect moment», una retrospectiva fotográfica de Robert Mapplethorpe (que había fallecido de SIDA en 1989) en el Centro de Arte Contemporáneo de Cincinnati; el director del museo, Dennis Barrie, fue acusado de obscenidad. De las 175 fotografías de la exposición, cinco representaban sexo homosexual y sadomasoquista y otras dos mostraban genitales de niños.

En un clima de creciente conservadurismo, las instituciones artísticas se inquietaban enormemente. Muchos esperaban un fallo contra Barrie en la ultraconservadora Cincinnati, pero el jurado decidió que la obra de Mapplethorpe tenía valor artístico y lo absolvió. ◄**1986.10**

Autorretrato de Mapplethorpe de 1988, diez meses antes de su muerte.

***Bailando con lobos*, pintoresca e idealizada, los indios eran los buenos, y la película revitalizó el género del oeste, comatoso desde los años setenta. La obra, que incluía diálogos subtitulados en la lengua de los Lakota, ganó siete Óscars, entre ellos a la mejor película y al mejor director.**

►ELECCIONES SANGRIENTAS—Tres de los candidatos a las elecciones colombianas presidenciales de 1990 fueron asesinados antes de poder someterse a la decisión de las urnas; en agosto de 1989, Luis Carlos Galán, el líder del Partido Liberal, murió víctima de un atentado. La misma suerte corrieron Bernardo Juramillo, candidato comunista de la Unión Patriótica, asesinado el 21 de marzo, y Carlos Pizarro, candidato presidencial del movimiento guerrillero M.19, muerto el 26 de abril, seis semanas después de deponer las armas y optar por la vía política para conquistar el poder. Las elecciones presidenciales, celebradas en mayo, dieron el triunfo a César Gaviria del Partido Liberal y en las elecciones para la Asamblea Constituyente, celebradas en diciembre, lo más destacable fue la incorporación de 19 diputados del M.19 a una cámara de 70 escaños. Los guerrilleros se habían transformado en políticos, pero el principal problema colombiano continuaba siendo el enorme poder del narcotráfico.

►LA VUELTA DE LA DEMOCRACIA—Tras 16 años de dictadura militar, el general Augusto Pinochet, cuyos éxitos económicos contrastaban con la trágica política de represión sangrienta, entregó el poder al presidente ganador de las elecciones, el democristiano Patricio Aylwin. Quedaba así establecido el sistema parlamentario chileno y volvían las libertades a uno de los países con mayor tradición democrática del continente americano.

►LA COALICIÓN DE SHAMIR—Yitzhak Shamir, líder del partido conservador de Israel, el Likud, en 1990 formó un gobierno de coalición con varios partidos

POLÍTICA Y ECONOMÍA: en Argentina, el presidente C. Menem consigue sofocar la cuarta revuelta militar de los «carapintadas».

ultraderechistas. Shamir, que había luchado con los Combatientes para la Libertad para fundar Israel a principios de los años cuarenta y luego fue miembro del Mossad, había sido primer ministro en dos gobiernos de coalición entre el Likud y los laboristas. Su objetivo era «la consolidación de la presencia judía en todas partes» y conservó el poder hasta 1992, cuando perdió ante el partido laborista las elecciones generales. ▸1993.1

▸NOBEL PARA PAZ—El escritor mexicano Octavio Paz, poeta lírico, prosista elegante, filósofo y diplomático, ganó el Premio Nobel de literatura de 1990. Paz, uno de los escritores

modernos más influyentes de Latinoamérica, en el curso de su prolífera carrera incorporó las enseñanzas de religiones de todo el mundo y las principales teorías filosóficas del siglo en obras como *Blanco* (1967), un libro de poesía, y *El laberinto de la soledad* (1950), un ensayo sobre historia y sociedad mexicanas. ◂1944.15

▸EXPULSIÓN EN EL LÍBANO—En octubre, soldados sirios derrotaron a las fuerzas cristianas del comandante libanés Michel Aoun en el este del Líbano. Como jefe del gobierno militar, Aoun había rechazado el año anterior una constitución que hubiera concedido a los musulmanes una representación igualitaria en un nuevo parlamento libanés, se había negado a reconocer la elección de Elias Hrawi como presidente y había continuado su «guerra de liberación» contra Siria, cuyas fuerzas ocuparon el Líbano casi desde el inicio de la guerra civil quince años atrás. Tras la expulsión de Aoun, las fuerzas sirias e israelitas se quedaron en el país pero en 1992 el Líbano poseía la estabilidad suficiente como para celebrar elecciones generales, en las que Rafia al-Hariri se convirtió en primer ministro. ◂1989.6

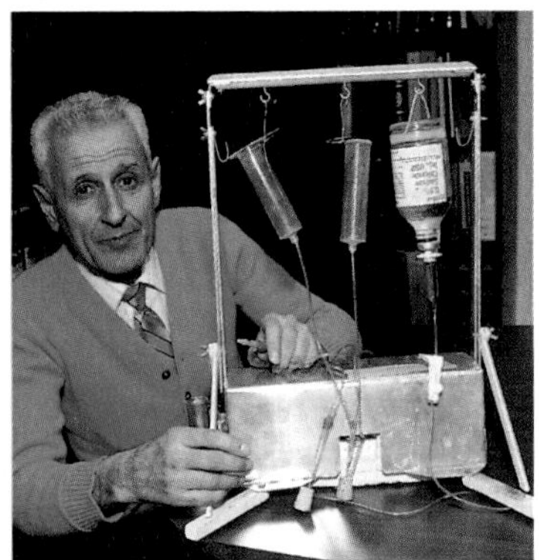

Kevorkian y su «máquina suicida».

MEDICINA

«Dr. Muerte»

11 Janet Adkins, de 54 años y enferma de Alzheimer, se suicidó en junio de 1990, asistida por el Dr. Jack Kevorkian. Adkins fue la primera de los veinte enfermos crónicos y terminales a quienes el patólogo retirado de Detroit ayudaría a morir durante los tres años siguientes. La paciente pulsó el botón rojo de la «máquina suicida» fabricada por Kevorkian, que inyectaba en las venas un analgésico y luego clorato de potasio mortal. Su corazón se detuvo al cabo de cinco minutos.

Al ayudar a morir a estos pacientes, Kevorkian violaba una promesa esencial del juramento hipocrático, el credo de los médicos occidentales desde hacía dos mil años: «No administraré ninguna medicina mortal a nadie que me lo pida ni sugeriré un consejo de tales características». Kevorkian tenía su propio código: «Ayudaré a un paciente que sufra... cuando las circunstancias del paciente lo justifiquen, a pesar de cualquier otra cosa». Kevorkian se había convertido en un defensor de la eutanasia tras una visita a Holanda, uno de los primeros países (después de la Alemania nazi) donde su práctica fue generalmente aceptada. Las leyes de Estados Unidos la prohibían, pero la cruzada de Kevorkian tocó la fibra sensible. Una población envejecida junto a la capacidad tecnológica para mantener «vivos» a pacientes con el cerebro muerto reavivaron el antiguo debate ético sobre «el derecho a morir».

Aislado por sus colegas, bajo el ataque constante de fiscales y legisladores, el «Dr. Muerte» se convirtió en una extraña celebridad. Su austeridad, su mesianismo («yo no soy inmoral, la sociedad lo es») y sus macabras obsesiones se añadieron a su fama. Como estudiante de medicina, fotografió los ojos de pacientes terminales con el fin de intentar captar el momento de la muerte. Como artista aficionado, pintó imágenes alegóricas de náuseas y genocidio, lo último con sangre humana. **◂1976.NM**

CIENCIA

El Hubble en apuros

12 Tras cuatro décadas en la mesa de diseño, el telescopio espacial Hubble por fin se puso en órbita en 1990. El telescopio (con el nombre del astrónomo americano Edwin Hubble) era el orgullo de la NASA, un ojo de un millón y medio de dólares diseñado para investigar la extensión del oscuro universo. Dirigentes de la agencia espacial afirmaron que era el mayor avance astronómico desde Galileo. Sin embargo, resultó un fracaso óptico carísimo.

El espejo principal del Hubble poseía una curvatura errónea. Este devastador error provocaba que las imágenes transmitidas llegaran borrosas. Éste fue sólo el primero de muchos defectos: en 1993, tres giroscopios del Hubble habían fallado, y sus paneles solares chocaban tan violentamente con los cambios de temperatura que amenazaban con estropear todo el mecanismo.

El telescopio todavía podía reunir información nueva acerca de la forma y tamaño del universo, de modo que la NASA envió a una tripulación en la lanzadera *Discovery* para repararlo. En 1993, siete astronautas participaron en la misión para salvar el Hubble y la reputación de la NASA (que durante el verano había perdido en el espacio al *Observer* de Marte, de novecientos millones de dólares). En cinco días los mecánicos del espacio exterior realizaron cinco paseos espaciales. El Hubble quedó como nuevo, aunque la generación siguiente de telescopios terrestres sería mucho más potente y barata. **◂1986.2**

El telescopio Hubble emplazado sobre la Tierra.

EL CARIBE

Intento fallido de libertad

13 En diciembre de 1990, tras cuatro años caóticos desde la caída del dictador Jean-Claude Duvalier, un sacerdote de izquierdas se convirtió en presidente de Haití. Desde la expulsión de Duvalier, los haitianos habían votado una vez: en 1988, la junta del general Henri Namphy organizó la elección de un candidato civil pero lo destituyó a los seis meses. Namphy fue derrocado a su vez por el teniente general Prosper Avril, cuyas tropas se unieron a antiguos Tonton Macoutes en una orgía de asesinatos y vandalismo. Los disturbios y la presión de Estados Unidos obligaron a Avril a dimitir en enero de 1990. Once meses más tarde, cuando el presidente provisional Ertha Pascal-Trouillot convocó las primeras elecciones realmente libres de Haití: ganó el padre Jean-Bertrand Aristide *(superior)*.

Aristide, un elocuente representante de la teología de la liberación, consiguió muchos partidarios de entre la masa empobrecida del país, pero su radicalismo molestaba a la jerarquía católica así como a la oligarquía de Haití. Sobrevivió a intentos de asesinato y fue apodado «Msieu Mirak», Sr. Milagro en criollo.

Sin embargo, los milagros le abandonaron poco después de su investidura. A pesar del fracaso de su partido para conseguir la mayoría en la asamblea nacional, nombró a amigos inexpertos para su gabinete y, respaldado por grupos violentos, se negó a consultar a la asamblea para otros nombramientos. Se enfrentó al ejército al crear su propia fuerza de seguridad, entrenada en Suiza. Los altos impuestos y la idea de colectivizar el campo contrariaron a las empresas.

En agosto de 1991, partidarios de Aristide rodearon el edificio parlamentario para evitar un voto de censura. Unas semanas después, mientras se dirigía a la ONU, el ejército disolvió las fuerzas de seguridad. De vuelta a Haití, Aristide convocó un alzamiento popular y volvió otro reino de terror. Miles de haitianos siguieron a Aristide hacia América en barcas destrozadas. Los que llegaron fueron internados en campos de refugiados. Al final, la mayoría fueron repatriados. **◂1986.4 ▸1994.10**

PREMIOS NOBEL: Paz: Mijail Gorbachov (soviético; *perestroika* y *glasnost*) [...] Literatura: Octavio Paz (mexicano; poeta y ensayista) [...] Química: Elias Corey (EE.UU.; síntesis orgánica) [...] Medicina: J. E. Murray y E. D. Thomas (EE.UU.; trasplantes) [...] Física: R. Taylor, J. Friedman y H. Kendall (canadiense y EE.UU.; confirmación de los quarks) [...] Economía: H. Markowitz, W. Sharpe y M. Miller (EE.UU.).

Hacia una nueva Sudáfrica

De un discurso de Nelson Mandela en Ciudad del Cabo, 11 de febrero de 1990

Tras pasar casi tres décadas en las prisiones de Sudáfrica, Nelson Mandela, símbolo internacional de la lucha de los sudafricanos negros contra el segregacionismo racial, el 11 de febrero de 1990 salió triunfalmente al balcón del ayuntamiento de Ciudad del Cabo y se dirigió a su expectante nación. Solemne, afable y orgulloso tras su encarcelamiento, que había finalizado aquella misma mañana, a los 71 años el líder del Congreso Nacional Africano empezó con dignidad su discurso en xhosa, la lengua mayoritaria de Sudáfrica. «¡Amandla! ¡Amandla! ¡i-Afrika, mayibuye! *(«¡Poder! ¡Poder! ¡África es nuestra!»). Siguió elogiando a los héroes del movimiento del antisegregacionismo, animando a continuar la lucha y alabando al hombre que le había liberado, el presidente blanco F. W. de Klerk en su intento de reformar Sudáfrica, un proceso que culminó en 1994 con la elección de Mandela como presidente de la nación.* ◄**1989.3** ►**1994.1**

¡Amandla! ¡Amandla! ¡i-Afrika, mayibuye!

Amigos, compañeros y colegas sudafricanos, os saludo a todos en nombre de la paz, de la democracia y de la libertad. Estoy ante vosotros no como profeta sino como humilde servidor vuestro, del pueblo.

Vuestros incansables y heroicos sacrificios han hecho posible que esté hoy aquí. A partir de ahora pongo en vuestras manos el resto de mis años...

Hoy la mayoría de sudafricanos, negros y blancos, saben que el segregacionismo no tiene futuro. Tiene que terminar a través de nuestras acciones decisivas para construir la paz y la seguridad. Las campañas masivas de desafío y otras acciones de nuestras organizaciones y de nuestro pueblo sólo pueden culminar en el establecimiento de la democracia.

La destrucción ocasionada por el segregacionismo en nuestro subcontinente es incalculable. La estructura de la vida familiar de millones de personas ha sido desgarrada. Millones están sin hogar y sin trabajo.

Nuestra economía está arruinada y nuestro pueblo está enredado en luchas políticas internas. Recurrimos a la lucha armada en 1960 con la formación del ala militar del CNA, el Umkonto We Sizwe, por motivos exclusivamente defensivos contra la agresión del segregacionismo.

Nelson Mandela en una ilustración de 1994 de Anita Kunz retratado como un pastor sabio que guía a sus ovejas blancas y negras.

Los factores que provocaron la lucha armada todavía existen actualmente. No tenemos otra alternativa que continuar. Expresamos la esperanza de que se cree rápidamente un clima que favorezca la negociación para que ya no sea necesaria la lucha armada.

Soy un miembro leal y disciplinado del Congreso Nacional Africano. Estoy totalmente de acuerdo con todos sus objetivos, estrategias y tácticas.

La necesidad de unir a la gente de nuestro país es tan importante ahora como siempre. Ningún líder es capaz de llevar a cabo esta enorme tarea en solitario. Nuestra tarea como líderes es mostrar nuestras opiniones ante nuestra organización y permitir que las estructuras democráticas decidan el camino a seguir...

Las negociaciones sobre la disolución del segregacionismo deben dar satisfacción a las contundentes demandas de nuestro pueblo de una Sudáfrica democrática, no racista y unitaria. Tiene que acabar el monopolio blanco sobre el poder político...

Nuestra lucha ha llegado a un momento decisivo. Apelamos a nuestro pueblo a que aproveche este momento de modo que el proceso hacia la democracia sea rápido y sin interrupciones. Hemos esperado demasiado nuestra libertad. No podemos esperar más. Ha llegado el momento de intensificar la lucha en todos los frentes.

Relajar nuestros esfuerzos sería un error que las generaciones venideras no nos perdonarían. La visión de la libertad asomándose en el horizonte debe animarnos a multiplicar nuestro esfuerzo. Sólo a través de la acción masiva organizada puede asegurarse nuestra victoria.

Invitamos a nuestros compatriotas blancos a unirse a nosotros en la formación de una nueva Sudáfrica. El movimiento para la libertad también es vuestro hogar político. Emplazamos a la comunidad internacional a que continúe su campaña para aislar al régimen del segregacionismo.

Levantar ahora las sanciones significaría correr el riesgo de abortar el proceso de erradicación del segregacionismo. Nuestro camino hacia la libertad no tiene marcha atrás. No debemos permitir que el temor se cruce en nuestro camino.

El sufragio universal sobre una lista abierta en una Sudáfrica democrática, unida y no racial, es el único camino hacia la paz y la armonía racial.

Por fin, deseo pasar a las palabras que yo mismo pronuncié en mi juicio de 1964. Son tan válidas ahora como lo eran entonces. Escribí: «He luchado contra la dominación blanca y he luchado contra la dominación negra. He acariciado la idea de una sociedad democrática y libre en la que todas las personas convivan en armonía e igualdad de oportunidades».

Espero vivir lo suficiente para ver cumplido este ideal. Pero si fuera necesario, estoy dispuesto a morir por él.

(La parte siguiente fue pronunciada en xhosa)

Amigos míos, no tengo palabras elocuentes que ofreceros hoy excepto decir que el resto de mis días está en vuestras manos.

(Continuó en inglés) Espero que os disperséis disciplinadamente y que ninguno de vosotros haga nada para que los demás puedan decir que no podemos controlar a nuestra gente.

«Ahora podemos volver a casa orgullosos, confiados, con la cabeza bien alta [...]. Somos americanos.»—**George Bush, presidente de Estados Unidos**

HISTORIA DEL AÑO

La guerra del Golfo: Tormenta del Desierto

1 El 16 de enero de 1991 (casi treinta meses después del fin de la guerra de ocho años entre Irán e Iraq y seis meses después de que Iraq invadiera Kuwait), estalló una guerra a gran escala en el golfo Pérsico. El noviembre anterior, la ONU había autorizado la acción militar si los soldados iraquíes no abandonaban Kuwait el 15 de enero. Una serie de mediadores (representantes de la ONU, Estados Unidos, la Unión Soviética, Francia e incluso de la OLP, proiraquí) habían negociado sin resultados con el dictador Saddam Hussein. Aunque los que se oponían a la acción armada comentaban que las sanciones económicas requerían más tiempo para ser efectivas, los comandantes norteamericanos, dirigentes de una coalición internacional antiiraquí, iniciaron la operación Tormenta del Desierto según lo estipulado.

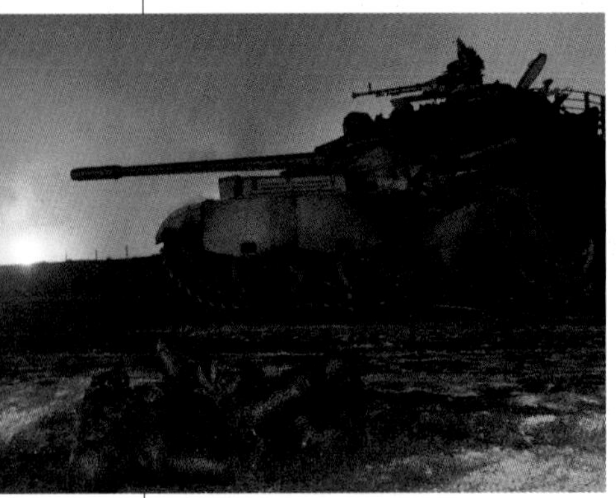

Mientras ardían los pozos de petróleo, una víctima iraquí y un tanque abandonado aparecen en esta fotografía de Kuwait.

El primer ataque fue aéreo, con misiles crucero, bombas «smart» y otros proyectiles de alta tecnología lanzados contra las instalaciones militares y los soldados de Iraq. (Muchos pilotos iraquíes huyeron a Irán que, a pesar de una cierta mejora en sus relaciones, confiscó sus aviones.) Hussein se vengó derramando petróleo en el golfo e incendiando cientos de pozos de Kuwait. Sus tanques intentaron invadir Arabia Saudí, pero fueron rechazados. Iraq dirigió varios misiles Scud, de fabricación soviética, contra Israel y Arabia Saudí pero la amenaza de utilizar cabezas químicas no se materializó. Para proteger a Israel, Washington desplegó baterías de misiles antibalísticos Patriot por todo el país.

A finales de febrero, buena parte de Iraq se hallaba en ruinas. Luego se produjo el ataque por tierra contra las fuerzas iraquíes en Kuwait, según la estrategia ideada por el general norteamericano Norman Schwarzkopf. Los soldados iraquíes se rindieron. Las tropas en retirada fueron atacadas. El 27 de febrero, tras cien horas de lucha, Kuwait fue liberado y buena parte del sur de Iraq ocupado por los aliados. El presidente George Bush declaró un alto el fuego. Los objetivos principales de la operación Tormenta del Desierto se habían cumplido.

Murieron unos doscientos mil iraquíes, entre ellos cientos de civiles. (Las víctimas aliadas ascendieron a 148.) Los kurdos y chiítas iraquíes se rebelaron. Aun así, Hussein seguía gobernando y sus fuerzas supervivientes reprimían los alzamientos, expulsando a unos dos millones de kurdos a campos de refugiados iraníes y turcos. Mientras tanto, Kuwait sufrió una catástrofe ecológica y sus habitantes palestinos, acusados de ayudar a Iraq, fueron perseguidos y expulsados. **◂1990.7 ▸1992.NM**

YUGOSLAVIA

Desmembración

2 Formada por seis repúblicas balcánicas desde la Primera Guerra Mundial, Yugoslavia no era una verdadera nación. El comunismo la había mantenido unida durante 45 años, pero al caer el sistema, las animosidades étnicas se reanimaron por todo el país. En 1991, un año después de que el Partido Comunista (durante mucho tiempo el más liberal de esta tendencia) renunciara a su monopolio sobre el gobierno, Yugoslavia se desmembró, sumiendo una vez más al sudeste de Europa en un baño de sangre.

La lucha interna en la provincia de Kosovo, étnicamente albanesa y parte de Serbia (la mayor república de Yugoslavia) fue premonitoria. En 1989, la población musulmana de Kosovo se rebeló contra la dominación serbia, y Serbia envió soldados para sofocar el alzamiento. En 1990 se repitió la rebelión.

Ese año, Macedonia, Eslovenia (la república más rica de Yugoslavia) y Croacia (enemiga ancestral de Serbia) eligieron gobiernos no comunistas. En junio de 1991, después de que el presidente serbio Slobodan Miloševic —nacionalista y comunista— impidiera que el líder croata Stipe Mesic asumiera la presidencia colectiva de Yugoslavia, Croacia y Eslovenia se separaron. El

Los antiguos odios étnicos se reavivaron en las repúblicas de Yugoslavia.

ejército yugoslavo, dominado por los serbios, se movilizó en ambas repúblicas. Los soldados federales abandonaron Eslovenia en julio; sin embargo, en Croacia la lucha y la «limpieza étnica» (la expulsión o asesinato de ciudadanos croatas de las zonas serbias) continuaron hasta enero de 1992, cuando tuvo lugar un alto el fuego dirigido por una fuerza pacificadora de catorce mil soldados de la ONU. Por entonces habían muerto veinticinco mil personas y las fuerzas federales y la milicia serbia habían tomado el 30 % de Croacia. El antiguo sueño nacionalista de la «Gran Serbia», que incorporaba partes de otras repúblicas donde residían muchos serbios, se estaba convirtiendo en realidad.

La declaración de independencia de Macedonia en septiembre de 1991 no resultó violenta (aunque Grecia, que tenía una región llamada Macedonia, aplazó el reconocimiento internacional insistiendo en que el nuevo país tomara otro nombre). No obstante, en abril de 1992, después de la secesión de Bosnia-Herzegovina (que dejaba a Serbia y Montenegro como únicas partes constituyentes de Yugoslavia), los serbios atacaron con una violencia sin precedentes. **◂1948.6 ▸1992.1**

UNIÓN SOVIÉTICA

Independencia de los países bálticos

3 En enero de 1991 se pusieron a prueba en Lituania los límites de la política liberal del presidente soviético Mijail Gorbachov. Un año después de que la pequeña república báltica se declarara independiente de la Unión Soviética, soldados del ejército rojo se movilizaron para reprimir el movimiento separatista. Los tanques llegaron de madrugada y entraron en la capital, Vilnius. Un ataque contra la mayor cadena de televisión, un refugio nacionalista, se cobró catorce víctimas civiles.

En Occidente, la invasión se comparó con la de Hungría en 1956, la de Checoslovaquia en 1968 y otras represalias de la Unión Soviética contra sus satélites. Gorbachov citó otro paralelismo. Como Abraham Lincoln, que luchó contra los Estados Confederados secesionistas para mantener la unidad de América, el presidente soviético prometió salvar la Unión. Gorbachov declaró que, aunque la pérdida de vidas resultaba lamentable, él sólo estaba «aplicando la constitución». En realidad, Gorbachov no tenía elección: su esfuerzo por reformar la Unión Soviética dependía del apoyo militar y el ejército no le sería fiel si el imperio soviético empezaba a desmembrarse. El ataque contra Lituania fue el último coletazo del imperio.

Como Estonia y Letonia, los otros países bálticos, Lituania había disfrutado de una breve y problemática independencia tras la Primera Guerra Mundial. Los soviéticos se anexionaron los tres estados en 1940. Ocupadas por Alemania un año más tarde, las repúblicas lucharon en el bando nazi durante la Segunda Guerra Mundial. Después Stalin las reincorporó a la Unión Soviética.

ARTE Y CULTURA: Libros: ***Ética para Amador*** **(Fernando Savater);** ***El jinete polaco*** **(Antonio Muñoz Molina);** ***El caballero de Sajonia*** **(Juan Benet);** ***La inmortalidad*** **(Milan Kundera);** ***La tapadera*** **(John Grisham) [...] Pintura y escultura:** ***Dutch Masters*** **(Larry Rivers);** ***Umbrellas*** **(Christo) [...]**

«No importa lo que nos depare el destino. Nuestra República soviética es invencible.»—**V. I. Lenin, en 1918**

Pasaportes soviéticos colgados de una reja por nacionalistas lituanos.

Durante la primavera y el verano de 1991, los soviéticos lucharon por conservar los países bálticos pero éstos se resistieron con fuerza. Luego, tras un golpe fallido contra Gorbachov, la autoridad soviética se derrumbó. Letonia y Estonia también declararon la independencia. El Kremlin se la concedió en septiembre, y el mundo dio la bienvenida a sus tres nuevas naciones. **◂1990.1 ▸1991.5**

ALBANIA

El gran éxodo

4 A medida que las condiciones económicas empeoraban en Albania, subdesarrollada y aislada, durante el verano de 1991 decenas de miles de refugiados cruzaron el Adriático en dirección a Italia. En agosto unas cuarenta mil personas desembarcaron en los puertos de Bari y Brindisi, donde el gobierno italiano aplicó medidas disuasorias para detener el éxodo. Tras colocar a los refugiados en campos cercanos a los muelles, el gobierno empezó a enviarlos de vuelta a Tirana, la capital albanesa. Aun así, veinte mil albaneses consiguieron quedarse en Italia y otros muchos se dirigieron a Grecia por tierra.

El éxodo empezó en 1990, después de que la revolución democrática llevada a cabo en otros países comunistas llegara a la Albania del dictador Ramiz Alia (sucesor del dictador estalinista Enver Hoxha). Los albaneses comenzaron a abarrotar los recintos de las embajadas extranjeras. Alia, sin ayuda exterior y con su pueblo que huía en masa, inició reformas a finales de año. Estableció relaciones diplomáticas con Estados Unidos, abolió las restricciones sobre los viajes y permitió algunas iniciativas de mercado libre.

La economía continuaba hundiéndose, y el éxodo aumentó después de que Alia acordara compartir el gobierno con una coalición en marzo de 1991. Incluso después de que las elecciones de 1992 dieran el poder al demócrata Sali Berisha, la emigración seguía siendo la mejor opción para muchos: con un paro superior al 50 %, la carne carísima y los índices de mortalidad infantil en un treinta por mil, la democracia no era un panacea. **◂1985.7**

Refugiados albaneses llegan a Italia a bordo de un barco abarrotado.

UNIÓN SOVIÉTICA

Llega el fin

5 La Unión Soviética terminó como había empezado: con un golpe de Estado. En agosto de 1991, 74 años después de que V. I. Lenin y su facción de soñadores implacables derrocaran el gobierno provisional de Aleksandr Kerensky, los miembros conservadores del partido intentaron expulsar al presidente Mijail Gorbachov. Su objetivo: volver a establecer la supremacía del Partido Comunista y evitar que la Unión Soviética se fragmentara. Esta vez, el golpe fracasó. Decenas de miles de moscovitas, liderados por el presidente de la república rusa Boris Yeltsin, respondieron a la llamada de la democracia. Colocaron barricadas ante el parlamento ruso y las unidades del ejército no dispararon contra ellos. Los conspiradores, y con ellos la Unión Soviética, cayeron.

Entre los dirigentes del golpe se encontraban altos cargos del partido que Gorbachov había intentado neutralizar en vano. Justificaron su tentativa como un intento para establecer un nuevo liderazgo capaz de salvar de la pobreza al país. Sus verdaderas razones eran menos honorables. Gorbachov acababa de firmar el tratado START, por el que los soviéticos tenían que reducir su armamento nuclear en un 25 % y los

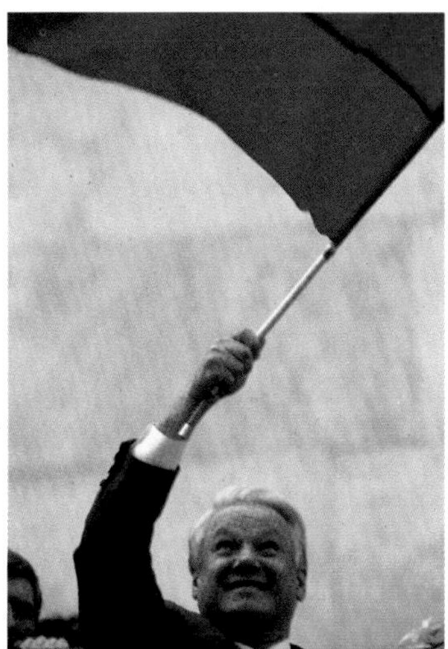

Yeltsin, presidente de Rusia y líder de la resistencia, celebra el fracaso del golpe.

americanos un 15 % (para los radicales, esto suponía una humillación), y estaba a punto de firmar un pacto por el que concedería un grado sin precedentes de soberanía a quince repúblicas soviéticas. Decididos a obstruir una legislación que mermaría su autoridad, algunos miembros de la vieja guardia se rebelaron, pero no estaban preparados para el heroico desafío público que sus maquinaciones inspiraron. Ochenta horas después de que los golpistas retuvieran a Gorbachov en su casa de Crimea, el presidente volvió a Moscú.

Gorbachov regresó a una ciudad totalmente cambiada. Los bustos de Lenin estaban tirados por las calles, a las puertas del edificio de la KGB los manifestantes jubilosos habían derribado la estatua del fundador de la policía secreta Felix Dzerzhinsky y, aunque Gorbachov seguía en el cargo, el poder real estaba en manos de Yeltsin. Presionado por éste, Gorbachov disolvió el Partido Comunista y concedió la independencia a las repúblicas. En diciembre dimitió como líder de un país que ya no existía. **◂1990.1 ▸1992.2**

MUERTES

Claudio Arrau, músico chileno.

Frank Capra, director cinematográfico italo-estadounidense.

Gabriel Celaya, poeta español.

Margot Fonteyn, bailarina británica.

Max Frish, escritor suizo.

Serge Gainsbrug, músico estadounidense.

Stan Getz, músico estadounidense.

Graham Greene, escritor británico.

Soichiro Honda, fabricante de coches japonés.

Jerzy Kosinski, escritor polaco-estadounidense.

Michael Landon, actor estadounidense.

David Lean, director cinematográfico.

Fred MacMurray, actor estadounidense.

Robert Maxwell, editor británico-checo.

Yves Montand, cantante y actor italo-francés.

Robert Motherwell, pintor estadounidense.

Olaf V, rey de Noruega.

Vasco Pratolini, escritor italiano.

Tony Richardson, director cinematográfico y teatral británico.

Rufino Tamayo, pintor mexicano.

María Zambrano, intelectual española.

Luigi Zampa, director cinematográfico italiano.

Cine: ***El silencio de los corderos*** **(Jonathan Demme);** ***Thelma y Louise*** **(Ridley Scott);** ***Europa, Europa*** **(Agnieszka Holland);** ***Arde París*** **(Jennie Livingston) [...] Teatro:** ***Comedias bárbaras*** **(R. M. Valle-Inclán);** ***Lost in Yonquers*** **(Neil Simon).**

«Esto es separarse del Estado a hurtadillas. Ahora la fundación es un papel sin importancia.»—**David Streater, reverendo de la Sociedad de la Iglesia evangélica, sobre la decisión de ordenar a mujeres en la Iglesia anglicana**

NOVEDADES DE 1991

Se aprueba el ddl en Estados Unidos (tratamiento para el SIDA).

Estados Unidos retira las sanciones económicas a Sudáfrica.

Fin del boicot de 21 años del Comité Olímpico Internacional a Sudáfrica.

Discurso de la reina Isabel de Inglaterra al congreso estadounidense.

EN EL MUNDO

▶TERRARIO EN EL DESIERTO—Un experimento pseudocientífico muy elaborado se inició en octubre, cuando un grupo de cuatro hombres y cuatro mujeres empezaron una estancia de dos años en un recinto herméticamente sellado de acero y cristal en el desierto de Arizona. El lugar, llamado Biosfera II (Biosfera I era la Tierra), estaba compuesto por varios ecosistemas en miniatura

—selva tropical, sabana, océano— y 3.800 especies vegetales y animales. Los miembros del equipo esperaban ser autosuficientes (aunque contaban con un generador eléctrico de 5,2 megavatios) y esperaban obtener información útil para colonizar Marte. El proyecto privado, de ciento cincuenta millones de dólares (invertidos por el petrolero texano Edward Bass) perdió buena parte de credibilidad tras una serie de pérdidas de cosechas y un incidente de 1992 en el que entró aire fresco en el recinto falto de oxígeno. Sus habitantes salieron en 1993.

CINE

¿Quién mató a J. F. Kennedy?

6 Según una encuesta de 1991, el 56 % de los americanos rechazaron la explicación oficial del gobierno sobre el asesinato del presidente John F. Kennedy en Dallas el 22 de noviembre de 1963. Entre los escépticos se encontraba el director de cine Oliver Stone. Su película *JFK*, estrenada en diciembre, es un ataque despiadado al informe que la comisión Warren hizo público en 1964 y que concluía que Lee Harvey Oswald actuó en solitario. La película reavivó el debate sobre quién mató «realmente» al presidente, y obligó al gobierno a encubrir uno de los casos más oscuros del siglo.

En los años posteriores al informe Warren, teóricos de la conspiración publicaron cientos de libros y miles de artículos donde cuestionaban la explicación del informe y defendían la involucración de la mafia, la CIA, Fidel Castro o la Unión Soviética (por separado o juntos) en el magnicidio. La contribución de Stone contenía todas estas posibilidades. *JFK* relata la historia de un antiguo fiscal del distrito de Nueva Orleans, Jim Garrison (interpretado por Kevin Costner), que procesó sin éxito a un empresario como conspirador del asesinato. Con la investigación de Garrison como punto de partida, Stone mezcla hechos documentados, especulación dramática, narración cinematográfica al estilo de Hollywood y una dosis de obsesión liberal para defender que Kennedy fue víctima de una conspiración industrial-militar que temía que el presidente planeara el fin de la intervención en el sudeste asiático.

Gran cantidad de políticos e investigadores criticaron la honestidad y juicio de Stone. Jack Valenti, presidente de la Motion Picture Association y antiguo ayudante del presidente Johnson (a quien Stone implica en el encubrimiento), comparó *JFK* con la película de propaganda nazi *El triunfo de la voluntad*. Sin embargo, Stone defendió sus fuentes y pidió que el gobierno publicara informes y pruebas sellados. Durante los dos años siguientes, el congreso, el FBI y la CIA sacaron a la luz cientos de documentos sobre el tema. Ninguno desacreditó al informe Warren pero el material más importante no se hizo público por razones de seguridad nacional y los que dudaban siguieron dudando. **◂1978.NM**

RELIGIÓN

Sangre nueva para los anglicanos

7 Para los setenta millones de miembros de la fe anglicana, el nombramiento del nuevo arzobispo de Canterbury en abril de 1991 supuso una nueva esperanza para una fe estancada. Como principal prelado de la Iglesia de Inglaterra, el arzobispo era el líder espiritual de los anglicanos y episcopalianos de todo el mundo. La Iglesia inglesa estaba perturbada por las luchas entre liberales, anglo-católicos (que acentuaban los elementos católicos del anglicanismo) y los evangélicos (más inclinados hacia los valores conservadores del protestantismo). El 60 % de la población se declaraba fiel pero un 2,3 % asistía a los servicios.

Elegido por Margaret Thatcher (metodista), el sucesor del arzobispo Robert Runcie —un anglo-católico liberal— fue el reverendo George Carey, obispo de Bath y Wells. Carey, la antítesis de Runcie, era un defensor acérrimo de la liturgia ortodoxa y de la moral «tradicional». Al igual que Thatcher, era tan iconoclasta como conservador: comparaba la situación de la Iglesia a la de «una dama de edad que murmura entre dientes en un rincón, ignorada casi siempre».

Sin embargo, Carey promovió una causa liberal con más entusiasmo que Runcie: la ordenación de mujeres. Varias ramas del anglicanismo ya habían ordenado sacerdotes femeninas pero la Iglesia

Una sacerdote imparte su bendición según el rito anglicano.

de Inglaterra, ante la insistencia de miles de clérigos, se negaba. Días antes de convertirse en arzobispo, Carey provocó una controversia declarando que tales clérigos cometían una «herejía». Enseguida modificó el término por el de «error teológico». La primera mujer subió al púlpito dos años después. **◂1974.NM**

Stone recreó escenas de la película de Zapruder (la única grabación del asesinato de Kennedy) para dar una imagen documental a *JFK*.

DEPORTES: Tenis: Mónica Seles gana los Open de Australia, Estados Unidos y Francia [...] Ciclismo: el español Miguel Indurain gana el Tour de Francia por segunda vez consecutiva.

«Buscábamos la cooperación económica o los secretos militares e industriales que usaríamos o venderíamos [...]. En América era fácil: el dinero casi siempre funcionaba y descubríamos a políticos que se sabía que eran corruptos.»—**Un dirigente anónimo del BICC**

Venturi diseñó el ala Sainsbury en consonancia con el edificio principal de la National Gallery.

ARQUITECTURA

Menos es aburrido

8 Para el arquitecto de Filadelfia Robert Venturi, 1991 fue un año de vindicación. Un cuarto de siglo atrás, su *Complexity and contradiction in Architecture* inició el movimiento postmoderno de arquitectura. El libro, un ataque divertido a la modernidad (con su culto a la geometría y su desdén por la ornamentación y la referencia histórica), respondía al «menos es más» de Mies van der Rohe con el aforismo «menos es aburrido». Defendía una «vitalidad desordenada» en la arquitectura y afirmaba que las principales calles de América eran «casi todas rectas». Aunque a Venturi le desagradaba el término «posmodernismo», inspiró a arquitectos de todo el mundo para que abandonaran el austero estilo internacional en favor de la incorporación de elementos pertenecientes a los antiguos templos griegos o a los casinos de Las Vegas, por ejemplo. No obstante, hasta 1992, los Venturi (el arquitecto y su esposa y colaboradora Denise Scott Brown) no inauguraron sus primeros edificios importantes: el Museo de Arte de Seattle y el ala Sainsbury de la National Gallery de Londres.

El edificio de Seattle, ubicado entre rascacielos, es tan alegre como los escritos de Venturi, una mezcla armónica de ventanas, arcos y columnas, avivado con piedra caliza acanalada y cerámica de colores. (*The New York Times* escribió que era «enormemente divertido».) El proyecto de Londres presentó una paradoja: no se correspondía con la «imagen Venturi». Los Venturi, con la intención de crear edificios acordes con su entorno, construyeron el ala Sainsbury a imagen y semejanza de la estructura principal, de 1830. La novedad residió en los detalles, como un pilar inspirado en la Columna de Nelson de Trafalgar Square y una pared de cristal yuxtapuesta a arcos neoclásicos. Los críticos británicos se dividieron en cuanto al edificio: sus detractores acotaron que era vulgar, pretencioso y mediocre. El príncipe Carlos expresó la opinión general: «Bastante satisfactorio». **◂1984.9 ▸1994.6**

ECONOMÍA E INDUSTRIA

La banca del delito

9 En julio de 1991 se clausuró la mayor empresa delictiva de la historia, el Banco Internacional de Crédito y Comercio (BICC), congelando más del 75 % de sus activos, estimados en veinte mil millones de dólares. Blanqueo de dinero, tráfico de armas, contrabando, fraude, chantaje, soborno... todas eran actividades habituales del banco. Los auditores dijeron que más de doce mil millones de dólares habían desaparecido del BICC desde 1972, el año en que el financiero pakistaní Agha Hasan Abedi lo fundó en Luxemburgo.

La misión oficial de Abedi era crear el primer megabanco musulmán del mundo. En realidad, convirtió su institución en un agente de delincuentes como el hombre fuerte de Panamá, Manuel Noriega, y los señores colombianos de la cocaína. Al establecer el BICC como una compañía y no como un banco, Abedi burló la normativa bancaria de Luxemburgo. Cuando se expandió por todo el mundo, ningún país contaba con una jurisprudencia precisa sobre su organización, extremadamente compleja.

Las relaciones con agencias de inteligencia (entre ellas la CIA) y altos cargos de muchas naciones hicieron que la empresa funcionara. El BICC realizó transacciones como contribuir al negocio de armas de la Irán-Contra, suministrar tecnología sobre armamento nuclear a Iraq y comprar en secreto tres bancos americanos, entre ellos el First American Bankshares de Washington, dirigido por el antiguo secretario de defensa Clark Clifford. Éste y su abogado Robert Altman, que habían representado al BICC entre 1978 y 1990, fueron procesados en julio de 1992 por haber facilitado la propiedad clandestina del banco. (Ambos insistieron en que habían sido víctimas de un engaño. Los cargos federales fueron desestimados en 1993. La mala salud de Clifford le evitó ser juzgado por el estado de Nueva York. Altman fue absuelto de cuatro acusaciones de fraude en agosto de 1994.) La relación de Clifford con el BICC ejemplificaba lo que un periodista llamó su destreza «para infiltrar a la elite del poder del mismo modo que servía como conducto económico para terroristas y traficantes de armas y de drogas». Asimismo, Abedi se había asociado con Jimmy Carter, con contribuciones a la Fundación Global 2.000, una institución de caridad para el Tercer Mundo.

Clark Clifford *(izquierda)* y su socio Robert Altman estuvieron implicados en el escándalo del BICC.

Aunque en 1990 el BICC se declaró culpable de blanqueo de dinero, el banco continuó operando de forma impune incluso después de que una auditoría de una firma norteamericana revelara irregularidades en los libros de cuentas. (Cuando el escándalo estalló, los investigadores acusaron al Departamento de Justicia de Estados Unidos de dificultar la investigación.) La caída del banco afectó a más de un millón de clientes. En 1994, un tribunal de Abu Dhabi condenó a doce ejecutivos del BICC por varios delitos. Abedi, sentenciado *in absentia* a ocho años, permaneció en Pakistán impunemente.

▶«MAGIC» DA SEROPOSITIVO—El ídolo de baloncesto Earvin «Magic» Johnson se retiró de la competición el 7 de noviembre, tras declarar que era seropositivo. Nombrado en tres ocasiones mejor jugador de la NBA y el mejor jugador en asistencias de todos los tiempos, Johnson se convirtió en el portavoz del SIDA más destacado del país. Las pruebas del SIDA aumentaron enormemente en toda la nación, y el presidente George

Bush nombró a Johnson para una comisión nacional sobre la enfermedad (el jugador dimitió diciendo que no era eficaz). **◂1979.NM ▸1992.10**

▶LIBERTINAJE NAVAL—En una convención de altos oficiales de aviación de la armada celebrada en Las Vegas, la Tailhook Association, muchos aviadores abusaron sexualmente de 85 mujeres y siete hombres. Durante la reunión fueron «tocadas, pellizcadas y acariciadas en el pecho, el trasero y los genitales», según un informe del Pentágono. Algunas «fueron derribadas al suelo y les rasgaron la ropa o se la quitaron». Una investigación sobre el escándalo (al principio bloqueada por altos oficiales) reveló que el abuso sexual era tolerado institucionalmente.

▶DAHMER DETENIDO—El asesino en serie Jeffrey Dahmer fue detenido en julio después de que una de sus víctimas escapara, esposada, del apartamento de Milwaukee del criminal y llamara a la policía. Durante un período de trece años Dahmer, empleado de una fábrica de dulces y de 31 años de edad, había matado al menos a 17 personas, jóvenes que llevaba a su casa para mantener relaciones sexuales y que luego drogaba. Normalmente practicaba el sexo con los cadáveres antes de mutilarlos y, a veces, cocinarlos y

POLÍTICA Y ECONOMÍA: **la Conferencia de Paz sobre Oriente Próximo realiza la primera fase de sus reuniones en Madrid durante el mes de noviembre [...] En julio tuvo lugar en México la primera Cumbre Ibero-Americana de jefes de estado y de gobierno.**

«Si asaltara un banco iría a la cárcel. Lo que hizo Maxwell fue peor. Robó a los pobres para pagar a los ricos, a él mismo.»—**Ivy Needham, pensionista de una de las compañías de Robert Maxwell**

comérselos. En 1992 un juez sentenció a Dahmer a 15 condenas seguidas en la cárcel. Dos años después fue golpeado hasta morir por un interno.

▶OTRO GANDHI ASESINADO—Una dinastía política moderna llegó a su fin en mayo, cuando Rajiv Gandhi, líder del Partido del Congreso de la India, fue asesinado con una bomba en Tamil Nadu mientras realizaba la campaña parlamentaria. Gandhi, que había sucedido a su madre, Indira, como primer ministro después de que ésta fuera asesinada en 1984, intentaba recuperar el poder después de que su partido perdiera las elecciones de 1989. Se pensó que su asesina (ella y quince espectadores volaron con la bomba) estaba relacionada con rebeldes secesionistas tamil de la vecina Sri Lanka, grupo que la India había intentado suprimir. Narasimha Rao sucedió a Gandhi como presidente del Partido del Congreso y en junio se convirtió en primer ministro. ◀1984.2 ▶1993.9

▶CÓLERA EN EL SIGLO XX —Perú, ya afectado por la rebeldía armada y la gran deuda exterior, fue devastado por una epidemia de cólera en enero. La enfermedad, altamente contagiosa, causada por la contaminación del agua potable, mató a miles de peruanos en cuestión de meses y, aunque otros países latinoamericanos

prohibieron los viajes a Perú, la epidemia se extendió a Ecuador y Colombia. Fue el primer brote de cólera en el mundo desde el siglo XIX. ◀1907.3

Maxwell con una de sus últimas adquisiciones.

ECONOMÍA E INDUSTRIA

Un rey de la estafa

10 Su muerte fue tan sensacional como el propio magnate de la prensa: en noviembre de 1991, el editor británico Robert Maxwell desapareció durante un crucero por las islas Canarias a bordo de su lujoso yate, el *Lady Ghislaine*. Se encontró su cuerpo flotando boca arriba cerca de Tenerife.

Turbulento, tosco y llamativo, el multimillonario fue una de las principales figuras de los años ochenta. En las semanas posteriores a su muerte, una investigación sobre su imperio empresarial —formado por más de cuatrocientas compañías públicas y privadas— reveló que el magnate era algo más que eso: un estafador de proporciones históricas. Confidente internacionalmente reconocido de la nobleza y de los políticos, Maxwell había robado dos millones de dólares de sus compañías, buena parte de los fondos de pensiones. La prensa sensacionalista, entre ella los diarios de Maxwell *Daily Mirror* de Londres y *Daily News* de Nueva York, triunfó.

Nacido en Checoslovaquia y cuyo verdadero nombre era Jan Ludvik Hoch, llegó a Inglaterra durante la Segunda Guerra Mundial. Utilizó varios nombres antes de decidirse por el de Robert Maxwell. Gracias a su encanto, adulación y mentiras, reunió una serie de empresas financiadas de forma sospechosa. Las instituciones financieras más importantes del mundo hicieron cola para prestarle dinero. Cuando llegó la recesión a finales de los años ochenta, y sus acreedores le cerraron la puerta, Maxwell empezó a robar a sus empresas. Tenía una deuda de unos cuatro mil millones de dólares.

Maxwell murió cuando todo iba a hacerse público. Se sospechó que se había suicidado pero hubo quien pensó que planeaba fingir su muerte para evitar un proceso. Fuera lo que fuera (la autopsia indicó que le habían fallado los pulmones y el corazón), el escándalo Maxwell hizo que se cuestionaran las prácticas bancarias que habían hecho posibles sus planes.

COLOMBIA

La última fuga de Escobar

11 Pablo Escobar Gaviria, jefe del cártel de Medellín, estaba harto de escaparse en 1991. Sus perseguidores se sintieron satisfechos en junio, cuando se entregó y fue a la cárcel. Escobar negoció con las autoridades (que se avinieron a no extraditarle a Estados Unidos) y consiguió ser encerrado en una lujosa cárcel construida según sus especificaciones. Una vez dentro, continuó dirigiendo su imperio ilegal sin impedimentos. Cuando trece meses más tarde, el gobierno intentó trasladarlo a dependencias menos cómodas, Escobar y sus hombres (las visitas libres formaban parte de las condiciones de su rendición) tomaron como rehenes a dos oficiales. Al día siguiente, cuando cuatrocientos soldados consiguieron entrar, Escobar ya no estaba.

Durante los años ochenta, Escobar había transformado la ciudad industrial andina de Medellín en el centro mundial del tráfico de cocaína. Una milicia de mil hombres defendía el negocio matando a cualquiera que interfiriese, desde policías a competidores. En 1989, Colombia, ante la presión de Estados Unidos, inició una campaña contra Escobar. Éste respondió con una declaración de guerra. Durante el año siguiente se trasladó de escondite en escondite mientras sus hombres liquidaban a sus enemigos (incluso volaron un avión, matando a 107 pasajeros).

Escobar aterrorizaba al país mientras negociaba su ingreso en la «cárcel» de Envigado. Su fuga encolerizó al presidente César Gaviria Trujillo, y sus asesinatos le habían creado demasiados enemigos. En la cárcel estaba más seguro. Escobar eludió a sus enemigos hasta diciembre de 1993, cuando un batallón del ejército lo encontró en Medellín y lo mató. El tráfico de cocaína, sin embargo, continuó bajo una nueva dirección. **◀1985.8**

CINE

Una linterna prohibida

12 En 1991, Zhang Yimou acabó la que probablemente sea la mejor película china desde la revolución. No obstante, *La linterna roja*, segunda película china nominada para un Óscar a la mejor película extranjera, fue prohibida en su país. En el ambiente posterior a los sucesos de la plaza de Tiananmen, cualquier cosa china respaldada por el extranjero resultaba sospechosa. Además, la película contenía lo que quizá era una crítica sutil al gobierno chino: su villano, como en el anterior trabajo de Zhang *Ju Dou* (también prohibido), es un hombre dominante y manipulador.

Ambientada en los años veinte, *La linterna roja* narra el declive de una joven universitaria (la radiante Gong Li) que se convierte en la cuarta esposa de un patriarca rico y arrogante. Las esposas viven por los días en que la linterna está sobre *su* puerta, lo que indica la presencia de su esposo, porque esto les concede privilegios sobre las otras. La lucha por conseguir el favor del esposo destruye la confianza entre ellas y finalmente las lleva a la traición, la locura y la muerte.

Si Zhang hubiera pretendido que la película constituyera una metáfora de los males del despotismo, hubiera podido inspirarse en su propia experiencia. Como hijo de un mayor anticomunista del ejército del Kuomintang, cayó en el ostracismo. A pesar de sus dotes académicas, las autoridades le convirtieron en conserje de una fábrica. Aprendió fotografía solo y durante el deshielo que siguió a la muerte de Mao consiguió ingresar en la única escuela de cine de China, en Pekín. Fue cámara de la película de Chen Kaige *Tierra amarilla* (1984) y luego de *Sorgo rojo* (1987). No obstante, la popularidad de ambas películas en China no garantizaba la libertad artística. Chen emigró al cabo de poco tiempo a Nueva York. Zhang se quedó. No quería abandonar la tierra que le proporcionaba inspiración. **◀1950.11**

Fotograma de *La linterna roja*, protagonizada por Gong Li (*superior*).

PREMIOS NOBEL: Paz: Daw Aung San Suu Kyi (birmana; defensa de la democracia en Myanmar) [...] Literatura: Nadine Gordimer (sudafricana; novelista) [...] Química: Richard Ernst (suizo; resonancia magnética nuclear) [...] Medicina: Edwin Neher y Bert Sakmann (alemán; funciones celulares) [...] Física: Pierre-Gilles de Gennes (francés; cristales líquidos) [...] Economía: Ronald Coase (estadounidense).

La vuelta de Escarlata

De *Scarlett*, de Alexandra Ripley.

En 1936 Margaret Mitchell había publicado Lo que el viento se llevó. *El libro se convirtió en el más vendido después de la Biblia, sobre todo a partir de la versión cinematográfica. Alexandra Ripley, autora de la continuación de la epopeya sudista, recibió un adelanto equivalente a unos cincuenta millones de pesetas para escribir «lo que pensó Escarlata al día siguiente». A continuación un fragmento de la novela.*

«Esto terminará pronto, y entonces podré volver a Tara.»

Scarlett O'Hara Hamilton Kennedy Butler estaba sola, a pocos pasos de los demás asistentes al entierro de Melanie Wilkes. Estaba lloviendo, y los hombres y mujeres vestidos de negro sostenían negros paraguas para protegerse del aguacero. Se apoyaban los unos en los otros, llorando las mujeres, compartiendo el cobijo y el dolor.

Scarlett no compartía con nadie su paraguas y tampoco su dolor. Las ráfagas de viento entre la lluvia hacían que, a pesar del paraguas, se deslizasen frías gotas molestas por su cuello, pero ella no se daba cuenta. No sentía nada, estaba aturdida por aquella pérdida. Más tarde lloraría, cuando pudiese soportar el dolor. Ahora se mantenía aislada de todo: del dolor, del sentimiento, de las ideas. De todo, salvo de las palabras que se repetían una y otra vez en su mente, las palabras que prometían la curación de la aflicción venidera y la fuerza para sobrevivir hasta que estuviese curada.

«Esto terminará pronto, y entonces podré volver a Tara.»

—... ceniza a la ceniza, polvo al polvo...

La voz del pastor traspasaba la coraza de su aturdimiento y las palabras se grababan en su conciencia. «¡No! —gritó en silencio Scarlett—. Melly, no. Ésa no es la tumba de Melly; es demasiado grande, y ella es muy menuda; sus huesos no son mayores que los de un pájaro. ¡No! No puede estar muerta, no puede estarlo.»

Scarlett volvió la cabeza a un lado, para no ver la tumba abierta ni el sencillo ataúd de pino que estaban depositando en ella. En la blanda madera se observaban unas marcas en forma de pequeños semicírculos, señales dejadas por los martillos que habían clavado la tapa del féretro sobre la cara gentil, amable, en forma de corazón, de Melanie.

«¡No! No podéis, no debéis hacer esto; está lloviendo, no podéis dejarla en un lugar donde la lluvia caerá sobre ella. Siente tanto el frío que no hay que dejarla a merced de la lluvia helada. No puedo mirarlo, no puedo soportarlo, no quiero creer que haya muerto. Ella me quiere, es mi amiga, mi única verdadera amiga. Melly me quiere, no me dejaría cuando más la necesito.»

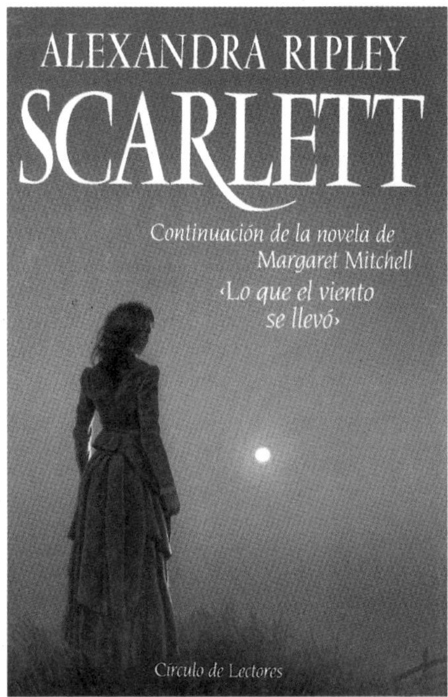

ALEXANDRA RIPLEY
SCARLETT
Continuación de la novela de
Margaret Mitchell
«Lo que el viento
se llevó»
Círculo de Lectores

Contempló a los que rodeaban la fosa y la invadió la cólera. «Ninguno de ellos lo siente tanto como yo, ninguno de ellos ha perdido tanto como yo. Nadie sabe lo mucho que la quiero. Pero Melly sí que lo sabe, ¿verdad? Lo sabe. Tengo que creer que lo sabe.

»En cambio, ellos nunca lo creerán. Ni la señora Merriwether ni los Meade ni los Whiting ni los Elsing. Vedlos, agrupados alrededor de India Wilkes y de Ashley como una bandada de cuervos mojados, con sus trajes de luto. Están consolando a tía Pittypat, sí, aunque todo el mundo sabe que llora desaforadamente por cualquier cosilla, incluso cuando se le quema una tostada. No comprenden que yo pueda necesitar consuelo porque estaba más próxima a Melanie que cualquiera de ellos. Actúan como si yo no estuviese aquí. Nadie me ha prestado la menor atención. No siquiera Ashley. Bien sabía que yo estaba allí durante los dos terribles días que siguieron a la muerte de Melly, cuando me necesitaba para arreglar las cosas. Todos me necesitaban, incluso India, que balaba como una cabra. «¿Qué haremos acerca del entierro, Scarlett? ¿Y acerca del refrigerio para los visitantes? ¿Y acerca del ataúd, de los portadores del féretro, del sitio en el cementerio, de la inscripción de la lápida, de la esquela en el periódico?» Ahora están todos juntitos, apoyados los unos en los otros, gimiendo y llorando. Bueno, no les daré la satisfacción de verme llorar a solas, sin nadie en quien recostarme. No debo llorar. No aquí, todavía no. Si empiezo, tal vez no podré detenerme. Cuando llegue a Tara podré llorar.»

Scarlett levantó la barbilla, apretados los dientes para que no castañeteasen con el frío, para contener el sollozo que se formaba en su garganta. «Esto terminará pronto, y entonces podré volver a Tara.»

«Hemos tenido que aceptar la guerra porque las alternativas —rendición o traición— no existen para nosotros.»

—El general Blagoje Adzic, jefe del estado mayor del ejército serbio

HISTORIA DEL AÑO

El sitio de Sarajevo

1 El conflicto europeo más sangriento desde la Segunda Guerra Mundial empezó en 1992, cuando la república yugoslava de Servia, presidida por el nacionalista Slobodan Miloševic y presionada por los serbios-bosnios, inició una campaña brutal para anexionarse zonas de la república de Bosnia-Herzegovina. Yugoslavia, étnicamente dividida, ya había empezado a desintegrarse: las repúblicas de Eslovenia y Croacia habían declarado su independencia (la última tras una guerra contra Serbia), y la república de Macedonia había anunciado su secesión. En abril, después de que la comunidad internacional reconociera la independencia de Bosnia, el ejército yugoslavo, de mayoría serbia, y las milicias serbo-bosnias se movilizaron para apoderarse de todo el territorio posible para formar «la gran Serbia».

Bosnia era un compendio de grupos étnicos y religiosos (44 % musulmana, 31 % serbia y 17 % croata). Su centro político y espiritual era la histórica y elegante Sarajevo. Durante quinientos años la población diversa de la ciudad había vivido en una paz relativa, interrumpida por brotes de furia nacionalista como el que provocó la Primera Guerra Mundial (En 1984, una época más feliz, Sarajevo acogió los Juegos Olímpicos.) Ahora la capital estaba sufriendo un sitio despiadado. Sus habitantes se acurrucaban en sótanos y pisos fríos, bajo la amenaza de bombardeos y francotiradores y sufriendo falta de comida, medicinas y combustible.

Otras comunidades bosnias también fueron sometidas a la «limpieza étnica» de los serbios. Al resucitar un odio que se remontaba al siglo XIV, cuando los turcos-musulmanes conquistaron Serbia, los soldados de Miloševic vaciaron de musulmanes pueblos enteros. A veces mataban a sus habitantes directamente, otras los sometían a una rutina de violación y tortura y los dejaban morir de hambre en campos de concentración. A finales de año, más de un millón de personas habían dejado sus casas y decenas de miles habían fallecido. Las unidades paramilitares croatas, bosnias y musulmanas, a veces aliadas, a veces rivales, cometieron atrocidades en una escala menor.

Habitantes de Sarajevo observan las consecuencias de un ataque con morteros.

La Comunidad Europea, Estados Unidos y la ONU impusieron sanciones a Serbia y organizaron misiones de socorro (bloqueadas sistemáticamente por los serbios). Sin embargo, ni los negociadores ni las fuerzas pacificadoras, que llegaron a la zona en marzo, lograron detener la lucha. Mientras tanto, Croacia también empezó a apoderarse de zonas de Bosnia. Las fuerzas gubernamentales de Bosnia, de mayoría musulmana, con menos armas que sus enemigos, lucharon con tenacidad pero en vano. **◂1991.2 ▸1994.9**

UNIÓN SOVIÉTICA

Tras la desintegración, el caos

2 En las repúblicas del sur de la antigua Unión Soviética, la guerra civil estalló en 1992. Desde Moldavia en el oeste, a través de los países del Cáucaso de Georgia, Armenia y Azerbaiyán, hasta Tajikistán en la frontera afgana, se despertaron las enemistades étnicas. La Unión Soviética se había desintegrado pero la tarea de imponer el orden todavía residía en Rusia, el país dominante de la zona. Boris Yeltsin, el primer jefe de Estado elegido libremente en la historia rusa, tenía que definir el papel de su nación.

Con el separatismo se acentuaron los deseos de pureza étnica. Aquí miden a un crimeo para determinar su pureza.

El problema de Yeltsin se remontaba a Joseph Stalin. Para asegurar la hegemonía de Moscú, el dictador se preocupó de que en todas las repúblicas soviéticas la mayoría étnica estuviera equilibrada con una minoría significativa. Con este fin, promovió la emigración rusa a territorios lejanos. Según el principio de «divide y vencerás», trazó las fronteras de las repúblicas dividiendo territorios étnicamente homogéneos. Nagorno-Karabakh, con una mayoría armenia cristiana, pasó a formar parte de Azerbaiyán, islámico, y a finales de los años ochenta se convirtió en el centro de una guerra brutal entre Azerbaiyán y Armenia. La región de Dniester, un reducto étnico ruso y ucraniano, se fusionó con Moldavia, rumana, y estableció las bases para un futuro movimiento secesionista en los años noventa.

En Georgia, el presidente Eduard Shevardnadze, antiguo ministro soviético de asuntos exteriores, heredó dos conflictos de este tipo: Ossetia del Sur, hasta 1990 una zona autónoma de habla iraní dentro de Georgia, pidió la independencia (la obtuvo en mayo de 1992); Abkhazia, una zona musulmana del mar Negro, también quería la secesión. Cuando la violencia se intensificó, Shevardnadze, antes defensor de la autodeterminación, pidió a Rusia que interviniera. Yeltsin envió soldados.

En realidad, los soldados rusos iban a cualquier sitio donde había guerra civil. Yeltsin reclamaba su papel neutral de pacificador pero dada la historia imperialista de Rusia muchos se mostraban escépticos ante tales motivos. Otros consideraban que el presidente, inmerso en una lucha de poder contra los comunistas radicales, carecía de la autoridad suficiente para evitar que el ejército de su país interviniera donde quisiera. **◂1991.5 ▸1993.4**

EL SALVADOR

Paz tras años de guerra

3 La guerra civil de El Salvador finalizó en febrero de 1992 con los acuerdos de paz entre la Alianza Republicana Nacional de derechas (ARENA) y los rebeldes izquierdistas del Frente de Liberación Nacional Farabundo Martí (FLNFM). Más de setenta y cinco mil personas murieron en los doce años de guerra que habían enfrentado a estudiantes radicales, intelectuales, sindicalistas, sacerdotes y campesinos contra un régimen controlado por una oligarquía intransigente y por un ejército despiadado. Ahora, ambos bandos sacrificaban la victoria por la paz, el único deseo de muchos salvadoreños.

El tratado mediado por la ONU imponía un alto el fuego inmediato seguido del desarme progresivo de los rebeldes. Se acordó purgar al ejército de oficiales corruptos (los militares habían cometido el 85 % de los crímenes de guerra, entre ellos torturas y asesinatos de civiles, sacerdotes y monjas), reducir el ejército a la mitad y abrir el sistema político del país. La transición, supervisada por mil soldados de la ONU, duró dos años.

Más que ningún otro factor, el fin de la guerra fría hizo posible la paz en El Salvador. Las revoluciones democráticas no violentas del este y el centro de Europa, la desintegración de la Unión Soviética y la derrota electoral de los sandinistas en Nicaragua obligaron a los rebeldes a replantearse su misión. El gobierno a su vez ya no podía contar con la ayuda de Washington, que había ascendido a más de cuatro millones de dólares durante la guerra para apartar a El Salvador de Moscú.

A pesar de los obstáculos del proceso de paz (indulto de criminales de guerra, aplazamiento de la reducción del ejército, asesinatos por algunos escuadrones de derechas), se celebraron elecciones en 1994. El candidato de la ARENA, Armando Calderón Sol, ganó la presidencia a

ARTE Y CULTURA: Libros: ***Corazón tan blanco*** **(Javier Marías);** ***Estatua con palomas*** **(Luis Goytisolo) [...] Música:** ***Diva*** **(Annie Lennox, LP);** ***Tennessee*** **(Arrested Development, LP);** ***Come as you are*** **(Nirvana, LP);** ***No fences*** **(Garth Brooks, LP);** ***The face of the night, the heart of the dark*** **(Wayne Peterson);** ***The voyage*** **(Philip Glass) [...]**

«Queremos un futuro seguro y yo intento contribuir a que lo tengáis.»—**Bill Clinton durante su campaña presidencial de 1992**

Guerrilleros salvadoreños celebran bailando el fin de la guerra civil.

Rubén Zamora, candidato de una coalición liderada por el FLNFM, pero los antiguos guerrilleros obtuvieron un número significativo de escaños en la asamblea nacional. Ni siquiera el fraude electoral de la ARENA (votos de muertos, personas vivas que no pudieron votar) ahogó el entusiasmo por el cambio de las balas por las urnas. **◄1987.2**

ESTADOS UNIDOS

Fin de la era Reagan-Bush

4 La diferencia esencial entre el presidente republicano George Bush y su oponente demócrata Bill Clinton en la campaña presidencial de 1992 residió en buena parte en el aspecto económico. Bush (heredero de una compañía petrolífera y continuador de la política económica de Reagan) insistía en que la recesión americana no era tan mala y en sus logros en la política exterior. Clinton convirtió la recuperación en su tema principal. Presentó planes complejos para estimular el crecimiento, recordó al electorado sus raíces de clase obrera y recetó: «trabajo, trabajo, trabajo».

La estrategia de Clinton funcionó. Él y su compañero de campaña Albert Gore, un senador de Tennessee defensor del medio ambiente, obtuvieron un 43 % de los votos en noviembre, Bush un 38 % y H. Ross Perot, un multimillonario de Texas, el 19 %. La victoria de Clinton rompía un mandato republicano de doce años en la Casa Blanca y significaba el fin de la revolución Reagan. El propio Bill Clinton, joven y dinámico, había hecho de la palabra «cambio» su muletilla.

No obstante, su ajustada victoria y el déficit presupuestario aseguraban que el cambio no sería drástico. Tras tomar posesión en enero de 1993 Clinton, el primer presidente de la época posterior a la guerra fría y el primero nacido después de la Segunda Guerra Mundial, vio desintegrada su propuesta de creación de empleo por el congreso; su plan para suministrar seguros de enfermedad para todo el mundo topó con el mismo obstáculo. A nivel internacional, Clinton (que se había opuesto públicamente a la guerra del Vietnam) abandonó la actitud militarista de sus predecesores inmediatos sin condenarla en principio. Fue muy criticado por no intervenir rápidamente en asuntos como los de Haití y Bosnia.

La estrategia de la campaña de Clinton consistió en describir a él y a su partido (considerados por muchos como liberales defensores de «los impuestos y el gasto») como centristas moderados. El ambiente de conservadurismo creado en la América republicana se disipaba, pero no existían indicios de una revolución Clinton. **◄1988.NM ►1994.NM**

CANADÁ

Continuidad en Quebec

5 En 1992 los canadienses rechazaron el intento más ambicioso de su gobierno para resolver su cuestión más apremiante: la situación de Quebec. Desde los años sesenta, el tema de la secesión dominó la política de la gran provincia francófona, cuestionando la unidad de Canadá. Aunque en 1980 los habitantes de Quebec rechazaron un plan de independencia, incluso los dirigentes provinciales no separatistas habían empezado a apoyar una campaña para conseguir más autonomía. Las autoridades federales negociaron el acuerdo de Meech Lake, un compromiso, pero en 1990 las otras provincias no lo ratificaron. En 1992, dirigentes locales y federales diseñaron una serie de cambios constitucionales destinados a lograr que un Quebec más autónomo resultara aceptable para el resto de Canadá.

Hillary Rodham Clinton y Bill Clinton en la fiesta de investidura en enero de 1993.

Las enmiendas propuestas concedían algo a casi todas las partes. Los habitantes de Quebec obtendrían el control principal sobre su economía, sus asuntos municipales y sus actividades culturales. Su provincia sería reconocida como «una sociedad diferente». Las provincias occidentales podrían elegir directamente a un senado nacional. Los pueblos indígenas alcanzarían un grado de autogobierno. Sin embargo, las secciones referentes a Quebec defraudaron las esperanzas de la mayoría de los francófonos, los que se oponían a la autonomía se quejaron de que las concesiones eran excesivas, y muchos canadienses se inclinaban a oponerse a «cualquier» medida respaldada por el primer ministro Brian Mulroney, un conservador cuya incapacidad para dominar la profunda recesión le había convertido en el dirigente menos popular en medio siglo.

Detractores de los cambios constitucionales se manifiestan en Montreal.

En octubre se celebró un referéndum nacional sobre el programa, y el 54 % del electorado votó «no». Una vez más, los canadienses decidieron no decidir. **◄1976.6**

MUERTES

Néstor Almendros, director cinematográfico español.

Isaac Asimov, escritor estadounidense.

Francis Bacon, pintor británico.

Menachem Begin, primer ministro polaco-israelita.

John Cage, compositor estadounidense.

Marlene Dietrich, actriz germano-estadounidense.

Alexander Dubček, líder político checo.

José Ferrer, actor y director estadounidense.

Juan García Hortelano, escritor español.

Benny Hill, cómico británico.

Petra Kelly, líder política alemana.

Antonio Molina, cantante español.

Astor Pizraolla, compositor argentino.

Anthony Perkins, actor estadounidense.

Emilio Pucci, diseñador de moda italiano.

Janio Quadros, político brasileño.

Luis Rosales, poeta español.

Pintura y escultura: ***Naked man, back view*** **(Lucien Freud);** ***The Caliph's Garden*** **(Anthony Caro) [...] Cine:** ***Sin perdón*** **(Clint Eastwood);** ***El jugador*** **(Robert Altman);** ***Regreso a Howards End*** **(James Ivory);** ***Malcolm X*** **(Spike Lee) [...] Teatro:** ***El pícaro*** **(Fernando Fernán Gómez).**

«Que los cerdos se revuelquen en el barro. No es nuestro lugar.»—**Fernando Collor de Mello, presidente de Brasil, sobre los periodistas y la comisión parlamentaria que investigaba los cargos de corrupción contra él**

NOVEDADES DE 1992

El mayor complejo comercial de Estados Unidos (Mall of America, en Minnesota, con el mayor parque interior de atracciones del mundo).

Se aprueba el uso de los parches de nicotina como tratamiento de deshabituación tabáquica.

EN EL MUNDO

▶HURACÁN ASESINO —Cuando el huracán Andrew llegó a la costa del golfo de México en agosto, agentes federales evacuaron a un millón de personas entre Miami y Fort Lauderdale. Aún así, los vientos de la tormenta mataron a catorce personas y dejaron sin hogar a doscientas cincuenta mil. Con daños valorados en más de veinte mil millones de dólares sólo en el estado norteamericano de Florida, el Andrew fue el huracán más costoso de la historia de Estados Unidos.

▶SEVILLA 92—Entre el 20 de abril y el 12 de octubre tuvo lugar en Sevilla la Exposición Universal que continuaba una

tradición iniciada en Londres en 1851 y que contaba ya con 65 capitales. Estas manifestaciones, cuyo carácter espectacular ha crecido a lo largo de casi siglo y medio de existencia, han servido de escaparate al progreso económico y tecnológico. Desde la primera, cuyo emblema pudiera ser el Cristal Palace, paradigma de la arquitectura nueva del acero y el vidrio, hasta la de Sevilla, que contaba con un pabellón del futuro, las exposiciones han sido un exponente del desarrollo de la técnica y de la cultura de su época. Así, en 1867, nació el *Danubio azul* de Richard Strauss para la Exposición de París, la

ÁFRICA ORIENTAL

Anarquía en Somalia

6 Tras más de un año de guerra civil y hambre, Somalia (con una población de siete millones) por fin atrajo la atención mundial en agosto de 1992. Este mes, los países de Europa occidental, Estados Unidos y la ONU empezaron a enviar comida a Somalia. Antes de que finalizara el año, Estados Unidos y la ONU también mandaron fuerzas de pacificación, pero la tragedia pronto adquirió unas dimensiones terribles.

La lucha había empezado en enero de 1991, cuando el dictador Muhammad Siad Barre fue derrocado por el general Muhammad Farah Aidid. Los políticos se dividieron y el golpe provocó una lucha entre los clanes hawiye, partidario de Aidid, y darod, partidario de Barre. Cuando Muhammad Ali Mahdi (hawiye y miembro de la facción rebelde de Aidid, el Congreso Somalí Unido) se convirtió en presidente provisional también estalló la lucha entre facciones rivales hawiye. Cuando los envíos de socorro empezaron a llegar, Somalia no contaba con un gobierno que supervisara su distribución. Las milicias leales a los clanes en guerra se apoderaban de los suministros de alimentos.

En diciembre, en uno de sus últimos actos como presidente, George Bush mandó fuerzas militares para imponer el orden, pero sin un líder somalí capaz de gobernar legalmente, la anarquía continuó. La campaña de ayuda alivió el hambre, los esfuerzos de los ocupantes para desarmar a las facciones rivales fracasaron y la tentativa de apoyo a Somalia se convirtió en resentimiento. Después de que soldados de Aidid mataran a 24 pakistaníes de las fuerzas de paz en junio, el nuevo presidente de Estados Unidos, Bill Clinton, envió a su ejército para que capturara a Aidid. Cuatro meses más tarde, una incursión mal organizada en los cuarteles del general acabó con la muerte de 18 americanos. Fotografías de somalíes que arrastraban el cadáver mutilado de un americano por la capital, Mogadiscio, ahogaron el entusiasmo de los americanos. En la primavera de 1994 los soldados de Estados Unidos se habían retirado, pero Somalia seguía siendo un caos. **◂1984.4**

Milicianos somalíes patrullan las calles de Mogadiscio.

BRASIL

Un presidente desacreditado

7 En Brasil, una nación rica en recursos naturales pero empobrecida por malos gobiernos de dictadores corruptos o juntas militares represivas, ningún líder había sido tan corrupto como Fernando Collor de Mello *(izquierda)*, que dimitió en 1992 tras ser procesado. Durante sus tres años en el gobierno, Collor, el primer presidente electo de Brasil en treinta años, robó más de treinta y dos millones de dólares cuando fue elegido precisamente por prometer acabar con la corrupción. Tras años de dominio militar vergonzoso, tanto el pueblo como la elite económica habían creído en él.

La revelación del tráfico de influencias y los desfalcos de Collor (su hermano menor lo acusó en mayo de abuso de drogas) supuso un grave desafío para la joven democracia brasileña. En el pasado, los líderes indeseables eran derrocados con golpes de Estado o mantenían el poder con la ayuda del ejército, pero esta vez el congreso decidió expulsar legalmente al culpable. Después de que una investigación revelara pruebas de evasión de fondos, los diputados votaron procesarlo. Collor se declaró inocente afirmando que no era el tipo de hombre que dimitía, pero cuando en diciembre empezó su juicio estuvo claro que había perdido (aunque finalmente fue absuelto en 1994). Collor se convirtió en el primer jefe de Estado de la turbulenta historia latinoamericana que fue legalmente expulsado de su cargo.

La democracia brasileña sobrevivió al engaño de Collor pero la confianza nacional se hundió. Brasil, lleno de problemas —una inflación que aumentaba un 20 % mensual, las enormes diferencias entre ricos y pobres, una deuda exterior enorme y problemas sociales de vivienda, mortalidad infantil y delincuencia— recibió una bocanada de aire fresco en 1994 con la elección de Fernando Henrique Cardoso como presidente. Cardoso, antiguo ministro de economía, había establecido un sistema de cambio monetario que por fin consiguió dominar la inflación del país. **◂1989.8**

PERÚ

Sendero Luminoso decapitado

8 En abril de 1992 el presidente Alberto Fujimori suspendió la constitución y disolvió el parlamento, medidas necesarias para derrotar a los guerrilleros de Sendero Luminoso, según alegó. En doce años de violencia Sendero Luminoso, maoísta, había ocasionado daños valorados en veinte mil millones de dólares y veinticinco mil peruanos, la mayoría no combatientes, fueron asesinados.

El líder de Sendero Luminoso era Abimael Guzmán Reynoso, antiguo profesor de filosofía que abandonó el Partido Comunista peruano por ser «revisionista», y defendía una forma de lucha de clases particularmente despiadada, inspirada en la revolución cultural de Mao con ecos del genocida Pol Pot de Camboya. Su visión utópica mezclaba una China comunista idealizada con la resurrección del Imperio Inca. Los seguidores de Guzmán, los senderistas, iniciaron sus ataques terroristas cerca de la ciudad andina de Ayacucho en 1980. Pronto Sendero Luminoso y el camarada Gonzalo, como se autodenominó

DEPORTES: Juegos Olímpicos celebrados en Albertville (Francia) y Barcelona.

«Se parece mucho a viajar con doce estrellas del rock.»—**Chuck Daly, entrenador del «Dream Team»**

Guzmán, controlaron buena parte del campo y actuaron en Lima y otras ciudades. Los coches-bomba, los asesinatos, la destrucción de plantas eléctricas, las matanzas de trabajadores sociales en barrios de chabolas, las masacres de campesinos que se negaban a colaborar y los extraños alardes de fuerza (en una ocasión los senderistas colgaron perros muertos en las farolas de Lima) convirtieron a Guzmán en el hombre más temido del país.

Cuando Fujimori (un ingeniero de origen japonés que derrotó al novelista Mario Vargas Llosa en las elecciones de 1990) asumió poderes dictatoriales, el terror de Sendero Luminoso, la alta inflación y la emigración de campesinos a Lima condujeron a Perú al borde de la anarquía. Afortunadamente para Fujimori, cuyas medidas habían despertado el rechazo internacional, agentes del gobierno pronto capturaron a Guzmán en Lima. El terrorista fue condenado a cadena perpetua pero antes fue desmitificado por Fujimori, que lo mostró con gafas y barrigón, en una jaula. En diciembre de 1993, Perú recuperó el gobierno constitucional. 
◂1985.8

El terrorista Abimael Guzmán fue detenido y mostrado en una jaula.

DEPORTES

El «Dream Team»

10 **Aprovechando una nueva normativa que permitía a los profesionales competir en los Juegos Olímpicos, Estados Unidos presentó al mejor equipo de baloncesto de los Juegos de Barcelona de 1992 (en realidad, uno de los mejores equipos de cualquier deporte). Capitaneado por el dotado Michael Jordan, los doce hombres del «Dream Team», David Robinson, John Stockton, Karl Malone, Larry Bird, Earvin «Magic» Johnson, Chris Mullin, Patrick Ewing, Charles Barkley, Christian Laettner, Scottie Pippen y Clyde Drexler, ganaron los siete partidos por una media de 44 puntos y, después de cada victoria, firmaron autógrafos a sus sorprendidos rivales.**

Rápido, atlético y dominado por americanos negros, el baloncesto era el deporte que crecía más rápidamente (aunque el fútbol todavía era el más jugado), y los tres hombres responsables de su popularidad (Bird, Johnson y Jordan) jugaron en Barcelona. Para Bird y Johnson su actuación en Barcelona fue una despedida. Lesionado en la espalda, Bird se retiró al cabo de dos semanas. Johnson lo había hecho en 1991 por su diagnóstico de seropositivo y regresó a la pista sólo para los Juegos Olímpicos. Jordan acabaría otra gloriosa temporada con los Chicago Bulls antes de retirarse. ◂1991.NM ▸1993.NM

ÁFRICA OCCIDENTAL

Fin de la tregua en Liberia

9 La guerra civil de Liberia se reavivó en marzo de 1992 tras un alto el fuego de 17 meses. Antes de la tregua, mediada por catorce países africanos, habían fallecido unas veinticinco mil personas de una población de dos millones y medio. Desde entonces, el hambre se intensificó y las campañas de socorro de las fuerzas pacificadoras de África occidental (el ECOMOG, dirigido por la Comunidad Europea) fueron bloqueadas por el líder rebelde Charles Taylor, cuyo Frente Patriótico Nacional de Liberia (FPNL) controlaba toda Liberia excepto la capital, Monrovia. Allí el ECOMOG estableció un gobierno provisional presidido por Amos Sawyer, un disidente de la dictadura de Samuel Doe. El rival de Taylor, Prince Johnson, se había retirado con sus soldados a un recinto suburbano. Esta paz insegura se convirtió en una guerra cuando una cuarta facción, los restos del ejército de Doe, llamada Movimiento Unido de Liberación de Liberia (ULIMO) atacó a las fuerzas de Taylor cerca de la frontera de Sierra Leona.

Cuando la lucha se intensificó, Taylor acusó a los soldados del ULIMO de ser miembros camuflados del ECOMOG. En agosto, tras la negativa de la ONU a enviar a sus propias fuerzas pacificadoras, Taylor atacó al ECOMOG. El ejército de Sierra Leona se añadió a la lucha para combatir a un grupo guerrillero apoyado por Taylor. La guerra llegó a Monrovia cuando las fuerzas del FPNL atacaron una base militar del gobierno y la ciudad. El ECOMOG respondió bombardeando posiciones del FPNL. El mundo no se enteró de la agonía de Liberia hasta noviembre, cuando cinco monjas americanas que dirigían un orfanato cerca de la capital fueron asesinadas, aparentemente por hombres de Taylor.

Finalmente la ONU impuso un embargo de armas a Liberia, con excepción del ECOMOG, que intentaba consolidar su dominio sobre Monrovia. En julio de 1993, los combatientes firmaron un acuerdo para deponer las armas y celebrar elecciones. Al verano siguiente, todavía no existían indicios de paz. **◂1990.9**

Los rebeldes de Liberia portaban extraños complementos para luchar.

primera retransmisión de un concierto se realizó en Amberes en 1885, Barcelona plasmó su desarrollo económico y urbanístico en 1888, Eiffel construyó su torre, símbolo de París, para la de 1889 y, durante la segunda mitad del siglo XX, buena parte de los últimos adelantos técnico-científicos, como las aplicaciones de la electrónica, la televisión en color, la conquista del espacio y los usos pacíficos de la energía nuclear, tuvieron como escaparate las exposiciones universales. Por otra parte, estas manifestaciones se han transformado en un acontecimiento de masas. La Expo de Sevilla recibió, más de 41.800.000 visitantes, acreditó a 23.900 periodistas y contó con pabellones de un centenar de países.

▸TYSON CULPABLE—En julio Mike Tyson, campeón de boxeo de los pesos pesados tres veces consecutivas, fue condenado por haber violado a la aspirante a Miss América negra, de 18 años, Desiree Washington. Tyson, que en 1990 perdió su título en una humillante derrota ante Buster Douglass, se declaró inocente pero fue sentenciado a seis años.

▸GUERRA CIVIL EN SUDÁN—La guerra civil iniciada diez años atrás en Sudán, el mayor país de África, entró en una nueva fase de violencia en 1992 cuando el dictador Omar Hassam Ahmed al-Bashir intentó imponer la ley islámica en el sur, animista y cristiano, donde la guerrilla luchaba por la autonomía de la zona. En febrero, el gobierno expulsó de Jartum, la capital del norte, a cuatrocientos mil refugiados, lo que aumentó los problemas ya graves de desplazamiento. Mientras el hambre causado por la guerra se intensificaba en el sur, el gobierno dirigía la ayuda internacional al norte y atacaba poblados sospechosos de refugiar a rebeldes. En septiembre la ONU suspendió su operación de ayuda porque sus efectivos eran atacados tanto por el gobierno como por los guerrilleros.

▸GOLPE EN AFGANISTÁN—Muhammad Najibullah, dictador comunista de

POLÍTICA Y ECONOMÍA: **Bill Clinton elegido presidente de Estados Unidos, derrotando a George Bush [...] La General Motors anuncia pérdidas de más de cuatro mil millones de dólares (las máximas hasta la fecha).**

Afganistán, fue derrocado en abril, más de tres años después de la retirada de las tropas soviéticas. El nuevo gobierno de coalición no consiguió dominar la situación y Afganistán pronto se vio inmerso en una guerra civil. ◂1988.NM

▸EL GATO Y EL RATÓN—En agosto, los aliados de la guerra del Golfo establecieron una zona que no podía sobrevolarse para detener la ofensiva de Saddam Hussein contra los musulmanes chiítas que quedaban. Hussein se enfrentó a otros enemigos dentro de las fronteras de Iraq: en el norte, empleó armamento pesado contra los separatistas kurdos pero éstos sobrevivieron y en septiembre, las dos facciones principales se unieron. En Bagdad un equipo de inspectores nucleares de la ONU jugaron al gato y al ratón con Hussein durante todo el verano, pero en otoño anunciaron que Iraq no contaba con fuerzas nucleares efectivas. ◂1991.1 ▸1993.NM

La conflictiva pareja ni siquiera se mira.

GRAN BRETAÑA

Un año difícil

11 El que en principio tenía que ser un año de celebración para la reina Isabel de Inglaterra, el 40.° aniversario de su ascenso al trono, resultó ser un desastre absoluto. El año 1992, marcado por los problemas matrimoniales de la joven generación de la casa de Windsor, los ataques públicos a la reina porque no tenía que pagar impuestos y un incendio catastrófico en el castillo de Windsor, fue uno de los peores años de la monarquía desde el siglo XVI.

La primera de las tres parejas reales que se disolvió, el príncipe Andrés y su esposa Sarah Ferguson, se separó en marzo. Anteriormente se habían publicado fotografías de «Fergie», en compañía de su «consejero financiero», haciendo *topless* en la Riviera. En abril, la princesa Ana, la única hija de la reina, se divorció. Estos problemas maritales no fueron nada comparados con los de Carlos y Diana, el príncipe y la princesa de Gales.

En junio se publicó una biografía semiautorizada de Diana (permitió que sus amigos hablaran con el autor), según la cual Carlos había sido infiel y Diana había intentado suicidarse varias veces. Mientras tanto, los periódicos de Londres publicaron dos conversaciones telefónicas subidas de tono: una entre Carlos y su supuesta amante y otra entre Diana y el suyo. En diciembre, el Palacio de Buckingham anunció de forma oficial la separación de la pareja.

En noviembre se produjo el incendio del castillo de Windsor y por entonces muchos británicos habían perdido sus simpatías por la monarquía. El dinero era uno de los motivos: a pesar de que la reina poseía una de las mayores fortunas del mundo, se esperaba que las reparaciones se hicieran con dinero público y la monarquía ya costaba unos cien millones de libras anuales. Unos días después, se avino a pagar impuestos. **◂1981.4**

EUROPA

¿Europa unida?

12 El Tratado de Maastricht se firmó el 7 de febrero de 1992. Nacía así la Unión Política Europea que agrupaba a los doce países miembros de la CE. Era el proyecto más ambicioso emprendido jamás para crear una Europa unificada. En un plazo relativamente corto (siete años), los estados firmantes se comprometían a crear un mercado único europeo en todos sus ámbitos e implicaciones, a garantizar la libre circulación de bienes y personas por lo que sería el mayor espacio económico del mundo, a llevar a cabo una unión monetaria, creando una moneda común destinada a sustituir a las nacionales en una fase posterior, a realizar una política exterior comunitaria y a desarrollar una intensa cooperación en los asuntos internos.

Los cambios producidos en 1990-1991, con la desintegración de la Unión Soviética y la radical modificación de la situación de la Europa del este cobraban una especial relevancia en relación con el proceso de unificación europea. La Europa unida aparecía como la única alternativa posible (a la vez económica y política) a la hegemonía mundial norteamericana. Sin embargo, las nuevas condiciones producidas por la retirada de Rusia del Oriente europeo no sólo ofrecían oportunidades sino que también planteaban nuevos problemas. La reunificación alemana ampliaba el espacio de la Comunidad Europea pero añadía incógnitas al precario equilibrio entre unas divisas débiles en su mayoría frente a un marco alemán preocupado por financiar sin inflación la incorporación de la antigua República Democrática. El retraso en la realización del mercado interior repercutiría en las siguientes etapas consensuadas en Maastricht: la unión monetaria, la política exterior común y la cooperación en los asuntos internos.

Miembros de la nueva Comisión de la Comunidad Europea (6 de enero de 1993).

GUATEMALA

Defensora de derechos gana el Nobel

13 El comité del Premio Nobel realizó toda una declaración política en 1992, el 500.° aniversario del primer viaje de Colón a las Américas, al otorgar el Premio de la paz a la activista de los derechos humanos guatemalteca Rigoberta Menchú, una india quiché de 33 años, que había trabajado durante más de una década para denunciar la sistemática opresión que sufría la población indígena de su país, un 80 % del total. En el curso de 32 años de insurrección civil (la más larga de la historia latinoamericana), una serie de regímenes militares habían asesinado a unos ciento cincuenta mil ciudadanos, muchos de ellos campesinos indios que se rebelaron contra el sistema de plantaciones de Guatemala. Otras cincuenta mil personas habían «desaparecido» y miles más se habían convertido en refugiados.

La misma Menchú había perdido a cinco parientes. Uno de sus hermanos, que trabajaba en una plantación de café, murió a causa de los pesticidas, otro por desnutrición. Un tercer hermano fue azotado y quemado vivo por las fuerzas de seguridad, que le acusaron de «comunista». Su padre, un organizador sindical, fue uno de los 39 refugiados muertos en la embajada española, incendiada por soldados del gobierno. Su madre fue violada y torturada por los soldados hasta morir. En 1980 Menchú, a riesgo de morir, ayudó a organizar una huelga en una plantación, que fue apoyada por ochenta mil partidarios. Cuando las fuerzas de seguridad se acercaron, huyó del país.

Los activistas internacionales la apoyaron, pero en su país se la consideraba como un elemento subversivo. Utilizó el dinero del Nobel para establecer una fundación para los derechos humanos con sede en México dirigida a todos los indios de América. En 1993, a pesar de la represión, regresó a su país. Al año siguiente, la guerrilla y el gobierno de Guatemala firmaron un pacto de paz. Entre las estipulaciones estaba una investigación de la ONU sobre los abusos del pasado. **◂1984.8**

PREMIOS NOBEL: Paz: Rigoberta Menchú (guatemalteca; derechos para los indios) [...] Literatura: Derek Walcott (trinidadiense; poeta y dramaturgo) [...] Química: Rudolph Marcus (EE.UU.; comportamiento de moléculas) [...] Medicina: E. Fischer y E. Krebs (EE.UU.; proteínas celulares) [...] Física: George Charpak (francés; detector de partículas) [...] Economía: Gary Becker (EE.UU.).

Barcelona olímpica

1992

1992 fue un año marcado por varios acontecimientos en España. Además de la Exposición Universal de Sevilla, Madrid fue Capital Cultural y los Juegos Olímpicos se celebraron en Barcelona. La capital catalana se había preparado para la ocasión y había experimentado profundas mejoras a nivel estético y en sus infraestructuras. La ciudad entera se volcó en los juegos, participaron miles de voluntarios y a la emocionante y espectacular ceremonia de apertura asistieron sesenta mil espectadores. Tras el desfile de las delegaciones (entre ellas las de las nuevas naciones bálticas, Croacia, Eslovenia, Bosnia-Herzegovina), llegó el último relevo con la llama olímpica y la entregó al arquero Antonio Rebollo, que encendió el pebetero con una flecha. Los atletas españoles consiguieron más de veinte medallas.

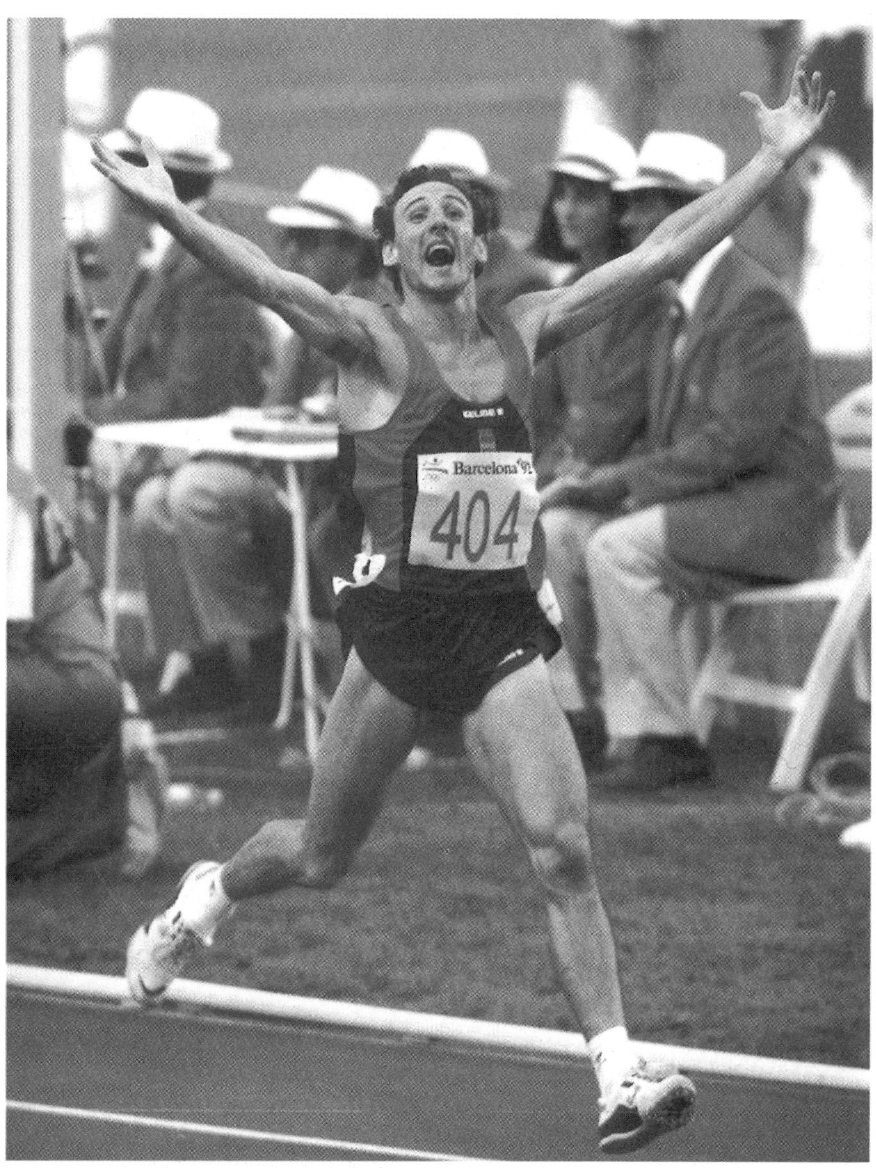

El soriano Fermín Cacho tras vencer en la prueba de los 1.500 metros lisos.

«Nosotros que hemos luchado contra vosotros, palestinos, hoy os decimos en voz alta y clara: ¡basta de sangre y de lágrimas!, ¡basta!»—**Yitzhak Rabin, primer ministro israelita**

HISTORIA DEL AÑO

Israel y la OLP firman un acuerdo de paz

1 El apretón de manos asombró al mundo. El presidente de la OLP, Yasir Arafat, se levantó con impaciencia; el primer ministro israelita Yitzhak Rabin necesitó un codazo del presidente de Estados Unidos Bill Clinton, que acogió la ceremonia de la firma en el jardín de la Casa Blanca, pero por fin, el 13 de septiembre de 1993, los líderes de dos pueblos que llevaban en guerra 45 años se dieron la mano. Sólo habían concluido un tratado preliminar pero significaba la mayor esperanza para Oriente Medio desde los acuerdos de Camp David de 1978.

La imagen recorrió el mundo: acompañados por Bill Clinton *(centro)*, Yitzhak Rabin *(izquierda)* y Yasir Arafat se dan la mano en la Casa Blanca.

El impulso para el compromiso se había dado desde varias direcciones. Desde diciembre de 1987, el alzamiento de la intifada forzó a los dirigentes de la OLP a conseguir algún logro que ofrecer a su pueblo. Cuando esta revuelta logró que los fundamentalistas islámicos obtuvieran más adeptos, los líderes israelitas empezaron a ver a la OLP como un mal menor. El final de la guerra fría implicaba que ningún bando podría contar con el apoyo de las superpotencias rivales para una beligerancia perpetua. El apoyo de la OLP a Iraq durante la guerra del Golfo de 1990-1991 provocó que los gobiernos árabes le retiraran su ayuda. Muchos israelitas estaban cada vez más disgustados con el coste moral de los territorios ocupados. Aun así, las conversaciones entre Palestina e Israel iniciadas en 1991 llegaron a un punto muerto. El acuerdo actual era el resultado de negociaciones secretas mediadas por Noruega que sólo conocían los altos cargos de ambos bandos.

El pacto de paz estipulaba cinco años de autogobierno provisional de los palestinos en los territorios ocupados, empezando en la franja de Gaza y en Jericó, y negociaciones para un arreglo permanente programadas para 1995. Al cabo de nueve meses, los soldados israelitas reducirían su presencia en la orilla oeste y se celebrarían elecciones para un parlamento palestino. Israel seguiría siendo responsable de la seguridad de la frontera para proteger a sus ciudadanos (entre ellos ciento treinta y cuatro mil colonos) de los territorios.

A pesar de los graves aplazamientos y de la continuación de la violencia, el pacto entró en vigor en 1994. La policía palestina se posicionó y Arafat regresó triunfalmente a Jericó. No obstante, el futuro estaba plagado de obstáculos, sobre todo en Gaza, donde los campos de refugiados seguían engendrando odio. «Es muy fácil para cualquiera iniciar una guerra pero es muy difícil conseguir la paz», advirtió el presidente de la OLP. ◄**1988.10** ►**1994.5**

ECONOMÍA

Ratificación del NAFTA

2 El magnate con ambiciones políticas H. Ross Perot lo describió con la frase más memorable: «el gran alcance de este tratado es que se están perdiendo puestos de trabajo en el país». El tema era el North American Free Trade Agreement (Acuerdo del Mercado Libre de Norteamérica, NAFTA) y en 1993 el debate se hallaba en un punto culminante. Por un lado, estaban Perot y sus partidarios; por otro, los ecologistas (que temían que los niveles de antipolución de Estados Unidos cayeran para igualar a los de México); y por último, los sindicalistas y los proteccionistas (que afirmaban que Estados Unidos perdería empleos ante la barata mano de obra mexicana en un mercado libre continental). Los partidarios del NAFTA, entre ellos la administración Clinton y la mayoría de empresarios, declaraban que la apertura de mercados extranjeros estimularía la economía nacional.

Firmado por dirigentes de Canadá, Estados Unidos y México en 1992, el NAFTA estipulaba la eliminación de los impuestos y de las barreras económicas entre las tres naciones en un período de quince años. (Estados Unidos y Canadá cerraron un trato similar en 1988.) El presidente George Bush, que firmó el NAFTA, y Bill Clinton, que heredó la tarea de presionar al congreso para la ratificación final, presentaron este acuerdo como un modo de aumentar la competitividad de Estados Unidos en una economía global cada vez más compleja. Decían que un arreglo mercantil equipararía a Norteamérica con la Comunidad Económica Europea y otros bloques económicos internacionales.

Al final, el congreso aprobó el NAFTA tras un debate televisivo en el que el vicepresidente Al Gore desarmó a Perot. Cuando se concluyera el acuerdo, el NAFTA tendría muy pocos efectos inmediatos en la economía de Estados Unidos; sin embargo, se esperaba que beneficiara significativamente a México, donde las reformas económicas del presidente Carlos Salinas de Gortari dependían de la cooperación de Estados Unidos. En este sentido, el NAFTA era una cuestión de seguridad: un México próspero garantizaría la estabilidad política de la zona. Paradójicamente, los mexicanos, que se oponían al tratado, pronto llevarían a cabo el alzamiento más importante desde la rebelión de cristeros en 1926. ◄**1982.5** ►**1994.8**

COMERCIO ESTADOS UNIDOS – MÉXICO

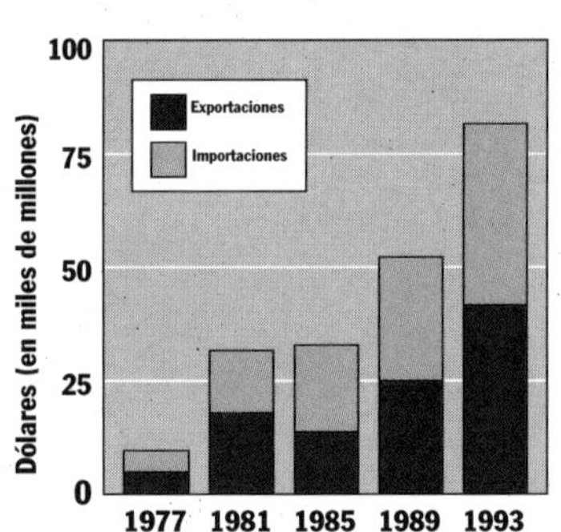

Incluso antes del NAFTA, las exportaciones e importaciones de Estados Unidos y México crecían.

TECNOLOGÍA

Autopista de la información

3 La Fundación Nacional de Ciencia de Estados Unidos,

La Internet conecta a usuarios informáticos de todo el mundo.

principal financiadora de la red informática internacional llamada Internet, en 1993 sustituyó la espina dorsal tecnológica de la red por un nuevo sistema llamado T3. Capaz de manejar cuarenta y cinco millones de bits (dígitos binarios, unidades de información electrónicas) por segundo, el T3 era treinta veces más rápido que su predecesor. La Internet, según una metáfora utilizada en las comunicaciones electrónicas, pasaba de ser una carretera nacional a una autovía (la «superautopista de la información», predicha por los tecnófilos seguía en la mesa de diseño). La Internet irrumpía así en lo que se conocía generalmente como «ciberespacio», un tejido de redes informáticas accesibles para cualquiera que tuviera un ordenador personal y ganas de intercambiar información con otros «cibernautas».

El Departamento de Defensa de Estados Unidos inició el sistema que se convertiría en la Internet en 1969. Diseñada para conectar los ordenadores de investigadores militares, la red se fue ampliando para incluir otros departamentos gubernamentales, universidades, bibliotecas y finalmente unas doce

ARTE Y CULTURA: Libros: ***Operación Shylock*** **(Philip Roth);** ***The night manager*** **(John Le Carré);** ***La pasión turca*** **(Antonio Gala);** ***La tabla de Flandes*** **(Arturo Pérez Reverte);** ***El pez en el agua*** **(Mario Vargas Llosa) [...] Música: «If I ever lose muy faith in you» (Sting);** ***River of Dreams*** **(Billy Joel, LP);** ***In Utero*** **(Nirvana, LP) [...]**

«La gente no tiene dinero ni nada que comer y la vida es sólo para los especuladores.»—**Un votante ruso explicando el éxito de Vladimir Zhirinovsky en las elecciones rusas de 1993**

mil redes informáticas de 45 países. En 1993 más de quince millones de personas se conectaban regularmente al sistema para participar en conversaciones electrónicas sobre cualquier tema.

La Internet resultaba barata: podía accederse a ella por 20 dólares mensuales y algunos municipios empezaron a ofrecer sistemas de acceso público, como las antiguas bibliotecas. Asimismo era rápida: un usuario podía enviar o recibir un mensaje en cuestión de segundos. La red informática permitió transmitir más información y de forma más eficiente que nunca. Como herramienta de comunicación resultó un sistema tan revolucionario como la imprenta, el telégrafo y el teléfono.

RUSIA

Los retos de Yeltsin

4 En 1993, el año más turbulento para Rusia desde la caída del comunismo, el presidente Boris Yeltsin intentaba mantener el control del gobierno y defender sus reformas económicas contra los desafíos agresivos de los comunistas radicales del parlamento. Tras una batalla dialéctica con las fuerzas reaccionarias lideradas por el presidente del parlamento Ruslan Khasbulatov y el vicepresidente Aleksandr Rutskoi, Yeltsin disolvió la asamblea en septiembre y convocó elecciones. Khasbulatov, Rutskoi y cientos de colegas radicales (muchos de los cuales defendían la expansión territorial) se atrincheraron dentro del edificio del parlamento en el centro de Moscú. Yeltsin rodeó el edificio.

Los rebeldes convocaron una huelga general y pidieron la dimisión de Yeltsin, pero la gran mayoría de rusos, entre ellos el ejército y la policía, fueron leales al presidente. El 1 de octubre finalizaron sin éxito alguno las negociaciones entre ambos bandos; los amotinados se negaron a rendirse. Tres días más tarde, después de que diez mil partidarios de los rebeldes rompieran el cordón policial y ocuparan cinco pisos del parlamento, Yeltsin ordenó al ejército que aplastara el alzamiento. Al final del conflicto más violento de Moscú desde la revolución de 1917, habían muerto unas quinientas personas, Khasbulatov y Rutskoi fueron detenidos y el golpe fracasó.

No obstante, los problemas de Yeltsin y de Rusia estaban lejos de resolverse. En las elecciones parlamentarias de diciembre, una gran parte del electorado apoyó a Vladimir Zhirinovsky, candidato de la extrema derecha. Zhirinovsky, detractor del capitalismo, nacionalista beligerante y antisemita declarado (aunque su padre era judío), se benefició de la frustración popular ante el desorden económico y político de la Rusia postsoviética. Yeltsin a su vez experimentó preocupaciones similares cuando consiguió que el electorado apoyara una nueva constitución (la primera de Rusia después del comunismo), que concentraba el poder en el ejecutivo. Aunque inquietos ante los defectos de Yeltsin como demócrata, muchos de los reformistas liberales rusos —y casi todos los dirigentes occidentales le apoyaron: la alternativa parecía ser un retorno al absolutismo. ◂**1992.2**

El Parlamento ruso liberado por el ejército tras una violenta batalla.

CHECOSLOVAQUIA

Una separación inevitable

5 Tras 74 años de asociación, la República Federal Checa y Eslovaca se disolvió oficialmente el día de Año Nuevo de 1993.

En lugar de Checoslovaquia nacieron así la República Checa y la Eslovaca como unas naciones plenamente independientes con su propia lengua, su propio gobierno y problemas económicos y sociales específicos. Se palpaba el sentimiento popular de que la separación, deseable o no, resultó inevitable.

Desde su unión en 1918 a partir de los restos de Austria-Hungría (el antiguo imperio), Checoslovaquia estuvo dominada por la mayoría checa de las ciudades. La rural Eslovaquia, al este, era la parte menos importante del país. En el clima de libertad que se extendió por el país tras el rompimiento incruento con el comunismo en la «revolución de terciopelo» en 1989, Eslovaquia empezó a pedir más autonomía. En 1992, la minoría eslovaca del parlamento creció lo suficiente como para bloquear el programa unionista del presidente checoslovaco Vaclav Havel (*superior*). Cuando declaró que no quería presidir la disolución del país, el idealista hombre de Estado dimitió. El primer ministro Vaclav Klaus no tenía tales escrúpulos: pactó la separación, anunciada en agosto.

Vladimir Mečiar fue elegido primer presidente de Eslovaquia. Para conseguir partidarios, resaltó el sentimiento nacionalista al comparar a Eslovaquia con una colonia oprimida e insinuar que los altos índices de paro e inflación eran fruto de conspiraciones checas. Su propuesta para la recuperación económica era el aumento del control estatal sobre la economía y la revitalización de las fábricas de armas (aunque la disolución del Pacto de Varsovia había eliminado este mercado). La nueva República Checa continuó promulgando reformas liberales y en 1993 Havel fue reelegido presidente. ◂**1989.1**

MUERTES

Marian Anderson, cantante estadounidense.

Arthur Ashe, tenista y activista político estadounidense.

Balduino I, rey de Bélgica.

Juan Benet, escritor español.

Anthony Burgess, novelista británico.

Raymond Burr, actor estadounidense.

César Chávez, líder sindical mexicano-estadounidense.

James Doolittle, general estadounidense.

Federico Fellini, director cinematográfico italiano.

Dizzy Gillespie, músico estadounidense.

William Golding, novelista británico.

William Randolph Hearst, editor estadounidense.

Audrey Hepburn, actriz belga-estadounidense.

Myrna Loy, actriz estadounidense.

Joseph Mankiewicz, director cinematográfico estadounidense.

Mario Moreno «Cantinflas», actor mexicano.

Rudolf Nureyev, bailarín ruso-estadounidense.

Severo Ochoa, científico español.

Vincent Price, actor estadounidense.

Frank Zappa, músico estadounidense.

Pintura y escultura: ***T. S. Eliot*** **(Ray Smith);** ***Lifesaver*** **(David Salle) [...] Cine:** ***La lista de Schindler*** **(Steven Spielberg);** ***Filadelfia*** **(Jonathan Demme);** ***El piano*** **(Jane Campion);** ***Adiós a mi concubina*** **(Chen Kaige) [...] Teatro:** ***El beso de la mujer araña*** **(Harold Prince).**

«Ya tenemos bastantes parados. No necesitamos que vengan extranjeros. Nos roban el trabajo y la casa.»—**Un obrero de Rostock, Alemania**

NOVEDADES DE 1993

Legalización de la eutanasia en Holanda.

Categoría de combatiente para las mujeres en el ejército de Estados Unidos.

Entrada pagada en el Palacio de Buckingham.

EN EL MUNDO

▶WORLD TRADE CENTER—El 26 de febrero se produjo una gran explosión en el World Trade Center de Nueva York. Murieron cinco personas y hubo cientos de heridos. Decenas de miles de oficinistas quedaron atrapados en los 110 pisos de las torres gemelas. La explosión era obra de un grupo de musulmanes fundamentalistas que decidieron volar el centro comercial para protestar contra la política de Estados Unidos en Oriente Medio. En marzo de 1994 cuatro

hombres, seguidores del jeque egipcio Omar Abdel Rahman, fueron condenados por la explosión (que ocasionó pérdidas de 705 millones de dólares). Fueron sentenciados a 240 años de cárcel. ◂1916.M

▶RUINAS EN WACO—El tenso conflicto de 51 días de duración entre agentes federales y la secta Branch Davidian de Waco, Texas, que se inició en febrero cuando cuatro agentes fueron asesinados mientras investigaban el arsenal ilegal de armas y explosivos en el recinto de la secta, acabó el 19 de abril, cuando un incendio destruyó el lugar. El fuego fue provocado por miembros de la secta después de que los agentes empezaran a atacar el recinto con vehículos blindados y gas lacrimógeno. El incendio destrozó el edificio en una hora, murieron 85 personas (entre ellas 17 niños), y el líder de la secta y profeta

ALEMANIA

Violencia contra los inmigrantes

6 Durante los años noventa, la larga recesión despertó la idea de que los inmigrantes estaban usurpando el empleo, la vivienda y los fondos del estado del bienestar. El xenófobo Frente Nacional de Jean-Marie Le Pen atrajo a una minoría significativa de votantes franceses; el Partido por la Libertad del «fascista *yuppie*» Jörg Haider constituía la tercera fuerza política de Austria. Por toda Europa jóvenes rapados neonazis atacaban a los «extranjeros», personas no blancas de cualquier nacionalidad. (Los *skinheads* de Gran Bretaña, cuya imagen imitaron los demás, llevaron a cabo la mayor parte de agresiones.) En junio de 1993, cuando quemaron a cinco turcas en Solinger, Alemania, el mundo empezó a alarmarse.

La violencia de los *skinheads*, sobre todo contra turcos y vietnamitas, se convirtió en algo habitual en Alemania. (En 1992 hubo 2.280 incidentes de este tipo, entre ellos 17 asesinatos.) Pero esta vez los turcos se alzaron para protestar. Además, el ataque se produjo días después de que el parlamento, sometiéndose a la presión contra la inmigración, restringiera severamente el derecho al asilo político. Las leyes liberales sobre el asilo habían atraído a unos setecientos mil refugiados desde 1991, la mayor parte del antiguo bloque comunista. Aunque finalmente se les negó a muchos el permiso de residencia, era más cómodo legislar contra ellos que contra los «trabajadores huéspedes», muy baratos, de Turquía y otros lugares, que eran esenciales para la economía de buena parte de Europa.

De hecho, el problema de Alemania era un reflejo del de Europa. (Francia e Italia también habían endurecido las leyes de inmigración recientemente.) Sin embargo, también reflejaba un problema propio: la rica Alemania occidental corría con los gastos de la absorción de su parte oriental, con un índice de paro creciente y una pérdida de servicios sociales. Aunque los *skinheads* todavía eran tan sólo un grupo marginal (millones de alemanes se manifestaron en su contra) y la policía los perseguía, muchos temían que el nazismo pudiera cebarse una vez más en las desdichas alemanas. **◂1990.3**

***Skinheads* neonazis en Dresde. La rabia contra los inmigrantes no era un problema exclusivamente alemán.**

EL HOLOCAUSTO

Un enigma de guerra

7 En septiembre de 1993, seis años después de que un tribunal de Jerusalén lo sentenciara la horca por la muerte de miles de judíos durante la Segunda Guerra Mundial, el ucraniano John (Iván) Demjanjuk fue absuelto en la apelación. Trece testigos lo identificaron como «Iván el Terrible», un guardia del campo de Treblinka que, cuando no accionaba las cámaras de gas, se dedicaba a disparar, apuñalar o pegar a los internos. Demjanjuk afirmaba que era víctima de una confusión de identidad y finalmente el tribunal Supremo de Israel encontró dudas razonables.

Demjanjuk reconoció que había sido capturado por los alemanes en 1942 cuando era miembro del ejército rojo pero negó los cargos de la acusación de que había sido enviado a un centro de entrenamiento para guardias de campos de concentración y de allí a Treblinka. Según su historia fue transferido al Ejército de Liberación Nacional de Ucrania, pronazi. Sólo admitió que había ocultado este hecho a las autoridades norteamericanas cuando emigró en 1951.

Junto a los testigos, el caso se basó en un carnet del centro de entrenamiento. Demjanjuk afirmaba que era una falsificación soviética para vengarse de la comunidad ucraniana exiliada, pero otros documentos demostraron que había servido en varios campos de concentración. A pesar de todo, como los nazis habían quemado los archivos de Treblinka, el juicio se interrumpió. Además, no todos los testigos le identificaron como Iván. Algunos pensaban que el sádico guardia fue asesinado en un alzamiento de 1943; otros

Demjanjuk en su juicio en Israel.

recordaban que su segundo apellido era Marchenko. Aunque Demjanjuk había escrito este apellido en el visado de Estados Unidos, podía ser una coincidencia.

Los jueces del tribunal supremo, siguiendo la antigua tradición de las leyes judías, se negaron a condenar a Demjanjuk sin pruebas concluyentes: «La verdad completa no es competencia del juez humano», concluyeron. **◂1987.11**

ECONOMÍA

Lentamente hacia la unión europea

8 El Tratado de la Unión Europea se ratificó en octubre de 1993, casi dos años después de ser aprobado por los dirigentes de las doce naciones de la Comunidad Europea. Apodado Tratado de Maastricht por la ciudad holandesa donde se firmó, el documento generó una viva polémica entre los europeos. Lo aprobaron en referéndum nacional pero por márgenes muy estrechos. (Alemania fue el último país que lo ratificó.) El tratado aspiraba a crear una moneda única europea y un banco central, ampliaba las competencias del parlamento y comprometía a la CE a trabajar para una política exterior y militar común. Pero el optimismo generado por

DEPORTES: Ciclismo: el español Miguel Indurain gana el Tour de Francia por tercera vez consecutiva [...] Tenis: el español Sergi Bruguera gana el trofeo Roland Garros.

«La gente te mira y puedes ver lo que piensan: ¿es hindú o es musulmán?»—**Ramesh Shetty, un contable en Bombay**

Agricultores franceses protestan contra los recortes de subvenciones tirando patatas en la calle.

medidas anteriores hacia «una Europa sin fronteras» se había disipado.

Desde la firma del Acta Única Europea en 1986, habían caído la mayor parte de las barreras económicas de Europa occidental; sin embargo, los costes laborales habían aumentado más rápidamente que la productividad y, tras un crecimiento de breve duración, la participación de la CE en los mercados mundiales disminuyó. El paro se hallaba en un índice medio superior al 10 % (en España alcanzaba el 21 %). Mientras tanto, la *super*producción agrícola hizo que Washington pidiera a la CE que restringiera las subvenciones. En 1992, los agricultores franceses se rebelaron contra los recortes propuestos y contra Maastricht. Los pasos hacia la unión monetaria se habían fundado en la necesidad de Alemania de modificar los tipos de interés para contener la inflación, disparada por la reunificación. Los desacuerdos acerca de la guerra de la antigua Yugoslavia mermaron las esperanzas de una política exterior común. Gran Bretaña rechazó cualquier medida que significara la pérdida de la soberanía nacional.

Al final, Gran Bretaña rechazó una cláusula del tratado que otorgaba a los ministros de la CE más poder en cuestiones de seguridad social y, junto a Dinamarca, la de la moneda única europea. **◂1985.11 ◂1992.12**

RELIGIÓN

Guerra santa

9 Aunque los pensadores racionalistas de principios de siglo predijeron su fallecimiento inminente, en los años noventa la religión estaba lejos de haber quedado obsoleta como motor de multitudes, sobre todo en el mundo en vías de desarrollo, donde gobiernos con tendencias modernas seguían luchando contra partidarios militantes de la teocracia. En 1993, el presidente egipcio Hosni Mubarak respondió a los ataques terroristas de la Fraternidad Musulmana contra turistas con una serie de ejecuciones. Argelia todavía languidecía bajo la ley marcial, impuesta después de que el Frente de Salvación Islámica derrotara al Frente de Liberación Nacional en diciembre de 1991 en la primera ronda de las elecciones. (La victoria fundamentalista hizo que el presidente Chadli Benjedid dimitiera en favor de una junta civil-militar que canceló las elecciones; los radicales islámicos asesinaron al presidente de la junta pero no consiguieron hacerse con el poder.)

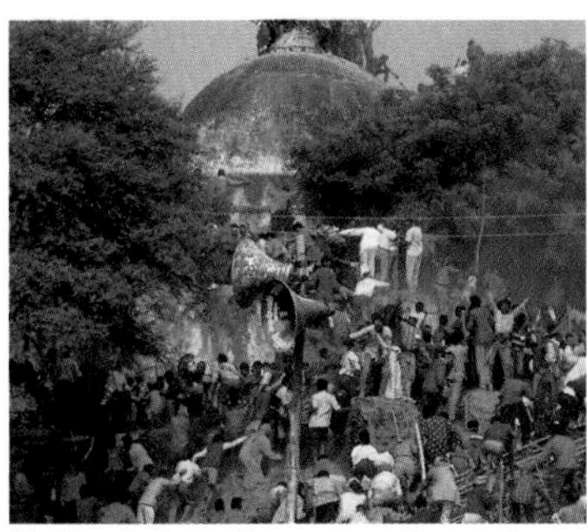

Hindúes destruyendo una mezquita musulmana de Ayodhya.

En la India, los musulmanes fueron víctimas de los extremistas religiosos. El problema se inició en diciembre de 1992, cuando miles de hindúes de la ciudad de Ayodhya, instigados por el partido derechista Bharatiya Janata (PBJ), destruyeron una mezquita musulmana de 464 años de antigüedad que se alzaba en el supuesto lugar del nacimiento del dios hindú Rama. Por todo el país estallaron disturbios que duraron hasta febrero. Unas tres mil personas murieron, la mayor parte musulmanes asesinados por hindúes que asaltaron sus hogares. El primer ministro P. V. Narasimha Rao fue muy criticado por no haber evitado la violencia (el PBJ hacía tiempo que daba indicios de sus intenciones) y por responder débilmente contra ella. En marzo, quizá como venganza por las matanzas de musulmanes, estallaron trece bombas en Bombay que mataron a 317 personas. Estas acciones violentas quedaron en un segundo plano ante una gran catástrofe natural: en septiembre se produjo un terromoto en Maharashtra que provocó treinta mil víctimas mortales.

ARTE

Una eminencia radical

10 Entre las manifestaciones artísticas, a menudo extrañas, de la 45.ª Bienal de Venecia, celebrada en 1993, la escultura de Louise Bourgeois, de 81 años, destacó por su elocuencia emocional y cruda. Honorada con una muestra individual en el pabellón americano, Bourgeois instaló obras como *Cell (Arch of hysteria)* (1992-1993), una reproducción en mármol rosa de la casa francesa donde pasó su infancia, rodeada por cadenas y amenazada por una guillotina. La intención de la artista: «Quiero molestar a la gente. Quiero que se preocupe».

Bourgeois, que emigró a América desde Francia en 1938, era reconocida como una de las principales escultoras de la Escuela de Nueva York durante los años cuarenta, pero su angustia por el erotismo (una de sus obras emblemáticas, *Femme Couteau*, es un desnudo femenino en mármol agujereado con señales de puñal) pasó de moda durante los años sesenta, minimalistas. En los ochenta regresó y la Bienal de Venecia lo confirmó. **◂1982.10**

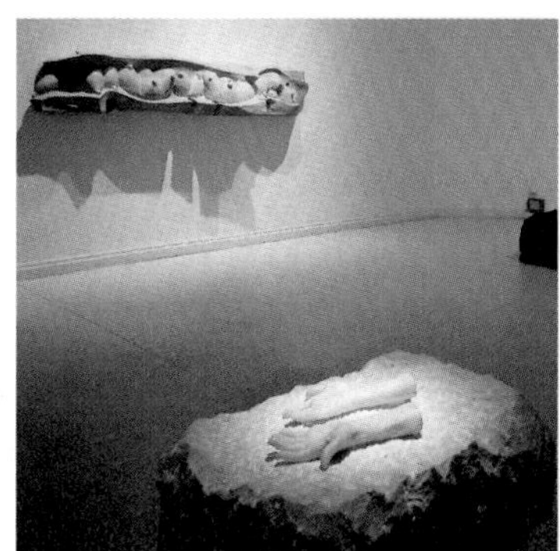

***Mamelles* (*en la pared*) y *Decontrée*, ambas obras de Bourgeois, se exhibieron en la Bienal de Venecia de 1993.**

autoproclamado David Koresh, de 33 años de edad. ◂1978.2

▸CUARTA VICTORIA SOCIALISTA—El Partido Socialista ganó las elecciones españolas del 6 de junio por cuarta vez consecutiva, aunque no pudo conservar la mayoría absoluta y se enfrentó a dos cuestiones esenciales: el partido de la oposición, el Partido Popular, se acercaba peligrosamente al gobierno y Felipe González, secretario general del partido socialista, tuvo que buscar apoyo para gobernar. Ante dos alternativas de fórmulas de apoyo, Izquierda Unida o los nacionalistas, Felipe González escogió a los últimos que, aunque se negaron a entrar en el ejecutivo, apoyaron su gobierno.

▸JORDAN SE RETIRA—En octubre, tres meses después de haber ganado por tercera vez el campeonato de la NBA con los Chicago Bulls, Michael Jordan, seguramente el mejor jugador de baloncesto de la historia, se retiró a los 30 años, con siete títulos de la NBA, tres premios al mejor jugador de la liga y dos medallas olímpicas de oro. El jugador se enriqueció con los contratos publicitarios, pero su supuesta inclinación al juego y la muerte de su padre en agosto contribuyeron a su desencanto con el estrellato.

Jugó en la liga menor de béisbol y, 17 meses después, volvió con los Bulls. ◂1992.10

▸POLONIA DESPUÉS DEL COMUNISMO—El presidente Lech Walesa tuvo una sorpresa desagradable en las elecciones de septiembre destinadas a dar a Polonia un parlamento nuevo y más manejable (el anterior estaba formado por 29 partidos): dos facciones comunistas ganaron 301 de los 460 escaños de la asamblea. La Alianza Democrática de Izquierdas y el Partido Campesino Polaco dominaron las elecciones prometiendo aminorar la

POLÍTICA Y ECONOMÍA: el centro derecha gana las elecciones legislativas francesas.

marcha de las reformas económicas, incrementar el gasto social y, en el caso del PCP, aumentar las ayudas al campo. El partido de Walesa sólo consiguió 20 escaños. La parte buena era que la economía de Polonia tenía un crecimiento anual de un 3 %, el más alto de los antiguos países comunistas.

▶INDEPENDENCIA DE ERITREA—En el referéndum de abril, el 99,8 % de los votantes de Eritrea escogieron

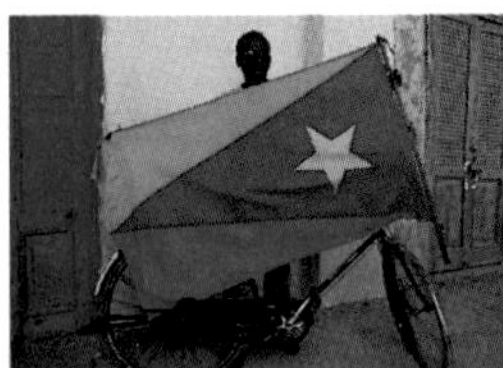

separarse de Etiopía. La decisión, reconocida por la comunidad mundial, finalizó una guerra de 30 años en la antigua provincia del norte de Etiopía. ◀1978.NM

▶ATAQUES CONTRA IRAQ —Las consecuencias de la guerra del Golfo continuaron manifestándose durante 1993. En enero, en respuesta a la violación de las órdenes de la ONU de desmantelar las armas de destrucción masiva y de respetar una zona aérea, Estados Unidos, Gran Bretaña y Francia bombardearon objetivos industriales y militares iraquíes (entre ellos una supuesta fábrica de componentes nucleares). A principios de julio, el presidente Clinton, como represalia por un intento de asesinato del antiguo presidente George Bush presuntamente patrocinado por Iraq, envió 23 misiles Tomahawk contra la sede de la inteligencia iraquí en Bagdad. En ambos ataques, los misiles mataron a civiles. (Una de las víctimas del de julio fue Layla al-Attar, artista de fama en todo el mundo árabe). ◀1992.NM

JAPÓN

Abandono de las tradiciones

11 A pesar de su nombre, el Partido Democrático Liberal de Japón era profundamente conservador, una asociación de burocracia y grandes empresas que había gobernado de forma ininterrumpida durante casi cuarenta años. El autocomplaciente y cada vez más corrupto PDL destacaba por su «política económica», ya que realizaba contratos industriales a cambio de comisiones mientras ignoraba al ciudadano medio japonés, un consumidor urbano que pagaba los precios más altos del mundo. En 1993 el electorado se rebeló: rompió la mayoría parlamentaria del partido. Una contradictoria coalición de partidos conservadores y socialistas se hizo cargo del gobierno, con Morihiro Hosokawa *(superior)* como primer ministro.

Apenas catorce meses antes de tomar posesión, Hosokawa, vástago de una distinguida familia shogun, había sido un hombre del PDL. Hastiado de la resistencia a cambiar del partido, decidió fundar el Nuevo Partido Japonés, reformista. Este acto, por el que Hosokawa fue tachado de chiflado, constituyó el punto de partida de la batalla contra el gobierno monocolor. El PDL ya había perdido un apoyo significativo a causa de una serie de escándalos de tráfico de influencias. La ofensa final se produjo en junio de 1993, cuando el primer ministro Kiichi Miyazawa renunció a un bloque de reformas que había prometido. En el parlamento, 39 de sus colegas del PDL se unieron a la oposición para no aprobar un voto de confianza. Miyazawa se vio forzado a convocar elecciones y en julio (poco después de que el príncipe heredero Naruhito rompiera otra tradición al casarse con una diplomática de carrera educada en Estados Unidos, Masako Owada), el electorado rompió el dominio del PDL.

Hosokawa prometió acabar con la corrupción y abolir el anticuado sistema electoral. Presidente de una frágil coalición unida tan sólo por su oposición al PDL, se enfrentó a una dura batalla. El nuevo primer ministro tenía una ventaja: sus índices de apoyo público eran los más altos de la historia, pero a principios de 1994 también se vio implicado en un escándalo de corrupción. En pocos meses se sucedieron varios primeros ministros que no consiguieron mantener la estabilidad de la coalición. **◀1989.5 ▶1994.NM**

CINE

Hollywood y el Holocausto

12 El cineasta Steven Spielberg realizó dos películas importantes en 1993. La primera fue *Parque Jurásico*, notable por el sorprendente realismo de sus dinosaurios y porque se convirtió en el mayor éxito de taquilla de la historia, superando a *E.T.*, también de Spielberg. La segunda película destacó por algo más solemne: tocaba un tema poco habitual en Hollywood, el Holocausto. *La lista de Schindler* era la adaptación de la novela, basada en hechos reales, de Thomas Keneally sobre un empresario, Oskar Schindler, que empieza explotando a judíos polacos en su fábrica y acaba por rescatar a más de mil de Auschwitz.

Escrupulosamente documentada y angustiosa por su realismo gráfico, la película ganó siete Óscars, entre ellos a la mejor película y al mejor director. Los profesores llevaron a sus alumnos a verla. En Alemania, Polonia e Israel, el público lloró y se desmayó. Para millones de personas que no sabían mucho del Holocausto fue un viaje al infierno. Inevitablemente obtuvo críticas detractoras y entusiastas.

La lista de Schindler es un producto típico de Hollywood en cuanto a su trabajo cinematográfico. Su protagonista es un hombre misterioso, atractivo, sin compromisos y con defectos, que, cuando las cosas van mal, se comporta noblemente y se gana la redención, un héroe clásico del cine negro. La fotografía en blanco y negro es brillante. En la pantalla nadie muere en las cámaras de gas. Tiene incluso un final feliz.

Sus detractores acusaron a Spielberg (judío) de no haber descrito la resistencia heroica de muchos judíos, de ignorar las muertes de otros «indeseables» en los campos y de no condenar a los gentiles: después de todo, Schindler fue un caso excepcional, la mayoría de los europeos cristianos no hicieron nada en contra del Holocausto. «*La lista de Schindler* demuestra una vez más que, para Spielberg, existe un poder en este mundo más importante que el bien y el mal, y es el del cine», escribió un crítico. **◀1982.9**

Oskar Schindler, interpretado por Liam Neeson *(izquierda)*, empresario, timador y héroe.

ITALIA

Bomba en el museo Uffizi

13 El coche-bomba que se estrelló contra el museo Uffizi de Florencia en mayo de 1993 pulverizó tres cuadros de artistas renacentistas menores, dañó 30 obras de arte y destrozó una torre que contenía archivos. Mató a cinco personas, entre ellos a la cuidadora de la torre y a su familia. Encolerizó a los italianos, ya afectadas por el mayor escándalo gubernamental desde la Segunda Guerra Mundial: la implicación de 2.500 políticos e industriales en un asunto de corrupción relacionado con la mafia.

Uno de los museos de arte más importantes del mundo sufrió un ataque terrorista.

Los investigadores relacionaron la explosión con la mafia, cuyo jefe, Salvatore Riina, había sido detenido en la última redada policial. Las obras de valor incalculable de Botticelli, Miguel Ángel, Leonardo y Caravaggio no resultaron dañadas, pero el ataque al museo, uno de los más importantes del mundo ubicado en un palacio construido por los Medicis, era un ataque directo al corazón de Italia.

En abril, los italianos aprobaron en referéndum que se tomaran las medidas necesarias para romper los vínculos entre el crimen organizado y el gobierno. Veinte mil florentinos tomaron las calles gritando «basta de masacres». (Una explosión en Roma había herido a 23 personas.) Sin embargo, las «masacres» continuaron: estallaron bombas en dos de las iglesias más antiguas de Roma y en el centro histórico de Milán. En 1994 todavía no se había detenido a los culpables, y el electorado expresó su frustración ante el sistema policial de un modo que conmocionó al mundo. **◀1987.5 ▶1994.NM**

PREMIOS NOBEL: Paz: F. W. de Klerk y N. Mandela (sudafricanos; fin del segregacionismo) [...] Literatura: Toni Morrison (EE.UU.; novelista) [...] Química: K. Mullis y M. Smith (EE.UU. y canadiense; genética) [...] Medicina: P. Sharp y R. Roberts (EE.UU.; división de genes) [...] Física: J. Taylor y R. Hulse (EE.UU.; estrellas ultradensas) [...] Economía: R. Fogel y D. North (EE.UU.).

ECOS DE 1993

Viaje a la barbarie

de Cuaderno de Sarajevo, *de Juan Goytisolo, 1993*

Juan Goytisolo, escritor español que evolucionó desde el realismo crítico hacia la vanguardia narrativa, realizó un viaje a Sarajevo en 1993 y reunió sus impresiones sobre la ciudad asediada por la guerra de la antigua Yugoslavia en un libro, Cuaderno de Sarajevo, *que constituye un ejemplo más de la actitud comprometida que caracteriza al autor español en sus obras y en su vida y por la que en 1993 recibió el premio alemán Nelly Sachs. Abajo, un extracto del último capítulo del libro.*

ADIÓS A SARAJEVO

La víspera de mi partida me desayuno con Susan Sontag antes de acompañarla al pequeño teatro de cámara en donde, a la luz de unos candelabros, va a comenzar los ensayos de su montaje teatral de *Esperando a Godot.*

A poco de llegar a Sarajevo, al Sarajevo asediado y convertido en un campo de concentración de invisibles alambradas, la comparación con nuestra guerra civil y el cerco y bombardeo de Madrid se impone como una realidad insoslayable. Sí, allí están, a cubierto de los montes, edificios y colinas cercanos, «los cobardes, los asesinos, los siervos incondicionales, los ciegos instrumentos de los más sombríos fantasmas de la historia, los técnicos de la guerra, los sabios verdugos del género humano» de los que habla el autor de *Juan de Mairena.* Pero, ¿cómo explicar el abismo entre el sobresalto de la conciencia mundial en 1936 para defender una causa justa pese a sus excesos y errores y la apatía actual de los intelectuales y artistas, exceptuando una lúcida minoría, ante la agresión, el terror y las matanzas de los aventajados discípulos de Goebbels y Millán Astray? ¿Dónde están los Hemingway, Dos Passos, Koestler, Simone Weil, Auden, Spender, Paz, que no vacilaron en comprometerse e incluso combatir, como Malraux y Orwell, al lado del pueblo agredido e inerme? Las tentativas de Susan Sontag y mía de atraer a autores de renombre a Sarajevo han sido un fiasco. El desconcierto ideológico provocado por el derrumbe del *socialismo real* y la terquedad de las lógicas estratégicas y los movimientos reflejos creados por la guerra fría aclaran en parte el fenómeno. No podemos hablar de ignorancia: los corresponsales y fotógrafos enviados a Sarajevo y los frentes de guerra han *cubierto* en general la información con coraje y honradez ejemplares. Pese a ello, la opinión pública vegeta en una especie de estupor resignado. ¿Será fruto, nos preguntamos, del cansancio subsiguiente a la proliferación de luchas étnicas y guerras insolubles en Asia, África y naciones periféricas de la difunta URSS?, ¿de que la presidencia bosnia haya implorado sin éxito el socorro de Estados Unidos y la Comunidad Europea, induciendo con ello a muchos intelectuales sedentarios, habituados a una clara distinción entre buenos y malos, a recelar de ella y admirar el enfrentamiento audaz de Milosevic a los poderes arrogantes e ineptos que dominan hoy el planeta?, ¿de que las gesticulaciones del Consejo de Seguridad y las resoluciones de ayuda humanitaria hayan convencido a los más de que nuestros Gobiernos hacen cuanto pueden en «el avispero balcánico»?, ¿o de una simple e invencible aversión al islam? ¿Qué pensar de los intelectuales que, con olvido de las lecciones de Auschwitz, han ido, como Elie Wiesel, al gueto aterrorizado y hambriento a predicar una angélica «moderación a las dos partes»?

Los izquierdistas pasados de moda y los cosmopolitas impenitentes capaces de comprender, como dice Michel Faher, director de la revista neoyorquina *Zone,* que la «defensa de Sarajevo y del Estado multicultural no obedece sólo a una obligación moral y a un reflejo político elementales», sino también a una razón egoísta de «supervivencia intelectual», son en verdad más bien escasos.

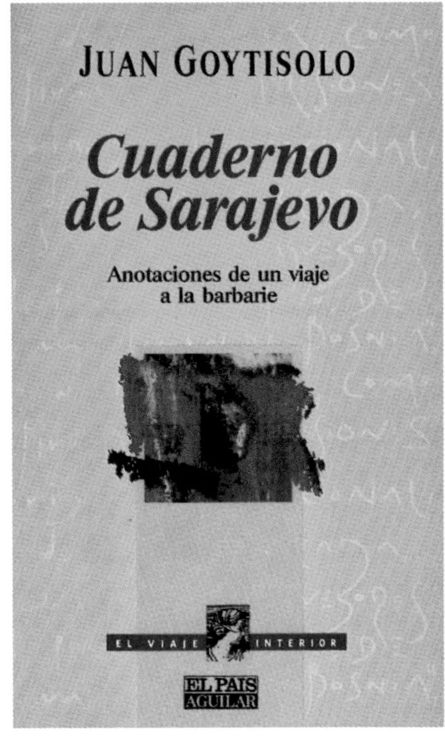

Como en nuestra guerra civil, el bando vencedor ha encontrado igualmente sus portavoces: los pintorescos hispanistas británicos, que confundían los partes de victoria de Franco con las hazañas del Cid Campeador, han suscitado un émulo mucho más siniestro. El ex disidente ruso Edvard Limonov, partidario del nacional-comunismo y afín a las ideas de Le Pen, tras extasiarse con «la extraordinaria sensación de potencia que procura el tener entre las manos una ametralladora pesada», hacía suyas, en un maloliente reportaje publicado en Francia, las palabras de uno de los sitiadores de Sarajevo: «Estamos en la Tercera Guerra Mundial, la de la lucha entre la cristiandad y el islam».

Los intelectuales bosnios que, contra viento y marea, permanecen en Sarajevo preguntan obsesivamente a sus congéneres: ¿por qué tanta cobardía y silencio? Reunidos en torno a Senada Kreso, viceministra de Información de la Presidenta, evocan la ciudad alegre y confiada de los filmes de Kosturica, del teatro, música y cine de vanguardia, de un arte y literatura que eran el faro de la vida intelectual yugoslava. Su universo se desplomó de súbito en abril de 1992, dos meses después del triunfo del sí en el referendo sobre la independencia de Bosnia boicoteado por los ultranacionalistas serbios.

«Quien oyó los primeros cañonazos disparados sobre Madrid por las baterías facciosas, emplazadas en la Casa de Campo, conservará para siempre en la memoria una de las emociones más antipáticas, más angustiosas [...] que pueda el hombre experimentar en su vida. Allí estaba la guerra, embistiendo testaruda y bestial, una guerra sin sombra de espiritualidad, hecha de maldad y rencor, con sus ciegas máquinas destructoras vomitando la muerte de un modo frío y sistemático sobre una ciudad casi inerme, despojada vilmente de todos sus elementos de combate», había leído días atrás en el volumen de Machado que me acompañó en el viaje, reviviendo en profundidad los sentimientos del poeta canonizado por nuestros políticos en el poder. ¡Como ocurre a menudo en el mundo, lo citan sin escucharle!

Un malestar difuso se adueña paulatinamente del ánimo del visitante cuando se acerca la fecha de la partida. ¿Qué será de las mujeres y hombres con quienes ha convivido brevemente, pero con intensidad desconocida? ¿Qué futuro les aguarda, atrapados como están en la ratonera? Durante una cena en el hotel con uno de los responsables de la ayuda humanitaria, bien conectado con los centros de decisión política de Washington y Bruselas, he formulado dos preguntas: ¿puede resistir Sarajevo otro invierno? La respuesta es tajante: «No». ¿Qué harán la ONU y la Comunidad Europea si los *chetniks* ocupan los últimos bastiones montañosos, cortan el frágil suministro de armas a los sitiados y someten a la ciudad a un último y feroz bombardeo? «Fuera de alguna acción mediática de castigo aéreo, absolutamente nada. Las cosas no cambiarán en el terreno. Lord Owen negociará su división en dos en Ginebra y dará la parte del león a los serbios.»

«Esta bella tierra jamás volverá a experimentar la opresión ni sufrirá la vergüenza de ser el bufón del mundo.»
—Nelson Mandela

HISTORIA DEL AÑO

Un nuevo día en Sudáfrica

1 En abril de 1994, los negros sudafricanos pudieron participar en las elecciones de su país por primera vez en la historia y llevaron a la presidencia al líder del Congreso Nacional Africano, Nelson Mandela. Los comicios marcaron el nacimiento de la democracia en un país donde la injusticia, la violencia y la persecución racial habían dominado durante mucho tiempo. Asimismo significaron la culminación de la batalla heroica de un hombre contra el segregacionismo racial. Mandela, líder durante toda su vida de la lucha por la igualdad racial y huésped durante 27 años de las prisiones estatales, ahora era un hombre de 75 años preparado para llevar a la práctica su idea de «una nueva Sudáfrica donde todos los sudafricanos fueran iguales, donde todos los sudafricanos trabajaran juntos para conseguir la seguridad, la paz y la democracia de su país».

La histórica elección, que duró cuatro días, provocó colas kilométricas ante las urnas. Unos dieciséis millones de negros y nueve millones y medio de blancos, asiáticos y mestizos ejercieron su derecho al voto. Tras el recuento de votos, Mandela había obtenido más del 60 %, dejando muy atrás a su rival más próximo, el anterior presidente F. W. de Klerk, el hombre que había empezado a abolir el segregacionismo cinco años antes. Por todo el país la bandera del antiguo régimen, odiada como símbolo del segregacionismo racial, fue sustituida por la nueva multicolor de una nueva Sudáfrica integradora.

Mandela y Sudáfrica habían recorrido un largo camino, pero décadas de abusos metódicos habían creado problemas de lenta y difícil solución. La propia campaña electoral había sido violentamente interrumpida tanto por los supremacistas blancos como por los separatistas negros. Milicias traficantes de terror como el Movimiento de Resistencia Afrikáner emplearon bombas y balas para apoyar una patria de blancos; Mangosuthu Buthelezi, líder del Partido para la Libertad de Inkatha, recurrió al terrorismo para imponer un boicot a las elecciones. Su motivo para apartar a la gente de las urnas era asegurar la autonomía zulú en la Sudáfrica del postsegregacionismo. Una semana antes de los comicios, la esperanza triunfó sobre el odio, y Buthelezi desconvocó el boicot.

Mandela asumió el cargo bajo la presión de una expectación enorme. Muchos negros vivían sin electricidad ni agua corriente, el 50 % eran analfabetos a causa de la enseñanza discriminatoria. Se esperaba que el 87 % de la tierra cultivable, reservada a los blancos, se redistribuyera. «No esperéis que hagamos milagros», advirtió Mandela. Que hablara en calidad de presidente de Sudáfrica indicaba que ya había ocurrido uno. **◂1990.E**

Celebración de la elección de Nelson Mandela.

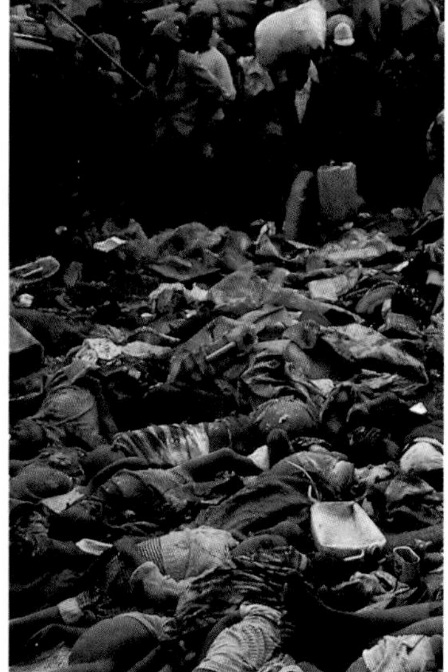
El mayor campo de refugiados ruandeses, en Goma, Zaire, acogió a un millón de hombres, mujeres y niños. Las enfermedades mataban a miles cada día.

ÁFRICA CENTRAL

La agonía de Ruanda

2 La batalla sangrienta empezó en abril de 1994, después de que un avión en el que viajaban los presidentes de Ruanda y Burundi fuera derribado en Kigali, la capital de Ruanda. Al cabo de tres meses, medio millón de ruandeses habían fallecido, y casi la mitad de los ocho millones del país habían abandonado sus hogares. Los miembros del grupo étnico hutu fueron los que cometieron la mayor parte de los asesinatos pero, a finales de año, la minoría tutsi obtuvo una sorprendente victoria militar.

El problema étnico de Ruanda era un fenómeno relativamente nuevo. Los hutus y los tutsis habían convivido de forma pacífica durante bastante tiempo; los primeros como agricultores y los últimos como pastores de vacas y como reyes. Ambas etnias adoraban a los mismos dioses, hablaban la misma lengua e incluso se casaban entre ellas. Los colonialistas belgas, que sucedieron a los alemanes en 1916, exacerbaron las divisiones sociales, y reservaron la educación y los puestos burocráticos de importancia a los tutsis. En 1959 los hutus se rebelaron, mataron a veinte mil tutsis y obligaron a exiliarse a otros ciento cincuenta mil. Tres años más tarde, Bélgica concedió la independencia a Ruanda y los hutus quedaron como gobernantes. Los nuevos dirigentes reprimieron brutalmente a los tutsis que quedaban (sobre un 15 % de la población). Sin embargo, en 1993, tras tres años de guerra civil contra el Frente Patriótico Ruandés (FPR), liderado por los tutsis y con base en Uganda, el presidente Juvénal Habyarimana fue obligado a compartir el gobierno.

La acción le costó la vida. Los soldados radicales hutus derribaron su avión cuando regresaba de una conferencia de paz hutu-tutsi, pero culparon al FPR. Luego, soldados y milicianos hutus se desmandaron, mataron a civiles tutsis, a hutus moderados (entre ellos al primer ministro de Ruanda), a sacerdotes católicos y a diez miembros de las fuerzas pacificadoras de la ONU. Las fuerzas del FPR, mejor armadas y disciplinadas que su enemigo, derrotaron a las tropas del gobierno y un gran número de hutus se sumaron a los tutsis en campos de refugiados de los países vecinos.

En julio, el FPR tomó Kigali y estableció un gobierno mixto. El líder rebelde Paul Kagame animó a los refugiados a que regresaran a su país. La mayoría de los tutsis lo hicieron, pero los oficiales hutus exiliados, que desconfiaban de las promesas de seguridad del FPR (y con la intención de utilizar los campos de refugiados como bases guerrilleras), pidieron a su pueblo que se quedara. El cólera mató a miles en los campos mientras los soldados hutus acumulaban comida e impedían que sus hermanos se marcharan. El gobierno tutsi era sumamente débil. **◂1972.NM**

COREA

Un conflicto nuclear

3 Corea del Norte no respetó al Tratado de No proliferación Nuclear de 1968. Tras meses de obstrucción a las investigaciones rutinarias de la Agencia Internacional de Energía Atómica, el dictador Kim Il Sung impidió que el organismo de la ONU investigara una infracción de seguridad en una de las nueve centrales nucleares del país. Corea del Norte negó que estuviera fabricando armas nucleares; sin embargo, según los servicios de la inteligencia de Estados Unidos, el

Visión satírica de un dibujante acerca de los esfuerzos de la ONU para detener el programa nuclear de Corea del Norte.

ARTE Y CULTURA: **Libros:** ***Azul*** **(Rosa Regas);** ***Del amor y otros demonios*** **(G. García Márquez) [...] Música:** ***Voodoo Lounge*** **(Rolling Stones, LP);** ***Cantos*** **(Monjes benedictinos de Santo Domingo, LP);** ***Sinfonía n.° 7*** **(Alfred Schnittke) [...]**

«El oso llamado Paz aún no se ha cazado pero ya ha sido despellejado y todos se hacen trajes con él.»—**Meir Shalev, novelista israelita, al saber que Yasir Arafat, Yitzhak Rabin y Shimon Peres habían recibido el Nobel de la paz de 1994**

país estaba utilizando plutonio de las instalaciones para construir bombas.

China se opuso a la intervención de la ONU. Cuando Estados Unidos pidió apoyo internacional para sancionar económicamente a Corea del Norte, ya aislada y pobre, el dictador prometió que convertiría Corea del Sur en un «mar de llamas». En junio, el expresidente Jimmy Carter se reunió con Kim, quien le aseguró que su país suspendería su programa nuclear. «La crisis ha finalizado», declaró Carter. En cierto modo, sólo acababa de empezar: dos semanas después, al principio de las conversaciones de Ginebra entre Estados Unidos y Corea del Norte sobre las armas nucleares, Kim falleció. El dictador, de 82 años y respetado como el «gran Líder», había tomado el poder en 1948 y era el único dirigente que su país conocía.

En la primera sucesión dinástica del comunismo, Kim Jong Il, el hijo mayor del dictador, accedió aparentemente al poder (no se sabía quién gobernaba realmente). Se reanudaron las conversaciones de Ginebra y en octubre se llegó a un acuerdo que exigía a Corea desmontar sus reactores de plutonio a cambio de recibir ayuda económica y el pleno reconocimiento diplomático de Estados Unidos. No obstante, a finales de diciembre el acuerdo peligró cuando un helicóptero norteamericano que se había adentrado en el espacio aéreo coreano fue derribado. Un piloto murió y otro fue retenido. ◂**1968.6**

IRLANDA DEL NORTE

Un rayo de esperanza

4 El anuncio del IRA de «la detención completa de operaciones militares», efectivo el 31 de agosto de 1994, inició una serie de celebraciones espontáneas de católicos y protestantes en las calles de Irlanda del Norte. El motivo del alto el fuego derivaba de una iniciativa de los primeros ministros de Gran Bretaña e Irlanda, John Major y Albert Reynolds respectivamente, que prometieron al Sinn Fein, el órgano político legal del IRA, que negociarían si los guerrilleros suspendían de forma permanente las hostilidades. En última instancia, el destino de Irlanda del Norte, gobernada por Gran Bretaña, sería decidido en las urnas.

Cauteloso para no parecer muy dispuesto a abandonar a los leales a Gran Bretaña (pero ansioso por resolver un problema que costaba cuatro mil quinientos millones de dólares al año en septiembre), Major insistió en que las conversaciones no se iniciarían hasta que el IRA mantuviera la tregua durante tres meses. (Altos el fuego similares iniciados en 1972 y 1975 habían durado muy poco.) Muchos grupos paramilitares protestantes prometieron deponer las armas. Aun así existían numerosos obstáculos para la paz: el IRA se negaba a rendir su arsenal, los presos políticos seguían siendo una cuestión delicada tanto para el IRA como para su contrapartida protestante y el portavoz y líder del Sinn Fein, Gerry Adams (que mejoró su situación política en febrero cuando se le concedió un visado para Estados Unidos) pedía que Gran Bretaña retirara de Irlanda del Norte a sus 17.600 soldados. No obstante, se había avanzado algo. Adams acotó que se «comprometería no sólo con los británicos sino también con los unionistas». Esta nueva flexibilidad alentó las esperanzas de que el problema de Irlanda del Norte tuviera solución. ◂**1981.9**

En Belfast, una generación cumplía la mayoría de edad marcada por 25 años de lucha interna.

ORIENTE MEDIO

Paz y sangre

5 Hasta ahora, nunca la paz de Oriente Medio había estado tan cerca como en 1994; sin embargo, en febrero, cinco meses después de que Israel y la OLP firmaran su tratado, un israelita radical mató a 29 fieles en una mezquita de la Tumba de los Patriarcas de Hebrón. El asesino, un médico nacido en Brooklyn, fue golpeado hasta morir por los supervivientes. Más palestinos murieron cuando los soldados israelitas, asustados, empezaron a disparar contra la multitud. Siguió un ciclo de represalias de los guerrilleros árabes y los guardias israelitas (entre ellas una bomba en un centro judío de Buenos Aires, con cien muertos).

La violencia aplazó la primera fase de autogobierno limitado palestino en los territorios ocupados, el acuerdo principal del tratado, hasta mayo, cuando los soldados israelitas entregaron Jericó y la franja de Gaza a las autoridades palestinas. Dos meses más tarde, Yasir Arafat regresó del exilio para ser recibido como un héroe. Sin embargo, resultó ser un pésimo administrador y su negativa a explicar cómo gastaba la ayuda extranjera hizo que los donantes le retiraran los fondos. Los palestinos demócratas se apartaron de él por su tendencia a la autocracia, y los radicales le reprocharon su cooperación con Israel.

En octubre, Hamas, un grupo musulmán fundamentalista, lanzó una ofensiva contra el proceso de paz y la autoridad de Arafat. Los terroristas secuestraron a un soldado judío, le filmaron pidiendo la liberación de presos y le asesinaron cuando los comandos israelitas asaltaban su escondite. Días después, un suicida con una bomba voló un autobús en Tel Aviv, matando a 23 personas. Ni siquiera la firma de un pacto entre Israel y Jordania, que disfrutaban de relaciones relativamente cordiales, consiguió establecer el optimismo. En noviembre, cuando las fuerzas de seguridad de Palestina mataron a quince hamas en Gaza, el cumplimiento del tratado entre Israel y la OLP se había aplazado indefinidamente. ◂**1993.1**

Resultado del ataque suicida de un hama contra un autobús en Tel Aviv.

MUERTES

Jean-Louis Barrault, actor y director cinematográfico francés.

Charles Bukowski, escritor estadounidense.

Elias Canetti, escritor suizo-búlgaro.

Rosa Chacel, escritora española.

Vitas Gerulaitis, tenista estadounidense.

Erich Honecker, líder comunista alemán.

Eugène Ionesco, dramaturgo francés.

Jacqueline Kennedy Onassis, primera dama estadounidense.

Kim Il Sung, presidente norcoreano.

Burt Lancaster, actor estadounidense.

Carmen McRae, cantante estadounidense.

Melina Mercuri, actriz y política griega.

Richard Nixon, presidente estadounidense.

Luis Ocaña, ciclista español.

John Osborne, dramaturgo británico.

Linus Pauling, químico estadounidense.

Karl Popper, filósofo austríaco-británico.

Fernando Rey, actor español.

Wilma Rudolph, atleta estadounidense.

Dean Rusk, político estadounidense.

A. Senna, automovilista brasileño.

Cine: ***Forrest Gump*** **(Robert Zemeckis);** ***Pulp Fiction*** **(Quentin Tarantino);** ***Quiz Show*** **(Robert Redford);** ***Belle Epoque*** **(Fernando Trueba).**

«Nuestro enemigo quiere guerra y la tendrá.»—**Radovan Karadzic, líder serbio**

NOVEDADES DE 1994

Relaciones diplomáticas entre Israel y el Vaticano.

Buey Vu Quang vivo en Vietnam (especie identificada por primera vez en 1992 a partir de cráneos).

Prueba concluyente de la existencia de agujeros negros (descubiertos por el telescopio Hubble).

EN EL MUNDO

▸ARDE ESPAÑA—El fuego fue el trágico protagonista del verano de 1994 en la cuenca mediterránea española. Las llamas asolaron 405.000 hectáreas de las que más de la mitad eran zonas forestales: más del 2 % de los bosques del país. El balance de pérdidas humanas arrojó un saldo de 36 víctimas. De ellas, 27 participaban en la tarea de extinción de los incendios. En otro orden de cosas, pero con el mismo protagonista, el fuego, se perdió uno de los teatros de ópera más prestigiosos del mundo. El Liceo de Barcelona fue pasto de las llamas el 31 de enero.

▸CONFLICTO EN EL HIELO —En enero, un mes antes de los Juegos Olímpicos de Lillehammer, Noruega,

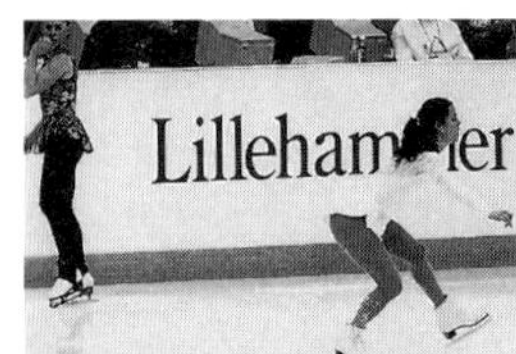

cómplices de la patinadora Tonya Harding intentaron eliminar de la competición a su rival Nancy Kerrigan dándole un golpe en la rodilla.

Gehry comparó la marquesina de zinc del American Center con un «tutú de bailarina».

ARQUITECTURA

Un americano en París

6 En junio de 1994, uno de los arquitectos más célebres de la época presentó un monumento parisino a su patria americana. El American Center de Frank Gehry constituía un ejemplo del estilo «deconstructivista» del diseñador establecido en Los Ángeles. A diferencia de los edificios que lo rodeaban, Gehry construyó el Center (destinado a exposiciones de cultura americana) en piedra caliza, típicamente parisina. Algunos críticos locales manifestaron su desacuerdo: el edificio parecía demasiado francés. **◂1991.8**

CIENCIA

Restos de dinosaurios

7 En abril de 1994, una expedición de científicos del Museo de Historia Natural de Estados Unidos y de la Academia de Ciencias de Mongolia presentó una sorprendente serie de fósiles desenterrados el verano anterior en el desierto de Gobi. Entre las piezas se encontraban 140 cráneos de mamíferos de ochenta millones de años de antigüedad y los restos de un animal que se parecía tanto a un pájaro como a un dinosaurio. En noviembre, el equipo presentó un hallazgo aún más importante: el primer embrión identificado de un dinosaurio carnívoro.

Huesos fosilizados de un dinosaurio.

El embrión, descubierto por Mark Norell, en un huevo fosilizado, arrojó nueva luz sobre los hábitos de crianza de los dinosaurios. Siete décadas antes, el paleontólogo Roy Chapman Andrews encontró el esqueleto de un animal adulto similar en Gobi, sobre un montón de huevos idénticos a aquél. Andrews pensó que los huevos pertenecían a otras especies y que constituían el alimento del adulto. El hallazgo de 1994 sugirió que el animal había empollado sus huevos. Hasta entonces se creía que sólo lo hacían los dinosaurios vegetarianos. **◂1959.5**

MÉXICO

Un año de confusión

8 Un período de reformas económicas y relativa estabilidad en México acabó de forma violenta el 1 de enero de 1994 con un alzamiento campesino. El Ejército de Liberación Nacional Zapatista, de veinte mil hombres y cuya base de operaciones se encontraba en Chiapas, una de las regiones más pobres de México, tomó siete ciudades antes de retirarse a las montañas bajo el fuego del ejército mexicano. El objetivo de los guerrilleros era acabar con el monopolio del Partido Revolucionario Institucional (PRI), que llevaba en el poder 65 años.

Los zapatistas iniciaron su rebelión el día que entraba en vigor el tratado norteamericano NAFTA, que liberalizaba el comercio entre Estados Unidos, Canadá y México y era la culminación de una campaña de seis años para reconstruir México llevada a cabo por el presidente Carlos Salinas de Gortari. Sus múltiples reformas económicas convirtieron a México en un lugar atractivo para las inversiones del mundo desarrollado, pero los rebeldes afirmaban que la corrupción del gobierno monocolor evitaba que la prosperidad llegara a la población rural, desesperadamente pobre: ya había desaparecido demasiado dinero en los bolsillos de los burócratas de la vieja guardia del PRI.

En abril, se produjo otra acción sangrienta cuando el candidato presidencial Luis Donaldo Colosio, escogido por Salinas como su sucesor, fue asesinado durante la campaña electoral. Su sustituto, Zedillo Ponce de León, fue elegido presidente en agosto. El asesinato de Colosio, el primero de una figura política desde 1928, no fue el último del año: José Francisco Ruiz Masseiu, secretario general del PRI, murió en septiembre. Dos meses más tarde, su hermano acusó al PRI de complicidad en el crimen.

En diciembre, cuando Zedillo entró en funciones, México estaba totalmente dividido. Los rebeldes

En los enfrentamientos entre los rebeldes zapatistas y el ejército se produjeron unas cien muertes.

zapatistas volvían a actuar, y el peso se devaluaba mientras los inversores extranjeros cerraban sus empresas. Antes de superar la desconfianza internacional, Zedillo tendría que convencer a su propio pueblo de que iba a realizar reformas reales, sociales y económicas. **◂1993.2**

BOSNIA

Muerte en los Balcanes

9 El alto el fuego acordado entre los serbios y los musulmanes de Bosnia en febrero de 1994 fue un símbolo del conflicto bosnio: considerado internacionalmente como el principio de la paz, fue sólo un acto diplomático sin efecto real. Los serbo-bosnios, en lucha para convertir el estado yugoslavo en la «Gran Serbia», continuaron bombardeando Sarajevo y otras ciudades bosnias. El ejército bosnio, de mayoría musulmana, luchó desesperadamente para conservar el 30 % del territorio bosnio aún no ocupado por los serbios. Los dos bandos, pero sobre todo los serbios, continuaron torturando, matando y violando a civiles en su afán de

DEPORTES: Ciclismo: el español Miguel Indurain gana su cuarto Tour de Francia [...] Fútbol: copa del mundo, en el primer torneo de Estados Unidos, Brasil derrota a Italia por 3 goles a 2.

«Mi sueño es la democracia. Decir que lo abandone es decir que deje de respirar.»—**Jean-Bertrand Aristide, presidente de Haití**

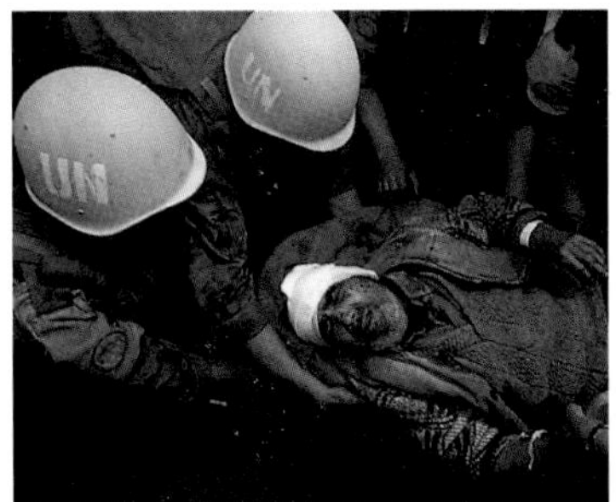

Cascos azules de la ONU evacúan a un civil herido en un ataque serbio a Gorazde.

«limpieza étnica», y la OTAN y la ONU siguieron con su política dilatoria que no hacía nada por detener la matanza.

Las víctimas aumentaban —doscientas mil muertes en la primavera de 1994 (el 85 % civiles) y cuatro millones de personas expulsadas de sus hogares— mientras la OTAN intentaba negociar con el líder serbio, Radovan Karadzic, amenazándole con ataques aéreos. Karadzic, respaldado por el presidente serbio Slodoban Miloševic, animaba a sus soldados impunemente. Mientras tanto, se evidenció la impotencia de las fuerzas pacificadoras de la ONU cuando los serbios lanzaron una ofensiva brutal contra Bihac, un enclave musulmán y supuesta «zona de seguridad» de la ONU al noroeste de Bosnia. La OTAN bombardeó una base aérea bosnia en su mayor actuación de la guerra. Los serbios respondieron tomando rehenes de entre los soldados de la ONU. «Bihac volverá a ser una zona de seguridad cuando los serbios la ocupen», declaró Karadzic.

Para empeorar la cuestión, la OTAN estaba dividida. Estados Unidos culpaba a los serbios y proponía armar a los musulmanes; Inglaterra y Francia acusaban a ambos bandos y decían que el aumento de armamento sólo agravaría la situación. La guerra iba a entrar en su tercer año y un dirigente de la ONU declaró: «Todos somos cómplices». **◂1992.1**

EL CARIBE

Regreso de Aristide

10 Durante tres años, el primer presidente electo de Haití permaneció exiliado en Estados Unidos mientras los militares que le habían derrotado aterrorizaban a su pueblo. Unos tres mil haitianos fueron asesinados por grupos paramilitares. Un embargo encabezado por Estados Unidos intensificó la miseria de la nación más pobre del hemisferio sin afectar apenas a sus dirigentes. La junta rompió su promesa de celebrar elecciones y miles de refugiados se dirigieron a Florida. (La mayoría fueron internados en campos en la base naval norteamericana de Guantánamo, Cuba, junto a miles de cubanos.) Por fin en 1994, Washington ayudó al padre Jean-Bertrand Aristide.

El presidente Clinton proyectó una invasión para mayo aunque vacilaba frente a las críticas. Sus detractores decían que Aristide era un «separatista» radical y que Haití no resultaba vital para los intereses de Estados Unidos. La mayoría de los norteamericanos se oponían al empleo de la fuerza pero en septiembre, después de que el aumento de sanciones sólo consiguiera acrecentar la actitud desafiante de la junta, Clinton reunió a sus cañoneras. Luego envió una delegación formada por el expresidente Jimmy Carter, el general Colin Powell y el senador de Georgia Sam Nunn a Puerto Príncipe en misión diplomática. La junta de Haití, constituida por los generales Raoul Cédras y Philippe Biamby y el teniente coronel Joseph Michel François, se avino a dimitir.

Unos veinte mil soldados norteamericanos arribaron a Haití con la misión de ayudar a las autoridades a mantener el orden durante la transición; sin embargo, tras un brote de nuevos asesinatos y un tiroteo entre la policía y los marines, la misión se amplió.

Aunque la multitud saqueó los edificios de la policía y del ejército, la mayoría de los haitianos acataron las peticiones de Aristide de renunciar a la venganza. Regresó el 15 de octubre, dos días después de que Cédras y Biamby se marcharan a Panamá. (François había partido antes.) El enemigo del capitalismo y del imperialismo yanqui agradeció a Clinton su ayuda y alentó a los empresarios. Los nuevos líderes lucharon por reconstruir su nación. **◂1990.13**

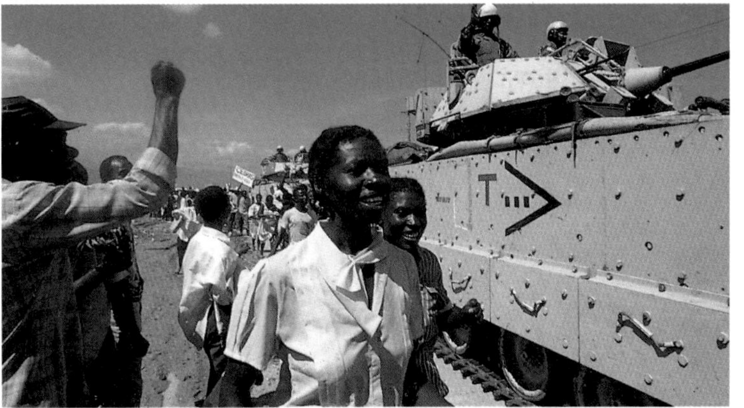

Los haitianos dan la bienvenida a Aristide —y a los soldados americanos— al final de la dictadura.

TECNOLOGÍA

Bajo el mar

11 Desde la época de Napoleón, los ingenieros soñaban con salvar los 48 km de agua que dividen (física y psíquicamente) Inglaterra y el continente europeo con un paso submarino. (Napoleón aprobó los planos de un túnel para diligencias, completado con «chimeneas» que sobresalían del mar para la ventilación.) En mayo de 1994, unos doscientos años después, estos sueños se hicieron realidad cuando la reina Isabel II de Inglaterra y el presidente de Francia, Mitterrand, inauguraron de forma oficial el túnel del Canal, el proyecto de financiación privada más ambicioso de la historia (quince mil millones de dólares).

El tren Eurostar de Alta Velocidad entra en el túnel en Calais.

Excavado a una profundidad media de unos 48 m bajo el suelo marino (una obra en la que trabajaron quince mil obreros durante siete años), el túnel, abierto en noviembre, permitió que los trenes cruzaran el canal en tan sólo 35 minutos. **◂1959.2**

Vilipendiada pero no condenada, Harding conservó su puesto en el equipo americano. En la confrontación de Lillehammer entre la «buena» y la «mala», Harding patinó muy mal. Kerrigan se había recuperado e hizo una buena actuación pero quedó segunda, detrás de la patinadora ucraniana Oksana Baiul.

▶MUERTE DE UNA ESTRELLA DEL *ROCK*—Kurt Cobain fusionó la ampulosidad del *heavy metal*, la agresividad *punk* y el lirismo del *pop* en un

estilo musical llamado *grunge*. Cuando Cobain, líder del grupo de Seattle, Nirvana, se suicidó en abril a la edad de 27 años, muchos interpretaron su muerte del mismo modo que su música rítmica y a menudo desesperada, como un ejemplo de la generación X.

▶DETENCIÓN DE HEMORRAGIAS—Los equipos científicos rivales de dos de las compañías bioquímicas más importantes de Estados Unidos anunciaron en septiembre que habían aislado la trombopitina, la hormona que estimula la producción de plaquetas en la médula espinal. La investigación había llegado a su fin gracias a nuevos métodos relacionados con la terapia genética y la mutación celular. ◂1900.12

▶LA WHITEWATER—En enero, la fiscal general Janet Reno nombró al abogado Robert Fiske fiscal especial para investigar a una compañía inmobiliaria de Arkansas llamada Whitewater, fundada a finales de los años setenta por Bill y Hillary Clinton y James McDougal. Presuntamente, McDougal dirigía una compañía, antes de que quebrara, como una especie de financiera ilegal para los políticos de Arkansas y también había utilizado dinero de sus clientes para apoyar transacciones de la Whitewater. En ausencia de pruebas concluyentes, el escándalo fue suficiente para

«Ya no los llamamos desastres. Los llamamos plagas. Y sólo estamos dos por detrás del antiguo Egipto —ranas y llagas.»

—Dan Shnur, ayudante del gobernador de California Pete Wilson, sobre los desastres naturales de Los Ángeles

perjudicar la imagen de Clinton. Su administración sufrió derrotas importantes en proyectos clave. ◂1992.4

▸ASCENSO Y CAÍDA DE UN MAGNATE—Mientras una investigación descubría la corrupción gubernamental, los italianos eligieron primer ministro a Silvio Berlusconi, pero la investigación alcanzó su imperio empresarial. Admitió que sus ejecutivos habían sobornado a inspectores de hacienda, pero negó toda implicación personal; después dimitió.

▸LOS SOCIALISTAS DE JAPÓN—El primer ministro japonés Morihiro Hosokawa llegó al gobierno como una alternativa a la corrupción, pero conservó el cargo menos de un año a causa de un préstamo que había aceptado doce años antes. Su sucesor dimitió a los 59 días facilitando el camino a un nuevo gobierno de coalición encabezado por el socialista Tomichi Murayama. ◂1993.11

▸CULTO A LA MUERTE—53 miembros de la Orden del templo Solar, una secta apocalíptica, murieron en un suicidio masivo. Las muertes, acaecidas en Suiza y Canadá, se ordenaron aparentemente por los líderes de la secta, Luc Jouret y Joseph di Mambro.

Ambos habían estado implicados en negocios de tráfico de armas y blanqueo de dinero.

▸LOTE ARTÍSTICO—El director del museo del Hermitage de San Petersburgo reveló que 700 cuadros sacados de Alemania por soldados rusos durante la Segunda Guerra Mundial habían estado ocultos en el museo desde 1945.

▸BELLE EPOQUE—Por segunda vez en la historia, una película española ganó el Óscar a la mejor película de habla no inglesa. *Belle Epoque*, protagonizada por Maribel Verdú, Miriam Díaz Aroca, Penélope Cruz, Ariadna Gil, Jorge Sainz y Gabino Diego fue dirigida por Fernando Trueba, que dedicó su premio a Billy Wilder.

Carretera de Los Ángeles destruida por el terremoto, que alcanzó 6,6 de la escala Richter.

DESASTRES

El gran terremoto

12 El terremoto que se produjo en Los Ángeles durante la madrugada del 17 de enero de 1994 quizá no fue el «gran terremoto» que muchos californianos habían temido durante décadas, pero resultó enormemente destructivo. Murieron 57 personas y las pérdidas materiales ascendieron a quince mil millones de dólares. El epicentro se encontraba en un vecindario llamado Northridge, donde sucedió el incidente más mortífero del terremoto: un edificio de apartamentos se derrumbó con un balance de 16 muertes. Por toda la ciudad miles de casas, empresas, iglesias y escuelas quedaron destruidas. Once carreteras principales, las vías de acceso a la ciudad, quedaron cortadas.

Menos cuantificables que los daños físicos fueron los psíquicos en una ciudad que recientemente había sufrido una serie de calamidades naturales y humanas, desde los disturbios de Rodney King hasta grandes incendios. Los habitantes de la zona expresaban su consternación con una especie de humor negro. Decían que el cálido sur de California en realidad tenía cuatro estaciones: terremoto, fuego, inundación y sequía. El primero constituyó la gota que colmó el vaso para muchos que hicieron el equipaje y se trasladaron a lugares menos turbulentos.

LA GUERRA FRÍA

Paradojas poscomunistas

14 En 1994 pocas naciones eran comunistas, y en la mayor parte de ellas las prácticas capitalistas superaban rápidamente las teorías marxistas. China se enorgullecía de poseer una de las economías con más crecimiento del mundo y de una cosecha incipiente de millonarios. Vietnam, anteriormente parangón del antiimperialismo, solicitaba inversiones extranjeras para facilitar que el presidente Clinton levantara un embargo de 19 años; en mayo, para consternación de los defensores de los derechos humanos, renovó la categoría de nación de trato económico preferente a China.

Incluso Cuba, con su economía en mal estado sin la ayuda soviética, se añadió a la tendencia general. A finales del verano, después de que La Habana sufriera los peores disturbios en 35 años, Fidel Castro permitió partir a Florida a treinta y cinco mil refugiados. Castro esperaba que la emigración persuadiría a Estados Unidos para levantar su embargo. En vez de esto, Clinton revocó la antigua concesión de asilo a los cubanos, la armada y la guardia costera internaron a los inmigrantes y los negociadores norteamericanos se negaron a abolir las sanciones. Castro reabrió los mercados agrícolas libres, la reforma económica más importante desde los años ochenta, cuando los mercados fueron tolerados durante algún tiempo. Asimismo cambió su oratoria antiyanqui e incluso realizó afirmaciones favorables sobre los legisladores de Estados Unidos en una entrevista concedida en diciembre a *The New York Times.*

La peor pesadilla de Lenin: los jóvenes rusos se divierten en ambientes capitalistas.

Paradójicamente muchos de los países que habían renunciado formalmente al comunismo encontraban numerosas dificultades en la construcción del capitalismo. El electorado polaco, descontento con el crecimiento de la inflación y del paro, en 1993 otorgó la mayoría parlamentaria a una coalición formada por antiguos comunistas. Del mismo modo, otros países de la Europa oriental (como Hungría) habían devuelto el poder a tales partidos desde la revolución anticomunista de 1989. Los polacos temían que una reforma demasiado veloz se convirtiera en desorden.

Pero el desorden y la lentitud no se excluían mutuamente. En la antigua Unión Soviética, una mafia nacional dirigía gran parte de la economía legal y hacía contrabando de materias que iban desde la heroína hasta el plutonio. Los oleoductos anticuados presentaban fugas que contaminaban la tundra siberiana, y la desintegración de la Unión Soviética continuaba mientras los soldados moscovitas, desmoralizados, luchaban contra las fuerzas separatistas de Chechenia. **◂1993.4**

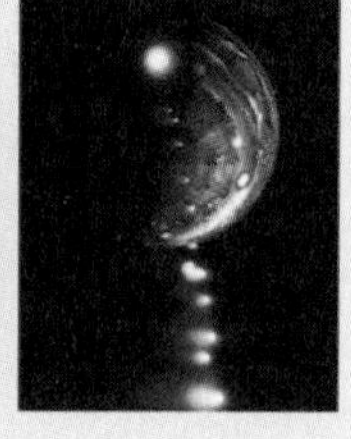

CIENCIA

Colisión en el cielo

13 Durante seis días de julio de 1994, astrónomos y aficionados de todo el mundo enfocaron sus telescopios hacia Júpiter mientras 21 fragmentos grandes e incontables pequeños del cometa Shoemaker-Levy 9 caían sobre el planeta gaseoso. El bombardeo (las colisiones desprendían más fuerza que todas las bombas y misiles de la Tierra) engendró bolas de fuego de 3.200 km de altura y dejó «marcas» negras sobre las nubes de Júpiter. David Levy, escritor y aficionado a la astronomía que había descubierto el cometa en 1993 con el matrimonio de astrónomos Carolyn y Eugene Shoemaker, observó: «Júpiter se está quedando sin fuerzas». Los científicos estudiaron el acontecimiento, el más violento de la historia conocida, para aprender más sobre Júpiter. Los profanos se preguntaron qué hubiera pasado si un cometa hubiera chocado contra la Tierra a 214.400 km/h. Es posible que los dinosaurios se hubieran extinguido a causa de una colisión de estas características. ◂1990.12

PREMIOS NOBEL: Y. Arafat, Y. Rabin y S. Peres (palestino, israelitas; acuerdo de paz) [...] Literatura: K. Oe (japonés; novelista) [...] Medicina: A. Gilman y M. Rodbell (EE.UU.; proteínas G) [...] Química: G. Olah (EE.UU.; hidrocarbonos) [...] Física: C. Shull y B. Brockhouse (EE.UU., canadiense; estructura atómica) [...] Economía: J. Nash, J. Harsanyi y S. Reinhard (EE.UU. y alemán).

ECOS DE 1994

Persecución policial

Carta de O. J. Simpson, 17 de junio de 1994

Desde el momento en que se encontraron los cuerpos de Nicole Brown Simpson y Ronald Goldman empapados en sangre a las puertas de la casa de ella en Los Ángeles tras la medianoche del 13 de junio de 1994, el asunto O. J. Simpson cautivó a la opinión pública. Casi inmediatamente, la policía de Los Ángeles sospechó de Simpson, héroe del fútbol americano y actor de cine, de los brutales asesinatos de su exmujer y su amante. La opinión pública no culpó tan rápidamente al simpático jugador, que se declaró inocente.

El 17 de junio, día en que la policía iba a detener a Simpson, él y su amigo Al Cowlings se dieron a la fuga en el Ford Bronco blanco de Simpson, dejando tras ellos una supuesta carta de «suicidio» (inferior) *que debía ser leída por un amigo a la prensa. Miles de personas salieron de casa para vitorear a Simpson mientras la policía lo perseguía por la autopista. Millones, hechizados por la desesperación de un personaje público, vieron la persecución en directo por televisión. Finalmente, Simpson regresó a su casa de Los Ángeles y, tras hacer un trato con la policía, se entregó.*

Luego empezó su largo proceso. Todos los americanos parecían tener algo que decir sobre el caso y todos los que tenían alguna relación con él (desde el juez y el fiscal hasta el criado de Simpson, Kato Kaelin) se hicieron casi tan famosos como el acusado.

A quien corresponda:

En primer lugar, que quede claro, no tengo nada que ver con el asesinato de Nicole. Yo la quería, siempre la he querido y siempre la querré. Si tuvimos algún problema es precisamente porque la quería demasiado.

Hace poco llegamos al acuerdo de que de momento no nos conveníamos, al menos de momento. A pesar de nuestro amor éramos diferentes y por eso acordamos mutuamente llevar caminos distintos.

Era la segunda vez que nos separábamos pero ambos pensábamos que era lo mejor. Dentro de mí no tenía ninguna duda de que más adelante seríamos amigos íntimos o algo más. A diferencia de lo que la prensa publicó, Nicole y yo nos llevamos muy bien mientras vivimos juntos. Como en todas las relaciones largas tuvimos altibajos. No hice declaraciones para proteger nuestra intimidad y porque me dijeron que de este modo finalizaría la presión de la prensa.

No quería criticar a la prensa pero no puedo creer lo que se está diciendo. La mayoría de cosas son totalmente inventadas. Sé que tenéis que hacer un trabajo pero os pido que por favor dejéis a mis hijos en paz. Ya tienen bastante.

Quiero enviar mi amor y dar las gracias a todos mis amigos. Lo siento, no puedo decir los nombres de todos, especialmente a A. C. Man, gracias por estar en mi vida. El apoyo y la amistad que he recibido de muchos: Wayne Hughes, Lewis Markes, Frank Olson, Mark Packer, Bender, Bobby Kardashian. Me hubiera gustado pasar más tiempo con vosotros en los últimos años. A mis compañeros de golf, Hoss, Alan Austin, Mike, Craig, Bender, Wyler, Sandy, Jay, Donnie, gracias por la diversión.

Todos mis compañeros de equipo, Reggie, fuisteis el alma de mi carrera profesional. Ahmad, siempre estaré orgulloso de ti. Marcus, Catherine es una gran mujer, no lo eches a perder. Bobby Chandler, gracias por estar aquí siempre. Ski y Kathy, me gustan vuestros muchachos, sin ellos no hubiera llegado tan lejos.

Marguerite, gracias por los primeros años. Lo pasamos bien. Paula, ¿qué puedo decirte? Eres especial. Lo siento, no supe, no supimos aprovechar nuestra oportunidad. Dios te trajo a mí, ahora me doy cuenta. Mientras me vaya, pensaré en vosotros.

Pienso en mi vida y siento que casi siempre he actuado correctamente. ¿Por qué acabo de este modo? No puedo continuar. No importa cuál sea el resultado. La gente mirará y señalará. No puedo aguantarlo. No puedo someter a mis hijos a esto. De este modo, ellos podrán continuar con sus vidas.

Por favor, aunque yo haya hecho algo malo en la vida, dejad que mis hijos vivan en paz, alejados de la prensa.

He tenido una buena vida. Estoy orgulloso de cómo la he vivido. Mi madre me enseñó a pensar en los demás. He tratado a los demás como quería que me trataran a mí. Siempre he intentado estar bien y ayudar, ¿qué está pasando?

Lo siento por la familia Goldman. Sé el dolor que están sufriendo.

Nicole y yo vivimos bien juntos. Lo que la prensa dice sobre una relación tormentosa no es más que la experiencia de una larga relación. Todos sus amigos pueden confirmar que siempre la he querido y he sido comprensivo con ella.

A veces me he sentido como un amante o un marido maltratado pero la quería, que quede claro. Y hubiera aguantado lo que fuera para que funcionara.

No sintáis pena por mí. He tenido una buena vida y grandes amigos. Por favor, pensad en el O. J. real y no en esta persona perdida.

Gracias por hacer que mi vida fuera especial. Espero haber ayudado a las vuestras.

Paz y amor, O. J.

Cinco años antes de su procesamiento por el asesinato de su exmujer, O. J. Simpson *(superior,* en la ficha policial*)* había sido arrestado por malos tratos a su esposa. Divorciada en 1992, la pareja fue fotografiada en la inauguración de un bar de Nueva York *(superior derecha)* durante un intento de reconciliación en 1993. Cuando Simpson huyó el día de su detención, la policía de Los Ángeles temió que fuera a suicidarse: su amigo Al Cowlings conducía el Ford Bronco *(superior)* y Simpson se apuntaba a la cabeza con una pistola.

«Estamos orgullosos de nuestros primeros 50 años [...] mientras otros fueron llamados para tratar los problemas del presente, la ONU demostró ser capaz de prevenir y tratar los problemas del futuro.»—**Butros Butros-Ghali, secretario general de la ONU en 1995**

HISTORIA DEL AÑO

La ONU cumple 50 años

1 En octubre, la Asamblea General de la Organización de las Naciones Unidas se reunió para celebrar el cincuentenario de esta institución. Aunque el balance de este período no resultaba plenamente satisfactorio, la ONU podía mostrar el cumplimiento de su propósito fundacional. Como su antecesora del período de entreguerras, la Sociedad de Naciones, la ONU se había creado con un doble objetivo, organizar el mundo tras una guerra mundial y evitar el estallido de un nuevo conflicto global. La Segunda Guerra Mundial supuso el fracaso de la Sociedad de Naciones. En cambio la ONU, medio siglo después de su fundación, presentaba un balance positivo: se había evitado una nueva guerra mundial. La organización internacional no constituyó el único factor, ni siquiera el más importante en este logro. Las relaciones diplomáticas directas entre las grandes potencias y el equilibrio de terror, que convertía a la guerra nuclear en el último de todos los conflictos por su capacidad de destruir el género humano, desempeñaron un papel decisivo, que relativiza la importancia de la ONU en el mantenimiento de la paz. Por otra parte, la multiplicación de guerras menores marca los límites de la capacidad arbitral del organismo internacional. Ni un solo año desde la fundación de la ONU se vio libre de los conflictos bélicos localizados. Ni un solo año la no existencia de la guerra total fue acompañada por el triunfo de la paz general para cada uno de los pueblos del mundo. Luchas de liberación nacional, cristalizaciones de la guerra fría en conflictos bélicos localizados, guerras entre naciones y guerras civiles coexistieron con la vigencia de la ONU.

La labor de la ONU a lo largo de medio siglo ha permitido establecer un nexo positivo entre la consecución de la paz, la extensión de los sistemas democráticos y el desarrollo económico. En palabras de Butros Butros-Ghali, secretario general de la ONU, con motivo de su cincuentenario: «Se pueden identificar cinco aspectos para la democratización de las relaciones internacionales. En primer lugar, existe la necesidad de democratizar el propio sistema de la ONU. En segundo lugar, la cooperación entre la ONU y las organizaciones y acuerdos regionales resulta vital para la democratización. En tercer lugar, el crecimiento de las organizaciones no gubernamentales [...] puede ser un poderoso factor para la democratización de todo el sistema internacional. En cuarto lugar, garantizar la independencia de los medios de comunicación social es un camino para garantizar la libertad de pensamiento y el flujo de ideas. Y en quinto lugar, la capacidad de la ONU de convocar conferencias internacionales es esencial para reforzar los principios democráticos en los asuntos mundiales». ◄1946.2

Los líderes de 170 Estados reunidos para celebrar el cincuentenario de la ONU.

Isaac Rabin y su sucesor, Simón Peres.

ORIENTE MEDIO

Atentados contra la paz

2 Los acuerdos de paz que arrancan de la Conferencia de Madrid de 1991 sufrieron, a lo largo del año, el ataque de los extremistas árabes e israelíes que intentaron frenar el proceso recurriendo a la violencia. Los ataques suicidas auspiciados por los fundamentalistas islámicos encontraron un trágico paralelo en el asesinato de Isaac Rabin, primer ministro israelita, víctima de un atentado organizado por la ultraderecha judía.

El 4 de noviembre, un estudiante judío de 27 años, vinculado a los extremistas ultraortodoxos, asesinó a punta de pistola al primer ministro israelí, que acababa de pronunciar su último discurso en defensa de la paz ante una multitud que se manifestaba en Tel Aviv para apoyar los acuerdos. La muerte alcanzó al primer mandatario de Israel pero el objetivo político del atentado era el proceso de paz. La eficacia con que el gobierno israelí superó rápidamente la crisis creada por el asesinato (Simon Peres asumió el cargo de primer ministro de forma casi inmediata) constituyó una muestra del fracaso de la intentona ultraderechista. En su discurso de investidura, Peres proclamó que la mejor manera de honrar la memoria de Isaac Rabin era continuar manteniendo a Israel en la senda de la paz. El contexto internacional, por otra parte, dificulta una inversión radical de la política de acuerdos y la reanudación del recurso a las armas y el triunfo de la fuerza para solucionar el contencioso que enfrenta a árabes e israelíes. Sin embargo, el asesinato del mandatario judío es también una prueba de la fuerza que poseen en Israel los fundamentalistas religiosos, que se oponen drásticamente a cualquier cambio del actual *status quo* territorial y que consideran cualquier cesión a las justificadas demandas de los palestinos como una traición al estado de Israel y como una transgresión de las exigencias de su particular interpretación religiosa, y de hecho racista, de lo que debe ser la patria judía. El alcance que en el conjunto de las fuerzas políticas israelíes ostentan estas tesis supera ampliamente el ámbito controlado por la minoría ultraextremista. El resultado de las elecciones de 1996, que darían una apretadísima victoria a los partidos de la coalición de derechas, mostrarían las reticencias de la mitad del país frente a la política de Rabin y Peres, que puede sintetizarse en el axioma: paz a cambio de territorios. Pero la solidaridad mundial con la política de entendimiento árabe-israelí quedó plasmada en la asistencia de más de sesenta jefes de Estado al funeral del mandatario asesinado. ◄1994.5

EUROPA

El largo camino hacia la moneda única

3 Los días 15 y 16 de diciembre se reunió en Madrid el Consejo de Europa, que aprobó entre otros acuerdos el nombre y el calendario para conseguir unificar las diferentes

Bandera de la Comunidad Europea.

monedas europeas en una nueva unidad monetaria: el EURO. Se definía así uno de los elementos fundamentales para llevar a término la tercera fase de la unión económica y monetaria de los países miembros de la asociación. El calendario prevé una incorporación gradual para cada uno de los distintos países en función del cumplimiento de las exigencias económicas previamente pactadas en los acuerdos de Maastrich. En 1998, los países que durante el año anterior cumplan con las condiciones iniciarán la tercera fase de la unión monetaria, y un banco central europeo asumirá competencias del

ARTE Y CULTURA: Libros: *El mundo de Sofía* (Jostein Gaarder); *Ardor guerrero* (Vicente Molina Foix) [...] Música: *Made in England* (Elton John, LP); *Unplugged in New York* (Nirvana, LP); «Everlasting love» (Gloria Estefan) [...] Pintura y escultura: el Guggenheim de Nueva York presenta una exposición retrospectiva de 56 obras del pintor español Tàpies [...]

«Una novela de amor es tan válida como cualquier otra. El deber de un escritor, el deber revolucionario si lo prefieres, es el de escribir bien.»—**Gabriel García Márquez**

sistema europeo de bancos centrales. El 1 de enero de 1999, con la introducción de la moneda única, el EURO, que coexistirá con las monedas nacionales hasta el año 2002, se dará el siguiente paso. El 1 de julio del 2002, como fecha límite, comenzarán a retirarse las monedas nacionales y las operaciones financieras solamente podrán contabilizarse con la nueva moneda.

Finalizará así el proceso de integración económica y financiera para los países que cumplan las condiciones preestablecidas. Esto supondrá la renuncia a una política monetaria propia, sustituida por una común, posiblemente más rigurosa y estricta. Desaparecerán las devaluaciones como instrumento para mejorar la competitividad comercial, y la política fiscal se deberá ajustar de forma permanente a criterios de equilibrio. El escalonamiento a lo largo del tiempo de la incorporación de los países de la Unión Europea en función del cumplimiento de las exigencias previas creará tensiones en el seno de la comunidad. Sólo aquellas naciones que consigan integrarse de lleno en este proceso podrán beneficiarse de las ventajas que les ofrecerá la creación de un espacio macroeconómico saneado, estable y predecible. **◂1993.8**

LITERATURA

El *boom* perdura

4 La literatura creada por los escritores latinoamericanos continuó dominando la producción editorial española. Junto a nombres consagrados en la primera etapa del *boom* (Gabriel García Márquez, Guillermo Cabrera Infante, Alfredo Bryce Echenique, José Donoso y Augusto Roa Bastos —*superior*—), aparecieron nuevas figuras que garantizan la continuidad de la narrativa de la América hispana. José Donoso publicó una obra, *A donde van a morir los elefantes*, que constituye un paradigma de la aventura humana de los intelectuales latinoamericanos exiliados de su patria y obligados a establecerse en tierras ajenas. La recuperación de la obra de Guillermo Cabrera Infante *Tres tristes tigres* que, a pesar de haber ganado treinta años antes el premio Biblioteca Breve, había sufrido los rigores de la censura, y que en 1995 se publicó en su versión íntegra en edición de bolsillo, se vio acompañada por otro libro a la altura de lo mejor de la producción del mismo autor *Delito por bailar chachachá*. Gabriel García Márquez toma como pretexto las bodas de plata de la protagonista de *Diatriba de amor contra un hombre sentado* para relatar en forma de monólogo el análisis que una mujer realiza de su fracaso vital.

La literatura política está representada por *Contravida*, una obra autobiográfica de Augusto Roa Bastos que recoge la historia y la realidad de su patria, Paraguay. *No me esperen en abril*, ambientado en Perú, y los *Cuentos completos* son la contribución de Alfredo Bryce Echenique. El éxito de una película en los circuitos de Arte y Ensayo, *El Cartero*, sirvió para popularizar la novela de Antonio Skarmeta *El cartero de Neruda*, prácticamente desconocida hasta entonces, cuya calidad le permite combinar el compromiso político y las vivencias íntimas de dos personalidades contrapuestas por su cultura pero unidas por su extraordinaria humanidad. Dos exiliados cubanos en lugares tan diferentes como Miami y París aportan su testimonio en forma literaria: René Vázquez Díaz con *La isla de Cundeamor* y Zoe Valdés con *La hija del embajador*.

BOSNIA

Paz en Bosnia

5 A mediados de 1995 una paz precaria, con múltiples problemas aplazados para encontrar soluciones en el futuro, puso fin a la guerra entre las diversas facciones enfrentadas por el dominio de Bosnia. Durante cuatro años, serbios, bosnios y croatas habían luchado sin que las fuerzas de intervención de la ONU, las mediaciones diplomáticas de la UE o las de los diversos países europeos pudieran conseguir un acuerdo de paz. La intervención más decidida de Estados Unidos y la sustitución de las fuerzas militares de la ONU por las de la OTAN sin que, en algunos casos, se produjera un relevo real de las tropas que se hallaban en Bosnia, propiciaron la firma de la paz en París el 14 de diciembre. Slobodan Milosevic por los serbios, Franjo Tudjman por los croatas y Alia Izetbegovic por los bosnios en el palacio del Elíseo acordaron mantener Bosnia como un estado soberano independiente constituido por dos repúblicas: la de los serbios y la de la federación de croatas y bosnios.

La cohesión de la federación entre los croatas (católicos en su gran mayoría) y los bosnios de religión musulmana, unidos frente a los serbios pero con contenciosos históricos sin resolver, es una de las hipotecas que pesan sobre el futuro de la nueva Bosnia. Por otra parte, la superación de los enfrentamientos históricos entre las tres comunidades, agravados por los crímenes cometidos durante cuatro años de guerra, acentúa el carácter precario de la paz. La presencia de sesenta mil soldados de la OTAN con el fin de garantizar el fin de la violencia se solapa con la perduración de dos ejércitos, uno para cada república, y la posibilidad de establecer *relaciones particulares* con Serbia y Croacia, los estados vecinos.

Más de dos millones de refugiados, teóricamente con derecho a regresar a sus territorios de origen, deben reubicarse en la Nueva Bosnia, dividida de facto en zonas étnico-militares con una independencia casi absoluta frente al débil poder central. La reconstrucción de un territorio dañado por la guerra es otro de los desafíos que se deberán superar para garantizar la continuidad de una Bosnia capaz de vivir en paz. **◂1994.9**

Los tres presidentes balcánicos y los testigos de la ceremonia tras la firma, el 14 de diciembre de 1995, del acuerdo de paz suscrito en el Elíseo. Sentados y de izquierda a derecha: Slobodan Milosevic (Serbia), Franjo Tudjman (Croacia) y Alia Izetbegovic (Bosnia). De pie y en el mismo orden: Felipe González (en nombre de la Unión Europea), Bill Clinton (Estados Unidos), Jacques Chirac (Francia), Helmut Kohl (Alemania), John Major (Reino Unido) y Viktor Chernomirdin (Rusia).

MUERTES

Kingsley Amis, escritor británico.

Julio Caro Baroja, antropólogo español.

Gilles Deleuze, filósofo francés.

Gerald Durrell, escritor británico.

J. Manuel Fangio, automovilista argentino.

Arturo Frondizi, político argentino.

Patricia Highsmith, escritora británica.

Néstor Luján, escritor español.

Hugo Pratt, dibujante italiano.

Isaac Rabin, político israelita.

Henry Roth, escritor estadounidense.

Harold Wilson, político británico.

Cine: ***Forrest Gump*** **(Robert Zemeckis);** ***Quemado por el sol*** **(Nikita Mikhalkov);** ***Guantanamera*** **(Tomás Gutiérrez Alea);** ***La flor de mi secreto*** **(Pedro Almodóvar);** ***Waterworld*** **(Kevin Costner);** ***Pulp Fiction*** **(Quentin Tarantino);** ***Balas sobre Broadway*** **(Woody Allen).**

«Al cruzar la meta no piensas en nada[...] las reflexiones empiezan "el día después". Y ese día vuelves a pensar que, por fin, tus sueños se hicieron realidad.»—**Miguel Indurain, sobre su primera victoria en el Tour de Francia (1991)**

NOVEDADES DE 1995

Windows 95, nuevo sistema operativo de Microsoft, la empresa infomática de Bill Gates.

EN EL MUNDO

▶UN ESPAÑOL DIRIGE LA OTAN—En diciembre de 1995, el ministro español de asuntos exteriores fue nombrado secretario general de la OTAN.

Javier Solana sucedía a Willy Claes, que desempeñaba el cargo desde 1994 y que dimitió en octubre del año siguiente por su presunta implicación en un escándalo financiero relacionado con la compra de armas. Los problemas más inmediatos planteados al nuevo secretario general son la implicación de sesenta mil hombres de la Alianza Atlántica en Bosnia-Herzegovina y la posible ampliación de la Organización a los países de Europa oriental a pesar de las suspicacias de Rusia.

▶DICCIONARIOS DE AUTOR—El relativo éxito de obras de autor que no pertenecen al género de ficción constituyó una de las sorpresas literarias del año. La colección Diccionarios de Autor con obras como el *Diccionario de Filosofía* de Fernando Savater, el

***Diccionario de las Artes* de Félix de Azúa *(superior)*, el *Diccionario de Historia* de José M.ª Valverde y el *Diccionario de Política* de Eduardo Haro Tecglen, que ocultan bajo la forma de breves diccionarios enciclopédicos auténticos ensayos sobre cada uno de los temas mencionados, superó el marco de las librerías especializadas hasta**

Mapa de Latinoamérica que muestra los conflictos fronterizos.

LATINOAMÉRICA

Las reivindicaciones territoriales

6 Los conflictos fronterizos suscitados por la desaparición de la URSS, la inestabilidad del Próximo y Medio Oriente, la crisis de los Balcanes y las disputas entre los estados africanos convierten a los problemas territoriales en uno de los temas conflictivos de alcance mundial. En 1995, una docena de contenciosos territoriales agitaban la geografía americana. Al norte, en Centroamérica y el Caribe, Guatemala, Haití y Cuba proclamaban su soberanía sobre Belice, Navassa y Guantánamo, las dos últimas frente a Estados Unidos. En el extremo sur del continente, otro conflicto suscitado por la reclamación argentina sobre las Malvinas continúa por vía diplomática el enfrentamiento no resuelto en la guerra de 1982.

Otra serie de problemas se derivan de las disputas fronterizas entre países limítrofes. Así, Ecuador y Perú no están de acuerdo sobre 78 km de su frontera común. Paraguay y Argentina cuentan con el río Pilcomayo como referencia divisoria, cuyo cauce errático no delimita con continuidad unos límites definitivos. Chile —que en años anteriores llegó a acuerdos con Argentina en las disputas por el canal de Beagle y por la Laguna del Desierto— sufre las reclamaciones de Bolivia, por Antofagasta, y de Perú, por Tarapaca. La Guyana y Venezuela se disputan más de 130.000 km² de bosque tropical. Este último país y Colombia litigan por la frontera marítima en el golfo de Maracaibo. Nicaragua reclama el archipiélago de San Andrés y Providencia, en posesión de Colombia. Finalmente, Surinam reivindica frente a la Guyana y la Guyana francesa unos 20.000 km² de territorio.

ARGELIA

Elecciones en Argelia

7 Liamín Zerual ganó las elecciones celebradas el 17 de noviembre, con un 61 % de los votos y una participación muy próxima al 75 % del censo electoral. Las elecciones constituían un éxito para el presidente que, desde la convocatoria de los comicios del año anterior, se enfrentaba a un doble desafío: la abstención, preconizada por los partidos de la oposición, y el islamismo político, representado por Hamas, partido que obtuvo un 25 % de los votos. Argelia daba así un paso adelante para superar la crisis más difícil de su historia desde que en 1962 consiguiera su independencia tras ocho años de guerra de liberación nacional.

Desde enero de 1992, cuando el jefe de Estado Chadli Benydid fue depuesto de su cargo, el enfrentamiento entre las fuerzas de seguridad y el activismo islámico ofrecía un cálculo aproximado de treinta mil a cincuenta mil muertos, la mayoría civiles, con un significativo número de asesinatos de periodistas, religiosos y extranjeros, víctimas del fundamentalismo religioso.

Con las elecciones de 1995, Argelia retomaba la senda constitucional en un intento de superar por la vía democrática el

Zerual, sexto presidente de Argelia.

enfrentamiento fraticida que dividía el país desde 1992. La aceptación del fundamentalismo islámico como una opción política no discriminada, a pesar de que su programa difícilmente resulta compatible con una democracia pluripartidista y laica, constituiría el primer paso para superar la guerra civil no declarada. Pero contra estas esperanzas, la continuidad de los atentados proyecta una sombra siniestra sobre el futuro del país. ▶**1996.1**

DEPORTES

El quinto Tour de Indurain

8 La vuelta a Francia, el Tour, es la carrera ciclista por etapas más importante del mundo. Quien gana esta prueba se convierte en el número uno del ciclismo, aunque los

Miguel Indurain.

campeonatos mundiales otorguen cada año los títulos oficiales de las diversas especialidades ciclistas. Sólo unos pocos corredores han sido capaces de ganar más de una vez la durísima carrera gala. Éstos constituyen la aristocracia del ciclismo. No obstante, la realeza de los deportistas del pedal está formada por un reducidísimo grupo de ciclistas que lograron la victoria en París en cinco ocasiones. Eran tres hasta 1995: Jaques Anquetil, Edi Merckx y Bernard Hinault. Entre 1957 y 1964, Anquetil transformó su superioridad en las pruebas cronometradas en cinco victorias en la gran carrera. Merckx repitió la hazaña al ganar las pruebas de 1969, 1970, 1971, 1972 y 1974 y, cuatro años más tarde, Hinault inició la serie que le proclamaría vencedor del Tour de los años 1978, 1979, 1981, 1982 y 1985. En los años noventa, estas marcas fueron superadas por Miguel Indurain, que consiguió vencer de forma *consecutiva* las cinco carreras que se celebraron entre 1991 y 1995. Dada su quinta victoria, sin ningún año en falso, el ciclista español alcanzó el mejor récord de la historia del ciclismo de todos los tiempos. ◀**1969.12**

DEPORTES: Tenis: la alemana Steffi Graf sucede a la española Arantxa Sánchez Vicario como número uno del tenis mundial [...] Motociclismo: el español Tarrés gana por séptima vez el campeonato mundial de trial.

«El padre de Europa tiene más de 780.000 años.»—Revista **Science**

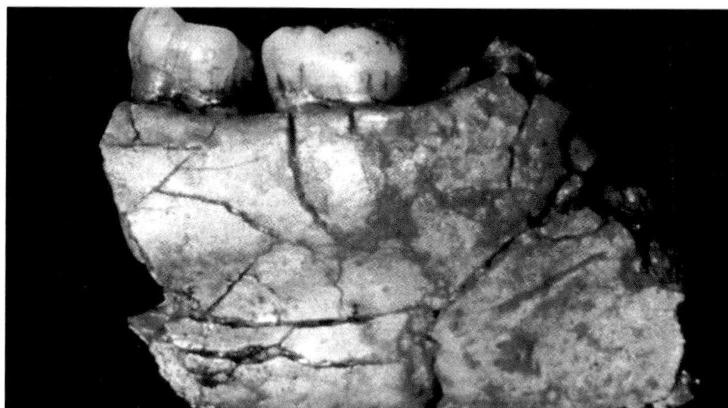

Restos de una mandíbula de homínido hallado en Atapuerca, Burgos.

CIENCIA

Los primeros europeos

9 La revista *Science* publicó en agosto los resultados de una excavación paleontológica realizada en Atapuerca, en la provincia de Burgos, dirigida por Luis Asuraga, Eudald Carbonell y José M.ª Bermúdez Castro. El yacimiento, excavado en dos campañas a lo largo de 1994 y 1995, permitió hallar restos humanos asociados a utensilios de piedra. Un análisis basado en el magnetismo terrestre del estrato situado por encima del nivel donde fueron encontrados los fósiles humanos y los útiles pétreos, realizado por J. M. Pares y publicado en la misma revista, permitió fijar la antigüedad de los hallazgos. La estimación los sitúa como mínimo 780.000 años antes de nuestra era. Esto hace de los hallazgos de Atapuerca las muestras paleontológicas humanas más antiguas encontradas hasta ahora en Europa y obliga a modificar las teorías que situaban la aparición de los antepasados del hombre actual en el viejo continente hace quinientos mil años. Aunque los análisis de los restos fósiles (dientes, fragmentos craneales y de mandíbulas pertenecientes a dos adultos, un adolescente y un niño) no permiten definir con exactitud la tipología del grupo, son sin duda paleohumanos. **◂1994.7**

CIENCIA

Encuentro espacial

10 Dos artefactos espaciales se acoplaron a 400 km de altura sobre la Tierra el 29 de junio de 1995. Los encuentros en el espacio no constituían una novedad pero esta vez había algo distinto. La nave que participaba en la operación, el *Atlantis*, era norteamericana. Su punto de atraque se hallaba en una estación orbital rusa, la *Mir*. La cita espacial se transformaba así en un símbolo de las buenas relaciones entre las dos potencias, después de la desaparición de la URSS. Pero además de las implicaciones políticas, el logro técnico era importante. Los dos vehículos, de más de cien toneladas cada uno, se habían acoplado a una velocidad de 28.000 km/h. La operación se realizó a la perfección y los diez astronautas, tres rusos y siete americanos, constituían un récord de población situada conjuntamente en órbita terrestre.

La cita se preparó con sumo cuidado. En febrero, el transbordador americano *Discovery* se aproximó a la estación rusa para realizar un reconocimiento virtual previo al acoplamiento del *Atlantis* y la *Mir*. El encuentro no constituía un hecho aislado sino que se incluía en un proyecto mucho más ambicioso. Durante el mes de noviembre se repitió la cita espacial. Se ponían así las bases para desarrollar la puesta en órbita de una estación internacional cuyo montaje está previsto realizar en 1997. Se trata del proyecto Alfa. Además de rusos y americanos participan en Alfa: Japón, Canadá y quince países de la Agencia Europea del Espacio. La colaboración europea supone una aportación de cuatrocientos mil millones de pesetas que se irán entregando hasta el año 2003. **◂1990.12**

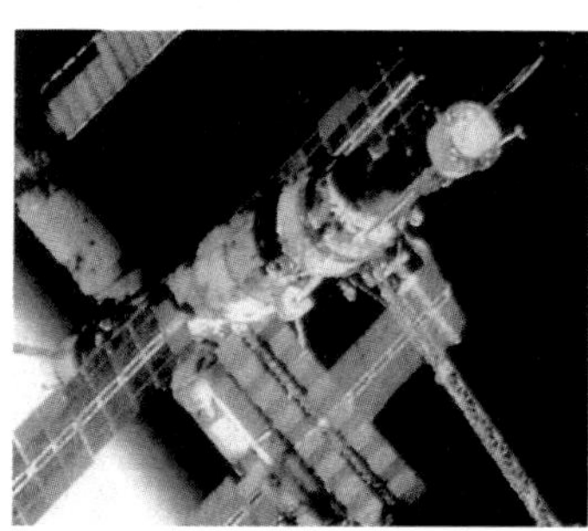

La estación orbital rusa *Mir*, fotografiada en 1995 desde el *Discovery*.

SOCIEDAD

La demografía europea

11 En 1995 la tasa de fecundidad europea era la más baja del mundo. Mientras en Europa se producían 1,54 nacimientos por cada mujer en edad fértil, la tasa de América del Norte era de 2,06 y la de África de 5,58. Sólo la entrada de emigrantes compensaba, de forma limitada, la tendencia hacia el envejecimiento de la población y el paro de una situación de crecimiento o de una regresión demográfica. Los países europeos, a lo largo de los últimos veinte años, vieron cómo disminuían los nacimientos de forma progresiva. La evolución de las tasas de fecundidad reflejaba este fenómeno de forma clara. A comienzos de la década de los sesenta los principales países de Europa occidental tenían índices de natalidad situados entre el 2 y el 3. Entre 1970 y 1980 las cifras cayeron por debajo de la cota de dos nacimientos por cada mujer en edad fértil.

En 1995, la tasa de natalidad en América del Norte superaba en 0,52 a la europea.

Aunque este proceso afectó a todos los países, fue en las naciones del sur donde la caída de la fecundidad tuvo lugar de forma más rápida e intensa. En 1995 la tasa de fecundidad europea alcanzaba la cota de 1,59. España quedaba muy por debajo de la media con 1,26 hijos por mujer, lo que constituía la tasa más baja del mundo. Italia con un 1,27 era la segunda. Aunque la disminución de la mortalidad y una pirámide de edad con una proporción muy alta de mujeres en edad fértil permitiera mantener el crecimiento natural de la población, la caída de la natalidad era el resultado y, a la vez, constituía un reflejo de una serie de profundos cambios en la sociedad europea: la incorporación tardía de los jóvenes al

alcanzar una difusión que los llevó a los quioscos de prensa.

▶ATENTADO CRIMINAL—Se sospecha que la Verdad Suprema, una secta cuyo nombre resulta tan ambiguo como sus programas, fue la responsable de un atentado cometido en el metro de Tokio en la franja horaria de mayor afluencia matinal al transporte público. El 20 de marzo, once personas resultaron muertas y más de cinco mil afectadas por emanaciones de un gas letal, el Sarin, que afecta al sistema nervioso, y que fue difundido en las 16 estaciones más utilizadas. Shoko Asahare, dirigente de la secta, fue detenido acusado de instigar el crimen.

▶CONVOCATORIA DE ELECCIONES—Tras un año en el que los éxitos en la política exterior (la presidencia española de la Unión Europea en el segundo semestre de 1995 con logros importantes en la Cumbre de Madrid, que fijó a la vez los términos de la consolidación y la expansión de la comunidad, y el nombramiento de Solana como secretario general de la OTAN) no consiguieron frenar el deterioro que los escándalos financieros, las acusaciones de terrorismo de estado, los casos de corrupción política y las dificultades económicas habían causado a la credibilidad del gobierno socialista, el presidente español Felipe González convocó elecciones para marzo de 1996. **◂1986.NM**

▶PROTESTAS EN FRANCIA—Desde 1968 no se habían producido en Francia manifestaciones de descontento ciudadano y de oposición a las medidas gubernamentales como las que agitaron París y las provincias galas durante los meses de 1995. Sin embargo,

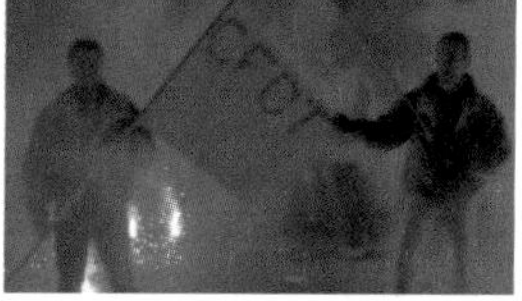

a diferencia de las protestas para que «cambiara todo», características del mayo de 1968, las manifestaciones de diciembre de 1995 eran para que «no cambiara nada» en el sistema de Seguridad Social,

POLÍTICA Y ECONOMÍA: la Unión Europea alcanza los quince miembros con la incorporación de Austria, Suecia y Finlandia [...] Guerra del fletán entre Canadá y España por la explotación de los caladeros de esta especie en el Atlántico.

«Nada hay en el mundo que limite mi total libertad.»—**F. Mitterrand**

amenazado por las reformas que la política de austeridad del presidente Chirac y del primer ministro Juppé había propuesto. Más de un millón de manifestantes en un solo día, embotellamientos de 600 km² en el sistema de accesos a París, metros, autobuses y trenes en paro, funcionarios en huelga y sindicatos enfrentados al gobierno son buenas muestras del alcance que tuvo la revuelta de Francia contra sus gobernantes.

▸ESCRITOR CENTENARIO —El escritor y pensador alemán Ernst Jünger alcanzó en 1995 los cien años de edad. Jünger, considerado por unos como «la conciencia del siglo» y vituperado por otros que lo consideran un reaccionario, saltó a la fama literaria en el período de entreguerras con su obra *Tormenta de acero*, fruto de su experiencia como combatiente —laureado con la máxima condecoración alemana «*pour le mérite*»— durante la Primera Guerra Mundial. Es autor de una serie de obras *(Los acantilados de mármol, El trabajador, Eumesville)* donde recoge, en clave de parábola, su juicio sobre la sociedad industrial, dominada por la técnica y la producción masiva, y alcanza altas cotas proféticas. En *Radiaciones* recoge sus diarios de la Segunda Guerra Mundial y años posteriores.

▸PRUEBAS NUCLEARES FRANCESAS—El año del 50 aniversario de la destrucción de Hiroshima y Nagasaki, el gobierno de Francia, desafiando a la opinión pública mundial, inició el 5 de septiembre la primera de una serie de ocho explosiones nucleares subterráneas en el atolón de Mororoa, en la Polinesia francesa. Las pruebas suscitaron una repulsa internacional, especialmente firme entre los países del Pacífico, y una dura campaña en contra de los ecologistas liderados por Greenpeace. Desde 1966, Francia ha utilizado Mororoa como base de experimentación nuclear y ha realizado 139 explosiones en el atolón.

mercado laboral, la integración de las mujeres en el mundo del trabajo, la permanencia de los jóvenes en el hogar paterno durante años después de alcanzar la mayoría de edad y el retraso progresivo de la constitución de parejas y de la primera maternidad.

RUSIA

Elecciones y guerra

12 La guerra en el Cáucaso, la precaria salud del presidente Boris Yeltsin, que sufrió dos crisis cardíacas que lo retuvieron hospitalizado durante meses, y las enormes dificultades derivadas de la transición desde la economía estatal-socialista hacia el libre mercado y desde la URSS a una Federación Rusa cohesionada y viable, constituyeron a lo largo de 1995 el camino que condujo al triunfo del Partido Comunista, que fue el más votado en las elecciones legislativas celebradas el 17 de diciembre. Más de una tercera parte de los escaños de la Duma, el parlamento ruso, fueron para el partido que lidera G. Ziuganov, «el comunista ruso» que —con modificaciones importantes en relación con el sistema de articulación entre propiedad privada y propiedad estatal— se considera heredero del Partido Comunista Soviético. Con cien diputados, los nuevos comunistas podían constituir el núcleo de una oposición muy poderosa, enfrentada al bloque liberal que daba soporte al presidente Yeltsin.

Los rusos entran en Grozni, capital de Chechenia.

Grozni en manos de los independentistas.

En el norte del Cáucaso una rebelión separatista dirigida por Pzmojar Dudaiev que, con el apoyo mayoritario del pueblo checheno, reclamaba la creación de una república independiente, conseguiría resistir a pesar de la utilización masiva del ejército ruso. El 19 de enero el palacio presidencial de Grozni, la capital de Chechenia, fue tomado al asalto por las tropas rusas, pero la guerra continuó: las tácticas de guerrilla —urbana y rural—, el recurso del terrorismo y el apoyo que los rebeldes encontraron en el integrismo religioso musulmán transformaron lo que parecía iba a ser un paseo militar ruso en un calvario, cuyos costes en términos económicos y de vidas humanas amenazaban con romper el precario equilibrio político de Rusia. Una parte significativa de la sociedad, más de 40 millones de personas, no alcanzaba rentas suficientes para superar la miseria. En contraste, una minoría —entre el 3 y el 4 % de la población— constituye la elite que disfruta de una riqueza que supera en mucho la mediocridad de la vida de la mayoría de los rusos, situados entre estos dos polos.

Los resultados electorales de finales de año recogieron esta escisión de Rusia, dividida entre los partidarios —a pesar de la dura realidad— del presente liberal y los nostálgicos —a pesar de la amarga memoria— del pasado soviético.

FRANCIA

Mitterrand: final de un reinado

13 El 7 de junio el neogaullista Jacques Chirac entraba en el Elíseo y se hacía cargo de la presidencia de Francia. Sucedía al socialista François Mitterrand, quien durante catorce años había ejercido el cargo de tal forma que había sido calificado de «presidente absoluto» o de «rey de la república». Por eso, en esta ocasión, más importante que el cambio de partidos políticos, que la sustitución de la izquierda por la derecha en el poder, lo que realmente era trascendente era el final de la carrera política de Mitterrand. Afectado por un cáncer de próstata que acabaría con su vida pocos meses después, el 8 de enero del año siguiente, hacía más de 50 años que la historia de Francia y su vida estaban confundidas. O, mejor, como escribió Sege July en su necrológica «la ambición de François Mitterrand fue partir a la conquista de la historia de Francia como se sube una a una las cumbres más duras de los Alpes, y forzar a la historia a aceptar a este político que nunca toleró la autoridad de nadie». Precisamente este no sometimiento a cualquier voluntad ajena fue una de las constantes de la carrera política de Mitterrand.

Colaborador del régimen de Vichy, rompió con el mariscal Pétain para unirse a la Francia Libre de De Gaulle con quien se enfrentaría más tarde. Fue ministro de la cuarta República y se opuso a la independencia de Argelia. En 1971 refundó el Partido Socialista y diez años más tarde ganó las elecciones que le dieron la presidencia de la República. Controvertido, independiente y pragmático renovó —por un período más— su cargo y fue capaz de ostentar la presidencia tanto con una mayoría socialista como con una cámara y un primer ministro de centroderecha «cohabitando» con él.

PREMIOS NOBEL: Paz: J. Rotblat (británico; activismo en contra de las armas nucleares) [...] Literatura: S. Heaney (irlandés; poeta) [...] Química: F. Sherwood Rowland, M. Molina y P. Crutzen (estadounidenses y holandés; capa de ozono) [...] Medicina: E. B. Lewis, E. F. Wieschaus y C. Nüsslein-Volhard (estadounidenses y alemana; genética) [...] Física: F. Reines y M. L. Perl (estadounidenses; partículas elementales) [...] Economía: R. E. Lucas (estadounidense).

Cien años de cine

El 28 de diciembre de 1995 se celebró el centenario de la primera proyección cinematográfica pública. Hacía cien años que los hermanos Lumière habían realizado una sesión de cine en un café de París, el Gran Café del Boulevard de los Capuchinos, al precio de un franco.

Nació así una industria y una forma de arte, el séptimo, que influiría de modo esencial en la percepción del mundo y se convertiría en un gran negocio a nivel mundial.

A continuación ocho de las veintidós obras maestras del cine.

***Ciudadano Kane*, de Orson Welles (1941)**
(La película que ejercerá una influencia decisiva sobre el cine)

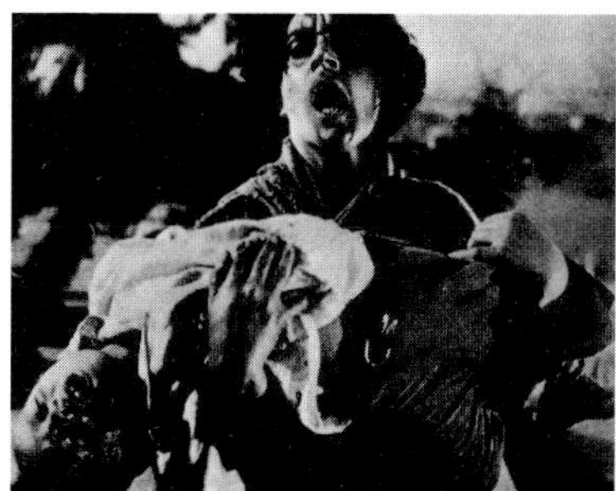

***El acorazado Potemkin*, de S. M. Eisenstein (1925)**
(La unión del realismo documental y dramatismo a través del montaje)

***El gabinete del doctor Caligari*, de Robert Wiene (1919)**
(Nacimiento del expresionismo cinematográfico)

***Nanouk, el esquimal*, de Robert Flaherty (1922)**
(Cine documental con voluntad de contactar con personas ajenas a la corrupción de la civilización)

***El hombre de la cámara*, de Dziga Vertov (1929)**
(Película vanguardista de ambientes urbanos)

***Intolerancia*, de D. W. Griffith (1916)**
(Su fracaso fue esencial en la evolución del cine)

***Berlín, sinfonía de una gran ciudad*, de Walter Ruttmann (1927)**
(En la línea vanguardista y urbana de los años veinte en Europa)

***Nacimiento de una nación*, de D. W. Griffith (1915)**
(Consagración triple del cine: arte, industria, espectáculo)

«Se encuentran aquí muchos profesionales de las organizaciones humanitarias que hacen grandes negocios».—**Servando Mayor, marista asesinado por las milicias hutus en Zaire**

HISTORIA DEL AÑO

Tragedias africanas

1 Durante un año en el que los conflictos de todo tipo sacudieron al mundo y los nombres de Palestina, Kurdistán, Ulster, Afganistán, Iraq continuaron siendo noticia porque no se cumplieron las esperanzas de paz que se habían suscitado en 1995, África fue el continente donde las tragedias humanas se perpetuaron con mayor crudeza. En Argelia, en Liberia y, sobre todo, en la región de los lagos, en Ruanda, Zaire, Uganda, Burundi y Tanzania, la herencia colonial (o, mejor dicho, el fracaso del proceso de descolonización), los odios tribales, los fanatismos religiosos y las ingerencias exteriores siguieron recolectando su trágica cosecha.

En Argelia el enfrentamiento entre el ejército y la guerrilla integrista, a pesar de las perspectivas optimistas que abrieron las elecciones de noviembre del año anterior, continuó aumentando el sangriento balance que en los últimos cinco años alcanzó los cincuenta mil muertos. En febrero, un coche bomba estalló frente a la Casa de la Prensa en Argel causando 20 víctimas mortales. En diciembre, un atentado en el metro de París, que mató a dos personas, mostraba la extensión del conflicto a la antigua metrópoli. Sólo en las referencias a los tiempos de la guerra de la liberación nacional se podían hallar niveles de violencia equiparables.

Las luchas entre las distintas facciones que intentan controlar la capital de Liberia, Monrovia, que culminaron en una ola de crímenes perpetrados ante los periodistas extranjeros durante el mes de mayo, fueron un capítulo más de la absurda matanza, con más de ciento cincuenta mil víctimas, causada por el enfrentamiento de los «señores de la guerra» liberianos.

En la región de los Grandes Lagos la secular confrontación entre hutus y tutsis, instrumentalizada, una vez más, desde el exterior, desde los países que alimentan con armas el conflicto a la vez que intentan paliarlo con ayudas humanitarias, produjo un éxodo masivo y reavivó las amenazas de genocidio. Durante el mes de octubre, los *banyemulengas*, tutsis establecidos en el Zaire, derrotaron a las milicias hutus que apoyaban al régimen de Mobutu Sese Seko y eran las responsables del exterminio masivo de tutsis en 1994, habían provocado su huida hacia el Zaire e impedían su vuelta a Ruanda. En noviembre setecientos mil hutus, rehenes hasta aquel momento de sus propios líderes, emprendieron el regreso hacia Ruanda. Allí las posibilidades de futuro no son fáciles. Las tierras que abandonaron en 1994 están ocupadas por otros refugiados, descendientes de los exiliados que en 1954 huyeron de Burundi y Uganda. La amenaza de una depuración de responsabilidad por el genocidio de 1994 pende también sobre ellos. ◄**1994.2**

Refugiados de vuelta a Ruanda.

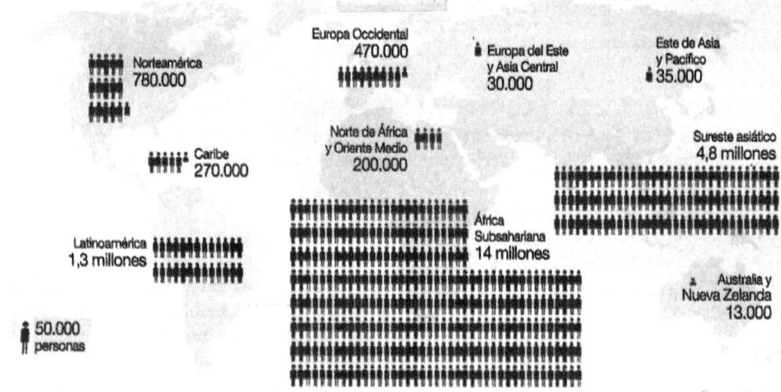

El SIDA en el mundo.

MEDICINA-SOCIEDAD

El SIDA: entre el temor y la esperanza

2 Los parámetros que enmarcan la difusión de la epidemia que asola los veinte últimos años del siglo XX ofrecen signos contradictorios. En 1996 continuó la tendencia al crecimiento de los afectados por el SIDA, su extensión a escala planetaria y el impacto, ya mayoritario en muchas zonas de la Tierra, en los grupos que durante los años ochenta eran considerados los de menor riesgo. Ya no aparece como una enfermedad propia de los homosexuales o de los drogadictos sino que alcanza a todos los sectores de la población.

En España crece el reconocimiento del número de afectados al incluir nuevas enfermedades como indicativas de que se ha podido contraer la infección. Madrid, País Vasco, Cataluña y las Baleares son las comunidades con una mayor tasa de enfermos. En conjunto, se llega a unos índices que sitúan a la población afectada en 163,9 casos por millón de habitantes. En el mundo, el África subsahariana, con catorce millones de afectados, es la zona más castigada. Pero aparecen indicios de que —aunque no a corto plazo— las esperanzas de enfrentarse a la gran epidemia no son vanas.

En la Conferencia Mundial contra el SIDA, celebrada durante el mes de julio en Canadá, se presentaron nuevos tratamientos que, combinados entre sí o con los ya conocidos, producen la desaparición del virus en la sangre de los portadores. Aunque los tratamientos son caros, los resultados aleatorios y siempre a medio o largo plazo, quizás sea 1996 el año en el que se invirtió el carácter fatal de esta enfermedad. Con todo, esta es una cuestión que pertenece al futuro. De momento, la prevención de la enfermedad sigue siendo la única arma realmente eficaz para combatirla.

LITERATURA

Muerte de un escritor

3 José Donoso, unos de los principales representantes del *boom* de la narrativa latinoamericana, falleció en Santiago de Chile, a los 72 años, en diciembre de 1996. Dos años antes, en una entrevista, había resumido así su biografía: «Nací en 1924 y no en 1925, como aparece en algunas enciclopedias. Lo que sucede es que para pedir una beca me quité un año. Estudié en Santiago de Chile lo que se llamaba Pedagogía, ya que no había estudios de humanidades. Después fui a Patagonia, luego, tras una beca en Estados Unidos, volví a Chile, después marché a Buenos Aires, donde conocí a mi mujer y me casé allá. Una estancia de ocho años en Chile precedió mi viaje a México, a casa de Carlos Fuentes, esperando para ir a Estados Unidos, donde se iba a publicar la traducción de mi primera novela. Y es curioso, salí para dos meses y estuve 18 años fuera. Dos en la Universidad de Iowa y de ahí a España: Mallorca, Vallvidrera, Sitges y Calaceite. Al nacer mi hija, volvimos a Chile».

En 1955 publicó —a su costa— *Veraneos*, un libro de cuentos, al que dos años después siguió *Coronación*,

José Donoso.

ARTE Y CULTURA: Libros: ***El desencuentro*** **(Fernando Swartz);** ***El secreto de España*** **(Juan Marichal);** ***La arboleda perdida, quinto libro*** **(Rafael Alberti);** ***Noticia de un secuestro*** **(Gabriel García Márquez) [...] Pintura y escultura: Exposición Goya (1748-1828) en el museo del Prado con motivo del 250 aniversario del pintor [...]**

«El mundo de lo grotesco, de lo amputado, lo roto, lo ruinoso, lo trunco, lo deforme, ha atrapado a Donoso con una ferocidad que puede igualar, pero no superar ninguno de sus contemporáneos.»—**Miguel García Posada**

que obtuvo un doble éxito de crítica y público. *Charleston* (1960), *El lugar sin límites* (1966) y *El obscuro pájaro de la noche* (1969) constituyeron su aportación al *boom* de los años sesenta. En el año anterior a su muerte publicó dos de sus obras más representativas, *Donde van a morir los elefantes* y *Conjeturas sobre la memoria de mi tribu*.

Su obra acusa la influencia de algunos de los más destacados escritores del siglo XX. Además de Thomas Mann —*La montaña mágica* es de obligada referencia— José Donoso entronca con una amplia gama de autores; la literatura y la vida se confunden en su existencia: «yo leía a Sartre y a Camus antes que a Henry James, Melville, D. H. Lawrence, Virginia Woolf. Luego, toda la novela popular, evasiva, pero muy inteligente, como Waugh. Soy escritor las veinticuatro horas al día. No hago deporte ni cualquier actividad fuera de leer y escribir, de ahí que mi mujer diga que soy un ente novelante. Soy más bien apacible, no me meto en política y no soy una persona de grandes ideas, sino de grandes imágenes, porque con ellas uno no está diciendo, sino que está buscando algo. No predico ni termino con una respuesta, sino con una pregunta. Es esta precariedad en el fondo del ser humano lo que me impulsa a escribir y lo que me lleva a animar a mis personajes con esa precariedad, no con ideologías».

ESPAÑA

Elecciones generales

4 Las elecciones celebradas el 3 de marzo pusieron fin a más de trece años de gobierno socialista. El Partido Popular obtuvo 156 escaños frente a 141 del Partido Socialista Obrero Español. La consulta electoral confirmaba así los vaticinios que preveían el triunfo del PP y la derrota del PSOE. Pero el resultado de las elecciones quedaba muy lejos de la euforia que habían despertado las encuestas preelectorales entre los que deseaban un triunfo arrollador del centro-derecha y un descalabro de los socialistas. El escaso margen que separó a una y otra formación política (1,4 puntos, unos 360.000 votos) obligaba al PP a negociar con los partidos nacionalistas la investidura y dejaba al PSOE con fuerza suficiente para consolidarse como la única oposición en el futuro. «Nunca hubo una victoria tan triste ni una derrota tan dulce». Esta frase, aunque posiblemente exagerada por la distancia entre lo previsto y lo

José María Aznar.

sucedido, entre las esperanzas frustradas y los temores no confirmados, resume las condiciones creadas a partir de los comicios. El PSOE, después de mantenerse trece años en el poder, había perdido las elecciones pero había conseguido más votos que en 1993 a pesar del desgaste y los escándalos que salpicaron su última etapa. El PP era el partido más votado pero necesitaba el apoyo de los diputados de las minorías nacionalistas (16 catalanes de CIU, cinco vascos del PNV y cuatro canarios de la CC).

A pesar de que durante la campaña electoral las relaciones entre el PP y los partidos nacionalistas fueron muy tensas, en parte porque se disputaban una clientela electoral que pertenecía a los mismos grupos sociales y en parte por el españolismo de los populares enfrentados a los autonomismos de vascos y catalanes, el 29 de abril José María Aznar, el candidato del partido de centro-derecha, fue investido como presidente del gobierno con el apoyo de los tres partidos nacionalistas, y el 5 de mayo, tras constituir un equipo con catorce ministros, juró su cargo ante el rey. La modificación del sistema de financiación autonómica, que aumentó de un 15 al 30 %, la cuota del IRPF cedida a las autonomías y la inclusión de los impuestos especiales (tabaco, alcohol e hidrocarburos) en el concierto del País Vasco, fueron las contrapartidas de los acuerdos con los partidos nacionalistas. La aprobación de los presupuestos para 1997, los más restrictivos de los últimos 20 años, se realizó dentro de este mismo marco. Las previsiones de reducción del déficit a un 3 % del PIB y de la inflación a un 2,6 % se ajustaban a las exigencias para cumplir con los criterios de convergencia para poder integrarse desde el principio en el sistema monetario europeo.

En octubre, el gobierno de Aznar firmó con los sindicatos el Acuerdo Económico y Social que garantizaba, hasta el año 2000, el poder adquisitivo de las pensiones mediante su revalorización automática. Aunque esta medida ayudó a mejorar el clima social del país, la congelación del sueldo de dos millones de funcionarios para el año 1997, el 14 de septiembre, abrió un nuevo contencioso entre este colectivo y el gobierno. ◂**1995.NM**

FILANTROPÍA

Los premios Nobel

5 Felipe Ximenes Belo, obispo católico, y José Ramos, abogado, quien manifestó que haría entrega de su premio a Xanana Gusmao, líder guerrillero del Fretilin, encarcelado por las autoridades indonesias, fueron galardonados en Oslo con el Premio Nobel de la paz por sus actividades en favor de la independencia de Timor en su contencioso con Indonesia. El mismo día, el 10 de diciembre, como es tradicional se celebró, horas después, en el auditorio de Estocolmo, la entrega del resto de los Nobel. El rey Carlos Gustavo de Suecia presidió la ceremonia en la que se concedieron el resto de los premios correspondientes al año 1996. Wislowa Szymborska, una poeta polaca, recibió el de literatura. Recibieron a continuación sus premios David Lee, Robert Richardson y Douglas Osheroff, estadounidenses, galardonados en física. Peter Doherty, australiano, y Rolf Zinkernagel, suizo, recibieron después el de medicina.

Harold Kroto, inglés, y Robert Curl y Richard Smalley, de Estados Unidos, recibieron el de química. El galardón de economía fue recogido por James Mirrlees, británico, quien lo compartió con William Vickrey, norteamericano, fallecido la misma semana en que le fue concedido.

En el discurso de aceptación de su premio, pronunciado tres días antes, titulado «El poeta y el mundo», Wislowa Szymborska había glosado las fuentes de inspiración de su obra y algunos de los aspectos que caracterizan la condición de poeta: «la inspiración no es un privilegio exclusivo de los poetas o de los artistas. Siempre ha existido y existirá una categoría de personas que están expuestas a la inspiración. Son, sobre todo, esas personas que

MUERTES

Antonio, bailarín español.

José Luis Aranguren, filósofo español.

Bokassa, dictador centroafricano.

Carmen Conde, escritora española.

Luis Miguel Dominguín, torero español.

José Donoso, escritor chileno.

Marguerite Duras, escritora francesa.

Ella Fitzgerald, cantante estadounidense.

Gene Kelly, actor y bailarín estadounidense.

Dorothy Lamour, actriz estadounidense.

Marcelo Mastroianni, actor italiano.

François Mitterrand, político francés.

Stavros Niarchos, armador griego.

Andres Papandreu, político griego.

Antonio de Spinola, militar portugués.

Cine: ***Braveheart*** **(Mel Gibson);** ***Leaving Las Vegas*** **(Mike Figgis).**

«En poesía nada es normal. Ni una sola piedra ni una sola nube. Ni un solo día, una noche o una sola existencia.»
—Wislowa Szymborska, poeta polaca

NOVEDADES DE 1996

Melatonina en Europa.

Descubierta la proteína que el virus del SIDA utiliza para infectar las células inmunitarias.

Una mujer «matador de toros», Cristina Sánchez tomó la alternativa en Nimes de manos de Curro Romero.

Posibles pruebas de la existencia de vida extraterreste en un meteorito de origen marciano.

Genética: la secuencia completa del Genoma de la levadura del pan, el vino y la cerveza, la primera de un organismo complejo que se conoce, supone un paso adelante en el camino hacia el descubrimiento del genoma humano.

EN EL MUNDO

▶FÚTBOL Y DINERO—Dos factores independientes entre sí hicieron de 1996 el año de la revolución en el mundo del deporte: la sentencia Bosman y la competencia entre cadenas de televisión por controlar las retransmisiones deportivas. Los derechos de los trabajadores de la Unión Europea para trabajar en cualquiera de los países de la Comunidad alcanzaron a los deportistas profesionales, gracias a la jurisprudencia creada por el resultado de un proceso que duró seis años y fue finalmente resuelto a favor de un futbolista belga, Bosman. De esta manera se acabaron las limitaciones que la FIFA y las Federaciones Nacionales imponían en las competiciones europeas y estatales con respecto a los jugadores extranjeros que podían participar en ellas. Por otra parte, los clubes deportivos —los de fútbol especialmente— recibieron una considerable aportación económica de las cadenas de televisión. Las nuevas perspectivas que se abrían en el mundo de las comunicaciones —televisión digital, por satélite y «televisión a la carta»— multiplicaron los recursos, que se dedicaron a comprar los derechos de transmisión de los acontecimientos deportivos del futuro. Como consecuencia de esta

Después de recibir el Premio Nobel de literatura, Szymborska encendió un cigarrillo y pensó en volver a escribir en soledad.

han tenido la suerte de poder elegir un trabajo que les agrada, para ellas la vida es una aventura. La inspiración, sea lo que sea esto, nace siempre de un eterno «yo no sé». Si Isaac Newton no hubiera confesado que no sabía, sus manzanas se hubieran podrido en el suelo. Si mi compatriota Marie Sklodowska Curie no hubiera dicho en su momento «no lo sé», habría acabado enseñando química a jóvenes de buena familia, en lugar de acudir dos veces a Estocolmo a recoger el Nobel».

Se cumplían así cien años desde que el legado testamentario de Alfred Nobel, que murió en 1896, estableciera las bases financieras para dotar los premios que llevan su nombre. Las dificultades derivadas de la complejidad para llevar a la práctica la voluntad del filántropo retrasaron hasta 1901 la concesión de los galardones correspondientes a literatura, física, medicina, química y el de la paz. En 1969 se amplió su número al añadirse un nuevo premio anual para la economía.
◀1901.5

ORIENTE MEDIO

Elecciones entre la paz y la guerra

6 El sábado 20 de enero Yasir Arafat fue elegido presidente del estado de Palestina con el 88,1 % de los votos. Poco más de cuatro meses después, el 21 de mayo, los votantes israelíes dieron el triunfo al líder derechista Benjamin Netanyahu por un margen inferior al 1 %. Menos de treinta mil votos le separaron del candidato socialista Simon Peres, que perdió así las elecciones y el poder. El ajustado resultado de las elecciones producía efectos contradictorios. Por una parte, Netanyahu, que había basado su campaña electoral en el temor que el desarrollo del estado de Palestina despertaba entre sus compatriotas, alimentado por los atentados de los extremistas árabes, necesitaba para gobernar apoyarse en una coalición que aglutinase a la derecha tradicional, los partidos religiosos y el nuevo partido de Netan Sharansky, el defensor de los inmigrantes rusos. Esta situación encaraba su política hacia la dureza. Pero el hecho de que prácticamente la mitad de sus compatriotas hubiera votado por Simon Peres y su política de acuerdo con los palestinos no podía quedar sin consecuencias. Netanyahu debía así hacer compatible una política de garantía para los votantes de su coalición —concretada en el mantenimiento del control exclusivo por los israelitas de la ciudad de Jerusalén, de los Altos del Golán y la continuidad del desarrollo de las colonias de Cisjordania— con la perduración de las negociaciones con Yasir Arafat, que precisamente encontraban sus mayores puntos de fricción en estas mismas cuestiones. Las dificultades para conciliar esta doble exigencia se pusieron trágicamente de manifiesto durante el mes de septiembre. La apertura al público de un túnel, cuya existencia se remonta a siglos, que atraviesa el subsuelo sobre el que está construida la mezquita de Al Aqse, en Jerusalén, fue considerada como inaceptable por los palestinos. Los musulmanes valoran esta mezquita como la tercera entre todas las construidas y consideraban que la apertura del túnel amenazaba sus cimientos. Los enfrentamientos entre palestinos —civiles y militares— y el ejército israelí contaron unas setenta víctimas.

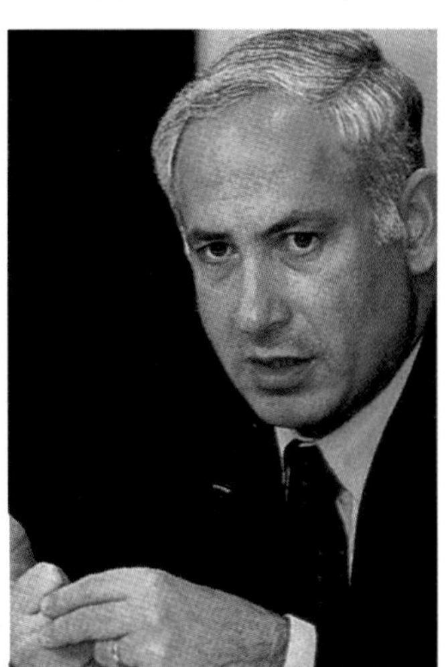

Benjamin Netanyahu.

ECONOMÍA

Paro y crecimiento económico

7 La relación inversamente proporcional de estas dos variables ya no se considera una verdad incontrovertible. El mantenimiento, y aun el aumento, de los índices de paro puede producirse durante un período de crecimiento económico. La constatación de este fenómeno se hizo evidente en la reunión que el G-7 y el Fondo Monetario Internacional tuvieron en Washington durante el mes de abril. El G-7 está formado por los países más industrializados del mundo: Estados Unidos, Japón, Alemania, Francia, Italia, Canadá y el Reino Unido. El objeto principal de la reunión era tomar las medidas necesarias para sacar a los países europeos del estancamiento económico en que se hallaban inmersos. Las expectativas de desarrollo de las dos principales economías del Viejo Continente, Alemania y Francia, se han reducido a la mitad en contraste con el crecimiento sostenido de Estados Unidos y la recuperación del Japón, a pesar del fenómeno que encabeza este artículo.

La política monetaria fluctuó entre dos exigencias de difícil conciliación. Mientras Washington pedía a sus socios europeos que redujeran sus tipos de interés para conseguir un equilibrio entre sus monedas y el dólar, éstos apostaban por una continuidad en el alza de la cotización de la moneda americana. El dólar alto favorece las exportaciones a América de los productos de Europa y contribuye así a su desarrollo.

Por otra parte, la reducción de la inflación y de los déficits públicos permitiría al G-7 mantener un tono optimista en el comunicado final de su reunión: «Creemos que pese a la reciente pausa en el crecimiento en algunos países los datos fundamentales del G-7 son muy esperanzadores».

«Una segunda bomba habría acabado con los juegos. Nunca más se volverá a ceder unos juegos a la iniciativa privada.»—**J. A. Samaranch, presidente del COI, tras los Juegos Olímpicos de Atlanta**

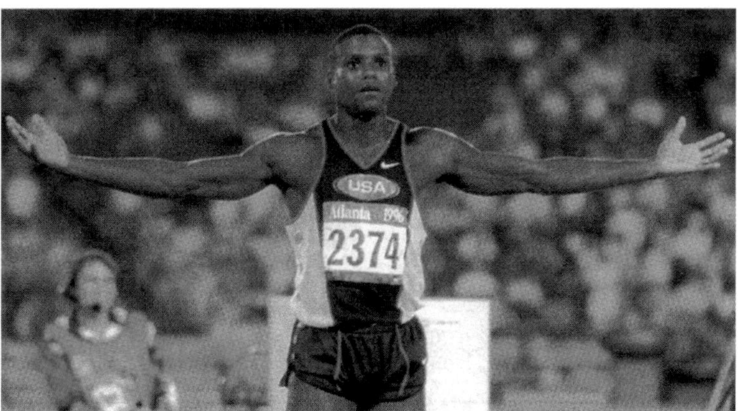

Carl Lewis.

DEPORTES

Juegos Olímpicos de Atlanta

8 Entre el 20 de julio y el 4 de agosto se celebraron en la ciudad estadounidense de Atlanta los Juegos Olímpicos correspondientes al año 1996. Su organización había sido sido encomendada a promotores privados. En la ceremonia de clausura, el presidente del COI J.A. Samaranch rompió una tradición. *No afirmó*, como había sido habitual hasta entonces, que aquellos habían sido los mejores juegos de la historia. Sin embargo, la progresión que caracteriza a los Juegos Olímpicos de la era moderna había continuado. Los récords deportivos habían sido logrados en un porcentaje satisfactorio, el número de espectadores —presentes en los estadios y a través de los medios de comunicación— había sido mayor que nunca y los atletas y equipos participantes también se habían superado. No faltaron tampoco, como en todos los juegos, las figuras deportivas que se transformaban en mito y adquirían así un carácter emblemático. Carl Lewis, de 35 años de edad, ganó la medalla de oro en salto de longitud y fue considerado el mejor atleta de la historia. Michael Johnson, por su parte, vencía en 200 y 400 metros lisos y se convertía así en la figura más relevante de los juegos.

Los fallos de organización que suscitaron quejas entre los participantes y los espectadores —deficiencias en los transportes y las comunicaciones, fallos en la alimentación, problemas con as entradas en los recintos deportivos—ensombrecieron el panorama. Sobre todo el atentado terrorista —una bomba mató a dos personas e hirió a 110— cometido en la madrugada del 27 de julio en el Parque del Centenario de Atlanta puso en entredicho la organización del evento.

Para España, los juegos confirmaron el nivel deportivo alcanzado cuatro años antes en los Juegos Olímpicos de Barcelona. Alguno de los galardonados en 1992 repitieron medalla, como Fermín Cacho en atletismo, Teresa Zabell en vela y Arantxa Sánchez Vicario en tenis. Otros revalidaron su prestigio en el mundo del deporte: las medallas de Sergi Bruguera y Miguel Indurain en tenis y ciclismo respectivamente aportaron plata y oro olímpicos a dos deportistas ya consagrados. En total 17 medallas (5 de oro, 6 de plata y 6 de bronce) premiaron a los representantes del deporte español en Atlanta. ◄**1992.E**

POLÍTICA

Récords políticos

9 En la historia de Alemania dos cancilleres ostentan los récords de permanencia en el gobierno de la nación. Durante el siglo XIX Otto von Bismarck, el «canciller de hierro», que fue el artífice de la unificación alemana que cristalizó en el Segundo Reich, se mantuvo en el poder durante 19 años. Konrad Adenauer, después de la Segunda Guerra Mundial, fue el primer canciller de la República Federal Alemana y durante los años que ocupó el poder (1949-1963) se desarrolló el «milagro alemán», la transformación de su país, empobrecido tras la derrota de 1945, en el más próspero de Europa. En 1996 Helmut Kohl, que dirigió la segunda unidad y, con más de catorce, superó a Adenauer en la permanencia al frente del gobierno. Si, como postula su partido y entra dentro de sus posibilidades, gana las elecciones de 1998, Kohl superaría también a Bismarck.

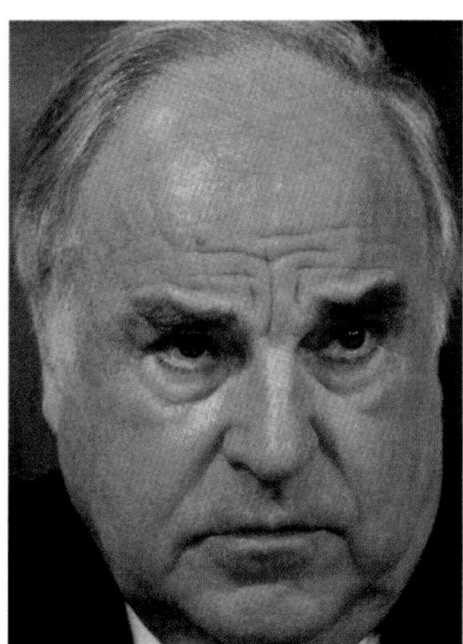

Helmut Kohl.

SANIDAD

Las vacas locas

10 Encefalopatía espongiforme bovina. Este es el nombre científico de una enfermedad que durante diez años había afectado al ganado vacuno británico. En 1996 fue conocida popularmente como la enfermedad de «las vacas locas». Pero la gravedad de esta cuestión no

radica en un cambio de nombre. Desde diciembre de 1995 las posibilidades de que la enfermedad se contagiara a los consumidores de carne de reses afectadas por la encefalopatía espongiforme había provocado una caída de las ventas de carne de vacuno en un 20 %. Durante el mes de marzo siguiente, los temores se confirmaron. El día 21 el gobierno británico admitió que la enfermedad podía pasar de una especie a otra y que durante el último año unas diez personas podían haber sido víctimas fatales de este fenómeno. Cuatro días después, el 25 de marzo, la UE prohibía la exportación de ganado bovino británico a todo el mundo. En los países de la Comunidad Europea cayó de forma drástica el consumo de carne y en las islas del Reino Unido comenzaba una hecatombe de reses. Diez millones de cabezas de ganado debían ser muertas y quemadas.

confluencia entre la liberación de los fichajes y la aportación de capitales dedicados a realizarlos, se dispararon las cifras. En España, el fútbol movió más de treinta mil millones de pesetas en la contratación de jugadores. Y —por otra parte— la programación televisiva fue inundada, todos los días y a toda hora, por los programas deportivos.

▶FUSIÓN DE LOS ALTOS VUELOS—Las dos compañías norteamericanas Boeing y McDonnell-Douglas anunciaron su intención de unificarse en una sola empresa. Se crearía así una corporación gigantesca que controlaría la construcción de aviones comerciales de gran tamaño. El 75 % de los aeroplanos de más de cien plazas sería producido por la misma firma. El anuncio de esta operación suscitó la desconfianza de la compañía europea Airbus que controla el 20 % del mercado de los aparatos de estas características.

▶ESCLAVITUD DEPORTIVA—¿Qué prefieres, una hija o una medalla? En esta pregunta, planteada a su madre, María Pardo resumía los motivos que la impulsaron a abandonar el equipo de gimnasia rítmica un mes antes de la inauguración de los Juegos Olímpicos de Atlanta. La férrea disciplina, las dietas drásticas, la soledad de las atletas, todavía unas niñas, confinadas en casas aisladas y sometidas a un entrenamiento intensivo que

impidió durante todo un año la continuación de los estudios, tipificaban un régimen de vida más propio de un sistema esclavista que de una residencia deportiva. María Pardo perdió así la oportunidad de ganar la

POLÍTICA Y ECONOMÍA: plan de privatización de grandes empresas españolas como Repsol, Argentaria y Gas Natural [...] Clinton reelegido presidente de Estados Unidos [...] Nace el Euro, moneda europea [...] El FMI concede un crédito de diez mil millones a Rusia [...] Fusión de los bancos Tokio y Mitsubishi

medalla de oro que obtuvo el equipo español. Tres meses después de que se publicara su diario, que recoge las condiciones durísimas de la concentración, la Federación Española de Gimnasia suprimía el régimen de aislamiento de las gimnastas y prescindía de la seleccionadora que lo había propiciado.

▶VARGAS LLOSA ACADÉMICO—El escritor peruano Vargas Llosa ingresó en la Real Academia de la Lengua Española el 15 de enero. Sus padrinos fueron Cela, Laín y Lapesa. En el

discurso de ingreso, «Las discretas ficciones de Azorín», puso de manifiesto su devoción por el elegante escritor de Monovar: «*La ruta de Don Quijote* (1905) es uno de los libros más hechiceros que he leído. Aunque hubiera sido el único que escribió, él solo bastaría para hacer de Azorín uno de los más elegantes artesanos de nuestra lengua y el creador de un género en el que se alían la fantasía y la observación, la crónica de viaje y la crítica literaria, el diario íntimo y el reportaje periodístico, para producir, condensada como la luz en una piedra preciosa, una obra de consumada orfebrería artística [...]».

PERÚ

Tupac Amaru contra Fujimori

11 El presidente del Perú creía que 1996 podía ser un buen año. A pesar de que las desigualdades en el reparto de la renta nacional eran causa de tensiones y continuaban existiendo en el país sectores muy amplios de la población sujetos a niveles de vida bajísimos, las cifras macroeconómicas eran muy favorables. Y por otra parte la represión contra las guerrillas indigenistas había neutralizado a Sendero Luminoso, el grupo de oposición armada más famoso de Perú. Pero a mediados del mes de diciembre el asalto a la residencia del embajador japonés en Lima, llevado a cabo durante una recepción ofrecida al cuerpo diplomático y a la que asistían muchos de los miembros de la elite política y social peruana, provocó la aparición en los medios de comunicación de todo el mundo de un nuevo frente de oposición al régimen de Fujimori: el Movimiento Revolucionario Tupac Amaru.

La operación, que había sido muy bien planificada y se realizó de forma muy eficaz, puso en manos del comando Tupac Amaru a casi 500 rehenes. Durante más de cinco días el presidente mantuvo un silencio absoluto en respuesta a las condiciones que los secuestradores imponían para liberar a los retenidos en la residencia del embajador. El 20 de diciembre los portavoces del MRTA liberaron a 38 rehenes y dieron un ultimátum: matarían a cientos de sus prisioneros si el gobierno no liberaba a más de 400 guerrilleros, que permanecían encarcelados. El capellán de los miembros católicos de la colonia japonesa de Perú y director espiritual de Fujimori declaró el día 22 que «no se cedería a las demandas de los terroristas». Un día después el propio presidente rompió su silencio para confirmar que no aceptaría más solución que la rendición incondicional del comando. El 25 el secuestro abrió una crisis diplomática entre Perú y Uruguay a causa de la excarcelación de dos detenidos del MRT, cuya extradición pedían las autoridades de Lima. Al día siguiente los secuestradores sembraron de minas las entradas a la residencia del embajador nipón, que se encontraba cercada por efectivos policiales y militares dotados de abundante material bélico.

Las intervenciones de distintas potencias (Japón, Rusia, el grupo G.7) que a la vez que condenaban el acto terrorista instaban a Fujimori a negociar y la liberación de otros 20 rehenes abrieron los contactos entre el gobierno de Fujimori y la guerrilla. El último día del año los representantes de Tupac Amaru convocaron una conferencia de prensa en la residencia del embajador. Este fue un último golpe de efecto de 1996.

CIENCIA

Indicios de vida primitiva

12 Tres descubrimientos realizados durante el año convirtieron a la vida primitiva en la gran protagonista de las investigaciones científicas. Quizá la más espectacular fue la noticia anunciada por la prensa internacional a principios del mes de agosto: la NASA había encontrado indicios de vida en Marte. En 1984 se había recogido en la Antártida un meteorito de procedencia supuestamente marciana que debía haber caído a la Tierra hacía unos trece mil años. Las investigaciones llevaron a la suposición de la existencia de una vida primitiva marciana en forma de pequeños microbios de unos cuatro mil millones de años de antigüedad. En noviembre científicos británicos apoyaron esta tesis tras haber estudiado el meteorito en cuestión y otro más reciente. A finales de año se inició el nuevo programa de exploración del planeta rojo pero no había habido tiempo suficiente para dotar a las sondas con instrumentos adecuados para indagar sobre los indicios de vida.

En cuanto a la vida primitiva terrestre se descubrieron indicios de 3.850 millones de años de antigüedad (datación tan antigua como la referente a la de la vida en Marte) en una roca de Groenlandia, lo que abrió un nuevo interrogante científico referente a la rápida regeneración de la vida en la Tierra tras su supuesto período de esterilidad.

La tercera noticia sobre vida primitiva consistió en la identificación completa de una arqueobacteria descubierta en las profundidades marinas en 1977, que llevó a un replanteamiento de los cinco reinos tradicionales en que se había dividido la vida.

Salida de los rehenes liberados en Perú.

VIDA EN MARTE
Científicos estadounidenses han descubierto indicios de actividad biológica antigua en los restos de un meteorito que cayó a laTierra hace13.000 años.
Cómo llegó a la Tierra el meteorito.
El impacto del asteroide rompió y arrojo la roca al espacio.
La roca derivó por el espacio y cayó a la Tierra hace 13.000 años
4.500 millones de años
La roca se forma cuando se enfrían las columnas de lava.
3.500 millones de años
Se depositan moléculas orgánicas basadas en el carbono en pequeñas grietas de la roca.
16 millones de años
El impacto de un meteorito arranca la roca de Marte.
13.000 años
La roca cae a la tierra como meteorito, que es descubierto en la Antártida en 1984.

«Se descubren indicios de vida marciana» —*La Vanguardia*, agosto de 1996.

PREMIOS NOBEL: Paz: F. Ximenes Belo y J. Ramos (independencia de Timor Oriental) [...] Literatura: Wislowa Szymborska (polaca, poeta) [...] Química: H. Kroto, R. Curl y Richard Smalley (británico y estadounidenses) [...] Medicina: P. Doherty y Rolf Zinkernagel (australiano y suizo) [...] Física: D. Lee, R. Richardson y D. Osheroff (estadounidenses) [...] Economía: James Mirrlees y William Vickrey (británico y estadounidense).

ECOS DE 1996

Ángeles en América

Tony Kushner

La primera parte de la obra Ángeles en América, de Tony Kushner, obtuvo un gran éxito en Inglaterra en 1992, un año antes de su estreno en Broadway. La obra es una mirada sobre Estados Unidos de finales del siglo XX que utiliza el SIDA como una metáfora de la decadencia social, política y moral. La visión surrealista y a menudo cínica presenta a una pareja mormona (ella es adicta al valium y él no siente ninguna apetencia sexual hacia ella), una pareja homosexual compuesta por un judío y un anglosajón y al abogado maccarthysta Roy Cohn en el papel de un hombre poderoso de la era Reagan que está enfermo de SIDA. (Ethel Rossenberg, ejecutada en 1953 por espionaje, también aparece en forma de ángel). En la escena siguiente el joven enfermo de SIDA Prior Walter recibe la visita de dos antepasados que llevan su nombre.

Ángeles en América se estrenó en Barcelona en 1996 con motivo de la inauguración del Teatre Nacional de Catalunya, cuyo director es Josep Maria Flotats.

Acto III: en duermevela, durante la madrugada, enero de 1986.

Escena I: De noche. Tres días después del final del acto II. El escenario a oscuras. Prior está en la cama de su apartamento y sufre una pesadilla. Se despierta, se incorpora y enciende una lámpara. Mira el reloj. Sentado en la mesa, junto a la cama, hay un hombre vestido con ropa del siglo XIII.

Prior: (aterrorizado): ¿Quién eres?
Prior I: me llamo Prior Walter.
(Pausa)
Prior: Me llamo Prior Walter.
Prior I: Ya lo sé.
Prior: Explícate.
Prior I: Tú estás vivo, yo no. Nos llamamos igual. ¿Qué quieres que te diga?
Prior: ¿Un fantasma?
Prior I: Un ancestro.
Prior: ¿Eres el Prior Walter del tapiz de Bayeux?
Prior I: Su requetebisnieto. El quinto que lleva este nombre.
Prior: Yo soy el 34, creo.
Prior I: en realidad el 32.
Prior: Según mi madre no.
Prior I: Entonces es que incluye a los dos bastardos; dejémoslos fuera, los bastardos no cuentan. Las cositas que tragas...
Prior: Pastillas.
Prior I: Pastillas. Para la peste yo también...
Prior: La peste...Tú también ¿qué?
Prior I: En mi época la peste era mucho peor que ahora. Pueblos enteros con las casas vacías. Se podía mirar afuera y ver a la muerte caminando por la mañana, con su traje negro humedecido de rocío. Tan claro como te veo a tí.
Prior: Moriste por la epidemia.
Prior I: La bestia negra. Como tú, solo.
Prior: Yo no estoy solo.
Prior I: No tienes esposa, no tienes hijos.
Prior: Soy gay (en inglés, la palabra *gay* tiene dos acepciones: homosexual y alegre)
Prior I: ¿Ah, sí? Pues sé alegre, baila. ¿Qué tiene que ver con no tener hijos?
Prior: Gay, homosexual, no contento.
Prior I: Yo tenía 12 cuando morí.
(Aparece el segundo fantasma, vestido con ropa del siglo XVII)
Prior I (señalando a Prior II): Y era tres años más joven que él.
(Prior ve al segundo fantasma y grita)
Prior: Dios mío, otro.
Prior II: Prior Walter. Para ti Prior, como otros 17.
Prior I: Cuenta a los bastardos.
Prior: ¿Es una convención?
Prior II: Hemos sido enviados para anunciar su llegada. Les gusta una entrada bien preparada, con muchos heraldos y...
Prior I: El mensajero llega. Prepara el camino, el infinito descenso, un suspiro en el aire...
Prior II: Creo que nos escogieron a nosotros por nuestras afinidades mortales. En una familia con tanta descendencia como los Walter tiene que haber algunos arrastrados por la epidemia.
Prior I: La bestia negra.
Prior II: Vino de una bomba de agua, del centro de Londres. ¿Te imaginas?. A él se la contagiaron las pulgas. Lo tuyo, creo que a través del sexo.
Prior I: Pulgas de ratas. ¿Quién iba a saberlo?.
Prior: ¿Me voy a morir?
Prior II: No estamos autorizados a revelarlo.
Prior I: Cuando te toque no tendrás ancestros que te ayuden. Aunque estuvieras rodeado de hijos, morirías solo.
Prior: Tengo miedo.
Prior I: Debes tenerlo. No hay antorchas y la senda es escabrosa, oscura y escarpada.
Prior II: No le asustes. Hay buenas noticias antes de las malas.
Nosotros venimos para esparcir pétalos de rosa y hojas de palma antes de la procesión triunfal. Profeta. Visionario. Revelador. Es un gran honor para la familia.
Prior I: Él no tiene familia.
Prior II: Quiero decir para los Walter, para la familia en sentido amplio.
Prior (cantando): Lo único que quiero es una habitación lejos del frío aire de la noche...
Prior II (poniendo la mano en la frente de Prior): Calma, calma, no tienes fiebre...
(Prior se calma, sus ojos siguen cerrados, las luces empiezan a cambiar. Música gloriosa a lo lejos.)

Ilustración de la portada del libro de Kushner, ganador del premio Pulitzer.

Índice

M

Créditos

Los editores de *Nuestro Tiempo* han puesto el máximo interés en incluir a todos los propietarios de los derechos de reproducción de las ilustraciones. No obstante, en caso de que se haya producido cualquier omisión involuntaria, se incluirá en futuras ediciones de este libro.

3M Corporation; A. Kertész © Ministère de la Culture; A & M Records; Abbeville Press; Academy of Motion Picture Arts and Sciences; © AFF/AFS Amsterdam; AFL-CIO; Al Hirschfeld/Margo Feiden Galleries; Alan Magee; Allen Ginsberg/Wylie, Aitken & Stone; Alphonse van Woerkom; American Express; American Heritage Publishing Company; American Museum of Natural History; American Superconductor Corporation, photo: T. R. Productions; Amnesty International; Anita Kunz; Ansel Adams © 1994 Publishing Rights Trust; AP/Los Angeles Police Department; AP/Wide World Photo; Architectural Association, Londres; Archiv für Kunst und Geschichte, Berlín; Archive Photos; © Arnold Eagle; Art Institute of Chicago: Edward Hopper; **Art Resource:** Bridgeman, Giraudon, Giraudon@ARS, Erich Lessing, Foto Marburg © VAGA, Lauros Giraudon, Museum of Modern Art, Roos, Scala, Schaikwijk, Spadem@ARS, Tate, © 1995 David Smith, VAGA; **Arthur Murray Dance Studios; Artists Rights Society:** Joseph Beuys © 1995 ARS, Nueva York, NY/VG Bild Kunst, Bonn; Constantin Brancusi: SPADEM, París; Alexander Calder: © 1995 ARS, Nueva York; Marcel Duchamp: SPADEM, París; Alberto Giacometti: © 1995 ARS Nueva York; Salvador Dali: © 1995 Demart Pro Arte, Ginebra; Willem de Kooning: © 1995 Willem de Kooning; Max Ernst: SPADEM/ADAGP, París; Wassily Kandinsky: SPADEM, Paris; Marie Laurencin: © 1995 ARS, Nueva York/ADAGP, París; Le Corbusier: SPADEM, París; Man Ray: The Man Ray Trust y ADAGP, París; Henri Matisse: ADAGP, Paris, © 1995 Les Heritiers Matisse, Paris; Claude Monet: SPADEM, París; Edvard Munch: BONO, Oslo; Georgia O'Keeffe: © 1995 The Georgia O' Keeffe Foundation; Pablo Picasso: SPADEM; Jackson Pollock: © 1995 The Pollock-Krasner Foundation for the Visual Arts; Mark Rothko: © 1995 Kate Rothko-Prizel y Christopher Rothko; Richard Serra, © 1995 Richard Serra; Gino Severini: SPADEM, París; Andy Warhol: © 1995 The Andy Warhol Foundation for the Visual Arts; **ASAP/Government Press Office; Associated Newspapers Group, Ltd.; Associated Press Ltd.; AT&T Archives; Australian War Memorial; Automobile Club of France; Automotive History Collection, Detroit; Barbara Gladstone Gallery, Nueva York; Barbie/Mattel Toys; Bassano & Vandyk Studios; Bettmann Archive; Bilderdienst Suddeutscher Verlag; Bill Graham Enterprises; Black Star:** Harry Benson, Charles Bonnay, Gillhausen, Charles Moore, Peter Northall, W. Eugene Smith, R. Swanson, Werner Wolff; **Boeing Commercial Airplane Group; Bonnie Shnayerson; Brigham and Women's Hospital; British Library; British Museum; Bronx Museum of the Arts; Brookhaven National Laboratoy; Brooks Brothers; Brown Brothers; Buckminster Fuller Foundation; Cahiers du Cinema; California Institute of Technology; Calmann & King Limited; Camera Press, Ltd.; Canapress Photo Service; Capitol Records; Carl Larsen © 1972 Pelican Publishing Co., Inc.; Caroline Tisdall; Cartoon - Caricature - Contor; Casterman, París; Documentation Juive; Charles B. Slackman; Charles Dana Gibson; Charles Skaggs; Chesley Bonestell/Space Art Int.; Chevrolet; Chicago Historical Society; China Quarterly; Chiquita Brands International; Cleveland Museum of Art; Clive Barda; Collection Franklin LaCava; Columbia University; Commes des Garcons; Communist Party Library; Conrail; Contact Press:** Gianfranco Gorgoni, Adriana Groisman; ©1988 Annie Liebovitz; Liu Heung Shing; **Cooper-Hewitt Design Museum, Smithsonian/Art Resource; Corning, Inc.; Courtesy Campbells; Courtesy Cartier; Courtesy Doubleday; Courtesy Gary Trudeau; Courtesy of WLS-TV/Ch.7 Chicago; Cray Computers; Culver Pictures, Inc.; Curatorial Assistance, Inc.; D.C. Comics; David King Collection; David Levine; De Brunhoff, Abrams Publishing Co.; Decca/V. Purdom & G. Di Ludovico; Departamento de inmigración, Australia; Detroit Institute of Arts, Founders Society; Diane Arbus © 1965 Robert Miller Gallery; Dick Busher; Disney Productions; Donald Cooper: Photostage; Doonesbury@1970 GB Trudeau/Universal Press Syn.; Dr. Dennis Kunkel; Dr. Seuss © 1957 Random House; Du Pont; Edgar Rice Burroughs Inc. © 1936; Edward Steichen, Vanity Fair © 1935, 1963 Conde Nast; Elizabeth Boyer; Elvis Presley Enterprises; Esto:** Peter Aaron, Scott Frances, Ezra Stoller; **Embajada de Francia; Everett Collection; Farrar, Straus y Giroux; FDR Library; Florida State Archives; Ford Motor Company; Foreign and Commonwealth Office; Foundation Le Corbusier; FPG; Frank Maresca; Frederick Warne & Company; Freud Museum; Galen Rowell/Mountain Light; Gamma/Liasion;** Anchorage Daily News; Forrest Anderson; P. Aventunier; David Barritt; Bassignac-Gaillarde; Jeremy Bigwood; Bosio; Eric Bouvet; Jim Bryant; John Chiasson; Karim Daher; Malcolm Denemark; Claudio Edinger; Edmonson/NASA; Michael Evans; Ferry; Stephen Ferry; Jean Claude Francolon; Porter Gifford; Eric Girard; Grabet; Olivier Grand; Louise Gubb; Dirk Halstead; Yvonne Hemsey; Paul Howell; Tom Keller; David Hume Kennerly; Liaison; Francois Lochon; George Merillon; Anticoli Micozzi; Mingam G/L; Roland Neveu; Scott Petersen; Presse Images; Bill Pugliano; Raymond Roig; Shock Photography; Daniel Simon; Simonel; Bill Swersey; Thomas; Eric Vandeville; Diana Walker; Zoom; **General Motors; George Eastman House; German Information Center; Gilles Abegg; Glasgow Herald & Evening Times; Globe Photos; Good Housekeeping Magazine; Granger Collection; Hagley Museum; Hale Observatories; Harcourt, Brace Jovanovich; Harley Davidson, Inc.; Hasbro, Inc.; Hebrew University of Jerusalem; Helene Jeanbrau; Herman Miller © Eannes; Hogan Jazz Archive, Tulane University; Horst; Hubert Josse; Hulton Deutsch; IBM; ICM Artists, Ltd.; Illustrated London News; Image Select/Nick Birch; Impact Visuals; Imperial War Museum; INTEL; Interfoto; International Speedway Corp.; J. Paul Getty Museum; Jack Gescheidt; JB Pictures; Jean Paul Filo; Jeff Koons; Jimmy Carter Library; Joe McTyre; John Vickers/University of Bristol; Johnson and Johnson; Ken Regan/Camera 5; Kentucky Fried Chicken Archives; Kharbine-Tapabor; Kimberly Clarke; Kobal Collection; Kraft Foods; Ladies Home Journal; Landslides/Alex S. MacLean; Laurie Platt Winfrey, Inc.; Lear Jet; Lennart Nilsson; Leo Castelli Gallery © ARS; LGI; Library of Congress/Holocaust Museum; Library of Congress; LIFE Magazine © Time Inc.:** Margaret Bourke-White; Loomis Dean; John Dominis; Alfred Eisenstaedt; Eliot Elisofon; Bill Eppridge; J. R. Eyerman; Andreas Feininger; Johnny Florea; Bernard Hoffman; Hugo Jaeger; Dmitri Kessel; Wallace Kirkland; Anthony Linck; Thomas McAvoy; Vernon Merritt; Gjon Mili; Ralph Morse; Carl Mydans; Hy Peskin; Bob Petersen; John Phillips; Art Riekerby; Michael Rougier; Arthur Schatz; Frank Scherschel; Paul Schutzer; John Shearer; Howard Sochurek; Terence Spencer; Peter Stackpole; George Stroch; Greg Villet; Hank Walker; Baron Wolman; **Magnum Photos, Inc.:** Abbas, Bob Adelman; Alecio de Andrade; Eve Arnold; Bruno Barbey; Ian Berry; Rio Branco; Rene Burri; Cornell Capa; Robert Capa; Henri Cartier-Bresson; Bruce Davidson; de Andrede; Raymond Depardon; Elliot Erwitt; Misha Erwitt; Martine Franck; Stuart Franklin; Leonard Freed; Paul Fusco; Jean Gaumy; Burt Glinn; Lee Goff; Philip Jones Griffiths; H. Gruyaert; Rich Hartmann; Bob Henriques; Thomas Hoepker; Ivleva; Richard Kalvar; Hiroji Kobota; Joserf Koudelka; Elliot Landy; Sergio Larrain; Erich Lessing; Guy Le Querrec; Danny Lyon; Costa Manos; Peter Marlow; Fred Mayer; Steve McCurry; Gideon Medel; Susan Meiselas; Rick Merron; Wayne Miller; Inge Morath; Don McCullin; Jim Nachtwey; Michael Nichols; Naul A. Ojeda; Gilles Peres; Chris Steele Perkins; Photo MCP; Nitin Rai; Raghu Rai; Seymon Raskin; Eli Reed; Marc Riboud; Eugene Richards; George Rodger; Sebastio Salgado; Scianna; T. Sennett; Marilyn Silverstone; Dennis Stock; A. Venzago; Alex Webb; Zachman; **Mall of America; Marineschule Oluvwik; Maria Kittler; Martha Swope; Martin Breese/Retrograph Archive; Mary Boone Gallery; Mary Evans Picture Library; Maurice Sendak © 1963 Harper Collins; Mayibue Center; McCall's Magazine; Metropolitan Museum of Art © 1995 The Georgia O'Keeffe Foundation/ARS; MGM/United Artists; MGM; Michael Barson; Michael Ochs Archives; Mick Ellison/D.V.P./American Museum of Natural History; Miguel Fairbanks; Miles, Inc.; Milton Glaser, Vanity Fair**

© 1983 Conde Nast; Mirror Syndication International; MIT Museum; MIT News Office; MOMA Film Stills Archive; Mosfilm International; Ms. Magazine; MTV Networks; Munch Museum; Municipal Archives of the City of New York; Munson Williams Proctor Institute; Museo Aereonautico, Trento/H. Serra; Museum of Fine Arts, Boston/Tompkins Collection; Museum of Modern Art, Nueva York/© VAGA; Museum of the City of New York; Museum Sztukdi, Lodz; NASA; National Air and Space Museum; National Archives; National Baseball Hall of Fame; National Foundation March of Dimes; National Gallery of Art; National General Pictures; National Geographic Society; National Library of Medicine; National Museum of American History; National Museum of Racing; National Museum of Women in the Arts; National Organization for Women; National Park Service; National Portrait Gallery, Londres; National Portrait Gallery; NBC; NEB Cartoon Study Centre, University of Kent, Solo Syndication; Neil Leifer; Nevada Historical Society; New China News Agency, Londres; New Jersey Historical Society; New York Newsday; New York Public Library/Performing Arts; New York Public Library; New-York Historical Society; Newark Museum; Newsweek Inc., © 1974; Nike; NY Academy of Medicine Library; NYC Parks Photo Archive/© 1995 George Segal/VAGA; Outline; Pace Wildenstein Gallery; Panama Canal Company; Parker Brothers; Pat Oliphant/Susan Conway Gallery; Patrick McMullan; Paul Davis; Paul Szep, The Boston Globe; Peace Corps; Penguin Books; Peter Max; Peter Menzel; Peter Sis; Philip Lief Group; Photo Edit/Bruce Zuckerman; Photo: F. Brandani - T. De Tullio; Photo Researchers: Benelux; Dale Boyer; Brian Brake; John Bryson; Camera Pix; Explorer; David Frazier; A. Louis Goldman; Spencer Grant; Farrell Grehan; B. Hemphill; George Holton; Dana Hyde; T. Leeson; Bill Longacre; Peter B. Kaplan; Patrick Lynch; Tom McHugh; W&D McIntyre; Joe Monroe; Hank Morgan; William Mullins; Stan Pantovic; D. Parker; Rapho Agence; Gary Retherford; Science Source; SPL; Don Carl Steffen; Gianni Tortoli; Van Bucher; Jeanne White; Henry Young; **Photofest; Photosport International; © Playbill; Playboy Enterprises; Popperfoto; Porsche; Posters, Please; Press Association; Private Collection; Pro Golf Association; Procter & Gamble; Punch; Putnam Publishing Group; R. G. Smith; Rainbow/© 1985 Art Matrix; Rea Irvin © 1925, 1953 The New Yorker; Retna Ltd. NYC; Rex Photos; Rich Clarkson © 1979 Sports Illustrated; Richard Avedon; Robert Burger; Robert Doisneau/Rapho; Robert E. Mates, Guggenheim Foundation; Robert Hunt Library; Robert Lorenz; Robert Miller Gallery/© VAGA; Robert Tesoro; Rockefeller University; Roger Viollet; Rolling Stone, revista; Rolls Royce; Rotary Club International; Scavullo, Vogue © 1974 Conde Nast; Science Museum, Londres; Scientific American, Inc. © 1993; Sears Roebuck; Self Portrait, 1988 © Mapplethorpe Estate; Shell Int. Petroleum Co.; Sigrid Estrada; Simon Brown; Sipa Press; Sir David Low, Cartoon Study Centre, University of Kent, Solo Syndication; Smith College/Sophia Smith Coll.; Smithsonian Institution; Sony Music; Southern Illinois University; Sovfoto; State Museum Kröller-Müller, Holanda; Sunkist; Swedish Information Service; Sygma; Syndication International; Texas Instruments; The Express; The Gideons; The Huntington Library; The Workout, Inc. © 1983 Simon & Schuster; Theodore Roosevelt Association; Time Inc. © 1980; Time Magazine/David Hume Kennerly; Tony Auth, Philadelphia Inquirer; Topham Picture Library; Tropicana; Turner Entertainment Co.; TV Guide Magazine © 1956; Twentieth Century Fox; Underwood Archives; Unesco; United Media, Peanuts © UFS Inc.; United Nations; Universal Press Syndicate, Garfield © Paws, Inc.; University of Hartford; University of Michigan Library; University of Texas, Harry Ransom Research; Center; University of Texas; University of Virginia; University of Wyoming, American Heritage Center; US Air Force; US Army; US Patent Office; US Signal Corps; USA Today; USIA; US Marine Corps; Vanity Fair © 1920, 1948 Conde Nast; Venturi, Scott Brown and Associates; Victoria and Albert Museum; Viesti Associates; Vint Lawrence; Visual Arts and Galleries Association, Inc.:** Licencia de VAGA, Nueva York; Louis Bourgeois: © 1995 Louise Bourgeois; George Grosz; © 1995 Estate of George Grosz; Erich Heckel: © 1995 Erich Heckel; Jasper Johns: © 1995 Jasper Johns; George Segal: © 1995 George Segal; Ben Shahn © 1995 Estate of Ben Shahn; David Smith: © 1995 Estate of David Smith; Grant Wood: © 1995 Estate of Grant Wood; **Volkswagen of America; Volvo; Warhol Foundation Courtesy, The Menil Collection Houston; Warner Bros © 1977; Warner Lambert; Weight Watchers International; West Point Museum; Wham-O Sports Promotion; Whitney Museum of American Art; Wiener Library Ltd.; Will Rogers Memorial Commission; Will Shortz; William Doyle Galleries; William H. Mauldin; William Tague; William Wrigley Jr. Company; Winnie Klotz; WOMAD; Woodfin Camp & Associates:** Marc y Eveline Bernheim; Dan Budnik; Geoffrey Clifford; Winston Conrad; Zöe Dominic; Larry Downing; Editorial Ailantida; John Ficara; Graham Finlayson; Kevin Fleming; Focus Argus Schwarzbach; Robert Frerck; Bernard Gotfryd; Benoit Gysternbergh; A. Hussein; Yousuf Karsh; Jason Laure; Paula Lerner, Jeff Lowenthal; John Marmaras; Robert McElroy; Wally McNamee; Chuck O'Rear; Hans Paul; Bill Pierce; Olivier Rebbot; M. Seitelman; David Sheffield; Enrique Shore; Al Stephenson; Homer Sykes; Penny Tweedie; James Wilson; C. Zlotnik.

Ilustraciones

Milton Glaser, Laurie Grace, Nigel Holmes, Mirko Ilic, Rich Keeler, Sharon Schanzer; Josh Simons; Nancy Stamatopolus, Jim Sullivan Design, Howard Sun.